Unregelmäßige Verbformen an alphabetischer Stelle.	**went** [went] *pret. von* **go**. **gone** [gɒn] **I** *p.p. von* **go** …
Bei unregelmäßigen Steigerungsformen Hinweis auf die Grundform.	**bet·ter**[1] ['betə] **I** *comp. von* **good** *adj.* … **III** *comp. von* **well** *adv.* … **best** [best] **I** *sup. von* **good** *adj.* … **II** *sup. von* **well** *adv.* …
Kennzeichnung des Lebens-, Arbeits- und Fachbereiches durch Symbole und Abkürzungen.	**fuse** [fju:z] **I** *s.* … **2.** ⚡ (Schmelz)Sicherung *f* … … '**learn·er** [-nə] *s.* **1.** Anfänger(in); **2.** (*a. mot.* Fahr)Schüler(in) …
Kennzeichnung der Stilebene durch Abkürzungen und einfache Anführungszeichen.	**cock·y** ['kɒkɪ] *adj.* Ⓕ großspurig, anmaßend. **loon·y** ['lu:nɪ] *sl.* **I** *adj.* ‚bekloppt' … **~ bin** *s. sl.* ‚Klapsmühle' *f.*
Kennzeichnung des britischen und amerikanischen Sprachgebrauchs bzw. der amerikanischen Schreibung.	… '**pave·ment** [-mənt] *s.* **1.** (Straßen-) Pflaster *n*; **2.** *Brit.* Bürgersteig *m* … '**side**| … '**~·walk** *s. bsd. Am.* Bürgersteig *m* … **cen·ter** *etc. Am.* → **centre** *etc.*
Erläuterungen zur Übersetzung.	**leap** [li:p] … **2.** … c) *a.* **~ up** (auf)lodern (*Flammen*); d) *a.* **~ up** hochschnellen (*Preise etc.*) …
Objektangabe zum Verb.	**leap** [li:p] … **II** *v/t.* … **4.** *Pferd etc.* springen lassen …
Präpositionen und ihre deutschen Entsprechungen (mit Rektionsangabe).	**lean**[2] [li:n] … **4.** lehnen (**against** gegen, an *acc.*), (auf)stützen (**on**, **upon** auf *acc.*) …
Anwendungsbeispiele und idiomatische Ausdrücke in Auszeichnungsschrift.	**heart** [hɑ:t] *s.* … **3.** Herz *n*, (*das*) Innere, Kern *m*, Mitte *f*: **in the ~ of** inmitten (*gen.*) … **~ and soul** mit Leib u. Seele …

Mehr über den Umgang mit diesem Wörterbuch auf den Seiten 7–19.
Die in diesem Wörterbuch verwandten Abkürzungen finden Sie am Ende des Buchs und auf der Innenseite des Buchdeckels.

A B C D E F G H I J K L M N O P Q R S T U V W X Z

Langenscheidts Großes Schulwörterbuch Englisch-Deutsch

Neubearbeitung 1996

Herausgegeben von der
Langenscheidt-Redaktion

LANGENSCHEIDT
BERLIN · MÜNCHEN · WIEN · ZÜRICH · NEW YORK

„Langenscheidts Großes Schulwörterbuch Englisch-Deutsch", Neubearbeitung 1996, ist inhaltsgleich mit „Langenscheidts Handwörterbuch Englisch-Deutsch", Neubearbeitung 1996.

Die Nennung von Waren erfolgt in diesem Werk, wie in Nachschlagewerken üblich, ohne Erwähnung etwa bestehender Patente, Gebrauchsmuster oder Warenzeichen. Das Fehlen eines solchen Hinweises begründet also nicht die Annahme, eine Ware sei frei.

Ergänzende Hinweise, für die wir jederzeit dankbar sind, bitten wir zu richten an:
Langenscheidt-Verlag, Postfach 40 11 20, 80711 München

Auflage:	*6.*	*5.*	*4.*	*3.*	*2.*	*Letzte Zahlen*
Jahr:	*2000*	*1999*	*98*	*97*	*96*	*maßgeblich*

Druck: Graph. Betriebe Langenscheidt, Berchtesgaden/Obb.
Printed in Germany · ISBN 3-468-07124-8

Vorwort

Langenscheidt-Wörterbücher, seien es Neuentwicklungen oder Neubearbeitungen, sind unverwechselbar. Hinter ihnen steht eine lange Tradition, die vor allem geprägt ist von der sprachlichen und lexikographischen Kompetenz erfahrener und qualifizierter Wörterbuchredakteure. So sind Lexikographenteams in den verschiedenen Sprachenredaktionen des Langenscheidt-Verlags stets bemüht, bei der Entwicklung oder Neubearbeitung von Wörterbüchern den Wünschen und Bedürfnissen der Wörterbuchbenutzer Rechnung zu tragen und dabei gleichermaßen die Forderungen moderner Lexikographie zu erfüllen sowie die sich immer rascher vollziehende Entwicklung der Sprachen, insbesondere der englischen, zu berücksichtigen.
Diese Zielsetzung galt auch für die vorliegende Neubearbeitung des Standardwerkes „Langenscheidts Großes Schulwörterbuch Englisch-Deutsch", deren wichtigste Merkmale hier kurz umrissen seien:

Aktualität

Es versteht sich von selbst, daß bei dieser Neubearbeitung viele neue Wörter aufgenommen wurden, die den augenblicklichen Stand der Sprache widerspiegeln. Dabei wurde Wert darauf gelegt, ein breites Spektrum der Allgemeinsprache zu bieten. Diese Auswahl reicht daher von Ausdrücken der Vulgärsprache wie *narco, rozzer, party popper, bollocking* und *bouk* über umgangssprachliche Wörter wie *crummy, foodie, wimp*, über griffige allgemeinsprachliche Ausdrücke wie *kinkies, yuppie, rumpie* oder *woopie* bis zur gehobenen Schriftsprache mit Ausdrücken wie *synergetic effect* und *tokenism*.

Fachwortschatz

Die Vielgestaltigkeit des neuen Wortschatzes zeigt sich auch beim Fachwortschatz. Hier haben wir uns besonders auf die folgenden Fachbereiche konzentriert: Computeranwendung und -technik, z.B. *add-on board, fan-fold paper, number-crunching, teleworker, user prompting*, Gesellschaft und Politik, z.B. *baby boomer generation, bugging affair, come out, sleaze, sexual harassment*, Wirtschaft, z.B. *cornered market, customize, economic migrant, set-aside, up-market*, Technik, z.B. *anti-block braking system, lean-burn engine, mobile phone, stealth bomber*, Umwelt, z.B. *biodegradism, biofuel, greenhouse effect, global warming, waste separation*.

Kontext

Wörter werden nicht isoliert, sondern jeweils in ihrem typischen sprachlichen Zusammenhang verwendet. Damit in jedem Falle die richtige Übersetzung der verschiedenen Bedeutungen eines Wortes gewährleistet ist, enthält dieses Wörterbuch eine Vielzahl von Beispielsätzen und charakteristischen Verbindungen eines Wortes (z. B. *full house, pitch-dark, hard work, talk big, freak of nature, peace of mind* usw.) oder Redewendungen (z. B. *keep one's shirt on, see which way the cat jumps, be in a blue funk*).

Erläuterungen in Deutsch
In dem vorliegenden, speziell für die deutschsprachigen Länder konzipierten „Großen Schulwörterbuch" werden die Erläuterungen, Zusatzinformationen und Bedeutungsdifferenzierungen in deutscher Sprache gegeben. Der Zugriff auf die Übersetzung wird dadurch für den Deutschsprechenden beträchtlich erleichtert.

Lautschrift und Silbentrennung
Durchweg findet die dem Lernenden heute vertraute Internationale Lautschrift (*English Pronouncing Dictionary*, 14. Auflage) Verwendung. Die Angabe der Silbentrennungsmöglichkeiten in den englischen Stichwörtern wurde – da oft sehr hilfreich – beibehalten.

Great dictionaries don't change – they mature! Wir hoffen, daß dies auch auf die vorliegende Neubearbeitung zutrifft: benutzerfreundliche Neuerungen und Modernität unter Beibehaltung der bewährten Grundstruktur.

LANGENSCHEIDT

Inhaltsverzeichnis

Hinweise für die Benutzung des Wörterbuchs

Keine Angst vor unbekannten Wörtern!

Das Wörterbuch tut alles, um Ihnen das Nachschlagen und Kennenlernen eines gesuchten Wortes so leicht wie möglich zu machen. Legen Sie diese Einführung daher bitte nicht gleich zur Seite. Folgen Sie uns Schritt für Schritt. Wir versprechen Ihnen, daß Sie mit uns am Ende sagen werden "It isn't as bad as all that, is it?"

Und damit Sie in Zukunft von Ihrem Wörterbuch den besten Gebrauch machen können, wollen wir Ihnen zeigen, wie und wo Sie all die Informationen finden können, die Sie für Ihre Übersetzungen in der Schule und privat, im Beruf, in Briefen oder zum Sprechen brauchen.

Wie und wo finden Sie ein Wort?

Sie suchen ein bestimmtes Wort. Und wir sagen Ihnen erst einmal, daß das Wörterbuch in die Buchstaben von A–Z unterteilt ist. Auch innerhalb der einzelnen Buchstaben sind die Wörter **alphabetisch geordnet:**

hay – haze
se·cre·tar·**i**·al – sec·re·tar·**y**

Neben den Stichwörtern mit ihren Ableitungen und Zusammensetzungen finden Sie an ihrem alphabetischen Platz auch noch

a) die unregelmäßigen Formen des Komparativs und Superlativs,
b) die verschiedenen Formen der Pronomina,
c) die Stammformen (Infinitiv, Präteritum, Partizip Perfekt) der unregelmäßigen Verben.

Eigennamen und Abkürzungen haben wir für Sie am Schluß des Buches – ebenfalls alphabetisch geordnet – in einem besonderen Verzeichnis zusammengestellt.

Wenn Sie nun ein bestimmtes englisches Wort suchen, wo fangen Sie damit an? – Sehen Sie sich einmal die fettgedruckten Wörter über den Spalten in den oberen äußeren Ecken auf jeder Seite an. Das sind die sogenannten **Leitwörter**, an denen Sie sich orientieren können. Diese Leitwörter geben Ihnen jeweils (links) das ***erste*** fettgedruckte Stichwort auf der linken Seite des Wörterbuches an bzw. (rechts) das ***letzte*** fettgedruckte Stichwort auf der rechten Seite, z. B.

backhand – bag

Wollen Sie nun ein Wort wie ***badly*** suchen, so muß es in unserem Beispiel im Alphabet zwischen ***backhand*** und ***bag*** liegen. Suchen Sie jetzt z. B. das Wort ***effort***. Blättern Sie dazu schnell das Wörterbuch durch, und achten Sie dabei auf die linken und rechten Leitwörter. Welches Leitwort steht Ihrem gesuchten Wort ***effort*** wohl am nächsten? Dort schlagen Sie das Wörterbuch auf (in diesem Fall zwischen ***edition*** und ***ego***). Vielleicht müssen Sie auch noch einige Male vor- oder zurückblättern. Sie werden so aber sehr bald die gewünschte Spalte mit *Ihrem Stichwort* finden.

Wie ist das aber nun, wenn Sie auch einmal ein Stichwort nachschlagen wollen, das aus zwei einzelnen Wörtern besteht? Nehmen Sie z. B. ***evening classes*** oder einen Begriff, bei dem die Wörter mit einem Bindestrich (hyphen) miteinander verbunden sind, wie in ***baby-sit(ter)***. Diese Wörter werden wie ein einziges Wort behandelt und dementsprechend alphabetisch eingeordnet. Sollten Sie einmal ein solches zusammengesetztes Wort nicht finden, so zerlegen Sie es einfach in seine Einzelbestandteile und schlagen dann bei diesen an ihren alphabetischen Stellen nach. Sie werden sehen, daß Sie sich auf diese Weise viele Wörter selbst erschließen können.

Beim Nachschlagen werden Sie auch merken, daß viele sogenannte „Wortfamilien" entstanden sind. Das sind Stichwortartikel, die von einem gemeinsamen Stamm oder Grundwort ausgehen und deshalb – aus Gründen der Platzersparnis – in einem Artikel zusammengefaßt sind:

de·pend – **de·pend·a·bil·i·ty** – **de·pend·a·ble** – **de·pend·ance** etc.
hair – **'~·breadth** – **'~·brush** – **~ clip·pers** – **'~·cloth** etc.

Wie schreiben Sie ein Wort?

Sie können in Ihrem Wörterbuch wie in einem Rechtschreibwörterbuch nachschlagen, wenn Sie wissen wollen, wie ein Wort richtig geschrieben wird. Sind die **britische** und die **amerikanische Schreibung** eines Stichwortes verschieden, so wird von der amerikanischen Form auf die britische verwiesen:

a·ne·mi·a, **a·ne·mic** *Am.* → ***anaemia, anaemic***
cen·ter *etc. Am.* → ***centre*** *etc.*
col·or *etc. Am.* → ***colour*** *etc.*

Ein eingeklammertes u oder l in einem Stichwort oder Anwendungsbeispiel kennzeichnet ebenfalls den Unterschied zwischen britischer und amerikanischer Schreibung:

col·o(u)red bedeutet: britisch ***coloured***, amerikanisch ***colored***; **trav·el·(l)er** bedeutet: britisch ***traveller***, amerikanisch ***traveler***.

In seltenen Fällen bedeutet ein eingeklammerter Buchstabe aber auch ganz allgemein zwei Schreibweisen für ein und dasselbe Wort: **lan·o·lin(e)** wird entweder ***lanolin*** oder ***lanoline*** geschrieben.

Für die Abweichungen in der Schreibung geben wir Ihnen für das amerikanische Englisch ein paar einfache Regeln:

Die amerikanische Rechtschreibung

weicht von der britischen hauptsächlich in folgenden Punkten ab:

1. Für **...our** tritt **...or** ein, z. B. hon*or* = honour, lab*or* = labour.
2. **...re** wird zu **...er**, z. B. cent*er* = centre, theat*er* = theatre, meag*er* = meagre; ausgenommen sind og*re* und die Wörter auf ...cre, z. B. massa*cre*, a*cre*.
3. Statt **...ce** steht **...se**, z. B. defen*se* = defence, licen*se* = licence.
4. Bei den meisten Ableitungen der Verben auf **...l** und einigen wenigen auf **...p** unterbleibt die Verdoppelung des Endkonsonanten, also travel – trave*l*ed – trave*l*ing – trave*l*er, worship – worshi*p*ed – worshi*p*ing – worshi*p*er. Auch in einigen anderen Wörtern wird der Doppelkonsonant durch einen einfachen ersetzt, z. B. woo*l*en = woollen, carbure*t*or = carburettor.
5. Ein stummes **e** wird in gewissen Fällen weggelassen, z. B. abrid*gm*ent = abridg*e*ment, acknowled*gm*ent = acknowledg*e*ment, jud*gm*ent = judg*e*ment, ax = ax*e*, goodby = goodby*e*.
6. Bei einigen Wörtern mit der Vorsilbe **en...** gibt es auch noch die Schreibung **in...**, z. B. *in*close = enclose, *in*snare = ensnare.
7. Der Schreibung **ae** und **oe** wird oft diejenige mit **e** vorgezogen, z. B. an*e*mia = anaemia, diarrh*e*a = diarrhoea.
8. Aus dem Französischen stammende stumme Endsilben werden meist weggelassen, z. B. catalog = catalog*ue*, program = program*me*, prolog = prolog*ue*.
9. Einzelfälle sind: st*a*nch = staunch, m*o*ld = mould, m*o*lt = moult, gr*a*y = grey, pl*ow* = plough, ski*ll*ful = skilful, t*i*re = tyre.

Wie trennen Sie ein Wort?

Die Silbentrennung im Englischen ist für uns Deutsche ein heikles Kapitel. Aus diesem Grunde haben wir Ihnen die Sache erleichtert und geben Ihnen für jedes englische Wort die Aufteilung in Silben an. Bei mehrsilbigen Stichwörtern müssen Sie nur darauf achten, wo zwischen den Silben ein halbhoher Punkt oder ein Betonungsakzent steht, z. B. **ex·pect**, **ex'pect·ance**. Bei Wortbildungselementen, wie z. B. **electro-**, entfällt die Angabe der Silbentrennung, weil diese sich je nach der weiteren Zusammensetzung ändern kann.

Die Silbentrennungspunkte haben für Sie den Sinn, zu zeigen, an welcher Stelle im Wort Sie am Zeilenende trennen können. Sie sollten es aber vermeiden, nur einen Buchstaben abzutrennen, wie z. B. in **a·mend** oder **cit·y**. Hier nehmen Sie besser das ganze Wort auf die neue Zeile.

Was bedeuten die verschiedenen Schriftarten?

Sie finden **fettgedruckt** alle englischen Stichwörter, alle römischen Ziffern zur Unterscheidung der Wortarten (Substantiv, transitives und intransitives Verb, Adjektiv, Adverb etc.) und alle arabischen Ziffern zur Unterscheidung der einzelnen Bedeutungen eines Wortes:

feed ... **I** *v/t.* [*irr.*] **1.** Nahrung zuführen (*dat.*) ...; **II** *v/i.* [*irr.*] **10.** a) fressen (*Tier*) ...; **III** *s.* **12.** Fütterung *f* ...

Sie finden *kursiv*

a) alle Grammatik- und Sachgebietsabkürzungen: *s.*, *v/t.*, *v/i.*, *adj.*, *adv.*, *hist.*, *pol.* etc.;

b) alle Genusangaben (Angaben des Geschlechtswortes): *m*, *f*, *n*;

c) alle Zusätze, die entweder als Dativ- oder Akkusativobjekt der Übersetzung vorangehen oder ihr als erläuternder Hinweis vor- oder nachgestellt sind:

e·lect ... **1.** *j-n in ein Amt* wählen ...
cut ... **19.** ... *Baum* fällen ...
byte ... *Computer*: Byte *n*
bike ... ‚Maschine' *f* (*Motorrad*) ...

d) alle Erläuterungen bei Wörtern, die keine genaue deutsche Entsprechung haben:

cor·o·ner ... ⚖ Coroner *m* (*richterlicher Beamter zur Untersuchung der Todesursache in Fällen unnatürlichen Todes*) ...

Sie finden in ***halbfetter kursiver Auszeichnungsschrift*** alle Wendungen und Hinweise zur Konstruktion mit Präpositionen:

gain ... ***~ experience*** ...
de·pend ... ***it ~s on you*** ...
de·part ... **1.** (***for*** nach) weg-, fortgehen ...
glance ... **6.** flüchtiger Blick (***at*** auf *acc.*) ...

Sie finden in normaler Schrift
a) alle Übersetzungen;
b) alle kleinen Buchstaben zur weiteren Bedeutungsdifferenzierung eines Wortes oder einer Wendung:

Goth·ic ... **4.** ... a) ba'rock, ro'mantisch, b) Schauer...
give in ... **2.** (*to dat.*) a) nachgeben (*dat.*), b) sich anschließen (*dat.*) ...

Wie sprechen Sie ein Wort aus?

Nehmen wir an, Sie haben nach einigem Hin- und Herblättern das von Ihnen gesuchte Stichwort mit Hilfe der Leitwörter gefunden. Plötzlich stehen Sie vor einem neuen Hindernis – der eckigen Ausspracheklammer. Kein Grund zu verzweifeln!

Die Lautschrift beschreibt nur, wie Sie ein Wort aussprechen sollen. So ist das „th" in ***thin*** ein ganz anderer Laut als das „th" in ***these***. Da die normale Schrift für solche Unterschiede keine Hilfe bietet, ist es nötig, diese Laute mit anderen Zeichen zu beschreiben. Damit *jeder* genau weiß, welches Zeichen welchem Laut entspricht, hat man sich international auf eine Lautschrift geeinigt. Da die Zeichen von der **I**nternational **P**honetic **A**ssociation als verbindlich angesehen werden, nennt man sie auch **IPA-Lautschrift**.

Wenn Sie sich also vorher mit der (zugegeben) „trockenen" Materie der Lautschriftzeichen etwas beschäftigt haben und sich dabei die Zeichen einigermaßen eingeprägt haben, so rufen Sie sie jetzt aus Ihrem Gedächtnis ab, und Sie werden sehen: im Nu haben Sie die Nuß – sprich Lautschriftklammer – geknackt!

Hier sind nun die so vielgeschmähten Zeichen, ohne die Sie aber leider bei unbekannten englischen Wörtern nicht auskommen werden.

Die englischen Laute in der Internationalen Lautschrift

[ʌ]	much [mʌtʃ], come [kʌm]	kurzes *a* wie in *Matsch*, *Kamm*
[ɑː]	after ['ɑːftə], park [pɑːk]	langes *a*, etwa wie in *Bahn*
[æ]	flat [flæt], madam ['mædəm]	mehr zum *a* hin als *ä* in *Wäsche*
[ə]	after ['ɑːftə], arrival [ə'raɪvl]	wie das End-*e* in *Berge*, *mache*, *bitte*
[e]	let [let], men [men]	*ä* wie in *hätte*, *Mäntel*
[ɜː]	first [fɜːst], learn [lɜːn]	etwa wie *ir* in *flirten*, aber offener
[ɪ]	in [ɪn], city ['sɪtɪ]	kurzes *i* wie in *Mitte*, *billig*
[iː]	see [siː], evening ['iːvnɪŋ]	langes *i* wie in *nie*, *lieben*

[ɒ]	shop [ʃɒp], job [dʒɒb]	wie *o* in *Gott*, aber offener
[ɔː]	morning ['mɔːnɪŋ], course [kɔːs]	wie in *Lord*, aber ohne *r*
[ʊ]	good [gʊd], look [lʊk]	kurzes *u* wie in *Mutter*
[uː]	too [tuː], shoot [ʃuːt]	langes *u* wie in *Schuh*, aber offener
[aɪ]	my [maɪ], night [naɪt]	etwa wie in *Mai*, *Neid*
[aʊ]	now [naʊ], about [ə'baʊt]	etwa wie in *blau*, *Couch*
[əʊ]	home [həʊm], know [nəʊ]	von [ə] zu [ʊ] gleiten
[eə]	air [eə], square [skweə]	wie *är* in *Bär*, aber kein *r* sprechen
[eɪ]	eight [eɪt], stay [steɪ]	klingt wie *äi*
[ɪə]	near [nɪə], here [hɪə]	von [ɪ] zu [ə] gleiten
[ɔɪ]	join [dʒɔɪn], choice [tʃɔɪs]	etwa wie *eu* in *neu*
[ʊə]	sure [ʃʊə], tour [tʊə]	wie *ur* in *Kur*, aber kein *r* sprechen
[j]	yes [jes], tube [tjuːb]	wie *j* in *jetzt*
[w]	way [weɪ], one [wʌn], quick [kwɪk]	sehr kurzes *u* – kein deutsches *w*!
[ŋ]	thing [θɪŋ], English ['ɪŋglɪʃ]	wie *ng* in *Ding*
[r]	room [ruːm], hurry ['hʌrɪ]	nicht rollen!
[s]	see [siː], famous ['feɪməs]	stimmloses *s* wie in *lassen*, *Liste*
[z]	zero ['zɪərəʊ], is [ɪz], runs [rʌnz]	stimmhaftes *s* wie in *lesen*, *Linsen*
[ʃ]	shop [ʃɒp], fish [fɪʃ]	wie *sch* in *Scholle*, *Fisch*
[tʃ]	cheap [tʃiːp], much [mʌtʃ]	wie *tsch* in *tschüs*, *Matsch*
[ʒ]	television ['telɪvɪʒn]	stimmhaftes *sch* wie in *Genie*, *Etage*
[dʒ]	just [dʒʌst], bridge [brɪdʒ]	wie in *Job*, *Gin*
[θ]	thanks [θæŋks], both [bəʊθ]	wie *ß* in *Faß*, aber gelispelt
[ð]	that [ðæt], with [wɪð]	wie *s* in *Sense*, aber gelispelt
[v]	very ['verɪ], over ['əʊvə]	etwa wie deutsches *w*, aber Oberzähne auf Oberkante der Unterlippe
[x]	loch [lɒx]	wie *ch* in *ach*

[ː] bedeutet, daß der vorhergehende Vokal lang zu sprechen ist.

Lautsymbole der nichtanglisierten Stichwörter

In nichtanglisierten Stichwörtern, d.h. in Fremdwörtern, die noch nicht als eingebürgert empfunden werden, werden gelegentlich einige Lautsymbole der französischen Sprache verwandt, um die nichtenglische Lautung zu kennzeichnen. Die nachstehende Liste gibt einen Überblick über diese Symbole:

[ɑ̃] ein nasaliertes, offenes a wie im französischen Wort *enfant*.
[ɛ̃] ein nasaliertes, offenes ä wie im französischen Wort *fin*.
[ɔ̃] ein nasaliertes, offenes o wie im französischen Wort *bonbon*.
[œ] ein offener ö-Laut wie im französischen Wort *jeune*.
[ø] ein geschlossener ö-Laut wie im französischen Wort *feu*.
[y] ein kurzes ü wie im französischen Wort *vu*.
[ɥ] ein kurzer Reibelaut, Zungenstellung wie beim deutschen ü („gleitendes ü"). Wie im französischen Wort *muet*.
[ɲ] ein j-haltiges n, noch zarter als in *Champagner*. Wie im französischen Wort *Allemagne*.

Kursive phonetische Zeichen

Ein kursives phonetisches Zeichen bedeutet, daß der Buchstabe gesprochen oder nicht gesprochen werden kann. Beide Aussprachen sind dann im Englischen gleich häufig. Z.B. das kursive *ʊ* in der Umschrift von molest [mə*ʊ*ˈlest] bedeutet, daß die Aussprache des Wortes mit [ə] oder mit [əʊ] etwa gleich häufig ist.

Die **Betonung** der englischen Wörter wird durch das Zeichen ˈ für den Hauptakzent bzw. ˌ für den Nebenakzent vor der zu betonenden Silbe angegeben:

on·ion [ˈʌnjən] – **dis·loy·al** [ˌdɪsˈlɔɪəl]

Bei den zusammengesetzten Stichwörtern ohne Lautschriftangabe wird der Betonungsakzent im zusammengesetzten Stichwort selbst gegeben, z.B. **ˌupˈstairs**. Die Betonung erfolgt auch dann im Stichwort, wenn nur ein Teil der Lautschrift gegeben wird, z.B. **adˈmin·is·tra·tor** [-treɪtə], **ˈripˌsnort·er** [-snɔːtə].

Bei einem Stichwort, das aus zwei oder mehreren einzelnen Wörtern besteht, können Sie die Aussprache bei dem jeweiligen Einzelwort nachschlagen, z.B. **school leav·ing cer·tif·i·cate**.

Einige Worte noch zur amerikanischen Aussprache:
Amerikaner sprechen viele Wörter anders aus als die Briten. In diesem Wörterbuch geben wir Ihnen aber meistens nur die britische Aussprache, wie Sie sie auch in Ihren Lehrbüchern finden. Ein paar Regeln für die Abweichungen in der amerikanischen Aussprache wollen wir Ihnen hier aber doch geben.

Die amerikanische Aussprache

weicht hauptsächlich in folgenden Punkten von der britischen ab:

1. ɑː wird zu (gedehntem) æ(ː) in Wörtern wie *ask* [æ(ː)sk = ɑːsk], *castle* ['kæ(ː)sl = 'kɑːsl], *grass* [græ(ː)s = grɑːs], *past* [pæ(ː)st = pɑːst] etc.; ebenso in *branch* [bræ(ː)ntʃ = brɑːntʃ], *can't* [kæ(ː)nt = kɑːnt], *dance* [dæ(ː)ns = dɑːns] etc.
2. ɒ wird zu ɑ in Wörtern wie *common* ['kɑmən = 'kɒmən], *not* [nɑt = nɒt], *on* [ɑn = ɒn], *rock* [rɑk = rɒk], *bond* [bɑnd = bɒnd] und vielen anderen.
3. juː wird zu uː, z. B. *due* [duː = djuː], *duke* [duːk = djuːk], *new* [nuː = njuː].
4. r zwischen vorhergehendem Vokal und folgendem Konsonanten wird stimmhaft gesprochen, indem die Zungenspitze gegen den harten Gaumen zurückgezogen wird, z. B. *clerk* [klɜːrk = klɑːk], *hard* [hɑːrd = hɑːd]; ebenso im Auslaut, z. B. *far* [fɑːr = fɑː], *her* [hɜːr = hɜː].
5. Anlautendes p, t, k in unbetonter Silbe (nach betonter Silbe) wird zu b, d, g abgeschwächt, z. B. in *property*, *water*, *second*.
6. Der Unterschied zwischen stark- und schwachbetonten Silben ist viel weniger ausgeprägt; längere Wörter haben einen deutlichen Nebenton, z. B. *dictionary* ['dɪkʃəˌnerɪ = 'dɪkʃənrɪ], *ceremony* ['serəˌməʊnɪ = 'serɪmənɪ], *inventory* ['ɪnvənˌtɔːrɪ = 'ɪnvəntrɪ], *secretary* ['sekrəˌterɪ = 'sekrətrɪ].
7. Vor, oft auch nach nasalen Konsonanten (m, n, ŋ) sind Vokale und Diphthonge nasal gefärbt, z. B. *stand*, *time*, *small*.

Was sagen Ihnen die Symbole und Abkürzungen?

Wir geben Ihnen die Symbole und Abkürzungen im Wörterbuch, um Sie davor zu bewahren, durch falsche Anwendung einer Übersetzung in das berühmte „Fettnäpfchen" zu treten.

Die Liste mit den **Abkürzungen** zur Kennzeichnung des Grammatik- und Sachgebietsbereiches finden Sie am Ende des Buches.

Die **Symbole** zeigen Ihnen, in welchem Lebens-, Arbeits- und Fachbereich ein Wort am häufigsten benutzt wird.

~ ǡ siehe Seite 15: Tilde.
⚘ Botanik, *botany*.
⚙ Handwerk, *handicraft*; Technik, *engineering*.
⚒ Bergbau, *mining*.
⚔ militärisch, *military term*.
⚓ Schiffahrt, *nautical term*.
☨ Handel u. Wirtschaft, *commercial term*.
🚂 Eisenbahn, *railway*, *railroad*.
✈ Flugwesen, *aviation*.
📯 Postwesen, *post and telecommunications*.
♪ Musik, *musical term*.

⚠ Architektur, *architecture*.
ϟ Elektrotechnik, *electrical engineering*.
⚖ Rechtswissenschaft, *legal term*.
Å Mathematik, *mathematics*.
✓ Landwirtschaft, *agriculture*.
⚗ Chemie, *chemistry*.
⚕ Medizin, *medicine*.
→ siehe Seite 18: Verweiszeichen.

Ein weiteres Symbol ist das Kästchen: □. Steht es nach einem englischen Adjektiv, so bedeutet das, daß das Adverb regelmäßig durch Anhängung von ***-ly*** an das Adjektiv oder durch Umwandlung von ***-le*** in ***-ly*** oder von ***-y*** in ***-ily*** gebildet wird, z. B.

bald □ = ***baldly***
change·a·ble □ = ***changeably***
bus·y □ = ***busily***

Es gibt auch noch die Möglichkeit, ein Adverb durch Anhängen von ***-ally*** an das Stichwort zu bilden. In diesen Fällen haben wir auch das angegeben:

his·tor·ic (□ ***~ally***) = ***historically***

Bei Adjektiven, die auf ***-ic*** und ***-ical*** enden können, wird die Adverbbildung auf folgende Weise gekennzeichnet:

phil·o·soph·ic, **phil·o·soph·i·cal** *adj.* □

d. h. ***philosophically*** ist das Adverb zu beiden Adjektivformen.

Wird bei der Adverbangabe auf das Adverb selbst verwiesen, so bedeutet dies, daß unter diesem Stichwort vom Adjektiv abweichende Übersetzungen zu finden sind:

a·ble □ → ***ably***

Was bedeutet das Zeichen ~, die Tilde?

Ein Symbol, das Ihnen ständig in den Stichwortartikeln begegnet, ist ein Wiederholungszeichen, die Tilde (~ ≗).

Zusammengehörige oder verwandte Wörter sind häufig zum Zwecke der Raumersparnis unter Verwendung der Tilde zu Gruppen vereinigt. Die Tilde vertritt dabei entweder das ganze Stichwort oder den vor dem senkrechten Strich (|) stehenden Teil des Stichworts. Bei den in halbfetter kursiver Auszeichnungsschrift gesetzten Redewendungen vertritt die Tilde stets das unmittelbar vorhergehende Stichwort, das selbst schon mit Hilfe der Tilde gebildet worden sein kann. Wechselt die Schreibung von klein zu groß oder von groß zu klein, steht statt der einfachen Tilde (~) die Kreistilde (≗), z. B.

drink·ing ... **~ wa·ter** = ***drinking water***
ˌdou·ble|-ˈact·ing ... **ˌ~-ˈedged** ...: ***~ sword*** = ***double-edged sword***
ho·ly ... **≗ Scrip·ture** = ***Holy Scripture***
Ren·ais·sance ... **2.** ≗ ˈWiedergeburt *f* ... = ***renaissance***

Einige Worte zu den Übersetzungen und Wendungen

Nach dem fettgedruckten Stichwort, der Ausspracheangabe in eckigen Klammern und der Bezeichnung der Wortart kommt als nächstes das, was für Sie wahrscheinlich das Wichtigste ist: **die Übersetzung**. Na endlich! werden Sie sagen. Aber vergessen Sie bitte nicht, daß die Vorarbeit einen wichtigen Schritt zum besseren Verständnis des Wörterbuches bedeutet. Und Sie wollen doch *Ihr* Wörterbuch ebenso gut „lesen" können wie Ihre übrigen Fachbücher oder Ihren Computer. Es hilft also nichts, wir müssen noch einmal ans „Trockene" gehen:

Die Übersetzungen haben wir folgendermaßen untergliedert: römische Ziffern zur Unterscheidung der Wortarten (Substantiv, Verb, Adjektiv, Adverb etc.), arabische Ziffern zur Unterscheidung der einzelnen Bedeutungen, kleine Buchstaben zur weiteren Bedeutungsdifferenzierung, z. B.

> **face** ... **I** *s.* **1.** Gesicht *n* ...; ***in*** (***the***) ***~ of*** a) angesichts (*gen.*), gegenüber (*dat.*), b) trotz (*gen. od. dat.*) ...; **II** *v/t.* **11.** ansehen ...; **III** *v/i.* ...

Weist ein Stichwort grundsätzlich verschiedene Bedeutungen auf, so wird es mit einer hochgestellten Zahl, dem Exponenten, als eigenständiges Stichwort wiederholt:

> **chap¹** [tʃæp] *s.* F Bursche *m*, Junge *m* ...
> **chap²** [tʃæp] *s.* Kinnbacken *m* ...
> **chap³** [tʃæp] **I** *v/t. u. v/i.* rissig machen *od.* werden ...; **II** *s.* Riß *m*, Sprung *m*.

Dies geschieht aber nicht in Fällen, in denen sich die zweite Bedeutung aus der Hauptbedeutung des Grundwortes entwickelt hat.

Anwendungsbeispiele in halbfetter kursiver Auszeichnungsschrift werden meist unter den zugehörigen Ziffern aufgeführt. Sind es sehr viele Beispiele, so werden sie in einem eigenen Abschnitt „*Besondere Redewendungen*" zusammengefaßt (siehe Stichwort ***heart***). Eine Übersetzung der Beispiele wird nicht gegeben, wenn diese sich aus der Grundübersetzung von selbst ergibt:

> **a·like** ... **II** *adv.* gleich, ebenso, in gleichem Maße: ***she helps enemies and friends ~.***

Bei sehr umfangreichen Stichwortartikeln werden auch die Zusammensetzungen von **Verben mit Präpositionen oder Adverbien** an das Ende der betreffenden Artikel angehängt und bekommen dann Stichwortcharakter (siehe Stichwort ***get***, ***give***, ***go***).

Bei den Übersetzungen wird in Fällen, in denen die Aussprache Schwierigkeiten verursachen könnte, die Betonung durch **Akzent(e)** vor der zu betonenden Trennsilbe gegeben. Akzente werden gesetzt bei Wörtern, die nicht auf der ersten Silbe betont werden, z. B. „Bäcke'rei", „je'doch", außer wenn es sich um eine der stets unbetonten Vorsilben handelt, sowie bei Zusammensetzungen mit Vorsilben, deren Betonung wechselt, z. B. „'Mißtrauen", „miß'trauen". Grundsätzlich entfällt der Akzent jedoch bei Verben auf „-ieren" und deren Ableitungen. Bei kursiven Erläuterungen und bei den Übersetzungen von Anwendungsbeispielen werden keine Akzente gesetzt.

Der **verkürzte Bindestrich** (-) steht zwischen zwei Konsonanten, um anzudeuten, daß sie getrennt auszusprechen sind, z. B. „Häus-chen", ebenso in Fällen, die zu Mißverständnissen führen können, z. B. „Erb-lasser".

Wie Sie sicher wissen, gibt es im **britischen und amerikanischen Englisch** hier und da unterschiedliche Bezeichnungen für dieselbe Sache. Ein Engländer sagt z. B. ***pavement***, wenn er den „Bürgersteig" meint, der Amerikaner spricht dagegen von ***sidewalk***. Im Wörterbuch finden Sie die Wörter, die hauptsächlich im britischen Englisch gebraucht werden, mit *Brit.* gekennzeichnet. Die Wörter, die typisch für den amerikanischen Sprachgebrauch sind, werden mit *Am.* gekennzeichnet.

Auf die verschiedenen Wortarten haben wir bereits hingewiesen. Der Eintrag ***dependence*** z. B. ist ein Substantiv (Hauptwort). Dies können Sie daran erkennen, daß hinter der Lautschriftklammer ein kursives *s.* steht. Dementsprechend steht hinter der deutschen Übersetzung „Abhängigkeit" ein kursives *f*, bzw. hinter „Vertrauen" ein kursives *n*. Diese Buchstaben geben – wie auch das kursive *m* – das **Genus** (Geschlecht) des deutschen Wortes an und kennzeichnen es damit als Substantiv. Die Genusangabe unterbleibt, wenn das Genus aus dem Zusammenhang ersichtlich ist, z. B. „scharfes Durchgreifen", und wenn die weibliche Endung in Klammern steht, z. B. „Verkäufer(in)". Sie unterbleibt auch bei Erläuterungen in kursiver Schrift, wird aber in den Anwendungsbeispielen dann gegeben, wenn sich das Genus der Übersetzungen hier nicht aus der Grundübersetzung ergibt.

Oft wird Ihnen aber auch die folgende Abweichung begegnen:

Unter ***dependant*** finden Sie die Übersetzung „(Fa'milien)Angehörige(r *m*) *f*". „Angehörige" ist weiblich; deshalb steht hinter der Klammer ein *f*. Es besteht aber auch die Möglichkeit, ***dependant*** als „Angehöriger" zu übersetzen – und das ist männlich. Genau das steht in der Klammer: (r *m*), das Endungs-r und *m* = maskulin.

Sie werden bereits gemerkt haben, daß es selten vorkommt, daß nur eine Übersetzung hinter dem jeweiligen Stichwort steht. Meist ist es so, daß ein Stichwort mehrere sinnverwandte Übersetzungen hat, die durch **Komma** voneinander getrennt werden.

Die Bedeutungsunterschiede in den Übersetzungen werden gekennzeichnet:

a) durch das **Semikolon** und die Unterteilung in **arabische Ziffern**:

bal·ance ... **1.** Waage *f* ...; **2.** Gleichgewicht *n* ...

b) durch Unterteilung in **kleine Buchstaben** zur weiteren Bedeutungsdifferenzierung,
c) durch **Erläuterungen** in kursiver Schrift,
d) durch vorangestellte **bildliche Zeichen** und **abgekürzte Begriffsbestimmungen** (siehe das Verzeichnis auf Seite 14 und die Liste mit den Abkürzungen am Ende des Buches).

Siehe auch das Kapitel über die verschiedenen Schriftarten auf Seite 10.

Einfache Anführungszeichen bedeuten, daß eine Übersetzung entweder einer niederen Sprachebene angehört:

gov·er·nor ... **4.** F *der* ‚Alte'

oder in figurativer (bildlicher) Bedeutung gebraucht wird:

land·slide ... **1.** Erdrutsch *m*; **2.** ... *fig.* ‚Erdrutsch' *m*

Häufig finden Sie auch bei einem Stichwort oder einem Stichwortartikel ein **Verweiszeichen** (→). Es hat folgende Bedeutungen:

a) Verweis von Stichwort zu Stichwort bei Bedeutungsgleichheit, z. B.

gaun·try → ***gantry***

b) Verweis innerhalb eines Stichwortartikels, z. B.

dice [daɪs] **I** *s. pl. von* ***die***[2] 1 Würfel *pl.*, Würfelspiel *n*: ***play*** (***at***) ~ → II ... **II** *v/i.* würfeln, knobeln

c) oft wurde an Stelle eines Anwendungsbeispiels auf ein anderes Stichwort verwiesen, das ebenfalls in dem Anwendungsbeispiel enthalten ist:

square ... **15.** ⩓ a) den Flächeninhalt berechnen von (*od. gen.*), b) *Zahl* quadrieren, ins Qua'drat erheben, c) *Figur* quadrieren; → ***circle*** 1

Das heißt, daß die Wendung ***square the circle*** unter dem Stichwort ***circle*** aufgeführt und dort übersetzt ist.

Runde Klammern werden verwendet

a) zur Vereinfachung der Übersetzung, z. B.

cov·er ... **4.** ... (Bett-, Möbel- *etc.*)Bezug *m* ...

b) zur Raumersparnis bei gekoppelten Anwendungsbeispielen, z. B.

make (**break**) **contact** Kontakt herstellen (unterbrechen) = ***make contact/break contact*** ...

Grammatik auch im Wörterbuch?

Etwas Grammatik wollen wir Ihnen zumuten. Mit diesem letzten Punkt sind Sie, wie wir glauben, für die Arbeit mit *Ihrem Wörterbuch* bestens gerüstet.

Den grammatisch richtigen Gebrauch eines Wortes können Sie häufig den „Zusätzen“ entnehmen.

Die **Rektion** von deutschen Präpositionen wird dann angegeben, wenn sie verschiedene Fälle regieren, z. B. „vor“, „über“.

Die Rektion von Verben wird nur dann angegeben, wenn sie von der des Grundwortes abweicht oder wenn das englische Verb von einer bestimmten Präposition regiert wird. Folgende Anordnungen sind möglich:

a) wird ein Verb, das im Englischen transitiv ist, im Deutschen intransitiv übersetzt, so wird die abweichende Rektion angegeben:

con·tro·vert *v/t.* ... **2.** ... wider'sprechen (*dat.*) ...

b) gelten für die deutschen Übersetzungen verschiedene Rektionen, so steht die englische Präposition in halbfetter kursiver Auszeichnungsschrift in Klammern vor der ersten Übersetzung, die deutschen Rektionsangaben stehen hinter jeder Einzelübersetzung:

de·scend ... **4.** (***to***) zufallen (*dat.*), 'übergehen, sich vererben (auf *acc.*) ...

c) stimmen Präposition und Rektion für alle Übersetzungen überein, so stehen sie in Klammern hinter der letzten Übersetzung:

ob·serve ... **4.** Bemerkungen machen, sich äußern (***on***, ***upon*** über *acc.*) ...

Außerdem finden Sie bei den Stichwörtern noch die folgenden **besonderen Grammatikpunkte** aufgeführt:

a) unregelmäßiger Plural:

child ... *pl.* **chil·dren** ...
a·nal·y·sis ... *pl.* **-ses** ... (= *pl.* ***analyses***)

b) unregelmäßige Verben:

give ... **II** *v/t.* [*irr.*] ... **III** *v/i.* [*irr.*] ...
out·grow ... [*irr.* → ***grow***] ...

Der Hinweis *irr.* bedeutet: in der Liste der unregelmäßigen englischen Verben auf Seite 1425 ff. finden Sie die unregelmäßigen Formen.

c) auslautendes ***-c*** wird zu ***-ck*** vor ***-ed***, ***-er***, ***-ing*** und ***-y***:

frol·ic ... **II** *v/i. pret. u. p.p.* '**frol·icked** ...

d) bei unregelmäßigen Steigerungsformen Hinweis auf die Grundform:

bet·ter ... **I** *comp. von* ***good*** ... **III** *comp. von* ***well*** ...
best ... **I** *sup. von* ***good*** ... **II** *sup. von* ***well*** ...

Die vorausgegangenen Seiten zeigen, daß Ihnen das Wörterbuch mehr bietet als nur einfache Wort-für-Wort-Gleichungen, wie Sie sie in den Vokabelspalten von Lehrbüchern finden.

Und nun viel Erfolg bei der Suche nach den lästigen, aber doch so notwendigen Vokabeln!

A

A, **a** [eɪ] **I** *s.* **1.** A *n*, a *n* (*Buchstabe,* ♪ *Note*): ***from A to Z*** von A bis Z; **2.** ***A*** *ped. Am.* Eins *f* (*Note*); **II** *adj.* **3.** ***A*** erst; **4.** ***A*** *Am.* ausgezeichnet.

A 1 [ˌeɪˈwʌn] *adj.* **1.** ⚓ erstklassig (*Schiff*); **2.** F I a, ˈprima.

a [eɪ; ə], *vor vokalischem Anlaut* **an** [æn; ən] **1.** ein, eine (*unbestimmter Artikel*): ***a woman***; *manchmal vor pl.*: ***a barracks*** eine Kaserne; ***a bare five minutes*** knappe fünf Minuten; **2.** der-, die-, dasˈselbe: ***two of a kind*** zwei (von jeder Art); **3.** per, pro, je: ***twice a week*** zweimal wöchentlich *od.* in der Woche; ***fifty pence a dozen*** fünfzig Pence pro *od.* das Dutzend; **4.** einzig: ***at a blow*** auf ˈeinen Schlag.

Aar·on's rod [ˌeərənz-] *s.* ⚘ **1.** Königskerze *f*; **2.** Goldrute *f.*

a·back [əˈbæk] *adv.* **1.** ⚓ back, gegen den Mast; **2.** nach hinten, zurück; **3.** *fig.* ***taken ~*** bestürzt, verblüfft, sprachlos.

ab·a·cus [ˈæbəkəs] *pl.* **-ci** [-saɪ] *u.* **-cus·es** *s.* ˈAbakus *m*: a) Rechenbrett *n*, -gestell *n*, b) ⚠ Kapiˈtelldeckplatte *f.*

a·baft [əˈbɑːft] ⚓ **I** *prp.* achter, hinter; **II** *adv.* achteraus.

a·ban·don [əˈbændən] **I** *v/t.* **1.** auf-, preisgeben, verzichten auf (*acc.*) (*a.* ✝), entsagen (*dat.*), *Hoffnung* fahrenlassen; **2.** (*a.* ⚓ *Schiff*) aufgeben, verlassen; *Aktion* einstellen; *sport* Spiel abbrechen; **3.** im Stich lassen; *Ehefrau* böswillig verlassen; *Kinder* aussetzen; **4.** (***s.th. to s.o.*** j-m et.) überˈlassen, ausliefern; **5.** ***~ o.s.*** (***to***) sich ˈhingeben, sich überˈlassen (*dat.*); **II** *s.* [abɑ̃dɔ̃] **6.** Hemmungslosigkeit *f*, Wildheit *f*; ***with ~*** mit Hingabe, wie toll; **aˈban·doned** [-nd] *adj.* **1.** verlassen, aufgegeben; herrenlos; **2.** liederlich; **3.** hemmungslos, wild; **aˈban·don·ment** [-mənt] *s.* **1.** Auf-, Preisgabe *f*, Verzicht *m*; (***to*** an *acc.*) Überˈlassung *f*, Abtretung *f*; **2.** (⚖ böswilliges) Verlassen; (Kindes-) Aussetzung *f*; **3.** → ***abandon*** 6.

a·base [əˈbeɪs] *v/t.* erniedrigen, demütigen, entwürdigen; **aˈbase·ment** [-mənt] *s.* Erniedrigung *f*, Demütigung *f*, Verfall *m.*

a·bash [əˈbæʃ] *v/t.* beschämen; in Verlegenheit *od.* aus der Fassung bringen.

a·bate [əˈbeɪt] **I** *v/t.* **1.** vermindern, verringern; *Preis etc.* herˈabsetzen, ermäßigen; **2.** *Schmerz* lindern; *Stolz, Eifer* mäßigen; **3.** ⚖ *Mißstand* beseitigen; *Verfügung* aufheben; *Verfahren* einstellen; **II** *v/i.* **4.** abnehmen, nachlassen; sich legen (*Wind*, *Schmerz*); fallen (*Preis*); **aˈbate·ment** [-mənt] *s.* **1.** Abnehmen *n*, Nachlassen *n*, Verminderung *f*, Linderung *f*; (*Lärm- etc.*)Bekämpfung *f*; **2.** Abzug *m*, (*Preis- etc.*)Nachlaß *m*; **3.** ⚖ Beseitigung *f*, Aufhebung *f.*

ab·a·tis [ˈæbətɪs] *s. sg. u. pl.* [*pl.* -tiːz] ⚔ Baumverhau *m.*

ab·at·toir [ˈæbətwɑː] (*Fr.*) *s.* Schlachthaus *n.*

ab·ba·cy [ˈæbəsɪ] *s.* Abtswürde *f*; **ab·bess** [ˈæbes] *s.* Äbˈtissin *f*; **ab·bey** [ˈæbɪ] *s.* **1.** Abˈtei *f*: ***the*** ≈ *Brit.* die Westminsterabtei; **2.** *Brit.* herrschaftlicher Wohnsitz (*frühere Abtei*); **ab·bot** [ˈæbət] *s.* Abt *m.*

ab·bre·vi·ate [əˈbriːvɪeɪt] *v/t.* (ab)kürzen; **ab·bre·vi·a·tion** [əˌbriːvɪˈeɪʃn] *s.* (*bsd. ling.* Ab)Kürzung *f.*

ABC, **Abc** [ˌeɪbiːˈsiː] **I** *s.* **1.** *Am. oft pl.* Abc *n*, Alphaˈbet *n*; **2.** *fig.* Anfangsgründe *pl.*; **3.** alphaˈbetisch angeordnetes Handbuch; **II** *adj.* **4.** ***the ~ powers*** die ABC-Staaten (*Argentinien, Brasilien, Chile*); **5.** ***~ weapons*** ABC-Waffen, atomare, biologische u. chemische Waffen; ***~ warfare*** ABC-Kriegführung *f.*

ab·di·cate [ˈæbdɪkeɪt] **I** *v/t. Amt, Recht etc.* aufgeben, niederlegen; verzichten auf (*acc.*), entsagen (*dat.*); **II** *v/i.* abdanken; **ab·di·ca·tion** [ˌæbdɪˈkeɪʃn] *s.* Abdankung *f*, Verzicht *m* (***of*** auf *acc.*); freiwillige Niederlegung (*e-s Amtes etc.*): ***~ of the throne*** Thronverzicht *m.*

ab·do·men [ˈæbdəmen] *s.* **1.** *anat.* Abˈdomen *n*, ˈUnterleib *m*, Bauch *m*; **2.** *zo.* (ˈHinter)Leib *m* (*von Insekten etc.*); **ab·dom·i·nal** [æbˈdɒmɪnl] *adj.* **1.** *anat.* Unterleibs…, Bauch…; **2.** *zo.* Hinterleibs…

ab·duct [æbˈdʌkt] *v/t. gewaltsam* entführen; **abˈduc·tion** [-kʃn] *s.* Entführung *f.*

a·beam [əˈbiːm] *adv. u. adj.* ⚓, ✈ querab, dwars.

a·be·ce·dar·i·an [ˌeɪbiːsiːˈdeərɪən] **I** *s.* **1.** Abc-Schütze *m*; **II** *adj.* **2.** alphaˈbetisch (geordnet); **3.** *fig.* elemenˈtar.

a·bed [əˈbed] *adv.* zu *od.* im Bett.

Ab·er·don·i·an [ˌæbəˈdəʊnjən] **I** *adj.* aus Aberˈdeen stammend; **II** *s.* Einwohner (-in) von Aberdeen.

ab·er·ra·tion [ˌæbəˈreɪʃn] *s.* **1.** Abweichung *f*; **2.** *fig.* a) Verirrung *f*, Fehltritt *m*, b) (geistige) Verwirrung; **3.** *phys.*, *ast.* Aberratiˈon *f.*

a·bet [əˈbet] *v/t.* begünstigen, Vorschub leisten (*dat.*); aufhetzen; anstiften; ⚖ → ***aid*** 1; **aˈbet·ment** [-mənt] *s.* Beihilfe *f*, Vorschub *m*; Anstiftung *f*; **aˈbet·tor** [-tə] *s.* Anstifter *m*, (Helfers)Helfer *m*, ⚖ *a.* Gehilfe *m.*

a·bey·ance [əˈbeɪəns] *s.* Unentschiedenheit *f*, Schwebe *f*: ***in ~*** a) *bsd.* ⚖ in der Schwebe, schwebend unwirksam, b) ⚖ herrenlos (*Grund u. Boden*); ***fall into ~*** zeitweilig außer Kraft treten.

ab·hor [əbˈhɔː] *v/t.* verˈabscheuen; **ab·hor·rence** [əbˈhɒrəns] *s.* **1.** Abscheu *m* (***of*** vor *dat.*); **2.** → ***abomination*** 2; **ab·hor·rent** [əbˈhɒrənt] *adj.* □ verabscheuungswürdig; abstoßend; verhaßt (***to*** *dat.*).

a·bide [əˈbaɪd] [*irr.*] **I** *v/i.* **1.** bleiben, fortdauern; **2.** ***~ by*** treu bleiben (*dat.*), bleiben bei, festhalten an (*dat.*); sich halten an (*acc.*); sich abfinden mit; **II** *v/t.* **3.** erwarten; **4.** F (*mst neg.*) (v)ertragen, ausstehen: ***I can't ~ him***; **aˈbid·ing** [-dɪŋ] *adj.* □ dauernd, beständig.

Ab·i·gail [ˈæbɪgeɪl] (*Hebrew*) **I** *npr.* **1.** *bibl.* Abiˈgail *f*; **2.** *weiblicher Vorname*; **II** *s.* **3.** ♀ (Kammer)Zofe *f.*

a·bil·i·ty [əˈbɪlətɪ] *s.* **1.** Fähigkeit *f*, Befähigung *f*; Können *n*; *psych.* Aˈbility *f*: ***to the best of one's ~*** nach besten Kräften; ***~ to pay*** ✝ Zahlungsfähigkeit; ***~ test*** Eignungsprüfung *f*; **2.** *mst pl.* geistige Anlagen *pl.*

ab·ject [ˈæbdʒekt] *adj.* □ **1.** niedrig, gemein; elend; kriecherisch; **2.** *fig.* tiefst, höchst, äußerst: ***~ despair***; ***~ misery***.

ab·ju·ra·tion [ˌæbdʒʊəˈreɪʃn] *s.* Abschwörung *f*; **ab·jure** [əbˈdʒʊə] *v/t.* abschwören, (feierlich) entsagen (*dat.*); aufgeben; widerˈrufen.

ab·lac·ta·tion [ˌæblækˈteɪʃn] *s.* Abstillen *n e-s Säuglings.*

ab·la·ti·val [ˌæbləˈtaɪvl] *adj. ling.* Ablativ...; **ab·la·tive** [ˈæblətɪv] **I** *s.* ˈAblativ *m*; **II** *adj.* Ablativ...

ab·laut [ˈæblaʊt] (*Ger.*) *s. ling.* Ablaut *m.*

a·blaze [əˈbleɪz] *adv. u. adj.* **1.** *a. fig.* in Flammen, *a. fig.* lodernd: ***set ~*** entflammen; **2.** *fig.* (***with***) a) entflammt (von), b) glänzend (vor *dat.*, von): ***all ~*** Feuer und Flamme.

a·ble [ˈeɪbl] *adj.* □ → ***ably***; **1.** fähig, geschickt, tüchtig: ***be ~ to*** können, imstande sein zu; ***he was not ~ to get up*** er konnte nicht aufstehen; ***~ to work*** arbeitsfähig; ***~ to pay*** ✝ zahlungsfähig; ***~ seaman*** → ***able-bodied*** 1; **2.** begabt, befähigt; **3.** (vor)ˈtrefflich: ***an ~ speech***; **4.** ⚖ befähigt, fähig; **ˌable-ˈbod·ied** *adj.* **1.** körperlich leistungsfähig, kräftig: ***~ seaman*** *Brit.* Vollmatrose (*abbr.* ***A.B.***); **2.** ⚔ wehrfähig, (dienst)tauglich.

ab·let [ˈæblɪt] *s. ichth.* Weißfisch *m.*

a·bloom [əˈbluːm] *adv. u. adj.* in Blüte (stehend), blühend.

ab·lu·tion [əˈbluːʃn] *s. eccl. u. humor.* Waschung *f.*

a·bly [ˈeɪblɪ] *adv.* geschickt, mit Geschick, gekonnt.

A-B meth·od *s.* ⚡ A-B-Betrieb *m.*

ab·ne·gate [ˈæbnɪgeɪt] *v/t.* (ab-, ver-) leugnen; aufgeben, verzichten auf (*acc.*); **ab·ne·ga·tion** [ˌæbnɪˈgeɪʃn] *s.* **1.** Ab-, Verleugnung *f*; **2.** Verzicht *m* (***of*** auf *acc.*); **3.** *mst* ***self-~*** Selbstverleugnung *f.*

ab·nor·mal [æbˈnɔːml] *adj.* □ **1.** ˈabnorˌmal, ˈanomal, ungewöhnlich; geistig behindert; mißgebildet; **2.** ⚙ ˈnormwidrig; **ab·nor·mal·i·ty** [ˌæbnɔːˈmælətɪ] *s.*, **abˈnor·mi·ty** [-mətɪ] *s.* Abnormiˈtät *f*; Anomaˈlie *f.*

a·board [əˈbɔːd] *adv. u. prp.* ⚓, ✈ an Bord; in (*e-m od. e-n Bus etc.*): ***go ~*** an Bord gehen, ⚓ *a.* sich einschiffen; ***all ~!*** a) alle Mann *od.* alle Reisenden an Bord!, b) 🚂 *etc.* alles einsteigen!

a·bode [əˈbəʊd] **I** *pret. u. p.p. von* ***abide***; **II** *s.* Aufenthalt *m*; Wohnort *m*, -sitz *m*; Wohnung *f*: ***take one's ~*** s-n Wohnsitz aufschlagen; ***of no fixed ~*** ⚖ ohne festen Wohnsitz.

a·boil [əˈbɔɪl] *adv. u. adj.* siedend, kochend, in Wallung (*alle a. fig.*).

a·bol·ish [əˈbɒlɪʃ] *v/t.* **1.** abschaffen, aufheben; **2.** vernichten; **ab·o·li·tion** [ˌæbəʊˈlɪʃn] *s.* Abschaffung *f* (*Am. bsd. der Sklaverei*), Aufhebung *f*, Beseitigung *f*; ⚖ Niederschlagung *f* (*e-s Verfahrens*); **ˌab·oˈli·tion·ism** [-ʃənɪzəm] *s.* Abolitioˈnismus *m*: a) *hist.* (Poliˈtik *f* der) Sklavenbefreiung *f*, b) Bekämpfung *f* e-r bestehenden Einrichtung; **ˌab·oˈli·tion·ist** [-ʃənɪst] *s. hist.* Abolitioˈnist(in).

ˈA-bomb *s.* Aˈtombombe *f.*

a·bom·i·na·ble [əˈbɒmɪnəbl] *adj.* □ abscheulich, scheußlich; **aˈbom·i·nate** [-neɪt] *v/t.* verˈabscheuen; **a·bom·i·na·tion** [əˌbɒmɪˈneɪʃn] *s.* **1.** Abscheu *m* (***of*** vor *dat.*); **2.** Greuel *m*, Gegenstand *m* des Abscheus: ***smoking is her pet ~*** F das Rauchen ist ihr ein wahrer Greuel.

ab·o·rig·i·nal [ˌæbəˈrɪdʒənl] **I** *adj.* □ eingeboren, ureingesessen, ursprünglich, einheimisch; **II** *s.* Ureinwohner *m*; **ab·oˈrig·i·nes** [-dʒəniːz] *s. pl.* **1.** Ureinwohner *pl.*, Urbevölkerung *f*; **2.** *die* ursprüngliche Flora und Fauna.

a·bort [əˈbɔːt] **I** *v/i.* **1.** ⚕ e-e Fehl- *od.* Frühgeburt haben; **2.** *biol.* verkümmern; **3.** fehlschlagen; **II** *v/t.* **4.** *Raumflug etc.* abbrechen; **a'bort·ed** [-tɪd] *adj.* → ***abortive*** 1, 3, 4; **aˌbor·ti'fa·cient** [-tɪ'feɪʃənt] *s.* Abtreibungsmittel *n*; **a·bor·tion** [ə'bɔːʃn] *s.* **1.** ⚕ a) Ab'ort *m*, Fehl- *od.* Frühgeburt *f*, b) Abtreibung *f*, 'Schwangerschaftsunterˌbrechung *f*: ***procure an ~*** e-e Abtreibung vornehmen (***on s.o.*** bei j-m); **2.** 'Mißgeburt *f* (*a. fig.*); Verkümmerung *f*; **3.** *fig.* Fehlschlag *m*; **a·bor·tion·ist** [ə'bɔːʃnɪst] *s.* Abtreiber(in); **a'bor·tive** [-tɪv] *adj.* □ **1.** zu früh geboren; **2.** vorzeitig; **3.** miß'lungen, erfolg-, fruchtlos: ***prove ~*** sich als Fehlschlag erweisen; **4.** *biol.* verkümmert; **5.** ⚕ Frühgeburt verursachend; abtreibend.

a·bound [ə'baʊnd] *v/i.* **1.** im 'Überfluß *od.* reichlich vor'handen sein; **2.** 'Überfluß haben (***in*** an *dat.*); **3.** voll sein, wimmeln (***with*** von); **a'bound·ing** [-dɪŋ] *adj.* reichlich (vor'handen); reich (***in*** an *dat.*), voll (***with*** von).

a·bout [ə'baʊt] **I** *prp.* **1.** um, um … herum; **2.** umher in (*dat.*): ***wander ~ the streets***; **3.** bei, auf (*dat.*), an (*dat.*), um, in (*dat.*): (***somewhere***) ***~ the house*** irgendwo im Haus; ***have you any money ~ you?*** haben Sie Geld bei sich?; ***look ~ you!*** sieh dich um!; ***there is nothing special ~ him*** an ihm ist nichts Besonderes; **4.** wegen, über (*acc.*), um (*acc.*), von: ***talk ~ business*** über Geschäfte sprechen; ***I'll see ~ it*** ich werde danach sehen *od.* mich darum kümmern; ***what is it ~?*** worum handelt es sich?; **5.** im Begriff, da'bei: ***he was ~ to go out***; **6.** beschäftigt mit: ***what is he ~?*** was macht er (da)?; ***he knows what he is ~*** er weiß, was er tut *od.* was er will; **II** *adv.* **7.** um'her, ('rings-, 'rund)herˌum: ***drive ~*** umher- *od.* herumfahren; ***the wrong way ~*** falsch herum; ***three miles ~*** drei Meilen im Umkreis; ***all ~*** überall; ***a long way ~*** ein großer Umweg; ***~ face!*** *Am.*, ***~ turn!*** *Brit.* ⚔ (ganze Abteilung) kehrt!; **8.** ungefähr, etwa, um, gegen: ***~ three miles*** etwa drei Meilen; ***~ this time*** ungefähr um diese Zeit; ***~ noon*** um die Mittagszeit, gegen Mittag; ***that's just ~ enough!*** das reicht (mir gerade)!; **9.** auf, in Bewegung: ***be*** (***up and***) ***~*** auf den Beinen sein; ***there is no one ~*** es ist niemand in der Nähe *od.* da; ***smallpox is ~*** die Pocken gehen um; **10.** → ***bring about*** *etc.*; **~-face**, **~-turn** *s.* Kehrtwendung *f*, *fig. a.* (völliger) 'Umschwung.

a·bove [ə'bʌv] **I** *prp.* **1.** über (*dat.*), oberhalb (*gen.*): ***~ sea level*** über dem Meeresspiegel; ***~*** (***the***) ***average*** über dem Durchschnitt; **2.** *fig.* über, mehr als; erhaben über (*acc.*): ***~ all*** vor allem; ***you, ~ all others*** von allen Menschen gerade du; ***he is ~ that*** er steht über der Sache, er ist darüber erhaben; ***she was ~ taking advice*** sie war zu stolz, Rat anzunehmen; ***he is not ~ accepting a bribe*** er scheut sich nicht, Bestechungsgelder anzunehmen; ***~ praise*** über alles Lob erhaben; ***be ~ s.o.*** j-m überlegen sein; ***it is ~ me*** es ist mir zu hoch, es geht über m-n Verstand; **II** *adv.* **3.** oben, oberhalb; **4.** *eccl.* droben im Himmel: ***from ~*** von oben, vom Himmel; ***the powers ~*** die himmlischen Mächte; **5.** über, dar'über (hin'aus): ***over and ~*** obendrein, überdies; **6.** weiter oben, oben…: ***~-mentioned***; **7.** nach oben; **III** *adj.* **8.** obig, obenerwähnt: ***the ~ remarks***; **IV** *s.* **9.** *das* Obige, *das* Obenerwähnte.

aˌbove|-'board *adv. u. adj.* **1.** offen, ehrlich; **2.** einwandfrei; **~'ground** *adj.* **1.** ⚙, ⚒ über Tage, oberirdisch; **2.** *fig.* (noch) am Leben.

A-B pow·er pack *s.* ⚡ Netzteil *n* für Heiz- u. An'odenleistung.

ab·ra·ca·dab·ra [ˌæbrəkə'dæbrə] *s.* **1.** Abraka'dabra *n* (*Zauberwort*); **2.** *fig.* Kauderwelsch *n*.

ab·rade [ə'breɪd] *v/t.* abschürfen, ab-, aufscheuern; abnutzen, verschleißen (*a. fig.*); ⚙ *a.* abschleifen.

A·bra·ham ['eɪbrəhæm] *npr. bibl.* 'Abraham *m*: ***in ~'s bosom*** (sicher wie) in Abrahams Schoß.

ab·ra·sion [ə'breɪʒn] *s.* **1.** Abreiben *n*, Abschleifen *n* (*a.* ⚙); **2.** ⚙ Abrieb *m*; Abnützung *f*, Verschleiß *m*; **3.** ⚕ (Haut)Abschürfung *f*, Schramme *f*; **ab'ra·sive** [-sɪv] **I** *adj.* □ abreibend, abschleifend, Schleif…, Schmirgel…; *fig.* ätzend; **II** *s.* ⚙ Schleifmittel *n*.

ab·re·act [ˌæbrɪ'ækt] *v/t. psych.* abreagieren; **ˌab·re'ac·tion** [-kʃn] *s.* 'Abreaktiˌon *f*.

a·breast [ə'brest] *adv.* Seite an Seite, nebenein'ander: ***four ~***; ***~ of*** *od.* ***with*** auf der Höhe *gen. od.* von, neben; ***keep ~ of*** (*od.* ***with***) *fig.* Schritt halten mit.

a·bridge [ə'brɪdʒ] *v/t.* **1.** (ab-, ver)kürzen; zs.-ziehen; **2.** *fig.* beschränken, beschneiden; **a'bridged** [-dʒd] *adj.* (ab-) gekürzt, Kurz…; **a'bridg(e)·ment** [-mənt] *s.* **1.** (Ab-, Ver)Kürzung *f*; **2.** Abriß *m*, Auszug *m*; gekürzte (Buch-) Ausgabe; **3.** Beschränkung *f*.

a·broad [ə'brɔːd] *adv.* **1.** im *od.* ins Ausland, auswärts, draußen: ***go ~*** ins Ausland reisen; ***from ~*** aus dem Ausland; **2.** draußen, im Freien: ***be ~ early*** schon früh aus dem Haus sein; **3.** weit um'her, überall'hin: ***spread ~*** (weit) verbreiten; ***the matter has got ~*** die Sache ist ruchbar geworden; ***a rumo(u)r is ~*** es geht das Gerücht; **4.** *fig.* ***all ~*** a) ganz im Irrtum, b) völlig verwirrt.

ab·ro·gate ['æbrəʊgeɪt] *v/t.* abschaffen, *Gesetz etc.* aufheben; **ab·ro·gation** [ˌæbrəʊ'geɪʃn] *s.* Abschaffung *f*, Aufhebung *f*.

ab·rupt [ə'brʌpt] *adj.* □ **1.** abgerissen, zs.-hanglos (*a. fig.*); **2.** jäh, steil; **3.** kurz angebunden, schroff; **4.** plötzlich, ab'rupt, jäh; **ab'rupt-ness** [-nɪs] *s.* **1.** Abgerissenheit *f*, Zs.-hangslosigkeit *f*; **2.** Steilheit *f*; **3.** Schroffheit *f*; **4.** Plötzlichkeit *f*.

ab·scess ['æbsɪs] *s.* ⚕ Ab'szeß *m*, Geschwür *n*, Eiterbeule *f*.

ab·scis·sion [æb'sɪʒn] *s.* Abschneiden *n*, Abtrennung *f*.

ab·scond [əb'skɒnd] *v/i.* **1.** sich heimlich da'vonmachen, flüchten (***from*** vor *dat.*); *a.* ~ ***from justice*** sich den Gesetzen *od.* der Festnahme entziehen: ~***ing debtor*** flüchtiger Schuldner; **2.** sich verstecken.

ab·sence ['æbsəns] *s.* **1.** Abwesenheit *f* (***from*** von): ~ ***of mind*** → ***absent-mindedness***; **2.** (***from***) Fernbleiben *n* (von), Nichterscheinen *n* (in *dat.*, bei, zu): ~ ***without leave*** ⚔ unerlaubte Entfernung von der Truppe; **3.** (***of***) Fehlen *n* (*gen. od.* von), Mangel *m* (an *dat.*): ***in the ~ of*** in Ermangelung von (*od. gen.*).

ab·sent I *adj.* □ ['æbsənt] **1.** abwesend, fehlend, nicht vor'handen *od.* zu'gegen: ***be*** ~ fehlen; **2.** geistesabwesend, zerstreut; **II** *v/t.* [æb'sənt] **3.** ~ ***o.s.*** (***from***) fernbleiben (*dat. od.* von), sich entfernen (von, aus); **ab·sen·tee** [ˌæbsən'tiː] *s.* **1.** Abwesende(r *m*) *f*: ~ ***ballot***, ~ ***vote*** *pol.* Briefwahl *f*; ~ ***voter*** Briefwähler(in); **2.** (unentschuldigt) Fehlende(r *m*) *f*; **3.** Eigentümer, der nicht auf s-m Grundstück lebt; **ab·sen·tee·ism** [ˌæbsən'tiːɪzəm] häufiges *od.* längeres (unentschuldigtes) Fehlen (am Arbeitsplatz, in der Schule); ˌ**ab·sent-'mind·ed** *adj.* □ geistesabwesend, zerstreut; ˌ**ab·sent-'mind·ed·ness** [-nɪs] *s.* Geistesabwesenheit *f*, Zerstreutheit *f*.

ab·sinth(e) ['æbsɪnθ] *s.* **1.** ⚘ Wermut *m*; **2.** Ab'sinth *m* (*Branntwein*).

ab·so·lute ['æbsəluːt] **I** *adj.* □ **1.** abso'lut (*a.* ⚘, *ling.*, *phys.*, *phls.*): ~ ***altitude*** ✈ absolute (Flug)Höhe; ~ ***majority*** *pol.* absolute Mehrheit; ~ ***temperature*** absolute (*od.* Kelvin)Temperatur; ~ ***zero*** absoluter Nullpunkt; **2.** unbedingt, unbeschränkt: ~ ***monarchy*** absolute Monarchie; ~ ***ruler*** unumschränkter Herrscher; ~ ***gift*** Schenkung *f*; **3.** ⚗ rein, unvermischt: ~ ***alcohol*** absoluter Alkohol; **4.** rein, völlig, abso'lut, voll'kommen: ~ ***nonsense***; **5.** bestimmt, wirklich; 'positiv: ~ ***fact*** nackte Tatsache; ***become*** ~ ⚖ rechtskräftig werden; **II** *s.* **6.** ***the*** ~ das Absolute; '**ab·so·lute·ly** [-lɪ] *adv.* **1.** abso'lut, völlig, vollkommen, 'durchaus; **2.** F abso'lut(!), unbedingt(!), ganz recht(!); **ab·so·lu·tion** [ˌæbsəluːʃn] *s.* **1.** *eccl.* Absoluti'on *f*, Sündenerlaß *m*; **2.** ⚖ Freisprechung *f*; **ab·so·lu·tism** ['æbsəluːtɪzəm] *s. pol.* Absolu'tismus *m*, unbeschränkte Regierungsform *od.* Herrschergewalt.

ab·solve [əb'zɒlv] *v/t.* **1.** frei-, lossprechen (***of*** von *Sünde*, ***from*** von *Verpflichtung*), entbinden (***from*** von *od. gen.*); **2.** *eccl.* Absoluti'on erteilen (*dat.*)

ab·sorb [əb'sɔːb] *v/t.* **1.** absorbieren, auf-, einsaugen, (ver)schlucken; *a. fig. Wissen etc.* (in sich) aufnehmen; vereinigen (***into*** mit); **2.** sich einverleiben, trinken; **3.** *fig.* aufzehren, verschlingen, schlucken; ✝ *Kaufkraft* abschöpfen; **4.** *fig.* ganz in Anspruch nehmen *od.* beschäftigen, fesseln; **5.** *phys.* absorbieren, resorbieren, in sich aufnehmen, auffangen, *Schall* schlucken, *Schall, Stoß* dämpfen; **ab'sorbed** [-bd] *adj.* □ *fig.* (***in***) gefesselt (von), vertieft *od.* versunken (in *acc.*): ~ ***in thought***; **ab'sorb·ent** [-bənt] **I** *adj.* absorbierend, aufsaugend: ~ ***cotton*** ⚕ Verbandwatte *f*; **II** *s.* Absorpti'onsmittel *n*; **ab'sorb·ing** [-bɪŋ] *adj.* □ **1.** aufsaugend; *fig.* fesselnd, packend; **2.** ⚙, *biol.* Absorptions…, Aufnahme… (*a.* ✝); **ab·sorp·tion** [əb'sɔːpʃn] *s.* **1.** *a.* ⚡, ⚘, ⚙, *biol.*, *phys.* Auf-, Einsaugung *f*, Aufnahme *f*, Absorpti'on *f*; Vereinigung *f*; **2.** Verdrängung *f*, Verbrauch *m*; (*Schall-, Stoß*)Dämpfung *f*; **3.** *fig.* (***in***) Vertieftsein *n* (in *acc.*), gänzliche In'anspruchnahme (durch); **ab·sorp·tive** [əb'sɔːptɪv] *adj.* absorp'tiv, Absorptions…, absorbierend, (auf)saug-, aufnahmefähig.

ab·stain [əb'steɪn] *v/i.* **1.** sich enthalten (***from*** *gen.*); **2.** *a.* ~ ***from voting*** sich der Stimme enthalten; **ab'stain·er** [-nə] *s. mst* ***total*** ~ Absti'nenzler *m*.

ab·ste·mi·ous [æb'stiːmjəs] *adj.* □ enthaltsam, mäßig, fru'gal (*a. Essen*).

ab·sten·tion [æb'stenʃn] *s.* **1.** Enthaltung *f* (***from*** von); **2.** *a.* ~ ***from voting*** *pol.* Stimmenthaltung *f*.

ab·sti·nence ['æbstɪnəns] *s.* Absti'nenz *f*, Enthaltung *f* (***from*** von), Enthaltsamkeit *f*: ***total*** ~ (völlige) Abstinenz, vollkommene Enthaltsamkeit; ***day of*** ~ *R.C.* Abstinenztag *m*; '**ab·sti·nent** [-nt] *adj.* □ enthaltsam, mäßig, absti'nent.

ab·stract[1] ['æbstrækt] **I** *adj.* □ **1.** ab'strakt, theo'retisch, rein begrifflich; **2.** *ling.* ab'strakt (*Ggs. konkret*); **3.** ⚘ ab'strakt, rein (*Ggs. angewandt*): ~ ***number*** abstrakte Zahl; **4.** → ***abstruse***; **5.** *paint.* ab'strakt; **II** *s.* **6.** *das* Ab'strakte: ***in the*** ~ rein theoretisch (betrachtet), an u. für sich; **7.** *ling.* Ab'straktum *n*, Begriffs(haupt)wort *n*; **8.** Auszug *m*, Abriß *m*, Inhaltsangabe *f*, 'Übersicht *f*: *~ of account* ✝ Konto-, Rechnungsauszug; *~ of title* ⚖ Besitztitel *m*, Eigentumsnachweis *m*.

ab·stract² [æb'strækt] *v/t.* **1.** *Geist etc.* ablenken; (ab)sondern, trennen; **2.** abstrahieren; für sich *od.* (ab)gesondert betrachten; **3.** e-n Auszug machen von, kurz zs.-fassen; **4.** ⚗ destillieren; **5.** entwenden; **ab'stract·ed** [-tɪd] *adj.* ☐ **1.** (ab)gesondert, getrennt; **2.** zerstreut, geistesabwesend; **ab'strac·tion** [-kʃn] *s.* **1.** Abstrakti'on *f*, *a.* ⚗ Absonderung *f*; **2.** *a.* ⚖ Wegnahme *f*, Entwendung *f*; **3.** *phls.* Abstrakti'on *f*, ab'strakter Begriff; **4.** Versunkenheit *f*, Zerstreutheit *f*; **5.** ab'straktes Kunstwerk.

ab·struse [æb'stru:s] *adj.* ☐ dunkel, schwerverständlich, ab'strus.

ab·surd [əb'sɜ:d] *adj.* ☐ ab'surd (*a. thea.*), unsinnig, lächerlich; **ab'surd·i·ty** [-dətɪ] *s.* Absurdi'tät *f*, Sinnlosigkeit *f*, Albernheit *f*, Unsinn *m*: ***reduce to ~*** ad absurdum führen.

a·bun·dance [ə'bʌndəns] *s.* **1.** (***of***) 'Überfluß *m* (an *dat.*), Fülle *f* (von), (große) Menge (von): ***in ~*** in Hülle und Fülle; **2.** 'Überschwang *m der Gefühle*; **3.** Wohlstand *m*, Reichtum *m*; **a'bun·dant** [-nt] *adj.* ☐ **1.** reichlich (vor'handen); **2.** (***in*** *od.* ***with***) im 'Überfluß besitzend (*acc.*), reich (an *dat.*), reichlich versehen (mit); **3.** ⩘ abun'dant; **a'bun·dant·ly** [-ntlɪ] *adv.* reichlich, völlig, in reichem Maße.

a·buse I *v/t.* [ə'bju:z] **1.** miß'brauchen; 'übermäßig beanspruchen; **2.** grausam behandeln, miß'handeln; *Frau* miß'brauchen; **3.** beleidigen, beschimpfen; **II** *s.* [ə'bju:s] **4.** 'Mißbrauch *m*, -stand *m*, falscher Gebrauch; 'Übergriff *m*: ***~ of authority*** ⚖ Amts-, Ermessensmißbrauch; **5.** Miß'handlung *f*; **6.** Kränkung *f*, Beschimpfung *f*, Schimpfworte *pl.*; **a'bu·sive** [-ju:sɪv] *adj.* ☐ **1.** 'mißbräuchlich; **2.** beleidigend, ausfallend: ***he became ~***; ***~ language*** Schimpfworte *pl.*; **3.** falsch (angewendet).

a·but [ə'bʌt] *v/i.* angrenzen, -stoßen, (sich) anlehnen (***on***, ***upon***, ***against*** an *acc.*); **a'but·ment** [-mənt] *s.* ⚠ Strebepfeiler *m*, 'Widerlager *n e-r Brücke etc.*; **a'but·tals** [-tlz] *s. pl.* (Grundstücks-) Grenzen *pl*; **a'but·ter** [-tə] *s.* ⚖ Anlieger *m*, Anrainer *m*.

a·bysm [ə'bɪzəm] *s. poet.* Abgrund *m*; **a'bys·mal** [-zml] *adj.* ☐ abgrundtief, bodenlos, unergründlich (*a. fig.*): ***~ ignorance*** grenzenlose Dummheit; **a·byss** [ə'bɪs] *s.* **1.** *a. fig.* Abgrund *m*, Schlund *m*; **2.** Hölle *f*.

Ab·ys·sin·i·an [ˌæbɪ'sɪnjən] **I** *adj.* abes'sinisch; **II** *s.* Abes'sinier(in).

a·ca·cia [ə'keɪʃə] *s.* **1.** ⚘ a) A'kazie *f*, b) *a.* ***false ~*** Gemeine Ro'binie; **2.** A'kazienˌgummi *m*, *n*.

ac·a·dem·i·a [ˌækə'di:mɪə] *s.* die akademische Welt; **ac·a·dem·ic** [ˌækə'demɪk] **I** *adj.* (☐ ***~ally***) **1.** aka'demisch, Universitäts...: ***~ dress*** *od.* ***costume*** akademische Tracht; ***~ year*** Studienjahr *n*; **2.** (geistes)wissenschaftlich: ***~ achievement***; ***an ~ course***; **3.** a) aka'demisch, (rein) theo'retisch: ***an ~ question***, b) unpraktisch, nutzlos; **4.** konventio'nell, traditio'nell; **II** *s.* **5.** Aka'demiker(in); **6.** Universi'tätsmitglied *n* (*Dozent, Student etc.*); **ˌac·a'dem·i·cal** [-kl] **I** *adj.* ☐ → ***academic*** 1, 2; **II** *s. pl.* aka'demische Tracht; **a·cad·e·mi·cian** [əˌkædə'mɪʃn] *s.* Akade'miemitglied *n*; **a·cad·e·my** [ə'kædəmɪ] *s.* **1.** ♎ Akade'mie *f* (*Platos Philosophenschule*); **2.** a) Hochschule *f*, b) höhere Lehranstalt (*allgemeiner od. spezieller Art*): ***military ~*** Militärakademie *f*, Kriegsschule *f*; ***riding ~*** Reitschule *f*; **3.** Akade'mie *f der Wissenschaften etc.*, gelehrte Gesellschaft.

ac·a·jou ['ækəʒu:] → ***cashew***.

a·can·thus [ə'kænθəs] *s.* **1.** ⚘ Bärenklau *m*, *f*; **2.** ⚠ A'kanthus *m*, Laubverzierung *f*.

ac·cede [æk'si:d] *v/i.* ***~ to*** **1.** *e-m Vertrag, Verein etc.* beitreten; *e-m Vorschlag* beipflichten, in *et.* einwilligen; **2.** zu *et.* gelangen; *Amt* antreten; *Thron* besteigen.

ac·cel·er·ant [æk'selərənt] **I** *adj.* beschleunigend; **II** *s.* ⚗ 'positiver Kataly'sator; **ac·cel·er·ate** [æk'seləreɪt] **I** *v/t.* **1.** beschleunigen, die Geschwindigkeit erhöhen von (*od. gen.*); *fig. Entwicklung etc.* beschleunigen, fördern; *et.* ankurbeln; **2.** *Zeitpunkt* vorverlegen; **II** *v/i.* **3.** schneller werden; **ac'cel·er·at·ing** [-reɪtɪŋ] *adj.* Beschleunigungs...: ***~ grid*** ⚡ Beschleunigungs-, Schirmgitter *n*; **ac·cel·er·a·tion** [ækˌselə'reɪʃn] *s.* **1.** *bsd.* ⚙, *phys.*, *ast.* Beschleunigung *f*: ***~ lane*** *mot.* Beschleunigungsspur *f*; **2.** ⚕ Akzelerati'on *f*, Entwicklungsbeschleunigung *f*; **ac'cel·er·a·tor** [-reɪtə] *s.* **1.** *bsd.* ⚙ Beschleuniger *m*, *mot. a.* Gashebel *m*, 'Gaspeˌdal *n*: ***step on the ~*** Gas geben; **2.** *anat.* Sym'pathikus *m*.

ac·cent I *s.* ['æksənt] Ak'zent *m*: a) *ling.* Ton *m*, Betonung *f*, b) *ling.* Tonzeichen *n*, c) Tonfall *m*, Aussprache *f*, d) ♪ Ak'zent(zeichen *n*) *m*, e) *fig.* Nachdruck (***on*** auf *dat.*); **II** *v/t.* [æk'sent] → **ac·cen·tu·ate** [æk'sentjʊeɪt] *v/t.* akzentuieren, betonen: a) her'vorheben (*a. fig.*), b) mit e-m Ak'zent(zeichen) versehen; **ac·cen·tu·a·tion** [ækˌsentjʊ'eɪʃn] *s. allg.* Betonung *f*.

ac·cept [əkˈsept] **I** *v/t.* **1.** annehmen: a) entgegennehmen: *~ **a gift***, b) akzeptieren: *~ **a proposal***; **2.** *fig.* akzeptieren: a) *j-n od. et.* anerkennen, *bsd. et.* gelten lassen, b) *et.* ˈhinnehmen, sich mit *et.* abfinden; **3.** *j-n* aufnehmen (***into*** in *acc.*); **4.** auffassen, verstehen: → ***accepted***; **5.** ✝ *Auftrag* annehmen; *Wechsel* akzeptieren: *~ **the tender*** den Zuschlag erteilen; **II** *v/i.* **6.** annehmen, zusagen, einverstanden sein; **ac·cept·a·bil·i·ty** [əkˌseptəˈbɪlətɪ] *s.* **1.** Annehmbarkeit *f*, Eignung *f*; **2.** Erwünschtheit *f*; **acˈcept·a·ble** [-təbl] *adj.* □ **1.** akzepˈtabel, annehmbar, tragbar (***to*** für); **2.** angenehm, willˈkommen; **3.** ✝ beleihbar, lomˈbardfähig; **acˈcept·ance** [-təns] *s.* **1.** Annahme *f*, Empfang *m*; **2.** Aufnahme *f* (***into*** in *acc.*); **3.** Zusage *f*, Billigung *f*, Anerkennung *f*; **4.** ˈÜbernahme *f*; **5.** ˈHinnahme *f*; **6.** *bsd.* ✝ Abnahme *f von Waren*: *~ **test*** Abnahmeprüfung *f*; **7.** ✝ a) Annahme *f od.* Anerkennung *f e-s Wechsels*, b) Akˈzept *n*, angenommener Wechsel; **ac·cep·ta·tion** [ˌæksepˈteɪʃn] *s. ling.* gebräuchlicher Sinn, landläufige Bedeutung; **acˈcept·ed** [-tɪd] *adj.* allgemein anerkannt; üblich, landläufig: ***in the ~ sense***; *~ **text*** offizieller Text; **acˈcept·er**, **acˈcep·tor** [-tə] *s.* **1.** Annehmer *m*, Abnehmer *m etc.*; **2.** ✝ Akzepˈtant *m*, Wechselnehmer *m*.

ac·cess [ˈækses] *s.* **1.** Zugang *m* (*Weg*): *~ **hatch*** ⚓, ✈ Einsteigluke *f*; *~ **road*** *Am.* a) Zufahrtsstraße *f*, b) (Autobahn-) Zubringerstraße *f*; **2.** *fig.* (***to***) Zugang *m* (zu), Zutritt *m* (zu, bei); Gehör *n* (bei); *Computer*: Zugriff (auf *acc*): *~ **time*** *Computer*: Zugriffszeit *f*; *~ **to means of education*** Bildungsmöglichkeiten *pl.*; ***easy of ~*** leicht zugänglich; **3.** (Wut-, Fieber- *etc.*)Anfall *m*, Ausbruch *m*; **acˈces·sa·ry** → ***accessory***; **ac·ces·si·bil·i·ty** [ækˌsesəˈbɪlətɪ] *s.* Erreichbarkeit *f*, Zugänglichkeit *f* (*a. fig.*); **ac·ces·si·ble** [ækˈsesəbl] *adj.* □ **1.** zugänglich, erreichbar (***to*** für); **2.** *fig.* ˈum-, zugänglich; **3.** zugänglich, empfänglich (***to*** für); **ac·ces·sion** [ækˈseʃn] *s.* **1.** (***to***) Gelangen *n* (zu *e-r Würde*): *~ **to power*** Machtübernahme *f*; **2.** (***to***) Anschluß *m* (an *acc.*), Beitritt *m* (zu); Antritt *m* (*e-s Amtes*): *~ **to the throne*** Thronbesteigung *f*; **3.** (***to***) Zuwachs *m* (an *dat.*), Vermehrung *f* (*gen.*): ***recent ~s*** Neuanschaffungen; **4.** Wertzuwachs *m*, Vorteil *m*; **5.** (***to***) Erreichung *f e-s Alters*.

ac·ces·so·ry [ækˈsesərɪ] **I** *adj.* **1.** zusätzlich, beitragend, Hilfs..., Neben..., Begleit...; **2.** nebensächlich, ˈuntergeordnet; **3.** teilnehmend, mitschuldig (***to*** an *dat.*); **II** *s.* **4.** Zusatz *m*, Anhang *m*; **5.** *pl.* ⚙ Zubehör(teile *pl.*) *n*, *m*; **6.** *oft pl.* Hilfsmittel *n*, Beiwerk *n*; **7.** ⚖ Teilnehmer *m an e-m Verbrechen*: *~ **after the fact*** Begünstiger *m*, *z. B.* Hehler *m*; *~ **before the fact*** a) Anstifter *m*, b) (Tat-) Gehilfe *m*.

ac·ci·dence [ˈæksɪdəns] *s. ling.* Formenlehre *f*.

ac·ci·dent [ˈæksɪdənt] *s.* **1.** Zufall *m*, zufälliges Ereignis: ***by ~*** zufällig; **2.** zufällige Eigenschaft, Nebensächlichkeit *f*; **3.** Unfall *m*, Unglücksfall *m*: ***in an ~*** bei e-m Unfall; *~ **benefit*** Unfallentschädigung *f*; ***~-free*** unfallfrei; ***~-prone*** unfallgefährdet; **4.** Mißgeschick *n*; **ac·ci·den·tal** [ˌæksɪˈdentl] **I** *adj.* □ **1.** zufällig, unbeabsichtigt; nebensächlich; **2.** Unfall...: *~ **death*** Tod *m* durch Unfall; **II** *s.* **3.** ♪ Vorzeichen *n*; **4.** *mst pl. paint.* Nebenlichter *pl.*

ac·claim [əˈkleɪm] **I** *v/t.* **1.** *j-n*, *fig. et.* mit (lautem) Beifall *od.* Jubel begrüßen; *j-m* zujubeln; **2.** jauchzend ausrufen: ***they ~ed him*** (***as***) ***king*** sie riefen ihn zum König aus; **3.** sehr loben; **II** *s.* **4.** Beifall *m*.

ac·cla·ma·tion [ˌækləˈmeɪʃn] *s.* **1.** lauter Beifall; **2.** hohes Lob; **3.** *pol.* Abstimmung *f* durch Zuruf: ***by ~*** durch Akklamation.

ac·cli·mate [əˈklaɪmət] *bsd. Am.* → ***acclimatize***; **ac·cli·ma·tion** [ˌæklaɪˈmeɪʃn] *s.*, **ac·cli·ma·ti·za·tion** [əˌklaɪmətaɪˈzeɪʃn] *s.* Akklimatisierung *f*, Eingewöhnung *f* (*beide a. fig.*); ⚘ *zo.* Einbürgerung *f*; **ac·cli·ma·tize** [əˈklaɪmətaɪz] *v/t. u. v/i.* (sich) akklimatisieren, (sich) gewöhnen (***to*** an *acc.*) (*a. fig.*).

ac·cliv·i·ty [əˈklɪvətɪ] *s.* Steigung *f*.

ac·co·lade [ˈækəʊleɪd] *s.* **1.** Akkoˈlade *f*: a) Ritterschlag *m*, b) (feierliche) Umˈarmung. **2.** *fig. Am.* Auszeichnung *f*. **3.** ♪ Klammer *f*.

ac·com·mo·date [əˈkɒmədeɪt] **I** *v/t.* **1.** (***to***) a) anpassen (*dat.*, an *acc.*): *~ **o.s. to circumstances***, b) in Einklang bringen (mit): *~ **facts to theory***; **2.** *j-n* versorgen, *j-m* aushelfen *od.* gefällig sein (***with*** mit): *~ **s.o. with money***; **3.** *Streit* schlichten, beilegen; **4.** ˈunterbringen, Platz haben für, fassen; **II** *v/i.* **5.** sich einstellen (***to*** auf *acc.*); **6.** ⚕ sich akkommodieren; **acˈcom·mo·dat·ing** [-tɪŋ] *adj.* □ gefällig, entgegenkommend; anpassungsfähig; **ac·com·mo·da·tion** [əˌkɒməˈdeɪʃn] *s.* **1.** Anpassung *f* (***to*** an *acc.*); Überˈeinstimmung *f*; **2.** Überˈeinkommen *n*, gütliche Einigung; **3.** Gefälligkeit *f*, Aushilfe *f*, geldliche Hilfe; **4.** Versorgung *f* (***with*** mit); **5.** *a. pl.* Einrichtung(en *pl.*) *f*; Bequemlichkeit(en *pl.*) *f*; Räumlichkeit (-en *pl.*) *f*: ***seating ~*** Sitzgelegenheit *f*; **6.** *Brit. sg.*, *Am. mst pl.* (Platz *m* für) ˈUnterkunft *f*, -bringung *f*, Quarˈtier *n*; **7.** *a.* *~ **train*** *Am.* Perˈsonenzug *m*.

ac·com·mo·da·tion| ad·dress *s.* 'Decka͵dresse *f*; ~ **bill**, ~ **draft** *s.* ✝ Gefälligkeitswechsel *m*; ~ **lad·der** *s.* ⚓ Fallreep *n*; ~ **road** *s.* Hilfs-, Zufahrtsstraße *f.*

ac·com·pa·ni·ment [ə'kʌmpənɪmənt] *s.* **1.** ♪ Begleitung *f*, *a. fig. iro.* Begleitmusik *f*; **2.** *fig.* Begleiterscheinung *f*; **ac'com·pa·nist** [-pənɪst] *s.* ♪ Begleiter (-in); **ac·com·pa·ny** [ə'kʌmpənɪ] *v/t.* **1.** *a.* ♪ *u. fig.* begleiten; **2.** *fig.* e-e Begleiterscheinung sein von *od. gen.*: ***accompanied by*** *od.* ***with*** begleitet von, verbunden mit; ***~ing address*** (***phenomenon***) Begleitadresse *f* (-erscheinung *f*); **3.** verbinden (***with*** mit): ***~ the advice with a warning***.

ac·com·plice [ə'kʌmplɪs] *s.* Kom'plice *m*, 'Mittäter(in).

ac·com·plish [ə'kʌmplɪʃ] *v/t.* **1.** *Aufgabe* voll'bringen, voll'enden, erfüllen, *Absicht* ausführen, *Zweck* erreichen, erfüllen, *Ziel* erreichen; **2.** leisten; **3.** ver'vollkommnen, schulen; **ac'com·plished** [-ʃt] *adj.* **1.** 'vollständig ausgeführt; **2.** kultiviert, (fein *od.* vielseitig) gebildet; **3.** voll'endet, per'fekt (*a. iro.*): ***an ~ liar*** ein Erzlügner; **ac'com·plish·ment** [-mənt] *s.* **1.** Ausführung *f*, Voll'endung *f*; Erfüllung *f*; **2.** Ver'vollkommnung *f*; **3.** Voll'kommenheit *f*; Könnerschaft *f*; **4.** *mst pl.* Fertigkeiten *pl.*, Ta'lente *pl.*, Künste *pl.*; **5.** Leistung *f.*

ac·cord [ə'kɔ:d] **I** *v/t.* **1.** bewilligen, gewähren, *Lob* spenden; **II** *v/i.* **2.** über'einstimmen, harmonieren, passen; **III** *s.* **3.** Über'einstimmung *f*, Einklang *m*; **4.** Zustimmung *f*; **5.** Über'einkommen *n*, *pol.* Abkommen *n*; ⚖ Vergleich *m*: ***with one ~*** einstimmig, einmütig; ***of one's own ~*** aus eigenem Antrieb, freiwillig; **ac'cord·ance** [-dəns] *s.* Über'einstimmung *f*: ***to be in ~ with*** übereinstimmen mit; ***in ~ with*** in Übereinstimmung mit, gemäß; **ac'cord·ing** [-dɪŋ] **I** ***~ as*** *cj.* je nach'dem (wie *od.* ob), so wie; **II** ***~ to*** *prp.* gemäß, nach, laut (*gen.*): ***~ to taste*** (je) nach Geschmack; ***~ to directions*** vorschriftsmäßig; **ac'cord·ing·ly** [-dɪŋlɪ] *adv.* demgemäß, folglich; entsprechend.

ac·cor·di·on [ə'kɔ:djən] *s.* Ak'kordeon *n*, 'Zieh-, 'Handhar͵monika *f.*

ac·cost [ə'kɒst] *v/t.* her'antreten an (*acc.*), *j-n* ansprechen.

ac·couche·ment [ə'ku:ʃmɑ̃:ŋ] (*Fr.*) *s.* Entbindung *f*, Niederkunft *f*; **ac·cou·cheur** [͵æku:'ʃɜ:; akuʃœ:r] *s.* Geburtshelfer *m*; **ac·cou·cheuse** [͵æku:'ʃɜ:z; akuʃø:z] *s.* Hebamme *f.*

ac·count [ə'kaʊnt] **I** *v/t.* **1.** ansehen als, erklären für, betrachten als: ***~ s.o.*** (***to be***) ***guilty***; ***~ o.s. happy*** sich glücklich schätzen; **II** *v/i.* ***~ for*** **2.** Rechenschaft ablegen über *acc.*; verantwortlich sein für; **3.** (er)klären, begründen: ***how do you ~ for that?*** wie erklären Sie das?; ***Henry ~s for ten of them*** zehn davon kommen auf H.; ***there is no ~ing for it*** das ist nicht zu begründen, das ist Ansichtssache; (***not***) ***~ed for*** (un)geklärt; **4.** *hunt.* (ab)schießen; *fig. sport* ,erledigen'; **III** *s.* **5.** Rechnung *f*, Ab-, Berechnung *f*; ✝ *pl.* (Geschäfts)Bücher *pl.*, (Rechnungs-, Jahres)Abschluß *m*; 'Konto *n*: ***~-book*** Konto-, Geschäftsbuch *n*; ***~ current*** *od.* ***current ~*** laufende Rechnung, Kontokorrent *n*; ***~ movements*** Kontobewegungen *pl*; ***~ sales*** Verkaufsabrechnung; ***~s payable*** Verbindlichkeiten, Kreditoren; ***~s receivable*** Außenstände, Debitoren; ***on ~*** auf Abschlag, a conto, als Teilzahlung; ***for ~ only*** nur zur Verrechnung; ***for one's own ~*** auf eigene Rechnung; ***payment on ~*** Anzahlung *f*; ***on one's own ~*** auf eigene Rechnung (u. Gefahr), für sich selber; ***balance an ~*** e-e Rechnung bezahlen, ein Konto ausgleichen; ***carry to a new ~*** auf neue Rechnung vortragen; ***charge to s.o.'s ~*** j-s Konto belasten mit, j-m in Rechnung stellen; ***keep an ~*** Buch führen; ***open an ~*** ein Konto eröffnen; ***place to s.o.'s ~*** j-m in Rechnung stellen; ***render an ~*** (***for***) Rechnung (vor)legen (für); ***~ rendered*** vorgelegte Rechnung; ***settle an ~*** e-e Rechnung begleichen; ***settle*** *od.* ***square ~s with***, ***make up one's ~ with*** *a. fig.* abrechnen mit; ***square an ~*** ein Konto ausgleichen; → ***statement*** 5; **6.** Rechenschaft(sbericht *m*) *f*: ***bring to ~*** *fig.* abrechnen mit; ***call to ~*** zur Rechenschaft ziehen; ***give*** *od.* ***render an ~ of*** Rechenschaft ablegen über (*acc.*) → 7; ***give a good ~ of*** *et.* gut erledigen, *Gegner* abfertigen; ***give a good ~ of o.s.*** s-e Sache gut machen, sich bewähren; **7.** Bericht *m*, Darstellung *f*, Beschreibung *f*: ***by all ~s*** nach allem, was man hört; ***give*** *od.* ***render an ~ of*** Bericht erstatten über (*acc.*) → 6; **8.** Liste *f*, Verzeichnis *n*; **9.** 'Umstände *pl.*, Erwägung *f*: ***on ~ of*** um … willen, wegen; ***on his ~*** seinetwegen; ***on no ~*** keineswegs, unter keinen Umständen; ***leave out of ~*** außer Betracht lassen; ***take ~ of***, ***take into ~*** Rechnung tragen (*dat.*), in Betracht ziehen, berücksichtigen; **10.** Wichtigkeit *f*, Wert *m*: ***of no ~*** ohne Bedeutung; **11.** Vorteil *m*: ***find one's ~ in*** bei *et.* profitieren *od.* auf s-e Kosten kommen; ***turn to*** (***good***) ***~*** (gut) (aus)nutzen, Kapital schlagen aus; **ac·count·a·bil·i·ty** [ə͵kaʊntə'bɪlətɪ] *s.* Verantwortlichkeit *f*; **ac'count·a·ble** [-təbl] *adj.* □ **1.** verantwortlich, rechenschaftspflichtig (***to***

dat.); **2.** erklärlich; **acˈcount·an·cy** [-tənsɪ] *s.* Buchhaltung *f*; Buchführung *f*, Rechnungswesen *n*; *Brit.* Steuerberatung *f*; **acˈcount·ant** [-tənt] *s.* **1.** (*a.* Bilanz)Buchhalter *m*, Rechnungsführer *m*; **2.** (***chartered*** *od.* ***certified*** **~** amtlich zugelassener) Buchprüfer *od.* Steuerberater; ***certified public*** **~** *Am.* Wirtschaftsprüfer *m*; **3.** *Brit.* Steuerberater *m*; **acˈcount·ing** [-tɪŋ] *s.* **1.** → ***accountancy***; **2.** Abrechnung *f*: **~** ***period*** Abrechnungszeitraum *m*; **~** ***year*** Geschäftsjahr *n*.

ac·cou·tred [əˈkuːtəd] *adj.* ausgerüstet; **acˈcou·tre·ment** [-təmənt] *s. mst pl.* **1.** Kleidung *f*, Ausstattung *f*; **2.** ⚔ Ausrüstung *f* (*außer Uniform u. Waffen*).

ac·cred·it [əˈkredɪt] *v/t.* **1.** *bsd. e-n Gesandten* akkreditieren, beglaubigen (***to*** bei); **2.** bestätigen, als berechtigt anerkennen; **3.** **~** ***s.th. to s.o.*** *od.* ***s.o. with s.th.*** j-m et. zuschreiben.

ac·cre·tion [æˈkriːʃn] *s.* **1.** Zuwachs *m*, Zunahme *f*, Anwachsen *n*; **2.** ⚖ Anwachsung *f* (*Erbschaft*); (Land)Zuwachs *m*; **3.** ⚕ Zs.-wachsen *n*.

ac·cru·al [əˈkruːəl] *s.* ⚜, ⚖ Anfall *m* (*Dividende, Erbschaft etc.*); Entstehung *f* (*Anspruch etc.*); Auflaufen *n* (*Zinsen*); Zuwachs *m*.

ac·crue [əˈkruː] *v/i.* erwachsen, entstehen, zufallen, zukommen (***to*** *dat.*, ***from***, ***out of*** aus): **~*****d interest*** aufgelaufene Zinsen *pl*.

ac·cu·mu·late [əˈkjuːmjʊleɪt] **I** *v/t.* ansammeln, anhäufen, aufspeichern (*a.* ⚙), aufstauen; **II** *v/i.* anwachsen, sich anhäufen *od.* ansammeln *od.* akkumulieren, ⚙ sich summieren; auflaufen (*Zinsen*); **ac·cu·mu·la·tion** [əˌkjuːmjʊˈleɪʃn] *s.* Ansammlung *f*, Auf-, Anhäufung *f*, Akkumulation *f*, *a.* ⚙ (Auf-)Speicherung *f*, *a. psych.* (Auf)Stauung *f*: **~** ***of capital*** ⚜ Kapitalansammlung *f*; **~** ***of interest*** Auflaufen *n* von Zinsen; **~** ***of property*** Vermögensanhäufung *f*; **acˈcu·mu·la·tive** [-lətɪv] *adj.* (sich) anhäufend *etc.*; Häufungs..., Zusatz..., Sammel...; **acˈcu·mu·la·tor** [-tə] *s.* ⚡ Akkumuˈlator *m*, ˈAkku *m*, (Strom-)Sammler *m*.

ac·cu·ra·cy [ˈækjʊrəsɪ] *s.* Genauigkeit *f*, Sorgfalt *f*, Präzisiˈon *f*; Richtigkeit *f*, Exˈaktheit *f*; **ˈac·cu·rate** [-rət] *adj.* □ **1.** genau; sorgfältig; pünktlich; **2.** richtig, zutreffend, exˈakt.

ac·curs·ed [əˈkɜːsɪd] *adj.*, *a.* **acˈcurst** [-st] *adj.* verflucht, verwünscht, F *a.* ‚verflixt'.

ac·cu·sa·tion [ˌækjuːˈzeɪʃn] *s.* Anklage *f*, An-, Beschuldigung *f*: ***bring an*** **~** ***against s.o.*** e-e Anklage gegen j-n erheben; **ac·cu·sa·ti·val** [əˌkjuːzəˈtaɪvl] *adj.* □ *ling.* ˈakkusativisch; **ac·cu·sa·tive** [əˈkjuːzətɪv] *s. a.* **~** ***case*** ˈAkkusativ *m*, 4. Fall.

ac·cuse [əˈkjuːz] *v/t. a.* ⚖ anklagen, beschuldigen (***of*** *gen.*; ***before***, ***to*** bei); **acˈcused** [-zd] *s.* a) Angeklagte(r *m*) *f*, b) *die* Angeklagten *pl*; **acˈcus·ing** [-zɪŋ] *adj.* □ anklagend.

ac·cus·tom [əˈkʌstəm] *v/t.* gewöhnen (***to*** an *acc.*): ***be*** **~*****ed to do***(***ing***) ***s.th.*** gewohnt sein, et. zu tun, et. zu tun pflegen; ***get*** **~*****ed to s.th.*** sich an et. gewöhnen; **acˈcus·tomed** [-md] *adj.* **1.** gewohnt, üblich; **2.** gewöhnt (***to*** an *acc.*, zu *inf.*).

ace [eɪs] **I** *s.* **1.** As *n* (*Spielkarte*): ***an*** **~** ***in the hole*** *Am.* F ein Trumpf in petto; **2.** Eins *f* (*Würfel*); **3.** *fig.* ***he came within an*** **~** ***of losing*** um ein Haar hätte er verloren; **4.** ⚔ (Flieger)As *n*; **5.** *bsd. sport* ‚Kaˈnone' *f*, As *n*; **6.** *Tennis:* (Aufschlag)As *n*. **II** *adj.* **7.** herˈvorragend, Spitzen..., Star...: **~** ***reporter***.

ac·er·bate [ˈæsəbeɪt] *v/t.* er-, verbittern; **a·cer·bi·ty** [əˈsɜːbətɪ] *s.* **1.** Herbheit *f*, Bitterkeit *f* (*a. fig.*); **2.** saurer Geschmack, Säure *f*; **3.** *fig.* Schärfe *f*, Heftigkeit *f*.

ac·e·tate [ˈæsɪteɪt] *s.* **1.** ⚗ Aceˈtat *n*; **2.** *a.* **~** ***rayon*** Acetatseide *f*; **a·ce·tic** [əˈsiːtɪk] *adj.* ⚗ essigsauer: **~** ***acid*** Essigsäure *f*; **a·cet·i·fy** [əˈsetɪfaɪ] **I** *v/t.* in Essig verwandeln, säuern; **II** *v/i.* sauer werden; **a·cet·y·lene** [əˈsetɪlɪn] *s.* ⚗ Acetyˈlen *n*: **~** ***welding*** ⚙ Autogenschweißen *n*.

ache [eɪk] **I** *v/i.* **1.** schmerzen, weh tun; Schmerzen haben: ***I am aching all over*** mir tut alles weh; **2.** F sich sehnen (***for*** nach), darˈauf brennen (***to do*** *et.* zu tun); **II** *s.* **3.** (*anhaltender*) Schmerz.

a·chieve [əˈtʃiːv] *v/t.* **1.** zuˈstande bringen, vollˈbringen, schaffen, leisten; **2.** erlangen; *Ziel* erreichen, *Erfolg* erzielen; **aˈchieve·ment** [-mənt] *s.* **1.** Vollˈbringung *f*, Schaffung *f*, Zuˈstandebringen *n*; **2.** Erzielung *f*, Erreichen *n*; **3.** Erringung *f*; **4.** (Groß)Tat *f*, (große) Leistung, Errungenschaft *f*: **~*****-oriented*** leistungsorientiert; **~** ***test*** *psych.* Leistungstest *m*; **aˈchiev·er** [-və] *s.* j-d, der es zu et. bringt.

A·chil·les [əˈkɪliːz] *npr.* Aˈchill(es) *m*: **~** ***heel*** *fig.* Achillesferse *f*; **~** ***tendon*** *anat.* Achillessehne *f*.

ach·ing [ˈeɪkɪŋ] *adj.* schmerzend.

ach·ro·ma·tic [ˌækrəʊˈmætɪk] *adj.* (□ **~*****ally***) **1.** *phys.*, *biol.* achroˈmatisch, farblos: **~** ***lens***; **2.** ♪ diaˈtonisch.

ac·id [ˈæsɪd] **I** *adj.* □ **1.** sauer, scharf (*Geschmack*): **~** ***drops*** *Brit.* saure (Frucht)Bonbons, Drops; **2.** *fig.* bissig, beißend: **~** ***remark***; **3.** ⚗, ⚙ säurehaltig, Säure...: **~** ***bath*** Säurebad *n*; **~** ***rain*** saurer Regen; **II** *s.* **4.** ⚗ Säure *f*: **~*****-proof*** ⚙ säurefest; **5.** *sl.* LSˈD *n*: **~-**

head LSD-Süchtiger *m*; **a·cid·i·fy** [əˈsɪdɪfaɪ] *v/t.* (an)säuern; in Säure verwandeln; **a·cid·i·ty** [əˈsɪdətɪ] *s.* **1.** Säure *f*, Schärfe *f*, Säuregehalt *m*; **2.** (ˈüberschüssige) Magensäure; **ac·id re·sist·ance** *s.* Säurefestigkeit *f*; **ac·id test** *s.* **1.** ⚗, ⚡ Scheide-, Säureprobe *f*; **2.** *fig.* strengste Prüfung, Feuerprobe *f*: ***put to the ~*** auf Herz u. Nieren prüfen.

a·cid·u·lat·ed [əˈsɪdjʊleɪtɪd] *adj.* (an-)gesäuert: ***~ drops*** saure Bonbons; **aˈcid·u·lous** [-ləs] *adj.* säuerlich; *fig.* → ***acid*** 2.

ack-ack [ˌækˈæk] *s* ⚔ *sl.* Flak(feuer *n*, -kanone[n *pl.*] *f*) *f*.

ack·em·ma [ækˈemə] *Funkerwort für* ***a.m.*** *Brit. sl.* **I** *adv.* vormittags; **II** *s.* ˈFlugzeugmeˌchaniker *m*.

ac·knowl·edge [əkˈnɒlɪdʒ] *v/t.* **1.** anerkennen; **2.** zugeben, einräumen; **3.** sich bekennen zu; **4.** (dankbar) anerkennen; sich erkenntlich zeigen für; **5.** *Empfang* bestätigen, quittieren; *Gruß* erwidern; **6.** ⚖ *Urkunde* beglaubigen; **acˈknowl·edged** [-dʒd] *adj.* anerkannt; **acˈknowl·edg(e)·ment** [-mənt] *s.* **1.** Anerkennung *f*; **2.** Ein-, Zugeständnis *n*; **3.** Bekenntnis *n*; **4.** (lobende) Anerkennung; Erkenntlichkeit *f*, Dank *m* (***of*** für); **5.** (Empfangs)Bestätigung *f*; **6.** ⚖ Beglaubigungsklausel *f* (*Urkunde*).

ac·me [ˈækmɪ] *s.* **1.** Gipfel *m*; *fig. a.* Höhepunkt *m*; **2.** ⚕ ˈKrisis *f*.

ac·ne [ˈæknɪ] *s.* ⚕ ˈAkne *f*.

ac·o·lyte [ˈækəʊlaɪt] *s.* **1.** *eccl.* Meßgehilfe *m*, Alˈtardiener *m*; **2.** Gehilfe *m*; Anhänger *m*.

a·corn [ˈeɪkɔːn] *s.* ⚘ Eichel *f*.

a·cous·tic *adj.*, **a·cous·ti·cal** [əˈkuːstɪk(l)] *adj.* □ ⚙, *phys.* aˈkustisch, Schall…, *a.* ⚕ Gehör…, Hör…: ***~ engineering*** Tontechnik *f*; ***~ frequency*** Hörfrequenz *f*; ***~ nerve*** Gehörnerv *m*; **aˈcous·tics** [-ks] *s. pl. phys.* **1.** *mst sg. konstr.* Aˈkustik *f*, Lehre *f* vom Schall; **2.** *pl. konstr.* Aˈkustik *f e-s Raumes*.

ac·quaint [əˈkweɪnt] *v/t.* **1.** (***o.s.*** sich) bekannt (*fig. a.* vertraut) machen (***with*** mit); → ***acquainted***; **2.** *j-m* mitteilen (***with a th.*** et., ***that*** daß); **acˈquaint·ance** [-təns] *s.* **1.** (***with***) Bekanntschaft *f* (mit), Kenntnis *f* (von *od. gen.*): ***make s.o.'s ~*** j-n kennenlernen; ***on closer ~*** bei näherer Bekanntschaft; **2.** Bekanntschaft *f*: a) Bekannte(r *m*) *f*, b) Bekanntenkreis *m*: ***an ~ of mine*** eine(r) meiner Bekannten; **acˈquaint·ed** [-tɪd] *adj.* bekannt: ***be ~ with*** kennen; ***become ~ with*** *j-n od. et.* kennenlernen.

ac·qui·esce [ˌækwɪˈes] *v/i.* **1.** (***in***) sich fügen (in *acc.*), hinnehmen (*acc.*), dulden (*acc.*); **2.** einwilligen; **ˌac·quiˈes·cence** [-sns] *s.* (***in***) Ergebung *f* (in *acc.*); Einwilligung *f* (in *acc.*); Nachgiebigkeit *f* (gegenüber); **ˌac·quiˈes·cent** [-snt] *adj.* □ ergeben, fügsam.

ac·quire [əˈkwaɪə] *v/t.* (käuflich *etc.*) erwerben; erlangen, erreichen, gewinnen; *fig. a. Wissen etc.* erwerben, (er-)lernen, sich aneignen: ***~d taste*** anerzogener *od.* angewöhnter Geschmack; **acˈquire·ment** [-mənt] *s.* **1.** Erwerbung *f*; **2.** (erworbene) Fähig- *od.* Fertigkeit; *pl.* Kenntnisse *pl.*

ac·qui·si·tion [ˌækwɪˈzɪʃn] *s.* **1.** Erwerbung *f*, Erwerb *m*; Kauf *m*, (Neu-)Anschaffung *f*; Errungenschaft *f*; **2.** Gewinn *m*, Bereicherung *f*.

ac·quis·i·tive [əˈkwɪzɪtɪv] *adj.* **1.** auf Erwerb gerichtet, gewinnsüchtig, Erwerbs…; **2.** (lern)begierig; **acˈquis·i·tive·ness** [-nɪs] *s.* Gewinnsucht *f*, Erwerbstrieb *m*.

ac·quit [əˈkwɪt] *v/t.* **1.** *Schuld* bezahlen, *Verbindlichkeit* erfüllen; **2.** entlasten; ⚖ freisprechen (***of*** von); **3.** (***of***) *j-n e-r Verpflichtung* entheben; **4.** ***~ o.s.*** (***of***) *Pflicht etc.* erfüllen; sich *e-r Aufgabe* entledigen: ***~ o.s. well*** s-e Sache gut machen; **acˈquit·tal** [-tl] *s.* **1.** ⚖ Freisprechung *f*, Freispruch *m*; **2.** Erfüllung *f e-r Pflicht*; **acˈquit·tance** [-təns] *s.* **1.** Erfüllung *f e-r Verpflichtung*, Begleichung *f*, Tilgung *f e-r Schuld*; **2.** Quittung *f*.

a·cre [ˈeɪkə] *s.* Acre *m* (*4047 qm*): ***~s and ~s*** weite Flächen; **a·cre·age** [ˈeɪkərɪdʒ] *s.* Fläche(ninhalt *m*) *f* (nach Acres).

ac·rid [ˈækrɪd] *adj.* □ scharf, ätzend, beißend (*alle fig.*).

ac·ri·mo·ni·ous [ˌækrɪˈməʊnjəs] *adj.* □ *fig.* scharf, bitter, beißend; **ac·ri·mo·ny** [ˈækrɪmənɪ] *s.* Schärfe *f*, Bitterkeit *f*.

ac·ro·bat [ˈækrəbæt] *s.* Akroˈbat *m*; **ac·ro·bat·ic**, **ac·ro·bat·i·cal** [ˌækrəʊˈbætɪk(l)] *adj.* □ akroˈbatisch: ***acrobatic flying*** Kunstfliegen *n*; **ac·ro·bat·ics** [ˌækrəʊˈbætɪks] *s. pl. mst sg. konstr.* Akroˈbatik *f*; akroˈbatische Kunststükke *pl.*; Kunstflug *m*.

ac·ro·nym [ˈækrəʊnɪm] *s. ling.* Akroˈnym *n*, Initiˈalwort *n*.

a·cross [əˈkrɒs] **I** *prp.* **1.** (quer *od.* mitten) durch; **2.** a) (quer) über (*acc.*), b) jenseits (*gen.*), auf der anderen Seite (*gen.*): ***~ the street*** über die Straße *od.* auf der gegenüberliegenden Straßenseite; ***from ~ the lake*** von jenseits des Sees; **II** *adv.* **3.** kreuzweise, über Kreuz; verschränkt; **4.** ***ten feet ~*** zehn Fuß im Durchmesser *od.* breit; **5.** (quer) hin- *od.* herüber, (quer) durch; → ***come across*** *etc.*; **6.** drüben, auf der anderen Seite; **aˌcross-the-ˈboard** *adj.* gloˈbal, lineˈar: ***~ tax cut.***

a·cros·tic [əˈkrɒstɪk] *s.* Aˈkrostichon *n*.

act [ækt] **I** *s.* **1.** Tat *f*, Werk *n*, Handlung *f*, Maßnahme *f*, Akt *m*: **~ *of force*** Gewaltakt; **~ *of God*** ⚖ höhere Gewalt; **~ *of grace*** Gnadenakt; **~ *of state*** (staatlicher) Hoheitsakt; **~ *of war*** kriegerische Handlung; (***sexual***) **~** Geschlechts-, Liebesakt; ***catch s.o. in the* ~** j-n auf frischer Tat ertappen; **2.** ⚖ a) *a.* **~ *and deed*** Urkunde *f*, Akte *f*, Willenserklärung *f*, b) Rechtshandlung *f*, c) Tathandlung *f*, d) (Straf)Tat *f*: → ***bankruptcy*** 1; **3.** *mst* ≈ Verordnung *f*, Gesetz *n*: **≈ *of Parliament*** *Brit.*, **≈ *of Congress*** *Am.* (verabschiedetes) Gesetz; **4. ≈*s*** (***of the Apostles***) *pl. bibl.* Apostelgeschichte *f*; **5.** *thea.* Aufzug *m*, Akt *m*; **6.** Stück *n*, (Zirkus)Nummer *f*; **7.** F *fig.* Pose *f*, ‚Tour' *f*: ***put on an* ~** ‚Theater spielen'; **II** *v/t.* **8.** aufführen, spielen; darstellen: **~ *a part*** e-e Rolle spielen; **~ *the fool*** a) sich wie ein Narr benehmen, b) sich dumm stellen; **~ *one's part*** s-e Pflicht tun; **~ *out*** F *et.* durchspielen; **III** *v/i.* **9.** (The'ater) spielen, auftreten; *fig.* ‚The'ater spielen'; **10.** handeln, tätig sein *od.* werden, eingreifen: **~ *as*** fungieren *od.* amtieren *od.* dienen als; **~ *in a case*** in e-r Sache vorgehen; **~ *for s.o.*** für j-n handeln, j-n vertreten; **~ (*up*)*on*** handeln *od.* sich richten nach; **11.** (***towards***) sich (*j-m* gegenüber) verhalten; **12.** *a.* ⚗, ⚙ (***on***) (ein)wirken (auf *acc.*); **13.** funktionieren, gehen, arbeiten; **14. ~ *up*** F a) verrückt spielen (*Person od. Sache*), b) sich aufspielen; **'act·a·ble** [-təbl] *adj. thea.* bühnengerecht; **'act·ing** [-tɪŋ] **I** *adj.* **1.** handelnd, tätig: **~ *on your instructions*** gemäß Ihren Anweisungen; **2.** stellvertretend, amtierend, geschäftsführend: ***the* ≈ *Consul***; **3.** *thea.* spielend, Bühnen…: **~ *version*** Bühnenfassung *f*; **II** *s.* **4.** Handeln *n*, A'gieren *n*; **5.** *thea.* Spiel(en) *n*, Aufführung *f*; Schauspielkunst *f*.

ac·tion ['ækʃn] *s.* **1.** Handeln *n*, Handlung *f*, Tat *f*, Akti'on *f*: ***man of* ~** Mann *m* der Tat; ***full of* ~** → ***active*** 1; ***course of* ~** Handlungsweise *f*; ***for further* ~** zur weiteren Veranlassung; **~ *committee*** *pol.* Aktionskomitee *n*, (Bürger)Initiative *f*; ***put into* ~** in die Tat umsetzen; ***take* ~** Schritte unternehmen, handeln, et. *in e-r Angelegenheit* tun; ***take* ~ *against*** vorgehen gegen; → 9; **2.** *a.* ⚙ a) Tätigkeit *f*, Gang *m*, Funktionieren *n*, b) Mecha'nismus *m*, Werk *n*: **~ *of the bowels*** (***heart***) ⚕ Stuhlgang *m* (Herztätigkeit *f*); ***put out of* ~** unfähig *od.* unbrauchbar machen, außer Betrieb setzen; → 10; **~!** *Film*: Aufnahme!; **3.** *a.* ⚗, ⚙, *phys.* (Ein)Wirkung *f*, Einfluß *m*; Vorgang *m*, Pro'zeß *m*: ***the* ~ *of acid on metal*** die Einwirkung der Säure auf Metall; **4.** Handlung *f e-s Dramas*; **5.** Verhalten *n*, Benehmen *n*; **6.** Bewegung *f*, Gangart *f e-s Pferdes*; **7.** *rhet., thea.* Vortragsweise *f*, Ausdruck *m*; **8.** *Kunst u. fig.*: Action *f*, (dra'matisches) Geschehen: **~ *painting*** Action-painting *n*; ***where the* ~ *is*** F wo was los ist; **9.** ⚖ Klage *f*, Prozeß *m*: ***bring an* ~ *against*** *j-n* verklagen; ***take* ~** Klage erheben; → 1; **10.** ⚔ Gefecht *n*, Kampf *m*, Einsatz *m*: ***killed*** (***wounded***) ***in* ~** gefallen (verwundet); ***go into* ~** eingreifen, in Aktion treten (*a. fig.*); ***put out of* ~** außer Gefecht setzen (*a. sport etc.*; → 2); **~ *station*** Gefechtsstation *f*; **~ *stations!*** Alarm!; ***he saw* ~** er war im Einsatz *od.* an der Front; **'ac·tion·able** [-ʃnəbl] *adj.* ⚖ (ein-, ver)klagbar; strafbar.

ac·ti·vate ['æktɪveɪt] *v/t* **1.** ⚗, ⚙ aktivieren, in Betrieb setzen, (*a.* radio)ak'tiv machen: **~*d carbon*** Aktivkohle *f*; **2.** ⚔ a) *Truppen* aufstellen, b) *Zünder* scharf machen; **ac·ti·va·tion** [ˌæktɪ'veɪʃn] *s.* Aktivierung *f*.

ac·tive ['æktɪv] *adj.* □ **1.** tätig, emsig, geschäftig, rührig, lebhaft, tatkräftig, ak'tiv: ***an* ~ *mind*** ein reger Geist; **~ *volcano*** tätiger Vulkan; ***become* ~** in Aktion treten, aktiv werden; **2.** wirklich, tatsächlich: ***take an* ~ *interest*** reges Interesse zeigen; **3.** *a.* ⚗, ⚕, *biol.*, *phys.* (schnell) wirkend, wirksam, ak'tiv: **~ *current*** Wirkstrom *m*; **4.** † produk'tiv, zinstragend (*Wertpapiere*); rege, lebhaft (*Markt*): **~ *balance*** Aktivsaldo *m*; **5.** ⚔ ak'tiv: ***on* ~ *service***, ***on the* ~ *list*** im aktiven Dienst; **6.** *ling.* ak'tiv(isch): **~ *verb*** aktivisch konstruiertes Verb; **~ *voice*** Aktiv *n*, Tatform *f*; **'ac·ti·vist** [-vɪst] *s. pol.* Akti'vist *m*; **ac·tiv·i·ty** [æk'tɪvətɪ] *s.* **1.** Tätigkeit *f*, Betätigung *f*; Rührigkeit *f*; *pl.* Leben *n* u. Treiben *n*, Unter'nehmungen *pl.*, Veranstaltungen *pl.*: ***social activities***; ***political activities*** politische Betätigung(en *pl.*) *f od.* Aktivitäten *od. b.s.* Umtriebe *pl.*; ***in full* ~** in vollem Gang; **~ *holiday*** Aktivurlaub *m*; **2.** Lebhaftigkeit *f*, Beweglichkeit *f*; Betrieb(samkeit *f*) *m*, Aktivi'tät *f*; **3.** Wirksamkeit *f*.

ac·tor ['æktə] *s.* **1.** Schauspieler *m*; **2.** *fig.* Ak'teur *m*, Täter *m* (*a.* ⚖); **'~-ˌman·ag·er** *s.* The'aterdiˌrektor, der selbst Rollen über'nimmt.

ac·tress ['æktrɪs] *s.* Schauspielerin *f*.

ac·tu·al ['æktʃʊəl] *adj.* □ **1.** wirklich, tatsächlich, eigentlich: ***an* ~ *case*** ein konkreter Fall; **~ *power*** ⚙ effektive Leistung; **2.** gegenwärtig, jetzig: **~ *cost*** † Ist-Kosten *pl.*; **~ *inventory*** (*od.* ***stock***) Ist-Bestand *m*; **ac·tu·al·ity** [ˌæktʃʊ'ælətɪ] *s.* **1.** Wirklichkeit *f*; **2.** *pl.* Tatsachen *pl.*, Gegebenheiten *pl.*; **ac·tu·a·lize** ['æktʃʊəlaɪz] **I** *v/t.* **1.** verwirklichen; **2.** rea'listisch darstellen; **II** *v/i.*

3. sich verwirklichen; **'ac·tu·al·ly** [-lɪ] *adv.* **1.** wirklich, tatsächlich; **2.** augenblicklich, jetzt; **3.** so'gar, tatsächlich (*obwohl nicht erwartet*); **4.** F eigentlich (*unbetont*): ***what time is it ~?***

ac·tu·ar·i·al [ˌæktjʊ'eərɪəl] *adj.* ver'sicherungsstaˌtistisch; **ac·tu·ar·y** ['æktjʊərɪ] *s.* Ver'sicherungsstaˌtistiker *m*, -matheˌmatiker *m*.

ac·tu·ate ['æktjʊeɪt] *v/t.* **1.** in Gang bringen; **2.** antreiben, anreizen; **3.** ⚙ betätigen, auslösen; **ac·tu·a·tion** [ˌæktjʊ'eɪʃn] *s.* Anstoß *m*, Antrieb *m* (*a.* ⚙); ⚙ Betätigung *f*.

a·cu·i·ty [ə'kjuːətɪ] *s.* Schärfe *f* (*a. fig.*); → ***acuteness*** 2.

a·cu·men [ə'kjuːmen] *s.* Scharfsinn *m*.

ac·u·pres·sure ['ækjʊˌpreʃə] *s.* ⚕ Akupres'sur *f*; **'ac·uˌpunc·ture** [-ˌpʌŋktʃə] ⚕ **I** *s.* Akupunk'tur *f*; **II** *v/t.* akupunktieren; **ˌac·u'punc·tur·ist** [-'pʌŋktʃərɪst] *s.* Akupunk'teur *m*.

a·cute [ə'kjuːt] *adj.* □ **1.** scharf; *bsd.* ⩓ spitz: **~ *triangle*** spitzwink(e)liges Dreieck; → ***angle¹*** 1; **2.** scharf (*Sehvermögen*); heftig (*Schmerz, Freude etc.*); fein (*Gehör*); a'kut, brennend (*Frage*); bedenklich: **~ *shortage***; **3.** scharfsinnig, schlau; **4.** schrill, 'durchdringend; **5.** ⚕ a'kut, heftig; **6.** *ling.* **~ *accent*** A'kut *m*; **a'cute·ness** [-nɪs] *s.* **1.** Schärfe *f*, Heftigkeit *f*, A'kutheit *f* (*a.* ⚕); **2.** Scharfsinnigkeit *f*.

ad [æd] *s. abbr. für* ***advertisement***: ***small* ~** Kleinanzeige *f*.

ad·age ['ædɪdʒ] *s.* Sprichwort *n*.

Ad·am ['ædəm] *npr.* 'Adam *m*: ***I don't know him from* ~** F ich kenne ihn überhaupt nicht; ***cast off the old* ~** F den alten Adam ausziehen; **~*'s ale*** F ‚Gänsewein' *m*; **~*'s apple*** Adamsapfel *m*.

ad·a·mant ['ædəmənt] *adj.* **1.** steinhart; **2.** *fig.* unerbittlich, unnachgiebig, eisern (***to*** gegenüber).

a·dapt [ə'dæpt] **I** *v/t.* **1.** anpassen, angleichen (***for, to*** an *acc.*), *a.* ⚙ 'umstellen (***to*** auf *acc.*), zu'rechtmachen: **~ *the means to the end*** die Mittel dem Zweck anpassen; **2.** anwenden (***to*** auf *acc.*); **3.** *Text* bearbeiten: **~*ed from English*** nach dem Englischen bearbeitet; **~*ed from*** (frei) nach; **II** *v/i.* **4.** sich anpassen (***to*** *dat. od.* an *acc.*); **a·dapt·a·bil·i·ty** [əˌdæptə'bɪlətɪ] *s.* **1.** Anpassungsfähigkeit *f* (***to*** an *acc.*); **2.** (***to***) Anwendbarkeit *f* (auf *acc.*), Verwendbarkeit *f* (für, zu); **a'dapt·a·ble** [-təbl] *adj.* **1.** anpassungsfähig (***to*** an *acc.*); **2.** anwendbar (***to*** auf *acc.*); **3.** verwendbar (***to*** für); **ad·ap·ta·tion** [ˌædæp'teɪʃn] *s.* **1.** *a. biol.* Anpassung *f* (***to*** an *acc.*); **2.** Anwendung *f*; **3.** *thea. etc.* Bearbeitung *f* (***from*** nach, ***to*** für); **a'dapt·er** [-tə] *s.* **1.** *thea. etc.* Bearbeiter *m*; **2.** *phys.* A'dapter *m*, Anpassungsvorrichtung *f*; **3.** ⚙ Zwischen-, Paß-, Anschlußstück *n*, Vorsatzgerät *n*; ⚡ Zwischenstecker *m*; **a'dap·tive** [-tɪv] *adj.* → ***adaptable*** 1; **a'dap·tor** [-tə] → ***adapter***.

add [æd] **I** *v/t.* **1.** (***to***) hin'zufügen, -rechnen (zu); ⚗ beimischen, zufügen (*dat.*): ***he* ~*ed that ...*** er fügte hinzu, daß ...; **~ *to this that ...*** hinzu kommt, daß ...; **2.** *a.* **~ *up*** *od.* ***together*** addieren, zs.-zählen; **3.** ✝, ⩓, ⚙ aufschlagen: **~ *5% to the price*** 5% auf den Preis aufschlagen; **II** *v/i.* **4.** **~ *to*** hin'zukommen zu, beitragen zu, vermehren (*acc.*); **5.** **~ *up*** a) ⩓ aufgehen, stimmen (*a. fig.*), b) *fig.* e-n Sinn ergeben, ‚hinhauen'; **~ *up to*** a) sich belaufen auf (*acc.*), b) *fig.* hinauslaufen auf (*acc.*), bedeuten; **add·ed** ['ædɪd] *adj.* vermehrt, erhöht, zusätzlich; **~ val·ue** *s* ✝ Wertschöpfung *f*.

ad·den·dum [ə'dendəm] *pl.* **-da** [-də] *s.* Zusatz *m*, Nachtrag *m*.

ad·der ['ædə] *s. zo.* Natter *f*, Otter *f*, 'Viper *f*: ***common* ~** Gemeine Kreuzotter.

ad·dict **I** *s.* ['ædɪkt] **1.** Süchtige(r *m*) *f*: ***alcohol*** (***drug***) **~**; **2.** *humor.* (*Fußball- etc.*)Fan *m*; (*Film- etc.*)Narr *m*; **II** *v/t.* [ə'dɪkt] **3.** **~ *o.s.*** sich hingeben (***to s.th.*** e-r Sache); **4.** *j-n* süchtig machen, *j-n* gewöhnen (***to*** an *Rauschgift etc.*); **III** *v/i.* **5.** süchtig machen; **ad'dic·ted** [-tɪd] *adj.* süchtig, abhängig (***to*** von), verfallen (***to*** *dat.*): **~ *to drugs*** (***television***) drogen- *od.* rauschgift- (fernseh-) süchtig; ***be* ~ *to films*** (***football***) ein Filmnarr (Fußballfanatiker) sein; **ad·dic·tion** [æ'dɪkʃən] *s.* **1.** Hingabe *f* (to an *acc.*); **2.** Sucht *f*, (*Zustand*) *a.* Süchtigkeit *f*: **~ *to drugs*** (***television***) Drogen- *od.* Rauschgift- (Fernseh)Sucht *f*; **ad·dic·tive** [æ'dɪktɪv] *adj.* suchterzeugend: ***be* ~** süchtig machen; **~ *drug*** Suchtmittel *n*.

add·ing ma·chine ['ædɪŋ] *s.* Ad'dier-, Additi'onsmaˌschine *f*.

ad·di·tion [ə'dɪʃn] *s.* **1.** Hin'zufügung *f*, Ergänzung *f*, Zusatz *m*, Beigabe *f*: ***in* ~** noch dazu, außerdem; ***in* ~ *to*** außer (*dat.*), zusätzlich zu; **2.** Vermehrung *f* (***to*** *gen.*), (*Familien-, Vermögens- etc.*) Zuwachs *m*: ***recent* ~*s*** Neuerwerbungen; **3.** ⩓ Additi'on *f*, Zs.-zählen *n*: **~ *sign*** Pluszeichen *n*; **4.** ✝ Auf-, Zuschlag *m*; **5.** ⚗, ⚙ Zusatz *m*, Beimischung *f*; ⚙ Anbau *m*, Zusatz *m*; **6.** *Am.* neuerschlossenes Baugelände; **ad'di·tion·al** [-ʃənl] *adj.* □ **1.** zusätzlich, ergänzend, weiter(er, -e, -es); **2.** Zusatz..., Mehr..., Extra..., Über..., Nach...: **~ *charge*** ✝ Auf-, Zuschlag *m*; **~ *charges*** ✝ Mehrkosten; **~ *postage*** Nachporto *n*; **ad'di·tion·al·ly** [-ʃnəlɪ] *adv.* zusätzlich, in verstärktem

Maße, außerdem; **ad·di·tive** ['ædɪtɪv] **I** *adj.* zusätzlich; **II** *s.* Zusatz *m* (*a.* ⚗).

ad·dle ['ædl] **I** *v/i.* **1.** faul werden, verderben (*Ei*); **II** *v/t.* **2.** *Ei* verderben; **3.** *Verstand* verwirren; **III** *adj.* **4.** unfruchtbar, faul (*Ei*); **5.** verwirrt, kon'fus; '**~-brain** *s.* Hohlkopf *m*; '**~-ˌhead·ed**, '**~-ˌpat·ed** *adj.* **1.** hohlköpfig; **2.** → ***addle*** 5.

add-on board *s. Computer*: Erweiterungsplatine *f*.

ad·dress [ə'dres] **I** *v/t.* **1.** *Worte etc.* richten (***to*** an *acc.*), *j-n* anreden (***as*** als); *Brief* adressieren, richten, schreiben (***to*** an *acc.*); **2.** e-e Ansprache halten an (*acc.*); **3.** *Waren* (ab)senden (***to*** an *acc.*); **4.** ***~ o.s. to*** sich zuwenden (*dat.*), sich an *et.* machen; sich anschikken zu; sich an *j-n* wenden; **II** *s.* **5.** Anrede *f*; Ansprache *f*, Rede *f*; **6.** A'dresse *f*, Anschrift *f*: ***change one's ~*** s-e Adresse ändern, umziehen; ***~ tag*** Kofferanhänger *m*; **7.** Eingabe *f*, Bitt-, Dankschrift *f*, Er'gebenheitsaˌdresse *f*: ***the* 2** *Brit. parl.* die Erwiderung des Parlaments auf die Thronrede; **8.** Lebensart *f*, Manieren *pl.*; **9.** Geschick *n*, Gewandtheit *f*; **10.** *pl.* Huldigungen *pl.*: ***pay one's ~es to a lady*** e-r Dame den Hof machen; **ad·dress·ee** [ˌædre'si:] *s.* Adres'sat *m*, Empfänger(in).

ad·duce [ə'dju:s] *v/t. Beweis etc.* bei-, erbringen.

ad·e·noid ['ædɪnɔɪd] ⚕ **I** *adj.* die Drüsen betreffend, Drüsen…, drüsenartig; **II** *mst pl.* Po'lypen *pl.* (*in der Nase*); (Rachenmandel)Wucherungen *pl.*

ad·ept ['ædept] **I** *s.* **1.** Meister *m*, Ex'perte *m* (***at, in*** in *dat.*); **2.** A'dept *m*, Anhänger *m* (*e-r Lehre*); **II** *adj.* **3.** erfahren, geschickt (***at, in*** in *dat.*).

ad·e·qua·cy ['ædɪkwəsɪ] *s.* Angemessenheit *f*, Zulänglichkeit *f*; **ad·e·quate** ['ædɪkwət] *adj.* ☐ **1.** angemessen, entsprechend (***to*** *dat.*); **2.** aus-, 'hinreichend, genügend.

ad·here [əd'hɪə] *v/i.* (***to***) **1.** kleben, haften (an *dat.*); **2.** *fig.* festhalten (an *dat.*), *Regel etc.* einhalten, sich halten (an *e-e Regel etc.*), bleiben (bei *e-r Meinung, e-r Gewohnheit, e-m Plan*), *j-m, e-r Partei, e-r Sache etc.* treu bleiben, halten (zu *j-m*); **3.** angehören (*dat.*); **ad'her·ence** [-ərəns] *s.* (***to***) **1.** (An-, Fest)Haften *n* (an *dat.*); **2.** Anhänglichkeit *f* (an *dat.*); **3.** Festhalten *n* (an *dat.*), Befolgung *f*, Einhaltung (*e-r Regel*); **ad'her·ent** [-ərənt] **I** *adj.* **1.** (an-)haftend, (an)klebend; **2.** *fig.* festhaltend, (fest)verbunden (***to*** mit), anhänglich; **II** *s.* **3.** Anhänger(in).

ad·he·sion [əd'hi:ʒn] *s.* **1.** (An-, Fest)Haften *n*; ⚙ *phys.* Haftvermögen *n*, Klebkraft *f*, Adhäsi'on *f*; **2.** *fig.* → ***adherence*** 2, 3; **3.** Beitritt *m*; Einwilligung *f*; **ad'he·sive** [-sɪv] **I** *adj.* ☐ **1.** (an)haftend, klebend, gummiert, Klebe…: ***~ foil*** Selbstklebefolie *f*; ***~ plaster*** Heftpflaster *n*; ***~ powder*** Haftpulver *n*; ***~ tape*** a) Heftpflaster *n*, b) Klebstreifen *m*; ***~ rubber*** Klebgummi *m, n*; **2.** gar zu anhänglich, aufdringlich; **3.** ⚙, *phys.* haftend, Adhäsions…: ***~ power*** → ***adhesion*** 1; **II** *s.* **4.** Bindemittel *n*, Klebstoff *m*.

ad hoc [ˌæd'hɒk] (*Lat.*) *adv. u. adj.* ad hoc, (eigens) zu diesem Zweck (gemacht), spezi'ell; Augenblicks…, Ad-hoc-…

a·dieus, **a·dieux** [ə'dju:z] *pl.* Lebe'wohl *n*: ***make one's ~*** Lebewohl sagen.

ad in·fi·ni·tum [ˌæd ɪnfɪ'naɪtəm] (*Lat.*) *adv.* endlos, ad infi'nitum.

ad·i·pose ['ædɪpəʊs] **I** *adj.* fett(haltig), Fett…: ***~ tissue*** Fettgewebe *n*; **II** *s.* (Körper)Fett *n*.

ad·it ['ædɪt] *s.* **1.** *bsd.* ⚒ Zugang *m*, Stollen *m*; **2.** *fig.* Zutritt *m*.

ad·ja·cent [ə'dʒeɪsənt] *adj.* ☐ angrenzend, -liegend, -stoßend (***to*** an *acc.*); benachbart (*dat.*), Nachbar…, Neben…: ***~ angle*** ⩕ Nebenwinkel *m*.

ad·jec·ti·val [ˌædʒek'taɪvl] *adj.* ☐ 'adjektivisch; **ad·jec·tive** ['ædʒɪktɪv] **I** *s.* **1.** 'Adjektiv *n*, Eigenschaftswort *n*; **II** *adj.* ☐ **2.** 'adjektivisch; **3.** abhängig; **4.** *Färberei*: 'adjektiv: ***~ dye*** Beizfarbe *f*; **5.** ⚖ for'mell (*Recht*).

ad·join [ə'dʒɔɪn] **I** *v/t.* **1.** (an)stoßen *od.* (an)grenzen an (*acc.*); **2.** beifügen (***to*** *dat.*); **II** *v/i.* **3.** angrenzen; **ad'join·ing** [-nɪŋ] *adj.* angrenzend, benachbart, Nachbar…, Neben…

ad·journ [ə'dʒɜ:n] **I** *v/t.* **1.** aufschieben, vertagen: ***~ sine die*** ⚖ auf unbestimmte Zeit vertagen; **2.** *Sitzung etc.* schließen; **II** *v/i.* **3.** *a.* ***stand ~ed*** sich vertagen; **4.** den Sitzungsort verlegen (***to*** nach): ***~ to the sitting-room*** F sich ins Wohnzimmer zurückziehen; **ad'journ·ment** [-mənt] *s.* **1.** Vertagung *f*, Verschiebung *f*; **2.** Verlegung *f* des Sitzungsortes.

ad·judge [ə'dʒʌdʒ] *v/t.* **1.** ⚖ entscheiden (über *acc.*), erkennen (für), für *schuldig etc.* erklären, *ein Urteil* fällen: ***~ s.o. bankrupt*** über j-s Vermögen den Konkurs eröffnen; **2.** ⚖, *a. sport* zuerkennen; zusprechen; **3.** verurteilen (***to*** zu).

ad·ju·di·cate [ə'dʒu:dɪkeɪt] **I** *v/t.* **1.** gerichtlich *od.* als Schiedsrichter entscheiden, ein Urteil fällen über (*acc.*): ***~d bankrupt*** Gemeinschuldner *m*; **II** *v/i.* **2.** (zu Recht) erkennen, entscheiden (***upon*** über *acc.*); **3.** als Schieds- *od.* Preisrichter fungieren (***at*** bei); **ad·ju·di·ca·tion** [əˌdʒu:dɪ'keɪʃn] *s.* **1.** richterliche Entscheidung, Urteil *n*; **2.** Zuerkennung *f*; **3.** Kon'kurseröffnung *f*.

ad·junct ['ædʒʌŋkt] *s.* **1.** Zusatz *m*, Beigabe *f*, Zubehör *n*; **2.** *ling*. Attri'but *n*, Beifügung *f*; **ad·junc·tive** [ə'dʒʌŋktɪv] *adj.* □ beigeordnet, verbunden.

ad·ju·ra·tion [ˌædʒʊə'reɪʃn] *s.* **1.** Beschwörung *f*, inständige Bitte; **2.** Auferlegung *f* des Eides; **ad·jure** [ə'dʒʊə] *v/t.* **1.** beschwören, inständig bitten; **2.** *j-m* den Eid auferlegen.

ad·just [ə'dʒʌst] **I** *v/t.* **1.** in Ordnung bringen, ordnen, regulieren, abstimmen; berichtigen; **2.** anpassen (*a. psych.*), angleichen (***to*** *dat.*, an *acc.*); **3.** **~ *o.s.*** (***to***) sich anpassen (*dat.*, an *acc.*) *od.* einfügen (in *acc.*) *od.* einstellen (auf *acc.*); **4.** ✝ *Konto etc.* bereinigen; *Schaden etc.* berechnen, festsetzen; **5.** *Streit* schlichten; **6.** ⚙ an-, einpassen, (ein-, ver-, nach)stellen, richten, regulieren; *a. Gewehr etc.* justieren; **7.** *Maße* eichen; **II** *v/i.* **8.** sich anpassen; **9.** sich einstellen lassen; **ad'just·a·ble** [-təbl] *adj.* □ *bsd.* ⚙ regulierbar, ein-, nach-, verstellbar, Lenk..., Dreh..., Stell...: **~ *speed*** regelbare Drehzahl; **ad'just·er** [-tə] *s.* **1.** j-d der *od.* et. was regelt, ausgleicht, ordnet; Schlichter *m;* **2.** *Versicherung*: Schadenssachverständige(r) *m*; **ad'just·ing** [-tɪŋ] *adj. bsd.* ⚙ (Ein)Stell..., Richt..., Justier...: **~ *balance*** Justierwaage *f*; **~ *lever*** (Ein)Stellhebel *m*; **~ *screw*** Stellschraube *f*; **~ *entry*** Berichtigungsbuchung *f*; **~ *payment*** Ausgleichszahlung *f*; **ad'just·ment** [-tmənt] *s.* **1.** *a.* ✝, *psych. etc.* Anpassung *f* (***to*** an *acc.*); **2.** Regelung *f*, Berichtigung *f*; Abstimmung *f*, Ausgleich *m;* **3.** Schlichtung *f*, Beilegung *f* (*e-s Streits*); **4.** ⚙ Ein-, Nach-, Verstellung *f*; Einstellvorrichtung *f*; Berichtigung *f*; Regulierung *f*; Eichung *f*; **5.** Berechnung *f* von Schadens(ersatz)ansprüchen.

ad·ju·tant ['ædʒʊtənt] *s.* ⚔ Adju'tant *m*; '**~-ˌgen·er·al** *pl.* '**~s-ˌgen·er·al** *s.* ⚔ Gene'raladjuˌtant *m*.

ad-lib [ˌæd'lɪb] **I** *v/i. u. v/t.* F improvisieren, aus dem Stegreif sagen; **II** *adj.* Stegreif..., improvisiert.

ad lib·i·tum [ˌæd 'lɪbɪtəm] (*Lat.*) *adj. u. adv.* ad libitum: a) nach Belieben, b) aus dem Stegreif.

ad·man ['ædmæn] *s.* [*irr.*] F **1.** Anzeigen-, Werbetexter *m*; **2.** Anzeigenvertreter *m*; **3.** *typ.* Akzi'denzsetzer *m*; **ad·mass** ['ædmæs] *s.* **1.** Kon'sumbeeinflussung *f*; **2.** werbungsmanipulierte Gesellschaft.

ad·min ['ædmɪn] *s.* F Verwaltung *f*.

ad·min·is·ter [əd'mɪnɪstə] **I** *v/t.* **1.** verwalten; **2.** ausüben, handhaben: **~ *justice*** (*od.* ***the law***) Recht sprechen; **~ *punishment*** Strafe(n) verhängen; **3.** verabreichen, erteilen (***to*** *dat.*): **~ *medicine*** Arznei (ein)geben; **~ *a shock*** e-n Schrecken einjagen; **~ *an oath*** e-n Eid abnehmen; **~ *the Blessed Sacrament*** das heilige Sakrament spenden; **II** *v/i.* **4.** als Verwalter fungieren; **5.** *obs.* beitragen (***to*** zu); **ad·min·is·trate** [əd'mɪnɪstreɪt] *v/t. u. v/i.* verwalten; **ad·min·is·tra·tion** [ədˌmɪnɪ'streɪʃn] *s.* **1.** (*Betriebs-*, *Vermögens-*, *Nachlaß-*, *etc.*)Verwaltung *f*; **2.** Verwaltung(sbehörde) *f*, Mini'sterium *n*; Staatsverwaltung *f*, Regierung *f*; **3.** *Am.* 'Amtsperiˌode *f* (*bsd. e-s Präsidenten*); **4.** Handhabung *f*, 'Durchführung *f*: **~ *of justice*** Rechtsprechung *f*; **~ *of an oath*** Eidesabnahme *f*; **5.** Aus-, Erteilung *f*; Verabreichung *f* (*Arznei*); Spendung *f* (*Sakrament*); **ad'min·is·tra·tive** [-trətɪv] *adj.* □ verwaltend, Verwaltungs..., Regierungs...: **~ *body*** Behörde *f*, Verwaltungskörper *m*; **ad'min·is·tra·tor** [-treɪtə] *s.* **1.** Verwalter *m*, Verwaltungsbeamte(r) *m*; **2.** ⚖ Nachlaß-, Vermögensverwalter *m*; **ad'min·is·tra·trix** [-treɪtrɪks] *pl.* **-trices** [-trɪsiːz] *s.* (Nachlaß)Verwalterin *f*.

ad·mi·ra·ble ['ædmərəbl] *adj.* □ bewundernswert, großartig.

ad·mi·ral ['ædmərəl] *s.* **1.** Admi'ral *m*: **2 *of the Fleet*** Großadmiral; **2.** *zo.* Admi'ral *m* (*Schmetterling*); '**ad·mi·ral·ty** [-tɪ] *s.* **1.** Admi'ralsamt *n*, -würde *f*; **2.** Admirali'tät *f*: ***Lords Commissioners of*** **2** (*od.* ***Board of*** **2**) *Brit.* Marineministerium *n*; ***First Lord of the*** **2** (britischer) Marineminister; **~ *law*** ⚖ Seerecht *n*; **3.** **2** *Brit.* Admiralitätsgebäude *n* (*in London*).

ad·mi·ra·tion [ˌædmə'reɪʃn] *s.* Bewunderung *f* (***of, for*** für): ***she was the ~ of everyone*** sie wurde von allen bewundert.

ad·mire [əd'maɪə] *v/t.* **1.** bewundern (***for*** wegen); **2.** hochschätzen, verehren; **ad'mir·er** [-ərə] *s.* Bewunderer *m*; Verehrer *m*; **ad'mir·ing** [-ərɪŋ] *adj.* □ bewundernd.

ad·mis·si·bil·i·ty [ədˌmɪsə'bɪlətɪ] *s.* Zulässigkeit *f*; **ad·mis·si·ble** [əd'mɪsəbl] *adj.* **1.** *a.* ⚖ zulässig; statthaft; **2.** würdig, zugelassen zu werden; **ad·mis·sion** [əd'mɪʃn] *s.* **1.** Einlaß *m*, Ein-, Zutritt *m*: ***gain ~*** Einlaß finden; **~ *free*** Eintritt frei; **~ *ticket*** Eintrittskarte *f*; **2.** Eintrittserlaubnis *f*; *a.* **~ *fee*** Eintritt(sgeld *n*, -gebühr *f*) *m*; **3.** Zulassung *f*, Aufnahme *f* (*als Mitglied etc.*; *Am. a. e-s Staates in die Union*): **2 *Day*** Jahrestag *m* der Aufnahme in die Union; **4.** Ernennung *f*; **5.** Eingeständnis *n*, Einräumung *f*: ***by*** (*od.* ***on***) ***his own ~*** wie er selbst zugibt *od.* zugab; **6.** ⚙ Eintritt *m*, -laß *m*, Zufuhr *f*: **~ *stroke*** Einlaßhub *m*.

ad·mit [əd'mɪt] **I** *v/t.* **1.** zu-, ein-, vorlassen: ~ ***bearer*** dem Inhaber *dieser Karte* ist der Eintritt gestattet; ~ ***s.o. into one's confidence*** j-n ins Vertrauen ziehen; **2.** Platz haben für, fassen: ***the theatre ~s 800 persons***; **3.** *als Mitglied in e-e Gemeinschaft, Schule etc.* aufnehmen; *in ein Krankenhaus* einliefern, *zu e-m Amt etc.* zulassen: → ***bar*** 10; **4.** gelten lassen, anerkennen, zugeben: ***I ~ this to be wrong*** *od.* ***that this is wrong*** ich gebe zu, daß dies falsch ist; ~ ***a claim*** e-e Reklamation anerkennen; **5.** ⚖ a) für amtsfähig erklären, b) als rechtsgültig anerkennen; **6.** ⚙ zuführen, einlassen; **II** *v/i.* **7.** ~ ***of*** gestatten, *a. weitS. Zweifel etc.* zulassen: ***it ~s of no excuse*** es läßt sich nicht entschuldigen; **ad'mit·tance** [-təns] *s.* **1.** Zulassung *f*, Einlaß *m*, Zutritt *m*: ***no ~*** (***except on business***) Zutritt (für Unbefugte) verboten; **2.** Aufnahme *f*; **3.** ⚡ Admit'tanz *f*, Scheinleitwert *m*; **ad'mit·ted** [-tɪd] *adj.* □ anerkannt, zugegeben: ***an ~ fact***; ***an ~ thief*** anerkanntermaßen ein Dieb; **ad'mit·ted·ly** [-tɪdlɪ] *adv.* anerkanntermaßen, zugegeben(ermaßen).

ad·mix [əd'mɪks] *v/t.* beimischen (***with*** *dat.*); **ad'mix·ture** [-tʃə] *s.* Beimischung *f*, Mischung *f*; Zusatz(stoff) *m*.

ad·mon·ish [əd'mɒnɪʃ] **1.** *v/t.* (er-) mahnen, *j-m* dringend raten (***to*** *inf.* zu *inf.*, ***that*** daß); **2.** *j-m* Vorhaltungen machen (***of*** *od.* ***about*** wegen *gen.*); **3.** warnen (***not to*** *inf.* davor, zu *inf. od.* ***of*** vor *dat.*): ***he was ~ed not to go*** er wurde davor gewarnt zu gehen; **ad·mo·ni·tion** [ˌædmə'nɪʃn] *s.* **1.** Ermahnung *f*; **2.** Warnung *f*, Verweis *m*; **ad'mon·i·to·ry** [-ɪtərɪ] *adj.* ermahnend, warnend.

ad nau·se·am [ˌæd 'nɔːzɪæm] (*Lat.*) *adv.* (bis) zum Erbrechen.

ad·noun ['ædnaʊn] *s. ling.* Attri'but *n*.

a·do [ə'duː] *s.* Getue *n*, Wirbel *m*, Mühe *f*: ***much ~ about nothing*** viel Lärm um nichts; ***without more ~*** ohne weitere Umstände.

a·do·be [ə'dəʊbɪ] *s.* Lehmstein(haus *n*) *m*, Luftziegel *m*, A'dobe *m*.

ad·o·les·cence [ˌædəʊ'lesns] *s.* jugendliches Alter, Adoles'zenz *f*; **ˌad·o'les·cent** [-nt] **I** *s.* Jugendliche(r *m*) *f*, Her'anwachsende(r *m*) *f*; **II** *adj.* her'anwachsend, jugendlich; Jünglings…

A·do·nis [ə'dəʊnɪs] *npr. antiq. u. s. fig.* A'donis *m*.

a·dopt [ə'dɒpt] *v/t.* **1.** adoptieren, (an Kindes Statt) annehmen: ~ ***out*** *Am.* zur Adoption freigeben; **2.** *fig.* annehmen, über'nehmen, einführen, sich *ein Verfahren etc.* zu eigen machen; *Handlungsweise* wählen; *Maßregeln* ergreifen; **3.** *pol. e-r Gesetzesvorlage* zustimmen; **4.** ~ ***a town*** die Patenschaft für e-e Stadt über'nehmen; **5.** *pol. e-n Kandidaten* (*für die nächste Wahl*) annehmen; **6.** F sti'bitzen; **a'dopt·ed** [-tɪd] *adj. an Kindes Statt* angenommen, Adoptiv…: ***his ~ country*** s-e Wahlheimat; **a'dop·tion** [-pʃn] *s.* **1.** Adopti'on *f*, Annahme *f* (an Kindes Statt); **2.** Aufnahme *f in e-e Gemeinschaft*; **3.** *fig.* Annahme *f*, Aneignung *f*, 'Übernahme *f*, Wahl *f*; **a'dop·tive** [-tɪv] → ***adopted***: ~ ***parents*** Adoptiveltern.

a·dor·a·ble [ə'dɔːrəbl] *adj.* □ **1.** anbetungswürdig; liebenswert; **2.** allerliebst, entzückend; **ad·o·ra·tion** [ˌædə'reɪʃn] *s.* **1.** *a. fig.* Anbetung *f*, Verehrung *f*; **2.** *fig.* (innige) Liebe, (tiefe) Bewunderung; **a·dore** [ə'dɔː] *v/t.* **1.** anbeten (*a. fig.*); **2.** *fig.* (innig) lieben, (heiß) verehren, (tief) bewundern; **3.** schwärmen für; **a'dor·er** [-rə] *s.* Anbeter(in); Verehrer(in); Bewunderer *m*; **a'dor·ing** [-rɪŋ] *adj.* □ anbetend, bewundernd, schmachtend.

a·dorn [ə'dɔːn] *v/t.* **1.** schmücken, zieren (*a. fig.*); **2.** *fig.* verschöne(r)n, Glanz verleihen (*dat*); **a'dorn·ment** [-mənt] *s.* Schmuck *m*, Verzierung *f*; Zierde *f*, Verschönerung *f*.

ad·re·nal [ə'driːnl] *anat.* **I** *adj.* Nebennieren…: ~ ***gland*** → **II** *s.* Nebennierendrüse *f*; **ad·ren·al·in** [ə'drenəlɪn] *s.* Adrena'lin *n*.

A·dri·at·ic [ˌeɪdrɪ'ætɪk] *geogr.* **I** *adj.* adri'atisch: ~ ***Sea*** → **II** *s.* ***the ~*** das Adriatische Meer, die 'Adria.

a·drift [ə'drɪft] *adv. u. adj.* **1.** (um'her-) treibend, Wind und Wellen preisgegeben: ***cut ~*** treiben lassen; **2.** *fig.* aufs Geratewohl; hilflos: ***be all ~*** weder aus noch ein wissen; ***cut o.s. ~*** sich losreißen *od.* frei machen *od.* lossagen; ***turn s.o. ~*** j-n auf die Straße setzen.

a·droit [ə'drɔɪt] *adj.* □ geschickt, gewandt; schlagfertig, pfiffig.

ad·u·late ['ædjʊleɪt] *v/t. j-m* schmeicheln, lobhudeln; **ad·u·la·tion** [ˌædjʊ'leɪʃn] *s. niedere* Schmeiche'lei, Lobhude'lei *f*; **'ad·u·la·tor** [-tə] *s.* Schmeichler *m*, Speichellecker *m*; **'ad·u·la·to·ry** [-tərɪ] *adj.* schmeichlerisch, lobhudelnd.

a·dult ['ædʌlt] **I** *adj.* **1.** erwachsen; reif, *fig. a.* mündig; **2.** (nur) für Erwachsene: ~ ***film***; ~ ***education*** Erwachsenenbildung *f*, *engS.* Volkshochschule *f*; **3.** ausgewachsen (*Tier, Pflanze*); **II** *s.* **4.** Erwachsene(r *m*) *f*.

a·dul·ter·ant [ə'dʌltərənt] *s.* Verfälschungsmittel *n*; **a·dul·ter·ate** [ə'dʌltəreɪt] *v/t.* **1.** *Nahrungsmittel* verfälschen; **2.** *fig.* verschlechtern, verderben; **a·dul·ter·a·tion** [əˌdʌltə'reɪʃn] *s.* Verfälschung *f*, verfälschtes Pro'dukt, Fälschung *f*; **a'dul·ter·er** [-rə] *s.* Ehebrecher *m*; **a'dul·ter·ess** [-rɪs] *s.* Ehebrecherin *f*; **a'dul·ter·ous** [-tərəs] *adj.* □ ehebrecherisch; **a'dul·ter·y** [-rɪ] *s.* Ehebruch *m.*

a·dult·hood ['ædʌlthʊd] *s.* Erwachsensein *n*, Erwachsenenalter *n.*

ad·um·brate ['ædʌmbreɪt] *v/t.* **1.** skizzieren, um'reißen, andeuten; **2.** 'hindeuten auf (*acc.*), vor'ausahnen lassen; **ad·um·bra·tion** [ˌædʌm'breɪʃn] *s.* Andeutung *f*: a) flüchtiger Entwurf, Skizze *f*, b) Vorahnung *f.*

ad va·lo·rem [ˌædvə'lɔːrem] (*Lat.*) *adj. u. adv.* dem Wert entsprechend: **~ duty** Wertzoll *m.*

ad·vance [əd'vɑːns] **I** *v/t.* **1.** vorwärtsbringen, vorrücken (lassen), vorschieben; **2.** a) *Uhr, Fuß* vorstellen, b) *Zeitpunkt* vorverlegen, c) hin'aus-, aufschieben; **3.** *Meinung, Grund, Anspruch* vorbringen, geltend machen; **4.** a) fördern, verbessern: **~ *one's position***, b) beschleunigen: **~ *growth***; **5.** *pol. Am.* als Wahlhelfer fungieren in (*dat.*); **6.** erheben (*im Amt od. Rang*), befördern (***to the rank of general*** zum General); **7.** *Preis* erhöhen; **8.** *Geld* vor'ausbezahlen; vorschießen, leihen; im voraus liefern; **II** *v/i.* **9.** vor-, vorwärtsgehen, vordringen, vormarschieren, vorrücken (*a. fig. Zeit*); **10.** vor'ankommen, Fortschritte machen: **~ *in knowledge***; **11.** *im Rang* aufrücken, befördert werden; **12.** a) zunehmen (***in*** an *dat.*), steigen, b) ✝ steigen (*Preis*); teurer werden (*Ware*); **13.** *pol. Am.* a) als Wahlhelfer fungieren, b) Wahlveranstaltungen vorbereiten (***for*** für); **III** *s.* **14.** Vorwärtsgehen *n*, Vor-, Anrükken *n*, Vormarsch *m* (*a. fig.*); Vorrükken *n des Alters*; **15.** Aufrücken *n* (*im Amt*), Beförderung *f*; **16.** Fortschritt *m*, Verbesserung *f*; **17.** Vorsprung *m*: ***in* ~** a) voraus, b) vorn, c) im voraus, vorher; **~ *section*** vorderer Teil; ***be in* ~** (e-n) Vorsprung haben (***of*** vor *dat.*); ***arrive in* ~ *of the others*** vor den anderen ankommen; ***order*** (*od.* ***book***) ***in* ~** vor(aus)bestellen; **~ *booking*** a) Vor(aus)bestellung *f*, b) Vorverkauf *m*; **~ *censorship*** Vorzensur *f*; **~ *copy*** *typ.* Vorausexemplar *n*; **~ *publication*** *typ.* Vorabdruck *m*; **18.** *a.* **~ *payment*** Vorschuß *m*, Vor'auszahlung *f*: ***in* ~** in pränumerando; **19.** (Preis)Erhöhung *f*; Mehrgebot *n* (*Versteigerung*); **20.** *mst pl.* Entgegenkommen *n*, Vorschlag *m*, erster Schritt (*zur Verständigung*): ***make* ~*s to s.o.*** a) j-m entgegenkommen, b) sich an j-n heranmachen, *bsd. e-r Frau* Avancen machen; **21.** ⚔ *Am.* Vorhut *f*, Spitze *f*: **~ *guard*** *a. Brit.* Vorhut *f*; **22.** *pol. Am.* Wahlhilfe *f*: **~ *man*** Wahlhelfer *m*; **ad'vanced** [-st] *adj.* **1.** vorgerückt (*Alter, Stunde*), vorgeschritten: **~ *in pregnancy*** hochschwanger; **2.** fortgeschritten (*Stadium etc.*); fortschrittlich, modern: **~ *opinions***; **~ *students***; **~ *English*** Englisch für Fortgeschrittene; ***highly* ~** hochentwickelt (*Kultur, Technik*); **3.** gar zu fortschrittlich, ex'trem, kühn; **4.** ⚔ vorgeschoben, Vor(aus)...; **ad'vance·ment** [-mənt] *s.* **1.** Förderung *f*; **2.** Beförderung *f*; **3.** Em'por-, Weiterkommen *n*, Aufstieg *m*, Fortschritt *m*, Wachstum *n.*

ad·van·tage [əd'vɑːntɪdʒ] **I** *s.* **1.** Vorteil *m*: a) Über'legenheit *f*, Vorsprung *m*, b) Vorzug *m*: ***to* ~** günstig, vorteilhaft; ***have an* ~ *over*** *j-m* gegenüber im Vorteil sein; ***you have the* ~ *of me*** ich kenne leider Ihren (werten) Namen nicht; **2.** Nutzen *m*, Gewinn *m*: ***take* ~ *of s.o.*** j-n übervorteilen *od.* ausnutzen; ***take* ~ *of s.th.*** et. ausnutzen; ***derive*** *od.* ***gain* ~ *from s.th.*** aus et. Nutzen ziehen; **3.** günstige Gelegenheit; **4.** *Tennis etc.*: Vorteil *m*; **II** *v/t.* **5.** fördern, begünstigen; **ad·van·ta·geous** [ˌædvən'teɪdʒəs] *adj.* □ vorteilhaft, günstig, nützlich.

Ad·vent ['ædvənt] *s.* **1.** *eccl.* Ad'vent *m*, Ad'ventszeit *f*; **2.** ♀ Kommen *n*, Erscheinen *n*, Ankunft *f*; **'Ad·vent·ist** [-tɪst] *s.* Adven'tist *m*; **ˌad·ven'ti·tious** [-'tɪʃəs] *adj.* □ **1.** (zufällig) hin'zugekommen; zufällig, nebensächlich: **~ *causes*** Nebenursachen; **2.** ♣, ⚖ zufällig erworben.

ad·ven·ture [əd'ventʃə] **I** s. **1.** Abenteuer *n*: a) Wagnis *n*: ***life of* ~** Abenteuerleben *n*, b) (tolles) Erlebnis, c) ✝ Spekulati'onsgeschäft *n*; **~ *playground*** Abenteuerspielplatz *m*; **II** *v/t.* **2.** wagen, gefährden; **3.** **~ *o.s.*** sich wagen (***into*** in *acc.*); **III** *v/i.* **4.** sich wagen (***on, upon*** in, auf *acc.*); **ad'ven·tur·er** [-tʃərə] *s.* Abenteurer *m*: a) Wagehals *m*, b) Glücksritter *m*, Hochstapler *m*, c) Speku'lant *m*; **ad'ven·ture·some** [-tʃəsəm] *adj.* → ***adventurous***; **ad'ven·tur·ess** [-tʃərɪs] *s.* Abenteu(r)erin *f* (*a. fig. b.s.*); **ad'ven·tur·ism** [-tʃərɪzəm] *s.* Abenteurertum *n*; **ad'ven·tur·ous** [-tʃərəs] *adj.* □ **1.** abenteuerlich: a) waghalsig, verwegen, b) gewagt, kühn (*Sache*); **2.** abenteuerlustig.

ad·verb ['ædvɜːb] *s.* Ad'verb *n*, Umstandswort *n*; **ad·ver·bi·al** [əd'vɜːbjəl] *adj.* □ adverbi'al: **~ *phrase*** adverbiale Bestimmung.

ad·ver·sar·y ['ædvəsərɪ] *s.* **1.** Gegner (-in), 'Widersacher(in); **2.** ♀ *eccl.* Teufel *m*; **ad·ver·sa·tive** [əd'vɜːsətɪv] *adj.* □ *ling.* gegensätzlich, adversa'tiv: **~ *word***; **ad·verse** ['ædvɜːs] *adj.* □ **1.** entgegenwirkend, zu'wider, widrig (***to*** *dat.*): **~ *winds*** widrige Winde; **2.** gegnerisch, feindlich: **~ *party*** Gegenpartei *f*; **3.** ungünstig, nachteilig (***to*** für): **~**

decision; ~ ***balance of trade*** passive Handelsbilanz; ***have an ~ effect*** (***up***)***on***, ***affect ~ly*** sich nachteilig auswirken auf (*acc.*); **4.** ⚖ entgegenstehend: ~ ***claim***; **ad·ver·si·ty** [əd'vɜːsətɪ] *s.* Mißgeschick *n*, Not *f*, Unglück *n*.

ad·vert I *v/i.* [əd'vɜːt] hinweisen, sich beziehen (***to*** auf *acc.*); **II** *s.* ['ædvɜːt] *Brit.* F *für* ***advertisement***.

ad·ver·tise, *Am. a.* **ad·ver·tize** ['ædvətaɪz] **I** *v/t.* **1.** ankündigen, anzeigen, *durch die Zeitung etc.* bekanntmachen: ~ ***a post*** eine Stellung *öffentlich* ausschreiben; **2.** *fig.* ausposaunen: ***you need not ~ the fact*** *a.* du brauchst es nicht an die große Glocke zu hängen; **2.** *durch Zeitungsanzeige etc.* Re'klame machen für, werben für; **II** *v/i.* **3.** inserieren, annoncieren, öffentlich ankündigen: ~ ***for*** durch Inserat suchen; **4.** werben, Reklame machen; **ad·ver·tise·ment** [əd'vɜːtɪsmənt] *s.* **1.** *öffentliche* Anzeige, Ankündigung *f in e-r Zeitung*, Inse'rat *n*, An'nonce *f*: ***put an ~ in a paper*** ein Inserat in e-r Zeitung aufgeben; **2.** Re'klame *f*, Werbung *f*; **'ad·ver·tis·er** [-zə] *s.* **1.** Inse'rent(in); **2.** Werbeträger *m*; **3.** Werbefachmann *m*; **4.** Anzeiger *m*, Anzeigenblatt *n*; **'ad·ver·tis·ing** [-zɪŋ] **I** *s.* **1.** Inserieren *n*; Ankündigung *f*; **2.** Reklame *f*, Werbung *f*; **II** *adj.* **3.** Reklame…, Werbe…: ~ ***agency*** Werbeagentur *f*; ~ ***agent*** a) Anzeigenvertreter *m*, b) Werbeagent *m*; ~ ***appeal*** Werbekraft *f*; ~ ***campaign*** Werbefeldzug *m*; ~ ***expert*** Werbefachmann *m*; ~ ***media*** Werbeträger, -medien *pl.*; ~ ***message*** Werbebotschaft *f*; ~ ***space*** Reklamefläche *f*; **'ad·ver·tize** *etc.* → ***advertise*** *etc.*

ad·vice [əd'vaɪs] *s.* **1.** (*a.* ***piece of***) Rat(schlag) *m*; Ratschläge *pl.*: ***at*** (*od.* ***on***) ***s.o.'s ~*** auf j-s Rat hin; ***take medical ~*** e-n Arzt zu Rate ziehen; ***take my ~*** folge meinem Rat; **2.** Nachricht *f*, Anzeige *f*, (schriftliche) Mitteilung; **3.** ✝ A'vis *m*, Bericht *m*: ***letter of ~*** Benachrichtigungsschreiben *n*; ***as per ~*** laut Aufgabe *od.* Bericht.

ad·vis·a·bil·i·ty [əd,vaɪzə'bɪlətɪ] *s.* Ratsamkeit *f*; **ad·vis·a·ble** [əd'vaɪzəbl] *adj.* □ ratsam; **ad·vis·a·bly** [əd'vaɪzəblɪ] *adv.* ratsamerweise.

ad·vise [əd'vaɪz] **I** *v/t.* **1.** *j-m* raten *od.* empfehlen (***to*** *inf.* zu *inf.*); *et.* (an)raten; *j-n* beraten: ***he was ~d to go*** man riet ihm zu gehen; **2.** ~ ***against*** warnen vor (*dat.*); *j-m* abraten von; **3.** ✝ benachrichtigen (***of*** von, ***that*** daß), avisieren (***s.o. of s.th.*** j-m et.); **II.** *v/i.* **4.** sich beraten (***with*** mit); **ad'vised** [-zd] *adj.* □ **1.** beraten: ***badly ~***; **2.** wohlbedacht, über'legt; → ***ill-advised***; ***well-advised***; **ad'vis·ed·ly** [-zɪdlɪ] *adv.* **1.** mit Bedacht *od.* Über'legung; **2.** vorsätzlich, absichtlich; **ad'vis·er** *od.* **ad'vi·sor** [-zə] *s.* **1.** Berater *m*, Ratgeber *m*; **2.** *ped. Am.* 'Studienberater *m*; **ad'vi·so·ry** [-zərɪ] *adj.* beratend, Beratungs…: ~ ***board***, ~ ***committee*** Beratungsausschuß *m*, Beirat *m*, Gutachterkommission *f*; ~ ***body***, ~ ***council*** Beirat *m*; → ***capacity*** 6.

ad·vo·ca·cy ['ædvəkəsɪ] *s.* (***of***) Befürwortung *f*, Empfehlung *f* (*gen.*), Eintreten *n* (für); **ad·vo·cate I** *s.* ['ædvəkət] **1.** Verfechter *m*, Befürworter *m*, Verteidiger *m*, Fürsprecher *m*: ***an ~ of peace***; **2.** *Scot. u. hist.* Advo'kat *m*, (plädierender) Rechtsanwalt: ***Lord*** ♀ Oberster Staatsanwalt; **3.** *Am.* Rechtsbeistand *m*; **II** *v/t.* ['ædvəkeɪt] **4.** verteidigen, befürworten, eintreten für.

adze [ædz] *s.* Breitbeil *n*.

Ae·ge·an [iː'dʒiːən] *geogr.* **I** *adj.* ä'gäisch: ~ ***Sea*** Ägäisches Meer; **II** *s.* ***the ~*** die Ä'gäis.

ae·gis ['iːdʒɪs] *s. myth.* 'Ägis *f*; *fig.* Ä'gide *f*, Schirmherrschaft *f*: ***under the ~ of***.

Ae·o·li·an [iː'əʊljən] *adj.* ä'olisch: ~ ***harp*** Äolsharfe *f*.

ae·on ['iːən] *s.* Ä'one *f*; Ewigkeit *f*.

aer·ate ['eɪəreɪt] *v/t.* **1.** (*a.* ⚙ be- *od.* 'durch- *od.* ent)lüften; **2.** a) mit Kohlensäure sättigen, b) zum Sprudeln bringen; **3.** ⚕ *dem Blut* Sauerstoff zuführen.

aer·i·al ['eərɪəl] **I** *adj.* □ **1.** Luft…, in der Luft lebend *od.* befindlich, fliegend, hoch: ~ ***advertising*** Luftwerbung *f*, Himmelsschrift *f*; ~ ***cableway*** Seilschwebebahn *f*; ~ ***camera*** Luftbildkamera *f*; ~ ***railway*** Hänge-, Schwebebahn *f*; ~ ***spires*** hochragende Kirchtürme; **2.** aus Luft bestehend, leicht, gasförmig, flüchtig; **3.** ä'therisch, zart: ~ ***fancies*** Phantastereien; **4.** ✈ Flug(zeug)…, Luft…, Flieger…: ~ ***attack*** Luft-, Fliegerangriff *m*; ~ ***barrage*** a) (Luft)Sperr-, Flakfeuer *n*, b) Ballonsperre *f*; ~ ***combat*** Luftkampf *m*; ~ ***map*** Luftbildkarte *f*; ~ ***navigation*** Luftschiffahrt *f*; ~ ***survey*** Luftbildvermessung *f*; ~ ***view*** Flugzeugaufnahme *f*, Luftbild *n*; **5.** ⚙ oberirdisch, Ober…, Frei…, Luft…: ~ ***cable*** Luftkabel *n*; ~ ***wire*** ϟ Ober-, Freileitung *f*; **6.** ϟ, *Radio, TV*: Antennen…: ~ ***wire***; **II** *s.* **7.** ϟ, *Radio, TV*: An'tenne *f*; **'aer·i·al·ist** [-lɪst] *s.* Tra'pezkünstler *m*.

aer·ie, *Am. a.* **aër·ie** ['eərɪ] *s.* **1.** Horst *m* (*Raubvogelnest*); **2.** *fig.* Adlerhorst *m* (*hochgelegener Wohnsitz etc.*).

aer·o ['eərəʊ] **I** *pl.* **-os** *s.* Flugzeug *n*, Luftschiff *n*; **II** *adj.* Luft(schiffahrt)…, Flug(zeug)…: ~ ***engine***.

aero- [eərəʊ] *in Zssgn*: Aëro…, Luft…

aer·o·bat·ics [,eərəʊ'bætɪks] *s. pl. sg. konstr.* Kunstflug *m*; **'aer·o·drome** [-ədrəʊm] *s. bsd. Brit.* Flugplatz *m*.

aer·o|·dy·nam·ic [ˌeərəʊdaɪˈnæmɪk] **I** *adj.* □ aerodyˈnamisch, Stromlinien…; **II** *s. pl. sg. konstr.* Aerodyˈnamik *f*; ˈ**~·dyne** [-əʊdaɪn] *s.* Luftfahrzeug *n* schwerer als Luft; ˈ**~·foil** [-əʊfɔɪl] *s. Brit.* Tragfläche *f*, *a.* Höhen-, Kiel- *od.* Seitenflosse *f*; ˈ**~·gram** [-əʊgræm] *s.* **1.** Funkspruch *m*; **2.** Luftpostleichtbrief *m*; ˈ**~·lite** [-əʊlaɪt] *s.* Aeroˈlith *m*, Meteˈorstein *m*.

aer·ol·o·gy [eəˈrɒlədʒɪ] *s. phys.* **1.** Aeroloˈgie *f*, Erforschung *f* der höheren Luftschichten; **2.** aeroˈnautische Wetterkunde; **aer·o·med·i·cine** [ˌeərəʊˈmedsɪn] *s.* ˈAero-, ˈLuftfahrtmediˌzin *f*; **aerˈom·e·ter** [-ˈɒmɪtə] *s. phys.* Aeroˈmeter *m*, Luftdichtemesser *m*.

aer·o|·naut [ˈeərənɔːt] *s.* Aeroˈnaut *m*, Luftschiffer *m*; **~·nau·tic, ~·nau·ti·cal** [ˌeərəˈnɔːtɪk(l)] *adj.* □ aeroˈnautisch, Flug…; **~·nau·tics** [ˌeərəˈnɔːtɪks] *s. pl. sg. konstr.* Aeroˈnautik *f*: a) *obs.* Luftfahrt *f*, b) Luftfahrtkunde *f*; **~·plane** [ˈeərəpleɪn] *s. bsd. Brit.* Flugzeug *n*; **~·sol** [ˈeərəʊsɒl] *s.* **1.** ⚗ Aeroˈsol *n*; **2.** Spraydose *f*; **~·space** [ˈeərəʊspeɪs] **I** *s.* Weltraum *m*; **II** *adj.* a) Raumfahrt…, b) (Welt)Raum…; **~·stat** [ˈeərəʊstæt] *s.* Luftfahrzeug *n* leichter als Luft; **~·stat·ic, ~·stat·i·cal** [ˌeərəʊˈstætɪk(l)] *adj.* □ aeroˈstatisch; **~·stat·ics** [ˌeərəʊˈstætɪks] *s. pl. sg. konstr.* Aeroˈstatik *f*.

Aes·cu·la·pi·an [ˌiːskjʊˈleɪpjən] *adj.* **1.** Äskulap…; **2.** ärztlich.

aes·thete [ˈiːsθiːt] *s.* Äsˈthet *m*; **aes·thet·ic, aes·thet·i·cal** [iːsˈθetɪk(l)] *adj.* □ äsˈthetisch; **aes·thet·i·cism** [iːsˈθetɪsɪzəm] *s.* **1.** Ästhetiˈzismus *m*; **2.** Schönheitssinn *m*; **aes·thet·ics** [iːsˈθetɪks] *s. pl. sg. konstr.* Äsˈthetik *f*.

aes·ti·val [iːˈstaɪvl] *adj.* sommerlich.

ae·ther *etc.* → ***ether*** *etc.*

a·far [əˈfɑː] *adv.* fern: ***~ off*** in der Ferne; ***from ~*** von fern, weither.

af·fa·bil·i·ty [ˌæfəˈbɪlətɪ] *s.* Leutseligkeit *f*, Freundlichkeit *f*; **af·fa·ble** [ˈæfəbl] *adj.* □ leutselig, freundlich, ˈumgänglich.

af·fair [əˈfeə] *s.* **1.** Angelegenheit *f*, Sache *f*: ***a disgraceful ~***; ***that is his ~*** das ist seine Sache; ***that is not my ~*** das geht mich nichts an; ***make an ~ of s.th.*** et. aufbauschen; ***my own ~*** meine (eigene) Angelegenheit, meine Privatsache; ***~ of honour*** Ehrensache *f*, -handel *m*; **2.** *pl.* Angelegenheiten *pl.*, Verhältnisse *pl.*: ***public ~s*** öffentliche Angelegenheiten; ***state of ~s*** Lage *f* der Dinge, Sachlage *f*; → ***foreign*** 1; **3.** Afˈfäre *f*: a) Ereignis *n*, b) Skanˈdal *m*, c) (Liebes)Verhältnis *n*; **4.** F Ding *n*, Sache *f*, ‚Appaˈrat' *m*: ***the car was a shiny ~***.

af·fect¹ [əˈfekt] *v/t.* **1.** lieben, e-e Vorliebe haben für, neigen zu, beˈvorzugen: ***~ bright colo(u)rs*** lebhafte Farben bevorzugen; ***much ~ed by*** sehr beliebt bei; **2.** zur Schau tragen, erkünsteln, nachahmen: ***he ~s an Oxford accent*** er redet mit gekünstelter Oxforder Aussprache; ***he ~s the freethinker*** er spielt den Freidenker; **3.** vortäuschen: ***~ ignorance***; ***~ a limp*** so tun, als hinke man; **4.** bewohnen, vorkommen in (*dat.*) (*Tiere u. Pflanzen*).

af·fect² [əˈfekt] *v/t.* **1.** betreffen: ***that does not ~ me***; **2.** (ein- *od.* sich aus-) wirken auf (*acc.*), beeinflussen, beeinträchtigen, in Mitleidenschaft ziehen, ⚕ *a.* angreifen, befallen: ***~ the health***; **3.** bewegen, rühren, ergreifen.

af·fec·ta·tion [ˌæfekˈteɪʃn] *s.* **1.** Affektiertheit *f*, Gehabe *n*; **2.** Verstellung *f*; **3.** Vorliebe (***of*** für).

af·fect·ed¹ [əˈfektɪd] *adj.* □ **1.** affektiert, gekünstelt, geziert; **2.** angenommen, vorgetäuscht; **3.** geneigt, gesinnt.

af·fect·ed² [əˈfektɪd] *adj.* **1.** ⚕ befallen (***with*** von *Krankheit*), angegriffen (*Augen etc.*); **2.** betroffen, berührt; **3.** gerührt, bewegt, ergriffen.

af·fect·ing [əˈfektɪŋ] *adj.* □ ergreifend; **afˈfec·tion** [-kʃn] *s.* **1.** *oft pl.* Liebe *f*, (Zu)Neigung *f* (***for, towards*** zu); **2.** Gemütsbewegung *f*, Stimmung *f*; **3.** ⚕ Erkrankung *f*, Leiden *n*; **4.** Einfluß *m*, Einwirkung *f*; **afˈfec·tion·ate** [-kʃnət] *adj.* □ gütig, liebevoll, herzlich, zärtlich; **afˈfec·tion·ate·ly** [-kʃnətlɪ] *adv.*: ***yours ~*** Dein Dich liebender (*Briefschluß*); ***~ known as Pat*** unter dem Kosenamen Pat bekannt.

af·fi·ci·o·na·do → ***aficionado***.

af·fi·ance [əˈfaɪəns] **I** *s.* **1.** Vertrauen *n*; **2.** Eheversprechen *n*; **II** *v/t.* **3.** *j-n od. sich* verloben (***to*** mit).

af·fi·ant [əˈfaɪənt] *s. Am.* Aussteller (-in) e-s ***affidavit***.

af·fi·da·vit [ˌæfɪˈdeɪvɪt] *s.* ⚖ *schriftliche* beeidigte Erklärung: ***~ of means*** Offenbarungseid *m*.

af·fil·i·ate [əˈfɪlɪeɪt] **I** *v/t.* **1.** *als Mitglied* aufnehmen; **2.** *j-m* die Vaterschaft *e-s Kindes* zuschreiben: ***~ a child on*** (*od.* ***to***); **3.** (***on, upon***) zuˈrückführen (auf *acc.*), zuschreiben (*dat.*); **4.** (***to***) verknüpfen, verbinden (mit); angliedern, anschließen (*dat.*, an *acc.*); **II** *v/i.* **5.** sich anschließen (***with*** an *acc.*); **III** *s.* [-ɪɪt] **6.** *Am.* ˈZweigorganisatiˌon *f*, Tochtergesellschaft *f*; **afˈfil·i·at·ed** [-tɪd] *adj.* angeschlossen: ***~ company*** Tochter-, Zweiggesellschaft *f*; **af·fil·i·a·tion** [əˌfɪlɪˈeɪʃn] *s.* **1.** Aufnahme *f* (*als Mitglied etc.*); **2.** Zuschreibung *f* der Vaterschaft; **3.** Zuˈrückführung *f* (*auf den Ursprung*); **4.** Angliederung *f*; **5.** *oft eccl.* Zugehörigkeit *f*, Mitgliedschaft *f*.

af·fin·i·ty [əˈfɪnətɪ] *s.* **1.** ⚖ Schwägerschaft *f*; **2.** *fig.* a) (Wesens)Verwandtschaft *f*, Affiniˈtät *f*, b) (Wahl-, Seelen-) Verwandtschaft *f*, gegenseitige Anziehung; **3.** ⚗ Affiniˈtät *f*, stofflich-ˈchemische Verwandtschaft.

af·firm [əˈfɜːm] *v/t.* **1.** versichern, beteuern; **2.** bekräftigen; ⚖ *Urteil* bestätigen; **3.** ⚖ an Eides Statt versichern; **af·fir·ma·tion** [ˌæfɜːˈmeɪʃn] *s.* **1.** Versicherung *f*, Beteuerung *f*; **2.** Bestätigung *f*, Bekräftigung *f*; **3.** ⚖ Versicherung *f* an Eides Statt; **afˈfirm·a·tive** [-mətɪv] **I** *adj.* □ **1.** bejahend, zustimmend, positiv; **2.** positiv, bestimmt: ~ ***action*** *Am.* Aktion *f* gegen die Diskriminierung von Minderheitsgruppen; **II** *s.* **3.** Bejahung *f*: ***answer in the*** ~ bejahen.

af·fix I *v/t.* [əˈfɪks] **1.** (***to***) befestigen, anbringen (an *dat.*), anheften, ankleben (an *acc.*); **2.** (***to***) beilegen, -fügen (*dat.*), hinˈzufügen (zu); *Siegel* anbringen (an *dat.*); *Unterschrift* setzen (unter *acc.*); **II** *s.* [ˈæfɪks] **3.** *ling.* Afˈfix *n*, Anhang *m*, Hinˈzufügung *f*.

af·flict [əˈflɪkt] *v/t.* betrüben, quälen, plagen, heimsuchen; **afˈflict·ed** [-tɪd] *adj.* **1.** niedergeschlagen, betrübt; **2.** (***with***) leidend (an *dat.*); belastet, behaftet (mit), geplagt (von); **afˈflic·tion** [-kʃn] *s.* **1.** Betrübnis *f*, Kummer *m*; **2.** a) Gebrechen, b) *pl.* Beschwerden; **3.** Elend *n*, Not *f*; Heimsuchung *f*.

af·flu·ence [ˈæflʊəns] *s.* **1.** Fülle *f*, ˈÜberfluß *m*; **2.** Reichtum *m*, Wohlstand *m*: ***demoralization by*** ~ Wohlstandsverwahrlosung *f*; **ˈaf·flu·ent** [-nt] **I** *adj.* □ **1.** reichlich; **2.** wohlhabend, reich (***in*** an *dat.*): ~ ***society*** Wohlstandsgesellschaft *f*; **II** *s.* **3.** Nebenfluß *m*; **af·flux** [ˈæflʌks] *s.* **1.** Zufluß *m*, Zustrom *m* (*a. fig.*); **2.** ⚕ (Blut-) Andrang *m*.

af·ford [əˈfɔːd] *v/t.* **1.** gewähren, bieten; *Schatten* spenden; *Freude* bereiten; **2.** *als Produkt* liefern; **3.** sich leisten, sich erlauben, die Mittel haben für; *Zeit* erübrigen: ***I can't*** ~ ***it*** ich kann es mir nicht leisten (*a. fig.*); **afˈford·a·ble** *adj.* erschwinglich.

af·for·est·a·tion [æˌfɒrɪˈsteɪʃn] *s.* Aufforstung *f*.

af·fran·chise [əˈfræntʃaɪz] *v/t.* befreien (***from*** aus).

af·fray [əˈfreɪ] *s.* **1.** Schlägeˈrei *f*, Kraˈwall *m*; **2.** ⚖ Raufhandel *m*.

af·freight [əˈfreɪt] *v/t.* ⚓ chartern, befrachten.

af·fri·cate [ˈæfrɪkət] *s. ling.* Affriˈkata *f* (*Verschlußlaut mit folgendem Reibelaut*).

af·front [əˈfrʌnt] **I** *v/t.* **1.** beleidigen, beschimpfen; **2.** trotzen (*dat.*); **II** *s.* **3.** Beleidigung *f*, Afˈfront *m*.

Af·ghan [ˈæfgæn] **I** *s.* **1.** Afˈghane *m*, Afˈghanin *f*; **2.** Afˈghan *m* (*Teppich*); **II** *adj.* **3.** afˈghanisch.

afi·ci·o·na·do [əˌfɪsjəˈnɑːdəʊ] *s.* (*Span.*) begeisterter Anhänger *m*, ‚Fan' *m*.

a·field [əˈfiːld] *adv.* **1.** a) im *od.* auf dem Feld, b) ins *od.* aufs Feld; **2.** in der *od.* in die Ferne, draußen, hinˈaus: ***far*** ~ weit entfernt; **3.** *bsd. fig.* in die Irre: ***lead s.o.*** ~; ***quite*** ~ a) auf dem Holzwege (*Person*), b) ganz falsch (*Sache*).

a·fire [əˈfaɪə] *adv. u. adj.* brennend, in Flammen: ***all*** ~ *fig.* Feuer und Flamme.

a·flame [əˈfleɪm] → ***afire***.

a·float [əˈfləʊt] *adv. u. adj.* **1.** flott, schwimmend: ***keep*** ~ (sich) über Wasser halten (*a. fig.*); **2.** an Bord, auf See; **3.** in ˈUmlauf; **4.** im Gange; **5.** überˈschwemmt.

a·foot [əˈfʊt] *adv. u. adj.* **1.** zu Fuß, auf den Beinen; **2.** *fig.* a) im Gange, b) im Anzug, im Kommen.

a·fore [əˈfɔː] *obs.* **I** *prp.* vor; **II** *adv.* (nach) vorn; **III** *cj.* ehe, bevor; ~**·men·tioned** [əˌfɔːˈmenʃənd], ~**·said** [əˈfɔːsed] *adj.* obenerwähnt *od.* -genannt; ~**·thought** [əˈfɔːθɔːt] *adj.* vorbedacht; → ***malice*** 3.

a·fraid [əˈfreɪd] *adj.*: ***be*** ~ Angst haben, sich fürchten (***of*** vor *dat.*); ***I am*** ~ (***that***) ***he will not come*** ich fürchte, er wird nicht kommen; ***I am*** ~ ***I must go*** F leider muß ich gehen; ***I'm*** ~ ***so*** leider ja!; ***I shall tell him, don't be*** ~***!*** F (nur) keine Angst, ich werde es ihm sagen!; ~ ***of hard work*** F arbeitsscheu; ***be*** ~ ***to do*** sich scheuen zu tun.

a·fresh [əˈfreʃ] *adv.* von neuem, von vorn: ***start*** ~.

Af·ri·can [ˈæfrɪkən] **I** *s.* **1.** Afriˈkaner (-in); **2.** Neger(in) (*in Amerika lebend*); **II** *adj.* **3.** afriˈkanisch; **4.** afriˈkanischer Abstammung, Neger...

Af·ri·kaans [ˌæfrɪˈkɑːns] *s. ling.* Afriˈkaans(ch) *n*, Kapholländisch *n*; **ˌAf·riˈkan·(d)er** [-ˈkæn(d)ə] *s.* Afriˈkander *m* (*Weißer mit Afrikaans als Muttersprache*).

Af·ro [ˈæfrəʊ] *pl.* **-ros** *s.* **1.** Afro-Look *m*; **2.** *a.* ~ ***hairdo*** ˈAfro-Friˌsur *f*.

ˌAf·ro|-Aˈmer·i·can [ˌæfrəʊ-] *s.* Afroameriˈkaner(in); **ˌ~-ˈA·sian** *adj.* ˈafroasiˈatisch.

aft [ɑːft] *adv.* ⚓ (nach) achtern.

af·ter [ˈɑːftə] **I** *prp.* **1.** nach: ~ ***lunch***; ~ ***a week***; ***day*** ~ ***day*** Tag für Tag; ***the day*** ~ ***tomorrow*** übermorgen; ***the month*** ~ ***next*** der übernächste Monat; ~ ***all*** schließlich, im Grunde, immerhin, (also) doch; ~ ***all my trouble*** nach *od.* trotz all meiner Mühe; → ***look after*** *etc.*; **2.** hinter ... (*dat.*) (her): ***I came*** ~ ***you***; ***shut the door*** ~ ***you***; ***the police are*** ~ ***you*** die Polizei ist hinter dir her; ~ ***you, sir!*** nach Ihnen!; ***one*** ~ ***another*** nacheinander; **3.** nach, gemäß: ***named***

~ his father nach s-m Vater genannt; ***~ my own heart*** ganz nach m-m Herzen *od.* Wunsch; ***a picture ~ Rubens*** ein Gemälde nach (*im Stil von*) Rubens; **II** *adv.* **4.** nach'her, hinter'her, da'nach, später: ***follow ~*** nachfolgen; ***for months ~*** noch monatelang; ***shortly ~*** kurz danach; **III** *adj.* **5.** später, künftig, Nach...: ***in ~ years***; **6.** ⚓ Achter...; **IV** *cj.* **7.** nach'dem: ***~ he (had) sat down***; **V** *s. pl.* **8.** *Brit.* F Nachspeise *f*: ***for ~s*** zum Nachtisch; **'~·birth** *s.* ⚕ Nachgeburt *f*; **'~,burn·er** *s.* ✈ Nachbrenner *m*; **'~-,cab·in** *s.* ⚓ 'Heckka,bine *f*; **'~-care** *s.* **1.** ⚕ Nachbehandlung *f*; **2.** ⚖ Resozialisierungshilfe *f*; **'~-crop** *s.* Nachernte *f*; **'~·death** → ***afterlife*** 1; **'~·deck** *s.* ⚓ Achterdeck *n*; **'~-,din·ner** *adj.* nach Tisch: ***~ speech*** Tischrede *f*; **'~-ef,fect** [-ərɪ-] *s.* Nachwirkung *f* (*a.* ⚕), Folge *f*; **'~·glow** *s.* **1.** Nachglühen *n* (*a.* ⚙ *u. fig.*); **2.** a) Abendrot *n*, b) Alpenglühen *n*; **'~·hold** *s.* ⚓ Achterraum *m*; **'~-hours** *s. pl.* Zeit *f* nach Dienstschluß: ***~ dealing*** Nachbörse *f*; **'~·life** *s.* **1.** Leben *n* nach dem Tode; **2.** (zu)künftiges Leben; **'~·math** [-mæθ] *s.* **1.** ✓ Grummet *n*, Spätheu *n*; **2.** *fig.* Nachwirkungen *pl.*; **,~'noon** *s.* Nachmittag *m*: ***in the ~*** am Nachmittag, nachmittags; ***this ~*** heute nachmittag; ***~ of life*** Herbst *m* des Lebens; → ***good*** 1; **'~·pains** *s. pl.* ⚕ Nachwehen *pl.*; **'~·play** *s.* (sexu'elles) Nachspiel; **'~-sales ser·vice** *s.* ☤ Kundendienst *m*; **'~-,sea·son** *s.* 'Nachsai,son *f*; **'~-shave lo·tion** *s.* After-shave-Lotion *f*, Rasierwasser *n*; **'~·shock** *s.* Nachbeben *n*; **'~·taste** *s.* Nachgeschmack *m* (*a. fig.*); **~ tax** *adj.* ☤ nach Abzug der Steuern, *a.* Netto...; **'~·thought** *s.* nachträglicher Einfall: ***as an ~*** nachträglich; **'~-,treat·ment** *s.* ⚕, ⚙ Nachbehandlung *f*.

aft·er|·ward ['ɑːftəwəd] *Am.*, **'~·wards** [-dz] *adv.* später, nach'her, hinter'her; **'~·years** *s. pl.* Folgezeit *f*.

a·gain [ə'gen] *adv.* **1.** 'wieder(um), von neuem, aber-, nochmals: ***come ~!*** komm wieder!; ***~ and ~*** immer wieder; ***now and ~*** hin und wieder; ***be o.s. ~*** wieder gesund *od.* der alte sein; **2.** schon wieder: ***that fool ~*** schon wieder dieser Narr!; ***what's his name ~?*** F wie heißt er doch schnell?; **3.** außerdem, ferner; **4.** noch einmal: ***as much ~*** noch einmal so viel; ***half as much ~*** anderthalbmal so viel; **5.** *a.* ***then ~*** andererseits, da'gegen, aber: ***these ~ are more expensive***.

a·gainst [ə'genst] *prp.* **1.** gegen, wider, entgegen: ***~ the law***; ***to run (up) ~ s.o.*** j-n zufällig treffen; **2.** gegen, gegen'über: ***my rights ~ the landlord***; ***over ~ the town hall*** gegenüber dem Rathaus; **3.** auf ... (*acc.*) zu, an (*dat. od. acc.*), vor (*dat. od. acc.*), gegen: ***~ the wall***; **4.** *a.* ***as ~*** verglichen mit, gegenüber; **5.** in Erwartung (*gen.*), für.

a·gamic¹ [,eɪ'gæmɪk] *adj. biol.* a'gam, geschlechtslos.

a·gape [ə'geɪp] *adv. u. adj.* gaffend, mit offenem Munde (*vor Staunen*).

a·gar·ic ['ægərɪk] *s.* ⚘ Blätterpilz *m*, -schwamm *m*; → ***fly agaric***.

ag·ate ['ægət] *s.* **1.** *min.* A'chat *m*; **2.** *Am.* bunte Glasmurmel; **3.** *typ. Am.* Pa'riser Schrift *f*.

a·ga·ve [ə'geɪvɪ] *s.* ⚘ A'gave *f*.

age [eɪdʒ] **I** *s.* **1.** (Lebens)Alter *n*, Altersstufe *f*: ***what is his ~*** *od.* ***what ~ is he?*** wie alt ist er?; ***ten years of ~*** 10 Jahre alt; ***at the ~ of*** im Alter von; ***at his ~*** in seinem Alter; ***be over ~*** über der Altersgrenze liegen; ***act one's ~*** sich s-m Alter entsprechend benehmen; ***be your ~!*** sei kein Kindskopf!; ***a girl your ~*** ein Mädchen deines Alters; ***he does not look his ~*** man sieht ihm sein Alter nicht an; **2.** (Zeit *f* der) Reife: ***full ~*** Volljährigkeit *f*; ***(come) of ~*** mündig *od.* volljährig (werden); ***under ~*** minderjährig; **3.** *a.* ***old ~*** Alter *n*: ***~ before beauty*** Alter kommt vor Schönheit; **4.** Zeit *f*, Zeitalter *n*; Menschenalter *n*, Generati'on *f*: ***Ice*** ♀ Eiszeit; ***the ~ of Queen Victoria***; ***in our ~*** in unserer (*od.* der heutigen) Zeit; ***down the ~s*** durch die Jahrhunderte; **5.** *oft pl.* F lange Zeit, Ewigkeit *f*: ***I haven't seen him for ~s*** ich habe ihn seit e-r Ewigkeit nicht gesehen; **II** *v/t.* **6.** alt machen; **7.** *j-n* um Jahre älter machen; **8.** ⚙ altern, vergüten; *Wein etc.* ablagern lassen; *Käse etc.* reifen lassen; **III** *v/i.* **9.** alt werden, altern; **age brack·et** → ***age group***; **aged** [eɪdʒd] *adj.* ... Jahre alt: ***~ twenty***; **a·ged** ['eɪdʒɪd] *adj.* bejahrt, betagt; **age group** *s.* Altersklasse *f*, Jahrgang *m*; **age·ing** → ***aging***; **age·ism** ['eɪdʒɪzəm] *s.* Altersdiskriminierung *f*; **ageless** ['eɪdʒlɪs] *adj.* nicht alternd, zeitlos; **age lim·it** *s.* Altersgrenze *f*; **'age·long** *adj.* lebenslänglich, dauernd.

a·gen·cy ['eɪdʒənsɪ] *s.* **1.** (wirkende) Kraft *f*, (ausführendes) Or'gan, Werkzeug *n* (*fig.*); **2.** Tätigkeit *f*, Wirkung *f*; **3.** Vermittlung *f*, Mittel *n*, Hilfe *f*: ***by*** *od.* ***through the ~ of***; **4.** ☤ Agen'tur *f*: a) (Handels)Vertretung *f*, b) Bü'ro *n* *od.* Amt *n* e-s A'genten; **5.** ⚖ ('Handlungs),Vollmacht *f*; **6.** ('Nachrichten-) Agen,tur *f*; **7.** Geschäfts-, Dienststelle *f*; Amt *n*, Behörde *f*; **~ busi·ness** *s.* Kommissi'onsgeschäft *n*.

a·gen·da [ə'dʒendə] *s.* Tagesordnung *f*.

a·gent ['eɪdʒənt] *s.* **1.** Handelnde(r *m*) *f*, Urheber(in): ***free ~*** selbständig Handelnde(r), *weitS. ein* freier Mensch; **2.**

⚗, ⚕, *biol.*, *phys.* 'Agens *n*, Wirkstoff *m*, (be)wirkende Kraft *od.* Ursache, Mittel *n*, Werkzeug *n*: ***protective ~*** Schutzmittel; **3.** a) ✝ (Handels)Vertreter *m*, A'gent *m*, *a.* Makler *m*, Vermittler *m*, b) ⚖ (Handlungs)Bevollmächtigte(r *m*) *f*, (Stell)Vertreter(in); **4.** *pol.* (Geheim)Agent(in).

a·gent pro·vo·ca·teur *pl.* **a·gents pro·vo·ca·teurs** ['æʒɑ̃:ŋ prəˌvɒkə'tɜ:] (*Fr.*) *s.* Lockspitzel *m*.

'age|-old *adj.* uralt; **'~-worn** *adj.* altersschwach.

ag·glom·er·ate I *v/t. u. v/i.* [ə'glɒməreɪt] **1.** (sich) zs.-ballen, (sich) an- *od.* aufhäufen; **II** *s.* [-rət] **2.** angehäufte Masse, Ballung *f*; **3.** ⚙, *geol.*, *phys.* Agglome'rat *n*; **III** *adj.* [-rət] **4.** zs.-geballt, gehäuft; **ag·glom·er·a·tion** [əˌglɒmə'reɪʃn] *s.* Zs.-ballung *f*; Anhäufung *f*; (wirrer) Haufen.

ag·glu·ti·nate I *adj.* [ə'glu:tɪnət] **1.** zs.-geklebt, verbunden; **2.** *ling.* agglutiniert; **II** *v/t.* [-neɪt] **3.** zs.-kleben, verbinden; **4.** *biol.*, *ling.* agglutinieren; **ag·glu·ti·na·tion** [əˌglu:tɪ'neɪʃn] *s.* **1.** Zs.-kleben *n*; anein'anderklebende Masse; **2.** *biol.*, *ling.* Agglutinati'on *f*.

ag·gran·dize [ə'grændaɪz] *v/t.* **1.** *Macht, Reichtum* vermehren, -größern, erhöhen; **2.** verherrlichen, ausschmücken, *j-n* erhöhen; **ag'gran·dize·ment** [-dɪzmənt] *s.* Vermehrung *f*, Vergrößerung *f*, Erhöhung *f*, Aufstieg *m*.

ag·gra·vate ['ægrəveɪt] *v/t.* **1.** erschweren, verschärfen, verschlimmern; verstärken: ***~d larceny*** ⚖ schwerer Diebstahl; **2.** F erbittern, ärgern; **'ag·gra·vat·ing** [-tɪŋ] *adj.* □ **1.** erschwerend *etc.*, gra'vierend; **2.** F ärgerlich, aufreizend; **ag·gra·va·tion** [ˌægrə'veɪʃn] *s.* **1.** Erschwerung *f*, Verschlimmerung *f*, erschwerender 'Umstand; **2.** F Ärger *m*.

ag·gre·gate ['ægrɪgət] **I** *adj.* □ **1.** angehäuft, vereinigt, gesamt, Gesamt...: ***~ amount*** → II; **2.** zs.-gesetzt, Sammel...; **II** *s.* **3.** Anhäufung *f*; (Gesamt-) Menge *f*; Summe *f*: ***in the ~*** insgesamt; **4.** ⚡, ⚙, *biol.* Aggre'gat *n*; **III** *v/t.* [-geɪt] **5.** anhäufen, ansammeln; vereinigen (***to*** mit); **6.** sich insgesamt belaufen auf (*acc.*); **ag·gre·ga·tion** [ˌægrɪ'geɪʃn] *s.* **1.** Anhäufung *f*, Ansammlung *f*; Zs.-fassung *f*; **2.** *phys.* Aggre'gat *n*: ***state of ~*** Aggregatzustand *m*.

ag·gres·sion [ə'greʃn] *s.* Angriff *m*, 'Überfall *m*; Aggressi'on *f* (*a. pol. u. psych.*); **ag'gres·sive** [-esɪv] *adj.* □ aggres'siv: a) streitsüchtig, angriffslustig, b) e'nergisch, draufgängerisch, dy'namisch, forsch; **ag'gres·sor** [-esə] *s.* Angreifer *m*.

ag·grieved [ə'gri:vd] *adj.* **1.** bedrückt, betrübt; **2.** *bsd.* ⚖ geschädigt, beschwert, benachteiligt.

ag·gro ['ægrəʊ] *s. sl.* Randale *f*; Ärger *m*.

a·ghast [ə'gɑ:st] *adj.* entgeistert, bestürzt, entsetzt (***at*** über *acc.*).

ag·ile ['ædʒaɪl] *adj.* □ flink, be'hend(e) (*Verstand etc.*); **a·gil·i·ty** [ə'dʒɪlətɪ] *s.* Flinkheit *f*, Be'hendigkeit *f*; Aufgewecktheit *f*.

ag·ing ['eɪdʒɪŋ] **I** *s.* **1.** Altern *n*; **2.** ⚙ Alterung *f*, Vergütung *f*; **II** *pres. p. u. adj.* **3.** alternd.

ag·i·o ['ædʒəʊ] *pl.* **ag·i·os** *s.* ✝ 'Agio *n*, Aufgeld *n*; **ag·i·o·tage** ['ædʒətɪdʒ] *s.* Agio'tage *f*.

ag·i·tate ['ædʒɪteɪt] **I** *v/t.* **1.** hin und her bewegen, schütteln; (um)rühren; **2.** *fig.* beunruhigen, auf-, erregen; **3.** aufwiegeln; **4.** erwägen, lebhaft erörtern; **II** *v/i.* **5.** agitieren, wühlen, hetzen; Propa'ganda machen (***for*** für, ***against*** gegen); **'ag·i·tat·ed** [-tɪd] *adj.* □ aufgeregt; **ag·i·ta·tion** [ˌædʒɪ'teɪʃn] *s.* **1.** Erschütterung *f*, heftige Bewegung; **2.** Aufregung *f*, Unruhe *f*; **3.** Agitati'on *f*, Hetze'rei *f*; Bewegung *f*, Gärung *f*; **'ag·i·ta·tor** [-tə] *s.* **1.** Agi'tator *m*, Aufwiegler *m*, Wühler *m*, Hetzer *m*; **2.** ⚙ 'Rührappaˌrat *m*, -werk *n*, -arm *m*;

ag·it·prop [ˌædʒɪt'prɒp] **1.** Agit'prop *f* (*kommunistische Agitation u. Propaganda*); **2.** Agit'propredner *m*.

a·glow [ə'gləʊ] *adv. u. adj. a. fig.* glühend (***with*** von, vor *dat.*).

ag·nate ['ægneɪt] **I** *s.* **1.** A'gnat *m* (*Verwandter väterlicherseits*); **II** *adj.* **2.** väterlicherseits verwandt; **3.** stamm-, wesensverwandt; **ag·nat·ic** *adj.*; **ag·nat·i·cal** [æg'nætɪk(l)] *adj.* □ → ***agnate*** 2, 3.

ag·nos·tic [æg'nɒstɪk] **I** *s.* A'gnostiker *m*; **II** *adj.* → ***agnostical***; **ag'nos·ti·cal** [-kl] *adj.* a'gnostisch; **ag'nos·ti·cism** [-tɪsɪzəm] *s.* Agnosti'zismus *m*.

a·go [ə'gəʊ] *adv. u. adj.* vor'über, her, vor: ***ten years ~*** vor zehn Jahren; ***long ~*** vor langer Zeit; ***long, long ~*** lang, lang ist's her; ***no longer ~ than last month*** erst vorigen Monat.

a·gog [ə'gɒg] *adv. u. adj.* gespannt, erpicht (***for*** auf *acc.*): ***all ~*** ganz aus dem Häuschen, ‚gespannt wie ein Regenschirm'.

ag·o·nize ['ægənaɪz] **I** *v/t.* **1.** quälen, martern; **II** *v/i.* **2.** mit dem Tode ringen; **3.** Höllenqualen leiden; **4.** sich (ab-) quälen, verzweifelt ringen; **'ag·o·niz·ing** [-zɪŋ] *adj.* □ qualvoll, herzzerreißend; **'ag·o·ny** [-nɪ] *s.* **1.** heftiger Schmerz, Höllenqualen *pl.*, Qual *f*, Pein *f*, Seelenangst *f*: ***~ of despair***; ***~ column*** F *Zeitung*: Seufzerspalte *f*; ***pile on the ~*** F ‚dick auftragen'; **2.** ♌ Ringen *n* Christi mit dem Tode; **3.** Todeskampf *m*, Ago'nie *f*.

ag·o·ra·pho·bi·a [ˌægərə'fəʊbjə] *s.* ⚕

Platzangst *f*.

a·grar·i·an [əˈgreərɪən] **I** *adj.* **1.** aˈgrarisch, landwirtschaftlich, Agrar...: **~ *unrest*** Unruhe in der Landwirtschaft; **2.** gleichmäßige Landaufteilung betreffend; **II** *s.* **3.** Befürworter *m* gleichmäßiger Aufteilung des (Acker)Landes.

a·gree [əˈgri:] **I** *v/i.* **1.** (***to***) zustimmen (*dat.*), einwilligen (in *acc.*), beipflichten (*dat.*), genehmigen (*acc.*), einverstanden sein (mit), eingehen (auf *acc.*), gutheißen (*acc.*): **~ *to a plan***; ***I* ~ *to come with you*** ich bin bereit mitzukommen; ***you will* ~ *that*** du mußt zugeben, daß; **2.** (***on***, ***upon***, ***about***) sich einigen *od.* verständigen (über *acc.*); vereinbaren, verabreden (*acc.*): ***they* ~*d about the price***; **~ *to differ*** sich auf verschiedene Standpunkte einigen; ***let us* ~ *to differ!*** ich fürchte, wir können uns da nicht einigen!; **3.** überˈeinkommen, vereinbaren (***to*** *inf.* zu *inf.*, ***that*** daß): ***it is* ~*d*** es ist vereinbart, es steht fest; → ***agreed*** 2; **4.** (***with*** mit) überˈeinstimmen (*a. ling.*), (sich) einig sein, gleicher Meinung sein: ***I* ~ *that your advice is best*** auch ich bin der Meinung, daß Ihr Rat der beste ist; → ***agreed*** 1; **5.** sich vertragen, auskommen, zs.-passen, sich vereinigen (lassen); **6.** **~ *with*** *j-m* bekommen, zuträglich sein: ***wine does not* ~ *with me***; **II** *v/t.* **7.** ✝ *Konten etc.* abstimmen.

a·gree·a·ble [əˈgrɪəbl] *adj.* □ → ***agreeably***; **1.** angenehm; gefällig, liebenswürdig; **2.** einverstanden (***to*** mit): **~ *to the plan***; **3.** F bereit, gefügig; **4.** (***to***) überˈeinstimmend (mit), entsprechend (*dat.*): **~ *to the rules***; **aˈgree·a·ble·ness** [-nɪs] *s.* angenehmes Wesen; Annehmlichkeit *f*; **aˈgree·a·bly** [-lɪ] *adv.* **1.** angenehm: **~ *surprised***; **2.** einverstanden (***to*** mit); entsprechend (***to*** *dat.*): **~ *to his instructions***.

a·greed [əˈgri:d] *adj.* **1.** einig (***on*** über *acc.*); einmütig: **~ *decisions***; **2.** vereinbart: ***the* ~ *price***; **~*!*** abgemacht!, einverstanden!; **aˈgree·ment** [-mənt] *s.* **1.** a) Abkommen *n*, Vereinbarung *f*, Einigung *f*, Verständigung *f*, Überˈeinkunft *f*, b) Vertrag *m*, c) (gütlicher) Vergleich: ***by* ~** wie vereinbart; ***come to an* ~** sich einigen, sich verständigen; ***by mutual* ~** in gegenseitigem Einvernehmen; **~ *country*** (***currency***) ✝ Verrechnungsland *n* (-währung *f*); **2.** Einigkeit *f*, Eintracht *f*; **3.** Überˈeinstimmung *f* (*a. ling.*), Einklang *m*; **4.** Genehmigung *f*, Zustimmung *f*.

ag·ri·cul·tur·al [ˌægrɪˈkʌltʃərəl] *adj.* □ landwirtschaftlich, Landwirtschaft(s)...: **~ *labo(u)rer*** Landarbeiter *m*; **~ *levy*** *EU* Abschöpfung *f*; **~ *show*** Landwirtschaftsausstellung *f*; **ˌag·riˈcul·tur·al·ist** [-rəlɪst] → ***agriculturist***;

ag·ri·cul·ture [ˈægrɪkʌltʃə] *s.* Landwirtschaft *f*, Ackerbau *m* (u. Viehzucht *f*); **ˌag·riˈcul·tur·ist** [-tʃərɪst] *s.* (Dipˈlom)Landwirt *m*.

ag·ro·nom·ics [ˌægrəˈnɒmɪks] *s. pl. sg. konstr.* Agronoˈmie *f*, Ackerbaukunde *f*; **a·gron·o·mist** [əˈgrɒnəmɪst] *s.* Agroˈnom *m*, (Dipˈlom)Landwirt *m*; **a·gron·o·my** [əˈgrɒnəmɪ] → ***agronomics***.

a·ground [əˈgraʊnd] *adv. u. adj.* ⚓ gestrandet: ***run* ~** a) auflaufen, stranden, b) auf Grund setzen; ***be* ~** a) aufgelaufen sein, b) *fig.* auf dem trocknen sitzen.

a·gue [ˈeɪgju:] *s.* Schüttelfrost *m*; (Wechsel)Fieber *n*.

ah [ɑ:] *int.* ah, ach, oh, ha, ei!

a·ha [ɑ:ˈhɑ:] **I** *int.* aˈha, haˈha!; **II** *adj.*: **~ *experience*** Aha-Erlebnis *n*.

a·head [əˈhed] *adv. u. adj.* **1.** vorn; vorˈaus, vorˈan; vorwärts, nach vorn; einen Vorsprung habend, an der Spitze; beˈvorstehend: ***right*** (*od.* ***straight***) **~** geradeaus; ***the years* ~** (***of us***) die bevorstehenden (*od.* vor uns liegenden) Jahre; ***look*** (***think***, ***plan***) **~** vorausschauen (-denken, -planen); ***look* ~*!*** a) sieh dich vor!, b) *fig.* denk an die Zukunft!; → ***get ahead***, ***go ahead***, ***speed*** 1; **2.** **~ *of*** vor (*dat.*), vorˈaus (*dat.*): ***be* ~ *of the others*** vor den anderen sein *od.* liegen, den anderen voraus sein, (e-n) Vorsprung vor den anderen haben, die anderen übertreffen; ***get* ~ *of s.o.*** j-n überholen *od.* überflügeln; **~ *of the times*** der *od.* s-r Zeit voraus.

a·hem [mˈmm] *int.* hm!

a·hoy [əˈhɔɪ] *int.* ⚓ ho!, aˈhoi!

aid [eɪd] **I** *v/t.* **1.** unterˈstützen, fördern; *j-m* helfen, behilflich sein (***in*** bei, ***to*** *inf.* zu *inf.*): **~ *and abet*** ⚖ a) Beihilfe leisten (*dat.*), b) begünstigen (*acc.*); **II** *s.* **2.** Hilfe *f* (***to*** für), -leistung *f* (***in*** bei), Unterˈstützung *f*: ***he came to her* ~** er kam ihr zu Hilfe; ***by*** *od.* ***with*** (***the***) **~ *of*** mit Hilfe von; ***in* ~ *of*** zugunsten von (*od. gen.*); **3.** Helfer(in), Beistand *m*, Assisˈtent(in); **4.** Hilfsmittel *n*, (Hilfs-)Gerät *n*, Mittel *n*: → ***hearing*** 2.

aide [eɪd] *s.* **1.** Berater *m*; **2.** → **aid(e)-de-camp** [ˌeɪddəˈkɑ̃:ŋ] *pl.* **ˌaid(e)s-de-ˈcamp** [ˌeɪdz-] *s.* ⚔ Adjuˈtant *m*.

aide-mé·moire [ˌeɪdmemˈwɑ:] (*Fr.*) *s. sg. u. pl.* **1.** Gedächtnisstütze *f*, Noˈtiz *f*; **2.** *pol.* Denkschrift *f*.

AIDS, Aids [eɪdz] *s.* **Aids** *n*: **~ *risk*** Aidsgefahr *f*; **~ *sufferer*** Aidskranke *m*.

ai·grette [ˈeɪgret] *s.* **1.** *orn.* kleiner, weißer Reiher; **2.** Aiˈgrette *f*, Kopfschmuck *m* (*aus Federn etc.*).

ail [eɪl] **I** *v/t.* schmerzen: ***what* ~*s you?*** *a. fig.* was hast du denn?; **II** *v/i.* kränkeln.

ai·ler·on [ˈeɪlərɒn] (*Fr.*) *s.* ✈ Querruder *n*.

ail·ing ['eɪlɪŋ] *adj.* kränklich, leidend; **ail·ment** ['eɪlmənt] *s.* Unpäßlichkeit *f*, Leiden *n*.

aim [eɪm] **I** *v/i.* **1.** zielen (***at*** auf *acc.*, nach); **2.** *mst* **~ *at*** *fig. et.* beabsichtigen, an-, erstreben, bezwecken: ***~ing to please*** zu gefallen suchend; ***be ~ing to do*** *Am.* vorhaben *et.* zu tun; **3.** abzielen (***at*** auf *acc.*): ***that was not ~ed at you*** das war nicht auf dich gemünzt; **II** *v/t.* (***at***) **4.** *Waffe etc., a. Bestrebungen* richten (auf *acc.*); **5.** *Bemerkungen* richten (gegen); **III** *s.* **6.** Ziel *n*, Richtung *f*: ***take ~ at*** zielen auf (*acc.*) *od.* nach; **7.** Ziel *n*, Zweck *m*, Absicht *f*; '**aim·less** [-lɪs] *adj.* □ ziel-, zweck-, planlos.

ain't [eɪnt] V *abbr. für*: ***am not***, ***is not***, ***are not***, ***has not***, ***have not***.

air[1] [eə] **I** *s.* **1.** Luft *f*, Atmo'sphäre *f*, Luftraum *m*: ***by ~*** auf dem Luftwege, mit dem Flugzeug; ***in the open ~*** im Freien; ***hot ~*** *sl.* leeres Geschwätz, blauer Dunst; → ***beat*** 11; ***clear the ~*** die Luft (*fig.* die Atmosphäre) reinigen; ***vanish into thin ~*** *fig.* sich in nichts auflösen; ***change of ~*** Luftveränderung *f*; ***be in the ~*** *fig.* a) in der Luft liegen, b) in der Schwebe sein (*Frage etc.*), c) im Umlauf sein (*Gerücht etc.*); ***be up in the ~*** *fig.* a) (völlig) in der Luft hängen, b) völlig ungewiß sein, c) F ganz aus dem Häuschen sein (***about*** wegen); ***take the ~*** a) frische Luft schöpfen, b) ✈ abheben, aufsteigen; ***walk on ~*** sich wie im Himmel fühlen, selig sein; ***in the ~*** *fig.* (völlig) ungewiß; ***give s.o. the ~*** *Am.* j-n an die (frische) Luft setzen; **2.** Brise *f*, Luftzug *m*, Lüftchen *n*; **3.** ⚒ Wetter *n*: ***foul ~*** schlagende Wetter *pl.*; **4.** *Radio, TV*: 'Äther *m*: ***on the ~*** im Rundfunk *od.* Fernsehen; ***be on the ~*** a) senden, b) gesendet werden, c) auf Sendung sein (*Person*), d) zu hören *od.* zu sehen sein (*Person*); ***go off the ~*** a) die Sendung beenden (*Person*), b) sein Programm beenden (*Sender*); ***put on the ~*** senden, übertragen; ***stay on the ~*** auf Sendung bleiben; **5.** Art *f*, Stil *m*; **6.** Miene *f*, Aussehen *n*, Wesen *n*: ***an ~ of importance*** e-e gewichtige Miene; **7.** *mst pl.* Getue *n*; ‚Gehabe' *n*, Pose *f*: ***~s and graces*** affektiertes Getue; ***put on*** (*od.* ***give o.s***) ***~s*** vornehm tun; **II** *v/t.* **8.** der Luft aussetzen, lüften; **9.** *Wäsche* trocknen, zum Trocknen aufhängen; **10.** *Getränke* abkühlen; **11.** an die Öffentlichkeit *od.* zur Sprache bringen, äußern: ***~ one's grievances***; **12.** ***~ o.s.*** frische Luft schöpfen; **III** *adj.* **13.** Luft..., pneu'matisch.

air[2] [eə] *s.* ♪ **1.** Lied *n*, Melo'die *f*, Weise *f*; **2.** Arie *f*.

air| a·lert *s.* 'Flieger-, 'Lufta,larm *m*; **~ arm** *s.* ✈ *Brit.* Luftwaffe *f*; **~ bag** *s.* *mot.* Luftsack *m*; **~ bar·rage** *s.* ✈ Luftsperre *f*; '**~-base** *s.* ✈ Luft-, Flugstützpunkt *m*, Fliegerhorst *m*; '**~-bath** *s.* Luftbad *n*; **~ bea·con** *s.* ✈ Leuchtfeuer *n*; '**~-bed** *s.* 'Luftma,tratze *f*; '**~-,blad·der** *s. ichth.* Schwimmblase *f*; '**~·borne** *adj.* **1.** a) im Flugzeug befördert *od.* eingebaut, Bord...: **~ *transmitter*** Bordfunkgerät *n*, b) Luftlande...: **~ *troops***, c) auf dem Luftwege; **2.** in der Luft befindlich, aufgestiegen: ***be ~***; **~ brake** *s.* **1.** ⚙ Luft(druck)bremse *f*; **2.** ✈ Landeklappe *f*: **~ *parachute*** Landefallschirm *m*; '**~-brick** *s.* ⚙ Luftziegel *m*; '**~-bridge** *s.* ✈ **1.** Luftbrücke *f*; **2.** Fluggastbrücke *f*; **~ bub·ble** *s.* Luftblase *f*; **~ bump** *s.* ✈ Bö *f*, aufsteigender Luftstrom; **~ bus** *s.* ✈ Airbus *m*; **~ car·go** *s.* Luftfracht *f*; **~ car·ri·er** *s.* ✈ **1.** Fluggesellschaft *f*; **2.** Charterflugzeug *n*; **~ cas·ing** *s.* ⚙ Luftmantel *m*; **~ cham·ber** *s.* ⚘, *zo.*, ⚙ Luftkammer *f*; **~ com·pres·sor** *s.* ⚙ Luftverdichter *m*; '**~-con,di·tion** *v/t.* ⚙ mit Klimaanlage versehen, klimatisieren; '**~-con,di·tion·ing** *s.* ⚙ Klimatisierung *f*; *a.* **~ *plant*** Klimaanlage *f*; '**~-cooled** *adj.* luftgekühlt; ♀ **Corps** *s. hist. Am.* Luftwaffe *f*; **~ cor·ri·dor** *s.* 'Luft,korridor *m*, Einflugschneise *f*; **~ cov·er** *s.* Luftsicherung *f*.

'**air·craft** *s.* Flugzeug *n*; *coll.* Luftfahr-, Flugzeuge *pl.*; **~ car·ri·er** *s.* Flugzeugträger *m*; **~ en·gine** *s.* 'Flug,motor *m*; **~ in·dus·try** *s.* 'Luftfahrt-, 'Flugzeugindu,strie *f*; '**~·man** [-mən] *s.* [*irr.*] *Brit.* Flieger *m* (*Dienstgrad*); **~ weap·ons** *s. pl.* Bordwaffen *pl.*

air| crash *s.* Flugzeugabsturz *m*; **~ crew** *s.* (Flugzeug)Besatzung *f*; **~ cush·ion** *s. a.* ⚙ Luftkissen *n*; '**~-,cush·ion ve·hic·le** *s.* ⚙ Luftkissenfahrzeug *n*; **~ de·fence**, *Am.* **~ de·fense** *s.* ⚔ Luftschutz *m*, -verteidigung *f*, Fliegerabwehr *f*.

air·drome ['eədrəʊm] *s. Am.* Flugplatz *m*.

'**air|·drop I** *s.* a) Fallschirmabwurf *m*, b) ⚔ Luftlandung *f*; **II** *v/t.* a) mit dem Fallschirm abwerfen, b) ⚔ *Fallschirmjäger etc.* absetzen; '**~-dry** *v/t. u. v/i.* lufttrocknen; '**~·field** *s.* Flugplatz *m*; **~ flap** *s.* ⚙ Luftklappe *f*; '**~·foil** *s.* ✈ Tragfläche *f*; **~ force**, ♀ **Force** *s.* ✈ Luftwaffe *f*, Luftstreitkräfte *pl.*; '**~·frame** *s.* ✈ Flugwerk *n*, (Flugzeug-)Zelle *f*; '**~·freight** *s.* Luftfracht *f*; '**~,freight·er** *s.* **1.** Luftfrachter *m*; **2.** 'Luftspediti,on *f*; '**~·graph** [-grɑːf] *s.* 'Fotoluftpostbrief *m*; ,**~-'ground** *adj.* ✈ Bord-Boden-...; '**~·gun** *s.* Luftgewehr *n*; **~ host·ess** *s.* ✈ ('Luft),Stewardeß *f*; '**~·house** *s.* Traglufthalle *f*.

air·i·ly ['eərɪlɪ] *adv.* 'leicht'hin, unbekümmert; '**air·i·ness** [-nɪs] *s.* **1.** Luftigkeit *f*; luftige Lage; **2.** Leichtigkeit *f*; Munterkeit *f*; **3.** Leichtfertigkeit *f*; **'air·ing** [-rɪŋ] *s.* **1.** (Be)Lüftung *f*, Trocknen *n*: ***give s.th. an ~*** et. lüften; **2.** Spaziergang *m*: ***take an ~*** frische Luft schöpfen; **3.** Äußerung *f*; Erörterung *f*.

air| in·take *s.* ⚙ **1.** Lufteinlaß *m*; **2.** Zuluftstutzen *m*; **~ jack·et** *s.* **1.** Schwimmweste *f*; **2.** ⚙ Luftmantel *m*; **~ jet** *s.* ⚙ Luftstrahl *m*, -düse *f*; **~ lane** *s.* Luftroute *f*.

air·less ['eəlɪs] *adj.* **1.** ohne Luft(zug); **2.** dumpf, stickig.

air| let·ter *s.* **1.** Luftpostbrief *m* (*auf Formular*); **2.** *Am.* Luftpostleichtbrief *m*; **~ lev·el** *s.* ⚙ Li'belle *f*, Setzwaage *f*; **'~·lift I** *s.* Luftbrücke *f*; **II** *v/t.* über e-e Luftbrücke befördern; **'~·line** *s.* Luft-, Flugverkehrsgesellschaft *f*; **~ liner** *s.* ✈ Verkehrs-, Linienflugzeug *n*; **'~·lock** *s.* ⚙ **1.** Luftschleuse *f*; **2.** Druckstauung *f*; **~ mail** *s.* (***by ~*** mit *od.* per) Luftpost *f*; **'~·man** [-mən] *s.* [*irr.*] Flieger *m*; **'~·me,chan·ic** *s.* ✈ 'Bordmon,teur *m*; **'~·,mind·ed** *adj.* ✈ luft(fahrt)-, flug(sport)begeistert; **'~-,op·er·at·ed** *adj.* ⚙ preßluftbetätigt; **~ par·cel** *Brit.* 'Luftpostpa,ket *n*; **~ pas·sage** *s.* **1.** *anat.*, *biol.*, Luft-, Atemweg *m*; **2.** ⚙ Luftschlitz *m*; **~ pas·sen·ger** *s.* ✈ Fluggast *m*; **~ pho·to(·graph)** *s.* ✈ Luftbild *n*, -aufnahme *f*; **~ pi·ra·cy** *s.* 'Luftpirate,rie *f*; **~ pi·rate** *s.* 'Luftpi,rat *m*; **'~·plane** *s.* ✈ *bsd. Am.* Flugzeug *n*; **'~·plane car·ri·er** *bsd. Am.* → ***aircraft carrier***; **~ pock·et** *s.* Fallbö *f*, Luftloch *n*; **~ pol·lu·tion** *s.* Luftverschmutzung *f*; **'~·port** *s.* ✈ Flughafen *m*; **'~·proof** *adj.* luftbeständig, -dicht; **~ pump** *s.* ⚙ Luftpumpe *f*; **~ raft** *s.* Schlauchboot *n*; **~ raid** *s.* Luftangriff *m*.

'air-raid| pre·cau·tions *s. pl.* Luftschutz *m*; **~ shel·ter** *s.* Luftschutzraum *m*, -bunker *m*, -keller *m*; **~ ward·en** *s.* Luftschutzwart *m*; **~ warn·ing** *s.* Luft-, Fliegerwarnung *f*, 'Fliegera,larm *m*.

air| ri·fle *s.* Luftgewehr *n*; **~ route** *s.* ✈ Flugroute *f*; **~ sched·ule** *s.* Flugplan *m*; **'~·screw** *s.* ✈ Luftschraube *f*; **'~-seal** *v/t.* ⚙ luftdicht verschließen; **'~·ship** *s.* Luftschiff *n*; **'~-sick** *adj.* luftkrank; **'~-,sick·ness** *s.* Luftkrankheit *f*; **'~·space** *s.* Luftraum *m*; **~ speed** *s.* ✈ (Flug)Eigengeschwindigkeit *f*; **'~·strip** *s.* ✈ **1.** Behelfslandeplatz *m*; **2.** *Am.* Roll-, Start-, Landebahn *f*; **~ tax·i** *s.* ✈ Lufttaxi *n*; **~ tee** *s.* ✈ Landekreuz *n*; **~ ter·mi·nal** *s.* ✈ **1.** Großflughafen *m*; **2.** Terminal *m*, *n*: a) (Flughafen)Abfertigungsgebäude, b) *Brit.* 'Endstati,on *f* der 'Zubringer,linie zum und vom Flughafen; **'~·tight** *adj.* **1.** luftdicht; **2.** *fig.* todsicher, völlig klar; **,~-to-'air** *adj.* ✈ Bord-Bord-...; **,~-to-'ground** *adj.* ✈ Bord-Boden-...; **~ traf·fic** *s.* Luft-, Flugverkehr *m*; **'~-,traf·fic con·trol** *s.* ✈ Flugsicherung *f*; **'~-,traf·fic con·trol·ler** *s.* ✈ Fluglotse *m*; **'~-tube** *s.* **1.** ⚙ Luftschlauch *m*; **2.** *anat.* Luftröhre *f*; **~ um·brel·la** *s.* ✈ Luftschirm *m*; **'~·way** *s.* **1.** ⚙, ⚒ Wetterstrecke *f*, Luftschacht *m*; **2.** ✈ a) Luft(verkehrs)weg *m*, Luftroute *f*, b) → ***airline***; **'~,wom·an** *s.* [*irr.*] Fliegerin *f*; **'~,wor·thi·ness** *s.* ✈ Lufttüchtigkeit *f*.

air·y ['eərɪ] *adj.* □ → ***airily***; **1.** Luft...; **2.** luftig, *a.* windig; **3.** körperlos; **4.** grazi'ös; **5.** lebhaft, munter; **6.** über'spannt, verstiegen: ***~ plans***; **7.** lässig: ***an ~ manner***; **8.** vornehmtuerisch.

aisle [aɪl] *s.* **1.** ⛪ a) Seitenschiff *n*, -chor *m* (*e-r Kirche*), b) Schiff *n*, Abteilung *f* (*e-r Kirche od. e-s Gebäudes*); **2.** (Mittel)Gang *m* (*zwischen Bänken etc.*); **3.** *fig.* Schneise *f*.

aitch [eɪtʃ] *s.* H *n*, h *n* (*Buchstabe*): ***drop one's ~es*** das H nicht aussprechen (*Zeichen der Unbildung*); **'aitch·bone** *s.* **1.** Lendenknochen *m*; **2.** Lendenstück *n* (*vom Rind*).

a·jar [ə'dʒɑː] *adv. u. adj.* **1.** halb offen, angelehnt (*Tür*); **2.** *fig.* im Zwiespalt.

a·kim·bo [ə'kɪmbəʊ] *adv. die Arme* in die Seite gestemmt.

a·kin [ə'kɪn] *adj.* **1.** (bluts- *od.* stamm-) verwandt (***to*** mit); **2.** verwandt; sehr ähnlich (***to*** *dat.*).

al·a·bas·ter ['æləbɑːstə] **I** *s. min.* Ala'baster *m*; **II** *adj.* ala'bastern, ala'basterweiß, Alabaster...

a·lac·ri·ty [ə'lækrətɪ] *s.* **1.** Munterkeit *f*; **2.** Bereitwilligkeit *f*, Eifer *m*.

A·lad·din's lamp [ə'lædɪnz] *s.* 'Aladins Wunderlampe *f*; *fig.* wunderwirkender 'Talisman.

à la mode [,ɑːlɑː'məʊd] (*Fr.*) *adj.* **1.** à la mode, modisch; **2.** gespickt u. geschmort u. mit Gemüse zubereitet: ***beef ~***; **3.** *Am.* mit (Speise)Eis (serviert): ***cake ~***.

a·larm [ə'lɑːm] **I** *s.* **1.** A'larm *m*, Warnruf *m*, Warnung *f*: ***false ~*** blinder Alarm, falsche Meldung; ***give*** (***raise***, ***sound***) ***the ~*** Alarm geben *od. fig.* schlagen; **2.** a) Weckvorrichtung *f*, b) Wecker *m*; **3.** A'larmvorrichtung *f*; **4.** Lärm *m*, Aufruhr *m*; **5.** Angst *f*, Unruhe *f*, Bestürzung *f*; **II** *v/t.* **6.** alarmieren, warnen; **7.** beunruhigen, erschrecken (***at*** über *acc.*, ***by*** durch): ***be ~ed*** sich ängstigen, bestürzt sein; **~ bell** *s.* A'larm-, Sturmglocke *f*; **~ clock** *s.* Wecker *m* (*Uhr*).

a·larm·ing [ə'lɑːmɪŋ] *adj.* □ beunruhigend, beängstigend; **a'larm·ist** [-mɪst] **I** *s.* Bangemacher *m*, Schwarzseher *m*, ‚Unke' *f*; **II** *adj.* schwarzseherisch.

a·las [ə'læs] *int.* ach!, leider!

alb [ælb] *s. eccl.* Albe *f*, Chorhemd *n*.

Al·ba·ni·an [æl'beɪnjən] **I** *adj.* al'banisch; **II** *s.* Al'ban(i)er(in).
al·ba·tross ['ælbətrɒs] *s. orn.* 'Albatros *m*, Sturmvogel *m*.
al·be·it [ɔːl'biːɪt] *cj.* ob'gleich, wenn auch.
al·bert ['ælbət] *s. a.* ⁓ ***chain*** *Brit.* (kurze) Uhrkette.
al·bi·no [æl'biːnəʊ] *pl.* **-nos** *s.* Al'bino *m*, 'Kakerlak *m*.
Al·bion ['ælbjən] *npr. poet.* 'Albion *n* (*Britannien od. England*).
al·bum ['ælbəm] *s.* **1.** 'Album *n*, Stammbuch *n*; **2.** (Briefmarken-, Foto-, Schallplatten- *etc.*)Album *n*; **3.** a) 'Schallplattenkas,sette *f*, b) Album *n* (*Langspielplatte*[*n*]); **4.** Gedichtsammlung *etc.* (in Buchform).
al·bu·men ['ælbjʊmɪn] *s.* **1.** *zo.* Eiweiß *n*, Al'bumen *n*; **2.** ⚘, ⚗, ⚕ Eiweiß(stoff *m*) *n*, Albu'min *n*; **al·bu·min** ['ælbjʊmɪn] → ***albumen*** 2; **al·bu·mi·nous** [æl'bjuːmɪnəs] *adj.* eiweißartig, -haltig.
al·chem·ic *adj.*; **al·chem·i·cal** [æl'kemɪk(l)] *adj.* □ alchi'mistisch; **al·che·mist** ['ælkɪmɪst] *s.* Alchi'mist *m*, Goldmacher *m*; **al·che·my** ['ælkɪmɪ] *s.* Alchi'mie *f*.
al·co·hol ['ælkəhɒl] *s.* 'Alkohol *m*: a) Sprit *m*, 'Spiritus *m*, Weingeist *m*: ***ethyl*** ⁓ Äthylalkohol *m*, b) geistige *od.* alko'holische Getränke *pl.*; **al·co·hol·ic** [,ælkə'hɒlɪk] **I** *adj.* **1.** alko'holisch, 'alkoholartig, -haltig, Alkohol…: ⁓ ***drinks***; ⁓ ***strength*** Alkoholgehalt *m*; **II** *s.* **2.** (Gewohnheits)Trinker(in), Alko'holiker(in); **3.** *pl.* Alko'holika *pl.*, alkoholische Getränke *pl.*; **'al·co·hol·ism** [-lɪzəm] *s.* Alkoho'lismus *m*: a) Trunksucht *f*, b) *durch Trunksucht verursachte Organismusschädigungen*.
al·cove ['ælkəʊv] *s.* Al'koven *m*, Nische *f*; (Garten)Laube *f*, Grotte *f*.
al·de·hyde ['ældɪhaɪd] *s.* ⚗ Alde'hyd *m*.
al·der ['ɔːldə] *s.* ⚘ Erle *f*.
al·der·man ['ɔːldəmən] *s.* [*irr.*] Ratsherr *m*, Stadtrat *m*; **'al·der·man·ry** [-rɪ] *s.* **1.** (von e-m Ratsherrn vertretener) Stadtbezirk; **2.** → **'al·der·man·ship** [-ʃɪp] *s.* Amt *n* e-s Ratsherrn; **al·der·wom·an** ['ɔːldə,wʊmən] *s.* [*irr.*] Stadträtin *f*.
ale [eɪl] *s.* Ale *n* (*helles, obergäriges Bier*).
a·leck ['ælɪk] *s. Am.* F → ***smart aleck***.
a·lee [ə'liː] *adv. u. adj.* leewärts.
'ale-house *s.* 'Bierlo,kal *n*.
a·lem·bic [ə'lembɪk] *s.* **1.** Destillierkolben *m*; **2.** *fig.* Re'torte *f*.
a·lert [ə'lɜːt] **I** *adj.* □ **1.** wachsam, auf der Hut; achtsam: ⁓ ***to*** klar bewußt (*gen.*); **2.** rege, munter; **3.** aufgeweckt, forsch, a'lert; **II** *s.* **4.** (A'larm-)Bereitschaft *f*: ***on the*** ⁓ auf der Hut, in Alarmbereitschaft; **5.** A'larm(si,gnal *n*) *m*, Warnung *f*; **III** *v/t.* **6.** alarmieren, warnen, ⚔ *a.* in A'larmzustand versetzen, *weitS.* mobilisieren: ⁓ ***s.o. to s.th.*** *fig.* j-m et. zum Bewußtsein bringen; **a'lert·ness** [-nɪs] *s.* **1.** Wachsamkeit *f*; **2.** Munterkeit *f*, Flinkheit *f*; **3.** Aufgewecktheit *f*, Forschheit *f*.
A lev·el *s. Brit. ped.* (*etwa*) Abi'tur *n*: ***he has three*** ⁓***s*** er hat das Abitur in drei Fächern gemacht.
Al·ex·an·drine [,ælɪg'zændraɪn] *s.* Alexan'driner *m* (*Versart*).
al·fal·fa [æl'fælfə] *s.* ⚘ Lu'zerne *f*.
al·fres·co [æl'freskəʊ] (*Ital.*) *adj. u. adv.* im Freien: ⁓ ***lunch***.
al·ga ['ælgə] *pl.* **-gae** [-dʒiː] *s.* ⚘ Alge *f*, Tang *m*.
al·ge·bra ['ældʒɪbrə] *s.* ⩓ Algebra *f*; **,al·ge'bra·ic** [-reɪɪk] *adj.* □ alge'braisch: ⁓ ***calculus*** Algebra *f*.
Al·ge·ri·an [æl'dʒɪərɪən] **I** *adj.* al'gerisch; **II** *s.* Al'gerier(in).
Al·gol ['ælgɒl] *s.* ALGOL *n* (*Computersprache*).
a·li·as ['eɪlɪæs] **I** *adv.* 'alias, sonst (… genannt); **II** *s. pl.* **-as·es** angenommener Name, Deckname *m*.
al·i·bi ['ælɪbaɪ] *s.* **1.** ⚖ 'Alibi *n*: ***establish one's*** ⁓ sein Alibi erbringen; **3.** F Ausrede *f*, 'Alibi *n*.
al·ien ['eɪljən] **I** *adj.* **1.** fremd; ausländisch: ⁓ ***subjects*** ausländische Staatsangehörige; **2.** außerirdisch (*Wesen*); **3.** *fig.* andersartig, fernliegend, fremd (***to*** *dat.*); **4.** *fig.* zu'wider, 'unsym,pathisch (***to*** *dat.*); **II** *s.* **5.** Fremde(r *m*) *f*, Ausländer(in): ***enemy*** ⁓ feindlicher Ausländer; ⁓***s police*** Fremdenpolizei *f*; **6.** nicht naturalisierter Bewohner des Landes; **7.** *fig.* Fremdling *m*; **8.** außerirdisches Wesen; **9.** *ling.* Fremdwort *n*; **'al·ien·a·ble** [-nəbl] *adj.* veräußerlich; über'tragbar; **'al·ien·age** [-nɪdʒ] *s.* Ausländertum *n*; **'al·ien·ate** [-neɪt] *v/t.* **1.** ⚖ veräußern, über'tragen; **2.** entfremden, abspenstig machen (***from*** *dat.*); **al·ien·a·tion** [,eɪljə'neɪʃn] *s.* **1.** ⚖ Veräußerung *f*, Über'tragung *f*; **2.** Entfremdung *f* (*a. psych., pol.*) (***from*** von), Abwendung *f*, Abneigung *f*: ⁓ ***of affections*** ⚖ Entfremdung (ehelicher Zuneigung); **3.** *a.* ***mental*** ⁓ Alienati'on *f*, Psy'chose *f*; **4.** *literarische* Verfremdung: ⁓ ***effect*** Verfremdungs-, V-Effekt *m*; **'al·ien·ist** [-nɪst] *s. obs.* Nervenarzt *m*.
a·light¹ [ə'laɪt] *v/i.* **1.** ab-, aussteigen; **2.** sich niederlassen, sich setzen (*Vogel*), fallen (*Schnee*): ⁓ ***on one's feet*** auf die Füße fallen; **3.** ✈ niedergehen, landen; **4.** (***on***) (zufällig) stoßen (auf *acc.*), antreffen (*acc.*).
a·light² [ə'laɪt] *adj.* **1.** → ***ablaze***; **2.** erleuchtet (***with*** von).
a·lign [ə'laɪn] **I** *v/t.* **1.** ausfluchten, in e-e (gerade) 'Linie bringen; in gerader Li-

nie *od.* in Reih und Glied aufstellen; ausrichten (***with*** nach); **2.** *fig.* zu e-r Gruppe (*Gleichgesinnter*) zs.-schließen; **3.** ***~ o.s.*** (***with***) sich anschließen, sich anpassen (an *acc.*); **II** *v/i.* **4.** sich in gerader Linie *od.* in Reih und Glied aufstellen; sich ausrichten (***with*** nach);

a'lign·ment [-mənt] *s.* **1.** Anordnung *f* in 'einer Linie, Ausrichten *n*; Anpassung *f*: ***in ~ with*** in 'einer Linie *od.* Richtung mit (*a. fig.*); **2.** ⚙ a) Ausfluchten *n*, Ausrichten *n*, b) 'Linien-, Zeilenführung *f*, c) 'Absteckungs,linie *f*, Trasse *f*, Flucht *f*, Gleichlauf *m*; **3.** *fig.* Ausrichtung *f*, Gruppierung *f*: ***~ of political forces.***

a·like [ə'laɪk] **I** *adj.* gleich, ähnlich; **II** *adv.* gleich, ebenso, in gleichem Maße: ***she helps enemies and friends ~.***

al·i·ment ['ælɪmənt] *s.* Nahrung(smittel *n*) *f*; **2.** *et.* Lebensnotwendiges; **al·i·men·ta·ry** [,ælɪ'mentərɪ] *adj.* **1.** nahrhaft; **2.** Nahrungs…, Ernährungs…: ***~ canal*** Verdauungskanal *m*; **al·i·men·ta·tion** [,ælɪmen'teɪʃn] *s.* Ernährung *f*, Unterhalt *m*.

al·i·mo·ny ['ælɪmənɪ] *s.* ⚖ 'Unterhalt(szahlung *f*) *m*.

a·line *etc.* → ***align*** *etc.*

al·i·quant ['ælɪkwənt] *adj.* ⅍ ali'quant, mit Rest teilend; **'al·i·quot** [-kwɒt] *adj.* ⅍ ali'quot, ohne Rest teilend.

a·live [ə'laɪv] *adj.* **1.** lebend, (noch) am Leben: ***the proudest man ~*** der stolzeste Mann der Welt; ***no man ~*** kein Sterblicher; ***man ~!*** F Menschenskind!; **2.** tätig, in voller Kraft *od.* Wirksamkeit, im Gange: ***keep ~*** a) aufrechterhalten, bewahren, b) am Leben bleiben; **3.** lebendig, lebhaft, belebt: ***~ and kicking*** F gesund u. munter; ***look ~!*** F (mach) fix!, paß auf!; **4.** (***to***) empfänglich (für), bewußt (*gen.*), achtsam (auf *acc.*); **5.** voll, belebt, wimmelnd (***with*** von); **6.** ⚡ stromführend, geladen, unter Strom stehend.

al·ka·li ['ælkəlaɪ] ⚗ **I** *pl.* **-lies** *od.* **-lis** *s.* **1.** Al'kali *n*; **2.** (in wäßriger Lösung) stark al'kalisch reagierende Verbindung: ***caustic ~*** Ätzalkali; ***mineral ~*** kohlensaures Natron; **3.** *geol.* kalzinierte Soda; **II** *adj.* **4.** al'kalisch: ***~ soil***; **'al·ka·line** [-laɪn] *adj.* ⚗ al'kalisch, al'kalihaltig, basisch; **al·ka·lin·i·ty** [,ælkə'lɪnətɪ] *s.* ⚗ Alkalini'tät *f*, al'kalische Eigenschaft; **'al·ka·lize** [-laɪz] *v/t.* ⚗ alkalisieren, auslaugen; **'al·ka·loid** [-lɔɪd] ⚗ **I** *s.* Alkalo'id *n*; **II** *adj.* al'kaliartig, laugenhaft.

all [ɔːl] **I** *adj.* **1.** all, sämtlich, vollständig, ganz: ***~ the wine*** der ganze Wein; ***~ day*** (***long***) den ganzen Tag; ***for ~ that*** dessenungeachtet, trotzdem; ***~ the time*** die ganze Zeit; ***for ~ time*** für immer; ***~ the way*** die ganze Strecke, *fig.* völlig, rückhaltlos; ***with ~ respect*** bei aller Hochachtung; **2.** jeder, jede, jedes (beliebige); alle *pl.*: ***at ~ hours*** zu jeder Stunde; ***beyond ~ question*** fraglos; → ***event*** 3, ***mean***³ 3; **3.** ganz, rein: ***~ wool*** reine Wolle; → ***all-American***; **II** *s.* **4.** das Ganze, alles; Gesamtbesitz *m*: ***his ~*** a) sein Hab u. Gut, b) sein ein u. alles; **III** *pron.* **5.** alles: ***~ of it*** alles; ***~ of us*** wir alle; ***~'s well that ends well*** Ende gut, alles gut; ***when ~ is said*** (***and done***) F letzten Endes, im Grunde genommen; ***what is it ~ about?*** um was handelt es sich?; ***the best of ~ would be*** das allerbeste wäre; ***in ~*** insgesamt; ***~ in ~*** alles in allem; ***is that ~?*** a) sonst noch et.?, b) F schöne Geschichte!; **IV** *adv.* **6.** ganz, gänzlich, völlig, höchst: ***~ wrong*** ganz falsch, völlig im Irrtum; ***that is ~ very well, but ...*** das ist ja ganz schön u. gut, aber …; ***he was ~ ears*** (***eyes***) er war ganz Ohr (Auge); ***she is ~ kindness*** sie ist die Güte selber; ***~ the better*** um so besser; ***~ one*** einerlei, gleichgültig; ***~ the same*** a) ganz gleich, gleichgültig, b) gleichwohl, trotzdem, immerhin; → ***above*** 2, ***after*** 1, ***at***¹ 7, ***but*** 13, ***once*** 4b; **7.** *Sport:* ***two ~*** zwei beide, zwei zu zwei;

Zssgn mit adv. u. prp.:

all| a·long a) der ganzen Länge nach, b) F die ganze Zeit, schon immer; **~ in** *sl.* ‚fertig', ganz ‚erledigt'; **~ out** a) ‚auf dem Holzweg', b) völlig ‚ka'putt', c) mit aller Macht: ***be ~ for s.th.*** mit aller Macht auf et. aussein; → ***go*** 16; **~ o·ver** a) *es ist* alles aus, b) gänzlich: ***that is Max ~*** F das sieht Max ähnlich, das ist typisch Max, c) am ganzen Körper, d) über'all(hin); **~ right** ganz richtig; in Ordnung(!), schön!, (na) gut!; **~ round** 'ringsum'her, über'all; **~ there**: ***he is not ~*** F er ist nicht ganz bei Trost; **~ up**: ***it's ~ with him*** mit ihm ist's aus; **for ~** a) trotz: ***~ his smartness***; ***~ that*** trotzdem, b) so'viel: ***~ I know***; ***~ I care*** F das ist mir doch egal!, meinetwegen!; **in ~** insgesamt.

,all|-A'mer·i·can *adj.* rein ameri'kanisch, die ganzen USA vertretend; *Sport*: National…; **,~-a'round** *Am.* → ***all-round***; **'all-,au·to'mat·ic** *adj.* ⚙ 'vollauto,matisch.

al·lay [ə'leɪ] *v/t.* beschwichtigen, beruhigen; *Streit* schlichten; mildern, lindern, *Hunger, Durst* stillen.

,all|-'clear *s.* **1.** Ent'warnung(ssi,gnal *n*) *f*; **2.** *fig.* ‚grünes Licht'; **'~-,du·ty** *adj.* ⚙ Allzweck…

al·le·ga·tion [,ælɪ'geɪʃn] *s. unerwiesene* Behauptung, Aussage *f*, Vorbringen *n*; Darstellung *f*.

al·lege [ə'ledʒ] *v/t.* **1.** *Unerwiesenes* behaupten, erklären, vorbringen; **2.** vorgeben, vorschützen; **al'leged** [-dʒd] *adj*; **al'leg·ed·ly** [-dʒɪdlɪ] *adv*. an-, vorgeblich.

al·le·giance [ə'li:dʒəns] *s*. **1.** 'Untertanenpflicht *f*, -treue *f*, -gehorsam *m*: ***oath of ~*** Treu-, ⚔ Fahneneid *m*; ***change one's ~*** s-e Staats- *od*. Parteiangehörigkeit wechseln; **2.** (***to***) Treue *f* (zu), Loyali'tät *f*; Bindung *f* (an *acc*.); Ergebenheit *f*, Gefolgschaft *f*.

al·le·gor·ic, **al·le·gor·i·cal** [ˌælɪ'gɒrɪk(l)] *adj*. □ alle'gorisch, (sinn)bildlich; **al·le·go·rize** ['ælɪgəraɪz] **I** *v/t*. allegorisch darstellen; **II** *v/i*. in Gleichnissen reden; **al·le·go·ry** ['ælɪgərɪ] *s*. Allego'rie *f*, Sinnbild *n*, sinnbildliche Darstellung, Gleichnis *n*.

al·le·lu·ia [ˌælɪ'lu:jə] **I** *s*. Halle'luja *n*, Loblied *n*; **II** *int*. halleluja!

al·ler·gic [ə'lɜ:dʒɪk] *adj*. ⚕ *u*. F *fig*. all'ergisch, äußerst empfindlich (***to*** gegen); **al·ler·gist** ['ælədʒɪst] *s*. Allergologe *m*; **al·ler·gy** ['ælədʒɪ] *s*. **1.** ⚘, ⚕, *zo*. Aller'gie *f*, 'Überempfindlichkeit *f*; **2.** F ‚Aller'gie' *f*, 'Widerwille *m* (***to*** gegen).

al·le·vi·ate [ə'li:vɪeɪt] *v/t*. erleichtern, lindern, mildern, (ver)mindern; **al·le·vi·a·tion** [əˌli:vɪ'eɪʃn] *s*. Erleichterung *f etc*.

al·ley ['ælɪ] *s*. **1.** (schmale) Gasse, Verbindungsgang *m*, 'Durchgang *m* (*a*. *fig*.): ***that's down*** (*od*. ***up***) ***my ~*** F das ist et. für mich, das ist ganz mein Fall; → ***blind alley***; **2.** Spielbahn *f*; → ***bowling-alley*** *etc*.; **'~·way** *s*. → ***alley*** 1.

All| Fools' Day [ˌɔ:l'fu:lzdeɪ] *s*. der 1. A'pril; **♀ fours** alle vier (*Kartenspiel*); → ***four*** 2; **~ Hal·lows** [ˌɔ:l'hæləʊz] *s*. Aller'heiligen *n*.

al·li·ance [ə'laɪəns] *s*. **1.** Verbindung *f*, Verknüpfung *f*; **2.** Bund *m*, Bündnis *n*: ***offensive and defensive ~*** Schutz- und Trutzbündnis; ***form an ~*** ein Bündnis schließen; **3.** Heirat *f*, Verwandtschaft *f*, Verschwägerung *f*; **4.** *weitS*. Verwandtschaft *f*; **5.** *fig*. Bund *m*, (Inter'essen)Gemeinschaft *f*; **6.** Über'einkunft *f*; **al·lied** [ə'laɪd; *attr*. 'ælaɪd] *adj*. **1.** verbündet, alliiert (***with*** mit): ***the ♀ Powers***; **2.** *fig*. (art)verwandt (***to*** mit); **Al·lies** ['ælaɪz] *s*. *pl*.: ***the ~*** die Alliierten, die Verbündeten.

al·li·ga·tor ['ælɪgeɪtə] *s*. *zo*. Alli'gator *m*; 'Kaiman *m*; **~ pear** *s*. → ***avocado***; **~ skin** *s*. Kroko'dilleder *n*.

'all|-imˌpor·tant *adj*. äußerst wichtig; **ˌ~-'in**, **'all-inˌclu·sive** *adj*. *bsd*. *Brit*. alles inbegriffen, Gesamt…, Pauschal…: ***~ insurance*** Generalversicherung *f*; ***~ wrestling*** *sport* Catchen *n*.

al·lit·er·ate [ə'lɪtəreɪt] *v/t*. **1.** alliterieren; **2.** im Stabreim dichten; **al·lit·er·a·tion** [əˌlɪtə'reɪʃn] *s*. Alliterati'on *f*, Stabreim *m*; **al'lit·er·a·tive** [-rətɪv] *adj*. □ alliterierend.

ˌall|-'mains *adj*. ⚡ Allstrom…, mit Netzanschluß; **ˌ~-'met·al** *adj*. Ganzmetall…

al·lo·cate ['æləʊkeɪt] *v/t*. **1.** ver-, zuteilen, an-, zuweisen (***to*** *dat*.): ***~ duties***; ***~ shares*** Aktien zuteilen; **2.** → ***allot*** 3; **3.** den Platz bestimmen für; **al·lo·ca·tion** [ˌæləʊ'keɪʃn] *s*. **1.** Zu-, Verteilung *f*; An-, Zuweisung *f*, Kontin'gent *n*; Aufschlüsselung *f*; **2.** ⚚ Bewilligung *f*, Zahlungsanweisung *f*.

al·lo·cu·tion [ˌæləʊ'kju:ʃn] *s*. feierliche *od*. ermahnende Ansprache.

al·lo·path ['æləʊpæθ] *s*. ⚕ Allo'path *m*; **al·lop·a·thy** [ə'lɒpəθɪ] *s*. ⚕ Allopa'thie *f*.

al·lot [ə'lɒt] *v/t*. **1.** zu-, aus-, verteilen; auslosen; **2.** bewilligen, abtreten; **3.** bestimmen (***to***, ***for*** für *j-n od*. *e-n Zweck*); **al'lot·ment** [-mənt] *s*. **1.** Ver-, Zuteilung *f*; Anteil *m*; zugeteilte 'Aktien *pl*.; **2.** *Brit*. Par'zelle *f*; (*a*. ***~ garden***) Schrebergarten *m*; **3.** Los *n*, Schicksal *n*.

ˌall-'out *adj*. **1.** to'tal, um'fassend, Groß…: ***~ effort***; **2.** kompro'mißlos, radi'kal.

al·low [ə'laʊ] **I** *v/t*. **1.** erlauben, gestatten, zulassen: ***he is not ~ed to go there*** er darf nicht hingehen; **2.** gewähren, bewilligen, gönnen, zuerkennen: ***~ more time***; ***we are ~ed two ounces a day*** uns stehen täglich zwei Unzen zu; ***~ an item of expenditure*** e-n Ausgabeposten billigen; **3.** a) zugeben: ***I ~ I was rather nervous***, b) gelten lassen, *Forderung* anerkennen: ***~ a claim***; **4.** lassen, dulden, ermöglichen: ***you must ~ the soup to get cold*** du mußt die Suppe abkühlen lassen; **5.** *Summe für gewisse Zeit* zuwenden, geben: ***my father ~s me £100 a year*** mein Vater gibt mir jährlich £ 100 (*Zuschuß od*. *Unterhaltsgeld*); **6.** ab-, anrechnen, abziehen, nachlassen, vergüten: ***~ a discount*** e-n Rabatt gewähren; ***~ 10% for inferior quality***; **7.** *Am*. a) meinen, b) beabsichtigen; **II** *v/i*. **8.** ***~ of*** erlauben, zulassen, ermöglichen (*acc*.): ***it ~s of no excuse*** es läßt sich nicht entschuldigen; **9.** ***~ for*** berücksichtigen, bedenken, in Betracht ziehen, anrechnen (*acc*.): ***~ for wear and tear***; **al'low·a·ble** [-əbl] *adj*. □ **1.** erlaubt, zulässig, rechtmäßig; **2.** abziehbar, -zugsfähig: ***~ expenses*** ⚚ abzugsfähige Ausgaben; **al'low·ance** [-əns] **I** *s*. **1.** Erlaubnis *f*, Be-, Einwilligung *f*, Anerkennung *f*; **2.** *geldliche* Zuwendung; Zuteilung *f*, Rati'on *f*, Maß *n*; Zuschuß *m*, Beihilfe *f*, Taschengeld *n*: ***weekly ~***; ***family ~*** Familienunterstützung *f*; ***dress ~*** Kleidergeld *n*; **3.** Nachsicht *f*: ***make ~ for*** berücksichtigen, bedenken, in Betracht ziehen; **4.** Entschädigung *f*, Vergütung *f*: ***expense ~*** Aufwandsentschädigung;

5. ✝ Nachlaß *m*, Ra'batt *m*: **~ *for cash*** Skonto *m*, *n*; ***tax*** **~** Steuerermäßigung *f*; **6.** ⚙, ⚒ Tole'ranz *f*, Spiel(raum *m*) *n*, zulässige Abweichung; **7.** *sport* Vorgabe *f*; **II** *v/t.* **8.** a) *j-n* auf Rationen setzen, b) *Waren* rationieren.

al·loy I *s.* ['ælɔɪ] **1.** Me'tallegierung *f*; **2.** ⚙ Legierung *f*, Gemisch *n*; **3.** [ə'lɔɪ] *fig.* (Bei)Mischung *f*: ***pleasure without ~*** ungetrübte Freude; **II** *v/t.* [ə'lɔɪ] **4.** *Metalle* legieren, mischen; **5.** *fig.* beeinträchtigen, verschlechtern.

ˌ**all|-'par·ty** *adj. pol.* Allparteien…; ˌ**~-'pur·pose** *adj.* für jeden Zweck verwendbar, Allzweck…, Universal…: ***~ outfit***; ˌ**~-'red** *adj. bsd. geogr.* rein 'britisch; ˌ**~-'round** *adj.* all-, vielseitig, Allround…; ˌ**~-'round·er** *s.* Alleskönner *m*; *sport* All'roundsportler *m*, -spieler *m*; **≈ Saints' Day** [ˌɔːl'seɪntsdeɪ] *s.* Aller'heiligen *n*; **≈ Souls' Day** [ˌɔːl'səʊlzdeɪ] *s.* Aller'seelen *n*; ˌ**~-'star** *adj. thea., sport* nur mit ersten Kräften besetzt: ***~ cast*** Star-, Galabesetzung *f*; ˌ**~-'steel** *adj.* Ganzstahl…; ˌ**~-ter'rain** *adj. mot.* geländegängig, Gelände…; ˌ**~-'time** *adj.* **1.** bisher unerreicht, *der (die, das) beste etc.* aller Zeiten: ***~ high*** Höchstleistung *f*, -stand *m*; ***~ low*** Tiefststand *m*; **2.** hauptberuflich, Ganztags…: ***~ job***.

al·lude [ə'luːd] *v/i.* (***to***) anspielen, hinweisen (auf *acc.*); *et.* andeuten, erwähnen.

al·lure [ə'ljʊə] **I** *v/t.* **1.** (an-, ver)locken, gewinnen (***to*** für); abbringen (***from*** von); **2.** anziehen, reizen; **II** *s.* **3.** → **al'lure·ment** [-mənt] *s.* **1.** (Ver)Lokkung *f*; **2.** Lockmittel *n*, Köder *m*; **3.** Anziehungskraft *f*, Zauber *m*, Reiz *m*; **al'lur·ing** [-ərɪŋ] *adj.* ☐ verlockend, verführerisch.

al·lu·sion [ə'luːʒn] *s.* (***to***) Anspielung *f*, Hinweis *m* (auf *acc.*); Erwähnung *f*, Andeutung *f* (*gen.*); **al'lu·sive** [-uːsɪv] *adj.* ☐ anspielend, verblümt, vielsagend.

al·lu·vi·al [ə'luːvjəl] *adj. geol.* angeschwemmt, alluvi'al; **al'lu·vi·on** [-ən] *s.* **1.** *geol.* Anschwemmung *f*; **2.** Alluvi'on *f*, angeschwemmtes Land; **al'lu·vi·um** [-əm] *pl.* **-vi·ums** *od.* **-vi·a** [-vjə] *s. geol.* Al'luvium *n*, Schwemmland *n*.

ˌ**all|-'wave** *adj.* ϟ: ***~ receiving set*** Allwellenempfänger *m*; ˌ**~-'weath·er** *adj.* ⚙ Allwetter…; ˌ**~-'wheel** *adj.* ⚙, *mot.* Allrad…

al·ly [ə'laɪ] **I** *v/t.* **1.** (*durch Heirat, Verwandtschaft, Ähnlichkeit*) vereinigen, verbinden (***to***, ***with*** mit); **2.** ***~ o.s.*** sich verbinden *od.* verbünden (***with*** mit); **II** *v/i.* **3.** sich vereinigen, sich verbinden, sich verbünden (***to***, ***with*** mit); → ***allied***; **III** *s.* ['ælaɪ] **4.** Alliierte(r *m*) *f*, Verbündete(r *m*) *f*, Bundesgenosse *m*, Bundesgenossin *f* (*a. fig.*); **5.** ⚘, *zo.* verwandte Sippe.

al·ma·nac ['ɔːlmənæk] *s.* 'Almanach *m*, Ka'lender *m*, Jahrbuch *n*.

al·might·y [ɔːl'maɪtɪ] *adj.* **1.** allmächtig: ***the*** **≈** der Allmächtige; **2.** *a. adv.* F ,riesig', ,mächtig'.

al·mond ['ɑːmənd] *s.* ⚘ Mandel *f*; Mandelbaum *m*; **'~-eyed** *adj.* mandeläugig.

al·mon·er ['ɑːmənə] *s.* **1.** *hist.* 'Almosenpfleger *m*; **2.** *Brit.* Sozi'alarbeiter(in) im Krankenhaus.

al·most ['ɔːlməʊst] *adv.* fast, beinahe.

alms [ɑːmz] *s. sg. u. pl.* 'Almosen *n*; **'~·house** *s.* **1.** *Brit.* a) pri'vates Altenheim, b) privates Wohnheim für sozi'al Schwache; **2.** *hist.* Armenhaus *n*; **'~·man** [-mən] *s.* [*irr.*] *hist.* 'Almosenempfänger *m*.

al·oe ['æləʊ] *s.* **1.** ⚘ 'Aloe *f*; **2.** *pl. sg. konstr.* ⚕ Aloe *f* (*Abführmittel*).

a·loft [ə'lɒft] *adv.* **1.** *poet.* hoch (oben *od.* hin'auf), em'por, droben, in der *od.* die Höhe; **2.** ⚓ oben, in der *od.* die Takelung.

a·lone [ə'ləʊn] **I** *adj.* al'lein, einsam; → ***leave alone***, ***let alone***, ***let***[1] *Redew.*; **II** *adv.* allein, bloß, nur.

a·long [ə'lɒŋ] **I** *prp.* **1.** entlang, längs; **II** *adv.* **2.** entlang, längs; **3.** vorwärts, weiter: → ***get along***; **4.** zu'sammen (mit), mit, bei sich: ***take ~*** mitnehmen; ***come ~*** komm mit!, ,komm doch schon!'; ***I'll be ~ in a few minutes*** ich werde in ein paar Minuten da sein; **5.** → ***all along***; **a**ˌ**long'shore** *adv.* längs der Küste; **a**ˌ**long'side I** *adv.* **1.** ⚓ längsseits; **2.** *fig.* (***of***, ***with***) verglichen (mit), im Vergleich (zu); **II** *prp.* **3.** längsseits (*gen.*); neben (*dat.*).

a·loof [ə'luːf] **I** *adv.* fern, abseits, von fern: ***keep ~*** sich fernhalten (***from*** von), Distanz wahren; ***stand ~*** für sich bleiben; **II** *adj.* zu'rückhaltend, reser'viert; **a'loof·ness** [-nɪs] *s.* Zu'rückhaltung *f*, Reser'viertheit *f*, Dis'tanz *f*.

a·loud [ə'laʊd] *adv.* laut, mit lauter Stimme.

alp [ælp] *s.* Alp(e) *f*, Alm *f*.

al·pac·a [æl'pækə] *s.* **1.** *zo.* 'Pako *n*, Al'paka *n*; **2.** a) Al'pakawolle *f*, b) Al'pakastoff *m*.

'al·pen|·glow ['ælpən-] *s.* Alpenglühen *n*; **'~·horn** (*Ger.*) *s.* Alphorn *n*; **'~·stock** ['ælpɪn-] (*Ger.*) *s.* Bergstock *m*.

al·pha ['ælfə] *s.* **1.** 'Alpha *n*: ***the ~ and omega*** *fig.* das A u. O; **2.** ***~ particles*** (***rays***) *pl. phys.* 'Alphateilchen (-strahlen) *pl.*; **3.** *univ. Brit.* Eins *f* (*beste Note*): ***~ plus*** hervorragend.

al·pha·bet ['ælfəbɪt] *s.* **1.** Alpha'bet *n*, Abc *n*; **2.** *fig.* Anfangsgründe *pl.*, Abc *n*; **al·pha·bet·ic**, **al·pha·bet·i·cal** [ˌælfə'betɪk(l)] *adj.* ☐ alpha'betisch: **~**

order alphabetische Reihenfolge.
Al·pine ['ælpaɪn] *adj.* **1.** Alpen…; **2.** al'pin, Hochgebirgs…: ***~ sun*** ⚕ Höhensonne *f*; ***~ combined*** *sport* Alpine Kombination; '**Al·pin·ism** [-pɪnɪzəm] *s.* **1.** Alpi'nismus *m*; **2.** al'piner Skisport; '**Al·pin·ist** [-pɪnɪst] *s.* Alpi'nist(in); **Alps** [ælps] *s. pl. die* Alpen *pl.*
al·read·y [ɔːl'redɪ] *adv.* schon, bereits.
al·right [ˌɔːl'raɪt] *adv. Brit.* F *od. Am. für* ***all right***.
Al·sa·tian [æl'seɪʃjən] **I** *adj.* **1.** elsässisch; **II** *s.* **2.** Elsässer(in); **3.** *a.* ***~ dog*** (deutscher) Schäferhund.
al·so ['ɔːlsəʊ] *adv.* auch, ferner, außerdem, ebenfalls; '**al·so-ran** *s.* **1.** *sport Rennteilnehmer* (*a. Pferd*), *der sich nicht plazieren kann*: ***she was an ~*** sie kam unter ‚ferner liefen' ein; **2.** F Versager *m*, Niete *f*.
al·tar ['ɔːltə] *s.* Al'tar *m*: ***lead to the ~*** zum Altar führen, heiraten; ***~ boy*** *s.* Mini'strant *m*; ***~ cloth*** *s.* Al'tardecke *f*; '**~-piece** *s.* Al'tarblatt *n*, -gemälde *n*; '**~-screen** *s. reichverzierte* Al'tarrückwand, Re'tabel *n*.
al·ter ['ɔːltə] **I** *v/t.* **1.** (ver)ändern, ab-, 'umändern; **2.** *Am. dial. Tiere* kastrieren; **II** *v/i.* **3.** sich (ver)ändern; '**al·ter·a·ble** [-tərəbl] *adj.* veränderlich, wandelbar; **al·ter·a·tion** [ˌɔːltə'reɪʃn] *s.* **1.** (Ab-, 'Um-, Ver)Änderung *f*; **2.** *a. pl.* 'Umbau *m*.
al·ter·ca·tion [ˌɔːltə'keɪʃn] *s.* heftige Ausein'andersetzung.
al·ter e·go [ˌæltər'egəʊ] (*Lat.*) *s.* Alter ego *n*: a) *das* andere Ich, b) *j-s* Busenfreund(in).
al·ter·nate [ɔːl'tɜːnət] **I** *adj.* □ → ***alternately***; **1.** (mitein'ander) abwechselnd, wechselseitig: ***on ~ days*** jeden zweiten Tag; **2.** ⚔ Ausweich…: ***~ position***; **II** *s.* **3.** *pol. Am.* Stellvertreter *m*; **III** *v/t.* ['ɔːltəneɪt] **4.** wechselweise tun; abwechseln lassen, *miteinander* vertauschen; **5.** ⚡, ⚙ peri'odisch verändern; **IV** *v/i.* ['ɔːltəneɪt] **6.** abwechseln, alternieren; **7.** ⚡ wechseln; **al'ter·nate·ly** [-lɪ] *adv.* abwechselnd, wechselweise; **al·ter·nat·ing** ['ɔːltəneɪtɪŋ] *adj.* abwechselnd, Wechsel…: ***~ current*** ⚡ Wechselstrom *m*; ***~ voltage*** ⚡ Wechselspannung *f*; **al·ter·na·tion** [ˌɔːltə'neɪʃn] *s.* Abwechslung *f*, Wechsel *m*; **al'ter·na·tive** [-nətɪv] **I** *adj.* □ → ***alternatively***; **1.** alterna'tiv, die Wahl lassend, ein'ander ausschließend, nur 'eine Möglichkeit lassend; **2.** ander(er, e, es) (*von zweien*), Ersatz…, Ausweich…: ***~ airport*** Ausweichflughafen *m*; **II** *s.* **3.** Alterna'tive *f*, Wahl *f*: ***have no*** (***other***) ***~*** keine andere Möglichkeit *od.* Wahl *od.* keinen anderen Ausweg haben; **al'ter·na·tive·ly** [-nətɪvlɪ] *adv.* im anderen Falle, ersatz-, hilfsweise;
al·ter·na·tor ['ɔːltəneɪtə] *s.* ⚡ 'Wechselstromma,schine *f*.
al·tho [ɔːl'ðəʊ] *Am.* → ***although***.
alt-horn ['ælthɔːn] *s.* ♪ Althorn *n*.
al·though [ɔːl'ðəʊ] *cj.* ob'wohl, ob'gleich, wenn auch.
al·tim·e·ter ['æltɪmiːtə] *s. phys.* Höhenmesser *m*.
al·ti·tude ['æltɪtjuːd] *s.* **1.** Höhe *f* (*bsd. über dem Meeresspiegel, a.* ⛰, ✈, *ast.*): ***~ control*** Höhensteuerung *f*; ***~ flight*** Höhenflug *m*; ***~ of the sun*** Sonnenstand *m*; **2.** *mst pl.* hochgelegene Gegend, (Berg)Höhen *pl.*; **3.** *fig.* Erhabenheit *f*.
al·to ['æltəʊ] *pl.* '**al·tos** (*Ital.*) *s.* ♪ **1.** Alt *m*, Altstimme *f*; **2.** Al'tist(in), Altsänger(in).
al·to·geth·er [ˌɔːltə'geðə] **I** *adv.* **1.** völlig, gänzlich, ganz u. gar *schlecht etc.*; **2.** insgesamt, im ganzen genommen; **II** *s.* **3.** ***in the ~*** splitternackt.
al·to-re·lie·vo [ˌæltəʊrɪ'liːvəʊ] (*Ital.*) *s.* 'Hochreliˌef *n*.
al·tru·ism ['æltrʊɪzəm] *s.* Altru'ismus *m*, Nächstenliebe *f*, Uneigennützigkeit *f*; '**al·tru·ist** [-ɪst] *s.* Altru'ist(in); **al·tru·is·tic** [ˌæltrʊ'ɪstɪk] *adj.* (□ ***~ally***) altru'istisch, uneigennützig, selbstlos.
al·um ['æləm] *s.* ⚗ A'laun *m*.
a·lu·mi·na [ə'ljuːmɪnə] *s.* ⚗ Tonerde *f*.
al·u·min·i·um [ˌæljʊ'mɪnjəm], *Am.* **a·lu·mi·num** [ə'luːmɪnəm] *s.* ⚗ Alu'minium *n*.
a·lum·na [ə'lʌmnə] *pl.* **-nae** [-niː] *s.* ehemalige Stu'dentin *od.* Schülerin; **a'lum·nus** [-nəs] *pl.* **-ni** [naɪ] *s.* ehemaliger Stu'dent *od.* Schüler.
al·ve·o·lar [æl'vɪələ] *adj.* **1.** *anat.* alveo'lär, das Zahnfach betreffend; **2.** *ling.* alveo'lar, am Zahndamm artikuliert; **al·ve·o·lus** [æl'vɪələs] *pl.* **-li** [-laɪ] *s. anat.* Alve'ole *f*: a) Zahnfach *n*, b) Zungenbläs-chen *n*.
al·ways ['ɔːlweɪz] *adv.* **1.** immer, stets, jederzeit; **2.** F auf jeden Fall, immer'hin.
a·lys·sum ['ælɪsəm] *s.* ⚘ Steinkraut *n*.
am [æm; əm] *1. sg. pres. von* ***be***.
a·mal·gam [ə'mælgəm] *s.* **1.** Amal'gam *n*; **2.** *fig.* Mischung *f*, Gemenge *n*, Verschmelzung *f*; **a'mal·gam·ate** [-meɪt] **I** *v/t.* **1.** amalgamieren; **2.** *fig.* vereinigen, verschmelzen; zs.-legen, zs.-schließen, ✝ fusionieren; **II** *v/i.* **3.** sich amalgamieren; **4.** sich vereinigen, verschmelzen, sich zs.-schließen, ✝ fusionieren; **a·mal·gam·a·tion** [əˌmælgə'meɪʃn] *s.* **1.** Amalgamieren *n*; **2.** Vereinigung *f*, Verschmelzung *f*, Mischung *f*; **3.** *bsd.* ✝ Zs.-schluß *m*, Fusi'on *f*.
a·man·u·en·sis [əˌmænjʊ'ensɪs] *pl.* **-ses** [-siːz] *s.* Amanu'ensis *m*, (Schreib)Gehilfe *m*, Sekre'tär(in).
am·a·ranth ['æmərænθ] *s.* **1.** ⚘ Ama-

ˈrant *m*, Fuchsschwanz *m*; **2.** *poet.* unverwelkliche Blume; **3.** Amaˈrantfarbe *f*, Purpurrot *n*.

am·a·ryl·lis [ˌæməˈrɪlɪs] *s.* ⚘ Amaˈryllis *f*, Narˈzissenlilie *f*.

a·mass [əˈmæs] *v/t. bsd. Geld etc.* an-, aufhäufen, ansammeln.

am·a·teur [ˈæmətə] *s.* Amaˈteur *m*: a) (Kunst- *etc.*)Liebhaber *m*, b) Amateursportler(in): ~ ***flying*** Sportfliegerei *f*, c) Nichtfachmann *m*, *contp.* Diletˈtant *m*, Stümper *m* (***at painting*** im Malen), d) Bastler *m*; **am·a·teur·ish** [ˌæməˈtɜːrɪʃ] *adj.* □ diletˈtantisch; **ˈam·a·teur·ism** [-ərɪzəm] *s.* **1.** *sport* Amateuˈrismus *m*; **2.** Diletˈtantentum *n*.

am·a·tive [ˈæmətɪv] *adj.*, **ˈam·a·to·ry** [-tərɪ] → ***amorous***.

a·maze [əˈmeɪz] *v/t.* in Staunen setzen, verblüffen, überˈraschen; **aˈmazed** [-zd] *adj.*; **aˈmaz·ed·ly** [-zɪdlɪ] *adv.* erstaunt, verblüfft (***at*** über *acc.*); **aˈmaze·ment** [-mənt] *s.* (Er)Staunen *n*, Verblüffung *f*, Verwunderung *f*; **aˈmaz·ing** [-zɪŋ] *adj.* □ erstaunlich, verblüffend; unglaublich, ‚toll'.

Am·a·zon [ˈæməzən] *s.* **1.** *antiq.* Amaˈzone *f*; **2.** ♀ *fig.* Amaˈzone *f*, Mannweib *n*; **Am·a·zo·ni·an** [ˌæməˈzəʊnjən] *adj.* **1.** amaˈzonenhaft, Amazonen...; **2.** *geogr.* Amazonas...

am·bas·sa·dor [æmˈbæsədə] *s.* **1.** *pol.* a) Botschafter *m* (*a. fig.*), b) Gesandte(r) *m*; **2.** Abgesandte(r) *m*, Bote *m* (*a. fig.*): ~ ***of peace***; **am·bas·sa·do·ri·al** [æmˌbæsəˈdɔːrɪəl] *adj.* Botschafts...; **amˈbas·sa·dress** [-drɪs] *s.* **1.** Botschafterin *f*; **2.** Gattin *f* e-s Botschafters.

am·ber [ˈæmbə] **I** *s.* **1.** *min.* Bernstein *m*; **2.** Gelb *n*, gelbes Licht (*Verkehrsampel*): ***at*** ~ bei Gelb; ***the lights were at*** ~ die Ampel stand auf Gelb; **II** *adj.* **3.** Bernstein...; **4.** bernsteinfarben.

am·ber·gris [ˈæmbəgriːs] *s.* (graue) Ambra.

am·bi·dex·trous [ˌæmbɪˈdekstrəs] *adj.* □ **1.** beidhändig; **2.** mit beiden Händen gleich geschickt, *weitS.* ungewöhnlich geschickt; **3.** doppelzüngig, ˈhinterhältig.

am·bi·ence [ˈæmbɪəns] *s. Kunst*: Ambiˈente *n*, *fig. a.* a) Miliˈeu *n*, ˈUmwelt *f*, b) Atmoˈsphäre *f*; **ˈam·bi·ent** [-nt] *adj.* umˈgebend, umˈkreisend; ⚙ Umgebungs...(*-temperatur etc.*), Neben... (*-geräusch*).

am·bi·gu·i·ty [ˌæmbɪˈgjuːɪtɪ] *s.* Zwei-, Vieldeutigkeit *f*, Doppelsinn *m*; Unklarheit *f*; **am·big·u·ous** [æmˈbɪgjʊəs] *adj.* □ zweideutig; unklar.

am·bit [ˈæmbɪt] *s.* **1.** ˈUmkreis *m*; **2.** a) Umˈgebung *f*, b) Grenzen *pl.*; **3.** *fig.* Bereich *m*.

am·bi·tion [æmˈbɪʃn] *s.* Ehrgeiz *m*, Ambiˈtion *f* (*beide a. Gegenstand des Ehrgeizes*); Streben *n*, Begierde *f*, Wunsch *m* (***of*** nach *od. inf.*), Ziel *n*, *pl.* Bestrebungen *pl.*; **amˈbi·tious** [-ʃəs] *adj.* □ **1.** ehrgeizig (*a. Plan etc.*); **2.** strebsam; begierig (***of*** nach); **3.** ambitiˈös, anspruchsvoll.

am·bi·va·lence [ˌæmbɪˈveɪləns] *s. psych.*, *phys.* Ambivaˈlenz *f*, Doppelwertigkeit *f*; *fig.* Zwiespältigkeit *f*; **ˌam·biˈva·lent** [-nt] *adj. bes. psych.* ambivaˈlent.

am·ble [ˈæmbl] **I** *v/i.* im Paßgang gehen *od.* reiten; *fig.* schlendern; **II** *s.* Paß(-gang) *m* (*Pferd*); *fig.* gemächlicher (Spazier)Gang, Schlendern *n*.

am·bro·si·a [æmˈbrəʊzjə] *s. antiq.* Amˈbrosia *f*, Götterspeise *f* (*a. fig.*); **amˈbro·si·al** [-əl] *adj.* □ amˈbrosisch; *fig.* köstlich (duftend).

am·bu·lance [ˈæmbjʊləns] *s.* **1.** Ambuˈlanz *f*, Kranken-, Saniˈtätswagen *m*; **2.** ⚔ ˈFeldlazaˌrett *n*; ~ **bat·tal·ion** *s.* ⚔ ˈKrankentransˌportbataiˌlon *n*; ~ **box** *s.* Verbandskasten *m*; ~ **sta·tion** *s.* Saniˈtätswache *f*, ˈUnfallstatiˌon *f*.

am·bu·lant [ˈæmbjʊlənt] *adj.* ambuˈlant: a) wandernd: ~ ***trade*** Wandergewerbe *n*, b) ⚕ gehfähig: ~ ***patients***; ~ ***treatment*** ambulante Behandlung; **ˈam·bu·la·to·ry** [-ətərɪ] **I** *adj.* **1.** beweglich, (orts)veränderlich; **2.** → ***ambulant***; **II** *s.* **3.** Arˈkade *f*, Wandelgang *m*.

am·bus·cade [ˌæmbəsˈkeɪd], **am·bush** [ˈæmbʊʃ] **I** *s.* **1.** ˈHinterhalt *m*; **2.** im ˈHinterhalt liegende Truppen *pl.*; **II** *v/i.* **3.** im ˈHinterhalt liegen; **III** *v/t.* **4.** in e-n ˈHinterhalt legen; **5.** aus dem ˈHinterhalt überˈfallen, auflauern (*dat.*).

a·me·ba, **a·me·bic** *Am.* → ***amoeba***, ***amoebic***.

a·mel·io·rate [əˈmiːljəreɪt] **I** *v/t.* verbessern (*bsd.* ⚒); **II** *v/i.* besser werden, sich bessern; **a·mel·io·ra·tion** [əˌmiːljəˈreɪʃn] *s.* (⚒ Boden)Verbesserung *f*.

a·men [ˌɑːˈmen; ˌeɪˈmen] **I** *int.* ˈamen!; **II** *s.* ˈAmen *n*.

a·me·na·ble [əˈmiːnəbl] *adj.* □ (***to***) **1.** zugänglich (*dat.*): ~ ***to flattery***; **2.** gefügig; **3.** unterˈworfen (*dat.*): ~ ***to a fine***; **4.** verantwortlich (*dat.*).

a·mend [əˈmend] **I** *v/t.* **1.** (ver)bessern, berichtigen; **2.** *Gesetz etc.* (ab)ändern, ergänzen; **II** *v/i.* **3.** sich bessern (*bsd. Betragen*).

a·mende ho·no·ra·ble [amɑ̃ːd ɔnɔrabl] (*Fr.*) *s.* öffentliche Ehrenerklärung *od.* Abbitte.

a·mend·ment [əˈmen*d*mənt] *s.* **1.** (*bsd. sittliche*) Besserung; **2.** Verbesserung *f*, Berichtigung *f*, Neufassung *f*; **3.** *bsd.* ⚖, *parl.* (Ab)Änderungs-, Ergänzungsantrag *m* (*zu e-m Gesetz*), *Am.* ˈZusatzarˌtikel *m* zur Verfassung, Nachtragsgesetz *n*: ***the Fifth*** ♀.

a·mends [əˈmendz] *s. pl. sg. konstr.* (Schaden)Ersatz *m*, Genugtuung *f*: ***make* ~** Schadenersatz leisten, es wiedergutmachen.

a·men·i·ty [əˈmi:nətɪ] *s.* **1.** Annehmlichkeit *f*, angenehme Lage; **2.** Anmut *f*, Liebenswürdigkeit *f*; **3.** *pl.* Konventiˈon *f*, Etiˈkette *f*; Höflichkeiten *pl.*; **4.** *pl.* (naˈtürliche) Vorzüge *pl.*, Reize *pl.*, Annehmlichkeiten *pl.*

Am·er·a·sian [ˌæməˈreɪʃjən] *adj. u. s.* (Perˈson *f*) ameriˈkanisch-asiˈatischer Abstammung.

A·mer·i·can [əˈmerɪkən] **I** *adj.* **1.** a) ameriˈkanisch, b) die USA betreffend: ***the ~ navy***; **II** *s.* **2.** a) Ameriˈkaner(in), b) Bürger(in) der USA; **3.** Ameriˈkanisch *n* (*Sprache der USA*); **A·mer·i·ca·na** [əˌmerɪˈkɑ:nə] *s. pl.* Ameriˈkana *pl.* (*Schriften etc. über Amerika*).

A·mer·i·can| cloth *s.* Wachstuch *n*; **~ foot·ball** *s. sport* American Football *m* (*rugbyähnliches Spiel*); **~ In·di·an** *s.* Indiˈaner(in).

A·mer·i·can·ism [əˈmerɪkənɪzəm] *s.* **1.** Ameriˈkanertum *n*; **2.** Amerikaˈnismus *m*: a) ameriˈkanische Spracheigentümlichkeit, b) ameriˈkanischer Brauch; **A·mer·i·can·i·za·tion** [əˌmerɪkənaɪˈzeɪʃən] *s.* Amerikanisierung *f*; **A·mer·i·can·ize** [əˈmerɪkənaɪz] **I** *v/t.* amerikanisieren; **II** *v/i.* Ameriˈkaner *od.* ameriˈkanisch werden.

A·mer·i·can| leath·er → ***American cloth***; **~ Le·gion** *s. Am.* Frontkämpferbund *m*; **~ or·gan** *s.* ♪ Harˈmonium *n*; **~ plan** *s. Am.* ˈVollpensiˌon *f*.

Am·er·ind [ˈæmərɪnd], **Am·er·in·di·an** [ˌæmərˈɪndjən] *s.* ameriˈkanischer Indiˈaner *od.* ˈEskimo.

am·e·thyst [ˈæmɪθɪst] *s. min.* Ameˈthyst *m.*

a·mi·a·bil·i·ty [ˌeɪmjəˈbɪlətɪ] *s.* Freundlichkeit *f*, Liebenswürdigkeit *f*; **a·mi·a·ble** [ˈeɪmjəbl] *adj.* □ liebenswürdig, freundlich, gewinnend, reizend.

am·i·ca·ble [ˈæmɪkəbl] *adj.* □ freund(schaft)lich, friedlich: **~ *settlement*** gütliche Einigung; **ˈam·i·ca·bly** [-lɪ] *adv.* freundschaftlich, in Güte, gütlich.

a·mid [əˈmɪd] *prp.* inˈmitten (*gen.*), (mitten) in *od.* unter (*dat. od. acc.*); **aˈmid·ship(s)** [-ʃɪp(s)] ⚓ **I** *adv.* mittschiffs; **II** *adj.* in der Mitte des Schiffes (befindlich); **aˈmidst** [-st] → ***amid***.

a·mine [ˈæmaɪn] *s.* ⚗ Aˈmin *n.*

amino- [əmi:nəʊ] ⚗ *in Zssgn* Amino…: **~ *acid*.**

a·miss [əˈmɪs] **I** *adv.* verkehrt, verfehlt, schlecht: ***take* ~** übelnehmen; **II** *adj.* unpassend, verkehrt, falsch, übel: ***there is s.th.* ~** etwas stimmt nicht; ***it would not be* ~** es würde nicht schaden.

am·i·ty [ˈæmətɪ] *s.* Freundschaft *f*, gutes Einvernehmen.

am·me·ter [ˈæmɪtə] *s.* ⚡ Amˈpereˌmeter *n*, Strom(stärke)messer *m.*

am·mo [ˈæməʊ] *s. sl.* Munitiˈon *f.*

am·mo·ni·a [əˈməʊnjə] *s.* ⚗ Ammoniˈak *n*: ***liquid* ~** (*od.* **~ *solution***) Salmiakgeist *m*; **amˈmo·ni·ac** [-nɪæk] *adj.* ammoniaˈkalisch: (***gum***) **~** Ammoniakgummi *m*, *n*; → ***sal***.

am·mo·ni·um [əˈməʊnjəm] s. ⚗ Amˈmonium *n*; **~ car·bon·ate** *s.* ⚗ Hirschhornsalz *n*; **~ chlo·ride** *s.* ⚗ Amˈmoniumchloˌrid *n*, ˈSalmiak *m*; **~ ni·trate** *s.* ⚗ Amˈmoniumniˌtrat *n*, Ammoniˈaksalˌpeter *m.*

am·mu·ni·tion [ˌæmjʊˈnɪʃn] *s.* Munitiˈon *f* (*a. fig.*): **~ *belt*** Patronengurt *m*; **~ *carrier*** Munitionswagen *m*; **~ *dump*** Munitionslager *n*.

am·ne·si·a [æmˈni:zjə] *s.* ⚕ Amneˈsie *f*, Gedächtnisschwund *m.*

am·nes·ty [ˈæmnɪstɪ] **I** *s.* Amneˈstie *f*, allgemeiner Straferlaß; **II** *v/t.* begnadigen, amnestieren.

a·moe·ba [əˈmi:bə] *s. zo.* Aˈmöbe *f*; **aˈmoe·bic** [-bɪk] *adj.* aˈmöbisch: **~ *dysentery*** Amöbenruhr *f*.

a·mok [əˈmɒk] → ***amuck***.

a·mong(st) [əˈmʌŋ(st)] *prp.* (mitten) unter (*dat. od. acc.*), inˈmitten (*gen.*), zwischen (*dat. od. acc.*), bei: ***who* ~ *you?*** wer von euch?; ***a custom* ~ *the savages*** e-e Sitte bei den Wilden; ***be* ~ *the best*** zu den Besten gehören; **~ *other things*** unter anderem; ***from among*** aus der Zahl (derer), aus … heraus; ***they had two pounds* ~ *them*** sie hatten zusammen zwei Pfund.

a·mor·al [ˌeɪˈmɒrəl] *adj.* ˈamoˌralisch.

am·o·rist [ˈæmərɪst] *s.* Eˈrotiker *m*: a) Herzensbrecher *m*, b) Verfasser *m* von ˈLiebesroˌmanen *etc.*

am·o·rous [ˈæmərəs] *adj.* □ amouˈrös: a) eˈrotisch, sinnlich, Liebes…, b) liebebedürftig, verliebt (***of*** in *acc.*); **ˈam·o·rous·ness** [-nɪs] *s.* amouˈröse Art, Verliebtheit *f*.

a·mor·phous [əˈmɔ:fəs] *adj.* aˈmorph: a) formlos, b) ungestalt, c) *min.* ˈunkristalˌlinisch.

a·mor·ti·za·tion [əˌmɔ:tɪˈzeɪʃn] *s.* **1.** Amortisierung *f*, Tilgung *f* (*von Schulden*); **2.** Abschreibung *f* (*von Anlagewerten*); **3.** ⚖ Veräußerung *f* (*von Grundstücken*) an die tote Hand; **a·mor·tize** [əˈmɔ:taɪz] *v/t.* **1.** amortisieren, tilgen, abzahlen; **2.** ⚖ an die tote Hand veräußern.

a·mount [əˈmaʊnt] **I** *v/i.* **1.** (***to***) sich belaufen (auf *acc.*), betragen (*acc.*): ***his debts* ~ *to £120***; **2.** hinˈauslaufen (***to*** auf *acc.*), bedeuten: ***it* ~*s to the same thing*** es läuft *od.* kommt auf dasselbe hinaus; ***that doesn't* ~ *to much*** das ist unbedeutend; ***you'll never* ~ *to much***

F aus dir wird nie etwas werden; **II** *s.* **3.** Betrag *m*, Summe *f*, Höhe *f* (*e-r Summe*); Menge *f*: ***to the ~ of*** bis zur *od.* in Höhe von, im Betrag *od.* Wert von; ***net ~*** Nettobetrag; ***~ carried forward*** Übertrag *m*; **4.** *fig.* Inhalt *m*, Ergebnis *n*, Wert *m*, Bedeutung *f*.

a·mour [ə'mʊə] (*Fr.*) *s.* Liebschaft *f*, A'mour *f*, ‚Verhältnis' *n*; **~-pro·pre** [ˌæmʊə'prɒprə] (*Fr.*) *s.* Eigenliebe *f*, Eitelkeit *f*.

amp [æmp] *s.* F **1.** a) → ***ampere***, b) → ***amplifier***; **2.** ♪ 'E-Giˌtarre *f*.

am·per·age [æm'peərɪdʒ] *s.* ⚡ Stromstärke *f*, Am'perezahl *f*; **am·pere, am·père** ['æmpeə] (*Fr.*) *s.* ⚡ Am'pere *n*; **~ me·ter** → ***ammeter***.

am·per·sand ['æmpəsænd] *s.* *typ.* das Zeichen & (*abbr. für* ***and***).

am·phet·a·mine [æm'fetəmɪn] *s.* ⚗ Ampheta'min *n*.

amphi- [æmfɪ] *in Zssgn* doppelt, zwei…, zweiseitig, beiderseitig, umher…

Am·phib·i·a [æm'fɪbɪə] *s. pl. zo.* Am'phibien *pl.*, Lurche *pl.*; **am'phibi·an** [-ən] **I** *adj.* **1.** *zo.*, *a.* ⚔, ⚙ am'phibisch, Amphibien…; **II** *s.* **2.** *zo.* Am'phibie *f*, Lurch *m*; **3.** a) Am'phibienflugzeug *n*, b) Am'phibien-, Schwimmfahrzeug *n*, c) ⚔ Schwimmkampfwagen *m*; **am'phib·i·ous** [-əs] *adj.* **1.** → ***amphibian*** 1: ***~ landing*** amphibische Landung *od.* Operation; ***~ tank*** → ***amphibian*** 3 c; ***~ vehicle*** → ***amphibian*** 3 b; **3.** von gemischter Na'tur, zweierlei Wesen habend.

am·phi·the·a·tre, *Am.* **am·phi·the·a·ter** ['æmfɪˌθɪətə] *s.* Am'phitheˌater *n* (*a. fig. Gebäudeteil od. Tal etc. in der Form e-s Amphitheaters*).

am·pho·ra ['æmfərə] *pl.* **-rae** [-ri:] *od.* **-ras** (*Lat.*) *s.* Am'phore *f*.

am·ple ['æmpl] *adj.* □ → ***amply***; **1.** weit, groß, geräumig; weitläufig; stattlich (*Figur*), üppig (*Busen*); **2.** ausführlich, um'fassend; **3.** reich(lich), mehr als genug, (vollauf) genügend: ***~ means*** reich(lich)e Mittel; **'am·ple·ness** [-nɪs] *s.* **1.** Weite *f*, Geräumigkeit *f*; **2.** Reichlichkeit *f*, Fülle *f*.

am·pli·fi·ca·tion [ˌæmplɪfɪ'keɪʃn] *s.* **1.** Erweiterung *f*, Vergrößerung *f*, Ausdehnung *f*; **2.** weitere Ausführung, Weitschweifigkeit *f*, Ausschmückung *f*; **3.** ⚡, *Radio, phys.* Vergrößerung *f*, Verstärkung *f*.

am·pli·fi·er ['æmplɪfaɪə] *s.* **1.** *phys.* Vergrößerungslinse *f*; **2.** *Radio, phys.* Verstärker *m*: ***~ tube*** (*od.* ***valve***) Verstärkerröhre *f*; **am·pli·fy** ['æmplɪfaɪ] **I** *v/t.* **1.** erweitern, vergrößern, ausdehnen; **2.** ausmalen, -schmücken; weitläufig darstellen; näher ausführen *od.* erläutern; **3.** *Radio*, *phys.* verstärken; **II** *v/i.* **4.** sich weitläufig ausdrücken *od.* auslassen; **'am·pli·tude** [-tju:d] *s.* **1.** Weite *f*, 'Umfang *m* (*a. fig.*), Reichlichkeit *f*, Fülle *f*; **2.** *phys.* Ampli'tude *f*, Schwingungsweite *f* (*Pendel etc.*).

am·ply ['æmplɪ] *adv.* reichlich.

am·poule ['æmpu:l] *s.* Am'pulle *f*.

am·pul·la [æm'pʊlə] *pl.* **-lae** [-li:] *s.* **1.** *antiq.* Am'pulle *f*, Phi'ole *f*, Salbengefäß *n*; **2.** Blei- *od.* Glasflasche *f der Pilger*; **3.** *eccl.* Krug *m* für Wein u. Wasser (*Messe*); Gefäß *n* für das heilige Öl (*Salbung*).

am·pu·tate ['æmpjʊteɪt] *v/t.* **1.** *Bäume* stutzen; **2.** ⚕ amputieren (*a. fig.*), *ein Glied* abnehmen; **am·pu·ta·tion** [ˌæmpjʊ'teɪʃn] *s.* Amputati'on *f*; **'am·pu·tee** [-ti:] *s.* Ampu'tierte(r *m*) *f*.

a·muck [ə'mʌk] *adv.*: ***run ~*** Amok laufen, *fig. a.* blindwütig rasen (***at***, ***on***, ***against*** gegen *et.*).

am·u·let ['æmjʊlɪt] *s.* Amu'lett *n*.

a·muse [ə'mju:z] *v/t.* (***o.s.*** sich) amüsieren, unter'halten, belustigen: ***you ~ me!*** da muß ich (über dich) lachen!; ***be ~d*** sich freuen (***at***, ***by***, ***in***, ***with*** über *acc.*); ***it ~s them*** es macht ihnen Spaß; ***he ~s himself with gardening*** er gärtnert zu s-m Vergnügen; **a'mused** [-zd] *adj.* amüsiert, belustigt, erfreut; **a'muse·ment** [-mənt] *s.* Unter'haltung *f*, Belustigung *f*, Vergnügen *n*, Freude *f*, Zeitvertreib *m*: ***to the ~ of*** zur Belustigung (*gen.*); ***~ arcade*** *Brit.* Spielsalon *m*; ***~ park*** Vergnügungspark *m*; **a'mus·ing** [-zɪŋ] *adj.* □ amü'sant, unter'haltsam; 'komisch.

am·yl ['æmɪl] *s.* ⚗ A'myl *n*; **am·y·la·ceous** [ˌæmɪ'leɪʃəs] *adj.* stärkemehlartig, stärkehaltig.

an [æn; ən] *unbestimmter Artikel* (*vor Vokalen od. stummem h*) ein, eine.

an·a·bap·tism [ˌænə'bæptɪzəm] *s.* Anabap'tismus *m*; **ˌan·a'bap·tist** [-ɪst] *s.* Wiedertäufer *m*.

an·a·bol·ic [ˌænə'bɒlɪk] *s.* ⚕ Ana'bolikum *n*.

a·nach·ro·nism [ə'nækrənɪzəm] *s.* Anachro'nismus *m*; **a·nach·ro·nis·tic** [əˌnækrə'nɪstɪk] *adj.* (□ ***~ally***) anachro'nistisch.

a·nae·mi·a [ə'ni:mjə] *s.* ⚕ Anä'mie *f*, Blutarmut *f*, Bleichsucht *f*; **a'nae·mic** [-mɪk] *adj.* **1.** ⚕ blutarm, bleichsüchtig, an'ämisch; **2.** *fig.* farblos, blaß.

an·aes·the·si·a [ˌænɪs'θi:zjə] *s.* ⚕ **1.** Anästhe'sie *f*, Nar'kose *f*, Betäubung *f*; **2.** Unempfindlichkeit *f* (*gegen Schmerz*); **ˌan·aes'thet·ic** [-'θetɪk] **I** *adj.* (□ ***~ally***) nar'kotisch, betäubend, Narkose…; **II** *s.* Betäubungsmittel *n*; **an·aes·the·tist** [æ'ni:sθətɪst] *s.* Anästhe'sist *m*, Nar'kosearzt *m*; **an·aes·the·tize** [æ'ni:sθətaɪz] *v/t.* betäuben, narkotisieren.

an·a·gram ['ænəgræm] *s.* Ana'gramm *n*.

a·nal [ˈeɪnl] *adj. anat.* aˈnal, Anal…
an·a·lects [ˈænəlekts] *s. pl.* Anaˈlekten *pl.*, Lesefrüchte *pl.*
an·al·ge·si·a [ˌænælˈdʒiːzjə] *s.* ⚕ Unempfindlichkeit *f* gegen Schmerz, Schmerzlosigkeit *f*; **ˌan·alˈge·sic** [-ˈdʒesɪk] **I** *adj.* schmerzlindernd; **II** *s.* schmerzlinderndes Mittel.
an·a·log·ic, an·a·log·i·cal [ˌænəˈlɒdʒɪk(l)] *adj.* ☐, **a·nal·o·gous** [əˈnæləgəs] *adj.* ☐ anaˈlog, ähnlich, entsprechend, paralˈlel (***to*** *dat.*); **an·a·logue** [ˈænəlɒg] *s.* Aˈnalogon *n*, Entsprechung *f*: **~ *computer*** Analogrechner *m*; **a·nal·o·gy** [əˈnælədʒɪ] *s.* **1.** *a. ling.* Analoˈgie *f*, Entsprechung *f*: ***on the ~ of*** (*od.* ***by ~ with***) analog, nach, gemäß (*dat.*); **2.** ⅋ Proportiˈon *f.*
an·a·lyse [ˈænəlaɪz] *v/t.* **1.** analysieren: a) ⚗, ⅋, *psych. etc.* zergliedern, zerlegen, b) *fig.* genau unterˈsuchen, c) erläutern, darlegen; **a·nal·y·sis** [əˈnæləsɪs] *pl.* **-ses** [-siːz] *s.* **1.** Anaˈlyse *f*: a) ⚗ *etc.* Zerlegung *f*, (ˈkritische) Zergliederung, b) *fig.* gründliche Unterˈsuchung, Darlegung *f*, Deutung *f*: ***in the last ~*** im Grunde, letzten Endes; **2.** ⅋ Aˈnalysis *f*; **3.** (Psycho)Anaˈlyse *f*; **ˈan·a·lyst** [-lɪst] *s.* **1.** ⚗, ⅋ Anaˈlytiker(in); *fig.* Unterˈsucher(in): ***public ~*** (behördlicher) Lebensmittelchemiker; **2.** Psychoanaˈlytiker *m*; **3.** Staˈtistiker *m*; **an·a·lyt·ic, an·a·lyt·i·cal** [ˌænəˈlɪtɪk(l)] *adj.* ☐ **1.** anaˈlytisch: ***analytical chemist*** Chemiker(in); **2.** psychoanaˈlytisch; **an·a·lyt·ics** [ˌænəˈlɪtɪks] *s. pl. sg. konstr.* Anaˈlytik *f.*
an·a·lyze *bsd. Am.* → ***analyse.***
an·am·ne·sis [ˌænæmˈniːsɪs] *pl.* **-ses** [-siːz] *s.* Anamˈnese *f*: a) Wiedererinnerung *f*, b) ⚕ Vorgeschichte *f.*
an·aph·ro·dis·i·ac [æˌnæfrəʊˈdɪzɪæk] ⚕ **I** *adj.* den Geschlechtstrieb hemmend; **II** *s.* Anaphrodiˈsiakum *n.*
an·ar·chic, an·ar·chi·cal [æˈnɑːkɪk(l)] *adj.* ☐ anˈarchisch, anarˈchistisch, gesetzlos, zügellos.
an·arch·ism [ˈænəkɪzəm] *s.* **1.** Anarˈchie *f*, Regierungs-, Gesetzlosigkeit *f*; **2.** Anarˈchismus *m*; **ˈan·arch·ist** [-ɪst] **I** *s.* Anarˈchist(in), ˈUmstürzler *m*; **II** *adj.* anarˈchistisch, ˈumstürzlerisch.
an·ar·cho- [ænɑːkəʊ] *in Zssgn* Anarcho…: **~*-scene***; **~*-situationist*** Chaote *m.*
an·arch·y [ˈænəkɪ] *s.* **1.** → ***anarchism***; **2.** *fig.* ˈChaos *n.*
an·as·tig·mat·ic [əˌnæstɪgˈmætɪk] *adj. phys.* anastigˈmatisch (*Linse*).
a·nath·e·ma [əˈnæθəmə] (*Greek*) *s.* **1.** *eccl.* Aˈnathema *n*, Kirchenbann *m*; *fig.* Fluch *m*, Verwünschung *f*; **2.** *eccl.* Exkommunizierte(r *m*) *f*, Verfluchte(r *m*) *f*; **3.** *fig. etwas* Verhaßtes, Greuel *m*; **aˈnath·e·ma·tize** [-ətaɪz] *v/t.* in den Bann tun, verfluchen.
an·a·tom·ic, an·a·tom·i·cal [ˌænəˈtɒmɪk(l)] *adj.* ☐ anaˈtomisch.
a·nat·o·mist [əˈnætəmɪst] *s.* **1.** Anaˈtom *m*; **2.** Zergliederer *m* (*a. fig.*); **aˈnat·o·mize** [-maɪz] *v/t.* **1.** ⚕ zerlegen, sezieren; **2.** *fig.* zergliedern; **aˈnat·o·my** [-mɪ] *s.* **1.** Anatoˈmie *f* (*Aufbau, Wissenschaft, Abhandlung*); **2.** F a) ‚Wanst' *m*, Körper *m*, b) ‚Gerippe' *n*, Gestell *n.*
an·ces·tor [ˈænsestə] *s.* **1.** Vorfahr *m*, Ahn(herr) *m*, Stammvater *m* (*a. fig.*): **~ *worship*** Ahnenkult *m*; **2.** *fig.* Vorläufer *m*; **3.** ⚖ Vorbesitzer *m*; **an·ces·tral** [ænˈsestrəl] *adj.* der Vorfahren, Ahnen…, angestammt, Erb…, Ur…; **ˈan·ces·tress** [-trɪs] *s.* Ahnfrau *f*, Stammmutter *f*; **ˈan·ces·try** [-trɪ] *s.* Abstammung *f*, *hohe* Geburt; Ahnen(reihe *f*) *pl*; *fig.* Vorgänger *pl.*: **~ *research*** Ahnenforschung *f.*
an·chor [ˈæŋkə] **I** *s.* **1.** ⚓ Anker *m*: ***at ~*** vor Anker; ***weigh ~*** a) den Anker lichten, b) abfahren; ***cast*** (*od.* ***drop***) **~** ankern, vor Anker gehen; ***ride at ~*** vor Anker liegen; **2.** *fig.* Rettungsanker *m*, Zuflucht *f*; **3.** ⚙ Anker *m*, Schließe *f*, Klammer *f*; **4.** *Radio, TV*: *Am.* a) Modeˈrator *m*, Moderaˈtorin *f e-r Nachrichtensendung*, b) Diskussiˈonsleiter (-in); **5.** *sport*: a) Schlußläufer(in), b) Schlußschwimmer(in); **II** *v/t.* **6.** verankern, vor Anker legen; **7.** ⚙ *u. fig.* verankern; **8.** *Radio, TV*: *Am.* a) *e-e Nachrichtensendung* moderieren, b) *e-e Diskussion* leiten; **9.** Schlußläufer(in) *od.* -schwimmer(in) *e-r Staffel* sein; **III** *v/i.* **10.** ankern, vor Anker gehen *od.* liegen; **11.** *Radio, TV*: *Am.* Moderator (-in) *od.* Diskussiˈonsleiter(in) sein.
an·chor·age [ˈæŋkərɪdʒ] *s.* **1.** Ankerplatz *m*; **2.** *a.* **~*-dues*** Anker-, Liegegebühr *f*; **3.** fester Halt, Verankerung *f*; **4.** *fig.* → ***anchor*** 2.
an·cho·ress [ˈæŋkərɪs] *s.* Einsiedlerin *f*; **ˈan·cho·ret** [-ret], **ˈan·cho·rite** [-raɪt] *s.* Einsiedler *m.*
ˈan·chor|·man [-mən] *s.* [*irr.*], **ˈ~ˌwo·man** *s* [*irr.*] → ***anchor*** 4, 5.
an·cho·vy [ˈæntʃəvɪ] *s. ichth.* Anˈ(s)chovis *f*, Sarˈdelle *f.*
an·cient [ˈeɪnʃənt] **I** *adj.* ☐ **1.** alt, aus alter Zeit, das Altertum betreffend, anˈtik: **~ *Rome***; **2.** uralt (*a. humor.*), altberühmt; **3.** altertümlich; ehemalig; **II** *s.* **4. *the ~s*** a) die Alten (*Griechen u. Römer*), b) die (antiken) Klassiker; **5.** Alte(r *m*) *f*, Greis(in); F ‚Olle(r' *m*) *f*; **ˈan·cient·ly** [-lɪ] *adv.* vorˈzeiten.
an·cil·lar·y [ænˈsɪlərɪ] *adj.* ˈuntergeordnet (***to*** *dat.*), Hilfs…, Neben…: **~ *agreement*** Nebenabrede *f*; **~ *equipment*** Zusatz-, Hilfsgerät *n*; **~ *industries*** Zulieferbetriebe; **~ *road*** Nebenstraße *f.*

and [ænd; ən(d)] *cj.* und: **~ *so forth*** und so weiter; ***there are books ~ books*** es gibt gute und schlechte Bücher; ***nice ~ warm*** schön warm; **~ *all*** F und so weiter; ***skin ~ all*** mitsamt der Haut; ***a little more ~ ...*** es fehlte nicht viel, so ...; ***try ~ come*** versuchen Sie zu kommen.

and·i·ron ['ændaɪən] *s.* Feuer-, Brat-, Ka'minbock *m.*

An·drew ['ændru:] *npr.* An'dreas *m*: ***St. ~'s cross*** Andreaskreuz *n.*

an·drog·y·nous [æn'drɒdʒɪnəs] *adj.* zwitterartig, zweigeschlechtig; ⚘ zwitterblütig.

an·droid ['ændrɔɪd] *s.* Andro'id(e) *m* (*Kunstmensch*).

an·droph·a·gous [æn'drɒfəgəs] *adj.* menschenfressend.

an·dro·pho·bi·a [ˌændrəʊ'fəʊbjə] *s.* Andropho'bie *f*, Männerscheu *f.*

an·ec·do·tal [ˌænek'dəʊtl] → ***anecdotic***; **an·ec·dote** ['ænɪkdəʊt] *s.* Anek'dote *f*; **an·ec·dot·ic, an·ec·dot·i·cal** [ˌænek'dɒtɪk(l)] *adj.* □ anek'dotenhaft, anek'dotisch.

a·ne·mi·a, a·ne·mic *Am.* → ***anaemia, anaemic.***

an·e·mom·e·ter [ˌænɪ'mɒmɪtə] *s. phys.* Windmesser *m.*

a·nem·o·ne [ə'nemənɪ] *s.* **1.** ⚘ Ane'mone *f*; **2.** *zo.* 'Seeaneˌmone *f.*

an·er·oid ['ænərɔɪd] *s. phys. a.* **~ *barometer*** Anero'idbaroˌmeter *n.*

an·es·the·si·a *etc. Am.* → ***anaesthesia*** *etc.*

a·new [ə'nju:] *adv.* von neuem, aufs neue; auf neue Art und Weise.

an·gel ['eɪndʒəl] *s.* **1.** Engel *m*: **~ *of death*** Todesengel; ***rush in where ~s fear to tread*** sich törichter- *od.* anmaßenderweise in Dinge einmischen, an die sich sonst niemand heranwagt; **2.** *fig.* Engel *m* (*Person*): ***be an ~ and ...*** sei doch so lieb und ...; **3.** *sl.* Geldgeber *m*, fi'nanzkräftiger 'Hintermann.

'an·gel|·food *Am.*, **'~-cake** *s. Art* Bis'kuitkuchen *m.*

an·gel·ic [æn'dʒelɪk] *adj.* (□ **~*ally***) engelhaft, -gleich, Engels...

an·gel·i·ca [æn'dʒelɪkə] *s.* **1.** ⚘ Brustwurz *f* (*als Gewürz*); **2.** kandierte An'gelikawurzel.

an·gel·i·cal [æn'dʒelɪkl] *adj.* □ → ***angelic.***

An·ge·lus ['ændʒɪləs] *s. eccl.* 'Angelus (-gebet *n*, -läuten *n*) *m.*

an·ger ['æŋgə] **I** *s.* Ärger *m*, Zorn *m*, Wut *f* (***at*** über *acc.*); **II** *v/t.* erzürnen, ärgern.

An·ge·vin ['ændʒɪvɪn] **I** *adj.* **1.** aus An'jou (*in Frankreich*); **2.** die Plan'tagenets betreffend; **II** *s.* **3.** Mitglied *n* des Hauses Plan'tagenet.

an·gi·na [æn'dʒaɪnə] *s.* ⚕ An'gina *f* 'pectoris; **~ pec·to·ris** ['pektərɪs] *s.* ⚕ An'gina *f* 'pectoris.

an·gle¹ ['æŋgl] **I** *s.* **1.** *bsd.* ⩕ Winkel *m*: ***acute*** (***obtuse, right***) **~** spitzer (stumpfer, rechter) Winkel; **~ *of incidence*** Einfallswinkel; ***at right ~s to*** im rechten Winkel zu; **2.** ⚙ a) Knie(stück) *n*, b) *pl.* Winkeleisen *pl.*; **3.** Ecke *f*, Vorsprung *m*, spitze Kante; **4.** *fig.* a) Standpunkt *m*, Gesichtswinkel *m*, b) As'pekt *m*, Seite *f*: ***consider all ~s of a question***; **5.** *Am.* Me'thode *f* (*et. zu erreichen*); **6.** *sl.* Trick *m*, ‚Tour' *f*, ‚Masche' *f*; **II** *v/t.* **7.** 'umbiegen; **8.** *fig.* tendenzi'ös färben, verdrehen.

an·gle² ['æŋgl] *v/i.* angeln (*a. fig.* ***for*** nach).

an·gled ['æŋgld] *adj.* **1.** winklig, *mst in Zssgn*: ***right-~*** rechtwinklig; **2.** *fig.* tendenzi'ös.

'an·gle|-ˌdo·zer [-ˌdəʊzə] *s.* ⚙ Pla'nierraupe *f*, Winkelräumer *m*; **'~-park** *v/t. u. v/i. mot.* schräg parken.

an·gler ['æŋglə] *s.* **1.** Angler(in); **2.** *ichth.* Seeteufel *m.*

An·gles ['æŋglz] *s. pl. hist.* Angeln *pl.*; **'An·gli·an** [-glɪən] **I** *adj.* englisch; **II** *s.* Angehörige(r *m*) *f* des Volksstammes der Angeln.

An·gli·can ['æŋglɪkən] *eccl.* **I** *adj.* angli'kanisch, hochkirchlich; **II** *s.* Angli'kaner(in).

An·gli·cism ['æŋglɪsɪzəm] *s.* **1.** *ling.* Angli'zismus *m*; **2.** englische Eigenart; **'An·gli·cist** [-ɪst] *s.* An'glist(in); **'An·gli·cize** [-saɪz], *a.* ♀ *v/t. u. v/i.* (sich) anglisieren, englisch machen (werden).

an·gling ['æŋglɪŋ] *s.* Angeln *n.*

An·glist ['æŋglɪst] *s.* An'glist(in); **An·gli·stics** [æŋ'glɪstɪks] *s. pl. sg. konstr.* An'glistik *f.*

Anglo- [æŋgləʊ] *in Zssgn* Anglo..., anglo..., englisch, englisch und ...

'An·glo|-A'mer·i·can [-əʊ-] **I** *s.* 'Anglo-Ameri'kaner(in); **II** *adj.* anglo-ameri'kanisch; **'~-'In·di·an** [-əʊ-] **I** *s.* Anglo-'inder(in); **II** *adj.* anglo'indisch; **ˌ~'ma·ni·a** [-əʊ-] *s.* Angloma'nie *f*; **'~-'Nor·man** [-əʊ-] **I** *s.* **1.** Anglonor'manne *m*; **2.** *ling.* Anglonor'mannisch *n*; **II** *adj.* **3.** anglonor'mannisch; **'~·phile** [-əʊfaɪl] **I** *s.* Anglo'phile *m*, Englandfreund *m*; **II** *adj.* anglo'phil, englandfreundlich; **'~·phobe** [-əʊfəʊb] **I** *s.* Anglo'phobe *m*, Englandfeind *m*; **II** *adj.* englandfeindlich; **ˌ~'pho·bi·a** [-əʊ'fəʊbjə] *s.* Anglopho'bie *f*; **ˌ~-'Sax·on** [-əʊ-] **I** *s.* **1.** Angelsachse *m*; **2.** *ling.* Altenglisch *n*, Angelsächsisch *n*; **3.** F urwüchsiges u. einfaches Englisch; **II** *adj.* **4.** angelsächsisch; **ˌ~-'Scot** [-əʊ-] *s.* dauernd in England lebender Schotte.

an·go·ra [æŋ'gɔ:rə], *a.* ♀ *s.* Gewebe *n* aus An'gorawolle; **~ cat** *s. zo.* An'gorakatze *f*; **~ goat** *s. zo.* An'goraziege *f*; **~ wool** *s.* An'gorawolle *f*; Mo'här *m.*

an·gry ['æŋgrɪ] *adj.* □ **1.** (***at, about***) ärgerlich, ungehalten (über *acc.*), zornig, böse (auf *j-n*, über *et.*, ***with*** mit *j-m*): ~ ***young man*** *Literatur*: ‚zorniger junger Mann'; **2.** ⚕ entzündet, schlimm; **3.** *fig.* drohend, stürmisch; finster.

angst [æŋst] *s. psych.* Angst *f.*

ang·strom, *a.* ♀ ['æŋstrəm] *s. phys. a.* ~ ***unit*** Angström(einheit *f*) *n.*

an·guish ['æŋgwɪʃ] *s.* Qual *f*, Pein *f*, Angst *f*, Schmerz *m*: ~ ***of mind*** Seelenqual(en *pl.*) *f.*

an·gu·lar ['æŋgjʊlə] *adj.* □ **1.** winklig, winkelförmig, eckig; Winkel...; **2.** *fig.* knochig, hager; **3.** *fig.* eckig, steif; barsch; **an·gu·lar·i·ty** [ˌæŋgjʊ'lærətɪ] *s.* **1.** Winkligkeit *f*; **2.** *fig.* Eckigkeit *f*, Steifheit *f.*

an·hy·drous [æn'haɪdrəs] *adj.* ⚗, *biol.* kalziniert, wasserfrei; getrocknet, Dörr... (*Obst etc.*).

an·il ['ænɪl] *s.* ⚘ 'Indigopflanze *f*; Indigo (-farbstoff) *m.*

an·i·line ['ænɪli:n] *s.* Ani'lin *n*: ~ ***dye*** Anilinfarbstoff *m*, *weitS.* chemisch hergestellte Farbe.

an·i·mad·ver·sion [ˌænɪmæd'vɜ:ʃn] *s.* Tadel *m*, Rüge *f*, Kri'tik *f*; ˌ**an·i·mad'vert** [-'vɜ:t] *v/i.* (***on, upon***) kritisieren; tadeln, rügen (*acc.*).

an·i·mal ['ænɪml] **I** *s.* **1.** Tier *n*, ‚Vierfüß(l)er' *m*; tierisches Lebewesen (*Ggs. Pflanze*, F *a. Ggs. Vogel*): ***there's no such ~!*** F so was gibt's ja gar nicht!; **2.** *fig.* Tier *n*, viehischer Mensch, 'Bestie *f*; **II** *adj.* **3.** ani'malisch, tierisch (*beide a. fig.*); Tier...: ~ ***kingdom*** Tierreich *n*; ~ ***magnetism*** a) tierischer Magnetismus, b) *bsd. humor.* erotische Anziehungskraft; ~ ***spirits*** *pl.* Lebenskraft *f*, -geister *pl.*, Vitalität *f*; ~ ***welfarist*** Tierschützer *m.*

an·i·mal·cu·le [ˌænɪ'mælkju:l] *s.* mikro'skopisch kleines Tierchen: ***infusorial ~s.***

an·i·mal·ism ['ænɪməlɪzəm] *s.* **1.** Vertiertheit *f*; **2.** Sinnlichkeit *f*; **3.** Lebenstrieb *m*, -kraft *f*; '**an·i·mal·ist** [-ɪst] *s.* Tiermaler(in), -bildhauer(in).

an·i·mate **I** *v/t.* ['ænɪmeɪt] **1.** beseelen, beleben, mit Leben erfüllen (*alle a. fig.*); anregen, aufmuntern; **2.** lebendig gestalten: ~ ***a cartoon*** e-n Zeichentrickfilm herstellen; **II** *adj.* [-mət] **3.** belebt, lebend; lebhaft, munter; '**an·i·mat·ed** [-tɪd] *adj.* □ **1.** lebendig, beseelt (***with, by*** von), voll Leben: ~ ***cartoon*** Zeichentrickfilm *m*; **2.** ermutigt; **3.** lebhaft, angeregt; **an·i·ma·tion** [ˌænɪ'meɪʃn] *s.* **1.** Leben *n*, Feuer *n*, Lebhaftigkeit *f*, Munterkeit *f*; Leben *n* und Treiben *n*; **2.** a) Herstellung *f* von Zeichentrickfilmen, b) (Zeichen)Trickfilm *m*; '**an·i·ma·tor** [-tə] *s.* Zeichner *m* von Trickfilmen.

an·i·mos·i·ty [ˌænɪ'mɒsətɪ] *s.* Feindseligkeit *f*, Erbitterung *f*, Animosi'tät *f.*

an·i·mus ['ænɪməs] *s.* **1.** (innewohnender) Geist; **2.** *psych.* Animus *m*; **3.** ⚖ Absicht *f*; **4.** → ***animosity.***

an·ise ['ænɪs] *s.* ⚘ A'nis *m*; '**an·i·seed** [-si:d] *s.* A'nis(samen) *m.*

an·i·sette [ˌænɪ'zet] *s.* Ani'sett *m*, A'nisliˌkör *m.*

an·kle ['æŋkl] **I** *s. anat.* **1.** (Fuß)Knöchel *m*: ***sprain one's ~*** sich den Fuß verstauchen; **2.** Knöchelgegend *f des Beins*; **II** *v/i.* **3.** F marschieren; '**~·bone** *s.* Sprungbein *n*; ~ **boot** *s.* Halbstiefel *m*; ˌ**~-'deep** *adj.* knöcheltief, bis zu den Knöcheln; ˌ**~-'length** *adj.* knöchellang; '**~·sock** *s.* Knöchelsocke *f*, Söckchen *n*; '**~-strap** *s.* Schuhspange *f*: ~ ***shoes*** Spangenschuhe.

an·klet ['æŋklɪt] *s.* **1.** Fußkettchen *n*, -spange *f* (*als Schmuck od. Fessel*); **2.** → ***anklesock.***

an·na ['ænə] *s.* An'na *m* (*ind. Münze*).

an·nal·ist ['ænəlɪst] *s.* Chro'nist *m*; **an·nals** ['ænlz] *s. pl.* **1.** An'nalen *pl.*, Jahrbücher *pl.*; **2.** hi'storischer Bericht; **3.** *regelmäßig erscheinende* wissenschaftliche Berichte *pl.*; **4.** *a. sg. konstr.* (Jahres)Bericht *m.*

an·neal [ə'ni:l] *v/t.* **1.** ⚙ *Metall* ausglühen, anlassen, vergüten, tempern; *Glas* kühlen; **2.** *fig.* härten, stählen.

an·nex **I** *v/t.* [ə'neks] **1.** (***to***) beifügen (*dat.*), anhängen (an *acc.*); **2.** annektieren, (sich) einverleiben: ***the province was ~ed to France*** Frankreich verleibte sich das Gebiet ein; **3.** ~ ***to*** verknüpfen mit; **4.** F sich aneignen, ‚sich unter den Nagel reißen'; **II** *s.* ['æneks] **5.** Anhang *m*, Nachtrag *m*; Anlage *f zum Brief*; **6.** Nebengebäude *n*, Anbau *m*; **an·nex·a·tion** [ˌænek'seɪʃn] *s.* **1.** Hin'zufügung *f* (***to*** zu); **2.** Annexi'on *f*, Einverleibung *f* (***to*** in *acc.*); **3.** Aneignung *f*; **an·nexe** ['æneks] (*Fr.*) → ***annex*** 6; **an'nexed** [-kst] *adj.* ✝ beifolgend, beigefügt.

an·ni·hi·late [ə'naɪəleɪt] *v/t.* **1.** vernichten (*a. fig.*); **2.** ⚔ aufreiben; **3.** *sport* vernichtend schlagen; **4.** *fig.* zu'nichte machen, aufheben; **an·ni·hi·la·tion** [əˌnaɪə'leɪʃn] *s.* Vernichtung *f*; Aufhebung *f.*

an·ni·ver·sa·ry [ˌænɪ'vɜ:sərɪ] *s.* Jahrestag *m*, -feier *f*, jährlicher Gedenktag, Jubi'läum *n*: ***wedding ~*** Hochzeitstag *m*; ***the 50th ~ of his death*** die 50. Wiederkehr s-s Todestages.

an·no Dom·i·ni [ˌænəʊ'dɒmɪnaɪ] (*Lat.*) im Jahre des Herrn, Anno Domini.

an·no·tate ['ænəʊteɪt] **I** *v/t. e-e Schrift* mit Anmerkungen versehen, kommentieren; **II** *v/i.* (***on***) Anmerkungen machen (zu), einen Kommen'tar schreiben (über *acc.*); **an·no·ta·tion** [ˌænəʊˈteɪʃn] *s.* Kommentieren *n*; Anmerkung *f*, Kommenˈtar *m*; **ˈan·no·ta·tor** [-tə] *s.* Kommenˈtator *m*.

an·nounce [əˈnaʊns] **I** *v/t.* **1.** ankündigen; **2.** bekanntgeben, verkünden; **3.** a) *Radio, TV*: ansagen, b) (*über Lautsprecher*) ˈdurchsagen; **4.** *Besucher etc.* melden; **5.** *Geburt etc.* anzeigen, bekanntgeben; **II** *v/i.* **6.** *pol. Am.* seine Kandidaˈtur bekanntgeben (***for*** für das Amt *gen.*); **7.** **~ *for*** *Am.* sich aussprechen für; **anˈnounce·ment** [-mənt] *s.* **1.** Ankündigung *f*; **2.** Bekanntgabe *f*; (*Geburts- etc.*)Anzeige *f*; **3.** a) *Radio, TV*: Ansage *f*, b) (ˈLautsprecher-) ˌDurchsage *f*; **anˈnounc·er** [-sə] *s. Radio, TV*: Ansager(in), Sprecher(in).

an·noy [əˈnɔɪ] *v/t.* **1.** ärgern: ***be ~ed*** sich ärgern (***at s.th.*** über et., ***with s.o.*** über j-n); **2.** belästigen, stören; schikanieren; **anˈnoy·ance** [-ɔɪəns] *s.* **1.** Störung *f*, Belästigung *f*, Ärgernis *n*; Ärger *m*; **2.** Plage(geist *m*) *f*; **anˈnoyed** [-ɔɪd] *adj.* ärgerlich; **anˈnoy·ing** [-ɔɪɪŋ] *adj.* □ ärgerlich (*Sache*), lästig; **anˈnoy·ing·ly** [-ɔɪɪŋlɪ] *adv.* ärgerlicherweise.

an·nu·al [ˈænjʊəl] **I** *adj.* □ **1.** jährlich, Jahres…; **~ *accounts*** Jahresabschluß *m*; **2.** *bsd.* ⚘ einjährig: **~ *ring*** Jahresring *m*; **II** *s.* **3.** jährlich erscheinende Veröffentlichung, Jahrbuch *n*; **4.** einjährige Pflanze; → ***hardy*** 2.

an·nu·i·tant [əˈnjuːɪtənt] *s.* Empfänger (-in) e-r Jahresrente, Rentner(in); **anˈnu·i·ty** [-tɪ] *s.* **1.** (Jahres)Rente *f*; **2.** Jahreszahlung *f*; **3.** ✝ *a.* **~ *bond*** Rentenbrief *m*; **4.** *pl.* ˈRentenpaˌpiere *pl.*

an·nul [əˈnʌl] *v/t.* aufheben, für ungültig erklären, annullieren.

an·nu·lar [ˈænjʊlə] *adj.* □ ringförmig; **ˈan·nu·late** [-leɪt], **ˈan·nu·lat·ed** [-leɪtɪd] *adj.* geringelt, aus Ringen bestehend, Ring…

an·nul·ment [əˈnʌlmənt] *s.* Aufhebung *f*, Nichtigkeitserklärung *f*, Annullierung *f*; ***action for ~*** Nichtigkeitsklage *f*.

an·nun·ci·ate [əˈnʌnʃɪeɪt] *v/t.* verkünden, ankündigen; **an·nun·ci·a·tion** [əˌnʌnsɪˈeɪʃn] *s.* **1.** An-, Verkündigung *f*; **2.** ♀, *a.* ♀ ***Day*** *eccl.* Maˈriä Verkündigung *f*; **anˈnun·ci·a·tor** [-tə] *s.* ϟ Siˈgnalanlage *f*, -tafel *f*.

an·ode [ˈænəʊd] *s.* ϟ Anˈode *f*, ˈpositiver Pol: **~ *potential*** Anodenspannung *f*; ***DC ~*** Anodenruhestrom *m*; **an·od·ize** [ˈænəʊdaɪz] *v/t.* eloxieren.

an·o·dyne [ˈænəʊdaɪn] **I** *adj.* schmerzstillend; *fig.* a) lindernd, beruhigend, b) verwässert, kraftlos; **II** *s.* schmerzstillendes Mittel; *fig.* Beruhigungspille *f*.

a·noint [əˈnɔɪnt] *v/t.* **1.** einölen, einschmieren; **2.** *bsd. eccl.* salben; **aˈnoint·ment** [-mənt] *s.* Salbung *f*.

a·nom·a·lous [əˈnɒmələs] *adj.* □ ˈanomal, abˈnorm; ungewöhnlich, abweichend; **aˈnom·a·ly** [-lɪ] *s.* Anomaˈlie *f*.

a·non [əˈnɒn] *adv.* bald, soˈgleich: ***ever and ~*** immer wieder.

an·o·nym·i·ty [ˌænəˈnɪmətɪ] *s.* Anonymiˈtät *f*; **a·non·y·mous** [əˈnɒnɪməs] *adj.* □ anoˈnym, namenlos, ungenannt; unbekannten Ursprungs.

a·noph·e·les [əˈnɒfɪliːz] *s. zo.* Fiebermücke *f*.

a·no·rak [ˈænəræk] *s.* Anorak *m*.

an·oth·er [əˈnʌðə] *adj. u. pron.* **1.** ein anderer, eine andere, ein anderes (***than*** als): **~ *thing*** etwas anderes; ***one ~*** a) einander, b) uns (euch, sich) gegenseitig; ***one after ~*** einer nach dem andern; ***he is ~ man now*** jetzt ist er ein (ganz) anderer Mensch; **2.** ein zweiter *od.* weiterer *od.* neuer, eine zweite *od.* weitere *od.* neue, ein zweites *od.* weiteres *od.* neues; **3.** *a.* ***yet ~*** noch ein(er, e, es): **~ *cup of tea*** noch eine Tasse Tee; **~ *five weeks*** weitere *od.* noch fünf Wochen; ***tell us ~!*** F das glaubst du doch selbst nicht!; ***you are ~!*** F *iro.* danke gleichfalls!; **~ *Shakespeare*** ein zweiter Shakespeare; ***A.N.Other*** *sport* ein ungenannter (Ersatz)Spieler.

An·schluss [ˈɑːnʃlʊs] (*Ger.*) *s. pol.* Anschluß *m*.

an·swer [ˈɑːnsə] **I** *s.* **1.** Antwort *f*, Entgegnung *f* (***to*** auf *acc.*): ***in ~ to*** a) in Beantwortung (*gen.*), b) auf *et.* hin; **2.** *fig.* Antwort *f*, Erwiderung *f*; Reaktiˈon *f* (*alle*: ***to*** auf *acc.*); **3.** Gegenmaßnahme *f*, -mittel *n*; **4.** ⚖ Klagebeantwortung *f*, Gegenschrift *f*; *weitS.* Rechtfertigung *f*; **5.** Lösung *f* (***to*** *e-s Problems etc.*); ♗ Auflösung *f*: ***he knows all the ~s*** a) ‚er blickt voll durch', b) *contp.* er weiß immer alles besser; **II** *v/i.* **6.** antworten (***to*** *j-m*, auf *acc.*): **~ *back*** a) freche Antworten geben, b) widersprechen, sich (*mit Worten*) verteidigen *od.* wehren; **7.** sich verantworten, Rechenschaft ablegen (***for*** für); **8.** verantwortlich sein, haften, bürgen (***for*** für); **9.** die Folgen tragen, büßen (***for*** für): ***you have much to ~ for*** du hast viel auf dem Kerbholz; **10.** *fig.* (***to***) reagieren (auf *acc.*), hören (auf *e-n Namen*); gehorchen, Folge leisten (*dat.*); **11.** **~ *to*** *e-r Beschreibung* entsprechen; **12.** sich eignen, taugen; gelingen (*Plan*); **III** *v/t.* **13.** a) *j-m* antworten, b) *et.* beantworten, antworten auf (*acc.*); **14.** a) sich *j-m gegenüber* verantworten, *j-m* Rechenschaft ablegen (***for*** für), b) sich gegen *e-e Anklage etc.* verteidigen; **15.** reagieren *od.* eingehen auf (*acc.*); *e-m Befehl etc.* Folge leisten; sich auf *eine Anzeige etc.* hin melden: **~ *the bell*** (*od.* ***door***) auf das Läuten *od.* Klopfen die Tür öffnen; **~ *the telephone*** den Anruf entgegennehmen, ans Telefon gehen; **16.** *dem Steuer* gehorchen; *Gebet* erhören; *Zweck, Wunsch etc.* erfüllen; *Auftrag etc.* ausführen: **~ the call of duty** dem Ruf der Pflicht folgen; **17.** *bsd. Aufgabe* lösen; **18.** *e-r Beschreibung, e-m Bedürfnis* entsprechen; **19.** *j-m* genügen, *j-n* zu'friedenstellen; **'an·swer·a·ble** [-sərəbl] *adj.* **1.** verantwortlich (**for** für): **to be ~ to s.o. for s.th.** j-m für et. bürgen, sich vor j-m für et. verantworten müssen; **2.** (**to**) entsprechend, angemessen, gemäß (*dat.*); **3.** zu beantworten(d).

an·swer·ing ma·chine *s.* Anrufbeantworter *m.*

ant [ænt] *s. zo.* Ameise *f.*

an't [ɑːnt; ænt] → **ain't**.

ant·ac·id [ˌænt'æsɪd] *adj. u. s.* ⚕ gegen Magensäure wirkend(es Mittel).

an·tag·o·nism [æn'tægənɪzəm] *s.* **1.** 'Widerstreit *m*, Gegensatz *m*, 'Widerspruch *m* (**between** zwischen *dat.*); **2.** Feindschaft *f* (**to** gegen); 'Widerstand *m* (**against, to** gegen); **an'tag·o·nist** [-ɪst] *s.* Gegner(in), 'Widersacher(in); **an·tag·o·nis·tic** [ænˌtægə'nɪstɪk] *adj.* (□ **~ally**) gegnerisch, feindlich (**to** gegen); wider'streitend (**to** *dat.*); **an'tag·o·nize** [-naɪz] *v/t.* ankämpfen gegen; sich *j-n* zum Feind machen, *j-n* gegen sich aufbringen.

ant·arc·tic [ænt'ɑːktɪk] **I** *adj.* ant'arktisch, Südpol...: **⁀ Circle** südlicher Polarkreis; **⁀ Ocean** südliches Eismeer; **II** *s.* Ant'arktis *f.*

'ant-bear *s. zo.* Ameisenbär *m.*

an·te ['æntɪ] (*Lat.*) **I** *adv.* vorn, vo'ran, b) *zeitlich*: vorher, zu'vor; **II** *prp.* vor; **III** *s.* F *Poker*: Einsatz *m*: **raise the ~** a) den Einsatz (*weitS.* den Preis *etc.*) erhöhen, b) F (das nötige) Geld beschaffen; **IV** *v/t. u. v/i. mst* **~ up** (ein)setzen; *fig. Am.* a) (be)zahlen, ‚blechen', b) (dazu) beisteuern.

'ant-ˌeat·er *s. zo.* Ameisenfresser *m.*

an·te·ced·ence [ˌæntɪ'siːdəns] *s.* **1.** Vortritt *m*, -rang *m*; **2.** *ast.* Rückläufigkeit *f*; **ˌan·te'ced·ent** [-nt] **I** *adj.* **1.** vor'hergehend, früher (**to** als); **II** *s.* **2.** *pl.* Vorgeschichte *f*: **his ~s** sein Vorleben; **3.** *fig.* Vorläufer *m*; **4.** *ling.* Beziehungswort *n.*

an·te|·cham·ber ['æntɪˌtʃeɪmbə] *s.* Vorzimmer *n*; **~·date** [ˌæntɪ'deɪt] *v/t.* **1.** vor- *od.* zu'rückdatieren, ein früheres Datum setzen auf (*acc.*); **2.** vor'wegnehmen; **3.** *zeitlich* vor'angehen (*dat.*); **~·di·lu·vi·an** [ˌæntɪdɪ'luːvjən] **I** *adj.* vorsintflutlich (*a. fig.*); **II** *s.* vorsintflutliches Wesen; *contp.* a) rückständige Per'son, b) ‚Fos'sil' *n* (*sehr alte Person*).

an·te·lope ['æntɪləʊp] *s.* **1.** *zo.* Anti'lope *f*; **2.** Anti'lopenleder *n.*

an·te me·rid·i·em [ˌæntɪmə'rɪdɪəm] (*Lat.*) *abbr.* **a.m.** vormittags.

an·te·na·tal [ˌæntɪ'neɪtl] **I** *adj.* präna'tal: **~ care** Mutterschaftsfürsorge *f*; **II** *s.* F Mutterschaftsvorsorgeuntersuchung *f.*

an·ten·na [æn'tenə] *s.* **1.** *pl.* **-nae** [-niː] *zo.* Fühler *m*; Fühlhorn *n*; *fig.* Gespür *n*, ‚An'tenne' *f*; **2.** *pl.* **-nas** *bsd. Am.* ⚡ Antenne *f.*

an·te|·nup·tial [ˌæntɪ'nʌpʃl] *adj.* vorhochzeitlich; **~·pe·nul·ti·mate** [ˌæntɪpɪ'nʌltɪmət] **I** *adj.* drittletzt (*bsd. Silbe*); **II** *s.* drittletzte Silbe.

an·te·ri·or [æn'tɪərɪə] *adj.* **1.** vorder; **2.** vor'hergehend, früher (**to** als).

an·te-room ['æntɪrʊm] *s.* Vor-, Wartezimmer *n.*

an·them ['ænθəm] *s.* 'Hymne *f*, Cho'ral *m*: **national ~** Nationalhymne.

an·ther ['ænθə] *s.* ⚘ Staubbeutel *m.*

'ant-hill *s. zo.* Ameisenhaufen *m.*

an·thol·o·gy [æn'θɒlədʒɪ] *s.* Antholo'gie *f*, (Gedicht)Sammlung *f.*

an·thra·cite ['ænθrəsaɪt] *s. min.* Anthra'zit *m*, Glanzkohle *f.*

an·thrax ['ænθræks] *s.* ⚕ 'Anthrax *m*, Milzbrand *m.*

an·thro·poid ['ænθrəʊpɔɪd] *zo.* **I** *adj.* menschenähnlich, Menschen...; **II** *s.* Menschenaffe *m*; **an·thro·po·log·i·cal** [ˌænθrəpə'lɒdʒɪk(l)] *adj.* □ anthropo'logisch; **an·thro·pol·o·gist** [ˌænθrə'pɒlədʒɪst] *s.* Anthropo'loge *m*; **an·thro·pol·o·gy** [ˌænθrə'pɒlədʒɪ] *s.* Anthropolo'gie *f*; **an·thro·po·mor·phous** [ˌænθrəpəʊ'mɔːfəs] *adj.* anthropo'morph(isch), von menschlicher *od.* menschenähnlicher Gestalt; **an·thro·poph·a·gi** [ˌænθrəʊ'pɒfəgaɪ] *s. pl.* Menschenfresser *pl.*; **an·thro·poph·a·gous** [ˌænθrəʊ'pɒfəgəs] *adj.* menschenfressend.

an·ti ['æntɪ] F **I** *prp.* gegen; **II** *adj.*: **be ~** dagegen sein; **III** *s.* Gegner(in).

ˌan·ti|-'air·craft [ˌæntɪ-] *adj.* ⚔ Fliegerabwehr...: **~ gun** Flakgeschütz *n*, Fliegerabwehrkanone *f*; **'~ˌau·thor·i'tar·i·an** *adj.* antiautori'tär; **ˌ~-'ba·by pill** *s.* ⚕ Anti'babypille *f*; **ˌ~·bal'lis·tic** *adj.* ⚔ antibal'listisch; **ˌ~·bi'ot·ic** [-baɪ'ɒtɪk] **I** *s.* Antibi'otikum *n*; **II** *adj.* antibi'otisch; **ˌ~-lock 'brak·ing sys·tem** *s.* Antiblockiersystem *n*; **'~ˌbod·y** *s.* ⚕, *biol.* 'Antikörper *m*, Abwehrstoff *m*; **ˌ~'cath·ode** *s.* ⚡ Antika'thode *f*; **'~·christ** *s. eccl.* 'Antichrist *m*; **ˌ~'chris·tian** **I** *adj.* christenfeindlich; **II** *s.* Christenfeind(in).

an·tic·i·pate [æn'tɪsɪpeɪt] *v/t.* **1.** vor'ausempfinden, -sehen, -ahnen; **2.** erwarten, erhoffen: **~d profit** voraussichtlicher Verdienst; **3.** im vor'aus tun *od.* erwähnen, vor'wegnehmen; *Ankunft* beschleunigen; vor'auseilen (*dat.*); **4.** *j-m od. e-m Wunsch etc.* zu'vorkommen; **5.** *e-r Sache* vorbauen, verhindern; **6.** *bsd.* † vorzeitig bezahlen *od.* verbrauchen; **an·tic·i·pa·tion** [ænˌtɪsɪˈpeɪʃn] *s.* **1.** Vorgefühl *n*, Vorahnung *f*, Vorgeschmack *m*; **2.** Ahnungsvermögen *n*, Vorˈaussicht *f*; **3.** Erwartung *f*, Hoffnung *f*, Vorfreude *f*; **4.** Zuˈvorkommen *n*, Vorgreifen *n*, Vorˈwegnahme *f*: ***in ~*** im voraus; **5.** Verfrühtheit *f*: ***payment by ~*** Vorauszahlung *f*; **anˈtic·i·pa·to·ry** [-tərɪ] *adj.* **1.** vorˈwegnehmend, vorgreifend, erwartend, Vor…; **2.** *ling.* vorˈausdeutend; **3.** *Patentrecht*: neuheitsschädlich: ***~ reference*** Vorwegnahme *f*.

ˌan·ti|ˈcler·i·cal *adj.* kirchenfeindlich; **ˌ~ˈcli·max** *s.* (enttäuschendes) Abfallen, Abstieg *m*; *a.* ***sense of ~*** plötzliches Gefühl der Leere *od.* Enttäuschung; **ˌ~ˈclock·wise** *adv. u. adj.* entgegen dem Uhrzeigersinn: ***~ rotation*** Linksdrehung *f*; **ˌ~·corˈro·sive** *adj.* rostfest; Rostschutz…

an·tics [ˈæntɪks] *s. pl.* Possen *pl.*, *fig.* Mätzchen *pl.*, (tolle) Streiche *pl.*

ˌan·ti|ˈcy·cli·cal *adj.* † antiˈzyklisch, konjunkˈturdämpfend; **ˌ~ˈcy·clone** *s. meteor.* Hoch(druckgebiet) *n*; **ˌ~-ˈdaz·zle** *adj.* Blendschutz…: ***~ switch*** Abblendschalter *m*; **ˌ~·deˈpres·sant** *s.* ⚕ Antidepresˈsivum *n*; **ˈ~-dim** *adj.* ⚙ Klar(sicht)…; **ˌ~·disˈtor·tion** *s.* ϟ Entzerrung *f*; **ˈ~·dot·al** [-dəʊtl] *adj.* als Gegengift dienend (*a. fig.*); **ˈ~·dote** [-dəʊt] *s.* Gegengift *n*, -mittel *n* (***against, for, to*** gegen); **ˌ~ˈfad·ing** ϟ **I** *s.* Schwundausgleich *m*; **II** *adj.* schwundmindernd; **ˌ~-ˈFas·cist** *pol.* **I** *s.* Antifaˈschist(in); **II** *adj.* antifaˈschistisch; **ˌ~ˈfe·brile** *s.* ⚕ Fiebermittel *n*; **ˌ≗ˈfed·er·al·ist** *s. Am. hist.* Antiföderaˈlist *m*; **ˈ~-freeze I** *adj.* Gefrier-, Frostschutz…; **II** *s.* Frostschutzmittel *n*; **ˈ~-ˌfric·tion** *s.* Schmiermittel *n*: ***~ metal*** Lagermetall *n*; **ˈ~-gas** *adj.* Gasschutz…

an·ti·gen [ˈæntɪdʒən] *s.* ⚕ Antiˈgen *n*, Abwehrstoff *m*.

ˌan·ti|-ˈglare → ***anti-dazzle***; **ˌ~ˈha·lo** *adj. phot.* lichthoffrei; **ˈ~-ˌhe·ro** *s.* Antiheld *m*; **ˌ~·imˈpe·ri·al·ist** *s.* Gegner *m* des Imperiaˈlismus; **ˈ~-ˌin·terˈfer·ence** *adj.* ϟ Entstörungs…, Störschutz…; **ˈ~·jam** *v/t. u. v/i. Radio* entstören; **ˌ~ˈknock** ⚗, *mot.* **I** *adj.* klopffest; **II** *s.* Antiˈklopfmittel *n*.

an·ti|·ma·cas·sar [ˌæntɪməˈkæsə] **I** *s.* Sofa- *od.* Sesselschoner *m*; **II** *adj. fig.* altmodisch; **ˌ~-maˈlar·i·al** *s.* ⚕ Maˈlariamittel *n*; **ˈ~ˌmat·ter** *s. phys.* ˈAntimaˌterie *f*; **ˌ~ˈmis·sile** *s.* ⚔ Antiraˈketenraˌkete *f*.

an·ti·mo·ny [ˈæntɪmənɪ] *s.* ⚗, *min.* Antiˈmon *n*.

an·tin·o·my [ænˈtɪnəmɪ] *s.* Antinoˈmie *f*, ˈWiderspruch *m*.

ˌan·ti·paˈthet·ic, ˌan·ti·paˈthet·i·cal [-pəˈθetɪk(l)] *adj.* □ (***to***) **1.** zuˈwider (*dat.*); **2.** abgeneigt (*dat.*); **an·tip·a·thy** [ænˈtɪpəθɪ] *s.* Antipaˈthie *f*, Abneigung *f* (***against, to*** gegen).

ˌan·ti|-per·sonˈnel *adj.*: ⚔ ***~ bomb*** Splitterbombe *f*; ***~ mine*** Schützen-, Tretmine *f*; **ˌ~·phloˈgis·tic** [-fləʊˈdʒɪstɪk] **I** *adj.* **1.** ⚗ antiphloˈgistisch; **2.** ⚕ entzündungshemmend; **II** *s.* **3.** ⚕ Antiphloˈgistikum *n*.

an·tiph·o·ny [ænˈtɪfənɪ] *s.* Antiphoˈnie *f*, Wechselgesang *m*.

an·tip·o·dal [ænˈtɪpədl] *adj.* antiˈpodisch, *fig. a.* genau entgegengesetzt; **an·tip·o·de·an** [ænˌtɪpəˈdiːən] *s.* Antiˈpode *m*, Gegenfüßler *m*; **an·tip·o·des** [ænˈtɪpədiːz] *s. pl.* **1.** die diameˈtral gegenˈüberliegenden Teile *pl.* der Erde; **2.** *sg. u. pl.* Gegenteil *n*, -satz *m*, -seite *f*.

ˌan·ti|·polˈlu·tion *adj.* umweltschützend; **ˌ~·polˈlu·tion·ist** [-pəˈluːʃənɪst] *s.* Umweltschützer *m*; **ˈ~·pope** *s.* Gegenpapst *m*; **ˌ~·pyˈret·ic** ⚕ **I** *adj.* fieberverhütend; **II** *s.* Fiebermittel *n*; **ˌ~ˈpy·rin(e)** [-ˈpaɪərɪn] *s.* ⚕ Antipyˈrin *n*.

an·ti·quar·i·an [ˌæntɪˈkweərɪən] **I** *adj.* altertümlich; **II** *s.* → **an·ti·quar·y** [ˈæntɪkwərɪ] *s.* **1.** Altertumskenner *m*, -forscher *m*; **2.** Antiquiˈtätensammler *m*, -händler *m*; **an·ti·quat·ed** [ˈæntɪkweɪtɪd] *adj.* veraltet, altmodisch, überˈholt, antiˈquiert.

an·tique [ænˈtiːk] **I** *adj.* □ **1.** anˈtik, alt; **2.** altmodisch, veraltet; **II** *s.* **3.** Antiquiˈtät *f*: ***~ dealer*** Antiquitätenhändler *m*; **4.** *typ.* Egyptiˈenne *f*; **an·tiq·ui·ty** [ænˈtɪkwətɪ] *s.* **1.** Altertum *n*, Vorzeit *f*; **2.** die Alten *pl.* (*bsd. Griechen u. Römer*); **3.** *die* Antike; **4.** *pl.* Antiquiˈtäten *pl.*, Altertümer *pl.*; **5.** (ehrwürdiges) Alter.

ˌan·ti|-ˈrust *adj.* Rostschutz…; **ˈ~-ˌsab·baˈtar·i·an** *adj. u. s.* der strengen Sonntagsheiligung abgeneigt(e Perˈson); **ˌ~-ˈSem·ite** *s.* Antiseˈmit(in); **ˌ~-Seˈmit·ic** *adj.* antiseˈmitisch; **ˌ~-ˈSem·i·tism** *s.* Antisemiˈtismus *m*; **ˌ~ˈsep·tic** ⚕ **I** *adj.* (□ ***~ally***) antiˈseptisch; **II** *s.* Antiˈseptikum *n*; **ˌ~-ˈskid** *adj.* ⚙, *mot.* gleit-, schleudersicher, Gleitschutz…; rutschfest; **ˌ~ˈso·cial** *adj.* ˈunsoziˌal, gesellschaftsfeindlich; ungesellig; **ˌ~ˈtank** *adj.* ⚔ Panzerabwehr… (*-kanone etc.*), Panzer… (*-sperre etc.*); Panzerjäger…: ***~ battalion***.

an·tith·e·sis [ænˈtɪθɪsɪs] *pl.* **-ses** [-siːz] *s.* Antiˈthese *f*: a) Gegensatz *m*, b) ˈWiderspruch *m*; **an·ti·thet·ic, an·ti·thet·i·cal** [ˌæntɪˈθetɪk(l)] *adj.* □ im Widerspruch stehend, gegensätzlich, antiˈthetisch; **anˈtith·e·size** [-saɪz] *v/t.* in Gegensätzen ausdrücken; in ˈWiderspruch bringen.

ˌan·ti|ˈtox·in *s.* ⚕ Antitoˈxin *n*, Gegengift *n*; ˌ~-ˈ**trust** *adj.* karˈtell- u. monoˈpolfeindlich, Antitrust...; ˌ~ˈ**un·ion** *adj.* gewerkschaftsfeindlich; ˈ~·**world** *s.* Antiwelt *f*.

ant·ler [ˈæntlə] *s. zo.* **1.** Geweihsprosse *f*; **2.** *pl.* Geweih *n*.

an·to·nym [ˈæntənɪm] *s. ling.* Antoˈnym *n*.

a·nus [ˈeɪnəs] *s.* After *m*, Anus *m*.

an·vil [ˈænvɪl] *s.* Amboß *m* (*a. anat. u. fig.*).

anx·i·e·ty [æŋˈzaɪətɪ] *s.* **1.** Angst *f*, Unruhe *f*; Bedenken *n*, Besorgnis *f*, Sorge *f* (***for*** um); **2.** ⚕ Angst(gefühl *n*) *f*, Beklemmung *f*: ~ ***neurosis*** Angstneurose *f*; ~ ***state*** Angstzustand *m*; **3.** starkes Verlangen, eifriges (Be)Streben *n* (***for*** nach); **anx·ious** [ˈæŋ*k*ʃəs] *adj.* □ **1.** ängstlich, bange, besorgt, unruhig (***about*** um, wegen): ~ ***about his health*** um s-e Gesundheit besorgt; **2.** *fig.* (***for, to*** *inf.*) begierig (auf *acc.*, nach, zu *inf.*), bestrebt (zu *inf.*), bedacht (auf *acc.*): ~ ***for his report*** auf s-n Bericht begierig *od.* gespannt; ***he is ~ to please*** er gibt sich alle Mühe(, es recht zu machen); ***I am ~ to see him*** mir liegt daran, ihn zu sehen; ***I am ~ to know*** ich möchte zu gern wissen, ich bin begierig zu wissen.

an·y [ˈenɪ] **I** *adj.* **1.** (*fragend, verneinend od. bedingend*) (irgend)ein, (irgend)welch; etwaig; einige *pl.*; etwas: ***have you ~ money on you?*** haben Sie Geld bei sich?; ***if I had ~ hope*** wenn ich irgendwelche Hoffnung hätte; ***not ~*** kein; ***there was not ~ milk in the house*** es war keine Milch im Hause; ***I cannot eat ~ more*** ich kann nichts mehr essen; **2.** (*bejahend*) jeder, jede, jedes (beliebige): ~ ***cat will scratch*** jede Katze kratzt; ~ ***amount*** jede beliebige Menge, ein ganzer Haufen; ***in ~ case*** auf jeden Fall; ***at ~ rate*** jedenfalls, wenigstens; ***at ~ time*** jederzeit; **II** *pron. sg. u. pl.* **3.** irgendein; irgendwelche *pl.*; etwas: ***no money and no prospect of ~*** kein Geld und keine Aussicht auf welches; ***I'm not having ~!*** *sl.* ich pfeife drauf!; ***it doesn't help ~*** *sl.* es hilft einen Dreck; **III** *adv.* **4.** irgend(wie), (noch) etwas: ~ ***more?*** noch (etwas) mehr?; ***not ~ more than*** ebensowenig wie; ***is he ~ happier now?*** ist er denn jetzt glücklicher?; → ***if*** 1; ˈ~ˌ**bod·y** *pron.* irgend jemand, irgendeine(r), ein beliebiger, eine beliebige: ~ ***but you*** jeder andere eher als du; ***is he ~ at all?*** ist er überhaupt jemand (von Bedeutung)?; ***ask ~ you meet*** frage den ersten besten, den du triffst; ***it's ~'s match*** F das Spiel ist (noch) völlig offen; → ***guess*** 7; ˈ~·**how** *adv.* **1.** irgendwie; so gut wie's geht, schlecht und recht; **2.** a) trotzdem, jedenfalls, b) sowieˈso, ohneˈhin, c) immerˈhin: ***you won't be late ~*** jedenfalls wirst du nicht zu spät kommen; ***who wants him to come ~?*** wer will denn überhaupt, daß er kommt?; ***I am going there ~*** ich gehe ohnehin dorthin; ˈ~·**one** → ***anybody***; ˈ~·**place** *Am.* → ***anywhere***; ˈ~·**thing** *pron.* **1.** (irgend) etwas, etwas Beliebiges: ***not ~*** gar nichts; ***not for ~*** um keinen Preis; ***take ~ you like*** nimm, was du willst; ***my head aches like ~*** F mein Kopf schmerzt wie toll; ***for ~ I know*** soviel ich weiß; ~ ***goes!*** F alles ist ‚drin'!; **2.** alles: ~ ***but*** alles andere (eher) als; ˈ~·**way** *adv.* **1.** irgendwie; **2.** → ***anyhow*** 2; ˈ~·**where** *adv.* **1.** irgendwo (-hin): ***not ~*** nirgendwo; **2.** überˈall: ***from ~*** von überall her.

A one → ***A 1***.

a·o·rist [ˈeərɪst] *s. ling.* Aoˈrist *m*.

a·or·ta [eɪˈɔːtə] *s. anat.* Aˈorta *f*, Hauptschlagader *f*.

a·pace [əˈpeɪs] *adv.* schnell, rasch, zusehends.

A·pach·e *pl.* **-es** *od.* **-e** *s.* **1.** [əˈpætʃɪ] Aˈpache *m* (*Indianer*); **2.** ♀ [əˈpæʃ] Aˈpache *m*, ˈUnterweltler *m*.

ap·a·nage → ***appanage***.

a·part [əˈpɑːt] *adv.* **1.** einzeln, für sich, (ab)gesondert (***from*** von): ***keep ~*** getrennt *od.* auseinanderhalten; ***take ~*** zerlegen, auseinandernehmen (*a. fig.* F *j-n*); ~ ***from*** abgesehen von; **2.** abseits, beiˈseite: ***joking ~*** Scherz beiseite.

a·part·heid [əˈpɑːtheɪt] *s.* Aˈpartheid *f*, (Poliˈtik *f* der) Rassentrennung *f in Südafrika.*

a·part·ho·tel [əˌpɑːthəʊˈtel] *s. Brit. Eigentumswohnanlage, deren Wohneinheiten bei Abwesenheit der Eigentümer als Hotelsuiten vermietet werden.*

a·part·ment [əˈpɑːtmənt] *s.* **1.** Zimmer *n*; **2.** *Am.* (Eˈtagen)Wohnung *f*; **3.** *Brit.* große Luxuswohnung; ~ **block** *s.*, ~ **build·ing** *s.* Mietshaus *n*; ~ **ho·tel** *s. Am.* Aˈparthoˌtel *n* (*das Appartements mit Bedienung u. Verpflegung vermietet*); ~ **house** *s.* Mietshaus *n*.

ap·a·thet·ic, **ap·a·thet·i·cal** [ˌæpəˈθetɪk(l)] *adj.* □ aˈpathisch, teilnahmslos; **ap·a·thy** [ˈæpəθɪ] *s.* Apaˈthie *f*, Teilnahmslosigkeit *f*; Gleichgültigkeit *f* (***to*** gegen).

ape [eɪp] **I** *s. zo.* (*bsd.* Menschen)Affe *m*; *fig.* a) Nachäffer(in), b) ‚Affe' *m*, ‚Goˈrilla' *m*: ***go ~*** ‚überschnappen'; **II** *v/t.* nachäffen.

a·pe·ri·ent [əˈpɪərɪənt] ⚕ **I** *adj.* abführend; **II** *s.* Abführmittel *n*.

a·pé·ri·tif [ɑːˌperɪˈtiːf] *s.* Aperiˈtif *m*.

ap·er·ture [ˈæpəˌtjʊə] *s.* **1.** Öffnung *f*, Schlitz *m*, Loch *n*; **2.** *phot.*, *phys.* Blende *f*.

a·pex [ˈeɪpeks] *pl.* ˈ**a·pex·es** *od.* ˈ**a·pi-**

ces [-pɪsiːz] *s.* **1.** (*a. anat. Lungen- etc.*) Spitze *f*, Gipfel *m*, Scheitelpunkt *m*; **2.** *fig.* Gipfel *m*, Höhepunkt *m*.

a·phe·li·on [æˈfiːljən] *s.* **1.** *ast.* Aˈphelium *n*; **2.** *fig.* entferntester Punkt.

a·phid [ˈeɪfɪd], *a.* **a·phis** [ˈeɪfɪs] *pl.* ˈ**aph·i·des** [-diːz] *s. zo.* Blattlaus *f*.

aph·o·rism [ˈæfərɪzəm] *s.* Aphoˈrismus *m*, Gedankensplitter *m*; ˈ**aph·o·rist** [-ɪst] *s.* Aphoˈristiker *m*.

aph·ro·dis·i·ac [ˌæfrəʊˈdɪzɪæk] ⚕ **I** *adj.* aphroˈdisisch, den Geschlechtstrieb steigernd; *weitS.* erotisierend, erregend; **II** *s.* Aphrodiˈsiakum *n*.

a·pi·ar·i·an [ˌeɪpɪˈeərɪən] *adj.* Bienen(zucht)...; **a·pi·a·rist** [ˈeɪpjərɪst] *s.* Bienenzüchter *m*, Imker *m*; **a·pi·ar·y** [ˈeɪpjərɪ] *s.* Bienenhaus *n*.

ap·i·cal [ˈæpɪkl] *adj.* □ Spitzen...: **~ angle** ⩓ Winkel *m* an der Spitze; **~ pneumonia** ⚕ Lungenspitzenkatarrh *m*.

a·pi·cul·ture [ˈeɪpɪkʌltʃə] *s.* Bienenzucht *f*.

a·piece [əˈpiːs] *adv.* für jedes Stück, je; pro Perˈson, pro Kopf.

ap·ish [ˈeɪpɪʃ] *adj.* □ **1.** affenartig; **2.** nachäffend; albern, läppisch.

a·plomb [əˈplɒm] (*Fr.*) *s.* **1.** Aˈplomb *m*, (selbst)sicheres Auftreten, Selbstbewußtsein *n*; **2.** Fassung *f*.

A·poc·a·lypse [əˈpɒkəlɪps] *s.* **1.** *bibl.* Apokaˈlypse *f*, Offenˈbarung *f* Joˈhannis; **2.** ♀ a) Enthüllung *f*, Offenˈbarung *f*, b) Apokaˈlypse *f*, (ˈWelt)kataˌstrophe *f*; **a·poc·a·lyp·tic** [əˌpɒkəˈlɪptɪk] *adj.* (□ **~ally**) **1.** apokaˈlyptisch (*a. fig.*); **2.** *fig.* dunkel, rätselhaft; **3.** *fig.* unheilkündend.

a·poc·ry·pha [əˈpɒkrɪfə] *s. bibl.* Apoˈkryphen *pl.*; **aˈpoc·ry·phal** [-fl] *adj.* apoˈkryphisch, von zweifelhafter Verfasserschaft; zweifelhaft; unecht.

ap·o·gee [ˈæpəʊdʒiː] *s.* **1.** *ast.* Apoˈgäum *n*, Erdferne *f*; **2.** *fig.* Höhepunkt *m*, Gipfel *m*.

a·po·lit·i·cal [ˌeɪpəˈlɪtɪkl] *adj.* ˈapolitisch.

A·pol·lo [əˈpɒləʊ] *npr. myth. u. s. fig.* Aˈpoll(o) *m*.

a·pol·o·get·ic [əˌpɒləˈdʒetɪk] **I** *s.* **1.** Entschuldigung *f*, Verteidigung *f*; **2.** *mst pl. eccl.* Apoloˈgetik *f*; **II** *adj.* **3.** → **aˌpol·oˈget·i·cal** [-kl] *adj.* □ **1.** entschuldigend, rechtfertigend; **2.** kleinlaut, reumütig, schüchtern; **ap·o·lo·gi·a** [ˌæpəˈləʊdʒɪə] *s.* Verteidigung *f*, (Selbst-)Rechtfertigung *f*, Apoloˈgie *f*; **a·pol·o·gist** [əˈpɒlədʒɪst] *s.* **1.** Verteidiger(in); **2.** *eccl.* Apoloˈget *m*; **a·pol·o·gize** [əˈpɒlədʒaɪz] *v/i.* : **~ to s.o.** (**for s.th.**) sich bei j-m (für et.) entschuldigen, j-n (für et.) um Verzeihung bitten; **a·pol·o·gy** [əˈpɒlədʒɪ] *s.* **1.** Entschuldigung *f*, Abbitte *f*; Rechtfertigung *f*: **make an ~ to s.o.** (**for s.th**) → **apologize**; **2.** Verteidigungsrede *f*, -schrift *f*; **3.** F minderwertiger Ersatz: **an ~ for a meal** ein armseliges Essen.

ap·o·phthegm → **apothegm**.

ap·o·plec·tic, **ap·o·plec·ti·cal** [ˌæpəˈplektɪk(l)] *adj.* □ apoˈplektisch: a) Schlaganfall..., b) zum Schlaganfall neigend; *fig.* e-m Schlaganfall nahe (vor Wut): **~ fit**, **~ stroke** → **ap·o·plex·y** [ˈæpəpleksɪ] *s.* ⚕ Apopleˈxie *f*, Schlaganfall *m*, (Gehirn)Schlag *m*.

a·pos·ta·sy [əˈpɒstəsɪ] *s.* Abfall *m*, Abtrünnigkeit *f* (*vom Glauben*, *von e-r Partei etc.*); **aˈpos·tate** [-teɪt] **I** *s.* Abtrünnige(r *m*) *f*, Reneˈgat *m*; **II** *adj.* abtrünnig; **aˈpos·ta·tize** [-tətaɪz] *v/i.* **1.** (**from**) abfallen (von), abtrünnig *od.* untreu werden (*dat.*); **2.** ˈübergehen (**from ... to** von ... zu).

a·pos·tle [əˈpɒsl] *s.* **1.** *eccl.* Aˈpostel *m*: ♀**s' Creed** Apostolisches Glaubensbekenntnis; **2.** *fig.* Aˈpostel *m*, Verfechter *m*, Vorkämpfer *m*: **~ of Free Trade**; **a·pos·to·late** [əˈpɒstəʊlət] *s.* Apostoˈlat *n*, Aˈpostelamt *n*, -würde *f*; **ap·os·tol·ic**, *oft* ♀ [ˌæpəˈstɒlɪk] *adj.* (□ **~ally**) apoˈstolisch: **~ succession** apostolische Nachfolge; ♀ **See** Heiliger Stuhl.

a·pos·tro·phe [əˈpɒstrəfɪ] *s.* **1.** (feierliche) Anrede; **2.** *ling.* Apoˈstroph *m*; **aˈpos·tro·phize** [-faɪz] *v/t.* apostrophieren: a) mit e-m Apoˈstroph versehen, b) *j-n besonders* ansprechen, sich wenden an (*acc.*).

a·poth·e·car·y [əˈpɒθəkərɪ] *s. obs. bsd. Am.* Apoˈtheker *m*.

ap·o·thegm [ˈæpəʊθem] *s.* Denk-, Kern-, Lehrspruch *m*; Maˈxime *f*.

a·poth·e·o·sis [əˌpɒθɪˈəʊsɪs] *s.* **1.** Apotheˈose *f*: a) Vergöttlichung *f*, b) *fig.* Verherrlichung *f*, Vergötterung *f*; **2.** *fig.* Ideˈal *n*.

Ap·pa·lach·i·an [ˌæpəˈleɪtʃjən] *adj.*: **~ Mountains** *die* Appalachen (*Gebirge im Nordosten der USA*).

ap·pal, *Am. a.* **ap·pall** [əˈpɔːl] *v/t.* erschrecken, entsetzen: **be ~led** entsetzt sein (**at** über *acc.*); **apˈpal·ling** [-lɪŋ] *adj.* □ erschreckend, entsetzlich, beängstigend.

ap·pa·nage [ˈæpənɪdʒ] *s.* **1.** Apaˈnage *f e-s Prinzen*; *fig.* Erbteil *n*; Einnahme(-quelle) *f*; **2.** abhängiges Gebiet; **3.** *fig.* Merkmal *n*, Zubehör *n*.

ap·pa·ra·tus [ˌæpəˈreɪtəs] *pl.* **-tus** [-təs], **-tus·es** *s.* **1.** Appaˈrat *m*, Gerät *n*, Vorrichtung *f*; *coll.* Apparat(e *pl.*) *m* (*a. fig.*), Apparaˈtur *f*, Maschineˈrie *f* (*a. fig.*): **~ work** Geräteturnen *n*; **2.** ⚕ Syˈstem *n*, Appaˈrat *m*: **respiratory ~** Atmungsapparat, Atemwerkzeuge *pl.*

ap·par·el [əˈpærəl] *s.* **1.** Kleidung *f*, Tracht *f*; **2.** *fig.* Gewand *n*, Schmuck *m*.

ap·par·ent [əˈpærənt] *adj.* □ → **appar-**

ently; **1.** sichtbar; **2.** augenscheinlich, offenbar; ersichtlich, einleuchtend: → ***heir***; **3.** scheinbar, anscheinend, Schein...; **ap'par·ent·ly** [-lɪ] *adv.* anscheinend, wie es scheint; **ap·pa·ri·tion** [ˌæpəˈrɪʃən] *s.* **1.** (plötzliches) Erscheinen; **2.** Erscheinung *f*, Gespenst *n*, Geist *m*.

ap·peal [əˈpiːl] **I** *v/i.* **1.** (***to***) appellieren, sich wenden (an *acc.*); *j-n od. et.* (als Zeugen) anrufen, sich berufen (auf *acc.*): ***~ to the law*** das Gesetz anrufen; ***~ to history*** die Geschichte als Zeugen anrufen; ***~ to the country*** *pol. Brit.* (das Parlament auflösen u.) Neuwahlen ausschreiben; **2.** (***to s.o. for s.th.***) (j-n) dringend (um et.) bitten, (j-n um et.) anrufen; **3.** Einspruch erheben; *bsd.* ⚖ Berufung *od.* Revisiˈon *od.* Beschwerde einlegen (***against***, ⚖ *mst* ***from*** gegen); **4.** (***to***) wirken (auf *acc.*), reizen (*acc.*), gefallen, zusagen (*dat.*), Anklang finden (bei); **II** *s.* **5.** (***to***) dringende Bitte (an *acc.*, ***for*** um); Aufruf *m*, Mahnung *f* (an *acc.*); Werbung *f* (bei); Aufforderung *f* (*gen.*); **6.** (***to***) Apˈpell *m* (an *acc.*), Anrufung *f* (*gen.*): ***~ to reason*** Appell an die Vernunft; **7.** (***to***) Verweisung *f* (an *acc.*), Berufung *f* (auf *acc.*); **8.** ⚖ Rechtsmittel *n* (***from*** *od.* ***against*** gegen): a) Berufung *f*, Revisiˈon *f*, b) (Rechts)Beschwerde *f*, Einspruch *m*: ***Court of ~*** Berufungs- *od.* Revisionsgericht *n*; **9.** (***to***) Wirkung *f*, Anziehung(skraft) *f* (auf *acc.*); ✝, *thea. etc.* Zugkraft *f*; Anklang *m*, Beliebtheit *f* (bei); **ap'peal·ing** [-lɪŋ] *adj.* □ **1.** flehend; **2.** ansprechend, reizvoll, gefällig.

ap·pear [əˈpɪə] *v/i.* **1.** erscheinen (*a. von Büchern*), sich zeigen; *öffentlich* auftreten; **2.** erscheinen, sich stellen (*vor Gericht etc.*); **3.** scheinen, den Anschein haben, aussehen, *j-m* vorkommen: ***it ~s to me you are right*** mir scheint, Sie haben recht; ***he ~s to be tired***; ***it does not ~ that*** es liegt kein Anhaltspunkt dafür vor, daß; **4.** sich herˈausstellen: ***it ~s from this*** hieraus ergibt sich *od.* geht hervor; **ap·pearance** [əˈpɪərəns] *s.* **1.** Erscheinen *n*, *öffentliches* Auftreten, Vorkommen *n*: ***make one's ~*** sich einstellen, sich zeigen; ***put in an ~*** (persönlich) erscheinen; **2.** (äußere) Erscheinung, Aussehen *n*, *das* Äußere: ***at first ~*** beim ersten Anblick; **3.** äußerer Schein, (An)Schein *m*: ***there is every ~ that*** es hat ganz den Anschein, daß; ***in ~*** anscheinend; ***to all ~(s)*** allem Anschein nach; ***~s are against him*** der (Augen)Schein spricht gegen ihn; ***keep up*** (*od.* ***save***) ***~s*** den Schein wahren.

ap·pease [əˈpiːz] *v/t.* **1.** *j-n od. j-s Zorn etc.* beruhigen, beschwichtigen; *Streit* schlichten, beilegen; *Leiden* mildern; *Durst etc.* stillen; *Neugier* befriedigen; **2.** *bsd. pol.* (durch Nachgiebigkeit *od.* Zugeständnisse) beschwichtigen; **ap'pease·ment** [-mənt] *s.* Beruhigung *f etc.*; Beˈschwichtigung(spoliˌtik) *f*; **ap'peas·er** [-zə] *s. pol.* Beˈschwichtigungspoˌlitiker *m*.

ap·pel·lant [əˈpelənt] **I** *adj.* appellierend; **II** *s.* Appelˈlant *m*, Berufungskläger(in); Beschwerdeführer(in); **ap'pel·late** [-lət] *adj.* Berufungs...: ***~ court*** Berufungsinstanz *f*, Revisions-, Appellationsgericht *n*.

ap·pel·la·tion [ˌæpəˈleɪʃn] *s.* Benennung *f*, Name *m*; **ap·pel·la·tive** [əˈpelətɪv] **I** *adj.* □ *ling.* appellaˈtiv: ***~ name*** Gattungsname *m*; **II** *s. ling.* Gattungsname *m*.

ap·pel·lee [ˌæpeˈliː] *s.* ⚖ Berufungsbeklagte(r *m*) *f*.

ap·pend [əˈpend] *v/t.* **1.** (***to***) befestigen, anbringen (an *dat.*), anhängen (an *acc.*); **2.** hinˈzu-, beifügen (***to*** *dat.*, zu): ***to ~ the signature***; ***to ~ a price-list***; **ap'pend·age** [-dɪdʒ] *s.* **1.** Anhang *m*, Anhängsel *n*, Zubehör *n*, *m*; **2.** *fig.* Anhängsel *n*: a) Beigabe *f*, b) (ständiger) Begleiter; **ap·pen·dec·to·my** [ˌæpenˈdektəmɪ] *s.* ˈBlinddarmoperatiˌon *f*; **ap·pen·di·ces** *pl. von* ***appendix***; **ap·pen·di·ci·tis** [əˌpendɪˈsaɪtɪs] *s.* ⚕ Blinddarmentzündung *f*; **ap·pen·dix** [əˈpendɪks] *pl.* **-dix·es**, **-di·ces** [-dɪsiːz] *s.* **1.** Anhang *m e-s Buches*; **2.** ⚙ Ansatz *m*; **3.** *anat.* Fortsatz *m*: (***vermiform***) ***~*** Wurmfortsatz *m*, Blinddarm *m*.

ap·per·tain [ˌæpəˈteɪn] *v/i.* (***to***) gehören (zu), (zu)gehören (*dat.*); *j-m* zustehen, gebühren (*dat.*).

ap·pe·tence [ˈæpɪtəns], **'ap·pe·ten·cy** [-sɪ] *s.* **1.** Verlangen *n* (***of***, ***for***, ***after*** nach); **2.** instinkˈtive Neigung; (Naˈtur) Trieb *m*.

ap·pe·tite [ˈæpɪtaɪt] *s.* **1.** (***for***) Verlangen *n*, Gelüst *n* (nach); Neigung *f*, Trieb *m*, Lust *f* (zu), ‚Appeˈtit' (auf *acc.*); **2.** Appeˈtit *m* (***for*** auf *acc.*), Eßlust *f*: ***have an ~*** Appetit haben; ***take away*** (*od.* ***spoil***) ***s.o.'s ~*** j-m den Appetit nehmen *od.* verderben; ***loss of ~*** Appetitlosigkeit *f*; ***~ suppressant*** Appetitzügler *m*; **'ap·pe·tiz·er** [-aɪzə] *s.* appeˈtitanregendes Mittel *od.* Getränk *od.* Gericht, Aperiˈtif *m*; **'ap·pe·tiz·ing** [-aɪzɪŋ] *adj.* □ appeˈtitanregend; appeˈtitlich, lecker (*beide a. fig.*); *fig.* reizvoll, ‚zum Anbeißen'.

ap·plaud [əˈplɔːd] **I** *v/i.* applaudieren, Beifall spenden; **II** *v/t.* beklatschen, *j-m* Beifall spenden; *fig.* loben, billigen; *j-m* zustimmen; **ap·plause** [əˈplɔːz] *s.* **1.** Apˈplaus *m*, Beifall(klatschen *n*) *m*: ***break into ~*** in Beifall ausbrechen; **2.** *fig.* Zustimmung *f*, Anerkennung *f*, Beifall *m*.

ap·ple [ˈæpl] *s.* Apfel *m*: ***~ of discord***

fig. Zankapfel; **~ *of one's eye*** *anat.* Augapfel (*a. fig.*); **'~-cart** *s.* Apfelkarren *m*: ***upset the*** *od.* ***s.o.'s ~*** *fig.* alle *od.* j-s Pläne über den Haufen werfen; **~ char·lotte** ['ʃɑ:lət] *s.* 'Apfelchar,lotte *f* (*e-e Apfelspeise*); **~ dump·ling** *s.* Apfel *m* im Schlafrock; **~ frit·ters** *s. pl.* (in Teig gebackene) Apfelschnitten *pl.*; **'~-jack** *s. Am.* Apfelschnaps *m*; **'~-pie** *s.* (warmer) gedeckter Apfelkuchen; **'~-pie or·der** *s.* F schönste Ordnung: ***everything is in ~*** alles ‚in Butter' *od.* in bester Ordnung; **~ pol·ish·er** *s. Am.* F Speichellecker *m*; **'~·sauce** *s.* **1.** Apfelmus *n*; **2.** *Am. sl.* a) ‚Schmus' *m*, Schmeiche'lei *f*, b) *int.* Quatsch!; **'~-tree** *s.* ⚘ Apfelbaum *m*.

ap·pli·ance [ə'plaɪəns] *s.* Gerät *n*, Vorrichtung *f*, Appa'rat *m*.

ap·pli·ca·bil·i·ty [,æplɪkə'bɪlətɪ] *s.* (***to***) Anwendbarkeit *f* (auf *acc.*), Eignung *f* (für); **ap·pli·ca·ble** ['æplɪkəbl] *adj.* □ (***to***) anwendbar (auf *acc.*), passend, geeignet (für): ***not ~*** *in Formularen*: nicht zutreffend, entfällt; **ap·pli·cant** ['æplɪkənt] *s.* (***for***) Bewerber(in) (um), Besteller(in) (*gen.*); Antragsteller(in); (Pa'tent)Anmelder(in); **ap·pli·ca·tion** [,æplɪ'keɪʃn] *s.* **1.** ⚕ Auf-, Anlegen *n e-s Verbandes etc.*; Anwendung *f* (***to*** auf *acc.*); **2.** (***to*** für) An-, Verwendung *f*, Gebrauch *m*: ***~ of poison***; ***~ of drastic measures***; **3.** (***to***) Anwendung *f*, Anwendbarkeit *f* (auf *acc.*); Beziehung *f* (zu); ***~ software*** Anwendersoftware *f*; ***have no ~*** keine Anwendung finden, unangebracht sein, nicht zutreffen; **4.** (***for***) Gesuch *n*, Bitte *f* (um); Antrag *m* (auf *acc.*): ***an ~ for help***; ***make an ~*** ein Gesuch einreichen, e-n Antrag stellen; ***~ for a patent*** Anmeldung *f* zum Patent; ***samples on ~*** Muster auf Verlangen *od.* Wunsch; **5.** Bewerbung *f* (***for*** um): (***letter of***) ***~*** Bewerbungsschreiben *n*; **6.** Fleiß *m*, Eifer *m* (***in*** bei): ***~ in one's studies***; **ap·plied** [ə'plaɪd] *adj.* angewandt: ***~ chemistry*** (***psychology*** *etc.*); ***~ art*** Kunstgewerbe *n*, Gebrauchsgraphik *f*.

ap·pli·qué [æ'pli:keɪ] *adj.* aufgelegt, -genäht, appliziert: ***~ work*** Applikation (-sstickerei) *f*.

ap·ply [ə'plaɪ] **I** *v/t.* **1.** (***to***) auflegen, -tragen, legen (auf *acc.*), anbringen (an, auf *dat.*): ***~ a plaster to a wound***; **2.** (***to***) a) verwenden (auf *acc.*, für), b) anwenden (auf *acc.*): ***~ a rule***; ***applied to modern conditions*** auf moderne Verhältnisse angewandt, c) gebrauchen (für): ***~ the brakes*** bremsen, d) verwerten (zu, für); **3.** *Sinn* richten (***to*** auf *acc.*); **4.** ***~ o.s.*** sich widmen (***to*** *dat.*): ***~ o.s. to a task***; **II** *v/i.* **5.** (***to***) sich wenden (an *acc.*, ***for*** wegen), sich melden (bei): ***~ to the manager***; **6.** (***for***) beantragen (*acc.*); sich bewerben, sich bemühen, ersuchen (um): ***~ for a job***; **7.** (***for***) (*bsd.* zum Pa'tent) anmelden (*acc.*); **8.** (***to***) Anwendung finden (bei, auf *acc.*), passen, zutreffen (auf *acc.*), gelten (für): ***cross out that which does not ~*** Nichtzutreffendes bitte streichen.

ap·point [ə'pɔɪnt] *v/t.* **1.** ernennen, berufen, an-, bestellen: ***~ a teacher*** e-n Lehrer anstellen; ***~ an heir*** e-n Erben einsetzen; ***~ s.o. governor*** j-n zum Gouverneur ernennen, j-n als Gouverneur berufen; ***~ s.o. to a professorship*** j-m e-e Professur übertragen; **2.** festsetzen, bestimmen; vorschreiben; verabreden: ***~ a time***; ***the ~ed day*** der festgesetzte Tag *od.* Termin, der Stichtag; ***the ~ed task*** die vorgeschriebene Aufgabe; **3.** einrichten, ausrüsten: ***a well-~ed house***; **ap·point·ee** [əpɔɪn'ti:] *s.* Ernannte(r *m*) *f*; **ap'point·ment** [-mənt] *s.* **1.** Ernennung *f*, Anstellung *f*, Berufung *f*, Einsetzung *f* (*a. e-s Erben*), Bestellung *f* (*bsd. e-s Vormunds*); **2(*s*) *Board*** Behörde *f* zur Besetzung höherer Posten; ***by special ~ to the King*** Königlicher Hoflieferant; **2.** Amt *n*, Stellung *f*; **3.** Festsetzung *f bsd. e-s Termins*; **4.** Verabredung *f*; Zs.-kunft *f*; *geschäftlich, beim Arzt etc.*: Ter'min *m*: ***by ~*** nach Vereinbarung; ***make an ~*** e-e Verabredung treffen; ***keep*** (***break***) ***an ~*** eine Verabredung (nicht) einhalten; ***~ book*** Terminkalender *m*; **5.** *pl.* Ausstattung *f*, Einrichtung *f e-r Wohnung etc.*

ap·por·tion [ə'pɔ:ʃn] *v/t. e-n Anteil* zuteilen, (proportio'nal *od.* gerecht) ein-, verteilen; *Lob* erteilen, zollen; *Aufgabe* zuteilen; *Schuld* beimessen; *Kosten* 'umlegen; **ap'por·tion·ment** [-mənt] *s.* (gleichmäßige *od.* gerechte) Ver-, Zuteilung, Einteilung *f*; ('Kosten),Umlage *f*.

ap·po·site ['æpəʊzɪt] *adj.* □ (***to***) passend (für), angemessen (*dat.*), geeignet (für); angebracht, treffend; **'ap·po·site·ness** [-nɪs] *s.* Angemessenheit *f*; **ap·po·si·tion** [,æpə'zɪʃn] *s.* **1.** Bei-, Hin'zufügung *f*; **2.** *ling.* Appositi'on *f*, Beifügung *f*.

ap·prais·al [ə'preɪzl] *s.* (Ab)Schätzung *f*, Taxierung *f*; Schätzwert *m*, *a. ped.* Bewertung *f*; *fig.* Beurteilung *f*, Würdigung *f*; **ap·praise** [ə'preɪz] *v/t.* (ab-, ein)schätzen, taxieren, bewerten, beurteilen, würdigen; **ap'praise·ment** [-mənt] → ***appraisal***; **ap'prais·er** [-zə] *s.* (Ab)Schätzer *m*.

ap·pre·ci·a·ble [ə'pri:ʃəbl] *adj.* □ merklich, spürbar, nennenswert; **ap·pre·ci·ate** [ə'pri:ʃɪeɪt] **I** *v/t.* **1.** (hoch-) schätzen; richtig einschätzen, würdigen, zu schätzen *od.* würdigen wissen;

2. aufgeschlossen sein für, Gefallen finden an (*dat.*), Sinn haben für: ***~ music***; 3. dankbar sein für: ***I ~ your kindness***; 4. (richtig) beurteilen, einsehen, (klar) erkennen: ***~ a danger***; 5. *bsd. Am.* a) den Wert *e-r Sache* erhöhen, b) aufwerten; **II** *v/i.* 6. im Wert steigen; **ap·pre·ci·a·tion** [əˌpriːʃɪ'eɪʃn] *s.* 1. Würdigung *f*, (Wert-, Ein)Schätzung *f*, Anerkennung *f*; 2. Verständnis *n*, Aufgeschlossenheit *f*, Sinn *m* (***of*** für): ***~ of music***; 3. richtige Beurteilung, Einsicht *f*; 4. (kritische) Würdigung, *bsd. günstige* Kri'tik; 5. (***of***) Dankbarkeit *f* (für), (dankbare) Anerkennung (*gen.*); 6. ✝ a) Wertsteigerung *f*, b) Aufwertung *f*; **ap'pre·ci·a·tive** [-ʃjətɪv] *adj.*; **ap'pre·ci·a·to·ry** [-ʃjətərɪ] *adj.* □ (***of***) 1. anerkennend, würdigend (*acc.*); 2. verständnisvoll, empfänglich, dankbar (für): ***be ~ of*** zu schätzen wissen.

ap·pre·hend [ˌæprɪ'hend] *v/t.* 1. ergreifen, festnehmen, verhaften: ***~ a thief***; 2. *fig.* wahrnehmen, erkennen; begreifen, erfassen; 3. *fig.* (be)fürchten, ahnen, wittern; **ˌap·pre'hen·sion** [-nʃn] *s.* 1. Festnahme *f*, Verhaftung *f*; 2. *fig.* Begreifen *n*, Erfassen *n*; Verstand *m*, Fassungskraft *f*; 3. Begriff *m*, Ansicht *f*: ***according to popular ~***; 4. (Vor)Ahnung *f*, Besorgnis *f*: ***in ~ of*** *et.* befürchtend; **ˌap·pre'hen·sive** [-sɪv] *adj.* □ besorgt (***for*** um; ***of*** wegen; ***that*** daß), ängstlich: ***~ for one's life*** um sein Leben besorgt; ***be ~ of dangers*** sich vor Gefahren fürchten.

ap·pren·tice [ə'prentɪs] **I** *s.* Lehrling *m*, Auszubildende(r) *m*; Prakti'kant(in); *fig.* Anfänger *m*, Neuling *m*; **II** *v/t.* in die Lehre geben: ***be ~d to*** in die Lehre kommen zu, in der Lehre sein bei; **ap'pren·tice·ship** [-tɪʃɪp] *s.* a) *a. fig.* Lehrjahre *pl.*, -zeit *f*, Lehre *f*: ***serve one's ~*** (***with***) in die Lehre gehen (bei), b) Lehrstelle *f*.

ap·prise [ə'praɪz] *v/t.* in Kenntnis setzen, unter'richten (***of*** von).

ap·pro ['æprəʊ] *s.*: ***on ~*** ✝ F zur Ansicht, zur Probe.

ap·proach [ə'prəʊtʃ] **I** *v/i.* 1. sich nähern; (her'an)nahen, bevorstehen; 2. *fig.* nahekommen, ähnlich sein (***to*** *dat.*); 3. ✈ an-, einfliegen; **II** *v/t.* 4. sich nähern (*dat.*): ***~ the city***; ***~ the end***; 5. *fig.* nahekommen (*dat.*), (fast) erreichen: ***~ the required sum***; 6. her'angehen an (*acc.*): ***~ a task***; 7. her'antreten *od.* sich her'anmachen an (*acc.*): ***~ a customer***; ***~ a girl***; 8. *j-n* angehen, bitten; sich an *j-n* wenden (***for*** um, ***on*** wegen); 9. auf *et.* zu sprechen kommen; **III** *s.* 10. (Heran)Nahen *n* (*a. e-s Zeitpunktes etc.*); Annäherung *f*, Anmarsch *m* (*a.* ⚔), ✈ Anflug *m*; 11. *fig.* (***to***) Nahekommen *n*, Annäherung *f* (an *acc.*); Ähnlichkeit *f* (mit): ***an ~ to truth*** annähernd die Wahrheit; 12. Zugang *m*, Zufahrt *f*, Ein-, Auffahrt *f*; *pl.* ⚔ Laufgräben *pl.*; 13. (***to***) Einführung *f* (in *acc.*), erster Schritt (zu), Versuch *m* (*gen.*): ***a good ~ to philosophy***; ***an ~ to a smile*** der Versuch e-s Lächelns; 14. *oft pl.* Herantreten *n* (***to*** an *acc.*), Annäherungsversuche *pl.*; 15. *a.* ***method*** *od.* ***line of ~*** (***to***) a) Art *f* und Weise *f et.* anzupacken, Me'thode *f*, Verfahren *n*: (***basic***) ***~*** Ansatz *m*, b) Auffassung *f* (*gen.*), Haltung *f*, Einstellung *f* (zu), Stellungnahme *f* (zu); Behandlung *f e-s Themas etc.*; **ap'proach·a·ble** [-tʃəbl] *adj.* zugänglich (*a. fig.*).

ap·pro·ba·tion [ˌæprəʊ'beɪʃn] *s.* Billigung *f*, Genehmigung *f*; Bestätigung *f*; Zustimmung *f*, Beifall *m*.

ap·pro·pri·ate **I** *adj.* [ə'prəʊprɪət] □ 1. (***to***, ***for***) passend, geeignet (für, zu), angemessen (*dat.*), entsprechend (*dat.*), richtig (für); 2. eigen, zugehörig (***to*** *dat.*); **II** *v/t.* [-ɪeɪt] 3. verwenden, bereitstellen; *parl. bsd. Geld* bewilligen (***to*** zu, ***for*** für); 4. sich *et.* aneignen (*a. widerrechtlich*); **ap·pro·pri·a·tion** [əˌprəʊprɪ'eɪʃn] *s.* 1. Aneignung *f*, Besitzergreifung *f*; 2. Verwendung *f*, Bereitstellung *f*; *parl.* (Geld)Bewilligung *f*.

ap·prov·a·ble [ə'pruːvəbl] *adj.* zu billigen(d), anerkennenswert; **ap'prov·al** [-vl] *s.* 1. Billigung *f*, Genehmigung *f*: ***the plan has my ~***; ***on ~*** zur Ansicht, auf Probe; 2. Anerkennung *f*, Beifall *m*: ***meet with ~*** Beifall finden; **ap·prove** [ə'pruːv] **I** *v/t.* 1. billigen, gutheißen, anerkennen, annehmen; bestätigen, genehmigen; 2. ***~ o.s.*** sich erweisen *od.* bewähren (***as*** als); **II** *v/i.* 3. billigen, anerkennen, gutheißen, genehmigen (***of*** *acc.*): ***~ of s.o.*** j-n akzeptieren; ***be ~d of*** Anklang finden; **ap'proved** [-vd] *adj.* 1. erprobt, bewährt: ***an ~ friend***; ***in the ~ manner***; 2. anerkannt: ***~ school*** *Brit. hist.* (staatliche) Erziehungsanstalt; **ap'prov·er** [-və] *s.* ⚖ *Brit.* Kronzeuge *m*; **ap'prov·ing·ly** [-vɪŋlɪ] *adv.* zustimmend, beifällig.

ap·prox·i·mate **I** *adj.* [ə'prɒksɪmət] □ → ***approximately***; 1. annähernd, ungefähr; Näherungs… (*-formel, -rechnung, -wert*); 2. *fig.* sehr ähnlich; **II** *v/t.* [-meɪt] 3. sich *e-r Menge od. e-m Wert* nähern, nahe- *od.* näherkommen (*dat.*); **III** *v/i.* [-meɪt] 4. nahe- *od.* näherkommen (*oft mit* ***to*** *dat.*); **ap'prox·i·mate·ly** [-lɪ] *adv.* annähernd, ungefähr, etwa; **ap·prox·i·ma·tion** [əˌprɒksɪ'meɪʃn] *s.* 1. Annäherung *f* (***to*** an *acc.*): ***an ~ to the truth*** annähernd die Wahrheit; 2. ⩓ a) (An)Näherung *f* (***to*** an *acc.*), b) Näherungswert *m*; annähernde Gleichheit; **ap'prox·i·ma·tive** [-ətɪv] *adj.* □

annähernd.

ap·pur·te·nance [əˈpɜːtɪnəns] *s.* **1.** Zubehör *n*, *m*; **2.** *pl.* ⚖ Reˈalrechte *pl.* (*aus Eigentum an Liegenschaften*); **apˈpur·te·nant** [-nt] *adj.* zugehörig (*to dat.*).

a·pri·cot [ˈeɪprɪkɒt] *s.* Apriˈkose *f*.

A·pril [ˈeɪprəl] *s.* Aˈpril *m*: ***in ~*** im April; ***~ fool*** Aprilnarr *m*; ***~ Fools Day*** der 1. April; ***make an ~ fool of s.o.***, ***~-fool s.o.*** j-n in den April schicken.

a pri·o·ri [ˌeɪpraɪˈɔːraɪ] *adv. u. adj. phls.* **1.** a priˈori, dedukˈtiv; **2.** F mutmaßlich, ohne (Über)ˈPrüfung.

a·pron [ˈeɪprən] *s.* **1.** Schürze *f*; Schurz (-fell *n*) *m*; **2.** Schurz *m von Freimaurern od. engl. Bischöfen*; **3.** ⚙ a) Schutzblech *n*, -haube *f*, b) *mot.* Blech-, Windschutz *m*, c) Schutzleder *n*, Kniedecke *f an Fahrzeugen*; **4.** ✈ (betoniertes) (Hallen)Vorfeld; **5.** *a.* ***~-stage*** *thea.* Vorbühne *f*; ˈ***~-strings*** *s. pl.* Schürzenbänder *pl.*; *fig.* Gängelband *n*: ***tied to one's mother's ~*** an Mutters Schürzenzipfel hängend; ***tied to s.o.'s ~*** unter j-s Fuchtel stehend.

ap·ro·pos [ˈæprəpəʊ] **I** *adv.* **1.** angemessen, zur rechten Zeit: ***he arrived very ~*** er kam wie gerufen; **2.** ˈhinsichtlich (***of*** *gen.*): ***~ of our talk***; **3.** aproˈpos, nebenbei bemerkt; **II** *adj.* **4.** passend, angemessen, treffend: ***his remark was very ~***.

apse [æps] *s.* ⛪ ˈApsis *f*.

apt [æpt] *adj.* □ **1.** passend, geeignet; treffend: ***an ~ remark***; **2.** geneigt, neigend (***to*** *inf.* zu *inf.*): ***he is ~ to believe it*** er wird es wahrscheinlich glauben; ***~ to be overlooked*** leicht zu übersehen; ***~ to rust*** leicht rostend; **3.** (***at***) geschickt (in *dat.*), begabt (für): ***an ~ pupil***.

ap·ter·ous [ˈæptərəs] *adj.* **1.** *zo.* flügellos; **2.** ⚘ ungeflügelt.

ap·ti·tude [ˈæptɪtjuːd] *s.* (*ped.* Sonder-) Begabung *f*, Befähigung *f*, Taˈlent *n*; Fähigkeit *f*; Auffassungsgabe *f*; Eignung *f* (***for*** für, zu): ***~ test*** *Am.* Eignungsprüfung *f*; **apt·ness** [ˈæptnɪs] *s.* **1.** Angemessenheit *f*, Tauglichkeit *f* (***for*** für, zu); **2.** (***for***, ***to***) Neigung *f* (zu), Eignung *f* (für, zu), Geschicklichkeit *f* (in *dat.*).

aq·ua·cul·ture [ˈækwəkʌltʃə] *s.* ˈAquakulˌtur *f*.

aq·ua for·tis [ˌækwəˈfɔːtɪs] *s.* ⚗ Scheidewasser *n*, Salˈpetersäure *f*.

aq·ua·lung [ˈækwəlʌŋ] *s.* Taucherlunge *f*, Atmungsgerät *n*; ˈ**aq·ua·lun·ger** [-ŋə] *s.* Tiefsee-, Sporttaucher(in).

aq·ua·ma·rine [ˌækwəməˈriːn] *s.* **1.** *min.* Aquamaˈrin *m*; **2.** Aquamaˈrinblau *n*.

aq·ua·plane [ˈækwəpleɪn] **I** *s.* **1.** *Wassersport*: Monoski *m*; **II** *v/i.* **2.** Monoski laufen; **3.** *mot.* a) aufschwimmen (*Reifen*), b) ‚schwimmen', die Bodenhaftung verlieren; ˈ**aq·ua·plan·ing** *s.* **1.** Monoskilauf *m*; **2.** *mot.* Aquaˈplaning *n*.

aq·ua·relle [ˌækwəˈrel] *s.* Aquaˈrell(maleˌrei *f*) *n*; ˌ**aq·uaˈrel·list** [-lɪst] *s.* Aquaˈrellmaler(in).

A·quar·i·an [əˈkweərɪən] *s. ast.* Wassermann *m* (*Person*).

a·quar·i·um [əˈkweərɪəm] *pl.* **-i·ums** *od.* **-i·a** [-ɪə] *s.* Aˈquarium *n*.

A·quar·i·us [əˈkweərɪəs] *s. ast.* Wassermann *m*.

aq·ua show [ˈækwə] *s. Brit.* ˈWasserbalˌlett *n*.

a·quat·ic [əˈkwætɪk] **I** *adj.* **1.** Wasser...: ***~ plants***; ***~ sports*** Wassersport *m*; **II** *s.* **2.** *biol.* Wassertier *n*, -pflanze *f*; **3.** *pl.* Wassersport *m*.

aq·ua·tint [ˈækwətɪnt] *s.* Aquaˈtinta *f*, ˈTuschmaˌnier *f*.

aq·ua vi·tae [ˌækwəˈvaɪtiː] *s.* **1.** ⚗ *hist.* ˈAlkohol *m*; **2.** Branntwein *m*.

aq·ue·duct [ˈækwɪdʌkt] *s.* Aquäˈdukt *m*, *n*.

a·que·ous [ˈeɪkwɪəs] *adj.* wässerig, wäßrig (*a. fig.*), wasserartig, -haltig.

Aq·ui·la [ˈækwɪlə] *s. ast.* Adler *m*.

aq·ui·le·gi·a [ˌækwɪˈliːdʒjə] *s.* ⚘ Akeˈlei *f*.

aq·ui·line [ˈækwɪlaɪn] *adj.* gebogen, Adler..., Habichts...: ***~ nose***.

Ar·ab [ˈærəb] **I** *s.* **1.** Araber(in); **2.** Araber *m* (*Pferd*); **3.** → ***street Arab***; **II** *adj.* **4.** aˈrabisch; **ar·a·besque** [ˌærəˈbesk] **I** *s.* Araˈbeske *f*; **II** *adj.* araˈbesk; **A·ra·bi·an** [əˈreɪbjən] **I** *adj.* **1.** aˈrabisch: ***The ~ Nights*** Tausendundeine Nacht; **II** *s.* **2.** → ***Arab*** 1; **3.** → ***Arab*** 2; ˈ**Ar·a·bic** [-bɪk] **I** *adj.* aˈrabisch: ***~ figures*** (*od.* ***numerals***) arabische Ziffern *od.* Zahlen; **II** *s. ling.* Aˈrabisch *n*; ˈ**Ar·ab·ist** [-bɪst] *s.* Araˈbist *m*.

ar·a·ble [ˈærəbl] **I** *adj.* pflügbar, anbaufähig; **II** *s.* Ackerland *n*.

Ar·a·by [ˈærəbɪ] *s. poet.* Aˈrabien *n*.

ar·au·ca·ri·a [ˌærɔːˈkeərɪə] *s.* ⚘ Zimmertanne *f*, Arauˈkarie *f*.

ar·bi·ter [ˈɑːbɪtə] *s.* **1.** Schiedsrichter *m*; **2.** *fig.* Richter *m* (***of*** über *acc.*); **3.** *fig.* Herr *m*, Gebieter *m*; **ar·bi·trage** [ˌɑːbɪˈtrɑːʒ] *s.* ✝ Arbiˈtrage *f*; **ar·bi·tral** [ˈɑːbɪtrəl] *adj.* schiedsrichterlich: ***~ award*** Schiedsspruch *m*; ***~ body*** *od.* ***court*** Schiedsgericht *n*, -stelle *f*; ***~ clause*** Schiedsklausel *f*; **ar·bi·trar·i·ness** [ˈɑːbɪtrərɪnɪs] *s.* Willkür *f*, Eigenmächtigkeit *f*; **ar·bi·trar·y** [ˈɑːbɪtrərɪ] *adj.* □ **1.** willkürlich, eigenmächtig, -willig; **2.** launenhaft; **3.** tyˈrannisch; **ar·bi·trate** [ˈɑːbɪtreɪt] **I** *v/t.* **1.** (als Schiedsrichter *od.* durch Schiedsspruch) entscheiden, schlichten, beilegen; **2.** e-m Schiedsspruch unterˈwerfen; **II** *v/i.* **3.** Schiedsrichter sein; **ar·bi·tra·tion** [ˌɑːbɪˈtreɪʃn] *s.* **1.** Schieds(gerichts)verfahren *n*; Schiedsspruch *m*;

Schlichtung *f*: ***court of ~*** Schiedsgericht *n*, -hof *m*; ***~ board*** Schiedsstelle *f*; ***submit to ~*** e-m Schiedsgericht unterwerfen; ***settle by ~*** schiedsgerichtlich beilegen; **2.** ✝ (***~ of exchange*** Wechsel)Arbitrage *f*; **'ar·bi·tra·tor** [-reɪtə] *s*. ⚖ Schiedsrichter *m*, -mann *m*.

ar·bor¹ *Am*. → ***arbour***; ***2 Day*** *Am*. Tag *m* des Baums.

ar·bor² ['ɑːbə] *s*. ⚙ Achse *f*, Welle *f*; (Aufsteck)Dorn *m*, Spindel *f*.

ar·bo·re·al [ɑː'bɔːrɪəl] *adj*. baumartig; Baum…; auf Bäumen lebend; **ar'bo·re·ous** [-ɪəs] *adj*. **1.** baumreich, waldig; **2.** baumartig; Baum…; **ar·bo·res·cent** [ˌɑːbə'resnt] *adj*. baumartig, verzweigt; **ar·bo·re·tum** [ˌɑːbə'riːtəm] *pl*. **-ta** [-tə] *s*. Arbo'retum *n*; **ar·bo·ri·cul·ture** ['ɑːbərɪkʌltʃə] *s*. Baumzucht *f*.

ar·bor vi·tae [ˌɑːbə'vaɪtɪ] *s*. ⚘ Lebensbaum *m*.

ar·bour ['ɑːbə] *s*. Laube *f*.

arc [ɑːk] **I** *s*. **1.** *a*. ⚗, ⚙, *ast*. Bogen *m*; **2.** ⚡ (Licht)Bogen *m*: ***~ welding*** Lichtbogenschweißen *n*; **II** *v/i*. *a*. ***~ over*** ⚡ e-n (Licht)Bogen bilden, ‚funken'.

ar·cade [ɑː'keɪd] *s*. Ar'kade *f*: a) Säulen-, Bogen-, Laubengang *m*, b) Pas'sage *f*; **ar'cad·ed** [-dɪd] *adj*. mit Arkaden (versehen).

Ar·ca·di·a [ɑː'keɪdjə] *s*. Ar'kadien *n*, ländliches Para'dies *od*. I'dyll; **Ar'ca·di·an** [-ən] *adj*. ar'kadisch, i'dyllisch.

ar·cane [ɑː'keɪn] *adj*. geheimnisvoll; **ar'ca·num** [-nəm] *pl*. **-na** [-nə] *s*. **1.** *hist*. ⚘ Ar'kanum *n*; Eli'xier *n*; **2.** *mst pl*. Geheimnis *n*, My'sterium *n*.

arch¹ [ɑːtʃ] **I** *s*. **1.** *mst* ⚠ (Brücken-, Fenster- *etc*.)Bogen *m*; über'wölbter (Ein-, 'Durch)Gang; ('Eisenbahn- *etc*.) Überˌführung *f*; Tri'umphbogen *m*; **2.** Wölbung *f*, Gewölbe *n*: ***~ of the instep*** (Fuß)Rist *m*, Spann *m*; ***~ support*** Senkfußeinlage *f*; ***fallen ~es*** Senkfuß *m*; **II** *v/t*. **3.** *a*. ***~ over*** mit Bogen versehen, über'wölben; **4.** wölben, krümmen: ***~ the back*** e-n Buckel machen (*Katze*); **III** *v/i*. **5.** sich wölben; sich krümmen.

arch² [ɑːtʃ] *adj*. *oft* **arch-** erst, oberst, Haupt…, Erz…; schlimmst, Riesen…: ***~ rogue*** Erzschurke *m*.

arch³ [ɑːtʃ] *adj*. □ schalkhaft, schelmisch: ***an ~ look***.

arch- [ɑːtʃ] *Präfix bei Titeln etc*.: erst, oberst, Haupt…, Erz…

ar·chae·o·log·ic, **ar·chae·o·log·i·cal** [ˌɑːkɪə'lɒdʒɪk(l)] *adj*. □ archäo'logisch, Altertums…; **ar·chae·ol·o·gist** [ˌɑːkɪ'ɒlədʒɪst] *s*. Archäo'loge *m*, Altertumsforscher *m*; **ar·chae·ol·o·gy** [ˌɑːkɪ'ɒlədʒɪ] *s*. Archäolo'gie *f*, Altertumskunde *f*.

ar·cha·ic [ɑː'keɪɪk] *adj*. (□ ***~ally***) ar'chaisch: a) altertümlich, b) *bsd*. *ling*. veraltet, altmodisch; **ar·cha·ism** ['ɑːkeɪɪzəm] *s*. **1.** *ling*. Archa'ismus *m*, veralteter Ausdruck; **2.** *et*. Veraltetes.

arch·an·gel ['ɑːkˌeɪndʒəl] *s*. Erzengel *m*.

ˌarch|'bish·op [ˌɑːtʃ-] *s*. Erzbischof *m*; **ˌ~'bish·op·ric** *s*. **1.** Erzbistum *n*; **2.** Amt *n* e-s Erzbischofs; **ˌ~'dea·con** *s*. Archidia'kon *m*; **ˌ~'di·o·cese** *s*. 'Erzdiöˌzese *f*; **ˌ~'du·cal** *adj*. erzherzoglich; **ˌ~'duch·ess** *s*. Erzherzogin *f*; **ˌ~'duch·y** *s*. Erzherzogtum *n*; **ˌ~'duke** *s*. Erzherzog *m*.

arched [ɑːtʃt] *adj*. gewölbt, gebogen, gekrümmt.

ˌarch-'en·e·my *s*. → ***arch-fiend***.

arch·er ['ɑːtʃə] *s*. **1.** Bogenschütze *m*; **2.** *2 ast*. Schütze *m*; **'arch·er·y** [-ərɪ] *s*. **1.** Bogenschießen *n*; **2.** *coll*. Bogenschützen *pl*.

ar·che·typ·al ['ɑːkɪtaɪpl] *adj*. arche'typisch; **'ar·che·type** [-taɪp] *s*. Urform *f*, -bild *n*, Arche'typ(us) *m*.

ˌarch-'fiend [ˌɑːtʃ-] *s*. Erzfeind *m*: a) Todfeind *m*, b) 'Satan *m*, Teufel *m*.

ar·chi·e·pis·co·pal [ˌɑːkɪɪ'pɪskəpl] *adj*. erzbischöflich; **ˌar·chi·e'pis·co·pate** [-pɪt] *s*. Amt *n od*. Würde *f* e-s Erzbischofs.

Ar·chi·pel·a·go [ˌɑːkɪ'pelɪgəʊ] **I** *npr*. Ä'gäisches Meer; **II** *2 pl*. **-gos** *s*. Archi'pel *m*, Inselmeer *n*, -gruppe *f*.

ar·chi·tect ['ɑːkɪtekt] **I** *s*. **1.** Archi'tekt (-in); **2.** *fig*. Schöpfer(in), Urheber(in), Archi'tekt *m*: ***the ~ of one's fortunes*** des eigenen Glückes Schmied; **II** *v/t*. **3.** bauen, entwerfen; **ar·chi·tec·ton·ic** [ˌɑːkɪtek'tɒnɪk] **I** *adj*. (□ ***~ally***) **1.** architek'tonisch, baulich; **2.** aufbauend, konstruk'tiv, planvoll, schöpferisch, syste'matisch; **II** *s*. *mst pl*. *sg*. *konstr*. **3.** Architek'tonik *f*: a) Baukunst *f* (*als Fach*), b) künstlerischer Aufbau; **ar·chi·tec·tur·al** [ˌɑːkɪ'tektʃərəl] *adj*. □ architek'tonisch, Architektur…, Bau…; **'ar·chi·tec·ture** [-tʃə] *s*. Architek'tur *f*: a) Baukunst *f*; Bauart *f*, Baustil *m*, b) Konstrukti'on *f*; (Auf)Bau *m*, Struk'tur *f*, Anlage *f* (*a*. *fig*.), c) Bau (-werk *n*) *m*, *coll*. Gebäude *pl*., Bauten *pl*.

ar·chi·trave ['ɑːkɪtreɪv] *s*. ⚠ Archi'trav *m*, Tragbalken *m*.

ar·chive ['ɑːkaɪv] *s*. *mst pl*. Ar'chiv *n*; Urkundensammlung *f*; **ar·chi·vist** ['ɑːkɪvɪst] *s*. Archi'var *m*.

arch·ness ['ɑːtʃnɪs] *s*. Schalkhaftigkeit *f*, Durch'triebenheit *f*.

ˌarch'priest [ˌɑːtʃ-] *s*. *eccl*. *hist*. Erzpriester *m*.

'arch|·way ['ɑːtʃ-] *s*. ⚠ Bogengang *m*, über'wölbter Torweg; **'~·wise** [-waɪz] *adv*. bogenartig.

'arc|-lamp *s*. ⚡ Bogenlampe *f*; **'~-light** *s*. Bogenlicht *n*, -lampe *f*.

arc·tic ['ɑːktɪk] **I** *adj*. **1.** 'arktisch, nördlich, Nord..., Polar...: 𝟤 ***Circle*** Nördlicher Polarkreis; 𝟤 ***Ocean*** Nördliches Eismeer; ~ ***fox*** Polarfuchs *m*; **2.** *fig.* sehr kalt, eisig; **II** *s.* **3.** *die* 'Arktis; **4.** *pl. Am.* gefütterte, wasserdichte 'Überschuhe *pl.*

ar·dent ['ɑ:dənt] *adj.* □ **1.** *bsd. fig.* heiß, glühend, feurig: ~ ***eyes***; ~ ***love***; ~ ***spirits*** hochprozentige Spirituosen; **2.** *fig.* feurig, heftig, inbrünstig, leidenschaftlich: ~ ***wish***; ~ ***admirer*** glühender Verehrer; **3.** *fig.* begeistert; **ar·dour**, *Am.* **ar·dor** ['ɑ:də] *s. fig.* **1.** Feuer *n*, Glut *f*, Inbrunst *f*, Leidenschaft *f*; **2.** Eifer *m*, Begeisterung *f* (***for*** für).

ar·du·ous ['ɑ:djʊəs] *adj.* □ **1.** schwierig, anstrengend, mühsam: ***an*** ~ ***task***; **2.** ausdauernd, zäh, e'nergisch: ***an*** ~ ***worker***; **3.** steil, jäh (*Berg etc.*); **'ar·du·ous·ness** [-nɪs] *s.* Schwierigkeit *f*, Mühsal *f*.

are[1] [ɑ:; ə] *pres. pl. u. 2 sg. von* **be**.

are[2] [ɑ:] *s.* Ar *n* (*Flächenmaß*).

a·re·a ['eərɪə] *s.* **1.** (begrenzte) Fläche, Flächenraum *m od.* -inhalt *m*; Grundstück *n*, Are'al *n*; Ober-, Grundfläche *f*; **2.** Raum *m*, Gebiet *n*, Gegend *f*: ***danger*** ~ Gefahrenzone *f*; ***prohibited*** (*od.* ***restricted***) ~ Sperrzone *f*; ~ ***code*** *teleph. Am.* Vorwahl *f*, Vorwählnummer *f*; ***in the Chicago*** ~ im (Groß-) Raum (von) Chikago; **3.** *fig.* Bereich *m*, Gebiet *n*; **4.** *a.* ~***way*** Kellervorhof *m*; **5.** ⚔ Operati'onsgebiet *n*: ~ ***bombing*** Bombenflächenwurf *m*; ***back*** ~ Etappe *f*; ***forward*** ~ Kampfgebiet *n*; **6.** *anat.* (*Seh- etc.*)Zentrum *n*; **a·re·al** [-əl] *adj.* Flächen(inhalts)...

a·re·na [ə'ri:nə] *s.* A'rena *f*: a) Kampfplatz *m*, b) 'Stadion *n*, c) *fig.* Schauplatz *m*, Bühne *f*: ***political*** ~.

aren't [ɑ:nt] F *für* ***are not***.

a·rête [æ'reɪt] (*Fr.*) *s.* (Fels)Grat *m*.

ar·gent ['ɑ:dʒənt] **I** *s.* Silber(farbe *f*) *n*; **II** *adj.* silberfarbig.

Ar·gen·tine ['ɑ:dʒəntaɪn], **Ar·gen·tin·e·an** [ˌɑ:dʒən'tɪnɪən] **I** *adj.* argen'tinisch; **II** *s.* Argen'tinier(in).

ar·gil ['ɑ:dʒɪl] *s.* Ton *m*, Töpfererde *f*; **ar·gil·la·ceous** [ˌɑ:dʒɪ'leɪʃəs] *adj.* tonartig, Ton...

ar·gon ['ɑ:gɒn] *s.* ⚗ 'Argon *n*.

Ar·go·naut ['ɑ:gənɔ:t] *s.* **1.** *myth.* Argo'naut *m*; **2.** *Am.* Goldsucher *m* in Kali'fornien (*1848/49*).

ar·got ['ɑ:gəʊ] *s.* Ar'got *n*, Jar'gon *m*, Slang *m*, *bsd.* Gaunersprache *f*.

ar·gu·a·ble ['ɑ:gjʊəbl] *adj.* □ disku'tabel, vertretbar: ***it is*** ~ man könnte mit Recht behaupten; **'ar·gu·a·bly** [-lɪ] *adv.* vertretbarerweise; **ar·gue** ['ɑ:gju:] **I** *v/i.* **1.** argumentieren; Gründe (für *od.* wider) anführen: ~ ***for s.th.*** a) für et. eintreten, b) für et. sprechen (*Sache*); ~ ***against s.th.*** a) gegen et. Einwände machen, b) gegen et. sprechen (*Sache*); ***don't*** ~***!*** keine Widerrede!; **2.** streiten, rechten (***with*** mit); disputieren (***about*** über *acc.*, ***for*** für, ***against*** gegen, ***with*** mit); **II** *v/t.* **3.** *e-e Angelegenheit* erörtern, diskutieren; **4.** *j-n* über'reden *od.* (durch Argu'mente) bewegen: ~ ***s.o. into s.th.*** j-n zu et. überreden; ~ ***s.o. out of s.th.*** j-n von et. abbringen; **5.** geltend machen, behaupten: ~ ***that black is white***; **6.** begründen, beweisen; folgern (***from*** aus); **7.** verraten, (an)zeigen, beweisen: ***his clothes*** ~ ***poverty***; **ar·gu·ment** ['ɑ:gjʊmənt] *s.* **1.** Argu'ment *n*, (Beweis)Grund *m*; Beweisführung *f*, Schlußfolgerung *f*; **2.** Behauptung *f*; Entgegnung *f*, Einwand *m*; **3.** Erörterung *f*, Besprechung *f*: ***hold an*** ~ diskutieren; **4.** F (Wort)Streit *m*, Ausein'andersetzung *f*; Streitfrage *f*; **5.** 'Thema *n*, (Haupt)Inhalt *m*; **ar·gu·men·ta·tion** [ˌɑ:gjʊmen'teɪʃn] *s.* **1.** Beweisführung *f*, Schlußfolgerung *f*; **2.** Erörterung *f*; **ar·gu·men·ta·tive** [ˌɑ:gjʊ'mentətɪv] *adj.* □ **1.** streitlustig; **2.** strittig, um'stritten; **3.** 'kritisch; **4.** ~ ***of*** hindeutend auf (*acc.*).

Ar·gus ['ɑ:gəs] *npr. myth.* 'Argus *m*; **'~-eyed** *adj.* 'argusäugig, wachsam, mit 'Argusaugen.

a·ri·a ['ɑ:rɪə] *s.* ♪ 'Arie *f*.

Ar·i·an ['eərɪən] *eccl.* **I** *adj.* ari'anisch; **II** *s.* Ari'aner *m*.

ar·id ['ærɪd] *adj.* □ dürr, trocken, unfruchtbar; *fig.* trocken, öde; **a·rid·i·ty** [æ'rɪdətɪ] *s.* Dürre *f*, Trockenheit *f*, Unfruchtbarkeit *f* (*a. fig.*).

A·ri·es ['eəri:z] *s. ast.* Widder *m*.

a·right [ə'raɪt] *adv.* recht, richtig: ***set*** ~ richtigstellen.

a·rise [ə'raɪz] *v/i.* [*irr.*] **1.** (***from***, ***out of***) entstehen, entspringen, her'vorgehen (aus), herrühren, stammen (von); **2.** entstehen, sich ergeben (***from*** aus); sich erheben, erscheinen, auftreten; **3.** aufstehen, sich erheben; **a·ris·en** [ə'rɪzn] *p.p. von* ***arise***.

ar·is·toc·ra·cy [ˌærɪ'stɒkrəsɪ] *s.* **1.** Aristokra'tie *f*, *coll. a.* Adel *m*; **2.** *fig.* E'lite *f*, Adel *m*; **a·ris·to·crat** ['ærɪstəkræt] *s.* Aristo'krat(in); Adlige(r *m*) *f*; *fig.* Pa'trizier(in); **a·ris·to·crat·ic**, **a·ris·to·crat·i·cal** [ˌærɪstə'krætɪk(l)] *adj.* □ aristo'kratisch, Adels...; *fig.* adlig, vornehm.

a·rith·me·tic [ə'rɪθmətɪk] *s.* Arith'metik *f*, Rechnen *n*, Rechenkunst *f*; **ar·ith·met·ic**, **ar·ith·met·i·cal** [ˌærɪθ'metɪk(l)] *adj.* □ arith'metisch, Rechen...; **a·rith·me·ti·cian** [əˌrɪθmə'tɪʃn] *s.* Rechner(in), Rechenmeister(in).

ark [ɑ:k] *s.* **1.** Arche *f*: ***Noah's*** ~ Arche Noah(s); **2.** Schrein *m*: 𝟤 ***of the Covenant*** *bibl.* Bundeslade *f*.

arm[1] [ɑːm] *s.* **1.** *anat.* Arm *m*: ***keep s.o. at ~'s length*** *fig.* sich j-n vom Leibe halten; ***within ~'s reach*** in Reichweite; ***with open ~s*** *fig.* mit offenen Armen; ***fly into s.o.'s ~s*** j-m in die Arme fliegen; ***take s.o. in one's ~s*** j-n in die Arme nehmen; ***infant*** (*od.* ***babe***) ***in ~s*** Säugling *m*; **2.** Fluß-, Meeresarm *m*; **3.** Arm-, Seitenlehne *f*; **4.** Ast *m*, großer Zweig; **5.** Ärmel *m*; **6.** ⚙ Arm *m e-r Maschine etc.*: ***~ of a balance*** Waagebalken *m*; **7.** *fig.* Arm *m des Gesetzes etc.*

arm[2] [ɑːm] **I** *s.* **1.** ⚔ *mst pl.* Waffe(n *pl.*) *f*: ***do ~s drill*** Gewehrgriffe üben; ***in ~s*** bewaffnet; ***rise in ~s*** zu den Waffen greifen, sich empören; ***up in ~s*** a) in Aufruhr, b) *fig.* in Harnisch, in hellem Zorn; ***by force of ~s*** mit Waffengewalt; ***bear ~s*** a) Waffen tragen, b) als Soldat dienen; ***lay down ~s*** die Waffen strecken; ***take up ~s*** zu den Waffen greifen (*a. fig.*); ***~s dealer*** Waffenhändler *m*; ***~s control*** Rüstungskontrolle *f*; ***~s race*** Wettrüsten *n*; ***ground ~s!*** Gewehr nieder!; ***order ~s!*** Gewehr ab!; ***pile ~s!*** setzt die Gewehre zusammen!; ***port ~s!*** fällt das Gewehr!; ***present ~s!*** präsentiert das Gewehr!; ***slope ~s!*** das Gewehr über!; ***shoulder ~s!*** das Gewehr an Schulter!; ***to ~s!*** zu den Waffen!, ans Gewehr!; → ***passage at arms***; **2.** Waffengattung *f*, Truppe *f*: ***the naval ~*** die Kriegsmarine; **3.** *pl.* Wappen *n*; → ***coat*** 1; **II** *v/t.* **4.** bewaffnen: ***~ed to the teeth*** bis an die Zähne bewaffnet; **5.** ⚙ armieren, bewehren, befestigen, verstärken, *mit Metall* beschlagen; **6.** ⚔ *Munition, Mine* scharf machen; **7.** (aus)rüsten, bereit machen, versehen: ***be ~ed with an umbrella***; ***be ~ed with arguments***; **III** *v/i.* **8.** sich bewaffnen, sich (aus)rüsten.

ar·ma·da [ɑːˈmɑːdə] *s.* **1.** ♀ *hist.* Arˈmada *f*; **2.** Kriegsflotte *f*, Luftflotte *f*, Geschwader *n*.

ar·ma·dil·lo [ˌɑːməˈdɪləʊ] *s. zo.* **1.** Armaˈdill *n*, Gürteltier *n*; **2.** Apoˈthekerassel *f*.

Ar·ma·ged·don [ˌɑːməˈgedn] *s. bibl. u. fig.* Entscheidungskampf *m*.

ar·ma·ment [ˈɑːməmənt] *s.* ⚔ **1.** Kriegsstärke *f*, -macht *f e-s Landes*: ***naval ~*** Kriegsflotte *f*; **2.** Bewaffnung *f*, Bestückung *f e-s Kriegsschiffes etc.*; **3.** (Kriegsaus)Rüstung *f*: ***~ race*** Wettrüsten *n*; **ar·ma·ture** [ˈɑːməˌtjʊə] *s.* **1.** Rüstung *f*, Panzer *m*; **2.** ⚙ Panzerung *f*, Beschlag *m*, Bewehrung *f*, Armierung *f*, Armaˈtur *f*; **3.** ϟ Anker *m* (*a. e-s Magneten etc.*), Läufer *m*: ***~ shaft*** Ankerwelle *f*; **4.** ⚘, *zo.* Bewehrung *f*.

ˈarm|·band *s.* Armbinde *f*; **ˌ~-ˈchair I** *s.* Lehnstuhl *m*, (Lehn)Sessel *m*; **II** *adj.* vom (*od.* am) grünen Tisch; Stammtisch..., Salon...: ***~ strategists***.

armed [ɑːmd] *adj.* **1.** bewaffnet: ***~ conflict***; ***~ neutrality***; ***~ forces*** (Gesamt-) Streitkräfte; ***~ robbery*** schwerer Raub; **2.** ⚔ a) scharf, zündfertig (*Munition etc.*), b) *a.* ⚙ → ***armoured***.

Ar·me·ni·an [ɑːˈmiːnjən] **I** *adj.* arˈmenisch; **II** *s.* Arˈmenier(in).

ˈarm·ful [-fʊl] *s.* Armvoll *m*.

arm·ing [ˈɑːmɪŋ] *s.* **1.** Bewaffnung *f*, (Aus)Rüstung *f*; **2.** ⚙ Armierung *f*, Armaˈtur *f*; **3.** Wappen *n*.

ar·mi·stice [ˈɑːmɪstɪs] *s.* Waffenstillstand *m* (*a. fig.*); ♀ **Day** *s.* Jahrestag *m* des Waffenstillstandes vom 11. November 1918.

arm·let [ˈɑːmlɪt] *s.* **1.** Armbinde *f als Abzeichen*; Armspange *f*; **2.** kleiner Meeres- *od.* Flußarm.

ar·mor *etc. Am.* → ***armour*** *etc.*

ar·mo·ri·al [ɑːˈmɔːrɪəl] **I** *adj.* Wappen..., heˈraldisch: ***~ bearings*** Wappen(schild *m*, *n*) *n*; **II** *s.* Wappenbuch *n*; **ar·mor·y** [ˈɑːmərɪ] *s.* **1.** Heˈraldik *f*, Wappenkunde *f*; **2.** *Am.* → ***armoury***.

ar·mour [ˈɑːmə] *s.* **1.** Rüstung *f*, Panzer *m* (*a. fig.*); **2.** ⚔, ⚙ Panzer(ung *f*) *m*, Armierung *f*; *coll.* Panzerfahrzeuge *pl.*, -truppen *pl.*; **3.** ⚘, *zo.* Panzer *m*, Schutzdecke *f*; **ˈ~-clad** → ***armour-plated***.

ar·moured [ˈɑːməd] *adj.* ⚔, ⚙ gepanzert, Panzer...: ***~ cable*** armiertes Kabel, Panzerkabel *n*; ***~ car*** a) Panzerkampfwagen *m*, b) gepanzerter (Geld-) Transportwagen; ***~ infantry*** Panzergrenadiere *pl*; ***~ train*** Panzerzug *m*; **ˈar·mour·er** [-ərə] *s.* Waffenschmied *m*; ⚔, ⚓ Waffenmeister *m*.

ˈar·mour|-ˌpierc·ing *adj.* panzerbrechend, Panzer...: ***~ ammunition***; **ˈ~-ˌplat·ed** *adj.* gepanzert, Panzer...

ar·mour·y [ˈɑːmərɪ] *s.* **1.** Rüst-, Waffenkammer *f* (*a. fig.*), Arseˈnal *n*, Zeughaus *n*; **2.** *Am.* a) ˈWaffenfaˌbrik *f*, b) Exerzierhalle *f*.

ˈarm|·pit *s.* Achselhöhle *f*; **ˈ~·rest** *s.* Armlehne *f*, -stütze *f*; **ˈ~-ˌtwist·ing** *s.* F Druckausübung *f*.

ar·my [ˈɑːmɪ] *s.* **1.** Arˈmee *f*, Heer *n*; Miliˈtär *n*: ***~ contractor*** Heereslieferant *m*; ***join the ~*** Soldat werden; ***~ of occupation*** Besatzungsarmee; ***~ issue*** *die* dem Soldaten gelieferte Ausrüstung, Heereseigentum *n*; **2.** Arˈmee *f* (*als militärische Einheit*); **3.** *fig.* Heer *n*, Menge *f*: ***a whole ~ of workmen***; ***~ chap·lain*** *s.* Miliˈtärgeistliche(r) *m*; ***~ corps*** *s.* Arˈmeekorps *n*.

ar·ni·ca [ˈɑːnɪkə] *s.* ⚕ ˈArnika *f*.

a·ro·ma [əˈrəʊmə] *s.* **1.** Aˈroma *n*, Duft *m*, Würze *f*; Blume *f* (*Wein*); **2.** *fig.* Würze *f*, Reiz *m*; **ar·o·mat·ic** *adj.* [ˌærəʊˈmætɪk] *adj.* (☐ ***~ally***) aroˈmatisch, würzig, duftig: ***~ bath*** Kräuterbad *n*.

a·rose [əˈrəʊz] *pret. von* ***arise***.

a·round [əˈraʊnd] **I** *adv.* **1.** ˈringsherˈum, im Kreise; rundum, nach *od.* auf allen Seiten, überˈall: ***I've been ~*** F *fig.* ich kenn' mich aus; **2.** *bsd. Am.* F umˈher, (in der Gegend) herum; in der Nähe, daˈbei; **II** *prp.* **3.** um, um … her(um), rund um; **4.** *bsd. Am.* F a) (rings- *od.* in der Gegend) herum; durch, hin und her, b) (nahe) bei, in, c) ungefähr, etwa; **aˌround-the-ˈclock** *adj.* den ganzen Tag dauernd, 24stündig; Dauer…

a·rouse [əˈraʊz] *v/t.* **1.** *j-n* (auf-) wecken; **2.** *fig.* aufrütteln; *Gefühle etc.* erregen.

ar·que·bus [ˈɑːkwɪbəs] → ***harquebus***.

ar·rack [ˈærək] *s.* ˈArrak *m.*

ar·raign [əˈreɪn] *v/t.* **1.** ⚖ a) vor Gericht stellen, b) zur Anklage vernehmen; **2.** *öffentlich* beschuldigen, rügen; **3.** *fig.* anfechten; **arˈraign·ment** [-mənt] *s.* ⚖ Vernehmung *f* zur Anklage; *bsd. fig.* Anklage *f.*

ar·range [əˈreɪndʒ] **I** *v/t.* **1.** (an)ordnen; aufstellen; einteilen; ein-, ausrichten; erledigen: ***~ one's ideas*** s-e Gedanken ordnen; ***~ one's affairs*** s-e Angelegenheiten regeln; **2.** verabreden, vereinbaren; festsetzen, planen: ***everything had been ~d beforehand***; ***an ~d marriage*** e-e (von den Eltern) arrangierte Ehe; **3.** *Streit etc.* beilegen, schlichten; **4.** ♪, *thea.* einrichten, bearbeiten; **II** *v/i.* **5.** sich verständigen (***about*** über *acc.*); **6.** Anordnungen *od.* Vorkehrungen treffen (***for***, ***about*** für, zu, ***to*** *inf.* zu *inf.*); es einrichten, dafür sorgen, veranlassen (***that*** daß): ***~ for the car to be ready***; **7.** sich einigen (***with s.o. about s.th.*** mit j-m über et.); **arˈrange·ment** [-mənt] *s.* **1.** (An)Ordnung *f*, Einrichtung *f*, Einteilung *f*, Auf-, Zs.-stellung *f*; Syˈstem *n*; **2.** Vereinbarung *f*, Verabredung *f*, Abmachung *f*: ***make an ~ with s.o.*** mit j-m e-e Verabredung treffen; **3.** Ab-, Überˈeinkommen *n*; Schlichtung *f*: ***come to an ~*** e-n Vergleich schließen; **4.** *pl.* ***make ~s*** Vorkehrungen *od.* Vorbereitungen *od.* s-e Dispositionen treffen; ***today's ~s*** die heutigen Veranstaltungen; **5.** *thea.* Bearbeitung *f*, ♪ *a.* Arrangeˈment *n.*

ar·rant [ˈærənt] *adj.* □ völlig, ausgesprochen, ‚komˈplett': ***an ~ fool***; ***~ nonsense***; ***an ~ rogue*** ein Erzgauner.

ar·ray [əˈreɪ] **I** *v/t.* **1.** ordnen, aufstellen (*bsd. Truppen*); **2.** ⚖ *Geschworene* aufrufen; **3.** *fig.* aufbieten; **4.** (***o.s.*** sich) kleiden, putzen; **II** *s.* **5.** Ordnung *f*; Schlachtordnung *f*; **6.** ⚖ Geschworenen(liste *f*) *pl.*; **7.** ˈPhalanx *f*, stattliche Reihe, Menge *f*, Aufgebot *n*; **8.** Kleidung *f*, Staat *m*, Aufmachung *f.*

ar·rear [əˈrɪə] *s.* a) *mst pl.* Rückstand *m*, *bsd.* Schulden *pl.*: ***~s of rent*** rückständige Miete; ***in ~(s)*** im Rückstand *od.* Verzug, b) *et.* Unerledigtes, Arbeitsrückstände *pl.*

ar·rest [əˈrest] **I** *s.* **1.** Aufhalten *n*, Hemmung *f*, Stockung *f*; **2.** ⚖ a) Verhaftung *f*, Haft *f*: ***under ~*** verhaftet, in Haft, b) Beschlagnahme *f*, c) *a.* ***~ of judgment*** Urteilssistierung *f*; **II** *v/t.* **3.** an-, aufhalten, hemmen, hindern: ***~ progress***; ***~ed growth*** *biol.* gehemmtes Wachstum; ***~ed tuberculosis*** ⚕ inaktive Tuberkulose; **4.** ⚙ feststellen, sperren, arretieren; **5.** ⚖ a) verhaften, b) beschlagnahmen, c) ***~ judgment*** das Urteil vertagen; **6.** *Geld etc.* einbehalten, konfiszieren; **7.** *Aufmerksamkeit etc.* fesseln, festhalten; **arˈrest·ing** [-tɪŋ] *adj.* fesselnd, interesˈsant; **arˈrestment** [-mənt] *s.* Beschlagnahme *f.*

ar·rière-pen·sée [ˌærɪeə(r)ˈpɒnseɪ] (*Fr.*) *s.* ˈHintergedanke *m.*

ar·riv·al [əˈraɪvl] *s.* **1.** Ankunft *f*, Eintreffen *n*; *fig.* Gelangen *n* (***at*** zu); **2.** Erscheinen *n*, Auftreten *n*; **3.** a) Ankömmling *m*: ***new ~*** Neuankömmling, Familienzuwachs *m*, b) *et.* Angekommenes; **4.** *pl.* ankommende Züge *pl. od.* Schiffe *pl. od.* Flugzeuge *pl. od.* Perˈsonen *pl.*; Zufuhr *f*; ✝ (Waren)Eingänge *pl.*; **ar·rive** [əˈraɪv] *v/i.* **1.** (an-) kommen, eintreffen; **2.** erscheinen, auftreten; **3.** *fig.* (***at***) erreichen (*acc.*), gelangen (zu): ***~ at a decision***; **4.** kommen, eintreten (*Zeit*, *Ereignis*); **5.** Erfolg haben.

ar·ro·gance [ˈærəgəns] *s.* Arroˈganz *f*, Anmaßung *f*, Überˈheblichkeit *f*; **ˈar·ro·gant** [-nt] *adj.* □ arroˈgant, anmaßend, überˈheblich; **ar·ro·gate** [ˈærəʊgeɪt] *v/t.* **1.** ***~ to o.s.*** sich *et.* anmaßen, *et.* für sich in Anspruch nehmen; **2.** zuschreiben, zuschieben (***s.th. to s.o.*** j-m et.); **ar·ro·ga·tion** [ˌærəʊˈgeɪʃn] *s.* Anmaßung *f.*

ar·row [ˈærəʊ] *s.* **1.** Pfeil *m*; ***~ keys*** *Computer*: Pfeiltasten *pl*; **2.** Pfeil (-zeichen *n*) *m*; **3.** *surv.* Zähl-, Markierstab *m*; **ˈar·rowed** [-əʊd] *adj.* mit Pfeilen *od.* Pfeilzeichen (versehen).

ˈar·row|·head *s.* **1.** Pfeilspitze *f*; **2.** (Zeichen *n* der) Pfeilspitze *f* (*brit. Regierungsgut kennzeichnend*); **ˈ~·root** *s.* ⚘ a) Pfeilwurz *f*, b) Pfeilwurzstärke *f.*

arse [ɑːs] **I** *s.* V Arsch *m*; **II** *v/i. sl.* ***~ around*** ‚herumspinnen'; **ˈ~·hole** *s.* V ‚Arschloch' *n* (*a. fig. contp.*); **~ lick·er** *s.* V ‚Arschkriecher' *m.*

ar·se·nal [ˈɑːsənl] *s.* **1.** Arseˈnal *n* (*a. fig.*), Zeughaus *n*, Waffenlager *n*; **2.** ˈWaffen-, Munitiˈonsfaˌbrik *f.*

ar·se·nic I *s.* [ˈɑːsnɪk] Arˈsen(ik) *n*; **II** *adj.* [ɑːˈsenɪk] arˈsenhaltig; Arsen…

ar·sis [ˈɑːsɪs] *s.* **1.** *poet.* Hebung *f*, betonte Silbe; **2.** ♪ Aufschlag *m*.

ar·son ['ɑːsn] *s*. ⚖ Brandstiftung *f*; **'ar·son·ist** [-nɪst] *s*. Brandstifter *m*.

art¹ [ɑːt] **I** *s*. **1.** (*bsd*. bildende) Kunst: ***the fine ~s*** die schönen Künste; ***brought to a fine ~*** *fig*. zu e-r wahren Kunst entwickelt; ***work of ~*** Kunstwerk *n*; **2.** Kunst(fertigkeit) *f*, Geschicklichkeit *f*: ***the ~ of the painter***, ***the ~ of cooking***; ***industrial ~(s)*** (*od*. ***~s and crafts***) Kunstgewerbe *n*, -handwerk *n*; ***the black ~*** die Schwarze Kunst, die Zauberei; **3.** *pl*. *univ*. Geisteswissenschaften *pl*.: ***Faculty of 2s***, *Am*. ***2s Department*** philosophische Fakultät; ***liberal ~s*** humanistische Fächer; → ***master*** 10, ***bachelor*** 2; **4.** *mst pl*. Kunstgriff *m*, Kniff *m*, List *f*, Tücke *f*; **5.** *Patentrecht*: a) Fach(gebiet) *n*, b) Fachkenntnis *f*, c) (***state of the ~*** Stand *m* der) Technik; → ***prior*** 1; **II** *adj*. **6.** Kunst...: ***~ critic***; ***~ director*** a) *thea*. *etc*. Bühnenmeister *m*, b) *Werbung*: Art-director *m*, künstlerischer Leiter; **7.** künstlerisch, dekora'tiv: ***~ pottery***; **III** *v/t*. **8.** ***~ up*** *sl*. (künstlerisch) ‚aufmöbeln'.

art² [ɑːt] *obs*. *2. pres*. *sg*. *von* ***be***.

ar·te·fact → ***artifact***.

ar·te·ri·al [ɑː'tɪərɪəl] *adj*. **1.** ⚕ arteri'ell, Arterien...: ***~ blood*** Pulsaderblut *n*; **2.** *fig*. ***~ road*** Hauptverkehrsader *f*, Ausfall-, Durchgangs-, Hauptverkehrs-, *a*. Fernverkehrsstraße *f*.

ar·te·ri·o·scle·ro·sis [ɑːˌtɪərɪəʊsklɪə'rəʊsɪs] *s*. ⚕ Arterioskle'rose *f*, Ar'terienverkalkung *f*.

ar·ter·y ['ɑːtərɪ] *s*. **1.** Ar'terie *f*, Puls-, Schlagader *f*; **2.** *fig*. Verkehrsader *f*, *bsd*. Hauptstraße *f*, -fluß *m*: ***~ of traffic***; ***~ of trade*** Haupthandelsweg *m*.

ar·te·sian well [ɑː'tiːzjən] *s*. ar'tesischer (*Am*. tiefer) Brunnen.

art·ful ['ɑːtfʊl] *adj*. □ schlau, listig, verschlagen; **'art·ful·ness** [-nɪs] *s*. List *f*, Schläue *f*, Verschlagenheit *f*.

ar·thrit·ic, **ar·thrit·i·cal** [ɑː'θrɪtɪk(l)] *adj*. ⚕ ar'thritisch, gichtisch; **ar·thri·tis** [ɑː'θraɪtɪs] *s*. ⚕ Ar'thritis *f*; **ar·thro·sis** [ɑː'θrəʊsɪs] *s*. Ar'throse *f*.

Ar·thu·ri·an [ɑː'θʊərɪən] *adj*. (König) Arthur *od*. Artus betreffend, Arthur..., Artus...

ar·ti·choke ['ɑːtɪtʃəʊk] *s*. ⚘ **1.** *a*. ***globe ~*** Arti'schocke *f*; **2.** ***Jerusalem ~*** 'Erdartiˌschocke *f*.

ar·ti·cle ['ɑːtɪkl] **I** *s*. **1.** ('Zeitungs- *etc*.) Arˌtikel *m*, Aufsatz *m*; **2.** Ar'tikel *m*, Gegenstand *m*, Sache *f*; Posten *m*, Ware *f*: ***~ of trade*** Handelsware; ***the genuine ~*** F der ‚wahre Jakob'; **3.** Abschnitt *m*, Para'graph *m*, Klausel *f*, Punkt *m*: ***~s of apprenticeship*** Lehrvertrag *m*; ***~s*** (***of association***, *Am*. ***incorporation***) ✝ Satzung *f*; ***the Thirty-nine 2s*** die 39 Glaubensartikel *der Anglikanischen Kirche*; ***according to the ~s*** ✝ satzungsgemäß; **4.** *ling*. Ar'tikel *m*, Geschlechtswort *n*; **II** *v/t*. **5.** vertraglich binden; in die Lehre geben (***to*** bei); **'ar·ti·cled** [-ld] *adj*. **1.** vertraglich gebunden; **2.** in der Lehre (***to*** bei): ***~ clerk*** *Brit*. Anwaltsgehilfe *m*.

ar·tic·u·late I *v/t*. [ɑː'tɪkjʊleɪt] **1.** artikulieren, deutlich (aus)sprechen; **2.** gliedern; **3.** *Knochen* zs.-fügen; **II** *adj*. [-lət] **4.** klar erkennbar, deutlich (gegliedert), artikuliert, verständlich (*Wörter etc*); **5.** fähig, sich klar auszudrücken, sich klar ausdrückend; **6.** sich Gehör verschaffend; **7.** ⚕, ⚘, *zo*. gegliedert; **ar'tic·u·lat·ed** [-tɪd] *adj*. ⚙ Gelenk..., Glieder...: ***~ train***; ***~ lorry*** *Brit*. Sattelschlepper *m*; **ar·tic·u·la·tion** [ɑːˌtɪkjʊ'leɪʃn] *s*. **1.** *bsd*. *ling*. Artikulati'on *f*, deutliche Aussprache; Verständlichkeit *f*; **2.** Anein'anderfügung *f*; **3.** ⚙ Gelenk(verbindung *f*) *n*; **4.** Gliederung *f*.

ar·ti·fact ['ɑːtɪfækt] *s*. Arte'fakt *n*: a) Werkzeug *n od*. Gerät *n bsd*. *primitiver od*. *prähistorischer Kulturen*, b) ⚕ 'Kunstproˌdukt *n*; **'ar·ti·fice** [-fɪs] *s*. Kunstgriff *m*; Kniff *m*, List *f*; **ar·tif·i·cer** [ɑː'tɪfɪsə] *s*. **1.** → ***artisan***; **2.** ⚔ a) Feuerwerker *m*, b) Handwerker *m*; **3.** Urheber(in).

ar·ti·fi·cial [ˌɑːtɪ'fɪʃl] *adj*. □ **1.** künstlich, Kunst...: ***~ silk***; ***~ leg*** Beinprothese *f*; ***~ teeth*** künstliche Zähne; ***~ person*** ⚖ juristische Person; ***~ turf*** *sport* Kunststoffrasen *m*; **2.** *fig*. gekünstelt, falsch; **ar·ti·fi·ci·al·i·ty** [ˌɑːtɪfɪʃɪ'ælətɪ] *s*. Künstlichkeit *f*; *et*. Gekünsteltes.

ar·til·ler·ist [ɑː'tɪlərɪst] *s*. Artille'rist *m*, Kano'nier *m*.

ar·til·ler·y [ɑː'tɪlərɪ] *s*. **1.** Artille'rie *f*; **2.** *sl*. ‚Artille'rie' *f*, Schießeisen *n od*. *pl*.

ar·ti·san [ˌɑːtɪ'zæn] *s*. (Kunst)Handwerker *m*.

art·ist ['ɑːtɪst] *s*. **1.** a) Künstler(in), *bsd*. Kunstmaler(in), b) → ***artiste***; **2.** *fig*. Künstler(in), Könner(in); **ar·tiste** [ɑː'tiːst] (*Fr*.) *s*. Ar'tist(in), Künstler (-in), Sänger(in), Schauspieler(in), Tänzer(in); **ar·tis·tic**, **ar·tis·ti·cal** [ɑː'tɪstɪk(l)] *adj*. □ **1.** künstlerisch, Künstler..., Kunst...; **2.** kunstverständig; **3.** kunst-, geschmackvoll; **'art·ist·ry** [-trɪ] *s*. **1.** Künstlertum *n*, *das* Künstlerische; **2.** künstlerische Wirkung *od*. Voll'endung; **3.** Kunstfertigkeit *f*.

art·less ['ɑːtlɪs] *adj*. □ **1.** ungekünstelt, na'türlich, schlicht, unschuldig, na'iv; **2.** offen, arglos, ohne Falsch; **3.** unkünstlerisch, stümperhaft.

Art Nou·veau [ˌɑːrnuː'vəʊ] (*Fr*.) *s*. *Kunst*: Art *f* nou'veau, Jugendstil *m*.

ar·tsy ['ɑːtsɪ] → ***arty***.

'art·work *s*. Artwork *n*: a) künstlerische

Gestaltung, Illustrati'on(en *pl.*) *f*, Grafik *f*, b) (grafische *etc.*) Gestaltungsmittel *pl.*

art·y ['ɑːtɪ] *adj.* F **1.** (gewollt) künstlerisch *od.* bohemi'enhaft; **2.** ‚kunstbeflissen'; ˌ**~(-and)-'craft·y** *adj.* **1.** *iro.* ‚künstlerisch', mo'dern-verrückt; **2.** → ***arty*** 1.

Ar·y·an ['eərɪən] **I** *s.* **1.** Arier *m*, Indoger'mane *m*; **2.** *ling.* arische Sprachengruppe; **3.** Arier *m*, Nichtjude *m* (*in der Nazi-Ideologie*); **II** *adj.* **4.** arisch; **5.** arisch, nichtjüdisch.

as [æz; əz] **I** *adv.* **1.** (ebenso) wie, so: ***~ usual*** wie gewöhnlich *od.* üblich; ***~ soft ~ butter*** weich wie Butter; ***twice ~ large*** zweimal so groß; ***just ~ good*** ebenso gut; **2.** als: ***he appeared ~ Macbeth***; ***I knew him ~ a child***; ***~ prose style this is bad*** für Prosa ist das schlecht; **3.** wie (z. B.): ***cathedral cities***, ***~ Ely***; **II** *cj.* **4.** wie, so wie: ***~ follows***; ***do ~ you are told!*** tu, wie man dir sagt!; ***~ I said before***; ***~ you were!*** ✕ Kommando zurück!; ***~ it is*** unter diesen Umständen, ohnehin; ***~ it were*** sozusagen, gleichsam; **5.** als, in'dem, während: ***~ he entered*** als er eintrat, bei s-m Eintritt; **6.** ob'gleich, wenn auch; wie, wie sehr, so sehr: ***old ~ I am*** so alt wie ich bin; ***try ~ he would*** so sehr er (es) auch versuchte; **7.** da, weil: ***~ you are sorry I'll forgive you***; **III** *pron.* **8.** was, wie: ***~ he himself admits***; → ***such*** 7;

Zssgn mit adv. u. prp.:

as| … as (eben)so … wie: ***as fast as I could*** so schnell ich konnte; ***as sweet as can be*** so süß wie möglich; ***as cheap as five pence a bottle*** schon für (*od.* für nur) fünf Pence die Flasche; ***as recently as last week*** noch (*od.* erst) vorige Woche; ***as good as*** so gut wie, sozusagen; ***not as bad as*** (***all***) ***that*** gar nicht so schlimm; ***as fine a song as I ever heard*** ein Lied, wie ich kein schöneres je gehört habe; **~ far as** so'weit (wie), so'viel: ***~ I know*** soviel ich weiß; ***~ Cologne*** bis (nach) Köln; ***as far back as 1890*** schon im Jahre 1890; **~ for** was … (an)betrifft, bezüglich (*gen.*); **~ from** *vor Zeitangaben*: von … an, ab, mit Wirkung vom…; **~ if** *od.* **though** als ob, als wenn: ***he talks ~ he knew them all***; **~ long as** a) so'lange (wie): ***~ he stays***, b) wenn (nur); vor'ausgesetzt, daß: ***~ you have enough money***; **~ much** gerade (*od.* eben) das: ***I thought ~***; ***~ again*** doppelt soviel; **~ much as** (*neg. mst* ***not so much as***) a) (eben)soviel wie: ***~ my son***, b) so sehr, so viel: ***did he pay ~ that?*** hat er so viel (dafür) bezahlt?, c) so'gar, über'haupt (*neg.* nicht einmal): ***without ~ looking at him*** ohne ihn überhaupt *od.* auch nur anzusehen; **~ per** laut, gemäß (*dat.*); **~ soon as** → ***soon*** 3; **~ to 1.** → ***as for***; **2.** (als *od.* so) daß: ***be so kind ~ come*** sei so gut und komm; **3.** nach, gemäß (*dat.*); **~ well** → ***well***[1] 11; **~ yet** → ***yet*** 2.

as·bes·tos [æz'bestɒs] *s. min.* As'best *m*: ***~ board*** Asbestpappe *f*; ***~-contaminated*** asbestbelastet.

as·bes·to·sis [æsbe'stəʊsɪs] *s.* Asbeststaublunge *f*.

as·cend [ə'send] **I** *v/i.* **1.** (auf-, em'por-, hin'auf)steigen; **2.** ansteigen, (schräg) in die Höhe gehen: ***the path ~s here***; **3.** *zeitlich* hin'aufreichen, zu'rückgehen (***to*** bis in *acc.*, bis auf *acc.*); **4.** ♪ steigen (*Ton*); **II** *v/t.* **5.** be-, ersteigen: ***~ a river*** e-n Fluß hinauffahren; ***~ the throne*** den Thron besteigen; **as'cend·an·cy**, **as'cend·en·cy** [-dənsɪ] *s.* (***over***) Über'legenheit *f*, Herrschaft *f*, Gewalt *f* (über *acc.*); (bestimmender) Einfluß (auf *acc.*); **as'cend·ant**, **as'cend·ent** [-dənt] **I** *s.* **1.** *ast.* Aufgangspunkt *m e-s Gestirns*: ***in the ~*** *fig.* im Kommen *od.* Aufstieg; **2.** → ***ascendancy***; **3.** Verwandte(r *m*) *f* (*in aufsteigender Linie*); Vorfahr *m*; **II** *adj.* **4.** aufgehend, aufsteigend; **5.** über'legen, (vor)herrschend; **as'cend·ing** [-dɪŋ] *adj.* (auf-)steigend (*a. fig.*): ***~ air current*** Aufwind *m*; **as'cen·sion** [-nʃn] *s.* **1.** Aufsteigen *n* (*a. ast.*), Besteigung *f*; **2.** ***the*** ♌ die Himmelfahrt Christi: ***♌ Day*** Himmelfahrtstag *m*; **as'cent** [-nt] *s.* **1.** Aufstieg *m* (*a. fig.*), Besteigung *f*; **2.** *bsd.* ⛟, ⚙ Steigung *f*, Gefälle *n*, Abhang *m*; **3.** Auffahrt *f*, Rampe *f*, (Treppen)Aufgang *m*.

as·cer·tain [ˌæsə'teɪn] *v/t.* feststellen, ermitteln; in Erfahrung bringen; ˌ**as·cer'tain·a·ble** [-nəbl] *adj.* feststellbar, zu ermitteln(d); ˌ**as·cer'tain·ment** [-mənt] *s.* Feststellung *f*, Ermittlung *f*.

as·cet·ic [ə'setɪk] **I** *adj.* (□ ***~ally***) as'ketisch, Asketen…; **II** *s.* As'ket *m*; **as'cet·i·cism** [-ɪsɪzəm] *s.* As'kese *f*; Ka'steiung *f*.

as·cor·bic ac·id [ə'skɔːbɪk] *s.* Askor'binsäure *f*, Vitamin C *n*.

as·crib·a·ble [ə'skraɪbəbl] *adj.* zuzuschreiben(d), beizumessen(d); **as·cribe** [ə'skraɪb] *v/t.* (***to***) zuschreiben, beimessen, beilegen (*dat.*); zu'rückführen (auf *acc.*).

a·sep·sis [æ'sepsɪs] *s.* ⚕ A'sepsis *f*; keimfreie Wundbehandlung; **a'sep·tic** [-ptɪk] *adj.* (□ ***~ally***) a'septisch, keimfrei, ste'ril.

a·sex·u·al [eɪ'seksjʊəl] *adj.* □ *biol.* asexual: a) geschlechtslos (*a. fig.*), b) ungeschlechtlich: ***~ reproduction*** ungeschlechtliche Fortpflanzung.

ash[1] [æʃ] *s.* ⚘ **1.** *a.* ***~-tree*** Esche *f*: ***weeping ~*** Traueresche; **2.** *a.* ***~ wood***

Eschenholz *n.*

ash² [æʃ] *s.* **1.** Asche *f* (*a.* ⚗): **~ bin** (*Am.* **can**) Aschen-, Mülleimer *m*; **~ furnace** Glasschmelzofen *m*; **2.** *mst pl.* Asche *f*: **lay in ~es** niederbrennen; **3.** *pl. fig.* sterbliche 'Überreste *pl.*; Trümmer *pl.*, Staub *m*: **rise from the ~es** *fig.* (wie ein Phönix) aus der Asche aufsteigen; **4. win the** **Ωes** (*Kricket*) gegen Australien gewinnen.

a·shamed [ə'ʃeɪmd] *adj.* □ sich schämend, beschämt: **be** (*od.* **feel**) **~ of** sich *e-r Sache od. j-s* schämen; **be ~ to** (*inf.*) sich schämen zu (*inf.*); **I am ~ that** es ist mir peinlich, daß; **you ought to be ~ of yourself!** du solltest dich schämen!

ash·en¹ ['æʃn] *adj.* ⚘ eschen, aus Eschenholz.

ash·en² ['æʃn] *adj.* Aschen...; *fig.* aschfahl, -grau.

Ash·ke·naz·im [ˌæʃkɪ'næzɪm] (*Hebrew*) *s. pl.* As(ch)ke'nasim *pl.*

ash·lar ['æʃlə] *s.* ⚠ Quaderstein *m.*

a·shore [ə'ʃɔː] *adv. u. adj.* ans *od.* am Ufer *od.* Land: **go ~** an Land gehen; **run ~** a) stranden, auflaufen, b) auf Strand setzen.

'ash|·pit *s.* Aschengrube *f*; **'~·tray** *s.* Aschenbecher *m*; **Ω Wednes·day** *s.* Ascher'mittwoch *m.*

ash·y ['æʃɪ] *adj.* **1.** aus Asche (bestehend); mit Asche bedeckt; **2.** → **ashen²**.

A·sian ['eɪʃn], **A·si·at·ic** [ˌeɪʃɪ'ætɪk] **I** *adj.* asi'atisch; **II** *s.* Asi'at(in).

a·side [ə'saɪd] **I** *adv.* **1.** bei'seite, auf die *od.* zur Seite, seitwärts; abseits: **step** (**set**) **~**; **2.** *thea.* beiseite: **speak ~**; **3. ~ from** *Am.* abgesehen von; **II** *s.* **4.** *thea.* A'parte *n*, beiseite gesprochene Worte *pl.*; **5.** a) Nebenbemerkung *f*, b) geflüsterte Bemerkung.

as·i·nine ['æsɪnaɪn] *adj.* eselartig, Esels...; *fig.* eselhaft, dumm.

ask [ɑːsk] **I** *v/t.* **1.** a) *j-n* fragen: **~ the policeman**, b) nach *et.* fragen: **~ the way**; **~ the time** fragen, wie spät es ist; **~ a question of s.o.** e-e Frage an j-n stellen; **2.** *j-n* nach *et.* fragen, sich bei *j-m* nach *et.* erkundigen: **~ s.o. the way**; **may I ~ you a question?** darf ich Sie (nach) etwas fragen?; **~ me another!** F keine Ahnung!; **3.** *j-n* bitten (**for** um, **to** *inf.* zu *inf.*, **that** daß): **~ s.o. for advice**; **we were ~ed to believe** man wollte uns glauben machen; **4.** bitten um, erbitten: **~ his advice**; **be there for the ~ing** umsonst *od.* mühelos zu haben sein; → **favour** 2; **5.** einladen, bitten: **~ s.o. to lunch**; **~ s.o. in** j-n hereinbitten; **6.** fordern, verlangen: **~ a high price**; **that is ~ing too much!** das ist zuviel verlangt!; **7.** → **banns**; **II** *v/i.* **8.** (**for**) bitten (um), verlangen (*acc. od.* nach); fragen (nach), *j-n* zu sprechen wünschen; *et.* erfordern: **~ (s.o.) for help** (j-n) um Hilfe bitten; **s.o. has been ~ing for you** es hat jemand nach Ihnen gefragt; **the matter ~s for great care** die Angelegenheit erfordert große Sorgfalt; **9.** *fig.* her'beiführen: **you ~ed for it** (*od.* **for trouble**) du wolltest es ja so haben; **10.** fragen, sich erkundigen (**after**, **about** nach, wegen).

a·skance [ə'skæns] *adv.* von der Seite; *fig.* schief, scheel, mißtrauisch: **look ~ at s.o.** (*od.* **s.th.**).

a·skew [ə'skjuː] *adv.* schief, schräg (*a. fig.*).

a·slant [ə'slɑːnt] **I** *adv. u. adj.* schräg, quer; **II** *prp.* quer über *od.* durch.

a·sleep [ə'sliːp] *adv. u. adj.* **1.** schlafend, im *od.* in den Schlaf: **be ~** schlafen; **fall ~** einschlafen; **2.** *fig.* entschlafen, leblos; **3.** *fig.* schlafend, unaufmerksam; **4.** *fig.* eingeschlafen (*Glied*).

a·slope [ə'sləʊp] *adv. u. adj.* abschüssig, schräg.

a·so·cial [æ'səʊʃəl] *adj.* □ **1.** ungesellig, kon'taktfeindlich; **2.** → **antisocial**.

asp¹ [æsp] *s. zo.* Natter *f.*

asp² [æsp] → **aspen**.

as·par·a·gus [ə'spærəgəs] *s.* ⚘ Spargel *m*: **~ tips** Spargelspitzen.

as·pect ['æspekt] *s.* **1.** Aussehen *n*, Äußere(s) *n*, Erscheinung *f*, Anblick *m*, Gestalt *f*; **2.** Gebärde *f*, Miene *f*; **3.** A'spekt *m* (*a. ast.*), Gesichtspunkt *m*, Seite *f*; Hinsicht *f*, (Be)Zug *m*: **in its true ~** im richtigen Licht; **4.** Aussicht *f*, Lage *f*: **the house has a southern ~** das Haus liegt nach Süden.

as·pen ['æspən] ⚘ **I** *s.* Espe *f*, Zitterpappel *f*; **II** *adj.* espen: **tremble like an ~ leaf** wie Espenlaub zittern.

as·per·gill ['æspədʒɪl], **as·per·gil·lum** [ˌæspə'dʒɪləm] *s. eccl.* Weihwedel *m.*

as·per·i·ty [æ'sperətɪ] *s. bsd. fig.* Rauheit *f*, Schroffheit *f*; Schärfe *f*, Strenge *f*, Herbheit *f.*

as·perse [ə'spɜːs] *v/t.* verleumden, in schlechten Ruf bringen, schlechtmachen, schmähen; **as'per·sion** [-ɜːʃn] *s.* **1.** *eccl.* Besprengung *f*; **2.** Verleumdung *f*, Anwurf *m*, Schmähung *f*: **cast ~s on** *j-n* verleumden *od.* mit Schmutz bewerfen.

as·phalt ['æsfælt] **I** *s. min.* As'phalt *m*; **II** *v/t.* asphaltieren.

as·phyx·i·a [æs'fɪksɪə] *s.* ⚕ a) Erstickung(stod *m*) *f*, b) Scheintod *m*; **as·phyx·i·ant** [əs'fɪksɪənt] **I** *adj.* erstickend; **II** *s.* erstickender (⚔ Kampf-) Stoff *m*; **as·phyx·i·ate** [əs'fɪksɪeɪt] *v/t.* ersticken: **be ~d** ersticken; **as·phyx·i·a·tion** [əsˌfɪksɪ'eɪʃn] *s.* Erstickung *f.*

as·pic ['æspɪk] *s.* A'spik *m*, Ge'lee *n.*

as·pir·ant [ə'spaɪərənt] *s.* (**to**, **after**, **for**) Aspi'rant(in), Kandi'dat(in) (für);

(eifriger) Bewerber (um): ~ **officer** Offiziersanwärter *m*.

as·pi·rate ['æspərət] *ling*. **I** *s*. Hauchlaut *m*; **II** *adj*. aspiriert; **III** *v/t*. [-pəreɪt] aspirieren; **as·pi·ra·tion** [ˌæspə'reɪʃn] *s*. **1.** Bestrebung *f*, Aspirati'on *f*, Trachten *n*, Sehnen *n* (**for**, **after** nach); **2.** *ling*. Aspirati'on *f*; Hauchlaut *m*; **3.** ⚙, ⚕ An-, Absaugung *f*; **as·pi·ra·tor** ['æspəreɪtə] *s*. ⚙, ⚕ 'Saugappaˌrat *m*;

as·pire [əs'paɪə] *v/i*. **1.** streben, trachten, verlangen (**to**, **after** nach, **to** *inf*. zu *inf*.); **2.** *fig*. sich erheben.

as·pi·rin ['æspərɪn] *s*. ⚕ Aspi'rin *n*: **two ~s** zwei Aspirintabletten.

as·pir·ing [əs'paɪərɪŋ] *adj*. □ hochstrebend, ehrgeizig.

ass¹ [æs] *s*. *zo*. Esel *m*; *fig*. Esel *m*, Dummkopf *m*: **make an ~ of o.s.** sich lächerlich machen.

ass² [æs] *s*. *Am*. V Arsch *m*.

as·sail [ə'seɪl] *v/t*. **1.** angreifen, über'fallen, bestürmen (*a*. *fig*.): **~ a city**; **~ s.o. with blows**; **~ s.o. with questions** j-n mit Fragen überschütten; **~ed by fear** von Furcht ergriffen; **~ed by doubts** von Zweifeln befallen; **2.** (eifrig) in Angriff nehmen; **as'sail·a·ble** [-ləbl] *adj*. angreifbar (*a*. *fig*.); **as'sail·ant** [-lənt], **as'sail·er** [-lə] *s*. Angreifer(in), Gegner(in); *fig*. 'Kritiker *m*.

as·sas·sin [ə'sæsɪn] *s*. (Meuchel)Mörder (-in); po'litischer Mörder, Atten'täter (-in); **as'sas·si·nate** [-neɪt] *v/t*. (meuchlings) (er)morden; **as·sas·si·na·tion** [əˌsæsɪ'neɪʃn] *s*. Meuchelmord *m*, Ermordung *f*, (politischer) Mord, Atten'tat *n*.

as·sault [ə'sɔːlt] **I** *s*. **1.** Angriff *m* (*a*. *fig*.), 'Überfall *m* (**upon**, **on** auf *acc*.); **2.** ⚔ Sturm *m*: **carry** (*od*. **take**) **by ~** erstürmen; **~ boat** a) Sturmboot *n*, b) Landungsfahrzeug *n*; **~ troops** Stoßtruppen; **3.** ⚖ tätliche Bedrohung *od*. Beleidigung: **~ and battery** schwere tätliche Beleidigung, Mißhandlung *f*; **indecent** *od*. **criminal ~** unzüchtige Handlung (*Belästigung*), Sittlichkeitsvergehen *n*; **II** *v/t*. **4.** angreifen, über'fallen (*a*. *fig*.); anfallen, tätlich werden gegen; **5.** ⚔ bestürmen (*a*. *fig*.); **6.** ⚖ tätlich *od*. schwer beleidigen; **7.** vergewaltigen.

as·say [ə'seɪ] **I** *s*. **1.** ⚙, ⚗ Probe *f*, Ana'lyse *f*, Prüfung *f*, Unter'suchung *f*, *bsd*. Me'tall-, Münzprobe *f*: **~ office** Prüfungsamt *n*; **II** *v/t*. **2.** *bsd*. (*Edel*)*Metalle* prüfen, unter'suchen; **3.** *fig*. versuchen, probieren; **III** *v/i*. **4.** *Am*. 'Edelmeˌtall enthalten; **as'say·er** [-eɪə] *s*. (Münz-) Prüfer *m*.

as·sem·blage [ə'semblɪdʒ] *s*. **1.** Zs.-kommen *n*, Versammlung *f*; **2.** Ansammlung *f*, Schar *f*, Menge *f*; **3.** ⚙ Zs.-setzen *n*, Mon'tage *f*; **4.** *Kunst*: Assem'blage *f*; **as·sem·ble** [ə'sembl] **I** *v/t*. **1.** versammeln, zs.-berufen; *Truppen* zs.-ziehen; **2.** ⚙ *Teile* zs.-setzen, -bauen, montieren; *Computer*: assemblieren; **II** *v/i*. **3.** sich versammeln, zs.-kommen; *parl*. zs.-treten; **as'sem·bler** [-lə] *s*. **1.** ⚙ Mon'teur *m*; **2.** *Computer*: As'sembler *m*; **as'sem·bly** [-lɪ] *s*. **1.** Versammlung *f*, Zs.-kunft *f*, Gesellschaft *f*: **~ hall**, **~ room** Gesellschafts-, Ballsaal *m*; **2.** *oft* ♀ *pol*. beratende *od*. gesetzgebende Körperschaft; *Am*. ♀, *a*. **General** ♀ 'Unterhaus *n* (*in einigen Staaten*): **~ man** Abgeordnete(r) (→ 3); **3.** ⚙ Zs.-bau *m*, Mon'tage *f*; *a*. *Computer*: Baugruppe *f*: **~ line** Montage-, Fließband *n*, (Fertigungs)Straße *f*, laufendes Band; **~ man** Fließbandarbeiter *m* (→ 2); **~ plant** Montagewerk *n*; **~ shop** Montagehalle *f*; **4.** ⚔ a) Bereitstellung *f*, b) 'Sammelsiˌgnal *n*: **~ area** Bereitstellungsraum *m*.

as·sent [ə'sent] **I** *v/i*. (**to**) zustimmen (*dat*.), beipflichten (*dat*.), billigen (*acc*.); genehmigen (*acc*.); **II** *s*. Zustimmung *f*: **royal ~** *pol*. *Brit*. königliche Genehmigung.

as·sert [ə'sɜːt] *v/t*. **1.** behaupten, erklären; **2.** *Anspruch*, *Recht* behaupten, geltend machen; 'durchsetzen; bestehen auf (*acc*.); verteidigen, einstehen für: **~ one's liberties**; **3. ~ o.s.** a) sich behaupten, sich geltend machen *od*. 'durchsetzen, b) sich zu'viel anmaßen; **as·ser·tion** [ə'sɜːʃn] *s*. **1.** Behauptung *f*, Erklärung *f*: **make an ~** e-e Behauptung aufstellen; **2.** Geltendmachung *f* *od*. 'Durchsetzung *f* *e-s Anspruches etc*.; **as'ser·tive** [-tɪv] *adj*. □ **1.** 'positiv, zur Geltung kommend, ausdrücklich; **2.** anspruchsvoll, anmaßend.

as·sess [ə'ses] *v/t*. **1.** besteuern, zur Steuer einschätzen *od*. veranlagen (**in** *od*. **at** [**the sum of**] mit); **2.** *Steuer, Geldstrafe etc*. auferlegen (**upon** *dat*.): **~ed value** Einheitswert *m*; **3.** *bsd*. *Wert zur Besteuerung od. e-s Schadens* schätzen, veranschlagen, festsetzen; **4.** *fig*. *Leistung etc*. bewerten, einschätzen, beurteilen, würdigen; **as'sess·a·ble** [-səbl] *adj*. □ **1.** (ab)schätzbar; **2.** (**~ to income tax** einkommens)steuerpflichtig; **as'sess·ment** [-mənt] *s*. **1.** (Steuer)Veranlagung *f*, Einschätzung *f*, Besteuerung *f*: **~ notice** Steuerbescheid *m*; **rate of ~** Steuersatz *m*; **2.** Festsetzung *f* e-r Zahlung (*als Entschädigung etc*.), (*Schadens*)Feststellung *f*; **3.** (*Betrag der*) Steuer *f*, Abgabe *f*, Zahlung *f*; **4.** *fig*. Bewertung *f*, Beurteilung *f*, Würdigung *f*; **as'ses·sor** [-sə] *s*. **1.** Steuereinschätzer *m*; **2.** ⚖ (sachverständiger) Beisitzer *m*, Sachverständige(r) *m*.

as·set ['æset] *s*. **1.** ✝ Vermögen(swert

m, -gegenstand *m*) *n*; *Bilanz*: Ak'tivposten *m*, *pl.* Ak'tiva *pl.*, (Aktiv-, Betriebs)Vermögen *n*; (Kapital)Anlagen *pl.*; Guthaben *n u. pl.*: ***~s and liabilities*** Aktiva u. Passiva; ***concealed*** (*od.* ***hidden***) ***~s*** stille Reserven; **2.** *pl.* ⚖ Vermögen(smasse *f*) *n*, Nachlaß *m*; (***bankrupt's***) ***~s*** Kon'kursmasse *f*; **3.** *fig.* a) Vorzug *m*, -teil *m*, Plus *n*, Wert *m*, b) Gewinn (***to*** für), wertvolle Kraft, guter Mitarbeiter *etc.*

as·sev·er·ate [ə'sevəreɪt] *v/t.* beteuern; **as·sev·er·a·tion** [əˌsevə'reɪʃn] *s.* Beteuerung *f*.

as·si·du·i·ty [ˌæsɪ'dju:ətɪ] *s.* Emsigkeit *f*, (unermüdlicher) Fleiß; Dienstbeflissenheit *f*; **as·sid·u·ous** [ə'sɪdjʊəs] *adj.* □ **1.** emsig, fleißig, eifrig, beharrlich; **2.** aufmerksam, dienstbeflissen.

as·sign [ə'saɪn] **I** *v/t.* **1.** *Aufgabe etc.* zu-, anweisen, zuteilen, über'tragen (***to s.o.*** j-m); **2.** *j-n zu e-r Aufgabe etc.* bestimmen, *j-n mit et.* beauftragen; *e-m Amt*, ⚔ *e-m Regiment* zuteilen; **3.** *fig. et.* zuordnen (***to*** *dat.*); **4.** *Zeit, Aufgabe* festsetzen, bestimmen; **5.** *Grund etc.* angeben, anführen; **6.** zuschreiben (***to*** *dat.*); **7.** ⚖ (***to***) über'tragen (auf *acc.*), abtreten (an *acc.*); **II** *s.* **8.** ⚖ Rechtsnachfolger(in), Zessio'nar *m*; **as'sign·a·ble** [-nəbl] *adj.* bestimmbar, zuweisbar; zuzuschreiben(d); anführbar; ⚖ über'tragbar; **as·sig·na·tion** [ˌæsɪg'neɪʃn] *s.* **1.** → ***assignment*** 1, 2, 4; **2.** *et.* Zugewiesenes, (Geld)Zuwendung *f*; **3.** Stelldichein *n*; **as·sign·ee** [ˌæsɪ'ni:] *s.* ⚖ **1.** → ***assign*** 8; **2.** Bevollmächtigte(r *m*) *f*; Treuhänder *m*: ***~ in bankruptcy*** Konkursverwalter *m*; **as'sign·ment** [-mənt] *s.* **1.** An-, Zuweisung *f*; **2.** Bestimmung *f*, Festsetzung *f*; **3.** Aufgabe *f*, Arbeit *f* (*a. ped.*); Auftrag *m*; *bes. Am.* Stellung *f*, Posten *m*; **4.** ⚖ a) Übertragung *f*, Abtretung *f*, b) Abtretungsurkunde *f*; **as·sign·or** [ˌæsɪ'nɔ:] *s.* ⚖ Ze'dent(in), Abtretende(r *m*) *f*.

as·sim·i·late [ə'sɪmɪleɪt] **I** *v/t.* **1.** assimilieren: a) angleichen (*a. ling.*), anpassen (***to***, ***with*** *dat.*), b) *bsd. sociol.* aufnehmen, absorbieren, *a.* gleichsetzen (***to***, ***with*** mit), c) *biol. Nahrung* einverleiben, 'umsetzen; **2.** vergleichen (***to***, ***with*** mit); **II** *v/i.* **3.** sich assimilieren, gleich *od.* ähnlich werden, sich anpassen, sich angleichen; **4.** aufgenommen werden; **as·sim·i·la·tion** [əˌsɪmɪ'leɪʃn] *s.* (***to***) Assimilati'on *f* (an *acc.*): a) *a. sociol.* Angleichung *f* (an *acc.*), Gleichsetzung *f* (mit), b) *biol.*, *sociol.* Aufnahme *f*, Einverleibung *f*, c) *bot.* Photosyn'these *f*, d) *ling.* Assimilierung *f*.

as·sist [ə'sɪst] **I** *v/t.* **1.** *j-m* helfen, beistehen; *j-n od. et.* unter'stützen: ***~ed takeoff*** Abflug *m* mit Starthilfe; **2.** fördern, (*mit Geld*) unter'stützen: ***~ed immigration*** Einwanderung mit (staatlicher) Beihilfe; **II** *v/i.* **3.** Hilfe leisten, mithelfen (***in*** bei): ***~ in doing a job*** bei e-r Arbeit (mit)helfen; **4.** (***at***) beiwohnen (*dat.*), teilnehmen (an *dat.*); **III** *s.* **5.** F → ***assistance***; **6.** *Eishockey etc.*: Vorlage *f*; **as'sist·ance** [-təns] *s.* Hilfe *f*, Unter'stützung *f*, Beistand *m*: ***economic*** (***judicial***) ***~*** Wirtschafts- (Rechts)Hilfe; ***social ~*** Sozialhilfe *f*; ***afford*** (*od.* ***lend***) ***~*** Hilfe gewähren *od.* leisten; **as'sist·ant** [-tənt] **I** *adj.* **1.** behilflich (***to*** *dat.*); **2.** Hilfs..., Unter..., stellvertretend, zweite(r): ***~ driver*** Beifahrer *m*; ***~ judge*** ⚖ Beisitzer *m*; **II** *s.* **3.** Assi'stent(in), Gehilfe *m*, Gehilfin *f*, Mitarbeiter(in); Angestellte(r *m*) *f*; **4.** Ladengehilfe *m*, -gehilfin *f*, Verkäufer(in).

as·size [ə'saɪz] *s. hist.* **1.** ⚖ (Schwur-) Gerichtssitzung *f*, Gerichtstag *m*; **2.** ***℞s*** *pl.* ⚖ *Brit.* As'sisen *pl.*, peri'odische (Schwur)Gerichtssitzungen *pl.* des ***High Court of Justice*** in den einzelnen Grafschaften (*bis 1971*).

as·so·ci·a·ble [ə'səʊʃjəbl] *adj.* (gedanklich) vereinbar (***with*** mit).

as·so·ci·ate [ə'səʊʃɪeɪt] **I** *v/t.* **1.** (***with***) vereinigen, verbinden, verknüpfen (mit); hin'zufügen, angliedern, -schließen, zugesellen (*dat.*): ***~d company*** ✝ *Brit.* Schwestergesellschaft *f*; **2.** *bsd. psych.* assoziieren, (gedanklich) verbinden, in Zs.-hang bringen, verknüpfen; **3.** ***~ o.s.*** sich anschließen (***with*** *dat.*); **II** *v/i.* (***with*** mit) **4.** 'Umgang haben, verkehren; **5.** sich verknüpfen, sich verbinden; **III** *adj.* [-ʃɪət] **6.** eng verbunden, verbündet; verwandt (***with*** mit); **7.** beigeordnet, Mit...: ***~ editor*** Mitherausgeber *m*; ***~ judge*** beigeordneter Richter; **8.** außerordentlich: ***~ member***, ***~ professor***; **IV** *s.* [-ʃɪət] **9.** ✝ Teilhaber *m*, Gesellschafter *m*; **10.** Gefährte *m*, Genosse *m*, Kol'lege *m*, Mitarbeiter *m*; **11.** außerordentliches Mitglied, Beigeordnete(r *m*) *f*; **12.** *Am. univ.* Lehrbeauftragte(r *m*) *f*.

as·so·ci·a·tion [əˌsəʊsɪ'eɪʃn] *s.* **1.** Vereinigung *f*, Verbindung *f*, An-, Zs.-schluß *m*; **2.** Verein(igung *f*) *m*, Gesellschaft *f*; Genossenschaft *f*, Handelsgesellschaft *f*, Verband *m*; **3.** Freundschaft *f*, Kame'radschaft *f*; 'Umgang *m*, Verkehr *m*; **4.** Zs.-hang *m*, Beziehung *f*, Verknüpfung *f*; (Gedanken)Verbindung *f*, (I'deen)Assoziatiˌon *f*: ***~ of ideas***; **~ foot·ball** *s. sport* (Verbands-) Fußball(spiel *n*) *m* (*Ggs. Rugby*).

as·so·nance ['æsənəns] *s.* Asso'nanz *f*, vo'kalischer Gleichklang; **'as·so·nant** [-nt] **I** *adj.* anklingend; **II** *s.* Gleichklang *m*.

as·sort [ə'sɔ:t] **I** *v/t.* **1.** sortieren, gruppieren, (passend) zs.-stellen; **2.** ✝ assortieren; **II** *v/i.* **3.** (***with***) passen (zu), über'einstimmen (mit); **4.** verkehren, 'umgehen (***with*** mit); **as'sort·ed** [-tɪd] *adj.* **1.** sortiert, geordnet; **2.** ✝ assortiert, *a. fig.* gemischt, verschiedenartig, allerlei; **as'sort·ment** [-mənt] *s.* **1.** Sortieren *n*, Ordnen *n*; **2.** Zs.-stellung *f*, Sammlung *f*; **3.** *bsd.* ✝ Sorti'ment *n*, Auswahl *f*, Mischung *f*, Kollekti'on *f*.

as·suage [ə'sweɪdʒ] *v/t.* **1.** erleichtern, lindern, mildern; **2.** besänftigen, beschwichtigen; **3.** *Hunger etc.* stillen.

as·sume [ə'sjuːm] *v/t.* **1.** annehmen, vor'aussetzen, unter'stellen: ***assuming that*** angenommen, daß; **2.** *Amt, Pflicht, Schuld etc.* über'nehmen, (*a. Gefahr*) auf sich nehmen: ***~ office***; **3.** *Gestalt, Eigenschaft etc.* annehmen, bekommen; sich zulegen, sich geben, sich angewöhnen; **4.** sich anmaßen *od.* aneignen: ***~ power*** die Macht ergreifen; **5.** vorschützen, vorgeben, (er)heucheln; **6.** *Kleider etc.* anziehen; **as'sumed** [-md] *adj.* □ **1.** angenommen, vor'ausgesetzt; **2.** vorgetäuscht, unecht: ***~ name*** Deckname *m*; **as'sum·ed·ly** [-mɪdlɪ] *adv.* vermutlich; **as'sum·ing** [-mɪŋ] *adj.* □ anmaßend.

as·sump·tion [ə'sʌmpʃn] *s.* **1.** Annahme *f*, Vor'aussetzung *f*; Vermutung *f*: ***on the ~ that*** in der Annahme, daß; **2.** 'Übernahme *f*, Annahme *f*; **3.** ('widerrechtliche) Aneignung; **4.** Anmaßung *f*; **5.** Vortäuschung *f*; **6.** ♀ (***Day***) *eccl.* Mariä Himmelfahrt *f*.

as·sur·ance [ə'ʃʊərəns] *s.* **1.** Ver-, Zusicherung *f*; **2.** Bürgschaft *f*, Garan'tie *f*; **3.** ✝ (*bsd.* Lebens)Versicherung *f*; **4.** Sicherheit *f*, Gewißheit *f*; Sicherheitsgefühl *n*, Zuversicht *f*; **5.** Selbstsicherheit *f*, -vertrauen *n*; sicheres Auftreten; *b.s.* Dreistigkeit *f*; **as·sure** [ə'ʃʊə] *v/t.* **1.** sichern, sicherstellen, bürgen für: ***this will ~ your success***; **2.** ver-, zusichern: ***~ s.o. of s.th.*** j-n e-r Sache versichern, j-m et. zusichern; ***~ s.o. that*** j-m versichern, daß; **3.** beruhigen; **4.** (***o.s.*** sich) über'zeugen *od.* vergewissern; **5.** *Leben* versichern: ***~ one's life with*** e-e Lebensversicherung abschließen bei *e-r Gesellschaft*; **as·sured** [ə'ʃʊəd] **I** *adj.* □ **1.** ge-, versichert; **2.** a) sicher, über'zeugt, b) selbstsicher, c) beruhigt, ermutigt; **3.** gewiß, zweifellos; **II** *s.* **4.** Versicherte(r *m*) *f*; **as'sur·ed·ly** [-rɪdlɪ] *adv.* ganz gewiß; **as·sured·ness** [ə'ʃʊədnɪs] *s.* Gewißheit *f*; Selbstvertrauen *n*; *b.s.* Dreistigkeit *f*; **as'sur·er** [-rə] *s.* Versicherer *m*.

As·syr·i·an [ə'sɪrɪən] **I** *adj.* as'syrisch; **II** *s.* As'syrer(in).

as·ter ['æstə] *s.* ⚘ Aster *f*.

as·ter·isk ['æstərɪsk] *s. typ.* Sternchen *n*.

a·stern [əs'tɜːn] *adv.* ⚓ **1.** achtern, hinten; **2.** achteraus.

as·ter·oid ['æstərɔɪd] *s. ast.* Astero'id *m* (*kleiner Planet*).

asth·ma ['æsmə] *s.* ⚕ 'Asthma *n*, Atemnot *f*; **asth·mat·ic** [æs'mætɪk] **I** *adj.* (□ ***~ally***) asth'matisch; **II** *s.* Asth'matiker (-in); **asth·mat·i·cal** [æs'mætɪkl] → ***asthmatic*** I.

as·tig·mat·ic [ˌæstɪg'mætɪk] *adj.* (□ ***~ally***) *phys.* astig'matisch; **a·stig·ma·tism** [æ'stɪgmətɪzəm] *s.* Astigma'tismus *m*.

a·stir [ə'stɜː] *adv. u. adj.* **1.** auf den Beinen: a) in Bewegung, rege, b) auf(gestanden), aus dem Bett, munter; **2.** in Aufregung (***with*** über *acc.*, wegen).

as·ton·ish [ə'stɒnɪʃ] *v/t.* **1.** in Erstaunen *od.* Verwunderung setzen; **2.** über'raschen, befremden: ***be ~ed*** erstaunt *od.* überrascht sein (***at*** über *acc.*, ***to*** *inf.* zu *inf.*), sich wundern (***at*** über *acc.*); **as'ton·ish·ing** [-ʃɪŋ] *adj.* □ erstaunlich, überraschend; **as'ton·ish·ing·ly** [-ʃɪŋlɪ] *adv.* erstaunlich(erweise); **as'ton·ish·ment** [-mənt] *s.* Verwunderung *f*, (Er)Staunen *n*, Befremden *n* (***at*** über *acc.*): ***to fill*** (*od.* ***strike***) ***with ~*** in Erstaunen setzen.

as·tound [ə'staʊnd] *v/t.* verblüffen, in Erstaunen setzen, äußerst über'raschen; **as'tound·ing** [-dɪŋ] *adj.* □ verblüffend, höchst erstaunlich.

as·tra·chan → ***astrakhan***.

a·strad·dle [ə'strædl] *adv.* rittlings.

as·tra·khan [ˌæstrə'kæn] *s.* 'Astrachan *m*, Krimmer *m* (*Pelzart*).

as·tral ['æstrəl] *adj.* Stern(en)…, Astral…: ***~ body*** Astralleib *m*; ***~ lamp*** Astrallampe *f*.

a·stray [ə'streɪ] **I** *adv.*: ***go ~*** a) vom Weg abkommen, b) *fig.* auf Abwege geraten, c) *fig.* irre-, fehlgehen, d) das Ziel verfehlen (*Schuß etc.*); ***lead ~*** *fig.* irreführen, verleiten; **II** *adj.* irregehend, abschweifend (*a. fig.*); irrig, falsch.

a·stride [ə'straɪd] *adv., adj. u. prp.* rittlings (***of*** auf *dat.*), mit gespreizten Beinen: ***ride ~*** im Herrensattel reiten; ***~ (of) a horse*** zu Pferde; ***~ (of) a road*** quer über die Straße.

as·tringe [ə'strɪndʒ] *v/t.* (*a.* ⚕) zs.-ziehen, adstringieren; **as'trin·gent** [-dʒənt] **I** *adj.* □ **1.** ⚕ adstringierend, zs.-ziehend; **2.** *fig.* streng, hart; **II** *s.* **3.** ⚕ Ad'stringens *n*.

as·tri·on·ics [ˌæstrɪ'ɒnɪks] *s. pl. sg. konstr.* Astri'onik *f*, 'Raumfahrtelekˌtronik *f*.

as·tro·dome ['æstrəʊdəʊm] *s.* ✈ Kuppel *f* für astro'nomische Navigati'on; **as·tro·labe** ['æstrəʊleɪb] *s. ast.* Astro'labium *n*.

as·trol·o·ger [ə'strɒlədʒə] *s.* Astro'loge *m*, Sterndeuter *m*; **as·tro·log·ic**, **as·tro·log·i·cal** [ˌæstrə'lɒdʒɪk(l)] *adj.*

□ astro'logisch; **as·trol·o·gy** [ə'strɒlədʒɪ] *s.* Astrolo'gie *f*, Sterndeutung *f*.
as·tro·naut ['æstrənɔ:t] *s.* (Welt-)Raumfahrer *m*, Astro'naut *m*; **as·tro·nau·tics** [ˌæstrə'nɔ:tɪks] *s. pl. sg. konstr.* Raumfahrt *f*.
as·tron·o·mer [ə'strɒnəmə] *s.* Astro'nom *m*; **as·tro·nom·ic**, **as·tro·nom·i·cal** [ˌæstrə'nɒmɪk(l)] *adj.* □ **1.** astro'nomisch, Stern…, Himmels…; **2.** *fig.* riesengroß; **~ *figures*** astronomische Zahlen; **as·tron·o·my** [ə'strɒnəmɪ] *s.* Astrono'mie *f*, Sternkunde *f*.
as·tro·phys·i·cist [ˌæstrəʊ'fɪzɪsɪst] *s.* Astro'physiker *m*; **as·tro·phys·ics** [ˌæstrəʊ'fɪzɪks] *s. pl. sg. konstr.* Astrophy'sik *f*.
as·tute [ə'stju:t] *adj.* □ **1.** scharfsinnig; **2.** schlau, gerissen, raffiniert; **as'tute·ness** [-nɪs] *s.* Scharfsinn *m*; Schlauheit *f*.
a·sun·der [ə'sʌndə] **I** *adv.* ausein'ander, ent'zwei, in Stücke: ***cut s.th. ~***; **II** *adj.* ausein'ander(liegend); *fig.* verschieden.
a·sy·lum [ə'saɪləm] *s.* **1.** A'syl *n*, Heim *n*, (Pflege)Anstalt *f*: (***insane** od. **lunatic***) **~** Irrenanstalt *f*; **2.** A'syl *n*: a) Freistätte *f*, Zufluchtsort *m*, b) *fig.* Zuflucht *f*, Schutz *m*, c) po'litisches A'syl: ***right of ~*** Asylrecht *n*; ***~ camp*** Asylantenlager *n*; ***~-seeker*** Asylbewerber *m*.
a·sym·met·ric, **a·sym·met·ri·cal** [ˌæsɪ'metrɪk(l)] *adj.* □ asym'metrisch, 'unsymˌmetrisch, ungleichmäßig: ***asymmetrical bars*** *Turnen*: Stufenbarren *m*; **a·sym·me·try** [æ'sɪmətrɪ] *s.* Asymme'trie *f*, Ungleichmäßigkeit *f*.
a·syn·chro·nous [æ'sɪŋkrənəs] *adj.* □ 'asynchron, Asynchron…
at¹ [æt; *unbetont* ət] *prp.* **1.** (*Ort*) an (*dat.*), bei, zu, auf (*dat.*), in (*dat.*): ***~ the corner*** an der Ecke; ***~ the door*** an *od.* vor der Tür; ***~ home*** zu Hause; ***~ the baker's*** beim Bäcker; ***~ school*** in der Schule; ***~ a ball*** bei (*od.* auf) e-m Ball; ***~ Stratford*** in Stratford (***at*** *vor dem Namen jeder Stadt außer London u. dem eigenen Wohnort; vor den beiden letzteren* ***in***); **2.** (*Richtung*) auf (*acc.*), nach, gegen, zu, durch: ***point ~ s.o.*** auf j-n zeigen; **3.** (*Art u. Weise, Zustand*) in (*dat.*), bei, zu, unter (*dat.*), auf (*acc.*): ***~ work*** bei der Arbeit; ***~ your service*** zu Ihren Diensten; ***good ~ Latin*** gut in Latein; ***~ my expense*** auf meine Kosten; ***~ a gallop*** im Galopp; ***he is still ~ it*** er ist noch dabei *od.* dran *od.* damit beschäftigt; **4.** (*Zeit*) um, bei, zu, auf (*dat.*): ***~ 3 o'clock*** um 3 Uhr; ***~ dawn*** bei Tagesanbruch; ***~ Christmas*** zu Weihnachten; ***~ (the age of) 21*** im Alter von 21 Jahren; **5.** (*Grund*) über (*acc.*), von, bei: ***alarmed ~*** beunruhigt über; **6.** (*Preis, Maß*) für, um, zu: ***~ 6 dollars***; ***charged ~*** berechnet mit; **7.** ***~ all*** *in neg. od. Fragesätzen*: über'haupt, gar *nichts etc.*: ***is he suitable ~ all?*** ist er überhaupt geeignet?; ***not ~ all*** überhaupt nicht; ***not ~ all!*** F nichts zu danken!, gern geschehen!
At² [æt] *s. Brit.* ⚔ *hist.* F Angehörige *f* der Streitkräfte.
at·a·vism ['ætəvɪzəm] *s. biol.* Ata'vismus *m*, (Entwicklungs)Rückschlag *m*; **at·a·vis·tic** [ˌætə'vɪstɪk] *adj.* ata'vistisch.
a·tax·i·a [ə'tæksɪə], **a'tax·y** [-ksɪ] *s.* Ata'xie *f*, Bewegungsstörung *f*.
ate [et] *pret. von* ***eat***.
at·el·ier ['ætəlɪeɪ] (*Fr.*) *s.* Ateli'er *n*.
a·the·ism ['eɪθɪɪzəm] *s.* Athe'ismus *m*, Gottesleugnung *f*; **'a·the·ist** [-ɪst] *s.* **1.** Athe'ist(in); **2.** gottloser Mensch; **a·the·is·tic** *adj.*; **a·the·is·ti·cal** [ˌeɪθɪ'ɪstɪk(l)] *adj.* □ **1.** athe'istisch; **2.** gottlos.
A·the·ni·an [ə'θi:njən] **I** *adj.* a'thenisch; **II** *s.* A'thener(in).
a·thirst [ə'θɜ:st] *adj.* **1.** durstig; **2.** begierig (***for*** nach).
ath·lete ['æθli:t] *s.* **1.** Ath'let *m*: a) Sportler *m*, Wettkämpfer *m*, b) *fig.* Hüne *m*; **2.** *Brit.* 'Leichtathˌlet *m*; **~'s foot** *s.* ⚕ Fußpilz *m*; **~'s heart** *s.* Sportlerherz *n*.
ath·let·ic [æθ'letɪk] *adj.* (□ ***~ally***) ath'letisch: a) Sport…, b) von athletischem Körperbau, musku'lös, c) sportlich (gewandt); **~ heart** *s.* ⚕ Sportherz *n*.
ath·let·i·cism [æθ'letɪsɪzəm] *s.* → ***athletics*** 2; **ath'let·ics** [-ɪks] *s. pl. sg. konstr.* **1.** a) Sport *m*, b) *Brit.* 'Leichtathˌletik *f*; **2.** sportliche Betätigung *od.* Gewandtheit, Sportlichkeit *f*.
at-home [ət'həʊm] *s.* (zwangloser) Empfang(stag), At-'home *n*.
a·thwart [ə'θwɔ:t] **I** *adv.* **1.** quer, schräg hin'durch; ⚓ dwars (über); **2.** *fig.* verkehrt, ungelegen, in die Quere; **II** *prp.* **3.** (quer) über (*acc.*) *od.* durch; ⚓ dwars (über *acc.*); **4.** *fig.* (ent)gegen.
a·tilt [ə'tɪlt] *adv. u. adj.* **1.** vorgebeugt, kippend; **2.** mit eingelegter Lanze: ***run*** (*od.* ***ride***) ***~ at s.o.*** *fig.* gegen j-n e-e Attacke reiten.
At·lan·tic [ət'læntɪk] **I** *adj.* at'lantisch; **II** *s.*: ***the ~*** der At'lantik, der Atlantische Ozean; **~ Char·ter** *s. pol.* At'lantikˌCharta *f*; **~ (standard) time** *s.* At'lantische ('Standard)Zeit (*im Osten Kanadas*).
at·las ['ætləs] *s.* **1.** Atlas *m* (*Buch*); **2.** △ At'lant *m*, Atlas *m* (*Gebälkträger*); **3.** *fig.* Hauptstütze *f*; **4.** *anat.* Atlas *m* (*oberster Halswirbel*); **5.** *großes Papierformat*; **6.** Atlas(seide *f*) *m*.
at·mos·phere ['ætməˌsfɪə] *s.* **1.** Atmo'sphäre *f*, Lufthülle *f*; **2.** Luft *f*: ***a moist ~***; **3.** ⚙ Atmo'sphäre *f* (*Druckeinheit*); **4.** *fig.* Atmo'sphäre *f*: a) Um'gebung *f*,

b) Stimmung *f*.

at·mos·pher·ic [ˌætməsˈferɪk] *adj.* (□ **~ally**) **1.** atmoˈsphärisch, Luft...: **~ pressure** *phys.* Luftdruck; **2.** Witterungs..., Wetter...; **3.** ⚙ mit (Luft-) Druck betrieben; **4.** *fig.* stimmungsvoll, Stimmungs...; **at·mosˈpher·ics** [-ks] *s. pl.* **1.** ⚙ atmoˈsphärische Störungen *pl.*; **2.** *fig.* (*bsd.* optiˈmistische) Atmoˈsphäre.

at·oll [ˈætɒl] *s. geogr.* Aˈtoll *n*.

at·om [ˈætəm] *s.* **1.** *phys.* Aˈtom *n*: **~ bomb** Atombombe *f*; **~ smashing** Atomzertrümmerung *f*; **~ splitting** Atom(kern)spaltung *f*; **2.** *fig.* Aˈtom *n*, winziges Teilchen, bißchen *n*: **not an ~ of truth** kein Körnchen Wahrheit.

a·tom·ic [əˈtɒmɪk] *adj. phys.* (□ **~ally**) atoˈmar, aˈtomisch, Atom...: **~ age** Atomzeitalter *n*; **~ bomb** Atombombe *f*; **~ clock** Atomuhr *f*; **~ decay**, **~ disintegration** Atomzerfall *m*; **~ energy** Atomenergie *f*; **~ fission** Atomspaltung *f*; **~ fuel** Kernbrennstoff *m*; **~ index**, **~ number** Atomzahl *f*; **~ nucleus** Atomkern *m*; **~ pile** Atombatterie *f*, -säule *f*, -meiler *m*; **~-powered** mit Atomkraft getrieben, Atom...; **~ power plant** Atomkraftwerk *n*; **~ weight** Atomgewicht *n*.

a·tom·i·cal [əˈtɒmɪkl] → **atomic**.

a·tom·ics [əˈtɒmɪks] *s. pl. mst sg. konstr.* Aˈtomphyˌsik *f*.

at·om·ism [ˈætəmɪzəm] *s. phls.* Atoˈmismus *m*; **at·om·is·tic** [ˌætəʊˈmɪstɪk] *adj.* (□ **~ally**) atoˈmistisch.

at·om·ize [ˈætəʊmaɪz] *v/t.* **1.** in Aˈtome auflösen; **2.** *Flüssigkeit* zerstäuben; **3.** in s-e Bestandteile auflösen, atomisieren; **4.** ⚔ mit Atombomben belegen; **ˈat·om·iz·er** [-maɪzə] *s.* ⚙ Zerstäuber *m*.

at·o·my[1] [ˈætəmɪ] *s.* **1.** Aˈtom *n*; **2.** *fig.* Zwerg *m*, Knirps *m*.

at·o·my[2] [ˈætəmɪ] *s.* F ‚Gerippe' *n*.

a·tone [əˈtəʊn] *v/i.* (**for**) büßen (für); sühnen, wiederˈgutmachen (*acc.*); **aˈtone·ment** [-mənt] *s.* **1.** Buße *f*, Sühne *f*, Genugtuung *f* (**for** für): **Day of** 2 *eccl.* a) Buß- und Bettag *m*, b) Versöhnungstag *m* (*jüd. Feiertag*); **2. the** 2 *eccl.* das Sühneopfer Christi.

a·ton·ic [æˈtɒnɪk] *adj.* **1.** ⚕ aˈtonisch, schlaff, schwächend; **2.** *ling.* a) unbetont, b) stimmlos; **at·o·ny** [ˈætənɪ] *s.* ⚕ Atoˈnie *f*.

a·top [əˈtɒp] **I** *adv.* oben(auf), zuˈoberst; **II** *prp. a.* **~ of** (oben) auf (*dat.*); *fig.* besser als.

a·trip [əˈtrɪp] *adj.* ⚓ **1.** gelichtet (*Anker*); **2.** steifgeheißt (*Segel*).

a·tri·um [ˈɑːtrɪəm] *pl.* **-a** [-ə] *s.* ˈAtrium *n*: a) *antiq.* Hauptraum *m*, b) △ Lichthof *m*, c) *anat.* (*bsd.* Herz)Vorhof *m*, Vorkammer *f*.

a·tro·cious [əˈtrəʊʃəs] *adj.* □ scheußlich, gräßlich, grausam, *fig.* F *a.* miseˈrabel; **a·troc·i·ty** [əˈtrɒsətɪ] *s.* **1.** Scheußlichkeit *f*; **2.** Greuel(tat *f*) *m*; **3.** F a) Ungeheuerlichkeit *f*, (grober) Verstoß, b) ‚Greuel' *m*, *et.* Scheußliches.

at·ro·phied [ˈætrəfɪd] *adj.* ⚕ atrophiert, geschrumpft, verkümmert (*a. fig.*); **ˈat·ro·phy** [-fɪ] ⚕ **I** *s.* Atroˈphie *f*, Abzehrung *f*, Schwund *m*, Verkümmerung *f* (*a. fig.*); **II** *v/t.* abzehren *od.* verkümmern lassen; **III** *v/i.* schwinden, verkümmern (*a. fig.*).

Ats [æts] *s. pl. Brit. hist.* F *statt* **A.T.S.** [ˈeɪˈtiːˈes] *abbr. für* (**Women's**) **Auxiliary Territorial Service** *Organisation der weiblichen Angehörigen der Streitkräfte.*

at·ta·boy [ˈætəbɔɪ] *int. Am.* F bravo!, so ist's recht!

at·tach [əˈtætʃ] **I** *v/t.* **1.** (**to**) befestigen, anbringen (an *dat.*), beifügen (*dat.*), anheften, -binden, -kleben (an *acc.*), verbinden (mit); **2.** *fig.* (**to**) *Sinn etc.* verknüpfen, verbinden (mit); *Wert*, *Wichtigkeit*, *Schuld* beimessen (*dat.*), *Namen* beilegen (*dat.*): **~ conditions** (**to**) Bedingungen knüpfen (an *acc.*); → **importance** 1; **3.** *fig. j-n* fesseln, gewinnen, für sich einnehmen: **be ~ed to s.o.** an j-m hängen; **be ~ed** ‚in festen Händen sein' (*Mädchen etc.*); **~ o.s.** sich anschließen (**to** *dat.*, an *acc.*); **4.** (**to**) *j-n* angliedern, zuteilen (*dat.*); **5.** ⚖ a) *j-n* verhaften, b) *et.* beschlagnahmen, *Forderung*, *Konto etc.* pfänden; **II** *v/i.* **6.** (**to**) anhaften (*dat.*), verknüpft *od.* verbunden sein (mit): **no blame ~es to him** ihn trifft keine Schuld; **7.** ⚖ als Rechtsfolge eintreten: **liability ~es**; **atˈtach·a·ble** [-tʃəbl] *adj.* **1.** anfügbar, an-, aufsteckbar; **2.** *fig.* verknüpfbar (**to** mit); **3.** ⚖ zu beschlagnahmen(d); beschlagnahmefähig, pfändbar.

at·ta·ché [əˈtæʃeɪ] (*Fr.*) *s.* Attaˈché *m*: **commercial ~** Handelsattaché; **~ case** *s.* Aktenkoffer *m*.

at·tached [əˈtætʃt] *adj.* **1.** befestigt, fest, daˈzugehörig: **with collar ~** mit festem Kragen; **2.** angeschlossen, zugeteilt; **3.** anhänglich, *j-m* zugetan; **atˈtach·ment** [-tʃmənt] *s.* **1.** Befestigung *f*, Anbringung *f*; Anschluß *m*; **2.** Verbindung *f*, Verknüpfung *f*; **3.** Anhängsel *n*, Beiwerk *n*; ⚙ Zusatzgerät *n*; **4.** *fig.* (**to**, **for**) Bindung *f* (an *acc.*); Zugehörigkeit *f* (zu); Anhänglichkeit *f* (an *acc.*), Neigung *f*, Liebe *f* (zu); **5.** ⚖ a) Verhaftung *f*, b) Beschlagnahme *f*, Pfändung *f*, dinglicher Arˈrest: **~ of a debt** Forderungspfändung; **order of ~** Beschlagnahmeverfügung *f*.

at·tack [əˈtæk] **I** *v/t.* **1.** angreifen, überˈfallen; **2.** *fig.* angreifen, scharf kritisieren; **3.** *fig. Arbeit etc.* in Angriff nehmen, sich über *Essen etc.* hermachen;

4. *fig.* befallen (*Krankheit*); angreifen: ***acid ~s metals***; **II** *s.* **5.** Angriff *m* (***on*** auf *acc.*) (*a.* ⚗ *Einwirkung*), 'Überfall *m*; **6.** *fig.* Angriff *m*, At'tacke *f*, (scharfe) Kri'tik: ***be under ~*** unter Beschuß stehen; **7.** ⚕ Anfall *m*, At'tacke *f*; **8.** In'angriffnahme *f*; **at'tack·er** [-kə] *s.* Angreifer *m*.

at·tain [ə'teɪn] **I** *v/t. Zweck etc.* erreichen; erlangen; erzielen; **II** *v/i.* (***to***) gelangen (zu), erreichen (*acc.*): ***after ~ing the age of 18 years*** nach Vollendung des 18. Lebensjahres; **at'tain·a·ble** [-nəbl] *adj.* erreichbar; **at'tain·der** [-ndə] *s.* ⚖ Verlust *m* der bürgerlichen Ehrenrechte u. Einziehung *f* des Vermögens; **at'tain·ment** [-mənt] *s.* **1.** Erreichung *f*, Erwerbung *f*; **2.** *pl.* Kenntnisse *pl.*, Fertigkeiten *pl.*; **at'taint** [-nt] **I** *v/t.* **1.** zum Tode und zur Ehrlosigkeit verurteilen; **2.** befallen (*Krankheit*); **3.** *fig.* beflecken, entehren; **II** *s.* **4.** Makel *m*, Schande *f*.

at·tar ['ætə] *s.* 'Blumenesˌsenz *f*, *bsd.* ***~ of roses*** Rosenöl *n*.

at·tempt [ə'tempt] **I** *v/t.* **1.** versuchen, probieren; **2.** ***~ s.o.'s life*** e-n Mordanschlag auf j-n verüben; ***~ed murder*** Mordversuch *m*; **3.** in Angriff nehmen, sich wagen *od.* machen an (*acc.*); **II** *s.* **4.** Versuch *m*, Bemühung *f* (***to*** *inf.* zu *inf.*): ***~ at explanation*** Erklärungsversuch; **5.** Angriff *m*: ***~ on s.o.'s life*** (Mord)Anschlag *m*, Attentat *n* auf j-n.

at·tend [ə'tend] **I** *v/t.* **1.** *j-m* aufwarten; als Diener *od.* dienstlich begleiten; **2.** *bsd. Kranke* pflegen; *ärztlich* behandeln; **3.** *fig.* begleiten: ***~ed by*** *od.* ***with*** begleitet von, verbunden mit (*Schwierigkeiten etc.*); **4.** beiwohnen (*dat.*), teilnehmen an (*dat.*); *Vorlesung, Schule, Kirche etc.* besuchen; **5.** ⚙ a) bedienen, b) warten, pflegen, über'wachen; **II** *v/i.* **6.** (***to***) beachten (*acc.*), hören, achten (auf *acc.*): ***~ to what I am saying***; **7.** (***to***) sich kümmern (um), sich widmen (*dat.*); ✝ *j-n* bedienen (*im Laden*), abfertigen; **8.** (***to***) sorgen (für); besorgen, erledigen (*acc.*); **9.** ([***up***]***on***) *j-m* aufwarten, zur Verfügung stehen; *j-n* bedienen; **10.** erscheinen, zu'gegen sein (***at*** bei); **11.** *obs.* achtgeben; **at'tend·ance** [-dəns] *s.* **1.** Bedienung *f*, Aufwartung *f*, Pflege *f* (***on***, ***upon*** *gen.*), Dienst(leistung *f*) *m*: ***medical ~*** ärztliche Hilfe; ***hours of ~*** Dienststunden; ***in ~*** diensthabend, -tuend; → ***dance*** 3; **2.** (***at***) Anwesenheit *f*, Erscheinen *n* (bei), Beteiligung *f*, Teilnahme *f* (an *dat.*), Besuch *m* (*gen.*): ***~ list*** Anwesenheitsliste *f*; ***hours of ~*** Besuchszeit *f*; **3.** ⚙ Bedienung *f*; Wartung *f*; **4.** Begleitung *f*, Dienerschaft *f*, Gefolge *n*; **5.** a) Besucher(zahl *f*) *pl.*, b) Besuch *m*, Beteiligung *f*: ***in ~ at*** anwesend bei; **at'tend·ant** [-dənt] **I** *adj.* **1.** (***on***, ***upon***) begleitend (*acc.*), diensttuend (bei); **2.** anwesend (***at*** bei); **3.** *fig.* (***upon***) verbunden (mit), zugehörig (*dat.*), Begleit…: ***~ circumstances*** Begleitumstände; ***~ expenses*** Nebenkosten; **II** *s.* **4.** Begleiter(in), Gefährte *m*, Gesellschafter(in); **5.** Diener(in), Bediente(r *m*) *f*; Aufseher(in), Wärter (-in); **6.** *pl.* Dienerschaft *f*, Gefolge *n*; **7.** ⚙ Bedienungsmann *m*; **8.** Begleiterscheinung *f*, Folge *f*.

at·ten·tion [ə'tenʃn] *s.* **1.** Aufmerksamkeit *f*, Beachtung *f*: ***call ~ to*** die Aufmerksamkeit lenken auf (*acc.*); ***come to s.o.'s ~*** j-m zur Kenntnis gelangen; ***pay ~ to*** *j-m od. et.* Beachtung schenken; **2.** Berücksichtigung *f*, Erledigung *f*: (***for the***) ***~ of*** zu Händen von (*od. gen.*); ***for immediate ~*** zur sofortigen Erledigung; **3.** Aufmerksamkeit *f*, Freundlichkeit *f*; *pl.* Aufmerksamkeiten *pl.*: ***pay one's ~s to s.o.*** j-m den Hof machen; **4.** ***~!*** Achtung!, ⚔ *a.* stillgestanden!; ***stand at*** *od.* ***to ~*** ⚔ stillstehen, Haltung annehmen; **5.** Bedienung *f*, Wartung *f*; **at'ten·tive** [-tɪv] *adj.* ☐ (***to***) aufmerksam: a) achtsam (auf *acc.*), b) *fig.* höflich (zu).

at·ten·u·ate **I** *v/t.* [ə'tenjʊeɪt] **1.** dünn *od.* schlank machen; verdünnen; ⚡ dämpfen; **2.** *fig.* vermindern, abschwächen; **II** *adj.* [-jʊət] **3.** verdünnt, vermindert, abgeschwächt, abgemagert; **at·ten·u·a·tion** [əˌtenjʊ'eɪʃn] *s.* Verminderung *f*, Verdünnung *f*, Schwächung *f*, Abmagerung *f*; ⚡ Dämpfung *f*.

at·test [ə'test] **I** *v/t.* **1.** a) beglaubigen, bescheinigen, b) amtlich begutachten *od.* attestieren: ***to ~ cattle***; **2.** bestätigen, beweisen; **3.** ⚔ *Br.* vereidigen; **II** *v/i.* **4.** zeugen (***to*** für); **at·tes·ta·tion** [ˌætes'teɪʃn] *s.* **1.** Bezeugung *f*, Zeugnis *n*, Beweis *m*, Bescheinigung *f*, Bestätigung *f*; **2.** Eidesleistung *f*, Vereidigung *f*.

at·tic[1] ['ætɪk] *s.* **1.** Dachstube *f*, Man'sarde *f*; *pl.* Dachgeschoß *n*; **2.** F *fig.* ‚Oberstübchen' *n*, Kopf *m*.

At·tic[2] ['ætɪk] *adj.* 'attisch: ***~ salt***, ***~ wit*** attisches Salz, feiner Witz.

at·tire [ə'taɪə] **I** *v/t.* **1.** kleiden, anziehen; **2.** putzen; **II** *s.* **3.** Kleidung *f*, Gewand *n*; **4.** Schmuck *m*.

at·ti·tude ['ætɪtjuːd] *s.* **1.** Stellung *f*, Haltung *f*: ***strike an ~*** e-e Pose annehmen; **2.** *fig.* Haltung *f*: a) Standpunkt *m*, Verhalten *n*: ***~ of mind*** Geisteshaltung, b) Stellung(nahme) *f*, Einstellung *f* (***to***, ***towards*** zu, gegenüber); **3.** (*a.* ✈) Lage *f*; **at·ti·tu·di·nize** [ˌætɪ'tjuːdɪnaɪz] *v/i.* **1.** sich in Posi'tur setzen, posieren; **2.** affektiert tun.

at·tor·ney [ə'tɜːnɪ] *s.* ⚖ (Rechts)Anwalt *m* (*Am. a.* ***~ at law***); Bevollmächtigte(r *m*) *f*, (Stell)Vertreter *m*: ***letter*** (*od.* ***warrant***) ***of ~*** schriftliche Vollmacht; ***power of ~*** Vollmacht(surkunde) *f*; ***by ~*** im Auftrag; **At,tor·ney-'Gen·er·al** *s.* ⚖ *Brit.* Kronanwalt *m*, Gene'ralstaatsanwalt *m*; *Am.* Ju'stizmi,nister *m*.

at·tract [ə'trækt] *v/t.* **1.** anziehen (*a. phys.*); **2.** *fig.* anziehen, anlocken, fesseln, reizen; *Mißfallen etc.* auf sich lenken (*od.* ziehen): ***~ attention*** Aufmerksamkeit erregen; ***~ new members*** neue Mitglieder gewinnen; ***~ed by the music*** von der Musik angelockt; ***be ~ed*** (***to***) eingenommen sein (für), liebäugeln (mit), sich hingezogen fühlen (zu); **at'trac·tion** [-kʃn] *s.* **1.** *phys.* Anziehungskraft *f*: ***~ of gravity*** Gravitationskraft *f*; **2.** *fig.* Anziehungskraft *f*, -punkt *m*, Reiz *m*, Attrakti'on *f*; *thea.* ('Haupt)Attrakti,on *f*, Zugstück *n*, -nummer *f*; **at'trac·tive** [-tɪv] *adj.* □ anziehend, *fig. a.* attrak'tiv, reizvoll, fesselnd, verlockend; zugkräftig; **at'trac·tive·ness** [-tɪvnɪs] *s.* Reiz *m*, *das* Attrak'tive.

at·trib·ut·a·ble [ə'trɪbjʊtəbl] *adj.* 'zuzuschreiben(d), beizumessen(d); **at·trib·ute I** *v/t.* [ə'trɪbju:t] (***to***) **1.** zuschreiben, beilegen, -messen (*dat.*); *b.s. a.* unter'stellen (*dat.*); **2.** zu'rückführen (auf *acc.*); **II** *s.* ['ætrɪbju:t] **3.** Attri'but *n* (*a. ling.*), Eigenschaft *f*, Merkmal *n*; **4.** (Kenn)Zeichen *n*, Sinnbild *n*; **at·tri·bu·tion** [,ætrɪ'bju:ʃn] *s.* **1.** Zuschreibung *f*; **2.** beigelegte Eigenschaft; **3.** zuerkanntes Recht; **at'trib·u·tive** [-tɪv] **I** *adj.* □ **1.** zugeschrieben, beigelegt; **2.** *ling.* attribu'tiv; **II** *s.* **3.** *ling.* Attri'but *n*.

at·trit·ed [ə'traɪtɪd] *adj.* abgenutzt; **at·tri·tion** [ə'trɪʃn] *s.* **1.** Abrieb *m*, Abnutzung *f*, ⚙ *a.* Verschleiß *m*; **2.** Zermürbung *f*: ***war of ~*** Zermürbungs-, Abnutzungskrieg *m*.

at·tune [ə'tju:n] *v/t.* ♪ stimmen; *fig.* (***to***) in Einklang bringen (mit), anpassen (*dat.*); abstimmen (auf *acc.*).

a·typ·i·cal [,eɪ'tɪpɪkl] *adj.* □ 'atypisch.

au·ber·gine ['əʊbəʒi:n] *s.* ⚘ Auber'gine *f*.

au·burn ['ɔ:bən] *adj.* ka'stanienbraun (*Haar*).

auc·tion ['ɔ:kʃn] **I** *s.* Aukti'on *f*, Versteigerung *f*: ***sell by*** (*Am.* ***at***) ***~***, ***put up for*** (*od.* ***to***, *Am.* ***at***) ***~*** verauktionieren, versteigern; ***Dutch ~*** Auktion, bei der der Preis so lange erniedrigt wird, bis sich ein Käufer findet; ***sale by*** (*od.* ***at***) ***~*** Versteigerung; ***~ bridge*** *Kartenspiel*: Auktionsbridge *n*; ***~ room*** Auktionslokal *n*; **II** *v/t. mst* ***~ off*** versteigern; **auc·tion·eer** [,ɔ:kʃə'nɪə] **I** *s.* Auktio'nator *m*, Versteigerer *m*, *pl. a.* Aukti'onshaus *n*; **II** *v/t.* → ***auction*** II.

au·da·cious [ɔ:'deɪʃəs] *adj.* □ kühn: a) verwegen, b) keck, dreist, unverfroren; **au·dac·i·ty** [ɔ:'dæsətɪ] *s.* Kühnheit *f*: a) Verwegenheit *f*, Waghalsigkeit *f*, b) Dreistigkeit *f*, Unverfrorenheit *f*.

au·di·bil·i·ty [,ɔ:dɪ'bɪlətɪ] *s.* Hörbarkeit *f*, Vernehmbarkeit *f*; Lautstärke *f*; **au·di·ble** ['ɔ:dəbl] *adj.* □ hör-, vernehmbar, vernehmlich; ⚙ a'kustisch: ***~ signal***.

au·di·ence ['ɔ:djəns] *s.* **1.** Anhören *n*, Gehör *n* (*a.* ⚖): ***give ~ to s.o.*** j-m Gehör schenken, j-n anhören; ***right of ~*** ⚖ rechtliches Gehör; **2.** Audi'enz *f* (***of***, ***with*** bei), Gehör *n*; **3.** 'Publikum *n*: a) Zuhörer(schaft *f*) *pl.*, b) Zuschauer *pl.*, c) Besucher *pl.*, d) Leser(kreis *m*) *pl.*: ***~ rating*** *Radio*, *TV* Einschaltquote *f*.

audio- [ɔ:dɪəʊ] *in Zssgn* Hör…, Ton…, Audio…: ***~ frequency*** Tonfrequenz *f*; ***~ range*** Tonfrequenzbereich *m*.

au·di·on ['ɔ:dɪən] *s. Radio*: 'Audion *n*: ***~ tube*** *Am.*, ***~ valve*** *Brit.* Verstärkerröhre *f*.

au·di·o·phile ['ɔ:dɪəʊfaɪl] *s.* Hi-Fi-Fan *m*.

au·di·o|·tape ['ɔ:dɪəʊteɪp] *s.* (besprochenes) Tonband; **~·typ·ist** ['ɔ:dɪəʊ,taɪpɪst] *s.* Phonoty'pistin *f*; **~·vis·u·al** [,ɔ:dɪəʊ'vɪzjʊəl] **I** *adj. ped.* audiovisu'ell: ***~ aids*** → **II** *s. pl.* audiovisu'elle 'Unterrichtsmittel *pl.*

au·dit ['ɔ:dɪt] **I** *s.* **1.** ✝ (Rechnungs-, Wirtschafts)Prüfung *f*, 'Bücherrevisi,on *f*: ***~ year*** Prüfungs-, Rechnungsjahr *n*; **2.** *fig.* Rechenschaftslegung *f*; **II** *v/t.* **3.** *Geschäftsbücher* (amtlich) prüfen, revidieren; **'au·dit·ing** [-tɪŋ] *s.* → ***audit*** 1.

au·di·tion [ɔ:'dɪʃn] **I** *s.* **1.** ⚕ Hörvermögen *n*, Gehör *n*; **2.** *thea.*, ♪ a) Vorsprechen *n od.* -singen *n od.* -spielen *n*, b) Anhörprobe *f*; **II** *v/t.* **3.** *thea. etc. j-n* vorsprechen *od.* vorsingen *od.* vorspielen lassen.

au·di·tor ['ɔ:dɪtə] *s.* **1.** Rechnungs-, Wirtschaftsprüfer *m*, 'Bücherre,visor *m*; **2.** *Am. univ.* Gasthörer(in); **au·di·to·ri·um** [,ɔ:dɪ'tɔ:rɪəm] *s.* Audi'torium *n*, Zuhörer-, Zuschauerraum *m*, Hörsaal *m*; *Am.* Vortragssaal *m*, Festhalle *f*; **'au·di·to·ry** [-tərɪ] **I** *adj.* **1.** Gehör…, Hör…; **II** *s.* **2.** Zuhörer(schaft *f*) *pl.*; **3.** → ***auditorium***.

au fait [,əʊ 'feɪ] (*Fr.*) *adj.* auf dem laufenden, vertraut (***with*** mit).

au fond [,əʊ 'fɔ̃:ŋ] (*Fr.*) *adv.* im Grunde.

Au·ge·an [ɔ:'dʒi:ən] *adj.* Augias…, 'überaus schmutzig: ***cleanse the ~ stables*** *fig.* die Augiasställe reinigen.

au·ger ['ɔ:gə] *s.* ⚙ *großer* Bohrer, Löffel-, Schneckenbohrer *m*; Förderschnecke *f*.

aught [ɔ:t] *pron.* (irgend) etwas: ***for ~ I care*** meinetwegen; ***for ~ I know*** soviel ich weiß.

aug·ment [ɔ:g'ment] **I** *v/t.* vermehren,

vergrößern; **II** *v/i.* sich vermehren, zunehmen; **III** *s.* ['ɔːgmənt] *ling.* Aug'ment *n* (*Vorsilbe in griech. Verben*); **aug·men·ta·tion** [ˌɔːgmen'teɪʃn] *s.* Vergrößerung *f*, Vermehrung *f*, Zunahme *f*, Wachstum *n*, Zuwachs *m*; Zusatz *m*; **aug'ment·a·tive** [-tətɪv] **I** *adj.* vermehrend, verstärkend; **II** *s. ling.* Verstärkungsform *f*.

au gra·tin [ˌəʊ 'grætæ̃ŋ] (*Fr.*) *adj. Küche*: au gra'tin, über'krustet.

au·gur ['ɔːgə] **I** *s. antiq.* 'Augur *m*, Wahrsager *m*; **II** *v/t. u. v/i.* prophe'zeien, ahnen (lassen), verheißen: ~ ***ill*** (***well***) ein schlechtes (gutes) Zeichen sein (***for*** für), Böses (Gutes) ahnen lassen; **au·gu·ry** ['ɔːgjʊrɪ] *s.* **1.** Weissagung *f*, Prophe'zeiung *f*; **2.** Vorbedeutung *f*, Anzeichen *n*, Omen *n*; Vorahnung *f*.

au·gust[1] [ɔː'gʌst] *adj.* □ erhaben, hehr, maje'stätisch.

Au·gust[2] ['ɔːgəst] *s.* Au'gust *m*: ***in*** ~ im August.

Au·gus·tan age [ɔː'gʌstən] *s.* **1.** Zeitalter *n* des (Kaisers) Au'gustus; **2.** Blütezeit *f* e-r Nati'on.

Au·gus·tine [ɔː'gʌstɪn], *a.* ~ **fri·ar** *s.* Augu'stiner(mönch) *m*.

auld [ɔːld] *adj. Scot.* alt; ~ **lang syne** [ˌɔːldlæŋ'saɪn] *s. Scot.* die gute alte Zeit.

aunt [ɑːnt] *s.* Tante *f*; **'aunt·ie** [-tɪ] *s.* F Tantchen *n*; **Aunt Sal·ly** ['sælɪ] *s.* **1.** volkstümliches Wurfspiel; **2.** *fig.* (gute) Zielscheibe *f*, *a.* Haßobjekt *n*.

au pair [ˌəʊ 'peə] **I** *adv.* als Au-'pair-Mädchen (*arbeiten etc.*); **II** *s. a.* ~ ***girl*** Au-'pair-Mädchen *n*; **III** *v/i.* als Au-'pair-Mädchen arbeiten.

au·ra ['ɔːrə] *pl.* **-rae** [-riː] *s.* **1.** Hauch *m*, Duft *m*; A'roma *n*; **2.** ⚕ Vorgefühl *n* vor Anfällen; **3.** *fig.* Aura *f*: a) Fluidum *n*, Ausstrahlung *f*, b) Atmo'sphäre *f*, c) 'Nimbus *m*.

au·ral ['ɔːrəl] *adj.* □ Ohr..., Ohren..., Gehör...; Hör..., a'kustisch: ~ ***surgeon*** Ohrenarzt *m*.

au·re·o·la [ɔː'rɪəʊlə], **au·re·ole** ['ɔːrɪəʊl] *s.* **1.** Strahlenkrone *f*, Aure'ole *f*; **2.** *fig.* 'Nimbus *m*; **3.** *ast.* Hof *m*.

au·ri·cle ['ɔːrɪkl] *s. anat.* **1.** äußeres Ohr, Ohrmuschel *f*; **2.** Herzvorhof *m*; Herzohr *n*.

au·ric·u·la [ə'rɪkjʊlə] *s.* ⚘ Au'rikel *f*.

au·ric·u·lar [ɔː'rɪkjʊlə] *adj.* □ **1.** Ohren..., Hör...: ~ ***confession*** Ohrenbeichte *f*; ~ ***tradition*** mündliche Überlieferung; ~ ***witness*** Ohrenzeuge *m*; **2.** *anat.* zu den Herzohren gehörig.

au·rif·er·ous [ɔː'rɪfərəs] *adj.* goldhaltig.

au·rist ['ɔːrɪst] *s.* ⚕ Ohrenarzt *m*.

au·rochs ['ɔːrɒks] *s. zo.* Auerochs *m*, Ur *m*.

au·ro·ra [ɔː'rɔːrə] *s.* **1.** *poet.* Morgenröte *f*; **2.** ♀ *myth.* Au'rora *f*; ~ **bo·re·a·lis** *s. phys.* Nordlicht *n*.

aus·cul·tate ['ɔːskəlteɪt] *v/t.* ⚕ *Lunge, Herz etc.* abhorchen; **aus·cul·ta·tion** [ˌɔːskəl'teɪʃn] *s.* ⚕ Abhorchen *n*.

aus·pice ['ɔːspɪs] *s.* **1.** (günstiges) Vor-, Anzeichen; **2.** *pl. fig.* Au'spizien *pl.*; Schutzherrschaft *f*: ***under the ~s of ...*** unter der Schirmherrschaft von ...; **aus·pi·cious** [ɔː'spɪʃəs] *adj.* □ günstig, verheißungsvoll, glücklich; **aus·pi·cious·ness** [ɔː'spɪʃəsnɪs] *s.* günstige Aussicht, Glück *n*.

Aus·sie ['ɒzɪ] F **I** *s.* Au'stralier(in); **II** *adj.* aus'tralisch.

aus·tere [ɒ'stɪə] *adj.* □ **1.** streng, herb; rauh, hart; **2.** einfach, nüchtern; mäßig, enthaltsam, genügsam; **3.** dürftig, karg; **aus·ter·i·ty** [ɒ'sterətɪ] *s.* **1.** Strenge *f*, Ernst *m*; **2.** As'kese *f*, Enthaltsamkeit *f*; **3.** Herbheit *f*; **4.** Nüchternheit *f*, Strenge *f*, Schmucklosigkeit *f*; **5.** Einfachheit *f*, Nüchternheit *f*; **6.** Mäßigung *f*, Genügsamkeit *f*; *Brit.* strenge (wirtschaftliche) Einschränkung, Sparmaßnahmen *pl.* (*in Notzeiten*): ~ ***program***(***me***) Sparprogramm *n*.

aus·tral ['ɔːstrəl] *adj. ast.* südlich.

Aus·tral·a·sian [ˌɒstrə'leɪʒn] **I** *adj.* au'stralˌasisch; **II** *s.* Au'stralˌasier(in), Bewohner(in) Oze'aniens.

Aus·tral·ian [ɒ'streɪljən] **I** *adj.* au'stralisch; **II** *s.* Au'stralier(in).

Aus·tri·an ['ɒstrɪən] **I** *adj.* österreichisch; **II** *s.* Österreicher(in).

Austro- [ɒstrəʊ] *in Zssgn* österreichisch: ~***-Hungarian Monarchy*** österreichisch-ungarische Monarchie.

au·tar·chic, au·tar·chi·cal [ɔː'tɑːkɪk(l)] *adj.* **1.** selbstregierend; **2.** → ***autarkic***; **au·tarch·y** ['ɔːtɑːkɪ] *s.* **1.** Selbstregierung *f*, volle Souveräni'tät; **2.** → ***autarky*** 1.

au·tar·kic, au·tar·ki·cal [ɔː'tɑːkɪk(l)] *adj.* au'tark, wirtschaftlich unabhängig; **au·tar·ky** ['ɔːtɑːkɪ] *s.* **1.** Autar'kie *f*, wirtschaftliche Unabhängigkeit; **2.** → ***autarchy***.

au·then·tic [ɔː'θentɪk] *adj.* (□ ~***ally***) **1.** au'thentisch: a) echt, verbürgt, b) glaubwürdig, zuverlässig, c) origi'nal, urschriftlich: ~ ***text*** maßgebender Text, authentische Fassung; **2.** ⚖ rechtskräftig, -gültig, beglaubigt; **au'then·ti·cate** [-keɪt] *v/t.* **1.** die Echtheit (*gen.*) bescheinigen; **2.** beglaubigen, beurkunden, rechtskräftig machen; **au·then·ti·ca·tion** [ɔːˌθentɪ'keɪʃn] *s.* Beglaubigung *f*, Legalisierung *f*; **au·then·tic·i·ty** [ˌɔːθen'tɪsətɪ] *s.* **1.** Authentizi'tät *f*: a) Echtheit *f*, b) Glaubwürdigkeit *f*; **2.** ⚖ (Rechts)Gültigkeit *f*.

au·thor ['ɔːθə] *s.* **1.** Urheber(in); **2.** 'Autor *m*, Au'torin *f*, Schriftsteller(in), Verfasser(in); **au·thor·ess** ['ɔːθərɪs] *s.* Au'torin *f*, Schriftstellerin *f*, Verfasserin *f.*

au·thor·i·tar·i·an [ɔːˌθɒrɪ'teərɪən] *adj.* autori'tär; **auˌthor·i'tar·i·an·ism** [-nɪzəm] *s. pol.* autori'täres Re'gierungssyˌstem; **au·thor·i·ta·tive** [ɔː'θɒrɪtətɪv] *adj.* □ **1.** gebieterisch, herrisch; **2.** autorita'tiv, maßgebend, -geblich.

au·thor·i·ty [ɔː'θɒrətɪ] *s.* **1.** Autori'tät *f*, (Amts)Gewalt *f*: ***by ~*** mit amtlicher Genehmigung; ***on one's own ~*** aus eigener Machtbefugnis; ***be in ~*** die Gewalt in Händen haben; **2.** 'Vollmacht *f*, Ermächtigung *f*, Befugnis *f* (***for***, ***to*** *inf.* zu *inf.*): ***on the ~ of ...*** im Auftrage *od.* mit Genehmigung von (*od. gen.*) ...; → 4; **3.** Ansehen *n* (***with*** bei), Einfluß *m* (***over*** auf *acc.*); Glaubwürdigkeit *f*: ***of great ~*** von großem Ansehen; **4.** a) Zeugnis *n e-r Persönlichkeit*, b) Gewährsmann *m*, Quelle *f*, Beleg *m*: ***on good ~*** aus glaubwürdiger Quelle; ***on the ~ of ...*** a) nach Maßgabe *od.* auf Grund von (*od. gen.*) ..., b) mit ... als Gewährsmann; → 2; **5.** Autori'tät *f*, Sachverständige(r *m*) *f*, Fachmann *m* (***on*** auf *e-m Gebiet*): ***he is an ~ on the subject of Law***; **6.** *mst pl.* Behörde *f*, Obrigkeit *f*: ***the local authorities*** die Ortsbehörde(n); **au·thor·i·za·tion** [ˌɔːθəraɪ'zeɪʃn] *s.* Ermächtigung *f*, Genehmigung *f*, Befugnis *f*; **au·thor·ize** ['ɔːθəraɪz] *v/t.* **1.** *j-n* ermächtigen, bevollmächtigen, berechtigen, autorisieren; **2.** *et.* gutheißen, billigen, genehmigen; *Handlung* rechtfertigen; **au·thor·ized** ['ɔːθəraɪzd] *adj.* **1.** autorisiert, bevollmächtigt, befugt; zulässig: ***~ capital*** ✝ autorisiertes Kapital; ***~ person*** Befugte(r *m*) *f*; ***~ to sign*** unterschriftsberechtigt; ***♀ Version*** *eccl.* engl. Bibelübersetzung von 1611; **2.** ⚖ rechtsverbindlich; **au·thor·ship** ['ɔːθəʃɪp] *s.* **1.** 'Autorschaft *f*, Urheberschaft *f*; **2.** Schriftstellerberuf *m.*

au·tism ['ɔːtɪzm] *s. psych.* Au'tismus *m.*

au·to ['ɔːtəʊ] *Am.* F **I** *pl.* **-tos** *s.* Auto *n*: ***~ graveyard*** Autofriedhof *m*; **II** *v/i.* (mit dem Auto) fahren.

auto- [ɔːtəʊ] *in Zssgn* a) selbsttätig, selbst..., Selbst..., auto..., Auto..., b) Auto..., Kraftfahr...

au·to·bahn ['ɔːtəʊbɑːn] *pl.* **-bahnen** [-nən] (*Ger.*) *s.* Autobahn *f.*

au·to·bi·og·ra·pher [ˌɔːtəʊbaɪ'ɒgrəfə] *s.* Autobio'graph(in); **au·to·bi·o·graph·ic** ['ɔːtəʊˌbaɪəʊ'græfɪk] *adj.* (□ ***~ally***) autobio'graphisch; **ˌau·to·bi'og·ra·phy** [-fɪ] *s.* Autobiogra'phie *f*, 'Selbstbiograˌphie *f.*

au·to·bus ['ɔːtəʊbʌs] *s. Am.* Autobus *m.*

au·to·cade ['ɔːtəʊkeɪd] → ***motorcade.***

au·to·car ['ɔːtəʊkɑː] *s.* Auto(mo'bil) *n*, Kraftwagen *m.*

'au·to-ˌchang·er *s.* Plattenwechsler *m.*

au·toch·thon [ɔː'tɒkθən] *s.* Auto'chthone *m*, Ureinwohner *m*; **au'toch·tho·nous** [-θənəs] *adj.* auto'chthon, ureingesessen, bodenständig.

au·to·cide ['ɔːtəʊsaɪd] *s.* **1.** Selbstvernichtung *f*; **2.** Selbstmord *m* mit dem Auto.

au·to·clave ['ɔːtəʊkleɪv] *s.* **1.** Schnell-, Dampfkochtopf *m*; **2.** ⚗, ⚙ Auto'klav *m.*

au·to·code ['ɔːtəʊkəʊd] *s. Computer*: Autocode *m.*

au·toc·ra·cy [ɔː'tɒkrəsɪ] *s.* Autokra'tie *f*, Selbstherrschaft *f*; **au·to·crat** ['ɔːtəʊkræt] *s.* Auto'krat(in), unumschränkter Herrscher; **au·to·crat·ic**, **au·to·crat·i·cal** [ˌɔːtəʊ'krætɪk(l)] *adj.* □ auto'kratisch, selbstherrlich, unum'schränkt.

au·to·cue ['ɔːtəʊkjuː] *s. TV* ‚Neger' *m.*

au·to-da-fé [ˌɔːtəʊdɑː'feɪ] *pl.* **au·tos-da-fé** [ˌɔːtəʊzdɑː'feɪ] *s.* **1.** *hist.* Autoda'fé *n*, Ketzergericht *n*, -verbrennung *f*; **2.** *pol.* (Bücher- *etc.*)Verbrennung *f.*

au·to·di·dact ['ɔːtəʊdɪˌdækt] *s.* Autodi'dakt(in).

au·to·e·rot·ic [ˌɔːtəʊɪ'rɒtɪk] *adj. psych.* autoe'rotisch.

au·tog·a·mous [ɔː'tɒgəməs] *adj.* ⚘ auto'gam, selbstbefruchtend.

au·tog·e·nous [ɔː'tɒdʒɪnəs] *adj. allg.* auto'gen: ***~ training***; ***~ welding*** ⚙ Autogenschweißen *n.*

au·to·gi·ro [ˌɔːtəʊ'dʒaɪərəʊ] *pl.* **-ros** *s.* ✈ Auto'giro *n*, Tragschrauber *m.*

au·to·graph ['ɔːtəgrɑːf] **I** *s.* **1.** Auto'gramm *n*, eigenhändige 'Unterschrift; **2.** eigene Handschrift; **3.** Urschrift *f*; **II** *adj.* **4.** eigenhändig unter'schrieben: ***~ letter*** Handschreiben *n*; **III** *v/t.* **5.** eigenhändig (unter)'schreiben; mit s-m Auto'gramm versehen: ***~ing session*** Autogrammstunde *f*; **6.** ⚙ autographieren, 'umdrucken; **au·to·graph·ic** [ˌɔːtəʊ'græfɪk] *adj.* (□ ***~ally***) auto'graphisch, eigenhändig geschrieben; **au·tog·ra·phy** [ɔː'tɒgrəfɪ] *s.* **1.** ⚙ Autogra'phie *f*, 'Umdruck *m*; **2.** Urschrift *f.*

au·to·ig·ni·tion [ˌɔːtəʊɪg'nɪʃn] *s.* ⚙ Selbstzündung *f.*

au·to·ist ['ɔːtəʊɪst] *s. Am.* F Autofahrer(in).

au·to·mat ['ɔːtəʊmæt] *s.* **1.** Auto'matenrestauˌrant *n*; **2.** (Ver'kaufs)Autoˌmat *m*; **3.** ⚙ Auto'mat *m* (*Maschine*); **'au·to·mate** [-meɪt] *v/t.* automatisieren; **au·to·mat·ic** [ˌɔːtə'mætɪk] **I** *adj.* □ → ***automatically***; **1.** auto'matisch: a) selbsttätig, ⚙ *a.* Selbst..., zwangsläufig, ⚔ *a.* Selbstlade...: ***~ re-dial*** *teleph.* automatische Wahlwiederholung, b) *fig.* unwillkürlich, me'chanisch; **II** *s.* **2.** 'Selbstladepiˌstole *f*, -gewehr *n*; **3.** → ***automat*** 3; **4.** *mot.* Auto *n* mit Auto'matik; **au·tomat·i·cal** [ˌɔːtə'mætɪkl] → ***automatic*** 1; **au·to·mat·i·cal·ly**

[ˌɔːtəˈmætɪkəlɪ] *adv.* autoˈmatisch; ohne weiteres.

au·to·mat·ic| lathe *s.* ⚙ ˈDrehautoˌmat *m*; **~ ma·chine** → ***automat*** 2; **~ pi·lot** *s.* ✈ → ***autopilot***; **~ pis·tol** *s.* ˈSelbstladepiˌstole *f*; **~ start·er** *s.* ⚙ Selbstanlasser *m*.

au·to·ma·tion [ˌɔːtəˈmeɪʃn] *s.* ⚙ Automatiˈon *f*; **au·tom·a·ton** [ɔːˈtɒmətən] *pl.* **-ta** [-tə], **-tons** *s.* Autoˈmat *m*, ˈRoboter *m* (*beide a. fig.*).

au·to·mo·bile [ˈɔːtəməʊbiːl] *s. bsd. Am.* Auto *n*, Automoˈbil *n*, Kraftwagen *m*; **au·to·mo·bil·ism** [ˌɔːtəˈməʊbɪlɪzəm] *s.* Kraftfahrwesen *n*; **au·to·mo·bil·ist** [ˌɔːtəˈməʊbɪlɪst] *s.* Kraftfahrer *m*; **au·to·mo·tive** [ˌɔːtəˈməʊtɪv] *adj.* selbstbewegend, -fahrend; *bsd. Am.* ˈkraftfahrˌtechnisch, Auto(mobil)..., Kraftfahrzeug...

au·ton·o·mous [ɔːˈtɒnəməs] *adj.* autoˈnom, sich selbst regierend; **auˈton·o·my** [-mɪ] *s.* Autonoˈmie *f*, Selbständigkeit *f*.

au·to·pi·lot [ˈɔːtəʊˌpaɪlət] *s.* ✈ Autopiˈlot *m*, autoˈmatische Steuervorrichtung.

au·top·sy [ˈɔːtəpsɪ] **I** *s.* **1.** ⚕ Autopˈsie *f*, Obduktiˈon *f*; **2.** *fig.* kritische Anaˈlyse; **II** *v/t.* **3.** ⚕ e-e Autopˈsie vornehmen an (*dat.*).

au·to·sug·ges·tion [ˌɔːtəʊsəˈdʒestʃən] *s.* Autosuggestiˈon *f*.

au·to·type [ˈɔːtətaɪp] **I** *s. typ.* Autotyˈpie *f*: a) Rasterätzung *f*, b) Fakˈsimileabdruck *m*; **II** *v/t.* mittels Autotypie vervielfältigen.

au·tumn [ˈɔːtəm] *s. bsd. Brit.* Herbst *m* (*a. fig.*): ***the ~ of life***; **au·tum·nal** [ɔːˈtʌmnəl] *adj.* herbstlich, Herbst... (*a. fig.*).

aux·il·ia·ry [ɔːgˈzɪljərɪ] **I** *adj.* **1.** helfend, mitwirkend, Hilfs...: ***~ engine*** Hilfsmotor *m*; ***~ troops*** Hilfstruppen; ***~ verb*** Hilfszeitwort *n*; **2.** ⚔ Behelfs..., Ausweich...; **II** *s.* **3.** Helfer *m*, Hilfskraft *f*, *pl. a.* Hilfspersonal *n*; **4.** *pl.* ⚔ Hilfstruppen *pl.*; **5.** *ling.* Hilfszeitwort *n*.

a·vail [əˈveɪl] **I** *v/t.* **1.** nützen (*dat.*), helfen (*dat.*), fördern; **2.** ***~ o.s. of s.th.*** sich e-r Sache bedienen, et. benutzen, Gebrauch von et. machen; **II** *v/i.* **3.** nützen, helfen; **III** *s.* **4.** Nutzen *m*, Vorteil *m*, Gewinn *m*: ***of no ~*** nutzlos; ***of what ~ is it?*** was nützt es?; ***to no ~*** vergeblich; **5.** *pl.* ⚚ *Am.* Ertrag *m*; **a·vail·a·bil·i·ty** [əˌveɪləˈbɪlətɪ] *s.* **1.** Vorˈhandensein *n*; **2.** Verfügbarkeit *f*; **3.** *Am.* verfügbare Perˈson *od.* Sache; **4.** ⚖ Gültigkeit *f*; **aˈvail·a·ble** [-ləbl] *adj.* ☐ **1.** verfügbar, erhältlich, vorˈhanden, vorrätig, zu haben(d): ***make ~*** bereitstellen, verfügbar machen; **2.** anwesend, abkömmlich; **3.** benutzbar; statthaft; **4.** ⚖ a) gültig, b) zulässig.

av·a·lanche [ˈævəlɑːnʃ] *s.* Laˈwine *f*, *fig. a.* Unmenge *f*.

av·ant-garde [ˌævɑ̃ːŋˈgɑːd] (*Fr.*) **I** *s. fig.* Aˈvantgarde *f*; **II** *adj.* avantgarˈdistisch; **ˌav·ant-ˈgard·ist(e)** [-dɪst] *s.* Avantgarˈdist(in).

av·a·rice [ˈævərɪs] *s.* Geiz *m*, Habsucht *f*; **av·a·ri·cious** [ˌævəˈrɪʃəs] *adj.* ☐ geizig (***of*** mit), habgierig.

a·ve [ˈɑːvɪ] **I** *int.* **1.** sei gegrüßt!; **2.** leb wohl!; **II** *s.* **3.** ☧ ˈAve(-Maˈria) *n*.

a·venge [əˈvendʒ] *v/t.* **1.** rächen (***on***, ***upon*** an *dat.*): ***~ one's friend*** s-n Freund rächen; ***~ o.s.***, ***be ~d*** sich rächen; **2.** *et.* rächen, ahnden; **aˈveng·er** [-dʒə] *s.* Rächer(in); **aˈveng·ing** [-dʒɪŋ] *adj.*: ***~ angel*** Racheengel *m*.

av·e·nue [ˈævənjuː] *s.* **1.** *mst fig.* Zugang *m*, Weg *m* (***to***, ***of*** zu): ***~ to fame*** Weg zum Ruhm; **2.** Alˈlee *f*; **3.** a) Haupt-, Prachtstraße *f*, Aveˈnue *f*, b) (Stadt)Straße *f*.

a·ver [əˈvɜː] *v/t.* **1.** behaupten, als Tatsache hinstellen (***that*** daß); **2.** ⚖ beweisen.

av·er·age [ˈævərɪdʒ] **I** *s.* **1.** ˈDurchschnitt *m*: ***on an*** (*od.* ***the***) ***~*** im Durchschnitt, durchschnittlich; ***strike an ~*** den Durchschnitt schätzen *od.* nehmen; **2.** ⚓, ⚖ Havaˈrie *f*, Seeschaden *m*: ***~ adjuster*** Dispacheur *m*; ***general ~*** große Havarie; ***particular ~*** besondere (*od.* partikulare) Havarie; ***petty ~*** kleine Havarie; ***under ~*** havariert; **3.** *Börse*: *Am.* ˈAktienindex *m*; **II** *adj.* ☐ **4.** ˈdurchschnittlich; Durchschnitts...: ***~ accesstime*** *Computer*; mittlere Zugriffszeit; ***~ amount*** Durchschnittsbetrag *m*; ***~ Englishman*** Durchschnittsengländer *m*; ***~ useful life*** durchschnittliche Nutzungsdauer; ***be only ~*** nur Durchschnitt sein; **III** *v/t.* **5.** den ˈDurchschnitt schätzen (***at*** auf *acc.*) *od.* nehmen von (*od. gen.*); **6.** ⚚ anteilsmäßig auf-, verteilen: ***~ one's losses***; **7.** ˈdurchschnittlich betragen, haben, erreichen, verlangen, tun *etc.*: ***I ~ £60 a week*** ich verdiene durchschnittlich £ 60 die Woche; **IV** *v/i.* **8.** ***~ out at*** sich im Durchschnitt belaufen auf (*acc.*).

a·ver·ment [əˈvɜːmənt] *s.* **1.** Behauptung *f*; **2.** ⚖ Beweisangebot *n*, Tatsachenbehauptung *f*.

a·verse [əˈvɜːs] *adj.* ☐ **1.** abgeneigt (***to***, ***from*** *dat.*, ***to*** *inf.* zu *inf.*): ***not ~ to a drink***; ***~ from such methods***; **2.** zuˈwider (***to*** *dat.*); **a·ver·sion** [əˈvɜːʃn] *s.* **1.** (***to***, ***for***, ***from***) ˈWiderwille *m*, Abneigung *f* (gegen), Abscheu *m* (vor *dat.*): ***take an ~*** (***to***) e-e Abneigung fassen (gegen); **2.** Unlust *f*, Abgeneigtheit *f* (***to*** *inf.* zu *inf.*); **3.** Gegenstand *m* des Abscheus: ***beer is my pet*** (*od.* ***chief***) **~** Bier ist mir ein Greuel.

a·vert [ə'vɜːt] *v/t.* **1.** abwenden, -kehren: ***~ one's face***; **2.** *fig.* abwenden, -wehren, verhüten.

a·vi·ar·y ['eɪvjərɪ] *s.* Vogelhaus *n*, Voli'ere *f*.

a·vi·ate ['eɪvɪeɪt] *v/i.* ✈ fliegen; **a·vi·a·tion** [ˌeɪvɪ'eɪʃn] *s.* ✈ Luftfahrt *f*, Flugwesen *n*, Fliegen *n*, Flugsport *m*: ***~ industry*** Flugzeugindustrie *f*; ***Ministry of*** **≈** Ministerium *n* für zivile Luftfahrt; **a·vi·a·tor** ['eɪvɪeɪtə] *s.* Flieger *m*.

a·vi·cul·ture ['eɪvɪkʌltʃə] *s.* Vogelzucht *f*.

av·id ['ævɪd] *adj.* □ (be)gierig (***of*** nach, ***for*** auf *acc.*); *weitS.* leidenschaftlich, begeistert; **a·vid·i·ty** [ə'vɪdətɪ] *s.* Gier *f*, Begierde *f*, Habsucht *f*.

a·vi·on·ics [ˌeɪvɪ'ɒnɪks] *s. pl. sg. konstr.* Avi'onik *f*, 'Flugelekˌtronik *f*.

a·vi·ta·min·o·sis ['eɪˌvaɪtəmɪ'nəʊsɪs] *s.* Vita'minmangel(krankheit *f*) *m*.

av·o·ca·do [ˌævəʊ'kɑːdəʊ] *s.* ⚘ Avo'cato(birne) *f*.

av·o·ca·tion [ˌævəʊ'keɪʃn] *s. obs.* **1.** (Neben)Beschäftigung *f*; **2.** F (Haupt)Beruf *m*.

a·void [ə'vɔɪd] **1.** (ver)meiden, ausweichen (*dat.*), aus dem Wege gehen (*dat.*), *Pflicht etc.* um'gehen, *e-r Gefahr* entgehen: ***~ s.o.*** j-n meiden; ***~ doing s.th.*** es vermeiden, et. zu tun; **2.** ⚖ a) aufheben, ungültig machen, b) anfechten; **a'void·a·ble** [-dəbl] *adj.* **1.** vermeidbar; **2.** ⚖ a) annullierbar, b) anfechtbar; **a'void·ance** [-dəns] *s.* **1.** Vermeidung *f* (*Sache*), Meidung *f* (*Person*); Um'gehung *f*; **2.** ⚖ a) Aufhebung *f*, Nichtigkeitserklärung *f*, b) Anfechtung *f*.

av·oir·du·pois [ˌævədə'pɔɪz] *s.* **1.** ✝ *a.* ***~ weight*** Handelsgewicht *n* (*1 Pfund = 16 Unzen*): ***~ pound*** Handelspfund *n*; **2.** F ‚Lebendgewicht' *n e-r Person*.

a·vow [ə'vaʊ] *v/t.* (offen) bekennen, (ein)gestehen; rechtfertigen; anerkennen: ***~ o.s.*** sich bekennen, sich erklären; **a·vow·al** [ə'vaʊəl] *s.* Bekenntnis *n*, Geständnis *n*, Erklärung *f*; **a·vowed** [ə'vaʊd] *adj.* □ erklärt: ***his ~ principle***; ***he is an ~ Jew*** er bekennt sich offen zum Judentum; **a·vow·ed·ly** [ə'vaʊɪdlɪ] *adv.* eingestandenermaßen.

a·vun·cu·lar [ə'vʌŋkjʊlə] *adj.* **1.** Onkel...; **2.** *iro.* onkelhaft.

a·wait [ə'weɪt] *v/t.* **1.** erwarten (*acc.*), entgegensehen (*dat.*); **2.** *fig. j-n* erwarten: ***a hearty welcome ~s you***.

a·wake [ə'weɪk] **I** *v/t.* [*irr.*] **1.** wecken; **2.** *fig.* erwecken, aufrütteln (***from*** aus): ***~ s.o. to s.th.*** j-m et. zum Bewußtsein bringen; **II** *v/i.* [*irr.*] **3.** auf-, erwachen; **4.** *fig. zu neuer Tätigkeit etc.* erwachen: ***~ to s.th.*** sich e-r Sache bewußt werden; **III** *adj.* **5.** wach; **6.** *fig.* munter, wach(sam), auf der Hut: ***be ~ to s.th.*** sich e-r Sache bewußt sein; **a'wak·en** [-kən] → ***awake*** 1–4; **a'wak·en·ing** [-knɪŋ] *s.* Erwachen *n*: ***a rude ~*** *fig.* ein unsanftes Erwachen.

a·ward [ə'wɔːd] **I** *v/t.* **1.** zuerkennen, zusprechen, ⚖ *a.* (*durch Urteil od. Schiedsspruch*) zubilligen: ***he was ~ed the prize*** der Preis wurde ihm zuerkannt; **2.** gewähren, verleihen, zuwenden, zuteilen; **II** *s.* **3.** ⚖ Urteil *n*, (Schieds)Spruch *m*; **4.** Belohnung *f*, Auszeichnung *f*, (*a.* Film- *etc.*)Preis *m*, (Ordens)Verleihung *f*, ✝ 'Prämie *f*; **5.** ✝ Zuschlag *m* (*auf ein Angebot*), (Auftrags)Vergabe *f*.

a·ware [ə'weə] *adj.* **1.** gewahr (***of*** *gen.*, ***that*** daß): ***be ~*** sich bewußt sein, wissen, (er)kennen; ***become ~ of s.th.*** et. gewahr werden *od.* merken, sich e-r Sache bewußt werden; ***not that I am ~ of*** nicht, daß ich wüßte; **2.** aufmerksam, ‚hellwach'; **a'ware·ness** [-nɪs] *s.* Bewußtsein *n*, Kenntnis *f*.

a·wash [ə'wɒʃ] *adv. u. adj.* ⚓ **1.** über'flutet; **2.** über'füllt (***with*** von).

a·way [ə'weɪ] **I** *adv.* **1.** weg, hin'weg, fort: ***go ~*** weg-, fortgehen; ***~ with you!*** fort mit dir!; **2.** (***from***) entfernt, (weit) weg (von), fern, abseits (*gen.*): ***~ from the question*** nicht zur Frage *od.* Sache gehörend; **3.** fort, abwesend, verreist: ***~ from home*** nicht zu Hause; ***~ on leave*** auf Urlaub; **4.** *bei Verben oft* (drauf)'los: ***chatter ~***; ***work ~***; **5.** *bsd. Am.* bei weitem: ***~ below the average***; **II** *adj.* **6.** *sport* Auswärts...: ***~ match*** → **III** *s.* **7.** *sport* Auswärtsspiel *n*.

awe [ɔː] **I** *s.* **1.** Ehrfurcht *f*, (heilige) Scheu (***of*** vor *dat.*): ***hold s.o. in ~*** Ehrfurcht vor j-m haben; ***stand in ~ of*** a) e-e heilige Scheu haben *od.* sich fürchten vor (*dat.*), b) e-n gewaltigen Respekt haben vor (*dat.*); **2.** *fig.* Macht *f*, Maje'stät *f*; **II** *v/t.* **3.** (Ehr)Furcht einflößen (*dat.*), einschüchtern; **'awe-inˌspir·ing** *adj.* ehrfurchtgebietend, eindrucksvoll; **awe·some** ['ɔːsəm] *adj.* □ **1.** furchteinflößend, schrecklich; **2.** → ***awe-inspiring***; **'awe·struck** *adj.* von Ehrfurcht *od.* Scheu *od.* Schrecken ergriffen.

aw·ful ['ɔːfʊl] *adj.* □ **1.** → ***awe-inspiring***; **2.** furchtbar, schrecklich; **3.** F ['ɔːfl] furchtbar: a) riesig, kolos'sal: ***an ~ lot*** e-e riesige Menge, b) scheußlich, schrecklich: ***an ~ noise***; **aw·ful·ly** ['ɔːflɪ] *adv.* F furchtbar, schrecklich, äußerst: ***~ cold***; ***~ nice*** furchtbar *od.* riesig nett; ***I am ~ sorry*** es tut mir schrecklich leid; ***thanks ~!*** tausend Dank!; **'aw·ful·ness** [-nɪs] *s.* **1.** Schrecklichkeit *f*; **2.** Erhabenheit *f*.

a·while [əˈwaɪl] *adv.* ein Weilchen.
awk·ward [ˈɔːkwəd] *adj.* □ **1.** ungeschickt, unbeholfen, linkisch, tölpelhaft: ***feel ~*** verlegen sein; → ***squad*** 1; **2.** peinlich, mißlich, unangenehm: ***an ~ silence*** (***matter***); **3.** unhandlich, schwer zu behandeln, schwierig, lästig, ungünstig, ‚dumm': ***an ~ door to open*** e-e schwer zu öffnende Tür; ***an ~ customer*** ein unangenehmer Zeitgenosse; ***it's a bit ~ on Sunday*** am Sonntag paßt es (mir) nicht so recht; **ˈawk·ward·ness** [-nɪs] *s.* **1.** Ungeschicklichkeit *f*, Unbeholfenheit *f*; **2.** Peinlichkeit *f*, Unannehmlichkeit *f*; **3.** Lästigkeit *f*.
awl [ɔːl] *s.* ⚙ Ahle *f*, Pfriem *m*.
awn [ɔːn] *s.* ⚘ Granne *f*.
awn·ing [ˈɔːnɪŋ] *s.* **1.** ⚓ Sonnensegel *n*; **2.** Wagendecke *f*, Plane *f*; **3.** Marˈkise *f*; ˈBaldachin *m*; Vorzelt *n*.
a·woke [əˈwəʊk] *pret. von* ***awake*** I *u.* II; **aˈwok·en** *p.p. von* ***awake*** I *u.* II.
a·wry [əˈraɪ] *adv. u. adj.* **1.** schief, krumm: ***look ~*** *fig.* schief *od.* scheel blicken; **3.** *fig.* verkehrt: ***go ~*** fehlgehen (*Person*), schiefgehen (*Sache*).
ax, *mst* **axe** [æks] **I** *s.* **1.** Axt *f*, Beil *n*: ***have an ~ to grind*** eigennützige Zwecke verfolgen, es auf et. abgesehen haben; **2.** F *fig.* a) rücksichtslose Sparmaßnahme, b) Abbau *m*, Entlassung *f*: ***get the ~*** entlassen werden, ‚rausfliegen'; **3.** ♪ *Am. sl.* Instruˈment *n*; **II** *v/t.* **4.** F *fig.* drastisch kürzen *od.* zs.-streichen; *Beamte etc.* abbauen, *Leute* entlassen, ‚feuern'.
ax·i·al [ˈæksɪəl] *adj.* □ ⚙ Achsen…, axiˈal.
ax·il [ˈæksɪl] *s.* ⚘ Blattachsel *f*.
ax·i·om [ˈæksɪəm] *s.* Axˈiom *n*, allgemein anerkannter Grundsatz: ***~ of law*** Rechtsgrundsatz; **ax·i·o·mat·ic** [ˌæksɪəʊˈmætɪk] *adj.* (□ ***~ally***) axioˈmatisch, ˈunumˌstößlich, selbstverständlich.
ax·is [ˈæksɪs] *pl.* **ˈax·es** [-siːz] *s.* **1.** ⚗, ⚙, *phys.* Achse *f*, ˈMittelˌlinie *f*: ***~ of the earth*** Erdachse; **2.** *pol.* Achse *f*: ***the*** ♀ die Achse Berlin-Rom-Tokio (*vor dem u. im 2. Weltkrieg*); ***the*** ♀ ***powers*** die Achsenmächte.
ax·le [ˈæksl] *s.* ⚙ **1.** *a.* ***~-tree*** (Rad-) Achse *f*, Welle *f*; **2.** Angel(zapfen *m*) *f*.
ay → ***aye***.
a·yah [ˈaɪə] *s. Brit. Ind.* ˈAja *f*, indisches Kindermädchen.
aye [aɪ] **I** *int. bsd.* ⚓ *u. parl.* ja: ***~, ~, Sir!*** zu Befehl!; **II** *s. parl.* Ja *n*, Jastimme *f*: ***the ~s have it*** die Mehrheit ist dafür.
a·za·le·a [əˈzeɪljə] *s.* ⚘ Azaˈlee *f*.
az·i·muth [ˈæzɪməθ] *s. ast.* Aziˈmut *m*, Scheitelkreis *m*.
a·zo·ic [əˈzəʊɪk] *adj. geol.* aˈzoisch (*ohne Lebewesen*): ***the ~ age***.
Az·tec [ˈæztek] s. Azˈteke *m*.
az·ure [ˈæʒə] **I** *adj.* aˈzur-, himmelblau; **II** *s.* a) Aˈzur(blau *n*) *m*, b) *poet.* das blaue Himmelszelt.

B

B, b [biː] *s.* **1.** B *n*, b *n* (*Buchstabe*); **2.** ♪ H *n*, h *n* (*Note*): ***B flat*** B *n*, b *n*; ***B sharp*** His *n*, his *n*; **3.** *ped. Am.* Zwei *f* (*Note*); **4.** ***B flat*** *Brit. sl.* Wanze *f*.

baa [bɑː] **I** *s.* Blöken *n*; **II** *v/i.* blöken; **III** *int.* bäh!

Ba·al [ˈbeɪəl] **I** *npr. bibl.* *Gott* Baal *m*; **II** *s.* Abgott *m*, Götze *m*; **ˈBa·al·ism** [-lɪzəm] *s.* Götzendienst *m*.

baas [bɑːs] *s. S. Afr.* Herr *m*.

Bab·bitt [ˈbæbɪt] *s.* **1.** *Am.* (selbstzufriedener) Spießer; **2.** ♀ (***metal***) ⚙ ˈLagerweißmeˌtall *n*.

bab·ble [ˈbæbl] **I** *v/t. u. v/i.* **1.** stammeln; plappern, schwatzen; nachschwatzen, ausplaudern; **2.** plätschern, murmeln (*Bach*); **II** *s.* **3.** Geplapper *n*, Geschwätz *n*; **ˈbab·bler** [-lə] *s.* **1.** Schwätzer(in); **2.** *orn. e-e* Drossel *f*.

babe [beɪb] *s.* **1.** kleines Kind, Baby *n*, *fig. a.* Naˈivling *m*; → ***arm***[1] 1; **2.** *Am. sl.* ‚Puppe' *f* (*Mädchen*).

Ba·bel [ˈbeɪbl] **I** *npr. bibl.* Babel *n*; **II** *s.* ♀ *fig.* Babel *n*, Wirrwarr *m*, Stimmengewirr *n*.

ba·boo [ˈbɑːbuː] *s. Brit.-Ind.* **1.** Herr *m* (*bei den Hindus*); **2.** Inder *m* mit oberflächlicher engl. Bildung.

ba·boon [bəˈbuːn] *s. zo.* ˈPavian *m*.

ba·by [ˈbeɪbɪ] **I** *s.* **1.** Baby *n*: a) Säugling *m*, b) jüngstes Kind: ***be left holding the ~*** F der Dumme sein, die Sache am Hals haben; **2.** a) ‚Kindskopf' *m*, b) ‚Heulsuse' *f*; **3.** *sl.* ‚Schatz' *m*, ‚Kindchen' *n* (*Mädchen*); **4.** *sl.* Sache *f*: ***it's your ~***; **II** *adj.* **5.** Säuglings…, Baby…, Kinder…; **6.** kindlich, kindisch: ***plead the ~ act*** *Am.* F auf Unreife plädieren; **7.** klein; **~ bond** *s.* ✝ *Am.* Baby-Bond *m*, Kleinschuldverschreibung *f*; **~ boom·er gen·er·a·tion** *s.* geburtenstarke Jahrgänge *pl.*; **~ bot·tle** *s.* (Saug)Flasche *f*; **~ car** *s.* Klein(st)wagen *m*; **~ car·riage** *s. Am.* Kinderwagen *m*; **~ farm·er** *s. mst contp.* Frau, die gewerbsmäßig Kinder in Pflege nimmt; **~ grand** *s.* ♪ Stutzflügel *m*.

ba·by·hood [ˈbeɪbɪhʊd] *s.* Säuglingsalter *n*; **ˈba·by·ish** [-ɪɪʃ] *adj.* **1.** kindlich; **2.** kindisch.

Bab·y·lon [ˈbæbɪlən] **I** *npr.* ˈBabylon *n*; **II** *s. fig.* (Sünden)Babel *n*; **Bab·y·lo·ni·an** [ˌbæbɪˈləʊnjən] **I** *adj.* babyˈlonisch; **II** *s.* Babyˈlonier(in).

ˈba·by|-ˌmind·er *s. Brit.* Tagesmutter *f*; **ˈ~-sit** *v/i.* [*irr.* → ***sit***] babysitten; **ˈ~-ˌsit·ter** *s.* Babysitter *m*; **~ snatch·er** *s.* *ältere Person* (*Mann od. Frau*), *die mit einem blutjungen Mädchen od. Mann ein Verhältnis hat*: ***I'm no ~*** ich vergreif' mich doch nicht an kleinen Kindern!; **~ spot** *s.* Baby-Spot *m* (*kleiner Suchscheinwerfer*); **~ talk** *s.* Babysprache *f*.

bac·ca·lau·re·ate [ˌbækəˈlɔːrɪət] *s. univ.* Bakkalaureˈat *n*; **2.** *a.* **~ *sermon*** *Am.* Predigt *f* an die promovierten Stuˈdenten.

bac·ca·ra(t) [ˈbækərɑː] *s.* ˈBakkarat *n* (*Glücksspiel*).

bac·cha·nal [ˈbækənl] **I** *s.* **1.** Bacˈchant (-in); **2.** ausgelassener *od.* trunkener Zecher; **3.** *a. pl.* Bacchaˈnal *n* (*wüstes Gelage*); **II** *adj.* **4.** ˈbacchisch; **5.** bacˈchantisch; **bac·cha·na·li·a** [ˌbækəˈneɪljə] → ***bacchanal*** 3; **bac·cha·na·li·an** [ˌbækəˈneɪljən] **I** *adj.* bacˈchantisch, ausschweifend; **II** *s.* Bacˈchant(in); **bac·chant** [ˈbækənt] **I** *s.* Bacˈchant *m*; *fig.* wüster Trinker *od.* Schwelger; **II** *adj.* bacˈchantisch; **bac·chan·te** [bəˈkæntɪ] *s.* Bacˈchantin *f*; **bac·chic** [ˈbækɪk] → ***bacchanal*** 4 *u.* 5.

bac·cy [ˈbækɪ] *s.* F *abbr. für* ***tobacco***.

bach [bætʃ] F **I** *s.* → ***bachelor*** 1; **II** *v/i. mst* ***~ it*** ein Strohwitwerdasein führen.

bach·e·lor [ˈbætʃələ] *s.* **1.** Junggeselle *m*; *in Urkunden*: ledig (*dem Namen nachgestellt*); **2.** *univ.* Bakkaˈlaureus *m* (*Grad*): ♀ ***of Arts*** (*abbr.* ***B.A.***) Bakkalaureus der philosophischen Fakultät; ♀ ***of Science*** (*abbr.* ***B.Sc.***) Bakkalaureus der Naturwissenschaften; **~ girl** *s.* Junggesellin *f*.

bach·e·lor·hood [ˈbætʃələhʊd] *s.* **1.** Junggesellenstand *m*; **2.** *univ.* Bakkalaureˈat *n*.

ba·cil·lar·y [bəˈsɪlərɪ] *adj.* **1.** stäbchenförmig; **2.** ⚕ Bazillen…; **ba·cil·lus** [bəˈsɪləs] *pl.* **-li** [-laɪ] *s.* ⚕ Baˈzillus *m* (*a. fig.*).

back[1] [bæk] **I** *s.* **1.** Rücken *m* (*Mensch, Tier*); **2.** ˈHinter-, Rückseite *f* (*Kopf, Haus, Tür, Bild, Brief, Kleid etc*); (Rücken)Lehne *f* (*Stuhl*); **3.** *untere od. abgekehrte Seite*: (*Hand-, Buch-, Messer*)Rücken *m*, ˈUnterseite *f* (*Blatt*), linke Seite (*Stoff*), Kehrseite *f* (*Münze*), Oberteil *m*, *n* (*Bürste*); → ***beyond*** 6; **4.** *rückwärtiger od. entfernt gelegener Teil*: hinterer Teil (*Mund, Schrank, Wald*

etc.), 'Hintergrund *m*; Rücksitz *m* (*Wagen*); **5.** Rumpf *m* (*Schiff*); **6.** ***the* ~s** die Parkanlagen *pl.* hinter den Colleges in Cambridge; **7.** *sport* Verteidiger *m*; *Besondere Redewendungen*:
(***at the***) ***~ of*** hinter (*dat.*), hinten in (*dat.*); ***be at the ~ of s.th.*** *fig.* hinter e-r Sache stecken; ***~ to front*** die Rückseite nach vorn, falsch herum; ***have s.th. at the ~ of one's mind*** a) insgeheim an et. denken, b) sich dunkel an et. erinnern; ***turn one's ~ on*** *fig. j-m* den Rücken kehren, *et.* aufgeben; ***behind s.o.'s ~*** hinter j-s Rücken; ***on one's ~*** a) auf dem Körper (*Kleidungsstück*), b) bettlägerig, c) am Boden, hilflos, verloren; ***have one's ~ to the wall*** mit dem Rücken zur Wand stehen; ***break s.o.'s ~*** a) j-m das Kreuz brechen (*a. fig.*), b) j-n ‚fertigmachen' *od.* zugrunde richten; ***break the ~ of s.th.*** das Schwierigste e-r Sache hinter sich bringen; ***put one's ~ into s.th.*** sich bei e-r Sache ins Zeug legen, sich in et. hineinknien; ***put s.o.'s ~ up*** j-n ‚auf die Palme bringen';
II *adj.* **8.** rückwärtig, letzt, hinter, Rück..., Hinter..., Nach...: ***the ~ left-hand corner*** die hintere linke Ecke; **9.** rückläufig; **10.** rückständig (*Zahlung*); **11.** zu'rückliegend, alt (*Zeitung etc.*); **12.** fern, abgelegen; *fig.* finster; **III** *adv.* **13.** zu'rück, rückwärts; zurückliegend; (wieder) zurück: ***he is ~ again*** er ist wieder da; ***he is ~ home*** er ist wieder zu Hause; ***~ home*** *Am.* bei uns (zulande); ***~ and forth*** hin und her; **14.** zu'rück, 'vorher: ***20 years ~*** vor 20 Jahren; ***~ in 1900*** (schon) im Jahre 1900; **IV** *v/t.* **15.** *Buch* mit e-m Rücken *od.* *Stuhl* mit e-r Lehne *od.* Rückenverstärkung versehen; **16.** hinten grenzen an (*acc.*), den Hintergrund *e-r Sache* bilden; **17.** *a.* ***~ up*** *j-m* den Rücken dekken *od.* stärken, *j-n* unter'stützen, eintreten für; **18.** *a.* ***~ up*** zu'rückbewegen; *Wagen, Pferd, Maschine* rückwärts fahren *od.* laufen lassen: ***~ one's car up*** mit dem Auto zurückstoßen; ***~ a car out of the garage*** e-n Wagen rückwärts aus der Garage fahren; ***~ water*** (*od.* ***the oars***) rückwärts rudern; ***~ed up*** (***with traffic***) *Am.* verstopft (*Straße*); **19.** auf der Rückseite beschreiben; *Wechsel* verantwortlich gegenzeichnen, avalieren; **20.** wetten *od.* setzen auf (*acc.*); **V** *v/i.* **21.** *a.* ***~ up*** sich rückwärts bewegen, zu'rückgehen *od.* -fahren; **22.** ***~ and fill*** a) ⚓ lavieren, b) *Am.* F unschlüssig sein; **~ down (from), ~ out (of)** *v/i.* zu'rücktreten *od.* sich zu'rückziehen (von), aufgeben (*acc.*); F sich drücken (vor *dat.*), abspringen (von), ‚aussteigen' (bei), kneifen (vor *dat.*); klein beigeben, ‚den Schwanz einziehen'.

back² [bæk] *s.* ⚙, *Brauerei, Färberei etc.*: Bottich *m*.

'back|·ache *s.* Rückenschmerzen *pl.*; **~ al·ley** *s. Am.* finsteres Seitengäßchen; **ˌ~-'bench·er** *s. parl.* 'Hinterbänkler *m*; **'~·bend** *s. sport* Brücke *f* (aus dem Stand); **'~·bite** *v/t. u. v/i.* [*irr.* → ***bite***] *j-n* verleumden; **'~ˌbit·er** *s.* Verleumder (-in); **'~·bone** *s.* **1.** Rückgrat *n*: ***to the ~*** bis auf die Knochen, ganz u. gar; **2.** *fig.* Rückgrat *n*: a) (Cha'rakter)Stärke *f*, Mut *m*, b) Hauptstütze *f*; **'~-ˌbreak·ing** *adj.* ‚mörderisch', zermürbend: ***a ~ job***; **'~-ˌburn·er** *adj.* F nebensächlich, zweitrangig; **'~·chat** *s. sl.* **1.** freche Antwort(en *pl.*); **2.** *Brit.* schlagfertiges Hin und Her; **~·cloth** → ***backdrop***; **'~-ˌcou·pled** *adj.* ⚡ rückgekoppelt; **ˌ~-'date** *v/t.* **1.** zu'rückdatieren; **2.** rückwirkend in Kraft setzen; **~ door** *s.* 'Hintertür *f* (*a. fig. Ausweg*); **ˌ~-'door** *adj.* heimlich, geheim; **'~·down** *s. Am.* F ‚Rückzieher' *m*; **'~·drop** *s.* **1.** *thea.* Pro'spekt *m*; **2.** 'Hintergrund *m*, 'Folie *f*.

backed [bækt] *adj.* **1.** mit Rücken, Lehne *etc.* (versehen); **2.** gefüttert: ***a curtain ~ with satin***; **3.** *in Zssgn*: ***straight-~*** mit geradem Rücken, geradlehnig.

back·er ['bækə] *s.* **1.** Unter'stützer(in), Helfer(in), Förderer *m*; **2.** ✝ a) (Wechsel)Bürge *m*, b) 'Hintermann *m*, Geldgeber *m*; **3.** Wetter(in).

ˌback|'fire I *v/i.* **1.** *mot.* früh-, fehlzünden; **2.** *fig.* fehlschlagen, ‚ins Auge gehen': ***the plan ~d*** der Schuß ging nach hinten los; **II** *s.* **3.** ⚙ Früh-, Fehlzündung *f*; **~ for·ma·tion** *s. ling.* Rückbildung *f*; **~'gam·mon** *s.* Back'gammon *n*, Puffspiel *n*; **'~·ground** *s.* **1.** 'Hintergrund *m*: ***keep in the ~***; **2.** *fig.* 'Hintergrund *m*, 'Hintergründe *pl.*, 'Umstände *pl.*; 'Umwelt *f*, Mili'eu *n*; 'Herkunft *f*; Werdegang *m*, Vorgeschichte *f*; Bildung *f*, Erfahrung *f*, Wissen *n*: ***educational ~*** Vorbildung *f*; **'~·hand I** *s.* **1.** nach links geneigte Handschrift; **2.** *sport* Rückhand(schlag *m*) *f*; **II** *adj.* **3.** *sport* Rückhand...: ***~ stroke*** Rückhandschlag *m*; **ˌ~'hand·ed** *adj.* **1.** nach links geneigt (*Schrift*); **2.** Rückhand...; **3.** zweideutig; unredlich, 'indiˌrekt; **'~·hand·er** *s.* **1.** a) → ***backhand*** 2, b) Schlag *m* mit dem Handrücken; **2.** F 'indiˌrekter Angriff; **3.** F ‚Schmiergeld' *n*.

back·ing ['bækɪŋ] *s.* **1.** Unter'stützung *f*, Hilfe *f*; Beifall *m*; *coll.* Unter'stützer *pl.*, Förderer *pl.*, 'Hintermänner *pl.*; **2.** rückwärtige Verstärkung; (*Rock- etc.*) Futter *n*; Stützung *f*; **3.** ✝ a) Wechselbürgschaft *f*, b) Gegenzeichnen *n*, c) Deckung *f*.

'back|·lash *s.* **1.** ⚙ toter Gang, Flankenspiel *n*; **2.** (heftige) Reakti'on, Rückwirkung *f*; '**~·log** *s.* **1.** großes Scheit hinten im Ka'min; **2.** (*Arbeits-, Auftrags- etc.*)Rückstand *m*, 'Überhang *m* (***of*** an *dat.*): ***~ demand*** Nachholbedarf *m*; **3.** Rücklage *f*, Re'serve *f* (***of*** an *dat.*, von); **~ num·ber** *s.* **1.** alte Nummer *e-r Zeitung etc.*; **2.** *fig.* rückständige *od.* altmodische Per'son *od.* Sache; '**~-pack I** *s.* Rucksack *m*, Back-Pack *m*; **II** *v/i.* ***~ it*** F (mit dem Rucksack) trampen; '**~-pack·er** *s.* Rucksacktourist *m*; '**~·pack·ing** *s.* Rucksacktourismus *m*; **~ pay** *s.* Lohn-, Gehaltsnachzahlung *f*; ˌ**~-'ped·al** *v/i.* **1.** rückwärtstreten (*Radfahrer*); **2.** F *fig.* e-n ‚Rückzieher' machen; '**~ˌped·al brake** *s.* Rücktrittbremse *f*; '**~·rest** *s.* Rückenstütze *f*; **~ room** *s.* 'Hinterzimmer *n*; '**~-room boy** *s. Brit.* F Wissenschaftler, der an Ge'heimproˌjekten arbeitet; **~ sal·a·ry** → ***back pay***; **~ scratch·ing** *s.* F gegenseitige Unter'stützung; **~ seat** *s.* Rücksitz *m*: ***back-seat driver*** *fig.* Besserwisser(in); ***take a ~*** *fig.* in den Hintergrund treten.

back·sheesh → ***baksheesh***.

ˌ**back|'side** *s.* **1.** F Hintern *m*; **2.** *mst* ***back side*** Kehr-, Rückseite *f*, hintere *od.* linke Seite; '**~·sight** *s.* **1.** ⚙ Visier *n*; **2.** ⚔ (Visier)Kimme *f*; **~ slang** *s.* 'Umkehrung *f* der Wörter (*beim Sprechen*); ˌ**~'slap·per** *s. Am.* jovi'aler *od.* plump-vertraulicher Mensch; ˌ**~'slide** *v/i.* [*irr.* → ***slide***] **1.** rückfällig werden; **2.** auf die schiefe Bahn geraten, abtrünnig werden; ˌ**~'slid·er** *s.* Rückfällige(r *m*) *f*; '**~·space con·trol** *s.* Rückholtaste *f* (*Tonbandgerät*); ˌ**~'spac·er** *s.* Rücktaste *f* (*Schreibmaschine*); **~·stage I** *s.* ['bæksteɪdʒ] **1.** *thea.* Garde'robenräume *pl.* u. Bühne *f* hinter dem Vorhang; **II** *adv.* [ˌbæk'steɪdʒ] **2.** (hinten) auf der Bühne; **3.** hinter dem *od.* den Vorhang, hinter den *od.* die Ku'lissen (*a. fig.*); ˌ**~'stairs** *s.* 'Hintertreppe *f*: ***~ talk*** (bösartige) Anspielungen *pl.*; ***~ influence*** Protektion *f*; '**~·stop** *s.* **1.** *Kricket*: Feldspieler *m*, Fänger *m*; **2.** *Baseball*: Gitter *n* (*hinter dem Fänger*); **3.** *Am. Schießstand*: Kugelfang *m*; '**~·stroke** *s. sport* **1.** Rückschlag *m des Balls*; **2.** Rückenschwimmen *n*; '**~·swept** *adj.* **1.** ⚙, ✈ nach hinten verjüngt, pfeilförmig; **2.** zu'rückgekämmt (*Haar*); **~ talk** *s. sl.* unverschämte Antwort(en *pl.*); '**~·track** *v/i. Am.* **1.** den'selben Weg zu'rückgehen; **2.** *fig.* a) → ***back down*** (***from***), b) e-e Kehrtwendung machen; '**~·up I** *s.* **1.** Unter'stützung *f*; **2.** → ***backing*** 2; **3.** *mot. Am.* (Rück)Stau *m*; **4.** *fig.* ‚Rückzieher' *m*; **5.** ⚙ Ersatzgerät *n*; **6.** *Computer*: a) Datensicherung *f*, b) → ***back-up copy***; **II** *adj.* **7.** Unterstützungs..., Hilfs...; ⚙ Ersatz..., Reserve...; ***~ copy*** Sicherungskopie *f*.

back·ward ['bækwəd] **I** *adj.* **1.** rückwärts gerichtet, Rück(wärts)...; 'umgekehrt; **2.** hinten gelegen, Hinter...; **3.** langsam, schwerfällig, schleppend; **4.** zu'rückhaltend, schüchtern; **5.** *in der Entwicklung* zu'rückgeblieben (*Kind etc.*), rückständig (*Land, Arbeit*); **6.** vergangen; **II** *adv.* **7.** *a.* ***backwards*** [-dz] rückwärts, zu'rück: ***~ and forwards*** vor u. zurück; **8.** *fig.* 'umgekehrt; zum Schlechten; **back·ward·a·tion** [ˌbækwə'deɪʃn] *s. Brit.* ✝ De'port *m*, Kursabschlag *m*; '**back·ward·ness** [-nɪs] *s.* **1.** Rückständigkeit *f*; **2.** Langsamkeit *f*, Trägheit *f*; **3.** Wider'streben *n*; '**back·wards** [-dz] → ***backward*** 7.

'**back|·wash** *s.* **1.** Rückströmung *f*; Kielwasser *n*; **2.** *fig.* Nachwirkung *f*; '**~ˌwa·ter** *s.* **1.** totes Wasser, Stauwasser *n*; **2.** Seitenarm *m e-s Flusses*; **3.** *fig.* a) tiefste Provinz, (kultu'relles) Notstandsgebiet, b) Rückständigkeit *f*, Stagnati'on *f*; '**~·woods I** *s. pl.* **1.** 'Hinterwälder *pl.*, abgelegene Wälder; *fig.* (tiefste) Pro'vinz; **II** *adj.* **2.** 'hinterwäldlerisch (*a. fig.*), Provinz...; **3.** *fig.* rückständig; '**~·woods·man** [-mən] *s.* [*irr.*] **1.** 'Hinterwäldler *m* (*a. fig.*); **2.** *Brit. parl.* Mitglied *n* des Oberhauses, das selten erscheint; **~ yard** *s.* 'Hinterhof *m*; *Am. a.* Garten *m* hinter dem Haus.

ba·con ['beɪkən] *s.* Speck *m*: ***~ and eggs*** Speck mit (Spiegel)Ei; ***he brought home the ~*** F er hat es geschafft; ***save one's ~*** F a) mit heiler Haut davonkommen, b) s-e Haut retten.

Ba·co·ni·an [beɪ'kəʊnjən] *adj.* Sir Francis Bacon betreffend; **~ the·o·ry** *s.* 'Bacon-Theoˌrie *f* (*daß Francis Bacon Shakespeares Werke verfaßt habe*).

bac·te·ri·a [bæk'tɪərɪə] *s. pl.* Bak'terien *pl.*; **bac'te·ri·al** [-əl] *adj.* Bakterien...; **bac·te·ri·cid·al** [bækˌtɪərɪ'saɪdl] *adj.* bakteri'zid, bak'terientötend; **bac·te·ri·cide** [bæk'tɪərɪsaɪd] *s.* Bakteri'zid *n*; **bac·te·ri·o·log·i·cal** [bækˌtɪərɪə'lɒdʒɪkl] *adj.* □ bakterio'logisch; **bac·te·ri·ol·o·gist** [bækˌtɪərɪ'ɒlədʒɪst] *s.* Bakterio'loge *m*; **bac·te·ri·ol·o·gy** [bækˌtɪərɪ'ɒlədʒɪ] *s.* Bak'terienkunde *f*; **bac·te·ri·um** [bæk'tɪərɪəm] *sg. von* ***bacteria***.

Bac·tri·an cam·el ['bæktrɪən] *s. zo.* Trampeltier *n*, zweihöckriges Ka'mel.

bad [bæd] **I** *adj.* □ → ***badly***; **1.** *allg.* schlecht, schlimm: ***~ manners*** schlechte Manieren; ***from ~ to worse*** immer schlimmer; **2.** böse, ungezogen: ***a ~ boy***; ***a ~ lot*** F ein schlimmes Pack; **3.** lasterhaft, schlecht: ***a ~ woman***; **4.** anstößig, häßlich: ***a ~ word***; ***~ language*** a) häßliche Ausdrücke *pl.*, b) lästerliche Reden *pl.*; **5.** unbefriedigend, ungünstig, schlecht: ***~ lighting*** schlechte Beleuchtung; ***~ name*** schlechter Ruf; ***in ~ health*** kränkelnd; ***his ~ German*** sein schlechtes Deutsch; ***he is ~ at mathematics*** er ist in Mathematik schwach; ***~ debts*** ♆ zweifelhafte Forderungen; ***~ debt losses*** ♆ Forderungsausfälle *pl.*; ***~ title*** mangelhafter Rechtstitel; **6.** unangenehm, schlecht: ***a ~ smell***; ***~ news***; (***that's***) ***too ~!*** F (das ist doch) zu dumm *od.* schade!; ***not*** (***half*** *od.* ***too***) ~ (gar) nicht übel; **7.** schädlich: ***~ for the eyes***; ***~ for you***; **8.** schlecht, verdorben (*Fleisch*, *Ei etc.*): ***go ~*** schlecht werden; **9.** ungültig, falsch (*Münze etc.*); **10.** unwohl, krank: ***he is*** (*od.* ***feels***) ***~***; ***a ~ finger*** ein schlimmer *od.* böser Finger; ***he is in a ~ way*** es geht ihm nicht gut, er ist schlecht d(a)ran; **11.** heftig, schlimm, arg: ***a ~ cold***; ***a ~ crime*** ein schweres Verbrechen; **II** *s.* **12.** *das* Schlechte: ***go to the ~*** F auf die schiefe Bahn geraten; → ***worse*** 4; **13.** ♆ 'Defizit *n*, Verlust *m*: ***be £5 to the ~*** £5 Defizit haben; **14.** ***be in ~ with s.o.*** *Am.* F bei j-m in Ungnade sein; **III** *adv.* **15.** → ***badly***.

bad·die ['bædɪ] *s.* F *Film etc.*: Bösewicht *m*, Schurke *m*.

bad·dish ['bædɪʃ] *adj.* ziemlich schlecht.

bad·dy → ***baddie***.

bade [beɪd] *pret. von* ***bid*** 7, 8, 9.

badge [bædʒ] *s.* Ab-, Kennzeichen *n* (*a. fig.*); (Dienst- *etc.*)Marke *f*; ⚔ (Ehren)Spange *f*; *fig.* Merkmal *n*, Stempel *m*.

badg·er ['bædʒə] **I** *s.* **1.** *zo.* Dachs *m*; **2.** *Am.* F Bewohner(in) von Wis'consin; **II** *v/t.* **3.** hetzen; **4.** *fig.* plagen, ‚piesakken', *j-m* zusetzen.

bad·i·nage ['bædɪnɑːʒ] *s.* Necke'rei *f*, Schäke'rei *f*.

'**bad·lands** *s. pl. Am.* Ödland *n*.

bad·ly ['bædlɪ] *adv.* **1.** schlecht, schlimm: ***he is ~*** (*Am. a.* ***bad***) ***off*** es geht ihm schlecht (*mst finanziell*); ***do*** (*od.* ***come off***) ***~*** schlecht fahren (***in*** bei, mit); ***be in ~ with*** (*od.* ***over***) *Am.* F über Kreuz stehen mit; ***feel ~*** (*Am. a.* ***bad***) (***about it***) ein ‚mieses' Gefühl haben (deswegen); **2.** dringend, heftig, sehr: ***~ needed*** dringend nötig; ***~ wounded*** schwerverwundet.

bad·min·ton ['bædmɪntən] *s.* **1.** *sport* Badminton *n*; **2.** Federballspiel *n*.

'**bad·mouth** *v/t.* F *j-n* übel beschimpfen.

bad·ness ['bædnɪs] *s.* **1.** schlechte Beschaffenheit; **2.** Schlechtigkeit *f*, Verderbtheit *f*; Bösartigkeit *f*.

ˌ**bad-'tem·pered** *adj.* schlechtgelaunt, übellaunig.

Bae·de·ker ['beɪdɪkə] *s.* Baedeker *m*, Reiseführer *m*; *weitS.* Handbuch *n*.

baf·fle ['bæfl] *v/t.* **1.** *j-n* verwirren, verblüffen, narren, täuschen, *j-m* ein Rätsel aufgeben: ***be ~d*** vor e-m Rätsel stehen; **2.** *Plan etc.* durch'kreuzen, unmöglich machen: ***it ~s description*** es spottet jeder Beschreibung; ***~ paint*** *s.* ⚔ Tarnungsanstrich *m*; ***~ plate*** *s.* Ablenk-, Prallplatte *f*; Schlingerwand *f* (*im Kraftstoffbehälter*).

baf·fling ['bæflɪŋ] *adj.* □ **1.** verwirrend, vertrackt, rätselhaft; **2.** vereitelnd, hinderlich; **3.** 'umspringend (*Wind*).

bag [bæg] **I** *s.* **1.** Sack *m*, Beutel *m*, Tüte *f*, (Schul-, Hand- *etc.*)Tasche *f*; *engS.* a) Reisetasche *f*, b) Geldbeutel *m*: ***mixed ~*** *fig.* Sammelsurium *n*; ***~ and baggage*** (mit) Sack u. Pack, mit allem Drum und Dran; ***the whole ~ of tricks*** alles, der ganze Krempel; ***give s.o. the ~*** F j-m den Laufpaß geben; ***be left holding the ~*** *Am.* F die Sache ausbaden müssen; ***that's*** (***just***) ***my ~*** *sl.* das ist genau mein Fall; ***that's not my ~*** *sl.* das ist nicht ‚mein Bier'; ***that's in the ~*** das haben wir (so gut wie) sicher; → ***bone*** 1; **2.** *hunt.* a) Jagdtasche *f*, b) Jagdbeute *f*, Strecke *f*; **3.** (***pair of***) ***~s*** F Hose *f*; **4.** (***old***) ***~*** *sl.* Weibsbild *n*, ‚alte Ziege'; **II** *v/t.* **5.** in e-n Sack *etc.* tun, ⚙ einsacken, abfüllen; **6.** *hunt.* zur Strekke bringen, fangen (*a. fig.*); **7.** *sl.* a) sich *et.* schnappen, b) ‚klauen', c) *j-n* ‚in die Tasche stecken', besiegen; **8.** bauschen; **III** *v/i.* **9.** sich bauschen.

bag·a·telle [ˌbægə'tel] *s.* **1.** Baga'telle *f* (*a.* ♪), Kleinigkeit *f*; **2.** 'Tivolispiel *n*.

bag·gage ['bægɪdʒ] *s.* **1.** *bsd. Am.* (Reise)Gepäck *n*; **2.** ⚔ Ba'gage *f*, Gepäck *n*, Troß *m*; **3.** V ‚Flittchen' *n*; **4.** F ‚Fratz' *m*, (kleiner) Racker (*Mädchen*); ***~ al·low·ance*** *s.* ✈ Freigepäck *n*; ***~ car*** *s. Am.* Gepäckwagen *m*; ***~ check*** *s. Am.* Gepäckschein *m*; ***~ claim*** *s.* ✈ Gepäckausgabe *f*; ***~ hold*** *s. Am.* Gepäckraum *m*; ***~ in·sur·ance*** *s. Am.* (Reise)Gepäckversicherung *f*.

bag·ging ['bægɪŋ] **I** *s.* **1.** Sack-, Packleinwand *f*; **II** *adj.* **2.** sich bauschend; **3.** → **bag·gy** ['bægɪ] *adj.* bauschig, zu weit, sackartig herabhängend; ausgebeult (*Hose*).

'**bag|·pipe** *s.* ♪ Dudelsack(pfeife *f*) *m*; '**~ˌpip·er** *s.* Dudelsackpfeifer *m*; '**~ˌsnatch·er** *s.* Handtaschenräuber *m*.

bah [bɑ(ː)] *int.* pah! (*Verachtung*).

bail[1] [beɪl] ⚖ **I** *s.* (*nur sg.*) **1.** a) Bürge *m*: ***find ~*** sich e-n Bürgen verschaffen, b) Bürgschaft *f*, Sicherheitsleistung *f*, Kauti'on *f*: ***admit to ~*** → 4; ***allow*** (*od.* ***grant***) ***~*** a) → 4, b) Kaution zulassen; ***be out on ~*** gegen Kaution auf freiem Fuß sein; ***forfeit one's ~*** (*bsd. wegen Nichterscheinens*) die Kaution verlieren; ***go*** (*od.* ***stand***) ***~ for s.o.*** für j-n Sicherheit leisten *od.* Kaution stellen; ***jump ~*** *Am.* F die Kaution ‚sausenlassen' (u. verschwinden); ***release on ~*** → 4; ***surrender to*** (*od.* ***save***) ***one's ~*** vor Gericht erscheinen; **2.** *a.* ***release on ~*** Freilassung *f* gegen Kauti'on *od.* Sicherheitsleistung *f*; **II** *v/t.* **3.** *mst* ***~ out*** *j-s* Freilassung gegen Kauti'on erwirken; **4.** *j-n* gegen Kauti'on freilassen; **5.** *Güter* (*zur treuhänderischen Verwahrung*) übergeben (***to s.o.*** j-m); **6.** ***~ out*** *fig. j-n* retten, *j-m* her'aushelfen (***of*** aus *dat.*).

bail² [beɪl] **I** *v/t.* ⚓ ausschöpfen: ***~ out water*** (***a boat***); **II** *v/i.* ***~ out*** ‚aussteigen': a) ✈ mit dem Fallschirm abspringen, b) *fig.* nicht mehr mitmachen.

bail³ [beɪl] *s.* Bügel *m*, Henkel *m*.

bail·a·ble ['beɪləbl] *adj.* ⚖ kauti'onsfähig.

bail·ee [ˌbeɪ'liː] *s.* ⚖ Verwahrer *m* (*e-r beweglichen Sache*), *z.B.* Spedi'teur *m*.

bai·ley ['beɪlɪ] *s. hist.* Außenmauer *f*, Außenhof *m e-r Burg*: ***Old*** ♀ *Hauptkriminalgericht in London.*

bail·iff ['beɪlɪf] *s.* **1.** ⚖ a) Gerichtsvollzieher *m*, b) Gerichtsdiener *m*, c) *Am.* Jus'tizwachtmeister *m*; **2.** *bsd. Brit.* (Guts)Verwalter *m*; **3.** *hist. Brit.* königlicher Beamter.

bail·i·wick ['beɪlɪwɪk] *s.* ⚖ Amtsbezirk *m* e-s ***bailiff***.

bail·ment ['beɪlmənt] *s.* ⚖ (vertragliche) Hinter'legung (*e-r beweglichen Sache*), Verwahrung(svertrag *m*) *f*.

bail·or ['beɪlə] *s.* ⚖ Hinter'leger *m*.

bairn [beən] *s. Scot.* Kind *n*.

bait [beɪt] **I** *s.* **1.** Köder *m*; *fig. a.* Lokkung *f*, Reiz *m*: ***take*** (*od.* ***rise to***) ***the ~*** anbeißen, den Köder schlucken, *fig. a.* auf den Leim gehen; **2.** Rast *f*, Imbiß *m*; **3.** Füttern *n* (*Pferde*); **II** *v/t.* **4.** mit Köder versehen; **5.** *fig.* ködern, (an-) locken; **6.** *obs. Pferde unterwegs* füttern; **7.** mit Hunden hetzen; **8.** *fig. j-n* reizen, quälen, peinigen; '**bait·er** [-tə] *s.* Hetzer *m*, Quäler *m*; '**bait·ing** [-tɪŋ] *s.* **1.** *fig.* Hetze *f*, Quäle'rei *f*; **2.** Rast *f*.

baize [beɪz] *s.* Boi *m*, *mst grüner* Fries (*Wollstoff für Tischüberzug*).

bake [beɪk] **I** *v/t.* **1.** backen, im (Back-) Ofen braten: ***~d potatoes*** Folien-, Ofenkartoffeln *pl.*; **2.** a) dörren, austrocknen, härten: ***sun-baked ground***, b) *Ziegel* brennen, c) ⚙ *Lack* einbrennen; **II** *v/i.* **3.** backen, braten (*a. fig. in der Sonne*); gebacken werden (*Brot etc.*); **4.** dörren, hart werden; **III** *s.* **5.** *Am.* gesellige Zs.-kunft; '**~-house** *s.* Backhaus *n*, -stube *f*.

ba·ke·lite ['beɪkəlaɪt] *s.* ⚙ Bake'lit *n*.

bak·er ['beɪkə] *s.* **1.** Bäcker *m*: ***~'s dozen*** dreizehn; **2.** *Am.* tragbarer Backofen; '**bak·er·y** [-ərɪ] *s.* Bäcke'rei *f*.

bakh·shish → ***baksheesh***.

bak·ing ['beɪkɪŋ] **I** *s.* Backen *n*; Brennen *n* (*Ziegel*); **II** *adv. u. adj.* glühend heiß; '**~-pow·der** *s.* Backpulver *n*.

bak·sheesh, **bak·shish** ['bækʃiːʃ] *s.* 'Bakschisch *n*, Trinkgeld *n*; Bestechungsgeld *n* (*im Orient*).

Ba·la·kla·va (**hel·met**) [ˌbælə'klɑːvə] *s.* ⚔ *Brit.* (wollener) Kopfschützer.

bal·a·lai·ka [ˌbælə'laɪkə] *s.* Bala'laika *f* (*russ. Zupfinstrument*).

bal·ance ['bæləns] **I** *s.* **1.** Waage *f* (*a. fig.*); **2.** Gleichgewicht *n* (*a. fig.*): ***~*** (***of mind***) inneres Gleichgewicht, Gelassenheit *f*; ***~ of nature*** Gleichgewicht der Natur; ***~ of power*** (politisches) Gleichgewicht der Kräfte; ***loss of ~*** ⚕ Gleichgewichtsstörungen *pl.*; ***hold the ~*** *fig.* das Zünglein an der Waage bilden; ***turn the ~*** den Ausschlag geben; ***lose one's ~*** das Gleichgewicht *od. fig.* die Fassung verlieren; ***in the ~*** in der Schwebe; ***tremble*** (*od.* ***hang***) ***in the ~*** auf Messers Schneide stehen; **3.** Gegengewicht *n*, Ausgleich *m*; **4.** ***on ~*** alles in allem, ‚unterm Strich'; **5.** → ***balance-wheel***; **6.** ✝ 'Saldo *m*, Ausgleichsposten *m*, 'Überschuß *m*, Guthaben *n*, 'Kontostand *m*; Bi'lanz *f*; Rest (-betrag) *m*: ***adverse ~*** Unterbilanz; ***~ brought*** (*od.* ***carried***) ***forward*** Übertrag *m*, Saldovortrag *m*; (***un***)***favo***(***u***)***rable ~ of trade*** aktive (passive) Handelsbilanz; ***~ due*** Debetsaldo; ***~ at the bank*** Bankguthaben; ***~ in hand*** Kassenbestand *m*; ***~ of payments*** Zahlungsbilanz; ***strike a ~*** den Saldo *od.* (*a. fig.*) die Bilanz ziehen; **7.** Bestand *m*; F ('Über)Rest *m*; **II** *v/t.* **8.** *fig.* (er-, ab)wägen; **9.** (*a.* ***o.s.*** sich) im Gleichgewicht halten; ins Gleichgewicht bringen, ausgleichen; ausbalancieren; ✝ *Rechnung od. Konto* ausgleichen, aufrechnen, saldieren, abschließen: ***~ the cash*** Kasse(nsturz) machen; → ***account*** 5; **10.** *Kunstwerk* har'monisch gestalten; **III** *v/i.* **11.** balancieren, *fig. a.* ***~ out*** sich im Gleichgewicht halten (*a. fig.*); **12.** sich (hin u. her) wiegen; *fig.* schwanken; **13.** ✝ sich ausgleichen; **14.** *a.* ***~ out*** ⚙ (sich) einspielen; ***~ beam*** *s. Turnen*: Schwebebalken *m*.

bal·anced ['bælənst] *adj. fig.* (gut) ausgewogen, wohlerwogen, ausgeglichen (*a.* ✝ *u.* ⚡), gleichmäßig: ***~ diet*** ausgeglichene Kost; ***~ judg***(***e***)***ment*** wohlerwogenes Urteil.

'**bal·ance**|**-ˌi·tem** *s.* Bi'lanzposten *m*; '**~-sheet** *s* ✝ Bi'lanz *f*; Rechnungsabschluß *m*: ***first*** (*od.* ***opening***) ***~*** Eröffnungsbilanz; '**~-wheel** *s.* ⚙ Hemmungsrad *n*, Unruh *f* (*Uhr*).

bal·co·ny ['bælkənɪ] *s.* Bal'kon *m* (*a. thea.*).

bald [bɔːld] *adj.* □ **1.** kahl (*ohne Haar, Federn, Laub, Pflanzenwuchs*): ***as ~ as a coot*** völlig kahl; **2.** *fig.* kahl, schmucklos, nüchtern, armselig, dürf-

B

tig; **3.** *fig.* nackt, unverhüllt, trocken, unverblümt: ***a ~ statement***; **4.** *zo.* weißköpfig (*Vögel*), mit Blesse (*Pferde*).

bal·da·chin, **bal·da·quin** [ˈbɔːldəkɪn] *s.* ˈBaldachin *m*, Thron-, Traghimmel *m*.

bal·der·dash [ˈbɔːldədæʃ] *s.* ‚Quatsch' *m*, Unsinn *m*.

ˈbald|·head *s.* Kahlkopf *m*; **ˌ~-ˈhead·ed** *adj.* kahlköpfig: ***go ~ into*** *sl.* blindlings hineinrennen in (*acc.*).

bald·ing [ˈbɔːldɪŋ] *adj.* kahl werdend; **bald·ness** [ˈbɔːldnɪs] *s.* Kahlheit *f*; *fig.* Dürftigkeit *f*, Nacktheit *f*; **ˈbald·pate** *s.* **1.** Kahl-, Glatzkopf *m*; **2.** *orn.* Pfeifente *f*.

bale[1] [beɪl] **I** *s.* ✝ Ballen *m*: ***~ goods*** Ballengüter *pl.*, Ballenware *f*; **II** *v/t.* in Ballen verpacken.

bale[2] → ***bail***[2].

ˈbale·fire *s.* **1.** Siˈgnalfeuer *n*; **2.** Freudenfeuer *n*.

bale·ful [ˈbeɪlfʊl] *adj.* □ **1.** unheilvoll (*Einfluß*); **2.** a) bösartig, rachsüchtig, b) haßerfüllt (*Blick*); **3.** niedergeschlagen.

balk [bɔːk] **I** *s.* **1.** Hindernis *n*; **2.** Enttäuschung *f*; **3.** *dial. u. Am.* Auslassung *f*, Fehler *m*, Schnitzer *m*; **4.** (Furchen-) Rain *m*; **5.** Hindernis *n*, Hemmnis *n*; **6.** ⚠ Hauptbalken *m*; **7.** *Billard*: Quartier *n*; **8.** *Am. Baseball*: vorgetäuschter Wurf; **II** *v/i.* **9.** stocken, stutzen; scheuen (***at*** bei, vor. *dat.*) (*Pferd*); *Reitsport*: verweigern (*acc.*); **10.** ***~ at*** *fig.* a) sich sträuben gegen, b) zuˈrückschrecken vor (*dat.*); **III** *v/t.* **11.** (ver)hindern, vereiteln: ***~ s.o. of s.th.*** j-n um et. bringen; **12.** ausweichen (*dat.*), umˈgehen; **13.** sich entgehen lassen.

Bal·kan [ˈbɔːlkən] **I** *adj.* Balkan…; **II** *s.*: ***the ~s*** *pl.* die ˈBalkanstaaten, der ˈBalkan; **ˈBal·kan·ize** [-naɪz] *v/t. Gebiet* balkanisieren.

ball[1] [bɔːl] **I** *s.* **1.** Ball *m*, Kugel *f*; Knäuel *m, n*, Klumpen *m*, Kloß *m*, Ballen *m*: ***three ~s*** drei Kugeln (*Zeichen des Pfandleihers*); **2.** Kugel *f* (*zum Spiel*); **3.** *sport* a) Ball *m*, b) *Am.* Ballspiel *n*, *bsd.* Baseball(spiel *n*) *m*, c) *Tennis*: Ball *m*, Schlag *m*, d) *Fußball*: Ball *m*, Schuß *m*, e) Wurf *m*: ***be on the ~*** F ‚auf Draht' sein; ***have a lot on the ~*** *Am.* F ‚schwer was los' haben; ***have the ~ at one's feet*** s-e große Chance haben; ***keep the ~ rolling*** das Gespräch *od.* die Sache in Gang halten; ***the ~ is with you*** *od.* ***in your court!*** jetzt bist ˈdu dran!; ***play ~*** F mitmachen, ‚spuren'; **4.** ⚔ *etc.* Kugel *f*; **5.** (Abstimmungs)Kugel *f*; → ***black ball***; **6.** *ast.* Himmelskörper *m*, Erdkugel *f*; **7.** ***~ of the eye*** Augapfel *m*; ***~ of the foot*** Fußballen *m*; ***~ of the thumb*** Handballen; **8.** *pl.* V → ***balls***; **II** *v/t.* **9.** (*v/i.* sich) zs.-ballen; **10.** ***~ up*** *Am. sl.* a) (völlig) durcheinˈanderbringen, b) ‚vermasseln': **11.** (*a. v/i.*) V ‚bumsen'.

ball[2] [bɔːl] *s.* (Tanz- *etc.*)Ball *m*: ***open the ~*** a) den Ball (*mst fig.* den Reigen) eröffnen, b) *fig.* die Sache in Gang bringen; ***have a ~*** *Am.* F sich (prima) amüsieren; ***get a ~ out of s.th.*** *Am.* F an et. Spaß haben.

ball[3] [bɔːl] *s.* große Arzˈneipille (*für Pferde etc.*).

bal·lad [ˈbæləd] *s.* Balˈlade *f*; **ˈbal·ladˌmon·ger** *s.* Bänkelsänger *m*; Dichterling *m*; **ˈbal·lad·ry** [-drɪ] *s.* Balˈladendichtung *f*.

ˌball-and-ˈsock·et joint *s.* ⚙, *anat.* Kugel-, Drehgelenk *n*.

bal·last [ˈbæləst] **I** *s.* **1.** ⚓, ✈ Ballast *m*, Beschwerung *f*: ***in ~*** in Ballast; **2.** *fig.* (sittlicher) Halt; **3.** ⚙ Schotter *m*, ˈBettungsmateriˌal *n*; **II** *v/t.* **4.** ⚓, ✈ mit Ballast beladen; **5.** *fig. j-m* Halt geben; **6.** ⚙ beschottern.

ball| bear·ing(s *pl.*) *s.* ⚙ Kugellager *n*; **ˈ~·boy** *s. Tennis*: Balljunge *m*.

bal·le·ri·na [ˌbæləˈriːnə] *s.* **1.** (Prima-) Balleˈrina *f*; **2.** Balˈlettänzerin *f*.

bal·let [ˈbæleɪ] *s.* **1.** *allg.* Balˈlett *n*; **2.** Balˈlettkorps *n*; **~ danc·er** [ˈbælɪ] *s.* Balˈlettänzer(in); **~ danc·ing** [ˈbælɪ] *s.* Balˈlettanzen *n*; Tanzen *n*.

bal·let·o·mane [ˈbælɪtəʊmeɪn] *s.* Balˈlettfaˌnatiker(in).

ˈball|-ˌflow·er *s.* ⚠ Ballenblume *f* (*gotische Verzierung*); **~ game** *s.* **1.** *sport* (*Am.* Base)Ballspiel *n*; **2.** *Am.* F a) Situatiˈon *f*, b) Sache *f*.

bal·lis·tic [bəˈlɪstɪk] *adj.* (□ ***~ally***) *phys.*, ⚔ balˈlistisch; → ***missile*** 2; **balˈlis·tics** [-ks] *s. pl. mst sg. konstr. phys.*, ⚔ Balˈlistik *f*.

ball joint *s. anat.*, ⚙ Kugelgelenk *n*.

bal·lon d'es·sai [balɔ̃ desɛ] (*Fr.*) *s. bsd. fig.* Verˈsuchsbalˌlon *m*.

bal·loon [bəˈluːn] **I** *s.* **1.** ✈ Balˈlon *m*: ***~ barrage*** ⚔ Ballonsperre *f*; ***when the ~ goes up*** F wenn es losgeht; **2.** Luftballon *m* (*Spielzeug*); **3.** ⚠ (Pfeiler)Kugel *f*; **4.** ⚗ Balˈlon *m*, Rezipiˈent *m*; **5.** *in Comics etc.*: (Sprech-, Denk)Blase *f*; **6.** ***~*** (***glass***) ˈKognakschwenker *m*; **7.** *sl. sport* ‚Kerze' *f* (*Hochschuß*); **II** *v/i.* **8.** im Ballon aufsteigen; **9.** sich blähen; **III** *v/t.* **10.** *sl. sport den Ball* ‚in die Wolken jagen'; **11.** aufblasen; *fig.* aufblähen, überˈtreiben, steigern; **12.** ✝ *Am. Preise* in die Höhe treiben; **IV** *adj.* **13.** aufgebläht: ***~ sleeve*** Puffärmel *m*; **bal·loon·ist** [bəˈluːnɪst] *s.* Balˈlonfahrer *m*; **bal·loon tire** (*Brit.* **tyre**) *s.* ⚙ Balˈlonreifen *m*.

bal·lot [ˈbælət] **I** *s.* **1.** *hist.* Wahlkugel *f*; *weitS.* Stimmzettel *m*; **2.** (geheime) Wahl: ***voting is by ~*** die Wahl ist geheim; ***at the first ~*** im ersten Wahlgang; **3.** Zahl *f* der abgegebenen Stimmen, *weitS.* Wahlbeteiligung *f*; **II** *v/i.* **4.** (geheim) abstimmen; **5.** losen (***for*** um); **~ box** *s.* Wahlurne *f*; **~ pa·per** *s.* Stimmzettel *m*; **~ vote** *s.* Urabstimmung *f* (*bei Lohnkämpfen*).

'ball|(-point) pen *s.* Kugelschreiber *m*; **~ race** *s.* ⚙ Kugellager-, Laufring *m*; **~ re·cep·tion** *s.* *TV* Ball-, Re'laisempfang *m*; **'~·room** *s.* Ball-, Tanzsaal *m*: **~ *dancing*** Gesellschaftstanz *m*, -tänze *pl.*

balls [bɔ:lz] **I** *s. pl.* V **1.** ‚Eier' *pl.* (*Hoden*); **II** *int.* ‚Quatsch'!, Blödsinn!

'ball·up *s. Am. sl.* Durchein'ander *n*.

bal·ly·hoo [ˌbælɪ'hu:] F **I** *s.* (Re'klame)Rummel *m*, Ballyhoo *n*, *a. weitS.* ‚Tam'tam' *n*, ‚Wirbel' *m*; **II** *v/i. u. v/t.* e-n Rummel machen (um), marktschreierisch anpreisen.

bal·ly·rag ['bælɪræg] *v/t.* mit *j-m* Possen *od.* Schindluder treiben.

balm [bɑ:m] *s.* **1.** 'Balsam *m*: a) aro'matisches Harz, b) wohlriechende Salbe, c) *fig.* Trost *m*, *a.* Wohltat *f*; **2.** *fig.* bal'samischer Duft; **3.** ⚘ ♀ ***of Gilead*** 'Balsamstrauch *m od.* -harz *n*.

bal·mor·al [bæl'mɒrəl] *s.* Schottenmütze *f*.

balm·y ['bɑ:mɪ] *adj.* ☐ **1.** bal'samisch; **2.** *fig.* mild; heilend; **3.** *Brit. sl.* ‚bekloppt'.

bal·ne·ol·o·gy [ˌbælnɪ'ɒlədʒɪ] *s.* ⚕ Balneolo'gie *f*, Bäderkunde *f*.

ba·lo·ney [bə'ləʊnɪ] → ***boloney***.

bal·sam ['bɔ:lsəm] *s.* **1.** → ***balm*** 1; **2.** ⚘ a) Springkraut *n*, b) Balsa'mine *f*; **bal·sam·ic** [bɔ:l'sæmɪk] *adj.* (☐ **~*ally***) **1.** 'balsamartig, Balsam...; **2.** bal'samisch (duftend); **3.** *fig.* mild, sanft; lindernd, heilend.

Balt [bɔ:lt] *s.* Balte *m*, Baltin *f*; **'Bal·tic** [-tɪk] **I** *adj.* **1.** baltisch; **2.** Ostsee...; **II** *s.* **3.** *a.* **~ *Sea*** Ostsee *f*.

bal·us·ter ['bæləstə] → ***banister***; **bal·us·trade** [ˌbæləs'treɪd] *s.* Balu'strade *f*, Brüstung *f*; Geländer *n*.

bam·boo [bæm'bu:] *s.* **1.** ⚘ 'Bambus *m*: **~ *curtain*** *pol.* Bambusvorhang *m* (*von Rotchina*); **~ *shoot*** Bambussprosse *f*; **2.** 'Bambusrohr *n*, -stock *m*.

bam·boo·zle [bæm'bu:zl] *v/t. sl.* **1.** beschwindeln (***out of*** um), übers Ohr hauen; **2.** foppen, verwirren.

ban [bæn] **I** *v/t.* **1.** verbieten: **~ *a play***; **~ *s.o. from speaking*** j-m verbieten zu sprechen; **2.** *sport j-n* sperren; **II** *s.* **3.** (amtliches) Verbot, Sperre *f* (*a. sport*): ***travel* ~** Reiseverbot; ***lift a* ~** ein Verbot aufheben; **4.** Ablehnung *f* durch die öffentliche Meinung: ***under a* ~** allgemein mißbilligt, geächtet; **5.** ⚖, *eccl.* Bann *m*, Acht *f*: ***under the* ~** in die Acht erklärt, exkommuniziert.

ba·nal [bə'nɑ:l] *adj.* ba'nal, abgedroschen, seicht; **ba·nal·i·ty** [bə'nælətɪ] *s.* Banali'tät *f*; **ba·na·lize** [bə'nɑ:laɪz] *v/t.* banalisieren.

ba·nan·a [bə'nɑ:nə] *s.* ⚘ Ba'nane *f*: ***go* ~*s*** *sl.* ‚überschnappen'; **~ plug** *s.* ⚡ Ba'nanenstecker *m*; **~ re·pub·lic** *s. iro.* Ba'nanenrepuˌblik *f*.

band¹ [bænd] **I** *s.* **1.** Schar, *f*, Gruppe *f*; Bande *f*: **~ *of robbers*** Räuberbande; **2.** Band *f*, (Mu'sik)Kaˌpelle *f*, ('Tanz-) Orˌchester *n*: ***big* ~** Big Band; → ***beat*** 12; **II** *v/t.* **3.** **~ *together*** (zu e-r Gruppe *etc.*) vereinigen; **III** *v/i.* **4.** **~ *together*** sich zs.-tun, *b.s.* sich zs.-rotten.

band² [bænd] **I** *s.* **1.** (flaches) Band; (Heft)Schnur *f*: ***rubber* ~** Gummiband; **2.** Band *n* (*an Kleidern*), Gurt *m*, Binde *f*, (Hosen- *etc.*)Bund *m*, Einfassung *f*; **3.** Band *n*, Ring *m* (*als Verbindung od. Befestigung*); Bauchbinde *f* (*Zigarre*); **4.** ⚕ (Gelenk)Band *n*; Verband *m*; **5.** (Me'tall)Reifen *m*; Ring *m*; Streifen *m*; **6.** ⚙ Treibriemen *m*; **7.** *pl.* Beffchen *n der Geistlichen u. Richter*; **8.** *andersfarbiger od. andersartiger* Streifen, Querstreifen *m*; Schicht *f*; **9.** *Radio*: (Fre'quenz)Band *n*; **II** *v/t.* **10.** mit e-m Band *od.* e-r Binde versehen, zs.-binden; *Am. Vogel* beringen; **11.** mit (e-m) Streifen versehen; **band·age** ['bændɪdʒ] **I** *s.* **1.** ⚕ Verband *m*, Binde *f*, Ban'dage *f*: **~ *case*** Verbandskasten *m*; **2.** Binde *f*, Band *n*; **II** *v/t.* **3.** *Wunde etc.* verbinden, *Bein etc.* bandagieren.

'band-aid *Am.* **I** *s.* Heftpflaster *n*; **II** *adj.* F Behelfs...

ban·dan·(n)a [bæn'dænə] *s.* buntes Taschen- *od.* Halstuch.

band|·box ['bæn*d*bɒks] *s.* Hutschachtel *f*: ***as if he* (*she*) *came out of a* ~** wie aus dem Ei gepellt; **'~-brake** *s.* ⚙ Band-, Riemenbremse *f*.

ban·deau ['bændəʊ] *pl.* **-deaux** [-dəʊz] (*Fr.*) *s.* Haar- *od.* Stirnband *n*.

ban·de·rol(e) ['bændərəʊl] *s.* **1.** langer Wimpel, Fähnlein *n*; **2.** Inschriftenband *n*.

ban·dit ['bændɪt] *pl. a.* **-ti** [bæn'dɪtɪ] *s.* Ban'dit *m*, (Straßen)Räuber *m*, *weitS.* Gangster *m*: ***a banditti*** *coll.* e-e Räuberbande; → ***one-armed***; **'ban·dit·ry** [-trɪ] *s.* Ban'ditentum *n*.

band·mas·ter ['bæn*d*ˌmɑ:stə] *s.* ♪ Ka'pellmeister *m*.

'ban·dog *s. Brit.* Kettenhund *m*.

ban·do·leer, **ban·do·lier** [ˌbændəʊ'lɪə] *s.* ⚔ (*um die Brust geschlungener*) Pa'tronengurt.

'band|-pass fil·ter *s. Radio*: Bandfilter *n*, *m*; **~ pul·ley** *s.* ⚙ Riemenscheibe *f*, Schnurrad *n*; **~ saw** *s.* ⚙ Bandsäge *f*; **~ shell** *s.* (muschelförmiger) Or'chesterˌpavillon.

bands·man ['bæn*d*zmən] *s.* [*irr.*] ♪ 'Musiker *m*, Mitglied *n* e-r (Mu'sik)Kaˌpel-

B

le.

'**band|·stand** *s.* Mu'sik͵pavillon *m*; Podium *n*; ~ **switch** *s. Radio*: Fre'quenz(band)͵umschalter *m*; '~͵**wag·on** *s.* **1.** Wagen *m* mit e-r Mu'sikka͵pelle; **2.** F *pol.* erfolgreiche Seite *od.* Par'tei: ***climb on the ~*** mit ‚einsteigen', sich der erfolgversprechenden Sache anschließen; '~**·width** *s. Radio*: Bandbreite *f*.

ban·dy ['bændı] **I** *v/t.* **1.** sich *et.* zuwerfen; **2.** sich *et.* erzählen; **3.** sich (gegenseitig) *Vorwürfe, Komplimente etc.* machen, *Blicke, böse Worte, Schläge etc.* tauschen: ***~ words*** sich streiten; **4.** *a.* ***~ about*** *Gerüchte* in 'Umlauf setzen *od.* weitertragen; **5.** *a.* ***~ about*** *j-s Namen* immer wieder erwähnen: ***his name was bandied about*** *a.* er war ins Gerede gekommen; **II** *s.* **6.** *sport* Bandy *n* (*Abart des Eishockey*).

'**bandy-legged** [-legd] *adj.* O- *od.* säbelbeinig.

bane [beın] *s.* Verderben *n*, Ru'in *m*: ***the ~ of his life*** der Fluch s-s Lebens; '**bane·ful** [-fʊl] *adj.* □ verderblich, tödlich, schädlich.

bang¹ [bæŋ] **I** *s.* **1.** Bums *m*, Schlag *m*, Krach *m*, Knall *m*: ***go over with a ~*** *Am.* F ein Bombenerfolg sein; **2.** V ‚Nummer' *f* (*Koitus*); **3.** *sl.* ‚Schuß' *m* (*Rauschgift*); **II** *v/t.* **4.** dröhnend schlagen, knallen mit, *Tür etc.* zuknallen: ***~ one's head against*** sich den Kopf anschlagen an (*dat.*); ***~ one's fist on the table*** mit der Faust auf den Tisch schlagen; ***~ sense into s.o.*** j-m Vernunft einbleuen; ***~ up*** kaputtmachen, -schlagen, *Auto* zu Schrott fahren; ***~ed(-)up*** zerbeult, (arg) mitgenommen, demoliert; **5.** ***~ about*** *fig. j-n* he'rumstoßen; **6.** V ‚bumsen', ‚vögeln'; **III** *v/i.* **7.** knallen: a) krachen, b) zuschlagen (*Tür etc.*), c) ballern, schießen: ***~ at*** an *die Tür etc.* schlagen; ***~ away*** drauflosballern; ***~ into*** bumsen *od.* knallen gegen; **8.** V ‚bumsen', ‚vögeln'; **IV** *adv.* **9.** bums: a) mit e-m Knall *od.* Krach, b) F *fig.* ‚zack', genau: ***~ in the eye***, c) F *fig.* plötzlich: ***~ off*** *sl.* sofort, ‚zack'; ***~ on*** *sl.* (haar)genau; **V** *int.* **10.** bums!, peng!

bang² [bæŋ] *s. mst pl.* Pony *m*; 'Ponyfri͵sur *f*.

bang·er ['bæŋə] *s.* **1.** et., das knallt, *z.B.* Knallkörper *m*; ‚Klapperkiste' *f* (*Auto*); **2.** (Brat)Würstchen *n*: ***~s*** *pl.* ***and mash*** Würstchen *pl.* mit Kartoffelbrei.

ban·gle ['bæŋgl] *s.* Armring *m*, -reif *m*; Fußring *m*, -spange *f*.

'**bang|-on** *adv.* F haargenau; genau (richtig); '~**-up** *adv. u. adj. Am. sl.* ‚prima'.

ban·ish ['bænıʃ] *v/t.* **1.** verbannen, ausweisen (***from*** aus); **2.** *fig.* (ver)bannen, verscheuchen, vertreiben: ***~ care***; '**banish·ment** [-mənt] *s.* **1.** Verbannung *f*, Ausweisung *f*; **2.** *fig.* Vertreiben *n*, Bannen *n*.

ban·is·ter ['bænıstə] *s.* Geländersäule *f*; *pl.* Treppengeländer *n*.

ban·jo ['bændʒəʊ] *pl.* **-jos, -joes** *s.* ♪ Banjo *n*; '**ban·jo·ist** [-əʊıst] *s.* Banjospieler *m*.

bank¹ [bæŋk] **I** *s.* **1.** ✝ Bank *f*, Bankhaus *n*: ***the ≈*** *Brit.* die Bank von England; ***~ of deposit*** Depositenbank; ***~ of issue*** (*od.* ***circulation***) Noten-, Emissionsbank; **2.** (Spiel)Bank *f*: ***break*** (***keep***) ***the ~*** die Bank sprengen (halten); ***go*** (***the***) ***~*** Bank setzen; **3.** Vorrat *m*, Re'serve *f*, Bank *f*: → ***blood bank*** *etc.*; **II** *v/i.* **4.** ✝ Geld auf e-r Bank haben: ***I ~ with …*** ich habe mein Bankkonto bei …; **5.** *Glücksspiel*: die Bank halten; **6.** ***~ on*** *fig.* bauen *od.* s-e Hoffnung setzen auf (*acc.*); **III** *v/t.* **7.** *Geld* bei e-r Bank einzahlen *od.* hinter'legen.

bank² [bæŋk] **I** *s.* **1.** (Erd)Wall *m*, Damm *m*, (Straßen- *etc.*)Böschung *f*; Über'höhung *f e-r Straße*; **2.** Ufer *n*; **3.** (Sand)Bank *f*, Untiefe *f*: ***Dogger ≈*** Doggerbank; **4.** Bank *f*, Wand *f*, Wall *m*; Zs.-ballung *f*: ***~ of clouds*** Wolkenbank; ***snow ~*** Schneewall; **5.** ✈ Querneigung *f in der Kurve*; **II** *v/t.* **6.** eindämmen, mit e-m Wall um'geben; *fig.* dämpfen; **7.** *e-e Straße in der Kurve* über'höhen; **8.** *a.* ***~ up*** aufhäufen, zs.-ballen; **9.** ✈ in die Kurve legen, in Schräglage bringen; **10.** *a.* ***~ up*** *ein Feuer* mit Asche belegen; **III** *v/i.* **11.** *a.* ***~ up*** sich aufhäufen, sich zs.-ballen; **12.** ✈ in die Kurve gehen; **13.** e-e Über'höhung haben (*Straße in der Kurve*).

bank³ [bæŋk] *s.* **1.** Ruderbank *f od.* (Reihe *f* der) Ruderer *pl. in e-r Galeere*; **2.** ⚙ Reihe *f*, Gruppe *f*, Reihenanordnung *f*.

bank·a·ble ['bæŋkəbl] *adj.* ✝ bankfähig, diskontierbar; *fig.* verläßlich, zuverlässig.

bank| ac·count *s.* ✝ 'Bank͵konto *n*; **~ bill** → ***bank draft***; **~ book** *s.* Sparbuch *n*; **~ clerk** *s.* Bankangestellte(r *m*) *f*, -beamte(r) *m*, -beamtin *f*; **~ code num·ber** *s.* Bankleitzahl *f*; **~ dis·count** *s.* 'Bankdis͵kont *m*; **~ draft** *s.* Bankwechsel *m* (*von e-r Bank auf e-e andere gezogen*).

bank·er ['bæŋkə] *s.* **1.** ✝ Banki'er *m*: ***~'s discretion*** Bankgeheimnis *n*; ***~'s order*** Dauerauftrag *m*; **2.** *Kartenspiel etc.*: Bankhalter *m*.

bank hol·i·day *s.* Bankfeiertag *m*.

bank·ing¹ ['bæŋkıŋ] ✝ **I** *s.* Bankwesen *n*; **II** *adj.* Bank…

bank·ing² ['bæŋkıŋ] *s.* ✈ Schräglage *f*.

bank·ing| ac·count *s.* ⚕ 'Bank,konto *n*; **~ charg·es** *s. pl.* Bankgebühren *pl.*; **~ house** *s.* Bankhaus *n*; **~ hours** *s.* Banköffnungszeiten *pl.*

bank| ~ lend·ing rate *s.* Kreditzinssatz *m*; **~ man·ag·er** *s.* 'Bankdi,rektor *m*; **~ note** *s.* ⚕ Banknote *f*; **~ rate** *s.* ⚕ Dis'kontsatz *m*; **~ re·turn** *s.* Bankausweis *m*; **'~-,rob·ber·y** *s.* Bankraub *m*; **'~·roll** *s. Am.* **1.** Bündel *n* Banknoten; **2.** Geld(mittel *pl.*) *n*.

bank·rupt ['bæŋkrʌpt] **I** *s.* **1.** ⚖ Kon'kurs-, Gemeinschuldner *m*, Bankrot'teur *m*: ***~'s certificate*** Dokument *n* über Einstellung des Konkursverfahrens; ***~'s creditor*** Konkursgläubiger *m*; ***~'s estate*** Konkursmasse *f*; ***declare o.s. a ~*** (s-n) Konkurs anmelden; **2.** *fig.* bank'rotter *od.* her'untergekommener Mensch; **II** *adj.* **3.** ⚖ bank'rott: ***go ~*** in Konkurs geraten, Bankrott machen; **4.** *fig.* bank'rott (*a. Politik, Politiker etc.*), ruiniert: ***morally ~*** moralisch bankrott, sittlich verkommen; ***~ in intelligence*** bar aller Vernunft; **III** *v/t.* **5.** ⚖ bank'rott machen; **6.** *fig.* zu'grunde richten; **'bank·rupt·cy** [-rəptsɪ] *s.* **1.** ⚖ Bank'rott *m*, Kon'kurs *m*: ***act of ~*** Konkurshandlung *f*; ***2 Act*** Konkursordnung *f*; ***declaration of ~*** Konkursanmeldung *f*; ***petition in ~*** Konkursantrag *m*; ***referee in ~*** Konkursrichter *m*; **2.** *fig.* Ru'in *m*, Bank'rott *m*.

bank state·ment *s.* ⚕ **1.** Bankausweis *m*; **2.** *Brit.* Kontoauszug *m*.

ban·ner ['bænə] **I** *s.* **1.** Banner *n*, Fahne *f*, Heeres-, Kirchen-, Reichsfahne *f*; **2.** *fig.* Banner *n*, Fahne *f*: ***the ~ of freedom***; **3.** Spruchband *n*, Transpa'rent *n bei politischen Umzügen*; **4.** *a.* ***~ headline*** 'Balken,überschrift *f*, Schlagzeile *f*; **II** *adj. Am.* **5.** führend, 'prima: ***~ class*** beste Sorte; **'~,bear·er** *s.* **1.** Fahnenträger *m*; **2.** Vorkämpfer *m*.

banns [bænz] *s. pl. eccl.* Aufgebot *n des Brautpaares vor der Ehe*: ***ask the ~*** das Aufgebot bestellen; ***publish*** (*od.* ***put up***) ***the ~*** (***of***) (*das Brautpaar*) kirchlich aufbieten.

ban·quet ['bæŋkwɪt] **I** *s.* Ban'kett *n*, Festessen *n*; **II** *v/t.* festlich bewirten; **III** *v/i.* tafeln; **'ban·quet·er** [-tə] *s.* Ban'ketteilnehmer(in).

ban·shee [bæn'ʃiː] *s. Ir., Scot.* Todesfee *f*.

ban·tam ['bæntəm] **I** *s.* **1.** *zo.* 'Bantam-, Zwerghuhn *n*, -hahn *m*; **2.** *fig.* Zwerg *m*, Knirps *m*; **II** *adj.* **3.** klein, ⚙ Klein..., *a.* handlich; **'~·weight** *s. sport* 'Bantamgewicht(ler *m*) *n*.

ban·ter ['bæntə] **I** *v/t.* necken, hänseln; **II** *v/i.* necken, scherzen; **III** *s.* Necke'rei *f*, Scherz(e *pl.*) *m*; **'ban·ter·er** [-ərə] *s.* Spaßvogel *m*.

Ban·tu [,bæn'tuː] **I** *pl.* **-tu**, **-tus** *s.* **1.** 'Bantu(neger) *m*; **2.** 'Bantusprache *f*; **II** *adj.* **3.** Bantu...

ban·zai [,bæn'zaɪ] *int.* Banzai! (*japanischer Hoch- od. Hurraruf*).

ba·o·bab ['beɪəʊbæb] *s.* ⚘ 'Baobab *m*, Affenbrotbaum *m*.

bap·tism ['bæptɪzəm] *s.* **1.** *eccl.* Taufe *f*: ***~ of blood*** Märtyrertod *m*; **2.** *fig.* Taufe *f*, Einweihung *f*, Namensgebung *f*: ***~ of fire*** ⚔ Feuertaufe; **bap·tis·mal** [bæp'tɪzml] *adj. eccl.* Tauf...; **'bap·tist** [-ɪst] *s. eccl.* **1.** Bap'tist(in); **2.** Täufer *m*: ***John the 2***; **'bap·tis·ter·y** [-ɪstərɪ], **'bap·tist·ry** [-ɪstrɪ] *s.* **1.** 'Taufka,pelle *f*; **2.** Taufbecken *n*; **bap·tize** [bæp'taɪz] *v/t. u. v/i. eccl. u. fig.* taufen.

bar [bɑː] **I** *s.* **1.** Stange *f*, Stab *m*: ***~s*** Gitter *n*; ***prison ~s*** Gefängnis *n*; ***behind ~s*** *fig.* hinter Schloß u. Riegel; **2.** Riegel *m*, Querbalken *m*, -holz *n*, -stange *f*; Schranke *f*, Sperre *f*; **3.** *fig.* (***to***) Hindernis *n* (für) (*a.* ⚖), Verhinderung *f* (*gen.*), Schranke *f* (gegen); ⚖ Ausschließungsgrund *m*: ***~ to progress*** Hemmnis *n* für den Fortschritt; ***~ to marriage*** Ehehindernis *n*; ***as a ~ to***, ***in ~ of*** ⚖ zwecks Ausschlusses (*gen.*); **4.** Riegel *m*, Stange *f*: ***a ~ of soap*** ein Riegel Seife; ***~ soap*** Stangenseife *f*; ***a chocolate ~*** ein Riegel (*a.* e-e Tafel) Schokolade; ***gold ~*** Goldbarren *m*; **5.** Barre *f*, Sandbank *f* (*am Hafeneingang*); **6.** Strich *m*, Streifen *m*, Band *n*, Strahl *m* (*Farbe, Licht*): ***~ chart*** Säulendiagramm *n*; ***~ code*** Strichcode *m*; **7.** ⚡ La'melle *f*; **8.** ♪ a) Taktstrich *m*, b) *ein* Takt; **9.** Streifen *m*, Band *n an e-r Medaille*; Spange *f am Orden*; **10.** ⚖ a) Schranke *f vor der Richterbank*: ***prisoner at the ~*** Angeklagte(r *m*) *f*; ***trial at ~*** *Brit.* Verhandlung *f* vor dem vollen Strafsenat des ***High Court of Justice*** (*z.B. bei Landesverrat*), b) Schranke *f* in den ***Inns of Court***: ***be called*** (*Am.* ***admitted***) ***to the ~*** als Anwalt *od. Brit.* als Barrister (*plädierender Anwalt*) zugelassen werden; ***be at the ~*** Barrister sein; ***read for the ~*** Jura studieren, c) ***the ~*** die (gesamte) Anwaltschaft, *Brit.* die Barristers *pl.*: ***2 Association*** *Am.* (halbamtliche) Anwaltsvereinigung, -kammer; **11.** *parl.*: ***the ~ of the House*** Schranke im brit. Unterhaus (*bis zu der geladene Zeugen vortreten dürfen*); **12.** *fig.* Gericht *n*, Tribu'nal *n*: ***the ~ of public opinion*** das Urteil der Öffentlichkeit; **13.** Bar *f*: a) Bü'fett *n*, Theke *f*, b) Schankraum *m*, Imbißstube *f*; → ***ice-cream bar***; **II** *v/t.* **14.** verriegeln: ***~ in*** (***out***) ein- (aus)sperren; **15.** *a.* ***~ up*** vergittern, mit Schranken um'geben: ***~red window*** Gitterfenster *n*; **16.** versperren: ***~ the way*** (*a. fig.*); **17.** hindern (***from*** an *dat.*); hemmen, auf-, abhalten; **18.** ausschließen (***from*** von; *a.* ⚖), verbieten; → ***barred*** 4; **19.** absehen von; **20.** *Brit. sl.* nicht leiden können; **21.** mit Streifen versehen; **III** *prp.* **22.** außer, abgesehen von: ***~ one*** außer einem; ***~ none*** (alle) ohne Ausnahme.

barb¹ [bɑːb] *s.* **1.** ˈWiderhaken *m*; **2.** *fig.* a) Stachel *m*, b) Spitze *f*, spitze Bemerkung, Pfeil *m* des Spottes; **3.** *zo.* Bart (-faden) *m*; Fahne *f e-r Feder.*

barb² [bɑːb] *s.* Berberpferd *n.*

bar·bar·i·an [bɑːˈbeərɪən] **I** *s.* **1.** Barˈbar *m*; **2.** *fig.* Barˈbar *m*, roher u. ungesitteter Mensch; Unmensch *m*; **II** *adj.* **3.** barˈbarisch, unzivilisiert; **4.** *fig.* roh, ungesittet, grausam; **bar·bar·ic** [bɑːˈbærɪk] *adj.* (□ ***~ally***) barˈbarisch, wild, roh, ungesittet; **bar·ba·rism** [ˈbɑːbərɪzəm] *s.* **1.** Barbaˈrismus *m*, Sprachwidrigkeit *f*; **2.** Barbaˈrei *f*, ˈUnkulˌtur *f*; **bar·bar·i·ty** [bɑːˈbærətɪ] *s.* Barbaˈrei *f*, Roheit *f*, Grausamkeit *f*, Unmenschlichkeit *f*; **bar·ba·rize** [ˈbɑːbəraɪz] **I** *v/t.* **1.** verrohen *od.* verwildern lassen; **2.** *Sprache, Kunst etc.* barbarisieren, verderben; **II** *v/i.* **3.** verrohen; **bar·ba·rous** [ˈbɑːbərəs] *adj.* □ barˈbarisch, roh, ungesittet, grausam.

bar·be·cue [ˈbɑːbɪkjuː] **I** *s.* **1.** Barbecue *n*: a) Grillfest *n* (*bei dem ganze Tiere gebraten werden*), b) Bratrost *m*, Grill *m*, c) gegrilltes *od.* gebratenes Fleisch; **2.** *Am.* in Essigsoße zubereitete Fleisch- *od.* Fischstückchen; **II** *v/t.* **3.** (auf dem Rost *od.* am Spieß) im ganzen *od.* in großen Stücken) braten; **2.** braten, grillen; **3.** *Am.* in stark gewürzter (Essig)Soße zubereiten; **4.** *Am.* a) dörren, b) räuchern.

barbed [bɑːbd] *adj.* **1.** mit ˈWiderhaken *od.* Stacheln (versehen), Stachel…; **2.** *fig.* bissig, spitz: ***~ remarks***; **~ wire** *s.* Stacheldraht *m.*

bar·bel [ˈbɑːbəl] *s. ichth.* Barbe *f.*

ˈ**bar·bell** *s. sport* Hantel *f mit langer Stange*, Kugelstange *f.*

bar·ber [ˈbɑːbə] **I** *s.* Barˈbier *m*, (ˈHerren)Friˌseur *m*; **II** *v/t. Am.* rasieren; frisieren.

bar·ber·ry [ˈbɑːbərɪ] *s.* ⚘ Berbeˈritze *f.*

ˈ**bar·ber·shop** *s.* **1.** *bsd. Am.* Friˈseurgeschäft *n*; **2.** *a.* ***~ singing*** *Am.* F (zwangloses) Singen im Chor.

bar·ber's| itch [ˈbɑːbəz] *s.* ⚕ Bartflechte *f*; **~ pole** *s. spiralig bemalte Stange als Geschäftszeichen der Friseure.*

bar·bi·tal [ˈbɑːbɪtæl] *s. pharm. Am.* Barbiˈtal *n*; **~ so·di·um** *s. pharm.* ˈNatriumsalz *n* von Barbiˈtal.

bar·bi·tone [ˈbɑːbɪtəʊn] *s. Brit.* → ***barbital***; **bar·bi·tu·rate** [bɑːˈbɪtjʊrət] *s. pharm.* □ Barbituˈrat *n*; **bar·bi·tu·ric** [ˌbɑːbɪˈtjʊərɪk] *adj. pharm.*: ***~ acid*** Barbitursäure *f.*

bar·ca·rol(l)e [ˈbɑːkərəʊl] *s.* ♪ Barkaˈrole *f* (*Gondellied*).

bar cop·per *s.* ⚙ Stangenkupfer *n.*

bard [bɑːd] *s.* **1.** Barde *m* (*keltischer Sänger*); **2.** *fig.* Barde *m*, Sänger *m* (*Dichter*): ***♀ of Avon*** Shakespeare; ˈ**bard·ic** [-dɪk] *adj.* Barden…; **bard·ol·a·try** [bɑːˈdɒlətrɪ] *s.* Shakespeare-vergötterung *f.*

bare [beə] **I** *adj.* □ → ***barely***; **1.** nackt, unbekleidet, bloß: ***in one's ~ skin*** splitternackt; **2.** kahl, leer, nackt, unbedeckt: ***~ walls*** kahle Wände; ***the ~ boards*** der nackte Fußboden; ***the larder was ~*** *fig.* es war nichts zu essen im Hause; ***~ sword*** bloßes *od.* blankes Schwert; **3.** ⚘, *zo.* kahl; **4.** unverhüllt, klar: ***lay ~*** zeigen, enthüllen (*a. fig.*); ***the ~ facts*** die nackten Tatsachen; ***~ nonsense*** barer *od.* reiner Unsinn; **5.** (***of***) entblößt (von), arm (an *dat.*), ohne; **6.** knapp, kaum hinreichend: ***~ majority*** a) knappe Mehrheit, b) (***of votes***) einfache Stimmenmehrheit; ***a ~ ten pounds*** gerade noch 10 Pfund; **7.** bloß, alˈlein, nur: ***the ~ thought*** der bloße (*od.* allein der) Gedanke; **II** *v/t.* **8.** entblößen, entkleiden; **9.** *fig.* bloßlegen, enthüllen: ***~ one's heart*** sein Herz öffnen (***to*** *j-m*); ˈ**~·back(ed)** [-bæk(t)] *adj. u. adv.* ungesattelt; ˈ**~-faced** [-feɪst] *adj.* □ schamlos, frech; ˈ**~·foot** *adj. u. adv.* barfuß; ˌ**~ˈfoot·ed** [-ˈfʊtɪd] *adj.* barfuß, barfüßig; ˌ**~-ˈhead·ed** [-ˈhedɪd] *adj. u. adv.* mit bloßem Kopf, barhäuptig; ˌ**~-ˈlegged** [-ˈlegd] *adj.* mit nackten Beinen.

bare·ly [ˈbeəlɪ] *adv.* **1.** kaum, knapp, gerade (noch): ***~ enough time***; **2.** ärmlich, spärlich; **bare·ness** [ˈbeənɪs] *s.* **1.** Nacktheit *f*, Blöße *f*, Kahlheit *f*; **2.** Dürftigkeit *f.*

bare·sark [ˈbeəsɑːk] **I** *s.* Berˈserker *m*; **II** *adv.* ohne Rüstung.

bar·gain [ˈbɑːgɪn] **I** *s.* **1.** (geschäftliches) Abkommen, Handel *m*, Geschäft *n*: ***a good*** (***bad***) ***~***; **2.** *a.* ***good ~*** vorteilhaftes Geschäft, günstiger Kauf, Gelegenheitskauf *m* (*a. die gekaufte Sache*): ***at £10 it is a*** (***dead***) ***~*** für £10 ist es spottbillig; ***it's a ~!*** abgemacht!, topp!; ***into the ~*** obendrein, noch dazu; ***strike*** *od.* ***make a ~*** ein Abkommen treffen, e-n Handel abschließen; ***make the best of a bad ~*** sich so gut wie möglich aus der Affäre ziehen; ***drive a hard ~*** hart feilschen, ‚mächtig rangehen'; **3.** *Brit. Börse*: (*einzelner*) Abschluß: ***~ for account*** Termingeschäft *n*; **II** *v/i.* **4.** handeln, feilschen (***for***, ***about*** um); **5.** verhandeln, überˈeinkommen (***for*** über *acc.*, ***that*** daß): ***~ing point*** Verhandlungspunkt *m*; ***~ing position*** Verhandlungsposition *f*; **6.** ***~ for*** rechnen mit, erwarten (*acc.*) (*mst neg.*): ***I did not ~ for that*** darauf war ich nicht gefaßt; ***it***

was more than we had ~ed for damit hatten wir nicht gerechnet; **7.** ~ ***on*** *fig.* zählen auf (*acc.*); **III** *v/t.* **8.** (ein)tauschen (***for*** gegen); **9.** ~ ***away*** verschachern, *fig. a.* verschenken; ~ **basement** *s.* Niedrigpreisabteilung *f* im Tiefgeschoß *e-s Warenhauses*; ~ **counter** *s.* **1.** ✝ Wühltisch *m*; **2.** *fig. pol.* 'Tauschobˌjekt *n*.

bar·gain·er ['bɑːgɪnə] *s.* **1.** Feilscher (-in); **2.** Verhandler *m*; **'bar·gain·ing** [-nɪŋ] *s.* Handeln *n*, Feilschen *n*; Verhandeln *n*: → ***collective bargaining***.

bar·gain| price *s.* Spott-, Schleuderpreis *m*; ~ **sale** *s.* (Ramsch)Ausverkauf *m*.

barge [bɑːdʒ] **I** *s.* **1.** ⚓ a) flaches Fluß- *od.* Ka'nalboot, Lastkahn *m*, b) Bar'kasse *f*, c) Hausboot *n*; **II** *v/i.* **2.** F ungeschickt gehen *od.* fahren *od.* sich bewegen, torkeln, stürzen, prallen (***into*** in *acc.*, ***against*** gegen); **3.** ~ ***in*** F her'einplatzen, sich einmischen; **bar·gee** [bɑː'dʒiː] *s. Brit.* Kahnführer *m*: ***swear like a*** ~ fluchen wie ein Landsknecht.

'barge|·man [-mən] *s.* [*irr.*] *Am.* Kahnführer *m*; **'~·pole** *s.* Bootsstange *f*: ***I wouldn't touch him*** (***it***) ***with a*** ~ *Brit.* F a) den (das) würde ich nicht mal mit e-r Feuerzange anfassen, b) mit dem (damit) will ich nichts zu tun haben.

bar·ic ['beərɪk] *adj.* ⚗ Barium…

bar i·ron *s.* ⚙ Stabeisen *n*.

bar·i·tone ['bærɪtəʊn] *s.* ♪ 'Bariton *m* (*Stimme u. Sänger*).

bar·i·um ['beərɪəm] *s.* ⚗ 'Barium *n*; ~ **meal** *s.* ⚕ Kon'trastmittel *n*, -brei *m*.

bark[1] [bɑːk] **I** *s.* **1.** ⚘ (Baum)Rinde *f*, Borke *f*; **2.** → ***Peruvian*** I; **3.** ⚙ (Gerber)Lohe *f*; **II** *v/t.* **4.** abrinden; **5.** abschürfen: ~ ***one's knees***.

bark[2] [bɑːk] **I** *v/i.* **1.** bellen, kläffen (*a. fig.*): ~ ***at s.o.*** *fig.* j-n anschnauzen; ***~ing dogs never bite*** Hunde, die bellen, beißen nicht; ~ ***up the wrong tree*** a) auf dem Holzweg sein, b) an der falschen Adresse sein; **2.** *fig.* ‚bellen' (*husten*); ‚bellen', krachen (*Schußwaffe*); **3.** F *Ware* marktschreierisch anpreisen; **II** *s.* **4.** Bellen *n*: ***his*** ~ ***is worse than his bite*** er kläfft nur (aber beißt nicht); **5.** *fig.* ‚Bellen' *n* (*Husten*); Krachen *n*.

bark[3] [bɑːk] *s.* **1.** ⚓ Bark *f*; **2.** *poet.* Schiff *n*.

'bar|·keep *Am.* F → **'~ˌkeep·er** *s.* **1.** Barkellner *m*, -mixer *m*; **2.** Barbesitzer *m*.

bark·er ['bɑːkə] *s.* **1.** Beller *m*, Kläffer *m*; **2.** F ‚Anreißer' *m* (*Kundenwerber*); Marktschreier *m*; *Am. a.* Fremdenführer *m*.

bark| pit *s. Gerberei*: Lohgrube *f*; ~ **tree** *s.* ⚘ 'Chinarindenbaum *m*.

bar·ley ['bɑːlɪ] *s.* ⚘ Gerste *f*: ***French*** ~, ***pearl*** ~ Perlgraupen *pl.*; ***pot*** ~ ungeschälte Graupen *pl.*; **'~·corn** *s.* Gerstenkorn *n*: ***John*** 2 *scherzhafte Personifikation* (*der Gerste als Grundstoff*) *von Bier* (*‚Gerstensaft'*) *od. Whisky*; ~ **sugar** *s.* Gerstenzucker *m*; ~ **wa·ter** *s. aromatisiertes Getränk aus Gerstenextrakt*; ~ **wine** *s. ein Starkbier*.

bar line *s.* ♪ Taktstrich *m*.

barm [bɑːm] *s.* Bärme *f*, (Bier)Hefe *f*.

'bar|·maid *s. bsd. Brit.* Bardame *f*, -kellnerin *f*; **'~·man** [-mən] *s.* [*irr.*] → ***barkeeper*** 1.

barm·y ['bɑːmɪ] *adj.* **1.** heftig, gärend, schaumig; **2.** *Brit. sl.* ‚bekloppt': ***go*** ~ überschnappen.

barn [bɑːn] *s.* **1.** Scheune *f*; **2.** *Am.* (Vieh)Stall *m*.

bar·na·cle[1] ['bɑːnəkl] *s.* **1.** *orn.* Ber'nikel-, Ringelgans *f*; **2.** *zo.* Entenmuschel *f*; **3.** *fig.* a) ‚Klette' *f* (*lästiger Mensch*), b) (lästige) Fessel.

bar·na·cle[2] ['bɑːnəkl] *s.* **1.** *mst pl.* Nasenknebel *m für unruhige Pferde*; **2.** *pl. Brit.* F Kneifer *m*, Zwicker *m*.

barn| dance *s. Am.* ländlicher Tanz; **ˌ~'door** *s.*: ***as big as a*** ~ F (so) groß wie ein Scheunentor, nicht zu verfehlen; **ˌ~'door fowl** *s.* Haushuhn *n*; **'~-owl** *s.* Schleiereule *f*; **'~·storm** *v/i.* F ‚auf die Dörfer gehen': a) *thea. etc.* auf Tour'nee (durch die Pro'vinz) gehen, b) *pol.* überall Wahlreden halten; **'~ˌstorm·er** *s.* F **1.** Wander- *od.* Schmierenschauspieler *m*; **2.** her'umreisender Wahlredner; ~ **swal·low** *s.* Rauchschwalbe *f*.

bar·o·graph ['bærəʊgrɑːf] *s. phys.*, *meteor.* Baro'graph *m* (*selbstaufzeichnender Luftdruckmesser*).

ba·rom·e·ter [bə'rɒmɪtə] *s.* Baro'meter *n*: a) Wetterglas *n*, Luftdruckmesser *m*, b) *fig.* Grad-, Stimmungsmesser *m*; **bar·o·met·ric** [ˌbærəʊ'metrɪk] *adj.* (□ ***~ally***) *phys.* baro'metrisch, Barometer…: ~ ***maximum*** Hoch(druckgebiet) *n*; ~ ***pressure*** Luftdruck *m*; **ˌbar·o'met·ri·cal** [-'metrɪkl] *adj.* → ***barometric***.

bar·on ['bærən] *s.* **1.** *hist.* Pair *m*, Ba'ron *m*; *jetzt*: Ba'ron *m* (*brit. Adelstitel*); **2.** *nicht-Brit.* Ba'ron *m*, Freiherr *m*; **3.** *fig.* (Indu'strie- *etc.*)Baˌron *m*, Ma'gnat *m*; **4.** ~ (***of beef***) *Küche*: doppeltes Lendenstück.

bar·on·age ['bærənɪdʒ] *s.* **1.** *coll. die* Ba'rone *pl.*; **2.** Verzeichnis *n* der Ba'rone; **3.** Rang *m* e-s Ba'rons; **'bar·on·ess** [-nɪs] *s.* **1.** *Brit.* Ba'ronin *f*; **2.** *nicht-Brit.* Ba'ronin *f*, Freifrau *f*; **'bar·on·et** [-nɪt] **I** *s.* Baronet *m* (*brit. Adelstitel*; *abbr.* ***Bart.***); **II** *v/t.* zum Baronet ernennen; **'bar·on·et·age** [-nɪtɪdʒ] *s.* **1.** *coll.* die Baronets *pl.*; **2.** Verzeichnis *n* der Baronets; **'bar·on·et·cy** [-nɪtsɪ] *s.* Titel

B

m od. Rang *m* e-s Baronet; **ba·ro·ni·al** [bəˈrəʊnjəl] *adj.* **1.** Barons…, freiherrlich; **2.** prunkvoll, großartig; **ˈbar·o·ny** [-nɪ] *s.* Baroˈnie *f* (*Gebiet od. Würde*).

ba·roque [bəˈrɒk] **I** *adj.* **1.** baˈrock (*a. von Perlen u. fig.*); **2.** *fig.* prunkvoll; überˈsteigert; biˈzarr, verschnörkelt; **II** *s.* **3.** *allg.* Baˈrock *n, m.*

ˈbar-ˌpar·lour *s. Brit.* Schank-, Gaststube *f.*

barque → ***bark³***.

bar·rack [ˈbærək] **I** *s.* **1.** *mst pl.* Kaˈserne *f*: ***a ~s*** e-e Kaserne; → ***confine*** 3; **2.** *mst pl. fig.* ˈMietskaˌserne *f*; **II** *v/t.* **3.** in Kaˈsernen *od.* Baˈracken ˈunterbringen; **4.** F *sport, pol.* auspfeifen, -buhen; **III** *v/i.* **5.** F buhen, pfeifen: ***~ for*** (lautstark) anfeuern; **~ square** *s.* ⚔ Kaˈsernenhof *m.*

bar·rage¹ [ˈbærɑːʒ] *s.* **1.** ⚔ Sperrfeuer *n*; **2.** ⚔ Sperre *f*: ***creeping ~*** Feuerwalze *f*; ***~ balloon*** Sperrballon *m*; **3.** *fig.* überˈwältigende Menge: ***a ~ of questions*** ein Schwall *od.* Kreuzfeuer von Fragen.

bar·rage² [ˈbærɑːʒ] *s.* Talsperre *f*, Staudamm *m.*

bar·ra·try [ˈbærətrɪ] *s.* **1.** ⚖, ⚓ Baratteˈrie *f* (*Veruntreuung*); **2.** ⚖ schikaˈnöses Prozessieren (*od.* Anstiftung *f* dazu); **3.** Ämterschacher *m.*

barred [bɑːd] *adj.* **1.** (ab)gesperrt, verriegelt; **2.** gestreift; **3.** ♪ durch Taktstriche abgeteilt; **4.** ⚖ verjährt.

bar·rel [ˈbærəl] **I** *s.* **1.** Faß *n*, Tonne *f*; *im Ölhandel*: Barrel *n*: ***have s.o. over a ~*** F j-n in s-r Gewalt haben; ***scrape the ~*** F den letzten, schäbigen Rest zs.-kratzen; **2.** ⚙ Walze *f*, Rolle *f*, Trommel *f*, Zyˈlinder *m*, (rundes) Gehäuse; (Gewehr)Lauf *m*, (Geschütz)Rohr *n*; Kolbenrohr *n*; Rumpf *m e-s Dampfkessels*; Tintenbehälter *m e-r Füllfeder*; Walze *f der Drehorgel*; Kiel *m e-r Feder*; Zylinder *m e-r Spritze*; **3.** Rumpf *m e-s Pferdes etc.*; **II** *v/t.* **4.** in Fässer füllen *od.* packen; **III** *v/i.* **5.** F rasen, sausen; **~ chair** *s.* Lehnstuhl *m* mit hoher runder Lehne; **ˈ~-drain** *s.* ⚙, △ gemauerter runder ˈAbzugskaˌnal; **~ house** *s. Am. sl.* Speˈlunke *f*, Kneipe *f.*

bar·rel(l)ed [ˈbærəld] *adj.* **1.** faßförmig; **2.** in Fässer gefüllt; **3.** …läufig (*Gewehr*).

ˈbar·rel|ˌmak·er *s.* Faßbinder *m*; **ˈ~-ˌorgan** *s.* ♪ Drehorgel *f*; **~ roll** *s.* ✈ Rolle *f* (*im Kunstflug*); **~ roof** *s.* △ Tonnendach *n*; **~ vault** *s.* △ Tonnengewölbe *n.*

bar·ren [ˈbærən] **I** *adj.* □ **1.** unfruchtbar (*Lebewesen, Pflanze etc.*; *a. fig.*); **2.** öde, kahl, dürr; **3.** *fig.* trocken, langweilig, seicht; dürftig; **4.** ˈunprodukˌtiv (*Geist*); tot (*Kapital*); **5.** leer, arm (***of*** an *dat.*); **II** *s.* **6.** *mst pl.* Ödland *n*; **ˈbar·ren·ness** [-nɪs] *s.* **1.** Unfruchtbarkeit *f* (*a. fig.*); **2.** *fig.* Trockenheit *f*, geistige Leere, Dürftigkeit *f*, Dürre *f.*

bar·ri·cade [ˌbærɪˈkeɪd] **I** *s.* **1.** Barriˈkade *f*: ***mount*** (*od.* ***go to***) ***the ~s*** auf die Barrikaden steigen (*a. fig.*); **2.** *fig.* Hindernis *n*; **II** *v/t.* **3.** (ver)barrikadieren, (ver)sperren (*a. fig.*).

bar·ri·er [ˈbærɪə] *s.* **1.** Schranke *f* (*a. fig.*), Barriˈere *f*, Sperre *f*: ***~ cream*** Schutzcreme *f*; **2.** Schlag-, Grenzbaum *m*; **3.** *sport* ˈStartmaˌschine *f*; **4.** *fig.* Hindernis *n* (***to*** für); Mauer *f*; (*Sprach- etc.*)Barriˈere *f*; **5.** ♀ ˈEisbarriˌere *f* der Antˈarktis: ♀ ***Reef*** Barriereriff *n.*

bar·ring [ˈbɑːrɪŋ] *prp.* abgesehen von, ausgenommen: ***~ errors*** Irrtümer vorbehalten; ***~ a miracle*** wenn kein Wunder geschieht.

bar·ris·ter [ˈbærɪstə] *s.* ⚖ **1.** *a.* ***~-at-law*** *Brit.* Barrister *m*, *plädierender* Rechtsanwalt (vor höheren Gerichten); **2.** *Am. allg.* Rechtsanwalt *m.*

ˈbar-room *s.* Schankstube *f.*

bar·row¹ [ˈbærəʊ] *s.* **1.** ˈTumulus *m*, Hügelgrab *n*; **2.** Hügel *m.*

bar·row² [ˈbærəʊ] *s.* (Hand-, Schub-, Gepäck-, Obst)Karre(n *m*) *f.*

bar·row³ [ˈbærəʊ] *s.* ✓ Bork *m* (*im Ferkelalter kastriertes Schwein*).

bar·row| boy *s.*, **ˈ~·man** [-mən] *s.* [*irr.*] Straßenhändler *m*, ‚fliegender Händler'.

bar| steel *s.* ⚙ Stangenstahl *m*; **ˈ~ˌtender** *s.* → ***barkeeper*** 1.

bar·ter [ˈbɑːtə] **I** *v/i.* Tauschhandel treiben; **II** *v/t. im Handel* (ein-, ˈum)tauschen, austauschen (***for***, ***against*** gegen): ***~ away*** verschachern, -kaufen (*a. fig. Ehre etc.*); **III** *s.* Tauschhandel *m*, Tausch *m* (*a. fig.*): ***~ shop*** Tauschladen *m*; **~ trans·ac·tion** *s.* † Tausch(handels)-, Kompensatiˈonsgeschäft *n.*

bar·y·tone → ***baritone***.

bas·al [ˈbeɪsl] *adj.* □ **1.** an der Basis *od.* Grundfläche befindlich; **2.** *mst fig.* grundlegend: ***~ metabolism*** ⚕ Grundstoffwechsel *m*; ***~ metabolic rate*** ⚕ Grundumsatz *m*; ***~ cell*** *biol.* Basalzelle *f.*

ba·salt [ˈbæsɔːlt] *s. geol.* Baˈsalt *m*; **ba·sal·tic** [bəˈsɔːltɪk] *adj.* baˈsaltisch, Basalt…

base¹ [beɪs] **I** *s.* **1.** Basis *f*, ˈUnterteil *m, n*, Boden *m*; ˈUnterbau *m*, -lage *f*; Fundaˈment *n*; **2.** Fuß *m*, Sockel *m*; Sohle *f*; **3.** *fig.* Basis *f*: a) Grund(lage *f*) *m*, b) Ausgangspunkt *m*, c) *a.* ***~ camp*** *mount.* Basislager *n*; **4.** Grundstoff *m*, Hauptbestandteil *m*; **5.** ⩓ Grundlinie *f*, -fläche *f*, -zahl *f*; **6.** ⚗ Base *f*; *Färberei*: Beize *f*; **7.** *sport* a) Grund-, Startlinie *f*, b) Mal *n*: ***not to get to first ~*** (***with s.o.***) F *fig.* keine Chance haben (bei j-m); **8.** ⚔, ⚓ a) Standort *m*, Statiˈon *f*, b) (Operatiˈons)Basis *f*, Stützpunkt *m*,

c) (Flug)Basis *f*, *Am.* (Flieger)Horst *m*: ***naval ~*** Flottenstützpunkt, d) E'tappe *f*; **II** *v/t.* **9.** stützen, gründen (***on, upon*** auf *acc.*): ***be ~d on*** beruhen auf (*dat.*), sich stützen auf (*acc.*); ***~ o.s. on*** sich verlassen auf (*acc.*); **10.** *a.* ⚔ stationieren; → ***based*** 2.

base² [beɪs] *adj.* □ **1.** gemein, niedrig, niederträchtig; **2.** minderwertig; unedel: ***~ metals***; **3.** falsch, unecht (*Geld*): ***~ coin*** falsche Münze, *coll.* Falschgeld *n*, *Am.* Scheidemünze *f*; **4.** *ling.* unrein, unklassisch.

'base·ball *s. sport* **1.** Baseball(spiel *n*) *m*; **2.** Baseball *m*.

based [beɪst] *adj.* **1.** (***on***) gegründet (auf *acc.*), beruhend (auf *dat.*), mit e-r Grundlage (von); **2.** ⚔ *in Zssgn* mit … als Stützpunkt, stationiert in (*dat.*), *a.* (land- *etc.*)gestützt; **3.** *in Zssgn* mit Sitz in (*dat.*): ***a London-~ company***.

base·less ['beɪslɪs] *adj.* grundlos, unbegründet.

base| line *s.* **1.** Grundlinie *f* (*a. sport*); **2.** *surv.* Standlinie *f*; **3.** ⚔ Basislinie *f*; **~ load** *s.* ⚡ Grundlast *f*, -belastung *f*; **'~·man** [-mən] *s.* [*irr.*] *Baseball*: Malhüter *m*.

base·ment ['beɪsmənt] *s.* ⚠ **1.** Kellergeschoß *n*; **2.** Grundmauer(n *pl.*) *f*.

base·ness ['beɪsnɪs] *s.* **1.** Gemeinheit *f*, Niederträchtigkeit *f*; **2.** Minderwertigkeit *f*; **3.** Unechtheit *f*.

ba·ses ['beɪsi:z] *pl. von* **basis**.

base wal·lah *s.* ⚔ *Brit. sl.* E'tappenschwein *n*.

bash [bæʃ] F **I** *v/t.* **1.** heftig schlagen, einhauen auf (*acc.*) (*a.* F *fig.*): ***~ in*** a) einschlagen, b) verbeulen; ***~ up*** a) *j-n* zs.-schlagen, b) *Auto* zu Schrott fahren; **II** *s.* **2.** heftiger Schlag: ***have a ~ at s.th.*** es mit et. probieren; **3.** Beule *f* (*am Auto etc.*); **4.** *Brit.* (tolle) Party.

bash·ful ['bæʃfʊl] *adj.* □ schüchtern, verschämt, scheu; zu'rückhaltend; **'bash·ful·ness** [-nɪs] *s.* Schüchternheit *f*, Scheu *f*.

bash·ing ['bæʃɪŋ] *s.* F ‚Senge' *f*, Prügel *pl.*: ***get*** (*od.* ***take***) ***a ~*** Prügel beziehen (*a. fig.*).

bas·ic ['beɪsɪk] **I** *adj.* (□ ***~ally***) **1.** grundlegend, die Grundlage bildend; elemen'tar; Einheits…, Grund…; **2.** ⚗, *geol.*, *min.* basisch; **3.** ⚡ ständig (*Belastung*); **II** *s.* **4.** *pl.* a) Grundlagen *pl.*, b) *das* Wesentliche; **5.** → ***Basic English***; **'bas·i·cal·ly** [-kəlɪ] *adv.* im Grunde, grundsätzlich.

Bas·ic| Eng·lish *s.* Basic English *n* (*vereinfachte Form des Englischen von C. K. Ogden*); **≈ for·mu·la** *s.* ⚗ Grundformel *f*; **≈ in·dus·try** *s.* 'Grund(stoff)-, 'Schlüsselindu,strie *f*; **≈ i·ron** *s.* ⚙ Thomaseisen *n*; **≈ load** *s.* ⚡ ständige Grundlast; **≈ ma·ter·i·als** *s. pl.* Grund-, Ausgangsstoffe *pl.*; **≈ ra·tion** *s.* ⚔ Mindestverpflegungssatz *m*; **≈ research** *s.* Grundlagenforschung *f*; **≈ sal·a·ry** *s.* ✝ Grundgehalt *n*; **≈ size** *s.* ⚙ Sollmaß *n*; **≈ slag** *s.* ⚗ Thomasschlacke *f*; **≈ steel** *s.* ⚙ Thomasstahl *m*; **≈ trai·ning** *s. a.* ⚔ Grundausbildung *f*; **≈ wage** *s.* ✝ Grundlohn *m*.

bas·il ['bæzl] *s.* ⚘ Ba'silienkraut *n*, Ba'silikum *n*.

ba·sil·i·ca [bə'zɪlɪkə] *s.* ⚠ Ba'silika *f*.

bas·i·lisk ['bæzɪlɪsk] **I** *s.* **1.** Basi'lisk *m* (*Fabeltier*); **2.** *zo.* Legu'an *m*; **II** *adj.* **3.** Basilisken…: ***~ eye***.

ba·sin ['beɪsn] *s.* **1.** (Wasser-, Wasch- *etc.*)Becken *n*, Schale *f*, Schüssel *f*; **2.** Fluß-, Hafenbecken *n*; Schwimmbekken *n*, Bas'sin *n*; **3.** a) Stromgebiet *n*, b) (kleine) Bucht; **4.** Wasserbehälter *m*; **5.** Becken *n*, Einsenkung *f*, Mulde *f*; **6.** (Kohlen- *etc.*)Lager *n od.* Revier *n*.

ba·sis ['beɪsɪs] *pl.* **-ses** [-si:z] *s.* **1.** Basis *f*, Grundlage *f*, Funda'ment *n*: ***~ of discussion*** Diskussionsbasis *f*; ***take as a ~*** zugrunde legen; **2.** Hauptbestandteil *m*; **3.** ⚗ Basis *f*, Grundlinie *f*, -fläche *f*; **4.** ⚔, ⚓ (Operati'ons)Basis *f*, Stützpunkt *m*.

bask [bɑ:sk] *v/i.* sich aalen, sich sonnen (*a. fig.*): ***~ in the sun*** ein Sonnenbad nehmen.

bas·ket ['bɑ:skɪt] *s.* **1.** Korb *m*: ✝ ***~ of commodities*** Warenkorb *m*; **2.** Korb (-voll) *m*; **3.** *Basketball*: a) Korb *m*, b) Treffer *m*, Korb *m*; **4.** (Passa'gier)Korb *m*, Gondel *f* (*e-s Luftballons od. Luftschiffes*); **5.** Säbelkorb *m*; **6.** Tastenfeld *n* (*der Schreibmaschine*); **'~·ball** *s. sport* **1.** Basketball(spiel *n*) *m*; **2.** Basketball *m*; **~ case** *Am.* F **1.** Arm- u. Beinamputierte(r *m*) *f*; **2.** to'tales ‚Wrack'; **~ chair** *s.* Korbsessel *m*; **~ din·ner** *s. Am.* Picknick *n*.

bas·ket·ful ['bɑ:skɪtfʊl] *pl.* **-fuls** *s. ein* Korb(voll) *m*.

bas·ket| hilt *s.* Säbelkorb *m*; **~ lunch** *s. Am.* Picknick *n*.

bas·ket·ry ['bɑskɪtrɪ] *s.* Korbwaren *pl.*

Basque [bæsk] **I** *s.* Baske *m*, Baskin *f*; **II** *adj.* baskisch.

bas-re·lief ['bæsrɪ,li:f] *s. sculp.* 'Bas-, 'Flachreli,ef *n*.

bass¹ [beɪs] ♪ **I** *adj.* Baß…; **II** *s.* Baß *m* (*Stimme, Sänger, Instrument u. Partie*).

bass² [bæs] *pl. mst* **bass** *s. ichth.* Barsch *m*.

bass³ [bæs] *s.* **1.** (Linden)Bast *m*; **2.** Bastmatte *f*.

bas·set ['bæsɪt] *s. zo.* Basset *m* (*ein Dachshund*).

bas·si·net [,bæsɪ'net] *s.* **1.** Korbwiege *f*; Stubenwagen *m*; Korb(kinder)wagen *m* (*mit Verdeck*).

bas·soon [bə'su:n] *s.* ♪ Fa'gott *n*.

bas·so| pro·fun·do ['bæsəʊ prə'fʌndəʊ]

B

(*Ital.*) *s.* ♪ tiefster Baß (*Stimme od. Sänger*); ˌ**~-re'lie·vo** [-rɪ'li:vəʊ] *pl.* **-vos** → ***bas-relief.***

'**bass-reˌlief** ['bæs-] → ***bas-relief.***

bass vi·ol [beɪs] *s.* ♪ 'Cello *n.*

'**bass-wood** ['bæs-] *s.* ⚘ **1.** Linde *f*; **2.** Lindenholz *n.*

bast [bæst] *s.* (Linden)Bast *m.*

bas·tard ['bæstəd] **I** *s.* **1.** Bastard *m*, *a.* ⚖ uneheliches Kind; **2.** *biol.* Bastard *m*, Mischling *m*; **3.** *fig.* a) Fälschung *f*, Nachahmung *f*, b) Scheußlichkeit *f*; **4.** a) V ‚Schwein' *n*, ‚Scheißkerl' *m*, b) *iro.* alter Ha'lunke, c) Kerl *m*; **II** *adj.* **5.** unehelich, Bastard...; **6.** *biol.* Bastard...; **7.** *fig.* unecht, falsch; **8.** ab'norm; '**bas·tard·ize** [-daɪz] **I** *v/t.* **1.** ⚖ für unehelich erklären; **2.** verschlechtern, verfälschen; **II** *v/i.* **3.** entarten; '**bas·tard·ized** [-daɪzd] *adj.* entartet, Mischlings..., Bastard...

bas·tard| slip → ***bastard*** 1; **~ ti·tle** *s. typ.* Schmutztitel *m.*

bas·tar·dy ['bæstədɪ] *s.* uneheliche Geburt: **~ *procedure*** Verfahren *n* zur Feststellung der (unehelichen) Vaterschaft u. Unterhaltspflicht.

baste[1] [beɪst] *v/t.* **1.** ‚(ver)hauen', verprügeln; **2.** *fig.* beschimpfen, herfallen über (*acc.*).

baste[2] [beɪst] *v/t.* **1.** *Braten etc.* mit Fett begießen; **2.** *Docht der Kerze* mit geschmolzenem Wachs begießen.

baste[3] [beɪst] *v/t.* lose (an)heften.

bast·ing ['beɪstɪŋ] *s.* (Tracht *f*) Prügel *pl.*

bas·tion ['bæstɪən] *s.* ⚔ Ba'stei *f*, Basti'on *f*, Bollwerk *n* (*a. fig.*).

bat[1] [bæt] **I** *s.* **1.** *sport* a) Schlagholz *n*, Schläger *m* (*bsd. Baseball u. Kricket*): ***carry one's ~*** *Kricket*: noch im Spiel sein; ***off one's own ~*** *Kricket u. fig.* selbständig, ohne Hilfe, auf eigene Faust; ***right off the ~*** F auf Anhieb; ***be at (the) ~*** am Schlagen sein, dran sein; ***go to ~ for s.o.*** *Baseball*: für j-n einspringen, *fig.* → 6, b) → ***batsman***; **2.** F Stockhieb *m*; **3.** *Brit. sl.* (Schritt)Tempo *n*: ***at a rare ~*** mit e-m ‚Affenzahn'; **4.** *Am. sl.* ‚Saufe'rei' *f*: ***go on a ~*** e-e ‚Sauftour' machen; **II** *v/i.* **5.** a) (mit dem Schlagholz) schlagen, b) am Schlagen sein; → ***batting*** 3; **6. *~ for s.o.*** *fig.* für j-n eintreten.

bat[2] [bæt] *s.* **1.** *zo.* Fledermaus *f*: ***have ~s in the belfry*** verrückt sein, ‚e-n Vogel haben'; → ***blind*** 1; **2.** ✈, ⚔ 'radargelenkte Bombe.

bat[3] [bæt] *v/t.*: **~ *the eyes*** mit den Augen blinzeln *od.* zwinkern; ***without ~ting an eyelid*** (*Am.* ***eyelash***) ohne mit der Wimper zu zucken; ***I never ~ted an eyelid*** ich habe kein Auge zugetan.

ba·ta·ta [bə'tɑ:tə] *s.* ⚘ Ba'tate *f*, 'Süßkarˌtoffel *f.*

batch [bætʃ] *s.* **1.** Schub *m* (*die auf einmal gebackene Menge Brot*): ***a ~ of bread***; **2.** ⚙ a) Schub *m*, b) Satz *m* (*Material*), Charge *f*, Füllung *f*; **3.** Schub *m*; ‚Schwung' *m*: a) Gruppe *f* (*von Personen*), Trupp *m* (*Gefangener*), b) Schicht *f*, Satz *m* (*Muster*), Stapel *m*, Stoß *m* (*Briefe etc.*), Par'tie *f*, Posten *m* (*gleicher Dinge*), *Computer*: Stapel *m*: ***in ~es*** schubweise; '**~-ˌpro·cess** *v/t. Computer*: stapelweise verarbeiten; **~ pro·duc·tion** *s.* Serienfertigung *f.*

bate[1] [beɪt] **I** *v/i.* abnehmen, nachlassen; **II** *v/t.* schwächen, *Hoffnung etc.* vermindern, *Neugier etc.* mäßigen, *Forderung etc.* her'absetzen: ***with ~d breath*** mit verhaltenem Atem, gespannt.

bate[2] [beɪt] *s.* ⚙ *Gerberei*: Ätzlauge *f.*

bate[3] [beɪt] *s. Brit. sl.* Wut *f.*

ba·teau [bɑ:'təʊ] *pl.* **-teaux** [-'təʊz] (*Fr.*) *s. Am.* leichtes langes Flußboot; **~ bridge** *s.* Pon'tonbrücke *f.*

bath [bɑ:θ] **I** *pl.* **baths** [-ðz] *s.* **1.** (Wannen)Bad *n*: ***take a ~*** ein Bad nehmen, baden, *Am. sl.* (*bsd. finanziell*) ‚baden gehen'; **2.** Badewasser *n*; **3.** Badewanne *f*: ***enamelled ~***; **4.** Badezimmer *n*; **5.** *mst pl.* a) Badeanstalt *f*, b) Badeort *m*; **6.** ⚗ *phot.* a) Bad *n* (*Behandlungsflüssigkeit*), b) Behälter *m dafür*; **7.** *Brit.*: ***order of the 2*** Bathorden *m*; ***Knight of the 2*** Ritter *m* des Bathordens; ***Knight Commander of the 2*** Komtur *m* des Bathordens; **II** *v/t.* **8.** *Kind etc.* baden; **III** *v/i.* **9.** baden, ein Bad nehmen.

Bath| brick *s.* Me'tallputzstein *m*; **~ bun** *s.* über'zuckertes Kuchenbrötchen; **~ chair** *s.* Rollstuhl *m.*

bathe [beɪð] **I** *Auge, Hand, (verletzten) Körperteil* baden, in Wasser *etc.* tauchen; **2. *~d in sunlight*** (***perspiration***) in Sonne (Schweiß) gebadet; ***~d in tears*** in Tränen aufgelöst; **3.** *poet.* bespülen; **II** *v/i.* **4.** (sich) baden; **5.** schwimmen; **6.** (Heil)Bäder nehmen; **7.** *fig.* sich baden *od.* schwelgen (***in*** in *dat.*); **III** *s.* **8.** *bsd. Brit.* Bad *n im Freien*; '**bath·er** [-ðə] *s.* **1.** Badende(r *m*) *f*; **2.** Badegast *m.*

'**bath·house** *s. Am.* **1.** Badeanstalt *f*; **2.** 'Umkleidekaˌbinen *pl.*

bath·ing ['beɪðɪŋ] *s.* Baden *n*; **~ beau·ty** *s.*, **~ belle** *s.* F Badeschönheit *f*; '**~-ˌcos·tume** → ***bathing-suit***; '**~-ˌdraw·ers** *s. pl.* Badehose *f*; '**~-dress** → ***bathing-suit***; '**~-gown** *s.* Bademantel *m*; '**~-maˌchine** *s. hist.* Badekarren *m* (*fahrbare Umkleidekabine*); '**~-suit** *s.* Badeanzug *m.*

Bath met·al *s.* ⚙ 'Tombak *m.*

ba·thos ['beɪθɒs] *s.* **1.** Abgleiten *n* vom Erhabenen zum Lächerlichen; **2.** Gemeinplatz *m*, Plattheit *f*; **3.** falsches Pathos; **4.** a) Null-, Tiefpunkt *m*, b) Gipfel *m der Dummheit etc.*

'bath|·robe *s.* Bademantel *m*; **'~·room** [-rʊm] *s.* Badezimmer *n*; *weitS.* Klo'sett *n*; **~ salts** *s. pl.* Badesalz *n*; ≗ **stone** *s.* Muschelkalkstein *m*; **~ tow·el** *s.* Badetuch *n*; **'~·tub** *s.* Badewanne *f* (*a.* F *Skisport*).

ba·thym·e·try [bə'θɪmɪtrɪ] *s.* Tiefen- *od.* Tiefseemessung *f.*

bath·y·sphere ['bæθɪˌsfɪə] *s.* ⚙ Tiefseetaucherkugel *f.*

ba·tik ['bætɪk] *s.* 'Batik(druck) *m.*

ba·tiste [bæ'ti:st] *s.* Ba'tist *m.*

bat·man ['bætmən] *s.* [*irr.*] ⚔ *Brit.* Offi'ziersbursche *m.*

ba·ton ['bætən] *s.* **1.** (Amts-, Kom'mando)Stab *m*: ***Field-Marshal's ~*** Marschallsstab; **2.** ♪ Taktstock *m*, Stab *m*; **3.** *sport* (Staffel)Stab *m*; **4.** *Brit.* Schlagstock *m*, (Poli'zei)Knüppel *m.*

ba·tra·chi·an [bə'treɪkjən] *zo.* **I** *adj.* frosch-, krötenartig; **II** *s.* Ba'trachier *m*, Froschlurch *m.*

bats·man ['bætsmən] *s.* [*irr.*] *Kricket, Baseball etc.*: Schläger *m*, Schlagmann *m.*

bat·tal·ion [bə'tæljən] *s.* ⚔ Batail'lon *n.*

bat·tels ['bætlz] *s. pl.* (*Universität Oxford*) College-Rechnungen *pl.* für Lebensmittel *etc.*

bat·ten[1] ['bætn] *v/i.* **1.** fett werden (***on*** von *dat.*), gedeihen; **2.** (***on***) *a. fig.* sich mästen (mit), sich gütlich tun (an *dat.*): ***~ on others*** auf Kosten anderer dick u. fett werden.

bat·ten[2] ['bætn] **I** *s.* **1.** Latte *f*, Leiste *f*; **2.** Diele *f*, (Fußboden)Brett *n*; **II** *v/t.* **3.** mit Latten verkleiden *od.* befestigen; **4.** ***~ down the hatches*** a) ⚓ die Luken schalken, b) *fig.* dichtmachen.

bat·ter[1] ['bætə] △ **I** *v/i.* sich nach oben verjüngen; **II** *s.* Böschung *f*, Verjüngung *f*, Abdachung *f.*

bat·ter[2] ['bætə] **I** *v/t.* **1.** mit heftigen Schlägen traktieren; (zer)schlagen, demolieren; *Ehefrau, Kind* (ständig) mißhandeln *od.* schlagen *od.* prügeln: ***~ed wives*** mißhandelte (Ehe)Frauen; ***~ down*** (*od.* ***in***) *Tür* einschlagen; **2.** ⚔ *u. weitS.* bombardieren: ***~ down*** zs.-schießen; **3.** beschädigen, zerbeulen, *a. j-n* böse zurichten, arg mitnehmen; **II** *v/i.* **4.** heftig *od.* wiederholt schlagen: ***~ at the door*** gegen die Tür hämmern; **'bat·tered** [-təd] *adj.* **1.** zerschlagen, zerschmettert, demoliert; **2.** a) abgenutzt, zerbeult, beschädigt, b) *a. fig.* arg mitgenommen, übel zugerichtet, c) miß'handelt (*Kind etc.*).

'bat·ter·ing-ram ['bætərɪŋ-] *s.* ⚔ *hist.* (Belagerungs)Widder *m*, Sturmbock *m.*

bat·ter·y ['bætərɪ] *s.* **1.** a) ⚔ Batte'rie *f*, b) ⚓ Geschützgruppe *f*; **2.** ϟ, ⚙ Batte'rie *f*, Ele'ment *n*: **3.** *fig.* Reihe *f*, Satz *m*, Batte'rie *f* (*von Maschinen, Flaschen etc.*); **4.** ✓ 'Legebatteˌrie *f*; **5.** ♪ Batte'rie *f*, Schlagzeuggruppe *f*; **6.** *Baseball*: Werfer *m* u. Fänger *m*; **7.** ⚖ Tätlichkeit *f*, *a.* Körperverletzung *f*; → ***assault*** 3; **~ cell** *s.* Sammlerzelle *f*; **'~-ˌcharg·ing sta·tion** *s.* ϟ 'Ladestatiˌon *f*; **'~-ˌop·er·at·ed** *adj.* batteriebetrieben, Batterie...; **~ hen** *s.* Batte'riehenne *f.*

bat·ting ['bætɪŋ] *s.* **1.** Schlagen *n bsd. der Rohbaumwolle zu Watte*; **2.** (Baumwoll)Watte *f*; **3.** *Kricket, Baseball etc.*: Schlagen *n*, Schlägerspiel *n*: ***~ average*** *a. fig.* Durchschnitt(sleistung *f*) *m.*

bat·tle ['bætl] **I** *s.* **1.** Schlacht *f* (***of*** *mst* bei), Gefecht *n*: ***~ of Britain*** Schlacht um England (*2. Weltkrieg*); **2.** *fig.* Kampf *m*, Ringen *n* (***for*** um, ***against*** gegen): ***do ~*** kämpfen, sich schlagen; ***fight a ~*** e-n Kampf führen; ***fight a losing ~ against*** e-n aussichtslosen Kampf führen gegen; ***fight s.o.'s ~*** j-s Sache vertreten; ***give*** (*od.* ***join***) ***~*** e-e Schlacht liefern, sich zum Kampf stellen; ***that is half the ~*** damit ist es schon halb gewonnen; ***line of ~*** Schlachtlinie *f*; ***~ of words*** Wortgefecht *n*; ***~ of wits*** geistiges Duell; **II** *v/i.* **3.** *mst fig.* kämpfen, streiten, fechten (***with*** mit, ***for*** um, ***against*** gegen); **~ ar·ray** *s.* ⚔ Schlachtordnung *f*; **'~-ax(e)** *s.* **1.** ⚔ *hist.* Streitaxt *f*; **2.** F ‚alter Drachen' (*Frau*); **'~-ˌcruis·er** *s.* ⚔ Schlachtkreuzer *m*; **'~-cry** *s.* Schlachtruf *m* (*a. fig.*).

bat·tle·dore ['bætldɔ:] *s.* **1.** Waschschlegel *m*; **2.** *sport hist.* a) Federballschläger *m*, b) *a.* ***~ and shuttle-cock*** *Art* Federballspiel *n.*

bat·tle| dress *s. Brit.* ⚔ Dienst-, Feldanzug *m*; **~ fa·tigue** *s.* 'Kriegsneuˌrose *f*; **'~·field**, **'~·ground** *s.* Schlachtfeld *n* (*a. fig.*).

bat·tle·ment ['bætlmənt] *s. mst pl.* (Brustwehr *f* mit) Zinnen *pl.*

bat·tle| or·der *s.* **1.** Schlachtordnung *f*; **2.** Gefechtsbefehl *m*; **~ piece** *s.* Schlachtenszene *f* (*in Malerei od. Literatur*); **~ roy·al** *s.* erbitterter Kampf (*a. fig.*); Massenschläge'rei *f*; **'~·ship** *s.* ⚔ Schlachtschiff *n.*

bat·tue [bæ'tu:] (*Fr.*) *s.* **1.** Treibjagd *f*; **2.** (auf e-r Treibjagd erlegte) Strecke; **3.** *fig.* Mas'saker *n.*

bat·ty ['bætɪ] *adj. sl.* ‚bekloppt'.

bau·ble ['bɔ:bl] *s.* **1.** Nippsache *f*; **2.** (protziger) Schmuck; **3.** (Kinder)Spielzeug *n*; **4.** *fig.* Spiele'rei *f*, Tand *m.*

baulk [bɔ:k] → ***balk.***

Ba·var·i·an [bə'veərɪən] **I** *adj.* bay(e)risch; **II** *s.* Bayer(in).

bawd [bɔ:d] *s. obs.* Kupplerin *f*; **'bawd·ry** [-drɪ] *s.* **1.** Kuppe'lei *f*; **2.** Unzucht *f*; **3.** Obszöni'tät *f.*

bawd·y ['bɔːdɪ] *adj.* unzüchtig, unflätig (*Rede*); '**~·house** *s.* Bor'dell *n.*
bawl [bɔːl] **I** *v/i.* schreien, grölen, brüllen, *Am. a.* ‚heulen' (*weinen*): **~ at s.o.** j-n anbrüllen; **II** *v/t. a.* **~ out** F *j-n* anbrüllen, zs.-stauchen.
bay[1] [beɪ] *s.* **1.** ⚘ *a.* **~ tree** Lorbeer (-baum) *m*; **2.** *pl.* a) Lorbeerkranz *m*, b) *fig.* Lorbeeren *pl.*, Ehren *pl.*
bay[2] [beɪ] *s.* **1.** Bai *f*, Bucht *f*, Meerbusen *m*; **2.** Talbucht *f.*
bay[3] [beɪ] *s.* **1.** ⚠ Fach *n*, Abteilung *f*, Feld *n zwischen Pfeilern, Balken etc.*; Brückenglied *n*, Joch *n*; **2.** ⚠ Fensternische *f*, Erker *m*; **3.** ✈ Abteilung *f od.* Zelle *f* im Flugzeugrumpf; **4.** ⚓ 'Schiffslaza‚rett *n*; **5.** 🚂 *Brit.* Seitenbahnsteig *m*, *bsd.* 'Endstati‚on *f* e-s Nebengeleises.
bay[4] [beɪ] **I** *v/i.* **1.** (dumpf) bellen (*bsd. Jagdhund*): **~ at s.o.** *od.* **s.th.** j-n *od.* et. anbellen; **II** *v/t.* **2.** *obs.* anbellen: **~ the moon**; **III** *s.* **3.** dumpfes Gebell *der Meute*: **be** (*od.* **stand**) **at ~** gestellt sein (*Wild*), *fig.* in die Enge getrieben sein; **bring to ~** *Wild* stellen, *fig.* in die Enge treiben; **keep** (*od.* **hold**) **at ~** a) sich *j-n* vom Leibe halten, b) *j-n* in Schach halten, fernhalten; *Seuche, Feuer etc.* unter Kontrolle halten; **turn to ~** sich stellen (*a. fig.*).
bay[5] [beɪ] **I** *adj.* ka'stanienbraun (*Pferd*): **~ horse** → **II** *s.* Braune(r) *m.*
bay leaf *s.* Lorbeerblatt *n.*
bay·o·net ['beɪənɪt] ⚔ **I** *s.* Bajo'nett *n*, Seitengewehr *n*: **at the point of the ~** mit dem Bajo'nett, im Sturm; **fix the ~** das Seitengewehr aufpflanzen; **II** *v/t.* mit dem Bajo'nett angreifen *od.* niederstechen; **III** *adj.* ⚙ Bajonett... (*-fassung, -verschluß*).
bay·ou ['baɪuː] *s. Am.* sumpfiger Flußarm (*Südstaaten der USA*).
bay| rum *s.* 'Bayrum *m*, Pi'mentrum *m*; **~ salt** *s.* Seesalz *n*; ♀ **State** *s. Am.* (*Beiname von*) Massachusetts; **~ window** *s.* **1.** Erkerfenster *n*; **2.** *Am. sl.*, ‚Vorbau' *m*, Bauch *m*; '**~·work** *s.* ⚠ Fachwerk *n.*
ba·zaar [bə'zɑː] *s.* **1.** (*Orient*) Ba'sar *m*; **2.** ✝ Warenhaus *n*; **3.** 'Wohltätigkeitsba‚sar *m.*
ba·zoo·ka [bə'zuːkə] *s.* ⚔ Ba'zooka *f* (*Panzerabwehrwaffe*).
B bat·ter·y *s.* ⚡ An'odenbatte‚rie *f.*
be [biː; bɪ] [*irr.*] **I** *v/aux.* **1.** *bildet das Passiv transitiver Verben*: **I was cheated** ich wurde betrogen; **I was told** man sagte mir; **2.** *lit.*, *bildet das Perfekt einiger intransitiver Verben*: **he is come** er ist gekommen *od.* da; **3.** *bildet die umschriebene Form* (*continuous od. progressive form*) *der Verben*: **he is reading** er liest gerade; **the house was being built** das Haus war im Bau; **what I was going to say** was ich sagen wollte; **4.** *drückt die* (*nahe*) *Zukunft aus*: **I am leaving for Paris tomorrow** ich reise morgen nach Paris (ab); **5.** *mit inf. zum Ausdruck der Absicht, Pflicht, Möglichkeit etc.*: **I am to go** ich soll gehen; **the house is to let** das Haus ist zu vermieten; **he is to be pitied** er ist zu bedauern; **it was not to be found** es war nicht zu finden; **6.** *Kopula*: **trees are green** (die) Bäume sind grün; **the book is mine** (**my brother's**) das Buch gehört mir (m-m Bruder); **II** *v/i.* **7.** (vor'handen *od.* anwesend) sein, bestehen, sich befinden, geschehen; werden: **I think, therefore I am** ich denke, also bin ich; **to be or not to be** sein oder nicht sein; **it was not to be** es hat nicht sollen sein; **so ~ it!** so sei es!, gut so!; **how is it that ...?** wie kommt es, daß ...?; **what will you be when you grow up?** was willst du werden, wenn du erwachsen bist?; **there is no substitute for wool** für Wolle gibt es keinen Ersatz; **8.** stammen (**from** aus): **he is from Liverpool**; **9.** gleichkommen, bedeuten: **seeing is believing** was man (selbst) sieht, glaubt man; **that is nothing to me** das bedeutet mir nichts; **10.** kosten: **the picture is £10** das Bild kostet 10 Pfund; **11. been** (*p.p.*): **have you been to Rome?** sind Sie (je) in Rom gewesen?; **has anyone been?** F ist j-d dagewesen?
beach [biːtʃ] **I** *s.* Strand *m*; **II** *v/t.* ⚓ *Schiff* auf den Strand setzen *od.* ziehen; **~ ball** *s.* Wasserball *m*; **~ bug·gy** *s. mot.* Strandbuggy *m*; '**~‚comb·er** *s.* **1.** ⚓ F a) Strandgutjäger *m*, b) Her'umtreiber *m*, c) *fig.* Nichtstuer *m*; **2.** breite Strandwelle; '**~·head** *s.* **1.** ⚔ Lande-, Brückenkopf *m*; **2.** *fig.* Ausgangsbasis *f*; **~ wear** *s.* Strandkleidung *f.*
bea·con ['biːkən] **I** *s.* **1.** Leucht-, Si'gnalfeuer *n*; (Feuer)Bake *f*, Seezeichen *n*; **2.** Leuchtturm *m*; **3.** ✈ Funkfeuer *n*, -bake *f*, Landelicht *n*; **4.** (**traffic**) **~** Verkehrsampel *f*, *bsd.* Blinklicht *n* an Zebrastreifen; **5.** *fig.* a) Fa'nal *n*, b) Leitstern *m*, c) 'Warnsig‚nal *n*; **II** *v/t.* **6.** mit Baken versehen; **7.** *fig.* a) erleuchten, b) *j-n* leiten.
bead [biːd] **I** *s.* **1.** (Glas-, Stick-, Holz-) Perle *f*; **2.** (*Blei- etc.*)Kügelchen *n*; **3.** *pl. eccl.* Rosenkranz *m*: **tell one's ~s** den Rosenkranz beten; **4.** (Schaum-) Bläs-chen *n*, (Tau-, Schweiß- *etc.*)Perle *f*, Tröpfchen *n*; **5.** ⚠ perlartige Verzierung; **6.** ⚙ Wulst *m*; **7.** ⚔ (Perl)Korn *n am Gewehr*: **draw a ~ on** zielen auf (*acc.*); **II** *v/t.* **8.** mit Perlen *od.* perlartiger Verzierung *etc.* versehen; **9.** *wie Perlen* aufziehen, aufreihen; **III** *v/i.* **10.** perlen, Perlen bilden; '**bead·ed** [-dɪd] *adj.* **1.** mit Perlen versehen *od.* verziert;

2. ⚙ mit Wulst; ˈ**bead·ing** [-dɪŋ] *s.* **1.** ˈPerlstickeˌrei *f*; **2.** ⚠ Rundstab *m*; **3.** ⚙ Wulst *m*.

bea·dle [ˈbiːdl] *s.* **1.** *bsd. Brit.* Kirchendiener *m*; **2.** *univ. Brit.* Peˈdell *m*, (Fest- *etc.*)Ordner *m*; **3.** *obs.* Büttel *m*, Gerichtsdiener *m*; ˈ**bea·dle·dom** [-dəm] *s.* büttelhaftes Wesen.

bead mo(u)ld·ing *s.* ⚠ Perl-, Rundstab *m*, Perlleiste *f*.

bead·y [ˈbiːdɪ] *adj.* **1.** mit Perlen verziert; **2.** perlartig; **3.** perlend; **4.** *~ eyes* glänzende Knopfaugen.

bea·gle [ˈbiːgl] *s.* **1.** *zo.* Beagle *m* (*Hunderasse*); **2.** *fig.* Spiˈon *m*.

beak[1] [biːk] *s.* **1.** *zo.* Schnabel *m*; **2.** F (scharfe) Nase, ‚Zinken' *m*; **3.** ⚙ a) Tülle *f*, Ausguß *m*, b) Schnauze *f*, Nase *f*, Röhre *f*.

beak[2] [biːk] *s. Brit. sl.* **1.** ‚Kadi' *m* (*Richter*); **2.** *ped.* ‚Rex' *m* (*Direktor*).

beaked [biːkt] *adj.* **1.** geschnäbelt, schnabelförmig; **2.** vorspringend, spitz.

beak·er [ˈbiːkə] *s.* **1.** Becher *m*; **2.** ⚗ Becherglas *n*.

ˈ**be-all**: ***the ~ and end-all*** F das A und O, das Wichtigste; *j-s* ein und alles.

beam [biːm] **I** *s.* **1.** ⚠ Balken *m*; Tragbalken *m* (*Haus, Brücke*); *a.* ✈ Holm *m*; **2.** ⚓ a) Deckbalken *m*, b) größte Schiffsbreite: ***in the ~*** in der Breite; ***on the starboard ~*** querab an Steuerbord; **3.** *fig.* F Körperbreite *f e-s Menschen*: ***broad in the ~*** breit (gebaut); **4.** ⚙ a) (Waage)Balken *m*, b) Weberbaum *m*, c) Pflugbaum *m*, d) Spindel *f der Drehbank*; **5.** *zo.* Stange *f am Geweih*; **6.** (Licht)Strahl *m*; (Strahlen)Bündel *n*; *mot.* Fernlicht *n*; **7.** *Funk*: Richt-, Peil-, Leitstrahl *m*: ***ride the ~*** ✈ genau auf dem Leitstrahl steuern; ***on the ~*** a) auf dem richtigen Kurs, b) *fig.* F ‚auf Draht'; ***off the ~*** *fig.* auf dem Holzweg, (völlig) daneben (*abwegig*); **8.** strahlender Blick, Glanz *m*; **II** *v/t.* **9.** ⚙ *Weberei*: *Kette* aufbäumen; **10.** *a. phys.* (aus-)strahlen; **11.** a) ⚡ *Funkspruch* mit Richtstrahler senden, b) *Radio, TV*: ausstrahlen; **III** *v/i.* **12.** strahlen, glänzen (*a. fig.*): ***~ (up)on s.o.*** j-n anstrahlen; ***~ing with joy*** freudestrahlend; ***~ aer·i·al****, bsd. Am.* ***~ an·ten·na*** *s. Radio*: ˈRichtstrahler *m*, -anˌtenne *f*; ˌ**~-**ˈ**ends** *s. pl.* **1.** ⚓ ***on her ~*** mit starker Schlagseite, in Gefahr; **2.** *fig.*: ***on one's ~*** ‚pleite'; ***~ trans·mis·sion*** *s.* Richtsendung *f*; ***~ trans·mit·ter*** *s.* Richt(strahl)sender *m*.

bean [biːn] **I** *s.* **1.** ♀ Bohne *f*: ***full of ~s*** F ‚putzmunter', ‚aufgekratzt'; ***give s.o. ~s*** *sl.* j-m ‚Saures geben' (*j-n schlagen, strafen, schelten*); ***not to know ~s*** *Am. sl.* keine Ahnung haben; ***I haven't a ~*** *sl.* ich habe keinen roten Heller; ***spill the ~s*** *sl.* alles ausplaudern, ‚auspaken'; **2.** bohnenförmiger Samen, (*Kaffee- etc.*)Bohne *f*; **3.** *sl.* a) Kerl *m*, b) ‚Birne' *f* (*Kopf*), c) ‚Grips' *m* (*Verstand*); **II** *v/t.* **4.** *Am. sl. j-m* ‚auf die Rübe hauen'; **~ curd** *s.* ˈBohnengalˌlerte *f* (*Ostasien*); ˈ**~·feast** *s. Brit.* F **1.** *jährliches Festessen für die Belegschaft*; **2.** (feucht)fröhliches Fest.

bean·o [ˈbiːnəʊ] F → ***beanfeast*** 2.

bean| pod *s.* Bohnenhülse *f*; **~ pole** *s.* Bohnenstange *f* (*a.* F *Person*).

bean·y [ˈbiːnɪ] *adj.* F ‚putzmunter', tempeˈramentvoll.

bear[1] [beə] **I** *v/t.* [*irr.*] [*p.p.* ***borne***; ***born*** (*bei Geburt*; → *a.* ***borne*** 2)] **1.** *Lasten etc.* tragen, befördern: ***~ a message*** e-e Nachricht überbringen; → ***borne*** 1; **2.** *fig. Waffen, Namen etc.* tragen, führen; *Datum* tragen; **3.** *fig. Kosten, Verlust, Verantwortung, Folgen etc.* tragen, überˈnehmen; → ***blame*** 4, ***palm***[2] 2, ***penalty*** 1; **4.** *fig. Zeichen, Stempel etc.* tragen, zeigen; → ***resemblance***; **5.** zur Welt bringen, gebären: ***~ children***; ***he was born into a rich family*** er kam als Kind reicher Eltern zur Welt; → ***born***; **6.** *fig.* herˈvorbringen: ***~ fruit*** Früchte tragen (*a. fig.*); ***~ interest*** Zinsen tragen; **7.** *fig. Schmerzen etc.* ertragen, (er)dulden, (er)leiden, aushalten; *e-r Prüfung etc.* standhalten: ***~ comparison*** den Vergleich aushalten; *mst neg. od. interrog.*: ***I cannot ~ him*** ich kann ihn nicht leiden *od.* ausstehen; ***I cannot ~ it*** ich kann es nicht ausstehen *od.* aushalten; ***his words won't ~ repeating*** s-e Worte lassen sich unmöglich wiederholen; ***it does not ~ thinking about*** daran mag man gar nicht denken; **8.** *fig.*: ***~ a hand*** zur Hand gehen, helfen (*dat.*); ***~ love*** (***a grudge***) Liebe (Groll) hegen; ***~ a part in*** e-e Rolle spielen bei; **9.** ***~ o.s.*** sich betragen: ***~ o.s. well***; **II** *v/i.* [*irr.*] **10.** tragen, halten (*Balken, Eis etc.*): ***will the ice ~ today?*** wird das Eis heute tragen?; **11.** Früchte tragen; **12.** Richtung annehmen: ***~ (to the) left*** sich links halten; ***~ to the north*** sich nach Norden erstrecken; **13.** → ***bring*** 1.

Zssgn mit prp.:

bear| a·gainst *v/i.* drücken gegen; ˈWiderstand leisten (*dat.*); **~ on** *od.* **up·on** *v/i.* **1.** sich beziehen auf (*acc.*), betreffen (*acc.*); **2.** einwirken *od.* zielen auf (*acc.*); **3.** drücken *od.* sich stützen auf (*acc.*), lasten auf (*dat.*); **4.** ***bear hard on*** *j-m* sehr zusetzen, *j-n* bedrücken; **5.** ⚔ beschießen; **~ with** *v/i.* Nachsicht üben mit, Geduld haben mit;

Zssgn mit adv.:

bear| a·way **I** *v/t.* forttragen, -reißen (*a. fig.*); **II** *v/i.* ⚓ absegeln, abfahren; **~ down** **I** *v/t.* überˈwinden, überˈwältigen; **II** *v/i.*: ***~ on*** a) sich wenden gegen, sich stürzen auf (*acc.*), überwältigen (*acc.*), b) sich (schnell) nähern (*dat.*), zusteuern auf (*acc.*); **~ in** *v/t.*: ***it was borne in upon him*** es wurde ihm klar, es drängte sich ihm auf; **~ out** *v/t.* **1.** bestätigen, bekräftigen: ***bear s.o. out*** j-m recht geben; **2.** unter'stützen; **~ up I** *v/t.* **1.** stützen, ermutigen; **II** *v/i.* **2.** (***against***) (tapfer) standhalten (*dat.*), die Stirn bieten (*dat.*), mutig ertragen (*acc.*), *weitS.* sich fabelhaft halten; **3.** *Brit.* Mut fassen: **~!** Kopf hoch!

bear² [beə] **I** *s.* **1.** *zo.* Bär *m*; **2.** *fig.* a) Bär *m*, Tolpatsch *m*, b) ‚Brummbär' *m*, Ekel *n*; **3.** ✝ 'Baissespeku,lant *m*, Baissi'er *m*: **~ *market*** Baissemarkt *m*; **4.** *ast.*: ***Great(er)*** ♎ Großer Bär; ***Little*** *od.* ***Lesser*** ♎ Kleiner Bär; **II** *v/i.* **5.** ✝ auf Baisse spekulieren; **III** *v/t.* **6.** ✝ **~ *the market*** die Kurse drücken (wollen).

bear·a·ble ['beərəbl] *adj.* □ tragbar, erträglich, zu ertragen(d).

'**bear-bait·ing** *s. hist.* Bärenhetze *f*.

beard [bɪəd] **I** *s.* **1.** Bart *m* (*a. von Tieren*); → ***grow*** 6; **2.** ♀ Grannen *pl.*; **3.** ⚙ 'Widerhaken *m* (*an Pfeil, Angel etc.*); **II** *v/t.* **4.** *fig.* mutig entgegentreten, Trotz bieten (*dat.*): **~ *the lion in his den*** sich in die Höhle des Löwen wagen; '**beard·ed** [-dɪd] *adj.* **1.** bärtig; **2.** ♀ mit Grannen; **3.** ⚙ mit (e-m) 'Widerhaken; '**beard·less** [-lɪs] *adj.* **1.** bartlos; **2.** ♀ ohne Grannen; **3.** *fig.* jugendlich, unreif.

bear·er ['beərə] *s.* **1.** Träger(in); **2.** Über'bringer(in) *e-s Briefes, Schecks etc.*; **3.** ✝ Inhaber(in) *e-s Wechsels etc.*: **~ *bond*** Inhaberobligation *f*; **~ *cheque*** (*Am.* ***check***) Inhaberscheck *m*; **~ *securities*** Inhaberpapiere; **~ *share*** (*od.* ***stock***) Inhaberaktie *f*; → ***payable*** 1; **4.** ♀ ***a good*** **~** ein Baum, der gut trägt; **5.** *her.* Schildhalter *m*.

bear| gar·den *s.* **1.** Bärenzwinger *m*; **2.** *fig.* ‚Tollhaus' *n*; **~ hug** *s.* F heftige Um'armung.

bear·ing ['beərɪŋ] **I** *adj.* **1.** tragend; **2.** ⚗, *min.* ... enthaltend, ...haltig; **II** *s.* **3.** (Körper)Haltung *f*: ***of noble*** **~**; **4.** Betragen *n*, Verhalten *n*: ***his kindly*** **~**; **5.** (***on***) Bezug *m* (auf *acc.*), Beziehung *f* (zu), Verhältnis *n* (zu), Zs.-hang *m* (mit); Tragweite *f*, Bedeutung *f*: ***have no*** **~** ***on*** keinen Einfluß haben auf (*acc.*), nichts zu tun haben mit; ***consider it in all its*** **~*s*** es in s-r ganzen Tragweite *od.* von allen Seiten betrachten; **6.** *pl.* ⚓, ✈, *surv.* Richtung *f*, Lage *f*; Peilung *f*; *fig.* Orientierung *f*: ***take the*** **~*s*** die Richtung *od.* Lage feststellen, peilen; ***take one's*** **~*s*** sich orientieren; ***find*** (*od.* ***get***) ***one's*** **~*s*** sich zurechtfinden; ***lose one's*** **~*s*** die Orientierung verlieren, *fig.* in Verlegenheit *od.* ‚ins Schwimmen' geraten; **7.** Ertragen *n*, Erdulden *n*, Nachsicht *f*: ***beyond (all)*** **~** unerträglich; ***there is no*** **~** ***with such a fellow*** solch ein Kerl ist unerträglich; **8.** *mst pl.* ⚙ a) (Zapfen-, Achsen- *etc.*)Lager *n*, b) Stütze *f*; **9.** *pl. her.* → ***armorial*** I; **10.** (Früchte)Tragen *n*: ***beyond*** **~** ♀ nicht mehr tragend.

bear·ing| com·pass *s.* ⚓ 'Peil,kompaß *m*; **~ line** *s.* ⚓, ✈ 'Peil-, Vi'sier,linie *f*; **~ met·al** *s.* ⚙ 'Lagerme,tall *n*; **~ pin** *s.* ⚙ Lagerzapfen *m*.

bear·ish ['beərɪʃ] *adj.* **1.** bärenhaft; **2.** *fig.* plump; brummig, unfreundlich; **3.** ✝ flau, Baisse...: **~ *operation*** Baissespekulation *f*.

bear lead·er *s. hist.* Bärenführer *m* (*a. fig. Reisebegleiter*).

'**bear|·skin** *s.* **1.** Bärenfell *n*; **2.** ⚔ Bärenfellmütze *f*; '**~·wood** *s.* ♀ Kreuz-, Wegdorn *m*.

beast [bi:st] *s.* **1.** *bsd. vierfüßiges u. wildes* Tier: **~ *of burden*** Lasttier; **~*s of the forest*** Waldtiere; **~ *of prey*** Raubtier; ***the*** **~** ***in us*** *fig.* das Tier(ische) in uns; **2.** ✓ Vieh *n* (*Rinder*), *bsd.* Mastvieh *n*; **3.** *fig.* a) bru'taler Mensch, Rohling *m*, 'Bestie *f*, b) ‚Biest' *n*, Ekel *n*; **beast·li·ness** ['bi:stlɪnɪs] *s.* **1.** Brutali'tät *f*, Roheit *f*; **2.** F a) Scheußlichkeit *f*, b) Gemeinheit *f*; **beast·ly** ['bi:stlɪ] **I** *adj.* **1.** *fig.* viehisch, bru'tal, roh, gemein; **2.** F ab'scheulich, garstig, eklig, *Person*: *a.* ekelhaft, gemein; **II** *adv.* **3.** F scheußlich, ‚verdammt': ***it was*** **~** ***hot***.

beat [bi:t] **I** *s.* **1.** (*regelmäßig wiederholter*) Schlag; Herz-, Puls-, Trommelschlag *m*; Ticken *n* (*Uhr*); **2.** ♪ a) Takt (-schlag) *m*, b) *Jazz*: Beat *m*, 'rhythmischer Schwerpunkt, c) → ***beat music***; **3.** *Versmaß*: Hebung *f*; **4.** *phys.*, *Radio*: Schwebung *f*; **5.** Runde *f od.* Re'vier *n e-s Schutzmanns etc.*: ***be on one's*** **~** die Runde machen; ***be off*** (*od.* ***out of***) ***one's*** **~** *fig.* nicht in s-m Element sein; ***that is outside my*** **~** *fig.* das schlägt nicht in mein Fach *od.* ist mir ungewohnt; **6.** *Am.* (Verwaltungs)Bezirk *m*; **7.** *Am.* F a) *wer od. was alles übertrifft*: ***I've never seen his*** **~** der schlägt alles, was ich je gesehen habe, b) (sensatio'nelle) Erst- *od.* Al'leinmeldung *e-r Zeitung*, c) → ***deadbeat***, d) → ***beatnik***; **8.** *hunt.* Treibjagd *f*; **II** *adj.* **9.** F (wie) erschlagen: a) ‚ganz ka'putt', erschöpft, b) verblüfft; **10.** *Am. sl.* 'antikonfor,mistisch, illusi'onslos: ***the*** ♎ ***Generation*** die Beat generation; **III** *v/t.* [*irr.*] **11.** (*regelmäßig od. häufig*) schlagen; *Teppich etc.* klopfen; *Metall* hämmern *od.* schmieden; *Eier, Sahne* (zu Schaum *od.* Schnee) schlagen; *Takt, Trommel* schlagen: **~ *a horse*** ein Pferd schlagen; **~ *a path*** e-n Weg (durch Stampfen *etc.*) bahnen; **~ *the wings*** mit den Flügeln schlagen; **~ *the air*** *fig.* vergebliche Versuche machen, gegen Windmühlen kämpfen; *~ a charge* *Am. sl.* e-r Strafe entgehen; *~ s.th. into s.o.'s head* j-m et. einbleuen; *~ one's brains* sich den Kopf zerbrechen; *~ it* *sl.* ‚abhauen', ‚verduften'; → *retreat* 1; **12.** *Gegner* schlagen, besiegen; über'treffen, -'bieten; zu'viel sein für *j-n*: *~ s.o. at tennis* j-n im Tennis schlagen; *~ the record* den Rekord brechen; *to ~ the band* (*Wendung*) mit aller Macht, wie toll; *~ s.o. hollow* j-n vernichtend schlagen; *~ s.o. to it* j-m zuvorkommen; *that ~s me!* F das ist mir zu hoch!, da komme ich nicht mit!; *this poster takes some ~ing* dieses Plakat ist schwer zu überbieten; *that ~s everything!* F a) das ist die Höhe!, b) ist ja sagenhaft!; *can you ~ that!* F das darf doch nicht wahr sein!; *the journey ~ me* die Reise hat mich völlig erschöpft; *hock ~s claret* Weißwein ist besser als Rotwein; **13.** *Wild* aufstöbern, treiben: *~ the woods* e-e Treibjagd *od.* Suche durch die Wälder veranstalten; **14.** schlagen, verprügeln, (ver)hauen; **15.** abgehen, ‚abklopfen', e-n Rundgang machen um; **IV** *v/i.* [*irr.*] **16.** schlagen (*a.* *Herz etc.*); ticken (*Uhr*): *~ at* (*od.* *on*) *the door* (fest) an die Tür pochen; *rain ~ on the windows* der Regen schlug *od.* peitschte gegen die Fenster; *the hot sun was ~ing down on us* die heiße Sonne brannte auf uns nieder; **17.** *hunt.* treiben; → *bush*[1] 1; **18.** ⚓ lavieren: *~ against the wind* gegen den Wind kreuzen;

Zssgn mit adv.:

beat| back *v/t.* zu'rückschlagen, -treiben, abwehren; *~ down* **I** *v/t.* **1.** *fig.* niederschlagen, unter'drücken; **2.** ✝ a) *den Preis* drücken, b) *j-n* her'unterhandeln (*to* auf *acc.*); **II** *v/i.* **3.** a) her'unterbrennen (*Sonne*), b) niederprasseln (*Regen*); *~ off* *v/t.* *Angriff, Gegner* abschlagen, -wehren; *~ out* *v/t.* **1.** *Metall* (aus)schmieden, hämmern: *~ s.o.'s brains* j-m den Schädel einschlagen; **2.** *Feuer* ausschlagen; **3.** *fig.* *et.* ‚ausknobeln', her'ausarbeiten; **4.** F *j-n* ausstechen; *~ up* *v/t.* **1.** *Eier, Sahne* (zu Schaum *od.* Schnee) schlagen; **2.** ⚔ *Rekruten* werben; **3.** *j-n* zs.-schlagen, verprügeln; **4.** *fig.* aufrütteln; **5.** *et.* auftreiben.

beat·en ['bi:tn] *p.p. u. adj.* geschlagen; besiegt; erschöpft; ausgetreten, vielbegangen (*Weg*): *~ gold* Blattgold *n*; *the ~ track* *fig.* das ausgefahrene Geleise; *off the ~ track* a) abgelegen, b) *fig.* ungewohnt; *~ biscuit* *Am.* *ein* Blätterteiggebäck *n*.

beat·er ['bi:tə] *s.* **1.** Schläger *m*, Klopfer *m* (*Person od. Gerät*); Stößel *m*, Stampfe *f*; **2.** *hunt.* Treiber *m*.

be·a·tif·ic [ˌbi:ə'tɪfɪk] *adj.* **1.** glück'selig; **2.** seligmachend; **be·at·i·fi·ca·tion** [bi:ˌætɪfɪ'keɪʃn] *s.* *eccl.* Seligsprechung *f*; **be·at·i·fy** [bi:'ætɪfaɪ] *v/t.* **1.** beseligen, selig machen; **2.** *eccl.* seligsprechen, beatifizieren.

beat·ing ['bi:tɪŋ] *s.* **1.** Schlagen *n* (*a.* *Herz, Flügel etc.*); **2.** Prügel *pl.*: *give s.o. a good ~* j-m e-e tüchtige Tracht Prügel verabreichen, *fig.* j-m e-e böse Schlappe bereiten; *give the enemy a good ~* den Feind aufs Haupt schlagen; *take a ~* Prügel beziehen, e-e Schlappe erleiden.

be·at·i·tude [bi:'ætɪtju:d] *s.* (Glück)'Seligkeit *f*: *the* *&s* *bibl.* die Seligpreisungen.

beat mu·sic *s.* 'Beatmuˌsik *f*.

beat·nik ['bi:tnɪk] *s.* *hist.* Beatnik *m*, junger 'Antikonforˌmist.

beau [bəʊ] *pl.* **beaus** *od.* **beaux** [bəʊz] (*Fr.*) *s.* *obs.* **1.** Beau *m*, Geck *m*; **2.** Liebhaber *m*, ‚Kava'lier' *m*.

beau i·de·al *s.* **1.** ('Schönheits)Ideˌal *n*, Vorbild *n*; **2.** vollkommene Schönheit.

beaut [bju:t] *s.* *sl.* → *beauty* 3.

beau·te·ous ['bju:tjəs] *adj.* *mst poet.* (*äußerlich*) schön.

beau·ti·cian [bju:'tɪʃn] *s.* Kos'metiker (-in).

beau·ti·ful ['bju:təfʊl] **I** *adj.* □ **1.** schön: *the ~ people* F die ‚Schickeria'; **2.** wunderbar; **II** *s.* **3.** *the ~* das Schöne; die Schönen *pl.*; '**beau·ti·ful·ly** [-təflɪ] *adv.* F schön, wunderbar, ausgezeichnet: *~ warm* schön warm; '**beau·ti·fy** [-tɪfaɪ] *v/t.* verschönern, verzieren.

beau·ty ['bju:tɪ] *s.* **1.** Schönheit *f*; **2.** *das* Schön(st)e, *et.* Schönes: *that is the ~ of it* das ist das Schönste daran; **3.** a) Prachtstück *n*: *a ~ of a vase* ein Gedicht von e-r Vase, b) F ‚tolles Ding' schicke Sache: *that goal was a ~!* das Tor war Klasse!; **4.** Schönheit *f*, schöne Per'son (*mst Frau*; *a.* *Tier*): *~ queen* Schönheitskönigin *f*; **5.** *iro.*: *you are a ~!* du bist mir ein Schöner *od.* ein Schlimmer!; *~ con·test* *s.* Schönheitswettbewerb *m*; *~ par·lo(u)r*, *~ sa·lon*, *~ shop* *s.* 'Schönheitssaˌlon *m*; *~ sleep* *s.* Schlaf *m* vor Mitternacht; *~ spot* *s.* **1.** Schönheitspflästerchen *n*; **2.** schönes Fleckchen Erde, lohnendes Ausflugsziel.

beaux *pl. von* **beau**.

bea·ver[1] ['bi:və] **I** *s.* **1.** *zo.* Biber *m*: *work like a ~* → 5; **2.** Biberpelz *m*; **3.** ✝ Biber *m* (*filziger Wollstoff*); **4.** *sl.* a) Bart(träger) *m*, b) *Am.* ‚Muschi' *f*; **II** *v/i.* **5.** *mst ~ away* (schwer) schuften.

bea·ver[2] ['bi:və] *s.* ⚔ *hist.* Vi'sier *n*, Helmsturz *m*.

be·bop ['bi:bɒp] *s.* ♪ Bebop *m* (*Jazz*).

be·calm [bɪ'kɑ:m] *v/t.* **1.** beruhigen; **2.** *be ~ed* ⚓ in e-e Flaute geraten.

B

be·came [bɪˈkeɪm] *pret. von* **become**.
be·cause [bɪˈkɒz] **I** *cj.* weil, da; **II ~ of** *prp.* wegen (*gen.*), inˈfolge von (*od. gen.*).
bêche-de-mer [ˌbeɪʃdəˈmeə] (*Fr.*) *s. zo.* eßbare Seewalze, ˈTrepang *m*.
beck¹ [bek] *s.* Wink *m*, Nicken *n*: ***be at s.o.'s ~ and call*** j-m auf den (leisesten) Wink gehorchen, nach j-s Pfeife tanzen.
beck² [bek] *s. Brit.* (Wild)Bach *m*.
beck·on [ˈbekən] **I** *v/t. j-m* (zu)winken, zunicken, *j-n* herˈanwinken, *j-m* ein Zeichen geben; **II** *v/i.* winken, *fig. a.* locken.
be·cloud [bɪˈklaʊd] *v/t.* umˈwölken, verdunkeln, *fig. a.* vernebeln.
be·come [bɪˈkʌm] [*irr.* → **come**] **I** *v/i.* **1.** werden: ***~ an actor***; ***~ warmer***; ***what has ~ of him?*** a) was ist aus ihm geworden?, b) F wo steckt er nur?; **II** *v/t.* **2.** sich schicken für, sich (ge)ziemen für: ***it does not ~ you***; **3.** *j-m* stehen, passen zu, *j-n* kleiden (*Hut etc.*); **beˈcom·ing** [-mɪŋ] *adj.* □ **1.** schicklich, geziemend, anständig; **2.** kleidsam.
bed [bed] **I** *s.* **1.** Bett *n*: ***~ and breakfast*** Übernachtung *f* mit Frühstück; ***his life is no ~ of roses*** er ist nicht auf Rosen gebettet; ***marriage is not always a ~ of roses*** die Ehe hat nicht nur angenehme Seiten; ***die in one's ~*** e-s natürlichen Todes sterben; ***get out of ~ on the wrong side*** mit dem verkehrten *od.* linken Fuß zuerst aufstehen; ***go to ~*** zu Bett *od.* schlafen gehen; ***keep one's ~*** das Bett hüten; ***make the ~*** das Bett machen; ***as you make your ~, so you must lie upon it*** wie man sich bettet, so schläft man; ***put to ~*** *j-n* zu Bett bringen; ***take to one's ~*** sich (krank) ins Bett legen; **2.** Federbett *n*; **3.** Ehebett *n*: ***~ and board*** Tisch *m* u. Bett (*Ehe*); **4.** Lager(statt *f*) *n* (*a. e-s Tieres*): ***~ of straw*** Strohlager; **5.** *fig.* letzte Ruhestätte; **6.** ˈUnterkunft *f*: ***~ and breakfast*** Zimmer *n* mit Frühstück; **7.** (Fluß- *etc.*)Bett *n*; **8.** ⚘ Beet *n*; **9.** ⚙, ⚠ Bett *n* (*a. e-r Werkzeugmaschine*), Bettung *f*, ˈUnterlage *f*, Schicht *f*: ***~ of concrete*** Betonunterlage *f*; **10.** *geol.*, ⚒ Bett *n*, Schicht *f*, Lage *f*, Lager *n*, Flöz *n* (*Kohle*); **11.** 🚂 ˈUnterbau *m*; **II** *v/t.* **12.** zu Bett bringen; **13.** ***be bedded*** bettlägerig sein; **14.** *mst* ***~ down*** a) *j-m* das Bett machen, b) *j-n* für die Nacht ˈunterbringen, d) *Pferd etc.* mit Streu versorgen; **15.** *mst* ***~ out*** in ein Beet pflanzen, auspflanzen; **III** *v/i.* **16.** *a.* ***~ down*** a) ins *od.* zu Bett gehen, b) sein Nachtlager aufschlagen; **17.** (sich ein)nisten (*a. fig.*).
be·dad [bɪˈdæd] *int. Ir.* bei Gott!
be·daub [bɪˈdɔːb] *v/t.* beschmieren.
be·daz·zle [bɪˈdæzl] *v/t.* blenden.
ˈ**bed|·bug** *s. zo.* Wanze *f*; **~ bun·ny** *s.* F ‚Betthäschen' *n*; ˈ**~ˌcham·ber** *s.* (königliches) Schlafgemach: ***Gentleman od. Groom of the* ♀** königlicher Kammerherr; ***Lady of the* ♀** königliche Kammerzofe; ˈ**~·clothes** *s. pl.* Bettwäsche *f*.
bed·ding [ˈbedɪŋ] **I** *s.* **1.** Bettzeug *n*, Bett *n* u. ˈZubehör *n*, *m*; **2.** (Lager-)Streu *f für Tiere*; **3.** ⚙ Bettung *f*, ˈUnterschicht *f*, -lage *f*, Lager *n*; **II** *adj.* **4.** ***~ plants*** Beetpflanzen (*Blumen etc.*).
be·deck [bɪˈdek] *v/t.* (ver)zieren, schmücken.
be·del(l) [beˈdel] *s. Brit. univ.* Herold *m*.
be·dev·il [bɪˈdevl] *v/t. fig.* **1.** *fig.* verhexen; **2.** a) plagen, peinigen, b) bedrükken, belasten; **3.** *fig.* verwirren, durcheinˈanderbringen.
be·dew [bɪˈdjuː] *v/t.* betauen, benetzen.
ˈ**bed|·fast** *adj.* bettlägerig; ˈ**~ˌfel·low** *s.* **1.** ˈSchlafkameˌrad *m*, Bettgenosse *m*; **2.** *fig.* Genosse *m*; ˈ**~·gown** *s.* (Frauen)Nachthemd *n*.
be·dim [bɪˈdɪm] *v/t.* trüben.
be·diz·en [bɪˈdaɪzn] *v/t.* (überˈtrieben) herˈausputzen.
bed·lam [ˈbedləm] *s. fig.* Tollhaus *n*: ***cause a ~*** e-n Tumult auslösen; ˈ**bed·lam·ite** [-maɪt] *s. obs.* Irre(r *m*) *f*.
Bed·ou·in [ˈbedʊɪn] **I** *s.* Beduˈine *m*; **II** *adj.* Beduinen...
ˈ**bed|·pan** *s.* ⚕ Stechbecken *n*, Bettschüssel *f*; ˈ**~·plate** *s.* ⚙ ˈUnterlagsplatte *f*, -gestell *n od.* -rahmen *m*; ˈ**~·post** *s.* Bettpfosten *m*: ***between you and me and the ~*** F unter uns *od.* im Vertrauen (gesagt).
be·drag·gled [bɪˈdrægld] *adj.* **1.** a) verdreckt, b) durchˈnäßt; **2.** *fig.* verwahrlost.
ˈ**bed|ˌrid·den** *adj.* bettlägerig; ˈ**~·rock I** *s.* **1.** *geol.* unterste Felsschicht, Grundgestein *n*; **2.** (*mst fig.*) Grundlage *f*: ***get down to ~*** der Sache auf den Grund gehen; **3.** *fig.* Tiefpunkt *m*; **II** *adj.* **4.** F a) grundlegend, b) (felsen)fest, c) ✝ äußerst, niedrigst: ***~ price***; ˈ**~·roll** *s.* zs.-gerolltes Bettzeug; ˈ**~·room** [-rʊm] *s.* Schlafzimmer *n*: ***~ eyes*** F ‚Schlafzimmeraugen'; ***~ suburb*** Schlafstadt *f*; ˈ**~-setˌtee** *s.* Schlafcouch *f*; ˈ**~-sheet** *s.* Bettlaken *n*.
ˈ**bed·side** *s.*: ***at the ~*** am (Kranken-)Bett; ***good ~ manner*** gute Art, mit Kranken umzugehen; **~ lamp** *s.* Nachttischlampe *f*; **~ read·ing** *s.* ˈBettlekˌtüre *f*; **~ rug** *s.* Bettvorleger *m*; **~ stor·y** *s.* Gutenachtgeschichte *f*; **~ ta·ble** *s.* Nachttisch *m*.
ˈ**bed|-sit** *Brit.* **I** *v/i.* [*irr.*] ein möbliertes Zimmer bewohnen; **II** *s.* → ˈ**~-ˌsit·ter** *s.*, ˈ**~-ˌsit·ting·room** *s. Brit.* **1.** möbliertes Zimmer; **2.** Einˈzimmerappar-

te,ment *n*; '~**·sore** *s.* ⚕ wundgelegene Stelle; '~**·space** *s.* (An)Zahl *f* der Betten (*in Klinik etc.*); '~**·spread** *s.* (Zier-) Bettdecke *f*; Tagesdecke *f*; '~**·stead** *s.* Bettstelle *f*, -gestell *n*; '~**·straw** *s.* ⚘ Labkraut *n*; '~**·tick** *s.* Inlett *n*; '~**·time** *s.* Schlafenszeit *f*; '~-,**wet·ting** *s.* Bettnässen *n*.

bee[1] [bi:] *s.* **1.** *zo.* Biene *f*: ***have a ~ in one's bonnet*** F ‚e-n Vogel haben'; **2.** *fig.* Biene *f*, fleißiger Mensch; → ***busy*** 2; **3.** *bsd. Am.* a) Treffen *n von Freunden* zur Gemeinschaftshilfe *od.* Unter'haltung: ***sewing ~*** Nähkränzchen *n*, b) Wettbewerb *m*.

bee[2] [bi:] *s.* B, b *n* (*Buchstabe*).

Beeb [bi:b] *s.*: ***the ~*** *Brit.* F die BB'C.

beech [bi:tʃ] *s.* ⚘ Buche *f*; Buchenholz *n*; **beech·en** ['bi:tʃən] *adj.* aus Buchenholz, Buchen…

beech| mar·ten *s. zo.* Steinmarder *m*; '~**·mast** *s.* Bucheckern *pl.*; '~**·nut** *s.* Buchecker *f*.

beef [bi:f] *pl.* **beeves** [bi:vz], *a.* **beefs I** *s.* **1.** Mastrind *n*, -ochse *m*, -bulle *m*; **2.** Rindfleisch *n*; **3.** F a) Fleisch *n* (*am Menschen*), b) (Muskel)Kraft *f*; **4.** *sl.* ‚Mecke'rei' *f*, Beschwerde *f*; **5.** *Am. sl.* ‚dufte Puppe'; **II** *v/i.* **6.** *sl.* nörgeln, ‚meckern', sich beschweren; **III** *v/t.* **7.** ***~ up*** F *et.* ‚aufmöbeln'; '~**·cake** *s. Am. sl.* Bild *n* e-s Muskelprotzen; '~,**eat·er** *s. Brit.* Beefeater *m*, Tower-Wächter *m* (*in London*); ,~'**steak** *s.* 'Beefsteak *n*; **~ tea** *s.* (Rind)Fleisch-, Kraftbrühe *f*, Bouil'lon *f*.

beef·y ['bi:fɪ] *adj.* **1.** fleischig; **2.** F bullig, kräftig.

'**bee|·hive** *s.* **1.** Bienenstock *m*, -korb *m*; **2.** *fig.* ‚Taubenschlag' *m*; '~,**keep·er** *s.* Bienenzüchter *m*, Imker *m*; '~,**keep·ing** *s.* Bienenzucht *f*, Imke'rei *f*; '~**·line** *s.*: ***make a ~ for*** schnurgerade auf *et.* losgehen.

Be·el·ze·bub [bi:'elzɪbʌb] **I** *npr.* Be'elzebub *m*; **II** *s.* Teufel *m*.

'**bee-,mas·ter** *s.* → ***beekeeper***.

been [bi:n; bɪn] *p.p. von* ***be***.

beep [bi:p] *s.* **1.** ⚡ Piepton *m*; **2.** *mot.* 'Hupsig,nal *n*.

beer [bɪə] *s.* **1.** Bier *n*: ***two ~s*** zwei Glas Bier; ***life is not all ~ and skittles*** *Brit.* F das Leben besteht nicht nur aus Vergnügen; → ***small beer***; **2.** bierähnliches Getränk (*aus Pflanzen*); **~ can** *s.* Bierdose *f*; '~-,**en·gine** *s.* 'Bier,druckappa,rat *m*; '~-,**gar·den** *s.* Biergarten *m*; '~**·house** *s. Brit.* Bierschenke *f*; '~**·mat** *s.* Bierfilz *m*, -deckel *m*; '~**·pull** *s.* (Griff *m* der) Bierpumpe *f*.

beer·y ['bɪərɪ] *adj.* **1.** bierartig; **2.** bierselig; **3.** nach Bier riechend.

beest·ings ['bi:stɪŋz] *s.* Biestmilch *f* (*erste Milch nach dem Kalben*).

bees·wax ['bi:zwæks] *s.* Bienenwachs *n*.

beet [bi:t] *s.* ⚘ **1.** Runkelrübe *f*, Mangold *m*, Bete *f*: ***~ greens*** Mangoldgemüse *n*; **2.** *Am.* rote Bete.

bee·tle[1] ['bi:tl] *s. zo.* Käfer *m*; → ***blind*** 1.

bee·tle[2] ['bi:tl] **I** *s.* **1.** Holzhammer *m*, Schlegel *m*; **2.** ⚙ a) Erdstampfe *f*, b) 'Stampfka,lander *m*; **II** *v/t.* **3.** mit e-m Schlegel bearbeiten, (ein)stampfen; **4.** ⚙ ka'landern.

bee·tle[3] ['bi:tl] **I** *adj.* 'überhängend; **II** *v/i.* vorstehen, 'überhängen.

'**bee·tle|-browed** *adj.* **1.** mit buschigen Augenbrauen; **2.** finster blickend; '~,**crush·ers** *s. pl.* ‚Elbkähne' *pl.* (*riesige Schuhe*).

'**beet|·root** *s.* ⚘ **1.** *Brit.* Wurzel *f* der roten Bete; **2.** *Am.* → ***beet*** 1; **~ sug·ar** *s.* ⚘ Rübenzucker *m*.

beeves [bi:vz] *pl. von* ***beef***.

be·fall [bɪ'fɔ:l] [*irr.* → ***fall***] *obs. od. poet.* **I** *v/i.* sich ereignen; **II** *v/t.* zustoßen, wider'fahren (*dat.*).

be·fit [bɪfɪt] *v/t.* sich ziemen *od.* schicken für; **be'fit·ting** [-tɪŋ] *adj.* ☐ geziemend, schicklich.

be·fog [bɪ'fɒg] *v/t.* **1.** in Nebel hüllen; **2.** *fig.* a) um'nebeln, b) verwirren.

be·fool [bɪ'fu:l] *v/t.* zum Narren haben, täuschen.

be·fore [bɪfɔ:] **I** *prp.* **1.** *räumlich*: vor: ***he sat ~ me***; ***~ my eyes***; ***the question ~ us*** die (uns) vorliegende Frage; **2.** vor, in Gegenwart von: ***~ witnesses***; **3.** *Reihenfolge*, *Rang*: vor'aus: ***be ~ the others in class*** den anderen in der Klasse voraus sein; **4.** *zeitlich*: vor, früher als: ***~ lunch*** vor dem Mittagessen; ***an hour ~ the time*** e-e Stunde früher *od.* zu früh; ***~ long*** in Kürze, bald; ***~ now*** schon früher *od.* vorher; ***the day ~ yesterday*** vorgestern; ***the month ~ last*** vorletzten Monat; ***to be ~ one's time*** s-r Zeit voraus sein; **II** *cj.* **5.** be'vor, ehe: ***he died ~ I was born***; ***not ~*** nicht früher *od.* eher als bis, erst als *od.* wenn; **6.** lieber … als daß: ***I would die ~ I lied***; **III** *adv.* **7.** *räumlich*: vorn, vo'ran: ***go ~*** vorangehen; ***~ and behind*** vorn u. hinten; **8.** *zeitlich*: 'vorher, vormals, früher, zu'vor; (schon) früher: ***the year ~*** das vorige *od.* vorhergehende Jahr, das Jahr zuvor; ***an hour ~*** e-e Stunde vorher *od.* früher *od.* zuvor; ***long ~*** lange vorher; ***never ~*** noch nie (-mals), nie zuvor; **be'fore·hand** *adv.* zu'vor, (im) voraus: ***know s.th. ~*** et. im voraus wissen; ***be ~ in one's suspicions*** zu früh e-n Verdacht äußern; **be'fore-,men·tioned** *adj.* vorerwähnt; **be'fore-tax** *adj.* ✝ vor Abzug der Steuern, Brutto…

be·foul [bɪ'faʊl] *v/t.* besudeln, beschmutzen (*a. fig.*).

be·friend [bɪ'frend] *v/t.* *j-m* Freund-

B

schaft erweisen; *j-m* behilflich sein, sich *j-s* annehmen.

be·fud·dle [bɪˈfʌdl] *v/t.* ‚benebeln', berauschen.

beg [beg] **I** *v/t.* **1.** *et.* erbitten (***of s.o.*** von j-m), bitten um: ***to ~ leave*** um Erlaubnis bitten; → ***pardon*** 4; **2.** betteln *od.* bitten um: ***to ~ a meal***; **3.** *j-n* bitten (***to do s.th.*** et. zu tun); **II** *v/i.* **4.** betteln: ***go ~ging*** a) betteln (gehen), b) keinen Interessenten finden; **5.** (dringend) bitten (***for*** um, ***of s.o. to*** *inf.* j-n zu *inf.*): ***~ off*** sich entschuldigen, absagen; **6.** sich erlauben: ***I ~ to differ*** ich erlaube mir, anderer Meinung zu sein; ***I ~ to inform you*** ☦ *obs.* ich erlaube mir, Ihnen mitzuteilen; **7.** schönmachen, Männchen machen (*Hund*); **8.** → ***question*** 1.

be·gad [bɪˈgæd] *int.* F bei Gott!

be·gan [bɪˈgæn] *pret. von* ***begin***.

be·gat [bɪˈgæt] *obs. pret. von* ***beget***.

be·get [bɪˈget] *v/t.* [*irr.*] **1.** zeugen; **2.** *fig.* erzeugen, herˈvorbringen; **beˈget·ter** [-tə] *s.* **1.** Erzeuger *m*, Vater *m*; **2.** *fig.* Urheber *m*.

beg·gar [ˈbegə] **I** *s.* **1.** Bettler(in); Arme(r *m*) *f*: ***~s must not be choosers*** arme Leute dürfen nicht wählerisch sein; **2.** F Kerl *m*, Bursche *m*: ***lucky ~*** Glückspilz *m*; ***a naughty little ~*** ein kleiner Schelm; **II** *v/t.* **3.** an den Bettelstab bringen; **4.** *fig.* erschöpfen; überˈsteigen: ***it ~s description*** a) es spottet jeder Beschreibung, b) es läßt sich nicht mit Worten beschreiben; **ˈbeg·gar·ly** [-lɪ] *adj.* **1.** (sehr) arm; **2.** *fig.* armselig, lumpig; **ˌbeg·gar-myˈneigh·bo(u)r** [-mɪ-] *s.* Bettelmann *m* (*Kartenspiel*); **ˈbeg·gar·y** [-ərɪ] *s.* Bettelarmut *f*: ***reduce to ~*** an den Bettelstab bringen.

be·gin [bɪˈgɪn] [*irr.*] **I** *v/t.* **1.** beginnen, anfangen: ***to ~ a new book***; **2.** (be-)gründen; **II** *v/i.* **3.** beginnen, anfangen: ***~ with s.o.*** *od.* ***s.th*** mit *od.* bei j-m *od.* et. anfangen; ***to ~ with*** (*Wendung*) a) zunächst, b) erstens (einmal); ***~ on s.th.*** et. in Angriff nehmen; ***he began by asking*** zuerst fragte er; ***... began to be put into practice*** ... wurde bald in die Praxis umgesetzt; ***he does not even ~ to try*** er versucht es nicht einmal; ***it doesn't ~ to do him justice*** F es wird ihm nicht annähernd gerecht; **4.** entstehen; **beˈgin·ner** [-nə] *s.* Anfänger(in), Neuling *m*: ***~'s luck*** Anfängerglück *n*; **beˈgin·ning** [-nɪŋ] *s.* **1.** Anfang *m*, Beginn *m*: ***from the*** (***very***) ***~*** (ganz) von Anfang an; ***the ~ of the end*** der Anfang vom Ende; **2.** Ursprung *m*; **3.** *pl.* a) Anfangsgründe *pl.*, b) Anfänge *pl.*

be·gone [bɪˈgɒn] *int.* fort (mit dir)!

be·go·ni·a [bɪˈgəʊnjə] *s.* Beˈgonie *f*.

be·got [bɪˈgɒt] *pret. von* ***beget***.

be·got·ten [bɪˈgɒtn] *p.p. von* ***beget***: ***God's only ~ son*** Gottes eingeborener Sohn.

be·grime [bɪˈgraɪm] *v/t.* (*mit Ruß, Rauch etc.*) beschmutzen.

be·grudge [bɪˈgrʌdʒ] *v/t.* **1.** ***~ s.o. s.th.*** j-m et. mißgönnen; **2.** *et.* nur ungern geben.

be·guile [bɪˈgaɪl] *v/t.* **1.** täuschen; betrügen (***of*** *od.* ***out of*** um); **2.** verleiten (***into doing*** zu tun); **3.** *Zeit* (angenehm) vertreiben; **4.** betören; **beˈguil·ing** [-lɪŋ] *adj.* □ verführerisch, betörend.

be·gun [bɪˈgʌn] *p.p. von* ***begin***.

be·half [bɪˈhɑːf] *s.*: ***on*** (*od.* ***in***) ***~ of*** zugunsten *od.* im Namen *od.* im Auftrag von (*od. gen*), für *j-n*; ***on*** (*od.* ***in***) ***my ~*** zu m-n Gunsten, für mich; ***act on one's own ~*** im eigenen Namen handeln.

be·have [bɪˈheɪv] **I** *v/i.* **1.** sich (gut) benehmen, sich zu benehmen wissen: ***please ~!*** bitte benimm dich!; ***he doesn't know how to ~, he can't ~*** er kann sich nicht (anständig) benehmen; **2.** sich verhalten; funktionieren (*Maschine etc.*); **II** *v/t.* **3.** ***~ o.s.*** sich (gut) benehmen: ***~ yourself!*** beninmm dich!; **beˈhaved** [-vd] *adj.*: ***he is well-~*** er hat ein gutes Benehmen.

be·hav·io(u)r [bɪˈheɪvjə] *s.* Benehmen *n*, Betragen *n*; Verhalten *n* (*a.* ⚗, ⚙, *phys.*): ***~ pattern*** *psych.* Verhaltensmuster *n*; ***~ therapy*** *psych.* Verhaltenstherapie *f*; ***during good ~*** *Am.* auf Lebenszeit (*Ernennung*); ***be in office on one's good ~*** ein Amt auf Bewährung innehaben; ***be on one's best ~*** sich von seiner besten Seite zeigen; ***put s.o. on his good ~*** j-m einschärfen, sich gut zu benehmen; **beˈhav·io(u)r·al** [-ərəl] *adj. psych.* Verhaltens...: ***~ science*** Verhaltensforschung *f*; **beˈhav·io(u)r·ism** [-ərɪzəm] *s. psych.* Behavioˈrismus *m*.

be·head [bɪˈhed] *v/t.* enthaupten.

be·held [bɪˈheld] *pret. u. p.p. von* ***behold***.

be·he·moth [bɪˈhiːmɒθ] **1.** *Bibl.* Behemoth; **2.** *fig.* Koˈloß *m*, Ungeheuer *n*.

be·hest [bɪˈhest] *s. poet.* Geheiß *n*: ***at s.o.'s ~*** auf j-s Geheiß *od.* Befehl *od.* Veranlassung.

be·hind [bɪˈhaɪnd] **I** *prp.* **1.** hinter: ***~ the tree*** hinter dem *od.* den Baum; ***he looked ~ him*** er blickte hinter sich; ***be ~ s.o.*** a) hinter j-m stehen, j-n unterstützen, b) j-m nachstehen, hinter j-m zurück sein; ***what is ~ all this?*** was steckt dahinter?; **II** *adv.* **2.** hinten, daˈhinter, hinterˈher: ***walk ~*** hinterhergehen; **3.** nach hinten, zuˈrück: ***to look ~*** zurückblicken; **4.** zuˈrück, im Rückstand: ~ ***with one's work*** mit s-r Arbeit im Rückstand; ***my watch is*** ~ meine Uhr geht nach; → ***time*** 7; **5.** *fig.* da'hinter, verborgen: ***there is more*** ~ da steckt (noch) mehr dahinter; **III** *s.* **6.** F ‚Hintern' *m*, Gesäß *n*; **be'hind·hand** *adv. u. pred. adj.* **1.** → ***behind*** 4; **2.** *fig.* rückständig; altmodisch.

be·hold [bɪ'həʊld] **I** *v/t.* [*irr.* → ***hold***] erblicken, anschauen; **II** *int.* siehe da!; **be'hold·en** [-dən] *adj.* verpflichtet, dankbar (***to*** *dat.*); **be'hold·er** [-də] *s.* Beschauer(in), Betrachter(in).

be·hoof [bɪ'hu:f] *s. lit.*: ***in*** (*od.* ***to***, ***for***, ***on***) (***the***) ~ ***of*** um ... willen; ***on her*** ~ zu ihren Gunsten.

be·hoove [bɪ'hu:v] *Am.*, **be'hove** [-'həʊv] *Brit. v/t. impers.*: ***it*** ~***s you*** (***to*** *inf.*), a) es obliegt dir *od.* ist deine Pflicht (zu *inf.*), b) es gehört sich für dich (zu *inf.*).

beige [beɪʒ] **I** *s.* Beige *f* (*Wollstoff*); **II** *adj.* beige(farben).

be·ing ['bi:ɪŋ] *s.* **1.** (Da)Sein *n*: ***in*** ~ existierend, wirklich (vorhanden); ***come into*** ~ entstehen; ***call into*** ~ ins Leben rufen; **2.** *j-s* Wesen *n od.* Sein, Na'tur *f*; **3.** Wesen *n*; Geschöpf *n*: ***living*** ~ Lebewesen.

be·la·bo(u)r [bɪ'leɪbə] *v/t.* **1.** (mit den Fäusten *etc.*) bearbeiten, 'durchprügeln; **2.** *fig.* *j-n* ‚bearbeiten', *j-m* zusetzen.

be·lat·ed [bɪ'leɪtɪd] *adj.* **1.** verspätet; **2.** von der Nacht über'rascht.

be·laud [bɪ'lɔ:d] *v/t.* preisen.

be·lay [bɪ'leɪ] *v/t.* [*irr.* → ***lay***] **1.** ⚓ festmachen, *Tau* belegen; **2.** *mount.* *j-n* sichern.

belch [beltʃ] **I** *v/i.* **1.** aufstoßen, rülpsen; **II** *v/t.* **2.** *Rauch etc.* ausspeien; **III** *s.* **3.** Rülpsen *n*; **4.** *fig.* Ausbruch *m* (*Rauch etc.*).

bel·dam(e) ['beldəm] *s. obs.* Ahnfrau *f*; alte Frau; Vettel *f*, Hexe *f*.

be·lea·guer [bɪ'li:gə] *v/t.* **1.** belagern (*a. fig.*); **2.** *fig.* a) heimsuchen, b) um'geben.

bel es·prit [ˌbel es'pri:] *pl.* **beaux es·prits** [ˌbəʊz es'pri:] (*Fr.*) *s.* Schöngeist *m*.

bel·fry ['belfrɪ] *s.* **1.** Glockenturm *m*; → ***bat***[2] 1; **2.** Glockenstuhl *m*.

Bel·gian ['beldʒən] **I** *adj.* belgisch; **II** *s.* Belgier(in).

be·lie [bɪ'laɪ] *v/t.* **1.** Lügen erzählen über (*acc.*), *et.* falsch darstellen; **2.** *j-n od. et.* Lügen strafen; **3.** wider'sprechen (*dat.*); **4.** hin'wegtäuschen über (*acc.*); **5.** *Hoffnung etc.* enttäuschen, *e-r Sache* nicht entsprechen.

be·lief [bɪ'li:f] *s.* **1.** *eccl.* Glaube *m*, Religi'on *f*: ***the*** ℒ das apostolische Glaubensbekenntnis; **2.** (***in***) a) Glaube *m* (an *acc.*): ***beyond*** ~ unglaublich, b) Vertrauen *n* (auf *et. od.* zu *j-m*); **3.** Meinung *f*, Anschauung *f*, Über'zeugung *f*: ***to the best of my*** ~ nach bestem Wissen u. Gewissen.

be·liev·a·ble [bɪ'li:vəbl] *adj.* glaubhaft; **be·lieve** [bɪ'li:v] **I** *v/i.* **1.** glauben (***in*** an *acc.*); **2.** (***in***) Vertrauen haben (zu), viel halten (von): ***I do not*** ~ ***in sports*** F ich halte nicht viel von Sport; **II** *v/t.* **3.** glauben, meinen, denken: ~ ***it or not*** ob Sie es glauben *od.* nicht!, ganz sicher; ***do not*** ~ ***it*** glaube es nicht; ***would you*** ~ ***it!*** nicht zu glauben!; ***he is*** ~***d to be a miser*** man hält ihn für e-n Geizhals; **4.** Glauben schenken, glauben (*dat.*): ~ ***me*** glaube mir; ***not to*** ~ ***one's eyes*** s-n Augen nicht trauen; **be'liev·er** [-və] *s.* **1.** ***be a great*** *od.* ***firm*** ~ ***in*** fest glauben an (*acc.*), viel halten von; **2.** *eccl.* Gläubige(r *m*) *f*: ***a true*** ~ ein Rechtgläubiger; **be'liev·ing** [-vɪŋ] *adj.* □ gläubig: ***a*** ~ ***Christian***.

Be·lish·a bea·con [bɪ'li:ʃə] *s. Brit.* (gelbes) Blinklicht *n* an 'Fußgängerˌüberwegen.

be·lit·tle [bɪ'lɪtl] *v/t.* **1.** verkleinern; **2.** her'absetzen, schmälern; **3.** herabsetzen, schmähen; **4.** verharmlosen.

bell[1] [bel] **I** *s.* **1.** Glocke *f*, Klingel *f*, Schelle *f*: ***carry away*** (*od.* ***bear***) ***the*** ~ Sieger sein; ***does that name ring a*** (*od.* ***the***) ~? erinnert dich der Name an et.?; ***the*** ~ ***has rung*** es hat geklingelt; → ***clear*** 5, ***sound***[1] 1; **2.** *pl.* ⚓ (halbstündige Schläge *pl.* der) Schiffsglocke *f*; **3.** Taucherglocke *f*; **4.** ⚘ glockenförmige Blumenkrone, Kelch *m*; **5.** ⚠ Glocke *f*, Kelch *m* (*am Kapitell*); **II** *v/t.* **6.** ~ ***the cat*** *fig.* der Katze die Schelle umhängen.

bell[2] [bel] *v/i.* röhren (*Hirsch*).

bel·la·don·na [ˌbelə'dɒnə] *s.* ⚘ Bella'donna *f* (*a. pharm.*), Tollkirsche *f*.

'**bell**|-ˌ**bot·tomed** *adj.* unten weit ausladend: ~ ***trousers***; '~**·boy** *s. Am.* Ho'telpage *m*; ~ **buoy** *s.* ⚓ Glockenboje *f*; ~ **but·ton** *s.* ⚡ Klingelknopf *m*.

belle [bel] (*Fr.*) *s.* Schöne *f*, Schönheit *f*: ~ ***of the ball*** Ballkönigin *f*.

belles-let·tres [ˌbel'letrə] (*Fr.*) *s. pl. sg. konstr.* Belle'tristik *f*, Unter'haltungsliteraˌtur *f*.

'**bell**|ˌ**flow·er** *s.* ⚘ Glockenblume *f*; ~ **found·ry** *s.* Glockengieße'rei *f*; ~ **glass** *s.* Glasglocke *f*; '~**·hop** *s. Am.* Ho'telpage *m*.

bel·li·cose ['belɪkəʊs] *adj.* □ kriegslustig, kriegerisch; **bel·li·cos·i·ty** [ˌbelɪ'kɒsətɪ] *s.* **1.** Kriegslust *f*; **2.** → ***belligerence*** 2.

bel·lied ['belɪd] *adj.* bauchig; *in Zssgn* ...bauchig, ...bäuchig.

bel·lig·er·ence [bɪ'lɪdʒərəns] *s.* **1.** Kriegführung *f*; **2.** Kampfeslust *f*, Streitsucht *f*; **bel'lig·er·en·cy** [-rənsɪ]

B

s. **1.** Kriegszustand *m*; **2.** → ***belligerence***; **bel'lig·er·ent** [-nt] **I** *adj.* □ **1.** kriegführend: ***the ~ powers***; ***~ rights*** Rechte der Kriegführenden; **2.** *fig.* streitlustig; **II** *s.* **3.** kriegführender Staat.

bell| lap *s. sport* letzte Runde; **'~·man** [-mən] *s.* [*irr.*] öffentlicher Ausrufer; **~ met·al** *s.* ⚙ 'Glockenme,tall *n*, -speise *f*; **'~-mouthed** *adj.* (*a.* ⚔) mit trichterförmiger Öffnung.

bel·low ['beləʊ] **I** *v/t. u. v/i.* brüllen; **II** *s.* Gebrüll *n*.

bel·lows ['beləʊz] *s. pl.* (*a. sg. konstr.*) **1.** ⚙ a) Gebläse *n*, b) *a.* ***pair of ~*** Blasebalg *m*; **2.** Lunge *f*; **3.** *phot.* Balg *m*.

bell| pull *s.* Klingelzug *m*; **~ push** *s.* Klingelknopf *m*; **~ ring·er** *s.* Glöckner *m*; **~ rope** *s.* **1.** Glockenstrang *m*; **2.** Klingelzug *m*; **'~-shaped** *adj.* glockenförmig; **~ tent** *s.* Rundzelt *n*; **'~,weth·er** *s.* Leithammel *m* (*a. fig.*, *mst contp.*).

bel·ly ['belɪ] **I** *s.* **1.** Bauch *m* (*a. fig.*); 'Unterleib *m*: ***go ~ up*** → 8; **2.** Magen *m*; **3.** *fig.* a) Appe'tit *m*, b) Schlemme'rei *f*; **4.** Bauch *m*, Ausbauchung *f*, Höhlung *f*; **5.** 'Unterseite *f*; **6.** ♪ Reso'nanzboden *m*; Decke *f* (*Saiteninstrument*); **II** *v/i.* **7.** sich (aus)bauchen, (an)schwellen; **8.** ***~ up*** a) ‚abkratzen' (*sterben*), b) ‚Pleite' machen, ‚eingehen'; **'~·ache I** *s.* Bauchweh *n*; **II** *v/i.* F ‚meckern', nörgeln; **'~-band** *s.* Bauch-, Sattelgurt *m*; **~ but·ton** *s.* F (Bauch-) Nabel *m*; **~ danc·er** *s.* Bauchtänzerin *f*; **~ flop** *s.* F ‚Bauchklatscher' *m*; ✈ Bauchlandung *f*; **'~·ful** *s.*: ***have had a ~ (of)*** F die Nase voll haben (von); **'~·hold** *s.* ✈ Frachtraum *m*; **~ land·ing** *s.* ✈ Bauchlandung *f*; **~ laugh** *s.* F dröhnendes Lachen; **~ tank** *s.* Rumpfabwurfbehälter *m*.

be·long [bɪ'lɒŋ] *v/i.* **1.** gehören (***to*** *dat.*): ***this ~s to me***; **2.** gehören (***to*** zu), da'zugehören, am richtigen Platz sein: ***this lid ~s to another pot*** dieser Dekkel gehört zu e-m anderen Topf; ***where does this book ~?*** wohin gehört dieses Buch?; ***he does not ~*** er gehört nicht dazu *od.* hierher; **3.** (***to***) sich gehören (für), *j-m* ziemen; **4.** *Am.* a) verbunden sein (***with*** mit), gehören *od.* passen (***with*** zu), b) wohnen (***in*** in *dat.*); **5.** an-, zugehören (***to*** *dat*): ***~ to a club***; **be'long·ings** [-ŋɪŋz] *s. pl.* a) Habseligkeiten *pl.*, Habe *f*, Gepäck *n*, b) Zubehör *n*, c) F Angehörige *pl.*

be·lov·ed [bɪ'lʌvd] **I** *adj.* [*attr. a.* -vɪd] (innig) geliebt (***of***, ***by*** von); **II** *s.* [*mst* -vɪd] Geliebte(r *m*) *f*.

be·low [bɪ'ləʊ] **I** *adv.* **1.** unten: ***he is ~*** er ist unten (*im Haus*); ***as stated ~*** wie unten erwähnt; **2.** hin'unter; **3.** *poet.* hie'nieden; **4.** in der Hölle; **5.** (dar-) 'unter, niedriger: ***the class ~***; **6.** strom'ab; **II** *prp.* **7.** unter, 'unterhalb, tiefer als: ***~ the line*** unter der *od.* die Linie; ***~ cost*** unter dem Kostenpreis; ***~ s.o.*** unter j-s Rang, Würde, Fähigkeit *etc.*; ***20 ~*** F 20 Grad Kälte.

belt [belt] **I** *s.* **1.** Gürtel *m*, Gurt *m*: ***hit below the ~*** *Boxen u. fig. j-m* e-n Tiefschlag versetzen; ***that was below the ~*** *a. fig.* das war unter der Gürtellinie *od.* unfair; ***tighten one's ~*** *fig.* den Gürtel enger schnallen; ***the Black*** ♀ *Judo*: der Schwarze Gürtel (→ 5); ***under one's ~*** F a) im Magen, b) *fig.* ‚in der Tasche', c) hinter sich; **2.** ⚔ Koppel *n*; Gehenk *n*; **3.** ⚓ Panzergürtel *m* (*Kriegsschiff*); **4.** Gürtel *m*, Gebiet *n*, Zone *f*: ***green ~*** Grüngürtel (*um e-e Stadt*); ***cotton ~*** *Am. geogr.* Baumwollgürtel; **5.** *Am.* Gebiet *n* (*in dem ein Typus vorherrscht*): ***the black ~*** vorwiegend von Negern bewohnte Staaten der USA; **6.** ⚙ a) (Treib)Riemen *m*: ***~ drive*** Riemenantrieb *m*, b) *a.* ***conveyer ~*** Förderband *n*, c) Streifen *m*, d) ⚔ (Ma'schinengewehr)Gurt *m*; **II** *v/t.* **7.** um'gürten, mit Riemen befestigen; zs.-halten; **8.** 'durchprügeln; *j-m* ‚eine knallen'; **9.** ***~ out*** *sl. Lied* schmettern; **10.** *a.* ***~ down*** *Schnaps etc.* ‚kippen'; **III** *v/i.* **11.** ***~ up!*** *sl.* (halt die) Schnauze!; **12.** *sl.* rasen: ***~ down the road***; **~ con·vey·er** *s.* ⚙ Bandförderer *m*; **~ drive** *s.* ⚙ Riemenantrieb *m*; **~ line** *s. Am.* Verkehrsgürtel *m um e-e Stadt*; **~ pul·ley** *s.* ⚙ Riemenscheibe *f*; **~ saw** *s.* Bandsäge *f*; **~ trans·mis·sion** *s.* ⚙ 'Riementransmissi,on *f*; **'~·way** *s. Am.* Um'gehungsstraße *f*.

be·lu·ga [bɪ'lu:gɑ:] *s. ichth.* Be'luga *f*: a) Weißwal *m*, b) Hausen *m*.

be·moan [bɪ'məʊn] *v/t.* beklagen, betrauern, beweinen.

be·muse [bɪ'mju:z] *v/t.* verwirren, benebeln, betäuben; nachdenklich stimmen; **be'mused** [-zd] *adj.* **1.** verwirrt *etc.*; **2.** nachdenklich; gedankenverloren.

bench [bentʃ] *s.* **1.** Bank *f* (*zum Sitzen*); **2.** ⚖ (*oft* ♀) a) Richterbank *f*, b) Gerichtshof *m*, c) *coll.* Richter *pl.*: ***raised to the ~*** zum Richter ernannt; ***~ and bar*** die Richter u. die Anwälte; ***be on the ~*** Richter sein; **3.** *parl. etc.* Platz *m*, Sitz *m*; **4.** ⚙ a) Werkbank *f*, -tisch *m*, Experimentiertisch *m*: ***carpenter's ~*** Hobelbank, b) Bank *f*, Reihe *f von Geräten*; **5.** *geogr. Am.* a) Riff *n*, b) ter'rassenförmiges Flußufer; **6.** *sport* a) (Teilnehmer-, Auswechsel-, Re'serve-) Bank *f*, b) Ruderbank *f*; **'bench·er** [-tʃə] *s.* **1.** *Brit.* Vorstandsmitglied *n* e-r Anwaltsinnung; **2.** *parl.* → ***back-bencher***, ***front-bencher***.

bench| lathe *s.* ⚙ Me'chanikerdrehbank *f*; **'~·mark** *s.* **1.** *surv.* Abrißpunkt *m*; **2.** *fig.* Bezugsgröße *f*, Maßstab *m*; **3.** *Computer:* **~ *test*** Leistungstest *m*; **~ sci·en·tist** *s.* La'borwissenschaftler *m*; '**~ˌwar·rant** *s.* ⚖ richterlicher Haftbefehl.

bend [bend] **I** *v/t.* [*irr.*] **1.** biegen, krümmen: **~ *out of shape*** verbiegen; **2.** beugen, neigen: **~ *the knee*** a) das Knie beugen, *fig.* sich unterwerfen, b) beten; **3.** *Bogen, Feder* spannen; **4.** ⚓ *Tau, Segel* festmachen; **5.** *fig.* beugen: **~ *the law*** das Recht beugen; **~ *s.o. to one's will*** sich j-n gefügig machen; **6.** richten, (zu)wenden: **~ *one's steps towards home*** s-e Schritte heimwärts lenken; **~ *o.s.* (*one's mind*) *to a task*** sich (s-e Aufmerksamkeit) e-r Sache zuwenden, sich auf e-e Sache konzentrieren; **II** *v/i.* [*irr.*] **7.** sich biegen, sich krümmen, sich winden: ***the road ~s here*** die Straße macht hier e-e Kurve; **8.** sich neigen, sich beugen: **~ *down*** sich niederbeugen, sich bücken; **9.** (***to***) *fig.* sich beugen, sich fügen (*dat.*); **10.** (***to***) sich zuwenden, sich widmen (*dat.*); **III** *s.* **11.** Biegung *f*, Krümmung *f*, Windung *f*, Kurve *f*; **12.** Knoten *m*, Schlinge *f*; **13.** ***drive s.o. round the ~*** *sl.* j-n verrückt machen; **14.** ***the ~s*** *pl.* ⚕ Cais'sonkrankheit *f*; '**bend·ed** [-dɪd] *adj.* gebeugt: ***on ~ knees*** kniefällig; '**bend·er** [-də] *s. sl.* ‚Saufe'rei' *f*, ‚Bummel' *m*; '**bend·ing** [-dɪŋ] *adj.* ⚙ Biege…: **~ *pressure***; **~ *test.***

bend sin·is·ter *s. her* Schrägbalken *m*.

be·neath [bɪ'ni:θ] **I** *adv.* dar'unter, 'unterhalb, (weiter) unten; **II** *prp.* unter, unterhalb (*gen.*): **~ *a tree*** unter e-m Baum; ***it is ~ him*** es ist unter s-r Würde; **~ *notice*** nicht der Beachtung wert; **~ *contempt*** unter aller Kritik.

Ben·e·dic·tine *s.* **1.** [ˌbenɪ'dɪktɪn] Benedik'tiner *m* (*Mönch*); **2.** [-ti:n] Benedik'tiner *m* (*Likör*).

ben·e·dic·tion [ˌbenɪ'dɪkʃn] *s. eccl.* Segnung *f*, Segen(sspruch) *m*.

ben·e·fac·tion [ˌbenɪ'fækʃn] *s.* **1.** Wohltat *f*; **2.** Spende *f*, Geschenk *n*; Zuwendungen *pl.*; **3.** wohltätige Stiftung; **ben·e·fac·tor** ['benɪfæktə] *s.* **1.** Wohltäter *m*; **2.** Gönner *m*; Stifter *m*; **ben·e·fac·tress** ['benɪfæktrɪs] *s.* Wohltäterin *f etc.*

ben·e·fice ['benɪfɪs] *s. eccl.* Pfründe *f*; '**ben·e·ficed** [-st] *adj.* im Besitz e-r Pfründe; **be·nef·i·cence** [bɪ'nefɪsns] *s.* Wohltätigkeit *f*; **be·nef·i·cent** [bɪ'nefɪsnt] *adj.* □ wohltätig, gütig, wohltuend.

ben·e·fi·cial [ˌbenɪ'fɪʃl] *adj.* □ **1.** (***to***) nützlich, wohltuend, förderlich (*dat.*); vorteilhaft (für); **2.** ⚖ nutznießend: **~ *owner*** unmittelbarer Besitzer, Nießbraucher *m*; ˌ**ben·e'fi·ci·ar·y** [-'fɪʃərɪ] *s.* **1.** Nutznießer(in); Begünstigte(r *m*) *f*; Empfänger(in); **2.** Pfründner *m*.

ben·e·fit ['benɪfɪt] **I** *s.* **1.** Vorteil *m*, Nutzen *m*, Gewinn *m*: ***for the ~ of*** zum Besten *od.* zugunsten (*gen.*); ***derive ~ from*** Nutzen ziehen aus *od.* haben von; ***give s.o. the ~ of*** j-n in den Genuß *e-r Sache* kommen lassen, j-m *et.* gewähren; **~ *of the doubt*** Rechtswohltat *f* des Grundsatzes ‚im Zweifel für den Angeklagten'; ***give s.o. the ~ of the doubt*** im Zweifelsfalle zu j-s Gunsten entscheiden; **2.** ⚕ Zuwendung *f*, Beihilfe *f*: a) (*Sozial-, Versicherungs- etc.*)Leistung *f*, b) (*Alters- etc.*)Rente *f*, c) (*Arbeitslosen- etc.*)Unter'stützung *f*, d) (*Kranken-, Sterbe- etc.*)Geld *n*; **3.** Bene'fiz(vorstellung *f*, *sport* -spiel *n*) *n*, Wohltätigkeitsveranstaltung *f*; **4.** Wohltat *f*, Gefallen *m*, Vergünstigung *f*; **II** *v/t.* **5.** nützen (*dat.*), zu'gute kommen (*dat.*), fördern (*acc.*), begünstigen (*acc.*), *a. j-m* (gesundheitlich) guttun; **III** *v/i.* **6.** (***by, from***) Vorteil haben (von, durch), Nutzen ziehen (aus).

Ben·e·lux ['benɪlʌks] *s.* Benelux-Länder *pl.* (*Belgien, Niederlande, Luxemburg*).

be·nev·o·lence [bɪ'nevələns] *s.* Wohlwollen *n*, Güte *f*; Wohltätigkeit *f*, Wohltat *f*; **be'nev·o·lent** [-nt] *adj.* □ wohl-, mildtätig, gütig; wohlwollend: **~ *fund*** Unterstützungsfonds *m*; **~ *society*** Hilfsverein *m* (auf Gegenseitigkeit).

Ben·gal [ˌbeŋ'gɔ:l] *npr.* Ben'galen *n*: **~ *light*** bengalisches Feuer; **Ben'ga·li** [-lɪ] **I** *s.* **1.** Ben'gale *m*, Ben'galin *f*; **2.** *ling.* das Ben'galische; **II** *adj.* **3.** ben'galisch.

be·night·ed [bɪ'naɪtɪd] *adj.* **1.** von der Dunkelheit über'rascht; **2.** *fig.* a) ‚geistig um'nachtet', ‚verblödet', b) unbedarft.

be·nign [bɪ'naɪn] *adj.* □ **1.** gütig; **2.** günstig, mild, zuträglich; **3.** ⚕ gutartig; **be·nig·nant** [bɪ'nɪgnənt] *adj.* □ **1.** gütig, freundlich; **2.** günstig, wohltuend; **3.** → ***benign*** 3; **be·nig·ni·ty** [bɪ'nɪgnətɪ] *s.* Güte *f*, Freundlichkeit *f*.

ben·i·son ['benɪzn] *s. poet.* Segen *m*, Gnade *f*.

bent[1] [bent] **I** *pret. u. p.p. von* ***bend*** I *u.* II; **II** *adj.* a) entschlossen (***on doing*** zu tun), b) erpicht (***on*** auf *acc.*), darauf aus (***on doing*** zu tun); **III** *s.* Neigung *f*, Hang *m*, Trieb *m* (***for*** zu); Veranlagung *f*: ***to the top of one's ~*** nach Herzenslust; ***allow full ~*** freien Lauf lassen (*dat.*).

bent[2] [bent] *s.* ⚘ **1.** *a.* **~ *grass*** Straußgras *n*; **2.** Sandsegge *f*.

'**bent·wood** *s.* Bugholz *n*: **~ *chair*** Wiener Stuhl *m*.

be·numb [bɪ'nʌm] *v/t.* betäuben: a) gefühllos machen, b) *fig.* lähmen; **be'numbed** [-md] *adj.* betäubt, gelähmt (*a. fig.*), starr, gefühllos.

ben·zene ['benzi:n] *s.* ⚗ Ben'zol *n*.

B

ben·zine ['benzi:n] *s.* ⚗ Ben'zin *n.*
ben·zo·ic [ben'zəʊɪk] *adj.* ⚗ Benzoe…: ~ **acid** Benzoesäure *f*; **ben·zo·in** ['benzəʊɪn] *s.* Ben'zoeˌgummi *n, m,* -harz *n,* Ben'zoe *f.*
ben·zol(e) ['benzɒl] *s.* ⚗ Ben'zol *n*; **'ben·zo·line** [-zəʊli:n] → ***benzine.***
be·queath [bɪ'kwi:ð] *v/t.* **1.** *Vermögen* hinter'lassen, vermachen (***to s.o.*** j-m); **2.** über'liefern, vererben *(fig.).*
be·quest [bɪ'kwest] *s.* Vermächtnis *n,* Hinter'lassenschaft *f.*
be·rate [bɪ'reɪt] *v/t.* heftig ausschelten, auszanken.
Ber·ber ['bɜ:bə] **I** *s.* **1.** Berber(in); **2.** *ling.* Berbersprache(n *pl.*) *f*; **II** *adj.* **3.** Berber…
Ber·ber·is ['bɜ:bərɪs], **ber·ber·ry** ['bɜ:bərɪ] → ***barberry.***
be·reave [bɪ'ri:v] *v/t.* [*irr.*] **1.** berauben (***of*** *gen.*); **2.** hilflos zu'rücklassen; **be'reaved** [-vd] *adj.* durch den Tod beraubt, hinter'blieben: ***the ~*** die (trauernden) Hinterbliebenen; **be'reave·ment** [-mənt] *s.* schmerzlicher Verlust (*durch Tod*); Trauerfall *m.*
be·reft [bɪ'reft] **I** *pret. u. p.p. von* ***bereave***; **II** *adj.* beraubt (***of*** *gen.*) (*mst fig.*): ***~ of hope*** aller Hoffnung beraubt; ***~ of reason*** von Sinnen.
be·ret ['bereɪ] *s.* **1.** Baskenmütze *f*; **2.** ⚔ *Brit.* 'Felduniˌformmütze *f.*
berg [bɜ:g] → ***iceberg.***
ber·ga·mot ['bɜ:gəmɒt] *s.* **1.** ⚘ Berga'mottenbaum *m*; **2.** Berga'mottöl *n*; **3.** Berga'motte *f* (*Birnensorte*).
be·rib·boned [bɪ'rɪbənd] *adj.* mit (Ordens)Bändern geschmückt.
ber·i·ber·i [ˌberɪ'berɪ] *s.* ⚕ Beri'beri *f,* Reisesserkrankheit *f.*
Ber·lin| black [bɜ:'lɪn] *s.* schwarzer Eisenlack; ~ **wool** *s.* feine Strickwolle.
ber·ry ['berɪ] **I** *s.* **1.** ⚘ a) Beere *f,* b) Korn *n,* Kern *m* (*beim Getreide*); **2.** *zo.* Ei *n* (*vom Hummer od. Fisch*); **II** *v/i.* **3.** a) ⚘ Beeren tragen, b) Beeren sammeln.
ber·serk [bə'sɜ:k] *adj. u. adv.* wütend, rasend: ***go ~*** (***with***) rasend werden (vor), *fig. a.* wahnsinnig werden (vor); **ber'serk·er** [-kə] *s. hist.* Ber'serker *m* (*a. fig. Wüterich*): ***~ rage*** Berserkerwut *f*; ***go ~*** wild werden, Amok laufen.
berth [bɜ:θ] **I** *s.* **1.** ⚓ (genügend) Seeraum (*an der Küste od. zum Ausweichen*): ***give a wide ~ to*** a) weit abhalten von (*Land, Insel etc.*), b) *fig.* um *j-n* e-n Bogen machen; **2.** ⚓ Liegeplatz *m* (*e-s Schiffes am Kai*); **3.** a) ⚓ (Schlaf-)Koje *f,* b) Bett *n* (*Schlafwagen*); **4.** *Brit.* F Stellung *f,* ‚Pöstchen' *n*: ***he has a good ~***; **II** *v/t.* **5.** ⚓ am Kai festmachen; vor Anker legen, docken; **6.** *Brit j-m* einen (Schlaf)Platz anweisen; *j-n* 'unterbringen; **III** *v/i.* **7.** ⚓ anlegen.
ber·yl ['berɪl] *s. min.* Be'ryll *m*; **be·ryl·li·um** [be'rɪljəm] *s.* ⚗ Be'ryllium *n.*
be·seech [bɪ'si:tʃ] *v/t.* [*irr.*] *j-n* dringend bitten (***for*** um), ersuchen, anflehen (***to*** *inf.* zu *inf.*, ***that*** daß); **be'seech·ing** [-tʃɪŋ] *adj.* ☐ flehend, bittend; **be'seech·ing·ly** [-tʃɪŋlɪ] *adv.* flehentlich.
be·seem [bɪ'si:m] *v/t.* sich ziemen *od.* schicken für.
be·set [bɪ'set] [*irr.* → ***set***] *v/t.* **1.** um'geben, (von allen Seiten) bedrängen, verfolgen: ***~ with difficulties*** mit Schwierigkeiten überhäuft; **2.** *Straße* versperren; **be'set·ting** [-tɪŋ] *adj.* **1.** hartnäkkig, unausrottbar: ***~ sin*** Gewohnheitslaster *n*; **2.** ständig drohend (*Gefahr*).
be·side [bɪ'saɪd] *prp.* **1.** neben, dicht bei: ***sit ~ me*** setz dich neben mich; **2.** *fig.* außerhalb (*gen.*), außer, nicht gehörend zu: ***~ the point*** nicht zur Sache gehörig; ***~ o.s.*** außer sich (***with*** vor *dat.*); **3.** im Vergleich zu; **be'sides** [-dz] **I** *adv.* **1.** außerdem, ferner, über'dies, noch da'zu; **2.** *neg.* sonst; **II** *prp.* **3.** außer, neben (*dat.*); **4.** über … hin'aus.
be·siege [bɪ'si:dʒ] *v/t.* **1.** belagern (*a. fig.*); **2.** *fig.* bestürmen, bedrängen.
be·slav·er [bɪ'slævə] *v/t.* **1.** begeifern; **2.** *fig. j-m* lobhudeln.
be·slob·ber [bɪ'slɒbə] *v/t.* **1.** → ***beslaver***; **2.** ‚abschlecken', abküssen.
be·smear [bɪ'smɪə] *v/t.* beschmieren.
be·smirch [bɪ'smɜ:tʃ] *v/t.* besudeln (*bsd. fig.*).
be·som ['bi:zəm] *s.* (Reisig)Besen *m.*
be·sot·ted [bɪ'sɒtɪd] *adj.* ☐ **1.** töricht, dumm; **2.** (***on, about***) vernarrt (in *acc.*), verrückt (auf *acc.*); **3.** berauscht (***with*** von).
be·sought [bɪ'sɔ:t] *pret. u. p.p. von* ***beseech.***
be·spat·ter [bɪ'spætə] *v/t.* **1.** (mit Kot *etc.*) bespritzen, beschmutzen; **2.** *fig.* (mit Vorwürfen *etc.*) über'schütten.
be·speak [bɪ'spi:k] [*irr.* → ***speak***] *v/t.* **1.** (vor'aus)bestellen, im voraus bitten um: ***~ a seat*** e-n Platz bestellen; ***~ s.o.'s help*** j-n um Hilfe bitten; **2.** zeigen, zeugen von; **3.** *poet.* anreden.
be·spec·ta·cled [bɪ'spektəkld] *adj.* bebrillt.
be·spoke [bɪ'spəʊk] **I** *pret. von* ***bespeak***; **II** *adj. Brit.* auf Bestellung *od.* nach Maß angefertigt, Maß…: ***~ tailor*** Maßschneider *m*; **be'spo·ken** [-kən] *p.p. von* ***bespeak.***
be·sprin·kle [bɪ'sprɪŋkl] *v/t.* besprengen, bespritzen, bestreuen.
Bes·se·mer steel ['besɪmə] *s.* ⚙ Bessemerstahl *m.*
best [best] **I** *sup. von* ***good*** *adj.* **1.** best: ***the ~ of wives*** die beste aller (Ehe-)Frauen; ***be ~ at*** hervorragend sein in (*dat.*); **2.** geeignetst; höchst; ***~-before date*** Mindesthaltbarkeitsdatum *n*; **3.**

größt, meist: ***the ~ part of*** der größte Teil (*gen.*); **II** *sup. von* ***well*** *adv.* **4.** am besten (meisten, passendsten): ***as ~ I can*** so gut ich kann; ***the ~ hated man of the year*** der meist- *od.* bestgehaßte Mann des Jahres; ***~ used*** meistgebraucht; ***you had ~ go*** es wäre das beste, Sie gingen; **III** *v/t.* **5.** über'treffen; **6.** F über'vorteilen; **IV** *s.* **7.** *der* (*die, das*) Beste (Passendste *etc.*): ***at ~*** bestenfalls, höchstens; ***with the ~*** mindestens so gut wie jeder andere; ***for the ~*** zum besten; ***do one's*** (***level***) ***~*** sein Bestes geben, sein möglichstes tun; ***be at one's ~*** in bester Verfassung (*od.* Form) sein, *a.* in seinem Element sein; ***that is the ~ of ...*** das ist der Vorteil (*gen. od.* wenn ...); ***give s.o. ~*** sich vor j-m beugen; ***look one's ~*** am vorteilhaftesten *od.* blendend aussehen; ***have*** (*od.* ***get***) ***the ~ of it*** am besten dabei wegkommen; ***make the ~ of*** a) bestens ausnutzen, b) sich abfinden mit, c) *e-r Sache* die beste Seite abgewinnen, das Beste machen aus; ***all the ~!*** alles Gute!, viel Glück!; → ***ability*** 1, ***belief*** 3, ***job***[1] 5.

bes·tial ['bestjəl] *adj.* □ **1.** tierisch (*a. fig.*); *fig.* besti'alisch, entmenscht, viehisch; **2.** *fig.* gemein, verderbt; **bes·ti·al·i·ty** [bestɪ'ælətɪ] *s.* **1.** Bestiali'tät *f*: a) tierisches Wesen, b) *fig.* besti'alische Grausamkeit; **2.** ⚖ Sodo'mie *f.*

be·stir [bɪ'stɜ:] *v/t.*: ***~ o.s.*** sich rühren, sich aufraffen; sich bemühen: ***~ yourself!*** tummle dich!

best man *s.* [*irr.*] *Freund des Bräutigams, der bei der Ausrichtung der Hochzeit e-e wichtige Rolle spielt.*

be·stow [bɪ'stəʊ] *v/t.* **1.** schenken, gewähren, geben, spenden, erweisen, verleihen (***s.th.*** [***up***]***on s.o.*** j-m et.): ***~ one's hand on s.o.*** j-m die Hand fürs Leben reichen; **2.** *obs.* 'unterbringen; **be'stow·al** [-əʊəl] *s.* **1.** Gabe *f*, Schenkung *f*, Verleihung *f*; **2.** *obs.* 'Unterbringung *f.*

be·strew [bɪ'stru:] [*irr.* → ***strew***] *v/t.* **1.** bestreuen; **2.** verstreut liegen auf (*dat.*).

be·strid·den [bɪ'strɪdn] *p.p. von* ***bestride***; **be·stride** [bɪ'straɪd] *v/t.* [*irr.*] **1.** rittlings sitzen auf (*dat.*), reiten; **2.** mit gespreizten Beinen stehen auf *od.* über (*dat.*); **3.** über'spannen, über'brücken; **4.** sich (schützend) breiten über (*acc.*); **be·strode** [bɪ'strəʊd] *pret. von* ***bestride***.

best| sell·er *s.* 'Bestseller *m*, Verkaufsschlager *m* (*Buch etc.*); **'~-ˌsell·ing** *adj.* meistgekauft, Erfolgs..., Bestseller...

bet [bet] **I** *s.* Wette *f*; Wetteinsatz *m*; gewetteter Betrag *od.* Gegenstand: ***the best ~*** F das Beste(, was man tun kann), die sicherste Methode; ***that's a better ~ than*** das ist viel besser *od.* sicherer als...; **II** *v/t. u. v/i.* [*irr.*] wetten, (ein)setzen: ***I ~ you ten pounds*** ich wette mit Ihnen um zehn Pfund; (***I***) ***you ~!*** *sl.* aber sicher!; ***~ one's bottom dollar*** *Am. sl.* den letzten Heller wetten, *a.* sich s-r Sache völlig sicher sein.

be·ta ['bi:tə] *s.* 'Beta *n*: a) *griech. Buchstabe,* b) ⚗, *ast., phys. Symbol für 2. Größe,* c) *ped. Brit.* Zwei *f* (*Note*): ***~ rays*** *phys.* Betastrahlen *pl.*

be·take [bɪ'teɪk] [*irr.* → ***take***] *v/t.*: ***~ o.s.*** (***to***) sich begeben (nach); s-e Zuflucht nehmen (zu).

be·tel ['bi:tl] *s.* 'Betel *m*; **'~-nut** *s.* ⚘ 'Betelnuß *f.*

bête noire [ˌbeɪt'nwɑ:] (*Fr.*) *s. fig.* Schreckgespenst *n.*

beth·el ['beθl] *s.* **1.** *Brit.* Dis'senterkaˌpelle *f*; **2.** *Am.* Kirche *f* für Ma'trosen.

be·think [bɪθɪŋk] *v/t.* [*irr.* → ***think***]: ***~ o.s.*** sich über'legen, sich besinnen; sich vornehmen; ***~ o.s. to do*** sich in den Kopf setzen zu tun.

be·thought [bɪ'θɔ:t] *pret. u. p.p. von* ***bethink***.

be·tide [bɪ'taɪd] *v/i. u. v/t.* (*nur 3. sg. pres. subj.*) (*j-m*) geschehen; *v/t. j-m* zustoßen; → ***woe*** II.

be·times [bɪ'taɪmz] *adv.* **1.** bei'zeiten, rechtzeitig; **2.** früh(zeitig).

be·to·ken [bɪ'təʊkən] *v/t.* **1.** bezeichnen, bedeuten; **2.** anzeigen.

be·took [bɪ'tʊk] *pret. von* ***betake***.

be·tray [bɪ'treɪ] *v/t.* **1.** Verrat begehen an (*dat.*), verraten (***to*** an *acc.*); **2.** *j-n* hinter'gehen; *j-m* die Treue brechen: ***~ s.o.'s trust*** j-s Vertrauen mißbrauchen; **3.** *fig.* offen'baren; (*a.* ***o.s.*** sich) verraten; **4.** verleiten (***into***, ***to*** zu); **be'tray·al** [-eɪəl] *s.* Verrat *m*, Treubruch *m.*

be·troth [bɪ'trəʊð] *v/t. j-n* (*od.* ***o.s.*** sich) verloben (***to*** mit); **be'troth·al** [-ðl] *s.* Verlobung *f*; **be'trothed** [-ðd] *s.* Verlobte(r *m*) *f.*

bet·ter[1] ['betə] **I** *comp. von* ***good*** *adj.* **1.** besser: ***I am ~*** es geht mir (*gesundheitlich*) besser; ***get ~*** a) besser werden, b) sich erholen; ***~ late than never*** besser spät als nie; ***go one ~ than s.o.*** j-n (noch) übertreffen; ***~ off*** a) besser daran, b) wohlhabender; ***be ~ than one's word*** mehr tun als man versprach; ***my ~ half*** m-e bessere Hälfte; ***on ~ acquaintance*** bei näherer Bekanntschaft; **II** *s.* **2.** *das* Bessere: ***for ~ for worse*** a) in Freud u. Leid (*Trauformel*), b) was auch geschehe; ***get the ~*** (***of***) die Oberhand gewinnen (über *acc.*), *j-n* besiegen *od.* ausstechen, *et.* überwinden; **3.** *pl. mit pers. pron.* Vorgesetzte *pl.*, Höherstehende *pl.*, Über'legene *pl.*; **III** *comp. von* ***well*** *adv.* **4.** besser: ***I know ~*** ich weiß es besser;

B

think ~ of it sich e-s Besseren besinnen, es sich anders überlegen; ***think ~ of s.o.*** e-e bessere Meinung von j-m haben; ***so much the ~*** desto besser; ***you had ~*** (*od.* F *mst* ***you ~***) ***go*** es wäre besser, wenn du gingest; ***you'd ~ not!*** F laß das lieber sein!; ***know ~ than to ...*** gescheit genug sein, nicht zu ...; **5.** mehr: ***like ~*** lieber haben; ***~ loved***; **IV** *v/t.* **6.** *allg.* verbessern; **7.** über'treffen; **8.** ***~ o.s.*** sich (*finanziell*) verbessern, vorwärtskommen; *a.* sich weiterbilden; **V** *v/i.* **9.** besser werden.

bet·ter² ['betə] *s.* Wetter(in).

bet·ter·ment ['betəmənt] *s.* **1.** (Ver-)Besserung *f*; **2.** Wertzuwachs *m* (*bei Grundstücken*), Meliorati'on *f*.

bet·ting ['betɪŋ] *s. sport* Wetten *n*; **~ man** *s.* [*irr.*] (regelmäßiger) Wetter; **~ of·fice** *s.*, **~ shop** *s.* 'Wettbüˌro *n*.

bet·tor → ***better²***.

be·tween [bɪ'twi:n] **I** *prp.* **1.** zwischen: ***~ the chairs*** a) zwischen den Stühlen, b) zwischen die Stühle; ***~ nine and ten at night*** abends zwischen neun und zehn; **2.** unter: ***they shared the money ~ them*** sie teilten das Geld unter sich; ***~ ourselves***, ***~ you and me*** unter uns (gesagt); ***we had fifty pence ~ us*** wir hatten zusammen fünfzig Pence; **II** *adv.* **3.** da'zwischen: ***the space ~*** der Zwischenraum; ***in ~*** dazwischen, zwischendurch; **~ decks** *s. pl. sg. konstr.* ⚓ Zwischendeck *n*; **be'tween·times**; **be'tween·whiles** *adv.* zwischendurch.

be·twixt [bɪ'twɪkst] **I** *adv.* da'zwischen: ***~ and between*** halb u. halb, weder das e-e noch das andere; **II** *prp. obs.* zwischen.

bev·el ['bevl] ⚙ **I** *s.* **1.** Abschrägung *f*, Schräge *f*; **2.** Fase *f*, Fa'cette *f*; **2.** Schrägmaß *n*; **3.** Kegel *m*, Konus *m*; **II** *v/t.* **4.** abschrägen: ***~(l)ed edge*** abgeschrägte Kante; ***~(l)ed glass*** facettiertes Glas; **III** *adj.* **5.** abgeschrägt; **~ cut** *s.* Schrägschnitt *m*; **~ gear** *s.* ⚙ Kegelrad(getriebe) *n*, konisches Getriebe; **~ plane** *s.* ⚙ Schräghobel *m*; **~ wheel** *s.* ⚙ Kegelrad *n*.

bev·er·age ['bevərɪdʒ] *s.* Getränk *n*.

bev·y ['bevɪ] *s.* Schar *f*, Schwarm *m* (*Vögel*; *a. fig. Mädchen etc.*).

be·wail [bɪ'weɪl] **I** *v/t.* beklagen, betrauern; **II** *v/i.* wehklagen.

be·ware [bɪ'weə] *v/i.* sich in acht nehmen, sich hüten (***of*** vor *dat.*, ***lest*** daß nicht): ***~!*** Achtung!; ***~ of pickpockets!*** vor Taschendieben wird gewarnt!; ***~ of the dog!*** Warnung vor dem Hunde!

be·wil·der [bɪ'wɪldə] *v/t.* **1.** irreführen; **2.** verwirren, verblüffen; **3.** bestürzen; **be'wil·dered** [-əd] *adj.* verwirrt; verblüfft, bestürzt, verdutzt; **be'wil·der·ing** [-dərɪŋ] *adj.* □ verwirrend; **be'wil·der·ment** [-mənt] *s.* Verwirrung *f*, Bestürzung *f*.

be·witch [bɪ'wɪtʃ] *v/t.* berücken, betören, bezaubern; **be'witch·ing** [-tʃɪŋ] *adj.* □ berückend *etc.*

bey [beɪ] *s.* Bei *m* (*Titel e-s höheren türkischen Beamten*).

be·yond [bɪ'jɒnd] **I** *prp.* **1.** jenseits: ***~ the seas*** in Übersee; **2.** außer, abgesehen von: ***~ dispute*** außer allem Zweifel, unstreitig; **3.** über ... (*acc.*) hin'aus; mehr als, weiter als: ***~ the time*** über die Zeit hinaus; ***~ belief*** unglaublich; ***~ all blame*** über jeden Tadel erhaben; ***~ endurance*** unerträglich; ***~ hope*** hoffnungslos; ***~ measure*** über die Maßen; ***it is ~ my power*** es übersteigt m-e Kraft; ***~ praise*** über alles Lob erhaben; ***~ repair*** nicht mehr zu reparieren; ***~ reproach*** untadelig; ***that is ~ me*** das ist mir zu hoch, das geht über m-n Verstand; ***~ me in Latin*** weiter als ich in Latein; **II** *adv.* **4.** da'rüber hin'aus, jenseits; **5.** weiter weg; **III** *s.* **6.** Jenseits *n*: ***at the back of ~*** im entlegensten Winkel, am Ende der Welt.

'B-girl *s. Am.* Animierdame *f*.

bi·an·nu·al [ˌbaɪ'ænjʊəl] *adj.* □ halbjährlich, zweimal jährlich.

bi·as ['baɪəs] **I** *s.* **1.** schiefe Seite, schräge Richtung; **2.** schräger Schnitt: ***cut on the ~*** diagonal geschnitten; **3.** *Bowling*: 'Überhang *m* der Kugel; **4.** (***towards***) *fig.* Hang *m*, Neigung *f* (zu); Vorliebe *f* (für); **5.** *fig.* a) Ten'denz *f*, b) Vorurteil *n*, c) ⚖ Befangenheit *f*: ***free from ~*** unvoreingenommen; ***challenge a judge for ~*** e-n Richter wegen Befangenheit ablehnen; **6.** *Statistik etc.*: Verzerrung *f*: ***cause ~ to the figures*** die Zahlen verzerren; **7.** ⚡ (Gitter-)Vorspannung *f*; **II** *adj u. adv.* **8.** schräg, schief; **III** *v/t.* **9.** (*mst* ungünstig) beeinflussen; gegen *j-n* einnehmen; **'bi·as(s)ed** [-st] *adj.* voreingenommen; ⚖ befangen; tendenzi'ös.

bi·ath·lete [ˌbaɪ'æθli:t] *s. sport* 'Biathˌlet *m*, 'Biathlonkämpfer *m*; **bi'ath·lon** [-'æθlɒn] *s.* 'Biathlon *n*.

bi·ax·i·al [ˌbaɪ'æksɪəl] *adj.* zweiachsig.

bib [bɪb] **I** *s.* **1.** Lätzchen *n*; **2.** Schürzenlatz *m*; → ***tucker*** 2; **II** *v/i.* **3.** (unmäßig) trinken.

Bi·ble ['baɪbl] *s.* **1.** Bibel *f*; **2.** ⁀ *fig.* Bibel *f* (*maßgebendes Buch*); **~ clerk** *s.* (*in Oxford*) *Student, der in der College-Kapelle während des Gottesdienstes die Bibeltexte verliest*; **~ thump·er** *s.* Mo'ralprediger *m*.

bib·li·cal ['bɪblɪkl] *adj.* □ biblisch, Bibel...

bib·li·og·ra·pher [ˌbɪblɪ'ɒgrəfə] *s.* Biblio'graph *m*; **bib·li·o·graph·ic**, **bib·li·o·graph·i·cal** [ˌbɪblɪəʊ'græfɪk(l)] *adj.* □ biblio'graphisch; **bib·li'og·ra·phy** [-fɪ] *s.* Bibliogra'phie *f*; **bib·li·o·ma·ni·a**

[ˌbɪblɪəʊˈmeɪnjə] *s.* Biblioma'nie *f*, (krankhafte) Bücherleidenschaft; **bib·li·o·ma·ni·ac** [ˌbɪblɪəʊˈmeɪnɪæk] *s.* Büchernarr *m*; **bib·li·o·phil** [ˈbɪblɪəʊfɪl], **bib·li·o·phile** [ˈbɪblɪəʊfaɪl] *s.* Biblio'phile *m*, Bücherliebhaber(in); **bib·li·o·the·ca** [ˌbɪblɪəʊˈθiːkə] *s.* **1.** Biblio'thek *f*; **2.** 'Bücherkataˌlog *m*.

bib·u·lous [ˈbɪbjʊləs] *adj.* □ **1.** trunksüchtig; **2.** weinselig.

bi·cam·er·al [baɪˈkæmərəl] *adj. pol.* Zweikammer...

bi·car·bon·ate [baɪˈkɑːbənɪt] *s.* ⚗ Bikarbo'nat *n*: **~ of soda** doppel(t)kohlensaures Natrium.

bi·cen·te·nar·y [ˌbaɪsenˈtiːnərɪ] **I** *adj.* zweihundertjährig; **II** *s.* Zweihundertjahrfeier *f*; ˌ**bi·cen'ten·ni·al** [-ˈtenjəl] **I** *adj.* zweihundertjährig; alle zweihundert Jahre eintretend; **II** *s. bsd. Am.* → ***bicentenary*** II.

bi·ceph·a·lous [ˌbaɪˈsefələs] *adj.* zweiköpfig.

bi·ceps [ˈbaɪseps] *s. anat.* 'Bizeps *m*.

bick·er [ˈbɪkə] *v/i.* **1.** (sich) zanken; quengeln; **2.** plätschern (*Fluß*, *Regen*); **3.** zucken; '**bick·er·ing** [-ərɪŋ] *s. a. pl.* Gezänk *n*.

bi·cy·cle [ˈbaɪsɪkl] **I** *s.* Fahrrad *n*, Zweirad *n*; **II** *v/i.* radfahren, radeln; '**bi·cy·cler** [-lə] *Am.*, '**bi·cy·clist** [-lɪst] *Brit. s.* Radfahrer(in).

bid [bɪd] **I** *s.* **1.** a) Gebot *n* (*bei Versteigerungen*), b) ✝ Angebot *n* (*bei öffentlichen Ausschreibungen*), c) *Börse*: Geld *n* (*Nachfrage*): **~ and asked** Geld u. Brief; ***higher ~*** Mehrgebot; ***highest ~*** Meistgebot; ***invitation for ~s*** Ausschreibung *f*; **2.** *Kartenspiel*: Reizen *n*, Melden *n*: ***no ~*** ich passe; **3.** Bemühung *f*, Bewerbung *f* (***for*** um); Versuch *m* (***to*** *inf.* zu *inf.*): ***~ for power*** Versuch, an die Macht zu kommen; ***make a ~ for*** sich bemühen um *et. od.* zu *inf.*; **4.** *Am.* F Einladung *f*; **II** *v/t.* [*irr.*] 5 *u.* 6 *pret. u. p.p.* **bid**; 7–9 *pret.* **bade** [beɪd], *p.p. mst* **bid·den** [ˈbɪdn] **5.** bieten (*bei Versteigerungen*): ***~ up** den Preis* in die Höhe treiben; **6.** *Kartenspiel*: melden, reizen; **7.** *Gruß* entbieten; wünschen: ***~ good morning*** e-n guten Morgen wünschen; ***~ farewell*** Lebewohl sagen; **8.** *lit. j-m et.* gebieten, befehlen; *j-n et. tun* lassen, heißen: ***~ him come in*** laß ihn hereinkommen; **9.** *obs.* einladen (***to*** zu); **III** *v/i.* [*irr.*, *pret. u. p.p.* **bid**] **10.** ✝ ein (Preis)Angebot machen; **11.** *Kartenspiel*: melden, reizen; **12.** (***for***) werben, sich bemühen (um); '**bid·den** [-dn] *p.p. von* ***bid***; '**bid·der** [-də] *s.* **1.** Bieter *m* (*bei Versteigerungen*): ***highest ~*** Meistbietende(r); **2.** Bewerber *m bei Ausschreibungen*; '**bid·ding** [-dɪŋ] *s.* **1.** Gebot *n*, Bieten *n* (*bei Versteigerungen*); **2.** Geheiß *n*: ***do s.o.'s ~*** tun, was j-d will.

bide [baɪd] *v/t.* [*irr.*] er-, abwarten: ***~ one's time*** (den rechten Augenblick) abwarten.

bi·en·ni·al [baɪˈenɪəl] **I** *adj.* □ **1.** alle zwei Jahre eintretend; **2.** ⚘ zweijährig; **II** *s.* **3.** ⚘ zweijährige Pflanze; **bi'en·ni·al·ly** [-lɪ] *adv.* alle zwei Jahre.

bier [bɪə] *s.* (Toten)Bahre *f*.

biff [bɪf] *sl.* **I** *v/t.* ‚hauen', schlagen; **II** *s.* Schlag *m*, Hieb *m*.

bif·fin [ˈbɪfɪn] *s.* roter Kochapfel.

bi·fo·cal [ˌbaɪˈfəʊkl] **I** *adj.* **1.** Bifokal-, Zweistärken...; **II** *s.* **2.** Bifo'kal-, Zweistärkenlinse *f*; **3.** *pl.* Bifo'kal-, Zweistärkenbrille *f*.

bi·fur·cate [ˈbaɪfəkeɪt] **I** *v/t.* gabelförmig teilen; **II** *v/i.* sich gabeln; **III** *adj.* gegabelt, gabelförmig; **bi·fur·ca·tion** [ˌbaɪfəˈkeɪʃn] *s.* Gabelung *f*.

big [bɪg] **I** *adj.* **1.** groß, dick; stark, kräftig (*a. fig.*): ***the ~ toe*** der große Zeh; ***~ business*** Großunternehmertum *n*, Großindustrie *f*; ***~ ideas*** F ‚große Rosinen im Kopf'; ***~ money*** ein Haufen Geld; ***a ~ voice*** e-e kräftige Stimme; **2.** groß, weit: ***get too ~ for one's boots*** (*od.* ***breeches***) *fig.* ‚üppig' *od.* größenwahnsinnig werden; **3.** groß, hoch: ***~ game*** Großwild *n*, *fig.* hochgestecktes Ziel; **4.** groß, erwachsen: ***my ~ brother***; **5.** schwanger; *fig.* voll: ***~ with child*** hochschwanger; ***~ with fate*** schicksalsschwer; **6.** hochmütig, eingebildet: ***~ talk*** ‚große Töne', Angeberei *f*; **7.** F groß, bedeutend, wichtig, führend: ***the ≗ Three*** (***Five***) die großen Drei (Fünf) (*führende Staaten*, *Banken etc.*); **8.** großmütig, edel: ***a ~ heart***; ***that's ~ of you*** F das ist sehr anständig von dir; **II** *adv.* **9.** großspurig: ***talk ~*** ‚große Töne spucken', angeben; **10.** *sl.* a) ‚mächtig', b) *Am.* tapfer.

big·a·mist [ˈbɪgəmɪst] *s.* Biga'mist(in); '**big·a·mous** [-məs] *adj.* □ biga'mistisch; '**big·a·my** [-mɪ] *s.* Biga'mie *f*, Doppelehe *f*.

big| bang *s. phys.* Urknall *m*; **~ game** *s.* Großwild *n*; **~ gun** *s.* F **1.** ‚schweres Geschütz'; **2.** → ***bigwig***.

bight [baɪt] *s.* **1.** Bucht *f*; Einbuchtung *f*; **2.** Krümmung *f*; **3.** ⚓ Bucht *f* (*im Tau*).

'**big·mouth** *s.* F Großmaul *n*.

big·ness [ˈbɪgnɪs] *s.* Größe *f*.

big·ot [ˈbɪgət] *s.* **1.** blinder Anhänger, Fa'natiker *m*; **2.** Betbruder *m*, -schwester *f*, Frömmler(in); '**big·ot·ed** [-tɪd] *adj.* bi'gott, fa'natisch, frömmlerisch; '**big·ot·ry** [-trɪ] *s.* **1.** blinder Eifer, Fana'tismus *m*, Engstirnigkeit *f*; **2.** Bigotte'rie *f*, Frömme'lei *f*.

big| shot *s.* → ***bigwig***; **~ stick** *s.* F *pol.* ‚großer Knüppel': ***~ policy*** Politik *f* des Säbelrasselns; '**~-time** *adj. sl.* ‚groß', Spitzen...; '**~-ˌtim·er** *s.* ‚Spitzenmann'

B

m, ‚großer Macher'; ~ **top** *s. Am.* **1.** großes 'Zirkuszelt; **2.** 'Zirkus *m* (*a. fig.*).
'big·wig *s.* ‚großes' *od.* ‚hohes Tier', Bonze *m.*
bike [baɪk] F **I** *s.* a) (Fahr)Rad *n*, b) ‚Maschine' *f* (*Motorrad*); **II** *v/i.* a) radeln, b) (mit dem) Motorrad fahren.
bi·lat·er·al [ˌbaɪ'lætərəl] *adj.* □ zweiseitig, bilate'ral: a) ⚖ beiderseitig verbindlich, gegenseitig (*Vertrag etc.*), b) *biol.* beide Seiten betreffend, c) ⚙ doppelseitig (*Antrieb*).
bil·ber·ry ['bɪlbərɪ] *s.* ⚘ Heidel-, Blaubeere *f.*
bile [baɪl] *s.* **1.** ⚕ a) Galle *f*, b) Gallenflüssigkeit *f*; **2.** *fig.* Galle *f*, Ärger *m.*
bilge [bɪldʒ] *s.* **1.** ⚓ Kielraum *m*, Bilge *f*, Kimm *f*; **2.** → ***bilge water***; **3.** *sl.* ‚Quatsch' *m*, ‚Mist' *m*, Unsinn *m*; ~ **pump** *s.* ⚓ Lenzpumpe *f*; ~ **wa·ter** *s.* ⚓ Bilgenwasser *n.*
bi·lin·e·ar [ˌbaɪ'lɪnɪə] *adj.* doppellinig; ⅍ biline'ar.
bi·lin·gual [baɪ'lɪŋgwəl] *adj.* zweisprachig.
bil·ious ['bɪljəs] *adj.* □ **1.** ⚕ Gallen...: ~ ***complaint*** Gallenleiden *n*; **2.** *fig.* gallig, gereizt, reizbar; **'bil·ious·ness** [-nɪs] *s.* **1.** Gallenkrankheit *f*; **2.** *fig.* Gereiztheit *f.*
bilk [bɪlk] **I** *v/t.* prellen, betrügen; **II** *s.*, *a.* **'bilk·er** [-kə] *s.* Betrüger *m.*
bill[1] [bɪl] **I** *s.* **1.** *zo.* a) Schnabel *m*, b) schnabelähnliche Schnauze; **2.** Spitze *f am Anker, Zirkel etc.*; **3.** *geogr.* spitz zulaufende Halbinsel; **4.** *hist.* ⚔ Pike *f*; **5.** → ***billhook***; **II** *v/i.* **6.** (sich) schnäbeln; **7.** *fig.*, *a.* ~ ***and coo*** (mitein'ander) turteln.
bill[2] [bɪl] **I** *s.* **1.** *pol.* (Gesetzes)Vorlage *f*, Gesetzentwurf *m*: ~ ***of Rights*** a) *Brit.* Staatsgrundgesetz *n*, Freiheitsurkunde *f* (*von 1689*), b) *USA*: die ersten 10 Zusatzartikel zur Verfassung; ***bring in a*** ~ e-n Gesetzentwurf einbringen; **2.** ⚖ *a.* ~ ***of indictment*** Anklageschrift *f*: ***find a true*** ~ die Anklage für begründet erklären; **3.** ⚕ *a.* ~ ***of exchange*** Wechsel *m*, Tratte *f*: **~*s payable*** Wechselschulden; **~*s receivable*** Wechselforderungen; ***long*(*-dated*)** ~ langfristiger Wechsel; ~ ***after date*** Datowechsel *m*; ~ ***after sight*** Nachsichtwechsel *m*; ~ ***at sight*** Sichtwechsel *m*; ~ ***of lading*** Seefrachtbrief *m*, Konnossement *n*, *Am. a.* Frachtbrief *m*; **4.** Rechnung *f*: ~ ***of costs*** Kostenberechnung *f*; ~ ***of sale*** Kauf-, Übereignungsvertrag *m*; F *fig.* ***fill the*** ~ den Ansprüchen genügen; ***sell s.o. a*** ~ ***of goods*** F j-n ‚verschaukeln'; **5.** Liste *f*, Schein *m*, Zettel *m*, Pla'kat *n*: ~ ***of fare*** Speisekarte *f*; (***theatre***) ~ Theaterzettel *m*, -programm *n*; (***clean***) ~ ***of health*** Gesundheitszeugnis *n*, -paß *m*, *fig.* Unbedenklichkeitsbescheinigung *f*; **6.** *Am.* Banknote *f*, (Geld)Schein *m*; **II** *v/t.* **7.** ~ ***s.o. for s.th.*** j-m et. in Rechnung stellen *od.* berechnen; **8.** (durch Pla'kate) ankündigen, *thea. etc. a. Am. Darsteller etc.* ‚bringen'.
'bill|·board *s.* Anschlagbrett *n*, Re'klamefläche *f*, -tafel *f*: ~ ***advertising*** Plakatwerbung *f*; ~ **case** *s.* ⚕ 'Wechselporteˌfeuille *n e-r Bank*; ~ **dis·count** *s.* ⚕ 'Wechseldisˌkont *m.*
bil·let[1] ['bɪlɪt] **I** *s.* **1.** ⚔ a) Quartierzettel *m*, b) Quartier *n*: ***in*** **~*s*** privat einquartiert; **2.** 'Unterkunft *f*; **3.** F ‚Job' *m*, Posten *m*; **II** *v/t.* **4.** 'unterbringen, einquartieren (***on*** bei).
bil·let[2] ['bɪlɪt] *s.* **1.** Holzscheit *n*, -klotz *m*; **2.** *metall.* Knüppel *m.*
bil·let-doux [ˌbɪleɪ'du:] (*Fr.*) *s. humor.* Liebesbrief *m.*
'bill|·fold *s. Am.* Scheintasche *f*; **'~·head** *s.* gedrucktes 'Rechnungsformuˌlar; **'~·hook** *s.* ✓ Hippe *f.*
bil·liard ['bɪljəd] **I** *s.* **1.** *pl. mst sg. konstr.* Billard(spiel) *n*; **2.** *Billard*: Karambo'lage *f*; **II** *adj.* **3.** Billard...; ~ **ball** *s.* Billardkugel *f*; ~ **cue** *s.* Queue *n*, Billardstock *m.*
bill·ing ['bɪlɪŋ] *s.* **1.** ⚕ a) Rechnungsschreibung *f*, b) Buchung *f*, *a.* (Vor'aus)Bestellung *f*; **2.** *thea.* a) Ankündigung *f*, b) Re'klame *f.*
Bil·lings·gate ['bɪlɪŋzgɪt] **I** *npr. Fischmarkt in London*; **II** ♀ *s.* wüstes Geschimpfe, Unflat *m*: ***talk*** ~ keifen wie ein Fischweib.
bil·lion ['bɪljən] *s.* **1.** Milli'arde *f*; **2.** *Brit. obs.* Billi'on *f.*
'bill|-ˌjob·ber *s.* ⚕ *Brit.* Wechselreiter *m*; **'~-ˌjob·bing** *s.* ⚕ *Brit.* Wechselreite'rei *f.*
bil·low ['bɪləʊ] **I** *s.* **1.** Woge *f* (*a. fig.*); **2.** (Nebel- *etc.*)Schwaden *m*; **II** *v/i.* **3.** wogen; **4.** *a.* ~ ***out*** sich bauschen *od.* blähen; **III** *v/t.* bauschen, blähen; **'bil·low·y** [-əʊɪ] *adj.* **1.** wogend; **2.** gebauscht, gebläht.
'bill|-ˌpost·er, **'~-ˌstick·er** *s.* Pla'kat-, Zettelankleber *m.*
bil·ly ['bɪlɪ] *s. Am.* (Poli'zei)Knüppel *m*; **'~·cock (hat)** *s. Brit.* F ‚Me'lone' *f* (*steifer Filzhut*); ~ **goat** *s.* F Ziegenbock *m.*
bim·bo ['bɪmbəʊ] *s. sl.* ‚Knülch' *m.*
bi·met·al·lism [ˌbaɪ'metəlɪzəm] Bimetal'lismus *m*, Doppelwährung *f* (*Gold u. Silber*).
bi·month·ly [ˌbaɪ'mʌnθlɪ] **I** *adj. u. adv.* **1.** a) zweimonatlich, alle zwei Monate ('wiederkehrend *od.* erscheinend), b) zweimal im Monat (erscheinend); **II** *s.* **2.** zweimonatlich erscheinende Veröffentlichung; **3.** Halbmonatsschrift *f.*
bi·mo·tored [ˌbaɪ'məʊtəd] *adj.* ✈ 'zweimoˌtorig.

bin [bɪn] *s.* **1.** (großer) Behälter, Kasten *m*; *a.* Silo *m*, *n*; **2.** Verschlag *m*; **3.** *sl.* ‚Klapsmühle' *f*.

bi·na·ry [ˈbaɪnərɪ] *adj.* ⚗, ⚙, ℞, *phys.* biˈnär, aus zwei Einheiten bestehend: **~ digit** Binärziffer *f*; **~ (number)** ℞ Biˈnär-, Dualzahl *f*; **~ (star)** *ast.* Doppelstern *m*; **~ fission** *biol.* Zellteilung *f*.

bind [baɪnd] **I** *s.* **1.** Band *n*; **2.** ♪ Halte- *od.* Bindebogen *m*; **3.** F **be in a ~** in ‚Schwulitäten' sein; **be in a ~ for** *et. od. j-n* dringend brauchen, verlegen sein um; **II** *v/t.* [*irr.*] **4.** binden, an-, ˈum-, festbinden, verbinden: **~ to a tree** an e-n Baum binden; ***bound hand and foot*** *fig.* an Händen u. Füßen gebunden; **5.** *Buch* (ein)binden; **6.** *Saum etc.* einfassen; **7.** *Rad etc.* (mit Meˈtall) beschlagen; **8.** *Sand etc.* fest *od.* hart machen; zs.-fügen; **9.** (*o.s.* sich) binden (*a. vertraglich*), verpflichten; zwingen: **~ an apprentice** *j-n* in die Lehre geben (**to** bei); **~ a bargain** e-n Handel (durch Anzahlung) verbindlich machen; → **bound**[1] 1; **10.** ⚗, ⚙ binden; **11.** ✱ verstopfen; **II** *v/i.* **12.** binden, fest *od.* hart werden, zs.-halten; **~ o·ver** *v/t.* ⚖ **1.** zum Erscheinen verpflichten (**to** vor *e-m Gericht*); **2.** *Brit. j-n* auf Bewährung entlassen; **~ up** *v/t.* **1.** vereinigen, zs.-binden; *Wunde* verbinden; **2.** *pass.* **be bound up** (**in** *od.* **with**) a) eng verknüpft sein (mit), b) ganz in Anspruch genommen werden (von).

bind·er [ˈbaɪndə] *s.* **1.** a) (*Buch-, Garben*)Binder(in), b) Garbenbinder *m* (*Maschine*); **2.** Binde *f*, Band *n*, Schnur *f*; **3.** Aktendeckel *m*, ˈUmschlag *m*; **4.** ⚙ Bindemittel *n*; **5.** ✝ Vorvertrag *m*; ˈ**bind·er·y** [-ərɪ] *s.* Buchbindeˈrei *f*.

bind·ing [ˈbaɪndɪŋ] **I** *adj.* **1.** *fig.* bindend, (rechts)verbindlich ([**up**]**on** für): **~ force** bindende Kraft; **~ law** zwingendes Recht; **II** *s.* **2.** (Buch)Einband *m*; **3.** a) Einfassung *f*, Borte *f*, b) (Meˈtall-)Beschlag *m* (*Rad*), c) (Ski)Bindung *f*; **~ a·gent** → **binder** 4; **~ post** *s.* ⚡ (Pol-, Anschluß)Klemme *f*.

ˈ**bind·weed** *s.* ⚘ *e-e* Winde *f*.

bine [baɪn] *s.* ⚘ Ranke *f*.

binge [bɪndʒ] *s.* F ‚Sauf- *od.* Freßgelage' *n*: **go on a ~** ‚einen draufmachen'.

bin·go [ˈbɪŋgəʊ] *s.* Bingo *n* (*ein Glücksspiel*): **~!** F Zack!, Volltreffer!

bin·na·cle [ˈbɪnəkl] *s.* ⚓ ˈKompaßhaus *n*.

bin·oc·u·lar I *adj.* [ˌbaɪˈnɒkjʊlə] binokuˈlar, für beide *od.* mit beiden Augen; **II** *s.* [bɪˈn-] *mst pl.* Fernglas *n*; Operngla*s* *n*.

bi·no·mi·al [ˌbaɪˈnəʊmjəl] *adj.* **1.** ℞ biˈnomisch, zweigliedrig; **2.** ⚘, *zo.* → ***binominal***.

bi·nom·i·nal [ˌbaɪˈnɒmɪnl] *adj.* ⚘, *zo.* binomiˈnal, zweinamig: **~ system** (System *n* der) Doppelbenennung *f*.

bi·nu·cle·ar [ˌbaɪˈnjuːklɪə], **biˈnu·cle·ate** [-ɪət] *adj. phys.* zweikernig.

bi·o·chem·i·cal [ˌbaɪəʊˈkemɪkl] *adj.* □ bioˈchemisch; ˌ**bi·oˈchem·ist** [-ɪst] *s.* Bioˈchemiker *m*; ˌ**bi·oˈchem·is·try** [-ɪstrɪ] *s.* Biocheˈmie *f*.

bi·o·de·gra·dab·le [ˌbaɪəʊdɪˈgreɪdəbl] *adj.* ⚗ (bioˈlogisch) abbaubar; **bi·o·deg·ra·da·tion** [ˈbaɪəʊˌdegraˈdeɪʃn] *s.* biologischer Abbau, Rotte *f*.

bi·o·di·ver·si·ty [ˈbaɪəʊˌdaɪˈvɜːsətɪ] *s.* Artenvielfalt *f*; **~ con·ven·tion** *s.* Artenschutzabkommen *n*.

bi·o·en·er·get·ics [ˈbaɪəʊˌenəˈdʒetɪks] *s. pl. sg. konstr.* Bioenerˈgetik *f*.

bi·o·en·gi·neer·ing [ˈbaɪəʊˌendʒɪˈnɪərɪŋ] *s.* Biotechnik *f*.

bi·o·fu·el [ˈbaɪəʊˌfjuəl] *s.* Bio-Treibstoff *m*.

bi·og·ra·pher [baɪˈɒgrəfə] *s.* Bioˈgraph *m*; **bi·o·graph·ic**, **bi·o·graph·i·cal** [ˌbaɪəʊˈgræfɪk(l)] *adj.* □ bioˈgraphisch; **biˈog·ra·phy** [-fɪ] *s.* Biograˈphie *f*, Lebensbeschreibung *f*.

bi·o·log·ic [ˌbaɪəʊˈlɒdʒɪk] *adj.* (□ **~ally**) → **bi·oˈlog·i·cal** [-kl] *adj.* □ bioˈlogisch: **~ warfare** Bakterienkrieg *m*; **bi·ol·o·gist** [baɪˈɒlədʒɪst] *s.* Bioˈloge *m*; **bi·ol·o·gy** [baɪˈɒlədʒɪ] *s.* Bioloˈgie *f*.

bi·ol·y·sis [baɪˈɒləsɪs] *s. biol.* Bioˈlyse *f*.

bi·on·ics [baɪˈɒnɪks] *s. pl. sg. konstr. phys.* Biˈonik *f*.

bi·o·nom·ics [ˌbaɪəʊˈnɒmɪks] *s. pl. sg. konstr. biol.* Ökoloˈgie *f*; **bi·o·phys·ics** [ˌbaɪəʊˈfɪzɪks] *s. pl. sg. konstr.* Biophyˈsik *f*.

bi·op·ic [baɪˈɒpɪk] *s.* biographisches Filmepos.

bi·o·tope [ˌbaɪəʊˈtəʊp] *s. biol. geogr.* Bioˈtop *m*, *n*.

bi·par·ti·san [ˌbaɪpɑːtɪˈzæn] *adj.* zwei Parˈteien vertretend, Zweiparteien…; ˌ**bi·par·tiˈsan·ship** [-ʃɪp] *s.* Zugehörigkeit *f* zu zwei Parteien; **bi·par·tite** [ˌbaɪˈpɑːtaɪt] *adj.* **1.** zweiteilig; **2.** *pol.*, ⚖ a) zweiseitig (*Vertrag etc.*), b) in doppelter Ausfertigung (*Dokumente*).

bi·ped [ˈbaɪped] *s. zo.* Zweifüß(l)er *m*.

bi·plane [ˈbaɪpleɪn] *s.* ✈ Doppel-, Zweidecker *m*.

birch [bɜːtʃ] **I** *s.* **1.** a) ⚘ Birke *f*, b) Birkenholz *n*; **2.** (Birken)Rute *f*; **II** *v/t.* **3.** mit der Rute züchtigen; ˈ**birch·en** [-tʃən] *adj.* birken, Birken…; ˈ**birch·ing** [-tʃɪŋ] *s.* (Ruten)Schläge *pl.*; ˈ**birch-rod** → **birch** 2.

bird [bɜːd] *s.* **1.** Vogel *m*: **~ of paradise** Paradiesvogel; **~ of passage** Zugvogel (*a. fig.*); **~ of prey** Raub-, Greifvogel; F **early ~** Frühaufsteher *m*, wer früh kommt; ***the early ~ catches the worm*** Morgenstund hat Gold im Mund; ***~s of a feather flock together*** gleich u.

B

gleich gesellt sich gern; ***kill two ~s with one stone*** zwei Fliegen mit e-r Klappe schlagen; ***a ~ in the hand is worth two in the bush*** ein Sperling in der Hand ist besser als e-e Taube auf dem Dach; ***fine feathers make fine ~s*** Kleider machen Leute; ***the ~ is*** (*od.* ***has***) ***flown*** *fig.* der Vogel ist ausgeflogen; ***give s.o. the ~*** j-n auspfeifen *od.* ,abfahren lassen', j-m den Laufpaß geben; F ***a little ~ told me*** mein kleiner Finger hat es mir gesagt; ***tell a child about the ~s and the bees*** ein Kind aufklären; ***that's for the ~s*** F das ist ,für die Katz'; **2.** a) F ,Knülch' *m*, Kerl *m*, b) *Brit. sl.* ,Puppe' *f* (*Mädchen*): ***queer ~*** komischer Kauz; ***old ~*** alter Knabe; ***gay ~*** lustiger Vogel; **3.** *sl.* a) ,Vogel' *m* (*Flugzeug*), b) *Am.* Rangabzeichen *n e-s Colonel etc.*; **'~·brain** *s.* F ,Spatzen-(ge)hirn' *n*; **~ cage** *s.* Vogelbauer *n*, -käfig *m*; **'~·call** *s.* Vogelruf *m*; Lockpfeife *f*; **~ dog** *s.* Hühnerhund *m*; **'~-ˌfan·ci·er** *s.* Vogelliebhaber(in), -züchter(in), -händler(in).

bird·ie ['bɜːdɪ] *s.* **1.** Vögelchen *n*; **2.** ,Täubchen' *n* (*Kosewort*); **3.** *Golf*: 'Birdie *n* (*1 Schlag unter Par*).

bird| life *s.* Vogelleben *n*, -welt *f*; **'~·lime** *s.* Vogelleim *m*; **'~·man** *s.* [*irr.*] **1.** Vogelkenner *m*; **2.** ✈ F Flieger *m*; **'~-ˌnest·ing** *s.* Ausnehmen *n* von Vogelnestern; **'~·seed** *s.* Vogelfutter *n*.

'bird's|-eye [bɜːdz] **I** *s.* **1.** ♀ A'donisröschen *n*; **2.** Feinschnittabak *m*; **3.** ✝ Pfauenauge(nmuster) *n*; **II** *adj.* **4.** ***~ view*** (Blick *m* aus der) Vogelperspektive *f*, allgemeiner Überblick; **~ nest** *s.* (*a. eßbares*) Vogelnest.

bird watch·er *s.* Vogelbeobachter *m*.

bi·ro ['baɪərəʊ] *s.* (*TM*) *Brit.* Kugelschreiber *m*.

birth [bɜːθ] *s.* **1.** Geburt *f*; Wurf *m* (*Hunde etc.*): ***give ~ to*** gebären, zur Welt bringen, *fig.* hervorbringen, -rufen; ***by ~*** von Geburt; **2.** Abstammung *f*, Herkunft *f*; *engS.* edle Herkunft; **3.** Ursprung *m*, Entstehung *f*; **~ cer·tif·i·cate** *s.* Geburtsurkunde *f*; **~ con·trol** *s.* Geburtenregelung *f*, -beschränkung *f*; **'~·day** *s.* Geburtstag *m*: ***~ honours*** *Brit.* Titelverleihungen zum Geburtstag des Königs *od.* der Königin; ***in one's ~ suit*** im Adams- *od.* Evaskostüm; ***~ party*** Geburtstagsparty *f*; **'~·mark** *s.* Muttermal *n*; **'~·place** *s.* Geburtsort *m*; **~ rate** *s.* Geburtenziffer *f*: ***falling ~*** Geburtenrückgang *m*; **'~·right** *s.* (Erst-)Geburtsrecht *n*.

bis·cuit ['bɪskɪt] **I** *s.* **1.** *Brit.* Keks *m*: ***that takes the ~!*** F a) das ist doch das Allerletzte!, b) das ist (einsame) Spitze!; **2.** *Am.* weiches Brötchen; **3.** → ***biscuit ware***; **II** *adj.* **4.** a) blaßbraun, b) graugelb; **~ ware** *s.* ⚙ Bis'kuit *n* (*Porzellan*).

bi·sect [baɪ'sekt] *v/t.* **1.** in zwei Teile zerschneiden; **2.** ⩚ halbieren; **bi·sec·tion** [ˌbaɪ'sekʃn] *s.* ⩚ Halbierung *f*.

bi·sex·u·al [ˌbaɪ'seksjʊəl] *adj. allg.* bisexu'ell.

bish·op ['bɪʃɒp] *s.* **1.** Bischof *m*; **2.** *Schach*: Läufer *m*; **3.** Bischof *m* (*Getränk*); **'bish·op·ric** [-rɪk] *s.* Bistum *n*, Diö'zese *f*.

bi·son ['baɪsn] *s. zo.* **1.** Bison *m*, amer. Büffel *m*; **2.** euro'päischer Wisent.

bis·sex·tile [bɪ'sekstaɪl] **I** *s.* Schaltjahr *n*; **II** *adj.* Schalt...: ***~ day*** Schalttag *m*.

bit[1] [bɪt] *s.* **1.** Gebiß *n* (*am Pferdezaum*): ***take the ~ between one's teeth*** a) durchgehen (*Pferd*), b) störrisch werden (*a. fig.*), c) *fig.* ,rangehen'; → ***champ***[1]; **2.** *fig.* Zaum *m*, Zügel *m u. pl.*; **3.** ⚙ a) Bohrerspitze *f*, b) Hobeleisen *n*, c) Maul *n* der Zange *etc.*, d) Bart *m* des Schlüssels.

bit[2] [bɪt] *s.* **1.** Stückchen *n*: ***a ~ of bread***; ***a ~*** ein bißchen, ein wenig, leicht; ***a ~ of a ...*** so et. wie ein(e) ...; ***a ~ of a fool*** etwas närrisch; ***~ by ~*** Stück für Stück, allmählich; ***after a ~*** nach e-m Weilchen; ***every ~ as good*** ganz genauso gut; ***not a ~ better*** kein bißchen besser; ***not a ~*** (***of it***) ,keine Spur', ganz und gar nicht; ***do one's ~*** a) s-e Pflicht tun, b) s-n Beitrag leisten; ***give s.o. a ~ of one's mind*** j-m (gehörig) die Meinung sagen; **2.** kleine Münze: a) *Brit.* F ***threepenny ~***, b) *Am.* F ***two ~s*** 25 Cent; **3.** F ,Mieze' *f* (*Mädchen*); **4.** *a.* ***~ part*** *thea.* F kleine Rolle: ***~ player***.

bit[3] [bɪt] *s. Computer*: Bit *n*.

bit[4] [bɪt] *pret. von* ***bite***.

bitch [bɪtʃ] **I** *s.* **1.** Hündin *f*; **2.** *a.* ***~ fox*** Füchsin *f*; *a.* ***~ wolf*** Wölfin *f*; **3.** V *contp.* a) Schlampe *f*, b) ,Miststück' *n*; **4.** *sl.* ,Scheißding' *n*; **II** *v/t.* **5.** *sl. a.* ***~ up*** ,versauen'; **III** *v/i.* **6.** *sl.* ,meckern'; **bitch·y** ['bɪtʃɪ] *adj.* F ,gemein'.

bite [baɪt] **I** *s.* **1.** Beißen *n*, Biß *m*; Stich *m* (*Insekt*): ***put the ~ on s.o.*** *Am. sl.* j-n unter Druck setzen; **2.** Bissen *m*, Happen *m*: ***not a ~ to eat***; **3.** (An-)Beißen *n* (*Fisch*); **4.** ⚙ Fassen *n*, Greifen *n*; **5.** *fig.* a) Bissigkeit *f*, Schärfe *f*, Spitze *f*, b) ,Biß' *m* (*Aggressivität*): ***the ~ was gone***; **6.** *fig.* Würze *f*, Geist *m*; **II** *v/t.* [*irr.*] **7.** beißen: ***~ one's lips*** sich auf die Lippen (*fig.* auf die Zunge) beißen; ***~ one's nails*** an den Nägeln kauen; ***bitten with a desire*** *fig.* von e-m Wunsch gepackt; ***what's biting you?*** *Am. sl.* was ist mit dir los?; → ***dust*** 1; **8.** beißen, stechen (*Insekt*); **9.** ⚙ fassen, greifen; schneiden in (*acc.*); **10.** ⚗ beizen, zerfressen, angreifen; beschädigen; **11.** F *pass.*: ***be bitten*** hereingefallen sein; ***once bitten twice shy*** gebranntes Kind scheut das Feuer;

III *v/i.* [*irr.*] **12.** beißen; **13.** (an-)beißen; *fig.* sich verlocken lassen; **14.** ⚙ fassen, greifen (*Rad, Bremse, Werkzeug*); **15.** *fig.* beißen, schneiden, brennen, stechen, scharf sein (*Kälte, Wind, Gewürz, Schmerz*); **16.** *fig.* beißend *od.* verletzend sein; *~* **off** *v/t.* abbeißen: ***~ more than one can chew*** sich zuviel zumuten.

bit·er [ˈbaɪtə] *s.*: ***the ~ bit*** der betrogene Betrüger; ***the ~ will be bitten*** wer andern e-e Grube gräbt, fällt selbst hinein.

bit·ing [ˈbaɪtɪŋ] *adj.* □ *a. fig.* beißend, scharf, schneidend.

bit·ten [ˈbɪtn] *p.p. von* **bite**.

bit·ter [ˈbɪtə] **I** *adj.* □ → *a.* 4; **1.** bitter (*Geschmack*); **2.** *fig.* bitter (*Schicksal, Wahrheit, Tränen, Worte etc.*), schmerzlich, hart: ***to the ~ end*** bis zum bitteren Ende; **3.** *fig.* verärgert, böse, verbittert; streng, unerbittlich; rauh, unfreundlich (*a. Wetter*); **II** *adv.* **4.** *nur*: ***~ cold*** bitter kalt; **III** *s.* **5.** Bitterkeit *f* (*a. fig.*): ***take the ~ with the sweet*** das Leben (so) nehmen, wie es ist; **6.** *a.* ***~ beer*** *Brit. stark gehopftes Faßbier*; **7.** *pl.* Magenbitter *m.*

bit·tern[1] [ˈbɪtən] *s. orn.* Rohrdommel *f.*

bit·tern[2] [ˈbɪtən] *s.* **1.** ⚗ Mutterlauge *f*; **2.** Bitterstoff *m* (*für Bier*).

bit·ter·ness [ˈbɪtənɪs] *s.* **1.** Bitterkeit *f*; **2.** *fig.* Bitterkeit *f*, Schmerzlichkeit *f*; **3.** *fig.* Verbitterung *f*, Härte *f*, Grausamkeit *f.*

ˈ**bit·ter·sweet** **I** *adj.* bittersüß; halbbitter; **II** *s.* ⚘ Bittersüß *n.*

bi·tu·men [ˈbɪtjʊmɪn] *s.* **1.** *min.* Biˈtumen *n*, Erdpech *n*, Asˈphalt *m*; **2.** *geol.* Bergteer *m.*

bi·tu·mi·nous [bɪˈtjuːmɪnəs] *adj. min.* bitumiˈnös, asˈphalt-, pechhaltig; *~* **coal** *s.* Stein-, Fettkohle *f.*

bi·va·lent [ˈbaɪˌveɪlənt] *adj.* ⚗ zweiwertig.

bi·valve [ˈbaɪvælv] *s. zo.* zweischalige Muschel (*z.B. Auster*).

biv·ouac [ˈbɪvʊæk] **I** *s.* ˈBiwak *n*; **II** *v/i.* biwakieren.

bi·week·ly [ˌbaɪˈwiːklɪ] **I** *adj. u. adv.* **1.** zweiwöchentlich, vierzehntägig, halbmonatlich; **2.** zweimal die Woche; **II** *s.* **3.** Halbmonatsschrift *f.*

biz [bɪz] *s.* F *für* ***business***.

bi·zarre [bɪˈzɑː] *adj.* biˈzarr, phanˈtastisch, abˈsonderlich.

blab [blæb] **I** *v/t.* ausplaudern; **II** *v/i.* schwatzen; **III** *s.* Schwätzer(in), Klatschbase *f*, -weib *n*; ˈ**blab·ber** [-bə] *s.* Schwätzer(in).

black [blæk] **I** *adj.* **1.** schwarz (*a. Tee, Kaffee*): ***~ as coal*** (*od.* ***the devil*** *od.* ***ink*** *od.* ***night*** *od.* ***pitch***) kohlraben-, pechschwarz; → ***black eye, belt*** 1, 5, ***diamond*** 1; **2.** dunkel: ***~ in the face*** dunkelrot im Gesicht (*vor Aufregung etc.*); **3.** dunkel(häutig): ***~ man*** Schwarzer *m*, Neger *m*; **4.** schwarz, schmutzig: ***~ hands***; **5.** *fig.* dunkel, trübe, düster (*Gedanken, Wetter*); **6.** böse, schlecht: ***~ soul*** schwarze Seele; ***not so ~ as he is painted*** besser als sein Ruf; **7.** ‚schwarz', ungesetzlich: ***~ economy*** Schattenwirtschaft *f*; **8.** ärgerlich, böse: ***~ look(s)*** böser Blick; ***look ~ at s.o.*** j-n böse anblicken; **9.** schlimm: ***~ despair*** völlige Verzweiflung; **10.** *Am.* eingefleischt; **11.** ‚schwarz' (*makaber*): ***~ humo(u)r***; **12.** *TV* schwarzˈweiß; **II** *s.* **13.** Schwarz *n*; **14.** *et.* Schwarzes, schwarzer Fleck: ***wear ~*** Trauer(kleidung) tragen; **15.** Schwarze(r *m*) *f*, Neger(in); **16.** Schwärze *f*, schwarze Schuhkrem; **17.** ***be in the ~*** *bsd.* ✝ a) mit Gewinn arbeiten, b) aus den roten Zahlen heraus sein; **III** *v/t.* **18.** schwärzen, *Schuhe* wichsen; *~* **out** **I** *v/t.* **1.** (völlig) abdunkeln, *a.* ⚔ verdunkeln; **2.** ⚙ *u. fig.* ausschalten, außer Betrieb setzen; *Funkstation* (durch Störgeräusche) ausschalten; **3.** *j-n* bewußtlos machen; **4.** *fig.* (*a. durch Zensur*) unterˈdrücken; **II** *v/i.* **5.** sich verdunkeln; **6.** a) das Bewußtsein verlieren, b) e-n ‚Blackout' haben; **7.** ⚙ *etc.* ausfallen.

black Af·ri·ca *s. pol.* Schwarzafrika *n.*

black·a·moor [ˈblækəˌmʊə] *s. obs.* Neger(in *f*) *m*, Mohr(in *f*) *m.*

black| and blue *adj.*: ***beat s.o. ~*** j-n grün und blau schlagen; *~* **and tan** *adj.* schwarz mit braunen Flecken; *~* **and white** *s.* **1.** Schwarzˈweißzeichnung *f*; **2.** ***in ~*** schwarz auf weiß, schriftlich, gedruckt; **3.** *TV etc.* schwarzˈweiß; *~* **art** → ***black magic***; *~* **ball** *s.* schwarze (Wahl)Kugel; *fig.* Gegenstimme *f*; ˈ**~ball** *v/t.* gegen *j-n* stimmen, *j-n* ausschließen; *~* **bee·tle** *s. zo.* Küchenschabe *f*; ˈ**~ber·ry** [-bərɪ] *s.* ⚘ Brombeere *f*; ˈ**~bird** *s. orn.* Amsel *f*; ˈ**~board** *s.* (Schul-, Wand)Tafel *f*; *~* **box** *s.* ✈ Flugschreiber *m*; *~* **cap** *s.* schwarze Kappe (*des Richters bei Todesurteilen*); ˈ**~cap** *s. orn.* a) Kohlmeise *f*, b) Schwarzköpfige Grasmücke; *~* **cat·tle** *s. zo.* schwarze Rinderrasse; ˈ**~ˌcoat(·ed)** *adj. Brit.*: ***~ worker*** Büroangestellte(r) *m* (*Ggs. Arbeiter*); ˈ**~cock** *s. orn.* Schwarzes Schottisches Moorhuhn (*Hahn*); ♀ **Coun·try** *s.* Induˈstriegebiet *n* von Staffordshire u. Warwickshire; ♀ **Death** *s. der* Schwarze Tod, Pest *f*; *~* **dog** *s.* F schlechte Laune.

black·en [ˈblækən] **I** *v/t.* **1.** schwärzen; wichsen; **2.** *fig.* anschwärzen: ***~ing the memory of the deceased*** ⚖ Verunglimpfung *f* Verstorbener; **II** *v/i.* **3.** schwarz werden.

black| eye *s.* ‚blaues Auge': ***get away***

B

with a ~ mit e-m blauen Auge davonkommen; **'~·face** *s. typ.* (halb)fette Schrift; **~ flag** *s.* schwarze (Pi'raten-) Flagge; **♀ Fri·ar** *s. eccl.* Domini'kaner *m*; **~ frost** *s.* strenge, aber trockene Kälte; **~ game** *s. orn.* schwarzes Rebhuhn; **~ grouse** *s. orn.* Birkhuhn *n*.

black·guard ['blægɑ:d] **I** *s.* Lump *m*, Schuft *m*; **II** *v/t. j-n* beschimpfen; **'black·guard·ly** [-lɪ] *adj.* gemein; unflätig.

'black|·head *s.* ⚕ Mitesser *m*; **~ ice** *s.* Glatteis *n*.

black·ie ['blækɪ] *s.* → ***blacky***.

black·ing ['blækɪŋ] *s.* **1.** schwarze (Schuh)Wichse; **2.** (Ofen)Schwärze *f*.

black·ish ['blækɪʃ] *adj.* schwärzlich.

'black|·jack I *s.* **1.** → ***black flag***; **2.** *Am.* Totschläger *m* (*Waffe*); **3.** 'Siebzehnund'vier *n* (*Kartenspiel*); **II** *v/t.* **4.** *Am.* mit e-m Totschläger zs.-schlagen; **~ lead** [led] *s. min.* Gra'phit *m*, Reißblei *n*; **ˌ~-'lead pen·cil** *s.* Graphitstift *m*; **'~·leg I** *s.* **1.** a) Falschspieler *m*, b) Wettbetrüger *m*; **2.** *Brit.* Streikbrecher *m*; **II** *v/i.* **3.** als Streikbrecher auftreten; **~ let·ter** *s. typ.* Frak'tur *f*, gotische Schrift; **ˌ~-'let·ter** *adj.*: ***~ day*** schwarzer Tag, Unglückstag *m*; **'~·list I** *s.* schwarze Liste; **II** *v/t. j-n* auf die schwarze Liste setzen; **~ mag·ic** *s.* Schwarze Ma'gie; **'~·mail I** *s.* **1.** ⚖ Erpressung *f*; **2.** Erpressungsgeld *n*; **II** *v/t.* **3.** *j-n* erpressen, von *j-m* Geld erpressen: ***~ s.o. into s.th*** j-n durch Erpressung zu et. zwingen; **'~ˌmail·er** *s.* Erpresser *m*; **♀ Ma·ri·a** [mə'raɪə] *s.* F ‚Grüne Minna', (Poli'zei)Gefangenenwagen *m*; **~ mark** *s.* schlechte Note, Tadel *m*; **~ mar·ket** *s.* schwarzer Markt, Schwarzmarkt *m*, -handel *m* (***in*** mit); **~ mar·ket·eer** *s.* Schwarzhändler(in); **~ mass** *s.* Schwarze Messe, Teufelsmesse *f*; **~ monk** *s.* Benedik'tiner(mönch) *m*.

black·ness ['blæknɪs] *s.* **1.** Schwärze *f*, Dunkelheit *f*; **2.** *fig.* Verderbtheit *f*, Ab'scheulichkeit *f*.

'black|·out *s.* **1.** *bsd.* ⚔ Verdunkelung *f*; **2.** (*Nachrichten- etc.*)Sperre *f*: ***news ~***; **3.** ⚕ a) Blackout *n*, *m* (*kurze Ohnmacht, Bewußtseinsstörung etc.*), b) Bewußtlosigkeit *f*, Ohnmacht *f*; **4.** ⚙ *u. fig.* Ausfall *m*; ⚡ to'taler Stromausfall; **5.** *TV* a) Austasten *n*, b) Pro'gramm- *od.* Bildausfall *m*; **6.** *phys. etc.*, *a. thea.* Blackout *n*, *m*; **♀ Prince** *s. der* Schwarze Prinz (*Eduard, Prinz von Wales*); **~ pud·ding** *s. Brit.* Blutwurst *f*; **♀ Rod** *s.* **1.** oberster Dienstbeamter des brit. Oberhauses; **2.** erster Zere'monienmeister des Hosenbandordens; **~ sheep** *s. fig.* schwarzes Schaf; **'~·shirt** *s.* Schwarzhemd *n* (*italienischer Faschist*); **'~·smith** *s.* (Grob-, Huf)Schmied *m*; **~ spot** *s. mot.* schwarzer Punkt, Gefahrenstelle *f*; **'~·strap** *s. Am.* **1.** *Getränk aus Rum u. Sirup*; **2.** F Rotwein *m* aus dem Mittelmeergebiet; **'~·thorn** *s.* ⚘ Schwarz-, Schlehdorn *m*; **~ tie** *s.* **1.** schwarze Fliege; **2.** Smoking *m*; **'~·top** *s.* Asphaltbelag *m od.* -straße *f*; **'~ˌwa·ter fe·ver** *s.* ⚕ Schwarzwasserfieber *n*; **~ wid·ow** *s. zo.* Schwarze Witwe (*Spinne*).

black·y ['blækɪ] *s.* F Schwarze(r *m*) *f* (*Neger od. Schwarzhaarige*[*r*]).

blad·der ['blædə] *s.* **1.** *anat.* (Gallen-, *engS.* Harn)Blase *f*; **2.** (*Fußball- etc.*) Blase *f*; **3.** *zo.* Schwimmblase *f*; **~ wrack** *s.* ⚘ Blasentang *m*.

blade [bleɪd] *s.* **1.** ⚘ Blatt *n* (*mst poet.*), Spreite *f* (*e-s Blattes*), Halm *m*: ***in the ~*** auf dem Halm; ***~ of grass*** Grashalm; **2.** ⚙ Blatt *n* (*Säge, Axt, Schaufel, Ruder*); **3.** ⚙ a) Flügel *m* (*Propeller*); *Hubschrauber*: Rotor *m*, Drehflügel *m*, b) Schaufel *f* (*Schiffsrad, Turbine*); **4.** ⚙ Klinge *f* (*Messer, Degen etc.*); **5.** → ***shoulder-blade***; **6.** *poet.* a) Degen *m*, Klinge *f*, b) Kämpfer *m*; **7.** F (forscher) Kerl, Bursche *m*.

blae·ber·ry ['bleɪbərɪ] → ***bilberry***.

blah[1] [blɑ:] *a.* **ˌblah-'blah** F **I** *s.* ‚Bla'bla' *n*, Geschwafel *n*; **II** *v/i.* schwafeln.

blah[2] [blɑ:] F **I** *adj.* (stink)fad; **II** *s. pl. Am.* a) Langeweile *f*, b) ‚mieses Gefühl'.

blain [bleɪn] *s.* ⚕ Pustel *f*.

blam·a·ble ['bleɪməbl] *adj.* □ zu tadeln(d), schuldig; **blame** [bleɪm] **I** *v/t.* **1.** tadeln, rügen, *j-m* Vorwürfe machen (***for*** wegen); **2.** (***for***) verantwortlich machen (für), *j-m* die Schuld geben (an *dat.*): ***he is to ~ for it*** er ist daran schuld; ***he has only himself to ~*** das hat er sich selbst zuzuschreiben; ***I cannot ~ him for it*** ich kann es ihm nicht verübeln; **II** *s.* **3.** Tadel *m*, Vorwurf *m*, Rüge *f*; **4.** Schuld *f*, Verantwortung *f*: ***lay*** (*od.* ***put***) ***the ~ on s.o.*** j-m die Schuld geben; ***bear*** (*od.* ***take***) ***the ~*** die Schuld auf sich nehmen; **'blame·less** [-lɪs] *adj.* □ untadelig, schuldlos (***of*** an *dat.*); **'blame·less·ness** [-lɪsnɪs] *s.* Schuldlosigkeit *f*, Unschuld *f*; **'blameˌwor·thy** *adj.* tadelnswert, schuldig.

blanch [blɑ:ntʃ] **I** *v/t.* **1.** bleichen, weiß machen; *fig.* erbleichen lassen; **2.** ⚘ (*durch Ausschluß von Licht*) bleichen; **3.** *Küche*: *Mandeln etc.* blanchieren, brühen; **4.** ⚙ weiß sieden; brühen; **5.** ***~ over*** *fig.* beschönigen; **II** *v/i.* **6.** erbleichen.

blanc·mange [blə'mɒnʒ] *s. Küche*: Pudding *m*.

bland [blænd] *adj.* □ **1.** a) mild, sanft, b) höflich, verbindlich, c) (ein)schmeichelnd; **2.** a) kühl, b) i'ronisch.

blan·dish ['blændɪʃ] *v/t.* schmeicheln, zureden (*dat.*); '**blan·dish·ment** [-mənt] *s.* Schmeiche'lei *f*, Zureden *n*; *pl.* Über'redungskünste *pl.*

blank [blæŋk] **I** *adj.* ☐ **1.** leer, nicht ausgefüllt, unbeschrieben; Blanko... (*bsd.* ✝): ***a ~ page***; ***a ~ space*** ein leerer Raum; ***~ tape*** Leerband *n*; ***in ~*** blanko; ***leave ~*** frei lassen; ***~ acceptance*** Blankoakzept *n*; ***~ signature*** Blankounterschrift *f*; → ***cheque***; **2.** leer, unbebaut; **3.** blind (*Fenster*, *Tür*); **4.** leer, ausdruckslos; **5.** verdutzt, verblüfft, verlegen: ***a ~ look***; **6.** bar, rein, völlig: ***~ astonishment*** sprachloses Erstaunen; ***~ despair*** helle Verzweiflung; **7.** → ***cartridge*** 1, ***fire*** 13, ***verse*** 3; **II** *s.* **8.** Formblatt *n*, Formu'lar *n*, Vordruck *m*; unbeschriebenes Blatt (*a. fig.*); **9.** leerer *od.* freier Raum (*bsd. für Wort*[*e*] *od. Buchstaben*); Lücke *f*, Leere *f* (*a. fig.*): ***leave a ~*** e-n freien Raum lassen (*beim Schreiben etc.*); ***his mind was a ~*** a) er hatte alles vergessen, b) in s-m Kopf herrschte völlige Leere; **10.** *Lotterie*: Niete *f*: ***draw a ~*** a) e-e Niete ziehen, b) *fig.* kein Glück haben; **11.** *bsd. sport* Null *f*; **12.** *das* Schwarze (*Zielscheibe*); **13.** Öde *f*, Nichts *n*; **14.** ⚙ unbearbeitetes Werkstück, Rohling *m*; ungeprägte Münzplatte; **15.** Gedankenstrich *m* (*an Stelle e-s* [*unanständigen*] *Wortes*), ‚Pünktchen' *pl.*; **III** *v/t.* **16.** *mst* ***~ out*** a) verhüllen, auslöschen, b) *fig.* ‚erledigen', abtun; **17.** ***~ out*** *typ.* gesperrt drucken; **18.** *Wort* durch e-n Gedankenstrich *od.* Pünktchen ersetzen; **19.** *TV Brit.* austasten; **20.** *sport* zu Null schlagen.

blan·ket ['blæŋkɪt] **I** *s.* **1.** (wollene) Decke, Bettdecke *f*: ***to get between the ~s*** F in die Federn kriechen; ***born on the wrong side of the ~*** F unehelich; → ***wet*** 1; **2.** *fig.* Decke *f*, Hülle *f*: ***~ of snow*** Schneedecke; **3.** ⚙ 'Filzˌunterlage *f*; **II** *v/t.* **4.** zudecken; **5.** ⚓ den Wind abfangen (*dat.*); **6.** *fig.* verdecken, unter'drücken, ersticken, vertuschen; **7.** ϟ, ⚔ abschirmen; **8.** *Radio*: stören, über'lagern; **9.** prellen; **10.** *Am.* zs.-fassen, um'fassen; **III** *adj.* **11.** alles einschließend, gene'rell: ***~ clause*** Generalklausel *f*; ***~ insurance*** Kollektivversicherung *f*; ***~ mortgage*** Gesamthypothek *f*; ***~ policy*** Pauschalpolice *f*; ***~ sheet*** *Am.* Zeitung *f* in Großfolio.

blan·ket·ing ['blæŋkɪtɪŋ] *s.* Stoff *m* für Wolldecken.

blare [bleə] **I** *v/i. u. v/t.* a) schmettern (*Trompete*), b) brüllen, plärren (*a. Radio etc.*); **II** *s.* a) Schmettern *n*, b) Brüllen *n*, Plärren *n*, c) Lärm *m*.

blar·ney ['blɑːnɪ] F **I** (plumpe) Schmeiche'lei, ‚Schmus' *m*; **II** *v/t. u. v/i.* (*j-m*) schmeicheln.

bla·sé ['blɑːzeɪ] (*Fr.*) *adj.* gleichgültig, gelangweilt.

blas·pheme [blæs'fiːm] **I** *v/t.* (*engS. Gott*) lästern; schmähen; **II** *v/i.*: ***~ against*** *j-m* fluchen, *j-n* lästern; **blas'phem·er** [-mə] *s.* (Gottes)Lästerer *m*; **blas·phe·mous** ['blæsfəməs] *adj.* ☐ blas'phemisch; **blas·phe·my** ['blæsfəmɪ] *s.* **1.** Blasphe'mie *f*, (Gottes)Lästerung *f*; **2.** Fluchen *n*.

blast [blɑːst] **I** *s.* **1.** (heftiger) Windstoß *m*; **2.** ♪ Schmettern *n*, Schall *m*: ***~ of a trumpet*** Trompetenstoß *m*; **3.** Si'gnal *n*, (Heul-, Pfeif)Ton *m*; Tuten *n*; **4.** *fig.* Pesthauch *m*, Fluch *m*; **5.** ⚘ Brand *m*, Mehltau *m*; Verdorren *n*; **6.** ⚙ a) Sprengladung *f*, b) Sprengung *f*; **7.** a) Explosi'on *f*, Detonati'on *f*, b) *a.* ***~ wave*** Druckwelle *f*; **8.** ⚙ Gebläse(luft *f*) *n*: (***at***) ***full ~*** *a. fig.* auf Hochtouren, *a.* mit voller Lautstärke; **9.** F a) heftige At'tacke, b) ‚Anschiß' *m*; **10.** *Am. sl.* Party *f*; **II** *v/t.* **11.** sprengen; **12.** *a.* ⚘ vernichten (*a.* F *sport*), *fig. a.* zu'nichte machen; **13.** ⚔ unter Beschuß nehmen, *fig. a.* heftig attackieren, F ‚anscheißen'; *Science Fiction*: durch Strahler(schuß) töten; **14.** verfluchen: ***~ed*** verflucht; ***~ it!*** verdammt!; ***~ him!*** der Teufel soll ihn holen!; **15.** ***~ off*** in den Weltraum schießen; **III** *v/i.* **16.** sprengen; **17.** ‚knallen': ***~ away at*** ballern auf (*acc.*), *fig.* heftig attackieren; **18.** ***~ off*** abheben (*Rakete*); ***~ fur·nace*** *s.* ⚙ Hochofen *m*; '***~·hole*** *s.* ⚙ Sprengloch *n*; '***~·off*** *s.* (Ra'keten)Start *m*.

bla·tan·cy ['bleɪtənsɪ] *s.* lärmendes Wesen, Angebe'rei *f*; '**bla·tant** [-nt] *adj.* ☐ **1.** brüllend; **2.** marktschreierisch, lärmend; **3.** aufdringlich; **4.** offenkundig, ekla'tant: ***~ lie***.

blath·er ['blæðə] **I** *v/i.* ‚(blöd) quatschen'; **II** *s.* ‚Gewäsch' *n*; Quatsch *m*; '**~·skite** [-skaɪt] *s.* F **1.** ‚Quatschkopf' *m*; **2.** → ***blather*** II.

blaze [bleɪz] **I** *s.* **1.** *lodernde* Flamme, Feuer *n*, Glut *f*: ***be in a ~*** in Flammen stehen; **2.** *pl.* Hölle *f*: ***go to ~s!*** *sl.* scher dich zum Teufel!; ***like ~s*** F wie verrückt *od.* toll; ***what the ~s is the matter?*** F was zum Teufel ist denn los?; **3.** Leuchten *n*, Glanz *m* (*a. fig.*): ***~ of noon*** Mittagshitze *f*; ***~ of fame*** Ruhmesglanz *m*; ***~ of colo(u)r*** Farbenpracht *f*; ***~ of publicity*** volles Licht der Öffentlichkeit; **4.** *fig.* (plötzlicher) Ausbruch, Auflodern *n* (*Gefühl*): ***~ of anger*** Wutanfall *m*; **5.** Blesse *f* (*bei Rind od. Pferd*); **6.** Anschalmung *f*, Markierung *f an Waldbäumen*; **II** *v/i.* **7.** (auf)flammen, (auf)lodern, (ent)brennen (*alle a. fig.*): ***~ into prominence*** *fig.* e-n kometenhaften Aufstieg erleben; ***~ with anger*** vor Zorn glühen; ***in a blazing temper*** in heller Wut; **8.** leuchten, strahlen

B

(*a. fig.*); **III** *v/t.* **9.** Bäume anschalmen; → ***trail*** 15;
Zssgn mit adv.:
blaze| a·broad *v/t.* verkünden, 'auspoˌsaunen; **~ a·way** *v/i.* drauf'losschießen; *fig.* F loslegen (***at*** mit *et.*), herziehen (***about*** über *acc.*); **~ out**, **~ up** *v/i.* **1.** auflodern, -flammen; **2.** *fig.* in Wut geraten, (wütend) auffahren.
blaz·er ['bleɪzə] *s.* Blazer *m*, Klub-, Sportjacke *f*.
blaz·ing ['bleɪzɪŋ] *adj.* **1.** lodernd (*a. fig.*); **2.** *fig.* a) schreiend, auffallend: **~ *colo(u)rs***, b) offenkundig, ekla'tant: **~ *lie***, c) *hunt.* warm (*Fährte*); → ***scent*** 3; **3.** F verteufelt; **~ star** *s.* Gegenstand *m* allgemeiner Bewunderung.
bla·zon ['bleɪzn] **I** *s.* **1.** a) Wappenschild *m*, *n* b) Wappenkunde *f*; **2.** lautes Lob; **II** *v/t.* **3.** *Wappen* ausmalen; **4.** *fig.* schmücken, zieren; **5.** *fig.* her'ausstreichen, rühmen; **6.** *mst* **~ *abroad***, **~ *out*** 'auspoˌsaunen; '**bla·zon·ry** [-rɪ] *s.* **1.** a) Wappenzeichen *n*, b) He'raldik *f*; **2.** *fig.* Farbenschmuck *m*.
bleach [bli:tʃ] **I** *v/t.* bleichen (*a. fig.*); **II** *s.* Bleichmittel *n*; '**bleach·er** [-tʃə] *s.* **1.** Bleicher(in); **2.** *mst pl. Am. sport* 'unüberˌdachte Tri'büne.
bleak [bli:k] *adj.* □ **1.** kahl, öde; **2.** ungeschützt, windig (gelegen); **3.** rauh (*Wind, Wetter*); **4.** *fig.* trost-, freudlos, trübe, düster: **~ *prospects*** trübe Aussichten.
blear [blɪə] **I** *adj.* verschwommen, trübe (*a. Augen*); **II** *v/t.* trüben; **~-eyed** ['blɪəraɪd] *adj.* **1.** a) mit trüben Augen, b) verschlafen; **2.** kurzsichtig, *fig. a.* einfältig.
bleat [bli:t] *v/i.* **1.** blöken (*Schaf, Kalb*), meckern (*Ziege*); **2.** in weinerlichem Ton reden; **II** *s.* **3.** Blöken *n*, Gemecker *n* (*a. fig.*).
bled [bled] *pret. u. p.p. von* ***bleed***.
bleed [bli:d] [*irr.*] **I** *v/i.* **1.** (ver)bluten (*a. Pflanze*): **~ *to death*** verbluten; **2.** sein Blut vergießen, sterben (***for*** für); **3.** *fig.* (***for***) bluten (um) (*Herz*), (tiefes) Mitleid empfinden (mit); **4.** F ‚bluten' (*zahlen*): **~ *for s.th.*** für et. schwer bluten müssen; **5.** auslaufen, ‚bluten' (*Farbe*); zerlaufen (*Teer etc.*); leck sein, lekken; **6.** *typ.* angeschnitten *od.* bis eng an den Druck beschnitten sein (*Buch, Bild*); **II** *v/t.* **7.** ⚕ zur Ader lassen; **8.** *Flüssigkeit, Dampf etc.* ausströmen lassen, abzapfen: **~ *valve*** Ablaßventil *n*; **9.** ⚙, *bsd. mot. Bremsleitung* entlüften; **10.** F ‚bluten lassen', schröpfen: **~ *white*** *j-n* bis zum Weißbluten auspressen; '**bleed·er** [-də] *s.* **1.** ⚕ Bluter *m*; **2.** F a) Erpresser *m*, b) (blöder *etc.*) Kerl, c) ‚Scheißding' *n*; **3.** ⚙ 'Ablaßvenˌtil *n*; **4.** ⚡ 'Vorbelastungsˌwiderstand *m*.
bleed·ing ['bli:dɪŋ] **I** *s.* **1.** Blutung *f*, Aderlaß *m* (*a. fig.*): **~ *of the nose*** Nasenbluten *n*; **2.** ⚙ ‚Bluten' *n*, Auslaufen *n* (*Farbe, Teer*); **3.** ⚙ Entlüften *n*; **II** *adj.* **4.** *sl.* verdammt; **~ heart** *s.* ⚘ F Flammendes Herz.
bleep [bli:p] **I** *s.* **1.** Piepton *m*; **2.** → ***bleeper***; **II** *v/i.* **3.** piepen; '**bleep·er** [-pə] *s.* F ‚Piepser' *m* (*Funkrufempfänger*).
blem·ish ['blemɪʃ] **I** *v/t.* verunstalten, schaden (*dat.*); *fig.* beflecken; **II** *s.* Fehler *m*, Mangel *m*; Makel *m*, Schönheitsfehler *m*.
blench[1] [blentʃ] **I** *v/i.* **1.** verzagen; **2.** zu'rückschrecken (***at*** vor *dat.*); **II** *v/t.* (ver)meiden.
blench[2] [blentʃ] → ***blanch*** 6.
blend [blend] **I** *v/t.* **1.** (ver)mengen, (ver)mischen, verschmelzen; **2.** mischen, mixen; e-e (*Tee-, Tabak-, Whisky*)Mischung zs.-stellen; *Wein etc.* verschneiden; **II** *v/i.* **3.** (***with***) sich mischen *od.* har'monisch verbinden (mit); **4.** verschmelzen, inein'ander 'übergehen (*Farben*); **III** *s.* **5.** Mischung *f*, (harmonische) Zs.-stellung (*Getränke, Tabak, Farben*); (*Wein*)Verschnitt *m*; **~ word** *s. ling.* Misch-, Kurzwort *n*.
blende [blend] *s. min.* Blende *f*, *engS.* Zinkblende *f*.
Blen·heim or·ange ['blenɪm] *s. Brit. eine Apfelsorte.*
blent [blent] *obs. pret. u. p.p. von* ***blend***.
bless [bles] *v/t.* **1.** segnen; **2.** segnen, preisen; glücklich machen: **~*ed with*** gesegnet mit (*Talent, Reichtum etc.*); ***I ~ the day I met you*** ich segne *od.* preise den Tag, an dem ich dich kennenlernte; **~ *one's stars*** sich glücklich schätzen; **3.** **~ *o.s.*** sich bekreuzigen;
Besondere Redewendungen:
(***God***) **~ *you!*** a) alles Gute!, b) *beim Niesen*: Gesundheit!; ***well, I'm ~ed!*** F na, so was!; ***I'm ~ed if I know*** F ich weiß es wirklich nicht; ***Mr. Brown, ~ him*** Herr Brown, der Gute; **~ *my soul!*** F du meine Güte!; ***not at all, ~ you!*** *iro.* o nein, mein Verehrtester! *od.* meine Beste!; **~ *that boy*, *what is he doing there?*** F was zum Kuckuck stellt der Junge dort an?; ***not to have a penny to ~ o.s. with*** keinen roten Heller besitzen.
bless·ed ['blesɪd] **I** *adj.* **1.** gesegnet, selig, glücklich: ***of ~ memory*** seligen Angedenkens; **~ *event*** freudiges Ereignis (*Geburt e-s Kindes*); **2.** gepriesen, selig, heilig: ***the ~ Virgin*** die Heilige Jungfrau (Maria); **3.** ***the whole ~ day*** F den lieben langen Tag; ***not a ~ soul*** keine Menschenseele; **II** *s.* **4.** ***the ~*** (***ones***) die Seligen; '**bless·ed·ness** [-nɪs] *s.* Glück'seligkeit *f*, Glück *n*; Seligkeit *f*:

live in single ~ Junggeselle sein; ˈ**blessing** [-sɪŋ] *s.* Segen *m*, Segnung *f*, Wohltat *f*, Gnade *f*: ***ask a ~*** a) Segen erbitten, b) das Tischgebet sprechen; ***what a ~ that ...*** welch ein Segen, daß ...; ***it turned out to be a ~ in disguise*** es stellte sich im nachhinein als Segen heraus; ***count one's ~s*** dankbar sein für das, was e-m beschert ist; ***give one's ~ to*** s-n Segen geben zu, *fig. a. et.* absegnen.

blest [blest] **I** *poet. pret. u. p.p. von* ***bless***; **II** *pred. adj. poet.* → ***blessed***; **III** *s.*: ***the Isles of the*** ~ die Inseln der Seligen.

bleth·er [ˈbleðə] → ***blather***.

blew [bluː] *pret. von* ***blow***[1] II *u.* III *u.* ***blow***[3].

blight [blaɪt] **I** *s.* **1.** ♀ Mehltau *m*, Fäule *f*, Brand *m* (*Pflanzenkrankheit*); **2.** *fig.* Gift-, Pesthauch *m*; Vernichtung *f*; Fluch *m*; Enttäuschung *f*, Schatten *m*; **3.** Verwahrlosung *f e-r Wohngegend*; **II** *v/t.* **4.** *fig.* im Keim ersticken, zuˈnichte machen, vereiteln; ˈ**blight·er** [-tə] *s. Brit.* F a) Kerl *m*, ‚Knülch' *m*, b) ‚Mistkerl' *m*, c) ‚Mistding' *n*.

Blight·y [ˈblaɪtɪ] *s.* ⚔ *Brit. sl.* **1.** die Heimat, England *n*; **2.** a) *a.* ***a ~ one*** ‚Heimatschuß' *m*, b) Heimaturlaub *m*.

bli·mey [ˈblaɪmɪ] *int.* F *Brit.* a) ich werd' verrückt! (*überrascht*), b) verdammt!

blimp[1] [blɪmp] *s.* F **1.** unstarres Kleinluftschiff; **2.** *phot.* schalldichte Kamerahülle.

Blimp[2] [blɪmp] *s.*: (***Colonel***) ~ *Brit.* selbstgefälliger Erzkonservativer.

blind [blaɪnd] **I** *adj.* □ → *a.* 9 **1.** blind: ***~ in one eye*** auf ˈeinem Auge blind; ***struck ~*** mit Blindheit geschlagen; ***as ~ as a bat*** (*od.* ***beetle***) stockblind; **2.** *fig.* blind, verständnislos (***to*** gegen[ˈüber]): ***~ to s.o.'s faults*** j-s Fehlern gegenüber blind; ***~ chance*** blinder Zufall; ***~ with rage*** blind vor Wut; ***~ side*** *fig.* schwache Seite; ***turn a ~ eye*** *fig.* ein Auge zudrücken, *et.* absichtlich übersehen; **3.** unbesonnen: ***~ bargain***; **4.** zweck-, ziellos, leer: ***~ excuse*** Ausrede *f*; **5.** verborgen, geheim: ***~ staircase*** Geheimtreppe; **6.** schwererkennbar: ***~ corner*** unübersichtliche Ecke *od.* Kurve; ***~ copy*** *typ.* unleserliches Manuskript; **7.** ⚠ blind: ***~ window***; **8.** ♀ blütenlos, taub; **II** *adv.* **9.** ***~ drunk*** sinnlos betrunken, ‚blau'; *fig.* ***go it ~*** blindlings handeln; **III** *v/t.* **10.** blenden, blind machen; *j-m* die Augen verbinden: ***~ing rain*** alles verhüllender Regen; **11.** verblenden, täuschen; blind machen (***to*** gegen); **12.** *fig.* verdunkeln, verbergen, vertuschen, verwischen; **IV** *v/i.* **13.** *Brit. sl.* blind draufˈlossausen; **V** *s.* **14.** ***the ~*** die Blinden *pl.*; **15.** a) Rolladen *m*, b) Rouˈleau *n*, Rollo *n*, c) Marˈkise *f*; → ***Venetian*** I; **16.** *pl.* Scheuklappen *pl.*; **17.** *fig.* a) Vorwand *m*, b) (Vor)Täuschung *f*, c) Tarnung *f*, d) F Strohmann *m*; **18.** *hunt.* Deckung *f*; **19.** *Brit. sl.* Saufeˈrei *f*; ***~ al·ley*** *s.* Sackgasse *f* (*a. fig.*); ˌ**~-ˈal·ley** *adj.*: ***~ occupation*** Stellung *f* ohne Aufstiegsmöglichkeit; ***~ coal*** *s.* Anthraˈzit *m*; ***~ date*** *s.* F a) Verabredung *f* mit e-r *od.* e-m Unbekannten, b) unbekannter Partner bei e-m solchen Rendezvous.

blind·er [ˈblaɪndə] *s. Am.* Scheuklappe *f* (*a. fig.*).

blind| flight *s.* ✈ Blindflug *m*; ˈ**~·fold I** *adj. u. adv.* **1.** mit verbundenen Augen: ***~ chess*** Blindschach *n*; **2.** blind (-lings) (*a. fig.*): ***~ rage*** blinde Wut; **II** *v/t.* **3.** *j-m* die Augen verbinden; **4.** *fig.* blind machen; ***~ gut*** *s. anat.* Blinddarm *m*; ˌ**~-man's-ˈbuff** [ˌblaɪndmænz-] *s.* Blindekuh(spiel *n*) *f*.

blind·ness [ˈblaɪndnɪs] *s.* **1.** Blindheit *f* (*a. fig.*); **2.** *fig.* Verblendung *f*.

blind| shell *s.* ⚔ Blindgänger *m*; ***~ spot*** *s.* **1.** ⚕ blinder Fleck *auf der Netzhaut*; **2.** *fig.* schwacher *od.* wunder Punkt; **3.** *mot.* toter Winkel *im Rückspiegel*; **4.** *Radio*: Empfangsloch *n*; ***~ stitch*** *s.* blinder (*unsichtbarer*) Stich; ˈ**~·worm** *s. zo.* Blindschleiche *f*.

blink [blɪnk] **I** *v/i.* **1.** blinken, blinzeln, zwinkern: ***~ at*** a) *j-m* zublinzeln, b) → 2 *u.* 5; **2.** erstaunt *od.* verständnislos dreinblicken: ***~ at*** *fig.* sich maßlos wundern über (*acc.*); **3.** flimmern, schimmern; **II** *v/t.* **4.** ***~ one's eyes*** mit den Augen zwinkern; **5.** *et.* ignorieren, die Augen verschließen vor (*dat.*): ***there is no ~ing the fact*** (***that***) es ist nicht zu leugnen (, daß); **6.** *Meldung* blinken; **III** *s.* **7.** Blinzeln *n*; **8.** (Licht)Schimmer *m*; **9.** flüchtiger Blick; **10.** Augenblick *m*; **11.** ***on the ~*** *sl.* a) deˈfekt, nicht in Ordnung, b) ‚am Eingehen' (*Gerät etc.*); ˈ**blink·er** [-kə] **I** *s.* **1.** *pl.* Scheuklappen *pl.* (*a. fig.*); **2.** *pl.* F Schutzbrille *f*; **3.** F ‚Gucker' *pl.* (*Augen*); **4.** a) Blinklicht *n*, b) *mot.* Blinker *m*; **5.** a) Blinkgerät *n*, b) Blinkspruch *m*; **II** *v/t.* **6.** *e-m Pferd* Scheuklappen anlegen: ***~ed*** mit Scheuklappen (*a. fig.*); **7.** → ***blink*** 6.

ˈ**blink·ing** [-kɪŋ] *adj. u. adv. Brit. sl.* verdammt.

blip [blɪp] *s.* **1.** Klicken *n*; **2.** *Radar*: ˈEchoimˌpuls *m*, -zeichen *n*.

bliss [blɪs] *s.* Freude *f*, Entzücken *n*, (Glück)ˈSeligkeit *f*, Wonne *f*; ˈ**bliss·ful** [-fʊl] *adj.* □ (glück)ˈselig, völlig glücklich; ˈ**bliss·ful·ness** [-fʊlnɪs] *s.* Wonne *f*.

blis·ter [ˈblɪstə] **I** *s.* **1.** ⚕ (*Haut*)Blase *f*, Pustel *f*; **2.** Blase *f* (*auf bemaltem Holz, in Glas etc.*); **3.** ⚕ Zugpflaster *n*; **4.**

B

⚔, ✈ a) Bordwaffen- *od.* Beobachterstand *m*, b) Radarkuppel *f*; **II** *v/t.* **5.** Blasen her'vorrufen auf (*dat.*); **6.** *fig.* scharf kritisieren, ‚fertigmachen'; **7.** brennenden Schmerz her'vorrufen auf (*dat.*): **~ing heat** glühende Hitze; **III** *v/i.* **8.** Blasen ziehen *od.* ⚙ werfen.

blithe [blaɪð] *adj.* □ vergnügt.

blith·er·ing ['blɪðərɪŋ] *adj. Brit.* F verdammt: **~ idiot** Vollidiot *m*.

blitz [blɪts] ⚔ **I** *s.* **1.** Blitzkrieg *m*; **2.** schwerer Luftangriff; schwere Luftangriffe *pl.*; **II** *v/t.* **3.** schwer bombardieren: **~ed area** zerbombtes Gebiet; '**~·krieg** [-kri:g] → **blitz** 1.

bliz·zard ['blɪzəd] *s.* Schneesturm *m*.

bloat[1] [bləʊt] **I** *v/t. a.* **~ up** aufblasen, -blähen (*a. fig.*); **II** *v/i. a.* **~ out** auf-, anschwellen; '**bloat·ed** [-tɪd] *adj.* aufgebläht (*a. fig.*), (auf)gedunsen.

bloat·er ['bləʊtə] *s.* Räucherhering *m*.

blob [blɒb] *s.* **1.** Tropfen *m*, Klümpchen *n*, Klecks *m*; **2.** *Kricket*: null Punkte; **3.** F ‚Kloß' (*Person*).

bloc [blɒk] *s. pol.* Block *m*: **sterling ~** ⚕ Sterlingblock

block [blɒk] **I** *s.* **1.** Block *m*, Klotz *m* (*mst Holz*, *Stein*): **on the ~** zur Versteigerung anstehend, unterm Hammer; **2.** Hackklotz *m*; **3. the ~** der Richtblock: **go to the ~** das Schafott besteigen; **4.** ⚙ Block *m*, Rolle *f*; **pulley** 1, **tackle** 3; **5.** *typ.* Kli'schee *n*, Druckstock *m*; Prägestempel *m*; **6.** a) *a.* **~ of flats** *Brit.* Wohnhaus *n*, b) → **office block**, c) *Am.* Zeile *f* (*Reihenhäuser*), d) *bsd. Am.* Häuserblock *m*: **three ~s from here** drei Straßen weiter; **7.** Block *m*, Masse *f*, Gruppe *f*; *attr.* Gesamt…: **~ of shares** Aktienpaket *n*; (**data**) **~** *Computer*: (Daten)Block *m*; **8.** Abreißblock *m*: **scribbling ~** Notiz-, Schmierblock; **9.** *fig.* Klotz *m*, Tölpel *m*; **10.** a) Verstopfung *f*, Hindernis *n*, Stockung *f*, b) Sperre *f*, Absperrung *f*: **traffic ~** Verkehrsstockung *f*; **mental ~** *fig.* ‚geistige Ladehemmung'; **11.** 🚂 Blockstrecke *f*; **12.** *sport:* a) Sperren *n*, b) *Volleyball etc.*: Block *m*; **II** *v/t.* **13.** (auf e-m Block) formen: **~ a hat**; **14.** hemmen, hindern, blockieren, *fig. a.* durch'kreuzen: **~ a bill** *Brit. pol.* die Beratung e-s Gesetzentwurfs verhindern; **15.** *oft* **~ up** (ab-, ver)sperren, verstopfen, blockieren: **road ~ed** Straße ge-, versperrt; **16.** ⚕ *Konto*, ⚡ *Röhre*, *Leitung* sperren; ⚕ *Kredit etc.* einfrieren: **~ed account** Sperrkonto *n*; **17.** *sport* a) *Gegner* sperren, *a. Schlag etc.* abblocken, b) *Ball* stoppen, halten; **~ in** *v/t.* skizzieren, entwerfen; **~ out** *v/t.* **1.** → **block in**; **2.** *Licht* nehmen (*Bäume etc.*); **3.** *phot. Negativteil* abdecken; **~ up** *v/t.* → **block** 15.

block·ade [blɒ'keɪd] **I** *s.* Bloc'kade *f*, (Hafen)Sperre *f*: **impose a ~** e-e Blokkade verhängen; **raise a ~** e-e Blockade aufheben; **run the ~** die Blockade brechen; **II** *v/t.* blockieren, absperren; **block'ad·er** [-də] *s.* Bloc'kadeschiff *n*; **block'ade-ˌrun·ner** *s.* Bloc'kadebrecher *m*.

block| brake *s.* Backenbremse *f*; '**~·buster** *s.* F **1.** ⚔ Minenbombe *f*; **2.** *fig.* ‚Knüller' *m*, ‚Hammer' *m*, tolles Ding; **~ di·a·gram** *s.* ⚙, ⚡ 'Blockdiaˌgramm *n*, -schaltbild *n*; '**~·head** *s.* Dummkopf *m*; '**~·house** *s.* Blockhaus *n*; **~ let·ters** *s. pl. typ.* Blockschrift *f*; **~ print·ing** *s.* Handdruck *m*; **~ sys·tem** *s.* **1.** 🚂 'Blocksyˌstem *n*; **2.** ⚡ Blockschaltung *f*; **~ vote** *s.* Sammelstimme *f* (*e-e ganze Organisation vertretend*).

bloke [bləʊk] *s.* F Kerl *m*.

blond [blɒnd] *adj.* **1.** blond (*Haar*), hell (*Gesichtsfarbe*); **2.** blond(haarig); **blonde** [blɒnd] *s.* **1.** Blon'dine *f*; **2.** ⚕ Blonde *f* (*seidene Spitze*).

blood [blʌd] *s.* **1.** Blut *n*: **spill ~** Blut vergießen; **give one's ~** (**for**) sein Blut (*od.* Leben) lassen (für); **taste ~** *fig.* Blut lecken; **fresh ~** *fig.* frisches Blut; **~-and-thunder** (**story**) *Brit.* F ‚Reißer' *m* (*Roman*); Schauergeschichte *f*; **2.** *fig.* Blut *n*, Tempera'ment *n*, Wesen *n*: **it made his ~ boil**, **his ~ was up** er kochte vor Wut; **his ~ froze** (*od.* **ran cold**) das Blut erstarrte ihm in den Adern; **breed** (*od.* **make**) **bad ~** böses Blut machen; → **cold blood**, **curdle** II; **3.** (edles) Blut, Geblüt; *n* Abstammung *f*; Rasse *f* (*Mensch*), 'Vollblut *n* (*bes. Pferd*): **prince of the ~ royal** Prinz *m* von königlichem Geblüt; **noble ~** → **blue blood**; **related by ~** blutsverwandt; **it runs in the ~** es liegt im Blut *od.* in der Familie; **~ will out** Blut bricht sich Bahn; **~ al·co·hol** (**con·cen·tra·tion**) *s.* Blutalkohol(gehalt) *m*; **~ bank** *s.* ⚕ Blutbank *f*; **~ broth·er** *s.* **1.** leiblicher Bruder; **2.** Blutsbruder *m*; **~ cir·cu·la·tion** *s.* ⚕ Blutkreislauf *m*; **~ clot** *s.* ⚕ Blutgerinnsel *n*; '**~ˌcur·dler** *s.* F ‚Reißer' *m* (*Roman etc.*); '**~ˌcur·dling** *adj.* grauenhaft; **~ do·nor** *s.* ⚕ Blutspender *m*.

blood·ed ['blʌdɪd] *adj.* **1.** Vollblut…; **2.** *in Zssgn* …blütig.

blood| feud *s.* Blut-, Todfehde *f*; **~ group** *s.* ⚕ Blutgruppe *f*; **~ group·ing** *s.* ⚕ Blutgruppenbestimmung *f*; '**~·guilt** *s.* Blutschuld *f*; **~ heat** *s.* ⚕ Blutwärme *f*, 'Körpertemperaˌtur *f*; **~ horse** *s.* 'Vollblut(pferd) *n*; '**~·hound** *s.* **1.** Schweiß-, Bluthund *m*; **2.** F ‚Schnüffler' *m* (*Detektiv*).

blood·less ['blʌdlɪs] *adj.* □ **1.** blutlos, -leer (*a. fig.*); **2.** bleich; **3.** *fig.* kalt; **4.** unblutig (*Kampf etc.*).

'**blood|ˌlet·ting** *s.* **1.** Aderlaß *m* (*a. fig.*);

2. → ***bloodshed***; **~ mon·ey** *s.* Blutgeld *n*; **~ poi·son·ing** *s.* ⚕ Blutvergiftung *f*; **~ pres·sure** *s.* ⚕ Blutdruck *m*; **~ re·la·tion** *s.* Blutsverwandte(r *m*) *f*; **~ sam·ple** *s.* ⚕ Blutprobe *f*; **'~·shed** *s.* Blutvergießen *n*; **'~·shot** *adj.* 'blutunterˌlaufen; **~ spec·i·men** *s.* ⚕ Blutprobe *f*; **~ sports** *s.* Hetz-, *bsd.* Fuchsjagd *f*; **'~·stained** *adj.* blutbefleckt (*a. fig.*); **'~·stock** *s.* 'Vollblutpferde *pl.*; **~ stream** *s.* **1.** ⚕ Blut(kreislauf *m*) *n*; **2.** *fig.* Lebensstrom *m*; **'~ˌsuck·er** *s.* Blutsauger *m* (*a. fig.*); **~ sug·ar** *s.* ⚕ Blutzucker *m*; **~ test** *s.* ⚕ Blutprobe *f*, 'Blutunterˌsuchung *f*; **'~ˌthirst·i·ness** *s.* Blutdurst *m*; **'~ˌthirst·y** *adj.* blutdürstig; **~ trans·fu·sion** *s.* ⚕ 'Blutüberˌtragung *f*; **~ typ·ing** *s.* → ***blood grouping***; **~ ves·sel** *s. anat.* Blutgefäß *n*.

blood·y ['blʌdɪ] **I** *adj.* ☐ **1.** blutig, blutbefleckt: ***~ flux*** ⚕ rote Ruhr; **2.** blutdürstig, mörderisch, grausam: ***a ~ battle*** e-e blutige Schlacht; **3.** *Brit. sl.* verdammt, saumäßig, Scheiß… (*oft nur verstärkend*): ***not a ~ soul*** kein Schwanz; ***a ~ fool*** ein Vollidiot *m*; ***~ thing*** ‚Scheißding' *n*; **II** *adv.* **4.** *Brit. sl.* mordsmäßig, verdammt: ***~ awful*** ‚beschissen'; ***you ~ well know*** du weißt ganz genau; ♀ **Ma·ri·a** [mə'raɪə; mə'rɪə] *s. Am. Getränk aus Tequila u. Tomatensaft*; ♀ **Mar·y** ['meərɪ] *s. Getränk aus Wodka u. Tomatensaft*; **ˌ~-'mind·ed** *adj. Br.* F **1.** gemein, ekelhaft; **2.** störrisch, stur.

bloom¹ [blu:m] **I** *s.* **1.** Blüte *f*, Blume *f*: ***in full ~*** in voller Blüte; **2.** *fig.* Blüte (-zeit) *f*, Jugendfrische *f*; **3.** Flaum *m* (*auf Pfirsichen etc.*); **4.** *fig.* Schmelz *m*, Glanz *m*; **II** *v/i.* **5.** (er)blühen (*a. fig.*).

bloom² [blu:m] *metall.* **I** *s.* **1.** Walzblock *m*; **2.** Puddelluppe *f*: ***~ steel*** Puddelstahl *m*; **II** *v/t.* **3.** luppen: ***~ing mill*** Luppenwalzwerk *n*.

bloom·er ['blu:mə] *s. sl.* grober Fehler, Schnitzer *m*, (Stil)Blüte *f*.

bloom·ers ['blu:məz] *s. pl.* a) *obs.* (Damen)Pumphose *f*, b) Schlüpfer *m* mit langem Bein, ‚Liebestöter' *m*.

bloom·ing ['blu:mɪŋ] *pres. p. u. adj.* **1.** blühend (*a. fig.*); **2.** *sl.* → ***bloody*** 3.

blos·som ['blɒsəm] **I** *s.* (*bsd.* Obst)Blüte *f*; Blütenfülle *f*: ***in ~*** in (voller) Blüte; **II** *v/i. a. fig.* blühen, Blüten treiben: ***~ (out) (into)*** erblühen, gedeihen (zu).

blot [blɒt] **I** *s.* **1.** (Tinten)Klecks *m*, Fleck *m*; **2.** *fig.* Schandfleck *m*, Makel *m*; → ***escutcheon*** 1; **3.** Verunstaltung *f*, Schönheitsfehler *m*; **II** *v/t.* **4.** *mit Tinte* beschmieren, beklecksen; **5.** ***~ out*** *Schrift* ausstreichen; **6.** ***~ out*** *fig.* a) *Erinnerungen etc.* auslöschen, b) verdunkeln, verhüllen: ***fog ~ted out the view*** Nebel verhüllte die Aussicht; **7.** *mit Löschpapier* (ab)löschen.

blotch [blɒtʃ] **I** *s.* **1.** Fleck *m*, Klecks *m*; **2.** *fig.* → ***blot*** 2; **3.** ⚕ Hautfleck *m*; **II** *v/t.* **4.** beklecksen; **III** *v/i.* **5.** klecksen; **'blotch·y** [-tʃɪ] *adj.* **1.** klecksig; **2.** ⚕ fleckig.

blot·ter ['blɒtə] *s.* **1.** (Tinten)Löscher *m*; **2.** *Am.* Kladde *f*, Berichtsliste *f* (*bsd. der Polizei*).

blot·ting| pad ['blɒtɪŋ] *s.* 'Schreibˌunterlage *f od.* Block *m* aus 'Löschpaˌpier; **~ pa·per** *s.* Löschpapier *n*.

blot·to ['blɒtəʊ] *adj. sl.* ‚sternhagelvoll', ‚stinkbesoffen'.

blouse [blaʊz] *s.* **1.** Bluse *f*; **2.** ⚔ a) Uni'formjacke *f*, b) Feldbluse *f*.

blow¹ [bləʊ] **I** *s.* **1.** Blasen *n*, Luftzug *m*, Brise *f*: ***go for a ~*** an die frische Luft gehen; **2.** Blasen *n*, Schall *m*: ***a ~ on a whistle*** ein Pfiff; **3.** *Am.* F a) Angebe'rei *f*, b) Angeber *m*; **II** *v/i.* [*irr.*] **4.** blasen, wehen, pusten: ***it is ~ing hard*** es weht ein starker Wind; ***~ hot and cold*** *fig.* ‚mal so, mal so' *od.* wetterwendisch sein; **5.** ertönen: ***the horn is ~ing***; **6.** keuchen, schnaufen; **7.** spritzen, blasen (*Wal*); **8.** *Am.* F ‚angeben'; **9.** a) explodieren, b) platzen (*Reifen*), c) ϟ 'durchbrennen (*Sicherung*), d) ausbrechen (*Erdöl etc.*); **III** *v/t.* [*irr.*] **10.** wehen, treiben (*Wind*): ***~n ashore*** auf Strand geworfen; **11.** anfachen: ***~ the fire***; **12.** (an)blasen: ***~ the soup***; **13.** blasen, ertönen lassen: ***~ the horn*** ins Horn stoßen; **14.** auf-, ausblasen: ***~ bubbles*** Seifenblasen machen; ***~ glass*** Glas blasen; ***~ one's nose*** sich die Nase putzen, sich schnauben; ***~ an egg*** ein Ei ausblasen; **15.** *sl. Geld* ‚verpulvern'; **16.** zum Platzen bringen: ***blew itself to pieces*** zersprang in Stücke; → ***top*** 4; **17.** F (*p.p.* ***blowed***) verfluchen: ***~ it!*** verflucht!; ***I'll be ~ed (if) …!*** zum Teufel (wenn) …!; **18.** *sl.* a) ‚verpfeifen', verraten, b) aufdecken, c) ‚verduften' aus (*dat.*); **19.** *sl.* ‚vermasseln'; **20.** V *j-m* ‚e-n blasen';

Zssgn mit adv.:

blow| a·way *v/t.* **1.** wegblasen; **2.** F *j-n* ‚wegpusten' (*töten*); **~ down** *v/t.* her'unter-, 'umwehen; **~ in I** *v/i. fig.* auftauchen, her'einschneien; **II** *v/t. Scheiben* eindrücken; **~ off I** *v/i.* **1.** fortwehen; **2.** abtreiben (*Schiff*); **II** *v/t.* **3.** fortblasen; verjagen; **4.** *Dampf etc.* ablassen; → ***steam*** 1; **~ out I** *v/i.* **1.** verlöschen; **2.** platzen; **3.** ϟ 'durchbrennen (*Sicherung*); **II** *v/t.* **4.** *Licht* ausblasen, *Feuer* (aus)löschen; **5.** her'ausblasen, -treiben: ***~ one's brains*** sich e-e Kugel durch den Kopf jagen; **6.** sprengen, zertrümmern; **~ o·ver I** *v/i. fig.* vor'beigehen, sich legen; **II** *v/t.* 'umwehen; **~ up I** *v/t.* **1.** a) (in die Luft) sprengen, b) vernichten, *fig. a.* ruinieren; **2.** aufblasen, -pumpen; *fig. et.* aufbauschen; **3.** *Foto* (stark) vergrößern; **4.** F *j-n* ‚anschnauzen'; **II** *v/i.* **5.** a) in die Luft fliegen, b) explodieren (*a.* F *fig. Person*): ***~ at s.o.*** j-m ‚ins Gesicht springen'; **6.** aus-, losbrechen; **7.** *fig.* eintreten, auftauchen.

blow² [bləʊ] *s.* **1.** Schlag *m*, Streich *m*, Stoß *m*: ***at a*** (*od.* ***one***) ***~*** mit 'einem Schlag *od.* Streich; ***without striking a ~*** *fig.* ohne jede Gewalt(anwendung), mühelos; ***come to ~s*** handgemein werden; ***strike a ~ at*** e-n Schlag führen gegen (*a. fig.*); ***strike a ~*** (***for***) sich einsetzen (für), helfen (*dat.*); **2.** *fig.* (Schicksals)Schlag *m*, Unglück *n*: ***it was a ~ to his pride*** es traf ihn schwer in s-m Stolz.

blow³ [bləʊ] *v/i.* [*irr.*] (auf)blühen, sich entfalten (*a. fig.*).

'blow|·ball *s.* ✿ Pusteblume *f*; **'~-dry** *v/t.* (*j-m* die Haare) fönen; **~ dry·er** *s.* Haartrockner *m*.

blowed [bləʊd] *p.p. von* ***blow¹*** 17.

blow·er ['bləʊə] *s.* **1.** Bläser *m*: ***glass-~***; ***~ of a horn***; **2.** ⚙ a) Gebläse *n*, b) *mot.* Vorverdichter *m*; **3.** F Telefon *n*.

'blow|·fly *s. zo.* Schmeißfliege *f*; **'~·gun** *s.* **1.** Blasrohr *n*; **2.** ⚙ 'Spritzpisˌtole *f*; **'~·hard** *s. Am.* F Angeber *m*; **'~·hole** *s.* **1.** Luft-, Zugloch *n*; **2.** Nasenloch *n* (*Wal*); **'~·lamp** *s.* ⚙ Lötlampe *f*.

blown¹ [bləʊn] **I** *p.p. von* ***blow¹*** II *u.* III; **II** *adj.* **1.** *oft* ***~ up*** aufgeblasen, -gebläht (*a. fig.*); **2.** außer Atem.

blown² [bləʊn] **I** *p.p. von* ***blow³***; **II** *adj. a. fig.* blühend, aufgeblüht.

'blow|-out *s.* **1.** a) Zerplatzen *n*, b) Reifenpanne *f*; **2.** F Koller *m*, (Wut)Ausbruch *m*; **3.** *sl.* a) große Party, b) ('Freß)ˌOrgie *f*; **'~·pipe** *s.* **1.** ⚙ Lötrohr *n*, Schweißbrenner *m*; **2.** Puste-, Blasrohr *n*; **'~·torch** *s.* ⚙ *Am.* Lötlampe *f*; **'~·up** *s.* **1.** Explosi'on *f*; **2.** *fig.* a) ‚Krach' *m*, b) Koller *m*; **3.** *phot.* Vergrößerung *f*, Großfoto *n*.

blow·y ['bləʊɪ] *adj.* windig, luftig.

blowz·y ['blaʊzɪ] *adj.* **1.** schlampig (*bsd. Frau*); **2.** rotgesichtig (*Frau*).

blub·ber ['blʌbə] **I** *s.* Tran *m*, Speck *m*; **II** *v/i.* heulen, ‚flennen'.

bludg·eon ['blʌdʒən] **I** *s.* **1.** Knüppel *m*, Keule *f*; **II** *v/t.* **2.** 'niederknüppeln; **3.** *j-n* zwingen (***into*** zu).

blue [bluː] **I** *adj.* **1.** blau: ***till you are ~ in the face*** F bis Sie schwarz werden; → ***moon*** 1; **2.** F trübe, schwermütig, traurig: ***feel ~*** niedergeschlagen sein; ***look ~*** trübe aussehen (*Person, Umstände*); **3.** *pol. Brit.* ‚schwarz', konserva'tiv; **4.** *Brit.* F nicht sa'lonfähig, ordi'när: ***~ jokes***; ***~ movie*** Pornofilm *m*; **5.** F schrecklich; → ***funk*** 1, ***murder*** 1; **II** *s.* **6.** Blau *n*, blaue Farbe; **7.** Waschblau *n*; **8.** blaue Kleidung; **9.** *mst poet.* ***the ~*** a) der Himmel, b) das Meer: ***out of the ~*** aus heiterem Himmel, völlig unerwartet; **10.** *pol. Brit.* Konserva'tive(r *m*) *f*; **11.** ***the dark*** (***light***) ***~s*** *pl. Studenten von Oxford* (*Cambridge*), *die bei Wettkämpfen ihre Universität vertreten*: ***get one's ~*** in die Universitätsmannschaft aufgenommen werden; **12.** *pl.* F Trübsinn *m*: ***have the ~s*** ‚den Moralischen haben'; **13.** *pl.* ♪ Blues *m*; **III** *v/t.* **14.** *Wäsche* bläuen; **15.** *sl. Geld* ‚verjuxen'; **~ ba·by** *s.* ⚕ Blue baby *n* (*mit angeborenem Herzfehler*); **'♀ˌbeard** *s.* (Ritter) Blaubart *m* (*Frauenmörder*); **'~·bell** *s.* ✿ **1.** 'Sternhyaˌzinthe *f* (*England*); **2.** *e-e* Glockenblume *f* (*Schottland*); **~ be·rets** *s. pl.* Blauhelme *pl.*; **'~·ber·ry** [-bərɪ] *s.* ✿ Blau-, Heidelbeere *f*; **~ blood** *s.* **1.** blaues Blut, alter Adel; **2.** Aristo'krat(in), Adlige(r *m*) *f*; **~ book** *s.* Blaubuch *n*: a) *Brit. amtliche politische Veröffentlichung*, b) F *Am. Verzeichnis prominenter Persönlichkeiten*; **'~ˌbot·tle** *s.* **1.** *zo.* Schmeißfliege *f*; **2.** ✿ Kornblume *f*; **3.** F *Brit.* ‚Bulle' *m* (*Polizist*); **~ chips** *s. pl.* † Spitzenwerte *pl.*; **ˌ~-'col·lar worker** *s.* Fa'brikarbeiter *m*; **'~-eyed** *adj.* blauäugig (*a. fig.*): ***~ boy*** F ‚Liebling' *m des Chefs etc.*; **'~ˌjack·et** *s. fig.* Blaujacke *f*, Ma'trose *m*; **~ laws** *s. pl. Am.* strenge puri'tanische Gesetze *pl.* (*bsd. gegen die Entheiligung des Sonntags*).

blue·ness ['bluːnɪs] *s.* Bläue *f*.

blue| pen·cil *s.* **1.** Blaustift *m*; **2.** *fig.* Zen'sur *f*; **ˌ~-'pen·cil** *v/t.* **1.** *Manuskript etc.* (mit Blaustift) korrigieren *od.* (zs.-, aus)streichen; **2.** *fig.* zensieren, unter'sagen; **~ print** *s.* **1.** Blaupause *f*; **2.** *fig.* Plan *m*, Entwurf *m*: ***do you need a ~?*** *iro.* ‚brauchst du e-e Zeichnung'?; **'~-print I** *v/t.* entwerfen, planen; **II** *adj.*: ***~ stage*** Planungsstadium *n*; **~ rib·bon** *s.* blaues Band: a) *des Hosenbandordens*, b) *als Auszeichnung für e-e Höchstleistung*, *bsd.* ⚓ *das* Blaue Band des 'Ozeans; **'~ˌstock·ing** *s. fig.* Blaustrumpf *m*; **'~-stone** *s.* ⚒ 'Kupfervitriˌol *n*; **'~·throat** *s. orn.* Blaukehlchen *n*; **~ tit** (**-mouse**) *s. orn.* Blaumeise *f*.

bluff¹ [blʌf] **I** *v/t.* **1.** a) *j-n* bluffen, b) ***~ it out*** sich (kühn) herausreden *od.* ‚durchmogeln'; **2.** *et.* vortäuschen; **II** *v/i.* **3.** bluffen; **III** *s.* **4.** Bluff *m*: ***call s.o.'s ~*** j-n zwingen, Farbe zu bekennen.

bluff² [blʌf] **I** *adj.* **1.** ⚓ breit (*Bug*); **2.** schroff, steil (*Felsen, Küste*); **3.** rauh, aber herzlich; gutmütig-derb; **II** *s.* **4.** Steilufer *n*, Klippe *f*.

bluff·er ['blʌfə] *s.* Bluffer *m*.

blu·ish ['bluːɪʃ] *adj.* bläulich.

blun·der ['blʌndə] **I** *s.* **1.** (grober) Fehler, Schnitzer *m*; **II** *v/i.* **2.** e-n (groben) Fehler *od.* Schnitzer machen, e-n Bock schießen; **3.** pfuschen, unbesonnen handeln; **4.** stolpern (*a. fig.*): **~ into a dangerous situation**; **~ about** umhertappen; **~ on** *fig.* weiterwursteln; **~ upon s.th.** zufällig auf et. stoßen; **III** *v/t.* **5.** verpfuschen, verpatzen; **6. ~ out** her'ausplatzen mit.

blun·der·buss ['blʌndəbʌs] *s.* ⚔ *hist.* Donnerbüchse *f.*

blun·der·er ['blʌndərə] *s.* Stümper *m*, Pfuscher *m*, Tölpel *m*; **'blun·der·ing** [-dərɪŋ] *adj.* stümper-, tölpelhaft, ungeschickt.

blunt [blʌnt] **I** *adj.* □ **1.** stumpf: **~ instrument** ⚖ stumpfer Gegenstand (*Mordwaffe*); **2.** *fig.* unempfindlich (**to** gegen); **3.** *fig.* ungeschliffen, derb, ungehobelt (*Manieren etc.*); **4.** schonungslos, offen; schlicht; **II** *v/t.* **5.** stumpf machen, abstumpfen (*a. fig.*); **6.** *Gefühle etc.* mildern, schwächen; **III** *s.* **7.** *pl.* kurze Nähnadeln *pl.*; **'blunt·ly** [-lɪ] *adv. fig.* frei her'aus, grob: **to put it ~** um es ganz offen zu sagen; **refuse ~** glatt ablehnen; **'blunt·ness** [-nɪs] *s.* **1.** Stumpfheit *f* (*a. fig.*); **2.** *fig.* Grobheit *f*; schonungslose Offenheit.

blur [blɜː] **I** *v/t.* **1.** *Schrift* verwischen, verschmieren; *Bild* verschwommen machen; verschleiern; **2.** verdunkeln, verwischen, *Sinne* trüben; **3.** *fig.* besudeln, entstellen; **II** *v/i.* **4.** verschwimmen; **III** *s.* **5.** Fleck *m*, verwischte Stelle; **6.** *fig.* Makel *m*; **7.** undeutlicher *od.* nebelhafter Eindruck; **8.** (huschender) Schatten; **9.** Schleier *m* (*vor den Augen*).

blurb [blɜːb] *s.* F *Buchhandel*: a) ‚Waschzettel' *m*, Klappentext *m*, b) ‚Bauchbinde' *f* (*Reklamestreifen*).

blurred [blɜːd] *adj.* unscharf, verschwommen, verwischt; schattenhaft; *fig.* nebelhaft.

blurt [blɜːt] *v/t.* **~ out** ('voreilig *od.* unbesonnen) her'ausplatzen mit, ausschwatzen.

blush [blʌʃ] **I** *v/i.* erröten, rot werden, in Verwirrung geraten (**at**, **for** über *acc.*); sich schämen (**to do** zu tun); **II** *s.* Erröten *n*, (Scham)Röte *f*: **at first ~** *obs.* auf den ersten Blick; **put to** (**the**) **~** *j-n* zum Erröten bringen; **'blush·er** [-ʃə] *s.* F Rouge *n*; **'blush·ing** [-ʃɪŋ] *adj.* □ errötend; *fig.* züchtig.

blus·ter ['blʌstə] **I** *v/i.* **1.** brausen, tosen, stürmen; **2.** *fig.* poltern, toben, schimpfen; **3.** prahlen, bramarbasieren: **~ing fellow** Bramarbas *m*, Großmaul *n*; **II** *s.* **4.** Brausen *n*, Getöse *f*, Toben *n* (*a. fig.*); **5.** Schimpfen *n*; **6.** Prahlen *n*, ‚große Töne' *pl.*

bo [bəʊ] *int.* hu!: **he can't say ~ to a goose** er ist ein Hasenfuß.

bo·a ['bəʊə] *s.* **1.** *zo.* Boa *f*, Riesenschlange *f*; **2.** *Mode*: Boa *f.*

boar [bɔː] *s. zo.* Eber *m*, Keiler *m*: **wild ~** Wildschwein *n.*

board [bɔːd] **I** *s.* **1.** Brett *n*, Planke *f*; **2.** (*Schach-*, *Bügel*)Brett *n*: **~ game** Brettspiel *n*; **sweep the ~** alles gewinnen; **3.** Anschlagbrett *n*; **4.** *ped.* → **blackboard**; **5.** *sport* a) (Surf)Board *n*, b) *pl.* ‚Bretter' *pl.*, Skier *pl.*; **6.** *pl. fig.* Bretter *pl.*, Bühne *f*: **tread** (*od.* **walk**) **the ~s** auf den Brettern stehen, Schauspieler sein; **7.** Tisch *m*, Tafel *f* (*nur in festen Ausdrücken*): → **above-board**, **bed** 3, **groan** 2; **8.** Kost *f*, Verpflegung *f*: **~ and lodging** Kost und Logis, Wohnung u. Verpflegung; **9.** *fig. oft* ♀ Ausschuß *m*, Behörde *f*, Amt *n*: **♀ of Admiralty** Admiralität *f*; **♀ of Examiners** Prüfungskommission *f*; **♀ of Governors** Verwaltungsrat *m*, (Schul- *etc.*)Behörde *f*; **♀ of Trade** a) *Brit.* Handelsministerium *n*, b) *Am.* Handelskammer *f*; **10. ~ of directors**, (*the*) ♀ ✝ Verwaltungsrat *m*, Direkti'on *f* (*Vorstand u. Aufsichtsrat in einem*); **~ of management** ✝ Vorstand *m e-r AG*; **11.** ⚓ Bord *m*, Bordwand *f* (*nur in festen Ausdrücken*): **on ~** a) an Bord *e-s Schiffs*, *Flugzeugs*, b) im Zug *od.* Bus; **on ~ a ship** an Bord e-s Schiffes; **free on ~** (*abbr.* **f.o.b.**) ✝ frei an Bord (geliefert); **go by the ~** über Bord gehen *od.* fallen, *fig. a.* zugrunde gehen, verlorengehen, scheitern; **12.** Pappe *f*: **in ~s** kartoniert (*Buch*); **II** *v/t.* **13.** täfeln; mit Brettern bedecken *od.* absperren, dielen, verschalen; **14.** beköstigen, in Kost nehmen *od.* geben (**with** bei); **15.** a) an Bord *e-s Schiffs od. Flugzeugs* gehen, b) in *e-n Zug etc.* einsteigen, c) ⚔, ⚓ entern; **III** *v/i.* **16.** sich in Kost *od.* Pensi'on befinden, wohnen (**with** bei); **~ out I** *v/t.* außerhalb in Kost geben; **II** *v/i.* auswärts essen; **~ up** *v/t.* mit Brettern vernageln.

board·er ['bɔːdə] *s.* **1.** a) Kostgänger (-in), b) Pensi'onsgast *m*; **2.** Inter'natsschüler(in).

board·ing ['bɔːdɪŋ] *s.* **1.** Bretterverschalung *f*, Dielenbelag *m*, Täfelung *f*; **2.** Kost *f*, Verpflegung *f*; **~ card** *s.* ✈ Bordkarte *f*; **'~·house** *s.* Pensi'on *f*; **~ school** *s.* Inter'nat *n*, Pensio'nat *n.*

board| **meet·ing** *s.* Vorstandssitzung *f*; **~ room** *s.* Sitzungssaal *m*; **~ wag·es** *s. pl.* Kostgeld *n des Personals*; **'~·walk** *s. Am.* Plankenweg *m*, (hölzerne) 'Strandprome,nade.

boast [bəʊst] **I** *s.* **1.** Prahle'rei *f*, Großtue'rei *f*; **2.** Stolz *m* (*Gegenstand des Stolzes*): **it was his proud ~ that ...** es war sein ganzer Stolz, daß ...; **he was the ~ of his age** er war der Stolz s-r Zeit; **II** *v/i.* **3.** (**of**, **about**) prahlen, großtun (mit): **he ~s of his riches**; **it is not much to ~ of** damit ist es nicht weit her; **4.** (*of*) sich rühmen (*gen.*), stolz sein (auf *acc.*): ***our village ~s of a fine church***; **III** *v/t.* **5.** sich (des Besitzes) *e-r Sache* rühmen, aufzuweisen haben: ***our street ~s the tallest house in the town***; **'boast·er** [-tə] *s.* Prahler(in); **'boast·ful** [-fʊl] *adj.* □ prahlerisch, über'heblich.

boat [bəʊt] **I** *s.* **1.** Boot *n*, Kahn *m*; *allg.* Schiff *n*; Dampfer *m*: ***we are all in the same ~*** *fig.* wir sitzen alle in 'einem Boot; ***miss the ~*** *fig.* den Anschluß verpassen; ***burn one's ~s*** alle Brücken hinter sich abbrechen; **2.** bootförmiges Gefäß, (*bsd.* Soßen)Schüssel *f*; **II** *v/i.* **3.** (in e-m) Boot fahren: ***go ~ing*** e-e Bootsfahrt machen (*mst* rudern).

boat·er ['bəʊtə] *s. Brit.* steifer Strohhut, ‚Kreissäge' *f*.

boat·ing ['bəʊtɪŋ] *s.* Bootfahren *n*; Rudersport *m*; Bootsfahrt *f*.

'boat|·man [-mən] *s.* [*irr.*] Bootsführer *m*, -verleiher *m*; **~ race** *s.* 'Ruderreˌgatta *f*; **~·swain** ['bəʊsn] *s.* ⚓ Bootsmann *m*; **~ train** *s.* Zug *m* mit Schiffsanschluß.

bob¹ [bɒb] **I** *s.* **1.** Haarschopf *m*, Büschel *n*; Bubikopf(haarschnitt) *m*; gestutzter Pferdeschwanz; Quaste *f*; **2.** Ruck *m*; Knicks *m*; **3.** *sg. u. pl. obs. Brit.* F Schilling *m*: ***five ~***; ***~ a job*** e-n Schilling für jede Arbeit; **4.** *abbr. für* ***bobsled***; **II** *v/t.* **5.** ruckweise (hin u. her, auf u. ab) bewegen; **6.** *Haare, Pferdeschwanz etc.* kurz schneiden, stutzen: ***~bed hair*** Bubikopf *m*; **III** *v/i.* **7.** sich auf u. ab *od.* hin u. her bewegen, baumeln, tänzeln; **8.** schnappen (***for*** nach); **9.** knicksen; **10.** Bob fahren; **11.** ***~ up*** (plötzlich) auftauchen: ***~ up like a cork*** *fig.* immer wieder hochkommen, sich nicht unterkriegen lassen.

Bob² [bɒb] *npr.*, *abbr. für* ***Robert***: ***~'s your uncle*** ‚fertig ist die Laube'.

bob·bin ['bɒbɪn] *s.* **1.** ⚙ Spule *f*, (Garn-)Rolle *f*; **2.** ⚡ Indukti'onsspule *f*; **3.** Klöppel(holz *n*) *m*; **'~-lace** *s.* Klöppelspitze *f*.

bob·by ['bɒbɪ] *s. Brit.* F ‚Bobby' *m* (*Polizist*); **~ pin** *s.* Haarklemme *f* (*aus Metall*); **~ socks** *s. pl. Am.* F Söckchen *pl.*; **'~ˌsox·er** [-ˌsɒksə] *s. Am.* F *hist.* ‚Backfisch' *m*.

'bob|·sled, **'~·sleigh** *s.* Bob *m* (*Rennschlitten*); **'~·tail** *s.* **1.** Stutzschwanz *m*; **2.** Pferd *n od.* Hund *m* mit Stutzschwanz.

bock (beer) [bɒk] *s.* Bockbier *n*.

bode¹ [bəʊd] **I** *v/t.* ahnen lassen: ***this ~s you no good*** das bedeutet nichts Gutes für dich; **II** *v/i.*: ***~ well*** Gutes versprechen: ***~ ill*** Schlimmes ahnen lassen.

bode² [bəʊd] *pret. von* ***bide***.

bod·ice ['bɒdɪs] *s.* **1.** *allg.* Mieder *n*; **2.** Oberteil *n*.

bod·ied ['bɒdɪd] *adj. in Zssgn* ...gebaut, von ... Körperbau *od.* Gestalt: ***small-~*** klein von Gestalt.

bod·i·less ['bɒdɪlɪs] *adj.* **1.** körperlos; **2.** unkörperlich, wesenlos; **'bod·i·ly** [-ɪlɪ] **I** *adj.* körperlich, leiblich: ***~ injury*** (⚖ ***harm***) Körperverletzung *f*; **II** *adv.* leib'haftig, per'sönlich.

bod·kin ['bɒdkɪn] *s.* **1.** ⚙ Ahle *f*, Pfriem *m*: ***sit ~*** eingepfercht sitzen; **2.** 'Durchzieh-, Schnürnadel *f*; **3.** *obs.* lange Haarnadel.

bod·y ['bɒdɪ] **I** *s.* **1.** Körper *m*, Leib *m*: ***heir of one's ~*** Leibeserbe *m*; ***in the ~*** lebend; ***~ and soul*** mit Leib u. Seele; ***keep ~ and soul together*** Leib u. Seele zs.-halten; **2.** *engS.* Rumpf *m*, Leib *m*: ***one wound in the leg and one in the ~***; **3.** *oft* ***dead ~*** Leiche *f*; **4.** Hauptteil *m*, *das* Wesentliche, Kern *m*, Stamm *m*, Rahmen *m*, Gestell *n*; Rumpf *m* (*Schiff, Flugzeug*); eigentlicher Inhalt, Sub'stanz *f* (*Schriftstück, Rede*): ***car ~*** Karosserie *f*; ***hat ~*** Hutstumpen *m*; **5.** Gesamtheit *f*, Masse *f*: ***in a ~*** zusammen, geschlossen, wie 'ein Mann; ***~ of water*** Wassermasse *f*, -fläche *f*, Gewässer *n*; ***~ of facts*** Tatsachenmaterial *n*; ***~ of laws*** Gesetz(es)-sammlung *f*; **6.** Körper(schaft *f*) *m*, Gesellschaft *f*; Gruppe *f*; Gremium *n*: ***~ politic*** a) juristische Person, b) Gemeinwesen *n*; ***diplomatic ~*** diplomatisches Korps; ***governing ~*** Verwaltungskörper *m*; ***a ~ of unemployed*** e-e Gruppe Arbeitsloser; ***student ~*** Studentenschaft *f*; **7.** ⚔ Truppenkörper *m*, Trupp *m*, Ab'teilung *f*; **8.** *phys.* Körper *m*: ***solid ~*** fester Körper; ***heavenly ~*** *ast.* Himmelskörper; **9.** ⚗ Masse *f*, Sub'stanz *f*; **10.** F Bursche *m*, Kerl *m*; **11.** *fig.* Güte *f*, Stärke *f*, Festigkeit *f*, Gehalt *m*, Körper *m* (*Wein*), (Klang-)Fülle *f*; **II** *v/t.* **12.** *mst* ***~ forth*** *fig.* verkörpern; **~ blow** *s. Boxen*: Körperschlag *m*; *fig.* harter Schlag; **~ build** *s. biol.* Körperbau *m*; **~ build·er** *s.* Bodybuilder *m*; **~ build·ing** *s.* Bodybuilding *n*; **'~·check** *s. sport* Bodycheck *m*; **'~-guard** *s.* **1.** Leibwächter *m*; **2.** Leibgarde *f*; **~ lan·guage** *s. psych.* Körpersprache *f*; **'~-ˌmak·er** *s.* ⚙ Karosse'riebauer *m*; **~ o·do(u)r** *s.* Körpergeruch *m*; **~ plasm** *s. biol.* 'Körperˌplasma *n*; **~ search** *s.* 'Leibesvisitatiˌon *f*; **~ seg·ment** *s. biol.* 'Rumpfsegˌment *n*; **~ serv·ant** *s.* Leib-, Kammerdiener *m*; **~ snatch·er** *s.* ⚖ Leichenräuber *m*; **~ stock·ing**, **~ suit** *s.* Bodystocking *m* (*einteilige Unterkleidung* [*mit Strümpfen*]); **'~·work** *s.* ⚙ Karosse'rie *f*.

bof·fin ['bɒfɪn] *s. Brit. sl.* (Geheim)Wissenschaftler *m*.

Boer ['bəʊə] **I** *s.* Bur(e) *m*, Boer *m* (*Süd-*

afrika); **II** *adj.* burisch: ~ ***War*** Burenkrieg *m*.

bog [bɒg] **I** *s.* **1.** Sumpf *m*, Mo'rast *m* (*a. fig.*); Moor *n*; **2.** V Scheißhaus *n*; **II** *v/t.* **3.** im Sumpf versenken; *fig. a.* ~ ***down*** zum Stocken bringen, versanden lassen; **III** *v/i.* **4.** *a.* ~ ***down*** im Sumpf *od.* Schlamm versinken; *a. fig.* steckenbleiben, sich festfahren, versanden.

bo·gey ['bəʊgɪ] *s.* **1.** *Golf*: a) Par *n*, b) Bogey *n* (*1 Schlag über Par*); **2.** → ***bogy***.

bog·gle ['bɒgl] *v/i.* **1.** (***at***) zu'rückschrecken (vor *dat.*): ***imagination ~s at the thought*** es wird einem schwindlig bei dem Gedanken; **2.** stutzen (***at*** vor, bei *dat.*); zögern (***at doing*** zu tun); **3.** pfuschen.

bog·gy ['bɒgɪ] *adj.* sumpfig.

bo·gie ['bəʊgɪ] *s.* **1.** ⚙ *Brit.* a) Blockwagen *m*, b) 🚃 Dreh-, Rädergestell *n*; **2.** ⚒ *Art* Förderkarren *m*; **3.** → ***bogy***; ~ **wheel** *s.* ⚔ (Ketten)Laufrad *n*.

'**bog,trot·ter** *s. contp.* Ire *m*.

bo·gus ['bəʊgəs] *adj.* falsch, unecht, Schein…, Schwindel…

bo·gy ['bəʊgɪ] *s.* **1.** 'Kobold *m*, 'Popanz *m* **2.** (*a. fig.* Schreck)Gespenst *n*; ~ **man** *s.* [*irr.*] **1.** Butzemann *m*, *der Schwarze Mann* (*Kindersprache*); **2.** *fig.* ‚Buhmann' *m*.

Bo·he·mi·an [bəʊ'hiːmjən] **I** *s.* **1.** Böhme *m*, Böhmin *f*; **2.** Bohemi'en *m* (*bsd. Künstler*); **II** *adj.* **3.** böhmisch; **4.** *fig.* bo'hemehaft; **bo'he·mi·an·ism** [-nɪzəm] *s.* Bo'heme *f*, ‚Künstlerleben' *n*.

boil[1] [bɔɪl] *s.* ⚕ Geschwür *n*, Fu'runkel *m*; Eiterbeule *f*.

boil[2] [bɔɪl] **I** *s.* **1.** Kochen *n*, Sieden *n*: ***bring to the ~*** zum Kochen bringen; ***come to the ~*** zu kochen anfangen, *fig.* F sich zuspitzen, s-n Höhepunkt erreichen; ***come off the ~*** F sich ‚legen' *od.* beruhigen; **2.** Wallen *n*, Wogen *n*, Schäumen *n* (*Gewässer*); **3.** *fig.* Erregung *f*, Wut *f*, Wallung *f*; **II** *v/i.* **4.** kochen, sieden; **5.** wallen, wogen, brausen, schäumen; **6.** *fig.* kochen, schäumen (***with*** vor *Wut*); **III** *v/t.* **7.** kochen (lassen), zum Kochen bringen, ab-, einkochen: ~ ***eggs*** Eier kochen; ***to ~ clothes*** Wäsche kochen; ***go ~ your head!*** F häng dich doch auf!; ~ **a·way** *v/i.* **1.** verdampfen; **2.** weiterkochen; ~ **down I** *v/t.* verdampfen, einkochen; *fig.* zs.-fassen, kürzen; **II** *v/i.*: ~ ***to*** hin'auslaufen auf (*acc.*); ~ **o·ver** *v/i.* 'überkochen, -laufen, -schäumen (*alle a. fig.*).

boiled| din·ner [bɔɪld] *s. Am.* Eintopf (-gericht *n*) *m*; ~ **po·ta·toes** *s. pl.* Salzkartoffeln *pl.*; ~ **shirt** *s.* F Frackhemd *n*; ~ **sweet** *s.* Bon'bon *m*, *n*.

boil·er ['bɔɪlə] *s.* **1.** Sieder *m*: ***soap ~***; **2.** ⚙ Dampfkessel *m*; **3.** 'Boiler *m*, Heißwasserspeicher *m*; **4.** Siedepfanne *f*; **5.** ***be a good ~*** sich (gut) zum Kochen eignen; **6.** Suppenhuhn *n*; ~ **suit** *s.* 'Overall *m*.

boil·ing ['bɔɪlɪŋ] **I** *adj.* kochend, heiß; *fig.* kochend, schäumend (***with rage*** vor Wut); **II** *adv.*: ~ ***hot*** kochend heiß; ~ **point** *s.* Siedepunkt *m* (*a. fig.*).

bois·ter·ous ['bɔɪstərəs] *adj.* □ **1.** stürmisch, ungestüm, rauh; **2.** ausgelassen, lärmend, turbu'lent; '**bois·ter·ous·ness** [-nɪs] *s.* Ungestüm *n*.

bold [bəʊld] *adj.* □ **1.** kühn, zuversichtlich, mutig, unerschrocken; **2.** keck, verwegen, dreist, frech; anmaßend: ***make ~ to …*** sich erdreisten *od.* es wagen zu …; ***make ~*** (***with***) sich Freiheiten herausnehmen (gegen); ***as ~ as brass*** F frech wie Oskar, unverschämt; **3.** kühn, gewagt: ***a ~ plan*** **4.** a) kühn (*Entwurf etc.*), b) scharf her'vortretend, ins Auge fallend: ***in ~ outline*** in deutlichen Umrissen; ***a few ~ strokes of the brush*** ein paar kühne Pinselstriche; **5.** steil (*Küste*); **6.** → '**bold-face** *adj. typ.* (halb)fett; '**~-faced** *adj.* **1.** kühn, frech; **2.** *typ.* → ***bold-face***.

bold·ness ['bəʊldnɪs] *s.* **1.** Kühnheit *f*: a) Mut *m*, Beherztheit *f*, b) Keckheit *f*, Dreistigkeit *f*; **2.** scharfes Her'vortreten.

bole [bəʊl] *s.* starker Baumstamm.

bo·le·ro[1] [bə'leərəʊ] *s.* Bo'lero *m* (*spanischer Tanz*).

bo·le·ro[2] ['bɒlərəʊ] *s.* Bo'lero *m* (*kurzes Jäckchen*).

boll [bəʊl] *s.* ⚘ Samenkapsel *f*.

bol·lard ['bɒləd] *s.* ⚓ Poller *m* (*a. weitS. Sperrpfosten an Verkehrsinseln etc.*).

bol·lock·ing ['bɒləkɪŋ] *s. sl.* Anschiß *m*.

bol·locks ['bɒləks] *s. pl.* V ‚Eier' *pl.* (*Hoden*).

Bo·lo·gna sau·sage [bə'ləʊnjə] *s. bsd. Am.* Morta'della *f*.

bo·lo·ney [bə'ləʊnɪ] *s.* **1.** *sl.* ‚Quatsch' *m*, Geschwafel *n*; **2.** *bsd. Am.* Morta'della *f*; → ***polony***.

Bol·she·vik ['bɒlʃɪvɪk] **I** *s.* Bolsche'wik *m*; **II** *adj.* bolsche'wistisch; '**Bol·she·vism** [-ɪzəm] *s.* Bolsche'wismus *m*; '**Bol·she·vist** [-ɪst] **I** *s.* Bolsche'wist *m*; **II** *adj.* bolsche'wistisch; '**Bol·she·vize** [-vaɪz] *v/t.* bolschewisieren.

bol·ster ['bəʊlstə] **I** *s.* **1.** Kopfpolster *n* (*unter dem Kopfkissen*), Keilkissen *n*; **2.** Polster *n*, Polsterung *f*, 'Unterlage *f* (*a.* ⚙); **II** *v/t.* **3.** *j-m* Kissen 'unterlegen; **4.** (aus)polstern; **5.** ~ ***up*** unter'stützen, stärken, künstlich aufrechterhalten.

bolt[1] [bəʊlt] **I** *s.* **1.** Schraube *f* (mit Mutter), Bolzen *m*: ~ ***nut*** Schraubenmutter *f*; **2.** Bolzen *m*, Pfeil *m*: ***shoot one's ~*** e-n (letzten) Versuch machen; ***he has shot his ~*** er hat sein Pulver verschossen; ~ ***upright*** kerzengerade; **3.** ⚙

(Tür-, Schloß)Riegel *m*: ***behind ~ and bar*** hinter Schloß u. Riegel; **4.** Schloß *n an Handfeuerwaffen*; **5.** Blitzstrahl *m*: ***a ~ from the blue*** ein Blitz aus heiterem Himmel; **6.** plötzlicher Sprung, Flucht *f*: ***he made a ~ for the door*** er machte e-n Satz zur Tür; ***he made a ~ for it*** F er machte sich aus dem Staube; **7.** *pol. Am.* Abtrünnigkeit *f* von der Poli'tik der eigenen Par'tei; **8.** ✝ a) (Stoff)Ballen *m*, b) (Ta'peten- *etc.*)Rolle *f*; **II** *v/t.* **9.** *Tür etc.* ver-, zuriegeln; **10.** *Essen* hin'unterschlingen; **11.** *Am. pol.* sich von *s-r Partei* lossagen; **III** *v/i.* **12.** 'durchgehen (*Pferd*); **13.** da'vonlaufen, ausreißen, ,'durchbrennen'.

bolt² [bəʊlt] *v/t. Mehl* sieben.

bolt·er ['bəʊltə] *s.* **1.** 'Durchgänger *m* (*Pferd*); **2.** *pol. Am.* Abtrünnige(r *m*) *f*.

bo·lus ['bəʊləs] *s.* ⚕ Bolus *m*, große Pille.

bomb [bɒm] **I** *s.* **1.** Bombe *f*: ***the*** ⚬ die (Atom)Bombe; **2.** ⚙ a) Gasflasche *f*, b) Zerstäuberflasche *f*; **3.** F a) Bombenerfolg *m*, b) Heidengeld *n*, c) *thea. etc. Am.* ,'Durchfall' *m*, ,Flop' *m*; **II** *v/t.* **4.** mit Bomben belegen, bombardieren; zerbomben: ***~ed out*** ausgebombt; ***~ed site*** Ruinengrundstück *n*; **5.** ***~ up*** ✈ mit Bomben beladen; **III** *v/i.* **6.** *sl.* e-e ,Pleite' sein, *thea.* ,'durchfallen', *bsd. Am.* (*im Examen*) ,'durchrasseln'.

bom·bard [bɒm'bɑːd] *v/t.* **1.** ⚔ bombardieren, Bomben werfen auf (*acc.*), beschießen; **2.** *fig.* (***with***) bombardieren, bestürmen (mit); **3.** *phys.* bombardieren, beschießen; **bom·bard·ier** [ˌbɒmbə'dɪə] *s.* ⚔ **1.** *Brit.* Artille'rieˌunteroffiˌzier *m*; **2.** Bombenschütze *m* (*im Flugzeug*); **bom'bard·ment** [-mənt] *s.* Bombarde'ment *n*, Beschießung *f* (*a. phys.*), Belegung *f* mit Bomben, Bombardierung *f*.

bom·bast ['bɒmbæst] *s. fig.* Bom'bast *m*, (leerer) Wortschwall, Schwulst *m*; **bom·bas·tic** [bɒm'bæstɪk] *adj.* (☐ ***~ally***) bom'bastisch, schwülstig.

bomb| at·tack *s.* Bombenanschlag *m*; **~ bay** *s.* ✈ Bombenschacht *m*; **~ dis·pos·al** *s.* ⚔ Bombenräumung *f*: ***~ squad*** Bombenräumungs-, Sprengkommando *n*.

bom·be [bɔ̃ːmb] (*Fr.*) *s.* Eisbombe *f*.

bombed [bɒmd] *adj. sl.* **1.** ,besoffen'; **2.** ,high' (*im Drogenrausch*).

bomb·er ['bɒmə] *s.* **1.** Bomber *m*, Bombenflugzeug *n*; **2.** Bombenleger *m*.

bomb·ing ['bɒmɪŋ] *s.* Bombenabwurf *m*: ***~ raid*** Bombenangriff *m*.

'bomb|·proof ⚔ **I** *adj.* bombensicher; **II** *s.* Bunker *m*; **~ scare** *s.* Bombendrohung *f*; **'~·shell** *s. fig.* Bombe *f*: ***the news came like a ~*** die Nachricht schlug ein wie e-e Bombe.

bo·na fi·de [ˌbəʊnə'faɪdɪ] *adj. u. adv.* **1.** in gutem Glauben, auf Treu u. Glauben: ***~ owner*** ⚖ gutgläubiger Besitzer; **2.** ehrlich; echt; **ˌbo·na 'fi·des** [-diːz] *s. pl.* guter Glaube, Treu *f* und Glauben *m*, ehrliche Absicht; Rechtmäßigkeit *f*.

bo·nan·za [bəʊ'nænzə] **I** *s.* **1.** *min.* reiche Erzader (*bsd. Edelmetalle*); **2.** F Goldgrube *f*, Glücksquelle *f*, *a.* Fundgrube *f*; **3.** Fülle *f*, Reichtum *m*; **II** *adj.* **4.** sehr einträglich *od.* lukra'tiv.

bon·bon ['bɒnbɒn] *s.* Bon'bon *m*, *n*; *fig.* Zuckerl *n*.

bond [bɒnd] **I** *s.* **1.** *pl. obs.* Fesseln *pl.*: ***in ~s*** in Fesseln, gefangen, versklavt; ***burst one's ~s*** s-e Ketten sprengen; **2.** *sg. od. pl. fig.* Bande *pl.*: ***~s of love***; **3.** Verpflichtung *f*; Bürgschaft *f*; (*a.* 'Haft)Kautiˌon *f*; Vertrag *m*; Urkunde *f*; Garan'tie(schein *m*) *f*: ***enter into a ~*** e-e Verpflichtung eingehen; ***his word is as good as his ~*** er ist ein Mann von Wort; **4.** ✝ a) Schuldschein *m*, b) *öffentliche* Schuldverschreibung, (festverzinsliches) 'Wertpaˌpier *n*, Obligati'on *f*, (Schuld-, Staats)Anleihe *f*: ***industrial ~*** Industrieobligation, -anleihe; → ***mortgage bond***; **5.** ✝ Zollverschluß *m*: ***in ~*** unter Zollverschluß; **6.** ⚠ Verband *m*, Verbindungsstück *n*; **7.** ⚗ a) Bindung *f*, b) Bindemittel *n*, c) Wertigkeit *f*; **8.** → ***bond paper***; **II** *v/t.* **9.** verpfänden; **10.** ✝ unter Zollverschluß legen; **11.** ⚙ *Lack etc.* binden (*a. v/i.*): ***~ing agent*** Bindemittel *n*; **'bond·age** [-dɪdʒ] *s. hist.* Knechtschaft *f*, Sklave'rei *f* (*a. fig.*); *fig. a.* Hörigkeit *f*: ***in the ~ of vice*** dem Laster verfallen; **'bond·ed** [-dɪd] *adj.* ✝: ***~ debt*** fundierte Schuld; ***~ goods*** Waren unter Zollverschluß; ***~ warehouse*** Zollspeicher *m*.

'bond|ˌhold·er *s.* Obligati'onsinhaber *m*; **'~·man** [-mən] *s.* [*irr.*] Sklave *m*, Leibeigene(r) *m*; **~ mar·ket** *s.* ✝ Rentenmarkt *m*; **~ pa·per** *s.* Bankpost *f*, 'Post-, 'Banknotenpaˌpier *n*; **~ slave** *s. fig.* Sklave *m*.

bonds·man ['bɒndzmən] *s.* [*irr.*] **1.** → ***bondman***; **2.** ⚖ a) Bürge *m*, b) *Am.* gewerblicher Kauti'onssteller.

bone [bəʊn] **I** *s.* **1.** Knochen *m*; Bein *n*: ***~ of contention*** Zankapfel *m*; ***to the ~*** bis auf die Knochen *od.* die Haut, durch u. durch (*naß od. kalt*); ***price cut to the ~*** aufs äußerste reduzierter Preis, Schleuderpreis; ***I feel it in my ~s*** *fig.* ich spüre es in den Knochen (*ahne es*); ***a bag of ~s*** F nur (noch) Haut u. Knochen, ein Skelett; ***my old ~s*** m-e alten Knochen; ***bred in the ~*** angeboren; ***make no ~s about it*** nicht viel Federlesens machen, nicht lange (damit) fackeln; ***have a ~ to pick with s.o.*** ein Hühnchen mit j-m zu rupfen haben; **2.** *pl.* Gebeine *pl.*; **3.** (Fisch-) Gräte *f*; **4.** *pl.* Kor'settstangen *pl.*; **5.**

pl. Am. a) Würfel *pl.*, b) 'Dominosteine *pl.*; **II** *v/t.* **6.** die Knochen her'ausnehmen aus (*dat.*), *Fisch* entgräten; **III** *v/i.* **7.** *oft* ~ ***up on*** *sl. et.* ‚büffeln', ‚ochsen', ‚pauken'; **IV** *adj.* **8.** beinern, knöchern, aus Bein *od.* Knochen; '**~·black** *s.* **1.** ⚗ Knochenkohle *f*; **2.** Beinschwarz *n* (*Farbe*); ~ **chi·na** *s.* 'Knochenporzel,lan *n*.

boned [bəʊnd] *adj.* **1.** *in Zssgn* ...knochig: ***strong-~*** starkknochig; **2.** *Küche*: a) ohne Knochen: ~ ***chicken***, b) entgrätet: ~ ***fish***.

,**bone|-'dry** *adj.* **1.** staubtrocken; **2.** F völlig ‚trocken': a) streng 'antialko,holisch, b) ohne jeden Alko'hol (*Party etc.*); ~ **glue** *s.* Knochenleim *m*; '**~·head** *s. sl.* Holz-, Dummkopf *m*; '**~,head·ed** *adj. sl.* dumm; ~ **lace** *s.* Klöppelspitze *f*; ,**~'la·zy** *adj.* F ‚stinkfaul'; ~ **meal** *s.* Knochenmehl *n*.

bon·er ['bəʊnə] *s. Am. sl.* Schnitzer *m*, (grober) Fehler.

'**bone|,shak·er** *s. sl.* ‚Klapperkasten' *m* (*Bus etc.*); '**~·yard** *s. Am.* **1.** Schindanger *m*; **2.** F (*a.* Auto- *etc.*)Friedhof *m*.

bon·fire ['bɒnfaɪə] *s.* **1.** Freudenfeuer *n*; **2.** Feuer *n* im Freien (*zum Unkrautverbrennen etc.*); **3.** *allg.* Feuer *n*, ‚Scheiterhaufen' *m*: ***make a ~ of s.th.*** et. vernichten.

bon·ho·mie ['bɒnɒmi:] (*Fr.*) *s.* Gutmütigkeit *f*, Joviali'tät *f*.

bonk [bɒŋk] V *v/i. u. v/t.* V vögeln.

bon·kers ['bɒŋkəz] *adj. sl.* verrückt.

bon·net ['bɒnɪt] **I** *s.* **1.** (*bsd.* Schotten)Mütze *f*, Kappe *f*; → ***bee***[1] 1; **2.** (Damen)Hut *m*, (Damen- *od.* Kinder-)Haube *f* (*mst randlos*); **3.** Kopfschmuck *m* der Indi'aner; **4.** ⚙ Schornsteinkappe *f*; **5.** *mot. Brit.* 'Motorhaube *f*; **6.** ⚙ Schutzkappe *f* (*für Ventil, Zylinder etc.*); **II** *v/t.* **7.** *j-m* den Hut über die Augen drücken; '**bon·net·ed** [-tɪd] *adj.* e-e Mütze *etc.* tragend.

bon·ny ['bɒnɪ] *adj. bsd. Scot.* **1.** hübsch, nett (*a. iron.*), *fig.* ‚prima'; **2.** F drall.

bo·nus ['bəʊnəs] *s.* ✝ **1.** 'Bonus *m*, 'Prämie *f*, Gratifikati'on *f*, Sondervergütung *f*, (Sonder)Zulage *f*, Tanti'eme *f*: ***Christmas ~*** Weihnachtsgratifikation; **2.** 'Prämie *f*, 'Extradivi,dende *f*, Sonderausschüttung *f*: ~ ***share*** Gratisaktie *f*; **3.** *Am.* Dreingabe *f* (*beim Kauf*); **4.** Vergünstigung *f*.

bon·y ['bəʊnɪ] *adj.* **1.** knöchern, Knochen...; **2.** starkknochig; **3.** voll Knochen *od.* Gräten; **4.** knochendürr.

bonze [bɒnz] *s.* Bonze *m* (*buddhistischer Mönch od. Priester*).

boo [bu:] **I** *int.* **1.** huh! (*um j-n zu erschrecken*); → *a.* ***bo***; **2.** buh!, pfui! (*Ausruf der Verachtung*); **II** *s.* **3.** Buh(-ruf *m*) *n*, Pfui(ruf *m*) *n*; **III** *v/i.* **4.** buh! *od.* pfui! schreien, buhen; **IV** *v/t.* **5.** durch Pfui- *od.* Buhrufe verhöhnen; auspfeifen, ausbuhen, niederbrüllen.

boob [bu:b] *sl.* **I** *s.* **1.** ‚Schnitzer' *m*, Fehler *m*; **2.** → ***booby*** 1; **3.** *pl.* ‚Titten' *pl.* (*Brüste*); **II** *v/i.* **4.** e-n ‚Schnitzer' machen, ‚Mist bauen'.

boo-boo ['bu:bu:] *s. Am. sl.* → ***boob*** 1.

boob tube *s. Am. sl. TV* ‚Röhre' *f*, ‚Glotze' *f* (*Fernseher*).

boo·by ['bu:bɪ] *s.* **1.** ‚Dussel' *m*, Trottel *m*; **2.** Letzte(r *m*) *f*, Schlechteste(r *m*) *f* (*in Wettkämpfen etc.*); **3.** *orn.* Tölpel *m*, Seerabe *m*; ~ **hatch** *s. Am. sl.* ‚Klapsmühle' *f* (*Irrenanstalt*); ~ **prize** *s.* Trostpreis *m*; ~ **trap** *s.* (versteckte) Sprengladung *od.* Bombe; *allg.* (*bsd.* Todes)Falle *f*; '**~-trap** *v/t.* a) e-e Bombe *etc.* verstecken in (*dat.*), b) durch e-e versteckte Bombe *etc.* e-n Anschlag verüben auf (*acc.*).

boo·dle ['bu:dl] *s. Am. sl.* **1.** → ***caboodle***; **2.** Falschgeld *n*; **3.** Schmiergelder *pl*.

boo·gie-woo·gie ['bu:gɪ,wu:gɪ] *s.* ♪ Boogie-Woogie *m* (*Tanz*).

boo·hoo [,bu:'hu:] **I** *s.* lautes Geschluchze; **II** *v/i.* laut schluchzen, plärren.

book [bʊk] **I** *s.* **1.** Buch *n*: ***be at one's ~s*** über s-n Büchern sitzen; ***without the ~*** auswendig; ***he talks like a ~*** er redet sehr gestelzt; ***the ~ of life*** (***nature***) *fig.* das Buch des Lebens (der Natur); ***a closed ~*** a) ein Buch mit sieben Siegeln, b) e-e erledigte Sache; ***the*** 2 (***of*** 2***s***) die Bibel; ***kiss the*** 2 die Bibel küssen; ***swear on the*** 2 bei der Bibel schwören; ***suit s.o.'s ~*** *fig.* j-m passen *od.* recht sein; ***throw the ~ at s.o.*** F a) j-n (zur Höchststrafe) ‚verdonnern', b) j-n wegen sämtlicher einschlägigen Delikte belangen; ***by the ~*** a) ganz korrekt *od.* genau, b) ‚nach allen Regeln der Kunst'; ***in my ~*** F wie 'ich es sehe; → ***leaf*** 3; **2.** Buch *n* (*Teil e-s Gesamtwerkes*); **3.** ✝ Geschäfts-, Handelsbuch *n*: ***close the ~s*** die Bücher abschließen; ***keep ~s*** Bücher führen; ***be deep in s.o.'s ~s*** bei j-m tief in der Kreide stehen; ***bring to ~*** a) *j-n* zur Rechenschaft ziehen, b) ✝ (ver)buchen; ***be in s.o.'s good*** (***bad*** *od.* ***black***) ***~s*** bei j-m gut (schlecht) angeschrieben sein; **4.** (Schreib)Heft *n*, No'tizblock *m*; **5.** (Namens)Liste *f*, Verzeichnis *n*, Buch *n*: ***visitors' ~*** Gästebuch; ***be on the ~s*** auf der Mitgliedsliste (*univ.* Liste der Immatrikulierten) stehen; **6.** Heft(chen) *n*, Block *m*: ~ ***of stamps*** Briefmarkenheft; **7.** Wettbuch *n*: ***you can make a ~ on that!*** F darauf kannst du wetten!; **8.** a) *thea.* Text *m*, b) ♪ Textbuch *n*, Lib'retto *n*; **II** *v/t.* **9.** ✝ (ver)buchen, eintragen; **10.** *j-n* verpflichten, engagieren; **11.** *j-n als* (*Fahr*)*Gast, Teilnehmer etc.* einschrei-

B

ben, vormerken; **12.** *Platz*, *Zimmer* bestellen, *a. Überfahrt etc.* buchen; *Eintritts-*, *Fahrkarte* lösen; *Auftrag* notieren; *Güter*, *Gepäck* (*zur Beförderung*) aufgeben; *Ferngespräch* anmelden; → ***booked***; **13.** *j-n polizeilich* aufschreiben *od. sport* notieren (***for*** wegen); **III** *v/i.* **14.** eine Fahrkarte *etc.* lösen *od.* nehmen: ~ ***through*** (***to***) durchlösen (bis, nach); **15.** Platz *etc.* bestellen; **16.** ~ ***in*** sich (*im Hotel*) eintragen: ~ ***in at*** absteigen in (*dat.*); **ˈbook·a·ble** [-kəbl] *adj.* im Vorverkauf erhältlich (*Karten etc.*).

ˈbook|ˌbind·er *s.* Buchbinder *m*; **ˈ~ˌbinding** *s.* Buchbinderhandwerk *n*, Buchbindeˈrei *f*; **ˈ~·case** *s.* ˈBücherschrank *m*, -reˌgal *n*; **~ cloth** *s.* Buchbinderleinwand *f*; **~ club** *s.* Buchgemeinschaft *f*; **~ cov·er** *s.* ˈBuchdecke *f*, -ˌumschlag *m*; **~ debt** *s.* ⚕ Buchschuld *f*.

booked [bʊkt] *adj.* **1.** gebucht, eingetragen; **2.** vorgemerkt, bestimmt, bestellt: ***all ~*** (***up***) voll besetzt *od.* belegt, ausverkauft.

book end *s. mst pl.* Bücherstütze *f*.

book·ie [ˈbʊkɪ] *sl.* → ***bookmaker***.

book·ing [ˈbʊkɪŋ] *s.* **1.** Buchung *f*, Eintragung *f*; **2.** Bestellung *f*; **~ clerk** *s.* Schalterbeamte(r) *m*, Fahrkartenverkäufer *m*; **~ hall** *s.* Schalterhalle *f*; **~ of·fice** *s.* **1.** Fahrkartenschalter *m*; **2.** *thea. etc.* Kasse *f*; Vorverkaufsstelle *f*; **3.** *Am.* Gepäckschalter *m*.

book·ish [ˈbukɪʃ] *adj.* □ **1.** belesen, gelehrt; **2.** voll Bücherweisheit: ~ ***person*** a) Büchernarr *m*, b) Stubengelehrte(r) *m*; ~ ***style*** papierener Stil; **ˈbook·ish·ness** [-nɪs] *s.* trockene Gelehrsamkeit.

ˈbook|ˌkeep·er *s.* Buchhalter(in); **ˈ~ˌkeep·ing** *s.* Buchhaltung *f*, -führung *f*: ~ ***by single*** (***double***) ***entry*** einfache (doppelte) Buchführung; **~ knowl·edge**, **~ learn·ing** *s.* Buchwissen *n*, Bücherweisheit *f*.

book·let [ˈbʊklɪt] *s.* Büchlein *n*, Broˈschüre *f*.

ˈbook|ˌmak·er *s.* Buchmacher *m*; **ˈ~·man** [-mən] *s.* [*irr.*] Büchermensch *m*, Gelehrte(r) *m*; **ˈ~·mark** *s.* Lesezeichen *n*; **ˈ~·moˌbile** [-məʊˌbi:l] *s. Am.* ˈAuto-, ˈWanderbücheˌrei *f*; **ˈ~·plate** *s.* Exˈlibris *n*; **~ post** *s. Brit.* (***by ~*** als) Büchersendung *f*; **~ prof·it** *s.* ⚕ Buchgewinn *m*; **ˈ~·rack** *s.* ˈBüchergestell *n*, -reˌgal *n*; **ˈ~·rest** *s.* **1.** Buchstütze *f*; **2.** (kleines) Lesepult; **~ re·view** *s.* Buchbesprechung *f*; **~ review·er** *s.* ˈBuchˌkritiker *m*; **ˈ~ˌsell·er** *s.* Buchhändler (-in); **ˈ~·shelf** *s.* Bücherbrett *n*, -gestell *n*; **ˈ~·shop** *s.* Buchhandlung *f*; **ˈ~·stack** *s.* Bücherregal *n*; **ˈ~·stall** *s.* **1.** Bücher(verkaufs)stand *m*; **2.** Zeitungsstand *m*; **ˈ~·stand** → ***book-rack***; **ˈ~·store** *s. Am.* Buchhandlung *f*.

book·sy [ˈbʊksɪ] *adj. Am.* F ‚hochgestochen'.

book| to·ken *s. Brit.* Büchergutschein *m*; **~ trade** *s.* Buchhandel *m*; **~ val·ue** *s.* ⚕ Buchwert *m*; **ˈ~·worm** *s. zo. u. fig.* Bücherwurm *m*.

boom¹ [bu:m] **I** *s.* Dröhnen *n*, Donnern *n*, Brausen *n*; **II** *v/i.* dröhnen, donnern, brausen; **III** *v/t. a.* ~ ***out*** dröhnen(d äußern).

boom² [bu:m] *s.* **1.** ⚓ Baum *m* (*Hafen- od. Flußsperrgerät*); **2.** ⚓ Baum *m*, Spiere *f* (*Stange am Segel*); **3.** *Am.* Schwimmbaum *m* (*zum Auffangen des Floßholzes*); **4.** *Film*, *TV*: (Mikroˈphon)Galgen *m*.

boom³ [bu:m] **I** *s.* **1.** Aufschwung *m*; Berühmtheit *f*, *das* Berühmtwerden, Blüte(zeit) *f*; **2.** ⚕ Boom *m*: a) (ˈHoch-) Konjunkˌtur *f*: ***building ~*** Bauboom, b) Aufschwung *m*, c) *Börse*: Hausse *f*; **3.** Reˈklamerummel *m*, aufdringliche Propaˈganda; **II** *v/i.* **4.** e-n (raˈpiden) Aufschwung nehmen, in die Höhe schnellen, anziehen (*Preise, Kurse*), blühen: ***~ing*** florierend, blühend; **III** *v/t.* **5.** die Werbetrommel rühren für; *Preise* in die Höhe treiben; **ˌ~-and-ˈbust** *s. Am.* F außergewöhnlicher Aufstieg, dem e-e ernste Krise folgt.

boom·er·ang [ˈbu:məræŋ] **I** *s.* Bumerang *m* (*a. fig.*); **II** *v/i. fig.* (***on***) sich als Bumerang erweisen (für), zurückschlagen (auf *acc.*).

boon¹ [bu:n] *s.* **1.** Wohltat *f*, Segen *m*; **2.** Gefälligkeit *f*.

boon² [bu:n] *adj. lit.* freundlich, munter: ~ ***companion*** lustiger Kumpan *od.* Zechbruder.

boon·docks [ˈbu:ndɒks] *s. pl. Am. sl. die* Proˈvinz.

boor [bʊə] *s. fig.* a) ‚Bauer' *m*, ungehobelter Kerl, b) Flegel *m*; **boor·ish** [ˈbʊərɪʃ] *adj.* □ *fig.* ungehobelt, flegelhaft; **boor·ish·ness** [ˈbʊərɪʃnɪs] *s.* ungehobeltes Benehmen *od.* Wesen.

boost [bu:st] **I** *v/t.* **1.** hochschieben, -treiben; nachhelfen (*dat.*) (*a. fig.*); **2.** ⚕ F a) fördern, Auftrieb geben (*dat.*) (*a. fig.*), *Produktion etc.* ‚ankurbeln', *Preise* in die Höhe treiben: ~ ***the morale*** die (*Arbeits- etc.*)Moral heben, b) anpreisen, Reˈklame machen für; **3.** ⚙, ⚡ *Druck*, *Spannung* erhöhen, verstärken; **II** *s.* **4.** Förderung *f*, Erhöhung *f*; Auftrieb *m*; **5.** *fig.* Reˈklame *f*.

boost·er [ˈbu:stə] *s.* **1.** F Förderer *m* Reˈklamemacher *m*; Preistreiber *m*; **2.** ⚙, ⚡ ˈZusatz(aggreˌgat *n*, -dyˌnamo *m*, -verstärker *m*) *m*; Komˈpressor *m*; Servomotor *m*; *Rakete*: a) ˈAntriebsaggreˌgat *n*, b) Zündstufe *f*, c) ˈTrägerraˌkete *f*; **~ bat·ter·y** *s.* ⚡ ˈZusatzbatteˌrie *f*; **~ rock·et** *s.* ˈStartraˌkete *f*; **~ shot** *s.* ⚕

Wieder'holungsimpfung *f*.

boot[1] [buːt] **I** *s.* **1.** (*Am.* Schaft)Stiefel *m*; *pl. Mode*: Boots *pl.*: ***the ~ is on the other leg*** a) der Fall liegt umgekehrt, b) die Verantwortung liegt bei der anderen Seite; ***die in one's ~s*** a) in den Sielen sterben, b) e-s plötzlichen *od.* gewaltsamen Todes sterben; ***get the ~*** *sl.* ‚rausgeschmissen' (*entlassen*) werden; → ***big*** 2; **2.** *Brit. mot.* Kofferraum *m*; **3.** ⚙ Schutzkappe *f*, -hülle *f*; **II** *v/t.* **4.** *sl. j-m* e-n Fußtritt geben; **5.** *sl. fig. j-n* ‚rausschmeißen' (*entlassen*); **6.** F *Fußball* treten; **7.** *Computer*: *Programm* booten, starten.

boot[2] [buːt] *s. nur noch in*: ***to ~*** obendrein, noch dazu.

'**boot·black** *s. Am.* Schuhputzer *m*.

boot·ed ['buːtɪd] *adj.* Stiefel tragend: ***~ and spurred*** gestiefelt u. gespornt.

booth [buːð] *s.* **1.** (Markt)Bude *f*; (Messe)Stand *m*; **2.** (Fernsprech-, *pol.* Wahl)Zelle *f*; **3.** a) *Radio*, *TV*: (Über'tragungs)Ka,bine *f*, b) ('Abhör-)Ka,bine *f* (*Schallplattengeschäft*); **4.** Nische *f*, Sitzgruppe *f im Restaurant*.

'**boot**|**·jack** *s.* Stiefelknecht *m*; '**~·lace** *s. bsd. Brit.* Schnürsenkel *m*.

boot·leg ['buːtleg] *v/t. u. v/i. Am. sl. bsd. Spirituosen* 'illegal herstellen, schwarz verkaufen, schmuggeln; '**boot,leg·ger** [-gə] *s. Am. sl.* ('Alkohol-)Schmuggler *m*, (-)Schwarzhändler *m*; '**boot,leg·ging** [-gɪŋ] *s. Am. sl.* ('Alkohol)Schmuggel *m*.

boot·less ['buːtlɪs] *adj.* □ nutzlos, vergeblich.

'**boot**|**·lick** *v/t. u. v/i.* F (vor *j-m*) kriechen; '**~,lick·er** *s.* F ‚Kriecher' *m*.

boots [buːts] *s. sg.* Hausdiener *m* (*im Hotel*).

'**boot**|**·strap** *s.* Stiefelstrippe *f*, -schlaufe *f*: ***pull o.s. up by one's own ~s*** sich aus eigener Kraft hocharbeiten; **~ top** *s.* Stiefelstulpe *f*; **~ tree** *s.* Schuh-, Stiefelleisten *m*.

boot·y ['buːtɪ] *s.* **1.** (Kriegs)Beute *f*, Raub *m*; **2.** *fig.* Beute *f*, Fang *m*.

booze [buːz] F **I** *v/i.* ‚saufen'; **II** *s.* a) Schnaps *m*, 'Alkohol *m*, b) ‚Saufe'rei' *f*, Besäufnis *n*: ***go on*** (*od.* ***hit***) ***the ~*** → I; **boozed** [-zd] *adj.* F ‚blau', ‚voll', besoffen; '**booz·er** [-zə] *s.* **1.** F Säufer *m*; **2.** *Brit. sl.* Kneipe *f*.

'**booze-up** → ***booze*** II b.

booz·y ['buːzɪ] *adj.* F **1.** → ***boozed***; **2.** versoffen.

bo·rac·ic [bə'ræsɪk] *adj.* ⚗ 'boraxhaltig, Bor…: ***~ acid*** Borsäure *f*.

bor·age ['bɒrɪdʒ] *s.* ⚘ Borretsch *m*, Gurkenkraut *n*.

bo·rax ['bɔːræks] *s.* ⚗ 'Borax *m*.

bor·der ['bɔːdə] **I** *s.* **1.** Rand *m*, Kante *f*; **2.** (*Landes- od. Gebiets*)Grenze *f*; *a.* ***~ area*** Grenzgebiet *n*: ***the*** 𝔅 Grenze *od.* Grenzgebiet zwischen England u. Schottland; ***north of the*** 𝔅 in Schottland; ***~ incident*** Grenzzwischenfall *m*; **3.** Um'randung *f*, Borte *f*, Einfassung *f*, Saum *m*; Zierleiste *f*; **4.** Randbeet *n*, Ra'batte *f*; **II** *v/t.* **5.** einfassen, besetzen; **6.** begrenzen, (um)'säumen: ***a lawn ~ed by trees***; **7.** grenzen an (*acc.*): ***my park ~s yours***; **III** *v/i.* **8.** grenzen (***on*** an *acc.*) (*a. fig.*); '**bor·der·er** [-ərə] *s.* **1.** Grenzbewohner *m*; **2.** 𝔅***s*** *pl.* ⚔ 'Grenzregi,ment *n*.

'**bor·der**|**·land** *s.* Grenzgebiet *n* (*a. fig.*); '**~·line I** *s.* 'Grenz,linie *f*; *fig.* Grenze *f*; **II** *adj.* auf *od.* an e-r Grenze: ***~ case*** Grenzfall *m*.

bor·dure ['bɔː,djʊə] *s. her.* 'Schild-, 'Wappenum,randung *f*.

bore[1] [bɔː] **I** *v/t.* **1.** (durch)'bohren: ***~ a well*** e-n Brunnen bohren; ***to ~ one's way*** *fig.* sich (mühsam) e-n Weg bahnen; **II** *v/i.* **2.** (***for***) bohren, Bohrungen machen (nach); ⚒ schürfen (nach); **3.** ⚙ *bei Holz*: (ins Volle) bohren; *bei Metall*: (aus-, auf)bohren; **4.** sich einbohren (***into*** in *acc.*); **III** *s.* **5.** ⚒ Bohrung *f*, Bohrloch *n*; **6.** ⚔, ⚙ Bohrung *f*, Seele *f*, Ka'liber *n* (*e-r Schußwaffe*).

bore[2] [bɔː] **I** *s.* **1.** *et.* Langweiliges *od.* Lästiges *od.* Stumpfsinniges: ***what a ~*** a) wie langweilig, b) wie dumm; ***the book is a ~ to read*** das Buch ist ‚stinkfad'; **2.** a) fader Kerl, b) unangenehmer Kerl, (altes) Ekel; **II** *v/t.* **3.** langweilen: ***be ~d*** sich langweilen; ***look ~d*** gelangweilt aussehen.

bore[3] [bɔː] *s.* Springflut *f*.

bore[4] [bɔː] *pret. von* ***bear***[1].

bo·re·al ['bɔːrɪəl] *adj.* nördlich, Nord…; **bo·re·a·lis** [bɔːrɪ'eɪlɪs] → ***aurora borealis***; **Bo·re·as** ['bɒrɪæs] **I** *npr.* 'Boreas *m*; **II** *s. poet.* Nordwind *m*.

bore·dom ['bɔːdəm] *s.* **1.** Langeweile *f*, Gelangweiltsein *n*; **2.** Langweiligkeit *f*, Stumpfsinn *m*.

bor·er ['bɔːrə] *s.* **1.** ⚙ Bohrer *m*; **2.** *zo.* Bohrer *m* (*Insekt*).

bo·ric ['bɔːrɪk] *adj.* ⚗ Bor…: ***~ acid*** Borsäure *f*.

bor·ing ['bɔːrɪŋ] *adj.* **1.** bohrend, Bohr…; **2.** langweilig.

born [bɔːn] **I** *p.p. von* ***bear***[1]; **II** *adj.* geboren: ***~ of ...*** geboren von …, Kind des *od.* der …; ***a ~ poet***, ***~ a poet*** ein geborener Dichter, zum Dichter geboren; ***a ~ fool*** ein völliger Narr; ***an Englishman ~ and bred*** ein echter Engländer; ***never in all my ~ days*** mein Lebtag (noch) nie; ***~-a·gain*** *adj. relig. u. fig.* spätberufen.

borne [bɔːn] *p.p. von* ***bear***[1] **1.** getragen *etc.*: ***lorry-~*** mit (e-m) Lastwagen befördert; **2.** geboren (*in Verbindung mit* ***by*** *und dem Namen der Mutter*): ***Elizabeth I was ~ by Anne Boleyn***.

bor·né ['bɔːneɪ] (*Fr.*) *adj.* borniert.

bo·ron ['bɔːrɒn] *s.* ⚗ Bor *n.*

bor·ough ['bʌrə] *s.* **1.** *Brit.* a) Stadt *f od.* im Parla'ment vertretener städtischer Wahlbezirk, b) Stadtteil *m* (*von Groß-London*): ♀ **Council** Stadtrat *m*; **2.** *Am.* a) Stadt- *od.* Dorfgemeinde *f*, b) Stadtbezirk *m* (*in New York*).

bor·row ['bɒrəʊ] *v/t.* **1.** (aus)borgen, (ent)leihen (***from***, ***of*** von): ***~ed funds*** ✝ Fremdmittel *pl.*; **2.** *fig.* entlehnen, *humor.* ‚borgen': ***~ed word*** Lehnwort *n*; '**bor·row·er** [-əʊə] *s.* **1.** Entleiher (-in), Borger(in); **2.** ✝ Kre'ditnehmer (-in); '**bor·row·ing** [-əʊɪŋ] *s.* (Aus)Borgen *n*; Darlehns-, Kre'ditaufnahme *f*, Anleihe *f*: ***~ power*** ✝ Kreditfähigkeit *f*.

Bor·stal (**In·sti·tu·tion**) ['bɔːstl] *s. Brit. erzieherisch gestaltete Jugendstrafanstalt*: ***Borstal training*** Strafvollzug *m* in e-m ***Borstal***.

bosh [bɒʃ] *s.* F ‚Quatsch' *m*.

bos·om ['bʊzəm] *s.* **1.** Busen *m*, Brust *f*, *fig. a.* Herz *n*: ***~ friend*** Busenfreund (-in); ***keep*** (*od.* ***lock***) ***in one's*** (***own***) ***~*** in s-m Busen verschließen; ***take s.o. to one's ~*** j-n ans Herz drücken; **3.** *fig.* Schoß *m*: ***in the ~ of one's family*** (***the Church***); → ***Abraham***; **4.** Brustteil *m* (*Kleid etc.*); *bsd. Am.* Hemdbrust *f*; **5.** Tiefe *f*, *das* Innere: ***in the ~ of the earth*** im Erdinnern; '**bos·omed** [-md] *adj. in Zssgn* ...busig; '**bos·om·y** [-mɪ] *adj.* vollbusig.

boss[1] [bɒs] **I** *s.* Beule *f*, Buckel *m*, Knauf *m*, Knopf *m*, erhabene Verzierung; ⚙ (*Rad-*, *Schiffsschrauben*)Nabe *f*; **II** *v/t.* mit Buckeln *etc.* verzieren, bosseln, treiben.

boss[2] [bɒs] F **I** *s.* **1.** *a.* ***~-man*** Chef *m*, Vorgesetzte(r) *m*, ‚Boß' *m*; **2.** *fig.* ‚Macher' *m*, ‚Boß' *m*, Tonangebende(r) *m*; **3.** *Am. pol.* (Par'tei)Bonze *m*, (-)Boß *m*; **II** *v/t.* **4.** Herr sein über (*acc.*): ***~ the show*** der Chef vom Ganzen sein; **III** *v/i.* **5.** den Chef *od.* Herrn spielen, kommandieren; **6.** ***~ about*** herumkommandieren; **boss·y** ['bɒsɪ] *adj.* F **1.** herrisch, dikta'torisch; **2.** rechthaberisch.

bo·sun ['bəʊsn] → ***boatswain***.

bo·tan·ic, **bo·tan·i·cal** [bə'tænɪk(l)] *adj.* □ bo'tanisch.

bot·a·nist ['bɒtənɪst] *s.* Bo'taniker *m*, Pflanzenkenner *m*; '**bot·a·nize** [-naɪz] *v/i.* botanisieren; '**bot·a·ny** [-nɪ] *s.* Bo'tanik *f*, Pflanzenkunde *f*.

botch [bɒtʃ] **I** *s.* Flickwerk *n*, *fig. a.* Pfuscharbeit *f*: ***make a ~ of s.th*** et. verpfuschen; **II** *v/t.* zs.-schustern *od.* -stoppeln; verpfuschen; **III** *v/i.* pfuschen, stümpern; '**botch·er** [-tʃə] *s.* **1.** Flickschneider *m*, -schuster *m* (*a. fig.*); **2.** Pfuscher *m*, Stümper *m*.

both [bəʊθ] **I** *adj. u. pron.* beide, beides: ***~ my sons*** m-e beiden Söhne; ***~ parents*** beide Eltern; ***~ of them*** sie (*od.* alle) beide; ***you can't have it ~ ways*** du kannst nicht beides *od.* nur eins von beiden haben; **II** *adv. od. cj.*: ***~ ... and*** sowohl ... als (auch): ***~ boys and girls***.

both·er ['bɒðə] **I** *s.* **1.** a) Last *f*, Plage *f*, Mühe *f*, Ärger *m*, Schere'rei *f*, b) Aufregung *f*, ‚Wirbel' *m*, Getue *n*: ***this boy is a great ~*** dieser Junge ist e-e große Plage; **II** *v/t.* **2.** belästigen, quälen, stören, beunruhigen, ärgern: ***don't ~ me!*** laß mich in Frieden!; ***be ~ed about s.th.*** über et. beunruhigt sein; ***I can't be ~ed with it*** ich kann mich nicht damit abgeben; ***~ one's head about s.th.*** sich über et. den Kopf zerbrechen; ***~*** (***it***)***!*** F verflixt!; **III** *v/i.* **3.** (***about***) sich sorgen (um), sich aufregen (über *acc.*); **4.** sich Mühe geben: ***don't ~!*** bemüh dich nicht!; **5.** (***about***) sich kümmern (um), sich befassen (mit), sich Gedanken machen (wegen): ***I shan't ~ about it***; **both·er·a·tion** [ˌbɒðə'reɪʃn] F **I** *s.* Belästigung *f*; **II** *int.* ‚Mist'!

bo-tree ['bəʊtriː] *s. der* heilige Feigenbaum (*Buddhas*).

bot·tle ['bɒtl] **I** *s.* **1.** Flasche *f* (*a.* ⚙): ***wine in ~s*** Flaschenwein *m*; ***bring up on the ~*** *Säugling* mit der Flasche aufziehen; ***be fond of the ~*** gern ‚einen heben'; **II** *v/t.* **2.** in Flaschen abfüllen; **3.** *bsd. Brit. Früchte etc.* in Gläsern einmachen; ***~ up*** *v/t.* **1.** *fig. Gefühle etc.* unter'drücken: ***bottled-up*** aufgestaut; **2.** einschließen: ***~ the enemy's fleet***.

bot·tle cap *s.* Flaschenkapsel *f*.

bot·tled ['bɒtld] *adj.* in Flaschen *od.* (Einmach)Gläser (ab)gefüllt: ***~ beer*** Flaschenbier *n*; → ***bottle up*** 1.

'**bot·tle**|**-feed** *v/t.* [*irr.*] mit der Flasche aufziehen, aus der Flasche ernähren: ***bottle-fed child***; ***~ gourd*** *s.* ⚘ Flaschenkürbis *m*; '**~-green** *adj.* flaschen-, dunkelgrün; '**~-ˌhold·er** *s.* **1.** *Boxen*: Sekun'dant *m*; **2.** *fig.* Helfershelfer *m*; ***~ imp*** *s.* Flaschenteufelchen *n*; '**~-neck** *s.* Engpaß *m* (*a. fig.*); '**~-nosed** *adj.* mit e-r Säufernase; '**~ˌpar·ty** *s.* Bottle-Party *f* (*zu der jeder Gast e-e Flasche Wein etc. mitbringt*); ***~ post*** *s.* Flaschenpost *f*.

bot·tler ['bɒtlə] *s.* 'Abfüllmaˌschine *f od.* -betrieb *m*.

'**bot·tle-ˌwash·er** *s.* **1.** Flaschenreiniger *m*; **2.** *humor.* Fak'totum *n*, ‚Mädchen *n* für alles'.

bot·tom ['bɒtəm] **I** *s.* **1.** *der* unterste Teil, 'Unterseite *f*, Boden *m* (*Gefäß etc.*), Fuß *m* (*Berg*, *Treppe*, *Seite etc.*), Sohle *f* (*Brunnen*, *Tal etc.*): ***~s up!*** *sl.* ex! (*beim Trinken*); **2.** Boden *m*, Grund *m* (*Gewässer*): ***go to the ~*** versinken; ***send to the ~*** versenken; ***touch ~*** a) auf Grund geraten, b) *fig.* den Tiefpunkt erreichen; ***the ~ has fallen out of the market*** der Markt hat e-n Tiefstand erreicht; **3.** *fig.* Grund(lage *f*) *m*: ***what is at the ~ of it?*** was ist der Grund dafür?, was steckt dahinter?; ***knock the ~ out of s.th.*** et. gründlich widerlegen; ***get to the ~ of s.th.*** e-r Sache auf den Grund gehen *od.* kommen: ***from the ~ up*** von Grund auf; **4.** *fig. das* Innere, Tiefe *f*: ***from the ~ of my heart*** aus tiefstem Herzen; ***at ~*** im Grunde; **5.** ⚓ Schiffsboden *m*; Schiff *n*: ***~ up(wards)*** kieloben; ***shipped in British ~s*** in brit. Schiffen verladen; **6.** (*Stuhl*)Sitz *m*; **7.** F *der* Hintern, ‚Po (-'po)' *m*: ***smack the boy's ~*** den Jungen ‚versohlen'; ***smooth as a baby's ~*** glatt wie ein Kinderpopo; **8.** (unteres) Ende (*Tisch*, *Klasse*, *Garten*); **II** *adj.* **9.** unterst, letzt, äußerst: ***~ shelf*** unterstes (*Bücher*)Brett; ***~ drawer*** a) unterste Schublade (*a. fig.*), b) *Brit.* Aussteuer (-truhe) *f*; ***~ price*** äußerster Preis; ***~ line*** letzte Zeile; **III** *v/t.* **10.** mit e-m Boden *od.* Sitz versehen; **11.** ergründen; **IV** *v/i.* ***~ out*** *Rezession*: die Talsohle durchschritten haben; **'bot·tomed** [-md] *adj.*: ***~ on*** beruhend auf (*dat.*); ***double-~*** mit doppeltem Boden; ***cane-~*** mit Rohrsitz (*Stuhl*); **'bot·tom·less** [-lɪs] *adj.* bodenlos (*a. fig.*); unergründlich; unerschöpflich; **'bot·tom·ry** [-rɪ] *s.* ⚓ Bodme'rei(geld *n*) *f*.

bot·u·lism ['bɒtjʊlɪzəm] *s.* ⚕ Botu'lismus *m* (*Fleischvergiftung etc.*).

bou·doir ['bu:dwa:] (*Fr.*) *s.* Bou'doir *n*.

bough [baʊ] *s.* Ast *m*, Zweig *m*.

bought [bɔ:t] *pret. u. p.p. von* **buy**.

boul·der ['bəʊldə] *s.* Fels-, Geröllblock *m*; *geol.* er'ratischer Block: ***~ period*** Eiszeit *f*.

bou·le·vard ['bu:lvɑ:] *s.* Boule'vard *m*, Prachtstraße *f*, *Am. a.* Hauptverkehrsstraße *f*.

boult → ***bolt***[2].

bounce [baʊns] **I** *v/i.* **1.** springen, (hoch)schnellen, hüpfen: ***the ball ~d***; ***he ~d out of his chair***, ***~ about*** herumhüpfen; **2.** stürzen, stürmen: ***~ into a room***; **3.** auf-, anprallen (***against*** gegen): ***~ off*** abprallen; **4.** ✝ ‚platzen' (*Scheck*); **II** *v/t.* **5.** *Ball* (auf)springen lassen; **6.** *Brit.* F *j-n* drängen (***into*** zu); **7.** *Am. sl. j-n* ‚rausschmeißen' (*a. fig. entlassen*); **III** *s.* **8.** Sprungkraft *f*; **9.** Sprung *m*, Schwung *m*, Stoß *m*; **10.** Unverfrorenheit *f*; **11.** F ‚Schwung' *m*, E'lan *m*; **12.** *Am. sl.* ‚Rausschmiß' *m* (*Entlassung*); **'bounc·er** [-sə] *s.* F **1.** a) Angeber *m*, b) Lügner *m*; **2.** freche Lüge; **3.** a) ‚Mordskerl' *m*, b) ‚Prachtweib' *n*, c) ‚Mordssache' *f*; **4.** *Am.* ‚Rausschmeißer' *m* (*in Nachtlokalen etc.*); **5.** ungedeckter Scheck; **'bounc·ing** [-sɪŋ] *adj.* **1.** stramm (*kräftig*): ***~ baby***; ***~ girl***; **2.** munter, lebhaft; **3.** Mords...

bound[1] [baʊnd] **I** *pret. u. p.p. von* **bind**; **II** *adj.* **1.** ***be ~ to do*** zwangsläufig *et.* tun müssen; ***he is ~ to tell me*** er ist verpflichtet, es mir zu sagen; ***he is ~ to be late*** er muß ja zu spät kommen; ***he is ~ to come*** er kommt bestimmt; ***I'll be ~*** ich bürge dafür, ganz gewiß; **2.** *in Zssgn* festgehalten *od.* verhindert durch: ***ice-~***; ***storm~***.

bound[2] [baʊnd] *adj.* (***for***) bestimmt, unter'wegs (nach): ***~ for London***; ***homeward*** (***outward***) ***~*** ⚓ auf der Heimreise (Hin-, Ausreise) (befindlich); ***where are you ~ for?*** wohin reisen *od.* gehen Sie?

bound[3] [baʊnd] **I** *s.* **1.** Grenze *f*, Schranke *f*, Bereich *m*: ***beyond all ~s*** maß-, grenzenlos; ***keep within ~s*** in vernünftigen Grenzen halten; ***set ~s to*** Grenzen setzen (*dat.*), in Schranken halten; ***within the ~s of possibility*** im Bereich des Möglichen; ***out of ~s*** a) *sport* aus, im Aus, b) (***to***) Zutritt verboten (für); **II** *v/t.* **2.** be-, abgrenzen, die Grenze von *et.* bilden; **3.** *fig.* beschränken, in Schranken halten.

bound[4] [baʊnd] **I** *v/i.* **1.** (hoch)springen, hüpfen (*a. fig.*); **2.** lebhaft gehen, laufen; **3.** an-, abprallen; **II** *s.* **4.** Sprung *m*, Satz *m*, Schwung *m*: ***at a single ~*** mit 'einem Satz; ***on the ~*** beim Aufspringen (*Ball*).

bound·a·ry ['baʊndərɪ] *s.* **1.** *a. fig.* Grenze *f*, *a.* ***~ line*** 'Grenzˌlinie *f*; **2.** *fig.* Bereich *m*; **4.** ⩓, *phys.* a) Begrenzung *f*, b) Rand *m*, c) 'Umfang *m*.

bound·en ['baʊndən] *adj.*: ***my ~ duty*** m-e Pflicht u. Schuldigkeit.

bound·er ['baʊndə] *s. sl.* ‚Stromer' *m*, Kerl *m*.

bound·less ['baʊndlɪs] *adj.* □ grenzenlos, unbegrenzt, *fig. a.* 'übermäßig.

boun·te·ous ['baʊntɪəs] *adj.* □ **1.** freigebig, großzügig; **2.** (allzu) reichlich; **'boun·ti·ful** [-tɪfʊl] *adj.* □ → ***bounteous***; **boun·ty** ['baʊntɪ] *s.* **1.** Freigebigkeit *f*; **2.** (milde) Gabe; Spende *f* (*bsd. e-s Herrschers*); **3.** ⚔ Handgeld *n*; **4.** ✝ (*bsd.* Ex'port)ˌPrämie *f*, Zuschuß *m* (***on*** auf, für); **5.** Belohnung *f*.

bou·quet [bʊ'keɪ] *s.* **1.** Bu'kett *n*, (Blumen)Strauß *m*; **2.** A'roma *n*; Blume *f* (*Wein*); **3.** *bsd. Am.* Kompli'ment *n*.

Bour·bon ['bʊəbən] *s.* **1.** *pol. Am.* Reaktio'när *m*; **2.** 𝔰 ['bɜ:bən] 'Bourbon *m* (*amer. Whiskey aus Mais*).

bour·geois[1] ['bʊəʒwɑ:] *contp.* **I** *s.* Bour'geois *m*; **II** *adj.* bour'geois, (spieß)bürgerlich.

bour·geois[2] [bɜ:'dʒɔɪs] *typ.* **I** *s.* 'Borgis *f*; **II** *adj.* in 'Borgisˌlettern gedruckt.

bourn(e)[1] [bʊən] *s.* (Gieß)Bach *m*.

bourn(e)[2] [bʊən] *s.* **1.** *obs.* Grenze *f*; **2.**

B

poet. Ziel *n*; Gebiet *n*, Bereich *m*.

bourse [bʊəs] *s.* ✝ Börse *f*.

bout [baʊt] *s.* **1.** Arbeitsgang *m*; *Fechten, Tanz*: Runde *f*: ***drinking ~*** Zecherei *f*; **2.** (Krankheits)Anfall *m*, At'tacke *f*; **3.** Zeitspanne *f*; **4.** Kraftprobe *f*, Kampf *m*; **5.** (*bsd.* Box-, Ring)Kampf *m*.

bo·vine ['bəʊvaɪn] *adj.* **1.** *zo.* Rinder...; **2.** *fig.* (*a. geistig*) träge, schwerfällig, dumm.

bov·ver ['bɒvə] *s. Brit. sl.* Schläge'rei *f bsd.* zwischen Rockern: ***~ boots*** Rokker-Stiefel *pl*.

bow¹ [baʊ] **I** *s.* **1.** Verbeugung *f*, Verneigung *f*: ***make one's ~*** a) sich vorstellen, b) sich verabschieden; ***take a ~*** sich verbeugen, sich für den Beifall bedanken; **II** *v/t.* **2.** beugen, neigen: ***~ one's head*** den Kopf neigen; ***~ one's neck*** *fig.* den Nacken beugen; ***~ one's thanks*** sich dankend verneigen; ***~ed with grief*** gramgebeugt; → ***knee*** 1; **3.** biegen: ***the wind has ~ed the branches***; **III** *v/i.* **4.** (***to***) sich verbeugen *od.* verneigen (vor *dat.*), grüßen (*acc.*): ***a ~ing acquaintance*** e-e Grußbekanntschaft; ***on ~ing terms*** auf dem Grußfuße, flüchtig bekannt; ***~ and scrape*** Kratzfüße machen, *fig.* katzbuckeln; **5.** *fig.* sich beugen *od.* unter'werfen (***to*** *dat.*): ***~ to the inevitable*** sich in das Unvermeidliche fügen; ***~ down*** *v/i.* (***to***) **1.** verehren, anbeten (*acc.*); **2.** sich unter'werfen (*dat.*); ***~ in*** *v/t. j-n* unter Verbeugungen hin'eingeleiten; ***~ out*** **I** *v/t. j-n* hin'auskomplimentieren; **II** *v/i.* sich verabschieden.

bow² [bəʊ] **I** *s.* **1.** (Schieß)Bogen *m*: ***have more than one string to one's ~*** *fig.* mehrere Eisen im Feuer haben; ***draw the long ~*** *fig.* aufschneiden, übertreiben; **2.** ♪ (*Violin- etc.*)Bogen *m*; **3.** ⩚, ⚙ a) Bogen *m*, Kurve *f*, b) *pl.* 'Bogen,zirkel *m*; **4.** Bügel *m* (*der Brille*); **5.** Knoten *m*, Schleife *f*; **II** *v/i.* **6.** ♪ den Bogen führen.

bow³ [baʊ] *s.* ⚓ **1.** *a. pl.* Bug *m*; **2.** Bugmann *m* (*im Ruderboot*).

Bow| bells [bəʊ] *s. pl.* Glocken *pl.* der Kirche ***St. Mary le Bow*** (*London*): ***be born within the sound of ~*** ein echter Cockney sein; **~ com·pass(·es)** *s. sg. od. pl.* ⩚, ⚙ → ***bow²*** 3b.

bowd·ler·ize ['baʊdləraɪz] *v/t. Bücher* (von anstößigen Stellen) säubern; *fig.* verwässern.

bow·els ['baʊəlz] *s. pl.* **1.** *anat.* Darm *m*; Gedärm *n*, Eingeweide *pl.*: ***open ~*** ⚕ offener Leib; ***have open ~*** regelmäßig Stuhlgang haben; **2.** *das* Innere, Mitte *f*: ***the ~ of the earth*** das Erdinnere.

bow·er¹ ['baʊə] *s.* (Garten)Laube *f*, schattiges Plätzchen; *obs.* (Frauen)Gemach *n*.

bow·er² ['baʊə] *s.* ⚓ Buganker *m*.

bow·er·y ['baʊərɪ] *s. hist. Am.* Farm *f*, Pflanzung *f*: ***the* ♀** die Bowery (*heruntergekommene Straße u. Gegend in New York City*).

'bow-head ['bəʊ-] *s. zo.* Grönlandwal *m*.

'bow·ie-knife ['bəʊɪ-] *s.* [*irr.*] 'Bowiemesser *n* (*langes Jagdmesser*).

bowl¹ [bəʊl] *s.* **1.** Napf *m*, Schale *f*; Bowle *f* (*Gefäß*); **2.** Schüssel *f*, Becken *n*; **3.** *poet.* Gelage *n*; **4.** a) (Pfeifen-)Kopf *m*, b) Höhlung *f* (*Löffel etc.*); **5.** *Am.* 'Stadion *n*.

bowl² [bəʊl] **I** *s.* **1.** a) (*Bowling-, Bowls-, Kegel*)Kugel *f*, b) → ***bowls*** 1, c) Wurf *m*; **II** *v/t.* **2.** *allg.* rollen (lassen); *Bowling etc*: *die Kugel* werfen; *Ball* rollen, werfen (*a. Kricket*); *Reifen* schlagen, treiben; **III** *v/i.* **3.** a) bowlen, Bowls spielen, b) bowlen, Bowling spielen, c) kegeln, d) werfen; **4.** *mst* ***~ along*** ‚(da'hin)gondeln' (*Wagen*); ***~ out*** *v/t. Kricket*: *den Schläger* (durch Treffen des Dreistabes) ‚ausmachen'; *fig. j-n* ‚erledigen', schlagen; ***~ o·ver*** *v/t.* 'umwerfen (*a. fig.*).

'bow-legged ['bəʊ-] *adj.* säbel-, O-beinig; **'bow-legs** *s. pl.* Säbel-, O-Beine *pl*.

bowl·er ['bəʊlə] *s.* **1.** a) Bowls-Spieler (-in), b) Bowling-Spieler(in), c) Kegler (-in); **2.** *Kricket*: Werfer *m*; **3.** *a.* ***~ hat*** *Brit.* ‚Me'lone' *f*.

bow·line ['bəʊlɪn] *s.* ⚓ Bu'lin *f*.

bowl·ing ['bəʊlɪŋ] *s.* **1.** Bowling *n*; **2.** Kegeln *n*; ***~ al·ley*** *s.* **1.** Bowlingbahn *f*; **2.** Kegelbahn *f*; ***~ green*** *s. Bowls etc*: Rasenplatz *m*.

bowls [bəʊlz] *s. pl. sg. konstr.* **1.** Bowls (-Spiel) *n*; **2.** Kegeln *n*.

bow|·man ['bəʊmən] *s.* [*irr.*] Bogenschütze *m*; **'~·shot** *s.* Bogenschußweite *f*; **'~·sprit** *s.* ⚓ Bugspriet *m*; **♀ Street** *npr. Straße in London mit dem Polizeigericht*; **'~·string I** *s.* Bogensehne *f*; **II** *v/t.* erdrosseln; **~ tie** *s.* (Frack)Schleife *f*, Fliege *f*; **~ win·dow** *s.* Erkerfenster *n*.

bow-wow I *int.* [,baʊ'waʊ] wau'wau!; **II** *s.* ['baʊwaʊ] *Kindersprache*: Wau'wau *m* (*Hund*).

box¹ [bɒks] **I** *s.* **1.** Kasten *m*, Kiste *f*; *Brit. a.* Koffer *m*; **2.** Büchse *f*, Schachtel *f*, Etu'i *n*, Dose *f*, Kästchen *n*; **3.** Behälter *m*, (*a. Buch-, Film- etc.*)Kas'sette *f*, Hülse *f*, Gehäuse *n*, Kapsel *f*; **4.** Häus-chen *n*; Ab'teil *n*, Ab'teilung *f*, Loge *f* (*Theater etc.*); ⚖ a) Zeugenstand *m*, b) (Geschworenen)Bank *f*; **5.** Box *f*: a) *Pferdestand*, b) *mot. Einstellplatz in e-r Großgarage*; **6.** Fach *n* (*a. für Briefe etc.*); **7.** Kutschbock *m*; **8.** *Am.* Wagenkasten *m*; **9.** *Baseball*: Standplatz *m* (*des Schlägers*); **10.** a)

Postfach *n*, b) → ***box number***, c) Briefkasten *m*; **11.** *pol.* (Wahl)Urne *f*; **12.** *typ.* Kasten *m*, Kästchen (*eingeschobener, umrandeter Text*), Rub'rik *f*; **13.** F ,Kasten' *m* (*Fernsehapparat*, *Fußballtor etc.*); **II** *v/t.* **14.** in Schachteln, Kasten *etc.* legen, packen, einschließen; **15.** ~ ***the compass*** a) ⚓ alle Kompaßpunkte aufzählen, b) *fig.* alle Gesichtspunkte vorbringen u. schließlich zum Ausgangspunkt zurückkehren, e-e völlige Kehrtwendung machen; ~ **in** *v/t.* **1.** → ***box***[1] 14; **2.** → ~ **up** *v/t.* einschließen, -klemmen.

box[2] [bɒks] **I** *s.* **1.** Schlag *m* mit der Hand: ~ ***on the ear*** Ohrfeige *f*; **II** *v/t.* **2.** ~ ***s.o.'s ears*** j-n ohrfeigen; **3.** gegen *j-n* boxen; **III** *v/i.* **4.** *sport* boxen.

box[3] [bɒks] *s.* ⚘ Buchsbaum(holz *n*) *m*.

box| bar·rage *s.* ⚔ Abriegelungsfeuer *n*; '~**·calf** *s.* 'Boxkalf *n* (*Leder*); ~ **cam·er·a** *s. phot.* 'Box(ˌkamera) *f*; '~**·car** *s.* 🚃 *Am.* geschlossener Güterwagen.

box·er ['bɒksə] *s.* **1.** *sport* Boxer *m*; **2.** *zo.* Boxer *m* (*Hunderasse*); **3.** ♀ *hist.* Boxer *m* (*Anhänger e-s chinesischen Geheimbundes um 1900*).

box·ing ['bɒksɪŋ] *s.* **1.** *sport* Boxen *n*; **2.** Ver-, Einpacken *n*; ♀ **Day** *s. Brit.* der zweite Weihnachtsfeiertag; ~ **gloves** *s. pl.* Boxhandschuhe *pl.*; ~ **match** *s. sport* Boxkampf *m*.

'**box|-ˌi·ron** *s.* Bolzen(bügel)eisen *n*; ~ **junc·tion** *s. Brit. markierte Kreuzung, in die bei stehendem Verkehr nicht eingefahren werden darf*; '~ˌ**keep·er** *s. thea.* 'Logenschließer(in); ~ **num·ber** *s.* 'Chiffre(nummer) *f* (*in Zeitungsanzeigen*); ~ **of·fice** *s.* **1.** (The'ater- *etc.*) Kasse *f*; **2.** ***be good*** ~ ein Kassenerfolg *od.* -schlager sein; **3.** Einspielergebnis *n*; '~-ˌ**of·fice** *adj.* Kassen...: ~ ***success*** *od.* ***draw*** Kassenschlager *m*; ~ **ra·di·o** *s.* F Dampfradio *n*; '~**·room** *s.* Abstellraum *m*; '~ˌ**wal·lah** *s. Brit.-Ind.* **1.** F indischer Hausierer; **2.** *contp.* Handlungsreisende(r) *m*; '~**·wood** →***box***[3].

boy [bɔɪ] **1.** Knabe *m*, Junge *m*, Bursche *m*, ,Mann' *m*: ***the*** (*od.* ***our***) ~***s*** unsere Jung(en)s (*z. B. Soldaten*); ***old*** ~ a) ,alter Knabe', b) → ***old boy***; ***a*** ~ ***child*** ein Kind männlichen Geschlechts, ein Junge; ~ ***singer*** Sängerknabe; ~ ***wonder*** *oft iro.* Wunderknabe; **2.** Laufbursche *m*; **3.** Boy *m*, (*bsd.* eingeborener) Diener.

boy·cott ['bɔɪkət] **I** *v/t.* boykottieren; **II** *s.* Boy'kott *m*.

'**boy·friend** *s.* Freund *m* (*e-s Mädchens*).

boy·hood ['bɔɪhʊd] *s.* Knabenalter *n*, Kindheit *f*, Jugend *f*.

boy·ish ['bɔɪɪʃ] *adj.* □ a) jungenhaft: ~ ***laughter***, b) knabenhaft.

boy scout *s.* Pfadfinder *m*.

bo·zo ['bəʊzəʊ] *s. Am. sl.* Kerl *m*.

B pow·er sup·ply *s.* ⚡ Ener'gieversorgung *f* des An'odenkreises.

bra [brɑː] *s.* F *für* ***brassière***: B'H *m*.

brace [breɪs] **I** *s.* **1.** ⚙ Stütze *f*, Strebe *f*, (*a.* ⚕ Zahn)Klammer *f*, Anker *m*, Versteifung *f*; (Trag)Band *n*, Gurt *m*; ⚕ Stützband *n*; **2.** ⚙ Griff *m* der Bohrkurbel: ~ ***and bit*** Bohrkurbel *f*; **3.** △, ♪, ✍, *typ.* (geschweifte) Klammer *f*; **4.** ⚓ Brasse *f*; **5.** (***a pair of***) ~***s*** *pl. Brit.* Hosenträger *m od. pl.*; **6.** (*pl.* ***brace***) ein Paar, zwei (*bsd. Hunde*, *Kleinwild*, *Pistolen*; *contp. Personen*); **II** *v/t.* **7.** ⚙ versteifen, -streben, stützen, verankern, befestigen; **8.** ⚙, ♪, *typ.* klammern; **9.** ⚓ brassen; **10.** *fig.* stärken, erfrischen; **11.** *a.* ~ ***up*** *s-e Kräfte*, *s-n Mut* zs.-nehmen; **12.** ~ ***o.s.*** (***up***) a) → 11, b) ***for s.th.*** sich auf et. gefaßt machen; **brace·let** ['breɪslɪt] *s.* **1.** Armband *n*, -reif *m*, -spange *f*; **2.** *pl. humor.* Handschellen *pl.*; '**brac·er** [-sə] *s. Am.* F Stärkung *f*, *bsd.* Schnäpschen *n*; *fig.* Ermunterung *f*.

bra·chi·al ['breɪkjəl] *adj.* Arm...; '**bra·chi·ate** [-kɪeɪt] *adj.* ⚘ paarweise gegenständig.

brach·y·ce·phal·ic [ˌbrækɪke'fælɪk] *adj.* kurzköpfig.

brac·ing ['breɪsɪŋ] *adj.* stärkend, kräftigend, erfrischend (*bsd. Klima*).

brack·en ['brækən] *s.* **1.** Farnkraut *n*; **2.** farnbewachsene Gegend.

brack·et ['brækɪt] **I** *s.* **1.** ⚙ Träger *m*, Halter *m*; **2.** Kon'sole *f*, Krag-, Tragstein *m*, Stützbalken *m*, Winkelstütze *f*; **3.** Wandarm *m*; **4.** ⚔ Gabel *f* (*Einschießen*); **5.** ✍, *typ.* (*Am. mst* eckige) Klammer: ***in*** ~***s***; ***square*** ~***s*** eckige Klammern; **6.** Gruppe *f*, Klasse *f*, Stufe *f*: ***lower income*** ~ niedrige Einkommensstufe; **II** *v/t.* **7.** einklammern; **8.** *a.* ~ ***together*** in dieselbe Gruppe einordnen; auf gleiche Stufe stellen; **9.** ⚔ eingabeln.

brack·ish ['brækɪʃ] *adj.* brackig.

bract [brækt] *s.* ⚘ Deckblatt *n*.

brad [bræd] *s.* ⚙ Nagel *m* ohne Kopf; (Schuh)Zwecke *f*.

Brad·shaw ['brædʃɔː] *s. Brit.* (Eisenbahn)Kursbuch *n* (*1839–1961*).

brae [breɪ] *s. Scot.* Abhang *m*, Böschung *f*.

brag [bræg] **I** *s.* **1.** Prahle'rei *f*; **2.** → ***braggart*** I; **II** *v/i.* **3.** (***about***, ***of***) prahlen (mit), sich rühmen (*gen.*).

brag·ga·do·ci·o [ˌbrægə'dəʊtʃɪəʊ] *s.* Prahle'rei *f*, Aufschneide'rei *f*.

brag·gart ['brægət] **I** *s.* Prahler *m*, Aufschneider *m*; **II** *adj.* prahlerisch.

Brah·man ['brɑːmən] *s.* Brah'mane *m*; '**Brah·ma·ni** [-nɪ] *s.* Brah'manin *f*; **Brah·man·ic**, **Brah·man·i·cal** [brɑː'mænɪk(l)] *adj.* brah'manisch.

B

Brah·min ['brɑːmɪn] *s.* **1.** → ***Brahman***; **2.** gebildete, kultivierte Per'son; **3.** *Am. iro.* dünkelhafte(r) Intellektu'elle(r).

braid [breɪd] **I** *v/t.* **1.** *bsd. Haar, Bänder* flechten; **2.** mit Litze, Band, Borte besetzen, schmücken; **3.** ⚙ um'spinnen; **II** *s.* **4.** (*Haar*)Flechte *f*; **5.** Borte *f*, Litze *f*, Tresse *f* (*bsd.* ⚔): ***gold*** ~ goldene Tresse(n); '**braid·ed** [-dɪd] *adj.* geflochten; mit Litze *etc.* besetzt; um'sponnen; '**braid·ing** [-dɪŋ] *s.* Litzen *pl.*, Borten *pl.*, Tressen *pl.*, Besatz *m.*

braille [breɪl] *s.* Blindenschrift *f.*

brain [breɪn] **I** *s.* **1.** Gehirn *n*; → ***blow out*** 5; **2.** *fig.* (*oft pl.*) a) ‚Köpfchen' *n*, ‚Grips' *m*, Verstand *m*, b) Kopf *m* (*Leiter*), *b.s.* ‚Drahtzieher' *m*: ***a clear*** ~ ein klarer Kopf; ***who is the*** ~ ***behind it?*** wessen Idee ist das?; ***have*** **~s** intelligent sein, ‚Köpfchen' haben; ***have*** (***got***) ***s.th on the*** ~ et. dauernd im Kopf haben; ***cudgel*** (*od.* ***rack***) ***one's*** **~s** sich den Kopf zerbrechen, sich das Hirn zermartern; ***pick s.o.'s*** **~s** a) geistigen Diebstahl an j-m begehen, b) j-n ‚ausholen'; **II** *v/t.* **3.** *j-m* den Schädel einschlagen; ~ **child** *s.* 'Geistespro͵dukt *n*; ~ **drain** *s.* Abwanderung *f* von Wissenschaftlern, Brain-Drain *m.*

brained [breɪnd] *adj.*, *nur in Zssgn* ...köpfig, mit e-m ... Gehirn: ***feeble-***~ schwachköpfig.

'**brain**|**·fag** *s.* geistige Erschöpfung; ~ **fe·ver** *s.* ⚕ Gehirnentzündung *f.*

brain·less ['breɪnlɪs] *adj.* **1.** hirnlos, dumm; **2.** gedankenlos.

'**brain**|**·pan** *s. anat.* Hirnschale *f*, Schädeldecke *f*; '**~·storm** *s.* **1.** geistige Verwirrung; **2.** verrückter Einfall; **3.** *Am.* F → ***brain wave*** 2 ; '**~͵storm·ing** *s.* Brainstorming *n* (*Problemlösung durch Sammeln spontaner Einfälle*).

brains trust [breɪnz] *s.* **1.** *Brit.* Teilnehmer *pl.* an e-r 'Podiumsdiskussi͵on; **2.** → ***brain trust.***

brain| **trust** *s. Am.* F po'litische *od.* wirtschaftliche Beratergruppe, Brain Trust *m*; ~ **trust·er** *s. Am.* F Brain-Truster *m*, Mitglied *n* e-s ***brain trust***; ~ **twist·er** *s.* ‚(harte) Nuß', schwierige Aufgabe; '**~·wash** *v/t. bsd. pol. j-n* e-r Gehirnwäsche unter'ziehen; *weitS.* verdummen; '**~͵wash·ing** *s. pol.* Gehirnwäsche *f*; ~ **wave** *s.* **1.** Hirn(strom)welle *f*; **2.** F Geistesblitz *m*, ‚tolle I'dee'; '**~-͵work·er** *s.* Kopf-, Geistesarbeiter *m.*

brain·y ['breɪnɪ] *adj.* gescheit.

braise [breɪz] *v/t. Küche*: schmoren: **~d *beef*** Schmorbraten *m.*

brake[1] [breɪk] **I** *s.* ⚙ Bremse *f*, Hemmschuh *m* (*a. fig.*): ***put on*** (*od.* ***apply***) ***the*** ~ bremsen, die Bremse ziehen, *fig. a.* der Sache Einhalt gebieten; **II** *v/t.* bremsen.

brake[2] [breɪk] ⚙ **I** *s.* (*Flachs- etc.*)Breche *f*; **II** *v/t. Flachs etc.* brechen.

brake[3] → ***break*** 11.

brake| **block** → ***brake shoe***; ~ **horse-pow·er** *s.* ⚙ (*abbr.* ***b.h.p.***) Nutz-, Bremsleistung *f*; ~ **flu·id** *s.* Bremsflüssigkeit *f*; ~ **lin·ing** *s.* Bremsbelag *m*; '**~·man** *Am.* → ***brakesman***; ~ **par·a-chute** *s.* ✈ Bremsfallschirm *m*; ~ **shoe** *s.* ⚙ Bremsbacke *f*, -klotz *m.*

brakes·man ['breɪksmən] *s.* [*irr.*] 🚂 *Brit.* Bremser *m.*

brak·ing dis·tance ['breɪkɪŋ] *s. mot.* Bremsweg *m.*

bra·less ['brɑːlɪs] *adj.* F ohne B'H.

bram·ble ['bræmbl] *s.* **1.** ⚘ Brombeerstrauch *m*: ~ ***jelly*** Brombeergelee *n*; **2.** Dornenstrauch *m*, -gestrüpp *n*; ~ **rose** *s.* ⚘ Hundsrose *f.*

bram·bly ['bræmblɪ] *adj.* dornig.

bran [bræn] *s.* Kleie *f.*

branch [brɑːntʃ] **I** *s.* **1.** ⚘ Zweig *m*; **2.** *fig.* a) Zweig *m*, ('Unter)Abteilung *f*, Sparte *f*, b) Branche *f*, Wirtschafts-, Geschäftszweig *m*, c) *a.* ~ ***of service*** ⚔ Waffen-, Truppengattung *f*; **3.** *fig.* Zweig *m*, 'Linie *f* (*Familie*); **4.** *a.* ~ ***establishment*** ✝ Außen-, Zweig-, Nebenstelle *f*, Fili'ale *f*, Niederlassung *f*: ~ ***bank*** Filialbank *f*; **5.** 🚂 Zweigbahn *f*; 'Neben͵linie *f*; **6.** *geogr.* a) Arm *m* (*Gewässer*), b) Ausläufer *m* (*Gebirge*), c) *Am.* Nebenfluß *m*, Flüßchen *n*; **II** *adj.* **7.** Zweig..., Tochter..., Filial..., Neben...; **III** *v/i.* **8.** Zweige treiben; **9.** *oft* ~ ***off*** (*od.* ***out***) sich verzweigen, sich ausbreiten; abzweigen: ***here the road*** **~es** hier gabelt sich die Straße; ~ **out** *v/i.* s-e Unter'nehmungen ausdehnen, sich vergrößern; → ***branch*** 9.

bran·chi·a ['bræŋkɪə] *pl.* **-chi·ae** [-kiː] *s. zo.* Kieme *f*; '**bran·chi·ate** [-kɪeɪt] *adj. zo.* kiementragend.

branch| **line** *s.* **1.** 🚂 'Zweig-, 'Neben͵linie *f*, **2.** 'Seiten͵linie *f* (*Familie*); ~ **man·ag·er** *s.* Fili'al-, Zweigstellenleiter *m*; ~ **of·fice** *s.* Fili'ale *f*; ~ **road** *s. Am.* Nebenstraße *f.*

brand [brænd] **I** *s.* **1.** Feuerbrand *m*; *fig.* Fackel *f*; **2.** Brandmal *n* (*auf Tieren, Waren etc.*); **3.** *fig.* Schandmal *n*, -fleck *m*: ~ ***of Cain*** Kainszeichen *n*; **4.** Brand-, Brenneisen *n*; **5.** a) ✝ (Handels-, Schutz)Marke *f*, Warenzeichen *n*, Markenbezeichnung *f*, Sorte *f*, Klasse *f*; ~ ***awareness*** Markenbewußtsein *n*; ~ ***leader*** Markenführer *m*; ~ ***loyalty*** Markentreue *f*; ~ ***name*** Markenname *m*; ***best*** ~ ***of tea*** beste Sorte Tee, b) *fig.* ‚Sorte' *f*, Art *f*: ***his*** ~ ***of humour***; **6.** ⚘ Brand *m* (*Getreidekrankheit*); **II** *v/t.* **7.** mit e-m Brandmal *od.* -zeichen *od.* ✝ mit e-r Schutzmarke *etc.* versehen: **~ed *goods*** Markenartikel; **8.** *fig.*

brandmarken; **9.** einprägen (***on s.o's mind*** j-m).

brand·ing i·ron ['brændıŋ] → ***brand*** 4.

bran·dish ['brændıʃ] *v/t.* (*bsd.* drohend) schwingen.

brand·ling ['brændlıŋ] *s. ichth.* junger Lachs.

brand-new [ˌbrænd'nju:] *adj.* (funkel-) nagelneu.

bran·dy ['brændı] *s.* Weinbrand *m*, Kognak *m*; '**~·ball** *s. Brit.* 'Weinbrandbonˌbon *m, n*.

bran-new [ˌbræn'nju:] → ***brand-new***.

brant [brænt] *s. orn. e-e* Wildgans *f*.

brash [bræʃ] **I** *s.* **1.** *geol.* Trümmergestein *n*; **2.** ⚓ Eistrümmer *pl.*; **II** *adj. Am.* **3.** brüchig, bröckelig; **4.** *fig.* a) (naß)forsch, frech, unverfroren, b) ungestüm, c) grell, aufdringlich.

brass [brɑ:s] **I** *s.* **1.** Messing *n*; **2.** *Brit.* ziselierte Gedenktafel (*aus Messing od. Bronze, bsd. in Kirchen*); **3.** Messingzierat *m*; **4.** ♪ ***the ~*** die 'Blechinstruˌmente *pl.* (*e-s Orchesters*), Blechbläser *pl.*; **5.** F *coll.* ‚hohe Tiere' *pl.*, *a.* hohe Offi'ziere *pl.*: ***top ~*** die höchsten ‚Tiere' (*e-s Konzerns etc.*) *od.* Offiziere; **6.** *Brit. sl.* ‚Moos' *n*, ‚Kies' *m* (*Geld*); **7.** F Unverschämtheit *f*, Frechheit *f*; → ***bold*** 2; **II** *adj.* **8.** Messing...; **III** *v/t.* **9.** mit Messing über'ziehen.

bras·sard ['bræsɑ:d] *s.* Armbinde *f* (*als Abzeichen*).

brass band *s.* ♪ 'Blaskaˌpelle *f*; 'Blechmuˌsik *f*; Mili'tärkaˌpelle *f*.

bras·se·rie ['bræsərı] (*Fr.*) *s.* 'Bierstube *f*, -loˌkal *n*; Restau'rant *n*.

brass| far·thing *s.* F ‚roter Heller': ***I don't care a ~*** das kümmert mich e-n Dreck; **~ hat** *s.* ⚔ *sl.* ‚hohes Tier', hoher Offi'zier.

bras·sière ['bræsıə] (*Fr.*) *s.* Büstenhalter *m*, F B'H *m*.

brass| knuck·les *s. pl. Am.* Schlagring *m*; **~ plate** *s.* Messingschild *n* (*mit Namen*), Türschild *n*; **~ tacks** *s. pl.*: ***get down to ~*** zur Sache kommen; '**~·ware** *s.* Messinggeschirr *n*, -gegenstände *pl.*; **~ winds** *bsd. Am.* → ***brass*** 4.

brass·y ['brɑ:sı] *adj.* □ **1.** messingartig, -farbig; **2.** blechern (*Klang*); **3.** *fig.* unverschämt, frech.

brat [bræt] *s.* Balg *m, n*, Gör *n*, Racker *m* (*Kind*).

bra·va·do [brə'vɑ:dəʊ] *s.* gespielte Tapferkeit, her'ausforderndes Benehmen.

brave [breıv] **I** *adj.* □ **1.** tapfer, mutig, unerschrocken: ***as ~ as a lion*** mutig wie ein Löwe; **2.** *obs.* stattlich, ansehnlich; **II** *s.* **3.** *poet.* Tapfere(r) *m*: ***the ~*** *coll.* die Tapferen; **III** *v/t.* **4.** mutig begegnen, trotzen, die Stirn bieten (*dat.*): ***~ death***; ***~ it out*** es (trotzig) durchstehen; **5.** her'ausfordern; '**brav·er·y** [-vərı] *s.* **1.** Tapferkeit *f*, Mut *m*; **2.** Pracht *f*, Putz *m*, Staat *m*.

bra·vo¹ [ˌbrɑ:'vəʊ] **I** *int.* 'bravo!; **II** *pl.* **-vos** *s.* 'Bravo(ruf *m*) *n*.

bra·vo² ['brɑ:vəʊ] *s.* 'Bravo *m*, Ban'dit *m*.

bra·vu·ra [brə'vʊərə] *s.* ♪ *od. fig.* **1.** Bra'vour *f*, Meisterschaft *f*; **2.** Bra'vourstück *n*.

brawl [brɔ:l] **I** *s.* **1.** Streite'rei *f*, Kra'keel *m*, Lärm *m*; **2.** Raufe'rei *f*, Kra'wall *m*, ⚖ Raufhandel *m*; **II** *v/i.* **3.** kra'keelen, zanken, keifen, lärmen; **4.** rauschen (*Fluß*); '**brawl·er** [-lə] *s.* Raufbold *m*, Kra'keeler(in); '**brawl·ing** [-lıŋ] *s.* **1.** → ***brawl*** 1, 2; **2.** ⚖ *Brit.* Ruhestörung *f bsd. in Kirchen*.

brawn [brɔ:n] *s.* **1.** Muskeln *pl.*; **2.** *fig.* Muskelkraft *f*, Stärke *f*; **3.** Preßkopf *m*, (Schweine)Sülze *f*; '**brawn·y** [-nı] *adj.* musku'lös; *fig.* kräftig, stämmig, stark.

bray¹ [breı] **I** *s.* **1.** (*bsd.* Esels)Schrei *m*; **2.** Schmettern *n* (*Trompete*); gellender *od.* 'durchdringender Ton; **II** *v/i.* **3.** schreien (*bsd. Esel*); **4.** schmettern; kreischen, gellen.

bray² [breı] *v/t.* zerstoßen, -reiben, -stampfen (*im Mörser*).

braze [breız] *v/t.* ⚙ (hart)löten.

bra·zen ['breızn] **I** *adj.* □ **1.** ehern, bronzen, Messing...; **2.** *fig.* me'tallisch, grell (*Ton*); **3.** *a.* ***~-faced*** *fig.* unverschämt, frech, schamlos; **II** *v/t.* **4.** ***~ it out*** die Sache ‚frech wie Oskar' durchstehen; '**bra·zen·ness** [-nıs] *s.* Unverschämtheit *f*.

bra·zier ['breızjə] *s.* **1.** Kupferschmied *m*, Gelbgießer *m*; **2.** große Kohlenpfanne.

Bra·zil [brə'zıl] → ***brazilwood***; **Bra'zil·ian** [-ljən] **I** *adj.* brasili'anisch; **II** *s.* Brasili'aner(in).

Bra·zil| nut *s.* ⚘ 'Paranuß *f*; **♀·wood** *s.* ⚘ Bra'sil-, Rotholz *n*.

breach [bri:tʃ] **I** *s.* **1.** *fig.* Bruch *m*, Über'tretung *f*, Verletzung *f*, Verstoß *m*: ***~ of contract*** Vertragsbruch; ***~ of duty*** Pflichtverletzung; ***~ of etiquette*** Verstoß gegen den guten Ton; ***~ of faith*** (*od.* ***trust***) Vertrauensbruch, Untreue *f*; ***~ of the law*** Übertretung des Gesetzes; ***~ of the peace*** öffentliche Ruhestörung, Aufruhr *m*, *oft* grober Unfug; ***~ of promise*** (***to marry***) ⚖ Bruch des Eheversprechens; ***~ of prison*** Ausbruch *m* aus dem Gefängnis; **2.** *fig.* Bruch *m*, Riß *m*, Zwist *m*; **3.** ⚔ *u. fig.* Bresche *f*, Lücke *f*: ***stand in*** (*od.* ***step into***) ***the ~*** in die Bresche springen, (aus)helfen; **4.** ⚓ Einbruch *m* der Wellen; **5.** ⚙ 'Durchbruch *m*; **II** *v/t.* **6.** ⚔ e-e Bresche schlagen in (*acc.*), durch'brechen; **7.** *Vertrag etc.* brechen.

bread [bred] **I** *s.* **1.** Brot *n*; **2.** *fig.*, *a.* ***daily ~*** (tägliches) Brot, 'Lebensˌunterhalt *m*: ***earn one's ~*** sein Brot verdie-

B

nen; ~ ***and butter*** a) Butterbrot, b) Lebensunterhalt, ‚Brötchen' *pl.*; ***quarrel with one's ~ and butter*** a) mit s-m Los hadern, b) sich ins eigene Fleisch schneiden; ~ ***buttered both sides*** großes Glück, Wohlstand *m*; ***know which side one's ~ is buttered*** s-n Vorteil (er)kennen; ***take the ~ out of s.o.'s mouth*** j-n brotlos machen; ***cast one's ~ upon the waters*** et. ohne Aussicht auf Erfolg tun; ~ ***and water*** Wasser u. Brot; ~ ***and wine*** *eccl.* Abendmahl *n*; **3.** *sl.* ‚Kies' *m*, ‚Kohlen' *pl.* (*Geld*); **II** *v/t.* **4.** *Am. Küche*: panieren.

ˌ**bread|-and-ˈbut·ter** *adj.* F **1.** einträglich, Brot...: ~ ***education*** Brotstudium *n*; **2.** praktisch, sachlich; **3.** ~ ***letter*** Dankesbrief *m* für erwiesene Gastfreundschaft; ˈ**~ˌbas·ket** *s.* **1.** Brotkorb *m*; **2.** *sl.* Magen *m*; ~ **bin** *s.* Brotkasten *m*; ˈ**~·board** *s. Brit.* Brotschneidebrett *n*: ~ ***circuit*** ⚡ Brettschaltung *f*; ˈ**~·crumb I** *s.* **1.** Brotkrume *f*; **2.** *das* Weiche des Brotes (*ohne Rinde*); **II** *v/t.* **3.** *Küche*: panieren; ˈ**~·fruit** *s.* ♀ **1.** Brotfrucht *f*; **2.** → ***bread tree***; ˈ**~-grain** *s.* Brotgetreide *n*; ˈ**~·line** *s.* Schlange *f* von Bedürftigen (*an die Nahrungsmittel verteilt werden*): ***live on the ~*** an der Armutsgrenze leben; ~ **sauce** *s.* Brottunke *f*; ˈ**~-stuffs** *s. pl.* Brotgetreide *n*.

breadth [bredθ] *s.* **1.** Breite *f*, Weite *f*; **2.** ⚙ Bahn *f*, Breite *f* (*Stoff*); **3.** *fig.* Ausdehnung *f*, Größe *f*; **4.** *fig.*, *a. Kunst*: Großzügigkeit *f*.

bread| tree *s.* ♀ Brotfruchtbaum *m*; ˈ**~ˌwin·ner** *s.* Ernährer *m*, Geldverdiener *m* (*e-r Familie*).

break [breɪk] **I** *s.* **1.** (Ab-, Zer-, ˈDurch)Brechen *n*, Bruch *m* (*a. fig.*), Abbruch *m* (*a. fig. von Beziehungen*), Bruchstelle *f*: ~ ***in the voice*** Umschlagen *n* der Stimme; ~ ***of day*** Tagesanbruch *m*; ***a ~ with tradition*** ein Bruch mit der Tradition; ***make a ~ for it*** (sich) flüchten, das Weite suchen; **2.** Lücke *f* (*a. fig.*), Zwischenraum *m*; Lichtung *f*; **3.** Pause *f*, Ferien *pl.*; Unterˈbrechung *f* (*a.* ⚡), Aufhören *n*, *fig. u. Metrik*: *a.* Zäˈsur *f*: ***without a ~*** ununterbrochen; ***tea ~*** Teepause; **4.** Wechsel *m*, Abwechslung *f*; ˈUmschwung *m*; Sturz *m* (*Wetter*, *Preis*); **5.** *typ.* Absatz *m*; **6.** *Billard*: Serie *f*; **7.** *Tennis*: Break *m*, *n* (*Durchbrechen des gegnerischen Aufschlagspiels*); **8.** *Jazz*: Break *m*, *n*; **9.** *Am. sl.* Chance *f*, Gelegenheit *f*: ***bad ~*** ‚Pech' *n*; ***give s.o. a ~*** j-m e-e Chance geben; **10.** *Am. sl.* Schnitzer *m*, Fauxˈpas *m*; **11.** a) Kremser *m*, b) Wagen *m* zum Einfahren von Pferden; **12.** ⚙ → ***brake***[1]; **II** *v/t.* [*irr.*] **13.** brechen (*a. fig.*), auf-, ˈdurch-, zerbrechen, entˈzweibrechen: ~ ***one's arm*** (sich) den Arm brechen; ~ ***s.o.'s heart*** j-m das Herz brechen; ~ ***jail*** aus dem Gefängnis ausbrechen; ~ ***a seal*** ein Siegel erbrechen; ~ ***s.o.'s resistance*** j-s Widerstand brechen; **14.** *Geldschein* kleinmachen, wechseln; **15.** zerreißen, -schlagen, -trümmern, kaˈputtmachen: ***I've broken my watch*** m-e Uhr ist kaputt; **16.** unterˈbrechen (*a.* ⚡), aufheben, -geben: ~ ***a journey*** e-e Reise unterbrechen; ~ ***the circuit*** ⚡ den Stromkreis unterbrechen; ~ ***the silence*** das Schweigen brechen; ~ ***a custom*** e-e Gewohnheit aufgeben; **17.** *Vorrat etc.* anbrechen; **18.** *fig.* brechen, verletzen, verstoßen gegen, nicht (ein-) halten: ~ ***a contract*** e-n Vertrag brechen; ~ ***the law*** das Gesetz übertreten; **19.** *fig.* zuˈgrunde richten, ruinieren, *a. j-n* kaˈputtmachen: ~ ***the bank*** die Bank sprengen; **20.** vermindern, abschwächen; **21.** *Tier* zähmen, abrichten; gewöhnen (***to*** an *acc.*): ~ ***a horse to harness*** ein Pferd einfahren *od.* zureiten; **22.** *Nachricht* eröffnen: ~ ***that news gently to her*** bring ihr diese (*schlechte*) Nachricht schonend bei; **23.** ↗ pflügen, urbar machen; → ***ground***[1] 1; **24.** *Flagge* aufziehen; **III** *v/i.* [*irr.*] **25.** brechen, zerbrechen, -springen, -reißen, platzen, entˈzwei-, kaˈputtgehen: ***glass ~s easily*** Glas bricht leicht; ***the rope broke*** das Seil zerriß; **26.** *fig.* brechen (*Herz*, *Kraft*); **27.** sich brechen (*Wellen*); **28.** unterˈbrochen werden; **29.** sich (zer)teilen (*Wolken*); sich auflösen (*Heer*); **30.** nachlassen (*Gesundheit*); zuˈgrunde gehen (*Geschäft*); vergehen, aufhören; **31.** anbrechen (*Tag*); aufbrechen (*Wunde*); aus-, losbrechen (*Sturm*, *Gelächter*); **32.** brechen (*Stimme*): ***his voice broke*** *a.* er befand sich im Stimmwechsel, er mutierte; **33.** sich verändern, ˈumschlagen (*Wetter*); **34.** ✝ im Preise fallen; **35.** bekannt(gegeben) werden (*Nachricht*); **36.** *Boxen*: brechen;

Zssgn mit adv. u. prp.:

break| a·way *v/i.* **1.** ab-, losbrechen; **2.** sich loßreißen, ausreißen; **3.** sich trennen, sich lossagen, absplittern; **4.** *sport* a) sich absetzen (***from***, ***of*** von), ausreißen, b) *Am.* e-n Fehlstart verursachen; ~ **down I** *v/t.* **1.** niederreißen, abbrechen; **2.** *fig. j-n*, *j-s Widerstand* brechen; **3.** zerlegen (*a.* ⚙); auflösen; *Statistik*: aufgliedern, -schlüsseln; **II** *v/i.* **4.** zs.-brechen (*a. fig.*); **5.** zerbrechen (*a. fig.*); **6.** versagen, scheitern; stekkenbleiben; *mot. a.* e-e Panne haben; **7.** *fig.* zerfallen (*in einzelne Gruppen etc.*); ~ **e·ven** *v/i.* ✝ kostendeckend arbeiten; ~ **forth** *v/i.* **1.** herˈvorbrechen; **2.** sich erheben (*Geschrei etc.*); ~ **in I**

v/t. **1.** einschlagen; **2.** *Tier* abrichten; *Pferd* zureiten; *Auto etc.* einfahren; *Person* einarbeiten; *j-n* gewöhnen (***to*** an *acc.*); **II** *v/i.* **3.** einbrechen: ***~ on*** sich einmischen in (*acc.*), *Unterhaltung etc.* unterbrechen; **~ in·to** *v/i.* **1.** einbrechen *od.* -dringen in (*acc.*); **2.** *fig.* in *Gelächter etc.* ausbrechen; **3.** *Vorrat etc.* anbrechen; **~ off** *v/t. u. v/i.* abbrechen (*a. fig.*); **~ out** *v/i.* ausbrechen (*a. fig.*): ***~ in a rash*** ⚕ e-n Ausschlag bekommen; **~ through I** *v/t.* (durch)ˈbrechen, überˈwinden; **II** *v/i.* ˈdurchbrechen, erscheinen; **~ up I** *v/t.* **1.** zer-, aufbrechen; zerlegen (*a. hunt. Wild*); *weitS.* zerstören, kaˈputtmachen, *fig. a.* zerrütten: ***that breaks me up!*** F ich lach' mich tot!; **2.** abbrechen, *Sitzung etc.* aufheben, *Versammlung*, *Menge*, *a. Haushalt* auflösen; **II** *v/i.* **3.** aufgehoben werden, sich auflösen (*Versammlung etc.*, *a. Nebel etc.*); **4.** aufhören; schließen (*Schule etc.*); **5.** zerbrechen (*Ehe etc.*); sich trennen, Schluß machen (*Paar*); zerfallen (*Reich etc.*); **6.** *fig.* zs.-brechen (*Person*); **7.** aufklaren (*Wetter*, *Himmel*); **8.** aufbrechen (*Straße*, *Eis*); **~ with** *v/i.* brechen *od.* Schluß machen mit (*e-m Freund*, *e-r Gewohnheit*).

break·a·ble [ˈbreɪkəbl] **I** *adj.* zerbrechlich; **II** *s. pl.* zerbrechliche Ware *sg.*; **ˈbreak·age** [-kɪdʒ] *s.* **1.** Bruch(stelle *f*) *m*; **2.** Bruchschaden *m*; **ˈbreak·a·way** *s.* **1.** (***from***) *pol.* Absplitterung *f*, Lossagung *f* (von), Bruch *m* (mit): ***~ group*** Splittergruppe *f*; **2.** *sport* a) Ausreißen *n*, b) ˈDurchbruch *m*, c) *Am.* Fehlstart *m*.

ˈbreak·down *s.* **1.** Zs.-bruch *m*, Scheitern *n*: ***nervous ~*** Nervenzusammenbruch; ***~ of marriage*** ⚖ Zerrüttung *f* der Ehe; **2.** Panne *f*, (Maˈschinen)Schaden *m*, (Betriebs)Störung *f*; ϟ ˈDurchschlag *m*; **3.** Zerlegung *f*, *bsd. statistische* Aufgliederung, Aufschlüsselung *f*, Anaˈlyse *f* (*a.* ⚗); **~ ser·vice** *s. mot. Brit.* Pannendienst *m*; **~ truck**, **~ van** *s. Brit.* Abschleppwagen *m*; **~ volt·age** *s.* ϟ ˈDurchschlagspannung *f*.

break·er [ˈbreɪkə] *s.* **1.** Brecher *m* (*bsd. in Zssgn Person od. Gerät*); ˈAbbruchsunterˌnehmer *m*, Verschrotter *m*; **2.** Abrichter *m*, Dresˈseur *m*; **3.** Brecher *m*, Sturzwelle *f*: ***~s*** Brandung *f*.

ˌbreak-ˈe·ven|point *s.* ✝ Rentabiliˈtätsgrenze *f*, Gewinnschwelle *f*; **~ price** *s.* Selbstkostenpreis *m*.

break·fast [ˈbrekfəst] **I** *s.* Frühstück *n*: ***~ television*** Frühstücksfernsehen *n* (*am frühen Morgen*); ***have ~*** → **II** *v/i.* frühstücken.

ˈbreak-in → ***breaking-in***.

break·ing [ˈbreɪkɪŋ] *s.* Bruch *m*: ***~ of the voice*** Stimmbruch, -wechsel *m*; ***~ and entering*** ⚖ Einbruch *m*; **ˈ~-in** *s.* **1.** ⚖ Einbruch *m*; **2.** Abrichten *n*; Zureiten *n*; *mot.* Einfahren *n*; Einarbeitung *f*, Anlernen *n von Personen*; **~ point** *s.* ⚙, *phys.* Bruch-, Festigkeitsgrenze *f*: ***to ~*** *fig.* bis zur (totalen) Erschöpfung; ***have reached ~*** kurz vor dem Zs.-bruch stehen; **~ strength** *s.* ⚙, *phys.* Bruch-, Reißfestigkeit *f*.

ˈbreak|·neck *adj.* halsbrecherisch; **ˈ~·out** *s.* Ausbruch *m* (*aus Gefängnis etc.*); **ˈ~·through** *s. bsd.* ⚔ ˈDurchbruch *m* (*a. fig. Erfolg*); **ˈ~·up** *s.* **1.** Zerbrechen *n*, -bersten *n*; Bersten *n* (*von Eis*); **2.** *fig.* Zerrüttung *f*, Zs.-bruch *m*, Zerfall *m*; **3.** Bruch *m* (*e-r Freundschaft etc.*); **4.** Auflösung *f* (*e-r Versammlung etc.*); **ˈ~ˌwa·ter** *s.* Wellenbrecher *m*.

bream¹ [briːm] *s. ichth.* Brassen *m*.

bream² [briːm] *v/t.* ⚓ den Schiffsboden reinkratzen u. -brennen.

breast [brest] **I** *s.* **1.** Brust *f*; (*weibliche*) Brust, Busen *m*; **2.** *fig.* Brust *f*, Herz *n*, Busen *m*: ***make a clean ~ of s.th.*** et. gestehen; **3.** Brust(stück *n*) *f e-s Kleides etc.*; **4.** Wölbung *f e-s Berges*; **II** *v/t.* **5.** mutig auf *et.* losgehen; gegen *et.* ankämpfen, mühsam bewältigen: ***~ the waves*** gegen die Wellen ankämpfen; **6.** *sport das Zielband* durchˈreißen; **ˈ~·bone** [ˈbres*t*-] *s.* Brustbein *n*; **ˌ~-ˈdeep** *adj.* brusthoch.

breast·ed [ˈbrestɪd] *adj. in Zssgn* ...brüstig.

ˈbreast|-feed *v/t. u. v/i.* [*irr.*] stillen: ***breast-fed child*** Brustkind *n*; **ˈ~·pin** [ˈbres*t*-] *s.* Ansteck-, Kraˈwattennadel *f*; **ˈ~·stroke** *s. sport* Brustschwimmen *n*; **ˈ~·work** *s.* ⚔, ⚠ Brustwehr *f*.

breath [breθ] *s.* **1.** Atem(zug) *m*: ***bad ~*** (übler) Mundgeruch; ***draw one's first ~*** das Licht der Welt erblicken; ***draw one's last ~*** den letzten Atemzug tun (*sterben*); ***it took my ~ away*** *fig.* es verschlug mir den Atem; ***take ~*** Atem schöpfen (*a. fig.*); ***catch one's ~*** den Atem anhalten; ***save your ~!*** spar dir die Worte!; ***waste one's ~*** *fig.* in den Wind reden; ***out of ~*** außer Atem; ***under one's ~*** leise, im Flüsterton; ***with his last ~*** mit s-m letzten Atemzug, als letztes; ***in the same ~*** im gleichen Atemzug; **2.** *fig.* Spur *f*, Anflug *m*; **3.** Hauch *m*, Lüftchen *n*: ***a ~ of air***; **4.** Duft *m*.

breath·a·lyz·er [ˈbreθəlaɪzə] *s. mot.* Alkoholtestgerät *n*.

breathe [briːð] **I** *v/i.* **1.** atmen; *fig.* leben; **2.** Atem holen; *fig.* sich verschnaufen: ***~ again*** (*od.* ***freely***) (erleichtert) aufatmen; **3.** ***~ upon*** anhauchen; *fig.* besudeln; **4.** duften (***of*** nach); **II** *v/t.* **5.** (ein- u. aus)atmen; *fig.* ausströmen: ***~ a sigh*** seufzen; **6.** hauchen, flüstern: ***not to ~ a word*** kein

Sterbenswörtchen sagen; '**breath·er** [-ðə] *s.* **1.** Atem-, Verschnaufpause *f* (*a. fig.*): ***take a ~*** sich verschnaufen; **2.** *sport* F ,Spa'ziergang' *m*; **3.** F Stra'paze *f*; '**breath·ing** [-ðɪŋ] *s.* **1.** Atmen *n*, Atmung *f*; **2.** (Luft)Hauch *m*: ***~ space*** Atempause *f*.

breath·less ['breθlɪs] *adj.* □ **1.** außer Atem; atemlos (*a. fig.*); **2.** *fig.* atemberaubend; **3.** windstill.

'**breath|ˌtak·ing** *adj.* □ atemberaubend; **~ test** *s. Brit.* (*an e-m Verkehrsteilnehmer vorgenommener*) Alkoholtest.

bred [bred] *pret. u. p.p. von* ***breed***.

breech [bri:tʃ] *s.* **1.** Hosenboden *m*; **2.** ⚔ Verschluß *m* (*Geschütz, Hinterlader*); **~ de·liv·er·y** *s.* ⚕ Steißgeburt *f*.

breech·es ['brɪtʃɪz] *s. pl.* Knie-, Reithose(n *pl.*) *f*, Breeches *pl.*; → ***big*** 1, ***wear*** 1.

'**breechˌload·er** *s.* ⚔ 'Hinterlader *m*.

breed [bri:d] **I** *v/t.* [*irr.*] **1.** her'vorbringen, gebären; **2.** *Tiere* züchten; *Pflanzen* züchten, ziehen: ***French-bred*** in Frankreich gezüchtet; **3.** *fig.* her'vorrufen, verursachen, erzeugen: ***war ~s misery***; **4.** auf-, erziehen; ausbilden; **II** *v/i.* [*irr.*] **5.** zeugen, brüten, sich paaren, sich fortpflanzen, sich vermehren; **6.** entstehen; **III** *s.* **7.** Rasse *f*, Zucht *f*, Stamm *m*; **8.** Art *f*, Schlag *m*, Herkunft *f*; '**breed·er** [-də] *s.* **1.** Züchter(in); **2.** Zuchttier *n*; **3.** *a.* ***~ reactor*** *phys.* Brüter *m*, 'Brutreˌaktor *m*; '**breed·ing** [-dɪŋ] *s.* **1.** Fortpflanzung *f*; Züchtung *f*, Zucht *f*: ***~ place*** *fig.* Brutstätte *f*; **2.** Erziehung *f*, Ausbildung *f*; **3.** Benehmen *n*; Bildung *f*, (gute) Lebensart *od.* ,Kinderstube'.

breeze[1] [bri:z] **I** *s.* **1.** Brise *f*, leichter Wind; **2.** F Krach *m*: a) Lärm *m*, b) Streit *m*; **3.** *Am.* ,Kinderspiel' *n*, ,Spaziergang' *m*; **II** *v/i.* **4.** wehen; **5.** F a) ,schweben' (*Person*), b) sausen.

breeze[2] [bri:z] *s.* ⚙ Kohlenlösche *f*.

breez·y ['bri:zɪ] *adj.* □ **1.** luftig, windig; **2.** F a) forsch, flott, unbeschwert, b) oberflächlich.

Bren gun [bren] *s.* leichtes Ma'schinengewehr.

brent goose [brent] → ***brant***.

breth·ren ['breðrən] *pl. von* ***brother*** 2.

Bret·on ['bretən] **I** *adj.* bre'tonisch; **II** *s.* Bre'tone *m*, Bre'tonin *f*.

breve [bri:v] *s. typ.* Kürzezeichen *n*.

bre·vet ['brevɪt] ⚔ **I** *s.* Bre'vet *n* (*Offizierspatent zu e-m Titularrang*): ***~ major*** Hauptmann *m* im Range e-s Majors (*ohne entsprechendes Gehalt*); **II** *adj.* Brevet…: ***~ rank*** Titularrang *m*.

bre·vi·ar·y ['bri:vjərɪ] *s.* Bre'vier *n*.

bre·vier [brə'vɪə] *s. typ.* Pe'titschrift *f*.

brev·i·ty ['brevətɪ] *s.* Kürze *f*.

brew [bru:] **I** *v/t.* **1.** *Bier* brauen; **2.** *Getränke* (*a. Tee*) (zu)bereiten; **3.** *fig.* aushecken, -brüten; **II** *v/i.* **4.** brauen, Brauer sein; **5.** sich zs.-brauen, in der Luft liegen, im Anzuge sein (*Gewitter, Unheil*); **III** *s.* **6.** Gebräu *n* (*a. fig.*); **brew·age** ['bru:ɪdʒ] *s.* Gebräu *n* (*a. fig.*); **brew·er** ['bru:ə] *s.* Brauer *m*: ***~'s yeast*** Bierhefe *f*; **brew·er·y** ['brʊərɪ] *s.* Braue'rei *f*.

bri·ar → ***brier***.

brib·a·ble ['braɪbəbl] *adj.* bestechlich; **bribe** [braɪb] **I** *v/t.* **1.** bestechen; **2.** *fig.* verlocken; **II** *s.* **3.** Bestechung *f*; **4.** Bestechungsgeld *n*, -geschenk *n*: ***taking (of) ~s*** ⚖ Bestechlichkeit *f*, passive Bestechung, *pol.* Vorteilsnahme *f*; '**brib·er** [-bə] *s.* Bestecher *m*; '**brib·er·y** [-bərɪ] *s.* Bestechung *f*.

bric-à-brac ['brɪkəbræk] *s.* **1.** Antiqui'täten *pl.*; **2.** Nippsachen *pl.*

brick [brɪk] **I** *s.* **1.** Ziegel-, Backstein *m*: ***drop a ~*** F ,ins Fettnäpfchen treten'; ***swim like a ~*** wie e-e bleierne Ente schwimmen; **2.** (Bau)Klötzchen *n* (*Spielzeug*): ***box of ~s*** Baukasten *m*; **3.** F prima Kerl; **II** *adj.* **4.** Ziegel…, Backstein…: ***red-~ university*** *Brit.* moderne Universität (*ohne jahrhundertealte Tradition*); **III** *v/t.* **5.** mit Ziegelsteinen belegen *od.* pflastern: ***to ~ in*** (*od.* ***up***) zumauern; '**~·bat** *s.* Ziegelbrocken *m* (*bsd. als Wurfgeschoß*); '**~ˌlay·er** *s.* Maurer *m*; '**~ˌlay·ing** *s.* Maure'rei *f*; '**~ˌmak·er** *s.* Ziegelbrenner *m*; **~ tea** *s.* (*chinesischer*) Ziegeltee; **~ wall** *s.* Backsteinmauer *f*; *fig.* Wand *f*: ***see through a ~*** das Gras wachsen hören; '**~·work** *s.* **1.** Mauerwerk *n*; **2.** *pl. sg. konstr.* Ziege'lei *f*.

brid·al ['braɪdl] **I** *adj.* □ bräutlich, Braut…; Hochzeits…; **II** *s. poet.* Hochzeit *f*.

bride [braɪd] *s.* Braut *f* (*am u. kurz vor u. nach dem Hochzeitstage*), Neuvermählte *f*: ***give away the ~*** Brautvater sein.

bride-groom ['braɪdgrʊm] *s.* Bräutigam *m*; **brides·maid** ['braɪdzmeɪd] *s.* Brautjungfer *f*.

bride·well ['braɪdwəl] *s.* Gefängnis *n*, Besserungsanstalt *f*.

bridge[1] [brɪdʒ] **I** *s.* **1.** Brücke *f*: ***burn one's ~s (behind one)*** *fig.* alle Brükken hinter sich abbrechen; ***don't cross your ~s before you come to them*** *fig.* laß doch die Dinge einfach auf dich zukommen; **2.** ⚓ Kom'mandobrücke *f*; **3.** ♪ (Vio'linen- *etc.*)Steg *m*; ⚕ (Zahn-)Brücke *f*; (Brillen)Steg *m*; **4.** *a.* ***~ of the nose*** Nasenrücken *m*; **5.** ('Straßen)Überˌführung *f*; **6.** *Turnen, Ringen*: Brücke *f*; **7.** ⚡ (Meß)Brücke *f*; Brückenschaltung *f*; **II** *v/t.* **8.** e-e Brükke schlagen über (*acc.*); **9.** *fig.* über'brücken: ***bridging loan*** ✝ Überbrükkungskredit *m*.

bridge² [brɪdʒ] *s*. Bridge *n* (*Kartenspiel*).

ˈ**bridge**|·**head** *s*. ⚔ Brückenkopf *m*; **~ toll** *s*. Brückenmaut *f*; ˈ**~·work** *s*. ⚕ (Zahn)Brücke *f*.

bri·dle [ˈbraɪdl] **I** *s*. **1.** Zaum *m*, Zaumzeug *n*; **2.** Zügel *m*: ***give a horse the ~*** e-m Pferd die Zügel schießen lassen; **II** *v/t*. **3.** *Pferd* (auf)zäumen; **4.** *Pferd* (*a. fig. Leidenschaft etc.*) zügeln, im Zaum halten; **III** *v/i*. **5.** *a*. ***~ up*** (*verächtlich od. stolz*) den Kopf zuˈrückwerfen, *weitS*. hochfahren, ärgerlich werden; **6.** Anstoß nehmen (***at*** an *dat*.); **~ hand** *s*. Zügelhand *f* (*Linke des Reiters*); **~ path** *s*. schmaler Reitweg, Saumpfad *m*; **~ rein** *s*. Zügel *m*.

brief [bri:f] **I** *adj*. ☐ **1.** kurz: ***be ~!*** fasse dich kurz!; **2.** kurz, gedrängt: ***in ~*** kurz (gesagt); **3.** kurz angebunden, schroff; **II** *s*. **4.** (päpstliches) Breve; **5.** ⚖ a) Schriftsatz *m*, b) *Brit*. Beauftragung *f* u. Informierung *f* (*des* ***barrister*** *durch den* ***solicitor***) zur Vertretung vor Gericht, *weitS*. Manˈdat *n*, c) *Am*. (schriftliche) Informierung des Gerichts (*durch den Anwalt*): ***abandon*** (*od*. ***give up***) ***one's ~*** sein Mandat niederlegen; ***hold a ~ for s.o.*** ⚖ j-s Sache vertreten, *fig*. für j-n e-e Lanze brechen; ***I hold no ~ for*** ich halte nichts von …; ***hold a watching ~*** j-s Interessen (*bei Gericht*) als Beobachter vertreten; **6.** → ***briefing***; **III** *v/t*. **7.** *j-n* instruieren *od*. einweisen, *j-m* genaue Anweisungen geben; **8.** ⚖ a) *e-m Anwalt* e-e Darstellung des Sachverhalts geben, b) *e-n Anwalt* mit s-r Vertretung beauftragen; ˈ**~·case** *s*. Aktentasche *f*.

brief·ing [ˈbri:fɪŋ] *s*. **1.** ⚖ Beauftragung *f e-s Anwalts*; **2.** *a*. ⚔ (genaue) Anweisung, Instruktiˈon *f*, Einweisung *f*; **3.** ⚔ Lage-, Einsatzbesprechung *f*, Befehlsausgabe *f*; ˈ**brief·less** [-lɪs] *adj*. unbeschäftigt (*Anwalt*); ˈ**brief·ness** [-nɪs] *s*. Kürze *f*.

briefs [bri:fs] *s. pl*. Slip *m* (*kurze Unterhose*).

bri·er [ˈbraɪə] *s*. ⚘ **1.** Dornstrauch *m*; **2.** wilde Rose: ***sweet ~*** Weinrose; **3.** Bruyˈèreholz *n*: **~ (*pipe*)** Bruyèrepfeife *f*.

brig [brɪg] *s*. **1.** ⚓ Brigg *f*; **2.** ⚔ F ‚Bau' *m*.

Bri·gade [brɪˈgeɪd] *s*. **1.** ⚔ Briˈgade *f*; **2.** (*mst* uniformierte) Vereinigung; *contp*. ‚Verein' *m*; **brig·a·dier** [ˌbrɪgəˈdɪə] *s*. ⚔ a) *Brit*. Briˈgadekommanˌdeur *m*, -geneˌral *m*, b) *Am*. *a*. ***~ general*** Brigadegeneral *m*.

brig·and [ˈbrɪgənd] *s*. Banˈdit *m*, (Straßen)Räuber *m*; ˈ**brig·and·age** [-dɪdʒ] *s*. Räuberunwesen *n*.

bright [braɪt] *adj*. ☐ **1.** hell, glänzend, blank, leuchtend; strahlend (*Wetter, Augen*): ***~ red*** leuchtend rot; **2.** klar, ˈdurchsichtig; heiter (*Wetter*); **3.** *fig*. ‚hell', gescheit, klug; **4.** munter, fröhlich; **5.** glänzend, berühmt; **6.** günstig; **7.** ⚙ blank, Blank…: ***~ wire***; ˈ**bright·en** [-tn] **I** *v/t*. **1.** hell(er) machen; *a. fig*. auf-, erhellen; **2.** *fig*. a) heiter(er) machen, beleben, b) fröhlich stimmen; **3.** polieren, blank putzen; **II** *v/i*. *oft* ***~ up*** **4.** sich aufhellen (*Gesicht, Wetter etc.*), aufleuchten (*Gesicht*); **5.** *fig*. a) sich beleben, b) besser werden (*Aussichten etc.*); ˈ**bright·ness** [-nɪs] *s*. **1.** Glanz *m*, Helle *f*, Klarheit *f*: ***~ control*** *TV* Helligkeitssteuerung *f*; **2.** Aufgewecktheit *f*, Gescheitheit *f*; **3.** Munterkeit *f*.

Bright's dis·ease [braɪts] *s*. ⚕ Brightsche Krankheit *f*, Nierenentzündung *f*.

bril·liance [ˈbrɪljəns], ˈ**bril·lian·cy** [-sɪ] *s*. **1.** Leuchten *n*, Glanz *m*; Helligkeit *f* (*a. TV*); **2.** *fig*. a) Scharfsinn *m*, b) Brilˈlanz *f*, (*das*) Herˈvorragende; ˈ**bril·liant** [-nt] **I** *adj*. ☐ **1.** leuchtend, glänzend; **2.** *fig*. brilˈlant, glänzend, herˈvorragend; **II** *s*. **3.** Brilˈlant *m* (*Diamant*); **4.** *typ*. Brilˈlant *f* (*Schriftgrad*).

bril·lian·tine [ˌbrɪljənˈti:n] *s*. **1.** Brillanˈtine *f*, ˈHaarpoˌmade *f*; **2.** *Am*. alˈpakaartiger Webstoff.

brim [brɪm] **I** *s*. **1.** Rand *m* (*bsd. Gefäß*); **2.** (Hut)Krempe *f*; **II** *v/i*. **3.** voll sein (***with*** von; *a. fig*.): ***~ over*** übervoll sein, überfließen, -sprudeln; ˌ**brimˈful** [-ˈfʊl] *adj*. rand-, ˈübervoll (*a. fig*.); **brimmed** [-md] *adj*. mit Rand, mit Krempe.

brim·stone [ˈbrɪmstən] *s*. **1.** Schwefel *m*; **2.** → ***~ but·ter·fly*** *s. zo*. Ziˈtronenfalter *m*.

brin·dled [ˈbrɪndld] *adj*. gestreift, scheckig.

brine [braɪn] *s*. **1.** Sole *f*, (Salz)Lake *f*; **2.** *poet*. Meer(wasser) *n*; ˈ**~-pan** *s*. Salzpfanne *f*.

bring [brɪŋ] *v/t*. [*irr*.] **1.** bringen, mit-, herbringen, herˈbeischaffen: ***~ him*** (***it***) ***with you*** bring ihn (es) mit; ***~ before the judge*** vor den Richter bringen; ***~ good luck*** Glück bringen; ***~ to bear*** *Einfluß etc*. zur Anwendung bringen, geltend machen, *Druck etc*. ausüben; **2.** *Gründe, Beschuldigung etc*. vorbringen; **3.** herˈvorbringen; *Gewinn* einbringen; mit sich bringen, herˈbeiführen: ***~ into being*** ins Leben rufen, entstehen lassen; ***~ to pass*** zustande bringen; **4.** *j-n* veranlassen, bewegen, dazu bringen (***to*** *inf*. zu *inf*.): ***I can't ~ myself to do it*** ich kann mich nicht dazu durchringen (, es zu tun);

Zssgn mit adv.:

bring| **a·bout** *v/t*. **1.** zuˈstande bringen; **2.** bewirken, verursachen; **3.** ⚓ wenden; **~ a·long** *v/t*. **1.** → ***bring*** 1; **2.** *fig*.

mit sich bringen; **~ back** *v/t.* zu'rück-, *a. fig.* wiederbringen; *fig.* a) *Erinnerungen* wachrufen (***of*** an *acc.*), b) Erinnerungen wachrufen an (*acc.*); **~ down** *v/t.* **1.** *a. Flugzeug* her'unterbringen; **2.** *hunt. Wild* erlegen; **3.** ⚔ *Flugzeug* abschießen; **4.** *sport j-n* ‚legen'; **5.** *Regierung etc.* stürzen, zu Fall bringen; **6.** *Preise* drücken; **7.** ***~ on one's head*** sich *j-s Zorn* zuziehen; **8.** ***~ the house*** F a) stürmischen Beifall auslösen, b) Lachstürme entfesseln; **~ forth** *v/t.* **1.** her'vorbringen, gebären; **2.** verursachen, zeitigen; **~ for·ward** *v/t.* **1.** *Wunsch etc.* vorbringen; **2.** ☤ *Betrag* über'tragen: (***amount***) ***brought forward*** Übertrag *m*; **~ in** *v/t.* **1.** hereinbringen; **2.** *Ernte*, *a.* ☤ *Gewinn*, *Kapital*, *a. parl. Gesetzesentwurf* einbringen; **3.** a) *j-n* einschalten, b) *j-n* beteiligen (***on*** an *dat.*); **4.** ⚖ *Schuldspruch etc.* fällen: ***~ a verdict of guilty***; **~ off** *v/t.* **1.** retten; **2.** ‚schaffen', fertigbringen; **~ on** *v/t.* **1.** her'beibringen; **2.** her'beiführen, verursachen; **3.** in Gang bringen; **4.** zur Sprache bringen; **5.** *thea. Stück* ‚bringen', aufführen; **~ out** *v/t.* **1.** a) *Buch*, *Theaterstück* her'ausbringen, b) ☤ *Waren* auf den Markt bringen; **2.** *Sinn etc.* her'ausarbeiten; **3.** ***bring s.o. out of himself*** j-n dazu bringen, mehr aus sich her'auszugehen; **4.** *j-n* in die Gesellschaft einführen; **~ o·ver** *v/t.* 'umstimmen, bekehren; **~ round** *v/t.* **1.** *Ohnmächtigen* wieder zu sich bringen, *Patienten* 'durchbringen; **2.** *j-n* umstimmen, ‚her'umkriegen'; **3.** *das Gespräch* bringen (***to*** auf *acc.*); **~ through** *v/t.* *Kranken od. Prüfling* 'durchbringen; **~ to** *v/t.* **1.** *Ohnmächtigen* wieder zu sich bringen; **2.** ⚓ stoppen; **~ up** *v/t.* **1.** *Kind* auf-, erziehen; **2.** zur Sprache bringen; **3.** ⚔ *Truppen* her'anführen; **4.** zum Stillstand bringen; **5.** *et.* (er-) brechen: ***~ one's lunch***; **6.** ***~ short*** zum Halten bringen; **7.** → ***date***[2] 5, ***rear***[2] 3.

bring·ing-up [ˌbrɪŋɪŋ'ʌp] *s.* **1.** Auf-, Großziehen *n*; **2.** Erziehung *f*.

brink [brɪŋk] *s.* Rand *m* (*mst fig.*): ***on the ~ of*** am Rande (*e-s Krieges*, *des Ruins etc.*); ***be on the ~ of the grave*** mit e-m Fuß im Grabe stehen; '**~·man·ship** [-mənʃɪp] *s. pol.* Poli'tik *f* des äußersten 'Risikos.

brin·y ['braɪnɪ] **I** *adj.* salzig, solehaltig; **II** *s. Brit.* F: ***the ~*** die See.

bri·oche [briː'ɒʃ] (*Fr.*) *s.* Bri'oche *f* (*süßes Hefegebäck*).

bri·quet(te) [brɪ'ket] (*Fr.*) *s.* Bri'kett *n*.

brisk [brɪsk] **I** *adj.* □ **1.** lebhaft, flott, flink; **2.** frisch (*Wind*), lustig (*Feuer*); schäumend (*Wein*); **3.** a) lebhaft, munter, b) forsch, e'nergisch; **4.** ☤ lebhaft, flott; **II** *v/t.* **5.** *mst* ***~ up*** anfeuern, beleben.

bris·ket ['brɪskɪt] *s.* *Küche*: Brust(stück *n*) *f* (*Rind*).

bris·ling ['brɪslɪŋ] *s. ichth.* Sprotte *f*.

bris·tle ['brɪsl] **I** *s.* **1.** Borste *f*; (Bart-) Stoppel *f*; **II** *v/i.* **2.** sich sträuben (*Haar*); **3.** *a.* ***~ up*** (***with anger***) hochfahren, zornig werden: ***~ with anger***; **4.** (***with***) strotzen, starren, voll sein (von).

bris·tling → ***brisling***.

bris·tly ['brɪslɪ] *adj.* stachelig, rauh; struppig; stoppelig, Stoppel…

Brit [brɪt] *s.* F Brite *m*, Britin *f*.

Bri·tan·nic [brɪ'tænɪk] *adj.* bri'tannisch.

Brit·i·cism ['brɪtɪsɪzəm] *s.* Angli'zismus *m*; '**Brit·ish** [-tɪʃ] **I** *adj.* britisch: ***~ subject*** britischer Staatsangehöriger; **II** *s.*: ***the ~*** die Briten *pl.*; '**Brit·ish·er** [-tɪʃə] *s.* Brite *m*; '**Brit·on** [-tn] *s.* **1.** Brite *m*, Britin *f*; **2.** *hist.* Bri'tannier(in)

brit·tle ['brɪtl] *adj.* **1.** spröde, zerbrechlich; bröckelig; brüchig (*metall etc.*; *a. fig.*); **2.** reizbar.

broach [brəʊtʃ] **I** *s.* **1.** Stecheisen *n*; Räumnadel *f*; **2.** Bratspieß *m*; **3.** Turmspitze *f*; **II** *v/t.* **4.** *Faß* anstechen; **5.** ⚙ räumen; **6.** *fig. Thema* anschneiden.

broad [brɔːd] **I** *adj.* □ → ***broadly***; **1.** breit: ***it is as ~ as it is long*** *fig.* es ist gehüpft wie gesprungen; **2.** weit, ausgedehnt; weitreichend, um'fassend, voll: ***~ jump*** *sport* Weitsprung *m*; ***in the ~est sense*** im weitesten Sinne; ***in ~ daylight*** am hellichten Tage; **3.** deutlich, ausgeprägt; breit (*Akzent*, *Dialekt*); → ***hint*** 1; **4.** ungeschminkt, offen, derb: ***a ~ joke*** ein derber Witz; **5.** allgemein, einfach: ***the ~ facts*** die allgemeinen Tatsachen; ***in ~ outline*** in groben Umrissen, in großen Zügen; **6.** großzügig: ***a ~ outlook*** e-e tolerante Auffassung; **7.** *Radio*: unscharf; **II** *s.* **8.** *sl.* a) ‚Weib(sbild)' *n*, b) ‚Nutte' *f*; **~ ar·row** *s.* breitköpfiger Pfeil (*amtliches Zeichen auf brit. Regierungsgut u. auf Sträflingskleidung*); '**~-ax(e)** *s.* **1.** Breitbeil *n*; **2.** *hist.* Streitaxt *f*; **~ beam** *s.* ⚡ Breitstrahler *m*; **~ bean** *s.* ⚘ Saubohne *f*.

broad·cast ['brɔːdkɑːst] **I** *v/t.* [*irr.* → ***cast***; *pret. u. p.p. a.* ***~ed***] **1.** breitwürfig säen; **2.** *fig. Nachricht* verbreiten, *iro.* 'auspoˌsaunen; **3.** durch Rundfunk *od.* Fernsehen verbreiten, über'tragen, senden, ausstrahlen; **II** *v/i.* **4.** im Rundfunk *od.* Fernsehen auftreten; **5.** senden; **III** *s.* **6.** Rundfunk-, Fernsehsendung *f*, Über'tragung *f*; **IV** *adj.* **7.** Rundfunk…, Fernseh…; '**broad·cast·er** [-tə] *s.* **1.** Rundfunk-, Fernsehsprecher(in); **2.** → ***broadcasting station***.

broad·cast·ing ['brɔːdkɑːstɪŋ] **I** *s.* **1.** → ***broadcast*** 6; **2.** a) Rundfunk *m od.*

Fernsehen *n*: ~ ***area*** Sendebereich *m*, b) Sendebetrieb *m*; **II** *adj*. **3.** Rundfunk…, Fernseh…; ~ **sta·tion** *s*. 'Rundfunk-, 'Fernsehstatiˌon *f*, Sender *m*; ~ **stu·di·o** *s*. Senderaum *m*, 'Studio *n*.

Broad| Church *s. liberale Richtung in der anglikanischen Kirche*; '**2·cloth** *s*. feiner Wollstoff.

broad·en ['brɔ:dn] *v/t. u. v/i.* (sich) verbreitern, (sich) erweitern: ~ ***one's mind*** *fig*. sich bilden, s-n Horizont erweitern; ***travel(l)ing ~s the mind*** Reisen bildet.

'**broad-ga(u)ge** *adj*. 🚂 Breitspur…

broad·ly ['brɔ:dlɪ] *adv*. **1.** weitgehend (*etc*., → ***broad*** I); **2.** allgemein (gesprochen), in großen Zügen.

ˌ**broad'mind·ed** *adj*. großzügig, tole'rant.

'**broad|·sheet** *s*. **1.** *typ*. Planobogen *m*; **2.** *hist*. große, einseitig bedruckte Flugschrift; Flugblatt *n*; '**~·side** *s*. **1.** ⚓ Breitseite *f* (*Geschütze u. Salve*): ***fire a ~*** e-e Breitseite abgeben; **2.** F ‚Breitseite' *f*, mas'sive At'tacke; **3.** → ***broadsheet***; '**~·sword** *s*. breites Schwert, 'Pallasch *m*.

bro·cade [brəʊ'keɪd] *s*. ✝ **1.** Bro'kat *m*; **2.** Broka'tell(e *f*) *m*.

bro·chure ['brəʊʃə] *s*. Bro'schüre *f*.

brock·et ['brɒkɪt] *s*. *hunt*. Spießer *m*, zweijähriger Hirsch.

brogue [brəʊg] *s*. **1.** a) irischer Ak'zent (des Englischen), b) dia'lektisch gefärbte Aussprache; **2.** derber Straßenschuh.

broil[1] [brɔɪl] **I** *v/t*. auf dem Rost braten, grillen; **II** *v/i*. schmoren, braten, kochen (*alle a. fig.*).

broil[2] [brɔɪl] *s*. Krach *m*, Streit *m*.

broil·er[1] ['brɔɪlə] *s*. **1.** Bratrost *m*; Bratofen *m* mit Grillvorrichtung; **2.** Brathühnchen *n* (*bratfertig*); **3.** F glühend heißer Tag.

broil·er[2] ['brɔɪlə] *s*. Streithammel *m*.

broil·ing ['brɔɪlɪŋ] *adj*. *a*. ~ ***hot*** glühend heiß.

broke[1] [brəʊk] *pret. von* ***break***.

broke[2] [brəʊk] *adj*. F pleite: a) bank'rott, ruiniert, b) ‚abgebrannt', ‚blank': ***go ~*** pleite gehen; ***go for ~*** alles riskieren.

bro·ken ['brəʊkən] **I** *p.p. von* ***break***; **II** *adj*. □ → ***brokenly***; **1.** zerbrochen, entzwei, ka'putt; zerrissen; **2.** gebrochen; **3.** unter'brochen (*Schlaf*); angebrochen, unvollständig: ~ ***line*** gestrichelte *od*. punktierte Linie; **4.** *fig*. (seelisch) gebrochen: ***a ~ man***; **5.** zerrüttet (*Ehe*, *Gesundheit*): ~ ***home*** zerrüttete Familienverhältnisse *pl*.; **6.** uneben, holperig (*Boden*); zerklüftet (*Gelände*); bewegt (*Meer*); **7.** *ling*. gebrochen: ~ ***German***; ˌ**~-'down** *adj*. **1.** ruiniert, unbrauchbar; **2.** erschöpft, geschwächt, zerrüttet, ‚ka'putt'; **3.** zs.-gebrochen (*a. fig.*); ˌ**~-'heart·ed** *adj*. un'tröstlich, (ganz) gebrochen.

bro·ken·ly ['brəʊkənlɪ] *adv*. **1.** stoßweise, mit Unter'brechungen; **2.** mit gebrochener Stimme.

bro·ken| num·ber *s*. ⩓ gebrochene Zahl, Bruch *m*; ~ **stone** *s*. Splitt *m*, Schotter *m*; ˌ**~-'wind·ed** *adj*. dämpfig, kurzatmig (*Pferd*).

bro·ker ['brəʊkə] *s*. a) (Handels)Makler *m*, (*weitS. a.* Heirats)Vermittler *m*: ***honest ~*** *pol*., *fig*. ehrlicher Makler, b) (Börsen)Makler *m*, Broker *m* (*der im Kundenauftrag Geschäfte tätigt*); '**bro·ker·age** [-ərɪdʒ] *s*. **1.** Maklergebühr *f*, Cour'tage *f*; **2.** Maklergeschäft *n*.

brol·ly ['brɒlɪ] *s*. *Brit*. F Schirm *m*.

bro·mide ['brəʊmaɪd] *s*. **1.** ⚗ Bro'mid *n*: ~ ***paper*** *phot*. Bromsilberpapier *n*; **2.** *fig*. a) Plattheit *f*, Banali'tät *f*, b) langweiliger Mensch; '**bro·mine** [-mi:n] *s*. ⚗ Brom *n*.

bron·chi ['brɒŋkaɪ], '**bron·chi·a** [-kɪə] *s. pl. anat*. 'Bronchien *pl*.; '**bron·chi·al** [-kjəl] *adj*. Bronchial…; **bron·chi·tis** [brɒŋ'kaɪtɪs] *s*. ⚕ Bron'chitis *f*, Bronchi'alkaˌtarrh *m*.

bron·co ['brɒŋkəʊ] *pl*. **-cos** *s*. kleines, halbwildes Pferd (*Kalifornien*): ~ ***buster*** Zureiter *m* (von wilden Pferden).

Bronx cheer [brɒŋks] *s*. *Am. sl*. ‚'Pfeifkonˌzert' *n*.

bronze [brɒnz] **I** *s*. **1.** Bronze *f*: ~ ***age*** Bronzezeit *f*; ~ ***medal(l)ist*** Bronzemedaillengewinner(in); **2.** ('Statue *f etc*. aus) Bronze *f*; **II** *v/t*. **3.** bronzieren; **III** *adj*. **4.** bronzefarben, Bronze…; **bronzed** [-zd] *adj*. **1.** bronziert; **2.** (sonnen)gebräunt.

brooch [brəʊtʃ] *s*. Brosche *f*, Spange *f*.

brood [bru:d] **I** *s*. **1.** Brut *f*; **2.** Nachkommenschaft *f*; **3.** *contp*. Brut *f*, Horde *f*; **II** *v/i*. **4.** brüten; **5.** *fig*. (***on***, ***over***) brüten (über *dat*.), grübeln (über *acc*.); **6.** brüten, lasten (*Hitze etc*.); **III** *adj*. **7.** Brut…, Zucht…: ~ ***mare*** Zuchtstute *f*; '**brood·er** [-də] *s*. **1.** Bruthenne *f*; **2.** Brutkasten *m*; '**brood·y** [-dɪ] *adj*. **1.** brütig (*Henne*); **2.** *fig*. brütend, grüblerisch; trübsinnig.

brook[1] [brʊk] *s*. Bach *m*.

brook[2] [brʊk] *v/t*. erdulden: ***it ~s no delay*** es duldet keinen Aufschub.

broom [bru:m] *s*. **1.** Besen *m*: ***a new ~ sweeps clean*** neue Besen kehren gut; **2.** ⚘ (Besen)Ginster *m*; '**~·stick** ['brʊm-] *s*. Besenstiel *m*.

broth [brɒθ] *s*. (Fleisch-, Kraft)Brühe *f*, Suppe *f*.

broth·el ['brɒθl] *s*. Bor'dell *n*.

broth·er ['brʌðə] *s*. **1.** Bruder *m*: ***~s and sisters*** Geschwister; ***Smith 2s*** ✝ Gebrüder Smith; **2.** *eccl*. *pl*. ***brethren*** Bruder *m*, Nächste(r) *m*, Mitglied *n* e-r (religi'ösen) Gemeinschaft; **3.** Amtsbruder *m*, Kol'lege *m*: ***~ in arms*** Waffenbruder; ***~ student*** Kommilitone, Studienkollege *m*; ***~ officer*** Regimentskamerad *m*; ***~!*** F Mann!, Mensch!; ,**broth·er-'ger·man** *s.* leiblicher Bruder; '**broth·er·hood** [-hʊd] *s.* **1.** Bruderschaft *f*; **2.** Brüderlichkeit *f*; **broth·er-in-law** ['brʌðərɪnlɔː] *s.* Schwager *m*.

broth·er·ly ['brʌðəlɪ] *adj.* brüderlich.

brough·am ['bruːəm] *s.* **1.** Brougham *m* (*geschlossener, vierrädriger, zweisitziger Wagen*); **2.** *hist. mot.* Limou'sine *f* mit offenem Fahrersitz.

brought [brɔːt] *pret. u. p.p. von* ***bring***.

brou·ha·ha [bruː'hɑːhɑː] *s.* Getue *n*, Wirbel *m*, Lärm *m*.

brow [braʊ] *s.* **1.** (Augen)Braue *f*: ***knit*** (*od.* ***gather***) ***one's ~s*** die Stirn runzeln; **2.** Stirn *f*; **3.** Vorsprung *m*, Abhang *m*, (Berg)Kuppe *f*; '**~·beat** *v/t.* [*irr.* → ***beat***] einschüchtern, tyrannisieren.

brown [braʊn] **I** *adj.* braun: ***do s.o.*** (***up***) ~ F j-n ‚anschmieren' *od.* ‚reinlegen'; **II** *s.* Braun *n*; **III** *v/t. Haut etc.* bräunen, *Fleisch etc.* (an)bräunen; ⚙ brünieren: ***~ed off*** F ‚restlos bedient', ‚sauer'; **IV** *v/i.* braun werden; **~ bear** *s. zo.* Braunbär *m*; **~ bread** *s.* Vollkorn- *od.* Schwarzbrot *n*; **~ coal** *s.* Braunkohle *f*.

brown·ie ['braʊnɪ] *s.* **1.** Heinzelmännchen *n*; **2.** *Am.* kleiner Schoko'ladenkuchen mit Nüssen; **3.** ‚Wichtel' *m* (*junge Pfadfinderin*).

Brown·ing ['braʊnɪŋ] *s.* Browning *m* (*e-e Pistole*).

'**brown|-nose** *Am.* V **I** *s.* ‚Arschkriecher' *m*; **II** *v/t. j-m* ‚in den Arsch kriechen'; **~ pa·per** *s.* 'Packpa,pier *n*; '**♀·shirt** *s. hist.* Braunhemd *n* (*SA-Mann od. Nazi*); '**~·stone** *Am.* **I** *s.* brauner Sandstein; **II** *adj.* F wohlhabend, vornehm.

browse [braʊz] *v/i.* **1.** grasen, weiden; *fig.* naschen (***on*** von); **2.** *in Büchern* blättern *od.* schmökern; **3.** *a.* ***~ around*** sich (unverbindlich) 'umsehen (*in e-m Laden*).

bru·in ['bruːɪn] *s. poet.* (Meister) Petz *m* (*Bär*).

bruise [bruːz] **I** *v/t.* **1.** *Körperteil* quetschen; *Früchte* anstoßen; **2.** zerstampfen, schroten; **3.** *j-n* grün u. blau schlagen; **II** *v/i.* **4.** e-e Quetschung *od.* e-n blauen Fleck bekommen; **III** *s.* **5.** ⚕ Quetschung *f*, Bluterguß *m*; blauer Fleck; **6.** Druckstelle *f* (*auf Obst*); '**bruis·er** [-zə] *s.* **1.** F Boxer *m*; **2.** a) ‚Schläger' *m*, b) ‚Schrank' *m* (*Hüne*).

bruit [bruːt] *v/t.*: ***~ about*** *obs. Gerücht* verbreiten.

Brum·ma·gem ['brʌmədʒəm] F **I** *s.* **1.** *npr.* Birmingham (*Stadt*); **2.** ♀ Schund(-ware *f*) *m* (*bsd. in Birmingham hergestellt*); **II** *adj.* **3.** billig, kitschig, Schund..., unecht.

brunch [brʌntʃ] *s.* F (*aus* ***breakfast*** *u.* ***lunch***) Brunch *m*.

bru·nette [bruː'net] **I** *adj.* brü'nett, dunkelbraun; **II** *s.* Brü'nette *f*.

brunt [brʌnt] *s.* Hauptstoß *m*, -last *f*, volle Wucht *des Angriffs* (*a. fig.*): ***bear the ~*** die Hauptlast tragen.

brush [brʌʃ] **I** *s.* **1.** Bürste *f*; Besen *m*: ***tooth-~*** Zahnbürste *f*; **2.** Pinsel *m*: ***shaving-~***; **3.** a) Pinselstrich *m* (*Maler*), b) Maler *m*, c) ***the ~*** die Malerei; **4.** Bürsten *n*: ***give a ~*** (***to***) *et.* abbürsten; **5.** buschiger Schwanz (*bsd. Fuchs*); **6.** ⚡ (Kon'takt)Bürste *f*; **7.** *phys.* Strahlenbündel *n*; **8.** ⚔ Feindberührung *f*; Schar'mützel *n* (*a. fig.*): ***have a ~ with s.o.*** mit j-m aneinandergeraten; **9.** → ***brushwood***; **II** *v/t.* **10.** bürsten; **11.** fegen: ***~ away*** (*od.* ***off***) abwischen, -streifen (*a. mit der Hand*); ***~ off*** *fig. j-n* abwimmeln *od.* abweisen; ***~ aside*** *fig.* beiseite schieben, abtun; **12.** ***~ up*** *fig.* ‚aufpolieren', auffrischen; **13.** streifen, leicht berühren; **III** *v/i.* **14.** ***~ against*** streifen (*acc.*); **15.** da'hinrasen: ***~ past*** vorbeisausen; '**brush·ing** [-ʃɪŋ] *s. mst pl.* Kehricht *m*, *n*; '**brush·less** [-lɪs] *adj.* **1.** ohne Bürste; **2.** ohne Schwanz (*Fuchs*); '**brush·off** *s.* F Abfuhr *f*; '**brush·wood** *s.* **1.** 'Unterholz *n*, Gestrüpp *n*; Busch *m* (*USA u. Australien*); **2.** Reisig *n*.

brusque [brʊsk] *adj.* □ brüsk, barsch, schroff.

Brus·sels ['brʌslz] *npr.* Brüssel *n*; **~ lace** *s.* Brüsseler Spitzen *pl.*; **~ sprouts** [,brʌsl'spraʊts] *s. pl.* Rosenkohl *m*.

bru·tal ['bruːtl] *adj.* □ **1.** viehisch; bru'tal, roh, unmenschlich; **2.** scheußlich; **bru·tal·i·ty** [bruː'tælətɪ] *s.* Brutali'tät *f*, Roheit *f*; '**bru·tal·ize** [-təlaɪz] **I** *v/t.* **1.** zum Tier machen, verrohen lassen; **2.** brutal behandeln; **II** *v/i.* verrohen, zum Tier werden.

brute [bruːt] **I** *s.* (*unvernünftiges*) Tier, Vieh *n*, *fig. a.* Untier *n*, Scheusal *n*: ***the ~ in him*** das Tier in ihm; **II** *adj.* tierisch (*a. = triebhaft, unvernünftig, brutal*); viehisch, roh; hirnlos, dumm; gefühllos: ***~ force*** rohe Gewalt; '**brut·ish** [-tɪʃ] *adj.* □ → ***brute*** II.

Bry·thon·ic [brɪ'θɒnɪk] *s.* Ursprache *f* der Kelten in Wales, 'Cornwall u. der Bre'tagne.

bub·ble ['bʌbl] **I** *s.* **1.** (*Luft-, Gas-, Seifen*)Blase *f*; **2.** *fig.* Seifenblase *f*; Schwindel(geschäft *n*) *m*: ***prick the ~*** den Schwindel aufdecken; ***~ company*** Schwindelfirma *f*; **3.** Sprudeln *n*, Brodeln *n*, (Auf)Wallen *n*; **4.** *Am.* Traglufthalle *f*; **II** *v/i.* sprudeln, brodeln, wallen; perlen: ***~ over*** übersprudeln (*a.*

fig. ***with*** vor *dat.*); ~ ***up*** aufsprudeln, in Blasen aufsteigen; ~ **bath** *s.* Schaumbad *n*; ~ **car** *s.* **1.** Kleinstauto *n*, Ka'binenroller *m*; **2.** Wagen *m* mit kugelsicherer Kuppel; ~ **gum** *s.* Bal'lon-, Knallkaugummi *m*.

bu·bo ['bju:bəʊ] *pl.* **-boes** *s.* ⚕ 'Bubo *m* (*Drüsenschwellung*); Beule *f*; **bu·bon·ic** [bju:'bɒnɪk] *adj.*: ~ ***plague*** ⚕ Beulenpest *f*.

buc·ca·neer [ˌbʌkə'nɪə] **I** *s.* Seeräuber *m*, Freibeuter *m*; **II** *v/i.* Seeräube'rei betreiben.

buck¹ [bʌk] **I** *s.* **1.** *zo.* Bock *m* (*Hirsch, Reh, Ziege etc.*; *a. Turnen*); Rammler *m* (*Hase, Kaninchen*); *engS.* Rehbock *m*; **2.** *obs.* Stutzer *m*, Geck *m*; Lebemann *m*; **3.** *Am. obs. contp.* a) Rothaut *f*, b) Nigger *m*; **4.** *Am. Poker*: *Spielmarke, die e-n Spieler daran erinnern soll, daß er am Geben ist*: ***pass the ~ to*** F *j-m* ‚den Schwarzen Peter (*die Verantwortung*) zuschieben'; **II** *v/i.* **5.** bocken (*Pferd, Esel etc.*); **6.** *Am.* F ‚meutern', sich sträuben (***at, against*** bei, gegen); **7.** ~ ***up*** F a) sich ranhalten, b) sich zs.-reißen: ~ ***up!*** Kopf hoch!; **III** *v/t.* **8.** *Reiter* durch Bocken abwerfen (wollen); **9.** *Am.* wütend angreifen; angehen gegen; **10.** *a.* ~ ***up*** F aufmuntern: ***greatly ~ed*** hocherfreut; **IV** *adj.* **11.** männlich; **12.** ~ ***private*** ⚔ *Am.* F einfacher Soldat.

buck² [bʌk] *s. Am.* F Dollar *m*.

buck·et ['bʌkɪt] **I** *s.* **1.** Eimer *m*, Kübel *m*: ***champagne ~*** Sektkühler *m*; ***kick the ~*** F ‚abkratzen' (*sterben*); **2.** ⚙ a) Schaufel *f e-s Schaufelrades*, b) Eimer *m od.* Löffel *m e-s Baggers*, c) (Pumpen)Kolben *m*; **II** *v/t.* **3.** (aus)schöpfen; **4.** *Pferd* zu'schanden reiten; **III** *v/i.* **5.** F (da'hin)rasen; ~ **con·vey·or** *s.* Becherwerk *n*; ~ **dredg·er** *s.* Löffelbagger *m*; '~**·ful** [-fʊl] *pl.* **-fuls** *s. ein* Eimer(voll) *m*.

buck·et| seat *s.* **1.** *mot.*, ✈ Klapp-, Notsitz *m*; **2.** *mot.* Schalensitz *m*; ~ **shop** *s.* **1.** 'unreˌelle Maklerfirma; **2.** ‚Klitsche' *f*, kleiner ‚Laden'.

'**buck|·eye** *s. Am.* **1.** ⚘ *e-e* 'Roßkaˌstanie *f*; **2.** ♀ F Bewohner(in) von Ohio; '~**·horn** *s.* Hirschhorn *n*; '~**·hound** *s. zo.* Jagdhund *m*; '~ˌ**jump·er** *s.* störrisches Pferd.

buck·le ['bʌkl] **I** *s.* **1.** Schnalle *f*, Spange *f*; **2.** ⚔ Koppelschloß *n*; **3.** ⚙ verbogene *od.* verzogene Stelle; **II** *v/t.* **4.** *a.* ~ ***on***, ~ ***up*** an-, 'um-, zuschnallen; **5.** ⚙ (ver)biegen, krümmen; **6.** ~ ***o.s. to*** → 9; **III** *v/i.* **7.** ⚙ sich (ver)biegen *od.* verziehen, sich wölben *od.* krümmen; **8.** nachgeben *unter e-r Last*: ~ (***under***) *fig.* zs.-brechen; **9.** ~ ***down to*** F sich hinter *e-e Aufgabe* ‚klemmen'.

buck·ling ['bʌklɪŋ] (*Ger.*) *s.* Bückling *m* (*geräucherter Hering*).

buck·ling strength ['bʌklɪŋ] *s.* ⚙ Knickfestigkeit *f*.

buck·ram ['bʌkrəm] **I** *s.* **1.** Steifleinen *n*; **2.** *fig.* Steifheit *f*, Förmlichkeit *f*; **II** *adj.* **3.** *fig.* steif, for'mell.

'**buck|·saw** *s. Am.* Bocksäge *f*; '~**·shot** *s. hunt.* grober Schrot, Rehposten *m*; '~**·skin** *s.* **1.** a) Wildleder *n*, b) *pl.* Lederhose *f*; **2.** Buckskin *m* (*Wollstoff*); '~**·thorn** *s.* ⚘ Kreuzdorn *m*; '~**·tooth** *s.* [*irr.*] vorstehender Zahn; '~**·wheat** *s.* ⚘ Buchweizen *m*.

bu·col·ic [bju:'kɒlɪk] **I** *adj.* (□ ~***ally***) **1.** bu'kolisch: a) Hirten..., b) ländlich, i'dyllisch; **II** *s.* **2.** I'dylle *f*, Hirtengedicht *n*; **3.** *humor.* Landmann *m*.

bud [bʌd] **I** *s.* **1.** ⚘ Knospe *f*; Auge *n* (*Blätterknospe*): ***be in ~*** knospen; **2.** Keim *m*; **3.** *fig.* Keim *m*, Ursprung *m*; → ***nip¹*** 2; **4.** unentwickeltes Wesen; **5.** *Am.* F Debü'tantin *f*; **II** *v/i.* **6.** knospen, sprossen; **7.** sich entwickeln *od.* entfalten: ~***ding lawyer*** angehender Jurist; **III** *v/t.* **8.** ⚘ okulieren.

Bud·dha ['bʊdə] *s.* 'Buddha *m*; '**Bud·dhism** [-dɪzəm] *s.* Bud'dhismus *m*; '**Bud·dhist** [-dɪst] **I** *s.* Bud'dhist *m*; **II** *adj.* → **Bud·dhis·tic** [bʊ'dɪstɪk] *adj.* bud'dhistisch.

bud·dy ['bʌdɪ] *s.* F **1.** ‚Kumpel' *m*, ‚Spezi' *m*, Kame'rad *m*; **2.** *Anrede*: Freundchen *n*.

budge [bʌdʒ] *mst neg.* **I** *v/i.* sich (von der Stelle) rühren, sich (im geringsten) bewegen: ~ ***from*** *fig.* von *et.* abrücken; **II** *v/t.* (vom Fleck) bewegen.

budg·er·i·gar ['bʌdʒərɪgɑ:] *s. orn.* Wellensittich *m*.

budg·et ['bʌdʒɪt] **I** *s.* **1.** *bsd. pol.* Bud'get *n*, (Staats)Haushalt *m*, E'tat *m*, (*a.* pri'vater) Haushaltsplan: ***open the ~*** das Budget vorlegen; ~ ***cut*** Etatkürzung *f*; ***for the low ~*** für den schmalen Geldbeutel; ~(***-priced***) preisgünstig; **2.** *fig.* Vorrat *m*: ***a ~ of news*** ein Sack voll Neuigkeiten; **II** *v/t.* **3.** a) *Mittel* bewilligen, vorsehen, *Ausgaben* einplanen; **III** *v/i.* **4.** planen, ein Bud'get machen: ~ ***for s.th.*** et. im Haushaltsplan vorsehen, die Kosten für et. veranschlagen; '**budg·et·ar·y** [-tərɪ] *adj.* Budget..., Etat..., Haushalts...: ~ ***deficit***.

bud·gie ['bʌdʒɪ] *s.* F *für* ***budgerigar***.

buff¹ [bʌf] *s.* **1.** starkes Ochsen- *od.* Büffelleder; **2.** F bloße Haut: ***in the ~*** im Adams- *od.* Evaskostüm (*nackt*); **3.** Lederfarbe *f*; **4.** F ‚Fex' *m*, Fan *m*: ***hi-fi ~***; **II** *adj.* **5.** lederfarben.

buff² [bʌf] *v/t.* ⚙ schwabbeln, polieren.

buf·fa·lo ['bʌfələʊ] *pl.* **-loes**, *Am. a.* **-los** **I** *s.* **1.** *zo.* Büffel *m*; nordamer. 'Bison *m*; **2.** ⚔ am'phibischer Panzerwagen; **II** *v/t.* **3.** *Am.* F *j-n* täuschen *od.* einschüchtern.

buf·fer ['bʌfə] **I** *s.* ⚙ a) Stoßdämpfer *m*, b) Puffer *m* (*a.* 🚂, *Computer u. fig.*), c) Prellbock (*a. fig.*): **~ solution** 🚂 Pufferlösung *f*; **~ state** *pol.* Pufferstaat *m*; **3.** *a.* **~ memory** *Computer*: Pufferspeicher *m*; **II** *v/t.* **4.** als Puffer wirken gegen; **5.** *Computer*: puffern, zwischenspeichern.

buf·fet¹ ['bʌfɪt] **I** *s.* **1.** Puff *m*, Stoß *m*; Schlag *m* (*a. fig.*); **II** *v/t.* **2.** a) *j-m* e-n Schlag versetzen, b) *j-n od. et.* her'umstoßen: **~ (about)** durchrütteln; **3.** gegen *Wellen etc.* (an)kämpfen.

buf·fet² *s.* **1.** ['bʌfɪt] Bü'fett *n*, Anrichte *f*; **2.** ['bʊfeɪ] Bü'fett *n*: a) Theke *f*, b) *Tisch mit Speisen*, c) Erfrischungsbar *f*, Imbißstube *f*: **~ car** 🚃 Büfettwagen *m*; **~ dinner** kaltes Büfett.

buf·foon [bʌ'fu:n] *s.* **1.** Possenreißer *m*, Hans'wurst *m* (*a. fig. contp.*); **2.** derber Witzbold; **buf'foon·er·y** [-nərɪ] *s.* Possen(reißen *n*) *pl.*

bug [bʌg] **I** *s.* **1.** *zo.* (Bett)Wanze *f*; **2.** *zo. bsd. Am. allgemein* In'sekt *n* (*Ameise, Fliege, Spinne, Käfer*); **3.** F Ba'zillus *m* (*a. fig.*): **the golf ~** die Golfleidenschaft; **4.** ⚙ *Am.* F De'fekt *m*, *mst pl.* ‚Mucken' *pl.*; **5. big ~** F ‚großes' *od.* ‚hohes Tier' (*Person*); **6.** *Am.* F Fan *m*, Fa'natiker *m*: **baseball ~**; **7.** *sl.* ‚Wanze' *f* (*Abhörgerät*); **II** *v/t. sl.* **8.** a) ‚Wanzen' anbringen in *e-m Raum etc.*, b) (heimlich) abhören; **9.** *Am.* F *j-n* nerven: **what's ~ging you?** was hast du denn?

bug·a·boo ['bʌgəbu:] *s.* **1.** → **bugbear**; **2.** ‚Quatsch' *m*.

'**bug|·bear** *s.* a) ‚Buhmann' *m*, b) Schreckgespenst *n*; '**~-eyed** *adj.* mit her'vorquellenden Augen.

bug·ger ['bʌgə] **I** *s.* **1.** a) Sodo'mit *m*, b) Homosexu'elle(r) *m*; **2.** V a) ‚Scheißkerl' *m*, b) Kerl *m*, ‚Knülch' *m*, c) ‚Scheißding' *n*; **II** *v/t.* **3.** a) Sodo'mie treiben mit, b) a'nal verkehren mit: **~ (it)!** V Scheiße!; **~ you!** V leck mich!; **4.** a) *j-n* ‚fertigmachen', b) *j-n* ‚nerven'; **5. ~ (up)** V *et.* versauen *od.* vermasseln; **III** *v/i.* **6. ~ around** V he'rumgammeln; **7. ~ off** V ‚abhauen'; '**bug·ger·y** [-ərɪ] *s.* **1.** Sodo'mie *f*, 'widerna,türliche Unzucht; **2.** Homosexuali'tät *f*; **bug·ging** [-gɪŋ] **af·fair** *s.* Abhöraffäre *f*; **~ sys·tem** *s.* Abhöranlage *f*.

bug·gy¹ ['bʌgɪ] *s.* **1.** leichter (Pferde-) Wagen; **2.** *mot.* Buggy *m* (*geländegängiges, offenes Freizeitauto*); **3.** *Am.* Kinderwagen *m*.

bug·gy² ['bʌgɪ] *adj.* **1.** verwanzt; **2.** *Am. sl.* ‚bekloppt', verrückt.

'**bug|·house** *Am. sl.* **I** *s.* ‚Klapsmühle' *f* (*Nervenheilanstalt*); **II** *adj.* verrückt; '**~-,hunt·er** *s. sl.* In'sektensammler *m*.

bu·gle ['bju:gl] *s.* **1.** Wald-, Jagdhorn *n*; **2.** ⚔ Si'gnalhorn *n*: **sound the ~** ein Hornsignal blasen; '**bu·gle-call** *s.* 'Hornsi,gnal *n*; '**bu·gler** [-lə] *s.* Hor'nist *m*.

buhl [bu:l] *s.* Einlege-, Boulearbeit *f*.

build [bɪld] **I** *v/t.* [*irr.*] **1.** (er)bauen, errichten: **~ a fire** (ein) Feuer machen; **~ in** a) einbauen (*a. fig.*), b) zubauen; **2.** ⚙ bauen: a) konstruieren, b) herstellen: **~ cars**; **3.** *mst* **~ up** aufbauen, gründen, (er)schaffen: **~ up a business** ein Geschäft aufbauen; **~ up one's health** s-e Gesundheit festigen; **~ up a reputation** sich e-n Namen machen; **~ up a case** *bsd.* ⚖ (Beweis)Material zs.-tragen; **4. ~ up** a) zubauen, vermauern: **~ up a window**, b) *Gelände* aus-, bebauen; **5. ~ up** *fig. j-n* ‚aufbauen' *od.* groß her'ausstellen, Re'klame machen für; **6.** *fig.* gründen, setzen: **~ one's hopes on s.th.**; **II** *v/i.* [*irr.*] **7.** bauen; gebaut werden: **the house is ~ing** das Haus ist im Bau; **8.** *fig.* bauen, sich verlassen (**on** auf *acc.*); **9. ~ (up)** a) sich entwickeln, b) zunehmen, wachsen; **III** *s.* **10.** Bauart *f*, Gestalt *f*; **11.** Körperbau *m*, Fi'gur *f*; **12.** Schnitt *m* (*Kleid*); '**build·er** [-də] *s.* **1.** Erbauer *m*; **2.** Baumeister *m*; **3.** 'Bauunter,nehmer *m*, Bauhandwerker *m*: **~'s merchant** Baustoffhändler *m*.

build·ing ['bɪldɪŋ] *s.* **1.** Bauen *n*, Bauwesen *n*; **2.** Gebäude *n*, Bau *m*, Bauwerk *n*; **~ block** *s.* **1.** ⚙ *u. fig.* Baustein *m*; **2.** Bauklötzchen *n für Kinder*; **~ con·trac·tor** *s.* 'Bauunter,nehmer *m*; **~ lease** *s.* ⚖ *Brit.* Baupacht(vertrag *m*) *f*; **~ line** *s.* ⚙ 'Bauflucht(,linie) *f*; **~ lot**, **~ plot**, **~ site** *s.* **1.** Bauplatz *m*, -stelle *f*; **2.** Baugrundstück *n*, Baugelände *n*; **~ own·er** *s.* Bauherr *m*; **~ so·ci·e·ty** *s. Brit.* Bausparkasse *f*.

'**build-up** *s.* **1.** Aufbau *m*, Zs.-stellung *f*; **2.** Zunahme *f*; **3.** ‚Aufbauen' *n*, Re'klame *f*, Propa'ganda *f*; **4.** dra'matische Steigerung.

built [bɪlt] **I** *pret. u. p.p. von* **build** I *u.* II; **II** *adj.* gebaut, geformt: **he is ~ that way** F so ist er eben; **,~-'in** *adj.* eingebaut (*a. fig.*), Einbau…; '**~-up a·re·a** *s.* **1.** bebautes Gelände; **2.** *Verkehr*: geschlossene Ortschaft.

bulb [bʌlb] **I** *s.* **1.** ⚘ Knolle *f*, Zwiebel *f* (*e-r Pflanze*); **2.** Zwiebelgewächs *n*; **3.** (*Glas- etc.*)Bal'lon *m od.* Kolben *m*; Kugel *f* (*Thermometer*); **4.** ⚡ Glühbirne *f*, -lampe *f*; **II** *v/i.* **5.** rundlich anschwellen; Knollen bilden; **bulbed** [-bd] *adj.* knollenförmig; '**bulb·ous** [-bəs] *adj.* knollig, Knollen…: **~ nose**.

Bul·gar ['bʌlgɑ:] *s.* Bul'gare *m*, Bul'garin *f*; **Bul·gar·i·an** [bʌl'geərɪən] **I** *adj.* bul'garisch; **II** *s.* → **Bulgar**.

bulge [bʌldʒ] **I** *s.* **1.** (Aus)Bauchung *f*, (*a.* ⚔ Front)Ausbuchtung *f*; Anschwellung *f*, Beule *f*; Vorsprung *m*, Buckel *m*; Rundung *f*, Bauch *m*, Wulst *m*: ***Battle of the*** ~ Ardennenschlacht *f* (*1944*); **2.** ⚓ → ***bilge*** 1; **3.** Anschwellen *n*, Zunahme *f*, plötzliches Steigen (*bsd. der Börsenkurse*); **4.** *a.* ~ ***age-group*** geburtenstarker Jahrgang; **5.** ***have a ~ on s.o.*** *sl.* j-m gegenüber im Vorteil sein; **II** *v/i.* **6.** sich (aus)bauchen, her'vortreten, -ragen, -quellen, sich blähen *od.* bauschen; '**bulg·ing** [-dʒɪŋ] *adj.* (zum Bersten) voll (***with*** von).

bu·lim·i·a [bjuːˈlɪmɪə] *s.* Bulimie *f*, Freßsucht *f*.

bulk [bʌlk] **I** *s.* **1.** 'Umfang *m*, Größe *f*, Masse *f*; **2.** große *od.* massige Gestalt; 'Körper,umfang *m*, -fülle *f*; **3.** Hauptteil *m*, -masse *f*, Großteil *m*, Mehrheit *f*; **4.** ✝ (gekaufte) Gesamtheit; ⚓ (unverpackte) Schiffsladung: ***in*** ~ a) unverpackt, lose, b) in großen Mengen, en gros; ***break*** ~ ⚓ zu löschen anfangen; ~ ***cargo***, ~ ***goods*** ✝ Schüttgut *n*, Massengüter *pl.*; ~ ***buying*** ✝ Mengeneinkauf *m*; ~ ***mail*** Postwurfsendung *f*; ~ ***mortgage*** *Am.* Fahrnishypothek *f*; **II** *v/i.* **5.** 'umfangreich *od.* sperrig sein; **6.** *fig.* wichtig sein: ~ ***large*** e-e große Rolle spielen; **III** *v/t.* **7.** *bsd. Am.* aufstapeln; '~·**head** *s.* **1.** ⚓ Schott *n*; **2.** ⚙ a) Schutzwand *f*, b) Spant *m*.

bulk·y [ˈbʌlkɪ] *adj.* **1.** (sehr) 'umfangreich, massig; **2.** sperrig: ~ ***goods*** ✝ Sperrgut *n*.

bull[1] [bʊl] **I** *s.* **1.** *zo.* Bulle *m*, Stier *m*: ***like a ~ in a china shop*** wie ein Elefant im Porzellanladen; ***take the ~ by the horns*** den Stier bei den Hörnern packen; **2.** *zo.* (*Elefanten-*, *Elch-*, *Wal- etc.*)Bulle *m*; **3.** ✝ Haussi'er *m*, 'Haussespeku,lant *m*; **4.** *Am. sl.* ‚Bulle' *m* (*Polizist*); **5.** *ast.* Stier *m*; **6.** → ***bull's-eye*** 3 *u.* 4; **II** *v/t.* **7.** ✝ Preise in die Höhe treiben für *et.*: ~ ***the market*** auf Hausse kaufen; **III** *v/i.* **8.** ✝ auf Hausse spekulieren; **IV** *adj.* **9.** männlich; **10.** ✝ steigend, Hausse...: ~ ***market***.

bull[2] [bʊl] *s.* (päpstliche) Bulle.

bull[3] [bʊl] *s. sl.* **1.** *a.* ***Irish*** ~ ungereimtes Zeug, 'widersprüchliche Behauptung; **2.** Schnitzer *m*, Faux'pas *m*; **3.** *Am.* Quatsch *m*, Blödsinn *m*.

'**bull**|-,**bait·ing** *s.* Stierhetze *f*; '~·**dog I** *s.* **1.** *zo.* Bulldogge *f*; **2.** *Brit. univ.* Begleiter *m* des 'Proctors; **3.** *e-e* Pi'stole *f*; **II** *adj.* **4.** mutig, zäh, hartnäckig; '~·**doze** *v/t.* **1.** planieren, räumen; **2.** F ‚über'fahren', einschüchtern, terrorisieren; zwingen (***into*** zu); '~,**doz·er** [-,dəʊzə] *s.* **1.** ⚙ Planierraupe *f*, Bulldozer *m*; **2.** *fig.* F → ***bully***[2] 1.

bul·let [ˈbʊlɪt] *s.* (Gewehr- *etc.*)Kugel *f*, Geschoß *n*: ***bite the ~*** *fig.* die bittere Pille schlucken; '~-**head** *s.* **1.** Rundkopf *m*; **2.** *Am.* F Dickkopf *m*.

bul·le·tin [ˈbʊlɪtɪn] *s.* **1.** Bulle'tin *n*: a) Tagesbericht *m* (*a.* ⚔), b) Krankenbericht *m*, c) offizi'elle Bekanntmachung: ~ ***board*** *Am.* schwarzes Brett (*für Anschläge*); **2.** Mitteilungsblatt *n*; **3.** *Am.* Kurznachricht *f*.

'**bul·let-proof** *adj.* kugelsicher.

'**bull**|·**fight** *s.* Stierkampf *m*; '~,**fight·er** *s.* Stierkämpfer *m*; '~·**finch** *s.* **1.** *orn.* Dompfaff *m*; **2.** hohe Hecke; '~·**frog** *s. zo.* Ochsenfrosch *m*; ,~-'**head·ed** *adj.* starrköpfig.

bul·lion [ˈbʊljən] *s.* **1.** ungemünztes Gold *od.* Silber: ~ ***point*** ✝ Goldpunkt *m*; **2.** Gold *n od.* Silber *n* in Barren; **3.** Gold-, Silberlitze *f*, -schnur *f*, -troddel *f*.

bull·ish [ˈbʊlɪʃ] *adj.* **1.** dickköpfig; **2.** ✝ steigend, Hausse...

,**bull-'necked** *adj.* stiernackig.

bull·ock [ˈbʊlək] *s. zo.* Ochse *m*.

bull| **pen** *s. Am.* **1.** *sl.* Ba'racke *f* für Holzfäller; **2.** F a) ‚Kittchen' *n*, b) große (Gefängnis)Zelle; **3.** *Baseball*: Übungsplatz *m* für Re'servewerfer; '~·**ring** *s.* 'Stierkampfa,rena *f*.

bull's-eye [ˈbʊlzaɪ] *s.* **1.** ⚓, ⚠ Bullauge *n*, rundes Fensterchen; **2.** *a.* ~ ***pane*** Ochsenauge *n*, Butzenscheibe *f*; **3.** Zentrum *n od. das* Schwarze *der Zielscheibe*; **4.** *a. fig.* Schuß *m* ins Schwarze, 'Volltreffer *m*; **5.** 'Blendla,terne *f*; **6.** großer runder 'Pfefferminzbon,bon.

'**bull**|·**shit** *s. u. int.* V Scheiß(dreck) *m*; ~ **ter·ri·er** *s. zo.* 'Bull,terrier *m*.

bul·ly[1] [ˈbʊlɪ] *s. a.* ~ ***beef*** Rinderpökelfleisch *n* (in Büchsen).

bul·ly[2] [ˈbʊlɪ] **I** *s.* **1.** bru'taler Kerl, ‚Schläger' *m*; Ty'rann *m*; Maulheld *m*; **2.** *obs.* Zuhälter *m*; **3.** *Hockey*: Bully *n*, Anspiel *n*; **II** *v/t.* **4.** tyrannisieren, schikanieren, einschüchtern, piesacken; **III** *adj.* **5.** F ‚prima' (*a. int.*); **IV** *int.* **6.** F bravo!, Klasse!

bul·ly| **beef** → ***bully***[1]; '~·**rag** → ***ballyrag***.

bul·rush [ˈbʊlrʌʃ] *s.* ⚘ *große* Binse.

bul·wark [ˈbʊlwək] *s.* **1.** Bollwerk *n*, Wall *m* (*beide a. fig.*); **2.** ⚓ a) Hafendamm *m*, b) Schanzkleid *n*.

bum[1] [bʌm] *bsd. Brit.* F **1.** ‚Hintern' *m*; **2.** ‚Niete' *f*, ‚Flasche' *f*.

bum[2] [bʌm] *bsd. Am.* F **I** *s.* **1.** a) ‚Stromer' *m*, ‚Gammler' *m*, He'rumtreiber *m*, b) Tippelbruder *m*, c) Schnorrer *m*, d) Mistkerl *m*; **II** *v/i.* **2.** *mst* ~ ***around*** ‚he'rumgammeln'; **3.** schnorren (***off*** bei); **III** *v/t.* **4.** *et.* schnorren (***of*** bei, von); **IV** *adj.* **5.** a) ‚mies', schlecht, b) ka'putt.

bum·ble-bee [ˈbʌmblbiː] *s. zo.* Hummel *f*.

bum·ble·dom [ˈbʌmbldəm] *s.* Wichtigtue'rei *f* der kleinen Beamten.

bumf [bʌmf] *s. Brit. sl.* **1.** *contp.* ‚Pa-

B

'pierkram' *m* (*Akten*, *Formulare etc.*); **2.** ,'Klopa,pier' *n*.

bum·mer ['bʌmə] → ***bum²*** 1.

bump [bʌmp] **I** *v/t.* **1.** (heftig) stoßen, (an)prallen: ***~ one's head*** sich den Kopf anstoßen; ***I ~ed my head against*** (*od.* ***on***) ***the door*** ich stieß *od.* rannte mit dem Kopf gegen die Tür; ***~ a car*** auf ein Auto auffahren; **2.** *Rudern*: *Boot* über'holen u. anstoßen; **3.** ***~ off*** *sl.* ,'umlegen', ,kaltmachen'; **4.** ***~ up*** F *Preise etc.* hochtreiben, *Gehalt etc.* aufbessern; **II** *v/i.* **5.** (***against***, ***into***) stoßen, prallen, bumsen (gegen), zs.-stoßen (mit): ***~ into*** *fig. j-n* zufällig treffen, zufällig stoßen auf (*acc.*); **6.** rütteln, holpern (*Wagen*); **III** *s.* **7.** heftiger Stoß, Bums *m*; **8.** ⚕ Beule *f*, Höcker *m*; **9.** Unebenheit *f* (*Straße*); **10.** Sinn *m* (*für et.*): ***~ of locality*** Ortssinn; **11.** ✈ (Steig)Bö *f*; **IV** *adv.* **12.** bums!

bump·er ['bʌmpə] *s.* **1.** randvolles Glas (*Wein etc.*); **2.** F *et.* Riesiges: ***~ crop*** Rekordernte *f*; ***~ house*** *thea.* volles Haus; **3.** 🚂 *Am.* Puffer *m*; **4.** *mot.* Stoßstange *f*: ***~ car*** (Auto)Skooter *m*; ***~ guard*** Stoßstangenhorn *n*; ***~ sticker*** Autoaufkleber *m*.

bump·kin ['bʌmpkɪn] *s.* Bauernlackel *m*.

'**bump-start** *s. Brit. mot.* **I** *s.* Anschieben *n*; **II** *v/t. Auto* anschieben.

bump·tious ['bʌmpʃəs] *adj.* □ aufgeblasen.

bump·y ['bʌmpɪ] *adj.* **1.** holperig, uneben; **2.** ✈ ,bockig', böig.

bum| steer *s. Am. sl.*: ***give s.o. the ~*** j-n ,verschaukeln'; '**~,suck·er** *s.* V ,Arschkriecher' *m*.

bun¹ [bʌn] *s.* **1.** süßes Brötchen: ***she has a ~ in the oven*** *sl.* bei ihr ist was unterwegs; **2.** (Haar)Knoten *m*.

bun² [bʌn] *s. Brit.* Ka'ninchen *n*.

bunch [bʌntʃ] **I** *s.* **1.** Bündel *n* (*a.* ⚡), Bund *n*, Büschel *n*: ***~ of flowers*** Blumenstrauß *m*; ***~ of grapes*** Weintraube *f*; ***~ of keys*** Schlüsselbund; **2.** F a) Haufen *m*, b) ,Verein' *m*: ***the best of the ~*** der Beste von allen; **II** *v/t.* **3.** bündeln (*a.* ⚡), zs.-fassen, -binden; falten: ***~ed circuit*** ⚡ Leitungsbündel *n*; **III** *v/i.* **4.** sich zs.-legen, -schließen; **5.** sich bauschen; '**bunch·y** [-tʃɪ] *adj.* büschelig, bauschig, in Bündeln.

bun·co ['bʌŋkəʊ] *v/t. Am. sl.* ,reinlegen', betrügen.

bun·dle ['bʌndl] **I** *s.* **1.** Bündel *n*, Bund *n*; Pa'ket *n*; Ballen *m*: ***~ of energy*** (***nerves***) *fig.* Kraft-(Nerven)Bündel *n*; **2.** *fig.* a) Menge *f*, Haufen *m*, b) F ,Batzen' *m* Geld; **II** *v/t.* **3.** in Bündel zs.-binden, -packen; **4.** *et. wohin* stopfen; **5.** *mst* ***~ off*** (*od.* ***out***) *j-n* abschieben, (eilig) fortschaffen: ***he was ~d into a taxi*** er wurde in ein Taxi verfrachtet *od.* gepackt; **III** *v/i.* **6.** ***~ off*** (*od.* ***out***) sich packen *od.* da'vonmachen.

bung [bʌŋ] **I** *s.* **1.** Spund(zapfen) *m*, Stöpsel *m*; **2.** ⚔ Mündungspfropfen *m* (*Geschütz*); **II** *v/t.* **3.** verspunden, verstopfen; zupfropfen; **4.** F ,schmeißen', werfen; **5.** ***~ up*** *Röhre*, *Öffnung* verstopfen (*mst pass.*): ***~ed up*** verstopft; **6.** *mst* ***~ up*** *Am.* F *Auto etc.* schwer beschädigen, verbeulen.

bun·ga·low ['bʌŋgələʊ] *s.* 'Bungalow *m*.

'**bung·hole** *s.* Spund-, Zapfloch *n*.

bun·gle ['bʌŋgl] **I** *v/i.* **1.** stümpern, pfuschen; **II** *v/t.* **2.** verpfuschen; **III** *s.* **3.** Stümpe'rei *f*; **4.** Fehler *m*, ,Schnitzer' *m*; '**bun·gler** [-lə] *s.* Stümper *m*, Pfuscher *m*; '**bun·gling** [-lɪŋ] *adj.* □ ungeschickt, stümperhaft.

bun·ion ['bʌnjən] *s.* ⚕ entzündeter Fußballen.

bunk¹ [bʌŋk] **I** *s.* a) ⚓ (Schlaf)Koje *f*, b) Schlafstelle *f*, Bett *n*, ,Falle' *f*: ***~ bed*** Etagenbett *n*; **II** *v/i.* a) in e-r Koje schlafen, b) *oft* ***~ down*** F ,kampieren'.

bunk² [bʌŋk] *abbr. für* ***bunkum***.

bunk³ [bʌŋk] *Brit.* F **I** *s.*: ***do a ~*** → **II** *v/i.* ,ausreißen', ,türmen'.

bunk·er ['bʌŋkə] **I** *s.* **1.** ⚓ (Kohlen)Bunker *m*; **2.** ⚔ Bunker *m*, bombensicherer 'Unterstand; **3.** *Golf*: Bunker *m* (*Hindernis*); **II** *v/t.* **4.** ⚓ bunkern; **5.** *Golf*: *Ball* in e-n Bunker schlagen; '**bunk·ered** [-əd] *adj.* F in der Klemme.

bun·kum ['bʌŋkəm] *s.* ,Blech' *n*, Blödsinn *m*, Quatsch *m*.

bun·ny ['bʌnɪ] *s.* Häs-chen *n* (*a.* F *süßes Mädchen*).

bun·ting¹ ['bʌntɪŋ] *s.* **1.** Flaggentuch *n*; **2.** *coll.* Flaggen *pl.*

bun·ting² ['bʌntɪŋ] *s. orn.* Ammer *f*.

buoy [bɔɪ] **I** *s.* **1.** ⚓ Boje *f*, Bake *f*, Seezeichen *n*; **II** *v/t.* **2.** *a.* ***~ out*** *Fahrrinne* durch Bojen markieren; **3.** *mst* ***~ up*** flott erhalten; **4.** *fig.* Auftrieb geben (*dat.*), beleben: ***~ed up*** hoffnungsvoll; **buoy·an·cy** ['bɔɪənsɪ] *s.* **1.** *phys.* Schwimm-, Tragkraft *f*; **2.** ✈ Auftrieb *m* (*a. fig.*); **3.** *fig.* Schwung *m*, Spann-, Lebenskraft *f*; **buoy·ant** ['bɔɪənt] *adj.* □ **1.** schwimmend, tragend (*Wasser etc.*); **2.** *fig.* schwungvoll, lebhaft; **3.** ✝ steigend; lebhaft.

bur [bɜː] *s.* **1.** ⚘ Klette *f* (*a. fig.*): ***cling to s.o. like a ~*** *fig.* wie e-e Klette an j-m hängen; **2.** → ***burr¹*** I.

bur·ble ['bɜːbl] **I** *v/i.* **1.** brodeln, sprudeln; **2.** plappern; **II** *s.* **3.** ⚙, ✈ Wirbel *m*.

bur·bot ['bɜːbət] *s. ichth.* Quappe *f*.

bur·den¹ [bɜːdn] *s.* **1.** Re'frain *m*, Kehrreim *m*; **2.** Hauptgedanke *m*, Kern *m*.

bur·den² ['bɜːdn] **I** *s.* **1.** Last *f*, Ladung *f*; **2.** *fig.* Last *f*, Bürde *f*, (*a.* finanzi'elle) Belastung, Druck *m*: ***~ of proof*** ⚖ Beweislast; ***~ of years*** Last der Jahre; ***he***

is a ~ on me er fällt mir zur Last; **3.** ⚙ Traglast *f*; **4.** ⚓ Tragfähigkeit *f*; Ladung *f*; **II** *v/t.* **5.** belasten: ~ ***s.o. with s.th.*** j-m et. aufbürden; **'bur·den·some** [-səm] *adj.* lästig, drückend.
bur·dock ['bɜ:dɒk] *s.* ⚘ Große Klette.
bu·reau ['bjʊərəʊ] *pl.* **-reaus, -reaux** [-rəʊz] *s.* **1.** Bü'ro *n*; Geschäfts-, Amtszimmer *n*; **2.** Behörde *f*; **3.** *Brit.* Schreibpult *n*; **4.** *Am.* ('Spiegel)Kom,mode *f*; **bu·reauc·ra·cy** [bjʊə'rɒkrəsɪ] *s.* **1.** Bürokra'tie *f*; **2.** *coll.* Beamtenschaft *f*; **'bu·reau·crat** [-əʊkræt] *s.* Büro'krat *m*; **bu·reau·crat·ic** [,bjʊərəʊ'krætɪk] *adj.* (□ ~***ally***) büro'kratisch; **bu·reauc·ra·tize** [bjʊə'rɒkrətaɪz] *v/t.* bürokratisieren.
bu·rette [bjʊə'ret] *s.* ⚗ Bü'rette *f*.
burg [bɜ:g] *s. Am.* F Stadt *f*.
bur·geon ['bɜ:dʒən] **I** *s.* ⚘ Knospe *f*; **II** *v/i.* knospen, (her'vor)sprießen (*a. fig.*).
bur·gess ['bɜ:dʒɪs] *s. hist.* **1.** Bürger *m*; **2.** Abgeordnete(r) *m*.
burgh ['bʌrə] *s. Scot.* Stadt *f* (= *Brit.* ***borough***); **burgh·er** ['bɜ:gə] *s.* **1.** (konserva'tiver) Bürger; **2.** Städter *m*.
bur·glar ['bɜ:glə] *s.* Einbrecher: ***we had ~s last night*** bei uns wurde letzte Nacht eingebrochen; ~ **a·larm** *s.* A'larmanlage *f*.
bur·glar·i·ous [bɜ:'gleərɪəs] *adj.* □ Einbruchs..., einbrecherisch; **bur·glar·ize** ['bɜ:gləraɪz] → ***burgle***.
'bur·glar-proof *adj.* einbruchsicher.
bur·gla·ry ['bɜ:glərɪ] *s.* (nächtlicher) Einbruch; Einbruchdiebstahl *m*; **bur·gle** ['bɜ:gl] *v/t.* einbrechen in (*acc.*).
bur·go·mas·ter ['bɜ:gəʊ,mɑ:stə] *s.* Bürgermeister *m* (*in Deutschland, Holland etc.*).
bur·gun·dy ['bɜ:gəndɪ] *s. a.* ~ ***wine*** Bur'gunder *m*.
bur·i·al ['berɪəl] *s.* **1.** Begräbnis *n*, Beerdigung *f*; **2.** Leichenfeier *f*; **3.** Ein-, Vergraben *n*; ~ **ground** *s.* Begräbnisplatz *m*, Friedhof *m*; ~ **mound** *s.* Grabhügel *m*; ~ **place** *s.* Grabstätte *f*; ~ **ser·vice** *s.* Trauerfeier *f*.
burke [bɜ:k] *v/t. fig.* a) vertuschen, b) vermeiden.
bur·lap ['bɜ:læp] *s.* Sackleinwand *f*, Rupfen *m*, Juteleinen *n*.
bur·lesque [bɜ:'lesk] **I** *adj.* **1.** bur'lesk, possenhaft; **II** *s.* **2.** Bur'leske *f*, Posse *f*; **3.** *Am.* Varie'té *n*.
bur·ly ['bɜ:lɪ] *adj.* stämmig.
Bur·man ['bɜ:mən] *s.* Bir'mane *m*, Bir'manin *f*; **Bur·mese** [,bɜ:'mi:z] **I** *adj.* bir'manisch; **II** *s.* a) → ***Burman***, b) Bir'manen *pl.*
burn¹ [bɜ:n] **I** *s.* **1.** verbrannte Stelle; **2.** Brandwunde *f*, -mal *n*; **II** *v/i.* [*irr.*] **3.** (ver)brennen, in Flammen stehen, in Brand geraten: ***the house is ~ing*** das Haus brennt; ***the stove ~s well*** der Ofen brennt gut; ***all the lights were ~ing*** alle Lichter brannten; **4.** *fig.* (ent)brennen, dar'auf brennen (***to*** *inf.* zu *inf.*): ***~ing with anger*** wutentbrannt; ***~ing with love*** von Liebe entflammt; **5.** an-, verbrennen, versengen: ***the meat is ~t*** das Fleisch ist angebrannt; **6.** brennen (*Gesicht, Zunge etc.*); **7.** verbrannt werden, in den Flammen 'umkommen; → 9; **III** *v/t.* [*irr.*] **8.** (ver)brennen: ***our boiler ~s coke***; ***his house was ~t*** sein Haus brannte ab; **9.** ver-, anbrennen, versengen, durch Feuer *od.* Hitze verletzen: ~ ***a hole*** ein Loch brennen; ***the soup is ~t*** die Suppe ist angebrannt; ***I have ~t my fingers*** ich habe mir die Finger verbrannt (*a. fig.*); ~ ***to death*** verbrennen; → 7; **10.** ⚙ *Porzellan*, (*Holz*)*Kohle*, *Ziegel* brennen; ~ **down** *v/t. u. v/i.* ab-, niederbrennen; ~ **out I** *v/i.* ausbrennen; ⚡ 'durchbrennen; **II** *v/t.* ausbrennen, -räuchern: ~ ***o.s. out*** *fig.* sich kaputtmachen *od.* völlig verausgaben; ~ **up I** *v/t.* **1.** ganz verbrennen; **2.** *Am.* F *j-n* wütend machen; **II** *v/i.* **3.** auflodern; **4.** a) ab-, aus-, verbrennen, b) verglühen (*Rakete etc.*).
burn² [bɜ:n] *s. Scot.* Bach *m*.
burn·er ['bɜ:nə] *s.* Brenner *m* (*Person u. Gerät*): ***gas-~***.
burn·ing ['bɜ:nɪŋ] *adj.* brennend, heiß, glühend (*a. fig.*): ***a ~ question*** e-e brennende Frage; ~ **glass** *s.* Brennglas *n*.
bur·nish ['bɜ:nɪʃ] **I** *v/t.* **1.** polieren, blank reiben; **2.** ⚙ brünieren; **II** *v/i.* **3.** blank *od.* glatt werden; **'bur·nish·er** [-ʃə] *s.* Polierer *m*, Brünierer *m*;
bur·nouse [bɜ:'nu:z] *s.* 'Burnus *m*.
'burn·out *s.* **1.** ⚡ 'Durchbrennen *n*; **2.** Brennschluß *m* (*e-r Rakete*).
burnt| al·monds [bɜ:nt] *s. pl.* gebrannte Mandeln *pl.*; ~ **lime** *s.* ⚙ gebrannter Kalk; ~ **of·fer·ing** *s. bibl.* Brandopfer *n*.
burp [bɜ:p] **I** rülpsen, aufstoßen, ein ‚Bäuerchen' machen (*Baby*); **II** *v/t.* *Baby* ein ‚Bäuerchen' machen lassen.
burr¹ [bɜ:] **I** *s.* **1.** ⚙ Grat *m* (*rauhe Kante*); **2.** ⚙ Schleif-, Mühlstein *m*; **3.** ⚕ (Zahn)Bohrer *m*; **II** *v/t.* **4.** ⚙ abgraten.
burr² [bɜ:] **I** *s.* **1.** Zäpfchenaussprache *f* des R; **II** *v/t. u. v/i.* **2.** (das R) schnarren; **3.** undeutlich sprechen.
burr³ [bɜ:] → ***bur*** 1.
'burr-drill *s.* ⚙, ⚕ Drillbohrer *m*.
bur·row ['bʌrəʊ] **I** *s.* **1.** (*Fuchs- etc.*)Bau *m*, Höhle *f*; **II** *v/i.* **2.** sich eingraben; **3.** *fig.* sich verkriechen *od.* verbergen; sich vertiefen (***into*** in *acc.*); **III** *v/t.* **4.** *Bau* graben.
bur·sar ['bɜ:sə] *s. univ.* **1.** 'Quästor *m*,

B

Fi'nanzverwalter *m*; **2.** Stipendi'at *m*; '**bur·sa·ry** [-ərɪ] *s. univ.* **1.** Quä'stur *f*; **2.** Sti'pendium *n*.

bur·si·tis [bɜː'saɪtɪs] *s.* ⚕ Schleimbeutelentzündung *f*.

burst [bɜːst] **I** *v/i.* [*irr.*] **1.** bersten, (auf- *od.* zer)platzen, (auf-, zer)springen; explodieren; sich entladen (*Gewitter*); aufspringen (*Knospe*); aufgehen (*Geschwür*): **~ *open*** aufplatzen, -springen; **2. ~ *in*** (***out***) herein-(hinaus)stürmen: **~ *in*** (***up***)***on*** a) hereinplatzen bei *j-m*, b) sich einmischen in (*acc.*); **3.** *fig.* ausbrechen, her'ausplatzen: **~ *into tears*** in Tränen ausbrechen; **~ *into laughter***, **~ *out laughing*** in Gelächter ausbrechen; **~ *out*** herausplatzen (*sagen*); **4.** *fig.* platzen, bersten (***with*** vor *dat.*); gespannt sein, brennen: **~ *with envy*** vor Neid platzen; ***I am ~ing to tell you*** ich brenne darauf, es dir zu sagen; **5.** zum Bersten voll sein (***with*** von): ***a larder ~ing with food***; **~ *with health*** (***energy***) vor Gesundheit (Kraft) strotzen; **6.** *a.* **~ *up*** zs.-brechen, bank'rott gehen; **7.** plötzlich sichtbar werden: **~ *into view***; **~ *forth*** hervorbrechen, -sprudeln; **~ *upon s.o.*** j-m plötzlich klarwerden; **II** *v/t.* [*irr.*] **8.** sprengen, auf-, zerbrechen, zum Platzen bringen (*a. fig.*): **~ *open*** sprengen, aufbrechen; ***I have ~ a bloodvessel*** mir ist e-e Ader geplatzt; ***the river ~ its banks*** a) der Fluß trat über die Ufer, b) der Fluß durchbrach die Dämme; ***the car ~ a tyre*** ein Reifen am Wagen platzte; **~ *one's sides with laughter*** sich vor Lachen ausschütten; **9.** *fig.* zum Scheitern bringen, auffliegen lassen, ruinieren; **III** *s.* **10.** Bersten *n*, Platzen *n*, Explosi'on *f*; ⚔ Feuerstoß *m* (*Maschinengewehr*); Auffliegen *n*, Ausbruch *m*: **~ *of laughter*** Lachsalve *f*; **~ *of applause*** Beifallssturm *m*; **~ *of hospitality*** plötzliche Anwandlung von Gastfreundschaft; **11.** Bruch *m*, Riß *m*, Sprung *m* (*a. fig.*); **12.** plötzliches Erscheinen; **13.** *sport* (Zwischen)Spurt *m*.

'**burst-up** *s. sl.* **1.** Bank'rott *m*, Zs.-bruch *m*, Pleite *f*; **2.** Krach *m*, Streit *m*; **3.** Saufe'rei *f*.

bur·y ['berɪ] *v/t.* **1.** begraben, beerdigen; **2.** ein-, vergraben, verschütten, versenken (*a. fig.*): ***buried cable*** ⚙ Erdkabel *n*; **3.** verbergen; **4.** *fig.* begraben, vergessen; **5. ~ *o.s.*** sich verkriechen; *fig.* sich vertiefen.

bus [bʌs] **I** *pl.* '**bus·es** [-sɪz] *s.* **1.** Omnibus *m*, (Auto)Bus *m*: ***miss the ~*** F den Anschluß (*Gelegenheit*) verpassen; **2.** *sl.* ‚Kiste' *f* (*Auto od. Flugzeug*); **II** *v/i.* **3.** *a.* **~ *it*** mit dem Omnibus fahren; **III** *v/t.* **4.** mit dem Bus transportieren; **~ bar** *s.* ⚡ Sammel-, Stromschiene *f*; **~ boy** *s. Am.* 'Pikkolo *m*, Hilfskellner *m*.

bus·by ['bʌzbɪ] *s.* ⚔ Bärenmütze *f*.

bush[1] [bʊʃ] *s.* **1.** Busch *m*, Strauch *m*: ***beat about the ~*** *fig.* wie die Katze um den heißen Brei herumgehen, um die Sache herumreden; **2.** Gebüsch *n*, Dikkicht *n*; **3.** Busch *m*, Urwald *m*; **4.** (Haar)Schopf *m*.

bush[2] [bʊʃ] *s.* ⚙ Lagerfutter *n*.

bushed [bʊʃt] *adj.* ‚erledigt', erschöpft.

bush·el[1] ['bʊʃl] *s.* Scheffel *m* (*36,37 l*); → ***light***[1] 1.

bush·el[2] ['bʊʃl] *v/t. Am. Kleidung* ausbessern, flicken, ändern.

'**bush**|-ˌ**fight·er** *s.* Gue'rillakämpfer *m*; **~ league** *s. bsd. Baseball: Am.* F a) untere Spielklasse, b) Pro'vinzliga *f*; '**~-league** *adj. Am.* F Schmalspur...; Provinz...; '**~·man** [-mən] *s.* [*irr.*] **1.** Buschmann *m*; **2.** 'Hinterwäldler *m*.

bush·y ['bʊʃɪ] *adj.* buschig.

busi·ness ['bɪznɪs] *s.* **1.** Geschäft *n*, Tätigkeit *f*, Arbeit *f*, Beruf *m*, Gewerbe *n*: ***what is his ~?*** was ist er von Beruf?; → *a.* 5; ***on ~*** beruflich, geschäftlich; **~ *of the day*** Tagesordnung *f*; **2.** a) Handel *m*, Kaufmannsberuf *m*, Geschäftsleben *n*, b) *a.* **~ *activity*** Ge'schäftsvoˌlumen *n*, 'Umsatz *m*: ***go into ~*** Kaufmann werden; ***be in ~*** Kaufmann sein; ***go out of ~*** das Geschäft *od.* den Beruf aufgeben; ***do good ~*** (***with***) gute Geschäfte machen (mit); ***lose ~*** Kundschaft *od.* Aufträge verlieren; **~ *as usual!*** nichts Besonderes!; → ***big*** 1; **3.** Geschäft *n*, Firma *f*, Unter'nehmen *n*, Laden *m*, Ge'schäftsloˌkal *n*; **4.** Aufgabe *f*, Pflicht *f*; Recht *n*: ***make it one's ~*** (***to*** *inf.*) es sich zur Aufgabe machen (zu *inf.*); ***have no ~*** (***to*** *inf.*) kein Recht haben (zu *inf.*); ***what ~ had you*** (***to*** *inf.*)***?*** wie kamst du dazu (zu *inf.*)?; ***send s.o. about his ~*** j-m heimleuchten; ***he means ~*** er meint es ernst; **5.** Sache *f*, Angelegenheit *f*: ***that is none of your ~*** das geht dich nichts an; ***mind your own ~*** kümmere dich um d-e eigenen Angelegenheiten; ***what is your ~?*** was ist dein Anliegen?; → *a.* 1; ***what a ~ it is!*** das ist ja e-e schreckliche Geschichte!; ***like nobody's ~*** F ‚wie nichts', ‚ganz toll'; ***get down to ~*** zur Sache kommen; **~ ad·dress** *s.* Ge'schäftsaˌdresse *f*; **~ ad·min·is·tra·tion** → ***business economics***; **~ al·low·ance** *s.* Werbungskosten *pl.*; **~ cap·i·tal** *s.* Be'triebskapiˌtal *n*; **~ card** *s.* Geschäftskarte *f*; **~ col·lege** *s.* Wirtschaftsoberschule *f*; **~ con·fi·dence** *s.* optimistische Grundhaltung der Wirtschaft; **~ con·sult·ant** *s.* Betriebsberater *m*; **~ cy·cle** *s.* Konjunk'tur(zyklus *m*) *f*; **~ down·turn** *s.* Konjunkturrückgang *m*; **~ e·co·nom·ics** *s. pl. sg. konstr. Brit.* Betriebswirtschaft (-slehre) *f*; **~ end** *s.* F wesentlicher Teil, *z.B.*

Spitze *f e-s Bohrers od. Dolches*, Mündung *f e-s Gewehres*; ~ **hours** *s. pl.* Geschäftsstunden *pl.*, -zeit *f*; ~ **let·ter** *s.* Geschäftsbrief *m*; '~**·like** *adj.* **1.** geschäftsmäßig, sachlich, nüchtern; **2.** (geschäfts)tüchtig; ~ **line** *s.* Branche *f*; ~ **lunch** *s.* Arbeitsessen *n*; '~**·man** *s.* [*irr.*] Geschäfts-, Kaufmann *m*; ~ **prac·tic·es** *s. pl.* Geschäftsmethoden *pl.*, -gebaren *n*; ~ **prem·is·es** *s. pl.* Geschäftsräume *pl.*; ~ **re·search** *s.* Konjunk'turforschung *f*; ~ **re·viv·al** *s.* Konjunkturbelebung *f*; ~ **suit** *Am.* → ***lounge suit***; ~ **trip** *s.* Geschäfts-, Dienstreise *f*; '~ˌ**wom·an** *s.* [*irr.*] Geschäftsfrau *f*; ~ **year** *s.* Geschäftsjahr *n*.

busk[1] [bʌsk] *s.* Kor'settstäbchen *n*.

busk[2] [bʌsk] *v/i. Brit.* F auf der Straße musizieren *etc.*; '**busk·er** [-kə] *s. Brit.* 'Straßenmusiˌkant *m od.* -akroˌbat *m*.

bus·kin ['bʌskɪn] *s.* **1.** Halbstiefel *m*; **2.** Ko'thurn *m*; **3.** *fig.* Tra'gödie *f*.

'**bus·man** [-mən] *s.* [*irr.*] Omnibusfahrer *m*: ~**'s holiday** mit der üblichen Berufsarbeit verbrachter Urlaub.

bus·sing ['bʌsɪŋ] *s. Am. Beförderung von Schülern mit Bussen in andere Schulen, um Rassenintegration zu erreichen.*

bust[1] [bʌst] *s.* Büste *f*: a) Brustbild *n*, Kopf *m* (*aus Marmor*, *Bronze etc.*), b) *anat.* Busen *m*.

bust[2] [bʌst] *sl.* **I** *v/i.* **1.** *oft* ~ ***up*** ,ka'puttgehen', ,eingehen', ✝ *a.* ,pleite' gehen; **2.** ,auffliegen', ,platzen'; **II** *v/t.* **3.** ,ka'puttmachen': a) sprengen, b) ruinieren; **4.** ,auffliegen' lassen, zerschlagen; **5.** *Am.* ,knallen', hauen; **6.** einbrechen in (*acc.*); **7.** einsperren; **8.** ⚔ degradieren; **III** *s.* **9.** Sauftour *f*: ***go on the*** ~ ,einen draufmachen'; **10.** ,Pleite' *f*, Bank'rott *m*; **11.** Razzia *f*; **IV** *adv.* **12.** ***go*** ~ → 1.

bus·tard ['bʌstəd] *s. orn.* Trappe *f*.

bust·er ['bʌstə] *s.* **1.** *sl.* a) ,Mordsding' *n*, b) Kerl *m*, Bursche *m*, ,Kumpel' *m*; **2.** *in Zssgn* …knacker *m*: ***safe*** ~ Geldschrankknacker; **3.** → ***bust***[2] 9.

bus·tle[1] ['bʌsl] *s. hist.* Tur'nüre *f*.

bus·tle[2] ['bʌsl] **I** *v/i. a.* ~ ***about*** geschäftig hin u. her rennen, ,her'umfuhrwerken', hasten, sich tummeln; **II** *v/t.* ~ ***up*** hetzen; **III** *s.* Geschäftigkeit *f*, geschäftiges Treiben, Getriebe *n*, Gewühl *n*; Gehetze *n*; Getue *n*; '**bus·tler** [-lə] *s.* geschäftiger Mensch; '**bus·tling** [-lɪŋ] *adj.* geschäftig.

'**bust-up** *s.* F ,Krach' *m*.

bus·y ['bɪzɪ] **I** *adj.* □ **1.** beschäftigt, tätig: ***be*** ~ ***packing*** mit Packen beschäftigt sein; ***get*** ~ F sich ,ranmachen'; **2.** geschäftig, rührig, fleißig: ***as*** ~ ***as a bee*** bienenfleißig; **3.** belebt (*Straße etc.*); ereignis-, arbeitsreich (*Zeit*); **4.** auf-, zudringlich; **5.** *teleph. Am.* besetzt (*Leitung*): ~ ***signal*** Besetztzeichen *n*; **II** *v/t.* **6.** (***o.s.*** sich) beschäftigen (***with***, ***in***, ***at***, ***about*** *ger.* mit); '~ˌ**bod·y** *s.* ,Gschaftlhuber' *m*, 'Übereifrige(r) *m*, Wichtigtuer *m*.

bus·y·ness ['bɪzɪnɪs] *s.* Geschäftigkeit *f*.

but [bʌt; bət] **I** *cj.* **1.** aber, je'doch, sondern: ***small*** ~ ***select*** klein, aber fein; ***I wished to go*** ~ ***I couldn't*** ich wollte gehen, aber ich konnte nicht; ***not only …*** ~ ***also*** nicht nur …, sondern auch; **2.** außer, als: ***what could I do*** ~ ***refuse*** was blieb mir übrig, als abzulehnen; ***he couldn't*** ~ ***laugh*** er mußte einfach lachen; **3.** ohne daß: ***justice was never done*** ~ ***someone complained***; **4.** ~ ***that*** a) wenn nicht: ***I would do it*** ~ ***that I am busy***, b) daß: ***you cannot deny*** ~ ***that it was you***, c) daß nicht: ***I am not so stupid*** ~ ***that I can learn it*** ich bin nicht so dumm, daß ich es nicht lernen könnte; **5.** ~ ***then*** andererseits, immer'hin; **6.** ~ ***yet***, ~ ***for all that*** (aber) trotzdem; **II** *prp.* **7.** außer: ~ ***that*** außer daß; ***all*** ~ ***me*** alle außer mir; → 13; ***anything*** ~ ***clever*** alles andere als klug: ***the last*** ~ ***one*** der vorletzte; ***the last*** ~ ***two*** der drittletzte; **8.** ~ ***for*** ohne, wenn nicht: ~ ***for the war*** ohne den Krieg, wenn der Krieg nicht (gewesen *od.* gekommen) wäre; **III** *adv.* **9.** nur, bloß: ~ ***a child***; ***I did*** ~ ***glance*** ich blickte nur flüchtig hin; ~ ***once*** nur 'einmal; **10.** erst, gerade: ***he left*** ~ ***an hour ago***; **11.** immerhin, wenigstens: ***you can*** ~ ***try***; **12.** ***nothing*** ~, ***none*** ~ nur; **13.** ***all*** ~ fast: ***he all*** ~ ***died*** er wäre fast gestorben; → 7; **IV** *neg. rel. pron.* **14.** ***few of them*** ~ ***rejoiced*** es gab wenige, die sich nicht freuten; **V** *s.* **15.** Aber *n*; → ***if*** 5.

bu·tane ['bju:teɪn] *s.* ⚗ Bu'tan *n*.

butch [bʊtʃ] *s. sl.* Mannweib, (*Lesbierin*) kesser Vater.

butch·er ['bʊtʃə] **I** *s.* **1.** Fleischer *m*, Schlachter *m*, Metzger *m*: ~**'s meat** Schlachtfleisch *n*; **2.** *fig.* Mörder *m*, Schlächter *m*; **3.** 🚂 *Am.* (Süßwaren- *etc.*)Verkäufer *m*; **II** *v/t.* **4.** schlachten; **5.** *fig.* morden, abschlachten; '**butch·er·ly** [-lɪ] *adj.* blutdürstig; '**butch·er·y** [-ərɪ] *s.* **1.** Schlachterhandwerk *n*; **2.** Schlachthaus *n*, -hof *m*; **3.** *fig.* Gemetzel *n*.

but·ler ['bʌtlə] *s.* **1.** Butler *m*; **2.** Kellermeister *m*.

butt [bʌt] **I** *s.* **1.** (dickes) Ende (*e-s Werkzeugs etc.*); **2.** (*Gewehr*)Kolben *m*; **3.** (*Zigaretten- etc.*)Stummel *m*; **4.** ⚘ unteres Ende (*von Stiel od. Stamm*); **5.** ⚙ Stoß *m*; → ***butt joint***; **6.** ⚔ Kugelfang *m*; *pl.* Schießstand *m*; **7.** *fig.* Zielscheibe *f* (*des Spottes etc.*); **8.** (Kopf- *etc.*)Stoß *m*; **9.** *sl.* ,Hintern' *m*; **II** *v/t.* **10.** (*bsd.* mit dem Kopf) stoßen; **11.** ⚙

anein'anderfügen; **III** *v/i.* **12.** (an-)stoßen, angrenzen (***on, against*** an *acc.*); **13.** ***~ in*** F sich einmischen: ***~ in on, ~ into*** sich einmischen in (*acc.*); ***~ end*** *s.* **1.** (Gewehr)Kolben *m*; **2.** dickes Endstück; Ende *n*.

but·ter ['bʌtə] **I** *s.* **1.** Butter *f*: ***melted ~*** zerlassene Butter; ***he looks as if ~ would not melt in his mouth*** er sieht aus, als könnte er nicht bis drei zählen; **2.** (*Erdnuß-, Kakao- etc.*)Butter *f*; **3.** F ‚Schmus' *m*, Schmeiche'lei(en *pl.*) *f*; **II** *v/t.* **4.** mit Butter bestreichen *od.* zubereiten; **5.** ***~ up*** F *j-n* ‚einwickeln', *j-m* schmeicheln; ***~ bean*** *s.* ⚘ Wachsbohne *f*; ***~ churn*** *s.* Butterfaß *n* (*zum Buttern*); '***~·cup*** *s.* ⚘ Butterblume *f*; ***~ dish*** *s.* Butterdose *f*; '***~ˌfin·gers*** *s. pl. sg. konstr.* F Tolpatsch *m*, ‚Tapps' *m*.

but·ter·fly ['bʌtəflaɪ] *s.* **1.** *zo.* Schmetterling *m* (*a. fig. flatterhafter Mensch*); **2.** *sport a.* ***~ stroke*** Schmetterlingsstil *m*; ***~ nut*** *s.* ⚙ Flügelmutter *f*; ***~ valve*** *s.* ⚙ Drosselklappe *f*.

but·ter·ine ['bʌtəri:n] *s.* Kunstbutter *f*.

'but·ter|·milk *s.* Buttermilch *f*; '***~·scotch*** *s.* Kara'melbonˌbon *m*, *n*.

but·ter·y ['bʌtərɪ] **I** *adj.* **1.** butterartig, Butter...; **2.** F schmeichlerisch; **II** *s.* **3.** Speisekammer *f*; **4.** *Brit. univ.* Kan'tine *f*.

butt joint *s.* ⚙ Stoßfuge *f*, -verbindung *f*.

but·tock ['bʌtək] *s.* **1.** *anat.* 'Hinterbacke *f*; *mst pl.* 'Hinterteil *n*, Gesäß *n*; **2.** *Ringen*: Hüftschwung *m*.

but·ton ['bʌtn] **I** *s.* **1.** (Kleider)Knopf *m*: ***not worth a ~*** keinen Pfifferling wert; ***not to care a ~*** (***about***) F sich nichts machen (aus); ***a ~ short*** F ‚leicht beknackt'; (***boy in***) ***~s*** (Hotel)Page *m*; ***take by the ~*** a) *j-n* fest-, aufhalten, b) sich *j-n* vorknöpfen; **2.** (*Klingel-, Licht- etc.*)Knopf *m*; → ***press*** 2; **3.** Knopf *m* (*Gegenstand*), *z.B.* a) Abzeichen *n*, Pla'kette *f*, b) (Mikro'phon)Kapsel *f*; **4.** ⚘ Knospe *f*, Auge *n*; **5.** *sport sl.* ‚Punkt' *m*, Kinnspitze *f*; **II** *v/t.* **6.** *a.* ***~ up*** (zu-)knöpfen: ***~ one's mouth*** den Mund halten; ***~ed up*** *fig.* a) ‚zugeknöpft' (*Person*), b) ‚in der Tasche', unter Dach und Fach (*Sache*); **III** *v/i.* **7.** sich knöpfen lassen, geknöpft werden; '***~·hole*** **I** *s.* **1.** Knopfloch *n*; **2.** *Brit.* Knopflochsträußchen *n*, Blume *f* im Knopfloch; **II** *v/t.* **3.** *j-n* festhalten (u. auf ihn einreden); **4.** mit Knopflöchern versehen.

but·tress ['bʌtrɪs] **I** *s.* **1.** ⚠ Strebepfeiler *m*, -bogen *m*; **2.** Stütze *f* (*a. fig.*); **II** *v/t. a.* ***~ up*** **3.** (durch Strebepfeiler) stützen; **4.** *fig.* stützen.

'butt-weld *v/t.* ⚙ stumpfschweißen.

bu·tyl ['bju:tɪl] *s.* ⚗ Bu'tyl *n*.

bu·tyr·ic [bju:'tɪrɪk] *adj.* ⚗ Butter...

bux·om ['bʌksəm] *adj.* drall.

buy [baɪ] **I** *s.* **1.** F Kauf *m*, *das* Gekaufte: ***a good ~*** ein günstiger Kauf; **II** *v/t.* [*irr.*] **2.** (an-, ein)kaufen (***of, from*** von, ***at*** bei): ***money cannot ~ it*** es ist für Geld nicht zu haben; ***~ing habit*** Kaufgewohnheit *f*; ***~ing power*** (überschüssige) Kaufkraft; **3.** *fig.* erkaufen: ***dearly bought*** teuer erkauft; **4.** *j-n* kaufen, bestechen; **5.** loskaufen, auslösen; **6.** *Am. sl. et.* ‚abkaufen', glauben; **7.** ***~ it*** *Brit. sl.* ‚dran glauben müssen'; **III** *v/i.* [*irr.*] **8.** kaufen; **9.** ***~ into*** ✝ sich einkaufen in (*acc.*);

Zssgn mit adv.:

buy| in *v/t.* **1.** sich eindecken mit; **2.** (*auf Auktionen*) zu'rückkaufen; **3.** ***buy o.s. in*** ✝ sich einkaufen; ***~ off*** *v/t.* → ***buy*** 4; ***~ out*** *v/t.* **1.** *Teilhaber etc.* auszahlen, abfinden; **2.** *Firma etc.* aufkaufen; ***~ o·ver*** *v/t.* → ***buy*** 4; ***~ up*** *v/t.* aufkaufen.

buy·er ['baɪə] *s.* **1.** Käufer(in), Abnehmer(in): ***~-up*** Aufkäufer; ***~s' market*** ✝ Käufermarkt *m*; ***~s' strike*** Käuferstreik *m*; **2.** ✝ Einkäufer(in).

buy-out ['baɪaʊt] *s. a.* ***management ~*** Aufkauf *m* e-r Firma durch deren Manager (*der damit neuer Eigentümer wird*).

buzz [bʌz] **I** *v/i.* **1.** summen, brummen, surren, schwirren: ***~ about*** (*od.* ***around***) herumschwirren (*a. fig.*); ***~ing with excitement*** in heller Aufregung; ***~ off*** *sl.* ‚abschwirren', ‚abhauen'; **2.** säuseln, sausen; **3.** murmeln, durchein'anderreden; **II** *v/t.* **4.** F a) *j-n* mit dem Summer rufen, b) *teleph. j-n* anrufen; **5.** ✈ a) in geringer Höhe über'fliegen, b) (bedrohlich) anfliegen; **III** *s.* **6.** Summen *n*, Brummen *n*, Schwirren *n*; **7.** Stimmengewirr *n*; **8.** Gerücht *n*.

buz·zard ['bʌzəd] *s. orn.* Bussard *m*.

buzz·er ['bʌzə] *s.* **1.** Summer *m*, *bsd.* summendes In'sekt; **2.** Summer *m*, Summpfeife *f*; **3.** ⚡ Summer *m*; **4.** ⚔ a) 'Feldteleˌgraph *m*, b) *sl.* Telegra'phist *m*; **5.** *Am. sl.* Poli'zeimarke *f*.

buzz saw *s. Am.* Kreissäge *f*.

buzz·word ['bʌzwɜ:d] *s.* **1.** Modewort *n*; **2.** Parole *f*.

by [baɪ] **I** *prp.* **1.** (*Raum*) (nahe) bei *od.* an (*dat.*), neben (*dat.*): ***~ the window*** beim *od.* am Fenster; **2.** durch (*acc.*), über (*acc.*), via, an (*dat.*) ... entlang *od.* vor'bei: ***he came ~ Park Road*** er kam über *od.* durch die Parkstraße; ***we drove ~ the park*** wir fuhren am Park entlang; ***~ land*** zu Lande; **3.** (*Zeit*) während, bei: ***~ day*** bei Tage; ***day ~ day*** Tag für Tag; ***~ lamplight*** bei Lampenlicht; **4.** bis (zu *od.* um *od.* spätestens): ***be here ~ 4.30*** sei um 4 Uhr 30 hier; ***~ the allotted time*** bis zum festgesetzten Zeitpunkt; ***~ now*** nunmehr, inzwischen, schon; **5.** (*Urheber*) von, durch: ***a book ~ Shaw*** ein Buch von Shaw; ***settled ~ him*** durch ihn *od.* von ihm geregelt; ***~ nature*** von Natur (aus); ***~ oneself*** aus eigener Kraft, selbst, allein; **6.** (*Mittel*) durch, mit, vermittels: ***~ listening*** durch Zuhören; ***driven ~ steam*** mit Dampf betrieben; ***~ rail*** per Bahn; ***~ letter*** brieflich; **7.** gemäß, nach: ***~ my watch it is now ten*** nach m-r Uhr ist es jetzt zehn; **8.** (*Menge*) um, nach: ***too short ~ an inch*** um einen Zoll zu kurz; ***sold ~ the metre*** meterweise verkauft; **9.** ♗ a) mal: ***3*** (***multiplied***) ***~ 4***; ***the size is 9 feet ~ 6*** die Größe ist 9 mal 6 Fuß, b) durch: ***6*** (***divided***) ***~ 2***; **10.** ***~ the way*** *od.* ***~ the ~(e)*** übrigens; **II** *adv.* **11.** da'bei: ***close ~, hard ~*** dicht dabei; **12.** ***~ and large*** im großen u. ganzen; ***~ and ~*** demnächst, nach u. nach; **13.** vor'bei, -'über: ***pass ~*** vorübergehen; **14.** bei'seite: ***put ~***.

by- [baɪ] *Vorsilbe* **1.** Neben…, Seiten…; **2.** geheim.

bye [baɪ] **I** *s. sport* a) *Kricket*: durch einen vor'beigelassenen Ball ausgelöster Lauf, b) Freilos *n*: ***draw a ~*** ein Freilos ziehen; **II** *adj.* 'untergeordnet, Neben…

bye- → ***by-***.

bye-bye I *s.* ['baɪbaɪ] *Kindersprache*: ‚Heia' *f*, Bett *n*, Schlaf *m*; **II** *int.* [ˌbaɪ'baɪ] F Wiedersehen!, Tschüs!

'bye-law → ***bylaw***.

'by|-eˌlec·tion *s.* Ersatz-, Nachwahl *f*; **'~·gone I** *adj.* vergangen; **II** *s. das* Vergangene: ***let ~s be ~s*** laß(t) das Vergangene ruhen; **'~·law** *s.* **1.** Gemeindeverordnung *f*, -satzung *f*; **2.** *pl.* Sta'tuten *pl.*, Satzung *f*; **3.** 'Durchführungsverordnung *f*; **'~·line** *s.* **1.** 🚂 'Nebenˌlinie *f*; **2.** Verfasserangabe *f* (*unter der Überschrift e-s Zeitungsartikels*); **3.** Nebenbeschäftigung *f*; **'~·name** *s.* **1.** Beiname *m*; **2.** Spitzname *m*; **'~·pass I** *s.* **1.** 'Umleitung *f*, Um'gehungsstraße *f*; **2.** Nebenleitung *f*; **3.** *Gasbrenner*: Dauerflamme *f*; **4.** ⚡ Nebenschluß *m*; **5.** ⚕ Bypass *m*; **II** *v/t.* **6.** 'umleiten; **7.** um'gehen (*a. fig.*); **8.** vermeiden, über'gehen; **'~·path** *s.* Seitenweg *m* (*a. fig.*); **'~·play** *s. thea.* Nebenhandlung *f*; **'~-ˌprod·uct** *s.* 'Nebenproˌdukt *n*, *fig. a.* Nebenerscheinung *f*.

byre ['baɪə] *s. Brit.* Kuhstall *m*.

'by|·road *s.* Seiten-, Nebenstraße *f*; **'~ˌstand·er** *s.* Zuschauer(in); **'~·street** → ***byroad***.

byte [baɪt] *s. Computer*: Byte *n*.

'by|·way *s.* **1.** Seiten-, Nebenweg *m*; **2.** *fig.* 'Nebenasˌpekt *m*; **'~·word** *s.* **1.** Sprichwort *n*; **2.** (***for***) Inbegriff *m* (*gen.*), Musterbeispiel *n* (für); **3.** Schlagwort *n*.

By·zan·tine [bɪ'zæntaɪn] *adj.* byzan'tinisch.

C

C, c [siː] *s.* **1.** C *n*, c *n* (*Buchstabe*); **2.** ♪ C *n*, c *n* (*Note*); **3.** *ped. Am.* Drei *f*, Befriedigend *n* (*Note*); **4.** *Am. sl.* ‚Hunderter' *m* (*Banknote*).

cab [kæb] **I** *s.* **1.** a) Droschke *f*, b) Taxi *n*; **2.** a) 🚂 Führerstand *m*, b) Führersitz *m* (*Lastauto*), c) Lenkerhäus-chen *n* (*Kran*); **II** *v/i.* **3.** mit e-r Droschke *od.* e-m Taxi fahren.

ca·bal [kəˈbæl] **I** *s.* **1.** Kaˈbale *f*, Inˈtrige *f*; **2.** Clique *f*, Klüngel *m*; **II** *v/i.* **3.** intrigieren, Ränke schmieden, sich verschwören.

cab·a·ret [ˈkæbəreɪ] *s.* **1.** (*a. politisches*) Kabaˈrett, Kleinkunstbühne *f*: **~ *performer*** Kabarettist(in); **2.** Restauˈrant *n od.* Nachtklub *m* mit Varieˈtédarbietungen.

cab·bage [ˈkæbɪdʒ] *s.* ⚘ **1.** Kohl(pflanze *f*) *m*: ***become a ~*** F verblöden, dahinvegetieren; **2.** Kohlkopf *m*; **~ but·ter·fly** *s. zo.* Kohlweißling *m*; **ˈ~·head** *s.* **1.** Kohlkopf *m*; **2.** F Dummkopf *m*; **ˈ~-white** → ***cabbage butterfly***.

ca(b)·ba·la [kəˈbɑːlə] *s.* ˈKabbala *f*, Geheimlehre *f* (*a. fig.*).

cab·by [ˈkæbɪ] F → ***cab driver***.

cab driv·er *s.* **1.** Droschkenkutscher *m*; **2.** Taxifahrer *m*.

ca·ber [ˈkeɪbə] *s. Scot.* Baumstamm *m*: ***tossing the ~*** Baumstammwerfen *n*.

cab·in [ˈkæbɪn] *s.* **1.** Häus-chen *n*, Hütte *f*; **2.** ⚓ Kaˈbine *f*, Kaˈjüte *f*; **3.** ✈ Kaˈbine *f*: a) Fluggastraum *m*, b) Kanzel *f*; **4.** *Brit.* 🚂 Stellwerk *n*; **~ boy** *s.* ⚓ Kaˈbinenˌsteward *m*; **~ class** *s.* ⚓ Kaˈjütenklasse *f*; **~ cruis·er** *s.* Kaˈbinenkreuzer *m*.

cab·i·net [ˈkæbɪnɪt] *s.* **1.** *oft* 2 *pol.* Kabiˈnett *n*: **~ *council*, ~ *meeting*** Kabinettssitzung *f*; **~ *crisis*** Regierungskrise *f*; **2.** (Schau-, Sammlungs-, *a.* Büˈro-, Karˈtei- *etc.*)Schrank *m*, (Wand-)Schränkchen *n*, Viˈtrine *f*; **3.** *Radio etc.*: Gehäuse *n*; **4.** *phot.* Kabiˈnettforˌmat *n*; **ˈ~ˌmak·er** *s.* **1.** Kunsttischler *m*; **2.** *humor.* Miˈnisterpräsiˌdent *m* bei der Regierungsbildung; **ˈ~ˌmak·ing** *s.* ˈKunsttischleˌrei *f*; 2 **Min·is·ter** *s. pol.* Kabiˈnettsmiˌnister *m*; **~ size** → ***cabinet*** 4.

cab·in scoot·er *s. mot.* Kaˈbinenroller *m*.

ca·ble [ˈkeɪbl] **I** *s.* **1.** Kabel *n*, Tau *n*, (Draht)Seil *n*; **2.** ⚓ Trosse *f*, Ankertau *n*, -kette *f*; **3.** ⚡ (Leitungs)Kabel *n*; **4.** → ***cablegram***; **II** *v/t. u. v/i.* **5.** kabeln, telegraphieren; **~ car** *Seilbahn*: a) Kaˈbine *f*, b) Wagen *m*; **ˈ~·cast I** *v/t.* [*irr.* → ***cast***] per Kabelfernsehen überˈtragen; **II** *s.* Sendung *f* im Kabelfernsehen.

ca·ble·gram [ˈkeɪblgræm] *s.* Kabel *n*, (ˈÜbersee)Teleˌgramm *n*.

ca·ble rail·way *s.* **1.** Drahtseilbahn *f*; **2.** *Am.* Drahtseil-Straßenbahn *f*.

ca·blese [keɪˈbliːz] *s.* Teleˈgrammstil *m*.

ˈca·ble's-length [ˈkeɪblz-] *s.* ⚓ Kabellänge *f* (*100 Faden*).

ca·ble| tel·e·vi·sion *s.* Kabelfernsehen *n*; **ˈ~·way** *s.* Drahtseilbahn *f*.

ˈcab·man [-mən] *s.* [*irr.*] → ***cab driver***.

ca·boo·dle [kəˈbuːdl] *s. sl.*: ***the whole ~*** a) der ganze Klimbim, b) die ganze Sippschaft.

ca·boose [kəˈbuːs] *s.* **1.** ⚓ Komˈbüse *f*, Schiffsküche *f*; **2.** 🚂 *Am.* Dienst-, Bremswagen *m*.

cab rank *s. Brit.* Taxi-, Droschkenstand *m*.

cab·ri·o·let [ˈkæbrɪəleɪ] *s. a. mot.* Kabrioˈlett *n*.

ca'can·ny [ˌkɑːˈkænɪ] *s. Scot.* ✝ Bummelstreik *m*.

ca·ca·o [kəˈkɑːəʊ] *s.* **1.** ⚘ *a.* **~-*tree*** Kaˈkaobaum *m*; **2.** Kaˈkaobohnen *pl.*; **~ bean** *s.* Kaˈkaobohne *f*; **~ but·ter** *s.* Kaˈkaobutter *f*.

cache [kæʃ] **I** *s.* geheimes (Waffen- *od.* Proviˈant- *etc.*)Lager, Versteck *n*; **II** *v/t.* verstecken.

ca·chet [ˈkæʃeɪ] *s.* **1.** a) Siegel *n*, b) *fig.* Stempel *m*, Merkmal *n*; **2.** ⚕ Kapsel *f*.

cack·le [ˈkækl] **I** *v/i.* gackern (*a. fig. lachen*), schnattern (*a. fig. schwatzen*); **II** *s.* (*a. fig.*) Gegacker *n*, Geschnatter *n*: ***cut the ~!*** F quatsch nicht!

ca·coph·o·nous [kæˈkɒfənəs] *adj.* ˈmißtönend; **caˈcoph·o·ny** [-nɪ] *s.* Kakophoˈnie *f* (*Mißklang*).

cac·tus [ˈkæktəs] *pl.* **-ti** [-taɪ], **-tus·es** *s.* ⚘ ˈKaktus *m*.

cad [kæd] *s.* **1.** ordiˈnärer Kerl; **2.** gemeiner Kerl.

ca·das·tral [kəˈdæstrəl] *adj.*: **~ *survey*** Katasteraufnahme *f*.

ca·dav·er·ous [kəˈdævərəs] *adj.* leichenhaft.

cad·die [ˈkædɪ] *s.* a) ˈCaddie *m* (*Golfjunge*), b) → **ˈ~-cart** *s.* ˈCaddie *m* (*Golfschlägerwagen*).

cad·dish ['kædɪʃ] *adj.* **1.** pro'letenhaft, **2.** gemein, niederträchtig.

cad·dy[1] → ***caddie***.

cad·dy[2] ['kædɪ] *s.* Teedose *f*; **~ spoon** *s.* Tee-, Meßlöffel *m*.

ca·dence ['keɪdəns] *s.* **1.** ('Vers-, 'Sprech)ˌRhythmus *m*; **2.** ♪ Ka'denz *f*; **3.** Tonfall *m* (*am Satzende*); '**ca·denced** [-st] *adj.* 'rhythmisch.

ca·det [kə'det] *s.* **1.** ⚔ Ka'dett *m*; **2.** (Poli'zei- *etc.*)Schüler *m*; **3.** jüngerer Sohn *od.* Bruder; **4.** *in Zssgn a.* Nachwuchs…: ***~ researcher***; ***~ nurse*** Lernschwester *f*.

cadge [kædʒ] *v/i. u. v/t.* ‚schnorren'; '**cadg·er** [-dʒə] *s.* ‚Schnorrer' *m*, ‚Nassauer' *m*.

ca·di ['kɑːdɪ] *s.* Kadi *m*, Bezirksrichter *m* (*im Orient*).

cad·mi·um ['kædmɪəm] *s.* ⚗ 'Kadmium *n*; '**~-ˌplate** *v/t.* ⚙ kadmieren.

ca·dre ['kɑːdə] *s.* **1.** Kader *m*: a) ⚔ (Truppen)Stamm *m*, b) *pol.* Führungsgruppe *f*, c) 'Rahmenorganisatiˌon *f*; **2.** *fig.* Grundstock *m*.

ca·du·ce·us [kə'djuːsjəs] *pl.* **-ce·i** [-sjaɪ] *s.* Mer'kurstab *m* (*a. ärztliches Abzeichen*).

cae·cum ['siːkəm] *s. anat.* Blinddarm *m*.

Cae·sar ['siːzə] *s.* **1.** 'Cäsar *m* (*Titel römischer Kaiser*); **2.** Auto'krat *m*.

Cae·sar·e·an, Cae·sar·i·an [siː'zeərɪən] *adj.* cä'sarisch: **~** (***operation*** *od.* ***section***) ⚕ Kaiserschnitt *m*.

Cae·sar·ism ['siːzərɪzəm] *s.* Dikta'tur *f*; Herrschsucht *f*.

cae·su·ra [siː'zjʊərə] *s.* Zä'sur *f*: a) (Vers)Einschnitt *m*, b) ♪ Ruhepunkt *m*.

ca·fé ['kæfeɪ] *s.* **1.** a) Ca'fé *n*, b) Restau'rant *n*; **2.** *Am.* Bar *f*.

caf·e·te·ri·a [ˌkæfɪ'tɪərɪə] *s.* 'Selbstbedienungsrestauˌrant *n*, Cafete'ria *f*.

caf·fe·ine ['kæfiːn] *s.* ⚗ Koffe'in *n*; '**~-free** *adj.* koffe'infrei.

caf·tan ['kæftæn] *s.* 'Kaftan *m* (*a. Damenmode*).

cage [keɪdʒ] **I** *s.* **1.** Käfig *m* (*a. fig.*); (Vogel)Bauer *n*; **2.** Gefängnis *n* (*a. fig.*); **3.** Kriegsgefangenenlager *n*; **4.** Ka'bine *f e-s Aufzuges*; **5.** ⚒ Förderkorb *m*; **6.** *a.* ⚠ Stahlgerüst *n*; **7.** a) *Baseball*: abgegrenztes Trainingsfeld, b) *Eishockey*: Tor *n*, c) *Basketball*: Korb *m*; **II** *v/t.* **8.** (in e-n Käfig) einsperren; **9.** *Eishockey*: *den Puck* ins Tor schießen; **~ aer·i·al** *s. Brit.*, **~ an·ten·na** *s. Am.* ⚡ 'Käfiganˌtenne *f*.

ca·gey ['keɪdʒɪ] *adj.* F **1.** verschlossen; **2.** vorsichtig, berechnend; **3.** ‚gerissen', schlau.

ca·hoot [kə'huːt] *s.*: ***be in ~s*** (***with***) F unter e-r Decke stecken (mit).

Cain [keɪn] *s.*: ***raise ~*** F Krach schlagen.

cairn [keən] *s.* **1.** Steinhaufen *m* (*als Grenz- od. Grabmal*); **2.** *mount.* Steinmann *m*; **3.** *a.* **~ *terrier*** *zo.* 'Cairn-ˌTerrier *m* (*Hund*).

cais·son [kə'suːn] *s.* **1.** ⚙ Cais'son *m*, Senkkasten *m*; **2.** ⚔ Muniti'onswagen *m*; **~ dis·ease** *s.* ⚕ Cais'sonkrankheit *f*.

ca·jole [kə'dʒəʊl] *v/t. j-m* schmeicheln *od.* schöntun; *j-n* beschwatzen, verleiten (***into*** zu): **~ *s.th. out of s.o.*** j-m et. abbetteln; **ca'jol·er·y** [-lərɪ] *s.* Schmeiche'lei *f*, gutes Zureden; Liebediene'rei *f*.

cake [keɪk] **I** *s.* **1.** Kuchen *m* (*a. fig.*): ***parcel out the ~*** *fig.* den (*finanziellen*) Kuchen verteilen; ***take the ~*** den Preis davontragen, *fig.* den Vogel abschießen; ***that takes the ~!*** F a) das ist (einsame) Spitze!, b) *contp.* das ist die Höhe!; ***be selling like hot ~s*** weggehen wie warme Semmeln; ***you can't eat your ~ and have it!*** du kannst nur eines von beiden tun *od.* haben!, entweder – oder!; ***~s and ale*** Lustbarkeit(en *pl.*) *f*, ‚süßes Leben'; **2.** Kuchen *m* (*Masse*); Tafel *f Schokolade*, Riegel *m Seife etc.*; **3.** (Schmutz- *etc.*)Kruste *f*; **II** *v/i.* **4.** zs.-backen, -ballen, verkrusten: ***~d with filth*** mit e-r Schmutzkruste (überzogen *od.* bedeckt); **~ mix** *s.* Backmischung *f*; '**~·walk** *s.* 'Cakewalk *m* (*Tanz*).

cal·a·bash ['kæləbæʃ] *s.* ⚘ Kale'basse *f*: a) Flaschenkürbis *m*, b) *daraus gefertigtes Trinkgefäß*.

ca·lam·i·tous [kə'læmɪtəs] *adj.* □ katastro'phal, unheilvoll, Unglücks…

ca·lam·i·ty [kə'læmətɪ] *s.* **1.** Unglück *n*, Unheil *n*, Kata'strophe *f*; **2.** Elend *n*, Mi'sere *f*; **~ howl·er** *s. bsd. Am.* Schwarzseher *m*, 'Panikmacher *m*; ♀ **Jane** *s.* F Pechmarie *f*, Unglückswurm *m*.

cal·car·e·ous [kæl'keərɪəs] *adj.* ⚗ kalkartig, Kalk…; kalkhaltig.

cal·cif·er·ous [kæl'sɪfərəs] *adj.* ⚗ kalkhaltig; **cal·ci·fi·ca·tion** [ˌkælsɪfɪ'keɪʃn] *s.* **1.** ⚕ Verkalkung *f*; **2.** *geol.* Kalkablagerung *f*; **cal·ci·fy** ['kælsɪfaɪ] *v/t. u. v/i.* verkalken; **cal·ci·na·tion** [ˌkælsɪ'neɪʃn] *s.* ⚙ Kalzinierung *f*, Glühen *n*; **cal·cine** ['kælsaɪn] *v/t.* ⚙ kalzinieren, (aus)glühen, zu Asche verbrennen.

cal·ci·um ['kælsɪəm] *s.* ⚗ 'Kalzium *n*; **~ car·bide** *s.* ⚗ ('Kalzium)Karˌbid *n*; **~ chlo·ride** *s.* ⚗ Chlor'kalzium *n*; **~ light** *s.* Kalklicht *n*.

cal·cu·la·ble ['kælkjʊləbl] *adj.* berechenbar, kalkulierbar (*Risiko*).

cal·cu·late ['kælkjʊleɪt] **I** *v/t.* **1.** aus-, er-, berechnen; ✝ kalkulieren; **2.** *mst pass.* berechnen, planen; → ***calculated***; **3.** *Am.* F vermuten, glauben; **II** *v/i.* **4.** rechnen; ✝ kalkulieren; **5.** über'legen; **6.** (***upon***) rechnen (mit, auf *acc.*), sich verlassen (auf *acc.*); '**cal·cu·lat·ed** [-tɪd] *adj.* berechnet, gewollt, beabsichtigt: ~ ***indiscretion*** gezielte Indiskretion; ~ ***risk*** kalkuliertes Risiko; ~ ***to deceive*** darauf angelegt zu täuschen; ***not*** ~ ***for*** nicht geeignet *od.* bestimmt für; '**cal·cu·lat·ing** [-tɪŋ] *adj.* **1.** (schlau) berechnend, (kühl) über'legend; **2.** Rechen...: ~ ***machine***; **cal·cu·la·tion** [ˌkælkjʊ'leɪʃn] *s.* **1.** Kalkulati'on *f*, Berechnung *f*: ***be out in one's*** ~ sich verrechnet haben; **2.** Voranschlag *m*; **3.** Über'legung *f*; **4.** *fig.* a) Berechnung *f*, b) Schläue *f*; '**cal·cu·la·tor** [-tə] *s.* **1.** Kalku'lator *m*; **2.** 'Rechentaˌbelle *f*; **3.** 'Rechenmaˌschine *f*, Rechner *m*.

cal·cu·lus ['kælkjʊləs] *pl.* **-li** [-laɪ] *s.* **1.** ⚕ (*Blasen-*, *Gallen-*, *Nieren-* *etc.*)Stein *m*; **2.** ⩓ a) (*bsd. Differential-*, *Integral-*) Rechnung *f*, Rechnungsart *f*, b) höhere A'nalysis: ~ ***of probabilities*** Wahrscheinlichkeitsrechnung.

cal·dron ['kɔːldrən] → ***cauldron***.

Cal·e·do·ni·an [ˌkælɪ'dəʊnjən] *poet.* **I** *adj.* kale'donisch (*schottisch*); **II** *s.* Kale'donier *m* (*Schotte*).

cal·e·fac·tion [ˌkælɪ'fækʃn] *s.* Erwärmung *f*, Erhitzung *f*.

cal·en·dar ['kælɪndə] **I** *s.* **1.** Ka'lender *m*; **2.** *fig.* Zeitrechnung *f*; **3.** Jahrbuch *n*; **4.** Liste *f*, Re'gister *n*; **5.** *Brit. univ.* Vorlesungsverzeichnis *n*; **6.** ✝, *Am.* ⚖ Ter'minkaˌlender *m*; **II** *v/t.* **7.** registrieren; ~ **month** *s.* Ka'lendermonat *m*.

cal·en·der ['kælɪndə] ⚙ **I** *s.* Ka'lander *m*; **II** *v/t.* ka'landern.

cal·ends ['kælɪndz] *s. pl. antiq.* Ka'lenden *pl.*: ***on the Greek*** ~ am St. Nimmerleinstag.

calf[1] [kɑːf] *pl.* **calves** [-vz] *s.* **1.** Kalb *n* (*der Kuh*, *a. von Elefant*, *Wal*, *Hirsch etc.*): ***with*** (*od.* ***in***) ~ trächtig (*Kuh*); **2.** Kalbleder *n*: ~***-bound*** in Kalbleder gebunden (*Buch*); **3.** F ‚Kalb' *n*, ‚Schaf' *n*; **4.** treibende Eisscholle.

calf[2] [kɑːf] *pl.* **calves** [-vz] *s.* Wade *f* (*Bein*, *Strumpf etc.*).

'**calf|·love** *s.* F erste, junge Liebe; '~**'s-foot jel·ly** ['kɑːvz-] *s.* Kalbsfußsülze *f*; '~**·skin** *s.* Kalbleder *n*.

cal·i·ber *Am.* → ***calibre***; '**cal·i·bered** *Am.* → ***calibred***; **cal·i·brate** ['kælɪbreɪt] *v/t.* ⚙ kalibrieren: a) mit e-r Gradeinteilung versehen, b) eichen; **cal·i·bra·tion** [ˌkælɪ'breɪʃn] *s.* ⚙ Kalibrierung *f*, Eichung *f*; **cal·i·bre** ['kælɪbə] *s.* **1.** ⚔ Ka'liber *n*; **2.** ⚙ a) ('Innen)Durchmesser *m*, b) Ka'liberlehre *f*; **3.** *fig.* Ka'liber *n*, For'mat *n*; '**cal·i·bred** [-bəd] *adj.* ...kalibrig.

cal·i·ces ['kælɪsiːz] *pl. von* ***calix***.

cal·i·co ['kælɪkəʊ] **I** *pl.* **-coes**, *Am. a.* **-cos** *s.* **1.** 'Kaliko *m*, (bedruckter) Kat'tun; **2.** *Brit.* weißer *od.* ungebleichter Baumwollstoff; **II** *adj.* **3.** Kattun...; **4.** F bunt.

ca·lif, **cal·if·ate** → ***caliph***, ***caliphate***.

Cal·i·for·ni·an [kælɪ'fɔːnjən] **I** *adj.* kali'fornisch; **II** *s.* Kali'fornier(in).

cal·i·pers ['kælɪpəz] *s. pl.* Greif-, Tastzirkel *m*; ⚙ Tast(er)lehre *f*.

ca·liph ['kælɪf] *s.* Ka'lif *m*; '**cal·iph·ate** [-feɪt] *s.* Kali'fat *n*.

cal·is·then·ics → ***callisthenics***.

ca·lix ['keɪlɪks] *pl.* **cal·i·ces** ['kælɪsiːz] *s. anat.*, *zo.*, *eccl.* Kelch *m*; → ***calyx***.

calk[1] [kɔːk] **I** *s.* **1.** Stollen *m* (*am Hufeisen*); **2.** Gleitschutzbeschlag *m* (*an der Schuhsohle*); **II** *v/t.* **3.** mit Stollen *od.* Griffeisen versehen.

calk[2] [kɔːk] *v/t.* ('durch)pausen.

calk[3] [kɔːk] → ***caulk***.

cal·kin ['kælkɪn] *Brit.* → ***calk***[1] I.

call [kɔːl] **I** *s.* **1.** Ruf *m* (*a. fig.*); Schrei *m*: ***within*** ~ in Rufweite; ***the*** ~ ***of duty***; ***the*** ~ ***of nature*** *humor.* ‚ein dringendes Bedürfnis'; **2.** (Tele'fon)Anruf *m*, (-)Gespräch *n*: ***give s.o. a*** ~ j-n anrufen; → ***local*** 1, ***personal*** 1; **3.** *thea.* Her'vorruf *m*; **4.** Lockruf *m* (*Tier*); *fig.* Ruf *m*, Lockung *f*: ***the*** ~ ***of the East***; **5.** Namensaufruf *m*; **6.** Ruf *m*, Berufung *f* (***to*** in *ein Amt etc.*, auf *e-n Lehrstuhl*); **7.** (innere) Berufung, Drang *m*, Missi'on *f*; **8.** Si'gnal *n*; **9.** (Auf)Ruf *m*; (✝ Zahlungs)Aufforderung *f*; ✝ Abruf *m*, Kündigung *f von Geldern*; 'Kaufoptiˌon *f*; *Brit.* Vorprämie *f*, Vorprämiengeschäfte *pl.*; *a.* Nachfrage *f* (***for*** nach): ~ ***on shares*** Aufforderung zur Einzahlung auf Aktien; ***at*** ~, ***on*** ~ auf Abruf *od.* sofort bereit(stehend), ✝ *a.* jederzeit kündbar; ***money at*** ~ ✝ Tagesgeld *n*; **10.** a) Veranlassung *f*, Grund *m*, b) Recht *n*: ***he had no*** ~ ***to do that***; **11.** In'anspruchnahme *f*: ***many*** ~***s on my time*** starke Beanspruchung m-r Zeit; ***have the first*** ~ den Vorrang haben; **12.** kurzer Besuch (***at*** in *e-m Ort*, ***on*** bei *j-m*); ⚓ Anlaufen *n*: ***port of*** ~ Anlaufhafen *m*; **II** *v/t.* **13.** *j-n* (her'bei)rufen; *et.* (*a. weitS. Streik*) ausrufen; *Versammlung* einberufen; *teleph.* anrufen; *thea. Schauspieler* her'vorrufen: ~ ***into being*** *fig.* ins Leben rufen; **14.** berufen (***to*** in *ein Amt*); **15.** ⚖ a) *Zeugen*, *Sache* aufrufen, b) *als Zeugen* vorladen; **16.** *Arzt*, *Auto* kommen lassen; **17.** nennen, bezeichnen als; **18.** *pass.* heißen (***after*** nach): ***he is*** ~***ed Max***; ***what is it*** ~***ed in English?*** wie heißt es auf englisch?; **19.** nennen, heißen (*lit.*), halten für: ***I*** ~ ***that a blunder***; ***we'll*** ~ ***it a pound*** wir wollen es bei einem Pfund bewenden lassen; **20.** wecken: ~ ***me at 6 o'clock***; **21.** *Kartenspiel*: a) *Farbe* ansagen, b) ~ ***s.o.'s hand*** *Poker*: j-n auffordern, s-e Karten vorzuzeigen; **III** *v/i.* **22.** rufen: ***you must come when I*** ~; ***duty*** ~***s***; ***he*** ~***ed for help*** er rief um

Hilfe; → ***call for***; **23.** *teleph.* anrufen: ***who is ~ing?*** wer ist dort?; **24.** (kurz) vor'beischauen (***on s.o.*** bei j-m);
Zssgn mit prp. u. adv.:
call| at *v/i.* **1.** besuchen (*acc.*), vorsprechen bei *od.* in (*dat.*), gehen *od.* kommen zu; **2.** ⚓ *Hafen* anlaufen; anlegen in (*dat.*); 🚂 halten in (*dat.*); **~ a·way** *v/t.* ab-, wegrufen; *fig.* ablenken; **~ back I** *v/t.* **1.** zu'rückrufen; **2.** wider'rufen; **II** *v/i.* **3.** *teleph.* zu'rückrufen; **~ down** *v/t.* **1.** *Segen etc.* her'abrufen, -flehen; *Zorn etc.* auf sich ziehen; **2.** *Am.* F ‚zs.-stauchen'; **~ for** *v/i.* **1.** nach *j-m* rufen; *Waren* abrufen; *thea.* her'ausrufen; **2.** *et.* erfordern, verlangen: **~ *courage***; ***your remark was not called for*** Ihre Bemerkung war unnötig; **3.** *j-n od. et.* abholen: ***to be called for*** a) abzuholen(d), b) postlagernd; **~ forth** *v/t.* **1.** her'vorrufen, auslösen; **2.** *Kraft* aufbieten; **~ in I** *v/t.* **1.** her'ein-, her'beirufen; hin'zu-, zu Rate ziehen; **2.** zu'rückfordern; *Geld* kündigen; *Schulden* einfordern; *Banknoten etc.* einziehen; **II** *v/i.* **3.** vorsprechen (***on*** bei *j-m*; ***at*** in *dat.*); **~ off** *v/t.* **1.** ab(be)rufen: **~ *goods*** Waren abrufen; **2.** *fig. et.* abbrechen, absagen, abblasen: **~ *a strike***; **3.** *Aufmerksamkeit, Gedanken* ablenken; **~ on** *od.* **up·on** *v/i.* **1.** *j-n* besuchen; bei *j-m* vorsprechen; **2.** *j-n* auffordern; **3.** **~ *s.o. for s.th.*** et. von j-m fordern, sich an j-n um et. wenden; ***I am*** (*od.* ***I feel***) ***called upon*** ich bin *od.* fühle mich genötigt (***to*** *inf.* zu *inf.*); **~ out I** *v/t.* **1.** her'ausrufen; **2.** *Polizei, Militär* aufbieten; **3.** *zum Kampf* her'ausfordern; *zum Streik* auffordern; **II** *v/i.* **4.** aufschreien; laut rufen; **~ o·ver** *v/t.* **1.** *Namen* verlesen; **2.** *Zahlen, Text* kollationieren; **~ to** *v/i. j-m* zurufen, *j-n* anrufen; **~ up** *v/t.* **1.** auf-, her'beirufen; *teleph.* anrufen; **2.** ⚔ einberufen; **3.** *fig.* her'vor-, wachrufen, her'aufbeschwören; **4.** sich ins Gedächtnis zu'rückrufen; **~ up·on** → ***call on***.

call·a·ble ['kɔːləbl] *adj.* ✝ kündbar (*Geld, Kredit*); einziehbar (*Forderungen etc.*).

'call|·back *s.* ✝, ⚙ 'Rückrufaktion *f in die Werkstatt*; **~ box** *s.* **1.** *Brit.* Fernsprechzelle *f*; **2.** *Am.* a) Postfach *n*, b) Notrufsäule *f*; **'~·boy** *s.* **1.** Ho'telpage *m*; **2.** *thea.* Inspizi'entengehilfe *m*; **~ but·ton** *s.* Klingelknopf *m*; **~ charge** *s. teleph.* Anrufgebühr *f*.

called [kɔːld] *adj.* genannt, namens.

call·er ['kɔːlə] *s.* **1.** *teleph.* Anrufer(in); **2.** Besucher(in); **3.** Abholer(in).

call| girl *s.* Callgirl *n* (*Prostituierte*); **~ house** *s. Am.* Bor'dell *n*.

cal·lig·ra·phy [kə'lɪgrəfɪ] *s.* Kalligra'phie *f*, Schönschreibkunst *f*.

'call-in *s. Radio, TV*: Sendung *f* mit tele'fonischer Publikumsbeteiligung.

call·ing ['kɔːlɪŋ] *s.* **1.** Beruf *m*, Geschäft *n*, Gewerbe *n*; **2.** *eccl.* Berufung *f*; **3.** Einberufung *f e-r Versammlung*; **~ card** *s.* Vi'sitenkarte *f*.

cal·li·pers → ***calipers***.

cal·lis·then·ics [ˌkælɪs'θenɪks] *s. pl. mst sg. konstr.* Freiübungen *pl.*

call| loan *s.* ✝ täglich kündbares Darlehen; **~ mon·ey** *s.* ✝ Tagesgeld *n*; **~ num·ber** *s. teleph.* Rufnummer *f*; **~ of·fice** *s.* Fernsprechstelle *f*, -zelle *f*.

cal·los·i·ty [kæ'lɒsətɪ] *s.* Schwiele *f*, Hornhautbildung *f*; **cal·lous** ['kæləs] **I** *adj.* □ schwielig; *fig.* abgebrüht, gefühllos; **II** *v/i.* sich verhärten, schwielig werden; *fig.* abstumpfen; **cal·lous·ness** ['kæləsnɪs] *s.* Schwieligkeit *f*; *fig.* Abgebrühtheit *f*, Gefühllosigkeit *f*.

cal·low ['kæləʊ] *adj.* **1.** ungefiedert, nackt; **2.** *fig.* ‚grün', unreif.

call| sign, **~ sig·nal** *s. teleph. etc.* Rufzeichen *n*; **~ u·nit** *s. teleph.* Gesprächseinheit *f*; **'~-up** *s.* ⚔ a) Einberufung, b) Mobilisierung *f*.

cal·lus ['kæləs] *pl.* **-li** [-laɪ] *s.* ⚕ **1.** Knochennarbe *f*; **2.** Schwiele *f*.

calm [kɑːm] **I** *s.* **1.** Stille *f*, Ruhe *f* (*a. fig.*); **2.** Windstille *f*, Flaute *f*; **II** *adj.* □ **3.** still, ruhig; friedlich; **4.** windstill; **5.** *fig.* ruhig, gelassen: **~ *and collected*** ruhig u. gefaßt; **6.** F unverfroren, ‚kühl'; **III** *v/t.* **7.** beruhigen, besänftigen; **IV** *v/i.* **8.** *a.* **~ *down*** sich beruhigen; **'calm·ness** [-nɪs] *s.* **1.** Ruhe *f*, Stille *f*; **2.** Gemütsruhe *f*, Gelassenheit *f*.

ca·lor·ic [kə'lɒrɪk] *phys.* **I** *s.* Wärme *f*; **II** *adj.* ka'lorisch, Wärme...: **~ *engine*** Heißluftmaschine *f*; **cal·o·rie** ['kælərɪ] *s.* Kalo'rie *f*, Wärmeeinheit *f*; **cal·o·rif·ic** [ˌkælə'rɪfɪk] *adj.* (□ ***~ally***) Wärme erzeugend; Wärme..., Heiz...; **cal·o·ry** → ***calorie***.

cal·u·met ['kæljʊmet] *s.* Kalu'met *n*, (indi'anische) Friedenspfeife.

ca·lum·ni·ate [kə'lʌmnɪeɪt] *v/t.* verleumden; **ca·lum·ni·a·tion** [kəˌlʌmnɪ'eɪʃn] *s.* Verleumdung *f*; **ca'lum·ni·a·tor** [-tə] *s.* Verleumder(in); **ca'lum·ni·ous** [-ɪəs] *adj.* □ verleumderisch; **cal·um·ny** ['kæləmnɪ] *s.* Verleumdung *f*.

Cal·va·ry ['kælvərɪ] *s.* **1.** *bibl.* 'Golgatha *n*; **2.** *eccl.* Kal'varienberg *m*; **3.** ♀ Bildstock *m*, Marterl *n*; **4.** ♀ *fig.* Mar'tyrium *n*.

calve [kɑːv] *v/i.* **1.** *zo.* kalben; **2.** kalben, Eisstücke abstoßen (*Eisberg, Gletscher*).

calves [kɑːvz] *pl. von* ***calf***; **'~-foot jel·ly** → ***calf's-foot jelly***.

Cal·vin·ism ['kælvɪnɪzəm] *s. eccl.* Kalvi'nismus *m*; **'Cal·vin·ist** [-ɪst] *s.* Kalvi'nist(in).

ca·lyx [ˈkeɪlɪks] *pl.* ˈ**ca·lyx·es** [-ɪksɪz], ˈ**ca·ly·ces** [-ɪsiːz] *s.* ⚘ (*Blüten*)Kelch *m*; → ***calix***.
cam [kæm] *s.* ⚙ Nocken *m*, Mitnehmer *m*, (Steuer)Kurve *f*: ~ ***gear*** Nockensteuerung *f*, Kurvengetriebe *n*; ~***shaft*** Nocken-, Steuerwelle *f*; ~-***control(l)ed*** nockengesteuert.
ca·ma·ra·de·rie [ˌkæməˈrɑːdərɪ] *s.* Kameˈradschaft(lichkeit) *f*; *b.s.* Kumpaˈnei *f*.
cam·a·ril·la [ˌkæməˈrɪlə] *s.* Kamaˈrilla *f*; ˈHofkaˌbale *f*.
cam·ber [ˈkæmbə] **I** *v/t. u. v/i.* (sich) wölben; **II** *s.* leichte Wölbung, Krümmung *f*; *mot.* (Rad)Sturz *m*; ˈ**cam·bered** [-əd] *adj.* **1.** gewölbt, geschweift; **2.** gestürzt (*Achse, Rad*).
Cam·bo·di·an [kæmˈbəʊdjən] **I** *s.* Kamboˈdschaner(in); **II** *adj.* kamboˈdschanisch.
Cam·bri·an [ˈkæmbrɪən] **I** *s.* **1.** Waˈliser (-in); **2.** *geol.* ˈKambrium *n*; **II** *adj.* **3.** waˈlisisch; **4.** *geol.* ˈkambrisch.
cam·bric [ˈkeɪmbrɪk] *s.* Baˈtist *m*.
came [keɪm] *pret. von* ***come***.
cam·el [ˈkæml] *s.* **1.** *zo.* Kaˈmel *n*: ***Arabian*** ~ Dromedar *n*; → ***Bactrian camel***; **2.** ⚓, ⚙ Kaˈmel *n*, Hebeleichter *m*; **cam·el·eer** [ˌkæmɪˈlɪə] *s.* Kaˈmeltreiber *m*; **cam·el hair** → ***camel's hair***.
ca·mel·li·a [kəˈmiːljə] *s.* ⚘ Kaˈmelie *f*.
cam·el's| hair [ˈkæmlz] *s.* Kaˈmelhaar (-stoff *m*) *n*; ˈ~-**hair** *adj.* Kamelhaar…
cam·e·o [ˈkæmɪəʊ] **I** *s.* Kaˈmee *f*; **II** *adj. fig.* Miniatur…
cam·er·a [ˈkæmərə] *s.* **1.** ˈKamera *f*: a) ˈFotoappaˌrat *m*, b) ˈFilm- *od.* ˈFernsehˌkamera *f*: ***be on*** ~ a) auf Sendung *od.* im Bild sein, b) vor der Kamera stehen; **2.** ***in*** ~ ⚖ unter Ausschluß der Öffentlichkeit, nicht öffentlich; *fig.* geheim; ˈ~·**man** [-mæn] *s.* [*irr.*] **1.** ˈPressefotoˌgraf *m*; **2.** *Film*: ˈKameramann *m*; ~ **ob·scu·ra** [ɒbˈskjʊərə] *s. opt.* ˈLochˌkamera *f*, ˈCamera *f* obˈscura; ˈ~-**shy** *adj.* ˈkamerascheu.
cam·i·knick·ers [ˈkæmɪˌnɪkəz] *s. pl. Brit.* (Damen)Hemdhose *f*.
cam·i·sole [ˈkæmɪsəʊl] *s.* **1.** Bett-, Morgenjäckchen *n*; **2.** (Trachten- *etc.*)Mieder *n*.
cam·o·mile [ˈkæməʊmaɪl] *s.* ⚘ Kaˈmille *f*: ~ ***tea*** Kamillentee *m*.
cam·ou·flage [ˈkæmʊflɑːʒ] **I** *s.* ⚔ Tarnung *f* (*a. fig.*): ~ ***paint*** Tarnanstrich *m*; **II** *v/t.* tarnen, *fig. a.* verschleiern.
camp¹ [kæmp] **I** *s.* **1.** (Zelt-, Ferien)Lager *n*, Lagerplatz *m*, Camp *n*: ***break*** *od.* ***strike*** ~ das Lager abbrechen, aufbrechen; **2.** ⚔ Feld-, Heerlager *n*; **3.** *fig.* Lager *n*, Parˈtei *f*, Anhänger *pl.* *e-r Richtung*: ***the rival*** ~ das gegnerische Lager; **II** *adj.* **4.** Lager…, Camping…: ~ ***bed*** a) Feldbett *n*, b) Campingliege *f*; **III** *v/i.* **5.** *a.* ~ ***out*** zelten, campen, kampieren.
camp² [kæmp] F **I** *adj.* **1.** a) ‚schwul', ‚tuntenhaft', b) überˈzogen, überˈtrieben, ‚irr', c) verkitscht; **II** *v/i.* **2.** → 4; **III** *v/t.* **3.** *et.* ‚aufmotzen', *thea. etc. a.* überˈziehen, überˈtrieben darstellen, *a.* verkitschen; **4.** ~ ***it up*** a) die Sache ‚aufmotzen', *thea. etc. a.* überˈziehen, b) sich ‚tuntenhaft' benehmen.
cam·paign [kæmˈpeɪn] **I** *s.* **1.** ⚔ Feldzug *m*; **2.** *pol. u. fig.* Schlacht *f*, Kamˈpagne *f*, (*a.* Werbe)Feldzug *m*, Aktiˈon *f*; **3.** *pol.* ˈWahlkampf *m*, -kamˌpagne *f*: ~ ***button*** Wahlkampfplakette *f*; **II** *v/i.* **4.** ⚔ an e-m Feldzug teilnehmen, kämpfen; **5.** *fig.* kämpfen, zu Felde ziehen (***for*** für; ***against*** gegen); **6.** *pol.* a) sich am Wahlkampf beteiligen, im Wahlkampf stehen, b) Wahlkampf machen (***for*** für), c) *Am.* kandidieren; **camˈpaign·er** [-nə] *s.* **1.** Feldzugteilnehmer *m*: ***old*** ~ *fig.* alter Praktikus *od.* Hase; **2.** *fig.* Kämpfer *m* (***for*** für).
cam·pan·u·la [kəmˈpænjʊlə] *s.* ⚘ Glokkenblume *f*.
camp·er [ˈkæmpə] *s.* **1.** Camper(in); **2.** *Am.* a) Wohnanhänger *m*, -wagen *m*, b) ˈWohnmoˌbil *n*.
camp| fe·ver *s.* ⚕ ˈTyphus *m*; ˈ~-ˌ**fire** *s.* Lagerfeuer *n*: ~ ***girl*** Pfadfinderin *f*; ~ **fol·low·er** *s.* **1.** Solˈdatenprostituierte *f*; **2.** *pol. etc.* Sympathiˈsant(in), Mitläufer(in); ˈ~-**ground** → ***camping ground***.
cam·phor [ˈkæmfə] *s.* ⚗ Kampfer *m*; ˈ**cam·phor·at·ed** [-əreɪtɪd] *adj.* mit Kampfer behandelt, Kampfer…
cam·phor| ball *s.* Mottenkugel *f*; ˈ~·**wood** *s.* Kampferholz *n*.
camp·ing [ˈkæmpɪŋ] *s.* Camping *n*, Zelten *n*; Kampieren *n*; ~ **ground**, ~ **site** *s.* Zelt-, Campingplatz *m*.
cam·pi·on [ˈkæmpjən] *s.* ⚘ Lichtnelke *f*.
camp meet·ing *s. Am.* religiˈöse Versammlung im Freien; ˈZeltmissiˌon *f*.
cam·po·ree [ˌkæmpəˈriː] *s. Am.* regioˈnales Pfadfindertreffen.
cam·pus [ˈkæmpəs] *s.* Campus *m* (*Gesamtanlage e-r Universität od. Schule*), *weitS.* ‚Uni' *f od.* Gymˈnasium *n*.
ˈ**cam·wood** *s.* Kam-, Rotholz *n*.
can¹ [kæn; kən] *v/aux.* [*irr.*], *pres. neg.* ˈ**can·not** **1.** können: ~ ***you do it?***; ***he cannot read***; ***we could do it now*** wir könnten es jetzt tun; ***how could you?*** wie konntest du nur (so etwas tun)?; ~ ***do!*** *sl.* (wird) gemacht!; ***no*** ~ ***do!*** *sl.* das geht nicht!; **2.** dürfen, können: ***you*** ~ ***go away now***.
can² [kæn] **I** *s.* **1.** (Blech)Kanne *f*; (*Öl-*)Kännchen *n*: ***carry the*** ~ *sl.* der Sündenbock sein, dran sein; **2.** (Konˈserven)Dose *f*, (-)Büchse *f*: ~ ***opener*** Büchsenöffner *m*; ***in the*** ~ F ‚abge-

dreht', ,im Kasten' (*Film*), *allg.* unter Dach u. Fach; **3.** (Blech)Trinkgefäß *n*; **4.** Ka'nister *m*; **5.** *Am. sl.* a) ,Kittchen' *n*, ,Knast' *m*, b) ,Klo' *n*, c) ,Arsch' *m*; **II** *v/t.* **6.** in Büchsen konservieren, eindosen; **7.** F auf Schallplatte *od.* Band aufnehmen; **8.** *Am sl.* a) ,rausschmeißen', entlassen, b) ,einlochen', c) aufhören mit.

Ca·na·di·an [kə'neɪdjən] **I** *adj.* ka'nadisch; **II** *s.* Ka'nadier(in).

ca·naille [kə'nɑːiː] (*Fr.*) *s.* Pöbel *m*.

ca·nal [kə'næl] *s.* **1.** Ka'nal *m* (*für Schifffahrt etc.*): **~s of Mars** Marskanäle; **2.** *anat.*, *zo.* Ka'nal *m*, Gang *m*, Röhre *f*; **ca·nal·i·za·tion** [ˌkænəlaɪ'zeɪʃn] *s.* Kanalisierung *f*; Ka'nalnetz *n*; **ca·nal·ize** ['kænəlaɪz] *v/t.* **1.** kanalisieren, schiffbar machen; **2.** *fig.* (in bestimmte Bahnen) lenken, kanalisieren.

can·a·pé ['kænəpeɪ] (*Fr.*) *s.* Appe'tithappen *m*, belegtes Brot.

ca·nard [kæ'nɑːd] (*Fr.*) *s.* (Zeitungs)Ente *f*, Falschmeldung *f*.

ca·nar·y [kə'neərɪ] **I** *s.* **1.** *a.* **~ bird** *orn.* Ka'narienvogel *m*; **2.** *a.* **2 wine** Ka'narienwein *m*; **II** *adj.* **3.** hellgelb.

can·cel ['kænsl] **I** *v/t.* **1.** (durch-, aus-) streichen; **2.** wider'rufen, aufheben (*a.* ♪), annullieren (*a.* ✝), rückgängig machen, absagen; ✝ stornieren; **3.** ungültig machen, tilgen; erlassen; *Briefmarke*, *Fahrschein etc.* entwerten; *fig.* zu'nichte machen; *a.* **~ out** ausgleichen, kompensieren; **4.** ⅌ heben, streichen; **II** *v/i.* **5.** *mst* **~ out** sich (gegenseitig) aufheben *od.* ausgleichen **6. ~ out** absagen, die Sache abblasen; **III** *s.* **7.** Streichung *f*; **can·cel·la·tion** [ˌkænsə'leɪʃn] *s.* **1.** Streichung *f*; Aufhebung *f*; 'Widerruf *m*; Absage *f*; **2.** ✝ Annullierung *f*, Stornierung *f*: **~ clause** Rücktrittsklausel *f*; **~ charge**, **~ fee** Rücktrittsgebühr *f*; **3.** Entwertung *f* (*Briefmarke etc.*).

can·cer ['kænsə] *s.* **1.** ⚕ Krebs *m*; Karzi'nom *n*; **2.** *fig.* Krebsgeschwür *n*, Übel *n*; **3. 2** *ast.* Krebs *m*; **'can·cer·ous** [-sərəs] *adj.* ⚕ a) krebsbefallen: **~ lung**, b) Krebs...: **~ tumo(u)r**, c) krebsartig: **~ growth** *fig.* Krebsgeschwür *n*.

can·de·la·bra [ˌkændɪ'lɑːbrə] *pl.* **-bras**, **can·de'la·brum** [-brəm] *pl.* **-bra**, *Am. a.* **-brums** *s.* Kande'laber *m*; (Arm-, Kron)Leuchter *m*.

can·des·cence [kæn'desns] *s.* Weißglut *f*.

can·did ['kændɪd] *adj.* □ **1.** offen (u. ehrlich), freimütig; **2.** aufrichtig, unvoreingenommen, objek'tiv; **3.** freizügig, (ta'bu)frei: **a ~ film**; **4.** *phot.* ungestellt, unbemerkt aufgenommen: **~ camera** a) Kleinstbildkamera *f*, b) versteckte Kamera; **~ shot** Schnappschuß *m*.

can·di·da·cy ['kændɪdəsɪ] *s.* Kandida'tur *f*, Bewerbung *f*, Anwartschaft *f*; **can·di·date** ['kændɪdət] *s.* **1.** (**for**) Kandi'dat *m* (für) (*a. fig.*), Bewerber *m* (um), Anwärter (auf *acc.*); **2.** ('Prüfungs-) Kandiˌdat(in); **'can·di·da·ture** [-dətʃə] → **candidacy**.

can·died ['kændɪd] *adj.* **1.** kandiert, über'zuckert: **~ peel** Zitronat *n*; **2.** *fig. contp.* ,honigsüß'.

can·dle ['kændl] *s.* **1.** (Wachs- *etc.*)Kerze *f*, Licht *n*: **burn the ~ at both ends** *fig.* Raubbau mit s-r Gesundheit treiben; **not to be fit to hold a ~ to** das Wasser nicht reichen können (*dat.*); → **game**[1] 4; **2.** → **candlepower**; **'~ˌber·ry** [-ˌbərɪ] *s.* ⚘ Wachsmyrtenbeere *f*; **'~-end** *s.* **1.** Kerzenstummel *m*; **2.** *pl. fig.* Abfälle *pl.*, Krimskrams *m*; **'~·light** *s.* **1.** (**by ~** bei) Kerzenlicht *n*; **2.** Abenddämmerung *f*.

Can·dle·mas ['kændlməs] *s. R.C.* (Ma'riä) Lichtmeß *f*.

'can·dle|ˌpow·er *s. phys.* (Nor'mal)Kerze *f* (*Lichteinheit*); **'~·stick** *s.* (Kerzen-) Leuchter *m*; **'~·wick** *s.* Kerzendocht *m*.

can·do(u)r ['kændə] *s.* **1.** Offenheit *f*, Aufrichtigkeit *f*; **2.** 'Unparˌteilichkeit *f*, Objektivi'tät *f*.

can·dy ['kændɪ] **I** *s.* **1.** Kandis(zucker) *m*; **2.** *Am.* a) Süßigkeiten *pl.*, Kon'fekt *n*, b) *a.* **hard ~** Bon'bon *m*, *n*; **II** *v/t.* **3.** kandieren, glacieren; mit Zucker einmachen; **4.** *Zucker* kristallisieren lassen; **III** *v/i.* **5.** kristallisieren (*Zucker*); **'~·floss** *s.* Zuckerwatte *f*; **~ store** *s. Am.* Süßwarengeschäft *n*.

cane [keɪn] **I** *s.* **1.** ⚘ (*Bambus-*, *Zucker-*, *Schilf*)Rohr *n*; **2.** spanisches Rohr; **3.** Rohrstock *m*; **4.** Spazierstock *m*; **II** *v/t.* **5.** (mit dem Stock) züchtigen *od.* prügeln; **6.** *Stuhl* mit Rohrgeflecht versehen: **~-bottomed** mit Sitz aus Rohr; **~ chair** *s.* Rohrstuhl *m*; **~ sug·ar** *s.* Rohrzucker *m*; **'~·work** *s.* Rohrgeflecht *n*.

ca·nine **I** *adj.* ['keɪnaɪn] Hunde...; *fig. contp.* hündisch; **II** *s.* ['kænaɪn] *anat. a.* **~ tooth** Eckzahn *m*.

can·ing ['keɪnɪŋ] *s.*: **give s.o. a ~** → **cane** 5.

can·is·ter ['kænɪstə] *s.* **1.** Ka'nister *m*, Blechdose *f*; **2.** ⚔ *a.* **~ shot** Kar'tätsche *f*.

can·ker ['kæŋkə] **I** *s.* **1.** ⚕ Mund- *od.* Lippengeschwür *n*; **2.** *vet.* Strahlfäule *f*; **3.** ⚘ Rost *m*, Brand *m*; **4.** *fig.* Krebsgeschwür *n*; **II** *v/t.* **5.** *fig.* an-, zerfressen, verderben; **III** *v/i.* **6.** angefressen werden, verderben; **'can·kered** [-əd] *adj.* **1.** ⚘ a) brandig, b) (von Raupen) zerfressen; **2.** *fig.* a) bösartig, b) mürrisch; **'can·ker·ous** [-ərəs] *adj.* **1.** → **cankered** 1; **2.** fressend, schädlich, vergiftend.

C

can·na·bis ['kænəbɪs] *s.* 'Cannabis *m*: a) ⚘ Hanf *m*, b) Haschisch *n*.

canned [kænd] *adj.* **1.** konserviert, Dosen..., Büchsen...: **~ *food*** Konserven *pl.*; **~ *meat*** Büchsenfleisch *n*; **2.** F ‚aus der Konserve': **~ *music***; **~ *film*** *TV* Aufzeichnung *f*; **3.** *sl.* ‚blau', betrunken; **4.** stereo'typ, scha'blonenhaft; **can·ner** ['kænə] *s.* **1.** Kon'servenfabri,kant *m*; **2.** Arbeiter(in) in e-r Kon'servenfa,brik; **'can·ner·y** [-ərɪ] *s.* Kon'servenfa,brik *f*.

can·ni·bal ['kænɪbl] **I** *s.* Kanni'bale *m*, Menschenfresser *m*; **II** *adj.* kanni'balisch (*a. fig.*); **'can·ni·bal·ism** [-bəlɪzəm] *s.* Kanniba'lismus *m* (*a. zo.*); *fig.* Unmenschlichkeit *f*; **can·ni·bal·is·tic** [,kænɪbə'lɪstɪk] *adj.* (□ **~*ally***) kanni'balisch (*a. fig.*); **'can·ni·bal·ize** [-bəlaɪz] *v/t.* *altes Auto etc.* ‚ausschlachten'.

can·ning ['kænɪŋ] *s.* Kon'servenfabrikati,on *f*: **~ *factory*** *od.* ***plant*** → ***cannery***.

can·non ['kænən] **I** *s.* **1.** ⚔ a) Ka'none *f*, Geschütz *n*, b) *coll.* Ka'nonen *pl.*, Artille'rie *f*; **2.** Wasserwerfer *m*; **3.** ⚙ Zy'linder *m* um e-e Welle; **4.** *Billard*: *Brit.* Karambo'lage *f*; **II** *v/i.* **5.** *Billard*: *Brit.* karambolieren; **6.** (***against***, ***into***, ***with***) rennen, prallen (gegen), karambolieren (mit); **can·non·ade** [,kænə'neɪd] **I** *s.* **1.** Kano'nade *f*; **2.** *fig.* Dröhnen *n*; **II** *v/t.* **3.** beschießen.

'can·non|·ball *s.* **1.** Ka'nonenkugel *f*; **2.** *Fußball*: F Bombe(nschuß *m*) *f*; **'~-bone** *s.* *zo.* Ka'nonenbein *n* (*Pferd*); **'~-,fod·der** *s.* *fig.* Ka'nonenfutter *n*.

can·not ['kænɒt] → ***can***[1].

can·nu·la ['kænjʊlə] *s.* ⚕ Ka'nüle *f*.

can·ny ['kænɪ] *adj.* □ *Scot.* **1.** schlau, gerissen; **2.** nett.

ca·noe [kə'nu:] **I** *s.* Kanu *n* (*a. sport*), Paddelboot *n*: **~ *slalom*** Kanu-, Wildwasserslalom *m*; ***paddle one's own ~*** auf eigenen Füßen stehen, selbständig sein; **II** *v/i.* Kanu fahren, paddeln; **ca'noe·ist** [-u:ɪst] *s.* Ka'nute *m*, Ka'nutin *f*.

can·on[1] ['kænən] *s.* **1.** Regel *f*, Richtschnur *f*, Grundsatz *m*, 'Kanon *m*; **2.** *eccl.* 'Kanon *m*: a) ka'nonische Bücher *pl.*, b) 'Meß,kanon *m*, c) Ordensregeln *pl.*, d) → ***canon law***; **3.** ♪ 'Kanon *m*; **4.** *typ.* 'Kanon(schrift) *f*.

can·on[2] ['kænən] *s.* *eccl.* Ka'noniker *m*, Dom-, Stiftsherr *m*.

ca·ñon ['kænjən] → ***canyon***.

can·on·ess ['kænənɪs] *s.* *eccl.* Kano'nissin *f*, Stiftsdame *f*.

ca·non·i·cal [kə'nɒnɪkl] **I** *adj.* □ ka'nonisch, vorschriftsmäßig; *bibl.* au'thentisch; **II** *s.* *pl.* *eccl.* kirchliche Amtstracht; **~ books** → ***canon***[1] 2 a; **~ hours** *s. pl.* a) regelmäßige Gebetszeiten *pl.*, b) *Brit.* Zeiten *pl.* für Trauungen.

can·on·ist ['kænənɪst] *s.* Kirchenrechtslehrer *m*; **can·on·i·za·tion** [,kænənaɪ'zeɪʃn] *s.* *eccl.* Heiligsprechung *f*; **'can·on·ize** [-naɪz] *v/t.* *eccl.* heiligsprechen; **can·on law** *s.* ka'nonisches Recht, Kirchenrecht *n*.

ca·noo·dle [kə'nu:dl] *v/t. u. v/i.* *sl.* ‚schmusen', ‚knutschen'.

can·o·py ['kænəpɪ] **I** *s.* **1.** 'Baldachin *m*, (Bett-, Thron-, Trag)Himmel *m*: **~ *of heaven*** Himmelszelt *n*; **2.** Schutz-, Ka'binendach *n*, Verdeck *n*; **3.** Fallschirm (-kappe *f*) *m*; **4.** ⚠ Über'dachung *f*; **II** *v/t.* **5.** über'dachen; *fig.* bedecken.

canst [kænst; kənst] *obs. 2. sg. pres. von* ***can***[1].

cant[1] [kænt] **I** *s.* **1.** Fach-, Zunftsprache *f*; **2.** Jar'gon *m*, Gaunersprache *f*; **3.** Gewäsch *n*; **4.** Frömme'lei *f*, scheinheiliges Gerede; **5.** (leere) Phrase(n *pl.*) *f*; **II** *v/i.* **6.** frömmeln, scheinheilig reden; **7.** Phrasen dreschen.

cant[2] [kænt] **I** *s.* **1.** (Ab)Schrägung *f*, schräge Lage; **2.** Ruck *m*, Stoß *m*; plötzliche Wendung; **II** *v/t.* **3.** (ver)kanten, kippen; **4.** ⚙ abschrägen; **III** *v/i.* **5.** *a.* **~ *over*** sich neigen, sich auf die Seite legen; 'umkippen.

can't [kɑ:nt] F *für* ***cannot***; → ***can***[1].

Can·tab ['kæntæb] *abbr. für* **Can·ta·brig·i·an** [,kæntə'brɪdʒɪən] *s.* Stu'dent (-in) *od.* Absol'vent(in) der Universi'tät Cambridge (*England*) *od.* der Harvard University (*USA*).

can·ta·loup(e) ['kæntəlu:p] *s.* ⚘ Kanta'lupe *f*, 'Warzenme,lone *f*.

can·tan·ker·ous [kæn'tæŋkərəs] *adj.* □ streitsüchtig.

can·ta·ta [kæn'tɑ:tə] *s.* ♪ Kan'tate *f*.

can·teen [kæn'ti:n] *s.* **1.** (Mili'tär-, Be'triebs- *etc.*)Kan,tine *f*; **2.** ⚔ a) Feldflasche *f*, b) Kochgeschirr *n*; **3.** Besteck-, Silberkasten *m*.

can·ter ['kæntə] **I** *s.* 'Kanter *m*, kurzer Ga'lopp: ***win in a ~*** mühelos siegen; **II** *v/i.* im kurzen Galopp reiten.

can·ti·cle ['kæntɪkl] *s.* *eccl.* Lobgesang *m*: **⁓s** *bibl.* *das* Hohelied (Salo'monis).

can·ti·le·ver ['kæntɪli:və] **I** *s.* **1.** ⚠ Kon'sole *f*; **2.** ⚙ freitragender Arm, vorspringender Träger, Ausleger *m*; **II** *adj.* **3.** freitragend; **~ bridge** *s.* Auslegerbrücke *f*; **~ wing** *s.* ✈ unverspreizte Tragfläche.

can·to ['kæntəʊ] *pl.* **-tos** *s.* Gesang *m* (*Teil e-r größeren Dichtung*).

can·ton[1] ['kæntɒn] **I** *s.* Kan'ton *m*, (Verwaltungs)Bezirk *m*; **II** *v/t.* in Kan'tone *od.* Bezirke einteilen.

can·ton[2] ['kæntən] **I** *s.* **1.** *her.* Feld *n*; **2.** Gösch *f* (*Obereck an Flaggen*); **II** *v/t.* **3.** *her.* in Felder einteilen.

can·ton[3] [kæn'tu:n] *v/t.* ⚔ einquartieren.

Can·ton·ese [,kæntə'ni:z] **I** *adj.* kanto-

ˈnesisch; **II** *s.* Bewohner(in) ˈKantons.

can·ton·ment [kænˈtuːnmənt] *s.* ⚔ *oft pl.* Quarˈtier *n*, ˈOrtsˌunterkunft *f.*

Ca·nuck [kəˈnʌk] *s.* a) Kaˈnadier(in) (*französischer Abstammung*), b) *Am. contp.* Kaˈnadier(in).

can·vas [ˈkænvəs] *s.* **1.** a) Segeltuch *n*: **~ shoes** Segeltuchschuhe, b) *coll.* (*alle*) Segel *pl.*: **under ~** unter Segel; **2.** Pack-, Zeltleinwand *f*: **under ~** in Zelten; **3.** ˈKanevas *m*, Straˈmin *m* (*zum Sticken*); **4.** a) (Maler)Leinwand *f*, b) (Öl)Gemälde *n.*

can·vass [ˈkænvəs] **I** *v/t.* **1.** gründlich erörtern *od.* prüfen; **2.** a) *pol. Stimmen* werben, b) *Am. Wahlresultate* prüfen, c) ✝ *Aufträge* herˈeinholen, *Abonnenten*, *Inserate* sammeln; **3.** *Wahlkreis od. Geschäftsbezirk* bereisen, bearbeiten; **4.** um *et.* werben, *j-n od. et.* anpreisen; **II** *v/i.* **5.** e-n Wahlfeldzug veranstalten; **6.** *Am.* ˈWahlresulˌtate prüfen; **7.** werben (**for** um); **III** *s.* **8.** *pol.* a) Stimmenwerbung *f*, Wahlfeldzug *m*, b) *Am.* Wahl(stimmen)prüfung *f*; **9.** ✝ Kundenwerbung *f*; Heˈreinholen *n* von Aufträgen; ˈ**can·vass·er** [-sə] *s.* **1.** ✝ Kundenwerber *m*; **2.** *pol.* a) Wahleinpeitscher *m*, b) *Am.* Wahl(stimmen)prüfer *m*; ˈ**can·vass·ing** [-sɪŋ] *s.* **1.** ˈWahlpropaˌganda *f*; **2.** ✝ Kundenwerbung *f.*

can·yon [ˈkænjən] *s.* ˈCañon *m*, Felsschlucht *f.*

caou·tchouc [ˈkaʊtʃʊk] *s.* ˈKautschuk *m*, ˈGummi *n*, *m.*

cap¹ [kæp] **I** *s.* **1.** Mütze *f*, Kappe *f*, Haube *f*: **~ and bells** Schellen-, Narrenkappe; **~ in hand** mit der Mütze in der Hand, demütig; **if the ~ fits wear it** *fig.* wen's juckt, der kratze sich; **set one's ~ at s.o.** F hinter j-m her sein, sich j-n zu angeln suchen (*Frau*); **2.** *univ.* Baˈrett *n*: **~ and gown** *univ.* Barett u. Talar; **3.** (Sport-, Stuˈdenten-, Klub-, Dienst)Mütze *f*; **4.** *sport Brit.* Auswahl-, Natioˈnalspieler(in): **get** *od.* **win one's ~** in die Nationalmannschaft berufen werden; **5.** (Schutz-, Verschluß)Kappe *f od.* (-)Kapsel *f*, Deckel *m*, Aufsatz *m*; ⚔ Zündkapsel *f*; **6.** *mot.* (Reifen)Auflage *f*: **full ~** Runderneuerung *f*; **7.** ⚕ Pesˈsar *n*; **8.** Spitze *f*, Gipfel *m*; **II** *v/t.* **9.** (mit *od.* wie mit e-r Kappe) bedecken; **10.** mit (Schutz-)Kappe, Kapsel, Deckel, Aufsatz *etc.* versehen; *mot. Reifen* runderneuern; **11.** *Brit. univ. j-m* e-n akaˈdemischen Grad verleihen; **12.** oben liegen auf (*dat.*), krönen (*a. fig. abschließen*); **13.** *fig.* überˈtreffen, -ˈtrumpfen; **14.** *sport Brit. j-n* in die Natioˈnalmannschaft berufen.

cap² [kæp] *abbr. für* **capital¹** 2.

ca·pa·bil·i·ty [ˌkeɪpəˈbɪlətɪ] *s.* **1.** Fähigkeit *f* (**of** zu); **2.** Tauglichkeit *f* (**for** zu); **3.** *a. pl.* Taˈlent *n*, Begabung *f*; **ca·pa·ble** [ˈkeɪpəbl] *adj.* □ **1.** (*Personen*) a) fähig, tüchtig, b) (**of**) fähig (zu *od. gen.*), imˈstande (zu *inf.*) (*mst b.s.*): **legally ~** rechts-, geschäftsfähig; **2.** (*Sachen*) a) geeignet, tauglich (**for** zu), b) (**of**) (*et.*) zulassend, (zu *et.*) fähig: **~ of being divided** teilbar.

ca·pa·cious [kəˈpeɪʃəs] *adj.* □ geräumig, weit; umˈfassend (*a. fig.*).

ca·pac·i·tance [kəˈpæsɪtəns] *s.* ⚡ kapaziˈtiver (ˈBlind)ˌWiderstand, Kapaziˈtät *f*; **caˈpac·i·tate** [-teɪt] *v/t.* befähigen, ermächtigen (*a.* ⚖); **caˈpac·i·tor** [-tə] *s.* ⚡ Kondenˈsator *m*; **caˈpac·i·ty** [-sətɪ] **I** *s.* **1.** (Raum)Inhalt *m*, Fassungsvermögen *n*; Kapaziˈtät *f* (*a.* ⚡, *phys.*): **measure of ~** Hohlmaß *n*; **seating ~** Sitzgelegenheit *f* (**of** für); **full to ~** ganz voll, *thea. etc.* ausverkauft; **2.** Leistungsfähigkeit *f*, Vermögen *n*; **3.** ✝, ⚙ Kapaziˈtät *f*, Leistungsfähigkeit *f*, (Nenn)Leistung *f*: **~ utilization** Kapazitätsauslastung *f*; **working to ~** mit Höchstleistung arbeitend, voll ausgelastet; **4.** *fig.* Auffassungsgabe *f*, *geistige* Fähigkeit; **5.** ⚖ (Geschäfts-, Tesˈtier- *etc.*)Fähigkeit *f*: **~ to sue and to be sued** Prozeßfähigkeit; **6.** Eigenschaft *f*, Stellung *f*: **in my ~ as** in m-r Eigenschaft als; **in an advisory ~** in beratender Funktion; **II** *adj.* **7.** maxiˈmal, Höchst…: **~ business** Rekordgeschäft *n*; **8.** *thea. etc.* voll, ausverkauft: **~ house**; **~ crowd** *sport* ausverkauftes Stadion.

ca·par·i·son [kəˈpærɪsn] *s.* **1.** Schaˈbrake *f*; **2.** *fig.* Aufputz *m.*

cape¹ [keɪp] *s.* Cape *n*, ˈUmhang *m*; Schulterkragen *m.*

cape² [keɪp] *s.* Kap *n*, Vorgebirge *n*: **the** ♀ das Kap der Guten Hoffnung; ♀ **Dutch** Kapholländisch *n*; ♀ **wine** Kapwein *m.*

ca·per¹ [ˈkeɪpə] **I** *s.* **1.** Kapriˈole *f*: a) Freuden-, Luftsprung *m*, b) Streich *m*, Schabernack *m*: **cut ~s** → 3; **2.** F *fig.* ‚Ding' *n*, ‚Spaß' *m*, Sache *f*; **II** *v/i.* **3.** a) Luftsprünge machen, b) heˈrumtollen.

ca·per² [ˈkeɪpə] *s.* **1.** ⚘ Kapernstrauch *m*; **2.** Kaper *f.*

cap·er·cail·lie [ˌkæpəˈkeɪlɪ], ˌ**cap·erˈcail·zie** [-lɪ] *s. orn.* Auerhahn *m.*

ca·pi·as [ˈkeɪpɪæs] *s.* ⚖ Haftbefehl *m* (*bsd. im Vollstreckungsverfahren*).

cap·il·lar·i·ty [ˌkæpɪˈlærətɪ] *s. phys.* Kapillariˈtät *f*; **cap·il·lar·y** [kəˈpɪlərɪ] **I** *adj.* haarförmig, -fein, kapilˈlar: **~ attraction** Kapillaranziehung *f*; **~ tube** → II; **II** *s. anat.* Kapilˈlargefäß *n.*

cap·i·tal¹ [ˈkæpɪtl] **I** *s.* **1.** Hauptstadt *f*; **2.** Großbuchstabe *m*; **3.** ✝ Kapiˈtal *n*: a) Vermögen *n*, b) Unterˈnehmer(tum *n*) *pl.*: ♀ **and Labo(u)r**; **4.** Vorteil *m*, Nutzen *m*: **make ~ out of** aus *et.* Kapital schlagen; **II** *adj.* **5.** ⚖ a) kapi'tal, todeswürdig: ~ ***crime*** Kapitalverbrechen *n*, b) Todes...: ~ ***punishment*** Todesstrafe *f*; **6.** größt, wichtigst, Haupt...: ~ ***city*** Hauptstadt *f*; ~ ***ship*** Großkampfschiff *n*; **7.** verhängnisvoll: ***a*** ~ ***error*** ein Kapitalfehler *m*; **8.** großartig: ***a*** ~ ***joke***; ***a*** ~ ***fellow*** ein Prachtkerl *m*; **9.** ✝ Kapital...: ~ ***fund*** Stamm-, Grundkapital *n*; **10.** ~ ***letter*** → 2; ~ ***B*** großes B.

cap·i·tal² ['kæpɪtl] *s.* ⚠ Kapi'tell *n*.

cap·i·tal| ac·count *s.* ✝ Kapi'talkonto *n*; ~ **ac·cu·mu·la·tion** *s.* Kapi'talakkumulatiˌon *f*; ~ **as·sets** *s. pl.* Anlagevermögen *n*; ~ **ex·pend·i·ture** *s.* Investiti'onsaufwand *m*; ~ **flight** *s.* Kapi'talflucht *f*; ~ **gains tax** *s.* Kapi'talertragssteuer *f*; ~ **gen·er·a·tion** *s.* Kapi'talbeschaffung *f*; ~ **goods** *s. pl.* Investiti'onsgüter *pl.*; '~-**inˌten·sive** *adj.* kapi'talintenˌsiv; ~ **in·vest·ment** *s.* Kapi'talanlage *f*.

cap·i·tal·ism ['kæpɪtəlɪzəm] *s.* Kapita'lismus *m*; '**cap·i·tal·ist** [-ɪst] **I** Kapita'list *m*; **II** *adj.* → **cap·i·tal·is·tic** [ˌkæpɪtə'lɪstɪk] *adj.* (□ ~***ally***) kapita'listisch; **cap·i·tal·i·za·tion** [ˌkæpɪtəlaɪ'zeɪʃn] *s.* **1.** ✝ *allg.* Kapitalisierung *f*; **2.** Großschreibung *f*; '**cap·i·tal·ize** [-laɪz] **I** *v/t.* **1.** ✝ kapitalisieren; **2.** *fig.* sich *et.* zu'nutze machen; **3.** groß (*mit Großbuchstaben od. mit großen Anfangsbuchstaben*) schreiben; **II** *v/i.* **4.** Kapi'tal anhäufen; **5.** e-n Kapi'talwert haben (***at*** von); **6.** *fig.* Kapital schlagen (***on*** aus).

cap·i·tal| lev·y *s.* ✝ Vermögensabgabe *f*; ~ **mar·ket** *s.* Kapi'talmarkt *m*; ~ **re·quire·ments** *s. pl.* Kapitalbedarf *m*; ~ **re·serves** *s. pl.* Kapitalrücklagen *pl.*; ~ **stock** *s.* ✝ 'Aktienkapiˌtal *n*; ~ **tie-up** *s.* Kapitalbindung *f*.

cap·i·ta·tion [ˌkæpɪ'teɪʃn] *s.* **1.** *a.* ~ ***tax*** Kopfsteuer *f*; **2.** Zahlung *f* pro Kopf: ~ ***grant*** Zuschuß *m* pro Kopf.

Cap·i·tol ['kæpɪtl] *s.* Kapi'tol *n*: a) *im alten Rom*, b) *in Washington*.

ca·pit·u·lar [kə'pɪtjʊlə] *eccl.* **I** *adj.* kapitu'lar, zum Ka'pitel gehörig; **II** *s.* Kapitu'lar *m*, Domherr *m*.

ca·pit·u·late [kə'pɪtjʊleɪt] *v/i.* ⚔ *u. fig.* kapitulieren (***to*** vor *dat*); **ca·pit·u·la·tion** [kəˌpɪtjʊ'leɪʃn] *s.* ⚔ a) Kapitulati'on *f*, 'Übergabe *f*, b) Kapitulati'onsurkunde *f*.

ca·pon ['keɪpən] *s.* Ka'paun *m*; '**ca·pon·ize** [-naɪz] *v/t.* *Hahn* kastrieren, ka'paunen.

capped [kæpt] *adj.* mit e-r Kappe *od.* Mütze bedeckt: ~ ***and gowned*** in vollem Ornat.

ca·price [kə'pri:s] *s.* Ka'price *f*, Laune *f*, Grille *f*; Launenhaftigkeit *f*; **ca'pri·cious** [-ɪʃəs] *adj.* □ launenhaft, launisch; kaprizi'ös; **ca'pri·cious·ness** [-ɪʃəsnɪs] *s.* Launenhaftigkeit *f*; kaprizi'öse Art.

Cap·ri·corn ['kæprɪkɔ:n] *s. ast.* Steinbock *m*.

cap·ri·ole ['kæprɪəʊl] **I** *s.* Kapri'ole *f* (*a. Reiten*), Bock-, Luftsprung *m*; **II** *v/i.* Kapri'olen machen.

cap·si·cum ['kæpsɪkəm] *s.* ⚘ 'Paprika *m*, Spanischer Pfeffer.

cap·size [kæp'saɪz] **I** *v/i.* **1.** ⚓ kentern; **2.** *fig.* 'umschlagen; **II** *v/t.* **3.** ⚓ zum Kentern bringen.

cap·stan ['kæpstən] *s.* ⚓ Gangspill *n*, Ankerwinde *f*; ~ **lathe** *s.* ⚙ Re'volverdrehbank *f*.

cap·su·lar ['kæpsjʊlə] *adj.* kapselförmig, Kapsel...; **cap·sule** ['kæpsju:l] **I** *s.* **1.** *anat.* (Gelenk- *etc.*)Kapsel *f*, Hülle *f*, Schale *f*; **2.** ⚘ a) Kapselfrucht *f*, b) Sporenkapsel *f*; **3.** *pharm.* (Arz'nei-) Kapsel *f*; **4.** (Me'tall-, Verschluß)Kapsel *f*; **5.** (Raum)Kapsel *f*; **6.** ⚗ Abdampfschale *f*; **7.** *fig.* kurze 'Übersicht *od.* Beschreibung *etc.*; **II** *adj.* **8.** *fig.* kurz, gedrängt, Kurz...

cap·tain ['kæptɪn] **I** *s.* **1.** Führer *m*, Oberhaupt *n*: ~ ***of industry*** Industriekapitän *m*; **2.** ⚔ a) Hauptmann *m*, b) *Kavallerie*: *hist.* Rittmeister *m*; **3.** ⚓ a) Kapi'tän *m*, Komman'dant *m*, b) *Kriegsmarine*: Kapitän *m* zur See; **4.** 'Flugkapiˌtän *m*; **5.** *sport* ('Mannschafts)Kapiˌtän *m*; **6.** *ped.* Klassensprecher(in); **7.** Vorarbeiter *m*; ⚒ Obersteiger *m*; **8.** *Am.* (Poli'zei-) ˌHauptkommisˌsar *m*; **II** *v/t.* **9.** (an)führen; '**cap·tain·cy** [-sɪ], '**cap·tain·ship** [-ʃɪp] *s.* **1.** ⚔ Hauptmanns-, Kapi'tänsposten *m*, -rang *m*; **2.** Führerschaft *f*.

cap·tion ['kæpʃn] **I** *s.* **1.** a) 'Überschrift *f*, Titel *m*, b) ('Bild)ˌUnterschrift *f*, c) *Film*: 'Untertitel *m*; **2.** ⚖ a) Prä'ambel *f*, b) *Prozeßrecht*: 'Rubrum *n*; **II** *v/t.* **3.** mit e-r Überschrift *etc.* versehen; *Film* unter'titeln.

cap·tious ['kæpʃəs] *adj.* □ **1.** verfänglich; **2.** spitzfindig; **3.** krittelig, pe'dantisch.

cap·ti·vate ['kæptɪveɪt] *v/t. fig.* gefangennehmen, fesseln, bestricken, bezaubern; '**cap·ti·vat·ing** [-tɪŋ] *adj. fig.* fesselnd, bezaubernd; **cap·ti·va·tion** [ˌkæptɪ'veɪʃn] *s. fig.* Bezauberung *f*.

cap·tive ['kæptɪv] **I** *adj.* **1.** gefangen, in Gefangenschaft: ***be held*** ~ gefangengehalten werden; ***take*** ~ gefangennehmen (*a. fig.*); **2.** festgehalten, ‚gefangen': ~ ***balloon*** Fesselballon *m*; ~ ***market*** ✝ monopolistisch beherrschter Markt; **3.** *fig.* gefangen, gefesselt (***to*** von); **II** *s.* **4.** Gefangene(r) *m*, *fig. a.* Sklave *m* (***to*** *gen.*); **cap·tiv·i·ty** [kæp'tɪvətɪ] *s.* **1.** Gefangenschaft *f*; **2.** *fig.* Knechtschaft *f*.

C

cap·tor ['kæptə] *s.* **1.** ***his ~*** der ihn gefangennahm; **2.** ⚓ Kaper *m*; '**cap·ture** [-tʃə] **I** *v/t.* **1.** fangen; gefangennehmen; **2.** ⚔ erobern; erbeuten; **3.** ⚓ kapern, aufbringen; **4.** *fig.* (*a. Stimmung etc., a. phys. Neutronen*) einfangen; erobern, für sich einnehmen, gewinnen, erlangen; an sich reißen; **II** *s.* **5.** Gefangennahme *f*, Fang *m*; **6.** ⚔ Eroberung *f* (*a. fig.*); Erbeutung *f*; Beute *f*; **7.** ⚓ a) Kapern *n*, Aufbringung *f*, b) Prise *f*.

Cap·u·chin ['kæpjʊʃɪn] *s.* **1.** *eccl.* Kapu'ziner(mönch) *m*; **2.** ♀ 'Umhang *m* mit Ka'puze; **3.** *a.* ***~ monkey*** *zo.* Kapu'zineraffe *m*.

car [kɑː] *s.* **1.** Auto *n*, Wagen *m*: ***by ~*** mit dem (*od.* im) Auto; **2.** (Eisenbahn *etc.*)Wagen *m*, Wag'gon *m*; **3.** Wagen *m*, Karren *m*; **4.** (*Luftschiff- etc.*)Gondel *f*; **5.** Ka'bine *f e-s Aufzuges*; **6.** *poet.* Kriegs- *od.* Tri'umphwagen *m*.

ca·rafe [kə'ræf] *s.* Ka'raffe *f*.

car·a·mel ['kærəmel] *s.* **1.** Kara'mel *m*, gebrannter Zucker; **2.** Kara'melle *f* (*Bonbon*).

car·a·pace ['kærəpeɪs] *s. zo.* Rückenschild *m* (*Schildkröte, Krebs*).

car·at ['kærət] *s.* Ka'rat *n*: a) *Juwelen- od. Perlengewicht*, b) *Goldfeingehalt*: ***18-~ gold*** 18karätiges Gold.

car·a·van ['kærəvæn] **I** *s.* **1.** Kara'wane *f* (*a. fig.*); **2.** a) Wohnwagen *m* (*von Schaustellern etc.*), b) *Brit.* Caravan *m*, Wohnwagen *m*, -anhänger *m*: ***~ park*** *od.* ***site*** Campingplatz *m* für Wohnwagen; **II** *v/i.* **3.** im Wohnwagen *etc.* reisen; '**car·a·van·ner** [-nə] *s.* **1.** Reisende(r) in e-r Kara'wane; **2.** *mot. Brit.* Caravaner *m*; ˌ**car·a'van·sa·ry** [-sərɪ], ˌ**car·a'van·se·rai** [-səraɪ] *s.* Karawanse'rei *f*.

car·a·vel ['kærəvəl] *s.* ⚓ Kara'velle *f*.

car·a·way ['kærəweɪ] *s.* ⚘ Kümmel *m*; ~ **seeds** *s. pl.* Kümmelkörner *pl.*

car·bide ['kɑːbaɪd] *s.* ⚗ Kar'bid *n*.

car·bine ['kɑːbaɪn] *s.* ⚔ Kara'biner *m*.

car bod·y *s.* ⚙ Karosse'rie *f*.

car·bo·hy·drate [ˌkɑːbəʊ'haɪdreɪt] *s.* ⚗ 'Kohle(n)hyˌdrat *n*.

car·bol·ic ac·id [kɑː'bɒlɪk] *s.* ⚗ Kar'bol(säure *f*) *n*, Phe'nol *n*.

car·bo·lize ['kɑːbəlaɪz] *v/t.* ⚗ mit Kar'bolsäure behandeln.

car·bon ['kɑːbən] *s.* **1.** ⚗ Kohlenstoff *m*; **2.** ⚡ 'Kohle(elekˌtrode) *f*; **3.** a) 'Kohlepaˌpier *n*, b) 'Durchschlag *m*; **car·bo·na·ceous** [ˌkɑːbəʊ'neɪʃəs] *adj.* kohlenstoff-, kohleartig; Kohlen...; '**car·bon·ate** ⚗ **I** *s.* [-nɪt] **1.** kohlensaures Salz: ***~ of lime*** Kalziumkarbonat *n*, Kreide *f*; ***~ of soda*** Natriumkarbonat *n*, kohlensaures Natrium, Soda *f*; **II** *v/t.* [-neɪt] **2.** mit Kohlensäure *od.* Kohlen'dioˌxyd behandeln: ***~d water*** kohlensäurehaltiges Wasser, Sodawasser; **3.** karbonisieren, verkohlen.

car·bon| brush *s.* ⚡ Kohlebürste *f*; ~ **cop·y** *s.* **1.** 'Durchschlag *m*, -schrift *f*, Ko'pie *f*; **2.** *fig.* Abklatsch *m*, Dupli'kat *n*; ~ **dat·ing** *s.* Radiokar'bonmeˌthode *f*, 'C-'14-Meˌthode *f* (*zur Altersbestimmung*); ~ **di·ox·ide** *s.* ⚗ Kohlen'dioˌxyd *n*; ~ **fil·a·ment** *s.* ⚡ Kohlefaden *m*.

car·bon·ic [kɑː'bɒnɪk] *adj.* ⚗ kohlenstoffhaltig; Kohlen...; ~ **ac·id** *s.* ⚗ Kohlensäure *f*; **~-'ac·id gas** *s.* ⚗ Kohlen'dioˌxyd *n*, Kohlensäuregas *n*; ~ **ox·ide** *s.* ⚗ Kohlen('mon)oˌxyd *n*.

car·bon·if·er·ous [ˌkɑːbə'nɪfərəs] *adj.* kohlehaltig, kohleführend: ♀ ***Period*** *geol.* Karbon *n*, Steinkohlenzeit *f*; **car·bon·i·za·tion** [ˌkɑːbənaɪ'zeɪʃn] *s.* **1.** Verkohlung *f*; **2.** Verkokung *f*: ***~ plant*** Kokerei *f*; '**car·bon·ize** [-naɪz] *v/t.* **1.** verkohlen; **2.** verkoken.

car·bon| mi·cro·phone *s.* 'Kohlemikroˌphon *n*; ~ **pa·per** *s.* 'Kohlepaˌpier *n* (*a. phot.*); ~ **print** *s. typ.* Kohle-, Pig'mentdruck *m*; ~ **steel** *s.* Kohlenstoff-, Flußstahl *m*.

car·bo·run·dum [ˌkɑːbə'rʌndəm] *s.* ⚙ Karbo'rundum *n* (*Schleifmittel*).

car·boy ['kɑːbɔɪ] *s.* Korbflasche *f*, ('Glas)Balˌlon *m* (*bsd. für Säuren*).

car·bun·cle ['kɑːbʌŋkl] *s.* **1.** ⚕ Kar'bunkel *m*; **2.** Kar'funkel *m*, geschliffener Gra'nat.

car·bu·ret ['kɑːbjʊret] *v/t.* ⚙ karburieren; *mot.* vergasen; '**car·bu·ret·(t)ed** [-tɪd] *adj.* karburiert; '**car·bu·ret·ter**, **-ret·tor** [-tə], *Am. mst* **-ret·or** [-reɪtə] *s.* ⚙, *mot.* Vergaser *m*.

car·bu·rize ['kɑːbjʊraɪz] *v/t.* **1.** ⚗ a) mit Kohlenstoff verbinden, b) karburieren; **2.** ⚙ einsatzhärten.

car·cass, **car·case** ['kɑːkəs] *s.* **1.** Ka'daver *m*, (Tier-, Menschen)Leiche *f*; *humor.* ‚Leichnam' *m* (*Körper*); **2.** Rumpf *m* (*e-s geschlachteten Tieres*): ***~ meat*** frisches Fleisch (*Ggs. konserviertes*); **3.** Gerippe *n*, Ske'lett *n*, △ *a.* Rohbau *m*; **4.** ⚙ Kar'kasse *f e-s Gummireifens*; **5.** *fig.* Ru'ine *f*.

car·cin·o·gen [kɑː'sɪnədʒən] *s.* Karzino'gen *n*, Krebserreger *m*; **car·cin·o·gen·ic** [ˌkɑːsɪnə'dʒenɪk] *adj.* karzino'gen, krebserzeugend; **car·ci·nol·o·gy** [ˌkɑːsɪ'nɒlədʒɪ] *s.* ⚕, *a. zo.* Karzinolo'gie *f*; **car·ci·no·ma** [ˌkɑːsɪ'nəʊmə] *pl.* **-ma·ta** [-mətə] *od.* **-mas** *s.* ⚕ Karzi'nom *n*, Krebsgeschwür *n*.

card[1] [kɑːd] *s.* **1.** (*Spiel*)Karte *f*: ***play (at) ~s*** Karten spielen; ***game of ~s*** Kartenspiel *n*; ***a pack of ~s*** ein Spiel Karten; ***house of ~s*** *fig.* Kartenhaus *n*; ***a safe ~*** *fig.* eine sichere Sache, et., auf das (*a.* j-d, auf den) man sich verlassen kann; ***play one's ~s well*** *fig.* geschickt vorgehen; ***put one's ~s on the table***

fig. s-e Karten auf den Tisch legen; ***show one's ~s*** *fig.* s-e Karten aufdekken; ***on the ~s*** *fig.* (durchaus) möglich, ‚drin'; **2.** (*Post-, Glückwunsch etc., Geschäfts-, Visiten-, Eintritts-, Einladungs*)Karte *f*; **3.** Mitgliedskarte *f*: ***~-carrying member*** eingeschriebenes Mitglied; **4.** *pl.* (ˈArbeits)Paˌpiere *pl.*: ***get one's ~s*** F entlassen werden; **5.** ⚙ (Loch)Karte *f*; **6.** *sport* Proˈgramm *n*; **7.** Windrose *f* (*Kompaß*); **8.** F ‚Type' *f*, Witzbold *m*.

card² [kɑːd] ⚙ **I** *s.* Wollkratze *f*, Krempel *f*; **II** *v/t. Wolle* krempeln, kämmen: ***~ed yarn*** Streichgarn *n*.

car·dan| joint [ˈkɑːdən] *s.* ⚙ Karˈdangelenk *n*; **~ shaft** *s.* ⚙ Karˈdan-, Gelenkwelle *f*.

ˈcard|-ˌbas·ket *s.* Viˈsitenkartenschale *f*; **ˈ~·board I** *s.* **1.** Karˈton(paˌpier *n*) *m*, Pappe *f*; **II** *adj.* **2.** Karton…, Papp…: ***~ box*** Pappschachtel *f*, Karton *m*; **3.** *fig. contp.* ‚nachgemacht', Pappmaché-…; **~ cat·a·logue** → ***card index***.

card·er [ˈkɑːdə] *s.* ⚙ **1.** Krempler *m*, Wollkämmer *m*; **2.** ˈKrempelmaˌschine *f*.

car·di·ac [ˈkɑːdɪæk] ⚕ **I** *adj.* **1.** Herz…: ***~ arrest*** Herzstillstand *m*; **II** *s.* **2.** Herzmittel *n*; **3.** ˈHerzpatiˌent *m*.

car·di·gan [ˈkɑːdɪgən] *s.* Strickjacke *f*.

car·di·nal [ˈkɑːdɪnl] **I** *adj.* **1.** grundsätzlich, grundlegend, hauptsächlich, Haupt…, Kardinal…: ***~ points*** *die* vier (Haupt)Himmelsrichtungen; ***~ principles*** Grundprinzipien; ***~ number*** Kardinalzahl *f*; **2.** *eccl.* Kardinals…; **3.** scharlachrot, hochrot: ***~-flower*** ⚘ hochrote Lobelie; **II** *s.* **4.** *eccl.* Kardiˈnal *m*; **5.** *orn. a.* ***~-bird*** Kardiˈnal *m*; **ˈcar·di·nal·ship** [-ʃɪp] *s.* Kardiˈnalswürde *f*.

card in·dex *s.* Kartoˈthek *f*, Karˈtei *f*; **ˈcard-ˌin·dex** *v/t.* **1.** e-e Kartei anlegen von, verzetteln; **2.** in e-e Kartei eintragen.

card·ing [ˈkɑːdɪŋ] *s.* ⚙ Krempeln *n*, Kratzen *n* (*Wolle*): ***~ machine*** Krempel-, Kratzmaschine *f*.

cardio- [kɑːdɪəʊ] *in Zssgn* Herz…

car·di·o·gram [ˈkɑːdɪəʊgræm] *s.* ⚕ Kardioˈgramm *n*; **car·di·ol·o·gy** [ˌkɑːdɪˈɒlədʒɪ] *s.* Kardioloˈgie *f*, Herz(heil)kunde *f*.

card| room *s.* (Karten)Spielzimmer *n*; **ˈ~·sharp**, **ˈ~ˌsharp·er** *s.* Falschspieler *m*; **~ ta·ble** *s.* Spieltisch *m*; **~ trick** *s.* Kartenkunststück *n*; **~ vote** *s. Brit.* (*mst gewerkschaftliche*) Abstimmung durch Wahlmänner.

care [keə] **I** *s.* **1.** Sorge *f*, Kummer *m*: ***be free from ~(s)*** keine Sorgen haben; ***without a ~ in the world*** völlig sorgenfrei; **2.** Sorgfalt *f*, Aufmerksamkeit *f*, Vorsicht *f*: ***ordinary ~*** ⚖ verkehrsübliche Sorgfalt; ***with due ~*** mit der erforderlichen Sorgfalt; ***have a ~!*** *Brit.* F a) paß doch auf!, b) ich bitte dich!; ***take ~*** a) vorsichtig sein, aufpassen, b) sich Mühe geben, c) darauf achten *od.* nicht vergessen (***to do*** zu tun; ***that*** daß); ***take ~ not to do s.th.*** sich hüten, et. zu tun; et. ja nicht tun; ***take ~ not to drop it!*** laß es ja nicht fallen; ***take ~!*** F mach's gut!; **3.** a) Obhut *f*, Schutz *m*, Fürsorge *f*, Betreuung *f*, (*Kinder- etc., a. Körper- etc.*)Pflege *f*, b) Aufsicht *f*, Leitung *f*: ***~ and custody*** (*od.* ***control***) ⚖ Sorgerecht *n* (***of*** für *j-n*); ***take ~ of*** a) → 6, b) aufpassen auf (*acc.*), c) *et.* erledigen *od.* besorgen; ***take ~ of yourself!*** paß auf dich auf!, mach's gut!; ***that takes ~ of that!*** F das wäre (damit) erledigt!; **4.** Pflicht *f*: ***his special ~s***; **II** *v/i.* **5.** sich sorgen (***about*** über *acc.*, um); **6.** ***~ for*** sorgen für, sich kümmern um, betreuen, pflegen: (***well***) ***~d-for*** (gut)gepflegt; **7.** (***for***) (*j-n*) gern haben *od.* mögen: ***he doesn't ~ for her*** er macht sich nichts aus ihr, er mag sie nicht; ***he does ~*** (***for her***) er mag sie wirklich; **8.** sich etwas daraus machen: ***I don't ~ for whisky*** ich mache mir nichts aus Whisky; ***he ~s a great deal*** es ist ihm sehr daran gelegen, es macht ihm schon etwas aus; ***she doesn't really ~*** in Wirklichkeit liegt ihr nicht viel daran: ***I don't ~ a damn*** (*od.* ***fig***, ***pin***, ***straw***), ***I couldn't ~ less*** es ist mir völlig gleich(gültig) *od.* egal *od.* ‚schnuppe'; ***who ~s?*** na, und?, (und) wenn schon?; ***for all I ~*** meinetwegen, von mir aus; ***for all you ~*** wenn es nach dir ginge; ***I don't ~ to do it now*** ich habe keine Lust, es jetzt zu tun; ***I don't ~ to be seen with you*** ich lege keinen Wert darauf, mit dir gesehen zu werden; ***would you ~ for a drink?*** möchtest du et. zu trinken?; ***we don't ~ if you stay here*** wir haben nichts dagegen *od.* es macht uns nichts aus, wenn du hierbleibst; ***I don't ~ if I do!*** F von mir aus!

ca·reen [kəˈriːn] **I** *v/t.* **1.** ⚓ *Schiff* kielholen; **II** *v/i.* **2.** ⚓ krängen, sich auf die Seite legen; **3.** *fig.* (hin u. her) schwanken, torkeln.

ca·reer [kəˈrɪə] **I** *s.* **1.** Karriˈere *f*, Laufbahn *f*, Werdegang *m*: ***enter upon a ~*** e-e Laufbahn einschlagen; **2.** (*erfolgreiche*) Karriˈere: ***make a ~ for o.s.*** Karriere machen; **3.** (Lebens)Beruf *m*: ***~ diplomat*** Berufsdiplomat *m*; ***~ girl*** *od.* ***woman*** Karrierefrau *f*; ***~ prospects*** Aufstiegsmöglichkeiten *pl.*; ***~s guidance*** *Brit.* Berufsberatung *f*; ***~s officer*** *Brit.* Berufsberater *m*; **4.** gestreckter Gaˈlopp, Karriˈere *f*: ***in full ~*** in vollem Galopp (*a. weitS.*); **II** *v/i.* **5.** galoppieren; **6.** rennen, rasen, jagen;

ca·reer·ist [kəˈrɪərɪst] *s.* Karriˈeremacher *m.*

ˈ**care·free** *adj.* sorgenfrei.

care·ful [ˈkeəfʊl] *adj.* □ **1.** vorsichtig, achtsam: ***be ~!*** nimm dich in acht!; ***be ~ to*** *inf.* darauf achten zu *inf.*, nicht vergessen zu *inf.*; ***be ~ not to*** *inf.* sich hüten zu *inf.*; aufpassen, daß nicht; ***be ~ of your clothes!*** gib acht auf deine Kleidung!; **2.** bedacht, achtsam (***of***, ***for***, ***about*** auf *acc.*), ˈumsichtig; **3.** sorgfältig, genau, gründlich: ***a ~ study***; **4.** *Brit.* sparsam; ˈ**care·ful·ness** [-nɪs] *s.* Vorsicht *f*, Sorgfalt *f*; Gründlichkeit *f*; ˈUmsicht *f*.

care·less [ˈkeəlɪs] *adj.* □ **1.** nachlässig, unvorsichtig, unachtsam; leichtsinnig; **2.** (***of***, ***about***) unbekümmert (um), unbesorgt (um), gleichgültig (gegenˈüber): ***~ of danger***; **3.** unbedacht, unbesonnen: ***a ~ remark***; ***a ~ mistake*** ein Flüchtigkeitsfehler; **4.** sorgenfrei, fröhlich: ***~ youth***; ˈ**care·less·ness** [-nɪs] *s.* Nachlässigkeit *f*; Unbedachtheit *f*; Sorglosigkeit *f*, Unachtsamkeit *f*.

ca·ress [kəˈres] **I** *s.* Liebkosung *f*; *pl. a.* Zärtlichkeiten *pl.*; **II** *v/t.* liebkosen; streicheln; *fig. der Haut etc.* schmeicheln; **caˈress·ing** [-sɪŋ] *adj.* □ zärtlich; schmeichelnd.

car·et [ˈkærət] *s.* Einschaltungszeichen *n* (*für Auslassung im Text*).

ˈ**care|-ˌtak·er** *s.* **1.** a) Hausmeister *m*, b) (Haus- *etc.*)Verwalter *m*; **2.** ***~ government*** geschäftsführende Regierung, ˈÜbergangskabiˌnett *n*; ˈ**~-worn** *adj.* vergrämt, abgehärmt.

Ca·rey Street [ˈkeərɪ] *s.*: ***in ~*** *Brit.* F ‚pleite', bankrott.

ˈ**car·fare** *s. Am.* Fahrgeld *n*, -preis *m*.

car·go [ˈkɑːgəʊ] *pl.* **-goes**, *Am. a.* **-gos** *s.* ⚓, ✈ Ladung *f*, Fracht(gut *n*) *f*; **~ boat** *s.* ⚓ Frachtschiff *n*; ˈ**~-ˌcar·ry·ing** *adj.* Fracht..., Transport...: ***~ glider*** Lastensegler *m*; **~ hold** *s.* Laderaum *m*; **~ par·a·chute** *s.* Lastenfallschirm *m*; **~ plane** *s.* ✈ Transˈportflugzeug *n*.

ˈ**car·hop** *s. Am.* Kellner(in) in e-m Drive-ˈin-Restauˌrant.

Car·ib·be·an [ˌkærɪˈbiːən] **I** *adj.* kaˈribisch; **II** *s. geogr.* Kaˈribisches Meer.

car·i·bou, **car·i·boo** [ˈkærɪbuː] *s. zo.* ˈKaribu *m*.

car·i·ca·ture [ˈkærɪkəˌtjʊə] **I** *s.* Karikaˈtur *f* (*a. fig.*); **II** *v/t.* karikieren; ˈ**car·i·caˌtur·ist** [-ʊərɪst] *s.* Karikatuˈrist *m*.

car·i·es [ˈkeərɪiːz] *s.* ⚕ ˈKaries *f*: a) Knochenfraß *m*, b) Zahnfäule *f*.

car·il·lon [ˈkærɪljən] *s.* (Turm)Glockenspiel *n*, ˈGlockenspielmuˌsik *f*.

car·ing [ˈkeərɪŋ] *adj.* liebevoll, mitfühlend; soziˈal (engagiert).

Ca·rin·thi·an [kəˈrɪnθɪən] **I** *adj.* kärntnerisch; **II** *s.* Kärntner(in).

car·i·ous [ˈkeərɪəs] *adj.* ⚕ kariˈös, angefressen, faul.

car| jack *s.* ⚙ Wagenheber *m*; ˈ**~·load** *s.* **1.** Wagenladung *f*; **2.** *Am.* a) Güterwagenladung *f*, b) Mindestladung *f* (*für Frachtermäßigung*); **3.** *Am. fig.* ‚Haufen' *m*, Menge *f*; ˈ**~·man** [-mən] *s.* [*irr.*] **1.** Fuhrmann *m*; **2.** (Kraft)Fahrer *m*; **3.** Spediˈteur *m*.

car·mine [ˈkɑːmaɪn] **I** *s.* Karˈminrot *n*; **II** *adj.* karˈminrot.

car·nage [ˈkɑːnɪdʒ] *s.* Blutbad *n*, Gemetzel *n*.

car·nal [ˈkɑːnl] *adj.* □ fleischlich, sinnlich; geschlechtlich: ***~ knowledge*** ⚖ Geschlechtsverkehr (***of*** mit); **car·nal·i·ty** [kɑːˈnælətɪ] *s.* Fleischeslust *f*, Sinnlichkeit *f*.

car·na·tion [kɑːˈneɪʃn] *s.* **1.** ⚘ (Garten-)Nelke *f*; **2.** Blaßrot *n*.

car·net [ˈkɑːneɪ] *s. mot.* Carˈnet *n*, ˈZollpasˌsierschein *m*.

car·ni·val [ˈkɑːnɪvl] *s.* **1.** ˈKarneval *m*, Fasching *m*; **2.** Volksfest *n*; **3.** ausgelassenes Feiern; **4.** *Am.* (Sport- *etc.*)Veranstaltung *f*.

car·niv·o·ra [kɑːˈnɪvərə] *s. pl. zo.* Fleischfresser *pl.*; **car·ni·vore** [ˈkɑːnɪvɔː] *s. zo.* Fleischfresser *m*, *bsd.* Raubtier *n*; **carˈniv·o·rous** [-rəs] *adj. zo.* fleischfressend.

car·ob [ˈkærəb] *s.* ⚘ Joˈhannisbrot(baum *m*) *n*.

car·ol [ˈkærəl] **I** *s.* **1.** Freuden-, *bsd.* Weihnachtslied *n*; **II** *v/i.* **2.** Weihnachtslieder singen; **3.** jubilieren.

Car·o·lin·gi·an [ˌkærəʊˈlɪndʒɪən] *hist.* **I** *adj.* ˈkarolingisch; **II** *s.* ˈKarolinger *m*.

car·om [ˈkærəm] *bsd. Am.* **I** *s.* **1.** *Billard*: Karamboˈlage *f*; **II** *v/i.* **2.** karambolieren; **3.** abprallen.

ca·rot·id [kəˈrɒtɪd] *s. u. adj. anat.* (die) Halsschlagader (betreffend).

ca·rous·al [kəˈraʊzl] *s.* Trinkgelage *n*, Zecheˈrei *f*; **ca·rouse** [kəˈraʊz] **I** *v/i.* (lärmend) zechen; **II** *s.* → ***carousal***.

carp[1] [kɑːp] *v/i.* (***at***) nörgeln (an *dat.*), kritteln (über *acc.*).

carp[2] [kɑːp] *s. ichth.* Karpfen *m*.

car·pal [ˈkɑːpl] *anat.* **I** *adj.* Handwurzel...; **II** *s.* Handwurzelknochen *m*.

car park *s.* Parkplatz *m*, -haus *n*: ***underground ~*** Tiefgarage *f*.

car·pel [ˈkɑːpel] *s.* ⚘ Fruchtblatt *n*.

car·pen·ter [ˈkɑːpəntə] **I** *s.* Zimmermann *m*; **II** *v/t. u. v/i.* zimmern; **~ ant** *s. zo.* Holzameise *f*; **~ bee** *s. zo.* Holzbiene *f*.

car·pen·ter's| bench [ˈkɑːpəntəz] *s.* Hobelbank *f*; **~ lev·el** *s.* ⚙ Setzwaage *f*.

car·pen·try [ˈkɑːpəntrɪ] *s.* Zimmerhandwerk *n*; Zimmerarbeit *f*.

car·pet [ˈkɑːpɪt] **I** *s.* **1.** Teppich *m* (*a. fig.*), (*Treppen- etc.*)Läufer *m*: ***be on the ~*** *fig.* a) zur Debatte stehen, auf dem Tapet sein, b) F ‚zs.-gestaucht' werden; ***sweep under the ~*** *a. fig.* unter den Teppich kehren; → ***red carpet***; **II** *v/t.* **2.** mit (*od.* wie mit) e-m Teppich belegen; **3.** *Brit.* F ‚zs.-stauchen'; **~ bag** *s.* Reisetasche *f*; '**~ˌbag·ger** *s. Am.* F **1.** (po'litischer) Abenteurer (*ursprünglich nach dem Bürgerkrieg*); **2.** *allg.* Schwindler *m*; **~ bomb·ing** *s.* ⚔ Bombenteppichwurf *m*; **~ dance** *s.* zwangloses Tänzchen; '**~·knight** *s. Brit.* Sa'lonlöwe *m*; **~ sweep·er** *s.* 'Teppichkehrmaˌschine *f*.

car·phone ['kɑːfəʊn] *s.* Autotelefon *n*.

carp·ing ['kɑːpɪŋ] **I** *s.* Kritte'lei *f*; **II** *adj.* □ krittelig: ***~ criticism*** → I.

car| pool *s.* **1.** Fuhrpark *m*; **2.** Fahrgemeinschaft *f*; '**~·port** *s.* Einstellplatz *m* (*im Freien*).

car·pus ['kɑːpəs] *pl.* **-pi** [-paɪ] *s. anat.* Handgelenk *n*, -wurzel *f*.

car·rel ['kærəl] *s.* Lesenische *f* (*in e-r Bibliothek*).

car·riage ['kærɪdʒ] *s.* **1.** Wagen *m*, Kutsche *f*: ***~ and pair*** Zweispänner *m*; **2.** *Brit.* Eisenbahnwagen *m*; **3.** Beförderung *f*, Trans'port *m*: ***~ by sea*** Seetransport; **4.** ⚕ Trans'portkosten *pl.*, Fracht(gebühr) *f*; Fuhrlohn *m*, Rollgeld *n*: ***~ paid*** frachtfrei, franko; ***~ forward*** *Brit.* Fracht gegen Nachnahme; **5.** ⚔ La'fette *f*; **6.** ✈ Fahrgestell *n*; **7.** a) Karren *m*, Laufbrett *n* (*e-r Druckerpresse*), b) Wagen *m* (*e-r Schreibmaschine etc.*), c) Schlitten *m* (*e-r Werkzeugmaschine*); **8.** (Körper)Haltung *f*, Gang *m*: ***a graceful ~***; **9.** *pol.* 'Durchbringen *n*, Annahme *f* (*Gesetz etc.*); '**car·riage·a·ble** [-dʒəbl] *adj.* befahrbar.

car·riage| bod·y *s.* Wagenkasten *m*, Karosse'rie *f*; '**~·drive** *s.* Fahrweg *m*; '**~·road**, '**~·way** *s. Brit.* Fahrbahn *f*.

car·ri·er ['kærɪə] *s.* **1.** Über'bringer *m*, Bote *m*; **2.** Spedi'teur *m*, *a.* **~s** *pl.* Spediti'onsfirma *f*: ***common ~*** ⚕ Frachtführer *m*, Transportunternehmer *m*, -unternehmen *n* (*a.* 🚌, ⚓ *etc.*); **3.** ⚕ ('Krankheits)Überˌträger *m*; Keimträger *m*; **4.** ⚗ (Über)'Träger *m*, Kataly'sator *m*; **5.** ϟ Träger(strom *m*, -welle *f*) *m*; **6.** Träger *m*, Tragbehälter *m*, -netz *n*, -kiste *f*, -gestell *n*; Gepäckhalter *m am Fahrrad*; *mot.* Dachgepäckträger *m*; **7.** ⚙ a) Schlitten *m*, Trans'port *m*, b) Mitnehmer *m*; **8.** *abbr. für* ***aircraft carrier***; '**~·bag** *s.* Tragtasche *f*, -tüte *f*; **~ pi·geon** *s.* Brieftaube *f*; **~ rock·et** *s.* 'Trägerraˌkete *f*.

car·ri·on ['kærɪən] *s.* **1.** Aas *n*; **2.** verdorbenes Fleisch; **3.** *fig.* Unrat *m*, Schmutz *m*; **~ bee·tle** *s. zo.* Aaskäfer *m*.

car·rot ['kærət] *s.* **1.** ⚘ Ka'rotte *f*, Mohrrübe *f*: ***~ or stick*** *fig.* Zuckerbrot oder Peitsche; ***hold out a ~ to s.o.*** *fig.* j-n zu ködern versuchen; **2.** F a) *pl.* rotes Haar, b) Rotkopf *m*; '**car·rot·y** [-tɪ] *adj.* **1.** gelbrot; **2.** rothaarig.

car·rou·sel [ˌkærʊ'zel] *s. bsd. Am.* Karus'sell *n*.

car·ry ['kærɪ] **I** *s.* **1.** Trag-, Schußweite *f*; **2.** Flugstrecke *f* (*Golfball*); **3.** → ***portage*** 2; **II** *v/t.* **4.** tragen: ***~ a burden***; ***~ o.s.*** (*od.* ***one's body***) ***well*** e-e gute (Körper)Haltung haben; **5.** bei sich haben, (an sich) haben: ***~ money about one*** Geld bei sich haben; ***~ in one's head*** im Kopf haben *od.* behalten; ***~ authority*** großen Einfluß ausüben; ***~ conviction*** überzeugen(d sein *od.* klingen); ***~ a moral*** e-e Moral (zum Inhalt) haben; **6.** befördern, bringen; mit sich bringen *od.* führen; (ein)bringen: ***railways ~ goods*** die Eisenbahnen befördern Waren; ***~ a message*** e-e Nachricht überbringen; ***~ interest*** Zinsen tragen *od.* bringen; ***~ insurance*** versichert sein; ***~ consequences*** Folgen haben; **7.** (hin'durch-, he'rum)führen; fortsetzen, ausdehnen: ***~ a wall around the park*** e-e Mauer um den Park ziehen; ***~ to excess*** übertreiben; ***you ~ things too far*** du treibst die Dinge zu weit; **8.** erlangen, gewinnen; erobern (*a.* ⚔): ***~ all before one*** auf der ganzen Linie siegen, vollen Erfolg haben; ***~ the audience with one*** die Zuhörer mitreißen; ***~ an election*** e-e Wahl gewinnen; ***~ a district*** *Am.* e-n Wahlkreis *od.* -bezirk erobern, den Wahlsieg in e-m Bezirk davontragen; **9.** 'durchbringen, -setzen: ***~ a motion*** e-n Antrag durchbringen; ***carried unanimously*** einstimmig angenommen; ***~ one's point*** s-e Ansicht durchsetzen, sein Ziel erreichen; **10.** *Waren* führen; *Zeitungsmeldung* bringen; **11.** *Rechnen*: über'tragen, ‚sich merken': ***~ two*** gemerkt zwei; ***~ to a new account*** ⚕ auf neue Rechnung vortragen; **III** *v/i.* **12.** *weit* tragen, reichen (*Stimme*, *Schall*; *Schußwaffen*);

Zssgn mit adv.:

car·ry| a·way *v/t.* **1.** wegtragen; fortreißen (*a. fig.*); **2.** *fig.* hinreißen: a) begeistern, b) verleiten: ***get carried away*** a) in Verzückung geraten, b) die Selbstkontrolle verlieren, sich hinreißen lassen (***into doing*** *et.* zu tun); **~ for·ward** *v/t.* **1.** fortsetzen, vor'anbringen; **2.** ⚕ *Summe od. Saldo* vortragen: ***amount carried forward*** a) Vor-, Übertrag *m*, b) *Rechnen*: Transport *m*; **~ off** *v/t.* forttragen, -schaffen; ab-, entführen, verschleppen; *j-n* hinwegraffen (*Krankheit*); *Preis etc.* gewinnen, erringen; **~ on I** *v/t.* **1.** *fig.* fortführen, -setzen; *Plan* verfolgen; *Geschäft* betreiben; *Gespräch* führen; **II** *v/i.* **2.** fortfahren; weitermachen; **3.** fortbestehen; **4.**

F a) ein ‚The'ater' *od.* e-e Szene machen, sich schlecht aufführen, es wild *od.* wüst treiben, b) ‚es (*ein Verhältnis*) haben' (*with* mit); ~ **out** *v/t.* aus-, 'durchführen, erfüllen; ~ **o·ver** *v/t.* ✝ **1.** → *carry forward* 2; **2.** *Waren* übrigbehalten; **3.** *Börse*: prolongieren; ~ **through** *v/t.* 'durchführen; *j-m* 'durchhelfen, *j-n* 'durchbringen.

'car·ry|·all *s. Am.* **1.** Per'sonen,auto *n* mit Längssitzen; **2.** große (Einkaufs-, Reise)Tasche; **'~·cot** *s.* (Baby)Tragetasche *f*; **'~-,for·ward** *s.* ✝ *Brit.* ('Saldo-) Vortrag *m*, 'Übertrag *m*.

car·ry·ing ['kærɪɪŋ] *s.* Beförderung *f*; Trans'port *m*; ~ **a·gent** *s.* Spedi'teur *m*; ~ **ca·pac·i·ty** *s.* Lade-, Tragfähigkeit *f*; **,~-'on** *pl.* **,~s-'on** *s.* F **1.** ‚The'ater' *n*: a) Getue *n*, b) Af'färe *f*; **2.** schlechtes Benehmen; ~ **trade** *s.* Spediti'onsgewerbe *n*.

,car·ry'o·ver *s.* ✝ **1.** → *carry-forward*; **2.** *Brit. Börse*: Prolongati'on *f*: ~ **rate** Reportsatz *m*.

'car|·sick *adj.* eisenbahn- *od.* autokrank; **'~-,sick·ness** *s.* Autokrankheit *f*, Übelkeit *f* beim Autofahren.

cart [kɑ:t] **I** *s.* (Fracht)Karren *m*, Lieferwagen *m*; Handwagen *m*: *put the ~ before the horse fig.* das Pferd beim Schwanz aufzäumen; *in the ~ Brit.* F in der Klemme; **II** *v/t.* karren, fördern, fahren: ~ **about** umherschleppen; **'cart·age** [-tɪdʒ] *s.* Fuhrlohn *m*, Rollgeld *n*.

carte blanche [,kɑ:t'blɑ̃:nʃ] *s.* **1.** ✝ Blan'kett *n*; **2.** *fig.* unbeschränkte Vollmacht: *have ~* (völlig) freie Hand haben.

car·tel [kɑ:'tel] *s.* **1.** ✝, *a. pol.* Kar'tell *n*; **2.** ⚔ Abkommen *n* über den Austausch von Kriegsgefangenen; **car·tel·i·za·tion** [,kɑ:təlaɪ'zeɪʃn] *s.* ✝ Kartellierung *f*; **car·tel·ize** ['kɑ:təlaɪz] *v/t. u. v/i.* ✝ kartellieren.

cart·er ['kɑ:tə] *s.* ('Roll)Fuhrunter,nehmer *m*.

Car·te·sian [kɑ:'ti:zjən] **I** *adj.* kartesi'anisch; **II** *s.* Kartesi'aner *m*, Anhänger *m* der Lehre Des'cartes'.

'cart-horse *s.* Zugpferd *n*.

Car·thu·sian [kɑ:'θju:zjən] *s.* **1.** Kar'täuser(mönch) *m*; **2.** Schüler *m* der Charterhouse-Schule (*in England*).

car·ti·lage ['kɑ:tɪlɪdʒ] *s. anat., zo.* Knorpel *m*; **car·ti·lag·i·nous** [,kɑ:tɪ'lædʒɪnəs] *adj.* knorpelig.

'cart·load *s.* Wagenladung *f*, Fuhre *f*; *fig.* Haufen *m*.

car·tog·ra·pher [kɑ:'tɒgrəfə] *s.* Karto'graph *m*, Kartenzeichner *m*; **car'tog·ra·phy** [-fɪ] *s.* Kartogra'phie *f*.

car·ton ['kɑ:tən] *s.* **1.** (Papp)Schachtel *f*, Kar'ton *m*: *a ~ of cigarettes* e-e Stange Zigaretten; **2.** das ‚Schwarze' (*der Zielscheibe*).

car·toon [kɑ:'tu:n] *s.* **1.** Karika'tur *f*: ~ (*film*) Zeichentrickfilm *m*; **2.** *mst pl.* Cartoon(s *pl.*) *m*, Comics-Serie *f*, Bilder(fortsetzungs)geschichte *f*; **3.** *paint.* Kar'ton *m*, Entwurf *m* (*in natürlicher Größe*); **car'toon·ist** [-nɪst] *s.* Karika'tu'rist *m*.

car·touch(e) [kɑ:'tu:ʃ] *s.* ⚠ Kar'tusche *f* (*Ornament*).

car·tridge ['kɑ:trɪdʒ] *s.* **1.** ⚔ a) Pa'trone *f*, b) *Artillerie*: Kar'tusche *f*: *blank ~* Platzpatrone *f*; **2.** *phot.* ('Film)Pa,trone *f* (*Kleinbildkamera*), (-)Kas,sette *f* (*Film- od. Kassettenkamera*); **3.** Tonabnehmer *m*; **4.** ('Füllhalter)Pa,trone *f*; ~ **belt** *s.* ⚔ Pa'tronengurt *m*; ~ **case** *s.* Pa'tronenhülse *f*; ~ **clip** *s.* Ladestreifen *m*; ~ **pa·per** *s.* 'Zeichenpa,pier *n*; ~ **pen** *s.* Pa'tronenfüllhalter *m*.

'cart|·wheel *s.* **I** *s.* **1.** Wagenrad *n*; **2.** *turn a ~ sport* radschlagen; **II** *v/i.* **3.** radschlagen; **4.** sich mehrmals (seitlich) über'schlagen; **'~·wright** *s.* Stellmacher *m*, Wagenbauer *m*.

carve [kɑ:v] **I** *v/t.* **1.** (*in*) *Holz* schnitzen, (*in*) *Stein* meißeln: ~ *out of stone* aus Stein meißeln *od.* hauen; ~ *one's name on a tree* s-n Namen in e-n Baum einritzen *od.* -schneiden; **2.** mit Schnitze'reien *etc.* verzieren: ~ *the leg of a table*; **3.** *Fleisch* vorschneiden, zerlegen, tranchieren; **4.** *fig. oft ~ out* gestalten: ~ *out a fortune* ein Vermögen machen; ~ *out a career for o.s.* sich e-e Karriere aufbauen; **5.** ~ *up* aufteilen, zerstückeln; **6.** ~ *up* F *j-n* mit dem Messer übel zurichten; **II** *v/i.* **7.** schnitzen, meißeln; **8.** (Fleisch) vorschneiden.

car·vel ['kɑ:vl] → *caravel*; **'~-built** *adj.* ⚓ kra'weelgebaut.

carv·er ['kɑ:və] *s.* **1.** (Holz)Schnitzer *m*, Bildhauer *m*; **2.** Tranchierer *m*; **3.** a) Tranchiermesser *n*, b) *pl.* Tranchierbesteck *n*; **'carv·er·y** [-ərɪ] *s. Lokal, in dem man für e-n Einheitspreis soviel Fleisch essen kann, wie man will.*

carv·ing ['kɑ:vɪŋ] *s.* Schnitze'rei *f*, Schnitzwerk *n*; ~ **knife** → *carver* 3 a.

'car·wash *s.* **1.** Autowäsche *f*; **2.** (Auto)Waschanlage *f*.

car·y·at·id [,kærɪ'ætɪd] *s.* ⚠ Karya'tide *f*.

cas·cade [kæ'skeɪd] **I** *s.* **1.** Kas'kade *f*, Wasserfall *m*; **2.** *fig.* Kas'kade *f*, *z.B.* Feuerregen *m* (*Feuerwerk*), Faltenbesatz *m*, Faltenwurf *m* (*Kleidung*), *chem. Tandemanordnung von Gefäßen od. Geräten*; **3.** ↯ *a.* ~ *connection* Kas'kade(nschaltung) *f*; **II** *adj.* **4.** ↯ Kaskaden…(*-motor, -verstärker etc.*); **III** *v/i.* **5.** kas'kadenartig her'abstürzen; wellig fallen.

case¹ [keɪs] **I** *s.* **1.** Fall *m*, 'Umstand *m*, Vorfall *m*, Sache *f*, Frage *f*: *a ~ in point*

C

ein typischer Fall, ein treffendes Beispiel; ***a ~ of fraud*** ein Fall von Betrug; ***a ~ of conscience*** e-e Gewissensfrage; ***a hard ~*** a) ein schwieriger Fall, b) ein schwerer Gegner, c) F ein ‚schwerer Junge'; ***that alters the ~*** das ändert die Sache *od.* Lage; ***in ~*** im Falle, falls; ***in ~ of*** im Falle von (*od. gen.*); ***in ~ of need*** im Notfall; ***in any ~*** auf jeden Fall, jedenfalls; ***in that ~*** in dem Falle; ***if that is the ~*** wenn das der Fall ist, wenn das zutrifft; ***as the ~ may be*** je nachdem; ***it is a ~ of*** es handelt sich um; ***the ~ is this*** die Sache liegt so; ***state one's ~*** s-e Sache *od.* s-n Standpunkt vortragen *od.* vertreten (*a.* ⚖); → 3; ***come down to ~s*** zur Sache kommen; **2.** ⚖ (Rechts)Fall *m*, Pro'zeß *m*: ***leading ~*** Präzedenzfall; **3.** ⚖ Sachverhalt *m*; Begründung *f*, Be'weismateri,al *n*; (*a.* begründeter) Standpunkt *e-r Partei*: ***~ for the Crown*** Anklage *f*; ***~ for the defence*** Verteidigung *f*; ***make out a*** (*od.* ***one's***) ***~ for*** (***against***) alle Rechtsgründe *od.* Argumente vorbringen für (gegen); ***he has a strong ~*** er hat schlüssige Beweise, s-e Sache steht günstig; ***he has no ~*** s-e Sache ist unbegründet; ***there is a ~ for s.th.*** et. ist begründet *od.* berechtigt, es gibt triftige Gründe für et.; **4.** *ling.* 'Kasus *m*, Fall *m*,; **5.** ⚕ (Krankheits)Fall *m*; Pati'ent(in): ***two ~s of typhoid*** zwei Typhusfälle *od.* Typhuskranke; ***a mental ~*** F ein Geisteskranker; **6.** *Am.* F komischer Kauz; **II** *v/t.* **7.** ***~ the joint*** *sl.* ‚den Laden ausbaldowern'.

case² [keɪs] **I** *s.* **1.** Kiste *f*, Kasten *m*; Koffer *m*; (*Schmuck*)Kästchen *n*; Schachtel *f*; Behälter *m*; **2.** (*Bücher-, Glas*)Schrank *m*; (*Uhr*)Gehäuse *n*; (*Patronen*)Hülse *f*, (*Samen*)Kapsel *f*; (*Zigaretten*)E'tui *n*; (*Brillen-, Messer*)Futte'ral *n*; (Schutz)Hülle *f* (*für Bücher, Messer etc.*); (*Akten*)Tasche *f*; (*Schreib*)Mappe *f*; (*Kissen*)Bezug *m*, 'Überzug *m*: ***pencil ~*** Federmäppchen *n*; **3.** ⚙ Verkleidung *f*, Einfassung *f*, Mantel *m*, Rahmen *m*; Scheide *f*: ***lower*** (***upper***) ***~*** *typ.* (Setzkasten *m* für) kleine (große) Buchstaben *pl.*; **II** *v/t.* **4.** in ein Gehäuse *od.* Futte'ral *etc.* stecken; **5.** ver-, um'kleiden, um'geben (***in, with*** mit); **6.** *Buchbinderei*: *Buch* einhängen.

'case|·book *s.* **1.** ⚖ kommentierte Entscheidungssammlung; **2.** ⚕ Pati'entenbuch *n*; **~ end·ing** *s. ling.* 'Kasusendung *f*; **'~-,hard·ened** *adj.* **1.** *metall.* schalenhart, im Einsatz gehärtet; **2.** *fig.* abgehärtet, hartgesotten; **~ his·to·ry** *s.* **1.** Vorgeschichte *f* (*e-s Falles*); **2.** ⚕ Krankengeschichte *f*, Ana'mnese *f*; **3.** typisches Beispiel.

ca·se·in ['keɪsiːɪn] *s.* Kase'in *n*.

case law *s.* ⚖ ‚Fallrecht' *n* (*auf Präzedenzfällen beruhend*).

case·mate ['keɪsmeɪt] *s.* ⚔ Kase'matte *f*.

case·ment ['keɪsmənt] *s.* a) Fensterflügel *m*, b) *a.* **~-*window*** Flügelfenster *n*.

ca·se·ous ['keɪsɪəs] *adj.* käsig, käseartig.

case| shot *s.* ⚔ Schrap'nell *n*, Kar'tätsche *f*; **~ stud·y** *s.* (Einzel)Fallstudie *f*; **'~·work** *s. sociol.* Einzelfallhilfe *f*, sozi'ale Einzelarbeit; **'~,work·er** *s.* Sozi'alarbeiter(in) (für Individu'albetreuung).

cash¹ [kæʃ] **I** *s.* **1.** (Bar)Geld *n*; **2.** ☤ Barzahlung *f*, Kasse *f*: ***~ down, for ~*** gegen Barzahlung, in bar; ***~ in advance*** gegen Vorauszahlung; → ***cash and carry***; ***~ at bank*** Bankguthaben *n*; ***~ in hand*** Bar-, Kassenbestand *m*; ***~ on delivery*** per Nachnahme, zahlbar bei Lieferung; ***~ with order*** zahlbar bei Bestellung; ***be in*** (***out of***) ***~*** bei (nicht bei) Kasse sein; ***he is rolling in ~*** er hat Geld wie Heu; **II** *v/t.* **3.** *Scheck etc.* einlösen, -kassieren; **~ in I** *v/t.* **1.** *Poker etc.*: *s-e Spielmarken* einlösen; **II** *v/i.* **2.** F ‚abkratzen', sterben; **3.** F **~** (***on***) ‚absahnen' (bei), profitieren (von).

cash² [kæʃ] *s. sg. u. pl.* Käsch *n* (*kleine Münze in Indien u. China*).

cash| ac·count *s.* ☤ Kassenkonto *n*; **~ ad·vance** *s.* Barkredit *m*; **~ and car·ry I** *s.* **1.** Selbstabholung *f* gegen Barzahlung; **2.** Cash-and-carry-Geschäft *n*; **II** *adv.* **3.** (nur) gegen Barzahlung u. Selbstabholung; **,~-and-'car·ry** *adj.* Cash-and-carry-...; **~ au·dit** *s.* Kassenprüfung *f*; **~ bal·ance** *s.* Kassenbestand *m*; Barguthaben *n*; **~ book** *s.* Kassenbuch *n*; **~ card** *s.* Geldautomatenkarte *f*; **~ cheque** *s. Brit.* Barscheck *m*; **~ crop** *s.* für den Verkauf bestimmte Anbaufrucht; **~ desk** *s.* Kasse *f im Warenhaus etc.*; **~ dis·count** *s.* 'Barzahlungsra,batt *m*; **~ dis·pens·er** *s.* 'Geldauto,mat *m*; **~ div·i·dend** *s.* Barausschüttung *f*.

ca·shew [kæ'ʃuː] *s.* **1.** Aca'joubaum *m*; **2.** *a.* ***~ nut*** Aca'jou-, 'Cashewnuß *f*.

cash flow *s.* ☤ Cash-flow *m*, Kassenzufluß *m*.

cash·ier¹ [kæ'ʃɪə] *s.* Kassierer(in): ***~'s check*** *Am.* Bankscheck *m*; ***~'s desk*** *od.* ***office*** Kasse *f*.

cash·ier² [kə'ʃɪə] *v/t.* ⚔ (unehrenhaft) entlassen.

cash·less ['kæʃlɪs] *adj.* ☤ bargeldlos.

cash·mere [kæʃ'mɪə] *s.* **1.** 'Kaschmir *m* (*feiner Wollstoff*); **2.** 'Kaschmirwolle *f*.

cash·o·mat ['kæʃəʊmæt] → ***cash dispenser***.

cash| pay·ment *s.* Barzahlung *f*; **~ price** *s.* Bar(zahlungs)preis *m*; **~ problem** *s.* Liquiditätsproblem *n*; **~ po·si·tion** *s.* Liquiditätslage *f*; **~ re·ceipts** *s.*

pl. Bareinnahmen *pl*; ~ **reg·is·ter** *s.* Registrierkasse *f*; ~ **sale** *s.* Barverkauf *m*; ~ **sur·ren·der val·ue** *s.* Rückkaufswert *m* (*e-r Police*); ~ **vouch·er** *s.* Kassenbeleg *m*.

cas·ing ['keɪsɪŋ] *s.* **1.** Be-, Um'kleidung *f*, Um'hüllung *f*; **2.** (Fenster)Futter *n*; (Tür)Verkleidung *f*; **3.** Gehäuse *n*, Futte'ral *n*; *mot.* Mantel *m e-s Reifens*; **4.** (Wurst)Darm *m*, (-)Haut *f*.

ca·si·no [kə'siːnəʊ] *pl.* **-nos** *s.* ('Spiel-, Unter'haltungs)Kaˌsino *n*.

cask [kɑːsk] *s.* Faß *n*; (hölzerne) Tonne: ***a ~ of wine*** ein Faß Wein.

cas·ket ['kɑːskɪt] *s.* **1.** (Schmuck)Kästchen *n*; **2.** (Bestattungs)Urne *f*; **3.** *Am.* Sarg *m*.

Cas·pi·an ['kæspɪən] *adj.* kaspisch: ~ ***Sea*** Kaspisches Meer.

Cas·san·dra [kə'sændrə] *s. fig.* Kas'sandra *f* (*Unglücksprophetin*).

cas·sa·tion [kæ'seɪʃn] *s.* ⚖ Kassati'on *f*: ***Court of*** ⚭ Kassationshof *m*.

cas·se·role ['kæsərəʊl] *s.* Kasse'rolle *f*, Schmortopf *m* (mit Griff).

cas·sette [kæ'set] *s.* ('Film-, 'Tonband- *etc.*)Kasˌsette *f*; ~ **re·cord·er** *s.* Kas'settenreˌcorder *m*.

cas·sock ['kæsək] *s. eccl.* Sou'tane *f*.

cast [kɑːst] **I** *s.* **1.** Wurf *m* (*a. mit Würfeln*); **2.** a) Auswerfen *n* (*Angel, Netz, Lot*), b) Angelhaken *m*; **3.** a) Auswurf *m* (*gewisser Tiere*), *bsd.* Gewölle *n* (*von Raubvögeln*), b) abgestoßene Haut (*Schlange, Insekt*); **4.** ~ ***in the eye*** Schielen *n*; **5.** Aufrechnung *f*, Additi'on *f*; **6.** ⚙ Gußform *f*, Abguß *m*, -druck *m*; ⚕ Gipsverband *m*; *fig.* Zuschnitt *m*, Anordnung *f*; **7.** *thea.* (Rollen)Besetzung *f*; Mitwirkende *pl.*; Truppe *f*; **8.** Farbton *m*; *fig.* Anflug *m*; **9.** Typ *m*, Art *f*, Schlag *m*: ~ ***of mind*** Geistesart *f*; ~ ***of features*** Gesichtsausdruck *m*; **II** *v/t.* [*irr.*] **10.** werfen: ***the die is*** ~ die Würfel sind gefallen; ~ ***s.th. in s.o.'s teeth*** j-m et vorwerfen; **11.** *Angel, Netz, Anker, Lot* (aus)werfen; **12.** *zo.* a) *Haut, Geweih* abwerfen, b) *Junge* vorzeitig werfen; **13.** *fig. Blick, Licht, Schatten* werfen; *Horoskop* stellen: ~ ***the blame*** die Schuld zuschieben (***on*** *dat.*); ~ ***a slur*** (***on***) verunglimpfen (*acc.*); ~ ***one's vote*** s-e Stimme abgeben; ~ ***lots*** losen; **14.** *thea.* a) *Stück* besetzen: ***the play is well*** ~, b) *Rollen* besetzen, verteilen: ***he was badly*** ~ er war e-e Fehlbesetzung; **15.** *Metall, Statue etc.* gießen; *fig.* formen, bilden, anordnen; **16.** ⚖ *pass.* ***be*** ~ ***in costs*** zu den Kosten verurteilt werden; **17.** *a.* ~ ***up*** aus-, zs.-rechnen: ***to*** ~ ***accounts*** Abrechnung machen; **III** *v/i.* [*irr.*] **18.** sich werfen, sich (ver)ziehen; **19.** die Angel auswerfen.

Zssgn mit adv.:

cast| **a·bout**, ~ **a·round** *v/i.* **1.** ~ ***for*** suchen nach, *fig. a.* sich 'umsehen nach; **2.** ⚓ um'herlavieren; ~ **a·way** *v/t.* **1.** wegwerfen; **2.** verschwenden; **3.** ***be*** ~ ⚓ verschlagen werden; ~ **back** *v/t.*: ~ ***one's mind*** (***to***) zu'rückdenken (an *acc.*); ~ **down** *v/t.* **1.** *fig.* entmutigen: ***be*** ~ niedergeschlagen sein; **2.** *die Augen* niederschlagen; ~ **in** *v/t.*: ~ ***one's lot with s.o.*** sein Los mit j-m teilen, sich j-m anschließen; ~ **off I** *v/t.* **1.** ab-, wegwerfen; *Kleider etc.* ablegen, ausrangieren; **2.** sich befreien von, sich entledigen (*gen.*); **3.** *Freund etc.* fallenlassen; **4.** *Stricken*: *Maschen* abketten; **5.** *typ.* den 'Umfang (*gen.*) berechnen; **II** *v/i.* **6.** ⚓ ablegen, losmachen; ~ **on** *v/t. u. v/i. Stricken*: *die ersten Maschen* aufnehmen; ~ **out** *v/t.* vertreiben, ausstoßen; ~ **up** *v/t.* **1.** *die Augen* aufschlagen; **2.** anspülen; **3.** → ***cast*** 17.

cas·ta·net [ˌkæstə'net] *s.* Kasta'gnette *f*.

'cast·a·way I *s.* **1.** Ausgestoßene(r *m*) *f*; **2.** ⚓ Schiffbrüchige(r *m*) *f* (*a. fig.*); **3.** *et.* Ausrangiertes, *bsd.* abgelegtes Kleidungsstück; **II** *adj.* **4.** ausgestoßen; **5.** ausrangiert (*Möbel etc.*), abgelegt (*Kleider*); **6.** ⚓ schiffbrüchig.

caste [kɑːst] *s.* **1.** (*indische*) Kaste: ~ ***feeling*** Kastengeist *m*; **2.** Kaste *f*, Gesellschaftsklasse *f*; **3.** Rang *m*, Stellung *f*, Ansehen *n*: ***lose*** ~ an gesellschaftlichem Ansehen verlieren (***with*** bei).

cas·tel·lan ['kæstələn] *s.* Kastel'lan *m*; **'cas·tel·lat·ed** [-leɪtɪd] *adj.* **1.** mit Türmen u. Zinnen; **2.** burgenreich.

cast·er ['kɑːstə] *s.* → ***castor***³.

cas·ti·gate ['kæstɪgeɪt] *v/t.* **1.** züchtigen; **2.** *fig.* geißeln; **3.** *fig. Text* verbessern; **cas·ti·ga·tion** [ˌkæstɪ'geɪʃn] *s.* **1.** Züchtigung *f*; **2.** Geißelung *f*; scharfe Kri'tik; **3.** Textverbesserung *f*.

cast·ing ['kɑːstɪŋ] *s.* **1.** ⚙ a) Guß *m*, Gießen *n*, b) Gußstück *n*; *pl.* Gußwaren *pl.*; **2.** ⚠ (roher) Bewurf; **3.** *thea.* Rollenverteilung *f*; **4.** *a.* ~***-up*** Additi'on *f*; **5.** Fischen *n* (*mit dem Netz*); ~ **net** *s.* Wurfnetz *n*; ~ **vote** *s.* entscheidende Stimme.

cast| **i·ron** *s.* Gußeisen *n*; ˌ~**-'i·ron** *adj.* **1.** gußeisern; **2.** *fig.* eisern (*Konstitution, Wille etc.*); hart (*Gesetze etc.*); hieb- u. stichfest (*Alibi*), 'unumˌstößlich, unbeugsam: ~ ***constitution*** eiserne Gesundheit.

cas·tle ['kɑːsl] **I** *s.* **1.** Burg *f*, Schloß *n*: ~***s in the air*** (*od.* ***in Spain***) *fig.* Luftschlösser; **2.** *Schach*: Turm *m*; **II** *v/i.* **3.** *Schach*: rochieren; ~ **nut** *s.* ⚙ Kronenmutter *f*.

cas·tling ['kɑːslɪŋ] *s. Schach*: Ro'chade *f*.

'cast|·off *s.* **1.** ausrangiertes Kleidungsstück; **2.** *typ.* 'Umfangsberechnung *f*; ˌ~**-'off** *adj.* **1.** abgelegt, ausrangiert: ~

clothes; **2.** *et.* Abgelegtes *od.* Weggeworfenes.

Cas·tor¹ ['kɑːstə] *s. ast.* 'Kastor *m.*

cas·tor² ['kɑːstə] *s. vet.* Spat *m.*

cas·tor³ ['kɑːstə] *s.* **1.** (*Salz- etc.*)Streuer *m*; **2.** *pl.* Me'nage *f*, Gewürzständer *m*; **3.** (schwenkbare) Laufrolle.

cas·tor| oil *s.* ⚕ 'Rizinus-, 'Kastoröl *n*; **~ sug·ar** *s.* 'Kastorzucker *m.*

cas·trate [kæ'streɪt] *v/t.* **1.** ⚕, *vet.* kastrieren (*a. fig. iro.*); **2.** *Buch* zensieren; **cas'tra·tion** [-eɪʃn] *s.* Kastrierung *f*, Kastrati'on *f.*

cast steel *s.* Gußstahl *m.*

cas·u·al ['kæʒjʊəl] **I** *adj.* ☐ **1.** zufällig, unerwartet; **2.** gelegentlich, unregelmäßig: **~ *labo(u)r(er)*** Gelegenheitsarbeit(er *m*) *f*; **3.** unbestimmt, ungenau; **4.** lässig: a) nachlässig, gleichgültig, b) ungezwungen, zwanglos, *bsd. Mode*: sa'lopp, sportlich: **~ *wear*** Freizeitkleidung *f*; **5.** beiläufig: ***a ~ remark***; **~ *glance*** flüchtiger Blick; **II** *s.* **6.** a) sportliches Kleidungsstück, Straßenanzug *m*, b) *pl.* Slipper *pl.* (*flache Schuhe*); **7.** *Brit.* a) Gelegenheitsarbeiter *m*, b) gelegentlicher Kunde *od.* Besucher; **'cas·u·al·ism** [-lɪzəm] *s. philos.* Kasua'lismus *m*; **'cas·u·al·ness** [-nɪs] *s.* (Nach)Lässigkeit *f*, Gleichgültigkeit *f.*

cas·u·al·ty ['kæʒjʊəltɪ] *s.* **1.** Unfall *m* (*e-r Person*); **2.** a) Verunglückte(r *m*) *f*, (Unfall)Opfer *n*, b) ⚔ Verwundete(r) *m od.* Gefallene(r) *m*: ***casualties*** Opfer *pl. e-r Katastrophe etc.*, ⚔ *mst* Verluste *pl.*; **~ *list*** Verlustliste *f*; **3.** *a.* **~ *ward*** ⚕ 'Unfallstati,on *f.*

cas·u·ist ['kæzjʊɪst] *s.* Kasu'ist *m*; **cas·u·is·tic, cas·u·is·ti·cal** [ˌkæzjʊ'ɪstɪk(l)] *adj.* ☐ **1.** kasu'istisch; **2.** spitzfindig; **'cas·u·ist·ry** [-trɪ] *s.* **1.** Kasu'istik *f*; **2.** Spitzfindigkeit *f.*

cat [kæt] *s.* **1.** *zo.* Katze *f*: ***let the ~ out of the bag*** die Katze aus dem Sack lassen; ***it's raining ~s and dogs*** F es gießt wie mit Kübeln; ***has the ~ got your tongue?*** hat es dir die Sprache verschlagen?; ***wait for the ~ to jump*** *od.* ***see which way the ~ jumps*** *fig.* sehen, wie der Hase läuft; ***that ~ won't jump!*** F so geht's nicht!; ***set the ~ among the pigeons*** für helle Aufregung sorgen; ***think one is the cat's whiskers*** *od.* ***pyjamas*** sich für was Besonderes halten; ***not room to swing a ~*** *sl.* kaum Platz zum Umdrehen; ***they lead a ~-and-dog life*** sie leben wie Hund u. Katze; ***it's enough to make a ~ laugh*** F da lachen ja die Hühner; **2.** *zo. bsd. pl.* (Fa'milie *f* der) Katzen *pl.*; **3.** *fig.* falsche Katze (*Frau*): ***old ~*** alte Hexe; **4.** *Am. sl.* a) 'Jazzfaˌnatiker *m*, b) *a.* ***cool ~*** ‚dufter Typ'; **5.** ⚓ Kattanker *m.*

cat·a·clysm ['kætəklɪzəm] *s.* **1.** *geol.* Kata'klysmus *m*, erdgeschichtliche Kata'strophe; **2.** Über'schwemmung *f*; **3.** *fig.* (gewaltige) 'Umwälzung.

cat·a·comb ['kætəkuːm] *s.* Kata'kombe *f.*

cat·a·falque ['kætəfælk] *s.* **1.** Kata'falk *m*; **2.** offener Leichenwagen.

Cat·a·lan ['kætələn] **I** *adj.* kata'lanisch; **II** *s.* Kata'lane *m*, Kata'lanin *f.*

cat·a·lep·sis [ˌkætə'lepsɪs], **cat·a·lep·sy** ['kætəlepsɪ] *s.* ⚕ Starrkrampf *m.*

cat·a·logue, *Am. a.* **cat·a·log** ['kætəlɒg] **I** *s.* **1.** Kata'log *m*; **2.** Verzeichnis *n*, (Preis- *etc.*)Liste *f*; **3.** *Am. univ.* Vorlesungsverzeichnis *n*; **II** *v/t.* **4.** katalogisieren.

ca·tal·y·sis [kə'tælɪsɪs] *s.* ⚗ Kata'lyse *f*; **cat·a·lyst** ['kætəlɪst] *s.* ⚗ *u. fig.* Kataly'sator *m*; **cat·a·lyt·ic** [ˌkætə'lɪtɪk] **I** *adj.* ⚗ kata'lytisch: **~ *converter*** Kataly'sator *m*; **II** *s.* → ***catalyst***; **cat·a·lyze** ['kætəlaɪz] *v/t.* katalysieren (*a. fig.*); **cat·a·lyz·er** ['kætəlaɪzə] → ***catalyst***.

cat·a·ma·ran [ˌkætəmə'ræn] *s.* **1.** ⚓ a) Floß *n*, b) Auslegerboot *n*; **2.** F ‚Kratzbürste' *f*, Xan'thippe *f.*

cat·a·mite ['kætəmaɪt] *s.* Lustknabe *m.*

cat·a·plasm ['kætəplæzəm] *s.* ⚕ 'Breiˌumschlag *m*, Kata'plasma *n.*

cat·a·pult ['kætəpʌlt] **I** *s.* **1.** Kata'pult *m, n*: a) *hist.* 'Wurfmaˌschine *f*, b) (Spiel)Schleuder *f*, c) ✈ Startschleuder *f*; **II** *adj.* **2.** ✈ Schleuder…(*-sitz, -start*); **III** *v/t.* **3.** schleudern, katapultieren (*a.* ✈); **4.** mit e-r Schleuder beschießen.

cat·a·ract ['kætərækt] *s.* **1.** Kata'rakt *m*: a) Wasserfall *m*, b) Stromschnelle *f*, c) *fig.* Flut *f*; **2.** ⚕ grauer Star.

ca·tarrh [kə'tɑː] *s.* ⚕ Ka'tarrh *m*; Schnupfen *m*; **ca'tarrh·al** [-ɑːrəl] *adj.* katar'rhalisch: **~ *syringe*** Nasenspritze *f.*

ca·tas·tro·phe [kə'tæstrəfɪ] *s.* Kata'strophe *f* (*a. im Drama u. geol.*), Verhängnis *n*, Unheil *n*, Unglück *n*; **cat·a·stroph·ic, cat·a·stroph·i·cal** [ˌkætə'strɒfɪk(l)] *adj.* katastro'phal.

'cat|·bird *s. orn.* amer. Spottdrossel *f*; **'~·boat** *s.* ⚓ kleines Segelboot (*mit einem Mast*); **~ bur·glar** *s.* Fas'sadenkletterer *m*, Einsteigdieb *m*; **'~·call I** *s.* a) Buh(ruf *m*) *n*, b) Pfiff *m*; **II** *v/i.* buhen, pfeifen; **III** *v/t. j-n* ausbuhen, -pfeifen.

catch [kætʃ] **I** *s.* **1.** Fangen *n*, Fang *m*; *fig.* Fang *m*, Beute *f*, Vorteil *m*: ***a good ~*** a) ein guter Fang (*beim Fischen u. fig.*), b) e-e gute Partie (*Heirat*); ***no ~*** kein gutes Geschäft; **2.** *Kricket, Baseball*: a) Fang *m*, b) Fänger *m*; **3.** Halter *m*, Griff *m*, Klinke *f*; Haken *m*; **4.** Sperr-, Schließhaken *m*, Schnäpper *m*; Sicherung *f*; Verschluß *m*; **5.** Stocken *n*, Anhalten *n*; **6.** *fig.* a) Haken *m*, Schwierigkeit *f*, b) Falle *f*, Trick *m*, Kniff *m*: ***there is a ~ in it*** die Sache hat e-n Haken; **~-22** F gemeiner Trick; **II** *v/t.* [*irr.*] **7.** *Ball, Tier etc.* fangen; *Dieb etc. a.* fassen, ‚schnappen', *a. Blick* erhaschen; *Tropfendes* auffangen; *allg.* erwischen, ‚kriegen': ***~ a train*** e-n Zug erreichen *od.* kriegen; → ***glimpse*** 1, ***sight*** 3; **8.** ertappen, über'raschen (***s.o. at*** j-n bei): ***~ me*** (***doing that***)***!*** F ich denke (ja) nicht dran!, ‚denkste'!; ***I caught myself lying*** ich ertappte mich beim Lügen; ***caught in a storm*** vom Unwetter überrascht; **9.** ergreifen, pakken, *Gewohnheit, Aussprache* annehmen; → ***hold²*** 1; **10.** *fig.* fesseln, pakken, gewinnen; einfangen; → ***eye*** 2, ***fancy*** 5; **11.** *fig.* ‚mitkriegen', verstehen: ***I didn't ~ what you said***; **12.** einholen: ***I soon caught him***; → ***catch up*** 2; **13.** sich holen *od.* zuziehen, angesteckt werden von (*Krankheit etc.*); → ***cold*** 8, ***fire*** 1; **14.** sich zuziehen, *Strafe, Tadel* bekommen: ***~ it*** F ‚sein Fett bekommen'; **15.** streifen, mit *et.* hängenbleiben: ***a nail caught my dress*** mein Kleid blieb an e-m Nagel hängen; ***~ one's finger in the door*** sich den Finger in der Tür klemmen; **16.** a) schlagen: ***~ s.o. a blow*** j-m e-n Schlag versetzen, b) *mit e-m Schlag* treffen *od.* ‚erwischen': ***the blow caught him on the chin***; **III** *v/i.* [*irr.*] **17.** greifen: ***~ at*** greifen *od.* schnappen nach, (*fig. Gelegenheit* gern) ergreifen; → ***straw*** 1; **18.** ⚙ (ein)greifen (*Räder*), einschnappen (*Schloß etc.*); **19.** sich verfangen, hängenbleiben: ***the plane caught in the trees***; **20.** klemmen; **21.** *mot.* anspringen;

Zssgn mit adv.:

catch| on *v/i.* F **1.** ‚kapieren' (***to s.th.*** et.); **2.** Anklang finden, einschlagen; **~ out** *v/t.* **1.** ertappen; **2.** *Kricket*: (durch Fangen des Balles) *den Schläger* ‚ausmachen'; **~ up I** *v/t.* **1.** *j-n* unter'brechen; **2.** *j-n* einholen; **3.** *et.* schnell ergreifen; *Kleid* aufraffen; **4. *be caught up in*** a) vertieft sein in (*acc.*), b) verwickelt sein in (*acc.*); **II** *v/i.* **5.** aufholen: ***~ with*** einholen (*a. fig.*); ***~ on*** *od.* ***with*** *et.* auf- *od.* nachholen.

'catch|-all *s. Am.* **1.** Tasche *f od.* Behälter *m* für alles mögliche; **2.** *fig.* Sammelbezeichnung *f*, -begriff *m*; **'~-as-ˌcatch-'can** *s. sport* Catchen *n*; ***~ wrestler*** Catcher *m*.

catch·er ['kætʃə] *s.* Fänger *m*; **'catch·ing** [-tʃɪŋ] *adj.* **1.** ⚕ ansteckend (*a. fig.*); **2.** *fig.* anziehend, fesselnd; **3.** eingängig (*Melodie*); **4.** verfänglich; arglistig.

catch·ment ['kætʃmənt] *s.* **1.** Auffangen *n von Wasser etc.*; **2.** *geol.* Reser'voir *n*; **~ a·re·a** *s.* Einzugsgebiet *n* (*e-s Flusses; a. fig.*).

'catch|ˌpen·ny I *adj.* Schund...; auf Kundenfang berechnet, Lock..., Schleuder...: ***~ title*** reißerischer Titel; **II** *s.* Schundware *f*, 'Ramscharˌtikel *m*; **'~-phrase** *s.* Schlagwort *n*, (hohle) Phrase; **'~-pole**, **'~-poll** *s.* Gerichtsdiener *m*; **~ ques·tion** *s.* Fangfrage *f*; **'~-up** → ***ketchup***; **'~-weight** *s. sport* durch keinerlei Regeln beschränktes Gewicht e-s Wettkampfteilnehmers; **'~-word** *s.* **1.** *bsd. thea.* Stichwort *n*; **2.** Schlagwort *n*; **3.** *typ.* a) *hist.* 'Kustos *m*, b) Ko'lumnentitel *m*.

catch·y ['kætʃɪ] *adj.* F **1.** → ***catching*** 2, 3; **2.** unregelmäßig; **3.** schwierig.

cat·e·chism ['kætɪkɪzəm] *s.* **1.** ♀ *eccl.* Kate'chismus *m*; **2.** *fig.* Reihe *f od.* Folge *f* von Fragen; **'cat·e·chist** [-kɪst] *s.* Kate'chet *m*, Religi'onslehrer *m*; **'cat·e·chize** [-kaɪz] *v/t.* **1.** *eccl.* katechisieren; **2.** gründlich ausfragen, examinieren.

cat·e·chu ['kætɪtʃu:] *s.* ⚗ 'Katechu *n*.

cat·e·chu·men [ˌkætɪ'kju:men] *s.* **1.** *eccl.* Konfir'mand(in); **2.** *fig.* Neuling *m*.

cat·e·gor·i·cal [ˌkætɪ'gɒrɪkl] *adj.* □ kate'gorisch, bestimmt, unbedingt; **cat·e·go·ry** ['kætɪgərɪ] *s.* Katego'rie *f*, Klasse *f*, Gruppe *f*.

ca·ter ['keɪtə] **I** *v/i.* **1.** (***for***) Speisen u. Getränke liefern (für): ***~ing industry*** *od.* ***trade*** Gaststättengewerbe *n*; **2.** sorgen (***for*** für); **3.** *fig.* befriedigen (***for***, ***to*** *acc.*); etwas bieten (***to*** *dat.*); **II** *v/t.* **4.** mit Speisen u. Getränken beliefern; **'ca·ter·er** [-ərə] *s.* Liefe'rant *m* für Speisen u. Getränke.

cat·er·pil·lar ['kætəpɪlə] *s.* **1.** *zo.* Raupe *f*; **2.** ⚙ (*Warenzeichen*) Raupenfahrzeug *n*.

cat·er·waul ['kætəwɔ:l] **I** *v/i.* **1.** jaulen (*Katze etc.*); **2.** kreischen; keifen; **II** *s.* **3.** Jaulen *n*; **4.** Keifen *n*, Kreischen *n*.

'cat|-eyed *adj.* katzenäugig; *weitS.* im Dunkeln sehend; **'~-fish** *s. ichth.* Katzenfisch *m*, Wels *m*; **'~-foot** *v/i. a.* ***~ it*** F schleichen; **'~-gut** *s.* **1.** Darmsaite *f*; **2.** ⚕ 'Katgut *n*; **3.** *Art* Steifleinen *n*.

ca·thar·sis [kə'θɑ:sɪs] *s.* **1.** *Ästhetik, a. psych.*: 'Katharsis *f*; **2.** ⚕ Abführung *f*.

ca·the·dral [kə'θi:drəl] **I** *s.* Kathe'drale *f*, Dom *m*; **II** *adj.* Dom...: ***~ church*** → I; ***~ town*** → ***city*** 2.

Cath·er·ine-wheel ['kæθərɪnwi:l] *s.* **1.** △ Katha'rinenrad *n* (*Radfenster*); **2.** *Feuerwerk*: Feuerrad *n*; **3.** *sport* ***turn ~s*** radschlagen.

cath·e·ter ['kæθɪtə] *s.* ⚕ Ka'theter *m*.

cath·ode ['kæθəʊd] *s.* ⚡ Ka'thode *f*; **~ ray** *s.* Ka'thodenstrahl *m*; **'~-ray tube** *s.* Ka'thodenstrahlröhre *f*.

cath·o·lic ['kæθəlɪk] **I** *adj.* (□ ***~ally***) **1.** ('all)umˌfassend, univer'sal: ***~ interests*** vielseitige Interessen; **2.** großzügig, tole'rant; **3.** ♀ ka'tholisch; **II** *s.* **4.** ♀ Ka-

C

tho'lik(in); **Ca·thol·i·cism** [kə'θɒlɪsɪzəm] *s.* Katholi'zismus *m*; **cath·o·lic·i·ty** [ˌkæθəʊ'lɪsətɪ] *s.* **1.** Universali'tät *f*; **2.** Großzügigkeit *f*, Tole'ranz *f*; **3.** a) ka'tholischer Glaube, b) ♀ Katholizi'tät *f* (*Gesamtheit der katholischen Kirche*).

cat ice *s.* dünne Eisschicht.

cat·kin ['kætkɪn] *s.* ♀ (Blüten)Kätzchen *n* (*an Weiden etc.*).

'cat|·lick *s.* F ‚Katzenwäsche' *f*; **'~·nap** *s.* ‚Nickerchen' *n*, kurzes Schläfchen.

cat-o'-nine-tails [ˌkætə'naɪnteɪlz] *s.* neunschwänzige Katze (*Peitsche*).

'cat's|-eye ['kæts-] *s.* **1.** *min.* Katzenauge *n*; **2.** a) Katzenauge *n*, Rückstrahler *m*, b) Leuchtnagel *m*; **'~-paw** *s. fig.* Handlanger *m*, *j-s* Werkzeug *n*.

cat suit *s.* einteiliger Hosenanzug, Overall *m*.

cat·sup ['kætsəp] → ***ketchup***.

cat·tish ['kætɪʃ] *adj.* katzenhaft; *fig.* boshaft, gehässig, gemein.

cat·tle ['kætl] *s. coll.* (*mst pl. konstr.*) **1.** (Rind)Vieh *n*, Rinder *pl.*; **2.** *contp.* Viehzeug *n* (*Menschen*); **~ car** *s.* 🚃 *Am.* Viehwagen *m*; **'~-ˌfeed·er** *s.* ⚒ 'Futtermaˌschine *f*; **'~-ˌlead·er** *s.* Nasenring *m*; **'~-ˌlift·er** *s.* Viehdieb *m*; **~ plague** *s. vet.* Rinderpest *f*; **~ ranch**, **~ range** *s.* Viehweide(land *n*) *f*.

cat·ty ['kætɪ] → ***cattish***.

'cat|·walk *s.* **1.** ⚙ Laufplanke *f*, Steg *m*; **2.** *Mode*: Laufsteg *m*; **~ whisk·er** *s.* ⚡ De'tektornadel *f*.

Cau·ca·sian [kɔː'keɪzjən] **I** *adj.* kau'kasisch; **II** *s.* Kau'kasier(in).

cau·cus ['kɔːkəs] *s. pol. bsd. Am.* **1.** Par'teiausschuß *m* zur Wahlvorbereitung; **2.** Par'teikonfeˌrenz *f*, -tag *m*; **3.** Par'teiclique *f*.

cau·dal ['kɔːdl] *adj. zo.* Schwanz...; **'cau·date** [-deɪt] *adj.* geschwänzt.

caught [kɔːt] *pret. u. p.p. von* ***catch***.

caul·dron ['kɔːldrən] *s.* (großer) Kessel.

cau·li·flow·er ['kɒlɪflaʊə] *s.* ♀ Blumenkohl *m*; **~ ear** *s. Boxen*: ‚Blumenkohlohr' *n*.

caulk [kɔːk] *v/t.* ⚓ kal'fatern, *a. allg.* abdichten; **'caulk·er** [-kə] *s.* ⚓, ⚙ Kal'faterer *m*.

caus·al ['kɔːzl] *adj.* ☐ ursächlich, kau'sal: **~ *connection*** → ***causality*** 2; **cau·sal·i·ty** [kɔː'zælətɪ] *s.* **1.** Ursächlichkeit *f*, Kausali'tät *f*: ***law of ~*** Kausalgesetz *n*; **2.** Kau'salzuˌsammenhang *m*; **cau·sa·tion** [kɔː'zeɪʃn] *s.* **1.** Verursachung *f*; **2.** Ursächlichkeit *f*; **3.** Kau'salprinˌzip *n*; **'caus·a·tive** [-zətɪv] *adj.* ☐ **1.** kau'sal, begründend, verursachend; **2.** *ling.* 'kausativ.

cause [kɔːz] **I** *s.* **1.** Ursache *f*: **~ *of death*** Todesursache; **2.** Grund *m*; Veranlassung *f*, Anlaß *m*: **~ *for complaint*** Grund *od.* Anlaß zur Klage; **~ *to be thankful*** Grund zur Dankbarkeit; ***without ~*** ohne (triftigen) Grund, grundlos (*entlassen etc.*); **3.** (gute) Sache: ***fight for one's ~*** für s-e Sache kämpfen; ***make common ~ with*** gemeinsame Sache machen mit; **4.** ⚖ a) (Streit)Sache *f*, Rechtsstreit *m*, Pro'zeß *m*, b) Gegenstand *m*; Rechtsgründe *pl.*: **~*-list*** Terminliste *f*; ***show ~*** s-e Gründe darlegen *od.* dartun (***why*** warum); ***upon good ~ shown*** bei Vorliegen von triftigen Gründen; **~ *of action*** Klagegrund *m*; **5.** Sache *f*, Angelegenheit *f*, Gegenstand *m*, 'Thema *n*, Frage *f*, Pro'blem *n*: ***lost ~*** verlorene *od.* aussichtslose Sache; ***in the ~ of*** um ... (*gen.*) willen, für; **II** *v/t.* **6.** veranlassen, (*j-n et.*) lassen: ***I ~ed him to sit down*** ich ließ ihn sich setzen; ***he ~ed the man to be arrested*** er ließ den Mann verhaften, er veranlaßte, daß der Mann verhaftet wurde; **7.** verursachen, bewirken, her'vorrufen, her'beiführen: **~ *a fire*** e-n Brand verursachen; **8.** bereiten, zufügen: **~ *s.o. a loss*** j-m e-n Verlust zufügen; **~ *s.o. trouble*** j-m Schwierigkeiten bereiten.

cause cé·lè·bre [ˌkəʊz se'lebrə] (*Fr.*) *s.* Cause *f* célèbre.

cause·less ['kɔːzlɪs] *adj.* ☐ grundlos.

cau·se·rie ['kəʊzərɪ] (*Fr.*) *s.* Plaude'rei *f*.

cause·way ['kɔːzweɪ], *Brit. a.* **'cau·sey** [-zeɪ] *s.* erhöhter Fußweg, Damm *m* (*durch e-n See od. Sumpf*).

caus·tic ['kɔːstɪk] **I** *adj.* (☐ **~*ally***) **1.** ⚗ kaustisch, ätzend, beizend, brennend: **~ *potash*** Ätzkali *n*; **~ *soda*** Ätznatron *n*; **~*-soda solution*** Ätzlauge *f*; **2.** *fig.* ätzend, beißend, sar'kastisch (*Worte etc.*); **II** *s.* **3.** ⚗ Beiz-, Ätzmittel *n*: ***lunar ~*** ⚕ Höllenstein *m*; **caus·tic·i·ty** [kɔː'stɪsətɪ] *s.* **1.** Ätz-, Beizkraft *f*; **2.** *fig.* Sar'kasmus *m*, Schärfe *f*.

cau·ter·i·za·tion [ˌkɔːtəraɪ'zeɪʃn] *s.* ⚕, ⚙ (Aus)Brennen *n*; Ätzen *n*; **cau·ter·ize** ['kɔːtəraɪz] *v/t.* **1.** ⚕, ⚙ (aus)brennen, ätzen; **2.** *fig. Gefühl etc.* abstumpfen; **cau·ter·y** ['kɔːtərɪ] *s.* Brenneisen *n*; Ätzmittel *n*.

cau·tion ['kɔːʃn] **I** *s.* **1.** Vorsicht *f*, Behutsamkeit *f*: ***proceed with ~*** Vorsicht walten lassen; **2.** Warnung *f*; *a. sport* Verwarnung; **3.** ⚖ Eides- *od.* Rechtsmittelbelehrung *f*; **4.** ⚔ 'Ankündigungskomˌmando *n*; **5.** F a) *et.* Origi'nelles, ‚tolles Ding', b) ulkige ‚Nummer' (*Person*), c) unheimlicher Kerl; **II** *v/t.* **6.** warnen (***against*** vor *dat.*); **7.** verwarnen; **8.** ⚖ belehren (***as to*** über *acc.*); **'cau·tion·ary** [-ʃnərɪ] *adj.* warnend, Warnungs...: **~ *tale*** Geschichte *f* mit e-r Moral.

cau·tious ['kɔːʃəs] *adj.* ☐ vorsichtig, behutsam, auf der Hut; **'cau·tious·ness** [-nɪs] → ***caution*** 1.

C

cav·al·cade [ˌkævlˈkeɪd] *s.* Kavalˈkade *f*, Reiterzug *m*, *a.* Zug *m* von Autos *etc.*
cav·a·lier [ˌkævəˈlɪə] **I** *s.* **1.** *hist.* Ritter *m*; **2.** Kavaˈlier *m*; **3.** ⁂ *hist.* Royaˈlist *m* (*Anhänger Karls I. von England*); **II** *adj.* □ **4.** anmaßend, rücksichtslos; **5.** unbekümmert, ‚eiskalt', keck.
cav·al·ry [ˈkævlrɪ] *s.* ⚔ Kavalleˈrie *f*, Reiteˈrei *f*; **ˈ~·man** [-mən] *s.* [*irr.*] Kavalleˈrist *m*.
cave¹ [keɪv] **I** *s.* **1.** Höhle *f*; **2.** *pol. Brit.* a) Abspaltung *f e-s Teils e-r Partei*, b) Sezessiˈonsgruppe *f*; **II** *v/t.* **3.** *mst* **~ *in*** eindrücken, zum Einsturz bringen; **III** *v/i.* **4.** *mst* **~ *in*** einstürzen, -sinken; **5.** *mst* **~ *in*** F a) nachgeben, klein beigeben (***to*** *dat.*), b) zs.-brechen, ‚zs.-klappen'; **6.** *pol. Brit.* sich *von der Partei* absondern.
ca·ve² [ˈkeɪvɪ] (*Lat.*) *ped. sl.* **I** *int.* Vorsicht!, Achtung!; **II** *s.*: ***keep ~*** ‚Schmiere stehen', aufpassen.
ca·ve·at [ˈkævɪæt] *s.* **1.** ⚖ Einspruch *m*, Verwahrung *f*: ***enter a ~*** Verwahrung einlegen; **~ *emptor*** Mängelausschluß *m*; **2.** Warnung *f*.
cave| bear [keɪv] *s. zo.* Höhlenbär *m*; **~ *dwell·er*** → ***caveman*** 1; **ˈ~·man** [-mæn] *s.* [*irr.*] **1.** Höhlenbewohner *m*, -mensch *m*; **2.** F a) Naˈturbursche *m*, ‚Bär' *m*, b) ‚Tier' *n*.
cav·ern [ˈkævən] *s.* **1.** Höhle *f*; **2.** ✱ Kaˈverne *f*; **ˈcav·ern·ous** [-nəs] *adj.* **1.** voller Höhlen; **2.** poˈrös; **3.** tiefliegend, hohl (*Augen*); eingefallen (*Wangen*); tief (*Dunkelheit*); **4.** ✱ kaverˈnös.
cav·i·ar(e) [ˈkævɪɑː] *s.* ˈKaviar *m*: **~ *to the general*** Kaviar fürs Volk.
cav·il [ˈkævɪl] **I** *v/i.* nörgeln, kritteln (***at*** an *dat.*); **II** *s.* Nörgeˈlei *f*; **ˈcav·il·(l)er** [-lə] *s.* Nörgler(in).
cav·i·ty [ˈkævətɪ] *s.* **1.** (Aus)Höhlung *f*, Hohlraum *m*; **2.** *anat.* Höhle *f*, Raum *m*, Grube *f*: ***abdominal ~*** Bauchhöhle; ***mouth ~*** Mundhöhle; **3.** ✱ Loch *n* (*im Zahn*).
ca·vort [kəˈvɔːt] *v/i.* F heˈrumtollen, -tanzen.
ca·vy [ˈkeɪvɪ] *s. zo.* Meerschweinchen *n*.
caw [kɔː] **I** *s.* Krächzen *n* (*Rabe, Krähe etc.*); **II** *v/i.* krächzen.
cay·enne [keɪˈen], *a.* **~ *pep·per*** [ˈkeɪən] *s.* Cayˈennepfeffer *m*.
cay·man [ˈkeɪmən] *pl.* **-mans** *s. zo.* ˈKaiman *m*.
cease [siːs] **I** *v/i.* **1.** aufhören, enden: ***the noise ~d***; **2.** (***from***) ablassen (von), aufhören (mit): **~ *and desist order*** ⚖ *Am.* Unterlassungsanordnung *f*; **II** *v/t.* **3.** aufhören (***doing*** *od.* ***to do*** mit *et. od. et.* zu tun); **4.** einstellen: **~ *fire*** ⚔ das Feuer einstellen; **~ *payment*** ✝ die Zahlungen einstellen; **ˌcease'fire** *s.* ⚔ **1.** (Befehl *m* zur) Feuereinstellung *f*; **2.** Waffenruhe *f*; **ˈcease·less** [-lɪs] *adj.* □ unaufhörlich.
ce·dar [ˈsiːdə] *s.* **1.** ⚘ Zeder *f*; **2.** Zedernholz *n*.
cede [siːd] **I** *v/t.* (***to***) abtreten (*dat. od.* an *acc.*), überˈlassen (*dat.*); **II** *v/i.* nachgeben, weichen.
ce·dil·la [sɪˈdɪlə] *s.* Ceˈdille *f*.
cee [siː] *s.* C *n*, c *n* (*Buchstabe*).
ceil·ing [ˈsiːlɪŋ] *s.* **1.** Decke *f e-s Raumes*; **2.** ⚓ Innenbeplankung *f*; **3.** Höchstmaß *n*, -grenze *f*, ✝ *a.* Plaˈfond *m e-s Kredits*: **~ *price*** ✝ Höchstpreis *m*; **4.** ✈ a) Gipfelhöhe *f*, b) Wolkenhöhe *f*.
cel·e·brant [ˈselɪbrənt] *s. eccl.* Zeleˈbrant *m*; **cel·e·brate** [ˈselɪbreɪt] **I** *v/t.* **1.** *Fest etc.* feiern, begehen; **2.** *j-n* feiern (*preisen*); **3.** *R. C. Messe* zelebrieren, lesen; **II** *v/i.* **4.** feiern; *R. C.* zelebrieren; **ˈcel·e·brat·ed** [-breɪtɪd] *adj.* gefeiert, berühmt (***for*** für, wegen); **cel·e·bra·tion** [ˌselɪˈbreɪʃn] *s.* **1.** Feier *f*; Feiern *n*: ***in ~ of*** zur Feier (*gen.*); **2.** *R. C.* Zelebrieren *n*, Lesen *n* (*Messe*);
ce·leb·ri·ty [sɪˈlebrətɪ] *s.* **1.** Berühmtheit *f*, Ruhm *m*; **2.** Berühmtheit *f* (*Person*).
ce·ler·i·ac [sɪˈlerɪæk] *s.* ⚘ Knollensellerie *m*, *f*.
ce·ler·i·ty [sɪˈlerɪtɪ] *s.* Geschwindigkeit *f*.
cel·er·y [ˈselərɪ] *s.* ⚘ (Stauden)Sellerie *m*, *f*.
ce·les·tial [sɪˈlestjəl] **I** *adj.* □ **1.** himmlisch, Himmels…, göttlich; selig; **2.** *ast.* Himmels…: **~ *body*** Himmelskörper *m*; **~ *map*** Himmelskarte *f*; **3.** ⁂ chiˈnesisch: ⁂ ***Empire*** China (*alter Name*); **II** *s.* **4.** Himmelsbewohner(in), Selige(r *m*) *f*; **5.** ⁂ F Chiˈnese *m*, Chiˈnesin *f*; ⁂ **City** *s. das* Himmlische Jeˈrusalem.
cel·i·ba·cy [ˈselɪbəsɪ] *s.* Zöliˈbat *n*, *m*, Ehelosigkeit *f*; **ˈcel·i·bate** [-bət] **I** *s.* Unverheiratete(r *m*) *f*, Zölibaˈtär *m*; **II** *adj.* unverheiratet, zölibaˈtär.
cell [sel] *s.* **1.** (*Kloster-, Gefängnis- etc.*) Zelle *f*: ***condemned ~*** Todeszelle; **2.** *allg.*, *a. biol.*, *phys.*, *pol.* Zelle *f*, *a.* Kammer *f*, Fach *n*: **~ *division*** Zellteilung *f*; **3.** ϟ Zelle *f*, Eleˈment *n*.
cel·lar [ˈselə] *s.* **1.** Keller *m*; **2.** Weinkeller *m*: ***he keeps a good ~*** er hat e-n guten Keller; **ˈcel·lar·age** [-ərɪdʒ] *s.* **1.** Keller(räume *pl.*) *m*; **2.** Einkellerung *f*; **3.** Kellermiete *f*; **ˈcel·lar·er** [-ərə] *s.* Kellermeister *m*.
-celled [seld] *adj. in Zssgn* …zellig.
cel·list [ˈtʃelɪst] *s.* ♪ Celˈlist(in); **cel·lo** [ˈtʃeləʊ] *pl.* **-los** *s.* (Violon)ˈCello *n*.
cel·lo·phane [ˈseləʊfeɪn] *s.* ⚙ Zelloˈphan *n*, Zellglas *n*.
cel·lu·lar [ˈseljʊlə] *adj.* **1.** zellig, Zell(en)…: **~ *tissue*** Zellgewebe *n*; **~ *therapy*** ✱ Zelltherapie *f*; **2.** netzartig: **~ *shirt*** Netzhemd *n*; **ˈcel·lule** [-juːl] *s.* kleine Zelle.

C

cel·lu·loid ['seljʊlɔɪd] *s.* ⚙ Zellu'loid *n.*
cel·lu·lose ['seljʊləʊs] *s.* Zellu'lose *f*, Zellstoff *m*.
Cel·si·us ['selsjəs], ~ **ther·mom·e·ter** *s. phys.* 'Celsiusthermoˌmeter *n*.
Celt [kelt] *s.* Kelte *m*, Keltin *f*; '**Celt·ic** [-tɪk] **I** *adj.* keltisch; **II** *s. ling. das* Keltische; '**Celt·i·cism** [-tɪsɪzəm] *s.* Kelti'zismus *m* (*Brauch od. Spracheigentümlichkeit*).
ce·ment [sɪ'ment] **I** *s.* **1.** Ze'ment *m*, (Kalk)Mörtel *m*; **2.** Klebstoff *m*, Kitt *m*; Bindemittel *n*; **3.** a) *biol.* 'Zahnzeˌment *m*, b) ⚕ Ze'ment *m* zur Zahnfüllung; **4.** *fig.* Band *n*, Bande *pl.*; **II** *v/t.* **5.** a) zementieren, b) kitten; **6.** *fig.* festigen, ‚zementieren'; **ce·men·ta·tion** [ˌsi:men'teɪʃn] *s.* **1.** Zementierung *f* (*a. fig.*); **2.** Kitten *n*; **3.** *metall.* Einsatzhärtung *f*; **4.** *fig.* Bindung *f*.
cem·e·ter·y ['semɪtrɪ] *s.* Friedhof *m*.
cen·o·taph ['senəʊtɑ:f] *s.* (leeres) Ehren(grab)mal: ***the*** ≗ *das brit. Ehrenmal in London für die Gefallenen beider Weltkriege.*
cense [sens] *v/t.* (mit Weihrauch) beräuchern; '**cen·ser** [-sə] *s.* (Weih-)Rauchfaß *n*.
cen·sor ['sensə] **I** *s.* **1.** ('Kunst-, 'Schrifttums)ˌZensor *m*; **2.** 'Briefˌzensor *m*; **3.** *antiq.* 'Zensor *m*, Sittenrichter *m*; **II** *v/t.* **4.** zensieren; **cen·so·ri·ous** [sen'sɔ:rɪəs] *adj.* ☐ **1.** 'kritisch, streng; **2.** tadelsüchtig, krittelig; '**cen·sor·ship** [-ʃɪp] *s.* **1.** Zen'sur *f*; **2.** 'Zensoramt *n*; **cen·sur·a·ble** ['senʃərəbl] *adj.* tadelnswert, sträflich; **cen·sure** ['senʃə] **I** *s.* Tadel *m*, Verweis *m*; Kri'tik *f*, 'Mißbilligung *f*: ***motion of*** ~ *parl.* Mißtrauensantrag *m*; → ***vote*** 1; **II** *v/t.* tadeln, miß'billigen, kritisieren.
cen·sus ['sensəs] *s.* 'Zensus *m*, (*bsd.* Volks)Zählung *f*, Erhebung *f*: ***livestock*** ~ Viehzählung *f*; ~***-taker*** Volkszähler *m*; ***take a*** ~ e-e (Volks- *etc.*) Zählung vornehmen.
cent [sent] *s.* **1.** Hundert *n* (*nur noch in*): ***per*** ~ Prozent, vom Hundert; **2.** *Am.* Cent *m* (1/100 *Dollar*): ***not worth a*** ~ keinen (roten) Heller wert.
cen·taur ['sentɔ:] *s.* **1.** *myth.* Zen'taur *m*; **2.** *fig.* Zwitterwesen *n*; **Cen·tau·rus** [sen'tɔ:rəs] *s. ast.* Zen'taur *m*.
cen·te·nar·i·an [ˌsentɪ'neərɪən] **I** *adj.* hundertjährig; **II** *s.* Hundertjährige(r *m*) *f*; **cen·te·nar·y** [sen'ti:nərɪ] **I** *adj.* **1.** hundertjährig; **2.** hundert betragend; **II** *s.* **3.** Jahr'hundert *n*; **4.** Hundert'jahrfeier *f*.
cen·ten·ni·al [sen'tenjəl] **I** *adj.* hundertjährig; **II** *s. bsd. Am.* Hundert'jahrfeier *f*.
cen·ter *etc. Am.* → ***centre*** *etc.*
cen·tes·i·mal [sen'tesɪml] *adj.* ☐ zentesi'mal, hundertteilig.
cen·ti·grade ['sentɪgreɪd] *adj.* hundertteilig, -gradig: ~ ***thermometer*** Celsiusthermometer *n*; ***degree***(***s***) ~ Grad Celsius; '**cen·ti·gram**(**me**) [-græm] *s.* Zenti'gramm *n*; '**cen·tiˌme·tre**, *Am.* '**cen·tiˌme·ter** [-ˌmi:tə] *s.* Zenti'meter *m*, *n*; '**cen·ti·pede** [-pi:d] *s. zo.* Hundertfüßer *m*.
cen·tral ['sentrəl] **I** *adj.* ☐ **1.** zen'tral (gelegen); **2.** Haupt..., Zentral...: ~ ***office*** Hauptbüro *n*, Zentrale *f*; ~ ***idea*** Hauptgedanke *m*; **II** *s.* **3.** *Am.* a) (Tele'fon)Zenˌtrale *f*, b) Telefo'nist(in) (*in e-r Zentrale*); ≗ **A·mer·i·can** *adj.* 'mittelameriˌkanisch; ~ **cit·y** *s. Am.* Stadtkern *m*, Innenstadt *f*; ≗ **Eu·ro·pe·an time** *s.* 'mitteleuroˌpäische Zeit (*abbr. MEZ*); ~ **heat·ing** *s.* Zen'tralheizung *f*.
cen·tral·ism ['sentrəlɪzəm] *s.* Zentra'lismus *m*, (Sy'stem *n* der) Zentralisierung *f*; '**cen·tral·ist** [-ɪst] *s.* Verfechter *m* der Zentralisierung; **cen·tral·i·za·tion** [ˌsentrəlaɪ'zeɪʃn] *s.* Zentralisierung *f*; '**cen·tral·ize** [-laɪz] *v/t.* (*v/i.* sich) zentralisieren.
cen·tral| lock·ing *s. mot.* Zen'tralverriegelung *f*; ~ **nerv·ous sys·tem** *s. anat.* Zen'tralˌnervensyˌstem *n*; ~ **point** *s.* A Mittelpunkt *m*; ⚡ Nullpunkt *m*; ≗ **Pow·ers** *s. pl. pol. hist.* Mittelmächte *pl.*; ~ **pro·cess·ing u·nit** *s. Computer*: Zen'traleinheit *f*; ~ **re·serve** *s. mot. Brit.* Mittelstreifen *m*; ~ **sta·tion** *s.* **1.** ⚓ ('Bord)Zenˌtrale *f*, Kom'mandostand *m*; **2.** Haupt-, Zen'tralbahnhof *m*; **3.** ⚡ Zen'trale *f*.
cen·tre ['sentə] **I** *s.* **1.** 'Zentrum *n*, Mittelpunkt *m* (*a. fig.*): ~ ***of attraction*** *fig.* Hauptanziehungspunkt *m*; ~ ***of gravity*** *phys.* Schwerpunkt *m*; ~ ***of motion*** *phys.* Drehpunkt *m*; ~ ***of trade*** Handelszentrum; **2.** Hauptstelle *f*, -gebiet *n*, Sitz *m*, Herd *m*: ***amusement*** ~ Vergnügungszentrum *n*; ~ ***of interest*** Hauptinteresse *n*; → ***shopping***, ***training centre***; **3.** *pol.* Mitte *f*, 'Mittelparˌtei *f*; **4.** ⚙ Spitze *f*: ~ ***lathe*** Spitzendrehbank *f*; **5.** *sport* Flanke *f*; **6.** (Pra'linen- *etc.*)Füllung *f*; **II** *v/t.* **7.** in den Mittelpunkt stellen (*a. fig.*); konzentrieren, vereinigen (***on***, ***in*** auf *acc.*); ⚙ einmitten, zentrieren; ankörnen: ~ ***the bubble*** die Libelle einspielen lassen; **III** *v/i.* **8.** im Mittelpunkt stehen (*a. fig.*); *fig.* sich drehen (***round*** um); **9.** (***in***, ***on***) sich konzentrieren, sich gründen (auf *acc.*); **10.** *Fußball*: flanken; '~**-bit** *s.* ⚙ 'Zentrumsbohrer *m*; '~**·board** *s.* ⚓ (Kiel)Schwert *n*; ~ **cir·cle** *s. Fußball*: Anstoßkreis *m*; ~ **court** *s. Tennis*: 'Centre Court *m*; ~ **for·ward** *s. Fußball*: Mittelstürmer *m*; ~ **half** *s. Fußball*: 'Vorˌstopper *m*; ~ **par·ty** *s. pol.* 'Mittelparˌtei *f*, 'Zentrum *n*; '~**-piece** *s.* **1.** Mittelstück *n*; **2.** (mittlerer) Tafel-

aufsatz; **3.** *fig.* Hauptstück *n*; ~ **punch** *s.* ⚙ (An)Körner *m*; ~ **sec·ond** *s.* Zen'tralse,kundenzeiger *m*.

cen·tric, **cen·tri·cal** ['sentrık(l)] *adj.* □ zen'tral, zentrisch.

cen·trif·u·gal [sen'trıfjʊgl] *adj. phys.* zentrifu'gal; Schleuder…, Schwung…: ~ ***force*** Zentrifugal-, Fliehkraft *f*; ~ ***governor*** Fliehkraftregler *m*; **cen·tri·fuge** ['sentrıfju:dʒ] **I** *s.* Zentri'fuge *f*, Trennschleuder *f*; **II** *v/t.* zentrifugieren, schleudern.

cen·trip·e·tal [sen'trıpıtl] *adj.* zentripe'tal: ~ ***force*** Zentripetalkraft *f*.

cen·tu·ple ['sentjʊpl], **cen·tu·pli·cate** [sen'tju:plıkət] **I** *adj.* hundertfach; **II** *v/t.* verhundertfachen; **III** *s.* (*das*) Hundertfache.

cen·tu·ri·on [sen'tjʊərıən] *s. antiq.* (*Rom*) ⚔ Zen'turio *m*.

cen·tu·ry ['sentʃʊrı] *s.* **1.** Jahr'hundert *n*: ***centuries-old*** jahrhundertealt; **2.** Satz *m od.* Gruppe *f* von hundert; *bsd. Kricket*: 100 Läufe *pl.*; **3.** *Am. sl.* hundert Dollar *pl.*; **4.** *antiq.* (*Rom*) Zen'turie *f*, Hundertschaft *f*.

ce·phal·ic [ke'fælık] *adj. anat., zo.* Schädel…, Kopf…; **ceph·a·lo·pod** ['sefələʊpɒd] *s. zo.* Kopffüßer *m*; **ceph·a·lous** ['sefələs] *adj. zo.* mit e-m … Kopf, …köpfig.

ce·ram·ic [sı'ræmık] **I** *adj.* **1.** ke'ramisch; **II** *s.* **2.** Ke'ramik *f* (*einzelnes Produkt*); **3.** *pl. mst sg. konstr.* Ke'ramik *f* (*Technik*); **4.** *pl.* Ke'ramik *f*, ke'ramische Erzeugnisse; **cer·a·mist** ['serəmıst] *s.* Ke'ramiker *m*.

Cer·ber·us ['sɜ:bərəs] *s. fig.* 'Zerberus *m* (*a. ast.*), grimmiger Wächter: ***sop to*** ~ Beschwichtigungsmittel *n*.

ce·re·al ['sıərıəl] **I** *adj.* **1.** Getreide…; **II** *s.* **2.** *mst pl.* Zere'alien *pl.*, Getreidepflanzen *pl.*, -früchte *pl.*; **3.** Frühstückskost *f aus Weizen, Hafer etc.*

cer·e·bel·lum [,serı'beləm] *s. anat.* Kleinhirn *n*; **cer·e·bral** ['serıbrəl] *adj.* **1.** *anat.* Gehirn…: ~ ***death*** ⚕ Hirntod *m*; **2.** *ling.* alveo'lar; ,**cer·e'bra·tion** [-'breıʃn] *s.* Gehirntätigkeit *f*; Denken *n*, 'Denkpro,zeß *m*; **cer·e·brum** ['serıbrəm] *s. anat.* Großhirn *n*, Ze'rebrum *n*.

cere·cloth ['sıəklɒθ] *s.* Wachsleinwand *f*, *bsd. als* Leichentuch *n*.

cere·ment ['sıəmənt] *s. mst pl.* Leichentuch *n*, Totenhemd *n*.

cer·e·mo·ni·al [,serı'məʊnjəl] **I** *adj.* □ **1.** feierlich, förmlich; **2.** ritu'ell; **II** *s.* **3.** Zeremoni'ell *n*; ,**cer·e'mo·ni·ous** [-jəs] *adj.* □ **1.** → ***ceremonial*** 1 *u.* 2; **2.** 'umständlich, steif; **cer·e·mo·ny** ['serımənı] *s.* **1.** Zeremo'nie *f*, Feierlichkeit *f*, feierlicher Brauch; Feier *f*; → ***master*** 12; **2.** Förmlichkeit(en *pl.*) *f*: ***without*** ~ ohne Umstände; ***stand on*** ~ a) sehr förmlich sein, b) Umstände machen; **3.** Höflichkeit *f*.

ce·rise [sə'ri:z] *adj.* kirschrot, ce'rise.

cert [sɜ:t] *s. a. **dead*** ~ *Brit. sl.* ,todsichere Sache'.

cer·tain ['sɜ:tn] *adj.* □ **1.** (*von Sachen*) sicher, gewiß, bestimmt: ***it is*** ~ ***to happen*** es wird gewiß geschehen; ***I know for*** ~ ich weiß ganz bestimmt; **2.** (*von Personen*) über'zeugt, sicher, gewiß: ***to make*** ~ ***of s.th.*** sich e-r Sache vergewissern; **3.** bestimmt, zuverlässig, sicher: ***a*** ~ ***cure*** e-e sichere Kur; ***a*** ~ ***day*** ein (ganz) bestimmter Tag; **4.** gewiß: ***a*** ~ ***Mr. Brown*** ein gewisser Herr Brown; ***for*** ~ ***reasons*** aus bestimmten Gründen; '**cer·tain·ly** [-lı] *adv.* **1.** sicher, zweifellos, bestimmt; **2.** sicherlich, (aber) sicher *od.* na'türlich; '**cer·tain·ty** [-tı] *s.* **1.** Sicherheit *f*, Bestimmtheit *f*, Gewißheit *f*: ***know for a*** ~ mit Sicherheit wissen; **2.** Über'zeugung *f*.

cer·ti·fi·a·ble [,sɜ:tı'faıəbl] *adj.* □ **1.** feststellbar; **2.** ⚕ *Brit.* a) meldepflichtig (*Krankheit*), b) geisteskrank, c) F verrückt.

cer·tif·i·cate **I** *s.* [sə'tıfıkət] Bescheinigung *f*, At'test *n*, Zeugnis *n*, Schein *m*, Urkunde *f*: ***death*** ~ Sterbeurkunde; ***school*** ~ Schul(abgangs)zeugnis; ~ ***of baptism*** Taufschein; ~ ***of identification*** ✝ Nämlichkeitsbescheinigung *f*; ~ ***of origin*** ✝ Ursprungszeugnis; ***share*** (*Am.* ***stock***) ~ Aktienzertifikat *n*; → ***health*** 1, ***master*** 7, ***medical*** 1; **II** *v/t.* [-keıt] *j-m* e-e Bescheinigung *od.* ein Zeugnis geben; *et.* attestieren, bescheinigen: ~***d*** amtlich anerkannt *od.* zugelassen; ~***d bankrupt*** rehabilitierter Konkursschuldner; ~ ***engineer*** Diplomingenieur *m*; **cer·ti·fica·tion** [,sɜ:tıfı'keıʃn] *s.* **1.** Bescheinigung *f*; Bestätigung *f* (*Am.* ✝ *a. e-s Schecks*); **2.** (amtliche) Beglaubigung *od.* beglaubigte Erklärung.

cer·ti·fied ['sɜ:tıfaıd] *adj.* **1.** bescheinigt, beglaubigt, garantiert: ~ ***copy*** beglaubigte Abschrift; **2.** staatlich zugelassen *od.* anerkannt, *Am.* Diplom…; **3.** ⚕ *Brit.* für geisteskrank erklärt; ~ **ac·count·ant** *s.* ✝ *Brit.* konzessionierter Buch- *od.* Steuerprüfer; ~ **cheque**, *Am.* **check** *s.* (*als gedeckt*) bestätigter Scheck; ~ **mail** *s. Am.* eingeschriebene Sendung(en *pl.*) *f*; ~ **milk** *s.* amtlich geprüfte Milch; ~ **pub·lic ac·count·ant** *s.* ✝ *Am.* amtlich zugelassener 'Bücherre,visor *od.* Wirtschaftsprüfer.

cer·ti·fy ['sɜ:tıfaı] **I** *v/t.* **1.** bescheinigen: ***this is to*** ~ hiermit wird bescheinigt; **2.** beglaubigen; **3.** *Scheck* (als gedeckt) bestätigen (*Bank*); **4.** ~ ***s.o.*** (***insane***) ⚖ *Brit.* j-n für geisteskrank erklären; **5.** ⚖ *Sache* verweisen (***to*** an *ein anderes Gericht*); **II** *v/i.* **6.** (***to***) bezeugen (*acc.*).

cer·ti·tude ['sɜːtɪtjuːd] *s.* Sicherheit *f*, Gewißheit *f*.

C

ce·ru·men [sɪ'ruːmen] *s.* Ohrenschmalz *n*.

ce·ruse ['sɪəruːs] *s.* **1.** ⚗ Bleiweiß *n*; **2.** weiße Schminke.

cer·vi·cal [sɜː'vaɪkl] *anat.* **I** *adj.* Hals..., Nacken...; **II** *s.* Halswirbel *m*.

Ce·sar·e·vitch [sɪ'zɑːrəvɪtʃ] *s. hist.* Za'rewitsch *m*.

ces·sa·tion [se'seɪʃn] *s.* Aufhören *n*, Ende *n*; Stillstand *m*, Einstellung *f*.

ces·sion ['seʃn] *s.* Abtretung *f*, Zessi'on *f*.

cess·pit ['sespɪt], **'cess·pool** [-puːl] *s.* **1.** Jauche-, Senkgrube *f*; **2.** *fig.* (Sünden)Pfuhl *m*.

ce·ta·cean [sɪ'teɪʃjən] *zo.* **I** *s.* Wal(-fisch) *m*; **II** *adj.* Wal(fisch)...

ce·tane ['siːteɪn] *s.* ⚗ Ce'tan *n*: **~ *number*** Cetanzahl *f*.

chafe [tʃeɪf] **I** *v/t.* **1.** warmreiben, frottieren; **2.** ('durch)reiben, wund reiben, scheuern; **3.** *fig.* ärgern, reizen; **II** *v/i.* **4.** sich ('durch)reiben, sich wund reiben, scheuern (***against*** an *dat.*); **5.** ⚙ verschleißen; **6.** a) sich ärgern, b) toben, wüten.

chaf·er ['tʃeɪfə] *s. zo.* Käfer *m*.

chaff [tʃɑːf] **I** *s.* **1.** Spreu *f*: ***separate the ~ from the wheat*** die Spreu vom Weizen scheiden; ***as ~ before the wind*** wie Spreu im Winde; **2.** Häcksel *m*, *n*; **3.** ⚔ 'Stör₁folie *f* (*Radar*); **4.** *fig.* wertloses Zeug; **5.** Necke'rei *f*; **II** *v/t.* **6.** zu Häcksel schneiden; **7.** *fig.* necken, aufziehen; **'~-cut·ter** *s.* ⚒ Häckselbank *f*.

chaf·fer ['tʃæfə] **I** *s.* Feilschen *n*; **II** *v/i.* feilschen, schachern.

chaf·finch ['tʃæfɪntʃ] *s.* Buchfink *m*.

chaf·ing dish ['tʃeɪfɪŋ] *s.* Re'chaud *m*, *n*.

cha·grin ['ʃægrɪn] **I** *s.* **1.** Ärger *m*, Verdruß *m*; **2.** Kränkung *f*; **II** *v/t.* **3.** ärgern, verdrießen: **~*ed*** ärgerlich, gekränkt.

chain [tʃeɪn] **I** *s.* **1.** Kette *f* (*a.* ⚗, ⚡, ⚙, *phys.*): ***~ of office*** Amtskette; **2.** *fig.* Kette *f*, Fessel *f*: ***in ~s*** in Ketten, gefangen; **3.** *fig.* Kette *f*, Reihe *f*: ***~ of events***; **4.** *a.* ***~ of mountains*** Gebirgskette *f*; **5.** ✝ (Laden- *etc.*)Kette *f*; **6.** ⚙ Meßkette *f* (*66 engl. Fuß*); **II** *v/t.* **7.** (an)ketten, mit e-r Kette befestigen: ***~ (up) a dog*** e-n Hund an die Kette legen; ***~ a prisoner*** e-n Gefangenen in Ketten legen; ***~ a door*** e-e Tür durch e-e Kette sichern; **8.** *fig.* (***to***) verketten (mit), ketten *od.* fesseln (an *acc.*); **9.** *Land* mit der Meßkette messen; **~ ar·mo(u)r** *s.* Kettenpanzer *m*; **~ belt** *s.* ⚙ endlose Kette, 'Kettentransmissi₁on *f*; **~ bridge** *s.* Hängebrücke *f*; **~ drive** *s.* ⚙ Kettenantrieb *m*; **~ gang** *s.* Trupp *m* anein'andergeketteter Sträflinge; **'~·less** ['tʃeɪnlɪs] *adj.* ⚙ kettenlos; **~ let·ter** *s.* Kettenbrief *m*; **~ mail** → ***chain armo(u)r***; **~ pump** *s.* Pater'nosterwerk *n*; **~ re·ac·tion** *s. phys. u. fig.* 'Kettenreakti₁on *f*; **'~-smoke** *v/i. u. v/t.* Kette rauchen; **'~-₁smok·er** *s.* Kettenraucher *m*; **~ stitch** *s. Nähen*: Kettenstich *m*; **~ store** *s.* ✝ Kettenladen *m*.

chair [tʃeə] **I** *s.* **1.** Stuhl *m*, Sessel *m*: ***take a ~*** sich setzen; **2.** *fig.* Vorsitz *m*: ***be in (take) the ~*** den Vorsitz führen (übernehmen); ***address the ~*** sich an den Vorsitzenden wenden; ***leave the ~*** die Sitzung aufheben; ***~! ~!*** *parl. Brit.* zur Ordnung!; **3.** Lehrstuhl *m*, Profes'sur *f* (***of German*** für Deutsch); **4.** *Am.* F *der* e'lektrische Stuhl; **5.** 🚂 Schienenstuhl *m*; **6.** Sänfte *f*; **II** *v/t.* **7.** (in ein Amt) einsetzen, auf *e-n Lehrstuhl etc.* berufen; **8.** den Vorsitz führen von (*od. gen.*); **9.** ***~ s.o. off*** j-n (im Tri'umph) auf den Schultern (da'von-) tragen; **~ back** *s.* Stuhllehne *f*; **~ bot·tom** *s.* Stuhlsitz *m*; **'~-car** *s.* 🚂 Sa'lonwagen *m*; **~ lift** *s.* Sesselbahn *f*, -lift *m*.

chair·man ['tʃeəmən] *s.* [*irr.*] **1.** Vorsitzende(r) *m*, Präsi'dent *m*; **2.** Sänftenträger *m*; **'chair·man·ship** [-ʃɪp] *s.* Vorsitz *m*.

chair·o·plane ['tʃeərəpleɪn] *s.* 'Kettenkarus₁sell *n*.

'chair|₁per·son *s.* Vorsitzende(r *m*) *f*; **'~₁wom·an** *s.* [*irr.*] Vorsitzende *f*.

chaise [ʃeɪz] *s.* Chaise *f*, Halbkutsche *f*; **~ longue** [lɔ̃ːŋg] *s.* Chaise'longue *f*, Liegesofa *n*.

chal·cog·ra·pher [kæl'kɒgrəfə] *s.* Kupferstecher *m*.

cha·let ['ʃæleɪ] *s.* Cha'let *n*: a) Sennhütte *f*, b) Landhaus *n*.

chal·ice ['tʃælɪs] *s.* **1.** *poet.* (Trink)Becher *m*; **2.** *eccl.* (Abendmahls)Kelch *m*; **3.** ⚘ Blütenkelch *m*.

chalk [tʃɔːk] **I** *s.* **1.** *min.* Kreide *f*; **2.** (Zeichen)Kreide *f*, Kreidestift *m*: ***colo(u)red ~*** Buntstift; ***red ~*** a) Rötel *m*, b) Rotstift; ***as different as ~ and cheese*** grundverschieden; **3.** Kreidestrich *m*: a) (Gewinn)Punkt *m* (*bei Spielen*), b) *Brit.* (angekreidete) Schuld: ***by a long ~*** bei weitem; **II** *v/t.* **4.** mit Kreide (be)zeichnen; **5.** ***~ out*** entwerfen; *fig. Weg* vorzeichnen; **6.** ***~ up*** anschreiben; ankreiden, auf die Rechnung setzen: ***~ it up to s.o.*** es j-m ankreiden; **~ mark** *s.* Kreidestrich *m*; **'~-pit** *s.* Kreidegrube *f*; **'~-stone** *s.* ⚕ Gichtknoten *m*.

chalk·y ['tʃɔːkɪ] *adj.* kreidig; kreidehaltig.

chal·lenge ['tʃælɪndʒ] **I** *s.* **1.** Her'ausforderung *f* (*a. sport u. fig.*), Forderung *f* (*zum Duell etc.*); (Auf-, An)Forderung *f*; Aufruf *m*; **2.** ⚔ Anruf *m* (*Wachtposten*); **3.** *hunt.* Anschlagen *n* (*Hund*); **4.** *bsd.* ⚖ a) Ablehnung *f* (*e-s Geschworenen od. Richters*), b) Anfechtung *f* (*e-s Beweismittels*); **5.** 'Widerspruch *m*, Kri'tik *f*, Bestreitung *f*, Kampfansage *f*; Angriff *m*; Streitfrage *f*; **6.** Her'ausforderung *f*: a) Bedrohung *f*, kritische Lage, b) Schwierigkeit *f*, Pro'blem *n*, c) (schwierige *od.* lockende) Aufgabe; **7.** ⚕ Immuni'tätstest *m*; **II** *v/t.* **8.** her'ausfordern (*a. sport u. fig.*); zur Rede stellen; aufrufen, -fordern; ⚔ anrufen; **9.** Anforderungen an *j-n* stellen; auf die Probe stellen; **10.** bestreiten, anzweifeln; *bsd.* ⚖ anfechten, *Geschworenen etc.* ablehnen; → ***bias*** 5; **11.** trotzen (*dat.*); angreifen; **12.** *j-n* reizen, lokken, fordern (*Aufgabe*); **13.** *j-m Bewunderung etc.* abnötigen; **'chal·lenge·a·ble** [-dʒəbl] *adj.* her'auszufordern(d); anfechtbar; **chal·lenge cup** *s. sport* 'Wanderpoˌkal *m*; **'chal·leng·er** [-dʒə] *s.* Her'ausforderer *m*; **chal·lenge tro·phy** *s.* Wanderpreis *m*; **'chal·leng·ing** [-dʒɪŋ] *adj.* ☐ **1.** her'ausfordernd; **2.** *fig.* lockend *od.* schwierig (*Aufgabe*).

cha·lyb·e·ate [kə'lɪbɪət] *min.* **I** *adj.* stahl-, eisenhaltig: ~ ***spring*** Stahlquelle *f*; **II** *s.* Stahlwasser *n*.

cham·ber ['tʃeɪmbə] *s.* **1.** *obs.* Zimmer *n*, Kammer *f*, Gemach *n*; **2.** *pl. Brit.* a) (*zu vermietende*) Zimmer *pl.*: ***live in ~s*** privat wohnen, b) Geschäftsräume *pl.*; **3.** (*Empfangs*)Zimmer *n* (*im Palast etc.*); **4.** *parl.* a) Ple'narsaal *m*, b) Kammer *f*; **5.** *pl. Brit.* a) 'Anwaltsbüˌro *n*, b) Amtszimmer *n* des Richters: ***in ~s*** in nichtöffentlicher Sitzung; **6.** ⚙ Kammer *f*; Raum *m*; (Gewehr)Kammer *f*; ~ **con·cert** *s.* 'Kammerkonˌzert *n*; ~ **coun·sel** *s. Brit.* (nur) beratender Anwalt.

cham·ber·lain ['tʃeɪmbəlɪn] *s.* **1.** Kammerherr *m*; **2.** Schatzmeister *m*.

'cham·ber|·maid *s.* Zimmermädchen *n* (*in Hotels*); ~ **mu·sic** *s.* 'Kammermuˌsik *f*; ♀ **of Com·merce** *s.* Handelskammer *f*; ~ **pot** *s.* Nachtgeschirr *n*.

cha·me·le·on [kə'miːljən] *s. zo.* Cha'mäleon *n* (*a. fig.*).

cham·fer ['tʃæmfə] **I** *s.* **1.** ⚠ Auskehlung *f*; **2.** ⚙ Schrägkante *f*, Fase *f*; **II** *v/t.* **3.** ⚠ auskehlen; **4.** ⚙ abfasen, abschrägen.

cham·ois ['ʃæmwɑː] *pl.* ~ [-ɑːz] *s.* **1.** *zo.* Gemse *f*; **2.** *a.* ~ ***leather*** [*mst* 'ʃæmɪ] a) Sämischleder *n*, b) ⚙ Polierleder *n*.

champ¹ [tʃæmp] *v/i. u. v/t.* (heftig *od.* geräuschvoll) kauen: ~ ***at the bit*** a) am Gebiß kauen (*Pferd*), b) *fig.* vor Ungeduld (fast) platzen, c) mit den Zähnen knirschen.

champ² [tʃæmp] *sl.* → ***champion*** 3.

cham·pagne [ˌʃæm'peɪn] *s.* **1.** Cham'pagner *m*, Sekt *m*, Schaumwein *m*: ~ ***cup*** Sektkelch *m*, -schale *f*; **2.** Cham'pagnerfarbe *f*.

cham·pi·on ['tʃæmpjən] **I** *s.* **1.** Kämpe *m*, (Tur'nier)Kämpfer *m*; **2.** *fig.* Vorkämpfer *m*, Verfechter *m*, Fürsprecher *m*; **3.** a) *sport* Meister *m*, Titelhalter *m*, b) Sieger *m* (*Wettbewerb*); **II** *v/t.* **4.** verfechten, eintreten für, verteidigen; **III** *adj.* **5.** Meister…, best, preisgekrönt; **'cham·pi·on·ship** [-ʃɪp] *s.* **1.** Meisterschaft *f*, -titel *m*; **2.** *pl.* Meisterschaftskämpfe *pl.*, Meisterschaften *pl.*; **3.** Verfechten *n*, Eintreten *n für etwas*.

chance [tʃɑːns] **I** *s.* **1.** Zufall *m*: ***by ~*** zufällig; **2.** Glück *n*; Schicksal *n*; 'Risiko *n*: ***game of ~*** Glücksspiel *n*; ***take one's ~*** sein Glück versuchen; ***take a*** (*od.* ***one's***) ~ es darauf ankommen lassen, es riskieren; ***take no ~s*** nichts riskieren (wollen); **3.** Chance *f*: a) Glücksfall *m*, (günstige) Gelegenheit: ***the ~ of his lifetime*** die Chance s-s Lebens, e-e einmalige Gelegenheit; ***give him a ~!*** gib ihm e-e Chance!, versuch's mal mit ihm!; → ***main chance***, b) Aussicht *f* (***of*** auf *acc.*): ***stand a ~*** Aussichten haben, c) Möglichkeit *f*, Wahrscheinlichkeit *f*: ***the ~s are that*** aller Wahrscheinlichkeit nach; ***the ~s are against you*** die Umstände sind gegen dich; ***on the*** (***off***) ~ auf gut Glück, ‚auf Verdacht', für den Fall (*daß*); **II** *v/t.* **4.** riskieren: ~ ***it*** es darauf ankommen lassen, es wagen; **III** *v/i.* **5.** (unerwartet) geschehen: ***I ~ed to meet her*** zufällig traf ich sie; **6.** ~ ***upon*** auf *j-n od. et.* stoßen; **IV** *adj.* **7.** zufällig, Zufalls…, gelegentlich, ✝ *a.* Gelegenheits…; unerwartet: ~ ***customers*** Laufkundschaft *f*.

chan·cel ['tʃɑːnsl] *s.* ⚠ Al'tarraum *m*, hoher Chor.

chan·cel·ler·y ['tʃɑːnsələrɪ] *s.* 'Botschafts- *od.* Konsu'latskanzˌlei *f*.

chan·cel·lor ['tʃɑːnsələ] *s.* **1.** Kanzler *m* (*a. univ.*); *univ. Am.* Rektor *m*; ♀ ***of the Exchequer*** *Brit.* Schatzkanzler *m*, Finanzminister *m*; → ***Lord*** ♀; **2.** Kanz'leivorstand *m*; **'chan·cel·lor·ship** [-ʃɪp] *s.* Kanzleramt *n*, -würde *f*.

chan·cer·y ['tʃɑːnsərɪ] *s.* Kanz'leigericht *n* (*Brit. Gerichtshof des Lordkanzlers; Am. Billigkeitsgericht*): ***in ~*** a) unter gerichtlicher Verwaltung, b) F in der Klemme; ***ward in ~*** Mündel *n* unter Amtsvormundschaft; ♀ **Di·vi·sion** *s.* ⚖ *Brit.* Kammer *f* für Billigkeitsrechtsprechung des ***High Court of Justice***.

chan·cre ['ʃæŋkə] *s.* ⚕ Schanker *m*.

chan·de·lier [ˌʃændə'lɪə] *s.* Arm-, Kronleuchter *m*, Lüster *m*.

chan·dler ['tʃɑːndlə] *s.* Krämer *m*; ♀ **Act** *s. Am.* Kon'kursordnung *f*.

C

change [tʃeɪndʒ] **I** *v/t.* **1.** (ver)ändern, ˈumändern, verwandeln (***into*** in *acc.*): *~* ***one's lodgings*** umziehen; *~* ***the subject*** das Thema wechseln, von et. anderem reden; *~* ***one's position*** die Stellung wechseln, sich beruflich verändern; → ***mind*** 4, ***colour*** 3; **2.** (ˈum-, ver)tauschen (***for*** gegen), wechseln: *~* ***one's shirt*** ein anderes Hemd anziehen; *~* ***hands*** den Besitzer wechseln; *~* ***places with s.o.*** den Platz mit j-m tauschen; *~* ***trains*** umsteigen; → ***side*** 9; **3.** *Geld, Banknoten* (ein)wechseln; *Scheck* einlösen; **4.** *j-m* andere Kleider anziehen; *Säugling* trockenlegen; *Bett* frisch überˈziehen *od.* beziehen; **5.** ⚙ schalten: *~* ***up*** (***down***) hinauf- (herunter)schalten; *~* ***over*** *Betrieb, Maschinen etc.* umstellen (***to*** auf *acc.*); **II** *v/i.* **6.** sich (ver)ändern, wechseln; **7.** sich verwandeln (***to*** *od.* ***into*** in *acc.*); **8.** 🚂 *etc.* ˈumsteigen: ***all*** *~**!*** alles umsteigen *od.* aussteigen!; **9.** sich ˈumziehen: *~* ***into evening dress*** sich für den Abend umziehen; **10.** *~* ***to*** ˈübergehen zu: *~* ***to cigars***; **III** *s.* **11.** (Ver)Änderung *f*, Wechsel *m*; Wandlung *f*, Wendung *f*, ˈUmschwung *m*: ***no*** *~* unverändert; *~* ***for the better*** Besserung *f*; *~* ***of heart*** Sinnesänderung *f*; *~* ***of life*** Wechseljahre *pl.*; *~* ***of moon*** Mondwechsel; *~* ***of voice*** Stimmwechsel; *~* ***in the weather*** Witterungsumschlag *m*; **12.** Abwechs(e)lung *f*, *et.* Neues; Tausch *m*: ***for a*** *~* zur Abwechs(e)lung; ***a*** *~* ***of clothes*** Wäsche zum Wechseln; ***you need a*** *~* Sie müssen mal ausspannen; **13.** Wechselgeld *n*: (***small***) *~* Kleingeld; *~* ***dispenser*** (od. ***machine***) Wechselautomat *m*; ***can you give me*** *~* ***for a pound?*** a) können Sie mir auf ein Pfund herausgeben?, b) können Sie mir ein Pfund wechseln?; ***get no*** *~* ***out of s.o.*** *fig.* nichts (*keine Auskunft od. keinen Vorteil*) aus j-m herausholen können, bei j-m nicht ‚landen' können; **14.** ♀ *Brit.* Börse *f*; **change·a·bil·i·ty** [ˌtʃeɪndʒəˈbɪlətɪ] *s.* Veränderlichkeit *f*; *fig.* Wankelmut *m*; ˈ**change·a·ble** [-dʒəbl] *adj.* ☐ **1.** veränderlich; **2.** wankelmütig; ˈ**change·ful** [-fʊl] *adj.* ☐ veränderlich, wechselvoll; **change gear** *s.* ⚙ Wechselgetriebe *n*; ˈ**change·less** [-lɪs] *adj.* unveränderlich, beständig; ˈ**change·ling** [-lɪŋ] *s.* Wechselbalg *m*; ˈuntergeschobenes Kind; ˈ**changeˌo·ver** *s.* **1.** (***to***) ˈÜbergang *m* (zu), Wechsel *m* (zu), ˈUmstellung *f* (auf *acc.*) (*a.* ⚙ *von Maschinen, e-s Betriebs etc.*); **2.** ⚙ ˈUmschaltung *f*; **3.** *sport* (Stab)Wechsel *m*; ˈ**chang·er** [-dʒə] *s. in Zssgn* …wechsler *m* (*Person od. Gerät*); ˈ**chang·ing** [-dʒɪŋ] *s.* Wechsel *m*, Veränderung *f*: *~* ***of the guard*** ⚔ Wachablösung *f*; *~* ***room*** Umkleidezimmer *n*; *~* ***cubicle*** Umkleidekabine *f*.

chan·nel [ˈtʃænl] **I** *s.* **1.** Flußbett *n*; **2.** Fahrrinne *f*, Kaˈnal *m*; **3.** Rinne *f*; ˈDurchlaßröhre *f*; **4.** breite Wasserstraße: ***the*** (***English***) ♀ *geogr.* der (Ärmel-)Kanal; **5.** Rille *f*, Riefe *f*; ⚠ Auskehlung *f*; **6.** *fig.* Weg *m*, Kaˈnal *m*: *~**s of distribution*** Vertriebswege *pl.*; *~**s of trade*** Handelswege, *a.* Absatzgebiete; ***official*** *~**s*** Dienstweg; ***through the usual*** *~**s*** auf dem üblichen Wege; **7.** *Radio, TV*: Proˈgramm *n*, Kaˈnal *m*: *~* ***selector*** Kanalwähler *m*; **II** *v/t.* **8.** *fig.* leiten, lenken; **9.** ⚙ furchen, riefeln; ⚠ kannelieren, auskehlen.

chant [tʃɑːnt] **I** *s.* **1.** *eccl.* Kirchengesang *m*, -lied *n*; **2.** Singsang *m*, eintöniger Gesang *od.* Tonfall; **3.** Sprechchor *m* (*als Geschrei*); **II** *v/t.* **4.** *Kirchenlied* singen; **5.** absingen, ˈherleiern; **6.** im Sprechchor rufen.

chan·te·relle [ˌtʃæntəˈrel] *s.* ⚘ Pfifferling *m*.

chan·ti·cleer [ˌtʃæntɪˈklɪə] *s. poet.* Hahn *m*.

chan·try [ˈtʃɑːntrɪ] *s. eccl.* **1.** Stiftung *f* von Seelenmessen; **2.** Voˈtivkaˌpelle *f od.* -alˌtar *m*.

chant·y [ˈtʃɑːntɪ] *s.* Maˈtrosenlied *n*, Shanty *n*.

cha·os [ˈkeɪɒs] *s.* ˈChaos *n*, *fig. a.* Wirrwarr *m*, Durcheinˈander *n*; **cha·ot·ic** [keɪˈɒtɪk] *adj.* (☐ *~**ally***) chaˈotisch, wirr.

chap[1] [tʃæp] *s.* F Bursche *m*, Junge *m*: ***a nice*** *~* ein netter Kerl; ***old*** *~* ‚alter Knabe'.

chap[2] [tʃæp] *s.* Kinnbacken *m* (*bsd. Tier*), *pl.* Maul *n*.

chap[3] [tʃæp] **I** *v/t. u. v/i.* rissig machen *od.* werden: *~**ped hands*** aufgesprungene Hände; **II** *s.* Riß *m*, Sprung *m*.

chap·el [ˈtʃæpl] *s.* **1.** Kaˈpelle *f*; Gotteshaus *n* (der Disˈsenters): ***I am*** *~* F ich bin ein Dissenter; **2.** (ˈSeiten)Kaˌpelle *f* in e-r Katheˈdrale; **3.** Gottesdienst *m*; **4.** *typ.* betriebliche Geˈwerkschaftsorganisatiˌon der Drucker; ˈ**chap·el·ry** [-rɪ] *s. eccl.* Sprengel *m*.

chap·er·on [ˈʃæpərəʊn] **I** *s.* **1.** Anstandsdame *f*; **2.** Beˈgleitperˌson *f*; **II** *v/t.* (als Anstandsdame) begleiten.

ˈ**chapˌfall·en** *adj.* niedergeschlagen.

chap·lain [ˈtʃæplɪn] *s.* **1.** Kaˈplan *m*, Geistliche(r) *m* (*an e-r Kapelle*); **2.** Hof-, Haus-, Anstalts-, Miliˈtär-, Maˈrinegeistliche(r) *m*; ˈ**chap·lain·cy** [-sɪ] *s.* Kaˈplans-amt *n*, -pfründe *f*.

chap·let [ˈtʃæplɪt] *s.* **1.** Kranz *m*; **2.** *eccl.* Rosenkranz *m*.

chap·py [ˈtʃæpɪ] *adj.* rissig, aufgesprungen: *~* ***hands***.

chap·ter [ˈtʃæptə] *s.* **1.** Kaˈpitel *n* (*Buch u. fig.*): *~* ***and verse*** a) *bibl.* Kapitel u. Vers, b) genaue Einzelheiten; ***give*** *~*

and verse *a.* genau zitieren; ***to the end of the ~*** bis ans Ende; **2.** *eccl.* 'Dom-, 'Ordenska,pitel *n*; **3.** *Am.* Orts-, 'Untergruppe *f e-r Vereinigung*; **~ house** *s.* **1.** *eccl.* 'Domka,pitel *n*, Stiftshaus *n*; **2.** *Am.* Verbindungshaus *n* (*Studenten*).

char¹ [tʃɑ] *v/t. u. v/i.* verkohlen.

char² [tʃɑː] *s. ichth.* 'Rotfo,relle *f*.

char³ [tʃɑː] *Brit.* **I** *v/i.* **1.** als Putzfrau *od.* Raumpflegerin arbeiten; **II** *s.* **2.** Putzen *n* (*als Lebensunterhalt*); **3.** → ***charwoman***.

char-à-banc ['ʃærəbæŋ] *pl.* **-bancs** [-z] *s.* **1.** Kremser *m* (*Kutsche*); **2.** Ausflugsautobus *m*.

char·ac·ter ['kærəktə] *s.* **1.** Cha'rakter *m*, Wesen *n*, Na'tur *f* (*e-s Menschen*): ***a bad ~*** a) ein schlechter Charakter, b) ein schlechter Kerl; ***a strange ~*** ein eigenartiger Mensch; ***quite a ~*** ein Original; **2.** Cha'rakter(stärke *f*) *m*, (ausgeprägte) Per'sönlichkeit: ***a man of ~***; ***a public ~*** e-e bekannte Persönlichkeit; ***~ actor*** *thea.* Charakterdarsteller *m*; ***~ part*** *thea.* Charakterrolle *f*; ***~ assassination*** Rufmord *m*; ***~ building*** Charakterbildung *f*; ***~ defect*** Charakterfehler *m*; **3.** Cha'rakter *m*, Gepräge *n*, Eigenart *f*; Merkmal *n*, Kennzeichen *n*; **4.** Stellung *f*, Rang *m*, Eigenschaft *f*: ***he came in the ~ of a friend*** er kam (in s-r Eigenschaft) als Freund; **5.** Leumund *m*, Ruf *m*, Name *m*: ***have a good ~*** in gutem Ruf stehen; ***~ witness*** ⚖ Leumundszeuge *m*; **6.** Zeugnis *n* (*für Personal*): ***give s.o. a good ~*** a) j-m ein gutes Zeugnis geben, b) gut von j-m sprechen; **7.** *thea.* Per'son *f*, Rolle *f*: ***in ~*** a) der Rolle gemäß, b) (zs.-)passend; ***it is out of ~*** es paßt nicht (dazu, zu ihm *etc.*); **8.** *Roman*: Fi'gur *f*, Gestalt *f*; **9.** Schriftzeichen *n* (*a. Computer*), Schrift *f*; Handschrift *f*.

char·ac·ter·is·tic [,kærəktə'rɪstɪk] **I** *adj.* □ → ***characteristically***; charakte'ristisch, bezeichnend, typisch (***of*** für): ***~ curve*** ⚙ Leistungskurve *f*; **II** *s.* charakte'ristisches Merkmal, Eigentümlichkeit *f*, Kennzeichen *n*, Eigenschaft *f*: (***performance***) ***~*** ⚙ (Leistungs)Angabe *f*, (-)Kennwert *m*; **,char·ac·ter'is·ti·cal** [-kl] → ***characteristic*** I; **,char·ac·ter'is·ti·cal·ly** [-kəlɪ] *adv.* bezeichnenderweise; **char·ac·ter·i·za·tion** [,kærəktəraɪ'zeɪʃn] *s.* Charakterisierung *f*, Kennzeichnung *f*; **char·ac·ter·ize** ['kærəktəraɪz] *v/t.* charakterisieren: a) beschreiben, b) kennzeichnen, charakte'ristisch sein für; **char·ac·ter·less** ['kærəktəlɪs] *adj.* nichtssagend.

cha·rade [ʃə'rɑːd] *s.* **1.** Scha'rade *f* (*Ratespiel mit Verkleidungsszenen*); **2.** *fig.* Farce *f*.

'char·broil *v/t.* auf Holzkohle grillen.

char·coal ['tʃɑːkəʊl] *s.* **1.** Holzkohle *f*; **2.** (Zeichen)Kohle *f*, Kohlestift *m*; **3.** Kohlezeichnung *f*; **~ burn·er** *s.* Köhler *m*, Kohlenbrenner *m*; **~ draw·ing** *s.* Kohlezeichnung *f*.

chard [tʃɑːd] *s.* ⚘ Mangold(gemüse *n*) *m*.

charge [tʃɑːdʒ] **I** *v/t.* **1.** belasten, beladen, beschweren (***with*** mit) (*mst fig.*); **2.** *Gewehr etc.* laden; *Batterie* aufladen: (***emotionally***) ***~d atmosphere*** *fig.* geladene (*od.* angeheizte) Stimmung; **3.** (an)füllen; ⚙, ⚒ beschicken; ⚗ sättigen; **4.** beauftragen, betrauen: ***~ s.o. with a task***; **5.** ermahnen: ***I ~d him not to forget*** ich schärfte ihm ein, es nicht zu vergessen; **6.** Weisungen geben (*dat.*); belehren: ***~ the jury*** ⚖ den Geschworenen Rechtsbelehrung geben; **7.** zur Last legen, vorwerfen, anlasten (***on*** *dat.*): ***he ~d the fault on me*** er schrieb mir die Schuld zu; **8.** beschuldigen, anklagen (***with*** *gen.*): ***~ s.o. with murder***; **9.** angreifen, *sport a.* ‚angehen', rempeln; anstürmen gegen: ***~ the enemy***; **10.** *Preis etc.* fordern, berechnen: ***he ~d*** (***me***) ***a dollar for it*** er berechnete (mir) e-n Dollar dafür; **11.** ✝ *j-n* mit *et.* belasten, *j-m et.* in Rechnung stellen: ***~ these goods to me*** (*od.* ***to my account***); **II** *v/i.* **12.** angreifen; stürmen: ***the lion ~d at me*** der Löwe fiel mich an; **13.** (e-n Preis) fordern, (Kosten) berechnen: ***~ too much*** zuviel berechnen; ***I shall not ~ for it*** ich werde es nicht berechnen; **III** *s.* **14.** ⚔, ⚡, *mot.* Ladung *f*; ⚙ (Spreng)Ladung *f*; Füllung *f*, Beschickung *f*; *metall.* Einsatz *m*; **15.** Belastung *f*, Forderung *f* (*beide a.* ✝), Last *f*, Bürde *f*; Anforderung *f*, Beanspruchung *f*: ***~*** (***on an estate***) (Grundstücks)Belastung; ***real ~*** Grundschuld *f*; ***be a ~ on s.o.*** j-m zur Last fallen; ***a first ~ on s.th.*** e-e erste Forderung an et. (*acc.*); **16.** (*a. pl.*) Preis *m*, Kosten *pl.*, Spesen *pl.*, Unkosten *pl.*; Gebühr *f*: ***no ~***, ***free of ~*** kostenlos, gratis; ***~s forward*** per Nachnahme; ***~s*** (***to be***) ***deducted*** abzüglich der Unkosten; **17.** Aufgabe *f*, Amt *n*, Pflicht *f*, Verantwortung *f*; **18.** Aufsicht *f*, Obhut *f*, Pflege *f*, Sorge *f*; Verwahrung *f*; Verwaltung *f*: ***person in ~*** verantwortliche Person, Verantwortliche(r), Leiter(in); ***be in ~ of*** verantwortlich sein für, die Aufsicht *od.* den Befehl führen über (*acc.*), leiten; ***have ~ of*** in Obhut *od.* Verwahrung haben, betreuen, versorgen; ***put s.o. in ~ of*** j-m die Leitung *od.* Aufsicht *etc.* übertragen (*gen.*); ***take ~*** die Leitung *etc.* übernehmen, die Sache in die Hand nehmen; **19.** Gewahrsam *m*: ***give s.o. in ~*** j-n der Polizei übergeben; ***take s.o. in ~*** j-n festnehmen; **20.** ⚖ Mündel *m*; Pflegebefohlene(r *m*) *f*, Schützling *m*; *a*. anvertraute Sache; **21.** Befehl *m*, Anweisung *f*, Mahnung *f*; ⚖ Rechtsbelehrung *f*; **22.** Vorwurf *m*, Beschuldigung *f*; ⚖ (Punkt *m* der) Anklage *f*: ***on a ~ of murder*** wegen Mord; ***return to the ~*** *fig*. noch einmal ‚einhaken' (*Diskussion*); **23.** Angriff *m*, (An)Sturm *m*; **24.** ***get a ~ out of*** *Am. sl.* an *e-r Sache* mächtig Spaß haben; **~ ac·count** *s*. ✝ **1.** ('Kunden)Kre,ditkonto *n*; **2.** Abzahlungskonto *n*.

charge·a·ble ['tʃɑ:dʒəbl] *adj*. ☐ **1.** anzurechnen(d), zu Lasten gehen(d) (***to*** von); zu berechnen(d) (***on*** *dat*.); zu belasten(d) (***with*** mit); *teleph*. gebührenpflichtig; **2.** zahlbar; **3.** strafbar.

char·gé (d'af·faires) [ˌʃɑ:ʒeɪ(dæ'feə)] *pl*. **char·gés (d'af·faires)** [-ʒeɪdæ'feəz] (*Fr.*) *s*. *pol*. Geschäftsträger *m*.

'charge-nurse *s*. ⚕ Stati'ons-, Oberschwester *f*.

charg·er ['tʃɑ:dʒə] *s*. **1.** ⚔ Dienstpferd *n* (*es Offiziers*); **2.** *poet*. Schlachtroß *n*; **3.** ⚙ Aufgeber *m*.

'charge-sheet *s*. *Brit*. **1.** polizeiliches Aktenblatt über den Beschuldigten u. die ihm zur Last gelegte Tat; **2.** ⚔ Tatbericht *m*.

char·i·ness ['tʃeərɪnɪs] *s*. **1.** Behutsamkeit *f*; **2.** Sparsamkeit *f*.

char·i·ot ['tʃærɪət] *s*. *antiq*. zweirädriger Streit- *od*. Tri'umphwagen; **char·i·ot·eer** [ˌtʃærɪə'tɪə] *s*. *poet*. Wagen-, Rosselenker *m*.

cha·ris·ma [kə'rɪzmə] *pl*. **-ma·ta** [-mətə] *s*. *eccl*. 'Charisma *n* (*a. fig. persönliche Ausstrahlung*); **char·is·mat·ic** [ˌkærɪz'mætɪk] *adj*. charis'matisch.

char·i·ta·ble ['tʃærətəbl] *adj*. ☐ **1.** mild-, wohltätig, karita'tiv, Wohltätigkeits...; **2.** mild, nachsichtig; **'char·i·ta·ble·ness** [-nɪs] *s*. Wohltätigkeit *f*; Güte *f*, Milde *f*, Nachsicht *f*; **char·i·ty** ['tʃærətɪ] *s*. **1.** Nächstenliebe *f*; **2.** Wohltätigkeit *f*; Freigebigkeit *f*: ***~ performance*** Wohltätigkeits-, Benefizveranstaltung *f*; ***~ stamp*** Wohlfahrtsmarke *f*; ***~ begins at home*** zuerst kommt die eigene Familie *od*. das eigene Land; → ***cold*** 3; **3.** Güte *f*; Milde *f*, Nachsicht *f*; **4.** Almosen *n*, milde Gabe; Wohltat *f*, gutes Werk; **5.** Wohlfahrtseinrichtung *f*.

cha·ri·va·ri [ˌʃɑ:rɪ'vɑ:rɪ] *s*. **1.** 'Katzenmu,sik *f*; **2.** Lärm *m*, Getöse *n*.

char·la·dy ['tʃɑ:ˌleɪdɪ] → ***charwoman***.

char·la·tan ['ʃɑ:lətən] *s*. 'Scharlatan *m*: a) Quacksalber *m*, Marktschreier *m*, b) Schwindler *m*; **'char·la·tan·ry** [-tənrɪ] *s*. Scharlatane'rie *f*.

Charles's Wain [ˌtʃɑ:lzɪz'weɪn] *s*. *ast*. Großer Bär.

char·ley horse ['tʃɑ:lɪ] *s*. *Am*. F Muskelkater *m*.

char·lock ['tʃɑ:lɒk] *s*. ⚘ Hederich *m*.

charm [tʃɑ:m] **I** *s*. **1.** Anmut *f*, Charme *m*, (Lieb)Reiz *m*, Zauber *m*: (***feminine***) ***~s*** weibliche Reize; ***~ of style*** reizvoller Stil; ***turn on the old ~*** s-n Charme spielen lassen; **2.** Zauber *m*, Bann *m*; Zauberformel *f*: ***it worked like a ~*** *fig*. es klappte phantastisch; **3.** Amu'lett *n*, 'Talisman *m*; **II** *v/t*. **4.** bezaubern, reizen, entzücken: ***be ~ed to meet s.o.*** entzückt *od*. erfreut sein, j-n zu treffen; ***~ed with*** entzückt von; **5.** be-, verzaubern: ***~ed against*** gefeit gegen; ***~ away*** wegzaubern; **III** *v/i*. **6.** bezaubern(d wirken), entzücken; **'charm·er** [-mə] *s*. **1.** *fig*. Zauberer *m*, Zauberin *f*; **2.** a) bezaubernder Mensch, Char'meur *m*, b) reizvolles Geschöpf, ‚Circe' *f*; **'charm·ing** [-mɪŋ] *adj*. ☐ char'mant; *a. Sache*: bezaubernd, entzückend, reizend.

char·nel house ['tʃɑ:nl] *s*. Leichen-, Beinhaus *n*.

chart [tʃɑ:t] **I** *s*. **1.** (*bsd*. See-, Himmels)Karte *f*: ***~room*** ⚓ Kartenhaus *n*; **2.** Ta'belle *f*; **3.** a) graphische Darstellung, *z.B.* (Farb)Skala *f*, (Fieber)Kurve *f*, (Wetter)Karte *f*, b) *bsd*. ⚙ Dia'gramm *n*, Schaubild *n*, Kurve(nblatt *n*) *f*; **II** *v/t*. **4.** auf e-r (See- *etc*.)Karte einzeichnen; **5.** graphisch darstellen, skizzieren; **6.** *fig*. planen, entwerfen.

char·ta ['tʃɑ:tə] → ***Magna C(h)arta***.

char·ter ['tʃɑ:tə] **I** *s*. **1.** Urkunde *f*; Freibrief *m*; Privi'leg *n*; **2.** a) Gründungsurkunde *f*, b) *Am*. Satzung *f* (*e-r AG etc*.), c) Konzessi'on *f*; **3.** *pol*. Charta *f*; **4.** ⚓, ✈ a) Chartern *n*, b) → ***charter party***; **II** *v/t*. **5.** *Bank etc*. konzessionieren: ***~ed company*** zugelassene Gesellschaft; → ***accountant*** 2; **6.** chartern: a) ⚓, ✈ mieten, b) befrachten; **'char·ter·er** [-ərə] *s*. ⚓ Befrachter *m*.

char·ter| flight *s*. Charterflug *m*; **~ par·ty** *s*. 'Chartepar,tie *f*, Miet-, Frachtvertrag *m*.

char·wom·an ['tʃɑ:ˌwʊmən] *s*. [*irr*.] Reinemach-, Putzfrau *f*, Raumpflegerin *f*.

char·y ['tʃeərɪ] *adj*. ☐ **1.** vorsichtig, behutsam (***in***, ***of*** in *dat*., bei); **2.** sparsam, zu'rückhaltend (***of*** mit).

chase¹ [tʃeɪs] **I** *v/t*. **1.** jagen, nachjagen (*dat*.), verfolgen; **2.** *hunt*. hetzen, jagen; **3.** *fig*. verjagen, vertreiben; **II** *v/i*. **4.** nachjagen (***after*** *dat*.); F sausen, rasen; **III** *s*. **5.** Verfolgung *f*: ***give ~*** die Verfolgung aufnehmen; ***give ~ to*** → 1; **6.** *hunt*. ***the ~*** die Jagd; **7.** *Brit*. 'Jagdre,vier *n*; **8.** gejagtes Wild (*a. fig.*) *od*. Schiff *etc*.

chase² [tʃeɪs] **I** *s*. **1.** *typ*. Formrahmen *m*; **2.** Rinne *f*, Furche *f*; **II** *v/t*. **3.** ziselieren, ausmeißeln, punzen: ***~d work*** getriebene Arbeit; **4.** ⚙ *Gewinde* strehlen, schneiden.

chas·er¹ ['tʃeɪsə] *s.* **1.** Jäger *m*; Verfolger *m*; **2.** ⚓ a) Verfolgungsschiff *n*, (*bsd.* U-Boot-)Jäger *m*, b) Jagdgeschütz *n*; **3.** ✈ Jagdflugzeug *n*; **4.** F ‚Schluck *m* zum Nachspülen'; **5.** *sl.* a) Schürzenjäger *m*, b) mannstolles Weib.

chas·er² ['tʃeɪsə] *s.* ⚙ **1.** Zise'leur *m*; **2.** Gewindestahl *m*; Treibpunzen *m*.

chasm ['kæzəm] *s.* **1.** Kluft *f*, Abgrund *m* (*beide a. fig.*) **2.** Schlucht *f*; **3.** Riß *m*, Spalte *f*; **4.** Lücke *f*.

chas·sis ['ʃæsɪ] *pl.* **'chas·sis** [-sɪz] *s.* **1.** Chas'sis *n*: a) ✈, *mot.* Fahrgestell *n*, b) *Radio*: Grundplatte *f*; **2.** ⚔ La'fette *f*.

chaste [tʃeɪst] *adj.* □ **1.** keusch (*a. fig. schamhaft; anständig, tugendhaft*); rein, unschuldig; **2.** rein, von edler Schlichtheit: **~ style**.

chas·ten ['tʃeɪsn] *v/t.* **1.** züchtigen, strafen; **2.** läutern; **3.** mäßigen, dämpfen; ernüchtern.

chas·tise [tʃæ'staɪz] *v/t.* **1.** züchtigen, strafen; **2.** geißeln, tadeln; **chas·tise·ment** ['tʃæstɪzmənt] *s.* Züchtigung *f*, Strafe *f*.

chas·ti·ty ['tʃæstətɪ] *s.* **1.** Keuschheit *f*: **~ belt** Keuschheitsgürtel *m*; **2.** Reinheit *f*; **3.** Schlichtheit *f*.

chas·u·ble ['tʃæzjʊbl] *s. eccl.* Meßgewand *n*.

chat [tʃæt] **I** *v/i.* plaudern, schwatzen; **II** *v/t.* **~ s.o.** (**up**) F a) auf j-n einreden, b) j-n ‚anquatschen'; **III** *s.* Plaude'rei *f*: **~ show** *Brit.* Talk-Show *f*; **have a ~** → I.

chat·e·laine ['ʃætəleɪn] *s.* **1.** Schloßherrin *f*; **2.** Kastel'lanin *f*; **3.** (Gürtel)Kette *f* (*für Schlüssel etc.*).

chat·tel ['tʃætl] *s.* **1.** *mst pl.* bewegliches Eigentum, Habe *f*: **~ mortgage** Mobiliarhypothek *f*; **~ paper** *Am.* Verkehrspapier *n*; → **good** 18; **2.** *mst* **~ slave** Leibeigene(r) *m*.

chat·ter ['tʃætə] **I** *v/i.* **1.** plappern, schwatzen; **2.** schnattern; **3.** klappern (*a. Zähne*), rattern; **4.** plätschern; **II** *s.* **5.** Geplapper *n*, Geschnatter *n*; Klappern *n*; **'chat·ter·box** *s.* Plappermaul *n*; **'chat·ter·er** [-ərə] *s.* Schwätzer(in).

chat·ty ['tʃætɪ] *adj.* **1.** gesprächig; **2.** unter'haltsam (*Person*, *Brief*), im Plauderton (geschrieben *etc.*).

chauf·feur ['ʃəʊfə] (*Fr.*) *s.* Chauf'feur *m*, Fahrer *m*; **chauf·feuse** [ʃəʊ'fɜːz] *s.* Fahrerin *f*.

chau·vie ['ʃəʊvɪ] *s.* F ‚Chauvie' *m* (→ **chauvinist** 2).

chau·vin·ism ['ʃəʊvɪnɪzəm] *s.* Chauvi'nismus *m*; **'chau·vin·ist** [-ɪst] *s.* **1.** Chauvi'nist *m*; **2. male ~** *sociol.* männlicher Chauvinist; **chau·vin·is·tic** [ˌʃəʊvɪ'nɪstɪk] *adj.* (□ **~ally**) chauvi'nistisch.

cheap [tʃiːp] **I** *adj.* □ **1.** billig, preiswert: **get off ~** mit e-m blauen Auge davonkommen; **hold ~** wenig halten von; **~ as dirt** spottbillig; **2.** billig, minderwertig; schlecht, kitschig: **~ and nasty** billig u. schlecht; **3.** verbilligt, ermäßigt: **~ fare**; **~ money** billiges Geld; **4.** *fig.* billig, mühelos; **5.** *fig.* ‚billig', schäbig: **feel ~** a) sich ‚billig' *od.* ärmlich vorkommen, b) *sl.* sich elend fühlen; **II** *adv.* **6.** billig; **III** *s.* **7. on the ~** F billig; **'cheap·en** [-pən] *v/t.* (*v/i.* sich) verbilligen; her'absetzen (*a. fig.*): **~ o.s.** sich herabwürdigen; **'cheap·jack I** *s.* billiger Jakob; **II** *adj.* Ramsch...; **'cheap·ness** [-nɪs] *s.* Billigkeit *f* (*a. fig.*); **'cheap·skate** *s. Am. sl.* ‚Knikker' *m*, Geizhals *m*.

cheat [tʃiːt] **I** *s.* **1.** Betrüger(in), Schwindler(in); ‚Mogler(in)'; **2.** Betrug *m*, Schwindel *m*; Moge'lei *f*; **II** *v/t.* **3.** betrügen (**of**, **out of** um); **4.** durch List bewegen (**into** zu); **5.** sich entziehen (*dat.*), ein Schnippchen schlagen (*dat.*): **~ justice**; **III** *v/i.* **6.** betrügen, schwindeln, mogeln.

check [tʃek] **I** *s.* **1.** Schach(stellung *f*) *n*: **in ~** im Schach (stehend); **give ~** Schach bieten; **hold** (*od.* **keep**) **in ~** *fig.* in Schach halten; **2.** Hemmnis *n*, Hindernis *n* (**on** für): **put a ~ upon s.o.** j-m e-n Dämpfer aufsetzen, j-n zurückhalten; **3.** Unter'brechung *f*, Rückschlag *m*: **give a ~ to** Einhalt gebieten (*dat.*); **4.** Kon'trolle *f*, Über'prüfung *f*, Nachprüfung *f*, Über'wachung *f*: **keep a ~ upon s.th.** etwas unter Kontrolle halten; **5.** Kon'trollzeichen *n*, *bsd.* Häkchen *n* (*auf Listen etc.*); **6.** ✝ *Am.* Scheck *m* (**for** über *acc.*); **7.** *bsd. Am.* Kassenschein *m*, -zettel *m*, Rechnung *f* (*im Kaufhaus od. Restaurant*); **8.** Kon'trollabschnitt *m*, -marke *f*, -schein *m*; **9.** *bsd. Am.* Aufbewahrungsschein *m*: a) Garde'robenmarke *f*, b) Gepäckschein *m*; **10.** (*Essens- etc.*)Bon *m*, Gutschein *m*; **11.** a) Schachbrett-, Würfel-, Karomuster *n*, b) Karo *n*, Viereck *n*, c) karierter Stoff; **12.** Spielmarke *f*: **to pass** (*od.* **hand**) **in one's ~s** *Am.* F ‚abkratzen' (*sterben*); **13.** *Eishockey*: Check *m*; **II** *v/t.* **14.** Schach bieten (*dat.*): **~!** Schach!; **15.** hemmen, hindern, aufhalten, eindämmen; **16.** ⚙, *a. fig.* ✝ *etc.* drosseln, bremsen; **17.** zu'rückhalten, bremsen, zügeln, dämpfen: **~ o.s.** (plötzlich) innehalten, sich e-s anderen besinnen; **18.** *Eishockey*: *Gegner* checken; **19.** kontrollieren, über'prüfen, nachprüfen, ‚checken' (**for** auf *e-e Sache* hin): **~ against** vergleichen mit; **20.** *Am.* (*auf e-r Liste etc.*) abhaken, ankreuzen; **21.** *bsd. Am.* a) (zur Aufbewahrung *od.* in der Garde'robe) abgeben, b) (als Reisegepäck) aufgeben; **22.** *bsd. Am.* a) (zur Aufbewahrung) annehmen, b) zur Beförderung (als Reisegepäck) über'nehmen *od.* annehmen; **23.** karieren, mit e-m Karomuster versehen; **III** *v/i.* **24.** a) stimmen, b) (***with***) über'einstimmen (mit); **25.** *oft* ~ ***up*** (***on***) nachprüfen, (*e-e Sache od. j-n*) über'prüfen: ***~!*** *Am.* F klar!; **26.** *Am.* e-n Scheck ausstellen (***for*** über *acc.*); **27.** (plötzlich) inne- *od.* anhalten, stutzen.

Zssgn mit adv.:

check| back *v/i.* rückfragen (***with*** bei); ~ **in I** *v/i.* **1.** sich anmelden; **2.** † einstempeln; **3.** ✈ einchecken; **II** *v/t.* **4.** anmelden; **5.** ✈ einchecken, abfertigen; ~ **off** → ***check*** 20; ~ **out I** *v/t.* **1.** → ***check*** 19; **II** *v/i.* **2.** (*aus e-m Hotel*) abreisen; **3.** † ausstempeln; **4.** *Am. sl.* ‚abkratzen'; ~ **o·ver** → ***check*** 19; ~ **up** → ***check*** 25.

'check|·back *s.* Rückfrage *f*; ~ **bit** *s. Computer*: Kon'trollbit *n*; **'~·book** → ***chequebook***; **'~·card** *s. Am.* Scheckkarte *f*; ~ **clock** *s.* Stechuhr *f*.

checked [tʃekt] *adj.* kariert: ~ ***pattern*** Karomuster *n*.

check·er ['tʃekə] *etc. Am.* → ***chequer*** *etc.*

'check·in *s.* **1.** Anmeldung *f in e-m Hotel*; **2.** † Einstempeln *n*; **3.** ✈ Einchekken *n*: ~ ***counter*** Abfertigungsschalter *m*; ~ ***time*** Eincheckzeit *f*.

check·ing ac·count ['tʃekɪŋ] *s. econ. Am.* Girokonto *n*.

check| list *s.* Kon'trolliste *f*; ~ **lock** *s.* kleines Sicherheitsschloß; **'~·mate I** *s.* **1.** (Schach)'Matt *n*, Mattstellung *f*; **2.** *fig.* Niederlage *f*; **II** *v/t.* **3.** (schach)'matt setzen (*a. fig.*); **III** *int.* **4.** schach'matt!; ~ **nut** *s.* ⚙ Gegenmutter *f*; **'~-out** *s.* **1.** Abreise *f aus e-m Hotel*; **2.** † Ausstempeln *n*; **3.** *a.* ~ ***counter*** Kasse *f im Kaufhaus*; **'~-out test** *s.* † Tauglichkeitstest *m für ein Produkt*; **'~-ˌo·ver** → ***checkup*** 1; **'~·point** *s. pol.* Kon'trollpunkt *m* (*an der Grenze*); **'~·room** *s. Am.* **1.** 🚂 Gepäckaufbewahrung(sstelle) *f*; **2.** Garde'robe(nraum *m*) *f*; **'~·up** *s.* **1.** Über'prüfung *f*, Kon'trolle *f*; **2.** ⚕ 'Vorsorgeunterˌsuchung *f*, Check-up *m*; ~ **valve** *s.* ⚙ 'Absperr- *od.* 'Rückschlagvenˌtil *n*.

Ched·dar (**cheese**) ['tʃedə] *s.* 'Cheddarkäse *m*.

cheek [tʃi:k] **I** *s.* **1.** Backe *f*, Wange *f*: ~ ***by jowl*** dicht *od.* vertraulich beisammen; **2.** ⚙ Backe *f*; **3.** F Frechheit *f*, Unverfrorenheit *f*: ***have the*** ~ die Frechheit *od.* Stirn besitzen (***to*** *inf.* zu *inf.*); **II** *v/t.* **4.** frech sein zu; **'cheek·bone** *s.* Backenknochen *m*; **cheeked** [-kt] *adj.* ...wangig, ...bäckig; **'cheek·i·ness** [-kɪnɪs] *s.* F Frechheit *f*; **'cheek·y** [-kɪ] *adj.* □ frech.

cheep [tʃi:p] **I** *v/t. u. v/i.* piep(s)en; **II** *s.* Pieps(er) *m* (*a. fig.*).

cheer [tʃɪə] **I** *s.* **1.** Beifall(sruf) *m*, Hur'ra(ruf *m*) *n*, Hoch(ruf *m*) *n*: ***three ~s for him!*** ein dreifaches Hoch auf ihn!, er lebe hoch, hoch, hoch!; ***to the ~s of*** unter dem Beifall *etc.* (*gen.*); **2.** Ermunterung *f*, Trost *m*: ***words of ~***; ***~s!*** prosit!; **3.** a) gute Laune, vergnügte Stimmung, Fröhlichkeit *f*, b) Stimmung *f*: ***good ~*** → a); ***be of good ~*** guter Laune *od.* Dinge sein, vergnügt sein; ***be of good ~!*** sei guten Mutes!; ***make good ~*** sich amüsieren, *a.* gut essen u. trinken; **II** *v/t.* **4.** Beifall spenden (*dat.*), zujubeln (*dat.*), mit Hoch- *od.* Bravorufen begrüßen, hochleben lassen; **5.** *a.* ~ ***on*** anspornen, anfeuern; **6.** *a.* ~ ***up*** *j-n* er-, aufmuntern, aufheitern; **III** *v/i.* **7.** Beifall spenden, hoch *od.* hur'ra rufen, jubeln; **8.** *meist* ~ ***up*** Mut fassen, (wieder) fröhlich werden: ~ ***up!*** Kopf hoch!

cheer·ful ['tʃɪəfʊl] *adj.* □ **1.** heiter, fröhlich; (*iro.* quietsch)vergnügt; **2.** erfreulich, freundlich; **3.** freudig, gern; **'cheer·ful·ness** [-nɪs], **cheer·i·ness** ['tʃɪərɪnɪs] *s.* Heiterkeit *f*, Frohsinn *m*; **cheer·i·o** [ˌtʃɪərɪ'əʊ] *int.* F *bsd. Brit.* a) mach's gut!, tschüs!, b) 'prosit!; **'cheer-ˌlead·er** *s. sport Am.* Einpeitscher *m* (*beim Anfeuern*); **cheer·less** ['tʃɪəlɪs] *adj.* □ freudlos, trüb, trostlos; unfreundlich (*Zimmer, Wetter etc.*); **cheer·y** ['tʃɪərɪ] *adj.* □ fröhlich, heiter, vergnügt.

cheese [tʃi:z] **I** *s.* **1.** Käse *m*; → ***chalk*** 2; **2.** käseartige Masse; Ge'lee *n*, *m*; **3.** ***big ~*** *sl.* ‚hohes Tier'; **4.** *sl. das* Richtige *od.* einzig Wahre: ***that's the ~!*** so ist's richtig!; ***hard ~!*** schöne Pleite!; **II** *v/t.* **5.** *sl.*: ~ ***it!*** ‚hau ab'!; **'~·cake** *s.* **1.** Käsekuchen *m*, -törtchen *n*; **2.** *Am.* Pin-up-Girl *n*, Sexbombe *f* (*Bild*); **'~·cloth** *s.* Mull *m*, Gaze *f*; **'~ˌmon·ger** *s.* Käsehändler *m*; **'~ˌpar·ing I** *s.* **1.** wertlose Sache; **2.** Knause'rei *f*; **II** *adj.* **3.** knauserig; ~ **straws** *s. pl.* Käsestangen *pl*.

chee·tah ['tʃi:tə] *s. zo.* 'Gepard *m*.

chef [ʃef] (*Fr.*) *s.* Küchenchef *m*.

chem·i·cal ['kemɪkl] **I** *adj.* □ chemisch, Chemie...: ~ ***agent*** ⚔ Kampfstoff *m*; ~ ***engineer*** Chemotechniker *m*; ~ ***fibre*** Chemie-, Kunstfaser *f*; ~ ***warfare*** chemische Kriegführung; **II** *s.* Chemi'kalie, chemisches Präpa'rat.

che·mise [ʃɪ'mi:z] **1.** (Damen)Hemd *n*; **2.** *a.* ~ ***dress*** Hängekleid *n*.

chem·ist ['kemɪst] *s.* **1.** *a.* ***analytical ~*** Chemiker *m*; **2.** *Brit. a.* ***dispensing ~*** Apo'theker *m*: ***~'s shop*** *Brit.* Apotheke *f*, Drogerie *f*; **'chem·is·try** [-trɪ] *s.* **1.** Che'mie *f*; **2.** chemische Zs.-setzung; **3.** *fig.* Na'tur *f*, Wirken *n*.

cheque [tʃek] *s.* † *Brit.* Scheck *m* (***for*** über *e-e Summe*): ***blank ~*** Blankoscheck, *fig.* unbeschränkte Vollmacht; ***crossed ~*** Verrechnungsscheck; **~ account** *s.* ✝ *Brit.* 'Giro,konto *n*; **'~book** *s. Brit.* Scheckbuch *n*; **~ fraud** *s.* Scheckbetrug *m*.

cheq·uer ['tʃekə] *Brit.* **I** *s.* **1.** Schach-, Karomuster *n*; **2.** *pl. sg. konstr.* Damespiel *n*; **II** *v/t.* **3.** karieren; **4.** bunt *od.* unregelmäßig gestalten; **'cheq·uer-board** *s. Brit.* Damebrett *n*; **'cheq-uered** [-əd] *adj. Brit.* kariert; *fig.* bunt; wechselvoll, bewegt.

cher·ish ['tʃerɪʃ] *v/t.* **1.** schätzen, hochhalten; **2.** sorgen für, pflegen; **3.** *Gefühle etc.* hegen; bewahren; **4.** *fig.* festhalten an (*dat.*).

che·root [ʃə'ru:t] *s.* Stumpen *m* (*Zigarre*).

cher·ry ['tʃerɪ] **I** *s.* **1.** ⚘ Kirsche *f* (*Frucht od. Baum*); **2.** *sl.* a) Jungfräulichkeit *f*, b) Jungfernhäutchen *n*; **II** *adj.* **3.** kirschrot; **~ bran·dy** *s.* Cherry Brandy *m*, 'Kirschli,kör *m*; **~ pie** *s.* **1.** Kirschtorte *f*; **2.** ⚘ Helio'trop *n*; **~ stone** *s.* Kirschkern *m*; **'~·wood** *s.* Kirschbaumholz *n*.

cher·ub ['tʃerəb] *pl.* **-ubs**, **-u·bim** [-əbɪm] *s.* **1.** *bibl.* 'Cherub *m*, Engel *m*; **2.** geflügelter Engelskopf; **3.** a) pausbäckiges Kind, b) *fig.* Engel(chen *n*) *m* (*Kind*).

cher·vil ['tʃɜ:vɪl] *s.* ⚘ Kerbel *m*.

Chesh·ire| cat ['tʃeʃə] *s.*: ***grin like a ~*** grinsen wie ein Affe; **~ cheese** *s.* 'Chesterkäse *m*.

chess [tʃes] *s.* Schach(spiel) *n*: ***a game of ~*** e-e Partie Schach; **'~·board** *s.* Schachbrett *n*; **'~·man** [-mæn] *s.* [*irr.*] 'Schachfi,gur *f*; **~ prob·lem** *s.* Schachaufgabe *f*.

chest [tʃest] *s.* **1.** Kiste *f*, Kasten *m*, Truhe *f*: ***~ of drawers*** Kommode *f*; **2.** kastenartiger Behälter; **3.** Brust(kasten *m*) *f*: ***have a weak ~*** schwach auf der Brust sein; ***~ expander*** Expander *m*; ***~ note*** Brustton *m*; ***~ trouble*** Lungenleiden; ***beat one's ~*** *fig.* sich reuig an die Brust schlagen; ***get s.th. off one's ~*** F sich et. von der Seele schaffen; ***play*** (***one's cards***) ***close to one's ~*** *a. fig.* sich nicht in die Karten gucken lassen; **4.** Kasse *f*, Kassenverwaltung *f*; **'chest·ed** [-tɪd] *adj. in Zssgn* …brüstig.

ches·ter·field ['tʃestəfi:ld] *s.* **1.** Chesterfield *m* (*Herrenmantel*); **2.** 'Polster-,sofa *n*.

chest·nut ['tʃesnʌt] **I** *s.* **1.** ⚘ Ka'stanie *f* (*Frucht, Baum od. Holz*); **2.** Braune(r) *m* (*Pferd*); **3.** alter Witz, ‚alte Ka'melle'; **II** *adj.* **4.** ka'stanienbraun.

chest·y ['tʃestɪ] *adj.* **1.** F tief(sitzend) (*Husten*); **2.** F dickbusig; **3.** *sl.* eingebildet, arro'gant.

chev·a·lier [,ʃevə'lɪə] *s.* **1.** (Ordens)Ritter *m*; **2.** *fig.* Kava'lier *m*.

chev·ron ['ʃevrən] *s.* **1.** *her.* Sparren *m*; **2.** ⚔ Winkel *m* (*Rangabzeichen*); **3.** ⚠ Zickzackleiste *f*.

chev·y ['tʃevɪ] → ***chiv(v)y***.

chew [tʃu:] **I** *v/t.* **1.** kauen: ***~ the rag*** *od.* ***fat*** a) ‚quatschen', plaudern, b) ‚mekkern'; → ***cud***; **2.** *fig.* sinnen auf (*acc.*), über'legen, brüten; **3.** ***~ over*** F *et.* besprechen; **4.** ***~ up*** *Am. sl. j-n* ‚anscheißen'; **II** *v/i.* **5.** kauen; **6.** F 'Tabak kauen; **7.** nachsinnen, grübeln (***on***, ***over*** über *acc.*); **III** *s.* **8.** Kauen *n*; **9.** Priem *m*; **'chew·ing·gum** ['tʃu:ɪŋ-] *s.* 'Kau-,gummi *m*.

chi·a·ro·scu·ro [kɪ,ɑ:rəs'kʊərəʊ] *pl.* **-ros** (*Ital*) *s. paint.* Helldunkel *n*.

chic [ʃi:k] **I** *s.* Schick *m*, Ele'ganz *f*, Geschmack *m*; **II** *adj.* schick, ele'gant.

chi·cane [ʃɪ'keɪn] **I** *s.* **1.** Schi'kane *f* (*a. Motorsport*); **2.** *Bridge*: Blatt *n* ohne Trümpfe; **II** *v/t. u. v/i.* **3.** schikanieren; **4.** betrügen (***out of*** um); **chi'can·er·y** [-nərɪ] *s.* Schi'kane *f*, (*bsd.* Rechts-) Kniff *m*.

chi·chi ['ʃi:ʃi:] *adj.* F **1.** (tod)schick; **2.** *contp.* auf schick gemacht.

chick [tʃɪk] *s.* **1.** Küken *n* (*a. fig. Kind*); junger Vogel; **2.** *sl.* ‚Biene' *f*, ‚Puppe' *f*.

chick·en ['tʃɪkɪn] **I** *s.* **1.** Küken *n*; Hühnchen *n*, Hähnchen *n*: ***count one's ~s before they are hatched*** das Fell des Bären verkaufen, ehe man ihn hat; **2.** Huhn *n*; **3.** Hühnerfleisch *n*; **4.** F ‚Küken' *n*: ***she is no ~*** sie ist auch nicht mehr die Jüngste; **5.** *sl.* Mutprobe-Spiel *n*; **6.** ***give s.o. ~*** ⚔ *sl.* ‚mit j-m Schlitten fahren'; **II** *adj.* **7.** *sl.* feig(e); **III** *v/i.* **8.** *sl.* ‚Schiß' bekommen: ***~ out*** ‚kneifen'; **'~-,breast·ed** *adj.* hühnerbrüstig; **~ broth** *s.* Hühnerbrühe *f*; **'~-feed** *s.* **1.** Hühnerfutter *n*; **2.** *sl.* ‚ein paar Groschen', lächerliche Summe: ***no ~*** kein Pappenstiel; **'~-,heart·ed**, **'~-,liv·ered** *adj.* feig(e); **~ pox** *s.* ⚕ Windpocken *pl.*; **~ run** *s.* Hühnerauslauf *m*.

'chick·pea *s.* ⚘ Kichererbse *f*.

chic·le ['tʃɪkl], *a.* **~ gum** *s.* (Rohstoff *m* von) 'Kau,gummi *m*.

chic·o·ry ['tʃɪkərɪ] *s.* ⚘ **1.** Zi'chorie *f*; **2.** Chicorée *m, f*.

chid [tʃɪd] *pret. u. p.p. von* ***chide***; **chidden** [-dn] *p.p. von* ***chide***; **chide** [tʃaɪd] *v/t. u. v/i.* [*irr.*] schelten, tadeln, (aus-) schimpfen.

chief [tʃi:f] **I** *s.* **1.** Haupt *n*, Oberhaupt *n*, Anführer *m*; Chef *m*, Vorgesetzte(r) *m*; Leiter *m*: ***℃ of Staff*** ⚔ (General-) Stabschef *m*; ***℃ of State*** Staatschef *m*, -oberhaupt *n*; ***in ~*** hauptsächlich; **2.** Häuptling *m*; **3.** *her.* Schildhaupt *n*; **II** *adj.* □ → ***chiefly***; **4.** erst, oberst, höchst; bedeutendst, Ober…, Höchst…, Haupt…: ***~ designer*** Chefkonstrukteur *m*; ***~ mourner*** Hauptleidtragende(r *m*) *f*; ***~ part*** Hauptrolle *f*; ~

C

clerk *s.* **1.** Bü'rovorsteher *m*; erster Buchhalter; **2.** *Am.* erster Verkäufer; ≈ **Con·sta·ble** *s.* Poli'zeipräsi,dent *m*; ~ **en·gi·neer** *s.* **1.** 'Chefingeni,eur *m*; **2.** ⚓ erster Maschi'nist; ≈ **Ex·ec·u·tive** *s. Am.* Leiter *m* der Verwaltung, *bsd.* Präsi'dent *m* der U.S.A.; ≈ **Jus·tice** *s.* Oberrichter *m*.

chief·ly ['tʃi:flɪ] *adv.* hauptsächlich.

chief·tain ['tʃi:ftən] *s.* Häuptling *m* (*Stamm*); Anführer *m* (*Bande*); '**chief·tain·cy** [-sɪ] *s.* Stellung *f* e-s Häuptlings.

chif·fon ['ʃɪfɒn] Chif'fon *m*.

chil·blain ['tʃɪlbleɪn] *s.* Frostbeule *f*.

child [tʃaɪld] *pl.* **chil·dren** ['tʃɪldrən] *s.* **1.** Kind *n*: ***with*** ~ schwanger; ***from a*** ~ von Kindheit an; ***be a good*** ~***!*** sei artig!; ~***'s play*** *fig.* ein Kinderspiel (***to*** für); **2.** *fig.* Kind *n*, kindische *od.* kindliche Per'son; **3.** Kind *n*, Nachkomme *m*: ***the children of Israel***; **4.** *fig.* Kind *n*, Pro'dukt *n*; **5.** Jünger *m*; ~ **al·low·ance** *s.* Kinderfreibetrag *m*; '~,**bear·ing** *s.* Gebären *n*; '~**·bed** *s.* Kind-, Wochenbett *n*; ~ **ben·e·fit** *s. Brit.* Kindergeld *n*; '~**·birth** *s.* Geburt *f*, Entbindung *f*, Niederkunft *f*; ~ **care** *s.* Jugendfürsorge *f*; ~ **guid·ance** *s.* 'heilpäda,gogische Betreuung (des Kindes).

child·hood ['tʃaɪldhʊd] *s.* Kindheit *f*: ***second*** ~ zweite Kindheit (*Senilität*); '**child·ish** [-dɪʃ] *adj.* □ **1.** kindisch; **2.** kindlich; '**child·ish·ness** [-dɪʃnɪs] *s.* **1.** Kindlichkeit *f*; **2.** kindisches Wesen; '**child·less** [-lɪs] *adj.* kinderlos; '**child·like** *adj.* kindlich; **child mind·er** *s.* Tagesmutter *f*; **child prod·i·gy** *s.* Wunderkind *n*.

chil·dren ['tʃɪldrən] *pl. von* ***child***: ~***'s allowance*** Kindergeld; *Radio, TV*: ~***'s hour*** Kinderstunde *f*.

child| wel·fare *s.* Jugendfürsorge *f*: ~ ***worker*** Jugendfürsorger(in), Jugendpfleger(in); ~ **wife** *s.* Kindweib *n*, sehr junge Ehefrau.

chil·e → ***chilli***.

Chil·e·an ['tʃɪlɪən] **I** *s.* Chi'lene *m*, Chi'lenin *f*; **II** *adj.* chi'lenisch.

Chil·e| pine ['tʃɪlɪ] *s.* ⚘ Chiletanne *f*, Arau'karie *f*; ~ **salt·pe·tre**, *Am.* **salt·pe·ter** *s.* ⚗ 'Chilesal,peter *m*.

chil·i *Am.* → ***chilli***.

chill [tʃɪl] **I** *s.* **1.** Kältegefühl *n*, Frösteln *n*; (*a.* Fieber)Schauer *m*: ~ ***of fear*** eisiges Gefühl der Angst; **2.** Kälte *f*: ***take the*** ~ ***off*** leicht anwärmen, überschlagen lassen; **3.** Erkältung *f*: ***catch a*** ~ sich erkälten; **4.** *fig.* Kälte *f*, Lieblosigkeit *f*, Entmutigung *f*: ***cast a*** ~ ***upon*** → 9; **5.** ⚙ Ko'kille *f*, Gußform *f*; **II** *adj.* **6.** kalt, frostig, kühl (*a. fig.*); entmutigend; **III** *v/i.* **7.** abkühlen; **IV** *v/t.* **8.** (ab)kühlen; erstarren lassen: ~***ed meat*** Kühlfleisch *n*; **9.** *fig.* abkühlen, dämpfen, entmutigen; **10.** ⚙ abschrecken, härten: ~***ed*** (***cast***) ***iron*** Hartguß *m*.

chil·li ['tʃɪlɪ] *s.* ⚘ Chili *m*.

chill·i·ness ['tʃɪlɪnɪs] *s.* Kälte *f*, Frostigkeit *f* (*beide a. fig.*); **chill·ing** ['tʃɪlɪŋ] *adj.* kalt, frostig; *fig.* niederdrückend; **chill·y** ['tʃɪlɪ] *adj.* a) kalt, frostig, kühl (*alle a. fig.*), b) fröstelnd: ***feel*** ~ frösteln.

Chil·tern Hun·dreds ['tʃɪltən] *s. Brit. parl.*: ***apply for the*** ~ s-n Sitz im Unterhaus aufgeben.

chi·mae·ra [kaɪ'mɪərə] *s.* **1.** *zo.* a) Chi'märe *f*, Seehase *m*, b) Seedrachen *m*; **2.** → ***chimera***.

chime [tʃaɪm] **I** *s.* **1.** *oft pl.* Glockenspiel *n*, Geläut(e) *n*; **2.** *fig.* Einklang *m*, Harmo'nie *f*; **II** *v/i.* **3.** läuten; ertönen; schlagen (*Uhr*); **4.** *fig.* über'einstimmen, harmonieren: ~ ***in*** einfallen, -stimmen, *weitS.* sich (ins Gespräch) einmischen; ~ ***in with*** a) beipflichten (*dat.*), b) übereinstimmen mit; **III** *v/t.* **5.** läuten, ertönen lassen; *die Stunde* schlagen.

chi·me·ra [kaɪ'mɪərə] *s.* **1.** *myth.* Chi'mära *f*; **2.** Schi'märe *f*: a) Schreckgespenst *n*, b) Hirngespinst *n*; **chi'mer·i·cal** [-'merɪkl] *adj.* □ schi'märisch, phan'tastisch.

chim·ney ['tʃɪmnɪ] *s.* **1.** Schornstein *m*, Schlot *m*, Ka'min *m*; Rauchfang *m*: ***smoke like a*** ~ F rauchen wie ein Schlot; **2.** (*Lampen*)Zy'linder *m*; **3.** a) *geol.* Vul'kanschlot *m*, b) *mount.* Ka'min *m*; ~ **cor·ner** *s.* Sitzecke *f* am Ka'min; ~ **piece** *s.* Ka'minsims *m*, *n*; ~ **pot** *s.* Schornsteinaufsatz *m*: ~ ***hat*** F ‚Angströhre' *f* (*Zylinderhut*); ~ **stack** *s.* Schornstein(kasten) *m*; ~ **sweep** (**-er**) *s.* Schornsteinfeger *m*.

chimp [tʃɪmp] *s.* F, **chim·pan·zee** [,tʃɪmpən'zi:] *s. zo.* Schim'panse *m*.

chin [tʃɪn] **I** *s.* Kinn *n*: ***up to the*** ~ *fig.* bis über die Ohren; ***take it on the*** ~ *fig.* a) schwer einstecken müssen, b) e-e böse ‚Pleite' erleben, c) es standhaft ertragen; (***keep your***) ~ ***up!*** halt die Ohren steif!; **II** *v/i. sl.* ‚quasseln'; **III** *v/t.* ~ ***o.s.*** (***up***) *Am.* e-n Klimmzug *od.* Klimmzüge machen.

chi·na ['tʃaɪnə] **I** *s.* **1.** Porzel'lan *n*; **2.** (Porzel'lan)Geschirr *n*; **II** *adj.* **3.** Porzellan...; ≈ **bark** *s.* ⚘ Chinarinde *f*; ~ **clay** *s. min.* Kao'lin *n*, Porzel'lanerde *f*; '≈**·man** [-mən] *s.* [*irr.*] Chi'nese *m*; ≈ **tea** *s.* chi'nesischer Tee; '≈**·town** *s.* Chi'nesenviertel *n*; '~**·ware** *s.* Porzel'lan(waren *pl.*) *n*.

chinch [tʃɪntʃ] *s. Am.* Wanze *f*.

chin-chin [,tʃɪn'tʃɪn] *int.* (*Pidgin-English*) **1.** a) (guten) Tag!, b) tschüs!; **2.** 'prosit!, prost!

chine [tʃaɪn] *s.* **1.** Rückgrat *n*, Kreuz *n* (*Tier*); **2.** *Küche*: Kammstück *n*; **3.**

(Berg)Grat *m*, Kamm *m*.

Chi·nese [ˌtʃaɪˈniːz] **I** *adj.* **1.** chiˈnesisch; **II** *s.* **2.** Chiˈnese *m*, Chiˈnesin *f*, Chiˈnesen *pl.*; **3.** *ling.* Chiˈnesisch *n*; **~ cabbage** *s.* ♀ Chinakohl *m*; **~ lan·tern** *s.* **1.** Lampiˈon *m*, *n*; **2.** ♀ Lampiˈonpflanze *f*; **~ puz·zle** *s.* **1.** Veˈxier-, Geduldspiel *n*; **2.** *fig.* schwierige Sache.

Chink¹ [tʃɪŋk] *s. sl.* Chiˈnese *m*.

chink² [tʃɪŋk] *s.* **1.** Riß *m*, Ritz *m*, Ritze *f*, Spalt *m*, Spalte *f*: ***the ~ in his armo(u)r*** *fig.* sein schwacher Punkt; **2.** ***~ of light*** dünner Lichtstrahl.

chink³ [tʃɪŋk] **I** *v/i. u. v/t.* klingen *od.* klirren (lassen), klimpern (mit) (*Geld etc.*); **II** *s.* Klirren *n*, Klang *m*.

chin strap *s.* Kinnriemen *m*.

chintz [tʃɪnts] *s.* Chintz *m*, buntbedruckter ˈMöbelkatˌtun; **ˈchintz·y** [-sɪ] *adj.* **1.** Plüsch…; **2.** *fig.* kleinbürgerlich, spießig.

ˈchin·wag I *s.* **1.** Plausch *m*; **2.** Tratsch *m*; **II** *v/i.* **3.** plauschen; **2.** tratschen.

chip [tʃɪp] **I** *s.* **1.** (*Holz- od. Metall*)Splitter *m*, Span *m*, Schnitzel *n*, *m*; Scheibchen *n*; abgebrochenes Stückchen; *pl.* Abfall *m*: ***dry as a ~*** fade, *fig. a.* trokken, ledern; ***a ~ of the old block*** ganz (wie) der Vater; ***have a ~ on one's shoulder*** F sehr empfindlich sein; **2.** angeschlagene Stelle; **3.** *pl.* a) *Brit.* Pommes ˈfrites *pl.*: ***fish and ~s***, b) *Am.* (Karˈtoffel)Chips *pl.*; **4.** Spielmarke *f*: ***when the ~s are down*** *fig.* wenn es hart auf hart geht; ***hand in one's ~s*** *Am. sl.* ‚abkratzen'; ***have had one's ~s*** *sl.* ‚fertig' sein; **5.** *pl. sl.* ‚Zaster' *m* (*Geld*): ***in the ~s*** (gut) bei Kasse; **6.** *Computer*: Chip *m* (*Mikrobaustein*); **II** *v/t.* **7.** (ab)schnitzeln; abraspeln; **8.** *Kante von Geschirr etc.* ab-, anschlagen; *Stückchen* ausbrechen; **9.** F hänseln; **III** *v/i.* **10.** (leicht) abbrechen; **~ in** *v/i.* **1.** sich (in ein Gespräch) einmischen; **2.** F beisteuern (*a. v/t.*); **~ off** *v/i.* abblättern, abbröckeln.

chip| bas·ket *s.* Spankorb *m*; **~ hat** *s.* Basthut *m*; **ˈ~·board** *s.* (Holz)Spanplatte *f*.

chip·muck [ˈtʃɪpmʌk], **ˈchip·munk** [-mʌŋk] *s. zo.* amer. gestreiftes Eichhörnchen.

ˈchip-pan *s. Küche*: Friˈteuse *f*.

Chip·pen·dale [ˈtʃɪpəndeɪl] *s.* Chippendale(stil *m*) *n* (*Möbelstil*).

chip·per [ˈtʃɪpə] *Am.* **I** *v/i.* zwitschern; schwatzen; **II** *adj.* F munter, vergnügt.

chip·ping [ˈtʃɪpɪŋ] *s.* Schnitzel *n*, *m*, abgeschlagenes Stück, angestoßene Ecke; Span *m*; *pl.* Splitt *m*.

chip·py [ˈtʃɪpɪ] **I** *adj.* **1.** angeschlagen (*Geschirr etc.*); schartig; **2.** *fig.* trokken, fade; **3.** *sl.* verkatert; **II** *s.* **4.** *Am. sl.* ‚Flittchen' *n*.

chi·ro·man·cer [ˈkaɪərəʊmænsə] *s.* Handleser *m*; **ˈchi·ro·man·cy** [-sɪ] *s.* Handlesekunst *f*.

chi·rop·o·dist [kɪˈrɒpədɪst] *s.* Fußpfleger(in), Pediˈküre *f*; **chi·rop·o·dy** [-dɪ] *s.* Fußpflege *f*, Pediˈküre *f*.

chirp [tʃɜːp] **I** *v/i. u. v/t.* zirpen, zwitschern; schilpen (*Spatz*); **II** *s.* Gezirp *n*, Zwitschern *n*; **ˈchirp·y** [-pɪ] *adj.* F munter, vergnügt.

chirr [tʃɜː] *v/i.* zirpen (*Heuschrecke*).

chir·rup [ˈtʃɪrəp] *v/i.* **1.** zwitschern; **2.** schnalzen.

chis·el [ˈtʃɪzl] **I** *s.* **1.** Meißel *m*; **2.** ⚙ Beitel *m*, Grabstichel *m*; **II** *v/t.* **3.** meißeln; **4.** *fig.* stiˈlistisch ausfeilen; **5.** *sl.* a) betrügen, ‚reinlegen', b) ergaunern, herˈausschinden; **ˈchis·el(l)ed** [-ld] *adj. fig.* **1.** ausgefeilt: ***~ style***; **2.** scharf geschnitten: ***~ face***; **ˈchis·el·(l)er** [-lə] *s.* F Gauner(in); ‚Nassauer' *m*.

chit¹ [tʃɪt] *s.* Kindchen *n*: ***a ~ of a girl*** ein junges Ding, ein Fratz.

chit² [tʃɪt] *s.* **1.** kurzer Brief; Zettel *m*; **2.** vom Gast abgezeichnete (Speise-) Rechnung.

chit·chat [ˈtʃɪttʃæt] → ***chinwag***.

chit·ter·ling [ˈtʃɪtəlɪŋ] *s. mst pl.* Gekröse *n*, Inneˈreien *pl.* (*bsd. Schwein*).

chiv·al·rous [ˈʃɪvlrəs] *adj.* □ ritterlich, gaˈlant; **ˈchiv·al·ry** [-rɪ] *s.* **1.** Ritterlichkeit *f*; **2.** Tapferkeit *f*; **3.** Rittertum *n*; **4.** Ritterdienst *m*.

chive¹ [tʃaɪv] *s.* ♀ Schnittlauch *m*.

chive² [tʃaɪv] *sl.* **I** *s.* Messer *n*; **II** *v/t.* (er)stechen.

chiv·(v)y [ˈtʃɪvɪ] *v/t.* **1.** *j-n* herˈumjagen, hetzen; **2.** schikanieren.

chlo·ral [ˈklɔːrəl] *s.* ⚗ Chloˈral *n*: ***~ hydrate*** Chloralhydrat *n*; **ˈchlo·rate** [-reɪt] *s.* ⚗ chlorsaures Salz; **ˈchlo·ric** [-rɪk] *adj.* ⚗ Chlor…: ***~ acid*** Chlorsäure *f*; **ˈchlo·ride** [-raɪd] *s.* ⚗ Chloˈrid *n*, Chlorverbindung *f*: ***~ of lime*** Chlorkalk *m*; **ˈchlo·rin·ate** [-rɪneɪt] *v/t.* chloren, chlorieren; **chlo·rin·a·tion** [ˌklɔːrɪˈneɪʃn] *s.* Chloren *n*; **ˈchlo·rine** [-riːn] *s.* ⚗ Chlor *n*.

chlo·ro·flu·o·ro·car·bon [ˈklɔːrəʊˌflʊərəʊˈkɑːbən] *s.* Fluorchlorkohlenwasserstoff *m*, FCKW.

chlo·ro·form [ˈklɒrəfɔːm] **I** *s.* ⚗, ⚕ Chloroˈform *n*; **II** *v/t.* chloroformieren; **ˈchlo·ro·phyll** [-fɪl] *s.* ♀ Chloroˈphyll *n*, Blattgrün *n*.

chlo·ro·sis [kləˈrəʊsɪs] *s.* ⚕, ♀ Bleichsucht *f*; **chlo·rous** [ˈklɔːrəs] *adj.* chlorig.

choc [tʃɒk] *s.* F *abbr. für* ***chocolate***: ***~ ice*** Eis *n* mit Schokoladenüberzug.

chock [tʃɒk] **I** *s.* **1.** (Brems-, Hemm-) Keil *m*; **2.** ⚓ Klampe *f*; **II** *v/t.* **3.** festkeilen; **4.** *fig.* vollpfropfen; **III** *adv.* **5.** dicht; **~-a-block** [ˌtʃɒkəˈblɒk] *adj.* vollgepfropft; **ˌ~-ˈfull** *adj.* zum Bersten voll.

C

choc·o·late ['tʃɒkələt] **I** *s.* **1.** Schoko'lade *f* (*a. als Getränk*); **2.** Pra'line *f*: **~s** Pralinen, Konfekt *n*; **II** *adj.* **3.** schoko'ladenbraun; **~ cream** *s.* 'Cremepraˌline *f.*

choice [tʃɔɪs] **I** *s.* **1.** Wahl *f*: ***make a ~*** wählen, e-e Wahl treffen; ***take one's ~*** s-e Wahl treffen; ***this is my ~*** dies habe ich gewählt; **2.** freie Wahl: ***at ~*** nach Belieben; ***by*** (*od.* ***for***) **~** vorzugsweise; ***from ~*** aus Vorliebe; **3.** (große) Auswahl; Sorti'ment *n*: ***a ~ of colours***; **4.** Wahl *f*, Möglichkeit *f*: ***I have no ~*** ich habe keine (andere) Wahl, *a.* es ist mir einerlei; **5.** Auslese *f*, *das* Beste; **II** *adj.* □ **6.** auserlesen, vor'züglich; ✝ Quali-täts...: **~ *fruit*** feinstes Obst; **~ *words*** a) gewählte Worte, b) *humor.* deftige Sprache; **~ *quality*** ✝ ausgesuchte Qualität; '**choice·ness** [-nɪs] *s.* Erlesenheit *f.*

choir ['kwaɪə] **I** *s.* **1.** (Kirchen-, Sänger-) Chor *m*; **2.** Chor *m*, ('Chor)Emˌpore *f*; **II** *v/i. u. v/t.* **3.** im Chor singen; '**~·boy** *s.* Chor-, Sängerknabe *m*; '**~ˌmas·ter** *s.* Chorleiter *m*; **~ stalls** *s. pl.* Chorgestühl *n.*

choke [tʃəʊk] **I** *s.* **1.** Würgen *n*; **2.** *mot.* Luftklappe *f*, Choke *m*: ***pull out the ~*** den Choke ziehen; **3.** → ***choke coil***; **4.** → ***chokebore***; **II** *v/i.* **5.** würgen; ersticken (*a. fig.*): ***with a choking voice*** mit erstickter Stimme; **III** *v/t.* **6.** ersticken (*a. fig.*); erwürgen; würgen (*a. weitS. Kragen etc.*); **7.** hindern; dämpfen, drosseln (*a.* ⚡, ⚙); **8.** *a.* **~ *up*** a) verstopfen, b) 'vollstopfen; **~ back** *v/t.* **1.** *Lachen etc.* ersticken, unter'drücken; **2.** → ***choke off***; **~ down** *v/t.* **1.** hin'unterwürgen (*a. fig.*); **2.** → ***choke back*** 1; **~ off** *v/t. fig.* ‚abwürgen', nicht aufkommen lassen; *Konjunktur etc.* drosseln; **~ up** → ***choke*** 8.

'**choke|·bore** *s.* ⚙ Chokebohrung *f*; **~ coil** *s.* ⚡ Drosselspule *f*; '**~·damp** *s.* ⚒ Nachschwaden *m.*

chok·er ['tʃəʊkə] *s.* F enger Kragen *od.* Schal; enge Halskette.

chol·er ['kɒlə] *s.* **1.** *obs.* Galle *f*; **2.** *fig.* Zorn *m.*

chol·er·a ['kɒlərə] *s.* ⚕ 'Cholera *f.*

chol·er·ic ['kɒlərɪk] *adj.* cho'lerisch.

cho·les·ter·ol [kə'lestərɒl] *s. physiol.* Choleste'rin *n*; **~ lev·el** *s.* Cholesterinspiegel *m.*

choose [tʃu:z] **I** *v/t.* [*irr.*] **1.** (aus)wählen, aussuchen: ***to ~ a hat***; ***he was chosen king*** er wurde zum König gewählt; ***the chosen people*** *bibl.* das auserwählte Volk; **2.** belieben (*a. iro.*), (es) vorziehen, lieber wollen; beschließen: ***he chose to go*** er zog es vor *od.* er beschloß fortzugehen; ***do as you ~*** tu, wie *od.* was du willst; **II** *v/i.* [*irr.*] **3.** wählen: ***not much to ~*** kaum ein Unterschied; ***he cannot ~ but come*** er hat keine andere Wahl als zu kommen; '**choos·er** [-zə] *s.* (Aus)Wählende(r *m*) *f*; → ***beggar*** 1; '**choos·y** [-zɪ] *adj.* F wählerisch.

chop¹ [tʃɒp] **I** *s.* **1.** Hieb *m*, Schlag *m* (*a. Karate*); *Boxen, Tennis*: Chop *m*; **2.** *Küche*: Kote'lett *n*; **3.** *pl.* a) (Kinn)Backen *pl.*: ***lick one's ~s*** sich die Lippen lecken, b) *fig.* Maul *n*, Rachen *m*; **II** *v/t.* **4.** (zer)hacken, hauen, spalten: **~ *wood*** Holz hacken; **~ *one's words*** abgehackt sprechen; **5.** *Tennis*: *den Ball* choppen; **~ down** *v/t.* fällen; **~ in** *v/i.* sich einmischen; **~ off** *v/t.* abhauen; **~ up** *v/t.* zer-, kleinhacken.

chop² [tʃɒp] **I** *v/i. a.* **~ *about***, **~ *round*** sich drehen, 'umschlagen (*Wind*): **~ *and change*** s-n Standpunkt dauernd ändern, hin u. her schwanken; **II** *v/t. Worte* wechseln; **III** *s. pl.* **~*s and changes*** ewiges Hin und Her.

chop³ [tʃɒp] *s.* (*Indien u. China*) **1.** Stempel *m*, Siegel *n*; **2.** Urkunde *f*; **3.** (Handels)Marke *f*; **4.** Quali'tät *f*: ***first-~*** erste Sorte, erstklassig.

'**chop·house** *s.* Steakhaus *n.*

chop·per ['tʃɒpə] *s.* **1.** Hackmesser *n*, -beil *n*; **2.** ⚡ Zerhacker *m*; **3.** *Am. sl.* Hubschrauber *m*; **4.** *pl. sl.* Zähne *pl.*

chop·ping¹ ['tʃɒpɪŋ] *adj.* stramm (*Kind*).

chop·ping² ['tʃɒpɪŋ] *s.* Wechsel *m*: **~ *and changing*** ewiges Hin und Her.

chop·ping| block ['tʃɒpɪŋ] *s.* Hackblock *m*, -klotz *m*; **~ board** *s.* Hackbrett *n*; **~ knife** *s.* [*irr.*] Hackmesser *n.*

chop·py ['tʃɒpɪ] *adj.* **1.** kabbelig (*Meer*); **2.** böig (*Wind*); **3.** *fig.* wechselnd; **4.** *fig.* abgehackt.

'**chop|·stick** *s.* Eßstäbchen *n* (*China etc.*); ˌ**~-'su·ey** [-'su:ɪ] *s.* Chop-suey *n* (*chinesisches Mischgericht*).

cho·ral ['kɔ:rəl] *adj.* □ Chor..., im Chor gesungen: **~ *service*** Gottesdienst *m* mit Chorgesang; **~ *society*** Chor *m*;

cho·rale [kɒ'rɑ:l] *s.* Cho'ral *m.*

chord [kɔ:d] *s.* **1.** ♪, *poet.*, *fig.* Saite *f*; **2.** ♪ Ak'kord *m*; *fig.* Ton *m*: ***break into a ~*** e-n Tusch spielen; ***strike the right ~*** *bei j-m* die richtige Saite anschlagen; ***does that strike a ~?*** erinnert *dich* das an etwas?; **3.** ⩓ Sehne *f*; **4.** *anat.* Band *n*, Strang *m*; **5.** ✈ Pro'filsehne *f*; **6.** ⚙ Gurt *m.*

chore [tʃɔ:] *s.* **1.** (Haus)Arbeit *f*; **2.** schwierige Aufgabe.

cho·re·a [kɒ'rɪə] *s.* ⚕ Veitstanz *m.*

cho·re·og·ra·pher [ˌkɒrɪ'ɒgrəfə] *s.* Choreo'graph *m*; **cho·re'og·ra·phy** [-fɪ] *s.* Choreogra'phie *f.*

chor·is·ter ['kɒrɪstə] *s.* **1.** Chorsänger (-in), *bsd.* Chorknabe *m*; **2.** *Am.* Kirchenchorleiter *m.*

chor·tle ['tʃɔ:tl] **I** *v/i.* glucksen(d la-

chen); **II** *s.* Glucksen *n.*
cho·rus ['kɔ:rəs] **I** *s.* **1.** Chor *m* (*a. antiq.*), Sängergruppe *f*; **2.** Tanzgruppe *f* (*e-r Revue*); **3.** *a. thea.* Chor *m*, gemeinsames Singen: ~ ***of protest*** Protestgeschrei *n*; ***in*** ~ im Chor (*a. fig.*); **4.** Chorsprecher *m* (*im elisabethanischen Theater*); **5.** (im Chor gesungener) Kehrreim; **6.** Chorwerk *n*; **II** *v/i. u. v/t.* **7.** im Chor singen *od.* sprechen *od.* rufen; ~ **girl** *s.* (Re'vue)Tänzerin *f.*
chose [tʃəʊz] *pret. von* ***choose.***
cho·sen ['tʃəʊzn] *p.p. von* ***choose.***
chough [tʃʌf] *s. orn.* Dohle *f.*
chow [tʃaʊ] *s.* **1.** *zo.* Chow-'Chow *m* (*Hund*); **2.** *sl.* ‚Futter' *n*, Essen *n.*
chow·chow [ˌtʃaʊ'tʃaʊ] (*Pidgin-Englisch*) *s.* **1.** chi'nesische Mixed Pickles *pl. od.* 'Fruchtkonfiˌtüre *f*; **2.** → ***chow*** 1.
chow·der ['tʃaʊdə] *s. Am. dicke Suppe aus Meeresfrüchten.*
Christ [kraɪst] **I** *s.* der Gesalbte, 'Christus *m*: ***before*** ~ (***B.C.***) vor Christi Geburt (*v. Chr.*); **II** *int. sl.* verdammt noch mal!; ~ **child** *s.* Christkind *n.*
chris·ten ['krɪsn] *v/t. eccl.*, ⚓ *u. fig.* taufen; '**Chris·ten·dom** [-dəm] *s.* Christenheit *f*; '**chris·ten·ing** [-nɪŋ] **I** *s.* Taufe *f*; **II** *adj.* Tauf...
Chris·tian ['krɪstjən] **I** *adj.* □ **1.** christlich; **2.** F anständig; **II** *s.* **3.** Christ(in); **4.** guter Mensch; **5.** Mensch *m* (*Ggs. Tier*); ~ **e·ra** *s.* christliche Zeitrechnung.
Chris·ti·an·i·ty [ˌkrɪstɪ'ænətɪ] *s.* Christentum *n*; **Chris·tian·ize** ['krɪstjənaɪz] *v/t.* zum Christentum bekehren, christianisieren.
Chris·tian| name *s.* Tauf-, Vorname *m*; ~ **Sci·ence** *s.* Christian Science *f*; ~ **Sci·en·tist** *s.* Anhänger(in) der Christian Science.
Christ·mas ['krɪsməs] *s.* Weihnachten *n u. pl.*: ***at*** ~ zu *od.* an Weihnachten; ***merry*** ~***!*** frohe Weihnachten!; ~ **bo·nus** *s.* ✝ 'Weihnachtsgratifikatiˌon *f*; ~ **card** *s.* Weihnachtskarte *f*; ~ **car·ol** *s.* Weihnachtslied *n*; ~ **Day** *s.* der erste Weihnachtsfeiertag; ~ **Eve** *s.* der Heilige Abend; ~ **pud·ding** *s. Brit.* Plumpudding *m*; '~**·tide**, '~**·time** *s.* Weihnachtszeit *f*; '~**·tree** *s.* Weihnachts-, Christbaum *m.*
Christ·mas·y ['krɪsməsɪ] *adj.* F weihnachtlich.
chro·mate ['krəʊmeɪt] *s.* ⚗ Chro'mat *n*, chromsaures Salz.
chro·mat·ic [krəʊ'mætɪk] *adj.* (□ ~***ally***) **1.** *phys.* chro'matisch, Farben...; **2.** ♪ chromatisch; **chro'mat·ics** [-ks] *s. pl. sg. konstr.* **1.** Farbenlehre *f*; **2.** ♪ Chro'matik *f.*
chrome [krəʊm] **I** *s.* **1.** ⚗ a) Chrom *n*, b) Chromgelb *n*; **2.** Chromleder *n*; **II** *v/t.* **3.** *a.* ~***-plate*** verchromen.
chro·mi·um ['krəʊmjəm] *s.* ⚗ Chrom *n*; ˌ~**-'plat·ed** *adj.* verchromt; ˌ~**-'plat·ing** *s.* Verchromung *f*; ~ **steel** *s.* Chromstahl *m.*
chro·mo·lith·o·graph [ˌkrəʊməʊ'lɪθəʊgrɑ:f] *s.* Chromolithogra'phie *f*, Mehrfarbensteindruck *m* (*Bild*); ˌ**chro·mo·li'thog·ra·phy** [-lɪ'θɒgrəfɪ] *s.* Mehrfarbensteindruck *m* (*Verfahren*).
chro·mo·some ['krəʊməsəʊm] *s. biol.* Chromo'som *n*; '**chro·mo·type** [-məʊtaɪp] *s.* **1.** Farbdruck *m*; **2.** Chromoty'pie *f.*
chron·ic ['krɒnɪk] *adj.* (□ ~***ally***) **1.** ständig, (an)dauernd, ‚chronisch': ~ ***unemployment*** Dauerarbeitslosigkeit *f*; **2.** *mst* ⚕ chronisch, langwierig; **3.** *sl.* scheußlich.
chron·i·cle ['krɒnɪkl] **I** *s.* **1.** Chronik *f*; **2.** 2***s*** *pl. bibl.* (*das* Buch der) Chronik *f*; **II** *v/t.* **3.** aufzeichnen; '**chron·i·cler** [-lə] *s.* Chro'nist *m.*
chron·o·gram ['krɒnəʊgræm] *s.* Chrono'gramm *n*; '**chron·o·graph** [-grɑ:f] *s.* Chrono'graph *m*, Zeitmesser *m*; **chron·o·log·i·cal** [ˌkrɒnə'lɒdʒɪkl] *adj.* □ chrono'logisch: ~ ***order*** zeitliche Reihenfolge; **chro·nol·o·gize** [krə'nɒlədʒaɪz] *v/t.* chronologisieren; **chro·nol·o·gy** [krə'nɒlədʒɪ] *s.* **1.** Chronolo'gie *f*, Zeitbestimmung *f*; **2.** Zeittafel *f*; **chro·nom·e·ter** [krə'nɒmɪtə] *s.* Chrono'meter *n*; **chro·nom·e·try** [krə'nɒmɪtrɪ] *s.* Zeitmessung *f.*
chrys·a·lis ['krɪsəlɪs] *pl.* **-lis·es** [-lɪsɪz], **chry·sal·i·des** [krɪ'sælɪdi:z] *s. zo.* (*Insekten*)Puppe *f.*
chrys·an·the·mum [krɪ'sænθəməm] *s.* ⚘ Chrysan'theme *f.*
chub [tʃʌb] *s. ichth.* Döbel *m.*
chub·by ['tʃʌbɪ] *adj.* a) pausbäckig, b) rundlich.
chuck[1] [tʃʌk] **I** *s.* **1.** F Wurf *m*; **2.** zärtlicher Griff unters Kinn; **3.** ***give s.o. the*** ~ F j-n ‚rausschmeißen' (*entlassen*); **II** *v/t.* **4.** F schmeißen, werfen; **5.** ~ ***s.o. under the chin*** j-n unters Kinn fassen; **6.** F a) Schluß machen mit: ~ ***it!*** laß das!, b) → ***chuck up***; ~ **a·way** *v/t.* F **1.** ‚wegschmeißen'; **2.** *Geld* verschwenden; **3.** *Gelegenheit* ‚verschenken'; ~ **out** *v/t.* F ‚rausschmeißen'; ~ **up** *v/t.* F *Job etc.* ‚hinschmeißen'.
chuck[2] [tʃʌk] **I** *s.* **1.** Glucken *n* (*Henne*); **2.** F ‚Schnuckie' *m* (*Kosewort*); **II** *v/i. u. v/t.* **3.** glucken; **III** *int.* **4.** put, put! (*Lockruf für Hühner*).
chuck[3] [tʃʌk] ⚙ **I** *s.* Spann- *od.* Bohrfutter *n*; **II** *v/t.* (in das Futter) einspannen.
chuck·er-out [ˌtʃʌkər'aʊt] *s.* F ‚Rausschmeißer' *m* (*in Lokalen etc.*).
chuck·le ['tʃʌkl] **I** *v/i.* **1.** glucksen, in sich hin'einlachen; **2.** sich (insgeheim) freuen (***at, over*** über *acc.*); **3.** glucken

(*Henne*); **II** *s.* **4.** leises Lachen, Glucksen *n*; '**~·head** *s.* Dummkopf *m*.

chuffed [tʃʌft] *adj. Brit.* F froh.

chug [tʃʌg], **chug-chug** [ˌtʃʌg'tʃʌg] **I** *s.* Tuckern *n* (*Motor*); **II** *v/i.* tuckern(d fahren).

chuk·ker ['tʃʌkə] *s. Polospiel*: Chukker *m* (*Spielabschnitt*).

chum [tʃʌm] F **I** *s.* **1.** ‚Kumpel' *m*, ‚Spezi' *m*, Kame'rad *m*: ***be great ~s*** dicke Freunde sein; **2.** Stubengenosse *m*; **II** *v/i.* **3.** gemeinsam wohnen (***with*** mit); **4.** ***~ up with s.o.*** sich mit j-m anfreunden; '**chum·my** [-mɪ] *adj.* **1.** ‚dick' befreundet; **2.** gesellig; **3.** *contp.* plumpvertraulich.

chump [tʃʌmp] *s.* **1.** Holzklotz *m*; **2.** dickes Ende (*bsd. Hammelkeule*); **3.** F Dummkopf *m*; **4.** *bsd. Brit. sl.* ‚Kürbis' *m*, ‚Birne' *f* (*Kopf*): ***off one's ~*** (total) verrückt.

chunk [tʃʌnk] *s.* F **1.** (Holz)Klotz *m*; Klumpen *m*, dickes Stück (*Fleisch etc.*), ‚Runken' *m* (*Brot*); *weitS.* ‚großer Brocken'; **2.** *Am.* a) unter'setzter Mensch, b) kleines, stämmiges Pferd; '**chunk·y** [-kɪ] *adj.* **1.** *Am.* unter'setzt, stämmig; **2.** klobig, klotzig.

church [tʃɜːtʃ] **I** *s.* **1.** Kirche *f*: ***in ~*** in der Kirche, beim Gottesdienst; ***~ is over*** die Kirche ist aus; **2.** Kirche *f*, Religi'onsgemeinschaft *f*, *bsd.* Christenheit *f*; **3.** Geistlichkeit *f*: ***enter the ~*** Geistlicher werden; **II** *adj.* **4.** Kirch(en)...; kirchlich; '**~ˌgo·er** *s.* Kirchgänger(in); **2 of Eng·land** *s.* englische Staatskirche, anglikanische Kirche; **~ rate** *s.* Kirchensteuer *f*; ˌ**~'ward·en** *s.* **1.** *Brit.* Kirchenvorsteher *m*: ***~ pipe*** langstielige Tonpfeife; **2.** *Am.* Verwalter *m* der weltlichen Angelegenheiten e-r Kirche; **~ wed·ding** *s.* kirchliche Trauung.

church·y ['tʃɜːtʃɪ] *adj.* F kirchlich (gesinnt).

'**church·yard** *s.* Kirchhof *m*.

churl [tʃɜːl] *s.* **1.** Flegel *m*, Grobian *m*; **2.** Geizhals *m*, Knauser *m*; '**churl·ish** [-lɪʃ] *adj.* □ **1.** grob, ungehobelt, flegelhaft; **2.** geizig, knauserig; **3.** mürrisch.

churn [tʃɜːn] **I** *s.* **1.** Butterfaß *n* (*Maschine*); **2.** *Brit.* (große) Milchkanne; **II** *v/t.* **3.** verbuttern; **4.** ('durch)schütteln, aufwühlen; **5.** *fig.* ***~ out*** am laufenden Band produzieren, ausstoßen; **III** *v/i.* **6.** buttern; **7.** schäumen; **8.** sich heftig bewegen.

chute [ʃuːt] *s.* **1.** Stromschnelle *f*, starkes Gefälle; **2.** ⚙ a) Rutsche *f*, b) Schacht *m*, c) Müllschlucker *m*; **3.** Rutsche *f*, Rutschbahn *f* (*auf Spielplätzen etc.*); **4.** Rodelbahn *f*; **5.** F → ***parachute*** 1; ˌ**~-the-'chute(s)** → ***chute*** 3.

chutz·pa(h) ['hʊtspə] *s.* F Chuzpe *f*, Frechheit *f*.

ci·bo·ri·um [sɪ'bɔːrɪəm] *s. eccl.* **1.** 'Hostienkelch *m*, Zi'borium *n*; **2.** Al'tarˌbaldachin *m*.

ci·ca·da [sɪ'kɑːdə], **ci'ca·la** [-ɑːlə] *s. zo.* Zi'kade *f*.

cic·a·trice ['sɪkətrɪs] *s.* Narbe *f*; ⚘ Blattnarbe *f*; '**cic·a·triced** [-st] *adj.* ⚕ vernarbt; '**cic·a·trize** [-raɪz] *v/i. u. v/t.* vernarben (lassen).

cic·er·o ['sɪsərəʊ] *s. typ.* Cicero *f* (*Schriftgrad*).

ci·ce·ro·ne [ˌtʃɪʃə'rəʊnɪ] *pl.* **-ni** [-niː] *s.* Cice'rone *m*, Fremdenführer *m*.

ci·der ['saɪdə] *s.* (*Am.* ***hard ~***) Apfelwein *m*: (***sweet***) ***~*** *Am.* Apfelmost *m*.

ci·gar [sɪ'gɑː] *s.* Zi'garre *f*; **~ box** *s.* Zi'garrenkiste *f*; **~ case** *s.* Zi'garrenеˌtui *n*, -tasche *f*; **~ cut·ter** *s.* Zi'garrenabschneider *m*.

cig·a·ret(te) [ˌsɪgə'ret] *s.* Ziga'rette *f*; **~ case** *s.* Ziga'retteneˌtui *n*; **~ end** *s.* Ziga'rettenstummel *m*; **~ hold·er** *s.* Ziga'rettenspitze *f* (*Halter*).

cil·i·a ['sɪlɪə] *s. pl.* **1.** (Augen)Wimpern *pl.*; **2.** ⚘, *zo.* Wimper-, Flimmerhärchen *pl.*; '**cil·i·ar·y** [-ərɪ] *adj.* Wimper...; '**cil·i·at·ed** [-ɪeɪtɪd] *adj.* ⚘, *zo.* bewimpert.

cinch [sɪntʃ] *s.* **1.** *Am.* Sattelgurt *m*; **2.** *sl.* a) ‚todsichere Sache', ‚klarer Fall', b) ‚Kinderspiel' *n*.

cin·cho·na [sɪŋ'kəʊnə] *s.* **1.** ⚘ 'Chinarindenbaum *m*; **2.** 'Chinarinde *f*.

cinc·ture ['sɪŋktʃə] **I** *s.* **1.** Gürtel *m*, Gurt *m*; **2.** (Säulen)Kranz *m*; **II** *v/t.* **3.** um'gürten, um'geben.

cin·der ['sɪndə] *s.* **1.** Schlacke *f*: ***burnt to a ~*** verkohlt, völlig verbrannt; **2.** *pl.* Asche *f*.

Cin·der·el·la [ˌsɪndə'relə] *s.* Aschenbrödel *n*, -puttel *n* (*a. fig.*).

cin·der| path *s.* **1.** Schlackenweg *m*; **2.** → **~ track** *s. sport* Aschenbahn *f*.

cine- [sɪnɪ] *in Zssgn* Kino..., Film...: ***~ camera*** (Schmal)Filmkamera *f*; ***~ film*** Schmalfilm *m*; ***~-record*** filmen, mit der Schmalfilmkamera aufnehmen.

cin·e·aste ['sɪnɪæst] *s.* Cine'ast *m*, Filmliebhaber(in).

cin·e·ma ['sɪnɪmə] *s.* **1.** 'Lichtspieltheˌater *n*, 'Kino *n*; **2.** ***the ~*** Film(kunst *f*) *m*; '**~ˌgo·er** *s.* 'Kinobesucher(in).

cin·e·mat·ic [ˌsɪnɪ'mætɪk] *adj.* (□ ***~ally***) filmisch, Film...; **cin·e·mat·o·graph** [ˌsɪnə'mætəgrɑːf] **I** *s.* Kinemato'graph *m*; **II** *v/t.* (ver)filmen; **cin·e·ma·tog·ra·pher** [ˌsɪnəmə'tɒgrəfə] *s.* 'Kameramann *m*; **cin·e·mat·o·graph·ic** [ˌsɪnəmætə'græfɪk] (□ ***~ally***) kinemato'graphisch; **cin·e·ma·tog·ra·phy** [ˌsɪnəmə'tɒgrəfɪ] *s.* Kinematogra'phie *f*.

cin·e·ra·ri·um [ˌsɪnə'reərɪəm] *s.* Urnennische *f od.* -friedhof *m*.

cin·er·ar·y ['sɪnərərɪ] *adj.* Aschen...; **~ urn** *s.* Totenurne *f*.

cin·er·a·tor ['sɪnəreɪtə] *s.* Feuerbestat-

tungsofen *m.*
cin·na·bar ['sɪnəbɑ:] *s.* Zin'nober *m.*
cin·na·mon ['sɪnəmən] **I** *s.* **1.** Zimt *m*, Ka'neel *m*; **2.** Zimtbaum *m*; **II** *adj.* **3.** zimtfarbig.
cinque [sɪŋk] (*Fr.*) *s.* Fünf *f* (*Würfel od. Spielkarten*); **'~·foil** [-fɔɪl] *s.* **1.** ⚘ Fingerkraut *n*; **2.** △ Fünfpaß *m*; **♀ Ports** ['sɪŋkpɔ:ts] *s. pl. Gruppe von ursprünglich fünf südenglischen Seestädten.*
ci·on ['saɪən] → ***scion.***
ci·pher ['saɪfə] **I** *s.* **1.** ⩕ *die Ziffer* Null *f*; **2.** (a'rabische) Ziffer, Zahl *f*; **3.** *fig.* a) Null *f* (*Person*), b) Nichts *n*; **4.** Chiffre *f*, Geheimschrift *f*: ***in ~*** chiffriert; **5.** *fig.* Schlüssel *m*, Kennwort *n*; **6.** Mono'gramm *n*; **II** *v/i.* **7.** rechnen; **III** *v/t.* **8.** chiffrieren; **9.** *a.* ***~ out*** be-, ausrechnen; entziffern; *Am.* F ‚ausknobeln'; **~ code** *s.* Codechiffre *f*, Tele'gramm-, Chiffrierschlüssel *m.*
cir·ca ['sɜ:kə] *prp.* um (*vor Jahreszahlen*).
Cir·ce ['sɜ:sɪ] *npr. myth.* 'Circe *f* (*a. fig. Verführerin*).
cir·cle ['sɜ:kl] **I** *s.* **1.** ⩕ Kreis *m*: ***full ~*** im Kreise herum, volle Wendung, wieder da, wo *man* angefangen hat; ***run*** (*a.* ***talk***) ***in ~s*** *fig.* sich im Kreis bewegen; ***square the ~*** ⩕ den Kreis quadrieren (*a. fig. das Unmögliche vollbringen*); → ***vicious circle***; **2.** *ast., geogr.* Kreis *m*; **3.** Kreis *m*, Gruppe *f*: ***~ of friends*** Freundeskreis; → ***upper*** I; **4.** Ring *m*, Kranz *m*, Reif *m*; **5.** Kreislauf *m*, 'Umlauf *m*, Runde *f*; Wiederkehr *f*, 'Zyklus *m*; **6.** *thea.* Rang *m*; **7.** Kreis *m*, Gebiet *n*; **8.** a) *Turnen*: Welle *f*, b) *Hockey*: (Schuß)Kreis *m*; **II** *v/t.* **9.** um'kreisen; um'zingeln; **10.** um'winden; **III** *v/i.* **11.** sich im Kreise bewegen, kreisen; die Runde machen; **12.** ⚔ schwenken.
cir·clet ['sɜ:klɪt] *s.* **1.** kleiner Kreis, Reif, Ring; **2.** Dia'dem *n.*
circs [sɜ:ks] *s. pl.* F *für* ***circumstances.***
cir·cuit ['sɜ:kɪt] **I** *s.* **1.** 'Kreisˌlinie *f*, 'Um-, Kreislauf *m*; Bahn *f*; **2.** 'Umkreis *m*; **3.** 'Umweg *m*; **4.** Rundgang *m*, -flug *m*; *mot.* Rennstrecke *f*; **5.** ⚖ a) *Brit. hist.* Rundreise *f* der Richter e-s Bezirks (*zur Abhaltung der* ***assizes***), b) Anwälte *pl.* e-s Gerichtsbezirks, c) Gerichtsbezirk *m*; **6.** ϟ a) Strom-, Schaltkreis *m*: → ***short*** (***closed***) ***circuit***, b) Schaltung *f*, 'Schaltsyˌstem *n*; **7.** *Am.* (Per'sonen)Kreis *m*; **8.** *sport* ‚Zirkus' *m*: ***the tennis ~***; **II** *v/t.* **9.** um'kreisen; **III** *v/i.* **10.** kreisen; **~ break·er** *s.* ϟ Ausschalter *m*; **~ di·a·gram** *s.* ϟ Schaltbild *n*, -plan *m.*
cir·cu·i·tous [sə'kju:ɪtəs] *adj.* □ weitschweifig, -läufig: ***~ route*** Umweg *m*;
cir·cuit·ry ['sɜ:kɪtrɪ] *s.* ϟ **1.** 'Schaltsyˌstem *n*; **2.** Schaltungen *pl.*; **3.** Schaltbild *n.*
cir·cu·lar ['sɜ:kjʊlə] **I** *adj.* □ **1.** (kreis-)rund, kreisförmig; **2.** Rund..., Kreis..., Ring...; **II** *s.* **3.** a) Rundschreiben *n*, b) (Post)Wurfsendung *f*; **'cir·cu·lar·ize** [-əraɪz] *v/t. a.* (Post)Wurfsendungen verschicken an (*acc.*); Fragebogen schicken an (*acc.*); durch (Post)Wurfsendungen werben für.
cir·cu·lar| let·ter → ***circular*** 3a; **~ let·ter of cred·it** *s.* ✝ 'Reisekreˌditbrief *m*; **~ note** *s.* **1.** *pol.* Zirku'larnote *f*; **2.** 'Reisekreˌditbrief *m*; **~ saw** *s.* ⚙ Kreissäge *f*; **~ skirt** *s.* Glockenrock *m*; **~ tick·et** *s.* Rundreisekarte *f*; **~ tour**, **~ trip** *s.* Rundreise *f*, -fahrt *f.*
cir·cu·late ['sɜ:kjʊleɪt] **I** *v/i.* **1.** zirkulieren: a) 'umlaufen, kreisen, b) im 'Umlauf sein, kursieren (*Geld, Gerücht etc.*); **2.** her'umreisen, -gehen; **II** *v/t.* **3.** in Umlauf setzen, zirkulieren lassen.
cir·cu·lat·ing ['sɜ:kjʊleɪtɪŋ] *adj.* zirkulierend, 'umlaufend; **~ cap·i·tal** *s.* 'Umlauf-, Be'triebskapiˌtal *n*; **~ dec·i·mal** *s.* ⩕ peri'odischer Dezi'malbruch; **~ li·brar·y** *s.* 'Leihbücheˌrei *f.*
cir·cu·la·tion [ˌsɜ:kjʊ'leɪʃn] *s.* **1.** Kreislauf *m*, Zirkulati'on *f*; **2.** *physiol.* ('Blut)Zirkulatiˌon *f*, (-)Kreislauf *m*; **3.** ✝ a) 'Umlauf *m*, Verkehr *m*, b) Verbreitung *f*, Absatz *m*, c) Auflage(nziffer) *f* (*Zeitung etc.*), d) 'Zahlungsmittelˌumlauf *m*: ***out of ~*** außer Kurs (gesetzt); ***put into ~*** in Umlauf setzen; ***withdraw from ~*** aus dem Verkehr ziehen (*a. fig.*); **4.** Strömung *f*, 'Durchzug *m*, -fluß *m*; **cir·cu·la·tor** ['sɜ:kjʊleɪtə] *s.* Verbreiter(in); **cir·cu·la·to·ry** [ˌsɜ:kjʊ'leɪtərɪ] *adj.* zirkulierend, 'umlaufend; *physiol.* Kreislauf...: ***~ collapse***; ***~ system*** (Blut)Kreislauf *m.*
cir·cum·cise ['sɜ:kəmsaɪz] *v/t.* **1.** ⚕, *eccl.* beschneiden; **2.** *fig.* läutern; **cir·cum·ci·sion** [ˌsɜ:kəm'sɪʒn] *s.* **1.** ⚕, *eccl.* Beschneidung *f*; **2.** *fig.* Läuterung *f*; **3.** ♀ Fest *n* der Beschneidung Christi; **4.** ***the ~*** *bibl.* die Beschnittenen *pl.* (*Juden*).
cir·cum·fer·ence [sə'kʌmfərəns] *s.* 'Umkreis *m*, 'Umfang *m*, Periphe'rie *f*; **cir·cum·flex** ['sɜ:kəmfleks] *s. a.* ***~ accent*** *ling.* Zirkum'flex *m*; **cir·cum·ja·cent** [ˌsɜ:kəm'dʒeɪsənt] *adj.* 'umliegend.
cir·cum·lo·cu·tion [ˌsɜ:kəmlə'kju:ʃn] *s.* **1.** Um'schreibung *f*; **2.** a) 'Umschweife *pl.*, b) Weitschweifigkeit *f*; **cir·cum·loc·u·to·ry** [ˌsɜ:kəm'lɒkjʊtərɪ] *adj.* weitschweifig.
cir·cum·nav·i·gate [ˌsɜ:kəm'nævɪgeɪt] *v/t.* um'schiffen, um'segeln; **cir·cum·nav·i·ga·tion** ['sɜ:kəmˌnævɪ'geɪʃn] *s.* Um'segelung *f*; **ˌcir·cum'nav·i·ga·tor** [-tə] *s.* Um'segler *m.*
cir·cum·scribe ['sɜ:kəmskraɪb] *v/t.* **1.** a) um'schreiben (*a.* ⩕), b) definieren;

C

2. begrenzen, einschränken; **cir·cum·scrip·tion** [ˌsɜːkəmˈskrɪpʃn] *s.* **1.** Umˈschreibung *f* (*a.* ⩕) **2.** ˈUmschrift *f* (*Münze etc.*); **3.** Begrenzung *f*, Beschränkung *f*.

cir·cum·spect [ˈsɜːkəmspekt] *adj.* □ ˈum-, vorsichtig; **cir·cum·spec·tion** [ˌsɜːkəmˈspekʃn] *s.* ˈUm-, Vorsicht *f*, Behutsamkeit *f*.

cir·cum·stance [ˈsɜːkəmstəns] *s.* **1.** ˈUmstand *m*, Tatsache *f*; Ereignis *n*; Einzelheit *f*: ***a fortunate ~*** ein glücklicher Umstand; **2.** *pl.* ˈUmstände *pl.*, Lage *f*, Sachverhalt *m*, Verhältnisse *pl.*: ***in*** (*od.* ***under***) ***the ~s*** unter diesen Umständen; ***under no ~s*** auf keinen Fall; **3.** *pl.* Verhältnisse *pl.*, Lebenslage *f*: ***in good ~s*** gut situiert; **4.** ˈUmständlichkeit *f*, Weitschweifigkeit *f*; **5.** Förmlichkeit(en *pl.*) *f*, Umstände *pl.*: ***without ~*** ohne (alle) Umstände; ˈ**cir·cum·stanced** [-st] *adj.* in e-r ... Lage; ...situiert; gelagert (*Sache*): ***poorly ~*** in ärmlichen Verhältnissen; ***well timed and ~*** zur rechten Zeit u. unter günstigen Umständen; **cir·cum·stan·tial** [ˌsɜːkəmˈstænʃl] *adj.* □ **1.** ˈumständlich; **2.** ausführlich, genau; **3.** zufällig; **4.** ***~ evidence*** ⚖ Indizienbeweis *m*; **cir·cum·stan·ti·ate** [ˌsɜːkəmˈstænʃɪeɪt] *v/t.* **1.** genau beschreiben; **2.** ⚖ durch Inˈdizien beweisen.

cir·cum·vent [ˌsɜːkəmˈvent] *v/t.* **1.** überˈlisten; **2.** vereiteln, verhindern; **3.** umˈgehen; ˌ**cir·cumˈven·tion** [-nʃn] *s.* **1.** Vereitelung *f*; **2.** Umˈgehung *f*.

cir·cum·vo·lu·tion [ˌsɜːkəmvəˈluːʃn] *s.* **1.** ˈUmdrehung *f*; ˈUmwälzung *f*; **2.** Windung *f*.

cir·cus [ˈsɜːkəs] *s.* **1.** a) ˈZirkus *m*, b) ˈZirkustruppe *f*, c) (ˈZirkus)Vorstellung *f*, d) Aˈrena *f*; **2.** *Brit.* *runder Platz mit Straßenkreuzungen*; **3.** *Brit.* *sl.* ⚔ a) im Kreis fliegende Flugzeugstaffel, b) ‚fliegende' Einheit; **4.** F ‚ˈZirkus' *m*, Rummel *m*.

cir·rho·sis [sɪˈrəʊsɪs] *s.* ⚕ Zirˈrhose *f*, (*Leber*)Schrumpfung *f*.

cir·rose [sɪˈrəʊs], **cir·rous** [ˈsɪrəs] *adj.* **1.** ⚘ mit Ranken; **2.** *zo.* mit Haaren *od.* Fühlern; **3.** federartig.

cir·rus [ˈsɪrəs] *pl.* **-ri** [-raɪ] *s.* **1.** ⚘ Ranke *f*; **2.** *zo.* Rankenfuß *m*; **3.** ˈZirrus *m*, Federwolke *f*.

cis·al·pine [sɪsˈælpaɪn] *adj.* diesseits der Alpen; **cis·at·lan·tic** [sɪsətˈlæntɪk] *adj.* diesseits des Atˈlantischen ˈOzeans.

cis·sy → ***sissy***.

Cis·ter·cian [sɪˈstɜːʃjən] **I** *s.* Zisterziˈenser(mönch) *m*; **II** *adj.* Zisterzienser...

cis·tern [ˈsɪstən] *s.* **1.** Wasserbehälter *m*; **2.** Ziˈsterne *f*, (ˈunterirdischer) Regenwasserspeicher.

cit·a·del [ˈsɪtədəl] *s.* **1.** Zitaˈdelle *f* (*a.* *fig.*); **2.** Burg *f*; *fig.* Zuflucht *f*.

ci·ta·tion [saɪˈteɪʃn] *s.* **1.** Anführung *f*; **2.** a) Ziˈtat *n* (*zitierte Stelle*), b) ⚖ (***of***) Berufung *f* (auf *acc.*), Herˈanziehung *f* (*gen.*), c) ⚖ Vorladung *f*; **3.** *bsd.* ⚔ ehrenvolle Erwähnung.

cite [saɪt] *v/t.* **1.** zitieren; **2.** (als Beispiel *od.* Beweis) anführen; **3.** ⚖ vorladen; **4.** ⚔ lobend erwähnen.

cith·er [ˈsɪθə] *poet.* → ***zither***.

cit·i·fy [ˈsɪtɪfaɪ] *v/t.* verstädtern.

cit·i·zen [ˈsɪtɪzn] *s.* **1.** Bürger *m*, Staatsangehörige(r *m*) *f*: ***~ of the world*** Weltbürger; **2.** Städter(in); **3.** Einwohner(in): ***~s' band*** CB-Funk *m*; **4.** Ziviˈlist *m*; ˈ**cit·i·zen·ry** [-rɪ] *s.* Bürgerschaft *f* (*e-s Staates*); ˈ**cit·i·zen·ship** [-ʃɪp] *s.* **1.** Staatsangehörigkeit *f*; **2.** Bürgerrecht *n*.

cit·rate [ˈsɪtreɪt] *s.* ⚗ Ziˈtrat *n*.

cit·ric ac·id [ˈsɪtrɪk] *s.* ⚗ Ziˈtronensäure *f*.

cit·ri·cul·ture [ˈsɪtrɪkʌltʃə] *s.* Anbau *m* von ˈZitrusfrüchten.

cit·rus [ˈsɪtrəs] *s.* ⚘ ˈZitrusgewächs *n*, -frucht *f*.

cit·y [ˈsɪtɪ] *s.* **1.** (Groß)Stadt *f*: ***≈ of God*** *fig.* Himmelreich *n*; **2.** *Brit.* inkorporierte Stadt (*mst mit Kathedrale*); **3.** ***the ≈*** die (Londoner) City (*Altstadt od. Geschäftsviertel od. Geschäftswelt*); **4.** *Am.* inkorporierte Stadtgemeinde; **≈ ar·ti·cle** *s.* Börsenbericht *m*; **≈ Com·pa·ny** *s.* *Brit.* e-e der großen Londoner Gilden; **~ coun·cil** *s.* Stadtrat *m*; **~ desk** *s.* *Brit.* ˈWirtschafts-, *Am.* Loˈkalredaktiˌon *f*; **~ ed·i·tor** *s.* **1.** *Am.* Loˈkalredakˌteur *m*; **2.** *Brit.* Redakˈteur *m* des Handelsteiles; **~ fa·ther** *s.* Stadtrat *m*; *pl.* Stadtväter *pl.*; **~ hall** *s.* Rathaus *n*; **≈ man** *s.* *Brit.* Fiˈnanz-, Geschäftsmann *m* der City; **~ man·ag·er** *s.* *Am.* ˈStadtdiˌrektor *m*; **~ state** *s.* Stadtstaat *m*.

civ·et (**cat**) [ˈsɪvɪt] *s.* *zo.* ˈZibetkatze *f*.

civ·ic [ˈsɪvɪk] *adj.* (□ ***~ally***) **1.** städtisch, Stadt...; **2.** → ***civil*** 2; **~ cen·tre**, *Am.* **cen·ter** *s.* Behördenviertel *n*, Verwaltungszentrum *n*.

civ·ics [ˈsɪvɪks] *s. pl. sg. konstr.* Staatsbürgerkunde *f*.

civ·ies [ˈsɪvɪz] *bsd. Am.* → ***civvies***.

civ·il [ˈsɪvl] *adj.* (□ *nur für* 6.) **1.** staatlich: ***~ affairs*** Verwaltungsangelegenheiten; **2.** (staats)bürgerlich, Bürger...: ***~ duty***; ***~ commotion*** Aufruhr *m*, innere Unruhen *pl.*; ***~ death*** bürgerlicher Tod; ***~ liberties*** bürgerliche Freiheiten; ***~ list*** *Brit.* Zivilliste *f*; ***~ rights*** Bürgerrechte, bürgerliche Ehrenrechte; ***~ rights activist*** Bürgerrechtler(in); ***~ rights movement*** Bürgerrechtsbewegung *f*; ***≈ Servant*** Staatsbeamte(r); ***≈ Service*** Staats-, Verwaltungsdienst *m*; ***~ war*** Bürgerkrieg *m*; → ***disobedience*** 1; **3.** ziˈvil (*Ggs. militärisch*): **~**

aviation Zivilluftfahrt *f*; ~ ***defence***, *Am.* ~ ***defense*** Zivilverteidigung *f*, -schutz *m*; ~ ***government*** Zivilverwaltung *f*; ~ ***life*** Zivilleben *n*; **4.** zi'vil (*Ggs. kirchlich*): ~ ***marriage*** Ziviltrauung *f*; **5.** ⚖ zi'vil(rechtlich), bürgerlich: ~ ***case*** *od.* ***suit*** Zivilprozeß *m*; ~ ***code*** Bürgerliches Gesetzbuch; ~ ***year*** bürgerliches Jahr; ~ ***law*** a) römisches *od.* kontinentales Recht, b) Zivilrecht *n*, bürgerliches Recht; **6.** höflich: ~***-spoken*** höflich; ~ **en·gi·neer** *s.* 'Bauingeni,eur *m*; ~ **en·gi·neer·ing** *s.* Tiefbau *m*.

ci·vil·ian [sɪ'vɪljən] **I** *s.* Zivi'list *m*; **II** *adj.* zi'vil, Zivil…: ~ ***life***; ~ ***casualties*** Verluste unter der Zivilbevölkerung; **ci'vil·i·ty** [-lətɪ] *s.* Höflichkeit *f*, Artigkeit *f*.

civ·i·li·za·tion [,sɪvɪlaɪ'zeɪʃn] *s.* Zivilisati'on *f*, Kul'tur *f*; **civ·i·lize** ['sɪvɪlaɪz] *v/t.* zivilisieren; **civ·i·lized** ['sɪvɪlaɪzd] *adj.* **1.** zivilisiert: ~ ***nations*** Kulturvölker; **2.** gebildet, kultiviert.

civ·vies ['sɪvɪz] *s. pl. sl.* Zi'vil(kla,motten *pl.*) *n*; **civ·vy street** ['sɪvɪ] *s. sl.* Zi'villeben *n*.

clack [klæk] **I** *v/i.* **1.** klappern, knallen; **2.** plappern; **II** *s.* **3.** Klappern *n*; **4.** Plappern *n*; **5.** ⚙ (Ven'til)Klappe *f*.

clad [klæd] *adj.* gekleidet.

claim [kleɪm] **I** *v/t.* **1.** fordern, verlangen: ~ ***damages*** Schadenersatz fordern; **2.** a) Anspruch erheben auf (*acc.*), beanspruchen: ~ ***the crown***, b) *fig.* in Anspruch nehmen, erfordern: ~ ***attention***; **3.** für sich in Anspruch nehmen: ~ ***victory***; **4.** (*a.* von sich) behaupten (*a.* ***to*** *inf.* zu *inf.*, ***that*** daß): ~ ***accuracy*** die Richtigkeit behaupten; ***the club*** ~***s 200 members*** der Klub behauptet, 200 Mitglieder zu haben; **5.** zu'rück-, einfordern; *Opfer, Leben* fordern: ***death*** ~***ed him*** der Tod ereilte ihn; **II** *v/i.* **6.** ⚕ reklamieren; **7.** ~ ***against s.o.*** j-n verklagen; **III** *s.* **8.** Forderung *f* (***on s.o.*** gegen *od.* an j-n), (*a.* Rechts- *od.* Pa'tent)Anspruch *m*: ~ ***for damages*** Schadensersatzanspruch; ~ ***under a contract*** Anspruch aus e-m Vertrag; ***lay*** (*od.* ***make a***) ~ ***to*** Anspruch erheben auf (*acc.*); ***put in a*** ~ ***for*** e-e Forderung auf *et.* stellen; ***make*** ~***s upon*** *fig. j-n od. j-s Zeit* (stark) in Anspruch nehmen; **9.** (An)Recht *n* (***to*** auf *acc.*); **10.** Behauptung *f*; **11.** ⚕ Reklamati'on *f*; **12.** Versicherungssumme *f*; Schaden(sfall) *m*; **13.** ⚖ Klage(begehren *n*) *f*; → ***statement*** 4; **14.** ⚒ Mutung *f*; *bsd. Am.* zugeteiltes *od.* beanspruchtes Stück Land; '**claim·a·ble** [-məbl] *adj.* zu beanspruchen(d); '**claim·ant** [-mənt] *s.* **1.** Antragsteller (-in), ⚖ *a.* Kläger(in); (Pa'tent)Anmelder(in); **2.** (***for***) Anwärter(in) (auf *acc.*), Bewerber(in) (für): ***rightful*** ~ Anspruchsberechtigte(r).

clair·voy·ance [kleə'vɔɪəns] *s.* Hellsehen *n*; **clair'voy·ant** [-nt] **I** *adj.* hellseherisch; **II** *s.* Hellseher(in).

clam [klæm] *s.* **1.** *zo.* eßbare Muschel: ***hard*** *od.* ***round*** ~ 'Venusmuschel *f*; **2.** *Am.* F ,zugeknöpfter' Mensch; '~**·bake** *s. Am.* **1.** Picknick *n*; **2.** große Party; **3.** ,Gaudi' *f*.

cla·mant ['kleɪmənt] *adj.* **1.** lärmend, schreiend (*a. fig.*); **2.** dringend.

clam·ber ['klæmbə] *v/i.* (mühsam) klettern, klimmen.

clam·my ['klæmɪ] *adj.* ☐ feuchtkalt (u. klebrig), klamm.

clam·or·ous ['klæmərəs] *adj.* ☐ lärmend, schreiend, laut; tobend; *fig.* lautstark; **clam·o(u)r** ['klæmə] **I** *s.* **1.** *a. fig.* Lärm *m*, (zorniges) Geschrei, Tu'mult *m*; **2.** *bsd. fig.* (Auf)Schrei *m* (***for*** nach); Schimpfen; **3.** Tu'mult *m*; **II** *v/i.* **4.** (laut) schreien (***for*** nach; *a. fig. wütend verlangen*); heftig protestieren; toben; **III** *v/t.* **5.** ~ ***down*** niederbrüllen.

clamp[1] [klæmp] *s.* **1.** Haufen *m*; **2.** (Kar'toffel- *etc.*)Miete *f*.

clamp[2] [klæmp] **I** *s.* **1.** ⚙ Klammer *f*, Krampe *f*, Klemmschraube *f*, Zwinge *f*, ⚡ Erdungsschelle *f*; **2.** *sport* Strammer *m* (*Ski*); **II** *v/t.* **3.** festklammern, -klemmen; befestigen; **4.** *fig. a.* ~ ***down*** als Strafe auferlegen; **III** *v/i.* **5.** ~ ***down*** *fig.* zuschlagen, einschreiten, scharf vorgehen (***on*** gegen); '**clamp·down** *s.* F scharfes Vorgehen (***on*** gegen).

clan [klæn] *s.* **1.** *Scot.* Clan *m*, Stamm *m*, Sippe *f*; **2.** *fig.* Clan *m*, Sippschaft *f*, Clique *f*.

clan·des·tine [klæn'destɪn] *adj.* ☐ heimlich, verstohlen, Schleich…

clang [klæŋ] **I** *v/i.* schallen, klingen, klirren; **II** *v/t.* laut schallen *od.* erklingen lassen; **III** *s.* → ***clango(u)r***; **clang·er** ['klæŋə] *s. sl.* Faux'pas *m*: ***drop a*** ~ ,ins Fettnäpfchen treten'; **clang·or·ous** ['klæŋgərəs] *adj.* ☐ schallend, schmetternd; klirrend; **clang·o(u)r** ['klæŋgə] → ***clank***.

clank [klæŋk] **I** *s.* Klirren *n*, Gerassel *n*, harter Klang; **II** *v/i. u. v/t.* rasseln *od.* klirren (mit).

clan·nish ['klænɪʃ] *adj.* **1.** Sippen…; **2.** stammesbewußt; **3.** (unter sich) zs.-haltend, *contp.* cliquenhaft; '**clan·nish·ness** [-nɪs] *s.* **1.** Stammesbewußtsein *n*; **2.** Zs.-halten *n*, *contp.* Cliquenwesen *n*; **clan·ship** ['klænʃɪp] *s.* **1.** Vereinigung *f* in e-m Clan; **2.** → ***clannishness*** 1; **clans·man** ['klænzmən] *s.* [*irr.*] Mitglied *n* e-s Clans.

clap[1] [klæp] **I** *s.* **1.** (Hände)Klatschen *n*; **2.** (Beifall)Klatschen *n*; **3.** Klaps *m*; **4.** Knall *m*, Krach *m*: ~ ***of thunder*** Donnerschlag *m*; **II** *v/t.* **5.** a) klatschen: ~ ***one's hands*** in die Hände klatschen,

C

b) schlagen: **~ *the wings*** mit den Flügeln schlagen; **6.** klopfen; **7.** *j-m* Beifall klatschen; **8.** hastig an-, auflegen *od.* ausführen: **~ *eyes on*** erblicken; **~ *a hat on one's head*** den Hut auf den Kopf stülpen; **9. ~ *on*** F *j-m et.* ‚aufbrummen'; **III** *v/i.* **10.** (Beifall) klatschen.

clap² [klæp] *s.* V (*a.* ***dose of ~***) Tripper *m.*

'clap|·board I *s.* **1.** *Brit.* Faßdaube *f*; **2.** *Am.* Verschalungsbrett *n*; **II** *v/t.* **3.** *Am.* verschalen; **'~-net** *s.* Fangnetz *n* (*für Vögel etc.*).

clap·per ['klæpə] *s.* **1.** Klöppel *m* (*Glokke*); **2.** Klapper *f*; **3.** Beifallsklatscher *m*; **'~·board** *s. Am. Film*: Klappe *f*.

clap·trap ['klæptræp] **I** *s.* Ef'fekthasche,rei *f*; Klim'bim *m*; Re'klame(rummel *m*) *f*; Gewäsch *n*, Unsinn *m*; **II** *adj.* ef'fekthaschend; hohl.

claque [klæk] *s.* Claque *f*.

clar·en·don ['klærəndən] *s. typ.* halbfette Egypti'enne.

clar·et ['klærət] *s.* **1.** roter Bor'deaux (-wein); *weitS.* Rotwein *m*; **2.** Weinrot *n*; **3.** *sl.* Blut *n*; **~ cup** *s.* Rotweinbowle *f*.

clar·i·fi·ca·tion [,klærɪfɪ'keɪʃn] *s.* **1.** ⚙ (Ab)Klärung *f*, Läuterung *f*; **2.** Aufklärung *f*, Klarstellung *f*; **clar·i·fy** ['klærɪfaɪ] **I** *v/t.* **1.** ⚙ (ab)klären, läutern, reinigen; **2.** (auf-, er)klären; **II** *v/i.* **3.** ⚙ sich (ab)klären; **4.** sich (auf)klären, klar werden.

clar·i·net [,klærɪ'net] *s.* ♪ Klari'nette *f*; **,clar·i'net·(t)ist** [-tɪst] *s.* Klarinet'tist *m*.

clar·i·on ['klærɪən] **I** *s.* **1.** ♪ Cla'rino *n*; **2.** *poet.* Trom'petenschall *m*: **~ *call*** *fig.* Auf-, Weckruf *m*; Fan'fare *f*; **~ *voice*** Trompetenstimme *f*; **II** *v/t.* **3.** laut verkünden, 'auspo,saunen.

clar·i·ty ['klærətɪ] *s. allg.* Klarheit *f*.

clash [klæʃ] **I** *v/i.* **1.** klirren, rasseln; **2.** prallen (***into*** gegen), (*a. feindlich u. fig.*) zs.-prallen, -stoßen (***with*** mit); **3.** *fig.* (***with***) kollidieren: a) (zeitlich) zs.-fallen (mit), b) im 'Widerspruch stehen (zu), unvereinbar sein (mit); **4.** nicht zs.-passen (***with*** mit), sich ‚beißen' (*Farben*); **II** *v/t.* **5.** klirren *od.* rasseln mit; klirrend zs.-schlagen; **III** *s.* **6.** Geklirr *n*, Getöse *n*, Krach *m*; **7.** Zs.-prall *m*, Kollisi'on *f*; **8.** (feindlicher) Zs.-stoß; **9.** (zeitliches) Zs.-fallen; **10.** Kon'flikt *m*, 'Widerstreit *m*.

clasp [klɑ:sp] **I** *v/t.* **1.** ein-, zuhaken, zuschnallen; **2.** fest ergreifen, um'klammern, fest um'fassen; um'ranken: **~ *s.o.'s hand*** j-m die Hand drücken; **~ *s.o. in one's arms*** j-n umarmen; **~ *one's hands*** die Hände falten; **II** *v/i.* **3.** sich die Hand reichen; **III** *s.* **4.** Klammer *f*, Haken *m*; Schnalle *f*, Spange *f*, Schließe *f*; Schloß *n* (*Buch etc.*); **5.** Um'klammerung *f*, Um'armung *f*; Händedruck *m*; **6.** ⚔ (Ordens)Spange *f*; **~ *knife*** *s.* [*irr.*] Klapp-, Taschenmesser *n*.

class [klɑ:s] **I** *s.* **1.** Klasse *f* (*a.* 🚃 *etc.*, ⚘, *zo.*), Gruppe *f*; **2.** Klasse *f*, Sorte *f*, Güte *f*, Quali'tät *f*; *engS.* Erstklassigkeit *f*: ***in the same ~ with*** gleichwertig mit; ***in a ~ of one's*** (*od.* ***its***) ***own*** e-e Klasse für sich (*überlegen*); ***no ~*** F minderwertig; **3.** Stand *m*, Rang *m*, Schicht *f*: ***the*** (***upper***) ***~es*** die oberen (Gesellschafts)Klassen; ***pull ~ on s.o.*** F j-n s-e gesellschaftliche Überlegenheit fühlen lassen; **4.** *ped.*, *univ.* a) Klasse *f*: ***top of the ~*** Klassenerste(r), b) 'Unterricht *m*, Stunde *f*: ***a ~ in cookery*** Kochstunde, c) *pl.* 'Kurs(us) *m*, d) Semi'nar *n*, e) *Brit.* Stufe *f* bei der Universi'tätsprüfung: ***take a ~*** e-n ***honours degree*** erlangen; **5.** *univ. Am.* Jahrgang *m*; **II** *v/t.* **6.** klassifizieren: a) in Klassen einteilen, b) einordnen, einstufen: **~ *with*** gleichstellen mit; ***be ~ed as*** angesehen werden als; **'~-book** *s. ped.* **1.** *Brit.* Lehrbuch *n*; **2.** *Am.* Klassenbuch *n*; **'~-,con·scious** *adj.* klassenbewußt; **~ dis·tinc·tion** *s. sociol.* 'Klassen,unterschied *m*; **~ ha·tred** *s.* Klassenhaß *m*.

clas·sic ['klæsɪk] **I** *adj.* (□ ***~ally***) **1.** erstklassig, ausgezeichnet; **2.** klassisch, mustergültig, voll'endet; **3.** klassisch: a) griechisch-römisch, b) die klassische Litera'tur *od.* Kunst *etc.* betreffend, c) berühmt, d) edel (*Stil etc.*); **4.** klassisch: a) 'herkömmlich, b) zeitlos; **II** *s.* **5.** Klassiker *m*; **6.** klassisches Werk; **7.** Jünger(in) der Klassik; **8.** *pl.* a) klassische Litera'tur, b) *die* alten Sprachen; **'clas·si·cal** [-kl] *adj.* □ **1.** → ***classic*** 1, 2, 3: **~ *music*** klassische Musik; **2.** a) altsprachlich, b) huma'nistisch (gebildet): **~ *education*** humanistische Bildung; ***the ~ languages*** die alten Sprachen; **~ *scholar*** Altphilologe *m*, Humanist *m*; **'clas·si·cism** [-ɪsɪzəm] *s.* **1.** Klassi'zismus *m*; **2.** klassische Redewendung; **'clas·si·cist** [-ɪsɪst] *s.* Kenner *m od.* Anhänger *m* des Klassischen u. der Klassiker.

clas·si·fi·ca·tion [,klæsɪfɪ'keɪʃn] *s.* Klassifizierung *f* (*a.* ⚓), Einteilung *f*, -stufung *f*, Anordnung *f*; Ru'brik *f*: (***security***) **~** *pol.* a) Geheimhaltungseinstufung *f*, b) Geheimhaltungsstufe *f*; **clas·si·fied** ['klæsɪfaɪd] *adj.* **1.** klassifiziert, eingeteilt: **~ *advertisements*** Kleinanzeigen (*Zeitung*); **~ *directory*** Branchenverzeichnis *n*; **2.** ⚔, *pol.* geheim, Geheim...: **~ *material***; **~ *information*** Verschlußsache(n *pl.*) *f*; **clas·si·fy** ['klæsɪfaɪ] *v/t.* klassifizieren, einteilen; einstufen; ⚔, *pol.* für geheim erklären.

class·less ['klɑ:slɪs] *adj.* klassenlos: **~**

society.

ˈclass|·mate *s.* ˈKlassenkameˌrad(in); **~ room** *s.* Klassenzimmer *n*; **~ war** *s. pol.* Klassenkampf *m*.

class·y [ˈklɑːsɪ] *adj. sl.* ‚Klasse', ‚Klasse…'.

clat·ter [ˈklætə] **I** *v/i.* **1.** klappern, rasseln; **2.** trappeln, trampeln; **II** *v/t.* **3.** klappern *od.* rasseln mit; **III** *s.* **4.** Klappern *n*, Rasseln *n*, Krach *m*; **5.** Getrappel *n*; **6.** Lärm *m*; Stimmengewirr *n*.

clause [klɔːz] *s.* **1.** *ling.* Satz(teil *m*, -glied *n*) *m*; **2.** *jur.* a) ˈKlausel *f*, Bestimmung *f*, Vorbehalt *m*, b) Absatz *m*, Paraˈgraph *m*.

claus·tro·pho·bi·a [ˌklɔːstrəˈfəubjə] *s.* Klaustrophoˈbie *f*.

clav·i·chord [ˈklævɪkɔːd] *s.* ♪ Claviˈchord *n*.

clav·i·cle [ˈklævɪkl] *s. anat.* Schlüsselbein *n*.

claw [klɔː] **I** *s.* **1.** *zo.* a) Klaue *f*, Kralle *f* (*beide a. fig.*), b) Schere *f* (*Krebs etc.*), c) Pfote *f* (*a. fig.* F *Hand*): ***get one's ~s into s.o.*** *fig.* j-n in s-e Klauen bekommen; ***pare s.o.'s ~s*** *fig.* j-m die Krallen beschneiden; **2.** ⚙ Klaue *f*, (Greif)Haken *m*; **II** *v/t.* **3.** (zer)kratzen, zerreißen, zerren; **4.** *a.* ***~ hold of*** umˈkrallen, packen; **5.** ***~ back*** *fig.* a) zurückgewinnen, b) zurücknehmen; **III** *v/i.* **6.** kratzen; **7.** reißen, zerren (***at*** an); **8.** packen, greifen (***at*** nach); **9.** ⚓ ***~ off*** vom Ufer abhalten; **ˈ~-ˌham·mer** *s.* **1.** ⚙ Klauenhammer *m*; **2.** *a.* ***~ coat*** F Frack *m*.

clay [kleɪ] *s.* **1.** Ton *m*, Lehm *m*: ***~ hut*** Lehmhütte *f*; ***feet of ~*** *fig.* tönerne Füße; → ***potter***[2] 1; **2.** *fig.* Erde *f*, Staub *m* u. Asche *f*; **3.** → ***clay pipe***; **~ court** *s. Tennis*: Rotgrantplatz *m*.

clay·ey [ˈkleɪɪ] *adj.* lehmig, Lehm…

clay·more [ˈkleɪmɔː] *s. hist.* schottisches Breitschwert.

clay| pi·geon *s. sport* Wurf-, Tontaube *f*; **~ pipe** *s.* Tonpfeife *f*; **~ pit** *s.* Lehmgrube *f*.

clean [kliːn] **I** *adj.* □ **1.** rein, sauber; → ***breast*** 2; **2.** sauber, frisch, neu (*Wäsche*); unbeschrieben (*Papier*); **3.** reinlich; stubenrein; **4.** einwandfrei, makellos (*a. fig.*); astfrei (*Holz*); fast fehlerlos (*Korrekturbogen*); → ***copy*** 1; **5.** (*moralisch*) lauter, sauber; anständig, gesittet; schuldlos: ***~ record*** tadelloser Ruf; ***keep it ~!*** keine Ferkeleien!; ***~ living!*** bleib sauber!; ***Mr.*** 2 Saubermann *m*; **6.** ebenmäßig, von schöner Form; glatt (*Schnitt, Bruch*); **7.** sauber, geschickt (ausgeführt), tadellos; **8.** F ‚sauber' (*ohne Waffen, Schmuggelware etc.*); **II** *adv.* **9.** rein, sauber: ***sweep ~*** rein ausfegen; ***come ~*** F alles gestehen; **10.** rein, glatt, völlig, toˈtal: ***I ~ forgot*** ich vergaß ganz; ***~ gone*** a) spurlos verschwunden, b) *sl.* total übergeschnappt; ***~ through the wall*** glatt durch die Wand; **III** *v/t.* **11.** reinigen, säubern; *Kleider* (ˈchemisch) reinigen; **12.** *Fenster, Schuhe, Zähne* putzen; **IV** *v/i.* **13.** sich reinigen lassen; **~ down** *v/t.* gründlich reinigen; abwaschen; **~ out** *v/t.* **1.** reinigen; **2.** auslesen, -räumen; räumen; **3.** *sl.* a) ‚ausnehmen', ‚schröpfen', b) *Am. a. j-n* ‚fertigmachen'; **4.** F *Kasse etc.* leer machen; *Laden etc.* leer kaufen; **5.** F *Bank etc.* ‚ausräumen'; **~ up** *v/t.* **1.** gründlich reinigen; **2.** aufräumen (mit *fig.*); in Ordnung bringen, erledigen, *fig. a.* bereinigen; *Stadt etc.* säubern; **3.** *sl.* (*v/i.* schwer) einheimsen.

clean| and jerk *s. Gewichtheben*: Stoßen *n*; **~ bill of lad·ing** *s.* ✝ reines Konosseˈment; **ˌ~-ˈbred** *adj.* reinrassig; **ˌ~-ˈcut** *adj.* **1.** klar umˈrissen; klar, deutlich; **2.** regelmäßig; wohlgeformt; **3.** scharf geschnitten: ***~ face***.

clean·er [ˈkliːnə] *s.* **1.** Reiniger *m* (*Person, Gerät od. Mittel*); Reinemachfrau *f*, Raumpflegerin *f*; (Fenster- *etc.*)Putzer *m*; **2.** *pl.* Reinigung(sanstalt) *f*: ***take s.o. to the ~s*** *sl.* a) j-n total ‚ausnehmen', b) j-n ‚fertigmachen'.

ˌclean|-ˈhand·ed *adj.* schuldlos; **ˌ~-ˈlimbed** *adj.* wohlproportioniert.

clean·li·ness [ˈklenlɪnɪs] *s.* Reinlichkeit *f*; **clean·ly** [ˈklenlɪ] *adj.* □ reinlich.

cleanse [klenz] *v/t.* **1.** (*a. fig.*) reinigen, säubern, reinwaschen (***from*** von); **2.** läutern; **ˈcleans·er** [-zə] *s.* Reinigungsmittel *n*; **ˈcleans·ing** [-zɪŋ] *adj.* Reinigungs…: ***~ cream***.

ˌclean|-ˈshav·en *adj.* glattrasiert; **ˈ~·up** *s.* **1.** (gründliche) Reinigung *f*; **2.** F ˈSäuberungsaktiˌon *f*; Ausmerzung *f*; **3.** *Am. sl.* ‚Schnitt' *m*, (großer) Proˈfit.

clear [klɪə] **I** *adj.* □ → ***clearly***; **1.** klar, hell, ˈdurchsichtig, rein (*a. fig.*): ***a ~ day*** ein klarer Tag; ***as ~ as day***(***light***), ***~ as mud*** F sonnenklar; ***a ~ conscience*** ein reines Gewissen; **2.** klar, deutlich; ˈübersichtlich; scharf (*Photo, Sprache, Verstand*): ***a ~ head*** ein klarer Kopf; ***~ judgment*** gesundes Urteil; ***be ~ in one's mind*** sich klar darüber sein; ***make o.s. ~*** sich verständlich machen; **3.** klar, offensichtlich; sicher, zweifellos: ***I am quite ~*** (***that***) ich bin ganz sicher (daß); **4.** klar, rein; unvermischt; ✝ netto: ***~ amount*** Nettobetrag *m*; ***~ profit*** Reingewinn *m*; ***~ loss*** reiner Verlust; ***~ skin*** reine Haut; ***~ soup*** klare Suppe; ***~ water*** (nur) reines Wasser; **5.** klar, hell (*Ton*): ***as ~ as a bell*** glockenrein; **6.** frei (***of*** von), offen; unbehindert; ohne: ***keep the roads ~*** die Straßen offenhalten; ***~ of debt*** schuldenfrei; ***~ title*** *jur.* unbestrittenes Recht; ***see one's way ~*** freie Bahn

C

haben; ***keep ~ of*** a) (ver)meiden, b) sich fernhalten von; ***keep ~ of the gates!*** Eingang (*Tor*) freihalten!; ***be ~ of s.th.*** et. los sein; ***get ~ of*** loskommen von; **7.** ganz, voll: ***a ~ month*** ein voller Monat; **8.** ⚙ licht (*Höhe, Weite*); **II** *adv.* **9.** hell; klar, deutlich; **10.** frei, los, fort; **11.** völlig, glatt: ***~ over the fence*** glatt über den Zaun; **III** *s.* **12.** ⚙ lichte Weite; **13.** ***in the ~*** a) frei, her'aus, b) *sport* freistehend, c) aus der Sache heraus, vom Verdacht gereinigt, d) *Funk etc.*: im Klartext; **IV** *v/t.* **14.** *a.* ***~ up*** (auf)klären, erläutern; **15.** säubern, reinigen (*a. fig.*), befreien; losmachen (***of*** von): ***~ the street of snow*** die Straße von Schnee reinigen; **16.** *Saal etc.* räumen, leeren; ⚕ *Waren*(*lager*) räumen (→ 23); *Tisch* abräumen, abdecken; *Straße* freimachen; *Land, Wald* roden: ***~ the way*** Platz machen, den Weg bahnen; ***~ out of the way*** *fig.* beseitigen; **17.** reinigen, säubern: ***~ the air*** *a. fig.* die Atmosphäre reinigen; ***~ one's throat*** sich räuspern; **18.** frei-, lossprechen; entlasten (***of, from*** von *e-m Verdacht etc.*); *Am. j-m* (po'litische) Unbedenklichkeit bescheinigen; *Am.* die Genehmigung für *et.* einholen (***with*** bei): ***~ one's conscience*** sein Gewissen entlasten; ***~ one's name*** s-n Namen reinwaschen; **19.** (knapp *od.* heil) vor'beikommen an (*dat.*): ***my car just ~ed the bus***; **20.** *Hindernis* nehmen, glatt springen über (*acc.*): ***~ the hedge***; ***~ 6 feet*** 6 Fuß hoch springen; **21.** Gewinn erzielen, einheimsen: ***~ expenses*** die Unkosten einbringen; **22.** ⚓ a) *Schiff* klarmachen (***for action*** zum Gefecht), b) *Schiff* ausklarieren, c) *Ladung* löschen, d) *aus e-m Hafen* auslaufen; **23.** ⚕ bereinigen, bezahlen; verrechnen; *Scheck* einlösen; *Hypothek* tilgen; *Ware* verzollen (→ 16); abfertigen; **V** *v/i.* **24.** sich klären, klar werden; **25.** sich aufklären (*Wetter*): ***~ (away)*** sich verziehen (*Nebel etc.*); **26.** sich klären (*Wein etc.*); **27.** ⚓ a) die 'Zollformali,täten erledigen, b) ausklarieren;

Zssgn mit adv.:

clear| a·way I *v/t.* **1.** wegräumen; beseitigen; **II** *v/i.* **2.** verschwinden; → ***clear*** 25; **3.** (den Tisch) abdecken; ***~ off* I** *v/t.* **1.** beseitigen, loswerden; **2.** erledigen; **II** *v/i.* **3.** → ***clear out*** 3; ***~ out* I** *v/t.* **1.** ausräumen, reinigen; **2.** ⚕ ausverkaufen; **II** *v/i.* **3.** verschwinden, ‚sich verziehen', ‚abhauen'; ***~ up* I** *v/t.* **1.** ab-, forträumen; **2.** bereinigen, erledigen; **3.** aufklären, lösen; **II** *v/i.* **4.** sich aufklären (*Wetter*).

clear·ance ['klɪərəns] *s.* **1.** Räumung *f* (*a.* ⚕), Beseitigung *f*; Leerung *f*; Freilegung *f*; **2.** a) Rodung *f*, b) Lichtung *f*; **3.** ⚙ lichter Raum, Zwischenraum *m*; Spiel(raum *m*) *n*; *mot. etc.* Bodenfreiheit *f*; **4.** *allg.* Abfertigung *f*, *bsd.* a) ✈ Freigabe *f*, Start- od. 'Durchflugerlaubnis *f*, b) ⚓ Auslaufgenehmigung *f* (→ 7); **5.** ⚕ a) Tilgung *f*, volle Bezahlung *f*, b) Verrechnung *f* (→ ***clearing*** 2), c) → ***clearance sale***; **6.** ⚓ a) (Ein-, Aus-) Klarierung *f*, Zollabfertigung *f*, b) Zollschein *m*: ***~ (papers)*** Zollpapiere; **7.** *pol. etc.* Unbedenklichkeitsbescheinigung *f*; ***~ sale*** *s. Brit.* (Räumungs)Ausverkauf *m*.

,clear|-'cut *adj.* scharf um'rissen; klar, eindeutig; **,~-'head·ed** *adj.* klardenkend, intelli'gent.

clear·ing ['klɪərɪŋ] *s.* **1.** Lichtung *f*, Rodung *f*; **2.** ⚕ Clearing *n*, Verrechnungsverkehr *m* (*Bank*); ***~ bank*** *s.* 'Girobank *f*; ***~ Hos·pi·tal*** *s.* ⚔ *Brit.* 'Feldlaza,rett *n*; ***~ house*** *s.* ⚕ 'Clearinginsti,tut *n*, Verrechnungsstelle *f*; ***~ of·fice*** *s.* Verrechnungsstelle *f*; ***~ sys·tem*** *s.* ⚕ Clearingverkehr *m*.

clear·ly ['klɪəlɪ] *adv.* **1.** klar, deutlich; **2.** ***~, that is wrong*** offensichtlich ist das falsch; **3.** zweifellos, ‚klar'; **clear·ness** ['klɪənɪs] *s.* **1.** Klarheit *f*, Deutlichkeit *f*; **2.** *fig.* Reinheit *f*; Schärfe *f*.

,clear|-'sight·ed *adj.* **1.** scharfsichtig; **2.** *fig.* klardenkend, hellsichtig, klug; **'~-starch** *v/t. Wäsche* stärken; **'~·way** *s. Brit.* Schnellstraße *f*.

cleat [kli:t] *s.* **1.** ⚓ Klampe *f*; **2.** Keil *m*, Pflock *m*; **3.** ⚡ Isolierschelle *f*; **4.** ⚙ Querleiste *f*; **5.** breiter Schuhnagel.

cleav·age ['kli:vɪdʒ] *s.* **1.** Spaltung *f* (*a.* ⚗ *u. fig.*); Spaltbarkeit *f*; **2.** Zwiespalt *m*; **3.** *biol.* (Zell)Teilung *f*; **4.** Brustansatz *m*, Dekolleté *n*.

cleave[1] [kli:v] *v/i.* **1.** kleben (***to*** an *dat.*); **2.** *fig.* (***to***) festhalten (an *dat.*), halten (zu *j-m*), treu bleiben (*dat.*), anhängen (*dat.*).

cleave[2] [kli:v] **I** *v/t.* [*irr.*] **1.** (zer)spalten; **2.** hauen, reißen; *Weg* bahnen; **3.** *Wasser, Luft etc.* durch'schneiden, (zer)teilen; **II** *v/i.* [*irr.*] **4.** sich spalten, bersten; **'cleav·er** [-və] *s.* Hackmesser *n*, -beil *n*.

clef [klef] *s.* ♪ (Noten)Schlüssel *m*.

cleft[1] [kleft] *pret. u. p.p. von* ***cleave***[2].

cleft[2] [kleft] **I** *s.* Spalte *f*, Kluft *f*, Riß *m*; **II** *adj.* gespalten, geteilt; ***~ pal·ate*** *s.* Gaumenspalte *f*, Wolfsrachen *m*; ***~ stick*** *s.*: ***be in a ~*** ‚in der Klemme' sitzen.

clem·a·tis ['klemətɪs] *s.* ⚘ Kle'matis *f*.

clem·en·cy ['klemənsɪ] **I** *s.* Milde *f* (*a. Wetter*), Nachsicht *f*; **II** *adj.* Gnaden… (*-behörde etc.*); **'clem·ent** [-nt] *adj.* □ mild (*a. Wetter*), nachsichtig, gnädig.

clench [klentʃ] **I** *v/t.* **1.** *bsd. Lippen* zs.-pressen; *Zähne* zs.-beißen; *Faust* ballen: ***~ one's fist***; **2.** fest anpacken;

(an)spannen (*a. fig.*); **3.** → ***clinch*** 1, 2, 3; **II** *v/i.* **4.** sich fest zs.-pressen; sich ballen.

cler·gy ['klɜ:dʒɪ] *s. eccl.* Geistlichkeit *f*, Klerus *m*, *die* Geistlichen *pl.*: ***20 ~*** 20 Geistliche; '**~·man** [-mən] *s.* [*irr.*] Geistliche(r) *m*.

cler·ic ['klerɪk] *s.* Kleriker *m*; '**cler·i·cal** [-kl] **I** *adj.* □ **1.** geistlich: ***~ collar*** Kragen *m* des Geistlichen; **2.** *pol.* kleri'kal; **3.** Schreib..., Büro...: ***~ error*** Schreibfehler *m*; ***~ work*** Büroarbeit *f*; **II** *s.* **4.** *pol.* Kleri'kale(r) *m*; '**cler·i·cal·ism** [-kəlɪzəm] *s. pol.* Klerika'lismus *m*, kleri'kale Poli'tik.

cler·i·hew ['klerɪhju:] *s.* 'Clerihew *n* (*witziger Vierzeiler*).

clerk [klɑ:k] **I** *s.* **1.** Sekre'tär *m*; Schriftführer *m*; (Bü'ro)Schreiber *m*: ***~ of the court*** Urkundsbeamte(r) *m*; → ***articled*** 2, ***town clerk***; **2.** Bü'roangestellte(r *m*) *f*; Buchhalter(in); (Bank)Beamte(r) *m*, (-)Beamtin *f*; **3.** *Brit.* Vorsteher *m*, Leiter *m*: ***~ of (the) works*** Bauleiter; ***~ of the weather*** *fig.* Wettergott, Petrus; **4.** *Am.* a) Verkäufer(in) *im Laden*, b) (Ho'tel)Porti,er *m*, Empfangschef *m*, -dame *f*; **5.** ***~ in holy orders*** *eccl.* Geistliche(r) *m*; **II** *v/i.* **6.** als Schreiber *etc. od. Am.* als Verkäufer (-in) tätig sein; '**clerk·ship** [-ʃɪp] *s.* Stellung *f* e-s Bü'roangestellten *etc. od. Am.* Verkäufers.

clev·er ['klevə] *adj.* □ **1.** geschickt, raffiniert (*Person u. Sache*); gewandt: ***~ dick*** F ‚Klugscheißer' *m*; **2.** klug, gescheit; begabt (***at*** in); **3.** geistreich (*Worte, Buch*); **4.** *a.* '**~-'~** *contp.* ‚superklug'; '**clev·er·ness** [-nɪs] *s.* Geschicklichkeit *f*; Klugheit *f etc.*

clew [klu:] **I** *s.* **1.** Knäuel *m*, *n* (*Garn*); **2.** → ***clue*** 1, 2; **3.** ⚓ Schothorn *n*; **II** *v/t.* **4.** ***~ up*** *Segel* aufgeien; ***~* gar·net** *s.* ⚓ Geitau *n*.

cli·ché ['kli:ʃeɪ] *s.* Kli'schee *n*: a) *typ.* Druckstock *m*, b) *fig.* Gemeinplatz *m*, abgedroschene Phrase.

click [klɪk] **I** *s.* **1.** Klicken *n*, Knipsen *n*, Knacken *n*, Ticken *n*; Einschnappen *n*; **2.** ⚙ Schnapp-, Sperrvorrichtung *f*; Sperrhaken *m*, Klinke *f*; **3.** Schnalzen *n*; **II** *v/i.* **4.** klicken, knacken, ticken; **5.** schnalzen; **6.** (zu-, ein)schnappen: ***~ into place*** einrasten, *fig.* sein (richtiges) Plätzchen finden; **7.** *sl.* F ‚einschlagen', Erfolg haben (***with*** mit); **8.** sofort Gefallen anein'ander finden, *engS.* sich inein'ander ‚verknallen'; **9.** F über'einstimmen (***with*** mit); **10.** ***it ~ed*** F bei *mir etc.* ‚klingelte' es (*als ich hörte etc.*); **III** *v/t.* **11.** klicken *od.* ticken *od.* knakken *od.* einschnappen lassen: ***~ the door (to)*** die Tür zuklinken; ***~ one's heels*** die Hacken zs.-schlagen; **12.** schnalzen mit: ***~ one's tongue***.

cli·ent ['klaɪənt] *s.* **1.** ⚖ Kli'ent(in), Man'dant(in): ***~ (state)*** *pol.* abhängiger Staat; **2.** ✝ Kunde *m*, Kundin *f*; **3.** Pati'ent(in) (*e-s Arztes*); **cli·en·tele** [,kli:ɑ̃:n'tel] *s.* **1.** Klien'tel *f*, Kli'enten *pl.*; **2.** Pa'tienten(kreis *m*) *pl.*; **3.** Kunden(kreis *m*) *pl.*, Kundschaft *f*.

cliff [klɪf] *s.* Klippe *f*, Felsen *m*: ***go over the ~*** F *fig.* ‚eingehen', pleite gehen; ***~ dwell·ing*** *s.* Felsenwohnung *f*; '**~-,hang·er** *s.* F **1.** 'Fortsetzungsro,man *m* (*etc.*), der jeweils im spannendsten Mo'ment abbricht; **2.** äußerst spannende Sache.

cli·mac·ter·ic [klaɪ'mæktərɪk] **I** *adj.* **1.** entscheidend, 'kritisch; **2.** ⚕ klimak'terisch; **II** *s.* **3.** ⚕ Klimak'terium *n*, Wechseljahre *pl.*; **4.** a) kritische Zeit, b) (Lebens)Wende *f*.

cli·mate ['klaɪmɪt] *s.* **1.** 'Klima *n*; ***~ change*** Klimaveränderung *f*; **2.** Gegend *f*; **3.** *fig.* (*politisches, Betriebs- etc.*)'Klima *n*, Atmo'sphäre *f*; **cli·mat·ic** [klaɪ'mætɪk] *adj.* (□ ***~ally***) kli'matisch; **cli·ma·to·log·ic, cli·ma·to·log·i·cal** [,klaɪmətə'lɒdʒɪk(l)] *adj.* □ klimato'logisch; **cli·ma·tol·o·gy** [,klaɪmə'tɒlədʒɪ] *s.* Klimatolo'gie *f*, 'Klimakunde *f*.

cli·max ['klaɪmæks] **I** *s.* **1.** Steigerung *f*; **2.** Gipfel *m*, Höhepunkt *m*; 'Krisis *f*; **3.** (sexu'eller) Höhepunkt, Or'gasmus *m*; **II** *v/t.* **4.** auf e-n Höhepunkt bringen; *Laufbahn etc.* krönen; **III** *v/i.* **5.** e-n Höhepunkt erreichen; **6.** e-n Or'gasmus haben.

climb [klaɪm] **I** *s.* **1.** Aufstieg *m*, Besteigung *f*; 'Kletterpar,tie *f*; **2.** ✈ Steigen *n*, Steigflug *m*; **II** *v/i.* **3.** klettern; **4.** steigen (*Straße, Flugzeug*); **5.** (auf-, em'por)steigen, (hoch)klettern (*a. fig. Preise etc.*); **6.** ⚘ sich hin'aufranken; **III** *v/t.* **7.** be-, ersteigen; steigen *od.* klettern auf (*acc.*), erklettern; ***~* down** *v/i.* **1.** hin'untersteigen, -klettern; **2.** *fig.* e-n ‚Rückzieher' machen, klein beigeben; ***~* up** *v/t. u. v/i.* hin'aufsteigen, -klettern.

climb·a·ble ['klaɪməbl] *adj.* ersteigbar; '**climb-down** *s.* F ‚Rückzieher' *m*, Nachgeben *n*; '**climb·er** [-mə] *s.* **1.** Kletterer *m*; Bergsteiger(in); **2.** ⚘ Kletter-, Schlingpflanze *f*; **3.** *orn.* Klettervogel *m*; **4.** F (gesellschaftlicher) Streber, Aufsteiger *m*.

climb·ing| a·bil·i·ty ['klaɪmɪŋ] *s.* **1.** ✈ Steigvermögen *n*; **2.** *mot.* Bergfreudigkeit *f*; ***~* i·rons** *s. pl. mount.* Steigeisen *pl.*

clime [klaɪm] *s. poet.* Gegend *f*, Landstrich *m*; *fig.* Gebiet *n*, Sphäre *f*.

clinch [klɪntʃ] **I** *v/t.* **1.** entscheiden, zum Abschluß bringen; *Handel* festmachen: ***that ~ed it*** damit war die Sache entschieden; ***~ an argument*** den Streit für sich entscheiden; **2.** ⚙ a) sicher befestigen, b) vernieten; **3.** *Boxen*: um'klammern; **II** *v/i.* **4.** *Boxen*: clinchen; **III** *s.* **5.** fester Griff *od.* Halt; **6.** *Boxen*: Clinch *m* (*a. sl. Umarmung*); **7.** ⚙ Vernietung *f*; Niet *m*; **'clinch·er** [-tʃə] *s.* F entscheidender 'Umstand *od.* Beweis *etc.*, Trumpf *m*.

cling [klɪŋ] *v/i.* [*irr.*] **1.** (***to***) *a. fig.* kleben, haften (an *dat.*); anhaften (*dat.*): ~ ***together*** zs.-halten; **2.** (***to***) *a. fig.* sich klammern (an *j-n, e-e Hoffnung etc.*), festhalten (an *e-r Sitte, Meinung etc.*): ~ ***to the text*** am Text kleben; **3.** sich (an)schmiegen (***to*** an *acc.*); **4.** *fig.* (***to***) hängen (an *dat.*), anhängen (*dat.*); **'cling·ing** [-ŋɪŋ] *adj.* enganliegend, hauteng (*Kleid*).

clin·ic ['klɪnɪk] *s.* **1.** Klinik *f*, (Pri'vat- *od.* Universi'täts)Krankenhaus *n*; **2.** Klinikum *n*, klinischer 'Unterricht; **3.** 'Poliklinik *f*, Ambu'lanz *f*; **4.** *Am.* Fachkurs(us) *m*, Semi'nar *n*; **'clin·i·cal** [-kl] *adj.* □ **1.** klinisch: ~ ***instruction*** Unterweisung *f* am Krankenbett; ~ ***thermometer*** Fieberthermometer *n*; **2.** *fig.* nüchtern, kühl analysierend; **clin·i·car** ['klɪnɪkɑː] *s.* Notarztwagen *m*; **cli·nician** [klɪ'nɪʃn] *s.* Kliniker *m*.

clink¹ [klɪŋk] **I** *v/i.* klingen, klimpern, klirren; **II** *v/t.* klingen *od.* klirren lassen: ~ ***glasses*** (mit den Gläsern) anstoßen; **III** *s.* Klingen *n etc.*

clink² [klɪŋk] *s. sl.* ‚Knast' *m*, ‚Kittchen' *n* (*Gefängnis*): ***in*** ~.

clink·er¹ ['klɪŋkə] *s.* **1.** Klinker *m*, Hartziegel *m*; **2.** Schlacke *f*.

clink·er² ['klɪŋkə] *bsd. Am. sl.* **1.** ‚Patzer' *m*; **2.** ‚Pleite' *f* (*Mißerfolg*).

'clink·er-built *adj.* ⚓ klinkergebaut.

cli·nom·e·ter [klaɪ'nɒmɪtə] *s.* Neigungs-, Winkelmesser *m*.

Cli·o ['klaɪəʊ] *s. Am. alljährlicher Preis für die beste Leistung im Werbefernsehen.*

clip¹ [klɪp] **I** *v/t.* **1.** abschneiden; *a. fig.* beschneiden; *Schwanz, Flügel, Hecke* stutzen: ~ ***s.o.'s wings*** *fig.* j-m die Flügel beschneiden; **2.** *Haare* (*mit der Maschine*) schneiden; *Tiere* scheren; **3.** *aus der Zeitung* ausschneiden; *Fahrschein* lochen; **4.** *Silben od. Buchstaben* verschlucken: ~***ped speech*** a) undeutliche (Aus)Sprache, b) knappe *od.* schneidige Sprechweise; **5.** *j-m* e-n Schlag ‚verpassen'; **6.** F a) *j-n* ‚erleichtern' (***for*** um), b) *j-n* ‚neppen'; **II** *s.* **7.** Haarschnitt *m*; **8.** Schur *f*; **9.** Wollertrag *m e-r Schur*; **10.** F Hieb *m*; **11.** F Tempo *n*: ***at a good*** ~ in scharfem Tempo.

clip² [klɪp] **I** *s.* **1.** (Bü'ro-, Heft)Klammer *f*, Klemme *f*, Spange *f*, Halter *m*; **2.** ⚔ (*Patronen*)Rahmen *m*, Ladestreifen *m*; **II** *v/t.* **3.** festhalten; befestigen, (an)klammern.

'clip-joint *s. sl.* 'Nepplo,kal *n*.

clip·per ['klɪpə] *s.* **1.** ⚓ Klipper *m*, Schnellsegler *m*; **2.** ✈ Clipper *m*; **3.** Renner *m* (*schnelles Pferd*); **4.** *pl.* 'Haarschneide-, 'Scherma,schine *f*, Schere *f*.

clip·pie ['klɪpɪ] *s.* F *Brit.* Busschaffnerin *f*.

clip·ping ['klɪpɪŋ] *s.* **1.** *Am.* (Zeitungs-)Ausschnitt *m*: ~ ***bureau*** Zeitungsausschnittsdienst *m*; **2.** *mst pl.* Schnitzel *pl.*, Abfälle *pl.*

clique [kliːk] *s.* Clique *f*, Klüngel *m*; **'cli·quish** [-kɪʃ] *adj.* cliquenhaft.

clit [klɪt] *sl. für* **cli·to·ris** ['klɪtərɪs] *s. anat.* 'Klitoris *f*, Kitzler *m*.

clo·a·ca [kləʊ'eɪkə] *pl.* **-s**, **-cae** [-kiː] *s.* Klo'ake *f* (*a. zo.*; *a. fig. Sündenpfuhl*).

cloak [kləʊk] **I** *s.* **1.** (loser) Mantel, 'Umhang *m*; **2.** *fig.* Deckmantel *m*: ***under the*** ~ ***of night*** im Schutz der Nacht; **II** *v/t.* **3.** (wie) mit e-m Mantel bedekken; **4.** *fig.* bemänteln, verhüllen; ,~-**and-'dag·ger** *adj.* **1.** ‚Mantel-und-Degen-…': ~ ***drama***; **2.** Spionage…: ~ ***story***; '~-**room** *s.* **1.** Garde'robe *f*; **2.** *Brit.* F Toi'lette *f*.

clob·ber ['klɒbə] *v/t. sl.* **1.** verprügeln, *fig.* ‚fertigmachen'; **2.** *sport* ‚über'fahren', ‚vernaschen'.

cloche [kləʊʃ] *s.* **1.** Glasglocke *f* (*für Pflanzen*); **2.** Glocke *f* (*Damenhut*).

clock¹ [klɒk] **I** *s.* **1.** (*Wand-, Turm-, Stand*)Uhr *f*: ***five o'clock*** fünf Uhr; (***a***)***round the*** ~ rund um die Uhr, den ganzen Tag (*arbeiten etc.*); ***put the*** ~ ***back*** *fig.* das Rad zurückdrehen; **2.** F a) Kon'troll-, Stoppuhr *f*, b) Fahrpreisanzeiger *m* (*Taxi*); **3.** *Computer*: Taktgeber *m*; **4.** F ⚘ Pusteblume *f*; **II** *v/t.* **5.** *bsd. sport* a) (*mit der Uhr*) (ab)stoppen, b) *Zeit* nehmen, c) *Zeit* erreichen; **6.** *a.* ~ ***up*** F *Zeit, Zahlen etc.* registrieren; **III** *v/i.* **7.** ~ ***in*** *od.* ***on*** (***off*** *od.* ***out***) einstempeln (ausstempeln) (*Arbeitnehmer*).

clock² [klɒk] *s.* (Strumpf)Verzierung *f*.

'clock|-face *s.* Zifferblatt *n*; ~ **ra·di·o** *s.* 'Radiowecker *m*; '~-,**watch·er** *s.* F Angestellte(r), der *od.* die immer nach der Uhr sieht; '~·**wise** *adj. u. adv.* im Uhrzeigersinn; rechtsläufig, Rechts…: ~ ***rotation***; '~·**work** *s.* Uhrwerk *n*: ***like*** ~ a) wie am Schnürchen, b) (pünktlich) wie die Uhr; ~ ***toy*** mechanisches Spielzeug; ~ ***fuse*** ⚔ Uhrwerkzünder *m*.

clod [klɒd] *s.* **1.** Erdklumpen *m*, Scholle *f*; **2.** *fig.* ‚Heini' *m*, Trottel *m*; '~,**hopper** *s.* Bauerntölpel *m*; '~,**hop·ping** *adj.* F ungehobelt.

clog [klɒg] **I** *s.* **1.** Holzklotz *m*; **2.** Pan'tine *f*, Holzschuh *m*; **3.** *fig.* Hemmnis *n*, Hindernis *n*; **II** *v/t.* **4.** (be)hindern, hemmen; **5.** verstopfen; **6.** *fig.* belasten, 'vollpfropfen; **III** *v/i.* **7.** sich verstopfen; stocken; **8.** klumpig werden, sich zs.-ballen; ~ **dance** *s.* Holzschuhtanz *m.*

clois·ter ['klɔɪstə] **I** *s.* **1.** Kloster *n*; **2.** ⚠ a) Kreuzgang *m*, b) *oft pl.* gedeckter (Säulen)Gang *um e-n Hof*; **II** *v/t.* **3.** in ein Kloster stecken; **4.** *fig.* (*a. o.s.* sich) von der Welt abschließen; '**clois·tered** [-əd] *adj.* zu'rückgezogen, abgeschieden; '**clois·tral** [-trəl] *adj.* klösterlich.

clone [kləʊn] *n biol.* **I** *s.* Klon *m*; **II** *v/t.* klonen.

close¹ [kləʊs] **I** *adj.* □ → ***closely***; **1.** geschlossen (*a. ling.*): ~ ***formation*** (*od.* ***order***) ⚔ (Marsch)Ordnung *f*; ~ ***company*** *Brit.*, ~ ***corporation*** ✝ *Am.* GmbH *f*; **2.** zu'rückgezogen, abgeschlossen; **3.** verschlossen, verschwiegen, zu'rückhaltend; **4.** verborgen, geheim; **5.** geizig; sparsam; **6.** knapp (*Geld*; *Sieg*): ~ ***election*** knapper Wahlsieg; ~ ***price*** ✝ scharf kalkulierter Preis; **7.** eng, beschränkt (*Raum*); **8.** nahe, dicht; *fig.* eng, vertraut: ~ ***friend***; ~ ***combat*** ⚔ Nahkampf *m*; ~ ***proximity*** nächste Nähe; ~ ***fight*** zähes Ringen, Handgemenge *n*; ~ ***finish*** scharfer Endkampf; ~ ***shave*** (*od.* ***call***) F knappes Entrinnen; ***that was*** ~! F das war knapp!; ~ ***shot*** *phot.* Nahaufnahme *f*; → ***quarter*** 10; **9.** dicht, eng; fest; enganliegend (*Kleid*): ~ ***texture*** dichtes Gewebe; ~ ***writing*** gedrängte Schrift; **10.** genau, gründlich, streng, eingehend (*Prüfung, Verhör etc.*); scharf (*Aufmerksamkeit, Bewachung*); streng (*Haft*); scharf (*Wettbewerb*); stark (*Ähnlichkeit*); (wort)getreu (*Übersetzung, Abschrift*); **11.** schwül, dumpf; **II** *adv.* **12.** nahe, eng, dicht, gedrängt: ~ ***by*** nahe (da)bei; ~ ***at hand*** nahe bevorstehend; ~ ***to the ground*** dicht am Boden; ~ ***on 40*** beinahe 40; ***come*** ~ ***to*** *fig.* dicht herankommen an (*acc.*); ***cut*** ~ sehr kurz schneiden; ***keep*** ~ in der Nähe bleiben; ***keep o.s.*** ~ sich zurückhalten; ***press s.o.*** ~ j-n (be)drängen; ***run s.o.*** ~ j-m fast gleichkommen; **III** *s.* **13.** Einfriedigung *f*, (eingefriedetes) Grundstück; **14.** (Schul)Hof *m*; **15.** Sackgasse *f*; **16.** *Scot.* 'Haus,durchgang *m zum Hof*.

close² [kləʊz] **I** *s.* **1.** (Ab)Schluß *m*, Ende *n*: ***bring to a*** ~ beendigen; ***draw to a*** ~ sich dem Ende nähern; **2.** a) Schlußwort *n*, b) Briefschluß *m*; **3.** ♪ Ka'denz *f*; **II** *v/t.* **4.** *Augen, Tür etc.* schließen, zumachen (→ ***door*** 2, ***eye*** 2); *Straße* sperren; *Loch* verstopfen: ~ ***a shop*** a) e-n Laden schließen, b) ein Geschäft aufgeben; ~ ***about s.o.*** j-n umschließen *od.* umgeben; **5.** beenden, ab-, beschließen; zum Abschluß bringen, erledigen: ~ ***the books*** ✝ die Bücher abschließen; ~ ***an account*** ein Konto auflösen; **III** *v/i.* **6.** schließen, geschlossen werden; sich schließen; **7.** enden, aufhören; **8.** sich nähern, her'anrücken; **9.** ~ ***with*** a) (handels)einig werden mit *j-m*, sich mit *j-m* einigen (***on*** über *acc.*), b) handgemein mit *j-m* werden; ~ **down I** *v/t.* **1.** schließen; *Geschäft* aufgeben; *Betrieb* stillegen; **II** *v/i.* **2.** schließen; stillgelegt werden; **3.** *Radio, TV*: Sendeschluß haben; **4.** ~ ***on*** scharf vorgehen gegen; ~ **in** *v/i.* (***upon***) her'einbrechen (über *acc.*), sich her'anarbeiten (an *acc.*); ~ **out** *v/t.* **1.** ✝ a) *Lager* räumen, b) → ***wind up*** 4; **2.** *fig. Am.* abwickeln, erledigen; ~ **up I** *v/t.* (ver)schließen, verstopfen, ausfüllen; **II** *v/i.* näher rücken, aufschließen; sich schließen *od.* füllen.

,**close|-'bod·ied** [,kləʊs-] *adj.* enganliegend (*Kleider*); ,~-'**cropped** *adj.* kurzgeschoren.

closed| cir·cuit [kləʊzd] *s.* ⚡ geschlossener Stromkreis; '~-,**cir·cuit tel·e·vi·sion** *s.* Kurzschluß-, Betriebsfernsehen *n.*

'**close-down** ['kləʊz-] *s.* **1.** Schließung *f*, Stillegung *f*; **2.** *Radio, TV*: Sendeschluß *m.*

closed shop *s.* gewerkschaftspflichtiger Betrieb.

,**close|-'fist·ed** [,kləʊs-] *adj.* geizig, knauserig; ~ **fit** *s.* enge Paßform; ⚙ Edelpassung *f*; ,~-'**fit·ting** *adj.* enganliegend; ,~-'**grained** *adj.* feinkörnig (*Holz etc.*); ,~-'**hauled** *adj.* ⚓ hart am Winde; ,~-'**knit** *adj. fig.* engverbunden; ,~-'**lipped** *adj.* verschlossen.

close·ly ['kləʊslɪ] *adv.* **1.** dicht, eng, fest; **2.** aus der Nähe; **3.** genau; **4.** scharf, streng; '**close·ness** [-snɪs] *s.* **1.** Nähe *f*; **2.** Enge *f*, Knappheit *f*; **3.** Dichte *f*, Festigkeit *f*; **4.** Genauigkeit *f*, Schärfe *f*, Strenge *f*; **5.** Verschlossenheit *f*; **6.** Schwüle *f*; **7.** Geiz *m.*

'**close|-out** ['kləʊz-] *s. a.* ~ ***sale*** Ausverkauf *m* wegen Geschäftsaufgabe; '~-**range** ['kləʊs-] *adj.* aus nächster Nähe, Nah...; ~ **sea·son** [kləʊs] *s. hunt.* Schonzeit *f.*

clos·et ['klɒzɪt] **I** *s.* **1.** kleine Kammer; Gelaß *n*, Kabi'nett *n*; Geheimzimmer *n*: ~ ***drama*** Lesedrama *n*; **2.** *Am.* (Wand)Schrank *m*; **3.** ('Wasser)Klo,sett *n*; **II** *adj.* **4.** pri'vat, geheim; **III** *v/t.* **5.** einschließen: ***be ~ed together with s.o.*** e-e vertrauliche Besprechung mit j-m haben.

close| time [kləʊs] *s. hunt.* Schonzeit *f*; ,~-'**tongued** *adj.* verschlossen; '~-**up** *s.* **1.** *Film*: Nah-, Großaufnahme *f*; **2.** *fig.* genaue Betrachtung, scharfes Bild.

clos·ing| date ['kləʊzɪŋ] *s.* letzter Ter'min; ,~-'**down sale** *s.* Räumungsverkauf *m*; ~ **price** *s. Börse*: 'Schlußno,tierung *f*; ~ **speech** *s.* Schlußrede; ⚖

'Schlußplädo,yer *n*; **~ time** *s.* **1.** Geschäftsschluß *m*; **2.** Poli'zeistunde *f*.

clo·sure ['kləʊʒə] **I** *s.* **1.** Verschluß *m* (*a. Vorrichtung*); **2.** Schließung *f e-s Betriebs*, Stillegung *f*; **3.** *parl.* Schluß *m* der De'batte: ***apply*** (*od.* ***move***) ***the ~*** Antrag auf Schluß der Debatte stellen; **II** *v/t.* **4.** *Debatte etc.* schließen.

clot [klɒt] **I** *s.* **1.** Klumpen *m*, Klümpchen *n*: ***~ of blood*** Blutgerinnsel *n*; **2.** F ‚Blödmann' *m*; **II** *v/i.* **3.** gerinnen, Klumpen bilden: ***~ted hair*** verklebtes Haar.

cloth [klɒθ] *pl.* **cloths** [-θs] *s.* **1.** Tuch *n*, Stoff *m*; *engS.* Wollstoff *m*: ***~ of gold*** Goldbrokat *m*; → ***coat*** 1, ***whole*** 3; **2.** Tuch *n*, Lappen *m*: ***lay the ~*** den Tisch decken; **3.** geistliche Amtstracht: ***the ~*** die Geistlichkeit; **4.** ⚓ a) Segeltuch *n*, b) Segel *pl.*; **5.** (Buchbinder)Leinwand *f*: ***~ binding*** Leinenband *m*; ***~-bound*** in Leinen gebunden; **~-cap** *adj.* F Arbeiterklassen ..., Proleten...

clothe [kləʊð] *v/t.* **1.** (an- be)kleiden; **2.** einkleiden, mit Kleidung versehen; **3.** *fig. in Worte* kleiden; **4.** *fig.* einhüllen; um'hüllen.

clothes [kləʊðz] *s. pl.* **1.** Kleider *pl.*, Kleidung *f*; **2.** (Leib-, Bett)Wäsche *f*; **~ hang·er** *s.* Kleiderbügel *m*; **'~·horse** *s.* Wäscheständer *m*; **~ line** *s.* Wäscheleine *f*; **'~-peg**, **'~-pin** *s.* Wäscheklammer *f*; **'~·press** *s.* Wäsche-, Kleiderschrank *m*; **~ tree** *s.* Kleiderständer *m*.

cloth hall *s. hist.* Tuchbörse *f*.

cloth·ier ['kləʊðɪə] *s.* Tuch-, Kleiderhändler *m*; **'cloth·ing** [-ðɪŋ] *s.* Kleidung *f*: ***article of ~*** Kleidungsstück *n*; ***~ industry*** Bekleidungsindustrie *f*.

clo·ture ['kləʊtʃə] *Am.* → ***closure*** 3.

cloud [klaʊd] **I** *s.* **1.** Wolke *f* (*a. fig.*); Wolken *pl.*: ***~ of dust*** Staubwolke; ***have one's head in the ~s*** *fig.* a) in höheren Regionen schweben, b) geistesabwesend sein; ***be on ~ nine*** F im siebten Himmel schweben; → ***silver lining***; **2.** *fig.* Schwarm *m*, Haufen *m*: ***a ~ of flies***; **3.** dunkler Fleck, Fehlstelle *f*; **4.** *fig.* Schatten *m*: ***~ of title*** ⚖ (geltend gemachter) Fehler im Besitz; ***cast a ~ on s.th.*** e-n Schatten auf et. werfen; ***under the ~ of night*** im Schatten der Nacht; ***under a ~*** a) unter Verdacht, b) in Ungnade, c) in Verruf; **II** *v/t.* **5.** be-, um'wölken; **6.** *fig.* verdunkeln, trüben: ***~ the issue*** die Sache vernebeln; **7.** ädern, flecken; **8.** ⚙ *Stoff* moirieren; **III** *v/i.* **9.** *a.* ***~ over*** sich be- *od.* um'wölken, sich trüben (*a. fig.*); **'~·burst** *s.* Wolkenbruch *m*; **'~-,cuck·oo-land** *s.* Wolken'kuckucksheim *n*.

cloud·ed ['klaʊdɪd] *adj.* **1.** be-, um'wölkt; *fig.* nebelhaft; **2.** trübe, wolkig (*Flüssigkeit etc.*); beschlagen (*Glas*); **3.** gefleckt, geädert; **'cloud·ing** [-dɪŋ] *s.* **1.** Wolkigkeit *f*; Trübung *f* (*a. fig.*); **2.** Wolken-, Moirémuster *n*; **'cloud·less** [-lɪs] *adj.* □ **1.** wolkenlos; **2.** *fig.* ungetrübt; **'cloud·y** [-dɪ] *adj.* □ **1.** wolkig, bewölkt; **2.** geädert; moiriert (*Stoff*); **3.** trübe (*Flüssigkeit*); unklar, verschwommen; **4.** düster.

clout [klaʊt] F **I** *s.* **1.** Schlag *m*; **2.** *fig.* a) Macht *f*, Einfluß *m*, b) Wucht *f*; **II** *v/t.* **3.** hauen, schlagen; **~ nail** *s.* (Schuh)Nagel *m*.

clove¹ [kləʊv] *s.* ⚘ Gewürznelke *f*.

clove² [kləʊv] *s.* ⚘ Brut-, Nebenzwiebel *f*: ***~ of garlic*** Knoblauchzehe *f*.

clove³ [kləʊv] *pret. von* ***cleave²***.

clove⁴ [kləʊv] *s. Am.* Bergschlucht *f*.

clo·ven ['kləʊvn] **I** *p.p. von* ***cleave²***; **II** *adj.* gespalten; **~ foot** → **~ hoof** *s.* **1.** Huf *m* der Paarhufer; **2.** *fig.* ‚Pferdefuß' *m*: ***show the ~*** *fig.* den Pferdefuß *od.* sein wahres Gesicht zeigen; **,~-'hoofed** *adj.* **1.** *zo.* paarzehig, -hufig; **2.** teuflisch.

clove pink *s.* ⚘ Gartennelke *f*.

clo·ver ['kləʊvə] *s.* ⚘ Klee *m*: ***be*** (*od.* ***live***) ***in ~*** ‚in der Wolle' sitzen, üppig leben; **'~·leaf** *s.* Kleeblatt *n*: ***~*** (***intersection***) Kleeblatt (*Autobahnkreuzung*).

clown [klaʊn] **I** *s.* **1.** Clown *m*, Hans'wurst *m*, Kasper *m* (*alle a. fig.*); **2.** Bauernlümmel *m*, 'Grobian *m*; **II** *v/i.* **3.** *a.* ***~ around*** he'rumkaspern; **'clown·er·y** [-nərɪ] *s.* **1.** Clowne'rie *f*; **2.** Posse *f*; **'clown·ish** [-nɪʃ] *adj.* □ **1.** bäurisch, tölpelhaft; **2.** närrisch.

cloy [klɔɪ] *v/t.* **1.** über'sättigen; **2.** anwidern; **cloy·ing** ['klɔɪɪŋ] *adj.* widerlich.

club [klʌb] **I** *s.* **1.** Keule *f*, Knüppel *m*; **2.** *sport* a) Schlagholz *n*, Schläger *m*, b) *a.* ***Indian ~*** (Schwing)Keule *f*; **3.** Klub *m*: a) Verein *m*, Gesellschaft *f*, b) Klub-, Vereinshaus *n*, c) *fig.*, *a. pol.* Klub *m*; **4.** *Spielkarten*: Treff *n*, Kreuz *n*, Eichel *f*; **II** *v/t.* **5.** mit e-r Keule *od.* mit dem Gewehrkolben schlagen; **6.** *Geld* zs.-legen, -schießen; sich teilen in (*acc.*); **III** *v/i.* **7.** *mst* ***~ together*** (Geld) zs.-legen, sich zs.-tun; **club·(b)a·ble** ['klʌbəbl] *adj.* **1.** klub-, gesellschaftsfähig; **2.** → **'club·by** [-bɪ] *adj.* gesellig.

club| car *s.* 🚃 *Am.* Sa'lonwagen *m*; **,~-'foot** *s.* ⚕ Klumpfuß *m*; **,~-'foot·ed** *adj.* klumpfüßig; **'~·house** → ***club*** 3b; **'~·land** *s.* Klubviertel *n* (*bsd. in London*); **'~·man** [-mən] *s.* [*irr.*] **1.** Klubmitglied *n*; **2.** Klubmensch *m*; **~ sandwich** *s. Am.* 'Sandwich *n* (*aus drei Lagen bestehend*); **~ steak** *s.* Clubsteak *n*.

cluck [klʌk] **I** *v/i.* **1.** glucken, locken: ***~ing hen*** Glucke *f*; **II 2.** Glucken *n*; **3.** *Am. sl.* ‚Blödmann' *m*.

clue [klu:] **I 1.** Anhaltspunkt *m*, Fingerzeig *m*, Spur *f*: ***I haven't a ~!*** keine Ahnung!; **2.** *fig.* a) Faden *m*, b) Schlüssel *m* (*e-s Rätsels etc.*); **3.** → ***clew*** 1, 3; **II** *v/t.* **4. ~ *s.o.*** (***in*** *od.* ***up***) *sl.* j-n ins Bild setzen *od.* informieren.

clump [klʌmp] **I** *s.* **1.** Klumpen *m* (*Erde*), (*Holz*)Klotz *m*; **2.** (Baum)Gruppe *f*; **3.** Doppelsohle *f*; **4.** schwerer Tritt; **II** *v/i.* **5.** trampeln; **III** *v/t.* **6.** zs.-ballen; **7.** doppelt besohlen; **8.** F *j-m* e-n Schlag ‚verpassen'.

clum·si·ness [ˈklʌmzɪnɪs] *s.* Plumpheit *f*: a) Ungeschicklichkeit *f*, b) Unbeholfenheit *f*, Schwerfälligkeit *f*, c) Taktlosigkeit *f*, d) Unförmigkeit *f*; **clum·sy** [ˈklʌmzɪ] *adj.* □ plump: a) ungeschickt, unbeholfen, schwerfällig (*a. Stil*), b) taktlos, c) unförmig.

clung [klʌŋ] *pret. u. p.p. von* ***cling***.

clus·ter [ˈklʌstə] **I** *s.* **1.** ♀ Büschel *n*, Traube *f*; **2.** Haufen *m* (*a. ast.*), Menge *f*, Schwarm *m*, Gruppe *f*; *a.* ⚙ Bündel *n*, traubenförmige Anordnung; **3.** ⚔ *Am.* (Ordens)Spange *f*; **II** *v/i.* **4.** in Büscheln *od.* Trauben wachsen; **5.** sich sammeln *od.* häufen *od.* drängen *od.* ranken (***round*** um); in Gruppen stehen.

clutch¹ [klʌtʃ] **I** *v/t.* **1.** fest (er)greifen, packen; drücken; **2.** ⚙ kuppeln; **II** *v/i.* **3.** (gierig) greifen (***at*** nach); **III** *s.* **4.** fester Griff: ***make a ~ at*** (gierig) greifen nach; **5.** *pl.*, *mst. fig.* Klauen *pl.*; Gewalt *f*, Macht *f*, Bande *pl.*: ***in*** (***out of***) ***s.o.'s ~es*** in (aus) j-s Klauen *od.* Gewalt; **6.** ⚙ (Schalt-, Ausrück)Kupplung *f*; Kupplungshebel *m*: ***let in the ~*** einkuppeln; ***disengage the ~*** auskuppeln; **7.** ⚙ Greifer *m*.

clutch² [klʌtʃ] *s.* **1.** Gelege *n*; Brut *f*; **2.** *fig.* F Schwarm *m von Leuten*.

clutch| disk *s.* Kupplungsscheibe *f*; **~ le·ver** *s.*, **~ ped·al** *s.* ˈKupplungspeˌdal *n*, -hebel *m*.

clut·ter [ˈklʌtə] **I** *v/t.* **1.** *a.* ***~ up*** in Unordnung bringen; **2.** ˈvollstopfen, anfüllen, überˈhäufen; umˈherstreuen; **II** *s.* **3.** Wirrwarr *m*.

clys·ter [ˈklɪstə] *s.* ⚕ *obs.* Kliˈstier *n*.

coach [kəʊtʃ] **I** *s.* **1.** Kutsche *f*: ***~ and four*** Vierspänner *m*; **2.** 🚂 *Brit.* (*Personen*)Wagen *m*; **3.** *mot.* a) (Fern-, Reise)Omnibus *m*, b) *Am.* Limouˈsine *f*, c) → ***coachwork***; **4.** Nachhilfe-, Priˈvatlehrer *m*, Einpauker *m*; **5.** *sport* ˈTrainer *m*, Betreuer *m*; **II** *v/t.* **6.** ˈNachhilfeˌunterricht *od.* Anweisungen geben (*dat.*), instruieren, einarbeiten: ***~ s.o. in s.th.*** j-m et. einpauken; **7.** *sport* trainieren; **III** *v/i.* **8.** in e-r Kutsche reisen; **9.** Nachhilfeunterricht erteilen; **~ box** *s.* Kutschbock *m*; **ˈ~-ˌbuild·er** *s.* **1.** Stellmacher *m*; **2.** *mot. Brit.* Karosseˈriebauer *m*; **~ horse** *s.* Kutschpferd *n*; **ˈ~-house** *s.* Wagenschuppen *m*.

coach·ing [ˈkəʊtʃɪŋ] *s.* **1.** Reisen *n* in e-r Kutsche; **2.** ˈNachhilfeˌunterricht *m*; **3.** Unterˈweisung *f*, Anleitung *f*.

ˈcoach·work *s. mot.* Karosseˈrie *f*.

co·ac·tion [kəʊˈækʃn] *s.* **1.** Zs.-wirken *n*; **2.** Zwang *m*.

co·ag·u·late [kəʊˈægjʊleɪt] **I** *v/i.* **1.** gerinnen; **2.** flockig *od.* klumpig werden; **II** *v/t.* **3.** gerinnen lassen; **co·ag·u·la·tion** [kəʊˌægjʊˈleɪʃn] *s.* Gerinnen *n*; Flockenbildung *f*.

coal [kəʊl] **I** *s.* **1.** Kohle *f*; *engS.* Steinkohle *f*; *a* (ein) Stück Kohle; **2.** *pl. Brit.* Kohle *f*, Kohlen *pl.*, Kohlenvorrat *m*: ***lay in ~s*** sich mit Kohlen eindecken; ***carry ~s to Newcastle*** *fig.* Eulen nach Athen tragen; ***call*** (*od.* ***haul***) ***s.o. over the ~s*** j-n ‚fertigmachen'; ***heap ~s of fire on s.o.'s head*** *fig.* feurige Kohlen auf j-s Haupt sammeln; **3.** glimmendes Stück Kohle *od.* Holz; **II** *v/t.* **4.** 🚂, ⚓ bekohlen, mit Kohle versorgen, **III** *v/i.* **5.** 🚂, ⚓ Kohle einnehmen, bunkern; **ˈ~·bed** *s. geol.* Kohlenflöz *n*; **ˈ~·box** *s.* Kohlenkasten *m*; **~ car** *s.* 🚂 *Am.* Kohlenwagen *m*; **ˈ~·dust** *s.* Kohlengrus *m*.

coal·er [ˈkəʊlə] *s.* Kohlenschiff *n*; ˈKohlenzug *m*, -wagˌgon *m*.

co·a·lesce [ˌkəʊəˈles] *v/i.* **1.** verschmelzen, sich verbinden *od.* vereinigen; **2.** *fig.* zs.-passen; **ˌco·aˈles·cence** [-sns] *s.* Verschmelzung *f*, Vereinigung *f*.

ˈcoal|·field *s.* ˈKohlenreˌvier *n*; **~ gas** *s.* Leuchtgas *n*.

coal·ing sta·tion [ˈkəʊlɪŋ] *s.* ⚓ ˈBunker-, ˈKohlenstatiˌon *f*.

co·a·li·tion [ˌkəʊəˈlɪʃn] *s.* Zs.-schluß *m*, Vereinigung *f*; *pol.* Koalitiˈon *f*; **~ part·ner** *s. pol.* Koalitiˈonspartner *m*.

coal| mine *s.* Kohlenbergwerk *n*, Kohlengrube *f*, -zeche *f*; **~ min·er** *s.* Grubenarbeiter *m*, Bergmann *m*; **~ min·ing** *s.* Kohlenbergbau *m*; **~ oil** *s. Am.* Peˈtroleum *n*; **ˈ~·pit** *s.* Kohlengrube *f*; **~ seam** *s. geol.* Kohlenflöz *n*; **~ tar** *s.* Steinkohlenteer *m*; **~ wharf** *s.* ⚓ Bunkerkai *m*.

coarse [kɔːs] *adj.* □ **1.** grob (*Ggs. fein*): ***~ texture*** grobes Gewebe; **2.** grobkörnig: ***~ bread*** Schrotbrot *n*; **3.** *fig.* grob, derb, ungehobelt; unanständig, anstößig; **4.** einfach, gemein: ***~ fare*** grobe *od.* einfache Kost; **ˈ~-grained** *adj.* **1.** grobkörnig, -faserig; grob (*Gewebe*); **2.** → ***coarse*** 3.

coars·en [ˈkɔːsn] **I** *v/t.* grob machen, vergröbern (*a. fig.*); **II** *v/i.* grob werden (*bsd. fig.*); **ˈcoarse·ness** [-nɪs] *s.* **1.** grobe Qualiˈtät; **2.** *fig.* Grob-, Derbheit *f*; Unanständigkeit *f*.

coast [kəʊst] **I** *s.* **1.** Küste *f*, Meeresufer *n*: ***the ~ is clear*** *fig.* die Luft ist rein, die Bahn ist frei; **2.** Küstenlandstrich *m*; **3.** *Am.* a) Rodelbahn *f*, b) (Rodel-) Abfahrt *f*; **II** *v/i.* **4.** ⚓ a) die Küste entlangfahren, b) Küstenschiffahrt treiben; **5.** *Am.* rodeln; **6.** *mit e-m Fahr-*

zeug (berg'ab) rollen; im Freilauf (*Fahrrad*) *od.* im Leerlauf (*Auto*) fahren: *~ on sl.* auf *e-n Trick etc.* ‚reisen'; **7.** *sl.* mühelos vor'ankommen; **'coast·al** [-tl] *adj.* Küsten...

coast·er ['kəʊstə] *s.* **1.** ⚓ Küstenfahrer *m* (*bsd. Schiff*); **2.** *Am.* Rodelschlitten *m*; **3.** *Am.* Achterbahn *f*; **4.** Ta'blett *n*, *bsd.* Serviertischchen *n*; *~* **brake** *s. Am.* Rücktrittbremse *f*.

coast guard *s.* **1.** *Brit.* Küstenwache *f* (*a.* ⚔); Küstenzollwache *f*; **2.** *Am.* (staatlicher) Küstenwach- u. Rettungsdienst; **3.** Angehörige(r) *m* von 1 u. 2.

coast·ing ['kəʊstɪŋ] *s.* **1.** Küstenschifffahrt *f*; **2.** *Am.* Rodeln *n*; **3.** Berg'abfahren *n* (*im Freilauf od. bei abgestelltem Motor*); *~* **trade** *s.* Küstenhandel *m*.

'coast|·line *s.* Küstenlinie *f*, -strich *m*; **'~·wise** *adj. u. adv.* längs der Küste; Küsten...

coat [kəʊt] **I** *s.* **1.** Jac'kett *n*, Jacke *f*: ***wear the king's ~*** *hist.* des Königs Rock tragen (*Soldat sein*); ***~ and skirt*** (Schneider)Kostüm *n*; ***~ of arms*** Wappen *n*; ***~ armo(u)r*** Familienwappen *n*; ***~ of mail*** Panzerhemd *n*; ***cut one's ~ according to one's cloth*** sich nach der Decke strecken; **2.** Mantel *m*: ***turn one's ~*** sein Mäntelchen nach dem Winde hängen; **3.** Fell *n*, Pelz *m* (*Tier*); **4.** Schicht *f*, Lage *f*; Decke *f*, Hülle *f*, (*a. Farb-, Metall- etc.*)'Überzug *m*, Belag *m*, Anstrich *m*; Bewurf *m*: ***a second ~ of paint*** ein zweiter Anstrich; **II** *v/t.* **5.** anstreichen, über'streichen, -'ziehen, beschichten: ***~ with silver*** plattieren; **6.** um'hüllen, -'kleiden, bedecken; auskleiden (***with*** mit); **'coat·ed** [-tɪd] *adj.* **1.** mit e-m (...) Rock *od.* Mantel *od.* Fell (versehen): ***black-~*** schwarzgekleidet; **2.** mit ... über'zogen *od.* gestrichen *od.* bedeckt: ***sugar-~*** mit Zuckerüberzug; **3.** ⚕ belegt (*Zunge*); **coat·ee** ['kəʊti:] *s.* kurzer (Waffen)Rock.

'coat-ˌhang·er *s.* Kleiderbügel *m*.

coat·ing ['kəʊtɪŋ] *s.* **1.** Mantelstoff *m*; **2.** ⚙ Anstrich *m*, 'Überzug *m*, Schicht *f*; Bewurf *m*; **3.** ⚙ Auskleidung *f*, Futter *n*.

coat| stand *s.* Garde'robenständer *m*; **'~-tail** *s.* Rockschoß *m*; **'~-ˌtrail·ing** *adj.* provoka'tiv.

co·au·thor [kəʊ'ɔ:θə] *s.* Mitverfasser *m*, -autor *m*.

coax [kəʊks] **I** *v/t.* **1.** schmeicheln (*dat.*); gut zureden (*dat.*), beschwatzen (***to do*** *od.* ***into doing*** zu tun): ***~ s.th. out of s.o.*** j-m et. abschwatzen; **2.** *et.* mit Gefühl *od.* ‚mit Geduld und Spucke' bringen (***into*** in *acc.*); **II** *v/i.* **3.** schmeicheln.

co·ax·al [ˌkəʊ'æksl], ˌ**co'ax·i·al** [-sɪəl] ⩕, ⚙ koaxi'al, kon'zentrisch.

cob [kɒb] *s.* **1.** *a.* ***~ swan*** *orn.* männlicher Schwan; **2.** *zo.* kleineres Reitpferd; **3.** Klumpen *m*, Stück *n* (*z. B.* Kohle); **4.** Maiskolben *m*; **5.** *Brit.* Strohlehm *m* (*Baumaterial*); **6.** → ***cob-loaf***; **7.** → ***cobnut***.

co·balt [kəʊ'bɔ:lt] *s. min.*, ⚗ Kobalt *m*; *~* **blue** *s.* Kobaltblau *n*; *~* **bomb** *s.* **1.** ⚔ Kobaltbombe *f*; **2.** ⚕ 'Kobaltkaˌnone *f*.

cob·ble[1] ['kɒbl] **I** *s.* **1.** runder Pflasterstein, Kopfstein *m*; **2.** *pl.* → ***cob coal***; **II** *v/t.* **3.** mit Kopfsteinen pflastern.

cob·ble[2] ['kɒbl] *v/t.* *Schuhe* flicken; *fig.* zs.-flicken, zs.-schustern; **'cob·bler** [-lə] *s.* **1.** (Flick)Schuster *m*: ***~'s wax*** Schusterpech *n*; **2.** *fig.* Stümper *m*; **3.** *Am.* Cobbler *m* (*ein Cocktail*).

'cob·ble·stone → ***cobble***[1] 1.

cob coal *s.* Nuß-, Stückkohle *f*.

Cob·den·ism ['kɒbdənɪzəm] *s.* ✝ 'Manchestertum *n*, Freihandelslehre *f*.

co·bel·lig·er·ent [ˌkəʊbɪ'lɪdʒərənt] *s.* mitkriegführender Staat.

'cob|·loaf *s.* rundes Brot; **'~·nut** *s.* ⚘ Haselnuß *f*.

Co·bol ['kəʊbɒl] *s.* COBOL *n* (*Computersprache*).

co·bra ['kəʊbrə] *s. zo.* Brillenschlange *f*, 'Kobra *f*.

cob·web ['kɒbweb] *s.* **1.** Spinn(en)gewebe *n*; Spinnenfaden *m*; **2.** feines, zartes Gewebe; **3.** *fig.* Hirngespinst *n*: ***blow away the ~s*** sich e-n klaren Kopf schaffen; **4.** *fig.* Netz *n*, Schlinge *f*; **5.** *fig.* alter Staub; **'cob·webbed** [-bd], **'cobˌweb·by** [-bɪ] *adj.* voller Spinnweben.

co·ca ['kəʊkə] *s.* 'Koka(blätter *pl.*) *f*.

co·cain(e) [kəʊ'keɪn] *s.* ⚗ Koka'in *n*; **co'cain·ism** [-nɪzəm] *s.* **1.** Koka'invergiftung *f*; **2.** Koka'insucht *f*.

coc·cus ['kɒkəs] *pl.* **-ci** [-kaɪ] *s.* ⚕ 'Kokkus *m*, 'Kokke *f* (*a.* ⚘).

coch·i·neal ['kɒtʃɪni:l] *s.* Kosche'nille (-laus) *f*; Kosche'nille(rot *n*) *f*.

coch·le·a ['kɒklɪə] *s. anat.* Cochlea *f*, Schnecke *f* (*im Ohr*).

cock[1] [kɒk] **I** *s.* **1.** *orn.* Hahn *m*: ***old ~*** F alter Knabe; ***that ~ won't fight*** F a) so geht das nicht, b) das zieht nicht; **2.** Vogelmännchen *n*: ***~ sparrow*** Sperlingsmännchen; **3.** Wetterhahn *m*; **4.** ⚙ (*Absperr*)Hahn *m*; **5.** (*Gewehr- etc.*) Hahn *m*: ***full ~*** Hahn gespannt; ***half ~*** Hahn in Ruh; **6.** Anführer *m*: ***~ of the roost*** (*od.* ***walk***) *oft contp.* der Größte; ***~ of the school*** Anführer *m* unter den Schülern; **7.** Aufrichten *n*: ***~ of the eye*** (bedeutsames) Augenzwinkern; ***give one's hat a saucy ~*** s-n Hut keck aufs Ohr setzen; **8.** V ‚Schwanz' *m* (*Penis*); **9.** F Quatsch *m*; **II** *v/t.* **10.** *Gewehrhahn* spannen; **11.** aufrichten: ***~ one's ears*** die Ohren spitzen; ***~ one's eye at s.o.***

j-n vielsagend *od.* verächtlich ansehen; **~ *one's hat*** den Hut schief *od.* keck aufsetzen; → ***cocked hat***; **12. ~ *up*** *sl.* ‚versauen'.
cock² [kɒk] *s.* kleiner Heuhaufen.
cock·ade [kɒ'keɪd] *s.* Ko'karde *f.*
cock·a·doo·dle·doo [ˌkɒkədu:dl'du:] *s.* a) Kikeri'ki *n* (*Hahnenschrei*), b) *humor.* Kikeri'ki *m* (*Hahn*).
Cock·aigne [kɒ'keɪn] *s.* Schla'raffenland *n.*
ˌcock-and-'bull sto·ry *s.* Ammenmärchen *n*, Lügengeschichte *f.*
cock·a·too [ˌkɒkə'tu:] *s.* 'Kakadu *m.*
cock·a·trice ['kɒkətraɪs] *s.* Basi'lisk *m.*
Cock·ayne → ***Cockaigne***.
'cock|·boat *s.* ⚓ Jolle *f*; **'~ˌchaf·er** *s.* Maikäfer *m*; **'~·crow** *s.* Hahnenschrei *m*; *fig.* Tagesanbruch *m.*
cocked hat [kɒkt] *s.* Zwei-, Dreispitz *m* (*Hut*): ***knock into a ~*** a) zu Brei schlagen, b) (restlos) ‚fertigmachen'.
cock·er¹ ['kɒkə] → ***cocker spaniel***.
cock·er² ['kɒkə] *v/t.* verhätscheln, verwöhnen: **~ *up*** aufpäppeln.
Cock·er³ ['kɒkə] *npr.*: ***according to ~*** nach Adam Riese, genau.
cock·er·el ['kɒkərəl] *s.* Hähnchen *n.*
cock·er span·iel *s.* 'Cockerˌspaniel *m.*
'cock|·eyed *adj. sl.* **1.** schielend; **2.** (krumm u.) schief; **3.** ‚doof'; **4.** ‚blau' (*betrunken*); **'~ˌfight·ing** *s.* Hahnenkampf *m*: ***that beats ~!*** F das ist 'ne Wucht!
cock·i·ness ['kɒkɪnɪs] *s.* F Großspurigkeit *f*, Anmaßung *f.*
cock·le¹ ['kɒkl] **I** *s.* **1.** *zo.* (eßbare) Herzmuschel: ***that warms the ~s of my heart*** das tut mir gut; **2.** → ***cockleshell***; **II** *v/i.* **3.** sich bauschen *od.* kräuseln *od.* werfen; **III** *v/t.* **4.** kräuseln.
cock·le² ['kɒkl] → ***corncockle***.
'cock·le|·boat → ***cockboat***; **'~·shell** *s.* **1.** Muschelschale *f*; **2.** ‚Nußschale' *f*, kleines Boot.
cock·ney ['kɒknɪ] *s. oft* ♀ **1.** Cockney *m*, (waschechter) Londoner; **2.** 'Cockney (-diaˌlekt *m*, -aussprache *f*) *n*; **'cock·ney·dom** [-dəm] *s.* **1.** Cockneybezirk *m*; **2.** *coll.* die Cockneys *pl.*; **'cock·ney·ism** [-ɪɪzəm] *s.* Cockneyausdruck *m.*
'cock|·pit *s.* **1.** Hahnenkampfplatz *m*; **2.** *fig.* Kampfplatz *m*; **3.** ⚓, ✈, *mot.* Cockpit *n*; **'~·roach** *s.* (Küchen)Schabe *f.*
cocks·comb ['kɒkskəʊm] *s.* **1.** *zo.* Hahnenkamm *m*; **2.** ⚘ Hahnenkamm *m*; **3.** → ***coxcomb*** 1.
'cock|-shy Wurfziel *n*; *fig.* Zielscheibe *f*; **'~·spur** *s.* **1.** *zo.* Hahnensporn *m*; **2.** ⚘ Hahnen-, Weißdorn *m*; **ˌ~'sure** *adj.* **1.** todsicher, 'vollkommen über'zeugt; **2.** über'trieben selbstsicher, anmaßend; **'~·tail** *s. allg.* Cocktail *m*: **~ *cabinet*** Hausbar *f*; **~ *dress*** Cocktailkleid *n.*
'cock-up *s. Brit. sl.* 'Durcheinander *n*: ***make a ~ of s.th.*** et. vermasseln.
cock·y ['kɒkɪ] *adj.* F großspurig, anmaßend.
co·co ['kəʊkəʊ] *pl.* **-cos I** *s. mst in Zssgn* ⚘ 'Kokospalme *f*; **II** *adj.* Kokos...; aus 'Kokosfasern.
co·coa ['kəʊkəʊ] *s.* **1.** Ka'kao(pulver *n*) *m*; **2.** Ka'kao *m* (*Getränk*); **~ bean** *s.* Ka'kaobohne *f.*
co·co·nut ['kəʊkənʌt] *s.* **1.** ⚘ 'Kokosnuß *f*: ***that accounts for the milk in the ~*** F daher der Name!; **2.** *sl.* ‚Kürbis' *m* (*Kopf*); **~ but·ter** *s.* 'Kokosbutter *f*; **~ milk** *s.* 'Kokosmilch *f*; **~ palm**, **~ tree** *s.* 'Kokospalme *f.*
co·coon [kə'ku:n] **I** *s. zo.* Ko'kon *m*, Puppe *f der Seidenraupe*; *weitS.* Gespinst *n*; ⚔, ⚙ Schutzhülle *f*; **II** *v/t. u. v/i.* (sich) einspinnen *od.* (*fig.*) einhüllen; *Gerät etc.* ‚einmotten'.
co·cotte [kɒ'kɒt] *s.* Ko'kotte *f.*
cod¹ [kɒd] *s. ichth.* Kabeljau *m*, Dorsch *m*: ***dried ~*** Stockfisch *m*; ***cured ~*** Klippfisch *m.*
cod² [kɒd] *v/t. j-n* foppen.
co·da ['kəʊdə] *s.* ♪ 'Koda *f.*
cod·dle ['kɒdl] *v/t.* verhätscheln, verzärteln, verwöhnen: **~ *up*** aufpäppeln.
code [kəʊd] **I** *s.* **1.** *bsd.* ⚖ 'Kodex *m*, Gesetzbuch *n*; *weitS.* Regeln *pl.*: **~ *of hono(u)r*** Ehrenkodex; **2.** ⚓, ⚔ Si'gnalbuch *n*; **3.** (Tele'graphen)Kode *m*, (-)Schlüssel *m*; **4.** a) Code *m* (*a. Computer*), Schlüssel(schrift *f*) *m*, b) Chiffre *f*: **~ *name*** Deckname *m*; **~ *number*** Code-, Kennzahl *f*; **~ *word*** Codewort *n*; **II** *v/t.* **5.** codieren, chiffrieren, verschlüsseln: ***~d message***; ***coding device*** → ***coder***.
co·de·ine ['kəʊdi:n] *s. pharm.* Kode'in *n.*
cod·er ['kəʊdə] *s.* Codiergerät *n*, Codierer *m*, Verschlüßler *m.*
co·de·ter·mi·na·tion ['kəʊdɪˌtɜ:mɪ'neɪʃn] *s.* ✝ (***parity ~*** pari'tätische) Mitbestimmung.
co·dex ['kəʊdeks] *pl.* **'co·di·ces** [-dɪsi:z] *s.* 'Kodex *m*, alte Handschrift (*Bibel, Klassiker*).
'cod|·fish → ***cod¹***; **'~·fish·er** *s.* Kabeljaufischer *m.*
codg·er ['kɒdʒə] *s.* F alter Kauz.
co·di·ces *pl. von* ***codex***.
cod·i·cil ['kɒdɪsɪl] *s.* ⚖ Kodi'zill *n.*
cod·i·fi·ca·tion [ˌkəʊdɪfɪ'keɪʃn] *s.* Kodifizierung *f*; **cod·i·fy** ['kəʊdɪfaɪ] *v/t.* **1.** *bsd.* ⚖ kodifizieren; **2.** *Nachricht* verschlüsseln.
cod·ling¹ ['kɒdlɪŋ] *s.* junger Dorsch.
cod·ling² ['kɒdlɪŋ] *s. ein* Kochapfel *m*; **~ moth** *s. zo.* Obstmade *f.*
cod-liv·er oil [ˌkɒdlɪvər'ɔɪl] *s.* Lebertran *m.*

C

co·driv·er ['kəʊˌdraɪvə] *s.* Beifahrer *m.*

co·ed [ˌkəʊ'ed] *s. ped.* Stu'dentin *f od.* Schülerin *f* e-r gemischten Schule; **co·ed·u·ca·tion** [ˌkəʊedju:'keɪʃn] *s. ped.* Koedukati'on *f*, Gemeinschaftserziehung *f.*

co·ef·fi·cient [ˌkəʊɪ'fɪʃnt] **I** *s.* **1.** ⩚, *phys.* Koeffizi'ent *m*; **2.** mitwirkende Kraft, 'Faktor *m*; **II** *adj.* **3.** mitwirkend.

coe·li·ac ['si:lɪæk] *adj. anat.* Bauch…

co·erce [kəʊ'ɜ:s] *v/t.* **1.** nötigen, zwingen (*into* zu); **2.** erzwingen; **co'er·ci·ble** [-sɪbl] *adj.* □ zu (er)zwingen(d); **co'er·cion** [-'ɜ:ʃn] *s.* **1.** Zwang *m*; Gewalt *f*; ⚖ Nötigung *f*; **2.** *pol.* Zwangsherrschaft *f*; **co'er·cive** [-sɪv] **I** *adj.* □ zwingend (*a. fig.*), Zwangs…; **II** *s.* Zwangsmittel *n.*

co·es·sen·tial [ˌkəʊɪ'senʃl] *adj.* wesensgleich.

co·e·val [kəʊ'i:vl] *adj.* □ **1.** gleichzeitig; **2.** gleichaltrig; **3.** von gleicher Dauer.

co·ex·ist [ˌkəʊɪg'zɪst] *v/i.* gleichzeitig *od.* nebenein'ander bestehen *od.* leben, koexistieren; ˌ**co·ex'ist·ence** [-təns] *s.* Koexi'stenz *f*; ˌ**co·ex'ist·ent** [-tənt] *adj.* gleichzeitig *od.* nebenein'ander bestehend, koexi'stent.

cof·fee ['kɒfɪ] *s.* **1.** 'Kaffee *m* (*Getränk, Bohnen od. Baum*): ***black* ~** schwarzer Kaffee; ***white* ~** Milchkaffee; **2.** 'Kaffeebraun *n*; **~ bar** *s.* **1.** Ca'fé *n*; **2.** Imbißstube *f*; **~ bean** *s.* 'Kaffeebohne *f*; **~ break** *s.* 'Kaffeepause *f*; **~ grounds** *s. pl.* 'Kaffeesatz *m*; '**~·house** *s.* 'Kaffeehaus *n*; '**~ˌmak·er** *s. Am.* 'Kaffeemaˌschine *f*; **~ mill** *s.* 'Kaffeemühle *f*; '**~·pot** *s.* 'Kaffeekanne *f*; **~ set** *s.* 'Kaffeeserˌvice *n*; **~ shop** *s. Am. für* ***coffee bar***; **~ ta·ble** *s.* Couchtisch *m*; **~ *book*** prächtiger Bildband; **~ urn** *s.* ('Groß)ˌKaffeemaˌschine *f.*

cof·fer ['kɒfə] **I** *s.* **1.** Kasten *m*, Kiste *f*, Truhe *f*, Kas'sette *f* (*für Wertsachen*); **2.** *pl.* a) Schatz *m*, Gelder *pl.*, b) Schatzkammer *f*, Tre'sor *m*; **3.** ⚠ Deckenfeld *n*, Kas'sette *f*; **4.** → ***cofferdam***; **II** *v/t.* **5.** verwahren; '**~·dam** *s.* ⚙ Kastendamm *m*, Senkkasten *m*, Cais'son *m.*

cof·fin ['kɒfɪn] **I** *s.* Sarg *m* (*a.* F *schlechtes Schiff*); **II** *v/t.* einsargen; **~ bone** *s. zo.* Hufbein *n* (*Pferd*); **~ joint** *s.* Hufgelenk *n* (*Pferd*).

cog[1] [kɒg] *s.* **1.** ⚙ (Rad)Zahn *m*; **2.** *fig.* ***he's just a ~ in the machine*** er ist nur ein Rädchen im Getriebe.

cog[2] [kɒg] **I** *v/t.* *Würfel* beschweren: **~ *the dice*** beim Würfeln mogeln; **II** *v/i.* betrügen.

co·gen·cy ['kəʊdʒənsɪ] *s.* Schlüssigkeit *f*, Triftigkeit *f*; '**co·gent** [-nt] *adj.* □ zwingend, triftig.

cogged [kɒgd] *adj.* ⚙ gezahnt, Zahn(rad)…: **~ *railway*** Zahnradbahn *f.*

cog·i·tate ['kɒdʒɪteɪt] **I** *v/i.* **1.** (nach-)denken, (nach)sinnen (***upon*** über *acc.*); **2.** *phls.* denken; **II** *v/t.* **3.** ersinnen; **cog·i·ta·tion** [ˌkɒdʒɪ'teɪʃn] *s.* **1.** (Nach)Denken *n*; **2.** Denkfähigkeit *f*; **3.** Gedanke *m.*

co·gnac ['kɒnjæk] *s.* 'Kognak *m.*

cog·nate ['kɒgneɪt] **I** *adj.* **1.** (*selten*) (bluts)verwandt; **2.** verwandt (*Wörter etc.*); **3.** *ling.* (sinn)verwandt: **~ *object*** Objekt *n* des Inhalts; **II** *s.* **4.** ⚖ Blutsverwandte(r *m*) *f*; **5.** verwandtes Wort.

cog·ni·tion [kɒg'nɪʃn] *s. bsd. phls.* Erkennen *n*, Wahrnehmung *f*; Kenntnis *f*; **cog·ni·tive** ['kɒgnɪtɪv] *adj.* kogni'tiv, erkenntnismäßig.

cog·ni·za·ble ['kɒgnɪzəbl] *adj.* □ **1.** erkennbar; **2.** ⚖ a) der Gerichtsbarkeit unter'worfen, b) gerichtlich verfolgbar, c) zu verhandeln(d); '**cog·ni·zance** [-zəns] *s.* **1.** Kenntnis *f*, Erkenntnis *f*; **2.** ⚖ a) Zuständigkeit *f*, b) (richterliche) Verhandlung, c) (richterliches) Erkenntnis, d) *Brit.* Anerkenntnis *n*: ***take ~ of*** sich zuständig mit *e-m Fall* befassen, *weitS.* zur Kenntnis nehmen; ***beyond my ~*** außerhalb m-r Befugnis; **3.** *her.* Ab-, Kennzeichen *n*; '**cog·ni·zant** [-zənt] *adj.* **1.** unter'richtet (***of*** über *acc. od.* von); **2.** *phls.* erkennend.

cog·no·men [kɒg'nəʊmen] *s.* **1.** Fa'milien-, Zuname *m*; **2.** Bei-, *bsd.* Spitzname *m.*

'**cog·wheel** *s.* ⚙ Zahnrad *n*; **~ drive** *s.* ⚙ Zahnradantrieb *m*; **~ rail·way** *s.* Zahnradbahn *f.*

co·hab·it [kəʊ'hæbɪt] *v/i.* (*bsd.* unverheiratet) zs.-leben; **co·hab·i·ta·tion** [ˌkəʊhæbɪ'teɪʃn] *s.* **1.** Zs.-leben *n*; **2.** Beischlaf *m*, Beiwohnung *f.*

co·heir [ˌkəʊ'eə] *s.* Miterbe *m*; **co·heir·ess** [ˌkəʊ'eərɪs] *s.* Miterbin *f.*

co·here [kəʊ'hɪə] *v/i.* **1.** zs.-hängen (*a. fig.*); **2.** *fig.* in Zs.-hang stehen; **3.** zs.-halten; **4.** zs.-passen, über'einstimmen (***with*** mit); **5.** *Radio*: fritten; **co'her·ence** [-ɪərəns], **co'her·en·cy** [-ɪərənsɪ] *s.* **1.** *phys.* Kohäsi'on *f*; **2.** *fig.* a) Zs.-hang *m*, b) Klarheit *f*, c) Über'einstimmung *f*; **3.** *Radio*: Frittung *f*; **co'her·ent** [-ɪərənt] *adj.* □ **1.** zs.-hängend (*a. fig.*), -haftend; *phys.* kohä'rent; **2.** einheitlich, verständlich, klar; **3.** über'einstimmend, zs.-passend; **co'her·er** [-ɪərə] *s. Radio*: Fritter(empfänger) *m.*

co·he·sion [kəʊ'hi:ʒn] *s.* **1.** Zs.-halt *m*, -hang *m* (*a. fig.*); **2.** Bindekraft *f*; **3.** *phys.* Kohäsi'on *f*; **co'he·sive** [-i:sɪv] *adj.* □ **1.** zs.-haltend *od.* -hängend, *fig. a.* bindend; **2.** Kohäsions…; **co'he·sive·ness** [-i:sɪvnɪs] *s.* **1.** *phys.* Kohäsi'ons-, Bindekraft *f*; **2.** Festigkeit *f.*

co·hort ['kəʊhɔ:t] *s.* **1.** *antiq.* ⚔ Ko'horte *f*; **2.** Schar *f*, Haufen *m.*

coif [kɔɪf] *s.* Kappe *f*, Haube *f.*

coif·feur [kwɑ:'fɜ:] (*Fr.*) *s.* Fri'seur *m*;

coif·fure [kwɑːˈfjʊə; kwafyːr] (*Fr.*) *s.* Friˈsur *f.*

coil¹ [kɔɪl] **I** *v/t.* **1.** *a.* **~ up** auf-, zs.-rollen, winden; **2.** ⚡ wickeln; **II** *v/i.* **3.** *a.* **~ up** sich winden, sich zs.-rollen; **4.** sich schlängeln; **III** *s.* **5.** Rolle *f*, Spiˈrale *f* (*a. Pessar*), Knäuel *m*, *n*; **6.** ⚡ Wicklung *f*; Spule *f*; **7.** Windung *f*; **8.** ⚙ (Rohr)Schlange *f*; **9.** Locke *f*, Wickel *m* (*Haar*).

coil² [kɔɪl] *s. poet.* Tuˈmult *m*, Wirrwarr *m*; Plage *f*: **mortal ~** Drang *m od.* Mühsal *f* des Irdischen.

coil| ig·ni·tion *s.* ⚡ Abreißzündung *f*; **~ spring** *s.* ⚙ Spiˈralfeder *f.*

coin [kɔɪn] **I** *s.* **1.** a) Münze *f*, Geldstück *n*, b) Münzgeld *n*, c) Geld *n*: **the other side of the ~** *fig.* die Kehrseite (der Medaille); **pay s.o. back in his own ~** *fig.* es j-m mit gleicher Münze heimzahlen; **II** *v/t.* **2.** a) *Metall* münzen, b) *Münzen* prägen: **be ~ing money** F Geld wie Heu verdienen; **3.** *fig. Wort* prägen; **ˈcoin·age** [-nɪdʒ] *s.* **1.** Prägen *n*; **2.** *coll.* Münzgeld *n*; **3.** ˈMünzsyˌstem *n*; **4.** *fig.* Prägung *f* (*Wörter*); **ˈcoin-box tel·e·phone** *s.* Münzfernsprecher *m.*

co·in·cide [ˌkəʊɪnˈsaɪd] *v/i.* (**with**) **1.** *örtlich od. zeitlich* zs.-treffen, -fallen (mit); **2.** überˈeinstimmen, sich decken (mit); genau entsprechen (*dat.*); **co·in·ci·dence** [kəʊˈɪnsɪdəns] *s.* **1.** Zs.-treffen *n* (*Raum od. Zeit*); **2.** zufälliges Zs.-treffen: **mere ~** bloßer Zufall; **3.** Überˈeinstimmung *f*; **co·in·ci·dent** [kəʊˈɪnsɪdənt] *adj.* □ (**with** mit); **1.** zs.-fallend, -treffend; **2.** überˈeinstimmend, sich deckend; **co·in·ci·den·tal** [kəʊˌɪnsɪˈdentl] *adj.* **1.** → **coincident** 2; **2.** zufällig; **3.** *bsd.* ⚙ gleichzeitig.

coin·er [ˈkɔɪnə] *s.* **1.** Münzer *m*; **2.** *bsd. Brit.* Falschmünzer *m*; **3.** *fig.* Präger *m*, (Wort)Schöpfer *m.*

coin|-op [ˈkɔɪnɒp] F **1.** ˈWaschsaˌlon *m*; **2.** Münztankstelle *f*; **ˈ~-ˌop·er·at·ed** *adj.* Münz…

coir [ˈkɔɪə], *a.* **~ fi·bre** *s.* ˈKokosfaser *f*; **~ mat** *s.* ˈKokosmatte *f.*

co·i·tal [ˈkəʊɪtl] *adj.* (den) Geschlechtsverkehr betreffend; **co·i·tion** [kəʊˈɪʃn], **ˈco·i·tus** [-təs] *s.* ˈKoitus *m*, Geschlechtsverkehr *m.*

coke¹ [kəʊk] **I** *s.* **1.** Koks *m*; **2.** *sl.* ‚Koks' *m*, Kokaˈin *n*; **II** *v/t.* **3.** verkoken.

coke² [kəʊk] *s.* F a) ♀ ‚Cola' *f*, *n*, (*Coca-Cola*), b) Limoˈnade *f etc.*

co·ker [ˈkəʊkə] *s.* ✝ *Brit.* → **coco**; **ˈ~·nut** *s. sl.* ˈKokosnuß *f.*

col [kɒl] *s.* Gebirgspaß *m*, Joch *n.*

co·la [ˈkəʊlə] *s.* ♀ ˈKolabaum *m.*

col·an·der [ˈkʌləndə] *s.* Sieb *n*, ˈDurchschlag *m.*

co·la nut *s.* ˈKolanuß *f.*

col·chi·cum [ˈkɒltʃɪkəm] *s.* **1.** ♀ Herbstzeitlose *f*; **2.** *pharm.* ˈColchicum *n.*

cold [kəʊld] **I** *adj.* □ **1.** kalt: **as ~ as ice** eiskalt; **~ meat** *od.* **cuts** kalte Platte, Aufschnitt *m*; **I feel** (*od.* **am**) **~** mir ist kalt, mich friert; **2.** kalt, kühl, ruhig, gelassen; trocken: **that leaves me ~** das läßt mich kalt; **~ reason** kalter Verstand; **the ~ facts** die nackten Tatsachen; **~ scent** kalte Fährte (*a. fig.*); → **comfort** 6, **print** 12; **3.** kalt (*Blick, Herz etc.*; *a. Frau*), kühl, frostig, unfreundlich, gefühllos: **a ~ reception** ein kühler Empfang; **give s.o. the ~ shoulder** → **cold-shoulder**; **have** (**get**) **~ feet** F kalte Füße (*Angst*) haben (kriegen); **as ~ as charity** hart wie Stein, lieblos; **4.** kalt (*noch nicht in Schwung*): **~ player**, **~ motor**, **5.** ‚kalt' (*im Suchspiel u. fig.*); **6.** *Am. sl.* a) bewußtlos, b) (tod)sicher; **II** *s.* **7.** Kälte *f*; Frost *m*: **leave s.o. out in the ~** *fig.* a) j-n übergehen *od.* ignorieren *od.* kaltstellen, b) j-n im Stich lassen; **8.** ⚕ Erkältung *f*: **common ~**, **~ in the head** Schnupfen *m*; **~ on the chest** Bronchialkatarrh *m*; **catch** (**a**) **~** sich erkälten.

cold| blood *s. fig.* kaltes Blut, Kaltblütigkeit *f*: **murder s.o. in ~** j-n kaltblütig *od.* kalten Blutes ermorden; **ˌ~-ˈblood·ed** *adj.* □ **1.** *zo.* kaltblütig; **2.** kälteempfindlich; **3.** *fig.* kaltblütig (begangen): **~ murder**, **~ cream** *s.* Cold Cream *f*, *n*; **ˌ~-ˈdrawn** *adj.* ⚙ kaltgezogen; kaltgepreßt; **~ duck** *s.* kalte Ente (*Getränk*); **~ front** *s.* Kaltfront *f*; **ˌ~-ˈham·mer** *v/t.* ⚙ kalthämmern, -schmieden; **ˌ~ˈheart·ed** *adj.* □ kalt-, hartherzig.

cold·ish [ˈkəʊldɪʃ] *adj.* ziemlich kalt.

cold·ness [ˈkəʊldnɪs] *s.* Kälte *f* (*a. fig.*).

ˌcold|-ˈshoul·der *v/t.* *j-m* die kalte Schulter zeigen, *j-n* kühl behandeln *od.* abweisen; **~ steel** *s.* blanke Waffe (*Bajonett etc.*); **~ stor·age** *s.* Kühllagerung *f*; Kühlraum *m*: **put in ~** *fig.* ‚auf Eis legen' (*aufschieben*); **ˌ~-ˈstor·age** *adj.* Kühl(haus)…; **~ store** *s.* Kühlhalle *f*; Kühlanlage *f*; **♀ War** *s. pol.* kalter Krieg; **♀ War·ri·or** *s. pol.* kalter Krieger; **~ wave** *s.* **1.** Kältewelle *f*; **2.** Kaltwelle *f* (*Frisur*); **ˌ~-ˈwork·ing** *s.* ⚙ Kaltverformung *f.*

cole [kəʊl] *s.* ♀ **1.** (*Blätter*)Kohl *m*; **2.** Raps *m.*

co·le·op·ter·a [ˌkɒlɪˈɒptərə] *s. pl. zo.* Käfer *pl.*

ˈcole|-seed *s.* ♀ Rübsamen *m*; **ˈ~·slaw** *s. Am.* ˈKohlsaˌlat *m.*

col·ic [ˈkɒlɪk] *s.* ⚕ ˈKolik *f*; **ˈcol·ick·y** [-ɪkɪ] *adj.* ⚕ ˈkolikartig.

col·i·se·um [ˌkɒlɪˈsɪəm] *s.* **1.** a) Sporthalle *f*, b) ˈStadion *n*; **2.** ♀ Kolosˈseum *n* (*Rom*).

co·li·tis [kɒˈlaɪtɪs] *s.* ⚕ Koˈlitis *f*, ˈDickdarmka,tarrh *m.*

col·lab·o·rate [kəˈlæbəreɪt] *v/i.* **1.** zs.-, mitarbeiten; **2.** behilflich sein; **3.** *pol.* mit dem Feind zs.-arbeiten, kollaborieren; **col·lab·o·ra·tion** [kə,læbəˈreɪʃn] *s.* **1.** Zs.-arbeit *f*: ***in ~ with*** gemeinsam mit; **2.** *pol.* Kollaboratiˈon *f*; **col·lab·o·ra·tion·ist** [kə,læbəˈreɪʃnɪst] *s. pol.* Kollaboraˈteur *m*; **colˈlab·o·ra·tor** [-tə] *s.* **1.** Mitarbeiter *m*; **2.** *pol.* Kollaboraˈteur *m.*

col·lage [kɒˈlɑːʒ] *s. Kunst*: Colˈlage *f.*

col·lapse [kəˈlæps] **I** *v/i.* **1.** zs.-brechen, einfallen, einstürzen; **2.** *fig.* zs.-brechen, scheitern, versagen; **3.** (körperlich *od.* seelisch) zs.-brechen, ‚zs.-klappen'; **II** *s.* **4.** Zs.-fallen *n*, Einsturz *m*; **5.** Zs.-bruch *m*, Versagen *n*; Sturz *m*: ***~ of a bank*** Bankkrach *m*; ***~ of prices*** Preissturz *m*; **6.** ⚕ Kolˈlaps *m*, Zs.-bruch *m*; **colˈlaps·i·ble** [-səbl] *adj.* zs.-klappbar, Klapp…, Falt…: ***~ boat*** Faltboot *n*; ***~ chair*** Klappstuhl *m*; ***~ hood***, ***~ roof*** Klappverdeck *n.*

col·lar [ˈkɒlə] **I** *s.* **1.** Kragen *m*: ***double ~***, ***turn-down ~*** (Steh)Umlegekragen; ***stand-up ~*** Stehkragen; ***wing ~*** Eckenkragen; ***get hot under the ~*** F wütend werden; **2.** Halsband *n* (*Tier*); **3.** Kummet *n* (*Pferd etc.*): ***against the ~*** *fig.* angestrengt; **4.** Kolliˈer *n*, Halskette *f*; Amts-, Ordenskette *f*; **5.** *zo.* Halsstreifen *m*; **6.** ⚙ Ring *m*, Bund *m*, Manˈschette *f*, Muffe *f*; **II** *v/t.* **7.** *sport den Gegner* aufhalten; **8.** *j-n* beim Kragen packen; fassen, festnehmen; **9.** F *et.* ergattern, sich aneignen; **10.** *Fleisch etc.* rollen u. zs.-binden; **ˈ~·bone** *s.* Schlüsselbein *n*; **~ stud** *s.* Kragenknopf *m.*

col·late [kɒˈleɪt] *v/t.* **1.** *Texte* vergleichen, kollationieren; zs.-stellen (u. vergleichen); **2.** *typ. Fahnen* kollationieren, auf richtige Anzahl prüfen.

col·lat·er·al [kɒˈlætərəl] **I** *adj.* □ **1.** seitlich, Seiten…; **2.** begleitend, paralˈlel, zusätzlich, Neben…: ***~ acceptance*** ♆ Avalakzept *n*; ***~ circumstances*** Begleitumstände; ***~ credit*** Lombardkredit *m*; **3.** ˈindirekt; **4.** in der Seitenlinie verwandt; **II** *s.* **5.** *a.* ***~ security*** zusätzliche Sicherheit, Nebenbürgschaft *f*; **6.** Seitenverwandte(r *m*) *f.*

col·la·tion [kɒˈleɪʃn] *s.* **1.** Vergleichung *f von Texten*, Überˈprüfung *f*; **2.** leichte (Zwischen)Mahlzeit: ***cold ~*** kalter Imbiß.

col·league [ˈkɒliːg] *s.* Kolˈlege *m*, Kolˈlegin *f*; Mitarbeiter(in).

col·lect¹ [kəˈlekt] **I** *v/t.* **1.** *Briefmarken, Bilder etc.* sammeln: ***~ed work(s)*** gesammelte Werke; **2.** versammeln; **3.** einsammeln, auflesen; zs.-bringen, ansammeln; auffangen; **4.** *Sachen od. Personen* (ab)holen: ***we ~ and deliver*** ♆ wir holen ab und bringen zurück; **5.** *fig.* ***~ one's thoughts*** s-e Gedanken sammeln *od.* zs.-nehmen; ***~ courage*** Mut fassen; **6.** ***~ o.s.*** sich fassen; **7.** *Geld etc.* einziehen, (ein)kassieren; **8.** *Pferd* versammeln; **II** *v/i.* **9.** sich versammeln; sich ansammeln; **10.** ***~ on delivery*** ♆ *Am.* per Nachnahme; **III** *adj.* **11.** *Am.* Nachnahme…: ***~ call*** *teleph.* R-Gespräch *n*; **IV** *adv.* **12.** *Am.* gegen Nachnahme: ***telegram sent ~*** Nachnahmetelegramm *n*; ***call ~*** *Am.* ein R-Gespräch führen.

col·lect² [ˈkɒlekt] *s. eccl.* Kolˈlekte *f*, *ein* Kirchengebet *n.*

col·lect·ed [kəˈlektɪd] *adj.* □ *fig.* gefaßt; → ***calm*** 5; **colˈlect·ed·ness** [-nɪs] *s. fig.* Sammlung *f*, Gefaßtheit *f.*

col·lect·ing| a·gent [kəˈlektɪŋ] *s.* ♆ Inˈkassovertreter *m*; **~ bar** *s.* ⚡ Sammelschiene *f*; **~ cen·tre** (*Am.* **cen·ter**) *s.* Sammelstelle *f.*

col·lec·tion [kəˈlekʃn] *s.* **1.** Sammeln *n*; **2.** Sammlung *f*; **3.** Kolˈlekte *f*, (Geld-)Sammlung *f*; **4.** *bsd.* ♆ Einziehung *f*, Inˈkasso *n*; (Steuer-, *a.* staˈtistische) Erhebung(en *pl.*) *f*: ***forcible ~*** Zwangsbeitreibung *f*; **5.** ♆ Kollektiˈon *f*, Auswahl *f*; **6.** Abholung *f*, Leerung *f* (*Briefkasten*); **7.** Ansammlung *f*, Anhäufung *f*; **8.** *Brit.* Steuerbezirk *m*; **9.** *pl. Brit. univ.* Prüfung *f* am Ende des Triˈmesters.

col·lec·tive [kəˈlektɪv] **I** *adj.* □ → ***collectively***; **1.** gesammelt, vereint, zs.-gefaßt; gesamt, kollekˈtiv, Sammel…, Gemeinschafts…: ***~ (wage) agreement*** Kollektiv-, Tarifvertrag *m*; ***~ guilt*** *pol.* Kollektivschuld *f*; ***~ interests*** Gesamtinteressen; ***~ name*** Sammelbegriff *m*; ***~ order*** ♆ Sammelbestellung *f*; ***~ ownership*** gemeinsamer Besitz *m*; ***~ security*** kollektive Sicherheit; ***~ subscription*** Sammelabonnement *n*; **II** *s.* **2.** *ling. a.* ***~ noun*** Kollekˈtivum *n*, Sammelwort *n*; **3.** Gemeinschaft *f*, Gruppe *f*; **4.** *pol.* a) Kollekˈtiv *n*, Produktiˈonsgemeinschaft *f*, b) → ***collective farm***; **~ bar·gain·ing** *s.* Taˈrifverhandlungen *pl.* (*zwischen Arbeitgeber[n] u. Gewerkschaften*); **~ con·sign·ment** *s.* ♆ Sammelladung *f*; **~ farm** *s.* Kolˈchose *f.*

col·lec·tive·ly [kəˈlektɪvlɪ] *adv.* insgesamt, gemeinschaftlich, zuˈsammen, kollekˈtiv.

col·lec·tiv·ism [kəˈlektɪvɪzəm] *s.* ♆, *pol.* Kollektiˈvismus *m*; **colˈlec·tiv·ist** [-ɪst] *s.* Anhänger *m* des Kollektiˈvismus; **col·lec·tiv·i·ty** [,kɒlekˈtɪvətɪ] *s.* **1.** *das* Ganze; **2.** Gesamtheit *f* des Volkes; **3.** → ***collectedness***; **col·lec·tiv·i·za·tion** [kə,lektɪvaɪˈzeɪʃn] *s.* Kollektivierung *f.*

col·lec·tor [kəˈlektə] *s.* **1.** Sammler *m*: ***~'s item*** Sammlerstück *n*; ***~'s value*** Liebhaberwert *m*; **2.** ♆ (Ein)Kassierer *m*, Einnehmer *m*: **~ *of taxes*** Steuereinnehmer; **3.** Einsammler *m*, Abnehmer *m* (*Fahrkarten*); **4.** ϟ Stromabnehmer *m*, 'Auffangelekˌtrode *f*; **5.** ϟ 'Sammelappaˌrat *m*.

col·leen ['kɒliːn] *s. Ir.* Mädchen *n*.

col·lege ['kɒlɪdʒ] *s.* **1.** College *n* (*Wohngemeinschaft von Dozenten u. Studenten innerhalb e-r Universität*): **~ *of education*** *Brit.* Pädagogische Hochschule; **2.** höhere Lehranstalt, College *n*; Insti'tut *n*, Akade'mie *f* (*oft für besondere Studienzweige*): ***Naval*** **2** Marineakademie; **3.** (*anmaßender*) *Name mancher Schulen*; **4.** College(gebäude) *n*; **5.** Kol'legium *n*; Vereinigung *f*: **~ *of cardinals*** Kardinalskollegium; ***electoral*** **~** Wahlausschuß *m*; **~ pud·ding** *s.* kleiner 'Plumpudding.

col·leg·er ['kɒlɪdʒə] *s.* **1.** *Brit.* (im College wohnender) Stipendi'at (*in Eton*); **2.** *Am.* → **col·le·gi·an** [kə'liːdʒjən] *s.* Mitglied *n od.* Stu'dent *m* e-s College; höherer Schüler.

col·le·gi·ate [kə'liːdʒɪət] *adj.* □ **1.** College..., Universitäts..., aka'demisch: **~ *dictionary*** Schulwörterbuch *n*; **2.** Kollegial...; **~ church** *s.* **1.** *Brit.* Kollegi'at-, Stiftskirche *f*; **2.** *Am.* Vereinigung *f* mehrerer Kirchen (*unter gemeinsamem Pastorat*); **~ school** *s. Brit.* höhere Schule.

col·lide [kə'laɪd] *v/i.* (***with***) kollidieren (mit): a) zs.-stoßen (mit) (*a. fig.*), stoßen (gegen), b) *fig.* im 'Widerspruch stehen (zu).

col·lie ['kɒlɪ] *s. zo.* Collie *m*, schottischer Schäferhund.

col·lier ['kɒlɪə] *s.* **1.** Kohlenarbeiter *m*, Bergmann *m*; **2.** ⚓ a) Kohlenschiff *n*, b) Ma'trose *m* auf e-m Kohlenschiff; **col·lier·y** ['kɒljərɪ] *s.* Kohlengrube *f*, (Kohlen)Zeche *f*.

col·li·mate ['kɒlɪmeɪt] *v/t. ast.*, *phys.* **1.** *zwei Linien* zs.-fallen lassen; **2.** *Fernrohr* einstellen.

col·li·sion [kə'lɪʒn] *s.* **1.** Zs.-stoß *m*, Kollisi'on *f*: ***be on*** (***a***) **~ *course*** auf Kollisionskurs sein (*a. fig.*); **2.** *fig.* 'Widerspruch *m*, Gegensatz *m*, Kon'flikt *m*.

col·lo·cate ['kɒləʊkeɪt] *v/t.* zs.-stellen, ordnen; **col·lo·ca·tion** [ˌkɒləʊ'keɪʃn] *s.* **1.** Zs.-stellung *f*; **2.** *ling.* Kollokati'on *f*.

col·loc·u·tor ['kɒləkjuːtə] *s.* Gesprächspartner(in).

col·lo·di·on [kə'ləʊdjən] *s.* ⚗ Kol'lodium *n*.

col·loid ['kɒlɔɪd] ⚗ **I** *s.* Kollo'id *n*; **II** *adj.* kolloi'dal, gallertartig.

col·lop ['kɒləp] *s. Scot.* Klops *m*.

col·lo·qui·al [kə'ləʊkwɪəl] *adj.* □ 'umgangssprachlich, famili'är: **~ *English*** Umgangsenglisch *n*; **~ *expression*** → **col'lo·qui·al·ism** [-lɪzəm] *s.* Ausdruck *m* der 'Umgangssprache.

col·lo·quy ['kɒləkwɪ] *s.* (förmliches) Gespräch; Konfe'renz *f*.

col·lo·type ['kɒləʊtaɪp] *s. phot.* **1.** Lichtdruckverfahren *n od.* -platte *f*; **2.** Farbenlichtdruck *m*.

col·lude [kə'luːd] *v/i. obs.* in geheimem Einverständnis stehen; unter 'einer Decke stecken; **col'lu·sion** [-uːʒn] *s.* ⚖ **1.** Kollusi'on *f*, geheimes *od.* betrügerisches Einverständnis; **2.** Verdunkelung *f des Sachverhalts*: ***danger of*** **~** Verdunkelungsgefahr *f*; **3.** abgekartete Sache, Schwindel *m*; **col'lu·sive** [-uːsɪv] *adj.* □ geheim *od.* betrügerisch verabredet.

col·ly·wob·bles ['kɒlɪˌwɒblz] *s. pl.*: ***have the*** **~** F ein flaues Gefühl in der Magengegend haben.

Co·lom·bi·an [kə'lɒmbɪən] **I** *adj.* ko'lumbisch; **II** *s.* Ko'lumbier(in).

co·lon¹ ['kəʊlən] *s.* Dickdarm *m*.

co·lon² ['kəʊlən] *s.* Doppelpunkt *m*.

colo·nel ['kɜːnl] *s.* ⚔ Oberst *m*; **'colo·nel·cy** [-sɪ] *s.* Stelle *f od.* Rang *m* e-s Obersten.

co·lo·ni·al [kə'ləʊnjəl] **I** *adj.* □ **1.** koloni'al, Kolonial...: **2 *Office*** *Brit.* Kolonialministerium *n*; **2 *Secretary*** Kolonialminister *m*; **2.** *Am. hist.* die ersten 13 Staaten der heutigen USA *od.* die Zeit vor 1776 *od.* des 18. Jahrhunderts betreffend; **II** *s.* **3.** Bewohner(in) e-r Kolo'nie; **co'lo·ni·al·ism** [-lɪzəm] *s.* **1.** Kolonia'lismus *m*; **2.** koloni'aler (Wesens)Zug *od.* Ausdruck.

col·o·nist ['kɒlənɪst] *s.* Kolo'nist(in), (An)Siedler(in); **col·o·ni·za·tion** [ˌkɒlənaɪ'zeɪʃn] *s.* Kolonisati'on *f*, Besiedlung *f*; **'col·o·nize** [-naɪz] **I** *v/t.* **1.** kolonisieren, besiedeln; **2.** ansiedeln; **II** *v/i.* **3.** sich ansiedeln; **4.** e-e Kolo'nie bilden; **'col·o·niz·er** [-naɪzə] *s.* Koloni'sator *m*, An-, Besiedler *m*.

col·on·nade [ˌkɒlə'neɪd] *s.* **1.** Kolon'nade *f*, Säulengang *m*; **2.** Al'lee *f*.

col·o·ny ['kɒlənɪ] *s.* **1.** Kolo'nie *f* (*Siedlungsgebiet*): ***the Colonies*** *Am.* die ersten 13 Staaten der heutigen USA; **2.** Gruppe *f* von Ansiedlern: ***the German*** **~ *in Rome*** die deutsche Kolonie in Rom; ***a*** **~ *of artists*** e-e Künstlerkolonie; **3.** *biol.* (*Pflanzen-*, *Bakterien-*, *Zellen*)Kolo'nie *f*.

co·loph·o·ny [kə'lɒfənɪ] *s.* Kolo'phonium *n*, Geigenharz *n*.

col·or *etc. Am.* → ***colour*** *etc.*

Col·o·ra·do bee·tle [ˌkɒlə'rɑːdəʊ] *s. zo.* Kar'toffelkäfer *m*.

col·o·ra·tu·ra [ˌkɒlərə'tʊərə] *s.* ♪ **1.** Kolora'tur *f*; **2.** Kolora'tursängerin *f*; **~ so·pran·o** *s.* ♪ Kolora'tursoˌpran *m* (*Stimme u. Sängerin*).

col·or·if·ic [ˌkɒlə'rɪfɪk] *adj.* farbgebend; **ˌcol·or'im·e·ter** [-'rɪmɪtə] *s. phys.*

Farbmesser *m*, Kolori'meter *n*.

co·los·sal [kə'lɒsl] *adj.* □ **1.** kolos'sal, riesig, Riesen…, ungeheuer (*alle a.* F *fig.*); riesenhaft; **2.** F kolos'sal, e'norm; **col·os·se·um** [ˌkɒlə'sɪəm] → ***coliseum***; **Co'los·sians** [-ɒʃənz] *s. pl. bibl.* (Brief *m* des Paulus an die) Ko'losser *pl.*; **co'los·sus** [-səs] *s.* **1.** Ko'loß *m*: a) Riese *m*, b) *et.* Riesengroßes; **2.** Riesenstandbild *n*.

col·our ['kʌlə] **I** *s.* **1.** Farbe *f*; Färbung *f*; ***what ~ is ...?*** welche Farbe hat …?; **2.** *mst pl. Malerei*: Farbe *f*, Farbstoff *m*: ***lay on the ~s too thickly*** *fig.* zu dick auftragen; ***paint in bright*** (***dark***) ***~s*** *fig.* in rosigen (düsteren) Farben schildern; **3.** (*a.* gesunde) Gesichtsfarbe: ***she has little ~*** sie ist blaß; ***change*** (***lose***) ***~*** die Farbe wechseln (verlieren); → ***off-colo(u)r***; **4.** Hautfarbe *f*: ***~ problem*** Rassenfrage *f*; **5.** Anschein *m*, Anstrich *m*, Vorwand *m*, Deckmantel *m*: ***~ of law*** ⚖ Amtsmißbrauch *m*; ***~ of title*** ⚖ unzureichender Eigentumsanspruch; ***give ~ to*** den Anstrich der Wahrscheinlichkeit geben (*dat.*); ***under ~ of*** unter dem Vorwand *od.* Anschein von; **6.** a) Färbung *f*, Ton *m*, b) Farbe *f*, Lebendigkeit *f*, Kolo'rit *n*: ***lend*** (*od.* ***add***) ***~ to*** beleben, lebendig gestalten, *e-r Sache* Farbe verleihen; ***in one's true ~s*** in s-m wahren Licht; ***local ~*** Lokalkolorit; **7.** ♪ Klangfarbe *f*; **8.** *pl.* Farben *pl.*, Abzeichen *n* (*Klub*, *Schule*, *Partei*, *Jockei*): ***show one's ~s*** a) sein wahres Gesicht zeigen, b) Farbe bekennen; ***to get one's ~s*** sein Mitgliedsabzeichen bekommen; **9.** *pl.* bunte Kleider; **10.** *oft pl.* ⚔ *od. fig.* Fahne *f*, Flagge *f*: ***call to the ~s*** einberufen; ***join the ~s*** Soldat werden; ***with flying ~s*** *fig.* mit fliegenden Fahnen; ***come off with flying ~s*** e-n glänzenden Sieg *od.* Erfolg erzielen; ***nail one's ~s to the mast*** nicht kapitulieren (wollen), standhaft bleiben; ***sail under false ~s*** unter falscher Flagge segeln; ***stick to one's ~s*** e-r Sache treu bleiben; → ***troop*** 6; **11.** *Kartenspiel*: rote u. schwarze Farbe; **II** *v/t.* **12.** färben, kolorieren; anstreichen; **13.** *fig.* färben, e-n Anstrich geben (*dat.*); **14.** a) schönfärben, b) entstellen; **III** *v/i.* **15.** sich (ver)färben; e-e Farbe annehmen; *a.* ***~ up*** erröten.

col·o(u)r·a·ble ['kʌlərəbl] *adj.* □ *fig.* **1.** vor-, angeblich; fingiert: ***~ title*** ⚖ unzureichender Eigentumsanspruch; **2.** glaubhaft, plau'sibel; **'col·o(u)r·ant** [-rənt] *s.* Farbstoff *m*.

col·o(u)r·a·tion [ˌkʌlə'reɪʃn] *s.* Färben *n*; Färbung *f*; Farbgebung *f*.

col·o(u)r| bar *s.* Rassenschranke *f*; **'~-blind** *adj.* farbenblind; **~ chart** *s.* Farbenskala *f*; **'~-code** *v/t.* mit Kennfarben versehen.

col·o(u)red ['kʌləd] *adj.* **1.** farbig, bunt (*beide a. fig.*), koloriert; *in Zssgn* …farbig: ***~ pencil*** Bunt-, Farbstift *m*; ***~ plate*** → ***colo(u)r plate***; **2.** farbig, *Am. bsd.* Neger…: ***a ~ man*** ein Farbiger; **3.** *fig.* gefärbt: a) beschönigt, b) tenden'zi'ös entstellt; **4.** *fig.* angeblich, falsch; **'col·o(u)r·fast** *adj.* farbecht; **'col·o(u)r·ful** [-fʊl] *adj.* **1.** farbenfreudig; **2.** *fig.* farbig, bunt, lebhaft, abwechslungsreich; **'col·o(u)r·ing** [-ərɪŋ] **I** *s.* **1.** Farbe *f*, Farbton *m*; **2.** Farbgebung *f*; **3.** Gesichts- (u. Haar)farbe *f*; **4.** *fig.* Anstrich *m*, Färbung *f*; **II** *adj.* **5.** Farb…: ***~ matter*** Farbstoff *m*; **'col·o(u)r·ist** [-ərɪst] *s.* Farbenkünstler *m*, *engS.* Kolo'rist *m*; **'col·o(u)r·less** [-əlɪs] *adj.* □ farblos (*a. fig.*).

col·o(u)r| line *s.* Rassenschranke *f*; **~ pho·tog·ra·phy** *s.* 'Farbfotograˌfie *f*; **~ plate** *s.* Farben(kunst)druck *m*; **~ print** *s. ein* Farbendruck *m*; **~ prin·ter** *s.* Farbdrucker *m*; **~ print·ing** *s.* Bunt-, Farbendruck *m* (*Verfahren*); **~ scheme** *s.* Farbgebung *f*, Farbenanordnung *f*; **~ screen** *s.* Farbbildschirm *m*; **~ ser·geant** *s.* ⚔ (*etwa*) Oberfeldwebel *m*; **~ set** *s.* Farbfernseher *m*; **~ sup·ple·ment** *s.* Farbbeilage *f* (*Zeitung*); **~ tel·e·vi·sion** *s.* Farbfernsehen *n*; **'~-wash** **I** *s.* farbige Tünche; **II** *v/t.* farbig tünchen.

colt[1] [kəʊlt] **I** *s.* **1.** Füllen *n*, Fohlen *n*; **2.** *fig.* ‚Grünschnabel' *m*, *sport* F *a.* ‚Fohlen' *n*; **3.** ⚓ Tauende *n*; **II** *v/t.* **4.** mit dem Tauende prügeln.

colt[2] [kəʊlt] *s.* Colt *m* (*Revolver*).

col·ter ['kəʊltə] *Am.* → ***coulter***.

'colts·foot *s.* ⚘ Huflattich *m*.

col·um·bine ['kɒləmbaɪn] *s.* **1.** ⚘ Ake'lei *f*; **2.** ♀ *thea.* Kolom'bine *f*.

col·umn ['kɒləm] *s.* **1.** ⚠ Säule *f*, Pfeiler *m*; **2.** (*Rauch-*, *Wasser-*, *Luft- etc.*)Säule *f*; **3.** *typ.* (Zeitungs-, Buch)Spalte *f*; Ru'brik *f*: ***in double ~s*** zweispaltig; **4.** Spalte *f*, Ko'lumne *f* (*regelmäßig erscheinender Meinungsbeitrag*); **5.** ⚔ Ko'lonne *f*; → ***fifth column***; **6.** Ko'lonne *f*, senkrechte Zahlenreihe; **co·lum·nar** [kə'lʌmnə] *adj.* säulenartig, -förmig; Säulen…; **'col·um·nist** [-mnɪst] *s. Zeitung*: Kolum'nist(in).

col·za ['kɒlzə] *s.* ⚘ Raps *m*: ***~ oil*** Rüb-, Rapsöl *n*.

co·ma[1] ['kəʊmə] *pl.* **-mae** [-miː] *s.* **1.** ⚘ Haarbüschel *n* (*an Samen*); **2.** *ast.* Nebelhülle *f e-s Kometen*.

co·ma[2] ['kəʊmə] *s.* ⚕ Koma *n*, tiefe Bewußtlosigkeit: ***be in*** (***fall into***) ***a ~*** im Koma liegen (ins Koma fallen); **'co·ma·tose** [-ətəʊs] *adj.* koma'tös, im Koma (befindlich).

comb [kəʊm] **I** *s.* **1.** Kamm *m*; **2.** ⚙ a) (Wollweber)Kamm *m*, b) (Flachs)Hechel *f*, c) Gewindeschneider *m*, d) ⚡ (Kamm)Stromabnehmer *m*; **3.** *zo.* Hahnenkamm *m*; **4.** Kamm *m* (*Berg*; *Woge*); **5.** → ***honeycomb*** 1; **II** *v/t.* **6.** *Haar* kämmen; **7.** ⚙ a) *Wolle* kämmen, krempeln, b) *Flachs* hecheln; **8.** *Pferd* striegeln; **9.** *fig.* 'durchkämmen, durch'kämmen, absuchen; **10.** *fig. a.* ***~ out*** a) sieben, sichten, b) aussondern, c) ⚔ ausmustern.

com·bat ['kɒmbæt] **I** *v/t.* bekämpfen, kämpfen gegen; **II** *v/i.* kämpfen; **III** *s.* Kampf *m*; Streit *m*; ⚔ *a.* Einsatz *m*: ***single ~*** Zweikampf; **'com·bat·ant** [-bətənt] **I** *s.* **1.** Kämpfer *m*; **2.** ⚔ Frontkämpfer *m*; **II** *adj.* **3.** kämpfend; **4.** ⚔ zur Kampftruppe gehörig; Kampf...

com·bat| car *s.* ⚔ *Am.* Kampfwagen *m*; **~ fa·tigue** *s.* ⚔ *psych.* 'Kriegsneuˌrose *f.*

com·ba·tive ['kɒmbətɪv] *adj.* □ **1.** kampfbereit; **2.** kampflustig, streitsüchtig.

com·bat| plane *s.* ✈ *Am.* Kampfflugzeug *n*; **~ sport** *s.* Kampfsport *m*; **~ train·ing** *s.* Gefechtsausbildung *f*; **~ troops** *s. pl.* Kampftruppen *pl.*; **~ u·nit** *s.* ⚔ *Am.* Kampfverband *m.*

combe [ku:m] → ***coomb***(***e***).

comb·er ['kəʊmə] *s.* **1.** ⚙ a) 'Krempelmaˌschine *f*, b) 'Hechelmaˌschine *f*; **2.** Sturzwelle *f.*

comb hon·ey *s.* Scheibenhonig *m.*

com·bi·na·tion [ˌkɒmbɪ'neɪʃn] *s.* **1.** Verbindung *f*, Vereinigung *f*; Zs.-setzung *f*; Kombinati'on *f* (*a. sport*, ♞ *etc.*); **2.** Zs.-schluß *m*, Bündnis *n*; *b.s.* Kom'plott *n*; **3.** ⚕ *etc.* → ***combine*** 6, 7, 8; **4.** ⚗ Verbindung *f*; **5.** *mot.* Gespann *n*, 'Motorrad *n* mit Beiwagen; **6.** *mst. pl.* Kombinati'on *f*: a) Hemdhose *f*, b) Mon'tur *f*; **7.** ♪ → ***combo***; **~ lock** *s.* ⚙ Kombinati'ons-, Ve'xierschloß *n*; **~ room** *s. Brit. univ.* Gemeinschaftsraum *m.*

com·bine [kəm'baɪn] **I** *v/t.* **1.** verbinden (*a.* ⚗), vereinigen, kombinieren; **2.** in sich vereinigen; **II** *v/i.* **3.** sich verbinden (*a.* ⚗), sich vereinigen; **4.** sich zs.-schließen; **5.** zs.-wirken; **III** *s.* ['kɒmbaɪn] **6.** Verbindung *f*, Vereinigung *f*; **7.** ⚕ Kon'zern *m*, Verband *m*; **8.** po'litische *od.* wirtschaftliche Inter'essengemeinschaft; **9.** *a.* ***~ harvester*** ↗ Mähdrescher *m.*

com·bined [kəm'baɪnd] *adj.* vereinigt, verbunden; vereint, gemeinsam, Gemeinschafts...; kombiniert: ***~ arms*** ⚔ gemischte Verbände; ***~ event*** *sport* Mehrkampf *m.*

comb·ings ['kəʊmɪŋz] *s. pl.* ausgekämmte Haare *pl.*

com·bo ['kɒmbəʊ] *s.* Combo *f*, kleine Jazzband.

'comb-out *s.* Auskämmen *n*; *fig.* Siebung *f*, Sichtung *f.*

com·bus·ti·bil·i·ty [kəmˌbʌstə'bɪlətɪ] *s.* Brennbarkeit *f*, Entzündlichkeit *f*; **com·bus·ti·ble** [kəm'bʌstəbl] **I** *adj.* **1.** brennbar, leichtentzündlich; **2.** *fig.* erregbar; **II** *s.* **3.** Brenn-, Zündstoff *m*; 'Brennmateriˌal *n.*

com·bus·tion [kəm'bʌstʃən] *s.* Verbrennung *f* (*a.* ⚗, *biol.*): ***spontaneous ~*** Selbstentzündung *f*; **~ cham·ber** *s.* ⚙ Verbrennungsraum *m*; **~ en·gine**, **~ mo·tor** *s.* ⚙ Ver'brennungsˌmotor *m.*

come [kʌm] **I** *v/i.* [*irr.*] **1.** kommen: ***be long in coming*** lange auf sich warten lassen; ***he came to see us*** er besuchte uns, er suchte uns auf; ***that ~s on page 4*** das kommt auf Seite 4; ***~ what may!*** komme, was da wolle!; ***a year ago ~ March*** im März vor e-m Jahr; ***as stupid as they ~*** dumm wie Bohnenstroh; ***the message has ~*** die Nachricht ist gekommen *od.* eingetroffen; ***I was coming to that*** darauf wollte ich gerade hinaus; ***~ to that*** was das betrifft; ***~ again!*** F sag's noch mal!; **2.** (dran)kommen, an die Reihe kommen: ***who ~s first?***; **3.** kommen, erscheinen, auftreten: ***~ and go*** a) kommen u. gehen, b) erscheinen u. verschwinden; ***love will ~ in time*** mit der Zeit wird die Liebe sich einstellen; ***~*** (***to pass***) geschehen, sich ereignen, kommen; ***how ~?*** wie kommt das?, wieso (denn)?; **4.** kommen, gelangen (***to*** zu): ***~ to the throne*** den Thron besteigen; ***~ into danger*** in Gefahr geraten; **5.** kommen, abstammen (***of***, ***from*** von): ***he ~s of a good family*** er kommt *od.* stammt aus gutem Hause; ***I ~ from Leeds*** ich stamme aus Leeds; **6.** kommen, 'herrühren (***of*** von): ***that's what ~s of your hurry*** das kommt von deiner Eile; ***nothing came of it*** es wurde nichts daraus; **7.** sich erweisen: ***it ~s expensive*** es kommt teuer; ***the expenses ~ rather high*** die Kosten kommen recht hoch; ***it ~s to this that*** es läuft darauf hinaus, daß; ***it ~s to the same thing*** es läuft auf dasselbe hinaus; → *a.* ***come to*** 4; **8.** *fig.* ankommen (***to s.o.*** j-n): ***it ~s hard*** (***easy***) ***to me*** es fällt mir schwer (leicht); **9.** werden, sich entwickeln, dahin *od.* dazu kommen: ***he has ~ to be a good musician*** er ist ein guter Musiker geworden; ***it has ~ to be the custom*** es ist Sitte geworden; ***~ to know s.o.*** j-n kennenlernen; ***I have ~ to believe that*** ich bin zu der Überzeugung gekommen, daß; ***how did you ~ to do that?*** wie kamen Sie dazu, das zu tun?; ***~ true*** wahr werden, sich erfüllen; ***~ undone*** auf-, ab-, losgehen, sich lösen: **10.** ⚘ (her'aus)kommen, sprießen, keimen; **11.** erhältlich *od.* zu haben sein:

C

these shirts ~ in three sizes; **12.** ***to ~*** (*als adj. gebraucht*) (zu)künftig, kommend: ***the life to ~*** das zukünftige Leben; ***for all time to ~*** für alle Zukunft; ***in the years to ~*** in den kommenden Jahren; **13.** *sport etc.* ‚kommen' (*angreifen, stärker werden*); **14.** *sl.* ‚kommen' (*e-n Orgasmus haben*); **II** *v/t.* **15.** F sich aufspielen als, *j-n od. etwas* spielen, her'auskehren: ***don't try to ~ the great scholar over me!*** versuche nicht, mir gegenüber den großen Gelehrten zu spielen!; **III** *int.* **16.** na (hör mal)!, komm!, bitte!: ***~, ~!*** a) *a.* ***~ now!*** nanu!, nicht so wild!, immer langsam!, b) (*ermutigend*) na komm schon!, auf geht's!; **IV** *s.* **17.** V ‚Saft' *m* (*Sperma*);

Zssgn mit prp.:

come| a·cross *v/i.* zufällig treffen *od.* finden, stoßen auf (*acc.*); **~ aft·er** *v/i.* **1.** *j-m* folgen; **2.** *et.* holen kommen; **3.** suchen, sich bemühen um; **~ at** *v/i.* **1.** erreichen, bekommen; **2.** angreifen, auf *j-n* losgehen; **~ by** *v/i.* zu *et.* kommen, bekommen; **~ for** *v/i.* **1.** abholen kommen; **2.** → ***come at*** 2; **~ in·to** *v/i.* **1.** eintreten in (*acc.*); **2.** *e-m Klub etc.* beitreten; **3.** (*rasch od. unerwartet*) zu *et.* kommen: ***~ a fortune*** ein Vermögen erben; **~ near** *v/i.* **1.** *fig.* nahekommen (*dat.*); **2.** ***~ doing*** (***s.th.***) beinahe (et.) tun; **~ on** → ***come upon***; **~ o·ver** *v/i.* **1.** über'kommen, beschleichen, befallen: ***what has ~ you?*** was ist mit dir los?, was fällt dir ein?; **2.** *sl. j-n* reinlegen; **3.** → ***come*** 15; **~ to** *v/i.* **1.** *j-m* zufallen (*bsd. durch Erbschaft*); **2.** *j-m* zukommen, zustehen: ***he had it coming to him*** F er hatte das längst verdient; **3.** zum *Bewußtsein etc.* kommen; **4.** kommen *od.* gelangen zu: ***what are things coming to?*** wohin sind wir (*od.* ist die Welt) geraten?; ***when it comes to paying*** wenn es ans Bezahlen geht; **5.** sich belaufen auf (*acc.*): ***it comes to £100***; → *a.* ***come*** 7; **~ un·der** *v/i.* **1.** kommen *od.* fallen unter (*acc.*): ***~ a law***; **2.** geraten unter (*acc.*); **~ up·on** *v/i.* **1.** *j-n* befallen, über'kommen, *j-m* zustoßen; **2.** über *j-n* 'herfallen; **3.** (*zufällig*) treffen, stoßen auf (*acc.*); **4.** *j-m* zur Last fallen; **~ with·in** → ***come under***.

Zssgn mit adv.:

come| a·bout *v/i.* **1.** geschehen, pas'sieren; **2.** entstehen; **3.** ⚓ 'umspringen (*Wind*); **~ a·cross** *v/i.* **1.** her'überkommen; **2.** a) verstanden werden, b) ‚ankommen' (*Rede etc.*), c) ‚rüberkommen' (*Filmszene etc.*); **3.** ***~ with*** F ‚rüberkommen' mit, *Geld etc.* her'ausrükken; **~ a·long** *v/i.* **1.** mitkommen, -gehen: ***~!*** F ‚dalli'!, komm schon!; **2.** sich ergeben (*Chance etc.*); **3.** F vorankommen, Fortschritte machen; **~ a·part** *v/i.* ausein'anderfallen, in Stücke gehen; **~ a·way** *v/i.* **1.** ab-, losgehen (*Knopf etc.*); **2.** weggehen (*Person*); **~ back** *v/i.* **1.** zu'rückkommen, *a. fig.* 'wiederkehren: ***~ to s.th.*** auf e-e Sache zurückkommen; **2.** *sl.* ein ‚Comeback' feiern; **3.** wieder einfallen (***to s.o.*** j-m); **4.** (*bsd.* schlagfertig) antworten (***at s.o.*** j-m); **~ by** *v/i.* vor'beikommen, ‚reinschauen'; **~ down** *v/i.* **1.** her'ab-, her'unterkommen; **2.** (ein)stürzen, fallen; **3.** ✈ niedergehen; **4.** *a.* ***~ in the world*** *fig.* her'unterkommen (*Person*); **5.** *ped. univ. Brit.* a) die Universi'tät verlassen, b) in die Ferien gehen; **6.** über'liefert werden; **7.** her'untergehen, sinken (*Preis*), billiger werden (*Dinge*); **8.** nachgeben, kleinlaut werden; **9.** ***~ on*** a) sich stürzen auf (*acc.*), b) 'herfallen über (*acc.*), *j-m* ‚aufs Dach steigen'; **10.** ***~ with*** F her'ausrücken mit: ***~ handsome(ly)*** sich spendabel zeigen; **11.** ***~ with*** erkranken an (*dat.*); **12.** ***~ to*** hin'auslaufen auf (*acc.*); **~ forth** *v/i.* her'vorkommen; **~ for·ward** *v/i.* **1.** her'vortreten; **2.** sich melden (*Zeuge etc.*); **~ home** *v/i.* **1.** nach Hause kommen; **2.** *fig.* Eindruck machen, wirken, ‚einschlagen', ‚ziehen'; **~ in** *v/i.* **1.** her'einkommen: ***~!*** a) herein!, b) (*Funk*) bitte kommen!; **2.** eingehen, -treffen (*Nachricht, Geld etc.*), ⚓, 🚂 *sport* einlaufen: ***~ second*** den zweiten Platz belegen; **3.** aufkommen, in Mode kommen: ***long skirts ~ again***; **4.** an die Macht kommen; **5.** sich *als nützlich etc.* erweisen: ***this will ~ useful***; **6.** Berücksichtigung finden: ***where do I ~?*** wo bleibe ich?; ***that's were you ~*** da bist dann du dran; ***where does the joke ~?*** was ist daran so witzig?; **7.** ***~ for*** a) bekommen, ‚kriegen', b) *Bewunderung etc.* erregen: ***~ for it*** F ‚sein Fett kriegen'; **~ off** *v/i.* **1.** ab-, losgehen, sich lösen; **2.** *fig.* stattfinden, ‚über die Bühne gehen'; **3.** a) abschneiden: ***he came off best***, b) erfolgreich verlaufen, glükken; **4.** ***~ it!*** F hör schon auf damit!; **~ on** *v/i.* **1.** her'ankommen: ***~!*** a) komm (mit)!, b) komm her!, c) na, komm schon!, los!, d) F na, na!; **2.** beginnen, einsetzen: ***it came on to rain*** es begann zu regnen; **3.** an die Reihe kommen; **4.** *thea.* a) auftreten, b) aufgeführt werden; **5.** stattfinden; ⚖ verhandelt werden; **6.** a) wachsen, gedeihen, b) vor'ankommen, Fortschritte machen; **~ out** *v/i.* **1.** her'aus-, her'vorkommen, sich zeigen; **2.** *a.* ***~ on strike*** streiken; **3.** her'auskommen: a) erscheinen (*Bücher*), b) bekanntwerden, ans Licht kommen; **4.** ausgehen (*Haare*), her'ausgehen (*Farbe*); **5.** F werden, sich *gut etc.* entwickeln; *phot. etc. gut etc.* werden (*Bild*); **6.** debü'tieren: a) zum ersten Male auftreten (*Schauspieler*), b) in die Gesellschaft eingeführt werden; **7.** sich outen (*Homosexueller*); **8.** ~ ***with*** F mit *et.* her'ausrücken (*sagen*); **9.** ~ ***against*** sich aussprechen gegen, den Kampf ansagen (*dat.*); ~ **o·ver** *v/i.* **1.** her'überkommen; **2.** 'übergehen (***to*** zu); **3.** verstanden werden; ~ **round** *v/i.* **1.** ‚vor'beikommen' (*Besucher*); **2.** 'wiederkehren (*Fest*, *Zeitabschnitt*); **3.** ~ ***to s.o.'s way of thinking*** sich zu j-s Meinung bekehren; **4.** → ***come to*** 1; ~ **through** *v/i.* **1.** 'durchkommen (*a. allg. fig. Kranker*, *Meldung etc.*); **2.** *fig.* a) es ‚schaffen', b) → ***come across*** 3; ~ **to** *v/i.* **1.** a) wieder zu sich kommen, das Bewußtsein 'wiedererlangen, b) sich erholen; **2.** ⚓ vor Anker gehen; ~ **up** *v/i.* **1.** her'aufkommen; **2.** her'ankommen: ~ ***to s.o.*** an j-n herantreten; ***coming up!*** kommt gleich!; **3.** ⚖ zur Verhandlung kommen; **4.** *a.* ~ ***for discussion*** zur Sprache kommen, angeschnitten werden; **5.** ~ ***for*** zur *Abstimmung*, *Entscheidung* kommen; **6.** aufkommen, Mode werden; **7.** *Brit.* sein Studium aufnehmen; **8.** *Brit.* nach London kommen; **9.** ~ ***to*** a) reichen bis an (*acc.*) *od.* zu, b) erreichen (*acc.*), c) *fig.* her'anreichen an (*acc.*); **10.** ~ ***with*** a) *j-n* einholen, b) *fig.* es *j-m* gleichtun; **11.** ~ ***with*** ‚da'herkommen' mit, *e-e Idee etc.* präsentieren.

come-at-a·ble [ˌkʌm'ætəbl] *adj.* F **1.** zugänglich; **2.** erreichbar.

'come·back *s.* **1.** *sport*, *thea. etc.* Come'back *n*: ***make*** *od.* ***stage a*** ~ ein Comeback feiern; **2.** (schlagfertige) Antwort.

co·me·di·an [kə'mi:djən] *s.* **1.** a) Ko'mödienschauspieler *m*, b) Komiker *m* (*a. contp.*); **2.** Lustspieldichter *m*; **3.** Witzbold *m* (*a. contp.*); **co·me·di·enne** [kəˌmi:dɪ'en] *s.* a) Ko'mödienschauspielerin *f*, b) Komikerin *f*.

com·e·do ['kɒmədəʊ] *pl.* **-dos** *s.* ⚕ Mitesser *m*.

'come·down *s.* **1.** *fig.* Abstieg *m*, Abfall *m* (***from*** gegenüber); **2.** F Enttäuschung *f*.

com·e·dy ['kɒmɪdɪ] *s.* **1.** Ko'mödie *f*: a) Lustspiel *n*: ***light*** ~ Schwank *m*, b) *fig.* komische Sache; **2.** Komik *f*.

ˌcome-'hith·er *adj.*: ~ ***look*** F einladender Blick.

come·li·ness ['kʌmlɪnɪs] *s.* Anmut *f*, Schönheit *f*; **'come·ly** ['kʌmlɪ] *adj.* attrak'tiv, hübsch.

'come-on *s. Am. sl.* **1.** Köder *m* (*bsd. für Käufer*); **2.** Schwindler *m*; **3.** Gimpel *m* (*einfältiger Mensch*).

com·er ['kʌmə] *s.* **1.** Ankömmling *m*: ***first*** ~ wer zuerst kommt, *weitS.* (*der od. die*) erste beste; ***all*** **~*s*** jedermann; **2.** ***he is a*** ~ F er ist der kommende Mann.

co·mes·ti·ble [kə'mestɪbl] **I** *adj.* genießbar; **II** *s. pl.* Nahrungs-, Lebensmittel *pl.*

com·et ['kɒmɪt] *s. ast.* Ko'met *m*.

come·up·pance [ˌkʌm'ʌpəns] *s.* F wohlverdiente Strafe.

com·fit ['kʌmfɪt] *s. obs.* Zuckerwerk *n*, kan'dierte Früchte *pl.*

com·fort ['kʌmfət] **I** *v/t.* **1.** trösten, *j-m* Trost spenden; **2.** beruhigen; **3.** erfreuen; **4.** *j-m* Mut zusprechen; **5.** *obs.* unter'stützen, *j-m* helfen; **II** *s.* **6.** Trost *m*, Erleichterung *f* (***to*** für): ***derive*** *od.* ***take*** ~ ***from s.th.*** aus etwas Trost schöpfen; ***what a*** ~***!*** Gott sei Dank!; welch ein Trost!; ***he was a great*** ~ ***to her*** er war ihr ein großer Trost *od.* Beistand; ***cold*** ~ ein schwacher *od.* schlechter Trost; **7.** Wohltat *f*, Labsal *n*, Erquickung *f* (***to*** für); **8.** Behaglichkeit *f*, Wohlergehen *n*: ***live in*** ~ ein behagliches u. sorgenfreies Leben führen; **9.** *a. pl.* Kom'fort *m*: ***with all modern*** **~*s***; **10.** *a.* ***soldiers'*** **~*s*** *pl.* Liebesgaben *pl.* (für Sol'daten); **11.** *obs.* Hilfe *f*.

com·fort·a·ble ['kʌmfətəbl] *adj.* (*adv.* ***comfortably***) **1.** komfor'tabel, bequem, behaglich, gemütlich: ***make o.s.*** ~ es sich bequem machen; ***are you*** ~***?*** haben Sie es bequem?, sitzen *od.* liegen *etc.* Sie bequem?; ***feel*** ~ sich wohl fühlen; **2.** bequem, sorgenfrei: ***live in*** ~ ***circumstances*** in guten Verhältnissen leben; **3.** gut, reichlich: ***a*** ~ ***income***; **4.** *bsd. sport* beruhigend (*Vorsprung etc.*); **5.** ohne Beschwerden (*Patient*); **'com·fort·er** [-tə] *s.* **1.** Tröster *m*: → ***Job***[2]; **2.** ***the*** ♀ *eccl.* der Heilige Geist; **3.** *bsd. Brit.* Wollschal *m*; **4.** *Am.* Steppdecke *f*; **5.** *bsd. Brit.* Schnuller *m* (*für Babys*); **'com·fort·ing** [-tɪŋ] *adj.* tröstlich; **'com·fort·less** [-lɪs] *adj.* **1.** unbequem; **2.** trostlos; **3.** unerfreulich.

com·frey ['kʌmfrɪ] *s.* ⚘ Schwarzwurz *f*.

com·fy ['kʌmfɪ] F → ***comfortable*** 1.

com·ic ['kɒmɪk] **I** *adj.* □ → ***comically***; **1.** komisch, Lustspiel...: ~ ***actor*** Komiker *m*; ~ ***opera*** komische Oper; ~ ***writer*** Lustspieldichter *m*; **2.** komisch, humo'ristisch: ~ ***paper*** Witzblatt *n*; ~ ***strips*** Comic strips, Comics; **3.** drollig, spaßig; **II** *s.* **4.** Komiker *m*; **5.** Witzblatt *n*; *pl. Zeitung*: Comics *pl.*; **6.** 'Filmkoˌmödie *f*; **'com·i·cal** [-kəl] *adj.* □ **1.** komisch, ulkig; **2.** F komisch, sonderbar; **com·i·cal·i·ty** [ˌkɒmɪ'kælətɪ] *s.* Spaßigkeit *f*; **'com·i·cal·ly** [-kəlɪ] *adv.* komisch(erweise).

com·ing ['kʌmɪŋ] **I** *adj.* kommend, (zu)künftig: ***the*** ~ ***man*** der kommende Mann; ~ ***week*** nächste Woche; **II** *s.* Kommen *n*, Ankunft *f*; Beginn *m*: ~ ***of age*** Mündigwerden *n*; ***the Second*** ♀ (***of Christ***) die Wiederkunft Christi.

com·i·ty ['kɒmɪtɪ] *s.* **1.** Höflichkeit *f*; **2.**

C

~ ***of nations*** gutes Einvernehmen der Nationen.

com·ma ['kɒmə] *s.* Komma *n*; ~ **ba·cil·lus** *s.* [*irr.*] ⚕ 'Kommaba͵zillus *m*.

com·mand [kə'mɑːnd] **I** *v/t.* **1.** *j-m* befehlen, gebieten; **2.** gebieten, fordern, verlangen: ~ ***silence*** Ruhe gebieten; **3.** beherrschen, gebieten über (*acc.*): ***the hill ~s the plain*** der Hügel beherrscht die Ebene; **4.** ⚔ kommandieren: a) *j-m* befehlen, b) *Truppe* befehligen, führen; **5.** *Gefühle*, *die Lage* beherrschen: ~ ***o.s.*** sich beherrschen; **6.** verfügen über (*acc.*) (*Dienste*, *Gelder*); **7.** *Vertrauen*, *Liebe* einflößen: ~ ***respect*** Achtung gebieten; ~ ***admiration*** Bewunderung abnötigen *od.* verdienen; **8.** *Aussicht* gewähren, bieten; **9.** ✝ *Preis* erzielen; *Absatz* finden; **II** *v/i.* **10.** befehlen, herrschen; **11.** ⚔ kommandieren; **III** *s.* **12.** *allg.* Befehl *m*: ***by*** ~ auf Befehl; ~ ***key*** *Computer*: Befehlstaste *f*; ~ ***menu*** Befehlsmenü *n*; **13.** ⚔ Kom'mando *n*: a) Befehl *m*: ***word of*** ~ Kommando(wort) *n*, b) (Ober)Befehl *m*, Befehlsgewalt *f*, Führung *f*: ***be in*** ~ a) (***of***) das Kommando führen (über *acc.*), b) *sport* den Gegner beherrschen; ***take*** ~ das Kommando übernehmen; **14.** ⚔ a) Oberkom'mando *n*, Führungsstab *m*, b) Befehls-, Kom'mandobereich *m*; **15.** *fig.* Gewalt *f*, Herrschaft *f* (***of*** über *acc.*); Beherrschung *f*, Meisterung *f* (*Gefühle*): ***have*** ~ ***of*** *Fremdsprache etc.* beherrschen; ***his*** ~ ***of English*** s-e Englischkenntnisse *pl.*; **16.** Verfügung *f* (***of*** über *acc.*): ***at your*** ~ zu Ihrer Verfügung; ***be*** (***have***) ***at*** ~ zur Verfügung stehen (haben).

com·man·dant [͵kɒmən'dænt] *s.* ⚔ Komman'dant *m*, Befehlshaber *m*.

com·mand car *s.* ⚔ *Am.* Befehlsfahrzeug *n*.

com·man·deer [͵kɒmən'dɪə] *v/t.* **1.** zum Mili'tärdienst zwingen; **2.** ⚔ requirieren, beschlagnahmen; **3.** F ‚organisieren', sich aneignen.

com·mand·er [kə'mɑːndə] *s.* **1.** ⚔ Komman'dant *m* (*e-r Festung*, *e-s Flugzeugs etc.*), Befehlshaber *m*; Komman'deur *m* (*e-r Einheit*), Führer *m*; *Am.* ⚓ Fre'gattenkapi͵tän *m*: ~***-in-chief*** Oberbefehlshaber; **2.** ♀ ***of the Faithful*** *hist.* Beherrscher *m* der Gläubigen (*Sultan*); **3.** *hist.* (*Ordens*)Kom'tur *m*; **com'mand·ing** [-dɪŋ] *adj.* □ **1.** herrschend, gebietend; **2.** *die Gegend* beherrschend: ~ ***point*** strategischer Punkt; **3.** ⚔ kommandierend, befehlshabend; **4.** imponierend, eindrucksvoll; **5.** gebieterisch; **com'mand·ment** [-dmənt] *s.* Gebot *n*, Vorschrift *f*: ***the Ten ♀s*** *bibl.* die Zehn Gebote.

com·mand mod·ule *s. Raumfahrt*: Kom'mandokapsel *f*.

com·man·do [kə'mɑːndəʊ] *pl.* **-dos** *s.* ⚔ **1.** Kom'mando(truppe *f*, -einheit *f*) *n*: ~ ***squad***; ~ ***raid*** Kommandoüberfall *m*; **2.** Angehörige(r) *m* e-s Kom'mandos.

com·mand| pa·per *s. pol. Brit.* (*dem Parlament vorgelegter*) Kabi'nettsbeschluß *m*; ~ **per·form·ance** *s. thea.* Aufführung *f* auf königlichen Befehl *od.* Wunsch; ~ **post** *s.* ⚔ Befehls-, Gefechtsstand *m*.

com·mem·o·rate [kə'meməreɪt] *v/t.* (ehrend) gedenken (*gen.*); erinnern an (*acc.*): ***a monument to*** ~ ***a victory*** ein Denkmal zur Erinnerung an e-n Sieg; **com·mem·o·ra·tion** [kə͵memə'reɪʃn] *s.* **1.** Gedenk-, Gedächtnisfeier *f*: ***in*** ~ ***of*** zum Gedächtnis an (*acc.*); **2.** *Brit. univ.* Stiftergedenkfest *n* (*Oxford*); **com'mem·o·ra·tive** [-rətɪv] *adj.* Gedächtnis…, Erinnerungs…: ~ ***issue*** Gedenkausgabe *f* (*Briefmarken etc.*); ~ ***plaque*** Gedenktafel *f*.

com·mence [kə'mens] *v/t. u. v/i.* **1.** beginnen, anfangen; ⚖ *Klage* anhängig machen; **2.** *Brit. univ.* promovieren (***M.A.*** zum M.A.); **com'mence·ment** [-mənt] *s.* **1.** Anfang *m*, Beginn *m*; **2.** *Am.* (Tag *m* der) Feier *f* der Verleihung aka'demischer Grade; **com'menc·ing** [-sɪŋ] *adj.* Anfangs…: ~ ***salary***.

com·mend [kə'mend] *v/t.* **1.** empfehlen, loben: ~ ***me to …*** F da lobe ich mir …; **2.** empfehlen, anvertrauen (***to*** *dat.*); **3.** ~ ***o.s.*** sich (*als geeignet*) empfehlen; **com'mend·a·ble** [-dəbl] *adj.* □ empfehlens-, lobenswert; **com·men·da·tion** [͵kɒmen'deɪʃn] *s.* **1.** Empfehlung *f*; **2.** Lob *n*; **com'mend·a·to·ry** [-dətərɪ] *adj.* **1.** empfehlend, Empfehlungs…; **2.** lobend.

com·men·sal [kə'mensəl] *s.* **1.** Tischgenosse *m*; **2.** *biol.* Kommen'sale *m*.

com·men·su·ra·ble [kə'menʃərəbl] *adj.* □ **1.** kommensu'rabel, vergleichbar (***with***, ***to*** mit); **2.** angemessen, im richtigen Verhältnis; **com'men·su·rate** [-rət] *adj.* □ **1.** gleich groß, von gleicher Dauer (***with*** wie); **2.** (***with***, ***to***) im Einklang stehend (mit), angemessen *od.* entsprechend (*dat.*).

com·ment ['kɒment] **I** *s.* **1.** Be-, Anmerkung *f*, Stellungnahme *f*, Kommen'tar *m* (***on*** zu): ***no ~!*** kein Kommentar!; **2.** Erläuterung *f*, Kommen'tar *m*, Deutung *f*; Kri'tik *f*; **3.** Gerede *n*; **II** *v/i.* **4.** (***on***) kommentieren (*acc.*), Erläuterungen *od.* Anmerkungen machen (zu); **5.** sich (kritisch) äußern (***on*** über *acc.*); **'com·men·tar·y** [-tərɪ] *s.* Kommen'tar *m* (***on*** zu): ***radio*** ~ Rundfunkkommentar; **'com·men·tate** [-teɪt] *v/i.* → ***comment*** 4; **'com·men·ta·tor** [-teɪtə] *s. allg.*, *a. TV etc.*: Kommen'tator *m*.

com·merce ['kɒmɜːs] *s.* **1.** Handel *m*,

Handelsverkehr *m*; **2.** Verkehr *m*, 'Umgang *m*.

com·mer·cial [kə'mɜːʃl] **I** *adj.* □ **1.** kommerzi'ell (*a. Theaterstück etc.*), kaufmännisch, geschäftlich, gewerblich, Handels…, Geschäfts…; **~ *enterprise*** gewerbliches Unternehmen; **~ *practice*** kaufmännische Praxis; **~ *station*** kommerzieller Sender; **2.** handeltreibend; **3.** für den Handel bestimmt, Handels…; **4.** a) in großen Mengen erzeugt, b) mittlerer *od.* niederer Quali'tät, c) nicht (ganz) rein (*Chemikalien*); **5.** handelsüblich: **~ *quality***; **6.** *Radio, TV*: Werbe…: **~ *television*** a) Werbefernsehen *n*, b) kommerzielles Fernsehen; **II** *s.* **7.** *Radio, TV*: a) von e-m Sponsor finanzierte Sendung, b) Werbespot *m*; **~ al·co·hol** *s.* handelsüblicher Alkohol, Sprit *m*; **~ art** *s.* Werbegraphik *f*; **~ a·vi·a·tion** *s.* Verkehrsluftfahrt *f*; **~ code** *s.* Handelsgesetzbuch *n*; **~ col·lege** *s.* Wirtschafts(ober)schule *f*; **~ cor·re·spond·ence** *s.* 'Handelskorrespon,denz *f*; **~ court** *s.* ⚖ Handelsgericht *n*; **~ ge·og·ra·phy** *s.* 'Wirtschaftsgeogra,phie *f*.

com·mer·cial·ism [kə'mɜːʃəlɪzəm] *s.* **1.** Handels-, Geschäftsgeist *m*; **2.** Handelsgepflogenheit *f*; **3.** kommerzi'elle Ausrichtung; **com·mer·cial·i·za·tion** [kə,mɜːʃəlaɪ'zeɪʃn] *s.* Kommerzialisierung *f*, Vermarktung *f*, kaufmännische Verwertung *od.* Ausnutzung; **com·mer·cial·ize** [kə'mɜːʃəlaɪz] *v/t.* kommerzialisieren, vermarkten, verwerten, ein Geschäft machen aus; in den Handel bringen.

com·mer·cial| let·ter of cred·it *s.* Akkredi'tiv *n*; **~ loan** *s.* 'Warenkre,dit *m*; **~ man** *s.* [*irr.*] Geschäftsmann *m*; **~ pa·per** *s.* 'Inhaberpa,pier *n* (*bsd. Wechsel*); **~ plane** *s.* Verkehrsflugzeug *n*; **~ room** *s. Brit. Hotelzimmer, in dem Handlungsreisende Kunden empfangen können*; **~ school** *s.* Handelsschule *f*; **~ trav·el·(l)er** *s.* Handlungsreisende(r) *m*; **~ trea·ty** *s.* Handelsvertrag *m*; **~ val·ue** *s.* Handels-, Marktwert *m*; **~ ve·hi·cle** *s.* Nutzfahrzeug *n*.

com·mie ['kɒmɪ] *s.* F Kommu'nist(in).

com·mi·na·tion [,kɒmɪ'neɪʃn] *s.* Drohung *f*; *bsd. eccl.* Androhung *f* göttlicher Strafe; *a.* **~ *service*** Bußgottesdienst *m*.

com·mi·nute ['kɒmɪnjuːt] *v/t.* zerkleinern, zerstückeln; zerreiben: **~d *fracture*** ⚕ Splitterbruch *m*; **com·mi·nu·tion** [,kɒmɪ'njuːʃn] *s.* **1.** Zerkleinerung *f*; Zerreibung *f*; **2.** ⚕ Splitterung *f*; **3.** Abnutzung *f*.

com·mis·er·ate [kə'mɪzəreɪt] **I** *v/t.* *j-n* bemitleiden, bedauern; **II** *v/i.* Mitleid haben (***with*** mit); **com·mis·er·a·tion** [kə,mɪzə'reɪʃn] *s.* Mitleid *n*, Erbarmen *n*.

com·mis·sar [,kɒmɪ'sɑː] *s.* Kommis'sar *m* (*bsd. Rußland*): ***People's*** ≈ Volkskommissar; **,com·mis'sar·i·at** [-'seərɪət] *s.* ⚔ a) Intendan'tur *f*, b) Ver'pflegungsorganisati,on *f*; **com·mis·sar·y** ['kɒmɪsərɪ] *s.* **1.** Kommis'sar *m*, Beauftragte(r) *m*; **2.** *eccl.* bischöflicher Kommis'sar; **3.** 'Volkskommis,sar *m*; **4.** *Am.* a) ⚔ Verpflegungsstelle *f*, b) Restau'rant *n im Filmstudio etc.*

com·mis·sion [kə'mɪʃn] **I** *s.* **1.** Auftrag *m*, Vollmacht *f*; **2.** Bestallung *f*; Bestallungsurkunde *f*; **3.** ⚔ Offi'zierspa,tent *n*: ***hold a*** **~** Offizier sein; ***receive one's*** **~** Offizier werden; **4.** (An)Weisung *f*, Aufgabe *f*; **5.** Auftrag *m*, Bestellung *f*; **6.** Amt *n*, Dienst *m*, Tätigkeit *f*, Betrieb *m*: ***put into*** **~** *Schiff* in Dienst stellen (F *a. Maschine etc.*); ***in*** **~** im Dienst, in Betrieb; ***out of*** **~** a) außer Dienst (*bsd. Schiff*), b) außer Betrieb, nicht funktionierend, kaputt; **7.** ✝ a) Kommissi'on *f*: ***have on*** **~** in Kommission *od.* Konsignation haben, b) Provisi'on *f*, Vergütung *f*: **~ *agent*** Kommissionär *m*, Provisionsvertreter *m*; ***goods on*** **~** Kommissionswaren; ***on a*** **~ *basis*** in Kommission, auf Provisionsgrundlage; ***sell on*** **~** gegen Provision verkaufen; **8.** Ausführung *f*, Verübung *f*; → ***sin*** 1; **9.** Kommissi'on *f*, Ausschuß *m*; Vorstand *m* (*Klub*): ***Royal*** ≈ *Brit.* Untersuchungsausschuß; **II** *v/t.* **10.** beauftragen, be'vollmächtigen; **11.** *j-m* e-e Bestellung *od.* e-n Auftrag geben; **12.** in Auftrag geben, bestellen: **~ *a statue***; **~*ed work*** Auftragsarbeit *f*; **13.** ⚔ zum Offi'zier ernennen: **~*ed officer*** (durch Patent bestallter) Offizier; **14.** *Schiff* in Dienst stellen.

com·mis·sion·aire [kə,mɪʃə'neə] *s.* **1.** *Brit.* (livrierter) Porti'er; **2.** ✝ *Am.* Vertreter *m*, Einkäufer *m*.

com·mis·sion·er [kə'mɪʃnə] *s.* **1.** Be'vollmächtigte(r) *m*, Beauftragte(r) *m*: ≈ ***for data protection*** Datenschutzbeauftragte *m*; **2.** (Re'gierungs)Kommis,sar *m*: ***High*** ≈ Hochkommissar; **3.** Leiter *m* des Amtes: **~ *of police*** Polizeichef *m*; ≈ ***for Oaths*** (*etwa*) Notar *m*; **4.** ⚖ beauftragter Richter; **5.** a) Mitglied *n* e-r (Re'gierungs)Kommissi,on, Kommis'sar *m*, b) *pl.* Kommissi'on *f*, Behörde *f*.

com·mis·sure ['kɒmɪ,sjʊə] *s.* **1.** Naht *f*; Band *n* (*bsd. anat.*); **2.** *anat.* Nervenstrang *m*.

com·mit [kə'mɪt] *v/t.* **1.** anvertrauen, über'geben, über'tragen: **~ *to the ground*** beerdigen; **~ *to memory*** auswendig lernen; **~ *to paper*** zu Papier bringen; ⚖ **~ *s.o. to prison*** (***to an institution***) j-n in e-e Strafanstalt (Heil- u. Pflegeanstalt) einweisen; **~ *for***

C

trial dem zuständigen Gericht zur Hauptverhandlung überstellen; **2.** anvertrauen, empfehlen; **3.** *pol.* an e-n Ausschuß über'weisen; **4.** (***to***) *pol. etc.* verpflichten (zu), binden (an *acc.*); festlegen (auf *acc.*) (*alle a.* ***o.s.*** sich): ***be ~ted*** sich festgelegt haben, gebunden sein; ***~ted writer*** engagierter Schriftsteller; **5.** *Verbrechen etc.* begehen, verüben; **6.** (***o.s.*** sich) kompromittieren; **com'mit·ment** [-mənt] *s.* **1.** (***to***) Verpflichtung *f* (zu), Bindung *f* (an *acc.*): ***without ~*** unverbindlich; **2.** ✝ Verbindlichkeit *f*; *Am. engS.* Börsengeschäft *n*; **3.** → ***committal*** 2; **4.** *fig.* Engage'ment *n*; **com'mit·tal** [-tl] *s.* **1.** → ***commitment*** 1; **2.** 'Übergabe *f*, Über'weisung *f* (***to*** an *acc.*): ***~ to prison*** (***an institution***) Einlieferung *f* in e-e Strafanstalt (Einweisung *f* in e-e Heil- und Pflegeanstalt); ***~ order*** Haftbefehl *m*, Einweisungsbeschluß *m*; ***~ service*** Bestattung(sfeier) *f*; **3.** Verübung *f*, Begehung *f* (*von Verbrechen etc.*).

com·mit·tee [kə'mɪtɪ] *s.* Komi'tee *n*, Ausschuß *m*, Kommissi'on *f*: ***be*** (*od.* ***sit***) ***on a ~*** in e-m Ausschuß sein; ***the House goes into*** (*od.* ***resolves itself into a***) ♀ *parl.* das Haus konstituiert sich als Ausschuß; ***~ stage*** *parl.* Stadium *n* der Ausschußberatung (*zwischen 2. u. 3. Lesung e-s Gesetzentwurfes*); ***~man***, ***~woman*** Komiteemitglied *n*.

com·mo·di·ous [kə'məʊdjəs] *adj.* □ geräumig.

com·mod·i·ty [kə'mɒdətɪ] *s.* ✝ Ware *f*, ('Handels-, *bsd.* Ge'brauchs)Ar,tikel *m*; *oft pl.* Waren *pl.*: ***~ value*** Waren-, Sachwert *m*; **~ dol·lar** *s. Am.* Warendollar *m*; **~ ex·change** *s.* Warenbörse *f*; **~ mar·ket** *s.* **1.** Warenmarkt *m*; **2.** Rohstoffmarkt *m*; **~ pa·per** *s.* Doku'mententratte *f*.

com·mo·dore ['kɒmədɔː] *s.* ⚓ **1.** *allg.* Kommo'dore *m*; **2.** Präsi'dent *m* e-s Jachtklubs; **3.** Leitschiff *n* (*Geleitzug*).

com·mon ['kɒmən] **I** *adj.* □ → ***commonly***; **1.** gemeinsam (*a.* ⩕), gemeinschaftlich: ***make ~ cause*** gemeinsame Sache machen; ***~ ground*** gleiche Grundlage, Gemeinsamkeit *f* (der Interessen *etc.*); ***that's ~ ground*** darüber besteht Einigkeit; ***~ pricing*** Preisabsprache *f*; **2.** allgemein, öffentlich: ***~ knowledge*** allgemein bekannt; ***~ rights*** Menschenrechte; ***~ talk*** Stadtgespräch *n*; ***~ usage*** allgemein üblich; **3.** gewöhnlich, üblich, häufig, alltäglich: ***~ coin of the realm*** übliche Landesmünze; ***~ event*** normales Ereignis; ***~ sight*** alltäglicher Anblick; ***a very ~ name*** ein sehr häufiger Name; ***~ as dirt*** häufig, gewöhnlich; **4.** einfach, gewöhnlich: ***~ looking*** von gewöhnlichem Aussehen; ***the ~ people*** das (einfache) Volk; ***~ salt*** Kochsalz *n*; ***~ soldier*** einfacher Soldat; ***~ or garden ...*** F Feld-Wald-u.-Wiesen-...; → ***cold*** 8; **5.** gewöhnlich, gemein: ***~ accent*** ordinäre Aussprache; ***the ~ herd*** die große Masse; ***~ manners*** schlechtes Benehmen; **6.** *ling.* ***~ gender*** doppeltes Geschlecht; ***~ noun*** Gattungsname *m*; **II** *s.* **7.** Gemeindeland *n* (*heute oft mit Parkanlage*): (***right of***) ***~*** Mitbenutzungsrecht *n*; ***~ of pasturage*** Weiderecht *n*; **8.** *fig.* ***in ~*** gemeinsam; ***in ~ with*** (genau) wie; ***have s.th. in ~ with*** et. gemein haben mit; ***out of the ~*** außergewöhnlich, besonders; **9.** → ***commons***.

com·mon·al·ty ['kɒmənltɪ] *s. das* gemeine Volk, Allgemeinheit *f*.

com·mon| car·ri·er → ***carrier*** 2; **~ chord** *s.* ♪ Dreiklang *m*; **~ de·nom·i·na·tor** *s.* ⩕ gemeinsamer Nenner (*a. fig.*).

com·mon·er ['kɒmənə] *s.* **1.** Bürger(licher) *m*; **2.** *Brit.* Stu'dent (*Oxford*), der s-n 'Unterhalt selbst bezahlt; **3.** *Brit.* a) Mitglied *n* des 'Unterhauses, b) Mitglied *n* des Londoner Stadtrats.

com·mon| frac·tion *s.* ⩕ gemeiner Bruch; **~ law** *s.* a) *das gesamte angloamerikanische Rechtssystem* (*Ggs.* ***civil law***), b) *obs. das engl. Gewohnheitsrecht*; **,~-'law** *adj.* gewohnheitsrechtlich: ***~ marriage*** Konsensehe *f*, eheähnliches Zs.-leben; ***~ wife*** Lebensgefährtin *f*.

com·mon·ly ['kɒmənlɪ] *adv.* gewöhnlich, im allgemeinen.

Com·mon Mar·ket *s.* ✝ Gemeinsamer Markt.

com·mon·ness ['kɒmənnɪs] *s.* **1.** All'täglichkeit *f*, Häufigkeit *f*; **2.** Gewöhnlichkeit *f*, ordi'näre Art.

'com·mon|·place I *s.* **1.** Gemeinplatz *m*, Plati'tüde *f*; **2.** *et.* All'tägliches; **II** *adj.* all'täglich, 'uninteres,sant, abgedroschen, platt; ♀ **Prayer** *s. eccl.* **1.** die angli'kanische Litur'gie; **2.** (***Book of***) ***~*** Gebetbuch *n* der angli'kanischen Kirche; **~ room** [rʊm] *s.* **1.** *univ.* Gemeinschaftsraum *m*: a) ***junior ~*** für Studenten, b) ***senior ~*** für Dozenten; **2.** *Schule*: Lehrerzimmer *n*.

com·mons ['kɒmənz] *s. pl.* **1.** *das* gemeine Volk, *die* Bürgerlichen: ***the*** ♀ *parl. Brit.* das Unterhaus; **2.** *bsd. Brit. univ.* Gemeinschaftskost *f*, -essen *n*: ***kept on short ~*** auf schmale Kost gesetzt.

com·mon| school *s.* staatliche Volksschule; **~ sense** *s.* gesunder Menschenverstand; **,~-'sen·si·cal** [-'sensɪkl] *adj.* vernünftig; **~ ser·geant** *s.* Richter *m* u. Rechtsberater *m* des Magi'strats der ***City of London***; **~ stock** *s.* ✝ *Am.*

ˈStammˌaktie(n *pl.*) *f*; ˈ**~·weal** *s.* **1.** Gemeinwohl *n*; **2.** → ˈ**~·wealth** *s.* **1.** Gemeinwesen *n*, Staat *m*; **2.** Repuˈblik *f*: ***the* ♀ *Brit. hist.*** die engl. Republik unter Cromwell; **3.** ***British* ♀ (*of Nations*)** *das* Commonwealth, *die* Britische Nationengemeinschaft; ♀ ***of Australia*** *der* Australische Staatenbund; **4.** *Am. Bezeichnung für einige Staaten der USA.*

com·mo·tion [kəˈməʊʃn] *s.* **1.** Erschütterung *f*, Aufregung *f*; Aufsehen *n*; **2.** Aufruhr *m*, Tuˈmult *m*; → ***civil*** 2; **3.** Wirrwarr *m*.

com·mu·nal [ˈkɒmjʊnl] *adj.* **1.** Gemeinde…, Kommunal…: **~ *tax***; **2.** Gemeinschafts…; Volks…: **~ *aerial*** (*bsd. Am.* ***antenna***) *TV* Gemeinschaftsantenne *f*; **~ *kitchen*** Volksküche *f*; **3.** *Indien*: Volksgruppen betreffend; ˈ**com·mu·nal·ism** [-nəlɪzəm] *s.* Kommunaˈlismus *m* (*Regierungssystem nach Gemeindegruppen*); ˈ**com·mu·nal·ize** [-nəlaɪz] *v/t.* in Gemeindebesitz überˈführen, kommunalisieren.

com·mu·nard [ˈkɒmjʊnəd] *s. sociol.* Kommuˈnarde *m*.

com·mune[1] [kəˈmjuːn] *v/i.* **1.** sich vertraulich besprechen: **~ *with o.s.*** mit sich zu Rate gehen; **2.** *eccl.* kommunizieren, die (heilige) Kommuniˈon *od.* das Abendmahl empfangen.

com·mune[2] [ˈkɒmjuːn] *s.* Komˈmune *f* (*a. sociol.*).

com·mu·ni·ca·ble [kəˈmjuːnɪkəbl] *adj.* □ **1.** mitteilbar; **2.** ⚕ überˈtragbar, ansteckend; **comˈmu·ni·cant** [-ənt] **I** *s.* **1.** *eccl.* Kommuniˈkant(in); **2.** Gewährsmann *m*, Informant(in); **II** *adj.* **3.** mitteilend; **4.** teilhabend; **comˈmu·ni·cate** [-keɪt] **I** *v/t.* **1.** mitteilen (***to*** *dat.*); **2.** (*a.* ⚕) überˈtragen (***to*** auf *acc.*); **II** *v/i.* **3.** sich besprechen, Gedanken *etc.* austauschen, in Verbindung stehen, kommunizieren (***with*** mit), sich mitteilen (***with*** *dat.*); **4.** sich in Verbindung setzen (***with*** mit); **5.** in Verbindung stehen, zs.-hängen (***with*** mit): ***these two rooms* ~** diese beiden Räume haben e-e Verbindungstür; **6.** sich mitteilen (*Erregung etc.*) (***to*** *dat.*); **7.** *eccl.* → ***commune***[1] 2.

com·mu·ni·ca·tion [kəˌmjuːnɪˈkeɪʃn] *s.* **1.** (***to***) *allg.* Mitteilung *f* (an *acc.*): a) Verständigung *f* (*gen. od.* von), b) Überˈmittlung *f e-r Nachricht* (an *acc.*), c) Nachricht *f* (an *acc.*), d) Kommunikatiˈon *f* (*e-r Idee etc.*); **2.** Kommunikatiˈon *f*, Gedankenaustausch *m*, Verständigung *f*; (Brief-, Nachrichten)Verkehr *m*; Verbindung *f*: ***be in* ~ *with s.o.*** mit j-m in Verbindung stehen; **3.** (*a. phys.*) Überˈtragung *f*, Fortpflanzung *f* (***to*** auf *acc.*); **4.** Kommunikatiˈon *f*, Verkehrsweg *m*, Verbindung *f*, ˈDurchgang *m*; **5.** *pl.* a) Fernmelde-, Nachrichtenwesen *n* (*a.* ⚔): **~ *net*** Fernmeldenetz *n*; **~ *officer*** Fernmeldeoffizier *m*, b) Verbindungswege *pl.*, Nachschublinien *pl.*; **6.** *pl.* Kommunikatiˈonswissenschaft *f*; **~ cen·tre** (*Am.* **cen·ter**) *s.* ⚔ ˈFernmeldezenˌtrale *f*; **~ cord** *s.* 🚃 Notleine *f*, -bremse *f*; **~ en·gi·neer·ing** *s.* ˈNachrichtenˌtechnik *f*; **~s gap** *s.* Kommunikatiˈonslücke *f*; **~s sat·el·lite** *s.* ˈNachrichtensatelˌlit *m*; **~ trench** *s.* ⚔ Verbindungs-, Laufgraben *m*.

com·mu·ni·ca·tive [kəˈmjuːnɪkətɪv] *adj.* □ mitteilsam, kommunikaˈtiv; **comˈmu·ni·ca·tor** [-keɪtə] *s.* **1.** Mitteilende(r *m*) *f*; **2.** *tel.* (Zeichen)Geber *m*.

com·mun·ion [kəˈmjuːnjən] *s.* **1.** Gemeinschaft *f*; **2.** enge Verbindung; ˈUmgang *m*: ***hold* ~ *with o.s.*** Einkehr bei sich selbst halten; **3.** Religiˈonsgemeinschaft *f*; **4.** *eccl.* ♀, *a.* ***Holy*** ♀ (heilige) Kommuniˈon, (heiliges) Abendmahl: ♀ ***cup*** Abendmahlskelch *m*; ♀ ***table*** Abendmahlstisch *m*.

com·mu·ni·qué [kəˈmjuːnɪkeɪ] (*Fr.*) *s.* Kommuniˈqué *n*.

com·mu·nism [ˈkɒmjʊnɪzəm] *s.* Kommuˈnismus *m*; ˈ**com·mu·nist** [-nɪst] **I** *s.* Kommuˈnist(in); **II** *adj.* → **com·mu·nis·tic** [ˌkɒmjʊˈnɪstɪk] *adj.* kommuˈnistisch.

com·mu·ni·ty [kəˈmjuːnətɪ] *s.* **1.** Gemeinschaft *f*: **~ *aerial*** (*bsd. Am.* ***antenna***) Gemeinschaftsantenne *f*; **~ *spirit*** Gemeinschaftsgeist *m*; **~ *singing*** Gemeinschaftssingen *n*; **2.** Gemeinde *f*, Körperschaft *f*: ***the mercantile* ~** die Kaufmannschaft; **~ *centre*** (*Am.* ***center***) Gemeindezentrum *n*; **~ *chest*, ~ *fund*** *Am.* Wohlfahrtsfonds *m*; **~ *home*** *Brit.* Erziehungsheim *n*; **3.** Gemeinwesen *n*: ***the* ~** a) die Allgemeinheit, das Volk, b) der Staat; **~ *ownership*** öffentliches Eigentum; **4.** Gemeinschaft *f*, Gemeinsamkeit *f*; Gleichheit *f*: **~ *of goods*** *od.* ***property*** (eheliche) Gütergemeinschaft; **~ *of interest*** Interessengemeinschaft; **~ *of goods acquired during marriage*** Errungenschaftsgemeinschaft; **~ *of heirs*** ⚖ Erbengemeinschaft.

com·mu·nize [ˈkɒmjʊnaɪz] *v/t.* **1.** in Gemeineigentum ˈüberführen, sozialisieren; **2.** kommuˈnistisch machen.

com·mut·a·ble [kəˈmjuːtəbl] *adj.* **1.** austauschbar, ˈumwandelbar; **2.** *durch Geld* ablösbar; **com·mu·tate** [ˈkɒmjʊteɪt] *v/t.* ⚡ *Strom* a) wenden, b) gleichrichten; **com·mu·ta·tion** [ˌkɒmjuːˈteɪʃn] *s.* **1.** ˈUm-, Austausch *m*, ˈUmwandlung *f*; **2.** Ablösung *f*, Abfindung *f*; **3.** ⚖ ˈStrafˌumwandlung *f*, -milderung *f*; **4.** ⚡ ˈUmschaltung *f*, Stromwendung *f*; **5.** 🚃 *etc.* Pendelverkehr *m*: **~ *ticket*** Zeitkarte *f*; **comˈmu·ta·tive** [-ətɪv] *adj.* □ **1.** auswechselbar, Er-

C

satz..., Tausch...; **2.** wechselseitig; **com·mu·ta·tor** [ˈkɒmjʊteɪtə] *s.* ⚡ a) Kommuˈtator *m*, Pol-, Stromwender *m*, b) Kolˈlektor *m*, c) *mot.* Zündverteiler *m*; Gleichrichter *m*; **com·mute** [kəˈmjuːt] **I** *v/t.* **1.** ein-, ˈumtauschen, auswechseln; **2.** *Zahlung* ˈumwandeln (***into*** in *acc.*), ablösen (***for***, ***into*** durch); **3.** ⚖ *Strafe* umwandeln (***to***, ***into*** in *acc.*); **4.** → ***commutate***; **II** *v/i.* **5.** 🚂 *etc.* pendeln; **comˈmut·er** [-tə] *s.* **1.** 🚂 *etc.* Zeitkarteninhaber(in), Pendler *m*: ~ ***belt*** Einzugsbereich *m* (*e-r Stadt*); ~ ***train*** Nahverkehrszug *m*; **2.** → ***commutator***.

com·pact¹ [ˈkɒmpækt] *s.* Pakt *m*, Vertrag *m*.

com·pact² [kəmˈpækt] **I** *adj.* □ **1.** komˈpakt, fest, dicht (zs.-)gedrängt; masˈsiv: ~ ***car*** → 6; ~ ***cassette*** Kompaktkassette *f*; **2.** gedrungen; **3.** knapp, gedrängt (*Stil*); **II** *v/t.* **4.** zs.-drängen, -pressen, fest verbinden; zs.-fügen: ~***ed of*** zs.-gesetzt aus; **III** *s.* [ˈkɒmpækt] **5.** Komˈpaktpuder(dose *f*) *m*; **6.** *Am.* Komˈpaktwagen *m*; **comˈpact·ness** [-nɪs] *s.* **1.** Komˈpaktheit *f*, Festigkeit *f*; **2.** *fig.* Knappheit *f*, Gedrängtheit *f* (*Stil*).

com·pan·ion¹ [kəmˈpænjən] **I** *s.* **1.** Begleiter(in), Gesellschafter(in); *engS.* Gesellschafterin *f e-r Dame*; **2.** Kameˈrad(in), Genosse *m*, Genossin *f*, Gefährte *m*, Gefährtin *f*: ~***-in-arms*** Waffenbruder *m*; ~ ***in misfortune*** Leidensgefährte; ***constant*** ~ ‚ständiger Begleiter' (*e-r Dame*); **3.** Gegen-, Seitenstück *n*, Penˈdant *n*: ~ ***volume*** Begleitband *m*; **4.** Handbuch *n*; **5.** Ritter *m*: ♀ ***of the Bath*** Ritter des Bath-Ordens; **II** *v/t.* **6.** begleiten; **III** *v/i.* **7.** verkehren (***with*** mit); **IV** *adj.* **8.** (dazu) passend, daˈzugehörig.

com·pan·ion² [kəmˈpænjən] *s.* ⚓ **1.** → ***companion hatch***; **2.** Kaˈjütstreppe *f*; **3.** Deckfenster *n*.

com·pan·ion·a·ble [kəmˈpænjənəbl] *adj.* □ ˈumgänglich, gesellig; **comˈpan·ion·a·ble·ness** [-nɪs] *s.* ˈUmgänglichkeit *f*; **comˈpan·ion·ate** [-nɪt] *adj.* kameˈradschaftlich: ~ ***marriage*** Kameradschaftsehe *f*.

com·pan·ion| hatch *s.* ⚓ Kaˈjütsklappe *f*, -luke *f*; ~ **lad·der** → ***companion²*** 2.

com·pan·ion·ship [kəmˈpænjənʃɪp] *s.* **1.** Kameˈradschaft *f*; Gesellschaft *f*; **2.** *typ. Brit.* Koˈlonne *f* von Setzern.

comˈpan·ion·way → ***companion²*** 2.

com·pa·ny [ˈkʌmpənɪ] *s.* **1.** Gesellschaft *f*, Begleitung *f*: ***for*** ~ zur Gesellschaft; ***in*** ~ ***with*** in Gesellschaft von, zusammen mit; ***he is good*** ~ man ist gern mit ihm zusammen; ***I am*** (*od.* ***err***) ***in good*** ~ ich bin in guter Gesellschaft (*wenn ich das tue*); ***keep*** (*od.* ***bear***) ***s.o.*** ~ j-m Gesellschaft leisten; ***part*** ~ a) sich trennen (***with*** von), b) uneinig werden; **2.** Gesellschaft *f*, Besuch *m*, Gäste *pl.*: ***have*** ~ Besuch haben; ***be fond of*** ~ die Geselligkeit lieben; ***see much*** ~ a) viel Besuch haben, b) oft in Gesellschaft gehen; **3.** Gesellschaft *f*, ˈUmgang *m*: ***avoid bad*** ~ schlechte Gesellschaft meiden; ***keep*** ~ ***with*** verkehren mit; **4.** † (Handels)Gesellschaft *f*, Firma *f*: ~ ***assets*** Betriebsvermögen *n*; ~ ***car*** Firmenwagen *m*; ~ ***failure*** Insolvenz *f*; ~ ***law*** Gesellschaftsrecht *n*; ~ ***pension plan*** betriebliche Altersversorgung; ~ ***store*** *Am.* betriebseigenes (Laden)Geschäft; ~ ***union*** *Am.* Betriebsgewerkschaft *f*; ~***'s water*** Leitungswasser *n*; → ***private*** 2, ***public*** 3; **5.** Innung *f*, Zunft *f*, Gilde *f*; **6.** *thea.* Truppe *f*; **7.** ⚔ Kompaˈnie *f*; **8.** ⚓ Mannschaft *f*.

com·pa·ra·ble [ˈkɒmpərəbl] *adj.* □ (***to***, ***with***) vergleichbar (mit): ~ ***period*** Vergleichszeitraum *m*; **com·par·a·tive** [kəmˈpærətɪv] **I** *adj.* □ **1.** vergleichend: ~ ***literature*** vergleichende Literaturwissenschaft; **2.** Vergleichs...; **3.** verhältnismäßig, relaˈtiv; **4.** beträchtlich, ziemlich: ***with*** ~ ***speed***; **5.** *ling.* komparativ, Komparativ...; **II** *s.* **6.** *a.* ~ ***degree*** Komparativ *m*; **com·par·a·tive·ly** [kəmˈpærətɪvlɪ] *adv.* verhältnismäßig, ziemlich.

com·pare [kəmˈpeə] **I** *v/t.* **1.** vergleichen (***with*** mit): ***as*** ~***d with*** im Vergleich zu; → ***note*** 2; **2.** vergleichen, gleichstellen, -setzen: ***not to be*** ~***d to*** (*od.* ***with***) nicht zu vergleichen mit; **3.** *ling.* steigern; **II** *v/i.* **4.** sich vergleichen (lassen), e-n Vergleich aushalten (***with*** mit): ~ ***favo(u)rably with*** den Vergleich mit ... nicht zu scheuen brauchen; besser sein als; **III** *s.* **5.** ***beyond*** ~ unvergleichlich; **comˈpar·i·son** [-ˈpærɪsn] *s.* **1.** Vergleich *m*: ***by*** ~ vergleichsweise; ***in*** ~ ***with*** im Vergleich mit *od.* zu; ***bear*** ~ ***with*** e-n Vergleich aushalten mit; ***beyond*** (***all***) ~ unvergleichlich; **2.** Ähnlichkeit *f*; **3.** *ling.* Steigerung *f*; **4.** Gleichnis *n*.

com·part·ment [kəmˈpɑːtmənt] *s.* **1.** Abˈteilung *f*; Fach *n*, Feld *n*; **2.** 🚂 (Wagen)Abteil *n*; **3.** ⚓ Schott *n*: → ***watertight***; **4.** *parl. Brit.* Punkt *m* der Tagesordnung; **com·part·men·tal·ize** [ˌkɒmpɑːtˈmentəlaɪz] *v/t. bsd. fig.* (auf)teilen.

com·pass [ˈkʌmpəs] **I** *s.* **1.** *phys.* Kompaß *m*: ***mariner's*** ~ ⚓ Schiffskompaß; ***points of the*** ~ *die* Himmelsrichtungen; **2.** *pl. oft* ***pair of*** ~***es*** Zirkel *m*; **3.** ˈUmkreis *m*, ˈUmfang *m*, Ausdehnung *f* (*a. fig.*): ***within the*** ~ ***of*** innerhalb; ***it is beyond my*** ~ es geht über m-n Horizont; **4.** Bereich *m*, Gebiet *n*; **5.** ♪ ˈUmfang *m* (*Stimme etc.*); **6.** Grenzen *pl.*, Schranken *pl.*: ***to keep within*** ~ in

Schranken halten; **II** *v/t.* **7.** erreichen, zu'stande bringen; **8.** planen; *b.s.* anzetteln; **9.** → ***encompass***; ~ **bear·ing** *s.* ⚓ Kompaßpeilung *f*; ~ **box** *s.* ⚓ Kompaßgehäuse *n*; ~ **card** *s.* ⚓ Kompaßscheibe *f*, Windrose *f*.

com·pas·sion [kəm'pæʃn] *s.* Mitleid *n*, Erbarmen *n* (***for*** mit): ***to have*** (*od.* ***take***) ~ (***on***) Mitleid haben (mit), sich erbarmen (*gen.*); **com'pas·sion·ate** [-ʃənət] *adj.* □ mitleidsvoll: ~ ***allowance*** (gesetzlich nicht verankerte Beihilfe als) Härteausgleich *m*; ~ ***leave*** ⚔ Sonderurlaub *m* aus familiären Gründen.

com·pass| nee·dle *s.* Kompaßnadel *f*; ~ **plane** *s.* ⚙ Rundhobel *m*; ~ **rose** *s.* ⚓ Windrose *f*; ~ **saw** *s.* Stichsäge *f*; ~ **win·dow** *s.* ⚠ Rundbogenfenster *n*.

com·pat·i·bil·i·ty [kəm,pætə'bɪlətɪ] *s.* **1.** Vereinbarkeit *f*; **2.** Verträglichkeit *f*; **3.** *Nachrichtentechnik*: Kompatibili'tät *f*; **com·pat·i·ble** [kəm'pætəbl] *adj.* □ **1.** (mitein'ander) vereinbar, im Einklang (***with*** mit); **2.** angemessen (***with*** *dat.*); **3.** ⚕ verträglich; **4.** *Nachrichtentechnik*: kompa'tibel.

com·pa·tri·ot [kəm'pætrɪət] *s.* Landsmann *m*, -männin *f*.

com·peer [kɒm'pɪə] *s.* **1.** Standesgenosse *m*; Gleichgestellte(r *m*) *f*: ***have no*** ~ nicht seinesgleichen haben; **2.** Kame'rad(in).

com·pel [kəm'pel] *v/t.* **1.** zwingen, nötigen; **2.** *et.* erzwingen; *a. Bewunderung etc.* abnötigen (***from s.o.*** j-m); **3.** ~ ***s.o. to s.th.*** j-m et. aufzwingen; **com'pel·ling** [-lɪŋ] *adj.* **1.** zwingend, stark; **2.** 'unwider,stehlich; verlockend.

com·pen·di·ous [kəm'pendɪəs] *adj.* □ kurz(gefaßt), gedrängt; **com'pen·di·um** [-əm] *pl.* **-ums**, **-a** [-ə] *s.* **1.** Kom'pendium *n*, Handbuch *n*; **2.** Zs.-fassung *f*, Abriß *m*.

com·pen·sate ['kɒmpenseɪt] **I** *v/t.* **1.** *j-n* entschädigen (***for*** für, ***by*** durch), *Am. a.* bezahlen, entlohnen; **2.** *et.* ersetzen, vergüten (***to s.o.*** j-m); **3.** aufwiegen, ausgleichen (*a.* ⚙), *bsd. psych. u.* ⚙ kompensieren; **II** *v/i.* **4.** (***for***) ersetzen (*acc.*); Ersatz leisten (für); wettmachen (*acc.*); **5.** ~ ***for*** → 3; **6.** sich ausgleichen *od.* aufheben; **com·pen·sa·tion** [,kɒmpen'seɪʃn] *s.* **1.** Entschädigung *f*, (Schaden)Ersatz *m*; **2.** *Am.* Vergütung *f*, Entgelt *n*; **3.** Belohnung *f*; **4.** *pl.* Vorteile *pl.*; **5.** ⚖ Abfindung *f*; Aufrechnung *f*; **6.** ⚗, ⚡, ⚙, *psych.* Kompensati'on *f*; **com·pen·sa·tive** [kəm'pensətɪv] *adj.* **1.** entschädigend, Entschädigungs...; vergütend; **2.** Ersatz...; **3.** kompensierend, ausgleichend; '**com·pen·sa·tor** [-tə] *s.* ⚙ Kompen'sator *m*, Ausgleichsvorrichtung *f*; **com·pen·sa·to·ry** [kəm'pensətərɪ] → ***compensative***.

com·père ['kɒmpeə] (*Fr.*) *bsd. Brit.* **I** *s.* Conférenci'er *m*, Ansager(in); **II** *v/t. u. v/i.* konferieren, ansagen (bei).

com·pete [kəm'pi:t] *v/i.* **1.** in Wettbewerb treten, sich (mit)bewerben (***for*** um); **2.** konkurrieren (*a.* ✝), wetteifern, sich messen (***with*** mit); sich behaupten; **3.** *sport* am Wettkampf teilnehmen; kämpfen (***for*** um).

com·pe·tence ['kɒmpɪtəns], '**com·pe·ten·cy** [-sɪ] *s.* **1.** (***for***) Befähigung *f* (zu), Tauglichkeit *f* (für); **2.** ⚖ a) Kompe'tenz *f*, Zuständigkeit *f*, Befugnis *f*, b) Zurechnungsfähigkeit *f*; **3.** Auskommen *n*; '**com·pe·tent** [-nt] *adj.* □ **1.** (leistungs)fähig, tüchtig; fachkundig, qualifiziert; **2.** ausreichend, angemessen; **3.** ⚖ a) zuständig, befugt, b) zulässig (*Zeuge*), c) zurechnungs-, geschäftsfähig; **4.** statthaft.

com·pe·ti·tion [,kɒmpɪ'tɪʃn] *s.* **1.** Wettbewerb *m*, -kampf *m* (***for*** um), *sport a.* Ver'anstaltung *f*, Konkur'renz *f*; **2.** ✝ Konkur'renz *f*: a) Wettbewerb *m*: ***open*** (***unfair***) ~ freier (unlauterer) Wettbewerb; ***destructive*** ~ ruinöser Wettbewerb, b) Konkur'renzkampf *m*, c) Konkur'renzfirmen *pl.*; **3.** Preisausschreiben *n*; **4.** Gegner *pl.*, Ri'valen *pl.*, Konkur'renz *f*; **com·pet·i·tive** [kəm'petətɪv] *adj.* □ **1.** konkurrierend, Konkurrenz..., Wettbewerbs...: ~ ***capacity*** ✝ Konkurrenzfähigkeit *f*; ~ ***edge*** Wettbewerbsvorteil *m*; ~ ***pressure*** Wettbewerbsdruck *m*; ~ ***sport***(***s***) Kampfsport *m*; **2.** konkur'renz-, wettbewerbsfähig (*Preise etc.*); **com·pet·itive·ness** [kəm'petətɪvnɪs] *s.* ✝ Konkur'renz-, Wettbewerbsfähigkeit *f*; **com·pet·i·tor** [kəm'petɪtə] *s.* **1.** Mitbewerber(in) (***for*** um); **2.** ✝ Konkur'rent(in); **3.** *sport* Teilnehmer(in), Ri'vale *m*, Ri'valin *f*.

com·pi·la·tion [,kɒmpɪ'leɪʃn] *s.* Kompilati'on *f*: a) Zs.-stellung *f*, b) Sammelwerk *n* (*Buch*); **com·pile** [kəm'paɪl] *v/t.* **1.** zs.-stellen, kompilieren; **2.** *Material* zs.-tragen; **com·pil·er** [kəm'paɪlə] *s.* **1.** Bearbeiter(in), Verfasser(in); **2.** *Computer*: Com'piler *m*.

com·pla·cence [kəm'pleɪsns], **com'pla·cen·cy** [-sɪ] *s.* 'Selbstzu,friedenheit *f*, -gefälligkeit *f*; **com'pla·cent** [-nt] *adj.* □ 'selbstzu,frieden, -gefällig.

com·plain [kəm'pleɪn] *v/i.* **1.** sich beklagen, sich beschweren (***of***, ***about*** über *acc.*, ***to*** bei, ***that*** daß); **2.** klagen (***of*** über *acc.*); **3.** ✝ reklamieren: ~ ***about*** *a. et.* beanstanden; **4.** ⚖ a) klagen, b) (Straf)Anzeige erstatten (***of*** gegen); **com'plain·ant** [-nənt] *s.* ⚖ Kläger(in); Beschwerdeführer *m*; **com'plaint** [-nt] *s.* **1.** Klage *f*, Beschwerde *f*, Beanstandung *f*: ***make a*** ~ ***about*** Klage führen über (*acc.*); **2.** ⚖ Klage *f*, *a.*

Strafanzeige *f*; **3.** ✝ Reklamati'on *f*, Beanstandung *f*; **4.** ⚕ Beschwerde *f*, Leiden *n*.

com·plai·sance [kəm'pleɪzəns] *s.* Gefälligkeit *f*, Willfährigkeit *f*, Höflichkeit *f*; **com'plai·sant** [-nt] *adj.* □ gefällig, entgegenkommend.

com·ple·ment I *v/t.* ['kɒmplɪment] **1.** ergänzen, ver'vollständigen: **~ *each other*** sich (gegenseitig) ergänzen; **II** *s.* [-mənt] **2.** Ergänzung *f*, Ver'vollständigung *f*; **3.** 'Vollständigkeit *f*, -zähligkeit *f*; **4.** *a.* ***full* ~** volle Anzahl *od.* Menge; ⚓ volle Besatzung; **5.** *ling.* Ergänzung *f*; **6.** ⩘ Komple'ment *n*; **com·ple·men·tal** [ˌkɒmplɪ'mentl] *adj.* □, **com·ple·men·ta·ry** [ˌkɒmplɪ'mentərɪ] *adj.* Ergänzungs…, Komplementär… (*a.* ⩘, *Farben*); (sich) ergänzend.

com·plete [kəm'pliːt] **I** *adj.* □ **1.** 'vollständig, voll'kommen, völlig, ganz, kom'plett: **~ *with …*** samt (*dat.*), … eingeschlossen; **2.** 'vollzählig, sämtlich; **3.** beendet, fertig; **4.** völlig: ***a* ~ *surprise***; **5.** *obs.* per'fekt; **II** *v/t.* **6.** ver'vollständigen, ergänzen; **7.** beenden, abschließen, fertigstellen, erledigen; **8.** voll'enden, ver'vollkommnen; *Formular* ausfüllen; **com'plete·ly** [-lɪ] *adv.*: **~ *automatic*** vollautomatisch; **com'plete·ness** [-nɪs] *s.* 'Vollständigkeit *f*, Voll'kommenheit *f*; **com'ple·tion** [-iːʃn] *s.* **1.** Voll'endung *f*, Fertigstellung *f*, Abschluß *m*, Ablauf *m*: **(*up*)*on* ~ *of*** nach Vollendung *od.* Ablauf von *od. gen.*; ***bring to* ~** zum Abschluß bringen, fertigstellen; **~ *date*** Fertigstellungstermin *m*; **2.** Ver'vollständigung *f*; **3.** (Vertrags- *etc.*)Erfüllung *f*; **4.** Ausfüllung *f* (*e-s Formulars*).

com·plex ['kɒmpleks] **I** *adj.* □ **1.** zs.-gesetzt (*a. ling.*); **2.** kompliziert, verwickelt; **II** *s.* **3.** Kom'plex *m* (*a. psych.*), Gesamtheit *f*, *das* Ganze; **4.** (Ge'bäude- *etc.*)Komˌplex *m*; **5.** ⚗ Kom'plexverbindung *f*; **com·plex·ion** [kəm'plekʃn] *s.* **1.** Gesichtsfarbe *f*, Teint *m*; **2.** *fig.* Aussehen *n*, Anstrich *m*, Cha'rakter *m*: ***that puts a different* ~ *on it*** das gibt der Sache ein (ganz) anderes Gesicht; **3.** *fig.* Cou'leur *f*, (po'litische) Richtung; **com·plex·i·ty** [kəm'pleksɪtɪ] *s.* **1.** Komplexi'tät *f* (*a.* ⩘), Kompliziertheit *f*, Vielschichtigkeit *f*; **2.** *et.* Kom'plexes.

com·pli·ance [kəm'plaɪəns] *s.* **1.** Einwilligung *f*, Erfüllung *f*; Befolgung *f* (***with*** *gen.*): ***in* ~ *with*** gemäß; **2.** Willfährigkeit *f*; **com'pli·ant** [-nt] *adj.* □ willfährig.

com·pli·ca·cy ['kɒmplɪkəsɪ] *s.* Kompliziertheit *f*; **com·pli·cate** ['kɒmplɪkeɪt] *v/t.* komplizieren; **'com·pli·cat·ed** [-keɪtɪd] *adj.* kompliziert; **com·pli·ca·tion** [ˌkɒmplɪ'keɪʃn] *s.* **1.** Komplikati'on *f* (*a.* ⚕); **2.** Kompliziertheit *f*.

com·plic·i·ty [kəm'plɪsətɪ] *s.* Mitschuld *f*, Mittäterschaft *f*: ***look of* ~** komplizenhafter Blick.

com·pli·ment I *s.* ['kɒmplɪmənt] **1.** Kompli'ment *n*: ***pay s.o. a* ~** j-m ein Kompliment machen; → ***fish*** 8; **2.** Ehrenbezeigung *f*, Lob *n*: ***do s.o. the* ~** j-m die Ehre erweisen (***of*** zu *inf. od. gen.*); **3.** Empfehlung *f*, Gruß *m*: ***my best* ~*s*** m-e Empfehlung; ***with the* ~*s of the season*** mit den besten Wünschen zum Fest; **II** *v/t.* [-ment] **4.** (***on***) beglückwünschen (zu); *j-m* Kompli'mente machen (über *acc.*); **com·pli·men·ta·ry** [ˌkɒmplɪ'mentərɪ] *adj.* **1.** höflich, Höflichkeits…; schmeichelhaft: **~ *close*** Gruß-, Schlußformel *f* (*in Briefen*); **2.** Ehren…: **~ *ticket*** Ehren-, Freikarte *f*; **~ *dinner*** Festessen *n*; **3.** Frei…, Gratis…: **~ *copy*** Freiexemplar *n*; **~ *meals*** kostenlose Mahlzeiten.

com·plot ['kɒmplɒt] **I** *s.* Kom'plott *n*, Verschwörung *f*; **II** *v/i.* sich verschwören.

com·ply [kəm'plaɪ] *v/i.* (***with***) *e-r Bitte etc.* nachkommen *od.* entsprechen, erfüllen (*acc.*), *Regel etc.* befolgen, einhalten: ***he would not* ~** er wollte nicht einwilligen.

com·po ['kɒmpəʊ] (*abbr. für* ***composition***) *s.* Putz *m*, Gips *m*, Mörtel *m etc.*

com·po·nent [kəm'pəʊnənt] **I** *adj.* e-n Teil bildend, Teil…: **~ *part*** → **II** *s.* (Bestand)Teil *m*, ⚙ *a.* 'Baueleˌment *n*.

com·port [kəm'pɔːt] **I** *v/t.* **~ *o.s.*** sich betragen; **II** *v/i.* **~ *with*** passen zu.

com·pos ['kɒmpəs] → ***compos mentis***.

com·pose [kəm'pəʊz] **I** *v/t.* **1.** *mst pass.* zs.-setzen: ***be* ~*d of*** bestehen aus; **2.** bilden; **3.** entwerfen, ordnen, zurechtlegen; **4.** aufsetzen, verfassen; **5.** ♪ komponieren; **6.** *typ.* setzen; **7.** *Streit* schlichten; *s-e Gedanken* sammeln; **8.** besänftigen: **~ *o.s.*** sich beruhigen, sich fassen; **9.** **~ *o.s.*** sich anschicken (***to*** zu); **II** *v/i.* **10.** schriftstellern, dichten; **11.** komponieren; **com'posed** [-zd] *adj.*, **com'pos·ed·ly** [-zɪdlɪ] *adv.* ruhig, gelassen; **com'pos·ed·ness** [-zɪdnɪs] *s.* Gelassenheit *f*, Ruhe *f*; **com'pos·er** [-zə] *s.* **1.** ♪ Kompo'nist(in); **2.** Verfasser(in).

com·pos·ing [kəm'pəʊzɪŋ] *adj.* **1.** beruhigend, Beruhigungs…; **2.** *typ.* Setz…: **~ *machine***; **~ *room*** Setzerei *f*; **~ *stick*** Winkelhaken *m*.

com·pos·ite ['kɒmpəzɪt] **I** *adj.* □ **1.** zs.-gesetzt (*a.* ⩘), gemischt; vielfältig; Misch…: **~ *construction*** ⚠ Gemischtbauweise *f*; **~ *metal*** Verbundmetall *n*; **2.** ⚘ Korbblütler…; **II** *s.* **3.** Zs.-setzung *f*, Mischung *f*; **4.** ⚘ Korbblütler *m*; **~ *pho·to·graph*** *s.* 'Fotomonˌtage *f*.

com·po·si·tion [ˌkɒmpə'zɪʃn] *s.* **1.** Zs.-

setzung *f* (*a. ling.*), Bildung *f*; **2.** Abfassung *f*, Entwurf *m*, Anordnung *f*, Gestaltung *f*, Aufbau *m*; **3.** Satzbau *m*; Stilübung *f*, Aufsatz *m*, *a.* Über'setzung *f*: ***English*** **~**; **4.** Schrift(werk *n*) *f*, Dichtung *f*; **5.** ♪ Kompositi'on *f*, Mu'sikstück *n*; **6.** *typ.* Setzen *n*, Satz *m*; **7.** *a.* ⚙, ⚗ Zs.-setzung *f*, Verbindung *f*, 'Mischmateri,al *n*; **8.** Über'einkunft *f*, Abkommen *n*; **9.** ⚖, ✝ Vergleich *m mit Gläubigern*: **~ *proceedings*** (Konkurs)Vergleichsverfahren *n*; **10.** Wesen *n*, Na'tur *f*, Anlage *f*; **com·pos·i·tor** [kəm'pɒzɪtə] *s. typ.* (Schrift)Setzer *m*.

com·pos men·tis [ˌkɒmpəs'mentɪs] (*Lat.*) *adj.* ⚖ bei klarem Verstand, geschäftsfähig.

com·post ['kɒmpɒst] **I** *s.* Mischdünger *m*, Kom'post *m*; **II** *v/t.* kompostieren.

com·po·sure [kəm'pəʊʒə] *s.* (Gemüts-) Ruhe *f*, Gelassenheit *f*, Fassung *f*.

com·pote ['kɒmpɒt] *s.* **1.** Kom'pott *n*; **2.** Kom'pottschale *f*.

com·pound[1] ['kɒmpaʊnd] *s.* **1.** Lager *n*; **2.** Gefängnishof *m*; **3.** (Tier)Gehege *n*.

com·pound[2] [kəm'paʊnd] **I** *v/t.* **1.** mischen, mengen; zs.-setzen, vereinigen, verbinden; **2.** (zu)bereiten, herstellen; **3.** in Güte *od.* durch Vergleich beilegen; erledigen; **4.** ⚖, ✝ a) in Raten abzahlen, b) durch einmalige Zahlung regeln: **~ *creditors*** Gläubiger befriedigen; **5.** gegen Schadloshaltung auf Strafverfolgung (*gen.*) verzichten; **6.** verschlimmern, steigern; **II** *v/i.* **7.** *a.* ⚖, ✝ sich (durch Abfindung) einigen *od.* vergleichen (***with*** mit, ***for*** über *acc.*); **III** *s.* ['kɒmpaʊnd] **8.** Zs.-setzung *f*, Mischung *f*; Masse *f*; Präpa'rat *n*; **9.** ⚗ Verbindung *f*; **10.** *ling.* Kom'positum *n*; **IV** *adj.* ['kɒmpaʊnd] **11.** zs.-gesetzt (*a.* ⚘, ⚕, *ling.*); ⚡, ⚙ Verbund...(*-dynamo*, *-motor*, *-stahl etc.*): **~ *eye*** *zo.* Netz-, Facettenauge *n*; **~ *fracture*** ✱ komplizierter Bruch; **~ *fruit*** ⚘ Sammelfrucht *f*; **~ *interest*** Staffel-, Zinseszinsen *pl.*; **~ *sentence*** *ling.* zs.-gesetzter Satz.

com·pre·hend [ˌkɒmprɪ'hend] *v/t.* **1.** um'fassen, einschließen; **2.** begreifen, verstehen; **ˌcom·pre'hen·si·ble** [-nsəbl] *adj.* begreiflich, verständlich; **ˌcom·pre'hen·sion** [-nʃən] *s.* **1.** 'Umfang *m*; **2.** Einbeziehung *f*; **3.** Begriffsvermögen *n*; Verstand *m*; Verständnis *n*, Einsicht *f*: ***quick*** (***slow***) ***of*** **~** schnell (schwer) von Begriff; **4.** *bsd. eccl.* Duldung *f* (*anderer Ansichten*); **ˌcom·pre'hen·sive** [-nsɪv] **I** *adj.* □ **1.** um'fassend; inhaltsreich: (***fully***) **~ *insurance*** *mot.* Vollkaskoversicherung *f*; **~ *school*** Gesamtschule *f*; ***go*** **~** F a) die Gesamtschule einführen, b) in e-e Gesamtschule umgewandelt werden; **2.** verstehend: **~ *faculty*** Begriffsvermögen *n*; **II** *s.* **3.** *Brit.* Gesamtschule *f*; **ˌcom·pre'hen·sive·ness** [-nsɪvnɪs] *s.* 'Umfang *m*, Weite *f*; Reichhaltigkeit *f*; *das* Um'fassende.

com·press **I** *v/t.* [kəm'pres] zs.-drükken, -pressen, komprimieren; **II** *s.* ['kɒmpres] ✱ Kom'presse *f*, 'Umschlag *m*; **com'pressed** [-st] *adj.* **1.** komprimiert, zs.-gepreßt: **~ *air*** Preß-, Druckluft *f*; **2.** *fig.* zs.-gefaßt, gedrängt, gekürzt; **com'press·i·ble** [-səbl] *adj.* komprimierbar; **com'pres·sion** [-eʃn] *s.* **1.** Zs.-pressen *n*, -drücken *n*; Verdichtung *f*, Druck *m*; **2.** *fig.* Zs.-drängung *f*; **3.** ⚙ Druck *m*, Kompressi'on *f*: **~ *mo*(*u*)*lding*** Formpressen *n*; **~-*mo*(*u*)*lded*** formgepreßt (*Plastik*); **com'pres·sive** [-sɪv] *adj.* zs.-pressend, Preß..., Druck...; **com'pres·sor** [-sə] *s.* **1.** ⚙ Kom'pressor *m*, Verdichter *m*; ✈ Lader *m*; **2.** *anat.* Schließmuskel *m*; **3.** ✱ Druckverband *m*.

com·prise [kəm'praɪz] *v/t.* einschließen, um'fassen, enthalten, beinhalten.

com·pro·mise ['kɒmprəmaɪz] **I** *s.* **1.** Kompro'miß *m*, (gütlicher) Vergleich; Über'einkunft *f*; **II** *v/t.* **2.** durch Kompro'miß regeln; **3.** gefährden, aufs Spiel setzen; beeinträchtigen; **4.** (*a.* ***o.s.*** sich) bloßstellen *od.* kompromittieren; **III** *v/i.* **5.** e-n Kompro'miß schließen, zu e-r Über'einkunft gelangen (***on*** über *acc.*).

comp·trol·ler [kən'trəʊlə] *s.* (staatlicher) Rechnungsprüfer: **≈ *General*** *Am.* Präsident *m* des Rechnungshofes.

com·pul·sion [kəm'pʌlʃn] *s.* Zwang *m* (*a. psych.*): ***under*** **~** unter Zwang *od.* Druck, gezwungen; **com'pul·sive** [-lsɪv] *adj.* □ zwingend, (*a. psych.*) Zwangs...; **com'pul·so·ry** [-lsərɪ] *adj.* □ obliga'torisch, zwangsmäßig, Zwangs...; bindend; Pflicht...: **~ *auction*** ⚖ Zwangsversteigerung *f*; **~ *education*** allgemeine Schulpflicht; **~ *insurance*** Pflichtversicherung *f*; **~ *military service*** allgemeine Wehrpflicht; **~ *purchase*** ⚖ Enteignung *f*; **~ *subject*** *ped.* Pflichtfach *n*.

com·punc·tion [kəm'pʌŋkʃn] *s.* a) Gewissensbisse *pl.*, b) Reue *f*, c) Bedenken *pl.*: ***without*** **~**.

com·put·a·ble [kəm'pju:təbl] *adj.* berechenbar; **com·put·a·hol·ic** [kəmˌpju:tə'holɪk] *s.* Computerfreak *m*; **com·pu·ta·tion** [ˌkɒmpju:'teɪʃn] *s.* Berechnung *f*, 'Überschlag *m*, Schätzung *f*; **com·pute** [kəm'pju:t] **I** *v/t.* berechnen, schätzen, veranschlagen (***at*** auf *acc.*); **II** *v/i.* rechnen; **com'put·er** [-tə] *s.* **1.** (Be)Rechner *m*; **2.** ⚡ Com'puter *m*: **~ *centre*** (*Am.* ***center***) Rechenzentrum *n*; **~ *science*** Informatik *f*; **~-*aided*** computergestützt; **~-*control*(*l*)*ed*** computergesteuert; **com'put·er·ize** [-təraɪz] *v/t.* a) auf Com'puter 'umstel-

C

len, b) mit Com'putern betreiben.
com·rade ['kɒmrɪd] *s.* **1.** Kame'rad *m*, Genosse *m*, Gefährte *m*: **~-in-arms** Waffenbruder *m*; **2.** *pol.* Genosse *m*; **'com·rade·ly** [-lɪ] *adj.* kame'radschaftlich; **'com·rade·ship** [-ʃɪp] *s.* Kame'radschaft *f*.
com·sat ['kɒmsæt] → ***communications satellite***.
con¹ [kɒn] *v/t.* (auswendig) lernen, sich (*dat.*) *et.* einprägen.
con² → ***conn***.
con³ [kɒn] **I** *s.* **1.** Neinstimme *f*; **2.** 'Gegenargu,ment *n*; → ***pro¹*** I; **II** *adv.* (da-) 'gegen.
con⁴ [kɒn] *sl.* **I** *adj.* **1.** betrügerisch: **~ *game*** → ***confidence game***; **~ *man*** → 3; **II** *v/t.* **2.** ‚reinlegen': **~ *s.o. out of*** j-n betrügen um; **~ *s.o. into doing s.th.*** j-n (durch Schwindel) dazu bringen, et. zu tun; **III** *s.* **3.** Betrüger *m*; Hochstapler *m*; Ga'nove *m*; **4.** Sträfling *m*.
con·cat·e·nate [kɒn'kætɪneɪt] *v/t.* verketten, verknüpfen; **con·cat·e·na·tion** [kɒn,kætɪ'neɪʃn] *s.* **1.** Verkettung *f*; **2.** Kette *f*.
con·cave [,kɒn'keɪv] **I** *adj.* □ **1.** kon'kav, hohl, ausgehöhlt; **2.** ⚙ hohlgeschliffen, Hohl...: **~ *lens*** Zerstreuungslinse *f*; **~ *mirror*** Hohlspiegel *m*; **II** *s.* **3.** (Aus)Höhlung *f*, Wölbung *f*; **con·cav·i·ty** [kɒn'kævətɪ] → ***concave*** 3.
con·ceal [kən'si:l] *v/t.* (***from*** vor *dat.*) verbergen: a) (*a.* ⚙) verdecken, kaschieren, b) verhehlen, verschweigen, verheimlichen, *a.* ⚔ verschleiern, tarnen, c) verstecken: **~*ed assets*** ⚕ verschleierte Vermögenswerte, *Bilanz*: unsichtbare Aktiva; **con'ceal·ment** [-mənt] *s.* **1.** Verbergung *f*, Verheimlichung *f*, Geheimhaltung *f*; **2.** Verborgenheit *f*; **3.** Versteck *n*.
con·cede [kən'si:d] **I** *v/t.* **1.** zugestehen, einräumen, zugeben, anerkennen (*a.* ***that*** daß); **2.** gewähren, einräumen: **~ *a point*** a) in e-m Punkt nachgeben, b) (***to***) *sport dem Gegner* e-n Punkt abgeben; **~ *a goal*** ein Tor zulassen; **II** *v/i.* **3.** *sport*, *pol.* F sich geschlagen geben; **con'ced·ed·ly** [-dɪdlɪ] *adv.* zugestandenermaßen.
con·ceit [kən'si:t] *s.* **1.** Eingebildetheit *f*, Einbildung *f*, (Eigen)Dünkel *m*: ***in my own*** **~** nach m-r Ansicht; ***out of*** **~ *with*** überdrüssig (*gen.*); **2.** *obs.* guter *od.* seltsamer Einfall; **con'ceit·ed** [-tɪd] *adj.* □ eingebildet, dünkelhaft, eitel.
con·ceiv·a·ble [kən'si:vəbl] *adj.* □ denkbar, erdenklich, begreiflich, vorstellbar: ***the best plan*** **~** der denkbar beste Plan; **con'ceiv·a·bly** [-blɪ] *adv.* es ist denkbar, daß; **con·ceive** [kən'si:v] **I** *v/t.* **1.** *biol. Kind* empfangen; **2.** begreifen; sich denken *od.* vorstellen: **~ *an idea*** auf e-n Gedanken kommen; **3.** er-, ausdenken, ersinnen; **4.** *in Worten* ausdrücken; **5.** *Wunsch* hegen, (*Ab*)*Neigung* fassen, entwikkeln; **II** *v/i.* **6.** (***of***) sich *et.* vorstellen; **7.** empfangen (*schwanger werden*); *zo.* aufnehmen (*trächtig werden*).
con·cen·trate ['kɒnsəntreɪt] **I** *v/t.* **1.** konzentrieren (***on***, ***upon*** auf *acc.*): a) zs.-ziehen, -ballen, massieren, b) *Gedanken etc.* richten; **2.** *fig.* zs.-fassen (***in*** in *dat.*); **3.** ⚗ a) sättigen, konzentrieren, b) verstärken, *bsd. Metall* anreichern; **II** *v/i.* **4.** sich konzentrieren (*etc.*; → 1); **5.** sich *an e-m Punkt* sammeln; **III** *s.* **6.** ⚗ Konzen'trat *n*; **'con·cen·trat·ed** [-tɪd] *adj.* konzentriert; **con·cen·tra·tion** [,kɒnsən'treɪʃn] *s.* **1.** Konzentrierung *f*, Konzentrati'on *f*: a) Zs.-ziehung *f*, -fassung *f*, (Zs.-)Ballung *f*, Massierung *f*, (An)Sammlung *f* (*alle a.* ⚔): **~ *camp*** Konzentrationslager *n*, b) Hinlenkung *f* auf 'einen Punkt, c) (geistige) Sammlung, gespannte Aufmerksamkeit; **2.** ⚗ Konzentrati'on *f*, Dichte *f*, Sättigung *f*.
con·cen·tric [kɒn'sentrɪk] *adj.* (□ **~*ally***) kon'zentrisch.
con·cept ['kɒnsept] *s.* **1.** Begriff *m*; **2.** Gedanke *m*, Auffassung *f*, Konzepti'on *f*; **con·cep·tion** [kən'sepʃn] *s.* **1.** *biol.* Empfängnis *f*; **2.** Begriffsvermögen *n*, Verstand *m*; **3.** Begriff *m*, Auffassung *f*, Vorstellung *f*: ***no*** **~ *of ...*** keine Ahnung von ...; **4.** Gedanke *m*, I'dee *f*; **5.** Plan *m*, Anlage *f*, Kon'zept *n*, Entwurf *m*; Schöpfung *f*; **con·cep·tion·al** [kən'sepʃənl] *adj.* begrifflich, ab'strakt; **con·cep·tive** [kən'septɪv] *adj.* **1.** begreifend, Begriffs...; **2.** ⚕ empfängnisfähig; **con·cep·tu·al** [kən'septjʊəl] → ***conceptive*** 1.
con·cern [kən'sɜ:n] **I** *v/t.* **1.** betreffen, angehen; interessieren, von Belang sein für: ***it does not*** **~ *me*** *od.* ***I am not*** **~*ed*** es geht mich nichts an; ***to whom it may*** **~** an alle, die es angeht; Bescheinigung (*Überschrift auf Urkunden*); ***his hono(u)r is*** **~*ed*** es geht um s-e Ehre; → ***concerned*** 1; **2.** beunruhigen: ***don't let that*** **~ *you*** mache dir deswegen keine Sorgen!; → ***concerned*** 4; **3.** **~ *o.s.*** (***with***, ***about***) sich beschäftigen *od.* befassen (mit); sich kümmern (um); **II** *s.* **4.** Angelegenheit *f*, Sache *f*: ***that is no*** **~ *of mine*** das ist nicht meine Sache, das geht mich nichts an; **5.** ⚕ Geschäft *n*, Unter'nehmen *n*, Betrieb *m*; → ***going*** 4; **6.** Beziehung *f*: ***have no*** **~ *with*** nichts zu tun haben mit; **7.** Inter'esse *n* (***for*** für, ***in*** an *dat.*); **8.** Wichtigkeit *f*, Bedeutung *f*; **9.** Unruhe *f*, Sorge *f*; Bedenken *pl.* (***at***, ***about***, ***for*** um, wegen); **10.** F Ding *n*, Geschichte *f*; **con'cerned** [-nd] *adj.* □ **1.** betrof-

fen, berührt; **2.** (*in*) beteiligt, interessiert (an *dat.*); verwickelt (in *acc.*): ***the parties ~*** die Beteiligten; **3.** (***with***, ***in***) beschäftigt (mit); handelnd (von); **4.** besorgt (***about***, ***at***, ***for*** um, ***that*** daß), *a.* (po'litisch *od.* sozi'al) engagiert; **5.** betrübt, sorgenvoll; **con'cern·ing** [-nɪŋ] *prp.* betreffend, betreffs, hinsichtlich (*gen.*), was ... betrifft, über (*acc.*), wegen.

con·cert I *s.* ['kɒnsət] **1.** ♪ Kon'zert *n*: ***~ hall*** Konzertsaal *m*; ***~ pitch*** Kammerton *m*; ***at ~ pitch*** *fig.* in Höchstform; ***screw o.s. up to ~ pitch*** *fig.* sich enorm steigern; ***up to ~ pitch*** *fig.* auf der Höhe, in Form; **2.** [-sɜːt] Einvernehmen *n*, Über'einstimmung *f*, Harmo'nie *f*: ***in ~ with*** im Einvernehmen *od.* gemeinsam mit; ***2 of Europe*** *pol. hist.* Europäisches Konzert; **II** *v/t.* [kən'sɜːt] **3.** *et.* verabreden, vereinbaren; *Kräfte etc.* vereinigen; **4.** planen; **III** *v/i.* [kən'sɜːt] **5.** zs.-arbeiten; **con·cert·ed** [kən'sɜːtɪd] *adj.* **1.** gemeinsam, gemeinschaftlich: ***~ action*** gemeinsames Vorgehen, konzertierte Aktion; **2.** ♪ mehrstimmig arrangiert.

'con·cert|ˌgo·er *s.* Kon'zertbesucher *m*; ***~ grand*** *s.* Kon'zertflügel *m*.

con·cer·ti·na [ˌkɒnsə'tiːnə] *s.* Konzer'tina *f* (*Ziehharmonika*): ***~ door*** Falttür *f*; **con·cer·to** [kən'tʃeətəʊ] *pl.* **-tos** *s.* ♪ ('Solo)Konˌzert *n*.

con·ces·sion [kən'seʃn] *s.* **1.** Zugeständnis *n*, Entgegenkommen *n*; **2.** Genehmigung *f*, Erlaubnis *f*, Gewährung *f*; **3.** amtliche *od.* staatliche Konzessi'on, Privi'leg *n*: a) Genehmigung *f*: ***mining ~*** Bergwerkskonzession, b) *Am.* Gewerbeerlaubnis *f*, c) über'lassenes Siedlungs- *od.* Ausbeutungsgebiet; **con·ces·sion·aire** [kənˌseʃə'neə] *s.* ✝ Konzessi'onsinhaber *m*; **con'ces·sion·ar·y** [-ʃnərɪ] *adj.* Konzessions...; bewilligt; **con'ces·sive** [-esɪv] *adj.* **1.** einräumend; **2.** *ling.* ***~ clause*** Konzes'sivsatz *m*.

conch [kɒŋk] *s. zo.* (Schale *f* der) See- *od.* Schneckenmuschel *f*; **con·cha** ['kɒŋkə] *pl.* **-chae** [-kiː] *s.* **1.** *anat.* Ohrmuschel *f*; **2.** ⚠ Kuppeldach *n*.

con·chy ['kɒntʃɪ] *s. Brit. sl.* Kriegs-, Wehrdienstverweigerer *m* (*von* ***conscientious objector***).

con·cil·i·ate [kən'sɪlɪeɪt] *v/t.* **1.** aus-, versöhnen; beschwichtigen; **2.** *Gunst etc.* gewinnen; **3.** ausgleichen; in Einklang bringen; **con·cil·i·a·tion** [kənˌsɪlɪ'eɪʃn] *s.* **1.** Versöhnung *f*, Schlichtung *f*: ***~ board*** Schlichtungsausschuß *m*; **2.** Ausgleich *m*: ***debt ~*** Schuldenausgleich; **con'cil·i·a·tor** [-tə] *s.* Vermittler *m*, Schlichter *m*; **con'cil·i·a·to·ry** [-ɪətərɪ] *adj.* versöhnlich, vermittelnd, Versöhnungs...

con·cin·ni·ty [kən'sɪnətɪ] *s.* Feinheit *f*, Ele'ganz *f* (*Stil*).

con·cise [kən'saɪs] *adj.* ☐ kurz, gedrängt, knapp, prä'gnant: ***~ dictionary*** Handwörterbuch *n*; **con'cise·ness** [-nɪs] *s.* Kürze *f*, Prä'gnanz *f*.

con·clave ['kɒnkleɪv] *s.* **1.** *R.C.* Kon'klave *n*; **2.** geheime Sitzung.

con·clude [kən'kluːd] **I** *v/t.* **1.** beenden, zu Ende führen; (be-, ab)schließen: ***to be ~d*** Schluß folgt; ***he ~d by saying*** zum Schluß sagte er (noch); **2.** *Vertrag etc.* (ab)schließen; **3.** schließen, folgern (***from*** aus); **4.** beschließen, entscheiden; **II** *v/i.* **5.** schließen, enden, aufhören (***with*** mit); **con'clud·ing** [-dɪŋ] *adj.* (ab)schließend, End..., Schluß...; **con'clu·sion** [-uːʒn] *s.* **1.** (Ab)Schluß *m*, Ende *n*: ***bring to a ~*** zum Abschluß bringen; ***in ~*** zum Schluß, schließlich; **2.** (*Vertrags- etc.*)Abschluß *m*: ***~ of peace*** Friedensschluß *m*; **3.** Schluß *m*, (Schluß)Folgerung *f*: ***come to the ~*** zu dem Schluß *od.* der Überzeugung kommen; ***draw a ~*** e-n Schluß ziehen; ***jump*** *od.* ***rush to ~s*** voreilige Schlüsse ziehen; **4.** Beschluß *m*, Entscheidung *f*; **5.** Ausgang *m*, Folge *f*, Ergebnis *n*; **6.** ***try ~s with*** sich *od.* s-e Kräfte messen mit; **con'clu·sive** [-uːsɪv] *adj.* ☐ schlüssig, endgültig, entscheidend, über'zeugend, maßgebend: ***~ evidence*** ⚖ schlüssiger Beweis; **con'clu·sive·ness** [-uːsɪvnɪs] *s.* Endgültigkeit *f*, Triftigkeit *f*; Schlüssigkeit *f*, Beweiskraft *f*.

con·coct [kən'kɒkt] *v/t.* zs.-brauen (*a. fig.*); *fig.* aushecken, sich ausdenken; **con'coc·tion** [-kʃn] *s.* **1.** (Zs.-)Brauen *n*, Bereiten *n*; **2.** Mischung *f*, Trank *m*; Gebräu *n*; **3.** *fig.* Aushecken *n*, Ausbrüten *n*; **4.** *fig.* Gebräu *n*; Erfindung *f*: ***~ of lies*** Lügengewebe *n*.

con·com·i·tance [kən'kɒmɪtəns], **con'com·i·tan·cy** [-sɪ] *s.* **1.** Zs.-bestehen *n*, Gleichzeitigkeit *f*; **2.** *eccl.* Konkomi'tanz *f*; **con'com·i·tant** [-nt] **I** *adj.* ☐ begleitend, Begleit..., gleichzeitig; **II** *s.* Begleiterscheinung *f*, -umstand *m*.

con·cord ['kɒŋkɔːd] *s.* **1.** Eintracht *f*, Einklang *m*; Über'einstimmung *f* (*a. ling.*); **2.** ♪ Zs.-klang *m*, Harmo'nie *f*.

con·cord·ance [kən'kɔːdəns] *s.* **1.** Über'einstimmung *f*; **2.** Konkor'danz *f*; **con·cord·ant** [kən'kɔːdənt] *adj.* ☐ (***with***) über'einstimmend (mit), entsprechend (*dat.*); har'monisch (*a.* ♪); **con·cor·dat** [kɒn'kɔːdæt] *s. eccl.* Konkor'dat *n*.

con·course ['kɒŋkɔːs] *s.* **1.** Zs.-treffen *n*; **2.** Ansammlung *f*, Auflauf *m*, Menge *f*; **3.** a) *Am.* Fahrweg *m od.* Prome'nadeplatz *m* (*im Park*), b) Bahnhofshalle *f*, c) freier Platz.

con·crete [kən'kriːt] **I** *v/t.* **1.** zu e-r festen Masse verbinden, zs.-ballen *od.*

vereinigen; **2.** ['kɒnkriːt] ⚙ betonieren; **II** *v/i.* **3.** sich zu e-r festen Masse verbinden; **III** *adj.* □ ['kɒnkriːt] **4.** kon'kret (*a. ling., phls.,* ♪ *etc.*), greifbar, wirklich, dinglich; **5.** fest, dicht, kom'pakt; **6.** ⩚ benannt; **7.** ⚙ betoniert, Beton…; **IV** *s.* ['kɒnkriːt] **8.** kon'kreter Begriff: ***in the ~*** im konkreten Sinne, in Wirklichkeit; **9.** ⚙ Be'ton *m*: ***~ jungle*** Betonwüste *f*; **con'cre·tion** [-iːʃn] *s.* **1.** Zs.-wachsen *n*, Verwachsung *f*; **2.** Festwerden *n*; Verhärtung *f*, feste Masse; **3.** Häufung *f*; **4.** ⚕ Absonderung *f*, Stein *m*, Knoten *m*; **con·cre·tize** ['kɒnkriːtaɪz] *v/t.* konkretisieren.

con·cu·bi·nage [kɒn'kjuːbɪnɪdʒ] *s.* Konkubi'nat *n*, wilde Ehe; **con·cu·bine** ['kɒŋkjʊbaɪn] *s.* **1.** Konku'bine *f*, Mä'tresse *f*; **2.** Nebenfrau *f*.

con·cu·pis·cence [kən'kjuːpɪsns] *s.* Begierde *f*, Lüsternheit *f*; **con'cu·pis·cent** [-nt] *adj.* lüstern.

con·cur [kən'kɜː] *v/i.* **1.** zs.-treffen, -fallen; **2.** mitwirken, beitragen (***to*** zu); **3.** (***with s.o., in s.th.***) über'einstimmen, gleicher Meinung sein (mit j-m, in e-r Sache), beipflichten (j-m, e-r Sache); **con'cur·rence** [-'kʌrəns] *s.* **1.** Zs.-treffen *n*; **2.** Mitwirkung *f*; **3.** Zustimmung *f*, Einverständnis *n*; **4.** ⩚ Schnittpunkt *m*; **con'cur·rent** [-'kʌrənt] **I** *adj.* □ **1.** gleichzeitig: ***~ condition*** ✝ Zug um Zug zu erfüllende Bedingung; ***~ sentence*** ⚖ gleichzeitige Verbüßung zweier Freiheitsstrafen; **2.** gemeinschaftlich; **3.** mitwirkend; **4.** über'einstimmend; **5.** ⩚ durch 'einen Punkt laufend; **II** *s.* **6.** Be'gleitˌumstand *m*.

con·cuss [kən'kʌs] *v/t. mst fig.* erschüttern; **con'cus·sion** [-ʌʃn] *s.* (*a.* ⚕ Gehirn)Erschütterung *f*: ***~ fuse*** ⚔ Aufschlagzünder *m*; ***~ spring*** ⚙ Stoßdämpfer *m*.

con·demn [kən'dem] *v/t.* **1.** verdammen, verurteilen, miß'billigen, tadeln: ***his looks ~ him*** sein Aussehen verrät ihn; **2.** ⚖ verurteilen (***to death*** zum Tode); *fig. a.* verdammen (***to*** zu): ***~ed cell*** Todeszelle *f*; → ***cost*** 4; **3.** ⚖ als verfallen erklären, beschlagnahmen; *Am.* (zu öffentlichen Zwecken) enteignen; **4.** verwerfen; für gebrauchsunfähig *od.* unbewohnbar *od.* gesundheitsschädlich *od.* seeuntüchtig erklären; *Schwerkranke* aufgeben: ***~ed building*** abbruchreifes Gebäude; **con'dem·na·ble** [-mnəbl] *adj.* verdammenswert, verwerflich, sträflich; **con·dem·na·tion** [ˌkɒndem'neɪʃn] *s.* **1.** Verurteilung *f* (*a.* ⚖), Verdammung *f*, 'Mißbilligung *f*; **2.** Verwerfung *f*; Untauglichkeitserklärung *f*; **3.** Beschlagnahme *f*; *Am.* Enteignung *f*; **con'dem·na·to·ry** [-mnətərɪ] *adj.* verurteilend; verdammend.

con·den·sa·ble [kən'densəbl] *adj. phys.* kondensierbar; **con·den·sa·tion** [ˌkɒnden'seɪʃn] *s.* **1.** *bsd. phys.* Verdichtung *f*, Kondensati'on *f* (*Gase etc.*); Konzentrati'on *f* (*Licht*); **2.** Zs.-drängung *f*, Anhäufung *f*; **3.** *fig.* Zs.-fassung *f*, (Ab-)Kürzung *f*; **con·dense** [kən'dens] **I** *v/t.* **1.** *bsd. phys. Gase etc.* verdichten, kondensieren, niederschlagen; eindicken: ***~d milk*** Kondensmilch *f*; **2.** *fig.* zs.-drängen, -fassen; zs.-streichen, kürzen; **II** *v/i.* **3.** sich verdichten; flüssig werden; **con·dens·er** [kən'densə] *s.* **1.** ⚡, ⚙, *phys.* Konden'sator *m*; **2.** Kühlrohr *n*.

con·dens·ing| coil [kən'densɪŋ] *s.* ⚙ Kühlschlange *f*; ***~ lens*** *s. opt.* Sammel-, Kondensati'onslinse *f*.

con·de·scend [ˌkɒndɪ'send] *v/i.* **1.** sich her'ablassen, geruhen (***to*** [*mst inf.*] zu [*mst inf.*]); **2.** *b.s.* sich (soweit) erniedrigen (***to do*** zu tun); **3.** leutselig sein (***to*** gegen); **ˌcon·de'scend·ing** [-dɪŋ] *adj.* □ her'ablassend, gönnerhaft; **ˌcon·de'scen·sion** [-nʃn] *s.* Her'ablassung *f*, gönnerhaftes Wesen.

con·dign [kən'daɪn] *adj.* □ gebührend, angemessen (*Strafe*).

con·di·ment ['kɒndɪmənt] *s.* Würze *f*, Gewürz *n*.

con·di·tion [kən'dɪʃn] **I** *s.* **1.** Bedingung *f*; Vor'aussetzung *f*: ***on ~ that*** unter der Bedingung, daß; vorausgesetzt, daß; ***on no ~*** unter keinen Umständen, keinesfalls; ***to make it a ~*** es zur Bedingung machen; **2.** ⚖, ✝ (*Vertrags- etc.*) Bedingung *f*, Bestimmung *f*; Vorbehalt *m*, Klausel *f*; **3.** Zustand *m*, Verfassung *f*, Beschaffenheit *f*; *sport* Kondi'tion *f*, Form *f*: ***out of ~*** in schlechter Verfassung; ***in good ~*** gut in Form (*Person, Pferd etc.*), in gutem Zustand (*Sachen*); **4.** (*a.* Fa'milien)Stand *m*, Stellung *f*, Rang *m*: ***change one's ~*** heiraten; **5.** *pl.* 'Umstände *pl.*, Verhältnisse *pl.*, Lage *f*: ***weather ~s*** Witterung *f*; ***working ~s*** Arbeitsbedingungen; **6.** *Am. ped.* (Gegenstand *m* der) Nachprüfung *f*; **II** *v/t.* **7.** bedingen, bestimmen; regeln, abhängig machen: → ***conditioned***; **8.** *fig.* formen, gestalten; **9.** gewöhnen (***to*** an *acc.*, zu *tun*); **10.** *Tiere* in Form bringen; *Sachen* herrichten, in'stand setzen; ⚙ konditionieren, in den *od.* e-n (*gewünschten*) Zustand bringen; *fig. j-n* programmieren (***to, for*** auf *acc.*); **11.** ✝ (*bsd. Textil*)*Waren* prüfen; **12.** *Am. ped.* e-e Nachprüfung auferlegen (*dat.*); **con'di·tion·al** [-ʃənl] **I** *adj.* □ **1.** (***on***) bedingt (durch), abhängig (von), eingeschränkt (durch); unverbindlich; ✝ unter Eigentumsvorbehalt (*Verkauf*): ***~ discharge*** ⚖ bedingte Entlassung; ***make ~ on*** abhängig machen von; **2.** *ling.* konditio'nal: ***~***

clause → 3 a; **~ *mood*** → 3 b; **II** *s.* **3.** *ling.* a) Bedingungs-, Konditio'nalsatz *m*, b) Bedingungsform *f*, Konditio'nalis *m*, c) Be'dingungspar,tikel *f*; **con'di·tion·al·ly** [-nəlɪ] *adv.* bedingungsweise; **con'di·tioned** [-nd] *adj.* **1.** (***by***) bedingt (durch), abhängig (von): **~ *reflex*** *psych.* bedingter Reflex; **2.** (so) beschaffen *od.* geartet; in … Verfassung.

con·do ['kɒndəʊ] *s. Am.* F Eigentumswohnung *f*.

con·do·la·to·ry [kən'dəʊlətərɪ] *adj.* Beileids…, Kondolenz…; **con·dole** [kən'dəʊl] *v/i.* Beileid bezeigen, kondolieren (***with s.o. on s.th.*** j-m zu et.); **con'do·lence** [-əns] *s.* Beileid *n*, Kondo'lenz *f*.

con·dom ['kɒndəm] *s.* Kon'dom *n*, *m*, Präserva'tiv *n*.

con·do·min·i·um [ˌkɒndə'mɪnɪəm] *s.* **1.** *pol.* Kondo'minium *n*; **2.** *Am.* a) Eigentumswohnanlage *f*, b) *a.* **~ *apartment*** Eigentumswohnung *f*.

con·do·na·tion [ˌkɒndəʊ'neɪʃn] *s.* Verzeihung *f* (*bsd. ehelicher Untreue*); stillschweigende Duldung; **con·done** [kən'dəʊn] *v/t.* verzeihen.

con·dor ['kɒndɔː] *s. orn.* 'Kondor *m*.

con·duce [kən'djuːs] *v/i.* (***to***) dienen, führen, beitragen (zu); förderlich sein (*dat.*); **con'du·cive** [-sɪv] *adj.* dienlich, förderlich (***to*** *dat.*).

con·duct I *v/t.* [kən'dʌkt] **1.** führen, (ge)leiten; → ***tour*** 1; **2.** (be)treiben, handhaben; führen, leiten, verwalten; **3.** *Feldzug, Krieg, Prozeß etc.* führen; **4.** ♪ dirigieren; **5.** ⚡, *phys.* leiten; **6. ~ *o.s.*** sich betragen *od.* benehmen, sich (auf)führen; **II** *s.* ['kɒndʌkt] **7.** Führung *f*, Leitung *f*, Verwaltung *f*; Handhabung *f*; **8.** *fig.* Führung *f*, Betragen *n*; Verhalten *n*, Haltung *f*: **~ *sheet*** Strafregister(auszug *m*) *n*; **con'duct·ance** [-təns], **con·duct·i·bil·i·ty** [kənˌdʌktɪ'bɪlətɪ] *s.* ⚡, *phys.* Leitfähigkeit *f*; **con'duct·i·ble** [-tɪbl] *adj.* ⚡, *phys.* leitfähig; **con'duct·ing** [-tɪŋ] *adj.* ⚡, *phys.* Leit…, Leitungs…: **~ *wire*** Leitungsdraht *m*; **con'duc·tion** [-kʃn] *s. oft* ⚙, *phys.* Leitung *f*, (Zu)Führung *f*, Über'tragung *f*; **con'duc·tive** [-tɪv] *adj.* *phys.* leitend, leitfähig; **con·duc·tiv·i·ty** [ˌkɒndʌk'tɪvətɪ] *s.* ⚡, *phys.* Leitfähigkeit *f*; **con'duc·tor** [-tə] *s.* **1.** Führer *m*, Leiter *m*; **2.** ♪ Diri'gent *m*; **3.** (Bus- *etc.*)Schaffner *m*; *Am.* 🚂 Zugbegleiter *m*; **4.** ⚡, *phys.* Leiter *m*; Ader *f* (*Kabel*); *Am. a.* Blitzableiter *m*; **con'duc·tress** [-trɪs] *s.* Schaffnerin *f*.

con·duit ['kɒndɪt] *s.* **1.** Rohrleitung *f*, Röhre *f*; Ka'nal *m* (*a. fig.*); **2.** Leitung *f* (*a. fig.*); **3.** ⚡ a) Rohrkabel *n*, b) Isolierrohr *n* (*für Leitungsdrähte*); **~ pipe** *s.* Leitungsrohr *n*.

cone [kəʊn] *s.* **1.** ⩓ *u. fig.* Kegel *m*: **~ *of fire*** Feuergarbe *f*; **~ *of rays*** Strahlenbündel *n*; **~ *sugar*** Hutzucker *m*; **2.** ⚙ Kegel *m*, Konus *m* (*a.* ⚡): **~ *drive*** Stufen(scheiben)antrieb *m*; **~ *friction clutch*** Reibungskupplung *f*; **~ *valve*** Kegelventil *n*; **3.** Bergkegel *m*; **4.** ⚘ (Tannen- *etc.*)Zapfen *m*; **5.** Waffeltüte *f für Speiseeis*; **coned** [-nd] *adj.* kegelförmig.

con·fab ['kɒnfæb] F *abbr. für* ***confabulation*** *u.* ***confabulate***; **con·fab·u·late** [kən'fæbjʊleɪt] *v/i.* plaudern; **con·fab·u·la·tion** [kənˌfæbjʊ'leɪʃn] *s.* **1.** Plaude'rei *f*; **2.** *psych.* Konfabulati'on *f*.

con·fec·tion [kən'fekʃn] *s.* **1.** Kon'fekt *n*, Süßwaren *pl.*, *mit Zucker* Eingemachtes *n*; **2.** 'Damenˌmodearˌtikel *m* (*Kleid, Hut etc.*); **con'fec·tion·er** [-nə] *s.* Kon'ditor *m*: **~*'s sugar*** *Am.* Puderzucker *m*; **con'fec·tion·er·y** [-nərɪ] *s.* **1.** Süßigkeiten *pl.*, Kon'ditorwaren *pl.*; **2.** Süßwarengeschäft *n*, Kondito'rei *f*.

con·fed·er·a·cy [kən'fedərəsɪ] *s.* **1.** Bündnis *n*, Bund *m*; **2.** Staatenbund *m*; **3.** ♀ *Am.* Konföderati'on *f* (*der Südstaaten im Bürgerkrieg*); **4.** Verschwörung *f*; **con'fed·er·ate** [-rət] **I** *adj.* **1.** verbündet, verbunden, Bundes…: ♀ *Am.* zur Konföderation der Südstaaten gehörig; **2.** mitschuldig; **II** *s.* **3.** Verbündete(r) *m*, Bundesgenosse *m*: ♀ *Am. hist.* Konföderierte(r) *m*, Südstaatler *m*; **4.** Kom'plize *m*, Helfershelfer *m*; **III** *v/t. u. v/i.* [-dəreɪt] **5.** (sich) verbünden *od.* vereinigen *od.* zs.-schließen; **con·fed·er·a·tion** [kənˌfedə'reɪʃn] *s.* **1.** Bund *m*, Bündnis *n*; Zs.-schluß *m*; **2.** Staatenbund *m*: ***Swiss*** ♀ (Schweizer) Eidgenossenschaft *f*.

con·fer [kən'fɜː] **I** *v/t.* **1.** *Titel etc.* verleihen, er-, zuteilen, über'tragen, *Gunst* erweisen (***on, upon*** *dat.*); **2.** *nur noch Imperativ, abbr.* ***cf.*** vergleiche; **II** *v/i.* **3.** sich beraten, Rücksprache nehmen, verhandeln (***with*** mit); **con·fer·ee** [ˌkɒnfə'riː] *s. Am.* **1.** Konfe'renzteilnehmer *m*; **2.** Empfänger *m e-s Titels etc.*; **con·fer·ence** ['kɒnfərəns] *s.* **1.** Konfe'renz *f*: a) Tagung *f*, Sitzung *f*, Zs.-kunft *f*, b) Besprechung *f*, Beratung *f*, Verhandlung *f*: ***at the ~*** auf der Konferenz *od.* Tagung; ***in ~*** bei e-r Besprechung (***with*** mit); **~ *call*** *teleph.* Sammel-, Konferenzgespräch *n*; **2.** Verband *m*; *Am. sport* Liga *f*; **con'fer·ment** [-mənt] *s.* Verleihung *f* (***on, upon*** an *acc.*).

con·fess [kən'fes] **I** *v/t.* **1.** *Schuld etc.* bekennen, (ein)gestehen; anerkennen, zugeben (*a.* ***that*** daß); **2.** *eccl.* a) beichten, b) *j-m* die Beichte abnehmen; **II** *v/i.* **3.** (***to***) (ein)gestehen (*acc.*), sich schuldig bekennen (*gen. od.* an *dat.*); **4.** *eccl.* beichten; **con'fessed** [-st] *adj.* ☐ zugestanden; erklärt: ***a ~ enemy*** ein

C

C

erklärter Gegner; **con'fess·ed·ly** [-sɪdlɪ] *adv.* zugestandenermaßen; **con'fes·sion** [-eʃn] *s.* **1.** Geständnis *n* (*a.* ⚖), Bekenntnis *n*: ***by*** (*od.* ***on***) ***his own ~*** nach (s-m) eigenen Geständnis; **2.** Einräumung *f*, Zugeständnis *n*; **3.** ⚖ *Zivilrecht*: Anerkenntnis *n*; **4.** *eccl.* Beichte *f*: ***dying ~*** Geständnis *n* auf dem Sterbebett; **5.** *eccl.* Konfessi'on *f*: a) Glaubensbekenntnis *n*, b) Glaubensgemeinschaft *f*; **con'fes·sion·al** [-eʃənl] **I** *adj.* konfessio'nell, Bekenntnis...; Beicht...; **II** *s.* Beichtstuhl *m*; **con'fes·sor** [-sə] *s.* **1.** (Glaubens)Bekenner *m*; **2.** *eccl.* Beichtvater *m*.

con·fet·ti [kən'fetɪ] (*Ital.*) *s. pl. sg. konstr.* Kon'fetti *n*.

con·fi·dant [ˌkɒnfɪ'dænt] *s.* Vertraute(r) *m*, Mitwisser *m*; ˌ**con·fi'dante** [-'dænt] *s.* Vertraute *f*, Mitwisserin *f*.

con·fide [kən'faɪd] **I** *v/i.* **1.** sich anvertrauen; (ver)trauen (***in*** *dat.*); **II** *v/t.* (***to***) **2.** vertraulich mitteilen, anvertrauen (*dat.*); **3.** *j-n* betrauen mit.

con·fi·dence ['kɒnfɪdəns] *s.* **1.** (***in***) Vertrauen *n* (auf *acc.*, zu), Zutrauen *n* (zu): ***have*** (*od.* ***place***) ***~ in s.o.*** zu j-m Vertrauen haben; ***take s.o. into one's ~*** j-n ins Vertrauen ziehen; ***be in s.o.'s ~*** j-s Vertrauen genießen; ***in ~*** vertraulich; **2.** Selbstvertrauen *n*, Zuversicht *f*; Über'zeugung *f*; **3.** vertrauliche Mitteilung, Geheimnis *n*; → ***vote*** 1; **~ game** *s.*, **~ trick** *s.* **1.** a) (aufgelegter) Schwindel, b) Hochstape'lei *f*; **~ man** *s.* [*irr.*], **~ trick·ster** *s.* **1.** a) Betrüger *m*, b) Hochstapler *m*; **2.** *weitS.* Ga'nove *m*.

con·fi·dent ['kɒnfɪdənt] *adj.* □ **1.** (***of***, ***that***) über'zeugt (von, daß), gewiß, sicher (*gen.*, daß); **2.** vertrauensvoll; **3.** zuversichtlich, getrost; **4.** selbstsicher; **5.** eingebildet, kühn; **con·fi·den·tial** [ˌkɒnfɪ'denʃəl] *adj.* □ **1.** vertraulich, geheim; **2.** in'tim, vertraut, Vertrauens...: ***~ agent*** Geheimagent *m*; ***~ clerk*** ✝ Prokurist *m*; ***~ secretary*** Privatsekretär(in); **con·fi·den·tial·ly** [ˌkɒnfɪ'denʃəlɪ] *adv.* im Vertrauen: ***~ speaking*** unter uns gesagt; **con·fid·ing** [kən'faɪdɪŋ] *adj.* □ vertrauensvoll, zutraulich.

con·fig·u·ra·tion [kənˌfɪgjʊ'reɪʃn] *s.* **1.** Gestalt(ung) *f*, Bau *m*, Struk'tur *f*; Anordnung *f*, Stellung *f*; **2.** *ast.* Konfigurati'on *f*, A'spekt *m*.

con·fine I *s.* ['kɒnfaɪn] *mst pl.* **1.** Grenze *f*, Grenzgebiet *n*; *fig.* Rand *m*, Schwelle *f*; **II** *v/t.* [kən'faɪn] **2.** begrenzen; be-, einschränken (***to*** auf *acc.*): ***~ o.s. to*** sich beschränken auf; ***be ~d to*** beschränkt sein auf (*acc.*); **3.** einsperren, einschließen: ***~d to bed*** bettlägerig; ***~d to one's room*** ans Zimmer gefesselt; ***be ~d to barracks*** Kasernenarrest haben, die Kaserne nicht verlassen dürfen; **4.** *pass.* (***of***) niederkommen (mit), entbunden werden (von); **con'fined** [-nd] *adj.* **1.** beschränkt *etc.* (→ ***confine*** 2, 3); **2.** ⚕ verstopft; **con'fine·ment** [-mənt] *s.* **1.** Beschränkung *f* (***to*** auf *acc.*); Beengtheit *f*; Gebundenheit *f*; **2.** Haft *f*, Gefangenschaft *f*; Ar'rest *m*: ***close ~*** strenge Haft; ***solitary ~*** Einzelhaft; **3.** Niederkunft *f*, Wochenbett *n*.

con·firm [kən'fɜːm] *v/t.* **1.** *Nachricht*, *Auftrag*, *Wahrheit etc.* bestätigen; **2.** *Entschluß* bekräftigen; bestärken (***s.o. in s.th.*** j-n in e-r Sache); **3.** *Macht etc.* festigen; **4.** *eccl.* konfirmieren; *R.C.* firmen; **con'firm·a·ble** [-məbl] *adj.* zu bestätigen(d); **con·firm·and** ['kɒnfəmænd] *s. eccl.* a) Konfir'mand(in), b) *R.C.* Firmling *m*; **con·fir·ma·tion** [ˌkɒnfə'meɪʃn] *s.* **1.** Bestätigung *f*; Bekräftigung *f*; **2.** Festigung *f*; **3.** *eccl.* Konfirmati'on *f*; *R.C.* Firmung *f*; **con'firm·a·tive** [-mətɪv] *adj.* □, **con'firm·a·to·ry** [-mətərɪ] *adj.* bestätigend: ***~ letter*** Bestätigungsschreiben *n*; **con'firmed** [-md] *adj.* fest, hartnäckig, eingewurzelt, unverbesserlich, Gewohnheits...; chronisch: ***~ bachelor*** eingefleischter Junggeselle.

con·fis·cate ['kɒnfɪskeɪt] *v/t.* beschlagnahmen, einziehen, konfiszieren; **con·fis·ca·tion** [ˌkɒnfɪ'skeɪʃn] *s.* Einziehung *f*, Beschlagnahme *f*, Konfiszierung *f*; F Plünderung *f*; **con·fis·ca·to·ry** [kən'fɪskətərɪ] *adj.* konfiszierend, Beschlagnahme...; F räuberisch.

con·fla·gra·tion [ˌkɒnflə'greɪʃn] *s.* Feuersbrunst *f*, (großer) Brand.

con·flict I *s.* ['kɒnflɪkt] **1.** Kon'flikt *m*: a) Zs.-prall *m*, Zs.-stoß *m*, Kampf *m*, Ausein'andersetzung *f*, Kollisi'on *f*, Streit *m*, b) 'Widerstreit *m*, -spruch *m*: ***armed ~*** bewaffnete Auseinandersetzung; ***inner ~*** innerer (*od.* seelischer) Konflikt; ***~ of interests*** Interessenkonflikt, -kollision; ***~ of laws*** Gesetzeskollision, *weitS.* internationales Privatrecht; **II** *v/i.* [kən'flɪkt] **2.** (***with***) kollidieren, im 'Widerspruch *od.* Gegensatz stehen (zu); **3.** sich wider'sprechen; **con·flict·ing** [kən'flɪktɪŋ] *adj.* wider'streitend, gegensätzlich; *a.* ⚖ entgegenstehend, kollidierend.

con·flu·ence ['kɒnflʊəns] *s.* **1.** Zs.-fluß *m*; **2.** Zustrom *m*, Zulauf *m* (*Menschen*); **3.** (Menschen)Menge *f*; '**con·flu·ent** [-nt] **I** *adj.* zs.-fließend, -laufend; **II** *s.* Nebenfluß *m*; **con·flux** ['kɒnflʌks] → ***confluence***.

con·form [kən'fɔːm] **I** *v/t.* **1.** (*a.* ***o.s.*** sich) anpassen (***to*** *dat. od.* an *acc.*); **II** *v/i.* **2.** (***to***) sich anpassen (*dat.*), sich richten (nach); sich fügen (*dat.*); entsprechen (*dat.*); **3.** *eccl. Brit.* sich der engl. Staatskirche unter'werfen; **con-**

ˈ**form·a·ble** [-məbl] *adj.* □ (*to*) **1.** konˈform, gleichförmig (mit); entsprechend, gemäß (*dat.*); **2.** vereinbar (mit); **3.** fügsam, nachgiebig; **conˈformance** [-məns] *s.* Anpassung *f* (*to* an *acc.*); Überˈeinstimmung *f* (*with* mit): ***in ~ with*** gemäß (*dat.*); **con·for·ma·tion** [ˌkɒnfɔːˈmeɪʃn] *s.* **1.** Anpassung *f*, Angleichung *f* (*to* an *acc.*); **2.** Gestalt (-ung) *f*, Anordnung *f*, Bau *m*; **conˈform·ism** [-mɪzəm] *s.* Konforˈmismus *m*; **conˈform·ist** [-mɪst] *s.* Konforˈmist (-in): a) Angepaßte(r *m*) *f*, b) Anhänger(in) der engl. Staatskirche; **conˈform·i·ty** [-mətɪ] *s.* **1.** Gleichförmigkeit *f*, Ähnlichkeit *f*, Überˈeinstimmung *f*: ***in ~ with*** in Übereinstimmung mit, gemäß (*dat.*); **2.** (*to*) Anpassung *f* (an *acc.*); Befolgung *f* (*gen.*); **3.** *hist.* Zugehörigkeit *f* zur englischen Staatskirche.

con·found [kənˈfaʊnd] *v/t.* **1.** vermengen, verwechseln (*with* mit); **2.** in Unordnung bringen, verwirren; **3.** bestürzen, verblüffen; **4.** vernichten, vereiteln; **5.** [*a.* ˌkɒn-] F ***~ him!*** zum Teufel mit ihm!; ***~ it!*** verdammt!; **conˈfound·ed** [-dɪd] F **I** *adj.* □ (*a. int.*) verwünscht, verflixt; scheußlich; **II** *adv.*, *a.* ***~ly*** ‚verdammt' (*kalt, etc.*).

con·fra·ter·ni·ty [ˌkɒnfrəˈtɜːnətɪ] *s.* **1.** *bsd. eccl.* Bruderschaft *f*, Gemeinschaft *f*; **2.** Brüderschaft *f*; **con·frère** [ˈkɒnfreə] (*Fr.*) *s.* Amtsbruder *m*, Kolˈlege *m*.

con·front [kənˈfrʌnt] *v/t.* **1.** (*oft* feindlich) gegenˈübertreten, -stehen (*dat.*); **2.** mutig begegnen (*dat.*); **3.** ***~ s.o. with*** j-n konfrontieren mit, j-m *et.* entgegenhalten; ***be ~ed with*** sich gegenübersehen, gegenüberstehen (*dat.*); **con·fron·ta·tion** [ˌkɒnfrənˈteɪʃn] *s.* Gegenˈüberstellung *f*, (*a. feindliche*) Konfrontatiˈon.

Con·fu·cian [kənˈfjuːʃjən] **I** *adj.* konfuziˈanisch; **II** *s.* Konfuziˈaner(in); **Conˈfu·cian·ism** [-nɪzəm] *s.* Konfuziaˈnismus *m*.

con·fuse [kənˈfjuːz] *v/t.* **1.** verwechseln, durcheinˈanderbringen (*with* mit); **2.** verwirren: a) verlegen machen, aus der Fassung bringen, b) in Unordnung bringen; **3.** verworren *od.* undeutlich machen; **conˈfused** [-zd] *adj.* □ **1.** verwirrt: a) konˈfus, verworren, wirr, b) verlegen, bestürzt; **2.** undeutlich, verworren: ***~ sounds***; **conˈfus·ing** [-zɪŋ] *adj.* verwirrend; **conˈfu·sion** [-uːʒn] *s.* **1.** Verwirrung *f*, Durcheinˈander *n*, Unordnung *f*, Wirrwarr *m*; **2.** Aufruhr *m*, Lärm *m*; **3.** Bestürzung *f*: ***put s.o. to ~*** j-n in Verlegenheit bringen; **4.** Verworrenheit *f*; **5.** geistige Verwirrung; **6.** Verwechslung *f*.

con·fut·a·ble [kənˈfjuːtəbl] *adj.* widerˈlegbar; **con·fu·ta·tion** [ˌkɒnfjuːˈteɪʃn] *s.* Widerˈlegung *f*; **con·fute** [kənˈfjuːt] *v/t.* **1.** *et.* widerˈlegen; **2.** *j-n* widerˈlegen, e-s Irrtums überˈführen.

con·geal [kənˈdʒiːl] **I** *v/t.* gefrieren *od.* gerinnen *od.* erstarren lassen (*a. fig.*); **II** *v/i.* gefrieren, gerinnen, erstarren (*a. fig.*); fest werden; **conˈgeal·ment** [-mənt] → ***congelation*** 1.

con·ge·la·tion [ˌkɒndʒɪˈleɪʃn] *s.* **1.** Gefrieren *n*, Gerinnen *n*, Erstarren *n*, Festwerden *n*; **2.** gefrorene (*etc.*) Masse.

con·ge·ner [ˈkɒndʒɪnə] *bsd. biol.* **I** *s.* gleichartiges *od.* verwandtes Ding *od.* Wesen; **II** *adj.* (art- *od.* stamm)verwandt (*to* mit); **con·gen·er·ous** [kənˈdʒenərəs] *adj.* gleichartig, verwandt.

con·gen·ial [kənˈdʒiːnjəl] *adj.* □ **1.** (*with*) kongeniˈal (*dat.*), (geistes)verwandt (mit *od. dat.*); **2.** symˈpathisch, zusagend, angenehm (*to dat.*): ***be ~*** zusagen; **3.** zuträglich (*to dat.*); **4.** freundlich; **5.** passend, angemessen, entsprechend (*to dat.*); **con·ge·ni·al·i·ty** [kənˌdʒiːnɪˈælətɪ] *s.* **1.** Geistesverwandtschaft *f*; **2.** Zuträglichkeit *f*.

con·gen·i·tal [kənˈdʒenɪtl] *adj.* □ angeboren: ***~ defect*** Geburtsfehler *m*; **conˈgen·i·tal·ly** [-təlɪ] *adv.* von Geburt (an); von Naˈtur.

con·ger [ˈkɒŋgə], **~ eel** [ˌkɒŋgərˈiːl] *s.* Meeral *m*.

con·ge·ries [kɒnˈdʒɪəriːz] *s. sg. u. pl.* Anhäufung *f*, (wirre) Masse.

con·gest [kənˈdʒest] **I** *v/t.* **1.** zs.-drängen, überˈfüllen, anhäufen, stauen; **2.** *fig.* überˈschwemmen; **3.** verstopfen; **II** *v/i.* **4.** sich ansammeln, sich stauen, sich verstopfen; **conˈgest·ed** [-tɪd] *adj.* **1.** überˈfüllt (*with* von); überˈvölkert: ***~ area*** Ballungsraum *m*; **2.** ⚕ mit Blut überˈfüllt; **conˈges·tion** [-tʃn] *s.* **1.** Anhäufung *f*, Andrang *m*, Stauung *f*, Überˈfüllung *f*: ***~ of population*** Übervölkerung *f*; ***traffic ~*** Verkehrsstauung; **2.** ⚕ Blutandrang *m* (***of the brain*** zum Gehirn), (Gefäß)Stauung *f*.

con·glo·bate [ˈkɒngləʊbeɪt] **I** *adj.* (zs.-) geballt, kugelig; **II** *v/t. u. v/i.* (sich) zs.-ballen (***into*** zu).

con·glom·er·ate [kənˈglɒməreɪt] **I** *v/t. u. v/i.* (sich) zs.-ballen, verbinden, anhäufen; **II** *adj.* [-rət] zs.-geballt; *fig.* zs.-gewürfelt; **III** *s.* [-rət] *fig.* (An)Häufung *f*, Gemisch *n*, zs.-gewürfelte Masse, Konglomeˈrat *n* (*a. geol.*); **con·glom·er·a·tion** [kənˌglɒməˈreɪʃn] → ***conglomerate*** III.

con·glu·ti·nate [kənˈgluːtɪneɪt] **I** *v/t.* zs.-leimen, -kitten; **II** *v/i.* zs.-kleben, -haften; **con·glu·ti·na·tion** [kənˌgluːtɪˈneɪʃn] *s.* Zs.-kleben *n*; Verbindung *f*.

Con·go·lese [ˌkɒŋgəʊˈliːz] *hist.* **I** *adj.* Kongo..., kongoˈlesisch; **II** *s.* Kongoˈlese *m*, Kongoˈlesin *f*.

C

con·grat·u·late [kən'grætjʊleɪt] *v/t. j-m* gratulieren, Glück wünschen; *j-n* beglückwünschen (*on* zu) (*alle a. o.s.* sich); **con·grat·u·la·tion** [kənˌgrætjʊ'leɪʃn] *s.* Glückwunsch *m*: **~s!** ich gratuliere!; **con'grat·u·la·tor** [-tə] *s.* Gratu'lant(in); **con'grat·u·la·to·ry** [-lətərɪ] *adj.* Glückwunsch..., Gratulations...

con·gre·gate ['kɒŋgrɪgeɪt] *v/t. u. v/i.* (sich) (ver)sammeln.

con·gre·ga·tion [ˌkɒŋgrɪ'geɪʃn] *s.* **1.** (Kirchen)Gemeinde *f*; **2.** Versammlung *f*; **3.** *Brit. univ.* Versammlung *f* des Lehrkörpers *od.* des Se'nats; **ˌcon·gre'ga·tion·al** [-ʃənl] *adj. eccl.* **1.** Gemeinde...; **2.** ♀ unabhängig: ♀ **chapel** Kapelle *f* der ‚freien' Gemeinden; **ˌCon·gre'ga·tion·al·ism** [-ʃnəlɪzəm] *s. eccl.* Selbstverwaltung *f* der ‚freien' Kirchengemeinden, Independen'tismus *m*; **ˌCon·gre'ga·tion·al·ist** [-ʃnəlɪst] *s.* Mitglied *n* e-r ‚freien' Kirchengemeinde.

con·gress ['kɒŋgres] *s.* **1.** Kon'greß *m*, Tagung *f*; **2.** *pol. Am.* ♀ Kon'greß *m*, gesetzgebende Versammlung; **3.** Geschlechtsverkehr *m*.

con·gres·sion·al [kəŋ'greʃənl] *adj.* **1.** Kongreß...; **2.** *pol. Am.* ♀ Kongreß...: ♀ **medal** Verdienstmedaille *f*.

'Con·gress·man [-mən] *s.* [*irr.*] *pol.* Mitglied *n* des amer. Repräsen'tantenhauses, Kon'greßabgeordnete(r) *m*.

con·gru·ence ['kɒŋgrʊəns] *s.* **1.** Über'einstimmung *f*; **2.** ⩘ Kongru'enz *f*; **'con·gru·ent** [-nt] *adj.* kongru'ent: a) (**with**) über'einstimmend (mit), entsprechend (*dat.*), b) ⩘ deckungsgleich; **con·gru·i·ty** [kɒŋ'gru:ətɪ] *s.* **1.** Über'einstimmung *f*; Angemessenheit *f*; **2.** Folgerichtigkeit *f*; **3.** ⩘ Kongru'enz *f*; **'con·gru·ous** [-ʊəs] *adj.* □ **1.** (**to, with**) übereinstimmend (mit), entsprechend (*dat.*); **2.** folgerichtig; passend.

con·ic ['kɒnɪk] **I** *adj.* → **conical**; **II** *s. a.* **~ section** ⩘ a) Kegelschnitt *m*, b) *pl.* → **conics**; **'con·i·cal** [-kl] *adj.* □ 'konisch, kegelförmig: **~ frustrum** ⩘ Kegelstumpf *m*; **co·nic·i·ty** [kə'nɪsətɪ] *s.* Konizi'tät *f*, Kegelform *f*; **'con·ics** [-ks] *s. pl. sg. konstr.* ⩘ Lehre *f* von den Kegelschnitten.

co·ni·fer ['kɒnɪfə] *s.* ⚘ Koni'fere *f*, Nadelbaum *m*; **co·nif·er·ous** [kəʊ'nɪfərəs] *adj.* ⚘ a) zapfentragend, b) Nadel...: **~ tree**.

con·jec·tur·a·ble [kən'dʒektʃərəbl] *adj.* □ zu vermuten(d); **con'jec·tur·al** [-rəl] *adj.* □ mutmaßlich; **con·jec·ture** [kən'dʒektʃə] **I** *s.* **1.** Vermutung *f*, Mutmaßung *f*; (vage) I'dee; **II** *v/t.* **2.** vermuten, mutmaßen; **III** *v/i.* **3.** Mutmaßungen anstellen, mutmaßen.

con·join [kən'dʒɔɪn] *v/t. u. v/i.* (sich) verbinden *od.* vereinigen.

con·joint ['kɒndʒɔɪnt] *adj.* □ verbunden, vereinigt, gemeinsam, Mit...; **'con·joint·ly** [-lɪ] *adv.* zu'sammen, gemeinsam.

con·ju·gal ['kɒndʒʊgl] *adj.* □ ehelich, Ehe..., Gatten...

con·ju·gate ['kɒndʒʊgeɪt] **I** *v/t.* **1.** *ling.* konjugieren, beugen; **II** *v/i.* **2.** *biol.* sich paaren; **III** *adj.* [-gɪt] **3.** verbunden, gepaart; **4.** *ling.* wurzelverwandt; **5.** ⩘ zugeordnet; **6.** ⚘ paarig; **IV** *s.* [-gɪt] **7.** *ling.* wurzelverwandtes Wort; **con·ju·ga·tion** [ˌkɒndʒʊ'geɪʃn] *s. ling., biol.,* ⚗ Konjugati'on *f*, *ling. a.* Beugung *f*.

con·junct [kən'dʒʌŋkt] *adj.* □ verbunden, vereint, gemeinsam; **con'junc·tion** [-kʃən] *s.* **1.** Verbindung *f*: **in ~ with** zusammen mit; **2.** Zs.-treffen *n*; **3.** *ast., ling.* Konjunkti'on *f*; **con·junc·ti·va** [ˌkɒndʒʌŋk'taɪvə] *s. anat.* Bindehaut *f*; **con'junc·tive** [-tɪv] **I** *adj.* □ **1.** verbindend, Verbindungs...: **~ tissue** *anat.* Bindegewebe *n*; **2.** *ling.* 'konjunktivisch: **~ mood** Konjunktiv *m*; **II** *s.* **3.** *ling.* 'Konjunktiv *m*; **con'junc·tive·ly** [-tɪvlɪ] *adv.* gemeinsam; **con·junc·ti·vi·tis** [kənˌdʒʌŋktɪ'vaɪtɪs] *s.* ⚕ Bindehautentzündung *f*; **con'junc·ture** [-tʃə] *s.* **1.** Zs.-treffen *n* (*von Umständen*); **2.** 'Umstände *pl.*; **3.** Krise *f*; **4.** *ast.* Konjunkti'on *f*.

con·ju·ra·tion [ˌkɒndʒʊə'reɪʃn] *s.* **1.** feierliche Anrufung; Beschwörung *f*; **2.** a) Zauberformel *f*, b) Zaube'rei *f*.

con·jure[1] [kən'dʒʊə] *v/t.* beschwören, inständig bitten (**to** *inf.* zu *inf.*).

con·jure[2] ['kʌndʒə] **I** *v/t.* **1.** *Geist etc.* beschwören: **~ up** heraufbeschwören (*a. fig.*), zitieren, hervorzaubern; **2.** behexen, (be)zaubern: **~ away** wegzaubern, bannen; **II** *v/i.* **3.** zaubern, hexen: **a name to ~ with** ein Name, der Wunder wirkt; **'con·jur·er, 'con·jur·or** [-dʒərə] *s.* **1.** Zauberer *m*, Zauberin *f*; **2.** Zauberkünstler *m*, Taschenspieler *m*; **'con·jur·ing trick** [-dʒərɪŋ] *s.* Zauberkunststück *n*.

conk[1] [kɒŋk] *s. sl.* ‚Riecher' *m* (*Nase*); *Am. a.* ‚Birne' (*Kopf*).

conk[2] [kɒŋk] *v/i. sl. mst* **~ out 1.** ‚streiken', ‚den Geist aufgeben' (*Fernseher etc.*), ‚absterben' (*Motor*); **2.** ‚umkippen', ohnmächtig werden; **3.** ‚abkratzen', sterben.

con·ker ['kɒŋkə] *s.* F Ka'stanie *f*.

conn [kɒn] *v/t.* ⚓ *Schiff* steuern.

con·nate ['kɒneɪt] *adj.* **1.** angeboren; **2.** *biol.* verwachsen.

con·nat·u·ral [kə'nætʃrəl] *adj.* □ **1.** (**to**) gleicher Na'tur (wie); verwandt (*dat.*); **2.** angeboren.

con·nect [kə'nekt] **I** *v/t.* **1.** verbinden, verknüpfen (*mst* **with** mit): **be ~ed** (**with**) in Verbindung (mit) *od.* in Beziehungen (zu) treten *od.* stehen; ***be well ~ed*** *fig.* gute Beziehungen haben; **2.** ⚡ (***to***) anschließen (an *acc.*), verbinden (mit) (*a. teleph.*), zuschalten (*dat.*), Kon'takt herstellen zwischen (*dat.*); **3.** ⚙ (***to***) verbinden, zs.-fügen, koppeln (mit), ankuppeln (an *acc.*); **II** *v/i.* **4.** in Verbindung *od.* Zs.-hang treten *od.* stehen; **5.** 🚂 *etc.* Anschluß haben (***with*** an *acc.*); **6.** *Boxen*: ‚landen' (***with a blow*** e-n Schlag); **con'nect·ed** [-tɪd] *adj.* □ **1.** zs.-hängend; **2.** verwandt: ***~ by marriage*** verschwägert; → ***connect*** 1; **3.** (***with***) beteiligt (an *dat.*, bei), verwickelt (in *acc.*); **con'nect·ed·ly** [-tɪdlɪ] *adv.* zs.-hängend; logisch; **con'nect·ing** [-tɪŋ] *adj.* Binde..., Verbindungs..., Anschluß...: ***~ link*** Bindeglied *n*; ***~ rod*** ⚙ Kurbel-, Pleuelstange *f*; ***~ shaft*** ⚙ Transmissionswelle *f*; ***~ train*** Anschlußzug *m*.

con·nec·tion [kə'nekʃn] *s.* **1.** Verbindung *f*; **2.** ⚙ Verbindung *f*, Bindeglied *n*: ***hot-water ~s*** Heißwasseranlage *f*; **3.** Zs.-hang *m*, Beziehung *f*: ***in this ~*** in diesem Zs.-hang; ***in ~ with*** mit Bezug auf; **4.** per'sönliche Beziehung *od.* Verbindung; Verwandtschaft *f*, Verwandte(r *m*) *f*; **5.** *pl.* gute *od.* nützliche Beziehungen; Bekannten-, Kundenkreis *m*; **6.** ⚙ *allg.* Verbindung *f*, Anschluß *m* (*beide a.* ⚡, 🚂, *teleph. etc.*), Verbindungs-, Bindeglied *n*, ⚡ Schaltung *f*, Schaltverbindung *f*: ***~ fee*** Anschlußgebühr *f*; ***~ plug*** Anschlußstecker *m*; ***catch one's ~*** 🚂 den Anschluß erreichen; ***run in ~ with*** Anschluß haben an (*acc.*); **7.** (*bsd. religiöse*) Gemeinschaft; **con'nec·tive** [-ktɪv] **I** *adj.* verbindend: ***~ tissue*** *anat.* Binde-, Zellgewebe *n*; **II** *s. ling.* Bindewort *n*.

con·nex·ion → ***connection***.

con·ning tow·er ['kɒnɪŋ] *s.* ⚓, ⚔ Kom'mandoturm *m*.

con·niv·ance [kə'naɪvəns] *s.* stillschweigende Duldung *od.* Einwilligung (*a.* ⚖), bewußtes Über'sehen (***at***, ***in*** *gen.*); ⚖ Begünstigung *f*; **con·nive** [kə'naɪv] *v/i.* (***at***) stillschweigend dulden (*acc.*), ein Auge zudrücken (bei), Vorschub leisten (*dat.*).

con·nois·seur [ˌkɒnə'sɜː] (*Fr.*) *s.* (Kunst- *etc.*)Kenner *m*: ***~ of*** (*od.* ***in***) ***wines*** Weinkenner.

con·no·ta·tion [ˌkɒnəʊ'teɪʃn] *s.* **1.** Mitbezeichnung *f*; (Neben)Bedeutung *f*; **2.** *phls.* Begriffsinhalt *m*; **con·note** [kɒ'nəʊt] *v/t.* mitbezeichnen, (zu'gleich) bedeuten.

con·nu·bi·al [kə'njuːbjəl] *adj.* □ ehelich, Ehe...; **con·nu·bi·al·i·ty** [kəˌnjuːbɪ'ælətɪ] *s.* **1.** Ehestand *m*; **2.** eheliche Zärtlichkeiten *pl.*

co·noid ['kəʊnɔɪd] **I** *adj.* kegelförmig; **II** *s.* 𝒜 a) Kono'id *n*, b) Kono'ide *f* (*Fläche*).

con·quer ['kɒŋkə] **I** *v/t.* **1.** erobern, einnehmen, Besitz ergreifen von; **2.** *fig.* erobern, gewinnen; **3.** besiegen, über'winden; unter'werfen; **4.** *fig.* über'winden, bezwingen, Herr werden über (*acc.*); **II** *v/i.* **5.** siegen; Eroberungen machen; **'con·quer·ing** [-kərɪŋ] *adj.* siegreich; **'con·quer·or** [-kərə] *s.* **1.** Eroberer *m*; Sieger *m*: ***the*** ℒ *hist.* Wilhelm der Eroberer; **2.** F Entscheidungsspiel *n*.

con·quest ['kɒŋkwest] *s.* **1.** Eroberung *f*: a) Einnahme *f*: ***the*** ℒ *hist.* die normannische Eroberung, b) erobertes Gebiet, c) *fig.* Erringung *f*; **2.** Bezwingung *f*; **3.** *fig.* ‚Eroberung' *f*: ***make a ~ of s.o.*** j-n erobern.

con·san·guine [kɒn'sæŋgwɪn] *adj.* blutsverwandt; **con·san·guin·i·ty** [ˌkɒnsæŋ'gwɪnətɪ] *s.* Blutsverwandtschaft *f*.

con·science ['kɒnʃəns] *s.* Gewissen *n*: ***guilty ~*** schlechtes Gewissen; ***for ~ sake*** um das Gewissen zu beruhigen; ***in all ~*** F wahrhaftig; ***have s.th. on one's ~*** ein schlechtes Gewissen haben wegen e-r Sache; **~ clause** *s.* ⚖ Gewissensklausel *f*; **~ mon·ey** *s.* ano'nyme Steuernachzahlung; **'~-proof** *adj.* ‚abgebrüht'; **'~-ˌstrick·en** *adj.* von Gewissensbissen gepeinigt, reuevoll.

con·sci·en·tious [ˌkɒnʃɪ'enʃəs] *adj.* □ gewissenhaft, Gewissens...: ***~ objector*** Kriegs-, Wehrdienstverweigerer *m* (*aus Gewissensgründen*); **ˌcon·sci'en·tious·ness** [-nɪs] *s.* Gewissenhaftigkeit *f*.

-conscious [kɒnʃəs] *adj. in Zssgn* ...bewußt; ...freudig, ...begeistert.

con·scious ['kɒnʃəs] *adj.* □ **1.** *pred.* bei Bewußtsein; **2.** bewußt: ***be ~ of*** sich bewußt sein (*gen.*), wissen von; ***be ~ that*** wissen *od.* überzeugt sein, daß; ***she became ~ that*** es kam ihr zum Bewußtsein, daß; **3.** wissentlich, bewußt: ***a ~ liar*** ein bewußter Lügner; **4.** (selbst)bewußt, über'zeugt: ***a ~ artist*** ein überzeugter Künstler; **5.** denkend: ***man is a ~ being***; **'con·scious·ly** [-lɪ] *adv.* bewußt, wissentlich; gewollt; **'con·scious·ness** [-nɪs] *s.* **1.** Bewußtsein *n*: ***lose ~*** das Bewußtsein verlieren; ***regain ~*** wieder zu sich kommen; **2.** (***of***) Bewußtsein *n* (*gen.*), Wissen *n* (um), Kenntnis *f* (von *od. gen.*): ***~-expanding*** bewußtseinserweiternd (*Droge*); ***~-raising*** Bewußtwerdung *f od.* -machung *f*; **3.** Denken *n*, Empfinden *n*.

con·script ['kɒnskrɪpt] **I** *adj.* zwangsweise eingezogen (*Soldat etc.*) *od.* verpflichtet (*Arbeiter*); **II** *s.* ⚔ Dienst-, Wehrpflichtige(r) *m*; ausgehobener Re'krut; **III** *v/t.* [kən'skrɪpt] *bsd.* ⚔ (zwangsweise) ausheben, einziehen;

C

con·scrip·tion [kən'skrɪpʃn] *s.* **1.** *bsd.* ⚔ Zwangsaushebung *f*, Wehrpflicht *f*: ***industrial ~*** Arbeitsverpflichtung *f*; **2.** *a.* ***~ of wealth*** (Her'anziehung *f* zur) Vermögensabgabe *f*.

con·se·crate ['kɒnsɪkreɪt] **I** *v/t.* **1.** *eccl.* weihen; **2.** widmen; **3.** heiligen; **II** *adj.* **4.** geweiht, geheiligt; **con·se·cra·tion** [ˌkɒnsɪ'kreɪʃn] *s.* **1.** *eccl.* Weihung *f*, Einsegnung *f*; **2.** Heiligung *f*; **3.** Widmung *f*, Hingabe *f* (***to*** an *acc.*).

con·se·cu·tion [ˌkɒnsɪ'kju:ʃn] *s.* **1.** (Aufein'ander)Folge *f*, Reihe *f*; logische Folge; **2.** *ling.* Wort-, Zeitfolge *f*; **con·sec·u·tive** [kən'sekjʊtɪv] *adj.* □ **1.** aufein'anderfolgend, fortlaufend: ***six ~ days*** sechs Tage hintereinander; **2.** *ling.* ***~ clause*** Konsekutiv-, Folgesatz *m*; **con·sec·u·tive·ly** [kən'sekjʊtɪvlɪ] *adv.* nachein'ander, fortlaufend.

con·sen·sus [kən'sensəs] *s.* **1.** Über'einstimmung *f* (der Meinungen): ***~ of opinion*** übereinstimmende Meinung, allseitige Zustimmung; **2.** ⚕ Wechselwirkung *f* (*Organe*).

con·sent [kən'sent] **I** *v/i.* **1.** (***to***) zustimmen (*dat.*), einwilligen (in *acc.*); **2.** sich bereit erklären (***to*** *inf.* zu *inf.*); **II** *s.* **3.** (***to***) Zustimmung *f* (zu), Einwilligung *f* (in *acc.*), Genehmigung *f* (für), Einverständnis *n* (zu): ***age of ~*** ⚖ (*bsd.* Ehe-) Mündigkeit *f*; ***with one ~*** einstimmig; ***by common ~*** mit allgemeiner Zustimmung; → ***silence*** 1; **con'sen·tient** [-nʃənt] *adj.* zustimmend.

con·se·quence ['kɒnsɪkwəns] *s.* **1.** Konse'quenz *f*, Folge *f*, Resul'tat *n*, Wirkung *f*: ***in ~*** folglich, daher; ***in ~ of*** infolge von (*od.* *gen.*), wegen; ***in ~ of which*** weswegen; ***take the ~s*** die Folgen tragen; ***with the ~ that*** mit dem Ergebnis, daß; **2.** (Schluß)Folgerung *f*, Schluß *m*; **3.** Wichtigkeit *f*, Bedeutung *f*, Einfluß *m*: ***of no ~*** ohne Bedeutung, unwichtig; ***a man of ~*** ein bedeutender *od.* einflußreicher Mann; **4.** *pl. mst sg. konstr.* ein Erzählspiel; **'con·se·quent** [-nt] **I** *adj.* □ → ***consequently***; **1.** (***on***) folgend (auf *acc.*), sich ergebend (aus); **2.** *phls.* logisch (richtig); **II** *s.* **3.** Folge (-erscheinung) *f*, Folgerung *f*, Schluß *m*; **4.** *ling.* Nachsatz *m*; **con·se·quen·tial** [ˌkɒnsɪ'kwenʃl] *adj.* □ **1.** sich ergebend (***on*** aus): ***~ damage*** ⚖ Folgeschaden *m*; **2.** logisch (richtig); **3.** 'indiˌrekt; **4.** wichtigtuerisch; **'con·se·quent·ly** [-ntlɪ] *adv.* **1.** folglich, deshalb; **2.** als Folge.

con·serv·an·cy [kən'sɜ:vənsɪ] *s.* **1.** Aufsichtsbehörde *f* für Flüsse, Häfen *etc.*; **2.** Forstbehörde *f*: ***nature ~*** Naturschutz(amt *n*) *m*; **con·ser·va·tion** [ˌkɒnsə'veɪʃn] *s.* **1.** Erhaltung *f*, Bewahrung *f*; Instandhaltung *f*, Schutz *m* (*von Forsten, Flüssen, Boden*); Na'tur-, Umweltschutz *m*: ***~ of energy*** *phys.* Erhaltung der Energie; **2.** Haltbarmachung *f*, Konservierung *f*; **con·ser·va·tion·ist** [ˌkɒnsə'veɪʃənɪst] *s.* Na'tur- *od.* 'Umweltschützer *m*.

con·serv·a·tism [kən'sɜ:vətɪzəm] *s.* Konserva'tismus *m* (*a. pol.*); **con'serv·a·tive** [-tɪv] **I** *adj.* **1.** erhaltend, konservierend; **2.** konserva'tiv (*a. pol.*, *mst* ♀); **3.** zu'rückhaltend, vorsichtig (*Schätzung etc.*); **4.** unauffällig: ***~ dress***; **II** *s.* **5.** ♀ *pol.* Konserva'tive(r) *m*.

con·ser·va·toire [kən'sɜ:vətwɑ:] (*Fr.*) *s. bsd. Brit.* Konserva'torium *n*, Hochschule *f* für Mu'sik (*etc.*).

con·ser·va·tor [kən'sɜ:vətə] *s.* **1.** Konser'vator *m*, Mu'seumsdiˌrektor *m*; **2.** ⚖ *Am.* Vormund *m*; **con'serv·a·to·ry** [-trɪ] *s.* **1.** Treib-, Gewächshaus *n*, Wintergarten *m*; **2.** → ***conservatoire***; **con·serve** [kən'sɜ:v] **I** *v/t.* **1.** erhalten, bewahren; beibehalten; **2.** schonen, sparsam 'umgehen mit; **3.** einmachen, konservieren; **II** *s.* **4.** *mst pl.* Eingemachtes *n*, Konfi'türe *f*.

con·sid·er [kən'sɪdə] **I** *v/t.* **1.** nachdenken über (*acc.*), (sich) über'legen, erwägen: ***~ a plan***; **2.** in Betracht ziehen, berücksichtigen, beachten, bedenken: ***~ his age!*** bedenken Sie sein Alter!; ***all things ~ed*** wenn man alles in Betracht zieht; → ***considered***, ***considering***; **3.** Rücksicht nehmen auf (*acc.*): ***he never ~s others***; **4.** betrachten *od.* ansehen als, halten für: ***~ s.o.*** (***to be***) ***a fool*** j-n für e-n Narren halten; ***be ~ed rich*** als reich gelten; ***you may ~ yourself lucky*** du kannst dich glücklich schätzen; ***~ yourself at home*** tun Sie, als ob Sie zu Hause wären; ***~ yourself dismissed!*** betrachten Sie sich als entlassen!; **5.** denken, meinen, annehmen, finden (*a.* ***that*** daß); **II** *v/i.* **6.** nachdenken, über'legen; **con'sid·er·a·ble** [-dərəbl] **I** *adj.* □ beträchtlich, erheblich; bedeutend (*a. Person*); **II** *s. bsd. Am.* F e-e Menge, viel.

con·sid·er·ate [kən'sɪdərət] *adj.* □ rücksichtsvoll, aufmerksam (***towards***, ***of*** gegen): ***be ~ of*** Rücksicht nehmen auf (*acc.*); **con'sid·er·ate·ness** [-nɪs] *s.* Rücksichtnahme *f*; **con·sid·er·a·tion** [kənˌsɪdə'reɪʃn] *s.* **1.** Erwägung *f*, Über'legung *f*: ***take into ~*** in Betracht *od.* Erwägung ziehen; ***leave out of ~*** außer Betracht lassen, ausklammern; ***the matter is under ~*** die Sache wird (noch) erwogen *od.* geprüft; ***upon ~*** nach Prüfung; **2.** Berücksichtigung *f*; Begründung *f*: ***in ~ of*** in Anbetracht (*gen.*); ***on*** (*od.* ***under***) ***no ~*** unter keinen Umständen; ***that is a ~*** das ist ein triftiger Grund; ***money is no ~*** Geld spielt keine Rolle; **3.** Rücksicht (-nahme) *f* (***for*** auf *acc.*): ***lack of ~***

Rücksichtslosigkeit *f*; **4.** Entgelt *n*, Entschädigung *f*; (vertragliche) Gegenleistung: ***for a ~*** gegen Entgelt; **con'sid·ered** [-dəd] *adj. a.* ***well-~*** 'wohlüber,legt; **con'sid·er·ing** [-rɪŋ] **I** *prp.* in Anbetracht (*gen.*); **II** *adv.* F den 'Umständen nach.

con·sign [kən'saɪn] *v/t.* **1.** über'geben, über'liefern; **2.** anvertrauen; **3.** bestimmen (***for***, ***to*** für); **4.** ✝ *Waren* a) (***to***) versenden (an *acc.*), zu-, über'senden (*dat.*), verfrachten (an *acc.*), b) in Kommissi'on *od.* Konsignati'on geben, konsignieren; **con·sign·ee** [,kɒnsaɪ'ni:] *s.* ✝ **1.** Empfänger *m*, Adres'sat *m*; **2.** *Überseehandel*: Konsigna'tar *m*; **con'sign·ment** [-mənt] *s.* ✝ **1.** a) Über'sendung *f*, b) *Überseehandel*: Konsignati'on *f*: ***~ note*** Frachtbrief *m*; ***in ~*** in Konsignation *od.* Kommission; **2.** a) (Waren)Sendung *f*, b) *Überseehandel*: Konsignati'onsware(n *pl.*) *f*; **con'sign·or** [-nə] *s.* ✝ **1.** Über'sender *m*; **2.** *Überseehandel*: Konsi'gnant *m*.

con·sist [kən'sɪst] *v/i.* **1.** bestehen, sich zs.-setzen (***of*** aus); **2.** bestehen (***in*** in *dat.*); **con'sist·ence** [-təns] → ***consistency*** 1 *u.* 2; **con'sist·en·cy** [-tənsɪ] *s.* **1.** Konsi'stenz *f*, Beschaffenheit *f*; **2.** Festigkeit *f*, Dichtigkeit *f*, Dicke *f*; **3.** Konse'quenz *f*, Folgerichtigkeit *f*; **4.** Stetigkeit *f*; **5.** Über'einstimmung *f*, Vereinbarkeit *f*; **con'sist·ent** [-tənt] *adj.* □ **1.** konse'quent: a) folgerichtig, logisch, b) gleichmäßig, stetig, unbeirrbar (*a. Person*); **2.** über'einstimmend, vereinbar, im Einklang stehend (***with*** mit); **3.** beständig, kon'stant (*Leistung etc.*); **con'sist·ent·ly** [-təntlɪ] *adv.* **1.** im Einklang (***with*** mit); **2.** 'durchweg; **3.** logischerweise.

con·sis·to·ry [kən'sɪstərɪ] *s. eccl.* Konsi'storium *n*.

con·so·la·tion [,kɒnsə'leɪʃn] *s.* Trost *m*, Tröstung *f*: ***poor ~*** schwacher Trost; ***~ goal*** *sport* Ehrentor *n*; ***~ prize*** Trostpreis *m*.

con·sole[1] [kən'səʊl] *v/t. j-n* trösten: ***~ o.s.*** sich trösten (***with*** mit).

con·sole[2] ['kɒnsəʊl] *s.* **1.** Kon'sole *f*: a) ⚠ Krag-, Tragstein *m*, b) Wandgestell *n*: ***~ (table)*** Wandtischchen *n*; **2.** (Fernseh-, Mu'sik)Truhe *f*, (Radio)Schrank *m*; **3.** ⚙, ⚡ Schalt-, Steuerpult *n*, Kon'sole *f*.

con·sol·i·date [kən'sɒlɪdeɪt] **I** *v/t.* **1.** (ver)stärken, festigen, *fig. a.* konsolidieren; **2.** vereinigen: a) zs.-legen, zs.-schließen, b) *Truppen* zs.-ziehen; **3.** ✝ a) *Schulden* konsolidieren, fundieren, b) *Aktien*, *a.* ⚖ *Klagen* zs.-legen, c) *Gesellschaften* zs.-schließen; **4.** ⚙ verdichten; **II** *v/i.* **5.** fest werden; sich festigen (*a. fig.*); **con'sol·i·dat·ed** [-tɪd] *adj.* **1.** fest, dicht, kom'pakt; **2.** *bsd.* ✝ vereinigt, konsolidiert: ***~ annuities*** → ***consols***; ***~ debt*** fundierte Schuld; ***♀ Fund*** *Brit.* konsolidierter Staatsfonds; **con·sol·i·da·tion** [kən,sɒlɪ'deɪʃn] *s.* **1.** (Ver)stärkung *f*, Festigung *f* (*beide a. fig.*); **2.** ⚔ a) Zs.-ziehung *f*, b) Ausbau *m*; **3.** ✝ a) Konsolidierung *f*, b) Zs.-legung *f*, Vereinigung *f*, c) Zs.-schluß *m*; **4.** ⚙ Verdichtung *f*; **5.** ⚒ Flurbereinigung *f*.

con·sols ['kɒnsəlz] *s. pl.* ✝ *Brit.* Kon'sols *pl.*, konsolidierte Staatsanleihen *pl.*

con·som·mé [kən'sɒmeɪ] (*Fr.*) *s.* Consom'mé *f*, *n* (*klare Kraftbrühe*).

con·so·nance ['kɒnsənəns] *s.* **1.** Zs.-, Gleichklang *m*; **2.** ♪ Konso'nanz *f*; **3.** *fig.* Über'einstimmung *f*, Harmo'nie *f*; **'con·so·nant** [-nt] **I** *adj.* □ **1.** ♪ konso'nant; **2.** über'einstimmend, vereinbar (***with*** mit); **3.** gemäß (***to*** *dat.*); **II** *s.* **4.** *ling.* Konso'nant *m*; **con·so·nan·tal** [,kɒnsə'næntl] *adj. ling.* konso'nantisch.

con·sort **I** *s.* ['kɒnsɔ:t] **1.** Gemahl(in); **2.** ⚓ Geleitschiff *n*; **II** *v/i.* [kən'sɔ:t] **3.** (***with***) verkehren (mit), sich gesellen (zu); **4.** (***with***) über'einstimmen (mit), passen (zu); **con·sor·ti·um** [kən'sɔ:tjəm] *s.* **1.** Vereinigung *f*, Gruppe *f*, Kon'sortium *n* (*a.* ✝): ***~ of banks*** Bankenkonsortium; **2.** ⚖ eheliche Gemeinschaft.

con·spi·cu·i·ty [,kɒnspɪ'kju:ətɪ] → ***conspicuousness***; **con·spic·u·ous** [kən'spɪkjʊəs] *adj.* □ **1.** deutlich sichtbar; **2.** auffallend: ***be ~*** in die Augen fallen; ***be ~ by one's absence*** durch Abwesenheit glänzen; ***make o.s. ~*** sich auffällig benehmen, auffallen; ***render o.s. ~*** sich hervortun; ***~ consumption*** Prestigekonsum *m*; **3.** *fig.* bemerkenswert, her'vorragend; **con·spic·u·ous·ness** [kən'spɪkjʊəsnɪs] *s.* **1.** Deutlichkeit *f*; **2.** Auffälligkeit *f*, Augenfälligkeit *f*.

con·spir·a·cy [kən'spɪrəsɪ] *s.* Verschwörung *f*, Kom'plott *n*: ***~ of silence*** verabredetes Stillschweigen; ***~ (to commit a crime)*** (*strafbare*) Verabredung zur Verübung e-r Straftat; **con'spir·a·tor** [-ətə] *s.* Verschwörer *m*; **con·spir·a·to·ri·al** [kən,spɪrə'tɔ:rɪəl] *adj.* verschwörerisch, Verschwörungs...; **con·spire** [kən'spaɪə] **I** *v/i.* **1.** sich verschwören; sich (heimlich) zs.-tun; ⚖ sich *zu e-r Tat* verabreden; **2.** *fig.* zs.-wirken, (insgeheim) dazu beitragen, sich verschworen haben; **II** *v/t.* **3.** (heimlich) planen, anzetteln.

con·sta·ble ['kʌnstəbl] *s. bsd. Brit.* Poli'zist *m*, Wachtmeister *m*: ***special ~*** Hilfspolizist; → ***Chief Constable***; **con·stab·u·lar·y** [kən'stæbjʊlərɪ] *s.* Poli'zei(truppe) *f*.

con·stan·cy ['kɒnstənsɪ] *s.* **1.** Beständigkeit *f*, Unveränderlichkeit *f*; **2.** Be-

C

stand *m*, Dauer *f*; **3.** *fig.* Standhaftigkeit *f*; Treue *f*; **'con·stant** [-nt] **I** *adj.* □ **1.** (be)ständig, unveränderlich, gleichbleibend, kon'stant; **2.** dauernd, unaufhörlich; stetig, regelmäßig: **~ *rain*** anhaltender Regen; → ***companion***[1] 2; **3.** standhaft, beharrlich, fest; **4.** verläßlich, treu; **5.** ⩚, ϟ, *phys.* kon'stant; **II** *s.* **6.** ⩚, *phys.* kon'stante Größe, Kon'stante *f*.

con·stel·la·tion [ˌkɒnstəˈleɪʃn] *s.* **1.** Konstellati'on *f*: a) *ast.* Sternbild *n*, b) *fig.* Gruppierung *f*; **2.** glänzende Versammlung.

con·ster·nat·ed [ˈkɒnstəneɪtɪd] *adj.* bestürzt, konsterniert; **con·ster·na·tion** [ˌkɒnstəˈneɪʃn] *s.* Bestürzung *f*.

con·sti·pate [ˈkɒnstɪpeɪt] *v/t.* ⚕ verstopfen; **con·sti·pa·tion** [ˌkɒnstɪˈpeɪʃn] *s.* ⚕ Verstopfung *f*.

con·stit·u·en·cy [kənˈstɪtjʊənsɪ] *s.* **1.** Wählerschaft *f*; **2.** Wahlkreis *m*; **3.** *Am.* F Kundenkreis *m*; **con'stit·u·ent** [-nt] **I** *adj.* **1.** e-n (Bestand)Teil bildend: **~ *part*** Bestandteil *m*; **2.** *pol.* Wähler..., Wahl...: **~ *body*** Wählerschaft *f*; **3.** *pol.* konstituierend, verfassunggebend: **~ *assembly*** verfassunggebende Versammlung; **II** *s.* **4.** Bestandteil *m*; **5.** ⚖ Vollmachtgeber(in); **6.** *pol.* Wähler (-in); **7.** *ling.* Satzteil *m*; **8.** ⩚, *phys.* Kompo'nente *f*.

con·sti·tute [ˈkɒnstɪtjuːt] *v/t.* **1.** ernennen, einsetzen: **~ *s.o. president*** j-n als Präsidenten einsetzen; **2.** *Gesetz* in Kraft setzen; **3.** *oft pol.* gründen, einsetzen, konstituieren: **~ *a committee*** e-n Ausschuß einsetzen; ***the ~d authorities*** die verfassungsmäßigen Behörden; **4.** ausmachen, bilden: **~ *a precedent*** e-n Präzedenzfall bilden; ***be so ~d that*** so geartet sein, daß.

con·sti·tu·tion [ˌkɒnstɪˈtjuːʃn] *s.* **1.** Zs.-setzung *f*, (Auf)Bau *m*, Beschaffenheit *f*; **2.** Einsetzung *f*, Bildung *f*, Gründung *f*; **3.** Konstituti'on *f*, Körperbau *m*, Na'tur *f*: ***by ~*** von Natur; ***strong ~*** starke Konstitution; **4.** Gemütsart *f*, Wesen *n*, Veranlagung *f*; **5.** *pol.* Verfassung *f*, Grundgesetz *n*, Satzung *f*; **ˌcon·sti'tu·tion·al** [-ʃənl] **I** *adj.* □ **1.** körperlich bedingt, angeboren, veranlagungsgemäß; **2.** *pol.* verfassungsmäßig, rechtsstaatlich, Verfassungs...: **~ *monarchy*** konstitutionelle Monarchie; **~ *state*** Rechtsstaat *m*; **II** *s.* **3.** F (Verdauungs-) Spaziergang *m*; **ˌcon·sti'tu·tion·al·ism** [-ʃnəlɪzəm] *s.* *pol.* verfassungsmäßige Regierungsform; **ˌcon·sti'tu·tion·al·ist** [-ʃnəlɪst] *s.* *pol.* Anhänger *m* der verfassungsmäßigen Regierungsform.

con·strain [kənˈstreɪn] *v/t.* **1.** zwingen, nötigen, drängen: ***be*** (*od.* ***feel***) ***~ed*** sich genötigt sehen; **2.** erzwingen; **3.** einzwängen; einsperren; **con'strained** [-nd] *adj.* □ gezwungen, steif, verkrampft, verlegen, befangen; **con'strain·ed·ly** [-nɪdlɪ] *adv.* gezwungen; **con'straint** [-nt] *s.* **1.** Zwang *m*, Nötigung *f*: ***under ~*** unter Zwang, zwangsweise; **2.** Beschränkung *f*; **3.** a) Befangenheit *f*, b) Gezwungenheit *f*; **4.** Zu'rückhaltung *f*.

con·strict [kənˈstrɪkt] *v/t.* zs.-ziehen, -pressen, -schnüren, einengen; **con'strict·ed** [-tɪd] *adj.* eingeengt; beschränkt; **con'stric·tion** [-kʃn] *s.* Zs.-ziehung *f*, Einschnürung *f*; Beengtheit *f*; **con'stric·tor** [-tə] *s.* **1.** *anat.* Schließmuskel *m*; **2.** *zo.* 'Boa *f*, Riesenschlange *f*.

con·strin·gent [kənˈstrɪndʒənt] *adj.* zs.-ziehend.

con·struct [kənˈstrʌkt] *v/t.* **1.** bauen, errichten; **2.** ⚙, ⩚, *ling.* konstruieren; **3.** *fig.* aufbauen, gestalten, formen; ausarbeiten, entwerfen, ersinnen; **con'struc·tion** [-kʃn] *s.* **1.** (Er)Bauen *n*, Bau *m*, Errichtung *f*: ***under ~*** im Bau; **2.** Bauwerk *n*, Bau *m*, Gebäude *n*; **3.** Bauweise *f*; *fig.* Aufbau *m*, Anlage *f*, Gestaltung *f*, Form *f*; **4.** ⚙, ⩚ Konstrukti'on *f*; **5.** *ling.* Konstrukti'on *f*, Satzbau *m*, Wortfügung *f*; **6.** Auslegung *f*, Deutung *f*: ***put a wrong ~ on s.th.*** et. falsch auslegen *od.* auffassen; **con'struc·tion·al** [-kʃənl] *adj.* Bau..., Konstruktions..., baulich; **con'struc·tive** [-tɪv] *adj.* □ **1.** aufbauend, schaffend, schöpferisch, konstruk'tiv; **2.** konstruk'tiv, positiv: **~ *criticism***; **3.** Bau..., Konstruktions...; **4.** a) *a.* ⚖ abgeleitet, angenommen, b) ⚖ mittelbar: **~ *dismissal*** unfreiwillige Kündigung seitens des Arbeitnehmers; **con'struc·tor** [-tə] *s.* Erbauer *m*, Konstruk'teur *m*.

con·strue [kənˈstruː] **I** *v/t.* **1.** *ling.* a) *Satz* zergliedern, konstruieren, b) (Wort für Wort) über'setzen; **2.** auslegen; deuten; auffassen; **II** *v/i.* **3.** *ling.* sich konstruieren *od.* zergliedern lassen.

con·sub·stan·ti·al·i·ty [ˈkɒnsəbˌstænʃɪˈælətɪ] *s.* *eccl.* Wesensgleichheit *f* (*der drei göttlichen Personen*); **con·sub·stan·ti·ate** [ˌkɒnsəbˈstænʃɪeɪt] *v/t.* (*v/i.* sich) zu e-m einzigen Wesen vereinigen; **'con·subˌstan·ti'a·tion** [-ɪˈeɪʃn] *s.* *eccl.* Konsubstantiati'on *f* (*Mitgegenwart des Leibes u. Blutes Christi beim Abendmahl*).

con·sue·tude [ˈkɒnswɪtjuːd] *s.* Gewohnheit *f*, Brauch *m*; **con·sue·tu·di·nar·y** [ˌkɒnswɪˈtjuːdɪnərɪ] *adj.* gewohnheitsmäßig, Gewohnheits...

con·sul [ˈkɒnsəl] *s.* Konsul *m*: ***~-general*** Generalkonsul; **'con·su·lar** [-sjʊlə] Konsulats..., Konsular..., konsu'larisch: **~ *invoice*** ✝ Konsulatsfaktura *f*; '**con·su·late** [-sjʊlət] *s.* Konsu'lat *n* (*a. Gebäude*): **~-general** Generalkonsulat; '**con·sul·ship** [-ʃɪp] *s.* Amt *n* e-s Konsuls.

con·sult [kən'sʌlt] **I** *v/t.* **1.** um Rat fragen, befragen, *Arzt etc.* zu Rate ziehen, konsultieren: **~ one's watch** auf die Uhr sehen; **~ the dictionary** im Wörterbuch nachschlagen; **2.** beachten, berücksichtigen: **~ s.o.'s wishes**; **II** *v/i.* **3.** sich beraten *od.* besprechen (**with** mit, **about** über *acc.*); **con'sult·ant** [-tənt] *s.* **1.** (*Fach-, Betriebs- etc.*)Berater *m*; **2.** ⚕ a) Facharzt *m*, b) fachärztlicher Berater; **con·sul·ta·tion** [ˌkɒnsəl'teɪʃn] *s.* Beratung *f*, Rücksprache *f* (**on** über *acc.*), Konsultati'on *f* (*a.* ⚕): **~ hour** ⚕ Sprechstunde *f*; **con'sult·a·tive** [-tətɪv] *adj.* beratend; **con'sult·ing** [-tɪŋ] *adj.* beratend: **~ engineer** technischer (Betriebs)Berater; **~ room** ⚕ Sprechzimmer *n*.

con·sum·a·ble [kən'sju:məbl] **I** *adj.* verzehrbar, verbrauchbar, zerstörbar; **II** *s. mst pl.* Ver'brauchsarˌtikel *m*;

con·sume [kən'sju:m] **I** *v/t.* **1.** verzehren (*a. fig.*), verbrauchen: **be ~d with** *fig.* erfüllt sein von, von *Haß*, *Verlangen* verzehrt werden, vor *Neid* vergehen; **consuming desire** brennende Begierde; **2.** zerstören: **~d by fire** ein Raub der Flammen; **3.** (auf)essen, trinken; **4.** verschwenden; *Zeit* rauben *od.* benötigen; **II** *v/i.* **5.** *a.* **~ away** sich verzehren (*a. fig.*); sich verbrauchen *od.* abnutzen; **con'sum·er** [-mə] *s.* Verbraucher *m*, Abnehmer *m*, Konsu'ment *m*: **~ councelling** Verbraucherberatung *f*; **~ goods** Konsumgüter; **~ protection** Verbraucherschutz *m*; **~ resistance** Kaufunlust *f*; **~ society** Konsumgesellschaft *f*; **~ spending** Ausgaben der Privathaushalte; **~ survey** Konsumentenbefragung *f*; **ultimate ~** Endverbraucher *m*; **con'sum·er·ism** [-mərɪzəm] *s.* **1.** Verbraucherschutzbewegung *f*; **2.** kritische Verbraucherhaltung.

con·sum·mate **I** *v/t.* ['kɒnsəmeɪt] voll'enden; *bsd. Ehe* voll'ziehen; **II** *adj.* □ [kən'sʌmɪt] voll'endet, 'vollkommen, völlig: **~ skill** höchste Geschicklichkeit; **con·sum·ma·tion** [ˌkɒnsə'meɪʃn] *s.* **1.** Voll'endung *f*, Ziel *n*, Ende *n*; **2.** Erfüllung *f*; **3.** ⚖ Voll'ziehung *f* (*Ehe*).

con·sump·tion [kən'sʌmpʃn] *s.* **1.** Verbrauch *m*, Kon'sum *m* (**of** an *dat. od.* von); **2.** Verzehrung *f*; Zerstörung *f*; **3.** Verzehr *m*: **unfit for human ~** für menschlichen Verzehr ungeeignet; **for public ~** *fig.* für die Öffentlichkeit bestimmt; **4.** ⚕ *obs.* Schwindsucht *f*; **con'sump·tive** [-ptɪv] **I** *adj.* □ **1.** verbrauchend, Verbrauchs...; **2.** (ver)zehrend; **3.** ⚕ *obs.* schwindsüchtig; **II** *s.* **4.** ⚕ *obs.* Schwindsüchtige(r *m*) *f*.

con·tact ['kɒntækt] **I** *s.* **1.** Berührung *f* (*a.* ⩘), Kon'takt *m*; ⚔ Feindberührung *f*; **2.** *fig.* Kon'takt *m*: a) Verbindung *f*, Beziehung *f*, Fühlung *f* (*a.* ⚔), b) Verbindungs-, Gewährsmann *m*, c) *pol.* Kon'taktmann *m* (*Agent*): **make ~s** Verbindungen anknüpfen; **business ~** Geschäftsverbindung; **3.** ⚡ Kon'takt *m*: a) Anschluß *m*, b) Kon'taktstück *n*: **make** (**break**) **~** Kontakt herstellen (unterbrechen); **4.** ⚕ Kon'taktperˌson *f*; **II** *v/t.* **5.** in Berührung kommen mit; Kon'takt haben mit, berühren; **6.** *fig.* sich in Verbindung setzen mit, Beziehungen *od.* Kon'takt aufnehmen zu, sich an *j-n* wenden; **~ box** *s.* ⚡ Anschlußdose *f*; **~ break·er** *s.* ⚡ ('Strom-) Unterˌbrecher *m*; **~ flight** *s.* ✈ Sichtflug *m*; **~ lens** *s.* Haft-, Kon'taktschale *f*, Kon'taktlinse *f*; **~ light** *s.* ✈ Lande-(bahn)feuer *n*; '**~-ˌmak·er** *s.* ⚡ Einschalter *m*, Stromschließer *m*; **~ man** *s.* [*irr.*] → **contact** 2 b, c; **~ mine** *s.* ⚔ Tretmine *f*.

con·tac·tor ['kɒntæktə] *s.* ⚡ (Schalt-) Schütz *n*: **~ switch** Schütz(schalter *m*).

con·tact| print *s. phot.* Kon'taktabzug *m*; **~ rail** *s.* ⚡ Kon'taktschiene *f*.

con·ta·gion [kən'teɪdʒən] *s.* **1.** ⚕ a) Ansteckung *f* (*durch Berührung*), b) ansteckende Krankheit; **2.** *fig.* Vergiftung *f*; verderblicher Einfluß; **con'ta·gious** [-dʒəs] *adj.* □ **1.** ⚕ a) ansteckend (*a. fig. Stimmung etc.*), b) infiziert: **~ matter** Krankheitsstoff *m*; **2.** *fig. obs.* verderblich.

con·tain [kən'teɪn] *v/t.* **1.** enthalten; *fig. a.* beinhalten; **2.** (um)'fassen, einschließen, aufnehmen, Raum haben für; **3.** bestehen aus, messen; **4.** zügeln, im Zaum halten, bändigen: **~ one's anger**; **5.** **~ o.s.** sich beherrschen *od.* mäßigen: **be unable to ~ o.s. for** sich nicht fassen können vor; **6.** *a.* ⚔ fest-, zu'rückhalten; ⚔ *Feindkräfte* fesseln, binden; *a. pol.* eindämmen: **~ the attack** den Angriff abriegeln; **~ a fire** e-n Brand unter Kontrolle bringen *od.* eindämmen; **7.** ⩘ teilbar sein durch; **con'tain·er** [-nə] *s.* **1.** Behälter *m*; Gefäß *n*; Ka'nister *m*; **2.** ⚓ Con'tainer *m* (*Großbehälter*): **~ port** Containerhafen *m*; **~ ship** Containerschiff *n*; **con'tain·er·ize** [-nəraɪz] *v/t.* **1.** auf Con'tainerbetrieb 'umstellen; **2.** in Con'tainern transportieren; **con'tain·ment** [-mənt] *s. fig.* Eindämmung *f*, In-'Schach-Halten *n*: **policy of ~** Eindämmungspolitik *f*.

con·tam·i·nant [kən'tæmɪnənt] *s.* Verseuchungsstoff *m*; **con'tam·i·nate** [-neɪt] *v/t.* **1.** verunreinigen; **2.** *a. fig.* infizieren, vergiften, (*a.* radioak'tiv) verseuchen: **~d area** verseuchtes Gelände; **con·tam·i·na·tion** [kənˌtæmɪ-

ˈneɪʃn] *s.* **1.** Verunreinigung *f*; **2.** (*a.* radioakˈtive *etc.*) Verseuchung: **~ meter** Geigerzähler *m*; **3.** *ling.* Kontaminatiˈon *f.*

con·tan·go [kənˈtæŋgəʊ] *s.* ✝ *Börse:* Reˈport *m* (*Kurszuschlag*).

con·temn [kənˈtem] *v/t. poet.* verachten; **conˈtem·nor** [-nə] *s.* ⚖ j-d der ***contempt of court*** begeht (→ ***contempt*** 4).

con·tem·plate [ˈkɒntempleɪt] **I** *v/t.* **1.** (nachdenklich) betrachten; nachdenken über (*acc.*); überˈdenken; **2.** ins Auge fassen, erwägen, beabsichtigen; **3.** erwarten, rechnen mit; **II** *v/i.* **4.** nachsinnen; **con·tem·pla·tion** [ˌkɒntemˈpleɪʃn] *s.* **1.** (nachdenkliche) Betrachtung; **2.** Nachdenken *n*, -sinnen *n*; **3.** *bsd. eccl.* Meditatiˈon *f*, innere Einkehr, Versunkenheit *f*; **4.** Erwägung *f*: ***have in ~*** → ***contemplate*** 2; ***be in ~*** erwogen *od.* geplant werden; **5.** Absicht *f*; **ˈcon·tem·pla·tive** [-tɪv] *adj.* □ **1.** nachdenklich; **2.** beschaulich, besinnlich, kontemplaˈtiv.

con·tem·po·ra·ne·ous [kənˌtempəˈreɪnjəs] *adj.* □ gleichzeitig (***with*** mit); **conˌtem·poˈra·ne·ous·ness** [-nɪs] *s.* Gleichzeitigkeit *f*; **con·tem·po·rar·y** [kənˈtempərərɪ] **I** *adj.* **1.** zeitgenössisch: a) heutig, unserer Zeit, b) der damaligen Zeit: **~ *history*** Zeitgeschichte *f*; **2.** gleichalt(e)rig; **II** *s.* **3.** Zeitgenosse *m*, -genossin *f*; **4.** Altersgenosse *m*, -genossin *f*; **5.** gleichzeitig erscheinende Zeitung, Konkurˈrenz(blatt *n*) *f.*

con·tempt [kənˈtempt] *s.* **1.** Verachtung *f*, Geringschätzung *f*: ***feel ~ for s.o.***, ***hold s.o. in ~*** j-n verachten; ***bring into ~*** verächtlich machen; → ***beneath*** II; **2.** Schande *f*, Schmach *f*: ***fall into ~*** in Schande geraten; **3.** ˈMißachtung *f*; **4. ~** (***of court***) ⚖ ˈMißachtung des Gerichts (*Ungebühr*, *Nichterscheinen etc.*); **con·tempt·i·bil·i·ty** [kənˌtemptəˈbɪlətɪ] *s.* Verächtlichkeit *f*; **conˈtempt·i·ble** [-təbl] *adj.* □ **1.** verächtlich, verachtenswert, nichtswürdig: ***Old ℒs*** *brit. Expeditionskorps in Frankreich 1914*; **2.** gemein, niederträchtig; **conˈtemp·tu·ous** [-tjʊəs] *adj.* □ verachtungsvoll, geringschätzig: ***be ~ of s.th.*** et. verachten; **conˈtemp·tu·ous·ness** [-tjʊəsnɪs] *s.* Verachtung *f*, Geringschätzigkeit *f.*

con·tend [kənˈtend] **I** *v/i.* **1.** kämpfen, ringen (***with*** mit, ***for*** um); **2.** *mit Worten* streiten, disputieren (***about*** über *acc.*, ***against*** gegen); **3.** wetteifern, sich bewerben (***for*** um); **II** *v/t.* **4.** behaupten, geltend machen (***that*** daß); **conˈtend·er** [-də] *s.* Kämpfer(in); Bewerber(in) (***for*** um); Konkurˈrent(in); **conˈtend·ing** [-dɪŋ] *adj.* **1.** streitend, kämpfend; **2.** widerˈstreitend; **3.** konkurrierend.

con·tent¹ [ˈkɒntent] *s.* **1.** *mst pl.* (*Raum*)Inhalt *m*, Fassungsvermögen *n*; ˈUmfang *m*; **2.** *pl. a. fig.* Inhalt *m* (*Buch etc.*); **3.** *mst* ⚗ Gehalt *m*: ***gold ~*** Goldgehalt.

con·tent² [kənˈtent] **I** *pred. adj.* **1.** zuˈfrieden; **2.** bereit, willens (***to*** *inf.* zu *inf.*); **3.** *parl. Brit.* (*nur House of Lords*) einverstanden: ***not ~*** dagegen; **II** *v/t.* **4.** befriedigen, zuˈfriedenstellen; **5. ~ *o.s.*** zuˈfrieden sein, sich zufrieden geben *od.* begnügen *od.* abfinden (***with*** mit); **III** *s.* **6.** Zuˈfriedenheit *f*, Befriedigung *f*: ***to one's heart's ~*** nach Herzenslust; **7.** *mst pl. parl. Brit.* Ja-Stimmen *pl.*; **conˈtent·ed** [-tɪd] *adj.* □ zuˈfrieden (***with*** mit); **conˈtent·ed·ness** [-tɪdnɪs] *s.* Zuˈfriedenheit *f.*

con·ten·tion [kənˈtenʃn] *s.* **1.** Streit *m*, Zank *m*; **2.** Wortstreit *m*; **3.** Behauptung *f*: ***my ~ is that*** ich behaupte, daß; **4.** Streitpunkt *m*; **conˈten·tious** [-ʃəs] *adj.* □ **1.** streitsüchtig; **2.** streitig (*a.* ⚖), strittig, umˈstritten; **conˈten·tious·ness** [-ʃəsnɪs] *s.* Streitsucht *f.*

con·tent·ment [kənˈtentmənt] *s.* Zuˈfriedenheit *f.*

con·test I *s.* [ˈkɒntest] **1.** Kampf *m*, Streit *m*; **2.** Wettkampf *m*, -streit *m*, -bewerb *m* (***for*** um); **II** *v/t.* [kənˈtest] **3.** ⚔ *u. fig.* kämpfen um; **4.** konkurrieren *od.* sich bewerben um; **5.** *pol.* **~ *a seat*** *od.* ***an election*** für e-e Wahl kandidieren; **6.** bestreiten; *a.* ⚖ *Aussage*, *Testament*, *Wahl*(*ergebnis*) *etc.* anfechten; **III** *v/i.* [kənˈtest] **7.** wetteifern (***with*** mit); **con·test·a·ble** [kənˈtestəbl] *adj.* strittig; anfechtbar; **con·test·ant** [kənˈtestənt] *s.* **1.** (Wett)Bewerber(in); **2.** Wettkämpfer(in); **3.** Kandiˈdat(in); **4.** ⚖ a) streitende Parˈtei, b) Anfechter(in); **con·tes·ta·tion** [ˌkɒntesˈteɪʃn] *s.* Streit *m*; Disˈput *m.*

con·text [ˈkɒntekst] *s.* **1.** (*inhaltlicher*) Zs.-hang, Kontext *m*: ***out of ~*** aus dem Zs.-hang gerissen; **2.** Umˈgebung *f*, Miliˈeu *n*; **con·tex·tu·al** [kɒnˈtekstjʊəl] *adj.* □ dem Zs.-hang gemäß; **con·tex·ture** [kɒnˈtekstʃə] *s.* **1.** (Auf)Bau *m*, Gefüge *n*, Strukˈtur *f*; **2.** Gewebe *n.*

con·ti·gu·i·ty [ˌkɒntɪˈgjuːətɪ] *s.* **1.** (***to***) Angrenzen *n* (an *acc.*), Berührung *f* (mit); **2.** Nähe *f*, Nachbarschaft *f*; **con·tig·u·ous** [kənˈtɪgjʊəs] *adj.* □ (***to***) **1.** angrenzend (an *acc.*), berührend (*acc.*); **2.** nahe, benachbart (*dat.*).

con·ti·nence [ˈkɒntɪnəns] *s.* Mäßigkeit *f*, (*bsd. sexuelle*) Enthaltsamkeit; **ˈcon·ti·nent** [-nənt] **I** *adj.* □ **1.** mäßig; enthaltsam, keusch; **II** *s.* **2.** Kontiˈnent *m*, Erdteil *m*; **3.** Festland *n*: ***the ℒ*** *Brit.* das europäische Festland.

con·ti·nen·tal [ˌkɒntɪˈnentl] **I** *adj.* □ **1.** kontinenˈtal, Kontinental...: **~ *shelf*** Festlandsockel *m*; **2.** *mst ℒ Brit.* kontinen'tal (*das europäische Festland betreffend*); ausländisch: ~ ***quilt*** *Brit.* Federbett *n*; ~ ***tour*** Europareise *f*; **II** *s.* **3.** Festländer(in); **4.** ♀ *Brit.* Kontinen'taleuro,päer(in); **,con·ti'nen·tal·ize** [-təlaɪz] *v/t.* kontinen'talen Cha'rakter geben (*dat.*): ~***d*** *Brit.* ‚europäisiert'.

con·tin·gen·cy [kən'tɪndʒənsɪ] *s.* **1.** Eventuali'tät *f*, Möglichkeit *f*, unvorhergesehener Fall: ~ ***insured against*** Versicherungsfall *m*; **2.** Zufälligkeit *f*, Zufall *m*; **3.** *pl.* ✝ unvorhergesehene Ausgaben *pl.*; **con'tin·gent** [-nt] **I** *adj.* □ **1.** eventu'ell, möglich; zufällig, ungewiß; gelegentlich; **2.** (***on***, ***upon***) abhängig (von), bedingt (durch), verbunden (mit): ~ ***fee*** Erfolgshonorar *n*; ~ ***reserve*** ✝ Sicherheitsrücklage *f*; **II** *s.* **3.** Anteil *m*, Beitrag *m*, Quote *f*, (⚔ 'Truppen)Kontin,gent *n*; ~ ***duty*** *EU* Ausgleichsabgabe *f*; **con'tin·gent·ly** [-ntlɪ] *adv.* möglicherweise.

con·tin·u·al [kən'tɪnjʊəl] *adj.* □ **1.** fortwährend, 'ununter,brochen, (an)dauernd, (be)ständig; **2.** immer 'wiederkehrend, (sehr) häufig, oft wieder'holt; **3.** *a.* ⩘ kontinuierlich, stetig; **con'tin·u·al·ly** [-lɪ] *adv.* **1.** fortwährend *etc.*; **2.** immer wieder; **con'tin·u·ance** [-əns] *s.* **1.** → ***continuation*** 1, 2; **2.** Dauer *f*, Beständigkeit *f*; **3.** (Ver)Bleiben *n*; **con'tin·u·ant** [-ənt] *s.* **1.** *ling.* Dauerlaut *m*; **2.** ⩘ Kontinu'ante *f*; **con·tin·u·a·tion** [kən,tɪnjʊ'eɪʃn] *s.* **1.** Fortsetzung *f* (*a. e-s Romans etc.*), Weiterführung *f*: ~ ***school*** Fortbildungsschule *f*; **2.** Fortbestand *m*, -dauer *f*; **3.** Erweiterung *f*; **4.** Verlängerung(sstück *n*) *f*; **5.** ✝ Prolongati'on *f*; **con·tin·ue** [kən'tɪnju:] **I** *v/i.* **1.** fortfahren, weitermachen; **2.** fortdauern: a) (an)dauern, anhalten, b) sich fortsetzen, weitergehen, c) (fort)bestehen; **3.** (ver)bleiben: ~ ***in office*** im Amt bleiben; **4.** ver-, beharren (***in*** bei, in *dat.*); **5.** ~ ***doing***, ~ ***to do*** weiter *od.* auch weiterhin tun; ~ ***talking*** weiterreden; ~ (***to be***) ***obstinate*** eigensinnig bleiben; **II** *v/t.* **6.** fortsetzen, -führen, fortfahren mit: ***to be*** ~***d*** Fortsetzung folgt; **7.** verlängern, weiterführen; **8.** aufrechterhalten; beibehalten, erhalten; belassen; **9.** vertagen; **con'tin·ued** [-ju:d] *adj.* □ **1.** → ***continuous*** 1–3: ~ ***existence*** Fortbestand *m*; **2.** in Fortsetzungen erscheinend; **con·ti·nu·i·ty** [,kɒntɪ'nju:ətɪ] *s.* **1.** Fortbestand *m*, Stetigkeit *f*; **2.** Zs.-hang *m*; enge Verbindung; **3.** 'ununter,brochene Folge; **4.** *fig.* roter Faden; **5.** *Film*: Drehbuch *n*; *Radio*, *TV*: Manu'skript *n*: ~ ***girl*** Skriptgirl *n*; ~ ***writer*** a) Drehbuchautor *m*, b) Textschreiber *m*.

con·tin·u·ous [kən'tɪnjʊəs] *adj.* □ **1.** 'ununter,brochen, (fort)laufend; zs.-hängend; **2.** unaufhörlich, andauernd, fortwährend; **3.** kontinuierlich (*a.* ⚙, *phys.*): ~ ***function***; **4.** *ling.* progres'siv: ~ ***form*** Verlaufsform *f*; ~ **cur·rent** *s.* ⚡ Gleichstrom *m*; ~ **fire** *s.* ⚔ Dauerfeuer *n*; ~ **form** *s.* Endlos-, EDV-Papier *n*; ~ **op·er·a·tion** *s.* ⚙ Dauerbetrieb *m*; ~ **pap·er** *s.* 'Endlospa,pier *n*; ~ **per·form·ance** *s. thea.* Non'stopvorstellung *f*.

con·tin·u·um [kɒn'tɪnjʊəm] **1.** ⩘ Kon'tinuum *n*; **2.** → ***continuity*** 3.

con·tort [kən'tɔ:t] *v/t.* **1.** (*a. Worte etc.*) verdrehen; **2.** *Gesicht etc.* verzerren, verziehen; **con'tor·tion** [-ɔ:ʃn] *s.* **1.** Verzerrung *f*; **2.** Verrenkung *f*; **con'tor·tion·ist** [-ɔ:ʃnɪst] *s.* **1.** Schlangenmensch *m*; **2.** Wortverdreher(in).

con·tour ['kɒn,tʊə] **I** *s.* Kon'tur *f*, 'Umriß(linie *f*) *m*; **II** *v/t.* um'reißen, den 'Umriß zeichnen von; profilieren; *Straße* e-r Höhenlinie folgen lassen; ~ **chair** *s.* körpergerecht gestalteter Sessel; ~ **lathe** *s.* ⚙ Kopierdrehbank *f*; ~ **line** *s. surv.* Höhenlinie *f*; ~ **map** *s.* Höhenlinienkarte *f*.

con·tra ['kɒntrə] **I** *prp.* gegen, kontra (*acc.*); **II** *adv.* da'gegen; **III** *s.* ✝ Gegen-, 'Kreditseite *f*: ~ ***account*** Gegenrechnung *f*.

'con·tra|·band **I** *s.* **1.** 'Konterbande *f*, Bann-, Schmuggelware *f*: ~ ***of war*** Kriegskonterbande; **2.** Schmuggel *m*, Schleichhandel *m*; **II** *adj.* **3.** Schmuggel…, gesetzwidrig; **,~'bass** [-'beɪs] *s.* ♪ 'Kontrabaß *m*; **,~·bas'soon** *s.* ♪ 'Kontrafa,gott *n*.

con·tra·cep·tion [,kɒntrə'sepʃn] *s.* Empfängnisverhütung *f*; **,con·tra'cep·tive** [-ptɪv] *adj. u. s.* empfängnisverhütend(es Mittel).

con·tract **I** *s.* ['kɒntrækt] **1.** *a.* ⚖ Vertrag *m*, Kon'trakt *m*: ***by*** ~ vertraglich; ***under*** ~ a) (***to***) vertraglich verpflichtet (*dat.*), b) ✝ in Auftrag gegeben (*Arbeit*); ~ (***to kill***) Mordauftrag *m*; **2.** Vertragsurkunde *f*; **3.** ✝ (Liefer-, Werk-) Vertrag *m*, (fester) Auftrag: ~ ***note*** Schlußschein *m*, -note *f*; ~ ***processing*** Lohnveredelung *f*; **4.** Ak'kord(arbeit *f*) *m*; **5.** *a.* ***marriage*** ~ Ehevertrag *m*; **6.** a) *a.* ~ ***bridge*** Kontrakt-Bridge *n* (*Kartenspiel*), b) höchstes Gebot; **II** *v/t.* [kən'trækt] **7.** *Muskel* zs.-ziehen; *Stirn* runzeln; **8.** *ling.* zs.-ziehen, verkürzen; **9.** ein-, verengen, be-, einschränken; **10.** *Gewohnheit* annehmen, sich *e-e Krankheit* zuziehen; *Vertrag*, *Ehe*, *Freundschaft* schließen; *Schulden* machen; **III** *v/i.* [kən'trækt] **11.** sich zs.-ziehen, (ein)schrumpfen; **12.** enger *od.* kürzer *od.* kleiner werden; **13.** e-n Vertrag schließen, sich vertraglich verpflichten (***to*** *inf.* zu *inf.*, ***for*** zu): ~ ***for s.th.*** et. vertraglich übernehmen; ***as*** ~***ed*** wie (vertraglich) vereinbart; ***the***

C

C

~ing parties die vertragschließenden Parteien; **~ in** *v/i. pol. Brit.* sich zur Bezahlung des Par'teibeitrages (*für die Labour Party*) verpflichten; **~ out I** *v/i.* sich freizeichnen, sich von der Verpflichtung befreien; **II** *v/t.* (*Arbeiten*) außer Haus vergeben.

con·tract·ed [kən'træktɪd] *adj.* □ **1.** zs.-gezogen; verkürzt; **2.** *fig.* engherzig; beschränkt; **con'tract·i·ble** [-təbl], **con'trac·tile** [-taɪl] *adj.* zs.-ziehbar.

con·trac·tion [kən'trækʃn] *s.* **1.** Zs.-ziehung *f*; **2.** *ling.* Ver-, Abkürzung *f*; Kurzwort *n*; **3.** Verkleinerung *f*, Einschränkung *f*; **4.** Zuziehung *f* (*Krankheit*); Eingehen *n* (*Schulden*); Annahme *f* (*Gewohnheit*); **con'trac·tive** [-ktɪv] *adj.* zs.-ziehend; **con'trac·tor** [-ktə] *s.* **1.** (*bsd.* 'Bau- *etc.*)Unterˌnehmer *m*; **2.** Unter'nehmer *m* (*Dienst-, Werkvertrag*), (Ver'trags)Lieferˌant *m*; **3.** *anat.* Schließmuskel *m*; **con'trac·tu·al** [-ktʃʊəl] *adj.* vertraglich, Vertrags...: ***~ capacity*** ⚖ Geschäftsfähigkeit *f*.

con·tra·dict [ˌkɒntrə'dɪkt] *v/t.* **1.** (*a.* ***o.s.*** sich) wider'sprechen (*dat.*); im 'Widerspruch stehen zu; **2.** *et.* bestreiten, in Abrede stellen; **ˌcon·tra'dic·tion** [-kʃn] *s.* **1.** 'Widerspruch *m*, -rede *f*: ***spirit of ~*** Widerspruchsgeist *m*; **2.** 'Widerspruch *m*, Unvereinbarkeit *f*: ***in ~ to*** im Widerspruch zu; ***~ in terms*** Widerspruch in sich; **3.** Bestreitung *f*; **ˌcon·tra'dic·tious** [-kʃəs] *adj.* □ zum 'Widerspruch geneigt, streitsüchtig; **ˌcon·tra'dic·to·ri·ness** [-tərɪnɪs] *s.* **1.** 'Widerspruch *m*; **2.** 'Widerspruchsgeist *m*; **ˌcon·tra'dic·to·ry** [-tərɪ] **I** *adj.* □ (sich) wider'sprechend, entgegengesetzt; unvereinbar; **II** *s.* 'Widerspruch *m*, Gegensatz *m*.

con·tra·dis·tinc·tion [ˌkɒntrədɪ'stɪŋkʃn] *s.* Gegensatz *m*: ***in ~ to*** (*od.* ***from***) im Gegensatz zu.

con·trail ['kɒntreɪl] *s.* ✈ Kon'densstreifen *m*.

con·tra·in·di·cate [ˌkɒntrə'ɪndɪkeɪt] *v/t.* ⚕ kontraindizieren.

con·tral·to [kən'træltəʊ] *pl.* **-tos** *s.* ♪ Alt *m*: a) Altstimme *f*, b) Al'tist(in), c) 'Altparˌtie *f*.

con·trap·tion [kən'træpʃn] *s.* F (neumodischer) Appa'rat, (komisches) Ding(s).

con·tra·pun·tal [ˌkɒntrə'pʌntl] *adj.* ♪ 'kontrapunktisch.

con·tra·ri·e·ty [ˌkɒntrə'raɪətɪ] *s.* **1.** Gegensätzlichkeit *f*, Unvereinbarkeit *f*; **2.** 'Widerspruch *m*, Gegensatz *m* (***to*** zu); **con·tra·ri·ly** ['kɒntrərəlɪ] *adv.* **1.** entgegen (***to*** *dat.*); **2.** andererseits; **con·tra·ri·ness** ['kɒntrərɪnɪs] *s.* **1.** Gegensätzlichkeit *f*, 'Widerspruch *m*; **2.** Widrigkeit *f*, Ungunst *f*; **3.** F [*a.* kən'treər-] 'Widerspenstigkeit *f*, Eigensinn *m*; **con·tra·ri·wise** ['kɒntrərɪwaɪz] *adv.* im Gegenteil; 'umgekehrt; and(e)rerseits.

con·tra·ry ['kɒntrərɪ] **I** *adj.* □ → ***contrarily***; **1.** entgegengesetzt, gegensätzlich, -teilig; **2.** (***to***) wider'sprechend (*dat.*), im 'Widerspruch (zu); gegen (*acc.*), entgegen (*dat.*): ***~ to expectations*** wider Erwarten; **3.** F [*a.* kən'treərɪ] 'widerspenstig, aufsässig; **II** *adv.* **4.** ***~ to*** gegen, wider: ***act ~ to nature*** wider die Natur handeln; **III** *s.* **5.** Gegenteil *n* (***to*** von *od. gen.*): ***on the ~*** im Gegenteil; ***unless I hear to the ~*** falls ich nichts Gegenteiliges höre; ***proof to the ~*** Gegenbeweis *m*.

con·trast I *s.* ['kɒntrɑːst] Kon'trast *m*, Gegensatz *m*: ***~ control*** *TV* Kontrastregler *m*; ***by ~ with*** im Vergleich mit; ***in ~ to*** im Gegensatz zu; ***be a great ~ to*** grundverschieden sein von; **II** *v/t.* [kən'trɑːst] (***with***) entgegensetzen, gegen'überstellen (*dat.*); vergleichen (mit); **III** *v/i.* [kən'trɑːst] (***with***) e-n Gegensatz bilden (zu), sich scharf unter'scheiden (von); sich abheben, abstechen (von): ***~ing colo(u)rs*** Kontrastfarben; **con·trast·y** [kən'trɑːstɪ] *adj.* kon'trastreich.

con·tra·vene [ˌkɒntrə'viːn] *v/t.* **1.** zu'widerhandeln (*dat.*), verstoßen gegen, über'treten, verletzen; **2.** im 'Widerspruch stehen zu; **3.** bestreiten; **ˌcon·tra'ven·tion** [-'venʃn] *s.* (***of***) Über'tretung *f* (von *od. gen.*); Verstoß *m*, Zu'widerhandlung *f* (gegen): ***in ~ of the rules*** entgegen den Vorschriften.

con·tre·temps ['kɔ̃ːntrətɑ̃ːŋ] (*Fr.*) *s.* unglücklicher Zufall, Widrigkeit *f*, ‚Panne' *f*.

con·trib·ute [kən'trɪbjuːt] **I** *v/t.* **1.** beitragen, beisteuern (***to*** zu) (*beide a. fig.*); spenden (***to*** für); ✝ a) *Kapital in e-e Firma* einbringen, b) *Brit. Geld* nachschießen; **2.** *Zeitungsartikel* beitragen; **II** *v/i.* **3.** (***to***) beitragen, e-n Beitrag leisten (zu), mitwirken (an *dat.*, bei): ***~ to a newspaper*** für e-e Zeitung schreiben; **con·tri·bu·tion** [ˌkɒntrɪ'bjuːʃn] *s.* **1.** Beitragen *n*; **2.** Beitrag *m* (*a. für Zeitung*), Beisteuer *f*, Beihilfe *f* (***to*** zu); Spende *f* (***to*** für): ***make a ~*** e-n Beitrag liefern; **3.** Mitwirkung *f* (***to*** an *dat.*); **4.** ✝ a) Einlage *f*: ***~ in kind*** (***cash***) Sach-(Bar-)einlage, b) Nachschuß *m*, c) Sozi'alversicherungsbeitrag *m*: ***employer's ~*** Arbeitgeberanteil *m*, Sozialleistung *f*; **con'trib·u·tive** [-jʊtɪv] *adj.* → ***contributory*** 1, 2; **con'trib·u·tor** [-jʊtə] *s.* **1.** Beitragende(r *m*) *f*; Beisteuernde(r *m*) *f*; **2.** Mitwirkende(r *m*) *f*; Mitarbeiter(in) (*bsd. Zeitung*); **con'trib·u·to·ry** [-jʊtərɪ] **I** *adj.* **1.** beisteuernd, beitragend (***to*** zu); Beitrags...; **2.** mitwirkend (***to*** an *dat.*, bei); Mit...: ***~***

causes ⚖ mitverursachende Umstände; **~ *negligence*** mitwirkendes Verschulden; **3.** beitragspflichtig; **4.** ⚕ *Brit.* nachschußpflichtig; **II** *s.* **5.** Beitrags- *od.* ⚕ *Brit.* Nachschußpflichtige(r *m*) *f*.

con·trite ['kɒntraɪt] *adj.* □ zerknirscht, reuevoll; **con·tri·tion** [kən'trɪʃn] *s.* Zerknirschung *f*, Reue *f*.

con·triv·ance [kən'traɪvns] *s.* **1.** Ein-, Vorrichtung *f*; Appa'rat *m*; **2.** Kunstgriff *m*, Erfindung *f*, Plan *m*; **3.** Findigkeit *f*, Scharfsinn *m*; **4.** Bewerkstelligung *f*; **con·trive** [kən'traɪv] **I** *v/t.* **1.** erfinden, ersinnen, (sich) ausdenken, entwerfen; **2.** *Pläne* schmieden, aushecken; **3.** zu'stande bringen; **4.** es fertigbringen, es verstehen, es bewerkstelligen (***to*** *inf.* zu *inf.*); **II** *v/i.* **5.** Pläne *od.* Ränke schmieden; **6.** haushalten, auskommen.

con·trol [kən'trəʊl] **I** *v/t.* **1.** beherrschen, die Herrschaft *od.* Kon'trolle haben über (*acc.*), *et.* in der Hand haben *od.* kontrollieren: ***~ling company*** Muttergesellschaft *f*; ***~ling share*** (*od.* ***interest***) ⚕ maßgebliche Beteiligung; **2.** verwalten, beaufsichtigen, über'wachen; *Preise etc.* kontrollieren, nachprüfen; **3.** lenken, steuern, leiten; regeln, regulieren: ***radio-~led*** funkgesteuert; ***~led ventilation*** regulierbare Lüftung; **4.** (*a.* ***o.s.*** sich) beherrschen, meistern, im Zaum halten, Einhalt gebieten (*dat.*); zügeln; **5.** in Schranken halten, bekämpfen; **6.** (staatlich) bewirtschaften, planen, binden: ***~led economy*** Planwirtschaft *f*; ***~led prices*** gebundene Preise; ***~led rent*** preisrechtlich gebundene Miete; **II** *s.* **7.** Macht *f*, Gewalt *f*, Herrschaft *f*, Kon'trolle *f* (***of***, ***over*** über *acc.*): ***foreign ~*** Überfremdung *f*; ***bring under ~*** Herr werden über (*acc.*); ***have the situation under ~*** Herr der Lage sein; ***get ~ over*** in s-e Gewalt bekommen; ***get beyond s.o.'s ~*** j-m über den Kopf wachsen; ***get out of ~*** außer Kontrolle geraten; ***have ~ over*** a) → 1, b) Gewalt haben über (*acc.*); ***keep under ~*** im Zaume halten; ***lose ~ over*** die Herrschaft *od.* Gewalt *od.* Kontrolle verlieren über (*acc.*); ***circumstances beyond our ~*** unvorhersehbare Umstände; **8.** Machtbereich *m*, Verantwortung *f*; **9.** Aufsicht *f*, Kontrolle *f* (***of*** über *acc.*); Leitung *f*, Über'wachung *f*, (Nach)Prüfung *f*; ⚖ (***of***) a) Verfügungsgewalt (über *acc.*), b) (Per'sonen)Sorge *f* (für): ***be in ~ of s.th.*** et. unter sich haben, et. leiten; ***be under s.o.'s ~*** j-m unterstellt sein *od.* unterstehen; ***traffic ~*** Verkehrsregelung *f*; **10.** Bekämpfung *f*, Eindämmung *f*: ***without ~*** uneingeschränkt, frei; ***beyond ~*** nicht einzudämmen, nicht zu bändigen; ***be out of ~*** nicht zu halten sein; ***get under ~*** eindämmen, bewältigen; ***noise ~*** Lärmbekämpfung *f*; **11.** *mst pl.* ⚙ a) Steuerung *f*, 'Steueror,gan *n*, b) Reguliervorrichtung *f*, Regler *m*, Kon'trollhebel *m*: ***be at the ~s*** *fig.* an den Hebeln der Macht sitzen; **12.** ⚡, ⚙ Regelung *f*; **13.** *pl.* ✈ Steuerung *f*, Leitwerk *n*; **14.** ⚕ a) (*Kapital-*, *Konsum- etc.*) Lenkung *f*, b) (Zwangs)Bewirtschaftung *f*: ***foreign exchange ~*** Devisenkontrolle *f*; **15.** a) Kon'trolle *f*, Anhaltspunkt *m*, b) Vergleichswert *m*, c) Kon'troll-, Gegenversuch *m*.

con·trol| board *s.* ⚡ Schalttafel *f*; **~ col·umn** *s.* **1.** ✈ Steuersäule *f*; **2.** ⚙ Lenksäule *f*; **~ com·mand** *s.* Computer: Steuerbefehl *m*; **~ desk** *s.* ⚡ Steuer-, Schaltpult *n*; *Radio*, *TV*: Re'giepult *n*; **~ en·gi·neer·ing** *s.* 'Steuerungs-, 'Regel,technik *f*; **~ ex·per·i·ment** → ***control*** 15 c; **~ knob** *s.* ⚙, ⚡ Bedienungsknopf *m*.

con·trol·la·ble [kən'trəʊləbl] *adj.* **1.** kontrollierbar, regulierbar, lenkbar; **2.** zu beaufsichtigen(d); zu beherrschen(d); **con'trol·ler** [-lə] *s.* **1.** Kontrol'leur *m*, Aufseher *m*; Leiter *m*; Kon'trollbe,amte(r) *m*, ✈ *a.* Fluglotse *m*; **2.** Rechnungsprüfer *m* (*Beamter*); **3.** ⚡, ⚙ Regler *m*; *mot.* Fahrschalter *m*; **4.** *sport* Kon'trollposten *m*.

con·trol| le·ver *s. mot.* Schalthebel *m*; ✈ Steuerknüppel *m*; **~ pan·el** *s.* ⚙ Bedienungsfeld *n*; **~ post** *s.* ⚔ Kon'trollposten *m*; **~ room** *s.* **1.** Kon'trollraum *m*, (⚔ Be'fehls)Zen,trale *f*; **2.** *Radio*, *TV*: Re'gieraum *m*; **~ stick** *s.* ✈ Steuerknüppel *m*; **~ sur·face** *s.* Steuerfläche *f*; **~ tow·er** *s.* ✈ Kon'trollturm *m*, Tower *m*.

con·tro·ver·sial [,kɒntrə'vɜ:ʃl] *adj.* □ **1.** strittig, um'stritten: ***~ subject*** Streitfrage *f*; **2.** po'lemisch; streitlustig; **,con·tro'ver·sial·ist** [-ʃəlɪst] *s.* Po'lemiker *m*; **con·tro·ver·sy** ['kɒntrəvɜ:sɪ] *s.* **1.** Kontro'verse *f*, Meinungsstreit *m*; Debatte *f*; Aussprache *f*: ***beyond*** (*od.* ***without***) ***~*** fraglos, unstreitig; **2.** Streitfrage *f*; **3.** Streit *m*; **con·tro·vert** ['kɒntrəvɜ:t] *v/t.* **1.** bestreiten, anfechten; **2.** wider'sprechen (*dat.*); **,con·tro'vert·i·ble** [-ɜ:təbl] *adj.* □ strittig; anfechtbar.

con·tu·ma·cious [,kɒntju:'meɪʃəs] *adj.* □ **1.** 'widerspenstig, halsstarrig; **2.** ⚖ ungehorsam; **con·tu·ma·cy** ['kɒntjʊməsɪ] *s.* **1.** 'Widerspenstigkeit *f*, Halsstarrigkeit *f*; **2.** ⚖ Ungehorsam *m od.* (absichtliches) Nichterscheinen vor Gericht: ***condemn for ~*** gegen *j-n* ein Versäumnisurteil fällen.

con·tu·me·ly ['kɒntju:mlɪ] *s.* **1.** Unverschämtheit *f*; **2.** Beleidigung *f*.

C

C

con·tuse [kən'tju:z] *v/t.* ⚕ quetschen: **~d wound** Quetschwunde *f*; **con'tu·sion** [-u:ʒn] *s.* ⚕ Quetschung *f*.

co·nun·drum [kə'nʌndrəm] *s.* **1.** Scherzfrage *f*, -rätsel *n*; **2.** *fig.* Rätsel *n*.

con·ur·ba·tion [ˌkɒnɜ:'beɪʃn] *s.* Ballungsraum *m*, -zentrum *n*, Stadtgroßraum *m*.

con·va·lesce [ˌkɒnvə'les] *v/i.* gesund werden, genesen; **ˌcon·va'les·cence** [-sns] *s.* Rekonvales'zenz *f*, Genesung *f*; **ˌcon·va'les·cent** [-snt] **I** *adj.* genesend, auf dem Wege der Besserung: **~ home** Genesungsheim *n*; **II** *s.* Rekonvales'zent(in).

con·vec·tion [kən'vekʃn] *s. phys.* Konvekti'on *f*; **con'vec·tor** [-ktə] *s. phys.* Konvekti'ons(strom)leiter *m*.

con·vene [kən'vi:n] **I** *v/t.* **1.** zs.-rufen, (ein)berufen; versammeln; **2.** ⚖ vorladen; **II** *v/i.* **3.** zs.-kommen, sich versammeln.

con·ven·ience [kən'vi:njəns] *s.* **1.** Annehmlichkeit *f*, Bequemlichkeit *f*: **all (modern) ~s** alle Bequemlichkeiten *od.* aller Komfort (der Neuzeit); **at your ~** wenn es Ihnen paßt; **at your earliest ~** möglichst bald; **at one's own ~** nach (eigenem) Gutdünken; **suit your own ~** handeln Sie ganz nach Ihrem Belieben; **~ food** Fertignahrung *f*; **~ goods** ✝ *Am.* bequem erhältliche Waren des täglichen Bedarfs; **2.** Vorteil *m*, Nutzen *m*: **it is a great ~** es ist sehr nützlich; → **flag**[1] 1, **marriage** 2; **3.** Angemessenheit *f*, Eignung *f*; **4.** *Brit.* Klo'sett *n*: **public ~** öffentliche Bedürfnisanstalt; **con'ven·ient** [-nt] *adj.* □ **1.** bequem, geeignet, günstig, passend: **if it is ~ to you** wenn es Ihnen paßt; **it is not ~ for me (to** *inf.*) es paßt mir schlecht (zu *inf.*); **make it ~** es (so) einrichten; **2.** (zweck)dienlich, praktisch, brauchbar; **3.** günstig gelegen.

con·vent ['kɒnvənt] *s.* (*bsd.* Nonnen-) Kloster *n*: **~ (school)** Klosterschule *f*.

con·ven·ti·cle [kən'ventɪkl] *s. eccl.* Konven'tikel *n*.

con·ven·tion [kən'venʃn] *s.* **1.** Zs.-kunft *f*, (*Am. a.* Par'tei)Versammlung *f*, Kon'vent *m*, (*a.* Be'rufs-, 'Fach)Konˌgreß *m*, (-)Tagung *f*; **2.** *a. pol.* Vertrag *m*, Abkommen *n*, Konventi'on *f* (*a.* ⚔); **3.** *oft pl.* (gesellschaftliche) Konventi'on, Sitte *f*, Gewohnheits- *od.* Anstandsregel *f*, (stillschweigende) Gepflogenheit *od.* Über'einkunft; **con'ven·tion·al** [-ʃənl] *adj.* □ **1.** herkömmlich, konventio'nell (*beide a.* ⚔), üblich, traditio'nell: **~ weapons**; **~ sign** (*bsd.* Karten)Zeichen *n*, Symbol *n*; **2.** förmlich, for'mell; **3.** vereinbart, Vertrags...; **4.** *contp.* 'unorigiˌnell; **con'ven·tion·al·ism** [-ʃnəlɪzəm] *s.* Festhalten *n* am Hergebrachten; **con·ven·tion·al·i·ty** [kənˌvenʃə'nælətɪ] *s.* **1.** Herkömmlichkeit *f*, Üblichkeit *f*; **2.** Scha'blonenhaftigkeit *f*; **con'ven·tion·al·ize** [-ʃnəlaɪz] *v/t.* konventio'nell machen *od.* darstellen, den Konventi'onen unter'werfen.

con·verge [kən'vɜ:dʒ] *v/i.* zs.-laufen, sich (ein'ander) nähern, ℞ *u. fig.* konvergieren; **con'ver·gence** [-dʒəns], **con'ver·gen·cy** [-dʒənsɪ] *s.* **1.** Zs.-laufen *n*; **2.** ℞ a) Konver'genz *f* (*a. biol., phys.*), b) Annäherung *f*; **con'ver·gent** [-dʒənt] *adj. bsd.* ℞ konver'gent; **con'verg·ing** [-dʒɪŋ] *adj.* zs.-laufend, konvergierend: **~ lens** Sammellinse *f*; **~ point** Konvergenzpunkt *m*.

con·vers·a·ble [kən'vɜ:səbl] *adj.* □ unter'haltend, gesprächig; gesellig; **con'ver·sance** [-səns] *s.* Vertrautheit *f* (**with** mit); **con'ver·sant** [-sənt] *adj.* **1.** bekannt, vertraut (**with** mit); **2.** geübt, bewandert, erfahren (**with, in** in *dat.*).

con·ver·sa·tion [ˌkɒnvə'seɪʃn] *s.* **1.** Unter'haltung *f*, Gespräch *n*, Konversati'on *f*: **enter into a ~** ein Gespräch anknüpfen; **2.** *obs.* (*a.* Geschlechts-) Verkehr *m*; → **criminal conversation**; **3.** *a.* **~ piece** a) *paint.* Genrebild *n*, b) *thea.* Konversati'onsstück *n*; **ˌcon·ver'sa·tion·al** [-ʃənl] *adj.* □ → **conversationally**; **1.** gesprächig; **2.** Unterhaltungs..., Gesprächs...: **~ grammar** Konversationsgrammatik *f*; **~ tone** Plauderton *m*; **ˌcon·ver'sa·tion·al·ist** [-ʃnəlɪst] *s.* gewandter Unter'halter, guter Gesellschafter; **ˌcon·ver'sa·tion·al·ly** [-ʃnəlɪ] *adv.* **1.** gesprächsweise; **2.** im Plauderton.

con·ver·sa·zi·o·ne [ˌkɒnvəsætsɪ'əʊnɪ] *pl.* **-ni** [-ni:], **-nes** (*Ital.*) *s.* **1.** 'Abendunterˌhaltung *f*; **2.** lite'rarischer Gesellschaftsabend.

con·verse[1] [kən'vɜ:s] *v/i.* sich unter'halten, sprechen (**with** mit, **on, about** über *acc.*).

con·verse[2] ['kɒnvɜ:s] **I** *adj.* □ gegenteilig, 'umgekehrt; wechselseitig; **II** *s.* 'Umkehrung *f*; Gegenteil *n*; **'con·verse·ly** [-lɪ] *adv.* 'umgekehrt.

con·ver·sion [kən'vɜ:ʃn] *s.* **1.** *allg.* 'Um-, Verwandlung *f* (**from** von, **into** in *acc.*); **2.** ✝ a) Konvertierung *f*, 'Umwandlung *f* (*Effekten, Schulden*), b) Zs.-legung *f* (*von Aktien*), c) ('Währungs)ˌUmstellung *f*, d) (Ge'schäfts-, *a.* Ver'mögens)ˌUmwandlung *f*; **3.** ℞ a) 'Umrechnung *f* (**into** in *acc.*): **~ table** Umrechnungstabelle *f*, b) *a. Computer*: 'Umwandlung *f*, c) *a. phls.* 'Umkehrung *f*; **4.** ⚙, *a.* ✝ 'Umstellung *f* (**to** auf *e-e andere Produktion etc.*); **5.** ⚙, ⚠ 'Umbau *m* (**into** in *acc.*); **6.** ⚡ 'Umformung *f*; **7.** ⚗, *phys.* 'Umsetzung *f*; **8.** geistige Wandlung; Meinungsänderung *f*; **9.** 'Übertritt *m*, *bsd. eccl.* Bekehrung *f* (**to** zu); **10.** ⚖ *a.* **~ to one's own use**

'widerrechtliche Aneignung *od.* Verwendung, *a.* Veruntreuung *f*; **11.** *sport* Verwandlung *f* (*Torschuß*).

con·vert I *v/t.* [kən'vɜːt] **1.** *allg.* 'um-, verwandeln (*a.* ⚗), 'umformen (*a.* ⚡), 'umändern (***into*** in *acc.*); **2.** ⚙, ⚠ 'umbauen (***into*** zu); **3.** ✝, ⚙ *Betrieb*, *Maschine*, *Produktion* 'umstellen (***to*** auf *acc.*); **4.** *metall.* frischen; **5.** ✝ a) *Geld* 'um-, einwechseln, *a.* 'umrechnen: **~ *into cash*** zu Geld machen, flüssigmachen, b) *Wertpapiere*, *Schulden* konvertieren, 'umwandeln, c) *Aktien* zs.-legen, d) *Währung* 'umstellen (***to*** auf *acc.*); **6.** Ꭿ a) 'umrechnen (***into*** in *acc.*), b) *Gleichung* auflösen, c) *Proportionen* 'umkehren (*a. phls.*); **7.** *Computer*: 'umsetzen; **8.** *eccl.* bekehren (***to*** zu); **9.** (***to***) (zu *e-r anderen Ansicht*) bekehren, *a.* zum 'Übertritt (in *e-e andere Partei etc.*) veranlassen; **10.** ⚖ *a.* **~ *to one's own use*** sich 'widerrechtlich aneignen, veruntreuen; **11.** *sport* (zum Tor) verwandeln; **II** *v/i.* **12.** 'umgewandelt (*etc.*) werden (→ I); **13.** sich verwandeln *od.* 'umwandeln (***into*** zu); **14.** sich verwandeln (*etc.*) lassen (***into*** in *acc.*); **III** *s.* ['kɒnvɜːt] **15.** *bsd. eccl.* Bekehrte(r *m*) *f*, Konver'tit(in): ***become a ~ to*** sich bekehren zu; **con'vert·ed** [-tɪd] *adj.* 'umge-, verwandelt *etc.*: **~ *cruiser*** ⚓ Hilfskreuzer *m*; **~ *flat*** in Teilwohnungen umgebaute große Wohnung; **~ *steel*** Zementstahl *m*; **con'vert·er** [-tə] *s.* **1.** ⚙ 'Bessemerbirne *f*; **2.** ⚡ 'Umformer *m*; **3.** *TV* Wandler *m*; **4.** ⚙ Bleicher *m*, Appre'teur *m*; **5.** Bekehrer *m*; **con·vert·i·bil·i·ty** [kənˌvɜːtə'bɪlətɪ] *s.* **1.** 'Um-, Verwandelbarkeit *f*; **2.** ✝ Konvertierbar-, 'Umwandelbarkeit *f*; **con'vert·i·ble** [-təbl] **I** *adj.* □ **1.** 'um-, verwandelbar; **2.** ✝ konvertierbar, 'umwandelbar: **~ *bond*** Wandelobligation *f*; **3.** auswechselbar, gleichbedeutend; **4.** bekehrbar; **5.** *mot.* mit Klappverdeck; **II** *s.* **6.** *mot.* Kabrio'lett *n*.

con·vex [kɒn'veks] *adj.* □ kon'vex, nach außen gewölbt; Ꭿ ausspringend (*Winkel*); **con·vex·i·ty** [kɒn'veksətɪ] *s.* kon'vexe Form.

con·vey [kən'veɪ] *v/t.* **1.** *Waren etc.* befördern, (ver)senden, (fort)schaffen, bringen; **2.** *bsd.* ⚙ (zu)führen, fördern; **3.** über'bringen, -'mitteln, bringen, geben: **~ *greetings*** Grüße übermitteln; **4.** *phys. Schall* fortpflanzen, leiten, über'tragen; **5.** *Nachricht etc.* mitteilen, vermitteln; *Meinung*, *Sinn* ausdrücken; andeuten; (be)sagen: **~ *an idea*** e-n Begriff geben; ***this word ~s nothing to me*** dieses Wort sagt mir nichts; **6.** über'tragen, abtreten (***to*** an *acc.*); **con'vey·ance** [-eɪəns] *s.* **1.** Beförderung *f*, Über'sendung *f*, Trans'port *m*, Spediti'on *f*: ***means of ~*** Transportmittel *n*; **2.** Über'bringung *f*, -'mittlung *f*; Vermittlung *f*, Mitteilung *f*; **3.** *phys.* Fortpflanzung *f*, Über'tragung *f*; **4.** ⚙ (Zu-)Leitung *f*, Zufuhr *f*; **5.** Beförderungs-, Trans'port-, Verkehrsmittel *n*; **6.** ⚖ a) Über'tragung *f*, Abtretung *f*, Auflassung *f*, b) Abtretungsurkunde *f*; **con'vey·anc·er** [-eɪənsə] *s.* ⚖ No'tar *m* für 'Eigentumsüberˌtragungen.

con·vey·er, **con·vey·or** [kən'veɪə] *s.* **1.** Beförderer *m*, (Über)'Bringer(in); **2.** ⚙ Fördergerät *n*, -band *n*, Förderer *m*; **~ *band***, **~ *belt*** *s.* laufendes Band, Förder-, Fließband *n*; **~ *chain*** *s.* Becher-, Förderkette *f*; **~ *spi·ral*** *s.* Förder-, Trans'portschnecke *f*.

con·vict I *v/t.* [kən'vɪkt] **1.** ⚖ über'führen, für schuldig erklären (***of*** *gen.*); **2.** verurteilen; **3.** über'zeugen (***of*** von *e-m Unrecht, Fehler etc.*); **II** *s.* ['kɒnvɪkt] **4.** ⚖ a) Verurteilte(r *m*) *f*, b) Strafgefangene(r *m*) *f*, Sträfling *m*: **~ *colony*** Sträflingskolonie *f*; **~ *labo(u)r*** Sträflingsarbeit *f*; **con'vic·tion** [-kʃn] *s.* **1.** ⚖ a) Über'führung *f*, Schuldspruch *m*, b) Verurteilung *f*: ***previous ~*** Vorstrafe *f*; **2.** Über'zeugung *f*: ***carry ~*** überzeugend wirken *od.* klingen; ***live up to one's ~s*** s-r Überzeugung gemäß leben; **3.** Anschauung *f*, Gesinnung *f*; **4.** (*Schuld- etc.*)Bewußtsein *n*.

con·vince [kən'vɪns] *v/t.* **1.** (*a.* ***o.s.*** sich) über'zeugen (***of*** von, ***that*** daß); **2.** **~ *s.o. of s.th.*** j-m et. zum Bewußtsein bringen; **con'vinc·ing** [-sɪŋ] *adj.* □ über'zeugend: **~ *proof*** schlagender Beweis; ***be ~*** überzeugen.

con·viv·i·al [kən'vɪvɪəl] *adj.* □ **1.** gastlich, festlich, Fest…; **2.** gesellig, gemütlich, lustig; **con·viv·i·al·i·ty** [kənˌvɪvɪ'ælətɪ] *s.* Geselligkeit *f*, Gemütlichkeit *f*, unbeschwerte Heiterkeit.

con·vo·ca·tion [ˌkɒnvəʊ'keɪʃn] *s.* **1.** Ein-, Zs.-berufung *f*; **2.** *eccl. Brit.* Provinzi'alsyˌnode *f*; Kirchenversammlung *f*; **3.** *univ.* a) *Brit.* gesetzgebende Versammlung (*Oxford etc.*); außerordentliche Se'natssitzung, b) *Am.* Promoti'ons- *od.* Eröffnungsfeier *f*.

con·voke [kən'vəʊk] *v/t.* (*bsd. amtlich*) ein-, zs.-berufen.

con·vo·lute ['kɒnvəluːt] *adj. bsd.* ⚘ zs.-gerollt, ringelförmig; **'con·vo·lut·ed** [-tɪd] *adj. bsd. zo.* zs.-gerollt, gebogen, gewunden, spi'ralig; **con·vo·lu·tion** [ˌkɒnvə'luːʃn] *s.* Zs.-rollung *f*, -wicklung *f*, Windung *f*.

con·voy ['kɒnvɔɪ] **I** *s.* **1.** Geleit *n*, (Schutz)Begleitung *f*; **2.** ⚔ a) Es'korte *f*, Bedeckung *f*, b) (bewachter) Trans'port; **3.** ⚓ Geleitzug *m*; **4.** *a.* ⚔ 'Lastwagenkoˌlonne *f*; **II** *v/t.* **5.** Geleitschutz geben (*dat.*), eskortieren.

con·vulse [kən'vʌls] *v/t.* **1.** erschüttern,

in Zuckungen versetzen: ***be ~d with pain*** sich vor Schmerzen krümmen; ***be ~d*** (***with laughter***) e-n Lachkrampf bekommen; **2.** krampfhaft zs.-ziehen *od.* verzerren; **3.** *fig.* erschüttern, in Aufruhr versetzen; **con'vul·sion** [-lʃn] *s.* **1.** ⚕ Krampf *m*, Zuckung *f*: ***be seized with ~s*** Krämpfe bekommen; ***~s*** (***of laughter***) *fig.* Lachkrämpfe; **2.** *pol.*, *fig.* Erschütterung *f* (*a. geol.*), Aufruhr *m*; **con'vul·sive** [-sɪv] *adj.* ☐ **1.** *a. fig.* krampfhaft, -artig, konvul'siv; **2.** *fig.* erschütternd.

co·ny ['kəʊnɪ] *s.* **1.** *zo.* Ka'ninchen *n*; **2.** Ka'ninchenfell *n*.

coo [ku:] **I** *v/i.* gurren (*a. fig.*); **II** *v/t. fig. et.* gurren; **III** *s.* Gurren *n*; **IV** *int. Brit. sl.* Mann!

cook [kʊk] **I** *s.* **1.** Koch *m*, Köchin *f*: ***too many ~s spoil the broth*** viele Köche verderben den Brei; **II** *v/t.* **2.** *Speisen* kochen, zubereiten, braten, backen: ***be ~ed alive*** F vor Hitze umkommen; **3.** *a.* ***~ up*** *fig.* a) zs.-brauen, erdichten, b) ‚frisieren', verfälschen: ***~ed account*** ✝ F frisierte Abrechnung; ***~ up a story*** e-e Geschichte erfinden; ***he is ~ed*** *sl.* der ist ‚erledigt'; **III** *v/i.* **4.** kochen, sich kochen lassen: ***~ well***; **5.** ***what's ~ing*** F was tut sich?, was ist los?; '**~·book** *s. Am.* Kochbuch *n*.

cook·er ['kʊkə] *s.* **1.** Kocher *m*, Kochgerät *n*; Herd *m*; **2.** Kochgefäß *n*; **3.** *pl.* Kochobst *n*: ***these apples are good ~s*** das sind gute Kochäpfel.

cook·er·y ['kʊkərɪ] *s.* Kochen *n*; Kochkunst *f*; **~ book** *s. Brit.* Kochbuch *n*.

ˌ**cook**|-'**gen·er·al** *s. Brit.* Mädchen *n* für alles; '**~-house** *s.* **1.** Küche(ngebäude *n*) *f* (*a.* ⚔); **2.** ⚓ Schiffsküche *f*.

cook·ie ['kʊkɪ] *s. Am.* **1.** (süßer) Keks, Plätzchen *n*; **2.** *sl.* a) Kerl *m*, b) ‚Puppe' *f*.

cook·ing ['kʊkɪŋ] **I** *s.* **1.** Kochen *n*, Kochkunst *f*; **2.** Küche *f*, Kochweise *f*; **II** *adj.* **3.** Koch...: ***~ apple***; **~ range** *s.* Kochherd *m*; **~ so·da** *s.* ⚗ 'Natron *n*.

'**cook·out** *s. Am.* Abkochen *n* (am Lagerfeuer).

cook·y ['kʊkɪ] → ***cookie***.

cool [ku:l] **I** *adj.* ☐ **1.** kühl, frisch; **2.** kühl, gelassen, kalt(blütig): ***as ~ as a cucumber*** ‚eiskalt', kaltblütig; ***keep ~!*** reg dich nicht auf!; ♪ ***⁀ Jazz*** ‚Cool Jazz' *m*; **3.** kühl, gleichgültig, lau; **4.** kühl, kalt, abweisend: ***a ~ reception*** ein kühler Empfang; **5.** unverfroren, frech: ***~ cheek*** Frechheit *f*; ***a ~ customer*** ein geriebener Kunde; **6.** *fig.* glatt, rund: ***a ~ thousand pounds*** glatte *od.* die Kleinigkeit von tausend Pfund; **7.** *sl.* ‚dufte', ‚Klasse', ‚toll': ***that's ~!***; **II** *s.* **8.** Kühle *f*, Frische *f* (*bsd. Luft*): ***the ~ of the evening*** die Abendkühle; **9.** *sl.* (Selbst)Beherrschung *f*: ***blow*** (*od.* ***lose***) ***one's ~*** hochgehen, die Beherrschung verlieren; ***keep one's ~*** ruhig bleiben, die Nerven behalten; **III** *v/t.* **10.** (ab)kühlen; → ***heel¹*** *Redew.*; **11.** *fig. Leidenschaften etc.* (ab)kühlen, beruhigen; *Zorn etc.* mäßigen; **IV** *v/i.* **12.** kühl werden, sich abkühlen; **13.** *a.* ***~ down*** *fig.* sich abkühlen, erkalten, nachlassen, sich beruhigen; **14.** ***~ down*** F ruhiger werden, sich abregen; **15.** ***~ it*** *sl.* ruhig bleiben, die Nerven behalten: ***~ it!*** immer mit der Ruhe!, reg dich ab!; '**cool·ant** [-lənt] *s.* ⚙ Kühlmittel *n*; '**cool·er** [-lə] *s.* **1.** (*Wein- etc.*)Kühler *m*; **2.** Kühlraum *m*; **3.** *sl.* ‚Kittchen' *n*, ‚Knast' *m*; ˌ**cool-'head·ed** *adj.* **1.** besonnen, kaltblütig; **2.** leidenschaftslos.

coo·lie ['ku:lɪ] *s.* Kuli *m*.

cool·ing ['ku:lɪŋ] **I** *adj.* kühlend, erfrischend; Kühl...; **II** *s.* (Ab)Kühlung *f*; **~ coil** *s.* Kühlschlange *f*; ˌ**~-'off pe·ri·od** *s.* Friedenspflicht *f*; **~ plant** *s.* Kühlanlage *f*.

cool·ness ['ku:lnɪs] *s.* **1.** Kühle *f* (*a. fig.*); **2.** Kaltblütigkeit *f*; **3.** Unfreundlichkeit *f*; **4.** Frechheit *f*.

coomb(**e**) [ku:m] *s.* Talmulde *f*.

coon [ku:n] *s.* **1.** *zo.* → ***raccoon***; **2.** *Am. sl.* a) Neger(in): ***~ song*** Negerlied *n*, b) ‚schlauer Hund'.

coop [ku:p] **I** *s.* **1.** Hühnerstall *m*; **2.** Fischkorb *m* (*zum Fangen*); **3.** F ‚Ka'buff' *n*; **4.** F ‚Knast' *m*; **II** *v/t.* **5.** *oft* ***~ up***, ***~ in*** einsperren, einpferchen.

co-op ['kəʊɒp] *s.* F Co-op *m* (*Genossenschaft u. Laden*) (*abbr. für* ***cooperative***).

coop·er ['ku:pə] **I** *s.* **1.** Küfer *m*, Böttcher *m*; **2.** Mischbier *n*; **II** *v/t.* **3.** *Fässer* machen, ausbessern; '**coop·er·age** [-ərɪdʒ] *s.* Böttche'rei *f*.

co·op·er·ate [kəʊ'ɒpəreɪt] *v/t.* **1.** zs.-arbeiten (***with*** mit, ***to*** zu *e-m Zweck*, ***in*** an *dat.*); **2.** (***to***) mitwirken (an *dat.*), beitragen (zu), helfen (bei); **co·op·er·a·tion** [kəʊˌɒpə'reɪʃn] *s.* **1.** Zs.-arbeit *f*, Mitwirkung *f*; **2.** ✝ a) Kooperati'on *f*, Zs.-arbeit *f*, b) Zs.-schluß *m*, Vereinigung *f* (zu e-r Genossenschaft); **co-'op·er·a·tive** [-pərətɪv] **I** *adj.* ☐ **1.** zs.-arbeitend, mitwirkend; **2.** koopera'tiv, hilfsbereit; **3.** genossenschaftlich: ***~ movement*** Genossenschaftsbewegung *f*; ***~ society*** Konsumgenossenschaft *f*; ***~ store*** → 4; **II** *s.* **4.** Co-op *m*, Kon'sumladen *m*; **co'op·er·a·tive·ness** [-pərətɪvnɪs] *s.* Hilfsbereitschaft *f*; **co'op·er·a·tor** [-tə] *s.* **1.** Mitarbeiter(in), Mitwirkende(r *m*) *f*, Helfer(in); **2.** Mitglied *n* e-r Kon'sumgenossenschaft *f*.

co-opt [kəʊ'ɒpt] *v/t.* hin'zuwählen; **co-op·ta·tion** [ˌkəʊɒp'teɪʃn] *s.* Zuwahl *f*.

co·or·di·nate **I** *v/t.* [kəʊ'ɔ:dɪneɪt] **1.** koordinieren, bei-, gleichordnen, gleichschalten; zs.-fassen; **2.** in Einklang bringen, aufein'ander abstimmen; richtig anordnen, anpassen; **II** *adj.* [-dnət] **3.** koordiniert, bei-, gleichgeordnet; gleichrangig, -wertig, -artig: ***~ clause*** *ling.* beigeordneter Satz; **4.** ⩓ Koordinaten...; **III** *s.* [-dnət] **5.** Beigeordnetes *n*, Gleichwertiges *n*; **6.** ⩓ Koordi'nate *f*; **co·or·di·na·tion** [kəʊˌɔːdɪ'neɪʃn] *s.* **1.** Koordinati'on *f* (*a. physiol. der Muskeln etc.*), Gleich-, Beiordnung *f*, Gleichstellung *f*, -schaltung *f*; richtige Anordnung; **2.** Zs.-fassung *f*; Zs.-arbeit *f*; **co'or·di·na·tor** [-tə] *s.* Koordi'nator *m*.

coot [kuːt] *s. orn.* Bläß-, Wasserhuhn *n*; → ***bald*** 1.

cop¹ [kɒp] *s.* Garnwickel *m*.

cop² [kɒp] *sl.* **I** *v/t.* **1.** erwischen (***at*** bei): ***~ it*** ‚sein Fett kriegen'; **2.** klauen; **II** *v/i.* **3.** ***~ out*** a) ‚aussteigen' (***of***, ***on*** aus), b) ‚sich drücken'; **III** *s.* **4.** ***it's a fair ~*** jetzt bin ich ‚dran'.

cop³ [kɒp] *s. sl.* ‚Bulle' *m* (*Polizist*).

co·pal ['kəʊpəl] *s.* Ko'pal(harz *n*) *m*.

co·par·ce·nar·y [ˌkəʊ'pɑːsənərɪ] *s.* ⚖ gemeinschaftliches (Grund)Eigentum (gesetzlicher Erben); **co·par·ce·ner** [ˌkəʊ'pɑːsənə] *s.* ⚖ Miterbe *m*, -erbin *f*.

co·part·ner [ˌkəʊ'pɑːtnə] *s.* Teilhaber *m*, Mitinhaber *m*; **ˌco'part·ner·ship** [-ʃɪp] *s.* ✝ **1.** Teilhaberschaft *f*; **2.** a) Gewinnbeteiligung *f*, b) Mitbestimmungsrecht *n* (*der Arbeitnehmer*).

cope¹ [kəʊp] *v/i.* **1.** (***with***) gewachsen sein (*dat.*), fertig werden (mit), bewältigen (*acc.*), meistern (*acc.*); **2.** die Lage meistern, zu Rande kommen, ‚es schaffen'.

cope² [kəʊp] **I** *s.* **1.** *eccl.* Chorrock *m*; **2.** *fig.* Mantel *m*, Gewölbe *n*: ***~ of heaven*** Himmelszelt *n*; **3.** → ***coping***; **II** *v/t.* **4.** bedecken.

co·peck ['kəʊpek] *s.* Ko'peke *f* (*russische Münze*).

cop·er ['kəʊpə] *s.* Pferdehändler *m*.

Co·per·ni·can [kəʊ'pɜːnɪkən] *adj.* koperni'kanisch.

'cope·stone → ***coping stone***.

cop·i·er ['kɒpɪə] *s.* **1.** → ***copyist***; **2.** ⚙ Kopiergerät *n*, Kopierer *m*.

co·pi·lot ['kəʊˌpaɪlət] *s.* ✈ 'Kopiˌlot *m*.

cop·ing ['kəʊpɪŋ] *s.* Mauerkappe *f*, -krönung *f*; ***~ saw*** *s.* Laubsäge *f*; ***~ stone*** *s.* **1.** Deck-, Kappenstein *m*; **2.** *fig.* Krönung *f*, Schlußstein *m*.

co·pi·ous ['kəʊpjəs] *adj.* □ **1.** reichlich, aus-, ergiebig, reich, um'fassend; **2.** produk'tiv, fruchtbar: ***~ writer***; **3.** wortreich; 'überschwenglich; **'co·pi·ous·ness** [-nɪs] *s.* **1.** Fülle *f*; 'Überfluß *m*; **2.** Wortreichtum *m*.

'cop-out *s. sl.* **1.** Vorwand *m*; **2.** ‚Rückzieher' *m*; **3.** a) ‚Aussteigen' *n*, b) *a.* ***~ artist*** ‚Aussteiger(in)'.

cop·per¹ ['kɒpə] **I** *s.* **1.** *min.* Kupfer *n*; **2.** Kupfermünze *f*: ***~s*** Kupfer-, Kleingeld *n*; **3.** Kupferbehälter *m*, -gefäß *n*, -kessel *m*; *bsd. Brit.* Waschkessel *m*; **II** *adj.* **4.** kupfern, Kupfer...; **5.** kupferrot; **III** *v/t.* **6.** verkupfern; **7.** mit Kupferblech beschlagen.

cop·per² ['kɒpə] → ***cop³***.

cop·per·as ['kɒpərəs] *s.* ⚗ Vitri'ol *n*.

cop·per| beech *s.* ⚘ Blutbuche *f*; **ˌ~-'bot·tomed** *adj.* **1.** ⚓ a) mit Kupferbeschlag, b) seetüchtig; **2.** *fig.* kerngesund; ***~ en·grav·ing*** *s.* **1.** Kupferstich *m*; **2.** Kupferstechkunst *f*; ***~ glance*** *s. min.* Kupferglanz *m*; **'~·head** *s. zo.* Mokas'sinschlange *f*; **'~·plate** *s.* ⚙ **1.** Kupferstichplatte *f*; **2.** Kupferstich *m*; **3.** *fig.* gestochene Handschrift; **'~ˌplat·ed** *adj.* verkupfert; **'~·smith** *s.* Kupferschmied *m*.

cop·per·y ['kɒpərɪ] *adj.* kupferartig, -farbig, -haltig.

cop·pice ['kɒpɪs] *s.* **1.** 'Unterholz *n*, Gestrüpp *n*; Gebüsch *n*, Dickicht *n*; **2.** Gehölz *n*, niedriges Wäldchen.

cop·ra ['kɒprə] *s.* 'Kobra *f*.

copse [kɒps] → ***coppice***.

Copt [kɒpt] *s.* Kopte *m*, Koptin *f*.

'cop·ter ['kɒptə] F *für* ***helicopter***.

cop·u·la ['kɒpjʊlə] *s.* **1.** *ling. u. phls.* 'Kopula *f*; **2.** *anat.* Bindeglied *n*; **'cop·u·late** [-leɪt] *v/i.* kopulieren: a) koitieren, b) *zo.* sich paaren; **cop·u·la·tion** [ˌkɒpjʊ'leɪʃn] *s.* **1.** *ling. u. phls.* Verbindung *f*; **2.** Kopulati'on *f*: a) 'Koitus *m*, b) Paarung *f*; **'cop·u·la·tive** [-lətɪv] **I** *adj.* □ **1.** verbindend, Binde...; **2.** *ling.* kopula'tiv; **3.** *biol.* Kopulations...; **II** *s.* **4.** *ling.* 'Kopula *f*.

cop·y ['kɒpɪ] **I** *s.* **1.** Ko'pie *f*, Abschrift *f*: ***fair*** (*od.* ***clean***) ***~*** Reinschrift *f*; ***rough ~*** erster Entwurf, Konzept *n*, Kladde *f*; ***true ~*** (wort)getreue Abschrift; **2.** 'Durchschlag *m*, -schrift *f*; **3.** Abzug *m* (*a. phot.*), Abdruck *m*, Pause *f*; **4.** Nachahmung *f*, -bildung *f*, Reprodukti'on *f*, Ko'pie *f*, 'Wiedergabe *f*; **5.** Muster *n*, Mo'dell *n*, Vorlage *f*; Urschrift *f*; **6.** druckfertiges Manu'skript, lite'rarisches Materi'al; (*Zeitungs- etc.*)Stoff *m*, Text *m*; **7.** Ausfertigung *f*, Exem'plar *n*, Nummer *f* (*Zeitung etc.*); **8.** Urkunde *f*; **II** *v/t.* **9.** abschreiben, -drucken, -zeichnen, e-e Ko'pie anfertigen von; *Computer*: *Daten* über'tragen: ***~ out*** ins reine schreiben, abschreiben; **10.** *phot.* e-n Abzug machen von; **11.** nachbilden, reproduzieren, kopieren; **12.** nachahmen, -machen; **13.** 'wiedergeben, *Zeitungstext* wieder'holen; **III** *v/i.* **14.** kopieren, abschreiben; **15.** (vom Nachbarn) abschreiben (*Schule*); **16.** nachahmen; **'~·book I** *s.* **1.** (Schön-)Schreibheft *n*: ***blot one's ~*** F ‚sich danebenbenehmen'; **2.** ✝ Kopierbuch *n*;

C

II *adj.* **3.** alltäglich; **4.** nor'mal; '**~·cat** F **I** *s.* (sklavischer) Nachahmer; **II** *v/t.* (sklavisch) nachahmen; **~ desk** *s.* Redakti'onstisch *m*; **~ ed·i·tor** *s.* a) 'Zeitungsredakˌteur(in), b) 'Lektor *m*, Lek'torin *f*; '**~·hold** *s.* ⚖ *Brit.* Zinslehen *n*, -gut *n*; '**~·hold·er** *s.* **1.** ⚖ *Brit.* Zinslehenbesitzer *m*; **2.** *typ.* a) Manu'skripthalter *m*, b) Kor'rektorgehilfe *m*.

cop·y·ing| ink ['kɒpɪɪŋ] *s.* Kopiertinte *f*; **~ ma·chine** *s.* → *copier* 2; **~ pa·per** *s.* Ko'pierpaˌpier *n*; **~ pen·cil** *s.* Tintenstift *m*; **~ press** *s.* ⚙ Kopierpresse *f*; **~ test** *s.* Copy-test *m* (*werbepsychologischer Test*).

cop·y·ist ['kɒpɪɪst] *s.* **1.** Abschreiber *m*, Ko'pist *m*; **2.** Nachahmer *m*.

'**cop·y|pro·tec·tion** *s.* Kopierschutz *m*; **~ read·er** *Am.* → **copy editor**; '**~·right** ⚖ **I** *s.* 'Copyright *n*, Urheberrecht *n* (**in** an *dat.*): **~ in designs** Musterschutz *m*; **~ reserved** alle Rechte vorbehalten; **II** *v/t.* das Urheberrecht erwerben an (*dat.*); urheberrechtlich schützen; **III** *adj.* urheberrechtlich (geschützt); '**~ˌwrit·er** *s.* (*a.* Werbe)Texter *m*.

co·quet [kɒ'ket] **I** *v/i.* kokettieren, flirten; *fig.* liebäugeln (**with** mit); **II** *adj.* → **coquettish**; **co·quet·ry** ['kɒkɪtrɪ] *s.* Kokette'rie *f*; **co·quette** [kɒ'ket] *s.* ko'kette Frau; **co'quet·tish** [-tɪʃ] *adj.* □ ko'kett.

cor·al ['kɒrəl] **I** *s.* **1.** *zo.* Ko'ralle *f*; **2.** Ko'rallenstück *n*; **3.** Ko'rallenrot *n*; **4.** Beißring *m od.* Spielzeug *n* (für Babys) aus Ko'ralle; **II** *adj.* **5.** Korallen...; **6.** ko'rallenrot; **~ bead** *s.* **1.** Ko'rallenperle *f*; **2.** *pl.* Ko'rallenkette *f*; **~ is·land** *s.* Ko'ralleninsel *f*.

cor·al·lin ['kɒrəlɪn] *s.* ⚗ Koral'lin *n*; '**cor·al·line** [-laɪn] **I** *adj.* **1.** ko'rallenartig, -haltig; ko'rallenrot; **II** *s.* **2.** ⚘ Ko'rallenalge *f*; **3.** → **corallin**; '**cor·al·lite** [-laɪt] *s.* **1.** Ko'rallenskeˌlett *n*; **2.** versteinerte Ko'ralle.

cor·al reef *s.* Ko'rallenriff *n*.

cor an·glais [ˌkɔːr'ɑ̃ːŋgleɪ] (*Fr.*) *s.* ♪ Englischhorn *n*.

cor·bel ['kɔːbəl] △ **I** *s.* Kragstein *m*, Kon'sole *f*; **II** *v/t.* durch Kragsteine stützen.

cor·bie ['kɔːbɪ] *s. Scot.* Rabe *m*; '**~·steps** *s. pl.* △ Giebelstufen *pl.*

cord [kɔːd] **I** *s.* **1.** Schnur *f*, Kordel *f*, Strick *m*, Strang *m*; **2.** *anat.* Band *n*, Schnur *f*, Strang *m*; → **spinal cord** *etc.*; **3.** ⚡ (Leitungs-, Anschluß)Schnur *f*; **4.** a) Rippe *f* (*e-s Stoffes*), b) gerippter Stoff, Rips *m*, *bsd.* → **corduroy** 1, *pl.* → **corduroy** 2; **5.** Klafter *m*, *n* (*Holz*); **II** *v/t.* **6.** (zu)schnüren, (fest)binden, befestigen; **7.** *Bücherrücken* rippen; '**cord·age** [-dɪdʒ] *s.* ⚓ Tauwerk *n*.

cor·date ['kɔːdeɪt] *adj.* ⚘, *zo.* herzförmig (*Blatt*, *Muschel etc.*).

cord·ed ['kɔːdɪd] *adj.* **1.** ge-, verschnürt; **2.** gerippt (*Stoff*); **3.** Strick...; **4.** in Klaftern gestapelt (*Holz*).

cor·de·lier [ˌkɔːdɪ'lɪə] *s. eccl.* Franzis'kaner(mönch) *m*.

cor·dial ['kɔːdjəl] **I** *adj.* □ **1.** *fig.* herzlich, freundlich, warm, aufrichtig; **2.** ⚕ belebend, stärkend; **II** *s.* **3.** ⚕ belebendes Mittel, Stärkungsmittel *n*; **4.** Li'kör *m*; **cor·dial·i·ty** [ˌkɔːdɪ'ælətɪ] *s.* Herzlichkeit *f*, Wärme *f*.

cord·ite ['kɔːdaɪt] *s.* ⚔ Kor'dit *m*.

cord·less *adj. teleph.* schnurlos.

cor·don ['kɔːdn] **I** *s.* **1.** Kor'don *m*: a) ⚔ Postenkette *f*, b) Absperrkette *f*: **~ of police**; **2.** Kette *f*, Spa'lier *n* (*Personen*); **3.** Spa'lier(obst)baum *m*; **4.** △ Mauerkranz *m*, -sims *m*, *n*; **5.** Ordensband *n*; **II** *v/t.* **6.** *a.* **~ off** (mit Posten *etc.*) absperren, abriegeln; **~ bleu** [ˌkɔːdɔ̃ːm'blɜː] (*Fr.*) *s.* **1.** Cordon *m* bleu; **2.** hohe Per'sönlichkeit; **3.** *humor.* erstklassiger Koch.

cor·do·van ['kɔːdəvən] *s.* 'Korduan(leder) *n*.

cord| tire *Am.*, **~ tyre** *Brit. s. mot.* Kordreifen *m*.

cor·du·roy ['kɔːdərɔɪ] **I** *s.* **1.** Kord-, Ripssamt *m*; **2.** *pl.* Kordsamthose *f*; **II** *adj.* **3.** Kordsamt...; **~ road** *s. Am.* Knüppeldamm *m*.

cord·wain·er ['kɔːdˌweɪnə] *s.* Schuhmacher *m*: **2s' Company** Schuhmachergilde *f* (*London*).

'**cord·wood** *s. bsd. Am.* Klafterholz *n*.

core [kɔː] **I** *s.* **1.** ⚘ Kerngehäuse *n*, Kern *m* (*Obst*); **2.** *fig.* Kern *m* (*a.* ⚙, ⚡), *das* Innerste, Herz *n*, Mark *n*; Seele *f* (*a. Kabel*, *Seil*): **to the ~** bis ins Mark *od.* Innerste, durch u. durch; **~ meltdown** Kernschmelze *f*; **~ memory** *Computer*: Kernspeicher *m*; **~ time** Kernzeit *f*; → **hard core**; **3.** (Eiter)Pfropf *m* (*Geschwür*); **II** *v/t.* **4.** *Äpfel etc.* entkernen.

co·re·late *etc.* → **correlate** *etc.*

co·re·li·gion·ist [ˌkəʊrɪ'lɪdʒənɪst] *s.* Glaubensgenosse *m*, -genossin *f*.

cor·er ['kɔːrə] *s.* Fruchtentkerner *m*.

co·re·spond·ent, *Am.* **co·re·spond·ent** [ˌkəʊrɪ'spɒndənt] *s.* ⚖ Mitbeklagte(r *m*) *f* (*im Ehebruchsprozeß*).

core time *s.* Kernzeit *f* (*Ggs. Gleitzeit*).

cor·gi, **cor·gy** ['kɔːgɪ] → **Welsh corgi**.

co·ri·a·ceous [ˌkɒrɪ'eɪʃəs] *adj.* **1.** ledern, Leder...; **2.** lederartig, zäh.

Co·rin·thi·an [kə'rɪnθɪən] **I** *adj.* **1.** ko'rinthisch: **~ column** korinthische Säule; **II** *s.* **2.** Ko'rinther(in); **3.** *pl. bibl.* (Brief *m* des Paulus an die) Ko'rinther *pl.*

cork [kɔːk] **I** *s.* **1.** ⚘ Kork *m*, Korkrinde *f*; Korkeiche *f*; **2.** Kork(en) *m*, Stöpsel *m*, Pfropfen *m*; **3.** Angelkork *m*, Schwimmer *m*; **II** *adj.* **4.** Kork...; **III**

v/t. **5.** ver-, zukorken; **6.** *Gesicht* mit gebranntem Kork schwärzen; **'cork·age** [-kɪdʒ] *s.* **1.** Verkorken *n*; **2.** Entkorken *n*; **3.** Korkengeld *n*; **corked** [-kt] *adj.* **1.** ver-, zugekorkt, verstöpselt; **2.** korkig, nach Kork schmeckend; **3.** mit Korkschwarz gefärbt; **'cork·er** [-kə] *s. sl.* **1.** *das* Entscheidende; **2.** entscheidendes Argu'ment; **3.** a) ‚Knüller', ‚tolles Ding', b) ‚toller Kerl'; **'cork·ing** [-kɪŋ] *adj. sl.* ‚toll', ‚prima'.

cork| jack·et *s.* Kork-, Schwimmweste *f*; **~ oak** *s.* ♀ Korkeiche *f*; **'~·screw I** *s.* Korkenzieher *m*: **~ *curls*** Korkenzieherlocken; **II** *v/i.* sich schlängeln *od.* winden; **III** *v/t.* 'durchwinden, spi'ralig bewegen; F *fig.* mühsam her'ausziehen (***out of*** aus); **~ sole** *s.* Korkeinlegesohle *f*; **~ tree** → ***cork oak***; **'~·wood** *s.* **1.** ♀ Korkholzbaum *m*; **2.** Korkholz *n*.

cork·y ['kɔːkɪ] *adj.* **1.** korkartig, Kork...; **2.** → ***corked*** 2; **3.** F ‚putzmunter'.

cor·mo·rant ['kɔːmərənt] *s.* **1.** *orn.* Kormo'ran *m*, Scharbe *f*, Seerabe *m*; **2.** *fig.* Vielfraß *m*.

corn¹ [kɔːn] **I** *s.* **1.** *coll.* Getreide *n*, Korn *n* (*Pflanze od. Frucht*); *engS.* a) *England*: Weizen *m*, b) *Scot.*, *Ir.* Hafer *m*, c) *Am.* Mais *m*, d) Hafer *m* (*Pferdefutter*): **~ *on the cob*** Mais *m* am Kolben (*als Gemüse*); **2.** Getreide- *od.* Samenkorn *n*; **3.** *Am.* → ***corn whisky***; **II** *v/t.* **4.** pökeln, einsalzen: **~*ed beef*** Corned beef *n*, Büchsenfleisch *n*.

corn² [kɔːn] *s.* ⚕ Hühnerauge *n*: ***tread on s.o.'s ~s*** *fig.* j-m auf die Hühneraugen treten.

corn| belt *s. Am.* Maisgürtel *m* (*im Mittleren Westen*); **'~·bind** *s.* ♀ Ackerwinde *f*; **~ bread** *s. Am.* Maisbrot *n*; **~ cake** *s. Am.* (Pfann)Kuchen *m* aus Maismehl; **~ chan·dler** *s. Brit.* Korn-, Saathändler *m*; **'~·cob** *s.* **1.** Maiskolben *m*; **2.** *a.* **~ *pipe*** Maiskolbenpfeife *f*; **'~ˌcock·le** *s.* ♀ Kornrade *f*.

cor·ne·a ['kɔːnɪə] *s. anat.* Hornhaut *f* (*des Auges*), 'Kornea *f*.

cor·nel ['kɔːnəl] *s.* ♀ Kor'nelkirsche *f*.

cor·ne·ous ['kɔːnɪəs] *adj.* hornig.

cor·ner ['kɔːnə] **I** *s.* **1.** (Straßen-, Häuser)Ecke *f*, *bsd. mot.* Kurve *f*: ***round the ~*** um die Ecke; ***blind ~*** unübersichtliche (Straßen)Biegung; ***cut ~s*** a) *mot.* die Kurven schneiden, b) *fig.* die Sache abkürzen; ***take a ~*** e-e Kurve nehmen (*Auto*); ***cut off a ~*** ein Stück (Weges) abschneiden; ***turn the ~*** um die (*Straßen*)Ecke biegen; ***he's turned the ~*** *fig.* er ist über den Berg; **2.** Winkel *m*, Ecke *f*: ***put a child in the ~*** ein Kind in die Ecke stellen; ***in a tight ~*** *fig.* in der Klemme, in Verlegenheit; ***drive s.o. into a ~*** j-n in die Enge treiben; ***look at s.o. from the ~ of one's eye*** j-n aus den Augenwinkeln ansehen; **3.** verborgener *od.* geheimer Winkel, entlegene Stelle; **4.** Gegend *f*, ‚Ecke' *f*: ***from the four ~s of the earth*** aus allen Himmelsrichtungen, von überall her; **5.** ✝ a) spekula'tiver Aufkauf, b) (Aufkäufer)Ring *m*, Mono'pol(gruppe *f*) *n*: **~ *in wheat*** Weizen-Korner *m*; **6.** *sport* a) *Fußball etc.*: Eckball *m*, Ecke *f*, b) *Boxen*: (Ring)Ecke *f*; **II** *v/t.* **7.** in die Enge treiben; in Bedrängnis bringen; **8.** ✝ *Ware* (spekula'tiv) aufkaufen, *fig.* mit Beschlag belegen: **~ *the market*** den Markt *od.* alles aufkaufen; **III** *v/i.* **9.** *Am.* a) e-e Ecke *od.* e-n Winkel bilden, b) an e-r Ecke gelegen sein; **IV** *adj.* **10.** Eck...: **~ *house***; **'~ˌchis·el** *s.* ⚙ Winkelmeißel *m*.

cor·nered ['kɔːnəd] *adj.* **1.** *in Zssgn*: ...eckig; **2.** in die Enge getrieben, in der Klemme.

cor·ner| kick *s. Fußball*: Eckstoß *m*; **~ seat** *s.* Eckplatz *m*; **~ shop** *s.* Tante-Emma-Laden *m*; **'~·stone** *s.* ⟁ Eck- *od.* Grundstein *m*; *fig.* Eckpfeiler *m*, Grundstein *m*; **'~·ways**, **'~·wise** *adv.* **1.** mit der Ecke nach vorn; **2.** diago'nal.

cor·net ['kɔːnɪt] *s.* **1.** ♪ a) (Pi'ston)Korˌnett *n* (*a. Orgelregister*), b) Kornet'tist *m*; **2.** spitze Tüte; **3.** a) *Brit.* Eistüte *f*, b) Cremerolle *f*; **4.** Schwesternhaube *f*; **5.** ⚔ *hist.* a) Fähnlein *n*, b) Kor'nett *m*, Fähnrich *m*; **'cor·net·(t)ist** [-tɪst] *s.* ♪ Kornet'tist *m*.

corn| ex·change *s.* Getreidebörse *f*; **~ field** *s.* Getreidefeld *n*; *Am.* Maisfeld *n*; **'~·flakes** *s. pl.* Corn-flakes *pl.*; **~ flour** *s.* Stärkemehl *n*; **'~ˌflow·er** *s.* Kornblume *f*.

cor·nice ['kɔːnɪs] *s.* **1.** ⟁ Gesims *n*, Sims *m*, *n*; **2.** Kranz-, Randleiste *f*; **3.** Bilderleiste *f*; **4.** (Schnee)Wächte *f*.

Cor·nish ['kɔːnɪʃ] **I** *adj.* aus Cornwall, kornisch; **II** *s.* kornische Sprache; **'~·man** [-mən] *s.* [*irr.*] Einwohner *m* von Cornwall.

'corn|·loft *s.* Getreidespeicher *m*; **~ pop·py**, **~ rose** *s.* ♀ Klatschmohn *m*, -rose *f*; **'~·stalk** *s.* **1.** Getreidehalm *m*; **2.** *Am.* Maisstengel *m*; **3.** F Bohnenstange *f* (*lange, dünne Person*); **'~·starch** *s. Am.* Stärkemehl *n*.

cor·nu·co·pi·a [ˌkɔːnjʊ'kəʊpjə] *s.* **1.** Füllhorn *n* (*a. fig.*); **2.** *fig.* (***of***) Fülle *f* (von), 'Überfluß *m* (an *dat.*).

corn whis·ky *s. Am.* Maiswhiskey.

corn·y ['kɔːnɪ] *adj.* **1.** a) *Brit.* Korn..., b) *Am.* Mais...; **2.** getreidereich; **3.** körnig; **4.** *Am. sl.* a) schmalzig, sentimen'tal (*bsd.* ♪), b) kitschig, abgedroschen, c) ländlich.

co·rol·la [kə'rɒlə] *s.* Blumenkrone *f*.

cor·ol·lar·y [kə'rɒlərɪ] *s.* **1.** ⅍, *phls.* Folgesatz *m*; **2.** logische Folge *f* (***of***, ***to*** von *od.* *gen.*).

C

co·ro·na [kə'rəʊnə] *pl.* **-nae** [-ni:] *s.* **1.** *ast.* a) Krone *f* (*Sternbild*), b) Hof *m*, Ko'rona *f*, Strahlenkranz *m*; **2.** *a.* **~ *discharge*** ϟ Glimmentladung *f*, Ko'rona *f*; **3.** ⚠ Kranzleiste *f*; **4.** *anat.* Zahnkrone *f*; **5.** ⚘ Nebenkrone *f*; **6.** Kronleuchter *m*.

cor·o·nach ['kɒrənək] *s. Scot. u. Ir.* Totenklage *f*.

cor·o·nal ['kɒrənl] *s.* **1.** Stirnreif *m*, Dia'dem *n*; **2.** (Blumen)Kranz *m*.

cor·o·nar·y ['kɒrənərɪ] **I** *adj.* **1.** kronen-, kranzartig; **2.** ⚕ koro'nar, (Herz-)Kranz…: **~ *artery*** Kranzarterie *f*, **ˌ~-'*risk*** *adj.* infarktgefährdet; **~ *thrombosis*** → **II** *s.* **3.** ⚕ Koro'narthromˌbose *f*.

cor·o·na·tion [ˌkɒrə'neɪʃn] *s.* **1.** Krönung *f*; **2.** Krönungsfeier *f*.

cor·o·ner ['kɒrənə] *s.* ⚖ Coroner *m* (*richterlicher Beamter zur Untersuchung der Todesursache in Fällen unnatürlichen Todes*); → ***inquest*** 1.

cor·o·net ['kɒrənɪt] *s.* **1.** kleine Krone; **2.** Adelskrone *f*; **3.** Dia'dem *n*; **4.** *zo.* Hufkrone *f* (*Pferd*); **'cor·o·net·ed** [-tɪd] *adj.* **1.** e-e Adelskrone *od.* ein Dia'dem tragend; **2.** adelig; **3.** mit Adelswappen (*Briefpapier*).

cor·po·ral¹ ['kɔ:pərəl] *s.* ⚔ 'Unteroffiˌzier *m*.

cor·po·ral² ['kɔ:pərəl] *adj.* □ **1.** körperlich, leiblich: **~ *punishment*** körperliche Züchtigung; **2.** per'sönlich; **cor·po·ral·i·ty** [ˌkɔ:pə'rælətɪ] *s.* Körperlichkeit *f*.

cor·po·rate ['kɔ:pərət] *adj.* □ **1.** vereinigt, körperschaftlich, korpora'tiv, Körperschafts…; inkorporiert: **~ *body*** → ***corporation*** 1; **~ *seal*** a) *Brit.* Siegel *n* e-r juristischen Person, b) *Am.* Firmensiegel *n*; **~ *stock*** *Am.* (Gesellschafts)Aktien *pl.*; **~ *tax*** *Am.* Körperschaftssteuer *f*; **~ *town*** Stadt *f* mit eigenem Recht; **2.** gemeinsam, kollek'tiv; **cor·po·ra·tion** [ˌkɔ:pə'reɪʃn] *s.* **1.** ⚖ ju'ristische Per'son: **~ *tax*** Körperschaftssteuer *f*; **2.** *Brit.* (rechtsfähige) Handelsgesellschaft; **3.** *a.* ***stock*** **~** ✝ *Am.* 'Aktiengesellschaft *f*; **4.** Vereinigung *f*; Gilde *f*, Innung *f*, Zunft *f*; **5.** Stadtbehörde *f*; inkorporierte Stadtgemeinde; **6.** F Schmerbauch *m*; **'cor·po·ra·tive** [-tɪv] *adj.* **1.** korpora'tiv, körperschaftlich; *Am.* ✝ Gesellschafts…; **2.** *pol.* korpora'tiv (*Staat etc.*).

cor·po·re·al [kɔ:'pɔ:rɪəl] *adj.* □ **1.** körperlich, leiblich; **2.** materi'ell, dinglich, greifbar; **cor·po·re·al·i·ty** [kɔ:ˌpɔ:rɪ'ælətɪ] *s.* Körperlichkeit *f*.

cor·po·sant ['kɔ:pəzənt] *s.* ϟ Elmsfeuer *n*.

corps [kɔ:] *pl.* **corps** [kɔ:z] *s.* **1.** ⚔ a) (Ar'mee)Korps *n*, b) Korps *n*, Truppe *f*: ***volunteer*** **~** Freiwilligentruppe; **2.** Körperschaft *f*, Korps *n*; **3.** Korps *n*, Korporati'on *f*, (Stu'denten)Verbindung *f*; **~ *de bal·let*** [ˌkɔ:də'bæleɪ] (*Fr.*) *s.* Bal'lettgruppe *f*; **≈ Di·plo·ma·tique** ['kɔ:ˌdɪpləmæ'tɪk] (*Fr.*) *s.* Diplo'matisches Korps.

corpse [kɔ:ps] *s.* Leichnam *m*, Leiche *f*.

cor·pu·lence ['kɔ:pjʊləns], **'cor·pu·len·cy** [-sɪ] *s.* Korpu'lenz *f*, Beleibtheit *f*; **'cor·pu·lent** [-nt] *adj.* □ korpu'lent, beleibt.

cor·pus ['kɔ:pəs] *pl.* **'cor·po·ra** [-pərə] *s.* **1.** Korpus *n*, Sammlung *f* (*Werk*, *Gesetz etc.*); **2.** Groß-, Hauptteil *m*; **3.** ✝ ('Stamm)Kapiˌtal *n* (*Ggs. Zinsen etc.*); **≈ Chris·ti** ['krɪstɪ] *s. eccl.* Fron'leichnam(sfest *n*) *m*.

cor·pus·cle ['kɔ:pʌsl] *s.* **1.** *biol.* (Blut-)Körperchen *n*; **2.** *phys.* Kor'puskel *n*, *f*, Elemen'tarteilchen *n*; **cor·pus·cu·lar** [kɔ:'pʌskjʊlə] *adj. phys.* Korpusku-lar…; **cor·pus·cule** [kɔ:'pʌskju:l] → ***corpuscle***.

cor·pus| de·lic·ti [dɪ'lɪktaɪ] *s.* ⚖ 'Corpus *n* de'licti: a) ⚖ Tatbestand *m*, b) Beweisstück *n*, *bsd.* Leiche *f* (des Ermordeten); **~ ju·ris** ['dʒʊərɪs] *s.* ⚖ Corpus *n* juris, Gesetzessammlung *f*.

cor·ral [kɒ'rɑ:l] **I** *s.* **1.** Kor'ral *m*, (Vieh)Hof *m*, Pferch *m*, Einzäunung *f*; **2.** Wagenburg *f*; **II** *v/t.* **3.** *Wagen* zu e-r Wagenburg zs.-stellen; **4.** in e-n Pferch treiben; **5.** *fig.* einsperren; **6.** *Am.* F sich *et.* ‚schnappen'.

cor·rect [kə'rekt] **I** *v/t.* **1.** korrigieren, verbessern, berichtigen, richtigstellen; **2.** regulieren, regeln, ausgleichen; **3.** *Mängel* abstellen, beheben; **4.** zu'rechtweisen, tadeln: ***I stand ~ed*** ich gebe m-n Fehler zu; **5.** *j-n od. et.* bestrafen; **II** *adj.* □ **6.** richtig, fehlerfrei: ***be ~*** a) stimmen, b) recht haben; **7.** kor'rekt, schicklich, einwandfrei: ***it is the ~ thing*** es gehört sich; **~ *behavio(u)r*** korrektes Benehmen; **8.** genau, ordentlich; **cor'rec·tion** [-kʃn] *s.* **1.** Verbesserung *f*, Richtigstellung *f*, Berichtigen *n* (*a.* ⚙, *phys.*): ***I speak under ~*** ich kann mich natürlich (auch) irren; **2.** Korrek'tur *f* (*a.* ⚗, *phys.*, *typ. etc.*), (Fehler)Verbesserung *f*; **3.** Zu'rechtweisung *f*; **4.** Bestrafung *f*, ⚖ *a.* Besserung *f*: ***house of ~*** ⚖ Strafanstalt *f*; **5.** Bereinigung *f*, Abstellung *f*, Regulierung *f*; **cor'rec·tion·al** [-kʃənl] → ***corrective***; **cor'rect·i·tude** [-tɪtju:d] *s.* Kor'rektheit *f* (*Benehmen*); **cor'rec·tive** [-tɪv] **I** *adj.* □ **1.** verbessernd, Verbesserungs…, Berichtigungs…, Korrektur…: **~ *measure*** Abhilfemaßnahme *f*; **2.** mildernd, lindernd; **3.** ⚖ Besserungs…, Straf…: **~ *training*** Besserungsmaßregel *f*; **II** *s.* **4.** Korrek'tiv *n*, Abhilfe *f*, Heil-, Gegenmittel *n*: **cor'rect·ness** [-nɪs] *s.* Richtigkeit *f*; Kor'rektheit *f*; **cor'rec·tor** [-tə] *s.* **1.** Verbesserer *m*; **2.** ˈKritiker(in); **3.** *mst* **~ of the press** *Brit. typ.* Korˈrektor *m*; **4.** Besserungsmittel *n*.

cor·re·late [ˈkɒrəleɪt] **I** *v/t.* in Wechselbeziehung bringen (**with** mit), aufeinˈander beziehen; in Überˈeinstimmung bringen (**with** mit); **II** *v/i.* in Wechselbeziehung stehen (**with** mit), sich aufeinander beziehen; entsprechen (**with** *dat.*); **III** *s.* Korreˈlat *n*, Gegenstück *n*; **cor·re·la·tion** [ˌkɒrəˈleɪʃn] *s.* Wechselbeziehung *f*, gegenseitige Abhängigkeit, Entsprechung *f*; **cor·rel·a·tive** [kɒˈrelətɪv] **I** *adj.* □ korrelaˈtiv, in Wechselbeziehung stehend, sich ergänzend; entsprechend; **II** *s.* Korreˈlat *n*, Gegenstück *n*, Ergänzung *f*.

cor·re·spond [ˌkɒrɪˈspɒnd] *v/i.* **1.** (**with, to**) entsprechen (*dat.*), überˈeinstimmen, in Einklang stehen (mit); **2.** (**with, to**) passen (zu), sich eignen (für); **3.** (**to**) entsprechen (*dat.*), das Gegenstück sein (von), anaˈlog sein (zu); **4.** in Briefwechsel (✝ in Geschäftsverkehr) stehen (**with** mit).

cor·re·spond·ence [ˌkɒrɪˈspɒndəns] *s.* **1.** Überˈeinstimmung *f* (**with** mit, **between** zwischen *dat.*); **2.** Angemessenheit *f*, Entsprechung *f*; **3.** Korresponˈdenz *f*: a) Briefwechsel *m*, b) Briefe *pl.*; **4.** *Zeitung*: Beiträge *pl.*; **~ clerk** *s.* ✝ Korresponˈdent(in); **~ col·umn** *s.* Leserbriefspalte *f*; **~ chess** *s.* Fernschach *n*; **~ course** *s.* Fernkurs *m*; **~ school** *s.* ˈFernlehrinstiˌtut *n*.

cor·re·spond·ent [ˌkɒrɪˈspɒndənt] **I** *s.* Korresponˈdent(in): a) (Brief)Schreiber(in); Briefpartner(in), b) ✝ Geschäftsfreund *m*, c) *Zeitung*: Mitarbeiter(in); Einsender(in): **foreign ~** Auslandskorrespondent; **special ~** Sonderberichterstatter *m*; **II** *adj.* → ˌ**cor·reˈspond·ing** [-dɪŋ] *adj.* □ **1.** entsprechend, gemäß (**to** *dat.*); **2.** in Briefwechsel stehend (**with** mit): **~ member** korrespondierendes Mitglied; ˌ**cor·reˈspond·ing·ly** [-dɪŋlɪ] *adv.* entsprechend, demgemäß.

cor·ri·dor [ˈkɒrɪdɔː] *s.* **1.** ˈKorridor *m*, Gang *m*, Flur *m*; **2.** 🚂 ˈKorridor *m*, Seitengang *m*: **~ train** D-Zug *m*; **3.** *geogr.*, *pol.* ˈKorridor *m* (*Landstreifen durch fremdes Gebiet*).

cor·ri·gen·dum [ˌkɒrɪˈdʒendəm] *pl.* **-da** [-də] *s.* **1.** zu verbessernder Druckfehler; **2.** *pl.* Druckfehlerverzeichnis *n*; **cor·ri·gi·ble** [ˈkɒrɪdʒəbl] *adj.* **1.** zu verbessern(d); **2.** lenksam, fügsam.

cor·rob·o·rate [kəˈrɒbəreɪt] *v/t.* bekräftigen, bestätigen, erhärten; **cor·rob·o·ra·tion** [kəˌrɒbəˈreɪʃn] *s.* Bekräftigung *f*, Bestätigung *f*, Erhärtung *f*; **corˈrob·o·ra·tive** [-bərətɪv], **corˈrob·o·ra·to·ry** [-bərətərɪ] *adj.* bestärkend, bestätigend.

cor·rode [kəˈrəʊd] **I** *v/t.* **1.** ⚗, ⚙ zer-, anfressen, angreifen, korrodieren; wegätzen, -beizen; **2.** *fig.* zerfressen, zerstören, unterˈgraben, aushöhlen: **corroding care** nagende Sorge; **II** *v/i.* **3.** zerfressen werden, korrodieren; rosten; **4.** sich einfressen; **5.** verderben, verfallen; **corˈro·dent** [-dənt] *Am.* **I** *adj.* ätzend; **II** *s.* Ätzmittel *n*; **corˈro·sion** [-əʊʒn] *s.* **1.** ⚗, ⚙ Korrosiˈon *f*, An-, Zerfressen *n*; Rostfraß *m*; Ätzen *n*, Beizen *n*; **2.** *fig.* Zerstörung *f*; **corˈro·sive** [-əʊsɪv] **I** *adj.* □ **1.** ⚗, ⚙ zerfressend, ätzend, beizend, angreifend, Korrosions…; **2.** *fig.* nagend, quälend; **II** *s.* **3.** ⚗, ⚙ Ätz-, Beizmittel *n*; **corˈro·sive·ness** [-əʊsɪvnɪs] *s.* ätzende Schärfe.

cor·ru·gate [ˈkɒrʊgeɪt] **I** *v/t.* wellen, riefen; runzeln, furchen; **II** *v/i.* sich wellen *od.* runzeln, runz(e)lig werden; ˈ**cor·ru·gat·ed** [-tɪd] *adj.* runz(e)lig, gefurcht; gewellt, gerieft: **~ iron** (*od.* **sheet**) Wellblech *n*; **~ cardboard**, **~ paper** Wellpappe *f*; **cor·ru·ga·tion** [ˌkɒrʊˈgeɪʃn] *s.* **1.** Runzeln *n*, Furchen *n*; Wellen *n*, Riefen *n*; **2.** Furche *f*, Falte *f* (*auf der Stirn*).

cor·rupt [kəˈrʌpt] **I** *adj.* □ **1.** (*moralisch*) verdorben, schlecht, verworfen; **2.** unredlich, unlauter; **3.** korˈrupt, bestechlich, käuflich: **~ practices** Bestechungsmanöver *pl.*, Korruption *f*; **4.** faul, verdorben, schlecht; **5.** unrein, unecht, verfälscht, verderbt (*Text*); **II** *v/t.* **6.** verderben, zuˈgrunde richten: **~ing influences** verderbliche Einflüsse; **7.** verleiten, verführen; **8.** korrumpieren, bestechen; **9.** *Texte etc.* verderben, verfälschen, verunstalten; **10.** *fig.* anstecken, infizieren; **III** *v/i.* **11.** (*moralisch*) verderben, verkommen; **12.** schlecht werden, verderben; **corˈrupt·i·ble** [-təbl] *adj.* □ **1.** zum Schlechten neigend; **2.** bestechlich; **3.** verderblich; vergänglich; **corˈrup·tion** [-pʃn] *s.* **1.** Verdorbenheit *f*, Verworfenheit *f*; **2.** verderblicher Einfluß; **3.** Korruptiˈon *f*: a) Korˈruptheit *f*, Bestechlichkeit *f*, Käuflichkeit *f*, b) korˈrupte Meˈthoden *pl.*, Bestechung *f*; **4.** Verfälschung *f*, Korrumpierung *f* (*Text etc.*); **5.** Fäulnis *f*; **corˈrup·tive** [-tɪv] *adj.* **1.** zersetzend, verderblich; **2.** *fig.* ansteckend; **corˈrupt·ness** [-nɪs] → **corruption** 1, 3a.

cor·sage [kɔːˈsɑːʒ] *s.* **1.** Mieder *n*; **2.** ˈAnsteckbuˌkett *n*.

cor·sair [ˈkɔːseə] *s.* **1.** *hist.* Korˈsar *m*, Seeräuber *m*; **2.** Kaperschiff *n*.

corse·let [ˈkɔːslɪt] *s.* **1.** *Am. mst* **cor·selet** [ˌkɔːsəˈlet] Korseˈlett *n*, Mieder *n*; **2.** *hist.* Harnisch *m*.

cor·set [ˈkɔːsɪt] *s. oft pl.* Korˈsett *n*; ˈ**cor·set·ed** [-tɪd] *adj.* (ein)geschnürt; ˈ**cor·set·ry** [-trɪ] *s.* Miederwaren *pl.*

C

Cor·si·can ['kɔsɪkən] **I** *adj.* korsisch; **II** *s.* Korse *m*, Korsin *f*.
cor·tège [kɔː'teɪʒ] (*Fr.*) *s.* **1.** Gefolge *n e-s Fürsten etc.*; **2.** Zug *m*, Prozessi'on *f*: ***funeral ~*** Leichenzug *m*.
cor·tex ['kɔːteks] *pl.* **-ti·ces** [-tɪsiːz] *s.* ⚘, *zo.*, *anat.* Rinde *f*: ***cerebral ~*** Großhirnrinde.
cor·ti·sone ['kɔːtɪzəʊn] *s.* ⚕ Korti'son *n*.
co·run·dum [kə'rʌndəm] *s.* *min.* Ko'rund *m*.
cor·us·cate ['kɒrəskeɪt] *v/i.* (auf)blitzen, funkeln, glänzen (*a. fig.*).
cor·vée ['kɔːveɪ] (*Fr.*) *s.* Fronarbeit *f*, -dienst *m* (*a. fig.*).
cor·vette [kɔː'vet] *s.* ⚓ Kor'vette *f*.
cor·vine ['kɔːvaɪn] *adj.* raben-, krähenartig.
Cor·y·don ['kɒrɪdən] *s.* **1.** *poet.* 'Korydon *m*, Schäfer *m*; **2.** schmachtender Liebhaber.
cor·ymb ['kɒrɪmb] *s.* ⚘ Doldentraube *f*.
cor·y·phae·us [ˌkɒrɪ'fiːəs] *pl.* **-phae·i** [-'fiːaɪ] *s.* *antiq.* *u.* *fig.* Kory'phäe *f*; **co·ry·phée** ['kɒrɪfeɪ] *s.* Primaballe'rina *f*.
cos[1] [kɒs] *s.* ⚘ Lattich *m*.
cos[2] [kəz] *cj.* F weil, da.
co·se·cant [ˌkəʊ'siːkənt] *s.* ⩕ 'Kosekans *m*.
cosh [kɒʃ] *Brit.* F **I** *s.* Totschläger *m*; **II** *v/t.* mit e-m Totschläger schlagen, *j-m* ‚eins über den Schädel hauen'.
cosh·er ['kɒʃə] *v/t.* verhätscheln.
co·sig·na·to·ry [ˌkəʊ'sɪgnətərɪ] *s.* 'Mitunterˌzeichner(in).
co·sine ['kəʊsaɪn] *s.* ⩕ 'Kosinus *m*.
co·si·ness ['kəʊzɪnɪs] *s.* Behaglichkeit *f*, Gemütlichkeit *f*.
cos·met·ic [kɒz'metɪk] **I** *adj.* (□ ***~ally***) **1.** kos'metisch (*a. fig.*): ***~ treatment*** → 4; ***~ (plastic) surgery*** Schönheitschirurgie *f od.* -operation *f*; **2.** *fig.* kosmetisch, optisch; **II** *s.* **3.** kosmetisches Mittel, Schönheitsmittel *n*, *pl. a.* Kos'metika; **4.** *pl.* Kos'metik *f*, Schönheitspflege *f*; **cos·me·ti·cian** [ˌkɒzmə'tɪʃn] *s.*, **cos·me·tol·o·gist** [ˌkɒzmə'tɒlədʒɪst] Kos'metiker(in).
cos·mic, **cos·mi·cal** ['kɒzmɪk(l)] *adj.* □ kosmisch (*a. fig.*).
cos·mog·o·ny [kɒz'mɒgənɪ] *s.* Kosmogo'nie *f* (*Theorie über die Entstehung des Weltalls*); **cos'mog·ra·phy** [-grəfɪ] *s.* Kosmogra'phie *f*, Weltbeschreibung *f*; **cos'mol·o·gy** [-ɒlədʒɪ] *s.* Kosmolo'gie *f*.
cos·mo·naut ['kɒzmənɔːt] *s.* (Welt-)Raumfahrer *m*, Kosmo'naut *m*.
cos·mo·pol·i·tan [ˌkɒzmə'pɒlɪtən] **I** *adj.* kosmopo'litisch; *weitS.* weltoffen; **II** *s.* Kosmopo'lit *m*, Weltbürger(in); **ˌcos·mo'pol·i·tan·ism** [-tənɪzəm] *s.* Weltbürgertum *n*; *weitS.* Weltoffenheit *f*.
cos·mos ['kɒzmɒs] *s.* **1.** 'Kosmos *m*: a) Weltall *n*, b) Weltordnung *f*; **2.** Welt *f* für sich; **3.** ⚘ 'Kosmos *m* (*Blume*).
Cos·sack ['kɒsæk] *s.* Ko'sak *m*.
cos·set ['kɒsɪt] *v/t.* verhätscheln.
cost [kɒst] **I** *s.* **1.** *stets sg.* Kosten *pl.*, Preis *m*, Aufwand *m*: ***~ of living*** Lebenshaltungskosten; ***~ of-living allowance*** Teuerungszulage *f*; ***~-of-living index*** Lebenshaltungsindex *m*; **2.** ⚚ a) *a.* ***~ price*** (Selbst-, Gestehungs)Kosten *pl.*, Selbstkosten-, (Netto)Einkaufspreis *m*, b) (Un)Kosten *pl.*, Auslagen *pl.*, Spesen *pl.*: ***at ~*** zum Selbstkostenpreis; ***~ accounting*** → ***costing***; ***~ accountant*** (Betriebs)Kalkulator *m*; ***~ allocation*** Kostenumlage *f*; ***~-benefit analysis*** Kosten-Nutzen-Analyse *f*; ***~ breakdown*** Kostenaufgliederung *f*; ***~-covering*** kostendeckend; ***~ free*** kostenlos; ***~ plus*** Gestehungskosten plus Unternehmergewinn; ***~ of construction*** Baukosten; **3.** *fig.* Kosten *pl.*, Schaden *m*, Nachteil *m*: ***at my ~*** auf m-e Kosten; ***at a heavy ~*** unter schweren Opfern; ***at the ~ of his health*** auf Kosten s-r Gesundheit; ***to my ~*** zu m-m Schaden; ***I know to my ~*** ich weiß aus eigener (bitterer) Erfahrung; ***at all ~s***, ***at any ~*** um jeden Preis; **4.** *pl.* ⚖ (Gerichts)Kosten *pl.*, Gebühren *pl.*; ***condemn s.o. in the ~s*** j-n zu den Kosten verurteilen; ***dismiss with ~s*** kostenpflichtig abweisen; ***allow ~s*** die Kosten bewilligen; **II** *v/t.* [*irr.*] **5.** kosten: ***it ~ me one pound*** es kostete mich ein Pfund; **6.** kosten, bringen um: ***it ~ him his life*** es kostete ihn das Leben; **7.** kosten, verursachen: ***it ~ me a lot of trouble*** es verursachte mir (*od.* kostete mich) große Mühe; **8.** [*pret. u. p.p.* **cost·ed**] ⚚ kalkulieren, den Preis berechnen von: ***~ed at*** mit e-m Kostenanschlag von; **III** *v/i.* [*irr.*] **9.** ***it ~ him dearly*** *fig.* es kam ihm teuer zu stehen.
cos·tal ['kɒstl] *adj.* **1.** *anat.* Rippen…, kos'tal; **2.** ⚘ (Blatt)Rippen…; **3.** *zo.* (Flügel)Ader…
co-star ['kəʊstɑː] *thea.*, *Film* **I** *s.* e-r der Hauptdarsteller; **II** *v/i.* e-e der Hauptrollen spielen: ***~ring*** in e-r der Hauptrollen.
cos·ter·mon·ger ['kɒstəˌmʌŋgə], *a.* **cos·ter** ['kɒstə] *s.* *Brit.* Straßenhändler(in) für Obst u. Gemüse *etc.*
cost·ing ['kɒstɪŋ] *s.* ⚚ *Brit.* Kosten(be)rechnung *f*, Kalkulati'on *f*.
cos·tive ['kɒstɪv] *adj.* □ **1.** ⚕ verstopft, hartleibig; **2.** *fig.* geizig; **'cos·tive·ness** [-nɪs] *s.* **1.** ⚕ Verstopfung *f*; **2.** *fig.* Geiz *m*.
cost·li·ness ['kɒstlɪnɪs] *s.* **1.** Kostspieligkeit *f*; **2.** Pracht *f*; **cost·ly** ['kɒstlɪ] *adj.* **1.** kostspielig, teuer; **2.** kostbar, wertvoll; prächtig.
cost price → ***cost*** 2 a.

C

cos·tume ['kɒstju:m] *s.* **1.** Ko'stüm *n*, Kleidung *f*, Tracht *f*: **~ *jewel(le)ry*** Modeschmuck *m*; **2.** *obs.* Ko'stüm(kleid) *n* (*für Damen*); **3.** ('Masken-, 'Bühnen-) Koˌstüm *n*: **~ *piece*** *thea.* Kostümstück *n*; **4.** Badeanzug *m*; **cos·tum·er** [kɒs'tju:mə], **cos·tum·i·er** [kɒs'tju:mɪə] *s.* **1.** Ko'stümverleiher(in); **2.** *thea.* Kostümi'er *m*.

co·sy ['kəʊzɪ] **I** *adj.* □ behaglich, gemütlich, traulich, heimelig; **II** *s.* Teehaube *f*, -wärmer *m*; Eierwärmer *m*.

cot¹ [kɒt] *s.* **1.** *Brit.* Kinderbettchen *n*: **~ *death*** ⚕ plötzlicher Kindstod; **2.** Feldbett *n*; **3.** leichte Bettstelle; **4.** ⚓ Schwingbett *n*, Koje *f*.

cot² [kɒt] *s.* **1.** (Schaf- *etc.*)Stall *m*; **2.** *obs.* Häus-chen *n*, Hütte *f*.

co·tan·gent [ˌkəʊ'tændʒənt] *s.* Ⓐ 'Kotangens *m*.

cote [kəʊt] *s.* Stall *m*, Hütte *f*, Häuschen *n* (*für Kleinvieh etc.*).

co·te·rie ['kəʊtərɪ] *s.* **1.** *contp.* Kote'rie *f*, Klüngel *m*, 'Clique *f*; **2.** exklu'siver Zirkel.

co·thur·nus [kə'θɜ:nəs] *pl.* **-ni** [-naɪ] *s.* **1.** *antiq.* Ko'thurn *m*; **2.** erhabener, pa'thetischer Stil.

co-tid·al lines [kəʊ'taɪdl] *s. pl.* ⚓ Isor'rhachien *pl*.

co-trus·tee, *Am.* **co·trus·tee** [ˌkəʊtrʌs'ti:] *s.* Mittreuhänder *m*.

cot·tage ['kɒtɪdʒ] *s.* **1.** (kleines) Landhaus, Cottage *n*; **2.** *Am.* Ferienhaus *n*; **3.** *Am.* Wohngebäude *n* (*bsd. in e-m Heim*); *Hotel*: Depen'dance *f*; **~ cheese** *s.* Hüttenkäse *m*; **~ hos·pi·tal** *s.* **1.** kleines Krankenhaus; **2.** *Am. aus Einzelgebäuden bestehendes Krankenhaus*; **~ in·dus·try** *s.* 'Heimindusˌstrie *f*; **~ pi·a·no** *s.* Pia'nino *n*; **~ pud·ding** *s.* Kuchen *m* mit süßer Soße.

cot·tag·er ['kɒtɪdʒə] *s.* **1.** Cottagebewohner(in); **2.** *Am.* Urlauber(in) in e-m Ferienhaus.

cot·ter ['kɒtə] *s.* ⚙ a) (Schließ)Keil *m*, b) → **~ pin** *s.* Splint *m*.

cot·ton ['kɒtn] **I** *s.* **1.** Baumwolle *f*: ***absorbent* ~** Watte *f*; **2.** Baumwollpflanze *f*; **3.** Baumwollstoff *m*; **4.** *pl.* a) Baumwollwaren *pl.*, b) Baumwollkleidung *f*; **5.** (Näh-, Stick)Garn *n*; **II** *adj.* **6.** baumwollen, Baumwoll...; **III** *v/i.* **7.** *Am.* F (***with***) a) sich anfreunden (mit), b) gut auskommen (mit); **8. ~ *on to*** F a) *et.* ‚kapieren', b) *Am.* → 7 a; **~ belt** *s. Am.* Baumwollzone *f*; **~ bud** *s.* Wattestäbchen *n*; **~ can·dy** *s. Am.* Zuckerwatte *f*; **~ gin** *s.* ⚙ Ent'körnungsmaˌschine *f* (*für Baumwolle*); **~ grass** *s.* ⚘ Wollgras *n*; **~ mill** *s.* 'Baumwollspinneˌrei *f*; **~ pick·er** *s.* Baumwollpflücker *m*; **~ press** *s.* Baumwollballenpresse *f*; **~ print** *s.* bedruckter Kat'tun; **'~·seed** *s.* ⚘ Baumwollsamen *m*: **~ *oil*** Baumwollsamenöl *n*; **'~·tail** *s. zo.* amer. 'Wildkaˌninchen *n*; **~ waste** *s.* **1.** Baumwollabfall *m*; **2.** ⚙ Putzwolle *f*; **'~·wood** *s.* ⚘ *e-e* amer. Pappel; **~ wool** *s.* **1.** Rohbaumwolle *f*; **2.** (Verband-) Watte *f*.

cot·ton·y ['kɒtnɪ] *adj.* **1.** baumwollartig; **2.** flaumig, weich.

cot·y·le·don [ˌkɒtɪ'li:dən] *s.* ⚘ **1.** Keimblatt *n*; **2.** ♀ Nabelkraut *n*.

couch¹ [kaʊtʃ] **I** *s.* **1.** Couch *f* (*a. des Psychoanalytikers*), 'Liege(ˌsofa *n*) *f*; **2.** Bett *n*; Lager *n* (*a. obs. hunt.*), Lagerstätte *f*; **3.** ⚙ Lage *f*, Schicht *f*, erster Anstrich; **II** *v/t.* **4.** *Gedanken etc.* in Worte fassen *od.* kleiden, ausdrücken; **5.** *Lanze* einlegen; **6.** ⚕ *Star* stechen; **7. *be* ~*ed*** liegen; **III** *v/i.* **8.** liegen, lagern (*Tier*); **9.** (sich) kauern *od.* ducken.

couch² [kaʊtʃ] → ***couch grass***.

couch·ant ['kaʊtʃənt] *adj. her.* mit erhobenem Kopf liegend.

cou·chette [ku:'ʃet] *s.* 🚂 (Platz *m* in e-m) Liegewagen.

couch grass *s.* ⚘ Quecke *f*.

cou·gar ['ku:gə] *s. zo.* 'Puma *m*.

cough [kɒf] **I** *s.* **1.** Husten *m*: ***give a* ~** (einmal) husten; **II** *v/i.* **2.** husten; **3.** *mot.* F ‚stottern', husten (*Motor*); **III** *v/t.* **4. ~ *out*** *od.* ***up*** aushusten; **5. ~ *up*** *sl.* her'ausrücken mit (*Geld, der Wahrheit etc.*); **~ drop** *s.* 'Hustenbonˌbon *m*, *n*; **~ mix·ture** *s.* Hustensaft *m*.

could [kʊd] *pret. von* ***can¹***.

cou·loir ['ku:lwɑ:] (*Fr.*) *s.* **1.** Bergschlucht *f*; **2.** ⚙ 'Baggermaˌschine *f*.

cou·lomb ['ku:lɒm] *s.* ⚡ Cou'lomb *n*, Am'pere-Seˌkunde *f*.

coul·ter ['kəʊltə] *s.* ⚒ Kolter *n*, Pflugmesser *n*.

coun·cil ['kaʊnsl] *s.* **1.** Rat *m*, Ratsversammlung *f*, beratende Versammlung; Beratung *f*: ***be in* ~** zu Rate sitzen; ***meet in* ~** e-e (Rats)Sitzung abhalten; ***Queen in* ♀** *Brit.* Königin und Kronrat; **~ *of war*** Kriegsrat (*a. fig.*); **2.** Rat *m* (*Körperschaft*); *engS.* Gemeinderat *m*: ***municipal* ~** Stadtrat (*Behörde*); **~ *school*** Gemeindeschule *f*; **3.** Kirchenrat *m*, Syn'ode *f*, Kon'zil *n*; **4.** Vorstand *m*, Komi'tee *n*; **~ cham·ber** *s.* Ratszimmer *n*; **~ es·tate** *s. Brit.* städtische (sozi'ale Wohn)Siedlung; **~ house** *s. Brit.* stadteigenes (Sozi'al)Wohnhaus.

coun·ci(l)·lor ['kaʊnsələ] *s.* Ratsmitglied *n*, -herr *m*, Stadtrat *m*, -rätin *f*.

coun·sel ['kaʊnsl] **I** *s.* **1.** Rat(schlag) *m*: ***take* ~ *of s.o.*** von j-m (e-n) Rat annehmen; **2.** Beratung *f*, Über'legung *f*: ***take*** (*od.* ***hold***) **~ *with*** a) sich beraten mit, b) sich Rat holen bei; ***take* ~ *together*** zusammen beratschlagen; **3.** Plan *m*, Absicht *f*; Meinung *f*, Ansicht *f*: ***divided* ~*s*** geteilte Meinungen; ***keep***

C

one's (***own***) ~ s-e Meinung *od.* Absicht für sich behalten; **4.** ⚖ (*ohne Artikel*) a) *Brit.* (Rechts)Anwalt *m*, b) *Am.* Rechtsberater *m*, -beistand *m*: ***~ for the defence*** Anwalt des Beklagten, *Strafprozeß*: Verteidiger *m*; ***~ for the prosecution*** Anklagevertreter *m*; **5.** ⚖ *coll.* ju'ristische Berater *pl.*; **II** *v/t.* **6.** *j-m* raten *od.* e-n Rat geben; **7.** zu *et.* raten: ***~ delay*** Aufschub empfehlen;

'coun·se(l)·lor [-lə] *s.* **1.** Berater(in), Ratgeber *m*; **2.** *a.* ***~-at-law*** *Am.* (Rechts)Anwalt *m*; **3.** (Studien-, Berufs)Berater *m*.

count¹ [kaʊnt] **I** *s.* **1.** Zählen *n*, (*a.* Volks- *etc.*)Zählung *f*, (Be)Rechnung *f*: ***keep ~ of s.th.*** et. genau zählen (können); ***lose ~*** a) die Übersicht verlieren (***of*** über), b) sich verzählen; ***by my ~*** nach m-r Schätzung; ***take the ~*** *Boxen*: ausgezählt werden; ***take a ~ of nine*** *Boxen*: bis neun angezählt werden; **2.** (End)Zahl *f*, Anzahl *f*, Ergebnis *n*; *sport* Punktzahl *f*; **3.** Berücksichtigung *f*: ***take*** (***no***) ***~ of*** (nicht) zählen *od.* (nicht) berücksichtigen (*acc.*); **4.** ⚖ (An)Klagepunkt *m*; **II** *v/t.* **5.** (ab-, auf-) zählen, (be)rechnen: ***~ the cost*** a) die Kosten berechnen, b) *fig.* die Folgen bedenken; **6.** (mit)zählen, einschließen, berücksichtigen: ***I ~ him among my friends*** ich zähle ihn zu m-n Freunden; ***~ing those present*** die Anwesenden eingeschlossen; ***not ~ing*** abgesehen von; **7.** erachten, schätzen, halten für: ***~ o.s. lucky*** sich glücklich schätzen; ***~ for*** (*od.* ***as***) ***lost*** als verloren ansehen; ***~ it a great hono***(*u*)***r*** es als große Ehre betrachten; **III** *v/i.* **8.** zählen, rechnen: ***he ~s among my friends*** er zählt zu m-n Freunden; ***~ing from today*** von heute an (gerechnet); ***I ~ on you*** ich rechne (*od.* verlasse mich) auf dich; **9.** mitzählen, gelten, von Wert sein: ***~ for nothing*** nichts wert sein, nicht von Belang sein; ***every little ~s*** auf jede Kleinigkeit kommt es an; ***he simply doesn't ~*** er zählt überhaupt nicht;

Zssgn mit adv.:

count| down *v/t.* **1.** *Geld* hinzählen; **2.** *a. v/i.* den Countdown 'durchführen (für), *a. weitS.* letzte (Start)Vorbereitungen treffen (für); **~ in** *v/t.* mitzählen, einschließen: ***count me in!*** ich bin dabei *od.* mache mit!; **~ off** *v/t. u. v/i.* abzählen; **~ out** *v/t.* **1.** (langsam) abzählen; **2.** ausschließen: ***count me out!*** ohne mich!; **3.** *Boxen u. Kinderspiel*: auszählen; **4.** *parl. Brit.* a) *Gesetzesvorlage* zu Fall bringen, b) *Unterhaussitzung* wegen Beschlußunfähigkeit vertagen; **~ o·ver** *v/t.* nachzählen; **~ up** *v/t.* zs.-zählen, 'durchrechnen.

count² [kaʊnt] *s.* (nichtbrit.) Graf *m*; → ***palatine¹*** 1.

count·down ['kaʊntdaʊn] *s.* 'Countdown *m*, *n* (*a. fig.*).

coun·te·nance ['kaʊntənəns] **I** *s.* **1.** Gesichtsausdruck *m*, Miene *f*: ***his ~ fell*** er machte ein langes Gesicht; ***change one's ~*** s-n Gesichtsausdruck ändern, die Farbe wechseln; **2.** Fassung *f*, Haltung *f*, Gemütsruhe *f*: ***keep one's ~*** die Fassung bewahren; ***keep s.o. in ~*** j-n ermuntern, j-n unterstützen; ***put s.o. out of ~*** j-n aus der Fassung bringen; **3.** Ermunterung *f*, Unter'stützung *f*: ***give*** (*od.* ***lend***) ***~ to*** *j-n* ermutigen, *j-n od. et.* unterstützen, Glaubwürdigkeit verleihen (*dat.*); **II** *v/t.* **4.** *j-n* ermuntern, (unter)'stützen; **5.** *et.* gutheißen.

count·er¹ ['kaʊntə] *s.* **1.** Ladentisch *m*, *a.* Theke *f* (*im Wirtshaus etc.*): ***under the ~*** unter dem Ladentisch (*verkaufen etc.*), unter der Hand, heimlich; **2.** Schalter *m* (*Bank etc.*); **3.** Spielmarke *f*; **4.** Zählperle *f*, -kugel *f* (*Kinder-Rechenmaschine*); **5.** ⚙ Zähler *m*, Zählgerät *n*, -werk *n*.

coun·ter² ['kaʊntə] **I** *adv.* **1.** entgegengesetzt; (***to***) entgegen, zu'wider (*dat.*): ***run*** (*od.* ***go***) ***~ to*** zuwiderlaufen (*dat.*); ***~ to all rules*** entgegen allen *od.* wider alle Regeln; **II** *adj.* **2.** Gegen..., entgegengesetzt; **III** *s.* **3.** Abwehr *f*; *Boxen etc., a. fig.*: Konter(schlag) *m*; *fenc.* Pa'rade *f*; *Eislauf*: Gegenwende *f*; **4.** *zo.* Brustgrube *f* (*Pferd*); **IV** *v/t. u. v/i.* **5.** entgegenwirken, entgegnen; wider'sprechen, zu'widerhandeln (*dat.*); **6.** *Boxen, Fußball etc., a. fig.*: kontern.

ˌcount·er|'act [-tə'ræ-] *v/t.* **1.** entgegenwirken (*dat.*); bekämpfen, vereiteln; **2.** kompensieren, neutralisieren; **ˌ~'ac·tion** [-tə'ræ-] *s.* **1.** Gegenwirkung *f*, -maßnahme *f*; **2.** 'Widerstand *m*, Opposiˈtiˈon *f*; **3.** Durch'kreuzung *f*; **ˌ~'ac·tive** [-tə'ræ-] *adj.* □ entgegenwirkend; **'~·atˌtack** [-tərə-] **I** *s.* Gegenangriff *m* (*a. fig.*); **II** *v/i. u. v/t.* e-n Gegenangriff machen (gegen); **'~·atˌtrac·tion** [-tərə-] *s.* **1.** *phys.* entgegengesetzte Anziehungskraft; **2.** *fig.* 'Gegenattraktiˌon *f*; **'~ˌbal·ance I** *s.* Gegengewicht *n* (*a. fig.*); **II** *v/t.* [ˌkaʊntə'bæləns] ein Gegengewicht bilden zu, ausgleichen, aufwiegen; die Waage halten (*dat.*); **'~·blast** *s. fig.* Gegenschlag *m*, heftige Reakti'on; **'~·blow** *s.* Gegenschlag *m* (*a. fig.*); **'~·charge I** *s.* **1.** ⚖ Gegenklage *f*; **2.** ⚔ Gegenangriff *m*; **II** *v/t.* **3.** ⚖ e-e Gegenklage erheben gegen; **4.** ⚔ e-n Gegenangriff führen gegen; **'~·check** *s.* **1.** a) Gegenwirkung *f*, b) Hindernis *n*; **2.** Gegen-, Nachprüfung *f*; **'~·claim** ✝, ⚖ **I** *s.* Gegenforderung *f*; **II** *v/t.* als Gegenforderung verlangen; **ˌ~'clock·wise** → ***anticlockwise***; **ˌ~'cy·cli·cal** *adj.* □ ✝ konjunk'turdämpfend; ,**~'es·pi·o·nage** [-tər'e-] *s.* Spio'nageabwehr *f*, Abwehr(dienst *m*) *f*; **'~·feit** [-fɪt] **I** *adj.* **1.** nachgemacht, gefälscht, unecht, falsch: **~ *coin*** Falschgeld *n*; **2.** vorgetäuscht, falsch; verstellt; **II** *s.* **3.** Fälschung *f*; **4.** Falschgeld *n*; **III** *v/t.* **5.** fälschen; **6.** heucheln, vorgeben, vortäuschen; **'~,feit·er** [-,fɪtə] *s.* **1.** Fälscher *m*, Falschmünzer *m*; **2.** Heuchler(in); **'~·foil** *s.* **1.** (Kon'troll-) Abschnitt *m* (*Scheckbuch etc.*), Ku'pon *m*; **2.** a) Ku'pon *m*, Zins-, Divi'dendenschein *m*, b) Ta'lon *m* (*Erneuerungsschein*); **'~·in,tel·li·gence** [-tərɪn-] Spio'nageabwehr(dienst *m*) *f*; **'~,jump·er** *s.* F Ladenschwengel *m* (*Verkäufer*); **'~·man** [-mən] *s.* [*irr.*] Verkäufer *m*; **~·mand** [,kaʊntə'mɑːnd] **I** *v/t.* **1.** wider'rufen, rückgängig machen, ✝ stornieren: ***until ~ed*** bis auf Widerruf; **2.** absagen, abbestellen; **II** *s.* **3.** Gegenbefehl *m*; **4.** Wider'rufung *f*, Aufhebung; ✝ Stornierung *f*; **'~·march** *s.* **1.** ⚔ Rückmarsch *m*; **2.** *fig.* völlige 'Umkehr; **'~·mark** *s.* Gegen-, Kon'trollzeichen *n* (*bsd. für die Echtheit*); **'~,meas·ure** *s.* Gegenmaßnahme *f*; **'~,mo·tion** *s.* **1.** Gegenbewegung *f*; **2.** *pol.* Gegenantrag *m*; **'~·move** *s.* Gegenzug *m*; **'~,of·fer** [-tər,ɒ-] *s.* ✝ Gegenangebot *n*; **'~,or·der** [-tər,ɔː-] **1.** ✝ Abbestellung *f*; **2.** ⚔ Gegenbefehl *m*; **'~·pane** *s.* Tagesdecke *f*; **'~·part** *s.* **1.** Gegen-, Seitenstück *n*; **2.** genaue Ergänzung; **3.** Ebenbild *n*; **4.** Dupli'kat *n*; **5.** *fig.* ‚Gegen'über' *n*, Kol'lege *m*: ***his Soviet ~***; **'~·plot** *s.* Gegenanschlag *m*; **'~·point I** *s.* ♪ 'Kontrapunkt *m*; **II** *v/t.* kontrapunktieren; **'~·poise I** *s.* **1.** Gegengewicht *n* (*a. fig.*); Gleichgewicht *n*; **II** *v/t.* **2.** als Gegengewicht wirken zu, ausgleichen; **3.** *fig.* im Gleichgewicht halten, ausgleichen, aufwiegen; ,**~·pro'duct·ive** *adj.* 'kontraproduk,tiv, das Gegenteil bewirkend; **'~·ref·or,ma·tion** *s.* 'Gegenreformati,on *f*; **'~·rev·o,lu·tion** *s.* 'Gegenrevoluti,on *f*; **'~·shaft** *s.* ⚙ Vorlegewelle *f*: **~ *gear*** Vorgelege *n*; **'~·sign I** *s.* **1.** ⚔ Losungswort *n*; **2.** Gegenzeichen *n*; **II** *v/t.* **3.** gegenzeichnen; **4.** *fig.* bestätigen; ,**~'sig·na·ture** *s.* Gegenzeichnung *f*; **'~·sink I** *s.* **1.** Versenkbohrer *m*; **2.** Senkschraube *f*; **II** *v/t.* [*irr.* → ***sink***] ⚙ **3.** *Loch* ausfräsen; **4.** *Schraubenkopf* versenken; ,**~'ten·or** *s.* ♪ hoher Te'nor (*Stimme u. Sänger*); **~·vail** ['kaʊntəveɪl] **I** *v/t.* aufwiegen, ausgleichen; **II** *v/i.* stark genug sein, ausreichen (***against*** gegen): ***~ing duty*** Ausgleichszoll *m*; **'~·weight** *s.* Gegengewicht *n* (*a. fig.* ***to*** gegen); **'~·word** *s.* Aller'weltswort *n*.

count·ess ['kaʊntɪs] *s.* **1.** Gräfin *f*; **2.** Kom'tesse *f*.

count·ing| glass ['kaʊntɪŋ] *s.* ⚙ Zählglas *n*, -lupe *f*; **'~·house** *s.* *bsd. Brit.* ✝ Bü'ro *n*; *engS.* Buchhaltung *f*; **~ tube** *s.* Zählrohr *n*.

count·less ['kaʊntlɪs] *adj.* zahllos, unzählig.

'count-out *s.* *parl. Brit.* Vertagung *f* wegen Beschlußunfähigkeit.

coun·tri·fied ['kʌntrɪfaɪd] *adj.* **1.** ländlich, bäuerlich; **2.** *contp.* bäurisch, verbauert.

coun·try ['kʌntrɪ] **I** *s.* **1.** Land *n*, Staat *m*: ***in this ~*** hierzulande; ***~ of destination*** Bestimmungsland; ***~ of origin*** Ursprungsland; ***~ of adoption*** Wahlheimat *f*; **2.** Nati'on *f*, Volk *n*: ***appeal*** (*od.* ***go***) ***to the ~*** *pol.* an das Volk appellieren, Neuwahlen ausschreiben; **3.** Vaterland *n*, Heimat(land *n*) *f*: ***the old ~*** die alte Heimat; **4.** Gelände *n*, Landschaft *f*; Gebiet *n* (*a. fig.*): ***flat ~*** Flachland *n*; ***wooded ~*** waldige Gegend; ***unknown ~*** unbekanntes Gebiet (*a. fig.*); ***new ~*** *fig.* Neuland *n* (***to me*** für mich); ***go up ~*** ins Innere reisen; **5.** Land *n* (*Ggs. Stadt*), Pro'vinz *f*: ***in the ~*** auf dem Lande; ***go*** (***down***) ***into the ~*** aufs Land *od.* in die Provinz gehen; **6.** *a.* ***~-and-western*** → ***country music***; **II** *adj.* **7.** Land...; Provinz...; ländlich: ***~ life*** Landleben *n*; **~ beam** *s. mot. Am.* Fernlicht *n*; **'~-bred** *adj.* auf dem Lande aufgewachsen; **~ bump·kin** *s.* Bauerntölpel *m*; **~ club** *s. Am.* Klub *m* auf dem Land (*für Städter*); **~ code** *s.* internationale Vorwahl; **~ cous·in** *s.* **1.** Vetter *m od.* Base *f* vom Lande; **2.** ‚Unschuld *f* vom Lande'; **~ dance** *s.* englischer Volkstanz; **'~·folk** *s.* Landbevölkerung *f*; **~ gen·tle·man** *s.* [*irr.*] **1.** Landedelmann *m*; **2.** Gutsbesitzer *m*; **~ house** *s.* Landhaus *n*, Landsitz *m*; **'~·man** [-mən] *s.* [*irr.*] **1.** *a.* ***fellow ~*** Landsmann *m*; **2.** Landmann *m*, Bauer *m*; **~ mu·sic** *s.* Country-Music *f*; **'~·side** *s.* **1.** ländliche Gegend; Land (-schaft *f*) *n*; **2.** (Land)Bevölkerung *f*; **'~-wide** *adj.* landesweit, im ganzen Land; **'~,wom·an** *s.* [*irr.*] **1.** *a.* ***fellow ~*** Landsmännin *f*; **2.** a) Landbewohnerin *f*, b) Bäuerin *f*.

coun·ty ['kaʊntɪ] *s.* **1.** *Brit.* a) Grafschaft *f* (*Verwaltungsbezirk*); → ***county palatine***, b) ***the ~*** die Bewohner *pl. od.* die Aristokra'tie e-r Grafschaft; **2.** *Am.* (Land)Kreis *m*, (Verwaltungs)Bezirk *m*; **~ bor·ough** *s.*, **~ cor·po·rate** *s. Brit.* Stadt *f*, die e-e eigene Grafschaft bildet; **~ coun·cil** *s. Brit.* Grafschaftsrat *m* (*Behörde*); **~ court** *s.* ⚖ **1.** *Brit.* Grafschaftsgericht *n* (*erstinstanzliches Zivilgericht*); **2.** *Am.* Kreisgericht *n*; **~ fam·i·ly** *s. Brit.* vornehme Fa'milie mit Ahnensitz in e-r Grafschaft; **~ hall** *s. Brit.* Rathaus *n* e-r Grafschaft; **~ pal·a·tine** *s. Brit. hist.* Pfalzgrafschaft *f*; **~ seat** *s.*, **~ town** *s. Am.* Kreishauptstadt

f.

coup [kuː] *s.* Coup *m*: a) Bra'vourstück *n*, Handstreich *m*, b) Staatsstreich *m*, Putsch *m*; **~ de grâce** [ˌkuːdəˈɡrɑːs] (*Fr.*) *s.* Gnadenstoß *m* (*a. fig.*); **~ de main** [ˌkuːdəˈmɜ̃ːŋ] (*Fr.*) *s. bsd.* ⚔ Handstreich *m*; **~ d'é·tat** [ˌkuːdeɪˈtɑː] (*Fr.*) → ***coup*** b.

cou·pé [ˈkuːpeɪ] *s.* **1.** Cou'pé *n*: a) *mst zweisitzige Limousine*, b) *geschlossene Kutsche für zwei Personen*; **2.** 🚂 *Brit.* Halbabteil *n*.

cou·ple [ˈkʌpl] **I** *s.* **1.** Paar *n*: ***in ~s*** paarweise; ***a ~ of*** ein paar *Tage etc.*; **2.** (Braut-, Ehe-, Liebes)Paar *n*, Pärchen *n*; **3.** Koppel *f* (*Jagdhunde*): ***go*** (*od.* ***hunt***) ***in ~s*** *fig.* stets gemeinsam handeln; **II** *v/t.* **4.** (zs.-, ver)koppeln, verbinden: ***~d with*** *fig.* gepaart (*od.* verbunden, gekoppelt) mit; **5.** ehelich verbinden; paaren; **6.** *in Gedanken* verbinden, zs.-bringen; **7.** ⚙ (an-, ein-, ver-) kuppeln; **8.** ⚡, ♪ koppeln; **III** *v/i.* **9.** heiraten; sich paaren; **cou·pler** [ˈkʌplə] *s.* **1.** ♪ Kopplung *f* (*Orgel*); **2.** *Radio*: Koppler *m*; **3.** ⚙ Kupplung *f*; **4.** a) Koppel(glied *n*) *f*, b) (Leitungs)Muffe *f*: ***~ plug*** Gerätestecker *m*.

cou·ple skat·ing *s.* Paarlauf(en *n*) *m*.

cou·plet [ˈkʌplɪt] *s.* Reimpaar *n*.

cou·pling [ˈkʌplɪŋ] *s.* **1.** Verbindung *f*; **2.** Paarung *f*; **3.** ⚙ (*feste*) Kupplung; **4.** ⚡, *Radio*: Kopplung *f*; **~ box** *s.* ⚙ Kupplungsmuffe *f*; **~ chain** *s.* ⚙ Kupplungskette *f*; *pl.* 🚂 Kettenkupplung *f*; **~ coil** *s.* ⚡, *Radio*: Kopplungsspule *f*.

cou·pon [ˈkuːpɒn] *s.* **1.** ✝ Cou'pon *m*, Ku'pon *m*, Zinsschein *m*: ***dividend ~*** Dividendenschein; ***~ bond*** *Am.* Inhaberschuldverschreibung *f* mit Zinsschein; ***~ sheet*** Couponbogen *m*; **2.** a) Kassenzettel *m*, Gutschein *m*, Bon *m*, b) Berechtigungs-, Bezugsschein *m*; **3.** Abschnitt *m der Lebensmittelkarte etc.*, Marke *f*; **4.** Kon'trollabschnitt *m*; **5.** *Brit.* Tippzettel *m* (*Fußballtoto*).

cour·age [ˈkʌrɪdʒ] *s.* Mut *m*, Tapferkeit *f*: ***have the ~ of one's convictions*** stets s-r Überzeugung gemäß handeln, Zivilcourage haben; ***pluck up*** (*od.* ***take***) ***~*** Mut fassen; ***screw up*** (*od.* ***summon up***) ***one's ~***, ***take one's ~ in both hands*** sein Herz in beide Hände nehmen; **cou·ra·geous** [kəˈreɪdʒəs] *adj.* □ mutig, beherzt, tapfer.

cour·gette [ˌkʊəˈʒet] *s.* Zuc'chini *f*.

cour·i·er [ˈkʊrɪə] *s.* **1.** Eilbote *m*, (*a. diplomatischer etc.*) Ku'rier *m*; **2.** Reiseleiter(in); **3.** *Am.* Verbindungsmann *m* (*Agent*).

course [kɔːs] **I** *s.* **1.** Lauf *m*, Bahn *f*, Weg *m*, Gang *m*; Ab-, Verlauf *m*, Fortgang *m*: ***the ~ of life*** der Lauf des Lebens; ***~ of events*** Gang der Ereignisse, Lauf der Dinge; ***the ~ of a disease*** der Verlauf e-r Krankheit; ***the ~ of nature*** der natürliche (Ver)Lauf; ***a matter of ~*** e-e Selbstverständlichkeit; ***of ~*** natürlich, gewiß, bekanntlich; ***in the ~ of*** im (Ver)Lauf (*gen.*), während (*gen.*); ***in ~ of construction*** im Bau (befindlich); ***in ~ of time*** im Laufe der Zeit; ***in due ~*** zur gegebenen *od.* rechten Zeit; ***in the ordinary ~ of things*** normalerweise; ***let things take*** (*od.* ***run***) ***their ~*** den Dingen ihren Lauf lassen; ***the disease took its ~*** die Krankheit nahm ihren (natürlichen) Verlauf; **2.** (feste) Bahn, Strecke *f*, *sport* (Renn)Bahn *f*, (-)Strekke *f*, Piste *f*: ***golf ~*** Golfbahn *f od.* -platz *m*; ***clear the ~*** die Bahn frei machen; **3.** Fahrt *f*, Weg *m*; Richtung *f*; ⚓, ✈ Kurs *m* (*a. fig.*): ***on*** (***off***) ***~*** (nicht) auf Kurs; ***stand upon the ~*** Kurs halten; ***steer a ~*** e-n Kurs steuern (*a. fig.*); ***change one's ~*** s-n Kurs ändern (*a. fig.*); ***keep to one's ~*** *fig.* beharrlich s-n Weg verfolgen; ***take a new ~*** e-n neuen Weg einschlagen; ***~ computer*** Kursrechner *m*; ***~ recorder*** Kursschreiber *m*; **4.** Lebensbahn *f*, -weise *f*: ***evil ~s*** üble Gewohnheiten; **5.** Handlungsweise *f*, Verfahren *n*: ***a dangerous ~*** ein gefährlicher Weg; → ***action*** 1; **6.** Gang *m*, Gericht *n* (*Speisen*); **7.** Reihe *f*, (Reihen)Folge *f*; 'Zyklus *m*: ***~ of lectures*** Vortragsreihe; ***~ of treatment*** ⚕ längere Behandlung, Kur *f*; **8.** *a.* ***~ of instruction*** Kurs(us) *m*, Lehrgang *m*: ***a German ~*** ein Deutschkursus, ein deutsches Lehrbuch; **9.** ⚠ Schicht *f*, Lage *f* (*Ziegel etc.*); **10.** ⚓ unteres großes Segel: ***main ~*** Großsegel; **11.** (***monthly***) ***~s*** ⚕ Regel *f*, Periode *f*; **II** *v/t.* **12.** *bsd. Hasen* mit Hunden hetzen *od.* jagen; **III** *v/i.* **13.** rennen, eilen, jagen; **14.** an e-r Hetzjagd teilnehmen.

cours·er [ˈkɔːsə] *s. poet.* Renner *m*, schnelles Pferd; **'cours·ing** [-sɪŋ] *s.* (*bsd.* Hasen)Hetzjagd *f* mit Hunden.

court [kɔːt] **I** *s.* **1.** (Vor-, 'Hinter-, Innen)Hof *m*; **2.** 'Hintergäßchen *n*; Sackgasse *f*; kleiner Platz; **3.** *bsd. Brit.* stattliches Wohngebäude; **4.** (abgesteckter) Spielplatz: ***tennis ~*** Tennisplatz; ***grass ~*** Rasentennisplatz; **5.** Hof *m*, Resi'denz *f* (*Fürst etc.*): ***the 2 of St. James*** der britische Königshof; ***be presented at ~*** bei Hofe vorgestellt werden; **6.** a) fürstlicher Hof *od.* Haushalt, b) fürstliche Fa'milie, c) Hofstaat *m*; **7.** (Empfang *m* bei) Hof *m*: ***hold ~*** Hof halten (*a. fig.*); **8.** fürstliche Regierung; **9.** ⚖ a) *a.* ***~ of justice***, ***law ~*** Gericht(shof *m*) *n*, b) Gerichtshof *m*, *der od. die* Richter, c) Gerichtssitzung *f*, d) Gerichtssaal *m*: ***in ~*** vor Gericht; ***out of ~*** a) außergerichtlich, gütlich, b) nicht zur Sache gehörig, c) indiskutabel; ***bring into ~***, ***take to ~*** vor Gericht bringen;

go to ~ klagen; ***laugh out of ~*** *fig.* verlachen; → ***appeal*** 8, ***arbitration*** *etc.*; **10.** *fig.* Hof *m*, Cour *f*, Aufwartung *f*: ***pay*** (***one's***) ***~ to*** a) *e-r Dame* den Hof machen, b) *j-m* s-e Aufwartung machen; **11.** Rat *m*, Versammlung *f*: ***~ of directors*** Direktion *f*, Vorstand *m*; **II** *v/t.* **12.** den Hof machen, huldigen (*dat.*); **13.** um'werben (*a. fig.*), werben *od.* freien um; ‚poussieren' mit: ***~ing couple*** Liebespaar *n*; **14.** *fig.* werben *od.* buhlen *od.* sich bemühen um *et.*; suchen: ***~ disaster*** das Schicksal herausfordern, mit dem Feuer spielen.

court| card *s. Kartenspiel*: Bildkarte *f*; **♀ Cir·cu·lar** *s.* (*tägliche*) Hofnachrichten *pl.*; **~ dress** *s.* Hoftracht *f*.

cour·te·ous ['kɜ:tjəs] *adj.* □ höflich, liebenswürdig.

cour·te·san [ˌkɔ:tɪ'zæn] *s.* Kurti'sane *f*.

cour·te·sy ['kɜ:tɪsɪ] *s.* Höflichkeit *f*, Verbindlichkeit *f*, Liebenswürdigkeit *f* (*alle a. als Handlung*); Gefälligkeit *f*: ***by ~*** aus Höflichkeit *od.* Gefälligkeit; ***by ~ of*** a) mit freundlicher Genehmigung von (*od. gen.*), b) durch, mittels; ***~ light*** *mot.* Innenlampe *f*; ***~ title*** Höflichkeits- *od.* Ehrentitel *m*; ***~ call***, ***~ visit*** Höflichkeits- *od.* Anstandsbesuch *m*.

cour·te·zan → ***courtesan***.

court| guide *s.* 'Hof-, 'Adelskaˌlender *m* (*Verzeichnis der hoffähigen Personen*); **~ hand** *s.* gotische Kanz'leischrift; **'~·house** *s.* **1.** Gerichtsgebäude *n*; **2.** *Am.* Kreis(haupt)stadt *f*.

cour·ti·er ['kɔ:tjə] *s.* Höfling *m*.

court·ly ['kɔ:tlɪ] *adj.* **1.** vornehm, gepflegt, höflich; **2.** höfisch.

court| mar·tial *pl.* **courts mar·tial** *s.* Kriegsgericht *n*; **ˌ~-'mar·tial** *v/t.* vor ein Kriegsgericht stellen; **~ mourn·ing** *s.* Hoftrauer *f*; **~ or·der** *s.* ⚖ Gerichtsbeschluß *m*; **~ plas·ter** *s. hist.* Heftpflaster *n*; **~ room** *s.* Gerichtssaal *m*.

court·ship ['kɔ:tʃɪp] *s.* **1.** Hofmachen *n*, Werben *n*, Freien *n*; **2.** *fig.* Werben *n* (***of*** um).

court| shoes *s. pl.* Pumps *pl.*; **'~·yard** *s.* Hof(raum) *m*.

cous·in ['kʌzn] *s.* **1.** a) Vetter *m*, Cou'sin *m*, b) Base *f*, Ku'sine *f*: ***first ~***, ***~ german*** leiblicher Vetter *od.* leibliche Base; ***second ~*** Vetter *od.* Base zweiten Grades; **2.** *weitS.* Verwandte(r *m*) *f*.

cou·tu·rier [ku:'tjʊrɪeɪ] (*Fr.*) *s.* (Haute) Couturi'er *m*, Modeschöpfer *m*; **cou·tu'rière** [-ɪeə] (*Fr.*) *s.* Modeschöpferin *f*.

cove[1] [kəʊv] **I** *s.* **1.** kleine Bucht; **2.** *fig.* Schlupfwinkel *m*; **3.** ⚠ Wölbung *f*; **II** *v/t.* **4.** ⚠ (über)'wölben.

cove[2] [kəʊv] *s. sl.* Bursche *m*, Kerl *m*.

cov·en ['kʌvn] *s.* Hexensabbat *m*.

cov·e·nant ['kʌvənənt] **I** *s.* **1.** Vertrag *m*; feierliches Abkommen; **2.** ⚖ a) Vertrag *m*, b) Ver'tragsˌklausel *f*, c) bindendes Versprechen, Zusicherung *f*, d) Satzung *f*; **3.** *bibl.* a) Bund *m*; → ***ark*** 2, b) Verheißung *f*: ***the land of the ~*** das Gelobte Land; **II** *v/i.* **4.** e-n Vertrag schließen, über'einkommen (***with*** mit, ***for*** über *acc.*); **5.** sich feierlich verpflichten, geloben; **III** *v/t.* **6.** vertraglich zusichern; **'cov·e·nant·ed** [-tɪd] *adj.* **1.** vertragsmäßig; **2.** vertraglich gebunden.

cov·en·trize ['kɒvəntraɪz] *v/t.* to'tal zerbomben, dem Erdboden gleichmachen;

Cov·en·try ['kɒvəntrɪ] *npr. englische Stadt*: ***send s.o. to ~*** *fig.* j-n gesellschaftlich ächten.

cov·er ['kʌvə] **I** *s.* **1.** Decke *f*; Deckel *m*; **2.** a) (Buch)Decke *f*, Einband *m*, b) 'Umschlag- *od.* Titelseite *f*: ***~ design*** Titelbild *n*; ***~ girl*** Covergirl *n*, Titelblattmädchen *n*; ***from ~ to ~*** von Anfang bis Ende; **3.** a) 'Briefˌumschlag *m*, b) *Philatelie*: Ganzsache *f*: ***under*** (***the***) ***same ~*** beiliegend; ***under separate ~*** mit getrennter Post; ***under ~ of*** unter der (Deck)Adresse von; **4.** 'Schutzˌumschlag *m*, Hülle *f*, Futte'ral *n*; 'Überzug *m*, (Bett-, Möbel- *etc.*)Bezug *m*; ⚙ Schutzhaube *f*, -platte *f*, -mantel *m*; *mot.* (Reifen)Decke *f*, Mantel *m*; **5.** Gedeck *n* (*bei Tisch*): ***~ charge*** (Kosten *pl.* für das) Gedeck; **6.** ⚔ a) Deckung *f*: ***take ~*** Deckung nehmen, b) Feuerschutz *m*, c) (Luft)Sicherung *f*, Abschirmung *f*: ***air ~***; **7.** *hunt.* Dickicht *n*, Lager *n*: ***break ~*** ins Freie treten; **8.** Ob-, Schutzdach *n*: ***get under ~*** sich unterstellen; **9.** *fig.* Schutz *m*: ***under ~ of night*** im Schutz der Nacht; **10.** *fig.* Deckmantel *m*, Tarnung *f*, Vorwand *m*: ***under ~ of friendship***; ***~ address*** Deckadresse *f*; ***~ name*** Deckname *m*; ***blow one's ~*** ‚auffliegen'; **11.** † Deckung *f*, Sicherheit *f*; (Schadens-) Deckung *f*, Versicherungsschutz *m*; **II** *v/t.* **12.** be-, zudecken: ***remain ~ed*** den Hut aufbehalten; ***~ o.s. with glory*** *fig.* sich mit Ruhm bedecken; ***~ed with*** voll von, über u. über bedeckt mit; **13.** einhüllen, -wickeln (***with*** in *acc.*); **14.** be-, über'ziehen: ***~ed button*** bezogener Knopf; ***~ed wire*** umsponnener Draht; **15.** *fig.* decken, schützen, sichern (***from*** vor *dat.*, gegen): ***~ o.s.*** sich absichern (***against*** gegen); **16.** † decken: a) *Kosten* bestreiten, b) *Schulden*, *Verlust* abdecken, c) versichern; **17.** decken, genügen für; **18.** enthalten, einschließen, um'fassen, be'inhalten; *a. statistisch, durch Werbung etc.* erfassen; *Thema* (erschöpfend) behandeln; → ***ground*** 2; **19.** *Presse*, *TV etc.*: berich-

C

ten über (*acc.*); **20.** *Gebiet* bearbeiten, bereisen; **21.** sich über *e-e Fläche od. Zeitspanne* erstrecken; **22.** *e-e Strecke* zu'rücklegen; **23.** a) be-, verdecken, verhüllen, verbergen, b) *fig.* → ***cover up*** 2; **24.** ⚔ decken, schützen, sichern (***from*** vor *dat.* gegen); **25.** ⚔ a) *ein Gebiet* beherrschen, im Schußfeld haben, b) *Gelände* bestreichen, mit Feuer belegen; **26.** *mit e-r Waffe* zielen auf (*acc.*), *j-n* in Schach halten; **27.** *sport den Gegner* decken; **28.** *j-n* ‚beschatten'; **29.** *Hündin etc.* decken, *Stute a.* beschälen; ~ **in** *v/t.* **1.** decken, bedachen; **2.** füllen; ~ **o·ver** *v/t.* **1.** über'decken; **2.** ✝ *Emission* über'zeichnen; ~ **up I** *v/t.* **1.** zu-, verdecken; **2.** *fig.* vertuschen, verheimlichen, verbergen; **II** *v/i.* **3.** ~ ***for s.o.*** j-n decken; **4.** *Boxen*: sich decken.

cov·er·age ['kʌvərɪdʒ] *s.* **1.** Erfassung *f*, Einschluß *m*; erfaßtes Gebiet, erfaßte Menge; *Werbung*: erfaßter Per'sonenkreis; **2.** 'Umfang *m*; Reichweite *f*; Geltungsbereich *m*; **3.** ✝ a) → ***cover*** 11, b) Ver'sicherungsˌumfang *m*; **4.** *Zeitung etc.*: Berichterstattung *f* (***of*** über *acc.*); **5.** ⚔ → ***cover*** 6 c; '**cov·ered** [-əd] *adj.* be-, gedeckt: ~ ***court*** *Tennis*: Hallenplatz *m*; ~ ***market*** Markthalle *f*; ~ ***wag(g)on*** a) Planwagen *m*, b) geschlossener Güterwagen; → ***cover*** 14; '**cov·er·ing** [-ərɪŋ] **I** *s.* **1.** Bedeckung *f*; Be-, Ver-, Um'kleidung *f*; (*Fußboden-*) Belag *m*; → *a.* ***cover*** 4; **2.** *fig.* Schutz *m*, Deckung *f*; **3.** ⚔ → ***cover*** 6; **II** *adj.* **4.** deckend, Deck(ungs)...; ~ ***letter*** Begleitbrief *m*; ~ ***note*** → ***cover note***; **cov·er·let** ['kʌvəlɪt], *a.* '**cov·er·lid** [-lɪd] *s.* Tagesdecke *f*.

cov·er| note *s.* ✝ Deckungsbrief *m* (*Versicherung*); ~ **shot** *s. Film*: To'tale *f*; ~ **sto·ry** *s.* Titelgeschichte *f*.

cov·ert I *adj.* □ ['kʌvət] **1.** heimlich, versteckt, verborgen; verschleiert; **2.** → ***feme covert***; **II** *s.* ['kʌvə] **3.** Obdach *n*; Schutz *m*; **4.** Versteck *n*; **5.** *hunt.* Dickicht *n*; Lager *n*; ~ **coat** ['kʌvət] *s.* Covercoat *m* (*Sportmantel*).

cov·er·ture ['kʌvəˌtjʊə] *s.* ⚖ Ehestand *m der Frau.*

'**cov·er-up** *s. Am.* Tarnung *f*, Vertuschung *f* (***for*** *gen.*).

cov·et ['kʌvɪt] *v/t.* begehren, trachten nach; '**cov·et·a·ble** [-təbl] *adj.* begehrenswert; '**cov·et·ous** [-təs] *adj.* □ **1.** begehrlich, lüstern (***of*** nach); **2.** habsüchtig; '**cov·et·ous·ness** [-təsnɪs] *s.* **1.** Begehrlichkeit *f*; **2.** Habsucht *f*.

cov·ey ['kʌvɪ] *s.* **1.** *orn.* Brut *f*, Hecke *f*; **2.** *hunt.* Volk *n*, Kette *f*; **3.** Schar *f*, Schwarm *m*, Trupp *m*.

cov·ing ['kəʊvɪŋ] *s.* △ **1.** Wölbung *f*; **2.** 'überhängendes Obergeschoß; **3.** schräge Seitenwände *pl.* (*Kamin*).

cow¹ [kaʊ] *s. zo.* **1.** Kuh *f*; **2.** Weibchen *n* (*bsd. Elefant, Wal etc.*).

cow² [kaʊ] *v/t.* einschüchtern: ~ ***s.o. into*** j-n zwingen zu.

cow·ard ['kaʊəd] **I** *s.* Feigling *m*; **II** *adj.* feig(e); '**cow·ard·ice** [-dɪs] *s.* Feigheit *f*; '**cow·ard·li·ness** [-lɪnɪs] *s.* **1.** Feigheit *f*; **2.** Gemeinheit *f*; '**cow·ard·ly** [-lɪ] **I** *adj.* **1.** feig(e); **2.** gemein, 'hinterhältig; **II** *adv.* **3.** feig(e).

'**cow|·ber·ry** [-bərɪ] *s.* ⚘ Preiselbeere *f*; '**~·boy** *s.* **1.** *Am.* Cowboy *m*; **2.** Kuhjunge *m*; '**~ˌcatch·er** *s.* 🚂 *Am.* Schienenräumer *m*.

cow·er ['kaʊə] *v/i.* **1.** kauern, hocken; **2.** sich ducken (*aus Angst etc.*).

cow| hand → ***cowboy*** 1; '**~·herd** *s.* Kuhhirt *m*; '**~·hide** *s.* **1.** Rindsleder *n*; **2.** Ochsenziemer *m*; '**~·house** *s.* Kuhstall *m*.

cowl [kaʊl] *s.* **1.** Mönchskutte *f* (*mit Kapuze*); **2.** Ka'puze *f*; **3.** ⚙ Schornsteinkappe *f*; **4.** ⚙ a) *mot.* Haube *f*, b) Verkleidung *f*, c) → '**cowl·ing** [-lɪŋ] *s.* ✈ 'Motorhaube *f*.

'**cow·man** [-mən] *s.* [*irr.*] **1.** *Am.* Rinderzüchter *m*; **2.** Kuhknecht *m*.

'**co-ˌwork·er** *s.* Mitarbeiter(in).

cow| pars·nip *s.* ⚘ Bärenklau *f*, *m*; '**~-pat** *s.* Kuhfladen *m*; '**~·pox** *s.* ⚕ Kuhpocken *pl.*; '**~ˌpunch·er** *s. Am.* F Cowboy *m*.

cow·rie, cow·ry ['kaʊrɪ] *s.* **1.** *zo.* 'Kaurischnecke *f*; **2.** 'Kauri(muschel *f*) *m*, *f*, Muschelgeld *n*.

'**cow|·shed** *s.* Kuhstall *m*; '**~·slip** *s.* ⚘ **1.** *Brit.* Schlüsselblume *f*; **2.** *Am.* Sumpfdotterblume *f*.

cox [kɒks] F **I** *s.* → ***coxswain***; **II** *v/t.* *Rennboot* steuern: ~***ed four*** Vierer *m* mit (Steuermann).

cox·comb ['kɒkskəʊm] *s.* **1.** Geck *m*, Stutzer *m*; **2.** → ***cockscomb*** 1, 2.

cox·swain ['kɒksweɪn; ⚓ 'kɒksn] **I** *s.* **1.** *Rudern*: Steuermann *m*; **2.** Bootsführer *m*; **II** *v/t.* **3.** → ***cox*** II.

coy [kɔɪ] *adj.* □ **1.** schüchtern, bescheiden, scheu; **2.** spröde, zimperlich (*Mädchen*); '**coy·ness** [-nɪs] *s.* Schüchternheit *f*; Sprödigkeit *f*.

coy·ote ['kɔɪəʊt] *s. zo.* Ko'jote *m*, Prä'rie-, Steppenwolf *m*.

coz·en ['kʌzn] *v/t. u. v/i.* **1.** betrügen, prellen (***out of*** um); **2.** betören; verleiten (***into doing*** zu tun).

co·zi·ness *etc.* → ***cosiness*** *etc.*

crab¹ [kræb] **I** *s.* **1.** *zo.* a) Krabbe *f*, b) Taschenkrebs *m*: ***catch a*** ~ *Rudern*: ‚e-n Krebs fangen', mit dem Ruder im Wasser steckenbleiben; **2.** ♋ *ast.* Krebs *m*; **3.** ⚙ Winde *f*, Hebezeug *n*, Laufkatze *f*; **4.** *pl. Würfeln*: niedrigster Wurf; **5.** → ***crab louse***; **II** *v/t.* **6.** ✈ schieben.

crab² [kræb] **I** *s.* **1.** a) Nörgler *m*, b) Nörge'lei *f*; **II** *v/t.* **2.** F (her'um)nörgeln an (*dat.*); **3.** F verderben, -patzen; **III** *v/i.* **4.** nörgeln.

crab ap·ple *s.* ⚘ Holzapfel(baum) *m.*

crab·bed ['kræbɪd] *adj.* □ **1.** a) mürrisch, b) boshaft, bitter, c) halsstarrig; **2.** verworren; kraus; **3.** kritzelig, unleserlich (*Schrift*); **crab·by** ['kræbɪ] → ***crabbed*** 1, 2.

crab louse *s.* [*irr.*] *zo.* Filzlaus *f.*

crack [kræk] **I** *s.* **1.** Krach *m*, Knall *m* (*Peitsche, Gewehr etc.*): ***the ~ of doom*** die Posaunen des Jüngsten Gerichts; ***~ of dawn*** Morgengrauen *n*; **2.** (heftiger) Schlag: ***in a ~*** im Nu; ***take a ~ at s.th.*** *sl.* es mit et. versuchen; **3.** Riß *m*, Sprung *m*; Spalt(e *f*) *m*, Schlitz *m*; **4.** F ‚Knacks' (*geistiger Defekt*); **5.** *sl.* a) Witz *m*, b) Stiche'lei *f*; **6.** *sport* ‚Ka'none' *f*, ‚As' *n*; **7.** F Crack *n* (*Rauschgift*); **II** *adj.* **8.** F erstklassig, großartig: ***~ shot*** Meisterschütze *m*; ***~ regiment*** Eliteregiment *n*; **III** *int.* **9.** krach!; **IV** *v/i.* **10.** krachen, knallen, knacken, (auf)brechen; **11.** platzen, bersten, (auf-, zer)springen, Risse bekommen, (auf)reißen: ***get ~ing*** F loslegen (*anfangen*); ***~ing pace*** tolles Tempo; **12.** 'überschnappen (*Stimme*): ***his voice is ~ing*** er ist im Stimmbruch; **13.** *fig.* zs.-brechen; **V** *v/t.* **14.** knallen mit (*Peitsche*); knacken mit (*Fingern*): ***~ jokes*** Witze reißen; **15.** zerbrechen, (zer-) spalten, ein-, zerschlagen; **16.** *Nuß* (auf)knacken, *Ei* aufschlagen: ***~ a bottle*** e-r Flasche den Hals brechen; ***~ a code*** e-n Kode ‚knacken'; ***~ a crib*** *sl.* in ein Haus einbrechen; ***~ a safe*** e-n Geldschrank knacken; **17.** a) e-n Sprung machen in (*acc.*), b) sich *e-e Rippe etc.* anbrechen; **18.** *fig.* erschüttern, zerrütten, zerstören; **19.** ⚙ *Erdöl* kracken, spalten; **~ down** *v/i.* F (*on*) a) scharf vorgehen (gegen), 'durchgreifen (bei), b) 'Razzia abhalten (bei); **~ up I** *v/i.* **1.** *fig.* (*körperlich od. seelisch*) zs.-brechen; **2.** ✈ abstürzen; **3.** sein Auto zu Schrott fahren; **4.** *Am.* F sich ‚ka'puttlachen'; **II** *v/t.* **5.** *Fahrzeug* zu Schrott fahren; **6.** F ‚hochjubeln', (an-) preisen.

'**crack|-brained** *adj.* verrückt; '**~·down** *s.* F (***on***) scharfes Vorgehen (gegen), 'Durchgreifen *n* (bei).

cracked [krækt] *adj.* **1.** zer-, gesprungen, geborsten, rissig: ***the cup is ~*** die Tasse hat e-n Sprung; **2.** F ‚angeknackst' (*Ruf etc.*); **3.** F verrückt.

crack·er ['krækə] *s.* **1.** Cracker *m*, Kräcker *m*: a) (Knusper)Keks *m*, b) Schwärmer *m*, Frosch *m* (*Feuerwerk*), *a.* 'Knallbon,bon *m, n*; **2.** Nußknacker *m*; '**~·jack** *Am.* F **I** *adj.* 'prima, toll; **II** *s.* a) tolle Sache, b) toller Kerl; '**crack·ers** *adj. Brit. sl.* verrückt, 'übergeschnappt: ***go ~*** überschnappen.

'**crack·jaw** F **I** *adj.* zungenbrecherisch; **II** *s.* Zungenbrecher *m.*

crack·le ['krækl] **I** *v/i.* **1.** knistern, prasseln, knattern; **II** *v/t.* **2.** ⚙ *Glas od. Glasur* krakelieren; **III** *s.* **3.** Knistern *n*, Knattern *n*; **4.** ⚙ Krakelierung *f*, Krake'lee *f, n*: ***~ finish*** Eisblumenlackierung *f*; **5.** ⚙ Haarrißbildung *f*; '**crack·ling** [-lɪŋ] *s.* **1.** → ***crackle*** 3; **2.** a) knusprige Kruste des Schweinebratens, b) *mst pl. Am.* Schweinegrieben *pl.*

crack·nel ['kræknl] *s.* **1.** Knusperkeks *m*; **2.** → ***crackling*** 2 a.

'**crack·pot** *sl.* **I** *s.* ‚Spinner' *m*, Verrückte(r *m*) *f*, **II** *adj.* verrückt.

cracks·man ['kræksmən] *s.* [*irr.*] *sl.* **1.** Einbrecher *m*; **2.** ‚Schränker' *m*, Geldschrankknacker *m.*

'**crack-up** *s.* F *pol.*, ⚕ (*a. körperlicher od. seelischer*) Zs.-bruch.

crack·y ['krækɪ] → ***cracked*** 1, 3.

cra·dle ['kreɪdl] **I** *s.* **1.** Wiege *f* (*a. fig.*): ***the ~ of civilization***; ***from the ~ to the grave*** von der Wiege bis zur Bahre; **2.** *fig.* Wiege *f*, Kindheit *f*, 'Anfangs,stadium *n*, Ursprung *m*: ***from the ~*** von Kindheit an; ***in the ~*** in den ersten Anfängen (steckend); **3.** *wiegenartiges Gerät, bsd.* ⚙ a) Hängegerüst *n* (*Bau*), b) Gründungseisen *n* (*Graveur*), c) Räderschlitten *m* (*für Arbeiten unter e-m Auto*), d) Schwingtrog *m* (*Goldwäscher*), e) (Tele'fon)Gabel *f*, f) ⚒ Rohrwiege *f*; **4.** ⚓ Stapelschlitten *m*; **5.** ⚕ (Draht-) Schiene *f*, Schutzgestell *n*; **II** *v/t.* **6.** in die Wiege legen; **7.** in (den) Schlaf wiegen; **8.** auf-, großziehen; **9.** *den Kopf in den Armen etc.* bergen, betten.

craft [krɑːft] *s.* **1.** (Hand- *od.* Kunst-) Fertigkeit *f*, Kunst *f*, Geschicklichkeit *f*; → ***gentle*** 2; **2.** a) Gewerbe *n*, Handwerk *n*, b) Zunft *f*: ***film~*** Filmgewerbe; ***be one of the ~*** F vom ‚Bau' sein; **3.** ***the*** 2 die Königliche Kunst (*Freimaurerei*); **4.** List *f*, Verschlagenheit *f*; **5.** ⚓ Fahrzeug *n*, Schiff *n*; *coll.* Fahrzeuge *pl.*, Schiffe *pl.*; **6.** a) ✈ Flugzeug *n*, *coll.* Flugzeuge *pl.*, b) Raumschiff *n*, -fahrzeug *n*; '**craft·i·ness** [-tɪnɪs] *s.* List *f*, Schlauheit *f.*

crafts·man ['krɑːftsmən] *s.* [*irr.*] **1.** gelernter Handwerker; **2.** Kunsthandwerker *m*; **3.** *fig.* Könner *m*; '**crafts·man·ship** [-ʃɪp] *s.* Kunstfertigkeit *f*, handwerkliches Können *od.* Geschick.

craft·y ['krɑːftɪ] *adj.* □ listig, schlau, verschlagen.

crag [kræg] *s.* Felsenspitze *f*, Klippe *f*; '**crag·ged** [-gɪd], '**crag·gy** [-gɪ] *adj.* **1.** felsig, schroff; **2.** *fig.* knorrig (*Person*); **crags·man** ['krægzmən] *s.* [*irr.*] geübter Bergsteiger, Kletterer *m.*

cram [kræm] **I** *v/t.* **1.** *a. fig.* 'vollstopfen, -packen, -pfropfen, über'füllen (***with*** mit); **2.** über'füttern, 'vollstopfen; **3.**

C

Geflügel stopfen, mästen; **4.** (hin'ein-) stopfen, (-)zwängen (***into*** in *acc.*); **5.** F a) mit *j-m* ‚pauken', b) *et.* ‚pauken' *od.* ‚büffeln'; **II** *v/i.* **6.** sich (gierig) 'vollessen, -stopfen; **7.** F ‚pauken', ‚büffeln': *~ up on* → 5 b; **III** *s.* **8.** F Gedränge *n*; **9.** F ‚Pauken' *n*: *~ course* Paukkurs *m*.

ˌcram-'full *adj.* zum Bersten voll.

cram·mer ['kræmə] *s.* F **1.** ‚Einpauker' *m*; **2.** ‚Paukstudio' *n*; **3.** ‚Paukbuch' *n*.

cramp¹ [kræmp] **I** *s.* **1.** ⚙ Krampe *f*, Klammer *f*; Schraubzwinge *f*; **2.** *fig.* Zwang *m*, Fessel *f*; Einengung *f*; **II** *v/t.* **3.** ver-, anklammern, befestigen; **4.** *a.* *~ up* *fig.* einengen, einzwängen; hemmen: ***be ~ed for space*** (zu) wenig Platz haben; → ***style*** 1 b.

cramp² [kræmp] **I** *s.* ⚕ Krampf *m*; **II** *v/t.* Krämpfe auslösen in (*dat.*); **cramped** [-pt] *adj.* **1.** verkrampft; **2.** eng, beengt.

'cramp|·fish *s.* Zitterrochen *m*; *~* **i·ron** *s.* **1.** (Stahl)Klammer *f*, Krampe *f*; **2.** ⚠ Steinanker *m*.

cram·pon ['kræmpən], *Am. a.* **cram·poon** [kræm'pu:n] *s. oft pl.* **1.** ⚙ Kanthaken *m*; **2.** *mount.* Steigeisen *n*.

cran·ber·ry ['krænbərɪ] *s.* ⚘ Preisel-, Kranbeere *f*.

crane [kreɪn] **I** *s.* **1.** *orn. u.* ♒ *astr.* Kranich *m*; **2.** ⚙ Kran *m*: *~ truck* Kranwagen *m*; **II** *v/t.* **3.** mit e-m Kran heben; **4.** *~ one's neck* sich den Hals verrenken (***for*** nach); *~* **fly** *s. zo.* (Erd)Schnake *f*.

cra·ni·a ['kreɪnjə] *pl. von* ***cranium***; **'cra·ni·al** [-jəl] *adj. anat.* Schädel...; **cra·ni·ol·o·gy** [ˌkreɪnɪ'ɒlədʒɪ] *s.* Schädellehre *f*; **'cra·ni·um** [-jəm] *pl.* **-ni·a** [-jə] *Am. a.* **-ni·ums** *s. anat.* Schädel *m*.

crank [kræŋk] **I** *s.* **1.** ⚙ Kurbel *f*, Schwengel *m*: *~ case* Kurbelgehäuse *n*, -kasten *m*; *~ handle* Kurbelgriff *m*; *~ pin* Kurbelzapfen *m*; *~ shaft* Kurbelwelle *f*; **2.** Wortspiel *n*; **3.** Ma'rotte *f*, Grille *f*, fixe I'dee; **4.** ‚Spinner' *m*, (harmloser) Verrückter: *~ letter* Brief *m* von e-m ‚Spinner'; **II** *v/t.* **5.** ⚙ kröpfen, krümmen; **6.** *oft ~ up* ankurbeln, *Motor* anlassen; *Maschine* 'durchdrehen; **III** *adj.* **7.** wack(e)lig, schwach; **8.** ⚓ rank; **'crank·i·ness** [-kɪnɪs] *s.* Wunderlichkeit *f*, Verschrobenheit *f*; **'crank·y** [-kɪ] *adj.* ☐ **1.** wunderlich, verschroben; **2.** → ***crank*** 7, 8.

cran·ny ['krænɪ] *s.* **1.** Ritze *f*, Spalte *f*, Riß *m*; **2.** Schlupfwinkel *m*.

crap¹ [kræp] *s. Am.* Fehlwurf *m beim* ***craps***.

crap² [kræp] V **I** *s.* a) Scheiße *f*: ***have a ~*** → II, b) *fig.* ‚Mist' *m*, ‚Scheiß' *m*; **II** *v/i.* scheißen.

crape [kreɪp] *s.* **1.** Krepp *m*; **2.** Trauerflor *m*.

crap·py ['kræpɪ] *adj. sl.* ‚mistig', Scheiß...

craps [kræps] *s. pl. sg. konstr. Am.* ein Würfelspiel *n*: ***shoot ~*** Craps spielen.

crap·u·lence ['kræpjʊləns] *s.* Unmäßigkeit *f*, *bsd.* unmäßiger Alko'holgenuß.

crash¹ [kræʃ] **I** *v/i.* **1.** zs.-krachen, zerbrechen; **2.** (krachend) ab-, einstürzen; **3.** ✈ abstürzen, Bruch machen; *mot.* a) zs.-stoßen, b) verunglücken: *~ into* krachen gegen; **4.** poltern, platzen, rasen, stürzen: *~ in* hereinplatzen; *~ in on* → 9; **5.** *fig. bsd.* ✝ zs.-brechen; **II** *v/t.* **6.** zertrümmern, zerschmettern; **7.** ✈ abstürzen *od.* e-e Bruchlandung machen mit; **8.** *mot.* zu Bruch fahren; **9.** *sl.* uneingeladen kommen zu *e-r Party*; **III** *s.* **10.** Krach(en *n*) *m*; **11.** Zs.-stoß *m*; Unfall *m*; **12.** ✈ Absturz *m*; **13.** ✝ (Börsen)Krach *m*, *allg.* Zs.-bruch; **IV** *adj.* **14.** *fig.* Schnell..., Sofort...

crash² [kræʃ] *s.* grober Leinendrell.

crash| bar·ri·er *s. Brit.* Leitplanke *f*; *~* **course** *s.* Schnell-, Inten'sivkurs *m*; *~* **di·et** *s.* radi'kale Abmagerungskur *f*; **'~-dive** *v/i.* ⚓ schnelltauchen (*U-Boot*); *~* **halt** *s.* 'Vollbremsung *f*; *~* **hel·met** *s.* Sturzhelm *m*; *~* **job** *s.* brandeilige Arbeit, Eilauftrag *m*; **'~-land** *v/i.* ✈ e-e Bruchlandung machen; *~* **land·ing** *s.* ✈ Bruchlandung *f*; *~* **test** *s. mot.* 'Crashtest *m*; *~* **truck** *s.* Rettungswagen *m*.

crass [kræs] *adj.* ☐ *fig.* kraß, grob; **'crass·ness** [-nɪs] *s.* **1.** Kraßheit *f*; **2.** krasse Dummheit.

crate [kreɪt] **I** *s.* **1.** Lattenkiste *f*, (Bier- *etc.*)Kasten *m*; **2.** großer Packkorb; **3.** *sl.* ‚Kiste' *f* (*Auto od. Flugzeug*); **II** *v/t.* **4.** in e-e Lattenkiste *etc.* verpacken.

cra·ter ['kreɪtə] *s.* **1.** *geol. etc. a.* ⚕ 'Krater *m*; **2.** (Bomben-, Gra'nat)Trichter *m*, -krater *m*.

cra·vat [krə'væt] *s.* Halstuch *n*; Kra'watte *f*.

crave [kreɪv] **I** *v/t.* **1.** flehen *od.* dringend bitten um; **II** *v/i.* **2.** sich (heftig) sehnen (***for*** nach); **3.** flehen, inständig bitten (***for*** um).

cra·ven ['kreɪvən] **I** *adj.* feige, zaghaft; **II** *s.* Feigling *m*, Memme *f*.

crav·ing ['kreɪvɪŋ] *s.* heftiges Verlangen, Sehnsucht *f*, (krankhafte) Begierde (***for*** nach).

craw [krɔ:] *s. zo.* Kropf *m* (*Vogel*).

craw·fish ['krɔ:fɪʃ] **I** *s. zo.* → ***crayfish***; **II** *v/i. Am.* F sich drücken, ‚kneifen'.

crawl [krɔ:l] **I** *v/i.* **1.** kriechen: a) krabbeln, b) sich da'hinschleppen, schleichen (*a. Arbeit, Zeit*), c) im ‚Schneckentempo' gehen *od.* fahren; **2.** *fig.* (unter'würfig) kriechen (***to s.o.*** vor j-m); **3.** wimmeln (***with*** von); **4.** kribbeln, prickeln; **5.** *Schwimmen*: kraulen; **II** *s.* **6.** Kriechen *n*, Schleichen *n*: ***go at a ~*** → 1 c; **7.** *Schwimmen*: Kraulstil *m*, Kraul(en) *n*; **'crawl·er** [-lə] *s.* **1.**

Kriechtier *n*, Gewürm *n*; **2.** *fig.* Kriecher(in); **3.** F a) ‚Schnecke' *f*, b) Taxi *n* auf Fahrgastsuche; **4.** *pl.* Krabbelanzug *m für Kleinkinder*; **5.** *a.* ~ ***tractor*** ⚙ Raupen-, Gleiskettenfahrzeug *n*; **6.** *Schwimmen*: Krauler(in); **'crawl·y** [-lɪ] *adj.* F grus(e)lig.

cray·fish ['kreɪfɪʃ] *s. zo.* **1.** Flußkrebs *m*; **2.** Lan'guste *f*.

cray·on ['kreɪən] **I** *s.* **1.** Zeichen-, Bunt-, Pa'stellstift *m*: ***blue*** ~ Blaustift; **2.** Kreide-, Pa'stellzeichnung *f*; **II** *v/t.* **3.** mit Kreide *etc.* zeichnen; **4.** *fig.* skizzieren.

craze [kreɪz] **I** *v/t.* **1.** verrückt machen; **2.** *Töpferei*: krakelieren; **II** *s.* **3.** a) Ma'nie *f*, fixe I'dee, Verrücktheit *f*, b) ‚Fimmel' *m*: ***be the*** ~ die große Mode sein; ***the latest*** ~ der letzte Schrei; **crazed** [-zd] *adj.* **1.** wahnsinnig (***with*** vor *dat.*); **2.** (wild) begeistert, hingerissen (***about*** von); **'cra·zi·ness** [-zɪnɪs] *s.* Verrücktheit *f*.

cra·zy ['kreɪzɪ] *adj.* □ **1.** verrückt, wahnsinnig: ~ ***with pain***; **2.** F (***about***) begeistert (von); versessen (auf *acc.*); **3.** baufällig, wackelig; ⚓ seeuntüchtig; **4.** zs.-gestückelt; ~ **bone** *Am.* → ***funny bone***; ~ **pav·ing**, ~ **pave·ment** *s.* Mosa'ikpflaster *n*; ~ **quilt** *s.* Flickendecke *f*.

creak [kri:k] **I** *v/i.* knarren, kreischen, quietschen, knirschen: ~ ***along*** *fig.* sich dahinschleppen (*Handlung etc.*); **II** *s.* Knarren *n*, Knirschen *n*, Quietschen *n*; **'creak·y** [-kɪ] *adj.* □ knarrend, knirschend.

cream [kri:m] **I** *s.* **1.** Rahm *m*, Sahne *f*; **2.** Creme(speise) *f*; **3.** (*Haut-*, *Schuh-etc.*)Creme *f*; **4.** Cremesuppe *f*; **5.** *fig.* Creme *f*, Auslese *f*, E'lite *f*: ***the*** ~ ***of society***; **6.** Kern *m*, Po'inte *f* (*Witz*); **7.** Cremefarbe *f*; **II** *v/i.* **8.** Sahne bilden; **9.** schäumen; **III** *v/t.* **10.** absahnen, den Rahm abschöpfen von (*a. fig.*); **11.** Sahne bilden lassen; **12.** schaumig rühren; **13.** (*dem Tee od. Kaffee*) Sahne zugießen: ***do you*** ~ ***your tea?*** nehmen Sie Sahne?; **14.** *Am. sl. j-n* ‚fertigmachen'; **IV** *adj.* **15.** creme(farben); ~ **cake** *s.* Creme- *od.* Sahnetorte *f*; ~ **cheese** *s.* Rahm-, Vollfettkäse *m*; **'~-ˌcol·o(u)red** *adj.* creme(farben).

cream·er·y ['kri:mərɪ] *s.* **1.** Molke'rei *f*; **2.** Milchhandlung *f*.

cream| ice *s. Brit.* Sahneeis *n*, Speiseeis *n*; ~ **jug** *s.* Sahnekännchen *n*, -gießer *m*; **ˌ~-'laid** *adj.* cremefarben und gerippt (*Papier*); ~ **of tar·tar** *s.* ⚗ Weinstein *m*; **ˌ~-'wove** → ***cream-laid***.

cream·y ['kri:mɪ] *adj.* sahnig; *fig.* weich, samten.

crease [kri:s] **I** *s.* **1.** Falte *f*, Kniff *m*; **2.** Bügelfalte *f*; **3.** Eselsohr *n* (*Buch*); **4.** *Eishockey*: Torraum *m*; **II** *v/t.* **5.** falten, knicken, kniffen, 'umbiegen; **6.** zerknittern; **7.** *hunt. etc.* streifen, anschießen; **III** *v/i.* **8.** Falten bekommen *od.* werfen; knittern; **9.** sich falten lassen; **creased** [-st] *adj.* **1.** in Falten gelegt, gefaltet; **2.** mit Bügelfalte, gebügelt; **3.** zerknittert.

'crease|-proof, **'~-reˌsist·ant** *adj.* knitterfrei.

cre·ate [kri:'eɪt] *v/t.* **1.** (er)schaffen; **2.** schaffen, erzeugen: a) her'vorbringen, ins Leben rufen, b) her'vorrufen, verursachen; **3.** *thea.*, *Mode*: kre'ieren, gestalten; **4.** gründen, ein-, errichten; **5.** ⚖ *Recht etc.* begründen; **6.** *j-n* ernennen zu: ~ ***s.o. a peer***; **cre'a·tion** [-'eɪʃn] *s.* **1.** (Er)Schaffung *f*; **2.** Erzeugung *f*, Schaffung *f*: a) Her'vorbringung *f*; ~ ***of needs*** Bedarfsweckung *f*, b) Verursachung *f*, c) ***the*** ♀ *eccl.* die Schöpfung, die Erschaffung (der Welt): ***the whole*** ~ alle Geschöpfe, die ganze Welt; **3.** Geschöpf *n*, Krea'tur *f*; **4.** (Kunst-, Mode)Schöpfung *f*, Kreati'on *f*; Werk *n*; **5.** *thea.* Kre'ierung *f*, Gestaltung *f*; **6.** Gründung *f*, Errichtung *f*, Bildung *f*; **7.** Ernennung *f* (*zu e-m Rang*); **cre'a·tive** [-tɪv] *adj.* □ **1.** schöpferisch, (er)schaffend, *a.* krea'tiv; **2.** (***of s.th.***) *et.* verursachend; **cre'a·tive·ness** [-tɪvnɪs]; **cre·a·tiv·i·ty** [ˌkri:eɪ'tɪvətɪ] *s.* Kreativi'tät *f*, schöpferische Kraft; **cre'a·tor** [-tə] *s.* Schöpfer *m*, Erschaffer *m*, Erzeuger *m*, Urheber *m*: ***the*** ♀ der Schöpfer, Gott *m*.

crea·ture ['kri:tʃə] *s.* **1.** Geschöpf *n*, (Lebe)Wesen *n*, Krea'tur *f*: ***fellow*** ~ Mitmensch *m*; ***dumb*** ~ stumme Kreatur; ***lovely*** ~ süßes Geschöpf (*Frau*); ***silly*** ~ dummes Ding; ~ ***of habit*** Gewohnheitstier *n*; **2.** *fig. j-s* Krea'tur *f*, Werkzeug *n*; ~ **com·forts** *s. pl. die* leiblichen Genüsse, *das* leibliche Wohl.

crèche [kreɪʃ] (*Fr.*) *s.* **1.** Kinderhort *m*, -krippe *f*; **2.** *Am.* (Weihnachts)Krippe *f*.

cre·dence ['kri:dəns] *s.* **1.** Glaube *m*: ***give*** ~ ***to*** Glauben schenken (*dat.*); **2.** *a.* ~ ***table*** *eccl.* Kre'denz *f*.

cre·den·tials [krɪ'denʃlz] *s. pl.* **1.** Beglaubigungs- *od.* Empfehlungsschreiben *n*; **2.** (Leumunds)Zeugnis *n*; **3.** 'Ausweis(paˌpiere *pl.*) *m*.

cred·i·bil·i·ty [ˌkredɪ'bɪlətɪ] *s.* Glaubwürdigkeit *f*; ~ **gap** *s.* Glaubwürdigkeitslücke *f*; **cred·i·ble** ['kredəbl] *adj.* □ glaubwürdig; zuverlässig: ***show credibly that*** ⚖ glaubhaft machen, daß.

cred·it ['kredɪt] **I** *s.* **1.** ✝ a) Kre'dit *m*, b) Ziel *n*: (***letter of***) ~ Akkredi'tiv *n*; ***on*** ~ auf Kredit; ***open a*** ~ e-n Kredit *od.* ein Akkreditiv eröffnen; ***30 days'*** ~ 30 Tage Ziel; **2.** ✝ a) Haben *n*, 'Kredit(seite *f*) *n*, b) Guthaben *n*, 'Kreditposten *m*, *pl. a.* Ansprüche: ***enter*** (*od.* ***place***) ***it***

to my ~ schreiben Sie es mir gut; ~ ***advice*** Gutschriftsanzeige *f*; (***tax***) ~ *Am.* (Steuer)Freibetrag *m*; **3.** ✝ Kre'ditwürdigkeit *f*; **4.** Glaube(n) *m*, Ver-, Zutrauen *n*: ***give ~ to*** → 10; **5.** Glaubwürdigkeit *f*, Zuverlässigkeit *f*; **6.** Ansehen *n*, Achtung *f*, guter Ruf, Ehre *f*: ***be a ~ to s.o., reflect ~ on s.o., do s.o. ~, be to s.o's ~*** j-m Ehre machen *od.* einbringen; ***he does me ~*** mit ihm lege ich Ehre ein; ***to his ~ it must be said*** a) zu s-r Ehre muß man sagen, b) man muß es ihm hoch anrechnen; ***add to s.o.'s ~*** j-s Ansehen erhöhen; ***with ~*** ehrenvoll, mit Lob; **7.** Verdienst *n*, Anerkennung *f*, Lob *n*: ***get ~ for*** Anerkennung finden für; ***very much to his ~*** sehr anerkennenswert von ihm; ***give s.o. (the) ~ for s.th.*** a) j-m et. hoch anrechnen, b) j-m et. zutrauen, c) j-m et. verdanken; ***take (the) ~ for*** sich *et.* als Verdienst anrechnen, den Ruhm *od.* alle Lorbeeren für *et.* in Anspruch nehmen; **8.** (***title and***) ***~s*** *pl. Film, TV*: Vor- *od.* Abspann *m*, Erwähnungen *pl.*; **9.** *ped. Am.* a) Anrechnungspunkt *m*, b) Abgangszeugnis *n*; **II** *v/t.* **10.** Glauben schenken (*dat.*), *j-m od. et.* glauben; *j-m* trauen; **11.** ***~ s.o. with s.th.*** a) j-m et. zutrauen, b) j-m et. zuschreiben; **12.** ✝ *Betrag* gutschreiben, kreditieren (***to s.o.*** j-m); *j-n* erkennen (***with*** für); **13.** *ped. Am.* (***s.o. with***) (j-m) Punkte anrechnen (für); **'cred·it·a·ble** [-təbl] *adj.* □ **1.** rühmlich, lobens-, anerkennenswert, ehrenvoll (***to*** für): ***be ~ to s.o.*** j-m Ehre machen; **2.** glaubwürdig.

cred·it| a·gen·cy *s.* Kre'ditauskunf,tei *f*; **~ bal·ance** *s.* ✝ 'Kredit,saldo *m*, Guthaben *n*; **~ card** *s.* ✝ Kre'ditkarte *f*; **~ in·ter·est** *s.* Habenzinsen *pl.*; **~ note** *s.* ✝ Gutschriftsanzeige *f*.

cred·i·tor ['kredɪtə] *s.* ✝ **1.** Gläubiger(-in); **2.** a) *a.* ***~ side*** Haben *n*, 'Kreditseite *f e-s Kontobuchs*, b) *pl. Bilanz*: Verbindlichkeiten *pl.*

cred·it| rat·ing *s. Am.* Kre'ditfähigkeit *f*; **~ squeeze** *s.* ✝ Kre'ditzange *f*; **~ stand·ing** *s.* Bonität *f*; **~ tit·les** *pl.* → ***credit*** 8; **'~,wor·thi·ness** *s.* ✝ Kre'ditwürdigkeit *f*; **'~,wor·thy** *adj.* ✝ kre'ditwürdig.

cre·do ['kri:dəʊ] *pl.* **-dos** *s.* **1.** *eccl.* 'Credo *n*, Glaubensbekenntnis *n*; **2.** → ***creed*** 2.

cre·du·li·ty [krɪ'dju:lətɪ] *s.* Leichtgläubigkeit *f*; **cred·u·lous** ['kredjuləs] *adj.* □ leichtgläubig.

creed [kri:d] *s.* **1.** a) Glaubensbekenntnis *n*, b) Glaube *m*, Konfessi'on *f*; **2.** *fig.* (*a. politische etc.*) Über'zeugung, 'Kredo *n*.

creek [kri:k] *s.* **1.** Flüßchen *n*; kleiner Wasserlauf (*nur von der Flut gespeist*): ***up the ~*** *fig.* in der Klemme (sitzend); **2.** kleine Bucht.

creel [kri:l] *s.* Fischkorb *m*.

creep [kri:p] **I** *v/i.* [*irr.*] **1.** *a. fig.* kriechen, (da'hin)schleichen: ***~ up on*** sich heranschleichen an (*acc.*); ***~ into s.o.'s favo(u)r*** *fig.* sich bei j-m einschmeicheln; ***~ in*** sich einschleichen (*Fehler*); ***old age is ~ing upon me*** das Alter naht heran; **2.** ⚘ kriechen, sich ranken; **3.** ⚙ kriechen; ↯ nacheilen; **4.** kribbeln: ***it made my flesh ~*** dabei überlief es mich kalt, ich bekam eine Gänsehaut dabei; **II** *s.* **5.** → ***crawl*** 6; **6.** → ***creepage***; **7.** Schlupfloch *n*; **8.** *geol.* (Erd-)Rutsch *m*; **9.** *pl.* F Gruseln *n*, Gänsehaut *f*: ***the sight gave me the ~s*** bei dem Anblick überlief es mich kalt; **10.** *sl.* ‚Fiesling' *m*, ‚Scheißtyp' *m*; **'creep·age** [-pɪdʒ] *s.* ⚙, ↯ Kriechen *n*; **'creep·er** [-pə] *s.* **1.** *fig.* Kriecher(in); **2.** Kriechtier *n* (*Insekt, Wurm*); **3.** ⚘ Kriech- *od.* Kletterpflanze *f*; **4.** *orn.* Baumläufer *m*; **5.** *mount.* Steigeisen *n*; **6.** ⚓ Dragganker *m*; **7.** *pl. Am.* (einteiliger) Spielanzug; **8.** F weichsohliger Schuh; **'creep·ing** [-pɪŋ] *adj.* □ **1.** kriechend, schleichend (*a. fig.*); **2.** ⚘ kriechend, kletternd; **3.** a) kribbelnd, b) grus(e)lig; **4.** → ***barrage***[1] 2; **'creep·y** [-pɪ] *adj.* **1.** kriechend: a) krabbelnd, b) schleichend; **2.** grus(e)lig.

cre·mate [krɪ'meɪt] *v/t. bsd. Leichen* verbrennen, einäschern; **cre'ma·tion** [-eɪʃn] *s.* Feuerbestattung *f*, Einäscherung *f*; **cre·ma·to·ri·um** [,kremə'tɔ:rɪəm] *pl.* **-ri·ums, -ri·a** [-rɪə], **cre·ma·to·ry** ['kremətərɪ] *s.* Krema'torium *n*.

crème [kreɪm] (*Fr.*) *s.* Creme *f*; **~ de menthe** [,kreɪmdə'mɑ:nt] *s.* 'Pfefferminzli,kör *m*; **~ de la ~** [-dlɑ:-] *s. fig.* a) *das* Beste vom Besten; *die* E'lite (der Gesellschaft), Crème *f* de la Crème.

cre·nate ['kri:neɪt], **'cre·nat·ed** [-tɪd] *adj.* ⚘, ⚕ gekerbt, gefurcht; **cre·na·tion** [kri:'neɪʃn] *s.* ⚘, ⚕ Kerbung *f*, Furchung *f*.

cren·el ['krenl] *s.* Schießscharte *f*; **'cren·el(l)ate** [-nəleɪt] *v/t.* krenelieren, mit Zinnen *od.* zinnenartigem Orna'ment versehen; **cren·el(l)a·tion** [,krenə'leɪʃn] *s.* Krenelierung.

Cre·ole ['kri:əʊl] **I** *s.* Kre'ole *m*, Kre'olin *f*; **II** *adj.* kre'olisch.

cre·o·sote ['krɪəsəʊt] *s.* ⚗ Kreo'sot *n*.

crêpe [kreɪp] *s.* **1.** Krepp *m*; **2.** → ***~ rubber***; **~ de Chine** [,kreɪpdə'ʃi:n] *s.* Crêpe *m* de Chine; **~ pa·per** *s.* 'Krepppa,pier *n*; **~ rub·ber** *s.* 'Krepp,gummi *n*, *m*; **~ su·zette** [su:'zet] *s.* Crêpe *f* Su'zette.

crep·i·tate ['krepɪteɪt] *v/i.* knarren, knirschen, knacken, rasseln; **crep·i·ta·tion** [,krepɪ'teɪʃn] *s.* Knarren *n*, Knirschen *n*, Knacken *n*, Rasseln *n*.

crept [krept] *pret. u. p.p.* von ***creep***.
cre·pus·cu·lar [krɪ'pʌskjʊlə] *adj.* **1.** Dämmerungs…, dämmerig; **2.** *zo.* im Zwielicht erscheinend.
cre·scen·do [krɪ'ʃendəʊ] (*Ital.*) ♪ **I** *pl.* **-dos** *s.* Cre'scendo *n* (*a. fig.*); **II** *adv.* cre'scendo, stärker werdend.
cres·cent ['kresnt] **I** *s.* **1.** Halbmond *m*, Mondsichel *f*; **2.** *hist. pol.* Halbmond *m* (*Türkei od. Islam*); **3.** halbmondförmiger Gegenstand, Straßenzug *etc.*; **4.** ♪ Schellenbaum *m*; **5.** Hörnchen *n* (*Gebäck*); **II** *adj.* **6.** halbmondförmig; **7.** zunehmend.
cress [kres] *s.* ⚘ Kresse *f*.
crest [krest] **I** *s.* **1.** *zo.* Kamm *m* (*Hahn*); **2.** *zo.* a) (Feder-, Haar)Schopf *m*, Haube *f* (*Vögel*), b) Mähne *f*; **3.** Helmbusch *m*, -schmuck *m*; **4.** Helm *m*; **5.** Bergrücken *m*, Kamm *m*; **6.** Kamm *m* (*Welle*): ***he's riding*** (***along***) ***a ~ of the wave*** *fig.* er schwimmt momentan ganz oben; **7.** Gipfel *m*, Krone *f*, Scheitelpunkt *m*; **8.** Verzierung *f* über dem (Fa'milien)Wappen: ***family ~*** Familienwappen *n*; **9.** ⚠ Bekrönung *f*; **II** *v/t.* **10.** erklimmen; **III** *v/i.* **11.** hoch aufwogen; **'crest·ed** [-tɪd] *adj.* mit e-m Kamm *od.* Schopf *od.* e-r Haube (versehen): ***~ lark*** Haubenlerche *f*; **'crest·ˌfall·en** *adj. fig.* geknickt, niedergeschlagen.
cre·ta·ceous [krɪ'teɪʃəs] *adj.* kreideartig, -haltig: ***~ period*** Kreide(zeit) *f*.
Cre·tan ['kri:tn] **I** *adj.* kretisch, aus Kreta; **II** *s.* Kreter(in).
cre·tin ['kretɪn] *s.* ⚕ Kre'tin *m* (*a. contp.*); **'cre·tin·ism** [-nɪzəm] *s.* Kreti'nismus *m*; **'cre·tin·ous** [-nəs] *adj.* kre'tinhaft.
cre·vasse [krɪ'væs] *s.* **1.** tiefer Spalt *od.* Riß; **2.** Gletscherspalte *f*; **3.** *Am.* Bruch *m* im Deich.
crev·ice ['krevɪs] *s.* Riß *m*, (Fels)Spalte *f*.
crew¹ [kru:] *pret. von* ***crow²***.
crew² [kru:] *s.* **1.** ⚓, ✈ *etc.* Besatzung *f*, (*a. sport* Boots)Mannschaft *f*; **2.** (Arbeits)Gruppe *f*, ('Arbeiter)Koˌlonne *f*; **3.** ⚙ (Bedienungs)Mannschaft *f*; **4.** ('Dienst)Persoˌnal *n*; **5.** *Am.* Pfadfindergruppe *f*; **6.** *contp.* Bande *f*; ***~ cut*** *s.* Bürste(nschnitt *m*) *f*.
crib [krɪb] **I** *s.* **1.** a) (Futter)Krippe *f*, b) Hürde *f*, Stall *m*; **2.** Kinderbettchen *n*; **3.** a) Hütte *f*, b) kleiner Raum; **4.** Weidenkorb *m* (*Fischfalle*); **5.** F a) kleiner Diebstahl, b) ‚Anleihe' *f*, Plagi'at *n*; **6.** *ped.* F a) ‚Eselsbrücke' *f*, b) Spickzettel *m*; **7.** *Cribbage*: abgelegte Karten *pl.*; **II** *v/t.* **8.** ein-, zs.-pferchen; **9.** F ‚klauen' (*a. fig. plagiieren*), *ped.* abschreiben; **III** *v/i.* **10.** F abschreiben; **'crib·bage** [-bɪdʒ] *s.* 'Cribbage *n* (*Kartenspiel*).
crick [krɪk] **I** *s.* Muskelkrampf *m*: ***~ in one's back*** (***neck***) steifer Rücken (Hals); **II** *v/t.* ***~ one's back*** (***neck***) sich e-n steifen Rücken (Hals) holen.
crick·et¹ ['krɪkɪt] *s. zo.* Grille *f*, Heimchen *n*; → ***merry*** 1.
crick·et² ['krɪkɪt] *s. sport* Kricket *n*: ***~ bat*** Kricketschläger *m*; ***~ field***, ***~ ground*** Kricket(spiel)platz *m*; ***~ pitch*** Feld *n* zwischen den beiden Dreistäben; ***not ~*** F nicht fair *od.* anständig; **'crick·et·er** [-tə] *s.* Kricketspieler *m*.
cri·er ['kraɪə] *s.* **1.** Schreier *m*; **2.** (öffentlicher) Ausrufer.
cri·key ['kraɪkɪ] *int. sl.* Mann!
crime [kraɪm] **I** *s.* **1.** ⚖ *u. fig.* a) Verbrechen *n*, b) → ***criminality*** 1: ***~ novel*** Kriminalroman *m*; ***~ rate*** Verbrechensquote *f*; ***~ wave*** Welle *f* von Verbrechen; **2.** Frevel *m*, Übeltat *f*, Sünde *f*; **3.** *coll.* Krimi'nalroˌmane *f*: ***~-writer*** ‚Krimi-Schreiber(in)'; **4.** F ‚Verbrechen' *n*, ‚Jammer' *m*, ‚Schande' *f*; **II** *v/t.* **5.** ⚔ beschuldigen.
Cri·me·an [kraɪ'mɪən] *adj.* die Krim betreffend: ***~ War*** Krimkrieg *m*.
crim·i·nal ['krɪmɪnl] **I** *adj.* **1.** verbrecherisch, krimi'nell, strafbar: ***~ act***; **2.** ⚖ strafrechtlich, Straf…, … in Strafsachen: ***~ jurisdiction***; ***~ lawyer*** Strafrechtler *m*, Anwalt *m* für Strafsachen; **II** *s.* **3.** Verbrecher(in); **~ ac·tion** *s.* 'Strafproˌzeß *m*; **~ code** *s.* Strafgesetzbuch *n*; **~ con·ver·sa·tion** *s.* ⚖ *Brit. obs. u. Am.* Ehebruch *m* (*als Schadensersatzgrund*); **ꕤ In·ves·ti·ga·tion De·part·ment** *s.* (*abbr.* ***CID***) *Brit.* oberste Krimi'nalpoliˌzeibehörde *f*.
crim·i·nal·ist ['krɪmɪnəlɪst] *s.* **1.** Krimina'list *m*, Strafrechtler *m*; **2.** Krimino'loge *m*; **crim·i·nal·i·ty** [ˌkrɪmɪ'nælətɪ] *s.* **1.** Kriminali'tät *f*, Verbrechertum *n*; **2.** Schuld *f*; Strafbarkeit *f*; **'crim·i·nal·ize** *v/t.* **1.** *et.* unter Strafe stellen; **2.** *j-n*, *et.* kriminalisieren.
crim·i·nal| law *s.* Strafrecht *n*; **~ neg·lect** *s.* grobe Fahrlässigkeit; **~ of·fence**, *Am.* **~ of·fense** *s.* strafbare Handlung; **~ pro·ceed·ings** *s. pl.* Strafverfahren *n*.
crim·i·nate ['krɪmɪneɪt] *v/t.* anklagen, (e-s Verbrechens) beschuldigen; **crim·i·na·tion** [ˌkrɪmɪ'neɪʃn] *s.* Anklage *f*, Beschuldigung *f*; **crim·i·nol·o·gist** [ˌkrɪmɪ'nɒlədʒɪst] *s.* Krimino'loge *m*; **crim·i·nol·o·gy** [ˌkrɪmɪ'nɒlədʒɪ] *s.* Kriminolo'gie *f*.
crimp¹ [krɪmp] **I** *v/t.* **1.** kräuseln, knittern, fälteln, wellen; **2.** *Leder* zu'rechtbiegen; **3.** ⚙ bördeln; **4.** *Küche*: *Fisch, Fleisch* schlitzen; **5.** *Am. sl.* hindern, stören; **II** *s.* **6.** Kräuselung *f*, Welligkeit *f*; Krause *f*, Falte *f*; **7.** ⚙ Falz *m*; **8.** (Haar)Welle *f*, Locke *f*; **9.** *Am.* F Behinderung *f*.
crimp² [krɪmp] *v/t.* ⚓, ⚔ gewaltsam an-

werben, pressen.

crim·son ['krɪmzn] **I** *s.* Karme'sin-, Hochrot *n*; **II** *adj.* karme'sin-, hochrot; *fig.* puterrot (**from** vor *Zorn etc.*); **III** *v/t.* hochrot färben; **IV** *v/i.* puterrot werden; **~ ram·bler** *s.* ⚘ *blutrote Kletterrose.*

cringe [krɪndʒ] *v/i.* **1.** sich ducken, sich krümmen: **~ at** zurückschrecken vor (*dat.*); **2.** *fig.* kriechen, ‚katzbuckeln' (**to** vor *dat.*); **'cring·ing** [-dʒɪŋ] *adj.* □ kriecherisch, unter'würfig.

crin·kle ['krɪŋkl] **I** *v/i.* **1.** sich kräuseln *od.* krümmen *od.* biegen; **2.** Falten werfen, knittern; **II** *v/t.* **3.** kräuseln, krümmen; **4.** faltig machen, zerknittern; **III** *s.* **5.** Fältchen *n*, Runzel *f*; **'crin·kly** [-lɪ] *adj.* **1.** kraus, faltig; **2.** zerknittert.

crin·o·line ['krɪnəli:n] *s. hist.* Krino'line *f*, Reifrock *m*.

crip·ple ['krɪpl] **I** *s.* **1.** Krüppel *m*; **II** *v/t.* **2.** a) zum Krüppel machen, b) lähmen; **3.** *fig.* lähmen, lahmlegen; **4.** ⚔ akti'ons- *od.* kampfunfähig machen; **'crip·pled** [-ld] *adj.* **1.** verkrüppelt; **2.** *fig.* lahmgelegt; **'crip·pling** [-lɪŋ] *adj. fig.* lähmend.

cri·sis ['kraɪsɪs] *pl.* **-ses** [-si:z] *s.* ⚕, *thea. u. fig.* 'Krise *f*, 'Krisis *f*: **~ management** Krisenmanagement *n*; **~-prone** krisenanfällig; **~ staff** Krisenstab *m*.

crisp [krɪsp] **I** *adj.* □ **1.** knusp(e)rig, mürbe: **~bread** Knäckebrot *n*; **2.** kraus, gekräuselt; **3.** frisch, fest (*Gemüse*); steif, unzerknittert (*Papier*); **4.** a) forsch, schneidig, b) flott, lebhaft; **5.** klar, knapp (*Stil etc.*); **6.** scharf, frisch (*Luft*); **II** *s.* **7.** *pl. bsd. Brit.* (Kar'toffel)Chips *pl.*; **III** *v/t.* **8.** knusp(e)rig machen; **9.** kräuseln; **IV** *v/i.* **10.** knusp(e)rig werden; **11.** sich kräuseln; **'crisp·ness** [-nɪs] *s.* **1.** Knusp(e)rigkeit *f*; **2.** Frische *f*, Schärfe *f*, Le'bendigkeit *f*; **'crisp·y** [-pɪ] → **crisp** 1, 2, 4.

criss·cross ['krɪskrɒs] **I** *adj.* **1.** gekreuzt, kreuz u. quer (laufend), Kreuz...; **II** *adv.* **2.** kreuzweise, kreuz u. quer, durchein'ander; **3.** *fig.* in die Quere, verkehrt; **III** *s.* **4.** Gewirr *n* von Linien; **5.** Kreuzzeichen *n* (*als Unterschrift*); **IV** *v/t.* **6.** (wieder'holt 'durch-)kreuzen, kreuz u. quer durch'ziehen; **V** *v/i.* **7.** sich kreuzen; kreuz u. quer verlaufen.

cri·te·ri·on [kraɪ'tɪərɪən] *pl.* **-ri·a** [-rɪə] *s.* **1.** Kri'terium *n*, Maßstab *m*, Prüfstein *m*: **that is no ~** das ist nicht maßgebend (**for** für); **2.** (Unter'scheidungs)Merkmal *n*.

crit·ic ['krɪtɪk] *s.* **1.** Kritiker(in); **2.** (Kunst- *etc.*)Kritiker(in), Rezen'sent(-in); **3.** Krittler *m*, Tadler *m*; **'crit·i·cal** [-kl] *adj.* □ **1.** kritisch, tadelsüchtig (**of s.o.** j-m gegen'über): **be ~ of s.th.** et. kritisieren *od.* beanstanden, Bedenken gegen et. haben; **2.** kritisch, kunstverständig; sorgfältig: **~ edition** kritische Ausgabe; **3.** kritisch, entscheidend: **the ~ moment**; **4.** kritisch, bedenklich, gefährlich: **~ situation**; **~ supplies** Mangelgüter; **5.** *phys.* kritisch: **~ speed**; **~ load** Grenzbelastung *f*; **'crit·i·cism** [-ɪsɪzəm] *s.* Kri'tik *f*: a) kritische Beurteilung, b) (Buch- *etc.*)Besprechung *f*, Rezensi'on *f*, c) kritische Unter'suchung, d) Tadel *m*: **textual ~** Textkritik; **open to ~** anfechtbar; **above ~** über jede Kritik *od.* jeden Tadel erhaben; **'crit·i·cize** [-ɪsaɪz] *v/t.* kritisieren (*a. v/i.*): a) kritisch beurteilen, b) besprechen, rezensieren; c) Kri'tik üben an (*dat.*), tadeln, rügen; **cri·tique** [krɪ'ti:k] *s.* Kri'tik *f*, kritische Besprechung *od.* Abhandlung.

croak [krəʊk] **I** *v/i.* **1.** quaken (*Frosch*); krächzen (*Rabe*); **2.** unken (*Unglück prophezeien*); **3.** *sl.* ‚abkratzen' (*sterben*); **II** *v/t.* **4.** *et.* krächzen(d sagen); **5.** *sl.* abmurksen (*töten*); **III** *s.* **6.** Quaken *n*; Krächzen *n*; **7.** → **croaker** 1; **'croak·er** [-kə] *s.* **1.** Schwarzseher *m*, Miesmacher *m*; **2.** *Am. sl.* Quacksalber *m*; **'croak·y** [-kɪ] *adj.* □ krächzend.

Cro·at ['krəʊæt] *s.* Kro'ate *m*, Kro'atin *f*; **Cro·a·tian** [krəʊ'eɪʃjən] *adj.* kro'atisch.

cro·chet ['krəʊʃeɪ] **I** *s. a.* **~ work** Häkelarbeit *f*, Häke'lei *f*: **~ hook** Häkelnadel *f*; **II** *v/t. u. v/i. pret. u. p.p.* **'cro·cheted** [-ʃeɪd] häkeln.

crock[1] [krɒk] **I** *s.* **1.** Klepper *m*, alter Gaul; **2.** *sl.* a) ‚altes Wrack' (*Person od. Sache*), b) *Am.* ‚altes Ekel' *od.* ‚alter Säufer'; **II** *v/i.* **3.** *mst* **~ up** zs.-brechen, -krachen; **III** *v/t.* **4.** ka'puttmachen.

crock[2] [krɒk] *s.* **1.** irdener Topf *od.* Krug; **2.** Topfscherbe *f*; **'crock·er·y** [-kərɪ] *s.* (irdenes) Geschirr, Steingut *n*, Töpferware *f*.

croc·o·dile ['krɒkədaɪl] *s.* **1.** *zo.* Kroko'dil *n*; **2.** Kroko'dilleder *n*; **3.** *Brit.* F Zweierreihe *f* von Schulmädchen; **~ tears** *s. pl.* Kroko'dilstränen *pl.*

cro·cus ['krəʊkəs] *s.* ⚘ 'Krokus *m*.

Croe·sus ['kri:səs] *s.* 'Krösus *m*.

croft [krɒft] *s. Brit.* **1.** kleines (Acker-)Feld (*beim Haus*); **2.** kleiner Bauernhof; **'croft·er** [-tə] *s. Brit.* Kleinbauer *m*.

crom·lech ['krɒmlek] *s.* 'Kromlech *m*, dru'idischer Steinkreis.

crone [krəʊn] *s.* altes Weib.

cro·ny ['krəʊnɪ] *s.* alter Freund, Kum'pan *m*: **old ~** Busenfreund, Intimus *m*, ‚Spezi' *m*.

crook [krʊk] **I** *s.* **1.** Hirtenstab *m*; **2.** *eccl.* Bischofs-, Krummstab *m*; **3.** Krümmung *f*, Biegung *f*; **4.** Haken *m*;

5. (*Schirm*)Krücke *f*; **6.** F Gauner *m*, Betrüger *m*, *allg.* Ga'nove *m*: ***on the ~*** unehrlich, hintenherum; **II** *v/t. u. v/i.* **7.** (sich) krümmen, (sich) biegen; **'~·back** *s.* Buck(e)lige(r *m*) *f*; **'~·backed** *adj.* buck(e)lig.

crooked¹ [krʊkt] *adj.* mit e-r Krücke: ***~ stick*** Krückstock *m*.

crook·ed² ['krʊkɪd] *adj.* □ **1.** krumm, gekrümmt; gebeugt; **2.** buck(e)lig, verwachsen; **3.** *fig.* unehrlich, betrügerisch: ***~ ways*** ‚krumme' Wege.

croon [kru:n] *v/i. u. v/t.* leise *od.* schmachtend singen *od.* summen; **'croon·er** [-nə] *s.* Schlager-, Schnulzensänger *m*.

crop [krɒp] **I** *s.* **1.** Feldfrucht *f*, *bsd.* Getreide *n* auf dem Halm, Saat *f*: ***the ~s*** a) die Saaten, b) die Gesamternte; ***~ rotation*** Fruchtfolge *f*, -wechsel *m*; **2.** Bebauung *f*: ***in ~*** bebaut; **3.** Ernte *f*, Ertrag *m*: ***~ failure*** Mißernte *f*; **4.** *fig.* Ertrag *m*, Ausbeute *f* (***of*** an *dat.*); **5.** Menge *f*, Haufen *m* (*Sachen od. Personen*); **6.** *zo.* Kropf *m* (*Vögel*); **7.** a) Peitschenstock *m*, b) Reitpeitsche *f*; **8.** kurzer Haarschnitt, kurzgeschnittenes Haar; **II** *v/t.* **9.** abschneiden; *Haar* kurz scheren; *Ohren*, *Schwanz* stutzen; **10.** abbeißen, -fressen; **11.** ✓ bepflanzen, bebauen; **III** *v/i.* **12.** (Ernte) tragen; **13.** *geol.* ***~ up***, ***~ out*** zutage treten; **14.** ***~ up*** *fig.* plötzlich auftauchen, -treten, sich zeigen; **'crop·eared** *adj.* mit gestutzten Ohren; **'crop·per** [-pə] *s.* **1.** ***a good ~*** e-e gut tragende Pflanze; **2.** F Fall *m*, Sturz *m*: ***come a ~*** ‚auf die Nase fallen' (*a. fig.*); **3.** *orn.* Kropftaube *f*.

cro·quet ['krəʊkeɪ] *sport* **I** *s.* 'Krocket *n*; **II** *v/t. u. v/i.* krockieren.

cro·quette [krɒ'ket] *s.* *Küche*: Kro'kette *f*.

cro·sier ['krəʊʒə] *s.* *R.C.* Bischofs-, Krummstab *m*.

cross [krɒs] **I** *s.* **1.** Kreuz *n* (*zur Kreuzigung*); **2.** ***the*** ♀ a) das Kreuz Christi, b) das Christentum, c) das Kruzi'fix *n*; **3.** Kreuz *n* (*Zeichen od. Gegenstand*): ***make the sign of the ~*** sich bekreuzigen; ***sign with a ~*** mit e-m Kreuz (*statt Unterschrift*) unterzeichnen; ***mark with a ~*** ankreuzen; **4.** (Ordens)Kreuz *n*; **5.** *fig.* Kreuz *n*, Leiden *n*, Not *f*: ***bear one's ~*** sein Kreuz tragen; **6.** Querstrich *m* (des Buchstabens t); **7.** Gaune'rei *f*, ‚krumme Tour': ***on the ~*** unehrlich; **8.** *biol.* Kreuzung *f*, Mischung *f*; *fig.* Mittelding *n*; **9.** Kreuzungspunkt *m*; **10.** *sport* Cross *m*: a) *Fußball etc.*: Schrägpaß *m*, b) *Tennis*: *diagonal geschlagener Ball*, c) *Boxen*: *Schlag über den Arm des Gegners*; **II** *v/t.* **11.** kreuzen, über Kreuz legen: ***~ one's legs*** die Beine kreuzen *od.* überschlagen; ***~ swords with s.o.*** die Klingen mit j-m kreuzen (*a. fig.*); ***~ s.o.'s hand*** (*od.* ***palm***) a) j-m (Trink)Geld geben, b) j-n ‚schmieren'; **12.** e-n Querstrich ziehen durch: ***~ one's t's*** sehr sorgfältig sein; ***~ a cheque*** e-n Scheck ‚kreuzen' (*als Verrechnungsscheck kennzeichnen*); → ***cheque***; ***~ off*** (*od.* ***out***) ausstreichen; ***~ off*** *fig. et.* ‚abschreiben'; **13.** durch-, über'queren, *Grenze* über'schreiten, *Zimmer* durch'schreiten, (hin'über)gehen, (-)fahren über (*acc.*): ***~ the ocean*** über den Ozean fahren; ***~ the street*** über die Straße gehen; ***it ~ed my mind*** es fiel mir ein, es kam mir in den Sinn; ***~ s.o.'s path*** j-m in die Quere kommen; **14.** sich kreuzen mit: ***your letter ~ed mine*** Ihr Brief kreuzte sich mit meinem; ***~ each other*** sich kreuzen, sich schneiden, sich treffen; **15.** *biol.* kreuzen; **16.** *fig. Plan* durch'kreuzen, vereiteln; entgegentreten (*dat.*): ***be ~ed in love*** Unglück in der Liebe haben; **17.** das Kreuzzeichen machen auf (*acc.*) *od.* über (*dat.*): ***~ o.s.*** sich bekreuzigen; **III** *v/i.* **18.** *a.* ***~ over*** hin'übergehen, -fahren; 'übersetzen; **19.** sich treffen; sich kreuzen (*Briefe*); **IV** *adj.* □ **20.** quer (liegend, laufend), Quer...; schräg; sich (über)'schneidend; **21.** (***to***) entgegengesetzt (*dat.*), im 'Widerspruch (zu), Gegen...; **22.** F ärgerlich, mürrisch, böse (***with*** mit): ***as ~ as two sticks*** bitterböse; **23.** *sl.* unehrlich.

cross| ac·tion *s.* ⚖ Gegen-, 'Widerklage *f*; **~ ap·peal** *s.* ⚖ Anschlußberufung *f*; **'~·bar** *s.* **1.** Querholz *n*, -riegel *m*, -stange *f*, -balken *m*; **2.** ⚙ Tra'verse *f*; **3.** a) *Fußball*: Querlatte *f*, b) *Hochsprung*: Latte *f*; **'~·bench** *parl. Brit.* **I** *s.* Querbank *f* der Par'teilosen (*im Oberhaus*); **II** *adj.* par'teilos, unabhängig; **'~·bones** *s. pl.* zwei gekreuzte Knochen unter e-m Totenkopf; **'~·bow** [-bəʊ] *s.* Armbrust *f*; **'~-bor·der** *adj.* grenzüberschreitend; **'~·bred** *adj. biol.* durch Kreuzung erzeugt, gekreuzt; **'~·breed I** *s.* **1.** Mischrasse *f*; **2.** Kreuzung *f*, Mischling *m*; **II** *v/t.* [*irr.* → ***breed***] **3.** kreuzen; **,~-'Chan·nel** *adj.* den ('Ärmel)Ka,nal über'querend: ***~ steamer*** Kanaldampfer *m*; **'~·check I** *v/t.* **1.** (von verschiedenen Gesichtspunkten aus) über'prüfen; **2.** *Eishokkey*: crosschecken; **II** *s.* **3.** mehrfache Über'prüfung; **4.** *Eishockey*: 'Crosscheck *m*; **,~-'coun·try I** *adj.* Querfeldein...; Gelände..., *mot. a.* geländegängig: ***~ skiing*** Skilanglauf *m*; ***~ race*** → **II** *s. sport* a) Querfeld'ein-, Crosslauf *m*, b) *Radsport*: Querfeld'einrennen *n*; **'~,cur·rent** *s.* Gegenströmung *f* (*a. fig.*); **'~·cut I** *adj.* **1.** a) quer schneidend, Quer..., b) quergeschnitten: ~

C

file Doppelfeile *f*; ~ *saw* Ablängsäge *f*; **II** *s*. **2.** Querweg *m*; **3.** ⚙ Kreuzhieb *m*.
crosse [krɒs] *s. sport* La'crosse-Schläger *m*.
cross| en·try *s.* ✝ Gegenbuchung *f*; '~-**ex,am·i'na·tion** *s.* ⚖ Kreuzverhör *n*; ,~-**ex'am·ine** *v/t.* ⚖ ins Kreuzverhör nehmen; '~-**eyed** *adj.* schielend; '~-**fade** *v/t. Film etc.*: über'blenden; ,~-'**fer·ti·lize** *v/i. biol.* sich kreuzweise (*fig.* gegenseitig) befruchten; ~ **fire** *s.* ⚔ Kreuzfeuer *n* (*a. fig.*); '~-**grained** *adj.* **1.** quergefasert; **2.** *fig.* 'widerspenstig, eigensinnig; kratzbürstig; '~,**hatch·ing** *s.* Kreuzschraffierung *f*; ~ **head**, ~ **head·ing** *s. Zeitung*: 'Zwischen,überschrift *f*.
cross·ing ['krɒsɪŋ] *s.* **1.** Kreuzen *n*, Kreuzung *f* (*a. biol.*); **2.** Durch-, Über'querung *f*; **3.** 'Überfahrt *f*; ('Straßen *etc.*),Übergang *m*; **4.** (Straßen-, Eisenbahn)Kreuzung *f*: *level* (*Am. grade*) ~ schienengleicher (*oft* unbeschrankter) Bahnübergang; '~,**o·ver** *s. biol.* Crossing-'over *n*, Genaustausch *m* zwischen Chromo'somenpaaren.
'**cross|-legged** *adj.* mit 'übergeschlagenen Beinen, *a.* im Schneidersitz; '~·**light** *s.* schrägeinfallendes Licht.
cross·ness ['krɒsnɪs] *s.* Verdrießlichkeit *f*, schlechte Laune.
'**cross|,o·ver** *s.* **1.** → *crossing* 2–4; **2.** *biol.* ausgetauschtes Gen; **3.** ⚡ a) Über'kreuzung *f*, b) *opt.*, *TV* Bündelknoten *m*; '~·**patch** *s.* F ‚Kratzbürste' *f*; '~·**piece** *s.* ⚙ Querstück *n*, -balken *m*, -holz *n*; '~-**pol·li,na·tion** *s. bot.* Fremdbestäubung *f*; ,~-'**pur·pos·es** *s. pl.* **1.** 'Widerspruch *m*: *be at* ~ a) einander entgegenarbeiten, b) sich mißverstehen; *talk at* ~ aneinander vorbeireden; **2.** *sg. konstr. ein* Frage- u. Antwort-Spiel *n*; ,~-'**ques·tion I** *s.* ⚖ Frage *f* im Kreuzverhör; **II** *v/t.* → *cross-examine*; ~ **ref·er·ence** *s.* Kreuz-, Querverweis *m*; '~·**road** *s.* **1.** Querstraße *f*; **2.** *pl. mst sg. konstr.* Straßenkreuzung *f*: *at a* ~*s* an e-r Kreuzung; *at the* ~*s fig.* am Scheidewege; ~ **sec·tion** *s.* ⩓, ⚙ *u. fig.* Querschnitt *m* (*of* durch); '~-**stitch** *s.* Kreuzstich *m*; ~ **sum** *s.* Quersumme *f*; ~ **talk** *s.* **1.** *teleph. etc.* Nebensprechen *n*; **2.** Ko'pieref,fekt *m* (*Tonband*); **3.** *Brit.* Wortgefecht *n*; '~·**tie** *s.* Schienenschwelle *f*; '~-**town** *adj. Am.* quer durch die Stadt (gehend *od.* fahrend *od.* reichend); ~ **vot·ing** *s. Brit. pol.* Abstimmung *f* über Kreuz (*wobei einzelne Abgeordnete mit der Gegenpartei stimmen*); '~·**walk** *s. Am.* 'Fußgänger,überweg *m*; '~·**ways** → *crosswise*; ~ **wind** *s.* ✈, ⚓ Seitenwind *m*; '~·**wise** *adv.* quer, kreuzweise; kreuzförmig; '~·**word** (**puz·zle**) *s.* Kreuzworträtsel *n*.
crotch [krɒtʃ] *s.* **1.** Gabelung *f*; **2.** Schritt *m* (*der Hose od. des Körpers*).
crotch·et ['krɒtʃɪt] *s.* **1.** ♪ Viertelnote *f*; **2.** Schrulle *f*, Ma'rotte *f*; '**crotch·et·y** [-tɪ] *adj.* **1.** grillenhaft; **2.** F mürrisch, schrullenhaft, verschroben.
cro·ton ['krəʊtən] *s.* ⚘ 'Kroton *m*; 2 **bug** *s. zo. Am.* Küchenschabe *f*.
crouch [kraʊtʃ] **I** *v/i.* **1.** hocken, sich (nieder)ducken, (sich zs.-)kauern; **2.** *fig.* kriechen, sich ducken (*to* vor); **II** *s.* **3.** kauernde Stellung, geduckte Haltung; Hockstellung *f*.
croup[1] [kru:p] *s.* ⚕ Krupp *m*, Halsbräune *f*.
croup[2], **croupe** [kru:p] *s.* Kruppe *f des Pferdes*.
crou·pi·er ['kru:pɪə] *s.* Croupi'er *m*.
crow[1] [krəʊ] *s.* **1.** *orn.* Krähe *f*: *as the* ~ *flies* a) schnurgerade, b) (in der) Luftlinie; *eat* ~ *Am.* F zu Kreuze kriechen, ‚klein und häßlich' sein *od.* werden; *have a* ~ *to pluck* (*od. pick*) *with s.o.* mit j-m ein Hühnchen zu rupfen haben; **2.** rabenähnlicher Vogel; **3.** *Am. contp.* Neger *m*.
crow[2] [krəʊ] **I** *v/i.* [*irr.*] **1.** krähen (*Hahn, a. Kind*); **2.** (vor Freude) quietschen; **3.** (*over*, *about*) a) triumphieren (über *acc.*), b) protzen, prahlen (mit); **II** *s.* **4.** Krähen *n* (*Hahn*); **5.** (Freuden)Schrei(e *pl.*) *m*.
'**crow|·bar** *s.* ⚙ Brech-, Stemmeisen *n*; '~·**ber·ry** [-bərɪ] *s.* ⚘ Krähenbeere *f*.
crowd [kraʊd] **I** *s.* **1.** (Menschen)Menge *f*, Gedränge *n*: ~*s of people* Menschenmassen; ~ *scene Film*: Massenszene *f*; *he would pass in a* ~ er ist nicht schlechter als andere; **2.** *the* ~ das gemeine Volk; der Pöbel: *follow the* ~ mit der Masse gehen; **3.** F ‚Ver'ein' *m*, Bande *f* (*Gesellschaft*): *a jolly* ~; **4.** Ansammlung *f*, Haufen *m*: *a* ~ *of books*; **II** *v/i.* **5.** sich drängen, zs.-strömen; vorwärtsdrängen: ~ *in* hin'einströmen, sich hin'eindrängen; ~ *in upon s.o.* auf j-n einstürmen (*Gedanken etc.*); **III** *v/t.* **6.** über'füllen, 'vollstopfen (*with* mit); → *crowded* 1; **7.** hin'einpressen, -stopfen (*into* in *acc.*); **8.** (zs.-)drängen: ~ (*on*) *sail* ⚓ alle Segel beisetzen; ~ *out* verdrängen; ausschalten; (*wegen Platzmangels*) aussperren; **9.** *Am.* a) (vorwärts *etc.*)drängen, b) *Auto etc.* abdrängen, c) *j-m* im Nacken sitzen, d) *j-s Geduld, Glück etc.* strapazieren: ~*ing thirty* an die Dreißig; ~ *up Preise* in die Höhe treiben; '**crowd·ed** [-dɪd] *adj.* **1.** (*with*) über'füllt, 'vollgestopft (mit), voll, wimmelnd (von): ~ *to overflowing* zum Bersten voll; ~ *profession* überlaufener Beruf; **2.** gedrängt, zs.-gepfercht; **3.** bedrängt, beengt; **4.** voll ausgefüllt, arbeits-, ereignisreich: ~ *hours*.
'**crow·foot** *pl.* **-foots** *s.* **1.** ⚘ Hahnenfuß

m; **2.** → ***crow's-feet***.

crown [kraʊn] **I** *s.* **1.** Siegerkranz *m*, Ehrenkrone *f*; **2.** a) (Königs- *etc.*)Krone *f*, b) Herrschermacht *f*, Thron *m*: ***succeed to the ~*** den Thron besteigen, c) ***the ≈*** die Krone, der König *etc.*, *a.* der Staat *od.* Fiskus: ***~ cases*** *Brit.* Strafsachen; **3.** Krone *f* (*Abzeichen*); **4.** *fig.* Krone *f*, Palme *f*, *sport a.* (Meister)Titel *m*; **5.** Gipfel *m*: a) höchster Punkt, b) *fig.* Krönung *f*, Höhepunkt *m*; **6.** Krone *f* (*Währung*): a) *Brit. obs.* Fünfschillingstück *n*: ***half a ~*** 2 Schilling 6 Pence, b) *Währungseinheit von Dänemark, Norwegen, Schweden etc.*; **7.** a) Scheitel *m*, Wirbel *m* (*Kopf*), b) Kopf *m*, Schädel *m*; **8.** ⚘ (Baum)Krone *f*; **9.** a) *anat.* (Zahn)Krone *f*, b) (künstliche) Krone; **10.** a) Haarkrone *f*, b) Schopf *m*, Kamm *m* (*Vogel*); **11.** Kopf *m e-s Hutes*; **12.** ⚠ Krone *f*, Schlußstein *m* (*a. fig.*); **II** *v/t.* **13.** krönen: ***be ~ed king*** zum König gekrönt werden; ***~ed heads*** gekrönte Häupter; **14.** *fig.* krönen, ehren, belohnen; zieren, schmücken; **15.** *fig.* krönen, den Gipfel *od.* Höhepunkt bilden von: ***~ed with success*** von Erfolg gekrönt; **16.** *fig.* die Krone aufsetzen (*dat.*): ***~ all*** allem die Krone aufsetzen (*a. iro.*); ***to ~ all*** (*Redew.*) *iro.* zu allem Überfluß; **17.** *fig.* glücklich voll'enden; **18.** ⚕ *Zahn* über'kronen; **19.** *Damespiel*: zur Dame machen; **20.** *sl. j-m* ‚eins aufs Dach geben'; **~ cap** *s.* Kron(en)korken *m*; **≈ Col·o·ny** *s. Brit.* 'Kronkolo͵nie *f*; **~ glass** *s.* **1.** Mondglas *n*, Butzenscheibe *f*; **2.** Kronglas *n*.

crown·ing ['kraʊnɪŋ] *adj.* krönend, alles über'bietend, höchst: ***~ achievement*** Glanzleistung *f*.

crown| jew·els *s. pl.* 'Kronju͵welen *pl.*, 'Reichsklein͵odien *pl.*; **~ land** *s.* Kron-, Staatsgut *n*; **≈ law** *s.* ⚖ *Brit.* Strafrecht *n*; **~ prince** *s.* Kronprinz *m*; **~ prin·cess** *s.* 'Kronprin͵zessin *f*; **~ wheel** *s.* ⚙ Kronrad *n* (*Uhr etc.*); *mot.* Antriebskegelrad *n*.

'crow's|-feet ['krəʊz-] *pl.* ‚Krähenfüße' *pl.*, Fältchen *pl.*; **~ nest** *s.* ⚓ Ausguck *m*, Krähennest *n*.

cru·cial ['kru:ʃl] *adj.* **1.** 'kritisch, entscheidend: ***~ moment***; ***~ point*** springender Punkt; ***~ test*** Feuerprobe *f*; **2.** schwierig; **3.** kreuzförmig, Kreuz…

cru·ci·ble ['kru:sɪbl] *s.* **1.** ⚙ (Schmelz-)Tiegel *m*: ***~ steel*** Tiegelgußstahl *m*; **2.** *fig.* Feuerprobe *f*.

cru·ci·fix ['kru:sɪfɪks] *s.* Kruzi'fix *n*; **cru·ci·fix·ion** [͵kru:sɪ'fɪkʃn] *s.* Kreuzigung *f*; **'cru·ci·form** [-fɔ:m] *adj.* kreuzförmig; **'cru·ci·fy** [-faɪ] *v/t.* **1.** kreuzigen (*a. fig.*); **2.** *fig.* a) martern, quälen, b) *Begierden* abtöten, c) *j-n* ‚fertigmachen'.

crud [krʌd] *s.* F Dreck *m*, ‚Mist' *m*.

crude [kru:d] *adj.* □ **1.** roh: a) ungekocht, b) unver-, unbearbeitet: ***~ oil*** Rohöl *n*; **2.** primi'tiv: a) plump, grob, b) simpel, c) bar'barisch; **3.** roh, grob, ungehobelt, unfein; **4.** roh, unfertig, unreif; 'undurch͵dacht: ***~ figures*** *Statistik*: rohe *od.* nicht aufgeschlüsselte Zahlen; **5.** grell, geschmacklos (*Farbe*); **6.** *fig.* ungeschminkt, nackt: ***~ facts***; **'crude·ness** [-nɪs] *s.* Roheit *f*, Grobheit *f*, Unfertigkeit *f*, Unreife *f* (*a. fig.*); **'cru·di·ty** [-dɪtɪ] *s.* **1.** → ***crudeness***; **2.** *et.* Unfertiges *od.* Unbearbeitetes; **3.** *et.* Geschmackloses.

cru·el ['krʊəl] **I** *adj.* □ **1.** grausam (***to*** gegen); **2.** hart, unbarmherzig, roh, gefühllos; **3.** schrecklich, mörderisch: ***~ heat***; **II** *adv.* **4.** F furchtbar, ‚grausam': ***~ hot***; **'cru·el·ty** [-tɪ] *s.* **1.** Grausamkeit *f* (***to*** gegen['über]); → ***mental cruelty***; **2.** Miß'handlung *f*, Quäle'rei *f*: ***~ to animals*** Tierquälerei; **3.** Schwere *f*, Härte *f*.

cru·et ['kru:ɪt] *s.* **1.** Essig-, Ölfläschchen *n*; **2.** *R.C.* Meßkännchen *n*; **3.** *a.* ***~ stand*** Me'nage *f*, Gewürzständer *m*.

cruise [kru:z] **I** *v/i.* **1.** a) ⚓ kreuzen, e-e Kreuzfahrt *od.* Seereise machen, b) her'umfahren: ***cruising taxi*** Taxi *n* auf Fahrgastsuche; **2.** ✈, *mot.* mit Reisegeschwindigkeit fliegen *od.* fahren; **II** *s.* **3.** Seereise *f*, Kreuz-, Vergnügungsfahrt *f*; **~ con·trol** *s. mot.* Temporegler *m*; **~ mis·sile** *s.* ⚔ Marschflugkörper *m*.

cruis·er ['kru:zə] *s.* **1.** ⚓ a) Kreuzer *m*, b) Kreuzfahrtschiff *n*; **2.** *Am.* (Funk-)Streifenwagen *m*; **3.** *Boxen*: ***~ weight*** *Am.* Halbschwergewicht *n*; **'cruis·ing** [-zɪŋ] *adj.* ✈, *mot.* Reise…: ***~ speed***; ***~ gear*** *mot.* Schongang *m*; ***~ radius*** Aktionsradius *m*; ***~ level*** ✈ Reiseflughöhe *f*.

crumb [krʌm] **I** *s.* **1.** Krume *f*: a) Krümel *m*, Brösel *m*, Brosame *m*, b) *weicher Teil des Brotes*; **2.** *fig.* a) Brocken *m*, b) Krümchen *n*, *ein* bißchen; **3.** *sl.* ‚Blödmann' *m*; **II** *v/t.* **4.** *Küche*: panieren; **5.** zerkrümeln; **'crum·ble** [-mbl] **I** *v/t.* **1.** zerkrümeln, -bröckeln; **II** *v/i.* **2.** zerbröckeln, -fallen; **3.** *fig.* a) zerfallen, zu'grunde gehen, b) (langsam) zs.-brechen; **4.** ♰ abbröckeln (*Kurse*); **'crum·bling** [-mblɪŋ], **'crum·bly** [-mblɪ] *adj.* **1.** krüm(e)lig, bröck(e)lig; **2.** zerbröckelnd, -fallend; **crumb·y** ['krʌmɪ] *adj.* **1.** voller Krumen; **2.** weich, krüm(e)lig.

crum·my ['krʌmɪ] *adj.* F lausig, mies.

crum·pet ['krʌmpɪt] *s.* **1.** *Brit.* Sauerteigfladen *m*; **2.** *sl.* ‚Miezen' *pl.*: ***she's a nice piece of ~*** sie ist sehr sexy.

crum·ple ['krʌmpl] **I** *v/t.* **1.** *a.* ***~ up*** zerknittern, zer-, zs.-knüllen; **2.** *fig. j-n* 'umwerfen; **II** *v/i.* **3.** faltig *od.* zerdrückt werden, zs.-schrumpeln; **4.** *oft ~ **up*** zs.-brechen (*a. fig.*), einstürzen.

C

crunch [krʌntʃ] **I** *v/t.* **1.** knirschend (zer)kauen; **2.** zermalmen; **II** *v/i.* **3.** knirschend kauen; **4.** knirschen; **III** *s.* **5.** Knirschen *n*; **6.** F *fig.* a) Druck(ausübung *f*) *m*, b) böse Situati'on, c) 'kritischer Mo'ment, 'Krise *f*; ***when it comes to the ~*** wenn es hart auf hart geht.

crup·per ['krʌpə] *s.* a) Schwanzriemen *m*, b) Kruppe *f* (*des Pferdes*).

cru·sade [kru:'seɪd] **I** *s. hist.* Kreuzzug *m* (*a. fig.*); **II** *v/i.* e-n Kreuzzug unter'nehmen; *fig.* zu Felde ziehen, kämpfen; **cru'sad·er** [-də] *s. hist.* Kreuzfahrer *m*; *fig.* Kämpfer *m*.

cruse [kru:z] *s. bibl.* irdener Krug.

crush [krʌʃ] **I** *s.* **1.** (zermalmender) Druck; **2.** Gedränge *n*, Gewühl *n*; **3.** große Gesellschaft *od.* Party; **4.** *sl.* Schwarm *m*: ***have a ~ on s.o.*** in j-n ‚verknallt' sein; **II** *v/t.* **5.** *a. ~ **up*** *od.* ***down*** zerquetschen, -drücken, -malmen; **6.** zerstoßen, -kleinern, mahlen: ***~ed stone*** Schotter *m*; **7.** *a. ~ **up*** zerknittern, -knüllen; **8.** drücken, drängen; **9.** *a. ~ **out*** ausquetschen, -drükken; **10.** *a. ~ **out*** *od.* ***down*** *fig.* er-, unter'drücken, über'wältigen, zerschmettern, zertreten, vernichten; **III** *v/i.* **11.** zerknittern, sich zerdrücken; **12.** zerbrechen; **13.** sich drängen; **'crush·a·ble** [-ʃəbl] *adj.* **1.** knitterfest; **2.** ***~ zone*** (*od.* ***bin***) *mot.* Knautschzone *f*; **crush bar·ri·er** *s. Brit.* Absperrung *f*; **'crush·er** [-ʃə] *s.* **1.** ⚙ a) Zer'kleinerungsma,schine *f*, Brechwerk *n*, b) Presse *f*, Quetsche *f*; **2.** F a) vernichtender Schlag, b) ‚tolles Ding'; **'crush·ing** [-ʃɪŋ] *adj.* □ *fig.* vernichtend, erdrükkend; **crush room** *s. thea.* Foy'er *n*.

crust [krʌst] **I** *s.* **1.** Kruste *f*, Rinde *f* (*Brot*, *Pastete*); **2.** Knust *m*, Stück *n* hartes Brot; **3.** *geol.* Erdkruste *f*; **4.** ⚕ Schorf *m*; **5.** ⚘, *zo.* Schale *f*; **6.** Niederschlag *m* (*in Weinflaschen*), Ablagerung *f*; **7.** *sl.* Frechheit *f*; **8.** Harsch *m*; **II** *v/t.* **9.** *a. ~ **over*** mit e-r Kruste über'ziehen; **III** *v/i.* **10.** e-e Kruste bilden; verharschen (*Schnee*); → ***crusted***.

crus·ta·cea [krʌ'steɪʃjə] *s. pl. zo.* Krusten-, Krebstiere *pl.*; **crus'ta·cean** [-'steɪʃjən] **I** *adj.* zu den Krusten- *od.* Krebstieren gehörig, Krebs...; **II** *s.* Krusten-, Krebstier *n*; **crus'ta·ceous** [-'steɪʃjəs] → ***crustacean*** I.

crust·ed ['krʌstɪd] *adj.* **1.** mit e-r Kruste über'zogen: ***~ snow*** Harsch(schnee) *m*; **2.** abgelagert (*Wein*); **3.** *fig.* a) alt'hergebracht, b) eingefleischt, ‚verkrustet'; **'crust·y** [-tɪ] *adj.* □ **1.** krustig; **2.** mit e-r Kruste (versehen); **3.** *fig.* barsch.

crutch [krʌtʃ] *s.* **1.** Krücke *f*: ***go on ~es*** auf *od.* an Krücken gehen; **2.** *fig.* Krükke *f*, Stütze *f*.

crux [krʌks] *s.* **1.** springender Punkt; **2.** Schwierigkeit *f*: a) ‚Haken' *m*, b) harte Nuß, (schwieriges) Pro'blem; **3.** ♀ *ast.* Kreuz *n* des Südens.

cry [kraɪ] **I** *s.* **1.** Schrei *m* (*a. Tier*), Ruf *m* (***for*** nach): ***within ~ (of)*** in Rufweite (von); ***a far ~ from*** *fig.* a) weit entfernt von, b) et. ganz anderes als; ***still a far ~*** *fig.* noch in weiter Ferne; **2.** Geschrei *n*: ***much ~ and little wool*** viel Geschrei u. wenig Wolle; ***the popular ~*** die Stimme des Volkes; **3.** Weinen *n*, Klagen *n*: ***have a good ~*** sich (ordentlich) ausweinen; **4.** Bitten *n*, Flehen *n*; **5.** (Schlacht)Ruf *m*; Schlag-, Losungswort *n*; **6.** *hunt.* Anschlagen *n*, Gebell *n* (*Meute*): ***in full ~*** *fig.* in voller Jagd *od.* Verfolgung; **7.** *hunt.* Meute *f*; *fig.* Herde *f*, Menge *f*: ***follow in the ~*** mit der Masse gehen; **II** *v/i.* **8.** schreien, laut (aus)rufen: ***~ for help*** um Hilfe rufen; ***~ for vengeance*** nach Rache schreien; **9.** weinen, heulen, jammern; **10.** *hunt.* anschlagen, bellen; **III** *v/t.* **11.** *et.* schreien, (aus)rufen; **12.** *Waren etc.* ausrufen; **13.** flehen um; **14.** weinen: ***~ one's eyes out*** sich die Augen ausweinen; ***~ o.s. to sleep*** sich in den Schlaf weinen; **~ down** *v/t.* her'untersetzen, -machen; **~ off** *v/t. u. v/i.* (plötzlich) absagen, zu'rücktreten (von); **~ out I** *v/t.* ausrufen; **II** *v/i.* aufschreien: ***~ against*** heftig protestieren gegen; ***for crying out loud!*** F verdammt noch mal!; **~ up** *v/t.* laut rühmen.

'cry,ba·by *s.* kleiner Schreihals; *fig. contp.* Heulsuse *f*.

cry·ing ['kraɪɪŋ] *adj. fig.* a) (himmel-) schreiend: ***~ shame***, b) dringend: ***~ need***.

cryo- [kraɪəʊ] *in Zssgn* Kälte..., Kryo...: ***cryogen*** Kältemittel *n*; ***cryogenic*** a) ⚙ kälteerzeugend, b) kryogenisch: ***~-computer***; ***cryosurgery*** ⚕ Kryo-, Kältechirurgie *f*.

crypt [krɪpt] *s.* ⚠ 'Krypta *f*, 'unterirdisches Gewölbe, Gruft *f*; **'cryp·tic** [-tɪk] *adj.* geheim, verborgen; rätselhaft, dunkel: ***~ colo(u)ring*** *zo.* Schutzfärbung *f*; **'cryp·ti·cal** [-tɪkl] *adj.* → ***cryptic***.

crypto- [krɪptəʊ] *in Zssgn* geheim, krypto...: ***~-communist*** verkappter Kommunist; **'cryp·to·gam** [-gæm] *s.* ⚘ Krypto'game *f*, Sporenpflanze *f*; **cryp·to·gam·ic** [,krɪptəʊ'gæmɪk], **cryp·tog·a·mous** [krɪp'tɒgəməs] *adj.* ⚘ krypto'gamisch; **'cryp·to·gram** [-græm] *s.* Text *m* in Geheimschrift, verschlüsselter Text; **'cryp·to·graph** [-grɑ:f] *s.* **1.** → ***cryptogram***; **2.** Geheimschriftgerät *n*; **cryp·tog·ra·phy** [krɪp'tɒgrəfɪ] *s.* Geheimschrift *f*; **cryp·tol·o·gist**

[krɪpˈtɒlədʒɪst] *s.* (Ver-, Ent)Schlüsseler *m.*

crys·tal [ˈkrɪstl] **I** *s.* **1.** Kriˈstall *m* (*a.* ⚗, *min., phys.*): ***as clear as ~ od. ~ clear*** a) kristallklar, b) *fig.* sonnenklar; **2.** *a.* ***~ glass*** a) Kriˈstall(glas) *n*, b) *coll.* Kriˈstall *n*, Glaswaren *pl.*; **3.** Uhrglas *n*; **4.** ⚡ a) (DeˈtektorKriˌstall *m*, b) (Kriˈstall)DeˌtekTor *m*, c) (Schwing)Quarz *m*: ***~ set*** Kristallempfänger *m*; **II** *adj.* Kristall…, kriˈstallen; **5.** kriˈstallklar; **~ de·tec·tor** → ***crystal*** 4 b; **~ gaz·er** *s.* Hellseher(in); **~ gaz·ing** *s.* Hellsehen *n.*

crys·tal·line [ˈkrɪstəlaɪn] *adj. a.* ⚗, *min.* kristalˈlinisch, kriˈstallen, kriˈstallartig, Kristall…: ***~ lens*** *anat.* (Augen)Linse *f*; ˈ**crys·tal·liz·a·ble** [-aɪzəbl] *adj.* kristallisierbar; **crys·tal·li·za·tion** [ˌkrɪstəlaɪˈzeɪʃn] *s.* Kristallisatiˈon *f*, Kristallisierung *f*, Kriˈstallbildung *f*; ˈ**crys·tal·lize** [-aɪz] **I** *v/t.* **1.** kristallisieren; **2.** *fig.* feste Form geben (*dat.*), klären; **3.** *Früchte* kandieren; **II** *v/i.* **4.** kristallisieren; **5.** *fig.* sich kristallisieren, konˈkrete *od.* feste Form annehmen; **crys·tal·log·ra·phy** [ˌkrɪstəˈlɒgrəfɪ] *s.* Kristallograˈphie *f.*

cub [kʌb] **I** *s.* **1.** *zo. das* Junge (*des Fuchses, Bären etc.*); **2.** *a.* ***unlicked ~*** grüner Junge; **3.** ‚Küken' *n*, Anfänger *m*: ***~ reporter*** (unerfahrener) junger Reporter; **4.** *a.* ***~ scout*** Wölfling *m*, Jungpfadfinder *m*; **II** *v/i.* **5.** Junge werfen (*Füchse etc.*).

cub·age [ˈkju:bɪdʒ] → ***cubature.***

Cu·ban [ˈkju:bən] **I** *adj.* kuˈbanisch; **II** *s.* Kuˈbaner(in).

cu·ba·ture [ˈkju:bətʃə] *s.* ⩚ **1.** Raum(inhalts)berechnung *f*; **2.** Rauminhalt *m.*

cub·by(**·hole**) [ˈkʌbɪ(həʊl)] *s.* **1.** gemütliches Plätzchen; **2.** ‚Kaˈbuff' *n*, winziger Raum.

cube [kju:b] **I** *s.* **1.** ⩚ Würfel *m*, ˈKubus *m*; **2.** (*a.* Eis-, *phot.* Blitz)Würfel *m*: ***~ sugar*** Würfelzucker *m*; **3.** ⩚ Kuˈbikzahl *f*, dritte Poˈtenz: ***~ root*** Kubikwurzel *f*; **4.** Pflasterstein *m* (*in Würfelform*); **II** *v/t.* **5.** ⩚ kubieren: a) zur dritten Poˈtenz erheben: ***two ~d*** zwei hoch drei (2^3), b) den Rauminhalt messen von (*od. gen.*); **6.** in Würfel schneiden *od.* pressen.

cu·bic [ˈkju:bɪk] *adj.* (□ ***~ally***) **1.** Kubik…, Raum…: ***~ capacity*** *mot.* Hubraum *m*; ***~ content*** Rauminhalt *m*, Volumen *n*; ***~ metre***, *Am.* ***meter*** Kubik-, Raum-, Festmeter *m*; **2.** kubisch, würfelförmig, Würfel…; **3.** ⩚ kubisch: ***~ equation*** kubische Gleichung, Gleichung dritten Grades.

cu·bi·cle [ˈkju:bɪkl] *s.* kleiner abgeteilter (Schlaf)Raum; Zelle *f*, Nische *f*, Kaˈbine *f*; ⚡ Schallzelle *f.*

cub·ism [ˈkju:bɪzəm] *s.* Kuˈbismus *m*; ˈ**cub·ist** [-ɪst] **I** *s.* Kuˈbist *m*; **II** *adj.* kuˈbistisch.

cu·bit [ˈkju:bɪt] *s. hist.* Elle *f* (*Längenmaß*); ˈ**cu·bi·tus** [-təs] *s. anat.* a) ˈUnterarm *m*, b) Ell(en)bogen *m.*

cuck·old [ˈkʌkəʊld] **I** *s.* Hahnrei *m*; **II** *v/t.* zum Hahnrei machen, *j-m* Hörner aufsetzen.

cuck·oo [ˈkʊku:] **I** *s.* **1.** *orn.* Kuckuck *m*; **2.** Kuckucksruf *m*; **3.** *sl.* ‚Heini' *m*; **II** *v/i.* **4.** ‚kuckuck' rufen; **III** *adj.* **5.** *sl.* ‚bekloppt'; **~ clock** *s.* Kuckucksuhr *f*; ˈ**~ˌflow·er** *s.* ⚘ Wiesenschaumkraut *n.*

cu·cum·ber [ˈkju:kʌmbə] *s.* Gurke *f*; → ***cool*** 2; **~ tree** *s. e-e* amer. Maˈgnolie.

cu·cur·bit [kju:ˈkɜ:bɪt] *s.* ⚘ Kürbisgewächs *n.*

cud [kʌd] *s.* Klumpen *m*, ˈwiedergekäutes Futter: ***chew the ~*** a) wiederkäuen, b) *fig.* überlegen, nachdenken.

cud·dle [ˈkʌdl] **I** *v/t.* hätscheln, ‚knuddeln', *a.* schmusen mit; **II** *v/i.* ***~ up*** a) sich kuscheln *od.* schmiegen (***to*** an *acc.*), b) sich (wohlig) zs.-kuscheln: ***~ up together*** sich aneinanderkuscheln; **III** *s.* enge Umˈarmung, Liebˈkosung *f*; ˈ**cud·dle·some** [-səm], ˈ**cud·dly** [-lɪ] *adj.* ‚knudd(e)lig'.

cudg·el [ˈkʌdʒəl] **I** *s.* Knüttel *m*, Keule *f*: ***take up the ~s for s.o.*** für j-n eintreten, für j-n e-e Lanze brechen; **II** *v/t.* prügeln: ***~ one's brains*** *fig.* sich den Kopf zerbrechen (***for*** wegen, ***about*** über *acc.*).

cue[1] [kju:] **I** *s.* **1.** *thea. etc., a. fig.* Stichwort *n*; ♪ Einsatz *m*: ***~ card*** *TV* ‚Neger' *m*; (***dead***) ***on ~*** (genau) aufs Stichwort, *fig.* wie gerufen; **2.** Wink *m*, Fingerzeig *m*: ***give s.o. his ~*** j-m die Worte in den Mund legen; ***take the ~ from s.o.*** sich nach j-m richten; **II** *v/t.* **3.** *j-m* das Stichwort *od.* (♪) den Einsatz geben: ***~ s.o. in*** *fig.* j-n ins Bild setzen.

cue[2] [kju:] *s.* **1.** Queue *n*, ˈBillardstock *m*; **2.** → ***queue*** 2.

cuff[1] [kʌf] *s.* **1.** Manˈschette *f* (*a.* ⚙), Stulpe *f*; Ärmel- (*Am. a.* Hosen)aufschlag *m*: ***~ link*** Manschettenknopf *m*; ***off the ~*** *Am.* F aus dem Handgelenk *od.* Stegreif; ***on the ~*** *Am.* F a) auf Pump, b) gratis; **2.** *pl.* Handschellen *pl.*

cuff[2] [kʌf] **I** *v/t.* schlagen, *a.* ohrfeigen; **II** *s.* Schlag *m*, Klaps *m.*

cui·rass [kwɪˈræs] *s.* **1.** *hist.* ˈKüraß *m*, Brustharnisch *m*; **2.** ✠ a) Gipsverband *m* um Rumpf u. Hals, b) *ein* ˈSauerstoffappaˌrat *m*; **3.** *zo.* Panzer *m*; **cui·ras·sier** [ˌkwɪrəˈsɪə] *s.* ⚔ Kürasˈsier *m.*

cui·sine [kwi:ˈzi:n] *s.* Küche *f* (*Kochkunst*): ***French ~.***

cul-de-sac [ˌkʊldəˈsæk, ˈkʌldəsæk] *pl.* **-sacs** (*Fr.*) *s.* Sackgasse *f* (*a. fig.*).

cu·li·nar·y [ˈkʌlɪnərɪ] *adj.* Koch…, Küchen…: ***~ art*** Kochkunst *f*; ***~ herbs***

Küchenkräuter.
cull [kʌl] **I** *v/t.* **1.** pflücken; **2.** *fig.* auslesen, -suchen; **II** *s.* **3.** *et.* (als minderwertig) Aussortiertes.
culm¹ [kʌlm] *s.* **1.** Kohlenstaub *m*, Grus *m*; **2.** *geol.* Kulm *m, n*.
culm² [kʌlm] *s.* (Gras)Halm *m*.
cul·mi·nate [ˈkʌlmɪneɪt] *v/i.* **1.** *ast.* kulminieren; **2.** *fig.* den Höhepunkt erreichen; gipfeln (***in*** in *dat.*); **cul·mi·na·tion** [ˌkʌlmɪˈneɪʃn] *s.* **1.** *ast.* Kulminatiˈon *f*; **2.** *bsd. fig.* Gipfel *m*, Höhepunkt *m*, höchster Stand.
cu·lottes [kjuːˈlɒts] *s. pl.* Hosenrock *m*.
cul·pa·bil·i·ty [ˌkʌlpəˈbɪlətɪ] *s.* Sträflichkeit *f*, Schuld *f*; **cul·pa·ble** [ˈkʌlpəbl] *adj.* □ sträflich, schuldhaft; strafbar: ***~ negligence*** ⚖ grobe Fahrlässigkeit.
cul·prit [ˈkʌlprɪt] *s.* **1.** Schuldige(r *m*) *f*, *a. iro.* Missetäter(in); **2.** ⚖ a) Angeklagte(r *m*) *f*, b) Täter(in).
cult [kʌlt] *s.* **1.** *eccl.* Kult(us) *m*; **2.** *fig.* Kult *m* (*Verehrung, a. dumme Mode*): ***~ figure*** a) Idol *n*, b) Kultbild *n*.
cul·ti·va·ble [ˈkʌltɪvəbl] *adj.* kultivierbar (*a. fig.*).
cul·ti·vate [ˈkʌltɪveɪt] *v/t.* **1.** ✓ a) *Boden* bebauen, bestellen, kultivieren, b) *Pflanzen* züchten, ziehen, (an)bauen; **2.** *fig.* entwickeln, verfeinern, fort-, ausbilden, *Kunst etc.* fördern; **3.** zivilisieren; **4.** *Kunst etc.* pflegen, betreiben, sich widmen (*dat.*); **5.** sich befleißigen (*gen.*), Wert legen auf (*acc.*); **6.** a) *e-e Freundschaft etc.* pflegen, b) freundschaftlichen Verkehr suchen *od.* pflegen mit, sich *j-n* ‚warmhalten'; **ˈcul·ti·vat·ed** [-tɪd] *adj.* **1.** bebaut, kultiviert (*Land*); **2.** ✓ gezüchtet, Kultur...; **3.** kultiviert, gebildet; **cul·ti·va·tion** [ˌkʌltɪˈveɪʃn] *s.* **1.** Bearbeitung *f*, Bestellung *f*, Bebauung *f*, Urbarmachung *f*: ***under ~*** bebaut; **2.** Anbau *m*, Ackerbau *m*; **3.** Züchtung *f*; **4.** *fig.* (Aus)Bildung *f*, Pflege *f*; **5.** Kulˈtur *f*, Kultiviertheit *f*, Bildung *f*; **ˈcul·ti·va·tor** [-tə] *s.* **1.** Landwirt *m*; **2.** Züchter *m*; **3.** ✓ Kultiˈvator *m* (*Gerät*).
cul·tur·al [ˈkʌltʃərəl] *adj.* □ **1.** Kultur..., kultuˈrell; **2.** → ***cultivated*** 2;
cul·ture [ˈkʌltʃə] *s.* **1.** → ***cultivation*** 1, 2, 4; **2.** a) (*Obst- etc.*)Anbau *m*, (*Pflanzen*)Zucht *f*, b) (*Tier*)Zucht *f*, Züchtung *f* (*a. biol.*), c) (*Pflanzen-, a. Bakterien- etc.*)Kulˈtur *f*: ***~ medium*** künstlicher Nährboden; ***~ pearl*** Zuchtperle *f*; **3.** Kulˈtur *f*: a) (Geistes)Bildung *f*, b) Kultiviertheit *f*: ***~ vulture*** F Kulturbeflissene(r *m*) *f*; **4.** Kulˈtur *f*: a) Kulˈturkreis *m*, b) Kulˈturform *f od.* -stufe *f*: ***~ lag*** partielle Kulturrückständigkeit; ***~ shock*** Kulturschock *m*; **ˈcul·tured** [-tʃəd] *adj.* **1.** kultiviert, gepflegt, gebildet; **2.** gezüchtet: ***~ pearl*** Zuchtperle *f*.
cul·ver [ˈkʌlvə] *s.* Ringeltaube *f*.
cul·vert [ˈkʌlvət] *s.* ⚙ (überˈwölbter) ˈAbzugskaˌnal; ˈunterirdische (Wasser-) Leitung; (ˈBach)ˌDurchlaß *m*.
cum [kʌm] (*Lat.*) *prp.* **1.** mit, samt; **2.** *Brit.* F und gleichzeitig, ... in ˈeinem: ***garage-~-workshop***.
cum·ber·some [ˈkʌmbəsəm] *adj.* □ **1.** lästig, beschwerlich, hinderlich; **2.** schwerfällig, klobig.
Cum·bri·an [ˈkʌmbrɪən] **I** *adj.* Cumberland betreffend; **II** *s.* Bewohner(in) von Cumberland.
cum·brous [ˈkʌmbrəs] → ***cumbersome***.
cum·in [ˈkʌmɪn] *s.* Kreuzkümmel *m*.
cum·mer·bund [ˈkʌməbʌnd] *s. Mode*: Kummerbund *m*.
cu·mu·la·tive [ˈkjuːmjʊlətɪv] *adj.* □ **1.** *a.* ✝ kumulaˈtiv: ***~ dividend***; **2.** sich (an)häufend *od.* steigernd *od.* summierend; anwachsend; **3.** zusätzlich, verstärkend; ***~ ev·i·dence*** *s.* ⚖ verstärkender Beweis; ***~ vot·ing*** *s.* Kumulieren *n* (*bei Wahlen*).
cu·mu·lus [ˈkjuːmjʊləs] *pl.* **-li** [-laɪ] *s.* ˈKumulus *m*, Haufenwolke *f*.
cu·ne·ate [ˈkjuːnɪɪt] *adj. bsd.* ⚘ keilförmig; **ˈcu·ne·i·form** [-ɪɪfɔːm] **I** *adj.* **1.** keilförmig; **2.** Keilschrift *f*: ***~ characters*** → 3; **II** *s.* **3.** Keilschrift *f*; **ˈcu·ni·form** [-ɪfɔːm] → ***cuneiform***.
cun·ning [ˈkʌnɪŋ] **I** *adj.* □ **1.** listig, schlau; **2.** geschickt, klug; **3.** *Am.* F niedlich, ‚süß'; **II** *s.* **4.** Schlauheit *f*, Gerissenheit *f*; **5.** Geschicktheit *f*.
cunt [kʌnt] *s.* V Fotze *f*.
cup [kʌp] **I** *s.* **1.** Tasse *f*, Schale *f*: ***~ and saucer*** Ober- und Untertasse; ***that's not my ~ of tea*** *Brit.* F das ist nicht mein Fall; **2.** Kelch *m* (*a. eccl.*), Becher *m*; **3.** *sport* Cup *m*, Poˈkal *m*: ***~ final*** Pokalendspiel *n*; ***~ tie*** Pokalspiel *n*, -paarung *f*; **4.** Weinbecher *m*: ***be fond of the ~*** gern (einen) trinken; ***be in one's ~s*** zu tief ins Glas geschaut haben; **5.** Bowle *f*; **6.** *et.* Schalenförmiges, *z.B.* Büstenhalterschale *f od. sport* ˈUnterleibs-, Tiefschutz *m*; **7.** *fig.* Kelch *m* (*der Freude, des Leidens*): ***drink the ~ of joy*** den Becher der Freude leeren; ***drain the ~ of sorrow to the dregs*** den Kelch des Leidens bis auf die Neige leeren; ***his ~ is full*** das Maß s-r Leiden (*od.* Freuden) ist voll; **8.** → ***cupful*** 2; **II** *v/t.* **9.** *Kinn* in die (hohle) Hand legen; *Hand* wölben über (*acc.*): ***cupped hand*** hohle Hand; **10.** ⚕ schröpfen; **ˈ~ˌbear·er** *s.* Mundschenk *m*.
cup·board [ˈkʌbəd] *s.* (*bsd.* Speise-, Geschirr)Schrank *m*; ***~ bed*** *s.* Schrankbett *n*; ***~ love*** *s.* berechnende Liebe.
cu·pel [kjuːpəl] *s.* ⚗, ⚙ Kuˈpelle *f*.
cup·ful [ˈkʌpfʊl] *pl.* **-fuls** *s.* **1.** *e-e* Tasse (-voll); **2.** *Am. Küche*: ½ Pint *n* (*0,235 l*).

Cu·pid ['kju:pɪd] *s.* **1.** *antiq.* 'Kupido *m*, 'Amor *m* (*a. fig. Liebe*); **2.** ♀ Amo'rette *f*.

cu·pid·i·ty [kju:'pɪdətɪ] *s.* (Hab)Gier, Begierde *f*, Begehrlichkeit *f*.

cu·po·la ['kju:pələ] *s.* **1.** Kuppel(dach *n*) *f*; **2.** *a.* **~ furnace** ⚙ Ku'polofen *m*; **3.** ⚔, ⚓ Panzerturm *m*.

cu·pre·ous ['kju:prɪəs] *adj.* kupfern; kupferartig, -haltig; **'cu·pric** [-ɪk] *adj.* ⚗ Kupfer...; **ˌcu·pro'nick·el** [ˌkju:prəʊ-] *s.* Kupfernickel *n*; **'cu·prous** [-rəs] → **cupric**.

cur [kɜ:] *s.* **1.** Köter *m*; **2.** *fig.* ‚Hund' *m*, ‚Schwein' *n*.

cur·a·bil·i·ty [ˌkjuərə'bɪlətɪ] *s.* Heilbarkeit *f*; **cur·a·ble** ['kjʊərəbl] *adj.* heilbar (*a.* ⚖ *Rechtsmangel*).

cu·ra·cy ['kjʊərəsɪ] *s. eccl.* Amt *n* e-s → **'cu·rate** [-rət] *s. eccl.* Hilfsgeistliche(r) *m*, Vi'kar *m*, Ku'rat *m*.

cur·a·tive ['kjuərətɪv] **I** *adj.* heilend, Heil...; **II** *s.* Heilmittel *n*.

cu·ra·tor [ˌkjʊə'reɪtə] *s.* **1.** Mu'seumsdiˌrektor *m*; **2.** *Brit. univ.* (*Oxford*) Mitglied *n* des Kura'toriums; **3.** ⚖ *Scot.* Vormund *m*; **4.** ⚖ Verwalter *m*, Pfleger *m*; **ˌcu'ra·tor·ship** [-ʃɪp] *s.* Amt *n* *od.* Amtszeit *f* e-s **curator**.

curb [kɜ:b] **I** *s.* **1.** a) Kan'dare *f*, b) Kinnkette *f*; **2.** *fig.* Zaum *m*, Zügel(ung *f*) *m*: **put a ~ on s.th.** e-r Sache Zügel anlegen, et. zügeln; **3.** *Am.* → **kerb**; **4.** *vet.* Spat *m*, Hasenfuß *m*; **II** *v/t.* **5.** an die Kan'dare nehmen; **6.** *fig.* zügeln, im Zaum halten; drosseln, einschränken; **~ bit** *s.* Kan'darenstange *f*; **~ mar·ket** *Am.* → **kerb** 3; **'~·stone** *Am.* → **kerbstone**.

curd [kɜ:d] *s. oft pl.* geronnene *od.* dicke Milch, Quark *m*: **~ cheese** Quark-, Weißkäse *m*; **cur·dle** ['kɜ:dl] **I** *v/t.* *Milch* gerinnen lassen: **~ one's blood** einem das Blut in den Adern erstarren lassen; **II** *v/i.* gerinnen, dick werden (*Milch*): **it made my blood ~** das Blut erstarrte mir in den Adern; **'curd·y** [-dɪ] *adj.* geronnen; dick, flockig.

cure [kjʊə] **I** *s.* **1.** ⚕ Heilmittel *n*; *fig.* Mittel *n* Re'zept *n* (**for** gegen); **2.** ⚕ Kur *f*, Heilverfahren *n*, Behandlung *f*; **3.** ⚕ Heilung *f*: **past ~** a) unheilbar krank, b) unheilbar (*Krankheit*), c) *fig.* hoffnungslos; **4.** *eccl.* a) *a.* **~ of souls** Seelsorge *f*, b) Pfar'rei *f*; **II** *v/t.* **5.** ⚕ *j-n* (**of** von) *od. Krankheit od. fig. Übel* heilen (*a.* ⚖ *Rechtsmangel etc.*), kurieren: **~ s.o. of lying** j-m das Lügen abgewöhnen; **6.** haltbar machen: a) räuchern, b) einpökeln, -salzen, c) trocknen, d) beizen; **7.** ⚙ a) vulkanisieren, b) aushärten (*Kunststoffe*); **'~-all** *s.* All'heilmittel *n*.

cu·ret·tage [kjʊə'retɪdʒ] *s.* ⚕ Ausschabung *f*.

cur·few ['kɜ:fju:] *s.* **1.** *hist.* a) Abendläuten *n*, b) Abendglocke *f*; **2.** Sperrstunde *f*; **3.** ⚔ a) Ausgehverbot *n*, b) Zapfenstreich *m*.

cu·ri·a ['kjʊərɪə] *s. R.C.* 'Kurie *f*.

cu·rie ['kjʊərɪ] *s. phys.* Cu'rie *n*.

cu·ri·o ['kjʊərɪəʊ] *pl.* **-os** *s.* → **curiosity** 2 a *u.* c.

cu·ri·os·i·ty [ˌkjʊərɪ'ɒsətɪ] *s.* **1.** Neugier *f*; Wißbegierde *f*; **2.** Kuriosi'tät *f*: a) Rari'tät *f*, *pl.* Antiqui'täten, b) Sehenswürdigkeit *f*, c) Kuri'osum *n* (*Sache od. Person*); **~ shop** *s.* Antiqui'täten-, Rari'tätenladen *m*.

cu·ri·ous ['kjʊərɪəs] *adj.* □ **1.** neugierig; wißbegierig: **I am ~ to know if** ich möchte gern wissen, ob; **2.** kuri'os, seltsam, merkwürdig: **~ly enough** merkwürdigerweise; **3.** F komisch, wunderlich.

curl [kɜ:l] **I** *v/t.* **1.** *Haar* locken *od.* kräuseln; **2.** *Wasser* kräuseln; *Lippen* (verächtlich) schürzen; **3. ~ up** zs.-rollen: **~ o.s. up** → 6 a; **II** *v/i.* **4.** sich locken *od.* kräuseln (*Haar*); **5.** wogen, sich wellen *od.* winden; **6. ~ up** a) sich hochringeln (*Rauch*), b) sich zs.-rollen: **~ up on the sofa** es sich auf dem Sofa gemütlich machen; **7.** *sport* Curling spielen; **III** *s.* **8.** Locke *f*: **in ~s** gelockt; **9.** (Rauch-) Ring *m*, Kringel *m*; **10.** Windung *f*; **11.** Kräuseln *n der Lippen*; **12.** ⚘ Kräuselkrankheit *f*; **curled** [-ld] → **curly**; **'curl·er** [-lə] *s.* **1.** Lockenwickel *m*; **2.** *sport* Curlingspieler *m*.

cur·lew ['kɜ:lju:] *s.* Brachvogel *m*.

curl·i·cue ['kɜ:lɪkju:] *s.* Schnörkel *m*.

curl·ing ['kɜ:lɪŋ] *s.* **1.** Kräuseln *n*, Ringeln *n*; **2.** *sport* Curling *n*: **~ stone** Curlingstein *m*; **3.** ⚙ bördeln; **~ i·rons**, **~ tongs** *s. pl.* (Locken)Brennschere *f*.

'curlˌpa·per *s.* Pa'pierhaarwickel *m*.

curl·y ['kɜ:lɪ] *adj.* **1.** lockig, kraus, gekräuselt, **2.** wellig; gewunden; **'~-head**, **'~-pate** *s.* F Locken- *od.* Krauskopf *m* (*Person*).

cur·mudg·eon [kɜ:'mʌdʒən] *s.* Brummbär *m*.

cur·rant ['kʌrənt] *s.* **1.** Ko'rinthe *f*; **2. red** (**white**, **black**) **~** rote (weiße, schwarze) Jo'hannisbeere.

cur·ren·cy ['kʌrənsɪ] *s.* **1.** 'Umlauf *m*, Zirkulati'on *f*: **give ~ to** *Gerücht etc.* in Umlauf setzen; **2.** a) (allgemeine) Geltung, (Allge'mein)Gültigkeit *f*, b) Gebräuchlichkeit *f*, Geläufigkeit *f*, c) Verbreitung *f*; **3.** ✝ a) Währung *f*, Va'luta *f*; → **foreign** 1, **hard currency**, b) Zahlungsmittel *n od. pl.*, c) 'Geldˌumlauf *m*, d) 'umlaufendes Geld, e) Laufzeit *f* (*Wechsel*, *Vertrag*); **~ account** *s.* ✝ 'Währungs-, De'visenˌkonto *n*; **~ bill** *s.* De'visenwechsel *m*; **~ bond** *s.* Fremdwährungsschuldverschreibung *f*; **~ crisis** *s.* Währungskrise *f*; **~ re·a·lign-**

C

·ment *s.* Neuordnung der Währungsparitäten; **~ re·form** *s.* 'Währungsre,form *f*; **~ up·heav·als** *s. pl.* 'Währungsturbu,lenzen *pl.*

cur·rent ['kʌrənt] **I** *adj.* □ → ***currently***; **1.** laufend (*Jahr*, *Konto*, *Unkosten etc.*); **2.** gegenwärtig, jetzig, aktu'ell: ***~ events*** Tagesereignisse; ***~ price*** ✝ Tagespreis *m*; **3.** 'umlaufend, kursierend (*Geld*, *Gerücht etc.*); **4.** a) allgemein bekannt *od.* verbreitet, b) üblich, geläufig, gebräuchlich: ***not in ~ use*** nicht allgemein üblich, c) allgemein gültig *od.* anerkannt; **5.** ✝ a) (markt)gängig (*Ware*), b) gültig (*Geld*), c) verkehrsfähig, d) → 3; **II** *s.* **6.** Strömung *f*, Strom *m* (*beide a. fig.*): ***against the ~*** gegen den Strom; ***~ of air*** Luftstrom; **7.** *fig.* a) Trend *m*, Ten'denz *f*, b) (Ver)Lauf *m*, Gang *m*; **8.** ⚡ Strom *m*; **~ ac·count** *s.* ✝ laufendes Konto, Girokonto *n*; **~ coin** *s.* gängige Münze (*a. fig.*); **~ exchange** *s.* (***at the ~*** zum) Tageskurs *m*.

cur·rent·ly ['kʌrəntlɪ] *adv.* **1.** jetzt, zur Zeit, gegenwärtig; **2.** *fig.* fließend.

cur·rent| me·ter *s.* ⚡ Stromzähler *m*; **~ mon·ey** *s.* ✝ 'umlaufendes Geld.

cur·ric·u·lum [kə'rɪkjʊləm] *pl.* **-lums**, **-la** [-lə] *s.* Lehr-, Studienplan *m*; **~ vi·tae** ['vaɪti:] *s.* Lebenslauf *m*.

cur·ri·er ['kʌrɪə] *s.* Lederzurichter *m*.

cur·ry[1] ['kʌrɪ] **I** *s.* Curry(gericht *n*) *m*, *n*: ***~ powder*** Currypulver *n*; **II** *v/t.* mit Curry(soße) zubereiten: ***curried chicken*** Curryhuhn *n*.

cur·ry[2] ['kʌrɪ] *v/t.* **1.** *Pferd* striegeln; **2.** *Leder* zurichten; **3.** verprügeln; **4.** ***~ favo(u)r with s.o.*** sich bei j-m lieb Kind machen (wollen); '**~·comb** *s.* Striegel *m*.

curse [kɜ:s] **I** *s.* **1.** Fluch(wort *n*) *m*; Verwünschung *f*; **2.** *eccl.* Bann(fluch) *m*; Verdammnis *f*; **3.** Fluch *m*, Unglück *n* (***to*** für); **4.** ***the ~*** F die ‚Tage' (*der Frau*); **II** *v/t.* **5.** verfluchen, verwünschen, verdammen: ***~ him!*** der Teufel soll ihn holen!; **6.** fluchen auf (*acc.*), beschimpfen; **7.** *pass.* ***be ~d with s.th.*** mit et. gestraft *od.* geplagt sein; **III** *v/i.* **8.** fluchen, Flüche ausstoßen; '**curs·ed** [-sɪd] *adj.* □ *a.* F verflucht, verdammt, verwünscht.

cur·sive ['kɜ:sɪv] **I** *adj.* kur'siv: ***~ characters*** → **II** *s. typ.* Schreibschrift *f*.

cur·sor ['kɜ:rsə] *s.* ⩓, ⚙ Schieber *m*, ⚙ *a.* Zeiger *m*; *Computer*: Positi'onsanzeiger *m*.

cur·so·ri·ness ['kɜ:sərɪnɪs] *s.* Flüchtigkeit *f*, Oberflächlichkeit *f*; **cur·so·ry** ['kɜ:sərɪ] *adj.* □ flüchtig, oberflächlich.

curst [kɜ:st] *obs. pret. u. p.p. von* ***curse***.

curt [kɜ:t] *adj.* □ **1.** kurz(gefaßt), knapp; **2.** (***with***) barsch, schroff (gegen), kurz angebunden (mit).

cur·tail [kɜ:'teɪl] *v/t.* **1.** (ab-, ver)kürzen; **2.** *Ausgaben etc.* kürzen, *a. Rechte* be-, einschränken, beschneiden; *Preise etc.* her'absetzen; **cur'tail·ment** [-mənt] *s.* **1.** (Ab-, Ver)Kürzung *f*; **2.** Kürzung *f*, Beschneidung *f*; Beschränkung *f*.

cur·tain ['kɜ:tn] **I** *s.* **1.** Vorhang *m* (*a. fig.*), Gar'dine *f*: ***draw the ~(s)*** den Vorhang (die Gardinen) zuziehen; ***draw the ~ over s.th.*** *fig.* et. begraben; ***lift the ~*** *fig.* den Schleier lüften; ***behind the ~*** hinter den Kulissen; ***~ of fire*** ⚔ Feuervorhang; ***~ of rain*** Regenwand *f*; **2.** *thea.* a) Vorhang *m*, b) Aktschluß *m*: ***the ~ rises*** der Vorhang geht auf; ***the ~ falls*** der Vorhang fällt (*a. fig.*); ***it's ~s for him*** F es ist aus mit ihm; ***now it's ~s!*** F jetzt ist der Ofen aus!, aus ist's!; **3.** *thea.* Her'vorruf *m*: ***take ten ~s*** zehn Vorhänge haben; **II** *v/t.* **4.** mit Vorhängen versehen; **~ call** → ***curtain*** 3; **~ fall** *s. thea.* Fallen *n* des Vorhanges; **~ lec·ture** *s.* Gar'dinenpredigt *f*; **~ rais·er** *s. thea.* **1.** kurzes Vorspiel; **2.** *fig.* Vorspiel *n*, Auftakt (***to*** zu); '**~-wall** *s.* △ **1.** Blendwand; **2.** Zwischenwand *f*.

curt·s(e)y ['kɜ:tsɪ] **I** *s.* Knicks *m*: ***drop a ~*** → **II** *v/i.* e-n Knicks machen, knicksen (***to*** vor *dat.*).

cur·va·ceous [kɜ:'veɪʃəs] *adj.* F ‚kurvenreich' (*Frau*); **cur·va·ture** ['kɜ:vətʃə] *s.* Krümmung *f* (*a.* ⩓, *geol.*): ***~ of the spine*** ⚕ Rückgratverkrümmung *f*.

curve [kɜ:v] **I** *s.* **1.** Kurve *f* (*a.* ⩓), Krümmung *f*, Biegung *f*, Bogen *m*; **2.** *pl.* F ‚Kurven' *pl.*, Rundungen *pl.*; **II** *v/t.* **3.** biegen, krümmen; **III** *v/i.* **4.** sich biegen *od.* wölben *od.* krümmen; **curved** [-vd] *adj.* gekrümmt, gebogen; krumm.

cur·vet [kɜ:'vet] **I** *s. Reitkunst*: Kur'bette *f*, Bogensprung *m*; **II** *v/i.* kurbettieren.

cur·vi·lin·e·ar [,kɜ:vɪ'lɪnɪə] *adj.* krummlinig (begrenzt).

cush·ion ['kʊʃn] **I** *s.* **1.** Kissen *n*, Polster *n* (*a. fig.*); **2.** Wulst *m* (*für die Frisur*); **3.** Bande *f* (*Billard*); **4.** *vet.* Strahl *m* (*Pferdehuf*); **5.** ⚙ Puffer *m*, Dämpfer *m*; **6.** *phys.* ⚙ Luftkissen *n*; **II** *v/t.* **7.** durch Kissen schützen, polstern (*a. fig.*); **8.** *Stoß*, *Fall* dämpfen *od.* auffangen; **9.** weich betten; **10.** ⚙ abfedern; '**~·craft** *s.* Luftkissenfahrzeug(e *pl.*) *n*.

cush·ioned ['kʊʃənd] *adj.* **1.** gepolstert, Polster...; **2.** *fig.* bequem, behaglich; **3.** ⚙ stoßgedämpft.

cush·y ['kʊʃɪ] *adj. Brit. sl.* ‚gemütlich', bequem, angenehm: ***~ job***.

cusp [kʌsp] *s.* **1.** Spitze *f*; **2.** ⩓ Scheitelpunkt *m* (*Kurve*); **3.** *ast.* Horn *n* (*Halbmond*); **4.** △ Nase *f* (*gotisches Maßwerk*); **cusped** [-pt], '**cus·pi·dal** [-pɪdl] *adj.* spitz (zulaufend).

cus·pi·dor ['kʌspɪdɔː] *s. Am.* **1.** Spucknapf *m*; **2.** ✈ Speitüte *f*.

cuss [kʌs] *s.* F **1.** Fluch *m*: **~ word** Fluch *m*, Schimpfwort *n*; → **tinker** 1; **2.** Kerl *m*; **'cuss·ed** [-sɪd] *adj.* F **1.** verflucht, -flixt; **2.** boshaft, gemein; **'cuss·ed·ness** [-sɪdnɪs] *s.* F Bosheit *f*, Gemeinheit *f*, Tücke *f*.

cus·tard ['kʌstəd] *s.* Eiercreme *f*: (**running**) **~** Vanillesoße *f*; **'~-ap·ple** *s.* ⚘ Zimtapfel *m*; **~ pow·der** *s. ein* 'Pudding,pulver *n*; **~ pie** *s.* **1.** Sahnetorte *f*; **2.** *thea.* F Kla'mauk(komödie *f*) *m*.

cus·to·di·an [kʌ'stəʊdjən] *s.* **1.** Aufseher *m*, Wächter *m*, Hüter *m*; **2.** (⚖ Vermögens)Verwalter *m*, ⚖ *a.* Verwahrer *m*, *Am. a.* Vormund *m*; **cus·to·dy** ['kʌstədɪ] *s.* **1.** Aufsicht *f* (**of** über *acc.*), (Ob)Hut *f*, Schutz *m*; **2.** Verwahrung *f*; Verwaltung *f*; **3.** ⚖ a) Gewahrsam *m*, Haft *f*: **protective ~** Schutzhaft *f*; **take into ~** verhaften, in Gewahrsam nehmen, b) Gewahrsam *m* (*tatsächlicher Besitz*), c) Sorgerecht *n*; **4.** ✝ *Am.* De'pot *n*.

cus·tom ['kʌstəm] **I** *s.* **1.** Brauch *m*, Gewohnheit *f*, Sitte *f*; *coll.* Sitten u. Gebräuche *pl.*, *pl.* Brauchtum *n*; **2.** ⚖ Gewohnheitsrecht *n*; **3.** ✝ Kundschaft *f*, Kunden(kreis *m*) *pl.*: **draw** (*od.* **get**) **a lot of ~ from** viel Geschäft machen mit; **take one's custom elsewhere** anderswo Kunde werden; **withdraw one's ~ from** s-e Kundschaft entziehen (*dat.*); **4.** *pl.* a) Zoll *m*, b) Zoll(behörde *f*) *m*, Zollamt *n*; **II** *adj.* **5.** *Am.* a) auf Bestellung *od.* nach Maß arbeitend: **~ tailor** Maßschneider *m*, b) → **custom-made**: **~-built** einzeln (*od.* nach Kundenangaben) angefertigt; **~ shoes** Maßschuhe; **'cus·tom·ar·i·ly** [-mərɪlɪ] *adv.* üblicherweise, herkömmlicherweise; **'cus·tom·ar·y** [-mərɪ] *adj.* □ **1.** gebräuchlich, herkömmlich, üblich, gewohnt, Gewohnheits…; **2.** ⚖ gewohnheitsrechtlich; **'cus·tom·er** [-mə] *s.* **1.** Kunde *m*, Kundin *f*; Abnehmer(in), Käufer(in): **~ country** Abnehmerland *n*; **~'s check** *Am.* Barscheck *m*; **regular ~** Stammkunde *m od.* -gast *m*; **2.** F Bursche *m*, ‚Kunde' *m*: **queer ~** komischer Kauz; **ugly ~** übler Kunde; **'cus·tom·ize** [-maɪz] *v/t.* **1.** ✝ auf den Kundenbedarf zuschneiden; **2.** *Auto etc.* individu'ell herrichten.

'cus·tom|·house *s.* Zollamt *n*; **'~-made** *adj.* nach Maß *od.* auf Bestellung *od.* spezi'ell angefertigt, Maß…

cus·tom·ize ['kʌstəmaɪz] *v/t.* kundengerecht anfertigen.

cus·toms| clear·ance *s.* Zollabfertigung *f*; **~ dec·la·ra·tion** *s.* 'Zolldeklarati,on *f*, -erklärung *f*; **~ ex·am·i·na·tion**, **~ in·spec·tion** *s.* 'Zollkon,trolle *f*; **~ of·fi·cer** *s.* Zollbeamte(r) *m*; **~ un·ion** *s.* 'Zollverein *m*, -uni,on *f*; **~ war·rant** *s.* Zollauslieferungsschein *m*; **~ ware·house** *s.* Zollager *n*.

cut [kʌt] **I** *s.* **1.** Schnitt *m*: **a ~ above** e-e Stufe besser als; → **haircut**; **2.** Schnittwunde *f*; **3.** Hieb *m*, Schlag *m*: **~ and thrust** a) *Fechten*: Hieb u. Stoß *m* (*od.* Stich *m*), b) *fig.* (feindseliges) Hin u. Her, ‚Schlagabtausch' *m*; **4.** Schnitte *f*, Stück *n* (*bsd. Fleisch*); Ab-, Anschnitt *m*; Schur *f* (*Wolle*); Schlag *m* (*Holzfällen*); ✐ Mahd *f* (*Gras*); **5.** F (An)Teil *m*: **my ~ is 10%**; **6.** (Zu)Schnitt *m*, Fas'son *f* (*bsd. Kleidung*); *fig.* Art *f*, Schlag *m*; **7.** *typ.* a) Druckstock *m*, b) Holzschnitt *m*, (Kupfer)Stich *m*, c) Kli'schee *n*; **8.** Schnitt *m*, Schliff *m* (*Edelstein*); **9.** Gesichtsschnitt *m*; **10.** Beschneidung *f*, Kürzung *f*, Streichung *f*, Abzug *m*, Abstrich *m* (*Preis*, *Lohn*, *a. Text etc.*): **power ~** ϟ Stromsperre *f*; → **short cut**; **11.** ⚙, 🚂 *etc.* Einschnitt *m*, Kerbe *f*, Graben *m*; **12.** a) Stich *m*, Bosheit *f*, b) Grußverweigerung *f*: **give s.o. the ~ direct** j-n ostentativ schneiden; **13.** *Kartenspiel*: Abheben *n*; **14.** *Tennis*: Schnitt *m*; **15.** *Film etc.*: Schnitt *m*, (scharfe) Über'blendung; **II** *adj.* **16.** ge-, beschnitten, behauen: **~ flowers** Schnittblumen; **~ glass** geschliffenes Glas, Kristall *n*; **~ prices** herabgesetzte Preise; **well-~ features** feingeschnittene Züge; **~ and dried** fix u. fertig, schablonenhaft; **badly ~ about** arg zugerichtet; **III** *v/t.* [*irr.*] **17.** (ab-, be-, 'durch-, zer)schneiden: **~ one's finger** sich in den Finger schneiden; **~ one's nails** sich die Nägel schneiden; **~ a book** ein Buch aufschneiden; **~ a joint** e-n Braten vorschneiden, zerlegen; **~ to pieces** zerstückeln; **18.** *Hecke* beschneiden, stutzen; **19.** *Gras*, *Korn* mähen; *Baum* fällen; **20.** schlagen; *Kohlen* hauen; *Weg* aushauen, -graben; *Holz* hacken; *Graben* stechen; *Tunnel* bohren: **to ~ one's way** sich e-n Weg bahnen (*a. fig.*); **21.** *Tier* verschneiden, kastrieren: **~ horse** Wallach *m*; **22.** *Kleid* zuschneiden; *et.* zu'rechtschneiden; *Stein* behauen; *Glas*, *Edelstein* schleifen: **~ it fine** *fig.* a) es (zu) knapp bemessen, b) es gerade noch schaffen; **23.** einschneiden, -ritzen, schnitzen; **24.** *Tennis*: *Ball* schneiden; **25.** *Text etc.*, *a. Betrag* beschneiden, kürzen, zs.-streichen; *sport Rekord* brechen; **26.** *Film*: a) schneiden, über'blenden: **~ to** hinüberblenden zu, b) abbrechen; **27.** verdünnen, verwässern; **28.** *fig. j-n* schneiden, nicht grüßen: **~ s.o. dead** j-n völlig ignorieren; **29.** *fig.* schneiden (*Wind*); verletzen, kränken (*Worte*); **30.** *Verbindung* abbrechen, aufgeben; fernbleiben von, *Vorlesung* ‚schwänzen'; **31.** *Zahn* be-

C

kommen; **32.** *Schlüssel* anfertigen; **33.** *Spielkarten* abheben; **IV** *v/i.* [*irr.*] **34.** schneiden (*a. fig.*), hauen: ***it ~s both ways*** es ist ein zweischneidiges Schwert; ***~ and come again*** greifen Sie tüchtig zu! (*beim Essen*); ***it ~s into his time*** es kostet ihn Zeit; ***~ into a conversation*** in e-e Unterhaltung eingreifen; **35.** sich schneiden lassen; **36.** F ‚abhauen': ***~ and run*** Reißaus nehmen; **37.** (*in der Schule etc.*) ‚schwänzen'; **38.** *Kartenspiel*: abheben; **39.** *sport* (den Ball) schneiden; **40.** ***~ across*** a) quer durch *et.* gehen, b) *fig.* hin'ausgehen über (*acc.*), c) *fig.* wider'sprechen, d) *fig. Am.* einbeziehen;

Zssgn mit adv.:

cut| a·long *v/i.* F sich auf die Beine machen; **~ back I** *v/t.* beschneiden, stutzen, *fig. a.* kürzen, zs.-streichen, verringern; **II** *v/i.* (zu)'rückblenden (***to*** auf *acc.*) (*Film, Roman etc.*); **~ down I** *v/t.* **1.** zerschneiden; **2.** *Baum* fällen, *j-n a.* niederschlagen; **3.** *fig.* a) → ***cut back*** I, b) drosseln; **II** *v/i.* **4.** ***~ on s.th.*** et. einschränken; **~ in I** *v/t.* **1.** ⚙ einschalten (*a. Filmszene*); **2.** *j-n* beteiligen (***on*** an *dat.*); **II** *v/i.* **3.** unter'brechen, sich einmengen *od.* einschalten (*a. teleph.*); **4.** einspringen; **5.** *mot.* einscheren; **6.** F (*beim Tanzen*) abklatschen; **~ loose I** *v/t.* **1.** trennen, losmachen; **2.** ***cut o.s. loose*** sich trennen *od.* lossagen; **II** *v/i.* **3.** sich gehenlassen; **4.** sich lossagen; **5.** *sl.* a) loslegen (***with*** mit), b) ‚auf den Putz hauen'; **~ off** *v/t.* **1.** abschneiden, -schlagen, -hauen: ***~ s.o.'s head*** j-n köpfen; **2.** unter'brechen, trennen; **3.** *Strom etc.* absperren, abdrehen; **4.** *Debatte* beenden; **5.** niederschlagen, da'hinraffen; vernichten; **6.** ***cut s.o. off with a shilling*** j-n enterben; **~ out I** *v/t.* **1.** aus-, zuschneiden: ***~ for a job*** wie geschaffen für e-n Posten; → ***work*** 1; **2.** *j-n* ausstechen; verdrängen; **3.** *Am. sl.* unter'lassen: ***cut it out!*** laß den Quatsch!; **4.** aufgeben; entfernen; *Am. Tier* von der Herde absondern; **5.** ⚙ ausschalten; **II** *v/i.* **6.** ⚙ sich ausschalten, aussetzen; **7.** ausscheren (*Fahrzeug*); **8.** *Kartenspiel*: ausscheiden; **~ short** *v/t.* **1.** unter'brechen; *j-m* ins Wort fallen; **2.** plötzlich beenden, kürzen; *es* kurz machen; **~ un·der** *v/t.* ✝ *j-n* unter'bieten; **~ up I** *v/t.* **1.** in Stücke schneiden, zerhauen; zerlegen; **2.** vernichten; **3.** F ‚verreißen', her'untermachen; **4.** tief betrüben, aufregen: ***be badly ~*** ganz ‚kaputt' sein; **II** *v/i.* **5.** *Brit.* F ***~ fat*** (*od.* ***rich***) reich sterben; **6.** F ‚den wilden Mann' spielen: ***~ rough*** ‚massiv' werden; **7.** *Am. sl.* a) ‚angeben', b) Unsinn treiben.

,cut-and-'dried *adj.* **1.** (fix und) fertig, fest(gelegt); **2.** scha'blonenhaft.

cu·ta·ne·ous [kju:'teɪnjəs] *adj.* ⚕ Haut...: ***~ eruption*** Hautausschlag *m.*

'cut·a·way I *s.* Cut(away) *m*; **II** *adj.* ⚙ Schnitt...(*-modell etc.*): ***~ view*** Ausschnitt(darstellung *f*) *m.*

'cut·back *s.* **1.** *Film*: Rückblende *f*; **2.** Kürzung *f*, Beschneidung *f*, Verringerung *f.*

cute [kju:t] *adj.* ☐ F **1.** schlau, clever; **2.** *Am.* niedlich, ‚süß'.

cu·ti·cle ['kju:tɪkl] *s.* ⚘, *anat.* Oberhaut *f*, Epi'dermis *f*; Nagelhaut *f*: ***~ scissors*** Hautschere *f.*

cu·tie ['kju:tɪ] *s. Am. sl.* ‚dufte Biene' (*Mädchen*).

'cut-in *s. Film*: a) Einschnitt(szene *f*) *m*, b) *a. Zeitung*: Zwischentitel *m.*

cu·tis ['kju:tɪs] *s. anat.* 'Kutis *f*, Lederhaut *f.*

cut·lass ['kʌtləs] *s.* **1.** ⚓ *hist.* Entermesser *n*; **2.** Ma'chete *f.*

cut·ler ['kʌtlə] *s.* Messerschmied *m*; **'cut·ler·y** [-ərɪ] *s.* **1.** Messerwaren *pl.*; **2.** *coll.* Eßbesteck(e *pl.*) *n.*

cut·let ['kʌtlɪt] *s.* Schnitzel *n.*

'cut|·off *s.* **1.** ⚙ (Ab)Sperrung *f*; **2.** ⚙, ⚡ Ab-, Ausschaltung *f* (*a. Vorrichtung*); **3.** *Am.* Abkürzung(sweg *m*) *f*; **'~·out** *s.* **1.** Ausschnitt *m*; 'Ausschneidefi,gur *f*; **2.** ⚡ a) Ausschalter *m*, Sicherung *f*; **3.** *mot.* Auspuffklappe *f*; **'~·purse** *s.* Taschendieb(in); **'~·rate** *adj.* ✝ ermäßigt, her'abgesetzt, billig (*a. fig.*).

cut·ter ['kʌtə] *s.* **1.** Schneidende(r) *m*; (Blech-, Holz)Schneider *m* (Stein)Hauer *m*; (Glas-, Dia'mant)Schleifer *m*; **2.** Zuschneider *m*; **3.** ⚙ Schneidewerkzeug *n*; **4.** *Film*: Cutter(in); **5.** *Küche*: Ausstechform *f*; **6.** ⚓ a) Kutter *m*, b) Beiboot *n*, c) *Am.* Küstenwachboot *n.*

'cut·throat I *s.* **1.** Mörder *m*; **2.** *fig.* Halsabschneider *m*; **II** *adj.* **3.** *fig.* mörderisch, halsabschneiderisch: ***~ competition.***

cut·ting ['kʌtɪŋ] **I** *s.* **1.** Schneiden *n*; Zuschneiden *n*; **2.** *bsd.* 🚂 Einschnitt *m*, 'Durchstich *m*; **3.** ⚙ a) Fräsen *n*, spanabhebende Bearbeitung, b) Kerbe *f*, Schlitz *m*, c) *pl.* Späne *pl.*, Schnitzel *pl.*; **4.** (Zeitungs)Ausschnitt *m*; **5.** *pl.* Schnitzel *pl.*, Abfälle *pl.*; **6.** ⚘ Ableger *m*, Steckling *m*; **7.** *Film*: Schnitt *m*; **II** *adj.* ☐ **8.** schneidend, Schneid(e)...; **9.** *fig.* schneidend (*Wind*), scharf (*Worte*), beißend (*Hohn*); **~ die** *s.* ⚙ Schneideisen *n*, 'Stanzscha,blone *f*; **~ edge** *s.* Schneide *f*; **~ nip·pers** *s. pl.* Kneifzange *f*; **~ torch** *s.* ⚙ Schneidbrenner *m.*

cut·tle ['kʌtl], **'~·fish** *s. zo.* (Gemeiner) Tintenfisch.

cy·a·nate ['saɪəneɪt] *s.* ⚗ Zya'nat *n*; **cy·an·ic** [saɪ'ænɪk] *adj.* Zyan...: ***~ acid*** Zyansäure *f*; **'cy·a·nide** [-naɪd] *s.* Zya'nid *n*: ***~ of potassium*** (*od.* ***potash***) Zyankali *n*; **cy·an·o·gen** [saɪ'ænədʒɪn]

s. Zy'an *n.*
cy·ber·net·ics [ˌsaɪbə'netɪks] *s. pl.* (*sg. konstr.*) Kyber'netik *f*; ˌ**cy·ber'net·ist** [-ɪst] *s.* Kyber'netiker *m.*
cyc·la·men ['sɪkləmən] *s.* ⚘ Alpenveilchen *n.*
cy·cle ['saɪkl] **I** *s.* **1.** 'Zyklus *m*, Kreis (-lauf) *m*, 'Umlauf *m*: ***lunar ~*** Mondzyklus; → ***business cycle***; ***come full ~*** a) e-n ganzen Kreislauf beschreiben, b) *fig.* zum Anfangspunkt zurückkehren; **2.** *a.* ⚡, *phys.* Peri'ode *f*: ***in ~s*** periodisch wiederkehrend; ***~s per second*** (*abbr.* ***cps***) Hertz; **3.** (Gedicht-, Sagen)Kreis *m*; **4.** Folge *f*, Reihe *f*, 'Serie *f*, 'Zyklus *m*; **5.** ⚙ 'Kreisproˌzeß *m*; Arbeitsgang *m*; **6.** *mot.* Takt *m*: ***four-stroke ~*** Viertakt; ***four-~ engine*** Viertaktmotor *m*; **7.** a) Fahrrad *n*, b) Motorrad *n*, c) Dreirad *n*; **II** *v/i.* **8.** radfahren, radeln; **III** *v/t.* **9.** e-n Kreislauf 'durchmachen lassen; **10.** *a.* ⚙ peri'odisch wieder'holen; '**cy·clic**, '**cy·cli·cal** [-lɪk(l)] *adj.* □ **1.** zyklisch, peri'odisch, kreisläufig; **2.** ⚕ konjunk'turbedingt, -poˌlitisch, Konjunktur...; '**cy·cling** [-lɪŋ] *s.* **1.** Radfahren *n*: ***~ tour*** Radtour *f*; **2.** Rad(renn)sport *m*; '**cy·clist** [-lɪst] *s.* Radfahrer(in).
cy·clo-cross [ˌsaɪklə'krɒs] *s. Radsport*: Querfeld'einfahren *n.*
cy·clom·e·ter [saɪ'klɒmɪtə] *s.* **1.** ⚙ Wegmesser *m*; **2.** ⩚ Zyklo'meter *m.*
cy·cloid ['saɪklɔɪd] **I** *s.* ⩚ Zyklo'ide *f*; **II** *adj. allg.* zyklo'id.
cy·clone ['saɪkləʊn] *s.* **1.** *meteor.* a) Zy'klon *m*, Wirbelsturm *m*, b) Zy'klone *f*, Tief(druckgebiet) *n*; **2.** *fig.* Or'kan *m.*
cy·clo·p(a)e·di·a [ˌsaɪkləʊ'pi:djə] → ***encyclop(a)edia.***
Cy·clo·pe·an [saɪ'kləʊpjən] *adj.* zy'klopisch, riesig; **Cy·clops** ['saɪklɒps] *pl.* **Cy·clo·pes** [saɪ'kləʊpi:z] *s.* Zy'klop *m.*
cy·clo·tron ['saɪklətrɒn] *s. Kernphysik*: 'Zyklotron *n.*
cy·der → ***cider.***
cyg·net ['sɪgnɪt] *s.* junger Schwan.
cyl·in·der ['sɪlɪndə] *s.* **1.** ⩚, ⚙, *typ.* Zy'linder *m*, Walze *f*: ***six-~ car*** Sechszylinderwagen *m*; **2.** ⚙ Trommel *f*, Rolle *f*; 'Meß-, 'Dampfzyˌlinder *m*; Gas-, Stahlflasche *f*; Stiefel *m* (*Pumpe*); ***~ block*** *s. mot.* Zy'linderblock *m*; ***~ bore*** *s.* Zy'linderbohrung *f*; ***~ es·cape·ment*** *s.* Zy'linderhemmung *f* (*Uhr*); ***~ head*** *s.* Zy'linderkopf *m*; ***~ jack·et*** *s.* Zy'lindermantel *m*; ***~ print·ing*** *s. typ.* Walzendruck *m.*
cy·lin·dri·cal [sɪ'lɪndrɪkl] *adj.* zy'lindrisch, Zylinder...
cym·bal ['sɪmbl] *s.* ♪ **1.** Becken *n*; **2.** 'Zimbel *f*; '**cym·bal·ist** [-bəlɪst] *s.* Bekkenschläger *m*; '**cym·ba·lo** [-bələʊ] *pl.* **-los** *s.* ♪ Hackbrett *n.*
Cym·ric ['kɪmrɪk] **I** *adj.* kymrisch, *bsd.* wa'lisisch; **II** *s. ling.* Kymrisch *n.*
cyn·ic ['sɪnɪk] *s.* **1.** Zyniker *m*, bissiger Spötter; **2.** ≈ *antiq. phls.* Kyniker *m*; '**cyn·i·cal** [-kl] *adj.* □ zynisch; '**cyn·i·cism** [-ɪsɪzəm] *s.* **1.** Zy'nismus *m*; **2.** zynische Bemerkung.
cy·no·sure ['sɪnəzjʊə] *s.* **1.** *fig.* Anziehungspunkt *m*, Gegenstand *m* der Bewunderung; **2.** *fig.* Leitstern *m*; **3.** ≈ *ast.* a) Kleiner Bär, b) Po'larstern *m.*
cy·pher → ***cipher.***
cy·press ['saɪprɪs] *s.* Zy'presse *f.*
Cyp·ri·ote ['sɪprɪəʊt], '**Cyp·ri·ot** [-ɪət] **I** *s.* Zypri'ot(in), Zyprer(in); **II** *adj.* zyprisch.
Cy·ril·lic [sɪ'rɪlɪk] *adj.* ky'rillisch.
cyst [sɪst] *s.* **1.** ⚕ Zyste *f*; **2.** Kapsel *f*, Hülle *f*; '**cyst·ic** [-tɪk] *adj.* **1.** ⚕ zystisch; **2.** *anat.* Blasen...; **cys·ti·tis** [sɪs'taɪtɪs] *s.* ⚕ Blasenentzündung *f*; '**cys·to·scope** [-təskəʊp] *s.* ⚕ Blasenspiegel *m*; **cys·tos·co·py** [sɪs'tɒskəpɪ] *s.* ⚕ Blasenspiegelung *f.*
cy·to·blast ['saɪtəʊblæst] *s. biol.* Zyto'blast *m*, Zellkern *m.*
cy·tol·o·gy [saɪ'tɒlədʒɪ] *s. biol.* Zytolo'gie *f*, Zellenlehre *f.*
czar [zɑ:] *s.* Zar *m.*
czar·das ['tʃɑ:dæʃ] *s.* 'Csárdás *m.*
czar·e·vitch ['zɑ:rəvɪtʃ] *s.* Za'rewitsch *m*; **cza·ri·na** [zɑ:'ri:nə] *s.* Zarin *f*; '**czar·ism** [-rɪzəm] *s.* Zarentum *n*; '**czar·ist** [-rɪst], **czar·is·tic** [zɑ:'rɪstɪk] *adj.* za'ristisch; **cza·rit·za** [zɑ:'rɪtsə] → ***czarina.***
Czech [tʃek] **I** *s.* **1.** Tscheche *m*, Tschechin *f*; **2.** *ling.* Tschechisch *n*; **II** *adj.* **3.** tschechisch.
Czech·o·slo·vak [ˌtʃekəʊ'sləʊvæk], *a.* ˌ**Czech·o·slo'vak·i·an** [-əʊsləʊ'vækɪən] **I** *s.* Tschechoslo'wake *m*, Tschechoslo'wakin *f*; **II** *adj.* tschechoslo'wakisch.

D

D, d [di:] *s.* **1.** D *n*, d *n* (*Buchstabe*); **2.** ♪ D *n*, d *n* (*Note*); **3.** *ped. Am.* Vier *f*, Ausreichend *n* (*Note*).

'd [-d] F *für* ***had, should, would***: ***you'd***.

dab¹ [dæb] **I** *v/t.* **1.** leicht klopfen, antippen; **2.** be-, abtupfen; **3.** bestreichen; **4.** *typ.* abklatschen, klischieren; **5.** *a.* **~** ***on*** *Farbe etc.* auftragen; **6.** *sl.* Fingerabdrücke machen von; **II** *v/i.* **7.** **~** ***at*** → 1, 2; **III** *s.* **8.** (leichter) Klaps, Tupfer *m*; **9.** Klecks *m*, Spritzer *m*; **10.** *Am. sl.* Fingerabdruck *m*.

dab² [dæb] *s.* F Könner *m*, ‚Künstler' *m*, Ex'perte *m*: ***be a ~ at s.th.*** et. aus dem Effeff können.

dab·ber ['dæbə] *s. typ.* a) Farbballen *m*, b) Klopfbürste *f*.

dab·ble ['dæbl] **I** *v/t.* **1.** bespritzen, besprengen; **II** *v/i.* **2.** planschen, plätschern; **3.** *fig.* **~** ***in s.th.*** sich aus Liebhaberei *od.* oberflächlich *od.* dilet'tantisch mit et. befassen, ein bißchen *malen etc.*; '**dab·bler** [-lə] *s.* Ama'teur *m*, *contp.* Dilet'tant(in), Stümper(in).

dab·ster ['dæbstə] *s.* **1.** → ***dab²***; **2.** F *Am.* Stümper *m*.

dace [deɪs] *s. ichth.* Häsling *m*.

da·cha ['dætʃə] *s.* Datscha *f*.

dachs·hund ['dækshʊnd] *s. zo.* Dachshund *m*, Dackel *m*.

dac·tyl ['dæktɪl] *s.* Daktylus *m* (*Versfuß*); **dac·tyl·ic** [dæk'tɪlɪk] *adj. u. s.* dak'tylisch(er Vers).

dac·ty·lo·gram [dæk'tɪləʊgræm] *s.* Fingerabdruck *m*.

dad [dæd] *s.* F ‚Paps' *m*, Vati *m*.

Da·da·ism ['dɑ:dəɪzəm] *s.* Dada'ismus *m*; '**Da·da·ist** [-ɪst] **I** *s.* Dada'ist *m*; **II** *adj.* dada'istisch.

dad·dy ['dædɪ] → ***dad***; **~ long·legs** [ˌdædɪ'lɒŋlegz] *s. zo.* **1.** *Brit.* Schnake *f*; **2.** *Am.* Weberknecht *m*.

dae·mon → ***demon***.

daf·fo·dil ['dæfədɪl] *s.* ⚘ gelbe Nar'zisse, Osterblume *f*, -glocke *f*.

daft [dɑ:ft] *adj.* □ F verrückt, blöde, ‚doof', ‚bekloppt'.

dag·ger ['dægə] *s.* **1.** Dolch *m*: ***be at ~s drawn*** (***with***) *fig.* auf (dem) Kriegsfuß stehen (mit); ***look ~s at s.o.*** j-n mit Blicken durchbohren; **2.** *typ.* Kreuz (-zeichen) *n* (†).

da·go ['deɪgəʊ] *pl.* **-gos** *od.* **-goes** *s. sl. contp.* = *Spanier*, *Portugiese od. Italiener*; *weitS.* ‚Ka'nake' *m*, (verdammter) Ausländer.

da·guerre·o·type [də'gerəʊtaɪp] *s. phot.* a) Daguerreoty'pie *f*, b) Daguerreo'typ *n* (*Bild*).

dahl·ia ['deɪljə] *s.* ⚘ Dahlie *f*.

Dail Eir·eann [ˌdaɪl'eərən] *a.* **Dail** *s.* Abgeordnetenhaus *n von Eire*.

dai·ly ['deɪlɪ] **I** *adj.* **1.** täglich, Tage(s)...: ***our ~ bread*** unser täglich(es) Brot; **~** ***wages*** Tagelohn *m*; **~** ***newspaper*** → 5; **2.** alltäglich, häufig, ständig; **II** *adv.* **3.** täglich; **4.** immer, ständig; **III** *s.* **5.** Tageszeitung *f*; **6.** *Brit.* Zugeh-, Putzfrau *f*.

dain·ti·ness ['deɪntɪnɪs] *s.* **1.** Zierlichkeit *f*, Niedlichkeit *f*; **2.** wählerisches Wesen, Verwöhntheit *f*; **3.** Geziertheit *f*, Zimperlichkeit *f*; **4.** Schmackhaftigkeit *f*; **dain·ty** ['deɪntɪ] **I** *adj.* □ **1.** zierlich, niedlich, fein, reizend; **2.** köstlich, exqui'sit; **3.** wählerisch, verwöhnt (*bsd. im Essen*); **4.** geziert, zimperlich; **5.** lecker, schmackhaft; **II** *s.* **6.** *a. fig.* Lekkerbissen *m*, Delika'tesse *f*.

dair·y ['deərɪ] *s.* **1.** Molke'rei *f*; **2.** Milchwirtschaft *f*, Molke'rei(betrieb *m*) *f*; **3.** Milchhandlung *f*; **~ bar** *s. Am.* Milchbar *f*; **~ cat·tle** *s. pl.* Milchvieh *n*; **~ farm** *s.* auf Milchwirtschaft spezialisierter Bauernhof; **~ lunch** → ***dairy bar***; '**~·maid** *s.* **1.** Melkerin *f*; **2.** Molke'reiangestellte *f*; '**~·man** [-mən] *s.* [*irr.*] **1.** Milchmann *m*; **2.** Melker *m*, Schweizer *m*; **~ prod·uce** *s.* Molke'reiproˌdukte *pl.*

da·is ['deɪɪs] *pl.* **-is·es** *s.* **1.** Podium *n*, E'strade *f*; **2.** *obs.* Baldachin *m*.

dai·sy ['deɪzɪ] **I** *s.* **1.** ⚘ Gänseblümchen *n*: (***double***) **~** Tausendschön(chen) *n*; ***be pushing up the daisies*** *sl.* ‚sich die Radies-chen von unten betrachten' (*tot sein*); → ***fresh*** 4; **2.** *sl.* a) 'Prachtexemˌplar *n*, b) Prachtkerl *m*, ‚Perle' *f*; **II** *adj.* **3.** *sl.* erstklassig, prima; '**~-chain** *s.* **1.** Gänseblumenkränzchen *n*; **2.** *fig.* Reigen *m*, Kette *f*; '**~-ˌcut·ter** *s. sl.* **1.** Pferd *n* mit schleppendem Gang; **2.** *sport* Flachschuß *m*.

dale [deɪl] *s. poet.* Tal *n*; **dales·man** ['deɪlzmən] *s.* [*irr.*] Talbewohner *m* (*bsd. in Nordengland*).

dal·li·ance ['dælɪəns] *s.* **1.** Tröde'lei *f*, Bumme'lei *f*; **2.** Tände'lei *f*: a) Spiele'rei *f*, b) Schäke'rei *f*, Liebe'lei *f*; **dal·ly** ['dælɪ] **I** *v/i.* **1.** trödeln, Zeit vertändeln;

2. tändeln, spielen, liebäugeln (***with*** mit); **3.** scherzen, schäkern; **II** *v/t.* **4.** ~ ***away*** *Zeit* vertrödeln; *Gelegenheit* verpassen.
Dal·ma·tian [dælˈmeɪʃjən] **I** *adj.* **1.** dalmaˈtinisch; **II** *s.* **2.** Dalmaˈtiner(in); **3.** Dalmaˈtiner *m* (*Hund*).
dal·ton·ism [ˈdɔːltənɪzəm] *s.* ⚕ Farbenblindheit *f.*
dam¹ [dæm] **I** *s.* **1.** (Stau)Damm *m*, Wehr *n*, Talsperre *f*; **2.** Stausee *m*; **3.** *fig.* Damm *m*; **II** *v/t.* **4.** *a.* ~ ***up*** a) stauen, (ab-, ein-, zuˈrück)dämmen (*a. fig.*), b) (ab)sperren, hemmen (*a. fig.*).
dam² [dæm] *s. zo.* Mutter(tier *n*) *f.*
dam·age [ˈdæmɪdʒ] **I** *s.* **1.** (***to***) Schaden *m* (an *dat.*), (Be)Schädigung *f* (*gen.*): ***do*** ~ Schaden anrichten; ***do*** ~ ***to*** → 6; ~ ***by sea*** ⚓ Seeschaden *m*, Havarie *f*; **2.** Nachteil *m*, Verlust *m*; ~ ***limitation*** Schadensbegrenzung *f*; **3.** *pl.* ⚖ Schadensersatz *m*: ***for*** ~***s*** auf Schadensersatz *klagen*; **4.** *sl.* Kosten *pl.*: ***what's the*** ~***?*** was kostet es?; **II** *v/t.* **5.** beschädigen; **6.** *j-n*, *j-s Ruf etc.* schädigen, Schaden zufügen, *j-m* schaden; ˈ**dam·age·a·ble** [-dʒəbl] *adj.* leicht zu beschädigen(d); ˈ**dam·aged** [-dʒd] *adj.* **1.** beschädigt, schadhaft, deˈfekt; **2.** verletzt, (körper)geschädigt; **3.** verdorben; ˈ**dam·ag·ing** [-dʒɪŋ] *adj.* □ schädlich, nachteilig (***to*** für).
dam·a·scene(d) [ˈdæməsiːn(d)] *adj.* Damaszener…, damasziert.
dam·ask [ˈdæməsk] **I** *s.* **1.** Daˈmast *m* (*Stoff*); **2.** *a.* ~ ***steel*** Damasˈzenerstahl *m*; **3.** *a.* ~ ***rose*** ⚘ Damasˈzenerrose *f*; **II** *adj.* **4.** Damast…; Damaszener…; **5.** rosarot; **III** *v/t.* **6.** *Stahl* damaszieren; **7.** daˈmastartig weben; **8.** *fig.* verzieren.
dame [deɪm] *s.* **1.** *Brit.* a) Freifrau *f*, b) ♀ *der dem* ***knight*** *entsprechende Titel*: ♀ ***Diana X***; **2.** alte Dame: ♀ ***Nature*** Mutter *f* Natur; **3.** *ped.* Schul- *od.* Heimleiterin *f*; **4.** *Am. sl.* ‚Frau' *f*, Weibsbild *n*.
damn [dæm] **I** *v/t.* **1.** verdammen (*a. eccl.*); verwünschen, verfluchen: (***oh***) ~***!***, ~ ***it*** (***all***)***!*** *sl.* verflucht!; ~ ***you!*** *sl.* hol dich der Teufel!; ***well, I'll be*** ~***ed!*** nicht zu glauben!, das ist die Höhe!; ***I'll be*** ~***ed if*** a) ich freß 'nen Besen, wenn…, b) es fällt mir nicht im Traum ein (*das zu tun*); ***I'll be*** ~***ed if I know!*** ich habe keinen blassen Dunst; **2.** verurteilen, verwerfen, ablehnen; **3.** vernichten, ruinieren; **II** *s.* **4.** Fluch *m*; **5.** ***I don't care a*** ~ *sl.* das kümmert mich einen Dreck; ***not worth a*** ~ keinen Pfifferling wert; **III** *adj. u. adv.* **6.** → ***damned*** 2, 3; ˈ**dam·na·ble** [-nəbl] *adj.* □ **1.** verdammenswert; **2.** F abˈscheulich; **dam·na·tion** [dæmˈneɪʃn] **I** *s.* **1.** Verdammung *f*; **2.** Ruˈin *m*; **II** *int.* **3.** verflucht!; **damned** [dæmd] **I** *adj.* **1.** verdammt: ***the*** ~ *eccl.* die Verdammten; **2.** *sl.* verflucht: ~ ***fool*** Idiot *m*, ‚Blödmann' *m*; ***do one's*** ~***est*** sein möglichstes tun; **3.** *a. adv. Bekräftigung*: *sl.* verdammt: ***a*** ~ ***sight better*** viel besser; ***every*** ~ ***one*** jeder einzelne; ~ ***funny*** urkomisch; ***he*** ~ ***well ought to know*** das müßte er wahrhaftig wissen; **II** *int.* **4.** verdammt!;
damn·ing [ˈdæmɪŋ] *adj. fig.* erdrükkend, vernichtend: ~ ***evidence***.
Dam·o·cles [ˈdæməkliːz] *npr.* Damokles: ***sword of*** ~ Damoklesschwert *n*.
damp [dæmp] **I** *adj.* □ **1.** feucht; dunstig: ~ ***course*** ⚠ Isolierschicht *f*; **II** *s.* **2.** Feuchtigkeit *f*; **3.** Dunst *m*; **4.** → ***fire-damp***; **5.** *fig.* Dämpfer *m*, Entmutigung *f*, Hemmnis *n*: ***cast a*** ~ ***over s.th.*** et. dämpfen *od.* lähmen, et. überschatten; **III** *v/t.* **6.** an-, befeuchten; **7.** *a.* ~ ***down*** *fig. Eifer etc.* dämpfen (*a.* ♪, ⚡, *phys.*); (ab)schwächen, drosseln (*a.* ⚙); ersticken; ~ ***course*** *s.* ⚠ Sperrbahn *f* (*gegen Nässe*).
damp·en [ˈdæmpən] **I** *v/t.* **1.** an-, befeuchten; **2.** *fig.* dämpfen, ˈniederdrükken; entmutigen; **II** *v/i.* **3.** feucht werden; ˈ**damp·er** [-pə] *s.* **1.** Dämpfer *m* (*bsd. fig.*): ***cast a*** ~ ***on*** dämpfen, lähmend wirken auf (*acc.*); **2.** ⚙ Ofen-, Zugklappe *f*, Schieber *m*; **3.** ♪ Dämpfer *m*; **4.** ⚡ Dämpfung *f*; **5.** *Brit.* Stoßdämpfer *m*; ˈ**damp·ish** [-pɪʃ] *adj.* etwas feucht, klamm; ˈ**damp·ness** [-nɪs] *s.* Feuchtigkeit *f*; ˈ**damp·proof** *adj.* feuchtigkeitsbeständig.
dam·sel [ˈdæmzl] *s. obs. od. iro.* Maid *f*.
dam·son [ˈdæmzən] *s.* ⚘ Damasˈzenerpflaume *f*; ~ ***cheese*** *s.* steifes Pflaumenmus.
dan [dæn] *s. Judo etc.*: Dan *m*.
dance [dɑːns] **I** *v/i.* **1.** tanzen: ~ ***to s.o.'s pipe*** (*od.* ***tune***) *fig.* nach j-s Pfeife tanzen; **2.** tanzen: a) (herˈum)hüpfen, b) flattern, schaukeln (*Blätter etc.*); **II** *v/t.* **3.** *e-n Tanz* tanzen: ~ ***attendance on s.o.*** *fig.* um j-n scharwenzeln; **4.** *Tier* tanzen lassen; *Kind* schaukeln; **III** *s.* **5.** Tanz *m*: ***give a*** ~ e-n Ball geben; ***lead s.o. a*** ~ a) j-n zum Narren halten, b) j-m das Leben sauer machen; ♀ ***of Death*** Totentanz; ~ **hall** *s.* ˈTanzloˌkal *n*.
danc·er [ˈdɑːnsə] *s.* Tänzer(in).
danc·ing [ˈdɑːnsɪŋ] *s.* Tanzen *n*, Tanzkunst *f*; ~ **girl** *s.* (Tempel)Tänzerin *f* (*in Asien*); ~ **les·son** *s.* Tanzstunde *f*; ~ **mas·ter** *s.* Tanzlehrer *m*.
dan·de·li·on [ˈdændɪlaɪən] *s.* ⚘ Löwenzahn *m*.
dan·der [ˈdændə] *s.*: ***get s.o.'s*** ~ ***up*** F j-n ‚auf die Palme' bringen.
dan·di·fied [ˈdændɪfaɪd] *adj.* stutzer-, geckenhaft, geschniegelt.
dan·dle [ˈdændl] *v/t.* **1.** *Kind* auf den Armen *od.* auf den Knien schaukeln; **2.** hätscheln; **3.** verhätscheln, verwöhnen.

D

dan·druff ['dændrəf] *a.* '**dan·driff** [-rɪf] *s.* (Kopf-, Haar)Schuppen *pl.*

dan·dy ['dændɪ] **I** *s.* **1.** Dandy *m*, Stutzer *m*; **2.** F *et.* Großartiges: ***the ~*** genau das Richtige; **3.** ⚓ Scha'luppe *f*; **4.** ⚓ a) Heckmaster *m*, b) Besansegel *n*; **II** *adj.* **5.** stutzerhaft; **6.** F erstklassig, prima, ‚bestens'; **~ brush** *s.* Striegel *m*.

dan·dy·ish ['dændɪɪʃ] → ***dandy*** 5; '**dan·dy·ism** [-ɪzəm] stutzerhaftes Wesen.

Dane [deɪn] *s.* **1.** Däne *m*, Dänin *f*; **2.** → ***Great Dane***.

dan·ger ['deɪndʒə] **I** *s.* **1.** Gefahr *f* (***to*** für): ***in ~ of one's life*** in Lebensgefahr; ***be in ~ of falling*** Gefahr laufen zu fallen; ***the signal is at ~*** 🚂 das Signal steht auf Halt; **2.** Bedrohung *f*, Gefährdung *f* (***to*** *gen.*); **II** *adj.* Gefahren…: ***~ area*** Gefahrenzone *f*; Sperrgebiet *n*; ***be on (off) the ~ list*** in (außer) Lebensgefahr sein; ***~ money, ~ pay*** Gefahrenzulage *f*; ***~ point, ~ spot*** Gefahrenpunkt *m*; ***~ signal*** Not-, Warnsignal *n*; '**dan·ger·ous** [-dʒərəs] *adj.* □ **1.** gefährlich, gefahrvoll (***to*** für); **2.** bedenklich.

dan·gle ['dæŋgl] **I** *v/i.* **1.** baumeln, (her'ab)hängen; **2.** ***~ after s.o.*** sich an j-n anhängen, j-m nachlaufen: ***~ after girls***; **II** *v/t.* **3.** schlenkern, baumeln lassen: ***~ s.th. before s.o.*** *fig.* j-m et. verlockend in Aussicht stellen.

Dan·iel ['dænjəl] *s. bibl.* (das Buch) Daniel *m*.

Dan·ish ['deɪnɪʃ] **I** *adj.* **1.** dänisch; **II** *s.* **2.** ***the ~*** die Dänen; **3.** *ling.* Dänisch *n*, das Dänische; **~ pas·try** *s. ein* Blätterteiggebäck *n*.

dank [dæŋk] *adj.* feucht, naßkalt, dumpfig.

Da·nu·bi·an [dæ'nju:bjən] *adj.* Donau…

daph·ne ['dæfnɪ] *s.* ⚘ Seidelbast *m*.

dap·per ['dæpə] *adj.* **1.** a'drett, ele'gant, *iro.* geschniegelt; **2.** flink, gewandt.

dap·ple ['dæpl] *v/t.* tüpfeln, sprenkeln; '**dap·pled** [-ld] *adj.* **1.** gesprenkelt, gefleckt, scheckig; **2.** bunt.

ˌ**dap·ple-'grey** (**horse**) *s.* Apfelschimmel *m*.

dar·bies ['dɑ:bɪz] *s. pl. sl.* Handschellen *pl.*

Dar·by and Joan ['dɑ:bɪ ən(d) 'dʒəʊn] glückliches älteres Ehepaar: ***~ club*** Seniorenklub *m*.

dare [deə] **I** *v/i.* [*irr.*] **1.** es wagen, sich (ge)trauen; sich erdreisten, sich unter'stehen: ***he ~n't do it*** er wagt es nicht (zu tun); ***how ~ you say that?*** wie können Sie es wagen, das zu sagen?; ***don't (you) ~ to touch me!*** untersteh dich nicht, mich anzurühren!; ***how ~ you!*** a) untersteh dich!, b) was fällt dir ein!; ***I ~ say*** a) ich glaube wohl, b) allerdings (*a. iro.*); **II** *v/t.* [*irr.*] **2.** *et.* wagen, riskieren; **3.** mutig begegnen (*dat.*), trotzen (*dat.*); **4.** *j-n* her'ausfordern: ***I ~ you!*** du traust dich ja nicht!; ***I ~ you to deny it*** wage nicht, es abzustreiten; '**~ˌdev·il I** *s.* Wag(e)hals *m*, Draufgänger *m*, Teufelskerl *m*; **II** *adj.* tollkühn, waghalsig; '**~ˌdev·il·(t)ry** *s.* Tollkühnheit *f*.

dar·ing ['deərɪŋ] **I** *adj.* □ **1.** wagemutig, kühn, verwegen; **2.** unverschämt, dreist; **3.** *fig.* gewagt, kühn; **II** *s.* **4.** Wagemut *m*.

dark [dɑ:k] **I** *adj.* □ → ***darkly***; **1.** dunkel, finster: ***it is getting ~*** es wird dunkel; **2.** dunkel (*Farbe*): ***~ blue*** dunkelblau; ***~ hair*** braunes *od.* dunkles Haar; → ***horse*** 1; **3.** geheim(nisvoll), dunkel, verborgen, unklar: ***a ~ secret*** ein tiefes Geheimnis; ***keep s.th. ~*** et. geheimhalten; **4.** böse, finster, schwarz: ***~ thoughts***; **5.** düster, trübe, freudlos: ***a ~ future***; ***the ~ side of things*** die Schattenseite der Dinge; **6.** dunkel, unerforscht; kul'turlos; **II** *s.* **7.** Dunkel (-heit *f*) *n*, Finsternis *f*: ***in the ~*** im Dunkel(n); ***at ~*** bei Einbruch der Dunkelheit; **8.** *pl. paint.* Schatten *m*; **9.** *fig.* Dunkel *n*, Ungewißheit *f*, *das* Geheime, Unwissenheit *f*: ***keep s.o. in the ~*** j-n im ungewissen lassen; ***I am in the ~*** ich tappe im dunkeln; ***a leap in the ~*** ein Sprung ins Ungewisse; 2 **A·ges** *s. pl. das* frühe Mittelalter; 2 **Con·ti·nent** *s. hist. der* dunkle Erdteil, Afrika *n*.

dark·en ['dɑ:kən] **I** *v/t.* **1.** verdunkeln (*a. fig.*), verfinstern: ***don't ~ my door again!*** komm mir nie wieder ins Haus!; **2.** dunkel *od.* dunkler färben; **3.** *fig.* verdüstern, trüben; **II** *v/i.* **4.** dunkel werden, sich verdunkeln (*etc.* → I); '**dark·ish** [-kɪʃ] *adj.* **1.** etwas dunkel, schwärzlich; **2.** trübe; **3.** dämmerig.

dark lan·tern *s.* 'Blendlaˌterne *f*.

dark·ling ['dɑ:klɪŋ] *adj.* sich verdunkelnd; '**dark·ly** [-lɪ] *adv. fig.* **1.** finster, böse; **2.** dunkel, geheimnisvoll; **3.** undeutlich; '**dark·ness** [-nɪs] *s.* **1.** *a. fig.* Dunkelheit *f*, Finsternis *f*; **2.** dunkle Färbung; **3.** *das* Böse: ***the powers of ~*** die Mächte der Finsternis; **4.** Unwissenheit *f*; **5.** Unklarheit *f*; **6.** Heimlichkeit *f*.

'**dark**|**·room** [-rʊm] *s. phot.* Dunkelkammer *f*; '**~-skinned** *adj.* dunkelhäutig; '**~·slide** *s. phot.* Kas'sette *f*.

dark·y ['dɑ:kɪ] *s. contp.* Neger(in).

dar·ling ['dɑ:lɪŋ] **I** *s.* **1.** Liebling *m*, Schatz *m*: ***~ of fortune*** Glückskind *n*; ***aren't you a ~*** du bist doch ein Engel; **II** *adj.* **2.** lieb, geliebt; Herzens…; **3.** reizend, ‚süß', entzückend.

darn[1] [dɑ:n] **I** *v/t. Strümpfe etc.* stopfen, ausbessern; **II** *s. das* Gestopfte.

darn[2] [dɑ:n] *v/t. sl. für* ***damn*** 1; **darned** [-nd] *adj. u. adv. sl. für* ***damned*** 2, 3.

darn·er ['dɑ:nə] *s.* **1.** Stopfer(in); **2.**

Stopf-ei *n*, -pilz *m*.

darn·ing ['dɑːnɪŋ] *s.* Stopfen *n*; **~ egg** *s.* Stopf-ei *n*; **~ nee·dle** *s.* Stopfnadel *f*; **~ yarn** *s.* Stopfgarn *n*.

dart [dɑːt] **I** *s.* **1.** Wurfspeer *m*, -spieß *m*; **2.** (Wurf)Pfeil *m*; *fig.* Stachel *m des Spotts*; **3.** Satz *m*, Sprung *m*: ***make a ~ for*** losstürzen auf (*acc.*); **4.** *pl. sg. konstr.* Darts *n* (*Wurfpfeilspiel*): ***~-board*** Zielscheibe *f*; **5.** Abnäher *m* (*in Kleidern*); **II** *v/t.* **6.** schleudern, schießen; *Blicke* zuwerfen; **III** *v/i.* **7.** sausen, flitzen: ***~ at s.o.*** auf j-n losstürzen; ***~ off*** davonstürzen; **8.** sich blitzschnell bewegen, zucken, schnellen (*Schlange, Zunge*), huschen (*a. Auge*).

Dart·moor ['dɑːtˌmʊə] *a.* **~ pris·on** *s. englische Strafanstalt.*

Dar·win·ism ['dɑːwɪnɪzəm] *s.* Darwi'nismus *m*.

dash [dæʃ] **I** *v/t.* **1.** schleudern, (heftig) stoßen *od.* schlagen, schmettern: ***~ to pieces*** zerschmettern; ***~ out s.o.'s brains*** j-m den Schädel einschlagen; **2.** (be)spritzen; (über)'schütten, über'gießen (*a. fig.*): ***~ off*** *od.* ***down*** *Schriftliches* hinwerfen, -hauen; **3.** *Hoffnung etc.* zunichte machen, vereiteln; **4.** *fig.* a) niederdrücken, deprimieren, b) aus der Fassung bringen, verwirren; **5.** (ver)mischen (*a. fig.*); **6.** F → ***damn*** 1: ***~ it (all)!*** verflixt!; **II** *v/i.* **7.** sausen, flitzen, stürmen; *sport* spurten: ***~ off*** davonjagen, -stürzen; **8.** heftig (auf-) schlagen, prallen, klatschen; **III** *s.* **9.** Sprung *m*, (Vor)Stoß *m*; Anlauf *m*, Ansturm *m*: ***at a*** (*od.* ***one***) ***~*** mit 'einem Schlag; ***make a ~*** (***for, at***) (los-) stürmen, sich stürzen (auf *acc.*); **10.** (Auf)Schlagen *n*, Prallen *n*, Klatschen *n*; **11.** Zusatz *m*; Schuß *m Rum etc.*; Prise *f Salz etc.*; Anflug *m*, Stich *m* (***of red*** ins Rote); Klecks *m* (*Farbe*): ***add a ~ of colo(u)r*** *fig.* e-n Farbtupfer aufsetzen; **12.** Federstrich *m*; *typ.* Gedankenstrich *m*; ♪, ✈, *tel.* Strich *m*; **13.** Schneid *m*, Schwung *m*, Schmiß *m*; Ele'ganz *f*: ***cut a ~*** Aufsehen erregen, e-e gute Figur abgeben; **14.** *sport* a) Kurzstreckenlauf *m*, b) Spurt *m*; **15.** ⚙ F → '**~·board** *s.* ✈, *mot.* Arma'turen-, Instru'mentenbrett *n*.

dashed [dæʃt] *adj. u. adv.* F verflixt; '**dash·er** [-ʃə] *s.* **1.** Butterstößel *m*; **2.** F ele'gante Erscheinung, fescher Kerl; '**dash·ing** [-ʃɪŋ] *adj.* □ **1.** schneidig, forsch, kühn; **2.** ele'gant, flott, fesch.

das·tard ['dæstəd] *s.* (gemeiner) Feigling, Memme *f*; '**das·tard·li·ness** [-lɪnɪs] *s.* **1.** Feigheit *f*; **2.** Heimtücke *f*; '**das·tard·ly** [-lɪ] *adj.* **1.** feig(e); **2.** (heim)tückisch, gemein.

da·ta ['deɪtə] *s. pl. von* ***datum*** (*oft* [*fälschlich*] *sg. konstr.*) (*a. technische*) Daten *pl. od.* Angaben *pl. od.* Einzelheiten *pl. od.* 'Unterlagen *pl.*; Tatsachen *pl.*; ⚙ (Meß-, Versuchs)Werte *pl.*; *Computer*: Daten *pl.*: ***personal ~*** Personalangaben, Personalien; (***electronic***) ***~ processing*** (elektronische) Datenverarbeitung; ***~ abuse*** Datenmißbrauch *m*; ***~ bank*** Datenbank *f*; ***~ carrier*** Datenträger *m*; ***~ collection*** Datenerfassung *f*; ***~ display device*** Datensichtgerät *n*; ***~ editing*** Datenaufbereitung *f*; ***~ exchange*** Datenaustausch *m*; ***~ file*** Datei *f*; ***~ input*** Dateneingabe *f*; ***~ logger*** Datenerfassungssystem *n*; ***~ output*** Datenausgabe *f*; ***~ printer*** Datendrucker *m* (*Gerät*); ***~ protection*** Datenschutz *m*; ***~ protection officer*** Datenschutzbeauftragte *m*; ***~ recall*** Datenabruf *m*; ***~ transfer*** Datenübertragung *f*; ***~ typist*** Datentypist(in).

date[1] [deɪt] *s.* ⚘ **1.** Dattel *f*; **2.** *a.* ***~-tree*** Dattelpalme *f*.

date[2] [deɪt] **I** *s.* **1.** Datum *n*, Zeitangabe *f*, (Monats)Tag *m*: ***what's the ~ today?*** der Wievielte ist heute?; **2.** Datum *n*, Zeit(punkt *m*) *f*: ***at an early ~*** (recht) bald; ***of recent ~*** neu(eren Datums), modern; ***fix a ~*** e-n Termin festsetzen; **3.** Zeit(raum *m*) *f*, E'poche *f*: ***of Roman ~*** aus der Römerzeit; **4.** ⚚ a) Ausstellungstag *m* (*Wechsel*), b) Frist *f*, Ziel *n*: ***~ of delivery*** Liefertermin *m*; ***~ of maturity*** Fälligkeitstag *m*; ***at long ~*** auf lange Sicht; **5.** heutiger Tag: ***of this*** (*od.* ***today's***) ***~*** heutig; ***four weeks after ~*** heute in vier Wochen; ***to ~*** bis heute; ***out of ~*** veraltet, überholt, unmodern; ***go out of ~*** veralten; ***up to ~*** zeitgemäß, modern, auf der Höhe (der Zeit), auf dem laufenden; ***bring up to ~*** auf den neuesten Stand bringen, modernisieren; → ***up-to-date***; **6.** F Verabredung *f*, Rendez'vous *n*: ***have a ~ with s.o.*** mit j-m verabredet sein; ***make a ~*** sich verabreden; **7.** F (Verabredungs)Partner(in): ***who is your ~?*** mit wem bist du verabredet?; **II** *v/t.* **8.** *Brief etc.* datieren: ***~ ahead*** voraus-, vordatieren; **9.** a) ein Datum *od.* e-e Zeit festsetzen *od.* angeben für, b) e-r bestimmten Zeit zuordnen; **10.** herleiten (***from*** aus); **11.** als über'holt *od.* veraltet kennzeichnen; **12.** *a.* ***~ up*** F a) sich verabreden mit, b) (*regelmäßig*) ‚gehen' mit: ***~ a girl***; **III** *v/i.* **13.** datieren, datiert sein (***from*** von); **14.** ***~ from*** (*od.* ***back to***) stammen *od.* sich herleiten aus, entstanden sein in (*dat.*); **15.** ***~ back to*** zu'rückreichen bis, zu'rückgehen auf (*e-e Zeit*); **16.** veralten, sich über'leben.

date block *s.* ('Abreiß)KaˌIender *m*.

dat·ed ['deɪtɪd] *adj.* **1.** veraltet, über'holt; **2.** ***~ up*** F ‚ausgebucht' (*Person*),

D

voll besetzt (*Tag*); ˈ**date·less** [-lɪs] *adj.* **1.** undatiert; **2.** endlos; **3.** zeitlos (*Mode, Kunstwerk etc.*).

ˈ**date|·line** *s.* **1.** Datumszeile *f* (*e-r Zeitung etc.*); **2.** *geogr.* Datumsgrenze *f*; **~ palm** → ***date***[1] 2; **~ stamp** *s.* Datums- *od.* Poststempel *m*.

da·ti·val [dəˈtaɪvəl] *adj. ling.* Dativ...

da·tive [ˈdeɪtɪv] **I** *s. a.* ***~ case*** *ling.* Dativ *m*, dritter Fall; **II** *adj.* daˈtivisch, Dativ...

da·tum [ˈdeɪtəm] *pl.* **-ta** [-tə] *s.* **1.** *et.* Gegebenes *od.* Bekanntes, Gegebenheit *f*; **2.** Vorˈaussetzung *f*, Grundlage *f*; **3.** ⩟ gegebene Größe; **4.** → ***data***; **~ line** *s. surv.* Bezugslinie *f*; **~ point** *s.* **1.** ⩟, *phys.* Bezugspunkt *m*; **2.** *surv.* Norˈmalfixpunkt *m*.

daub [dɔːb] **I** *v/t.* **1.** be-, verschmieren, bestreichen; **2.** (***on***) schmieren, streichen (auf *acc.*); **3.** *Wand* bewerfen, verputzen; **4.** *fig.* besudeln; **II** *v/i.* **5.** *paint.* klecksen, schmieren; **III** *s.* **6.** (Lehm-)Bewurf *m*; **7.** *paint.* Schmiereˈrei *f*, Farbenkleckseˈrei *f*, schlechtes Gemälde; ˈ**daub·(st)er** [-b(st)ə] *s.* Schmierer(in); Farbenkleckser(in).

daugh·ter [ˈdɔːtə] *s.* **1.** Tochter *f* (*a. fig.*): ***~ language*** Tochtersprache *f*; → ***Eve***[1]; **2.** → **~ com·pa·ny** *s.* ✝ Tochter(-gesellschaft) *f*; **~-in-law** [ˈdɔːtərɪnlɔː] *pl.* **~s-in-law** [-təz-] *s.* Schwiegertochter *f*; ˈ**daugh·ter·ly** [-lɪ] *adj.* töchterlich.

daunt [dɔːnt] *v/t.* einschüchtern, (er-) schrecken; entmutigen: ***nothing ~ed*** unverzagt; ***a ~ing task*** e-e beängstigende Aufgabe; ˈ**daunt·less** [-lɪs] *adj.* □ unerschrocken.

dav·en·port [ˈdævnpɔːt] *s.* **1.** kleiner Sekreˈtär (*Schreibtisch*); **2.** *Am.* (*bsd.* Bett)Couch *f*.

Da·vy Jones's lock·er [ˈdeɪvɪˈdʒəʊnzɪz] *s.* ⚓ Meeresgrund *m*, nasses Grab: ***go to ~*** ertrinken.

daw [dɔː] *s. orn. obs.* Dohle *f*.

daw·dle [ˈdɔːdl] **I** *v/i.* trödeln, bummeln; **II** *v/t. a.* ***~ away*** *Zeit* vertrödeln; ˈ**daw·dler** [-lə] *s.* Trödler(in), Bummler(in).

dawn [dɔːn] **I** *v/i.* **1.** tagen, dämmern, anbrechen (*Morgen, Tag*); **2.** *fig.* (herˈauf)dämmern, erwachen, entstehen; **3.** ***~ (up)on*** *fig. j-m* dämmern, klarwerden, zum Bewußtsein kommen; **II** *s.* **4.** Morgendämmerung *f*, Tagesanbruch *m*: ***at ~*** beim Morgengrauen, bei Tagesanbruch; **5.** (An)Beginn *m*, Erwachen *n*, Anbruch *m*.

day [deɪ] *s.* **1.** Tag *m* (*Ggs. Nacht*): ***by ~*** bei Tage; ***before ~*** vor Tagesanbruch; ***~ and night*** Tag u. Nacht, immer; **2.** Tag *m* (*Zeitraum*): ***~'s work*** Tagesleistung *f*; ***three ~s from London*** drei Tage(reisen) von London; ***she is 30 if a ~*** sie ist mindestens 30 Jahre alt; **3.** *bestimmter* Tag: ***New Year's*** ⁓ Neujahrstag; **4.** festgesetzter Tag: ***~ of payment*** ✝ Zahlungstermin *m*; **5.** *pl.* (Lebens)Zeit *f*, Zeit(en *pl.*) *f*, Tage *pl.*: ***in my young ~s*** in m-r Jugend; ***student ~s*** Studentenzeit; ***~ after ~*** Tag für Tag; ***the ~ after*** tags darauf; ***the ~ after tomorrow*** übermorgen; ***all ~ long*** den ganzen Tag, den lieben langen Tag; ***the ~ before yesterday*** vorgestern; ***~ by ~*** (tag)täglich, Tag für Tag; ***for ~s (on end)*** tagelang; ***call it a ~*** F (für heute) Schluß machen; ***have a nice ~!*** *Am.* mach's gut!; ***let's call it a ~!*** F Feierabend!, Schluß für heute!; ***carry*** (*od.* ***win***) ***the ~*** den Sieg davontragen; ***end one's ~s*** s-e Tage beschließen; ***every other ~*** alle zwei Tage, e-n Tag um den andern; ***fall on evil ~s*** ins Unglück geraten; ***he*** (*od.* ***it***) ***has had his*** (*od.* ***its***) ***~*** s-e beste Zeit ist vorüber; ***~ in, ~ out*** tagaus, tagein; ***in his ~*** zu s-r Zeit, einst; ***late in the ~*** reichlich spät; ***that's all in the ~'s work*** *fig.* das gehört alles mit dazu; ***that made my ~*** F damit war der Tag für mich gerettet; ***what's the time of ~?*** wieviel Uhr ist es?; ***know the time of ~*** *fig.* wissen, was die Glocke geschlagen hat; ***pass the time of ~ with s.o.*** j-n grüßen; ***one ~*** eines Tages, einmal; ***the other ~*** neulich; ***save the ~*** die Lage retten; ***some ~ (or other)*** e-s Tages, nächstens einmal; ***(in) these ~s*** heutzutage; ***this ~*** heute; ***this ~ week*** heute in e-r Woche; ***this ~ last week*** heute vor e-r Woche; ***in those ~s*** damals; ***those were the ~s!*** das waren noch Zeiten!; ***to a ~*** auf den Tag genau; ***what ~ of the month is it?*** den Wievielten haben wir heute?; **~ bed** *s.* Bettcouch *f*; ˈ**~·book** *s.* **1.** Tagebuch *n*; **2.** ✝ a) Jourˈnal *n*, b) Verkaufsbuch *n*, c) Kassenbuch *n*; ˈ**~·boy** *s. Brit.* Exˈterne(r) *m* (*e-s Internats*); ˈ**~·break** *s.* (***at ~*** bei) Tagesanbruch *m*; ˌ**~-by-ˈday** *adj.* (tag)täglich; ˈ**~-care cen·ter** *s. Am.* Kindertagesstätte *f*; ˈ**~-care moth·er** *s. Am.* Tagesmutter *f*; **~ coach** *s.* 🚂 *Am.* Perˈsonenwagen *m*; ˈ**~·dream I** *s.* **1.** Wachtraum *m*, Träumeˈrei *f*; **2.** *fig.* Luftschloß *n*; **II** *v/i.* **3.** (mit offenen Augen) träumen; ˈ**~ˌdream·er** *s.* Träumer(in); ˈ**~·fly** *s. zo.* Eintagsfliege *f*; ˈ**~·girl** *s. Brit.* Exˈterne *f* (*e-s Internats*); **~ la·bo(u)r·er** *s.* Tagelöhner *m*; **~ let·ter** *s. Am.* ˈBrieftele͵gramm *n*.

ˈ**day·light** *s.* **1.** Tageslicht *n*: ***by*** *od.* ***in ~*** bei Tag(eslicht); → ***broad*** 2; ***let ~ into s.th.*** *fig.* a) et. der Öffentlichkeit zugänglich machen, b) et. aufhellen; ***beat the ~s out of s.o.*** F j-n windelweich schlagen; ***he saw ~ at last*** *fig.* a) endlich ging ihm ein Licht auf, b) endlich sah er Land; **2.** (*at ~* bei) Tagesanbruch *m*; **3.** (lichter) Zwischenraum; **~ sav·ing time** *s.* Sommerzeit *f.*

'day|-long *adj. u. adv.* den ganzen Tag (dauernd); **~ nurs·er·y** *s.* **1.** Kindertagesstätte *f*, -krippe *f*; **2.** Spielzimmer *n*; **~ re·lease** *s.* zur beruflichen Fortbildung freigegebene Zeit; **'~·room** *s.* Tagesraum *m*; **~ school** *s.* **1.** Exter'nat *n*, Schule *f* ohne Inter'nat; **2.** Tagesschule *f*; **~ shift** *s.* Tagschicht *f*: ***be on ~*** Tagschicht haben; **~ stu·dent** Ex'terne(r *m*) *f e-s Internats*; **~ tick·et** *s.* 🚂 Tagesrückfahrkarte *f*; **'~·time** *s.* **1.** Tageszeit *f*, (*heller*) Tag: ***in the ~*** bei Tage; **2.** ✝ Arbeitstag *m*; **ˌ~-to-'~** *adj.* (tag)'täglich: ***~ money*** ✝ Tagesgeld *n*.

daze [deɪz] **I** *v/t.* betäuben, lähmen (*a. fig.*); blenden; verwirren; **II** *s.* Betäubung *f*, Benommenheit *f*: ***in a ~*** benommen, betäubt; **'daz·ed·ly** [-zɪdlɪ] *adv.* betäubt *etc.* (→ ***daze*** I).

daz·zle ['dæzl] **I** *v/t.* **1.** blenden (*a. fig.*); **2.** *fig.* verwirren, verblüffen; **3.** ⚔ *durch Anstrich* tarnen; **II** *s.* **4.** Blenden *n*; Glanz *m*; **5.** *a.* ***~ paint*** ⚔ Tarnanstrich *m*; **'daz·zler** [-lə] *s.* F **1.** ‚Blender' *m*; **2.** ‚tolle Frau'; **'daz·zling** [-lɪŋ] *adj.* □ **1.** blendend, glänzend (*a. fig.*); *fig.* strahlend (schön); **2.** verwirrend.

D-Day ['di:deɪ] *s. Tag der alliierten Landung in der Normandie, 6. Juni 1944.*

dea·con ['di:kən] *s. eccl.* Dia'kon *m*; **'dea·con·ess** [-kənɪs] *s. eccl.* **1.** Dia'konin *f*; **2.** Diako'nisse *f*; **'dea·con·ry** [-rɪ] *s. eccl.* Diako'nat *n*.

de·ac·ti·vate [ˌdi:'æktɪveɪt] *v/t.* **1.** ⚔ a) *Einheit* auflösen, b) *Munition* entschärfen; **2.** außer Akti'on *od.* Betrieb setzen.

dead [ded] **I** *adj.* □ → ***deadly*** II; **1.** tot, gestorben, leblos: ***as ~ as a doornail*** (*od.* ***as mutton***) mausetot; ***~ body*** Leiche *f*, Leichnam *m*; ***he is a ~ man*** *fig.* er ist ein Kind des Todes; ***~ matter*** tote Materie (→ 11); ***~ and gone*** tot u. begraben (*a. fig.*); ***~ to the world*** F ‚total weg' (*bewußtlos, volltrunken*); ***I'm ~!*** F ich bin ‚total fertig'!; ***wait for a ~ man's shoes*** a) auf e-e Erbschaft warten, b) nur darauf warten, daß jemand stirbt (*um seine Position einzunehmen*); **2.** *fig. allg.* tot: a) ausgestorben: ***~ languages*** tote Sprachen, b) über'lebt, veraltet: ***~ customs***, c) matt, stumpf: ***~ colo(u)rs***; ***~ eyes***, d) nichtssagend, farb-, ausdruckslos, e) geistlos, f) leer, öde: ***~ streets***; ***~ land***, g) still, stehend: ***~ water***, h) *sport* nicht im Spiel: ***~ ball*** ‚toter Ball'; **3.** unzugänglich, unempfänglich (***to*** für), taub (***to*** gegen *Ratschläge etc.*); **4.** gefühllos, abgestorben: ***~ fingers***; **5.** *fig.* gefühllos, abgestumpft (***to*** gegen); **6.** erloschen: ***~ fire***; ***~ volcano***; ***~ passions***; **7.** ⚖ ungültig; **8.** *bsd.* ✝ still, ruhig, flau: ***~ season***; **9.** ✝ tot, umsatzlos: ***~ assets*** unproduktive (Kapital)Anlage; ***~ capital*** (***stock***) totes Kapital (Inventar); **10.** ⚙ a) tot, außer Betrieb, b) de'fekt: ***~ valve***; ***~ engine*** ausgefallener *od.* abgestorbener Motor, c) leer, erschöpft: ***~ battery***, d) tot, starr: ***~ axle***, e) ⚡ tot, strom-, spannungslos; **11.** *typ.* abgelegt: ***~ matter*** Ablegesatz *m*; **12.** *bsd.* ⚠ blind, Blend...: ***~ floor***, ***~ window*** totes Fenster; **13.** Sack... (*ohne Ausgang*): ***~ street*** Sackgasse *f*; **14.** schal, abgestanden: ***~ drinks***; **15.** verwelkt, dürr, abgestorben: ***~ flowers***; **16.** völlig, to'tal: ***~ calm*** Flaute *f*, (völlige) Windstille; ***~ certainty*** absolute Gewißheit; ***in ~ earnest*** in vollem Ernst; ***~ loss*** Totalverlust *m*, *fig.* totaler Ausfall (*Person*); ***~ silence*** Totenstille *f*; ***~ stop*** völliger Stillstand; ***come to a ~ stop*** schlagartig stehenbleiben *od.* aufhören; **17.** todsicher, unfehlbar: ***he is a ~ shot***; **18.** äußerst: ***a ~ strain***; ***a ~ push*** ein verzweifelter, aber vergeblicher Stoß; **II** *s.* **19.** stillste Zeit: ***at ~ of night*** mitten in der Nacht; ***the ~ of winter*** der tiefste Winter; **20.** ***the ~*** a) der (die, das) Tote, b) *coll.* die Toten: ***several ~*** mehrere Tote; ***rise from the ~*** von den Toten auferstehen; **III** *adv.* **21.** restlos, völlig, gänzlich, abso'lut, to'tal: ***~ asleep*** in tiefstem Schlaf; ***~ drunk*** sinnlos betrunken; ***~ slow!*** *mot.* Schritt fahren; ***~ straight*** schnurgerade; ***~ tired*** todmüde; ***the facts are ~ against him*** alles spricht gegen ihn; **22.** plötzlich, schlagartig, abrupt: ***stop ~***; **23.** genau: ***~ against*** genau gegenüber von (*od. dat.*); ***~ (set) against*** ganz u. gar *od.* entschieden gegen (*et.* eingestellt); ***~ set on*** scharf auf (*acc.*).

dead| ac·count *s.* ✝ 'umsatzloses Konto; **ˌ~-(and-)a'live** *adj. fig.* (tod)langweilig; **'~·beat** *s.* F **1.** Schnorrer *m*; **2.** Gammler *m*; **ˌ~-'beat** *adj.* F todmüde, völlig ka'putt; **~ cen·ter** *Am.*, **~ cen·tre** *Brit. s.* ⚙ **1.** toter Punkt; **2.** genaue Mitte; **3.** tote Spitze (*der Drehbank*); **~ drop** *s. Spionage*: toter Briefkasten; **~ duck** *s.*: ***be a ~*** F keine Chance mehr haben, passé sein.

dead·en ['dedn] *v/t.* **1.** *Gefühl etc.* (ab-)töten, abstumpfen (***to*** gegen); betäuben; **2.** *Geräusch, Schlag etc.* dämpfen, (ab)schwächen; **3.** ⚙ mattieren.

dead| end *s.* **1.** Sackgasse *f* (*a. fig.*): ***come to a ~*** in e-e Sackgasse geraten; **2.** ⚙ blindes Ende; **'~-end** *adj.* **1.** ohne Ausgang, Sack...: ***~ street*** Sackgasse *f*; ***~ station*** Kopfbahnhof *m*; **2.** *fig.* ausweglos; **3.** ohne Aufstiegschancen: ***~ job***; **4.** verwahrlost, Slum...: ***~ kid*** verwahrlostes Kind; **'~·fall** *s.* Baumfalle *f*; **~ file** *s.* abgelegte Akte; **~ fire** *s.* Elmsfeuer *n*; **~ freight** *s.* ⚓ Fehlfracht *f*; **~ hand** → ***mortmain***; **'~·head** *s.* F a) Freikarteninhaber(in), b) Schwarzfahrer(in), c) *Am. contp.* ‚Blindgänger' *m*, ‚Niete' *f*, d) *Am.* Mitläufer *m*; **~ heat** *s. sport* totes Rennen; **~ let·ter** *s.* **1.** *fig.* toter Buchstabe (*unwirksames Gesetz*); **2.** unzustellbarer Brief; **'~·line** *s.* **1.** letzter *od.* äußerster Termin, Frist(ablauf *m*) *f*; *Zeitung*: Redakti'onsschluß *m*: ***~ pressure*** Termindruck *m*; ***meet the ~*** den Termin *od.* die Frist einhalten; **2.** Stichtag *m*; **3.** äußerste Grenze; **4.** *Am.* Todesstreifen *m* (*Strafanstalt*).

D

dead·li·ness ['dedlɪnɪs] *s. das* Tödliche; tödliche Wirkung.

dead| load *s.* ⚙ totes Gewicht, tote Last, Eigengewicht *n*; **'~·lock I** *s. fig.* toter Punkt, 'Patt(situatiˌon *f*) *n*: ***break the ~*** den toten Punkt überwinden; ***come to a ~*** → **II** *v/i.* sich festfahren, steckenbleiben, an e-m toten Punkt anlangen: ***~ed*** festgefahren.

dead·ly ['dedlɪ] **I** *adj.* **1.** tödlich, todbringend: ***~ poison***; ***~ precision*** tödliche Genauigkeit; ***~ sin*** Todsünde *f*; ***~ combat*** Kampf *m* auf Leben u. Tod; **2.** *fig.* unversöhnlich, grausam: ***~ enemy*** Todfeind *m*; ***~ fight*** mörderischer Kampf; **3.** totenähnlich: ***~ pallor*** Leichenblässe *f*; **4.** F schrecklich, groß, äußerst: ***~ haste***; **II** *adv.* **5.** totenähnlich: ***~ pale*** leichenblaß; **6.** F schrecklich, tod...: ***~ dull*** sterbenslangweilig.

dead| march *s.* ♪ Trauermarsch *m*; **~ ma·rine** *s. sl.* leere ‚Pulle'.

dead·ness ['dednɪs] *s.* **1.** Leblosigkeit *f*, Erstarrung *f*; *fig. a.* Leere *f*, Öde *f*; **2.** Gefühllosigkeit *f*, Gleichgültigkeit *f*, Kälte *f*; **3.** *bsd.* ☤ Flauheit *f*, Flaute *f*; **4.** Glanzlosigkeit *f*.

dead| net·tle *s.* ⚘ Taubnessel *f*; **~ pan** *s.* F ausdrucksloses Gesicht; **'~-pan** *adj.* **1.** ausdruckslos; **2.** mit ausdruckslosem Gesicht; **3.** *fig.* trocken (*Humor*); **~ point** *s.* ⚙ toter Punkt; **~ reck·on·ing** *s.* ⚓ gegißtes Besteck, Koppeln *n*; **~ set** *s.* **1.** *hunt.* Stehen *n des Hundes*; **2.** verbissene Feindschaft; **3.** hartnäckiges Bemühen *od.* Werben (***at*** um): ***make a ~ at*** sich hartnäckig bemühen um; **~ wa·ter** *s.* **1.** stehendes Wasser; **2.** ⚓ Kielwasser *n*, Sog *m*; **~ weight** *s.* **1.** a) ganze Last, volles Gewicht, b) totes Gewicht, Eigengewicht *n*; **2.** *fig.* schwere Last; **'~-weight ca·pac·i·ty** *s.* Tragfähigkeit *f*; **'~·wood** *s.* **1.** totes Holz, *weitS.* Reisig *n*; **2.** *fig.* Plunder *m*; ☤ Ladenhüter *m*; **3.** *fig. et.* Veraltetes *od.* Über'holtes; (nutzloser) 'Ballast.

de-aer·ate [di:'eɪəreɪt] *v/t.* entlüften.

deaf [def] *adj.* ☐ **1.** ⚕ taub: ***the ~*** die Tauben *pl.*; ***~ and dumb*** taubstumm; ***~-and-dumb language*** Taubstummensprache *f*; ***~ as a post*** stocktaub; → ***ear***[1] 1; **2.** schwerhörig; **3.** *fig.* (***to***) taub (gegen), unzugänglich (für); **'deaf-aid** *s.* Hörgerät *n*; **'deaf·en** [-fn] *v/t.* **1.** taub machen; betäuben; **2.** *Schall* dämpfen; **3.** *Wände* schalldicht machen; **'deaf·en·ing** [-fnɪŋ] *adj.* ohrenbetäubend; **ˌdeaf-'mute I** *adj.* taubstumm; **II** *s.* Taubstumme(r *m*) *f*; **'deaf·ness** [-nɪs] *s.* **1.** ⚕ Taubheit *f* (*a. fig.* ***to*** gegen); **2.** Schwerhörigkeit *f*.

deal[1] [di:l] **I** *v/i.* [*irr.*] **1.** (***with***) sich befassen *od.* beschäftigen *od.* abgeben (mit); **2.** (***with***) handeln (von), *et.* behandeln *od.* zum Thema haben; **3.** ***~ with*** sich mit *e-m Problem etc.* befassen *od.* ausein'andersetzen; *et.* in Angriff nehmen; **4.** ***~ with*** *et.* erledigen, mit *et. od. j-m* fertigwerden; **5.** ***~ with*** *od.* ***by*** behandeln (*acc.*), 'umgehen mit: ***~ fairly with s.o.*** j-n anständig behandeln, sich fair gegen j-n verhalten; **6.** ***~ with*** ☤ Geschäfte machen *od.* Handel treiben mit, in Geschäftsverkehr stehen mit; **7.** ☤ handeln, Handel treiben (***in*** mit): ***~ in paper***; **8.** dealen (*mit Rauschgift handeln*); **9.** *Kartenspiel*: geben; **II** *v/t.* [*irr.*] **10.** *oft* ***~ out*** *et.* ver-, austeilen: ***~ out rations***; ***~ s.o.*** (***s.th.***) ***a blow***, ***~ a blow at s.o.*** (***s.th.***) j-m (e-r Sache) e-n Schlag versetzen; **11.** *j-m et.* zuteilen; **12.** *Karten od. j-m e-e Karte* geben; **III** *s.* F **13.** Handlungsweise *f*, Verfahren *n*, Poli'tik *f*; → ***New Deal***; **14.** Behandlung *f*; → ***raw*** 10, ***square*** 37; **15.** Geschäft *n*, Handel *m*: ***it's a ~!*** abgemacht!; (***a***) ***good ~!*** gutes Geschäft!, nicht schlecht!; ***no ~!*** F da läuft nichts!; ***big ~!*** *Am. sl.* na und?, pah!; ***no big ~*** *Am. sl.* keine große Sache; **16.** Abkommen *n*, Über'einkunft *f*: ***make*** (*od.* ***do***) ***a ~*** ein Abkommen treffen, sich einigen; **17.** *Kartenspiel*: ***it is my ~*** ich muß geben.

deal[2] [di:l] *s.* **1.** Menge *f*, Teil *m*: ***a great ~*** (***of money***) sehr viel (Geld); ***a good ~*** ziemlich viel, ein gut Teil; ***think a great ~ of s.o.*** sehr viel von j-m halten; **2.** e-e ganze Menge: ***a ~ worse*** F viel schlechter.

deal[3] [di:l] *s.* **1.** Diele *f*, Brett *n*, Planke *f* (*bsd. aus Kiefernholz*); **2.** Tannen- *od.* Kiefernholz *n*.

deal·er ['di:lə] *s.* **1.** ☤ Händler(in), Kaufmann *m*: ***~ in antiques*** Antiquitätenhändler; ***plain ~*** *fig.* ehrlicher Mensch; **2.** *Brit. Börse*: Dealer *m* (*der auf eigene Rechnung Geschäfte tätigt*); **3.** Dealer *m* (*Rauschgifthändler*); **4.** *Kartenspiel*: Geber(in); **'deal·ing** [-lɪŋ] *s.* **1.** *mst pl.* 'Umgang *m*, Verkehr *m*, Beziehungen *pl.*: ***have ~s with s.o.*** mit j-m zu tun haben; ***there is no ~ with her*** mit ihr ist nicht auszukommen; **2.** ☤ a) Handel *m*, Geschäft *n* (***in*** in *dat.*, mit), b) Geschäftsverkehr *m*, c) Geschäftsgebaren *n*; **3.** Verhalten *n*, Handlungsweise *f*; **4.** Austeilen *n*, Geben *n* (*von Karten*).

dealt [delt] *pret. u. p.p. von* ***deal***[1].

dean [diːn] *s.* **1.** *Brit. univ.* a) De'kan *m* (*Vorstand e-r Fakultät od. e-s College*), b) Fellow *m* mit besonderen Aufgaben (*Oxford, Cambridge*); **2.** *Am. univ.* a) Vorstand *m* e-r Fakul'tät, b) Hauptberater(in), Vorsteher(in) (*der Studenten*); **3.** *eccl.* De'kan *m*, De'chant *m*; **4.** Vorsitzende(r *m*) *f*, Präsi'dent(in): ***♀ of the Diplomatic Corps*** Doyen *m* des Diplomatischen Korps; **'dean·er·y** [-nərɪ] *s.* Deka'nat *n*.

dear [dɪə] **I** *adj.* □ → ***dearly***; **1.** teuer, lieb (***to*** *dat.*): ***~ mother*** liebe Mutter; ***♀ Sir,*** (*in Briefen*) Sehr geehrter Herr (*Name*)!; ***my ~est wish*** mein Herzenswunsch; ***for ~ life*** als ob es ums Leben ginge; ***hold ~*** (wert)schätzen; **2.** teuer, kostspielig; ***~ money policy*** Hochzinspolitik *f*; **II** *adv.* **3.** teuer: ***it cost him ~*** es kam ihm teuer zu stehen; → ***dearly*** 2; **III** *s.* **4.** Liebste(r *m*) *f*, Liebling *m*, Schatz *m*: ***isn't she a ~?*** ist sie nicht ein Engel?; ***there's a ~!*** sei (so) lieb!; **IV** *int.* **5.** ***oh ~!, ~, ~!, ~ me!*** du liebe Zeit!, ach je!; **dear·ie** ['dɪərɪ] → ***deary***; **'dear·ly** [-lɪ] *adv.* **1.** innig, herzlich; **2.** teuer; → ***buy*** 3; **'dear·ness** [-nɪs] *s.* **1.** Kostspieligkeit *f*, hoher Preis *od.* Wert (*a. fig.*); **2.** *das* Liebe(nswerte).

dearth [dɜːθ] *s.* **1.** Mangel *m* (***of*** an *dat.*); **2.** Hungersnot *f*.

dear·y ['dɪərɪ] *s.* F Liebling *m*, Schätzchen *n*.

death [deθ] *s.* **1.** Tod *m*: ***~s*** Todesfälle; ***to (the) ~*** zu Tode, bis zum äußersten; ***at ♀'s door*** an der Schwelle des Todes; ***bleed to ~*** (sich) verbluten; ***do to ~*** a) *j-n* umbringen, b) *fig. et.* ‚kaputtmachen' *od.* ‚zu Tode reiten'; ***done to ~*** F *Küche*: totgekocht; ***frozen to ~*** erfroren; ***sure as ~*** tod-, bombensicher; ***tired to ~*** todmüde; ***catch one's ~*** sich den Tod holen (*engS. durch Erkältung*); ***be in at the ~*** *fig.* das Ende miterleben; ***that will be his ~*** das wird ihm das Leben kosten; ***he'll be the ~ of me*** a) er bringt mich noch ins Grab, b) ich lach' mich noch tot über ihn; ***hold on like grim ~*** verbissen festhalten, sich festkrallen (***to*** an *dat.*); ***put to ~*** zu Tode bringen, *bsd.* hinrichten; **2.** Tod *m*, (Ab)Sterben *n*, Ende *n*, Vernichtung *f*: ***united in ~*** im Tode vereint; **~ ag·o·ny** *s.* Todeskampf *m*; **'~·bed** *s.* Sterbebett *n*: ***~ repentance*** Reue *f* auf dem Sterbebett; **~ ben·e·fit** *s.* **1.** Sterbegeld *n*; **2.** bei Todesfall fällige Versicherungsleistung; **'~·blow** *s.* Todesstreich *m*; *fig.* Todesstoß *m* (***to*** für); **~ cell** *s.* ⚖ Todeszelle *f*; **~ cer·tif·i·cate** *s.* Sterbeurkunde *f*, Totenschein *m*; **~ du·ty** *s. obs.* Erbschaftssteuer *f*; **~ grant** *s.* Sterbegeld *n*; **~ house** → ***~ row***; **~ in·stinct** *s. psych.* Todestrieb *m*; **~ knell** *s.* Totengeläut *n*, -glocke *f* (*a. fig.*).

death·less ['deθlɪs] *adj.* □ *bsd. fig.* unsterblich; **'death·like** *adj.*, **'death·ly** [-lɪ] *adj. u. adv.* totenähnlich, Todes…, Leichen…, toten…: ***~ pale*** leichenblaß.

death| mask *s.* Totenmaske *f*; **~ pen·al·ty** *s.* Todesstrafe *f*; **~ rate** *s.* Sterblichkeitsziffer *f*; **~ rat·tle** *s.* Todesröcheln *n*; **~ ray** *s.* Todesstrahl *m*; **~ roll** *s.* Zahl *f* der Todesopfer; ⚔ Gefallenen-, Verlustliste *f*; **~ row** *s. Am.* Todestrakt *m* (*e-r Strafanstalt*); **~'s head** *s.* **1.** Totenkopf *m* (*bsd. als Symbol*); **2.** *zo.* Totenkopf *m* (*Falter*); **~ throes** *s. pl.* Todeskampf *m*; **'~·trap** *s. fig.* ‚Mausefalle' *f*; **~ war·rant** *s.* **1.** ⚖ Hinrichtungsbefehl *m*; **2.** *fig.* Todesurteil *n*; **'~·watch** *s. Brit. a.* ***~ beetle*** *zo.* Klopfkäfer *m*; **~ wish** *s.* Todeswunsch *m*.

deb [deb] *s.* F *abbr. für* ***débutante***.

dé·bâ·cle [deɪ'bɑːkl] (*Fr.*) *s.* **1.** De'bakel *n*, Zs.-bruch *m*, Kata'strophe *f*; **2.** Massenflucht *f*, wildes Durchein'ander; **3.** *geol.* Eisgang *m*.

de·bar [dɪ'bɑː] *v/t.* **1.** (***from***) *j-n* ausschließen (von), hindern (an *dat. od.* zu *inf.*); **2.** ***~ s.o. s.th.*** j-m et. versagen; **3.** *et.* verhindern.

de·bark [dɪ'bɑːk] → ***disembark***.

de·base [dɪ'beɪs] *v/t.* **1.** (cha'rakterlich) verderben, verschlechtern; **2.** (***o.s.*** sich) entwürdigen, erniedrigen; **3.** entwerten; im Wert mindern; *Wert* mindern; **4.** *Münzen* verschlechtern; **5.** verfälschen; **de'based** [-st] *adj.* **1.** verderbt (*etc.*); **2.** minderwertig (*Geld*); **3.** abgegriffen (*Wort*).

de·bat·a·ble [dɪ'beɪtəbl] *adj.* **1.** disku'tabel; **2.** strittig, fraglich, um'stritten; **3.** bestreitbar, anfechtbar; **de·bate** [dɪ'beɪt] **I** *v/i.* **1.** debattieren, diskutieren; **2.** ***~ with o.s.*** hin u. her über'legen; **II** *v/t.* **3.** *et.* debattieren, erörtern, diskutieren; **4.** erwägen, sich *et.* über'legen; **III** *s.* **5.** De'batte *f* (*a. parl.*), Erörterung *f*: ***be under ~*** zur Debatte stehen; ***~ on request*** *parl.* aktuelle Stunde; **de'bat·er** [-tə] *s.* **1.** Debat'tierer *m*, Dispu'tant *m*; **2.** *parl.* Redner *m*; **de'bat·ing** [-tɪŋ] *adj.*: ***~ club*** *od.* ***society*** Debattierklub *m*.

de·bauch [dɪ'bɔːtʃ] **I** *v/t.* **1.** *sittlich* verderben; **2.** verführen, verleiten; **II** *s.* **3.** Ausschweifung *f*, Orgie *f*; **4.** Schwelge'rei *f*; **de'bauched** [-tʃt] *adj.* ausschweifend, liederlich, zügellos; **deb·au·chee** [ˌdebɔː'tʃiː] *s.* Wüstling *m*; **de'bauch·er** [-tʃə] *s.* Verführer *m*; **de'bauch·er·y** [-tʃərɪ] *s.* Ausschweifung (-en *pl.*) *f*, Orgie(n *pl.*) *f*; Schwelge'rei

f.

de·ben·ture [dɪˈbentʃə] *s.* **1.** Schuldschein *m*; **2.** ✝ a) *a.* ~ ***bond***, ~ ***certificate*** Obligatiˈon *f*, Schuldverschreibung *f*, b) *Brit.* Pfandbrief *m*: ~ ***holder*** Obligationsinhaber *m*; *Brit.* Pfandbriefinhaber(in); ~ ***stock*** *Brit.* Obligationen *pl.*, Anleiheschuld *f*, *Am.* Vorzugsaktien erster Klasse; **3.** ✝ Rückzollschein *m*.

de·bil·i·tate [dɪˈbɪlɪteɪt] *v/t.* schwächen, entkräften; **de·bil·i·ta·tion** [dɪˌbɪlɪˈteɪʃn] *s.* Schwächung *f*, Entkräftung *f*; **deˈbil·i·ty** [-lətɪ] *s.* Schwäche *f*, Kraftlosigkeit *f*, Erschöpfung(szustand *m*) *f*.

deb·it [ˈdebɪt] **I** *s.* ✝ **1.** Debet *n*, Soll *n*, Schuldposten *m*: ~ ***and credit*** Soll *n* u. Haben *n*; **2.** Belastung *f*: ***to the*** ~ ***of*** zu Lasten von; **3.** *a.* ~ ***side*** Debetseite *f*: ***charge*** (*od.* ***carry***) ***a sum to s.o.'s*** ~ j-s Konto mit e-r Summe belasten; **II** *v/t.* **4.** debitieren, belasten (***with*** mit); **III** *adj.* **5.** Debet…, Schuld…: ~ ***account***; ~ ***balance*** Debetsaldo *m*; ***your*** ~ ***balance*** Saldo *m* zu Ihren Lasten; ~ ***entry*** Lastschrift *f*; ~ ***note*** Lastschriftanzeige *f*.

de·block [ˌdiːˈblɒk] *v/t.* ✝ *eingefrorene Konten* freigeben.

deb·o·nair(e) [ˌdebəˈneə] *adj.* **1.** höflich, gefällig; **2.** heiter, fröhlich; **3.** ˈlässig(-eleˌgant).

de·bouch [dɪˈbaʊtʃ] *v/i.* **1.** ⚔ herˈvorbrechen; **2.** einmünden, sich ergießen (*Fluß*).

De·brett [dəˈbret] *npr.*: ~***'s peerage*** *englisches Adelsregister*.

de·brief·ing [ˌdiːˈbriːfɪŋ] *s.* ⚔, ✈ Einsatzbesprechung *f* (*nach dem Flug*).

de·bris [ˈdeɪbriː] *s.* Trümmer *pl.*, (Gesteins)Schutt *m* (*a. geol.*).

debt [det] *s.* Schuld *f* (*Geld od. fig.*); Verpflichtung *f*: ~***-collecting agency*** Inkassobüro *n*; ~ ***collector*** Inkassobeauftragte(r) *m*; ***collection of*** ~***s*** Inkasso *n*; ~ ***restructuring*** Umschuldung *f*; ***bad*** ~***s*** zweifelhafte Forderungen *od.* Außenstände; ~ ***of gratitude*** Dankesschuld; ~ ***of hono(u)r*** Ehrenschuld; ***pay one's*** ~ ***to nature*** der Natur s-n Tribut entrichten, sterben; ***run into*** ~ in Schulden geraten; ***run up*** ~***s*** Schulden machen; ***be in*** ~ verschuldet sein, Schulden haben; ***be in s.o.'s*** ~ *fig.* j-m verpflichtet sein, in j-s Schuld stehen; **ˈdebt·or** [-tə] *s.* Schuldner(in), ✝ Debitor *m*: ***common*** ~ Gemeinschuldner *m*.

de·bug [ˌdiːˈbʌg] *v/t.* **1.** ⚙ F (die) ‚Mukken' *e-r Maschine* beseitigen; ~ ***program*** *Computer*: Fehlersuchprogramm *n*; **2.** entwanzen (*a.* F *von Minispionen befreien*).

de·bunk [ˌdiːˈbʌŋk] *v/t.* F entlarven.

de·bu·reauc·ra·tize [ˌdiːbjʊəˈrɒkrətaɪz] *v/t.* entbürokratisieren.

de·bus [ˌdiːˈbʌs] *v/i.* aus dem *od.* e-m Bus aussteigen.

dé·but, *Am.* **de·but** [ˈdeɪbuː] (*Fr.*) *s.* Deˈbüt *n*: a) erstes Auftreten (*thea. od. in der Gesellschaft*), b) Anfang *m*, Antritt *m* (*e-r Karriere etc.*): ***make one's*** ~ sein Debüt geben; **déb·u·tant**, *Am.* **deb·u·tant** [ˈdebjuːtɑ̃ːŋ] (*Fr.*) *s.* Debüˈtant *m*; **déb·u·tante**, *Am.* **deb·u·tante** [ˈdebjuːtɑːnt] (*Fr.*) *s.* Debüˈtantin *f*.

deca- [dekə] *in Zssgn* zehn(mal).

dec·ade [ˈdekeɪd] *s.* **1.** Deˈkade *f*: a) Jahrˈzehnt *n*, b) Zehnergruppe *f*; **2.** ⚡, ⚙ Deˈkade *f*.

dec·a·dence [ˈdekədəns] *s.* Dekaˈdenz *f*, Entartung *f*, Verfall *m*, Niedergang *m*; **ˈdec·a·dent** [-nt] **I** *adj.* dekaˈdent, entartet, verfallend; Dekadenz…; **II** *s.* dekaˈdenter Mensch.

de·caf·fein·ate [ˌdiːˈkæfɪneɪt] *v/t.* *Kaffee* koffeˈinfrei machen.

dec·a·gon [ˈdekəgən] *s.* ⩓ Zehneck *n*; **dec·a·gram(me)** [ˈdekəgræm] *s.* Dekaˈgramm *n*.

de·cal [dɪˈkæl] → ***decalcomania***.

de·cal·ci·fy [ˌdiːˈkælsɪfaɪ] *v/t.* entkalken.

de·cal·co·ma·ni·a [dɪˌkælkəʊˈmeɪnɪə] *s.* Abziehbild(verfahren) *n*.

dec·a|·li·ter *Am.*, ~**·li·tre** *Brit.* [ˈdekəˌliːtə] *s.* Dekaˈliter *m*, *n*; **2·log(ue)** [ˈdekəlɒg] *s. bibl.* Dekaˈlog *m*, *die* Zehn Gebote *pl.*; ~**·me·ter** *Am.*, ~**·me·tre** *Brit.* [ˈdekəˌmiːtə] *s.* Dekaˈmeter *m*, *n*.

de·camp [dɪˈkæmp] *v/i.* **1.** ⚔ das Lager abbrechen; **2.** F sich aus dem Staube machen.

de·cant [dɪˈkænt] *v/t.* **1.** ab-, ˈumfüllen; **2.** dekantieren, vorsichtig abgießen; **deˈcant·er** [-tə] *s.* **1.** Kaˈraffe *f*; **2.** Klärflasche *f*.

de·cap·i·tate [dɪˈkæpɪteɪt] *v/t.* **1.** enthaupten, köpfen; **2.** *Am.* F entlassen, ‚absägen'; **de·cap·i·ta·tion** [dɪˌkæpɪˈteɪʃn] *s.* **1.** Enthauptung *f*; **2.** *Am.* F ‚Rausschmiß' *m*.

de·car·bon·ate [ˌdiːˈkɑːbəneɪt] *v/t.* Kohlensäure *od.* Kohlenˈdioxyd entziehen (*dat.*); **de·car·bon·ize** [ˌdiːˈkɑːbənaɪz] *v/t.* dekarbonisieren; **de·car·bu·rize** [ˌdiːˈkɑːbjʊəraɪz] → ***decarbonize***.

de·car·tel·i·za·tion [ˈdiːˌkɑːtəlaɪˈzeɪʃn] *s.* ✝ Entkartellisierung *f*, (Konˈzern-) Entflechtung *f*; **de·car·tel·ize** [ˌdiːˈkɑːtəlaɪz] *v/t.* entflechten.

de·cath·lete [dɪˈkæθliːt] *s. sport* Zehnkämpfer *m*; **de·cath·lon** [dɪˈkæθlɒn] *s.* Zehnkampf *m*.

dec·a·tize [ˈdekətaɪz] *v/t.* *Seide* dekatieren.

de·cay [dɪˈkeɪ] **I** *v/t.* **1.** verfallen, zerfallen (*a. phys.*), in Verfall geraten, zuˈgrunde gehen; **2.** verderben, verkümmern, verblühen; **3.** (ver)faulen (*a.*

Zahn), (ver)modern, verwesen; **4.** schwinden, abnehmen, schwach werden, (her'ab)sinken: ***~ed with age*** altersschwach; **II** *s.* **5.** Verfall *m*, Zerfall *m* (*a. phys. von Radium etc.*): ***fall into ~*** → 1; **6.** Nieder-, Rückgang *m*, Verblühen *n*; Ru'in *m*; **7.** ⚕ Karies *f*, (Zahn)Fäule *f*; Schwund *m*; **8.** Fäulnis *f*, Vermodern *n*; **de'cayed** [-eɪd] *adj.* **1.** ver-, zerfallen; kraftlos; zerrüttet; **2.** her'untergekommen; **3.** verblüht; **4.** verfault, morsch; *geol.* verwittert; **5.** ⚕ kari'ös, schlecht (*Zahn*).

de·cease [dɪ'si:s] **I** *v/i.* sterben, verscheiden; **II** *s.* Tod *m*, Ableben *n*; **de'ceased** [-st] **I** *adj.* verstorben; **II** *s.* ***the ~*** a) der *od.* die Verstorbene, b) die Verstorbenen *pl.*

de·ce·dent [dɪ'si:dənt] *s.* ⚖ *Am.* **1.** → ***deceased*** II; **2.** Erb-lasser(in).

de·ceit [dɪ'si:t] *s.* **1.** Betrug *m*, (bewußte) Täuschung; Betrüge'rei *f*; **2.** Falschheit *f*, Tücke *f*; **de'ceit·ful** [-fʊl] *adj.* □ betrügerisch; falsch, 'hinterlistig; **de'ceit·ful·ness** [-fʊlnɪs] *s.* Falschheit *f*, 'Hinterlist *f*, Arglist *f*.

de·ceiv·a·ble [dɪ'si:vəbl] *adj.* leicht zu täuschen(d); **de·ceive** [dɪ'si:v] **I** *v/t.* **1.** täuschen (*Person od. Sache*), trügen (*Sache*): ***be ~d*** sich täuschen lassen, sich irren (***in*** in *dat.*); ***~ o.s.*** sich et. vormachen; **2.** *mst pass. Hoffnung etc.* enttäuschen; **II** *v/i.* **3.** trügen, täuschen (*Sache*); **de'ceiv·er** [-və] *s.* Betrüger (-in).

de·cel·er·ate [ˌdi:'seləreɪt] **I** *v/t.* verlangsamen; die Geschwindigkeit verringern von (*od. gen.*); **II** *v/i.* sich verlangsamen; s-e Geschwindigkeit verringern; **de·cel·er·a·tion** ['di:ˌselə'reɪʃn] *s.* Verlangsamung *f*; Geschwindigkeitsabnahme *f*: ***~ lane*** *mot.* Verzögerungsspur *f*.

De·cem·ber [dɪ'sembə] *s.* De'zember *m*: ***in ~*** im Dezember.

de·cen·cy ['di:snsɪ] *s.* **1.** Anstand *m*, Schicklichkeit *f*: ***for ~'s sake*** anstandshalber; ***sense of ~*** Anstandsgefühl *n*; **2.** Anständigkeit *f*; **3.** *pl.* Anstand *m*; **4.** *pl.* Annehmlichkeiten *pl. des Lebens*.

de·cen·ni·al [dɪ'senjəl] **I** *adj.* □ **1.** zehnjährig; **2.** alle zehn Jahre 'wiederkehrend; **II** *s.* **3.** *Am.* Zehn'jahrfeier *f*; **de'cen·ni·al·ly** [-lɪ] *adv.* alle zehn Jahre; **de'cen·ni·um** [-jəm] *pl.* **-ni·ums**, **-ni·a** [-jə] *s.* Jahr'zehnt *n*, De'zennium *n*.

de·cent ['di:snt] *adj.* □ **1.** anständig: a) schicklich, b) sittsam, c) ehrbar; **2.** de'zent, unaufdringlich; **3.** F ‚anständig': a) annehmbar: ***a ~ meal***, b) nett: ***that was ~ of him***.

de·cen·tral·i·za·tion [di:ˌsentrəlaɪ'zeɪʃn] *s.* Dezentralisierung *f*; **de·cen·tral·ize** [ˌdi:'sentrəlaɪz] *v/t.* dezentralisieren.

de·cep·tion [dɪ'sepʃn] *s.* **1.** Täuschung *f*, Irreführung *f*; **2.** Betrug *m*; **3.** Trugbild *n*; **de'cep·tive** [-ptɪv] *adj.* □ täuschend, irreführend, trügerisch: ***appearances are ~*** der Schein trügt.

deci- [desɪ] *in Zssgn* Dezi...

dec·i·bel ['desɪbel] *s. phys.* Dezi'bel *n*.

de·cide [dɪ'saɪd] **I** *v/t.* **1.** *et.* entscheiden; **2.** *j-n* bestimmen, veranlassen; *et.* bestimmen, festsetzen: ***~ the right moment***; ***that ~d me*** das gab für mich den Ausschlag, das bestärkte mich in m-m Entschluß; ***the weather ~d me against going*** aufgrund des Wetters entschloß ich mich, nicht zu gehen; **II** *v/i.* **3.** entscheiden, bestimmen, den Ausschlag geben; **4.** beschließen; sich entscheiden *od.* entschließen (***in favo[u]r of*** für; ***against doing*** nicht zu tun; ***to do*** zu tun); **5.** zu dem Schluß *od.* der Über'zeugung kommen: ***I ~d that it was worth trying***; **6.** feststellen, finden: ***we ~d that the weather was too bad***; **7.** ***~ (up)on*** sich entscheiden für *od.* über (*acc.*); festsetzen, -legen, bestimmen (*acc.*); **de'cid·ed** [-dɪd] *adj.* □ **1.** entschieden, unzweifelhaft, deutlich; **2.** entschieden, entschlossen, fest, bestimmt; **de'cid·ed·ly** [-dɪdlɪ] *adv.* entschieden, fraglos, bestimmt; **de'cid·er** [-də] *s.* **1.** *sport* Entscheidungskampf *m*, Stechen *n*; **2.** *das* Entscheidende, *die* Entscheidung.

de·cid·u·ous [dɪ'sɪdjʊəs] *adj.* **1.** ⚘ jedes Jahr abfallend: ***~ tree*** Laubbaum *m*; **2.** *zo.* abfallend (*Geweih etc.*).

dec·i|·gram(me) ['desɪgræm] *s.* Dezi'gramm *n*; **~·li·ter** *Am.*, **~·li·tre** *Brit.* ['desɪˌli:tə] *s.* Dezi'liter *m, n*.

dec·i·mal ['desɪml] ⚗ **I** *adj.* □ → ***decimally***; dezi'mal, Dezimal...: ***~ fraction***; ***go ~*** das Dezimalsystem einführen; **II** *s.* a) Dezi'malzahl *f*, b) Dezi'male *f*, Dezi'malstelle *f*: ***circulating*** (***recurring***) ***~*** periodische (unendliche) Dezimalzahl; **'dec·i·mal·ize** [-məlaɪz] *v/t.* auf das Dezi'malsyˌstem 'umstellen; **'dec·i·mal·ly** [-məlɪ] *adv.* **1.** nach dem Dezi'malsyˌstem; **2.** in Dezi'malzahlen (ausgedrückt).

dec·i·mal| place *s.* Dezi'malstelle *f*; **~ point** *s.* Komma *n* (*im Englischen ein Punkt*) vor der ersten Dezi'malstelle: ***floating ~*** Fließkomma (*Taschenrechner etc.*); **~ sys·tem** *s.* Dezi'malsyˌstem *n*.

dec·i·mate ['desɪmeɪt] *v/t.* dezimieren, *fig. a.* stark schwächen *od.* vermindern; **dec·i·ma·tion** [desɪ'meɪʃn] *s.* Dezimierung *f*.

dec·i·me·ter *Am.*, **dec·i·me·tre** *Brit.* ['desɪˌmi:tə] *s.* Dezi'meter *m, n*.

de·ci·pher [dɪ'saɪfə] *v/t.* **1.** entziffern; **2.** dechiffrieren; **3.** *fig.* enträtseln; **de'ci-**

pher·a·ble [-fərəbl] *adj.* entzifferbar; *fig.* enträtselbar; **de'ci·pher·ment** [-mənt] *s.* Entzifferung *f etc.*

de·ci·sion [dɪ'sɪʒn] *s.* **1.** Entscheidung *f* (*a.* ⚖); Entscheid *m*, Urteil *n*, Beschluß *m*: ***make*** (*od.* ***take***) ***a ~*** e-e Entscheidung treffen; **2.** Entschluß *m*: ***arrive at a ~, come to a ~, take a ~*** zu e-m Entschluß kommen; **3.** Entschlußkraft *f*, Entschlossenheit *f*: ***~ of character*** Charakterstärke *f*; **~-ˌmak·er** *s.* Entscheidungsträger *m*; **~-ˌmak·ing** *adj.* entscheidungstragend, entscheidend: ***~ board.***

de·ci·sive [dɪ'saɪsɪv] *adj.* □ **1.** entscheidend, ausschlag-, maßgebend; endgültig, schlüssig: ***be ~ in*** entscheidend beitragen zu; ***be ~ of*** entscheiden (*acc.*); ***~ battle*** Entscheidungsschlacht *f*; **2.** entschlossen, entschieden (*Person*); **de'ci·sive·ness** [-nɪs] *s.* **1.** entscheidende Kraft; **2.** Maßgeblichkeit *f*; **3.** Endgültigkeit *f*; **4.** Entschiedenheit *f*.

deck [dek] **I** *s.* **1.** ⚓ Deck *n*: ***on ~*** a) auf Deck, b) *Am.* F bereit, zur Hand; ***all hands on ~!*** alle Mann an Deck!; ***below ~*** unter Deck; ***clear the ~s*** (***for action***) a) das Schiff klar zum Gefecht machen, b) *fig.* sich bereitmachen; **2.** ✈ Tragdeck *n*, -fläche *f*; **3.** 🚃 (Wag'gon)Dach *n*; **4.** (Ober)Deck *n* (*Bus*); **5.** a) Laufwerk *n* (*e-s Plattenspielers*), b) → ***tape deck***; **6.** *sl.* ‚Briefchen' *n* (*Rauschgift*); Spiel *n*, Pack *m* (Spiel-)Karten; **II** *v/t.* **7.** *oft* ***~ out*** a) (aus-)schmücken, b) *j-n* her'ausputzen; **'~-chair** *s.* Liegestuhl *m*.

-deck·er [dekə] *s. in Zssgn* …decker *m*; → ***three-decker.***

deck| game *s.* Bordspiel *n*; **~ hand** *s.* ⚓ Ma'trose *m*.

deck·le-edged [ˌdekl'edʒd] *adj.* **1.** mit Büttenrand; **2.** unbeschnitten: ***~ book.***

de·claim [dɪ'kleɪm] **I** *v/i.* **1.** reden, e-e Rede halten; **2.** ***~ against*** eifern *od.* wettern gegen; **3.** Phrasen dreschen; **II** *v/t.* **4.** deklamieren, (*contp.* bom'bastisch) vortragen.

dec·la·ma·tion [ˌdeklə'meɪʃn] *s.* **1.** Deklamati'on *f* (*a.* ♪); **2.** bom'bastische Rede; **3.** Ti'rade *f*; **4.** Vortragsübung *f*; **de·clam·a·to·ry** [dɪ'klæmətərɪ] *adj.* □ **1.** Rede…, Vortrags…; **2.** deklama'torisch; **3.** eifernd; **4.** bom'bastisch, thea'tralisch.

de·clar·a·ble [dɪ'kleərəbl] *adj.* zollpflichtig; **de'clar·ant** [-rənt] *s.* **1.** ⚖ Erschienene(r *m*) *f*; **2.** *Am.* Einbürgerungsanwärter(in).

dec·la·ra·tion [ˌdeklə'reɪʃn] *s.* **1.** Erklärung *f*, Aussage *f*: ***make a ~*** eine Erklärung abgeben; ***~ of intent*** Absichtserklärung; ***~ of war*** Kriegserklärung; **2.** Mani'fest *n*, Proklamati'on *f*; **3.** ⚖ a) *Am.* Klageschrift *f*, b) Beteuerung *f* (*an Eides Statt*); **4.** Anmeldung *f*, Angabe *f*: ***~ of bankruptcy*** ⚕ Konkursanmeldung; ***customs ~*** Zolldeklaration *f*, -erklärung *f*; **5.** *Bridge*: Ansage *f*; **de·clar·a·tive** [dɪ'klærətɪv] *adj.*: ***~ sentence*** *ling.* Aussagesatz *m*; **de·clar·a·to·ry** [dɪ'klærətərɪ] *adj.* erklärend: ***be ~ of*** erklären, darlegen, feststellen; ***~ judgment*** ⚖ Feststellungsurteil *n*.

de·clare [dɪ'kleə] **I** *v/t.* **1.** erklären, aussagen, verkünden, bekanntmachen, proklamieren: ***~ war*** (***on***) (*j-m*) den Krieg erklären, *fig.* (*j-m*) den Kampf ansagen; ***he was ~d winner*** er wurde zum Sieger erklärt; **2.** erklären, behaupten; **3.** angeben, anmelden; erklären, deklarieren (*Zoll*); ⚕ *Dividende* festsetzen; **4.** *Kartenspiel*: ansagen; **5.** ***~ o.s.*** a) sich erklären (*a. durch Heiratsantrag*), sich offenbaren, s-e Meinung kundtun, b) sich im wahren Licht zeigen; ***~ o.s. for s.th.*** sich zu e-r Sache bekennen; **II** *v/i.* **6.** erklären, bestätigen: ***well, I ~!*** ich muß schon sagen!, nanu!; **7.** sich erklären *od.* entscheiden (***for*** für; ***against*** gegen); **8.** ***~ off*** a) absagen, b) sich lossagen (***from*** von); *Kricket*: ein Spiel vorzeitig abbrechen; **de'clared** [-eəd] *adj.* □ *fig.* erklärt (*Feind etc.*); **de'clar·ed·ly** [-eərɪdlɪ] *adv.* erklärtermaßen, ausgesprochen.

de·clas·si·fy [dɪ'klæsɪfaɪ] *v/t.* die Geheimhaltung (*gen.*) aufheben, *Dokumente etc.* freigeben.

de·clen·sion [dɪ'klenʃn] *s.* **1.** Abweichung *f*, Abfall *m* (***from*** von); **2.** Verfall *m*, Niedergang *m*; **3.** *ling.* Deklinati'on *f*; **de'clen·sion·al** [-ʃənl] *adj. ling.* Deklinations…

de·clin·a·ble [dɪ'klaɪnəbl] *adj. ling.* deklinierbar; **dec·li·na·tion** [ˌdeklɪ'neɪʃn] *s.* **1.** Neigung *f*, Abschüssigkeit *f*; **2.** Abweichung *f*; **3.** *ast.*, *phys.* Deklinati'on *f*: ***~ compass*** ⚓ Deklinationsbussole *f*; ***compass ~*** Mißweisung *f*.

de·cline [dɪ'klaɪn] **I** *v/i.* **1.** sich neigen, sich senken; **2.** sich neigen, zur Neige *od.* zu Ende gehen: ***declining years*** Lebensabend *m*; **3.** abnehmen, nachlassen, zu'rückgehen; sich verschlechtern, schwächer werden; verfallen; **4.** sinken, fallen (*Preise*); **5.** (höflich) ablehnen; **II** *v/t.* **6.** neigen, senken; **7.** ablehnen, nicht annehmen, ausschlagen; es ablehnen (***doing*** *od.* ***to do*** zu tun); **8.** *ling.* deklinieren, beugen; **III** *s.* **9.** Neigung *f*, Senkung *f*, Abhang *m*; **10.** Neige *f*, Ende *n*: ***~ of life*** Lebensabend *m*; **11.** Nieder-, Rückgang *m*, Abnahme *f*; Verschlechterung *f*: ***be on the ~*** a) zur Neige gehen, b) im Niedergang begriffen sein, sinken; ***~ of strength*** Kräfteverfall *m*; ***~ of*** (*od.* ***in***) ***prices*** Preisrückgang; ***~ in value*** Wertminderung *f*; **12.** ⚕ körperlicher *od.*

geistiger Verfall, Siechtum *n*.

de·cliv·i·tous [dɪˈklɪvɪtəs] *adj.* abschüssig, steil; **deˈcliv·i·ty** [-vətɪ] *s.* **1.** Abschüssigkeit *f*; **2.** Abhang *m*.

de·clutch [ˌdiːˈklʌtʃ] *v/i. mot.* auskuppeln.

de·coct [dɪˈkɒkt] *v/t.* auskochen, absieden; **deˈcoc·tion** [-kʃn] *s.* **1.** Auskochen *n*, Absieden *n*; **2.** Absud *m*; *pharm.* Deˈkokt *n*.

de·code [ˌdiːˈkəʊd] *v/t.* decodieren (*a. ling.*, *Computer*), dechiffrieren, entschlüsseln, überˈsetzen; **ˌdeˈcod·er** [-də] *s. a. Radio*, *Computer*: Deˈcoder *m*.

dé·col·le·té [deɪˈkɒlteɪ] (*Fr.*) *adj.* **1.** (tief) ausgeschnitten (*Kleid*); **2.** dekolletiert (*Dame*).

de·col·o·nize [ˌdiːˈkɒlənaɪz] *v/t.* dekolonisieren, in die Unabhängigkeit entlassen.

de·col·or·ant [diːˈkʌlərənt] **I** *adj.* entfärbend, bleichend; **II** *s.* Bleichmittel *n*; **deˈcol·o(u)r·ize** [-raiz] *v/t.* entfärben, bleichen.

de·com·pose [ˌdiːkəmˈpəʊz] **I** *v/t.* **1.** zerlegen, spalten; **2.** zersetzen; **3.** ⚗, *phys.* scheiden, abbauen; **II** *v/i.* **4.** sich auflösen, zerfallen; **5.** sich zersetzen, verwesen, verfaulen; **ˌde·comˈposed** [-zd] *adj.* verfault, verdorben; **de·com·po·si·tion** [ˌdiːkɒmpəˈzɪʃn] *s.* **1.** ⚗, *phys.* Zerlegung *f*, Aufspaltung *f*, Scheidung *f*, Auflösung *f*, Abbau *m*; **2.** Zersetzung *f*, Zerfall *m*; **3.** Verwesung *f*, Fäulnis *f*.

de·com·press [ˌdiːkəmˈpres] *v/t.* dekomprimieren, den Druck vermindern in (*dat.*); **ˌde·comˈpres·sion** [-eʃn] *s.* Dekompressiˈon *f*, Druckverminderung *f*.

de·con·tam·i·nate [ˌdiːkənˈtæmɪneɪt] *v/t.* entgiften, -seuchen, -strahlen; **de·con·tam·i·na·tion** [ˈdiːkənˌtæmɪˈneɪʃn] *s.* Entgiftung *f*, -seuchung *f*, -gasung *f*.

de·con·trol [ˌdiːkənˈtrəʊl] **I** *v/t.* die Zwangsbewirtschaftung aufheben von *od.* für; *Waren*, *Handel* freigeben; **II** *s.* Aufhebung *f* der Zwangsbewirtschaftung, Freigabe *f*.

dé·cor [ˈdeɪkɔː] (*Fr.*) *s.* ⚠, *thea. etc.* Deˈkor *m*, *n*, Ausstattung *f*.

dec·o·rate [ˈdekəreɪt] *v/t.* **1.** (aus-) schmücken, (ver)zieren, dekorieren; **2.** *Wohnung* a) (neu) tapezieren *od.* streichen, b) einrichten, ausstatten; **3.** *mit e-m Orden* dekorieren, auszeichnen; **dec·o·ra·tion** [ˌdekəˈreɪʃn] *s.* **1.** Ausschmückung *f*, Verzierung *f*; **2.** Schmuck *m*, Zierat *m*, Dekoratiˈon *f*; **3.** Orden *m*, Ehrenzeichen *n*; **4.** *a.* ***interior*** **~** a) Innenausstattung *f*, b) ˈInnenarchitekˌtur *f*.

Dec·o·ra·tion Day → ***Memorial Day***.

dec·o·ra·tive [ˈdekərətɪv] *adj.* □ dekoraˈtiv, schmückend, ornamenˈtal, Zier..., Schmuck...: **~ *plant*** Zierpflanze *f*; **dec·o·ra·tor** [ˈdekəreɪtə] *s.* **1.** Dekoraˈteur *m*; **2.** → ***interior*** 1; **3.** Maler *m* u. Tapezierer *m*.

dec·o·rous [ˈdekərəs] *adj.* □ schicklich, anständig.

de·cor·ti·cate [ˌdiːˈkɔːtɪkeɪt] *v/t.* **1.** entrinden; schälen; **2.** enthülsen.

de·co·rum [dɪˈkɔːrəm] *s.* **1.** Anstand *m*, Schicklichkeit *f*, Deˈkorum *n*; **2.** Etiˈkette *f*, Anstandsformen *pl*.

de·coy **I** *s.* [ˈdiːkɔɪ] **1.** Köder *m*, Lockspeise *f*; **2.** *a.* **~ *duck*** Lockvogel *m* (*a. fig.*); **3.** *hunt.* Entenfang *m*, -falle *f*; **4.** ⚔ Scheinanlage *f*; **II** *v/t.* [dɪˈkɔɪ] **5.** ködern, locken; **6.** *fig.* (ver)locken, verleiten; **~ *ship*** *s.* ⚓, ⚔ U-Boot-Falle *f*.

de·crease [diːˈkriːs] **I** *v/i.* abnehmen, sich vermindern, kleiner werden: **~ *in length*** kürzer werden; **II** *v/t.* vermindern, verringern, reduzieren, herˈabsetzen; **III** *s.* [ˈdiːkriːs] Abnahme *f*, Verminderung *f*, Verringerung *f*; Rückgang *m*: **~ *in prices*** Preisrückgang; ***be on the*** **~** → I; **deˈcreas·ing·ly** [-sɪŋlɪ] *adv.* immer weniger: **~ *rare***.

de·cree [dɪˈkriː] **I** *s.* **1.** Deˈkret *n*, Erlaß *m*, Verfügung *f*, Verordnung *f*: ***issue a*** **~** e-e Verfügung erlassen; ***by*** **~** auf dem Verordnungsweg; **2.** ⚖ Entscheid *m*, Urteil *n*: **~ *absolute*** rechtskräftiges (Scheidungs)Urteil; → ***nisi***; **3.** *fig.* Ratschluß *m Gottes*, Fügung *f des Schicksals*; **II** *v/t.* **4.** verfügen, an-, verordnen.

dec·re·ment [ˈdekrɪmənt] *s.* Abnahme *f*, Verminderung *f*.

de·crep·it [dɪˈkrepɪt] *adj.* **1.** altersschwach, klapp(e)rig (*beide a. fig.*); **2.** verfallen, baufällig.

de·cres·cent [dɪˈkresnt] *adj.* abnehmend: **~ *moon***.

de·cry [dɪˈkraɪ] *v/t.* schlecht-, herˈuntermachen, herˈabsetzen.

dec·u·ple [ˈdekjʊpl] **I** *adj.* zehnfach; **II** *s. das* Zehnfache; **III** *v/t.* verzehnfachen.

de·cus·sate [dɪˈkʌsət] *adj.* **1.** sich kreuzend *od.* schneidend; **2.** ⚘ kreuzgegenständig.

ded·i·cate [ˈdedɪkeɪt] *v/t.* (***to*** *dat.*) **1.** weihen, widmen; **2.** *s-e Zeit etc.* widmen; **3.** **~ *o.s.*** sich widmen *od.* hingeben; sich zuwenden; **4.** *Buch etc.* widmen, zueignen; **5.** *Am.* feierlich eröffnen *od.* einweihen; **6.** a) der Öffentlichkeit zugänglich machen, b) dem öffentlichen Verkehr überˈgeben: **~ *a road***; **7.** *dem Feuer*, *der Erde* überˈantworten; **ˈded·i·cat·ed** [-tɪd] *adj.* **1.** pflichtbewußt, hingebungsvoll; **2.** engagiert; **ded·i·ca·tion** [ˌdedɪˈkeɪʃn] *s.* **1.** Weihung *f*, Widmung *f*; feierliche Einweihung; **2.** ˈHingabe *f* (***to*** an *acc.*), Engageˈment *n*; **3.** Widmung *f*, Zueignung *f*;

4. *Am.* feierliche Einweihung *od.* Eröffnung; **5.** 'Übergabe *f* an den öffentlichen Verkehr; **'ded·i·ca·tor** [-tə] *s.* Widmende(r *m*) *f*; **'ded·i·ca·to·ry** [-kətərɪ] *adj.* (Ein)Weihungs...; Widmungs..., Zueignungs...

de·duce [dɪ'dju:s] *v/t.* **1.** folgern, schließen (***from*** aus); **2.** ab-, 'herleiten (***from*** von); **de'duc·i·ble** [-səbl] *adj.* **1.** zu folgern(d); **2.** ab-, 'herleitbar, 'herzuleiten(d).

de·duct [dɪ'dʌkt] *v/t. e-n Betrag* abziehen (***from*** von), einbehalten; (*von der Steuer*) absetzen: ***after ~ing*** nach Abzug von *od. gen.*; ***~ing expenses*** abzüglich (der) Unkosten; **de'duct·i·ble** [-təbl] *adj.* **1.** abzugsfähig; **2.** (*von der Steuer*) absetzbar; **de'duc·tion** [-kʃn] *s.* **1.** Abzug *m*, Abziehen *n*; **2.** ✝ Abzug *m*, Ra'batt *m*, (Preis)Nachlaß *m*; ***~ at source*** Quellenbesteuerung *f*; **3.** (Schluß)Folgerung *f*, Schluß *m*; **4.** 'Herleitung *f*; **de'duc·tive** [-tɪv] *adj.* □ **1.** deduk'tiv, folgernd, schließend; **2.** → ***deducible***.

deed [di:d] **I** *s.* **1.** Tat *f*, Handlung *f*: ***in word and ~*** in Wort u. Tat; **2.** Helden-, Großtat *f*; **3.** ⚖ (Vertrags-, *bsd.* Über'tragungs)Urkunde *f*, Doku'ment *n*: ***~ of donation*** Schenkungsurkunde; **II** *v/t.* **4.** *Am.* urkundlich über'tragen (***to*** auf *j-n*); **~ poll** *s.* ⚖ einseitige (gesiegelte) Erklärung (*e-r Vertragspartei*).

dee·jay ['di:dʒeɪ] *s.* F Diskjockey *m.*

deem [di:m] **I** *v/i.* denken, meinen; **II** *v/t.* halten für, erachten für, betrachten als: ***I ~ it advisable***.

de-e·mo·tion·al·ize [ˌdi:ɪ'məʊʃnəlaɪz] *v/t.* versachlichen.

de-em·pha·size [ˌdi:'emfəsaɪz] *v/t.* bagatellisieren.

deem·ster ['di:mstə] *s.* Richter *m* (*auf der Insel Man*).

deep [di:p] **I** *adj.* □ → ***deeply***; **1.** tief (*vertikal*): ***~ hole***; ***~ snow***; ***~ sea*** Tiefsee *f*; ***in ~ water(s)*** *fig.* in Schwierigkeiten; ***go off the ~ end*** a) *Brit.* in Rage kommen, b) *Am.* et. unüberlegt riskieren; **2.** tief (*horizontal*): ***~ cupboard***; ***~ forests***; ***~ border*** breiter Rand; ***they marched four ~*** sie marschierten in Viererreihen; ***three men ~*** drei Mann hoch (*zu dritt*); **3.** tief, vertieft, versunken (***in*** in *acc.*): ***~ in thought***; **4.** tief, gründlich, scharfsinnig: ***~ learning*** gründliches Wissen; ***~ intellect*** scharfer Verstand; ***a ~ thinker*** ein tiefer Denker; **5.** tief, heftig, stark, fest, schwer: ***~ sleep*** tiefer *od.* fester Schlaf; ***~ mourning*** tiefe Trauer; ***~ disappointment*** tiefe *od.* bittere Enttäuschung; ***~ interest*** großes Interesse; ***~ grief*** schweres Leid; ***~ in debt*** stark *od.* tief verschuldet; **6.** tief, innig, aufrichtig: ***~ love***; ***~ gratitude***; **7.** tief, dunkel; verborgen, geheim: ***~ night*** tiefe Nacht; ***~ silence*** tiefes *od.* völliges Schweigen; ***~ secret*** tiefes Geheimnis; ***~ designs*** dunkle Pläne; ***he is a ~ one*** *sl.* er hat es faustdick hinter den Ohren; **8.** schwierig: ***~ problem***; ***that is too ~ for me*** das ist mir zu hoch; **9.** tief, dunkel (*Farbe*, *Klang*); **10.** *psych.* un(ter)bewußt; **11.** ⚕ subku'tan; **II** *adv.* **12.** tief (*a. fig.*): ***~ into the flesh*** tief ins Fleisch; ***still waters run ~*** stille Wasser sind tief; ***~ into the night*** (bis) tief in die Nacht (hinein); ***drink ~*** unmäßig trinken; **III** *s.* **13.** Tiefe *f* (*a. fig.*); Abgrund *m*: ***in the ~ of night*** in tiefster Nacht; **14.** ***the ~*** *poet.* das Meer.

'deep|-dish pie *s.* 'Napfpaˌstete *f*; **ˌ~-'draw** *v/t.* [*irr.*] ⚙ tiefziehen; **ˌ~-'drawn** *adj.* **1.** ⚙ tiefgezogen; **2.** ***~ sigh*** tiefer Seufzer.

deep·en ['di:pən] **I** *v/t.* **1.** tiefer machen, vertiefen; verbreitern; **2.** *fig.* vertiefen (*a. Farben*), verstärken, steigern; **II** *v/i.* **3.** tiefer werden, sich vertiefen; **4.** *fig.* sich vertiefen *od.* steigern, stärker werden; **5.** dunkler werden.

'deep|-felt *adj.* tiefempfunden; **ˌ~-'freeze I** *s.* Tiefkühlgerät *n*, -truhe *f*, -schrank *m*; **II** *adj.* Tiefkühl..., Gefrier...; **III** *v/t.* [*irr.*] tiefkühlen, einfrieren; **ˌ~-'fro·zen** *adj.* tiefgefroren, Tiefkühl...; **'~-fry** *v/t.* fritieren, in schwimmendem Fett braten; **~ fry·er** *s.*, **'~-ˌfry·ing pan** *s.* Fri'teuse *f*; **ˌ~-'laid** *adj.* schlau (*Plan*).

deep·ly ['di:plɪ] *adv.* tief (*a. fig.*): ***~ indebted*** äußerst dankbar; ***~ hurt*** tief *od.* schwer gekränkt; ***~ interested*** höchst interessiert; ***~ read*** sehr belesen; ***drink ~*** unmäßig trinken; ***go ~ into s.th.*** e-r Sache auf den Grund gehen.

deep·ness ['di:pnɪs] *s.* **1.** Tiefe *f* (*a. fig.*); **2.** Dunkelheit *f*; **3.** Gründlichkeit *f*; **4.** Scharfsinn *m*; **5.** Durch'triebenheit *f*.

ˌdeep|-'read *adj.* sehr belesen; **ˌ~-'root·ed** *adj. bsd. fig.* tief eingewurzelt, fest verwurzelt; *fig. a.* eingefleischt; **ˌ~-'sea** *adj.* Tiefsee..., Hochsee...: ***~ fish*** Tiefseefisch *m*; ***~ fishing*** Hochseefischerei *f*; **ˌ~-'seat·ed** → ***deep-rooted***; **'~-set** *adj.* tiefliegend: ***~ eyes***; **the ⁓ South** *s.* *Am.* der tiefe Süden (*südlichste Staaten der USA*).

deer [dɪə] *pl.* **deer** *s.* **1.** *zo.* a) Hirsch *m*, b) Reh *n*: ***red ~*** Rot-, Edelhirsch; **2.** Hoch-, Rotwild *n*; **'~-ˌfor·est** *s.* Hochwildgehege *n*; **'~-hound** *s.* schottischer Jagdhund; **'~-lick** *s.* Salzlecke *f*; **'~-park** *s.* Wildpark *m*; **'~-shot** *s.* Rehposten *m* (*Schrot*); **'~-skin** *s.* Hirsch-, Rehleder *n*; **'~ˌstalk·er** *s.* **1.** Pirscher *m*; **2.** Jagdmütze *f*; **'~ˌstalk·ing** *s.* (Rotwild)Pirsch *f*.

de·es·ca·late [ˌdiːˈeskəleɪt] **I** *v/t.* **1.** *Krieg etc.* deeskalieren; **2.** *fig.* herˈunterschrauben; **II** *v/i.* **3.** deeskalieren; **de·es·ca·la·tion** [ˌdiːeskəˈleɪʃn] *s. pol.* Deeskalatiˈon *f* (*a. fig.*).

de·face [dɪˈfeɪs] *v/t.* **1.** entstellen, verunstalten, beschädigen; **2.** ausstreichen, unleserlich machen; **3.** *Briefmarken* entwerten; **deˈface·ment** [-mənt] *s.* Entstellung *f* (*etc.*).

de fac·to [diːˈfæktəʊ] (*Lat.*) **I** *adj.* De-facto-…; **II** *adv.* de ˈfacto, tatsächlich.

de·fal·ca·tion [ˌdiːfælˈkeɪʃn] *s.* **1.** Veruntreuung *f*, Unterˈschlagung *f*; **2.** unterˈschlagenes Geld.

def·a·ma·tion [ˌdefəˈmeɪʃn] *s.* Verleumdung *f*, ⚖ *a.* (verleumderische) Beleidigung; **de·fam·a·to·ry** [dɪˈfæmətərɪ] *adj.* ☐ verleumderisch, Schmäh…: ***be ~ of s.o.*** j-n verleumden; **de·fame** [dɪˈfeɪm] *v/t.* verleumden; **de·fam·er** [dɪˈfeɪmə] *s.* Verleumder(in).

de·fat·ted [diːˈfætɪd] *adj.* entfettet.

de·fault [dɪˈfɔːlt] **I** *s.* **1.** (Pflicht)Versäumnis *n*, Unterˈlassung *f*; **2.** *bsd.* ✝ Nichterfüllung *f*, Verzug *m*, Versäumnis *n*, Säumnis *f*, Zahlungseinstellung *f*; *engS.* Zahlungsverzug *m*: ***be in ~*** im Verzug sein; **3.** ⚖ Nichterscheinen *n* vor Gericht: ***judg(e)ment by ~*** Versäumnisurteil *n*; **4.** *sport* Nichtantreten *n*; **5.** Fehlen *n*, Mangel *m*: ***in ~ of*** mangels, in Ermangelung (*gen.*); ***in ~ of which*** widrigenfalls; ***go by ~*** unterbleiben; **II** *v/i.* **6.** s-n Verpflichtungen nicht nachkommen: ***~ on s.th.*** et. vernachlässigen, mit et. im Rückstand sein; **7.** ✝ s-n Verbindlichkeiten nicht nachkommen, im (Zahlungs)Verzug sein: ***~ on a debt*** s-e Schuld nicht bezahlen; **8.** ⚖ nicht vor Gericht erscheinen; **9.** *sport* nicht antreten; **III** *v/t.* **10.** *e-r Verpflichtung* nicht nachkommen, in Verzug geraten mit; **11.** ⚖ wegen Nichterscheinens (vor Gericht) verurteilen; **12.** *sport* nicht antreten (*zu e-m Kampf*); **deˈfault·er** [-tə] *s.* **1.** Säumige(r *m*) *f*; **2.** ✝ a) säumiger Zahler *od.* Schuldner, b) Zahlungsunfähige(r *m*) *f*; **3.** ⚖ vor Gericht nicht Erscheinende(r *m*) *f*; **4.** ⚔ *Brit.* Delinˈquent *m*.

de·fea·sance [dɪˈfiːzns] *s.* ⚖ **1.** Aufhebung *f*, Annullierung *f*, Nichtigkeitserklärung *f*; **2.** Nichtigkeitsklausel *f*; **deˈfea·si·ble** [-zəbl] *adj.* anfecht-, annullierbar.

de·feat [dɪˈfiːt] **I** *v/t.* **1.** besiegen, schlagen: ***it ~s me to*** *inf.* es geht über m-e Kraft zu *inf.*; **2.** *Angriff etc.* zuˈrückschlagen, abwehren; **3.** *parl. Antrag* zu Fall bringen, ablehnen; **4.** vereiteln, zuˈnichte machen: ***that ~s the purpose*** das verfehlt den Zweck; **II** *s.* **5.** Niederwerfung *f*, Besiegung *f*; **6.** Niederlage *f* (*a. fig.*): ***admit ~*** sich geschlagen geben; **7.** *parl.* Ablehnung *f*; **8.** Vereitelung *f*, Vernichtung *f*; **9.** ˈMißerfolg *m*, Fehlschlag *m*; **deˈfeat·ism** [-tɪzəm] *s.* Defäˈtismus *m*, Miesmacheˈrei *f*; **deˈfeat·ist** [-tɪst] **I** *s.* Defäˈtist *m*; **II** *adj.* defäˈtistisch.

def·e·cate [ˈdefɪkeɪt] **I** *v/t.* reinigen; *fig.* läutern; **II** *v/i.* ⚕ Stuhlgang haben; **def·e·ca·tion** [ˌdefɪˈkeɪʃn] *s.* ⚕ Stuhlgang *m*.

de·fect I *s.* [ˈdiːfekt] **1.** Deˈfekt *m*, Fehler *m* (***in*** an *dat.*, in *dat.*): ***~ in title*** ⚖ Fehler im Recht; **2.** Mangel *m*, Unvollkommenheit *f*, Schwäche *f*; **3.** (*geistiger od. psychischer*) Deˈfekt; ⚕ Gebrechen *n*: ***~ in character*** Charakterfehler *m*; ***~ of vision*** Sehfehler *m*; **II** *v/i.* [dɪˈfekt] **4.** abtrünnig werden; **5.** *zum Feind* ˈübergehen; **de·fec·tion** [dɪˈfekʃn] *s.* **1.** Abfall *m*, Lossagung *f* (***from*** von); **2.** Treubruch *m*; **3.** ˈÜbertritt *m* (***to*** zu); **de·fec·tive** [dɪˈfektɪv] **I** *adj.* ☐ **1.** mangelhaft, unvollkommen: ***mentally ~*** schwachsinnig; ***he is ~ in*** es mangelt ihm an (*dat.*); **2.** schadhaft, deˈfekt; **II** *s.* **3.** ***mental ~*** Schwachsinnige(r *m*) *f*; **de·fec·tive·ness** [dɪˈfektɪvnɪs] *s.* **1.** Mangelhaftigkeit *f*; **2.** Schadhaftigkeit *f*; **de·fec·tor** [dɪˈfektə] *s.* Abtrünnige(r *m*) *f*, ˈÜberläufer(in).

de·fence, *Am.* **de·fense** [dɪˈfens] *s.* **1.** Verteidigung *f*, Schutz *m*, Abwehr *f*: ***come to s.o.'s ~*** j-n verteidigen; ***~ mechanism*** *biol.*, *psych.* Abwehrmechanismus *m*; **2.** ⚖ *allg.* Verteidigung *f*, *a.* Einrede *f*: ***in his ~*** zu s-r Entlastung; ***conduct one's own ~*** sich selbst verteidigen; → ***counsel*** 4; ***witness*** 1; **3.** Verteidigung *f*, Rechtfertigung *f*: ***in his ~*** zu s-r Rechtfertigung; **4.** ⚔ Verteidigung *f*, *sport a.* Abwehr *f* (*Spieler od. deren Spielweise*); *pl.* Verteidigungsanlagen *pl.*: ***~ spending*** Verteidigungsausgaben *pl.*; **deˈfence·less** [-lɪs] *adj.* ☐ **1.** schutz-, wehr-, hilflos; **2.** ⚔ unbefestigt; **deˈfence·less·ness** [-lɪsnɪs] *s.* Schutz-, Wehrlosigkeit *f*.

de·fend [dɪˈfend] *v/t.* **1.** (***from***, ***against***) verteidigen (gegen), schützen (vor *dat.*, gegen); **2.** *Meinung etc.* verteidigen, rechtfertigen; **3.** *Rechte* schützen, wahren; **4.** ⚖ a) *j-n* verteidigen, b) sich auf *e-e Klage* einlassen: ***~ the suit*** den Klageanspruch bestreiten; **deˈfend·a·ble** [-dəbl] *adj.* zu verteidigen(d); **deˈfend·ant** [-dənt] ⚖ **I** *s.* a) *Zivilrecht*: Beklagte(r *m*) *f*, b) *Strafrecht*: Angeklagte(r *m*) *f*; **II** *adj.* a) beklagt, b) angeklagt; **deˈfend·er** [-də] *s.* **1.** Verteidiger *m*, *sport a.* Abwehrspieler *m*; **2.** Beschützer *m*.

de·fense *etc. Am.* → ***defence*** *etc.*

de·fen·si·ble [dɪˈfensəbl] *adj.* ☐ **1.** zu verteidigen(d), haltbar; **2.** zu rechtfertigen(d), vertretbar; **deˈfen·sive** [-sɪv] **I**

adj. □ **1.** defen'siv, verteidigend, schützend; abwehrend (*a. fig. Geste etc.*); **2.** Verteidigungs…; Schutz…, Abwehr… (*a. biol.*); **II** *s.* **3.** Defen'sive *f*, Verteidigung *f*: ***on the ~*** in der Defensive.

D

de·fer¹ [dɪ'fɜː] *v/t.* **1.** auf-, verschieben; **2.** hin'ausschieben; zu'rückstellen (*Am. a.* ⚔).

de·fer² [dɪ'fɜː] *v/i.* (***to***) sich fügen, nachgeben (*dat.*), sich beugen (vor *dat.*); sich *j-s* Wunsche fügen; **def·er·ence** ['defərəns] *s.* **1.** Ehrerbietung *f*, Achtung *f*: ***with all due ~ to*** bei aller Hochachtung vor (*dat.*); **2.** Nachgiebigkeit *f*, Rücksicht(nahme) *f*: ***in ~ to your wishes*** wunschgemäß; **def·er·ent** ['defərənt] *adj.*, **def·er·en·tial** [ˌdefə'renʃl] *adj.* □ **1.** ehrerbietig; **2.** rücksichtsvoll.

de·fer·ment [dɪ'fɜːmənt] *s.* **1.** Aufschub *m*; **2.** ⚔ *Am.* Zu'rückstellung *f* (vom Wehrdienst); **de'fer·ra·ble** [-ɜːrəbl] *adj.* **1.** aufschiebbar; **2.** ⚔ *Am.* zu'rückstellbar.

de·ferred| an·nu·i·ty [dɪ'fɜːd] *s.* hin'ausgeschobene Rente; **~ bond** *s. Am.* Obligati'on *f* mit aufgeschobener Zinszahlung; **~ pay·ment** *s.* **1.** Zahlungsaufschub *m*, **2.** Ratenzahlung *f*; **~ shares** *s. pl.* ♆ Nachzugsaktien *pl.*; **~ terms** *s. pl. Brit.* 'Abzahlungssyˌstem *n*: ***on ~*** auf Abzahlung *od.* Raten.

de·fi·ance [dɪ'faɪəns] *s.* **1.** a) Trotz *m*, 'Widerstand *m*, b) Hohn *m*, offene Verachtung: ***in ~ of*** ungeachtet (*gen.*), trotz (*gen. od. dat.*), *e-m Gebot etc.* zuwider, *j-m* zum Trotz *od.* Hohn; ***bid ~, set at ~*** Trotz bieten, hohnsprechen (***to*** *dat.*); **2.** Her'ausforderung *f*; **de'fi·ant** [-nt] *adj.* □ trotzig, her'ausfordernd.

de·fi·cien·cy [dɪ'fɪʃnsɪ] *s.* **1.** (***of***) Mangel *m* (an *dat.*), Fehlen *n* (von): ***~ disease*** ⚕ Mangelkrankheit *f*; **2.** Fehlbetrag *m*, Manko *n*, Ausfall *m*, Defizit *n*; **3.** Mangelhaftigkeit *f*, Schwäche *f*, Lücke *f*, Unzulänglichkeit *f*; **de'fi·cient** [-nt] *adj.* □ **1.** unzureichend, mangelhaft, ungenügend: ***be ~ in*** ermangeln (*gen.*), es fehlen lassen an (*dat.*), arm sein an (*dat.*); ***he is ~ in courage*** ihm fehlt es an Mut; **2.** fehlend: ***~ amount*** Fehlbetrag *m*.

def·i·cit ['defɪsɪt] *s.* **1.** ♆ Defizit *n*, Fehlbetrag *m*, 'Unterbiˌlanz *f*; **2.** Mangel (***in*** an *dat.*); **~ spend·ing** *s.* ♆ Deficit-spending *n*, Defizitfinanzierung *f*.

de·file¹ I *s.* ['diːfaɪl] **1.** Engpaß *m*, Hohlweg *m*; **2.** ⚔ Vor'beimarsch *m*; **II** *v/i.* [dɪ'faɪl] **3.** defilieren, vor'beimarschieren.

de·file² [dɪ'faɪl] *v/t.* **1.** beschmutzen, verunreinigen; **2.** *fig.* besudeln, beflecken, verunglimpfen; **3.** schänden; **4.** entweihen; **de'file·ment** [-mənt] *s.* Besudelung *f etc.*

de·fin·a·ble [dɪ'faɪnəbl] *adj.* □ definier-, erklär-, bestimmbar; **de·fine** [dɪ'faɪn] *v/t.* **1.** *Wort etc.* definieren, (genau) erklären; **2.** (genau) bezeichnen *od.* bestimmen; kennzeichnen, festlegen; klarmachen; **3.** scharf abzeichnen, (klar) um'reißen, be-, um'grenzen.

def·i·nite ['defɪnɪt] *adj.* □ **1.** bestimmt (*a. ling.*), prä'zis, klar, deutlich, eindeutig, genau; **2.** defini'tiv, endgültig; **'def·i·nite·ly** [-lɪ] *adv.* **1.** bestimmt (*etc.*); **2.** zweifellos, abso'lut, entschieden; **'def·i·nite·ness** [-nɪs] *s.* Bestimmtheit *f*; **def·i·ni·tion** [ˌdefɪ'nɪʃn] *s.* **1.** Definiti'on *f*, (genaue) Erklärung; (Begriffs)Bestimmung *f*; **2.** Genauigkeit *f*, Ex'aktheit *f*; **3.** (*a.* Bild-, Ton-) Schärfe *f*, Präzisi'on *f*; *TV* Auflösung *f*; **de·fin·i·tive** [dɪ'fɪnɪtɪv] **I** *adj.* □ **1.** defini'tiv, endgültig; maßgeblich (*Buch*); **2.** → ***definite*** 1; **II** *s.* **3.** *ling.* Bestimmungswort *n*.

def·la·grate ['defləgreɪt] *v/i.* (*u. v/t.*) ⚗ rasch abbrennen (lassen); **def·la·gra·tion** [ˌdeflə'greɪʃn] *s.* ⚗ Verpuffung *f*.

de·flate [dɪ'fleɪt] *v/t.* **1.** (die) Luft ablassen aus, entleeren; **2.** ♆ *Geldumlauf etc.* deflationieren, her'absetzen; **3.** *fig.* a) *j-n* ‚klein u. häßlich machen', b) ernüchtern; **de'fla·tion** [-eɪʃn] *s.* **1.** Ablassen *n* von Luft *od.* Gas; **2.** ♆ Deflati'on *f*; **de'fla·tion·ar·y** [-eɪʃnərɪ] *adj.* ♆ deflatio'nistisch, Deflations…

de·flect [dɪ'flekt] **I** *v/t.* ablenken, *sport a. Schuß* abfälschen; **II** *v/i.* abweichen (***from*** von); **de'flec·tion**, *Brit. a.* **de'flex·ion** [-ekʃn] *s.* **1.** Ablenkung *f* (*a. phys.*); **2.** Abweichung *f* (*a. fig.*); **3.** Ausschlag *m* (*Zeiger etc.*); **de'flec·tor** [-tə] *s.* De'flektor *m*, Ablenkvorrichtung *f*: ***~ coil*** ⚡ Ablenkspule *f*.

de·flo·rate ['diːflɔːreɪt] → ***deflower***; **def·lo·ra·tion** [ˌdiːflɔː'reɪʃn] *s.* Deflorati'on *f*, Entjungferung *f*.

de·flow·er [ˌdiː'flaʊə] *v/t.* **1.** deflorieren, entjungfern; **2.** *fig. e-r Sache* den Reiz nehmen.

de·fo·li·ant [ˌdiː'fəʊlɪənt] *s.* ⚗, ⚔ Entlaubungsmittel *n*; **de·fo·li·ate** [ˌdiː'fəʊlɪeɪt] *v/t.* entblättern, entlauben; **de·fo·li·a·tion** [ˌdiːfəʊlɪ'eɪʃn] *s.* Entblätterung *f*.

de·for·est·a·tion [diːˌfɒrɪ'steɪʃn] *s.* Abforstung *f*, -holzung *f*; Entwaldung *f*.

de·form [dɪ'fɔːm] *v/t.* **1.** *a.* ⚙, *phys.* verformen; **2.** verunstalten, entstellen, deformieren; verzerren (*a. fig.*, ✈, *phys.*); **3.** *Charakter* verderben, ‚verbiegen'; **de·for·ma·tion** [ˌdiːfɔː'meɪʃn] *s.* **1.** *a.* ⚙, *phys.* Verformung *f*; **2.** Verunstaltung *f*, Entstellung *f*; 'Mißbildung *f*; **3.** ✈, *phys.* Verzerrung *f*; **de'formed** [-md] *adj.* verformt (*etc.* → ***deform***);

de'form·i·ty [-mətɪ] *s.* **1.** Entstelltheit *f*, Häßlichkeit *f*; **2.** 'Mißbildung *f*, Auswuchs *m*; **3.** 'mißgestaltete Per'son *od.* Sache; **4.** Verderbtheit *f*, mo'ralischer De'fekt.

de·fraud [dɪ'frɔːd] *v/t.* betrügen (**of** um): **~ the revenue** Steuern hinterziehen; **with intent to ~** in betrügerischer Absicht, arglistig; **de·frau·da·tion** [ˌdiːfrɔː'deɪʃn] *s.* Betrug *m*; Hinter'ziehung *f*, Unter'schlagung *f*; **de'fraud·er** [-də] *s.* 'Steuerhinterˌzieher *m*.

de·fray [dɪ'freɪ] *v/t.* *Kosten* tragen, bestreiten, bezahlen.

de·frock [ˌdiː'frɒk] → **unfrock**.

de·frost [ˌdiː'frɒst] *v/t.* von Eis befreien, *Windschutzscheibe etc.* entfrosten, *Kühlschrank etc.* abtauen, *Tiefkühlkost etc.* auftauen: **~ing rear window** *mot.* heizbare Heckscheibe.

deft [deft] *adj.* □ geschickt, gewandt; **'deft·ness** [-nɪs] *s.* Geschicktheit *f*, Gewandtheit *f*.

de·funct [dɪ'fʌŋkt] **I** *adj.* **1.** verstorben; **2.** erloschen, nicht mehr existierend, ehemalig; **II** *s.* **3. the ~** der *od.* die Verstorbene.

de·fuse [ˌdiː'fjuːz] *v/t.* *Bombe etc.*, *fig. a. Lage etc.* entschärfen.

de·fy [dɪ'faɪ] *v/t.* **1.** trotzen, Trotz *od.* die Stirn bieten (*dat.*); **2.** sich wider'setzen (*dat.*); **3.** sich hin'wegsetzen über (*acc.*), verstoßen gegen; **4.** standhalten, Schwierigkeiten machen (*dat.*): **~ description** jeder Beschreibung spotten; **~ translation** (fast) unübersetzbar sein; **5.** her'ausfordern: **I ~ anyone to do it** den möchte ich sehen, der das fertigbringt; **I ~ you to do it** ich weiß genau, daß du es nicht (tun) kannst.

de·gauss [ˌdiː'gaʊs] *v/t.* *Schiff* entmagnetisieren.

de·gen·er·a·cy [dɪ'dʒenərəsɪ] *s.* Degenerati'on *f*, Entartung *f*, Verderbtheit *f*; **de·gen·er·ate I** *v/i.* [dɪ'dʒenəreɪt] (**into**) entarten: a) *biol. etc.* degenerieren (zu), b) *allg.* ausarten (zu, in *acc.*), her'absinken (zu, auf die Stufe *gen.*), *a.* verflachen; **II** *adj.* [-rət] degeneriert, entartet; verderbt; **III** *s.* [-rət] degenerierter Mensch; **de·gen·er·a·tion** [dɪˌdʒenə'reɪʃn] *s.* Degenerati'on *f*, Entartung *f*.

deg·ra·da·tion [ˌdegrə'deɪʃn] *s.* **1.** Degradierung *f* (*a.* ⚔), Ab-, Entsetzung *f*; **2.** Verminderung *f*, Schwächung *f*, Verschlechterung *f*; Entartung *f*, Degenerati'on *f* (*a. biol.*); **3.** Entwürdigung *f*, Erniedrigung *f*, Her'absetzung *f*; **4.** ⚗ Abbau *m*; **5.** *phys.* Degradati'on *f*; **6.** *geol.* Verwitterung *f*; **de·grade** [dɪ'greɪd] **I** *v/t.* **1.** degradieren (*a.* ⚔), (her)'absetzen; **2.** vermindern, her'untersetzen, verschlechtern; **3.** erniedrigen, entwürdigen; **4.** ⚗ abbauen; **II** *v/i.* **5.** (ab)sinken, her'unterkommen; **6.** entarten; **de·grad·ing** [dɪ'greɪdɪŋ] *adj.* erniedrigend, entwürdigend; her'absetzend.

de·gree [dɪ'griː] *s.* **1.** Grad *m*, Stufe *f*, Maß *n*: **by ~s** allmählich; **by slow ~s** ganz allmählich; **in some ~** einigermaßen; **in no ~** keineswegs; **in the highest ~** im höchsten Maße *od.* Grad(e), aufs höchste; **to what ~** in welchem Maße, wie weit *od.* sehr; **to a ~** a) in hohem Maße, b) einigermaßen, c) → **to a certain ~** bis zu e-m gewissen Grade, ziemlich; **2.** ⩓, *geogr.*, *phys.* Grad *m*: **~ of latitude** Breitengrad; **32 ~s centigrade** 32 Grad Celsius; **~ of hardness** Härtegrad; **of high ~** hochgradig; **3.** *univ.* Grad *m*, Würde *f*: **doctor's ~** Doktorwürde; **take one's ~** e-n akademischen Grad erwerben, (*zum Doktor*) promovieren; **~ day** Promotionstag *m*; **4.** (Verwandtschafts)Grad *m*; **5.** Rang *m*, Stand *m*: **of high ~** von hohem Rang; **6.** *ling. a.* **~ of comparison** Steigerungsstufe *f*; **7.** ♪ Tonstufe *f*, Inter'vall *n*.

de·gres·sion [dɪ'greʃn] *s.* ✝ Degressi'on *f*; **de'gres·sive** [-esɪv] *adj.* ✝ degres'siv: **~ depreciation** degressive Abschreibung.

de·hu·man·ize [ˌdiː'hjuːmənaɪz] *v/t.* entmenschlichen.

de·hy·drate [ˌdiː'haɪdreɪt] *v/t.* ⚗ dehy'drieren, das Wasser entziehen (*dat.*); dörren, trocknen: **~d vegetables** Trocken-, Dörrgemüse *n*; **de·hy·dra·tion** [ˌdiːhaɪ'dreɪʃn] *s.* Dehy'drierung *f*, Wasserentzug *m*; Dörren *n*, Trocknen *n*.

de-ice [ˌdiː'aɪs] *v/t.* enteisen; **ˌde-'ic·er** [-sə] *s.* Enteisungsmittel *n*, -anlage *f*, -gerät *n*.

de·i·de·ol·o·gize ['diːˌaɪdɪ'ɒlədʒaɪz] *v/t.* entideologisieren.

de·i·fi·ca·tion [ˌdiːɪfɪ'keɪʃn] *s.* **1.** Apothe'ose *f*, Vergötterung *f*; **2.** *et.* Vergöttlichtes; **de·i·fy** ['diːɪfaɪ] *v/t.* **1.** zum Gott erheben; **2.** als Gott verehren, anbeten (*a. fig.*).

deign [deɪn] **I** *v/i.* sich her'ablassen, geruhen, belieben (**to do** zu tun); **II** *v/t.* sich her'ablassen zu: **he ~ed no answer**.

de·ism ['diːɪzəm] *s.* De'ismus *m*; **de·ist** ['diːɪst] *s.* De'ist(in); **de·is·tic**, **de·is·ti·cal** [diː'ɪstɪk(l)] *adj.* □ de'istisch; **de·i·ty** ['diːɪtɪ] *s.* **1.** Gottheit *f*; **2. the** ♀ *eccl.* die Gottheit, Gott *m*.

de·ject·ed [dɪ'dʒektɪd] *adj.* □ niedergeschlagen, deprimiert; **de'jec·tion** [-kʃn] *s.* **1.** Niedergeschlagenheit *f*, Trübsinn *m*; **2.** ⚕ a) Stuhlgang *m*, b) Stuhl *m*, Kot *m*.

de ju·re [ˌdiː'dʒʊərɪ] (*Lat.*) **I** *adj.* De-jure-…; **II** *adv.* de 'jure, von Rechts

wegen.
dek·ko ['dekəʊ] *s. sl.* (kurzer) Blick: ***have a ~*** mal schauen.
de·lac·ta·tion [ˌdi:læk'teɪʃn] *s.* ⚕ Abstillen *n*, Entwöhnung *f*.
de·lay [dɪ'leɪ] **I** *v/t.* **1.** ver-, auf-, hin'ausschieben, verzögern, verschleppen; **2.** auf-, hinhalten, hindern, hemmen; **II** *v/i.* **3.** zögern, zaudern; Zeit verlieren, sich aufhalten; **III** *s.* **4.** Aufschub *m*, Verzögerung *f*, Verzug *m*: ***without ~*** unverzüglich; ***~ of payment*** † Zahlungsaufschub *m*; **de·layed** [dɪ'leɪd] *adj.* verzögert, verspätet, nachträglich, Spät…: ***~-action bomb*** Bombe *f* mit Verzögerungszünder; ***~ fuse*** Verzögerungszünder *m*; ***~ ignition*** ⚙ Spätzündung *f*; **de·lay·ing** [dɪ'leɪɪŋ] *adj.* aufschiebend, verzögernd; 'hinhaltend: ***~ action*** Verzögerung(saktion) *f*, Hinhaltung *f*; ⚔ hinhaltendes Gefecht; ***~ tactics*** Hinhaltetaktik *f*.
del cred·er·e [ˌdel'kredərɪ] *s.* † Del'kredere *n*, Bürgschaft *f*.
de·le ['di:li:] (*Lat.*) *typ.* **I** *v/t.* tilgen, streichen; **II** *s.* Dele'atur(zeichen) *n*.
de·lec·ta·ble [dɪ'lektəbl] *adj.* □ köstlich; **de·lec·ta·tion** [ˌdi:lek'teɪʃn] *s.* Ergötzen *n*, Vergnügen *n*, Genuß *m*.
del·e·ga·cy ['delɪgəsɪ] *s.* Abordnung *f*, Delegati'on *f*; **'del·e·gate I** *s.* [-gət] **1.** Delegierte(r *m*) *f*, Vertreter(in), Abgeordnete(r *m*) *f*; **2.** *parl. Am.* Kon'greßabgeordnete(r *m*) *f* (*e-s Einzelstaats*); **II** *v/t.* [-geɪt] **3.** abordnen, delegieren; bevollmächtigen; **4.** (***to***) *Aufgabe, Vollmacht etc.* über'tragen, delegieren (an *acc.*); **del·e·ga·tion** [ˌdelɪ'geɪʃn] *s.* **1.** Abordnung *f*, Ernennung *f*; **2.** Über'tragung *f* (*Vollmacht etc.*), Delegieren *n*; Über'weisung *f*; **3.** Delegati'on *f*, Abordnung *f*; **4.** *pl. parl. Am. die* (Kon'greß)Abgeordneten *pl.* (*e-s Einzelstaats*).
de·lete [dɪ'li:t] *v/t.* tilgen, (aus)streichen, ausradieren; **~ key** *s.* Löschtaste *f*.
del·e·te·ri·ous [ˌdelɪ'tɪərɪəs] *adj.* □ schädlich, verderblich, nachteilig.
de·le·tion [dɪ'li:ʃn] *s.* Streichung *f*: a) Tilgung *f*, b) *das* Ausgestrichene.
delft [delft] *a.* **delf** [delf] *s.* **1.** Delfter Fay'encen *pl.*; **2.** *allg.* glasiertes Steingut.
de·lib·er·ate I *adj.* □ [dɪ'lɪbərət] **1.** über'legt, wohlerwogen, bewußt, absichtlich, vorsätzlich: ***a ~ lie*** e-e bewußte Lüge; **2.** bedächtig: a) besonnen, vorsichtig, b) gemächlich, langsam; **II** *v/t.* [-bəreɪt] **3.** über'legen, erwägen; **III** *v/i.* [-bəreɪt] **4.** nachdenken, über'legen; **5.** beratschlagen, sich beraten (***on*** über *acc.*); **de'lib·er·ate·ness** [-nɪs] *s.* **1.** Vorsätzlichkeit *f*; **2.** Bedächtigkeit *f*; **de·lib·er·a·tion** [dɪˌlɪbə'reɪʃn] *s.* **1.** Über'legung *f*; **2.** Beratung *f*; **3.** Bedachtsam-, Behutsamkeit *f*, Vorsicht *f*; **de'lib·er·a·tive** [-rətɪv] *adj.* beratend: ***~ assembly***.
del·i·ca·cy ['delɪkəsɪ] *s.* **1.** Zartheit *f*, Feinheit *f*; Zierlichkeit *f*; **2.** Zartheit *f*, Schwächlichkeit *f*; Empfindlichkeit *f*, Anfälligkeit *f*; **3.** Anstand *m*, Zartgefühl *n*, Takt *m*: ***~ of feeling*** Feinfühligkeit *f*; **4.** Feinheit *f*, Genauigkeit *f*; **5.** *fig.* Kitzligkeit *f*: ***negotiations of great ~*** sehr heikle Besprechungen; **6.** (*a. fig.*) Leckerbissen *m*, Delika'tesse *f*; **'del·icate** [-kət] *adj.* □ **1.** zart, fein, zierlich; **2.** zart (*a. Gesundheit, Farbe*), empfindlich, zerbrechlich, schwächlich: ***she was in a ~ condition*** sie war in anderen Umständen; **3.** fein, leicht, dünn; **4.** sanft, leise: ***~ hint*** zarter Wink; **5.** fein, genau; **6.** fein, anständig; **7.** vornehm; verwöhnt; **8.** heikel, kitzlig, schwierig; **9.** zartfühlend, feinfühlig, taktvoll; **10.** lecker, schmackhaft, deli'kat; **del·i·ca·tes·sen** [ˌdelɪkə'tesn] *s. pl.* **1.** Delika'tessen *pl.*, Feinkost *f*; **2.** *sg. konstr.* Feinkostgeschäft *n*.
de·li·cious [dɪ'lɪʃəs] *adj.* □ köstlich: a) wohlschmeckend, b) herrlich.
de·lict ['di:lɪkt] *s.* ⚖ De'likt *n*.
de·light [dɪ'laɪt] **I** *s.* Vergnügen *n*, Freude *f*, Wonne *f*, Entzücken *n*: ***to my ~*** zu m-r Freude; ***take ~ in*** → III; **II** *v/t.* erfreuen, entzücken; **III** *v/i.* ***~ in*** (große) Freude haben an (*dat.*), Vergnügen finden an (*dat.*); sich ein Vergnügen machen aus; **de'light·ed** [-tɪd] *adj.* □ entzückt, (hoch)erfreut (***with*** über *acc.*): ***I am*** (*od.* ***shall be***) ***~ to come*** ich komme mit dem größten Vergnügen; **de'light·ful** [-fʊl] *adj.* □ entzückend, reizend; herrlich, wunderbar.
de·lim·it [di:'lɪmɪt], **de·lim·i·tate** [dɪ'lɪmɪteɪt] *v/t.* abgrenzen, die Grenze(n) festsetzen von (*od. gen.*); **de·lim·i·ta·tion** [dɪˌlɪmɪ'teɪʃn] *s.* Abgrenzung *f*.
de·lin·e·ate [dɪ'lɪnɪeɪt] *v/t.* **1.** skizzieren, entwerfen, zeichnen; **2.** beschreiben, schildern, darstellen; **de·lin·e·a·tion** [dɪˌlɪnɪ'eɪʃn] *s.* **1.** Skizze *f*, Entwurf *m*, Zeichnung *f*; **2.** Beschreibung *f*, Schilderung *f*, Darstellung *f*.
de·lin·quen·cy [dɪ'lɪŋkwənsɪ] *s.* **1.** Vergehen *n*; **2.** Pflichtvergessenheit *f*; **3.** ⚖ Kriminali'tät *f*; → ***juvenile*** 1; **de'linquent** [-nt] **I** *adj.* **1.** straffällig, krimi'nell; **2.** pflichtvergessen: ***~ taxes*** *Am.* Steuerrückstände; **II** *s.* **3.** Delin'quent (-in), Straffällige(r *m*) *f*, (Straf)Täter (-in); → ***juvenile*** 1; **4.** Pflichtvergessene(r *m*) *f*.
del·i·quesce [ˌdelɪ'kwes] *v/i. bsd.* ⚗ zerfließen; wegschmelzen.
de·lir·i·ous [dɪ'lɪrɪəs] *adj.* □ **1.** ⚕ irreredend, phantasierend: ***be ~*** irrereden,

phantasieren; **2.** *fig.* rasend, wahnsinnig (***with*** vor *dat.*): ~ (***with joy***) überglücklich.

de·lir·i·um [dɪˈlɪrɪəm] *s.* **1.** ⚕ Deˈlirium *n*, (Fieber)Wahn *m*; **2.** *fig.* Raseˈrei *f*, Verzückung *f*; ~ **tre·mens** [ˈtriːmenz] *s.* Deˈlirium *n* ˈtremens, Säuferwahnsinn *m*.

de·liv·er [dɪˈlɪvə] *v/t.* **1.** befreien, erlösen, retten (***from*** von, aus); **2.** *Frau* entbinden (***of*** von), *Kind* ‚holen' (*Arzt*): ***be ~ed of a child*** entbunden werden, entbinden; **3.** *Meinung* äußern; *Urteil* aussprechen; *Rede etc.* halten; **4.** ~ ***o.s.*** äußern (***of*** *acc.*), sich äußern (***on*** über *acc.*); **5.** *Waren* liefern: ~ (***the goods***) F Wort halten, die Sache ‚schaukeln', ‚es schaffen'; **6.** ab-, ausliefern; überˈgeben, -ˈbringen, -ˈliefern; überˈsenden, (hin)befördern; **7.** *Briefe* zustellen; *Nachricht* bestellen; ⚖ zustellen; **8.** ~ ***up*** abgeben, -treten, überˈgeben, -ˈliefern; ⚖ herˈausgeben: ~ ***o.s. up*** sich ergeben *od.* stellen (***to*** *dat.*); **9.** *Schlag* versetzen; ⚔ (ab)feuern; **deˈliv·er·a·ble** [-vərəbl] *adj.* ✝ lieferbar, zu liefern(d); **deˈliv·er·ance** [-vərəns] *s.* **1.** Befreiung *f*, Erlösung *f*, (Er)Rettung *f* (***from*** aus, von); **2.** Äußerung *f*, Verkündung *f*; **deˈliv·er·er** [-vərə] *s.* **1.** Befreier *m*, Erlöser *m*, (Er)Retter *m*; **2.** Überˈbringer *m*.

de·liv·er·y [dɪˈlɪvərɪ] *s.* **1.** Lieferung *f*: ***on*** ~ bei Lieferung, bei Empfang; ***take*** ~ (***of***) abnehmen (*acc.*); **2.** ✉ Zustellung *f*; **3.** Ab-, Auslieferung *f*; Aushändigung *f*, ˈÜbergabe *f* (*a.* ⚖); **4.** Überˈbringung *f*, -ˈsendung *f*, Beförderung *f*; **5.** ⚙ (Zu)Leitung *f*, Zuführung *f*; Förderung *f*; Leistung *f*; **6.** *rhet.* Vortragsweise *f*; **7.** *Baseball*, *Kricket*: ˈWurf (-ˌtechnik *f*) *m*; **8.** ⚔ Abfeuern *n*; **9.** ⚕ Entbindung *f*; ~ **charge** *s.* ✉ Zustellgebühr *f*; **~·man** *s.* [*irr.*] Ausfahrer *m*; Verkaufsfahrer *m*; ~ **note** *s.* ✝ Lieferschein *m*; ~ **or·der** *s.* ✝ Auslieferungsschein *m*, Lieferschein *m*; ~ **pipe** *s.* Leitungsröhre *f*; ~ **room** *s.* ⚕ Entbindungssaal *m*, -zimmer *n*, Kreißsaal *m*; ~ **ser·vice** *s.* ✉ Zustelldienst *m*; ~ **truck** *s. mot. Am.*, ~ **van** *s. Brit.* Lieferwagen *m*.

dell [del] *s.* kleines, enges Tal.

de·louse [ˌdiːˈlaʊs] *v/t.* entlausen.

Del·phic [ˈdelfɪk] *adj.* delphisch, *fig. a.* dunkel, zweideutig.

del·phin·i·um [delˈfɪnɪəm] *s.* ⚘ Rittersporn *m*.

del·ta [ˈdeltə] *s. allg.* (*a.* Fluß)Delta *n*; ~ **con·nec·tion** *s.* ⚡ Dreieckschaltung *f*; ~ **rays** *s. pl. phys.* Deltastrahlen *pl.*; ~ **wing** *s.* ✈ Deltaflügel *m*.

del·toid [ˈdeltɔɪd] **I** *adj.* deltaförmig; **II** *s. anat.* Deltamuskel *m*.

de·lude [dɪˈluːd] *v/t.* **1.** täuschen, irreführen; (be)trügen: ~ ***o.s.*** sich Illusionen hingeben, sich et. vormachen; **2.** verleiten (***into*** zu).

del·uge [ˈdeljuːdʒ] **I** *s.* **1.** (große) Überˈschwemmung: ***the*** ♀ *bibl.* die Sintflut; **2.** *fig.* Flut *f*, (Un)Menge *f*; **II** *v/t.* **3.** *a. fig.* überˈschwemmen, -ˈfluten, -ˈschütten.

de·lu·sion [dɪˈluːʒn] *s.* **1.** (Selbst)Täuschung *f*, Verblendung *f*, Wahn *m*, Irrglauben *m*; **2.** Trug *m*, Wahnvorstellung *f*: ***be*** (*od.* ***labo[u]r***) ***under the ~ that*** in dem Wahn leben, daß; → ***grandeur*** 3; **deˈlu·sive** [-uːsɪv] *adj.* ☐ irreführend, trügerisch, Wahn…

de luxe [dəˈlʊks] *adj.* Luxus…

delve [delv] *v/i. fig.* (***into***) sich vertiefen (in *acc.*), erforschen, ergründen (*acc.*); graben (***for*** nach): ~ ***among*** stöbern in (*dat.*).

de·mag·net·ize [ˌdiːˈmægnɪtaɪz] *v/t.* entmagnetisieren.

dem·a·gog [ˈdeməgɒg] *Am.* → ***demagogue***; **dem·a·gog·ic**, **dem·a·gog·i·cal** [ˌdeməˈgɒgɪk(l)] *adj.* ☐ demaˈgogisch, aufwieglerisch; **ˈdem·a·gogue** [-gɒg] *s.* Demaˈgoge *m*; **ˈdem·a·gog·y** [-gɪ] *s.* Demagoˈgie *f*.

de·mand [dɪˈmɑːnd] **I** *v/t.* **1.** *Person*: *et.* verlangen, fordern, begehren (***of***, ***from*** von, *a.* ***that*** daß, ***to do*** zu tun): ***I ~ payment***; **2.** *Sache*: erfordern, verlangen (*acc.*, ***that*** daß), bedürfen (*gen.*): ***the matter ~s great care*** die Sache erfordert große Sorgfalt; **3.** *oft* ⚖ beanspruchen; **4.** wissen wollen, fragen nach: ***the police ~ed his name***; **II** *s.* **5.** Verlangen *n*, Forderung *f*, Ersuchen *n*: ***on*** ~ a) auf Verlangen, b) ✝ bei Vorlage, bei Sicht; **6.** ✝ (***for***) Nachfrage *f* (nach), Bedarf *m* (an *dat.*) (*Ggs.* ***supply***): ***in*** ~ *a. fig.* gefragt, begehrt, gesucht; **7.** (***on***) Anspruch *m*, Anforderung *f* (an *acc.*); Beanspruchung *f* (*gen.*): ***make great ~s on*** sehr in Anspruch nehmen (*acc.*), große Anforderungen stellen an (*acc.*); **8.** ⚖ (Rechts-) Anspruch *m*, Forderung *f*; ~ **bill** *s.* ✝ *Am.* Sichtwechsel *m*; ~ **de·pos·it** *s.* ✝ Sichteinlage *f*; ~ **draft** → ***demand bill***.

de·mand·ing [dɪˈmɑːndɪŋ] *adj.* **1.** anspruchsvoll (*a. fig. Musik etc.*), schwierig; **2.** genau, streng; **3.** fordernd.

de·mand| man·age·ment *s.* Nachfragesteuerung *f*; ~ **note** *s.* **1.** *Brit.* Zahlungsaufforderung *f*; **2.** Sichtwechsel *m*; ~ **pull** *s.* ˈNachfrageinflatiˌon *f*.

de·mar·cate [ˈdiːmɑːkeɪt] *v/t. a. fig.* abgrenzen (***from*** gegen, von); **de·mar·ca·tion** [ˌdiːmɑːˈkeɪʃn] *s.* Abgrenzung *f*, Grenzziehung *f*: ***line of ~*** a) Grenzlinie *f* (*a. fig.*), b) *pol.* Demarkationslinie *f*, c) *fig.* Trennungslinie *f*, -strich *m*; ~ ***dispute*** Kompetenzstreit unter Gewerkschaften.

D

dé·marche [ˈdeɪmɑːʃ] (*Fr.*) *s.* Deˈmarche *f*, diploˈmatischer Schritt.
de·mean[1] [dɪˈmiːn] *v/t.*: **~ o.s.** sich benehmen, sich verhalten.
de·mean[2] [dɪˈmiːn] *v/t.*: **~ o.s.** sich erniedrigen; **deˈmean·ing** [-nɪŋ] *adj.* erniedrigend.
de·mean·o(u)r [dɪˈmiːnə] *s.* Benehmen *n*, Verhalten *n*, Haltung *f*.
de·ment·ed [dɪˈmentɪd] *adj.* □ wahnsinnig, verrückt (F *a. fig.*); **deˈmen·ti·a** [-nʃɪə] *s.* ⚕ **1.** Schwachsinn *m*; **2.** Wahn-, Irrsinn *m*.
de·mer·it [diːˈmerɪt] *s.* **1.** Schuld(haftigkeit) *f*, Fehler *m*, Mangel *m*; **2.** Unwürdigkeit *f*; **3.** Nachteil *m*, schlechte Seite; **4.** *mst* **~ mark** *ped. Am.* Tadel *m*, Minuspunkt *m*.
de·mesne [dɪˈmeɪn] *s.* **1.** ⚖ Eigenbesitz *m*, freier Grundbesitz; Landgut *n*, Doˈmäne *f*: **Royal ~** Krongut *n*; **2.** *fig.* Doˈmäne *f*, Gebiet *n*.
ˈdem·i|·god [ˈdemɪ-] *s.* Halbgott *m*; **ˈ~·john** [-dʒɒn] *s.* Korbflasche *f*, ˈGlasbalˌlon *m*.
de·mil·i·ta·rize [ˌdiːˈmɪlɪtəraɪz] *v/t.* entmilitarisieren.
dem·i|-monde [ˌdemɪˈmɔ̃ːnd] *s.* Halbwelt *f*; **ˌ~-ˈpen·sion** *s.* ˈHalbpensiˌon *f*; **~·rep** [ˈdemɪrep] *s.* Frau *f* von zweifelhaftem Ruf.
de·mise [dɪˈmaɪz] ⚖ **I** *s.* **1.** Beˈsitzüberˌtragung *f od.* -verpachtung *f*: **~ of the Crown** Übergehen *n* der Krone *an den Nachfolger*; **2.** Ableben *n*, Tod *m*; **II** *v/t.* **3.** *allg. et.* überˈtragen, *a.* verpachten *od.* vermachen.
dem·i·sem·i·qua·ver [ˈdemɪsemɪˌkweɪvə] *s.* ♪ Zweiunddreißigstel(note *f*) *n*.
de·mis·sion [dɪˈmɪʃn] *s.* Rücktritt *m*, Abdankung *f*, Demissiˈon *f*.
de·mo [ˈdeməʊ] *s.* F **1.** ‚Demo' *f* (*Demonstration*); **2.** a) Vorführband *n*, b) Vorführwagen *m*.
de·mob [ˌdiːˈmɒb] *v/t. Brit.* F → **demobilize** 1b.
de·mo·bi·li·za·tion [ˈdiːˌməʊbɪlaɪˈzeɪʃn] *s.* Demobilisierung *f*: a) Abrüstung *f*, b) Entlassung *f* aus dem Wehrdienst; **de·mo·bi·lize** [diːˈməʊbɪlaɪz] *v/t.* **1.** demobilisieren: a) abrüsten, b) *Truppen* entlassen, *Heer* auflösen; **2.** *Kriegsschiff* außer Dienst stellen.
de·moc·ra·cy [dɪˈmɒkrəsɪ] *s.* **1.** Demokraˈtie *f*; **2.** ♀ *pol. Am.* die Demoˈkratische Parˈtei (*od.* deren Grundsätze); **dem·o·crat** [ˈdeməkræt] *s.* **1.** Demoˈkrat(in); **2.** ♀ *Am. pol.* Demoˈkrat(in), Mitglied *n* der Demoˈkratischen Parˈtei; **dem·o·crat·ic** [ˌdeməˈkrætɪk] *adj.* (□ **~ally**) **1.** demoˈkratisch; **2.** ♀ *pol. Am.* demoˈkratisch (*die Demokratische Partei betreffend*); **de·moc·ra·ti·za·tion** [dɪˌmɒkrətaɪˈzeɪʃn] *s.* Demokratisierung *f*; **de·moc·ra·tize** [dɪˈmɒkrətaɪz] *v/t.* demokratisieren.
dé·mo·dé [ˌdeɪməʊˈdeɪ] (*Fr.*), **de·mod·ed** [diːˈməʊdɪd] *adj.* altmodisch, außer Mode.
de·mog·ra·pher [diːˈmɒgrəfə] *s.* Demoˈgraph *m*; **deˈmog·ra·phy** [-fɪ] *s.* Demograˈphie *f*.
de·mol·ish [dɪˈmɒlɪʃ] *v/t.* **1.** ab-, niederreißen; **2.** *Festung* schleifen; **3.** ⚔ sprengen; **4.** *fig.* (*a. j-n*) vernichten, kaˈputtmachen; **5.** *sport* F ‚überˈfahren'; **dem·o·li·tion** [ˌdeməˈlɪʃn] *s.* **1.** Abbruch *m*, Niederreißen *n*; **2.** Schleifen *n* (*Festung*); **3.** ⚔ Spreng...: **~ bomb** Sprengbombe *f*; **~ squad** Sprengkommando *n*; **4.** Vernichtung *f*.
de·mon (*myth. oft* **daemon**) [ˈdiːmən] **I** *s.* **1.** ˈDämon *m*, böser Geist, ˈSatan *m* (*a. fig.*); **2.** *fig.* Teufelskerl *m*: **~ for work** ‚Wühler' *m*, unermüdlicher Arbeiter; **II** *adj.* **3.** däˈmonisch, *fig a.* wild, besessen.
de·mon·e·ti·za·tion [diːˌmʌnɪtaɪˈzeɪʃn] *s.* Außerˈkurssetzung *f*, Entwertung *f*; **de·mon·e·tize** [ˌdiːˈmʌnɪtaɪz] *v/t.* außer Kurs setzen.
de·mo·ni·ac [dɪˈməʊnɪæk] **I** *adj.* **1.** däˈmonisch, teuflisch; **2.** besessen, rasend, tobend; **II** *s.* **3.** Besessene(r *m*) *f*; **de·mo·ni·a·cal** [ˌdiːməʊˈnaɪəkl] *adj.* □ → **demoniac** 1, 2; **de·mon·ic** [diːˈmɒnɪk] *adj.* (□ **~ally**) däˈmonisch, teuflisch; **de·mon·ism** [ˈdiːmənɪzəm] *s.* Däˈmonenglaube *m*; **de·mon·ize** [ˈdiːmənaɪz] *v/t.* dämonisieren, *fig. a.* verteufeln; **de·mon·ol·o·gy** [ˌdiːməˈnɒlədʒɪ] *s.* Däˈmonenlehre *f*.
de·mon·stra·ble [ˈdemənstrəbl] *adj.* □ beweisbar, nachweislich; **dem·on·strate** [ˈdemənstreɪt] **I** *v/t.* **1.** demonstrieren: a) be-, nachweisen, b) veranschaulichen, darlegen; **2.** vorführen; **II** *v/i.* **3.** demonstrieren, e-e Demonstratiˈon veranstalten; **dem·on·stra·tion** [ˌdemənˈstreɪʃn] *s.* **1.** Demonˈstrierung *f*, Veranschaulichung *f*, Darstellung *f*; **2.** a) Beweis *m* (**of** für), b) Beweisführung *f*; **3.** Vorführung *f*, Demonstratiˈon *f* (**to** vor *j-m*): **~ car** Vorführwagen *m*; **4.** (Gefühls)Äußerung *f*, Bekundung *f*; **5.** Demonstratiˈon *f* (*a. pol. u.* ⚔), Kundgebung *f*; **6.** ⚔ ˈTäuschungsmaˌnöver *n*; **de·mon·stra·tive** [dɪˈmɒnstrətɪv] **I** *adj.* □ **1.** anschaulich (zeigend); überˈzeugend, beweiskräftig: **be ~ of** → **demonstrate** 1; **2.** demonstraˈtiv, ostentaˈtiv, auffällig, betont; **3.** ausdrucks-, gefühlvoll; **4.** *ling.* Demonstrativ..., hinweisend: **~ pronoun**; **II** *s.* **5.** *ling.* Demonstraˈtivum *n*; **de·mon·stra·tive·ness** [dɪˈmɒnstrətɪvnɪs] *s.* das Demonstraˈtive *od.* Ostentaˈtive, Betontheit *f*; **ˈdem·on·stra·tor** [-reɪtə] *s.* **1.** Beweisführer *m*, Erklärer *m*; **2.** ✝ a) Vorführer(in), b) ˈVorführ-

mo͵dell *n*; **3.** *pol.* Demon'strant(in); **4.** *univ.* a) Assi'stent *m*, b) ⚕ 'Prosektor *m*.

de·mor·al·i·za·tion [dɪ͵mɒrəlaɪ'zeɪʃn] *s.* Demoralisati'on *f*: a) Sittenverfall *m*, Zuchtlosigkeit *f*, b) Entmutigung *f*, Demoralisierung *f*; **de·mor·al·ize** [dɪ'mɒrəlaɪz] *v/t.* demoralisieren: a) (sittlich) verderben, b) zersetzen, c) zermürben, entmutigen, d) die ('Kampf)Mo͵ral *od.* die Diszi'plin *der Truppe* unter'graben; **de·mor·al·iz·ing** [dɪ'mɒrəlaɪzɪŋ] *adj.* demoralisierend.

de·mote [͵diː'məʊt] *v/t.* **1.** degradieren; **2.** *ped. Am.* zu'rückversetzen.

de·moth(·ball) [͵diː'mɒθ(bɔːl)] *v/t.* ⚔ *Am. Flugzeuge etc.* ‚entmotten', wieder in Dienst stellen.

de·mo·tion [͵diː'məʊʃn] *s.* **1.** Degradierung *f*; **2.** *ped. Am.* Zu'rückversetzung *f*.

de·mo·ti·vate [͵diː'məʊtɪveɪt] *v/t.* demotivieren.

de·mount [͵diː'maʊnt] *v/t.* abmontieren, abnehmen; zerlegen; **de'mount·a·ble** [-təbl] *adj.* abmontierbar; zerlegbar.

de·mur [dɪ'mɜː] **I** *v/i.* **1.** Einwendungen machen, Bedenken äußern (***to*** gegen); zögern; **2.** ⚖ e-n Rechtseinwand erheben; **II** *s.* **3.** Einwand *m*, Bedenken *n*, Zögern *n*: ***without ~*** anstandslos, ohne Zögern.

de·mure [dɪ'mjʊə] *adj.* □ **1.** zimperlich, spröde; **2.** sittsam, prüde; **3.** zu'rückhaltend; **4.** gesetzt, ernst, nüchtern; **de'mure·ness** [-nɪs] *s.* **1.** Zimperlichkeit *f*; **2.** Zu'rückhaltung *f*; **3.** Gesetztheit *f*.

de·mur·rage [dɪ'mʌrɪdʒ] *s.* ✝ **1.** a) ⚓ 'Überliegezeit *f*, b) 🚂 zu langes Stehen (*bei der Entladung*); **2.** a) ⚓ ('Über-)Liegegeld *n*, b) 🚂 Wagenstandgeld *n*, c) Lagergeld *n*.

de·mur·rer [dɪ'mʌrə] *s.* ⚖ Rechtseinwand *m*.

de·my [dɪ'maɪ] *pl.* **-'mies** [-aɪz] *s.* **1.** Stipendi'at *m* (*Magdalen College, Oxford*); **2.** *ein Papierformat*.

den [den] *s.* **1.** Lager *n*, Bau *m*, Höhle *f wilder Tiere*: ***lion's ~*** Löwengrube *f*, *fig.* Höhle des Löwen; **2.** *fig.* Höhle *f*, Versteck *n*: ***robber's ~*** Räuberhöhle; ***~ of vice*** Lasterhöhle; **3.** a) (gemütliches) Zimmer, ‚Bude' *f*, b) Arbeitszimmer *n*, c) *contp.* ‚Loch' *n*, Höhle *f*.

de·na·tion·al·ize [͵diː'næʃnəlaɪz] *v/t.* **1.** entnationalisieren, den natio'nalen Cha'rakter nehmen (*dat.*); **2.** *j-m* die Staatsbürgerschaft aberkennen; **3.** ✝ entstaatlichen, reprivatisieren.

de·nat·u·ral·ize [͵diː'nætʃrəlaɪz] *v/t.* **1.** s-r wahren Na'tur entfremden; **2.** *j-n* denaturalisieren, ausbürgern.

de·na·ture [͵diː'neɪtʃə] *v/t.* ⚗ denaturieren.

de·na·zi·fi·ca·tion [diː͵nɑːtsɪfɪ'keɪʃn] *s.* *pol.* Entnazifizierung *f*.

den·dri·form ['dendrɪfɔːm] *adj.* baumförmig; **'den·droid** [-rɔɪd] *adj.* baumähnlich; **'den·dro·lite** [-rəlaɪt] *s.* Pflanzenversteinerung *f*; **den·drol·o·gy** [den'drɒlədʒɪ] *s.* Dendrolo'gie *f*, Baumkunde *f*.

dene[1] [diːn] *s. Brit.* (Sand)Düne *f*.

dene[2] [diːn] *s.* kleines Tal.

de·ni·a·ble [dɪ'naɪəbl] *adj.* abzuleugnen(d), zu verneinen(d); **de·ni·al** [dɪ'naɪəl] *s.* **1.** Ablehnung *f*, Verweigerung *f*, -sagung *f*; Absage *f*, abschlägige Antwort: ***take no ~*** sich nicht abweisen lassen; **2.** Verneinung *f*, Leugnen *n*, Ab-, Verleugnung *f*: ***official ~*** Dementi *n*.

de·nic·o·tin·ize [͵diːnɪ'kɒtɪnaɪz] *v/t.* entnikotisieren: ***~d*** nikotinfrei, -arm.

de·ni·er[1] [dɪ'naɪə] *s.* **1.** Leugner(in); **2.** Verweigerer *m*.

de·nier[2] ['denɪə] *s.* ✝ Deni'er *m* (*Einheit für die Fadenstärke bei Seidengarn etc.*).

de·nier[3] [dɪ'nɪə] *s. hist.* Deni'er *m* (*Münze*).

den·i·grate ['denɪgreɪt] *v/t.* anschwärzen, verunglimpfen; **den·i·gra·tion** [͵denɪ'greɪʃn] *s.* Anschwärzung *f*, Verunglimpfung *f*.

den·im ['denɪm] *s.* **1.** Köper *m*; **2.** *pl.* Overall *m od.* Jeans *pl.* aus Köper.

den·i·zen ['denɪzn] *s.* **1.** Ein-, Bewohner *m* (*a. fig.*); **2.** *hist. Brit.* (teilweise) eingebürgerter Ausländer; **3.** *et.* Eingebürgertes (*Tier, Pflanze, Wort*); **4.** Stammgast *m*.

de·nom·i·nate [dɪ'nɒmɪneɪt] *v/t.* (be-)nennen, bezeichnen; **de·nom·i·na·tion** [dɪ͵nɒmɪ'neɪʃn] *s.* **1.** Benennung *f*, Bezeichnung *f*; Name *m*; **2.** Gruppe *f*, Klasse *f*; **3.** (Maß- *etc.*)Einheit *f*; Nennwert *m* (*Banknoten*): ***shares in small ~s*** Aktien kleiner Stückelung; **4.** a) Konfessi'on *f*, Bekenntnis *n*, b) Sekte *f*; **de·nom·i·na·tion·al** [dɪ͵nɒmɪ'neɪʃənl] *adj.* konfessio'nell, Konfessions…, Bekenntnis…: ***~ school***; **de·nom·i·na·tion·al·ism** [dɪ͵nɒmɪ'neɪʃnəlɪzəm] *s.* Prin'zip *n* des konfessio'nellen 'Unterrichts; **de·nom·i·na·tor** [dɪ'nɒmɪneɪtə] *s.* ℞ Nenner *m*: ***common ~*** gemeinsamer Nenner (*a. fig.*); → ***reduce*** 11.

de·no·ta·tion [͵diːnəʊ'teɪʃn] *s.* **1.** Bezeichnung *f*; **2.** Bedeutung *f*; **3.** Be'griffs͵umfang *m*; **de·note** [dɪ'nəʊt] *v/t.* **1.** be-, kennzeichnen, anzeigen, andeuten; **2.** bedeuten.

dé·noue·ment [deɪ'nuːmɑ̃ːŋ] (*Fr.*) *s.* **1.** Lösung *f* (des Knotens *im Drama etc.*); **2.** Ausgang *m*.

de·nounce [dɪ'naʊns] *v/t.* **1.** öffentlich anprangern, brandmarken, verurteilen; **2.** anzeigen, *contp.* denunzieren (***to*** bei); **3.** *Vertrag* kündigen; **de'nounce-**

ment [-mənt] *s.* **1.** (öffentliche) Anprangerung *od.* Verurteilung; **2.** Anzeige *f*, *contp.* Denunziatiˈon *f*; **3.** Kündigung *f* (***of*** *gen.*), Rücktritt *m* (*vom Vertrag*).

dense [dens] *adj.* □ **1.** dicht (*a. phys.*), dick (*Nebel etc.*); **2.** gedrängt, eng; **3.** *fig.* beschränkt, schwer von Begriff; **4.** *phot.* dicht, kräftig (*Negativ*); ˈ**dense·ness** [-nɪs] *s.* **1.** Dichtheit *f*, Dichte *f*; **2.** *fig.* Beschränktheit *f*, Schwerfälligkeit *f*; ˈ**den·si·ty** [-sətɪ] *s.* **1.** Dichte *f* (*a.* ⚗, *phys.*), Dichtheit *f*: ***traffic ~*** Verkehrsdichte; **2.** Gedrängtheit *f*, Enge *f*; **3.** *fig.* Beschränktheit *f*, Dummheit *f*; **4.** *phot.* Dichte *f*, Schwärzung *f*.

dent [dent] **I** *s.* Beule *f*, Einbeulung *f*: ***make a ~ in*** F a) ein Loch reißen in (*Ersparnisse etc.*), b) *j-s Stolz etc.* ‚anknacksen'; **II** *v/t. u. v/i.* (sich) einbeulen: ***~ s.o.'s image*** *fig.* j-s Image schaden.

den·tal [ˈdentl] **I** *adj.* **1.** ⚕ Zahn…; zahnärztlich: ***~ floss*** Zahnseide *f*; ***~ plate*** Platte *f*, Zahnersatz *m*; ***~ surgeon*** Zahnarzt *m*; ***~ technician*** Zahntechniker(in); **2.** *ling.* Dental…, Zahn…: ***~ sound*** → 3; **II** *s.* **3.** *ling.* Denˈtal(laut) *m*; **den·tate** [ˈdenteɪt] *adj.* ⚘, *zo.* gezähnt; **den·ta·tion** [denˈteɪʃn] *s.* ⚘, *zo.* Zähnung *f*; **den·ti·cle** [ˈdentɪkl] *s.* Zähnchen *n*; **den·tic·u·lat·ed** [denˈtɪkjʊleɪtɪd] *adj.* **1.** gezähnt; **2.** gezackt; **den·ti·form** [ˈdentɪfɔːm] *adj.* zahnförmig; **den·ti·frice** [ˈdentɪfrɪs] *s.* Zahnputzmittel *n*; **den·tils** [ˈdentɪlz] *s. pl.* ⚠ Zahnschnitt *m*; **den·tine** [ˈdentiːn] *s.* ⚕ Denˈtin *n*, Zahnbein *n*; **den·tist** [ˈdentɪst] *s.* Zahnarzt *m*, -ärztin *f*; **den·tist·ry** [ˈdentɪstrɪ] *s.* Zahnheilkunde *f*; **den·ti·tion** [denˈtɪʃn] *s.* ⚕ **1.** Zahnen *n* (*der Kinder*); **2.** ˈZahnformel *f*, -syˌstem *n*; **den·ture** [ˈdentʃə] *s.* **1.** *anat.* Gebiß *n*; **2.** a) künstliches Gebiß, (ˈVoll)Proˌthese *f*, b) (ˈTeil)Proˌthese *f*.

de·nu·cle·ar·ize [ˌdiːˈnjuːklɪəraɪz] *v/t.* aˈtomwaffenfrei machen, e-e atomwaffenfreie Zone schaffen in (*dat.*).

den·u·da·tion [ˌdiːnjuːˈdeɪʃn] *s.* **1.** Entblößung *f*; **2.** *geol.* Abtragung *f*; **de·nude** [dɪˈnjuːd] *v/t.* **1.** (***of***) entblößen (von), berauben (*gen.*) (*a. fig.*); **2.** *geol.* bloßlegen.

de·nun·ci·a·tion [ˌdɪnʌnsɪˈeɪʃn] → ***denouncement***; **de·nun·ci·a·tor** [dɪˈnʌnsɪeɪtə] *s.* Denunziˈant(in); **de·nun·ci·a·to·ry** [dɪˈnʌnsɪətərɪ] *adj.* **1.** denunzierend; **2.** anprangernd, brandmarkend.

de·ny [dɪˈnaɪ] *v/t.* **1.** ab-, bestreiten, in Abrede stellen, dementieren, (ab)leugnen, verneinen: ***it cannot be denied that ..., there is no ~ing*** (***the fact***) ***that ...*** es läßt sich nicht *od.* es ist nicht zu leugnen *od.* bestreiten, daß; ***I ~ saying so*** ich bestreite, daß ich das gesagt habe; ***~ a charge*** e-e Beschuldigung zurückweisen; **2.** *Glauben*, *Freund* verleugnen; *Unterschrift* nicht anerkennen; **3.** *Bitte etc.* ablehnen; ⚖ *Antrag* abweisen; *j-m et.* abschlagen, verweigern, versagen: ***~ o.s. the pleasure*** sich das Vergnügen versagen; ***he was denied the privilege*** das Vorrecht wurde ihm versagt; ***he was hard to ~*** es war schwer, ihn abzuweisen; ***she denied herself to him*** sie versagte sich ihm; **4.** ***~ o.s. to s.o.*** sich vor j-m verleugnen lassen.

de·o·dor·ant [diːˈəʊdərənt] **I** *s.* De(s)odoˈrant *n*; **II** *adj.* de(s)odorierend; **de·o·dor·i·za·tion** [diːˌəʊdəraɪˈzeɪʃn] *s.* Desodorierung *f*; **de·o·dor·ize** [diːˈəʊdəraɪz] *v/t.* de(s)odorieren; **deˈo·dor·iz·er** [-raɪzə] → ***deodorant*** I.

de·ox·i·dize [diːˈɒksɪdaɪz] *v/t.* ⚗ den Sauerstoff entziehen (*dat.*).

de·part [dɪˈpɑːt] *v/i.* **1.** (***for*** nach) weg-, fortgehen, *bsd.* abreisen, abfahren; **2.** 🚂 *etc.* abgehen, abfahren, ✈ abfliegen; **3.** *a.* ***~*** (***from***) ***this life*** ˈhinscheiden, entschlafen, sterben; **4.** (***from***) abweichen (von *e-r Regel*, *der Wahrheit etc.*), *Plan etc.* ändern, aufgeben: ***~ from one's word*** sein Wort brechen; **deˈpart·ed** [-tɪd] *adj.* **1.** vergangen; **2.** verstorben: ***the ~*** der *od.* die Verstorbene, *coll.* die Verstorbenen; **deˈpart·ment** [-mənt] *s.* **1.** Fach *n*, Gebiet *n*, Resˈsort *n*, Geschäftsbereich *m*: ***that's your ~!*** F das ist dein Ressort!; **2.** Abteilung *f*: ***~ of German*** *univ.* germanistische Abteilung; ***export ~*** ✝ Exportabteilung; ***~ store*** Waren-, Kaufhaus *n*; **3.** *pol.* Departeˈment *n* (*in Frankreich*); **4.** Dienst-, Geschäftsstelle *f*, Amt *n*: ***health ~*** Gesundheitsamt; **5.** *pol.* Miniˈsterium *n*: ***2 of Defense*** *Am.* Verteidigungsministerium; ***2 of the Interior*** *Am.* Innenministerium; **6.** ⚔ Bereich *m*, Zone *f*; **de·part·men·tal** [ˌdiːpɑːtˈmentl] *adj.* **1.** Abteilungs…; Bezirks…; Fach…; **2.** Ministerial…; **de·part·men·tal·ize** [ˌdiːpɑːtˈmentəlaɪz] *v/t.* in (viele) Abteilungen gliedern.

de·par·ture [dɪˈpɑːtʃə] *s.* **1.** Weggang *m*, *bsd.* ⚔ Abzug *m*: ***take one's ~*** sich verabschieden, weg-, fortgehen; **2.** a) Abreise *f*, b) 🚂 *etc.* Abfahrt *f*, ✈ Abflug *m*: (***time of***) ***~*** Abfahrts- *od.* Abflugzeit *f*; ***~ gate*** Flugsteig *m*; ***~ lounge*** Abflughalle *f*; ***~ platform*** Abfahrtsbahnsteig *m*; **3.** Abweichen *n*, Abweichung *f* (***from*** von *e-m Plan*, *e-r Regel etc.*); **4.** *fig.* Anfang *m*, Beginn *m*: ***a new ~*** a) ein neuer Anfang, b) ein neuer Weg, ein neues Verfahren; ***point of ~*** Ausgangspunkt *m*; **5.** ˈHinscheiden *n*, Tod *m*.

de·pend [dɪˈpend] *v/i.* **1.** (***on***, ***upon***) abhängen (von), ankommen (auf *acc.*): ***it ~s on the weather***; ***it ~s on you***; ***~ing on the quantity used*** je nach (der zu verwendenden) Menge; ***~ing on whether*** je nachdem, ob; ***that ~s*** F das kommt (ganz) darauf an, je nachdem; **2.** (***on***, ***upon***) a) abhängig sein (von), b) angewiesen sein (auf *acc.*): ***he ~s on my help***; **3.** sich verlassen (***on***, ***upon*** auf *acc.*): ***you may ~ on that man***; ***~ upon it!*** verlaß dich drauf!; **de·pend·a·bil·i·ty** [dɪˌpendəˈbɪlətɪ] *s.* Zuverlässigkeit *f*; **deˈpend·a·ble** [-dəbl] *adj.* □ verläßlich, zuverlässig; **de·pend·ance** [-dəns] *Am.* → ***dependence***; **de·pend·ant** [-dənt] **I** *s.* Abhängige(r *m*) *f*, *bsd.* (Faˈmilien)Angehörige(r *m*) *f*; **II** *adj. Am.* → ***dependent*** I; **deˈpend·ence** [-dəns] *s.* **1.** (***on***, ***upon***) Abhängigkeit *f* (von), Angewiesensein *n* (auf *acc.*); Bedingtsein *n* (durch); **2.** Vertrauen *n*, Verlaß *m* (***on***, ***upon*** auf *acc.*); **3.** ***in ~*** ⚖ in der Schwebe; **4.** Nebengebäude *n*, Depenˈdance *f*; **deˈpend·en·cy** [-dənsɪ] **1.** → ***dependence*** 1; **2.** *pol.* Schutzgebiet *n*, Koloˈnie *f*; **deˈpend·ent** [-dənt] **I** *adj.* **1.** (***on***, ***upon***) abhängig (von): a) angewiesen (auf *acc.*), b) bedingt (durch); **2.** vertrauend, sich verlassend (***on***, ***upon*** auf *acc.*); **3.** (***on***) ˈuntergeordnet (*dat.*), abhängig (von), unselbständig: ***~ clause*** *ling.* Nebensatz *m*; **4.** herˈabhängend (***from*** von); **II** *s.* **5.** *Am.* → ***dependant*** I.

de·peo·ple [ˌdi:ˈpi:pl] *v/t.* entvölkern.

de·per·son·al·ize [ˌdi:ˈpɜ:snəlaɪz] *v/t.* **1.** *psych.* entperˈsönlichen; **2.** ˈunperˌsönlich machen.

de·pict [dɪˈpɪkt] *v/t.* **1.** (ab)malen, zeichnen, darstellen; **2.** schildern, beschreiben, veranschaulichen.

dep·i·late [ˈdepɪleɪt] *v/t.* enthaaren, depilieren; **dep·i·la·tion** [ˌdepɪˈleɪʃn] *s.* Enthaarung *f*; **de·pil·a·to·ry** [dɪˈpɪlətərɪ] **I** *adj.* enthaarend; **II** *s.* Enthaarungsmittel *n*.

de·plane [ˌdi:ˈpleɪn] *v/t. u. v/i.* aus dem Flugzeug ausladen (aussteigen).

de·plen·ish [dɪˈplenɪʃ] *v/t.* entleeren.

de·plete [dɪˈpli:t] *v/t.* **1.** (ent)leeren; **2.** Raubbau treiben mit; *Vorräte*, *Kräfte etc.* erschöpfen; *Bestand etc.* dezimieren: ***~ a lake of fish*** e-n See abfischen; **de·ple·tion** [dɪˈpli:ʃn] *s.* **1.** Entleerung *f*; **2.** Raubbau *m*; Erschöpfung *f*; ⚕ *a.* Erschöpfungszustand *m*; ⚕ *a.* Subˈstanzverlust *m*; ***~ of the ozone layer*** Ozonabbau *m*.

de·plor·a·ble [dɪˈplɔ:rəbl] *adj.* □ **1.** bedauerns-, beklagenswert; **2.** erbärmlich, kläglich; **de·plore** [dɪˈplɔ:] *v/t.* beklagen: a) bedauern, b) mißˈbilligen, c) betrauern.

de·ploy [dɪˈplɔɪ] **I** *v/t.* **1.** ⚔ a) aufmarschieren lassen, entwickeln, entfalten, b) *a. allg.* verteilen, *Raketen etc.* aufstellen; **2.** *Arbeitskräfte etc.* einsetzen; **3.** *fig.* anwenden, einsetzen; **II** *v/i.* **4.** sich entwickeln, sich entfalten, ausschwärmen, Geˈfechtsformatiˌon annehmen; **III** *s.* **5.** → **deˈploy·ment** [-mənt] *s.* **1.** ⚔ Entfaltung *f*, -wicklung *f*, Aufmarsch *m*; Gliederung *f*; Aufstellung *f*; **2.** ⚕ *etc.* Einsatz *m*, Verteilung *f*.

de·poi·son [ˌdi:ˈpɔɪzn] *v/t.* entgiften.

de·po·lar·ize [ˌdi:ˈpəʊləraɪz] *v/t.* **1.** ⚡, *phys.* depolarisieren; **2.** *fig. Überzeugung etc.* erschüttern.

de·po·lit·i·cize [ˌdi:pəˈlɪtɪsaɪz] *v/t.* entpolitisieren.

de·pone [dɪˈpəʊn] → ***depose*** II; **deˈpo·nent** [-nənt] **I** *adj.* **1.** ***~ verb*** *ling.* → 2; **II** *s.* **2.** *ling.* Deˈponens *n*; **3.** ⚖ vereidigter Zeuge; *in Urkunden*: *der* (*die*) Erschienene.

de·pop·u·late [ˌdi:ˈpɒpjʊleɪt] *v/t.* (*v/i.* sich) entvölkern; **de·pop·u·la·tion** [di:ˌpɒpjʊˈleɪʃn] *s.* Entvölkerung *f*.

de·port [dɪˈpɔ:t] *v/t.* **1.** (zwangsweise) fortschaffen; **2.** *pol.* a) deportieren, b) ausweisen, *Ausländer* abschieben, c) *hist.* verbannen; **3.** ***~ o.s.*** sich *gut etc.* betragen *od.* benehmen; **de·por·ta·tion** [ˌdi:pɔ:ˈteɪʃn] *s.* Deportatiˈon *f*, Zwangsverschickung *f*; Ausweisung *f*; *hist.* Verbannung *f*; **de·por·tee** [ˌdi:pɔ:ˈti:] *s.* Deportierte(r *m*) *f*; **deˈport·ment** [-mənt] *s.* **1.** Benehmen *n*, Betragen *n*, Verhalten *n*; **2.** (Körper)Haltung *f*.

de·pos·a·ble [dɪˈpəʊzəbl] *adj.* absetzbar; **de·pos·al** [dɪˈpəʊzl] *s.* Absetzung *f*; **de·pose** [dɪˈpəʊz] **I** *v/t.* **1.** absetzen, entheben (***from*** *gen.*); entthronen; **2.** ⚖ eidlich erklären, unter Eid zu Protoˈkoll geben; **II** *v/i.* (*bsd.* in Form e-r schriftlichen, beeideten Erklärung) aussagen *od.* bezeugen (***to s.th.*** et., ***that*** daß).

de·pos·it [dɪˈpɒzɪt] **I** *v/t.* **1.** ab-, niedersetzen, ab-, niederlegen; *Eier* (ab)legen; **2.** ⚗, ⚙, *geol.* ablagern, -setzen, anschwemmen; **3.** *Geld* a) einzahlen, *a. Sache* hinterˈlegen, deponieren; überˈgeben, b) anzahlen; **II** *v/i.* **4.** ⚗ sich absetzen *od.* ablagern *od.* niederschlagen; **III** *s.* **5.** ⚗, ⚙ Ablagerung *f*, (Boden)Satz *m*, Niederschlag *m*, Sediˈment *n*; Schicht *f*, Belag *m*; **6.** ⚒, *geol.* Ablagerung *f*, Lager *n*, Flöz *n*; **7.** ⚕ a) Deˈpot *n*: ***place on ~*** einzahlen, hinterlegen, b) Einzahlung *f*, Einlage *f*, Guthaben *n*: ***~s*** Depositen; ***~ account*** Termineinlagekonto *n*; **deˈpos·i·tar·y** [-tərɪ] *s.* **1.** Deposiˈtar *m*, Verwahrer(in); **2.** → ***depot*** 1.

dep·o·si·tion [ˌdepəˈzɪʃn] *s.* **1.** Amtsenthebung *f*; Absetzung *f* (***from*** von); **2.**

D

⚗, ⚙, *geol.* Ablagerung *f*, Niederschlag *m*; **3.** ⚖ (Proto'koll *n od.* Abgabe *f* e-r beeideten) Erklärung *od.* Aussage; **4.** (Bild *n* der) Kreuzabnahme *f Christi*; **de·pos·i·tor** [dɪ'pɒzɪtə] *s.* ⚕ a) Hinter'leger(in), b) Einzahler(in), c) Kontoinhaber(in); **de·pos·i·to·ry** [dɪ'pɒzɪtərɪ] *s.* **1.** a) Aufbewahrungsort *m*, b) → ***depot*** 1; **2.** *fig.* Fundgrube *f*.

D

de·pot ['depəʊ] *s.* **1.** De'pot *n*, Lagerhaus *n*, -platz *m*, Niederlage *f*; **2.** *Am.* Bahnhof *m*; **3.** ⚔ De'pot *n*: a) Gerätepark *m*, b) (Nachschub)Lager *n*, c) Sammelplatz *m*, d) Ersatztruppenteil *m*; **4.** ⚕ De'pot *n*.

dep·ra·va·tion [ˌdeprə'veɪʃn] → ***depravity***; **de·prave** [dɪ'preɪv] *v/t. moralisch* verderben; **de·praved** [dɪ'preɪvd] *adj.* verderbt, verkommen, verworfen, schlecht; **de·prav·i·ty** [dɪ'prævətɪ] *s.* **1.** Verderbtheit *f*, Verworfenheit *f*; Schlechtigkeit *f*; **2.** böse Tat.

dep·re·cate ['deprɪkeɪt] *v/t.* miß'billigen, verurteilen, verwerfen; **'dep·re·cat·ing** [-tɪŋ] *adj.* ☐ **1.** miß'billigend, ablehnend; **2.** entschuldigend; **3.** wegwerfend, (bescheiden) abwehrend; **dep·re·ca·tion** [ˌdeprɪ'keɪʃn] *s.* 'Mißbilligung *f*; **'dep·re·ca·tor** [-tə] *s.* Gegner(in); **'dep·re·ca·to·ry** [-kətərɪ] → ***deprecating***.

de·pre·ci·ate [dɪ'pri:ʃɪeɪt] **I** *v/t.* **1.** a) geringschätzen, b) her'absetzen, -würdigen; **2.** a) *im Preis od. Wert* her'absetzen, b) abschreiben; **3.** ⚕ *Währung* abwerten; **II** *v/i.* **4.** im Preis *od.* Wert sinken; **de'pre·ci·at·ing** [-tɪŋ] → ***depreciatory***; **de·pre·ci·a·tion** [dɪˌpri:ʃɪ'eɪʃn] *s.* **1.** a) Geringschätzung *f*, b) Her'absetzung *f*, -würdigung *f*; **2.** ⚕ a) Wertminderung *f*, Kursverlust *m*, b) Abschreibung *f*, c) Abwertung *f*: ~ ***fund*** Abschreibungsfond *m*; **de'pre·ci·a·to·ry** [-ʃjətərɪ] *adj.* geringschätzig, verächtlich, abschätzig.

dep·re·da·tion [ˌdeprɪ'deɪʃn] *s. oft pl.* **1.** Plünderung *f*, Verwüstung *f*; **2.** *fig.* Raubzug *m*; **dep·re·da·tor** ['deprɪdeɪtə] *s.* Plünderer *m*.

de·press [dɪ'pres] *v/t.* **1.** a) *j-n* deprimieren, bedrücken, b) *Stimmung* drücken; **2.** *Tätigkeit, Handel* niederdrücken; *Preis, Wert* (her'ab)drücken, senken: ~ ***the market*** ⚕ die Kurse drücken; **3.** *Leistung etc.* schwächen, her'absetzen; **4.** *Pedal, Taste etc.* (nieder)drücken; **de'pres·sant** [-snt] ⚕ **I** *adj.* dämpfend, beruhigend; **II** *s.* Depressi'onsmittel *n*.

de·pressed [dɪ'prest] *adj.* **1.** deprimiert, niedergeschlagen, bedrückt (*Person*), gedrückt (*Stimmung, a.* ⚕ *Börse*); **2.** verringert, geschwächt (*Tätigkeit etc.*); **3.** ⚕ flau (*Markt*), gedrückt (*Preis*), notleidend (*Industrie*); ~ ***a·re·a*** *s.* Notstandsgebiet *n*.

de·press·ing [dɪ'presɪŋ] *adj.* ☐ **1.** deprimierend, bedrückend; **2.** kläglich; **de'pres·sion** [-eʃn] *s.* **1.** Depressi'on *f*, Niedergeschlagenheit *f*, Ge-, Bedrücktheit *f*; Melancho'lie *f*; **2.** Senkung *f*, Vertiefung *f*; *geol.* Landsenke *f*; **3.** ⚕ Fallen *n* (*Preise*); Wirtschaftskrise *f*, Depressi'on *f*, Flaute *f*, Tiefstand *m*; **4.** *ast., surv.* Depressi'on *f*; **5.** *meteor.* Tief(druckgebiet) *n*; **6.** Abnahme *f*, Schwächung *f*; **7.** ⚕ Schwäche *f*, Entkräftung *f*; **de'pres·sive** [-sɪv] *adj.* deprimiert, *psych.* depres'siv.

dep·ri·va·tion [ˌdeprɪ'veɪʃn] *s.* **1.** Beraubung *f*, Entziehung *f*, Entzug *m*; **2.** (schmerzlicher) Verlust; **3.** Entbehrung *f*, Mangel *m*; **4.** *psych.* Deprivati'on *f*, (Liebes- *etc.*)Entzug *m*; **de·prive** [dɪ'praɪv] *v/t.* **1.** (***of s.th.***) (*j-n od. et.* e-r Sache) berauben, (*j-m* et.) entziehen *od.* rauben *od.* nehmen: ***be ~d of s.th.*** et. entbehren (müssen); ***~d child*** *psych.* an Liebesentzug leidendes Kind; ***~d persons*** benachteiligte *od.* unterprivilegierte Personen; **2.** (***of s.th.***) *j-n* ausschließen (von et.), (*j-m* et.) vorenthalten; **3.** *eccl. j-n* absetzen.

depth [depθ] *s.* **1.** Tiefe *f*: ***eight feet in ~*** acht Fuß tief; ***get out of one's ~*** den (sicheren) Grund unter den Füßen verlieren (*a. fig.*); ***be out of one's ~*** a) *im Wasser* nicht mehr stehen können, b) *fig.* ratlos *od.* unsicher sein, ‚schwimmen'; ***it is beyond my ~*** es geht über m-n Horizont; **2.** Tiefe *f* (*als 3. Dimension*): ***~ of a cupboard***; **3.** a) *a.* ***~ of focus*** *od.* ***field*** Schärfentiefe *f*, b) *bsd. phot.* Tiefenschärfe *f*, c) Tiefe *f* (*von Farben, Tönen*); **4.** *oft pl.* Tiefe *f*, Mitte *f*, (*das*) Innerste (*a. fig.*): ***in the ~ of night*** mitten in der Nacht; ***in the ~ of winter*** mitten im Winter; ***from the ~ of misery*** aus tiefstem Elend; **5.** *fig.* a) Tiefe *f*: ***~ of meaning***, b) tiefer Sinn, c) Tiefe *f*, Intensi'tät *f*: ***~ of grief***; ***in ~*** eingehend, tiefschürfend, d) (Gedanken)Tiefe *f*, Tiefgründigkeit *f*, e) Scharfsinn *m*, f) Dunkelheit *f*, Unklarheit *f*; **6.** ⚒ Teufe *f*; **7.** *psych.* 'Unterbewußtsein *n*: ***~ analysis*** tiefenpsychologische Analyse; ***~ interview*** Tiefeninterview *n*; ***~ psychology*** Tiefenpsychologie *f*; **~ bomb**, **~ charge** *s.* ⚔ Wasserbombe *f*.

dep·u·rate ['depjʊreɪt] *v/t.* ⚗, ⚕, ⚙ reinigen, läutern.

dep·u·ta·tion [ˌdepjʊ'teɪʃn] *s.* Deputati'on *f*, Abordnung *f*; **de·pute** [dɪ'pju:t] *v/t.* **1.** abordnen, delegieren, deputieren; **2.** *Aufgabe etc.* über'tragen (***to*** *dat.*); **dep·u·tize** ['depjʊtaɪz] **I** *v/t.* (als Vertreter) ernennen, abordnen; **II** *v/i.* ***~ for s.o.*** j-n vertreten; **dep·u·ty** ['depjʊtɪ] **I** *s.* **1.** (Stell)Vertreter(in), Beauftragte(r *m*) *f*; **2.** *pol.* Abgeordnete(r *m*) *f*; **II** *adj.* **3.** stellvertretend, Vize...: **~ *chairman*** stellvertretende(r) Vorsitzende(r), Vizepräsident(in).

de·rac·i·nate [dɪˈræsɪneɪt] *v/t.* entwurzeln (*a. fig.*); ausrotten, vernichten.

de·rail [dɪˈreɪl] *v/i. u. v/t.* entgleisen (lassen); **deˈrail·ment** [-mənt] *s.* Entgleisung *f.*

de·range [dɪˈreɪndʒ] *v/t.* **1.** in Unordnung bringen, durcheinˈanderbringen; **2.** stören; **3.** verrückt machen, (geistig) zerrütten; **deˈranged** [-dʒd] *adj.* **1.** in Unordnung, gestört: ***a ~ stomach*** e-e Magenverstimmung; **2.** ⚕ *a.* ***mentally ~*** geistesgestört; **deˈrange·ment** [-mənt] *s.* **1.** Unordnung *f*, Durcheinˈander *n*; **2.** Störung *f*; **3.** ⚕ *a.* ***mental ~*** Geistesgestörtheit *f.*

de·ra·tion [ˌdiːˈræʃn] *v/t.* die Rationierung von ... aufheben, *Ware* freigeben.

Der·by [ˈdɑːbɪ] *s.* **1.** *Rennsport*: a) (*das* englische) Derby (*in Epsom*), b) *allg.* Derby *n* (*Pferderennen*); **2.** ♀ *sport* (*bsd.* Loˈkal)Derby *n*; **3.** ♀ *Am.* ‚Meˈlone' *f.*

de·reg·u·la·tion [ˌdiːregjʊˈleɪʃn] *s.* ⚚ Deregulierung *f*, Abbau staatlicher Kontrollen.

der·e·lict [ˈderɪlɪkt] **I** *adj.* **1.** herrenlos, aufgegeben, verlassen; **2.** herˈuntergekommen, zerfallen, baufällig; **3.** nachlässig: **~ *in duty*** pflichtvergessen; **II** *s.* **4.** ⚖ herrenloses Gut; **5.** ⚓ a) aufgegebenes Schiff, b) treibendes Wrack; **6.** menschliches Wrack, *a.* Obdachlose(r *m*) *f*; **7.** Pflichtvergessene(r *m*) *f*; **der·e·lic·tion** [ˌderɪˈlɪkʃn] *s.* **1.** Aufgeben *n*, Preisgabe *f*; **2.** Verlassenheit *f*; **3.** Vernachlässigung *f*, Versäumnis *n*: **~ *of duty*** Pflichtversäumnis; **4.** Versagen *n*; **5.** Ver-, Zerfall *m*; **6.** ⚖ a) Besitzaufgabe *f*, b) Verlandung *f*, Landgewinn *m* inˈfolge Rückgangs des Wasserspiegels.

de·re·strict [ˌdiːrɪˈstrɪkt] *v/t.* die Einschränkungsmaßnahmen aufheben für; **ˌde·reˈstric·tion** [-kʃn] *s.* Aufhebung *f* der Einschränkungsmaßnahmen, *bsd.* der Geschwindigkeitsbegrenzung.

de·ride [dɪˈraɪd] *v/t.* verlachen, -höhnen, -spotten; **deˈrid·er** [-də] *s.* Spötter *m*; **deˈrid·ing·ly** [-dɪŋlɪ] *adv.* spöttisch.

de ri·gueur [dərɪˈgɜː] (*Fr.*) *pred. adj.* **1.** streng nach der Etiˈkette; **2.** unerläßlich, ‚ein Muß'.

de·ri·sion [dɪˈrɪʒn] *s.* Hohn *m*, Spott *m*: ***hold in ~*** verspotten; ***bring into ~*** zum Gespött machen; ***be the ~ of s.o.*** j-s Gespött sein; **de·ri·sive** [dɪˈraɪsɪv], **de·ri·so·ry** [dɪˈraɪsərɪ] *adj.* □ höhnisch, spöttisch.

de·riv·a·ble [dɪˈraɪvəbl] *adj.* **1.** ab-, herleitbar (***from*** von); **2.** erreichbar, zu gewinnen(d) (***from*** aus); **der·i·va·tion** [ˌderɪˈveɪʃn] *s.* **1.** Ab-, Herleitung *f* (*a. ling.*); **2.** Ursprung *m*, Herkunft *f*, Abstammung *f*; **de·riv·a·tive** [dɪˈrɪvətɪv] **I** *adj.* **1.** abgeleitet; **2.** sekunˈdär; **II** *s.* **3.** *et.* Ab- *od.* Hergeleitetes; **4.** *ling.* Ableitung *f*, abgeleitete Form (*od.* 𝒜 Funktiˈon); **5.** ⚗ Deriˈvat *n*, Abkömmling *m*; **de·rive** [dɪˈraɪv] **I** *v/t.* **1.** (***from***) herleiten (von), zuˈrückführen (auf *acc.*), verdanken (*dat.*): ***be ~d from*** → 4; ***~d income*** ⚚ abgeleitetes Einkommen; **2.** bekommen, erlangen, gewinnen: ***~d from coffee*** aus Kaffee gewonnen; **~ *profit from*** Nutzen ziehen aus; **~ *pleasure from*** Freude haben an (*dat.*); **3.** ⚗, 𝒜, *ling.* ableiten; **II** *v/i.* **4.** **~ *from*** (ab)stammen *od.* herrühren *od.* abgeleitet sein *od.* sich ableiten von.

derm [dɜːm], **der·ma** [ˈdɜːmə] *s. anat.* Haut *f*; **der·mal** [ˈdɜːml] *adj. anat.* Haut...; **der·ma·ti·tis** [ˌdɜːməˈtaɪtɪs] *s.* ⚕ Dermaˈtitis *f*, Hautentzündung *f*; **der·ma·tol·o·gist** [ˌdɜːməˈtɒlədʒɪst] *s.* Dermatoˈloge *m*, Hautarzt *m*; **der·ma·tol·o·gy** [ˌdɜːməˈtɒlədʒɪ] *s.* ⚕ Dermatoloˈgie *f.*

der·o·gate [ˈderəgeɪt] **I** *v/i.* (***from***) **1.** Abbruch tun, schaden (*dat.*), beeinträchtigen, schmälern (*acc.*); **2.** abweichen (von *e-r Norm etc.*); **II** *v/t.* **3.** herˈabsetzen; **der·o·ga·tion** [ˌderəˈgeɪʃn] *s.* **1.** Beeinträchtigung *f*, Schmälerung *f*, Nachteil *m*; **2.** Herˈabsetzung *f*; **de·rog·a·to·ry** [dɪˈrɒgətərɪ] *adj.* **1.** (***to***) nachteilig (für), abträglich (*dat.*), schädlich (*dat. od.* für): ***be ~*** schaden, beeinträchtigen; **2.** abfällig, geringschätzig (*Worte*).

der·rick [ˈderɪk] *s.* **1.** ⚙ a) Mastenkran *m*, b) Ausleger *m*; **2.** ⚙ Bohrturm *m*; **3.** ⚓ Ladebaum *m.*

der·ring-do [ˌderɪŋˈduː] *s.* Verwegenheit *f*, Tollkühnheit *f.*

der·vish [ˈdɜːvɪʃ] *s.* Derwisch *m.*

de·sal·i·nate [ˌdiːˈsælɪneɪt] *v/t.* entsalzen.

des·cant I *s.* [ˈdeskænt] **1.** *poet.* Lied *n*, Weise *f*; **2.** ♪ a) Disˈkant *m*, b) variierte Meloˈdie; **II** *v/i.* [dɪˈskænt] **3.** sich auslassen (***on*** über *acc.*); **4.** ♪ diskantieren.

de·scend [dɪˈsend] **I** *v/i.* **1.** herˈunter-, hinˈuntersteigen, -gehen, -kommen, -fahren, -fallen, -sinken; ab-, aussteigen; ⚒ einfahren; ✈ niedergehen, landen; **2.** sinken, fallen; sich senken (*Straße*), abfallen (*Gebirge*); **3.** *mst* ***be ~ed*** abstammen, herkommen (***from*** von, aus); **4.** (***to***) zufallen (*dat.*), ˈübergehen, sich vererben (auf *acc.*); **5.** (***to***) sich hergeben, sich erniedrigen (zu); **6.** (***to***) ˈübergehen (zu), eingehen (auf *ein Thema etc.*); **7.** (***on***, ***upon***) sich stürzen (auf *acc.*), herfallen (über *acc.*), einfallen (in *acc.*); herˈeinbrechen (über *acc.*); *fig. j-n* ‚überˈfallen' (*Besuch etc.*); **8.** ♪, *ast.* fallen, absteigen; **II** *v/t.* **9.**

Treppe etc. her'unter-, hin'untersteigen, -gehen *etc.*; **de'scend·ant** [-dənt] *s.* **1.** Nachkomme *m*, Abkömmling *m*; **2.** *ast.* Deszen'dent *m*.

de·scent [dɪ'sent] *s.* **1.** Her'unter-, Hin'untersteigen *n*, Abstieg *m*; Talfahrt *f*; ⚒ Einfahrt *f*; ✈ Landung *f*; (*Fallschirm*)Absprung *m*; **2.** Abhang *m*, Abfall *m*, Senkung *f*, Gefälle *n*; **3.** *fig.* Abstieg *m*, Niedergang *m*, Fallen *n*, Sinken *n*; **4.** Abstammung *f*, Herkunft *f*, Geburt *f*; **5.** ⚖ Vererbung *f*, 'Übergang *m*, Über'tragung *f*; **6.** (***on, upon***) 'Überfall *m* (auf *acc.*), Einfall *m* (in *acc.*), Angriff *m* (auf *acc.*); **7.** *bibl.* Ausgießung *f* (*des Heiligen Geistes*); **8.** ***~ from the cross*** *paint.* Kreuzabnahme *f*.

de·scrib·a·ble [dɪ'skraɪbəbl] *adj.* zu beschreiben(d); **de·scribe** [dɪ'skraɪb] *v/t.* **1.** beschreiben, schildern; **2.** (***as***) bezeichnen (als), nennen (*acc.*); **3.** *bsd.* ⩓ *Kreis, Kurve* beschreiben; **de·scrip·tion** [dɪ'skrɪpʃn] *s.* **1.** Beschreibung *f* (*a.* ⩓ *etc.*), Darstellung *f*, Schilderung *f*: ***beautiful beyond ~*** unbeschreiblich *od.* unsagbar schön; **2.** Bezeichnung *f*; **3.** Art *f*, Sorte *f*: ***of the worst ~*** schlimmster Art; **de·scrip·tive** [dɪ'skrɪptɪv] *adj.* □ **1.** beschreibend, schildernd: ***~ geometry*** darstellende Geometrie; ***be ~ of*** beschreiben, bezeichnen; **2.** anschaulich (geschrieben *od.* schreibend).

de·scry [dɪ'skraɪ] *v/t.* gewahren, wahrnehmen, erspähen, entdecken.

des·e·crate ['desɪkreɪt] *v/t.* entweihen, -heiligen, schänden; **des·e·cra·tion** [ˌdesɪ'kreɪʃn] *s.* Entweihung *f*, -heiligung *f*, Schändung *f*.

de·seg·re·gate [ˌdiː'segrɪgeɪt] *v/t.* die Rassenschranken aufheben in (*dat.*); **de·seg·re·ga·tion** [ˌdiːsegrɪ'geɪʃn] *s.* Aufhebung *f* der Rassentrennung.

de·sen·si·tize [ˌdiː'sensɪtaɪz] *v/t.* **1.** ⚕ desensibilisieren, unempfindlich machen; **2.** *phot.* lichtunempfindlich machen.

de·sert[1] [dɪ'zɜːt] *s. oft pl.* **1.** Verdienst *n*; **2.** verdienter Lohn (*a. iro.*), Strafe *f*: ***get one's ~s*** s-n wohlverdienten Lohn empfangen.

des·ert[2] ['dezət] **I** *s.* **1.** Wüste *f*; **2.** Ödland *n*; **3.** *fig.* Öde *f*; Einöde *f*; **4.** *fig.* Öde *f*, Fadheit *f*; **II** *adj.* **5.** öde, wüst; verödet, verlassen; **6.** Wüsten…

de·sert[3] [dɪ'zɜːt] **I** *v/t.* **1.** verlassen; im Stich lassen; ⚖ *Ehepartner* (böswillig) verlassen; **2.** untreu *od.* abtrünnig werden (*dat.*): ***~ the colo(u)rs*** ⚔ fahnenflüchtig werden; **II** *v/i.* **3.** ⚔ desertieren, fahnenflüchtig werden; 'überlaufen, -gehen (***to*** zu); **de'sert·ed** [-tɪd] *adj.* **1.** verlassen, ausgestorben, menschenleer; **2.** verlassen, einsam; **de'sert·er** [-tə] *s.* **1.** ⚔ a) Fahnenflüchtige(r) *m*, Deser'teur *m*, b) 'Überläufer *m*; **2.** *fig.* Abtrünnige(r *m*) *f*; **de'ser·tion** [-ɜːʃn] *s.* **1.** Verlassen *n*, Im'stichlassen *n*; **2.** Abtrünnigwerden *n*, Abfall *m* (***from*** von); **3.** ⚖ böswilliges Verlassen; **4.** ⚔ Fahnenflucht *f*.

de·serve [dɪ'zɜːv] **I** *v/t.* verdienen, verdient haben (*acc.*), würdig *od.* wert sein (*gen.*): ***~ praise*** Lob verdienen; **II** *v/i.* ***~ well of*** sich verdient gemacht haben um; ***~ ill of*** e-n schlechten Dienst erwiesen haben (*dat.*); **de'serv·ed·ly** [-vɪdlɪ] *adv.* verdientermaßen, mit Recht; **de'serv·ing** [-vɪŋ] *adj.* **1.** verdienstvoll, verdient (*Person*); **2.** verdienstlich, -voll (*Tat*); **3.** ***be ~ of*** → ***deserve*** I.

des·ha·bille ['dezæbiːl] → ***dishabille***.

des·ic·cate ['desɪkeɪt] *v/t. u. v/i.* (aus-)trocknen, ausdörren: ***~d milk*** Trockenmilch *f*; ***~d fruit*** Dörrobst *n*; **des·ic·ca·tion** [ˌdesɪ'keɪʃn] *s.* (Aus)Trocknung *f*, Trockenwerden *n*; **'des·ic·ca·tor** [-tə] *s.* ⚙ 'Trockenappaˌrat *m*.

de·sid·er·a·tum [dɪˌzɪdə'reɪtəm] *pl.* **-ta** [-tə] *s. et.* Erwünschtes, Erfordernis *n*, Bedürfnis *n*.

de·sign [dɪ'zaɪn] **I** *v/t.* **1.** entwerfen, (auf)zeichnen, skizzieren: ***~ a dress*** ein Kleid entwerfen; **2.** gestalten, ausführen, anlegen; **3.** *fig.* entwerfen, ausdenken, ersinnen: ***~ed to do s.th.*** dafür bestimmt *od.* darauf angelegt, et. zu tun (*Sache*); **4.** planen, beabsichtigen: ***~ doing*** (*od.* ***to do***) beabsichtigen zu tun; **5.** bestimmen: a) vorsehen (***for*** für, ***as*** als), b) ausersehen: ***~ed to be a priest*** zum Priester bestimmt; **II** *v/i.* **6.** Zeichner *od.* Konstruk'teur *od.* De'signer sein; **III** *s.* **7.** Entwurf *m*, Zeichnung *f*, Plan *m*, Skizze *f*; **8.** Muster *n*, Zeichnung *f*, Fi'gur *f*, Des'sin *n*: ***floral ~*** Blumenmuster; ***registered ~*** ⚖ Gebrauchsmuster; ***protection of ~s*** ⚖ Musterschutz *m*; **9.** a) Gestaltung *f*, Formgebung *f*, De'sign *n*, b) Bauart *f*, Konstrukti'on *f*, Ausführung *f*, Mo'dell *n*; → ***industrial design***; **10.** Anlage *f*, Anordnung *f*; **11.** Absicht *f*, Plan *m*; Zweck *m*, Ziel *n*: ***by ~*** mit Absicht; **12.** böse Absicht, Anschlag *m*: ***have ~s on*** (*od.* ***against***) et. im Schilde führen gegen, *a. iro.* e-n Anschlag vorhaben auf (*acc.*).

des·ig·nate ['dezɪgneɪt] **I** *v/t.* **1.** bezeichnen, (be)nennen; **2.** kennzeichnen; **3.** berufen, ausersehen, bestimmen, ernennen (***for*** zu); **II** *adj.* **4.** designiert, einstweilig ernannt: ***bishop ~***; **des·ig·na·tion** [ˌdezɪg'neɪʃn] *s.* **1.** Bezeichnung *f*, Name *m*; **2.** Kennzeichnung *f*; **3.** Bestimmung *f*; **4.** einstweilige Ernennung *od.* Berufung.

de·signed [dɪ'zaɪnd] *adj.* □ **1.** (***for***) bestimmt *etc.* (für); → ***design*** 3, 4, 5; **2.**

vorsätzlich, absichtlich; **de'sign·ed·ly** [-nɪdlɪ] *adv.* → ***designed*** 2; **de'sign·er** [-nə] *s.* **1.** Entwerfer(in): a) (Muster-)Zeichner(in), b) De'signer(in), (Form-)Gestalter(in), Gebrauchsgraphiker(in), c) ⚙ Konstruk'teur *m*; **2.** Ränkeschmied *m*, Intri'gant(in); **de'sign·ing** [-nɪŋ] *adj.* □ ränkevoll, intri'gant.

de·sir·a·bil·i·ty [dɪˌzaɪərə'bɪlətɪ] *s.* Erwünschtheit *f*; **de·sir·a·ble** [dɪ'zaɪərəbl] *adj.* □ **1.** wünschenswert, erwünscht; **2.** begehrenswert, reizvoll; **de·sire** [dɪ'zaɪə] **I** *v/t.* **1.** wünschen, begehren, verlangen, wollen: ***if ~d*** auf Wunsch; ***leaves much to be ~d*** läßt viel zu wünschen übrig; **2.** *j-n* bitten, ersuchen; **II** *s.* **3.** Wunsch *m*, Verlangen *n*, Begehren *n* (***for*** nach); **4.** Wunsch *m*, Bitte *f*: ***at*** (*od.* ***by***) ***s.o.'s ~*** auf (j-s) Wunsch; **5.** Lust *f*, Begierde *f*; **6.** *das* Gewünschte; **de·sir·ous** [dɪ'zaɪərəs] *adj.* □ (***of***) begierig, verlangend (nach), wünschend (*acc.*): ***I am ~ to know*** ich möchte (sehr) gern wissen; ***the parties are ~ to ...*** (*in Verträgen*) die Parteien beabsichtigen, zu ...

de·sist [dɪ'zɪst] *v/i.* abstehen, ablassen, Abstand nehmen (***from*** von): ***~ from asking*** aufhören zu fragen.

desk [desk] **I** *s.* **1.** Schreibtisch *m*; **2.** (Lese-, Schreib-, Noten-, Kirchen-, ⚙ Schalt)Pult *n*; **3.** ⚕ (Zahl)Kasse *f*: ***pay at the ~!*** zahlen Sie an der Kasse!; ***first ~*** ♪ erstes Pult (*Orchester*); **4.** *eccl. bsd. Am.* Kanzel *f*; **5.** *Am.* Redakti'on *f*: ***city ~*** Lokalredaktion; **6.** Auskunft (-sschalter *m*) *f*; **7.** Empfang *m*, Rezepti'on *f* (*im Hotel*): ***~ clerk*** *Am.* Empfangschef *m*; **II** *adj.* **8.** Schreibtisch..., Büro...: ***~ work***; ***~ calender*** Tischkalender *m*; ***~ sergeant*** diensthabender (Polizei)Wachtmeister; ***~ set*** Schreibzeug(garnitur *f*) *n*.

des·o·late **I** *adj.* □ ['desələt] **1.** wüst, unwirtlich, öde; verwüstet; **2.** verlassen, einsam; **3.** trostlos, *fig. a.* öde; **II** *v/t.* [-leɪt] **4.** verwüsten; **5.** einsam zu'rücklassen; **6.** betrüben, bekümmern; **'des·o·late·ness** [-nɪs] → ***desolation*** 2, 3; **des·o·la·tion** [ˌdesə'leɪʃn] *s.* **1.** Verwüstung *f*, -ödung *f*; **2.** Verlassenheit *f*, Einsamkeit *f*; **3.** Trostlosigkeit *f*, Elend *n*.

de·spair [dɪ'speə] **I** *v/i.* (***of***) verzweifeln (an *dat.*), ohne Hoffnung sein, alle Hoffnung aufgeben *od.* verlieren (auf *acc.*): ***the patient's life is ~ed of*** man bangt um das Leben des Kranken; **II** *s.* Verzweiflung *f* (***at*** über *acc.*), Hoffnungslosigkeit *f*: ***drive s.o. to ~***, ***be s.o.'s ~*** j-n zur Verzweiflung bringen; **de'spair·ing** [-eərɪŋ] *adj.* □ verzweifelt.

des·patch *etc.* → ***dispatch*** *etc.*

des·per·a·do [ˌdespə'rɑːdəʊ] *pl.* **-does**, **-dos** *s.* Despe'rado *m*.

des·per·ate ['despərət] *adj.* □ **1.** verzweifelt: ***she was ~*** sie war (völlig) verzweifelt; ***a ~ deed*** e-e Verzweiflungstat; ***~ efforts*** verzweifelte *od.* krampfhafte Anstrengungen; ***~ remedy*** äußerstes Mittel; ***be ~ for s.th.*** *od.* ***to get s.th.*** et. verzweifelt *od.* ganz dringend brauchen, et. unbedingt haben wollen; **2.** verzweifelt, hoffnungs-, ausweglos: ***~ situation***; **3.** verzweifelt, despa'rat, zu allem fähig, zum Äußersten entschlossen (*Person*); **4.** F schrecklich: ***a ~ fool***; ***~ly in love*** wahnsinnig verliebt; ***not ~ly*** F a) nicht unbedingt, b) nicht übermäßig (*schön etc.*); **des·per·a·tion** [ˌdespə'reɪʃn] *s.* **1.** (höchste) Verzweiflung, Hoffnungslosigkeit *f*; **2.** Rase'rei *f*, Verzweiflung *f*: ***drive to ~*** rasend machen, zur Verzweiflung bringen.

des·pi·ca·ble ['despɪkəbl] *adj.* □ verächtlich, verachtenswert.

de·spise [dɪ'spaɪz] *v/t.* verachten, *Speise etc. a.* verschmähen: ***not to be ~d*** nicht zu verachten.

de·spite [dɪ'spaɪt] **I** *prp.* trotz (*gen.*), ungeachtet (*gen.*); **II** *s.* Bosheit *f*, Tücke *f*; Trotz *m*, Verachtung *f*: ***in ~ of*** → I.

de·spoil [dɪ'spɔɪl] *v/t.* plündern; berauben (***of*** *gen.*); **de'spoil·ment** [-mənt], **de·spo·li·a·tion** [dɪˌspəʊlɪ'eɪʃn] *s.* Plünderung *f*, Beraubung *f*.

de·spond [dɪ'spɒnd] **I** *v/i.* verzagen; verzweifeln (***of*** an *dat.*); **II** *s. obs.* Verzweiflung *f*; **de'spond·en·cy** [-dənsɪ] *s.* Verzagtheit *f*, Mutlosigkeit *f*; **de'spond·ent** [-dənt] *adj.* □, **de'spond·ing** [-dɪŋ] *adj.* □ verzagt, mutlos, kleinmütig.

des·pot ['despɒt] *s.* Des'pot *m*, Gewaltherrscher *m*; *fig.* Ty'rann *m*; **des·pot·ic**, **des·pot·i·cal** [de'spɒtɪk(l)] *adj.* □ des'potisch, herrisch, ty'rannisch; **'des·pot·ism** [-pətɪzəm] *s.* Despo'tismus *m*, Tyran'nei *f*, Gewaltherrschaft *f*.

des·qua·mate ['deskwəmeɪt] *v/i.* **1.** ⚕ sich abschuppen; **2.** sich häuten.

des·sert [dɪ'zɜːt] *s.* Des'sert *n*, Nachtisch *m*: ***~ spoon*** Dessertlöffel *m*.

des·ti·na·tion [ˌdestɪ'neɪʃn] *s.* **1.** Bestimmungsort *m*; Reiseziel *n*: ***country of ~*** ⚕ Bestimmungsland *n*; **2.** Bestimmung *f*, Zweck *m*, Ziel *n*.

des·tine ['destɪn] *v/t.* bestimmen, vorsehen (***for*** für, ***to do*** zu tun); **'des·tined** [-nd] *adj.* bestimmt: ***~ for*** unterwegs nach (*Schiff etc.*); ***he was ~*** (***to*** *inf.*) es war ihm beschieden (zu *inf.*), er sollte (*inf.*); **'des·ti·ny** [-nɪ] *s.* **1.** Schicksal *n*, Geschick *n*, Los *n*: ***he met his ~*** sein Schicksal ereilte ihn; **2.** Vorsehung *f*; **3.** Verhängnis *n*, zwingende Notwendigkeit; **4.** ***the Destinies*** die Parzen (*Schicksalsgöttinnen*).

des·ti·tute ['destɪtjuːt] **I** *adj.* **1.** verarmt,

mittellos, notleidend; **2.** (***of***) ermangelnd, entblößt (*gen.*), ohne (*acc.*), bar (*gen.*); **II** *s.* **3.** ***the ~*** die Armen; **des·ti·tu·tion** [ˌdestɪˈtjuːʃn] *s.* **1.** Armut *f*, (bittere) Not, Elend *n*; **2.** (völliger) Mangel (***of*** an *dat.*).

de·stroy [dɪˈstrɔɪ] *v/t.* **1.** zerstören, vernichten; **2.** zertrümmern, *Gebäude etc.* niederreißen; **3.** *et.* ruinieren, unbrauchbar machen; **3.** *j-n*, *e-e Armee etc.* vernichten, *Insekten etc. a.* vertilgen; **4.** töten; **5.** *fig. j-n*, *j-s Ruf*, *Gesundheit etc.* ruinieren, zu'grunde richten, *Hoffnungen etc.* zu'nichte machen, zerstören; **6.** F *j-n* ka'putt- *od.* fertigmachen; **de'stroy·er** [-ɔɪə] *s. a.* ⚔, ⚓ Zerstörer *m.*

de·struct [dɪˈstrʌkt] **I** *v/t.* **1.** ⚔ (aus Sicherheitsgründen) zerstören; **II** *v/i.* **2.** zerstört werden; **3.** sich selbst zerstören; **de'struct·i·ble** [-təbl] *adj.* zerstörbar; **de'struc·tion** [-kʃn] *s.* **1.** Zerstörung *f*, Vernichtung *f*; **2.** Abriß *m* (*e-s Gebäudes*); **3.** Tötung *f*; **de'struc·tive** [-tɪv] *adj.* □ **1.** zerstörend, vernichtend (*a. fig.*): ***be ~ of*** *et.* zerstören *od.* unter'graben; **2.** zerstörerisch, destruk'tiv, schädlich, verderblich: ***~ to health*** gesundheitsschädlich; **4.** rein negativ, destruk'tiv (*Kritik*); **de'struc·tive·ness** [-tɪvnɪs] *s.* **1.** zerstörende *od.* vernichtende Wirkung; **2.** *das* Destruk'tive, destruk'tive Eigenschaft; **de'struc·tor** [-tə] *s.* ⚙ (Müll)Verbrennungsofen *m.*

des·ue·tude [dɪˈsjuːɪtjuːd] *s.* Ungebräuchlichkeit *f*: ***fall into ~*** außer Gebrauch kommen.

de·sul·fu·rize [ˌdiːˈsʌlfəraɪz] *v/t.* ⚗ entschwefeln.

des·ul·to·ri·ness [ˈdesəltərɪnɪs] *s.* **1.** Zs.-hangs-, Plan-, Ziellosigkeit *f*; **2.** Flüchtigkeit *f*, Oberflächlichkeit *f*, Sprunghaftigkeit *f*; **des·ul·to·ry** [ˈdesəltərɪ] *adj.* **1.** ˈunzuˌsammenhängend, planlos, ziellos, oberflächlich; **2.** abschweifend, sprunghaft; **3.** unruhig; **4.** vereinzelt, spo'radisch.

de·tach [dɪˈtætʃ] **I** *v/t.* **1.** ab-, loslösen, losmachen, abtrennen, *a.* ⚙ abnehmen; **2.** absondern; befreien; **3.** ⚔ abkommandieren; **II** *v/i.* **4.** sich (los)lösen; **de'tach·a·ble** [-tʃəbl] *adj.* abnehmbar (*a.* ⚙); abtrennbar; lose; **de'tached** [-tʃt] *adj.*, **de'tached·ly** [-tʃtlɪ] *adv.* **1.** getrennt, gesondert; **2.** einzeln, frei-, al'leinstehend (*Haus*); **3.** *fig.* a) objek'tiv, unvoreingenommen, b) uninteressiert, c) distanziert; **4.** *fig.* losgelöst, entrückt; **de'tach·ment** [-mənt] *s.* **1.** Absonderung *f*, Abtrennung *f*, Loslösung *f*; **2.** *fig.* (innerer) Abstand, Di'stanz *f*, Losgelöstsein *n*, (innere) Freiheit; **3.** *fig.* Objektivi'tät *f*, Unvoreingenommenheit *f*; **4.** Gleichgültigkeit *f* (***from*** gegen); **5.** ⚔ → ***detail*** 5 a u. b.

de·tail [ˈdiːteɪl] **I** *s.* **1.** De'tail *n*: a) Einzelheit *f*, b) *a. pl. coll.* (nähere) Einzelheiten *pl.*: ***in ~*** im einzelnen, ausführlich; ***go*** (*od.* ***enter***) ***into ~(s)*** ins einzelne gehen, es ausführlich behandeln; **2.** Einzelteil *n*; **3.** ˈNebensache *f*, -ˌumstand *m*, Kleinigkeit *f*; **4.** *Kunst etc.*: a) De'tail(darstellung *f*) *n*, b) Ausschnitt *m*; **5.** ⚔ a) Ab'teilung *f*, Trupp *m*, b) (ˈSonder)KomˌmandoS *n*, c) ˈAbkommanˌdierung *f*, d) Sonderauftrag *m*; **II** *v/t.* **6.** ausführlich berichten über (*acc.*), genau schildern; einzeln aufzählen *od.* -führen; **7.** ⚔ abkommandieren; **'de·tailed** [-ld] *adj.* ausführlich, genau, eingehend.

de·tain [dɪˈteɪn] *v/t.* **1.** *j-n* auf-, abhalten, zu'rück(be)halten, hindern; **2.** ⚖ *j-n* in (Unter'suchungs)Haft behalten; **3.** *et.* vorenthalten, einbehalten; **4.** *ped.* nachsitzen lassen; **de·tain·ee** [ˌdiːteɪˈniː] *s.* ⚖ Häftling *m*; **de'tain·er** [-nə] *s.* ⚖ **1.** ˈwiderrechtliche Vorenthaltung; **2.** Anordnung *f* der Haftfortdauer.

de·tect [dɪˈtekt] *v/t.* **1.** entdecken; (her'aus)finden, ermitteln; **2.** feststellen, wahrnehmen; **3.** aufdecken, enthüllen; **4.** ertappen (***in*** bei); **5.** *Radio*: gleichrichten; **de'tect·a·ble** [-təbl] *adj.* feststellbar; **de'tec·ta·phone** [-təfəʊn] *s. teleph.* Abhörgerät *n*; **de'tec·tion** [-kʃn] *s.* **1.** Ent-, Aufdeckung *f*; Feststellung *f*; **2.** *Radio*: Gleichrichtung *f*; **3.** *coll.* Krimi'nalroˌmane *pl.*; **de'tec·tive** [-tɪv] **I** *adj.* Detektiv..., Kriminal...: ***~ force*** Kriminalpolizei *f*; ***~ story*** Kriminalroman *m*; ***do ~ work*** *bsd. fig.* Detektivarbeit leisten; **II** *s.* Detek'tiv *m*, Krimi'nalbeamte(r) *m*, Ge'heimpoliˌzist *m*; **de'tec·tor** [-tə] *s.* **1.** Auf-, Entdecker *m*; **2.** ⚙ a) Sucher *m*, b) Anzeigevorrichtung *f*; **3.** ↯ a) De'tektor *m*, b) Gleichrichter *m.*

de·tent [dɪˈtent] *s.* ⚙ Sperrhaken *m*, -klinke *f*, Sperre *f*; Auslösung *f.*

dé·tente [deɪˈtɑ̃ːnt] (*Fr.*) *s. bsd. pol.* Entspannung *f.*

de·ten·tion [dɪˈtenʃn] *s.* **1.** Festnahme *f*; **2.** (*a.* Unter'suchungs)Haft *f*, Gewahrsam *m*, Ar'rest *m*: ***~ barracks*** Militärgefängnis *n*; ***~ center*** *Am.*, ***~ home*** *Brit.* Jugendstrafanstalt *f*; ***~ colony*** Strafkolonie *f*; **3.** *ped.* Nachsitzen *n*, Arrest *m*; **4.** Ab-, Zu'rückhaltung *f*; **5.** Einbehaltung *f*, Vorenthaltung *f.*

de·ter [dɪˈtɜː] *v/t.* abschrecken, abhalten (***from*** von).

de·ter·gent [dɪˈtɜːdʒənt] **I** *adj.* reinigend; **II** *s.* Reinigungs-, Wasch-, Geschirrspülmittel *n.*

de·te·ri·o·rate [dɪˈtɪərɪəreɪt] **I** *v/i.* **1.** sich verschlechtern *od.* verschlimmern, schlecht(er) werden, verderben; **2.** an

Wert verlieren; **II** *v/t.* **3.** verschlechtern; **4.** beeinträchtigen; im Wert mindern; **de·te·ri·o·ra·tion** [dɪˌtɪərɪəˈreɪʃn] *s.* **1.** Verschlechterung *f*; Verfall *m*; **2.** Wertminderung *f*.

de·ter·ment [dɪˈtɜːmənt] *s.* **1.** Abschreckung *f*; **2.** → ***deterrent*** II.

de·ter·mi·na·ble [dɪˈtɜːmɪnəbl] *adj.* bestimmbar; **deˈter·mi·nant** [-nənt] **I** *adj.* **1.** bestimmend, entscheidend; **II** *s.* **2.** entscheidender Faktor; **3.** ⚗, *biol.* Determiˈnante *f*; **deˈter·mi·nate** [-nət] *adj.* □ bestimmt, fest(gesetzt), entschieden; **de·ter·mi·na·tion** [dɪˌtɜːmɪˈneɪʃn] *s.* **1.** Ent-, Beschluß *m*; **2.** Entscheidung *f*; Bestimmung *f*, Festsetzung *f*; **3.** Bestimmung *f*, Ermittlung *f*, Feststellung *f*; **4.** Bestimmtheit *f*, Entschlossenheit *f*, Zielstrebigkeit *f*; feste Absicht; **5.** Ziel *n*, Begrenzung *f*; Ablauf *m*, Ende *n*; **6.** Richtung *f*, Neigung *f*, Drang *m*; **deˈter·mi·na·tive** [-nətɪv] **I** *adj.* □ **1.** (näher) bestimmend, einschränkend; **2.** entscheidend; **II** *s.* **3.** *et.* Entscheidendes *od.* Charakteˈristisches; **4.** *ling.* a) Determinaˈtiv *n*, b) Bestimmungswort *n*; **de·ter·mine** [dɪˈtɜːmɪn] **I** *v/t.* **1.** entscheiden; regeln; **2.** *et.* bestimmen, festsetzen; beschließen (*a.* ***to do*** zu tun, ***that*** daß); **3.** feststellen, ermitteln, herˈausfinden; **4.** *j-n* bestimmen, veranlassen (***to do*** zu tun); **5.** *bsd.* ⚖ beendigen, aufheben; **II** *v/i.* **6.** (***on***) sich entscheiden (für), sich entschließen (zu); beschließen (***on doing*** zu tun); **7.** *bsd.* ⚖ enden, ablaufen; **deˈter·mined** [-mɪnd] *adj.* □ (fest) entschlossen, fest, entschieden, bestimmt; **deˈter·min·er** [-mɪnə] *s. ling.* Bestimmungswort *n*; **deˈter·min·ism** [-mɪnɪzəm] *s. phls.* Determiˈnismus *m*.

de·ter·rence [dɪˈterəns] *s.* Abschreckung *f*; **deˈter·rent** [-nt] **I** *adj.* abschreckend; **II** *s.* Abschreckungsmittel *n*.

de·test [dɪˈtest] *v/t.* verabscheuen, hassen; **deˈtest·a·ble** [-təbl] *adj.* □ abˈscheulich, hassenswert; **de·tes·ta·tion** [ˌdiːteˈsteɪʃn] *s.* (***of***) Verabscheuung *f* (*gen.*), Abscheu *m* (vor *dat.*): ***hold in ~*** verabscheuen.

de·throne [dɪˈθrəʊn] *v/t.* entthronen (*a. fig.*); **deˈthrone·ment** [-mənt] *s.* Entthronung *f*.

det·o·nate [ˈdetəneɪt] **I** *v/t.* explodieren lassen, zur Exploziˈon bringen; **II** *v/i.* explodieren; *mot.* klopfen; **ˈdet·o·nat·ing** [-tɪŋ] *adj.* ⚙ Spreng…, Zünd…, Knall…; **det·o·na·tion** [ˌdetəˈneɪʃn] *s.* Detonatiˈon *f*, Knall *m*; **ˈdet·o·na·tor** [-tə] *s.* ⚙ **1.** Briˈsanzsprengstoff *m*; **2.** Zünd-, Sprengkapsel *f*.

de·tour, dé·tour [ˈdiːˌtʊə] **I** *s.* **1.** ˈUmweg *m*; Abstecher *m*; **2.** a) ˈUmleitung *f*, b) Umˈgehungsstraße *f*; **3.** *fig.* ˈUmschweif *m*; **II** *v/i.* **4.** e-n ˈUmweg machen; **III** *v/t.* **5.** e-n ˈUmweg machen um; **6.** *Verkehr* ˈumleiten.

de·tract [dɪˈtrækt] **I** *v/t. Aufmerksamkeit etc.* ablenken; **II** *v/i.* (***from***) a) Abbruch tun (*dat.*), beeinträchtigen, schmälern (*acc.*), b) herˈabsetzen; **deˈtrac·tion** [-kʃn] *s.* **1.** a) Beeinträchtigung *f*, Schmälerung *f*, b) Herˈabsetzung *f*; **2.** Verunglimpfung *f*; **deˈtrac·tor** [-tə] *s.* **1.** Kritiker *m*, Herˈabsetzer *m*; **2.** Verunglimpfer *m*.

de·train [ˌdiːˈtreɪn] 🚂, ⚔ **I** *v/i.* aussteigen; **II** *v/t.* ausladen; **ˌdeˈtrain·ment** [-mənt] *s.* **1.** Aussteigen *n*; **2.** Ausladen *n*.

det·ri·ment [ˈdetrɪmənt] *s.* Schaden *m*, Nachteil *m*: ***to the ~ of*** zum Schaden *od.* Nachteil (*gen.*); ***without ~ to*** ohne Schaden für; ***be a ~ to health*** gesundheitsschädlich sein; **det·ri·men·tal** [ˌdetrɪˈmentl] *adj.* □ (***to***) schädlich, nachteilig (für), abträglich (*dat.*).

de·tri·tal [dɪˈtraɪtl] *adj. geol.* Geröll…, Schutt…; **deˈtrit·ed** [-tɪd] *adj.* **1.** abgenützt; abgegriffen (*Münze*); *fig.* abgedroschen; **2.** *geol.* verwittert; **de·tri·tion** [dɪˈtrɪʃn] *s. geol.* Ab-, Zerreibung *f*; **deˈtri·tus** [-təs] *s. geol.* Geröll *n*, Schutt *m*.

de trop [dəˈtrəʊ] (*Fr.*) *pred. adj.* ˈüberflüssig, zuˈviel (des Guten).

deuce [djuːs] *s.* **1.** *Würfeln*, *Kartenspiel*: Zwei *f*; **2.** *Tennis*: Einstand *m*; **3.** F Teufel *m*: ***who*** (***what***) ***the ~?*** wer (was) zum Teufel?; ***a ~ of a row*** ein Mordskrach (*Lärm od. Streit*); ***there's the ~ to pay*** F das dicke Ende kommt noch; ***play the ~ with*** Schindluder treiben mit *j-m*; **deuced** [-st] *adj.*, **ˈdeu·ced·ly** [-sɪdlɪ] *adv.* F verteufelt, verflixt.

deu·te·ri·um [djuːˈtɪərɪəm] *s.* Deuˈterium *n*, schwerer Wasserstoff.

Deu·ter·on·o·my [ˌdjuːtəˈrɒnəmɪ] *s. bibl.* Deuteroˈnomium *n*, Fünftes Buch Mose.

de·val·u·ate [ˌdiːˈvæljʊeɪt] ✝ abwerten; **de·val·u·a·tion** [ˌdiːvæljʊˈeɪʃn] *s.* ✝ Abwertung *f*; **de·val·ue** [ˌdiːˈvæljuː] → ***devaluate***.

dev·as·tate [ˈdevəsteɪt] *v/t.* verwüsten, vernichten (*beide a. fig.*); **ˈdev·as·tat·ing** [-tɪŋ] *adj.* □ **1.** verheerend, vernichtend (*a. Kritik etc.*); **2.** F eˈnorm, phanˈtastisch, ˈumwerfend; **dev·as·ta·tion** [ˌdevəˈsteɪʃn] *s.* Verwüstung *f*.

de·vel·op [dɪˈveləp] **I** *v/t.* **1.** *allg. Theorie*, *Kräfte*, *Tempo etc.* entwickeln (*a.* ⚗, ♪, *phot.*), *Muskeln etc. a.* bilden, *Interesse etc. a.* zeigen, an den Tag legen, *Fähigkeiten etc. a.* entfalten, *Gedanken*, *Plan etc. a.* ausarbeiten, gestalten (***into*** zu); **2.** entwickeln, ausbauen: ***~ an industry***; **3.** *Bodenschätze*, *a.*

Bauland erschließen, nutzbar machen; *Altstadt* sanieren; **4.** sich *e-e Krankheit* zuziehen, *Fieber etc.* bekommen; **II** *v/i.* **5.** sich entwickeln (***from*** aus); sich entfalten: ~ ***into*** sich entwickeln zu, zu *et.* werden; **6.** zu'tage treten, sich zeigen; **de'vel·op·er** [-pə] *s.* **1.** *phot.* Entwickler *m*; **2.** ***late*** ~ *psych.* Spätentwickler *m*; **3.** (Stadt)Planer *m*; **de'vel·op·ing** [-pɪŋ] *adj.*: ~ ***bath*** *phot.* Entwicklungsbad *n*; ~ ***company*** Bauträger *m*; ~ ***country*** *pol.* Entwicklungsland *n*; **de'vel·op·ment** [-mənt] *s.* **1.** Entwicklung *f* (*a. phot.*); **2.** Entfaltung *f*, Entstehen *n*, Bildung *f*, Wachstum *n*; Schaffung *f*; **3.** Erschließung *f*, Nutzbarmachung *f*; Ausbau *m*, 'Umgestaltung *f*: ~ ***area*** Entwicklungs-, Notstandsgebiet *n*; ***ripe for*** ~ baureif; **4.** ♎ ✝ Entwicklung(sabteilung) *f*; **5.** Darlegung *f*, Ausarbeitung *f*, 'Durchführung *f* (*a.* ♪); **de·vel·op·ment·al** [dɪˌveləp'mentl] *adj.* Entwicklungs…

de·vi·ate ['di:vɪeɪt] **I** *v/i.* abweichen, abgehen, abkommen (***from*** von); **II** *v/t.* ablenken.

de·vi·a·tion [ˌdi:vɪ'eɪʃn] *s.* **1.** Abweichung *f*, Abweichen *n* (***from*** von); **2.** *bsd. phys., opt.* Ablenkung *f*; **3.** ✈, ⚓ Abweichung *f*, Ablenkung *f*, Abtrieb *m*; **ˌde·vi'a·tion·ism** [-ʃənɪzəm] *s. pol.* Abweichlertum *n*; **ˌde·vi'a·tion·ist** [-ʃənɪst], **de·vi·a·tor** ['di:vɪeɪtə] *s. pol.* Abweichler(in).

de·vice [dɪ'vaɪs] *s.* **1.** Plan *m*, Einfall *m*, Erfindung *f*: ***left to one's own*** ~***s*** sich selbst überlassen; **2.** Anschlag *m*, böse Absicht, Kniff *m*; **3.** ⚙ Vor-, Einrichtung *f*, Gerät *n*; *fig.* Behelf *m*, Kunstgriff *m*; **4.** Wahlspruch *m*, De'vise *f*; **5.** *her.* Sinn-, Wappenbild *n*; **6.** Muster *n*, Zeichnung *f*.

dev·il ['devl] **I** *s.* **1.** ***the*** ~, *a.* ***the*** ♎ der Teufel: ***between the*** ~ ***and the deep sea*** *fig.* zwischen zwei Feuern, in auswegloser Lage; ***like the*** ~ F wie der Teufel, wie wahnsinnig; ***go to the*** ~ *sl.* zum Teufel *od.* vor die Hunde gehen; ***go to the*** ~***!*** scher dich zum Teufel!; ***play the*** ~ ***with*** F Schindluder treiben mit; ***the*** ~ ***take the hindmost*** den Letzten beißen die Hunde; ***there's the*** ~ ***to pay*** F das setzt was ab!; ***the*** ~***!*** F a) (*verärgert*) zum Teufel!, zum Henker!, b) (*erstaunt*) Donnerwetter!; **2.** Teufel *m*, böser Geist, 'Satan *m* (*a. fig.*); → ***due*** 9; ***tattoo***[1] 2; **3.** *fig.* Laster *n*, Übel *n*; **4.** ***poor*** ~ armer Teufel *od.* Schlukker; **5.** *a.* ~ ***of a fellow*** Teufelskerl *m*, toller Bursche; **6.** ***a*** (*od.* ***the***) ~ F e-e verflixte Sache: ~ ***of a job*** Heiden-, Mordsarbeit *f*; ***who*** (***what, how***) ***the*** ~ ***…*** wer (was, wie) zum Teufel …; ~ ***a one*** kein einziger; **7.** Handlanger *m*, Laufbursche *m*; → ***printer*** 1; **8.** ⚖ As'sessor m (*bei e-m* ***barrister***); **9.** scharf gewürztes Gericht; **10.** ⚙ Reißwolf *m*; **II** *v/t.* **11.** F schikanieren, piesacken; **12.** scharf gewürzt braten: ***devil(l)ed eggs*** gefüllte Eier; **13.** ⚙ zerfasern, wolfen; **III** *v/i.* **14.** als As'sessor (*bei e-m* ***barrister***) arbeiten; **'**~**-ˌdodg·er** *s.* F Prediger *m*; **'**~**-fish** *s.* Seeteufel *m*.

dev·il·ish ['devlɪʃ] **I** *adj.* ☐ **1.** teuflisch; **2.** F fürchterlich, höllisch, verteufelt; **II** *adv.* **3.** → 2.

ˌdev·il-may-'care *adj.* **1.** leichtsinnig; **2.** verwegen.

dev·il·ment ['devlmənt] *s.* **1.** Unfug *m*; **2.** Schurkenstreich *m*; **dev·il·ry** ['devlrɪ] *s.* **1.** Teufe'lei *f*, Untat *f*; **2.** 'Übermut *m*; **3.** Teufelsbande *f*; **4.** Teufelskunst *f*.

dev·il's| ad·vo·cate ['devlz] *s. R.C.* Advo'catus *m* Di'aboli; **'**~**-bones** *s. pl.* Würfel(spiel *n*) *pl.*; ~ **book** *s.* (des Teufels) ‚Gebetbuch' *n* (*Spielkarten*); ~ **darn·ing-nee·dle** *s. zo.* Li'belle *f*; ~ **food cake** *s. Am.* schwere Schoko'ladentorte.

de·vi·ous ['di:vjəs] *adj.* ☐ **1.** abwegig, irrig; **2.** gewunden (*a. fig.*): ~ ***path*** Ab-, Umweg *m*; **3.** verschlagen, unredlich: ***by*** ~ ***means*** auf krummen Wegen, ‚hintenherum'; ~ ***step*** Fehltritt *m*; **'de·vi·ous·ness** [-nɪs] *s.* **1.** Abwegigkeit *f*; **2.** Gewundenheit *f*; **3.** Unaufrichtigkeit *f*, Verschlagenheit *f*.

de·vis·a·ble [dɪ'vaɪzəbl] *adj.* **1.** erdenkbar, -lich; **2.** ⚖ vermachbar; **de·vise** [dɪ'vaɪz] **I** *v/t.* **1.** ausdenken, ersinnen, erfinden, konstruieren; **2.** ⚖ *Grundbesitz* vermachen, hinter'lassen (***to*** *dat.*); **II** *s.* **3.** ⚖ Vermächtnis *n*; **dev·i·see** [ˌdevɪ'zi:] *s.* ⚖ Vermächtnisnehmer (-in); **de·vis·er** [dɪ'vaɪzə] *s.* Erfinder (-in); Planer(in); **de·vi·sor** [ˌdevɪ'zɔ:] *s.* ⚖ Erb-lasser(in).

de·vi·tal·ize [ˌdi:'vaɪtəlaɪz] *v/t.* der Lebenskraft berauben, schwächen.

de·void [dɪ'vɔɪd] *adj.*: ~ ***of*** ohne (*acc.*), leer an (*dat.*), frei von, bar (*gen.*), …los: ~ ***of feeling*** gefühllos.

de·voir [də'vwɑ:] (*Fr.*) *s. obs.* **1.** Pflicht *f*; **2.** *pl.* Höflichkeitsbezeigungen *pl.*, Artigkeiten *pl.*

dev·o·lu·tion [ˌdi:və'lu:ʃn] *s.* **1.** Ab-, Verlauf *m*; **2.** *bsd.* ⚖ 'Übergang *m*, Über'tragung *f*; Heimfall *m*; *parl.* Über'weisung *f*; **3.** *pol.* ˌDezentralisati'on *f*, Regionalisierung *f*; **4.** *biol.* Entartung *f*.

de·volve [dɪ'vɒlv] **I** *v/t.* **1.** (***upon***) über'tragen (*dat.*), abwälzen (auf *acc.*); **II** *v/i.* **2.** (***on, upon***) 'übergehen (auf *acc.*), zufallen (*dat.*); sich vererben auf (*acc.*); **3.** *j-m* obliegen.

De·vo·ni·an [de'vəʊnjən] **I** *adj.* **1.** Devonshire betreffend; **2.** *geol.* de'vonisch; **II** *s.* **3.** Bewohner(in) von Devonshire; **4.** *geol.* De'von *n.*

de·vote [dɪ'vəʊt] *v/t.* (***to*** *dat.*) **1.** widmen, opfern, weihen, 'hingeben; **2.** ***~ o.s.*** sich widmen *od.* 'hingeben; sich verschreiben; **de'vot·ed** [-tɪd] *adj.* ☐ **1.** 'hingebungsvoll: a) aufopfernd, treu, b) anhänglich, liebevoll, zärtlich, c) eifrig, begeistert; **2.** todgeweiht; **dev·o·tee** [ˌdevəʊ'ti:] *s.* **1.** begeisterter Anhänger; **2.** Verehrer *m*; Verfechter *m*; **3.** Frömmler *m*; **4.** Fa'natiker *m*, Eiferer *m*; **de'vo·tion** [-əʊʃn] *s.* **1.** Widmung *f*; **2.** 'Hingabe *f*: a) Ergebenheit *f*, Treue *f*, b) (Auf)Opferung *f*, c) Eifer *m*, 'Hingebung *f*, d) Liebe *f*, Verehrung *f*, innige Zuneigung; **3.** *eccl.* a) Andacht *f*, Frömmigkeit *f*, b) *pl.* Gebet(e *pl.*) *n*; **de'vo·tion·al** [-əʊʃənl] *adj.* **1.** andächtig, fromm; **2.** Andachts..., Erbauungs...

de·vour [dɪ'vaʊə] *v/t.* **1.** verschlingen, fressen; **2.** wegraffen; verzehren, vernichten; **3.** *fig.* *Buch* verschlingen; *mit Blicken* verschlingen *od.* verzehren; **4.** j-n verzehren (*Leidenschaft*): ***be ~ed by*** sich verzehren vor (*Gram etc.*); **de'vour·ing** [-ərɪŋ] *adj.* ☐ **1.** gierig; **2.** *fig.* verzehrend.

de·vout [dɪ'vaʊt] *adj.* ☐ **1.** fromm; **2.** *a. fig.* andächtig; **3.** innig, herzlich; **4.** sehnlich, eifrig; **de'vout·ness** [-nɪs] *s.* **1.** Frömmigkeit *f*; **2.** Andacht *f*, 'Hingabe *f*; **3.** Eifer *m*, Inbrunst *f*.

dew [dju:] *s.* **1.** Tau *m*; **2.** *fig.* Tau *m*: a) Frische *f*, b) Feuchtigkeit *f*, Tränen *pl.*; **'~·ber·ry** *s.* ⚘ *e-e* Brombeere; **'~-drop** *s.* Tautropfen *m*.

dew·i·ness ['dju:ɪnɪs] *s.* Tauigkeit *f*, (Tau)Feuchtigkeit *f*.

'dew|·lap *s.* **1.** *zo.* Wamme *f*; **2.** F (*altersbedingte*) Halsfalte; **~ point** *s. phys.* Taupunkt *m*; **~ worm** *s. Angeln*: Tauwurm *m*.

dew·y ['dju:ɪ] *adj.* ☐ **1.** taufeucht; *a. fig.* taufrisch; **2.** feucht; *poet.* um'flort (*Augen*); **3.** frisch, erfrischend; **'~-eyed** *adj. iro.* na'iv, ‚blauäugig'.

dex·ter ['dekstə] *adj.* **1.** recht, rechts (-seitig); **2.** *her.* rechts (*vom Beschauer aus links*); **dex·ter·i·ty** [dek'sterətɪ] *s.* **1.** Geschicklichkeit *f*; Gewandtheit *f*; **2.** Rechtshändigkeit *f*; **'dex·ter·ous** [-tərəs] *adj.* ☐ **1.** gewandt, geschickt, be'hend, flink; **2.** rechtshändig; **'dex·tral** [-trəl] *adj.* ☐ **1.** rechtsseitig; **2.** rechtshändig.

dextro- [dekstrəʊ] *in Zssgn* (nach) rechts.

dex·trose ['dekstrəʊs] *s.* ⚗ Dex'trose *f*, Traubenzucker *m*.

dex·trous ['dekstrəs] → ***dexterous***.

dhoo·ti ['du:tɪ], **dho·ti** ['dəʊtɪ] *pl.* **-tis** [-tɪz] *s.* (*Indien*) Lendentuch *n*.

di·a·be·tes [ˌdaɪə'bi:ti:z] *s.* ⚕ Dia'betes *m*, Zuckerkrankheit *f*; **di·a·bet·ic** [ˌdaɪə'betɪk] **I** *adj.* dia'betisch, zuckerkrank; **II** *s.* Dia'betiker(in), Zuckerkranke(r *m*) *f*.

di·a·ble·rie [dɪ'ɑ:bləri:] *s.* Zaube'rei *f*, Hexe'rei *f*, Teufe'lei *f*.

di·a·bol·ic, **di·a·bol·i·cal** [ˌdaɪə'bɒlɪk(l)] *adj.* ☐ dia'bolisch, teuflisch; **di·ab·o·lism** [daɪ'æbəlɪzəm] *s.* **1.** Teufe'lei *f*; **2.** Teufelskult *m*.

di·ac·id [daɪ'æsɪd] *adj.* zweisäurig.

di·ac·o·nate [daɪ'ækənɪt] *s. eccl.* Diako'nat *n*.

di·a·crit·ic [ˌdaɪə'krɪtɪk] **I** *adj.* dia'kritisch, unter'scheidend; **II** *s. ling.* dia'kritisches Zeichen.

di·ac·tin·ic [ˌdaɪæk'tɪnɪk] *adj. phys.* die ak'tinischen Strahlen 'durchlassend.

di·a·dem ['daɪədem] *s.* **1.** Dia'dem *n*, Stirnband *n*; **2.** Hoheit *f*, Herrscherwürde *f*, -gewalt *f*.

di·aer·e·sis [daɪ'ɪərɪsɪs] *s. ling.* a) Diä'rese *f*, b) Trema *n*.

di·ag·nose ['daɪəgnəʊz] *v/t.* ⚕ diagnostizieren, *fig. a.* bestimmen, feststellen;

di·ag·no·sis [ˌdaɪəg'nəʊsɪs] *pl.* **-ses** [-si:z] *s.* ⚕ Dia'gnose *f*, Befund *m*, *fig. a.* Beurteilung *f*, Bestimmung *f*; **di·ag·nos·tic** [ˌdaɪəg'nɒstɪk] ⚕ **I** *adj.* (☐ ***~ally***) dia'gnostisch: ***~ of*** *fig.* sympto'matisch für; **II** *s.* a) Sym'ptom *n*, b) *pl. sg. konstr.* Dia'gnostik *f*; **di·ag·nos·ti·cian** [ˌdaɪəgnɒs'tɪʃn] *s.* ⚕ Dia'gnostiker(in).

di·ag·o·nal [daɪ'ægənl] **I** *adj.* ☐ **1.** diago'nal; schräg(laufend), über Kreuz; **II** *s.* **2.** *a.* ***~ line*** ⚬ Diago'nale *f*; **3.** *a.* ***~ cloth*** Diago'nal *m*, schräggeripptes Gewebe.

di·a·gram ['daɪəgræm] *s.* Dia'gramm *n*, graphische Darstellung, Schaubild *n*, Plan *m*, Schema *n*: ***wiring ~*** ⚡ Schaltbild *n*, -plan *m*: ***you need a ~?*** *iro.* brauchst du e-e Zeichnung (dazu)?;

di·a·gram·mat·ic [ˌdaɪəgrə'mætɪk] *adj.* (☐ ***~ally***) diagram'matisch, graphisch, sche'matisch.

di·al ['daɪəl] **I** *s.* **1.** *a.* ***~ plate*** Zifferblatt *n* (*Uhr*); **2.** *a.* ***~ plate*** ⚙ Skala *f*, Skalen-, Ziffernscheibe *f*; **3.** *teleph.* Wähl-, Nummernscheibe *f*; **4.** *Radio*: Skalenscheibe *f*, Skala *f*: ***~ light*** Skalenbeleuchtung *f*; **5.** → ***sundial***; **6.** *sl.* Vi'sage *f* (*Gesicht*); **II** *v/t.* **7.** *teleph.* wählen: ***~ling code*** *Brit.* Vorwahl(nummer) *f*; ***~ tone*** *Am.*, ***~ling tone*** *Brit.* Amtszeichen *n*.

di·a·lect ['daɪəlekt] *s.* Dia'lekt *m*, Mundart *f*; **di·a·lec·tal** [ˌdaɪə'lektl] *adj.* ☐ dia'lektisch, mundartlich; **di·a·lec·tic** [ˌdaɪə'lektɪk] **I** *adj.* **1.** *phls.* dia'lektisch; **2.** spitzfindig; **3.** *ling.* → ***dialectal***; **II** *s.* **4.** *oft pl. phls.* Dia'lektik *f*; **5.** Spitzfindigkeit *f*; **di·a·lec·ti·cal** [ˌdaɪə'lektɪkl] *adj.* ☐ **1.** → ***dialectal***; **2.** → ***dialectic*** 1, 2; **di·a·lec·ti·cian** [ˌdaɪəlek'tɪʃn] *s.*

phls. Dia'lektiker *m*.

di·a·logue, *Am. a.* **di·a·log** ['daɪəlɒg] *s.* Dia'log *m*, (Zwie)Gespräch *n*; **~ track** *s. Film*: Sprechband *n*.

di·al·y·sis [daɪ'ælɪsɪs] *s.* **1.** ⚗ Dia'lyse *f*; **2.** ⚕ Dia'lyse *f*, Blutwäsche *f*.

D

di·am·e·ter [daɪ'æmɪtə] *s.* **1.** ⩓ Dia'meter *m*, 'Durchmesser *m*; **2.** 'Durchmesser *m*, Dicke *f*, Stärke *f*: ***inner ~*** lichte Weite; **di·a·met·ri·cal** [ˌdaɪə'metrɪkl] *adj.* □ **1.** dia'metrisch; **2.** *fig.* diame'tral, genau entgegengesetzt.

di·a·mond ['daɪəmənd] **I** *s.* **1.** *min.* Dia'mant *m*: ***black ~*** a) schwarzer Diamant, b) *fig.* (Stein)Kohle *f*; ***rough ~*** a) ungeschliffener Diamant, b) *fig.* Mensch *m* mit gutem Kern u. rauher Schale; ***it was ~ cut ~*** es war Wurst wider Wurst, die beiden standen sich in nichts nach; **2.** ⚙ ('Glaser)Diaˌmant *m*; **3.** ⩓ a) Raute *f*, 'Rhombus *m*, b) spitzgestelltes Viereck; **4.** *Kartenspiel*: Karo *n*; **5.** *Baseball*: a) Spielfeld *n*, b) Innenfeld *n*; **6.** *typ.* Dia'mant *f* (*Schriftgrad*); **II** *adj.* **7.** dia'manten, Diamant…; **8.** rhombisch, rautenförmig; **~ cut·ter** *s.* Dia'mantschleifer *m*; **~ drill** *s.* ⚙ Dia'mantbohrer *m*; **~ field** *s.* Dia'mantenfeld *n*; **~ ju·bi·lee** *s.* dia'mantenes Jubi'läum; **~ mine** *s.* Dia'mantenmine *f*; **~ pane** *s.* rautenförmige Fensterscheibe; **'~-shaped** *adj.* rautenförmig; **~ wed·ding** *s.* dia'mantene Hochzeit.

di·an·thus [daɪ'ænθəs] *s.* ⚘ Nelke *f*.

di·a·per ['daɪəpə] **I** *s.* **1.** Di'aper *m*, Gänseaugenstoff *m*; **2.** *a.* ***~ pattern*** Rauten-, Karomuster *n*; **3.** *Am.* (Baby-) Windel *f*; **4.** Monatsbinde *f*; **II** *v/t.* **5.** mit Rautenmuster verzieren; **~ rash** *s.* ⚕ Wundsein *n beim Säugling*.

di·aph·a·nous [daɪ'æfənəs] *adj.* 'durchsichtig, -scheinend.

di·a·pho·ret·ic [ˌdaɪəfə'retɪk] *adj. u. s.* ⚕ schweißtreibend(es Mittel).

di·a·phragm ['daɪəfræm] *s.* **1.** *anat.* Scheidewand *f*, *bsd.* Zwerchfell *n*; **2.** ⚕ Dia'phragma *n* (*Verhütungsmittel*); **3.** *teleph. etc.* Mem'bran(e) *f*; **4.** *opt.*, *phot.* Blende *f*; **~ shut·ter** *s. phot.* Blendenverschluß *m*; **~ valve** *s.* Mem'branventil *n*.

di·a·rist ['daɪərɪst] *s.* Tagebuchschreiber(in); **'di·a·rize** [-raɪz] **I** *v/i.* Tagebuch führen; **II** *v/t.* ins Tagebuch eintragen.

di·ar·rh(o)e·a [ˌdaɪə'rɪə] *s.* ⚕ Diar'rhöe *f*, 'Durchfall *m*.

di·a·ry ['daɪərɪ] *s.* **1.** Tagebuch *n*: ***keep a ~*** ein Tagebuch führen; **2.** 'Taschenkaˌlender *m*, (Vor)Merkbuch *n*, Ter'min-, No'tizbuch *n*.

Di·as·po·ra [daɪ'æspərə] *s. allg.* Di'aspora *f*.

di·as·to·le [daɪ'æstəlɪ] *s.* ⚕ *u. Metrik*: Dia'stole *f*.

di·a·ther·my ['daɪəθɜːmɪ] *s.* ⚕ Diather'mie *f*.

di·ath·e·sis [daɪ'æθɪsɪs] *pl.* **-ses** [-siːz] *s.* ⚕ *u. fig.* Neigung *f*, Anlage *f*.

di·a·to·ma·ceous earth [ˌdaɪətə'meɪʃəs] *s. geol.* Kieselgur *f*.

di·a·ton·ic [ˌdaɪə'tɒnɪk] *adj.* ♪ dia'tonisch.

di·a·tribe ['daɪətraɪb] *s.* gehässiger Angriff, Hetze *f*, Hetzrede *f od.* -schrift *f*.

di·bas·ic [daɪ'beɪsɪk] *adj.* ⚗ zweibasisch.

dib·ber ['dɪbə] → ***dibble*** I.

dib·ble ['dɪbl] **I** *s.* Dibbelstock *m*, Pflanz-, Setzholz *n*; **II** *v/t. a.* ***~ in*** mit e-m Setzholz pflanzen; **III** *v/i.* mit e-m Setzholz Löcher machen, dibbeln.

dibs [dɪbz] *s.* **1.** *pl. sg. konstr. Brit. Kinderspiel mit Steinchen etc.*; **2.** F Recht *n* (***on*** auf *acc.*); **3.** *Am. sl.* (ein paar) ‚Kröten' *pl.* (*Geld*).

dice [daɪs] **I** *s. pl. von* ***die***[2] 1 Würfel *pl.*, Würfelspiel *n*: ***play*** (***at***) ***~*** → II; ***no ~!*** *Am. sl.* ‚da läuft nichts'!; → ***load*** 10; **II** *v/i.* würfeln, knobeln; **III** *v/t. Küche*: in Würfel schneiden.

dic·ey ['daɪsɪ] *adj.* F pre'kär, heikel.

di·chot·o·my [daɪ'kɒtəmɪ] *s.* Dichoto'mie *f*: a) *bsd. Logik*: Zweiteilung *f e-s Begriffs*, b) ⚘, *zo.* wieder'holte Gabelung.

di·chro·mat·ic [ˌdaɪkrəʊ'mætɪk] *adj.* **1.** dichro'matisch, zweifarbig; **2.** ⚕ dichro'mat.

dick [dɪk] *s.* **1.** *Brit. sl.* Kerl *m*; **2.** *Am. sl.* ‚Schnüffler' *m*: ***private ~*** Privatdetektiv *m*; **3.** V ‚Schwanz' *m*.

dick·ens ['dɪkɪnz] *s. sl.* Teufel *m*: ***what the ~!*** was zum Teufel!; ***a ~ of a mess*** ein böser Schlamassel.

dick·er[1] ['dɪkə] *v/i.* feilschen, schachern (***for*** um).

dick·er[2] ['dɪkə] *s.* ✝ zehn Stück.

dick·(e)y[1] ['dɪkɪ] *s.* F **1.** Hemdbrust *f*; **2.** Bluseneinsatz *m*; **3.** *a.* ***~ bow*** ‚Fliege' *f*, Schleife *f*; **4.** *a.* ***~-bird*** Vögelchen *n*, Piepmatz *m*; **5.** Rück-, Not-, Klappsitz *m*; **6.** *Brit.* F Esel *m*.

dick·(e)y[2] ['dɪkɪ] *adj.* F wack(e)lig, ‚mies': ***~ heart*** schwaches Herz.

di·cot·y·le·don [ˌdaɪkɒtɪ'liːdən] *s.* ⚘ Diko'tyle *f*, zweikeimblättrige Pflanze.

dic·ta ['dɪktə] *pl. von* ***dictum***.

dic·tate [dɪk'teɪt] **I** *v/t.* (***to*** *dat.*) **1.** *Brief etc.* diktieren; **2.** diktieren, vorschreiben, gebieten (*a. fig.*); **3.** auferlegen; **4.** eingeben; **II** *v/i.* **5.** diktieren, ein Dik'tat geben; **6.** diktieren, befehlen: ***he will not be ~d to*** er läßt sich keine Vorschriften machen; **III** *s.* ['dɪkteɪt] **7.** Gebot *n*, Befehl *m*, Dik'tat *n*: ***the ~s of reason*** das Gebot der Vernunft; **dic'ta·tion** [-eɪʃn] *s.* **1.** Dik'tat *n*: a) Diktieren *n*, b) Dik'tatschreiben *n*, c) diktierter Text; **2.** Befehl(e *pl.*) *m*, Geheiß *n*; **dic'ta·tor** [-tə] *s.* Dik'tator *m*, Gewalthaber *m*; **dic·ta·to·ri·al** [ˌdɪktə'tɔːrɪəl] *adj.* □ dikta'torisch; **dic'ta·tor·ship** [-təʃɪp] *s.* Dikta'tur *f*; **dic'ta·tress** [-trɪs] *s.* Dikta'torin *f*.

dic·tion ['dɪkʃn] *s.* **1.** Dikti'on *f*, Ausdrucksweise *f*, Stil *m*, Sprache *f*; **2.** (deutliche) Aussprache.

dic·tion·ar·y ['dɪkʃənrɪ] *s.* **1.** Wörterbuch *n*; **2.** (*bsd.* einsprachiges) enzyklo'pädisches Wörterbuch; **3.** Lexikon *n*, Enzyklopä'die *f*: ***a walking*** (*od.* ***living***) **~** *fig.* ein wandelndes Lexikon.

dic·to·graph ['dɪktəgrɑːf] *s.* Abhörgerät *n* (*beim Telefon*).

dic·tum ['dɪktəm] *pl.* **-ta** [-tə], **-tums** *s.* **1.** Machtspruch *m*; **2.** ⚖ richterliches Diktum, (Aus)Spruch *m*; **3.** Spruch *m*, geflügeltes Wort.

did [dɪd] *pret. von* **do**[1].

di·dac·tic [dɪ'dæktɪk] *adj.* (□ ***~ally***) **1.** di'daktisch, lehrhaft, belehrend: ***~ play*** *thea.* Lehrstück *n*; ***~ poem*** Lehrgedicht *n*; **2.** schulmeisterlich.

did·dle[1] ['dɪdl] *v/t. sl.* beschwindeln, betrügen, übers Ohr hauen.

did·dle[2] ['dɪdl] *v/i.* F zappeln.

did·n't ['dɪdnt] F *für* ***did not***.

didst [dɪdst] *obs. 2. sg. pret. von* **do**[1].

die[1] [daɪ] **I** *v/i. p.pr.* **dy·ing** ['daɪɪŋ] **1.** sterben (***of*** an): ***~ of hunger*** Hungers sterben, verhungern; ***~ from a wound*** an e-r Verwundung sterben; ***~ a violent death*** e-s gewaltsamen Todes sterben; ***~ of*** (*od.* ***with***) ***laughter*** *fig.* sich totlachen; ***~ of boredom*** vor Lange(r)weile fast umkommen; ***~ a beggar*** als Bettler sterben; ***~ hard*** a) zählebig sein (*a. Sache*), ‚nicht totzukriegen sein', b) nicht nachgeben (wollen); ***never say ~!*** nur nicht aufgeben!; → ***bed*** 1; ***boot***[1] 1; ***ditch*** 1; ***harness*** 1; **2.** eingehen (*Pflanze, Tier*), verenden (*Tier*); **3.** *fig.* ver-, 'untergehen, schwinden, aufhören, sich verlieren, verhallen, erlöschen, vergessen werden; **4.** *mst* ***be dying*** (***for***; ***to*** *inf.*) sich sehnen (nach; danach, zu *inf.*), brennen (auf *acc.*; darauf, zu *inf.*): ***I am dying to ...*** ich würde schrecklich gern; **II** *v/t.* **5.** e-s *natürlichen etc.* Todes sterben;

Zssgn mit adv.:

die| a·way *v/i.* **1.** schwächer werden, nachlassen, sich verlieren, schwinden; **2.** ohnmächtig werden; **~ down** *v/i.* **1.** → ***die away*** 1; **2.** ⚘ (von oben) absterben; **~ off** *v/i.* 'hin-, wegsterben; **~ out** *v/i.* aussterben (*a. fig.*).

die[2] [daɪ] *s.* **1.** *pl.* ***dice*** Würfel *m*: ***the ~ is cast*** die Würfel sind gefallen; ***straight as a ~*** a) pfeilgerade, b) *fig.* grundehrlich; → ***dice***; ***straight*** 4; **2.** Würfelspiel *n*; **3.** *bsd. Küche*: Würfel *m*; **4.** *pl.* ***dies*** △ Würfel *m e-s Sockels*; **5.** *pl.* ***dies*** ⚙ a) (Preß-, Spritz)Form *f*, Gesenk *n*: ***lower ~*** Matrize *f*; ***upper ~*** Patrize *f*, b) (Münz)Prägestempel *m*, c) Schneideisen *n*, Stanze *f*, d) Gußform *f*.

'die|-a·way *adj.* schmachtend; **'~-cast** *v/t.* ⚙ spritzgießen, spritzen; **~ cast·ing** *s.* ⚙ Spritzguß *m*; **'~-hard I** *s.* **1.** unnachgiebiger Mensch, Dickschädel *m*; **2.** *pol.* hartnäckiger Reaktio'när; **3.** zählebige Sache; **II** *adj.* **4.** hartnäckig, zäh u. unnachgiebig; **5.** zählebig; **~ head** *s.* ⚙ Schneidkopf *m*.

di·e·lec·tric [ˌdaɪɪ'lektrɪk] ⚡ **I** *s.* Di'elektrikum *n*; **II** *adj.* (□ ***~ally***) di'elektrisch: ***~ strength*** Spannungs-, Durchschlagfestigkeit *f*.

die·en·ceph·a·lon [ˌdaɪɪn'sefələn] *s.* *anat.* Zwischenhirn *n*.

di·er·e·sis → ***diaeresis***.

Die·sel ['diːzl] **I** Diesel *m* (*Motor, Fahrzeug od. Kraftstoff*); **II** *adj.* Diesel...;

die·sel·ize ['diːzəlaɪz] *v/t.* ⚙ auf Dieselbetrieb 'umstellen.

'die,sink·er *s.* ⚙ Werkzeugmacher *m*.

di·e·sis ['daɪɪsɪs] *pl.* **-ses** [-siːz] *s.* **1.** *typ.* Doppelkreuz *n*; **2.** ♪ Kreuz *n*.

di·es non [ˌdaɪiːz'nɒn] *s.* ⚖ gerichtsfreier Tag.

die stock *s.* ⚙ Schneidkluppe *f*.

di·et[1] ['daɪət] *s.* **1.** *parl.* a) 'Unterhaus *n* (*in Japan etc.*), b) *hist.* Reichstag *m*; **2.** ⚖ *Scot.* Ge'richtster,min *m*.

di·et[2] ['daɪət] **I** *s.* **1.** Nahrung *f*, Ernährung *f*, (*a. fig. geistige*) Kost: ***vegetable ~*** vegetarische Kost; ***full*** (***low***) **~** reichliche (magere) Kost; **2.** ⚕ Di'ät *f*, Schon-, Krankenkost *f*: ***be*** (***put***) ***on a ~*** auf Diät gesetzt sein, diät leben (müssen); **II** *v/t.* **3.** *j-n* auf Di'ät setzen: ***~ o.s.*** → 4; **III** *v/i.* **4.** Di'ät halten; **'di·e·tar·y** [-tərɪ] ⚕ **I** *adj.* **1.** diä'tetisch, Diät...; **II** *s.* **2.** Di'ätvorschrift *f*; **3.** 'Speise(rati,on) *f*.

di·e·tet·ic [ˌdaɪə'tetɪk] *adj.* (□ ***~ally***) → ***dietary*** 1; **ˌdi·e'tet·ics** [-ks] *s. pl. sg. od. pl. konstr.* ⚕ Diä'tetik *f*, Di'ätkunde *f*; **ˌdi·e'ti·tian**, **ˌdi·e'ti·cian** [-'tɪʃn] *s.* Diä'tetiker(in).

dif·fer ['dɪfə] *v/i.* **1.** sich unter'scheiden, verschieden sein, abweichen (***from*** von); **2.** (*mst* ***with***, *a.* ***from***) nicht über'einstimmen (mit), anderer Meinung sein (als): ***I beg to ~*** ich bin (leider) anderer Meinung; **3.** uneinig sein (***on*** über *acc.*); → ***agree*** 2; **dif·fer·ence** ['dɪfrəns] *s.* **1.** 'Unterschied *m*, Verschiedenheit *f*: ***~ in price*** Preisunterschied; ***~ of opinion*** Meinungsverschiedenheit; ***that makes a*** (***great***) **~** a) das macht et. (*od.* viel) aus, b) das ändert die Sache; ***it made all the ~*** das änderte die Sache vollkommen; ***it makes no ~*** (***to me***) es ist (mir) gleich(gültig); ***what's the ~?*** was macht es schon aus?; **2.** 'Unterschied *m*, unter'scheidendes Merkmal: ***the ~ between him***

D

and his brother; **3.** 'Unterschied *m* (*in Menge*), Diffe'renz *f* (*a.* ✝, ⩘): ***split the ~*** a) sich in die Differenz teilen, b) e-n Kompromiß schließen; **4.** Besonderheit *f*: ***a film with a ~*** ein Film (von) ganz besonderer Art *od.* ‚mit Pfiff'; ***holidays with a ~*** Ferien ‚mal anders'; **5.** Meinungsverschiedenheit *f*, Diffe'renz *f*; **dif·fer·ent** ['dɪfrənt] *adj.* □ **1.** (***from***, *a.* ***to***) verschieden (von), abweichend (von); anders (*pred.* als), ander (*attr.* als): ***in two ~ countries*** in zwei verschiedenen Ländern; ***that's a ~ matter*** das ist etwas anderes; ***at ~ times*** verschiedentlich, mehrmals; **2.** außergewöhnlich, besonder.

dif·fer·en·tial [ˌdɪfə'renʃl] **I** *adj.* □ **1.** 'unterschiedlich, charakte'ristisch, Unterscheidungs...; **2.** ⚙, ⚡, ⩘, *phys.* Differential...; **3.** ✝ gestaffelt, Differential..., Staffel...: ~ ***tariff***; **II** *s.* **4.** ⚙, *mot.* Differenti'al-, Ausgleichsgetriebe *n*; **5.** ⩘ Differenti'al *n*; **6.** ('Preis-, 'Lohn- *etc.*)Gefälle *n*, (-)Diffeˌrenz *f*; ~ **cal·cu·lus** *s.* ⩘ Differenti'alrechnung *f*; ~ **du·ty** *s.* ✝ Differenti'alzoll *m*; ~ **gear** *s.* ⚙ Differenti'al-, Ausgleichsgetriebe *n*; ~ **rate** *s.* ✝ 'Ausnahmetaˌrif *m*.

dif·fer·en·ti·ate [ˌdɪfə'renʃɪeɪt] **I** *v/t.* **1.** einen 'Unterschied machen zwischen (*dat.*), unter'scheiden; **2.** vonein'ander abgrenzen; unter'scheiden, trennen (***from*** von): ***be ~d*** → 4; **II** *v/i.* **3.** e-n 'Unterschied machen, unter'scheiden, differenzieren (***between*** zwischen *dat.*); **4.** sich unter'scheiden *od.* entfernen; sich verschieden entwickeln; **dif·fer·en·ti·a·tion** [ˌdɪfərenʃɪ'eɪʃn] *s.* Differenzierung *f*: a) Unter'scheidung *f*, b) (Auf)Teilung *f*, c) Spezialisierung *f*, d) ⩘ Ableitung *f*.

dif·fi·cult ['dɪfɪkəlt] *adj.* **1.** schwierig, schwer; **2.** beschwerlich, mühsam; **3.** schwierig, schwer zu behandeln(d); '**dif·fi·cul·ty** [-tɪ] *s.* **1.** Schwierigkeit *f*: a) Mühe *f*: ***with ~*** schwer, mühsam; ***have*** (*od.* ***find***) ***~ in doing s.th.*** et. schwierig (zu tun) finden, b) schwierige Sache, c) Hindernis *n*, 'Widerstand *m*: ***make difficulties*** Schwierigkeiten bereiten; **2.** *oft pl.* (*a.* Geld)Schwierigkeiten *pl.*, (-)Verlegenheit *f*.

dif·fi·dence ['dɪfɪdəns] *s.* Schüchternheit *f*, mangelndes Selbstvertrauen; '**dif·fi·dent** [-nt] *adj.* □ schüchtern, ohne Selbstvertrauen, scheu: ***be ~ about doing*** sich scheuen zu tun, *et.* nur zaghaft *od.* zögernd tun.

dif·fract [dɪ'frækt] *v/t. phys.* beugen; **dif'frac·tion** [-kʃn] *s. phys.* Beugung *f*, Diffrakti'on *f*.

dif·fuse [dɪ'fju:z] **I** *v/t.* **1.** ausgießen, -schütten; **2.** *bsd. fig.* verbreiten; **3.** ⚗, *phys.*, *opt.* diffundieren: a) zerstreuen, b) vermischen, c) durch'dringen; **II** *v/i.* **4.** sich verbreiten; **5.** ⚗, *phys.* diffundieren: a) sich zerstreuen, b) sich vermischen, c) eindringen; **III** *adj.* [dɪ'fju:s] □ **6.** dif'fus: a) weitschweifig, langatmig, b) unklar (*Gedanken etc.*), c) ⚗, *phys.* zerstreut: ~ ***light*** diffuses Licht; **7.** *fig.* verbreitet; **dif·fus·i·bil·i·ty** [dɪˌfju:zə'bɪlətɪ] *s. phys.* Diffusi'onsvermögen *n*; **dif'fus·i·ble** [-zəbl] *adj. phys.* diffusi'onsfähig; **dif·fu·sion** [dɪ'fju:ʒn] *s.* **1.** Ausgießen *n*; **2.** *fig.* Verbreitung *f*; **3.** Weitschweifigkeit *f*; **4.** ⚗, *phys.*, *a. sociol.* Diffusi'on *f*; **dif·fu·sive** [dɪ'fju:sɪv] *adj.* □ **1.** *bsd. fig.* sich verbreitend; **2.** *fig.* weitschweifig; **3.** ⚗, *phys.* Diffusions...; **dif·fu·sive·ness** [dɪ'fju:sɪvnɪs] *s.* **1.** *phys.* Diffusi'onsfähigkeit *f*; **2.** *fig.* Weitschweifigkeit *f*.

dig [dɪg] **I** *s.* **1.** Grabung *f*; **2.** F (archäo'logische) Ausgrabung(sstätte); **3.** F Puff *m*, Stoß *m*: ***~ in the ribs*** Rippenstoß; **4.** F *fig.* (Seiten)Hieb *m* (***at*** auf *j-n*); **5.** *Am.* F ‚Büffler' *m*; **6.** *pl. Brit.* F ‚Bude' *f*, (*bsd. Studenten*)Zimmer *n*; **II** *v/t.* [*irr.*] **7.** *Loch etc.* graben; *Boden* 'umgraben; *Bodenfrüchte* ausgraben; **8.** *fig.* ‚ausgraben', ans Tageslicht bringen, her'ausfinden; **9.** F *j-m* e-n Stoß geben: ***~ spurs into a horse*** e-m Pferd die Sporen geben; **10.** F a) ‚kapieren', b) ‚stehen auf', ein ‚Fan' sein von, c) sich ansehen *od.* anhören; **III** *v/i.* [*irr.*] **11.** graben (***for*** nach); **12.** *fig.* a) forschen (***for*** nach), b) sich gründlich beschäftigen (***into*** mit); **13.** ***~ into*** F a) ‚reinhauen' in *e-n Kuchen etc.*, b) sich einarbeiten in (*acc.*); **14.** *Am. sl.* ‚büffeln', ‚ochsen';

Zssgn mit adv.:

dig| in I *v/t.* **1.** eingraben (*a. fig.*); **2.** ***dig o.s. in*** sich eingraben, *fig. a.* sich verschanzen; **II** *v/i.* **3.** ⚔ sich eingraben, sich verschanzen; ~ **out** *v/t.* **1.** ausgraben; **2.** → ***dig*** 8; ~ **up** *v/t.* **1.** 'um-, ausgraben; **2.** → ***dig*** 8.

di·gest [dɪ'dʒest] **I** *v/t.* **1.** *Speisen* verdauen; **2.** *fig.* verdauen: a) (innerlich) verarbeiten, über'denken, in sich aufnehmen, b) ertragen, verwinden; **3.** ordnen, einteilen; **4.** ⚗ digerieren, ausziehen, auflösen; **II** *v/i.* **5.** sich verdauen lassen: ***~ well*** leicht verdaulich sein; **6.** ⚗ sich auflösen; **III** *s.* ['daɪdʒest] **7.** (***of***) a) Auslese *f* (*a. Zeitschrift*), Auswahl *f* (aus), b) Abriß *m* (*gen.*), 'Überblick *m* (über *acc.*); **8.** ⚖ systematisierte Sammlung von Gerichtsentscheidungen; **di'gest·i·ble** [-təbl] *adj.* □ verdaulich, bekömmlich; **di'ges·tion** [-tʃən] *s.* **1.** Verdauung *f*: ***easy of ~*** leichtverdaulich; **2.** *fig.* (innerliche) Verarbeitung; **di'ges·tive** [-tɪv] **I** *adj.* □ **1.** verdauungsfördernd; **2.** bekömmlich; **3.** Verdauungs… (*-apparat*, *-trakt etc.*); **II** *s.* **4.** verdauungsförderndes Mittel.

dig·ger ['dɪɡə] *s.* **1.** Gräber(in); **2.** → ***gold digger***; **3.** 'Grabgerät *n*, -maˌschine *f*; **4.** Erdarbeiter *m*; **5.** *a.* ~ ***wasp*** Grabwespe *f*; **6.** *sl.* Au'stralier *m od.* Neu'seeländer *m*; '**dig·gings** [-ɡɪŋz] *s. pl.* **1.** *sg. od. pl. konstr.* Goldbergwerk *n*; **2.** Aushub *m* (*Erde*); **3.** → ***dig*** 6.

dig·it ['dɪdʒɪt] *s.* **1.** *anat.*, *zo.* Finger *m od.* Zehe *f*; **2.** Fingerbreite *f* (*Maß*); **3.** *ast.* astro'nomischer Zoll (1/12 *des Sonnen- od. Monddurchmessers*); **4.** ⩚ a) eine der Ziffern von 0 bis 9, Einer *m*, b) Stelle *f*: ***three-~ number*** dreistellige Zahl; '**dig·it·al** [-tl] **I** *adj.* **1.** Finger…; **2.** Digital…: ~ ***clock***; ~ ***computer*** Digitalrechner *m*; ~ ***display*** Digitalanzeige *f*; ~ ***recording*** Digitalaufzeichnung *f*; **II** *s.* **3.** ♪ Taste *f*; **dig·ital·is** [ˌdɪdʒɪ'teɪlɪs] *s.* **1.** ⚘ Fingerhut *m*; **2.** ⚕ Digi'talis *n*; '**dig·i·tate**, '**dig·i·tat·ed** [-teɪt(ɪd)] *adj.* **1.** ⚘ gefingert, handförmig; **2.** *zo.* gefingert.

dig·ni·fied ['dɪɡnɪfaɪd] *adj.* würdevoll, würdig; **dig·ni·fy** ['dɪɡnɪfaɪ] *v/t.* **1.** ehren, auszeichnen; Würde verleihen (*dat.*); **2.** zieren, schmücken; **3.** hochtrabend benennen.

dig·ni·tar·y ['dɪɡnɪtərɪ] *s.* **1.** Würdenträger *m*; **2.** *eccl.* Prä'lat *m*; **dig·ni·ty** ['dɪɡnɪtɪ] *s.* **1.** Würde *f*, würdevolles Auftreten; **2.** Würde *f*, (hoher) Rang, *a.* Ansehen *n*: ***beneath my ~*** unter m-r Würde; ***stand on one's ~*** sich nichts vergeben wollen; **3.** *fig.* Größe *f*: ~ ***of soul*** Seelengröße, -adel *m*.

di·graph ['daɪɡrɑːf] *s. ling.* Di'graph *m* (*Verbindung von zwei Buchstaben zu einem Laut*).

di·gress [daɪ'ɡres] *v/i.* abschweifen; **di'gres·sion** [-eʃn] *s.* Abschweifung *f*; **di'gres·sive** [-sɪv] *adj.* □ **1.** abschweifend; **2.** abwegig.

digs [dɪɡz] → ***dig*** 6.

di·he·dral [daɪ'hiːdrəl] **I** *adj.* **1.** di'edrisch, zweiflächig: ~ ***angle*** ⩚ Flächenwinkel *m*; **2.** ✈ V-förmig; **II** *s.* **3.** ⩚ Di'eder *m*, Zweiflächner *m*; **4.** ✈ V-Form *f*, V-Stellung *f*.

dike[1] [daɪk] **I** *s.* **1.** Deich *m*, Damm *m*; **2.** Erdwall *m*, erhöhter Fahrdamm; **3.** *a. fig.* Schutzwall *m*, *fig.* Bollwerk *n*; **4.** a) Graben *m*, b) Wasserlauf *m*; **5.** *a.* ~ ***rock*** *geol.* Gangstock *m*; **II** *v/t.* **6.** eindämmen, -deichen.

dike[2] [daɪk] *v/t. a.* ~ ***out*** *od.* ***up*** *Am.* F aufputzen.

dike[3] [daɪk] *s. sl.* ‚Lesbe' *f*.

dik·tat [dɪk'tɑːt] *s.* (*Ger.*) *pol.* Dik'tat *n*.

di·lap·i·date [dɪ'læpɪdeɪt] **I** *v/t.* **1.** *Haus etc.* verfallen lassen; **2.** vergeuden; **II** *v/i.* **3.** verfallen, baufällig werden; **di'lap·i·dat·ed** [-tɪd] *adj.* **1.** verfallen, baufällig; **2.** klapp(e)rig (*Auto etc.*); **di·lap·i·da·tion** [dɪˌlæpɪ'deɪʃn] *s.* **1.** Verfall *m*, Baufälligkeit *f*; **2.** *geol.* Verwitterung *f*; **3.** *pl. Brit.* notwendige Repara'turen (*zu Lasten des Mieters*).

di·lat·a·bil·i·ty [daɪˌleɪtə'bɪlətɪ] *s. phys.* Dehnbarkeit *f*, (Aus)Dehnungsvermögen *n*; **di·lat·a·ble** [daɪ'leɪtəbl] *adj. phys.* (aus)dehnbar.

dil·a·ta·tion [ˌdaɪleɪ'teɪʃn] *s.* **1.** *phys.* Ausdehnung *f*; **2.** ⚕ Erweiterung *f*.

di·late [daɪ'leɪt] **I** *v/t.* **1.** (aus)dehnen, (aus)weiten, erweitern: ***with ~d eyes*** mit aufgerissenen Augen; **II** *v/i.* **2.** sich (aus)dehnen *od.* (aus)weiten *od.* erweitern; **3.** *fig.* sich (ausführlich) verbreiten *od.* auslassen ([***up***]***on*** über *acc.*); **di'la·tion** [-eɪʃn] → ***dilatation***; **di'lator** [-tə] *s.* Di'lator *m*: a) *anat.* Dehnmuskel *m*, b) ⚕ Dehnsonde *f*.

dil·a·to·ri·ness ['dɪlətərɪnɪs] *s.* Saumseligkeit *f*, Verschleppung *f*; **dil·a·to·ry** ['dɪlətərɪ] *adj.* □ **1.** aufschiebend (*a.* ⚖), verzögernd, 'hinhaltend, Verzögerungs…, Verschleppungs…, Hinhalte…: ~ ***tactics***; **2.** langsam, saumselig.

dil·do ['dɪldəʊ] *s.* Godemi'ché *m* (*künstlicher Penis*).

di·lem·ma [dɪ'lemə] *s.* Di'lemma *n*, Zwangslage *f*, Klemme *f*: ***on the horns of a ~*** in e-r Zwickmühle.

dil·et·tan·te [ˌdɪlɪ'tæntɪ] **I** *pl.* **-ti** [-tiː], **-tes** [-tɪz] *s.* **1.** Dilet'tant(in): a) Nichtfachmann *m*, Ama'teur(in), b) *contp.* Stümper(in); **2.** Kunstliebhaber(in); **II** *adj.* **3.** → ˌ**dil·et'tant·ish** [-tɪʃ] *adj.* □ dilet'tantisch; ˌ**dil·et'tant·ism** [-tɪzəm] *s.* Dilettan'tismus *m*.

dil·i·gence[1] ['dɪlɪʒɑ̃ːns] (*Fr.*) *s. hist.* Postkutsche *f*.

dil·i·gence[2] ['dɪlɪdʒəns] *s.* Fleiß *m*, Eifer *m*; *a.* ⚖ Sorgfalt *f*; '**dil·i·gent** [-nt] *adj.* □ **1.** fleißig, emsig; **2.** sorgfältig, gewissenhaft.

dill [dɪl] *s.* ⚘ Dill *m*, Gurkenkraut *n*.

dil·ly-dal·ly ['dɪlɪdælɪ] *v/i.* F **1.** die Zeit vertrödeln, (her'um)trödeln; **2.** zaudern, schwanken.

dil·u·ent ['dɪljʊənt] **I** *adj.* ⚗ verdünnend; **II** *s.* ⚕ Verdünnungsmittel *n*.

di·lute [daɪ'ljuːt] **I** *v/t.* **1.** verdünnen, *bsd.* wässern; **2.** *Farben* dämpfen; **3.** *fig.* (ab)schwächen, verwässern: ~ ***labo(u)r*** *Facharbeit in Arbeitsgänge zerlegen, deren Ausführung nur geringe Fachkenntnisse erfordert*; **II** *adj.* **4.** verdünnt; **5.** *fig.* (ab)geschwächt, verwässert; **di'lut·ed** [-tɪd] *adj.* → ***dilute*** II; **dil·u·tee** [ˌdaɪljuː'tiː] *s. zwischen dem angelernten u. dem Facharbeiter stehender Beschäftigter*; **di·lu·tion** [daɪ'luːʃn] *s.* **1.** Verdünnung *f*, Verwässerung *f*; **2.** verdünnte Lösung; **3.** *fig.* Abschwächung *f*, Verwässerung *f*: ~ ***of labo(u)r*** *Zerlegung von Facharbeit in Arbeits-*

gänge, *deren Ausführung nur geringe Fachkenntnisse erfordert.*

di·lu·vi·al [daɪˈluːvjəl], **diˈlu·vi·an** [-jən] *adj.* **1.** *geol.* diluviˈal, Eiszeit…; **2.** Überschwemmungs…; **3.** (Sint)Flut…; **diˈlu·vi·um** [-jəm] *s. geol.* Diˈluvium *n.*

D

dim [dɪm] **I** *adj.* □ **1.** (halb)dunkel, düster, trübe (*a. fig.*); **2.** undeutlich, verschwommen, schwach; **3.** blaß, matt (*Farbe*); **4.** F schwer von Begriff; **II** *v/t.* **5.** verdunkeln, verdüstern; trüben; **6.** *a.* ~ ***out*** *Licht* abblenden, dämpfen; **7.** mattieren; **III** *v/i.* **8.** sich verdunkeln; **9.** matt *od.* trübe werden; **10.** undeutlich werden; verblassen (*a. fig.*).

dime [daɪm] *s. Am.* Zehnˈcentstück *n*; *fig.* Groschen *m*: ~ ***novel*** Groschenroman *m*; ~ ***store*** billiges Warenhaus; ***they are a ~ a dozen*** a) sie sind spottbillig, b) es gibt jede Menge davon.

di·men·sion [dɪˈmenʃn] **I** *s.* **1.** Dimensiˈon *f* (*a.* ⩓): a) Abmessung *f*, Maß *n*, Ausdehnung *f*, b) *pl. oft fig.* Ausmaß *n*, Größe *f*, ˈUmfang *m*: ***of vast ~s*** riesengroß; **II** *v/t.* **2.** bemessen, dimensionieren: ***amply ~ed***; **3.** mit Maßangaben versehen: ***~ed sketch*** Maßskizze *f*; **diˈmen·sion·al** [-ʃənl] *adj. mst in Zssgn* dimensioˈnal.

di·min·ish [dɪˈmɪnɪʃ] **I** *v/t.* **1.** vermindern (*a.* ♪), verringern; **2.** verkleinern (*a.* ⩓), herˈabsetzen (*a. fig.*); **3.** (ab-)schwächen; **4.** ⩓ verjüngen; **II** *v/i.* **5.** sich vermindern, abnehmen: ~ ***in value*** an Wert verlieren.

dim·i·nu·tion [ˌdɪmɪˈnjuːʃn] *s.* **1.** Verminderung *f*, Verringerung *f*; Verkleinerung *f* (*a.* ♪); **2.** Abnahme *f*; **3.** ⩓ Verjüngung *f*; **di·min·u·ti·val** [dɪˌmɪnjʊˈtaɪvl] *adj.* □ → ***diminutive*** 2; **di·min·u·tive** [dɪˈmɪnjʊtɪv] **I** *adj.* □ **1.** klein, winzig; **2.** *ling.* Diminutiv…, Verkleinerungs…; **II** *s.* **3.** *ling.* Diminuˈtiv(um) *n*, Verkleinerungsform *f od.* -silbe *f.*

dim·i·ty [ˈdɪmɪtɪ] *s.* Dimity *m*, Barchentköper *m.*

dim·mer [ˈdɪmə] *s.* **1.** Dimmer *m* (*Helligkeitseinsteller*); **2.** *pl. mot.* a) Abblendlicht *n*, b) Standlicht *n*: ~ ***switch*** Abblendschalter *m*; **dim·ness** [ˈdɪmnɪs] *s.* **1.** Dunkelheit *f*, Düsterkeit *f*; **2.** Mattheit *f*; **3.** Undeutlichkeit *f.*

di·mor·phic [daɪˈmɔːfɪk], **diˈmor·phous** [-fəs] *adj.* diˈmorph, zweigestaltig.

ˈdim-out *s.* ⚔ Teilverdunkelung *f.*

dim·ple [ˈdɪmpl] **I** *s.* **1.** Grübchen *n* (*Wange*); **2.** Vertiefung *f*; **3.** Kräuselung *f* (*Wasser*); **II** *v/t.* **4.** Grübchen machen in (*acc.*); **5.** *Wasser* kräuseln; **III** *v/i.* **6.** Grübchen bekommen; **7.** sich kräuseln (*Wasser*); **ˈdim·pled** [-ld], **ˈdimp·ly** [-lɪ] *adj.* **1.** mit Grübchen; **2.** gekräuselt (*Wasser*).

ˌdimˈwit·ted *adj. sl.* ‚dämlich'.

din [dɪn] **I** *s.* **1.** Lärm *m*, Getöse *n*; **2.** Geklirr *n* (*Waffen*), Gerassel *n*; **II** *v/t.* **3.** *durch Lärm* betäuben; **4.** *et.* dauernd (vor)predigen: ~ ***s.th. into s.o.***(***'s ears***) j-m et. einhämmern; **III** *v/i.* **5.** lärmen; **6.** dröhnen (***with*** von).

dine [daɪn] **I** *v/i.* **1.** speisen, essen: ~ ***in*** (***out***) zu Hause (auswärts) essen; ~ ***off*** (*od.* ***on***) ***roast beef*** Rostbraten essen; **II** *v/t.* **2.** *j-n* bei sich zu Gast haben, bewirten; **3.** für … *Personen* Platz zum Essen haben, fassen (*Zimmer*, *Tisch*); **ˈdin·er** [-nə] *s.* **1.** Tischgast *m*; **2.** 🚃 Speisewagen *m*; **3.** *Am.* Imbißstube *f*, ˈEßloˌkal *n.*

di·nette [daɪˈnet] *s.* Eßecke *f.*

ding [dɪŋ] **I** *v/t.* **1.** läuten; **2.** → ***din*** 4; **II** *v/i.* **3.** läuten.

ding·dong [ˌdɪŋˈdɒŋ] **I** *s.* Bimbam *n*; **II** *adj.*: ***a ~ fight*** ein hin u. her wogender Kampf.

din·ghy [ˈdɪŋgɪ] *s.* **1.** ⚓ a) Dingi *n*, b) Beiboot *n*; **2.** Schlauchboot *n.*

din·gi·ness [ˈdɪndʒɪnɪs] *s.* **1.** trübe *od.* schmutzige Farbe; **2.** Schmuddeligkeit *f*; **3.** Schäbigkeit *f* (*a. fig.*); **4.** *fig.* Anrüchigkeit *f.*

din·gle [ˈdɪŋgl] *s.* Waldschlucht *f.*

din·go [ˈdɪŋgəʊ] *pl.* **-goes** *s. zo.* Dingo *m* (*Wildhund Australiens*).

ding·us [ˈdɪŋgəs] *s. Am. sl.* **1.** Dingsda *n*; **2.** ‚Ding' *n* (*Penis*).

din·gy [ˈdɪndʒɪ] *adj.* □ **1.** schmutzig, schmuddelig; **2.** schäbig (*a. fig.*); **3.** *fig.* anrüchig.

din·ing| **car** [ˈdaɪnɪŋ] *s.* 🚃 Speisewagen *m*; ~ **hall** *s.* Speisesaal *m*; ~ **room** *s.* Speise-, Eßzimmer *n*; ~ **ta·ble** *s.* Eßtisch *m.*

din·kies [ˈdɪŋkiːz] *s. pl.* (*double income no kids*) kinderlose Doppelverdiener *pl.*

din·kum [ˈdɪŋkəm] *adj. Austral.* F reˈell: ~ ***oil*** die volle Wahrheit.

dink·y [ˈdɪŋkɪ] *adj.* F **1.** *Brit.* zierlich, niedlich, nett; **2.** *Am.* klein.

din·ner [ˈdɪnə] *s.* **1.** Hauptmahlzeit *f*, Mittag-, Abendessen *n*: ***after ~*** nach dem Essen, nach Tisch; ***be at ~*** bei Tisch sein; ***stay for*** (*od.* ***to***) ~ zum Essen bleiben; ~ ***is ready*** es (*od.* das Essen) ist angerichtet; ***what are we having for ~?*** was gibt es zum Essen?; **2.** Diˈner *n*, Festessen *n*: ***at a ~*** bei *od.* auf e-m Diner; ~ **coat** *s. bsd. Am.* Smoking *m*; ~ **dance** *s.* Abendgesellschaft *f* mit Tanz; ~ **jack·et** *s.* Smoking *m*; ~ **pail** *s. Am.* Eßgefäß *n*; ~ **par·ty** *s.* Tisch-, Abendgesellschaft *f*; ~ **ser·vice**, ~ **set** *s.* ˈSpeiseserˌvice *n*, Tafelgeschirr *n*; ~ **ta·ble** *s.* Eßtisch *m*; ~ **time** *s.* Tischzeit *f*; ~ **wag·on** *s.* Servierwagen *m.*

di·no·saur [ˈdaɪnəʊsɔː] *s. zo.* Dinoˈsaurier *m.*

dint [dɪnt] **I** *s.* **1.** Beule *f*, Delle *f*; **2.**

Strieme *f*; **3. *by ~ of*** kraft, vermöge, mittels (*alle gen.*); **II** *v/t.* **4.** einbeulen.

di·oc·e·san [daɪ'ɒsɪsn] *eccl.* **I** *adj.* Diözesan...; **II** *s.* (Diöze'san)Bischof *m*; **di·o·cese** ['daɪəsɪs] *s.* Diö'zese *f*.

di·ode ['daɪəʊd] *s.* ⚡ **1.** Di'ode *f*, Zweipolröhre *f*; **2.** Kri'stalldi,ode *f*.

Di·o·nys·i·ac [,daɪə'nɪzɪæk], **Di·o'ny·sian** [-zɪən] *adj.* dio'nysisch.

di·op·ter *Am.*, *Brit.* **di·op·tre** [daɪ'ɒptə] *s. phys.* Diop'trie *f*; **di'op·tric** [-trɪk] *phys.* **I** *adj.* **1.** di'optrisch, lichtbrechend; **II** *s.* **2.** → ***diopter***; **3.** *pl. sg. konstr.* Di'optrik *f*, Brechungslehre *f*.

di·o·ra·ma [,daɪə'rɑːmə] *s.* Dio'rama *n* (*plastisch wirkendes Schaubild*).

Di·os·cu·ri [,daɪəʊ'skjʊəraɪ] *s. pl.* Dios'kuren *pl.* (*Castor u. Pollux*).

di·ox·ide [daɪ'ɒksaɪd] *s.* 'Dio,xyd *n*.

dip [dɪp] **I** *v/t.* **1.** (ein)tauchen (***in***, ***into*** in *acc.*): ***~ one's hand into one's pocket*** in die Tasche greifen (*a. fig. Geld ausgeben*); **2.** färben; **3.** *Schafe etc.* dippen (*Desinfektionsbad*); **4.** *Kerzen* ziehen; **5.** ⚓ *Flagge* (zum Gruß) dippen, auf- u. niederholen; **6.** *a.* ***~ up*** schöpfen (***from***, ***out of*** aus); **7.** *mot. Scheinwerfer* abblenden; **II** *v/i.* **8.** 'unter-, eintauchen; **9.** sich senken *od.* neigen (*Gelände*, *Waage*, *Magnetnadel*); **10.** ⚒ ab-, einfallen; **11.** nieder- u. wieder auffliegen; **12.** ✈ vor dem Steigen tiefer gehen; **13.** *fig.* hin'eingreifen: ***~ into*** a) e-n Blick werfen in (*acc.*), sich flüchtig befassen mit, b) *Reserven* angreifen; ***~ into one's purse*** (*od.* ***pocket***) (tief) in die Tasche greifen; ***~ deep into the past*** die Vergangenheit erforschen; **III** *s.* **14.** Eintauchen *n*; **15.** kurzes Bad(en); **16.** ⚙ Farbbad *n*; Tauchbad *n*: ***~ brazing*** Tauchlöten *n*; **17.** Desinfekti'onsbad *n* (*Schafe*); **18.** geschöpfte Flüssigkeit; **19.** *Am.* F Tunke *f*, Soße *f*; **20.** (gezogene) Kerze; **21.** Neigung *f*, Senkung *f*, Gefälle *n*; Neigungswinkel *m*; **22.** *geol.* Abdachung *f*; Einfallen *n*, Versinken *n*; **23.** schnelles Hin'ab(- u. Hin'auf)Fliegen; **24.** ✈ plötzliches Tiefergehen vor dem Steigen; **25.** ⚓ Dippen *n* (*kurzes Niederholen der Flagge*); **26.** *fig.* flüchtiger Blick, ‚Ausflug' *m* (*in die Politik etc.*); **27.** Angreifen *n* (***into*** *e-s Vorrats etc.*); **28.** *sl.* Taschendieb *m*.

diph·the·ri·a [dɪf'θɪərɪə] *s.* ⚕ Diphthe'rie *f*.

diph·thong ['dɪfθɒŋ] *s. ling.* **1.** Diph'thong *m*, 'Doppelvo,kal *m*; **2.** *die Ligatur* æ *od.* œ; **diph·thon·gal** [dɪf'θɒŋgl] *adj. ling.* diph'thongisch; **diph·thong·i·za·tion** [,dɪfθɒŋgaɪ'zeɪʃn] *s. ling.* Diphthongierung *f*.

di·ple·gi·a [daɪ'pliːdʒɪə] *s.* ⚕ Diple'gie *f*, doppelseitige Lähmung.

di·plo·ma [dɪ'pləʊmə] *s.* Di'plom *n*, (*a.* Ehren-, Sieger)Urkunde *f*; **di'plo·ma·cy** [-əsɪ] *s. pol.*, *a. fig.* Diploma'tie *f*; **di'plo·maed** [-məd] *adj.* diplomiert, Diplom...; **dip·lo·mat** ['dɪpləmæt] *s. pol.*, *a. fig.* Diplo'mat *m*; **dip·lo·mat·ic** [,dɪplə'mætɪk] *adj.* (□ ***~ally***) **1.** *pol.* diplo'matisch (*a. fig.*): ***~ body*** (*od.* ***corps***) diplomatisches Korps; ***~ service*** diplomatischer Dienst; **2.** urkundlich; **dip·lo·mat·ics** [,dɪplə'mætɪks] *s. pl. sg. konstr.* Diplo'matik *f*, Urkundenlehre *f*; **di'plo·ma·tist** [-ətɪst] → ***diplomat***; **di'plo·ma·tize** [-ətaɪz] *v/i.* diplo'matisch vorgehen.

di·po·lar [daɪ'pəʊlə] *adj.* ⚡ zweipolig; **di·pole** ['daɪpəʊl] *s.* Dipol *m*.

dip·per ['dɪpə] *s.* **1.** *orn.* Taucher *m*; **2.** Schöpflöffel *m*; **3.** ⚙ a) Baggereimer *m*, b) Bagger *m*; **4.** ⚙ Färber *m*, Beizer *m*; **5.** *ast.* ♀, ***Big*** ♀ *Am.* Großer Bär; ***Little*** ♀ *Am.* Kleiner Bär; **6.** *s. eccl. obs.* 'Wiedertäufer *m*; **~ dredg·er** *s.* Löffelbagger *m*.

dip·ping ['dɪpɪŋ] *s.* **1.** ⚙ (Tauch)Bad *n*; **2.** *in Zssgn* Tauch...: ***~ electrode***; ***~ compass*** Inklinationskompaß *m*; ***~ rod*** Wünschelrute *f*.

dip·so·ma·ni·a [,dɪpsəʊ'meɪnjə] *s.* ⚕ Dipsoma'nie *f* (*periodisch auftretende Trunksucht*); ,**dip·so'ma·ni·ac** [-nɪæk] *s.* Dipso'mane *m*, Dipso'manin *f*.

'**dip|·stick** *s. mot.* (Öl- *etc.*)Meßstab *m*; **~ switch** *s. mot. Brit.* Abblendschalter *m*.

dip·ter·a ['dɪptərə] *s. pl. zo.* Zweiflügler *pl.*; '**dip·ter·al** [-rəl], '**dip·ter·ous** [-rəs] *adj.* zweiflügelig.

dip·tych ['dɪptɪk] *s.* Diptychon *n*.

dire ['daɪə] *adj.* **1.** gräßlich, entsetzlich, schrecklich; **2.** unheilvoll; **3.** äußerst, höchst: ***be in ~ need of*** *et.* ganz dringend brauchen.

di·rect [dɪ'rekt] **I** *v/t.* **1.** lenken, leiten, führen; beaufsichtigen; ♪ dirigieren; *Film*, *TV*: Re'gie führen bei: ***~ed by*** unter der Regie von; **2.** *Aufmerksamkeit*, *Blicke* richten, lenken (***to***, ***towards*** auf *acc.*): ***be ~ed to doing s.th.*** darauf abzielen, et. zu tun (*Verfahren etc.*); **3.** *Worte etc.* richten, *Brief* richten, adressieren (***to*** an *acc.*); **4.** anweisen, beauftragen; (An)Weisung geben (*dat.*): ***~ the jury as to the law*** ⚖ den Geschworenen Rechtsbelehrung erteilen; **5.** anordnen, verfügen, bestimmen: ***~ s.th. to be done*** anordnen, daß et. geschieht; ***as ~ed*** nach Vorschrift, laut Anordnung; **6.** befehlen; **7.** (***to***) den Weg zeigen (nach, zu), verweisen (an *acc.*); **II** *v/i.* **8.** befehlen, bestimmen; **9.** ♪ dirigieren; *Film*, *TV*: Re'gie führen; **III** *adj.* □ → ***directly***; **10.** di'rekt, gerade; **11.** di'rekt, unmittelbar (*a.* ⚙, ✝, *phys.*, *pol.*): ***~ action*** *pol.* direkte Aktion; ***~ advertising*** Werbung *f* beim Konsumenten; ~ ***costing*** ✝ *Am.* Grenzkostenrechnung *f*; ~ ***current*** ⚡ Gleichstrom *m*; ~ ***dial(l)ing*** *teleph.* Durchwahl *f*; ~ ***debiting*** Einzugsverfahren *n*; ~***-debit mandate*** Einzugsermächtigung *f*; ~ ***distance dialing*** *teleph. Am.* Selbstwählfernverkehr *m*; ~ ***evidence*** ⚖ unmittelbarer Beweis; ~ ***hit*** Volltreffer *m*; ~ ***line*** direkte (Abstammungs)Linie; ~ ***method*** direkte Methode (*Sprachunterricht*); ***the*** ~ ***opposite*** das genaue Gegenteil; ~ ***responsibility*** persönliche Verantwortung; ~ ***selling*** ✝ Direktverkauf *m*; ~ ***taxes*** direkte Steuern; ~ ***train*** durchgehender Zug; **12.** gerade, offen, deutlich: ~ ***answer***; ~ ***question***; **13.** *ling.* ~ ***method*** direkte Methode; ~ ***object*** direktes Objekt; ~ ***speech*** direkte Rede; **14.** *ast.* rechtläufig; **IV** *adv.* **15.** di'rekt, unmittelbar (***to*** zu, an *acc.*).

di·rec·tion [dɪ'rekʃn] *s.* **1.** Richtung *f* (*a.* ⚙, *phys.*, *fig.*): ***sense of*** ~ Orts-, Orientierungssinn *m*; ***in the*** ~ ***of*** in (der) Richtung nach *od.* auf (*acc.*); ***in all*** ~***s*** nach allen Richtungen *od.* Seiten; ***in many*** ~***s*** in vieler Hinsicht; **2.** Leitung *f*, Führung *f*, Lenkung *f*: ***under his*** ~ unter s-r Leitung; **3.** Leitung *f*, Direkti'on *f*, Direk'torium *n*; **4.** *Film*, *TV*: Re'gie *f*; **5.** *mst pl.* (An)Weisung *f*, Anleitung *f*, Belehrung *f*, Anordnung *f*, Vorschrift *f*, Richtlinie *f*: ***by*** ~ ***of*** auf Anordnung von; ***give*** ~***s*** Anweisungen *od.* Vorschriften geben; ~***s for use*** Gebrauchsanweisung; ***full*** ~***s inside*** genaue Anweisung(en) anbei; **6.** Anschrift *f*, A'dresse *f* (*Brief*).

di·rec·tion·al [dɪ'rekʃənl] *adj.* **1.** Richtungs...; **2.** ⚡ a) Richt..., b) Peil...; ~ **aer·i·al**, *bsd. Am.* ~ **an·ten·na** *s.* ⚡ 'Richtan,tenne *f*, -strahler *m*; ~ **beam** *s.* ⚡ Richtstrahl *m*; ~ **ra·di·o** *s.* ⚡ **1.** Richtfunk *m*: ~ ***beacon*** ⚓ Richtfunkfeuer *n*; **2.** Peilfunk *m*; ~ **trans·mit·ter** *s.* ⚡ **1.** Richtfunksender *m*; **2.** Peilsender *m*.

di'rec·tion| find·er *s.* ⚡ (Funk)Peiler *m*, Peilempfänger *m*; ~ **find·ing** *s.* a) (Funk)Peilung *f*, Richtungsbestimmung *f*, b) Peilwesen *n*: ~ ***set*** Peilgerät *n*; ~ **in·di·ca·tor** *s.* **1.** *mot.* (Fahrt)Richtungsanzeiger *m*, Blinker *m*; **2.** ✈ Kursweiser *m*.

di·rec·tive [dɪ'rektɪv] **I** *adj.* lenkend, leitend, richtungweisend; **II** *s.* Direk'tive *f*, (An)Weisung *f*, Vorschrift *f*; **di·rect·ly** [dɪ'rektlɪ] **I** *adv.* **1.** gerade, di'rekt; **2.** unmittelbar, di'rekt (*a.* ⚙): ~ ***proportional*** direkt proportional; ~ ***opposed*** genau entgegengesetzt; **3.** *bsd. Brit.* [F *a.* 'dreklɪ] so'fort, gleich, bald; **II** *cj.* **4.** *bsd. Brit.* [F *a.* 'dreklɪ] so'bald (als): ~ ***he entered*** sobald er eintrat; **di'rect·ness** [-tnɪs] *s.* **1.** Di'rekt-, Geradheit *f*, gerade Richtung; **2.** Unmittelbarkeit *f*; **3.** Offenheit *f*; **4.** Deutlichkeit *f*.

di·rec·tor [dɪ'rektə] *s.* **1.** Di'rektor *m*, Leiter *m*, Vorsteher *m*; **2.** ✝ a) Di'rektor *m*: ~***-general*** Generaldirektor *m*, b) Mitglied *n* des Verwaltungsrats (*e-r AG*); → ***board*** 10; **3.** *Film etc.*: Regis'seur *m*; **4.** ♪ Diri'gent *m*; **5.** ⚔ Kom'mandogerät *n*; **di'rec·to·rate** [-tərət] *s.* **1.** → ***directorship***; **2.** Direk'torium *n*, Leitung *f*; **3.** ✝ a) Direk'torium *n*, b) Verwaltungsrat *m*; **di'rec·tor·ship** [-ʃɪp] *s.* Direk'torenposten *m*, -stelle *f*.

di·rec·to·ry [dɪ'rektərɪ] *s.* **1.** a) A'dreßbuch *n*, b) Tele'fonbuch *n*, c) Branchenverzeichnis *n*: ~ ***enquiries***, *Am.* ~ ***assistance*** Telefonauskunft *f*; **2.** *eccl.* Gottesdienstordnung *f*; **3.** Leitfaden *m*; **4.** Direk'torium *n*; **5.** ♀ *hist.* Direk'torium *n* (*französische Revolution*).

di·rec·tress [dɪ'rektrɪs] *s.* Direk'torin *f*, Vorsteherin *f*, Leiterin *f*.

dire·ful ['daɪəfʊl] → ***dire***.

dirge [dɜ:dʒ] *s.* Klage-, Trauerlied *n*, Totenklage *f*.

dir·i·gi·ble ['dɪrɪdʒəbl] **I** *adj.* lenkbar; **II** *s.* lenkbares Luftschiff.

dirk [dɜ:k] *s.* Dolch *m*.

dirn·dl ['dɜ:ndl] (*Ger.*) *s.* Dirndl(kleid) *n*.

dirt [dɜ:t] *s.* **1.** Schmutz *m* (*a. fig.*), Kot *m*, Dreck *m*; **2.** Staub *m*, Boden *m*, (lockere) Erde; **3.** *fig.* Plunder *m*, Schund *m*; **4.** *fig.* unflätige Reden *pl.*; Gemeinheit(en *pl.*) *f*: ***eat*** ~ sich widerspruchslos demütigen; ***fling*** (*od.* ***throw***) ~ ***at s.o.*** j-n in den Schmutz ziehen; ***do s.o.*** ~ *sl.* j-n ganz gemein reinlegen; ***treat s.o. like*** ~ j-n wie (den letzten) Dreck behandeln; **,~-'cheap** *adj. u. adv.* spottbillig.

dirt·i·ness ['dɜ:tɪnɪs] *s.* **1.** Schmutz *m*, Schmutzigkeit *f* (*a. fig.*); **2.** Gemeinheit *f*, Niedertracht *f*.

dirt| road *s. Am.* unbefestigte Straße; ~ **track** *s. sport mot.* Aschenbahn *f*.

dirt·y ['dɜ:tɪ] **I** *adj.* □ **1.** schmutzig, dreckig, Schmutz...: ~ ***brown*** schmutzigbraun; ~ ***work*** a) Schmutzarbeit *f*, b) *fig.* unsauberes Geschäft, Schurkerei *f*; **2.** *fig.* gemein, niederträchtig: ***a*** ~ ***look*** ein böser Blick; ***a*** ~ ***lot*** ein Lumpenpack; ~ ***trick*** Gemeinheit *f*; ***do the*** ~ ***on s.o.*** *Brit. sl.* j-n gemein behandeln; **3.** *fig.* schmutzig, unflätig, unanständig: ***a*** ~ ***mind*** schmutzige Gedanken *od.* Phantasie; **4.** schlecht, *bsd.* ⚓ stürmisch (*Wetter*); **II** *v/t.* **5.** beschmutzen, besudeln (*a. fig.*); **III** *v/i.* **6.** schmutzig werden; schmutzen.

dis·a·bil·i·ty [,dɪsə'bɪlətɪ] *s.* **1.** Unvermögen *n*, Unfähigkeit *f*; **2.** ⚖ Rechtsunfähigkeit *f*; **3.** Körperbeschädigung *f*, -behinderung *f*; Gebrechen *n*; Arbeits-, Erwerbsunfähigkeit *f*; Invalidi'tät *f*; ⚔

→ ***disablement*** 2; **4.** Unzulänglichkeit *f*; **5.** Benachteiligung *f*, Nachteil *m*; ~ **ben·e·fit** *s.* Invalidi'tätsrente *f*; ~ **in·sur·ance** *s.* Inva'lidenversicherung *f*; ~ **pen·sion** *s.* (Kriegs)Versehrtenrente *f*.

dis·a·ble [dɪs'eɪbl] *v/t.* **1.** unfähig machen, außer'stand setzen (***from doing s.th.*** et. zu tun); **2.** unbrauchbar *od.* untauglich machen (***for*** für, zu); **3.** ⚔ a) dienstuntauglich machen, b) kampfunfähig machen; **4.** verkrüppeln; **5.** ⚖ geschäfts- *od.* rechtsunfähig machen; **dis'a·bled** [-ld] *adj.* **1.** ⚖ geschäfts- *od.* rechtsunfähig; **2.** arbeits-, erwerbsunfähig, inva'lide; **3.** ⚔ a) dienstuntauglich, b) kriegsversehrt: ***a ~ ex-soldier*** ein Kriegsversehrter, c) kampfunfähig; **4.** ⚔ manövrierunfähig, seeuntüchtig; **5.** *mot.* fahruntüchtig: ***~ car***; **6.** unbrauchbar; **7.** (körperlich *od.* geistig) behindert; **dis'a·ble·ment** [-mənt] *s.* **1.** → ***disability*** 2, 3; **2.** ⚔ a) (Dienst-) Untauglichkeit *f*, b) Kampfunfähigkeit *f*.

dis·a·buse [ˌdɪsə'bjuːz] *v/t.* aus dem Irrtum befreien, e-s Besseren belehren, aufklären (***of s.th.*** über *acc.*): ***~ o.s.*** (*od.* ***one's mind***) ***of s.th.*** sich von et. (*Irrtümlichem*) befreien, sich et. aus dem Kopf schlagen.

dis·ac·cord [ˌdɪsə'kɔːd] **I** *v/i.* nicht über'einstimmen; **II** *s.* Uneinigkeit *f*; 'Widerspruch *m*.

dis·ac·cus·tom [ˌdɪsə'kʌstəm] *v/t.* abgewöhnen (***s.o. to s.th.*** j-m et.).

dis·ad·van·tage [ˌdɪsəd'vɑːntɪdʒ] *s.* Nachteil *m*, Schaden *m*: ***be at a ~***, ***labo(u)r under a ~*** im Nachteil sein; ***to s.o.'s ~*** zu j-s Nachteil *od.* Schaden; ***put s.o. at a ~*** j-n benachteiligen; ***take s.o. at a ~*** j-s ungünstige Lage ausnutzen; ***sell to*** (*od.* ***at a***) ***~*** mit Verlust verkaufen; **dis·ad·van·ta·geous** [ˌdɪsædvɑːn'teɪdʒəs] *adj.* □ nachteilig, ungünstig, unvorteilhaft, schädlich (***to*** für).

dis·af·fect·ed [ˌdɪsə'fektɪd] *adj.* □ **1.** (***to***, ***towards***) unzufrieden (mit), abgeneigt (*dat.*); **2.** *pol.* unzuverlässig, untreu; **ˌdis·af'fec·tion** [-kʃn] *s.* Unzufriedenheit *f* (***for*** mit), (*a. pol.* Staats-) Verdrossenheit *f*.

dis·af·firm [ˌdɪsə'fɜːm] *v/t.* **1.** (ab)leugnen; **2.** ⚖ aufheben, 'umstoßen.

dis·af·for·est [ˌdɪsə'fɒrɪst] *v/t.* **1.** ⚖ *e-m Wald* den Schutz durch das Forstrecht nehmen; **2.** abholzen.

dis·ag·i·o [dɪs'ædʒɪəʊ] *s.* ☨ Dis'agio *n*, Abschlag *m*.

dis·a·gree [ˌdɪsə'griː] *v/i.* **1.** (***with***) nicht über'einstimmen (mit), im 'Widerspruch stehen (zu, mit); sich wider'sprechen; **2.** (***with***) anderer Meinung sein (als), nicht zustimmen (*dat.*); **3.** (***with***) nicht einverstanden sein (mit), gegen *et.* sein, ablehnen (*acc.*); **4.** (sich) streiten (***on*** über *acc.*); **5.** (***with*** *j-m*) schlecht bekommen, nicht zuträglich sein (*Essen etc.*); **ˌdis·a'gree·a·ble** [-'grɪəbl] *adj.* □ **1.** unangenehm, widerlich, lästig; **2.** unliebenswürdig, eklig; **ˌdis·a'gree·a·ble·ness** [-'grɪəblnɪs] *s.* **1.** Widerwärtigkeit *f*; **2.** Lästigkeit *f*; **3.** Unliebenswürdigkeit *f*; **ˌdis·a'gree·ment** [-mənt] *s.* **1.** Unstimmigkeit *f*, Verschiedenheit *f*, 'Widerspruch *m*; **2.** Meinungsverschiedenheit *f*, 'Mißhelligkeit *f*, Streit *m*.

dis·al·low [ˌdɪsə'laʊ] *v/t.* **1.** nicht zulassen (*a.* ⚖) *od.* erlauben, verweigern; **2.** nicht anerkennen, nicht gelten lassen, *sport a.* annullieren, nicht geben; **ˌdis·al'low·ance** [-'laʊəns] *s.* Nichtanerkennung *f*, *sport a.* Annullierung *f*.

dis·ap·pear [ˌdɪsə'pɪə] *v/i.* **1.** verschwinden (***from*** von, aus); **2.** verlorengehen, aufhören; **ˌdis·ap'pear·ance** [-'pɪərəns] *s.* **1.** Verschwinden *n*; **2.** ⚙ Schwund *m*; **ˌdis·ap'pear·ing** [-'pɪərɪŋ] *adj.* **1.** verschwindend; **2.** versenkbar.

dis·ap·point [ˌdɪsə'pɔɪnt] *v/t.* **1.** enttäuschen: ***be ~ed*** enttäuscht sein (***at*** *od.* ***with*** über *acc.*, ***in*** von *dat.*); ***be ~ed of s.th.*** um et. betrogen *od.* gebracht werden; **2.** *Hoffnung* (ent)täuschen, zu'nichte machen; **ˌdis·ap'point·ed** [-tɪd] *adj.* □ enttäuscht; **ˌdis·ap'point·ing** [-tɪŋ] *adj.* □ enttäuschend; **ˌdis·ap'point·ment** [-mənt] *s.* **1.** Enttäuschung *f* (*a. von Hoffnungen etc.*): ***to my ~*** zu m-r Enttäuschung; **2.** Enttäuschung *f* (*enttäuschende Person od. Sache*).

dis·ap·pro·ba·tion [ˌdɪsæprəʊ'beɪʃn] *s.* 'Mißbilligung *f*.

dis·ap·prov·al [ˌdɪsə'pruːvl] *s.* (***of***) 'Mißbilligung *f* (*gen.*), 'Mißfallen *n* (über *acc.*); **dis·ap·prove** [ˌdɪsə'pruːv] **I** *v/t.* miß'billigen, ablehnen; **II** *v/i.* da'gegen sein: ***~ of*** → I; **ˌdis·ap'prov·ing·ly** [-vɪŋlɪ] *adv.* miß'billigend.

dis·arm [dɪs'ɑːm] **I** *v/t.* **1.** entwaffnen (*a. fig.*); **2.** unschädlich machen; *Bomben etc.* entschärfen; **3.** besänftigen; **II** *v/i.* **4.** *pol.*, ⚔ abrüsten; **dis'ar·ma·ment** [-məmənt] *s.* **1.** Entwaffnung *f*; **2.** *pol.*, ⚔ Abrüstung *f*; **dis'arm·ing** [-mɪŋ] *adj.* □ *fig.* entwaffnend.

dis·ar·range [ˌdɪsə'reɪndʒ] *v/t.* in Unordnung bringen; **ˌdis·ar'range·ment** [-mənt] *s.* Verwirrung *f*, Unordnung *f*.

dis·ar·ray [ˌdɪsə'reɪ] **I** *v/t.* in Unordnung bringen, durchein'anderbringen; **II** *s.* Unordnung *f*: ***be in ~*** a) in Unordnung sein, b) ⚔ in Auflösung begriffen sein; ***throw into ~*** → I.

dis·as·sem·ble [ˌdɪsə'sembl] *v/t.* ⚙ ausein'andernehmen, -montieren, zerlegen; **ˌdis·as'sem·bly** [-blɪ] *s.* Zerlegung *f*, Abbau *m*.

dis·as·ter [dɪ'zɑːstə] *s.* Unglück *n* (**to** für), Unheil *n*, Kata'strophe *f*: **~ area** Katastrophengebiet *n*; **~ relief** Katastrophenhilfe *f*; **dis'as·trous** [-trəs] *adj.* □ unglückselig, unheil-, verhängnisvoll, katastro'phal, verheerend.

D

dis·a·vow [ˌdɪsə'vaʊ] *v/t.* **1.** nicht anerkennen, abrücken *od.* sich lossagen von; **2.** in Abrede stellen, ableugnen; **ˌdis·a'vow·al** [-'vaʊəl] *s.* **1.** Nichtanerkennung *f*; **2.** Ableugnung *f*.

dis·band [dɪs'bænd] **I** *v/t.* ⚔ *Truppen etc.* entlassen, auflösen; **II** *v/i. bsd.* ⚔ sich auflösen; **dis'band·ment** [-mənt] *s.* ⚔ Auflösung *f*.

dis·bar [dɪs'bɑː] *v/t.* ⚖ aus der Anwaltschaft ausschließen.

dis·be·lief [ˌdɪsbɪ'liːf] *s.* Unglaube *m*, Zweifel *m* (**in** an *dat.*); **ˌdis·be'lieve** [-iːv] **I** *v/t. et.* nicht glauben, bezweifeln; *j-m* nicht glauben; **II** *v/i.* nicht glauben (**in** an *acc.*); **ˌdis·be'liev·er** [-iːvə] *s. a. eccl.* Ungläubige(r *m*) *f*, Zweifler(in).

dis·bur·den [dɪs'bɜːdn] *v/t. mst fig.* von e-r Bürde befreien, entlasten (**of**, **from** von): **~ one's mind** sein Herz erleichtern.

dis·burse [dɪs'bɜːs] *v/t.* **1.** be-, auszahlen; **2.** *Geld* auslegen; **dis'burse·ment** [-mənt] *s.* **1.** Auszahlung *f*; **2.** Auslage *f*, Verauslagung *f*.

disc [dɪsk] → ***disk***.

dis·card [dɪ'skɑːd] **I** *v/t.* **1.** *Gewohnheit, Vorurteil etc.* ablegen, aufgeben, *Kleider etc.* ausscheiden, ausrangieren; **2.** *Freund* fallenlassen; **3.** *Karten* ablegen *od.* abwerfen; **II** *v/i.* **4.** *Kartenspiel*: Karten ablegen *od.* abwerfen; **III** *s.* ['dɪskɑːd] **5.** *Kartenspiel*: a) Ablegen *n*, b) abgeworfene Karte(n *pl.*); **6.** *et.* Abgelegtes, ausrangierte Sache: ***go into the ~*** *Am.* a) in Vergessenheit geraten, b) außer Gebrauch kommen.

dis·cern [dɪ'sɜːn] *v/t.* **1.** wahrnehmen, erkennen; **2.** feststellen; **3.** *obs.* unter'scheiden (können); **dis'cern·i·ble** [-nəbl] *adj.* □ erkennbar, sichtbar; **dis'cern·ing** [-nɪŋ] *adj.* scharf(sichtig), kritisch (urteilend), klug; **dis'cern·ment** [-mənt] *s.* **1.** Scharfblick *m*, Urteilskraft *f*; **2.** Einsicht *f* (**of** in *acc.*); **3.** Wahrnehmen *n*; **4.** Wahrnehmungsvermögen *n*.

dis·charge [dɪs'tʃɑːdʒ] **I** *v/t.* **1.** *Waren, Wagen* ab-, ausladen; *Schiff* aus-, entladen; *Personen* ausladen, absetzen; *(Schiffs)Ladung* löschen; **2.** ⚡ entladen; **3.** ausströmen (lassen), aussenden, -stoßen, ergießen; absondern: **~ matter** ⚕ eitern; **4.** ⚔ *Geschütz etc.* abfeuern, abschießen; **5.** entlassen, verabschieden, fortschicken; **6.** *Gefangene* ent-, freilassen; *Patienten* entlassen; **7.** *s-n Gefühlen* Luft machen, *s-n Zorn* auslassen (**on** an *dat.*); *Flüche* ausstoßen; **8.** freisprechen, entlasten (**of** von); **9.** befreien, entbinden (**of**, **from** von); **10.** *Schulden* bezahlen, tilgen; *Wechsel* einlösen; *Verpflichtungen, Aufgabe* erfüllen; *s-n Verbindlichkeiten* nachkommen; *Schuldner* entlasten; *obs. Gläubiger* befriedigen; ⚖ *Urteil etc.* aufheben: **~ed bankrupt** entlasteter Gemeinschuldner; **11.** *Amt* ausüben, versehen; *Rolle* spielen; **12. ~ o.s.** sich ergießen, münden; **II** *v/i.* **13.** ⚡ sich entladen (*a. Gewehr*); **14.** sich ergießen, abfließen; **15.** ⚕ eitern; **III** *s.* **16.** Ent-, Ausladung *f*, Löschen *n* (*Schiff, Waren*); **17.** ⚡ Entladung *f*: **~ current** Entladestrom *m*; **18.** Ausfließen *n*, -strömen *n*, Abfluß *m*; Ausstoßen *n* (*Rauch*); **19.** Absonderung *f* (*Eiter*), Ausfluß *m*; **20.** Abfeuern *n* (*Geschütz etc.*); **21.** a) (Dienst)Entlassung *f*, b) (Entlassungs)Zeugnis *n*; **22.** Ent-, Freilassung *f*; **23.** ✝, ⚖ Befreiung *f*, Entlastung *f*; Rehabilitati'on *f*: **~ of a bankrupt** Aufhebung *f* des Konkursverfahrens; **24.** Erfüllung *f* (*Aufgabe*), Ausübung *f*, Ausführung *f*; **25.** Bezahlung *f*, Einlösung *f*; **26.** Quittung *f*: **~ in full** vollständige Quittung; **dis'charg·er** [-dʒə] *s.* ⚡ Entlader *m*.

dis·ci·ple [dɪ'saɪpl] *s.* Jünger *m* (*bsd. bibl.*; *a. fig.*), Schüler *m*; **dis'ci·ple·ship** [-ʃɪp] *s.* Jünger-, Anhängerschaft *f*.

dis·ci·pli·nar·i·an [ˌdɪsɪplɪ'neərɪən] *s.* Zuchtmeister *m*, strenger Lehrer *od.* Vorgesetzter; **dis·ci·pli·nar·y** ['dɪsɪplɪnərɪ] *adj.* **1.** erzieherisch, Zucht…; **2.** diszipli'narisch: **~ action** Disziplinarverfahren *n*; **~ punishment** Disziplinarstrafe *f*; **~ transfer** Strafversetzung *f*; **dis·ci·pline** ['dɪsɪplɪn] **I** *s.* **1.** Schulung *f*, Erziehung *f*; **2.** Diszi'plin *f* (*a. eccl.*), Zucht *f*; 'Selbstdisziˌplin *f*; **3.** Bestrafung *f*, Züchtigung *f*; **4.** Diszi'plin *f*, Wissenszweig *m*; **II** *v/t.* **5.** schulen, erziehen; **6.** disziplinieren: a) an Diszi'plin gewöhnen, b) bestrafen: ***well ~d*** (wohl)diszipliniert; ***badly ~d*** disziplinlos, undiszipliniert.

dis·claim [dɪs'kleɪm] *v/t.* **1.** abstreiten, in Abrede stellen; **2.** a) *et.* nicht anerkennen, b) *e-e Verantwortung* ablehnen, c) jede Verantwortung ablehnen für; **3.** wider'rufen, dementieren; verzichten auf (*acc.*), keinen Anspruch erheben auf (*acc.*), ⚖ *a. Erbschaft* ausschlagen; **dis'claim·er** [-mə] *s.* **1.** ⚖ Verzicht(leistung *f*) *m*, Ausschlagung *f* (*e-r Erbschaft*); **2.** 'Widerruf *m*, De'menti *n*.

dis·close [dɪs'kləʊz] *v/t.* **1.** bekanntgeben, -machen; **2.** aufdecken, ans Licht bringen, enthüllen; **3.** zeigen, verraten, offenbaren; **dis'clo·sure** [-əʊʒə] *s.* **1.** Enthüllung *f*; **2.** Bekanntgabe *f*, Verlautbarung *f*; **3.** *Patentrecht*: Offenbarung *f*.

dis·co ['dɪskəʊ] *pl.* **-cos** *s.* F ‚Disko' *f* (*Diskothek*).

dis·cog·ra·phy [dɪs'kɒgrəfɪ] *s.* Schallplattenverzeichnis *n*.

dis·col·o(u)r [dɪs'kʌlə] **I** *v/t.* **1.** verfärben; entfärben; **2.** *fig.* entstellen; **II** *v/i.* **3.** sich verfärben; **4.** verschießen; **dis·col·o(u)r·a·tion** [dɪsˌkʌlə'reɪʃn] *s.* **1.** Verfärbung *f*; Entfärbung *f*; **2.** verschossene Stelle; **3.** Fleck *m*; **dis'col·o(u)red** [-əd] *adj.* verfärbt; verschossen.

dis·com·fit [dɪs'kʌmfɪt] *v/t.* **1.** aus der Fassung bringen, verwirren; **2.** *obs.* schlagen, besiegen; **3.** *j-s* Pläne durch'kreuzen; **dis'com·fi·ture** [-tʃə] *s.* **1.** *obs.* Niederlage *f*; **2.** Durch'kreuzung *f*; **3.** a) Verwirrung *f*, b) Verlegenheit *f*.

dis·com·fort [dɪs'kʌmfət] *s.* **1.** Unbehagen *n*; **2.** Verdruß *m*; **3.** *körperliche* Beschwerde.

dis·com·mode [ˌdɪskə'məʊd] *v/t.* belästigen, *j-m* zur Last fallen.

dis·com·pose [ˌdɪskəm'pəʊz] *v/t.* **1.** in Unordnung bringen; **2.** → ***disconcert*** 1; **ˌdis·com'pos·ed·ly** [-zɪdlɪ] *adj.* verwirrt; **ˌdis·com'po·sure** [-əʊʒə] *s.* Verwirrung *f*, Fassungslosigkeit *f*.

dis·con·cert [ˌdɪskən'sɜːt] *v/t.* **1.** aus der Fassung bringen, verwirren; **2.** beunruhigen; **3.** durchein'anderbringen; **ˌdis·con'cert·ed** [-tɪd] *adj.* verwirrt; beunruhigt; **ˌdis·con'cert·ing** [-tɪŋ] *adj.* beunruhigend, peinlich.

dis·con·nect [ˌdɪskə'nekt] *v/t.* **1.** trennen (***with***, ***from*** von); **2.** ⚙ auskuppeln, *Kupplung* ausrücken; **3.** ⚡ trennen; *Gerät* ausstecken; **4.** *Gas*, *Strom*, *Telefon* abstellen; *Telefongespräch* unter'brechen, *Teilnehmer* trennen; **ˌdis·con'nect·ed** [-tɪd] *adj.* □ **1.** getrennt, losgelöst; **2.** zs.-hanglos; **ˌdis·con'nect·ing** [-tɪŋ] *adj.* ⚡ Trenn..., Ausschalt...; **ˌdis·con'nec·tion** [-kʃn] *s.* **1.** Trennung *f* (*a.* ⚡); **2.** ⚙ Abstellung *f*; *teleph.* Unter'brechung *f*.

dis·con·so·late [dɪs'kɒnsələt] *adj.* □ untröstlich; trostlos (*a. fig.*).

dis·con·tent [ˌdɪskən'tent] *s.* **1.** Unzufriedenheit *f* (***at***, ***with*** mit); **2.** Unzufriedene(r *m*) *f*; **ˌdis·con'tent·ed** [-tɪd] *adj.* □ unzufrieden (***with*** mit); **ˌdis·con'tent·ment** [-mənt] → ***discontent*** 1.

dis·con·tin·u·ance [ˌdɪskən'tɪnjʊəns], **ˌdis·con·tin·u'a·tion** [-njʊ'eɪʃn] *s.* **1.** Unter'brechung *f*; **2.** Einstellung *f* (*a.* ⚖ *des Verfahrens*); **3.** Aufgeben *n*; **dis·con·tin·ue** [ˌdɪskən'tɪnjuː] **I** *v/t.* **1.** unter'brechen, aussetzen; **2.** einstellen (*a.* ⚖), aufgeben; **3.** *Zeitung* abbestellen; **4.** aufhören (***doing*** zu tun); **II** *v/i.* **5.** aufhören; **ˌdis·con·ti'nu·i·ty** [-tɪ'njuːətɪ] *s.* Diskontinui'tät *f*, Zs.-hanglosigkeit *f*; **ˌdis·con'tin·u·ous** [-jʊəs] *adj.* □ **1.** diskontinuierlich, unter'brochen, 'unzuˌsammenhängend; **2.** sprunghaft.

dis·cord ['dɪskɔːd] *s.* **1.** Uneinigkeit *f*, Zwietracht *f*, Streit *m*; → ***apple***; **2.** ♪ Disso'nanz *f*, 'Mißklang *m*; **3.** Lärm *m*; **dis·cord·ance** [dɪ'skɔːdəns] *s.* **1.** Uneinigkeit *f*; **2.** 'Mißklang *m*, Disso'nanz *f*; **dis·cord·ant** [dɪ'skɔːdənt] *adj.* □ **1.** uneinig, sich wider'sprechend; **2.** 'unharˌmonisch; **3.** ♪ disso'nantisch, 'mißtönend.

dis·co·theque ['dɪskəʊtek] *s.* Disko'thek *f*.

dis·count ['dɪskaʊnt] **I** *s.* **1.** ✝ Preisnachlaß *m*, Abschlag *m*, Ra'batt *m*, Skonto *m*, *n*: ***allow a ~*** (e-n) Rabatt gewähren; **2.** ✝ a) Dis'kont *m*, Wechselzins *m*, b) → ***discount rate***; **3.** ✝ Abzug *m* (*vom Nominalwert*): ***at a ~*** a) unter Pari, b) *fig.* unbeliebt, nicht geschätzt *od.* gefragt; ***sell at a ~*** mit Verlust verkaufen; **4.** *fig.* Abzug *m*, Vorbehalt *m*, Abstriche *pl.*; **II** *v/t.* [*a.* dɪ'skaʊnt] **5.** ✝ e-n Abzug gewähren auf (*acc.*); **6.** *Wechsel* diskontieren; **7.** im Wert vermindern, beeinträchtigen; **8.** unberücksichtigt lassen; **9.** mit Vorsicht aufnehmen, nur teilweise glauben; **dis·count·a·ble** [dɪ'skaʊntəbl] *adj.* ✝ diskontierbar, dis'kontfähig.

dis·count| bank *s.* ✝ Dis'kontbank *f*; **~ bill** *s.* Dis'kontwechsel *m*; **~ bro·ker** *s.* ✝ Dis'kont-, Wechselmakler *m*.

dis·coun·te·nance [dɪ'skaʊntɪnəns] *v/t.* **1.** → ***discomfit*** 1; **2.** (offen) miß'billigen, ablehnen.

dis·count| house *s.* ✝ **1.** *Am.* Dis'count-, Dis'kontgeschäft *n*; **2.** *Brit.* Dis'kontbank *f*; **~ rate** *s.* ✝ Dis'kontsatz *m*; **~ shop**, **~ store** → ***discount house*** 1.

dis·cour·age [dɪ'skʌrɪdʒ] *v/t.* **1.** entmutigen; **2.** abschrecken, abhalten, *j-m* abraten (***from*** von; ***from doing*** *et.* zu tun); **3.** hemmen, beeinträchtigen; **4.** miß'billigen; **dis·cour·age·ment** [dɪ'skʌrɪdʒmənt] *s.* **1.** Entmutigung *f*; **2.** a) Abschreckung *f*, b) Abschreckungsmittel *n*; **3.** Hemmung *f*, Hindernis *n*, Schwierigkeit *f* (***to*** für); **dis·cour·ag·ing** [dɪ'skʌrɪdʒɪŋ] *adj.* □ entmutigend.

dis·course **I** *s.* ['dɪskɔːs] **1.** Unter'haltung *f*, Gespräch *n*; **2.** Abhandlung *f*, *bsd.* Vortrag *m*, Dis'kurs *m*, Predigt *f*; Abhandlung *f*; **II** *v/i.* [dɪ'skɔːs] **3.** e-n Vortrag halten (***on*** über *acc.*), *mst. fig.* predigen *od.* dozieren (***on*** über *acc.*); **4.** sich unter'halten (***on*** über *acc.*).

dis·cour·te·ous [dɪs'kɜːtjəs] *adj.* □ unhöflich; **dis'cour·te·sy** [-tɪsɪ] *s.* Unhöflichkeit *f*.

dis·cov·er [dɪˈskʌvə] *v/t*. **1.** *Land etc.* entdecken; **2.** entdecken, ausfindig machen, erspähen; **3.** entdecken, (herˈaus)finden, (plötzlich) erkennen; **4.** aufdecken, enthüllen; **dis·cov·er·a·ble** [dɪˈskʌvərəbl] *adj*. **1.** zu entdekken(d); **2.** wahrnehmbar; **3.** feststellbar; **dis·cov·er·er** [dɪˈskʌvərə] *s*. Entdecker(in); **dis·cov·er·y** [dɪˈskʌvərɪ] *s*. **1.** Entdeckung *f* (*a. fig.*); **2.** Fund *m*; **3.** Feststellung *f*; **4.** Enthüllung *f*; **5.** *~ of documents* ⚖ Offenlegung *f* prozeßwichtiger Urkunden.

dis·cred·it [dɪsˈkredɪt] **I** *v/t*. **1.** in Verruf *od*. ˈMißkreˌdit bringen (*with* bei); ein schlechtes Licht werfen auf (*acc.*), diskreditieren; **2.** anzweifeln; keinen Glauben schenken (*dat.*); **II** *s*. **3.** schlechter Ruf, ˈMißkreˌdit *m*, Schande *f*: *bring s.o. into ~*, *bring ~ on s.o.* → 1; **4.** Zweifel *m*: *throw ~ on et.* zweifelhaft erscheinen lassen; **disˈcred·it·a·ble** [-təbl] *adj*. □ schändlich; **disˈcred·it·ed** [-tɪd] *adj*. **1.** verrufen, diskreditiert; **2.** unglaubwürdig.

dis·creet [dɪˈskriːt] *adj*. □ **1.** ˈum-, vorsichtig, besonnen, verständig; **2.** disˈkret, taktvoll, verschwiegen.

dis·crep·an·cy [dɪˈskrepənsɪ] *s*. **1.** DiskreˈpanZ *f*, Unstimmigkeit *f*, Verschiedenheit *f*; **2.** ˈWiderspruch *m*, Zwiespalt *m*.

dis·crete [dɪˈskriːt] *adj*. □ **1.** getrennt, einzeln; **2.** unstet, unbeständig; **3.** ⩓ unstetig, disˈkret.

dis·cre·tion [dɪˈskreʃn] *s*. **1.** ˈUm-, Vorsicht *f*, Besonnenheit *f*, Klugheit *f*: *act with ~* vorsichtig handeln; **2.** Verfügungsfreiheit *f*, Machtbefugnis *f*: *age* (*od. years*) *of ~* Alter *n* der freien Willensbestimmung, Strafmündigkeit *f* (*14 Jahre*); **3.** Gutdünken *n*, Belieben *n*; (⚖ freies) Ermessen: *at* (*your*) *~* nach (Ihrem) Belieben; *it is within your ~* es steht Ihnen frei; *use your own ~* handle nach eigenem Gutdünken *od*. Ermessen; *surrender at ~* bedingungslos kapitulieren; **4.** Diskretiˈon *f*: a) Takt (-gefühl *n*) *m*, b) Zuˈrückhaltung *f*, c) Verschwiegenheit *f*; **5.** Nachsicht *f*: *ask for ~*; **dis·cre·tion·ar·y** [dɪˈskreʃnərɪ] *adj*. □ dem eigenen Gutdünken überˈlassen, ins freie Ermessen gestellt, wahlfrei: *~ clause* ⚖ Kannvorschrift *f*; *~ income* frei verfügbares Einkommen; *~ powers* unumschränkte Vollmacht, Handlungsfreiheit *f*.

dis·crim·i·nate [dɪˈskrɪmɪneɪt] **I** *v/i*. (scharf) unterˈscheiden, e-n ˈUnterschied machen: *~ between* unterschiedlich behandeln (*acc.*); *~ against s.o.* j-n benachteiligen *od*. diskriminieren; *~ in favo(u)r of s.o.* j-n begünstigen *od*. bevorzugen; **II** *v/t*. (scharf) unterˈscheiden; abheben, absondern (*from* von); **dis·crim·i·nat·ing** [dɪˈskrɪmɪneɪtɪŋ] *adj*. □ **1.** unterˈscheidend, charakteˈristisch; **2.** scharfsinnig, klug, urteilsfähig; anspruchsvoll; **3.** diskriminierend, benachteiligend; **4.** ✝ Differential…, Sonder…: *~ duty* Differentialzoll *m*; **5.** ⚡ Rückstrom…; Selektiv…; **dis·crim·i·na·tion** [dɪˌskrɪmɪˈneɪʃn] *s*. **1.** ˈunterschiedliche Behandlung, Diskriminierung *f*: *~ against* (*in favo*[*u*]*r of*) *s.o.* Benachteiligung *f* (Begünstigung *f*) e-r Person; **2.** Scharfblick *m*, Urteilsfähigkeit *f*, Unterˈscheidungsvermögen *n*; **dis·crim·i·na·tive** [dɪˈskrɪmɪnətɪv] *adj*. □, **dis·crim·i·na·to·ry** [dɪˈskrɪmɪnətərɪ] *adj*. **1.** charakteˈristisch, unterˈscheidend; **2.** ˈunterschiedlich (behandelnd); Sonder…, Ausnahme…

dis·cur·sive [dɪˈskɜːsɪv] *adj*. □ **1.** abschweifend, unbeständig; sprunghaft; **2.** weitschweifig, allgemein gehalten; **3.** *phls*. folgernd, diskurˈsiv.

dis·cus [ˈdɪskəs] *s*. *sport* Diskus *m*: *~ throw* Diskuswerfen *n*; *~ thrower* Diskuswerfer *m*.

dis·cuss [dɪˈskʌs] *v/t*. **1.** diskutieren, besprechen, erörtern; **2.** sprechen *od*. reden über (*acc.*); **3.** F sich *e-e Flasche Wein etc.* zu Gemüte führen; **dis·cus·sion** [dɪˈskʌʃn] *s*. **1.** Diskussiˈon *f*, Erörterung *f*, Besprechung *f*: *be under ~* zur Debatte stehen, erörtert werden; *matter for ~* Diskussionsthema *n*; *~ group* Diskussionsgruppe *f*; **2.** Behandlung *f* (*e-s Themas*).

dis·dain [dɪsˈdeɪn] **I** *v/t*. **1.** verachten; *a. Essen etc.* verschmähen; **2.** es für unter s-r Würde halten (*doing*, *to do* zu tun); **II** *s*. **3.** Verachtung *f*, Geringschätzung *f*; **4.** Hochmut *m*; **disˈdain·ful** [-fʊl] *adj*. □ **1.** verachtungsvoll, geringschätzig: *be ~ of s.th.* et. verachten; **2.** hochmütig.

dis·ease [dɪˈziːz] *s*. ⚕, *biol. u. fig*. Krankheit *f*, Leiden *n*; **dis·eased** [dɪˈziːzd] *adj*. **1.** krank, erkrankt; **2.** krankhaft.

dis·em·bark [ˌdɪsɪmˈbɑːk] **I** *v/t*. ausschiffen; **II** *v/i*. sich ausschiffen, von Bord *od*. an Land gehen; **dis·em·bar·ka·tion** [ˌdɪsembɑːˈkeɪʃn] *s*. Ausschiffung *f*.

dis·em·bar·rass [ˌdɪsɪmˈbærəs] *v/t*. **1.** *j-m* aus e-r Verlegenheit helfen; **2.** (*o.s.* sich) befreien (*of* von).

dis·em·bod·i·ment [ˌdɪsɪmˈbɒdɪmənt] *s*. **1.** Entkörperlichung *f*; **2.** Befreiung *f* von der körperlichen Hülle; **dis·em·bod·y** [ˌdɪsɪmˈbɒdɪ] *v/t*. **1.** entkörperlichen: *disembodied voice* geisterhafte Stimme; **2.** *Seele* von der körperlichen Hülle befreien.

dis·em·bow·el [ˌdɪsɪmˈbaʊəl] *v/t*. **1.** ausnehmen, *erlegtes Wild a.* ausweiden; **2.** *j-m* den Bauch aufschlitzen.

dis·en·chant [ˌdɪsɪnˈtʃɑːnt] *v/t.* desillusionieren, ernüchtern: ***be ~ed with*** sich keinen Illusionen mehr hingeben über (*acc.*), enttäuscht sein von; ˌ**dis·enˈchant·ment** [-mənt] *s.* Ernüchterung *f*, Enttäuschung *f*; ***~ wirth politics*** Politikverdrossenheit *f*.

dis·en·cum·ber [ˌdɪsɪnˈkʌmbə] *v/t.* **1.** befreien (***of*** von *e-r Last etc.*) (*a. fig.*); **2.** ⚖ entschulden; *Grundstück etc.* hypoˈthekenfrei machen.

dis·en·fran·chise [ˌdɪsɪnˈfræntʃaɪz] → ***disfranchise***.

dis·en·gage [ˌdɪsɪnˈgeɪdʒ] **I** *v/t.* **1.** los-, freimachen, (los)lösen, befreien (***from*** von); **2.** befreien, entbinden (***from*** von); **3.** ⚙ loskuppeln, ausrücken, ausschalten: ***~ the clutch*** auskuppeln; **4.** ⚗ abscheiden, entbinden; **II** *v/i.* **5.** sich freimachen, loskommen (***from*** von); **6.** ⚔ sich absetzen (*vom Feind*); ˌ**dis·enˈgaged** [-dʒd] *adj.* frei, nicht besetzt; abkömmlich; ˌ**dis·enˈgage·ment** [-mənt] *s.* **1.** Befreiung *f*; Loslösung *f* (*a.* ⚔), Entbindung *f* (*a.* ⚗); **2.** ⚔ Absetzen *n*; *pol.* Disenˈgagement *n*; ˌ**dis·enˈgag·ing** [-dʒɪŋ] *adj.*: ⚙ ***~ gear*** Ausrück-, Auskuppelungsvorrichtung *f*; ***~ lever*** Ausrückhebel *m*.

dis·en·tan·gle [ˌdɪsɪnˈtæŋgl] **I** *v/t.* entwirren (*a. fig.*), lösen; *fig.* befreien; **II** *v/i.* sich loslösen; *fig.* sich befreien; ˌ**dis·enˈtan·gle·ment** [-mənt] *s.* Loslösung *f*; Entwirrung *f*; Befreiung *f*.

dis·en·ti·tle [ˌdɪsɪnˈtaɪtl] *v/t.* *j-m* e-n Rechtsanspruch nehmen: ***be ~d to*** keinen Anspruch haben auf (*acc.*).

dis·e·qui·lib·ri·um [ˌdɪsekwɪˈlɪbrɪəm] *s.* *bsd. fig.* gestörtes Gleichgewicht, Ungleichgewicht *n*.

dis·es·tab·lish [ˌdɪsɪˈstæblɪʃ] *v/t.* **1.** abschaffen; **2.** *Kirche* vom Staat trennen; **dis·es·tab·lish·ment** [ˌdɪsɪˈstæblɪʃmənt] *s.*: ***~ of the Church*** Trennung *f* von Kirche u. Staat.

dis·fa·vo(u)r [ˌdɪsˈfeɪvə] **I** *s.* ˈMißbilligung *f*, -fallen *n*; Ungnade *f*: ***regard with ~*** mit Mißfallen betrachten; ***be in*** (***fall into***) ***~*** in Ungnade gefallen sein (fallen); **II** *v/t.* ungnädig behandeln; ablehnen.

dis·fig·ure [dɪsˈfɪgə] *v/t.* **1.** entstellen, verunstalten; **2.** beeinträchtigen; Abbruch tun (*dat.*); **disˈfig·ure·ment** [-mənt] *s.* Entstellung *f*, Verunstaltung *f*.

dis·fran·chise [ˌdɪsˈfræntʃaɪz] *v/t.* *j-m* die Bürgerrechte *od.* das Wahlrecht entziehen; ˌ**disˈfran·chise·ment** [-tʃɪzmənt] *s.* Entziehung *f* der Bürgerrechte *etc.*

dis·gorge [dɪsˈgɔːdʒ] **I** *v/t.* **1.** ausspeien, -werfen, -stoßen, ergießen; **2.** *widerwillig* wieder herˈausgeben; **II** *v/i.* **3.** sich ergießen, sich entladen.

dis·grace [dɪsˈgreɪs] **I** *s.* **1.** Schande *f*, Schmach *f*: ***bring ~ on s.o.*** → 4; **2.** Schande *f*, Schandfleck *m* (***to*** für): ***he is a ~ to the party***; **3.** Ungnade *f*: ***be in ~ with*** in Ungnade gefallen sein bei; **II** *v/t.* **4.** Schande bringen über (*acc.*), *j-m* Schande bereiten; **5.** *j-m* s-e Gunst entziehen; mit Schimpf entlassen: ***be ~d*** in Ungnade fallen; **6.** ***~ o.s.*** a) sich blamieren, b) sich schändlich benehmen; **disˈgrace·ful** [-fʊl] *adj.* □ schändlich, schimpflich, schmachvoll.

dis·grun·tle [dɪsˈgrʌntl] *v/t. Am.* verärgern, verstimmen; **disˈgrun·tled** [-ld] *adj.* verärgert, verstimmt (***at*** über *acc.*), unwirsch.

dis·guise [dɪsˈgaɪz] **I** *v/t.* **1.** verkleiden, maskieren; tarnen; **2.** *Handschrift, Stimme* verstellen; **3.** *Gefühle, Wahrheit* verhüllen, verbergen, verhehlen; tarnen; **II** *s.* **4.** Verkleidung *f*, *a. fig.* Maske *f*, Tarnung *f*: ***in ~*** maskiert, verkleidet, *fig.* verkappt; → ***blessing***; **5.** Verstellung *f*; **6.** Vorwand *m*, Schein *m*; **disˈguised** [-zd] *adj.* verkleidet, maskiert *etc.*; *fig.* verkappt.

dis·gust [dɪsˈgʌst] **I** *s.* **1.** (***at***, ***for***) Ekel *m* (vor *dat.*), ˈWiderwille *m* (gegen): ***in ~*** mit Abscheu; **II** *v/t.* **2.** anekeln, anwidern; **3.** entrüsten, verärgern, empören; **disˈgust·ed** [-tɪd] *adj.* □ (***with***, ***at***) **1.** angeekelt, angewidert (von): ***~ with life*** lebensüberdrüssig; **2.** emˈpört, entrüstet (über *acc.*); **disˈgust·ing** [-tɪŋ] *adj.* □ **1.** ekelhaft, widerlich, abˈscheulich; **2.** F schrecklich.

dish [dɪʃ] **I** *s.* **1.** Schüssel *f*, Platte *f*, Teller *m*; **2.** Gericht *n*, Speise *f*: ***cold ~es*** kalte Speisen; **3.** *pl.* Geschirr *n*: ***~-cloth*** Spül-, *Brit.* Geschirrtuch *n*; → ***wash*** 16; **4.** F a) ‚dufte Puppe', b) ‚dufter Typ', c) ‚prima Sache'; **II** *v/t.* **5.** *mst* ***~ up*** *Speisen* anrichten, auftragen; **6.** ***~ up*** *fig.* auftischen; **7.** ***~ out*** a) austeilen, b) *sl.* auftischen, von sich geben; **8.** *sl.* ‚anschmieren', herˈeinlegen; **9.** *sl.* a) *j-n* ‚erledigen', ‚fertigmachen', b) *et.* restlos vermasseln; **10.** ⚙ *schüsselartig* wölben; vertiefen.

dis·ha·bille [ˌdɪsæˈbiːl] *s.* Negliˈgé *n*, Morgenrock *m*: ***in ~*** im Negligé.

dis·har·mo·ni·ous [ˌdɪshɑːˈməʊnjəs] *adj.* □ disharˈmonisch; **dis·har·mo·ny** [ˌdɪsˈhɑːmənɪ] *s.* Disharmoˈnie *f*, ˈMißklang *m*.

dis·heart·en [dɪsˈhɑːtn] *v/t.* entmutigen, deprimieren; **disˈheart·en·ing** [-nɪŋ] *adj.* □ entmutigend, bedrückend.

dished [dɪʃt] *adj.* **1.** konˈkav gewölbt; ⚙ gestürzt (*Räder*); **2.** F ‚erledigt', ‚kaˈputt'.

di·shev·el(l)ed [dɪˈʃevld] *adj.* **1.** zerzaust, wirr, aufgelöst (*Haar*); **2.** unordentlich, ungepflegt, schlampig.

dis·hon·est [dɪsˈɒnɪst] *adj.* □ unehrlich, unredlich; unlauter, betrügerisch; **disˈhon·es·ty** [-tɪ] *s.* Unehrlichkeit *f*, Unredlichkeit *f*.

D

dis·hon·o(u)r [dɪsˈɒnə] **I** *s.* **1.** Unehre *f*, Schmach *f*, Schande *f* (**to** für); **2.** Beschimpfung *f*; **II** *v/t.* **3.** entehren (*a. Frau*); Schande bringen über (*acc.*); **4.** schimpflich behandeln; **5.** *sein Wort* nicht einlösen; **6.** ✝ *Scheck etc.* nicht honorieren, nicht einlösen; **disˈhon·o(u)r·a·ble** [-nərəbl] *adj.* □ **1.** schimpflich, unehrenhaft: **~ *discharge*** ⚔ unehrenhafte Entlassung; **2.** ehrlos; **disˈhon·o(u)r·a·ble·ness** [-nərəblnɪs] *s.* **1.** Schändlichkeit *f*, Gemeinheit *f*; **2.** Ehrlosigkeit *f*.

dish| rack *s.* Geschirrständer *m*; **~ tow·el** *s.* Geschirrtuch *n*; **ˈ~ˌwash·er** *s.* **1.** Tellerwäscher(in); **2.** Geˈschirrˌspülmaˌschine *f*; **ˈ~ˌwa·ter** *s.* Spülwasser *n*.

dish·y [ˈdɪʃɪ] *adj. sl.* schick, ‚toll': **~ *girl***.

dis·il·lu·sion [ˌdɪsɪˈluːʒn] **I** *s.* Ernüchterung *f*, Enttäuschung *f*; **II** *v/t.* ernüchtern, desillusionieren, von Illusiˈonen befreien; **ˌdis·ilˈlu·sion·ment** [-mənt] → ***disillusion*** I.

dis·in·cen·tive [ˌdɪsɪnˈsentɪv] **I** *s.* **1.** Abschreckungsmittel *n*: ***be a ~ to*** abschreckend wirken auf (*acc.*); **2.** ✝ leistungshemmender Faktor; **II** *adj.* **3.** abschreckend; **4.** ✝ leistungshemmend.

dis·in·cli·na·tion [ˌdɪsɪnklɪˈneɪʃn] *s.* Abneigung *f* (***for***, ***to*** gegen): **~ *to buy*** Kaufunlust *f*; **dis·in·cline** [ˌdɪsɪnˈklaɪn] *v/t.* abgeneigt machen; **ˌdis·inˈclined** [-ˈklaɪnd] *adj.* abgeneigt (***to*** *dat.*, ***to do*** zu tun).

dis·in·fect [ˌdɪsɪnˈfekt] *v/t.* desinfizieren, keimfrei machen; **ˌdis·inˈfect·ant** [-tənt] **I** *s.* Desinfektiˈonsmittel *n*; **II** *adj.* desinfizierend, keimtötend; **ˌdis·inˈfec·tion** [-kʃən] *s.* Desinfektiˈon *f*; **ˌdis·inˈfec·tor** [-tə] *s.* Desinfektiˈonsgerät *n*.

dis·in·fest [ˌdɪsɪnˈfest] *v/t.* von Ungeziefer *etc.* befreien, entwesen, entlausen.

dis·in·fla·tion [ˌdɪsɪnˈfleɪʃn] → ***deflation*** 2.

dis·in·gen·u·ous [ˌdɪsɪnˈdʒenjʊəs] *adj.* □ **1.** unaufrichtig; **2.** ˈhinterhältig, arglistig; **ˌdis·inˈgen·u·ous·ness** [-nɪs] *s.* **1.** Unredlichkeit *f*, Unaufrichtigkeit *f*; **2.** ˈHinterhältigkeit *f*.

dis·in·her·it [ˌdɪsɪnˈherɪt] *v/t.* enterben; **ˌdis·inˈher·it·ance** [-təns] *s.* Enterbung *f*.

dis·in·hi·bi·tion [ˌdɪsɪnhɪˈbɪʃn] *s. psych.* Enthemmung *f*.

dis·in·te·grate [dɪsˈɪntɪgreɪt] **I** *v/t.* **1.** (*a. phys.*) (in s-e Bestandteile) auflösen, aufspalten, zerkleinern; **2.** *fig.* auflösen, zersetzen, zerrütten; **II** *v/i.* **3.** sich (in s-e Bestandteile, *fig. a.* in nichts) auflösen, sich aufspalten, sich zersetzen; **4.** ver-, zerfallen (*a. fig.*); **dis·in·te·gra·tion** [dɪsˌɪntɪˈgreɪʃn] *s.* **1.** (*a. phys.*) Auflösung *f*, Aufspaltung *f*, Zerstückelung *f*, Zertrümmerung *f*, Zersetzung *f*; **2.** Zerfall *m* (*a. fig.*); **3.** *geol.* Verwitterung *f*.

dis·in·ter [ˌdɪsɪnˈtɜː] *v/t. Leiche* exhumieren, ausgraben (*a. fig.*).

dis·in·ter·est·ed [dɪsˈɪntrəstɪd] *adj.* □ **1.** uneigennützig, selbstlos; **2.** objekˈtiv, unvoreingenommen; **3.** unbeteiligt; **disˈin·ter·est·ed·ness** [-nɪs] *s.* **1.** Uneigennützigkeit *f*; **2.** Objektiviˈtät *f*.

dis·in·ter·ment [ˌdɪsɪnˈtɜːmənt] *s.* **1.** Exhumierung *f*; **2.** Ausgrabung *f* (*a. fig.*).

dis·joint [dɪsˈdʒɔɪnt] *v/t.* **1.** auseinˈandernehmen, zerlegen, zerstückeln; **2.** ⚕ ver-, ausrenken; **3.** (ab)trennen; **4.** *fig* in Unordnung *od.* aus den Fugen bringen; **disˈjoint·ed** [-tɪd] *adj.* □ *fig.* zuˈsammenhanglos, wirr.

dis·junc·tion [dɪsˈdʒʌŋ*k*ʃn] *s.* Trennung *f*; **disˈjunc·tive** [-*k*tɪv] *adj.* □ **1.** (ab-)trennend, ausschließend; **2.** *ling.*, *phls.* disjunkˈtiv.

disk [dɪsk] *s.* **1.** *allg.* Scheibe *f*; **2.** ⚙ Scheibe *f*, Laˈmelle *f*; Siˈgnalscheibe *f*; **3.** ⚘, *anat.*, *zo.* Scheibe *f*, *anat. a.* Bandscheibe *f*: ***slipped ~*** Bandscheibenvorfall *m*; **4.** *teleph.* Wählscheibe *f*; **5.** *sport* a) Diskus *m*, b) *Eishockey*: Scheibe *f*, Puck *m*; **6.** (Schall)Platte *f*; **7.** *Computer*: Platte *f*; **~ brake** *s.* ⚙ Scheibenbremse *f*; **~ clutch** *s. mot.* Scheibenkupplung *f*; **~ drive** *s. Computer*: Plattenlaufwerk *n*; **~ jock·ey** *s.* Diskjockey *m*; **~ pack** *s. Computer*: Plattenstapel *m*; **~ valve** *s.* ⚙ ˈTellerventil *n*.

dis·like [dɪsˈlaɪk] **I** *v/t.* nicht leiden können, nicht mögen; *et.* nicht gern *od.* (nur) ungern tun: ***make o.s. ~d*** sich unbeliebt machen; **II** *s.* Abneigung *f*, ˈWiderwille *m* (***to***, ***of***, ***for*** gegen): ***take a ~ to*** e-e Abneigung fassen gegen.

dis·lo·cate [ˈdɪsləʊkeɪt] *v/t.* **1.** verrükken; *a. Industrie*, *Truppen etc.* verlagern; **2.** ⚕ ver-, ausrenken: **~ *one's arm*** sich den Arm verrenken; **3.** *fig.* erschüttern; **4.** *geol.* verwerfen; **dis·lo·ca·tion** [ˌdɪsləʊˈkeɪʃn] *s.* **1.** Verrückung *f*; Verlagerung *f* (*a.* ⚔); **2.** ⚕ Verrenkung *f*; **3.** *fig.* Erschütterung *f*; **4.** *geol.* Verwerfung *f*.

dis·lodge [dɪsˈlɒdʒ] *v/t.* **1.** entfernen, herˈausnehmen, losreißen; **2.** vertreiben, verjagen, verdrängen; **3.** ⚔ *Feind* aus der Stellung werfen; **4.** ausquartieren.

dis·loy·al [ˌdɪsˈlɔɪəl] *adj.* □ untreu, treulos, verräterisch; **ˌdisˈloy·al·ty** [-tɪ] *s.* Untreue *f*, Treulosigkeit *f*.

dis·mal [ˈdɪzməl] **I** *adj.* □ **1.** düster, trübe, bedrückend, trostlos; **2.** furchtbar, gräßlich; **II** *s.* **3.** ***the ~s*** der Trübsinn: ***be in the ~s*** Trübsinn blasen; **ˈdis·mal·ly** [-məlɪ] *adv.* **1.** düster *etc.*; **2.** schmählich.

dis·man·tle [dɪsˈmæntl] *v/t.* **1.** ab-, demontieren; *Bau* abbrechen, niederreißen; **2.** auseinˈandernehmen, zerlegen; **3.** ⚓ a) abtakeln, b) abwracken; **4.** *Festung* schleifen; **5.** *Haus* (aus)räumen; **6.** unbrauchbar machen; **disˈman·tle·ment** [-mənt] *s.* **1.** Abbruch *m*, Demonˈtage *f*; Zerlegung *f*; **2.** ⚓ Abtakelung *f*; **3.** ⚔ Schleifung *f*.

dis·may [dɪsˈmeɪ] **I** *v/t.* erschrecken, in Schrecken versetzen, bestürzen, entsetzen: ***not ~ed*** unbeirrt; **II** *s.* Schreck(en) *m*, Entsetzen *n*, Bestürzung *f*.

dis·mem·ber [dɪsˈmembə] *v/t.* zergliedern, zerstückeln, verstümmeln (*a. fig.*); **disˈmem·ber·ment** [-mənt] *s.* Zerstückelung *f etc.*

dis·miss [dɪsˈmɪs] *v/t.* **1.** entlassen, gehen lassen, verabschieden: ***~!*** ⚔ weg(ge)treten!; **2.** entlassen (***from*** aus *dem Dienst*), absetzen, abbauen; wegschicken: ***be ~ed from the service*** ⚔ aus dem Heere *etc.* entlassen *od.* ausgestoßen werden; **3.** *Thema etc.* fallenlassen, aufgeben, hinˈweggehen über (*acc.*), *Vorschlag* ab-, zuˈrückweisen, *Gedanken* verbannen, von sich weisen; ⚖ *Klage* abweisen: ***~ from one's mind*** *et.* aus s-n Gedanken verbannen; ***~ as … als …*** abtun, kurzerhand als … betrachten; **disˈmiss·al** [-sl] *s.* **1.** Entlassung *f* (***from*** aus); **2.** Aufgabe *f*, Abtun *n*; **3.** ⚖ Abweisung *f*.

dis·mount [ˌdɪsˈmaʊnt] **I** *v/i.* **1.** absteigen, absitzen (***from*** von); **II** *v/t.* **2.** aus dem Sattel heben; abwerfen (*Pferd*); **3.** (ab)steigen von; **4.** abmontieren, ausbauen, auseinˈandernehmen.

dis·o·be·di·ence [ˌdɪsəˈbiːdjəns] *s.* **1.** Ungehorsam *m* (***to*** gegen), Gehorsamsverweigerung *f*: ***civil ~*** *pol.* ziviler *od.* bürgerlicher Ungehorsam; **2.** Nichtbefolgung *f*; **ˌdis·oˈbe·di·ent** [-nt] *adj.* □ ungehorsam (***to*** gegen); **dis·o·bey** [ˌdɪsəˈbeɪ] *v/t.* **1.** *j-m* nicht gehorchen, ungehorsam sein gegen *j-n*; **2.** *Gesetz etc.* nicht befolgen, mißˈachten, *Befehl a.* verweigern: ***I will not be ~ed*** ich dulde keinen Ungehorsam.

dis·o·blige [ˌdɪsəˈblaɪdʒ] *v/t.* **1.** ungefällig sein gegen *j-n*; **2.** *j-n* kränken; **ˌdis·oˈblig·ing** [-dʒɪŋ] *adj.* □ ungefällig, unfreundlich.

dis·or·der [dɪsˈɔːdə] **I** *s.* **1.** Unordnung *f*, Verwirrung *f*; **2.** (Ruhe)Störung *f*; Aufruhr *m*, Unruhe(n *pl.*) *f*; **3.** ungebührliches Betragen; **4.** ⚕ Störung *f*, Erkrankung *f*: ***mental ~*** Geistesstörung; **II** *v/t.* **5.** in Unordnung bringen, durcheinˈanderbringen, stören; **6.** *den Magen* verderben; **disˈor·dered** [-əd] *adj.* **1.** in Unordnung, durcheinˈander (*beide a. fig.*); **2.** gestört, (*a.* geistes)krank: ***my stomach is ~*** ich habe mir den Magen verdorben; **disˈor·der·li·ness** [-lɪnɪs] *s.* **1.** Unordentlichkeit *f*; **2.** Schlampigkeit *f*; **3.** Unbotmäßigkeit *f*; **4.** Liederlichkeit *f*; **disˈor·der·ly** [-lɪ] *adj.* **1.** unordentlich, schlampig; **2.** ordnungs-, gesetzwidrig, aufrührerisch; **3.** Ärgernis erregend: ***~ conduct*** ⚖ ordnungswidriges Verhalten, grober Unfug; ***~ house*** *mst* Bordell *n*, *a.* Spielhölle *f*; ***~ person*** Ruhestörer *m*.

dis·or·gan·i·za·tion [dɪsˌɔːgənaɪˈzeɪʃn] *s.* Desorganisatiˈon *f*, Auflösung *f*, Zerrüttung *f*, Unordnung *f*; **dis·or·gan·ize** [dɪsˈɔːgənaɪz] *v/t.* auflösen, zerrütten, in Unordnung bringen, desorganisieren; **dis·or·gan·ized** [dɪsˈɔːgənaɪzd] *adj.* in Unordnung, desorganisiert.

dis·o·ri·ent [dɪsˈɔːrɪent] *v/t. a. psych.* desorientieren: ***~ed*** desorientiert, *psych. a.* ‚gestört', laˈbil; **disˈo·ri·en·tate** [-teɪt] → ***disorient***.

dis·own [dɪsˈəʊn] *v/t.* **1.** nicht (als sein eigen *od.* als gültig) anerkennen, nichts zu tun haben wollen mit; **2.** ableugnen; **3.** *Kind* verstoßen.

dis·par·age [dɪˈspærɪdʒ] *v/t.* **1.** in Verruf bringen; **2.** herˈabsetzen, verächtlich machen; **3.** verachten; **dis·par·age·ment** [dɪˈspærɪdʒmənt] *s.* Herˈabsetzung *f*, Verächtlichmachung *f*: ***no ~ (intended)*** ohne Ihnen nahetreten zu wollen; **dis·par·ag·ing** [dɪˈspærɪdʒɪŋ] *adj.* □ gering-, abschätzig, verächtlich.

dis·pa·rate [ˈdɪspərət] **I** *adj.* □ ungleich(artig), (grund)verschieden, unvereinbar, dispaˈrat; **II** *s. pl.* unvereinbare Dinge *pl.*; **dis·par·i·ty** [dɪˈspærətɪ] *s.* Verschiedenheit *f*: ***~ in age*** (*zu großer*) Altersunterschied *m*.

dis·pas·sion·ate [dɪˈspæʃnət] *adj.* □ leidenschaftslos, ruhig, gelassen, sachlich, nüchtern.

dis·patch [dɪˈspætʃ] **I** *v/t.* **1.** *j-n od. et.* (ab)senden, *et.* (ab)schicken, versenden, befördern, *Telegramm* aufgeben; **2.** abfertigen (*a.* 🚂); **3.** rasch *od.* prompt erledigen *od.* ausführen; **4.** ins Jenseits befördern, töten; **5.** F ‚wegputzen', rasch aufessen; **II** *s.* **6.** Absendung *f*, Versand *m*, Abfertigung *f*, Beförderung *f*; **7.** rasche Erledigung; **8.** Eile *f*, Schnelligkeit *f*: ***with ~*** eilends, prompt; **9.** (*oft* verschlüsselte) (Eil)Botschaft; **10.** Bericht *m* (*e-s Korrespondenten*); **11.** *pl.* Kriegsberichte *pl.*: ***mentioned in ~es*** ⚔ im Kriegsbericht rühmend erwähnt; **12.** Tötung *f*: ***happy ~*** Harakiri *n*; ***~ boat*** *s.* Kuˈrierboot *n*; ***~ box*** *s.*, ***~ case*** *s.* **1.** Kuˈriertasche *f*; **2.** *Brit.* Aktenkoffer *m*.

dis·patch·er [dɪˈspætʃə] *s.* **1.** 🚂 Fahrdienstleiter *m*; **2.** ✝ *Am.* Abteilungslei-

ter *m* für Produkti'onsplanung.
dis·patch| goods *s. pl.* Eilgut *n*; **~ note** *s.* Pa'ketkarte *f* für 'Auslandspa,ket; **~ rid·er** *s.* ⚔ Meldereiter *m*, -fahrer *m*.
dis·pel [dɪ'spel] *v/t.* *Menge etc., a. fig. Befürchtungen etc.* zerstreuen, *Nebel* zerteilen.
dis·pen·sa·ble [dɪ'spensəbl] *adj.* □ entbehrlich, verzichtbar; erläßlich; **dis·pen·sa·ry** [dɪ'spensərɪ] *s.* **1.** 'Werks- *od.* 'Krankenhausapo,theke *f*; **2.** ⚔ a) Laza'rettapo,theke *f*, b) ('Kranken)Re,vier *n*; **dis·pen·sa·tion** [,dɪspen'seɪʃn] *s.* **1.** Aus-, Verteilung *f*; **2.** Gabe *f*; **3.** göttliche Fügung; Fügung *f* (*des Schicksals*), Walten *n* (*der Vorsehung*); **4.** religi'öses Sy'stem; **5.** Regelung *f*, Sy'stem *n*; **6.** ⚖, *eccl.* (***with, from***) Dis'pens *m*, Befreiung *f* (von,) Erlaß *m* (*gen.*); **7.** Verzicht *m* (***with*** auf *acc.*); **dis·pense** [dɪ'spens] **I** *v/t.* **1.** aus-, verteilen; *Sakrament* spenden: **~ *justice*** Recht sprechen; **2.** *Arzneien* (nach Re'zept) zubereiten u. abgeben; **3.** dispensieren, entheben, befreien, entbinden (***from*** von); **II** *v/i.* **4.** Dis'pens erteilen; **5. ~ *with*** a) verzichten auf (*acc.*), b) 'überflüssig machen, auskommen ohne: ***it can be ~d with*** man kann darauf verzichten, es ist entbehrlich; **dis·pens·er** [dɪ'spensə] *s.* **1.** Ver-, Austeiler *m*; **2.** ⚙ Spender *m* (*Gerät*); (*Briefmarken- etc.*)Auto'mat *m*; → **dis·pens·ing chem·ist** [dɪ'spensɪŋ] *s.* Apo'theker(in).
dis·per·sal [dɪ'spɜːsl] *s.* **1.** (Zer)Streuung *f*; Verbreitung *f*; Zersplitterung *f*; **2.** ⚔, *a.* ⚚ Auflockerung *f*; **~ a·pron** *s.* ✈ (ausein'andergezogener) Abstellplatz; **~ a·re·a** *s.* **1.** ✈ → ***dispersal apron***; **2.** ⚔ Auflockerungsgebiet *n*.
dis·perse [dɪ'spɜːs] **I** *v/t.* **1.** verstreuen; **2.** → ***dispel***; **3.** *Nachrichten etc.* verbreiten; **4.** ⚗, *phys.* dispergieren, zerstreuen; **5.** ⚔ a) *Formation* auflockern, b) versprengen; **II** *v/i.* **6.** sich zerstreuen (*Menge*); **7.** sich auflösen; **8.** sich verteilen *od.* zersplittern; **dis·pers·ed·ly** [dɪ'spɜːsɪdlɪ] *adv.* verstreut, vereinzelt; **dis·per·sion** [dɪ'spɜːʃn] *s.* **1.** Zerstreuung *f* (*a. fig.*); Verteilung *f* (*von Nebel*); **2.** a) ⚔, ⚔ Streuung *f*: **~ *pattern*** Trefferbild *n*, b) → ***dispersal*** 2; **3.** ⚗ Dispersi'on(sphase) *f*: **~ *agent*** Dispersionsmittel *n*; **4.** ♀ Zerstreuung *f*, Di'aspora *f der Juden*.
dis·pir·it [dɪ'spɪrɪt] *v/t.* entmutigen, niederdrücken, deprimieren; **dis'pir·it·ed** [-tɪd] *adj.* □ niedergeschlagen, mutlos, deprimiert.
dis·place [dɪs'pleɪs] *v/t.* **1.** versetzen, -rücken, -lagern, -schieben; **2.** verdrängen (*a.* ⚓); **3.** *j-n* ablösen, entlassen; **4.** ersetzen; **5.** verschleppen: **~*d person*** *hist.* Verschleppte(r *m*) *f*; **dis'place·ment** [-mənt] *s.* **1.** Verlagerung *f*, Verschiebung *f*; **2.** Verdrängung *f* (*a.* ⚓, *phys.*); ⚙ Kolbenverdrängung *f*; **3.** Ersetzung *f*, Ersatz *m*; **4.** *psych.* Af'fektverlagerung *f*: **~ *activity*** Übersprunghandlung *f*.
dis·play [dɪ'spleɪ] **I** *v/t.* **1.** entfalten: a) ausbreiten, b) *fig.* an den Tag legen, zeigen: **~ *activity*** (***strength*** *etc.*); **2.** (*contp.* protzig) zur Schau stellen, zeigen; **3.** ⚚ ausstellen, -legen; **4.** *typ.* her'vorheben; **II** *s.* **5.** Entfaltung *f* (*a. fig. von Tatkraft, Macht etc.*); **6.** (*a.* protzige) Zur'schaustellung; **7.** ⚚ Ausstellung *f*, (Waren)Auslage *f*, Dis'play *n*: ***be on ~*** ausgestellt *od.* zu sehen sein; **8.** Aufwand *m*, Pomp *m*, Prunk *m*: ***make a great ~*** a) großen Prunk entfalten, b) ***of s.th.*** et. (protzig) zur Schau stellen; **9.** *Computer*: Dis'play *n*: a) Sichtanzeige *f*, b) Sichtbildgerät *n*; **10.** *typ.* Her'vorhebung *f*; **III** *adj.* **11.** ⚚ Ausstellungs…, Schau…: **~ *advertising*** Displaywerbung *f*; **~ *artist*, *~man*** (Werbe)Dekorateur *m*; **~ *box*, ~ *pack*** Schaupackung *f*; **~ *case*** Schaukasten *m*, Vitrine *f*; **~ *window*** Auslagefenster *n*; **12.** *Computer*: Display…, Sicht(bild)…: **~ *unit*** → 9 b; **~ *be'havio(u)r*** *s. zo.* Imponiergehabe *n*.
dis·please [dɪs'pliːz] *v/t.* **1.** *j-m* miß'fallen; **2.** *j-n* ärgern, verstimmen; **3.** *das Auge* beleidigen; **dis'pleased** [-zd] *adj.* (***at, with***) unzufrieden (mit), ungehalten (über *acc.*); **dis'pleas·ing** [-zɪŋ] *adj.* □ unangenehm; **dis·pleas·ure** [dɪs'pleʒə] *s.* 'Mißfallen *n* (***at*** über *acc.*): ***incur s.o.'s ~*** j-s Unwillen erregen.
dis·port [dɪ'spɔːt] *v/t.*: **~ *o.s.*** a) sich vergnügen *od.* amüsieren, b) her'umtollen, sich (ausgelassen) tummeln.
dis·pos·a·ble [dɪ'spəʊzəbl] **I** *adj.* **1.** (frei) verfügbar: **~ *income***; **2.** ⚚ Einweg…, Wegwerf…: **~ *package***; **II** *s.* **3.** Einweg-, Wegwerfgegenstand *m*; **dis·pos·al** [dɪ'spəʊzl] *s.* **1.** Anordnung *f*, Aufstellung *f* (*a.* ⚔); Verwendung *f*; **2.** Erledigung *f*: a) (endgültige) Regelung *e-r Sache*, b) Vernichtung *f e-s Gegners etc.*; **3.** Verfügung(srecht *n*) *f* (***of*** über *acc.*): ***be at s.o.'s ~*** j-m zur Verfügung stehen; ***place s.th. at s.o.'s ~*** j-m et. zur Verfügung stellen; ***have the ~ of*** verfügen (können) über (*acc.*); **4.** ⚚, ⚖ a) 'Übergabe *f*, Über'tragung *f*, b) Veräußerung *f*, Verkauf *m*: ***for ~*** zum Verkauf; **5.** Beseitigung *f*, (Müll- *etc.*) Abfuhr *f*, (-)Entsorgung *f*; **dis·pose** [dɪ'spəʊz] **I** *v/t.* **1.** anordnen, aufstellen (*a.* ⚔); zu'rechtlegen, einrichten; ein-, verteilen; **2.** *j-n* bewegen, geneigt machen, veranlassen (***to*** zu; ***to do*** zu tun); **II** *v/i.* **3.** verfügen, Verfügungen treffen; **4. ~ *of*** a) (frei) verfügen *od.* disponieren über (*acc.*), b) entscheiden

über (*acc.*), lenken, c) (endgültig) erledigen: **~ of an affair**, d) *j-n od. et.* abtun, abfertigen, e) loswerden, sich entledigen (*gen.*), f) wegschaffen, beseitigen: **~ of trash**, g) *e-n Gegner etc.* erledigen, unschädlich machen, vernichten, h) ⚔ *Bomben etc.* entschärfen, i) verzehren, trinken: **~ of a bottle**, j) über'geben, -'tragen: **~ of by will** testamentarisch vermachen, letztwillig verfügen über (*acc.*); **disposing mind** ⚖ Testierfähigkeit *f*, k) verkaufen, veräußern, ☤ *a.* absetzen, abstoßen, l) *s-e Tochter* verheiraten (**to** an *acc.*); **dis·posed** [dɪ'spəʊzd] *adj.* **1.** geneigt, bereit (**to** zu; **to do** zu tun); **2.** ⚕ anfällig (**to** für); **3.** gelaunt, gesinnt: **well-~** wohlgesinnt, **ill-~** übelgesinnt (**towards** *dat.*); **dis·po·si·tion** [ˌdɪspə'zɪʃn] *s.* **1.** a) Veranlagung *f*, Disposi'ti'on *f*, b) (Wesens)Art *f*; **2.** a) Neigung *f*, Hang *m* (**to** zu), b) ⚕ Anfälligkeit *f* (**to** für); **3.** Stimmung *f*; **4.** Anordnung *f*, Aufstellung *f* (*a.* ⚔); **5.** (**of**) a) Erledigung *f* (*gen.*), b) *bsd.* ⚖ Entscheidung *f* (über *acc.*); **6.** (*bsd.* göttliche) Lenkung; **7.** *pl.* Dispositi'onen *pl.*, Vorkehrungen *pl.*: **make** (**one's**) **~s** (s-e) Vorkehrungen treffen, disponieren; **8.** → **disposal** 3.

dis·pos·sess [ˌdɪspə'zes] *v/t.* **1.** enteignen, aus dem Besitz (**of** *gen.*) setzen; *Mieter* zur Räumung zwingen; **2.** berauben (**of** *gen.*); **3.** *sport j-m* den Ball abnehmen; ˌ**dis·pos'ses·sion** [-eʃn] *s.* Enteignung *f etc.*

dis·praise [dɪs'preɪz] *s.* Her'absetzung *f*: **in ~** geringschätzig.

dis·proof [ˌdɪs'pruːf] *s.* Wider'legung *f*.

dis·pro·por·tion [ˌdɪsprə'pɔːʃn] *s.* 'Mißverhältnis *n*; ˌ**dis·pro'por·tion·ate** [-ʃnət] *adj.* ☐ **1.** unverhältnismäßig (groß *od.* klein), in keinem Verhältnis stehend (**to** zu); **2.** über'trieben, unangemessen; **3.** unproportioniert.

dis·prove [ˌdɪs'pruːv] *v/t.* wider'legen.

dis·pu·ta·ble [dɪ'spjuːtəbl] *adj.* ☐ strittig; **dis·pu·tant** [dɪ'spjuːtənt] *s.* Dispu'tant *m*, Gegner *m*.

dis·pu·ta·tion [ˌdɪspjuː'teɪʃn] **1.** Dis'put *m*, Streitgespräch *n*, Wortwechsel *m*; **2.** Disputati'on *f*, wissenschaftliches Streitgespräch; ˌ**dis·pu'ta·tious** [-ʃəs] *adj.* ☐ streitsüchtig; **dis·pute** [dɪ'spjuːt] **I** *v/i.* **1.** streiten, *Wissenschaftler*: *a.* disputieren (**on**, **about** über *acc.*); **2.** (sich) streiten, zanken; **II** *v/t.* **3.** streiten *od.* disputieren über (*acc.*); **4.** in Zweifel ziehen, anzweifeln; **5.** kämpfen um, *j-m et.* streitig machen; **III** *s.* **6.** Dis'put *m*, Kontro'verse *f*: **in** (*od.* **under**) **~** umstritten, strittig; **beyond** (*od.* **without**) **~** unzweifelhaft, fraglos; **7.** (heftiger) Streit.

dis·qual·i·fi·ca·tion [dɪsˌkwɒlɪfɪ'keɪʃn] *s.* **1.** Disqualifikati'on *f*, Disqualifizierung *f*; **2.** Untauglichkeit *f*, mangelnde Eignung *od.* Befähigung (**for** für); **3.** disqualifizierender 'Umstand; **4.** *sport* Disqualifikati'on *f*, Ausschluß *m*; **dis·qual·i·fy** [dɪs'kwɒlɪfaɪ] *v/t.* **1.** ungeeignet *od.* unfähig *od.* untauglich machen (**for** für): **be disqualified for** ungeeignet (*etc.*) sein für; **2.** für unfähig *od.* untauglich *od.* nicht berechtigt erklären (**for** zu): **~ s.o. from** (**holding**) **public office** j-m die Fähigkeit zur Ausübung e-s öffentlichen Amtes absprechen *od.* nehmen; **~ s.o. from driving** j-m die Fahrerlaubnis entziehen; **3.** *sport* disqualifizieren, ausschließen.

dis·qui·et [dɪs'kwaɪət] **I** *v/t.* beunruhigen; **II** *s.* Unruhe *f*, Besorgnis *f*; **dis'qui·et·ing** [-tɪŋ] *adj.* beunruhigend; **dis'qui·e·tude** [-aɪətjuːd] → **disquiet** II.

dis·qui·si·tion [ˌdɪskwɪ'zɪʃn] *s.* ausführliche Abhandlung *od.* Rede.

dis·rate [dɪs'reɪt] *v/t.* ⚓ degradieren.

dis·re·gard [ˌdɪsrɪ'gɑːd] **I** *v/t.* **1.** a) nicht beachten, ignorieren, außer acht lassen, b) absehen von, ausklammern; **2.** nicht befolgen, miß'achten; **II** *s.* **3.** Nichtbeachtung *f*, Ignorierung *f* (**of**, **for** *gen.*); **4.** 'Mißachtung *f* (**of**, **for** *gen.*); **5.** Gleichgültigkeit *f* (**of**, **for** gegen-'über); ˌ**dis·re'gard·ful** [-fʊl] *adj.* ☐: **be ~ of** → **disregard** 1 a.

dis·rel·ish [ˌdɪs'relɪʃ] *s.* Abneigung *f*, 'Widerwille *m* (**for** gegen).

dis·re·mem·ber [ˌdɪsrɪ'membə] *v/t.* F *et.* vergessen (haben).

dis·re·pair [ˌdɪsrɪ'peə] *s.* Verfall *m*; Baufälligkeit *f*, schlechter (baulicher) Zustand: **in** (**a state of**) **~** baufällig; **fall into ~** baufällig werden.

dis·rep·u·ta·ble [dɪs'repjʊtəbl] *adj.* ☐ verrufen, anrüchig; **dis·re·pute** [ˌdɪsrɪ'pjuːt] *s.* Verruf *m*, Verrufenheit *f*, schlechter Ruf: **bring into ~** in Verruf bringen.

dis·re·spect [ˌdɪsrɪ'spekt] **I** *s.* **1.** Re'spektlosigkeit *f* (**to**, **for** gegenüber); **2.** Unhöflichkeit *f* (**to** gegen); **II** *v/t.* **3.** sich re'spektlos benehmen gegen'über; **4.** unhöflich behandeln; ˌ**dis·re'spect·ful** [-fʊl] *adj.* ☐ **1.** re'spektlos (**to** gegen); **2.** unhöflich (**to** zu).

dis·robe [ˌdɪs'rəʊb] **I** *v/t.* entkleiden (*a. fig.*) (**of** *gen.*); **II** *v/i.* s-e Kleidung *od.* Amtstracht ablegen.

dis·root [ˌdɪs'ruːt] *v/t.* **1.** entwurzeln, ausreißen; **2.** vertreiben.

dis·rupt [dɪs'rʌpt] **I** *v/t.* **1.** zerbrechen, sprengen, zertrümmern; **2.** zerreißen, (zer)spalten; **3.** unter'brechen, stören; **4.** zerrütten; **5.** *Versammlung*, *Koalition etc.* sprengen; **II** *v/i.* **6.** zerreißen; **7.** ϟ 'durchschlagen; **dis'rup·tion** [-pʃn] *s.* **1.** Zerreißung *f*, Zerschlagung *f*; Unter'brechung *f*; **2.** Zerrissenheit *f*, Spaltung *f*; **3.** Bruch *m*; **4.** Zerrüttung *f*; **dis'rup·tive** [-tɪv] *adj.* **1.** zerbrechend, zertrümmernd, zerreißend; **2.** zerrüttend; **3.** ϟ Durchschlags...(*-festigkeit etc.*): ~ ***discharge*** Durchschlag *m*.

D

dis·sat·is·fac·tion ['dɪsˌsætɪs'fækʃn] *s.* Unzufriedenheit *f* (***at***, ***with*** mit); **'disˌsat·is'fac·to·ry** [-ktərɪ] *adj.* unbefriedigend; **dis·sat·is·fied** [ˌdɪs'sætɪsfaɪd] *adj.* unzufrieden (***with***, ***at*** mit); **dis·sat·is·fy** [ˌdɪs'sætɪsfaɪ] *v/t.* nicht befriedigen, *j-n* verdrießen; *j-m* miß'fallen.

dis·sect [dɪ'sekt] *v/t.* **1.** zergliedern, zerlegen; **2.** a) ⚕ sezieren, b) ⚕, ⚘, *zo.* präparieren; **3.** *fig.* zergliedern, analysieren; **dis'sec·tion** [-kʃn] *s.* **1.** Zergliederung *f*, *fig. a.* a) Aufgliederung *f*, b) (genaue) Ana'lyse; **2.** ⚕ Sezieren *n*; **3.** ⚕, ⚘, *zo.* Präpa'rat *n*; **dis'sec·tor** [-tə] *s.* **1.** ⚕ Sezierer *m*; **2.** ⚕, ⚘, *zo.* Präpa'rator *m*.

dis·seise, **dis·seize** [ˌdɪ'si:z] *v/t.* ⚖ *j-m* 'widerrechtlich den Besitz entziehen; **ˌdis'sei·sin**, **ˌdis'sei·zin** [-zɪn] *s.* ⚖ 'widerrechtliche Besitzentziehung.

dis·sem·ble [dɪ'sembl] **I** *v/t.* **1.** verhehlen, verbergen, sich *et.* nicht anmerken lassen; **2.** vortäuschen, simulieren; **3.** *obs.* unbeachtet lassen; **II** *v/i.* **4.** sich verstellen, heucheln; **dis'sem·bler** [-lə] *s.* **1.** Heuchler(in); **2.** Simu'lant (-in).

dis·sem·i·nate [dɪ'semɪneɪt] *v/t.* **1.** *Saat* ausstreuen (*a. fig.*); **2.** *fig.* verbreiten: ~ ***ideas***; ~***d sclerosis*** ⚕ multiple Sklerose; **dis·sem·i·na·tion** [dɪˌsemɪ'neɪʃn] *s.* Ausstreuung *f*; *fig. a.* Verbreitung *f*.

dis·sen·sion [dɪ'senʃn] *s.* Meinungsverschiedenheit(en *pl.*) *f*, Diffe'renz(en *pl.*) *f*.

dis·sent [dɪ'sent] **I** *v/i.* **1.** (***from***) anderer Meinung sein (als), nicht über'einstimmen (mit); **2.** *eccl.* von der Staatskirche abweichen; **II** *s.* **3.** Meinungsverschiedenheit *f*, andere Meinung; **4.** *eccl.* Abweichen *n* von der Staatskirche; **dis'sent·er** [-tə] *s.* **1.** Andersdenkende(r *m*) *f*; **2.** *eccl.* a) Dissi'dent *m*, b) *oft* ♀ Dis'senter *m*, Nonkonfor'mist (-in); **dis'sen·tient** [-nʃɪənt] **I** *adj.* andersdenkend, abweichend: ***without a*** ~ ***vote*** ohne Gegenstimme; **II** *s.* a) Andersdenkende(r *m*) *f*, b) Gegenstimme *f*: ***with no*** ~ ohne Gegenstimme.

dis·ser·ta·tion [ˌdɪsə'teɪʃn] *s.* **1.** (wissenschaftliche) Abhandlung; **2.** Disserta'ti'on *f*.

dis·serv·ice [ˌdɪs'sɜ:vɪs] *s.* (***to***) schlechter Dienst (an *dat.*): ***do a*** ~ *j-m* e-n schlechten Dienst erweisen; ***be of*** ~ ***to s.o.*** j-m zum Nachteil gereichen.

dis·sev·er [dɪs'sevə] *v/t.* trennen, absondern, spalten.

dis·si·dence ['dɪsɪdəns] *s.* **1.** Meinungsverschiedenheit *f*; **2.** *pol.*, *eccl.* Dissi'dententum *n*; **'dis·si·dent** [-nt] **I** *adj.* **1.** andersdenkend, nicht über'einstimmend, abweichend; **II** *s.* **2.** Andersdenkende(r *m*) *f*; **3.** *eccl.* Dissi'dent(in), *pol. a.* Re'gimekritiker(in).

dis·sim·i·lar [ˌdɪ'sɪmɪlə] *adj.* □ (***to***) verschieden (von), unähnlich (*dat.*); **dis·sim·i·lar·i·ty** [ˌdɪsɪmɪ'lærətɪ] *s.* Verschiedenartigkeit *f*, Unähnlichkeit *f*; 'Unterschied *m*.

dis·sim·u·late [dɪ'sɪmjʊleɪt] **I** *v/t.* verbergen, verhehlen; **II** *v/i.* sich verstellen; heucheln; **dis·sim·u·la·tion** [dɪˌsɪmjʊ'leɪʃn] *s.* **1.** Verheimlichung *f*; **2.** Verstellung *f*, Heuche'lei *f*; **3.** ⚕ Dissimulati'on *f*.

dis·si·pate ['dɪsɪpeɪt] **I** *v/t.* **1.** zerstreuen (*a. fig. u. phys.*); *Nebel* zerteilen; **2.** a) verschwenden, vergeuden, verzetteln, b) *Geld* 'durchbringen, verprassen; **3.** *fig.* verscheuchen, vertreiben; **4.** *phys.* a) *Hitze* ableiten, b) in 'Wärmeenerˌgie 'umwandeln; **II** *v/i.* **5.** sich zerstreuen (*a. fig.*); sich zerteilen (*Nebel*); **6.** ein ausschweifendes Leben führen; **'dis·si·pat·ed** [-tɪd] *adj.* ausschweifend, zügellos; **dis·si·pa·tion** [ˌdɪsɪ'peɪʃn] *s.* **1.** Zerstreuung *f* (*a. fig. u. phys.*); **2.** Vergeudung *f*; **3.** Verprassen *n*, 'Durchbringen *n*; **4.** Ausschweifung(en *pl.*) *f*; zügelloses Leben; **5.** *phys.* a) Ableitung *f*, b) Dissipati'on *f*.

dis·so·ci·ate [dɪ'səʊʃɪeɪt] **I** *v/t.* **1.** trennen, loslösen, absondern (***from*** von); **2.** ⚗ dissoziieren; **3.** ~ ***o.s.*** (***from***) sich lossagen *od.* distanzieren *od.* abrücken (von); **II** *v/i.* **4.** sich (ab)trennen *od.* loslösen; **5.** ⚗ dissoziieren; **dis·so·ci·a·tion** [dɪˌsəʊsɪ'eɪʃn] *s.* **1.** (Ab-)Trennung *f*, Loslösung *f*; **2.** Abrücken *n*; **3.** ⚗, *psych.* Dissoziati'on *f*.

dis·sol·u·bil·i·ty [dɪˌsɒljʊ'bɪlətɪ] *s.* **1.** Löslichkeit *f*; **2.** Auflösbarkeit *f*, Trennbarkeit *f*; **dis·sol·u·ble** [dɪ'sɒljʊbl] *adj.* **1.** löslich; **2.** ⚖ auflösbar, trennbar.

dis·so·lute ['dɪsəlu:t] *adj.* □ ausschweifend, zügellos; **'dis·so·lute·ness** [-nɪs] *s.* Ausschweifung *f*, Zügellosigkeit *f*.

dis·so·lu·tion [ˌdɪsə'lu:ʃn] *s.* **1.** Auflösung *f* (*a. parl.*, ✝; *a. Ehe*); ⚖ *a.* Aufhebung *f*; **2.** Zersetzung *f*; **3.** Zerstörung *f*, Vernichtung *f*; **4.** ⚗ Lösung *f*.

dis·solv·a·ble [dɪ'zɒlvəbl] → ***dissoluble***; **dis·solve** [dɪ'zɒlv] **I** *v/t.* **1.** auflösen (*a. fig.*, *Ehe*, *Parlament*, *Firma etc.*); *Ehe a.* scheiden; lösen (*a.* ⚗): ~***d in tears*** in Tränen aufgelöst; **2.** ⚖ aufheben; **3.** auflösen, zersetzen; **4.** vernichten; **5.** *Geheimnis etc.* lösen; **6.** *Film*: über'blenden; **II** *v/i.* **7.** sich auflösen (*a. fig.*), zergehen, schmelzen; **8.**

zerfallen; **9.** sich (in nichts) auflösen, verschwinden; **10.** *Film*: über'blenden, inein'ander 'übergehen; **III** *s.* **11.** *Film*: Über'blendung *f*; **dis'sol·vent** [-vənt] **I** *adj.* (auf)lösend; zersetzend; **II** *s.* ⚗ Lösungsmittel *n*.

dis·so·nance ['dɪsənəns] *s.* Disso'nanz *f*: a) ♪ 'Mißklang *m* (*a. fig.*), b) *fig.* Unstimmigkeit *f*; **'dis·so·nant** [-nt] *adj.* ☐ **1.** ♪ disso'nant (*a. fig.*); **2.** 'mißtönend; **3.** *fig.* unstimmig.

dis·suade [dɪ'sweɪd] *v/t.* **1.** *j-m* abraten (***from*** von); **2.** *j-n* abbringen (***from*** von); **dis'sua·sion** [-eɪʒn] *s.* **1.** Abraten *n*; **2.** Abbringen *n*; **dis'sua·sive** [-eɪsɪv] *adj.* ☐ abratend.

dis·syl·lab·ic, dis·syl·la·ble → ***disyllabic, disyllable***.

dis·sym·met·ri·cal [ˌdɪsɪ'metrɪkl] *adj.* 'unsymˌmetrisch; **dis·sym·met·ry** [ˌdɪ'sɪmɪtrɪ] *s.* Asymme'trie *f*.

dis·taff ['dɪstɑːf] *s.* (Spinn)Rocken *m*; *fig.* *das* Reich der Frau: **~ *side*** weibliche Linie *e-r Familie*.

dis·tance ['dɪstəns] **I** *s.* **1.** a) Entfernung *f*, b) Ferne *f*: ***at a ~*** a) in einiger Entfernung, b) von weitem; ***in the ~*** in der Ferne; ***from a ~*** aus einiger Entfernung; ***at an equal ~*** gleich weit (entfernt); ***a good ~ off*** ziemlich weit entfernt; ***braking ~*** *mot.* Bremsweg *m*; ***stopping ~*** *mot.* Anhalteweg *m*; ***within striking ~*** handgreiflich nahe, in erreichbarer Nähe; → ***hail*** 7; ***walking*** II; **2.** Zwischenraum *m*, Abstand *m* (***between*** zwischen); **3.** Entfernung *f*, Strecke *f*: **~ *covered*** zurückgelegte Strecke; **4.** *zeitlicher* Abstand, Zeitraum *m*; **5.** *fig.* Abstand *m*, Entfernung *f*, 'Unterschied *m*; **6.** *fig.* Di'stanz *f*, Abstand *m*, Re'serve *f*, Zu'rückhaltung *f*: ***keep s.o. at a ~*** j-m gegenüber reserviert sein, sich j-n vom Leib halten; ***keep one's ~*** den Abstand wahren, (die gebührende) Distanz halten; **7.** *paint. etc.* a) Perspek'tive *f*, b) *a. pl.* 'Hintergrund *m*, c) Ferne *f*; **8.** ♪ Inter'vall *n*; **9.** *sport* a) Di'stanz *f*, Strecke *f*, b) *fenc.*, *Boxen*: Di'stanz *f*, c) Langstrecke *f*: **~ *race*** Langstreckenlauf *m*; **~ *runner*** Langstreckenläufer(in); **II** *v/t.* **10.** über'holen, hinter sich lassen, *sport a.* distanzieren: **~*d*** *fig.* distanziert; **11.** *fig.* über'flügeln; **'dis·tant** [-nt] *adj.* ☐ **1.** entfernt (*a. fig.*), weit (***from*** von); fern (*Ort od. Zeit*): **~ *relation*** entfernte(r) *od.* weitläufige(r) Verwandte(r); **~ *resemblance*** entfernte *od.* schwache Ähnlichkeit; **~ *dream*** vager Traum, schwache Aussicht; **2.** weit vonein'ander entfernt; **3.** zu'rückhaltend, kühl, distanziert; **4.** ⚙ Fern...: **~ *control*** Fernsteuerung *f*; **~ *reading instrument*** Fernmeßgerät *n*.

dis·taste [ˌdɪs'teɪst] *s.* (***for***) 'Widerwille *m*, Abneigung *f* (gegen), Ekel *m*, Abscheu *m* (vor *dat.*); **ˌdis'taste·ful** [-fʊl] *adj.* ☐ **1.** ekelerregend; **2.** *fig.* a) unangenehm, zu'wider (***to*** *dat.*), b) ekelhaft, widerlich.

dis·tem·per¹ [dɪ'stempə] **I** *s.* **1.** Tempera- *od.* Leimfarbe *f*; **2.** 'Temperamaleˌrei *f* (*a. Bild*); **II** *v/t.* **3.** mit Temperafarbe(n) (an)malen.

dis·tem·per² [dɪ'stempə] *s.* **1.** *vet.* a) Staupe *f* (*bei Hunden*), b) Druse *f* (*bei Pferden*); **2.** *obs.* a) üble Laune, b) Unpäßlichkeit *f*, c) po'litische Unruhe(n *pl.*).

dis·tend [dɪ'stend] **I** *v/t.* (aus)dehnen, weiten; aufblähen; **II** *v/i.* sich (aus)dehnen *etc.*; **dis·ten·si·ble** [dɪ'stensəbl] *adj.* (aus)dehnbar; **dis·ten·sion** [dɪ'stenʃn] *s.* (Aus)Dehnung *f*; Aufblähung *f*.

dis·tich ['dɪstɪk] *s.* **1.** Distichon *n* (*Verspaar*); **2.** gereimtes Verspaar.

dis·til, *Am.* **dis·till** [dɪ'stɪl] **I** *v/t.* **1.** ⚗ a) ('um)destillieren, abziehen, b) abdestillieren (***from*** aus), c) entgasen: **~*(l)ing flask*** Destillierkolben *m*; **2.** *Branntwein* brennen (***from*** aus); **3.** her'abtropfen lassen: ***be ~led*** sich niederschlagen; **4.** *fig.* *das Wesentliche* her'ausdestilˌlieren, -arbeiten (***from*** aus); **II** *v/i.* **5.** ⚗ destillieren; **6.** (her'ab)tropfen; **7.** *fig.* sich her'auskristalliˌsieren; **dis·til·late** ['dɪstɪlət] *s.* ⚗ Destil'lat *n*; **dis·til·la·tion** [ˌdɪstɪ'leɪʃn] *s.* **1.** ⚗ Destillati'on *f*; **2.** Brennen *n* (*von Branntwein*); **3.** Ex'trakt *m*, Auszug *m*; **4.** *fig.* 'Quintesˌsenz *f*, Kern *m*; **dis·til·ler** [dɪ'stɪlə] *s.* Branntweinbrenner *m*; **dis·til·ler·y** [dɪ'stɪlərɪ] *s.* **1.** ⚗ Destil'lierapaˌrat *m*; **2.** Destilla'teur *m*, ('Branntwein)Brenneˌrei *f*.

dis·tinct [dɪ'stɪŋkt] *adj.* ☐ → ***distinctly***; **1.** ver-, unter'schieden: ***as ~ from*** im Unterschied zu, zum Unterschied von; **2.** einzeln, getrennt, (ab)gesondert; **3.** eigen, selbständig; **4.** ausgeprägt, charakte'ristisch; **5.** klar, eindeutig, bestimmt, entschieden, ausgesprochen, deutlich; **dis·tinc·tion** [dɪ'stɪŋkʃn] *s.* **1.** Unter'scheidung *f*: ***a ~ without a difference*** e-e spitzfindige Unterscheidung; **2.** 'Unterschied *m*: ***in ~ from*** (*od.* ***to***) im Unterschied zu, zum Unterschied von; ***draw*** (*od.* ***make***) ***a ~ between*** e-n Unterschied machen zwischen (*dat.*); **3.** Unter'scheidungsmerkmal *n*, Kennzeichen *n*; **4.** her'vorragende Eigenschaft; **5.** Auszeichnung *f*, Ehrung *f*; **6.** (hoher) Rang; **7.** Würde *f*; Vornehmheit *f*; **8.** Ruf *m*, Berühmtheit *f*; **dis·tinc·tive** [dɪ'stɪŋktɪv] *adj.* ☐ **1.** unter'scheidend, Unterscheidungs...; **2.** kenn-, bezeichnend, charakte'ristisch (***of*** für), besonder; **3.** deutlich, ausgesprochen; **dis·tinc·tive·ness** [dɪ-

ˈstɪŋktɪvnɪs] *s.* **1.** Besonderheit *f*; **2.** → ***distinctness*** 1; **dis·tinct·ly** [dɪˈstɪŋktlɪ] *adv.* deutlich, *fig. a.* ausgesprochen; **dis·tinct·ness** [dɪˈstɪŋktnɪs] *s.* **1.** Deutlichkeit *f*, Klarheit *f*; **2.** Verschiedenheit *f*; **3.** Verschiedenartigkeit *f*.

D

dis·tin·gué [dɪˈstæŋgeɪ] (*Fr.*) *adj.* distinguˈiert, vornehm.

dis·tin·guish [dɪˈstɪŋgwɪʃ] **I** *v/t.* **1.** (***between***) unterˈscheiden (zwischen), (*zwei Dinge etc.*) auseinˈanderhalten: ***as ~ed from*** zum Unterschied von, im Unterschied zu; ***be ~ed by*** sich durch *et.* unterscheiden *od. weitS.* auszeichnen; **2.** wahrnehmen, erkennen; **3.** kennzeichnen, charakterisieren: ***~ing mark*** Merkmal *n*, Kennzeichen *n*; **4.** auszeichnen, rühmend herˈvorheben: ***~ o.s.*** sich auszeichnen (*a. iro.*); **II** *v/i.* **5.** unterˈscheiden, e-n ˈUnterschied machen; **dis·tin·guish·a·ble** [dɪˈstɪŋgwɪʃəbl] *adj.* □ **1.** unterˈscheidbar; **2.** wahrnehmbar, erkennbar; **3.** kenntlich (***by*** an *dat.*, durch); **dis·tin·guished** [dɪˈstɪŋgwɪʃt] *adj.* **1.** → ***distinguishable*** 1, 2; **2.** bemerkenswert, berühmt (***for*** wegen, ***by*** durch); **3.** vornehm; **4.** herˈvorragend, ausgezeichnet.

dis·tort [dɪˈstɔːt] *v/t.* **1.** verdrehen (*a. fig.*); *a. Gesicht* verzerren (*a.* ⚙, ϟ *u. fig.*); verrenken; ⚙ verformen: ***~ing mirror*** Vexier-, Zerrspiegel *m*; **2.** *fig. Tatsachen etc.* verdrehen, entstellen; **dis·tor·tion** [dɪˈstɔːʃn] *s.* **1.** Verdrehung *f* (*a. phys.*); Verrenkung *f*; Verzerrung *f* (*a.* ϟ, *phot.*); Verziehung *f*, Verwindung *f* (*a.* ⚙); **2.** *fig.* Entstellung *f*, Verzerrung *f*.

dis·tract [dɪˈstrækt] *v/t.* **1.** *Aufmerksamkeit, Person etc.* ablenken; **2.** *j-n* zerstreuen; **3.** erregen, aufwühlen; **4.** beunruhigen, stören, quälen; **5.** rasend machen; **dis·tract·ed** [dɪˈstræktɪd] *adj.* □ **1.** verwirrt; **2.** beunruhigt; **3.** außer sich, von Sinnen: ***~ with*** (*od.* ***by***) ***pain*** wahnsinnig vor Schmerzen; **dis·trac·tion** [dɪˈstrækʃn] *s.* **1.** Ablenkung *f*, *a.* Zerstreuung *f*; **2.** Zerstreutheit *f*; **3.** Verwirrung *f*; **4.** Wahnsinn *m*, Raseˈrei *f*: ***drive s.o. to ~*** j-n zur Raserei bringen; ***love to ~*** bis zum Wahnsinn lieben; **5.** *oft pl.* Ablenkung *f*, Zerstreuung *f*, Unterˈhaltung *f*.

dis·train [dɪˈstreɪn] ⚖ *v/i.*: ***~*** (***up***)***on*** a) *j-n* pfänden, b) *et.* mit Beschlag belegen; **dis·train·ee** [ˌdɪstreɪˈniː] *s.* Pfandschuldner(in); **dis·train·er** [dɪˈstreɪnə], **dis·train·or** [ˌdɪstreɪˈnɔː] *s.* Pfandgläubiger(in); **dis·traint** [dɪˈstreɪnt] *s.* Beschlagnahme *f*.

dis·traught [dɪˈstrɔːt] → ***distracted***.

dis·tress [dɪˈstres] **I** *s.* **1.** Qual *f*, Pein *f*, Schmerz *m*; **2.** Leid *n*, Kummer *m*, Sorge *f*; **3.** Elend *n*; Not(lage) *f*; **4.** ⚓ Seenot *f*: ***~ call*** Notruf *m*, SOS-Ruf *m*; ***~ rocket*** Notrakete *f*; ***~ signal*** Notsignal *n*; **5.** ⚖ a) Beschlagnahme *f*, b) mit Beschlag belegte Sache; **II** *v/t.* **6.** quälen, peinigen, bedrücken; beunruhigen; betrüben: ***~ o.s.*** sich sorgen (***about*** um); **7.** → ***distrain***; **dis·tressed** [dɪˈstrest] *adj.* **1.** (***about***) beunruhigt (über *acc.*, wegen), besorgt (um); **2.** bekümmert, betrübt; unglücklich; **3.** bedrängt, in Not, notleidend: ***~ area*** *Brit.* Notstandsgebiet *n*; ***~ ships*** Schiffe in Seenot; **4.** erschöpft; **dis·tress·ful** [dɪˈstresfʊl], **dis·tress·ing** [dɪˈstresɪŋ] *adj.* □ **1.** quälend; **2.** bedrückend.

dis·trib·ut·a·ble [dɪˈstrɪbjʊtəbl] *adj.* **1.** verteilbar; **2.** zu verteilen(d); **dis·trib·u·tar·y** [dɪˈstrɪbjʊtərɪ] *s. geogr.* abzweigender Flußarm, *bsd.* Deltaarm *m*; **dis·trib·ute** [dɪˈstrɪbjuːt] *v/t.* **1.** ver-, austeilen (***among*** unter *acc.*, ***to*** an *acc.*); **2.** zuteilen (***to*** *dat.*); **3.** ⚕ a) *Waren* vertreiben, absetzen, b) *Filme* verleihen, c) *Dividende, Gewinne* ausschütten; **4.** *Post* zustellen; **5.** verbreiten; ausstreuen; *Farbe etc.* verteilen; **6.** auf-, einteilen; ⚔ gliedern; **7.** *typ.* a) *Satz* ablegen, b) *Farbe* auftragen; **dis·trib·u·tee** [dɪˌstrɪbjʊˈtiː] *s.* **1.** Empfänger(in); **2.** ⚖ Erbe *m*, Erbin *f*; **dis·trib·ut·er** → ***distributor***.

dis·trib·ut·ing| a·gent [dɪˈstrɪbjʊtɪŋ] *s.* ⚕ (Großhandels)Vertreter *m*; ***~ center*** *Am.*, *Brit.* ***~ centre*** *s.* ⚕ ˈAbsatz-, Verˈteilungsˌzentrum *n*.

dis·tri·bu·tion [ˌdɪstrɪˈbjuːʃn] *s.* **1.** Ver-, Austeilung *f*; **2.** ⚙, ϟ a) Verteilung *f*, b) Verzweigung *f*; **3.** Ver-, Ausbreitung *f*; **4.** Einteilung *f*, *a.* ⚔ Gliederung *f*; **5.** a) Zuteilung *f*, b) Gabe *f*, Spende *f*; **6.** ⚕ a) Vertrieb *m*, Absatz *m*, b) Verleih *m* (*von Filmen*), c) Ausschüttung *f* (*von Dividenden, Gewinnen*); **7.** Ausstreuen *n* (*von Samen*); **8.** Verteilen *n* (*von Farben etc.*); **9.** *typ.* a) Ablegen *n* (*des Satzes*), b) Auftragen *n* (*von Farbe*); **dis·trib·u·tive** [dɪˈstrɪbjʊtɪv] **I** *adj.* □ **1.** aus-, zu-, verteilend, Verteilungs...: ***~ share*** ⚖ gesetzlicher Erbteil; ***~ justice*** *fig.* ausgleichende Gerechtigkeit; **2.** jeden einzelnen betreffend; **3.** ⅌, *ling.* distribuˈtiv, Distributiv...; **II** *s.* **4.** *ling.* Distribuˈtivum *n*; **dis·trib·u·tor** [dɪˈstrɪbjʊtə] *s.* **1.** Verteiler *m* (*a.* ⚙, ϟ); **2.** ⚕ a) Großhändler *m*, Geneˈralvertreter *m*, b) *pl.* (Film)Verleih *m*; **3.** ⚙ Verteilerdüse *f*.

dis·trict [ˈdɪstrɪkt] *s.* **1.** Diˈstrikt *m*, (Verwaltungs)Bezirk *m*, Kreis *m*; **2.** (Stadt)Bezirk *m*, (-)Viertel *n*; **3.** Gegend *f*, Gebiet *n*, Landstrich *m*; ***~ attorney*** *s. Am.* Staatsanwalt *m*; ***~ Council*** *s. Brit.* Bezirksamt *n*; ***~ Court*** *s.* ⚖ *Am.* (Bundes)Bezirksgericht *n*; ***~ heating*** *s.* Fernheizung *f*; ***~ judge*** *s.* ⚖ *Am.* Richter *m* an e-m

(Bundes)Bezirksgericht; **~ nurse** *s.* Gemeindeschwester *f.*

dis·trust [dɪsˈtrʌst] **I** *s.* ˈMißtrauen *n*, Argwohn *m* (***of*** gegen): ***have a ~ of s.o.*** j-m mißtrauen; **II** *v/t.* mißˈtrauen (*dat.*); **disˈtrust·ful** [-fʊl] *adj.* □ ˈmißtrauisch, argwöhnisch (***of*** gegen): ***~ of o.s.*** gehemmt, ohne Selbstvertrauen.

dis·turb [dɪˈstɜ:b] **I** *v/t.* stören (*a.* ⚙, ⚡, ⚕, *meteor. etc.*): a) behindern, b) belästigen, c) beunruhigen, d) aufschrekken, -scheuchen, e) durcheinˈanderbringen, in Unordnung bringen: ***~ed at*** beunruhigt über (*acc.*); ***~ the peace*** ⚖ die öffentliche Sicherheit u. Ordnung stören; **II** *v/i.* stören; **dis·turb·ance** [dɪˈstɜ:bəns] *s.* **1.** Störung *f* (*a.* ⚙, ⚡, ⚕, ✈); **2.** Belästigung *f*; Beunruhigung *f*; Aufregung *f*; **3.** Unruhe *f*, Tuˈmult *m*, Aufruhr *m*: ***~ of the peace*** ⚖ öffentliche Ruhestörung; ***cause*** (*od.* ***create***) ***a ~*** ⚖ die öffentliche Sicherheit u. Ordnung stören; **4.** Verwirrung *f*; **5.** ***~ of possession*** ⚖ Besitzstörung *f*; **dis·turb·er** [dɪˈstɜ:bə] *s.* Störenfried *m*, Unruhestifter(in); **disturb·ing** [dɪˈstɜ:bɪŋ] *adj.* □ beunruhigend.

dis·un·ion [ˌdɪsˈju:njən] *s.* **1.** Trennung *f*, Spaltung *f*; **2.** Uneinigkeit *f*, Zwietracht *f*; **dis·u·nite** [ˌdɪsju:ˈnaɪt] *v/t. u. v/i.* (sich) trennen; *fig.* (sich) entzweien; **dis·u·nit·ed** [ˌdɪsju:ˈnaɪtɪd] *adj.* entzweit, verfeindet; **dis·u·ni·ty** [ˌdɪsˈju:nətɪ] → ***disunion*** 2.

dis·use I *s.* [ˌdɪsˈju:s] Nichtgebrauch *m*; Aufhören *n e-s Brauchs*: ***fall into ~*** außer Gebrauch kommen; **II** *v/t.* [ˌdɪsˈju:z] nicht mehr gebrauchen; **dis·used** [ˌdɪsˈju:zd] *adj.* **1.** ausgedient, nicht mehr benützt; **2.** stillgelegt (*Bergwerk etc.*), außer Betrieb.

dis·yl·lab·ic [ˌdɪsɪˈlæbɪk] *adj.* (□ ***~ally***) zweisilbig; **di·syl·la·ble** [dɪˈsɪləbl] *s.* zweisilbiges Wort.

ditch [dɪtʃ] **I** *s.* **1.** (Straßen)Graben *m*: ***last ~*** verzweifelter Kampf, Not(lage) *f*; ***die in the last ~*** bis zum letzten Atemzug kämpfen (*a. fig.*); **2.** Abzugsgraben *m*; **3.** Bewässerungs-, Wassergraben *m*; **4.** ✈ *sl.* ‚Bach' *m* (*Meer, Gewässer*); **II** *v/t.* **5.** mit e-m Graben versehen, Gräben ziehen durch; **6.** durch Abzugsgräben entwässern; **7.** F *Wagen* in den Straßengraben fahren: ***be ~ed*** im Straßengraben landen; **8.** *sl.* a) *Wagen etc.* stehenlassen, b) *j-m* entwischen, c) *j-m* den ‚Laufpaß' geben, *j-n* ‚sausen' lassen, d) *et.* ‚wegschmeißen', e) *Am. Schule* schwänzen; **9.** ✈ *sl. Maschine* im ‚Bach' landen; **III** *v/i.* **10.** Gräben ziehen *od.* ausbessern; **11.** ✈ *sl.* notlanden, notwassern; **ˈditch·er** [-tʃə] *s.* **1.** Grabenbauer *m*; **2.** Grabbagger *m*; **ˈditchˌwa·ter** *s.* abgestandenes, fauliges Wasser; → ***dull*** 4.

dith·er [ˈdɪðə] **I** *v/i.* **1.** bibbern, zittern; **2.** *fig.* schwanken (***between*** zwischen *dat.*); **3.** aufgeregt sein; **II** *s.* **4.** *fig.* Schwanken *n*; **5.** Aufregung *f*: ***be all of*** (*od.* ***in***) ***a ~*** F aufgeregt sein, ‚bibbern'.

dith·y·ramb [ˈdɪθɪræm*b*] *s.* **1.** Dithyˈrambus *m*; **2.** Lobeshymne *f*; **dith·y·ram·bic** [ˌdɪθɪˈræmbɪk] *adj.* dithyˈrambisch; enthusiˈastisch.

dit·to [ˈdɪtəʊ] (*abbr.* ***do.***) **I** *adv.* dito, desˈgleichen: ***~ marks*** Ditozeichen *n*; ***say ~ to s.o.*** j-m beipflichten; **II** *s.* F Dupliˈkat *n*, Ebenbild *n*.

dit·ty [ˈdɪtɪ] *s.* Liedchen *n*.

di·u·ret·ic [ˌdaɪjʊəˈretɪk] **I** *adj.* diuˈretisch, harntreibend; **II** *s.* harntreibendes Mittel, Diuˈretikum *n*.

di·ur·nal [daɪˈɜ:nl] *adj.* □ **1.** täglich (ˈwiederkehrend), Tag(es)...; **2.** *zo.* ˈtagakˌtiv, bei Tag auftretend.

di·va [ˈdi:və] *s.* Diva *f*.

di·va·gate [ˈdaɪvəgeɪt] *v/i.* abschweifen; **di·va·ga·tion** [ˌdaɪvəˈgeɪʃn] *s.* Abschweifung *f*, Exˈkurs *m*.

di·va·lent [ˈdaɪˌveɪlənt] *adj.* ⚗ zweiwertig.

di·van [dɪˈvæn] *s.* **1.** a) Diwan *m*, (Liege)Sofa *n*, b) *a.* ***~ bed*** Bettcouch *f*; **2.** Diwan *m*: a) *orientalischer Staatsrat*, b) *Regierungskanzlei*, c) *Gerichtssaal*, d) *öffentliches Gebäude*; **3.** Diwan *m* (*orientalische Gedichtsammlung*).

di·var·i·cate [daɪˈværɪkeɪt] *v/i.* sich gabeln, sich spalten; abzweigen.

dive [daɪv] **I** *v/i.* **1.** tauchen (***for*** nach, ***into*** in *acc.*); **2.** ˈuntertauchen; **3.** e-n Kopf- *od.* Hechtsprung (*a. Torwart*) machen; **4.** *Wasserspringen*: springen; **5.** ✈ e-n Sturzflug machen; **6.** (hastig) hinˈeingreifen *od.* fahren (***into*** in *acc.*); **7.** sich stürzen, verschwinden (***into*** in *acc.*); **8.** (***into***) sich vertiefen (in *ein Buch etc.*); **9.** fallen (*Thermometer etc.*); **II** *s.* **10.** (ˈUnter)Tauchen *n*, ⚓ *a.* Tauchfahrt *f*; **11.** Kopfsprung *m*; Hechtsprung *m* (*a. des Torwarts*); ***make a ~*** → 3; ***take a ~*** *sport sl.* a) *Fußball*: ‚e-e Schwalbe bauen', b) ‚sich (einfach) hinlegen' (*Boxer*); **12.** *Wasserspringen*: Sprung *m*; **13.** ✈ Sturzflug *m*; **14.** F Speˈlunke *f*, Kneipe *f*; **ˈ~-bomb** *v/t. u. v/i.* im Sturzflug mit Bomben angreifen; **~ bomb·er** *s.* Sturzkampfflugzeug *n*, Sturzbomber *m*, Stuka *m*.

div·er [ˈdaɪvə] *s.* **1.** Taucher(in); *sport* Wasserspringer(in); **2.** *orn. ein* Tauchvogel *m*, *bsd.* Pinguin *m*.

di·verge [daɪˈvɜ:dʒ] *v/i.* **1.** divergieren (*a.* ⚕, *phys.*), auseinˈandergehen, -laufen, sich trennen; abweichen; **2.** abzweigen (***from*** von); **3.** verschiedener Meinung sein; **diˈver·gence** [-dʒəns], **diˈver·gen·cy** [-dʒənsɪ] *s.* **1.** ⚕, *phys.*

etc. Diver'genz *f*; **2.** Ausein'anderlaufen *n*; **3.** Abzweigung *f*; **4.** Abweichung *f*; **5.** Meinungsverschiedenheit *f*; **di'ver·gent** [-dʒənt] *adj.* □ **1.** divergierend (*a.* ⩚, *phys. etc.*); **2.** ausein'andergehend, -laufend; **3.** abweichend.

D

di·vers ['daɪvɜːz] *adj. obs.* etliche.

di·verse [daɪ'vɜːs] *adj.* □ **1.** verschieden, ungleich; **2.** mannigfaltig; **di·ver·si·fi·ca·tion** [daɪˌvɜːsɪfɪ'keɪʃn] *s.* **1.** abwechslungsreiche Gestaltung; **2.** ✝ Diversifizierung *f*, Streuung *f*: **~** (***of products***) Verbreiterung *f* des Produktionsprogramms; **~ *of capital*** Anlagenstreuung *f*; **3.** Verschiedenartigkeit *f*; **di'ver·si·fied** [-sɪfaɪd] *adj.* **1.** verschieden(artig); **2.** ✝ a) verteilt (*Risiko*), b) verteilt angelegt (*Kapital*), c) diversifiziert (*Produktion*); **di'ver·si·fy** [-sɪfaɪ] *v/t.* **1.** verschieden(artig) *od.* abwechslungsreich gestalten, variieren; **2.** ✝ diversifizieren, streuen.

di·ver·sion [daɪ'vɜːʃn] *s.* **1.** Ablenkung *f*; **2.** ⚔ 'Ablenkungsmaˌnöver *n* (*a. fig.*); **3.** *Brit.* 'Umleitung *f* (*Verkehr*); **4.** *fig.* Zerstreuung *f*, Zeitvertreib *m*; **di'ver·sion·ar·y** [-ʃnərɪ] *adj.* ⚔ Ablenkungs...; **di'ver·sion·ist** *pol.* **I** *s.* Diversio'nist(in), Sabo'teur(in); **II** *adj.* diversio'nistisch.

di·ver·si·ty [daɪ'vɜːsətɪ] *s.* **1.** Verschiedenheit *f*, Ungleichheit *f*; **2.** Mannigfaltigkeit *f*.

di·vert [daɪ'vɜːt] *v/t.* **1.** ablenken, ableiten, abwenden (***from*** von, ***to*** nach), lenken (***to*** auf *acc.*); **2.** abbringen (***from*** von); **3.** *Geld etc.* abzweigen (***to*** für); **4.** *Brit. Verkehr* 'umleiten; **5.** zerstreuen, unter'halten; **di'vert·ing** [-tɪŋ] *adj.* □ unter'haltsam, amü'sant.

di·vest [daɪ'vest] *v/t.* **1.** entkleiden (***of*** *gen.*); **2.** *fig.* entblößen, berauben (***of*** *gen.*): **~ *s.o. of*** j-m *ein Recht etc.* entziehen *od.* nehmen; **~ *o.s. of*** *et.* ablegen, *et.* ab- *od.* aufgeben, sich *e-s Rechts etc.* entäußern; **di'vest·i·ture** [-tɪtʃə], **di'vest·ment** [-s*t*mənt] *s. fig.* Entblößung *f*, Beraubung *f*.

di·vide [dɪ'vaɪd] **I** *v/t.* **1.** (ein)teilen (***in***, ***into*** in *acc.*): ***be ~d into*** zerfallen in (*acc.*); **2.** ⩚ teilen, dividieren (***by*** durch); **3.** verteilen (***between***, ***among*** unter *acc. od. dat.*): **~ *s.th. with s.o.*** et. mit j-m teilen; **4.** *a.* **~ *up*** zerteilen, zerlegen; zerstückeln, spalten; **5.** entzweien, ausein'anderbringen; **6.** trennen, absondern, scheiden (***from*** von); *Haar* scheiteln; **7.** *Brit. parl.* (im Hammelsprung) abstimmen lassen; **II** *v/i.* **8.** sich teilen; zerfallen (***in***, ***into*** in *acc.*); **9.** ⩚ a) sich teilen lassen (***by*** durch), b) aufgehen (***into*** in *dat.*); **10.** sich trennen *od.* spalten; **11.** *parl.* im Hammelsprung abstimmen; **III** *s.* **12.** *Am.* Wasserscheide *f*; **13.** *fig.* Trennlinie *f*: ***the Great*** ♀ der Tod; **di'vid·ed** [-dɪd] *adj.* geteilt (*a. fig.*): **~ *opinions*** geteilte Meinungen; **~ *counsel*** Uneinigkeit *f*; ***his mind was ~*** er war unentschlossen; **~ *against themselves*** unter sich uneins; **~ *highway*** *Am.* Schnellstraße *f*; **~ *skirt*** Hosenrock *m*.

div·i·dend ['dɪvɪdend] *s.* **1.** ⩚ Divi'dend *m*; **2.** ✝ Divi'dende *f*, Gewinnanteil *m*: *Brit.* ***cum ~***, *Am.* **~ *on*** einschließlich Dividende; *Brit.* ***ex ~***, *Am.* **~ *off*** ausschließlich Dividende; ***pay ~s*** *fig.* sich bezahlt machen; **3.** ⚖ Rate *f*, (Kon'kurs)quote *f*; **~ cou·pon**, **~ war·rant** *s.* ✝ Divi'dendenschein *m*.

di·vid·er [dɪ'vaɪdə] *s.* **1.** (Ver)Teiler(in); **2.** *pl.* Stechzirkel *m*; **3.** Trennwand *f*; **di'vid·ing** [-dɪŋ] *adj.* Trennungs..., Scheide...; ⚙ Teil...

div·i·na·tion [ˌdɪvɪ'neɪʃn] *s.* **1.** Weissagung *f*, Wahrsagung *f*; **2.** (Vor)Ahnung *f*.

di·vine [dɪ'vaɪn] **I** *adj.* □ **1.** Gottes..., göttlich, heilig: **~ *service*** Gottesdienst *m*; **~ *right of kings*** Königtum *n* von Gottes Gnaden, Gottesgnadentum *n*; **2.** *fig.* F göttlich, himmlisch; **II** *s.* **3.** Geistliche(r) *m*; **4.** Theo'loge *m*; **III** *v/t.* **5.** (vor'aus)ahnen; erraten; **6.** weissagen, prophe'zeien: ***divining rod*** Wünschelrute *f*; **di'vin·er** [-nə] *s.* **1.** Wahrsager *m*; **2.** (Wünschel)Rutengänger *m*.

div·ing ['daɪvɪŋ] *s.* **1.** Tauchen *n*; **2.** *sport* Wasserspringen *n*; **~ bell** *s.* Taucherglocke *f*; **~ board** *s.* Sprungbrett *n*; **~ duck** *s.* Tauchente *f*; **~ dress** → ***diving suit***; **~ hel·met** *s.* Taucherhelm *m*; **~ suit** *s.* Taucheranzug *m*; **~ tow·er** *s.* Sprungturm *m*.

di·vin·i·ty [dɪ'vɪnətɪ] *s.* **1.** Göttlichkeit *f*, göttliches Wesen; **2.** Gottheit *f*: ***the*** ♀ die Gottheit, Gott; **3.** Theolo'gie *f*; **4.** *a.* **~ *fudge*** *Am. ein Schaumgebäck*; **div·i·nize** ['dɪvɪnaɪz] *v/t.* vergöttlichen.

di·vis·i·bil·i·ty [dɪˌvɪzɪ'bɪlətɪ] *s.* Teilbarkeit *f*; **di·vis·i·ble** [dɪ'vɪzəbl] *adj.* □ teilbar; **di·vi·sion** [dɪ'vɪʒn] *s.* **1.** (Auf-, Ein)Teilung *f* (***into*** in *acc.*); Verteilung *f*, Gliederung *f*: **~ *of labo(u)r*** Arbeitsteilung; **~ *into shares*** ✝ Stückelung *f*; **2.** Trennung *f*, Grenze *f*, Scheidelinie *f*, -wand *f*; **3.** Teil *m*, Ab'teilung *f* (*a. e-s Amtes etc.*), Abschnitt *m*; **4.** Gruppe *f*, Klasse *f*; **5.** ⚔ Divisi'on *f*; **6.** *sport* 'Liga *f*, (Spiel-, *Boxen etc.*: Gewichts)Klasse *f*; **7.** *pol.* Bezirk *m*; **8.** *parl.* (Abstimmung *f* durch) Hammelsprung *m*: ***go into ~*** zur Abstimmung schreiten; ***upon a ~*** nach Abstimmung; **9.** *fig.* Spaltung *f*, Kluft *f*; Uneinigkeit *f*, Diffe'renz *f*; **10.** ⩚ Divisi'on *f*, Dividieren *n*; **di·vi·sion·al** [dɪ'vɪʒənl] *adj.* □ **1.** Trenn..., Scheide...: **~ *line***; **2.** Abteilungs...; **3.** ⚔ Divisions...; **di·vi·sive** [dɪ'vaɪsɪv] *adj.* **1.** teilend; scheidend; **2.**

entzweiend; trennend; **di·vi·sor** [dɪˈvaɪzə] *s.* ⚹ Diˈvisor *m*, Teiler *m*.

di·vorce [dɪˈvɔːs] **I** *s.* **1.** ⚖ (Ehe)Scheidung *f*: **~ action, ~ suit** Scheidungsklage *f*, -prozeß *m*; **obtain a ~** geschieden werden; **seek a ~** auf Scheidung klagen; **2.** *fig.* (völlige) Trennung *f* (**from** von); **II** *v/t.* **3.** ⚖ *Ehegatten* scheiden; **4. ~ one's husband** (**wife**) ⚖ sich von s-m Manne (s-r Frau) scheiden lassen; **5.** *fig.* (völlig) trennen, scheiden, (los-)lösen (**from** von); **di·vor·cee** [dɪˌvɔːˈsiː] *s.* Geschiedene(r *m*) *f*.

div·ot [ˈdɪvət] *s.* **1.** *Scot.* Sode *f*, Rasenstück *n*; **2.** *Golf*: Divot *n*, Koteˈlett *n*.

div·ul·ga·tion [ˌdaɪvʌlˈgeɪʃn] *s.* Enthüllung *f*, Preisgabe *f*.

di·vulge [daɪˈvʌldʒ] *v/t. Geheimnis etc.* enthüllen, preisgeben; **diˈvulge·ment** [-mənt], **diˈvul·gence** [-dʒəns] → **divulgation**.

div·vy [ˈdɪvɪ] *v/t. oft* **~ up** *Am.* F aufteilen.

dix·ie[1] [ˈdɪksɪ] *s.* ⚔ *sl.* **1.** Kochgeschirr *n*; **2.** ‚ˈGulaschkaˌnone' *f*.

Dix·ie[2] [ˈdɪksɪ] → **Dixieland**; **ˈDix·ie·crat** [-kræt] *s. Am. pol. Mitglied e-r Splittergruppe der Demokratischen Partei in den Südstaaten*; **ˈDix·ie·land** *s.* **1.** *Bezeichnung für den Süden der USA*; **2.** ♪ Dixieland *m*, Dixie *m*.

diz·zi·ness [ˈdɪzɪnɪs] *s.* Schwindel(anfall) *m*; Benommenheit *f*; **diz·zy** [ˈdɪzɪ] **I** *adj.* ☐ **1.** schwindlig: **~ spell** Schwindelanfall *m*; **2.** schwindelnd, schwindelerregend: **~ heights**; **3.** verwirrt, benommen; **4.** unbesonnen; **5.** F verrückt; **II** *v/t.* **6.** schwindlig machen; **7.** verwirren.

D-mark [ˈdiːmɑːk] *s.* Deutsche Mark.

do[1] [duː; dʊ] **I** *v/t.* [*irr.*] **1.** tun, machen: **what can I ~ for you?** womit kann ich dienen?; **what does he ~ for a living?** womit verdient er sein Brot?; **~ right** recht tun; → **done** 1; **2.** tun, ausführen, sich beschäftigen mit, verrichten, vollˈbringen, erledigen: **~ business** Geschäfte machen; **~ one's duty** s-e Pflicht tun; **~ French** Französisch lernen; **~ Shakespeare** Shakespeare durchnehmen *od.* behandeln; **~ it into German** es ins Deutsche übersetzen; **~ lecturing** Vorlesungen halten; **my work is done** m-e Arbeit ist getan *od.* fertig; **he had done working** er war mit der Arbeit fertig; **~ 60 miles per hour** 60 Meilen die Stunde fahren; **he did all the talking** er führte das große Wort; **it can't be done** es geht nicht; **~ one's best** sein Bestes tun, sich alle Mühe geben; **~ better** a) (et.) Besseres tun *od.* leisten, b) sich verbessern; → **done**; **3.** herstellen, anfertigen: **~ a translation** e-e Übersetzung machen; **~ a portrait** ein Porträt malen; **4.** *j-m et.* tun, zufügen, erweisen, gewähren: **~ s.o. harm** j-m schaden; **~ s.o. an injustice** j-m ein Unrecht zufügen, j-m unrecht tun; **these pills ~ me** (**no**) **good** diese Pillen helfen mir (nicht); **5.** bewirken, erreichen: **I did it** ich habe es geschafft; **now you've done it!** *b.s.* nun hast du es glücklich geschafft!; **6.** herrichten, in Ordnung bringen, (zuˈrecht)machen, *Speisen* zubereiten: **~ a room** ein Zimmer aufräumen *od.* ‚machen'; **~ one's hair** sich das Haar machen, sich frisieren; **I'll ~ the flowers** ich werde die Blumen gießen; **7.** *Rolle etc.* spielen, ‚machen': **~ Hamlet** den Hamlet spielen; **~ the host** den Wirt spielen; **~ the polite** den höflichen Mann markieren; **8.** genügen, passen, recht sein (*dat.*): **will this glass ~ you?** genügt Ihnen dieses Glas?; **9.** F erschöpfen, ermüden: **he was pretty well done** er war ‚erledigt' (*am Ende s-r Kräfte*); **10.** F erledigen, abfertigen: **I'll ~ you next** ich nehme Sie als nächsten dran; **~ a town** e-e Stadt besichtigen *od.* ‚erledigen'; **that has done me** das hat mich ‚fertiggemacht' *od.* ruiniert; **~ 3 years in prison** *sl.* drei Jahre ‚abbrummen'; **11.** F ‚reinlegen', ‚übers Ohr hauen', ‚einseifen': **~ s.o. out of s.th.** j-n um et. betrügen *od.* bringen; **you have been done** (**brown**) du bist schön angeschmiert worden; **12.** F behandeln, versorgen, bewirten: **~ s.o. well** j-n gut versorgen; **~ o.s. well** es sich gutgehen lassen, sich gütlich tun; **II** *v/i.* [*irr.*] **13.** handeln, vorgehen, tun, sich verhalten: **he did well to come** er tat gut daran zu kommen; **nothing ~ing!** a) es ist nichts los, b) F nichts zu machen!, ausgeschlossen!; **it's ~ or die now!** jetzt geht's ums Ganze!; **have done!** hör auf!, genug davon!; → **Rome**; **14.** vorˈankommen, Leistungen vollˈbringen: **~ well** a) es gut machen, Erfolg haben, b) gedeihen, gut verdienen (→ 15); **~ badly** schlecht daran sein, schlecht *mit et.* fahren; **he did brilliantly at his examination** er hat ein glänzendes Examen gemacht; **15.** sich befinden: **~ well** a) gesund sein, b) in guten Verhältnissen leben, c) sich gut erholen; **how ~ you ~?** a) guten Tag!, b) *obs.* wie geht es Ihnen?, c) es freut mich (, Sie kennenzulernen); **16.** genügen, ausreichen, passen, recht sein: **will this quality ~?** reicht diese Qualität aus?; **that will ~** a) das genügt, b) genug davon!; **it will ~ tomorrow** es hat Zeit bis morgen; **that won't ~** a) das genügt nicht, b) das geht nicht (an); **that won't ~ with me** das verfängt bei mir nicht; **it won't ~ to be rude** mit Grobheit kommt man nicht weit(er), man darf nicht unhöflich sein; **I'll make**

D

it ~ ich werde damit (schon) auskommen *od.* reichen; **III** *v/aux.* **17.** *Verstärkung*: ***I ~ like it*** es gefällt mir sehr; ***~ be quiet!*** sei doch still!; ***he did come*** er ist tatsächlich gekommen; ***they did go, but*** sie sind zwar *od.* wohl gegangen, aber; **18.** *Umschreibung*: a) *in Fragesätzen*: ***~ you know him? No, I don't*** kennst du ihn? Nein (, ich kenne ihn nicht), b) *in mit* ***not*** *verneinten Sätzen*: ***he did not*** (*od.* ***didn't***) ***come*** er ist nicht gekommen; **19.** *bei Umstellung nach* ***hardly***, ***little*** *etc.*: ***rarely does one see such things*** solche Dinge sieht man selten; **20.** *statt Wiederholung des Verbs*: ***you know as well as I ~*** Sie wissen so gut wie ich; ***did you buy it? – I did!*** hast du es gekauft? – jawohl!; ***I take a bath – so ~ I*** ich nehme ein Bad – ich auch; **21.** ***you learn German, don't you?*** du lernst Deutsch, nicht wahr?; ***he doesn't work too hard, does he?*** er arbeitet sich nicht tot, nicht wahr?;

Zssgn mit prp.:

do| by *v/i.* behandeln, handeln an (*dat.*): ***do well by s.o.*** j-n gut *od.* anständig behandeln; ***do*** (***[un]to others***) ***as you would be done by*** was du nicht willst, daß man dir tu', das füg auch keinem andern zu; **~ for** *v/i.* **1.** passen *od.* sich eignen für *od.* als; ausreichen für; **2.** F *j-m* den Haushalt führen; **3.** sorgen für; **4.** F zu'grunde richten, ruinieren: ***he is done for*** er ist ‚erledigt'; **~ to** → ***do by***; **~ with** *v/t. u. v/i.* **1.** : ***I can't do anything with him*** (***it***) ich kann nichts mit ihm (damit) anfangen; ***I have nothing to ~ it*** ich habe nichts damit zu schaffen, es geht mich nichts an, es betrifft mich nicht; ***I won't have anything to ~ you*** ich will mit dir nichts zu schaffen haben; **2.** auskommen *od.* sich begnügen mit: ***can you ~ bread and cheese for supper?*** genügen dir Brot und Käse zum Abendessen?; **3.** er-, vertragen: ***I can't ~ him and his cheek*** ich kann ihn mit s-r Frechheit nicht ertragen; **4.** *mst* ***could ~*** (gut) gebrauchen können: ***I could ~ the money***; ***he could ~ a haircut*** er müßte sich mal (wieder) die Haare schneiden lassen; **~ with·out** *v/i.* auskommen ohne, *et.* entbehren, verzichten auf (*acc.*): ***we shall have to ~*** wir müssen ohne (es) auskommen;

Zssgn mit adv.:

do| a·way with *v/i.* **1.** beseitigen, abschaffen, aufheben; **2.** *Geld* 'durchbringen; **3.** 'umbringen, töten; **~ down** *v/t.* F **1.** reinlegen, ‚übers Ohr hauen', ‚bescheißen'; **2.** ‚her'untermachen'; **~ in** *v/t. sl.* **1.** *j-n* 'umbringen; **2.** → ***do down*** 1; **3.** *j-n* ‚erledigen', ‚schaffen'; **~ out** *v/t.* F *Zimmer etc.* säubern; **~ up** *v/t.* **1.** a) zs.-schnüren, b) *Päckchen* verschnüren, zu'rechtmachen, c) einpakken, d) *Kleid etc.* zumachen; **2.** *das Haar* hochstecken; **3.** herrichten, in Ordnung bringen; **4.** → ***do in*** 3.

do² [du:] *pl.* **dos, do's** [-z] *s.* **1.** *sl.* Schwindel *m*, ‚Beschiß' *m*, fauler Zauber; **2.** *Brit.* F Fest *n*, ‚Festivi'tät' *f*, ‚große Sache'; **3.** ***do's and don'ts*** Gebote *pl. u.* Verbote *pl.*, Regeln *pl.*

do³ [dəʊ] *s.* ♪ do *n* (*Solmisationssilbe*).

do·a·ble ['du:əbl] *adj.* 'durchführ-, machbar; **'do-all** *s.* Fak'totum *n.*

doat [dəʊt] → ***dote.***

doc [dɒk] F *abbr. für* ***doctor.***

do·cent [dəʊ'sent] *s. Am.* Pri'vatdo͵zent *m.*

doc·ile ['dəʊsaɪl] *adj.* □ **1.** fügsam, gefügig; **2.** gelehrig; **3.** fromm (*Pferd*);

do·cil·i·ty [dəʊ'sɪlətɪ] *s.* **1.** Fügsamkeit *f*; **2.** Gelehrigkeit *f.*

dock¹ [dɒk] **I** *s.* **1.** Dock *n*: ***dry ~***, ***graving ~*** Trockendock; ***floating ~*** Schwimmdock; ***wet ~*** Dockhafen *m*; ***put in ~*** → 6; **2.** Hafenbecken *n*, Anlegeplatz *m*: ***~ authorities*** Hafenbehörde *f*; ***~ dues*** → ***dockage¹*** 1; ***~ strike*** Dockarbeiterstreik *m*; **3.** *pl.* Docks *pl.*, Dock-, Hafenanlagen *pl.*; **4.** *Am.* Kai *m*; **5.** 🚂 *Am.* Laderampe *f*; **II** *v/t.* **6.** *Schiff* (ein)docken; **7.** *Raumschiffe* koppeln; **III** *v/i.* **8.** ins Dock gehen, docken; im Dock liegen; **9.** anlegen (*Schiff*); **10.** andocken (*Raumschiffe*).

dock² [dɒk] **I** *s.* **1.** Fleischteil *m* des Schwanzes; **2.** Schwanzstummel *m*; **3.** Schwanzriemen *m*; **4.** (Lohn- *etc.*)Kürzung *f*; **II** *v/t.* **5.** a) stutzen, b) den Schwanz stutzen *od.* kupieren (*dat.*); **6.** *fig.* beschneiden, kürzen.

dock³ [dɒk] *s.* ⚖ Anklagebank *f*: ***be in the ~*** auf der Anklagebank sitzen; ***put in the ~*** *fig.* anklagen.

dock⁴ [dɒk] *s.* ⚘ Ampfer *m.*

dock·age¹ ['dɒkɪdʒ] *s.* ⚓ **1.** Dock-, Hafengebühren *pl.*, Kaigebühr *f*; **2.** Docken *n*; **3.** → ***dock¹*** 3.

dock·age² ['dɒkɪdʒ] *s.* Kürzung *f.*

dock·er ['dɒkə] *s. Brit.* Dock-, Hafenarbeiter *m.*

dock·et ['dɒkɪt] **I** *s.* **1.** ⚖ a) Ge'richts-, Ter'minka͵lender *m*, b) *Brit.* 'Urteilsre͵gister *n*, c) *Am.* Pro'zeßliste *f*; **2.** Inhaltsangabe *f*, -vermerk *m*; **3.** *Am.* Tagesordnung *f*; **4.** ✝ a) A'dreßzettel *m*, Eti'kett *n*, b) *Brit.* Zollquittung *f*, c) *Brit.* Bestell-, Lieferschein *m*; **II** *v/t.* **5.** in e-e Liste eintragen (→ 1 b u. c); **6.** mit Inhaltsangabe *od.* Eti'kett versehen; **7.** *Am.* auf die Tagesordnung setzen.

dock·ing ['dɒkɪŋ] *s. Raumfahrt*: Andokken *n*, Kopp(e)lung *f.*

'dock|·land *s.* Hafenviertel *n*; **'~͵mas·ter** *s.* 'Hafenkapi͵tän *m*, Dockmeister m; '~ₗwar·rant s. ✝ Docklagerschein m; ~ **work·er** → ***docker***; '~**·yard** s. ⚓ **1.** Werft f; **2.** *Brit.* Ma'rinewerft f.

doc·tor ['dɒktə] **I** s. **1.** Doktor m, Arzt m: ~***'s stuff*** F Medizin f; ***that's just what the ~ ordered*** das ist genau das richtige; ***doll ~*** F Puppendoktor; **2.** *univ.* Doktor m: ***℞ of Divinity*** (***Laws***) Doktor der Theologie (Rechte); ***take one's ~'s degree*** (zum Doktor) promovieren; ***Dear ~*** Sehr geehrter Herr Doktor!; **3.** ***℞ of the Church*** Kirchenvater m; **4.** ⚓ *sl.* Smutje m, Schiffskoch m; **5.** ⚙ Schaber m, Abstreichmesser n; **6.** *Angeln*: künstliche Fliege; **II** v/t. **7.** ‚verarzten', ärztlich behandeln; **8.** F *Tier* kastrieren; **9.** ‚ausbessern', ‚zu'rechtflicken'; **10.** *a.* ***~ up*** a) *Wein etc.* (ver)panschen, b) *Abrechnungen etc.* ‚frisieren', (ver)fälschen; **III** v/i. **11.** F (als Arzt) praktizieren; '**doc·tor·al** [-tərəl] *adj.* Doktor(s)...: ***~ candidate*** Doktorand(in); ***~ cap*** Doktorhut m; '**doc·tor·ate** [-tərɪt] s. Dokto'rat n, Doktorwürde f.

doc·tri·naire [ˌdɒktrɪ'neə] **I** s. Doktri'när m, Prin'zipienreiter m; **II** *adj.* doktri'när.

doc·tri·nal [dɒk'traɪnl] *adj.* ☐ lehrmäßig, Lehr...; *weitS* dog'matisch: ***~ proposition*** Lehrsatz m; ***~ theology*** Dogmatik f; **doc·trine** ['dɒktrɪn] s. **1.** Dok'trin f, Lehre f, Lehrmeinung f; **2.** *bsd. pol.* Dok'trin f, Grundsatz m: ***party ~*** Parteiprogramm n.

doc·u·dra·ma ['dɒkjʊˌdrɑːmə] s. *Film, TV*: Dokumen'tarspiel n.

doc·u·ment ['dɒkjʊmənt] **I** s. **1.** Doku'ment n, Urkunde f, Schrift-, Aktenstück n, 'Unterlage f, *pl. a.* Akten *pl.*; **2.** Beweisstück n; **3.** (***shipping***) ***~s*** *pl.* ✝ Ver'lade-, 'Schiffspaˌpiere *pl.*: ***~s against acceptance*** (***payment***) Dokumente gegen Akzept (Bezahlung); **II** v/t. [-ment] **4.** dokumentieren (*a. fig.*), (urkundlich) belegen; **5.** *Buch etc.* mit (genauen) Beleghinweisen versehen; **6.** ✝ mit den notwendigen Pa'pieren versehen; **doc·u·men·ta·ry** [ˌdɒkjʊ'mentərɪ] **I** *adj.* **1.** dokumen'tarisch, urkundlich: ***~ bill*** ✝ Dokumententratte f; ***~ evidence*** Urkundenbeweis m; **2.** *Film etc.*: Dokumentar..., Tatsachen...: ***~ film***; ***~ novel***; **II** s. Dokumen'tar-, Tatsachenfilm m; **doc·u·men·ta·tion** [ˌdɒkjʊmen'teɪʃn] s. Dokumentati'on f: a) Urkunden-, Quellenbenutzung f, b) dokumen'tarischer Nachweis *od.* Beleg.

dod·der[1] ['dɒdə] s. ⚘ Teufelszwirn m, Flachsseide f.

dod·der[2] ['dɒdə] v/i. F **1.** zittern (*vor Schwäche*); **2.** wack(e)lig gehen, wackeln; '**dod·dered** [-əd] *adj.* **1.** astlos (*Baum*); **2.** altersschwach, tatterig; '**dod·der·ing** [-ərɪŋ], '**dod·der·y** [-ərɪ] *adj.* F se'nil, tatterig, vertrottelt.

do·dec·a·gon [dəʊ'dekəgən] s. ⩓ Zwölfeck n.

do·dec·a·he·dron [ˌdəʊdekə'hedrən] *pl.* **-drons, dra** [-drə] s. ⩓ Dodeka'eder n, Zwölfflächner m; ˌ**do·dec·a'syl·la·ble** [-'sɪləbl] s. zwölfsilbiger Vers.

dodge [dɒdʒ] **I** v/i. **1.** (rasch) zur Seite springen, ausweichen; **2.** a) schlüpfen, b) sich verstecken, c) flitzen; **3.** Ausflüchte gebrauchen, Winkelzüge machen; **4.** sich drücken; **II** v/t. **5.** ausweichen (*dat.*); **6.** F sich drücken vor, um'gehen, aus dem Weg gehen (*dat.*), vermeiden; **III** s. **7.** Sprung m zur Seite, rasches Ausweichen; **8.** Kniff m, Trick m: ***be up to all the ~s*** mit allen Wassern gewaschen sein; **dodg·em** (**car**) ['dɒdʒəm] s. (Auto)Scooter m; '**dodg·er** [-dʒə] s. **1.** ‚Schlitzohr' n; **2.** Gauner m, Schwindler m; **3.** Drückeberger m; **4.** *Am.* Hand-, Re'klamezettel m; '**dodg·y** [-dʒɪ] *adj. Brit.* F **1.** vertrackt; **2.** ris'kant; **3.** nicht einwandfrei.

doe [dəʊ] s. *zo.* **1.** a) Damhirschkuh f, b) Rehgeiß f; **2.** *Weibchen der Hasen, Kaninchen etc.*

do·er ['du:ə] s. ‚Macher' m, Tatmensch m.

does [dʌz; dəz] *3. pres. sg. von* **do**[1].

'**doe·skin** s. **1.** a) Rehfell n, b) Rehleder n; **2.** Doeskin n (*ein Wollstoff*).

doest [dʌst] *obs. od. poet. 2. pres. sg. von* **do**[1]: ***thou ~*** du tust.

doff [dɒf] v/t. **1.** *Kleider* ablegen, ausziehen; *Hut* lüften, ziehen; **2.** *fig. Gewohnheit* ablegen.

dog [dɒg] **I** s. **1.** *zo.* Hund m; **2.** *engS.* Rüde m (*männlicher Hund, Wolf* [*a.* ***dog-wolf***], *Fuchs* [*a.* ***dog-fox***] *etc.*); **3.** *oft* ***dirty ~*** (gemeiner) Hund m, Schuft m; **4.** F Bursche m, Kerl m: ***gay ~*** lustiger Vogel; ***lucky ~*** Glückspilz m; ***sly ~*** schlauer Fuchs; **5.** *ast.* a) ***Greater*** (***Lesser***) ℞ Großer (Kleiner) Hund, b) → ***Dog Star***; **6.** ***the ~s*** *Brit.* F das Windhundrennen; **7.** ⚙ a) Klaue f, Knagge f, b) Anschlag(bolzen) m, c) Bock m, Gestell n; **8.** ⚒ Hund m, Förderwagen m; **9.** → ***fire-dog***;

Besondere Redewendungen:

not a ~'s chance nicht die geringste Chance; ***~ in the manger*** Neidhammel m; ***~s of war*** Kriegsfurien; ***~'s dinner*** F Pfusch(arbeit f) m; ***~ does not eat ~*** eine Krähe hackt der anderen kein Auge aus; ***go to the ~s*** vor die Hunde gehen; ***every ~ has his day*** jeder hat einmal Glück im Leben; ***help a lame ~ over a stile*** j-m in der Not helfen; ***lead a ~'s life*** ein Hundeleben führen; ***lead s.o. a ~'s life*** j-m das Leben zur Hölle machen; ***let sleeping ~s lie*** a) schlafende Hunde soll man nicht wecken,

laß die Finger davon, b) laß den Hund begraben sein, rühr nicht alte Geschichten auf; ***put on ~*** F ‚angeben', vornehm tun; ***throw to the ~s*** wegwerfen, vergeuden, *fig.* den Wölfen (zum Fraß) vorwerfen, opfern;
II *v/t.* **10.** *j-m* auf dem Fuße folgen, *j-n* verfolgen, jagen, *j-m* nachspüren: ***~ s.o.'s steps*** j-m auf den Fersen bleiben; **11.** *fig.* verfolgen: ***~ged by bad luck.***

dog| bis·cuit *s.* Hundekuchen *m*; **'~·cart** *s.* Dogcart *m* (*Wagen*); **ˌ~'cheap** *adj. u. adv.* F spottbillig; **~ col·lar** *s.* **1.** Hundehalsband *n*; **2.** F Kol'lar *n*, (steifer) Kragen *e-s Geistlichen*; **~ days** *s. pl.* Hundstage *pl.*

doge [dəʊdʒ] *s. hist.* Doge *m.*

'dog|-ear *s.* Eselsohr *n*; **'~-eared** *adj.* mit Eselsohren (*Buch*); **~ end** *s. Brit.* F (Ziga'retten)Kippe *f*; **'~·fight** *s.* Handgemenge *n*; ⚔ Einzel-, Nahkampf *m*; ✈ Kurven-, Luftkampf *m*; **'~·fish** *s.* kleiner Hai, *bsd.* Hundshai *m.*

dog·ged ['dɒgɪd] *adj.* □ verbissen, hartnäckig, zäh; **'dog·ged·ness** [-nɪs] *s.* Verbissenheit *f*, Zähigkeit *f.*

dog·ger ['dɒgə] *s.* ⚓ *Dogger m* (*zweimastiges Fischerboot*).

dog·ger·el ['dɒgərəl] **I** *s.* Knittelvers *m*; **II** *adj.* holperig (*Vers etc.*).

dog·gie ['dɒgɪ] → ***doggy*** 1; **~ bag** *s.* F Beutel *m* zum Mitnehmen von Essensresten (*im Restaurant*).

dog·gish ['dɒgɪʃ] *adj.* □ **1.** hundeartig, Hunde...; **2.** bissig, mürrisch.

dog·go ['dɒgəʊ] *adv.*: ***lie ~*** a) sich nicht mucksen, b) sich versteckt halten.

dog·gone ['dɒgɒn] *adj. u. int. Am.* F verdammt.

dog·gy ['dɒgɪ] **I** *s.* **1.** Hündchen *n*, Wauwau *m*; **II** *adj.* **2.** hundeartig; **3.** hundeliebend; **4.** *Am.* F todschick.

'dog|·house *s.* Hundehütte *f*: ***in the ~*** *Am.* F in Ungnade; **~ Lat·in** *s.* 'Küchenlaˌtein *n*; **~ lead** [li:d] *s.* Hundeleine *f.*

dog·ma ['dɒgmə] *pl.* **-mas**, **-ma·ta** [-mətə] *s.* **1.** *eccl.* Dogma *n*: a) Glaubenssatz *m*, b) 'Lehrsysˌtem *n*; **2.** Lehrsatz *m*; **3.** *fig.* Dogma *n*, Grundsatz *m*; **dog·mat·ic** [dɒg'mætɪk] **I** *adj.* (□ ***~al·ly***) *eccl. u. fig. contp.* dog'matisch; **II** *s. pl. sg. konstr.* Dog'matik *f*; **'dog·ma·tism** [-ətɪzəm] *s. contp.* Dogma'tismus *m*; **'dog·ma·tist** [-ətɪst] *s. eccl. u. fig.* Dog'matiker *m*; **'dog·ma·tize** [-ətaɪz] **I** *v/i. bsd. contp.* dogmatisieren, dog'matische Behauptungen aufstellen (***on*** über *acc.*); **II** *v/t.* dogmatisieren, zum Dogma erheben.

ˌdo-'good·er *s.* F Weltverbesserer *m*, Humani'tätsaˌpostel *m.*

'dog|-ˌpad·dle *v/i.* (wie ein Hund) paddeln; **~ rac·ing** *s.* Hunderennen *n*; **'~-rose** *s.* ⚘ Heckenrose *f.*

'dogsˌbod·y ['dɒgz-] *s.* F ‚Kuli' *m* (*der die Dreckarbeit machen muß*).

'dog's-ear *etc.* → ***dog-ear*** *etc.*

'dog|-show *s.* Hundeausstellung *f*; **'~·skin** *s.* Hundsleder *n*; ♀ **Star** *s. ast.* Sirius *m*, Hundsstern *m*; **~ tag** *s.* **1.** Hundemarke *f*; **2.** ⚔ *Am. sl.* ‚Hundemarke' *f* (*Erkennungsmarke*); **~ tax** *s.* Hundesteuer *f*; **ˌ~-'tired** *adj.* F hundemüde; **'~-tooth** *s.* [*irr.*] ⚠ 'Zahnornaˌment *n*; **'~·trot** *s.* leichter Trab; **'~·watch** *s.* ⚓ ‚Plattfuß' *m* (*Wache*); **'~·wood** *s.* ⚘ Hartriegel *m.*

doi·ly ['dɔɪlɪ] *s.* (Zier)Deckchen *n.*

do·ing ['du:ɪŋ] *s.* **1.** Tun *n*: ***that was your ~*** a) das hast du getan, b) es war deine Schuld; ***that will take some ~*** das will erst getan sein; **2.** *pl.* a) Taten *pl.*, Tätigkeit *f*, b) Vorfälle *pl.*, Begebenheiten *pl.*, c) Treiben *n*, Betragen *n*: ***fine ~s these!*** das sind mir schöne Geschichten!; **3.** *pl. sg. konstr. Brit.* F ‚Dingsbums' *n.*

doit [dɔɪt] *s.* Deut *m*: ***not worth a ~*** keinen Pfifferling wert.

ˌdo-it-your'self I *s.* Heimwerken *n*; **II** *adj.* Do-it-yourself..., Heimwerker...; **ˌdo-it-your'self·er** [-fə] *s.* F Heimwerker *m.*

dol·drums ['dɒldrəmz] *s. pl.* **1.** *geogr.* a) Kalmengürtel *m*, -zone *f*, b) Kalmen *pl.*, äquatori'ale Windstillen *pl.*; **2.** Niedergeschlagenheit *f*, Trübsinn *m*: ***in the ~*** a) deprimiert, Trübsal blasend, b) e-e Flaute durchmachend (*Geschäft etc.*).

dole [dəʊl] **I** *s.* **1.** milde Gabe, Almosen *n*; **2.** *bsd. Brit.* F ‚Stempelgeld' *n*: ***be*** (*od.* ***go***) ***on the ~*** stempeln gehen; **II** *v/t.* **3.** *mst* ***~ out*** sparsam aus-, verteilen.

dole·ful ['dəʊlfʊl] *adj.* □ traurig; trübselig; **'dole·ful·ness** [-nɪs] *s.* Trübseligkeit *f.*

dol·i·cho·ce·phal·ic [ˌdɒlɪkəʊse'fælɪk] *adj.* langköpfig, -schädelig.

'do-ˌlit·tle *s.* F Faulpelz *m.*

doll [dɒl] **I** *s.* **1.** Puppe *f*: ***~'s house*** Puppenstube *f*, -haus *n*; ***~'s pram*** *bsd. Brit.* Puppenwagen *m*; ***~'s face*** *fig.* Puppengesicht *n*; **2.** F ‚Puppe' *f* (*Mädchen*); *Am. sl. allg.* Frau *f*; **II** *v/t. u. v/i.* ***~ up*** F (sich) feinmachen: ***all ~ed up*** aufgedonnert.

dol·lar ['dɒlə] *s.* Dollar *m*: ***the almighty ~*** das Geld, der Mammon; ***~ diplomacy*** Dollardiplomatie *f.*

doll·ish ['dɒlɪʃ] *adj.* □ puppenhaft.

dol·lop ['dɒləp] *s.* F Klumpen *m*, ‚Klacks' *m*; *Am.* ‚Schuß' *m*: ***~ of brandy.***

doll·y ['dɒlɪ] **I** *s.* **1.** Püppchen *n*; **2.** ⚙ a) niedriger Trans'portkarren, b) *Film:* Kamerawagen *m*, c) 'Schmalspurlokoˌmoˌtive *f* (*an Baustellen*); **3.** ⚙ Nietkolben *m*; **4.** Wäschestampfer *m*, -stößel *m*; **5.** *Am.* Anhängerbock *m* (*Sattelschlepper*); **6.** *a.* ~ ***bird*** F ‚Püppchen' *n* (*Mädchen*); **II** *adj.* **7.** puppenhaft; **III** *v/t.* **8.** ~ ***in*** (***out***) *Film*: *die Kamera* vorfahren (zu'rückfahren); ~ **shot** *s. Film*: Fahraufnahme *f*.

dol·man ['dɒlmən] *pl.* **-mans** *s.* **1.** Damenmantel *m* mit capeartigen Ärmeln: ~ ***sleeve*** capeartiger Ärmel; **2.** Dolman *m* (*Husarenjacke*).

dol·men ['dɒlmen] *s.* Dolmen *m* (*vorgeschichtliches Steingrabmal*).

dol·o·mite ['dɒləmaɪt] *s. min.* Dolo'mit *m*: ***the*** ≈***s*** *geogr.* die Dolomiten.

do·lor *Am.* → ***dolour***; **dol·or·ous** ['dɒlərəs] *adj.* □ traurig, schmerzlich; **dolour** ['dɒlə] *s.* Leid *n*, Pein *f*, Qual *f*, Schmerz *m*.

dol·phin ['dɒlfɪn] *s.* **1.** *zo.* a) Del'phin *m*, b) Tümmler *m*; **2.** *ichth.* 'Goldmaˌkrele *f*; **3.** ⚓ a) Ankerboje *f*, b) Dalbe *f*.

dolt [dəʊlt] *s.* Dummkopf *m*, Tölpel *m*; **'dolt·ish** [-tɪʃ] *adj.* □ tölpelhaft, dumm.

do·main [dəʊ'meɪn] *s.* **1.** Do'mäne *f*, Staatsgut *n*; **2.** Landbesitz *m*; Herrengut *n*; **3.** (***power of***) ***eminent*** ~ *Am.* Enteignungsrecht *n des Staates*; **4.** *fig.* Do'mäne *f*, Gebiet *n*, Bereich *m*, Sphäre *f*, Reich *n*.

dome [dəʊm] *s.* **1.** *allg.* Kuppel *f*; **2.** Wölbung *f*; **3.** *obs.* Dom *m*, *poet. a.* stolzer Bau; **4.** ⚙ Haube *f*, Deckel *m*; **5.** *Am.* ‚Birne' *f* (*Kopf*); **domed** [-md] *adj.* gewölbt; kuppelförmig.

Domes·day Book ['du:mzdeɪ] *s. Reichsgrundbuch Englands* (*1086*).

'dome-shaped → ***domed***.

do·mes·tic [dəʊ'mestɪk] **I** *adj.* (□ ~***ally***) **1.** häuslich, Haus..., Haushalts..., Familien..., Privat...: ~ ***affairs*** häusliche Angelegenheiten (→ 4); ~ ***court*** *Am.* Familiengericht *n*; ~ ***drama*** *thea.* bürgerliches Drama; ~ ***economy*** *od.* ***science*** Hauswirtschaft(slehre) *f*; ~ ***life*** Familienleben *n*; ~ ***relations law*** ⚖ *Am.* Familienrecht *n*; ~ ***servant*** → 6; **2.** häuslich (veranlagt): ***a*** ~ ***man***; **3.** inländisch, Inland(s)..., einheimisch, Landes...; Innen..., Binnen...: ~ ***bill*** ⚕ Inlandswechsel *m*; ~ ***goods*** Inlandswaren; ~ ***mail*** *Am.* Inlandspost *f*; ~ ***trade*** Binnenhandel *m*; **4.** *pol.* inner, Innen...: ~ ***affairs*** innere *od.* innenpolitische Angelegenheiten (→ 1); ~ ***policy*** Innenpolitik *f*; **5.** zahm, Haus...: ~ ***animal*** Haustier *n*; **II** *s.* **6.** Hausangestellte(r *m*) *f*, Dienstbote *m*; **do'mes·ti·cate** [-keɪt] *v/t.* **1.** domestizieren: a) zähmen, zu Haustieren machen, b) zu Kulturpflanzen machen; **2.** an häusliches Leben gewöhnen: ***not*** ~***d*** a) nichts vom Haushalt verstehend, b) nicht am Familienleben hängend, ‚nicht gezähmt'; **3.** *Wilde* zivilisieren; **do·mes·ti·ca·tion** [dəʊˌmestɪ'keɪʃn] *s.* **1.** Domestizierung *f*: a) Zähmung *f*, b) ⚘ Kultivierung *f*; **2.** Gewöhnung *f* an häusliches Leben; **3.** Einbürgerung *f*; **do·mes·tic·i·ty** [ˌdəʊme'stɪsətɪ] *s.* **1.** (Neigung *f* zur) Häuslichkeit *f*; **2.** häusliches Leben; **3.** *pl.* häusliche Angelegenheiten *pl.*

dom·i·cile ['dɒmɪsaɪl], *Am. a.* **'dom·i·cil** [-sɪl] **I** *s.* **1.** a) (ständiger *od.* bürgerlichrechtlicher) Wohnsitz, b) Wohnort *m*, c) Wohnung *f*; **2.** ⚕ Sitz *m* e-r Gesellschaft; **3.** *a.* ***legal*** ~ ⚖ Gerichtsstand *m*; **II** *v/t.* **4.** ansässig *od.* wohnhaft machen, ansiedeln; **5.** ⚕ *Wechsel* domizilieren; **'dom·i·ciled** [-ld] *adj.* **1.** ansässig, wohnhaft; **2.** ~ ***bill*** ⚕ Domizilwechsel *m*; **dom·i·cil·i·ar·y** [ˌdɒmɪ'sɪljərɪ] *adj.* Haus..., Wohnungs...: ~ ***arrest*** Hausarrest *m*; ~ ***visit*** Haussuchung *f*; **dom·i·cil·i·ate** [ˌdɒmɪ'sɪljeɪt] *v/t.* ⚕ *Wechsel* domizilieren.

dom·i·nance ['dɒmɪnəns] *s.* **1.** (Vor-)Herrschaft *f*, (Vor)Herrschen *n*; **2.** Macht *f*; **3.** *biol.* Domi'nanz *f*; **'dom·i·nant** [-nt] **I** *adj.* □ **1.** dominierend, vorherrschend; **2.** beherrschend: a) bestimmend, entscheidend: ~ ***factor***, b) em'porragend, weithin sichtbar; **3.** *biol.* domi'nant, überlagernd; **4.** ♪ Dominant...; **II** *s.* **5.** *biol.* vorherrschendes Merkmal; ♪, *a.* ⚘ Domi'nante *f*; **'dom·i·nate** [-neɪt] **I** *v/t.* beherrschen (*a. fig.*): a) herrschen über (*acc.*), b) em'porragen über (*acc.*); **II** *v/i.* dominieren, (vor)herrschen: ~ ***over*** herrschen über (*acc.*).

dom·i·na·tion [ˌdɒmɪ'neɪʃn] *s.* (Vor-)Herrschaft *f*; **ˌdom·i'neer** [-'nɪə] *v/i.* **1.** den Herrn spielen, anmaßend auftreten; **2.** (***over***) des'potisch herrschen (über *acc.*), tyrannisieren (*acc.*); **ˌdomi'neer·ing** [-'nɪərɪŋ] *adj.* □ **1.** ty'rannisch, herrisch, gebieterisch; **2.** anmaßend.

do·min·i·cal [də'mɪnɪkl] *adj. eccl.* des Herrn (Jesu): ~ ***day*** Tag *m* des Herrn (*Sonntag*); ~ ***prayer*** *das* Gebet des Herrn (*Vaterunser*); ~ ***year*** Jahr *n* des Herrn.

Do·min·i·can [də'mɪnɪkən] *eccl.* **I** *adj.* **1.** *eccl.* Dominikaner..., domini'kanisch; **2.** *pol.* dominikanisch; **II** *s.* **3.** *a.* ~ ***friar*** Domini'kaner(mönch) *m*; **4.** *pol.* Domini'kaner(in).

dom·i·nie ['dɒmɪnɪ] *s.* **1.** *Scot.* Schulmeister *m*; **2.** (Herr) Pastor *m*.

do·min·ion [də'mɪnjən] *s.* **1.** (Ober-)Herrschaft *f*, (Regierungs)Gewalt *f*; **2.** ⚖ a) Eigentumsrecht *n*, b) (tatsächliche) Gewalt (***over*** über *e-e Sache*); **3.** (Herrschafts)Gebiet *n*; **4.** a) *hist.* ≈ Do'minion *n* (*im Brit. Commonwealth*),

D

b) ***the** ≈ Am.* Kanada *n.*

dom·i·no ['dɒmɪnəʊ] *pl.* **-noes** *s.* **1.** a) *pl. sg. konstr.* Domino(spiel) *n*, b) Dominostein *m*; **2.** Domino *m* (*Maskenkostüm od. Person*); **~ the·o·ry** *s. pol.* 'Dominotheo,rie *f.*

don¹ [dɒn] *s.* **1.** ≈ *span. Titel*; *weitS.* Spanier *m*; **2.** *Brit.* Universitätslehrer *m* (*Fellow od. Tutor*); **3.** Fachmann *m* (***at*** in *dat.*, für).

don² [dɒn] *v/t. et.* anziehen, *den Hut* aufsetzen.

do·nate [dəʊ'neɪt] *v/t.* schenken (*a.* ⚖), stiften, *a. Blut etc.* spenden (***to s.o.*** j-m); **do'na·tion** [-eɪʃn] *s.* Schenkung *f* (*a.* ⚖), Stiftung *f*, Gabe *f*, Geschenk *n*, Spende *f.*

done [dʌn] **I** *p.p. von* **do¹**; **II** *adj.* **1.** getan: ***well ~!*** gut gemacht!, bravo!; ***it isn't ~*** so et. tut man nicht, das gehört sich nicht; ***what is to be ~?*** was ist zu tun?, was soll geschehen?; ***~ at ...*** *in Urkunden*: gegeben in *der Stadt New York etc.*; **2.** erledigt (*a. fig.*): ***get s.th. ~*** et. erledigen (lassen); ***he gets things ~*** er bringt et. zuwege; **3.** gar: ***is the meat ~ yet?***; ***well ~*** durchgebraten; **4.** F fertig: ***have ~ with*** a) fertig sein mit (*a. fig.*), b) nicht mehr brauchen, c) nichts mehr zu tun haben wollen mit; **5.** *a.* ***~ up***, ***~ in*** erschöpft, ‚erledigt', ‚fertig'; **6.** ***~!*** abgemacht!

do·nee [dəʊ'ni:] *s.* ⚖ Beschenkte(r *m*) *f*, Schenkungsempfänger(in).

dong [dɒŋ] *s. Am.* V ‚Pimmel' *m* (*Penis*).

don·jon ['dɒndʒən] *s.* **1.** Don'jon *m*, Hauptturm *m*; **2.** Bergfried *m*, Burgturm *m.*

don·key ['dɒŋkɪ] **I** *s.* **1.** Esel *m* (*a. fig.*): ***~'s years*** *Brit.* F e-e ‚Ewigkeit'; **2.** → ***donkey engine***; **II** *adj.* **3.** ⚙ Hilfs...: ***~ pump***; **~ en·gine** *s.* ⚙ kleine (*transportable*) 'Hilfsma,schine; **'~·work** *s.* F Dreckarbeit *f.*

don·nish ['dɒnɪʃ] *adj.* **1.** gelehrt; **2.** belehrend.

do·nor ['dəʊnə] *s.* Geber *m*; Schenker *m* (*a.* ⚖); Spender *m* (*a.* ⚕), Stifter *m*; **~ card** *s.* Or'ganspenderausweis *m.*

'do-,noth·ing I *s.* Faulenzer(in); **II** *adj.* faul, nichtstuerisch.

Don Quix·ote [,dɒn'kwɪksət] *s.* Don Qui'chotte *m* (*weltfremder Idealist*).

don't [dəʊnt] **I** a) F *für* ***do not***, b) *sl. für* ***does not***; **II** *s.* F Verbot *n*; → ***do²*** 3; **~ know** *s.* a) Unentschiedene(r *m*) *f*, b) j-d, der (*bei e-r Umfrage*) keine Meinung hat.

doo·dah ['du:da:] *s.* F Dingsbums; ***all of a ~*** durcheinander.

doo·dle ['du:dl] **I** *s.* gedankenlos hingezeichnete Fi'gur(en *pl.*), Gekritzel *n*; **II** *v/i.* et. (gedankenlos) 'hinkritzeln, ‚Männchen malen'.

doom [du:m] **I** *s.* **1.** Schicksal *n*; (*bsd.* böses) Geschick, Verhängnis *n*: ***he met his ~*** das Schicksal ereilte ihn; **2.** Verderben *n*, 'Untergang *m*, *a.* Tod *m*, *fig.* Todesurteil *n*; **3.** *obs.* Urteilsspruch *m*, Verdammung *f*; **4.** ***the day of ~*** das Jüngste Gericht; → ***crack*** 1; **II** *v/t.* **5.** verurteilen, verdammen (***to*** zu): ***~ to death***; **doomed** [-md] *adj.* a) verloren, dem 'Untergang geweiht, b) *bsd. fig.* verdammt, verurteilt (***to*** zu, ***to do*** zu tun): ***~ to failure*** zum Scheitern verurteilt; ***the ~ train*** der Unglückszug *m*; **dooms·day** ['du:mzdeɪ] *s. das* Jüngste Gericht: ***till ~*** bis zum Jüngsten Tag; **Dooms·day Book** → ***Domesday Book***; **doom·ster** ['du:mstə] *s.* 'Weltuntergangspro,phet *m.*

door [dɔ:] *s.* **1.** Tür *f*: ***out of ~s*** draußen, im Freien; ***within ~s*** im Hause, drinnen; ***from ~ to ~*** von Haus zu Haus; ***delivered to your ~*** frei Haus (geliefert); ***two ~s away*** (*od.* ***off***) zwei Häuser weiter; → ***next*** 1; **2.** Ein-, Zugang *m*, Tor *n*, Pforte *f* (*alle a. fig.*): ***at death's ~*** am Rande des Grabes; ***lay s.th. at s.o.'s ~*** j-m et. zur Last legen; ***lay the blame at s.o.'s ~*** j-m die Schuld zuschieben; ***close*** (*od.* ***bang, shut***) ***the ~ on*** a) *j-n* abweisen, b) *et.* unmöglich machen; ***open a ~ to s.th.*** et. ermöglichen, *b.s.* e-r Sache Tür u. Tor öffnen; ***see*** (*od.* ***show***) ***s.o. to the ~*** j-n zur Tür begleiten; ***show s.o. the ~*** j-m die Tür weisen; ***turn out of ~s*** *j-n* hinauswerfen; → ***darken*** 1; **'~·bell** *s.* Türklingel *f*; **~ han·dle** *s.* Türgriff *m*, -klinke *f*; **'~,keep·er** *s.* Pförtner *m*; **'~-key child** *s.* Schlüsselkind *n*; **'~·knob** *s.* Türgriff *m*; **'~,knock·er** *s.* Türklopfer *m*; **'~·man** [-mən] *s.* [*irr.*] (livrierter) Porti'er; **'~·mat** *s.* Fußmatte *f*, Fußabstreifer *m* (*a. fig. contp.*); **'~·nail** *s.* Türnagel *m*; → ***dead*** 1; **'~·plate** *s.* Türschild *n*; **'~·post** *s.* Türpfosten *m*; **'~·step** *s.* (Haus)Türstufe *f*: ***on s.o.'s ~*** vor j-s Tür (*a. fig.*); **,~-to-'~** *adj.* Haus-zu-Haus-...: ***~ selling*** Verkauf *m* an der Haustür; **'~·way** *s.* **1.** Torweg *m*; **2.** Türöffnung *f*; **3.** *fig.* Zugang *m*; **'~·yard** *s. Am.* Vorgarten *m.*

dope [dəʊp] **I** *s.* **1.** Schmiere *f*, dicke Flüssigkeit; **2.** ✈ (Spann)Lack *m*, Firnis *m*; **3.** ⚙ Schmiermittel *n*; Zusatz (-stoff) *m*; Ben'zinzusatzmittel *n*; **4.** *sl.* ‚Stoff' *m*, Rauschgift *n*; **5.** *sl.* Reiz-, Aufputschmittel *n*; **6.** *oft* ***inside ~*** *sl.* Geheimtip(s *pl.*) *m*, Informati'on (-en *pl.*) *f*; **7.** *sl.* Trottel *m*, Idi'ot *m*; **II** *v/t.* **8.** ✈ lackieren, firnissen; **9.** ⚙ *dem Benzin* ein Zusatzmittel beimischen; **10.** *sl. j-m* ‚Stoff' geben; **11.** *sl.* a) *sport* dopen: ***doping test*** Dopingkontrolle *f*, b) *e-m Pferd* ein leistungshemmendes Präpa'rat geben, c) *ein Getränk etc.*

(mit e-m Betäubungsmittel) präparieren, d) *fig.* einschläfern, -lullen; **12.** *mst* **~ out** *sl.* a) her'ausfinden, ausfindig machen, b) ausknobeln; **'~-fiend** *s. sl.* Rauschgiftsüchtige(r *m*) *f*.

dope·y ['dəʊpɪ] *adj. sl.* doof.

dor [dɔː], **dor·bee·tle** ['dɔːˌbiːtl] *s. zo.* **1.** Mist-, Roßkäfer *m*; **2.** Maikäfer *m*.

Do·ri·an ['dɔːrɪən] **I** *adj.* dorisch; **II** *s.* Dorier *m*; **Dor·ic** ['dɒrɪk] **I** *adj.* **1.** dorisch: **~ order** ⚠ dorische (Säulen)Ordnung; **2.** breit, grob (*Mundart*); **II** *s.* **3.** Dorisch *n*, dorischer Dia'lekt; **4.** breiter *od.* grober Dia'lekt.

dorm [dɔːm] *s.* F *für* **dormitory**.

dor·man·cy ['dɔːmənsɪ] *s.* Schlafzustand *m*, Ruhe(zustand *m*) *f* (*a.* ⚘); **'dor·mant** [-nt] *adj.* **1.** schlafend (*a. her.*), ruhend (*a.* ⚘), untätig (*a. Vulkan*); **2.** *zo.* Winterschlaf haltend; **3.** *fig.* a) schlummernd, la'tent, verborgen, b) unbenutzt, brachliegend: **~ talent**; **~ capital** ✝ totes Kapital: **~ partner** ✝ stiller Teilhaber; **~ title** ⚖ ruhender *od.* nicht beanspruchter Titel; **lie ~** ruhen, brachliegen.

dor·mer ['dɔːmə] *s.* ⚠ **1.** (Dach)Gaupe *f*; **2.** *a.* **~ window** stehendes Dachfenster.

dor·mi·to·ry ['dɔːmɪtrɪ] *s.* **1.** Schlafsaal *m*; **2.** (*bsd.* Stu'denten)Wohnheim *n*; **~ sub·urb** *s.* Schlafstadt *f*.

dor·mouse ['dɔːmaʊs] *pl.* **-mice** [-maɪs] *s. zo.* Haselmaus *f*; → **sleep** 1.

dor·my ['dɔːmɪ] *adj. Golf*: dormy (*mit so viel Löchern führend, wie noch zu spielen sind*): **be ~ two** dormy 2 stehen.

dor·sal ['dɔːsl] *adj.* ☐ dor'sal (⚘, *zo.*, *anat.*, *ling.*), Rücken…

do·ry[1] ['dɔːrɪ] *s.* Dory *n* (*Boot*).

do·ry[2] ['dɔːrɪ] → **John Dory**.

dos·age ['dəʊsɪdʒ] *s.* **1.** Dosierung *f*; **2.** → **dose** 1, 2; **dose** [dəʊs] **I** *s.* **1.** ⚕ Dosis *f*, (Arz'nei)Gabe *f*; **2.** *fig.* Dosis *f*, ‚Schuß' *m*, Porti'on *f*; **3.** *a.* **~ of clap** V Tripper *m*; **II** *v/t.* **4.** *Arznei* dosieren; **5.** *j-m* Arz'nei geben; **6.** *Wein* zuckern.

doss [dɒs] *Brit. sl.* **I** *s.* ‚Falle' *f*, ‚Klappe' *f*, Schlafplatz *m*; **II** *v/i.* ‚pennen'.

dos·ser[1] ['dɒsə] *s.* Rücken(trag)korb *m*.

dos·ser[2] ['dɒsə] *s. sl.* **1.** ‚Pennbruder' *m*; **2.** → **dosshouse**.

'doss·house *s. sl.* ‚Penne' *f* (*billige Pension*).

dos·si·er ['dɒsɪeɪ] *s.* Dossi'er *n*, Akten *pl.*, Akte *f*.

dost [dʌst; dəst] *obs. od. poet. 2. pres. sg. von* **do**[1].

dot[1] [dɒt] *s.* ⚖ Mitgift *f*.

dot[2] [dɒt] **I** *s.* **1.** Punkt *m* (*a.* ♪), Tüpfelchen *n*: **~s and dashes** Punkte u. Striche, *tel.* Morsezeichen; **come on the ~** F auf den Glockenschlag pünktlich kommen; **since the year ~** F seit e-r Ewigkeit; **2.** Tupfen *m*, Fleck *m*; **3.** *et.* Winziges, Knirps *m*; **II** *v/t.* **4.** punktieren (*a.* ♪): **~ted line**; **sign on the ~ted line** (*fig.* ohne weiteres) unterschreiben; **5.** mit dem i-Punkt versehen: **~ the** (*od.* **one's**) **i's** [**and cross the** (*od.* **one's**) **t's**] *fig.* peinlich genau *od.* penibel sein; **6.** tüpfeln; **7.** über'säen, sprenkeln: **~ted with flowers**; **8.** *sl.* **~ s.o. one** j-m eine ‚knallen'.

dot·age ['dəʊtɪdʒ] *s.* **1.** Senili'tät *f*: **he is in his ~** er ist kindisch *od.* senil geworden; **2.** *fig.* Affenliebe *f*, Vernarrtheit *f*; **'do·tard** [-təd] *s.* se'niler Mensch; **dote** [dəʊt] *v/i.* **1.** kindisch *od.* senil sein; **2.** (**on**) vernarrt sein (in *acc.*), abgöttisch lieben (*acc.*).

doth [dʌθ; dəθ] *obs. od. poet. 3. pres. sg. von* **do**[1].

dot·ing ['dəʊtɪŋ] *adj.* ☐ **1.** vernarrt (**on** in *acc.*): **he is a doting husband** er liebt s-e Frau abgöttisch; **2.** se'nil, kindisch.

dot·ter·el, **dot·trel** ['dɒtrəl] *s. orn.* Mori'nell(regenpfeifer) *m*.

dot·ty ['dɒtɪ] *adj.* **1.** punktiert, getüpfelt; **2.** F wackelig; **3.** F ‚bekloppt'.

dou·ble ['dʌbl] **I** *adj.* ☐ **1.** doppelt, Doppel…, zweifach, gepaart: **~ the amount** der doppelte *od.* zweifache Betrag; **~ bottom** doppelter Boden (*Schiff*, *Koffer*); **~ doors** Doppeltür *f*; **~ taxation** Doppelbesteuerung *f*; **~ width** doppelte Breite, doppelt breit; **~ pneumonia** ⚕ doppelseitige Lungenentzündung; **~ standard of morals** *fig.* doppelte *od.* doppelbödige Moral; **~ (of) what it was** doppelt *od.* zweimal soviel wie vorher; **2.** Doppel…, verdoppelt, verstärkt: **~ ale** Starkbier *n*; **3.** Doppel…, für zwei bestimmt: **~ bed** Doppelbett *n*; **~ room** Doppel-, Zweibettzimmer *n*; **4.** ⚘ gefüllt (*Blume*); **5.** ♪ eine Ok'tave tiefer, Kontra…; **6.** zwiespältig, zweideutig, doppelsinnig; **7.** unaufrichtig, falsch: **~ character**; **8.** gekrümmt, gebeugt; **II** *adv.* **9.** doppelt, noch einmal: **~ as long**; **10.** doppelt, zweifach: **see ~** doppelt sehen; **play (at) ~ or quit(s)** alles aufs Spiel setzen; **11.** paarweise, zu zweit: **to sleep ~**; **III** *s.* **12.** *das* Doppelte *od.* Zweifache; **13.** Doppel *n*, Dupli'kat *n*: **14.** a) Gegenstück *n*, Ebenbild *n*, b) Double *n*, Doppelgänger *m*; **15.** Windung *f*, Falte *f*; **16.** Haken *m* (*bsd. Hase*, *a. Person*), plötzliche Kehrtwendung; **17. at the ~** ⚔ im Schnellschritt; **18.** *mst pl. sg. konstr. sport* Doppel *n*: **play a ~s (match)**; **men's ~s** Herrendoppel; **19.** *sport* a) Doppelsieg *m*, b) Doppelniederlage *f*; **20.** Doppelwette *f*; **21.** *Film*: Double *n*, *thea.* zweite Besetzung; **22.** *Bridge etc.*: Doppel *n*; **IV** *v/t.* **23.** verdoppeln (*a.* ♪); **24.** um das Doppelte über'treffen; **25.** *oft* **~ up** ('um-, zs.-)

D

falten, ˈum-, zs.-legen, ˈumschlagen; **26.** *Beine* ˈüberschlagen; *Faust* ballen; **27.** ⚓ umˈsegeln, -ˈschiffen; **28.** a) *Film, TV* als Double einspringen für, *j-n* doubeln, b) ~ ***the parts of A. and B.*** *thea. etc.* A. u. B. in e-r Doppelrolle spielen; **29.** *Spinnerei*: doublieren; **30.** *Karten*: *Gebot* doppeln; **V** *v/i.* **31.** sich verdoppeln; **32.** sich falten (lassen); **33.** a) plötzlich kehrtmachen, b) e-n Haken schlagen; **34.** *thea.* a) e-e Doppelrolle spielen, b) ~ ***for*** → 28a; **35.** ♪ zwei Instruˈmente spielen; **36.** ⚔ a) im Schnellschritt marschieren, b) F Tempo vorlegen; **37.** a) den Einsatz verdoppeln, b) *Bridge*: doppeln.

Zssgn mit adv.:

dou·ble| back I *v/t.* → ***double*** 25; **II** *v/i.* kehrtmachen; ~ **in** *v/t.* nach innen falten, einbiegen, -schlagen; ~ **up I** *v/t.* **1.** → ***double*** 25; **2.** (zs.-)krümmen; **II** *v/i.* **3.** → ***double*** 32; **4.** sich krümmen *od.* biegen (*a. fig.* ***with*** vor *Schmerz, Lachen*); **5.** das Zimmer *etc.* gemeinsam benutzen: ~ ***on s.th.*** sich (in) et. teilen.

ˌ**dou·ble|-ˈact·ing**, ˌ**~-ˈac·tion** *adj.* ⚙ doppeltwirkend; ~ **a·gent** *s. pol.* ˈDoppelaˌgent *m*; ˈ**~-ˌbar·rel(l)ed** *adj.* **1.** doppelläufig: ~ ***gun*** Doppelflinte *f*; **2.** zweideutig; **3.** zweifach: ~ ***name*** F Doppelname *m*; ~ **bass** [beɪs] → ***contrabass***; ˈ**~-ˌbed·ded** *adj.*: ~ ***room*** Zweibettzimmer *n*; ~ **bend** *s.* S-Kurve *f*; ~ **bill** *s.* Doppelveranstaltung *f*; ˌ**~-ˈbreast·ed** *adj.* zweireihig (*Anzug*); ˌ**~-ˈcheck** *v/t.* genau nachprüfen; ~ **chin** *s.* Doppelkinn *n*; ~ **col·umn** *s.* Doppelspalte *f* (*Zeitung*): ***in ~s*** zweispaltig; ˌ**~-ˈcross** *v/t.* ein doppeltes *od.* falsches Spiel treiben mit, *bsd. den Partner* ,anschmieren'; ~ **date** *s.* ˈDoppelrendezˌvous *n* (*zweier Paare*); ˌ**~-ˈdeal·er** *s.* falscher *od.* ,linker' Kerl, Betrüger *m*; ˌ**~-ˈdeal·ing I** *adj.* falsch, betrügerisch; **II** *s.* Betrug *m*, Gemeinheit *f*; ˌ**~-ˈdeck·er** *s.* **1.** Doppeldecker *m* (*Schiff, Flugzeug, Omnibus*); **2.** a) zweistöckiges Haus *etc.*, b) Eˈtagenbett *n*, c) Roˈman *m* in zwei Bänden, d) *Am.* F Doppelsandwich *n*; ~ **Dutch** *s.* F Kauderwelsch *n*; ˌ**~-ˈdyed** *adj.* **1.** zweimal gefärbt; **2.** *fig.* eingefleischt, Erz...: ~ ***villain*** Erzgauner *m*; ~ **ea·gle** *s.* **1.** *her.* Doppeladler *m*; **2.** *Am. goldenes 20-Dollar-Stück*; ˌ**~-ˈedged** *adj.* zweischneidig (*a. fig.*): ~ ***sword***; ~ **en·ten·dre** [ˌduːblɑ̃ːnˈtɑ̃ːndrə] (*Fr.*) *s. allg.* Zweideutigkeit *f*; ~ **en·try** *s.* ✝ **1.** doppelte Buchung; **2.** doppelte Buchführung; ~ **ex·po·sure** *s. phot.* Doppelbelichtung *f*; ˈ**~-faced** *adj.* heuchlerisch, scheinheilig, unaufrichtig; ~ **fault** *s. Tennis*: Doppelfehler *m*; ~ **fea·ture** *s. Film*: ˈDoppelproˌgramm *n* (*zwei Spielfilme in jeder Vorstellung*); ~ **first** *s. univ. Brit.* mit Auszeichnung erworbener ***honours degree*** in zwei Fächern; ˈ**~ˌgang·er** [-ˌgæŋə] *s. psych.* Doppelgänger *m*; ~ **har·ness** *s. fig.* Ehestand *m*, -joch *n*; ~ **in·dem·ni·ty** *s. Am.* Verdoppelung *f* der Versicherungssumme (*bei Unfalltod*); ˌ**~-ˈjoint·ed** *adj.* mit ,Gummigelenken' (*Person*); ~ **life** *s.* Doppelleben *n*; ~ **mean·ing** *s.* Zweideutigkeit *f*; ˌ**~-ˈmind·ed** *adj.* **1.** wankelmütig, unentschlossen; **2.** unaufrichtig; ~ **mur·der** *s.* Doppelmord *m*.

dou·ble·ness [ˈdʌblnɪs] *s.* **1.** *das* Doppelte; **2.** Doppelzüngigkeit *f*, Falschheit *f*.

ˌ**dou·ble|-ˈpark** *v/t. u. v/i. mot.* in zweiter Reihe parken; ˌ**~-ˈquick** ⚔ **I** *s.* → ***double time***; **II** *adv.* F im Eiltempo; ˌ**~-ˈspaced** *adj.* zweizeilig, mit doppeltem Zeilenabstand; ~ **star** *s. ast.* Doppelstern *m*; ˌ**~-ˈstop** ♪ **I** *s.* Doppelgriff *m* (*Streichinstrument*); **II** *v/t.* Doppelgriffe spielen auf (*dat.*).

dou·blet [ˈdʌblɪt] *s.* **1.** *hist.* Wams *n*; **2.** Paar *n* (*Dinge*); **3.** Duˈblette *f*: a) Dupliˈkat *n*, b) *typ.* Doppelsatz *m*; **4.** *pl.* Pasch *m* (*beim Würfeln*).

ˌ**dou·ble|-ˈtake** *s. sl.* ,Spätzündung' *f* (*verzögerte Reaktion*): ***I did a ~ when*** ich stutzte zweimal, als; ~ **talk** *s.* F doppeldeutiges Gerede, ,Augenauswischeˈrei' *f*; ~ **tax·a·tion** *s.* ✝ Doppelbesteuerung *f*; ˈ**~-think** *s.* ,Zwiedenken' *n*; ~ **time** *s.* ⚔ a) Schnellschritt *m*, b) (langsamer) Laufschritt: ***in ~*** F im Eiltempo, fix; ˌ**~-ˈtongued** *adj.* doppelzüngig, falsch; ˌ**~-ˈtracked** *adj.* 🚂 zweigleisig.

dou·bling [ˈdʌblɪŋ] *s.* **1.** Verdoppelung *f*; **2.** Faltung *f*; **3.** Haken(schlagen *n*) *m*; **4.** Trick *m*; **dou·bly** [ˈdʌblɪ] *adv.* doppelt.

doubt [daʊt] **I** *v/i.* **1.** zweifeln; schwanken, Bedenken haben; **2.** zweifeln (***of, about*** an *e-r Sache*); (darˈan) zweifeln, (es) bezweifeln (***whether, if*** ob; ***that*** daß; *neg. u. interrog.* ***that, but that, but*** daß): ***I ~ whether he will come*** ich zweifle, ob er kommen wird; **II** *v/t.* **3.** *et.* bezweifeln: ***I ~ his honesty***; ***I ~ it***; **4.** mißˈtrauen (*dat.*), keinen Glauben schenken (*dat.*): ~ ***s.o.***; ~ ***s.o's words***; **III** *s.* **5.** Zweifel *m* (***of*** an *dat.*, ***about*** hinsichtlich *gen.*; ***that*** daß): ***no ~, without ~, beyond ~*** zweifellos, fraglos, gewiß; ***I have no ~*** ich zweifle nicht (daran), ich bezweifle es nicht; ***be in ~ about*** Zweifel haben an (*dat.*); ***leave s.o. in no ~ about s.th.*** j-n nicht im ungewissen über et. lassen; → ***benefit*** 1; **6.** a) Bedenken *n*, Besorgnis *f*, (***about*** wegen), b) Argwohn *m*: ***raise ~s*** Zweifel aufkommen lassen; **7.** Ungewißheit *f*: ***be in ~*** unschlüssig sein; ˈ**doubt·er** [-tə] *s.* Zweifler(in); ˈ**doubt·ful** [-fʊl] *adj.* □ **1.** zweifelnd, im Zweifel, unschlüssig: ***be ~ of*** (*od.* ***about***) ***s.th.*** an e-r Sache zweifeln, im Zweifel über et. sein; **2.** zweifelhaft: a) unsicher, fraglich, unklar, b) fragwürdig, bedenklich, c) ungewiß, d) verdächtig, dubiˈos; ˈ**doubt·ful·ness** [-fʊlnɪs] *s.* **1.** Zweifelhaftigkeit *f*: a) Unsicherheit *f*, b) Fragwürdigkeit *f*, c) Ungewißheit *f*; **2.** Unschlüssigkeit *f*; ˈ**doubt·ing** [-tɪŋ] *adj.* □ zweifelnd: a) schwankend, unschlüssig, b) ˈmißtrauisch: ***~ Thomas*** ungläubiger Thomas; ˈ**doubt·less** [-lɪs] *adv.* zweifellos, sicherlich.

dou·ceur [dʊˈsɜː] (*Fr.*) *s.* **1.** (Geld)Geschenk *n*, Trinkgeld *n*; **2.** Bestechungsgeld *n*.

douche [duːʃ] **I** *s.* **1.** Dusche *f*, Brause *f*: ***cold ~*** *a. fig.* kalte Dusche; **2.** ⚕ a) Spülung *f*, Dusche *f*, b) Irriˈgator *m*; **II** *v/t. u. v/i.* **3.** (sich) (ab)duschen; **4.** ⚕ (aus)spülen; **III** *v/i.* **5.** ⚕ e-e Spülung machen.

dough [dəʊ] *s.* **1.** Teig *m* (*a. weitS.*); **2.** *bsd. Am. sl.* ‚Zaster' *m* (*Geld*); ˈ**~·boy** *s.* **1.** Mehlkloß *m*; **2.** *a.* ˈ**~·foot** *Am. sl.* Landser *m* (*Infanterist*); ˈ**~·nut** *s.* Krapfen *m*, Berˈliner (Pfannkuchen) *m*.

dough·ty [ˈdaʊtɪ] *adj.* □ *obs. od. poet.* mannhaft, tapfer.

dough·y [ˈdəʊɪ] *adj.* **1.** teigig (*a. fig.*); **2.** klitschig, nicht ˈdurchgebacken.

dour [ˈdʊə] *adj.* □ **1.** mürrisch; **2.** streng, hart; **3.** halsstarrig, stur.

douse [daʊs] *v/t.* **1.** a) ins Wasser tauchen, b) begießen; **2.** F *Licht* auslöschen; **3.** ⚓ a) *Segel* laufen lassen, b) *Tau* loswerfen.

dove [dʌv] *s.* **1.** *orn.* Taube *f*: ***~ of peace*** Friedenstaube; **2.** Täubchen *n*, ‚Schatz' *m*; **3.** *eccl.* Taube *f* (*Symbol des Heiligen Geistes*); **4.** *pol.* ‚Taube' *f*: ***~s and hawks*** Tauben u. Falken; ˈ**~ˌcol·o(u)r** *s.* Taubengrau *n*; **~-cot(e)** [ˈdʌvkɒt] *s.* Taubenschlag *m*; ˈ**~-eyed** *adj.* sanftäugig; ˈ**~·like** *adj.* sanft.

ˈ**dove's-foot** [ˈdʌvz-] *s.* ⚘ Storchschnabel *m*.

ˈ**dove·tail** **I** *s.* **1.** ⚙ Schwalbenschwanz *m*, Zinke *f*; **II** *v/t.* **2.** verschwalben, verzinken; **3.** *fig.* fest zs.-fügen, (ineinˈander) verzahnen, verquicken; **4.** einfügen, -passen, -gliedern (***into*** in *acc.*); **5.** passend zs.-setzen; einpassen (***into*** in *acc.*); **III** *v/i.* **6.** genau passen (***into*** in *acc.*, zu; ***with*** mit); angepaßt sein (***with*** *dat.*); genau ineinˈandergreifen, -passen.

dow·a·ger [ˈdaʊədʒə] *s.* **1.** Witwe *f* (von Stande): ***queen ~*** Königinwitwe; ***~ duchess*** Herzoginwitwe; **2.** Maˈtrone *f*, würdevolle ältere Dame.

dow·di·ness [ˈdaʊdɪnɪs] *s.* Schäbigkeit *f*, Schlampigkeit *f*; **dow·dy** [ˈdaʊdɪ] **I** *adj.* □ **1.** schlechtgekleidet, ˈuneleˌgant, schäbig, schlampig; **II** *s.* **2.** nachlässig gekleidete Frau; **3.** *Am.* (*ein*) Apfelauflauf *m*.

dow·el [ˈdaʊəl] ⚙ **I** *s.* (Holz-, *a.* Wand-) Dübel *m*, Holzpflock *m*; **II** *v/t.* (ver)dübeln.

dow·er [ˈdaʊə] **I** *s.* **1.** ⚖ Wittum *n*; **2.** *obs.* Mitgift *f*; **3.** Begabung *f*; **II** *v/t.* **4.** ausstatten (*a. fig.*).

Dow-Jones av·er·age *od.* **in·dex** [ˌdaʊˈdʒəʊnz] *s.* ✝ Dow-Jones-Index *m* (*Aktienindex der New Yorker Börse*).

down¹ [daʊn] *s.* **1.** a) Daunen *pl.*, flaumiges Gefieder, b) Daune *f*, Flaumfeder *f*: ***~ quilt*** Daunendecke *f*; **2.** Flaum *m* (*a.* ⚘), feine Härchen *pl.*

down² [daʊn] *s.* **1.** a) Hügel *m*, b) Düne *f*; **2.** *pl.* waldloses, *bsd.* grasbewachsenes Hügelland.

down³ [daʊn] **I** *adv.* **1.** (*Richtung*) nach unten, her-, hinˈunter, her-, hinˈab, abwärts, zum Boden, nieder...: ***~ from*** von ... herab, von ... an, fort von; ***~ to*** bis (hinunter) zu; ***~ to the last man*** bis zum letzten Mann; ***~ to our times*** bis in unsere Zeit; ***burn ~*** niederbrennen; ***~!*** nieder!, *zum Hund*: leg dich!; ***~ with the capitalists!*** nieder mit den Kapitalisten!; **2.** *Brit.* a) nicht in London, b) nicht an der Universiˈtät: ***~ to the country*** aufs Land, in die Provinz; **3.** *Am.* ins Geschäftsviertel, in die Stadt (-mitte); **4.** südwärts; **5.** angesetzt: ***~ for Friday*** für Freitag angesetzt; ***~ for second reading*** *parl.* zur zweiten Lesung angesetzt; **6.** (in) bar, soˈfort: ***pay ~*** bar bezahlen; ***one pound ~*** ein Pfund sofort *od.* als Anzahlung; **7.** ***be ~ on s.o.*** F a) j-n ‚auf dem Kieker' haben, b) über j-n herfallen; **8.** (*Lage, Zustand*) unten; unten im Hause: ***~ below*** unten; ***~ there*** dort unten; ***~ under*** F in *od.* nach Australien *od.* Neuseeland; ***~ in the country*** auf dem Lande; ***~ south*** (unten) im Süden; ***he is not ~ yet*** er ist noch nicht unten *od.* (*morgens*) noch nicht aufgestanden; **9.** ˈuntergegangen (*Gestirne*); **10.** herˈabgelassen (*Haare, Vorhänge*); **11.** gefallen (*Preise, Temperatur etc.*); billiger (*Ware*); **12.** ***he was two points ~*** *sport* er lag zwei Punkte zurück; ***he is £10 ~*** *fig.* er hat 10 £ verloren; **13.** a) niedergestreckt, am Boden (liegend), b) *Boxen*: am Boden, ‚unten': ***~ and out*** k.o., *fig.* (*a. physisch u. psychisch*) ‚erledigt', ‚kaputt', ‚fix u. fertig'; ***~ with flu*** mit Grippe im Bett; **14.** niedergeschlagen, deprimiert; **15.** herˈuntergekommen, in elenden Verhältnissen lebend: ***~ at heels*** abgerissen; **II** *adj.* **16.** abwärts gerichtet, nach unten, Abwärts...: ***~ trend*** fallende Tendenz; **17.** *Brit.* von

D

London abfahrend *od.* kommend: **~ train**; **~ platform** Abfahrtsbahnsteig *m* (*in London*); **18.** *Am.* in Richtung Stadt(mitte), zum Geschäftsviertel (hin); **III** *prp.* **19.** her-, hin'unter, her-, hin'ab, entlang: **~ the hill** den Hügel hinunter; **~ the river** flußabwärts; **further ~ the river** weiter unten am Fluß; **~ the road** die Straße entlang; **~ the middle** durch die Mitte; **~ (the) wind** ⚓ mit dem Wind; → **downtown**; **20.** (*Zeit*) durch: **~ the ages** durch alle Zeiten; **IV** *s.* **21.** Nieder-, Rückgang *m*; Tiefstand *m*; **22.** Depressi'on *f*, (seelischer) Tiefpunkt; **23.** F Groll *m*: **have a ~ on s.o.** j-n auf dem ‚Kieker' haben; **V** *v/t.* **24.** zu Fall bringen (*a. sport u. fig.*); niederschlagen; bezwingen; ruinieren; **25.** niederlegen: **~ tools** die Arbeit niederlegen, in den Streik treten; **26.** ✈ abschießen, ‚runterholen'; **27.** F *ein Getränk* ‚runterkippen'.

ˌ**down|-and-'out I** *adj.* völlig ‚erledigt', ‚restlos fertig'; ganz ‚auf den Hund' gekommen; **II** *s.* Pennbruder *m*; ˌ**~-at-(the-)'heels** *adj. allg.* he'runtergekommen; '**~·beat I** *s.* **1.** ♪ erster Schlag (*des Taktes*); **2. on the ~** *fig.* im Rückgang (begriffen); **II** *adj.* **3.** F pessi'mistisch; '**~·cast I** *adj.* **1.** niedergeschlagen (*a. Augen*), deprimiert; **2.** ⚙ einziehend (*Schacht*); **II** *s.* **3.** ⚙ Wetterschacht *m*.

down·er ['daʊnə] *s. sl.* Beruhigungsmittel *n*.

'**down|·fall** *s.* **1.** *fig.* Sturz *m*; **2.** starker Regen- *od.* Schneefall; **3.** *fig.* Nieder-, 'Untergang *m*; '**~·grade** *s.* **1.** Gefälle *n*; **2.** *fig.* Niedergang *m*: **on the ~** im Niedergang begriffen; **II** *v/t.* **3.** im Rang her'absetzen, degradieren; **4.** niedriger einstufen; **5.** ✝ in der Quali'tät herabsetzen, verschlechtern; ˌ**~-'heart·ed** *adj.* niedergeschlagen, entmutigt; ˌ**~'hill I** *adv.* abwärts, berg'ab (*beide a. fig.*): **he is going ~** *fig.* es geht bergab mit ihm; **II** *adj.* abschüssig: **~ race** *Skisport*: Abfahrtslauf *m*; '**~ˌhill·er** *s. Skisport*: Abfahrtsläufer(in).

Down·ing Street ['daʊnɪŋ] *s.* Downing Street *f* (*Amtssitz des Premiers od. brit. Regierung*).

down|-'mar·ket *adj.* Billig-, Massen-; **~ pay·ment** *s.* **1.** Barzahlung *f*; **2.** Anzahlung *f*; '**~·pipe** *s.* ⚙ Fallrohr *n*; '**~·pour** *s.* Regenguß *m*, Platzregen *m*; '**~·right I** *adj.* **1.** völlig, abso'lut, to'tal: **a ~ lie** e-e glatte Lüge; **a ~ rogue** ein Erzschurke; **2.** offen(herzig), gerade, ehrlich, unverblümt, unzweideutig; **II** *adv.* **3.** völlig, ganz u. gar, durch u. durch, ausgesprochen, to'tal; ˌ**~'ri·ver** → **downstream**; ˌ**~'stairs I** *adv.* **1.** (die Treppe) hin'unter *od.* her'unter, nach unten; **2.** a) unten (im Haus), b) e-e Treppe tiefer; **II** *adj.* **3.** im unteren Stockwerk (gelegen), unter; **III** *s.* **4.** *pl. a. sg. konstr.* unteres Stockwerk, 'Untergeschoß *n*; ˌ**~'state** *Am.* **I** *adv.* in der *od.* die Pro'vinz; **II** *s.* (*bsd.* südliche) Pro'vinz (*e-s Bundesstaates*); ˌ**~'stream I** *adv.* **1.** strom'abwärts; **2.** mit dem Strom; **II** *adj.* **3.** stromabwärts gelegen *od.* gerichtet; '**~·stroke** *s.* **1.** Grundstrich *m beim Schreiben*; **2.** ⚙ Abwärts-, Leerhub *m*; '**~·swing** *s.* Abwärtstrend *m*, Rückgang *m*; '**~·time** *s.* Ausfallzeit *f*; ˌ**~-to-'earth** *adj.* rein sachlich, nüchtern; ˌ**~'town** *Am.* **I** *adv.* **1.** im *od.* ins Geschäftsviertel, in der *od.* die Innenstadt; **II** *adj.* ['daʊntaʊn] **2.** zum Geschäftsviertel, im Geschäftsviertel (gelegen *od.* tätig): **~ Chicago** die Innenstadt *od.* City von Chicago; **3.** ins *od.* durchs Geschäftsviertel (fahrend *etc.*); **III** *s.* ['daʊntaʊn] **4.** Geschäftsviertel *n*, Innenstadt *f*, City *f*; '**~ˌtrod·den** *adj.* unter'drückt; '**~·turn** → **downswing**.

down·ward ['daʊnwəd] **I** *adv.* **1.** abwärts, hin'ab, hin'unter, nach unten; **2.** *fig.* abwärts, berg'ab; **3.** *zeitlich*: abwärts: **from ... ~ to** von… (herab) bis…; **II** *adj.* **4.** Abwärts… (*a.* ⚙, *phys. u. fig.*); *fig.* sinkend (*Preise etc.*); '**down·wards** [-wədz] → **downward** I.

down·y¹ ['daʊnɪ] *adj.* **1.** mit Daunen *od.* Flaum bedeckt; **2.** flaumig, weich; **3.** *sl.* gerieben, ausgekocht.

down·y² ['daʊnɪ] *adj.* sanft gewellt (u. mit Gras bewachsen).

dow·ry ['daʊərɪ] *s.* **1.** Mitgift *f*, Aussteuer *f*; **2.** Gabe *f*, Ta'lent *n*.

dowse¹ [daʊz] → **douse**.

dowse² [daʊz] *v/i.* mit der Wünschelrute suchen; '**dows·er** [-zə] *s.* (Wünschel-)Rutengänger *m*; '**dows·ing-rod** [-zɪŋ] *s.* Wünschelrute *f*.

doy·en ['dɔɪən] *s.* (*Fr.*) **1.** Rangälteste(r) *m*; **2.** Doy'en *m eines diplomatischen Korps*; **3.** *fig.* Nestor *m*, Altmeister *m*.

doze [dəʊz] **I** *v/i.* dösen, (halb) schlummern: **~ off** einnicken; **II** *s.* a) Dösen *n*, b) Nickerchen *n*.

doz·en ['dʌzn] *s.* **1.** *sg. u. pl.* (*vor Haupt- u. nach Zahlwörtern etc. außer nach* **some**) Dutzend *n*: **two ~ eggs** 2 Dutzend Eier; **2.** Dutzend *n* (*a. weitS.*): **~s of birds** Dutzende von Vögeln; **some ~s of children** einige Dutzend Kinder; **~s of people** F ein Haufen Leute; **~s of times** F x-mal, hundertmal; **by the ~, in ~s** zu Dutzenden, dutzendweise; **cheaper by the ~** im Dutzend billiger; **do one's daily ~** Frühgymnastik machen; **talk nineteen to the ~** *Brit.* reden wie ein Wasserfall; → **baker** 1.

doz·y ['dəʊzɪ] *adj.* □ schläfrig, verschlafen, dösig.

drab¹ [dræb] **I** *adj.* gelbgrau, graubraun; *fig.* grau, trüb(e); düster (*Farben etc.*); freudlos (*Dasein etc.*); langweilig; **II** *s.* Gelbgrau *n*, Graubraun *n*.

drab² [dræb] **1.** Schlampe *f*; **2.** Dirne *f*, Hure *f*.

drab·ble ['dræbl] → ***draggle*** I.

drachm [dræm] *s.* **1.** → ***drachma*** 1; **2.** → ***dram***.

drach·ma ['drækmə] *pl.* **-mas**, **-mae** [-mi:] *s.* **1.** Drachme *f*; **2.** → ***dram***.

Dra·co ['dreɪkəʊ] *s. ast.* Drache *m*; **Dra·co·ni·an** [drə'kəʊnjən], **Dra·con·ic** [drə'kɒnɪk] *adj.* dra'konisch, hart, äußerst streng.

draff [dræf] *s.* **1.** Bodensatz *m*; *engS.* Trester *m*; **2.** Vieh-, Schweinetrank *m*.

draft [drɑ:ft] **I** *s.* **1.** Skizze *f*, Zeichnung *f*; **2.** Entwurf *m*: a) Skizze *f*, b) ⚙, ⚠ Riß *m*, c) Kon'zept *n*: **~ *agreement*** Vertragsentwurf *m*; **3.** ⚔ a) ('Sonder-) Kom‚mando *n*, Abteilung *f*, b) Ersatz (-truppe *f*) *m*, c) Aushebung *f*, Einberufung *f*, Einziehung *f*: **~ *evader*** *Am.* Drückeberger *m*; ***~-exempt*** *Am.* vom Wehrdienst befreit; **4.** ⚚ a) Zahlungsanweisung *f*, b) Tratte *f*, (trassierter) Wechsel, c) Scheck *m*, d) Ziehung *f*, Trassierung *f*: **~ (*payable*) *at sight*** Sichttratte, -wechsel; **5.** ⚚ Abhebung *f*, Entnahme *f*: ***to make a ~ on*** *Geld* abheben von; **6.** *fig.* (starke) Beanspruchung: ***make a ~ on*** in Anspruch nehmen (*acc.*); **7.** → ***draught***; *bsd. Am.* → ***draught*** 1, 7, 8; **II** *v/t.* **8.** skizzieren, entwerfen; **9.** *Schriftstück* aufsetzen, abfassen; **10.** ⚔ a) auswählen, abkommandieren, b) ⚔ einziehen, -berufen (***into*** zu); **draft·ee** [drɑ:f'ti:] *s.* ⚔ *Am.* Einberufene(r) *m*, Eingezogene(r) *m*; **'draft·er** [-tə] *s.* **1.** Urheber *m*, Verfasser *m*, Planer *m*; **2.** → ***draftsman*** 2.

draft·ing| board ['drɑ:ftɪŋ] Zeichenbrett *n*; **~ room** *s. Am.* ⚙ 'Zeichensaal, -bü‚ro *n*.

drafts·man ['drɑ:ftsmən] *s.* [*irr.*] **1.** (Konstrukti'ons-, Muster)Zeichner *m*; **2.** Entwerfer *m*, Verfasser *m*.

draft·y ['drɑ:ftɪ] *adj.* zugig.

drag [dræg] **I** *s.* **1.** ⚓ a) Schleppnetz *n*, b) Dregganker *m*; **2.** ⚒ a) schwere Egge, b) Mistharke *f*; **3.** ⚙ Baggerschaufel *f*; **4.** ⚙ a) Rollwagen *m*, b) Lastschlitten *m*, Schleife *f*; **5.** vierspännige Kutsche; **6.** Hemmschuh *m* (*a. fig.* ***on*** für); **7.** *aer.*, *phys.* 'Luft‚widerstand *m*; **8.** *hunt.* a) Fährte *f*, Witterung *f*, b) Schleppe *f* (*künstliche Fährte*), c) Schleppjagd *f*; **9.** *fig.* schleppendes Verfahren; **10.** F mühsame Sache, ‚Schlauch' *m*; **11.** F a) fade Sache, b) unangenehme *od.* ‚blöde' Sache: ***what a ~!*** so ein Mist!, c) fader *od.* ‚mieser' Kerl; **12.** *Am.* F Einfluß *m*, Beziehungen *pl.*; **13.** F Zug *m* (***at***, ***on*** an *e-r Zigarette*); **14.** F (*bsd. von Transvestiten getragene*) Frauenkleidung: **~ *queen*** Homosexuelle(r) *m* in Frauenkleidung; **15.** *Am.* F Straße *f*; **16.** F für ***drag race***; **II** *v/t.* **17.** schleppen, schleifen, zerren, ziehen: **~ *one's feet*** schlurfen, *fig.* ‚langsam tun'; **~ *the anchor*** ⚓ vor Anker treiben; **18.** mit e-m Schleppnetz absuchen (***for*** nach) *od.* fangen *od.* finden; **19.** ausbaggern; **20.** *fig.* hi'neinziehen, -bringen (***into*** in *acc.*); → ***drag in***; **III** *v/i.* **21.** geschleppt werden; **22.** schleppen, schleifen, zerren; schlurfen (*Füße*); **23.** *fig.* zerren, ziehen (***at*** an *dat.*); **24.** mit e-m Schleppnetz suchen, dreggen (***for*** nach); **25.** → ***drag on***; **26.** → ***drag behind***; **27.** ⚚ schleppend gehen; **28.** ♪ schleppen; **~ a·long I** *v/t.* (weg-) schleppen; **II** *v/i.* sich da'hinschleppen; **~ a·way** *v/t.* wegschleppen, -zerren: ***drag o.s. away from*** *iro.* sich losreißen von; **~ behind** *v/i. a. fig.* zu'rückbleiben, nachhinken; **~ down** *v/t.* **1.** her'unterziehen; **2.** *fig. j-n* ‚fertigmachen', zermürben; **~ in** *v/t.* **1.** hin'einziehen; **2.** *fig.* a) *j-n* (mit) hin'einziehen, b) *et.* (krampfhaft) aufs Tapet bringen, bei den Haaren her'beiziehen; **~ on** *v/i. fig.* a) sich da'hinschleppen, b) sich in die Länge ziehen, sich hinziehen (*Rede etc.*); **~ out** *v/t.* **1.** in die Länge ziehen, hin'ausziehen; **2.** *fig. et.* aus j-m her'ausholen; **~ up** *v/t.* **1.** hochziehen; **2.** F *Skandal etc.* ausgraben; **3.** *fig. Kind* recht u. schlecht aufziehen.

drag| an·chor *s.* Treib-, Schleppanker *m*; **~ chain** *s.* Hemmkette *f*.

drag·gle ['drægl] **I** *v/t.* **1.** beschmutzen; **II** *v/i.* **2.** nachschleifen; **3.** nachhinken; **'drag·gle·tail** *s.* Schlampe *f*.

'drag|·hound *s. hunt.* Jagdhund *m* für Schleppjagden; **~ hunt** *s.* Schleppjagd *f*; **'~·lift** *s.* Schlepplift *m*; **'~·line** *s.* **1.** Schleppleine *f*, ✈ -seil *n*; **2.** Schürfkübelbagger *m*; **'~·net** *s.* **1.** a) ⚓ Schleppnetz *n*, b) *hunt.* Streichnetz *n*; **2.** *fig.* (Fahndungs)Netz *n* (*der Polizei*): **~ *operation*** Großfahndung *f*.

drag·o·man ['drægəʊmən] *pl.* **-mans** *od.* **-men** *s. hist.* Dragoman *m*, Dolmetscher *m*.

drag·on ['drægən] *s.* **1.** Drache *m*, Lindwurm *m*, Schlange *f*: ***the old ≈*** Satan *m*; **2.** F ‚Drache(n)' *m* (*zänkische Frau etc.*); **'~·fly** *s. zo.* Li'belle *f*; **~'s teeth** *s. pl.* **1.** ⚔ (Panzer)Höcker *pl.*; **2.** *fig.* Drachensaat *f*: ***sow ~*** Zwietracht säen.

dra·goon [drə'gu:n] **I** *s.* ⚔ Dra'goner *m*; **II** *v/t. fig.* zwingen (***into*** zu).

drag| race *s. mot.* Dragsterrennen *n*; **'~·rope** *s.* **1.** Schleppseil *n*; **2.** ✈ a) Leitseil *n*, b) Vertauungsleine *f*; **~ show** *s.* F Transve'stitenshow *f*.

drag·ster ['drægstə] *s. mot.* Dragster *m*

D

(*formelfreier Spezialrennwagen*).

drain [dreɪn] **I** *v/t.* **1.** *Land* entwässern, dränieren, trockenlegen; **2.** ⚕ a) *Wunde von Eiter* säubern, b) *Eiter* abziehen; **3.** *a.* **~ off**, **~ away** (*Ab*)*Wasser etc.* ableiten, -führen, -ziehen; **4.** austrinken, leeren; → **dreg** 1; **5.** *Ort etc.* kanalisieren; **6.** *fig.* aufzehren, verschlukken; *Vorräte etc.* aufbrauchen, erschöpfen: **~ed** *fig.* erschöpft, *Person: a.* ausgelaugt; **7.** (**of**) berauben (*gen.*), arm machen (an *dat.*); **II** *v/i.* **8.** *a.* **~ off**, **~ away** (langsam) abfließen, -tropfen; versickern; **9.** *a.* **~ away** *fig.* da'hin-, verschwinden; **10.** (langsam) austrocknen; **11.** sich entwässern; **III** *s.* **12.** Ableitung *f*, Abfluß *m*, *fig. a.* Aderlaß *m*: **foreign ~** ✝ Kapitalabwanderung *f*; → **brain drain**; **13.** Abflußrohr *n*, 'Abzugska,nal *m*, Entwässerungsgraben *m*; Gosse *f*: **down the ~** F ‚futsch', ‚im Eimer'; **go down the ~** vor die Hunde gehen; **pour down the ~** *Geld* zum Fenster hinauswerfen; **14.** *pl.* Kanalisati'on *f*; **15.** ⚕ Drän *m*, Ka'nüle *f*; **16.** *fig.* (**on**) Belastung *f*, Beanspruchung *f* (*gen.*): **a great ~ on the purse** e-e schwere finanzielle Belastung.

drain·age ['dreɪnɪdʒ] *s.* **1.** Ableitung *f*, Abfluß *m*; Entleerung *f*; **2.** Entwässerung *f*, Trockenlegung *f*, *a.* ⚕ Drai'nage *f*; **3.** Entwässerungsanlage *f*; **4.** Kanalisati'on *f*; **5.** Abwasser *n*; **~ a·re·a**, **~ ba·sin** *s.* Einzugsgebiet *n e-s Flusses*; '**~-tube** *s.* ⚕ 'Abflußka,nüle *f*.

drain cock *s.* ⚙ Abflußhahn *m*.

drain·er ['dreɪnə] *s.* **1.** Abtropfgefäß *n*, Seiher *m*; **2.** → **draining board**.

drain·ing board ['dreɪnɪŋ] *s.* Abtropfbrett *n*.

'**drain-pipe** *s.* **1.** Abflußrohr *n*; **2.** *pl. a.* **~ trousers** F Röhrenhose(n *pl.*) *f*.

drake [dreɪk] *s. orn.* Enterich *m*.

dram [dræm] *s.* **1.** Drachme *f* (*Gewicht*); **2.** ‚Schluck' *m* (*Whisky etc.*).

dra·ma ['drɑːmə] **I** *s.* **1.** Drama *n*: a) Schauspiel *n*, b) dra'matische Dichtung *od.* Litera'tur, Dra'matik *f*; **2.** Schauspielkunst *f*; **3.** *fig.* Drama *n*; **II** *adj.* **4.** Schauspiel...: **~ school**.

dra·mat·ic [drə'mætɪk] *adj.* (□ **~ally**) **1.** dra'matisch (*a.* ♪), Schauspiel..., Theater...: **~ rights** Aufführungsrechte; **~ school** Schauspielschule *f*; **~ tenor** ♪ Heldentenor *m*; **2.** *fig.* dramatisch, spannend, aufregend, erregend; **3.** *fig.* drastisch: **~ changes**; **dra'mat·ics** [-ks] *s. pl. sg. od. pl. konstr.* **1.** Drama-tur'gie *f*; **2.** The'ater-, *bsd.* Liebhaberaufführungen *pl.*; **3.** *contp.* thea'tralisches Benehmen *od.* Getue.

dram·a·tis per·so·nae [,drɑːmətɪs pɜː'səʊnaɪ] *s. pl.* **1.** Per'sonen *pl.* der Handlung; **2.** Rollenverzeichnis *n*.

dram·a·tist ['dræmətɪst] *s.* Dra'matiker *m*; **dram·a·ti·za·tion** [,dræmətaɪ'zeɪʃn] *s.* Dramatisierung *f* (*a. fig.*), Bühnenbearbeitung *f*; **dram·a·tize** ['dræmətaɪz] **I** *v/t.* **1.** dramatisieren: a) für die Bühne bearbeiten, b) *fig.* aufbauschen: **~ o.s.** sich aufspielen; **II** *v/i.* **2.** sich für die Bühne *etc.* bearbeiten lassen; **3.** *fig.* über'treiben; **dram·a·tur·gic** [,dræmə'tɜːdʒɪk] *adj.* drama'turgisch; **dram·a·tur·gist** ['dræmə,tɜːdʒɪst] *s.* Drama'turg *m*; **dram·a·tur·gy** ['dræmə,tɜːdʒɪ] *s.* Dramatur'gie *f*.

drank [dræŋk] *pret. von* **drink**.

drape [dreɪp] **I** *v/t.* **1.** drapieren: a) (mit Stoff) behängen, b) in (schöne) Falten legen, c) *et.* hängen (**over** über *acc.*), (ein)hüllen (**in** in *acc.*); **II** *v/i.* **2.** schön fallen (*Stoff etc.*); '**drap·er** [-pə] *s.* Tuch-, Stoffhändler *m*: **~'s** (**shop**) Textilgeschäft *n*; '**dra·per·y** [-pərɪ] *s.* **1.** dekora'tiver Behang, Drapierung *f*; **2.** Faltenwurf *m*; **3.** *coll.* Tex'tilien *pl.*, Tex'til-, Webwaren *pl.*, Stoffe *pl.*; **4.** *Am.* Vorhangstoffe *pl.*, Vorhänge *pl.*

dras·tic ['dræstɪk] *adj.* (□ **~ally**) drastisch (*a.* ⚕), 'durchgreifend, rigo'ros.

drat [dræt] *int.* F: **~ it** (**you**)**!** zum Teufel damit (mit dir)!; '**drat·ted** [-tɪd] *adj.* F verdammt.

draught [drɑːft] **I** *s.* **1.** Ziehen *n*, Zug *m*: **~ animal** Zugtier *n*; **2.** Fischzug *m* (*Fischen od. Fang*); **3.** Abziehen *n* (aus dem Faß): **beer on ~** Bier *n* vom Faß; **~ beer** *Brit.* Faßbier *n*; **4.** Zug *m*, Schluck *m*: **a ~ of beer** ein Schluck Bier; **at a** (*od.* **one**) **~** auf 'einen Zug, mit 'einem Male; **5.** ⚕ Arz'neitrank *m*; **6.** ⚓ Tiefgang *m*; **7.** (Luft)Zug *m*, Zugluft *f*: **there is a ~** es zieht; **~ excluder** Dichtungsstreifen *m* (*für Türen etc.*); **feel the ~** F ‚den Wind im Gesicht spüren', in (finanzi'eller) Bedrängnis sein; **8.** ⚙ Zug *m* (*Schornstein etc.*); **9.** *pl. sg. konstr. Brit.* Damespiel *n*; **10.** → **draft** I; **II** *v/t.* **11.** → **draft** II; '**~-board** *s. Brit.* Dame- *od.* Schachbrett *n*.

draughts·man *s.* [*irr.*] **1.** ['drɑːftsmæn] *Brit.* Damestein *m*; **2.** [-mən] → **draftsman**.

draught·y ['drɑːftɪ] *adj.* zugig.

draw [drɔː] **I** *s.* **1.** *a.* ⚙ Ziehen *n*, Zug *m*: **quick on the ~** F a) schnell (mit der Pistole), b) *fig.* ‚fix', schlagfertig; **2.** Ziehung *f*, Verlosung *f*; **3.** *fig.* Zugkraft *f*; **4.** a) Attrakti'on *f*, Glanznummer *f* (*Person od. Sache*), b) *thea.* Zugstück *n*, Schlager *m*; → **box-office** 2; **5.** *sport* Unentschieden *n*: **end in a ~** unentschieden ausgehen; **II** *v/t.* [*irr.*] **6.** *Wagen*, *Pistole*, *Schwert*, *Los*, (*Spiel*)*Karte*, *Zahn etc.* ziehen; *Gardine* zuziehen *od.* aufziehen; *Bier*, *Wein* abziehen, -zapfen; *Bogen*(*sehne*) spannen: **~ s.o. into talk** j-n ins Gespräch ziehen; → **conclusion** 3, **bow²** 1, **parallel** 3; **7.**

fig. anziehen, -locken, fesseln; her'vorrufen; *j-n zu et.* bewegen; *sich et.* zuziehen: ***feel ~n to s.o.*** sich zu j-m hingezogen fühlen; ***~ attention*** die Aufmerksamkeit lenken (***to*** auf *acc.*); ***~ an audience*** Zuhörer anlocken; ***~ ruin upon o.s.*** sich selbst sein Grab graben; ***~ tears from s.o.*** j-n zu Tränen rühren; **8.** *Gesicht* verziehen; → ***drawn*** 2; **9.** holen, sich verschaffen; entnehmen: ***~ water*** Wasser holen *od.* schöpfen; ***~ (a) breath*** Atem holen, *fig.* aufatmen; ***~ a sigh*** (auf)seufzen; ***~ consolation*** Trost schöpfen (***from*** aus); ***~ inspiration*** sich Anregung holen (***from*** von, bei, durch); **10.** *Mahlzeiten*, ⚔ *Rationen* in Empfang nehmen, *a. Gehalt, Lohn* beziehen; *Geld* holen, abheben, entnehmen; **11.** ziehen, auslosen: ***~ a prize*** e-n Preis gewinnen, *fig.* Erfolg haben; ***~ bonds*** ✝ Obligationen auslosen; **12.** *fig.* her'ausziehen, -bringen, her'aus-, entlocken: ***~ applause*** Beifall entlocken (***from*** *dat.*); ***~ information from s.o.*** j-n aushorchen; ***~ a reply from s.o.*** e-e Antwort aus j-m herausholen; **13.** ausfragen, -horchen (***s.o. on s.th*** j-n über et.); *j-n* aus s-r Reserve her'auslocken: ***he refused to be ~n*** er ließ sich nicht aushorchen; **14.** zeichnen: ***~ a portrait***; ***~ a line*** e-e Linie ziehen; ***~ it fine*** *fig.* es *zeitlich etc.* gerade noch schaffen; → ***line***[1] 12; **15.** gestalten, darstellen, schildern; **16.** *a.* ***~ up*** *Schriftstück* entwerfen, aufsetzen: ***~ a deed*** e-e Urkunde aufsetzen; ***~ a cheque*** (*Am.* ***check***) e-n Scheck ausstellen; ***~ a bill*** e-n Wechsel ziehen (***on*** auf *j-n*); **17.** ⚓ e-n Tiefgang von … haben; **18.** *Tee* ziehen lassen; **19.** *geschlachtetes Tier* ausnehmen, *Wild a.* ausweiden; **20.** *hunt. Wald, Gelände* durch'stöbern, abpirschen; *Teich* ausfischen; **21.** ⚙ *Draht* ziehen; strecken, dehnen; **22.** ***~ the match*** *sport* unentschieden spielen; **III** *v/i.* [*irr.*] **23.** ziehen (*a. Tee, Schornstein*); **24.** das Schwert, die Pistole *etc.* ziehen, zur Waffe greifen; **25.** sich (*leicht etc.*) ziehen lassen; **26.** zeichnen, malen; **27.** Lose ziehen, losen (***for*** um); **28.** unentschieden spielen; **29.** sich (hin)begeben; sich nähern: ***~ close*** (***to s.o.*** j-m) näherrücken; ***~ round the table*** sich um den Tisch versammeln; ***~ into the station*** 🚂 in den Bahnhof einfahren; → ***draw near, level*** 11; **30.** ✝ (e-n Wechsel) ziehen (***on*** auf *acc.*); **31.** ***~ on*** in Anspruch nehmen (*acc.*), her'anziehen (*acc.*), Gebrauch machen von, zu'rückgreifen auf (*acc.*); *Kapital, Vorräte* angreifen: ***~ on one's imagination*** sich et. einfallen lassen;

Zssgn mit adv.:

draw| a·part I *v/i.* **1.** sich lösen, abrükken (***from*** von); **2.** sich ausein'anderleben; **II** *v/t.* **3.** → **~ a·side** *v/t. j-n* bei'seite nehmen, *a. et.* zur Seite ziehen; **~ a·way I** *v/t.* **1.** weg-, zu'rückziehen; **2.** ablenken; **3.** weglocken; **II** *v/i.* **4.** (***from***) sich entfernen (von); abrücken (von); **5.** (***from***) e-n Vorsprung gewinnen (vor *dat.*), sich lösen (von); **~ back I** *v/t.* **1.** *Truppen, Vorhang etc.* zu'rückziehen; **2.** ✝ *Zoll* zu'rückerhalten; **II** *v/i.* **3.** sich zu'rückziehen; **~ down** *v/t.* her'abziehen, *Jalousien* her'unterlassen; **~ in I** *v/t.* **1.** *a. Luft* einziehen; **2.** *fig. j-n* (mit) hin'einziehen; **3.** *Ausgaben etc.* einschränken; **II** *v/i.* **4.** einfahren (*Zug*); **5.** (an)halten (*Auto*); **6.** abnehmen, kürzer werden (*Tage*); **7.** sich einschränken; **~ near** *v/i.* sich nähern (***to*** *dat.*), her'anrücken; **~ off I** *v/t.* **1.** ab-, zu'rückziehen; **2.** ⚗ ausziehen; **3.** abzapfen; **4.** *Handschuhe etc.* ausziehen; **5.** *fig.* ablenken; **II** *v/i.* **6.** sich zurückziehen; **~ on I** *v/t.* **1.** anziehen: ***~ gloves***; **2.** *fig.* a) anziehen, anlocken, b) verursachen; **II** *v/i.* **3.** sich nähern; **~ out I** *v/t.* **1.** her'ausziehen, -holen; **2.** *fig.* a) *Aussage* her'ausholen, -locken, b) *j-n* ausholen, -horchen; **3.** ⚔ *Truppen* a) abkommandieren, b) aufstellen; **4.** *fig.* ausdehnen, hin'ausziehen, in die Länge ziehen; **II** *v/i.* **5.** länger werden (*Tage*); **6.** ausfahren (*Zug*); **~ up I** *v/t.* **1.** her'aufziehen, aufrichten: ***draw o.s. up*** sich aufrichten; **2.** *Truppen etc.* aufstellen; **3.** a) → ***draw*** 16, b) ✝ *Bilanz* aufstellen, c) *Plan etc.* entwerfen; **4.** *j-n* innehalten lassen; **5.** *Pferd* zum Stehen bringen; **II** *v/i.* **6.** (an)halten; **7.** vorfahren (*Wagen*); **8.** aufmarschieren; **9.** (***with, to***) her'ankommen (an *acc.*), einholen (*acc.*).

'draw|·back *s.* **1.** Nachteil *m*, Hindernis *n*, ‚Haken' *m*; **2.** ✝ Zollrückvergütung *f*; **'~·bridge** *s.* Zugbrücke *f*; **'~·card** → ***drawing card***.

draw·ee [drɔː'iː] *s.* ✝ Bezogene(r) *m*.

draw·er ['drɔːə] *s.* **1.** Zeichner *m*; **2.** ✝ Aussteller *m e-s Wechsels*; **3.** [drɔː] a) Schublade *f*, -fach *n*, b) *pl.* Kom'mode *f*; **4.** *pl.* [drɔːz] *a.* ***pair of ~s*** a) 'Unterhose *f*, b) (Damen)Schlüpfer *m*.

draw·ing ['drɔːɪŋ] *s.* **1.** Ziehen *n*; **2.** Zeichnen *n*: ***out of ~*** verzeichnet; **3.** Zeichnung *f*, Skizze *f*; **4.** Ziehung *f*, Verlosung *f*; **5.** ✝ a) *pl.* Bezüge *pl.*, Einnahmen *pl.*, b) Abhebung *f*, c) Trassierung *f*, Ziehung *f* (*Wechsel*); **~ ac·count** *s.* ✝ **1.** Girokonto *n*; **2.** Spesenkonto *n*; **~ block** *s.* Zeichenblock *m*; **'~-board** *s.* Reiß-, Zeichenbrett *n*: ***back to the ~!*** F wir müssen noch einmal von vorn anfangen!; **~ card** *s. thea. Am.* Zugnummer *f* (*Stück od. Person*); **~ com·pass·es** *s. pl.* (Reiß-, Zeichen-) Zirkel *m*; **~ ink** *s.* (Auszieh)Tusche *f*; **~**

pen *s.* Reißfeder *f*; **~ pen·cil** *s.* Zeichenstift *m*; **~ pin** *s. Brit.* Reiß-, Heftzwecke *f*; **~ pow·er** *s. fig.* Zugkraft *f*; **~ room** *s.* **1.** Gesellschaftszimmer *n*, Sa'lon *m*: ***not fit for a ~*** nicht ‚salonfähig'; ***~ comedy*** Salonkomödie *f*; **2.** Empfang *m* (*Brit. bsd.* bei Hofe); **3.** 🚂 *Am.* Pri'vatabteil *n*: ***~ car*** Salonwagen *m*; **~ set** *s.* Reißzeug *n*.

drawl [drɔːl] **I** *v/t. u. v/i.* gedehnt *od.* schleppend sprechen; **II** *s.* gedehntes Sprechen.

drawn [drɔːn] **I** *p.p. von* ***draw***; **II** *adj.* **1.** gezogen (*a.* ⚙ *Draht*); **2.** *fig.* a) abgespannt, b) verhärmt (*Gesicht*): ***~ with pain*** schmerzverzerrt; **3.** *sport*: unentschieden: ***~ match*** Unentschieden *n*; **~ but·ter (sauce)** *s.* Buttersoße *f*; **~ work** *s.* Hohlsaumarbeit *f*.

draw| po·ker *s. Kartenspiel*: Draw Poker *n*; **'~·string** *s.* Zug- *od.* Vorhangschnur *f*; **~ well** *s.* Ziehbrunnen *m*.

dray [dreɪ] *a.* **~ cart** *s.* Rollwagen *m*; **~ horse** *s.* Zugpferd *n*; **'~·man** [-mən] *s.* [*irr.*] Rollkutscher *m*.

dread [dred] **I** *v/t.* (sehr) fürchten, (große) Angst haben *od.* sich fürchten vor (*dat.*); **II** *s.* Furcht *f*, große Angst, Grauen *n* (***of*** vor *dat.*); **III** *adj. poet.* → ***dreadful*** 1; **'dread·ed** [-dɪd] *adj.* gefürchtet; **'dread·ful** [-fʊl] *adj.* ☐ **1.** furchtbar, schrecklich (*beide a. fig.* F); → ***penny dreadful***; **2.** F a) gräßlich, scheußlich, b) furchtbar groß *od.* lang, kolos'sal; **'dread·locks** *s. pl.* Rasta-Frisur *f*; **'dread·nought** *s.* **1.** ⚔ Dreadnought *m*, Schlachtschiff *n*; **2.** dicker, wetterfester Stoff *od.* Mantel.

dream [driːm] **I** *s.* **1.** Traum *m*: ***pleasant ~s!*** F träume süß!; ***wet ~*** ‚feuchter Traum' (*Pollution*); **2.** Traum(zustand) *m*, Träume'rei *f*; **3.** *fig.* (Wunsch-) Traum *m*, Sehnsucht *f*, Ide'al *n*: ***~ factory*** ‚Traumfabrik' *f*; ***~ job*** Traumberuf *m*; **4.** *fig.* ‚Gedicht' *n*, Traum *m*: ***a ~ of a hat*** ein traumhaft schöner Hut; ***a perfect ~*** traumhaft schön; **II** *v/i.* [*a. irr.*] **5.** träumen (***of*** von) (*a. fig.*); **6.** träumerisch *od.* verträumt sein; **7.** *mst neg.* ahnen: ***I shouldn't ~ of such a thing*** das würde mir nicht einmal im Traume einfallen; ***I shouldn't ~ of doing that*** ich würde nie daran denken, das zu tun; ***he little dreamt that*** er ahnte kaum, daß; **III** *v/t.* [*a. irr.*] **8.** träumen (*a. fig.*); **9.** ***~ away*** verträumen; **10.** ***~ up*** F sich *et.* einfallen lassen *od.* ausdenken; **'dream·boat** *s. sl.* a) ‚Schatz' *m*, b) ‚dufter Typ', c) Schwarm *m*, Ide'al *n*; **'dream·er** [-mə] *s.* Träumer(in) (*a. fig.*); **'dream·i·ness** [-mɪnɪs] *s.* **1.** Verträumtheit *f*; **2.** Traumhaftigkeit *f*, Verschwommenheit *f*; **'dream·ing** [-mɪŋ] → ***dreamy*** 1.

'dream|·land *s.* Traumland *n*; **'~·like** *adj.* traumhaft; **~ read·er** *s.* Traumdeuter(in).

dreamt [dremt] *pret. u. p.p. von* ***dream***.

dream world *s.* Traumwelt *f*.

dream·y ['driːmɪ] *adj.* ☐ **1.** verträumt, träumerisch; **2.** traumhaft, verschwommen; **3.** F traumhaft (schön).

drear [drɪə] *adj. poet.* → ***dreary***; **drear·ie** ['drɪərɪ] *s.* F fader *od.* ‚mieser' Typ; **drear·i·ness** ['drɪərɪnɪs] *s.* **1.** Tristheit *f*, Trostlosigkeit *f*; **2.** Langweiligkeit *f*; **drear·y** ['drɪərɪ] *adj.* ☐ **1.** *allg.* trist, trüb(selig); **2.** langweilig, fad(e); **3.** F ‚mies', ‚blöd'.

dredge¹ [dredʒ] **I** *s.* **1.** ⚙ Bagger *m*; **2.** Schleppnetz *n*; **II** *v/t.* **3.** ausbaggern; **4.** *oft* ***~ up*** mit dem Schleppnetz fangen *od.* her'aufholen; **5.** *fig.* a) ***~ up*** *Tatsachen* ausgraben, b) durch'forschen; **III** *v/i.* **6.** mit dem Schleppnetz fischen (***for*** nach); **7.** ***~ for*** suchen nach.

dredge² [dredʒ] *v/t.* (mit Mehl *etc.*) bestreuen.

dredg·er¹ ['dredʒə] *s.* **1.** ⚙ Bagger *m*; **2.** Schwimmbagger *m*; **3.** Schleppnetzfischer *m*.

dredg·er² ['dredʒə] *s.* (Mehl- *etc.*)Streuer *m*.

dreg [dreg] *s.* **1.** *mst pl.* (Boden)Satz *m*, Hefe *f*: ***drain*** (*od.* ***drink***) ***to the ~s*** *Glas* bis zur Neige leeren; ***not a ~*** gar nichts; → ***cup*** 7; **2.** *mst pl. fig.* Abschaum *m* (*der Menschheit*), Hefe *f* (*des Volkes*): ***the ~s of mankind***.

drench [drentʃ] **I** *v/t.* **1.** durch'nässen: ***~ed in blood*** blutgetränkt; ***~ed with rain*** vom Regen (völlig) durchnäßt; ***~ed in tears*** in Tränen gebadet; **2.** *vet. Tieren* Arz'nei einflößen; **II** *s.* **3.** (Regen)Guß *m*; **4.** *vet.* Arz'neitrank *m*; **'drench·er** [-tʃə] *s.* **1.** Regenguß *m*; **2.** *vet.* Gerät *n* zum Einflößen von Arz'neien.

Dres·den (chi·na) ['drezdən] *s.* Meißner Porzel'lan *n*.

dress [dres] **I** *s.* **1.** Kleidung *f*, Anzug *m* (*a.* ⚔); **2.** (Damen)Kleid *n*; **3.** Abend-, Gesellschaftskleidung *f*: ***full ~*** Gesellschaftsanzug *m*, Gala *f*; **4.** *fig.* Gewand *n*, Kleid *n*, Gestalt *f*; **II** *v/t.* **5.** be-, ankleiden, anziehen: ***~ o.s.*** → 11; **6.** einkleiden; **7.** *thea.* mit Ko'stümen ausstatten: ***~ it*** Kostümprobe abhalten; **8.** schmücken, *Schaufenster etc.* dekorieren: ***~ ship*** ⚓ über die Toppen flaggen; **9.** zu'rechtmachen, herrichten, zubereiten, behandeln, bearbeiten; *Salat* anmachen; *Huhn etc.* koch- *od.* bratfertig machen; *Haare* frisieren; *Leder* zurichten; *Tuch* glätten, appretieren; *Erz etc.* aufbereiten; *Stein* behauen; *Flachs* hecheln; *Boden* düngen; ⚕ *Wunde* behandeln, verbinden; **10.** ⚔ (aus)richten; **III** *v/i.* **11.** sich ankleiden *od.* anziehen; **12.** Abend- *od.* Festkleidung anziehen, sich ‚in Gala werfen'; **13.** sich (*geschmackvoll etc.*) kleiden: ~ ***well*** (***badly***); **14.** ⚔ sich (aus)richten; ~ **down** *v/t.* **1.** *Pferd* striegeln; **2.** F *j-m* ‚eins auf den Deckel geben'; ~ **up I** *v/t.* **1.** fein anziehen, herausputzen; **II** *v/i.* **2.** sich feinmachen, sich auftakeln; **3.** sich kostümieren *od.* verkleiden.

dres·sage ['dresɑ:ʒ] **I** *s. sport* Dres'sur (-reiten *n*) *f*; **II** *adj.* Dressur...

dress| cir·cle *s. thea.* erster Rang; ~ **clothes** *s. pl.* Gesellschaftskleidung *f*; ~ **coat** *s.* Frack *m*; ~ **de·sign·er** *s.* Modezeichner(in).

dress·er¹ ['dresə] *s.* **1.** *thea.* a) Kostümi'er *m*, b) Garderobi'ere *f*; **2.** j-d, der sich *sorgfältig etc.* kleidet; **3.** ⚕ Operati'onsassi,stent *m*; **4.** 'Schaufensterdekora,teur *m*; **5.** ⚙ a) Zurichter *m*, Aufbereiter *m*, b) Appretierer *m*.

dress·er² ['dresə] *s.* **1.** a) Küchen-, Geschirrschrank *m*, b) Anrichte *f*; **2.** → ***dressing table***.

dress·ing ['dresɪŋ] *s.* **1.** Ankleiden *n*; **2.** ⚙ a) (Nach)Bearbeitung *f*, Aufbereitung *f*, Zurichtung *f*; **3.** ⚙ Appre'tur *f*; **4.** Zubereitung *f von Speisen*; **5.** a) Dressing *n* (*Salatsoße*), b) *Am.* Füllung *f*; **6.** ⚕ a) Verbinden *n* (*Wunde*), b) Verband *m*; **7.** ⚘ Dünger *m*; ~ **case** *s.* Toi'lettentasche *f*, 'Reiseneces,saire *n*; ,~-'**down** *s.* F Standpauke *f*, Rüffel *m*; ~ **gown** *s.* Schlaf-, Morgenrock *m*; ~ **room** *s.* **1.** Ankleidezimmer *n*; **2.** ('Künstler)Garde,robe *f*; **3.** *sport* ('Umkleide)Ka,bine *f*; ~ **sta·tion** *s.* ⚔ (Feld)Verband(s)platz *m*; ~ **ta·ble** *s.* Fri'sierkom,mode *f*.

'**dress|,mak·er** *s.* (Damen)Schneider (-in); '~,**mak·ing** *s.* Schneidern *n*; ~ **pa·rade** *s.* **1.** Modevorführung *f*; **2.** Pa'rade *f* in 'Galauni,form; ~ **pat·tern** *s.* Schnittmuster *n*; ~ **re·hears·al** *s. thea.* Gene'ralprobe *f* (*a. fig.*), Ko'stümprobe *f*; ~ **shield** *s.* Schweißblatt *n*; ~ **shirt** *s.* Frackhemd *n*; ~ **suit** *s.* Frackanzug *m*; ~ **u·ni·form** *s.* ⚔ großer Dienstanzug *m*.

dress·y ['dresɪ] *adj.* **1.** ele'gant (gekleidet), *weitS.* modebewußt; **2.** geschniegelt; **3.** F schick, fesch (*Kleid*).

drew [dru:] *pret. von* ***draw***.

drib·ble ['drɪbl] **I** *v/i.* **1.** tröpfeln (*a. fig.*); **2.** sabbern, geifern; **3.** *sport* dribbeln; **II** *v/t.* **4.** (her'ab)tröpfeln lassen, träufeln; **5.** *sport* ~ ***the ball*** (mit dem Ball) dribbeln.

drib·(b)let ['drɪblɪt] kleine Menge; ***by ~s*** *fig.* in kleinen Mengen, kleckerweise.

dribs and drabs [,drɪbzən'dræbz] *s. pl.*: ***in ~*** F kleckerweise.

dried [draɪd] *adj.* getrocknet: ~ ***cod*** Stockfisch *m*; ~ ***fruit*** Dörrobst *n*; ~ ***milk*** Trockenmilch *f*.

dri·er¹ ['draɪə] *s.* **1.** Trockenmittel *n*, Sikka'tiv *n*; **2.** 'Trockenappa,rat *m*, Trockner *m*: ***hair-~*** Fön *m*.

dri·er² ['draɪə] *comp. von* ***dry***.

dri·est ['draɪɪst] *sup. von* ***dry***.

drift [drɪft] **I** *s.* **1.** Treiben *n*; **2.** *fig.* Abwanderung *f*: ~ ***from the land*** Landflucht *f*; **3.** ⚓, ✈ Abtrift *f*, -trieb *m*; **4.** *Ballistik*: Seitenabweichung *f*; **5.** Drift(strömung) *f* (*im Meer*); (Strömungs)Richtung *f*; **6.** *fig.* a) Strömung *f*, Ten'denz *f*, Lauf *m*, Richtung *f*, b) Absicht *f*, c) Gedankengang *m*, d) Sinn *m*: ***the ~ of what he said*** was er meinte *od.* sagen wollte; **7.** a) Treibholz *n*, b) Treibeis *n*, c) Schneegestöber *n*; **8.** Treibgut *n*; **9.** (Schnee)Verwehung *f*, (Schnee-, Sand)Wehe *f*; **10.** *geol.* Geschiebe *n*; **11.** *fig.* Einfluß *m*, (treibende) Kraft; **12.** (Sich)'Treibenlassen *n*, Ziellosigkeit *f*: ***policy of ~***; **II** *v/i.* **13.** treiben (*a. fig.* ***into*** in *e-n Krieg etc.*), getrieben werden: ***let things ~*** den Dingen ihren Lauf lassen; ~ ***away*** a) abwandern, b) sich entfernen (***from*** von); ~ ***apart*** *fig.* sich auseinanderleben; **14.** sich (willenlos) treiben lassen; **15.** *auf et.* zutreiben; **16.** gezogen werden, geraten *od.* (hinein)schlittern (***into*** in *acc.*); **17.** sich häufen (*Sand, Schnee*); **III** *v/t.* **18.** (da'hin)treiben, (fort)tragen; **19.** aufhäufen, zs.-tragen; ~ **an·chor** *s.* ⚓ Treibanker *m*.

drift·er ['drɪftə] *s.* **1.** zielloser Mensch, ‚Gammler' *m*; **2.** Treibnetzfischer(boot *n*) *m*.

drift| ice *s.* Treibeis *n*; ~ **net** *s.* Treibnetz *n*; '~·**wood** *s.* Treibholz *n*.

drill¹ [drɪl] **I** *s.* **1.** ⚙ 'Bohrgerät *n*, -ma,schine *f*, Bohrer *m*: ~ ***chuck*** Bohrfutter *n*; **2.** Drill *m*: a) ⚔ Exerzieren *n*, b) (*Luftschutz- etc.*)Übung *f*, c) *fig.* strenge Schulung, d) 'Ausbildung(sme,thode) *f*; **II** *v/t.* **3.** *Loch* bohren; **4.** ⚔ *u. fig.* drillen, einexerzieren: ~ ***him in Latin*** ihm Lateinisch einpauken; **5.** *fig.* drillen, gründlich ausbilden; **III** *v/i.* **6.** (⚙ *engS.* ins Volle) bohren: ~ ***for oil*** nach Öl bohren; **7.** ⚔ a) exerzieren (*a. fig.*), b) gedrillt *od.* ausgebildet werden.

drill² [drɪl] ⚘ **I** *s.* **1.** (Saat)Rille *f*, Furche *f*; **2.** 'Drill-, 'Säma,schine *f*; **II** *v/t.* **3.** *Saat* in Reihen säen; **4.** *Land* in Reihen besäen.

drill³ [drɪl] *s.* Drill(ich) *m*, Drell *m*.

drill| bit *s.* ⚙ **1.** Bohrspitze *f*; **2.** Einsatzbohrer *m*; ~ **ground** *s.* ⚔ Exerzierplatz *m*.

drill·ing ['drɪlɪŋ] *s.* **1.** Bohren *n*; **2.** Bohrung *f* (***for*** nach *Öl etc.*); **3.** → ***drill¹*** 2; ~ **rig** *s.* Bohrinsel *f*.

'**drill|,mas·ter** *s.* **1.** ⚔ Ausbilder *m*; **2.**

fig. ‚Einpauker' *m*; ~ **ser·geant** *s.* ⚔ 'Ausbildungsˌunteroffiˌzier *m*.

dri·ly ['draɪlɪ] *adv. von* **dry** (*mst fig.*).

drink [drɪŋk] **I** *s.* **1.** a) Getränk *n*, b) Drink *m*, alko'holisches Getränk, c) *coll.* Getränke *pl.*; ***~s machine*** Getränkeautomat *m*; ***have a ~*** et. trinken, e-n Drink nehmen; ***have a ~ with s.o.*** mit j-m ein Glas trinken; ***a ~ of water*** ein Schluck Wasser; ***food and ~*** Essen *n* u. Getränke *pl.*; **2.** das Trinken, der Alkohol: ***take to ~*** sich das Trinken angewöhnen; **3.** *sl. der* ‚große Teich' (*Meer*); **II** *v/t.* [*irr.*] **4.** *Tee etc.* trinken; *Suppe* essen: ***~ s.o. under the table*** j-n unter den Tisch trinken; **5.** trinken, saufen (*Tier*); **6.** trinken *od.* anstoßen auf (*acc.*); → ***health*** 3; **7.** (aus)trinken, leeren; → ***cup*** 7; **8.** *fig.* → ***drink in***; **III** *v/i.* [*irr.*] **9.** trinken; **10.** saufen (*Tier*); **11.** trinken, *weitS. a.* ein Trinker sein; **12.** trinken *od.* anstoßen (***to*** auf *acc.*): ***~ to s.o.*** *a.* j-m zuprosten; ~ **a·way** *v/t.* **1.** *sein Geld etc.* vertrinken; **2.** *s-e Sorgen* im Alkohol ersäufen; ~ **in** *v/t. fig.* **1.** *Luft etc.* einsaugen, (tief) einatmen; **2.** *fig.* (hingerissen) in sich aufnehmen, verschlingen: ***~ s.o.'s words***; ~ **off**, ~ **up** *v/t.* austrinken.

drink·a·ble ['drɪŋkəbl] *adj.* trinkbar, Trink...; **drink·er** ['drɪŋkə] *s.* **1.** Trinkende(r *m*) *f*: ***beer ~*** Biertrinker *m*; **2.** Trinker(in): ***a heavy ~***.

drink·ing ['drɪŋkɪŋ] *s.* **1.** *allg.* Trinken *n*; **2.** → ~ **bout** *s.* Trinkgelage *n*; ~ **cup** *s.* Trinkbecher *m*; ~ **foun·tain** *s.* Trinkbrunnen *m*; ~ **song** *s.* Trinklied *n*; ~ **straw** *s.* Trinkhalm *m*; ~ **wa·ter** *s.* Trinkwasser *n*.

drip [drɪp] **I** *v/i.* **1.** (her'ab)tropfen, (-)tröpfeln; **2.** tropfen (*Wasserhahn*); **3.** triefen (***with*** von, vor *dat.*) (*a. fig.*); **II** *v/t.* **4.** (her'ab)tröpfeln *od.* (her'ab-)tropfen lassen; **III** *s.* **5.** → ***dripping*** 1, 2; **6.** ⚠ Traufe *f*; **7.** ⚙ Tropfrohr *n*; **8.** ⚕ a) 'Tropfinfusiˌon *f*, b) Tropf *m*: ***be on the ~*** am Tropf hängen; **9.** F ‚Nulpe' *f*, ‚Blödmann' *m*; ~ **cof·fee** *s. Am.* Filterkaffee *m*; ˌ**~-'dry I** *adj.* bügelfrei; **II** *v/t.* tropfnaß aufhängen; '**~-feed** *v/t.* ⚕ parente'ral *od.* künstlich ernähren.

drip·ping ['drɪpɪŋ] **I** *s.* **1.** Tröpfeln *n*, Tropfen *n*; **2.** *a. pl.* her'abtröpfelnde Flüssigkeit; **3.** (abtropfendes) Bratenfett: ***~ pan*** Fettpfanne *f*; **II** *adj.* **4.** *a. fig.* triefend (***with*** von); **5.** *a.* ***~ wet*** triefend naß, tropfnaß.

'**drip·proof** *adj.* ⚙ tropfwassergeschützt.

drip·py ['drɪpɪ] *adj. sl.* **1.** langweilig, lahm(arschig); **2.** rührselig, kitschig.

drive [draɪv] **I** *s.* **1.** Fahrt *f*, *bsd.* Aus-, Spa'zierfahrt *f*: ***take*** (*od.* ***go for***) ***a ~*** → ***drive out*** II; ***an hour's ~ away*** e-e Autostunde entfernt; **2.** a) Fahrweg *m*, -straße *f*, b) (pri'vate) Auf-, Einfahrt *f*, c) Zufahrtsstraße *f*; **3.** a) (Zs.-)Treiben *n* (*von Vieh etc.*), b) zs.-getriebene Tiere; **4.** Treibjagd *f*; **5.** ⚙ a) Antrieb *m*: ***rear***(***-wheel***) ***~***, b) *mot. a.* Steuerung *f*: ***left-hand ~***; **6.** ⚔ Vorstoß *m*; **7.** *sport* a) Schuß *m*, b) *Golf*, *Tennis*: Drive *m*, Treibschlag *m*; **8.** Tatkraft *f*, Schwung *m*, E'lan *m*, Dy'namik *f*; **9.** Trieb *m*, Drang *m*: ***sexual ~*** Geschlechtstrieb; **10.** ('Sammel-, Ver'kaufs- *etc.*)Aktiˌon *f*, Kam'pagne *f*, (*bes.* Werbe)Feldzug *m*; **II** *v/t.* [*irr.*] **11.** *Vieh*, *Wild*, *Keil*, *etc.* treiben; *Ball* treiben, (weit) schlagen, schießen; *Nagel* einschlagen, treiben (***into*** in *acc.*); *Pfahl* einrammen; *Schwert etc.* stoßen; *Tunnel* bohren, treiben: ***~ s.th. into s.o.*** *fig.* j-m et. einbleuen; ***~ all before one*** *fig.* jeden Widerstand überwinden, unaufhaltsam sein; → ***home*** 13; **12.** vertreiben, -jagen; **13.** *hunt.* jagen, treiben; **14.** (zur Arbeit) antreiben, hetzen: ***~ s.o. hard*** a) j-n schinden, b) j-n in die Enge treiben; ***~ o.s.*** (***hard***) sich abschinden *od.* antreiben; **15.** *fig. j-n* dazu bringen *od.* treiben *od.* veranlassen *od.* zwingen (***to*** zu; ***to do*** zu tun): ***~ to despair*** zur Verzweiflung treiben; ***~ s.o. mad*** j-n verrückt machen; ***driven by hunger*** vom Hunger getrieben; **16.** *Wagen* fahren, lenken, steuern; **17.** *j-n od. et.* (im Auto) fahren, befördern; **18.** ⚙ (an-, be)treiben (*mst pass.*): ***driven by steam*** mit Dampf betrieben, mit Dampfantrieb; **19.** zielbewußt 'durchführen: ***~ a hard bargain*** hart verhandeln; ***he ~s a roaring trade*** er treibt e-n schwunghaften Handel; **III** *v/i.* [*irr.*] **20.** (da'hin)treiben, getrieben werden: ***~ before the wind*** ⚓ vor dem Winde treiben; **21.** eilen, stürmen, jagen; **22.** stoßen, schlagen; **23.** (e-n *od.* den Wagen) fahren: ***can you ~?*** können Sie Auto fahren?; **24.** ***~ at*** *fig.* (ab)zielen auf (*acc.*): ***what is he driving at?*** was will *od.* meint er eigentlich?, worauf will er hinaus?; **25.** schwer arbeiten (***at*** an *dat.*);

Zssgn mit adv.:

drive| **a·way I** *v/t. a. fig.* vertreiben, verjagen; **II** *v/i.* wegfahren; ~ **in I** *v/t.* **1.** *Pfahl* einrammen, *Nagel* einschlagen; **2.** *Vieh* eintreiben; **II** *v/i.* **3.** hin'einfahren; ~ **on I** *v/t.* vo'rantreiben (*a. fig.*); **II** *v/i.* weiterfahren; ~ **out I** *v/t.* aus-, vertreiben; **II** *v/i.* spazieren-, ausfahren; ~ **up I** *v/t. Preise* in die Höhe treiben; **II** *v/i.* vorfahren (***to*** vor *dat.*).

'**drive-in I** *adj.* Auto..., Drive-in-...; **II** *s.* a) Auto-, Drive-in-Kino *n*, -rasthaus *n etc.*, b) Auto-, Drive-in-Schalter *m e-r Bank*.

driv·el ['drɪvl] **I** *v/i.* **1.** sabbern, geifern; **2.** dummes Zeug schwatzen, faseln; **II** *s.* **3.** Geschwätz *n*, Gefasel *n*, Fase'lei *f*;

'driv·el·(l)er [-lə] *s.* (blöder) Schwätzer.
driv·en ['drɪvn] *p.p. von* ***drive***.
driv·er ['draɪvə] *s.* **1.** (An)Treiber *m*; **2.** Fahrer *m*, Lenker *m*, b) (*Kran- etc., Brit. Lokomotiv*)Führer *m*, c) Kutscher *m*; **3.** (Vieh)Treiber *m*; **4.** F Antreiber *m*, (Leute)Schinder *m*; **5.** ⚙ a) Treibrad *n*, Ritzel *n*, b) Mitnehmer *m*, c) Ramme *f*; **6.** *Golf*: Driver *m* (*Holzschläger 1*); **~'s cab** *s.* ⚙ Führerhaus *n*; **~'s li·cense** *s. mot. Am.* Führerschein *m*; **~'s seat** *s.* Fahrer-, Führersitz *m*: ***in the ~*** *fig.* am Ruder.
drive| shaft → ***driving shaft***; **'~·way** *s.* → ***drive*** 2; **'~-your,self** *adj. Am.* Selbstfahrer...: ***~ car*** Mietwagen *m*.
driv·ing ['draɪvɪŋ] **I** *adj.* **1.** (an)treibend: ***~ force*** treibende Kraft; ***~ rain*** stürmischer Regen; **2.** a) ⚙ Antriebs..., Treib..., Trieb..., b) *TV* Treiber...(*-impulse etc.*); **3.** *mot.* Fahr...: ***~ comfort***; ***~ instructor*** Fahrlehrer *m*; ***~ lessons*** Fahrstunden; ***take ~ lessons*** Fahrunterricht nehmen, den Führerschein machen; ***~ licence*** *Brit.* Führerschein *m*; ***~ mirror*** Rückspiegel *m*; ***~ school*** Fahrschule *f*; ***~ test*** Fahrprüfung *f*; **II** *s.* **4.** Treiben *n*; **5.** (Auto)Fahren *n*; **~ ax·le** *s.* Antriebsachse *f*; **~ belt** *s.* Treibriemen *m*; **'~·gear** *s.* Triebwerk *n*, Getriebe *n*; **~ i·ron** *s. Golf*: Driving-Iron *m* (*Eisenschläger Nr. 1*); **~ pow·er** *s.* ⚙ Antriebskraft *f*, -leistung *f*; **~ shaft** *s.* ⚙ Antriebswelle *f*; **~ wheel** *s.* Triebrad *n*.
driz·zle ['drɪzl] **I** *v/i.* nieseln; **II** *s.* Niesel-, Sprühregen *m*; **'driz·zly** [-lɪ] *adj.* Niesel-, Sprüh...: ***~ rain***; ***it was a ~ day*** es nieselte den ganzen Tag.
droll [drəʊl] *adj.* □ drollig, spaßig, komisch; **droll·er·y** ['drəʊlərɪ] *s.* **1.** Posse *f*, Schwank *m*; **2.** Spaß *m*; **3.** Komik *f*, Spaßigkeit *f*.
drome [drəʊm] F *für* ***aerodrome***, ***airdrome***.
drom·e·dar·y ['drɒmədərɪ] *s. zo.* Drome'dar *n*.
drone¹ [drəʊn] **I** *s.* **1.** *zo.* Drohne *f*; **2.** *fig.* Drohne *f*, Schma'rotzer *m*; **3.** ⚔ ferngesteuertes Flugzeug *n*; 'Fernlenkra,kete *f*; **II** *v/i.* **4.** faulenzen; **III** *v/t.* **5.** ***~ away*** vertrödeln.
drone² [drəʊn] **I** *v/i.* **1.** brummen, summen, dröhnen; **2.** *fig.* leiern, eintönig reden; **II** *v/t.* **3.** herleiern; **III** *s.* **4.** ♪ a) Bor'dun *m*, b) Baßpfeife *f des Dudelsacks*; **5.** Brummen *n*, Summen *n*; **6.** *fig.* a) Geleier *n*, b) einschläfernder Redner.
droop [dru:p] **I** *v/i.* **1.** (schlaff) her'abhängen *od.* -sinken; **2.** ermatten, erschlaffen; **3.** sinken, schwinden (*Mut etc.*), erlahmen (*Interesse etc.*); **4.** *fig.* den Kopf hängenlassen (*a. Blume*); **5.** ✝ abbröckeln (*Preise*); **II** *v/t.* **6.** (schlaff) her'abhängen lassen; **III** *s.* **7.** Her'abhängen *n*, Senken *n*; **8.** Erschlaffen *n*; **'droop·ing** [-pɪŋ] *adj.* □ **1.** (her'unter)hängend, schlaff (*a. fig.*); **2.** matt; **3.** welk.
drop [drɒp] **I** *s.* **1.** Tropfen *m*: ***in ~s*** tropfenweise (*a. fig.*); ***a ~ in the bucket*** (*od.* ***ocean***) *fig.* ein Tropfen auf e-n heißen Stein; **2.** ⚕ *mst pl.* Tropfen *pl.*; **3.** *fig.* a) Tropfen *m*, Tröpfchen *n*, b) Glas *n*, ‚Gläs-chen' *n*: ***he has had a ~ too much*** er hat ein Glas *od.* eins über den Durst getrunken; **4.** Bon'bon *m*, *n*: ***fruit ~s*** Drops *pl.*; **5.** a) Fall *m*, Fallen *n*: ***at the ~ of a hat*** F beim geringsten Anlaß; ***get*** *od.* ***have the ~ on s.o.*** F j-m (*beim Ziehen e-r Waffe*) zuvorkommen, *fig.* j-m gegenüber im Vorteil sein, b) Fall(tiefe *f*) *m*, 'Höhen,unterschied *m*, c) steiler Abfall, Gefälle *n*; **6.** *fig.* Fall *m*, Sturz *m*, Rückgang *m*: ***~ in prices*** Preissturz, -rückgang; ***~ in the temperature*** Temperaturabfall, -sturz; ***~ in the voltage*** ⚡ Spannungsabfall; **7.** → ***airdrop*** I; **8.** ⚙ a) (Fall-)Klappe *f*, -vorrichtung *f*, b) Falltür *f*, c) Vorrichtung *f* zum Her'ablassen von Lasten: (***letter***) ***~*** *Am.* (Brief)Einwurf *m*; **9.** *thea.* Vorhang *m*; **II** *v/i.* **10.** (her'ab)tropfen, (-)tröpfeln; **11.** (he'rab-, her'unter)fallen: ***let s.th. ~*** a) et. fallen lassen, b) → 26; **12.** (nieder-)sinken, fallen: ***~ into a chair***; ***~ dead*** tot umfallen; ***~ dead!*** *sl.* geh zum Teufel!; ***ready*** (*od.* ***fit***) ***to ~*** zum Umfallen müde; **13.** *fig.* aufhören, ‚einschlafen': ***our correspondence ~ped***; **14.** (ver-)fallen: ***~ into a habit*** in e-e Gewohnheit verfallen; ***~ asleep*** einschlafen; **15.** a) (ab)sinken, sich senken, b) sinken, fallen, her'untergehen (*Preise, Thermometer etc.*); **16.** sich senken (*Stimme*); **17.** sich legen (*Wind*); **18.** zufällig *od.* unerwartet kommen: ***~ into the room***; ***~ across s.o.*** (***s.th.***) zufällig auf j-n (et.) stoßen; **19.** *zo.* (Junge) werfen, *bsd.* a) lammen, b) kalben, c) fohlen; **III** *v/t.* **20.** (her'ab)tropfen *od.* (-)tröpfeln lassen; **21.** senken, her'ablassen; **22.** fallen lassen: ***~ a book***; **23.** (hin'ein)werfen (***into*** in *acc.*); **24.** *Bomben etc.* (ab)werfen; **25.** ⚓ *den Anker* auswerfen; **26.** *e-e Bemerkung* fallenlassen: ***~ a remark***; ***~ me a line!*** schreibe mir ein paar Zeilen!; **27.** *ein Thema, e-e Gewohnheit etc.* fallenlassen: ***~ a subject*** (***habit*** *etc.*); **28.** *e-e Tätigkeit* aufgeben, aufhören mit: ***~ the correspondence*** die Korrespondenz einstellen; ***~ it!*** hör auf damit!, laß das!; **29.** *j-n* fallenlassen, nichts mehr zu tun haben wollen mit; **30** *Am.* a) *j-n* entlassen, b) *sport Spieler* aus der Mannschaft nehmen; **31.** *zo. Junge, bsd. Lämmer*

werfen; **32.** *e-e Last, a. Passagiere* absetzen; **33.** F *Geld* a) loswerden, b) verlieren; **34.** *Buchstaben etc.* auslassen: **~ *one's aitches*** a) das ‚h' nicht sprechen, b) *fig.* e-e vulgäre Aussprache haben; **35.** a) zu Fall bringen, zu Boden schlagen, b) F *j-n* ‚abknallen'; **36.** ab-, her'unterschießen: **~ *a bird***; **37.** *die Augen od. die Stimme* senken; **38.** *sport e-n Punkt, ein Spiel* abgeben (***to*** gegen);

Zssgn mit adv.:

drop| a·round *v/i.* F vor'beikommen, (kurz) ‚her'einschauen'; **~ a·way** *v/i.* **1.** abfallen; **2.** immer weniger werden; (e-r nach dem anderen) weggehen; **~ back, ~ be·hind** *v/i.* **1.** zu'rückbleiben, -fallen; **2.** sich zu'rückfallen lassen; **~ down** *v/i.* **1.** her'abtröpfeln; **2.** her'unterfallen; **~ in** *v/i.* **1.** her'einkommen (*a. fig. Aufträge etc.*); **2.** (kurz) her'einschauen (***on*** bei), ‚her'einschneien'; **~ off I** *v/i.* **1.** abfallen (*a.* ⚡); **2.** zu'rückgehen (*Umsatz etc.*), nachlassen (*Interesse etc.*); **3.** einschlafen, -nicken; **II** *v/t.* **4.** → ***drop*** 32; **~ out** *v/i.* **1.** her'ausfallen (***of*** aus); **2.** ‚aussteigen' (***of*** aus *der Politik, s-m Beruf etc.*), *a.* die Schule, das Studium abbrechen.

drop| ball *s. Fußball*: Schiedsrichterball *m*; **~ cur·tain** *s. thea.* Vorhang *m*; **'~-forge** *v/t.* ⚙ im Gesenk schmieden; **~ forg·ing** *s.* ⚙ **1.** Gesenkschmieden *n*; **2.** Gesenkschmiedestück *n*; **'~·head** *s.* **1.** ⚙ Versenkvorrichtung *f*; **2.** *mot. Brit. a.* **~ *coupé*** Kabrio'lett *n*; **~ kick** *s. sport* Dropkick *m*.

drop·let ['drɒplɪt] *s.* Tröpfchen *n*.

drop| let·ter *s.* **1.** *Am.* postlagernder Brief; **2.** Ortsbrief *m*; **'~·out** *s.* Dropout *m*: a) ‚Aussteiger' *m aus der Gesellschaft*, b) (Schul-, Studien)Abbrecher *m*, c) *Computer*: Sig'nalausfall *m*, d) *Tonband*: Schadstelle *f*.

drop·per ['drɒpə] *s.* Tropfglas *n*, Tropfenzähler *m*: ***eye ~*** Augentropfer *m*; **'drop·pings** [-pɪŋz] *s. pl.* **1.** Mist *m*, tierischer Kot; **2.** (Ab)Fallwolle *f*.

drop| scene *s.* **1.** *thea.* (Zwischen)Vorhang *m*; **2.** *fig.* Fi'nale *n*, Schlußszene *f*; **~ seat** *s.* Klappsitz *m*; **~ shot** *s. Tennis etc.*: Stoppball *m*; **~ shut·ter** *s. phot.* Fallverschluß *m*.

drop·si·cal ['drɒpsɪkl] *adj.* □ ⚕ **1.** wassersüchtig; **2.** ödema'tös.

'drop-stitch *s.* Fallmasche *f*.

drop·sy ['drɒpsɪ] *s.* ⚕ Wassersucht *f*.

dross [drɒs] *s.* **1.** ⚙ Schlacke *f*; **2.** Abfall *m*, Unrat *m*; *fig.* wertloses Zeug.

drought [draʊt] *s.* Dürre *f* (*a. fig. Mangel* ***of*** an *dat.*); (Zeit *f* der) Trockenheit *f*; **'drought·y** [-tɪ] *adj.* **1.** trocken, dürr; **2.** regenlos.

drove[1] [drəʊv] *pret. von* ***drive***.

drove[2] [drəʊv] *s.* **1.** (Vieh)Herde *f*; **2.** *fig.* Schar *f*: ***in ~s*** in hellen Scharen; **'dro·ver** [-və] *s.* Viehtreiber *m*.

drown [draʊn] **I** *v/i.* **1.** ertrinken; **II** *v/t.* **2.** ertränken, ersäufen: ***be ~ed*** → 1; **~ *one's sorrows*** s-e Sorgen (im Alkohol) ertränken; **3.** über'schwemmen (*a. fig.*): ***~ed in tears*** tränenüberströmt; **4.** *a.* **~ *out*** *fig.* übertönen.

drowse [draʊz] **I** *v/i.* **1.** dösen: **~ *off*** eindösen; **II** *v/t.* **2.** schläfrig machen; **3.** *mst* **~ *away*** *Zeit etc.* verdösen; **'drow·si·ness** [-zɪnɪs] *s.* Schläfrigkeit *f*; **'drow·sy** [-zɪ] *adj.* □ **1.** a) schläfrig, b) verschlafen (*a. fig.*); **2.** einschläfernd.

drub [drʌb] *v/t.* F **1.** (ver)prügeln: **~ *s.th. into s.o.*** j-m et. einbleuen; **2.** *sport* ‚über'fahren'; **'drub·bing** [-bɪŋ] *s.* F (Tracht *f*) Prügel *pl.*: ***take a ~*** *a. sport* Prügel beziehen, ‚über'fahren werden'.

drudge [drʌdʒ] **I** *s.* **1.** *fig.* F Packesel *m*, Arbeitstier *n*, Kuli *m*; **2.** → ***drudgery***; **II** *v/i.* **3.** sich (ab)placken, sich abschinden, schuften; **'drudg·er·y** [-dʒərɪ] *s.* Placke'rei *f*, Schinde'rei *f*; **'drudg·ing** [-dʒɪŋ] *adj.* □ **1.** mühsam; **2.** stumpfsinnig.

drug [drʌg] **I** *s.* **1.** Arz'nei(mittel *n*) *f*, Medika'ment *n*: ***be on a ~*** ein Medikament (ständig) nehmen; **2.** Rauschgift *n*, Droge *f* (*a. fig.*): ***be on ~s*** → 8; **3.** **~ *on*** (*Am. a.* ***in***) ***the market*** ✝ schwerverkäufliche Ware, *a.* Ladenhüter *m*; **II** *v/t.* **4.** *j-m* Medika'mente geben; **5.** *j-n* unter Drogen setzen; **6.** ein Betäubungsmittel beimischen (*dat.*); **7.** *j-n* betäuben (*a. fig.*): ***~ged with sleep*** schlaftrunken; **III** *v/i.* **8.** Drogen *od.* Rauschgift nehmen; **~ a·buse** *s.* **1.** 'Drogen͵mißbrauch *m*; **2.** Arz'neimittel͵mißbrauch *m*; **~ ad·dict** *s.* Drogen- *od.* Rauschgiftsüchtige(r *m*) *f*; **'~-ad͵dict·ed** *adj.* **1.** drogen- *od.* rauschgiftsüchtig; **2.** arz'neimittelsüchtig; **~ ad·dic·tion** *s.* **1.** Drogen- *od.* Rauschgiftsucht *f*; **2.** Arz'neimittelsucht *f*; **~ de·pend·ence** *s.* Drogenabhängigkeit *f*.

drug·gist ['drʌgɪst] *s. Am.* **1.** Apo'theker *m*; **2.** Inhaber(in) e-s Drugstores.

drug| ped·dler, '~͵push·er *s.* Rauschgifthändler *m*, ‚Pusher' *m*; **~ scene** *s.* Drogenszene *f*.

drug·ster ['drʌgstə] → ***drug addict***.

'drug·store *s. Am.* **1.** Apo'theke *f*; **2.** Drugstore *m* (*Drogerie, Kaufladen u. Imbißstube*).

'drug-tak·ing *s.* Drogenkonsum *m*.

Dru·id ['dru:ɪd] *s.* Dru'ide *m*; **'Dru·id·ess** [-dɪs] *s.* Dru'idin *f*.

drum [drʌm] **I** *s.* **1.** ♪ Trommel *f*: ***beat the ~*** die Trommel schlagen *od.* (*a. fig.*) rühren, trommeln; **2.** *pl.* Schlagzeug *n*; **3.** Trommeln *n* (*a. fig. des Regens etc.*); **4.** ⚙ Trommel *f*, Walze *f*, Zy'linder *m*; **5.** ⚔ Trommel *f* (*am Maschinengewehr etc.*); **6.** Trommel *f*, trommelförmiger Behälter; **7.** *anat.* a) Mittelohr *n*, b) Trommelfell *n*; **8.** ⚠ Säulentrommel *f*; **II** *v/i.* **9.** *a. weitS.* trommeln (***on*** auf *acc.*, ***at*** an *acc.*); **10.** (rhythmisch) dröhnen; **11.** *fig. Am.* die Trommel rühren (***for*** für); **III** *v/t.* **12.** *Rhythmus* trommeln: ~ ***s.th. into s.o.*** j-m et. einhämmern; **13.** trommeln auf (*acc.*); ~ **out** *v/t. j-n* ausstoßen (***of*** aus); ~ **up** *v/t.* a) zs.-trommeln, (an)werben, ‚auf die Beine stellen', b) *Am.* sich *et.* einfallen lassen.

drum| brake *s.* Trommelbremse *f*; **'~-ˌfire** *s.* ⚔ Trommelfeuer *n* (*a. fig.*); **'~-head** *s.* **1.** ♪, *anat.* Trommelfell *n*; **2.** ~ ***court martial*** ⚔ Standgericht *n*; **3.** ~ ***service*** ⚔ Feldgottesdienst *m*; ~ **ma·jor** *s.* ⚔ 'Tambourmaˌjor *m*; ~ **ma·jor·ette** *s.* 'Tambourmaˌjorin *f*.

drum·mer ['drʌmə] *s.* **1.** ♪ a) Trommler *m*, b) Schlagzeuger *m*; **2.** ✝ *Am.* F Handlungsreisende(r) *m*.

'drum·stick *s.* **1.** Trommelstock *m*, -schlegel *m*; **2.** 'Unterschenkel *m* (*von zubereitetem Geflügel*).

drunk [drʌŋk] **I** *adj. mst pred.* **1.** betrunken (***on*** von): ***get*** ~ sich betrinken; ~ ***as a lord*** (*od.* ***a fish***) total blau; ~ ***and incapable*** volltrunken; ~ ***driving*** ⚖ Trunkenheit *f* am Steuer; **2.** *fig.* (be-) trunken, berauscht (***with*** vor, von): ~ ***with joy*** freudetrunken; **II** *s.* **3.** *sl.* a) Betrunkene(r *m*) *f*, b) Säufer(in); **4.** a) Saufe'rei *f*, Besäufnis *n*, b) ‚Affe' *m*, Rausch *m*; **III** *p.p. von* ***drink***; **'drunk·ard** [-kəd] *s.* Säufer *m*, Trunkenbold *m*; **'drunk·en** [-kən] *adj.* □ betrunken; *fig.* → ***drunk*** 2: ***a ~ man*** ein Betrunkener; ***a ~ brawl*** ein im Rausch angefangener Streit; ***a ~ party*** ein Saufgelage *n*; **'drunk·en·ness** [-kənnɪs] *s.* Betrunkenheit *f*.

drupe [dru:p] *s.* ⚘ Steinfrucht *f*, -obst *n*.

dry [draɪ] **I** *adj.* □ **1.** trocken: ***not yet ~ behind the ears*** noch nicht trocken hinter den Ohren; ~ ***cough*** trockener Husten; ***run ~*** austrocknen, versiegen; → ***dock***[1] 1; **2.** trocken, regenarm, niederschlagsarm: ~ ***country***, ~ ***summer***; **3.** dürr, ausgedörrt; **4.** ausgetrocknet; **5.** F durstig; **6.** durstig machend: ~ ***work***; **7.** trockenstehend (*Kuh*); **8.** F ‚trocken': a) mit Alkoholverbot: ***a ~ State***, b) ohne Alkohol: ***a ~ party***, c) weg vom Alkohol: ***he is now ~***; **9.** antialko'holisch: ~ ***law*** Prohibitionsgesetz *n*; ***go ~*** das Alkoholverbot einführen; **10.** 'unprodukˌtiv, ‚ausgeschrieben': ~ ***writer***; **11.** herb, trocken (*Wein etc.*); **12.** *fig.* trocken, langweilig; nüchtern: ~ ***as dust*** strohtrocken, sterbenslangweilig; ~ ***facts*** nüchterne *od.* nackte Tatsachen; **13.** *fig.* trocken: ~ ***humo(u)r***; **II** *v/t.* **14.** (ab)trocknen: ~ ***one's hands*** sich die Hände abtrocknen; **15.** *Obst* dörren; **16.** *a.* ~ ***up*** austrocknen; trockenlegen; **III** *v/i.* **17.** trocknen, trocken werden; **18.** ~ ***up*** a) ein-, ver-, austrocknen, b) F versiegen, aufhören, c) F die ‚Klappe' halten: ~ ***up!***; **IV** *s.* **19.** Trockenheit *f*.

dry·ad ['draɪəd] *s.* Dry'ade *f*.

dry-as-dust ['draɪəzdʌst] **I** *s.* Stubengelehrte(r) *m*; **II** *adj.* strohtrocken, sterbenslangweilig.

dry| bat·ter·y *s.* ⚡ 'Trockenbatteˌrie *f*; ~ **cell** *s.* ⚡ 'Trockeneleˌment *n*; **ˌ~-'clean** *v/t.* chemisch reinigen; **ˌ~-'clean·er('s)** *s.* chemische Reinigung(sanstalt); **ˌ~-'clean·ing** *s.* chemische Reinigung; **'~-cure** *v/t. Fleisch etc.* dörren *od.* einsalzen; **ˌ~-'dock** *v/t.* ⚓ ins Trockendock bringen.

dry·er ['draɪə] → ***drier***[1].

'dry|-farm *s.* Trockenfarm *f*; **'~-fly** *s. Angeln*: Trockenfliege *f*; ~ **goods** *s. pl.* ✝ *Am.* Tex'tilien *pl.*; ~ **ice** *s.* Trockeneis *n*.

dry·ing ['draɪɪŋ] *adj.* Trocken…

dry·ly → ***drily***.

dry meas·ure *s.* Trockenmaß *n*.

dry·ness ['draɪnɪs] *s.* Trockenheit *f*: a) trockener Zustand, b) Dürre *f*, c) Hu'morlosigkeit *f*, d) Langweiligkeit *f*.

'dry|-nurse **I** *s.* **1.** Säuglingsschwester *f*; **II** *v/t.* **2.** *Säuglinge* pflegen; **3.** F bemuttern (*a. fig.*); **'~-out farm** *s.* F Entziehungsheim *n*; ~ **rot** *s.* **1.** Trockenfäule *f*; **2.** ⚘ Hausschwamm *m*; **3.** *fig.* Verfall *m*; ~ **run** *s.* **1.** ⚔ *Am.* Übungsschießen *n* ohne scharfe Muniti'on; **2.** F Probe *f*, Test *m*; **'~-salt** *v/t.* dörren u. einsalzen; **ˌ~-'shod** *adv.* trockenen Fußes.

du·al ['dju:əl] **I** *adj.* □ doppelt, Doppel…, Zwei…, ⚙ *a.* Zwillings…: ~ ***carriageway*** *Brit.* Schnellstraße *f*; ***~-income family*** Doppelverdiener *pl.*; ~ ***nationality*** doppelte Staatsangehörigkeit; ***~-purpose*** ⚙ Doppel…, Zwei…, Mehrzweck…; **II** *s. ling. a.* ~ ***number*** 'Dual *m*, Du'alis *m*; **'du·al·ism** [-lɪzəm] *s.* Dua'lismus *m*; **du·al·i·ty** [dju:'ælətɪ] *s.* Duali'tät *f*, Zweiheit *f*.

dub [dʌb] *v/t.* **1.** ~ ***s.o. a knight*** j-n zum Ritter schlagen; **2.** *fig. humor.* titulieren, nennen: ***they ~bed him Fatty***; **3.** ⚙ zurichten; **4.** *Leder* einfetten; **5.** a) *Film* synchronisieren, b) (nach)synchronisieren, c) ~ ***in*** einsynchronisieren.

dub·bin ['dʌbɪn] *s.* Lederfett *n*.

dub·bing ['dʌbɪŋ] *s.* **1.** Ritterschlag *m*; **2.** *Film*: ('Nach)Synchronisatiˌon *f*; **3.** → ***dubbin***.

du·bi·ous ['dju:bjəs] *adj.* □ **1.** zweifelhaft: a) unklar, zweideutig, b) ungewiß, unbestimmt, c) fragwürdig, dubi'os, d) unzuverlässig; **2.** a) im Zweifel (***of, about*** über *acc.*), unsicher, b) unschlüssig; **'du·bi·ous·ness** [-nɪs] *s.* **1.**

Zweifelhaftigkeit *f*; **2.** Ungewißheit *f*; **3.** Fragwürdigkeit *f*.

du·cal ['dju:kl] *adj.* herzoglich, Herzogs…

duc·at ['dʌkət] *s.* **1.** *hist.* Du'katen *m*; **2.** *pl. obs. sl.* ‚Mo'neten' *pl.*

D

duch·ess ['dʌtʃɪs] *s.* Herzogin *f*; **duch·y** ['dʌtʃɪ] *s.* Herzogtum *n*.

duck¹ [dʌk] *s.* **1.** *pl.* **ducks**, *coll.* **duck** *orn. (engS.* weibliche) Ente: ***like a dying ~*** (***in a thunderstorm***) F völlig verdattert; ***take to s.th. like a ~ takes to water*** F sich in et. sofort in s-m Element fühlen; ***it ran off him like water off a ~'s back*** F es ließ ihn völlig kalt; ***play ~s and drakes*** a) Steine (über das Wasser) hüpfen lassen, b) (***with***) *fig.* aasen (mit); **2.** Ente *f*, Entenfleisch *n*: ***roast ~*** Entenbraten *m*; **3.** F ‚(Gold-)Schatz' *m*, ‚Süße(r' *m*) *f*; **4.** F a) ‚Vogel' *m*, b) ‚Tante' *f*: ***a funny old ~***; **5.** ⚔ Am'phibien-Lastkraftwagen *m*; **6.** *Kricket*: Null *f*, null Punkte *pl.*

duck² [dʌk] **I** *v/i.* **1.** (rasch) 'untertauchen; **2.** (*a. fig.*) sich ducken (***to*** vor *dat.*); **3.** *a.* ***~ out*** F ‚verduften', verschwinden; ***~ out of*** → 5 c; **II** *v/t.* **4.** ('unter)tauchen; **5.** a) *den Kopf* ducken *od.* einziehen, b) *e-n Schlag* abducken, ausweichen (*dat.*), c) F sich ‚drücken' vor (*dat.*), ausweichen (*dat.*).

duck³ [dʌk] *s.* **1.** Segeltuch *n*; **2.** *pl.* Segeltuchhose *f*.

'**duck|·bill** *s.* **1.** *zo.* Schnabeltier *n*; **2.** ⚘ *Brit.* roter Weizen; '**~-billed plat·y·pus** → ***duckbill*** 1; '**~-board** *s.* Laufbrett *n*.

duck·ie ['dʌkɪ] → ***duck¹*** 3.

duck·ing ['dʌkɪŋ] *s.*: ***give s.o. a ~*** j-n untertauchen; ***get a ~*** völlig durchnäßt werden.

duck·ling ['dʌklɪŋ] *s.* Entchen *n*.

duck shot *s.* Entenschrot *m*, *n*.

duck·y ['dʌkɪ] F **I** *s.* → ***duck¹*** 3; **II** *adj.* ‚goldig', ‚süß'.

duct [dʌkt] *s.* **1.** ⚙ Röhre *f*, Leitung *f*; (*a.* ⚡ *Kabel- etc.*)Ka'nal *m*; **2.** ⚘, *anat.*, *zo.* Gang *m*, Ka'nal *m*; '**duc·tile** [-taɪl] *adj.* **1.** ⚙ dehn-, streck-, schmied-, hämmerbar; **2.** biegsam, geschmeidig; **3.** fügsam; **duc·til·i·ty** [dʌk'tɪlətɪ] *s.* Dehnbarkeit *f etc.*; '**duct·less** [-lɪs] *adj.*: ***~ gland*** *anat.* endokrine Drüse, Hormondrüse *f*.

dud [dʌd] F **I** *s.* **1.** ⚔ Blindgänger *m* (*a. fig. Person*); **2.** ‚Niete' *f*: a) Versager *m*, b) Reinfall *m*; **3.** *pl.* a) ‚Kla'motten' *pl.* (*Kleider*), b) Krempel *m*; **4.** *a.* ***~ cheque*** (*Am.* ***check***) ungedeckter Scheck; **II** *adj.* **5.** ‚mies', schlecht; **6.** gefälscht: ***~ note*** ‚Blüte' *f*.

dude [dju:d] *s. Am.* a) Dandy *m*, b) Stadtmensch *m*, ‚Stadtfrack' *m*: ***~ ranch*** Ferienranch *f*.

dudg·eon ['dʌdʒən] *s.*: ***in high ~*** sehr aufgebracht.

due [dju:] **I** *adj.* □ → ***duly***; **1.** ✝ fällig, so'fort zahlbar: ***fall*** (*od.* ***become***) ***~*** fällig werden; ***when ~*** bei Verfall *od.* Fälligkeit; ***~ date*** Fälligkeitstag *m*; ***the balance ~ to us from A.*** der uns von A. geschuldete Saldo; **2.** *zeitlich* fällig, erwartet: ***the train is ~ at …*** der Zug ist um … fällig *od.* soll um … ankommen; ***he is ~ to return today*** er wird heute zurückerwartet; **3.** gebührend, angemessen, geziemend, gehörig: ***it is ~ to him*** (***to do***, ***to say***) es steht ihm zu (zu tun, zu sagen) (→ *a.* 5); ***hono(u)r to whom hono(u)r is ~*** Ehre, wem Ehre gebührt; ***with all ~ respect to you*** bei aller dir schuldigen Achtung; ***after ~ consideration*** nach reiflicher Überlegung; ***in ~ time*** zur rechten *od.* gegebenen Zeit; → ***care*** 2, ***course*** 1, ***form*** 3; **4.** verpflichtet: ***be ~ to go*** gehen müssen *od.* sollen; **5.** ***~ to*** zuzuschreiben(d) (*dat.*), verursacht durch: ***~ to an accident*** auf einen Unfall *od.* Zufall zurückzuführen; ***death was ~ to cancer*** Krebs war die Todesursache; ***it is ~ to him*** es ist ihm zu verdanken; **6.** ***~ to*** (*inkorrekt statt* ***owing to***) wegen (*gen.*), auf Grund *od.* in'folge von (*od. gen.*): ***~ to his poverty***; **7.** *Am.* im Begriff *sein*; **II** *adv.* **8.** genau, gerade: ***~ east*** genau nach Osten; **III** *s.* **9.** *das* Gebührende, (An-)Recht *n*, Anspruch *m*: ***it is my ~*** es gebührt mir; ***to give you your ~*** um dir nicht unrecht zu tun; ***give the devil his ~*** *fig.* selbst dem Teufel *od.* s-m Feind Gerechtigkeit widerfahren lassen; ***give him his ~!*** das muß man ihm lassen!; **10.** *pl.* Gebühren *pl.*, Abgaben *pl.*, Beitrag *m*.

du·el ['dju:əl] **I** *s. a. fig.* Du'ell *n*, (Zwei)Kampf *m*: ***students' ~*** Mensur *f*; **II** *v/i.* sich duellieren; '**du·el·ist** [-lɪst] *s.* Duel'lant *m*.

du·en·na [dju:'enə] *s.* Anstandsdame *f*.

du·et [dju:'et] *s.* **1.** ♪ Du'ett *n*, Duo *n*: ***play a ~*** ein Duo *od.* (*am Klavier*) vierhändig spielen; **2.** *fig.* Duo *n*, Paar *n*, ‚Pärchen' *n*.

duf·fel ['dʌfl] *s.* **1.** Düffel *m* (*Baumwollgewebe*): ***~ coat*** Dufflecoat *m*; **2.** *Am.* F Ausrüstung *f*: ***~ bag*** Matchbeutel *m*.

duff·er ['dʌfə] *s.* Trottel *m*.

duf·fle → ***duffel***.

dug¹ [dʌg] *pret. u. p.p. von* **dig**.

dug² [dʌg] *s.* **1.** Zitze *f*; **2.** Euter *n*.

du·gong ['du:gɒŋ] *s. zo.* Seekuh *f*.

'**dug·out** *s.* **1.** ⚔ 'Unterstand *m*; **2.** Einbaum *m*.

duke [dju:k] *s.* Herzog *m*; '**duke·dom** [-dəm] *s.* **1.** Herzogswürde *f*; **2.** Herzogtum *n*.

dul·cet ['dʌlsɪt] *adj.* **1.** wohlklingend, einschmeichelnd: ***in ~ tone*** in süßem Ton; '**dul·ci·fy** [-sɪfaɪ] *v/t.* **1.** versüßen;

2. *fig.* besänftigen; **'dul·ci·mer** [-sɪmə] *s.* ♪ **1.** Hackbrett *n*; **2.** Zimbal *n*.

dull [dʌl] **I** *adj.* □ **1.** dumm, schwer von Begriff; **2.** langsam, schwerfällig, träge; **3.** teilnahmslos, stumpf; **4.** langweilig, fade: ***a ~ evening***; ***~ as ditchwater*** F stinklangweilig; **5.** schwach (*Licht etc.*, *a. Sehkraft*, *Gehör*); **6.** matt, trübe (*Farbe*, *Augen*); dumpf (*Klang*, *Schmerz*); glanz-, leblos; **7.** stumpf (*Klinge*); **8.** trübe (*Wetter*); blind (*Spiegel*); **9.** ge-, betrübt; **10.** ⚓ windstill; ✝ flau, still; *Börse*: lustlos; **II** *v/t.* **11.** *Klinge* stumpf machen; **12.** mattieren, glanzlos machen; trüben; **13.** *fig.* a) abstumpfen, b) dämpfen, schwächen, mildern; *Schmerz* betäuben; **III** *v/i.* **14.** abstumpfen (*a. fig.*); **15.** sich trüben; **16.** abflauen; **'dull·ard** [-ləd] *s.* Dummkopf *m*; **'dull·ish** [-lɪʃ] *adj.* ziemlich dumm *etc.*; **'dul(l)·ness** [-nɪs] *s.* **1.** Dummheit *f*, Dumpfheit *f*; **2.** Langweiligkeit *f*; **3.** Trägheit *f*; **4.** Schwäche *f*; **5.** Mattheit *f*; Trübheit *f*; Stumpfheit *f*; **6.** ✝ Flaute *f*.

du·ly ['dju:lɪ] *adv.* **1.** ordnungsgemäß, vorschriftsmäßig, wie es sich gehört, richtig; **2.** gebührend, gehörig; **3.** rechtzeitig, pünktlich.

dumb [dʌm] *adj.* □ **1.** *allg.* stumm (*a. fig.*): ***~ animals*** stumme Geschöpfe; ***the ~ masses*** *fig.* die stumme Masse; ***strike s.o. ~*** j-m die Sprache verschlagen; ***struck ~ with horror*** sprachlos vor Entsetzen; → ***deaf*** 1; **2.** *bsd. Am.* F doof, blöd; **'~-bell** *s.* **1.** *sport* Hantel *f*; **2.** *Am. sl.* Trottel *m*; **~'found** *v/t.* verblüffen; **~'found·ed** *adj.* verblüfft, sprachlos; **~ show** *s.* **1.** Gebärdenspiel *n*, stummes Spiel; **2.** Panto'mime *f*; **ˌ~-'wait·er** *s.* **1.** stummer Diener, Ser'viertisch *m*; **2.** Speisenaufzug *m*.

dum·dum ['dʌmdʌm], *a.* **~ bul·let** *s.* Dum'dum(geschoß) *n*.

dum·found *etc.* → ***dumbfound*** *etc.*

dum·my ['dʌmɪ] **I** *s.* **1.** *allg.* At'trappe *f*, ✝ *a.* Schau-, Leerpackung *f*; **2.** Kleider-, Schaufensterpuppe *f*; **3.** Puppe *f*, Fi'gur *f* (*als Zielscheibe od. für Crashtests*); **4.** ✝ *etc.* Strohmann *m*; **5.** (Karten-, *bsd.* Whistspiel *n* mit) Strohmann *m*; **6.** *Am.* F ‚Blödmann' *m*; **7.** *Am.* vierseitige (Verkehrs)Ampel; **8.** *Brit.* (Baby)Schnuller *m*; **9.** *typ.* Blindband *m*; **II** *adj.* **10.** Schein…: ***~ candidates***; ***~ cartridge*** ⚔ Exerzierpatrone *f*; ***~ gun*** Gewehr- *od.* Geschützattrappe *f*; ***~ warhead*** blinder Gefechtskopf.

dump [dʌmp] **I** *v/t.* **1.** ('hin)plumpsen *od.* ('hin)fallen lassen, 'hinwerfen; **2.** abladen, schütten, auskippen: ***~ truck*** *mot.* Kipper *m*; **3.** ⚔ lagern, stapeln; **4.** ✝ zu Dumpingpreisen verkaufen, verschleudern; **5.** a) *et.* wegwerfen, ‚abladen', *Auto* loswerden, b) *j-n* abschieben, loswerden; **II** *s.* **6.** Plumps *m*, dumpfer Schlag; **7.** (Schutt-, Müll)Abladeplatz *m*, Müllhalde *f*; **8.** ⚒ Halde *f*; **9.** ⚔ (*Munitions- etc.*)De'pot *n*, Stapelplatz *m*, (Nachschub)Lager *n*; **10.** *sl.* a) Bruchbude *f* (*Haus*); ‚Dreckloch' *n* (*Haus*, *Wohnung*), b) (elendes) Kaff; **'~·cart** *s.* Kippkarren *m*, -wagen *m*.

dump·er (truck) ['dʌmpə] *s. mot.* Kipper *m*.

dump·ing ['dʌmpɪŋ] *s.* **1.** Schuttabladen *n*; **2.** ✝ Dumping *n*, Ausfuhr *f* zu Schleuderpreisen; ***~ ground*** → ***dump*** 7.

dump·ling ['dʌmplɪŋ] *s.* **1.** Kloß *m*, Knödel *m*; **2.** F ‚Dickerchen' *n* (*Person*).

dumps [dʌmps] *s. pl.*: ***be (down) in the ~*** F ‚down' *od.* deprimiert sein.

dump·y ['dʌmpɪ] *adj.* plump, unter'setzt.

dun[1] [dʌn] *v/t.* **1.** *Schuldner* mahnen, drängen: ***~ning letter*** Zahlungsaufforderung *f*; **2.** bedrängen, belästigen.

dun[2] [dʌn] **I** *adj.* grau-, schwärzlichbraun; dunkel (*a. fig.*); **II** *s.* Braune(r) *m* (*Pferd*).

dunce [dʌns] *s.* **1.** Dummkopf *m*; **2.** *ped.* schlechter Schüler.

dun·der·head ['dʌndəhed] *s.* Schwachkopf *m*; **'dun·derˌhead·ed** [-dɪd] *adj.* schwachköpfig.

dune [dju:n] *s.* Düne *f*: ***~ buggy*** *mot.* Strandbuggy *m*.

dung [dʌŋ] **I** *s.* Mist *m*, Dung *m*, Dünger *m*; (Tier)Kot *m*: ***~ beetle*** Mistkäfer *m*; ***~ fork*** Mistgabel *f*; ***~ heap***, ***~ hill*** Misthaufen *m*; ***~ hill fowl*** Hausgeflügel *n*; **II** *v/t.* düngen.

dun·ga·ree [ˌdʌŋgə'ri:] *s.* **1.** grober Baumwollstoff; **2.** *pl.* Arbeitsanzug *m*, -hose *f*.

dun·geon ['dʌndʒən] *s.* Burgverlies *n*; Kerker *m*.

dunk [dʌŋk] *v/i. u. v/t.* eintunken; *fig.* (ein)tauchen.

dun·no [də'nəʊ] F *für* ***(I) don't know***.

du·o ['dju:əʊ] *pl.* **-os** → ***duet***.

duo- [dju:əʊ] *in Zssgn* zwei.

du·o·dec·i·mal [ˌdju:əʊ'desɪml] *adj.* ⩘ duodezi'mal; **ˌdu·o'dec·i·mo** [-məʊ] *pl.* **-mos** *s. typ.* **1.** Duo'dezforˌmat *n*; **2.** Duo'dezband *m*.

du·o·de·nal [ˌdju:əʊ'di:nl] *adj.*: ***~ ulcer*** ⚕ Zwölffingerdarmgeschwür *n*; **ˌdu·o'de·num** [-nəm] *s. anat.* Zwölf'fingerdarm *m*.

du·o·logue ['djʊəlɒg] *s.* **1.** Zwiegespräch *n*; **2.** Duo'drama *n*.

dupe [dju:p] **I** *s.* **1.** Betrogene(r *m*) *f*, ‚Lackierte(r' *m*) *f*: ***be the ~ of s.o.*** auf j-n hereinfallen; **2.** Gimpel *m*, Leichtgläubige(r *m*) *f*; **II** *v/t.* **3.** *j-n* ‚reinlegen', ‚anschmieren', hinters Licht führen.

du·ple ['dju:pl] *adj.* zweifach: ***~ ratio*** ⩘ doppeltes Verhältnis; ***~ time*** ♪ Zweier-

D

takt *m*; 'du·plex [-leks] **I** *adj. mst* ⚙ doppelt, Doppel…, *a.* ⚡ Duplex…: ~ *apartment* → II b; ~ *burner* Doppelbrenner *m*; ~ *house* → II a; ~ *telegraphy* Gegensprech-, Duplextelegraphie *f*; **II** *s. Am.* a) 'Zweifa,milien-, Doppelhaus *n*, b) Maiso'nette *f*.

du·pli·cate ['dju:plɪkət] **I** *adj.* **1.** doppelt, Doppel…: ~ *proportion* ⅄ doppeltes Verhältnis; **2.** genau gleich *od.* entsprechend, Duplikat…: ~ *key* Nachschlüssel *m*; ~ *part* Ersatzteil *n*; ~ *production* Reihen-, Serienfertigung *f*; **II** *s.* **3.** Dupli'kat *n*, Doppel *n*, Zweitschrift *f*; **4.** doppelte Ausfertigung: *in* ~; **5.** ⚕ a) Se'kundawechsel *m*, b) Pfandschein *m*; **6.** Seitenstück *n*, Ko'pie *f*; **III** *v/t.* [-keɪt] **7.** verdoppeln, im Dupli'kat herstellen; **8.** ein Dupli'kat anfertigen von; **9.** kopieren, abschreiben; **10.** ver'vielfältigen, 'umdrucken; **11.** *fig. et.* 'nachvollziehen; wieder'holen; **du·pli·ca·tion** [,dju:plɪ'keɪʃn] *s.* **1.** Verdoppelung *f*; Ver'vielfältigung *f*; 'Umdruck *m*; **2.** Wieder'holung *f*; '**du·pli·ca·tor** [-keɪtə] *s.* Ver'vielfältigungsappa,rat *m*; **du·plic·i·ty** [dju:'plɪsətɪ] *s.* **1.** Doppelzüngigkeit *f*, Falschheit *f*; **2.** Duplizi'tät *f*.

du·ra·bil·i·ty [,djʊərə'bɪlətɪ] *s.* **1.** Dauer(-haftigkeit) *f*; **2.** Haltbarkeit *f*; **du·ra·ble** ['djʊərəbl] **I** *adj.* □ **1.** dauerhaft; **2.** haltbar, ⚕ *a.* langlebig: ~ *goods* → **II** *s. pl.* ⚕ Gebrauchsgüter *pl*.

du·ral·u·min [djʊə'ræljʊmɪn] *s.* Du'ral *n*, 'Duralu,min *n*.

du·ra·tion [djʊə'reɪʃn] *s.* Dauer *f*: *for the* ~ a) bis zum Ende, b) F für die Dauer des Krieges.

du·ress [djʊə'res] *s.* ⚖ **1.** Zwang *m* (*a. fig.*), Nötigung *f*: *act under* ~ unter Zwang handeln; **2.** Freiheitsberaubung *f*.

dur·ing ['djʊərɪŋ] *prp.* während: ~ *the night* während (*od.* in *od.* im Laufe) der Nacht.

durst [dɜ:st] *pret. obs. von* ***dare***.

dusk [dʌsk] **I** *s.* (Abend)Dämmerung *f*: *at* ~ bei Einbruch der Dunkelheit; **II** *adj. poet.* düster; '**dusk·y** [-kɪ] *adj.* □ **1.** dunkel (*a. Hautfarbe*); **2.** dunkelhäutig.

dust [dʌst] **I** *s.* **1.** Staub *m*: *bite the* ~ *fig.* ins Gras beißen; *raise a* ~ a) e-e Staubwolke aufwirbeln, b) *fig.* viel Staub aufwirbeln; *the* ~ *has settled fig.* die Aufregung hat sich gelegt; *shake the* ~ *off one's feet fig.* a) den Staub von seinen Füßen schütteln, b) entrüstet weggehen; *throw* ~ *in s.o.'s eyes fig.* j-m Sand in die Augen streuen; *in the* ~ *fig.* a) im Staube, gedemütigt, b) tot; *lick the* ~ *fig.* im Staube kriechen; → ***dry*** 12; **2.** Staub *m*, Asche *f*, sterbliche 'Überreste *pl.*: *turn to* ~ *and ashes* zu Staub u. Asche werden, zerfallen; **3.** *Brit.* a) Müll *m*, b) Kehricht *m*, *n*; **4.** ⚘ Blütenstaub *m*; **5.** (Gold- *etc.*)Staub *m*; **6.** Bestäubungsmittel *n*, Pulver *n*; **II** *v/t.* **7.** abstauben; **8.** *a.* ~ *down* ausbürsten, -klopfen: ~ *s.o.'s jacket* F j-n vermöbeln; **9.** bestreuen, (ein)pudern; **10.** *Pulver etc.* stäuben, streuen; '~**·bin** [-st-] *s. Brit.* **1.** Mülleimer *m*; **2.** Mülltonne *f*; ~ *liner* Müllbeutel *m*; ~ **bowl** *s. Am. geogr.* Trockengebiet *n*; '~**-cart** [-st-] *s. Brit.* Müllwagen *m*; ~ **cloth** *s. Am.* Staubtuch *n*; '~**-coat** [-st-] *s.* Staubmantel *m*; ~ **cov·er** *s.* **1.** 'Schutz,umschlag *m* (*um Bücher*); **2.** Schonbezug *m*.

dust·er ['dʌstə] *s.* **1.** Staubtuch *n*, -wedel *m*; **2.** Streudose *f*; **3.** Staubmantel *m*.

dust·ing ['dʌstɪŋ] *s.* **1.** Abstauben *n*; **2.** (Ein)Pudern *n*: ~ *powder* Körperpuder *m*; **3.** *sl.* Abreibung *f*, (Tracht *f*) Prügel *pl*.

dust| jack·et → ***dust cover*** 1; '~**·man** [-tmən] *s.* [*irr.*] *Brit.* Müllmann *m*; '~**·pan** [-st-] *s.* Kehrichtschaufel *f*; '~**·proof** *adj.* staubdicht; ~ **trap** *s.* ‚Staubfänger' *m*; '~**·up** *s.* F **1.** ‚Krach' *m*; **2.** (handgreifliche) Ausein'andersetzung.

dust·y ['dʌstɪ] *adj.* □ **1.** staubig; **2.** sandfarben; **3.** *fig.* verstaubt, fade: *not so* ~ F gar nicht so übel; **4.** vage, unklar.

Dutch [dʌtʃ] **I** *adj.* **1.** holländisch, niederländisch: *talk to s.o. like a* ~ *uncle* j-m e-e Standpauke halten; **2.** *sl.* deutsch; **II** *adv.* **3.** *go* ~ F getrennte Kasse machen; **III** *s.* **4.** *ling.* Holländisch *n*, das Holländische: *that's all* ~ *to me* das sind für mich böhmische Dörfer; **5.** *sl.* Deutsch *n*; **6.** *the* ~ *pl.* a) die Holländer *pl.*, b) *sl.* die Deutschen *pl.*: *that beats the* ~! F das ist ja die Höhe!; **7.** *be in* ~ *with s.o.* F bei j-m ‚unten durch' sein; **8.** *my old* ~ *sl.* meine ‚Alte' (*Ehefrau*); ~ **cour·age** *s.* F angetrunkener Mut.

'**Dutch|·man** [-mən] *s.* [*irr.*] **1.** Holländer *m*, Niederländer *m*: *I'm a* ~ *if* F ich lass' mich hängen, wenn; *… or I'm a* ~ F … oder ich will Hans heißen; **2.** *Am. sl.* Deutsche(r) *m*; ~ **tile** *s.* glasierte Ofenkachel *f*; ~ **treat** *s.* F Essen *n etc.*, bei dem jeder für sich bezahlt; '~,**wom·an** *s.* [*irr.*] Holländerin *f*, Niederländerin *f*.

du·te·ous ['dju:tjəs] → ***dutiful***; '**du·ti·a·ble** [-jəbl] *adj.* zoll- *od.* steuerpflichtig; '**du·ti·ful** [-tɪfʊl] *adj.* □ **1.** pflichtgetreu; **2.** gehorsam; **3.** pflichtgemäß.

du·ty ['dju:tɪ] *s.* **1.** Pflicht *f*, Schuldigkeit *f* (*to, towards* gegen['über]): *do one's* ~ s-e Pflicht tun (*by s.o.* an j-m); (*as*) *in* ~ *bound* a) pflichtgemäß, b) *a.* ~-*bound* verpflichtet (*et. zu tun*); ~ *call* Pflichtbesuch *m*; **2.** Pflicht *f*, Aufgabe *f*,

Amt *n*; **3.** (amtlicher) Dienst: ***on ~*** diensthabend, -tuend, im Dienst; ***be on ~*** Dienst haben, im Dienst sein; ***be off ~*** dienstfrei haben; ***~ chemist*** dienstbereite Apotheke; ***~ doctor*** ⚕ Bereitschaftsarzt *m*: ***~ officer*** ⚔ Offizier *m* vom Dienst; ***~ solicitor*** ⚖ *Brit.* Offizialverteidiger *m*; ***do ~ for*** a) *j-n* vertreten, b) *fig.* dienen *od.* benutzt werden als; **4.** Ehrerbietung *f*; **5.** ⚙ a) (Nutz-) Leistung *f*, b) Arbeitsweise *f*, c) Funkti'on *f*; **6.** ✝ a) Abgabe *f*, b) Gebühr *f*, c) Zoll *m*: ***~ on exports*** Ausfuhrzoll; ***~-free*** zollfrei; ***~-free shop*** Duty-free-Shop *m*; ***~-paid*** verzollt; ***pay ~ on*** *et.* verzollen *od.* versteuern.

du·um·vi·rate [dju:'ʌmvɪrət] *s.* Duumvi'rat *n*.

dwarf [dwɔ:f] **I** *pl. mst* **dwarv·es** [-vz] *s.* **1.** Zwerg(in) (*a. fig.*); **2.** ⚘, *zo.* Zwergpflanze *f od.* -tier *n*; **II** *adj.* **3.** *bsd.* ⚘, *zo.* Zwerg…; **III** *v/t.* **4.** verkümmern lassen, in der Entwicklung hindern *od.* hemmen (*beide a. fig.*); **5.** klein erscheinen lassen: ***be ~ed by*** verblassen neben (*dat.*); **6.** *fig.* in den Schatten stellen; **'dwarf·ish** [-fɪʃ] *adj.* □ zwergenhaft, winzig.

dwell [dwel] *v/i.* [*irr.*] **1.** wohnen, leben; **2.** *fig.* ***~ on*** verweilen bei, näher eingehen auf (*acc.*), Nachdruck legen auf (*acc.*); **3.** ***~ on*** ♪ *Ton* (aus)halten; **4.** ***~ in*** begründet sein in (*dat.*); **'dwell·er** [-lə] *s. mst in Zssgn* Bewohner(in); **'dwell·ing** [-lɪŋ] *s. a.* ***~ place*** Wohnung *f*, Wohnsitz *m*; Aufenthalt *m*: ***~ house*** Wohnhaus *n*; ***~ unit*** Wohneinheit *f*.

dwelt [dwelt] *pret. u. p.p.* von ***dwell***.

dwin·dle ['dwɪndl] *v/i.* abnehmen, schwinden, (zs.-)schrumpfen: ***~ away*** dahinschwinden.

dye [daɪ] **I** *s.* **1.** Farbstoff *m*, Farbe *f*; **2.** ⚙ Färbeflüssigkeit *f*; **3.** (Haar)Färbemittel *n*; **4.** Färbung *f* (*a. fig.*): ***of the deepest ~*** übelster Sorte; **II** *v/t.* **5.** färben: ***~d-in-the-wool*** in der Wolle gefärbt, *fig.* waschecht, *Politiker etc.* durch und durch; **III** *v/i.* **6.** sich färben (lassen); **'dye·house** *s.* Färbe'rei *f*.

dy·er ['daɪə] *s.* Färber *m*; ***~'s oak*** *s.* ⚘ Färbereiche *f*.

'dye|-stuff *s.* Farbstoff *m*; **'~-works** *s. pl. oft sg. konstr.* Färbe'rei *f*.

dy·ing ['daɪɪŋ] *adj.* **1.** sterbend: ***be ~*** im Sterben liegen; ***~ wish*** letzter Wunsch; ***~ words*** letzte Worte; ***to my ~ day*** bis an mein Lebensende; **2.** *a. fig.* aussterbend: ***~ tradition***; **3.** a) ersterbend (*Stimme*), b) verhallend; **4.** schmachtend (*Blick*).

dyke [daɪk] *s.* **1.** → ***dike***[1]; **2.** *sl.* ‚Lesbe' *f* (*Lesbierin*).

dy·nam·ic [daɪ'næmɪk] *adj.* (□ ***~ally***) dy'namisch (*a. allg. fig.*); **dy'nam·ics** [-ks] *s. pl. sg. konstr.* **1.** Dy'namik *f*: a) *phys. Bewegungslehre*, b) *fig.* Schwung *m*, Kraft *f*; **2.** *fig.* Triebkraft *f*, treibende Kraft; **dy·na·mism** ['daɪnəmɪzəm] *s.* **1.** *phls.* Dyna'mismus *m*; **2.** dy'namische Kraft, Dy'namik *f*.

dy·na·mite ['daɪnəmaɪt] **I** *s.* **1.** Dyna'mit *n*; **2.** F a) Zündstoff *m*, 'hochbri,sante Sache, b) gefährliche Per'son *od.* Sache, c) ‚tolle' Person *od.* Sache, *e-e* ‚Wucht'; **II** *v/t.* **3.** (mit Dyna'mit) sprengen; **'dy·na·mit·er** [-tə] *s.* Sprengstoffattentäter *m*.

dy·na·mo ['daɪnəməʊ] *s.* **1.** ⚡ Dy'namo (-ma,schine *f*) *m*, 'Gleichstrom-, 'Lichtma,schine *f*; **2.** *fig.* ‚Ener'giebündel' *n*; **~-e·lec·tric** [,daɪnəməʊɪ'lektrɪk] *adj.* (□ ***~ally***) *phys.* e'lektrody,namisch; **,dy·na'mom·e·ter** [-'mɒmɪtə] *s.* ⚙ Dynamo'meter *n*, Kraftmesser *m*.

dy·nas·tic [dɪ'næstɪk] *adj.* (□ ***~ally***) dy'nastisch; **dy·nas·ty** ['dɪnəstɪ] *s.* Dyna'stie *f*, Herrscherhaus *n*.

dyne [daɪn] *s. phys.* Dyn *n* (*Krafteinheit*).

dys·en·ter·y ['dɪsntrɪ] *s.* Dysente'rie *f*, Ruhr *f*.

dys·func·tion [dɪs'fʌŋkʃn] *s.* ⚕ Funkti'onsstörung *f*.

dys·lex·i·a [dɪs'leksɪə] *s.* ⚕ Dysle'xie *f*, Lesestörung *f*.

dys·pep·si·a [dɪs'pepsɪə] *s.* ⚕ Dyspep'sie *f*, Verdauungsstörung *f*; **dys'pep·tic** [-tɪk] **I** *adj.* **1.** ⚕ dys'peptisch; **2.** *fig.* mißgestimmt; **II** *s.* **3.** Dys'peptiker (-in).

dys·tro·phy ['dɪstrəfɪ] *s.* ⚕ Dystro'phie *f*, Ernährungsstörung *f*.

E

E

E, e [iː] *s.* **1.** E *n*, e *n* (*Buchstabe*); **2.** ♪ E *n*, e *n* (*Note*); **3.** *ped. Am.* Fünf *f*, Mangelhaft *n* (*Note*).

each [iːtʃ] **I** *adj.* jeder, jede, jedes: ***~ man*** jeder (Mann); ***~ one*** jede(r) einzelne; ***~ and every one*** jeder einzelne, all u. jeder; **II** *pron.* (ein) jeder, (e-e) jede, (ein) jedes: ***~ of us*** jede(r) von uns; ***~ has a car*** jede(r) hat ein Auto; ***~ other*** einander, sich (gegenseitig); **III** *adv.* je, pro Per'son *od.* Stück: ***a penny ~*** je e-n Penny.

ea·ger ['iːgə] *adj.* ☐ **1.** eifrig: ***~ beaver*** F Übereifrige(r) *m*, ‚Arbeitspferd' *n*; **2.** (***for***, ***after***, ***to*** *inf.*) begierig (auf *acc.*, nach, zu *inf.*), erpicht (auf *acc.*); **3.** begierig, gespannt: ***an ~ look***; **4.** heftig (*Begierde etc.*); **'ea·ger·ness** [-nɪs] *s.* Eifer *m*; Begierde *f*; Ungeduld *f*.

ea·gle ['iːgl] *s.* **1.** *orn.* Adler *m*; **2.** *Am.* goldenes Zehn'dollarstück; **3.** *pl.* ⚔ Adler *m* (*Rangabzeichen e-s Obersten der US-Armee*); **4.** *Golf*: Eagle *n* (*zwei Schläge unter Par*); **ˌ~-'eyed** *adj.* adleräugig, scharfsichtig; **~ owl** *s. orn.* Uhu *m*.

ea·glet ['iːglɪt] *s. orn.* junger Adler.

ea·gre ['eɪgə] *s.* Flutwelle *f*.

ear¹ [ɪə] *s.* **1.** *anat.* Ohr *n*: ***up to the ~s*** F bis über die Ohren; ***a word in your ~*** ein Wort im Vertrauen; ***be all ~s*** ganz Ohr sein; ***bring s.th. about one's ~s*** sich et. einbrocken *od.* auf den Hals laden; ***not to believe one's ~s*** s-n Ohren nicht trauen; ***his ~s were burning*** ihm klangen die Ohren; ***have one's ~ to the ground*** F die Ohren offenhalten; ***set by the ~s*** gegeneinander aufhetzen; ***fall on deaf ~s*** auf taube Ohren stoßen; ***turn a deaf ~ to*** taub sein gegen; ***it came to my ~s*** es kam mir zu Ohren; **2.** *fig.* Gehör *n*, Ohr *n*: ***by ~*** nach dem Gehör; ***play by ~*** nach dem Gehör spielen, improvisieren; ***play it by ~*** *fig.* (es) von Fall zu Fall entscheiden, es darauf ankommen lassen; ***have a good ~*** ein feines Gehör haben; ***an ~ for music*** musikalisches Gehör, *weitS.* Sinn *m* für Musik; **3.** *fig.* Gehör *n*, Aufmerksamkeit *f*: ***give*** (*od.* ***lend***) ***one's ~ to s.o.*** j-m Gehör schenken; ***have s.o.'s ~*** j-s Vertrauen genießen; **4.** Henkel *m*; Öse *f*, Öhr *n*.

ear² [ɪə] *s.* (Getreide)Ähre *f*, (Mais-)Kolben *m*.

ear|·ache ['ɪəreɪk] *s.* ⚕ Ohrenschmerzen *pl.*; **'~-ˌcatch·er** *s.* eingängige Melo'die; **'~·drops** *s. pl.* **1.** Ohrgehänge *n*; **2.** ⚕ Ohrentropfen *pl.*; **'~·drum** *s. anat.* Trommelfell *n*; **'~·ful** [-fʊl] *s.*: ***get an ~*** F ‚et. zu hören bekommen'.

earl [ɜːl] *s.* (brit.) Graf *m*: ***♀ Marshal*** Großzeremonienmeister *m*; **'earl·dom** [-dəm] *s.* **1.** Grafenwürde *f*; **2.** *hist.* Grafschaft *f*.

ear·li·er ['ɜːlɪə] *comp. von* ***early***; **I** *adv.* früher, 'vorher; **II** *adj.* früher, vergangen; **'ear·li·est** [-ɪɪst] *sup. von* ***early***; **I** *adv.* am frühesten, frühestens; **II** *adj.* frühest: ***at the ~*** frühestens; → ***convenience*** 1; **'ear·li·ness** [-ɪnɪs] *s.* **1.** Frühe *f*, Frühzeitigkeit *f*; **2.** Frühaufstehen *n*.

'ear·lobe *s.* Ohrläppchen *n*.

ear·ly ['ɜːlɪ] **I** *adv.* **1.** früh(zeitig): ***~ in the day*** früh am Tag; ***as ~ as May*** schon im Mai; ***~ on*** a) schon früh(zeitig), b) bald; **2.** bald: ***as ~ as possible*** so bald wie möglich; **3.** am Anfang; **4.** zu früh: ***he arrived five minutes ~***; **5.** früher: ***he left five minutes ~***; **II** *adj.* **6.** früh(zeitig): ***at an ~ hour*** zu früher Stunde; ***in his ~ days*** in s-r Jugend; ***it's ~ days yet*** *fig.* es ist noch früh am Tage; ***~ fruit*** Frühobst *n*; ***~ history*** Frühgeschichte *f*; ***~ riser*** Frühaufsteher(in); → ***bird*** 1; **7.** anfänglich, Früh...: ***the ~ Christians*** die ersten Christen; **8.** vorzeitig, zu früh: ***an ~ death***; ***you are ~ today*** du bist heute (et.) zu früh (dran); **9.** baldig, schnell: ***an ~ reply***; **~ morn·ing tea** *s. e-e* Tasse Tee(, die morgens ans Bett gebracht wird); **~ re·tire·ment scheme** *s.* Vorruhestandsregelung *f*; **~ warn·ing system** *s.* ⚔ 'Frühwarnsysˌtem *n*.

'ear|·mark I *s.* **1.** Ohrmarke *f* (*Vieh*); **2.** *fig.* Kennzeichen *n*, Merkmal *n*; **3.** Eselsohr *n*; **II** *v/t.* **4.** kenn-, bezeichnen; **5.** *Geld etc.* bestimmen, vorsehen, zu'rücklegen (***for*** für): ***~ed*** zweckgebunden (*Mittel etc.*); **'~·muff** *s.* Ohrenschützer *m*.

earn [ɜːn] *v/t.* **1.** *Geld etc.* verdienen (*a. fig.*): ***~ed income*** Arbeitseinkommen *n*; ***~ing capacity*** Ertragsfähigkeit *f*; ***~ing power*** a) Erwerbsfähigkeit *f*, b) Ertragsfähigkeit *f*; ***~ value*** Ertragswert *m*; ***a well-~ed rest*** e-e wohlverdiente Ruhepause; **2.** *fig.* (sich) *et.* verdienen,

Lob etc. ernten.

ear·nest¹ ['ɜ:nɪst] *s.* **1.** *a.* ~ **money** Handgeld *n*, Anzahlung *f* (**of** auf *acc.*): **in ~** als Anzahlung; **2.** *fig.* Zeichen *n* (*des guten Willens etc.*); **3.** *fig.* Vorgeschmack *m*.

ear·nest² ['ɜ:nɪst] **I** *adj.* □ **1.** ernst; **2.** ernst-, gewissenhaft; **3.** ernstlich: a) ernst(gemeint), b) dringend, c) ehrlich, aufrichtig; **II** *s.* **4.** Ernst *m*: ***in good ~*** in vollem Ernst; ***are you in ~?*** ist das Ihr Ernst?; ***be in ~ about s.th.*** es ernst meinen mit et.; **'ear·nest·ness** [-nɪs] *s.* Ernst(haftigkeit *f*) *m*.

earn·ings ['ɜ:nɪŋz] *s. pl.* Verdienst *m*: a) Einkommen *n*, Lohn *m*, Gehalt *n*, b) Einnahmen *pl.*, Gewinn *m*; ***~-related pension*** dynamische Rente.

'ear|·phone *s.* **1.** a) Ohrhörer *m od.* -muschel *f*, b) Kopfhörer *m*; **2.** a) Haarschnecke *f*, b) *pl.* 'Schneckenfriˌsur *f*; **'~·piece** *s.* **1.** Ohrenklappe *f*; **2.** a) *teleph.* Hörmuschel *f*, b) → ***earphone*** 1; **3.** (Brillen)Bügel *m*; **'~-ˌpierc·ing** *adj.* ohrenzerreißend; **'~·ring** *s.* Ohrring *m*; **'~·shot** *s.*: ***within (out of) ~*** in (außer) Hörweite; **'~ˌsplit·ting** *adj.* ohrenzerreißend.

earth [ɜ:θ] **I** *s.* **1.** Erde *f*, Erdball *m*, Welt *f*: ***on ~*** auf Erden, auf der Erde; ***why on ~?*** F warum in aller Welt?; ***cost the ~*** *fig.* ein Vermögen kosten; **2.** *das* (trockene) Land; Erde *f*, (Erd-) Boden *m*: ***down to ~*** *fig.* nüchtern, prosaisch, rea'listisch; ***come back to ~*** auf den Boden der Wirklichkeit zurückkehren; **3.** ⚗ Erde *f*: ***rare ~s*** seltene Erden; **4.** (*Fuchs- etc.*)Bau *m*: ***run to ~*** a) *hunt. Fuchs etc.* bis in s-n Bau verfolgen (*Hund*, *Frettchen*), b) *fig.* aufstöbern, herausfinden, *a. j-n* zur Strecke bringen; ***gone to ~*** *fig.* untergetaucht; **5.** ⚡ *Brit.* a) Erdung *f*, Erde *f*, Masse *f*, b) Erdschluß *m*; **II** *v/t.* **6.** *mst* ***~ up*** ✓ mit Erde bedecken, häufeln; **7.** ⚡ *Brit.* erden; **'~-born** *adj.* staubgeboren, irdisch, sterblich; **'~-bound** *adj.* erdgebunden.

earth·en ['ɜ:θn] *adj.* irden, tönern, Ton…; **'~·ware I** *s.* Steingut(geschirr) *n*, Töpferware *f*; **II** *adj.* Steingut…, Ton…

earth·i·ness ['ɜ:θɪnɪs] *fig.* Derbheit *f*, Urigkeit *f*.

earth·ling ['ɜ:θlɪŋ] *s.* a) Erdenbürger (-in), b) *Science Fiction*: Erdbewohner (-in); **'earth·ly** [-lɪ] *adj.* **1.** irdisch, weltlich: ***~ joys***; **2.** F begreiflich: ***no ~ reason*** kein erfindlicher Grund; ***of no ~ use*** völlig unnütz; ***you haven't an ~ (chance)*** du hast nicht die geringste Chance.

earth| moth·er *s. fig.* Urweib *n*; **'~-ˌmov·ing** *adj.* ⚙ Erdbewegungs…: ***~ equipment***; **'~·quake** *s.* **1.** Erdbeben *n*; **2.** *fig.* 'Umwälzung *f*, Erschütterung *f*; **'~ˌshak·ing** *adj. fig.* welterschütternd; **~ trem·or** *s.* leichtes Erdbeben; **'~·ward(s)** [-wəd(z)] *adv.* erdwärts; **~ wave** *s.* **1.** Bodenwelle *f*; **2.** Erdbebenwelle *f*; **'~-worm** *s.* Regenwurm *m*.

earth·y ['ɜ:θɪ] *adj.* **1.** erdig, Erd…; **2.** weltlich *od.* materi'ell (gesinnt); **3.** *fig.* a) grob, b) derb, ro'bust, urig (*Person*, *Humor etc.*).

ear| trum·pet *s.* ⚕ Hörrohr *n*; **'~·wax** *s.* Ohrenschmalz *n*; **'~·wig** *s. zo.* Ohrwurm *m*; **ˌ~'wit·ness** *s.* Ohrenzeuge *m*.

ease [i:z] **I** *s.* **1.** Bequemlichkeit *f*, Behagen *n*, Wohlgefühl *n*: ***at (one's) ~*** a) ruhig, entspannt, gelöst, b) behaglich, c) gemächlich, d) ungeniert, ungezwungen, wie zu Hause; ***take one's ~*** es sich bequem machen; ***be (od. feel) at ~*** sich wohl *od.* wie zu Hause fühlen; **2.** Gemächlichkeit *f*, *innere* Ruhe, Sorglosigkeit *f*, Entspannung *f*: ***ill at ~*** unbehaglich, unruhig; ***put (od. set) s.o. at ~*** a) j-n beruhigen, b) j-m die Befangenheit nehmen; **3.** Ungezwungenheit *f*, Na'türlichkeit *f*, Zwanglosigkeit *f*, Freiheit *f*: ***live at ~*** in guten Verhältnissen leben; ***at ~!*** ⚔ rührt euch!; **4.** Linderung *f*, Erleichterung *f*; **5.** Spielraum *m*, Weite *f*; **6.** Leichtigkeit *f*: ***with ~*** bequem, mühelos; **7.** ⚜ a) Nachgeben *n* (*Preise*), b) Flüssigkeit *f* (*Kapital*); **II** *v/t.* **8.** erleichtern, beruhigen: ***~ one's mind*** sich erleichtern *od.* beruhigen; **9.** *Schmerzen* lindern; **10.** lockern, entspannen (*beide a. fig.*); **11.** sacht *od.* vorsichtig bewegen *od.* manövrieren: ***~ one's foot into the shoe*** vorsichtig in den Schuh fahren; **12.** *mst* ***~ down*** *die Fahrt etc.* verlangsamen, vermindern; **III** *v/i.* **13.** erleichtern; **14.** *mst* ***~ off*** *od.* ***up*** a) nachlassen, sich abschwächen (*a.* ⚜ *Preise*), b) sich entspannen (*Lage*); c) (*bei der Arbeit*) kürzertreten, d) weniger streng sein (***on*** zu).

ea·sel ['i:zl] *s. paint.* Staffe'lei *f*.

ease·ment ['i:zmənt] *s.* ⚖ Grunddienstbarkeit *f*.

eas·i·ly ['i:zɪlɪ] *adv.* **1.** leicht, mühelos, bequem, glatt; **2.** a) sicher, durchaus, b) bei weitem; **'eas·i·ness** [-ɪnɪs] *s.* **1.** Leichtigkeit *f*; **2.** Ungezwungenheit *f*, Zwanglosigkeit *f*; **3.** Leichtfertigkeit *f*; **4.** Bequemlichkeit *f*.

east [i:st] **I** *s.* **1.** Osten *m*: ***(to the) ~ of*** östlich von; ***~ by north*** ⚓ Ost zu Nord; **2.** *a.* ♀ Osten *m*: ***the*** ♀ a) *Brit.* Ostengland *m*, b) *Am.* die Oststaaten *pl.*, c) *pol.* der Osten, d) der Orient, e) *hist.* das Oströmische Reich; **3.** *poet.* Ost (-wind) *m*; **II** *adj.* **4.** Ost…, östlich; **III** *adv.* **5.** nach Osten, ostwärts; **6.** ***~ of*** östlich von (*od. gen.*); **'~·bound** *adj.* nach Osten fahrend *etc.*; ♀ **End** *s.* Eastend *n* (*Stadtteil Londons*); **ˌ♀-'End·er** *s. Bewohner(in) des* ***East End***.

East·er [ˈiːstə] *s.* Ostern *n od. pl.*, Osterfest *n*: ***at ~*** an *od.* zu Ostern; ***~ Day*** Oster(sonn)tag *m*; ***~ egg*** Osterei *n*.

east·er·ly [ˈiːstəlɪ] **I** *adj.* östlich, Ost…; **II** *adv.* von *od.* nach Osten.

east·ern [ˈiːstən] *adj.* **1.** östlich, Ost…; **2.** ostwärts, Ost…; ≈ **Church** *s. die* griechisch-orthoˈdoxe Kirche; ≈ **Empire** *s. hist. das* Oströmische Reich.

east·ern·er [ˈiːstənə] *s.* **1.** Bewohner (-in) des Ostens e-s Landes; **2.** ≈ *Am.* Oststaatler(in).

ˈ**East·er|·tide**, **~ time** *s.* Osterzeit *f*.

East In·di·a·man *s.* [*irr.*] *hist.* Ostˈindienfahrer *m* (*Schiff*).

East Side *s. Am. Ostteil von Manhattan.*

east|·ward [ˈiːstwəd] *adj. u. adv.* ostwärts, nach Osten, östlich; ˈ**~·wards** [-z] *adv.* → ***eastward***.

eas·y [ˈiːzɪ] **I** *adj.* □ → ***easily***; **1.** leicht, mühelos: ***an ~ victory***; ***~ of access*** leicht zugänglich *od.* erreichbar; **2.** leicht, einfach: ***an ~ language***; ***an ~ task***; ***~ money*** leichtverdientes Geld (→ 11 c); **3.** *a.* ***~ in one's mind*** ruhig, unbesorgt (***about*** um), unbeschwert, sorglos: ***I'm ~*** F ich bin mit allem einverstanden; **4.** bequem, leicht, angenehm: ***an ~ life***; ***live in ~ circumstances***, F ***be on ~ street*** in guten Verhältnissen leben; ***be ~ on the ear*** (***eye***) F hübsch anzuhören (anzusehen) sein; **5.** frei von Schmerzen *od.* Beschwerden: ***feel easier*** sich besser fühlen; **6.** gemächlich, gemütlich: ***an ~ walk***; **7.** nachsichtig (***on*** mit); **8.** leicht, mäßig, erträglich: ***an ~ penalty***; ***on ~ terms*** zu günstigen Bedingungen; ***be ~ on et.*** schonen *od.* nicht belasten; **9.** a) leichtfertig, b) lokker, frei (*Moral etc.*); **10.** ungezwungen, zwanglos, natürlich, frei: ***~ manners***; ***~ style*** leichter *od.* flüssiger Stil; **11.** † a) flau, lustlos (*Markt*), b) wenig gefragt (*Ware*), c) billig (*Geld*); **II** *adv.* **12.** leicht, bequem: ***~ to clean*** leicht zu reinigen(d), pflegeleicht; ***go ~***, ***take it ~*** a) sich Zeit lassen, langsam tun, b) sich nicht aufregen; ***take it ~!*** a) immer mit der Ruhe!, b) keine Bange!; ***go ~ on*** a) *j-n od. et.* sachte anfassen, b) schonend *od.* sparsam umgehen mit; ***~!***, F ***~ does it!*** sachte!, langsam!; ***stand ~!*** ⚔ rührt euch!; ***easier said than done*** (das ist) leichter gesagt als getan; ***~ come, ~ go*** wie gewonnen, so zerronnen; ˈ**~-care** *adj.* pflegeleicht; **~ chair** *s.* Sessel *m*; ˈ**~ˌgo·ing** *adj.* **1.** gelassen; **2.** unbeschwert; **3.** leichtlebig.

eat [iːt] **I** *s.* **1.** *pl.* F ‚Fresˈsalien' *pl.*, ‚Futter' *n*; **II** *v/t.* [*irr.*] **2.** essen (*Mensch*), fressen (*Tier*): ***~ s.o. out of house and home*** j-n arm (fr)essen; ***~ one's words*** alles(, was man gesagt hat,) zurücknehmen; ***don't ~ me*** F friß mich nur nicht (gleich) auf!; ***what's ~ing him?*** F was (für e-e Laus) ist ihm über die Leber gelaufen?, was hat er denn?; (*siehe auch die Verbindungen mit anderen Substantiven*); **3.** zerfressen, -nagen, nagen an (*dat.*): ***~en by acid*** von Säure zerfressen; **4.** fressen, nagen: ***~ holes into s.th.***; **5.** → ***eat up***; **III** *v/i.* **6.** essen: ***~ well***; **7.** fressen (*Tier*); **8.** fressen, nagen (*a. fig.*): ***~ into*** a) sich (hin)einfressen in (*acc.*), b) *Reserven etc.* angreifen, ein Loch reißen in (*acc.*): ***~ through s.th.*** sich durch et. hindurchfressen; **9.** sich essen (lassen): ***it ~s like beef***;
Zssgn mit adv.:

eat| a·way I *v/t.* **1.** *geol.* a) erodieren, auswaschen, b) abtragen; **II** *v/i.* **2.** (tüchtig) zugreifen; **3.** ***~ at*** → 1; **~ out** *v/i.* auswärts essen, essen gehen; **~ up** *v/t.* **1.** aufessen (*Mensch*), auffressen (*Tier*) (*beide a. v/i.*); **2.** *Reserven etc.* verschlingen, völlig aufbrauchen; **3.** *j-n* verzehren (*Gefühl*): ***be eaten up with envy*** vor Neid platzen; **4.** F a) ‚fressen', ‚schlucken' (*glauben*), b) *j-s Worte* verschlingen, c) *et.* mit den Augen verschlingen; **5.** F *Kilometer* ‚fressen' (*Auto*).

eat·a·ble [ˈiːtəbl] **I** *adj.* eß-, genießbar; **II** *s. mst pl.* Eßwaren *pl.*; **eat·en** [ˈiːtn] *p.p. von* ***eat***; **eat·er** [ˈiːtə] *s.* Esser(in): ***be a poor ~*** ein schwacher Esser sein.

eat·ing [ˈiːtɪŋ] **I** *s.* **1.** Essen *n*, Speise *f*; **II** *adj.* **2.** Eß…: ***~ apple***; **3.** *fig.* nagend; zehrend; **~ house** *s.* ˈEßloˌkal *n*.

eau de Co·logne [ˌəʊdəkəˈləʊn] (*Fr.*) *s.* Kölnischwasser *n*.

eaves [iːvz] *s. pl.* **1.** Dachgesims *n*, -vorsprung *m*; **2.** Traufe *f*; ˈ**~·drop** *v/i.* (heimlich) lauschen *od.* horchen: ***~ on*** *j-n, ein Gespräch* belauschen; ˈ**~ˌdrop·per** *s.* Horcher(in), Lauscher(in): ***~s hear what they deserve*** der Lauscher an der Wand hört s-e eigne Schand.

ebb [eb] **I** *s.* **1.** Ebbe *f*: ***~ and flow*** Ebbe u. Flut, *fig. das* Hin u. Her *der Schlacht etc.*, *das* Auf u. Ab *der Wirtschaft etc.*; **2.** *fig.* Ebbe *f*, Tiefstand *m*: ***at a low ~*** *fig.* auf e-m Tiefstand; **II** *v/i.* **3.** zuˈrückgehen (*a. fig.*): ***~ and flow*** steigen u. fallen, *fig. a.* kommen u. gehen; **4.** *a.* ***~ away*** *fig.* verebben, abnehmen; **~ tide** → ***ebb*** 1 u. 2.

eb·on [ˈebən] *poet. für* ***ebony***; ˈ**eb·on·ite** [-naɪt] *s.* Eboˈnit *n* (*Hartkautschuk*); ˈ**eb·on·ize** [-naɪz] *v/t.* schwarz beizen; ˈ**eb·on·y** [-nɪ] **I** *s.* Ebenholz(baum *m*) *n*; **II** *adj.* a) aus Ebenholz, b) (tief-)schwarz.

e·bul·li·ence [ɪˈbʌljəns], **eˈbul·li·en·cy** [-sɪ] *s.* **1.** Aufwallen *n* (*a. fig.*); **2.** *fig.* ˈÜberschäumen *n*, -schwenglichkeit *f*; **eˈbul·li·ent** [-nt] *adj.* □ *fig.* sprudelnd, ˈüberschäumend (***with*** von), ˈüberschwenglich; **eb·ul·li·tion** [ˌebəˈlɪʃən]

→ ***ebullience***.

ec·cen·tric [ɪk'sentrɪk] **I** *adj.* (□ **~ally**) **1.** ⚙, ⩚ ex'zentrisch; **2.** *ast.* nicht rund; **3.** *fig.* ex'zentrisch: a) wunderlich, über'spannt, verschroben, b) ausgefallen; **II** *s.* **4.** Ex'zentriker(in); **5.** ⚙ Ex'zenter *m*: **~ wheel** Exzenterscheibe *f*; **ec·cen·tric·i·ty** [ˌeksen'trɪsətɪ] *s.* ⚙, ⩚ *u. fig.* Exzentrizi'tät, *fig. a.* Über'spanntheit *f*, Verschrobenheit *f*.

Ec·cle·si·as·tes [ɪˌkli:zɪ'æsti:z] *s. bibl.* Ekklesi'astes *m*, der Prediger Salomo; **ecˌcle·si'as·ti·cal** [-tɪkl] *adj.* □ kirchlich, geistlich: **~ law** Kirchenrecht *n*; **ecˌcle·si'as·ti·cism** [-tɪsɪzəm] *s.* Kirchentum *n*; Kirchlichkeit *f*.

ech·e·lon ['eʃəlɒn] **I** *s.* **1.** ⚔ a) Staffel (-ung) *f*, (Angriffs)Welle *f*: **in ~** staffelförmig, b) ✈ 'Staffelflug *m*, -formatiˌon *f*, c) (Befehls)Ebene *f*; **2.** *fig.* Rang *m*, Stufe *f*: **the upper ~s** die höheren Ränge; **II** *v/t.* **3.** staffeln, (staffelförmig) gliedern.

e·chi·no·derm [e'kaɪnədɜ:m] *s. zo.* Stachelhäuter *m*.

ech·o ['ekəʊ] **I** *pl.* **-oes** *s.* **1.** *a. fig.* Echo *n*, 'Widerhall *m*: (**sympathetic**) **~** Anklang *m*; **find an ~** ein (...) Echo finden, Anklang finden; **to the ~** laut, schallend; **2.** *fig.* Echo *n* (*Person*); **3.** ♪ Wieder'holung *f*; **4.** ϟ, *TV*: Echo *n*, *Radar*: *a.* Schattenbild *n*; **5.** (genaue) Nachahmung *f*; **II** *v/i.* **6.** 'widerhallen (**with** von); **7.** hallen; **III** *v/t.* **8.** *Ton* zu'rückwerfen, 'widerhallen lassen; **9.** *fig.* 'Widerhall erwecken; **10.** *Worte* echoen; (*j-m*) *et.* nachbeten; **11.** echoen, nachahmen; **~ sound·er** *s.* ⚓ Echolot *n*; **~ sound·ing** *s.* ⚓ Echolotung *f*.

é·clair [eɪ'kleə] (*Fr.*) *s.* E'clair *n*.

é·clat ['eɪklɑ:] (*Fr.*) *s.* **1.** glänzender Erfolg, allgemeiner Beifall, öffentliches Aufsehen *n*; **2.** *fig.* Auszeichnung *f*, Geltung *f*.

ec·lec·tic [e'klektɪk] **I** *adj.* (□ **~ally**) ek'lektisch; **II** *s.* Ek'lektiker *m*; **ec·lec·ti·cism** [e'klektɪsɪzəm] *s. phls.* Eklekti'zismus *m*.

e·clipse [ɪ'klɪps] **I** *s.* **1.** *ast.* Verfinsterung *f*, Finsternis *f*: **~ of the moon** Mondfinsternis; **partial ~** partielle Finsternis; **2.** Verdunkelung *f*; **3.** *fig.* Schwinden *n*, Niedergang *m*: **in ~** im Schwinden, *a.* in der Versenkung verschwunden; **II** *v/t.* **4.** *ast.* verfinstern; **5.** verdunkeln; **6.** *fig.* in den Schatten stellen, über'ragen.

ec·logue ['eklɒg] *s.* Ek'loge *f*, Hirtengedicht *n*.

eco- [i:kəʊ] *in Zssgn* öko'logisch, Umwelt..., Öko...; **ˌe·co·ca'tas·tro·phe** *s.* 'Umweltkataˌstrophe *f*; **e·co·cide** ['i:kəʊsaɪd] *s.* 'Umweltzerstörung *f*.

ec·o·log·i·cal [ˌi:kə'lɒdʒɪkl] *adj.* □ *biol.* öko'logisch, Umwelt...: **~ system** → ***ecosystem***; **ˌec·o'log·i·cal·ly** [-kəlɪ] *adv.*: **~ harmful** (*od.* **noxious**) umweltfeindlich; **~ beneficial** umweltfreundlich; **e·col·o·gist** [i:'kɒlədʒɪst] *s. biol.* Öko'loge *m*; **e·col·o·gy** [i:'kɒlədʒɪ] *s. biol.* Ökolo'gie *f*.

e·co·no·met·rics [ɪˌkɒnə'metrɪks] *s. pl. sg. konstr.* ✝ Ökonome'trie *f*.

e·co·nom·ic [ˌi:kə'nɒmɪk] **I** *adj.* (□ **~ally**) **1.** (natio'nal)ökoˌnomisch, (volks-) wirtschaftlich, Wirtschafts...: **~ area** Wirtschaftsraum *m*; **~ divide** Wirtschaftsgefälle *n*; **~ geography** Wirtschaftsgeographie *f*; **~ growth** Wirtschaftswachstum *n*; **~ indicators** Konjunkturindikatoren *pl.*; **~ migrant** Wirtschaftsflüchtling *m*; **~ miracle** Wirtschaftswunder *n*; **~ policy** Wirtschaftspolitik *f*; **~ recovery** konjunktureller Aufschwung; **~ science** → 3; **~ slowdown** Konjunkturrückgang *m*; **~ summit** Wirtschaftsgipfel *m*; **2.** wirtschaftlich, ren'tabel; **II** *s. pl. sg. konstr.* **3.** a) Natio'nalökonoˌmie *f*, Volkswirtschaft(slehre) *f*, b) → ***economy*** 4; **ˌe·co'nom·i·cal** [-kl] *adj.* □ wirtschaftlich, sparsam, *Person a.* haushälterisch: **be ~ with s.th.** mit et. haushalten *od.* sparsam umgehen.

e·con·o·mist [ɪ'kɒnəmɪst] *s.* **1.** *a.* **political ~** Volkswirt(schaftler) *m*, Natio'nalökoˌnom *m*; **2.** sparsamer Wirtschafter, guter Haushälter; **e'con·o·mize** [-maɪz] **I** *v/t.* **1.** sparsam 'umgehen mit, haushalten mit, sparen; **2.** nutzbar machen; **II** *v/i.* **3.** sparen: a) sparsam wirtschaften, Einsparungen machen: **~ on** → 1, b) sich einschränken (**in** in *dat.*); **e'con·o·miz·er** [-maɪzə] *s.* **1.** haushälterischer Mensch; **2.** ⚙ Sparanlage *f*, *bsd.* Wasser-, Luftvorwärmer *m*; **e·con·o·my** [ɪ'kɒnəmɪ] **I** *s.* **1.** Sparsamkeit *f*, Wirtschaftlichkeit *f*; **2.** *fig.* sparsame Anwendung, Sparsamkeit *f* in den (künstlerischen) Mitteln: **~ of style** knapper Stil; **3.** a) Sparmaßnahme *f*, b) Einsparung *f*, c) Ersparnis *f*; **4.** ✝ 'Wirtschaft(ssyˌstem *n od.* -lehre *f*) *f*: **political ~** → ***economic*** 3a; **5.** Sy'stem *n*, Aufbau *m*, Gefüge *n*; **II** *adj.* **6.** Spar...: **~ bottle**; **~ class** ✈ Economyklasse *f*; **~ drive** Sparmaßnahmen *pl.*; **~-priced** preisgünstig, billig, Billig...

'e·co|ˌpol·i·cy *s.* 'Umweltpoliˌtik *f*; **e·co·sphere** [i:kəʊsfɪə(r)] *s.* Ökosphäre *f*; **'~ˌsys·tem** *s. biol.* 'Ökosyˌstem *n*; **'~·type** *s. biol.* Öko'typus *m*.

ec·ru ['eɪkru:] *adj.* e'krü, na'turfarben, ungebleicht (*Stoff*).

ec·sta·size ['ekstəsaɪz] *v/t.* (*u. v/i.*) in Ek'stase versetzen (geraten).

ec·sta·sy ['ekstəsɪ] *s.* **1.** Ek'stase *f*, Verzückung *f*, Rausch *m*, (Taumel *m* der) Begeisterung *f*: **go into ecstasies over**

in Verzückung geraten über (*acc.*), hingerissen sein von; **2.** Aufregung *f*; **3.** ⚕ Ek'stase *f*, krankhafte Erregung; **ec·stat·ic** [ɪk'stætɪk] *adj.* (□ **~ally**) **1.** ek'statisch, verzückt, begeistert, hingerissen; **2.** entzückend, hinreißend.

ec·to·blast ['ektəʊblɑːst], **'ec·to·derm** [-dɜːm] *s. biol.* Ekto'derm *n*, äußeres Keimblatt; **'ec·to·plasm** [-plæzəm] *s. biol. u. Spiritismus*: Ekto'plasma *n*.

ec·u·men·i·cal [ˌiːkjuː'menɪkl] *adj. bsd. eccl.* öku'menisch: **~ council** a) *R.C.* ökumenisches Konzil, b) Weltkirchenrat *m*.

ec·ze·ma ['eksɪmə] *s.* ⚕ Ek'zem *n*.

E-Day ['iːdeɪ] *s. pol. Tag des Beitritts Großbritanniens zur EWG.*

ed·dy ['edɪ] **I** *s.* (*Wasser-*, *Luft*)Wirbel *m*, Strudel *m* (*a. fig.*); **II** *v/i.* (um'her-) wirbeln.

e·del·weiss ['eɪdlvaɪs] *s.* Edelweiß *n*.

e·de·ma [iː'diːmə] → ***oedema***.

E·den ['iːdn] *s. bibl.* (der Garten) Eden *n*, das Para'dies (*a. fig.*).

edge [edʒ] **I** *s.* **1.** a) *a.* ***cutting ~*** Schneide *f*, b) Schärfe *f* (*der Klinge*): ***the knife has no ~*** das Messer schneidet nicht; ***put an ~ on s.th.*** et. schärfen *od.* schleifen; ***take the ~ off*** a) *Messer etc.* stumpf machen, b) *fig. e-r Sache* die Spitze abbrechen, die Schärfe nehmen; **2.** *fig.* Schärfe *f*, Spitze *f*, Heftigkeit *f*: ***give an ~ to s.th.*** et. verschärfen *od.* in Schwung bringen; ***not to put too fine an ~ on it*** kein Blatt vor den Mund nehmen; ***he is*** (*od.* ***his nerves are***) ***on ~*** er ist gereizt *od.* nervös; **3.** Ecke *f*, Zacke *f*, (scharfe) Kante; Grat *m*: ***~ of a chair*** Stuhlkante; ***set*** (***up***) ***on ~*** hochkant stellen; → ***tooth*** 1; **4.** Rand *m*, Saum *m*, Grenze *f*: ***the ~ of the lake*** der Rand *od.* das Ufer des Sees; ***~ of a page*** Rand e-r (Buch)Seite; ***on the ~ of*** a) am Rande (*der Verzweiflung etc.*), an der Schwelle (*gen.*), kurz vor (*dat.*), b) im Begriff (***of doing*** zu tun); **5.** Schnitt *m* (*Buch*); → ***gilt-edged*** 1; **6.** F Vorteil *m*: ***have the ~ on*** (*od.* ***over***) ***s.o.*** e-n Vorteil gegenüber j-m haben, j-m ‚voraus' *od.* ‚über' sein; **II** *v/t.* **7.** schärfen, schleifen; **8.** um'säumen, um'randen; begrenzen, einfassen; **9.** ⚙ beschneiden, abkanten; **10.** *langsam* schieben, rücken, drängen: ***~ o.s. into s.th.*** sich in et. (hinein)drängen; **III** *v/i.* **11.** sich *wohin* schieben *od.* drängen; *Zssgn mit adv.*:

edge| a·way *v/i.* **1.** (langsam) wegrükken; **2.** wegschleichen; **~ in I** *v/t.* einschieben; **II** *v/i.* sich hin'eindrängen *od.* -schieben; **~ off** → ***edge away***; **~ on** *v/t. j-n* antreiben; **~ out** *v/t.* (*v/i.* sich) hin'ausdrängen.

edged [edʒd] *adj.* **1.** schneidend, scharf; **2.** *in Zssgn* …schneidig; **3.** eingefaßt, gesäumt; **4.** *in Zssgn* …randig; **~ tool** *s.* **1.** → ***edge tool***; **2.** ***play with edge(d) tools*** *fig.* mit dem Feuer spielen.

edge| tool *s.* Schneidewerkzeug *n*; **'~·ways** [-weɪz], **'~·wise** [-waɪz] *adv.* a) seitlich, mit der Kante nach oben *od.* vorn, b) hochkant(ig): ***I couldn't get a word in ~*** *fig.* ich bin kaum zu Wort gekommen.

edg·ing ['edʒɪŋ] *s.* Rand *m*; Besatz *m*, Einfassung *f*, Borte *f*; **edg·y** ['edʒɪ] *adj.* **1.** kantig, scharf; **2.** *fig.* ner'vös, gereizt; **3.** *paint.* scharflinig.

ed·i·bil·i·ty [ˌedɪ'bɪlətɪ] *s.* Eß-, Genießbarkeit *f*; **ed·i·ble** ['edɪbl] **I** *adj.* eß-, genießbar: **~ oil** Speiseöl *n*; **II** *s. pl.* Eßwaren *pl.*

e·dict ['iːdɪkt] *s.* Erlaß *m*, *hist.* E'dikt *n*.

ed·i·fi·ca·tion [ˌedɪfɪ'keɪʃn] *s. fig.* Erbauung *f*.

ed·i·fice ['edɪfɪs] *s. a. fig.* Gebäude *n*, Bau *m*; **'ed·i·fy** [-faɪ] *v/t. fig.* erbauen, aufrichten; **'ed·i·fy·ing** [-faɪɪŋ] *adj.* □ erbaulich (*a. iro.*).

ed·it ['edɪt] *v/t.* **1.** *Texte etc.* a) her'ausgeben, edieren, b) redigieren, druckfertig machen; **2.** *Zeitung* als Her'ausgeber leiten; **3.** *Buch etc.* bearbeiten, zur Veröffentlichung fertigmachen; kürzen; *Film*, *Tonband* schneiden: **~ out** a) herausstreichen, b) herausschneiden; ***~ing table TV*** Schneidetisch *m*; **4.** *Computer*: *Daten* aufbereiten; **5.** *fig.* zu'rechtstutzen; **e·di·tion** [ɪ'dɪʃn] *s.* **1.** Ausgabe *f*: ***pocket ~*** Taschen(buch)ausgabe; ***morning ~*** Morgenausgabe (*Zeitung*); **2.** Auflage *f*: ***first ~*** erste Auflage, Erstdruck *m*, -ausgabe *f* (*Buch*); ***run into 20 ~s*** 20 Auflagen erleben; **3.** *fig.* (*kleinere etc.*) Ausgabe *f*; **'ed·i·tor** [-tə] *s.* **1.** *a.* ***~ in chief*** Her'ausgeber(in) (*e-s Buchs etc.*); **2.** *Zeitung*: a) *a.* ***~ in chief*** 'Chefredakˌteur (-in), b) Redak'teur(in): ***the ~s*** die Redaktion; **3.** *Film*, *TV*: Cutter(in); **ed·i·to·ri·al** [ˌedɪ'tɔːrɪəl] **I** *adj.* □ **1.** Herausgeber…; **2.** redaktio'nell, Redaktions…: **~ staff** Redaktion *f*; **II** *s.* **3.** 'Leitarˌtikel *m*; **ed·i·to·ri·al·ize** [ˌedɪ'tɔːrɪəlaɪz] *v/i.* (e-n) 'Leitarˌtikel schreiben; **'ed·i·tor·ship** [-təʃɪp] *s.* Positi'on *f* e-s Her'ausgebers *od.* ('Chef)Redakˌteurs; **'ed·i·tress** [-trɪs] *s.* Her'ausgeberin *f etc.* (→ ***editor***).

ed·u·cate ['edjuːkeɪt] *v/t.* erziehen (*a. weitS.* ***to*** zu), unter'richten, (aus)bilden: ***he was ~d at …*** er besuchte die (Hoch)Schule in …; **'ed·u·cat·ed** [-tɪd] *adj.* **1.** gebildet; **2.** ***an ~ guess*** e-e fundierte Annahme.

ed·u·ca·tion [ˌedjuː'keɪʃn] *s.* **1.** Erziehung *f* (*a. weitS.* ***to*** zu *demokratischem Denken etc.*), (Aus)Bildung *f*; **2.** (*erworbene*) Bildung, Bildungsstand *m*: ***general ~*** Allgemeinbildung *f*; **3.** Bildungs-, Schulwesen *n*; **4.** (Aus)Bildungsgang *m*; **5.** Päda'gogik *f*, Erziehungswissenschaft *f*; ˌ**ed·u'ca·tion·al** [-ʃnəl] *adj.* □ **1.** erzieherisch, Erziehungs..., päda'gogisch, Unterrichts...: *~ film* Lehrfilm *m*; *~ psychology* Schulpsychologie *f*; *~ television* Schulfernsehen *n*; *~ toys* pädagogisch wertvolles Spielzeug; **2.** Bildungs...: *~ leave* Bildungsurlaub *m*; *~ level* Bildungsniveau *n*; *~ misery* Bildungsnotstand *m*; ˌ**ed·u'ca·tion·al·ist** [-ʃnəlɪst], *a.* ˌ**ed·u'ca·tion·ist** [-ʃnɪst] *s.* Päda'goge *m*, Päda'gogin *f*: a) Erzieher(in), b) Erziehungswissenschaftler(in); **ed·u·ca·tive** ['edju:kətɪv] *adj.* **1.** erzieherisch, Erziehungs...; **2.** bildend, Bildungs...; '**ed·u·ca·tor** ['edju:keɪtə] → *educationalist*.

e·duce [i:'dju:s] *v/t.* **1.** her'ausholen, entwickeln; **2.** *Begriff* ableiten; **3.** ⚗ ausziehen, extrahieren.

ed·u·tain·ment [ˌedju:'teɪnmənt] *s.* bildende Unter'haltung (*pädagogisch wertvolle Spiele etc.*).

Ed·war·di·an [ed'wɔ:djən] *adj.* aus *od.* im Stil der Zeit König Eduards (*bsd.* Eduards VII.).

eel [i:l] *s.* Aal *m*; *~* **buck**, '*~*·**pot** *s.* Aalreuse *f*; '*~*·**spear** *s.* Aalgabel *f*; '*~*·**worm** *s. zo.* Älchen *n*, Fadenwurm *m*.

e'en [i:n] *poet.* → *even*[1, 3].

e'er [eə] *poet.* → *ever*.

ee·rie, ee·ry ['ɪərɪ] *adj.* □ unheimlich, schaurig; '**ee·ri·ness** [-nɪs] *s.* Unheimlichkeit *f*.

eff [ef] *v/i.*: *~ off* V ‚abhauen'; → *effing*.

ef·face [ɪ'feɪs] *v/t.* **1.** wegwischen, -reiben, löschen; **2.** *bsd. fig.* auslöschen, tilgen; **3.** in den Schatten stellen: *~ o.s.* sich (bescheiden) zurückhalten, sich im Hintergrund halten; **ef'face·a·ble** [-səbl] *adj.* auslöschbar; **ef'face·ment** [-mənt] *s.* Auslöschung *f*, Tilgung *f*, Streichung *f*.

ef·fect [ɪ'fekt] **I** *s.* **1.** Wirkung *f* (*on* auf *acc.*): *take ~* wirken (→ 4); **2.** (Ein-)Wirkung *f*, Einfluß *m*, Erfolg *m*, Folge *f*: *of no ~* nutzlos, vergeblich; **3.** (gesuchte) Wirkung, Eindruck *m*, Ef'fekt *m*: *general ~* Gesamteindruck; *have an ~ on* wirken auf (*acc.*); *calculated od. meant for ~* auf Effekt berechnet; *straining after ~* Effekthascherei *f*; **4.** Wirklichkeit *f*; ⚖ (Rechts)Wirksamkeit *f*, (-)Kraft *f*, Gültigkeit *f*: *in ~* a) tatsächlich, eigentlich, im wesentlichen, b) ⚖ *etc.* in Kraft, gültig; *with ~ from* mit Wirkung vom; *come into* (*od. take*) *~* wirksam werden, in Kraft treten; *carry into ~* ausführen, verwirklichen; **5.** Inhalt *m*, Sinn *m*, Absicht *f*; Nutzen *m*: *to the ~ that* des Inhalts, daß; *to this ~* diesbezüglich, in diesem Sinn; *words to this ~* derartige Worte; **6.** ⚙ Leistung *f*, 'Nutzefˌfekt *m*; **7.** *pl.* ✝ a) Ef'fekten *pl.*, b) Vermögen(swerte *pl.*) *n*, Habe *f*, c) Barbestand *m*, d) (Bank)Guthaben *n*: *no ~s* ohne Deckung (*Scheck*); **II** *v/t.* **8.** be-, erwirken, verursachen; **9.** ausführen, erledigen, voll'ziehen, tätigen, bewerkstelligen: *~ an insurance* ✝ e-e Versicherung abschließen; *~ payment* Zahlung leisten; **ef'fec·tive** [-tɪv] **I** *adj.* □ **1.** wirksam, erfolgreich, wirkungsvoll, kräftig: *~ range* ⚔ wirksame Schußweite; **2.** eindrucks-, ef'fektvoll; **3.** (rechts)wirksam, rechtskräftig, gültig, in Kraft: *~ from od. as of* mit Wirkung vom; *~ immediately* mit sofortiger Wirkung; *~ date* Tag *m* des Inkrafttretens; *become ~* in Kraft treten; **4.** tatsächlich, effek'tiv, wirklich; **5.** ⚔ dienstfähig, kampffähig, einsatzbereit: *~ strength* → 7b; **6.** ⚙ wirksam, nutzbar, Nutz...: *~ capacity od. output* Nutzleistung *f*; **II** *s. pl.* **7.** ⚔ a) einsatzfähige Sol'daten *pl.*, b) Ist-Stärke *f*; **ef'fec·tive·ness** [-tɪvnɪs] *s.* Wirksamkeit *f*; **ef'fec·tu·al** [-tʃʊəl] *adj.* □ **1.** wirksam; **2.** → *effective* 3; **3.** wirklich, tatsächlich; **ef'fectu·ate** [-tjʊeɪt] → *effect* 8, 9.

ef·fem·i·na·cy [ɪ'femɪnəsɪ] *s.* **1.** Weichlichkeit *f*, Verweichlichung *f*; **2.** unmännliches Wesen; **ef'fem·i·nate** [-nət] *adj.* □ **1.** weichlich, verweichlicht; **2.** unmännlich, weibisch.

ef·fer·vesce [ˌefə'ves] *v/i.* **1.** (auf)brausen, moussieren, sprudeln, schäumen; **2.** *fig.* ('über)sprudeln, 'überschäumen; ˌ**ef·fer'ves·cence** [-sns] *s.* **1.** (Auf-)brausen *n*, Moussieren *n*; **2.** *fig.* ('Über)Sprudeln *n*, 'Überschäumen *n*; ˌ**ef·fer'ves·cent** [-snt] *adj.* **1.** sprudelnd, schäumend; moussierend: *~ powder* Brausepulver *n*; **2.** *fig.* ('über-)sprudelnd, 'überschäumend.

ef·fete [ɪ'fi:t] *adj.* erschöpft, entkräftet, kraftlos, verbraucht.

ef·fi·ca·cious [ˌefɪ'keɪʃəs] *adj.* □ wirksam; **ef·fi·ca·cy** ['efɪkəsɪ] *s.* Wirksamkeit *f*.

ef·fi·cien·cy [ɪ'fɪʃənsɪ] *s. allg.* Effizi'enz *f*: a) Tüchtigkeit *f*, Leistungsfähigkeit *f* (*a. e-s Betriebs etc.*), b) Wirksamkeit *f*, ⚙ (Nutz)Leistung *f*, Wirkungsgrad *m*, c) Tauglichkeit *f*, Brauchbarkeit *f*, d) ✝, ⚙ Wirtschaftlichkeit *f*: *~ engineer*, *~ expert* ✝ Rationalisierungsfachmann *m*; *~ wages* leistungsbezogener Lohn; *~ apartment Am.* (Einzimmer)Appartement *n*; **ef'fi·cient** [-nt] *adj.* □ **1.** *allg.* effizi'ent: a) tüchtig, (*a.* ⚙ leistungs)fähig, b) wirksam, c) gründlich, d) zügig, rasch, e) ratio'nell, wirtschaftlich, f) tauglich, gut funktionierend, ⚙ *a.* leistungsstark; **2.** *~ cause phls.* wirkende Ursache.

ef·fi·gy ['efɪdʒɪ] *s.* Bild(nis) *n*: *burn s.o.*

in ~ j-n in effigie *od.* symbolisch verbrennen.

ef·fing ['efɪŋ] *adj.* V verdammt, Scheiß...

ef·flo·resce [ˌeflɔː'res] *v/i.* **1.** *bsd. fig.* aufblühen, sich entfalten; **2.** ⚗ ausblühen, -wittern; **ˌef·flo'res·cence** [-sns] *s.* **1.** *bsd. fig.* (Auf)Blühen *n*; **2.** Efflores'zenz: a) ⚗ Ausblühen *n*, Beschlag *m*, b) ⚕ Ausschlag *m*; **ˌef·flo'res·cent** [-snt] *adj.* **1.** *bsd. fig.* (auf)blühend; **2.** ⚗ ausblühend.

ef·flu·ence ['eflʊəns] *s.* Ausfließen *n*, -strömen *n*; Ausfluß *m*; **'ef·flu·ent** [-nt] **I** *adj.* **1.** ausfließend, -strömend; **II** *s.* **2.** Ausfluß *m*; **3.** Abwasser *n*.

ef·flux ['eflʌks] *s.* **1.** Ausfluß *m*, Ausströmen *n*; **2.** *fig.* Ablauf *m* (*der Zeit*).

ef·fort ['efət] *s.* **1.** Anstrengung *f*: a) Bemühung *f*, Versuch *m*, b) Mühe *f*: ***make an*** ~ sich bemühen, sich anstrengen; ***make every*** ~ sich alle Mühe geben; ***put a lot of*** ~ ***into it*** sich gewaltig anstrengen bei der Sache; ***spare no*** ~ keine Mühe scheuen; ***with an*** ~ mühsam; **2.** F Leistung *f*: ***a good*** ~; **'ef·fort·less** [-lɪs] *adj.* mühelos, leicht.

ef·fron·ter·y [ɪ'frʌntərɪ] *s.* Frechheit *f*, Unverschämtheit *f*.

ef·ful·gence [ɪ'fʌldʒəns] *s.* Glanz *m*; **ef'ful·gent** [-nt] *adj.* □ strahlend.

ef·fuse [ɪ'fjuːz] **I** *v/t.* **1.** ausgießen, ausströmen (lassen); **2.** *Licht etc.* verbreiten; **II** *v/i.* **3.** ausströmen; **III** *adj.* [-s] **4.** ⚘ ausgebreitet; **ef·fu·sion** [ɪ'fjuːʒn] *s.* **1.** Ausströmen *n*; Ausgießung *f*; Erguß *m* (*a. fig.*): ~ ***of blood*** ⚕ Bluterguß; **2.** *phys.* Effusi'on *f*; **3.** 'Überschwenglichkeit *f*; **ef'fu·sive** [-sɪv] *adj.* □ 'überschwenglich; **ef'fu·sive·ness** [-sɪvnɪs] → ***effusion*** 3.

e·gad [ɪ'gæd] *int. obs.* F o Gott!

e·gal·i·tar·i·an [ɪˌgælɪ'teərɪən] **I** *s.* Verfechter(in) des Egalita'rismus; **II** *adj.* egali'tär; **eˌgal·i'tar·i·an·ism** [-nɪzəm] *s.* Egalita'rismus *m*.

egg[1] [eg] *s.* **1.** Ei *n*: ***in the*** ~ *fig.* im Anfangsstadium; ***a bad*** ~ *fig.* F ein übler Kerl; ***as sure as*** **~*s is*** *od.* ***are*** **~*s*** *sl.* todsicher; ***have*** (*od.* ***put***) ***all one's*** **~*s in one basket*** alles auf 'eine Karte setzen; ***lay an*** ~ *thea. sl.* durchfallen; ***lay an*** **~!** *sl.* ‚leck mich'!; → ***grandmother***; **2.** *biol.* Eizelle *f*; **3.** ⚔ *sl.* ‚Ei' *n*, ‚Koffer' *m* (*Bombe etc.*).

egg[2] [eg] *v/t. mst* ~ ***on*** anstacheln.

'egg|ˌbeat·er *s.* **1.** *Küche*: Schneebesen *m*; **2.** *Am.* F Hubschrauber *m*; ~ **coal** *s.* Nußkohle *f*; ~ **co·sy**, *Am.* ~ **co·zy** *s.* Eierwärmer *m*; **'~·cup** *s.* Eierbecher *m*; ~ **flip** *s.* Eierflip *m*; **'~·head** *s.* F ‚Eierkopf' *m* (*Intellektueller*); **'~·nog** → ***egg flip***; **'~·plant** *s.* ⚘ Eierfrucht *f*, Auber'gine *f*; ~ **roll** *s.* Frühlingsrolle *f*; **'~-shaped** *adj.* eiförmig; **'~·shell I** *s.* Eierschale *f*: ~ ***china*** Eierschalenporzellan *n*; **II** *adj.* zerbrechlich; **'~-spoon** *s.* Eierlöffel *m*; **'~-ˌtim·er** *s.* Eieruhr *f*; **'~-whisk** *s. Küche*: Schneebesen *m*.

e·go ['egəʊ] *pl.* **-os** *s.* **1.** *psych.* Ich *n*, Selbst *n*, Ego *n*; **2.** Selbstgefühl *n*, -bewußtsein *n*, *a.* Stolz *m*, F Selbstsucht *f*, Selbstgefälligkeit *f*: ~ ***trip*** F ‚Egotrip' *m* (*geistige Selbstbefriedigung*, *Angeberei etc.*); ***that will boost his*** ~ das wird ihm Auftrieb geben *od.* ‚guttun'; ***it feeds his*** ~ das stärkt sein Selbstbewußtsein; ***his*** ~ ***was low*** s-e Moral war auf Null.

e·go·cen·tric [ˌegəʊ'sentrɪk] *adj.* ego'zentrisch, ichbezogen; **e·go·ism** ['egəʊɪzəm] *s.* Ego'ismus *m* (*a. phls.*), Selbstsucht *f*; **e·go·ist** ['egəʊɪst] *s.* **1.** Ego'ist(in); **2.** → ***egotist*** 1; **e·go·is·tic**, **e·go·is·ti·cal** [ˌegəʊ'ɪstɪk(l)] *adj.* □ ego'istisch; **e·go·ma·ni·a** [ˌegəʊ'meɪnjə] *s.* krankhafte Selbstsucht *od.* -gefälligkeit *f*; **e·go·tism** ['egəʊtɪzəm] *s.* **1.** Ego'tismus *m*: a) 'Selbstüberˌhebung *f*, b) Ichbezogenheit *f*, c) Geltungsbedürfnis *n*; **2.** → ***egoism***; **e·go·tist** ['egəʊtɪst] *s.* **1.** Ego'tist(in), geltungsbedürftiger *od.* selbstgefälliger Mensch; **2.** → ***egoist*** 1; **e·go·tis·tic**, **e·go·tis·ti·cal** [ˌegəʊ'tɪstɪk(l)] *adj.* □ **1.** selbstgefällig, ego'tistisch, geltungsbedürftig; **2.** → ***egoistic***.

e·gre·gious [ɪ'griːdʒəs] *adj.* □ unerhört, ungeheuer(lich), kraß, Erz...

e·gress ['iːgres] *s.* **1.** Ausgang *m*; **2.** Ausgangsrecht *n*; **3.** *fig.* Ausweg *m*; **4.** *ast.* Austritt *m*; **e·gres·sion** [iː'greʃn] *s.* Ausgang *m*, -tritt *m*.

e·gret ['iːgret] *s.* **1.** *orn.* Silberreiher *m*; **2.** Reiherfeder *f*; **3.** ⚘ Federkrone *f*.

E·gyp·tian [ɪ'dʒɪpʃn] **I** *adj.* **1.** ä'gyptisch: ~ ***cotton*** Mako *f, m, n*; **II** *s.* **2.** Ä'gypter (-in); **3.** *ling.* Ä'gyptisch *n*.

E·gyp·to·log·i·cal [ɪˌdʒɪptə'lɒdʒɪkl] *adj.* ägypto'logisch; **E·gyp·tol·o·gist** [ˌiːdʒɪp'tɒlədʒɪst] *s.* Ägypto'loge *m*; **E·gyp·tol·o·gy** [ˌiːdʒɪp'tɒlədʒɪ] *s.* Ägyptolo'gie *f*.

eh [eɪ] *int.* **1.** eh?: a) wie (bitte)?, b) nicht wahr?; **2.** ei!, sieh da!

ei·der ['aɪdə] *s. orn. a.* ~ ***duck*** Eiderente *f*; **'~·down** *s.* **1.** *coll.* Eiderdaunen *pl.*; **2.** Daunendecke *f*.

ei·det·ic [aɪ'detɪk] *psych.* **I** Ei'detiker (-in); **II** *adj.* ei'detisch.

eight [eɪt] **I** *adj.* **1.** acht: **~*-hour day*** Achtstundentag *m*; **II** *s.* **2.** Acht *f* (*Zahl*, *Spielkarte etc.*): ***have one over the*** ~ *sl.* e-n ‚in der Krone' haben; **3.** *Rudern*: Achter *m* (*Boot od. Mannschaft*); **eight·een** [ˌeɪ'tiːn] **I** *adj.* achtzehn; **II** *s.* Achtzehn *f*; **eight·eenth** [ˌeɪ'tiːnθ] **I** *adj.* achtzehnt; **II** *s.* Achtzehntel *n*; **'eight·fold** *adj. u. adv.* achtfach; **eighth** [eɪtθ] **I** *adj.* □ acht(er, e, es); **II** *s.* Achtel *n* (*a.* ♪); **eighth·ly** ['eɪtθlɪ] *adv.* achtens; **'eight·i·eth** [-tɪɪθ]

I *adj.* achtzigst; II *s.* Achtzigstel *n*; '**eight·y** [-tɪ] I *adj.* achtzig; II *s.* Achtzig *f*: ***the eighties*** die achtziger Jahre (*eines Jahrhunderts*); ***he is in his eighties*** er ist in den Achtzigern.

Ein·stein·i·an [aɪn'staɪnjən] *adj.* Einsteinsch(er, -e, -es).

ei·ther ['aɪðə] I *adj.* **1.** jeder, jede, jedes (*von zweien*), beide: ***on ~ side*** auf beiden Seiten; ***there is nothing in ~ bottle*** beide Flaschen sind leer; **2.** (irgend)ein (*von zweien*): ***~ way*** auf die e-e od. andere Art; ***~ half of the cake*** (irgend-)eine Hälfte des Kuchens; II *pron.* **3.** (irgend)ein (*von zweien*): ***~ of you can come*** (irgend)einer von euch (beiden) kann kommen; ***I didn't see ~*** ich sah keinen (von beiden); **4.** beides: ***~ is possible***; III *cj.* **5.** ***~ ... or*** entweder ... oder: ***~ be quiet or go!*** entweder sei still oder geh!; **6.** *neg.*: ***~ ... or*** weder ... noch: ***it isn't good ~ for parent or child*** es ist weder für Eltern noch Kinder gut; IV *adv.* **7.** *neg.*: ***nor ... ~*** (und) auch nicht, noch: ***he could not hear nor speak ~*** er konnte weder hören noch sprechen; ***I shall not go ~*** ich werde auch nicht gehen; ***she sings, and not badly ~*** sie singt, und gar nicht schlecht; **8.** ***without ~ good or bad intentions*** ohne gute oder schlechte Absichten; '**~-or** *s.* Entweder-Oder *n*.

e·jac·u·late [ɪ'dʒækjʊleɪt] I *v/t.* **1.** *physiol. Samen* ausstoßen; **2.** *Worte* ausstoßen; II *v/i.* **3.** *physiol.* ejakulieren; **4.** *fig.* aus-, her'vorstoßen; III *s.* **5.** *physiol.* Ejaku'lat *n*; **e·jac·u·la·tion** [ɪˌdʒækjʊ'leɪʃn] *s.* **1.** ⚕ Ejakulati'on *f*, Samenerguß *m*; **2.** a) Ausruf *m*, b) Stoßseufzer *m*, -gebet *n*; **e'jac·u·la·to·ry** [-lətərɪ] *adj.* **1.** ⚕ Ejakulations...; **2.** hastig (ausgestoßen): ***~ prayer*** Stoßgebet *n*.

e·ject [ɪ'dʒekt] I *v/t.* **1.** (***from***) *j-n* hin'auswerfen (aus), vertreiben (aus, von); entlassen (aus); **2.** ⚖ exmittieren, ausweisen (***from*** aus); **3.** ⚙ ausstoßen, -werfen; II *v/i.* **4.** ✈ den Schleudersitz betätigen; **e'jec·tion** [-kʃn] *s.* **1.** (***from*** aus) Vertreibung *f*, Entfernung *f*; Entlassung *f*; **2.** ⚙ Ausstoßung *f*, Auswerfen *n*: ***~ seat*** ✈ Schleudersitz *m*; **e'ject·ment** [-mənt] *s.* **1.** → ***ejection*** 1; **2.** ⚖ a) Räumungsklage *f*, b) Her'ausgabeklage *f*; **e'jec·tor** [-tə] *s.* **1.** Vertreiber *m*; **2.** ⚙ a)'Auswurfappaˌrat *m*, Strahlpumpe *f*, b) ⚔ (Pa'tronenhülsen)Auswerfer *m*: ***~ seat*** ✈ Schleudersitz *m*.

eke [i:k] *v/t.* ***~ out*** a) *Flüssigkeit, Vorrat etc.* strecken, b) *Einkommen* aufbessern, c) ***~ out a living*** sich (mühsam) durchschlagen.

el [el] *s.* **1.** L *n*, l *n* (*Buchstabe*); **2.** 🚆 F Hochbahn *f*.

e·lab·o·rate I *adj.* [ɪ'læbərət] □ **1.** sorgfältig *od.* kunstvoll ausgeführt *od.* (aus)gearbeitet; **2.** ('wohl)durchˌdacht, (sorgfältig) ausgearbeitet: ***an ~ report***; **3.** a) kunstvoll, kompliziert, b) 'umständlich; II *v/t.* [-bəreɪt] **4.** sorgfältig aus- *od.* her'ausarbeiten, ver'vollkommnen; **5.** *Theorie* entwickeln; **6.** genau darlegen; III *v/i.* **7.** ***~ (up)on*** ausführlich behandeln, sich verbreiten über (*acc.*); **e'lab·o·rate·ness** [-nɪs] *s.* **1.** sorgfältige *od.* kunstvolle Ausführung; **2.** a) Sorgfalt *f*, b) Kompliziertheit *f*, c) ausführliche Behandlung; **e·lab·o·ra·tion** [ɪˌlæbə'reɪʃn] *s.* **1.** → ***elaborateness*** 1; **2.** (Weiter)Entwicklung *f*.

é·lan [eɪ'lɑ̃:ŋ] (*Fr.*) *s.* E'lan *m*, Schwung *m*.

e·land ['i:lənd] *s.* 'Elenantiˌlope *f*.

e·lapse [ɪ'læps] *v/i.* vergehen, verstreichen (*Zeit*), ablaufen (*Frist*).

e·las·tic [ɪ'læstɪk] I *adj.* (□ ***~ally***) **1.** e'lastisch: a) federnd, spannkräftig (*alle a. fig.*), b) dehnbar, biegsam, geschmeidig (*a. fig.*): ***~ conscience*** weites Gewissen; ***an ~ word*** ein dehnbarer Begriff; **2.** *phys.* a) elastisch, b) expansi'onsfähig (*Gas*), c) inkompres'sibel (*Flüssigkeit*): ***~ force*** → ***elasticity***; **3.** Gummi...: ***~ band***; ***~ stocking*** Gummistrumpf *m*; II *s.* **4.** Gummiband *n*, -zug *m*; **5.** Gummigewebe *n*, -stoff *m*; **e'las·ti·cat·ed** [-keɪtɪd] *adj.* mit Gummizug; **e·las·tic·i·ty** [ˌelæ'stɪsətɪ] *s.* Elastizi'tät *f*: a) Spannkraft *f* (*a. fig.*), b) Dehnbarkeit *f*, Biegsamkeit *f*, Geschmeidigkeit *f* (*a. fig.*).

e·late [ɪ'leɪt] *v/t.* **1.** mit Hochstimmung erfüllen, begeistern, freudig erregen; **2.** *j-m* Mut machen; **3.** *j-n* stolz machen; **e'lat·ed** [-tɪd] *adj.* □ **1.** in Hochstimmung, freudig erregt (***at*** über *acc.*, ***with*** durch); **2.** stolz; **e'la·tion** [-eɪʃn] *s.* **1.** Hochstimmung, freudige Erregung; **2.** Stolz *m*.

el·bow ['elbəʊ] I *s.* **1.** Ell(en)bogen *m*: ***at one's ~*** a) in Reichweite, bei der Hand, b) *fig.* an s-r Seite; ***out at ~s*** a) schäbig (*Kleidung*), b) schäbig gekleidet, heruntergekommen (*Person*); ***be up to the ~s in work*** bis über die Ohren in der Arbeit stecken; ***bend*** *od.* ***lift one's ~*** F ‚einen heben'; **2.** Biegung *f*, Krümmung *f*, Ecke *f*, Knie *n*; **3.** ⚙ Knie *n*; (Rohr)Krümmer *m*, Winkel(-stück *n*) *m*; II *v/t.* **4.** *mit dem Ellbogen* stoßen, drängen (*a. fig.*): ***~ s.o. out*** j-n hinausdrängen; ***~ o.s. through*** sich durchdrängeln; ***~ one's way*** → 5; III *v/i.* **5.** sich (mit den Ellbogen) e-n Weg bahnen (***through*** durch); **~ chair** *s.* Arm-, Lehnstuhl *m*; **~ grease** *s. humor.* **1.** ‚Arm-, Knochenschmalz' *n* (*Kraft*); **2.** schwere Arbeit; '**~room** [-rʊm] *s.* Bewegungsfreiheit *f*, Spielraum *m* (*a. fig.*).

E

E

eld [eld] *s. obs.* **1.** (Greisen)Alter *n*; **2.** alte Zeiten *pl.*

eld·er¹ ['eldə] **I** *adj.* **1.** älter: ***my ~ brother*** mein älterer Bruder; **2.** rangälter: ***2 Statesman*** *pol. u. fig.* ‚großer alter Mann'; **II** *s.* **3.** (der, die) Ältere: ***he is my ~ by two years*** er ist zwei Jahre älter als ich; ***my ~s*** ältere Leute als ich; **4.** Re'spektsper,son *f*; **5.** *oft pl.* (Kirchen-, Gemeinde- *etc.*)Älteste(r) *m.*

el·der² ['eldə] *s.* Ho'lunder *m*; **'el·der,ber·ry** *s.* Ho'lunderbeere *f.*

eld·er·ly ['eldəlı] *adj.* ältlich: ***an ~ couple*** ein älteres Ehepaar; **eld·est** ['eldıst] *adj.* ältest: ***my ~ brother*** mein ältester Bruder.

El Do·ra·do [,eldə'rɑ:dəʊ] *pl.* **-dos** *s.* (El)Do'rado *n.*

e·lect [ı'lekt] **I** *v/t.* **1.** *j-n in ein Amt* wählen: ***~ s.o. to an office***; **2.** *et.* wählen, sich entscheiden für: ***~ to do s.th.*** sich (dazu) entschließen *od.* es vorziehen, et. zu tun; ***he was ~ed president*** er wurde zum Präsidenten gewählt; **3.** *eccl.* auserwählen; **II** *adj.* **4.** (*nachgestellt*) designiert, zukünftig: ***bride ~*** Zukünftige *f*, Braut *f*; ***the president ~*** der designierte Präsident; **5.** erlesen; **6.** *eccl.* (*von Gott*) auserwählt; **III** *s.* **7.** *eccl. u. fig.* ***the ~*** die Auserwählten *pl.*; **e'lec·tion** [-kʃn] *s. mst pol.* Wahl *f*: ***~ campaign*** Wahlkampf *m*, -feldzug *m*; ***~ pledge*** Wahlversprechen *n*; ***~ returns*** Wahlergebnisse; **e·lec·tion·eer** [ı,lekʃə'nıə] *v/i. pol.* Wahlkampf betreiben: ***~ for s.o.*** für j-n Wahlpropaganda machen *od.* Stimmen werben; **e·lec·tion·eer·ing** [ı,lekʃə'nıərıŋ] *s. pol.* 'Wahlpropa,ganda *f*, -kampf *m*, -feldzug *m*; **e'lec·tive** [-tıv] **I** *adj.* □ **1.** gewählt, durch Wahl, Wahl…; **2.** wahlberechtigt, wählend; **3.** *ped. Am.* wahlfrei, fakulta'tiv: ***~ subject*** → 4; **II** *s.* **4.** *ped. Am.* Wahlfach *n*; **e'lec·tor** [-tə] *s.* **1.** *pol.* a) Wähler(in), b) *Am.* Wahlmann *m*; **2.** *2 hist.* Kurfürst *m*; **e'lec·tor·al** [-tərəl] *adj.* **1.** Wahl…, Wähler…: ***~ college*** *Am.* Wahlmänner *pl.* (*e-s Staates*); **2.** *hist.* Kurfürsten…; **e'lec·tor·ate** [-tərət] *s.* **1.** *pol.* Wähler (-schaft *f*) *pl.*; **2.** *hist.* a) Kurwürde *f*, b) Kurfürstentum *n*; **e'lec·tress** [-trıs] *s.* **1.** Wählerin *f*; **2.** *2 hist.* Kurfürstin *f.*

e·lec·tric [ı'lektrık] *adj.* (□ ***~ally***) **1.** a) e'lektrisch: ***~ cable*** (***charge***, ***current***, ***light*** *etc.*), b) Elektro…: ***~ motor***, c) Elektrizitäts…: ***~ works***, d) e,lektro'technisch; **2.** *fig.* a) elektrisierend: ***an ~ effect***, b) spannungsgeladen: ***~ atmosphere***; **e'lec·tri·cal** [-kl] → ***electric*** 1: ***~ engineer*** Elektroingenieur *m od.* -techniker *m*; ***~ engineering*** Elektrotechnik *f.*

e·lec·tric| arc *s.* Lichtbogen *m*; **~ art** *s.* Lichtkunst *f*; **~ blan·ket** *s.* Heizdecke *f*; **~ blue** *s.* Stahlblau *n*; **~ chair** *s.* ⚖ e'lektrischer Stuhl; **~ cir·cuit** *s.* Stromkreis *m*; **~ cush·ion** *s.* Heizkissen *n*; **~ eel** *s. zo.* Zitteraal *m*; **~ eye** *s.* **1.** Fotozelle *f*; **2.** magisches Auge; **~ gui·tar** *s.* e'lektrische Gi'tarre, 'E-Gi,tarre *f.*

e·lec·tri·cian [,ılek'trıʃn] *s.* E'lektriker *m*, E,lektro'techniker *m.*

e·lec·tric·i·ty [,ılek'trısətı] *s.* Elektrizi'tät *f*; **~ con·sump·tion** *s.* Stromverbrauch *m*; **~ gen·er·a·tion** *s.* Stromerzeugung *f.*

e·lec·tric| plant *s.* e'lektrische Anlage; **~ ray** *s. zo.* Zitterrochen *m*; **~ shock** *s.* **1.** e'lektrischer Schlag; **2.** ⚕ E'lektroschock *m*; **~ steel** *s.* ⚙ E'lektrostahl *m*; **~ storm** *s.* Gewittersturm *m*; **~ torch** *s.* (e'lektrische) Taschenlampe.

e·lec·tri·fi·ca·tion [ı,lektrıfı'keıʃn] *s.* **1.** Elektrisierung *f* (*a. fig.*); **2.** Elektrifizierung *f*; **e·lec·tri·fy** [ı'lektrıfaı] *v/t.* **1.** elektrisieren (*a. fig.*), e'lektrisch laden; **2.** elektrifizieren; **3.** *fig.* anfeuern, erregen, begeistern.

e·lec·tro [ı'lektrəʊ] *pl.* **-tros** *s. typ.* F Gal'vano *n*, Kli'schee *n.*

electro- [ılektrəʊ] *in Zssgn* Elektro…, elektro…, e'lektrisch.

e,lec·tro|·a'nal·y·sis [ı,lektrəʊ-] *s.* ⚗ E,lektroana'lyse *f*; **~'car·di·o·gram** *s.* ⚕ E,lektrokardio'gramm *n*, EK'G *n*; **~'chem·is·try** *s.* E,lektroche'mie *f.*

e·lec·tro·cute [ı'lektrəkju:t] *v/t.* **1.** auf dem e'lektrischen Stuhl hinrichten; **2.** durch elektrischen Strom töten; **e·lec·tro·cu·tion** [ı,lektrə'kju:ʃn] *s.* Hinrichtung *f od.* Tod *m* durch elektrischen Strom.

e·lec·trode [ı'lektrəʊd] *s.* ⚡ Elek'trode *f.*

e,lec·tro|·dy'nam·ics *s. pl. sg. konstr.* E,lektrody'namik *f*; **~·en·gi'neer·ing** *s.* E,lektro'technik *f*; **~·ki'net·ics** *s. pl. sg. konstr.* E,lektroki'netik *f.*

e·lec·trol·y·sis [,ılek'trɒlısıs] *s.* Elektro'lyse *f*; **e·lec·tro·lyte** [ı'lektrəʊlaıt] *s.* Elektro'lyt *m.*

e,lec·tro|'mag·net *s.* E,lektroma'gnet *m*; **~·mag'net·ic** *adj.* (□ ***~ally***) e,lektroma'gnetisch; **~·me'chan·ics** *s. pl. sg. konstr.* E,lektrome'chanik *f.*

e·lec·trom·e·ter [,ılek'trɒmıtə] *s.* E,lektro'meter *n.*

e,lec·tro|'mo·tive *adj.* e,lektromo'torisch; **~'mo·tor** *s.* E,lektro'motor *m.*

e·lec·tron [ı'lektrɒn] *phys.* **I** *s.* Elektron *n*; **II** *adj.* Elektronen…: ***~ microscope***; **e·lec·tron·ic** [,ılek'trɒnık] *adj.* (□ ***~ally***) elek'tronisch, Elektronen…: ***~ flash*** *phot.* Elektronenblitz *m*; ***~ funds transfer*** EDV-Überweisungsverkehr *m*; ***~ mail*** elektronische Post; ***~ music*** elektronische Musik; **e·lec·tron·ics** [,ılek'trɒnıks] *s. pl. sg. konstr.*

Elek'tronik *f* (*a. als Konstruktionsteil*).
e·lec·tro|·plate [ɪ'lektrəʊ-] **I** *v/t.* elektroplattieren, galvanisieren; **II** *s.* elektroplattierte Ware; **~·scope** [-əskəʊp] *s. phys.* Eˌlektro'skop *n*; **~·scop·ic** [ɪˌlektrə'skɒpɪk] *adj.* (□ **~ally**) eˌlektro'skopisch; **~'ther·a·py** [ɪˌlektrəʊ-] *s.* ⚕ Eˌlektrothera'pie *f*; **~·type I** *s.* **1.** Gal'vano *n*; **2.** galˌvano'plastischer Druck; **II** *v/t.* **3.** galˌvano'plastisch vervielfältigen.
el·e·gance ['elɪgəns] *s. allg.* Ele'ganz *f*; **'el·e·gant** [-nt] *adj.* □ **1.** ele'gant: a) fein, geschmackvoll, vornehm (u. schön), b) gewählt, gepflegt, c) anmutig, d) geschickt, gekonnt; **2.** F erstklassig, ‚prima'.
el·e·gi·ac [ˌelɪ'dʒaɪək] **I** *adj.* e'legisch (*a. fig. schwermütig*), Klage...; **II** *s.* elegischer Vers; *pl.* elegisches Gedicht; **el·e·gize** ['elɪdʒaɪz] *v/i.* e-e Ele'gie schreiben (***upon*** auf *acc.*); **el·e·gy** ['elɪdʒɪ] *s.* Ele'gie *f*, Klagelied *n*.
el·e·ment ['elɪmənt] *s.* **1.** *allg.* Ele'ment *n*: a) *phls.* Urstoff *m*, b) Grundbestandteil *m*, c) ⚗ Grundstoff *m*, d) ⚙ Bauteil *n*, e) Grundlage *f*; **2.** Grundtatsache *f*, wesentlicher Faktor: ***an ~ of risk*** ein gewisses Risiko; ***~ of surprise*** Überraschungsmoment *n*; ***~ of uncertainty*** Unsicherheitsfaktor; **3.** ⚖ Tatbestandsmerkmal *n*; **4.** *pl.* Anfangsgründe *pl.*, Anfänge *pl.*, Grundlage(n *pl.*) *f*; **5.** *pl.* Na'turkräfte *pl.*, Ele'mente *pl.*; **6.** ('Lebens)Eleˌment *n*, gewohnte Um'gebung: ***be in*** (***out of***) ***one's ~*** (nicht) in s-m Element sein; **7.** *fig.* Körnchen *n*, Fünkchen *n*, Hauch *m*: ***an ~ of truth*** ein Körnchen Wahrheit; **8.** a) ⚔ Truppenteil *m*, b) ✈ Rotte *f*; **9.** (Bevölkerungs-)Teil *m*, (*kriminelle etc.*) Ele'mente *pl.*; **el·e·men·tal** [ˌelɪ'mentl] *adj.* **1.** elemen'tar: a) ursprünglich, na'türlich, b) urgewaltig, c) wesentlich; **2.** Elementar..., Ur...
el·e·men·ta·ry [ˌelɪ'mentərɪ] *adj.* □ **1.** → ***elemental*** 1 *u.* 2; **2.** elemen'tar, Elementar..., Einführungs..., Anfangs..., grundlegend; **3.** elemen'tar, einfach; **4.** ⚗, ⚕, *phys.* elemen'tar, Elementar...: ***~ particle*** Elementarteilchen *n*; **5.** rudimen'tär, unentwickelt; **~ ed·u·ca·tion** *s.* **1.** Grundschul-, Volksschulbildung *f*; **2.** Volksschulwesen *n*; **~ school** *s.* Volks-, Grundschule *f*.
el·e·phant ['elɪfənt] *s.* **1.** *zo.* Ele'fant *m*: ***~ seal*** See-Elefant; ***pink ~*** F ‚weiße Mäuse' *pl.*, Halluzinationen *pl.*; ***white ~*** *fig.* lästiger *od.* kostspieliger Besitz; **2.** *ein Papierformat* (*711 × 584 mm*); **el·e·phan·ti·a·sis** [ˌelɪfən'taɪəsɪs] *s.* ⚕ Elefan'tiasis *f*; **el·e·phan·tine** [ˌelɪ'fæntaɪn] *adj.* **1.** ele'fantenartig, Elefanten...; **2.** *fig.* riesenhaft; **3.** plump, schwerfällig.
El·eu·sin·i·an [ˌelju:'sɪnɪən] *adj. antiq.* eleu'sinisch.
el·e·vate ['elɪveɪt] *v/t.* **1.** hoch-, em'porheben; aufrichten; erhöhen; **2.** *Blick* erheben; *Stimme* heben; **3.** (***to***) *j-n* erheben (in *den Adelsstand*), befördern (zu *e-m Posten*); **4.** *fig. j-n* (*seelisch*) erheben, erbauen; **5.** erheitern; **6.** *Niveau etc.* heben; **7.** ⚔ *Geschützrohr* erhöhen; **'el·e·vat·ed** [-tɪd] **I** *adj.* **1.** erhöht; Hoch...: ***~ railway***, *Am.* ***~ railroad*** Hochbahn *f*; **2.** gehoben (*Position*, *Stil etc.*), erhaben (*Gedanken*); **3.** a) erheitert, b) F beschwipst; **II** *s.* **4.** *Am.* F Hochbahn *f*; **'el·e·vat·ing** [-tɪŋ] *adj.* **1.** *bsd.* ⚙ hebend, Hebe..., Höhen...; **2.** *fig.* a) erhebend, erbaulich, b) erheiternd; **el·e·va·tion** [ˌelɪ'veɪʃn] *s.* **1.** Hoch-, Em'porheben *n*; **2.** (Boden)Erhebung *f*, (An)Höhe *f*; **3.** Höhe *f* (*a. ast.*), (Grad *m* der) Erhöhung *f*; **4.** *geogr.* Meereshöhe *f*; **5.** ⚔ Richthöhe *f*; **6.** ⚙ Aufstellung *f*, Errichtung *f*; **7.** ⚠ Aufriß *m*: ***front ~*** Vorderansicht *f*; **8.** a) (***to***) Erhebung *f* (in *den Adelsstand*), Beförderung *f* (zu *e-m Posten etc.*), b) gehobene Positi'on; **9.** *fig.* (*seelische*) Erhebung, Erbauung *f*; **10.** *fig.* Hebung *f* (*des Niveaus etc.*); **11.** *fig.* Erhabenheit *f*, Gehobenheit *f* (*des Stils etc.*); **'el·e·va·tor** [-tə] *s.* **1.** ⚙ a) Hebe-, Förderwerk *n*, b) Hebewerk *n*, c) *Am.* Fahrstuhl *m*, Aufzug *m*; **2.** Getreidesilo *m*; **3.** ✈ Höhensteuer *n*, -ruder *n*; **4.** *anat.* Hebemuskel *m*.
e·lev·en [ɪ'levn] **I** *adj.* **1.** elf; **II** *s.* **2.** Elf *f*; **3.** *sport* Elf *f*; **eˌlev·en-'plus** *s. ped. Brit. hist. im Alter von 11–12 Jahren abgelegte Prüfung, die über die schulische Weiterbildung entschied;* **e'lev·en·ses** [-zɪz] *s. pl. Brit.* F zweites Frühstück; **e'lev·enth** [-nθ] **I** *adj.* □ **1.** elft; → ***hour*** 2; **II** *s.* **2.** (*der*, *die*, *das*) Elfte; **3.** Elftel *n*.
elf [elf] *pl.* **elves** [elvz] *s.* **1.** Elf *m*, Elfe *f*; **2.** Kobold *m*; **3.** *fig.* a) Knirps *m*, b) (kleiner) Racker; **elf·in** ['elfɪn] **I** *adj.* Elfen..., Zwergen...; **II** *s.* → ***elf***; **elf·ish** ['elfɪʃ] *adj.* **1.** elfenartig; **2.** schelmisch, koboldhaft.
'elf·lock *s.* Weichselzopf *m*, verfilztes Haar.
e·lic·it [ɪ'lɪsɪt] *v/t.* **1.** (***from*** *j-m*, *e-m Instrument etc.*) *et.* entlocken; **2.** (***from*** aus *j-m*) *e-e Aussage etc.* her'auslocken, -holen; **3.** *e-e Reaktion* auslösen, her'vorrufen; **4.** *et.* ans Licht bringen.
e·lide [ɪ'laɪd] *v/t. ling. Vokal od. Silbe* elidieren, auslassen.
el·i·gi·bil·i·ty [ˌelɪdʒə'bɪlətɪ] *s.* **1.** Eignung *f*, Befähigung *f*: ***his eligibilities*** s-e Vorzüge; **2.** Berechtigung *f*; **3.** Wählbarkeit *f*; **4.** Teilnahmeberechtigung *f*, *sport a.* Startberechtigung *f*; **el·i·gi·ble** ['elɪdʒəbl] **I** *adj.* □ **1.** (***for***) in Frage kommend (für): a) geeignet,

akzep'tabel (für), b) berechtigt, befähigt (zu), qualifiziert (für): *~ for a pension* pensionsberechtigt, c) wählbar; **2.** wünschenswert, vorteilhaft; **3.** teilnahmeberechtigt, *sport a.* startberechtigt; **II** *s.* **4.** F in Frage kommende Per'son *od.* Sache.

e·lim·i·nate [ɪ'lɪmɪneɪt] *v/t.* **1.** beseitigen, entfernen, ausmerzen, *a.* ⚗ eliminieren (*from* aus); **2.** ausscheiden (*a.* ⚗, *physiol.*), ausschließen, *a. Gegner* ausschalten: *be ~d sport* ausscheiden; **3.** *fig. et.* ausklammern, ignorieren; **e·lim·i·na·tion** [ɪˌlɪmɪ'neɪʃn] *s.* **1.** Beseitigung *f*, Entfernung *f*, Ausmerzung *f*, Eliminierung *f*; **2.** ⚗ Eliminati'on *f*; **3.** ⚗, *physiol., a. sport* Ausscheidung *f*: *~ contest* Ausscheidungs-, Qualifikationswettbewerb *m*; **4.** Ausschaltung *f* (*e-s Gegners*); **5.** *fig.* Ignorierung *f*; **e'lim·i·na·tor** [-tə] *s. Radio:* Sieb-, Sperrkreis *m*.

e·li·sion [ɪ'lɪʒn] *s. ling.* Elisi'on *f*, Auslassung *f* (*e-s Vokals od. e-r Silbe*).

e·lite [eɪ'li:t] (*Fr.*) *s.* E'lite *f*: a) Auslese *f*, (*das*) Beste, (*die*) Besten *pl.*, b) Führungs-, Oberschicht *f*, c) ⚔ E'lite-, Kerntruppe *f*; **e'lit·ism** [-tɪzəm] *s.* eli'täres Denken; **e'lit·ist** [-tɪst] *adj.* eli'tär.

e·lix·ir [ɪ'lɪksə] *s.* **1.** Eli'xier *n*, Zauber-, Heiltrank *m*: *~ of life* Lebenselixier; **2.** All'heilmittel *n*.

E·liz·a·be·than [ɪˌlɪzə'bi:θn] **I** *adj.* elisabe'thanisch; **II** *s.* Zeitgenosse *m* E'lisabeths I. von England.

elk [elk] *s. zo.* **1.** Elch *m*, Elen *m, n*; **2.** *Am.* Elk *m*, Wa'piti *m*.

ell [el] *s.* Elle *f*; → *inch* 2.

el·lipse [ɪ'lɪps] *s.* **1.** ⚗ El'lipse *f*; **2.** → **el'lip·sis** [-sɪs] *pl.* **-ses** [-si:z] *s. ling.* El'lipse *f*, Auslassung *f* (*a. typ.*); **el'lip·soid** [-sɔɪd] *s.* ⚗ Ellipso'id *n*; **el'lip·tic, el'lip·ti·cal** [-ptɪk(l)] *adj.* □ **1.** ⚗ el'liptisch; **2.** *ling.* elliptisch, unvollständig (*Satz*).

elm [elm] *s.* Ulme *f*, Rüster *f*.

el·o·cu·tion [ˌelə'kju:ʃn] *s.* **1.** Vortrag(sweise *f*) *m*, Dikti'on *f*; **2.** Vortragskunst *f*; **3.** Sprechtechnik *f*; **ˌel·o'cu·tion·ist** [-nɪst] *s.* **1.** Vortragskünstler(in); **2.** Sprecherzieher(in).

e·lon·gate ['i:lɒŋgeɪt] **I** *v/t.* **1.** verlängern; *bsd.* ⚙ strecken, dehnen; **II** *v/i.* **2.** sich verlängern; **3.** ⚘ spitz zulaufen; **III** *adj.* **4.** → **'e·lon·gat·ed** [-tɪd] *adj.* **1.** verlängert: *~ charge* ⚔ gestreckte Ladung; **2.** lang u. dünn; **e·lon·ga·tion** [ˌi:lɒŋ'geɪʃn] *s.* **1.** Verlängerung *f*; **2.** ⚙ Streckung *f*, Dehnung *f*; **2.** *ast., phys.* Elongati'on *f*.

e·lope [ɪ'ləʊp] *v/i.* (mit s-m *od.* s-r Geliebten) ‚'durchbrennen': *~ with a. die Geliebte* entführen; **e'lope·ment** [-mənt] *s.* ‚'Durchbrennen' *n*; Flucht *f*; Entführung *f*; **e'lop·er** [-pə] *s.* Ausreißer(in).

el·o·quence ['eləkwsəns] *s.* Beredsamkeit *f*, Redegewandtheit *f*, -kunst *f*; **'el·o·quent** [-nt] *adj.* □ **1.** beredt, redegewandt; **2.** *fig.* a) sprechend, ausdrucksvoll, b) beredt, vielsagend (*Blick etc.*).

else [els] *adv.* **1.** (*neg. u. interrog.*) sonst, weiter, außerdem: *anything ~?* sonst noch etwas?; *what ~ can we do?*; was können wir sonst (noch) tun?; *no one ~* sonst *od.* weiter niemand; *where ~?* wo anders?, wo sonst (noch)?; **2.** anderer, andere, anderes: *that's something ~* das ist et. anderes; *everybody ~* alle anderen *od.* übrigen; *somebody ~'s dog* der Hund e-s anderen; **3.** *oft or ~* oder, sonst, wenn nicht: *hurry,* (*or*) *~ you will be late* beeile dich, oder du kommst zu spät *od.* sonst kommst du zu spät; *or ~!* (*drohend*) sonst passiert was!; **ˌ~'where** *adv.* **1.** sonst-, anderswo; **2.** 'anderswo'hin.

e·lu·ci·date [ɪ'lu:sɪdeɪt] *v/t. Geheimnis etc.* aufhellen, aufklären; *Text, Gründe etc.* erklären; **e·lu·ci·da·tion** [ɪˌlu:sɪ'deɪʃn] *s.* Erklärung *f*; Aufhellung *f*, -klärung *f*; **e'lu·ci·da·to·ry** [-tərɪ] *adj.* erklärend, aufhellend.

e·lude [ɪ'lu:d] *v/t.* **1.** (geschickt) ausweichen, entgehen, sich entziehen (*dat.*); *Gesetz etc.* um'gehen; **2.** *fig. j-m* entgehen, *j-s* Aufmerksamkeit entgehen; **3.** sich nicht (er)fassen lassen von, sich entziehen (*dat.*): *it ~s definition* es läßt sich nicht definieren; **4.** *j-m* nicht einfallen; **e'lu·sion** [-u:ʒn] *s.* **1.** (*of*) Ausweichen *n*, Entkommen *n* (vor *dat.*); Um'gehung *f* (*gen.*); **2.** Ausflucht *f*, List *f*; **e'lu·sive** [-u:sɪv] *adj.* □ **1.** ausweichend (*of dat.*, vor *dat.*); **2.** schwer zu fassen(d) (*Dieb etc.*); **3.** schwerfaßbar, schwer zu definieren(d) *od.* zu übersetzen(d); **4.** um'gehend; **5.** unzuverlässig; **e'lu·sive·ness** [-u:sɪvnɪs] *s.* **1.** Ausweichen *n* (*of* vor *dat.*), ausweichendes Verhalten; **2.** Unbestimmbarkeit *f*, Undefinierbarkeit *f*; **e'lu·so·ry** [-u:sərɪ] *adj.* **1.** trügerisch; **2.** → *elusive*.

e·lu·tri·ate [ɪ'lu:trɪeɪt] *v/t.* ⚗ (aus-)schlämmen.

el·ver ['elvə] *s. ichth.* junger Aal.

elves [elvz] *pl. von* **elf**; **'elv·ish** [-vɪʃ] → *elfish*.

E·ly·sian [ɪ'lɪzɪən] *adj.* e'lysisch, *fig. a.* para'diesisch; **E'ly·si·um** [-əm] *s.* E'lysium *n*, *fig. a.* Para'dies *n*.

em [em] *s.* **1.** M *n*, m *n* (*Buchstabe*); **2.** *typ.* Geviert *n*.

'em [əm] F *für them*: *let 'em*.

e·ma·ci·ate [ɪ'meɪʃɪeɪt] *v/t.* **1.** auszehren, ausmergeln; **2.** *Boden* auslaugen; **e'ma·ci·at·ed** [-tɪd] *adj.* **1.** abgemagert, ausgezehrt, ausgemergelt; **2.** ausgelaugt (*Boden*); **e·ma·ci·a·tion** [ɪˌmeɪsɪ'eɪʃn] *s.* **1.** Auszehrung *f*, Abmagerung *f*; **2.** Auslaugung *f*.

em·a·nate ['emәneɪt] *v/i.* **1.** ausströmen (*Gas etc.*), ausstrahlen (*Licht*) (**from** von); **2.** *fig.* herrühren, ausgehen (**from** von); **em·a·na·tion** [ˌemә'neɪʃn] *s.* **1.** Ausströmen *n*; **2.** Ausströmung *f*, Ausstrahlung *f* (*beide a. fig.*); **3.** Auswirkung *f*; **4.** *phls.*, *psych.*, *eccl.* Emanati'on *f*.

e·man·ci·pate [ɪ'mænsɪpeɪt] *v/t.* **1.** (**o.s.** sich) emanzipieren, unabhängig machen, befreien (**from** von); **2.** *Sklaven* freilassen; **e'man·ci·pat·ed** [-tɪd] *adj.* **1.** *allg.* emanzipiert: **an ~ woman**; **an ~ citizen** ein mündiger Bürger; **2.** freigelassen (*Sklave*); **e·man·ci·pa·tion** [ɪˌmænsɪ'peɪʃn] *s.* **1.** Emanzipati'on *f*; **2.** Freilassung *f*, Befreiung *f* (*a. fig.*) (**from** von); **e·man·ci·pa·tion·ist** [ɪˌmænsɪ'peɪʃnɪst] *s.* Befürworter(in) der Emanzipati'on *od.* der Sklavenbefreiung; **e'man·ci·pa·to·ry** [-pәtәrɪ] *adj.* emanzipa'torisch.

e·mas·cu·late **I** *v/t.* [ɪ'mæskjʊleɪt] **1.** entmannen, kastrieren; **2.** *fig.* verweichlichen; **3.** entkräften, (ab)schwächen; verwässern; **4.** *Sprache* farb- *od.* kraftlos machen; **II** *adj.* [-lɪt] **5.** entmannt; **6.** verweichlicht; **7.** verwässert, kraftlos; **e·mas·cu·la·tion** [ɪˌmæskjʊ'leɪʃn] *s.* **1.** Entmannung *f*; **2.** Verweichlichung *f*; **3.** Schwächung *f*; **4.** *fig.* Verwässerung *f* (*Text etc.*).

em·balm [ɪm'bɑːm] *v/t.* **1.** einbalsamieren; **2.** *fig.* *j-s Andenken* bewahren *od.* pflegen: **be ~ed in** fortleben in (*dat.*); **em'balm·ment** [-mәnt] *s.* Einbalsamierung *f*.

em·bank [ɪm'bæŋk] *v/t.* eindämmen, -deichen; **em'bank·ment** [-mәnt] *s.* **1.** Eindämmung *f*, -deichung *f*; **2.** (Erd-)Damm *m*; **3.** (Bahn-, Straßen)Damm *m*; **4.** gemauerte Uferstraße.

em·bar·go [em'bɑːgәʊ] **I** *s.* **1.** ⚓ Em'bargo *n*: a) (Schiffs)Beschlagnahme *f* (*durch den Staat*), b) Hafensperre *f*; **2.** ⚕ a) Handelssperre *f*, b) *a. allg.* Sperre *f*, Verbot *n*: **~ on imports** Einfuhrsperre; **II** *v/t.* **3.** *Handel*, *Hafen* sperren, ein Em'bargo verhängen über (*acc.*); **4.** beschlagnahmen.

em·bark [ɪm'bɑːk] **I** *v/t.* **1.** ⚓, ✈ Passagiere an Bord nehmen, ⚓ *a.* einschiffen, *Waren a.* verladen (**for** nach); **2.** *Geld* investieren (**in** in *dat.*); **II** *v/i.* **3.** ⚓ sich einschiffen (**for** nach), an Bord gehen; **4.** *fig.* (**on**) (*et.*) anfangen *od.* unter'nehmen; **em·bar·ka·tion** [ˌembɑː'keɪʃn] *s.* ⚓ Einschiffung *f*, (*von Waren*) *a.* Verladung *f* (*a.* ✈); ✈ Einsteigen *n*.

em·bar·ras de rich·esse(s) [ɑ̃ːŋbɑˌrɑdәriː'ʃes] (*Fr.*) *s. die* Qual der Wahl.

em·bar·rass [ɪm'bærәs] *v/t.* **1.** *j-n* in Verlegenheit bringen *od.* in e-e peinliche Lage versetzen, verwirren; **2.** *j-n* behindern, *j-m* lästig sein; **3.** in Geldverlegenheit bringen; **4.** *et.* behindern, erschweren, komplizieren; **em'bar·rassed** [-st] *adj.* **1.** verlegen, peinlich berührt; **2.** ⚕ in Geldverlegenheit; **em'bar·rass·ing** [-sɪŋ] *adj.* ☐ unangenehm, peinlich (**to** *dat.*); **em'bar·rass·ment** [-mәnt] *s.* **1.** Verlegenheit *f*; **2.** *bsd.* ⚕ Behinderung *f*, Störung *f*; **3.** Geldverlegenheit *f*.

em·bas·sy ['embәsɪ] *s.* **1.** Botschaft *f*: a) Botschaftsgebäude *n*, b) 'Botschaftsperso͵nal *n*; **2.** diplo'matische Missi'on.

em·bat·tle [ɪm'bætl] *v/t.* **1.** ⚔ in Schlachtordnung aufstellen: **~d** kampfbereit (*a. fig.*); **2.** ⚠ mit Zinnen versehen.

em·bed [ɪm'bed] *v/t.* **1.** (ein)betten, (ein)lagern, eingraben; **2.** *im Gedächtnis etc.* verankern.

em·bel·lish [ɪm'belɪʃ] *v/t.* **1.** verschöne(r)n, schmücken, verzieren; **2.** *fig.* *Erzählung etc.* ausschmücken; *die Wahrheit* beschönigen; **em'bel·lish·ment** [-mәnt] *s.* **1.** Verschönerung *f*, Schmuck *m*; **2.** *fig.* a) Ausschmückung *f*, b) Beschönigung *f*.

em·ber[1] ['embә] *s.* **1.** *mst pl.* glühende Kohle *od.* Asche; **2.** *pl. fig.* letzte Funken *pl.*

em·ber[2] ['embә] *adj.*: **~ days** *eccl.* Quatember(fasten *n*) *pl.*

em·ber[3] ['embә] *s. orn. a.* **~goose** Eistaucher *m*.

em·bez·zle [ɪm'bezl] *v/t.* veruntreuen, unter'schlagen; **em'bez·zle·ment** [-mәnt] *s.* Veruntreuung *f*, Unter'schlagung *f*; **em'bez·zler** [-lә] *s.* Veruntreuer(in).

em·bit·ter [ɪm'bɪtә] *v/t.* **1.** *j-n* verbittern; **2.** *et.* (noch) verschlimmern; **em'bit·ter·ment** [-mәnt] *s.* **1.** Verbitterung *f*; **2.** Verschlimmerung *f*.

em·bla·zon [ɪm'bleɪzn] *v/t.* **1.** he'raldisch schmücken *od.* darstellen; **2.** schmükken; **3.** *fig.* feiern, verherrlichen, groß her'ausstellen; **4.** 'auspo͵saunen; **em'bla·zon·ment** [-mәnt] *s.* Wappenschmuck *m*; **em'bla·zon·ry** [-rɪ] *s.* **1.** Wappenmale'rei *f*; **2.** Wappenschmuck *m*.

em·blem ['emblәm] *s.* **1.** Em'blem *n*, Sym'bol *n*: **national ~** Hoheitszeichen *n*; **2.** Kennzeichen *n*; **3.** *fig.* Verkörperung *f*; **em·blem·at·ic**, **em·blem·at·i·cal** [ˌemblɪ'mætɪk(l)] *adj.* ☐ sym'bolisch, sinnbildlich.

em·bod·i·ment [ɪm'bɒdɪmәnt] *s.* **1.** Verkörperung *f*; **2.** Darstellung *f*; **3.** ⚙ Anwendungsform *f*; **4.** Einverleibung *f*; **em·bod·y** [ɪm'bɒdɪ] *v/t.* **1.** kon'krete Form geben (*dat.*); **2.** verkörpern, darstellen; **3.** aufnehmen (***in*** in *acc.*); **4.** um'fassen, in sich schließen.

em·bold·en [ɪm'bəʊldən] *v/t.* ermutigen.

em·bo·lism ['embəlɪzəm] *s.* ⚕ Embo'lie *f.*

em·bon·point [ˌɔ̃:mbɔ̃:m'pwæ̃:ŋ] (*Fr.*) *s.* Embon'point *m*, Beleibtheit *f*, ‚Bäuchlein' *n*.

em·bos·om [ɪm'bʊzəm] *v/t.* **1.** ans Herz drücken; **2.** *fig.* ins Herz schließen; **3.** *fig.* um'schließen.

em·boss [ɪm'bɒs] *v/t.* ⚙ **1.** a) bosseln, erhaben *od.* in Reli'ef ausarbeiten, prägen, b) (mit dem Hammer) treiben; **2.** mit erhabener Arbeit schmücken; **3.** *Stoffe* gaufrieren; **em'bossed** [-st] *adj.* ⚙ a) erhaben gearbeitet, Relief..., getrieben, b) geprägt, gepreßt, c) gaufriert; **em'boss·ment** [-mənt] *s.* Reli'efarbeit *f*.

em·bou·chure [ˌɒmbʊ'ʃʊə] (*Fr.*) *s.* **1.** Mündung *f* (*Fluß*); **2.** ♪ a) Mundstück *n* (*Blasinstrument*), b) Ansatz *m*.

em·brace [ɪm'breɪs] **I** *v/t.* **1.** um'armen, in die Arme schließen; **2.** um'schließen, um'geben, um'klammern; *a. fig.* einschließen, um'fassen; **3.** erfassen, (in sich) aufnehmen; **4.** *Religion*, *Angebot* annehmen; *Beruf*, *Gelegenheit* ergreifen; *Hoffnung* hegen; **II** *v/i.* **5.** sich umarmen; **III** *s.* **6.** Um'armung *f*.

em·bra·sure [ɪm'breɪʒə] *s.* **1.** △ Laibung *f*; **2.** ⚔ Schießscharte *f*.

em·bro·ca·tion [ˌembrəʊ'keɪʃn] *s.* ⚕ **1.** Einreibemittel *n*; **2.** Einreibung *f*.

em·broi·der [ɪm'brɔɪdə] *v/t.* **1.** *Muster* sticken; **2.** *Stoff* besticken, mit Sticke'rei verzieren; **3.** *fig. Bericht* ausschmücken, ‚garnieren'.

em·broi·der·y [ɪm'brɔɪdərɪ] *s.* **1.** Sticke'rei *f*: ***do ~*** sticken; **2.** *fig.* Ausschmükkung *f*; **~ cot·ton** *s.* Stickgarn *n*; **~ frame** *s.* Stickrahmen *m*.

em·broil [ɪm'brɔɪl] *v/t.* **1.** *j-n* verwickeln, hin'einziehen (***in*** in *acc.*); **2.** *j-n* in Kon'flikt bringen (***with*** mit); **3.** durchein'anderbringen, verwirren; **em'broil·ment** [-mənt] *s.* **1.** Verwicklung *f*; **2.** Verwirrung *f*.

em·bry·o ['embrɪəʊ] *pl.* **-os** *s. biol.* a) Embryo *m*, b) Fruchtkeim *m*: ***in ~*** *fig.* im Keim, im Entstehen, im Werden; **em·bry·on·ic** [ˌembrɪ'ɒnɪk] *adj.* **1.** Embryo..., embryo'nal; **2.** *fig.* (noch) unentwickelt, keimend, rudimen'tär.

em·bus [ɪm'bʌs] ⚔ **I** *v/t.* auf Kraftfahrzeuge verladen; **II** *v/i.* aufsitzen.

em·cee [em'si:] **I** *s.* Conférenci'er *m*; **II** *v/t.* (*u. v/i.*) als Conférencier leiten (fungieren).

e·mend [i:'mend] *v/t. Text* verbessern, korrigieren; **e·men·da·tion** [ˌi:men'deɪʃn] *s.* Verbesserung *f*, Korrek'tur *f*; **e·men·da·tor** ['i:mendeɪtə] *s.* (Text-)Verbesserer *m*; **e'mend·a·to·ry** [-dətərɪ] *adj.* (text)verbessernd.

em·er·ald ['emərəld] **I** *s.* **1.** Sma'ragd *m*; **2.** Sma'ragdgrün *n*; **3.** *typ.* In'sertie *f* (*e-e 6½-Punkt-Schrift*); **II** *adj.* **4.** sma'ragdgrün; **5.** mit Sma'ragden besetzt; **♀ Isle** *s. die* Grüne Insel (*Irland*).

e·merge [ɪ'mɜ:dʒ] *v/i.* **1.** *allg.* auftauchen: a) an die (Wasser)Oberfläche kommen, b) *a. fig.* zum Vorschein kommen, sich zeigen, c) *fig.* sich erheben (*Frage*, *Problem*), d) *fig.* auftreten, in Erscheinung treten; **2.** her'vor-, her'auskommen (***from*** aus); **3.** sich her'ausstellen *od.* ergeben (*Tatsache*); **4.** (*als Sieger etc.*) her'vorgehen (***from*** aus); **5.** *fig.* aufstreben; **e'mer·gence** [-dʒəns] *s.* Auftauchen *n*, *fig. a.* Auftreten *n*, Entstehen *n*.

e·mer·gen·cy [ɪ'mɜ:dʒənsɪ] **I** *s.* Not(lage *f*, -fall *m*) *f*, kritische Lage, Krise *f*, unvorhergesehenes Ereignis, dringender Fall: ***in an ~***, ***in case of ~*** im Notfall, notfalls; ***state of ~*** Notstand *m*, *pol. a.* Ausnahmezustand *m*; **II** *adj.* Not..., Behelfs..., (Aus)Hilfs...; *pol.* Notstands..., Soforthilfe..., **~ brake** *s.* Not-, *mot.* Handbremse *f*; **~ call** *s. teleph.* Notruf *m*; **~ de·cree** *s.* Notverordnung *f*; **~ door**, **~ ex·it** *s.* Notausgang *m*; **~ hos·pi·tal** *s.* A'kutkrankenhaus *n*; **~ land·ing** *s.* ✈ Notlandung *f*; **~ laws** *s. pl. pol.* Notstandsgesetze *pl.*; **~ meet·ing** *s.* Dringlichkeitssitzung *f*; **~ num·ber** *s.* Notruf(nummer *f*) *m*; **~ pow·ers** *s. pl. pol.* Vollmachten *pl.* auf Grund e-s Notstandsgesetzes; **~ ra·tion** *s.* ⚔ eiserne Rati'on; **~ ser·vice** *s.* Notdienst *m*; **~ ward** *s.* Notaufnahme *f*, 'Unfallstatiˌon *f*.

e·mer·gent [ɪ'mɜ:dʒənt] *adj.* □ **1.** auftauchend (*a. fig.*); **2.** *fig.* (jung u.) aufstrebend (*Land*): ***~ country*** *a.* Schwellenland *n*.

e·mer·i·tus [i:'merɪtəs] *adj.* emeritiert: ***~ professor***.

em·er·y ['emərɪ] **I** *s. min.* Schmirgel *m*; **II** *v/t.* (ab)schmirgeln; **~ board** *s.* Sandblattnagelfeile *f*; **~ cloth** *s.* Schmirgelleinen *n*; **~ pa·per** *s.* 'Schmirgelpaˌpier *n*; **~ wheel** *s.* Schmirgelscheibe *f*.

e·met·ic [ɪ'metɪk] *pharm.* **I.** *adj.* e'metisch, Brechreiz erregend; **II** *s.* E'metikum *n*, Brechmittel *n* (*a. fig.*).

em·i·grant ['emɪgrənt] **I** *s.* Auswanderer *m*, Emi'grant(in); **II** *adj.* auswandernd, emigrierend, Auswanderungs...; **'em·i·grate** [-reɪt] *v/i.* emigrieren, auswandern; **em·i·gra·tion** [ˌemɪ'greɪʃn] *s.* Auswanderung *f*, Emigrati'on *f*.

em·i·nence ['emɪnəns] *s.* **1.** Erhöhung *f*, (An)Höhe *f*; **2.** hohe Stellung, (hoher) Rang, Würde *f*; **3.** Ansehen *n*, Berühmtheit *f*, Bedeutung *f*; **4.** bedeutende Per'sönlichkeit; **5.** ♀ *R.C.* Emi'nenz *f* (*Kardinal*).

é·mi·nence grise [ˌeɪmiːnɑ̃ːnsˈgriːz] (*Fr.*) *s. pol.* graue Emiˈnenz.

em·i·nent [ˈemɪnənt] *adj.* □ **1.** herˈvorragend, ausgezeichnet, berühmt; **2.** emiˈnent, bedeutend, außergewöhnlich; **3.** → ***domain*** 3; **ˈem·i·nent·ly** [-ntlɪ] *adv.* ganz besonders, in hohem Maße.

e·mir [eˈmɪə] *s.* Emir *m*; **eˈmir·ate** [-ɪərɪt] *s.* Emiˈrat *n* (*Würde od. Land e-s Emirs*).

em·is·sar·y [ˈemɪsərɪ] *s.* **1.** Abgesandte(r) *m*, Emisˈsär *m*; **2.** Geˈheimaˌgent *m*.

e·mis·sion [ɪˈmɪʃn] *s.* **1.** Ausstrahlung *f* (*von Licht etc.*), Ausstoß *m* (*von Rauch etc.*), Aus-, Verströmen *n*, *phys.* Emissiˈon *f*; **~-free** abgasfrei; **~ standards** Emissionsnormen *pl.*; **2.** *physiol.* Ausfluß *m*, (*bsd.* Samen)Erguß *m*; **3.** ✝ Ausgabe *f* (*von Banknoten*), *von Wertpapieren*: *a.* Emissiˈon *f*; **eˈmis·sive** [-ɪsɪv] *adj.* ausstrahlend; **e·mit** [ɪˈmɪt] *v/t.* **1.** *Lava*, *Rauch* ausstoßen, *Licht etc.* ausstrahlen, *Gas etc.* aus-, verströmen, *phys. Elektronen etc.* emittieren; **2.** a) *e-n Ton*, *a. e-e Meinung* von sich geben, b) *e-n Schrei etc.* ausstoßen; **3.** ✝ *Banknoten* ausgeben, *Wertpapiere a.* emittieren.

Em·my [ˈemɪ] *pl.* **-mys**, **-mies** *s. Am.* Emmy *m* (*Fernsehpreis*).

e·mol·li·ent [ɪˈmɒlɪənt] **I** *adj.* erweichend (*a. fig.*); **II** *s. pharm.* erweichendes Mittel, Weichmacher *m*.

e·mol·u·ment [ɪˈmɒljʊmənt] *s. mst pl.* Einkünfte *pl.*

e·mote [ɪˈməʊt] *v/i.* emotioˈnal reagieren, e-n Gefühlsausbruch erleiden *od.* (*thea.*) mimen.

e·mo·tion [ɪˈməʊʃn] *s.* **1.** Emotiˈon *f*, Gemütsbewegung *f*, (Gefühls)Regung *f*, Gefühl *n*; **2.** Gefühlswallung *f*, Erregung *f*, Leidenschaft *f*; **3.** Rührung *f*, Ergriffenheit *f*; **eˈmo·tion·al** [-ʃənl] *adj.* □ → ***emotionally***; **1.** emotioˈnal, emotioˈnell: a) gefühlsmäßig, -bedingt, b) Gefühls…, Gemüts…, seelisch, c) gefühlsbetont, empfindsam: **~ block** Affektstau *m*; **2.** gefühlvoll, rührselig; **3.** rührend, ergreifend; **eˈmo·tion·al·ism** [-ʃnəlɪzəm] *s.* **1.** Gefühlsbetontheit *f*, Empfindsamkeit *f*; **2.** Gefühlsduseˈlei; **3.** Gefühlsäußerung *f*; **eˈmo·tion·al·ist** [-ʃnəlɪst] *s.* Gefühlsmensch *m*; **e·mo·tion·al·i·ty** [ɪˌməʊʃəˈnælətɪ] *s.* Emotionaliˈtät *f*, emotioˈnale Verhaltensweise; **eˈmo·tion·al·ize** [-ʃnəlaɪz] **I** *v/t. j-n od. et.* emotionalisieren; **II** *v/i.* in Gefühlen schwelgen; **eˈmo·tion·al·ly** [-ʃnəlɪ] *adv.* gefühlsmäßig, seelisch, emotioˈnal, emotioˈnell: **~ disturbed** seelisch gestört; **eˈmo·tion·less** [-lɪs] *adj.* ungerührt, gefühllos, kühl; **eˈmo·tive** [-əʊtɪv] *adj.* □ **1.** gefühlsbedingt, emoˈtiv; **2.** gefühlvoll; **3.** gefühlsbetont: **~ word** Reizwort *n*.

em·pale → ***impale***.

em·pan·el [ɪmˈpænl] *v/t.* in die Liste (*bsd.* der Geschworenen) eintragen: **~ the jury** *Am.* die Geschworenenliste aufstellen.

em·pa·thize [ˈempəθaɪz] *v/i.* Einfühlungsvermögen haben *od.* zeigen; sich einfühlen können (**with** in *acc.*); **ˈem·pa·thy** [-θɪ] *s.* Einfühlung(svermögen *n*) *f*, Empaˈthie *f*.

em·pen·nage [ɪmˈpenɪdʒ] *s.* ✈ Leitwerk *n*.

em·per·or [ˈempərə] *s.* Kaiser *m*; **~ moth** *s. zo.* kleines Nachtpfauenauge.

em·pha·sis [ˈemfəsɪs] *s.* **1.** *ling.* Betonung *f*, Ton *m*, Akˈzent *m*; **2.** *fig.* Betonung *f*, Gewicht *n*, Nachdruck *m*, Schwerpunkt *m*: **lay ~ on s.th.** Gewicht *od.* Wert auf e-e Sache legen, et. hervorheben *od.* betonen; **give ~ to** → **ˈem·pha·size** [-saɪz] *v/t.* (nachdrücklich) betonen (*a. ling.*), Nachdruck verleihen (*dat.*), herˈvorheben, unterˈstreichen; **em·phat·ic** [ɪmˈfætɪk] *adj.* (□ **~ally**) nachdrücklich: a) betont, emˈphatisch, ausdrücklich, deutlich, b) bestimmt, (ganz) entschieden.

em·phy·se·ma [ˌemfɪˈsiːmə] *s.* ⚕ Emphyˈsem *n*.

em·pire [ˈempaɪə] **I** *s.* **1.** (Kaiser)Reich *n*: **the British** ≈ das Brit. Weltreich; ≈ **Day** *obs. brit. Staatsfeiertag* (*am 24. Mai, dem Geburtstag Königin Victorias*); **~ produce** Erzeugnis *n* aus dem brit. Weltreich; **2.** ✝ *u. fig.* Imˈperium *n*: **tobacco ~**; **3.** Herrschaft *f* (**over** über *acc.*); **II** *adj.* **4.** Reichs…: **~ building** a) Schaffung *f* e-s Weltreichs, b) *fig.* Schaffung e-s eigenen Imperiums *od.* e-r Hausmacht; **5.** Empire…, im Emˈpirestil: **~ furniture**.

em·pir·ic [emˈpɪrɪk] **I** *s.* **1.** Emˈpiriker (-in), **2.** *obs.* Kurpfuscher *m*; **II** *adj.* **3.** → **emˈpir·i·cal** [-kl] *adj.* □ emˈpirisch, erfahrungsmäßig, Erfahrungs…; **emˈpir·i·cism** [-ɪsɪzəm] *s.* **1.** Empiˈrismus *m*; **2.** *obs.* Kurpfuscheˈrei *f*; **emˈpir·i·cist** [-ɪsɪst] *s.* **1.** Emˈpiriker(in); **2.** *phls.* Empiˈrist(in).

em·place [ɪmˈpleɪs] *v/t.* ⚔ *Geschütz* in Stellung bringen; **emˈplace·ment** [-mənt] *s.* **1.** Aufstellung *f*; **2.** ⚔ a) Inˈstellungbringen *n*, b) Geschützstellung *f*, c) Bettung *f*.

em·plane [ɪmˈpleɪn] ✈ **I** *v/t. Passagiere* an Bord nehmen, *Waren a.* verladen (**for** nach); **II** *v/i.* an Bord gehen.

em·ploy [ɪmˈplɔɪ] **I** *v/t.* **1.** *j-n* beschäftigen; an-, einstellen, einsetzen: **be ~ed in doing s.th.** damit beschäftigt sein, et. zu tun; **2.** an-, verwenden, gebrauchen; **II** *s.* **3.** a) → ***employment*** 1, b) Dienst(e *pl.*) *m*: **be in s.o.'s ~** in j-s Dienst(en) stehen, bei j-m angestellt *od.* beschäftigt sein; **em'ploy·a·ble** [-ɔɪəbl] *adj.* **1.** zu beschäftigen(d), anstellbar; **2.** arbeitsfähig; **3.** verwendbar; **em·ploy·é** [ɒm'plɔɪeɪ] *s.*, **em·ploy·ee** [ˌemplɔɪ'iː] *s.* Arbeitnehmer (-in), (*engS.* ***salaried ~***) Angestellte(r *m*) *f*: ***the ~s*** a) die Belegschaft *e-s Betriebs*, b) die Arbeitnehmer(schaft *f*) *pl*; **em'ploy·er** [-ɔɪə] *s.* **1.** Arbeitgeber(in), Unter'nehmer(in), Chef(in), Dienstherr(in): ***~'s contribution*** Arbeitgeberanteil *m*; ***~'s liability*** Unternehmerhaftpflicht *f*; ***~s' association*** Arbeitgeberverband *m*; **2.** ⚕ Auftraggeber(in).

em·ploy·ment [ɪm'plɔɪmənt] *s.* **1.** Beschäftigung *f* (*a. allg.*), Arbeit *f*, (An-) Stellung *f*, Arbeitsverhältnis *n*: ***in ~*** beschäftigt; ***out of ~*** stellen-, arbeitslos; ***full ~*** Vollbeschäftigung; **2.** Ein-, Anstellung *f*; **3.** Beruf *m*, Tätigkeit *f*, Geschäft *n*; **4.** Gebrauch *m*, Ver-, Anwendung *f*, Einsatz *m*; **~ a·gen·cy**, **~ bu·reau** *s.* 'Stellenvermittlung(sbüˌro *n*) *f*; **~ ex·change** *s. Brit. obs.* Arbeitsamt *n*; **~ mar·ket** *s.* Stellen-, Arbeitsmarkt *m*; **~ ser·vice a·gen·cy** *s. Brit.* Arbeitsamt *n*.

em·poi·son [ɪm'pɔɪzn] *v/t.* **1.** *bsd. fig.* vergiften; **2.** verbittern.

em·po·ri·um [em'pɔːrɪəm] *s.* **1.** a) Handelszentrum *n*, b) Markt *m* (*Stadt*); **2.** Warenhaus *n*.

em·pow·er [ɪm'paʊə] *v/t.* **1.** bevollmächtigen, ermächtigen (***to*** zu): ***be ~ed to*** befugt sein zu; **2.** befähigen (***to*** zu).

em·press ['emprɪs] *s.* Kaiserin *f*.

emp·ti·ness ['em*p*tɪnɪs] *s.* **1.** Leerheit *f*, Leere *f*; **2.** *fig.* Hohlheit *f*, Leere *f*.

emp·ty ['em*p*tɪ] **I** *adj.* **1.** leer: ***~ of*** *fig.* bar (*gen.*), ohne; ***~ of meaning*** nichtssagend; ***feel ~*** F ‚Kohldampf haben'; ***on an ~ stomach*** auf nüchternen Magen; **2.** leer(stehend), unbewohnt; **3.** leer, unbeladen; **4.** *fig.* leer, hohl, nichtssagend; **II** *v/t.* **5.** (aus-, ent)leeren; **6.** *Glas etc.* leeren, austrinken; **7.** *Haus etc.* räumen; **8.** leeren, gießen, schütten (***into*** in *acc.*); **9.** berauben (***of*** *gen.*); **10.** ***~ itself*** → 12; **III** *v/i.* **11.** sich leeren; **12.** sich ergießen, münden (***into the sea*** ins Meer); **IV** *s.* **13.** *pl.* ⚕ Leergut *n*; **ˌ~-'hand·ed** *adj.* mit leeren Händen; **ˌ~-'head·ed** *adj.* hohlköpfig.

e·mu ['iːmjuː] *s. orn.* Emu *m*.

em·u·late ['emjʊleɪt] *v/t.* wetteifern mit; nacheifern (*dat.*), es gleichtun wollen (*dat.*); **em·u·la·tion** [ˌemjʊ'leɪʃn] *s.* Wetteifer *m*; Nacheifern *n*.

e·mul·si·fy [ɪ'mʌlsɪfaɪ] *v/t.* emulgieren; **e'mul·sion** [-lʃn] *s.* ⚗, ⚕, *phot.* Emulsi'on *f*.

en [en] *s. typ.* Halbgeviert *n*.

en·a·ble [ɪ'neɪbl] *v/t.* **1.** *j-n* befähigen, in den Stand setzen, es *j-m* ermöglichen *od.* möglich machen (***to do*** zu tun); **2.** *j-n* berechtigen, ermächtigen: ***Enabling Act*** Ermächtigungsgesetz *n*; **3.** *et.* möglich machen, ermöglichen: ***~ s.th. to be done*** es ermöglichen, daß et. geschieht; ***this ~s the housing to be detached*** dadurch kann das Gehäuse abgenommen werden.

en·act [ɪ'nækt] *v/t.* **1.** ⚖ a) *Gesetz* erlassen: ***~ing clause*** Einführungsklausel *f*, b) verfügen, verordnen, c) Gesetzeskraft verleihen (*dat.*); **2.** *thea.* a) *Stück* aufführen, inszenieren (*a. fig.*), b) *Person*, *Rolle* darstellen, spielen; **3.** ***be ~ed*** *fig.* stattfinden, über die Bühne *od.* vor sich gehen; **en·ac·tion** [ɪ'nækʃn], **en·act·ment** [ɪ'næktmənt] *s.* **1.** ⚖ a) Erlassen *n* (*Gesetz*), b) Erhebung *f* zum Gesetz, c) Verfügung *f*, Verordnung *f*, Erlaß *m*; **2.** *thea.* a) Inszenierung *f* (*a. fig.*), b) Darstellung *f* (*e-r Rolle*).

en·am·el [ɪ'næml] **I** *s.* **1.** E'mail(le *f*) *n*, Schmelzglas *n*; **2.** Gla'sur *f* (*auf Töpferwaren*); **3.** *a.* ***~ ware*** E'mailgeschirr *n*; **4.** Lack *m*; **5.** Nagellack *m*; **6.** E'mailmaleˌrei *f*; **7.** *anat.* Zahnschmelz *m*; **II** *v/t.* **8.** emaillieren: ***~(l)ing furnace*** Emaillierofen *m*; **9.** glasieren; **10.** lackieren; **11.** in E'mail malen; **en·am·el(l)er** [ɪ'næmlə] *s.* Email'leur *m*, Schmelzarbeiter *m*.

en·am·o(u)r [ɪ'næmə] *v/t. mst pass.* verliebt machen: ***be ~ed of*** a) verliebt sein in (*acc.*), b) *fig.* sehr angetan sein von.

en bloc [ɑ̃ːŋ'blɒk] (*Fr.*) en bloc, im ganzen, als Ganzes.

en·cae·ni·a [en'siːnjə] *s.* Gründungs-, Stiftungsfest *n*.

en·cage [ɪn'keɪdʒ] *v/t.* (in e-n Käfig) einsperren, einschließen.

en·camp [ɪn'kæmp] **I** *v/i.* sein Lager aufschlagen, *bsd.* ⚔ lagern; **II** *v/t. bsd.* ⚔ lagern lassen: ***be ~ed*** lagern; **en'camp·ment** [-mənt] *s.* ⚔ **1.** (Feld)Lager *n*; **2.** Lagern *n*.

en·cap·su·late [ɪn'kæpsjʊleɪt] ein-, verkapseln; *fig.* kurz zs.-fassen.

en·case [ɪn'keɪs] *v/t.* **1.** einschließen; **2.** um'schließen, um'hüllen; **3.** ⚙ verkleiden, um'manteln.

en·cash [ɪn'kæʃ] *v/t. Brit. Scheck etc.* einlösen; **en'cash·ment** [-mənt] *s.* Einlösung *f*.

en·caus·tic [en'kɔːstɪk] *paint.* **I** *adj.* en'kaustisch, eingebrannt; **II** *s.* En'kaustik *f*; **~ tile** *s.* buntglasierte Kachel.

en·ce·phal·ic [ˌenke'fælɪk] *adj.* ⚕ Gehirn...; **ˌen·ceph·a'li·tis** [-kefə'laɪtɪs] *s.* ⚕ Gehirnentzündung *f*, Enzepha'litis *f*.

en·chant [ɪn'tʃɑːnt] *v/t.* **1.** verzaubern: ***~ed wood*** Zauberwald *m*; **2.** *fig.* bezaubern, entzücken; **en'chant·er** [-tə] *s.* Zauberer *m*; **en'chant·ing** [-tɪŋ] *adj.* □ bezaubernd, entzückend; **en'chant-**

ment [-mənt] *s.* **1.** Zauber *m*, Zaube'rei *f*; Verzauberung *f*; **2.** *fig.* a) Zauber *m*, b) Bezauberung *f*, c) Entzücken *n*; **en'chant·ress** [-trɪs] *s.* **1.** Zauberin *f*; **2.** *fig.* bezaubernde Frau.

en·chase [ɪn'tʃeɪs] *v/t.* **1.** *Edelstein* fassen; **2.** ziselieren: **~d work** getriebene Arbeit; **3.** (ein)gravieren.

en·ci·pher [ɪn'saɪfə] → **encode**.

en·cir·cle [ɪn'sɜːkl] *v/t.* **1.** um'geben, -'ringen; **2.** um'fassen, um'schlingen; **3.** einkreisen (*a. pol.*), um'zingeln, ⚔ *a.* einkesseln; **en'cir·cle·ment** [-mənt] *s.* Einkreisung *f* (*a. pol.*), Um'zingelung *f*, ⚔ *a.* Einkesselung *f*.

en·clasp [ɪn'klɑːsp] → **encircle** 2.

en·clave I *s.* ['enkleɪv] En'klave *f*; **II** *v/t.* [en'kleɪv] *Gebiet* einschließen, um'geben.

en·clit·ic [ɪn'klɪtɪk] *ling.* **I** *adj.* (□ **~ally**) en'klitisch; **II** *s.* enklitisches Wort, En'klitikon *n*.

en·close [ɪn'kləʊz] *v/t.* **1.** (*in*) einschließen, ⚙ *a.* einkapseln (in *dat. od. acc.*), um'geben (mit); **2.** um'ringen; **3.** um'fassen; **4.** *Land* einfried(ig)en, um'zäunen; **5.** beilegen, -fügen (**in a letter** e-m Brief); **en'closed** [-zd] *adj.* **1.** *a. adv.* an'bei, beiliegend, in der Anlage: **~ please find** in der Anlage erhalten Sie; **2.** ⚙ geschlossen, gekapselt: **~ motor**; **en'clo·sure** [-əʊʒə] *s.* **1.** Einschließung *f*; **2.** Einfried(ig)ung *f*, Um'zäunung *f*; **3.** eingehegtes Grundstück; **4.** Zaun *m*, Mauer *f*; **5.** Anlage *f* (*zu e-m Brief etc.*).

en·code [en'kəʊd] *v/t. Text* verschlüsseln, chiffrieren, kodieren.

en·co·mi·um [en'kəʊmjəm] *s.* Lobrede *f*, -lied *n*, Lobpreisung *f*.

en·com·pass [ɪn'kʌmpəs] *v/t.* **1.** um'geben (**with** mit); **2.** *fig.* um'fassen, einschließen; **3.** *fig. j-s Ruin etc.* her'beiführen.

en·core [ɒŋ'kɔː] (*Fr.*) **I** *int.* **1.** da 'capo!, noch einmal!; **II** *s.* **2.** Da'kapo(ruf *m*) *n*; **3.** a) Wieder'holung *f*, b) Zugabe *f*: **he got an ~** er mußte e-e Zugabe geben; **III** *v/t.* **4.** (durch Da'kaporufe) nochmals verlangen: **~ a song**; **5.** *j-n* um e-e Zugabe bitten; **IV** *v/i.* da 'capo rufen.

en·coun·ter [ɪn'kaʊntə] **I** *v/t.* **1.** *j-m od. e-r Sache* begegnen, *j-n od. et.* treffen, auf *j-n*, *a.* auf *Fehler*, *Widerstand*, *Schwierigkeiten etc.* stoßen; **2.** mit *j-m* (*feindlich*) zs.-stoßen *od.* anein'andergeraten; **3.** entgegentreten (*dat.*); **II** *v/i.* **4.** sich begegnen; **III** *s.* **5.** Begegnung *f*; **6.** Zs.-stoß *m* (*a. fig.*), Gefecht *n*; **7.** *psych.* Trainingsgruppensitzung *f*: **~ group** Trainingsgruppe *f*.

en·cour·age [ɪn'kʌrɪdʒ] *v/t.* **1.** *j-n* ermutigen, *j-m* Mut machen, *j-n* ermuntern (**to** zu); **2.** *j-n* anfeuern; **3.** *j-m* zureden; **4.** *j-n* unter'stützen, bestärken (**in** in *dat.*); **5.** *et.* fördern, unter'stützen, begünstigen; **en'cour·age·ment** [-mənt] *s.* **1.** Ermutigung *f*, Ermunterung *f*, Ansporn *m* (**to** für); **2.** Anfeuerung *f*; **3.** Unterstützung *f*, Bestärkung *f*; **4.** Förderung *f*, Begünstigung *f*; **en'cour·ag·ing** [-dʒɪŋ] *adj.* □ **1.** ermutigend; **2.** hoffnungsvoll, vielversprechend.

en·croach [ɪn'krəʊtʃ] *v/i.* **1.** (**on**, **upon**) unbefugt eindringen *od.* -greifen (in *acc.*), sich 'Übergriffe leisten (in, auf *acc.*), (*j-s Recht*) verletzen; **2.** (**on**, **upon**) über Gebühr beanspruchen, mißbrauchen; zu weit gehen; **3.** (**on**, **upon**) *et.* beeinträchtigen, schmälern; **en'croach·ment** [-mənt] *s.* **1.** (**on**, **upon**) Eingriff *m* (in *acc.*), 'Übergriff *m* (in, auf *acc.*), Verletzung *f* (*gen.*); **2.** Beeinträchtigung *f*, Schmälerung *f* (**on**, **upon** *gen.*); **3.** 'Übergreifen *n*, Vordringen *n*.

en·crust [ɪn'krʌst] **I** *v/t.* **1.** ver-, über'krusten; **2.** reich verzieren; **II** *v/i.* **3.** eine Kruste bilden; **ˌen·crus'ta·tion** *s.* **1.** Krustenbildung *f*; **2.** reiche Verzierung.

en·cum·ber [ɪn'kʌmbə] *v/t.* **1.** belasten (*a. Grundstück etc.*): **~ed with mortgages** hypothekarisch belastet; **~ed with debts** (völlig) verschuldet; **2.** (be)hindern; **3.** *Räume* vollstopfen, über'laden; **en'cum·brance** [-brəns] *s.* **1.** Last *f*, Belastung *f*; **2.** Hindernis *n*, Behinderung *f*; **3.** ⚖ (Grundstücks)Belastung *f*, Hypo'theken-, Schuldenlast *f*; **4.** (Fa'milien)Anhang *m*, *bsd.* Kinder *pl.*: **without ~(s)**; **en'cum·branc·er** [-brənsə] *s.* ⚖ Hypo'thekengläubiger (-in).

en·cy·clic, **en·cy·cli·cal** [en'sɪklɪk(l)] **I** *adj.* □ en'zyklisch; **II** *s. eccl.* (päpstliche) En'zyklika.

en·cy·clo·p(a)e·di·a [enˌsaɪkləʊ'piːdjə] *s.* Enzyklopä'die *f*; **enˌcy·clo'p(a)e·dic**, **enˌcy·clo'p(a)e·di·cal** [-dɪk(l)] *adj.* enzyklo'pädisch, um'fassend.

en·cyst [en'sɪst] *v/t.* ⚕, *zo.* ein-, verkapseln; **en'cyst·ment** [-mənt] *s.* ⚕, *zo.* Ein-, Verkapselung *f*.

end [end] **I** *s.* **1.** (*örtlich*) Ende *n*: **begin at the wrong ~** falsch herum anfangen; **from one ~ to another**, **from ~ to ~** von Anfang bis (zum) Ende; **at the ~ of the letter** am Ende *od.* Schluß des Briefes; **no ~ of** a) unendlich, unzählig, b) sehr viel(e); **no ~ of trouble** endlose Mühe *od.* Scherereien; **no ~ of a fool** F Vollidiot *m*; **no ~ disappointed** F maßlos enttäuscht; **he thinks no ~ of himself** er ist grenzenlos eingebildet; **on ~** a) ununterbrochen, b) aufrecht, hochkant; **for hours on ~** stundenlang; **stand s.th. on ~** et. hochkant stellen; **my hair stood on ~** mir standen die Haare zu Berge; **at our** (*od.* **this**) **~** F bei uns, hier; ***be at an ~*** a) zu Ende sein, aussein, b) mit s-n Mitteln *od.* Kräften am Ende sein; ***at a loose ~*** a) müßig, b) ohne feste Bindung, c) verwirrt; ***there's an ~ of it!*** Schluß damit!, basta!; ***there's an ~ to everything*** alles hat mal ein Ende; ***come to an ~*** ein Ende nehmen, zu Ende gehen; ***come to a bad ~*** ein schlimmes Ende nehmen; ***go*** (***in***) ***off the deep ~*** F außer sich geraten, ‚hochgehen'; ***keep one's ~ up*** a) s-n Mann stehen, b) sich nicht unterkriegen lassen; ***make both ~s meet*** *finanziell* über die Runden kommen; ***make an ~ of*** (*od.* ***put an ~ to***) ***s.th.*** Schluß machen mit et., e-r Sache ein Ende setzen; ***put an ~ to o.s.*** s-m Leben ein Ende machen; ***he is the*** (***absolute***) ***~!*** F a) er ist das ‚Letzte'!, b) er ist ‚zum Brüllen'!; ***it's the ~*** F a) das ist das ‚Letzte', b) es ist ‚sagenhaft'; **2.** (äußerstes) Ende, *mst* entfernte Gegend: ***the other ~ of the street*** das andere Ende der Straße; ***the ~ of the road*** *fig.* das Ende; ***to the ~s of the earth*** bis ans Ende der Welt; **3.** ⚙ Spitze *f*, Kopf(ende *n*) *m*, Stirnseite *f*: ***~ to ~*** der Länge nach; ***~ on*** mit dem Ende *od.* der Spitze voran; **4.** (*zeitlich*) Ende *n*, Schluß *m*: ***in the ~*** am Ende, schließlich; ***at the ~ of May*** Ende Mai; ***to the bitter ~*** bis zum bitteren Ende; ***to the ~ of time*** bis in alle Ewigkeit; ***without ~*** unaufhörlich; ***no ~ in sight*** kein Ende abzusehen; **5.** Tod *m*, Ende *n*, 'Untergang *m*: ***near one's ~*** dem Tode nahe; ***the ~ of the world*** das Ende der Welt; ***you'll be the ~ of me!*** du bringst mich noch ins Grab!; **6.** Rest *m*, Endchen *n*, Stück(chen) *n*, Stummel *m*, Stumpf *m*: ***the ~ of a pencil***; **7.** ⚓ Kabel-, Tauende *n*; **8.** Folge *f*, Ergebnis *n*: ***the ~ of the matter was that*** die Folge (davon) war, daß; **9.** Ziel *n*, (End)Zweck *m*, Absicht *f*: ***to this ~*** zu diesem Zweck; ***to no ~*** vergebens; ***gain one's ~s*** s-n Zweck erreichen; ***for one's own ~*** zum eigenen Nutzen; ***private ~s*** Privatinteressen; ***the ~ justifies the means*** der Zweck heiligt die Mittel; **II** *v/t.* **10.** *a.* ***~ off*** beend(ig)en, zu Ende führen; *e-r Sache* ein Ende machen: ***~ it all*** F ‚Schluß machen' (*sich umbringen*); ***the dictionary to ~ all dictionaries*** das beste Wörterbuch aller Zeiten; **11.** a) *a.* ***~ up*** *et.* ab-, beschließen, b) *den Rest s-r Tage* verbringen, *s-e Tage* beschließen; **III** *v/i.* **12.** *a.* ***~ off*** enden, aufhören, schließen: ***all's well that ~s well*** Ende gut, alles gut; **13.** *a.* ***~ up*** enden, ausgehen (***by***, ***in***, ***with*** damit, daß): ***~ happily*** gut ausgehen; ***he ~ed by boring me*** schließlich langweilte er mich; ***~ in disaster*** mit e-m Fiasko enden; **14.** sterben; **15.** ***~ up*** a) enden, ‚landen' (***in prison*** im Gefängnis), b) enden (***as*** als): ***he ~ed up as an actor*** er wurde schließlich Schauspieler.

'end-all → ***be-all.***

en·dan·ger [ɪn'deɪndʒə] *v/t.* gefährden, in Gefahr bringen.

en·dear [ɪn'dɪə] *v/t.* beliebt machen (***to*** bei *j-m*): ***~ o.s. to s.o.*** a) j-s Zuneigung gewinnen, b) sich bei j-m lieb Kind machen; **en'dear·ing** [-ɪərɪŋ] *adj.* ☐ lieb, gewinnend; liebenswert; **en'dear·ment** [-mənt] *s.*: (***term of***) ***~*** Kosewort *n*, -name *m*; ***words of ~*** liebe *od.* zärtliche Worte.

en·deav·o(u)r [ɪn'devə] **I** *v/i.* (***after***) sich bemühen (um), streben (nach); **II** *v/t.* (ver)suchen, bemüht *od.* bestrebt sein (***to do s.th.*** et. zu tun); **III** *s.* Bemühung *f*, Bestreben *n*, Anstrengung *f*: ***to make every ~*** sich nach Kräften bemühen.

en·dem·ic [en'demɪk] **I** *adj.* (☐ ***~ally***) **1.** en'demisch: a) (ein)heimisch, b) ⚕ örtlich begrenzt (auftretend), c) *zo.*, ⚘ *in e-m bestimmten Gebiet verbreitet*; **II** *s.* **2.** ⚕ en'demische Krankheit; **3.** a) *zo.* en'demisches Tier, b) en'demische Pflanze.

end game *s.* **1.** Schlußphase *f* (*e-s Spiels*); **2.** *Schach*: Endspiel *n*.

end·ing ['endɪŋ] *s.* **1.** Ende *n*, (Ab-)Schluß *m*: ***happy ~*** glückliches Ende, Happy-End *n*; **2.** *ling.* Endung *f*; **3.** *fig.* Ende *n*, Tod *m*.

en·dive ['endɪv] *s.* ⚘ ('Winter)En͵divie *f*.

end·less ['endlɪs] *adj.* ☐ **1.** endlos, ohne Ende, un'endlich; **2.** ewig, unauf'hörlich; **3.** unendlich lang; **4.** ⚙ endlos: ***~ belt*** endloses Band; ***~ chain*** endlose Kette, Raupenkette *f*, Paternosterwerk *n*; ***~ paper*** Endlos-, Rollenpapier *n*; ***~ screw*** Schraube *f* ohne Ende, Schnecke *f*; **'end·less·ness** [-nɪs] *s.* Un'endlichkeit *f*, Endlosigkeit *f*.

en·do·car·di·tis [͵endəʊkɑː'daɪtɪs] *s.* ⚕ Herzinnenhautentzündung *f*, Endokar'ditis *f*; **en·do·car·di·um** [͵endəʊ'kɑːdɪəm] *s. anat.* innere Herzhaut, Endo'kard *n*; **en·do·carp** ['endəʊkɑːp] *s.* ⚘ Endo'karp *n* (*innere Fruchthaut*); **en·do·crane** ['endəʊkreɪn] *s. anat.* Schädelinnenfläche *f*, Endo'kranium *n*; **en·do·crine** ['endəʊkraɪn] *adj.* endo'krin, mit innerer Sekreti'on: ***~ glands***; **en·dog·a·my** [en'dɒgəmɪ] *s. sociol.* Endoga'mie *f*; **en·dog·e·nous** [en'dɒdʒɪnəs] *adj. bsd.* ⚘ endo'gen; **en·do·par·a·site** [͵endəʊ'pærəsaɪt] *s. zo.* Endopara'sit *m*; **en·do·plasm** ['endəʊplæzəm] *s. biol.* innere Proto'plasmaschicht, Endo'plasma *n*.

en·dorse [ɪn'dɔːs] *v/t.* **1.** a) *Dokument* auf der Rückseite beschreiben, b) e-n Vermerk *od.* Zusatz machen auf (*dat.*), c) *bsd. Brit.* e-e Strafe vermerken auf (*e-m Führerschein*); **2.** ✝ a) *Scheck etc.* indossieren, girieren, b) *a.* **~ *over*** über'tragen, -'weisen (***to*** *j-m*), c) *e-e Zahlung* auf der Rückseite des Schecks *etc.* bestätigen; **3.** a) *e-n Plan etc.* billigen, gutheißen, b) sich *e-r Ansicht etc.* anschließen: **~ *s.o.'s opinion*** j-m beipflichten; **en·dor·see** [ˌendɔːˈsiː] *s.* ✝ Indos'sat *m*, Indossa'tar *m*; Gi'rat *m*; **en'dorse·ment** [-mənt] *s.* **1.** Vermerk *m od.* Zusatz *m* (*auf der Rückseite von Dokumenten*); **2.** ✝ a) Indossa'ment *n*, Giro *n*, b) Über'tragung *f*: **~ *in blank*** Blankogiro; **~ *in full*** Vollgiro; **3.** *fig.* Billigung *f*, Unter'stützung *f*; **en'dors·er** [-sə] *s.* ✝ Indos'sant *m*, Gi'rant *m*: ***preceding* ~** Vormann *m*.

en·dow [ɪnˈdaʊ] *v/t.* **1.** dotieren, e-e Stiftung machen (*dat.*); **2.** *et.* stiften: **~ *s.o. with s.th.*** j-m et. stiften; **3.** *fig.* ausstatten (***with*** mit *e-m Talent etc.*); **en'dowed** [-aʊd] *adj.* **1.** gestiftet: ***well-*~** wohlhabend; **~ *school*** mit Stiftungsgeldern finanzierte Schule; **2. ~ *with*** *fig.* ausgestattet mit: **~ *with many talents***; ***she is well* ~** *humor.* sie ist von der Natur reichlich ausgestattet; **en'dow·ment** [-mənt] *s.* **1.** a) Stiftung *f*, b) *pl.* Stiftungsgeld *n*: **~ *insurance*** (*Brit.* ***assurance***) ✝ Versicherung *f* auf den Todes- u. Erlebensfall; **2.** *fig.* Begabung *f*, Ta'lent *n*, *mst pl.* (körperliche *od.* geistige) Vorzüge *pl.*

end| pa·per *s.* Vorsatzblatt *n*; **~ prod·uct** *s.* ✝ *u. fig.* 'Endproˌdukt *n*; **~ rhyme** *s.* Endreim *m*.

en·dur·a·ble [ɪnˈdjʊərəbl] *adj.* ☐ erträglich, leidlich.

en·dur·ance [ɪnˈdjʊərəns] **I** *s.* **1.** Dauer *f*; **2.** Dauerhaftigkeit *f*; **3.** a) Ertragen *n*, Aushalten *n*, Erdulden *n*, b) Ausdauer *f*, Geduld *f*, Standhaftigkeit *f*: ***beyond*** (*od.* ***past***) **~** unerträglich, nicht auszuhalten(d); **4.** ⚙ Dauerleistung *f*; Lebensdauer *f*; **II** *adj.* **5.** Dauer...; **~ flight** *s.* ✈ Dauerflug *m*; **~ limit** *s.* ⚙ Belastungsgrenze *f*; **~ run** *s.* Dauerlauf *m*; **~ test** *s.* ⚙ Belastungs-, Ermüdungsprobe *f*.

en·dure [ɪnˈdjʊə] **I** *v/i.* **1.** an-, fortdauern; **2.** 'durchhalten; **II** *v/t.* **3.** aushalten, ertragen, erdulden, 'durchmachen: ***not to be* ~*d*** unerträglich; **4.** *fig.* (*nur neg.*) ausstehen, leiden: ***I cannot* ~ *him***; **en'dur·ing** [-ərɪŋ] *adj.* ☐ an-, fortdauernd, bleibend.

'end·ways [-weɪz], **'end·wise** [-waɪz] *adv.* **1.** mit dem Ende nach vorn *od.* oben; **2.** aufrecht; **3.** der Länge nach.

en·e·ma ['enɪmə] *s.* ⚕ **1.** Kli'stier *n*, Einlauf *m*; **2.** Kli'stierspritze *f*.

en·e·my ['enəmɪ] **I** *s.* **1.** ⚔ Feind *m*; **2.** Gegner *m*, Feind *m*: ***the Old* 2** *bibl.* der Teufel, der böse Feind; ***be one's own*** (***worst***) **~** sich selbst (am meisten) schaden *od.* im Wege stehen; ***make an* ~ *of s.o.*** sich j-n zum Feind machen; ***she made no enemies*** sie machte sich keine Feinde; **II** *adj.* **3.** feindlich, Feind...: **~ *action*** Feind-, Kriegseinwirkung *f*; **~ *alien*** feindlicher Ausländer; **~ *country*** Feindesland *n*; **~ *property*** ✝ Feindvermögen *n*.

en·er·get·ic [ˌenəˈdʒetɪk] **I** *adj.* (☐ **~*ally***) **1.** e'nergisch: a) tatkräftig, b) nachdrücklich; **2.** (sehr) wirksam; **3.** *phys.* ener'getisch; **II** *s. pl. sg. konstr.* **4.** *phys.* Ener'getik *f*; **en·er·gize** ['enədʒaɪz] **I** *v/t.* **1.** *et.* kräftigen, Ener'gie verleihen (*dat.*); *j-n* anspornen; **2.** ⚡, ⚙, *phys.* erregen: **~*d*** ⚡ unter Spannung (stehend); **II** *v/i.* **3.** energisch handeln.

en·er·gu·men [ˌenɜːˈgjuːmen] *s.* Enthusi'ast(in), Fa'natiker(in).

en·er·gy ['enədʒɪ] *s.* **1.** Ener'gie *f*: a) Kraft *f*, Nachdruck *m*, b) Tatkraft *f*; **2.** Wirksamkeit *f*, 'Durchschlagskraft *f*; **3.** ⚗, *phys.* Ener'gie *f*, Kraft *f*, Leistung *f*: **~ *crisis*** Energiekrise *f*; **~*-efficient*** energieeffizient; **~ *recovery*** Energierückgewinnung *f*; **~*-saving*** energiesparend; **~ *squandering*** Energieverschwendung *f*; **~ *tax*** Energiesteuer *f*.

en·er·vate ['enɜːveɪt] *v/t.* a) entnerven, b) entkräften, schwächen (*alle a. fig.*); **en·er·va·tion** [ˌenɜːˈveɪʃn] *s.* **1.** Entnervung; **2.** Entkräftung *f*, Schwächung *f*; **3.** Schwäche *f*.

en·fee·ble [ɪnˈfiːbl] *v/t.* schwächen.

en·feoff [ɪnˈfef] *v/t. hist.* belehnen (***with*** mit); **en'feoff·ment** [-mənt] *s.* **1.** Belehnung *f*; **2.** Lehnsbrief *m*; **3.** Lehen *n*.

en·fi·lade [ˌenfɪˈleɪd] ⚔ **I** *s.* Flankenfeuer *n*; **II** *v/t.* (mit Flankenfeuer) bestreichen.

en·fold [ɪnˈfəʊld] *v/t.* **1.** *a. fig.* einhüllen (***in*** in *acc.*), um'hüllen (***with*** mit); **2.** um'fassen, -'armen; **3.** falten.

en·force [ɪnˈfɔːs] *v/t.* **1.** a) (mit Nachdruck) geltend machen: **~ *an argument***, b) Geltung verschaffen (*dat.*), *Gesetz etc.* 'durchführen, c) ✝ *Forderungen* (gerichtlich) geltend machen, *Schuld* beitreiben, d) ⚖ Urteil voll'strecken: **~ *a contract*** (s-e) Rechte aus e-m Vertrag geltend machen; **2.** (***on***, ***upon***) *et.* 'durchsetzen (bei *j-m*); *Gehorsam etc.* erzwingen (von *j-m*); **3.** (***on***, ***upon*** *dat.*) aufzwingen, auferlegen; **en'force·a·ble** [-səbl] *adj.* 'durchsetz-, erzwingbar; ⚖ voll'streckbar, beitreibbar; (ein)klagbar; **en'forced** [-st] *adj.* ☐ erzwungen, aufgezwungen: **~ *sale*** Zwangsverkauf *m*; **en'for·ced·ly** [-sɪdlɪ] *adv.* **1.** notgedrungen; **2.** zwangsweise, gezwungenermaßen; **en'force·ment** [-mənt] *s.* **1.** Erzwingung *f*, 'Durchsetzung *f*; **2.** a) ✝ (gerichtliche) Geltendmachung, b) ⚖ Voll'streckung *f*, Voll'zug *m*: **~ *officer*** Vollzugsbeamte(r) *m*.

en·frame [ɪn'freɪm] *v/t.* einrahmen.

en·fran·chise [ɪn'fræntʃaɪz] *v/t.* **1.** *j-m* die Bürgerrechte *od.* das Wahlrecht verleihen: ***be ~d*** das Wahlrecht erhalten; **2.** *e-r Stadt* po'litische Rechte gewähren; **3.** *Brit. e-m Ort* Vertretung im 'Unterhaus verleihen; **4.** *Sklaven* freilassen; **5.** befreien (***from*** von); **en'fran·chise·ment** [-tʃɪzmənt] *s.* **1.** Verleihung *f* der Bürgerrechte *od.* des Wahlrechts; **2.** Gewährung *f* po'litischer Rechte; **3.** Freilassung *f*, Befreiung *f*.

en·gage [ɪn'geɪdʒ] **I** *v/t.* **1.** (***o.s.*** sich) (*vertraglich etc.*) verpflichten *od.* binden (***to do s.th.*** et. zu tun); **2.** ***become*** (*od.* ***get***) ***~d*** sich verloben (***to*** mit); **3.** *j-n* an-, einstellen, *Künstler etc.* engagieren; **4.** a) *et.* mieten, *Zimmer* belegen, nehmen, b) *Platz etc.* (vor)bestellen, belegen; **5.** *j-n*, *j-s Kräfte etc.* in Anspruch nehmen, *j-n* fesseln: ***~ s.o. in conversation*** j-n ins Gespräch ziehen; ***~ s.o.'s attention*** j-s Aufmerksamkeit auf sich lenken *od.* in Anspruch nehmen; **6.** ⚔ a) *Truppen* einsetzen, b) *Feind* angreifen, *Feindkräfte* binden; **7.** ⚙ einrasten lassen; *Kupplung etc.* einrücken, *e-n Gang* einlegen, -schalten; **II** *v/i.* **8.** sich verpflichten, es über'nehmen (***to do s.th.*** et. zu tun); **9.** Gewähr leisten, garantieren, sich verbürgen (***that*** daß); **10.** ⚔ angreifen, den Kampf beginnen; ***~ in*** sich beschäftigen *od.* befassen *od.* abgeben mit; **11.** ***~ in*** sich beteiligen an (*dat.*), sich einlassen in *od.* auf (*acc.*); **12.** ⚙ inein'andergreifen, einrasten; **en'gaged** [-dʒd] *adj.* **1.** verpflichtet; **2.** *a.* ***~ to be married*** verlobt (***to*** mit); **3.** beschäftigt, nicht abkömmlich, ‚besetzt': ***are you ~?*** sind Sie frei?; ***be ~ in*** (*od.* ***on***) beschäftigt sein mit, arbeiten an (*dat.*); ***deeply ~ in conversation*** in ein Gespräch vertieft; ***my time is fully ~*** ich bin zeitlich völlig ausgelastet; **4.** *teleph. Brit.* besetzt: ***~ tone*** *od.* ***signal*** Besetztzeichen *n*; **5.** ⚙ eingerückt, im Eingriff (stehend); **en'gage·ment** [-mənt] *s.* **1.** (*vertragliche etc.*) Verpflichtung *f*: ***without ~*** unverbindlich, † *a.* freibleibend; ***be under an ~ to s.o.*** j-m (gegenüber) verpflichtet sein; ***~s*** † Zahlungsverpflichtungen *pl.*; **2.** Verabredung *f*: ***~ diary*** Terminkalender *m*; **3.** Verlobung *f* (***to*** mit): ***~ ring*** Verlobungsring *m*; **4.** (An)Stellung *f*, Stelle *f*, Posten *m*; **5.** *thea.* Engage'ment *n*; **6.** Beschäftigung *f*, Tätigkeit *f*; **7.** ⚔ Kampf(handlung *f*) *m*, Gefecht *n*; **8.** ⚙ Eingriff *m*; **en'gag·ing** [-dʒɪŋ] *adj.* □ **1.** einnehmend, gewinnend; **2.** ⚙ Ein- u. Ausrück...: ***~ gear***.

en·gen·der [ɪn'dʒendə] *v/t. fig.* erzeugen, her'vorbringen, -rufen.

en·gine ['endʒɪn] **I** *s.* **1.** a) *allg.* Ma'schine *f*, b) Motor *m*, c) 🚂 Lokomo'tive *f*; **2.** ⚙ Holländer *m*, Stoffmühle *f*; **3.** Feuerspritze *f*; **II** *v/t.* **4.** mit Ma'schinen *od.* Mo'toren *od.* e-m Motor versehen; **~ block** *s.* Motorblock *m*; **~ build·er** *s.* Ma'schinenbauer *m*; **~ driv·er** *s.* Lokomo'tivführer *m*.

en·gi·neer [ˌendʒɪ'nɪə] **I** *s.* **1.** a) Ingeni'eur *m*, b) Techniker *m*, c) Me'chaniker *m*: ***~s*** *teleph.* Stördienst *m*; **2.** *a.* ***mechanical ~*** Ma'schinenbauer *m*, -ingeniˌeur *m*; **3.** *a.* ⚓ Maschi'nist *m*; **4.** *Am.* Lokomo'tivführer *m*; **5.** ⚔ Pio'nier *m*; **II** *v/t.* **6.** *Straßen*, *Brücken etc.* bauen, anlegen, konstruieren, errichten; **7.** *fig. geschickt* in die Wege leiten, ‚organisieren', ‚einfädeln', ‚deichseln'; **III** *v/i.* **8.** als Ingeni'eur tätig sein; **ˌen·gi'neer·ing** [-ɪərɪŋ] *s.* **1.** Technik *f*, *engS.* Ingeni'eurwesen *n*; (*a.* ***mechanical ~***) Ma'schinen- u. Gerätebau *m*: ***~ department*** technische Abteilung, Konstruktionsbüro *n*; ***~ sciences*** technische Wissenschaften; ***~ standards committee*** Fachnormenausschuß *m*; ***~ works*** Maschinenfabrik *f*; **2.** ***social ~*** angewandte Sozialwissenschaft; **3.** ⚔ Pio'nierwesen *n*.

en·gine| fit·ter *s.* Ma'schinenschlosser *m*, Mon'teur *m*; **~ lathe** *s.* ⚙ Leitspindeldrehbank *f*; **'~·man** [-mən] *s.* [*irr.*] **1.** Maschi'nist *m*; **2.** Lokomo'tivführer *m*; **~ room** *s.* Ma'schinenraum *m*.

en·gird [ɪn'gɜːd], **en'gir·dle** [-dl] *v/t.* um'gürten, -'geben, -'schließen.

Eng·land·er ['ɪŋgləndə] *s.* Engländer *m*: ***Little ~*** *pol. hist.* Gegner der imperialistischen Politik.

Eng·lish ['ɪŋglɪʃ] **I** *adj.* **1.** englisch: ***~ disease***, ***~ sickness*** † ‚englische Krankheit'; ***~ flute*** ♪ Blockflöte *f*; ***~ studies*** *pl.* Anglistik *f*; **II** *s.* **2.** ***the ~*** die Engländer; **3.** *ling.* Englisch *n*, das Englische: ***~ ~*** britisches Englisch; ***in ~*** auf englisch, im Englischen; ***into ~*** ins Englische; ***from*** (***the***) ***~*** aus dem Englischen, ***the King's*** (*od.* ***Queen's***) ***~*** gutes, reines Englisch; ***in plain ~*** *fig.* ‚auf gut Deutsch', ‚im Klartext'; **4.** *typ.* Mittel *f* (*Schriftgrad*); **Eng·lish·ism** ['ɪŋglɪʃɪzəm] *s. bsd. Am.* **1.** *ling.* Briti'zismus *m*; **2.** englische Eigenart; **3.** Anglophi'lie *f*; **'Eng·lish·man** [-mən] *s.* [*irr.*] Engländer *m*; **'Eng·lishˌwom·an** *s.* [*irr.*] Engländerin *f*.

en·gorge [ɪn'gɔːdʒ] *v/t.* **1.** gierig verschlingen; **2.** ⚕ *Gefäß etc.* anschoppen: ***~d kidney*** Stauungsniere *f*.

en·graft [ɪn'grɑːft] *v/t.* **1.** (auf)pfropfen (***into*** in *acc.*, ***upon*** auf *acc.*); **2.** *fig.* a) einfügen, b) verankern (***into*** in *dat.*).

en·grained [ɪn'greɪnd] *adj. fig.* **1.** eingefleischt, unverbesserlich; **2.** eingewurzelt.

en·gram [ɪnˈgræm] *s. biol., psych.* Enˈgramm *n.*

en·grave [ɪnˈgreɪv] *v/t.* **1.** (ein)gravieren, (ein)meißeln, *in Holz:* (ein)schnitzen, einschneiden (***on*** in, auf *acc.*); **2.** ***it is ~d (up)on his memory*** (*od.* ***mind***) *fig.* es hat sich ihm tief eingeprägt; **enˈgrav·er** [-və] *s.* Graˈveur *m*, (Kunst-) Stecher *m*: **~** (***on copper***) Kupferstecher *m*; **enˈgrav·ing** [-vɪŋ] *s.* **1.** Gravieren *n*, Gravierkunst *f*; **2.** (Kupfer-, Stahl)Stich *m*; Holzschnitt *m.*

en·gross [ɪnˈgrəʊs] *v/t.* **1.** ⚖ a) *Urkunde* ausfertigen, b) e-e Reinschrift anfertigen von, c) in gesetzlicher *od.* rechtsgültiger Form ausdrücken, d) *parl. e-m Gesetzentwurf* die endgültige Fassung geben; **2.** ⚕ a) *Ware* spekulaˈtiv aufkaufen, b) *den Markt* monopolisieren; **3.** *fig. j-s Aufmerksamkeit etc.* (ganz) in Anspruch nehmen; *et.* an sich reißen; **enˈgrossed** [-st] *adj.* vertieft, versunken (***in*** in *acc.*); **enˈgross·ing** [-sɪŋ] *adj.* **1.** fesselnd, spannend; **2.** voll in Anspruch nehmend; **enˈgross·ment** [-mənt] *s.* **1.** ⚖ Ausfertigung *f*, Reinschrift *f e-r Urkunde*; **2.** ⚕ a) (spekulaˈtiver) Aufkauf, b) Monopolisierung *f*; **3.** Inanspruchnahme *f* (***of***, ***with*** durch).

en·gulf [ɪnˈgʌlf] *v/t.* **1.** überˈfluten; **2.** verschlingen (*a. fig.*).

en·hance [ɪnˈhɑːns] *v/t.* **1.** erhöhen, vergrößern, steigern, heben; **2.** *et.* (vorteilhaft) zur Geltung bringen; **enˈhance·ment** [-mənt] *s.* Steigerung *f*, Erhöhung *f*, Vergrößerung *f.*

e·nig·ma [ɪˈnɪgmə] *s.* Rätsel *n* (*a. fig.*); **e·nig·mat·ic**, **e·nig·mat·i·cal** [ˌenɪgˈmætɪk(l)] *adj.* □ rätselhaft, dunkel; **eˈnig·ma·tize** [-ətaɪz] **I** *v/i.* in Rätseln sprechen; **II** *v/t. et.* in Dunkel hüllen, verschleiern.

en·join [ɪnˈdʒɔɪn] *v/t.* **1.** *et.* auferlegen, vorschreiben (***on s.o.*** j-m); **2.** *j-m* befehlen, einschärfen, *j-n* (eindringlich) mahnen (***to do*** zu tun); **3.** bestimmen, Anweisung(en) erteilen (***that*** daß); **4.** ⚖ unterˈsagen (***s.th. on s.o.*** j-m et.; ***s.o. from doing s.th.*** j-m, et. zu tun).

en·joy [ɪnˈdʒɔɪ] *v/t.* **1.** Vergnügen *od.* Gefallen finden *od.* Freude haben an (*dat.*), sich erfreuen an (*dat.*): ***I ~ dancing*** ich tanze gern, Tanzen macht mir Spaß; ***did you ~ the play?*** hat dir das (Theater)Stück gefallen?; ***~ o.s.*** sich amüsieren *od.* gut unterhalten; ***did you ~ yourself in London?*** hat es dir in London gefallen?; ***~ yourself!*** viel Spaß!; **2.** genießen, sich *et.* schmecken lassen: ***I ~ my food*** das Essen schmeckt mir; **3.** sich *e-s Besitzes* erfreuen, *et.* haben, besitzen, genießen; erleben: ***~ good health*** sich e-r guten Gesundheit erfreuen; ***~ a right*** ein Recht genießen *od.* haben; **enˈjoy·a·ble** [-ɔɪəbl] *adj.* □ **1.** brauch-, genießbar; **2.** angenehm, erfreulich, schön; **enˈjoy·ment** [-mənt] *s.* **1.** Genuß *m*, Vergnügen *n*, Gefallen *n*, Freude *f* (***of*** an *dat.*); **2.** Genuß *m* (*e-s Besitzes od. Rechtes*), Besitz *m*: ***quiet ~*** ⚖ ruhiger Besitz; **3.** ⚖ Ausübung *f* (*e-s Rechts*).

en·kin·dle [ɪnˈkɪndl] *v/t. fig.* entflammen, entzünden, entfachen.

en·lace [ɪnˈleɪs] *v/t.* **1.** umˈschlingen; **2.** verstricken.

en·large [ɪnˈlɑːdʒ] **I** *v/t.* **1.** vergrößern (*a. phot.*), *Kenntnisse etc. a.* erweitern, *Einfluß etc. a.* ausdehnen: ***~d and revised edition*** erweiterte u. verbesserte Auflage; ***~ the mind*** den Gesichtskreis erweitern; **II** *v/i.* **2.** sich vergrößern *od.* ausdehnen *od.* erweitern, zunehmen; **3.** *phot.* sich vergrößern lassen; **4.** *fig.* sich verbreiten *od.* weitläufig auslassen (***upon*** über *acc.*); **enˈlarge·ment** [-mənt] *s.* **1.** Vergrößerung *f* (*a. phot.*), Erweiterung *f*, Ausdehnung *f*; ⚕ (Herz)Erweiterung *f*, (*Mandel- etc.*) Schwellung *f*; **2.** Erweiterungs-, Anbau *m*; **enˈlarg·er** [-dʒə] *s.* Vergrößerungsgerät *n.*

en·light·en [ɪnˈlaɪtn] *v/t. fig.* erleuchten, aufklären, belehren (***on***, ***as to*** über *acc.*); **enˈlight·ened** [-nd] *adj.* **1.** erleuchtet, aufgeklärt; **2.** verständig; **enˈlight·en·ing** [-nɪŋ] *adj.* aufschlußreich; **enˈlight·en·ment** [-mənt] *s.* Aufklärung *f*, Erleuchtung *f*: (***Age of***) **2** *hist.* (Zeitalter *n* der) Aufklärung.

en·list [ɪnˈlɪst] **I** *v/t.* **1.** *Soldaten* anwerben, *Rekruten* einstellen: ***~ed men*** *Am.* Unteroffiziere und Mannschaften; **2.** *fig. j-n* herˈanziehen, gewinnen, engagieren (***in*** für): ***~ s.o.'s services*** j-s Dienste in Anspruch nehmen; **II** *v/i.* **3.** ⚔ sich anwerben lassen, Solˈdat werden, sich (freiwillig) melden; **4.** (***in***) mitwirken (bei), sich beteiligen (an *dat.*); **enˈlist·ment** [-mənt] *s.* **1.** ⚔ (An)Werbung *f*, Einstellung *f*; **2.** ⚔ *Am.* a) Eintritt *m* in den Wehrdienst, b) (Dauer *m* der) (Wehr)Dienstverpflichtung; **3.** *fig.* Gewinnung *f* (*zur Mitarbeit*), Herˈan-, Hinˈzuziehung *f* (*von Helfern*).

en·liv·en [ɪnˈlaɪvn] *v/t.* beleben, in Schwung bringen, ‚ankurbeln'.

en masse [ɑ̃ːŋˈmæs] (*Fr.*) *adv.* **1.** in Massen; **2.** im großen; **3.** zuˈsammen, als Ganzes.

en·mesh [ɪnˈmeʃ] *v/t.* **1.** in e-m Netz fangen; **2.** *fig.* verstricken.

en·mi·ty [ˈenmətɪ] *s.* Feindschaft *f*, -seligkeit *f*, Haß *m*: ***at ~ with*** verfeindet *od.* in Feindschaft mit; ***bear no ~*** nichts nachtragen.

en·no·ble [ɪˈnəʊbl] *v/t.* adeln (*a. fig.*), in den Adelsstand erheben; *fig.* veredeln, erhöhen; **enˈno·ble·ment** [-mənt] *s.* **1.**

Erhebung *f* in den Adelsstand; **2.** *fig.* Veredelung *f*.

en·nui [ɑ̃:ˈnwi:] (*Fr.*) *s.* Langeweile *f*.

e·nor·mi·ty [ɪˈnɔ:mətɪ] *s.* Ungeheuerlichkeit *f*: a) Enormiˈtät *f*, b) Untat *f*, Greuel *m*, Frevel *m*; **eˈnor·mous** [-məs] *adj.* □ eˈnorm, ungeheuer(lich), gewaltig, riesig; **eˈnor·mous·ness** [-məsnɪs] *s.* Riesengröße *f*.

E

e·nough [ɪˈnʌf] **I** *adj.* genug, ausreichend: ***~ bread, bread ~*** genug Brot, Brot genug; ***not ~ sense*** nicht genug Verstand; ***this is ~ (for us)*** das genügt (uns); ***I was fool ~ to believe her*** ich war so dumm u. glaubte ihr; ***he was not man ~*** (*od.* ***~ of a man***) (***to*** *inf.*) er war nicht Manns genug (zu *inf.*); ***that's ~ to drive me mad*** das macht mich (noch) wahnsinnig; **II** *s.* Genüge *f*, genügende Menge: ***have (quite) ~*** (völlig) genug haben; ***I've had ~, thank you*** danke, ich bin satt; ***I have ~ of it*** ich bin (*od.* habe) es satt, ‚ich bin bedient'; ***~ of that!, ~ said!*** genug davon!, Schluß damit!; ***~ and to spare*** mehr als genug; ***~ is as good as a feast*** allzuviel ist ungesund; **III** *adv.* genug, genügend; ganz, recht, ziemlich: ***it's a good ~ story*** die Geschichte ist nicht übel; ***he does not sleep ~*** er schläft nicht genug; ***be kind ~ to help me*** sei so gut und hilf mir; ***oddly ~*** sonderbarerweise; ***safe ~*** durchaus sicher; ***sure ~*** tatsächlich, gewiß; ***true ~*** nur zu wahr; ***well ~*** recht *od.* ziemlich *od.* ganz gut; ***he could do it well ~ (but ...)*** er könnte es (zwar) recht gut(, aber ...); ***you know well ~*** du weißt es (ganz) genau; ***that's not good ~*** das reicht nicht, das lasse ich nicht gelten.

en pas·sant [ɑ̃:*m*ˈpæsɑ̃:ŋ] (*Fr.*) *adv.* en pasˈsant: a) im Vorˈbeigehen, b) beiläufig, nebenˈher, -ˈbei.

en·plane [ɪnˈpleɪn] → ***emplane***.

en·quire *etc.* → ***inquire*** *etc.*

en·rage [ɪnˈreɪdʒ] *v/t.* wütend machen; **enˈraged** [-dʒd] *adj.* wütend, aufgebracht (***at, by*** über *acc.*).

en·rapt [ɪnˈræpt] *adj.* hingerissen, entzückt; **enˈrap·ture** [-tʃə] *v/t.* entzükken: ***~d with*** hingerissen von.

en·rich [ɪnˈrɪtʃ] *v/t.* **1.** (*a.* ***o.s.*** sich) bereichern (*a. fig.*); wertvoll(er) machen; **2.** anreichern: a) ⚙, ⚗ veredeln, b) 🌾 ertragreich(er) machen, c) den Nährwert erhöhen; **3.** ausschmücken, verzieren; **4.** *fig.* a) *Geist* bereichern, b) *Wert* steigern; **enˈrich·ment** [-mənt] *s.* **1.** Bereicherung *f* (*a. fig.*); **2.** ⚙, ⚗ Anreicherung *f*; **3.** *fig.* Befruchtung *f*; **4.** Ausschmückung *f*.

en·rol(l) [ɪnˈrəʊl] **I** *v/t.* **1.** *j-s Namen* eintragen, -schreiben (***in*** in *acc.*); *univ. j-n* immatrikulieren: ***~ o.s.*** → 5; **2.** a) *mst* ⚔ (an)werben, b) ⚓ anmustern, anheuern, c) *Arbeiter* einstellen: ***be enrolled*** eingestellt werden, *in e-e Firma* eintreten; **3.** als Mitglied aufnehmen: ***~ o.s. in a society*** e-r Gesellschaft beitreten; **4.** ⚖ registrieren, protokollieren; **II** *v/i.* **5.** sich einschreiben (lassen), *univ.* sich immatrikulieren: ***~ for a course*** e-n Kurs belegen; **enˈrol(l)·ment** [-mənt] *s.* **1.** Eintragung *f*, -schreibung *f*; *univ.* Immatrikulatiˈon *f*; **2.** *bsd.* ⚔ Anwerbung *f*, Einstellung *f*, Aufnahme *f*; **3.** Beitrittserklärung *f*; **4.** ⚖ Reˈgister *n*.

en route [ɑ̃:*n*ˈru:t] (*Fr.*) *adv.* unterwegs (***for*** nach); auf der Reise (***from ... to*** von ... nach).

ens [enz] *pl.* **entia** [ˈenʃɪə] (*Lat.*) *s. phls.* Ens *n*, Sein *n*, Wesen *n*.

en·sconce [ɪnˈskɒns] *v/t.* **1.** (*mst* ***~ o.s.*** sich) verstecken, verbergen; **2.** ***~ o.s.*** es sich bequem machen (*in e-m Sessel etc.*).

en·sem·ble [ɑ̃:*n*ˈsɑ̃:*m*bl] (*Fr.*) *s.* **1.** *das* Ganze, Gesamteindruck *m*; **2.** ♪, *thea.* Enˈsemble *n*; **3.** *Mode*: Enˈsemble *n*, Komˈplet *n*.

en·shrine [ɪnˈʃraɪn] *v/t.* **1.** *in e-n Schrein* einschließen; **2.** (als Heiligtum) bewahren; **3.** als Schrein dienen für.

en·shroud [ɪnˈʃraʊd] *v/t.* ein-, verhüllen (*a. fig.*).

en·sign [ˈensaɪn; *bsd.* ⚔ *u.* ⚓ ˈensn] *s.* **1.** Fahne *f*, Stanˈdarte *f*, ⚓ (Schiffs-)Flagge, *bsd.* (Natioˈnal)Flagge *f*: ***white (red) ~*** Flagge der brit. Kriegs- (Handels)marine; ***blue ~*** Flagge der brit. Flottenreserve; **2.** [ˈensaɪn] *hist. Brit.* Fähnrich *m*; **3.** [ˈensn] ⚓ *Am.* Leutnant *m* zur See; **4.** (Rang)Abzeichen *n*.

en·si·lage [ˈensɪlɪdʒ] 🌾 **I** *s.* **1.** Silierung *f*; **2.** Silo-, Gärfutter *n*; **II** *v/t.* **3.** → **en·sile** [ɪnˈsaɪl] *v/t.* 🌾 *Futterpflanzen* silieren.

en·slave [ɪnˈsleɪv] *v/t.* versklaven, zum Sklaven machen (*a. fig.*): ***be ~d by*** *j-m od. e-r Sache* verfallen sein; **enˈslave·ment** [-mənt] *s.* **1.** Versklavung *f*, Sklaveˈrei *f*; **2.** *fig.* (***to***) sklavische Abhängigkeit *f* (von) *od.* Bindung (an *acc.*), Hörigkeit *f*.

en·snare [ɪnˈsneə] *v/t.* **1.** *in e-r Schlinge* fangen; **2.** *fig.* berücken, bestricken, umˈgarnen.

en·sue [ɪnˈsju:] *v/i.* **1.** ˈdarauf folgen, (nach)folgen; **2.** folgen, sich ergeben (***from*** aus); **enˈsu·ing** [-ɪŋ] *adj.* (nach-)folgend.

en·sure [ɪnˈʃʊə] *v/t.* **1.** (***against, from***) (***o.s.*** sich) sichern, sicherstellen (gegen), schützen (vor); **2.** Gewähr bieten für, garantieren (*et.*, ***that*** daß, ***s.o. being*** daß j-d ist); **3.** für *et.* sorgen: ***~ that*** dafür sorgen, daß.

en·tail [ɪnˈteɪl] **I** *v/t.* **1.** ⚖ a) in ein Erbgut umwandeln, b) als Erbgut vererben (***on*** auf *acc.*): ***~ed estate*** Erb-, Familiengut *n*; ***~ed interest*** beschränktes Eigentumsrecht; **2.** *fig.* a) mit sich bringen, zur Folge haben, nach sich ziehen, verursachen, b) erforderlich machen, erfordern; **II** *s.* **3.** ⚖ a) (Über'tragung *f* als) unveräußerliches Erbgut, b) (festgelegte) Erbfolge.

en·tan·gle [ɪn'tæŋgl] *v/t.* **1.** *Haare, Garn etc.* verwirren, ‚verfilzen'; **2.** (***o.s.*** sich) verwickeln, -heddern (***in*** in *acc.*); **3.** *fig.* verwickeln, verstricken: ***~ o.s. in s.th.***, ***become ~d in s.th.*** in e-e Sache verwickelt werden; ***become ~d with s.o.*** sich mit j-m einlassen; **en'tan·gle·ment** [-mənt] *s.* **1.** *a. fig.* Verwicklung *f*, Verwirrung *f*, Verstrickung *f*; **2.** *fig.* Kompliziertheit *f*; **3.** Liebschaft *f*, Liai'son *f*; **4.** ⚔ Drahtverhau *m*.

en·tente [ɑ̃:n'tɑ̃:nt] (*Fr.*) *s.* En'tente *f*, Bündnis *n*.

en·ter ['entə] **I** *v/t.* **1.** eintreten, -fahren, -steigen, (hin'ein)gehen, (-)kommen in (*acc.*), *Haus etc.* betreten; in *ein Land* einreisen; ⚔ einrücken in (*acc.*); ⚓, 🚂 einlaufen in (*acc.*): ***~ the skull*** in den Schädel eindringen (*Kugel etc.*); ***the idea ~ed my head*** (*od.* ***mind***) mir kam der Gedanke, ich hatte die Idee; **2.** sich in *et.* begeben: ***~ a hospital*** ein Krankenhaus aufsuchen; **3.** eintreten in (*acc.*), beitreten (*dat.*), Mitglied werden (*gen.*): ***~ s.o.'s service*** in j-s Dienst treten; ***~ a club*** e-m Klub beitreten; ***~ the university*** sein Studium aufnehmen; ***~ the army*** (***the Church***) Soldat (Geistlicher) werden; ***~ a profession*** e-n Beruf ergreifen; **4.** eintragen, -schreiben; hin'einbringen; *j-n* aufnehmen, zulassen: ***~ one's name*** sich einschreiben *od.* anmelden; ***~ s.o. at a school*** j-n zur Schule anmelden; ***be ~ed*** *univ.* immatrikuliert werden; **5.** ✝ (ver)buchen, eintragen: ***~ to s.o.'s debit*** j-m *et.* in Rechnung stellen; → ***credit*** 2; ***~ up*** *Posten* regelrecht verbuchen; **6.** *sport* melden, nennen (***for*** für); **7.** ⚓, ✝ *Schiff* einklarieren; *Waren beim Zollamt* deklarieren; **8.** einreichen, -bringen, geltend machen: ***~ an action*** ⚖ e-e Klage einreichen; ***~ a motion*** *parl.* e-n Antrag einbringen; ***~ a protest*** Protest erheben; **II** *v/i.* **9.** (ein)treten, her'ein-, hin'einkommen, -gehen; ⚔ einrücken; eindringen: ***I don't ~ in it*** *fig.* ich habe damit nichts zu tun; ***~!*** herein!; **10.** *sport* sich melden, nennen (***for*** für, zu); **11.** *thea.* auftreten: ♌ ***Hamlet*** Hamlet tritt auf; *Zssgn mit prp.*:

en·ter| in·to *v/i.* **1.** → ***enter*** 1, 2, 3; **2.** *Vertrag, Bündnis* eingehen, schließen: ***~ an obligation*** e-e Verpflichtung eingehen; ***~ a partnership*** sich assoziieren; **3.** *et.* beginnen, sich beteiligen an (*dat.*), eingehen auf (*acc.*), sich einlassen auf *od.* in (*acc.*): ***~ correspondence*** in Briefwechsel treten; ***~ a joke*** auf e-n Scherz eingehen; → ***detail*** 1; **4.** sich hin'einversetzen in (*acc.*): ***~ s.o.'s feelings*** sich in j-n hineinversetzen, j-s Gefühle verstehen; ***~ the spirit*** sich in den Geist *e-r Sache* einfühlen *od.* hineinversetzen; ***~ the spirit of the game*** mitmachen; **5.** e-e Rolle spielen bei: ***this did not ~ our plans*** das war nicht eingeplant; **~ on** *od.* **up·on** *v/i.* **1.** ⚖ Besitz ergreifen von: ***~ an inheritance*** e-e Erbschaft antreten; **2.** a) *Thema* anschneiden, b) sich in *ein Gespräch* einlassen; **3.** a) beginnen, in *ein* (*neues*) *Stadium od. ein neues Lebensjahr* eintreten, b) *Amt* antreten, *Laufbahn* einschlagen; **4.** in *ein neues Stadium* treten.

en·ter·ic [en'terɪk] *adj.* **1.** *anat.* en'terisch, Darm…: ***~ fever*** (Unterleibs)Typhus *m*; **2.** ⚕ darmlöslich: ***~ pill***; **en·ter·i·tis** [ˌentə'raɪtɪs] *s.* ⚕ 'Darmkaˌtarrh *m*, Ente'ritis *f*; **en·ter·o·gas·tri·tis** [ˌentərəʊgæ'straɪtɪs] *s.* Magen-'Darm-Kaˌtarrh *m*; **en·ter·on** ['entərən] *pl.* **-ter·a** [-rə] *s.* Enteron *n*, (*bsd.* Dünn)Darm *m*.

en·ter·prise ['entəpraɪz] *s.* **1.** Unter'nehmen *n*, -'nehmung *f*; **2.** ✝ Unter'nehmen *n*, Betrieb *m*: ***free ~*** freies Unternehmertum, freie (Markt)Wirtschaft; ***free ~ economist*** Marktwirtschaftler *m*; **3.** Initia'tive *f*, Unter'nehmungsgeist *m*, -lust *f*; **'en·ter·pris·ing** [-zɪŋ] *adj.* □ **1.** unter'nehmend, unter'nehmungslustig, mit Unter'nehmungsgeist; **2.** kühn, wagemutig.

en·ter·tain [ˌentə'teɪn] **I** *v/t.* **1.** (angenehm) unter'halten, amüsieren (*a. iro.*); **2.** *j-n* gastlich aufnehmen, bewirten, einladen; **3.** *Furcht, Hoffnung etc.* hegen; **4.** *Vorschlag etc.* in Erwägung ziehen, eingehen auf (*acc.*), nähertreten (*dat.*): ***~ an idea*** sich mit e-m Gedanken tragen; **II** *v/i.* **5.** Gäste empfangen, ein gastliches Haus führen: ***they ~ a great deal*** sie haben oft Gäste; **ˌen·ter'tain·er** [-nə] *s.* **1.** Gastgeber(in); **2.** Unter'halter(in), *engS.* Enter'tainer (-in), Unter'haltungskünstler(in); **ˌen·ter'tain·ing** [-nɪŋ] *adj.* □ unter'haltend, -'haltsam, amü'sant; **ˌen·ter'tain·ment** [-mənt] *s.* **1.** Unter'haltung *f*, Belustigung *f*: ***place of ~*** Vergnügungsstätte *f*; ***~ tax*** Vergnügungssteuer *f*; ***much to his ~*** sehr zu s-r Belustigung; **2.** (*öffentliche*) Unterhaltung, *thea. etc. a.* Enter'tainment *n*: ***~ electronics*** Unterhaltungselektronik *f*; ***~ expenses*** Bewirtungskosten *pl.*; ***~ industry*** Unterhaltungsindustrie *f*; ***~s officer*** Animateur *m*; ***~ value*** Unterhaltungswert *m*; **3.** Gastfreundschaft *f*, Bewirtung *f*:

~ allowance ✝ Aufwandsentschädigung *f*; **4.** Fest *n*, Gesellschaft *f*.

en·thral(l) [ɪnˈθrɔːl] *v/t.* **1.** *fig.* bezaubern, fesseln, in s-n Bann schlagen; **2.** *obs.* unterˈjochen; **enˈthrall·ing** [-lɪŋ] *adj.* fesselnd, bezaubernd; **enˈthral(l)·ment** [-mənt] *s.* **1.** Bezauberung *f*; **2.** *obs.* Unterˈjochung *f*.

en·throne [ɪnˈθrəʊn] *v/t.* auf den Thron setzen, *a. eccl. Bischof* inthronisieren: **be ~d** *fig.* thronen; **enˈthrone·ment** [-mənt] *s.* Inthronisatiˈon *f*.

en·thuse [ɪnˈθjuːz] F **I** *v/t.* begeistern; **II** *v/i.* (**about**) begeistert sein (von), schwärmen (für, von); **enˈthu·si·asm** [-zɪæzəm] *s.* **1.** Enthusiˈasmus *m*, Begeisterung *f* (**for** für, **about** über *acc.*); **2.** Schwärmeˈrei *f*; **enˈthu·si·ast** [-zɪæst] *s.* **1.** Enthusiˈast(in); **2.** Schwärmer(in); **en·thu·si·as·tic** [ɪnˌθjuːzɪˈæstɪk] *adj.* (□ **~ally**) enthusiˈastisch, begeistert (**about**, **over** über *acc.*): **become** (*od.* **get**) **~** in Begeisterung geraten.

en·tice [ɪnˈtaɪs] *v/t.* **1.** locken: **~ s.o. away** a) j-n weglocken (**from** von), b) ✝ j-n abwerben; **~ s.o.'s wife away** j-m s-e Frau abspenstig machen; **2.** verlocken, -leiten, -führen (**into s.th.** zu et., **to do** *od.* **into doing** zu tun); **enˈtice·ment** [-mənt] *s.* **1.** (Ver-) Lockung *f*, (An)Reiz *m*; **2.** Verführung *f*, -leitung *f*; **enˈtic·ing** [-sɪŋ] *adj.* □ verlockend, verführerisch.

en·tire [ɪnˈtaɪə] **I** *adj.* □ → **entirely**; **1.** ganz, völlig, vollkommen, vollständig, vollzählig, komˈplett, Gesamt...; **2.** ganz, unversehrt, unbeschädigt; **3.** voll, ungeschmälert, uneingeschränkt: **he enjoys my ~ confidence**; **4.** nicht kastriert: **~ horse** Hengst *m*; **II** *s.* **5.** *das* Ganze; **6.** nicht kastriertes Pferd, Hengst *m*; **7.** ✉ Ganzsache *f*; **enˈtire·ly** [-lɪ] *adv.* **1.** völlig, gänzlich, ganz u. gar; **2.** ausschließlich: **it is ~ his fault**; **enˈtire·ty** [-tɪ] *s. das* Ganze, Ganzheit *f*, Gesamtheit *f*: **in its ~** in s-r Gesamtheit, als Ganzes.

en·ti·tle [ɪnˈtaɪtl] *v/t.* **1.** *Buch etc.* betiteln: **~d** *Buch etc.* mit dem Titel ...; **2.** *j-n* anreden, titulieren; **3.** (**to**) *j-n* berechtigen (zu), *j-m* ein Anrecht geben (auf *acc.*): **be ~d to** berechtigt sein zu, e-n (Rechts)Anspruch haben auf (*acc.*); **~d to vote** stimm-, wahlberechtigt; **enˈti·tle·ment** [-mənt] *s.* (berechtigter) Anspruch; zustehender Betrag.

en·ti·ty [ˈentətɪ] *s.* **1.** Dasein *n*; **2.** Wesen *n*, Ding *n*; **3.** ⚖ ˈRechtsperˌsönlichkeit *f*: **legal ~** juristische Person.

en·tomb [ɪnˈtuːm] *v/t.* **1.** begraben, beerdigen; **2.** verschütten, lebendig begraben; **enˈtomb·ment** [-mənt] *s.* Begräbnis *n*.

en·to·mo·log·i·cal [ˌentəməˈlɒdʒɪk(l)] *adj.* □ entomoˈlogisch, Insekten...; **en·to·mol·o·gist** [ˌentəʊˈmɒlədʒɪst] *s.* Entomoˈloge *m*; **en·to·mol·o·gy** [ˌentəʊˈmɒlədʒɪ] *s.* Entomoloˈgie *f*, Inˈsektenkunde *f*.

en·tou·rage [ˌɒntʊˈrɑːʒ] (*Fr.*) *s.* Entouˈrage *f*: a) Umˈgebung *f*, b) Gefolge *n*.

en·to·zo·on [ˌentəʊˈzəʊɒn] *pl.* **-zo·a** [-ə] *s. zo.* Entoˈzoon *n* (*Parasit*).

entr'acte [ˈɒntrækt] (*Fr.*) *s. thea.* Zwischenakt *m*, -spiel *n*.

en·trails [ˈentreɪlz] *s. pl.* **1.** *anat.* Eingeweide *pl.*; **2.** *fig. das* Innere.

en·train [ɪnˈtreɪn] 🚂 **I** *v/i.* einsteigen; **II** *v/t.* verladen.

en·trance¹ [ˈentrəns] *s.* **1.** a) Eintreten *n*, Eintritt *m*, b) 🚂, ⚓ Einlaufen *n*, Einfahrt *f*, c) ✈ Einflug *m*: **~ duty** ✝ Eingangszoll *m*; **make one's ~** eintreten, erscheinen (→ 4); **2.** Ein-, Zugang *m*; Zufahrt *f*, (*a.* Hafen)Einfahrt *f*: **~ hall** (Eingangs-, Vor)Halle *f*, Hausflur *m*; **3.** Einlaß *m*, Ein-, Zutritt *m*: **~ fee** a) Eintritt(sgeld *n*) *m*, b) Aufnahmegebühr *f*; **~ examination** Aufnahmeprüfung *f*; **no ~!** Zutritt verboten!; **4.** *thea.* Auftritt *m*: **make one's ~** auftreten; **5.** (**on**, **upon**) Antritt *m* (*e-s Amtes*, *e-r Erbschaft etc.*); **6.** *fig.* (**to**) Beginn *m* (*gen.*), Einstieg *m* (in *acc.*).

en·trance² [ɪnˈtrɑːns] *v/t.* in Verzükkung versetzen, hinreißen: **~d** ver-, entzückt, hingerissen; **~d with joy** freudetrunken; **enˈtrance·ment** [-mənt] *s.* Verzückung *f*; **enˈtranc·ing** [-sɪŋ] *adj.* hinreißend, bezaubernd.

en·trant [ˈentrənt] *s.* **1.** Eintretende(r *m*) *f*; **2.** neues Mitglied; **3.** Berufsanfänger(in) (**to** in *dat.*); **4.** *bsd. sport* Teilnehmer(in), Konkurˈrent(in), *a.* Bewerber(in).

en·trap [ɪnˈtræp] *v/t.* **1.** (in e-r Falle) fangen; **2.** verführen, verleiten (**into doing** zu tun).

en·treat [ɪnˈtriːt] *v/t.* **1.** *j-n* dringend bitten *od.* ersuchen, anflehen; **2.** *et.* erflehen; **3.** *obs. od. bibl. j-n* behandeln; **enˈtreat·ing·ly** [-ɪŋlɪ] *adv.* flehentlich; **enˈtreat·y** [-tɪ] *s.* dringende Bitte, Flehen *n*.

en·trée [ˈɒntreɪ] (*Fr.*) *s.* **1.** *bsd. fig.* Zutritt *m* (**into** zu); **2.** *Küche*: a) Enˈtree *n*, Zwischengericht *n*, b) *Am.* Hauptgericht *n*; **3.** ♪ Enˈtree *n*.

en·tre·mets [ˈɒntrəmeɪ; *pl.* ˈɒntrəmeɪz] (*Fr.*) *s.* a) Zwischengericht *n*, b) Süßspeise *f*.

en·trench [ɪnˈtrentʃ] *v/t.* ⚔ mit Schützengräben durchˈziehen, befestigen: **~ o.s.** sich verschanzen *od.* festsetzen (*beide a. fig.*); **~ed** *fig.* eingewurzelt, verwurzelt; **enˈtrench·ment** [-mənt] *s.* ⚔ **1.** Verschanzung *f*; **2.** *pl.* Schützengräben *pl.*

en·tre·pôt [ˈɒntrəpəʊ] (*Fr.*) *s.* ✝ **1.** Lager-, Stapelplatz *m*; **2.** (Waren-, Zoll-) Niederlage *f*.

en·tre·pre·neur [ˌɒntrəprəˈnɜː] (*Fr.*) *s.* **1.** ✝ Unterˈnehmer *m*; **2.** *Am.* Veranstalter *m*; ˌ**en·tre·preˈneur·i·al** [-ɜːrɪəl] *adj.* ✝ unterˈnehmerisch, Unternehmer...

en·tre·sol [ˈɒntrəsɒl] (*Fr.*) *s.* ⚠ Zwischen-, Halbgeschoß *n*.

en·trust [ɪnˈtrʌst] *v/t.* **1.** anvertrauen (***to*** *dat.*); **2.** *j-n* betrauen (***with s.th.*** mit et.).

en·try [ˈentrɪ] *s.* **1.** Zugang *m*, Zutritt *m*, Einreise *f*: **~ *permit*** Einreisegenehmigung *f*; **~ *visa*** Einreisevisum *n*; ***no ~!*** Kein Zutritt!, *mot.* Keine Einfahrt!; **2.** Eintritt *m*, -gang *m*, -fahrt *f*, -zug *m*, -rücken *n*; **3.** Eingang(stür *f*) *m*, Einfahrt(stor *n*) *f*; (Eingangs)Halle *f*; **4.** *thea.* Auftritt *m*; **5.** (Amts-, Dienst)Antritt *m*: **~ *into office*** (***service***); **6.** ⚖ a) Besitzantritt *m*, -ergreifung *f* (***upon*** *gen.*), b) Eindringen *n*, -bruch *m*; **7.** *fig.* Beitritt *m* (***to***, ***into*** zu); **8.** ✝, ⚓ Einklarierung *f*: **~ *inwards*** Einfuhrdeklaration *f*; **9.** Eintragung *f*, Vermerk *m*; **10.** ✝ a) Buchung *f*: ***credit*** **~** Gutschrift *f*; ***debit*** **~** Lastschrift *f*; ***make an ~*** (***of***) (*et.*) buchen, b) Posten *m*, c) Eingang *m* (*von Geldern*); **11.** Stichwort *n* (*Lexikon*); **12.** *bsd. sport* a) Meldung *f*, Nennung *f*, Teilnahme *f*: **~ *form*** (An)Meldeformular *n*; **~ *fee*** Nenngebühr *f*, Startgeld *n*, b) → ***entrant*** 4; ˈ**~·phone** *s.* Sprechanlage *f*.

en·twine [ɪnˈtwaɪn] *v/t.* **1.** umˈschlingen, umˈwinden, (ver)flechten (*a. fig.*); ***~d letters*** verschlungene Buchstaben; **2.** winden, schlingen (***about*** um).

en·twist [ɪnˈtwɪst] *v/t.* (ver)flechten, umˈwinden, verknüpfen.

e·nu·cle·ate [ɪˈnjuːklɪeɪt] *v/t.* **1.** ⚕ *Tumor* ausschälen; **2.** *fig.* erläutern, deutlich machen.

e·nu·mer·ate [ɪˈnjuːməreɪt] *v/t.* **1.** aufzählen; **2.** spezifizieren; **e·nu·mer·a·tion** [ɪˌnjuːməˈreɪʃn] *s.* **1.** Aufzählung *f*; **2.** Liste *f*, Verzeichnis *n*; **eˈnu·mer·a·tor** [-tə] *s.* Zähler *m* (*bei Volkszählungen*).

e·nun·ci·ate [ɪˈnʌnsɪeɪt] *v/t.* **1.** (deutlich) ausdrücken, -sprechen; **2.** behaupten, erklären, formulieren; *Grundsatz* aufstellen; **e·nun·ci·a·tion** [ɪˌnʌnsɪˈeɪʃn] *s.* **1.** Ausdruck *m*; Ausdrucks-, Vortragsweise *f*; **2.** Erklärung *f*, Verkündung *f*; Aufstellung *f* (*e-s Grundsatzes*); **eˈnun·ci·a·tive** [-nʃɪətɪv] *adj.*: ***be ~ of s.th.*** et. ausdrücken.

en·ure → ***inure***.

en·vel·op [ɪnˈveləp] **I** *v/t.* **1.** einwickeln, -schlagen, (ein)hüllen (***in*** in *acc.*); **2.** *oft fig.* um-, verˈhüllen, umˈgeben; **3.** ⚔ umˈfassen, umˈklammern; **II** *s.* **4.** *Am.* → **en·ve·lope** [ˈenvələʊp] *s.* **1.** Decke *f*, Hülle *f* (*a. anat.*), ˈUmschlag *m*; **2.** ˈBriefˌumschlag *m*; **3.** ✈ (Balˈlon)Hülle *f*; **4.** ⚘ Kelch *m*; **enˈvel·op·ment** [-mənt] *s.* **1.** Umˈhüllung *f*, Hülle *f*; **2.** ⚔ Umˈfassung(sangriff *m*) *f*, Umˈklammerung *f*.

en·ven·om [ɪnˈvenəm] *v/t.* **1.** vergiften (*a. fig.*); **2.** *fig.* a) verschärfen, b) mit Haß erfüllen.

en·vi·a·ble [ˈenvɪəbl] *adj.* ☐ beneidenswert, zu beneiden(d); ˈ**en·vi·er** [-vɪə] *s.* Neider(in); ˈ**en·vi·ous** [-vɪəs] *adj.* ☐ (***of***) neidisch (auf *acc.*), ˈmißgünstig (gegen): ***be ~ of s.o. because of*** j-n beneiden um.

en·vi·ron [ɪnˈvaɪərən] *v/t.* umˈgeben (*a. fig.*); **enˈvi·ron·ment** [-mənt] *s.* **1.** *a.* **~*s*** *pl.* Umˈgebung *f e-s Ortes*; **2.** *biol.*, *sociol.* Umˈgebung *f*, ˈUmwelt *f*, Miliˈeu *n* (*a.* ⚗): **~ *policy*** Umweltpolitik *f*; **en·vi·ron·men·tal** [ɪnˌvaɪərənˈmentl] *adj.* ☐ *biol.*, *psych.* Milieu..., Umwelt(s)...: **~ *awareness*** Umweltbewußtsein *n*; **~ *compatibility assessment*** Umweltverträglichkeitsprüfung *f*; **~ *disaster*** Umweltkatastrophe *f*; **~ *engineering*** Umwelttechnik *f*; **~ *pollution*** Umweltverschmutzung *f*; **~ *protection*** Umweltschutz *m*; **~ *regulations*** Umweltschutzbestimmungen *pl.*; **~ *technology*** Umwelttechnik *f*; **en·vi·ron·men·tal·ism** [ɪnˌvaɪərənˈmentəlɪzəm] *s.* **1.** ˈUmweltschutz(bewegung *f*) *m*; **2.** *sociol.* Environmentaˈlismus *m*; **en·vi·ron·men·tal·ist** [ɪnˌvaɪərənˈmentəlɪst] *s.* ˈUmweltschützer(in); **en·vi·ron·men·tal·ly** [ɪnˌvaɪərənˈmentəlɪ] *adv.* in bezug auf *od.* durch die Umwelt: **~ *beneficial*** (***harmful***) umweltfreundlich (-feindlich); **en·vi·rons** [ɪnˈvaɪərənz] *s. pl.* Umˈgebung *f*, ˈUmgegend *f*.

en·vis·age [ɪnˈvɪzɪdʒ] *v/t.* **1.** in Aussicht nehmen, ins Auge fassen, gedenken (***doing*** *et.* zu tun); **2.** sich *et.* vorstellen; **3.** *j-n*, *et.* begreifen (***as*** als).

en·vi·sion [ɪnˈvɪʒn] *v/t.* sich *et.* vorstellen.

en·voy[1] [ˈenvɔɪ] *s.* Zueignungs-, Schlußstrophe *f* (*e-s Gedichts*).

en·voy[2] [ˈenvɔɪ] *s.* **1.** *pol.* Gesandte(r) *m*; **2.** Abgesandte(r) *m*, Beˈvollmächtigte(r) *m*.

en·vy [ˈenvɪ] **I** *s.* **1.** (***of***) Neid *m* (auf *acc.*), ˈMißgunst *f* (gegen): ***be eaten up with ~*** vor Neid platzen; → ***green*** 1; **2.** Gegenstand *m* des Neides: ***his car is the ~ of all*** alle beneiden ihn um sein Auto; **II** *v/t.* **3.** *j-n* (um *et.*) beneiden: ***I ~ (him) his car*** ich beneide ihn um sein Auto; **4.** *j-m et.* mißˈgönnen.

en·wrap [ɪnˈræp] → ***wrap*** I.

en·zyme [ˈenzaɪm] *s.* ⚗ Enˈzym *n*, Ferˈment *n*.

e·o·cene [ˈiːəʊsiːn] *s. geol.* Eoˈzän *n*;

e·o·lith·ic [ˌiːəʊˈlɪθɪk] *adj. geol.* eoˈlithisch.
e·on → *aeon*.
ep·au·let(te) [ˈepəʊlet] *s.* ⚔ Epauˈlette *f*, Achselschnur *f*, -stück *n*.
é·pée [ˈepeɪ] (*Fr.*) *s. fenc.* Degen *m*; **é·pee·ist** [ˈepeɪɪst] *s.* Degenfechter *m*.
ep·en·the·sis [eˈpenθɪsɪs] *s. ling.* Epenˈthese *f*, Lauteinfügung *f*.
e·pergne [ɪˈpɜːn] (*Fr.*) *s.* Tafelaufsatz *m*.
e·phed·rin(e) [ɪˈfedrɪn; ⚗ ˈefɪdriːn] *s.* ⚗ Epheˈdrin *n*.
e·phem·er·a [ɪˈfemərə] *s.* **1.** *zo. u. fig.* Eintagsfliege *f*; **2.** *pl. von* ***ephemeron***; **eˈphem·er·al** [-rəl] *adj.* epheˈmer: a) eintägig, b) *fig.* flüchtig, kurzlebig; **eˈphem·er·on** [-rɒn] *pl.* **-a** [-ə], **-ons** *s. zo. u. fig.* Eintagsfliege *f*.
E·phe·sian [ɪˈfiːʒjən] *s.* **1.** ˈEpheser(in); **2.** *pl. bibl.* (Brief *m* des Paulus an die) ˈEpheser *pl*.
ep·ic [ˈepɪk] **I** *adj.* (□ ***~ally***) **1.** episch: ***~ poem*** Epos *n*; **2.** *fig.* heldenhaft, heˈroisch, Helden…: ***~ laughter*** homerisches Gelächter; **II** *s.* **3.** Epos *n*, Heldengedicht *n*; **4.** *allg.* episches Werk.
ep·i·cene [ˈepɪsiːn] *adj. ling. u. fig.* beiderlei Geschlechts.
ep·i·cen·ter *Am.*, **ep·i·cen·tre** [ˈepɪsentə] *Brit.*, **ep·i·cen·trum** [ˌepɪˈsentrəm] *s.* **1.** Epiˈzentrum *n* (*Gebiet über dem Erdbebenherd*); **2.** *fig.* Mittelpunkt *m*.
ep·i·cure [ˈepɪˌkjʊə] *s.* Genießer *m*, Genußmensch *m*; Feinschmecker *m*; **ep·i·cu·re·an** [ˌepɪkjʊəˈriːən] **I** *adj.* **1.** 2 *phls.* epikuˈreisch; **2.** a) genußsüchtig, schwelgerisch, b) feinschmeckerisch; **II** *s.* **3.** 2 *phls.* Epikuˈreer *m*; **4.** → ***epicure***; **ˈep·i·cur·ism** [-kjʊərɪzəm] *s.* **1.** 2 *phls.* Epikureˈismus *m*; **2.** Genußsucht *f*.
ep·i·cy·cle [ˈepɪsaɪkl] *s.* ⩫, *ast.* Epiˈzykel *m*; **ep·i·cy·clic** [ˌepɪˈsaɪklɪk] *adj.* epiˈzyklisch: ***~ gear*** ⚙ Planetengetriebe *n*; **ep·i·cy·cloid** [ˌepɪˈsaɪklɔɪd] *s.* ⩫ Epizykloˈide *f*.
ep·i·dem·ic [ˌepɪˈdemɪk] **I** *adj.* (□ ***~ally***) ⚕ epiˈdemisch, seuchenartig, *fig. a.* grassierend; **II** *s.* ⚕ Epideˈmie *f*, Seuche *f* (*beide a. fig.*); **ˌep·iˈdem·i·cal** [-kl] → ***epidemic*** I; **ep·i·de·mi·ol·o·gy** [ˌepɪdiːmɪˈɒlədʒɪ] *s.* ⚕ Epidemioloˈgie *f*.
ep·i·der·mis [ˌepɪˈdɜːmɪs] *s. anat.* Epiˈdermis *f*, Oberhaut *f*.
ep·i·gas·tri·um [ˌepɪˈgæstrɪəm] *s. anat.* Epiˈgastrium *n*, Oberbauchgegend *f*, Magengrube *f*.
ep·i·glot·tis [ˌepɪˈglɒtɪs] *s. anat.* Epiˈglottis *f*, Kehldeckel *m*.
ep·i·gone [ˈepɪgəʊn] *s.* Epiˈgone *m*.
ep·i·gram [ˈepɪgræm] *s.* Epiˈgramm *n*, Sinngedicht *n*, -spruch *m*; **ep·i·gram·mat·ic** [ˌepɪgrəˈmætɪk] *adj.* (□ ***~ally***) **1.** epigramˈmatisch; **2.** kurz u. treffend, scharf pointiert; **ep·i·gram·ma·tist** [ˌepɪˈgræmətɪst] *s.* Epigramˈmatiker *m*; **ep·i·gram·ma·tize** [ˌepɪˈgræmətaɪz] **I** *v/t.* **1.** kurz u. treffend formulieren; **2.** ein Epiˈgramm verfassen über *od.* auf (*acc.*); **II** *v/i.* **3.** Epiˈgramme verfassen.
ep·i·graph [ˈepɪgrɑːf] *s.* **1.** Epiˈgraph *n*, Inschrift *f*; **2.** Sinnspruch *m*, Motto *n*; **ep·i·graph·ic** [ˌepɪˈgræfɪk] *adj.* epiˈgraphisch; **e·pig·ra·phist** [eˈpɪgrəfɪst] *s.* Epiˈgraphiker *m*, Inschriftenforscher *m*.
ep·i·lep·sy [ˈepɪlepsɪ] *s.* ⚕ Epilepˈsie *f*; **ep·i·lep·tic** [ˌepɪˈleptɪk] **I** *adj.* epiˈleptisch; **II** *s.* Epiˈleptiker(in).
ep·i·logue, *Am. a.* **ep·i·log** [ˈepɪlɒg] *s.* **1.** Epiˈlog *m*: a) Nachwort *n*, b) *thea.* Schlußrede *f*, c) *fig.* Ausklang *m*, Nachspiel *n*, -lese *f*; **2.** *Radio*, *TV*: (Wort *n* zum) Tagesausklang *m*.
E·piph·a·ny [ɪˈpɪfənɪ] *s. eccl.* **1.** Epiˈphanias *n*, Dreiˈkönigsfest *n*; **2.** 2 Epiphaˈnie *f* (*göttliche Erscheinung*).
e·pis·co·pa·cy [ɪˈpɪskəpəsɪ] *s. eccl.* Episkoˈpat *m*, *n*: a) bischöfliche Verfassung, b) Gesamtheit *f* der Bischöfe, c) Amtstätigkeit *f* e-s Bischofs, d) Bischofsamt *n*, -würde *f*; **eˈpis·co·pal** [-pl] *adj.* □ *eccl.* bischöflich, Bischofs…: ***2 Church*** Episkopalkirche *f*; **e·pis·co·pa·li·an** [ɪˌpɪskəʊˈpeɪljən] **I** *adj.* **1.** bischöflich; **2.** zu e-r Episkoˈpalkirche gehörig; **II** *s.* **3.** Mitglied *n* e-r Episkoˈpalkirche; **eˈpis·co·pate** [-kəʊpət] *s. eccl.* Episkoˈpat *m*, *n*: a) → ***episcopacy*** b *u.* d, b) Bistum *n*.
ep·i·sode [ˈepɪsəʊd] *s. allg.* Epiˈsode *f*: a) Neben-, Zwischenhandlung *f* (*im Drama etc.*), eingeflochtene Erzählung, b) (Neben)Ereignis *n*, Vorfall *m*, Erlebnis *n*, c) ♪ Zwischenspiel *n*; **ep·i·sod·ic**, **ep·i·sod·i·cal** [ˌepɪˈsɒdɪk(l)] *adj.* □ epiˈsodisch.
e·pis·te·mol·o·gy [eˌpɪstiːˈmɒlədʒɪ] *s. phls.* Erˈkenntnistheoˌrie *f*.
e·pis·tle [ɪˈpɪsl] *s.* **1.** Eˈpistel *f*, Sendschreiben *n*; **2.** 2 a) *bibl.* (*Römer- etc.*) Brief *m*, b) *eccl.* Eˈpistel *f* (*Auszug aus* a); **3.** Eˈpistel *f*, (*bsd.* langer) Brief; **eˈpis·to·lar·y** [-stələrɪ] *adj.* Brief…
ep·i·style [ˈepɪstaɪl] *s.* △ Epiˈstyl *n*, Tragbalken *m*.
ep·i·taph [ˈepɪtɑːf] *s.* **1.** Epiˈtaph *n*, Grabschrift *f*; **2.** Totengedicht *n*.
ep·i·the·li·um [ˌepɪˈθiːljəm] *pl.* **-ums** *od.* **-a** [-ə] *s. anat.* Epiˈthel *n*.
ep·i·thet [ˈepɪθet] *s.* **1.** Eˈpitheton *n*, Beiwort *n*, Attriˈbut *n*; **2.** Beiname *m*.
e·pit·o·me [ɪˈpɪtəmɪ] *s.* **1.** Auszug *m*, Abriß *m*, (kurze) Inhaltsangabe *od.* Darstellung: ***in ~*** a) auszugsweise, b) in gedrängter Form; **2.** *fig.* (***of***) a) kleines Gegenstück (zu), Miniaˈtur *f* (*gen.*), b) Verkörperung *f* (*gen.*); **eˈpit·o·mize**

[-maɪz] *v/t.* e-n Auszug machen aus, *et.* kurz darstellen *od.* ausdrücken.

ep·i·zo·on [ˌepɪ'zəʊɒn] *pl.* **-a** [-ə] *s. zo.* Epi'zoon *n*; **ep·i·zo·ot·ic** [ˌepɪzəʊ'ɒtɪk] *s. vet.* Epizoo'tie *f* (*Tierseuche*).

e·poch ['iːpɒk] *s.* **1.** E'poche *f* (*a. geol. u. ast.*), Zeitalter *n*, -abschnitt *m*: ***this marks an ~*** dies ist ein Markstein *od.* Wendepunkt (*in der Geschichte*); **ep·och·al** ['epɒkl] *adj.* epo'chal: a) Epochen…, b) → **'e·poch-ˌmak·ing** *adj.* e'pochemachend, bahnbrechend.

ep·o·nym ['epəʊnɪm] *s.* Epo'nym *n* (*Gattungsbezeichnung, die auf e-n Personennamen zurückgeht*).

ep·o·pee ['epəʊpiː] *s.* **1.** → ***epos***; **2.** epische Dichtung.

ep·os ['epɒs] *s.* **1.** Epos *n*, Heldengedicht *n*; **2.** (*mündlich überlieferte*) epische Dichtung.

Ep·som salt ['epsəm] *s., oft pl. sg. konstr.* Epsomer Bittersalz *n*.

eq·ua·bil·i·ty [ˌekwə'bɪlətɪ] *s.* **1.** Gleichmäßigkeit *f*; **2.** Gleichmut *m*; **eq·ua·ble** ['ekwəbl] *adj.* □ **1.** gleichförmig, -mäßig; **2.** ausgeglichen, gleichmütig, gelassen.

e·qual ['iːkwəl] **I** *adj.* □ → ***equally***; **1.** gleich: ***be ~ to*** gleich sein, gleichen (*dat.*) (→ *a.* 2); ***of ~ size***, ***~ in size*** gleich groß; ***with ~ courage*** mit demselben Mut; ***not ~ to*** geringer als; ***other things being ~*** unter sonst gleichen Umständen; **2.** entsprechend: ***~ to the demand***; ***be ~ to*** gleichkommen (*dat.*); → 1; ***~ to new*** wie neu; **3.** fähig, im'stande, gewachsen: ***~ to do*** fähig zu tun; ***~ to a task*** (***the occasion***) e-r Aufgabe (der Sache) gewachsen; **4.** aufgelegt, geneigt (***to*** *dat. od.* zu): ***~ to a cup of tea*** e-r Tasse Tee nicht abgeneigt; **5.** gleichmäßig; **6.** gleichberechtigt, -wertig, ebenbürtig: ***on ~ terms*** a) unter gleichen Bedingungen, b) auf gleicher Stufe stehend (***with*** mit); ***~ opportunities*** Chancengleichheit *f*; ***~ rights for women*** Gleichberechtigung *f* der Frau; **7.** gleichmütig, gelassen: ***~ mind*** Gleichmut *m*; **II** *s.* **8.** Gleichgestellte(r *m*) *f*, Ebenbürtige(r *m*) *f*: ***your ~s*** deinesgleichen; ***~s in age*** Altersgenossen; ***he has no ~***, ***he is without ~*** er hat nicht *od.* sucht seinesgleichen; ***be the ~ of s.o.*** j-m ebenbürtig sein; **III** *v/t.* **9.** gleichen (*dat.*), gleichkommen (***in*** an *dat.*): ***not to be ~(l)ed*** ohnegleichen (sein).

e·qual·i·tar·i·an [ɪˌkwɒlɪ'teərɪən] *etc.* → ***egalitarian*** *etc.*

e·qual·i·ty [iː'kwɒlətɪ] *s.* Gleichheit *f*: ***~ (of rights)*** Gleichberechtigung *f*; ***~ of opportunity*** Chancengleichheit *f*; ***~ of votes*** Stimmengleichheit *f*; ***be on an ~ with*** a) auf gleicher Stufe stehen mit (*j-m*), b) gleichbedeutend sein mit (*et.*); ***~ sign***, ***sign of ~*** ⩓ Gleichheitszeichen *n*; **e·qual·i·za·tion** [ˌiːkwəlaɪ'zeɪʃn] *s.* **1.** Gleichstellung *f*, -machung *f*; **2.** *bsd.* † Ausgleich(ung *f*) *m*: ***~ fund*** Ausgleichsfonds *m*; **3.** a) ⚙ Abgleich *m*, b) ϟ, *phot.* Entzerrung *f*.

e·qual·ize ['iːkwəlaɪz] **I** *v/t.* **1.** gleichmachen, -stellen, -setzen, angleichen; **2.** ausgleichen, kompensieren; **3.** a) ⚙ abgleichen, b) ϟ, *phot.* entzerren; **II** *v/i.* **4.** *sport* ausgleichen, den Ausgleich erzielen; **'e·qual·iz·er** [-zə] *s.* **1.** ⚙ Stabili'sator *m*; **2.** ϟ Entzerrer *m*; **3.** *sport* Ausgleichstreffer *m od.* -punkt *m*; **4.** *sl.* Schießeisen *n*; **'e·qual·ly** [-əlɪ] *adv.* ebenso, gleich(ermaßen), in gleicher Weise.

e·qua·nim·i·ty [ˌekwə'nɪmətɪ] *s.* Gleichmut *m*, Gelassenheit *f*.

e·quate [ɪ'kweɪt] **I** *v/t.* **1.** ausgleichen; **2.** *j-n, et.* gleichstellen, -setzen (***to***, ***with*** *dat.*); **3.** ⩓ in die Form e-r Gleichung bringen; **4.** als gleich(wertig) ansehen *od.* behandeln; **II** *v/i.* **5.** gleichen, entsprechen (***with*** *dat.*); **e'quat·ed** [-tɪd] *adj.* † Staffel…: ***~ calculation of interest*** Staffelzinsrechnung *f*; **e'qua·tion** [-eɪʃn] *s.* **1.** Ausgleich *m*; **2.** Gleichheit *f*; **3.** ⩓, ⚗, *ast.* Gleichung *f*: ***~ formula*** Gleichungsformel *f*; **4.** *sociol.* Ge'samtkomˌplex *m* der Fak'toren u. Mo'tive menschlichen Verhaltens; **e'qua·tor** [-tə] *s.* Ä'quator *m*; **e·qua·to·ri·al** [ˌekwə'tɔːrɪəl] *adj.* □ äquatori'al.

eq·uer·ry ['ekwərɪ; ɪ'kwerɪ] *s. Brit.* **1.** königlicher Stallmeister; **2.** per'sönlicher Diener (*e-s Mitglieds der königlichen Familie*).

e·ques·tri·an [ɪ'kwestrɪən] **I** *adj.* Reit(er)…: ***~ sports*** Reitsport *m*; ***~ statue*** Reiterstandbild *n*; **II** *s.* (Kunst)Reiter (-in).

equi- [iːkwɪ] *in Zssgn* gleich.

ˌe·qui|'an·gu·lar *adj.* ⩓ gleichwink(e)lig; **ˌ~'dis·tant** *adj.* □ gleich weit entfernt, in gleichem Abstand (***from*** von); **ˌ~'lat·er·al** *bsd.* ⩓ **I** *adj.* gleichseitig: ***~ triangle***; **II** *s.* gleichseitige Fi'gur.

e·qui·li·brate [ˌiːkwɪ'laɪbreɪt] *v/t.* **1.** ins Gleichgewicht bringen (*a. fig.*); **2.** ⚙ auswuchten; **3.** ϟ abgleichen; **e·qui·li·bra·tion** [ˌiːkwɪlaɪ'breɪʃn] *s.* **1.** Gleichgewicht *n*; **2.** Herstellung *f* des Gleichgewichts; **e·quil·i·brist** [iː'kwɪlɪbrɪst] *s.* Äquili'brist(in), *bsd.* Seiltänzer(in); **ˌe·qui'lib·ri·um** [-'lɪbrɪəm] *s. phys.* Gleichgewicht *n* (*a. fig.*), Ba'lance *f*.

e·quine ['iːkwaɪn] *adj.* Pferde…

e·qui·noc·tial [ˌiːkwɪ'nɒkʃl] **I** *adj.* **1.** Äquinoktial…, die Tagund'nachtgleiche betreffend: ***~ point*** → ***equinox*** 2; **II** *s.* **2.** *a.* ***~ circle*** *od.* ***line*** 'Himmelsäˌquator *m*; **3.** *pl.* → ***~ gale*** *s.* Äquinokti'alsturm *m*.

e·qui·nox ['iːkwɪnɒks] *s.* **1.** Äqui'noktium *n*, Tagund'nachtgleiche *f*: ***vernal ~*** Frühlingsäquinoktium; **2.** Äquinokti'alpunkt *m*.

e·quip [ɪ'kwɪp] *v/t.* **1.** ausrüsten, -statten (***with*** mit) (*a.* ⚙, ⚔, ⚓), *Klinik etc.* einrichten; **2.** *fig.* ausrüsten (***with*** mit), *j-m* das (geistige) Rüstzeug geben (***for*** für); **eq·ui·page** ['ekwɪpɪdʒ] *s.* **1.** Ausrüstung *f* (*a.* ⚔, ⚓); **2.** *obs.* Gebrauchsgegenstände *pl.*; **3.** Equi'page *f*, Kutsche *f*; **e'quip·ment** [-mənt] *s.* **1.** ⚔, ⚓ Ausrüstung *f*; **2.** a) *a.* ⚙ Ausrüstung *f*, -stattung *f*, b) *mst pl.* Ausrüstung(sgegenstände *pl.*) *f*, Materi'al *n*, c) ⚙ Einrichtung *f*, (Betriebs)Anlage(n *pl.*) *f*, Ma'schine(n *pl.*) *f*, Gerät *n*, Appara'tur *f*, d) 🚂 *Am.* rollendes Materi'al; **3.** *fig.* (geistiges) Rüstzeug.

e·qui·poise ['ekwɪpɔɪz] **I** *s.* **1.** Gleichgewicht *n* (*a. fig.*); **2.** *fig.* Gegengewicht *n* (***to*** zu); **II** *v/t.* **3.** im Gleichgewicht halten; **4.** ein Gegengewicht bilden zu.

eq·ui·ta·ble ['ekwɪtəbl] *adj.* □ **1.** gerecht, (recht u.) billig; **2.** 'unpar,teiisch; **3.** ⚖ a) auf dem Billigkeitsrecht beruhend, b) billigkeitsgerichtlich: ***~ mortgage*** † Hypothek *f* nach dem Billigkeitsrecht; **'eq·ui·ta·ble·ness** [-nɪs] → ***equity*** 1; **'eq·ui·ty** [-tɪ] *s.* **1.** Billigkeit *f*, Gerechtigkeit *f*, 'Unpar,teilichkeit *f*: ***in ~*** billiger-, gerechterweise; **2.** ⚖ a) (*ungeschriebenes*) Billigkeitsrecht: ***Court of*** ♀ Billigkeitsgericht *n*, b) Anspruch *m* nach dem Billigkeitsrecht; **3.** ⚖ Wert *m* nach Abzug aller Belastungen, reiner Wert (*e-s Hauses etc.*); **4.** † a) *a.* ***~ capital*** Eigenkapital *n* (*e-r Gesellschaft*), b) *a.* ***~ security*** Dividendenpapier *n*; **5.** ♀ *Brit.* Gewerkschaft *f* der Schauspieler.

e·quiv·a·lence [ɪ'kwɪvələns] *s.* Gleichwertigkeit *f* (*a.* ⚗); **e'quiv·a·lent** [-nt] **I** *adj.* □ **1.** gleichwertig, -bedeutend, entsprechend: ***be ~ to*** gleichkommen, entsprechen (*dat.*), den gleichen Wert haben wie; **2.** ⚗, ⩘ gleichwertig, äquiva'lent; **II** *s.* **3.** Gegenwert *m* (***of*** von *od. gen.*); gleiche Menge; **4.** Gegen-, Seitenstück *n* (***of, to*** zu); **5.** *genaue* Entsprechung, Äquiva'lent.

e·quiv·o·cal [ɪ'kwɪvəkl] *adj.* □ **1.** zweideutig, doppelsinnig; **2.** ungewiß, zweifelhaft; **3.** fragwürdig, verdächtig; **e'quiv·o·cal·ness** [-nɪs] *s.* Zweideutigkeit *f*; **e'quiv·o·cate** [-keɪt] *v/i.* zweideutig reden, Worte verdrehen; Ausflüchte machen; **e·quiv·o·ca·tion** [ɪ,kwɪvə'keɪʃn] *s.* Zweideutigkeit *f*; Ausflucht *f*; Wortverdrehung *f*; **e'quiv·o·ca·tor** [-keɪtə] *s.* Wortverdreher(in).

e·ra ['ɪərə] *s.* Ära *f*: a) Zeitrechnung *f*, b) E'poche *f*, Zeitalter *n*: ***mark an ~*** e-e Epoche einleiten.

e·rad·i·ca·ble [ɪ'rædɪkəbl] *adj.* ausrottbar, auszurotten(d); **e'rad·i·cate** [-keɪt] *v/t. mst fig.* ausrotten; **e·rad·i·ca·tion** [ɪ,rædɪ'keɪʃn] *s.* Ausrottung *f*.

e·rase [ɪ'reɪz] *v/t.* **1.** a) *Farbe etc.* ab-, auskratzen, b) *Schrift etc.* ausstreichen, -radieren, *a. Tonbandaufnahme* löschen: ***erasing head*** Löschkopf *m*; **2.** *fig.* auslöschen, (aus)tilgen (***from*** aus): ***~ from one's memory*** aus dem Gedächtnis löschen; **3.** a) vernichten, auslöschen, b) *Am. sl.* ‚kaltmachen' (*töten*); **e'ras·er** [-zə] *s.* **1.** Radiermesser *n*; **2.** Radiergummi *m*; **e·ra·sion** [ɪ'reɪʒn] *s.* **1.** → ***erasure***; **2.** ⚕ Auskratzung *f*; **e·ra·sure** [ɪ'reɪʒə] *s.* **1.** Ausradierung *f*, Tilgung *f*, Löschung *f*; **2.** ausradierte *od.* gelöschte Stelle.

ere [eə] *poet.* **I** *cj.* ehe, bevor; **II** *prp.* vor: ***~ long*** bald; ***~ this*** schon vorher; ***~ now*** vordem, bislang.

e·rect [ɪ'rekt] **I** *v/t.* **1.** aufrichten, -stellen; **2.** *Gebäude etc.* errichten, bauen; **3.** ⚙ aufstellen, montieren; **4.** *fig. Theorie* aufstellen; **5.** ⚖ einrichten, gründen; **6.** ⩘ *das Lot, e-e Senkrechte* fällen, errichten; **II** *adj.* □ **7.** aufgerichtet, aufrecht: ***with head ~*** erhobenen Hauptes; ***stand ~(ly)*** geradestehen, *fig.* standhaft bleiben; **8.** *physiol.* erigiert (*Penis*); **9.** zu Berge stehend, sich sträubend (*Haare*); **e'rec·tile** [-taɪl] *adj.* **1.** aufrichtbar; **2.** aufgerichtet; **3.** *physiol.* erek'til, Schwell...: ***~ tissue***; **e'rect·ing** [-tɪŋ] *s.* **1.** ⚙ Aufbau *m*, Mon'tage *f*; **2.** *opt.* 'Bild,umkehrung *f*; **e'rec·tion** [-kʃn] *s.* **1.** Auf-, Errichtung *f*, Aufführung *f*; **2.** Bau *m*, Gebäude *n*; **3.** ⚙ Mon'tage *f*; **4.** *physiol.* Erekti'on *f*; **5.** ⚖ Gründung *f*; **e'rect·ness** [-nɪs] *s.* **1.** aufrechte Haltung (*a. fig.*); **2.** *a. fig.* Geradheit *f*; **e'rec·tor** [-tə] *s.* **1.** Erbauer *m*; **2.** *anat.* E'rektor *m*, Aufrichtmuskel *m*.

er·e·mite ['erɪmaɪt] *s.* Ere'mit *m*, Einsiedler *m*.

erg [ɜːg], **er·gon** ['ɜːgɒn] *s. phys.* Erg *n*, Ener'gieeinheit *f*.

er·go·nom·ics [,ɜːgəʊ'nɒmɪks] *s. pl. sg. konstr. sociol.* Ergono'mie *f*, Ergo'nomik *f* (*Lehre von den Leistungsmöglichkeiten des Menschen*).

er·got ['ɜːgət] *s.* ⚘ Mutterkorn *n*.

er·i·ca ['erɪkə] *s.* ⚘ Erika *f*.

Er·in ['ɪərɪn] *npr. poet.* Erin *n*, Irland *n*.

er·mine ['ɜːmɪn] *s.* **1.** *zo.* Herme'lin *n* (*a. her.*); **2.** Herme'lin(pelz) *m*.

erne, *Am. a.* **ern** [ɜː] *s. orn.* Seeadler *m*.

e·rode [ɪ'rəʊd] *v/t.* **1.** an-, zer-, wegfressen; **2.** *geol.* erodieren, auswaschen; **3.** ⚙ *u. fig.* verschleißen; **4.** *fig.* aushöhlen, unter'graben.

er·o·gen·ic [,erəʊ'dʒenɪk], **e·rog·e·nous** [ɪ'rɒdʒɪnəs] *adj. physiol.* ero'gen: ***~ zone***.

e·ro·sion [ɪ'rəʊʒn] *s.* **1.** Zerfressen *n*; **2.**

geol. Erosi'on *f*, Auswaschung *f*; Verwitterung *f*; **3.** ⚙ Verschleiß *m*, Abnützung *f*, Schwund *m*; **4.** *fig.* Aushöhlung *f*; **e'ro·sive** [-əʊsɪv] *adj.* ätzend, zerfressend.

e·rot·ic [ɪ'rɒtɪk] **I** *adj.* (□ **~ally**) e'rotisch; **II** *s.* E'rotiker(in); **e'rot·i·ca** [-kə] *pl.* E'rotika *pl.*; **e'rot·i·cism** [-ɪsɪzəm] *s.* E'rotik *f.*

err [ɜː] *v/i.* **1.** (sich) irren: **~ *on the safe side*, ~ *on the side of caution*** übervorsichtig sein; ***to ~ is human*** Irren ist menschlich; **2.** falsch sein, fehlgehen (*Urteil*); **3.** (mo'ralisch) auf Abwege geraten.

er·rand ['erənd] *s.* Botengang *m*, Auftrag *m*: ***go on*** (*od.* ***run***) ***an ~*** e-n (Boten)Gang *od.* e-e Besorgung machen, e-n Auftrag ausführen; **'~-boy** *s.* Laufbursche *m.*

er·rant ['erənt] *adj.* **1.** um'herziehend, (-)wandernd, fahrend: **~ *knight***; **2.** *fig.* a) fehlgeleitet, auf Ab- *od.* Irrwegen, b) abtrünnig, fremdgehend (*Ehepartner*); **'er·rant·ry** [-trɪ] **1.** Um'herziehen *n*; **2.** *hist.* fahrendes Rittertum.

er·ra·ta [e'rɑːtə] → ***erratum***.

er·rat·ic [ɪ'rætɪk] *adj.* (□ **~ally**) **1.** (um'her)wandernd, (-)ziehend; **2.** *geol.*, ⚕ er'ratisch: **~ *block*, ~ *boulder*** erratischer Block, Findling *m*; **3.** ungleich-, unregelmäßig, regel-, ziellos; **4.** unstet, unberechenbar, sprunghaft.

er·ra·tum [e'rɑːtəm] *pl.* **-ta** [-tə] *s.* **1.** Druckfehler *m*; **2.** *pl.* Druckfehlerverzeichnis *n*, Er'rata *pl.*

err·ing ['ɜːrɪŋ] *adj.* □ **1.** → ***erroneous***; **2.** a) irrend, sündig, b) → ***errant*** 2.

er·ro·ne·ous [ɪ'rəʊnjəs] *adj.* □ irrig, irrtümlich, unrichtig, falsch; **er'ro·ne·ous·ly** [-lɪ] *adv.* irrtümlicherweise, fälschlich, aus Versehen.

er·ror ['erə] *s.* **1.** Irrtum *m*, Fehler *m*, Versehen *n*: ***in ~*** irrtümlicherweise; ***be in ~*** sich irren; ***~s*** (***and omissions***) ***excepted*** ✝ Irrtümer (u. Auslassungen) vorbehalten; **~ *of omission*** Unterlassungssünde *f*; **~ *of judg*(*e*)*ment*** Trugschluß *m*, irrige Ansicht, falsche Beurteilung; **2.** ♈, *ast.* Fehler *m*, Abweichung *f*; **~ *rate*** Fehlerquote *f*; **~ *in range*** *a.* ⚔ Längenabweichung; **3.** ⚖ a) Tatsachen- *od.* Rechtsirrtum *m*: **~ *in law*** (***in fact***), b) Formfehler *m*, Verfahrensmangel *m*: ***writ of ~*** Revisionsbefehl *m*; **4.** Fehltritt *m*, Vergehen *n.*

er·satz ['eəzæts] (*Ger.*) **I** *s.* Ersatz(stoff) *m*; **II** *adj.* Ersatz...

Erse [ɛːs] *ling.* **I** *adj.* **1.** gälisch; **2.** irisch; **II** *s.* **3.** Gälisch *n*; **4.** Irisch *n.*

erst·while ['ɜːstwaɪl] **I** *adv.* ehedem, früher; **II** *adj.* ehemalig, früher.

e·ruc·tate [ɪ'rʌkteɪt] *v/i.* aufstoßen, rülpsen; **e·ruc·ta·tion** [ˌiːrʌk'teɪʃn] *s.* Aufstoßen *n*, Rülpsen *n.*

er·u·dite ['eruːdaɪt] *adj.* □ gelehrt (*a. Abhandlung etc.*), belesen; **er·u·di·tion** [ˌeruː'dɪʃn] *s.* Gelehrsamkeit *f*, Belesenheit *f.*

e·rupt [ɪ'rʌpt] *v/i.* **1.** ausbrechen (*Vulkan, a. Ausschlag, Streit etc.*); **2.** *geol.* her'vorbrechen, eruptieren (*Lava etc.*); **3.** 'durchbrechen (*Zähne*); **4.** plötzlich auftauchen: **~ *into the room*** ins Zimmer platzen; **5.** *fig.* (zornig) losbrechen, ‚explodieren'; **e'rup·tion** [-pʃn] *s.* **1.** Ausbruch *m* (*e-s Vulkans, Streits etc.*); **2.** Her'vorbrechen *n*, *geol.* Erupti'on *f*; **3.** 'Durchbruch *m* (*der Zähne*); **4.** ⚕ Erupti'on *f*: a) Ausbruch *m e-s Ausschlags*, b) Ausschlag *m*; **5.** (Wut- *etc.*)Ausbruch *m*; **e'rup·tive** [-tɪv] *adj.* □ **1.** *geol.* erup'tiv: **~ *rock*** Eruptivgestein; **2.** ⚕ von Ausschlag begleitet.

er·y·sip·e·las [ˌerɪ'sɪpɪləs] *s.* ⚕ (Wund-) Rose *f*; **ˌer·y'sip·e·loid** [-lɔɪd] *s.* ⚕ (Schweine)Rotlauf *m.*

es·ca·lade [ˌeskə'leɪd] ⚔ *hist.* **I** *s.* Eska'lade *f*, Mauerersteigung *f* (*mit Leitern*), Erstürmung *f*; **II** *v/t.* mit Sturmleitern ersteigen.

es·ca·late ['eskəleɪt] **I** *v/t.* **1.** *Krieg etc.* eskalieren (*stufenweise verschärfen*); **2.** *Erwartungen, Preise etc.* höherschrauben; **II** *v/i.* **3.** eskalieren; **4.** steigen, in die Höhe gehen (*Preise etc.*); **es·ca·la·tion** [ˌeskə'leɪʃn] *s.* **1.** ⚔, *pol.* Eskalati'on *f*; **2.** ✝ *Am.* Anpassung *f* der Löhne *od.* Preise an gestiegene (Lebenshaltungs)Kosten; **'es·ca·la·tor** ['eskəleɪtə] *s.* **1.** Rolltreppe *f*; **2.** *a.* **~ *clause*** ✝ (Preis-, Lohn)Gleitklausel *f.*

es·ca·lope ['eskələʊp] *s.* (*bsd.* Wiener) Schnitzel *n.*

es·ca·pade [ˌeskə'peɪd] *s.* Eska'pade *f*: a) toller Streich, b) ‚Seitensprung' *m.*

es·cape [ɪ'skeɪp] **I** *v/t.* **1.** *j-m* entfliehen, -kommen, -rinnen; **2.** *e-r Sache* entgehen, -rinnen, *et.* vermeiden: ***he just ~d being killed*** er entging knapp dem Tode; ***I cannot ~ the impression*** ich kann mich des Eindrucks nicht erwehren; **3.** *fig. j-m* entgehen, über'sehen *od.* nicht verstanden werden von *j-m*: ***that fact ~d me*** diese Tatsache entging mir; ***the sense ~s me*** der Sinn leuchtet mir nicht ein; ***it ~d my notice*** ich bemerkte es nicht; **4.** (*dem Gedächtnis*) entfallen: ***his name ~s me*** sein Name ist mir entfallen; **5.** entfahren, -schlüpfen: ***an oath ~d him***; **II** *v/i.* **6.** (***from***) (ent)fliehen, entkommen, -rinnen, -laufen, -wischen, -weichen (aus, von), flüchten, ausbrechen (aus); **7.** (*oft* ***from***) sich retten (vor *dat.*), (ungestraft *od.* mit dem Leben) da'vonkommen; **8.** a) ausfließen, b) entweichen, ausströmen (*Gas etc.*); **III** *s.* **9.** Entrinnen *n*, -weichen *n*, -kommen *n*, Flucht *f* (***from*** aus, von): ***have a narrow ~*** mit knapper Not davon- *od.* entkommen; ***that was a narrow ~!*** das war knapp!, das hätte ins Auge gehen können!; ***make one's ~*** entkommen, sich aus dem Staub machen; **10.** Rettung *f* (***from*** vor *dat.*): (***way of***) **~** Ausweg *m*; **11.** Fluchtmittel *n*; → ***fire escape***; **12.** Ausströmen *n*, Entweichen *n*; **13.** *fig.* (Mittel *n* der) Entspannung *f od.* Zerstreuung *f*, Unter'haltung *f*: **~ *reading*** Unterhaltungslektüre *f*; **~ art·ist** *s.* **1.** Entfesselungskünstler *m*; **2.** Ausbrecherkönig *m*; **~ car** *s.* Fluchtwagen *m*; **~ chute** *s.* ✈ Notrutsche *f*; **~ clause** *s.* Befreiungsklausel *f*.

es·ca·pee [ˌeskeɪ'piː] *s.* entwichener Strafgefangener, Ausbrecher *m*.

es·cape| hatch *s.* **1.** a) ⚓ Notluke *f*, b) ✈ Notausstieg *m*; **2.** *fig.* ‚Schlupfloch' *n*; **~ mech·a·nism** *s. psych.* 'Abwehrmechaˌnismus *m*.

es·cape·ment [ɪ'skeɪpmənt] *s.* **1.** Hemmung *f* (*der Uhr*); **2.** Vorschub *m* (*der Schreibmaschine*); **~ wheel** *s.* **1.** Hemmungsrad *n* (*der Uhr*); **2.** Schaltrad *n* (*der Schreibmaschine*).

es·cape| pipe *s.* **1.** Abflußrohr *n*; **2.** Abzugsrohr *n* (*für Gase*); **~-proof** *adj.* ausbruchssicher; **~ route** *s.* Fluchtweg *m*; **~ shaft** *s.* Rettungsschacht *m*; **~ valve** *s.* 'Sicherheitsvenˌtil *n*.

es·cap·ism [ɪs'keɪpɪzəm] *s. psych.* Eska'pismus *m*, Wirklichkeitsflucht *f*; **es·cap·ist** [ɪ'skeɪpɪst] **I** *s.* j-d, der vor der Reali'tät zu fliehen sucht; **II** *adj.* eska'pistisch, *weitS.* Zerstreuungs..., Unterhaltungs...: **~ *literature***.

es·ca·pol·o·gist [ˌeskeɪ'pɒlədʒɪst] *s.* **1.** → ***escape artist*** 1; **2.** *j-d, der sich immer wieder geschickt herauswindet*.

es·carp·ment [ɪ'skɑːpmənt] *s.* **1.** ⚔ Böschung *f*; **2.** *geol.* Steilabbruch *m*.

es·cha·to·log·i·cal [ˌeskətə'lɒdʒɪkl] *adj. eccl.* eschato'logisch; **es·cha·tol·o·gy** [ˌeskə'tɒlədʒɪ] *s.* Eschatolo'gie *f*.

es·cheat [ɪs'tʃiːt] ⚖ **I** *s.* **1.** Heimfall *m* (*an den Staat*); **2.** Heimfallsgut *n*; **3.** Heimfallsrecht *n*; **II** *v/i.* **4.** an'heimfallen; **III** *v/t.* **5.** (als Heimfallsgut) einziehen.

es·chew [ɪs'tʃuː] *v/t. et.* (ver)meiden, scheuen, sich enthalten (*gen.*).

es·cort I *s.* ['eskɔːt] **1.** ⚔ Es'korte *f*, Bedeckung *f*, Begleitmannschaft *f*; **2.** a) ✈, ⚓ Geleit(schutz *m*) *n*, b) *a.* **~ *vessel*** ⚓ Geleitschiff *n*: **~ *fighter*** ✈ Begleitjäger *m*; **3.** *fig.* a) Geleit *n*, Schutz *m*, b) Begleitung *f*, Gefolge *n*, c) Begleiter(in): **~ *agency*** Begleitagentur *f*; **II** *v/t.* [ɪ'skɔːt] **4.** ⚔ eskortieren; **5.** ✈, ⚓ Geleit(schutz) geben (*dat.*); **6.** *fig.* a) geleiten, b) begleiten.

es·cri·toire [ˌeskriː'twɑː] (*Fr.*) *s.* Schreibpult *n*.

es·crow [e'skrəʊ] *s.* ⚖ *bei e-m Dritten (als Treuhänder) hinterlegte Vertragsurkunde, die erst bei Erfüllung e-r Bedingung in Kraft tritt*.

es·cutch·eon [ɪ'skʌtʃən] *s.* **1.** Wappen (-schild *m*) *n*: ***a blot on his ~*** *fig.* ein Fleck auf s-r (weißen) Weste; **2.** ⚙ a) (Deck)Schild *n* (*e-s Schlosses*), b) Abdeckung *f* (*e-s Schalters*); **3.** *zo.* Spiegel *m*, Schild *m*.

Es·ki·mo ['eskɪməʊ] *pl.* **-mos** *s.* **1.** Eskimo *m*; **2.** Eskimosprache *f*.

e·soph·a·gus [iː'sɒfəgəs] → ***oesophagus***.

es·o·ter·ic [ˌesəʊ'terɪk] *adj.* (□ **~*ally***) eso'terisch: a) *phls.* nur für Eingeweihte bestimmt, b) geheim, pri'vat.

es·pal·ier [ɪ'spæljə] *s.* **1.** Spa'lier *n*; **2.** Spa'lierbaum *m*.

es·pe·cial [ɪ'speʃl] *adj.* □ besonder: a) her'vorragend, b) Haupt..., hauptsächlich, spezi'ell; **es·pe·cial·ly** [ɪ'speʃəlɪ] *adv.* besonders, hauptsächlich: ***more ~*** ganz besonders.

Es·pe·ran·tist [ˌespə'ræntɪst] *s. ling.* Esperan'tist(in); **Es·pe·ran·to** [ˌespə'ræntəʊ] *s.* Espe'ranto *n*.

es·pi·o·nage [ˌespɪə'nɑːʒ] *s.* Spio'nage *f*: ***industrial ~*** Werkspionage.

es·pla·nade [ˌesplə'neɪd] *s.* **1.** Espla'nade *f* (*a.* ⚔ *hist.*), großer freier Platz; **2.** (*bsd.* 'Strand)Promeˌnade *f*.

es·pous·al [ɪ'spaʊzl] *s.* **1.** (***of***) Eintreten *n*, Par'teinahme *f* (für); Annahme *f* (*gen.*); **2.** *pl. obs.* a) Vermählung *f*, b) Verlobung *f*; **es·pouse** [ɪ'spaʊz] *v/t.* **1.** Par'tei ergreifen für, eintreten für, sich *e-r Sache* verschreiben, *e-n Glauben* annehmen; **2.** *obs.* a) sich vermählen mit, zur Frau nehmen, b) (***to***) zur Frau geben (*dat.*), c) (***o.s.*** sich) verloben (***to*** mit).

es·pres·so [e'spresəʊ] (*Ital.*) *s.* **1.** Es'presso *m*; **2.** Es'pressomaˌschine *f*; **~ bar**, **~ ca·fé** *s.* Es'presso(bar *f*) *n*.

es·prit ['espriː] (*Fr.*) *s.* Es'prit *m*, Geist *m*, Witz *m*; **~ de corps** [ˌespriːdə'kɔː] (*Fr.*) *s.* Korpsgeist *m*.

es·py [ɪ'spaɪ] *v/t.* erspähen.

Es·qui·mau ['eskɪməʊ] *pl.* **-maux** [-məʊz] → ***Eskimo***.

es·quire [ɪ'skwaɪə] *s.* **1.** *Brit. obs.* → ***squire*** 1; **2.** *abbr.* ***Esq.*** (*ohne Mr., Dr. etc. auf Briefen dem Namen nachgestellt*): ***John Smith, Esq.*** Herrn John Smith.

ess [es] *s.* **1.** S *n*, s *n*; **2.** S-Form *f*.

es·say I *s.* ['eseɪ] **1.** Essay *m*, *n*, Abhandlung *f*, Aufsatz *m*; **2.** Versuch *m*; **II** *v/t. u. v/i.* [e'seɪ] **3.** versuchen; **'es·say·ist** [-ɪst] *s.* Essay'ist(in).

es·sence ['esns] *s.* **1.** *phls.* a) Es'senz *f*, Wesen *n*, b) Sub'stanz *f*, abso'lutes Sein; **2.** *fig.* Es'senz *f*, *das* Wesentliche, Kern *m*: ***of the ~*** von entscheidender Bedeutung; **3.** Es'senz *f*, Ex'trakt *m*.

es·sen·tial [ɪ'senʃl] **I** *adj.* □ → ***essentially***; **1.** wesentlich; **2.** wichtig, unentbehrlich, erforderlich; lebenswichtig: ~ ***goods***; **3.** ⚗ ä'therisch: ~ ***oil***; **II** *s. mst pl.* **4.** *das* Wesentliche *od.* Wichtigste, Hauptsache *f*; wesentliche Punkte *pl.*; unentbehrliche Sache *od.* Per'son; **es·sen·ti·al·i·ty** [ɪˌsenʃɪ'ælətɪ] → ***essential*** 4; **es'sen·tial·ly** [-lɪ] *adv.* im wesentlichen, eigentlich, in der Hauptsache; in hohem Maße.

es·tab·lish [ɪ'stæblɪʃ] *v/t.* **1.** ein-, errichten, gründen; einführen; *Regierung* bilden; *Gesetz* erlassen; *Rekord*, *Theorie* aufstellen; ✝ *Konto* eröffnen; **2.** *j-n* einsetzen, 'unterbringen; ✝ etablieren: ~ ***o.s.*** sich niederlassen *od.* einrichten, ✝ *u. fig.* sich etablieren; **3.** *Kirche* verstaatlichen; **4.** feststellen, festsetzen; *s-e Identität etc.* nachweisen; **5.** Geltung verschaffen (*dat.*); *Forderung*, *Ansicht* 'durchsetzen; *Ordnung* schaffen; **6.** *Verbindung* herstellen; **7.** begründen: ~ ***one's reputation*** sich e-n Namen machen; **es·tab·lished** [ɪ'stæblɪʃt] *adj.* **1.** bestehend; **2.** feststehend, festbegründet, unzweifelhaft; **3.** planmäßig (*Beamter*): ***the*** ~ ***staff*** das Stammpersonal; **4.** ***Ձ Church*** Staatskirche *f*; **es·tab·lish·ment** [ɪ'stæblɪʃmənt] *s.* **1.** Er-, Einrichtung *f*; Einsetzung *f*; Gründung *f*, Einführung *f*, Schaffung *f*; **2.** Feststellung *f*, -setzung *f*; **3.** (*großer*) Haushalt; ✝ Unter'nehmen *n*, Firma *f*: ***keep a large*** ~ a) ein großes Haus führen, b) ein bedeutendes Unternehmen leiten; **4.** Anstalt *f*, Insti'tut *n*; **5.** organisierte Körperschaft: ***civil*** ~ Beamtenschaft *f*; ***military*** ~ stehendes Heer; ***naval*** ~ Flotte *f*; **6.** festes Perso'nal, Perso'nal- *od.* ⚔ Mannschaftsbestand *m*; Sollstärke *f*: ***peace*** ~ Friedensstärke; ***war*** ~ Kriegsstärke; **7.** Staatskirche *f*; **8.** ***the Ձ*** das Establishment (*etablierte Macht*, *herrschende Schicht*, *konventionelle Gesellschaft*).

es·tate [ɪ'steɪt] *s.* **1.** Stand *m*, Klasse *f*, Rang *m*: ***the Three Ձs*** (***of the Realm***) *Brit.* die drei (*gesetzgebenden*) Stände; ***third*** ~ *Fr. hist.* dritter Stand, Bürgertum *n*; ***fourth*** ~ *humor.* Presse *f*; **2.** *obs.* (Zu)Stand *m*: ***man's*** ~ *bibl.* Mannesalter; **3.** ⚖ a) Besitz *m*, Vermögen *n*; → ***personal*** 1, ***real*** 3, b) (Kon'kurs- *etc.*)Masse *f*, Nachlaß *m*; **4.** ⚖ Besitzrecht *n*, Nutznießung *f*; **5.** Grundbesitz *m*, Besitzung *f*, Gut *n*: ***family*** ~ Familienbesitz *m*; **6.** (Wohn)Siedlung *f*; **7.** → ***estate car***; ~ **a·gent** *s. Brit.* **1.** Grundstücksmakler *m*; **2.** Grundstücksverwalter *m*; **~-ˌbot·tled** *adj.* auf dem (Wein)Gut abgefüllt; *als Aufschrift*: Gutsabfüllung!; ~ **car** *s. Brit.* Kombiwagen *m*; ~ **du·ty** *s. Brit. obs.*, ~ **tax** *s. Am.* Erbschaftssteuer *f*.

es·teem [ɪ'sti:m] **I** *v/t.* **1.** achten, (hoch-)schätzen; **2.** erachten *od.* ansehen als, halten für; **II** *s.* **3.** Wertschätzung *f*, Achtung *f*: ***to hold in*** (***high***) ~ achten.

es·ter ['estə] *s.* ⚗ Ester *m*.

Es·ther ['estə] *npr. u. s. bibl.* (das Buch) Esther *f*.

es·thete *etc.* → ***aesthete*** *etc.*

Es·tho·ni·an [e'stəʊnjən] **I** *s.* **1.** Este *m*, Estin *f*; **2.** *ling.* Estnisch *n*; **II** *adj.* **3.** estnisch, estländisch.

es·ti·ma·ble ['estɪməbl] *adj.* □ achtens-, schätzenswert; **es·ti·mate I** *v/t.* ['estɪmeɪt] **1.** (ab-, ein)schätzen, taxieren, veranschlagen (***at*** auf *acc.*): ***an ~d 200 buyers*** schätzungsweise 200 Käufer; **2.** bewerten, beurteilen; **II** *s.* ['estɪmɪt] **3.** (Ab-, Ein)Schätzung *f*, Veranschlagung *f*, (Kosten)Anschlag *m*: ***rough*** ~ grober Überschlag; ***at a rough*** ~ grob geschätzt; **4.** ***the Ձs*** *pl. pol.* der (Staats-)Haushaltsplan; **5.** Bewertung *f*, Beurteilung *f*: ***form an*** ~ ***of*** *et.* beurteilen *od.* einschätzen; **es·ti·ma·tion** [ˌestɪ'meɪʃn] *s.* **1.** Urteil *n*, Meinung *f*: ***in my*** ~ nach m-r Ansicht; **2.** Bewertung *f*, Schätzung *f*; **3.** Achtung *f*: ***hold in*** (***high***) ~ hochschätzen.

es·ti·val → ***aestival***.

es·top [ɪ'stɒp] *v/t.* ⚖ rechtshemmenden Einwand erheben gegen, hindern (***from*** an *dat.*, ***from doing*** zu tun); **es·top·pel** [ɪ'stɒpl] *s.* ⚖ Ausschluß *m* e-r Klage *od.* Einrede.

es·trange [ɪ'streɪndʒ] *v/t. j-n* entfremden (***from*** *dat.*): ***become ~d*** a) sich entfremden (***from*** *dat.*), b) sich auseinanderleben; **es·tranged** [ɪ'streɪndʒd] *adj.* **1.** ***an*** ~ ***couple*** ein Paar, das sich auseinandergelebt hat; **2.** ⚖ getrennt lebend: ***his*** ~ ***wife*** s-e von ihm getrennt lebende Frau; ***she is*** ~ ***from her husband*** sie lebt von ihrem Mann getrennt; **es·trange·ment** [ɪ'streɪndʒmənt] *s.* Entfremdung *f* (***from*** von).

es·tro·gen ['estrədʒən] *s. biol.*, ⚗ Östro'gen *n*.

es·tu·ar·y ['estjʊərɪ] *s.* **1.** (den Gezeiten ausgesetzte) Flußmündung; **2.** Meeresarm *m*, -bucht *f*.

et cet·er·a [ɪt'setərə] *abbr.* **etc.**, **&c.** (*Lat.*) und so weiter; **et'cet·er·a** *s.* **1.** (*lange etc.*) Reihe; **2.** *pl.* allerlei Dinge.

etch [etʃ] *v/t. u. v/i.* **1.** ätzen; **2.** a) kupferstechen, b) radieren; **3.** schneiden, kratzen (***on*** in *acc.*): ***sharply ~ed features*** *fig.* scharf geschnittene Gesichtszüge; ***the event was ~ed on*** (*od.* ***in***) ***his memory*** das Ereignis hatte sich s-m Gedächtnis (tief) eingeprägt; **4.** *fig.* (klar *etc.*) zeichnen, (gut *etc.*) her'ausarbeiten; **etch·er** ['etʃə] *s.* **1.** Kupferstecher *m*; **2.** Radierer *m*; **etch·ing** ['etʃɪŋ] *s.* **1.** Ätzen *etc.* (→ ***etch*** 1, 2); **2.** a) Radierung *f*, b) Kupferstich *m*:

come up and see my ~s *humor.* wollen Sie sich m-e Briefmarkensammlung ansehen?

e·ter·nal [ɪ'tɜ:nl] **I** *adj.* ☐ **1.** ewig, immerwährend: ***the* ☊ *City*** die Ewige Stadt (*Rom*); **2.** unab'änderlich; **3.** F ewig, unaufhörlich; **II** *s.* **4.** ***the*** ☊ Gott *m*; **5.** *pl.* ewige Dinge *pl.*; **e'ter·nal·ize** [-nəlaɪz] *v/t.* verewigen; **e'ter·ni·ty** [-nətɪ] *s.* **1.** Ewigkeit *f* (*a.* F *fig. lange Zeit*): ***from here to ~, to all ~*** bis in alle Ewigkeit; **2.** *eccl.* a) *das* Jenseits, b) *pl.* ewige Wahrheiten; **e'ter·nize** [-naɪz] → ***eternalize***.

eth·ane ['eθeɪn] *s.* ⚗ Ä'than *n*; **'eth·ene** ['eθi:n] *s.* Ä'then *n*, Äthy'len *n*; **eth·e·nol** ['eθənɒl] *s.* Vi'nylalko,hol *m*; **eth·e·nyl** ['eθənɪl] *s.* Äthyli'den *n*.

e·ther ['i:θə] *s.* **1.** ⚗, *phys.* Äther *m*; **2.** *poet.* Äther *m*, Himmel *m*; **e·the·re·al** [i:'θɪərɪəl] *adj.* ☐ **1.** ⚗ a) ätherartig, b) ä'therisch; **2.** ä'therisch, himmlisch; vergeistigt; **e·the·re·al·ize** [i:'θɪərɪəlaɪz] *v/t.* **1.** ⚗ ätherisieren; **2.** vergeistigen, verklären; **'e·ther·ize** [-əraɪz] *v/t.* ☐ **1.** ⚗ in Äther verwandeln; **2.** ⚕ mit Äther narkotisieren.

eth·ic ['eθɪk] **I** *adj.* **1.** → ***ethical***; **II** *s.* **2.** *pl. sg. konstr.* Sittenlehre *f*, Ethik *f*; **3.** *pl.* Sittlichkeit *f*, Mo'ral *f*, Ethos *n*: ***professional ~s*** Standesehre *f*, Berufsethos; **'eth·i·cal** [-kl] *adj.* ☐ **1.** *phls.*, *a. ling.* ethisch; **2.** ethisch, mo'ralisch, sittlich; **3.** von ethischen Grundsätzen (geleitet); **4.** dem Berufsethos entsprechend; **5.** *pharm.* re'zeptpflichtig; **'eth·i·cist** [-ɪsɪst] *s.* Ethiker *m*.

E·thi·o·pi·an [i:θɪ'əʊpjən] **I** *adj.* äthi'opisch; **II** *s.* Äthi'opier(in).

eth·nic ['eθnɪk] **I** *adj.* ☐ **1.** ethnisch, völkisch, Volks...: ***~ cleansing*** ethnische Säuberung; ***~ group*** Volksgruppe *f*; ***~ German*** Volksdeutsche(r *m*) *f*; ***~ joke*** Witz *m* auf Kosten e-r bestimmten Volksgruppe; **II** *s.* **2.** Angehörige(r *m*) *f* e-r (homo'genen) Volksgruppe; **3.** *pl.* sprachliche *od.* kultu'relle Zugehörigkeit; **'eth·ni·cal** [-kl] → ***ethnic*** I; **eth·nog·ra·pher** [eθ'nɒgrəfə] *s.* Ethno'graph *m*; **eth·no·graph·ic** [ˌeθnəʊ'græfɪk] *adj.* ☐ ethno'graphisch, völkerkundlich; **eth·nog·ra·phy** [eθ'nɒgrəfɪ] *s.* Ethnogra'phie *f*, (beschreibende) Völkerkunde; **eth·no·log·i·cal** [ˌeθnəʊ'lɒdʒɪkl] *adj.* ☐ ethno'logisch; **eth·nol·o·gist** [eθ'nɒlədʒɪst] *s.* Ethno'loge *m*, Völkerkundler *m*; **eth·nol·o·gy** [eθ'nɒlədʒɪ] *s.* Ethnolo'gie *f*, (vergleichende) Völkerkunde.

e·thol·o·gist [i:'θɒlədʒɪst] *s.* Etho'loge *m*, (Tier)Verhaltensforscher *m*; **e'thol·o·gy** [-dʒɪ] *s.* Etholo'gie *f*, Verhaltensforschung *f*.

e·thos ['i:θɒs] *s.* **1.** Ethos *n*, Cha'rakter *m*, Wesensart *f*, Geist *m*, sittlicher Gehalt (*e-r Kultur*); **2.** ethischer Wert.

eth·yl ['eθɪl; ⚗ 'i:θaɪl] *s.* ⚗ Ä'thyl *n*: ***~ alcohol*** Äthylalkohol *m*; **eth·yl·ene** ['eθɪli:n] *s.* Äthy'len *n*, Kohlenwasserstoffgas *n*.

et·i·quette ['etɪket] *s.* Eti'kette *f*: a) Zeremoni'ell *n*, b) Anstandsregeln *pl.*, (gute) 'Umgangsformen *pl.*

E·ton| col·lar ['i:tn] *s.* breiter, steifer 'Umlegekragen; **~ Col·lege** *s. berühmte englische Public School*; **~ crop** *s.* Herrenschnitt *m* (*für Damen*).

E·to·ni·an [i:'təʊnjən] **I** *adj.* Eton...; **II** *s.* Schüler *m* des ***Eton College***.

E·ton jack·et *s.* schwarze, kurze Jacke *der Etonschüler*.

E·trus·can [ɪ'trʌskən] **I** *adj.* **1.** e'truskisch; **II** *s.* **2.** E'trusker(in); **3.** *ling.* E'truskisch *n*.

et·y·mo·log·ic, **et·y·mo·log·i·cal** [ˌetɪmə'lɒdʒɪk(l)] *adj.* ☐ etymo'logisch; **et·y·mol·o·gist** [ˌetɪ'mɒlədʒɪst] *s.* Etymo'loge *m*; **et·y·mol·o·gy** [ˌetɪ'mɒlədʒɪ] *s. allg.* Etymolo'gie *f*; **et·y·mon** ['etɪmɒn] *s.* Etymon *n*, Stammwort *n*.

eu·ca·lyp·tus [ˌju:kə'lɪptəs] *s.* ⚘ Euka'lyptus *m*.

Eu·cha·rist ['ju:kərɪst] *s. eccl.* Euchari'stie *f*: a) *die Feier des heiligen Abendmahls*, b) *die eucharistische Gabe* (*Brot u. Wein*).

eu·chre ['ju:kə] *v/t. Am.* F prellen, betrügen.

Eu·clid ['ju:klɪd] *s.* die (Eu'klidische) Geome'trie.

eu·gen·ic [ju:'dʒenɪk] **I** *adj.* (☐ ***~ally***) eu'genisch; **II** *s. pl. sg. konstr.* Eu'genik *f* (*Erbhygiene*); **eu·ge·nist** ['ju:dʒɪnɪst] *s.* Eu'geniker *m*.

eu·lo·gist ['ju:lədʒɪst] *s.* Lobredner(in); **eu·lo·gis·tic** [ˌju:lə'dʒɪstɪk] *adj.* (☐ ***~ally***) preisend, lobend; **'eu·lo·gize** [-dʒaɪz] *v/t.* loben, preisen, rühmen; **'eu·lo·gy** [-dʒɪ] *s.* **1.** Lob(preisung *f*) *n*; **2.** Lobrede *f od.* -schrift *f*.

eu·nuch ['ju:nək] *s.* Eu'nuch *m*, *weitS. a.* Ka'strat *m*.

eu·pep·sia [ju:'pepsɪə] *s.* ⚕ nor'male Verdauung; **eu'pep·tic** [-ptɪk] *adj.* **1.** ⚕ gut verdauend; **2.** *fig.* gutgelaunt.

eu·phe·mism ['ju:fɪmɪzəm] *s.* Euphe'mismus *m*, beschönigender Ausdruck, sprachliche Verhüllung; **eu·phe·mis·tic** [ˌju:fɪ'mɪstɪk] *adj.* (☐ ***~ally***) euphe'mistisch, beschönigend, verhüllend.

eu·phon·ic [ju:'fɒnɪk] *adj.* (☐ ***~ally***) eu'phonisch, wohlklingend; **eu·pho·ny** ['ju:fənɪ] *s.* Eupho'nie *f*, Wohlklang *m*.

eu·phor·bi·a [ju:'fɔ:bjə] *s.* ⚘ Wolfsmilch *f*.

eu·pho·ri·a [ju:'fɔ:rɪə] *s.* ⚕ *u. fig.* Eupho'rie *f*; **eu'phor·ic** [-'fɒrɪk] *adj.* (☐ ***~ally***) eu'phorisch; **eu·pho·ry** ['ju:fərɪ] → ***euphoria***.

eu·phu·ism ['ju:fju:ɪzəm] *s.* Euphu'ismus *m* (*schwülstiger Stil od. Ausdruck*); **eu·phu·is·tic** [ˌjuːfjuːˈɪstɪk] *adj.* (□ **~ally**) euphuˈistisch, schwülstig.

Eu·rail·pass [ˈjʊəreɪlpɑːs] *s.* 🚂 Euˈrailpaß *m*.

Eur·a·sian [juəˈreɪʒjən] **I** *s.* Euˈrasier (-in); **II** *adj.* euˈrasisch.

Euro- [jʊərəʊ] *in Zssgn* euroˈpäisch, Euro...

ˈ**Eu·ro|·cheque** *s.* ✝ Eurocheque *m*, -scheck *m*: **~ card** Eurocheque-Karte *f*; ˌ**~ˈcom·mun·ism** *s.* ˈEurokommuˌnismus *m*; **~·crat** [ˈjʊərəʊkræt] *s.* Euroˈkrat *m*; ˈ**~ˌcur·ren·cy** *s.* Eurowährung *f*; ˈ**~ˌdol·lar** *s.* ✝ Eurodollar *m*.

Eu·ro·pe·an [ˌjʊərəˈpiːən] **I** *adj.* euroˈpäisch: **~ (*Economic*) *Community*** Europäische (Wirtschafts)Gemeinschaft; **~ *Monetary System*** Europäisches Währungssystem; **~ *Parliament*** Europaparlament *n*; **~ *plan*** *Am.* Hotelzimmer-Vermietung *f* ohne Verpflegung; **II** *s.* Euroˈpäer(in); ˌ**Eu·roˈpe·an·ism** [-nɪzəm] *s.* Euroˈpäertum *n*; ˌ**Eu·roˈpe·an·ize** [-naɪz] *v/t.* europäisieren.

Eu·ro·scep·tic [ˈjʊərəʊskeptɪk] *s.* Euroskeptiker *m*.

Eu·ro·vi·sion [ˈjʊərəʊˌvɪʒn] *s. u. adj. TV* Eurovision(s...) *f*.

Eu·sta·chi·an tube [juːˈsteɪʃjən] *s. anat.* Euˈstachische Röhre, ˈOhrtromˌpete *f*.

eu·tha·na·si·a [ˌjuːθəˈneɪzjə] *s.* **1.** sanfter *od.* leichter Tod; **2.** Euthanaˈsie *f*: ***active*** (***passive***) **~** ⚕ aktive (passive) Sterbehilfe.

e·vac·u·ant [ɪˈvækjʊənt] **I** *adj.* abführend; **II** *s.* Abführmittel *n*; **e·vac·u·ate** [ɪˈvækjʊeɪt] *v/t.* **1.** ent-, ausleeren: **~ *the bowels*** a) den Darm entleeren, b) abführen; **2.** a) *Luft etc.* herˈauspumpen, b) *Gefäß* luftleer pumpen; **3.** a) *Personen* evakuieren, b) ⚔ *Truppen* verlegen, *Verwundete etc.* abtransportieren, c) *Gebiet* evakuieren, *a. Haus* räumen; **e·vac·u·a·tion** [ɪˌvækjʊˈeɪʃn] *s.* **1.** Aus-, Entleerung *f*; **2.** ⚕ a) Stuhlgang *m*, b) Stuhl *m*, Kot *m*; **3.** a) Evakuierung *f*, b) ⚔ Verlegung *f* (*von Truppen*), ˈAbtransˌport *m*, c) Räumung *f*; **e·vac·u·ee** [ɪˌvækjuːˈiː] *s.* Evakuierte(r *m*) *f*.

e·vade [ɪˈveɪd] *v/t.* **1.** ausweichen (*dat.*); **2.** *j-m* entkommen; **3.** sich *e-r Sache* entziehen, *e-r Sache* entgehen, ausweichen, *et.* umˈgehen, vermeiden; sich *e-r Pflicht etc.* entziehen, ⚖ *Steuern* hinterˈziehen: **~ *a question*** e-r Frage ausweichen; **~ *definition*** sich nicht definieren lassen; **eˈvad·er** [-də] *s. j-d, der sich e-r Sache entzieht*; → ***tax evader***.

e·val·u·ate [ɪˈvæljʊeɪt] *v/t.* **1.** auswerten; **2.** bewerten, beurteilen; **3.** abschätzen; **4.** berechnen; **e·val·u·a·tion** [ɪˌvæljʊˈeɪʃn] *s.* **1.** Auswertung *f*; **2.** Bewertung *f*, Beurteilung *f*; **3.** Schätzung *f*; **4.** Berechnung *f*.

ev·a·nesce [ˌiːvəˈnes] *v/i.* sich verflüchtigen; schwinden; ˌ**ev·aˈnes·cence** [-sns] *s.* (Daˈhin)Schwinden *n*, Verflüchtigung *f*; ˌ**ev·aˈnes·cent** [-snt] *adj.* □ **1.** (ver-, daˈhin)schwindend, flüchtig; **2.** vergänglich.

e·van·gel·ic [ˌiːvænˈdʒelɪk] *adj.* (□ **~ally**) **1.** die Evanˈgelien betreffend, Evangelien...; **2.** evanˈgelisch; ˌ**e·vanˈgel·i·cal** [-kl] *adj.* □ → ***evangelic***.

e·van·ge·lism [ɪˈvændʒəlɪzəm] *s.* Verkündigung *f* des Evanˈgeliums; **eˈvan·ge·list** [-lɪst] *s.* **1.** Evangeˈlist *m*; **2.** Evangeˈlist *m*, Erweckungs-, Wanderprediger *m*; **3.** Patriˈarch *m der Mormonen*; **eˈvan·ge·lize** [-laɪz] **I** *v/i.* das Evanˈgelium verkünden; **II** *v/t.* (zum Christentum) bekehren.

e·vap·o·rate [ɪˈvæpəreɪt] **I** *v/i.* **1.** verdampfen, -dunsten, sich verflüchtigen; **2.** *fig.* verfliegen, sich verflüchtigen (*a.* F *abhauen*); **II** *v/t.* **3.** verdampfen *od.* verdunsten lassen; **4.** ⚙ ab-, eindampfen, evaporieren: **~*d milk*** Kondensmilch *f*; **e·vap·o·ra·tion** [ɪˌvæpəˈreɪʃn] *s.* **1.** Verdampfung *f*, -dunstung *f*; **2.** *fig.* Verflüchtigung *f*, Verfliegen *n*; **eˈvap·o·ra·tor** [-tə] *s.* ⚙ Abdampfvorrichtung *f*, Verdampfer *m*.

e·va·sion [ɪˈveɪʒn] *s.* **1.** Entkommen *n*, -rinnen *n*; **2.** Ausweichen *n*, Umˈgehung *f*, Vermeidung *f*; → ***tax evasion***; **3.** Ausflucht *f*, Ausrede *f*.

e·va·sive [ɪˈveɪsɪv] *adj.* □ **1.** ausweichend: **~ *answer***; **~ *action*** Ausweichmanöver *n*; ***be* ~** *fig.* ausweichen; **2.** schwer faßbar *od.* feststellbar; **eˈva·sive·ness** [-nɪs] *s.* ausweichendes Verhalten.

Eve[1] [iːv] *npr. bibl.* Eva *f*: ***daughter of* ~** Evastochter *f* (*typische Frau*).

eve[2] [iːv] *s.* **1.** *poet.* Abend *m*; **2.** *mst* ♀ Vorabend *m*, -tag *m* (*e-s Festes*); **3.** *fig.* Vorabend *m*: ***on the* ~ *of*** am Vorabend von (*od. gen.*); ***be on the* ~ *of*** kurz vor (*dat.*) stehen.

e·ven[1] [ˈiːvn] *adv.* **1.** soˈgar, selbst, auch: **~ *the king*** sogar der König; ***he* ~ *kissed her*** er küßte sie sogar; **~ *if***, **~ *though*** selbst wenn, wenn auch; **~ *now*** a) selbst jetzt, noch jetzt, b) eben *od.* gerade jetzt, c) schon jetzt; ***not* ~ *now*** selbst jetzt noch nicht, nicht einmal jetzt; ***or* ~** oder auch (nur), oder gar; ***without* ~ *looking*** ohne auch nur hinzusehen; **2.** *vor comp.* noch: **~ *better*** (sogar) noch besser; **3.** *nach neg.*: ***not* ~** nicht einmal; ***I never* ~ *saw it*** ich habe es nicht einmal gesehen; **4.** gerade, eben: **~ *as I expected*** gerade *od.* genau wie ich erwartete; **~ *as he spoke*** gerade als er sprach; **~ *so*** dennoch, trotzdem, immerhin, selbst dann.

E

e·ven² [ˈiːvn] **I** *adj.* □ **1.** eben, flach, gerade; **2.** waag(e)recht, horizonˈtal; → ***keel*** 1; **3.** in gleicher Höhe (***with*** mit): ***~ with the ground*** dem Boden gleich; **4.** gleich: ***~ chances*** gleiche Chancen; ***stand an ~ chance of winning*** e-e echte Siegeschance haben; ***~ money*** gleicher Einsatz (*Wette*); ***~ bet*** Wette *f* mit gleichem Einsatz; ***of ~ date*** ✝ gleichen Datums; **5.** ✝ a) ausgeglichen, schuldenfrei, b) ohne Gewinn od. Verlust: ***be ~ with s.o.*** mit j-m quitt sein; ***get ~ with s.o.*** mit j-m abrechnen *od.* quitt werden, *fig. a.* es j-m heimzahlen; → ***break even***; **6.** gleich-, regelmäßig; im Gleichgewicht (*a. fig.*); **7.** ausgeglichen, ruhig (*Gemüt etc.*): ***~ voice*** ruhige *od.* kühle Stimme; **8.** gerecht, ˈunparˌteiisch; **9.** a) gerade (*Zahl*), b) geradzahlig (*Schwingungen etc.*), c) rund, voll (*Summe*): ***~ page*** (Buch)Seite *f* mit gerader Zahl; **10.** genau, präˈzise: ***an ~ dozen*** genau ein Dutzend; **II** *v/t.* **11.** (ein)ebnen, glätten; **12.** *a.* ***~ out*** ausgleichen; **13.** ***~ up*** ✝ *Rechnung* aus-, begleichen, *Konten* abstimmen; **III** *v/i.* **14.** *mst.* ***~ out*** eben werden; **15.** *a.* ***~ out*** sich ausgleichen; **16.** ***~ up on*** mit *j-m* quitt werden.

e·ven³ [ˈiːvn] *s. poet.* Abend *m.*

ˌe·ven-ˈhand·ed *adj.* ˈunparˌteiisch, objekˈtiv.

eve·ning [ˈiːvnɪŋ] *s.* **1.** Abend *m*: ***in the ~*** abends, am Abend; ***on the ~ of*** am Abend (*gen.*); ***this*** (***tomorrow***) ***~*** heute (morgen) abend; **2.** ˈAbend(unterˌhaltung *f*) *m*, Gesellschaftsabend *m*; **3.** *fig.* Ende *n*, *bsd.* (*a.* ***~ of life***) Lebensabend *m*; **~ class·es** *s. pl. ped.* ˈAbendunterˌricht *m*; **~ dress** *s.* **1.** Abendkleid *n*; **2.** Gesellschaftsanzug *m*, *bsd.* a) Frack *m*, b) Smoking *m*; **~ pa·per** *s.* Abendzeitung *f*; **~ school** → ***night-school***; **~ shirt** *s.* Frackhemd *n*; **~ star** *s.* Abendstern *m.*

e·ven·ness [ˈiːvnnɪs] *s.* **1.** Ebenheit *f*, Geradheit *f*; **2.** Gleichmäßigkeit *f*; **3.** Gleichheit *f*; **4.** Gelassenheit *f*, Seelenruhe *f*, Ausgeglichenheit *f.*

ˈe·ven·song *s.* Abendandacht *f.*

e·vent [ɪˈvent] *s.* **1.** Ereignis *n*, Vorfall *m*, Begebenheit *f*: (***quite***) ***an ~*** ein großes Ereignis; ***after the ~*** hinterher, im nachhinein; ***before the ~*** vorher, im voraus; **2.** Ergebnis *n*, Ausgang *m*: ***in the ~*** schließlich; **3.** Fall *m*, ˈUmstand *m*: ***in either ~*** in jedem Fall; ***in any ~*** auf jeden Fall; ***at all ~s*** auf alle Fälle, jedenfalls; ***in the ~ of*** im Falle (*gen. od.* daß); **4.** *bsd. sport* a) Veranstaltung *f*, b) Diziˈplin *f* (*Sportart*), c) Wettbewerb *m*, -kampf *m.*

ˌe·ven-ˈtem·pered *adj.* ausgeglichen, gelassen, ruhig.

e·vent·ful [ɪˈventfʊl] *adj.* **1.** ereignisreich; **2.** denkwürdig, bedeutsam.

ˈe·ven·tide *s. poet.* (***at ~*** zur) Abendzeit *f.*

e·ven·tu·al [ɪˈventʃʊəl] *adj.* □ → ***eventually***; **1.** schließlich: ***this led to his ~ dismissal*** dies führte schließlich *od.* letzten Endes zu s-r Entlassung; **2.** *obs.* eventuˈell, etwaig; **e·ven·tu·al·i·ty** [ɪˌventʃʊˈælətɪ] *s.* Möglichkeit *f*, Eventualiˈtät *f*; **eˈven·tu·al·ly** [-lɪ] *adv.* schließlich, endlich; **eˈven·tu·ate** [-ʃʊeɪt] *v/i.* **1.** ausgehen, enden (***in*** in *dat.*); **2.** die Folge sein (***from*** *gen.*).

ev·er [ˈevə] *adv.* **1.** immer, ständig, unaufhörlich: ***for ~*** (***and ~***), ***for ~ and a day*** für immer (u. ewig); ***~ and again*** (*obs.* ***anon***) dann u. wann, hin und wieder; ***~ since***, ***~ after*** seit der Zeit, seitdem; ***yours ~ ...*** Viele Grüße, Dein(e) *od.* Ihr(e) ...; **2.** *vor comp.* immer: ***~ larger*** immer größer; ***~ increasing*** ständig zunehmend; **3.** *neg.*, *interrog.*, *konditional*: je(mals): ***do you ~ see him?*** siehst du ihn jemals?; ***if I ~ meet him*** falls ich ihn je treffe; ***did you ~?*** F hast du Töne?, na, so was!; ***the fastest ~*** F der (die, das) Schnellste aller Zeiten; **4.** nur, irgend, überˈhaupt: ***as soon as ~ I can*** sobald ich nur kann; ***what ~ do you mean?*** was (in aller Welt) meinst du denn (eigentlich)?; ***how ~ did he manage?*** wie hat er es nur fertiggebracht?; ***hardly ~***, ***seldom if ~*** fast niemals; **5.** ***~ so*** sehr, noch so: ***~ so simple*** ganz einfach; ***~ so long*** e-e Ewigkeit; ***~ so many*** sehr viele; ***thank you ~ so much!*** tausend Dank!; ***if I were ~ so rich*** wenn ich noch so reich wäre; ***~ such a nice man*** wirklich ein netter Mann.

ˈev·er|·glade *s. Am.* sumpfiges Flußgebiet; **ˈ~·green I** *adj.* **1.** immergrün; **2.** unverwüstlich, nie veraltend, immer wieder gern gehört: ***~ song*** → 4; **II** *s.* **3.** ⚘ a) immergrüne Pflanze, b) Immergrün *n*; **4.** Evergreen *m*, *n* (*Schlager*); **ˌ~ˈlast·ing I** *adj.* □ **1.** immerwährend, ewig (*a. Gott*, *Schnee*): ***~ flower*** → 5; **2.** *fig.* F unaufhörlich, endlos; **3.** dauerhaft, unbegrenzt haltbar, unverwüstlich; **II** *s.* **4.** Ewigkeit *f*; **5.** ⚘ Immorˈtelle *f*, Strohblume *f*; **ˌ~ˈmore** *adv.* **1.** immerfort: ***for ~*** in Ewigkeit; **2.** je(mals) wieder.

ev·er·y [ˈevrɪ] *adj.* **1.** jeder, jede, jedes, all: ***he has read ~ book on this subject***; ***~ other*** a) jeder andere, b) → ***other*** 6; ***~ day*** jeden Tag, alle Tage, täglich; ***~ four days*** alle vier Tage; ***~ fourth day*** jeden vierten Tag; ***~ now and then*** (*od.* ***again***), ***~ so often*** F gelegentlich, hin u. wieder; ***~ bit*** (***of it***) ganz, völlig: ***~ bit as good*** genauso gut; ***~ time*** a) jedesmal(, wenn), sooft, b) jederzeit, F *a.* allemal; **2.** jeder, jede, jedes (einzelne *od.* erdenkliche), all: ***her ~ wish*** jeder ihrer Wünsche, alle ihre Wünsche; ***have ~ reason*** allen Grund haben; ***their ~ liberty*** ihre ganze Freiheit; **'~ˌbod·y** *pron.* jeder(mann); **'~·day** *adj.* **1.** (all)täglich; **2.** Alltags…; **3.** (mittel)mäßig; **'~·one**, **~ one** *pron.* jeder(mann): ***in ~'s mouth*** in aller Munde; **'♀·man** *s. bsd. thea.* Jedermann *m*; **'~·thing** *pron.* **1.** alles: ***~ new*** alles Neue; **2.** F die Hauptsache, alles: ***speed is ~***; ***he*** (***it***) ***has ~*** F er (es) hat alles *od.* ist ‚phantastisch'; **'~·where** *adv.* 'überall, allenthalben.

e·vict [ɪ'vɪkt] *v/t.* ⚖ **1.** *j-n* zur Räumung zwingen; *fig. j-n* gewaltsam vertreiben; **2.** wieder in Besitz nehmen; **e'vic·tion** [-kʃn] *s.* ⚖ **1.** Zwangsräumung *f*, Her'aussetzung *f*: ***~ order*** Räumungsbefehl *m*; **2.** Wiederinbe'sitznahme *f*.

ev·i·dence ['evɪdəns] **I** *s.* **1.** ⚖ a) Be'weis(mittel *n*, -stück *n*, -materiˌal *n*) *m*, Beweise *pl.*, Ergebnis *n* der Beweisaufnahme *f*, b) 'Unterlage *f*, Beleg *m*, c) (Zeugen)Aussage *f*, Zeugnis *n*: ***a piece of ~*** ein Beweisstück; ***medical ~*** Aussage *f od.* Gutachten *n* des medizinischen Sachverständigen; ***for lack of ~*** mangels Beweises; ***in ~ of*** zum Beweis (*gen.*); ***offer in ~*** Beweisantritt *m*; ***on the ~*** auf Grund des Beweismaterials; ***admit in ~*** als Beweis zulassen; ***call s.o. in ~*** j-n als Zeugen benennen; ***give*** *od.* ***bear ~*** (***of***) (als Zeuge) aussagen (über *acc.*), *fig.* zeugen (von); ***hear ~*** Zeugen vernehmen; ***hearing*** *od.* ***taking of ~*** Beweisaufnahme *f*; ***turn King's*** (*od.* ***Queen's***, *Am.* ***State's***) ***~*** als Kronzeuge auftreten; **2.** Augenscheinlichkeit *f*, Klarheit *f*: ***in ~*** sichtbar, er-, offensichtlich; ***be much in ~*** stark in Erscheinung treten, deutlich feststellbar sein; stark vertreten sein; **3.** (An)Zeichen *n*, Spur *f*: ***there is no ~*** es ist nicht ersichtlich *od.* feststellbar, nichts deutet darauf hin; **II** *v/t.* **4.** dartun, be-, nachweisen, zeigen; **'ev·i·dent** [-nt] *adj.* □ → ***evidently***; augenscheinlich, einleuchtend, offensichtlich, klar (ersichtlich); **ev·i·den·tial** [ˌevɪ'denʃl] *adj.* □, **ev·i·den·tia·ry** [ˌevɪ'denʃərɪ] *adj.* **1.** ⚖ beweiserheblich; Beweis…(*-kraft*, *-wert*); **2.** über'zeugend: ***be ~ of*** *et.* (klar) beweisen; **'ev·i·dent·ly** [-ntlɪ] *adv.* offensichtlich, zweifellos.

e·vil ['iːvl] **I** *adj.* □ **1.** übel, böse, schlimm: ***~ eye*** a) böser Blick, b) schlimmer Einfluß; ***the ♀ One*** der Teufel; ***~ repute*** schlechter Ruf; ***~ spirit*** böser Geist; **2.** gottlos, boshaft, schlecht: ***~ tongue*** Lästerzunge *f*; **3.** unglücklich: ***~ day*** Unglückstag *m*; ***fall on ~ days*** ins Unglück geraten; **II** *s.* **4.** Übel *n*, Unglück *n*: ***the lesser of two ~s***, ***the lesser ~*** das geringere Übel; **5.** *das* Böse, Sünde *f*, Verderbtheit *f*: ***do ~*** Böses tun; ***the powers of ~*** die Mächte der Finsternis; ***the social ~*** die Prostitution; **ˌ~-dis'posed** → ***evil-minded***; **ˌ~-'do·er** *s.* Übeltäter(in); **ˌ~-'mind·ed** *adj.* übelgesinnt, bösartig; **ˌ~-'speak·ing** *adj.* verleumderisch.

e·vince [ɪ'vɪns] *v/t.* dartun, be-, erweisen, bekunden, zeigen.

e·vis·cer·ate [ɪ'vɪsəreɪt] *v/t.* **1.** *Tier* ausnehmen, *hunt. a.* ausweiden; **2.** *fig. et.* inhalts- *od.* bedeutungslos machen; **e·vis·cer·a·tion** [ɪˌvɪsə'reɪʃn] *s.* Ausweidung *f*.

ev·o·ca·tion [ˌevəʊ'keɪʃn] *s.* **1.** (Geister)Beschwörung *f*; **2.** *fig.* (***of***) a) Wachrufen *n* (*gen.*), b) Erinnerung *f* (an *acc.*); **3.** plastische Schilderung; **e·voc·a·tive** [ɪ'vɒkətɪv] *adj.* **1.** ***be ~ of*** erinnern an (*acc.*); **2.** sinnträchtig, beziehungsreich.

e·voke [ɪ'vəʊk] *v/t.* **1.** *Geister* her'beirufen, beschwören; **2.** *fig.* her'vor-, wachrufen, wecken.

ev·o·lu·tion [ˌiːvə'luːʃn] *s.* **1.** Entwicklung *f*, Entfaltung *f*, (Her'aus)Bildung *f*; **2.** *biol.* Evoluti'on *f*: ***theory of ~*** Evolutionstheorie *f*; **3.** Folge *f*, (Handlungs)Ablauf *m*; **4.** ⚔ Ma'növer *n*, Bewegung *f*; **5.** *phys.* (*Gas- etc.*) Entwicklung *f*; **6.** & Wurzelziehen *n*; **ˌev·o'lu·tion·ar·y** [-nərɪ] *adj.* Entwicklungs…, *biol.* Evolutions…; **ˌev·o'lu·tion·ist** [-ʃənɪst] **I** *s.* Anhänger(in) der (*biologischen*) Entwicklungslehre; **II** *adj.* die Entwicklungslehre betreffend.

e·volve [ɪ'vɒlv] **I** *v/t.* **1.** entwickeln, entfalten, her'ausarbeiten; **2.** *Gas*, *Wärme* aus-, verströmen; **II** *v/i.* **3.** sich entwickeln *od.* entfalten (***into*** zu); **4.** entstehen (***from*** aus).

ewe [juː] *s. zo.* Mutterschaf *n*; **~ lamb** *s. zo.* Schaflamm *n*.

ew·er ['juːə] *s.* Wasserkrug *m*.

ex[1] [eks] *prp.* **1.** † a) aus, ab, von: ***~ factory*** ab Fabrik; ***~ works*** ab Werk; → ***ex officio***, b) ohne, exklu'sive: ***~ all*** ausschließlich aller Rechte; ***~ dividend*** ohne Dividende; **2.** → ***ex cathedra*** *etc.*

ex[2] [eks] *s.* X *n*, x *n* (*Buchstabe*).

ex- [eks] *in Zssgn* Ex…, ehemalig; Alt…

ex·ac·er·bate [ek'sæsəbeɪt] *v/t.* **1.** *j-n* verärgern; **2.** *et.* verschlimmern; **ex·ac·er·ba·tion** [ekˌsæsə'beɪʃn] *s.* **1.** Verärgerung *f*; **2.** Verschlimmerung *f*.

ex·act [ɪg'zækt] **I** *adj.* □ → ***exactly***; **1.** ex'akt, genau, (genau) richtig: ***the ~ time*** die genaue Zeit; ***the ~ sciences*** die exakten Wissenschaften; **2.** streng, genau: ***~ rules***; **3.** me'thodisch, gewissenhaft, sorgfältig (*Person*); **4.** genau, tatsächlich: ***his ~ words***; **II** *v/t.* **5.** *Gehorsam*, *Geld etc.* fordern, verlangen; **6.** *Zahlung* eintreiben, einfordern; **7.**

Geschick etc. erfordern; **ex'act·ing** [-tɪŋ] *adj.* **1.** streng, genau; **2.** anspruchsvoll: ***an ~ customer***; ***be ~*** hohe Anforderungen stellen; **3.** hart, aufreibend (*Aufgabe etc.*); **ex'ac·tion** [-kʃn] *s.* **1.** Fordern *n*; **2.** Eintreiben *n*; **3.** (unmäßige) Forderung; **ex'act·i·tude** [-tɪtjuːd] → ***exactness***; **ex'act·ly** [-lɪ] *adv.* **1.** genau, ex'akt; **2.** sorgfältig; **3.** *als Antwort*: genau, ganz recht, du sagst (Sie sagen) es: ***not ~*** a) nicht ganz, b) *iro.* nicht gerade *od.* eben *schön etc.*; **4.** *wo, wann etc.* eigentlich; **ex'act·ness** [-nɪs] *s.* **1.** Ex'aktheit *f*, Genauigkeit *f*, Richtigkeit *f*; **2.** Sorgfalt *f*.

ex·ag·ger·ate [ɪg'zædʒəreɪt] **I** *v/t.* **1.** über'treiben; über'trieben darstellen; aufbauschen; **2.** 'überbewerten; **3.** 'überbetonen; **II** *v/i.* **4.** übertreiben; **ex'ag·ger·at·ed** [-tɪd] *adj.* □ über'trieben, -'zogen; **ex·ag·ger·a·tion** [ɪgˌzædʒə'reɪʃn] *s.* Über'treibung *f*.

ex·alt [ɪg'zɔːlt] *v/t.* **1.** *im Rang* erheben, erhöhen (***to*** zu); **2.** (lob)preisen, verherrlichen: ***~ to the skies*** in den Himmel heben; **3.** verstärken (*a. fig.*); **ex·al·ta·tion** [ˌegzɔːl'teɪʃn] *s.* **1.** Erhebung *f*: ***2 of the Cross*** *eccl.* Kreuzeserhöhung *f*; **2.** Begeisterung *f*, Ek'stase *f*, Erregung *f*; **ex'alt·ed** [-tɪd] *adj.* **1.** gehoben: ***~ style***; **2.** hoch: ***~ rank***; ***~ ideal***; **3.** begeistert; **4.** über'trieben hoch: ***have an ~ opinion of o.s.***

ex·am [ɪg'zæm] F *für* ***examination*** 2.

ex·am·i·na·tion [ɪgˌzæmɪ'neɪʃn] *s.* **1.** Unter'suchung *f* (*a.* ⚕), Prüfung *f* (***of***, ***into*** *gen.*); Besichtigung *f*, 'Durchsicht *f*: (***up***)***on ~*** bei näherer Prüfung; ***be under ~*** geprüft *od.* erwogen werden (→ *a.* 3); **2.** *ped.* Prüfung *f*, Ex'amen *n*: ***~ paper*** Prüfungsarbeit *f*, -aufgabe(n *pl.*) *f*; ***take*** (*od.* ***go in for***) ***an ~*** sich e-r Prüfung unterziehen; **3.** ⚖ a) *Zivilprozeß*: Vernehmung *f*, b) *Strafprozeß*: Verhör *n*: ***be under ~*** vernommen werden (→ *a.* 1).

ex·am·ine [ɪg'zæmɪn] **I** *v/t.* **1.** unter'suchen (*a.* ⚕), prüfen (*a. ped.*), examinieren, besichtigen, 'durchsehen, revidieren: ***~ one's conscience*** sein Gewissen prüfen; **2.** ⚖ vernehmen, *Straftäter* verhören; **II** *v/i.* **3.** ***~ into s.th.*** et. untersuchen; **ex·am·i·nee** [ɪgˌzæmɪ'niː] *s.* Prüfling *m*, ('Prüfungs)Kandiˌdat(in); **ex'am·in·er** [-nə] *s.* **1.** *allg.* Prüfer(in); **2.** ⚖ beauftragter Richter; **ex'am·in·ing bod·y** [-nɪŋ] *s.* Prüfungsausschuß *m*.

ex·am·ple [ɪg'zɑːmpl] *s.* **1.** Beispiel *n* (***of*** für): ***for ~*** zum Beispiel; ***without ~*** beispiellos, ohnegleichen; **2.** Vorbild *n*, Beispiel *n*: ***hold up as an ~*** als Beispiel hinstellen; ***set a good ~*** ein gutes Beispiel geben; ***take an ~ by*** sich ein Beispiel nehmen an (*dat.*); **3.** warnendes Beispiel: ***let this be an ~ to you*** laß dir das e-e Warnung sein; ***make an ~ of s.o.*** an j-m ein Exempel statuieren.

ex·as·per·ate [ɪg'zæspəreɪt] *v/t.* ärgern, wütend machen, aufbringen; **ex'as·per·at·ed** [-tɪd] *adj.* aufgebracht, erbost; **ex'as·per·at·ing** [-tɪŋ] *adj.* □ ärgerlich, zum Verzweifeln; **ex·as·per·a·tion** [ɪgˌzæspə'reɪʃn] *s.* Wut *f*: ***in ~*** wütend.

ex ca·the·dra [ˌekskə'θiːdrə] **I** *adj.* maßgeblich, autorita'tiv; **II** *adv.* ex 'cathedra; maßgeblich.

ex·ca·vate ['ekskəveɪt] *v/t.* **1.** ausgraben (*a. fig.*), ausschachten, -höhlen; **2.** *Zahnmedizin*: exkavieren; **ex·ca·va·tion** [ˌekskə'veɪʃn] *s.* **1.** Ausgrabung *f*; **2.** Ausschachtung *f*, Aushöhlung *f*; Aushub *m*; **3.** *geol.* Auskolkung *f*; **4.** *Zahnmedizin*: Exkavati'on *f*; **'ex·ca·va·tor** [-tə] *s.* **1.** Ausgräber *m*; **2.** Erdarbeiter *m*; **3.** ⚙ (Trocken)Bagger *m*.

ex·ceed [ɪk'siːd] **I** *v/t.* **1.** über'schreiten, -'steigen (*a. fig.*); **2.** *fig.* a) hin'ausgehen über (*acc.*), b) *j-n*, *et.* über'treffen; **II** *v/i.* **3.** zu weit gehen, das Maß über'schreiten; **4.** her'ausragen; **ex'ceed·ing** [-dɪŋ] *adj.* □ → ***exceedingly***; **1.** außer'ordentlich, äußerst; **2.** mehr als, über: ***not ~*** (von) höchstens; **ex'ceed·ing·ly** [-dɪŋlɪ] *adv.* 'überaus, äußerst, aufs äußerste.

ex·cel [ɪk'sel] **I** *v/t.* über'treffen (***o.s.*** sich selbst); **II** *v/i.* sich auszeichnen, her'vorragen (***in*** *od.* ***at*** in *dat.*).

ex·cel·lence ['eksələns] *s.* **1.** Vor'trefflichkeit *f*; **2.** vor'zügliche Leistung; **'Ex·cel·len·cy** [-sɪ] *s.* Exzel'lenz *f* (*Titel*): ***Your ~*** Eure Exzellenz; **'ex·cel·lent** [-nt] *adj.* □ vor'züglich, ausgezeichnet, her'vorragend.

ex·cel·si·or [ek'selsɪɔː] *s.* **1.** *Am.* Holzwolle *f*; **2.** *typ.* Bril'lant *f* (*Schriftgrad*).

ex·cept [ɪk'sept] **I** *v/t.* **1.** ausnehmen, -schließen (***from*** von, aus); **2.** sich *et.* vorbehalten; → ***error*** 1; **II** *v/i.* **3.** Einwendungen machen, Einspruch erheben (***against*** gegen); **III** *prp.* **4.** ausgenommen, außer, mit Ausnahme von (*od. gen.*): ***~ for*** abgesehen von, bis auf (*acc.*); **IV** *cj.* **5.** es sei denn, daß; außer, wenn: ***~ that*** außer, daß; **ex'cept·ing** [-tɪŋ] *prp.* (*nach* ***always*** *od. neg.*) ausgenommen, außer; **ex'cep·tion** [-pʃn] *s.* **1.** Ausnahme *f*: ***by way of ~*** ausnahmsweise; ***with the ~ of*** mit Ausnahme von (*od. gen.*), außer, bis auf (*acc.*); ***without ~*** ohne Ausnahme, ausnahmslos; ***make no ~(s)*** keine Ausnahme machen; ***an ~ to the rule*** e-e Ausnahme von der Regel; **2.** Einwendung *f*, Einwand *m*, Einspruch *m* (*a.* ⚖ *Rechtsmittelvorbehalt*): ***take ~ to*** a) Einwendungen machen *od.* protestieren gegen, b) Anstoß nehmen an (*dat.*); **ex'cep-**

tion·a·ble [-pʃnəbl] *adj.* ☐ **1.** anfechtbar; **2.** anstößig; **ex'cep·tion·al** [-pʃənl] *adj.* ☐ → ***exceptionally***; **1.** außergewöhnlich, Ausnahme…, Sonder…: ***~ case*** Ausnahmefall *m*; **2.** ungewöhnlich (gut); **ex'cep·tion·al·ly** [-pʃnəlı] *adv.* **1.** ausnahmsweise; **2.** außergewöhnlich.

ex·cerpt I *v/t.* [ek'sɜ:pt] **1.** *Textstelle* exzerpieren, ausziehen; **II** *s.* ['eksɜ:pt] **2.** Ex'zerpt *n*, Auszug *m*; **3.** Sonder(ab)druck *m*.

ex·cess [ık'ses] *s.* **1.** 'Übermaß *n*, -fluß *m* (***of*** an *dat.*): ***~ of ...*** zuviel …; ***carry to ~*** übertreiben, *et.* zu weit treiben; **2.** Ex'zeß *m*, Unmäßigkeit *f*, Ausschweifung *f*; *mst pl.* Ausschreitungen *pl.*: ***drink to ~*** übermäßig trinken; **3.** 'Überschuß *m* (*a.* ⚖, ✝), Mehrsumme *f*: ***in ~ of*** mehr als, über …; ***be in ~ of*** überschreiten, -steigen; ***~ of exports*** Ausfuhrüberschuß *m*; ***~ bag·gage*** *s.* ✈ *Am.* 'Übergepäck *n*; ***~ ca·pac·i·ty*** *s.* Überkapazität *f*; ***~ cost*** *s.* Mehrkosten *pl.*; ***~ cur·rent*** *s.* ⚡ 'Überstrom *m*; ***~ fare*** *s.* (Fahrpreis)Zuschlag *m*; ***~ freight*** *s.* 'Überfracht *f*.

ex·ces·sive [ık'sesıv] *adj.* ☐ 'übermäßig, über'trieben; unangemessen hoch (*Strafe etc.*).

ex·cess| lug·gage *s.* ✈ 'Übergepäck *n*; ***~ post·age*** *s.* Nachporto *n*, -gebühr *f*; ***~ prof·its tax*** *s. Am.* Mehrgewinnsteuer *f*; ***~ volt·age*** *s.* ⚡ 'Überspannung *f*; ***~ weight*** *s.* Mehrgewicht *n*.

ex·change [ıks'tʃeındʒ] **I** *v/t.* **1.** (***for***) aus-, 'umtauschen (gegen), vertauschen (mit); **2.** *Geld* eintauschen, ('um)wechseln (***for*** gegen); **3.** (*gegenseitig*) *Blicke, Küsse, Plätze* tauschen; *Grüße, Gedanken, Gefangene etc.* austauschen; *Worte, Schüsse etc.* wechseln: ***~ blows*** sich prügeln; **4.** ersetzen (***for*** durch); **5.** ⚙ auswechseln; **II** *v/i.* **6.** ***~ for*** wert sein: ***2.50 D-marks ~ for one dollar***; **III** *s.* **7.** Tausch *m* (*a. Schach*), Aus-, 'Umtausch *m*, Auswechselung *f*, Tauschhandel *m*: ***in ~*** als Ersatz, dafür; ***in ~ for*** gegen, als Entgelt für; ***~ of letters*** Schriftwechsel *m*; ***~ of blows*** Schlagwechsel *m*, *Boxen*: *a.* Schlagabtausch *m*; ***~ of shots*** Schußwechsel *m*; ***~ of views*** Meinungsaustausch; **8.** ✝ a) ('Um)Wechseln *n*, Wechselverkehr *m*: ***money ~*** Geldwechsel *m*, b) → ***bill²*** 3, c) → ***rate¹*** 2, d) ***foreign ~*** Devisen *pl.*, Valuta *f*, e) Wechselstube *f*; **9.** ✝ Börse *f*; **10.** (Fernsprech)Amt *n*, Vermittlung *f*; **ex'change·a·ble** [-dʒəbl] *adj.* **1.** (aus)tausch-, auswechselbar (***for*** gegen); **2.** Tausch…

ex·change| bro·ker *s.* **1.** Wechselmakler *m*; **2.** De'visenmakler *m*; ***~ con·trol*** *s.* De'visenbewirtschaftung *f*, -kon,trolle *f*; ***~ list*** *s.* ✝ Kurszettel *m*; ***~ of·fice*** *s.* Wechselstube *f*; ***~ rate*** *s.* ✝ 'Umrechnungs-, Wechselkurs *m*: ***~ adjustment*** Wechselkursberichtigung *f*; ***~ fluctuation band*** Bandbreite der Wechselkurse; ***~ parity*** Wechselkursparität *f*; ***~ reg·u·la·tions*** *s. pl.* ✝ De'visenbestimmungen *pl.*; ***~ re·stric·tions*** *s. pl.* ✝ De'visenbeschränkungen *pl.*; ***~ stu·dent*** *s.* 'Austauschstu,dent(in).

ex·cheq·uer [ıks'tʃekə] *s.* **1.** *Brit.* Schatzamt *n*, Staatskasse *f*, Fiskus *m*: ***the* 2** das Finanzministerium; ***~ bill*** *obs.* Schatzwechsel *m*; ***~ bond*** Schatzanweisung *f*; **2.** ✝ (Geschäfts)Kasse *f*.

ex·cis·a·ble [ek'saızəbl] *adj.* (verbrauchs)steuerpflichtig.

ex·cise¹ I *v/t.* [ek'saız] besteuern; **II** *s.* ['eksaız] *a.* ***~ duty*** Verbrauchssteuer *f*: ***~man*** Steuereinnehmer *m*.

ex·cise² [ek'saız] *v/t.* ⚕ her'ausschneiden, entfernen; **ex·ci·sion** [ek'sıʒn] *s.* **1.** ⚕ Exzisi'on *f*, Ausschneidung *f*; **2.** Ausmerzung *f*.

ex·cit·a·bil·i·ty [ık,saıtə'bılətı] *s.* Reizbar-, Erregbarkeit *f*, Nervosi'tät *f*; **ex·cit·a·ble** [ık'saıtəbl] *adj.* reiz-, erregbar, ner'vös; **ex·cit·ant** ['eksıtənt] *s.* ⚕ Reizmittel *n*, 'Stimulans *n*; **ex·ci·ta·tion** [,eksı'teıʃn] *s.* **1.** *a.* ⚡, ✝ Erregung *f*; **2.** ⚕ Reiz *m*, 'Stimulus *m*.

ex·cite [ık'saıt] *v/t.* **1.** *j-n* er-, aufregen: ***get ~d*** (***over***) sich aufregen (über *acc.*); **2.** *j-n* an-, aufreizen, aufstacheln; **3.** *j-n* (*sexuell*) erregen; **4.** *Interesse etc.* erregen, erwecken, her'vorrufen; **5.** ⚕ *Nerv* reizen; **6.** ⚡ erregen; **7.** *phot.* lichtempfindlich machen; **ex'cit·ed** [-tıd] *adj.* ☐ erregt; aufgeregt; **ex'cite·ment** [-mənt] *s.* **1.** Er-, Aufregung *f*; **2.** Reizung *f*; **ex'cit·er** [-tə] *s.* ⚡ Erreger *m*; **ex'cit·ing** [-tıŋ] *adj.* **1.** erregend; aufregend; spannend, anregend, toll; **2.** ⚡ Erreger…

ex·claim [ık'skleım] **I** *v/i.* **1.** ausrufen, (auf)schreien; **2.** eifern, wettern (***against*** gegen); **II** *v/t.* **3.** ausrufen.

ex·cla·ma·tion [,eksklə'meıʃn] *s.* **1.** Ausruf *m*, (Auf)Schrei *m*; **2.** *a.* ***~ mark***, ***note of ~***, *Am.* ***point of ~*** Ausrufe-, Ausrufungszeichen *n*; **3.** heftiger Pro'test; **4.** *ling.* a) Ausrufesatz *m*, b) Interjekti'on *f*; **ex·clam·a·to·ry** [ek'sklæmətərı] *adj.* **1.** exklama'torisch: ***~ style***; **2.** Ausrufe…: ***~ sentence***.

ex·clave ['eksklerv] *s.* Ex'klave *f*.

ex·clude [ık'sklu:d] *v/t.* ausschließen (***from*** von): ***not excluding myself*** mich selbst nicht ausgenommen; **ex'clu·sion** [-u:ʒən] *s.* **1.** Ausschließung *f*, Ausschluß *m* (***from*** von): ***to the ~ of*** unter Ausschluß von; **2.** ⚙ Absperrung *f*; ***~ zone*** *s. pol.* Schutzzone *f*.

ex·clu·sive [ık'sklu:sıv] **I** *adj.* ☐ → ***exclusively***; **1.** ausschließend: ***~ of*** aus schließlich (*gen.*), abgesehen von, ohne; ***be ~ of*** *et.* ausschließen; **2.** a) ausschließlich, al'leinig, Allein..., Sonder...: ***~ agent*** Alleinvertreter *m*; ***~ rights*** ausschließliche Rechte; ***be ~ to*** beschränkt sein auf (*acc.*), b) Exklusiv...: ***~ contract*** (***report*** *etc.*); **3.** exklu'siv: a) vornehm, b) anspruchsvoll; **4.** unnahbar; **II** *s.* **5.** Exklu'sivbericht *m*; **ex'clu·sive·ly** [-lɪ] *adv.* ausschließlich, nur; **ex'clu·sive·ness** [-nɪs] *s.* Exklusivi'tät *f.*

ex·cog·i·tate [eks'kɒdʒɪteɪt] *v/t.* (sich) *et.* ausdenken, ersinnen.

ex·com·mu·ni·cate [ˌekskə'mju:nɪkeɪt] *v/t.* *R.C.* exkommunizieren; **ex·com·mu·ni·ca·tion** ['ekskəˌmju:nɪ'keɪʃn] *s.* Exkommunikati'on *f.*

ex·co·ri·ate [eks'kɔ:rɪeɪt] *v/t.* **1.** die Haut abziehen von; *Baum* abrinden; **2.** *Haut* wund reiben, abschürfen; **3.** heftig angreifen, vernichtend kritisieren; **ex·co·ri·a·tion** [eksˌkɔ:rɪ'eɪʃn] *s.* **1.** (Haut)Abschürfung *f*; **2.** Wundreiben *n.*

ex·cre·ment ['ekskrɪmənt] *s. oft pl.* Kot *m*, Exkre'mente *pl.*

ex·cres·cence [ɪk'skresns] *s.* **1.** Auswuchs *m* (*a. fig.*); **2.** ⚕ Wucherung *f*; **ex'cres·cent** [-nt] *adj.* **1.** auswachsend; wuchernd; **2.** *fig.* 'überflüssig; **3.** *ling.* eingeschoben.

ex·cre·ta [ek'skri:tə] *s. pl.* Ex'krete *pl.*; **ex·crete** [ek'skri:t] *v/t.* absondern, ausscheiden; **ex'cre·tion** [-i:ʃn] *s.* **1.** Ausscheidung *f*; **2.** Ex'kret *n.*

ex·cru·ci·ate [ɪk'skru:ʃɪeɪt] *v/t. fig.* quälen; **ex'cru·ci·at·ing** [-tɪŋ] *adj.* ☐ **1.** qualvoll, heftig; **2.** F schauderhaft, unerträglich.

ex·cul·pate ['ekskʌlpeɪt] *v/t.* reinwaschen, rechtfertigen, freisprechen (***from*** von); **ex·cul·pa·tion** [ˌekskʌl'peɪʃn] *s.* Entschuldigung *f*, Rechtfertigung *f*, Entlastung *f.*

ex·cur·sion [ɪk'skɜ:ʃn] *s.* **1.** (*a.* wissenschaftliche) Exkursi'on, Ausflug *m*, Abstecher *m*, Streifzug *m* (*alle a. fig.*): ***~ train*** Sonder-, Ausflugszug *m*; **2.** Abschweifung *f*; **3.** Abweichung *f* (*a. ast.*); **ex'cur·sion·ist** [-ʃnɪst] *s.* Ausflügler (-in); **ex'cur·sive** [-ɜ:sɪv] *adj.* ☐ **1.** abschweifend; **2.** weitschweifig; **3.** sprunghaft; **ex'cur·sus** [-ɜ:səs] *pl.* **-sus·es** *s.* Ex'kurs *m* (*Erörterung od. Abschweifung*).

ex·cus·a·ble [ɪk'skju:zəbl] *adj.* ☐ entschuldbar, verzeihlich.

ex·cuse I *v/t.* [ɪk'skju:z] **1.** *j-n od. et.* entschuldigen, *j-m et.* verzeihen: ***~ me*** a) entschuldigen Sie!, b) aber erlauben Sie mal!; ***~ me for being late***, ***~ my being late*** verzeih, daß ich zu spät komme; ***please ~ my mistake*** bitte entschuldige m-n Irrtum; **2.** Nachsicht mit *j-m* haben; **3.** *et.* entschuldigen, über'sehen; **4.** *et.* entschuldigen, e-e Entschuldigung für *et.* sein, rechtfertigen: ***that does not ~ your conduct***; **5.** (***from***) *j-n* befreien (von), *j-m et.* erlassen: ***~ s.o. from attendance***; ***~d from duty*** vom Dienst befreit; ***he begs to be ~d*** er läßt sich entschuldigen; ***I must be ~d from doing this*** ich muß es leider ablehnen, dies zu tun; **6.** *j-m et.* erlassen; **II** *s.* [-kju:s] **7.** Entschuldigung *f*: ***offer*** (*od.* ***make***) ***an ~*** sich entschuldigen; ***please make my ~s to her*** bitte entschuldige mich bei ihr; **8.** Rechtfertigung *f*: ***there is no ~ for his conduct*** sein Benehmen ist nicht zu entschuldigen; **9.** Vorwand *m*, Ausrede *f*, Ausflucht *f*; **10.** dürftiger Ersatz: ***a poor ~ for a car*** e-e armselige ‚Kutsche'; **ex'cuse-me** *s.* Tanz *m* mit Abklatschen.

ˌex-di'rec·to·ry *adj.*: ***~ number*** *teleph.* Geheimnummer *f.*

ex·e·at ['eksɪæt] (*Lat.*) *s. Brit.* (kurzer) Urlaub (*für Studenten*).

ex·e·cra·ble ['eksɪkrəbl] *adj.* ☐ ab'scheulich, scheußlich; **ex·e·crate** ['eksɪkreɪt] **I** *v/t.* **1.** verfluchen, verwünschen; **2.** verabscheuen; **II** *v/i.* **3.** fluchen; **ex·e·cra·tion** [ˌeksɪ'kreɪʃn] *s.* **1.** Verwünschung *f*, Fluch *m*; **2.** Abscheu *m*: ***hold in ~*** verabscheuen.

ex·ec·u·tant [ɪg'zekjʊtənt] *s.* Ausführende(r *m*) *f*, *bsd.* ♪ Vortragende(r *m*) *f*; **ex·e·cute** ['eksɪkju:t] *v/t.* **1.** aus-, 'durchführen, verrichten, tätigen; **2.** *Amt* ausüben; **3.** ♪, *thea.* vortragen, spielen; **4.** ⚖ a) *Urkunde* (rechtsgültig) ausfertigen, durch 'Unterschrift, Siegel *etc.* voll'ziehen, b) *Urteil* voll'strecken, *bsd. j-n* hinrichten, c) *j-n* pfänden; **ex·e·cu·tion** [ˌeksɪ'kju:ʃn] *s.* **1.** Aus-, 'Durchführung *f*, Verrichtung *f*: ***carry into ~*** ausführen; **2.** (*Art u. Weise der*) Ausführung: a) ♪ Vortrag *m*, Spiel *n*, Technik *f*, b) *Kunst*, *Literatur*: Darstellung *f*, Stil *m*; **3.** ⚖ a) Ausfertigung *f*, b) Errichtung *f* (*e-s Testaments*), c) Voll'ziehung *f*, ('Urteils-, *a.* 'Zwangs-) Vollˌstreckung *f*, Pfändung *f*, d) Hinrichtung *f*: ***sale under ~*** Zwangsversteigerung *f*; ***levy ~ against a company*** die Zwangsvollstreckung in das Vermögen e-r Gesellschaft betreiben; **ex·e·cu·tion·er** [ˌeksɪ'kju:ʃnə] *s.* **1.** Henker *m*, Scharfrichter *m*; **2.** *sport* Voll'strecker *m*; **ex'ec·u·tive** [-tɪv] **I** *adj.* ☐ **1.** ausübend, voll'ziehend, *pol.* Exekutiv...: ***~ officer*** Verwaltungsbeamte(r) *m*; ***~ power*** → 3; **2.** ⚜ geschäftsführend, leitend: ***~ board*** Vorstand *m*; ***~ committee*** Exekutivausschuß *m*; ***~ floor*** Chefetage *f*; ***~ functions*** Führungsaufgaben; ***~ post*** leitende Stellung; ***~ staff*** leitende Angestellte *pl.*; **II**

s. **3.** Exeku'tive *f*, voll'ziehende Gewalt (*im Staat*); **4.** *a.* ***senior*** ~ ⚕ leitender Angestellter; **5.** ⚔ *Am.* stellvertretender Komman'deur; **ex'ec·u·tor** [-tə] *s.* ⚖ Testa'mentsvollˌstrecker *m*, Erbschaftsverwalter *m*: ***literary*** ~ Nachlaßverwalter e-s Autors; **ex'ec·u·to·ry** [-tərɪ] *adj.* **1.** ⚖ bedingt, erfüllungsbedürftig: ~ ***contract***; **2.** Ausführungs…; **ex'ec·u·trix** [-trɪks] *s.* ⚖ Testa'mentsvollˌstreckerin *f*.

ex·e·ge·sis [ˌeksɪ'dʒi:sɪs] *s.* Exe'gese *f*, (Bibel)Auslegung *f*; **ex·e·gete** ['eksɪdʒi:t] *s.* Exe'get *m*; **ˌex·e'get·ic** [-'dʒetɪk] **I** *adj.* □ exe'getisch, auslegend; **II** *s. pl. sg. konstr.* Exe'getik *f*.

ex·em·plar [ɪg'zemplə] *s.* **1.** Muster(beispiel) *n*, Vorbild *n*; **2.** typisches Beispiel; **3.** *typ.* (Druck)Vorlage *f*; **ex'em·pla·ry** [-ərɪ] *adj.* □ **1.** exem'plarisch: a) beispiel-, musterhaft, b) warnend, abschreckend, dra'konisch (*Strafe etc.*); **2.** typisch, Muster…

ex·em·pli·fi·ca·tion [ɪgˌzemplɪfɪ'keɪʃn] *s.* **1.** Erläuterung *f* durch Beispiele; Veranschaulichung *f*; **2.** Beleg *m*, Beispiel *n*, Muster *n*; **3.** ⚖ beglaubigte Abschrift, Ausfertigung *f*; **ex·em·pli·fy** [ɪg'zemplɪfaɪ] *v/t.* **1.** veranschaulichen: a) durch Beispiele erläutern, b) als Beispiel dienen für; **2.** ⚖ e-e beglaubigte Abschrift machen von.

ex·empt [ɪg'zempt] **I** *v/t.* **1.** *j-n* befreien, ausnehmen (***from*** von *Steuern*, *Verpflichtungen etc.*): ~***ed amount*** ⚕ (Steuer)Freibetrag *m*; **2.** ⚔ (*vom Wehrdienst*) freistellen; **II** *adj.* befreit, ausgenommen, frei (***from*** von): ~ ***from taxes*** steuerfrei; **ex'emp·tion** [-pʃn] *s.* **1.** Befreiung *f*, Freisein *n* (***from*** von): ~ ***from taxes*** Steuerfreiheit *f*; ~ ***from liability*** ⚖ Haftungsausschluß *m*; **2.** ⚔ Freistellung *f* (*vom Wehrdienst*); **3.** *pl.* ⚖ unpfändbare Gegenstände *pl.* *od.* Beträge *pl.*; **4.** Sonderstellung *f*, Vorrechte *pl.*

ex·er·cise ['eksəsaɪz] **I** *s.* **1.** Ausübung *f* (*e-s Amtes*, *der Pflicht*, *e-r Kunst*, *e-s Rechts*, *der Macht etc.*), Gebrauch *m*, Anwendung *f*; **2.** *oft pl.* (*körperliche od. geistige*) Übung, (*körperliche*) Bewegung, *sport* (Turn)Übung *f*: ***do one's*** ~***s*** Gymnastik machen; ***take*** ~ sich Bewegung machen; ~ ***therapy*** Bewegungstherapie *f*; ***physical*** ~ Leibesübungen *pl.*; (***military***) ~ a) Exerzieren *n*, b) Manöver *n*; (***religious***) ~ Gottesdienst *m*, Andacht *f*; **3.** Übungsarbeit *f*, Schulaufgabe *f*: ~***-book*** Schul-, Schreibheft *n*; **4.** ♪ Übung(sstück *n*) *f*; **5.** *pl. Am.* Feier(lichkeiten *pl.*) *f*; **II** *v/t.* **6.** *ein Amt*, *ein Recht*, *Macht*, *Einfluß* ausüben, *Einfluß*, *Recht*, *Macht* geltend machen, *et.* anwenden; *Geduld* üben; **7.** *Körper*, *Geist* üben, trainieren; **8.** *j-n* üben, ausbilden; **9.** *s-e Glieder*, *Tiere* bewegen; **10.** *j-n*, *j-s Geist* stark beschäftigen, plagen, beunruhigen: ***be*** ~***d*** beunruhigt sein (***about*** über *acc.*); **III** *v/i.* **11.** sich Bewegung machen; **12.** *sport* trainieren; **13.** ⚔ exerzieren.

ex·ert [ɪg'zɜ:t] *v/t.* gebrauchen, anwenden; *Druck*, *Einfluß etc.* ausüben (***on*** auf *acc.*); *Autorität* geltend machen: ~ ***o.s.*** sich anstrengen; **ex'er·tion** [-ɜ:ʃn] *s.* **1.** Anwendung *f*, Ausübung *f*; **2.** Anstrengung *f*: a) Stra'paze *f*, b) Bemühung *f*.

ex·e·unt ['eksɪʌnt] (*Lat.*) *thea.* (sie gehen) ab: ~ ***omnes*** alle ab.

ex·fo·li·ate [eks'fəʊlɪeɪt] *v/i.* *mst* ⚕ abblättern, sich abschälen; **ex·fo·li·a·tion** [eksˌfəʊlɪ'eɪʃn] *s.* Abblätterung *f*.

ex·gra·ti·a [eks'greɪʃə] *adj.* freiwillig; ⚕ ~ ***payment*** Kulanzzahlung *f*.

ex·ha·la·tion [ˌeks*h*ə'leɪʃn] *s.* **1.** Ausatmen *n*; **2.** Verströmen *n*; **3.** a) Gas *n*, b) Rauch *m*, c) Geruch *m*, Ausdünstung *f*; **ex·hale** [eks'heɪl] **I** *v/t.* **1.** ausatmen; **2.** *Gas*, *Geruch etc.* verströmen, *Rauch* ausstoßen; **II** *v/i.* **3.** ausströmen; **4.** ausatmen.

ex·haust [ɪg'zɔ:st] **I** *v/t.* **1.** *mst* ⚙ a) (ent)leeren, b) luftleer pumpen, c) *Luft*, *Wasser etc.* her'auspumpen, *Gas* auspuffen, d) absaugen; **2.** *allg.* erschöpfen: a) *Boden* ausmergeln, b) *Bergwerk etc.* völlig abbauen, c) *Vorräte* ver-, aufbrauchen, d) *j-n* ermüden, entkräften, e) *j-s Kräfte* strapazieren; **3.** *Thema* erschöpfend behandeln; *alle Möglichkeiten* ausschöpfen; **II** *v/i.* **4.** ausströmen; **5.** sich entleeren; **III** *s.* **6.** ⚙ a) Dampfaustritt *m*, b) *a.* ~ ***gas*** Abgas *n*, c) Auspuffgase *pl.*; **7.** *mot.* Auspuff *m*: ~ ***box*** Auspufftopf *m*; ~ ***brake*** Motorbremse *f*; ~ ***emission test*** Abgastest *m*; ~ ***fumes*** Abgase; **8.** → ***exhauster***; **ex'haust·ed** [-tɪd] *adj.* **1.** aufgebraucht, zu Ende, erschöpft (*Vorräte*), vergriffen (*Auflage*), abgelaufen (*Frist*, *Versicherung*); **2.** *fig.* erschöpft, ermattet; **ex'haust·er** [-tə] *s.* ⚙ (Ent-) Lüfter *m*, Absaugevorrichtung *f*, Ex'haustor *m*; **ex'haust·ing** [-tɪŋ] *adj.* ermüdend, anstrengend, strapazi'ös; **ex'haus·tion** [-tʃn] *s.* **1.** ⚙ a) (Ent)Leerung *f*, b) Her'auspumpen *n*, c) Absaugung *f*; **2.** Ausströmen *n* (*von Dampf etc.*); **3.** Erschöpfung *f*, (völliger) Verbrauch; **4.** *fig.* Erschöpfung *f*, Ermüdung *f*, Entkräftung *f*; **5.** ⩚ Approximati'on *f*; **ex'haus·tive** [-tɪv] *adj.* □ **1.** *fig.* erschöpfend; **2.** → ***exhausting***.

ex·haust| pipe *s.* ⚙ Auspuffrohr *n*; ~ **pol·lu·tion** *s.* Luftverschmutzung *f* durch Abgase; ~ **pol·lu·tion standards** *s. pl.* Abgaswerte *pl.*; ~ **steam** *s.* ⚙ Abdampf *m*; ~ **stroke** *s.* ⚙ Auspuffhub *m*; ~ **valve** *s.* ⚙ 'Auslaßvenˌtil

n.

ex·hib·it [ɪg'zɪbɪt] **I** *v/t.* **1.** ausstellen, zur Schau stellen: *~ **goods***; **2.** *fig.* zeigen, an den Tag legen, entfalten; **3.** ⚖ vorlegen; **II** *v/i.* **4.** ausstellen; **III** *s.* **5.** Ausstellungsstück *n*, Expo'nat *n*; **6.** ⚖ a) Eingabe *f*, b) Beweisstück *n*, Beleg *m*, c) Anlage *f zu e-m Schriftsatz*.

ex·hi·bi·tion [ˌeksɪ'bɪʃn] *s.* **1.** a) Ausstellung *f*, Schau *f*: ***be on ~*** ausgestellt sein, zu sehen sein, b) Vorführung *f*: ***~ contest*** *sport* Schaukampf *m*; ***make an ~ of o.s.*** sich lächerlich *od.* zum Gespött machen, ‚auffallen'; **2.** *fig.* Zur'schaustellung *f*, Bekundung *f*; **3.** ⚖ Vorlage *f*, Beibringung *f* (*von Beweisen etc.*); **4.** *Brit. univ.* Sti'pendium *n*; ˌ**ex·hi'bi·tion·er** [-ʃnə] *s. Brit. univ.* Stipendi'at *m*; ˌ**ex·hi'bi·tion·ism** [-ʃnɪzəm] *s. psych. u. fig.* Exhibitio'nismus *m*; ˌ**ex·hi'bi·tion·ist** [-ʃnɪst] *psych. u. fig.* **I** *s.* Exhibitio'nist *m*; **II** *adj.* exhibitio'nistisch; **ex·hib·i·tor** [ɪg'zɪbɪtə] *s.* **1.** Aussteller *m*; **2.** Kinobesitzer *m*.

ex·hil·a·rant [ɪg'zɪlərənt] → ***exhilarating***; **ex·hil·a·rate** [ɪg'zɪləreɪt] *v/t.* **1.** erheitern; **2.** beleben, erfrischen; **ex'hil·a·rat·ed** [-tɪd] *adj.* erheitert, heiter, amüsiert; **ex'hil·a·rat·ing** [-tɪŋ] *adj.* □ erheiternd, erfrischend, amü'sant; **ex·hil·a·ra·tion** [ɪgˌzɪlə'reɪʃn] *s.* **1.** Erheiterung *f*; **2.** Heiterkeit *f*.

ex·hort [ɪg'zɔːt] *v/t.* ermahnen; **ex·hor·ta·tion** [ˌegzɔː'teɪʃn] *s.* Ermahnung *f*.

ex·hu·ma·tion [ˌeks*h*juː'meɪʃn] *s.* Exhumierung *f*; **ex·hume** [eks'hjuːm] *v/t.* **1.** *Leiche* exhumieren; **2.** *fig.* ausgraben.

ex·i·gence ['eksɪdʒəns], **ex·i·gen·cy** [-dʒənsɪ; ɪg'zɪ-] *s.* **1.** Dringlichkeit *f*; **2.** Not(lage) *f*; **3.** *mst pl.* (An)Forderung *f*; '**ex·i·gent** [-nt] *adj.* **1.** dringend, kritisch; **2.** anspruchsvoll.

ex·i·gu·i·ty [ˌeksɪ'gjuːətɪ] *s.* Dürftigkeit *f*; **ex·ig·u·ous** [eg'zɪgjʊəs] *adj.* dürftig.

ex·ile ['eksaɪl] **I** *s.* **1.** a) Ex'il *n*, b) Verbannung *f*: ***government in ~*** Exilregierung *f*; ***the 2*** *bibl.* die Babylonische Gefangenschaft; **2.** a) im Ex'il Lebende(r *m*) *f*, b) Verbannte(r *m*) *f*; **II** *v/t.* **3.** a) exilieren, b) verbannen (***from*** aus), in die Verbannung schicken.

ex·ist [ɪg'zɪst] *v/i.* **1.** existieren, vor'handen sein, dasein: ***do such things ~?*** gibt es so etwas?; ***right to ~*** Existenzberechtigung *f*; **2.** sich finden, vorkommen (***in*** in *dat.*); **3.** (***on***) existieren, leben (von); **ex'ist·ence** [-təns] *s.* **1.** Exi'stenz *f*, Vor'handensein *n*, Vorkommen *n*: ***call into ~*** ins Leben rufen; ***be in ~*** bestehen, existieren; ***remain in ~*** weiterbestehen; **2.** Exi'stenz *f*, Leben *n*, Dasein *n*: ***a wretched ~*** ein kümmerliches Dasein; **3.** Exi'stenz *f*, (Fort-)Bestand *m*; **ex'ist·ent** [-tənt] *adj.* **1.** existierend, bestehend, vor'handen, lebend; **2.** gegenwärtig.

ex·is·ten·tial [ˌegzɪ'stenʃl] *adj.* **1.** Existenz...; **2.** *phls.* Existential...; ˌ**ex·is'ten·tial·ism** [-ʃəlɪzəm] *s.* Existentia'lismus *m*, Exi'stenzphilosoˌphie *f*; ˌ**ex·is'ten·tial·ist** [-ʃəlɪst] *s.* Existentia'list (-in).

ex·ist·ing [ɪg'zɪstɪŋ] → ***existent***.

ex·it ['eksɪt] **I** *s.* **1.** Abgang *m*: a) *thea.* Abtreten *n* (*von der Bühne*), b) *fig.* Tod *m*: ***make one's ~*** → 6a, 7; **2.** (*a.* Not)Ausgang *m*; **3.** ⚙ Abzug *m*, -fluß *m*, Austritt *m*; **4.** Ausreise *f*: ***~ permit*** Ausreisegenehmigung *f*; ***~ visa*** Ausreisevisum *n*; **5.** (Autobahn)Ausfahrt *f*; **II** *v/i.* **6.** *thea.* a) abgehen, abtreten, b) *Bühnenanweisung*: (*er, sie* geht) ab: ***2 Romeo***; **7.** *fig.* sterben.

ex li·bris [eks'laɪbrɪs] (*Lat.*) *s.* Ex'libris *n*, Bücherzeichen *n*.

ˌ**ex·o·bi'ol·o·gy** [ˌeksəʊ-] *s.* Exo-, Ektobiolo'gie *f*.

ex·o·carp ['eksəʊkɑːp] *s.* ♀ Exo'karp *n*, äußere Fruchthaut.

ex·o·crine ['eksəʊkraɪn] *physiol.* **I** *adj.* **1.** exo'krin; **II** *s.* **2.** äußere Sekreti'on; **3.** exo'krine Drüse.

ex·o·don·ti·a [ˌeksəʊ'dɒnʃɪə] *s.* ˌ**ex·o'don·tics** [-ntɪks] *s. pl. sg. konstr.* 'Zahnchirurˌgie *f*.

ex·o·dus ['eksədəs] *s.* **1.** a) *bibl. u. fig.* Auszug *m*, b) *2 bibl.* Exodus *m*, Zweites Buch Mose; **2.** *fig.* Ab-, Auswanderung *f*, Massenflucht *f*; Aufbruch *m*: ***~ of capital*** ✝ Kapitalabwanderung; ***rural ~*** Landflucht.

ex of·fi·ci·o [ˌeksə'fɪʃɪəʊ] (*Lat.*) **I** *adv.* von Amts wegen; **II** *adj.* Amts..., amtlich.

ex·on·er·ate [ɪg'zɒnəreɪt] *v/t.* **1.** *Angeklagten etc., a. Schuldner* entlasten (***from*** von); **2.** *j-n* befreien, entbinden (***from*** von); **ex·on·er·a·tion** [ɪgˌzɒnə'reɪʃn] *s.* **1.** Entlastung *f*; **2.** Befreiung *f*.

ex·or·bi·tance [ɪg'zɔːbɪtəns] *s.* Maßlosigkeit *f*; **ex'or·bi·tant** [-nt] *adj.* □ maßlos, über'trieben, unverschämt: ***~ price*** Wucherpreis *m*.

ex·or·cism ['eksɔːsɪzəm] *s.* Exor'zismus *m*, Teufelsaustreibung *f*, Geisterbeschwörung *f*; '**ex·or·cist** [-ɪst] *s.* Exor'zist *m*, Teufelsaustreiber *m*, Geisterbeschwörer *m*; '**ex·or·cize** [-saɪz] *v/t.* *Teufel* austreiben, *Geister* beschwören, bannen.

ex·or·di·um [ek'sɔːdjəm] *s.* Einleitung *f*, Anfang *m* (*e-r Rede*).

ex·o·ter·ic [ˌeksəʊ'terɪk] *adj.* (□ ***~ally***) exo'terisch, für Außenstehende bestimmt, gemeinverständlich.

ex·ot·ic [ɪg'zɒtɪk] *adj.* (□ ***~ally***) ex'otisch: a) aus-, fremdländisch, b) fremdartig, bi'zarr; **ex'ot·i·ca** [-kə] *s. pl.* E'xotika *pl.* (*fremdländische Kunst-*

werke).

ex·pand [ɪk'spænd] **I** *v/t.* **1.** ausbreiten, -spannen, entfalten; **2.** ✝, *phys. u. fig.* ausdehnen, -weiten, erweitern: **~ed metal** Streckmetall *n*; **~ed plastics** Schaumkunststoffe; **~ed program(me)** erweitertes Programm; **3.** *Abkürzung* ausschreiben; **II** *v/i.* **4.** sich ausbreiten *od.* -dehnen; sich erweitern (*a. fig.*): **his heart ~ed with joy** sein Herz schwoll vor Freude; **5.** *fig.* sich entwickeln, aufblühen (**into** zu); größer werden; **6.** *fig.* a) *vor Stolz, Freude etc.* ‚aufblühen', b) aus sich her'ausgehen; **ex'pand·er** [-də] *s. sport* Ex'pander *m*; **ex'pand·ing** [-dɪŋ] *adj.* sich (aus)dehnend, dehnbar; **ex'panse** [-ns] *s.* weiter Raum, weite Fläche, Weite *f*, Ausdehnung *f*; *orn.* Spannweite *f*; **ex'pan·sion** [-nʃn] *s.* **1.** Ausbreitung *f*, Erweiterung *f*, Zunahme *f*; (✝ *Industrie-, Produktions-, a. Kredit*)Ausweitung *f*; *pol.* Expansi'on *f*: **ego ~** *psych.* gesteigertes Selbstgefühl; **2.** *a.* ⚙, *phys.* (Aus)Dehnung *f*, Expansi'on *f*: **~ engine** Expansionsmaschine *f*; **~ stroke** *mot.* Arbeitstakt *m*, Expansionshub *m*; **3.** 'Umfang *m*, Raum *m*, Weite *f*; **ex'pan·sion·ism** [-nʃənɪzəm] *s.* Expansi'onspoli,tik *f*; **ex'pan·sion·ist** [-nʃənɪst] **I** *s.* Anhänger(in) der Expansi'onspoli,tik; **II** *adj.* Expansions...; **ex'pan·sive** [-nsɪv] *adj.* □ **1.** ausdehnungsfähig, ausdehnend, (Aus)Dehnungs...; **2.** ausgedehnt, weit, um'fassend; **3.** *fig.* mitteilsam, aufgeschlossen; **4.** *fig.* 'überschwenglich; **ex'pan·sive·ness** [-nsɪvnɪs] *s.* **1.** Ausdehnungsvermögen *n*; **2.** *fig.* a) Mitteilsamkeit *f*, Aufgeschlossenheit *f*, b) 'Überschwenglichkeit *f*.

ex par·te [ˌeks'pɑːtɪ] (*Lat.*) *adj. u. adv.* ⚖ einseitig (*Prozeßhandlung*).

ex·pa·ti·ate [ek'speɪʃɪeɪt] *v/i.* sich weitläufig auslassen *od.* verbreiten (**on** über *acc.*); **ex·pa·ti·a·tion** [ekˌspeɪʃɪ'eɪʃn] *s.* weitläufige Erörterung, Erguß *m*, ‚Salm' *m*.

ex·pa·tri·ate I *v/t.* [eks'pætrɪeɪt] **1.** ausbürgern, expatriieren, *j-m* die Staatsangehörigkeit aberkennen: **~ o.s.** auswandern, s-e Staatsangehörigkeit aufgeben; **II** *adj.* [-ɪət] **2.** verbannt, ausgebürgert; **3.** ständig im Ausland lebend; **III** *s.* [-ɪət] **4.** Ausgebürgerte(r *m*) *f*; **5.** (freiwillig) im Ex'il *od.* ständig im Ausland Lebende(r *m*) *f*; **ex·pa·tri·a·tion** [eksˌpætrɪ'eɪʃn] *s.* **1.** Ausbürgerung *f*; Aberkennung *f* der Staatsangehörigkeit; **2.** Auswanderung *f*; **3.** Aufgabe *f* s-r Staatsangehörigkeit.

ex·pect [ɪk'spekt] *v/t.* **1.** *j-n* erwarten: **I ~ him to dinner** ich erwarte ihn zum Essen; **2.** *et.* erwarten *od.* vor'hersehen; entgegensehen (*dat.*): **I did not ~ that question** auf diese Frage war ich nicht gefaßt *od.* vorbereitet; **3.** erwarten, hoffen, rechnen auf (*acc.*): **I ~ you to come** ich erwarte, daß du kommst; **I ~ (that) he will come** ich erwarte, daß er kommt; **4.** *et. von j-m* erwarten, verlangen: **you ~ too much from him**; **5.** F annehmen, denken, vermuten: **that is hardly to be ~ed** das ist kaum anzunehmen; **I ~ so** ich denke ja (*od.* schon); **ex'pect·ance** [-təns], **ex'pect·an·cy** [-tənsɪ] *s.* (**of**) **1.** Erwartung *f* (*gen.*); Hoffnung *f*, Aussicht *f* (auf *acc.*); **2.** ✝, ⚖ Anwartschaft *f* (auf *acc.*); **ex'pect·ant** [-tənt] **I** *adj.* □ **1.** erwartend: **be ~ of** *et.* erwarten; **~ heir** a) ⚖ Erb(schafts)anwärter(in), b) Thronanwärter *m*; **2.** erwartungsvoll; **3.** zu erwarten(d); **4.** schwanger: **~ mother** werdende Mutter, Schwangere *f*; **II** *s.* **5.** ⚖ Anwärter(in) (**of** auf *acc.*); **ex·pec·ta·tion** [ˌekspek'teɪʃn] *s.* **1.** Erwartung *f*, Erwarten *n*: **beyond (contrary to) ~** über (wider) Erwarten; **according to ~** erwartungsgemäß; **come up to ~** den Erwartungen entsprechen; **2.** Gegenstand *m* der Erwartung; **3.** *oft pl.* Hoffnung *f*, Aussicht *f*: **~ of life** Lebenserwartung *f*; **ex'pect·ing** [-tɪŋ] *adj.*: **she is ~** F sie ist in anderen Umständen.

ex·pec·to·rant [ek'spektərənt] *adj. u. s. pharm.* schleimlösend(es Mittel); **ex·pec·to·rate** [ek'spektəreɪt] **I** *v/t.* aus-spucken, -husten; **II** *v/i.* a) (aus-) spucken, b) Blut spucken; **ex·pec·to·ra·tion** [ekˌspektə'reɪʃn] *s.* **1.** Auswerfen *n*, Aushusten *n*, -spucken *n*; **2.** Auswurf *m*.

ex·pe·di·ence [ɪk'spiːdjəns], **ex'pe·di·en·cy** [-sɪ] *s.* **1.** Ratsamkeit *f*, Zweckmäßigkeit *f*; **2.** Nützlichkeit *f*, Zweckdienlichkeit *f*; **3.** Eigennutz *m*; **ex'pe·di·ent** [-nt] **I** *adj.* □ **1.** ratsam, angebracht; **2.** zweckmäßig, -dienlich, praktisch, nützlich, vorteilhaft; **3.** eigennützig; **II** *s.* **4.** (Hilfs)Mittel *n*, (Not)Behelf *m*.

ex·pe·dite ['ekspɪdaɪt] *v/t.* **1.** beschleunigen, fördern; **2.** schnell ausführen; **3.** befördern, expedieren.

ex·pe·di·tion [ˌekspɪ'dɪʃn] *s.* **1.** Eile *f*, Schnelligkeit *f*; **2.** (Forschungs)Reise *f*, Expediti'on *f*; **3.** ⚔ Feldzug *m*; **ˌex·pe'di·tion·ar·y** [-ʃnərɪ] *adj.* Expeditions...: **~ force** Expeditionskorps *n*; **ˌex·pe'di·tious** [-ʃəs] *adj.* □ schnell, rasch, prompt.

ex·pel [ɪk'spel] *v/t.* (**from**) **1.** vertreiben, wegjagen (aus, von); **2.** ausstoßen, -schließen, hi'nauswerfen (aus); **3.** aus-, verweisen, verbannen (aus); **4.** *Rauch etc.* ausstoßen (aus); **ex·pel·lee** [ˌekspe'liː] *s.* (Heimat)Vertriebene(r *m*) *f*.

E

ex·pend [ɪk'spend] *v/t.* **1.** *Geld* ausgeben; **2.** *Mühe, Zeit etc.* ver-, aufwenden (***on*** für); **3.** verbrauchen; **ex'pend·a·ble** [-dəbl] **I** *adj.* **1.** verbrauchbar, Verbrauchs...; **2.** entbehrlich; **3.** ⚔ (*im Notfall*) zu opfern(d); **II** *s.* **4.** *mst pl. et.* Entbehrliches; **5.** ⚔ verlorener Haufen; **ex'pend·i·ture** [-dɪtʃə] *s.* **1.** Aufwand *m*, Verbrauch *m* (***of*** an *dat.*); **2.** (Geld)Ausgabe(n *pl.*) *f*, (Kosten-)Aufwand *m*, Auslage(n *pl.*) *f*, Kosten *pl.*: ***cash ~*** ✝ Barauslagen.

ex·pense [ɪk'spens] *s.* **1.** → ***expenditure*** 2; **2.** *pl.* Unkosten *pl.*, Spesen *pl.*: ***~ account*** ✝ Spesenkonto *n*; ***~ allowance*** ✝ Aufwandsentschädigung *f*, Spesenvergütung *f*; ***~ report*** Spesenabrechnung *f*; ***travel(l)ing ~s*** Reisespesen; ***and all ~s paid*** und alle Unkosten *od.* Spesen (werden) vergütet; ***at an ~ of*** mit e-m Aufwand von; ***at great ~*** mit großen Kosten; ***at my ~*** auf m-e Kosten, für m-e Rechnung; ***they laughed at my ~*** *fig.* sie lachten auf m-e Kosten; ***at the ~ of his health*** auf Kosten s-r Gesundheit; ***go to great ~*** sich in (große) (Un)Kosten stürzen; ***put s.o. to great ~*** j-n in große (Un-)Kosten stürzen; ***spare no ~*** keine Kosten scheuen; **ex'pen·sive** [-sɪv] *adj.* □ teuer, kostspielig, aufwendig.

ex·pe·ri·ence [ɪk'spɪərɪəns] **I** *s.* **1.** a) Erfahrung *f*, (Lebens)Praxis *f*, b) Erfahrenheit *f*, (praktische) Erfahrung, Praxis *f*, praktische Kenntnisse *pl.*, Fach-, Sachkenntnis *f*: ***by*** (*od.* ***from***) ***~*** aus (eigener) Erfahrung; ***in my ~*** nach m-n Erfahrungen, m-s Wissens; ***~ in cooking*** Kochkenntnisse; ***business ~*** Geschäftserfahrung, -routine *f*; ***driving ~*** Fahrpraxis; ***previous ~*** Vorkenntnisse; **2.** Erlebnis *n*: ***I had a strange ~***; **3.** Vorkommnis *n*, Geschehnis *n*; **4.** *Am. eccl.* religi'öse Erweckung; **II** *v/t.* **5.** erfahren: a) kennenlernen, b) erleben, c) erleiden, *Schlimmes* 'durchmachen, *Vergnügen etc.* empfinden: ***~ kindness*** Freundlichkeit erfahren; ***~ difficulties*** auf Schwierigkeiten stoßen; **ex'pe·ri·enced** [-st] *adj.* erfahren, routiniert, bewandert, (fach-, sach)kundig.

ex·pe·ri·en·tial·ism [ɪkˌspɪərɪ'enʃəlɪzəm] *s. phls.* Empi'rismus *m*.

ex·per·i·ment **I** *s.* [ɪk'sperɪmənt] Versuch *m*, Experi'ment *n*; **II** *v/i.* [-ment] experimentieren, Versuche anstellen (***on, upon*** an *dat.*; ***with*** mit): ***~ with s.th.*** *a.* et. erproben.

ex·per·i·men·tal [ekˌsperɪ'mentl] *adj.* □ **1.** *phys.* Versuchs..., experimen'tell, Experimental...: ***~ animal*** Versuchstier *n*; ***~ physics*** Experimentalphysik *f*; ***~ station*** Versuchsanstalt *f*; **2.** experimentierfreudig; **3.** Erfahrungs...; **exˌper·i'men·tal·ist** [-təlɪst] *s.* Experimen'tator *m*; **exˌper·i'men·tal·ly** [-təlɪ] *adv.* experimen'tell, versuchsweise; **ex·per·i·men·ta·tion** [ekˌsperɪmen'teɪʃn] *s.* Experimentieren *n*.

ex·pert ['ekspɜːt] **I** *adj* [*pred. a.* ɪk'spɜːt] □ **1.** erfahren, kundig; **2.** geschickt, gewandt (***at, in*** in *dat.*); **3.** fachmännisch, fach-, sachkundig; Fach...(*-ingenieur*, *-wissen etc.*); **4.** Sachverständigen...: ***~ opinion*** (Sachverständigen-)Gutachten *n*; ***~ witness*** ⚖ Sachverständige(r *m*) *f*; **II** *s.* **5.** a) Fachmann *m*, Ex'perte *m*, b) Sachverständige(r *m*) *f*, Gutachter(in) (***at, in*** in *dat.*; ***on s.th.*** [auf dem Gebiet] e-r Sache); **ex·per·tise** [ˌekspɜː'tiːz] *s.* **1.** Exper'tise *f*, (Sachverständigen)Gutachten *n*; **2.** Sach-, Fachkenntnis *f*; **3.** (fachmännisches) Können; **'ex·pert·ness** [-nɪs] *s.* **1.** Erfahrenheit *f*; **2.** Geschicklichkeit *f*.

ex·pi·a·ble ['ekspɪəbl] *adj.* sühnbar; **'ex·pi·ate** [-ɪeɪt] *v/t.* sühnen, wieder'gutmachen, (ab)büßen; **ex·pi·a·tion** [ˌekspɪ'eɪʃn] *s.* Sühne *f*, Buße *f*: ***in ~ of s.th.*** um et. zu sühnen, als Sühne für et.; **'ex·pi·a·to·ry** [-ɪətərɪ] *adj.* sühnend, Sühn(e)..., Buß...: ***be ~ of*** *et.* sühnen.

ex·pi·ra·tion [ˌekspɪ'reɪʃn] *s.* **1.** Ausatmen *n*; **2.** *fig.* Ablauf *m* (*e-r Frist, e-s Vertrags*), Ende *n*; **3.** ✝ a) Fälligwerden *n*, b) Verfall *m* (*e-s Wechsels*): ***~ date*** Verfallsdatum *n*; **ex·pir·a·to·ry** [ɪk'spaɪərətərɪ] *adj.* Ausatmungs...

ex·pire [ɪk'spaɪə] *v/i.* **1.** ausatmen, -hauchen (*a. v/t.*); **2.** sein Leben aushauchen, verscheiden; **3.** ablaufen (*Frist, Vertrag etc.*), erlöschen (*Patent, Recht etc.*), enden, ungültig werden, verfallen; **4.** ✝ fällig werden; **ex'pired** [-əd] *adj.* ungültig, verfallen, erloschen; **ex'pi·ry** [-ərɪ] → ***expiration*** 2, 3.

ex·plain [ɪk'spleɪn] **I** *v/t.* **1.** erklären, erläutern, ausein'andersetzen (***s.th. to s.o.*** j-m et.): ***~ s.th. away*** a) sich aus et. herausreden, b) e-e einleuchtende Erklärung für et. finden; **2.** erklären, begründen, rechtfertigen: ***~ o.s.*** a) sich erklären, b) sich rechtfertigen; **II** *v/i.* **3.** es erklären: ***you have got a little ~ing to do*** da müßtest du (mir, uns) schon einiges erklären; **ex'plain·a·ble** [-nəbl] *adj.* → ***explicable***; **ex·pla·na·tion** [ˌeksplə'neɪʃn] *s.* **1.** Erklärung *f*, Erläuterung *f* (***for, of*** für): ***in ~ of*** als Erklärung für; ***make some ~*** e-e Erklärung abgeben; **2.** Er-, Aufklärung *f*; **3.** Verständigung *f*; **ex·plan·a·to·ry** [ɪk'splænətərɪ] *adj.* □ erklärend, erläuternd.

ex·ple·tive [ek'spliːtɪv] **I** *adj.* **1.** ausfüllend, (Aus)Füll...; **II** *s.* **2.** *ling.* Füllwort *n*; **3.** Füllsel *n*, Lückenbüßer *m*; **4.** a) Fluch *m*, b) Kraftausdruck *m*.

ex·pli·ca·ble [ɪk'splɪkəbl] *adj.* erklärbar, erklärlich; **ex·pli·cate** ['eksplɪkeɪt] *v/t.*

1. explizieren, erklären; **2.** *Theorie etc.* entwickeln; **ex·pli·ca·tion** [ˌekspli'keɪʃn] *s.* **1.** Erklärung *f*, Erläuterung *f*; **2.** Entwicklung *f*.

ex·plic·it [ɪk'splɪsɪt] *adj.* ☐ **1.** deutlich, klar, ausdrücklich; **2.** offen, deutlich (*Person*) (***on*** in bezug auf *acc.*); **3.** ⚖ expli'zit.

ex·plode [ɪk'spləʊd] **I** *v/t.* **1.** a) zur Explosi'on bringen, explodieren lassen, b) (in die Luft) sprengen; **2.** *fig.* a) *Plan etc.* über den Haufen werfen, zum Platzen bringen, zu'nichte machen: **~ *a myth*** e-e Illusion zerstören, b) *Theorie etc.* wider'legen, *e-m Gerücht etc.* den Boden entziehen; **II** *v/i.* **3.** a) explodieren, ⚔ *a.* krepieren (*Granate etc.*), b) in die Luft fliegen; **4.** *fig.* ausbrechen (***into***, ***with*** in *acc.*), ‚platzen' (***with*** vor *dat.*): **~ *with fury*** vor Wut platzen, ‚explodieren'; **~ *with laughter*** in schallendes Gelächter ausbrechen; **5.** *fig.* sprunghaft ansteigen, sich explosi'onsartig vermehren; **ex'plod·ed view** [-dɪd] *s.* ⚙ Darstellung *f e-r Maschine etc.* in zerlegter Anordnung.

ex·ploit I *v/t.* [ɪk'splɔɪt] **1.** *et.* auswerten; *kommerziell* verwerten; ⚒ *etc.* ausbeuten, abbauen; **2.** *fig. b.s. et. od. j-n* ausbeuten, -nutzen; *et.* ausschlachten, Kapi'tal schlagen aus; **II** *s.* ['eksplɔɪt] **3.** (Helden)Tat *f*; **4.** Großtat *f*, große Leistung; **ex·ploi·ta·tion** [ˌeksplɔɪ'teɪʃn] *s.* ⚕ (*Patent- etc.*)Verwertung *f*; ⚙ Ausnutzung *f*, -beutung *f* (*beide a. fig. b.s.*); ⚒ Abbau *m*, Gewinnung *f*; **ex'ploi·ter** [-tə] *s.* Ausbeuter *m* (*a. fig.*).

ex·plo·ra·tion [ˌeksplə'reɪʃn] *s.* **1.** Erforschung *f* (*e-s Landes*); **2.** Unter'suchung *f*.

ex·plor·a·tive [ek'splɒrətɪv], **ex'plor·a·to·ry** [-tərɪ] *adj.* **1.** (er)forschend, Forschungs…; **2.** Erkundungs…, untersuchend, sondierend; ⚙ *etc.* Versuchs…, Probe…: **~ *drilling***; **~ *talks*** Sondierungsgespräche; **ex·plore** [ɪk'splɔː] *v/t.* **1.** *Land* erforschen; **2.** erforschen, erkunden, unter'suchen (*a.* ⚕), sondieren; **ex·plor·er** [ɪk'splɔːrə] *s.* Forscher *m*, Forschungsreisende(r *m*) *f*.

ex·plo·sion [ɪk'spləʊʒn] *s.* **1.** a) Explosi'on *f* (*a. ling.*), Entladung *f*, b) Knall *m*, Detonati'on *f*; **2.** *fig.* Explosi'on *f*: ***population* ~**; **3.** *fig.* Zerstörung *f*, Wider'legung *f*; **4.** *fig.* (*Wut- etc.*)Ausbruch *m*.

ex·plo·sive [ɪk'spləʊsɪv] **I** *adj.* ☐ **1.** explo'siv, Knall…, Spreng…, Explosions…; **2.** *fig.* jähzornig, aufbrausend; **II** *s.* **3.** Explo'siv-, Sprengstoff *m*; **4.** *ling.* → ***plosive*** II; **~ charge** *s.* Sprengladung *f*; **~ cot·ton** *s.* Schießbaumwolle *f*; **~ flame** *s.* Stichflamme *f*; **~ force** *s.* Sprengkraft *f*.

ex·po·nent [ek'spəʊnənt] *s.* **1.** ⚖ Expo'nent *m*, Hochzahl *f*; **2.** *fig.* Expo'nent (-in): a) Repräsen'tant(in), Vertreter (-in), b) Verfechter(in); **3.** Inter'pret (-in); **ex·po·nen·tial** [ˌekspəʊ'nenʃl] ⚖ **I** *adj.* Exponential…; **II** *s.* Exponenti'algröße *f*.

ex·port I *v/t. u. v/i.* [ek'spɔːt] **1.** exportieren, ausführen; **II** *s.* ['ekspɔːt] **2.** Ex'port *m*, Ausfuhr(handel *m*) *f*; **3.** Ex'port-, 'Ausfuhrarˌtikel *m*; **4.** *pl.* a) (Ge'samt)Exˌport *m*, (-)Ausfuhr *f*, b) Ex'portgüter *pl.*; **III** *adj.* ['ekspɔːt] **5.** Ausfuhr…, Export…: **~ *duty*** Ausfuhrzoll *m*; **~ *license***, **~ *permit*** Ausfuhrgenehmigung *f*; **~ *trade*** Export-, Ausfuhr-, Außenhandel *f*; **ex'port·a·ble** [-təbl] *adj.* ex'portfähig, zur Ausfuhr geeignet; **ex·por·ta·tion** [ˌekspɔː'teɪʃən] *s.* Ausfuhr *f*, Ex'port *m*; **ex'porter** [-tə] *s.* Expor'teur *m*.

ex·pose [ɪk'spəʊz] **I** *v/t.* **1.** *Kind* aussetzen; **2.** *Waren* ausstellen (***for sale*** zum Verkauf); **3.** *fig. e-r Gefahr*, *e-m Übel* aussetzen, preisgeben: **~ *o.s.*** sich exponieren; **~ *o.s. to ridicule*** sich lächerlich machen; **4.** *fig.* a) (***o.s.*** sich) bloßstellen, b) *j-n* entlarven, c) *et.* aufdecken, enthüllen; **5.** *et.* darlegen, ausein'andersetzen; **6.** entblößen (*a.* ⚔), enthüllen, zeigen; **7.** *phot.* belichten; **II** *s.* **8.** *Am.* → ***exposé*** 2.

ex·po·sé [ek'spəʊzeɪ] (*Fr.*) *s.* **1.** Expo'sé *n*, Darlegung *f*; **2.** Enthüllung *f*, Entlarvung *f*.

ex·posed [ɪk'spəʊzd] *adj.* **1.** *pred.* ausgesetzt (***to*** *dat.*); **2.** unverdeckt, offen (-liegend); **3.** ungeschützt, exponiert; **4.** *phot.* belichtet.

ex·po·si·tion [ˌekspəʊ'zɪʃn] *s.* **1.** Ausstellung *f*, Schau *f*; **2.** Darlegung(en *pl.*) *f*, Ausführung(en *pl.*) *f*; **3.** *thea. u.* ♪ Expositi'on *f*; **ex·pos·i·tor** [ek'spɒzɪtə] *s.* Erklärer *m*; **ex·pos·i·to·ry** [ek'spɒzɪtərɪ] *adj.* erklärend.

ex·pos·tu·late [ɪk'spɒstjʊleɪt] *v/i.* **1.** protestieren; **2.** **~ *with*** *j-m* ernste Vorhaltungen machen, *j-n* zu'rechtweisen; **ex·pos·tu·la·tion** [ɪkˌspɒstjʊ'leɪʃn] *s.* **1.** Pro'test *m*; **2.** ernste Vorhaltung, Verweis *m*.

ex·po·sure [ɪk'spəʊʒə] *s.* **1.** (Kindes-)Aussetzung *f*; **2.** Aussetzen *n*, Preisgabe *f*; **3.** Ausgesetztsein *n*, Preisgegebensein *n* (***to*** *dat.*): ***death from* ~** Tod *m* durch Erfrieren *od.* vor Entkräftung *etc.*; **4.** Entblößung *f*: ***indecent* ~** unsittliche (Selbst)Entblößung; **5.** *fig.* a) Bloßstellung *f*, b) Entlarvung *f*, c) Enthüllung *f*, Aufdeckung *f*; **6.** *phot.* Belichtung *f*: **~ *meter*** Belichtungsmesser *m*; ***time* ~** Zeitaufnahme *f*; **~ *value*** Lichtwert *m* (*e-s Films*); **7.** Lage *f* (*e-s Gebäudes*): ***southern* ~** Südlage.

ex·pound [ɪk'spaʊnd] *v/t.* **1.** erklären, erläutern; *Theorie* entwickeln; **2.** auslegen.

ex·press [ɪkˈspres] **I** *v/t.* **1.** *obs. Saft* auspressen, ausdrücken; **2.** *fig.* ausdrükken, äußern, zum Ausdruck bringen: ***~ o.s.*** sich äußern, sich erklären; ***be ~ed*** zum Ausdruck kommen; **3.** bezeichnen, bedeuten, darstellen; **4.** *Gefühle etc.* offenˈbaren, zeigen, bekunden; **5.** a) *Brit.* durch Eilboten *od.* als Eilgut schicken, b) *bsd. Am.* durch ein (ˈSchnell)Transˌportunterˌnehmen befördern lassen; **II** *adj.* □ → ***expressly***; **6.** ausdrücklich, bestimmt, deutlich, eindeutig; **7.** besonder: ***for the ~ purpose*** eigens zu dem Zweck; **8.** Expreß…, Schnell…, Eil…; **III** *adv.* **9.** → ***expressly***; **10.** *Brit.* durch Eilboten, per Exˈpreß, als Eilgut; **IV** *s.* **11.** *Brit.* a) Eilbote *m*, b) Eilbeförderung *f*, c) Eilbrief *m*, -gut *n*; **12.** 🚂 D-Zug *m*; **13.** *Am.* → ***express company***; **exˈpress·age** [-sɪdʒ] *s. Am.* **1.** Beförderung *f* durch ein (ˈSchnell)Transˌportunterˌnehmen; **2.** Eilfracht(gebühr) *f*.

ex·press| com·pa·ny *s. Am.* (ˈSchnell-)Transˌportunterˌnehmen *n*; **~ de·liv·er·y** *s.* a) *Brit.* Eilzustellung *f*, b) → ***expressage*** 1; **~ goods** *s. pl.* Eilfracht *f*, -gut *n*.

ex·pres·sion [ɪkˈspreʃn] *s.* **1.** Ausdruck *m*, Äußerung *f*: ***find ~ in*** sich äußern in (*dat.*); ***give ~ to*** Ausdruck verleihen (*dat.*); ***beyond ~*** unsagbar; **2.** Redensart *f*, Ausdruck *m*; **3.** Ausdrucksweise *f*, Diktiˈon *f*; **4.** Ausdruck(skraft *f*) *m*: ***with ~*** mit Gefühl, ausdrucksvoll; **5.** (Gesichts)Ausdruck *m*; **6.** ⅍ Ausdruck *m*, Formel *f*; **exˈpres·sion·ism** [-ʃnɪzəm] *s.* Expressioˈnismus *m*; **exˈpres·sion·ist** [-ʃnɪst] **I** *s.* Expressioˈnist(in); **II** *adj.* expressioˈnistisch; **exˈpres·sion·less** [-lɪs] *adj.* ausdruckslos.

ex·pres·sive [ɪkˈspresɪv] *adj.* □ **1.** ausdrückend (***of*** *acc.*): ***be ~ of*** *et.* ausdrükken; **2.** ausdrucksvoll; **3.** Ausdrucks…; **exˈpres·sive·ness** [-nɪs] *s.* **1.** Ausdruckskraft *f*; **2.** *das* Ausdrucksvolle; **exˈpress·ly** [-slɪ] *adv.* **1.** ausdrücklich; **2.** eigens, besonders.

exˈpress|·man [-mæn] *s.* [*irr.*] *Am.* Angestellte(r) *m* e-s (ˈSchnell)Transˌportunterˌnehmens; **~ train** *s.* D-Zug *m*; **~·way** *s. bsd. Am.* Schnellstraße *f*.

ex·pro·pri·ate [eksˈprəʊprɪeɪt] *v/t.* ⚖ *j-n od. et.* enteignen; **ex·pro·pri·a·tion** [eksˌprəʊprɪˈeɪʃn] *s.* ⚖ Enteignung *f*.

ex·pul·sion [ɪkˈspʌlʃn] *s.* (***from***) **1.** Vertreibung *f* (aus); **2.** *pol.* Ausweisung *f*, Verbannung *f*, Abschiebung *f* (aus); **3.** Ausstoßung *f* (aus), Ausschließung (aus, von): ***~ from school***; **4.** ⚕ Austreibung *f*; **exˈpul·sive** [-lsɪv] *adj.* aus-, vertreibend.

ex·punge [ekˈspʌndʒ] *v/t.* **1.** (aus)streichen; *a. fig.* löschen (***from*** aus); **2.** *fig.* ausmerzen, vernichten.

ex·pur·gate [ˈekspɜːgeɪt] *v/t. Buch etc.* (von anstößigen Stellen) reinigen: ***~d version*** gereinigte Version; **ex·pur·ga·tion** [ˌekspɜːˈgeɪʃn] *s.* Reinigung *f*.

ex·qui·site [ˈekskwɪzɪt] *adj.* □ **1.** köstlich, (aus)erlesen, vorˈzüglich, ausgezeichnet, exquiˈsit; **2.** gepflegt, fein: ***~ taste***; **3.** äußerst fein: ***an ~ ear***; **4.** äußerst, höchst; **5.** heftig: ***~ pain***; ***~ pleasure*** großes Vergnügen.

ex-serv·ice·man [ˌeksˈsɜːvɪsmən] *s.* [*irr.*] ehemaliger Solˈdat, Veteˈran *m*.

ex·tant [ekˈstænt] *adj.* (noch) vorˈhanden *od.* bestehend.

ex·tem·po·ra·ne·ous [ekˌstempəˈreɪnɪəs], **ex·tem·po·rar·y** [ɪkˈstempərərɪ] *adj.* □ improvisiert, extemporiert, unvorbereitet, aus dem Stegreif: ***~ translation*** Stegreifübersetzung *f*; **ex·tem·po·re** [ekˈstempərɪ] **I** *adj. u. adv.* → ***extemporaneous***; **II** *s.* Improvisatiˈon *f*, Stegreifgedicht *n*, unvorbereitete Rede; **ex·tem·po·rize** [ɪkˈstempəraɪz] *v/t. u. v/i.* aus dem Stegreif *od.* unvorbereitet reden *od.* dichten *od.* spielen, improvisieren; **ex·tem·po·riz·er** [ɪkˈstempəraɪzə] *s.* Improviˈsator *m*, Stegreifdichter *m*.

ex·tend [ɪkˈstend] **I** *v/t.* **1.** (aus)dehnen, ausbreiten; **2.** verlängern; **3.** vergrößern, erweitern, ausbauen: ***~ a factory***; **4.** *Seil etc.* spannen, ziehen; **5.** *Hand etc.* ausstrecken; **6.** *Nahrungsmittel* strecken; **7.** *fig. e-n Besuch*, *s-e Macht etc.* ausdehnen (***to*** auf *acc.*), *e-e Frist*, *s-n Paß*, *e-n Vertrag etc.* verlängern, † *a.* prolongieren; **8.** (***to***, ***towards*** *dat.*) a) *Gunst*, *Hilfe etc.* gewähren, *Gutes* erweisen, b) *s-n Dank*, *Glückwunsch etc.* aussprechen, *e-e Einladung* schicken, c) *e-n* Gruß entbieten; **9.** ✈ *Fahrgestell* ausfahren; **10.** ⚔ ausschwärmen lassen; **11.** *Abkürzungen* voll ausschreiben; *Kurzschrift* in Normalschrift überˈtragen; **12.** *sport* das Letzte herˈausholen aus (*e-m Pferd etc.*): ***~ o.s.*** sich völlig ausgeben; **II** *v/i.* **13.** sich ausdehnen *od.* erstrecken, reichen (***to*** bis zu); hinˈausgehen (***beyond*** über *acc.*); **14.** ⚔ ausschwärmen; **exˈtend·ed** [-dɪd] *adj.* **1.** ausgedehnt (*a. Zeitraum*); **2.** ausgestreckt: ***~ hands***; **3.** verlängert; **4.** ausgebreitet; *typ.* breit: ***~ formation*** ⚔ auseinandergezogene Formation; ***~ order*** ⚔ geöffnete Ordnung; **5.** groß, umˈfassend: ***~ family*** Großfamilie *f*.

ex·ten·si·bil·i·ty [ɪkˌstensəˈbɪlətɪ] *s.* (Aus)Dehnbarkeit *f*; **ex·ten·si·ble** [ɪkˈstensəbl] *adj.* (aus)dehnbar, (aus-)streckbar; ausziehbar (*Tisch*): ***~ table*** Ausziehtisch *m*.

ex·ten·sion [ɪkˈstenʃn] *s.* **1.** Ausdehnung *f* (*a. fig.*; ***to*** auf *acc.*); Ausbreitung *f*; (*Frist- Kredit- etc.*)Verlängerung *f*, ✝ *a.* Prolongati'on *f*: ~ ***of leave*** Nachurlaub *m*; **2.** ⚙ Dehnung *f*, Streckung *f* (*a.* ⚕); **3.** *fig.* Vergrößerung *f*, Erweiterung *f*, Ausbau *m*; **4.** Ausdehnung *f*, 'Umfang *m*; **5.** ⚠ Anbau *m* (*Gebäude*); **6.** *teleph.* Nebenanschluß *m*, *a.* Appa'rat *m*; **7.** *phot.* (Kamera-) Auszug *m*; ~ **band·age** *s.* ⚕ Streckverband *m*; ~ **board** *s. teleph.* 'Hauszen,trale *f*; ~ **cord** *s.*, ~ **flex** *s.* ϟ Verlängerungskabel *n*; ~ **lad·der** *s.* Ausziehleiter *f*; ~ **ta·ble** *s. Am.* Ausziehtisch *m*.

ex·ten·sive [ɪk'stensɪv] *adj.* □ ausgedehnt (*a.* ✗ *u. fig.*), um'fassend; eingehend; exten'siv (*a.* ⚘); **ex'ten·sive·ness** [-nɪs] *s.* Ausdehnung *f*, 'Umfang *m*; **ex'ten·sor** [-sə] *s. anat.* Streckmuskel *m*.

ex·tent [ɪk'stent] *s.* **1.** Ausdehnung *f*, Länge *f*, Weite *f*, Höhe *f*, Größe *f*; **2.** ✗ *u. fig.* Bereich *m*; **3.** Raum *m*, Strecke *f*; **4.** *fig.* 'Umfang *m*, (Aus)Maß *n*, Grad *m*: ***to the ~ of*** bis zum Betrag *od.* zur Höhe von; ***to some*** (*od.* ***a certain***) ~ in gewissem Grade, einigermaßen; ***to the full*** ~ in vollem Umfang, völlig.

ex·ten·u·ate [ek'stenjʊeɪt] *v/t.* **1.** abschwächen, mildern: ***extenuating circumstances*** ⚖ mildernde Umstände; **2.** beschönigen, bemänteln; **ex·ten·u·a·tion** [ek,stenjʊ'eɪʃn] *s.* **1.** Abschwächung *f*, Milderung *f*; **2.** Beschönigung *f*.

ex·te·ri·or [ek'stɪərɪə] **I** *adj.* **1.** äußer, Außen...: ~ ***angle*** Außenwinkel *m*; ~ ***to*** abseits von, außerhalb (*gen.*); **2.** von außen (ein)wirkend *od.* kommend; **3.** *pol.* auswärtig: ~ ***possessions***; ~ ***policy***; **II.** *s.* **4.** *das* Äußere: a) Außenseite *f*, b) äußere Erscheinung *f* (*e-r Person*), c) *pol.* auswärtige Angelegenheiten *pl.*; **5.** *Film*: Außenaufnahme *f*.

ex·ter·mi·nant [ɪk'stɜːmɪnənt] *s.* Vertilgungsmittel *n*; **ex·ter·mi·nate** [ɪk'stɜːmɪneɪt] *v/t.* ausrotten (*a. fig.*), *Ungeziefer etc. a.* vertilgen; **ex·ter·mi·na·tion** [ɪk,stɜːmɪ'neɪʃn] *s.* Ausrottung *f*, Vertilgung *f*: ~ ***camp*** *hist.* Vernichtungslager *n*; **ex'ter·mi·na·tor** [-tə] *s.* **1.** Kammerjäger *m*; **2.** → ***exterminant***.

ex·tern [ek'stɜːn] *s.* **1.** Ex'terne(r *m*) *f* (*e-s Internats*); **2.** *Am.* ex'terner 'Krankenhausarzt *od.* -assi,stent; **ex'ter·nal** [-nl] **I** *adj.* □ → ***externally***; **1.** äußer, äußerlich, Außen...: ~ ***angle*** ✗ Außenwinkel *m*; ~ ***ear*** äußeres Ohr; ***for ~ use*** ⚕ zum äußerlichen Gebrauch, äußerlich; ~ ***to*** außerhalb (*gen.*); ~ ***world*** Außenwelt *f*; **2.** von außen (ein)wirkend *od.* kommend; **3.** (äußerlich) wahrnehmbar; **4.** ✝, *pol.* auswärtig, Außen..., Auslands...: ~ ***affairs*** auswärtige Angelegenheiten; ~ ***frontiers*** *EU* Außengrenze *f*; ~ ***loan*** Auslandsanleihe *f*; ~ ***rate of duty*** *EU* Außenzollsatz *m*; ~ ***trade*** Außenhandel *m*; **5.** ✝ außerbetrieblich, Fremd...; **II.** *s.* **6.** *mst pl. das* Äußere; **7.** *pl.* Äußerlichkeiten *pl.*, Nebensächlichkeiten *pl.*; **ex'ter·nal·ize** [-nəlaɪz] *v/t. psych.* **1.** objektivieren; **2.** *Konflikte* nach außen verlagern; **ex'ter·nal·ly** [-nəlɪ] *adv.* äußerlich, von außen.

ex·ter·ri·to·ri·al ['eks,terɪ'tɔːrɪəl] *etc.* → ***extraterritorial*** *etc.*

ex·tinct [ɪk'stɪŋkt] *adj.* **1.** erloschen (*a. fig. Titel etc., geol. Vulkan*); **2.** ausgestorben (*Pflanze, Tier etc.*), 'untergegangen (*Rasse, Reich etc.*); nicht mehr existierend; **3.** abgeschafft, aufgehoben; **ex'tinc·tion** [-kʃn] *s.* **1.** Erlöschen *n*; **2.** Aussterben *n*, 'Untergang *m*; **3.** (Aus)Löschen *n*; **4.** Vernichtung *f*; **5.** Abschaffung *f*; **6.** Tilgung *f*; **7.** ϟ, *phys.* Löschung *f*.

ex·tin·guish [ɪk'stɪŋgwɪʃ] *v/t.* **1.** *Feuer, Lichter* (aus)löschen; **2.** *fig. Leben, Gefühl* auslöschen, ersticken, töten; **3.** vernichten; **4.** *fig.* in den Schatten stellen; **5.** *fig. j-n* zum Schweigen bringen; **6.** (*a.* ⚖) abschaffen, aufheben; **7.** *Schuld* tilgen; **ex'tin·guish·er** [-ʃə] *s.* **1.** Löschgerät *n*; **2.** Löschhütchen *n* (*für Kerzen*); **3.** Glut-, Ziga'rettentöter *m*.

ex·tir·pate ['ekstɜːpeɪt] *v/t.* **1.** (mit den Wurzeln) ausreißen; **2.** *fig.* ausmerzen, ausrotten; **3.** ⚕ exstirpieren, entfernen.

ex·tol, *Am. a.* **ex·toll** [ɪk'stəʊl] *v/t.* (lob)preisen, rühmen.

ex·tort [ɪk'stɔːt] *v/t.* (***from***) a) *et.* erpressen, erzwingen (von), b) *a. Bewunderung etc.* abringen, abnötigen (*dat.*).

ex·tor·tion [ɪk'stɔːʃn] *s.* **1.** Erpressung *f*; **2.** Wucher *m*; **ex'tor·tion·ate** [-nət] *adj.* **1.** erpresserisch; **2.** unmäßig, Wucher...; **ex'tor·tion·er** [-ʃnə], **ex'tor·tion·ist** [-nɪst] *s.* **1.** Erpresser *m*; **2.** Wucherer *m*.

ex·tra ['ekstrə] **I** *adj.* **1.** zusätzlich, Extra..., Sonder..., Neben...: ~ ***charge*** Zuschlag *m*; ~ ***charges*** Nebenkosten; ~ ***dividend*** Extra-, Zusatzdividende *f*; ~ ***pay*** Zulage *f*; ~ ***time*** *sport* (Spiel-) Verlängerung *f*; ***if you pay an ~ two pounds*** wenn Sie noch zwei Pfund zulegen; **2.** besonder, außergewöhnlich; besonders gut: ***it is nothing ~*** es ist nichts Besonderes; **II** *adv.* **3.** extra, besonders: ~ ***high***; ~ ***late***; ***be charged for ~*** gesondert berechnet werden; **III** *s.* **4.** *et.* Außergewöhnliches, *bsd.* a) Sonderarbeit *f*, -leistung *f*, b) *bsd. mot.* Extra *n*, c) Sonderberechnung *f*, Zuschlag *m*: ***heating and light are ~s*** Heizung u. Licht werden gesondert berechnet; **5.** *pl.* Nebenkosten *pl.*; **6.** Extrablatt *n* (*Zeitung*); **7.** Aushilfskraft *f*; **8.** *thea., Film*: Sta'tist(in).

ex·tract I *v/t.* [ɪk'strækt] **1.** her'ausziehen, -holen (***from*** aus); **2.** extrahieren: a) ⚕ *Zahn(wurzel)* ziehen, b) ⚗ ausscheiden, -ziehen, c) *Metall etc.* gewinnen, d) ⚘ *Wurzel* ziehen; **3.** *Honig etc.* schleudern; **4.** *Beispiele etc.* ausziehen, exzerpieren (***from a text*** aus e-m Text); **5.** *fig.* (***from***) *et.* her'ausholen (aus), entlocken (*dat.*); **6.** *fig.* ab-, herleiten; **II** *s.* ['ekstrækt] **7.** *a.* ⚗ Auszug *m*, Ex'trakt *m*: **~ *of beef*** Fleischextrakt; **~ *of account*** Kontoauszug; **ex'trac·tion** [-kʃn] *s.* **1.** Her'ausziehen *n*; **2.** Extrakti'on *f*: a) ⚕ Ziehen *n* (*e-s Zahns*), b) ⚗ Ausziehen *n*, Ausscheidung *f*, Gewinnung *f*, c) ⚘ Ziehen *n* (*Wurzel*); **3.** *fig.* Entlockung *f*; **4.** Abstammung *f*, Herkunft *f*; **ex'trac·tive** [-tɪv] *adj.*: **~ *industry*** Industrie *f* zur Gewinnung von Naturprodukten; **ex'trac·tor** [-tə] *s.* **1.** ⚙, ⚔ Auszieher *m*, -werfer *m*; **2.** ⚕ (Geburts-, Zahn-, Wurzel)Zange *f*; **3.** Trockenschleuder *f*.

ex·tra·cur·ric·u·lar [ˌekstrəkə'rɪkjʊlə] *adj.* **1.** *ped.*, *univ.* außerhalb des Stunden- *od.* Lehrplans; **2.** außerplanmäßig.

ex·tra·dit·a·ble ['ekstrədaɪtəbl] *adj.* **1.** auszuliefern(d): **~ *criminal***; **2.** auslieferungsfähig: **~ *offence***; **ex·tra·dite** ['ekstrədaɪt] *v/t.* ausliefern; **ex·tra·di·tion** [ˌekstrə'dɪʃn] *s.* Auslieferung *f*: ***request for ~*** Auslieferungsantrag *m*.

ˌ**ex·tra|·ju'di·cial** *adj.* ⚖ außergerichtlich; ˌ**~'mar·i·tal** *adj.* außerehelich; ˌ**~'mu·ral** *adj.* außerhalb der Mauern (*e-r Stadt od. Universität*): **~ *courses*** Hochschulkurse außerhalb der Universität; **~ *student*** Gasthörer(in).

ex·tra·ne·ous [ek'streɪnjəs] *adj.* □ **1.** fremd (***to*** *dat.*); **2.** unwesentlich; **3.** ***be ~ to*** nicht gehören zu.

ex·traor·di·nar·i·ly [ɪk'strɔːdnrəlɪ] *adv.*, **ex·traor·di·nar·y** [ɪk'strɔːdnrɪ] *adj.* **1.** außerordentlich: ***ambassador ~*** Sonderbotschafter *m*; **2.** ungewöhnlich, seltsam, merkwürdig.

ex·trap·o·late [ek'stræpəʊleɪt] *v/t.* extrapolieren.

ˌ**ex·tra|'sen·so·ry** *adj. psych.* außersinnlich: **~ *perception*** außersinnliche Wahrnehmung; ˌ**~·ter'res·trial** *adj.* außerirdisch; '**~ˌter·ri'to·ri·al** *adj.* ˌexterritori'al; '**~ˌter·ri·to·ri'al·i·ty** *s.* ˌExterritoriali'tät *f*; **~ *time*** *s. sport* (Spiel)Verlängerung *f*.

ex·trav·a·gance [ɪk'strævəgəns] *s.* **1.** Verschwendung *f*; **2.** Ausschweifung *f*, Zügellosigkeit *f*; 'Übermut *m*; **3.** Extrava'ganz *f*, 'Übermaß *n*, Über'triebenheit *f*, Über'spanntheit *f*; **ex'trav·a·gant** [-nt] *adj.* □ **1.** verschwenderisch; **2.** ausschweifend, zügellos; **3.** extrava'gant, über'trieben, -'spannt; **ex·trav·a·gan·za** [ekˌstrævə'gænzə] *s.* **1.** phan'tastisches Werk (*Musik od. Literatur*); **2.** Ausstattungsstück *n*.

ex·treme [ɪk'striːm] **I** *adj.* □ → ***extremely***; **1.** äußerst, weitest, letzt: **~ *border*** äußerster Rand; **~ *value*** Extremwert *m*; → ***unction*** 3 c; **2.** äußerst, höchst; außergewöhnlich, über'trieben: **~ *case*** äußerster (Not)Fall; **~ *measure*** drastische *od.* radikale Maßnahme; **~ *necessity*** zwingende Notwendigkeit; **~ *old age*** hohes Greisenalter; **~ *penalty*** höchste Strafe, *a.* Todesstrafe *f*; **3.** *pol.* ex'trem, radi'kal: **~ *Left*** äußerste Linke; **~ *views***; **II** *s.* **4.** äußerstes Ende: ***at the other ~*** am entgegengesetzten Ende; **5.** *das* Äußerste, höchster Grad, Ex'trem *n*: ***awkward in the ~*** äußerst peinlich; ***go to ~s*** vor nichts zurückschrecken; ***go to the other ~*** ins andere Extrem fallen; **6.** 'Übermaß *n*, Über'triebenheit *f*: ***carry s.th. to an ~*** et. zu weit treiben; **7.** Gegensatz *m*: ***~s meet*** Extreme berühren sich; **8.** *pl. obs.* äußerste Not; **ex'treme·ly** [-lɪ] *adv.* äußerst, höchst; **ex'trem·ism** [-mɪzəm] *s.* Extre'mismus *m*, Radika'lismus *m*; **ex'trem·ist** [-mɪst] *s.* **I** Extre'mist(in), Radi'kale(r *m*) *f*; **II** *adj.* extre'mistisch; **ex'trem·i·ty** [-remətɪ] *s.* **1.** *das* Äußerste, äußerstes Ende, äußerste Grenze: ***to the last ~*** bis zum Äußersten; ***drive s.o. to extremities*** j-n zum Äußersten treiben; ***resort to extremities*** zu drastischen Mitteln greifen; **2.** *fig.* a) höchster Grad: **~ *of joy*** Übermaß der Freude, b) äußerste Not, verzweifelte Situation: ***reduced to extremities*** in größter Not, c) verzweifelter Gedanke; **3.** *pl.* Gliedmaßen *pl.*, Extremi'täten *pl.*

ex·tri·cate ['ekstrɪkeɪt] *v/t.* **1.** (***from***) her'auswinden, -ziehen (aus), befreien (aus, von): **~ *o.s.*** sich befreien; **2.** ⚗ *Gas* frei machen; **ex·tri·ca·tion** [ˌekstrɪ'keɪʃn] *s.* **1.** Befreiung *f*; **2.** ⚗ Freimachen *n*.

ex·trin·sic [ek'strɪnsɪk] *adj.* (□ ***~ally***) **1.** äußer; **2.** a) nicht zur Sache gehörig, b) unwesentlich: ***be ~ to s.th.*** nicht zu et. gehören.

ex·tro·ver·sion [ˌekstrəʊ'vɜːʃn] *s. psych.* Extro- *od.* Extraversi'on *f*; **ex·tro·vert** ['ekstrəʊvɜːt] *psych.* **I** *s.* Extro- *od.* Extraver'tierte(r *m*) *f*; **II** *adj.* extro- *od.* extraver'tiert.

ex·trude [ek'struːd] **I** *v/t.* **1.** ausstoßen, (her)'auspressen; **2.** ⚙ strangpressen; **II** *v/i.* **3.** vorstehen; **ex'tru·sion** [-uːʒn] *s.* **1.** Ausstoßung *f*; **2.** ⚙ a) Strangpressen *n*, b) Strangpreßling *m*.

ex·u·ber·ance [ɪg'zjuːbərəns] *s.* **1.** (***of***) ('Über)Fülle (von *od. gen.*), Reichtum *m* (an *dat.*); **2.** 'Überschwang *m*; Ausgelassenheit *f*; **3.** (Wort)Schwall *m*; **ex-**

ˈ**u·ber·ant** [-nt] *adj.* □ **1.** üppig, (ˈüber)reichlich; **2.** *fig.* a) ˈüberschwenglich, b) (ˈüber)sprudelnd, ausgelassen; **3.** *fig.* (äußerst) fruchtbar.

ex·ude [ɪgˈzjuːd] **I** *v/t.* **1.** ausschwitzen, absondern; **2.** *fig.* von sich geben, verströmen; **II** *v/i.* **3.** *a. fig.* ausströmen (***from*** aus, von).

ex·ult [ɪgˈzʌlt] *v/i.* frohˈlocken, jubeln, triumphieren (***at, over, in*** über *acc.*); **exˈult·ant** [-tənt] *adj.* □ frohˈlockend, jubelnd, triumphierend; **ex·ul·ta·tion** [ˌegzʌlˈteɪʃn] *s.* Jubel *m*, Frohˈlocken *n.*

ex·urb [ˈeksɜːb] *s. Am.* (vornehmes) Einzugsgebiet (*e-r Großstadt*); **ex·ur·ban·ite** [ɪgˈzɜːbənaɪt] *s. Am.* Bewohner(in) e-s ***exurb***; **ex·ur·bia** [ɪgˈzɜːbɪə] *s.* die (vornehmen) Außenbezirke *pl.*

eye [aɪ] **I** *s.* **1.** Auge *n*: ***an ~ for an ~*** *bibl.* Auge um Auge; ***under my ~s*** vor m-n Augen; ***up to the ~s in work*** bis über die Ohren in Arbeit; ***with one's ~s shut*** mit geschlossenen Augen (*a. fig.*); ***be all ~s*** ganz Auge sein; ***cry one's ~s out*** sich die Augen ausweinen; **2.** *fig.* Blick *m*, Gesichtssinn *m*, Auge(nmerk) *n*: ***with an ~ to*** a) im Hinblick auf (*acc.*), b) mit der Absicht zu (*inf.*); ***cast an ~ over*** e-n Blick werfen auf (*acc.*); ***catch*** (*od.* ***strike***) ***the ~*** ins Auge fallen; ***she caught his ~*** sie fiel ihm auf; ***catch the Speaker's ~*** *parl.* das Wort erhalten; ***do s.o. in the ~*** F j-n ‚reinlegen' *od.* ‚übers Ohr hauen'; ***give an ~ to s.th.*** et. anblicken, ein Auge auf et. haben; ***give s.o. the*** (***glad***) ***~*** j-m e-n einladenden Blick zuwerfen; ***have an ~ for*** e-n Sinn *od.* Blick *od.* ein (offenes) Auge haben für; ***he has an ~ for beauty*** er hat Sinn für Schönheit; ***have an ~ to s.th.*** a) ein Auge auf et. haben, b) auf et. achten; ***keep an ~ on*** ein (wachsames) Auge haben auf (*acc.*); ***make ~s at*** *j-m* verliebte Blicke zuwerfen; → ***meet*** 9; ***open s.o.'s ~s*** (***to s.th.***) j-m die Augen öffnen (für et.); ***that made him open his ~s*** das verschlug ihm die Sprache; ***you can see that with half an ~*** das sieht doch ein Blinder!; ***set*** (*od.* ***clap***) ***~s on*** zu Gesicht bekommen; ***close one's ~s to*** die Augen verschließen vor (*dat.*); ***my ~!*** F denkste!, von wegen!, Quatsch!; **3.** Ansicht *f*: ***in the ~s of*** nach Ansicht von; ***see ~ to ~ with s.o.*** mit j-m übereinstimmen; **4.** Öhr *n* (*Nadel*); Öse *f*; **5.** ⚘ Auge *n*, Knospe *f*; **6.** *zo.* Auge *n* (*Schmetterling, Pfauenschweif*); **7.** ⩓ rundes Fenster; **8.** Auge *n*, windstilles Zentrum *e-s Sturms*; **II** *v/t.* **9.** ansehen, betrachten, (scharf) beobachten, ins Auge fassen: ***~ s.o. from top to toe*** j-n von oben bis unten mustern.

ˈ**eye|-apˌpeal** *s.* optische Wirkung, attrakˈtive Gestaltung; ˈ**~·ball** *s.* Augapfel *m*; ˈ**~·black** *s.* Wimperntusche *f*; ˈ**~·brow** *s.* Augenbraue *f*: ***~ pencil*** Augenbrauenstift *m*; ***raise one's ~s*** *fig.* die Stirn runzeln; ***cause raised ~s*** Aufsehen *od.* Mißfallen erregen; ˈ**~-ˌcatch·er** *s.* Blickfang *m*; ˈ**~-ˌcatch·ing** *adj.* ins Auge fallend, auffallend.

eyed [aɪd] *adj. in Zssgn* …äugig; mit (…) Ösen.

ˈ**eye|·ful** *s.* F **1.** ‚toller Anblick'; **2.** ‚tolle Frau'; **3.** ***get an ~ of this!*** sieh dir das mal an!; ˈ**~·glass** *s.* **1.** Monˈokel *n*; **2.** *opt.* Okuˈlar *n*; **3.** *pl. a.* ***pair of ~es*** *bsd. Am.* Brille *f*; ˈ**~·hole** *s.* **1.** Augenhöhle *f*; **2.** Guckloch *n*; ˈ**~·lash** *s. mst pl.* Augenwimper *f*; → ***bat***[3]; **~ lens** *s.* Okuˈlarlinse *f.*

eye·let [ˈaɪlɪt] *s.* **1.** Öse *f*; **2.** Loch *n.*

eye| lev·el *s.* (***on ~*** in) Augenhöhe *f*; ˈ**~·lid** *s.* Augenlid *n*; → ***bat***[3]; **~ lin·er** *s.* Eyeliner *m*; ˈ**~-ˌo·pen·er** *s.* **1.** *fig.* Überˈraschung *f*, Entdeckung *f*: ***that was an ~ to me*** das hat mir die Augen geöffnet; **2.** *Am.* F (*bsd. alkoholischer*) ‚Muntermacher'; ˈ**~·piece** *s. opt.* Okuˈlar *n*; **~ rhyme** *s.* Augenreim *m*; ˈ**~·shade** *s.* Sonnenschild *m*; **~ shad·ow** *s.* Lidschatten *m*; ˈ**~·shot** *s.*: (***with***)***in*** (***beyond*** *od.* ***out of***) **~** in (außer) Sichtweite; ˈ**~·sight** *s.* Augenlicht *n*, Sehkraft *f*: ***poor ~*** schwache Augen *pl.*; **~ sock·et** *s. anat.* Augenhöhle *f*; ˈ**~ sore** *s. fig.* Schandfleck *m*, *et.* Häßliches; ˈ**~·strain** *s.* Überˈanstrengung *f* der Augen; ˈ**~·tooth** *s.* [*irr.*] *anat.* Augen-, Eckzahn *m*: ***he'd give his eyeteeth for it*** er würde alles darum geben; ˈ**~·wash** *s.* **1.** *pharm.* Augenwasser *n*; **2.** *fig.* a) ‚Quatsch' *m*, b) Augen(aus)wischeˈrei *f*; ˌ**~ˈwit·ness I** *s.* Augenzeuge *m*; **II** *v/t.* Augenzeuge sein *od.* werden von (*od. gen.*).

ey·rie [ˈaɪərɪ] *s. orn.* Horst *m.*

E·ze·ki·el, E·ze·chi·el [ɪˈziːkjəl] *npr. u. s. bibl.* (das Buch) Heˈsekiel *m od.* Eˈzechiel *m*; **Ez·ra** [ˈezrə] *npr. u. s. bibl.* (das Buch) Esra *m od.* Esdras *m.*

E

F

F, f [ef] *s.* **1.** F *n*, f *n* (*Buchstabe*); **2.** ♪ F *n*, f *n* (*Note*); **3.** ℒ *ped.* Sechs *f*, Ungenügend *n* (*Note*).

fab [fæb] *adj. sl.* → ***fabulous*** 2.

Fa·bi·an [ˈfeɪbjən] **I** *adj.* **1.** Hinhalte…, Verzögerungs…: ***~ tactics***; **2.** *pol.* die ***Fabian Society*** betreffend; **II** *s.* **3.** *pol.* Fabier(in); **ˈFa·bi·an·ism** [-nɪzəm] *s.* Poliˈtik *f* der → **Fa·bi·an So·ci·e·ty** *s.* (*sozialistische*) Gesellschaft der Fabier.

fa·ble [ˈfeɪbl] *s.* **1.** Fabel *f* (*a. e-s Dramas*); Sage *f*, Märchen *n*; **2.** *coll.* a) Fabeln *pl.*, b) Sagen *pl.*; **3.** *fig.* ‚Märchen' *n*; **ˈfa·bled** [-ld] *adj.* **1.** legenˈdär; **2.** (frei) erfunden.

fab·ric [ˈfæbrɪk] *s.* **1.** Bau *m* (*a. fig*); Gebilde *n*; **2.** *fig.* a) Gefüge *n*, Strukˈtur *f*, b) Syˈstem *n*; **3.** Stoff *m*, Gewebe *n*; ⚙ Leinwand *f*, Reifengewebe *n*: ***~ gloves*** Stoffhandschuhe; **ˈfab·ri·cate** [-keɪt] *v/t.* **1.** fabrizieren, herstellen, (an)fertigen; **2.** *fig.* ‚fabrizieren': a) erfinden, b) fälschen; **fab·ri·ca·tion** [ˌfæbrɪˈkeɪʃn] *s.* **1.** Herstellung *f*, Fabrikatiˈon *f*; **2.** *fig.* Erfindung *f*, ‚Märchen' *n*, Lüge *f*; **3.** Fälschung *f*; **ˈfab·ri·ca·tor** [-keɪtə] *s.* **1.** Hersteller *m*; **2.** *fig. b.s.* Erfinder *m*, Urheber *m e-r Lüge etc.*, Lügner *m*; **3.** Fälscher *m*.

fab·u·list [ˈfæbjʊlɪst] *s.* **1.** Fabeldichter(-in); **2.** Schwindler(in); **ˈfab·u·lous** [-ləs] *adj.* ☐ **1.** legenˈdär, Sagen…, Fabel…; **2.** *fig.* F fabel-, sagenhaft, ‚toll'.

fa·çade [fəˈsɑːd] (*Fr.*) *s.* ⚠ Fasˈsade *f* (*a. fig.*), Vorderseite *f*.

face [feɪs] **I** *s.* **1.** Gesicht *n*, Angesicht *n*, Antlitz *n* (*a. fig.*): ***for s.o.'s fair ~*** *iro.* um j-s schönen Augen willen; ***in*** (***the***) ***~ of*** a) angesichts (*gen.*), gegenüber (*dat.*), b) trotz (*gen. od. dat.*); ***in the ~ of danger*** angesichts der Gefahr; ***to s.o.'s ~*** j-m ins Gesicht *sagen etc.*; ***~ to ~*** von Angesicht zu Angesicht; ***~ to ~ with*** Auge in Auge mit, gegenüber, vor (*dat.*); ***fly in the ~ of*** a) *j-m* ins Gesicht fahren, b) *fig.* sich offen widersetzen (*dat.*), trotzen (*dat.*); ***I couldn't look him in the ~*** ich konnte ihm (vor Scham) nicht in die Augen sehen; ***do*** (***up***) ***one's ~***, F ***put one's ~ on*** sich ‚anmalen' (*schminken*); ***set one's ~ against s.th.*** sich e-r Sache widersetzen, sich gegen et. wenden; ***show one's ~*** sich blicken lassen; ***shut the door in s.o.'s ~*** j-m die Tür vor der Nase zuschlagen; **2.** (Gesichts)Ausdruck *m*, Aussehen *n*, Miene *f*: ***make*** (*od.* ***pull***) ***a ~*** (*od.* ***~s***) ein Gesicht (*od.* e-e Grimasse) machen *od.* schneiden; ***make*** (*od.* ***pull***) ***a long ~*** *fig.* ein langes Gesicht machen; ***put a bold ~ on*** a) *e-r Sache* gelassen entgegensehen, b) sich *et. Unangenehmes etc.* nicht anmerken lassen; ***put a good*** (*od.* ***brave***) ***~ on the matter*** gute Miene zum bösen Spiel machen; **3.** *fig.* Stirn *f*, Unverfrorenheit *f*, Frechheit *f*: ***have the ~ to*** *inf.* die Stirn haben zu *inf.*; **4.** Ansehen *n*: ***save*** (***one's***) ***~*** das Gesicht wahren; ***lose ~*** das Gesicht verlieren; ***loss of ~*** Prestigeverlust *m*; **5.** *das* Äußere, Gestalt *f*, Erscheinung *f*, Anschein *m*: ***on the ~ of it*** auf den ersten Blick, oberflächlich betrachtet, vordergründig; ***put a new ~ on s.th.*** et. in neuem *od.* anderem Licht erscheinen lassen; **6.** Ober-, Außenfläche *f*, Fläche *f* (*a.* ⩓), Seite *f*; ⚙ Stirnfläche *f*; ⚙ (Amboß-, Hammer)Bahn *f*: ***the ~ of the earth*** die Erdoberfläche, die Welt; **7.** Oberseite *f*; rechte Seite (*Stoff etc.*): ***lying on its ~*** nach unten gekehrt liegend; **8.** Fasˈsade *f*, Vorderseite *f*; **9.** Bildseite *f* (*Spielkarte*); *typ.* Bild *n* (*Type*); Zifferblatt *n* (*Uhr*); **10.** Wand *f* (*Berg etc.*, ⚒ *Kohlenflöz*): ***at the ~*** ⚒ am (Abbau)Stoß, vor Ort; **II** *v/t.* **11.** ansehen, *j-m* ins Gesicht sehen *od.* das Gesicht zuwenden; **12.** gegenˈüberstehen, -liegen, -sitzen, -treten (*dat.*); nach *Osten etc.* blicken *od.* liegen (*Raum*): ***the man facing me*** der Mann mir gegenüber; ***the house ~s the sea*** das Haus liegt nach dem Meer zu; ***the window ~s the street*** das Fenster geht auf die Straße; ***the room ~s east*** das Zimmer liegt nach Osten; **13.** (mutig) entgegentreten *od.* begegnen (*dat.*), ins Auge sehen (*dat.*), die Stirn bieten (*dat.*): ***~ the enemy***; ***~ death*** dem Tod ins Auge blicken; ***~ it out*** die Sache durchstehen; ***~ s.o. off*** *Am.* es auf e-e Kraft- *od.* Machtprobe mit j-m ankommen lassen; → ***music*** 1; **14.** *oft* ***be ~d with*** sich *e-r Gefahr etc.* gegenˈübersehen, gegenˈüberstehen (*dat.*): ***he was ~d with ruin*** er stand vor dem Nichts; **15.** *et.* hinnehmen, sich mit *et.* abfinden: ***~ the facts***; ***let's ~ it, …!*** seien wir ehrlich, …!; **16.** ˈumkehren, -wenden; *Spielkar-*

ten aufdecken; **17.** *Schneiderei*: besetzen, einfassen, mit Aufschlägen versehen; **18.** ⚙ verkleiden, verblenden, über'ziehen; **19.** ⚙ *Stirnflächen* bearbeiten, (plan)schleifen, glätten; **III** *v/i.* **20.** *bsd.* ⚔ ***~ about*** kehrtmachen (*a. fig.*): ***left ~!*** *Am.* links um!; ***right about ~!*** rechts um kehrt!; **21.** ***~ off*** *Eishockey*: das Bully ausführen; **22.** ***~ up to*** → 13, 15.

'face|-aˌbout → ***about-face***; **~ brick** *s.* ⚠ Verblendstein *m*; **~ card** *s. Kartenspiel*: Bild(karte *f*) *n*; **'~-cloth** *s.* Waschlappen *m*; **~ cream** *s.* Gesichtscreme *f*.

-faced [feɪst] *adj. in Zssgn* mit e-m … Gesicht.

'face|-down *s. Am.* Kraft-, Machtprobe *f*; **~ flan·nel** → ***facecloth***; **~ grind·ing** *s.* ⚙ Planschleifen *n*; **'~-guard** *s.* Schutzmaske *f*; **'~-lathe** *s.* ⚙ Plandrehbank *f*.

face·less ['feɪslɪs] *adj.* gesichtslos, *fig. a.* ano'nym.

'face|-lift **I** *s.* → ***face-lifting***; **II** *v/t. fig.* verschönern; **'~-ˌlift·ing** *s.* **1.** Gesichtsstraffung *f*, Facelifting *n*; **2.** *fig.* Verschönerung *f*, Renovierung *f*; **'~-off** *s.* **1.** *Eishockey*: Bully *n*: ***~ circle*** Anspielkreis *m*; **2.** → ***facedown***; **~ pack** *s.* Gesichtspackung *f*, -maske *f*.

fac·er ['feɪsə] *s.* **1.** Schlag *m* ins Gesicht (*a. fig.*); **2.** *fig.* Schlag *m* (ins Kon'tor); **3.** *Brit.* F ‚harte Nuß'.

'face-ˌsav·ing *adj.*: ***~ excuse*** Ausrede *f*, um das Gesicht zu wahren.

fac·et ['fæsɪt] **I** *s.* **1.** a) Fa'cette *f* (*a. fig.*), b) Schliff-, Kri'stallfläche *f*; **2.** *fig.* Seite *f*, A'spekt *m*; **II** *v/t.* **3.** facettieren: ***~ed eye*** *zo.* Facettenauge *n*.

fa·ce·tious [fə'siːʃəs] *adj.* ☐ scherzhaft, witzig, drollig, spaßig; **fa'ce·tious·ness** [-nɪs] *s.* Scherzhaftigkeit *f etc.*

ˌface|-to-'face *adj.* **1.** per'sönlich; **2.** di'rekt; **~ tow·el** *s.* (Gesichts)Handtuch *n*; **~ val·ue** *s.* **1.** ✝ Nenn-, Nomi'nalwert *m*; **2.** scheinbarer Wert, *das* Äußere: ***take s.th. at its ~*** et. für bare Münze nehmen *od.* unbesehen glauben.

fa·ci·a ['feɪʃə] *s. Brit.* **1.** Firmen-, Ladenschild *n*; **2.** *a.* ***~ board***, ***~ panel*** *mot.* Arma'turenbrett *n*.

fa·cial ['feɪʃl] **I** *adj.* ☐ a) Gesichts…: ***~ pack*** Gesichtspackung *f*, b) des Gesichts, im Gesicht; **II** *s. Kosmetik*: Gesichtsbehandlung *f*.

-fa·cient [feɪʃənt] *in Zssgn* verursachend, machend.

fac·ile ['fæsaɪl] *adj.* ☐ **1.** leicht (zu tun *od.* zu meistern *etc.*); **2.** *fig.* oberflächlich; **3.** flüssig (*Stil*).

fa·cil·i·tate [fə'sɪlɪteɪt] *v/t.* erleichtern, fördern; **fa·cil·i·ta·tion** [fəsɪlɪ'teɪʃn] *s.* Erleichterung *f*, Förderung *f*; **fa'cil·i·ty** [-tɪ] *s.* **1.** Leichtigkeit *f* (*der Ausführung etc.*); **2.** Oberflächlichkeit *f*; **3.** Flüssigkeit *f* (*des Stils*); **4.** (günstige) Gelegenheit *f*, Möglichkeit *f* (***for*** für, zu); **5.** *mst pl.* Einrichtung(en *pl.*) *f*, Anlage(n *pl.*) *f*; **6.** *mst pl.* Erleichterung(en *pl.*) *f*, Vorteil(e *pl.*) *m*, Vergünstigung(en *pl.*) *f*, Annehmlichkeit(en *pl.*) *f*.

fac·ing ['feɪsɪŋ] *s.* **1.** ⚔ Wendung *f*, Schwenkung *f*: ***go through one's ~s*** *fig.* zeigen (müssen), was man kann; ***put s.o. through his ~s*** *fig.* j-n auf Herz u. Nieren prüfen; **2.** Außen-, Oberschicht *f*, Belag *m*, 'Überzug *m*; **3.** ⚙ Plandrehen *n*: ***~ lathe*** Plandrehbank *f*; **4.** ⚠ a) Verkleidung *f*, -blendung *f*, b) Bewurf *m*: ***~ brick*** Verblendstein *m*; **5.** *a.* ***~ sand*** ⚙ feingesiebter Formsand; **6.** *Schneiderei*: a) Aufschlag *m*, b) Besatz *m*, Einfassung *f*: ***~s*** ⚔ (Uniform-)Aufschläge.

fac·sim·i·le [fæk'sɪmɪlɪ] **I** *s.* **1.** Fak'simile *n*, Reprodukti'on *f*; **2.** *a.* ***~ transmission*** *od.* ***broadcast(ing)*** ⚡, *tel.* Bildfunk *m*: ***~ apparatus*** Bildfunkgerät *n*; **II** *v/t.* **3.** faksimilieren.

fact [fækt] *s.* **1.** Tatsache *f*, Wirklichkeit *f*, Wahrheit *f*: ***~ and fancy*** Dichtung u. Wahrheit; ***~s and figures*** genaue Daten; ***naked*** (*od.* ***hard***) ***~s*** nackte Tatsachen; ***in*** (***point of***) ***~*** in der Tat, tatsächlich, genau gesagt; ***it is a ~*** es stimmt, es ist e-e Tatsache; ***founded on ~*** auf Tatsachen beruhend; ***the ~*** (***of the matter***) ***is*** Tatsache ist *od.* die Sache ist die (***that*** daß); ***know s.th. for a ~*** et. (ganz) sicher wissen; ***tell the ~s of life to a child*** ein Kind (sexuell) aufklären; **2.** ⚖ a) Tatsache *f*: ***in ~ and law*** in tatsächlicher u. rechtlicher Hinsicht; ***the ~s*** (***of the case***) der Tatbestand *m*, die Tatumstände *pl.*, der Sachverhalt *m*, b) Tat *f*: ***before*** (***after***) ***the ~*** vor (nach) begangener Tat; → ***accessory*** 7; **'~ˌfind·ing** *adj.* Untersuchungs…: ***~ committee***; ***~ tour*** Informationsreise *f*.

fac·tion ['fækʃn] *s.* **1.** Frakti'on *f*, Splittergruppe *f*; **2.** Zwietracht *f*; **'fac·tion·al·ism** [-ʃnəlɪzəm] *s.* Par'teigeist *m*; **'fac·tion·ist** [-ʃənɪst] *s.* Par'teigänger *m*; **'fac·tious** [-ʃəs] *adj.* ☐ **1.** vom Par'teigeist beseelt, frakti'ös; **2.** aufrührerisch.

fac·ti·tious [fæk'tɪʃəs] *adj.* ☐ gekünstelt, künstlich.

fac·ti·tive ['fæktɪtɪv] *adj. ling.* fakti'tiv, bewirkend: ***~ verb***.

fac·tor ['fæktə] *s.* **1.** *fig.* Faktor *m* (*a.* ℞, ⚘, *phys.*), (mitwirkender) 'Umstand, Mo'ment *n*, Ele'ment *n*: ***safety ~*** Sicherheitsfaktor; **2.** *biol.* Erbfaktor *m*; **3.** ✝ a) (Handels)Vertreter *m*, Kommissio'när *m*, b) *Am.* Finan'zierungskommissioˌnär *m*; **4.** ⚖ *Scot.* (Guts-)Verwalter *m*; **'fac·tor·ing** [-tərɪŋ] *s.* ✝

Factoring *n* (*Absatzfinanzierung u. Kreditrisikoabsicherung*); '**fac·to·ry** [-təri] *s.* **1.** Fa'brik *f*: *≗* ***Acts*** Arbeiterschutzgesetze; *~* ***cost*** Herstellungskosten *pl.*; *~* ***expenses*** Gemeinkosten; *~* ***farming*** Massentierhaltung *f*; *~* ***hand*** Fabrikarbeiter *m*; *~* ***ship*** Fabrikschiff *n*; *~****-made*** fabrikmäßig hergestellt, Fabrik... (*-ware etc.*); **2.** ✝ Handelsniederlassung *f*, Fakto'rei *f*.

fac·to·tum [fæk'təʊtəm] *s.* Fak'totum *n*, ‚Mädchen *n* für alles'.

fac·tu·al ['fæktʃʊəl] *adj.* ☐ **1.** tatsächlich: *~* ***situation*** Sachlage *f*, -verhalt *m*; **2.** Tatsachen...: *~* ***report***; **3.** sachlich.

fac·ul·ta·tive ['fækltətɪv] *adj.* fakulta'tiv, wahlfrei: *~* ***subject*** *ped.* Wahlfach *n*; **fac·ul·ty** ['fækltɪ] *s.* **1.** Fähigkeit *f*, Vermögen *n*, Kraft *f*: *~* ***of hearing*** Hörvermögen; **2.** Gabe *f*, Anlage *f*, Ta'lent *n*, Fähigkeit *f*: (***mental***) ***faculties*** Geisteskräfte; **3.** *univ.* a) Fakul'tät *f*, Abteilung *f*, b) (Mitglieder *pl.* e-r) Fakul'tät, Lehrkörper *m*, c) (Ver'waltungs)Perso,nal *n* (*a. e-r Schule*): ***the medical*** *~* die medizinische Fakultät, *weitS.* die Mediziner *pl.*; **4.** ⚖ Ermächtigung *f*, Befugnis *f* (***for*** zu, für).

fad [fæd] *s.* **1.** Mode(torheit) *f*; **2.** ‚Fimmel' *m*, Ma'rotte *f*; '**fad·dish** [-dɪʃ] **1.** Mode..., vor'übergehend; **2.** ex'zentrisch: *~* ***woman*** Frau, die jede Mode (-torheit) mitmacht.

fade [feɪd] **I** *v/i.* **1.** (ver)welken; **2.** verschießen, -blassen, ver-, ausbleichen (*Farbe etc.*); **3.** *a.* *~* ***away*** verklingen (*Lied, Stimme etc.*), abklingen (*Schmerzen etc.*), verblassen (*Erinnerung*), schwinden, zerrinnen (*Hoffnungen etc.*), verrauchen (*Zorn etc.*), sich auflösen (*Menge*), (in der Ferne *etc.*) verschwinden, immer weniger werden, ⚕ immer schwächer werden (*Person*); **4.** *Radio*: schwinden (*Ton, Sender*); **5.** ⚙ nachlassen (*Bremsen*); **6.** nachlassen, abbauen (*Sportler*); **7.** *bsd. Am.* F ‚verduften'; **8.** *Film, Radio*: über'blenden: *~* ***in*** (*od.* ***up***) auf- *od.* eingeblendet werden; *~* (***out***) aus- *od.* abgeblendet werden; **II** *v/t.* **9.** (ver)welken lassen; **10.** *Farbe etc.* ausbleichen; **11.** *a.* *~* ***out*** *Ton, Bild* aus- *od.* abblenden: *~* ***in*** (*od.* ***up***) auf- *od.* einblenden; '**fad·ed** [-dɪd] *adj.* ☐ **1.** welk, verwelkt, -blüht (*alle a. fig. Schönheit etc.*); **2.** verblaßt, verblichen, -schossen; '**fade-in** *s. Film, Radio, TV*: Auf-, Einblendung *f*; '**fade·less** [-lɪs] *adj.* ☐ **1.** licht-, farbecht; **2.** *fig.* unvergänglich; '**fade-out** *s.* **1.** *Film, Radio, TV*: Aus-, Abblendung *f*: ***do a*** *~* *sl.* ‚sich verziehen'; **2.** *phys.* Ausschwingen *n*; '**fad·er** [-də] *s. Radio, TV*: Auf- *od.* Abblendregler *m*; '**fad·ing** [-dɪŋ] **I** *adj.* **1.** (ver)welkend (*a. fig.*); **2.** ausbleichend (*Farbe*); **3.** matt, schwindend; **4.** *fig.* vergänglich; **II** *s.* **5.** (Ver)Welken *n*; **6.** Verblassen *n*, Ausbleichen *n*; **7.** *Radio*: Fading *n*, Schwund *m*: *~* ***control*** Schwundregelung *f*; **8.** ⚙ Fading *n* (*Nachlassen der Bremswirkung*).

fae·cal ['fi:kl] *adj.* fä'kal, Kot...: *~* ***matter*** Kot *m*; **fae·ces** ['fi:si:z] *s. pl.* Fä'kalien *pl.*, Kot *m*.

fa·er·ie, fa·er·y ['feɪərɪ] **I** *s. obs.* **1.** → ***fairy*** 1; **2.** Märchenland *n*; **II** *adj.* **3.** Feen..., Märchen...

fag¹ [fæg] *s. sl.* **1.** ‚Glimmstengel' *m*, Ziga'rette *f*; **2.** → ***fag***(***g***)***ot*** 5.

fag² [fæg] **I** *v/i.* **1.** *Brit.* sich (ab)schinden; **2.** *~* ***for s.o.*** *Brit. ped.* e-m älteren Schüler Dienste leisten; **II** *v/t.* **3.** *a.* *~* ***out*** F ermüden, erschöpfen; **4.** *Brit. ped.* sich von *e-m jüngeren Schüler* bedienen lassen; **III** *s.* **5.** Placke'rei *f*, Schinde'rei *f*; **6.** Erschöpfung *f*; **7.** *Brit. ped.* ‚Diener' *m* (→ 2).

fag³ [fæg] → ***fag***(***g***)***ot*** 5.

,**fag-'end** *s.* **1.** Ende *n*, Schluß *m*; **2.** letzter *od.* schäbiger Rest; **3.** *Brit. sl.* (Ziga'retten)Kippe *f*.

fag·ging ['fægɪŋ] *s. a.* *~* ***system*** *Brit. ped. die Sitte, daß jüngere Schüler den älteren Dienste leisten müssen.*

fag·(g)ot ['fægət] *s.* **1.** Reisigbündel *n*; **2.** Fa'schine *f*; **3.** ⚙ a) Bündel *n* Stahlstangen, b) 'Schweißpa,ket *n*; **4.** *Brit. Küche*: Frika'delle *f* aus Inne'reien; **5.** *sl.* ‚Homo' *m*, Schwule(r) *m*.

Fahr·en·heit ['færənhaɪt] *s.*: ***10°*** *~* zehn Grad Fahrenheit, 10° F.

fa·ience [faɪ'ɑ̃:ns] (*Fr.*) *s.* Fay'ence *f*.

fail [feɪl] **I** *v/i.* **1.** versagen (*Stimme, Herz, Motor etc., a. fig. Person*); aufhören, zu Ende gehen, nicht (aus)reichen, versiegen (*Vorrat*); **2.** miß'raten (*Ernte*), nicht aufgehen (*Saat*); **3.** nachlassen, schwächer werden, schwinden, abnehmen: ***his health*** *~****ed*** s-e Gesundheit ließ nach; **4.** unter'lassen, versäumen, verfehlen, vernachlässigen: ***he*** *~****ed to come*** er kam nicht; ***he never*** *~****s to come*** er kommt immer; ***don't*** *~* ***to come!*** komm ja (*od.* bestimmt)!; ***he cannot*** *~* ***to win*** er muß (einfach) gewinnen; *~* ***in one's duty*** s-e Pflicht versäumen; ***he*** *~****s in perseverance*** es fehlt ihm an Ausdauer; **5.** a) s-n Zweck verfehlen, miß'lingen, fehlschlagen, Schiffbruch erleiden, b) es nicht fertigbringen *od.* schaffen (zu *inf.*): ***the plan*** *~****ed*** der Plan scheiterte; ***if everything else*** *~****s*** wenn alle Stränge reißen; ***I*** *~* ***to see why*** ich sehe nicht ein, warum; ***he*** *~****ed in his attempt*** der Versuch mißlang ihm; ***it*** *~****ed in its effect*** die erhoffte Wirkung blieb aus; ***a*** *~****ed husband*** als Ehemann ein Versager; ***a*** *~****ed artist*** ein verkrachter Künstler; **6.** *ped.* 'durchfallen (***in*** in *dat.*); **7.** ✝ Bank'rott machen, in Kon'kurs geraten; **II** *v/t.* **8.** im Stich lassen, enttäuschen: ***I will never ~ you***; ***my courage ~ed me*** mir sank der Mut; ***words ~ me*** mir fehlen die Worte; **9.** *j-m* fehlen; **10.** *ped.* a) *j-n* 'durchfallen lassen (*in der Prüfung*), b) 'durchfallen in (*der Prüfung*); **III** *s.* **11.** ***he got a ~ in biology*** *ped.* er ist in Biologie durchgefallen; **12.** ***without ~*** ganz bestimmt, unbedingt; **'fail·ing** [-lɪŋ] **I** *adj.*: ***never ~*** nie versagend, unfehlbar; **II** *prp.* in Ermangelung (*gen.*), ohne: ***~ this*** andernfalls; ***~ which*** widrigenfalls; **III** *s.* Mangel *m*, Schwäche *f*; Fehler *m*, De'fekt *m*.

'fail|-safe, **'~-proof** *adj.* pannensicher (*a. fig.*).

fail·ure ['feɪljə] *s.* **1.** Fehlen *n*; **2.** Ausbleiben *n*, Versagen *n*; **3.** Unter'lassung *f*, Versäumnis *n*: ***~ to comply*** Nichtbefolgung *f*; ***~ to pay*** Nichtzahlung *f*; **4.** Fehlschlag(en *n*) *m*, Scheitern *n*, Miß'lingen *n*, 'Mißerfolg *m*: ***crop ~*** Mißernte *f*; **5.** *fig.* Zs.-bruch *m*, Schiffbruch *m*; ✝ Bank'rott *m*, Kon'kurs *m*: ***meet with ~*** → ***fail*** 5; **6.** ⚕, ⚙ (*Herz-, Nieren- etc.*)Versagen *n*, Störung *f*, De'fekt *m*, ⚙ *a.* Panne *f*; **7.** Abnahme *f*, Versiegen *n*; **8.** *ped.* 'Durchfallen *n* (*in der Prüfung*); **9.** a) Versager *m*, ‚Niete' *f* (*Person od. Sache*), b) ‚Reinfall' *m*, ‚Pleite' *f* (*Sache*).

faint [feɪnt] **I** *adj.* □ **1.** schwach, matt, kraftlos: ***feel ~*** sich matt *od.* e-r Ohnmacht nahe fühlen; **2.** schwach, matt (*Ton, Farbe, a. fig.*): ***a ~ effort***; ***I haven't got the ~est idea*** ich habe nicht die leiseste Ahnung; ***~ hope*** schwache Hoffnung; **3.** furchtsam; **II** *s.* **4.** (***dead ~*** tiefe) Ohnmacht; **III** *v/i.* **5.** schwach *od.* matt werden (***with*** vor *dat.*); **6.** in Ohnmacht fallen (***with*** vor *dat.*): ***~ing fit*** Ohnmachtsanfall *m*; **'~·heart** *s.* Feigling *m*; **,~-'heart·ed** *adj.* □ feig(e), furchtsam.

faint·ness ['feɪntnɪs] *s.* **1.** Schwäche *f* (*a. fig.*), Mattigkeit *f*: ***~ of heart*** Feigheit *f*, Furchtsamkeit *f*; **2.** Ohnmachtsgefühl *n*.

fair¹ [feə] **I** *adj.* □ → ***fairly***; **1.** schön, hübsch, lieblich: ***the ~ sex*** das schöne Geschlecht; **2.** a) hell (*Haut, Haar*), blond (*Haar*), zart (*Teint, Haut*), b) hellhäutig; **3.** rein, sauber, tadel-, makellos, *fig. a.* unbescholten: ***~ name*** guter Ruf; **4.** *fig.* schön, gefällig: ***give s.o. ~ words*** j-n mit schönen Worten abspeisen; **5.** deutlich, leserlich: ***~ copy*** Reinschrift *f*; **6.** klar, heiter (*Himmel*), schön, trocken (*Wetter, Tag*): ***set ~*** beständig; **7.** frei, unbehindert: ***~ game*** jagdbares Wild, *bsd. fig.* Freiwild *n* (***to*** für); **8.** günstig (*Wind*), aussichtsreich, gut: ***~ chance*** reelle Chance; ***be in a ~ way to*** auf dem besten Wege sein zu; **9.** anständig: a) *bsd. sport* fair, b) ehrlich, offen, aufrichtig, c) 'unpar,teiisch, d) fair: ***~ price*** angemessener Preis; ***~ and square*** offen u. ehrlich, anständig; ***~ play*** a) faires Spiel, b) *fig.* Anständigkeit *f*, Fairneß *f*; ***by ~ means or foul*** so oder so; ***~ is ~*** Gerechtigkeit muß sein!; ***~ enough!*** in Ordnung!; ***all's ~ in love and war*** im Krieg u. in der Liebe ist alles erlaubt; **10.** leidlich, ziemlich *od.* einigermaßen gut, nicht übel: ***be a ~ judge*** ein recht gutes Urteil haben (***of*** über *acc.*); ***~ to middling*** gut bis mittelmäßig, *iro.* ‚mittelprächtig'; ***~ average*** guter Durchschnitt; **11.** ansehnlich, beträchtlich, ganz schön: ***a ~ sum***; **II** *adv.* → *a.* ***fairly***; **12.** schön, gut, freundlich, höflich; **13.** rein, sauber, leserlich; **14.** günstig: ***bid*** (*od.* ***promise***) ***~*** a) sich gut anlassen, zu Hoffnungen berechtigen, b) Aussicht haben, versprechen (***to*** *inf.* zu *inf.*); **15.** anständig, fair: ***play ~*** fair spielen, *a. fig.* sich an die Spielregeln halten; **16.** genau: ***~ in the face*** mitten ins Gesicht; **17.** völlig; **III** *v/t.* **18.** ⚙ zurichten, glätten; **19.** *Flugzeug etc.* verkleiden.

fair² [feə] *s.* **1.** a) Jahrmarkt *m*, b) Volksfest *n*; **2.** Messe *f*, Ausstellung *f*: ***at the industrial ~*** auf der Industriemesse; **3.** Ba'sar *m*.

'fair|-faced *adj.*: ***~ concrete*** ⚠ Sichtbeton *m*; **'~·ground** *s.* **1.** Messegelände *n*; **2.** Rummelplatz *m*; **,~-'haired** *adj.* blond: ***~ boy*** *fig. iro.* Liebling *m* (*des Chefs etc.*).

fair·ing¹ ['feərɪŋ] *s.* ✈ Verkleidung *f*.

fair·ing² ['feərɪŋ] *s. obs.* Jahrmarktsgeschenk *n*.

fair·ly ['feəlɪ] *adv.* **1.** ehrlich; **2.** anständig(erweise); **3.** gerecht(erweise); **4.** ziemlich; **5.** leidlich; **6.** völlig; **7.** geradezu; **8.** deutlich; **9.** genau.

,fair-'mind·ed *adj.* aufrichtig, gerecht (denkend).

fair·ness ['feənɪs] *s.* **1.** Schönheit *f*; **2.** a) Blondheit *f*, b) Hellhäutigkeit *f*; **3.** Klarheit *f* (*des Himmels*); **4.** Anständigkeit *f*: a) *bsd. sport* Fairneß *f*, b) Ehrlichkeit *f*, c) Gerechtigkeit *f*: ***in ~*** gerechterweise; ***in ~ to him*** um ihm Gerechtigkeit widerfahren zu lassen; **5.** ⚖, ✝ Lauterkeit *f* (*des Wettbewerbs etc.*).

,fair|-'spo·ken *adj.* freundlich, höflich; **'~·way** *s.* **1.** ⚓ Fahrwasser *n*, -rinne *f*; **2.** *Golf*: Fairway *n*; **'~-,weath·er** *adj.* Schönwetter...: ***~ friends*** *fig.* Freunde nur in guten Zeiten.

fair·y ['feərɪ] **I** *s.* **1.** Fee *f*, Elf(e *f*) *m*; **2.** *sl.* ‚Homo' *m*, Schwule(r) *m*; **II** *adj.* □ **3.** feenhaft (*a. fig.*): ***~ godmother*** *fig.* gute Fee; **'~·land** *s.* Feen-, Märchenland *n*; ***~ tale*** *s.* Märchen *n* (*a. fig.*).

faith [feɪθ] *s.* **1.** (***in***) Glaube(n) *m* (an *acc.*), Vertrauen *n* (auf *acc.*, zu): ***have***

F

od. ***put ~ in*** a) Glauben schenken (*dat.*), b) Vertrauen haben zu; ***on the ~ of*** im Vertrauen auf (*acc.*); **2.** *eccl.* (*überzeugter*) Glaube(n), b) Glaube(nsbekenntnis *n*) *m*: ***the Christian ~***; **3.** Treue *f*, Redlichkeit *f*: ***breach of ~*** Treu-, Vertrauensbruch *m*; ***in good ~*** in gutem Glauben, gutgläubig (*a.* ⚖); ***in bad ~*** in böser Absicht, arglistig (*a.* ⚖), ⚖ bösgläubig; **4.** Versprechen *n*: ***keep one's ~*** (sein) Wort halten; ***~ cure*** → ***faith healing***.

faith·ful ['feɪθfʊl] **I** *adj.* □ **1.** treu (***to*** *dat.*); **2.** (pflicht)getreu; **3.** ehrlich, aufrichtig; **4.** gewissenhaft; **5.** (wahrheits- *od.* wort)getreu, genau; **6.** glaubwürdig, zuverlässig; **7.** *eccl.* gläubig; **II** *s.* **8.** ***the ~*** *eccl.* die Gläubigen *pl.*; **9.** *pl.* treue Anhänger *pl.*; **'faith·ful·ly** [-fʊlɪ] *adv.* **1.** treu, ergeben: ***Yours ~*** Mit freundlichen Grüßen (*Briefschluß*); **2.** → ***faithful*** 2–5; **3.** F nachdrücklich: ***promise ~*** fest versprechen; **'faith·ful·ness** [-nɪs] *s.* **1.** (*a.* Pflicht)Treue *f*; **2.** Ehrlichkeit *f*; **3.** Gewissenhaftigkeit *f*; **4.** Genauigkeit *f*; **5.** Glaubwürdigkeit *f*.

faith| heal·er *s.* Gesundbeter(in); **~ heal·ing** *s.* Gesundbeten *n*.

faith·less ['feɪθlɪs] *adj.* □ **1.** *eccl.* ungläubig; **2.** treulos; **3.** unehrlich.

fake [feɪk] F **I** *v/t.* **1.** nachmachen, fälschen; *Presse etc.*: *Foto etc.* ‚türken'; **2.** *Bilanz etc.* ‚frisieren'; **3.** vortäuschen; **4.** *sport* a) *Gegner* täuschen, b) *Schlag etc.* antäuschen; **II** *s.* **5.** Fälschung *f*, Nachahmung *f*; **6.** Schwindel *m*; **7.** Schwindler *m*, ‚Schauspieler' *m*, j-d, der nicht ‚echt' ist; **III** *adj.* **8.** nachgemacht, gefälscht; **9.** falsch; **10.** vorgetäuscht; **'fak·er** *s.* **1.** Fälscher *m*; **2.** Simu'lant(in); **3.** → ***fake*** 7.

fa·kir ['feɪˌkɪə] *s.* **1.** Fakir *m*; **2.** *Am.* F → ***fake*** 7.

fal·con ['fɔːlkən] *s. orn.* Falke *m*; **'fal·con·er** [-nə] *s. hunt.* Falkner *m*; **'fal·con·ry** [-kənrɪ] *s.* **1.** Falkne'rei *f*; **2.** Falkenbeize *f*, -jagd *f*.

fall [fɔːl] **I** *s.* **1.** Fall(en *n*) *m*, Sturz *m*: ***have a (bad) ~*** (schwer) stürzen; ***ride for a ~*** a) verwegen reiten, b) *fig.* das Schicksal herausfordern; **2.** a) (Ab)Fallen *n* (*der Blätter etc.*), b) *Am.* Herbst *m*; **3.** Fallen *n* (*des Vorhangs*); **4.** Fall *m*, Faltenwurf *m* (*von Stoff*); **5.** *phys.* a) *a.* ***free ~*** freier Fall, b) Fallhöhe *f*, -strecke *f*; **6.** a) (*Regen-, Schnee*)Fall *m*, b) Regen-, Schneemenge *f*; **7.** Zs.-fallen *n*, Einsturz *m* (*e-s Hauses*); **8.** Fallen *n*, Sinken *n*, Abnehmen *n* (*Temperatur, Flut, Preis*): ***heavy ~ in prices*** Kurs-, Preissturz *m*; ***speculate on the ~*** auf Baisse spekulieren; **9.** Abfallen *n*, Gefälle *n*, Neigung *f* (*des Geländes*); **10.** Fall *m* (*a. e-r Festung etc.*), Sturz *m*, Nieder-, 'Untergang *m*, Abstieg *m*, Verfall *m*, Ende *n*; **11.** Fall *m*, Fehltritt: ***the ~ (of man)*** *bibl.* der (erste) Sündenfall *m*; **12.** *mst pl.* Wasserfall *m*; **13.** Wurf *m* (*Lämmer etc.*); **14.** *Ringen*: Niederwurf *m*: ***win by ~*** Schultersieg *m*; ***try a ~ with s.o.*** *fig.* sich mit j-m messen; **II** *v/i.* [*irr.*] **15.** fallen: ***the curtain ~s*** der Vorhang fällt; **16.** (ab)fallen (*Blätter etc.*); **17.** (he'runter)fallen, abstürzen: ***he fell to his death*** er stürzte tödlich ab; **18.** ('um-, hin-, nieder)fallen, zu Boden fallen, zu Fall kommen; **19.** 'umfallen, -stürzen (*Baum etc.*); **20.** (*in Falten od. Locken*) her'abfallen; **21.** *fig. allg.* fallen: a) (*im Kampf*) getötet werden, b) erobert werden (*Stadt etc.*), c) gestürzt werden (*Regierung*), d) e-n Fehltritt begehen (*Frau*); **22.** *fig.* fallen (*Preis, Temperatur, Flut*), abnehmen, sinken: ***his courage fell*** ihm sank der Mut; ***his face fell*** er machte ein langes Gesicht; **23.** abfallen, sich senken (*Gelände*); **24.** (*in Stücke*) zerfallen; **25.** (*zeitlich*) fallen: ***Easter ~s late this year***; **26.** her'einbrechen (*Nacht*); **27.** *fig.* fallen (*Worte etc.*); **28.** *krank, fällig etc.* werden: ***~ ill (due)***;

Zssgn mit prp.:

fall| a·mong *v/i.* unter ... (*acc.*) geraten *od.* fallen: ***~ the thieves*** *bibl. u. fig.* unter die Räuber fallen; **~ be·hind** *v/i.* zu'rückbleiben hinter (*acc.*) (*a. fig.*); **~ for** *v/i.* F auf *et. od. j-n* reinfallen, *a.* sich in *j-n* ‚verknallen'; **~ from** *v/i.* abfallen von, abtrünnig *od.* untreu werden (*dat.*): ***~ grace*** a) sündigen, b) in Ungnade fallen; **~ in·to** *v/i.* **1.** kommen *od.* geraten *od.* verfallen in (*acc.*): ***~ disuse*** außer Gebrauch kommen; ***~ a habit*** in e-e Gewohnheit verfallen; → ***line***[1] 9; **2.** in *Teile* zerfallen: ***~ ruin*** zerfallen; **3.** münden in (*acc.*) (*Fluß*); **4.** fallen in (*ein Gebiet od. Fach*); **~ on** *v/i.* **1.** treffen, fallen auf (*acc.*) (*a. Blick etc.*); **2.** herfallen über (*acc.*), über'fallen (*acc.*); **3.** in *et.* geraten: ***~ evil days*** e-e schlimme Zeit durchmachen müssen; **~ o·ver** *v/i.* fallen über (*acc.*): ***~ o.s. to do s.th.*** F sich ‚fast umbringen', et. zu tun; **~ to** *v/i.* **1.** mit *et.* beginnen: ***~ work***; **2.** fallen an (*acc.*), *j-m* zufallen *od.* obliegen (***to do*** zu tun); **~ un·der** *v/i. fig.* **1.** unter *ein Gesetz etc.* fallen, zu *et.* gehören; **2.** *der Kritik etc.* unter'liegen; **~ with·in** → ***fall into*** 4.

Zssgn mit adv.:

fall| a·stern *v/i.* ⚓ zu'rückbleiben; **~ a·way** *v/i.* **1.** → ***fall*** 23; **2.** → ***fall off*** 1; **~ back** *v/i.* **1.** zu'rückweichen: ***~ (up)on*** *fig.* zurückgreifen auf (*acc.*); **2.** → ***~ be·hind*** *v/i. a. fig.* zu'rückbleiben, -fallen: ***~ with*** in Rückstand *od.* Verzug geraten mit; **~ down** *v/i.* **1.** hin-, hin'unterfallen; **2.** 'umfallen, einstürzen;

3. (*ehrfürchtig*) auf die Knie sinken, niederfallen; **4.** F (***on***) a) versagen (bei), b) Pech haben (mit); ~ **in** *v/i.* **1.** einfallen, -stürzen; **2.** ⚔ antreten; **3.** *fig.* a) sich anschließen (*Person*), b) sich einfügen (*Sache*); **4.** ✝ ablaufen, fällig werden; **5.** ~ ***with*** (zufällig) treffen (*acc.*), stoßen auf (*acc.*); **6.** ~ ***with*** a) zustimmen (*dat.*), b) passen zu, entsprechen (*dat.*), c) sich anpassen (*dat.*); ~ **off** *v/i. fig.* **1.** zu'rückgehen, sinken, nachlassen, abnehmen; **2.** (***from***) abfallen (von), abtrünnig werden (*dat.*); **3.** ⚓ (vom Strich) abfallen; **4.** ✈ abrutschen; ~ **out** *v/i.* **1.** her'ausfallen; **2.** *fig.* ausfallen, sich erweisen als; **3.** sich ereignen; **4.** ⚔ wegtreten; **5.** sich streiten *od.* entzweien; ~ **o·ver** *v/i.* 'umfallen, -kippen: ~ ***backwards*** F sich ‚fast umbringen' (*et. zu tun*); ~ **through** *v/i.* **1.** 'durchfallen (*a. fig.*); **2.** *fig.* a) miß'lingen, b) ins Wasser fallen; ~ **to** *v/i.* **1.** zufallen (*Tür*); **2.** ‚reinhauen', (tüchtig) zugreifen (*beim Essen*); **3.** handgemein werden.

fal·la·cious [fə'leɪʃəs] *adj.* □ trügerisch: a) irreführend, b) irrig, falsch; **fal·la·cy** ['fæləsɪ] *s.* **1.** Trugschluß *m*, Irrtum *m*: ***popular*** ~ weitverbreiteter Irrtum; **2.** Unlogik *f*; **3.** Täuschung *f*.

fall·en ['fɔːlən] **I** *p.p. von* ***fall***; **II** *adj. allg.* gefallen: a) gestürzt (*a. fig.*), b) entehrt (*Frau*), c) (*im Kriege*) getötet, d) erobert (*Stadt etc.*): ~ ***angel*** gefallener Engel; **III** *s. coll.* ***the*** ~ die Gefallenen *pl.*; ~ **arch·es** *s. pl.* Senkfüße *pl.*

fall guy *s. Am.* F **1.** a) Opfer *n* (*e-s Betrügers*), b) ‚Gimpel' *m*; **2.** Sündenbock *m*.

fal·li·bil·i·ty [ˌfælə'bɪlətɪ] *s.* Fehlbarkeit *f*; **fal·li·ble** ['fæləbl] *adj.* □ fehlbar.

ˌ**fall·ing|-a'way**, ~ **off** ['fɔːlɪŋ] *s.* Rückgang *m*, Abnahme *f*, Sinken *n*; ~ **sick·ness** *s.* ⚕ Fallsucht *f*; ~ **star** *s.* Sternschnuppe *f*.

Fal·lo·pi·an tubes [fə'ləʊpɪən] *s. pl. anat.* Eileiter *pl.*

'**fall·out** *s.* **1.** *phys.* radioak'tiver Niederschlag, Fall'out *m*; **2.** *fig.* a) 'Nebenproˌdukt *n*, b) (böse) Auswirkung(en *pl.*).

fal·low[1] ['fæləʊ] **I** *adj.* brach(liegend): ***lie*** ~ brachliegen; **II** *s.* Brache *f*: a) Brachfeld *n*, b) Brachliegen *n*.

fal·low[2] ['fæləʊ] *adj.* falb, fahl, braungelb; '**~-deer** [-ləʊd-] *s. zo.* Damhirsch *m*, -wild *n*.

false [fɔːls] **I** *adj.* □ *allg.* falsch: a) unrichtig, fehlerhaft, irrig, b) unwahr, c) (***to***) treulos (gegen), untreu (*dat.*), d) irreführend, vorgetäuscht, trügerisch, 'hinterhältig, e) gefälscht, unecht, künstlich, f) Schein…, fälschlich (so genannt), g) 'widerrechtlich, rechtswidrig: ~ ***alarm*** blinder Alarm (*a. fig.*); ~ ***ceiling*** ⚠ Zwischendecke *f*; ~ ***coin*** Falschgeld *n*; ~ ***hair*** falsche Haare; ~ ***imprisonment*** ⚖ Freiheitsberaubung *f*; ~ ***key*** Nachschlüssel *m*; ~ ***pregnancy*** ⚕ Scheinschwangerschaft *f*; ~ ***shame*** falsche Scham; ~ ***start*** Fehlstart *m*; ~ ***step*** Fehltritt *m*; ~ ***tears*** Krokodilstränen; ~ ***teeth*** falsche Zähne; **II** *adv.* falsch, unaufrichtig: ***play s.o.*** ~ ein falsches Spiel mit j-m treiben; ˌ**false-'heart·ed** *adj.* falsch, treulos; '**false·hood** [-hʊd] *s.* **1.** Unwahrheit *f*, Lüge *f*; **2.** Falschheit *f*; '**false·ness** [-nɪs] *s. allg.* Falschheit *f*.

fal·set·to [fɔːl'setəʊ] *pl.* **-tos** *s.* Fistelstimme *f*, ♪ *a.* Fal'sett(stimme *f*) *n*.

fal·sies ['fɔːlsɪz] *s. pl.* F Schaumgummieinlagen *pl.* (*im Büstenhalter*).

fal·si·fi·ca·tion [ˌfɔːlsɪfɪ'keɪʃn] *s.* (Ver-)Fälschung *f*; **fal·si·fi·er** ['fɔːlsɪfaɪə] *s.* Fälscher(in); **fal·si·fy** ['fɔːlsɪfaɪ] *v/t.* **1.** fälschen; **2.** verfälschen, falsch *od.* irreführend darstellen; **3.** *Hoffnungen* enttäuschen; **fal·si·ty** ['fɔːlsətɪ] *s.* **1.** Irrtum *m*, Unrichtigkeit *f*; **2.** Lüge *f*, Unwahrheit *f*.

falt·boat ['fɔːltbəʊt] *s.* Faltboot *n*.

fal·ter ['fɔːltə] **I** *v/i.* schwanken: a) taumeln, b) zögern, zaudern, c) stocken (*a. Stimme*): ***his courage ~ed*** der Mut verließ ihn; **II** *v/t. et.* stammeln; '**fal·ter·ing** [-tərɪŋ] *adj.* □ *allg.* schwankend (→ ***falter*** I).

fame [feɪm] *s.* **1.** Ruhm *m*, (guter) Ruf, Berühmtheit *f*: ***of ill*** ~ berüchtigt; ***house of ill*** ~ Freudenhaus *n*; **2.** *obs.* Gerücht *n*; **famed** [-md] *adj.* berühmt, bekannt (***for*** wegen *gen.*, für).

fa·mil·iar [fə'mɪljə] **I** *adj.* □ **1.** vertraut: a) gewohnt: ***a*** ~ ***sight***, b) bekannt: ***a*** ~ ***face***, c) geläufig: ***a*** ~ ***expression***; ~ ***quotations*** geflügelte Worte; **2.** vertraut, bekannt (***with*** mit): ***be*** ~ ***with*** *a. et.* gut kennen; ***make o.s.*** ~ ***with*** a) sich mit *j-m* bekannt machen, b) sich mit *et.* vertraut machen; ***the name is*** ~ ***to me*** der Name ist mir vertraut; **3.** vertraut, in'tim, eng: ***a*** ~ ***friend***; ***be on*** ~ ***terms with s.o.*** mit j-m gut bekannt sein; (***too***) ~ *contp.* allzu familiär, plump-vertraulich; **4.** ungezwungen, famili'är; **II** *s.* **5.** Vertraute(r *m*) *f*; **6.** *a.* ~ ***spirit*** Schutzgeist *m*; **fa·mil·i·ar·i·ty** [fəˌmɪlɪ'ærətɪ] *s.* **1.** Vertrautheit *f*, Bekanntschaft *f* (***with*** mit); **2.** a) famili'ärer Ton, Ungezwungenheit *f*, Vertraulichkeit *f*, b) *contp.* plumpe Vertraulichkeit; **fa·mil·iar·i·za·tion** [fəˌmɪljəraɪ'zeɪʃn] *s.* (***with***) Vertrautmachen *n od.* -werden *n* (mit), Gewöhnung *f* (an *acc.*); **fa'mil·iar·ize** [-əraɪz] *v/t.* (***with***) vertraut *od.* bekannt machen (mit), gewöhnen (an *acc.*).

fam·i·ly ['fæməlɪ] **I** *s.* **1.** Fa'milie *f* (*a. biol. u. fig.*): ~ ***of nations*** Völkerfami-

F

lie; ***she was living as one of the ~*** sie gehörte zur Familie, sie hatte Familienanschluß; **2.** Fa'milie *f*: a) Geschlecht *n*, Sippe *f*, *a.* Verwandtschaft *f*, b) Ab-, Herkunft *f*: ***of (good) ~*** aus gutem *od.* vornehmem Hause; **3.** *ling.* ('Sprach-) Fa,milie *f*; **4.** ♣ Schar *f*; **II** *adj.* **5.** Familien...: ***~ business (tradition*** *etc.*); ***~ doctor*** Hausarzt *m*; ***~ environment*** häusliches Milieu; ***~ warmth*** Nestwärme *f*; ***in a ~ way*** zwanglos; ***be in the ~ way*** F in anderen Umständen sein; **~ al·low·ance** *s.* Kindergeld *n*; **~ cir·cle** *s.* **1.** Fa'milienkreis *m*; **2.** *thea. Am.* oberer Rang; **~ court** *s.* ⚖ Fa'miliengericht *n*; **~ man** *s.* [*irr.*] **1.** Mann *m* mit Fa'milie, Fa'milienvater *m*; **2.** häuslicher Mensch; **~ plan·ning** *s.* Fa'milienplanung *f*; **'~-,size pack·age** *s.* Haushaltspackung *f*; **~ skel·e·ton** *s.* streng gehütetes Fa'miliengeheimnis; **~ tree** *s.* Stammbaum *m*.

fam·ine ['fæmɪn] *s.* **1.** Hungersnot *f*; **2.** Mangel *m*, Knappheit *f* (***of*** an *dat.*); **3.** Hunger *m* (*a. fig.*).

fam·ish ['fæmɪʃ] **I** *v/i.* **1.** *obs.* verhungern: ***be ~ing*** F am Verhungern sein; **2.** darben; **II** *v/t. obs.* verhungern lassen: ***he ate as if ~ed*** er aß, als ob er am Verhungern wäre.

fa·mous ['feɪməs] *adj.* □ **1.** berühmt (***for*** wegen *gen.*, für); **2.** F fa'mos, ausgezeichnet, prima.

fan[1] [fæn] **I** *s.* **1.** Fächer *m*: ***~ dance***; ***~ aerial*** ⚡ Fächerantenne *f*; ***~-fold paper*** Endlospapier, EDV-Papier *n*; **2.** ⚙ a) Venti'lator *m*, Lüfter *m*, b) *a.* ***~ blower*** (Flügelrad)Gebläse *n*, c) ⚒ (Worfel-) Schwinge *f*, d) ⚓ Flügel *m*, Schraubenblatt *n*; **II** *v/t.* **3.** *Luft* fächeln; **4.** um'fächeln, *j-m* Luft zufächeln; **5.** *Feuer* anfachen: ***~ the flame*** *fig.* Öl ins Feuer gießen; **6.** *fig.* entfachen; (an)wedeln; **7.** ⚒ worfeln, schwingen; **III** *v/i.* **8.** *oft* ***~ out*** a) sich (fächerförmig) ausbreiten, b) ⚔ ausschwärmen.

fan[2] [fæn] *s.* F Fan *m*, begeisterter Anhänger: ***~ club*** Fanclub *m*; ***~ mail*** Verehrerpost *f*.

fa·nat·ic [fə'nætɪk] **I** *s.* Fa'natiker(in); **II** *adj.* → **fa'nat·i·cal** [-kl] *adj.* □ fa'natisch; **fa'nat·i·cism** [-ɪsɪzəm] *s.* Fana'tismus *m*.

fan·ci·er ['fænsɪə] *s.* (*Tier-*, *Blumen-* *etc.*)Liebhaber(in) *od.* Züchter(in); **'fan·ci·ful** [-ɪfʊl] *adj.* □ **1.** (allzu) phanta'siereich, schrullig, wunderlich (*Person*); **2.** bi'zarr, ausgefallen (*Sache*); **3.** eingebildet, unwirklich; **4.** phan'tastisch, wirklichkeitsfremd.

fan·cy ['fænsɪ] **I** *s.* **1.** Phanta'sie *f*: a) Einbildungskraft *f*, b) Phanta'sievorstellung *f*, c) (bloße) Einbildung; **2.** I'dee *f*, plötzlicher Einfall *m*: ***I have a ~ that*** ich habe so e-e Idee, daß; **3.** Laune *f*, Grille *f*; **4.** (individu'eller) Geschmack; **5.** (***for***) Neigung *f* (zu), Vorliebe *f* (für), Gefallen *n* (an *dat.*): ***have a ~ for*** gern haben (wollen) (*acc.*), Lust haben zu *od.* auf (*acc.*); ***take a ~ to*** Gefallen finden an (*dat.*), sympathisch finden (*acc.*); ***take (od. catch) s.o.'s ~*** j-m gefallen; ***just as the ~ takes you*** nach Lust u. Laune; **6.** *coll.* ***the ~*** die (*Sport-*, *Tier-* *etc.*)Liebhaberwelt; **II** *adj.* **7.** Phantasie..., phan'tastisch: ***~ name*** Phantasiename *m*; ***~ price*** Phantasie-, Liebhaberpreis *m*; **8.** Mode...: ***~ article***; **9.** (reich) verziert, bunt, kunstvoll, ausgefallen, extrafein: ***~ cakes*** feines Gebäck; ***~ car*** schicker Wagen; ***~ dog*** Hund *m* aus e-r Liebhaberzucht; ***~ foods*** Delikatessen; ***~ words*** *contp.* geschwollene Ausdrücke; **III** *v/t.* **10.** sich *j-n od. et.* vorstellen: ***~ (that)!*** a) stell dir vor!, b) sieh mal einer an!, nanu!; ***~ meeting you here!*** nanu, du hier?; **11.** glauben, denken, annehmen; **12.** ***~ o.s.*** sich einbilden (***to be*** zu sein), sich halten für: ***~ o.s. (very important)*** sich sehr wichtig vorkommen; **13.** gern haben *od.* mögen: ***I don't ~ this suit*** dieser Anzug gefällt mir nicht; **14.** Lust haben (auf *acc.*; ***doing*** zu tun): ***I could ~ an ice-cream*** ich hätte Lust auf ein Eis; **15.** ***~ up*** *Am.* F aufputzen, ‚Pfiff geben' (*dat.*); **~ ball** *s.* Ko'stümfest *n*, Maskenball *m*; **~ dress** *s.* ('Masken)Ko,stüm *n*; **,~-'dress** *adj.*: ***~ ball*** → ***fancy ball***; **,~-'free** *adj.* frei u. ungebunden; **~ goods** *s. pl.* **1.** 'Modear,tikel *pl.*; **2.** kleine Ge'schenkar,tikel *pl.*, *a.* Nippes *pl.*; **~ man** *s.* [*irr.*] *sl.* **1.** ‚Louis' *m*, Zuhälter *m*; **2.** Liebhaber *m*; **~ pants** *s. Am. sl.* **1.** ‚feiner Pinkel'; **2.** ‚Waschlappen' *m*; **~ wom·an** *s.* [*irr.*] **1.** Geliebte *f*; **2.** Prostituierte *f*; **'~·work** *s.* feine (Hand-) Arbeit.

fan·dan·gle [fæn'dæŋgl] *s.* F ‚Firlefanz' *m*.

fane [feɪn] *s. poet.* Tempel *m*.

fan·fare ['fænfeə] *s.* ♪ Fan'fare *f*, Tusch *m*: ***with much ~*** *fig.* mit großem Tamtam.

fang [fæŋ] *s.* **1.** *zo.* a) Fang(zahn) *m* (*Raubtier*), b) Hauer *m* (*Eber*), c) Giftzahn *m* (*Schlange*); **2.** *pl.* F Zähne *pl.*, ‚Beißer' *pl.*; **3.** *anat.* Zahnwurzel *f*; **4.** ⚙ Dorn *m*.

fan| heat·er *s.* Heizlüfter *m*; **'~·light** *s.* ⚠ (fächerförmiges) (Tür)Fenster, Oberlicht *n*.

fan·ner ['fænə] *s.* ⚙ Gebläse *n*.

fan·ny ['fænɪ] *s.* **1.** *Am. sl.* ‚Arsch' *m*; **2.** *Brit.* V ‚Möse' *f*.

fan·ta·sia [fæn'teɪzjə] *s.* ♪ Fanta'sia *f*; **fan·ta·size** ['fæntəsaɪz] *v/i.* **1.** phantasieren (***about*** von); **2.** (mit offenen

Augen) träumen; **fan'tas·tic** [-'tæstɪk] *adj.* (□ **~ally**) *allg.* phan'tastisch: a) unwirklich, b) verstiegen, über'spannt, c) ab'surd, aus der Luft gegriffen, d) F ,toll'; **fan·ta·sy** ['fæntəsɪ] *s.* **1.** Phanta'sie *f*: a) Einbildungskraft *f*, b) Phanta'sievorstellung *f*, c) (Tag-, Wach)Traum *m*, d) Hirngespinst *n*; **2.** ♪ Fanta'sia *f*.

fan| trac·er·y *s.* ⚠ Fächermaßwerk *n*; **~ vault·ing** *s.* ⚠ Fächergewölbe *n*.

far [fɑː] **I** *adj.* **1.** fern, (weit) entfernt, weit; **2.** (*vom Sprecher aus*) entfernter: ***at the ~ end*** am anderen Ende; **3.** weit vorgerückt, fortgeschritten (***in*** in *dat.*); **II** *adv.* **4.** weit, fern: ***~ away, ~ off*** weit weg, weit entfernt; ***from ~*** von weit her; ***~ and near*** nah u. fern, überall; ***~ and wide*** weit und breit; ***~ and away the best*** a) bei weitem *od.* mit Abstand das Beste, b) bei weitem am besten; ***as ~ as*** a) soweit *od.* soviel (wie), insofern als, b) bis (nach); ***as ~ as that goes*** was das betrifft; ***as ~ back as 1907*** schon (im Jahre) 1907; ***in as*** (*od.* ***so***) ***~ as*** insofern als; ***so ~*** bisher, bis jetzt; ***so ~ so good*** so weit, so gut; ***~ from*** weit entfernt von, keineswegs; ***~ from completed*** noch lange *od.* längst nicht fertig; ***~ from rich*** alles andere als reich; ***~ from it!*** keineswegs!, ganz u. gar nicht!; ***I am ~ from believing it*** ich bin weit davon entfernt, es zu glauben; ***~ into*** bis weit *od.* hoch *od.* tief in (*acc.*); ***~ into the night*** bis spät *od.* tief in die Nacht; ***~ out*** a) weit draußen *od.* hinaus, b) F ,toll'; ***be ~ out*** weit danebenliegen (*mit e-r Vermutung etc.*); ***~ up*** hoch oben; ***~ be it from me*** (***to*** *inf.*) es liegt mir fern (zu *inf.*); ***go ~*** a) weit *od.* lange (aus)reichen, b) es weit bringen; ***ten dollars don't go ~*** mit 10 Dollar kommt man nicht weit; ***go too ~*** *fig.* zu weit gehen; ***that went ~ to convince me*** das hat mich beinahe überzeugt; ***I will go so ~ as to say*** ich will sogar behaupten; **5.** *a.* ***by ~*** weit(aus), bei weitem, sehr viel, ganz: ***~ better*** viel besser; (***by***) ***~ the best*** a) weitaus der (die, das) beste, b) bei weitem am besten.

far·ad ['færəd] *s.* ϟ Fa'rad *n*.

'far·a·way *adj.* **1.** → ***far*** 1; **2.** *fig.* verträumt, versonnen, (geistes)abwesend.

farce [fɑːs] *s.* **1.** *thea.* Posse *f*, Schwank *m*; **2.** *fig.* Farce *f*, ,The'ater' *n*; **'far·ci·cal** [-sɪkl] *adj.* □ **1.** possenhaft, Possen...; **2.** *fig.* ab'surd.

fare [feə] **I** *s.* **1.** a) Fahrpreis *m*, -geld *n*, b) Flugpreis *m*: ***what's the ~?*** was kostet die Fahrt *od.* der Flug?; ***~ stage*** *Brit.* Fahrpreiszone *f*, Teilstrecke *f* (*Bus etc.*); ***any more ~s?*** noch jemand zugestiegen?; **2.** Fahrgast *m* (*bsd. e-s Taxis*); **3.** Kost *f* (*a. fig.*), Verpflegung *f*, Nahrung *f*: ***slender ~*** magere Kost; ***literary ~*** literarische Kost, geistiges ,Menü'; **II** *v/i.* **4.** sich befinden; (er)gehen: ***how did you ~?*** wie ist es dir ergangen?; ***he ~d ill, it ~d ill with him*** er war schlecht d(a)ran; ***we ~d no better*** uns ist es nicht besser ergangen; ***~ alike*** in der gleichen Lage sein; **5.** *poet.* reisen, sich aufmachen: ***~ thee well!*** leb wohl!

Far East *s.*: ***the ~*** der Ferne Osten.

,fare'well I *int.* lebe(n Sie) wohl!, lebt wohl!; **II** *s.* Lebe'wohl *n*, Abschiedsgruß *m*: ***bid s.o. ~*** j-m Lebewohl sagen; ***make one's ~s*** sich verabschieden; ***take one's ~ of*** Abschied nehmen von (*a. fig.*); ***~ to*** adieu ..., nie wieder ...; **III** *adj.* Abschieds...

,far|-'famed *adj.* 'weithin berühmt; **,~-'fetched** *adj. fig.* weithergeholt, an den Haaren her'beigezogen; **,~-'flung** *adj.* **1.** weit(ausgedehnt); **2.** *fig.* weitgespannt; **3.** weitentfernt; **,~-'go·ing** → ***far-reaching***.

fa·ri·na [fə'raɪnə] *s.* **1.** (feines) Mehl; **2.** ⚗ Stärke *f*; **3.** *Brit.* ♀ Blütenstaub *m*; **4.** *zo.* Staub *m*; **far·i·na·ceous** [,færɪ'neɪʃəs] *adj.* Mehl..., Stärke...

farm [fɑːm] **I** *s.* **1.** (Bauern)Hof *m*, landwirtschaftlicher Betrieb, Gut(shof *m*) *n*, Farm *f*; **2.** (*Geflügel- etc.*)Farm *f*; **3.** *obs.* Bauernhaus *n*; **4.** *bsd. Am.* a) Sana'torium *n*, b) Entziehungsanstalt *f*; **II** *v/t.* **5.** *Land* bebauen, bewirtschaften; **6.** *Geflügel etc.* züchten; **7.** pachten; **8.** *oft* ***~ out*** verpachten, in Pacht geben (***to. s.o.*** j-m *od.* an j-n); **9.** *mst* ***~ out*** a) *Kinder* in Pflege geben, b) ✝ *Arbeit* vergeben (***to*** an *acc.*); **III** *v/i.* **10.** Landwirt sein; **'farm·er** [-mə] *s.* **1.** (Groß-)Bauer *m*, Landwirt *m*, Farmer *m*; **2.** Pächter *m*; **3.** (*Geflügel- etc.*)Züchter *m*.

farm| hand *s.* Landarbeiter(in); **'~house** *s.* Bauern-, Gutshaus *n*: ***~ bread*** Landbrot *n*; ***~ butter*** Landbutter *f*.

farm·ing ['fɑːmɪŋ] *s.* **1.** Landwirtschaft; **2.** (*Geflügel- etc.*)Zucht *f*.

farm| la·bo(u)r·er → ***farm hand***; **~ land** *s.* Ackerland *n*; **'~·stead** *s.* Bauernhof *m*, Gehöft *n*; **~ work·er** → ***farm hand***; **'~·yard** *s.* Wirtschaftshof *m* (e-s Bauernhofs).

far·o ['feərəʊ] *s.* Phar(a)o *n* (*Kartenglücksspiel*).

far-off [,fɑːr'ɒf] → ***far*** 1, ***faraway*** 2.

far-out [,fɑːr'aʊt] *adj. sl.* **1.** ,toll', ,super'; **2.** ,verrückt'.

far·ra·go [fə'rɑːgəʊ] *pl.* **-gos**, *Am.* **-goes** *s.* Kunterbunt *n* (***of*** aus, von).

,far-'reach·ing *adj.* **1.** *bsd. fig.* weitreichend; **2.** *fig.* folgenschwer, tiefgreifend.

far·ri·er ['færɪə] *s.* Hufschmied *m*; ⚔ Beschlagmeister *m*.

far·row ['færəʊ] **I** *s.* Wurf *m* Ferkel:

with ~ trächtig (*Sau*); **II** *v/i.* ferkeln; **III** *v/t. Ferkel* werfen.

ˌfar|ˈsee·ing *adj. fig.* weitblickend; **ˌ~-ˈsight·ed** *adj.* **1.** *fig.* → ***farseeing***; **2.** ⚕ weitsichtig; **ˌ~ˈsight·ed·ness** *s.* **1.** *fig.* Weitblick *m*, ˈUmsicht *f*; **2.** ⚕ Weitsichtigkeit *f*.

fart [fɑːt] V **I** *s.* Furz *m*; **II** *v/i.* furzen: ***~ around*** *fig.* herumalbern, -blödeln.

far·ther [ˈfɑːðə] **I** *adj.* **1.** *comp. von* ***far***; **2.** → ***further*** 3, 4; **3.** entfernter (*vom Sprecher aus*): ***the ~ shore*** das gegenüberliegende Ufer; ***at the ~ end*** am anderen Ende; **II** *adv.* **4.** weiter: ***so far and no ~*** bis hierher u. nicht weiter; **5.** → ***further*** 1, 2; **ˈfar·ther·most** → ***farthest*** 2; **ˈfar·thest** [-ðɪst] **I** *adj.* **1.** *sup.* von ***far***; **2.** entferntest, weitest; **II** *adv.* **3.** am weitesten, am entferntesten.

far·thing [ˈfɑːðɪŋ] *s. Brit. hist.* Farthing *m* (¼ *Penny*): ***not worth a*** (***brass***) ***~*** *fig.* keinen (roten) Heller wert; ***it doesn't matter a ~*** das macht gar nichts.

Far West *s. Am. Gebiet der Rocky Mountains u. der pazifischen Küste.*

fas·ci·a [ˈfeɪʃə] *pl.* **-ae** [-ʃiː] *s.* **1.** Binde *f*, (Quer)Band *n*; **2.** *zo.* Farbstreifen *m*; **3.** [ˈfæʃɪə] *anat.* Muskelhaut *f*; **4.** △ a) Gurtsims *m*, b) Bund *m* (*von Säulenschäften*); **5.** ⚕ (Bauch- *etc.*)Binde *f*; **6.** → ***facia***.

fas·ci·cle [ˈfæsɪkl] *s.* **1.** *a.* ⚘ Bündel *n*, Büschel *n*; **2.** Fasˈzikel *m*: a) (Teil)Lieferung *f*, Einzelheft *n* (*Buch*), b) Aktenbündel *n*; **fas·cic·u·lar** [fəˈsɪkjʊlə], **fas·cic·u·late** [fəˈsɪkjʊlət] *adj.* büschelförmig.

fas·ci·nate [ˈfæsɪneɪt] *v/t.* **1.** faszinieren: a) bezaubern, b) fesseln, packen, gefangennehmen: ***~d*** fasziniert, (wie) gebannt; **2.** hypnotisieren; **ˈfas·ci·nat·ing** [-tɪŋ] *adj.* □ faszinierend: a) hinreißend, b) fesselnd, spannend; **fas·ci·na·tion** [ˌfæsɪˈneɪʃn] *s.* **1.** Faszinatiˈon *f*, Bezauberung *f*; **2.** Zauber *m*, Reiz *m*.

Fas·cism [ˈfæʃɪzəm] *s. pol.* Faˈschismus *m*; **ˈFas·cist** [-ɪst] **I** *s.* Faˈschist *m*; **II** *adj.* faˈschistisch.

fash·ion [ˈfæʃn] **I** *s.* **1.** Mode *f*: ***come into ~*** in Mode kommen; ***set the ~*** die Mode diktieren, *fig.* den Ton angeben; ***it is*** (***all***) ***the ~*** es ist (große) Mode; ***in the English ~*** nach englischer Mode (*od.* Art, → 2); ***out of ~*** aus der Mode, unmodern; ***~ designer*** Modedesigner(in); **2.** Sitte *f*, Brauch *m*, Art *f* (u. Weise *f*), Stil *m*, Maˈnier *f*: ***behave in a strange ~*** sich sonderbar benehmen; ***after their ~*** nach ihrer Weise; ***after*** (*od.* ***in***) ***a ~*** schlecht u. recht, ‚so lala'; ***an artist after a ~*** so etwas wie ein Künstler; **3.** (feine) Lebensart, gute Maˈnieren *pl.*: ***a man of ~***; **4.** Machart *f*, Form *f* (Zu)Schnitt *m*, Fasˈson *f*; **II** *v/t.* **5.** herstellen, machen; **6.** bilden, formen, gestalten; **7.** anpassen; **III** *adv.* **8.** wie: ***horse-~*** nach Pferdeart, wie ein Pferd; **fash·ion·a·ble** [ˈfæʃnəbl] **I** *adj.* □ **1.** modisch, moˈdern; **2.** vornehm, eleˈgant; **3.** in Mode, Mode…: ***~ complaint*** Modekrankheit *f*; **II** *s.* **4.** ***the ~s*** die elegante Welt, die Schickeria.

ˈfash·ion|ˌmon·ger *s.* Modenarr *m*; **~ pa·rade** *s.* Mode(n)schau *f*: **~ plate** *s.* **1.** Modebild *n*, -blatt *n*; **2.** F ‚ˈsupereleˌgante' Perˈson; **~ show** *s.* Mode(n)schau *f*.

fast¹ [fɑːst] **I** *adj.* **1.** schnell, geschwind, rasch: ***~ train*** Schnell-, D-Zug *m*; ***my watch is ~*** m-e Uhr geht vor: ***pull a ~ one on s.o.*** *sl.* j-n ‚reinlegen'; **2.** ‚schnell' (*hohe Geschwindigkeit gestattend*): ***~ road***; ***~ tennis-court***; ***~ lane*** *mot.* Überholspur *f*; **3.** *phot.* lichtstark; **4.** flott, leichtlebig; **II** *adv.* **5.** schnell: ***~ and furious*** Schlag auf Schlag; **6.** häufig, reichlich, stark; **7.** leichtsinnig: ***live ~*** ein flottes Leben führen.

fast² [fɑːst] **I** *adj.* **1.** fest(gemacht), befestigt, unbeweglich; fest zs.-haltend: ***make ~*** festmachen, befestigen, *Tür* (fest) verschließen; ***~ friend*** treuer Freund; **2.** beständig, haltbar: ***~ colo***(***u***)***r*** (wasch)echte Farbe; ***~ to light*** lichtecht; **II** *adv.* **3.** fest, sicher: ***be ~ asleep*** fest schlafen; ***stuck ~*** festgefahren; ***play ~ and loose*** Schindluder treiben (***with*** mit).

fast³ [fɑːst] *bsd. eccl.* **I** *v/i.* **1.** fasten; **II** *s.* **2.** Fasten *n*: ***break one's ~*** das Fasten brechen, *a.* frühstücken; **3.** Fastenzeit *f*.

ˈfast|·back *s. mot.* (Wagen *m* mit) Fließheck *n*; **~ breed·er** (**re·ac·tor**) *s. phys.* schneller Brüter.

fas·ten [ˈfɑːsn] **I** *v/t.* **1.** befestigen, festmachen, -binden (***to***, ***on*** an *dat.*); **2.** *a.* ***~ up*** (fest) zumachen, (ver-, ab)schließen, zuknöpfen, ver-, zuschnüren; zs.-fügen, verbinden: ***~ with nails*** zunageln; ***~ down*** a) befestigen, b) F *j-n* ‚festnageln' (***to*** auf *acc.*); **3.** *Augen* heften, *a. s-e Aufmerksamkeit* richten (***on*** auf *acc.*); **4.** ***~*** (***up***)***on*** *fig.* a) *j-m e-n Spitznamen* ‚anhängen', geben, b) *j-m et.* ‚anhängen' *od.* ‚in die Schuhe schieben'; **II** *v/i.* **5.** sich schließen *od.* festmachen lassen; **6.** ***~*** (***up***)***on*** a) sich heften *od.* klammern an (*acc.*), b) *fig.* sich stürzen auf (*acc.*), ‚einhaken' bei, aufs Korn nehmen (*acc.*); **ˈfas·ten·er** [-nə] *s.* Befestigung(smittel *n*, -vorrichtung *f*) *f*, Verschluß *m*, Halter *m*, Druckknopf *m*; **ˈfas·ten·ing** [-nɪŋ] *s.* **1.** → ***fastener***; **2.** Befestigung *f*, Sicherung *f*, Halterung *f*.

ˈfast-food res·tau·rant *s.* Schnellimbiß *m*, -gaststätte *f*.

fas·tid·i·ous [fæsˈtɪdɪəs] *adj.* □ an-

spruchsvoll, heikel, wählerisch; **fas'tid·i·ous·ness** [-nɪs] *s.* anspruchsvolles Wesen.
fast·ing cure ['fɑ:stɪŋ] *s.* Fasten-, Hungerkur *f.*
'fast,mov·ing *adj.* **1.** schnell; **2.** *fig.* tempogeladen, spannend.
fast·ness¹ ['fɑ:stnɪs] *s.* **1.** *obs.* Schnelligkeit *f*; **2.** *fig.* Leichtlebigkeit *f.*
fast·ness² ['fɑ:stnɪs] *s.* **1.** Feste *f*, Festung *f*; **2.** Zufluchtsort *m*; **3.** 'Widerstandsfähigkeit *f*, Beständigkeit *f* (***to*** gegen), Echtheit *f* (*von Farben*): ***~ to light*** Lichtechtheit *f.*
fast-sell·ing *adj.* gutgehend.
'fast-talk *v/t.* F *j-n* beschwatzen (***into doing s.th.*** et. zu tun).
fat [fæt] **I** *adj.* □ → ***fatly***; **1.** dick, beleibt, fett, feist: ***~ stock*** Mastvieh *n*; ***~ type*** *typ.* Fettdruck *m*; **2.** fett, fetthaltig, fettig, ölig: ***~ coal*** Fettkohle *f*; **3.** *fig.* ,dick': ***~ bank account***; ***~ purse***; **4.** *fig.* fett, einträglich: ***a ~ job*** ein lukrativer Posten; ***~ soil*** fetter *od.* fruchtbarer Boden; ***a ~ lot it helps!*** *sl. iro.* das hilft mir (uns) herzlich wenig; ***a ~ chance*** *sl.* herzlich wenig Aussicht (-en); **II** *s.* **5.** *a.* ⚗, *biol.* Fett *n*: ***run to ~*** Fett ansetzen; ***the ~ is in the fire*** der Teufel ist los; **6.** ***the ~*** das Beste: ***live on*** (*od.* ***off***) ***the ~ of the land*** in Saus u. Braus leben; **III** *v/t.* **7.** *a.* ***~ up*** mästen: ***kill the ~ted calf*** a) *bibl.* das gemästete Kalb schlachten, b) ein Willkommensfest geben.
fa·tal ['feɪtl] *adj.* □ **1.** tödlich, todbringend, mit tödlichem Ausgang: ***a ~ accident*** ein tödlicher Unfall; **2.** unheilvoll, verhängnisvoll (***to*** für): ***~ mistake***; **3.** schicksalhaft, entscheidend; **4.** Schicksals...: ***~ thread*** Lebensfaden *m*; **'fa·tal·ism** [-təlɪzəm] *s.* Fata'lismus *m*; **'fa·tal·ist** [-təlɪst] *s.* Fata'list *m*; **fa·tal·is·tic** [,feɪtə'lɪstɪk] *adj.* (□ ***~ally***) fata'listisch.
fa·tal·i·ty [fə'tælətɪ] *s.* **1.** Verhängnis *n*, Unglück *n*; **2.** Schicksalhaftigkeit *f*; **3.** tödlicher Ausgang *od.* Verlauf; **4.** Todesfall *m*, -opfer *n.*
fa·ta mor·ga·na [,fɑ:təmɔ:'gɑ:nə] *s.* Fata Mor'gana *f.*
fate [feɪt] *s.* **1.** Schicksal *n*, Geschick *n*, Los *n*: ***he met his ~*** das Schicksal ereilte ihn; ***he met his ~ calmly*** er sah s-m Schicksal ruhig entgegen; ***seal s.o.'s ~*** j-s Schicksal besiegeln; **2.** Verhängnis *n*, Verderben *n*, 'Untergang *m*: ***go to one's ~*** den Tod finden; **3.** Schicksalsgöttin *f*: ***the 2s*** die Parzen; **'fat·ed** [-tɪd] *adj.* **1.** vom Schicksal (dazu) bestimmt: ***they were ~ to meet*** es war ihnen bestimmt, sich zu begegnen; **2.** dem 'Untergang geweiht; **'fate·ful** [-fʊl] *adj.* □ **1.** schicksalhaft; **2.** verhängnisvoll; **3.** schicksalsschwer.
'fat|-head *s.* F ,Blödmann' *m*; **'~-,head·ed** *adj.* dämlich, doof.
fa·ther ['fɑ:ðə] **I** *s.* **1.** Vater *m*: ***like ~ like son*** der Apfel fällt nicht weit vom Stamm; ***2 Time*** Chronos *m*, die Zeit; **2.** 2 (Gott)Vater *m*; **3.** *eccl.* a) Pastor *m*, b) *R.C.* Pater *m*, c) *R.C.* Vater *m* (*Bischof*, *Abt*): ***the Holy 2*** der Heilige Vater; ***~ confessor*** Beichtvater; ***2 of the Church*** Kirchenvater; **4.** *mst pl.* Ahn *m*, Vorfahr *m*: ***be gathered to one's ~s*** zu s-n Vätern versammelt werden; **5.** *fig.* Vater *m*, Urheber *m*: ***the ~ of chemistry***; ***2 of the House*** *Brit.* dienstältestes Parlamentsmitglied; ***the wish was ~ to the thought*** der Wunsch war der Vater des Gedankens; **6.** *pl.* Stadt-, Landesväter *pl.*: ***the 2s of the Constitution*** die Gründer der USA; **7.** väterlicher Freund (***to*** *gen.*); **II** *v/t.* **8.** *Kind* zeugen; **9.** *et.* ins Leben rufen, her'vorbringen; **10.** wie ein Vater sein zu *j-m*; **11.** die Vaterschaft (*gen.*) anerkennen; **12.** *fig.* a) die Urheberschaft (*gen.*) anerkennen, b) die Urheberschaft (*gen.*) *od.* die Schuld für *et.* zuschreiben (***on***, ***upon*** *dat.*); **2 Christ·mas** *s. Brit.* Weihnachtsmann *m*; **~ fig·ure** *s. psych.* 'Vaterfi,gur *f.*
fa·ther·hood ['fɑ:ðəhʊd] *s.* Vaterschaft *f*; **'fa·ther-in-law** [-ərɪn-] *s.* Schwiegervater *m*; **'fa·ther·land** *s.* Vaterland *n*: ***the 2*** Deutschland *n*; **'fa·ther·less** [-lɪs] *adj.* vaterlos; **'fa·ther·li·ness** [-lɪnɪs] *s.* Väterlichkeit *f*; **'fa·ther·ly** [-lɪ] *adj. u. adv.* väterlich.
fath·om ['fæðəm] **I** *s.* **1.** a) ⚓ Faden *m* (*Tiefenmaß*: *1,83 m*), b) *obs. u. fig.* Klafter *m*, *n*, c) ⚒ *Raummaß* (= *1,17 m³*); **II** *v/t.* **2.** ⚓ (aus)loten (*a. fig.*); **3.** *fig.* ergründen; **'fath·om·less** [-lɪs] *adj.* □ unergründlich (*a. fig.*); **fath·om line** *s.* ⚓ Lotleine *f.*
fa·tigue [fə'ti:g] **I** *s.* **1.** Ermüdung *f* (*a.* ⚙), Erschöpfung *f* (*a.* ✓ *des Bodens*): ***~ strength*** ⚙ Dauerfestigkeit *f*; ***~ test*** ⚙ Ermüdungsprobe *f*; **2.** schwere Arbeit, Mühsal *f*, Stra'paze *f*; **3.** ⚔ a) *a.* ***~ duty*** Arbeitsdienst *m*: ***~ detail***, ***~ party*** Arbeitskommando *n*, b) *pl. a.* ***~ clothes***, ***~ dress*** Arbeits-, Drillichanzug *m*; **II** *v/t. u. v/i.* **4.** ermüden (*a.* ⚙); **fa'ti·guing** [-gɪŋ] *adj.* □ ermüdend, anstrengend.
fat·less ['fætlɪs] *adj.* ohne Fett, mager; **'fat·ling** [-lɪŋ] *s.* junges Masttier; **'fat·ly** [-lɪ] *adv. fig.* reichlich; **'fat·ness** [-nɪs] *s.* Fettheit *f*: a) Beleibtheit *f*, b) Fettigkeit *f*, Fetthaltigkeit *f*; **'fat·ten** [-tn] **I** *v/t.* **1.** fett *od.* dick machen: ***~ing*** dickmachend; **2.** *Tier*, F *a. Person* mästen; **3.** *Land* düngen; **II** *v/i.* **4.** fett *od.* dick werden; **5.** sich mästen (***on*** von); **'fat·tish** [-tɪʃ] *adj.* etwas fett, dicklich; **'fat·ty** [-tɪ] **I** *adj. a.* ⚗, ⚕ fetthaltig, fettig,

F

Fett...: ~ ***acid*** Fettsäure *f*; ~ ***degeneration*** Verfettung *f*; ~ ***heart*** Herzverfettung; ~ ***tissue*** Fettgewebe *n*; **II** *s.* F Dickerchen *n*.

fa·tu·i·ty [fəˈtjuːətɪ] *s.* Albernheit *f*; **fat·u·ous** [ˈfætjʊəs] *adj.* □ albern, dumm.

fau·cal [ˈfɔːkl] *adj.* Kehl..., Rachen...; **fau·ces** [ˈfɔːsiːz] *s. pl. mst sg. konstr. anat.* Rachen *m*.

fau·cet [ˈfɔːsɪt] *s.* ⚙ *Am.* a) (Wasser-) Hahn *m*, b) (Faß)Zapfen *m*.

faugh [fɔː] *int.* pfui!

fault [fɔːlt] **I** *s.* **1.** Schuld *f*, Verschulden *n*: ***it is not his*** ~ er hat *od.* trägt *od.* ihn trifft keine Schuld, es ist nicht s-e Schuld; ***be at*** ~ schuld(ig) sein, die Schuld tragen (→ 4a); **2.** Fehler *m*, (⚖ *a.* Sach)Mangel *m*: ***find*** ~ nörgeln, kritteln; ***find*** ~ ***with*** et. auszusetzen haben an (*dat.*), herumnörgeln an (*dat.*); ***to a*** ~ allzu(sehr), ein bißchen zu *ordnungsliebend etc.*; **3.** (Chaˈrakter)Fehler *m*: ***inspite of all his*** ~***s***; **4.** a) Fehler *m*, Irrtum *m*: ***be at*** ~ sich irren, *hunt. u. fig. a.* auf der falschen Fährte sein, b) Vergehen *n*, Fehltritt *m*; **5.** ⚙ Deˈfekt *m*: a) Fehler *m*, Störung *f*, b) ⚡ Erd-, Leitungsfehler *m*; **6.** *Tennis etc.*: Fehler *m*; **7.** *geol.* Verwerfung *f*; **II** *v/t.* **8.** etwas auszusetzen haben an (*dat.*): ***he*** (***it***) ***can't be*** ~***ed*** an ihm (daran) ist nichts auszusetzen; **9.** *et.* ‚verpatzen'; **III** *v/i.* **10.** e-n Fehler machen; ˈ~ˌ**find·er** *s.* Nörgler(in), Krittler(in); ˈ~ˌ**find·ing I** *s.* Kritteˈlei *f*, Nörgeˈlei *f*; **II** *adj.* nörglerisch, kritt(e)lig.

fault·i·ness [ˈfɔːltɪnɪs] *s.* Fehlerhaftigkeit *f*; ˈ**fault·less** [-tlɪs] *adj.* □ einwand-, fehlerfrei, untadelig; ˈ**fault·less·ness** [-tlɪsnɪs] *s.* Fehler-, Tadellosigkeit *f*; ˈ**fault·y** [-tɪ] *adj.* □ fehlerhaft, schlecht, ⚙ *a.* deˈfekt: ~ ***design*** Fehlkonstruktion *f*.

faun [fɔːn] *s. myth. u. fig.* Faun *m*.

fau·na [ˈfɔːnə] *s.* Fauna *f*, (*a.* Abhandlung *f* über e-e) Tierwelt *f*.

faux pas [ˌfəʊˈpɑː] *pl.* **pas** [pɑːz] *s.* Fauxˈpas *m*.

fa·vo(u)r [ˈfeɪvə] **I** *s.* **1.** Gunst *f*, Wohlwollen *n*: ***be*** (*od.* ***stand***) ***high in s.o.'s*** ~ bei j-m in besonderer Gunst stehen *od.* gut angeschrieben sein; ***be in*** ~ (***with***) beliebt sein (bei), begehrt sein (von); ***find*** ~ Gefallen *od.* Anklang finden; ***find*** ~ ***with s.o.*** (*od.* ***in s.o.'s eyes***) Gnade vor j-s Augen finden, j-m gefallen; ***grant s.o. a*** ~ j-m e-e Gunst gewähren; ***grant s.o. one's*** ~***s*** j-m s-e Gunst gewähren (*Frau*); ***by*** ~ ***of*** a) mit gütiger Erlaubnis (*gen.*) *od.* von, b) überreicht von (*Brief*); ***in*** ~ ***of*** für, *a.* † zugunsten von (*od. gen.*); ***who is in*** ~ (***of it***)***?*** wer ist dafür?; ***out of*** ~ a) in Ungnade (gefallen), b) nicht mehr gefragt *od.* beliebt; **2.** Gefallen *m*, Gefälligkeit *f*: ***as a*** ~ aus Gefälligkeit; ***by*** ~ ***of*** mit gütiger Erlaubnis von, durch gütige Vermittlung von; ***do me a*** ~ tu mir e-n Gefallen; ***ask s.o. a*** ~ j-n um e-n Gefallen bitten; ***we request the*** ~ ***of your company*** wir laden Sie höflich ein; **3.** Begünstigung *f*, Bevorzugung *f*: ***show*** ~ ***to s.o.*** j-n bevorzugen; ***under*** ~ ***of night*** im Schutze der Nacht; **4.** † *obs.* Schreiben *n*; **5.** a) kleines (*auf e-r Party etc. verteiltes*) Geschenk, b) ˈScherzarˌtikel *m*; **6.** (Parˈtei- *etc.*)Abzeichen *n*; **II** *v/t.* **7.** günstig gesinnt sein (*dat.*), *j-m* wohlwollen *od.* gewogen sein; **8.** begünstigen: a) bevorzugen, vorziehen, *a. sport* favorisieren, b) günstig sein für, fördern, c) eintreten für, für *et.* sein; **9.** einverstanden sein (***with*** mit); **10.** *j-n* beehren *od.* erfreuen (***with*** mit); **11.** *j-m* ähnlich sein; **12.** schonen: ~ ***one's leg***; ˈ**fa·vo(u)r·a·ble** [-vərəbl] *adj.* □ **1.** wohlgesinnt, gewogen, geneigt (***to*** *dat.*); **2.** *allg.* günstig: a) vorteilhaft (***to***, ***for*** für), b) befriedigend, gut, c) positiv, zustimmend: ~ ***answer***, d) vielversprechend; ˈ**fa·vo(u)red** [-vəd] *adj.* begünstigt: ***the*** ~ ***few*** die Auserwählten; → ***most-favo(u)red-nation clause***; ˈ**fa·vo(u)r·ite** [-vərɪt] **I** *s.* **1.** Liebling *m* (*a. fig. Schriftsteller, Schallplatte etc.*), *contp.* Günstling *m*: ***be s.o.'s*** (***great***) ~ bei j-m (sehr) beliebt sein; ***that book is a great*** ~ ***of mine*** dieses Buch liebe ich sehr; **2.** *sport* Favoˈrit(in); **II** *adj.* **3.** Lieblings...: ~ ***dish*** Leibgericht *n*; ˈ**fa·vo(u)r·it·ism** [-vərɪtɪzəm] *s.* Günstlings-, Vetternwirtschaft *f*.

fawn¹ [fɔːn] **I** *s.* **1.** *zo.* Damkitz *n*, Rehkalb *n*; **2.** Rehbraun *n*; **II** *adj.* **3.** *a.* ~-***colo(u)red*** rehbraun; **III** *v/t.* **4.** *ein Kitz* setzen.

fawn² [fɔːn] *v/i.* **1.** schwänzeln, wedeln; **2.** *fig.* (***upon***) scharˈwenzeln (um), katzbuckeln (vor *j-m*); ˈ**fawn·ing** [-nɪŋ] *adj.* □ *fig.* kriecherisch, schmeichlerisch.

fax [fæks] *s.* **1.** Fax *n*, Faxkopie *f*; **2.** ~ **(ma·chine)** Fax *n*, Faxgerät *n*.

fay [feɪ] *s. poet.* Fee *f*.

faze [feɪz] *v/t.* F *j-n* durcheinˈanderbringen: ***not to*** ~ ***s.o.*** j-n kaltlassen.

fe·al·ty [ˈfiːəltɪ] *s.* **1.** *hist.* Lehenstreue *f*; **2.** *fig.* Treue *f*.

fear [fɪə] **I** *s.* **1.** Furcht *f*, Angst *f* (***of*** vor *dat.*, ***that*** *od.* ***lest*** daß ...): ***be in*** ~ ***of*** → 6; ***in*** ~ ***of one's life*** in Todesangst; ***for*** ~ ***of*** a) aus Furcht vor (*dat.*) *od.* daß, b) um nicht, damit nicht; ***for*** ~ ***of losing it*** um es nicht zu verlieren; ***without*** ~ ***or favo(u)r*** ganz objektiv *od.* unparteiisch; ***no*** ~***!*** keine Bange!; **2.** *pl.* Befürchtung *f*, Bedenken *n*; **3.** Sorge *f*, Besorgnis *f* (***for*** um); **4.** Gefahr *f*, Risiko *n*: ***there is not much*** ~ ***of that*** das ist kaum zu befürchten; **5.** Scheu *f*, Ehrfurcht *f* (***of*** vor): ***~ of God*** Gottesfurcht; ***put the ~ of God into s.o.*** j-m e-n heiligen Schrecken einjagen; **II** *v/t.* **6.** fürchten, sich fürchten vor (*dat.*), Angst haben vor (*dat.*); **7.** *et.* befürchten: ***~ the worst***; **8.** *Gott* fürchten; **III** *v/i.* **9.** sich fürchten, Angst haben; **10.** besorgt sein (***for*** um): ***never ~!*** sei unbesorgt!; **'fear·ful** [-fʊl] *adj.* □ **1.** furchtbar, fürchterlich, schrecklich (*alle a. fig.* F); **2.** furchtsam, angsterfüllt, bange (***of*** vor *dat.*); **3.** besorgt, in (großer) Sorge (***of*** um, ***that*** *od.* ***lest*** daß); **4.** ehrfürchtig; **'fear·less** [-lɪs] *adj.* □ furchtlos, unerschrocken; **'fear·less·ness** [-lɪsnɪs] *s.* Furchtlosigkeit *f*; **'fear·some** [-səm] *adj.* □ *mst humor.* furchterregend, schrecklich, gräßlich.

fea·si·bil·i·ty [ˌfiːzəˈbɪlətɪ] *s.* ˈDurchführbarkeit *f*, Machbarkeit *f*; **fea·si·ble** [ˈfiːzəbl] *adj.* □ aus-, ˈdurchführbar, machbar, möglich.

feast [fiːst] **I** *s.* **1.** *eccl.* Fest(tag *m*) *n*, Feiertag *m*; **2.** Festmahl *n*, -essen *n*; → ***enough*** II; **3.** (Hoch)Genuß *m*: ***a ~ for the eyes*** e-e Augenweide; **II** *v/t.* **4.** (festlich) bewirten; **5.** ergötzen: ***~ one's eyes on*** s-e Augen weiden an (*dat.*); **III** *v/i.* **6.** (***on***) schmausen (von), sich gütlich tun (an *dat.*); schwelgen (in *acc.*); **7.** (***on***) sich weiden (an *dat.*), schwelgen (in *dat.*).

feat [fiːt] *s.* **1.** Helden-, Großtat *f*: ***~ of arms*** Waffentat; **2.** (*technische etc.*) Großtat, große Leistung; **3.** a) Kunst-, Meisterstück *n*, b) Kraftakt *m*.

feath·er [ˈfeðə] **I** *s.* **1.** Feder *f*, *pl.* Gefieder *n*: ***in fine*** (*od.* ***full***) ***~*** F a) (bei) bester Laune, b) in Hochform; ***that is a ~ in his cap*** darauf kann er stolz sein; ***that will make the ~s fly*** da werden die Fetzen fliegen; ***you might have knocked me down with a ~*** ich war einfach ‚platt' (*erstaunt*); → ***bird*** 1, ***fur*** 3, ***white feather***; **2.** Pfeilfeder *f*; **3.** Schaumkrone *f* (*e-r Welle*); **II** *v/t.* **4.** mit Federn versehen *od.* schmücken; *Pfeil* fiedern; **5.** *Rudern*: *Riemen* flach drehen; **'~-bed I** *s.* **1.** Maˈtratze *f* mit Federfüllung; **2.** *fig.* ‚gemütliche Sache'; **II** *v/t.* **3.** verhätscheln; **III** *v/i.* **4.** unnötige Arbeitskräfte einstellen; **'~ˌbed·ding** *s.* (*gewerkschaftlich geforderte*) ˈÜberbesetzung mit Arbeitskräften; **'~-brained** *adj.* **1.** schwachköpfig; **2.** leichtsinnig; **'~-ˌdust·er** *s.* Staubwedel *m*.

feath·ered [ˈfeðəd] *adj.* gefiedert: ***~ tribe(s)*** Vogelwelt *f*.

feath·er·ing [ˈfeðərɪŋ] *s.* **1.** Gefieder *n*; **2.** Befiederung *f*; **3.** ✈ Segelstellung *f* (*Propeller*).

'feath·er·weight I *s.* **1.** *sport* Federgewicht(ler *m*) *n*; **2.** ‚Leichtgewicht' *n* (*Person*); **3.** *fig. contp.* a) ‚Würstchen' *n* (*Person*), b) ‚kleine Fische' *pl.* (*et. Belangloses*); **II** *adj.* **4.** Federgewichts...

feath·er·y [ˈfeðərɪ] *adj.* feder(n)artig.

fea·ture [ˈfiːtʃə] **I** *s.* **1.** (Gesichts)Zug *m*; **2.** Merkmal *n*, Charakteˈristikum *n*, (Haupt)Eigenschaft *f*; Hauptpunkt *m*, -teil *m*, Besonderheit *f*; **3.** (Gesichts-)Punkt *m*, Seite *f*; **4.** (ˈHaupt)Attraktiˌon *f*, Darbietung *f*; **5.** *a.* ***~ film*** a) Spielfilm *m*, b) Hauptfilm *m*; **6.** *a.* ***~ program(me)*** *Radio*, *TV*: Feature *n*, (aktuˈeller) Dokumenˈtarbericht; **7.** *a.* ***~ article***, ***~ story*** Feature *n*, Speziˈalarˌtikel *m e-r Zeitung*; **II** *v/t.* **8.** kennzeichnen, bezeichnend sein für; **9.** (als Besonderheit) haben *od.* aufweisen, sich auszeichnen durch; **10.** (groß herˈaus-) bringen, herˈausstellen; (als Hauptschlager) zeigen *od.* bringen; *Film etc.*: in der Hauptrolle zeigen: ***a film featuring X*** ein Film mit X in der Hauptrolle; **'fea·ture-length** *adj.* mit Spielfilmlänge; **'fea·ture·less** [-lɪs] *adj.* nichtssagend.

feb·ri·fuge [ˈfebrɪfjuːdʒ] *s.* ⚕ Fiebermittel *n*; **fe·brile** [ˈfiːbraɪl] *adj.* fiebrig, Fieber...

Feb·ru·ar·y [ˈfebrʊərɪ] *s.* Februar *m*: ***in ~*** im Februar.

fe·cal *etc.* → ***faecal*** *etc.*

feck·less [ˈfeklɪs] *adj.* □ **1.** schwach, kraftlos; **2.** hilfslos; **3.** zwecklos.

fe·cund [ˈfiːkənd] *adj.* fruchtbar, produkˈtiv (*beide a fig.*); **'fe·cun·date** [-deɪt] *v/t.* fruchtbar machen; befruchten (*a. biol.*); **fe·cun·da·tion** [ˌfiːkənˈdeɪʃn] *s.* Befruchtung *f*; **fe·cun·di·ty** [fɪˈkʌndətɪ] *s.* Fruchtbarkeit *f*, Produktiviˈtät *f*.

fed[1] [fed] *pret. u. p.p. von* ***feed***.

fed[2] [fed] *s. Am.* F **1.** FBˈI-Aˌgent *m*; **2.** *mst.* ♀ (*die*) ˈBundesreˌgierung.

fed·er·al [ˈfedərəl] **I** *adj.* □ *pol.* **1.** födeˈrativ; **2.** *mst* ♀ Bundes...: a) bundesstaatlich, den Bund *od.* die ˈBundesreˌgierung betreffend, b) *USA* Unions...: ***~ government*** Bundesregierung *f*; ***~ jurisdiction*** Bundesgerichtsbarkeit *f*; ***the ♀ Republic*** (***of Germany***) die Bundesrepublik (Deutschland); ***♀ State*** *Am.* Bundesstaat *m*, (Einzel)Staat *m*; **3.** ♀ *Am. hist.* föderaˈlistisch; **II** *s.* **4.** (*Am. hist.* ♀) Föderaˈlist *m*; ♀ **Bu·reau of In·ves·ti·ga·tion** *s.* amer. Bundeskrimiˈnalamt *n od.* -poliˌzei *f* (*abbr.* ***FBI***).

fed·er·al·ism [ˈfedərəlɪzəm] *s. pol.* Föderaˈlismus *m*; **'fed·er·al·ist** [-ɪst] **I** *adj.* föderaˈlistisch; **II** *s.* Föderaˈlist *m*; **'fed·er·al·ize** [-laɪz] → ***federate*** I.

fed·er·ate [ˈfedəreɪt] **I** *v/t. u. v/i.* (sich) föderalisieren, (sich) zu e-m (Staaten-) Bund vereinigen; **II** *adj.* [-rət] föderiert, verbündet; **fed·er·a·tion** [ˌfedəˈreɪʃn] *s.* **1.** Föderatiˈon *f*: a) poˈlitischer Zs.-schluß, b) Staatenbund *m*; **2.** Bundesstaat *m*; **3.** ✝ (Zenˈtral-, Dach-) Verband *m*; ˈ**fed·er·a·tive** [-rətɪv] *adj.* □ → ***federal*** 1.

fe·do·ra [fɪˈdɔːrə] *s. Am.* (weicher) Filzhut.

fee [fiː] **I** *s.* **1.** Gebühr: a) (ˈAnwalts- *etc.*)Honoˌrar *n*, Vergütung *f*, b) amtliche Gebühr, Taxe *f*, c) (Mitglieds)Beitrag *m*, d) (***admission*** *od.* ***entrance***) ~ Eintrittsgeld *n*, e) Trinkgeld *n*: ***doctor's*** ~ Arztrechnung *f*; ***school*** ~***(s)*** Schulgeld *n*; **2.** *Fußball*: Transˈfersumme *f*; **3.** *hist.* Lehn(s)gut *n*; **4.** ⚖ Eigentum(srecht) *n*: ~ ***simple*** (unbeschränktes) Eigentumsrecht, Grundeigentum; ~ ***tail*** erbrechtlich gebundenes Grundeigentum; ***hold land in*** ~ Land zu eigen haben; **II** *v/t.* **5.** *j-m* e-e Gebühr *etc.* bezahlen.

fee·ble [ˈfiːbl] *adj.* □ *allg.* schwach, *fig. a.* lahm, kläglich (*Versuch*, *Ausrede etc.*), matt (*Lächeln*, *Stimme*); ˌ**fee·ble-ˈmind·ed** *adj.* schwachsinnig; ˈ**fee·ble·ness** [-nɪs] *s.* Schwäche *f*.

feed [fiːd] **I** *v/t.* [*irr.*] **1.** Nahrung zuführen (*dat.*), *Tier*, *Kind*, *Kranken* füttern (***on***, ***with*** mit), *e-m Menschen* zu essen geben, *e-m Tier* zu fressen geben, *Vieh* weiden lassen: ~ (***at the breast***) *Säugling* stillen; ~ ***up*** a) *Vieh* mästen, b) *j-n* ‚hochpäppeln'; ***be fed up with*** F *et.* satt haben, ‚die Nase voll haben' von; ***I'm fed up to the teeth with him*** (***it***) F er (es) ‚steht mir bis hierher'; ~ ***the fishes*** a) ‚die Fische füttern' (*bei Seekrankheit*), b) ertrinken; ~ ***a cold*** bei Erkältung tüchtig essen; **2.** *Familie etc.* ernähren (***on*** von), erhalten; **3.** versorgen (***with*** mit); **4.** ⚙ a) *Maschine* speisen, beschicken, b) *Material* zuführen, *Werkstück* vorschieben, *Daten in e-n Computer* eingeben: ~ ***back*** a) ⚡ rückkoppeln, b) *fig.* zuˈrückleiten (***to*** an *acc.*); **5.** *Feuer* unterˈhalten; **6.** *fig.* a) *Gefühl*, *Hoffnung etc.* nähren, Nahrung geben (*dat.*), b) befriedigen: ~ ***one's vanity***; ~ ***one's eyes on*** s-e Augen weiden an (*dat.*); **7.** *thea.* F *j-m* Stichworte liefern; **8.** *sport* F *j-n* ‚bedienen', mit Bällen ‚füttern'; **9.** *oft* ~ ***down***, ~ ***close*** *Wiese* abweiden lassen; **II** *v/i.* [*irr.*] **10.** a) fressen (*Tier*), b) F ‚futtern' (*Mensch*); **11.** sich ernähren, leben (***on*** von); **III** *s.* **12.** Fütterung *f*; F Mahlzeit *f*; **13.** Futter *n*, Nahrung *f*: ***off one's*** ~ ohne Appetit; ***out at*** ~ auf der Weide; **14.** ⚙ a) Speisung *f*, Beschickung *f*, (Materiˈal)Zuführung *f*, b) (Werkzeug)Vorschub *m*; **15.** Zufuhr *f*, Ladung *f*; Beschickungsgut *n*; ˈ~**·back** *s.* ⚡ *u. fig.* Feedback *n*; ~ **bag** *s. Am.* Futtersack *m*.

feed·er [ˈfiːdə] *s.* **1.** ***a heavy*** ~ ein starker Esser (*Mensch*) *od.* Fresser (*Tier*); **2.** ⚙ a) Beschickungsvorrichtung *f*, b) ⚡ Speiseleitung *f*, Feeder *m*; **3.** *Verkehr*: Zubringerlinie *f*, -strecke *f*: ~ (***road***) Zubringerstraße *f*; **4.** Bewässerungs-, Zuflußgraben *m*; Nebenfluß *m*; **5.** *Brit.* a) Lätzchen *n*, b) (Saug)Flasche *f*; **6.** *thea. Am.* F Stichwortgeber *m*; ~ **line** *s.* **1.** *Verkehr*: Zubringerlinie *f*; **2.** → ***feeder*** 2 b.

feed hop·per *s.* Fülltrichter *m*.

feed·ing [ˈfiːdɪŋ] **I** *s.* **1.** Fütterung *f*; **2.** Ernährung *f*; **3.** ⚙ → ***feed*** 14 a; **II** *adj.* **4.** Zufuhr…; ~ **bot·tle** *s.* (Saug)Flasche *f*; ~ **cup** *s.* ⚕ Schnabeltasse *f*.

feed pipe *s.* Zuleitungsrohr *n*.

feel [fiːl] **I** *v/t.* [*irr.*] **1.** (an-, be)fühlen, betasten; ***just*** ~ ***my hand*** fühl mal m-e Hand (an); ~ ***one's way*** sich vortasten (*a. fig.*), *fig.* vorsichtig vorgehen, sondieren; ~ ***s.o. up*** *sl.* j-n ‚abgrapschen' *od.* ‚befummeln'; **2.** a) fühlen, (ver-) spüren, wahrnehmen, merken, b) empfinden: ~ ***the cold***; ~ ***pleasure*** Freude *od.* Lust empfinden; ***he felt the loss deeply*** der Verlust traf ihn schwer; ~ ***s.o.'s wrath*** j-s Zorn zu spüren bekommen; ***make itself felt*** spürbar werden, zu spüren sein; ***a*** (***long-***)***felt want*** ein dringendes Bedürfnis, ein (längst) spürbarer Mangel; **3.** a) ahnen, spüren, b) glauben, c) halten für: ***I*** ~ ***it*** (***to be***) ***my duty*** ich halte es für m-e Pflicht; **4.** *a.* ~ ***out*** *et.* sondieren, *j-m* ‚auf den Zahn fühlen'; **II** *v/i.* **5.** fühlen: a) empfinden, b) durch Tasten feststellen *od.* festzustellen suchen (***whether***, ***if*** ob; ***how*** wie); **6.** ~ ***for*** a) tasten nach, b) suchen nach, c) *et.* herauszufinden suchen; **7.** sich fühlen, sich befinden, sich vorkommen wie, sein: ~ ***cold*** frieren; ***I*** ~ ***cold*** mir ist kalt; ~ ***ill*** sich krank fühlen; ~ ***certain*** sicher sein; ~ ***quite o.s. again*** wieder ‚auf dem Posten' sein; ~ ***like*** (***doing***) ***s.th.*** Lust haben zu et. (*od.* et. zu tun); ~ ***up to s.th.*** a) sich e-r Sache gewachsen fühlen, b) sich in der Lage fühlen zu et., c) in (der) Stimmung sein zu et.; **8.** ~ ***for*** (*od.* ***with***) ***s.o.*** Mitgefühl mit j-m haben; ***we*** ~ ***with you*** wir fühlen mit dir (*od.* euch); **9.** das Gefühl *od.* den Eindruck haben, finden, meinen, glauben (***that*** daß): ***I*** ~ ***that*** ich finde, daß…; ***how do you*** ~ ***about it?*** was meinst du dazu: ***it is felt in London*** in London ist man der Ansicht; ~ ***strongly*** a) entschiedene Ansichten haben, b) sich erregen (***about*** über *acc.*); **10.** sich *weich etc.* anfühlen: ***velvet*** ~***s soft***; **11.** *impers.* ***I know how it*** ~***s to be hungry*** ich weiß, was es heißt, hungrig zu sein; **III** *s.* **12.** Gefühl *n* (*wie sich et. anfühlt*): ***a sticky*** ~; **13.** (An-) Fühlen *n*: ***soft to the*** ~ weich anzufühlen; ***let me have a ~*** laß mich mal fühlen; **14.** Gefühl *n*: a) Empfindung *f*, Eindruck *m*, b) Stimmung *f*, Atmo'sphäre *f*, c) feiner In'stinkt, ‚Riecher' *m* (***for*** für): ***clutch ~*** *mot.* Gefühl für richtiges Kuppeln.

feel·er ['fi:lə] *s.* **1.** *zo.* Fühler *m* (*a. fig.*): ***put*** (*od.* ***throw***) ***out a ~*** s-e Fühler ausstrecken, sondieren; **2.** ⚙ a) Dorn *m*, Fühler *m*, b) Taster *m*; **'feel·ing** [-lɪŋ] **I** *s.* **1.** Gefühl *n*, Gefühlssinn *m*; **2.** Gefühl(szustand *m*) *n*, Stimmung *f*: ***bad*** (*od.* ***ill***) ***~*** Groll *m*, böses Blut, Feindseligkeit *f*; ***good ~*** a) gutes Gefühl, b) Wohlwollen *n*; ***no hard ~s!*** F a) nicht böse sein!, b) (das) macht nichts!; **3.** *pl.* Gefühle *pl.*, Empfindlichkeit *f*: ***hurt s.o.'s ~s*** j-s Gefühle *od.* j-n verletzen; **4.** Feingefühl, Empfindsamkeit: ***have a ~ for*** Gefühl haben für; **5.** (Gefühls)Eindruck *m*: ***I have a ~ that*** ich habe (so) das Gefühl, daß; **6.** Gefühl *n*, Gesinnung *f*, Ansicht *f*: ***strong ~s*** a) starke Überzeugung, b) Erregung *f*; **7.** Auf-, Erregung *f*, Rührung *f*: ***with ~*** a) mit Gefühl, gefühlvoll, b) mit Nachdruck, c) erbittert; ***~s ran high*** die Gemüter erhitzten sich; **8.** (Vor)Gefühl *n*, Ahnung *f*; **II** *adj.* □ **9.** fühlend, Gefühls...; **10.** gefühlvoll: a) mitfühlend, b) voll Gefühl, lebhaft.

feet [fi:t] *pl. von* ***foot***.

feign [feɪn] **I** *v/t.* **1.** *et.* vortäuschen, *Krankheit a.* simulieren: ***~ death*** sich totstellen; **2.** *e-e Ausrede etc.* erfinden; **II** *v/i.* **3.** sich verstellen, so tun als ob, simulieren; **'feign·ed·ly** [-nɪdlɪ] *adv.* zum Schein.

feint[1] [feɪnt] **I** *s.* **1.** *sport* Finte *f* (*a. fig.*); **2.** ⚔ Scheinangriff *m*, 'Täuschungsma,növer *n* (*a. fig.*); **II** *v/i.* **3.** *sport* fintieren: ***~ at*** (*od.* ***upon***) *j-n* täuschen; **III** *v/t.* **4.** *sport Schlag etc.* antäuschen.

feint[2] [feɪnt] *adj. typ.* schwach: ***~ lines***.

feld·spar ['feldspɑ:] *s. min.* Feldspat *m*.

fe·lic·i·tate [fɪ'lɪsɪteɪt] *v/t.* (***on***) beglückwünschen, *j-m* gratulieren (zu); **fe·lic·i·ta·tion** [fɪ,lɪsɪ'teɪʃn] *s.* Glückwunsch *m*; **fe'lic·i·tous** [-təs] *adj.* □ glücklich (gewählt), treffend (*Ausdruck etc.*); **fe'lic·i·ty** [-tɪ] *s.* **1.** Glück(seligkeit *f*) *n*; **2.** a) glücklicher Einfall, b) glücklicher Griff, c) treffender Ausdruck.

fe·line ['fi:laɪn] **I** *adj.* **1.** Katzen...; **2.** katzenartig, -haft: ***~ grace***; **3.** *fig.* falsch, tückisch; **II** *s.* **4.** Katze *f*.

fell[1] [fel] *pret. von* ***fall***.

fell[2] [fel] *v/t. Baum* fällen, *Gegner a.* niederstrecken.

fell[3] [fel] *adj. poet.* **1.** grausam, wild, mörderisch; **2.** tödlich.

fell[4] [fel] *s.* **1.** Balg *m*, Tierfell *n*; Vlies *n*; **2.** struppiges Haar.

fell[5] [fel] *s. Brit.* **1.** Hügel *m*, Berg *m*; **2.** Moorland *n*.

fel·lah ['felə] *pl.* **-lahs**, **fel·la·heen** [,felə'hi:n] (*Arab.*) *s.* Fel'lache *m*.

fell·er ['felə] F → ***fellow*** 4.

fel·loe ['feləʊ] *s.* (Rad)Felge *f*.

fel·low ['feləʊ] **I** *s.* **1.** Gefährte *m*, Gefährtin *f*, Genosse *m*, Genossin *f*, Kame'rad(in): ***~s in misery*** Leidensgenossen; **2.** Mitmensch *m*, Zeitgenosse *m*; **3.** Ebenbürtige(r *m*) *f*: ***he will never have his ~*** er wird nie seinesgleichen finden; **4.** F Kerl *m*, Bursche *m*, ‚Mensch' *m*, ‚Typ' *m*: ***my dear ~*** mein lieber Freund!; ***good ~*** guter Kerl; ***old ~!*** alter Knabe!; ***a ~*** man, einer; **5.** *der* (*die*, *das*) Da'zugehörige, *der* (*die*, *das*) andere *e-s Paares*: ***where is the ~ of this shoe?***; **6.** Fellow *m*: a) Mitglied *n* e-s College (*Dozent, der im College wohnt*), b) Inhaber(in) e-s 'Forschungssti,pendiums, c) *Am.* Stu'dent(in) höheren Se'mesters, c) Mitglied *n* e-r gelehrten *etc.* Gesellschaft; **II** *adj.* **7.** Mit...: ***~ being*** Mitmensch *m*; ***~ citizen*** Mitbürger *m*; ***~ countryman*** Landsmann *m*; ***~ feeling*** a) Zs.-gehörigkeitsgefühl *n*, b) Mitgefühl *n*; ***~ student*** Studienkollege *m*, -kollegin *f*, Kommilitone *m*, Kommilitonin *f*; ***~ travel(l)er*** a) Mitreisende(r *m*) *f*, b) *pol.* Mitläufer(in), Sympathisant(in), *bsd.* Kommunistenfreund (-in).

fel·low·ship ['feləʊʃɪp] *s.* **1.** *oft* ***good ~*** a) Kame'radschaft(lichkeit) *f*, b) Geselligkeit *f*; **2.** (*geistige etc.*) Gemeinschaft, Verbundenheit *f*; **3.** Gemein-, Gesellschaft *f*, Gruppe *f*; **4.** *univ.* a) die Fellows *pl.*, b) *Brit.* Stellung *f* e-s Fellow, c) Sti'pendienfonds *m*, d) 'Forschungssti,pendium *n*.

fel·on[1] ['felən] *s.* Nagelgeschwür *n*.

fel·on[2] ['felən] *s.* (Schwer)Verbrecher *m*; **fe·lo·ni·ous** [fə'ləʊnjəs] *adj.* □ ⚖ verbrecherisch; **'fel·o·ny** [-nɪ] *s.* ⚖ *Am.* Verbrechen *n*, *Brit. obs.* Schwerverbrechen *n*.

fel·spar ['felspɑ:] → ***feldspar***.

felt[1] [felt] *pret. u. p.p. von* ***feel***.

felt[2] [felt] **I** *s.* Filz *m*; **II** *adj.* Filz...: ***~-tip(ped) pen***, ***~ tip*** Filzschreiber *m*, -stift *m*; **III** *v/t. u. v/i.* (sich) verfilzen; **'felt·ing** [-tɪŋ] *s.* Filzstoff *m*.

fe·male ['fi:meɪl] **I** *adj.* **1.** weiblich (*a.* ⚘): ***~ dog*** Hündin *f*; ***~ student*** Studentin *f*; **2.** weiblich, Frauen...: ***~ dress*** Frauenkleidung *f*; **3.** ⚙ Hohl..., Steck...: ***~ screw*** Schraubenmutter *f*; ***~ thread*** Muttergewinde *n*; **II** *s.* **4.** a) Frau *f*, b) Mädchen *n*, c) *contp.* Weibsbild *n*, -stück *n*; **5.** *zo.* Weibchen *n*; **6.** ⚘ weibliche Pflanze.

feme| cov·ert [fi:m] *s.* ⚖ verheiratete Frau; ***~ sole*** *s.* ⚖ a) unverheiratete Frau, b) vermögensrechtlich selbständige Ehefrau: ***~ trader*** selbständige Geschäftsfrau.

fem·i·nine [ˈfemɪnɪn] **I** *adj.* □ **1.** weiblich (*a. ling.*); **2.** weiblich, Frauen...: **~ *voice***; **3.** fraulich, sanft, zart; **4.** weibisch, femiˈnin; **II** *s.* **5.** *ling.* Femininum *n.*

fem·i·nin·i·ty [ˌfemɪˈnɪnətɪ] *s.* **1.** Fraulich-, Weiblichkeit *f*; **2.** weibische *od.* femiˈnine Art; **3.** *coll.* (*die*) (holde) Weiblichkeit; **fem·i·nism** [ˈfemɪnɪzəm] *s.* Femiˈnismus *m*; Frauenrechtsbewegung *f*; **fem·i·nist** [ˈfemɪnɪst] *s.* Frauenrechtler(in), Femiˈnist(in).

F

fem·o·ral [ˈfemərəl] *adj. anat.* Oberschenkel(knochen)...; **fe·mur** [ˈfiːmə] *pl.* **-murs** *od.* **fem·o·ra** [ˈfemərə] *s.* Oberschenkel(knochen) *m*.

fen [fen] *s.* Fenn *n*: a) Marschland *n*, b) (Flach)Moor *n*: ***the ~s*** die Niederungen in ***East Anglia***.

fence [fens] **I** *s.* **1.** Zaun *m*, Einzäunung *f*, Gehege *n*: ***mend one's ~s*** *Am. pol.* s-e angeschlagene Position festigen; ***sit on the ~*** a) sich abwartend *od.* neutral verhalten, b) unschlüssig sein; **2.** *Reitsport*: Hindernis *n*; **3.** *sport das* Fechten; **4.** *sl.* a) Hehler *m*, b) Hehlernest *n*; **II** *v/t.* **5.** *a.* **~ *in*** einzäunen, einfriedigen: **~ *in*** (*od.* ***round***, ***off***) umˈzäunen; **~ *off*** abzäunen; **6.** **~ *in*** einsperren; **7.** *fig.* schützen, sichern (***from*** vor *dat.*): **~ *off*** *Fragen etc.* abwehren, parieren; **8.** *sl. Diebesbeute* an e-n Hehler verkaufen; **III** *v/i.* **9.** fechten; **10.** *fig.* Ausflüchte machen, ausweichen; **11.** *sl.* Hehleˈrei treiben; **~ month** *s. hunt. Brit.* Schonzeit *f*.

fenc·er [ˈfensə] *s. sport* **1.** Fechter(in); **2.** Springpferd *n*.

fence sea·son → ***fence month***.

fenc·ing [ˈfensɪŋ] *s.* **1.** *sport* Fechten *n*; **2.** *fig.* ausweichendes Verhalten, Ausflüchte *pl.*; **3.** a) Zaun *m*, b) Zäune *pl.*, c) ˈZaunmateriˌal *n*.

fend [fend] **I** *v/t.* **1.** **~ *off*** abwehren; **II** *v/i.* **2.** sich wehren; **3.** **~ *for*** sorgen für: **~ *for o.s.*** für sich selbst sorgen, sich ganz allein durchs Leben schlagen; **ˈfend·er** [-də] *s.* **1.** ⚙ Schutzvorrichtung *f*; **2.** *rail. etc.* Puffer *m*; **3.** *mot. Am.* Kotflügel *m*: **~ *bender*** F (Unfall *m* mit) Blechschaden *m*; **4.** Schutzblech *n am Fahrrad*; **5.** ⚓ Fender *m*; **6.** Kaˈminvorsetzer *m*, -gitter *n*.

fen·es·tra·tion [ˌfenɪˈstreɪʃn] *s.* **1.** △ Fensteranordnung *f*; **2.** ⚕ ˈFensterung(soperatiˌon) *f*.

fen fire *s.* Irrlicht *n*.

Fe·ni·an [ˈfiːnjən] *hist.* **I.** *s.* Fenier *m*; **II** *adj.* fenisch; **ˈFe·ni·an·ism** [-nɪzəm] *s.* Feniertum *n*.

fen·nel [ˈfenl] *s.* ⚘ Fenchel *m*.

feoff [fef] → ***fief***; **feoff·ee** [feˈfiː] *s.* ⚖ Belehnte(r) *m*: **~ *in*** (*od.* ***of***) ***trust*** Treuhänder(in); **feoff·er** [ˈfefə], **feof·for** [feˈfɔː] *s.* ⚖ Lehnsherr *m*.

fe·ral [ˈfɪərəl] *adj.* **1.** wild(lebend); **2.** *fig.* wild, barˈbarisch.

fer·e·to·ry [ˈferɪtərɪ] *s.* Reˈliquienschrein *m*.

fer·ment [fəˈment] **I** *v/t.* **1.** in Gärung bringen, *fig. a.* in Wallung bringen, erregen; **II** *v/i.* **2.** gären (*a. fig.*); **III** *s.* [ˈfɜːment] **3.** ⚗ Ferˈment *n*, Gärstoff *m*; **4.** ⚗ Gärung *f*, *fig. a.* (innere) Unruhe, Aufruhr *m*: ***the country was in a state of ~*** es gärte im Land; **fer·men·ta·tion** [ˌfɜːmenˈteɪʃn] *s.* **1.** ⚗ Fermentatiˈon *f*, Gärung *f* (*a. fig.*); **2.** *fig.* Aufruhr *m*, (innere) Unruhe.

fern [fɜːn] *s.* ⚘ Farn(kraut *n*) *m*; **ˈfern·y** [-nɪ] *adj.* **1.** farnartig; **2.** voller Farnkraut.

fe·ro·cious [fəˈrəʊʃəs] *adj.* □ **1.** wild, grausam, grimmig, heftig; **2.** *Am.* F a) ‚toll', b) *contp.* ‚grausam'; **fe·roc·i·ty** [fəˈrɒsətɪ] *s.* Grausamkeit *f*, Wildheit *f*.

fer·re·ous [ˈferɪəs] *adj.* eisenhaltig.

fer·ret [ˈferɪt] **I** *s.* **1.** *zo.* Frettchen *n*; **2.** *fig.* ‚Spürhund' *m* (*Person*); **II** *v/i.* **3.** *hunt.* mit Frettchen jagen; **4.** **~ *about*** herˈumsuchen (***for*** nach); **III** *v/t.* **5.** **~ *out*** *fig. et.* aufspüren, -stöbern, herˈausfinden.

fer·ric [ˈferɪk] *adj.* ⚗ Eisen...; **fer·ri·cy·a·nide** [ˌferɪˈsaɪənaɪd] *s.* Cyˈaneisenverbindung *f*; **fer·rif·er·ous** [feˈrɪfərəs] *adj.* ⚗ eisenhaltig.

Fer·ris wheel [ˈferɪs] *s.* Riesenrad *n*.

ferro- [ferəʊ] *in Zssgn* Eisen...; **ˌ~-ˈcon·crete** *s.* ˈEisenbeˌton *m*; **ˈ~·type** *s. phot.* Ferrotyˈpie *f*.

fer·rous [ˈferəs] *adj.* eisenhaltig, Eisen...

fer·rule [ˈferuːl] *s.* **1.** ⚙ Stockzwinge *f*; **2.** Muffe *f*.

fer·ry [ˈferɪ] **I** *s.* **1.** Fähre *f*, Fährschiff *n*, -boot *n*; **2.** *a.* **~ *service*** Fährdienst *m*; **3.** ✈ Überˈführungsdienst *m* (*von der Fabrik zum Flugplatz*); **4.** *Raumfahrt*: (Lande)Fähre *f*; **II** *v/t.* **5.** ˈübersetzen; *bsd.* ✈ überˈführen; befördern; **III** *v/i.* **6.** ˈübersetzen; **ˈ~·boat** → ***ferry*** 1; **~ bridge** *s.* **1.** Traˈjekt *m*, *n*, Eisenbahnfähre *f*; **2.** Landungsbrücke *f*; **ˈ~·man** [-mən] *s.* [*irr.*] Fährmann *m*.

fer·tile [ˈfɜːtaɪl] *adj.* □ **1.** *a. fig.* fruchtbar, produkˈtiv, reich (***in***, ***of*** an *dat.*); **2.** *fig.* schöpferisch; **fer·til·i·ty** [fəˈtɪlətɪ] *s. a. fig.* Fruchtbarkeit *f*, Reichtum *m*; **fer·ti·li·za·tion** [ˌfɜːtɪlaɪˈzeɪʃn] *s.* **1.** Fruchtbarmachen *n*; **2.** *biol. u. fig.* Befruchtung *f*; **3.** ✓ Düngung *f*; **ˈfer·ti·lize** [-tɪlaɪz] *v/t.* **1.** fruchtbar machen; **2.** *biol. u. fig.* befruchten; **3.** ✓ düngen; **ˈfer·ti·liz·er** [-tɪlaɪzə] *s.* (Kunst)Dünger *m*, Düngemittel *n*.

fer·ule [ˈferuːl] **I** *s.* (flaches) Lineˈal (*zur Züchtigung*), (Zucht)Rute *f* (*a. fig.*); **II** *v/t.* züchtigen.

fer·ven·cy [ˈfɜːvənsɪ] → ***fervo(u)r*** 1;

ˈ**fer·vent** [-nt] *adj.* □ **1.** *fig.* glühend, feurig, inbrünstig, leidenschaftlich; **2.** (glühend)heiß; ˈ**fer·vid** [-vɪd] *adj.* □ → ***fervent*** 1; ˈ**fer·vo(u)r** [-və] *s.* **1.** *fig.* Glut *f*, Feuer(eifer *m*) *n*, Leidenschaft *f*, Inbrunst *f*; **2.** Glut *f*, Hitze *f*.

fess(e) [fes] *s. her.* (Quer)Balken *m*.

fes·tal [ˈfestl] *adj.* □ festlich, Fest…

fes·ter [ˈfestə] **I** *v/i.* **1.** schwären, eitern: ***~ing sore*** Eiterbeule *f* (*a. fig.*); **2.** verwesen, verfaulen; **3.** *fig.* gären: ***~ in s.o.'s mind*** an j-m nagen *od.* fressen; **II** *s.* **4.** a) Schwäre *f*, eiternde Wunde, b) Geschwür *n*.

fes·ti·val [ˈfestəvl] **I** *s.* **1.** Fest(tag *m*) *n*, Feier *f*; **2.** Festspiele *pl.*, ˈFestival *n*; **II** *adj.* **3.** festlich, Fest…; **4.** Festspiel…; ˈ**fes·tive** [-tɪv] *adj.* □ **1.** festlich, Fest…; **2.** fröhlich, gesellig; **fes·tiv·i·ty** [feˈstɪvətɪ] *s.* **1.** *oft pl.* Fest(lichkeit *f*) *n*; **2.** festliche Stimmung.

fes·toon [feˈstuːn] **I** *s.* Girˈlande *f*; **II** *v/t.* mit Girˈlanden schmücken.

fe·tal [ˈfiːtl] *etc.* → ***foetal*** *etc.*

fetch [fetʃ] **I** *v/t.* **1.** (herˈbei)holen, (her)bringen: ***~ a doctor*** e-n Arzt holen; ***~ s.o. round*** F j-n ‚rumkriegen'; **2.** *et. od. j-n* abholen; **3.** *Atem* holen: ***~ a sigh*** (auf)seufzen; ***~ tears*** (ein paar) Tränen hervorlocken; **4.** ***~ up*** *et.* erbrechen; **5.** apportieren (*Hund*); **6.** *Preis etc.* (ein)bringen, erzielen; **7.** *fig.* fesseln, anziehen, für sich einnehmen; **8.** *j-m e-n Schlag* versetzen: ***~ s.o. one*** j-m ‚eine langen' *od.* ‚runterhauen'; **9.** ⚓ erreichen; **II** *v/i.* **10.** ***~ and carry for s.o.*** j-s Handlanger sein, j-n bedienen; **11.** ***~ up*** F ‚landen' (***at, in*** in *dat.*); ˈ**fetch·ing** [-tʃɪŋ] *adj.* F reizend, bezaubernd.

fête [feɪt] **I** *s.* Fest(lichkeit *f*) *n*; **II** *v/t. j-n od. et.* feiern.

fet·id [ˈfetɪd] *adj.* □ stinkend.

fe·tish [ˈfiːtɪʃ] *s.* Fetisch *m*; ˈ**fe·tish·ism** [-ʃɪzəm] *s.* Fetischkult *m*, *a. psych.* Fetiˈschismus *m*; ˈ**fet·ish·ist** [-ʃɪst] *s.* Fetiˈschist *m*.

fet·lock [ˈfetlɒk] *s. zo.* **1.** Behang *m*; **2.** *a.* ***~ joint*** Fesselgelenk *n* (*des Pferdes*).

fet·ter [ˈfetə] **I** *s.* **1.** (Fuß)Fessel *f*; **2.** *pl. fig.* Fesseln *pl.*; **II** *v/t.* **3.** fesseln, *fig. a.* hemmen, behindern.

fet·tle [ˈfetl] *s.* Verfassung *f*, Zustand *m*: ***in good*** (*od.* ***fine***) ***~*** (gut) in Form.

fe·tus [ˈfiːtəs] → ***foetus***.

feu [fjuː] *s.* ⚖ *Scot.* Lehen *n*.

feud¹ [fjuːd] **I** *s.* Fehde *f*: ***be at ~ with*** mit *j-m* in Fehde liegen; **II** *v/i.* sich befehden.

feud² [fjuːd] *s.* ⚖ Lehen *n*, Lehn(s)gut *n*; ˈ**feu·dal** [-dl] *adj.* ⚖ Feudal…, Lehns…, feuˈdal; ˈ**feu·dal·ism** [-dəlɪzəm] *s.* Feudaˈlismus *m*; **feu·dal·i·ty** [fjuːˈdælətɪ] *s.* **1.** Lehenswesen *n*; **2.** Lehnbarkeit *f*; ˈ**feu·da·to·ry** [-dətərɪ] **I** *s.* Lehnsmann *m*, Vaˈsall *m*; **II** *adj.* Lehns…

feuil·le·ton [ˈfɜːɪtɔ̃ːŋ] (*Fr.*) *s.* Feuilleˈton *n*, kultuˈreller Teil (*e-r Zeitung*).

fe·ver [ˈfiːvə] **I** *s.* **1.** ⚕ Fieber *n*: ***~ heat*** a) Fieberhitze *f*, b) *fig.* → 2; **2.** *fig.* Fieber *n*, fieberhafte Aufregung, *a.* Sucht *f*, Rausch *m*: ***gold ~***; ***in a ~ of excitement*** in fieberhafter Aufregung; ***reach ~ pitch*** den Höhe- *od.* Siedepunkt erreichen; ***work at ~ pitch*** fieberhaft arbeiten; **II** *v/i.* **3.** fiebern (*a. fig.* ***for*** nach); ˈ**fe·vered** [-əd] *adj.* **1.** fiebernd, fiebrig; **2.** *fig.* fieberhaft, aufgeregt; ˈ**fe·ver·ish** [-vərɪʃ] *adj.* □ **1.** fieberkrank, fiebrig, Fieber…; **2.** *fig.* fieberhaft; ˈ**fe·ver·ish·ness** [-vərɪʃnɪs] *s.* Fieberhaftigkeit *f* (*a. fig.*).

few [fjuː] *adj. u. s.* (*pl.*) **1.** (*Ggs.* ***many***) wenige: ***~ persons***; ***some ~*** einige wenige; ***his friends are ~*** er hat (nur) wenige Freunde; ***no ~er than*** nicht weniger als; ***~ and far between*** (sehr) dünn gesät; ***the lucky ~*** die wenigen Glücklichen; **2.** ***a ~*** (*Ggs.* ***none***) einige, ein paar: ***a ~ days*** einige Tage; ***not a ~*** nicht wenige, viele; ***a good ~*** e-e ganze Menge; ***only a ~*** nur wenige; ***every ~ days*** alle paar Tage; ***have a ~*** F ein paar ‚kippen'; ˈ**few·ness** [-nɪs] *s.* geringe Anzahl.

fey [feɪ] *adj. Scot.* **1.** todgeweiht; **2.** ˈübermütig; **3.** ˈübersinnlich.

fez [fez] *s.* Fes *m*.

fi·an·cé [fɪˈɑ̃ːŋseɪ] (*Fr.*) *s.* Verlobte(r) *m*; **fiˈan·cée** [-seɪ] (*Fr.*) *s.* Verlobte *f*.

fi·as·co [fɪˈæskəʊ] *pl.* **-cos** *s.* Fiˈasko *n*.

fi·at [ˈfaɪæt] *s.* **1.** ⚖ *Brit.* Gerichtsbeschluß *m*; **2.** Befehl *m*, Erlaß *m*; **3.** Ermächtigung *f*; ***~ mon·ey*** *s. Am.* Paˈpiergeld *n* ohne Deckung.

fib [fɪb] **I** *s.* kleine Lüge, Schwindeˈlei *f*, Flunkeˈrei *f*: ***tell a ~*** → **II** *v/i.* schwindeln, flunkern; ˈ**fib·ber** [-bə] *s.* F Flunkerer *m*, Schwindler *m*.

fi·ber *Am.*, **fi·bre** [ˈfaɪbə] *Brit. s.* **1.** ⚙, *biol.* Faser *f*, Fiber *f*; **2.** Faserstoff *m*, -gefüge *n*, Texˈtur *f*; **3.** *fig.* a) Strukˈtur *f*, b) Schlag *m*, Chaˈrakter *m*: ***moral ~*** ‚Rückgrat *n*'; ***of coarse ~*** grobschlächtig; ˈ**~·board** *s.* ⚙ Holzfaserplatte *f*; ˈ**~·glass** *s.* ⚙ Fiberglas *n*.

fi·bril [ˈfaɪbrɪl] *s.* **1.** Fäserchen *n*; **2.** ⚘ Wurzelfaser *f*; ˈ**fi·brin** [-brɪn] *s.* **1.** Fiˈbrin *n*, Blutfaserstoff *m*; **2.** *a.* ***plant ~*** Pflanzenfaserstoff *m*; ˈ**fi·broid** [-brɔɪd] **I** *adj.* faserartig, Faser…; **II** *s.* → **fi·bro·ma** [faɪˈbrəʊmə] *pl.* **-ma·ta** [-mətə] *s.* ⚕ Fibˈrom *n*; Fasergeschwulst *f*; **fi·bro·si·tis** [ˌfaɪbrəʊˈsaɪtɪs] *s.* ⚕ Bindegewebsentzündung *f*; ˈ**fi·brous** [-brəs] *adj.* □ **1.** faserig, Faser…; **2.** ⚙ sehnig (*Metall*).

fib·u·la [ˈfɪbjʊlə] *pl.* **-lae** [-liː] *s.* **1.** *anat.* Wadenbein *n*; **2.** *antiq.* Fibel *f*, Spange

F

f.

fiche [fiːʃ] *s.* Fiche *n, m* (*Mikrodatenkarte*).

fick·le [ˈfɪkl] *adj.* unbeständig, launisch, *Person a.* wankelmütig; ˈ**fick·le·ness** [-nɪs] *s.* Unbeständigkeit *f*, Wankelmut *m*.

fic·tile [ˈfɪktaɪl] *adj.* **1.** formbar; **2.** tönern, irden: *~ **art*** Töpferkunst *f*; *~ **ware*** Steingut *n*.

fic·tion [ˈfɪkʃn] *s.* **1.** (freie) Erfindung, Dichtung *f*; *contp.* ‚Märchen' *n*; **2.** a) Belleˈtristik *f*, ˈProsa-, Roˈmanliteraˌtur *f*: ***work of ~***, b) *coll.* Roˈmane *pl.*, Prosa *f* (*e-s Autors*); **3.** ⚖ Fiktiˈon *f*; ˈ**fic·tion·al** [-ʃənl] *adj.* **1.** erdichtet; **2.** Roman…

fic·ti·tious [fɪkˈtɪʃəs] *adj.* ☐ **1.** (frei) erfunden, fikˈtiv; **2.** unwirklich, Phantasie…, Roman…; **3.** ⚖ *etc.* fikˈtiv: a) angenommen: *~ **name***, b) fingiert, falsch, Schein…: *~ **bill*** ✝ Kellerwechsel *m*; **ficˈti·tious·ness** [-nɪs] *s.* *das* Fikˈtive; Unechtheit *f*.

fid·dle [ˈfɪdl] **I** *s.* **1.** ♪ Fiedel *f*, Geige *f*: ***play first*** (***second***) *~ fig.* die erste (zweite) Geige spielen; → ***fit***[1] 5; **2.** *Brit.* F a) Schwindel *m*, Betrug *m*, Schiebung *f*, b) Manipulatiˈon *f*; **II** *v/i.* **3.** F fiedeln, geigen; **4.** *a.* *~ **about*** (*od.* ***around***) herˈumtrödeln; **5.** (***with***) spielen (mit), herˈumfingern (an *dat.*), *contp.* herˈumpfuschen (an *dat.*); **III** *v/t.* **6.** F fiedeln; **7.** *~ **away*** F *Zeit* vertrödeln; **8.** *Brit.* F ‚frisieren', manipulieren; **IV** *int.* **9.** Quatsch!; ˌ**~-de-ˈdee** [-dɪˈdiː] → ***fiddle*** 9; ˈ**~-ˌfad·dle** [-ˌfædl] **I** *s.* **1.** Lapˈpalie *f*; **2.** Unsinn *m*; **II** *v/i.* **3.** dummes Zeug reden; **4.** die Zeit vertrödeln.

fid·dler [ˈfɪdlə] *s.* **1.** Geiger(in): ***pay the ~*** *Am.* F ‚blechen'; **2.** *Brit.* F Schwindler *m*.

ˈ**fid·dle·stick** **I** *s.* Geigenbogen *m*; **II** *int.* ***~s!*** F Quatsch!

fid·dling [ˈfɪdlɪŋ] *adj.* F läppisch, geringfügig, ‚poplig'.

fi·del·i·ty [fɪˈdelətɪ] *s.* **1.** (*a.* eheliche) Treue (***to*** gegenüber, zu); **2.** Genauigkeit *f*, genaue Überˈeinstimmung *od.* ˈWiedergabe: ***with ~*** wortgetreu; **3.** ϟ ˈWiedergabe(güte) *f*, Klangtreue *f*.

fidg·et [ˈfɪdʒɪt] **I** *s.* **1.** *oft pl.* nerˈvöse Unruhe, Zappeˈlei *f*; **2.** ‚Zappelphilipp' *m*, Zapp(e)ler *m*; **II** *v/t.* **3.** nerˈvös *od.* zapp(e)lig machen; **III** *v/i.* **4.** (herˈum)zappeln, zapp(e)lig sein; **5.** *~ **with*** (herum)spielen *od.* (-)fuchteln mit; ˈ**fidg·et·i·ness** [-tɪnɪs] *s.* Zapp(e)ligkeit *f*, Nervosiˈtät *f*; ˈ**fidg·et·y** [-tɪ] *adj.* nerˈvös, zappelig: *~ **Philipp*** → ***fidget*** 2.

fi·du·ci·ar·y [fɪˈdjuːʃjərɪ] ⚖ **I** *s.* **1.** Treuhänder(in); **II** *adj.* **2.** treuhänderisch, Treuhand…, Treuhänder…; **3.** ✝ ungedeckt (*Noten*).

fie [faɪ] *int. oft ~ **upon you!*** pfui(, schäm dich)!

fief [fiːf] *s.* Lehen *n*, Lehn(s)gut *n*.

field [fiːld] **I** *s.* **1.** ✓ Feld *n*; **2.** ⚒ a) (*Gold-, Öl- etc.*)Feld *n*, b) (Gruben-)Feld *n*, (Kohlen)Flöz *n*: ***coal ~***; **3.** *fig.* Bereich *m*, (Sach-, Fach)Gebiet *n*: ***in the ~ of art*** auf dem Gebiet der Kunst; ***in his ~*** auf s-m Gebiet, in s-m Fach; *~ **of activity*** Tätigkeitsbereich; *~ **of application*** Anwendungsbereich; **4.** a) (weite) Fläche, b) ✈, ϟ, *phys.*, *a. her.* Feld *n*: *~ **of force*** Kraftfeld; *~ **of vision*** Blick-, Gesichtsfeld, *fig.* Gesichtskreis *m*, Horizont *m*; **5.** *sport* a) Spielfeld *n*, (Sport)Platz *m*: ***take the ~*** einlaufen, auf den Platz kommen (→ 6), b) Feld *n* (*geschlossene Gruppe*), c) Teilnehmer(feld *n*) *pl.*, Besetzung *f*, *fig.* Wettbewerbsteilnehmer *pl.*: ***fair ~ and no favo(u)r*** gleiche Bedingungen für alle; ***play the ~*** F sich keine Chance entgehen lassen (*in der Liebe*), d) *Baseball*, *Kricket*: ˈFängerparˌtei *f*; **6.** ⚔ a) *poet.* (Schlacht)Feld *n*, (Feld)Schlacht *f*, b) Feld *n*, Front *f*: ***in the ~*** an der Front, im Felde; ***hold*** (*od.* ***keep***) ***the ~*** sich behaupten; ***take the ~*** ins Feld rücken, den Kampf eröffnen; ***win the ~*** den Sieg davontragen; **7.** ⚔ Feld *n* (*im Geschützrohr*); **8.** ⚕ (Operatiˈons)Feld *n*; **9.** *TV* Feld *n*, Rasterbild *n*; **10.** a) *bsd. psych.*, *sociol.* Praxis *f*, Wirklichkeit *f*, b) ✝ Außendienst *m*, (praktischer) Einsatz; → ***field service***, ***field study***, ***fieldwork*** 2–4 *etc.*; **II** *v/t.* **11.** *sport Mannschaft*, *Spieler* aufs Feld schicken; **12.** *Baseball*, *Kricket*: a) *den Ball* auffangen u. zuˈrückwerfen, b) *Spieler* im Feld aufstellen; **13.** *fig. e-e Frage etc.* kontern; **III** *v/i.* **14.** *Kricket etc.*: bei der ˈFängerparˌtei sein.

field| am·bu·lance *s.* ⚔ Sanka *m*, Saniˈtätswagen *m*; *~* **coil** *s.* ϟ Feldspule *f*; *~* **day** *s.* **1.** ⚔ a) Felddienstübung *f*, b) ˈTruppenpaˌrade *f*; **2.** *Am.* a) *ped.* Sportfest *n*, b) Exkursiˈonstag *m*; **3.** ***have a ~*** *fig.* a) s-n großen Tag haben, b) e-n Mordsspaß haben (***with*** mit); *~* **en·gi·neer** *s.* Außendiensttechniker *m*.

field·er [ˈfiːldə] *s.* *Kricket etc.*: a) Fänger *m*, b) Feldspieler *m*, c) *pl.* ˈFängerparˌtei *f*.

field| e·vent *s.* *sport* technische Disziˈplin, *pl. mst* ˈSprung- u. ˈWurfdisziˌplinen *pl.*; *~* **glass(·es** *pl.*) *s.* Fernglas *n*, Feldstecher *m*; *~* **goal** *s.* *Basketball*: Feldkorb *m*; *~* **gun** *s.* ⚔ Feldgeschütz *n*; *~* **hos·pi·tal** *s.* ⚔ ˈFeldlazaˌrett *n*; *~* **kitch·en** *s.* ⚔ Feldküche *f*; ≈ **Mar·shal** *s.* ⚔ Feldmarschall *m*; ˈ**~-mouse** *s.* [*irr.*] Feldmaus *f*; *~* **of·fi·cer** *s.* ⚔ ˈStabsoffiˌzier *m*; *~* **pack** *s.* ⚔ Marschgepäck *n*, Torˈnister *m*; *~* **re·search** *s.*

✝ *etc.* Feldforschung *f*; ~ **ser·vice** *s.* ✝ Außendienst *m*.

fields·man ['fi:ldzmən] *s.* [*irr.*] → ***fielder*** a, b.

field| sports *s. pl.* Sport *m* im Freien (*bsd. Jagen, Fischen*); ~ **stud·y** *s.* Feldstudie *f*; ~ **test** *s.* praktischer Versuch; ~ **train·ing** *s.* ⚔ Geländeausbildung *f*; '~**·work** *s.* **1.** ⚔ Feldschanze *f*; **2.** praktische (wissenschaftliche) Arbeit, *a.* Arbeit *f* im Gelände; **3.** ✝ Außendienst *m*, -einsatz *m*; **4.** *Markt-, Meinungsforschung*: Feldarbeit *f*; '~ˌ**work·er** *s.* **1.** ✝ Außendienstmitarbeiter(in); **2.** Inter'viewer(in), Befrager(in).

fiend [fi:nd] *s.* **1.** a) *a. fig.* Satan *m*, Teufel *m*, b) Dämon *m*, *fig. a.* Unhold *m*; **2.** *bsd. in Zssgn*: a) Süchtige(r *m*) *f*: ***opium*** ~, b) Fa'natiker(in), Narr *m*, Fex *m*: → ***fresh-air fiend***, c) *Am. sl.* ‚Ka'none' *f* (***at*** in *dat.*); '**fiend·ish** [-dɪʃ] *adj.* □ teuflisch, unmenschlich; *fig.* F verteufelt, ‚gemein'; '**fiend·ish·ness** [-dɪʃnɪs] *s.* teuflische Bosheit; *fig.* Gemeinheit *f*.

fierce [fɪəs] *adj.* □ **1.** wild, grimmig, wütend (*alle a. fig.*); **2.** heftig, scharf; **3.** grell; '**fierce·ness** [-nɪs] *s.* Wildheit *f*, Grimmigkeit *f*; Schärfe *f*, Heftigkeit *f*.

fi·er·y ['faɪərɪ] *adj.* □ **1.** brennend, glühend (*a. fig.*); **2.** *fig.* feurig, hitzig, heftig; **3.** feuerrot; **4.** feuergefährlich; **5.** Feuer...

fife [faɪf] ♪ **I** *s.* **1.** (Quer)Pfeife *f*; **2.** → ***fifer***; **II** *v/t. u. v/i.* **3.** (*auf der Querpfeife*) pfeifen; '**fif·er** [-fə] *s.* (Quer)Pfeifer *m*.

fif·teen [ˌfɪf'ti:n] **I** *adj.* **1.** fünfzehn; **II** *s.* **2.** Fünfzehn *f*; **3.** *Rugby*: Fünfzehn *f*; ˌ**fif'teenth** [-nθ] **I** *adj.* **1.** fünfzehnt; **II** *s.* **2.** *der* (*die, das*) Fünfzehnte; **3.** Fünfzehntel *n*.

fifth [fɪfθ] **I** *adj.* □ **1.** fünft; **II** *s.* **2.** *der* (*die, das*) Fünfte; **3.** Fünftel *n*; **4.** ♪ Quinte *f*; ~ **col·umn** *s. pol.* Fünfte Ko'lonne.

fifth·ly ['fɪfθlɪ] *adv.* fünftens.

fifth wheel *s.* **1.** *mot.* a) Ersatzrad *n*, b) Drehschemel(ring) *m* (*Sattelschlepper*); **2.** *fig.* fünftes Rad am Wagen.

fif·ti·eth ['fɪftɪɪθ] **I** *adj.* **1.** fünfzigst; **II** *s.* **2.** *der* (*die, das*) Fünfzigste; **3.** Fünfzigstel *n*; **fif·ty** ['fɪftɪ] **I** *adj.* fünfzig; **II** *s.* Fünfzig *f*: ***in the fifties*** in den fünfziger Jahren (*e-s Jahrhunderts*); ***he is in his fifties*** er ist in den Fünfzigern; ˌ**fif·ty-'fif·ty** *adj. u. adv.* F fifty-fifty, ‚halbehalbe'.

fig¹ [fɪg] *s.* ⚘ **1.** Feige *f*: ***I don't care a*** ~ (***for it***) F das ist mir schnuppe!; **2.** Feigenbaum *m*.

fig² [fɪg] **I** *s.* F **1.** Kleidung *f*, Gala *f*: ***in full*** ~ in voller Gala; **2.** Zustand *m*: ***in good*** ~ gut in Form; **II** *v/t.* **3.** ~ ***out*** her'ausputzen.

fight [faɪt] **I** *s.* **1.** Kampf *m* (*a. fig.*), Gefecht *n*: ***make a*** ~ ***of it***, ***put up a*** ~ kämpfen, sich wehren; ***put up a good*** ~ sich tapfer schlagen; **2.** a) Schläge'rei *f*, Raufe'rei *f*, b) *sport* (Box)Kampf *m*: ***have a*** ~ → 12; ***make a*** ~ ***for*** kämpfen um; **3.** Kampf(es)lust *f*, -fähigkeit *f*: ***show*** ~ sich zur Wehr setzen; ***there is no*** ~ ***left in him*** er ist kampfmüde *od.* ‚fertig'; **4.** Streit *m*, Kon'flikt *m*; **II** *v/t.* [*irr.*] **5.** *j-n od. et.* bekämpfen, bekriegen, kämpfen mit *od.* gegen, sich schlagen mit, *sport a.* boxen gegen; *fig.* ankämpfen gegen (*e-e schlechte Gewohnheit etc.*): ~ ***back*** (*od.* ***down***) *fig. Tränen, Enttäuschung* unterdrücken; ~ ***off*** *j-n od. et.* abwehren, *a. e-e Erkältung etc.* bekämpfen; **6.** *e-n Krieg, e-n Prozeß* führen, *e-e Schlacht* schlagen *od.* austragen, *e-e Sache* ausfechten: ~ ***a duel*** sich duellieren; ~ ***an election*** kandidieren; ~ ***it out*** es (untereinander) ausfechten; **7.** *et.* verfechten, sich einsetzen für; **8.** *et.* erkämpfen: ~ ***one's way*** sich durchschlagen; **9.** ⚔ *Truppen etc.* kommandieren, (im Kampf) führen; **III** *v/i.* [*irr.*] **10.** kämpfen (***with*** *od.* ***against*** mit *od.* gegen, ***for*** um): ~ ***against s.th.*** gegen et. ankämpfen; ~ ***back*** sich zur Wehr setzen; **11.** boxen; **12.** sich raufen *od.* prügeln *od.* schlagen.

fight·er ['faɪtə] *s.* **1.** Kämpfer *m*, Streiter *m*; **2.** Schläger *m*, Raufbold *m*; **3.** *sport* (*bsd.* Offen'siv)Boxer *m*; **4.** *a.* ~ ***plane*** ⚔, ✈ Jagdflugzeug *n*, Jäger *m*: ~-***bomber*** Jagdbomber *m*; ~ ***group*** *Brit.* Jagdgruppe *f*, *Am.* Jagdgeschwader *n*; ~-***interceptor*** Abfangjäger *m*; ~ ***pilot*** Jagdflieger *m*.

fight·ing ['faɪtɪŋ] **I** *s.* Kampf *m*, Kämpfe *pl*; **II** *adj.* Kampf...; streitlustig; ~ **chance** *s.* *e-e* re'elle Chance (*wenn man sich anstrengt*); ~ **cock** *s.* Kampfhahn *m* (*a. fig.*): ***live like a*** ~ in Saus u. Braus leben.

fig leaf *s.* Feigenblatt *n* (*a. fig.*).

fig·ment ['fɪgmənt] *s.* **1.** *oft* ~ ***of the imagination*** Phanta'siepro̦dukt *n*, reine Einbildung; **2.** ‚Märchen' *n*, (pure) Erfindung.

fig tree *s.* Feigenbaum *m*.

fig·ur·a·tive ['fɪgjʊrətɪv] *adj.* □ **1.** *ling.* bildlich, über'tragen, fi'gürlich, meta'phorisch; **2.** bilderreich (*Stil*); **3.** sym'bolisch.

fig·ure ['fɪgə] **I** *s.* **1.** Fi'gur *f*, Form *f*, Gestalt *f*, Aussehen *n*: ***keep one's*** ~ schlank bleiben; **2.** *fig.* Fi'gur *f*, Per'son *f*, Per'sönlichkeit *f*, (bemerkenswerte) Erscheinung: ***a public*** ~ e-e Persönlichkeit des öffentlichen Lebens; ~ ***of fun*** komische Figur; ***cut*** (*od.* ***make***) ***a poor*** ~ e-e traurige Figur abgeben; **3.**

F

Darstellung *f* (*bsd. des menschlichen Körpers*), Bild *n*, Statue *f*; **4.** *a.* ⚙, ⩚ Fi'gur *f*, *weitS. a.* Zeichnung *f*, Dia'gramm *n*; *a.* Abbildung *f*, Illustrati'on *f* (*in e-m Buch etc.*); **5.** *Tanz, Eiskunstlauf etc.*: Fi'gur *f*; **6.** (Stoff)Muster *n*; **7.** *a.* **~ of speech** a) ('Rede-, 'Sprach)Fi'gur *f*, b) Me'tapher *f*, Bild *n*; **8.** ♪ a) Fi'gur *f*, b) (Baß)Bezifferung *f*; **9.** Zahl(zeichen *n*) *f*, Ziffer *f*: **run into three ~s** in die Hunderte gehen; **be good at ~s** ein guter Rechner sein; **10.** Preis *m*, Summe *f*: **at a low ~** billig; **II** *v/t.* **11.** gestalten, formen; **12.** bildlich darstellen, abbilden; **13.** *a.* **~ to o.s.** sich *et.* vorstellen; **14.** verzieren (*a.* ♪); ⚙ mustern; **15. ~ out** F a) ausrechnen, b) ausknobeln, ‚rauskriegen', c) ‚kapieren': **I can't ~ him out** ich werde aus ihm nicht schlau; **III** *v/i.* **16. ~ out at** sich belaufen auf (*acc.*); **17. ~ on** *Am.* F a) rechnen mit, b) sich verlassen auf (*acc.*); **18.** erscheinen, vorkommen, e-e Rolle spielen: **~ large** e-e große Rolle spielen; **~ on a list** auf e-r Liste stehen; **19.** F (genau) passen: **that ~s!** das ist klar!; **~ dance** *s.* Fi'gurentanz *m*; **'~·head** *s.* ⚓ Gali'onsfi͵gur *f*, *fig. a.* ‚Aushängeschild' *n*; **~ skat·er** *s. sport* (Eis)Kunstläufer(in); **~ skat·ing** *s. sport* Eiskunstlauf *m*.

fig·u·rine ['fɪgjʊriːn] *s.* Statu'ette *f*, Figu'rine *f*.

fil·a·ment ['fɪləmənt] *s.* **1.** Faden *m* (*a. anat.*); Faser *f*; **2.** ⚘ Staubfaden *m*; **3.** ϟ (Glüh-, Heiz)Faden *m*: **~ battery** Heizbatterie *f*.

fil·bert ['fɪlbət] *s.* ⚘ **1.** Haselnußstrauch *m*; **2.** Haselnuß *f*.

filch [fɪltʃ] *v/t.* F ‚klauen' (*stehlen*).

file[1] [faɪl] **I** *s.* **1.** Aufreihdraht *m*, -faden *m*; **2.** (Akten-, Brief-, Doku'menten- *etc.*)Ordner *m*, Sammelmappe *f*, *a.* Kar'tei(kasten *m*) *f*; **3.** a) Akte(nstück *n*) *f*, *a.* Dossi'er *n* (*der Polizei etc.*): **~ number** Aktenzeichen *n*, b) Akten(-bündel *n*, -stoß *m*) *pl.*, c) Ablage *f*, abgelegte Briefe *pl. od.* Pa'piere *pl.*: **on ~** bei den Akten, d) *Computer*: Da'tei *f*, e) Liste *f*, Verzeichnis *n*: **~ management** Dateiverwaltung *f*; **4.** ⚔ Reihe *f*; **5.** Reihe *f* (*Personen od. Sachen hintereinander*); **II** *v/t.* **6.** *Briefe etc.* ablegen, einordnen, ab-, einheften, zu den Akten nehmen; **7.** *Antrag*, ⚖ *Klage* einreichen; **III** *v/i.* **8.** hinterein'ander *od.* ⚔ in Reihe (hi'nein-, hin'aus- *etc.*)marschieren.

file[2] [faɪl] **I** *s.* **1.** ⚙ Feile *f*; **II** *v/t.* **2.** ⚙ feilen; **3.** *Stil* feilen, glätten.

fi·let ['fɪlɪt] (*Fr.*) *s.* **1.** *Küche*: Fi'let *n*; **2.** *a.* **~ lace** Fi'let *n*, Netz(sticke'rei *f*) *n*.

fil·i·al ['fɪljəl] *adj.* □ kindlich, Kindes…, Sohnes…, Tochter…; **fil·i·a·tion** [͵fɪlɪ'eɪʃn] *s.* **1.** Kindschaft(sverhältnis *n*) *f*: **~ proceeding** ⚖ *Am.* Vaterschaftsprozeß *m*; **2.** Abstammung *f*; **3.** Herkunftsfeststellung *f*; **4.** Verzweigung *f*.

fil·i·bus·ter ['fɪlɪbʌstə] **I** *s.* **1.** *hist.* Freibeuter *m*; **2.** *parl. Am.* a) Obstrukti'on *f*, Verschleppungstaktik *f*, b) Obstrukti'onspo͵litiker *m*; **II** *v/i.* **3.** *parl. Am.* Obstrukti'on treiben; **III** *v/t.* **4.** *Antrag etc.* durch Obstrukti'on zu Fall bringen.

fil·i·gree ['fɪlɪgriː] *s.* Fili'gran(arbeit *f*) *n*.

fil·ing| cab·i·net ['faɪlɪŋ] *s.* Aktenschrank *m*; **~ card** *s.* Kar'teikarte *f*.

fil·ings ['faɪlɪŋz] *s. pl.* Feilspäne *pl.*

Fil·i·pi·no [͵fɪlɪ'piːnəʊ] **I** *pl.* **-nos** *s.* Fili'pino *m*; **II** *adj.* philip'pinisch.

fill [fɪl] **I** *s.* **1. eat one's ~** sich satt essen; **have one's ~ of s.th.** genug von et. haben; **weep one's ~** sich ausweinen; **2.** Füllung *f* (*Material od. Menge*): **a ~ of petrol** *mot.* e-e Tankfüllung; **II** *v/t.* **3.** (an-, aus-, 'voll)füllen: **~ s.o.'s glass** j-m einschenken; **~ the sails** die Segel (auf)blähen; **4.** ab-, einfüllen: **~ wine into bottles**; **5.** (*mit Nahrung*) sättigen; **6.** *Pfeife* stopfen; **7.** *Zahn* füllen, plombieren; **8.** *die Straßen, ein Stadion etc.* füllen; **9.** *a. fig.* erfüllen: **smoke ~ed the room**; **grief ~ed his heart**; **~ed with fear** angsterfüllt; **10.** *Amt, Posten* a) besetzen, b) ausfüllen, bekleiden: **~ s.o.'s place** j-s Stelle einnehmen, j-n ersetzen; **11.** *Auftrag* ausführen: **~ an order**; → **bill**[2] 4; **III** *v/i.* **12.** sich füllen, (*Segel*) sich (auf)blähen; **~ in I** *v/t.* **1.** *Loch etc.* auf-, ausfüllen; **2.** *Brit. Formular* ausfüllen; **3.** a) *Namen etc.* einsetzen, b) *Fehlendes* ergänzen; **4. fill s.o. in** F (**on** über *acc.*) j-n ins Bild setzen, j-n informieren; **II** *v/i.* **5.** einspringen (**for s.o.** für j-n); **~ out I** *v/t.* **1.** *bsd. Am. Formular* ausfüllen; **2.** *Bericht etc.* abrunden; **II** *v/i.* **3.** fülliger werden (*Figur*), (*Person a.*) zunehmen, (*Gesicht*) voller werden; **~ up I** *v/t.* **1.** auf-, 'vollfüllen: **~ her up!** F volltanken, bitte; **2.** → **fill in** 2; **II** *v/i.* **3.** sich füllen.

fill·er ['fɪlə] *s.* **1.** Füllvorrichtung *f*, *a.* 'Abfüllma͵schine *f*, Trichter *m*: **~ cap** *mot.* Tankverschluß *m*; **2.** Füllstoff *m*, Zusatzmittel *n*; **3.** *paint.* Spachtel(masse *f*) *m*, Füller *m*; **4.** *fig.* Füllsel *n*, Füller *m*; **5.** *ling.* Füllwort *n*; **6.** Sprengladung *f*.

fil·let ['fɪlɪt] **I** *s.* **1.** Stirn-, Haarband *n*; **2.** Leiste *f*, Band *n*; **3.** Zierstreifen *m*, Fi'let *n* (*am Buch*); **4.** ⩓ Leiste *f*, Rippe *f*; **5.** *Küche*: Fi'let *n*; **6.** ⚙ a) Hohlkehle *f*, b) Schweißnaht *f*; **II** *v/t.* **7.** mit e-m Haarband *od.* e-r Leiste *etc.* schmükken; **8.** *Küche*: a) filetieren, b) als Fi'let zubereiten.

fill·ing ['fɪlɪŋ] **I** *s.* **1.** Füllung *f*, Füllmasse *f*, Einlage *f*, Füllsel *n*; **2.** (Zahn)Plombe *f*, (-)Füllung *f*; **3.** *das* 'Voll-, Aus-, Auffüllen, Füllung *f*: **~ machine** Abfüllmaschine *f*; ~ ***station*** *Am.* Tankstelle *f*; **II** *adj.* **4.** sättigend.

fil·lip ['fılıp] **I** *s.* **1.** Schnalzer *m* (*mit Finger u. Daumen*); **2.** Klaps *m*; **3.** *fig.* Ansporn *m*, Auftrieb *m*: ***give a ~ to*** → 6; **II** *v/t.* **4.** schnippen, schnipsen; **5.** *j-m* e-n Klaps geben; **6.** *fig.* anspornen, in Schwung bringen.

fil·ly ['fılı] *s.* **1.** *zo.* Stutenfohlen *n*; **2.** *fig.* ‚wilde Hummel' (*Mädchen*).

film [fılm] **I** *s.* **1.** Mem'bran(e) *f*, Häutchen *n*, Film *m*; **2.** *phot.* Film *m*; **3.** Film *m*: ***the ~s*** die Filmindustrie, der Film, das Kino; ***be in ~s*** beim Film sein; ***shoot a ~*** e-n Film drehen; **4.** (hauch)dünne Schicht, 'Überzug *m* (*Zellophan- etc.*)Haut *f*; **5.** (hauch)dünnes Gewebe, *a.* Faser *f*; **6.** Trübung *f* (*des Auges*), Schleier *f*; **II** *v/t.* **7.** (mit e-m Häutchen *etc.*) über'ziehen; **8.** a) *Szene etc.* filmen: ***~ed report*** Filmbericht *m*, b) *Roman etc.* verfilmen; **III** *v/i.* **9.** *a.* ~ ***over*** sich mit e-m Häutchen über'ziehen; **10.** a) sich (gut) verfilmen lassen, b) e-n Film drehen, filmen; ~ **li·brar·y** *s.* 'Filmarˌchiv *n*; ~ **mak·er** *s.* Filmemacher *m*; ~ **pack** *s. phot.* Filmpack *m*; ~ **reel** *s.* Filmspule *f*; '~**·set** *v/t.* [*irr.*] *typ.* im Foto- *od.* Filmsatz herstellen; ~ **star** *s.* Filmstar *m*; ~ **strip** *s.* **1.** Bildstreifen *m*; **2.** Bildband *n*; ~ **ver·sion** *s.* Verfilmung *f*.

film·y ['fılmı] *adj.* □ **1.** mit e-m Häutchen bedeckt; **2.** duftig, zart, hauchdünn; **3.** trübe, verschleiert (*Auge*).

fil·ter ['fıltə] **I** *s.* **1.** Filter *m*, Seihtuch *n*, Seiher *m*; **2.** ⚗, ⚙, ⚡, *phot.*, *phys.*, *tel.* Filter *n*, *m*; **3.** *mot. Brit.* grüner Pfeil (*für Abbieger*); **II** *v/t.* **4.** filtern: a) ('durch)seihen, b) filtrieren: ~ ***off*** (***out***) ab- (heraus)filtern; **III** *v/i.* **5.** 'durchsickern, (*Licht a.*) 'durchscheinen, -dringen; **6.** *fig.* ~ ***out*** *od.* ***through*** 'durchsickern (*Nachrichten etc.*); ~ ***into*** einsickern *od.* -dringen in (*acc.*); **7.** ~ ***out*** langsam *od.* grüppchenweise herauskommen (***of*** aus); **8.** *mot. Brit.* a) die Spur wechseln, b) sich einordnen (***to the left*** links), c) abbiegen (*bei grünem Pfeil*); ~ **bag** *s.* Filtertüte *f*; ~ **bed** *s.* **1.** Kläranlage *f*, -becken *n*; **2.** Filterschicht *f*; ~ **char·coal** *s.* ⚙ Filterkohle *f*; ~ **cir·cuit** *s.* ⚡ Siebkreis *m*; ~ **pa·per** *s.* 'Filterpaˌpier *n*; ~ **tip** *s.* **1.** Filter(mundstück *n*) *m*; **2.** 'Filterzigaˌrette *f*; '~**-tipped** mit Filter, Filter...: ~ ***cigarette***.

filth [fılθ] *s.* **1.** Schmutz *m*, Dreck *m*; **2.** *fig.* Schmutz *m*, Schweine'rei(en *pl.*) *f*; **3.** a) unflätige Sprache, b) unflätige Ausdrücke *pl.*, Unflat *m*; '**filth·i·ness** [-θınıs] *s.* Schmutzigkeit *f* (*a. fig.*); '**filth·y** [-θı] **I** *adj.* □ **1.** schmutzig, dreckig, *fig. a.* schweinisch; **2.** *fig.* unflätig; **3.** F ekelhaft, scheußlich: ~ ***mood***; ~ ***weather*** *a.* ‚Sauwetter' *n*; **II** *adv.* **4.** F ‚unheimlich', ‚furchtbar': ~ ***rich*** stinkreich.

fil·trate ['fıltreıt] **I** *v/t.* filtrieren; **II** *s.* Fil'trat *n*; **fil'tra·tion** [fıl'treıʃn] *s.* Filtrati'on *f*.

fin[1] [fın] *s.* **1.** *zo.* Flosse *f*, Finne *f*; **2.** ⚓ Kielflosse *f*; **3.** ✈ a) (Seiten)Flosse *f*, b) ⚔ Steuerschwanz *m* (*e-r Bombe*); **4.** ⚙ a) Grat *m*, (Guß)Naht *f*, b) (Kühl)Rippe *f*; **5.** Schwimmflosse *f*; **6.** *sl.* ‚Flosse' *f* (*Hand*).

fin[2] [fın] *s. Am. sl.* Fünf'dollarschein *m*.

fi·na·gle [fı'neıgl] F **I** *v/t.* **1.** *et.* her'ausschinden; **2.** (sich) *et.* ergaunern; **3.** *j-n* betrügen, begaunern; **II** *v/i.* **4.** gaunern, mogeln.

fi·nal ['faınl] **I** *adj.* □ → ***finally*** **1.** letzt, schließlich; **2.** endgültig, End..., Schluß...: ~ ***assembly*** ⚙ Endmontage *f*; ~ ***date*** Schlußtermin *m*; ~ ***examination*** Abschlußprüfung *f*; ~ ***score*** *sport* Schlußstand *m*; ~ ***speech*** ⚖ Schlußplädoyer *n*; ~ ***storage*** Endlagerung *f* (*von Atommüll etc.*); ~ ***whistle*** *sport* Schlußpfiff *m*; **3.** endgültig: a) 'unwiderˌruflich, b) entscheidend, c) ⚖ rechtskräftig: ***after ~ judg(e)ment*** nach Rechtskraft des Urteils; **4.** per'fekt; **5.** *ling.* a) auslautend, End...; Schluß..., b) Absichts..., Final...: ~ ***clause***; **II** *s.* **6.** *a. pl.* Fi'nale *n*, Endkampf *m od.* -runde *f od.* -spiel *n od.* -lauf *m*; **7.** *mst pl. univ.* 'Schlußeˌxamen *n*, -prüfung *f*; **8.** F Spätausgabe *f* (*e-r Zeitung*); **fi·na·le** [fı'nɑːlı] *s.* Fi'nale *n*: a) ♪ (*mst* schneller) Schlußsatz, b) *thea.* Schluß(szene *f*) *m* (*bsd. Oper*), c) *fig.* (dra'matisches) Ende; '**fi·nal·ist** [-nəlıst] *s.* **1.** *sport* Fina'list(in), Endspiel-, Endkampf-, Endrundenteilnehmer(in); **2.** *univ.* Ex'amenskandiˌdat(in); **fi·nal·i·ty** [faı'nælətı] *s.* **1.** Endgültigkeit *f*; **2.** Entschiedenheit *f*; '**fi·nal·ize** [-nəlaız] *v/t.* **1.** be-, voll'enden, (endgültig) erledigen, abschließen; **2.** endgültige Form geben (*dat.*); '**fi·nal·ly** [-nəlı] *adv.* **1.** endlich, schließlich, zu'letzt; **2.** zum (Ab)Schluß; **3.** endgültig, defini'tiv.

fi·nance [faı'næns] **I** *s.* **1.** Fi'nanz *f*, Fi'nanzwesen *n*, -wirtschaft *f*, -wissenschaft *f*; **2.** *pl.* Fi'nanzen *pl.*, Einkünfte *pl.*, Vermögenslage *f*; **II** *v/t.* **3.** finanzieren; ~ **act** *s. pol.* Steuergesetz *n*; ~ **bill** *s.* **1.** *pol.* Fi'nanzvorlage *f*; **2.** ✝ Fi'nanzwechsel *m*; ~ **com·pa·ny** *s.* ✝ Finanzierungsgesellschaft *f*; ~ **house** *s.* ✝ *Brit.* 'Kundenkreˌditbank *f*.

fi·nan·cial [faı'nænʃl] *adj.* □ finanzi'ell, Finanz..., Geld..., Fiskal...: ~ ***aid*** Finanzhilfe *f*; ~ ***backer*** Geldgeber *m*; ~ ***columns*** Handels-, Wirtschaftsteil *m*; ~ ***paper*** Börsen-, Handelsblatt *n*; ~ ***plan*** Finanzierungsplan *m*; ~ ***policy*** Finanzpolitik *f*; ~ ***situation*** (*od.* ***condition***) Vermögenslage *f*; ~ ***standing***

F

Kreditwürdigkeit *f*; ~ ***statement*** ✝ Bilanz *f*; ~ ***year*** a) ✝ Geschäftsjahr *n*, b) *parl.* Haushalts-, Rechnungsjahr *n*; **fi'nan·cier** [-nsɪə] **I** *s.* **1.** Finanzi'er *m*; **2.** Fi'nanz(fach)mann *m*; **II** *v/t.* **3.** finanzieren; **III** *v/i.* **4.** (*bsd.* skrupellose) Geldgeschäfte machen.

finch [fɪntʃ] *s. orn.* Fink *m*.

find [faɪnd] **I** *v/t.* [*irr.*] **1.** finden; **2.** finden, (an)treffen, stoßen auf (*acc.*): ***I found him in*** ich traf ihn zu Hause an; ~ ***a good reception*** e-e gute Aufnahme finden; **3.** entdecken, bemerken, sehen, feststellen, (her'aus)finden: ***he found that ...*** er stellte fest *od.* fand, daß; ***I ~ it easy*** ich finde es leicht; ~ ***one's way*** den Weg finden (***to*** nach, zu), sich zurechtfinden (***in*** in *dat.*); ~ ***its way into*** *fig.* hineingeraten in (*acc.*) (*Sache*); ~ ***o.s.*** a) sich *wo od. wie* befinden, b) sich sehen: ~ ***o.s. surrounded***, c) sich finden, sich voll entfalten, s-e Fähigkeiten erkennen, d) zu sich selbst finden (→ 5); ***I found myself telling a lie*** ich ertappte mich bei e-r Lüge; **4.** finden: a) beschaffen, auftreiben, b) erlangen, sich verschaffen, c) *Zeit etc.* aufbringen; **5.** *j-n* versorgen, ausstatten (***in*** mit): ***be well found in clothes***; ***all found*** freie Station, freie Unterkunft u. Verpflegung; ~ ***o.s.*** sich selbst versorgen; **6.** ⚖ (be)finden für, erklären (für): ***he was found guilty***; **7.** ~ ***out*** a) *et.* herausfinden, -bekommen, b) *j-n* ertappen, entlarven, durch'schauen; **II** *v/i.* [*irr.*] **8.** ⚖ (be)finden, (für Recht) erkennen (***that*** daß): ~ ***for the defendant*** a) die Klage abweisen, b) *Strafprozeß*: den Angeklagten freisprechen; ~ ***against the defendant*** a) der Klage stattgeben, b) *Strafprozeß*: den Angeklagten verurteilen; **III** *s.* **9.** Fund *m*, Entdeckung *f*; **'find·er** [-də] *s.* **1.** Finder *m*, Entdecker *m*: ~***s keepers*** F wer etwas findet, darf es (auch) behalten; ~***'s reward*** Finderlohn *m*; **2.** *phot.* Sucher *m*; **'find·ing** [-dɪŋ] *s.* **1.** Fund *m*, Entdeckung *f*; **2.** *mst pl. phys. etc.* Befund *m* (*a.* ⚕), Feststellung(en *pl.*) *f*, Erkenntnis(se *pl.*) *f*; **3.** ⚖ Feststellung *f*, *der Geschworenen*: *a.* Spruch *m*: ~***s of fact*** Tatsachenfeststellungen; **4.** *pl.* Werkzeuge *pl. od.* Materi'al *n* (*von Handwerkern*).

fine[1] [faɪn] **I** *adj.* □ **1.** *allg.* fein: a) dünn, zart, zierlich: ~ ***china***, b) scharf: ***a ~ edge***, c) rein: ~ ***silver*** Feinsilber *n*; ***gold 24 carats ~*** 24karätiges Gold, d) *aus kleinsten Teilchen bestehend*: ~ ***sand***, e) schön: ***a ~ ship***; ~ ***weather***, f) vornehm, edel: ***a ~ man***, g) geschmackvoll, gepflegt, ele'gant, h) angenehm, lieblich: ***a ~ scent***, i) feinsinnig: ***a ~ distinction*** ein feiner Unterschied; **2.** prächtig, großartig: ***a ~ view***; ***a ~ musician***; ***a ~ fellow*** ein feiner *od.* prächtiger Kerl (→ 3); **3.** F, *a. iro.* fein, schön: ***that's all very ~ but ...*** das ist ja alles gut u. schön, aber ...; ***a ~ fellow you are!*** *contp.* du bist mir ein schöner Genosse!; ***that's ~ with me!*** in Ordnung!; **4.** ⚙ fein, genau, Fein...; **II** *adv.* **5.** F fein: a) vornehm (*a. contp.*): ***talk ~***, b) sehr gut, ‚bestens': ***that will suit me ~*** das paßt mir ausgezeichnet; **6.** knapp: ***cut*** (*od.* ***run***) ***it ~*** ins Gedränge (*bsd.* in Zeitnot) kommen; **III** *v/t.* **7.** ~ ***away***, ~ ***down*** fein(er) machen, abschleifen, zuspitzen; **8.** *oft* ~ ***down*** *Wein etc.* läutern, klären; **9.** *metall.* frischen; **IV** *v/i.* **10.** ~ ***away***, ~ ***down***, ~ ***off*** fein(er) werden, abnehmen, sich abschleifen; **11.** sich klären.

fine[2] [faɪn] **I** *s.* **1.** ⚖ Geldstrafe *f*, Bußgeld *n*; **2.** ***in ~*** a) schließlich, b) kurzum; **II** *v/t.* **3.** mit e-r Geldstrafe *od.* e-m Bußgeld belegen: ***he was ~d £2*** er mußte 2 Pfund (Strafe) bezahlen.

fine| ad·just·ment *s.* ⚙ Feineinstellung *f*; ~ **arts** *s. pl.* (*die*) schönen Künste *pl.*; **'~-bore** *v/t.* ⚙ präzisi'onsbohren; ~ **cut** *s.* Feinschnitt *m* (*Tabak*); **,~-'draw** *v/t.* [*irr.* → ***draw***] **1.** fein zs.-nähen, kunststopfen; **2.** ⚙ *Draht* fein ausziehen; **,~-'drawn** → ***fine-spun***.

fine·ness ['faɪnnɪs] *s. allg.* Feinheit *f*; **'fin·er·y** [-nərɪ] *s.* **1.** Putz *m*, Staat *m*; **2.** ⚙ a) Frischofen *m*, b) Frische'rei *f*; **fines** [faɪnz] *s. pl.* ⚙ Grus *m*, feingesiebtes Materi'al; **,fine-'spun** *adj.* feingesponnen (*a. fig.*).

fi·nesse [fɪ'nes] **I** *s.* **1.** Fi'nesse *f*: a) Spitzfindigkeit *f*, b) (kleiner) Kunstgriff, Kniff *m*; **2.** Raffi'nesse *f*, Schlauheit *f*; **3.** *Kartenspiel*: Schneiden *n*; **II** *v/i.* **4.** *Kartenspiel*: schneiden; **5.** ‚tricksen', Kniffe anwenden.

,fine|-'tooth(ed) *adj.* fein(gezahnt): ~ ***comb*** Staubkamm *m*; ***go over s.th. with a ~ comb*** a) et. genau durchsuchen, b) et. genau unter die Lupe nehmen; ~ **tun·ing** *s. Radio*: Feinabstimmung *f*.

fin·ger ['fɪŋgə] **I** *s.* **1.** Finger *m*: ***first***, ***second***, ***third ~*** Zeige-, Mittel-, Ringfinger; ***fourth*** (*od.* ***little***) ~ kleiner Finger; ***get*** (*od.* ***pull***) ***one's ~ out*** *Brit.* F ‚Dampf dahintermachen'; ***have a*** (*od.* ***one's***) ~ ***in the pie*** die Hand im Spiel haben; ***keep one's ~s crossed for s.o.*** j-m den Dauem drücken *od.* halten; ***lay*** (*od.* ***put***) ***one's ~ on s.th.*** *fig.* den Finger auf et. legen; ***not to lay a ~ on s.o.*** j-m kein Härchen krümmen, j-n nicht anrühren; ***not to lift*** (*od.* ***raise***, ***stir***) ***a ~*** keinen Finger rühren; ***put the ~ on s.o.*** → 10; ***twist*** (*od.* ***wrap***, ***wind***) ***s.o.*** (***a***)***round one's little ~*** j-n um den (kleinen) Finger wickeln; ***work one's ~s to the bone*** (***for s.o.***) sich (für j-n) die Finger abarbeiten; → *a. Verbindungen mit anderen Verben u. Substantiven*; **2.** Finger(ling) *m* (*am Handschuh*); **3.** (Uhr)Zeiger *m*; **4.** Fingerbreit *m*; **5.** schmaler Streifen; schmales Stück; **6.** ⚙ Daumen *m*, Greifer *m*; **7.** *sl.* → ***finger man***; **II** *v/t.* **8.** a) betasten, befühlen, b) her'umfingern an (*dat.*), spielen mit; **9.** ♪ a) *et.* mit den Fingern spielen, b) *Noten* mit Fingersatz versehen; **10.** *Am.* F a) *j-n* verpfeifen, b) *j-n* beschatten, c) *Opfer* ausspähen; **III** *v/i.* **11.** her'umfingern (***at*** an *dat.*), spielen (***with*** mit); '**~·board** *s.* ♪ a) Griffbrett *n*, b) Klavia'tur *f*, c) Manu'al *n* (*der Orgel*); **~ bowl** *s.* Fingerschale *f*; '**~·breadth** *s.* Fingerbreit *m*.

-fin·gered [fɪŋgəd] *adj. in Zssgn* mit … Fingern, …fing(e)rig.

fin·ger·ing ['fɪŋgərɪŋ] *s.* ♪ Fingersatz *m*.

fin·ger| man *s.* Spitzel *m* (*e-r Bande*); '**~·mark** *s.* Fingerabdruck *m* (*Schmutzfleck*); '**~·nail** *s.* Fingernagel *m*; **~ nut** *s.* ⚙ Flügelmutter *f*; '**~-paint I** *s.* Fingerfarbe *f*; **II** *v/t. u. v/i.* mit Fingerfarben malen; **~ post** *s.* **1.** Wegweiser *m*; **2.** *fig.* Fingerzeig *m*; '**~·print I** *s.* Fingerabdruck *m*; **II** *v/t.* von *j-m* Fingerabdrücke machen; '**~·stall** *s.* Fingerling *m*; '**~·tip** *s. mst fig.* Fingerspitze *f*: ***have at one's ~s*** *Kenntnisse* parat haben; ***to one's ~s*** durch u. durch.

fin·i·cal ['fɪnɪkl] *adj.* □, '**fin·ick·ing** [-kɪŋ], '**fin·ick·y** [-kɪ] *adj.* **1.** über'trieben genau, pe'dantisch; **2.** heikel, ‚pingelig'; **3.** affek'tiert, geziert; **4.** knifflig.

fi·nis ['fɪnɪs] (*Lat.*) *s.* Ende *n*.

fin·ish ['fɪnɪʃ] **I** *s.* **1.** Ende *n*, Schluß *m*; **2.** *sport* a) Endspurt *m*, Finish *n*, b) Ziel *n*, c) Endkampf *m*, Entscheidung *f*: ***be in at the ~*** in die Endrunde kommen, *fig.* das Ende miterleben; **3.** Voll'endung *f*, letzter Schliff, Ele'ganz *f*; **4.** ⚙ a) (äußerliche) Ausführung, Bearbeitung(sgüte) *f*, Oberflächenbeschaffenheit *f*, b) ('Lack- *etc.*)ˌÜberzug *m*, c) Poli'tur *f*, d) Appre'tur *f*; **5.** gute Ausführung *od.* Verarbeitung; **6.** ⚠ a) Ausbau *m*, b) Verputz *m*; **II** *v/t.* **7.** *a.* ***~ off*** voll'enden, beendigen, fertigstellen, erledigen, zu Ende führen: ***~ a task***; ***~ a book*** ein Buch auslesen *od.* zu Ende lesen; **8.** *a.* ***~ off*** (*od.* ***up***) a) *Vorräte* auf-, verbrauchen, b) aufessen *od.* austrinken; **9.** *a.* ***~ off*** a) *j-n* ‚erledigen', *j-m* den Rest geben' (*töten od. erschöpfen od. ruinieren*), b) *bsd. e-m Tier* den Gnadenschuß *od.* -stoß geben; **10.** a) *a.* ***~ off*** (*od.* ***~ up***) *et.* vervollkommnen, *e-r Sache* den letzten Schliff geben, b) *j-m* feine Lebensart beibringen; **11.** ⚙ nach-, fertigbearbeiten, *Papier* glätten, *Stoff* zurichten, appretieren, *Möbel etc.* polieren; **III** *v/i.* **12.** *a.* ***~ off*** (*od.* ***up***) enden, schließen, aufhören (***with*** mit): ***have you ~ed?*** bist du fertig?; ***he ~ed by saying*** abschließend *od.* zum Abschluß sagte er; **13.** *a.* ***~ up*** enden, *im Gefängnis etc.* ‚landen'; **14.** enden, zu Ende gehen; **15.** ***~ with*** mit *j-m od. et.* Schluß machen: ***I'm ~ed with him!*** mit ihm bin ich fertig!; ***have ~ed with s.o.*** (*od.* ***s.th.***) j-n (et.) nicht mehr brauchen; ***I haven't ~ed with you yet!*** ich bin noch nicht fertig mit dir!; **16.** *sport* einlaufen, durchs Ziel gehen: ***~ third*** *a.* Dritter werden, den dritten Platz belegen, *allg.* als dritter fertig sein.

fin·ished ['fɪnɪʃt] *adj.* **1.** beendet, fertig: ***half-~ products*** Halbfabrikate; ***~ goods*** Fertigwaren; ***~ part*** Fertigteil *n*; **2.** *fig.* F ‚erledigt' (*erschöpft od. ruiniert od. todgeweiht*): ***he is ~*** *a.* mit ihm ist es aus!; **3.** voll'endet, voll'kommen; '**fin·ish·er** [-ʃə] *s.* **1.** ⚙ a) Fertigbearbeiter *m*; Appretierer *m*, b) Ma'schine *f* zur Fertigbearbeitung, *z.B.* Fertigwalzwerk *n*; **2.** F vernichtender Schlag, ‚K.-'o.-Schlag' *m*; **3.** ***strong ~*** *sport* (starker) Spurtläufer.

fin·ish·ing ['fɪnɪʃɪŋ] **I** *s.* **1.** Voll'enden *n*, Fertigmachen *n*, -stellen *n*; **2.** ⚙ a) Fertigbearbeitung *f*, b) (abschließende) Oberflächenbehandlung *f*, *z.B.* Hochglanzpolieren *n*, c) Veredelung, d) Appre'tur *f* (*von Stoffen*); **3.** *sport* Abschluß *m*; **II** *adj.* **4.** abschließend; → ***touch*** 3; **~ a·gent** *s.* ⚙ Appre'turmittel *n*; **~ in·dus·try** *s.* Ver'edelungsinduˌstrie *f*, verarbeitende Indu'strie; **~ lathe** *s.* ⚙ Fertigdrehbank *f*; **~ line** *s.* *sport* Ziellinie *f*; **~ mill** *s.* ⚙ **1.** Feinwalzwerk *n*; **2.** Schlichtfräser *m*; **~ post** *s. sport* Zielpfosten *m*; **~ school** *s.* 'MädchenpensioˌMnat *n* (*zur Vorbereitung auf das gesellschaftliche Leben*).

fi·nite ['faɪnaɪt] *adj.* **1.** begrenzt, endlich (*a.* ⩚); **2.** *ling.* fi'nit: ***~ form*** *a.* Personalform *f*; ***~ verb*** Verbum *n* finitum.

fink [fɪŋk] *Am. sl.* **I** *s.* **1.** Streikbrecher *m*; **2.** Spitzel *m*; **3.** ‚Dreckskerl' *m*; **II** *v/i.* **4.** ***~ on*** *j-n* verpfeifen; **5.** ***~ out*** sich drücken, ‚aussteigen'.

Finn [fɪn] *s.* Finne *m*, Finnin *f*.

fin·nan had·dock ['fɪnən] *s.* geräucherter Schellfisch.

finned [fɪnd] *adj.* **1.** *ichth.* mit Flossen; **2.** ⚙ gerippt; **fin·ner** ['fɪnə] *s. zo.* Finnwal *m*.

Finn·ish ['fɪnɪʃ] **I** *adj.* finnisch; **II** *s. ling.* Finnisch *n*.

fin·ny ['fɪnɪ] *adj.* **1.** → ***finned*** 1; **2.** Flossen…, Fisch…

fiord [fɪ'ɔːd] *s. geogr.* Fjord *m*.

fir [fɜː] *s.* **1.** ♆ Tanne *f*, Fichte *f*; **2.** Tannen-, Fichtenholz *n*; **~ cone** *s.* Tannenzapfen *m*.

fire ['faɪə] **I** *s.* **1.** Feuer *n* (*a. Edelstein*): ***~ and brimstone*** a) *bibl.* Feuer u. Schwefel *m*, b) *eccl.* Hölle *f* u. Ver-

F

dammnis *f*; ***be on ~*** brennen, in Flammen stehen, *fig.* Feuer u. Flamme sein; ***catch ~*** Feuer fangen, in Brand geraten, *fig.* in Hitze geraten; ***go through ~ and water for s.o.*** *fig.* für j-n durchs Feuer gehen; ***play with ~*** *fig.* mit dem Feuer spielen; ***pull s.th. out of the ~*** *fig.* et. aus dem Feuer reißen; ***set on ~***, ***set ~ to*** anzünden, in Brand stecken; **2.** Feuer *n* (*im Ofen etc.*): ***on a slow ~*** bei schwachem Feuer (*kochen*); **3.** Brand *m*, Feuer(sbrunst *f*) *n*: ***where's the ~?*** F wo brennt's?; **4.** *Brit.* Heizgerät *n*; **5.** *fig.* Feuer *n*, Glut *f*, Leidenschaft *f*, Begeisterung *f*; **6.** ⚔ Feuer *n*, Beschuß *m*: ***blank ~*** blindes Schießen; ***come under ~*** unter Beschuß geraten (*a. fig.*); ***come under ~ from s.o.*** *fig.* in j-s Schußlinie geraten; ***hang ~*** schwer losgehen (*Schußwaffe*), *fig.* auf sich warten lassen (*Sache*); ***hold one's ~*** *fig.* sich zurückhalten; ***miss ~*** versagen (*Schußwaffe*), *fig.* fehlschlagen; **II** *v/t.* **7.** anzünden, in Brand stecken; **8.** *Kessel* heizen, *Ofen* (be)feuern, beheizen: ***~ up inflation*** *fig.* die Inflation ‚anheizen'; **9.** *Ziegel* brennen; **10.** *Tee* feuern; **11.** *fig. j-n, j-s Gefühle* entflammen, *j-n* in Begeisterung versetzen, *j-s Phantasie* beflügeln; **12.** *a.* ***~ off*** a) *Schußwaffe* abfeuern, b) *Schuß* abfeuern, -geben, c) *Sprengladung, Rakete* zünden; **13.** *a.* ***~ off*** *fig.* a) *Fragen etc.* abschießen, b) *j-n mit Fragen* bombardieren; **14.** *Motor* anlassen; **15.** F *j-n* ‚feuern', ‚rausschmeißen'; **III** *v/i.* **16.** Feuer fangen, (an)brennen; **17.** ⚔ feuern, schießen (***at***, ***on*** auf *acc.*): ***~ away!*** F schieß los!; **18.** zünden (*Motor*); **19.** *a.* ***~ up*** ‚hochgehen', wütend werden.

fire| a·larm *s.* **1.** 'Feuera,larm *m*; **2.** Feuermelder *m*; '**~·arm** [-ərɑ:m] *s.* Feuer-, Schußwaffe *f*: ***~ certificate*** *Brit.* Waffenschein *m*; '**~·ball** *s.* **1.** *hist.* ⚔ *u. ast.* Feuerkugel *f*; **2.** Feuerball *m* (*Sonne, Explosion etc.*); **3.** Kugelblitz *m*; **~ bal·loon** *s.* 'Heißluftbal,lon *m*; '**~·brand** *s.* **1.** brennendes Holzscheit; **2.** *fig.* Unruhestifter *m*, Aufwiegler *m*; '**~·brick** *s.* feuerfester Ziegel, Scha'mottestein *m*; **~ bri·gade** *s. Brit.* Feuerwehr *f* (*a. fig. pol. etc.*); '**~·bug** *s. sl.* ‚Feuerteufel' *m*; **~ clay** *s.* feuerfester Ton, Scha'motte *f*; **~ com·pa·ny** *s.* **1.** *Am.* Feuerwehr *f*; **2.** → ***fire-office***; **~ con·trol** *s.* **1.** ⚔ Feuerleitung *f*; **2.** Brandbekämpfung *f*; '**~·crew** *s.* Löschmannschaft *f*; '**~,crack·er** *s.* Frosch *m* (*Knallkörper*); '**~·damp** *s.* ⚒ schlagende Wetter *pl.*, Grubengas *n*; **~ de·part·ment** *s. Am.* Feuerwehr *f*; '**~·dog** *s.* Ka'minbock *m*; '**~-,drag·on** *s.* feuerspeiender Drache; **~ drill** *s.* **1.** 'Feuera,larmübung *f*; **2.** Feuerwehrübung *f*; '**~,eat·er** [-ər,i:-] *s.* **1.** Feuerschlucker *m*; **2.** *fig.* ‚Eisenfresser' *m*; **~ en·gine** *s.* **1.** Feuerspritze *f*; **2.** Löschfahrzeug *n*; **~ es·cape** *s.* Feuerleiter *f*, -treppe *f*; **~ ex·tin·guish·er** *s.* Feuerlöscher *m*; **~ fight·er** *s.* Feuerwehrmann *m*; *pl.* Löschmannschaft *f*; '**~-,fight·ing I** *s.* Brandbekämpfung *f*; **II** *adj.* Lösch..., Feuerwehr...; '**~·fly** *s.* Glühwürmchen *n*; '**~·guard** *s.* **1.** Ka'mingitter *n*; **2.** Brandwache *f od.* -wart *m*; '**~-hose** *s.* Feuerwehrschlauch *m*; **~ lane** *f* Feuerschneise *f*; '**~·man** [-mən] *s.* [*irr.*] **1.** Feuerwehrmann *m*; *pl.* Löschmannschaft *f*; **2.** Heizer *m*; '**~-,of·fice** [-ər,ɒ-] *s. Brit.* Feuerversicherung(sanstalt) *f*; '**~·place** *s.* (offener) Ka'min; '**~·plug** *s.* ⚙ Hy'drant *m*; **~ point** *s.* Flammpunkt *m*; **~ pol·i·cy** *s. Brit.* 'Feuerversicherungspo,lice *f*; **~ pow·er** *s.* ⚔ Feuerkraft *f*; '**~·proof I** *adj.* feuerfest, -sicher: ***~ curtain*** *thea.* eiserner Vorhang; **II** *v/t.* feuerfest machen; **~ rais·er** *s. Brit.* Brandstifter(in); **~ ser·vice** *s. Brit.* Feuerwehr *f*; **~ ship** *s.* ⚓ Brander *m*; '**~·side** *s.* **1.** (offener) Ka'min *m*: ***~ chat*** Plauderei *f* am Kamin; **2.** *fig.* häuslicher Herd, Da'heim *n*; **~ sta·tion** *s.* Feuerwehrwache *f*; '**~·storm** *s.* Feuersturm *m*; '**~·trap** *s.* ‚Mausefalle' *f* (*Gebäude ohne genügende Notausgänge*); **~ wall** *s.* Brandmauer *f*; '**~,ward·en** *s. Am.* **1.** Brandmeister *m*; **2.** Brandwache *f*; '**~,watch·er** *s. Brit.* Brandwache *f*, Luftschutzwart *m*; '**~,wa·ter** *s.* F ‚Feuerwasser' *n* (*Schnaps etc.*); '**~·wood** *s.* Brennholz *n*; '**~·works** *s. pl.* Feuerwerk *n* (*a. fig.*): ***a ~ of wit***; ***there were ~*** da flogen die Fetzen.

fir·ing ['faɪərɪŋ] *s.* **1.** ⚔ (Ab)Feuern *n*; **2.** ⚙ Zünden *n*; **3.** a) Heizen *n*, b) Feuerung *f*, c) 'Brennmateri,al *n*; **~ line** *s.* ⚔ Feuerlinie *f*, -stellung *f*; Kampffront *f*: ***be in*** (*Am.* ***on***) ***the ~*** *fig.* in der Schußlinie stehen; **~ or·der** *s.* **1.** ⚔ Schießbefehl *m*; **2.** *mot.* Zündfolge *f*; **~ par·ty**, **~ squad** *s.* ⚔ a) 'Ehrensa,lutkom,mando *n*, b) Exekuti'onskom,mando *n*.

fir·kin ['fɜ:kɪn] *s.* **1.** (Holz)Fäßchen *n*; **2.** Viertelfaß *n* (*Hohlmaß = etwa 40 l*).

firm¹ [fɜ:m] **I** *adj.* ☐ **1.** fest, stark, hart; **2.** ✝ fest: ***~ offer***, ***~ market***; **3.** fest, beständig; **4.** standhaft, fest, entschlossen, bestimmt: ***be ~ with s.o.*** j-m gegenüber hart sein; **II** *adv.* **5.** fest: ***stand ~*** *fig.* festbleiben; **III** *v/t.* **6.** *a.* ***~ up*** fest machen; **IV** *v/i.* **7.** *a.* ***~ up*** fest werden; **8.** *a.* ***~ up*** ✝ anziehen (*Preise*), sich erholen (*Markt*).

firm² [fɜ:m] *s.* Firma *f*: a) Firmenname *m*, b) Unter'nehmen *n*, Geschäft *n*, Betrieb *m*.

fir·ma·ment ['fɜ:məmənt] *s.* Firma'ment *n*, Himmelsgewölbe *n*.

firm·ness ['fɜ:mnɪs] *s.* **1.** Festigkeit *f*, Entschlossenheit *f*, Beständigkeit *f*; **2.** ✝ Festigkeit *f*, Stabili'tät *f*.

fir nee·dle *s.* Tannennadel *f*.

first [fɜ:st] **I** *adj.* □ → ***firstly***; **1.** erst: ***at ~ hand*** aus erster Hand, direkt; ***in the ~ place*** zuerst, an erster Stelle; ***~ thing*** (***in the morning***) (morgens) als allererstes; ***~ things ~!*** das Wichtigste zuerst!; ***he doesn't know the ~ thing*** er hat keine (blasse) Ahnung; → ***cousin***; **2.** erst, best, bedeutendst, führend: ***~ officer*** ⚓ Erster Offizier; ***~ quality*** beste *od.* prima Qualität; **II** *adv.* **3.** zu'erst, voran: ***head ~*** (mit dem) Kopf voraus; **4.** zum erstenmal; **5.** eher, lieber; **6.** *a.* ***~ off*** F (zu)'erst (einmal): ***I must ~ do that***; **7.** zu'erst, als erst(er, -e, -es), an erster Stelle: ***~ come, ~ served*** wer zuerst kommt, mahlt zuerst; ***~ or last*** früher oder später; ***~ and last*** a) vor allen Dingen, b) im großen ganzen; ***~ of all*** zuallererst, vor allen Dingen; → 8; **III** *s.* **8.** (*der, die, das*) Erste *od.* (*fig.*) Beste: ***be ~ among equals*** Primus inter pares sein; ***at ~*** zuerst, anfangs, zunächst; ***from the ~*** von Anfang an; ***from ~ to last*** durchweg, von A bis Z; **9.** ♪ erste Stimme; **10.** *mot.* (*der*) erste Gang; **11.** *der* (Monats)Erste; **12.** 🚃 F erste Klasse; **13.** *univ. Brit. akademischer Grad erster Klasse*; **14.** *pl.* ✝ Ware(n *pl.*) *f* erster Quali'tät, erste Wahl; **15.** ***~ of exchange*** ✝ Primawechsel *m*; **~ aid** *s.* Erste Hilfe: ***render ~*** Erste Hilfe leisten; ˌ**~-'aid** *adj.* Erste-Hilfe-...: ***~ kit*** Verbandskasten *m*; ***~ post*** *od.* ***station*** Sanitätswache *f*, Unfallstation *f*; **~ bid** *s.* ✝ Erstgebot *n*; '**~-born I** *adj.* erstgeboren; **II** *s.* (*der, die, das*) Erstgeborene; **~ cause** *s. phls.* Urgrund *m* aller Dinge, Gott *m*; **~ class** *s.* **1.** 🚃 *etc.* erste Klasse; **2.** *univ. Brit.* → ***first*** 13; ˌ**~-'class** *adj. u. adv.* **1.** erstklassig, ausgezeichnet; F prima; **2.** 🚃 *etc.* erster Klasse: ***~ mail*** a) *Am.* Briefpost *f*, b) *Brit.* bevorzugt beförderte Inlandspost; **~ cost** *s.* ✝ Selbstkosten(preis *m*) *pl.*, Gestehungskosten *pl.*, Einkaufspreis *m*; **~ floor** *s.* **1.** *Brit.* erste(r) Stock, erste E'tage; **2.** *Am.* Erdgeschoß *n*; **~ fruits** *s. pl.* **1.** ⚘ Erstlinge *pl.*; **2.** *fig.* a) erste Erfolge *pl.*, b) Erstlingswerk(e *pl.*) *n*; ˌ**~-gen·er'a·tion** *adj. Computer etc.* der ersten Generati'on; ˌ**~-'hand** *adj. u. adv.* aus erster Hand, di'rekt; **~ la·dy** *s.* First Lady *f*: a) *Gattin e-s Staatsoberhauptes*, b) *führende Persönlichkeit*: ***the ~ of jazz***; **~ lieu·ten·ant** *s.* ⚔ Oberleutnant *m*.

first·ling ['fɜ:stlɪŋ] *s.* Erstling *m*; **first·ly** ['fɜ:stlɪ] *adv.* erstens, zu'erst (einmal).

first| name *s.* Vorname *m*; **~ night** *s. thea.* Erst-, Uraufführung *f*, Premi'ere *f*; ˌ**~-'night·er** *s.* Premi'erenbesucher (-in); **~ pa·pers** *s. pl. Am.* (*erster*) *Antrag e-s Ausländers auf amer. Staatsangehörigkeit*; **~ per·son** *s.* **1.** *ling.* erste Per'son; **2.** Ich-Form *f* (*in Romanen etc.*); **~ prin·ci·ples** *s. pl.* 'Grundprinˌzipien *pl.*; ˌ**~-'rate** → ***first-class*** 1; **~ ser·geant** *s.* ⚔ *Am.* Hauptfeldwebel *m*; **~ strike** *s.* ⚔ (ato'marer) Erstschlag; ˌ**~-'time** *adj.*: ***~ voter*** Erstwähler(in).

firth [fɜ:θ] *s.* Meeresarm *m*, Förde *f*.

fir tree *s.* Tanne(nbaum *m*) *f*.

fis·cal ['fɪskl] *adj.* □ fis'kalisch, steuerlich, Finanz...: ***~ policy*** Finanzpolitik *f*; ***~ stamp*** Banderole *f*; ***~ year*** a) *Am.* Geschäftsjahr *n*, b) *parl. Am.* Haushalts-, Rechnungsjahr *n*, c) *Brit.* Steuerjahr *n*.

fish [fɪʃ] **I** *pl.* **fish** *od.* (*Fischarten*) **fishes** *s.* **1.** Fisch *m*: ***fried ~*** Bratfisch; ***drink like a ~*** saufen wie ein Loch; ***like a ~ out of water*** wie ein Fisch auf dem Trockenen; ***I have other ~ to fry*** ich habe Wichtigeres zu tun; ***all is ~ that comes to his net*** er nimmt unbesehen alles (mit); ***a pretty kettle of ~*** F e-e schöne Bescherung; ***neither ~ nor flesh*** (***nor good red herring***), ***neither ~ nor fowl*** F weder Fisch noch Fleisch, nichts Halbes und nichts Ganzes; ***there are plenty more ~ in the sea*** F es gibt noch mehr davon auf der Welt; ***loose ~*** F lockerer Vogel; ***queer ~*** F komischer Kauz; → ***feed*** 1; **2.** *ast.* ***the*** ***≈***(***es*** *pl.*) die Fische *pl.*: ***be*** (***a***) ***≈es*** Fisch sein; **II** *v/t.* **3.** fischen, *Fische* fangen, angeln; **4.** a) fischen *od.* angeln in (*dat.*), b) *Fluß etc.* abfischen, absuchen: ***~ up*** *j-n* auffischen; **5.** *fig. a.* ***~ out*** her'vorkramen, -holen, -ziehen; **6.** ⚙ verlaschen; **III** *v/i.* **7.** (***for***) fischen, angeln (auf *acc.*); **8.** ***~ for*** *fig.* a) fischen nach: ***~ for compliments***, b) aussein auf (*acc.*): ***~ for information***; **9.** *a.* ***~ around*** kramen (***for*** nach).

fish| and chips *s. Brit.* Bratfisch *m* u. Pommes 'frites; **~ ball** *s.* 'Fischfrikaˌdelle *f*, -klops *m*; **~ bas·ket** *s.* (Fisch-) Reuse *f*; '**~·bone** *s.* Gräte *f*; **~ bowl** *s.* Goldfischglas *n*; **~ cake** → ***fish ball***; **~ eat·ers** *s. pl.* Fischbesteck *n*.

fish·er ['fɪʃə] *s.* **1.** Fischer *m*, Angler *m*; **2.** *zo.* Fischfänger *m*; '**fish·er·man** [-mən] *s.* [*irr.*] **1.** (*a.* Sport)Fischer *m*; **2.** Fischdampfer *m*; '**fish·er·y** [-ərɪ] *s.* **1.** Fische'rei *f*, Fischfang *m*; **2.** Fischzuchtanlage *f*; **3.** Fischgründe *pl.*, Fanggebiet *n*.

'**fish|-eye** (**lens**) *s. phot.* 'Fischauge(n-objekˌtiv) *n*; **~ fin·gers** *s. pl. Küche*: Fischstäbchen *pl.*; **~ flour** *s.* Fischmehl *n*; '**~-glue** *s.* Fischleim *m*; '**~·hook** *s.* Angelhaken *m*.

fish·ing ['fɪʃɪŋ] *s.* **1.** Fischen *n*, Angeln *n*; **2.** → ***fishery*** 1, 3; **~ boat** *s.* Fischerboot *n*; ~ **grounds** *s. pl.* → ***fishery*** 3; ~ **in·dus·try** *s.* Fische'rei(gewerbe *n*) *f*; '~**-line** *s.* Angelschnur *f*; '~**-net** *s.* Fischnetz *n*; ~ **pole** *s.*, ~ **rod** *s.* Angelrute *f*; ~ **tack·le** *s.* Angel- *od.* Fische'reigeräte *pl.*; ~ **vil·lage** *s.* Fischerdorf *n*.

fish| lad·der *s.* Fischleiter *f*, -treppe *f*; ~ **meal** *s.* Fischmehl *n*; '~,**mon·ger** *s. Brit.* Fischhändler *m*; '~**-net** *adj.* Netz...: ~ ***shirt***; ~ ***stockings***; ~ **oil** *s.* Fischtran *m*; '~**-plate** *s.* Lasche *f*; '~**-pond** *s.* Fischteich *m*; '~**-pot** *s.* Fischreuse *f*; ~ **slice** *s.* Fischheber *m*; ~ **stor·y** *s. Am.* F ‚Seemannsgarn' *n*; ~ **tank** *s.* A'quarium *n*; '~**-wife** *s.* [*irr.*] Fischhändlerin *f*: ***swear like a*** ~ keifen wie ein Fischweib.

fish·y ['fɪʃɪ] *adj.* □ **1.** fischartig, Fisch...: ~ ***eyes*** *fig.* Fischaugen; **2.** fischreich; **3.** F ‚faul', verdächtig: ***there's s.th.*** ~ ***about it*** daran ist irgend etwas faul.

fis·sile ['fɪsaɪl] *adj. bsd. phys.* spaltbar; **fis·sion** ['fɪʃn] *s.* **1.** *phys.* Spaltung *f* (*a. fig.*): ~ ***bomb*** Atombombe *f*; **2.** *biol.* (Zell)Teilung *f*; **fis·sion·a·ble** ['fɪʃnəbl] → ***fissile***.

fis·sip·a·rous [fɪ'sɪpərəs] *adj. biol.* sich durch Teilung vermehrend, fissi'par.

fis·sure ['fɪʃə] *s.* Spalt(e *f*) *m*, Riß *m* (*a.* ⚕), Ritz(e *f*) *m*, Sprung *m*; '**fis·sured** [-əd] *adj.* gespalten, rissig (*a.* ⚙); ⚕ schrundig.

fist [fɪst] **I** *s.* **1.** Faust *f*: ~ ***law*** Faustrecht *n*; **2.** *humor.* a) ‚Pfote' *f*, Hand *f*, b) ‚Klaue' *f*, Handschrift *f* (*a. fig.*); **3.** F Versuch *m* (***at*** mit); **II** *v/t.* **4.** mit der Faust schlagen; **5.** packen.

-fist·ed [fɪstɪd] *adj. in Zssgn* mit e-r ... Faust *od.* Hand, mit ... Fäusten.

'**fist·ful** [-fʊl] *s.* (*e-e*) Handvoll.

fist·ic, fist·i·cal ['fɪstɪk(l)] *adj. sport* Box...; '**fist·i·cuffs** [-kʌfs] *s. pl.* Faustschläge *pl.*, Schläge'rei *f*.

fis·tu·la ['fɪstjʊlə] *s.* ⚕ Fistel *f*.

fit[1] [fɪt] **I** *adj.* □ **1.** a) passend, geeignet, b) fähig, tauglich: ~ ***for service*** dienstfähig, (-)tauglich; ~ ***to drink*** trinkbar; ~ ***to drive*** fahrtüchtig; ~ ***to eat*** eß-, genießbar; ***laugh*** ~ ***to burst*** F vor Lachen beinahe platzen; ~ ***to kill*** F wie verrückt; ***he was*** ~ ***to be tied*** *Am.* F er hatte eine Stinkwut; ***he is not*** ~ ***for the job*** er ist für den Posten nicht geeignet; → ***drop*** 12; **2.** wert, würdig: ***not to be*** ~ ***to*** *inf.* es nicht verdienen zu *inf.*; ***not*** ~ ***to be seen*** nicht präsentabel *od.* vorzeigbar; **3.** angemessen, angebracht: ***more than*** ~ über Gebühr; ***see*** (*od.* ***think***) ~ es für richtig *od.* angebracht halten (***to do*** zu tun); **4.** schicklich, geziemend: ***it is not*** ~ ***for us to do so*** es gehört sich *od.* ziemt sich nicht, daß wir das tun; **5.** a) gesund, b) fit, (gut) in Form: ***keep*** ~ sich in Form *od.* fit halten; ***as*** ~ ***as a fiddle*** a) kerngesund, b) quietschvergnügt; **II** *s.* **6.** Paßform *f*, Sitz *m* (*Kleid*): ***it is a bad*** (***perfect***) ~ es sitzt schlecht (tadellos); ***it is a tight*** ~ es sitzt stramm, *fig.* es ist sehr knapp bemessen; **7.** ⚙ Passung *f*; **III** *v/t.* **8.** passend *od.* geeignet machen (***for*** für), anpassen (***to*** an *acc.*); **9.** passen für *od.* auf (*j-n*), *e-r Sache* angemessen *od.* angepaßt sein: ***the key*** ~***s the lock*** der Schlüssel paßt (ins Schloß); ***the description*** ~***s him*** die Beschreibung trifft auf ihn zu; ***the name*** ~***s him*** der Name paßt zu ihm; ~ ***the facts*** (mit den Tatsachen überein)stimmen; ***to*** ~ ***the occasion*** (*Redew.*) dem Anlaß entsprechend; **10.** *j-m* passen (*Kleid etc.*); **11.** sich eignen für; **12.** *j-n* befähigen (***for*** für; ***to do*** zu tun); **13.** *j-n* vorbereiten, ausbilden (***for*** für); **14.** *a.* ⚙ ausrüsten, -statten, einrichten, versehen (***with*** mit); **15.** ⚙ a) einpassen, -bauen (***into*** in *acc.*), b) anbringen (***to*** an *dat.*), c) → ***fit up*** 2; **16.** a) an *j-m* Maß nehmen, b) *Kleid etc.* anprobieren; **IV** *v/i.* **17.** passen: a) sitzen (*Kleid*), b) angemessen sein, c) sich eignen; **18.** ~ ***into*** passen in (*acc.*), sich einfügen in (*acc.*); ~ **in I** *v/t.* einfügen, -passen, *a. fig. j-n od. et.* einschieben; **II** *v/i.* (***with***) passen (in *acc.*), über'einstimmen (mit); ~ **on** *v/t.* **1.** *Kleid etc.* anprobieren; **2.** anbringen, (an)montieren (***to*** an *acc.*); ~ **out** → ***fit***[1] 14; ~ **up** *v/t.* **1.** → ***fit***[1] 14; **2.** ⚙ aufstellen, montieren.

fit[2] [fɪt] *s.* **1.** ⚕ *u. fig.* Anfall *m*, Ausbruch *m*: ~ ***of coughing*** Hustenanfall; ~ ***of anger*** Wutanfall; ~ ***of laughter*** Lachkrampf *m*; ***have a*** ~ F ‚Zustände' *od.* e-n Lachkrampf kriegen; ***give s.o. a*** ~ F a) j-m e-n Schrecken einjagen, b) j-n ‚auf die Palme bringen'; **2.** (plötzliche) Anwandlung, Laune *f*: ~ ***of generosity*** Anwandlung von Großzügigkeit, Spendierlaune; ***by*** ~***s*** (***and starts***) a) stoß-, ruckweise, b) spo'radisch.

fitch [fɪtʃ], **fitch·ew** ['fɪtʃu:] *s. zo.* Iltis *m*.

fit·ful ['fɪtfʊl] *adj.* □ unstet, unbeständig, veränderlich; sprung-, launenhaft; **fit·ment** ['fɪtmənt] *s.* **1.** Einrichtungsgegenstand *m*; *pl.* Ausstattung *f*, Einrichtung *f*; **2.** *Am.* (Tropf- *etc.*)Vorrichtung *f*; **fit·ness** ['fɪtnɪs] *s.* **1.** Eignung *f*, Fähig-, Tauglichkeit *f*: ~ ***test*** Eignungsprüfung *f* (→ 5); **2.** Zweckmäßigkeit *f*; **3.** Angemessenheit *f*; **4.** Schicklichkeit *f*; **5.** a) Gesundheit *f*, b) (gute) Form, Fitneß *f*: ~ ***room*** Fitneßraum *m*; ~ ***test*** *sport* Fitneßtest *m*; ~ ***trail*** *Am.* Trimmpfad *m*; **fit·ted** ['fɪtɪd] *adj.* **1.** passend, geeignet; **2.** nach Maß (gearbeitet), zugeschnitten: ~ ***carpet*** Teppichboden *m*; ~ ***coat*** taillierter Mantel; **3.** Einbau...: ~ ***kitchen***; **fit·ter** ['fɪtə] *s.* **1.** Ausrüster *m*, Einrichter *m*; **2.** Schneider(in); **3.** ⚙ Mon'teur *m*, Me'chaniker *m*; Installa'teur *m*; (Ma'schinen)Schlosser *m*; **fit·ting** ['fɪtɪŋ] **I** *adj.* ☐ **1.** a) passend, geeignet, b) angemessen, c) schicklich; **II** *s.* **2.** Anprobe *f*; **3.** ⚙ Einpassen *n*, -bauen *n*; **4.** ⚙ Mon'tage *f*, Installieren *n*, Aufstellung *f*: ~ ***shop*** Montagehalle *f*; **5.** *pl.* ⚙ Beschläge *pl.*, Zubehör *n*, Arma'turen *pl.*, Ausstattungsgegenstände *pl.*; **6.** ⚙ a) Paßarbeit *f*, b) Paßteil *n*, c) Bau-, Zubehörteil *n*, d) (Rohr)Verbindung *f*, e) Einrichtung *f*, Ausrüstung *f*, -stattung *f*; **'fit-up** *s. thea. Brit.* F **1.** provi'sorische Bühne; **2.** *a.* ~ ***company*** (kleine) Wanderbühne.

five [faɪv] **I** *adj.* fünf; ~***-and-ten*** *Am.* billiges Kaufhaus; ~***-day week*** Fünftagewoche *f*; ~***-finger exercise*** ♪ Fünffingerübung *f*, *fig.* Kinderspiel *n*; ~***-o'clock shadow*** Anflug *m* von Bartstoppeln am Nachmittag; ~***-year plan*** Fünfjahresplan *m*; **II** *s.* Fünf *f*: ***the*** ~ ***of hearts*** die Herzfünf (*Spielkarte*); **'five·fold** *adj. u. adv.* fünffach; **'fiv·er** [-və] *s.* F *Brit.* Fünf'pfund-, *Am.* Fünf'dollarschein *m*; **fives** [-vz] *s. pl. sg. konstr. sport Brit. ein* Wandballspiel *n*.

fix [fɪks] **I** *v/t.* **1.** befestigen, festmachen, anheften, anbringen (***to*** an *acc.*); → ***bayonet*** I; **2.** *fig.* verankern: ~ ***s.th. in s.o.'s mind*** j-m et. einprägen; **3.** *fig. Termin, Preis etc.* festsetzen, -legen (***at*** auf *acc.*), bestimmen, verabreden; **4.** *Blick, s-e Aufmerksamkeit etc.* richten, heften, *Hoffnung* setzen (***on*** auf *acc.*); **5.** *j-s Aufmerksamkeit* fesseln; **6.** *j-n, et.* fixieren, anstarren; **7.** *die Schuld etc.* zuschreiben (***on*** *dat.*); **8.** ✈, ⚓ die Positi'on bestimmen von (*od. gen.*); **9.** *phot.* fixieren; **10.** (zur mikro'skopischen Unter'suchung) präparieren; **11.** ⚙ *Werkstücke* feststellen; **12.** reparieren, instand setzen; **13.** *bsd. Am. et.* zu'rechtmachen, *Essen* zubereiten: ~ ***s.o. a drink*** j-m e-n Drink mixen; ~ ***one's face*** sich schminken; ~ ***one's hair*** sich frisieren; **14.** *a.* ~ ***up*** *et.* arrangieren, regeln, *a.* in Ordnung bringen, *Streit* beilegen; **15.** F a) *e-n Wahlkampf etc.* (vorher) ‚arrangieren', manipulieren, b) *j-n* ‚schmieren', bestechen; **16.** F es *j-m* ‚besorgen' *od.* ‚geben'; **17.** *mst* ~ ***up*** a) *j-n* 'unterbringen, b) ***with*** *j-m et.* besorgen; **18.** *mst* ~ ***up*** *Vertrag* (ab-)schließen; **II** *v/i.* **19.** ⚗ fest werden, erstarren; **20.** sich festsetzen; **21.** ~ (***up***)***on*** a) sich entscheiden *od.* entschließen für *od.* zu, *et.* wählen, b) → 3; **22.** *Am.* F vorhaben, planen: ***it's*** ~***ing to rain*** es wird gleich regnen; **23.** *sl.* ‚fixen' (*Drogensüchtiger*); **III** *s.* **24.** F üble Lage, ‚Klemme' *f*, ‚Patsche' *f*; **25.** F a) Schiebung *f*, b) Bestechung *f*; **26.** ✈, ⚓ a) Standort *m*, Positi'on *f*, b) Ortung *f*; **27.** *sl.* ‚Fix' *m*, ‚Schuß' *m* (*Drogeninjektion*): ***give o.s. a*** ~ sich ‚e-n Schuß setzen'; **fix·ate** ['fɪkseɪt] *v/t.* **1.** → ***fix*** 1; **2.** *Am. j-n, et.* fixieren; **3.** *fig.* erstarren *od.* stagnieren lassen; **4.** ***be*** ~***d on*** *psych.* fixiert sein auf (*acc.*); **fix·a·tion** [fɪk'seɪʃn] *s.* **1.** Fi'xierung *f*, Befestigung *f*; **2.** Festlegung *f*; **3.** *psych.* a) → ***fixed idea***, b) (*Mutter- etc.*)Bindung *f*, (-)Fi'xierung *f*; **'fix·a·tive** [-sətɪv] **I** *s.* Fixa'tiv *n*, Fi'xiermittel *n*; **II** *adj.* Fixier...

fixed [fɪkst] *adj.* ☐ → ***fixedly***; **1.** fest (-angebracht), befestigt, (orts)fest, Fest...(*antenne etc.*); starr (*Geschütz, Kupplung etc.*): ***of*** ~ ***purpose*** *fig.* zielstrebig; **2.** ⚗ gebunden: ~ ***oil***; **3.** starr (*Blick*), unverwandt (*Aufmerksamkeit*); **4.** *bsd.* ✝ fest(gelegt, -stehend): ~ ***assets*** feste Anlagen, Anlagevermögen *n*; ~ ***capital*** ✝ Anlagekapital *n*; ~ ***cost*** feste Kosten, Fixkosten *pl.*; ~ ***income*** festes Einkommen; ~ ***price*** fester Preis, Festpreis *m*, *a.* gebundener Preis; **5.** F abgekartet, manipuliert; **6.** F (*gut etc.*) versorgt *od.* versehen (***for*** mit); ~ **i·de·a** *s. psych.* fixe I'dee, Zwangsvorstellung *f*; ˌ~-**'in·ter·est** (-ˌ**bear·ing**) *adj.* ✝ festverzinslich.

fix·ed·ly ['fɪksɪdlɪ] *adv.* starr, unverwandt.

fixed| point *s.* ⚗ Fixpunkt *m*; ~ **sight** *s.* ⚔ 'Standviˌsier *n*; ~ **star** *s.* Fixstern *m*; ˌ~-**'wing air·craft** *s.* ✈ Starrflügler *m*.

fix·er ['fɪksə] *s.* **1.** *phot.* Fi'xiermittel *n*; **2.** F ‚Organi'sator' *m*, Manipu'lator *m*; **3.** *sl.* ‚Dealer' *m*; **'fix·ing** [-ksɪŋ] *s.* **1.** Befestigen *n*, Anbringen *n*: ~ ***bolt*** Haltebolzen *m*; ~ ***screw*** Stellschraube *f*; **2.** Repara'tur *f*; **3.** *phot.* Fixieren *n*; **4.** *pl. bsd. Am.* a) Geräte *pl.*, b) Zubehör *n*, c) Zutaten *pl.*, *fig. a.* Drum u. Dran *n*; **'fix·i·ty** [-ksətɪ] *s.* Festigkeit *f*, Beständigkeit *f*: ~ ***of purpose*** Zielstrebigkeit *f*; **'fix·ture** [-kstʃə] *s.* **1.** feste Anlage, Installati'onsteil *m*: ***lighting*** ~ Beleuchtungskörper *m*; **2.** Inven'tarstück *n*, ⚖ festes Inven'tar *od.* Zubehör: ***be a*** ~ *humor.* zum (lebenden) Inventar gehören; ~***s and fittings*** bewegliche u. unbewegliche Einrichtungsgegenstände; **3.** ⚙ Spannvorrichtung *f*, -futter *n*; **4.** *bsd. sport Brit.* (Ter'min *m* für e-e) Veranstaltung *f*.

fizz [fɪz] **I** *v/i.* **1.** zischen; **2.** moussieren, sprudeln; **3.** *fig.* sprühen (***with*** vor *dat.*); **II** *s.* **4.** Zischen *n*; **5.** Sprudeln *n*; **6.** a) Sprudel *m*, b) Fizz *m* (*Mischgetränk*), c) F ‚Schampus' *m* (*Sekt*); **'fiz·zle** [-zl] **I** *s.* **1.** → ***fizz*** 4; **2.** F ‚Pleite' *f*, Mißerfolg *m*; **II** *v/i.* **3.** → ***fizz*** 1; **4.** *a.* ~ ***out*** *fig.* verpuffen, im Sand verlaufen;

F

ˈfiz·zy [-zɪ] *adj.* **1.** zischend; **2.** sprudelnd, moussierend.
fjord [fjɔːd] → ***fiord***.
flab·ber·gast [ˈflæbəgɑːst] *v/t.* F verblüffen: ***I was ~ed*** ich war ‚platt'.
flab·bi·ness [ˈflæbɪnɪs] *s.* **1.** Schlaffheit *f* (*a. fig.*); **2.** Schwammigkeit *f*; **flab·by** [ˈflæbɪ] *adj.* ☐ **1.** schlaff; **2.** schwammig; **3.** *fig.* ‚schlapp', ‚schlaff', schwach.
flac·cid [ˈflæksɪd] *adj.* → ***flabby***; **flac·cid·i·ty** [flækˈsɪdətɪ] → ***flabbiness***.
flack¹ [flæk] → ***flak***.
flack² [flæk] *s. Am. sl.* ˈPresseaˌgent *m*.
flag¹ [flæg] **I** *s.* **1.** Fahne *f*, Flagge *f*: ***~ of convenience*** ⚓ Billigflagge *f*; ***hoist*** (*od.* ***fly***) ***one's ~*** a) die Fahne aufziehen, b) das Kommando übernehmen (*Admiral*); ***strike one's ~*** a) die Flagge streichen, *fig. a.* kapitulieren, b) das Kommando abgeben (*Admiral*); ***keep the ~ flying*** *fig.* die Fahne hochhalten; **2.** → ***flagship***; **3.** *sport* (Markierungs-)Fähnchen *n*; **4.** a) (Karˈtei)Reiter *m*, b) Lesezeichen *n*; **5.** *hunt.* Fahne *f* (*Schwanz*); **6.** *typ.* Imˈpressum *n* (*e-r Zeitung*); **II** *v/t.* **7.** beflaggen; **8.** *sport Strecke* ausflaggen; **9.** *et.* signalisieren: ***~ offside*** *Fußball*: Abseits winken; **10.** ***~ down*** *Fahrzeug* anhalten, *Taxi* herbeiwinken, *sport Rennen*, *Fahrer* abwinken.
flag² [flæg] *s.* ⚘ gelbe *od.* blaue Schwertlilie.
flag³ [flæg] *v/i.* **1.** schlaff herˈabhängen; **2.** *fig.* nachlassen, erlahmen, ermatten; **3.** langweilig werden.
flag⁴ [flæg] **I** *s.* (Stein)Platte *f*, Fliese *f*; **II** *v/t.* mit (Stein)Platten *od.* Fliesen belegen.
flag| cap·tain *s.* Kommanˈdant *m* des Flaggschiffs; **~ day** *s.* **1.** *Brit.* Opfertag *m* (*Straßensammlung*); **2.** ♀ *Am.* Jahrestag *m* der Natioˈnalflagge (*14. Juni*).
flag·el·lant [ˈflædʒələnt] **I** *s. eccl.* Geißler *m*, Flagelˈlant *m* (*a. psych.*); **II** *adj.* geißelnd (*a. fig.*); **ˈflag·el·late** [-leɪt] **I** *v/t.* geißeln (*a. fig.*); **II** *s. zo.* Geißeltierchen *n*; **flag·el·la·tion** [ˌflædʒəˈleɪʃn] *s.* Geißelung *f* (*a. fig.*).
flag·eo·let [ˌflædʒəʊˈlet] *s.* ♪ Flageoˈlett *n*.
flag·ging¹ [ˈflægɪŋ] *adj.* erlahmend.
flag·ging² [ˈflægɪŋ] *s. collect.* a) (Stein-)Platten *pl.*, b) Fliesen *pl.*, c) gefliester Boden.
flag| lieu·ten·ant *s.* ⚓ *Brit.* Flaggleutnant *m*; **~ of·fi·cer** *s.* ⚓ ˈFlaggoffiˌzier *m*.
flag·on [ˈflægən] *s.* **1.** *bauchige* (Wein-)Flasche; **2.** (Deckel)Krug *m*.
fla·gran·cy [ˈfleɪgrənsɪ] *s.* **1.** Schamlosigkeit *f*, Ungeheuerlichkeit *f*; **2.** Kraßheit *f*; **ˈfla·grant** [-nt] *adj.* ☐ **1.** schamlos, schändlich, ungeheuerlich; **2.** kraß, eklaˈtant, schreiend.
ˈflag|·ship *s.* ⚓ Flaggschiff *n* (*a. fig.*); *fig.* Aushängeschild *n*; **ˈ~·staff**, **ˈ~·stick** *s.* Fahnenstange *f*, -mast *m*, Flaggenmast, ⚓ Flaggenstock *m*; **~ sta·tion** *s.* 🚂 *Am.* Bedarfshaltestelle *f*; **ˈ~·stone** → ***flag⁴*** I; **~ stop** → ***flag station***; **ˈ~-ˌwav·er** *s.* F Hurˈrapatriˌot *m*; **ˈ~-ˌwav·ing** **I** *s.* Hurˈrapatrioˌtismus *m*; **II** *adj.* hurˈrapatriˌotisch.
flail [fleɪl] **I** *s.* **1.** ⸗ Dreschflegel *m*; **II** *v/t.* **2.** dreschen; **3.** wild einschlagen auf *j-n*; **4.** ***~ one's arms*** mit den Armen fuchteln.
flair [fleə] *s.* **1.** (besondere) Begabung, Taˈlent *n*; **2.** (feines) Gespür (***for*** für).
flak [flæk] (*Ger.*) *s.* **1.** ⚔ Flak *f*: a) ˈFliegerabwehr(kaˌnone *od.* -truppe) *f*, b) Flakfeuer *n*; **2.** *fig.* F (heftiger) ‚Beschuß', ‚Zunder' *m* (*Kritik etc.*).
flake [fleɪk] **I** *s.* **1.** (*Schnee-*, *Seifen-*, *Hafer- etc.*)Flocke *f*; **2.** dünne Schicht, Schuppe *f*, Blättchen *n*; **3.** Fetzen *m*, Splitter *m*; **4.** *Am. sl.* ‚Spinner' *m*; **II** *v/t.* **5.** abblättern; **6.** flockig machen; **III** *v/i.* **7.** in Flocken fallen; **8.** ***~ off*** abblättern, sich abschälen; **9.** ***~ out*** F a) ‚ˈumkippen' (*ohnmächtig werden*), b) ‚einpennen', c) ‚sich verziehen'; **flaked** [-kt] *adj.* flockig, Blättchen…, Flokken…; **ˈflak·y** [-kɪ] *adj.* **1.** flockig; **2.** blätterig: ***~ pastry*** Blätterteig *m*; **3.** *Am. sl.* verrückt.
flam·beau [ˈflæmbəʊ] *pl.* **-x** [-z] *od.* **-s** *s.* **1.** Fackel *f*; **2.** Leuchter *m*.
flam·boy·ance [flæmˈbɔɪəns] *s.* **1.** Extravaˈganz *f*; **2.** überˈladener Schmuck; **3.** Grellheit *f*; **4.** *fig.* a) Bomˈbast *m*, b) Großartigkeit *f*; **flamˈboy·ant** [-nt] *adj.* ☐ **1.** extravaˈgant; **2.** grell, leuchtend; **3.** farbenprächtig; **4.** *fig.* flammend; **5.** auffallend; **6.** überˈladen (*a. Stil*); **7.** bomˈbastisch, pomˈpös; **8.** ⚠ wellig: ***~ style*** Flammenstil *m*.
flame [fleɪm] **I** *s.* **1.** Flamme *f*: ***be in ~s*** in Flammen stehen; **2.** *fig.* Feuer *n*, Flamme *f*, Glut *f*, Leidenschaft *f*, Heftigkeit *f*: ***fan the ~*** Öl ins Feuer gießen; **3.** Leuchten *n*, Glanz *m*; **4.** F ‚Flamme' *f*, ‚Angebetete' *f*: ***an old ~ of mine***; **II** *v/i.* **5.** lodern: ***~ up*** a) auflodern, b) in Flammen aufgehen, c) *fig.* aufbrausen; **6.** leuchten, (rot) glühen: ***her eyes ~d with anger*** ihre Augen flammten vor Wut; ***her cheeks ~d red*** ihr Gesicht flammte; **~ cut·ter** *s.* ⚙ Schneidbrenner *m*; **ˈ~-proof** *adj. tech.* **1.** feuerfest; **2.** explosiˈonsgeschützt; **ˈ~-ˌthrow·er** *s.* ⚔ Flammenwerfer *m*.
flam·ing [ˈfleɪmɪŋ] *adj.* **1.** lodernd (*a. Farben etc.*), brennend; **2.** *fig.* glühend, leidenschaftlich; **3.** *Brit.* F a) verdammt: ***you ~ idiot!***, b) gewaltig, Mords…: ***a ~ row*** ein ‚Mordskrach'.
flam·ma·ble [ˈflæməbl] → ***inflam-***

mable.

flan [flæn] *s.* Obst-, Käsekuchen *m.*

flange [flændʒ] ⚙ **I** *s.* **1.** Flansch *m*; **2.** Rad-, Spurkranz *m*; **II** *v/t.* **3.** (an)flanschen: ***~d motor*** Flanschmotor *m*; ***~d rim*** umbördelter Rand.

flank [flæŋk] **I** *s.* **1.** Flanke *f*, Weiche *f* (*der Tiere*); **2.** Seite *f*, Flanke *f* (*e-r Person*); **3.** Seite *f* (*e-s Gebäudes etc.*): ***~ clearance*** ⚙ Flankenspiel *n*; **4.** ⚔ Flanke *f*, Flügel *m* (*beide a. fig.*): ***turn the ~ (of)*** die Flanke (*gen.*) aufrollen; **II** *v/t.* **5.** flankieren, seitlich stehen von, säumen, um'geben; **6.** ⚔ flankieren, die Flanke (*gen.*) decken *od.* angreifen; **7.** flankieren, (seitwärts) um'gehen; **III** *v/i.* **8.** angrenzen, -stoßen; seitlich liegen; **'flank·ing** [-kɪŋ] *adj.* seitlich; angrenzend; ⚔ Flanken..., Flankierungs...: ***~ fire***; ***~ march*** Flankenmarsch *m.*

flan·nel ['flænl] **I** *s.* **1.** Fla'nell *m*: ***~-mouthed*** *Am. fig.* (aal)glatt; **2.** *pl.* Fla'nellkleidung *f*, *bsd.* Fla'nellhose *f*; **3.** *pl.* Fla'nell,unterwäsche *f od.* -,unterhose *f*; **4.** *Brit.* Waschlappen *m*; **5.** *Brit.* F ‚Schmus' *m*; **II** *v/t.* **6.** mit Fla'nell bekleiden; **7.** mit Fla'nell abreiben; **III** *v/i.* **8.** *Brit.* F ‚Schmus' reden.

flan·nel·et(te) [,flænl'et] *s.* 'Baumwollfla,nell *m.*

flap [flæp] **I** *s.* **1.** Schlag *m*, Klaps *m*; **2.** Flügelschlag *m*; **3.** (*Verschluß*)Klappe *f* (*Tasche*, *Briefkasten*, *Buchumschlag etc.*); **4.** (*Tisch-*, *Fliegen-*, ✈ *Lande-*) Klappe *f*; Falltür *f*; **5.** Lasche *f* (*Schuh*, *Karton*); **6.** weiche Krempe; **7.** ⚕ Hautlappen *m*; **8.** F Aufregung *f*: ***be (all) in a ~*** (ganz) aus dem Häuschen sein; ***don't get into a ~!*** reg dich nicht auf!; **II** *v/t.* **9.** e-n Klaps *od.* Schlag geben (*dat.*); **10.** auf u. ab (*od.* hin u. her) bewegen, mit *den Flügeln etc.* schlagen; **III** *v/i.* **11.** flattern; **12.** flattern, mit den Flügeln schlagen: ***~ off*** davonflattern; **13.** klatschen, schlagen (***against*** gegen); **14.** F sich aufregen; **15.** *Am.* F ‚quasseln'; **'~,doo·dle** *s.* F Quatsch *m*; **'~-eared** *adj.* schlappohrig; **'~·jack** *s. bsd. Am.* Pfannkuchen *m.*

flap·per ['flæpə] *s.* **1.** Fliegenklappe *f*; **2.** Klappe *f*, her'abhängendes Stück; **3.** *zo.* (breite) Flosse; **4.** *sl.* ‚Flosse' *f* (*Hand*); **5.** *sl. hist.* ‚irre Type' (*Mädchen in den 20er Jahren*).

flare [fleə] **I** *s.* **1.** (auf)flackerndes Licht; Aufflackern *n*, -leuchten *n*, Lodern *n*; **2.** a) Leuchtfeuer *n*, b) 'Licht-, 'Feuersi,gnal *n*, c) ⚔ Leuchtkugel *f od.* -bombe *f*; **3.** *fig.* → ***flare-up*** 2; **4.** *Mode*: Schlag *m*: ***with a ~*** ausgestellt (*Rock*), *Hose a.* mit Schlag; **II** *v/i.* **5.** flackern, lodern, leuchten: ***~ up*** a) aufflammen, -flackern, -lodern (*alle a. fig.*), b) *a.* ***~ out*** *fig.* aufbrausen; **6.** ausgestellt sein (*Rock etc.*); **III** *v/t.* **7.** flackern lassen; **8.** aufflammen lassen; **9.** mit Licht *od.* Feuer signalisieren; **10.** flattern lassen; **11.** *Mode*: ausstellen (*Rock etc.*), bauschen (→ *a.* 4); ***~ pis·tol*** *s.* ⚔ 'Leuchtpi,stole *f*; **,~-'up** [-ər'ʌp] *s.* **1.** Aufflakkern *n*, -lodern *n* (*a. fig.*); **2.** *fig.* a) Aufbrausen *n*, Wutausbruch *m*, b) ‚Krach' *m*, (plötzlicher) Streit.

flash [flæʃ] **I** *s.* **1.** Aufblitzen *n*, Blitz *m*, Strahl *m*: ***~ of fire*** Feuergarbe *f*; ***~ of hope*** *fig.* Hoffnungsstrahl; ***~ of wit*** Geistesblitz; ***like a ~*** *fig.* wie der Blitz; ***catch a ~ of*** *fig.* e-n Blick erhaschen von; ***give s.o. a ~*** *mot.* j-n anblinken; **2.** Stichflamme *f*: ***a ~ in the pan*** *fig.* a) e-e ‚Eintagsfliege' *f*, b) ein ‚Strohfeuer'; **3.** Augenblick *m*: ***in a ~*** im Nu, blitzartig, -schnell; ***for a ~*** e-n Augenblick lang; **4.** *Radio etc.*: 'Durchsage *f*, Kurzmeldung *f*; **5.** ⚔ *Brit.* (Uni'form-) Abzeichen *n*; **6.** *phot.* F Blitz(licht *n*) *m*; **7.** *bsd. Am.* F Taschenlampe *f*; **8.** *sl.* ‚Flash' *m* (*Drogenwirkung*); **II** *v/t.* **9.** *a.* ***~ on*** aufleuchten *od.* (auf)blitzen lassen: ***he ~ed a light in my face*** er leuchtete mir (plötzlich) ins Gesicht; ***~ one's lights*** *mot.* die Lichthupe betätigen; ***his eyes ~ed fire*** s-e Augen sprühten Feuer *od.* blitzten; ***~ s.o. a glance*** j-m e-n Blick zuwerfen; **10.** (*mit Licht*) signalisieren; **11.** F *et.* zükken *od.* kurz zeigen (***at s.o.*** j-m): ***~ a badge***; **12.** F zur Schau tragen, protzen mit; **13.** *Nachricht* (*per Funk etc.*) 'durchgeben; **III** *v/i.* **14.** aufflammen, (auf)blitzen; zucken (*Blitz*, *Lichtschein*); **15.** blinken; **16.** sich blitzartig bewegen, rasen, flitzen: ***~ by*** vorbeirasen, *fig.* wie im Flug(e) vergehen; ***it ~ed across (od. through) his mind that*** plötzlich schoß es ihm durch den Kopf, daß; ***~ out*** *fig.* aufbrausen; **17.** ***~ back*** zurückblenden (*im Film etc.*) (***to*** auf *acc.*); **IV** *adj.* **18.** F → ***flashy***; **19.** F a) geschniegelt, ‚aufgedonnert' (*Person*), b) protzig; **20.** F falsch, gefälscht; **21.** *in Zssgn* Schnell...; **'~·back** *s.* **1.** Rückblende *f* (*Film*, *Roman etc.*); **2.** ⚙ (Flammen)Rückschlag *m*; ***~ bomb*** *s.* ⚔, *phot.* Blitzlichtbombe *f*; ***~ bulb*** *s. phot.* Blitzlicht(lampe *f*) *n*; ***~ card*** *s.* **1.** Illustrati'onstafel *f*; **2.** *sport* Wertungstafel *f*; ***~ cube*** *s. phot.* Blitzwürfel *m.*

flash·er ['flæʃə] *s.* **1.** *mot.* Lichthupe *f*; **2.** *Brit.* F Exhibitio'nist *m.*

flash| flood *s.* plötzliche Überschwemmung; ***~ gun*** *s. phot.* Blitzleuchte *f*, Elek'tronenblitzgerät *n*; ***~ lamp*** → ***flash bulb***; **'~·light** *s.* **1.** ⚓ Leuchtfeuer *n*; **2.** *phot.* Blitzlicht *n*; **3.** *Am.* Taschenlampe *f*; **4.** blinkendes Re'klamelicht; **'~,o·ver** *s.* ⚡ 'Überschlag *m*; ***~ point*** *s. phys.* Flammpunkt *m*; ***~ weld-***

ing *s.* ⚙ Abschmelzschweißen *n.*
flash·y [ˈflæʃɪ] *adj.* □ protzig, auffällig, grell, ‚knallig'.
flask [flɑːsk] *s.* **1.** (Taschen-, Reise-, Feld)Flasche *f*; **2.** ⚙ Kolben *m*, Flasche *f*; **3.** ⚙ Formkasten *m*.
flat¹ [flæt] **I** *s.* **1.** Fläche *f*, Ebene *f*; **2.** flache Seite: *~ of the hand* Handfläche *f*; **3.** Flachland *n*, Niederung *f*; **4.** Untiefe *f*, Flach *n*; **5.** ♪ B *n*; **6.** *thea.* Kuˈlisse *f*; **7.** *mot.* ‚Plattfuß' *m*, Reifenpanne *f*; **8.** → *flatcar*; **9.** *the ~ Pferdesport*: die Flachrennen *pl.*; **10.** *pl.* flache Schuhe; **II** *adj.* **11.** flach, eben; platt (*a. Reifen*); raˈsant (*Flugbahn*): *~ feet* Plattfüße; *the ~ hand* die flache *od.* offene Hand; *~ nose* platte Nase; *as ~ as a pancake* F flach wie ein Brett (*Mädchen*); **12.** hingestreckt, flach am Boden liegend: *knock ~* umhauen; *lay ~* dem Erdboden gleichmachen; **13.** entschieden, glatt: *a ~ refusal*; *and that's ~* und damit basta!; **14.** fade, schal (*Bier etc.*); **15.** *a.* ✝ lustlos, flau; **16.** a) langweilig, fad(e), ‚lahm', b) flach, oberflächlich; **17.** a) einheitlich: *~ price* (*od.* *rate*) Einheitspreis *m*, b) pauˈschal: *~ fee* Pauschalgebühr *f*; → *flat price*, *flat rate*; **18.** *paint.*, *phot.* a) matt, b) konˈtrastlos; **19.** klanglos (*Stimme*); **20.** ♪ a) erniedrigt (*Note*), b) mit B-Vorzeichen (*Tonart*); **21.** leer (*Batterie*); **III** *adv.* **22.** flach: *fall ~* a) der Länge nach hinfallen, b) *fig.* F ‚danebengehen' (*mißglücken od. s-e Wirkung verfehlen*), *thea. etc.* ‚durchfallen'; **23.** genau: *in 10 seconds ~*; *in nothing ~* blitzschnell; **24.** eindeutig; **25.** entschieden, kateˈgorisch; **26.** ♪ a) um e-n halben Ton niedriger, b) zu tief: *sing ~*; **27.** ohne Zinsen; **28.** F völlig: *~ broke* ‚total pleite'; **29.** *~ out* F auf Hochtouren, ‚volle Pulle' (*fahren*, *arbeiten etc.*); **30.** *~ out* F ‚toˈtal erledigt'.
flat² [flæt] *s. Brit.* (Eˈtagen)Wohnung *f*.
ˈflat|-bed trail·er *s. mot.* Tiefladeanhänger *m*; **ˈ~·boat** *s.* ⚓ Prahm *m*; **ˈ~·car** *s.* 🚃 *Am.* Plattformwagen *m*; **~ cost** *s.* ✝ Selbstkosten(preis *m*) *pl.*; **ˈ~·fish** *s.* Plattfisch *m*; **ˈ~·foot** *s.* [*irr.*] **1.** ⚕ Platt-, Senkfuß *m*; **2.** *pl. a.* *~s sl.* ‚Bulle' *m* (*Polizist*); **ˌ~-ˈfoot·ed** *adj.* **1.** ⚕ plattfüßig: *be ~* Plattfüße haben; **2.** ⚙ standfest; **3.** F ‚eisern', entschieden; **4.** *Brit.* F linkisch, unbeholfen; **ˈ~-hunt** *v/i.*: *go ~ing Brit.* auf Wohnungssuche gehen; **ˈ~ˌi·ron** *s.* **1.** Bügeleisen *n*; **2.** ⚙ Flacheisen *n*.
flat·let [ˈflætlɪt] *s. Brit.* Kleinwohnung *f*.
flat·ly [ˈflætlɪ] *adv.* kateˈgorisch, rundweg.
ˈflat·mate *s. Brit.* Mitbewohner(in).
flat·ness [ˈflætnɪs] *s.* **1.** Flachheit *f*; **2.** Plattheit *f*, Eintönigkeit *f*; **3.** Entschiedenheit *f*; **4.** ✝ Flauheit *f*.
ˈflat|-nosed pli·ers *s. pl.* ⚙ Flachzange *f*; **ˈ~·pack fur·ni·ture** *s.* Möbel für Selbstabholer; **~ price** *s.* ✝ Pauˈschalpreis *m*; **~ race** *s.* Flachrennen *n*; **~ rate** *s.* Einheits-, Pauˈschalsatz *m*; **~ sea·son** *s.* ˈFlachrennsaiˌson *f*.
flat·ten [ˈflætn] **I** *v/t.* **1.** flach *od.* eben *od.* glatt machen, (ein)ebnen, planieren: *~ o.s. against s.th.* sich (platt) an et. drücken; **2.** ⚙ a) abflachen (*a.* ✈), b) ausbeulen, flach hämmern; **3.** dem Erdboden gleichmachen; **4.** F *Gegner* ‚flachlegen', *weitS.* ‚fertigmachen'; **5.** ♪ *Note* um e-n halben Ton erniedrigen; **6.** *paint. Farben* dämpfen, *a.* ⚙ grundieren; **II** *v/i.* **7.** flach *od.* eben werden; **~ out I** *v/t.* **1.** → *flatten* 2; **2.** ✈ *das Flugzeug* (*vor der Landung*) aufrichten; **II** *v/i.* **3.** → *flatten* 7; **4.** ✈ ausschweben.
flat·ter [ˈflætə] *v/t.* **1.** *j-m* schmeicheln: *be ~ed* sich geschmeichelt fühlen (*at*, *by* durch); *~ s.o. into doing s.th.* j-n so lange umschmeicheln, bis er et. tut; **2.** *fig. j-m* schmeicheln (*Bild etc.*): *the picture ~s him* das Bild ist geschmeichelt; **3.** *fig. dem Ohr*, *j-s Eitelkeit etc.* schmeicheln, wohltun; **4.** *~ o.s.* a) sich schmeicheln *od.* einbilden (*that* daß), b) sich beglückwünschen (*on* zu); **ˈflat·ter·er** [-ərə] *s.* Schmeichler(in); **ˈflat·ter·ing** [-ərɪŋ] *adj.* □ schmeichelhaft: a) schmeichlerisch, b) geschmeichelt (*Bild etc.*); **ˈflat·ter·y** [-ərɪ] *s.* Schmeicheˈlei *f*.
flat·tie [ˈflætɪ] → *flatfoot* 2.
ˈflat·top *s.* ⚓ *Am.* F Flugzeugträger *m*.
flat·u·lence [ˈflætjʊləns], **ˈflat·u·len·cy** [-sɪ] *s.* **1.** ⚕ Blähung(en *pl.*) *f*; **2.** *fig.* a) Hohlheit *f*, b) Schwülstigkeit *f*; **ˈflat·u·lent** [-nt] *adj.* □ **1.** blähend; **2.** *fig.* a) hohl, b) schwülstig.
ˈflat·ware *s. Am.* **1.** (Tisch-, Eß)Besteck *n*; **2.** flaches (Eß)Geschirr.
flaunt [flɔːnt] **I** *v/t.* **1.** zur Schau stellen, protzen mit: *~ o.s.* → 3; **2.** *Am. e-n Befehl etc.* mißˈachten; **II** *v/i.* **3.** (herˈum)stolzieren, paradieren; **4.** a) stolz wehen, b) prangen.
flau·tist [ˈflɔːtɪst] *s.* ♪ Flötenspieler(in).
fla·vo(u)r [ˈfleɪvə] **I** *s.* **1.** (Wohl)Geschmack *m*, Aˈroma *n*, *a.* Geschmacksrichtung *f*: *~ enhancer* Aromazusatz *m*; *~-enhancing* geschmacksverbessernd; **2.** Würze *f*, Aˈroma *n*, aroˈmatischer Geschmackstoff, (ˈWürz)EsˌSenz *f*; **3.** *fig.* Beigeschmack *m*, Anflug *m*; **II** *v/t.* **4.** würzen (*a. fig.*), Geschmack geben (*dat.*); **III** *v/i.* **5.** *~ of* schmecken *od.* riechen nach (*a. fig. contp.*); **ˈfla·vo(u)red** [-əd] *adj.* würzig, schmackhaft; *in Zssgn* mit … Geschmack; **ˈfla·vo(u)r·ing** [-vərɪŋ] *s.* → *flavo(u)r* 2; **ˈfla·vo(u)r·less** [-lɪs] *adj.* ohne Geschmack, fad(e), schal.

flaw [flɔː] I *s.* **1.** Fehler *m*: a) Mangel *m*, Makel *m*, b) ⚙, ✝ fehlerhafte Stelle, De'fekt *m* (*a. fig.*), Fabrikati'onsfehler *m*; **2.** Sprung *m*, Riß *m*, Bruch *m*; **3.** Blase *f*, Wolke *f* (*im Edelstein*); **4.** ⚖ a) Formfehler *m*, b) Fehler *m* im Recht; **5.** *fig.* schwacher Punkt, Mangel *m*; II *v/t.* **6.** brüchig *od.* rissig machen; **7.** *fig.* Fehler aufzeigen in (*dat.*); **8.** verunstalten; '**flaw·less** [-lɪs] *adj.* □ fehler-, einwandfrei, tadellos; lupenrein (*Edelstein*).

flax [flæks] *s.* ♀ **1.** Flachs *m*, Lein *m*; **2.** Flachs(faser *f*) *m*; **flax·en** ['flæksən] *adj.* **1.** Flachs...; **2.** flachsartig; **3.** flachsen, flachsfarben: **~-haired** flachsblond; '**flax·seed** *s.* ♀ Leinsamen *m*.

flay [fleɪ] *v/t.* **1.** *Tier* abhäuten, *hunt.* abbalgen: **~ s.o. alive** F a) kein gutes Haar an j-m lassen, b) j-n ‚zur Schnecke' machen; **2.** *et.* schälen; **3.** *j-n* auspeitschen; **4.** F *j-n* ausplündern *od.* ‚ausnehmen'.

flea [fliː] *s. zo.* Floh *m*: **send s.o. away with a ~ in his ear** j-m ‚heimleuchten'; '**~-bag** *s. sl.* **1.** a) ‚Flohkiste' *f* (*Bett*), b) Schlafsack *m*; **2.** ‚Schlampe' *f*; '**~-bite** *s.* **1.** Flohbiß *m*; **2.** Baga'telle *f*; '**~-ˌbit·ten** *adj.* **1.** von Flöhen zerbissen; **2.** rötlich gesprenkelt (*Pferd etc.*); **~ mar·ket** *s.* Flohmarkt *m*.

fleck [flek] I *s.* **1.** Licht-, Farbfleck *m*; **2.** a) (Haut)Fleck *m*, b) Sommersprosse *f*; **3.** (*Staub- etc.*)Teilchen *n*: **~ of dust**; **~ of mud** Dreckspritzer *m*; **~ of snow** Schneeflocke *f*; II *v/t.* **4.** → '**fleck·er** [-kə] *v/t.* sprenkeln.

flec·tion ['flekʃn] *etc. Am.* → **flexion** *etc.*

fled [fled] *pret. u. p.p. von* **flee**.

fledge [fledʒ] I *v/t. Pfeil etc.* befiedern, mit Federn versehen; II *v/i. orn.* flügge werden: **~d** flügge; '**fledg(e)·ling** [-dʒlɪŋ] *s.* **1.** eben flügge gewordener Vogel; **2.** *fig.* Grünschnabel *m*, Anfänger *m*.

flee [fliː] I *v/i.* [*irr.*] **1.** fliehen, flüchten (**before**, **from** vor *dat.*; **from** aus, von): **~ from justice** sich der Strafverfolgung entziehen; **2.** eilen; **3. ~ from** → 5; II *v/t.* [*irr.*] **4.** fliehen aus: **~ the country**; **5.** aus dem Weg gehen (*dat.*), meiden.

fleece [fliːs] I *s.* **1.** Vlies *n*, Schaffell *n*; **2.** *a.* **~ wool** Schur(wolle) *f*; **3.** *fig.* dikkes Gewebe, Flausch *m*; **4.** (Haar)Pelz *m*; **5.** Schnee- *od.* Wolkendecke *f*; II *v/t.* **6.** *fig.* schröpfen (**of** um), ‚rupfen'; **7.** bedecken; '**fleec·y** [-sɪ] *adj.* wollig, weich: **~ cloud** Schäfchenwolke *f*.

fleet[1] [fliːt] *s.* **1.** (*bsd.* Kriegs)Flotte *f*: **≈ Admiral** *Am.* Großadmiral *m*; **merchant ~** Handelsflotte; **2.** ✈ Gruppe *f*, Geschwader *n*; **3. ~** (**of cars**) Wagenpark *m*.

fleet[2] [fliːt] *adj.* □ **1.** schnell, flink: **~ of foot**, **~-footed** schnellfüßig; **2.** *poet.* → **fleeting**.

fleet·ing ['fliːtɪŋ] *adj.* □ (schnell) da'hineilend, flüchtig, vergänglich: **~ time**; **~ glimpse** flüchtiger (An)Blick *od.* Eindruck; '**fleet·ness** [-tnɪs] *s.* **1.** Schnelligkeit *f*; **2.** Flüchtigkeit *f*.

Fleet Street *s.* Fleet Street *f*: a) *das Londoner Presseviertel*, b) *fig. die* (*Londoner*) *Presse*.

Flem·ing ['flemɪŋ] *s.* Flame *m*, Flamin *f*, Flämin *f*; '**Flem·ish** [-mɪʃ] I *s.* **1. the ~** die Flamen *pl.*; **2.** *ling.* Flämisch *n*; II *adj.* **3.** flämisch.

flench [flentʃ], **flense** [flenz] *v/t.* **1.** a) *den Wal* flensen, b) *den Walspeck* abziehen; **2.** *Seehund* häuten.

flesh [fleʃ] I *s.* **1.** Fleisch *n*: **my own ~ and blood** mein eigen Fleisch u. Blut; **more than ~ and blood can bear** einfach unerträglich; **in ~** *obs.* korpulent, dick; **lose ~** abmagern, abnehmen; **put on ~** Fett ansetzen, zunehmen; **press** (**the**) **~** *Am.* F Hände schütteln; (**bare**) **~** *iro.* (nacktes) Fleisch, ‚Fleischbeschau' *f*; → **creep** 4; **2.** Körper *m*, Leib *m*: **in the ~** leibhaftig, (höchst)persönlich, *weitS.* in natura; **become one ~** 'ein Leib u. 'eine Seele werden; **3.** a) *sündiges* Fleisch, b) Fleischeslust *f*: **pleasures of the ~** Freuden des Fleisches; **4.** Menschheit *f*: **go the way of all ~** den Weg allen Fleisches gehen; **5.** (Frucht)Fleisch *n*; II *v/t.* **6.** *Jagdhund* Fleisch kosten lassen; **7.** *Tierhaut* ausfleischen; **8.** *mst* **~ out** *fig. Gesetz etc.* ‚mit Fleisch versehen', Sub'stanz verleihen (*dat.*); '**~-ˌcol·o(u)r** *s.* Fleischfarbe *f*; '**~-ˌcol·o(u)red** *adj.* fleischfarben.

flesh·ings ['fleʃɪŋz] *s. pl.* fleischfarbene Strumpfhose *f*; **flesh·ly** ['fleʃlɪ] *adj.* **1.** fleischlich: a) leiblich, b) sinnlich; **2.** irdisch, menschlich.

'**flesh|·pot** *s.*: **the ~s of Egypt** *fig.* die Fleischtöpfe Ägyptens; **~ tights** → **fleshings**; **~ tints** *s. pl. paint.* Fleischtöne *pl.*; **~ wound** *s.* Fleischwunde *f*.

flesh·y ['fleʃɪ] *adj.* **1.** fleischig (*a. Früchte etc.*), dick; **2.** fleischartig.

fleur-de-lis [ˌflɜːdə'liː] *pl.* **fleurs-de-lis** [ˌflɜːdə'liːz] (*Fr.*) *s.* **1.** *her.* Lilie *f*; **2.** *königliches Wappen Frankreichs*.

flew [fluː] *pret. von* **fly**[1].

flews [fluːz] *s. pl.* Lefzen *pl.*

flex [fleks] I *v/t. anat.* beugen, biegen: **~ one's knees**; **~ one's muscles** die Muskeln anspannen, s-e Muskeln spielen lassen (*a. fig.*); II *s.* ⚡ *bsd. Brit.* (Anschluß-, Verlängerungs)Kabel *n*; **flex·i·bil·i·ty** [ˌfleksə'bɪlətɪ] *s.* **1.** Biegsamkeit *f*, Elastizi'tät *f*; **2.** *fig.* Flexibili'tät *f*, Wendigkeit *f*, Beweglichkeit *f*; **flex·i·ble** ['fleksəbl] *adj.* □ **1.** fle'xibel: a) biegsam, e'lastisch, b) *fig.* wendig, anpassungsfähig, geschmeidig: **~ car**

F

mot. wendiger Wagen; ~ ***drive shaft*** ⚙ Kardanwelle *f*; ~ ***gun*** schwenkbares Geschütz; ~ ***metal tube*** Metallschlauch *m*; ~ ***policy*** flexible Politik; ~ ***working hours*** gleitende Arbeitszeit; **2.** lenkbar, folg-, fügsam; **'flex·ile** [-ksıl] → ***flexible***; **'flex·ion** [-kʃn] *s.* **1.** *bsd. anat.* Biegen *n*, Beugung *f*; **2.** *ling.* Flexi'on *f*, Beugung *f*; **'flex·ion·al** [-kʃənl] *adj. ling.* flektiert, Flexions…, Beugungs…; **'flex·or** [-ksə] *s. anat.* Beuger *m*, Beugemuskel *m*; **'Flex·time** (*Warenzeichen*) *s.* ☤ gleitende Arbeitszeit.

F

flib·ber·ti·gib·bet [ˌflıbətı'dʒıbıt] *s.* a) Klatschbase *f*, b) ‚verrückte Nudel'.

flick¹ [flık] **I** *s.* **1.** leichter, schneller Schlag, Klaps *m*; **2.** a) Schnipser *m*, (Finger)Schnalzen *n*, b) (Peitschen-)Schnalzen *n*, (-)Knall *m*: ***a*** ~ ***of the wrist*** schnelle Drehung des Handgelenks; **II** *v/t.* **3.** schnippen, schnipsen; e-n Klaps geben (*dat.*); *Schalter* an- *od.* ausknipsen; *Messer* (auf)schnappen lassen; **III** *v/i.* **4.** schnellen; **5.** ~ ***through*** *Buch etc.* 'durchblättern.

flick² [flık] *s.* F a) Film *m*, b) *pl.* ‚Kintopp' *m*, Kino *n*.

flick·er ['flıkə] **I** *s.* **1.** Flackern *n*: ***a*** ~ ***of hope*** ein Hoffnungsfunke; **2.** Zucken *n*; **3.** *TV* Flimmern *n*; **4.** Flattern *n*; **II** *v/i.* **5.** *a. fig.* (auf)flackern; **6.** zucken; **7.** *TV* flimmern; **8.** huschen (***over*** über *acc.*) (*Augen*).

flick knife *s.* [*irr.*] *Brit.* Schnappmesser *n*.

fli·er ['flaıə] *s.* **1.** etwas, das fliegt (*Vogel, Insekt, etc.*); **2.** ✈ Flieger *m*: a) Pi'lot *m*, b) ‚Vogel' *m* (*Flugzeug*); **3.** Flieger *m* (*Trapezkünstler*); **4.** *Am.* a) Ex'preß(zug) *m*, b) Schnell(auto)bus *m*; **5.** ⚙ Schwungrad *n*; **6.** ***take a*** ~ F a) e-n Riesensatz machen, b) *Am.* sich auf e-e gewagte Sache einlassen; **7.** *Am.* Flugblatt *n*, Re'klamezettel *m*; **8.** F *für* ***flying start***.

flight¹ [flaıt] *s.* Flucht *f*: ***put to*** ~ in die Flucht schlagen; ***take*** (***to***) ~ die Flucht ergreifen; ~ ***of capital*** ☤ Kapitalflucht; ~ ***capital*** Fluchtkapital *n*.

flight² [flaıt] *s.* **1.** Flug *m*, Fliegen *n*: ***in*** ~ im Flug; **2.** ✈ a) Flug *m*, b) Flug(strecke *f*) *m*; **3.** Schwarm *m* (*Vögel od. Insekten*), Flug *m*, Schar *f* (*Vögel*): ***in the first*** ~ *fig.* an der Spitze; **4.** ✈, ⚔ a) Schwarm *m* (*4 Flugzeuge*), b) Kette *f* (*3 Flugzeuge*); **5.** (*Geschoß-, Pfeil- etc.*) Hagel *m*; **6.** (*Gedanken- etc.*)Flug *m*, Schwung *m*; **7.** ~ ***of stairs*** (*od.* ***steps***) Treppe *f*; ~ **at·tend·ant** *s.* Flugbegleiter(in); ~ **deck** *s.* **1.** ⚓ Flugdeck *n*; **2.** ✈ Cockpit *n*; ~ **en·gi·neer** *s.* 'Bordingeniˌeur *m*; **'~-ˌfeath·er** *s. orn.* Schwungfeder *f*.

flight·i·ness ['flaıtınıs] *s.* **1.** Flatterhaftigkeit *f*; **2.** Leichtsinn *m*.

flight| in·struc·tor *s.* ✈ Fluglehrer *m*; ~ **lane** *s.* ✈ Flugschneise *f*; ~ **lieu·ten·ant** *s. Brit.* (Flieger)Hauptmann *m*; ~ **me·chan·ic** *s.* 'Bordmeˌchaniker *m*; ~ **path** *s.* **1.** ✈ Flugroute *f*; **2.** *Ballistik*: Flugbahn *f*; ~ **re·cord·er** *s.* ✈ Flugschreiber *m*; **'~-test** *v/t.* im Flug erproben: **~*ed*** flugerprobt; ~ **tick·et** *s.* Flugticket *n*; **'~-ˌworth·y** *adj.* flugtauglich (*Person*); fluggeeignet (*Maschine*).

flight·y ['flaıtı] *adj.* □ **1.** flatterhaft, launisch, fahrig; **2.** leichtsinnig.

flim·flam ['flımflæm] **I** *s.* **1.** Quatsch *m*; **2.** ‚fauler Zauber', Trick(s *pl.*) *m*; **II** *v/t. j-n* ‚reinlegen'.

flim·si·ness ['flımzınıs] *s.* **1.** Dünnheit *f*; **2.** *fig.* Fadenscheinigkeit *f*; **3.** Dürftigkeit *f*; **flim·sy** ['flımzı] **I** *adj.* □ **1.** (hauch)dünn, zart, leicht, schwach; **2.** *fig.* dürftig, 'durchsichtig, schwach, fadenscheinig: ***a*** ~ ***excuse***; **II** *s.* **3.** a) 'Durchschlag-, 'Kohlepaˌpier *n*, b) 'Durchschlag *m*; **4.** *pl.* F ‚Reizwäsche' *f*.

flinch¹ [flıntʃ] *v/i.* **1.** zu'rückschrecken (***from***, ***at*** vor *dat.*); **2.** (zu'rück)zucken, zs.-fahren (*vor Schmerz etc.*): ***without*** **~*ing*** ohne mit der Wimper zu zucken.

flinch² [flıntʃ] → ***flench***.

fling [flıŋ] **I** *s.* **1.** Wurf *m*: (***at***) ***full*** ~ mit voller Wucht; **2.** Ausschlagen *n* (*des Pferdes*); **3.** *fig.* F Versuch *m*: ***have a*** ~ ***at s.th.*** es mit et. probieren; ***have a*** ~ ***at s.o.*** über j-n herfallen, gegen j-n sticheln; **4.** ***have one's*** (*od.* ***a***) ~ sich austoben; **5.** *ein schottischer Tanz*; **II** *v/t.* [*irr.*] **6.** schleudern, werfen: ~ ***open*** *Tür* aufreißen; ~ ***s.th. in s.o.'s teeth*** *fig.* j-m et. ins Gesicht schleudern; ~ ***o.s. at s.o.*** a) sich auf j-n stürzen, b) *fig.* sich j-m an den Hals werfen; ~ ***o.s. into s.th.*** *fig.* sich in *od.* auf e-e Sache stürzen; **III** *v/i.* [*irr.*] **7.** eilen, stürzen (***out of the room*** aus dem Zimmer); **8.** ~ ***out*** (***at***) ausschlagen (nach) (*Pferd*); *Zssgn mit adv.*:

fling| a·way *v/t.* **1.** wegwerfen; **2.** *fig. Zeit, Geld* vergeuden, verschwenden (***on*** für *et.*, an *j-n*); ~ **back** *v/t. Kopf* zu'rückwerfen; ~ **down** *v/t.* zu Boden werfen; ~ **off I** *v/t.* **1.** *Kleider, a. Joch, Skrupel* abwerfen; **2.** *Verfolger* abschütteln; **3.** *Gedicht etc.* ‚hinhauen'; **4.** *Bemerkung* fallenlassen; **II** *v/i.* **5.** da'vonstürzen; ~ **on** *v/t.* (sich) *Kleider* 'überwerfen; ~ **out I** *v/t.* **1.** *j-n* hin'auswerfen; **2.** *et.* wegwerfen; **3.** *Worte* her'vorstoßen; **4.** *Arme* (plötzlich) ausstrecken; **II** *v/i.* **5.** → ***fling*** 7, 8.

flint [flınt] *s.* **1.** *min.* Flint *m*, Feuerstein *m* (*a. des Feuerzeugs*); **2.** → ~ **glass** *s.* ⚙ Flintglas *n*; **'~-lock** *s.* ⚔ *hist.* Steinschloß(gewehr) *n*.

flint·y ['flıntı] *adj.* □ **1.** aus Feuerstein; **2.** kieselhart; **3.** *fig.* hart(herzig).

flip¹ [flıp] **I** *v/t.* **1.** schnipsen, schnellen:

~ off wegschnipsen; **~** (**over**) *Buchseiten, Schallplatte etc.* wenden, *a. Spion* 'umdrehen; **~ a coin** e-e Münze hochwerfen (*zum Losen*); **2. ~ one's lid** (*od.* **top**) → 5; **II** *v/i.* **3.** schnipsen; **4. ~ through** *Buch etc.* 'durchblättern; **5.** *a.* **~ out** *sl.* ‚ausflippen', ‚durchdrehen'; **III** *s.* **6.** Schnipser *m*; **7.** *sport* Salto *m*; **8.** ✈ *Brit.* F kurzer Rundflug; **IV** *adj.* **9.** F a) → **flippant**, b) gut aufgelegt.

flip² [flɪp] *s.* Flip *m* (*alkoholisches Mischgetränk mit Ei*).

flip-flap ['flɪpflæp] → **'flip-flop** [-flɒp] *s.* **1.** Klappern *n*; **2.** *sport* Flic(k)flac(k) *m*, 'Handstand,überschlag *m*; **3.** *a.* **~ circuit** ⚡ Flipflopschaltung *f*; **4.** 'Zehensan,dale *f*; **II** *v/i.* **5.** klappern; **6.** *sport* e-n Flic(k)flac(k) machen.

flip·pan·cy ['flɪpənsɪ] *s.* **1.** ‚Schnoddrigkeit' *f*, vorlaute Art; **2.** Leichtfertigkeit *f*, Frivoli'tät *f*; **'flip·pant** [-nt] *adj.* □ **1.** ‚schnodd(e)rig', vorlaut, frech; **2.** fri'vol, leichtfertig.

flip·per ['flɪpə] *s.* **1.** *zo.* (Schwimm)Flosse *f*; **2.** *sport* Schwimmflosse *f*; **3.** *sl.* ‚Flosse' *f* (*Hand*).

flirt [flɜːt] **I** *v/t.* **1.** schnipsen; **2.** wedeln mit: **~ a fan**; **II** *v/i.* **3.** her'umflattern; **4.** flirten (**with** mit) (*a. fig. pol. etc.*): **~ with death** mit dem Leben spielen; **5.** *mit e-r Idee* spielen, liebäugeln; **III** *s.* **6.** a) ko'kette Frau, b) Schäker *m*; **7.** → **flir·ta·tion** [flɜː'teɪʃn] *s.* **1.** Flirten *n*; **2.** Flirt *m*; **3.** Liebäugeln *n*; **flir·ta·tious** [flɜː'teɪʃəs] *adj.* (gern) flirtend, ko'kett.

flit [flɪt] **I** *v/i.* **1.** flitzen, huschen, sausen; **2.** (um'her)flattern; **3.** verfliegen (*Zeit*); **4.** *Brit.* F heimlich ausziehen; **II** *s.* **5.** *a.* **moonlight ~** *Brit.* F Auszug *m* bei Nacht u. Nebel.

flitch [flɪtʃ] *s.* **1.** *a.* **~ of bacon** gesalzene *od.* geräucherte Speckseite; **2.** Heilbuttschnitte *f*; **3.** Walspeckstück *n*.

fliv·ver ['flɪvə] *s. Am. sl.* **1.** kleine ‚Blechkiste' (*Auto, Flugzeug*); **2.** ‚Pleite' *f* (*Mißerfolg*).

float [fləʊt] **I** *v/i.* **1.** (im Wasser) treiben, schwimmen; **2.** ⚓ flott sein *od.* werden; **3.** schweben, treiben, gleiten; **4.** *a.* † 'umlaufen, in 'Umlauf sein; † gegründet werden; **5.** (ziellos) her'umwandern; **6.** *Am.* häufig den Wohnsitz *od.* Arbeitsplatz wechseln; **II** *v/t.* **7.** schwimmen *od.* treiben lassen; *Baumstämme* flößen; **8.** ⚓ flottmachen; **9.** schwemmen, tragen (*Wasser*) (*a. fig.*); **10.** über'schwemmen (*a. fig.*); **11.** *fig. Verhandlungen etc.* in Gang bringen, lancieren; *Gerücht etc.* in 'Umlauf setzen; **12.** † a) *Gesellschaft* gründen, b) *Anleihe* auflegen, c) *Wertpapiere* in 'Umlauf bringen; **13.** † floaten, den Wechselkurs (*gen.*) freigeben; **III** *s.* **14.** Floß *n*; **15.** schwimmende Landebrükke; **16.** *Angeln*: (Kork)Schwimmer *m*; **17.** *ichth.* Schwimmblase *f*; **18.** ⚙, ✈ Schwimmer *m*; **19.** *a.* **~ board** (Rad-) Schaufel *f*; **20.** a) niedriger Plattformwagen (*für Güter*), b) Festwagen *m* (*bei Umzügen etc.*); **21.** ⚙ a) Raspel *f*, b) Pflasterkelle *f*; **22.** *pl. thea.* Rampenlicht *n*; **23.** *Brit.* Notgroschen *m*; **'float·a·ble** [-təbl] *adj.* **1.** schwimmfähig; **2.** flößbar (*Fluß*); **'float·age**, **float·a·tion** → **flotage**, **flotation**.

float bridge *s.* Floßbrücke *f*.

float·er ['fləʊtə] *s.* **1.** † Gründer *m e-r Firma*; **2.** † *Brit.* erstklassiges 'Wertpa,pier; **3.** *Am.* F ‚Zugvogel' *m* (*j-d, der ständig Wohnsitz od. Arbeitsplatz wechselt*); **4.** Springer *m* (*im Betrieb*); **5.** *pol.* a) Wechselwähler *m*, b) *Wähler, der s-e Stimme illegal in mehreren Wahlbezirken abgibt*; **6.** *Am. sl.* Wasserleiche *f*.

float·ing ['fləʊtɪŋ] **I** *adj.* □ **1.** schwimmend, treibend, Schwimm..., Treib...; **2.** schwebend (*a. fig.*); **3.** lose, beweglich; **4.** schwankend; **5.** ohne festen Wohnsitz, wandernd; **6.** † a) 'umlaufend (*Geld etc.*), b) schwebend (*Schuld*), c) flüssig (*Kapital*), d) fle'xibel (*Wechselkurs*), e) frei konvertierbar (*Währung*); **II** *s.* **7.** † Floating *n*, Freigabe *f* des Wechselkurses; **~ an·chor** *s.* ⚓ Treibanker *m*; **~ as·sets** *s. pl.* † flüssige Ak'tiva *pl.*; **~ ax·le** *s.* ⚙ Schwingachse *f*; **~ bridge** *s.* Tonnen-, Floßbrücke *f*; **~ cap·i·tal** *s.* † 'Umlaufvermögen *n*; **~ crane** *s.* ⚙ Schwimmkran *m*; **~ dec·i·mal point** → **floating point**; **~ dock** *s.* ⚓ Schwimmdock *n*; **~ ice** *s.* Treibeis *n*; **~ kid·ney** *s.* ⚕ Wanderniere *f*; **~ light** *s.* ⚓ Leuchtboje *f od.* -schiff *n*; **~ mine** *s.* ⚔ Treibmine *f*; **~ point** *s. Computer etc.*: Fließkomma *n*; **~ pol·i·cy** *s.* † Pau'schalpo,lice *f*; **~ rib** *s. anat.* falsche Rippe; **~ trade** *s.* † Seefrachthandel *m*; **~ vote** (*od.* **vot·ers** *pl.*) *s. pol.* Wechselwähler *pl.*

'float|·plane *s.* ✈ Schwimmerflugzeug *n*; **~ switch** *s.* ⚡ Schwimmerschalter *m*; **~ valve** *s.* ⚙ 'Schwimmerven,til *n*.

floc·cose ['flɒkəʊs], **'floc·cu·lent** [-kjʊlənt] *adj.* flockig, wollig; **'floc·cus** [-kəs] *pl.* **-ci** [-ksaɪ] *s.* **1.** Flocke *f*; **2.** Büschel *n*; **3.** *orn.* Flaum *m*.

flock¹ [flɒk] **I** *s.* **1.** Herde *f* (*bsd. Schafe*); **2.** Schwarm *m*, *hunt.* Flug *m* (*Vögel*); **3.** Menge *f*, Schar *f* (*Personen*): **come in ~s** (in Scharen) herbeiströmen; **4.** *eccl.* Herde *f*, Gemeinde *f*; **II** *v/i.* **5.** *fig.* strömen: **~ to a place** zu e-m Ort (hin)strömen; **~ to s.o.** j-m zuströmen, in Scharen zu j-m kommen; **~ together** zs.-strömen.

flock² [flɒk] *s.* **1.** (Woll)Flocke *f*; **2.** *sg. od. pl.* a) Wollabfall *m*, b) Wollpulver *n* (*für Tapeten etc.*): **~** (**wall**)**paper** Velourstapete *f*.

floe [fləʊ] *s.* Treibeis *n*, Eisscholle *f*.

F

flog [flɒg] *v/t.* **1.** prügeln, schlagen: **~ *a dead horse*** a) s-e Zeit verschwenden, b) offene Türen einrennen; **~ *s.th. to death*** *fig.* et. zu Tode reiten; **2.** auspeitschen; **3. ~ *s.th. into s.o.*** j-m et. einbleuen; **~ *s.th. out of s.o.*** j-m et. austreiben; **4.** *Brit.* F *et.* ‚verscheuern', ‚verkloppen'; **'flog·ging** [-gɪŋ] *s.* **1.** Tracht *f* Prügel; **2.** Prügelstrafe *f*.

flood [flʌd] **I** *s.* **1.** Flut *f* (*a. Ggs. Ebbe*): ***on the ~*** mit der (*od.* bei) Flut; **2.** Über'schwemmung *f* (*a. fig.*), Hochwasser *n*: ***the* ℒ** *bibl.* die Sintflut; **3.** *fig.* Flut *f*, Strom *m*, Schwall *m* (*von Briefen, Worten etc.*): ***a ~ of tears*** ein Tränenstrom; **II** *v/t.* **4.** über'schwemmen, -'fluten (*a. fig.*): **~ *the market*** ✝ den Markt überschwemmen; **5.** unter Wasser setzen; **6.** ⚓ fluten; **7.** *mot. den Motor* ‚absaufen' lassen; **8.** *Fluß* anschwellen lassen; **9.** *fig.* strömen in (*acc.*), sich ergießen über (*acc.*); **III** *v/i.* **10.** *a. fig.* fluten, strömen, sich ergießen: **~ *in*** hereinströmen; **11.** a) anschwellen (*Fluß*), b) über die Ufer treten; **12.** 'überlaufen (*Bad etc.*); **13.** über'schwemmt werden; **~ con·trol** *s.* Hochwasserschutz *m*; **~ dis·as·ter** *s.* 'Hochwasserkata͵strophe *f*; **'~·gate** *s.* Schleusentor *n*, *fig.* Schleuse *f*: ***open the ~s to*** *fig.* Tür u. Tor öffnen (*dat.*).

flood·ing ['flʌdɪŋ] *s.* **1.** Über'schwemmung *f*; **2.** ⚕ Gebärmutterblutung *f*.

'flood|·light I *s.* **1.** Scheinwerfer-, Flutlicht *n*; **2.** *a.* **~ *projector*** Scheinwerfer *m*: ***under ~s*** bei Flutlicht; **II** *v/t.* [*irr.* → ***light***[1]] (mit Scheinwerfern) beleuchten *od.* anstrahlen: ***floodlit*** in Flutlicht getaucht; ***floodlit match*** *sport* Flutlichtspiel *n*; **'~·mark** *s.* Hochwasserstandszeichen *n*; **'~·tide** *s.* Flut(zeit) *f*.

floor [flɔ:] **I** *s.* **1.** (Fuß)Boden *m*: ***mop*** (*od.* ***wipe***) ***the ~ with s.o.*** j-n ‚fertigmachen', mit j-m ‚Schlitten fahren'; **2.** Tanzfläche *f*: ***take the ~*** auf die Tanzfläche gehen (→ 3); **3.** *parl.* Sitzungs-, Ple'narsaal *m*: ***cross the ~*** zur Gegenpartei übergehen; ***admit to the ~*** *j-m* das Wort erteilen; ***get*** (***have*** *od.* ***hold***) ***the ~*** das Wort erhalten (haben); ***take the ~*** das Wort ergreifen (→ 2); **4.** ✝ Börsensaal *m*; **5.** Stock(werk *n*) *m*, Geschoß *n*; → ***first floor*** *etc.*; **6.** (Meeres- *etc.*)Boden *m*, Grund *m*, (*Fluß-, Tal- etc.*, ⚒ *Strecken*)Sohle *f*; **7.** Minimum *n*: ***price ~***; ***cost ~*** Mindestkosten *pl.*; **II** *v/t.* **8.** e-n (Fuß)Boden legen in (*dat.*); **9.** zu Boden strecken, niederschlagen; **10.** F a) *j-n* ‚'umhauen': ***~ed*** sprachlos, ‚platt', b) *j-n* ‚schaffen'; **11.** *Am. das Gaspedal etc.* voll 'durchtreten; **'~·cloth** *s.* Scheuertuch *n*; **~ cov·er·ing** *s.* Fußbodenbelag *m*.

floor·er ['flɔ:rə] *s.* F **1.** vernichtender Schlag, *fig. a.* ‚Schlag *m* ins Kon'tor'; **2.** ‚harte Nuß', knifflige Frage.

floor ex·er·cis·es *s. pl.* Bodenturnen *n*.

floor·ing ['flɔ:rɪŋ] *s.* **1.** (Fuß)Boden *m*; **2.** Bodenbelag *m*.

floor| lamp *s.* Stehlampe *f*; **~ lead·er** *s. pol. Am.* Frakti'onsvorsitzende(r) *m*; **~ man·ag·er** *s.* **1.** ✝ Ab'teilungsleiter *m* (*in e-m Kaufhaus*); **2.** *pol. Am.* Geschäftsführer *m* (*e-r Partei*); **3.** *TV* Aufnahmeleiter *m*; **~ plan** *s.* **1.** Grundriß *m* (*e-s Stockwerks*); **2.** Raumverteilungsplan *m* (*auf e-r Messe etc.*); **~ show** *s.* Varie'tévorstellung *f* (*in e-m Nachtklub etc.*); **~ space** *s.* Bodenfläche *f*; **~ tile** *s.* Fußbodenfliese *f*; **'~͵walk·er** *s.* (aufsichtführender) Ab'teilungsleiter (*in e-m Kaufhaus*).

floo·zie ['flu:zɪ] *s. Am. sl.* ‚Flittchen' *n*.

flop [flɒp] **I** *v/i.* **1.** ('hin)plumpsen; **2.** (***into***) sich (in *e-n Sessel etc.*) plumpsen lassen; **3.** a) zappeln, b) flattern; **4.** F a) *ped., thea. etc.* ‚'durchfallen', b) *allg.* e-e ‚Pleite' sein, ‚da'nebengehen'; **II** *v/t.* **5.** ('hin)plumpsen lassen; **III** *s.* **6.** Plumps *m*; **7.** F a) *thea. etc.* ‚'Durchfall' *m*, ‚Flop' *m*, b) ‚Pleite' *f*, ‚Reinfall' *m*, c) Versager *m*, ‚Niete' *f* (*Person*); **IV** *adv. u. int.* **8.** plumps; **'flop·house** *s. Am. sl.* ‚Penne' *f*, (billige) ‚Absteige'; **'flop·py** [-pɪ] *adj.* □ schlaff, schlotterig: **~ *ears*** Schlappohren; **~ *hat*** Schlapphut *m*; **~ *disk*** *Computer*: Diskette *f*.

flo·ra ['flɔ:rə] *pl.* **-ras**, *a.* **-rae** [-ri:] *s.* **1.** Flora *f*, (*a.* Abhandlung *f* über e-e) Pflanzenwelt *f*; **2.** *physiol.* (*Darm- etc.*) Flora *f*; **'flo·ral** [-rəl] *adj.* □ Blumen…, Blüten…, *a.* geblümt: **~ *design*** Blumenmuster *n*; **~ *emblem*** Wappenblume *f*.

Flor·en·tine ['flɒrəntaɪn] **I** *adj.* floren'tinisch, Florentiner…; **II** *s.* Floren'tiner(in).

flo·res·cence [flɔ:'resns] *s.* ⚘ Blüte (-zeit) *f* (*a. fig.*); **flo·ret** ['flɔ:rɪt] *s.* Blümchen *n*.

flo·ri·cul·tur·e ['flɔ:rɪkʌltʃə] *s.* Blumenzucht *f*.

flor·id ['flɒrɪd] *adj.* □ **1.** rot, gerötet: **~ *complexion***; **2.** blühend (*Gesundheit*); **3.** über'laden: a) blumig (*Stil*), b) 'übermäßig verziert; **4.** ♪ figuriert; **5.** ⚕ stark ausgeprägt (*Krankheit*).

Flo·rid·i·an [flɒ'rɪdɪən] **I** *adj.* Florida…; **II** *s.* Bewohner(in) von Florida.

flor·in ['flɒrɪn] *s.* **1.** *Brit. hist.* Zwei'schillingstück *n*; **2.** *obs.* (*bsd.* niederländischer) Gulden.

flo·rist ['flɒrɪst] *s.* Blumenhändler(in), -züchter(in).

floss[1] [flɒs] *s.* **1.** Ko'kon-, Seidenwolle *f*; **2.** Flo'rettgarn *n*; **3.** *a.* **~ *silk*** Schappe-, Flo'rettseide *f*; **4.** ⚘ Seidenbaumwolle *f*; **5.** Flaum *m*, seidige Sub'stanz; **6.** *a.* ***dental ~*** Zahnseide *f*.

floss² [flɒs] *s.* ⚙ **1.** Glasschlacke *f*; **2.** *a.* ~ ***hole*** Schlackenloch *n.*
floss·y [ˈflɒsɪ] *adj.* **1.** floˈrettseiden; **2.** seidig; **3.** *Am. sl.* ‚schick'.
flo·tage [ˈfləʊtɪdʒ] *s.* **1.** Schwimmen *n*; **2.** Schwimmfähigkeit *f*; **3.** *et.* Schwimmendes *od.* Treibendes, Treibgut *n.*
flo·ta·tion [fləʊˈteɪʃn] *s.* **1.** → ***flotage*** 1; **2.** Schweben *n*; **3.** ⚕ a) Gründung *f* (*e-er Gesellschaft*), b) Inˈumlaufbringung *f* (*von Wertpapieren etc.*), c) Auflegung *f* (*e-r Anleihe*); **4.** ⚙ Flotatiˈon *f.*
flo·til·la [fləʊˈtɪlə] *s.* ⚓ Flotˈtille *f.*
flot·sam [ˈflɒtsəm], *a.* ~ **and jet·sam** *s.* **1.** ⚓ Strand-, Treibgut *n*; **2.** *fig.* Strandgut *n* des Lebens; **3.** *fig.* ˈÜberbleibsel *pl.*, Krimskrams *m.*
flounce¹ [flaʊns] *v/i.* **1.** erregt stürmen *od.* stürzen; **2.** stolzieren; **3.** sich herˈumwerfen, zappeln.
flounce² [flaʊns] **I** *s.* Voˈlant *m*, Besatz *m*; Falbel *f*; **II** *v/t.* mit Voˈlants besetzen.
floun·der¹ [ˈflaʊndə] *v/i.* **1.** zappeln, strampeln, *fig. a.* sich (ab)quälen; **2.** taumeln, stolpern, umˈhertappen; **3.** *fig.* sich verhaspeln, nicht weiterwissen, *a. sport* ins ‚Schwimmen' kommen.
floun·der² [ˈflaʊndə] *s. ichth.* Flunder *f.*
flour [ˈflaʊə] **I** *s.* **1.** Mehl *n*; **2.** feines Pulver, Mehl *n*; **II** *v/t.* **3.** *Am.* (zu Mehl) mahlen; **4.** mit Mehl bestreuen.
flour·ish [ˈflʌrɪʃ] **I** *v/i.* **1.** gedeihen, *fig. a.* blühen, florieren; **2.** auf der Höhe s-r Macht *od.* s-s Ruhmes stehen; **3.** wirken, erfolgreich sein (*Künstler etc.*); **4.** prahlen; **5.** sich geschraubt ausdrücken; **6.** sich auffällig benehmen; **7.** Schnörkel *od.* Floskeln machen; **8.** ♪ a) phantasieren, b) e-n Tusch spielen; **II** *v/t.* **9.** schwingen, schwenken; **10.** zur Schau stellen, protzen mit; **11.** (aus)schmükken; **III** *s.* **12.** Schwingen *n*, Schwenken *n*; **13.** Schwung *m*, schwungvolle Gebärde; **14.** Schnörkel *m*; **15.** Floskel *f*; **16.** ♪ a) bravouˈröse Pasˈsage, b) Tusch *m*: ~ ***of trumpets*** Trompetenstoß *m*, Fanfare *f*, *fig.* (großes) Trara; ˈ**flour·ish·ing** [-ʃɪŋ] *adj.* □ blühend, gedeihend, florierend: ~ ***trade*** schwunghafter Handel.
flour·y [ˈflaʊərɪ] *adj.* mehlig.
flout [flaʊt] **I** *v/t.* **1.** verspotten, -höhnen; **2.** *Befehl*, *Ratschlag etc.* mißˈachten, *Angebot etc.* ausschlagen; **II** *v/i.* **3.** spotten (***at*** über *acc.*), höhnen.
flow [fləʊ] **I** *v/i.* **1.** fließen, strömen, fluten, rinnen, laufen (*alle a. fig.*): ~ ***freely*** in Strömen fließen (*Sekt etc.*); **2.** *fig.* daˈhinfließen, gleiten; **3.** ⚓ steigen (*Flut*); **4.** wallen (*Haar*, *Kleid etc.*), lose heˈrabhängen; **5.** *fig.* (***from***) herrühren (von), entspringen (*dat.*); **6.** *fig.* (***with***) reich sein (an *dat.*), ˈüberfließen (vor *dat.*), voll sein (von); **II** *v/t.* **7.** überˈfluten, -ˈschwemmen; **III** *s.* **8.** Fließen *n*, Strömen *n* (*beide a. fig.*), Rinnen *n*: ~ ***characteristics*** *phys.* Strömungsbild *n*; ~ ***chart*** (*od.* ***sheet***) *Computer*, ⚕ Flußdiagramm *n*; ~ ***pattern*** *phys.* Stromlinienbild *n*; ~ ***production***, ~ ***system*** ⚕ Fließbandfertigung *f*; **9.** Fluß *m*, Strom *m* (*beide a. fig.*): ~ ***of traffic*** Verkehrsfluß, -strom; **10.** Zu- *od.* Abfluß *m*; **11.** Wallen *n*; **12.** *fig.* (*Wort- etc.*)Schwall *m*, Erguß *m* (*a. von Gefühlen*); **13.** *physiol.* F Periˈode *f.*
flow·er [ˈflaʊə] **I** *s.* **1.** Blume *f*: ***say it with ~s!*** laßt Blumen sprechen!; **2.** ⚘ a) Blüte *f*, b) Blütenpflanze *f*, c) Blüte (-zeit) *f* (*a. fig.*): ***be in ~*** in Blüte stehen, blühen; ***in the ~ of his life*** in der Blüte s-r Jahre; **3.** *fig. das* Beste *od.* Feinste, Auslese *f*, Eˈlite *f*; **4.** *fig.* Blüte *f*, Zierde *f*; **5.** (ˈBlumen)Ornaˌment *n*, (-)Verzierung *f*: ***~s of speech*** Floskeln; **6.** *typ.* Viˈgnette *f*; **7.** *pl.* ⚗ Blumen *pl.*: ***~s of sulphur*** Schwefelblumen *pl.*, -blüte *f*; **II** *v/i.* **8.** blühen, *fig. a.* in höchster Blüte stehen; **III** *v/t.* **9.** mit Blumen(mustern) verzieren, blüme(l)n; ~ **bed** *s.* Blumenbeet *n*; ~ **child** *s.* [*irr.*] ‚Blumenkind' *n* (*Hippie*).
flow·ered [ˈflaʊəd] *adj.* **1.** mit Blumen geschmückt; **2.** geblümt; **3.** *in Zssgn* …blütig.
flow·er girl *s.* **1.** Blumenmädchen *n*; **2.** *Am.* blumenstreuendes Mädchen (*bei e-r Hochzeit*).
flow·er·ing [ˈflaʊərɪŋ] **I** *adj.* blühend, Blüten…: ~ ***plant*** Blütenpflanze *f*; **II** *s.* Blüte(zeit) *f.*
flow·er| peop·le *s.* ‚Blumenkinder' *pl.* (*Hippies*); ~ **piece** *s. paint.* Blumenstück *n*; ˈ**~·pot** *s.* Blumentopf *m*; ~ **show** *s.* Blumenausstellung *f.*
flow·er·y [ˈflaʊərɪ] *adj.* **1.** blumen-, blütenreich; **2.** geblümt; **3.** *fig.* blumig.
flow·ing [ˈfləʊɪŋ] *adj.* □ **1.** fließend, strömend; **2.** *fig.* flüssig (*Stil etc.*); **3.** wallend (*Bart*, *Kleid*); **4.** wehend, flatternd (*Haar etc.*).
ˈ**flowˌme·ter** *s.* ⚙ ˈDurchflußmesser *m.*
flown [fləʊn] *p.p. von* ***fly¹***.
flu [fluː] *s.* ⚕ F Grippe *f.*
flub [flʌb] *Am. sl.* **I** *s.* (grober) Schnitzer; **II** *v/i.* (e-n groben) Schnitzer machen, patzen.
flub·dub [ˈflʌbdʌb] *s. Am. sl.* Geschwafel *n*, ‚Quatsch' *m.*
fluc·tu·ate [ˈflʌktjʊeɪt] *v/i.* schwanken: a) fluktuieren (*a.* ⚕), sich (ständig) verändern, b) *fig.* unschlüssig sein; ˈ**fluc·tu·at·ing** [-tɪŋ] *adj.* schwankend: a) fluktuierend, b) unschlüssig: ~ ***exchange rate*** frei schwankender Wechselkurs; **fluc·tu·a·tion** [ˌflʌktjʊˈeɪʃn] *s.* **1.** Schwankung *f*, Fluktuatiˈon *f* (*beide a.* ⚕, ⚡, *phys.*): ~ ***margin*** Bandbreite *f*; Schwankungsbreite *f*; ***cyclical***

F

~ ✝ Konjunkturschwankung; **2.** *fig.* Schwanken *n.*

flue[1] [flu:] *s.* **1.** ⚙ a) Rauchfang *m*, Esse *f*, b) Abzugsrohr *n*, (Feuerungs)Zug *m*: ~ ***gas*** Rauch-, Abgas *n*, c) Heizröhre *f*, d) Flammrohr *n*, ˈFeuerkaˌnal *m*; **2.** ♪ a) *a.* ~ ***pipe*** Lippenpfeife *f*, b) Kernspalt *m der Orgelpfeife.*

flue[2] [flu:] *s.* Flusen *pl.*, Staubflocken *pl.*

flue[3] [flu:] *s.* ⚓ Schleppnetz *n.*

flu·en·cy [ˈflu:ənsɪ] *s.* Fluß *m* (*der Rede etc.*), Flüssigkeit *f* (*des Stils etc.*); Gewandtheit *f*; ˈ**flu·ent** [-nt] *adj.* ☐ **1.** fließend, geläufig: ***speak*** ~ ***German***, ***be*** ~ ***in German*** fließend deutsch sprechen; **2.** flüssig, eleˈgant (*Stil etc.*), gewandt (*Redner etc.*).

fluff [flʌf] **I** *s.* **1.** Staubflocke *f*, Fussel(n *pl.*) *f*; **2.** Flaum *m* (*a. erster Bartwuchs*); **3.** F *sport, thea. etc.* ‚Patzer' *m*; **4.** *Am.* Schaumspeise *f*; **5.** *thea. Am.* F ‚leichte Kost'; **6.** *oft* ***bit of*** ~ F ‚Betthäschen' *n*, ‚Mieze' *f*; **II** *v/t.* **7.** ~ ***out***, ~ ***up*** a) *Federn* aufplustern, b) *Kissen etc.* aufschütteln; **8.** F *bsd. thea., sport* ‚verpatzen'; **III** *v/i.* **9.** F *thea., sport* ‚patzen'; ˈ**fluf·fy** [-fɪ] *adj.* **1.** flaumig; **2.** *thea. Am.* F leicht, anspruchslos.

flu·id [ˈflu:ɪd] **I** *s.* **1.** Flüssigkeit *f*; **II** *adj.* **2.** flüssig; **3.** *fig.* → ***fluent***; **4.** *fig.* fließend, veränderlich; ~ **cou·pling**, ~ **clutch** *s.* ⚙ hyˈdraulische Kupplung; ~ **drive** *s.* ⚙ Flüssigkeitsgetriebe *n.*

flu·id·i·ty [flu:ˈɪdətɪ] *s.* **1.** *phys.* a) flüssiger Zustand, Flüssigkeit(sgrad *m*) *f*, b) Gasförmigkeit *f*; **2.** *fig.* Veränderlichkeit *f*; **3.** Flüssigkeit *f des Stils etc.*

flu·id| me·chan·ics *s. pl. sg. konstr. phys.* ˈStrömungsmeˌchanik *f*; ~ **ounce** *s. Hohlmaß*: a) *Brit.* = *28,4 ccm*, b) *Am.* = *29,6 ccm*; ~ **pres·sure** *s.* ⚙, *phys.* hyˈdraulischer Druck.

fluke[1] [flu:k] *s.* **1.** ⚓ Ankerflügel *m*; **2.** ⚙ Bohrlöffel *m*; **3.** ˈWiderhaken *m*; **4.** Schwanzflosse *f* (*des Wals*); **5.** *zo.* Leber-egel *m.*

fluke[2] [flu:k] *s.* **1.** ‚Dusel' *m*, ‚Schwein' *n*: ~ ***hit*** Zufallstreffer *m*; **2.** *Billard*: glücklicher Stoß; ˈ**fluk·(e)y** [-kɪ] *adj. sl.* **1.** Glücks..., Zufalls...; **2.** unsicher.

flume [flu:m] **I** *s.* **1.** Klamm *f*; **2.** künstlicher Wasserlauf, Kaˈnal *m*; **II** *v/t.* **3.** durch e-n Kanal flößen.

flum·mer·y [ˈflʌmərɪ] *s.* **1.** *Küche*: a) (Hafer)Mehl *n*, b) Flammeri *m* (*Süßspeise*); **2.** F a) *fig.* leere Schmeicheˈlei, b) ‚Quatsch' *m.*

flum·mox [ˈflʌməks] *v/t. sl.* verblüffen, aus der Fassung bringen.

flung [flʌŋ] *pret. u. p.p. von* ***fling.***

flunk [flʌŋk] *ped. Am. sl.* **I** *v/t.* **1.** ‚ˈdurchrauschen' *od.* ‚ˈdurchrasseln' lassen; **2.** *oft* ~ ***out*** von der Schule ‚werfen'; **3.** ‚ˈdurchrasseln' in (*e-r Prüfung, e-m Fach*); **II** *v/i.* **4.** ‚ˈdurchrasseln', ‚ˈdurchrauschen'; **III** *s.* **5.** ˈDurchfallen *n.*

flunk·(e)y [ˈflʌŋkɪ] *s.* **1.** *oft contp.* Laˈkai *m*; **2.** *contp.* Kriecher *m*, Speichellekker *m*; **3.** *Am.* Handlanger *m*; ˈ**flunk·(e)y·ism** [-ɪɪzəm] *s.* Speichelleckeˈrei *f.*

flu·or [ˈflu:ɔ:] → ***fluorspar.***

flu·o·resce [ˌflʊəˈres] *v/i.* ⚗, *phys.* fluoreszieren; ˌ**flu·oˈres·cence** [-sns] *s.* ⚗, *phys.* Fluoresˈzenz *f*; ˌ**flu·oˈres·cent** [-snt] *adj.* fluoreszierend: ~ ***lamp*** Leuchtstofflampe *f*; ~ ***screen*** Leuchtschirm *m*; ~ ***tube*** Leucht(stoff)röhre *f.*

flu·or·ic [flu:ˈɒrɪk] *adj.* ⚗ Fluor...: ~ ***acid*** Flußsäure *f*; **flu·o·ri·date** [ˈflʊərɪdeɪt] *v/t. Trinkwasser* fluorieren; **flu·o·ride** [ˈflʊəraɪd] *s.* ⚗ Fluoˈrid *n*; **flu·o·rine** [ˈflʊəri:n] *s.* ⚗ Fluor *n*; **flu·o·rite** [ˈflʊəraɪt] *s.* → ***fluorspar***; **flu·o·ro·scope** [ˈflʊərəskəʊp] *s.* ⚕ Fluoroˈskop *n*, Röntgenbildschirm *m*; **fluo·ro·scop·ic** [ˌflʊərəˈskɒpɪk] *adj.*: ~ ***screen*** → ***fluoroscope***; ˈ**flu·or·spar** *s. min.* Flußspat *m*, Fluoˈrit *n.*

flur·ry [ˈflʌrɪ] **I** *s.* **1.** a) Windstoß *m*, b) (Regen-, Schnee)Schauer *m*; **2.** *fig.* Hagel *m*, Wirbel *m von Schlägen etc.*; **3.** *fig.* Aufregung *f*, Unruhe *f*: ***in a*** ~ aufgeregt; **4.** Hast *f*; **5.** ✝ kurze, plötzliche Belebung (*an der Börse*); **II** *v/t.* **6.** beunruhigen.

flush[1] [flʌʃ] **I** *v/i.* (aufgeregt) auffliegen; **II** *v/t. Vögel* aufscheuchen.

flush[2] [flʌʃ] **I** *s.* **1.** a) Erröten *n*, b) Röte *f*; **2.** (Wasser)Schwall *m*, Strom *m*; **3.** a) (Aus)Spülung *f*, b) (Wasser)Spülung *f* (*im WC*); **4.** (Gefühls)Aufwallung *f*, Hochgefühl *n*, Erregung *f*: ~ ***of anger*** Wutanfall *m*; ~ ***of success*** Triumphgefühl *n*; ~ ***of victory*** Siegestaumel *m*; **5.** Glanz *m*, Blüte *f* (*der Jugend etc.*); **6.** ⚕ Wallung *f*, (Fieber)Hitze *f*; → ***hot flushes***; **II** *v/t.* **7.** *j-n* erröten lassen; **8.** *a.* ~ ***out*** (aus)spülen: ~ ***down*** hinunterspülen; ~ ***the toilet*** spülen; **9.** unter Wasser setzen; **10.** erregen, erhitzen: ~***ed with anger*** wutentbrannt; ~***ed with joy*** außer sich vor Freude; **III** *v/i.* **11.** erröten, rot werden (***with*** vor *dat.*); **12.** strömen, schießen (*a. Blut*); **13.** spülen (*WC etc.*).

flush[3] [flʌʃ] **I** *adj.* **1.** eben, auf gleicher Höhe; **2.** ⚙ fluchtgerecht, glatt (anliegend), bündig (abschließend) (***with*** mit) (*alle a. adv.*); **3.** a) ⚙ versenkt, Senk...: ~ ***screw***, b) ⚡ Unterputz...: ~ ***socket***; **4.** (ˈüber)voll (***with*** von); **5.** blühend, frisch; **6.** ~ (***with money***) F gut bei Kasse; ~ ***with one's money*** verschwenderisch; **II** *v/t.* **7.** ebnen, bündig machen; **8.** ⚙ *Fugen* ausstreichen.

flush[4] [flʌʃ] *Poker*: Flush *m*; → ***royal*** 1, ***straight flush.***

flus·ter [ˈflʌstə] **I** *v/t.* durcheinˈanderbringen, aufregen, nerˈvös machen; **II**

v/i. a) ner'vös werden, durchein'anderkommen, b) sich aufregen; **III** *s.* → ***flutter*** 8.

flute [flu:t] **I** *s.* **1.** ♪ a) Flöte *f*, b) → ***flutist***, c) *a.* ~ ***stop*** 'Flötenre,gister *n* (*Orgel*); **2.** △, ⚙ Rille *f*, Riefe *f*, Hohlkehle *f*; **3.** ⚙ (Span-)Nut *f*; **4.** Rüsche *f*; **II** *v/i.* **5.** Flöte spielen, flöten (*a. fig.*); **III** *v/t.* **6.** *et.* auf der Flöte spielen, flöten (*a. fig.*); **7.** △, ⚙ riefen, riffeln, auskehlen, kannelieren; *Stoff* kräuseln; **'flut·ed** [-tɪd] *adj.* **1.** flötenartig, sanft; **2.** gerieft, gerillt; **'flut·ing** [-tɪŋ] *s.* **1.** △ Riffelung *f*; **2.** Falten *pl.*, Rüschen *pl.*; **3.** Flöten *n* (*a. fig.*); **'flut·ist** [-tɪst] *s.* Flö'tist(in).

flut·ter ['flʌtə] **I** *v/i.* **1.** flattern (*a.* ⚕ *Herz*), wehen; **2.** a) aufgeregt hin- und herrennen, b) aufgeregt sein; **3.** zittern; **4.** flackern; **II** *v/t.* **5.** schwenken, flattern lassen, wedeln mit, mit *den Flügeln* schlagen, mit *den Augendeckeln* ,klimpern'; **6.** → ***fluster*** I; **III** *s.* **7.** Flattern *n* (*a.* ⚕ *Puls etc.*); **8.** Aufregung *f*, Tu'mult *m*: ***all in a*** ~ ganz durcheinander; **9.** *Brit.* F kleine Spekulati'on *od.* Wette; **10.** *Schwimmen*: Kraulbeinschlag *m*.

flu·vi·al ['flu:vjəl] *adj.* fluvi'al, Fluß…, in Flüssen vorkommend.

flux [flʌks] *s.* **1.** Fließen *n*, Fluß *m* (*a.* ⚡, *phys.*); **2.** Ausfluß *m* (*a.* ⚕); **3.** Strom *m* (*a. fig.*), Flut *f* (*a. fig.*): ~ ***and reflux*** Flut u. Ebbe (*a. fig.*); ~ ***of words*** Wortschwall *m*; **4.** ständige Bewegung; Wandel *m*: ***in*** (***a state of***) ~ im Fluß; **5.** ⚙ Fluß-, Schmelzmittel *n*, Zuschlag *m*; **'flux·ion·al** [-kʃənl] *adj.* **1.** fließend, veränderlich; **2.** ⩚ Fluxions…

fly¹ [flaɪ] **I** *s.* **1.** Fliegen *n*, Flug *m* (*a.* ✈): ***on the*** ~ im Fluge; **2.** *Brit. hist.* Einspänner *m*, Droschke *f*; **3.** a) Knopfleiste *f*, b) Hosenklappe *f*, -schlitz *m*; **4.** Zelttür *f*; **5.** ⚙ → ***flywheel***; **6.** Unruh *f* (*Uhr*); **7.** *pl. thea.* Sof'fitten *pl.*; **II** *v/i.* [*irr.*] **8.** fliegen: ~ ***blind*** (*od.* ***on instruments***) ✈ blindfliegen; ~ ***high*** (*od.* ***at high game***) *fig.* hoch hinauswollen; → ***let***¹ *Redew.*; **9.** flattern, wehen; **10.** verfliegen (*Zeit*), zerrinnen (*Geld*); **11.** stieben, fliegen (*Funken etc.*): ~ ***to pieces*** zerspringen, bersten, reißen; **12.** stürmen, stürzen, sausen: ~ ***to arms*** zu den Waffen eilen; ***he flew into her arms*** er flog in ihre Arme; ***send s.o. ~ing*** a) j-n fortjagen, b) j-n zu Boden schleudern; ***send things ~ing*** Sachen umherwerfen; ~ ***at s.o.*** auf j-n losgehen; ***I must ~!*** F ich muß schleunigst weiter!; → ***temper*** 3; **13.** (*nur pres., inf. u. p.pr.*) fliehen; **III** *v/t.* [*irr.*] **14.** fliegen lassen: ~ ***hawks*** *hunt.* mit Falken jagen; → ***kite*** 1; **15.** ✈ a) *Flugzeug* fliegen, führen, b) *j-n, et.* (hin)fliegen, im Flugzeug befördern, c) *Strecke* fliegen, d) *Ozean etc.* über'fliegen; **16.** *Fahne, Flagge* a) führen, b) hissen, wehen lassen; **17.** *Zaun etc.* im Sprung nehmen; **18.** (*nur pres., inf. u. p.pr.*) a) fliehen aus, b) fliehen vor (*dat.*), meiden; ~ **in** ✈ *v/t. u. v/i.* einfliegen; ~ **off** *v/i.* **1.** fortfliegen; **2.** fortstürmen; **3.** abspringen (*Knopf*); ~ **o·pen** *v/i.* auffliegen (*Tür etc.*); ~ **out** *v/i.* **1.** ausfliegen; **2.** hin'ausstürzen; **3.** wütend werden: ~ ***at s.o.*** auf j-n losgehen.

fly² [flaɪ] *s.* **1.** *zo.* Fliege *f*: ***a ~ in the ointment*** ein Haar in der Suppe; ***break a ~ on the wheel*** mit Kanonen nach Spatzen schießen; ***no flies on him*** (*od.* ***it***) F ,den legt man nicht so schnell aufs Kreuz'; ***they died*** (*od.* ***dropped***) ***like flies*** sie starben wie die Fliegen; ***he wouldn't hurt*** (*od.* ***harm***) ***a*** ~ er tut keiner Fliege was zuleide; ***I would like to be a ~ on the wall*** da würde ich gern ,Mäuschen spielen'; **2.** *Angeln*: (künstliche) (Angel)Fliege: ***cast a*** ~ e-e Angel auswerfen.

fly³ [flaɪ] *adj. sl.* gerissen, raffiniert.

fly·a·ble ['flaɪəbl] *adj.* ✈ **1.** flugtüchtig; **2.** ~ ***weather*** Flugwetter *n*.

fly| a·gar·ic *s.* ⚘ Fliegenpilz *m*; **'~·a·way** *adj.* **1.** flatternd; **2.** flatterhaft; **3.** *Am.* flugbereit; **'~·blow** *s.* Fliegenei *n*, -dreck *m*; **'~·blown** *adj.* **1.** von Fliegen beschmutzt; **2.** *fig.* besudelt; **'~·by** *s.* **1.** ✈ Vorbeiflug *m*; **2.** *Raumfahrt*: Flyby *n* (*Navigationstechnik*); **'~-by-night** F **I** *s.* **1.** *zo.* Nachtschwärmer *m*; **2.** a) Schuldner, der sich heimlich *od.* bei der Nacht aus dem Staub macht, b) ✝ zweifelhafter Kunde; **II** *adj.* **3.** ✝ zweifelhaft, anrüchig; **'~,catch·er** *s.* **1.** Fliegenfänger *m*; **2.** *orn.* Fliegenschnäpper *m*.

fly·er → ***flier***.

'fly-fish *v/i.* mit (künstlichen) Fliegen angeln.

fly·ing ['flaɪɪŋ] **I** *adj.* **1.** fliegend, Flug…; **2.** flatternd, fliegend, wehend; → ***colour*** 10; **3.** kurz, flüchtig: ~ ***visit*** Stippvisite *f*; **4.** *sport* a) fliegend: → ***flying start***, b) mit Anlauf: ~ ***jump***; **5.** schnell; **6.** fliehend, flüchtig; **II** *s.* **7.** a) Fliegen *n*, Flug *m*, b) Fliege'rei *f*, Flugwesen *n*; ~ **boat** *s.* ✈ Flugboot *n*; ~ **bomb** *s.* ⚔ fliegende Bombe, Ra'ketenbombe *f*; ~ **bridge** *s.* **1.** Rollfähre *f*; **2.** ⚓ Laufbrücke *f*; ~ **but·tress** *s.* △ Strebebogen *m*; ~ **cir·cus** *s.* ✈ **1.** ⚔ rotierende 'Staffelformati,on (*im Einsatz*); **2.** Schaufliegergruppe *f*; ~ **col·umn** *s.* ⚔ fliegende *od.* schnelle Ko'lonne; ~ **ex·hi·bi·tion** *s.* Wanderausstellung *f*; ~ **field** *s.* (*kleiner*) Flugplatz; ~ **fish** *s.* Fliegender Fisch; ~ **fox** *s. zo.* Flughund *m*; ~ **lane** *s.* ✈ (Ein-)Flugschneise *f*; ♀ **Of·fi·cer** *s.* ✈ *Brit.* Oberleutnant *m der* ***RAF***; ~ **range** *s.* ✈

Akti'onsradius *m*; ~ **sau·cer** *s.* fliegende 'Untertasse; ~ **school** *s.* Fliegerschule *f*; ~ **speed** *s.* Fluggeschwindigkeit *f*; ~ **squad** *s. Brit.* 'Überfallkom,mando *n* (*Polizei*); ~ **squad·ron** *s.* **1.** ✈ (Flieger)Staffel *f*; **2.** *Am.* a) fliegende Ko'lonne, b) 'Rollkom,mando *n*; ~ **start** *s. sport* fliegender Start: ***get off to a ~*** glänzend wegkommen, *a. fig.* e-n glänzenden Start haben; ~ **u·nit** *s.* ✈ fliegender Verband; ~ **weight** *s.* ✈ Fluggewicht *n*; ~ **wing** *s.* Nurflügelflugzeug *n*.

F

'fly|·leaf *s. typ.* Vorsatz-, Deckblatt *n*; **'~,o·ver** *s.* **1.** → ***fly-past***; **2.** *Brit.* ('Straßen-, 'Eisenbahn)Über,führung *f*; **'~,pa·per** *s.* Fliegenfänger *m*; **'~-past** *s.* ✈ 'Luftpa,rade *f*; **'~-rod** *s.* Angelrute *f* (*für künstliche Fliegen*); ~ **sheet** *s.* **1.** Flug-, Re'klameblatt *n*; **2.** ('Zelt),Überdach *n*; **'fly,swat·ter** *s.* Fliegenklappe *f*, -klatsche *f*; **'~·weight** *sport* **I** *s.* Fliegengewicht(ler *m*) *n*; **II** *adj.* Fliegengewichts…; **'~·wheel** *s.* ⚙ Schwungrad *n*.

'f-,num·ber *s. phot.* **1.** Blende *f* (*Einstellung*); **2.** Lichtstärke *f* (*vom Objektiv*).

foal [fəʊl] *zo.* **I** *s.* Fohlen *n*, Füllen *n*: ***in*** (*od.* ***with***) ~ trächtig (*Stute*); **II** *v/t. Fohlen* werfen; **III** *v/i.* fohlen, werfen; **'~·foot** *pl.* **'~·foots** *s.* ⚘ Huflattich *m*.

foam [fəʊm] **I** *s.* Schaum *m*; **II** *v/i.* schäumen (***with rage*** *fig.* vor Wut): ***he ~ed at the mouth*** der Schaum stand ihm vor dem Mund, *fig. a.* er schäumte vor Wut; **III** *v/t.* schäumen: ***~ed concrete*** Schaumbeton *m*; ***~ed plastic*** Schaumstoff *m*; ~ **ex·tin·guish·er** *s.* Schaum(feuer)löscher *m*; ~ **rub·ber** *s.* Schaumgummi *n*, *m*.

foam·y ['fəʊmɪ] *adj.* schäumend.

fob[1] [fɒb] *s.* **1.** Uhrtasche *f* (*im Hosenbund*); **2.** *a.* ~ ***chain*** Chate'laine *f* (*Uhrband, -kette*).

fob[2] [fɒb] *v/t.* **1.** ~ ***off s.th. on s.o.*** j-m et. ‚andrehen' *od.* ‚aufhängen'; **2.** ~ ***s.o. off*** j-n abspeisen, *j-n* abwimmeln (***with*** mit).

fob[3], **f.o.b**, **F.O.B.** *abbr. für* ***free on board*** (→ ***free*** 13).

fo·cal ['fəʊkl] *adj.* **1.** ⩚, *phys.*, *opt.* im Brennpunkt stehend (*a. fig.*), fo'kal, Brenn(punkt)…: ~ ***distance***, ~ ***length*** Brennweite *f*; ~ ***plane*** Brennebene *f*; ~ ***point*** Brennpunkt *m* (*a. fig.*); **2.** ⚕ fo'kal, Herd…; **'fo·cal·ize** [-kəlaɪz] → ***focus*** 4, 5.

fo'c's'le ['fəʊksl] → ***forecastle***.

fo·cus ['fəʊkəs] *pl.* **-cus·es, -ci** [-saɪ] **I** *s.* **1.** a) ⩚, ⚙, *phys.* Brennpunkt *m*, Fokus *m*, b) *TV* Lichtpunkt *m*, c) *phys.* Brennweite *f*, d) *opt.* Scharfeinstellung *f*: ***in ~*** scharf eingestellt, *fig.* klar und richtig; ***out of ~*** unscharf, verschwommen (*a. fig.*); ***bring into ~*** → 4, 5; ~ ***control*** Scharfeinstellung *f* (*Vorrichtung*); **2.** *fig.* Brenn-, Mittelpunkt *m*: ***be the ~ of attention*** im Mittelpunkt des Interesses stehen; ***bring*** (***in***)***to ~*** in den Brennpunkt rücken; **3.** Herd *m* (*e-s Erdbebens, Aufruhrs etc.*), ⚕ *a.* Fokus *m*; **II** *v/t.* **4.** *opt.*, *phot.* fokussieren, (*v/i.* sich) scharf einstellen; **5.** *phys.* (*v/i.* sich) im Brennpunkt vereinigen, (sich) sammeln; **6.** ~ ***on*** *fig.* (*v/i.* sich) konzentrieren *od.* richten auf (*acc.*).

fo·cus·(s)ing| lens ['fəʊkəsɪŋ] *s.* Sammellinse *f*; ~ **scale** *s. phot.* Entfernungsskala *f*; ~ **screen** *s. phot.* Mattscheibe *f*.

fod·der ['fɒdə] **I** *s.* (Trocken)Futter *n*; *humor.* ‚Futter' *n*; **II** *v/t. Vieh* füttern.

foe [fəʊ] *s.* Feind *m* (*a. fig.*); *a. sport u. fig.* Gegner *m*, 'Widersacher *m* (***to*** *gen.*).

foe·tal ['fi:tl] *adj.* ⚕ fö'tal; **foe·tus** ['fi:təs] *s.* ⚕ Fötus *m*.

fog [fɒg] **I** *s.* **1.** (dichter) Nebel; **2.** a) Dunst *m*, b) Dunkelheit *f*; **3.** *fig.* a) Nebel *m*, Verschwommenheit *f*, b) Verwirrung *f*: ***in a ~*** (völlig) ratlos; **4.** ⚙ (abgesprühter) Nebel; **5.** *phot.* Schleier *m*; **II** *v/t.* **6.** in Nebel hüllen, einnebeln; **7.** *fig.* verdunkeln, verwirren; **8.** *phot.* verschleiern; **III** *v/i.* **9.** neb(e)lig werden; (sich) beschlagen (*Scheibe etc.*); **'~-bank** *s.* Nebelbank *f*; **'~·bound** *adj.* **1.** in dichten Nebel eingehüllt; **2.** ***be ~*** ⚓, ✈ wegen Nebels festsitzen.

fo·gey → ***fogy***.

fog·gi·ness ['fɒgɪnɪs] *s.* **1.** Nebligkeit *f*; **2.** Verschwommenheit *f*, Unklarheit *f*; **'fog·gy** [-gɪ] *adj.* □ **1.** neb(e)lig; **2.** trüb, dunstig; **3.** *fig.* a) nebelhaft, verschwommen, unklar, b) benebelt (***with*** vor *dat.*): ***I haven't got the foggiest*** (***idea***) F ‚ich habe keinen blassen Schimmer'; **4.** *phot.* verschleiert.

'fog|·horn *s.* Nebelhorn *n*; **'~·light** *s. mot.* Nebelscheinwerfer *m*.

fo·gy ['fəʊgɪ] *s. mst* ***old ~*** ‚alter Knakker'; **'fo·gy·ish** [-ɪɪʃ] *adj.* verknöchert, verkalkt, altmodisch.

foi·ble ['fɔɪbl] *s. fig.* Faible *n*, (kleine) Schwäche *f*.

foil[1] [fɔɪl] *v/t.* **1.** a) vereiteln, durch'kreuzen, zu'nichte machen, b) *j-m* e-n Strich durch die Rechnung machen; **2.** *hunt.* *Spur* verwischen.

foil[2] [fɔɪl] **I** *s.* **1.** ⚙ (Me'tall- *od.* Kunststoff)Folie *f*, 'Blattme,tall *n*; **2.** ⚙ (Spiegel)Belag *m*; **3.** Folie *f*, 'Unterlage *f* (*für Edelsteine*); **4.** *fig.* Folie *f*, 'Hintergrund *m*: ***serve as a ~ to*** als Folie dienen (*dat.*); **5.** △ Blattverzierung *f*; **II** *v/t.* **6.** ⚙ mit Me'tallfolie belegen; **7.** △ mit Blätterwerk verzieren.

foil[3] [fɔɪl] *s. fenc.* **1.** Flo'rett *n*; **2.** *pl.* Flo'rettfechten *n*.

foils·man ['fɔɪlzmən] *s.* [*irr.*] *fenc.* Flo-

ˈrettfechter *m.*

foist [fɔɪst] *v/t.* **1.** ~ ***s.th. on s.o.*** a) j-m et. ‚andrehen', b) j-m et. aufhalsen; **2.** einschmuggeln.

fold¹ [fəʊld] **I** *v/t.* **1.** falten: ~ ***cloth*** (***one's hands***); ~***ed mountains*** *geol.* Faltengebirge *n*; ~ ***one's arms*** die Arme verschränken; **2.** *oft* ~ ***up*** zs.-falten, -legen, -klappen; **3.** *a.* ~ ***down*** a) ˈumbiegen, kniffen, b) herˈunterklappen: ~ ***back*** *Bettdecke etc.* zurückschlagen, *Stuhllehne etc.* zurückklappen; **4.** ⚙ falzen; **5.** einhüllen, umˈschließen: ~ ***in one's arms*** in die Arme schließen; **6.** *Küche*: ~ ***in*** *Ei etc.* einrühren, ˈunterziehen; **II** *v/i.* **7.** sich falten *od.* zs.-legen *od.* zs.-klappen (lassen); **8.** *mst* ~ ***up*** F a) zs.-brechen (*a. fig.*), b) ✝ ‚zumachen' (müssen), ‚eingehen' (*Firma etc.*): ~ ***up with laughter*** sich biegen vor Lachen; **III** *s.* **9.** Falte *f*; Windung *f*; ˈUmschlag *m*; **10.** ⚙ Falz *m*, Kniff *m*; **11.** *typ.* Bogen *m*; **12.** *geol.* Bodenfalte *f*.

fold² [fəʊld] **I** *s.* **1.** (Schaf)Hürde *f*, Pferch *m*; **2.** Schafherde; **3.** *eccl.* a) (Schoß *m* der) Kirche, b) Herde *f*, Gemeinde *f*; **4.** *fig.* Schoß *m* der Faˈmilie *od.* Parˈtei: ***return to the*** ~; **II** *v/t.* **5.** *Schafe* einpferchen.

-fold [-fəʊld] *in Zssgn* …fach, …fältig.

ˈ**fold|·a·way** *adj.* zs.-klappbar, Klapp…: ~ ***bed***; ˈ~**·boat** *s.* Faltboot *n*.

fold·er [ˈfəʊldə] *s.* **1.** ˈFaltproˌspekt *m*, -blatt *n*, Broˈschüre *f*, Heft *n*; **2.** Aktendeckel *m*, Mappe *f*, Schnellhefter *m*; **3.** ⚙ ˈFalzmaˌschine *f*, -bein *n*; **4.** Falzer *m* (*Person*).

fold·ing [ˈfəʊldɪŋ] *adj.* zs.-legbar, zs.-klappbar, aufklappbar, Falt…, Klapp…; ~ **bed** *s.* Klappbett *n*; ~ **bi·cy·cle** *s.* Klapp(fahr)rad *n*; ~ **boat** *s.* Faltboot *n*; ~ **cam·er·a** *s.* ˈKlappˌkamera *f*; ~ **car·ton** *s.* Faltschachtel *f*; ~ **chair** *s.* Klappstuhl *m*; ~ **doors** *s. pl.* Flügeltür *f*; ~ **gate** *s.* zweiflügeliges Tor; ~ **hat** *s.* Klapphut *m*; ~ **lad·der** *s.* Klappleiter *f*; ~ **rule** *s.* zs.-legbarer Zollstock; ~ **screen** *s.* spanische Wand; ~ **ta·ble** *s.* Klapptisch *m*; ~ **top** *s. mot.* Rolldach *n*.

fo·li·a·ceous [ˌfəʊlɪˈeɪʃəs] *adj.* blattartig; blätt(e)rig, Blätter…; **fo·li·age** [ˈfəʊlɪɪdʒ] *s.* **1.** Laub(werk) *n*, Blätter *pl.*: ~ ***plant*** Blattpflanze *f*; **2.** ⚠ Blattverzierung *f*; **fo·li·aged** [ˈfəʊlɪɪdʒd] *adj.* **1.** *in Zssgn* …blätt(e)rig; **2.** ⚠ mit Blätterwerk verziert.

fo·li·ate [ˈfəʊlɪeɪt] **I** *v/t.* **1.** ⚠ mit Blätterwerk verzieren: ~***d capital*** Blätterkapitell *n*; **2.** ⚙ mit Folie belegen; **II** *v/i.* **3.** ⚘ Blätter treiben; **4.** sich in Blätter spalten; **III** *adj.* [-ɪət] **5.** belaubt; **6.** blattartig; **fo·li·a·tion** [ˌfəʊlɪˈeɪʃn] *s.* **1.** ⚘ Blattbildung *f*, -wuchs *m*, Belaubung *f*; **2.** ⚠ (Verzierung *f* mit) Blätterwerk *n*; **3.** ⚙ Foliierung *f*; Folie *f*; **4.** Paginierung *f* (*Buch*); **5.** *geol.* Schieferung *f*.

fo·li·o [ˈfəʊlɪəʊ] **I** *pl.* **-os** *s.* **1.** (Folio-) Blatt *n*; **2.** ˈFolio(forˌmat) *n*; **3.** *a.* ~ ***volume*** Foliˈant *m*; **4.** nur vorderseitig numeriertes Blatt; **5.** Seitenzahl *f* (*Buch*); **6.** ✝ Kontobuchseite; **II** *v/t.* **7.** *Buch etc.* paginieren.

folk [fəʊk] **I** *pl.* **folk**, **folks** *s.* **1.** *pl.* (*die*) Leute *pl.*: ***poor*** ~; ~***s say*** die Leute sagen; **2.** *pl.* (*nur* ~***s***) F *m-e etc.* ‚Leute' *pl.* (*Familie*); **3.** *obs.* Volk *n*, Natiˈon *f*; **4.** F ‚Folk' *m* (*Volksmusik*); **II** *adj.* **5.** Volks…: ~ ***dance***.

folk·lore [ˈfəʊklɔː] *s.* Folkˈlore *f*: a) Volkskunde *f*, b) Volkstum *n* (*Bräuche etc.*); ˈ**folkˌlor·ism** [-ˌlɔːrɪzəm] → ***folklore*** a; ˈ**folkˌlor·ist** [-ˌlɔːrɪst] *s.* Folkloˈrist *m*, Volkskundler *m*; ˌ**folk·lorˈis·tic** [-lɔːˈrɪstɪk] *adj.* folkloˈristisch.

folk song *s.* **1.** Volkslied *n*; **2.** Folksong *m* (*bsd. sozialkritisches Lied*).

folk·sy [ˈfəʊksɪ] *adj.* **1.** F gesellig, ˈumgänglich; **2.** volkstümlich, *contp. a.* volkstümelnd.

fol·li·cle [ˈfɒlɪkl] *s.* **1.** ⚘ Fruchtbalg *m*; **2.** *anat.* a) Folˈlikel *n*, Drüsenbalg *m*, b) Haarbalg *m*.

fol·low [ˈfɒləʊ] **I** *s.* **1.** *Billard*: Nachläufer *m*; **II** *v/t.* **2.** *allg.* folgen (*dat.*): a) (*zeitlich u. räumlich*) nachfolgen (*dat.*), sich anschließen (*dat.*): ~ ***s.o. close*** j-m auf dem Fuß folgen; ***a dinner*** ~***ed by a dance*** ein Essen mit anschließendem Tanz, b) verfolgen (*acc.*), entlanggehen, -führen (*acc.*) (*Straße*), c) (*zeitlich*) folgen auf (*acc.*), nachfolgen (*dat.*): ~ ***one's father as manager*** s-m Vater als Direktor (nach)folgen, d) nachgehen (*dat.*), verfolgen (*acc.*), sich widmen (*dat.*), betreiben (*acc.*), *Beruf* ausüben: ~ ***one's pleasure*** s-m Vergnügen nachgehen; ~ ***the sea*** (***the law***) Seemann (Jurist) sein, e) befolgen, beachten, *die Mode* mitmachen; sich richten nach (*Sache*): ~ ***my advice***, f) *j-m als Führer od. Vorbild* folgen, sich bekennen zu, zustimmen (*dat.*): ***I cannot*** ~ ***your view*** Ihren Ansichten kann ich nicht zustimmen, g) folgen können (*dat.*), verstehen (*acc.*): ***do you*** ~ ***me?*** können Sie mir folgen?, h) (*mit dem Auge od. geistig*) verfolgen, beobachten (*acc.*): ~ ***a tennis match***; ~ ***events***; **3.** verfolgen (*acc.*), ⚔ *a.* nachstoßen (*dat.*): ~ ***the enemy***; **III** *v/i.* **4.** (*räumlich od. zeitlich*) (nach)folgen, sich anschließen: ~ (***up***)***on*** folgen auf (*acc.*); ***I*** ~***ed after him*** ich folgte ihm nach; ***as*** ~***s*** wie folgt, folgendermaßen; ***letter to*** ~ Brief folgt; **5.** *mst impers.* folgen, sich ergeben (***from*** aus): ***it*** ~***s from this*** hieraus folgt; ***it does not*** ~ ***that*** dies besagt nicht, daß; ***so what***

F

~s? und was folgt daraus?; ***it doesn't ~!*** das ist nicht unbedingt so!
Zssgn mit adv.:
fol·low| a·bout *v/t.* überall('hin) folgen (*dat.*); **~ on** *v/i.* gleich weitermachen *od.* -gehen; **~ out** *v/t. Plan etc.* 'durchziehen; **~ through I** *v/t.* → ***follow out***; **II** *v/i. bsd. Golf*: 'durchschwingen; **~ up I** *v/t.* **1.** (eifrig *od.* e'nergisch weiter-) verfolgen, *e-r Sache* nachgehen; *auf e-n Brief, Schlag etc. e-n anderen* folgen lassen, nachstoßen mit; **2.** *fig. e-n Vorteil* ausnutzen; **II** *v/i.* **3.** ⚔ nachstoßen (*a. fig.* ***with*** mit); **4.** ⚕ nachfassen.

fol·low·er ['fɒləʊə] *s.* **1.** *obs.* Verfolger (-in); **2.** a) Anhänger *m* (*pol., sport etc.*), Jünger *m*, Schüler *m*, b) *pl.* → ***following*** 1; **3.** *hist.* Gefolgsmann *m*; **4.** Begleiter *m*; **5.** *pol.* Mitläufer(in); '**fol·low·ing** [-əʊɪŋ] **I** *s.* **1.** a) Gefolge *n*, Anhang *m*, b) Gefolgschaft *f*, Anhänger *pl.*; **2.** ***the ~*** a) das Folgende, b) die Folgenden *pl.*; **II** *adj.* **3.** folgend; **III** *prp.* **4.** im Anschluß an (*acc.*).

ˌ**fol·low|-my-'lead·er** [-əʊmɪ-] *s. Kinderspiel, bei dem jede Aktion des Anführers nachgemacht werden muß*; ˌ**~-'through** *s.* **1.** *bsd. Golf*: 'Durchschwung *m*; **2.** *fig.* 'Durchführung *f*; '**~-up I** *s.* **1.** Weiterverfolgen *n e-r Sache*; **2.** Ausnutzung *f e-s Vorteils*; **3.** ⚔ Nachstoßen *n* (*a. fig.*); **4.** *bsd.* ⚕ Nachfassen *n*; **5.** *Radio, TV etc.*: Fortsetzung *f* (***to*** *gen.*); **6.** ⚕ Nachbehandlung *f*; **II** *adj.* **7.** weiter, Nach…: ***~ advertising*** Nachfaßwerbung *f*; ***~ conference*** Nachfolgekonferenz *f*; ***~ costs*** Folgekosten *pl.*; ***~ file*** Wiedervorlagemappe *f*; ***~ letter*** Nachfaßschreiben *n*; ***~ order*** Anschlußauftrag *m*; ***~ question*** Zusatzfrage *f*.

fol·ly ['fɒlɪ] *s.* **1.** Narr-, Torheit *f*, Narre'tei *f*; **2.** ***Follies*** *pl.* (*sg. konstr.*) *thea.* Re'vue *f*.

fo·ment [fəʊ'ment] *v/t.* **1.** ⚕ bähen, mit warmen 'Umschlägen behandeln; **2.** *fig.* anfachen, schüren, aufhetzen (zu); **fo·men·ta·tion** [ˌfəʊmen'teɪʃn] *s.* **1.** ⚕ Bähung *f*; heißer 'Umschlag; **2.** *fig.* Aufhetzung *f*, -wiegelung *f*; **fo'ment·er** [-tə] *s.* Aufwiegler(in), Schürer(in).

fond [fɒnd] *adj.* □ → ***fondly***; **1.** zärtlich, liebevoll; **2.** töricht, (allzu) kühn, über'trieben: ***~ hope***; ***it went beyond my ~est dreams*** es übertraf m-e kühnsten Träume; **3.** ***be ~ of*** *j-n od et.* lieben, mögen, gern haben: ***be ~ of smoking*** gern rauchen.

fon·dant ['fɒndənt] *s.* Fon'dant *m*.

fon·dle ['fɒndl] *v/t.* (liebevoll) streicheln, hätscheln; '**fond·ly** [-lɪ] *adv.* **1.** → ***fond*** 1; **2.** ***I ~ hoped that ...*** ich war so töricht zu hoffen, daß …; '**fond·ness** [-dnɪs] *s.* **1.** Zärtlichkeit *f*; **2.** Liebe *f*, Zuneigung (***of*** zu); **3.** Vorliebe (***for*** für).

font [fɒnt] *s.* **1.** *eccl.* Taufstein *m*, -becken *n*: ***~ name*** Taufname *m*; **2.** Ölbehälter *m* (*Lampe*); **3.** *poet.* Quelle *f*, Brunnen *m*.

fon·ta·nel(le) [ˌfɒntə'nel] *s. anat.* Fonta'nelle *f*.

food [fu:d] *s.* **1.** Essen *n*, Kost *f*, Nahrung *f*, Verpflegung *f*: ***~ and drink*** Essen u. Trinken; ***~ plant*** Nahrungspflanze *f*; **2.** Nahrungs-, Lebensmittel *pl.*: ***~ analyst*** Lebensmittelchemiker(in); ***~ poisoning*** Lebensmittelvergiftung *f*; **3.** Futter *n*; **4.** *fig.* Nahrung *f*, Stoff *m*: ***~ for thought*** Stoff zum Nachdenken; '**~·stuff** → ***food*** 2.

food·ie ['fu:dɪ] *s.* F Feinschmecker *m*.

fool[1] [fu:l] **I** *s.* **1.** Narr *m*, Närrin *f*, Dummkopf *m*, ‚Idi'ot(in)': ***he is no ~*** er ist nicht dumm; ***he is nobody's ~*** er läßt sich nichts vormachen; ***he is a ~ for*** F er ist ganz verrückt auf (*acc.*); ***I am a ~ to him*** ich bin ein Waisenknabe gegen ihn; ***make a ~ of*** → 4; ***make a ~ of o.s.*** sich lächerlich machen, sich blamieren; **2.** (Hof)Narr *m*, Hans'wurst *m*: ***play the ~*** → 8; **II** *adj.* **3.** *Am.* F blöd, ‚doof': ***a ~ question***; **III** *v/t.* **4.** *j-n* zum Narren *od.* zum besten haben; **5.** betrügen (***out of*** um), täuschen; verleiten (***into doing*** zu tun); **6.** ***~ away*** *Zeit etc.* vergeuden; **IV** *v/i.* **7.** Spaß machen, spaßen: ***he was only ~ing*** *Am.* er tat ja nur so (als ob); **8.** ***~ about***, ***~ around*** her'umalbern, Unsinn *od.* Faxen machen; **9.** (her'um)spielen (***with*** mit, an *dat.*).

fool[2] [fu:l] *s. bsd. Brit. Süßspeise aus Obstpüree u. Sahne.*

fool·er·y ['fu:lərɪ] *s.* → ***folly*** 1.

'**fool|ˌhar·di·ness** *s.* Tollkühnheit *f*; '**~ˌhar·dy** *adj.* tollkühn, verwegen.

fool·ing ['fu:lɪŋ] *s.* Dummheit(en *pl.*) *f*, Unfug *m*, Spiele'rei *f*; '**fool·ish** [-lɪʃ] *adj.* □ dumm, töricht: a) albern, läppisch, b) unklug; '**fool·ish·ness** [-lɪʃnɪs] *s.* Dumm-, Tor-, Albernheit *f*; '**fool·proof** *adj.* **1.** kinderleicht, idi'otensicher; **2.** ⚙ betriebssicher; **3.** todsicher.

fools·cap ['fu:lskæp] *s. Schreib- u. Druckpapierformat* (*34,2×43,1 cm*).

fool's| er·rand [fu:lz] *s.* ‚Metzgergang' *m*; **~ par·a·dise** *s.* Wolken'kuckucksheim *n*: ***live in a ~*** sich Illusionen hingeben.

foot [fʊt] **I** *pl.* **feet** [fi:t] *s.* **1.** Fuß *m*: ***on ~*** a) zu Fuß, b) *fig.* im Gange; ***on one's feet*** auf den Beinen (*a. fig.*); ***my ~*** (*od.* ***feet***)***!*** F von wegen!, Quatsch!; ***it is wet under ~*** der Boden ist naß; ***carry*** (*od.* ***sweep***) ***s.o. off his feet*** a) j-n begeistern, b) j-s Herz im Sturm erobern; ***fall on one's feet*** *fig.* immer auf die Füße fallen; ***get on*** (*od.* ***to***) ***one's feet*** aufstehen; ***find one's feet*** a) gehen lernen *od.* können, b) sich ‚finden', sich ‚freischwimmen', c) wissen, was man tun soll *od.* kann, d) festen Boden unter den Füßen haben; ***have one ~ in the grave*** mit einem Fuß im Grabe stehen; ***put one's ~ down*** a) energisch werden, ein Machtwort sprechen, b) *mot.* Gas geben; ***put one's ~ in it***, *Am. a.* ***put one's ~ in one's mouth*** F ins Fettnäpfchen treten, sich danebenbenehmen; ***put one's best ~ forward*** a) sein Bestes geben, sich mächtig anstrengen, b) sich von der besten Seite zeigen; ***put s.o.*** (*od.* ***s.th.***) ***on his*** (***its***) ***feet*** *fig.* j-n (*od.* et.) wieder auf die Beine bringen; ***put*** *od.* ***set a*** (*od.* ***one's***) ***~ wrong*** et. Falsches tun *od.* sagen; ***set on ~*** *et.* in Gang bringen *od.* in die Wege leiten; ***set ~ on*** *od.* ***in*** betreten; ***tread under ~*** mit Füßen treten (*mst fig.*); → ***cold*** 3; **2.** Fuß *m* (*0,3048 m*): ***3 feet long*** 3 Fuß lang; **3.** *fig.* Fuß *m* (*Berg, Glas, Säule, Seite, Strumpf, Treppe*): ***at the ~ of the page*** unten auf *od.* am Fuß der Seite; **4.** Fußende *n* (*Bett, Tisch etc.*); **5.** ⚔ a) *hist.* Fußvolk *n*: ***500 ~*** 500 Fußsoldaten, b) Infante'rie *f*: ***the 4th ~*** Infanterieregiment Nr. 4; **6.** Versfuß *m*; **7.** Schritt *m*, Tritt *m*: ***a heavy ~***; **8.** *pl.* ***~s*** Bodensatz *m*; **II** *v/t.* **9.** ***~ it*** F a) ‚tippeln', zu Fuß gehen, b) tanzen; **10.** e-n Fuß anstricken an (*acc.*); **11.** bezahlen, begleichen; ***~ the bill***; **12.** *mst* ***~ up*** zs.-zählen, addieren.

foot·age ['fʊtɪdʒ] *s.* **1.** Gesamtlänge *f*, -maß *n* (*in Fuß*); **2.** Filmmeter *pl.*

ˌfoot|-and-'mouth dis·ease *s. vet.* Maul- u. Klauenseuche *f*; **'~·ball** *s. sport* a) Fußball(spiel *n*) *m*: b) *Am.* Football(spiel *n*) *m*: ***~ match*** (***team***) Fußballspiel *n* (-mannschaft *f*); ***~ pools*** *pl.* Fußballtoto *n*; **'~ˌball·er** *s.* Fußballspieler *m*, Fußballer *m*; **'~·bath** *s.* Fußbad *n*; **'~·boy** *s.* **1.** Laufbursche *m*; **2.** Page *m*; **~ brake** *s.* Fußbremse *f*; **'~·bridge** *s.* Fußgängerbrücke *f*, (Lauf-) Steg *m*; **~ can·dle** *s. phys.* Foot-candle *f* (*Lichteinheit*); **~ con·trol** *s.* ⚙ Fußsteuerung *f*, -schaltung *f*; **~ drop** *s.* ⚕ Spitzfuß *m*.

foot·ed ['fʊtɪd] *adj. mst in Zssgn* mit ... Füßen, ...füßig; **'foot·er** [-tə] *s.* **1.** *in Zssgn* ... Fuß groß *od.* lang: ***a six-~*** ein sechs Fuß großer Mensch; **2.** *Brit. sl.* Fußball(spiel *n*) *m*.

'foot|·fall *s.* Schritt *m*, Tritt *m* (*Geräusch*); **~ fault** *s. Tennis*: Fußfehler *m*; **'~·gear** *s.* Schuhwerk *n*; **~ guard** *s.* Fußschutz *m*; **'~·hill** *s.* **1.** Vorberg *m*; **2.** *pl.* Ausläufer *pl.* e-s Gebirges; **'~·hold** *s.* Stand *m*, Raum *m* zum Stehen; *fig.* Halt *m*, Stütze *f*; ('Ausgangs)Basis *f*, (-)Positiˌon *f*: ***gain a ~*** (festen) Fuß fassen.

foot·ing ['fʊtɪŋ] *s.* **1.** → ***foothold***: ***lose*** (*od.* ***miss***) ***one's ~*** ausgleiten, den Halt verlieren; **2.** Aufsetzen *n* der Füße.

foo·tle ['fu:tl] F **I** *v/i.* **1.** *oft* ***~ around*** her'umtrödeln; **2.** a) her'umalbern, b) ‚Stuß' reden; **II** *v/t.* **3.** ***~ away*** *Zeit, Geld etc.* vergeuden, *Chance* vertun; **III** *s.* **4.** ‚Stuß' *m*.

'foot·lights *s. pl. thea.* **1.** Rampenlicht (-er *pl.*) *n*; **2.** Bühne *f* (*a. Schauspielerberuf*).

foo·tling ['fu:tlɪŋ] *adj. sl.* albern, läppisch.

'foot|·loose *adj.* (völlig) ungebunden *od.* frei; **'~·man** [-mən] *s.* [*irr.*] La'kai *m*, Diener *m*; **'~·mark** *s.* Fußspur *f*; **'~·note** *s.* Fußnote *f*; **ˌ~-'op·er·at·ed** *adj.* mit Fußantrieb, Tret..., Fuß...; **'~·pad** *s. obs.* Straßenräuber *m*; **~ pas·sen·ger** *s.* Fußgänger(in); **'~·path** *s.* **1.** (Fuß)Pfad *m*; **2.** Bürgersteig *m*; **'~-pound** *s.* Foot-pound *n* (*Arbeits- u. Energie-Einheit*); **'~-ˌpound·al** [-ˌpaʊndl] *n* Foot-poundal *n* (1/32 *Foot-pound*); **'~·print** *s.* Fußabdruck *m*, *pl. a.* Fußspur(en *pl.*) *f*; **'~·race** *s.* Wettlauf *m*; **'~·rest** *s.* Fußstütze *f*, -raste *f*; **~ rule** *s.* Zollstock *m*; **'~·sore** *adj.* fußkrank; **'~·step** *s.* **1.** Tritt *m*, Schritt *m*; **2.** Fuß(s)tapfe *f*: ***follow in s.o.'s ~s*** in j-s Fußstapfen treten, j-s Beispiel folgen; **'~·stool** *s.* Schemel *m*, Fußbank *f*; **~ switch** *s.* ⚙ Fußschalter *m*; **'~·way** *s.* Fußweg *m*; **'~·wear** → ***footgear***; **'~·work** *s. sport* Beinarbeit *f*.

foo·zle ['fu:zl] *sl.* **I** *v/t.* ‚verpatzen'; **II** *v/i.* ‚patzen', ‚Mist bauen'; **III** *s.* Murks *m*; ‚Patzer' *m*.

fop [fɒp] *s.* Stutzer *m*, Geck *m*, ‚Fatzke' *m*; **'fop·per·y** [-pərɪ] *s.* Affigkeit *f*; **'fop·pish** [-pɪʃ] *adj.* □ geckenhaft, affig.

for [fɔ:; fə] **I** *prp.* **1.** *allg.* für: ***a gift ~ him***; ***it is good ~ you***; ***I am ~ the plan***; ***an eye ~ beauty*** Sinn für das Schöne; ***it was very awkward ~ her*** es war sehr peinlich für sie, es war ihr sehr unangenehm; ***he spoilt their weekend ~ them*** er verdarb ihnen das ganze Wochenende; ***~ and against*** für u. wider; **2.** für, (mit der Absicht) zu, um (...willen): ***apply ~ the post*** sich um die Stellung bewerben; ***die ~ a cause*** für e-e Sache sterben; ***go ~ a walk*** spazierengehen; ***come ~ dinner*** zum Essen kommen; ***what ~?*** wozu?, wofür?; **3.** (*Wunsch, Ziel*) nach, auf (*acc.*): ***a claim ~ s.th.*** ein Anspruch auf e-e Sache; ***the desire ~ s.th.*** der Wunsch *od.* das Verlangen nach et.; ***call ~ s.o.*** nach j-m rufen; ***wait ~ s.th.*** auf etwas warten; ***oh, ~ a car!*** ach, hätte ich doch e-n Wagen!; **4.** a) (*passend od. geeignet*) für, b) (*bestimmt*) für *od.* zu: ***tools ~***

F

cutting Werkzeuge zum Schneiden, Schneidewerkzeuge; ***the right man ~ the job*** der richtige Mann für diesen Posten; **5.** (*Mittel*) gegen: ***a remedy ~ influenza***; ***treat s.o. ~ cancer*** j-n gegen *od.* auf Krebs behandeln; ***there is nothing ~ it but to give in*** es bleibt nichts (anderes) übrig, als nachzugeben; **6.** (*als Belohnung*) für: ***a medal ~ bravery***; **7.** (*als Entgelt*) für, gegen, um: ***I sold it ~ £10*** ich verkaufte es für 10 Pfund; **8.** (*im Tausch*) für, gegen: ***I exchanged the knife ~ a pencil***; **9.** (*Betrag, Menge*) über (*acc.*): ***a postal order ~ £20***; **10.** (*Grund*) aus, vor (*dat.*), wegen (*gen. od. dat.*): ***~ this reason*** aus diesem Grund; ***~ fun*** aus *od.* zum Spaß; ***die ~ grief*** aus *od.* vor Gram sterben; ***weep ~ joy*** vor Freude weinen; ***I can't see ~ the fog*** ich kann nichts sehen wegen des Nebels *od.* vor lauter Nebel; **11.** (*als Strafe etc.*) für, wegen: ***punished ~ theft***; **12.** dank, wegen: ***were it not ~ his energy*** wenn er nicht so energisch wäre, dank s-r Energie; **13.** für, in Anbetracht (*gen.*), im Verhältnis zu: ***he is tall ~ his age*** er ist groß für sein Alter; ***it is rather cold ~ July*** es ist ziemlich kalt für Juli; ***~ a foreigner he speaks rather well*** für e-n Ausländer spricht er recht gut; **14.** (*zeitlich*) für, während (*gen.*), auf (*acc.*), für die Dauer von, seit: ***~ a week*** e-e Woche (lang); ***come ~ a week*** komme auf *od.* für e-e Woche; ***~ hours*** stundenlang; ***~ some time past*** seit längerer Zeit; ***the first picture ~ two months*** der erste Film in *od.* seit zwei Monaten; **15.** (*Strecke*) weit, lang: ***run ~ a mile*** e-e Meile (weit) laufen; **16.** nach, auf (*acc.*), in Richtung auf (*acc.*): ***the train ~ London*** der Zug nach London; ***the passengers ~ Rome*** die nach Rom reisenden Passagiere; ***start ~ Paris*** nach Paris abreisen; ***now ~ it!*** *Brit.* F jetzt (nichts wie) los *od.* drauf!, ran!; **17.** für, an Stelle von (*od. gen.*), (an)'statt: ***he appeared ~ his brother***; **18.** für, in Vertretung *od.* im Auftrage *od.* im Namen von (*od. gen.*): ***act ~ s.o.***; **19.** für, als: ***~ example*** als *od.* zum Beispiel; ***books ~ presents*** Bücher als Geschenk; ***take that ~ an answer*** nimm das als Antwort; **20.** trotz (*gen. od. dat.*): ***~ all that*** trotz alledem; ***~ all his wealth*** trotz s-s ganzen Reichtums, bei allem Reichtum; ***~ all you may say*** sage, was du willst; **21.** was … betrifft: ***as ~ me*** was mich betrifft *od.* an(be)langt; ***as ~ that matter*** was das betrifft; ***~ all I know*** soviel ich weiß; **22.** *nach adj. u. vor inf.*: ***it is too heavy ~ me to lift*** es ist so schwer, daß ich es nicht heben kann; es ist zu schwer für mich; ***he ran too fast ~ me to catch him*** er rannte zu schnell, als daß ich ihn hätte einholen können; ***it is impossible ~ me to come*** es ist mir unmöglich zu kommen, ich kann unmöglich kommen; ***it seemed useless ~ him to continue*** es erschien sinnlos, daß er noch weitermachen sollte; **23.** *mit s. od. pron. u. inf.*: ***it is time ~ you to go home*** es ist Zeit, daß du heimgehst; ***it is ~ you to decide*** die Entscheidung liegt bei Ihnen; ***he called ~ the girl to bring him tea*** er rief nach dem Mädchen, damit es ihm Tee bringe; ***don't wait ~ him to turn up yet*** wartet nicht darauf, daß er noch auftaucht; ***wait ~ the rain to stop!*** warte, bis der Regen aufhört!; ***there is no need ~ anyone to know*** es braucht niemand zu wissen; ***I should be sorry ~ you to think that*** es täte mir leid, wenn du das dächtest; ***he brought some papers ~ me to sign*** er brachte mir einige Papiere zur Unterschrift; **24.** (*ethischer Dativ*): ***that's a wine ~ you*** das ist vielleicht ein Weinchen, das nenne ich e-n Wein; ***that's gratitude ~ you!*** a) das ist (wahre) Dankbarkeit!, b) *iro.* von wegen Dankbarkeit!; **25.** *Am.* nach: ***he was named ~ his father***; **II** *cj.* **26.** a) denn, weil, b) nämlich; **III** *s.* **27.** Für *n.*

for·age ['fɒrɪdʒ] **I** *s.* **1.** (Vieh)Futter *n*; **2.** Nahrungssuche *f*; **3.** ⚔ 'Überfall *m*; **II** *v/i.* **4.** (nach) Nahrung *od.* Futter suchen; **5.** *fig.* her'umstöbern, -kramen (***for*** nach); **6.** ⚔ e-n 'Überfall machen; **III** *v/t.* **7.** mit Nahrung *od.* Futter versorgen; **8.** *obs.* (aus)plündern; **~ cap** *s.* ⚔ Feldmütze *f.*

for·ay ['fɒreɪ] **I** *s.* **1.** a) Beute-, Raubzug *m*, b) ⚔ Ein-, 'Überfall *m*; **2.** *fig.* ‚Ausflug' *m* (***into*** in *acc.*); **II** *v/i.* **3.** plündern; **4.** einfallen (***into*** in *acc.*).

for·bade [fə'bæd], *a.* **for'bad** [-'bæd] *pret. von* **forbid**.

for·bear[1] ['fɔːbeə] *s.* Vorfahr *m.*

for·bear[2] [fɔː'beə] **I** *v/t.* [*irr.*] **1.** unter'lassen, Abstand nehmen von, sich enthalten (*gen.*): ***I cannot ~ laughing*** ich muß (einfach) lachen; **II** *v/i.* [*irr.*] **2.** Abstand nehmen (***from*** von); es unterlassen; **3.** nachsichtig sein (***with*** mit);

for'bear·ance [-eərəns] *s.* **1.** Unter'lassung *f*; **2.** Geduld *f*, Nachsicht *f*;

for'bear·ing [-eərɪŋ] *adj.* □ nachsichtig, geduldig.

for·bid [fə'bɪd] **I** *v/t.* [*irr.*] **1.** verbieten, unter'sagen (*j-m et. od. zu tun*); **2.** unmöglich machen, ausschließen; **II** *v/i.* **3.** ***God ~!*** Gott behüte!; **for'bid·den** [-dn] *p.p. von* **forbid** *u. adj.* verboten: ***~ fruit*** *fig.* verbotene Frucht; ***♀ City*** *hist.* *die* Verbotene Stadt (*in Peking*); **for'bidding** [-dɪŋ] *adj.* □ **1.** abschreckend, abstoßend, scheußlich; **2.** bedrohlich, gefährlich; **3.** ‚unmöglich', unerträglich.

for·bore [fɔːˈbɔː] *pret. von* ***forbear²***; **forˈborne** [-ɔːn] *p.p. von* ***forbear²***.

force [fɔːs] **I** *s.* **1.** (*a. fig. geistige, politische etc.*) Kraft (*a. phys.*), Stärke *f* (*a. Charakter*), Wucht *f*: ***join ~s*** a) sich zs.-tun, b) ⚔ s-e Streitkräfte vereinigen; **2.** Gewalt *f*, Macht *f*: ***by ~*** a) gewaltsam, b) zwangsweise; ***by ~ of arms*** mit Waffengewalt; **3.** Zwang *m* (*a.* ⚖), Druck *m*: ***~ of circumstances*** Zwang der Verhältnisse; **4.** Einfluß *m*, Wirkung *f*, Wert *m*; Nachdruck *m*, Überˈzeugungskraft *f*: ***by ~ of*** vermittels; ***~ of habit*** Macht *f* der Gewohnheit; ***lend ~ to*** Nachdruck verleihen (*dat.*); **5.** ⚖ (Rechts)Gültigkeit *f*, (-)Kraft *f*: ***in ~*** in Kraft, geltend; ***come*** (***put***) ***into ~*** in Kraft treten (setzen); **6.** *ling.* Bedeutung *f*, Gehalt *m*; **7.** ⚔ Streit-, Kriegsmacht *f*, Truppe(n *pl.*) *f*, Verband *m*: ***the*** (***armed***) ***~s*** die Streitkräfte; ***labo(u)r ~*** Arbeitskräfte *pl.*, Belegschaft *f*; ***a strong ~ of police*** ein starkes Polizeiaufgebot; **8.** ***the ~*** *Brit.* die Poliˈzei; **9.** F Menge *f*: ***in ~*** in großer Zahl *od.* Menge; ***the police came out in ~*** die Polizei rückte in voller Stärke aus; **II** *v/t.* **10.** zwingen, nötigen: ***~ s.o.'s hand*** j-n (zum Handeln) zwingen; ***~ one's way*** sich durchzwängen; ***~ s.th. from s.o.*** j-m et. entreißen; **11.** erzwingen, forcieren, ˈdurchsetzen: ***~ a smile*** gezwungen lächeln; **12.** treiben, drängen; *Preise* hochtreiben: ***~ s.th. on s.o.*** j-m et. aufdrängen *od.* -zwingen; **13.** ♂ treiben, hochzüchten; **14.** forcieren, beschleunigen: ***~ the pace***; **15.** *j-m, a. e-r Frau, a. fig. dem Sinn etc.* Gewalt antun; *Ausdruck* zu Tode hetzen; **16.** *Tür etc.* aufbrechen, (-)sprengen; **17.** ⚔ erstürmen; überˈwältigen; **18.** ***~ down*** a) ✈ zur Landung zwingen, b) *Essen* hinˈunterwürgen.

forced [fɔːst] *adj.* □ **1.** erzwungen, forciert, Zwangs...: ***~ lubrication*** → ***force feed***; ***~ labo(u)r*** Zwangsarbeit *f*; ***~ landing*** ✈ Notlandung *f*; ***~ loan*** † Zwangsanleihe *f*; ***~ march*** ⚔ Eil-, Gewaltmarsch *m*; ***~ sale*** ⚖ Zwangsverkauf *m*, -versteigerung *f*; **2.** forciert, gekünstelt, gezwungen (*Lächeln etc.*); maniriert (*Stil etc.*); **ˈforc·ed·ly** [-sɪdlɪ] *adv.* → ***forced***.

force| feed *s.* ⚙ Druckschmierung *f*; **ˈ~-feed** *v/t.* [*irr.* → ***feed***] *j-n* zwangsernähren; **~ field** *s. phys.* Kräftefeld *n*.

force·ful [ˈfɔːsfʊl] *adj.* □ **1.** kräftig, wuchtig (*a. fig.*); **2.** eindringlich, -drucksvoll; zwingend, überˈzeugend (*Argumente etc.*); **ˈforce·ful·ness** [-nɪs] *s.* Eindringlichkeit *f*, Wucht *f*.

ˈforce-land I *v/t.* ✈ zur Notlandung zwingen; **II** *v/i.* notlanden.

force ma·jeure [ˌfɔːsmæˈʒɜː] (*Fr.*) *s.* ⚖ höhere Gewalt.

ˈforce-meat *s. Küche*: Farce *f*, (Fleisch-) Füllung *f*.

for·ceps [ˈfɔːseps] *s. sg. u. pl.* ⚕ a) Zange *f*, b) Pinˈzette *f*: ***~ delivery*** ⚕ Zangengeburt *f*.

force pump *s.* ⚙ Druckpumpe *f*.

for·ci·ble [ˈfɔːsəbl] *adj.* □ **1.** gewaltsam: ***~ feeding*** Zwangsernährung *f*; **2.** → ***forceful***.

forc·ing| bed [ˈfɔːsɪŋ], **~ frame** *s.* ♂ Früh-, Mistbeet *n*; **~ house** *s.* Treibhaus *n*.

ford [fɔːd] **I** *s.* Furt *f*; **II** *v/i.* ˈdurchwaten; **III** *v/t.* durchˈwaten; **ˈford·a·ble** [-dəbl] *adj.* seicht.

fore [fɔː] **I** *adj.* vorder, Vorder..., Vor...; früher; **II** *s.* Vorderteil *m*, *n*, -seite *f*, Front *f*: ***to the ~*** a) bei der *od.* zur Hand, zur Stelle, b) am Leben, c) im Vordergrund: ***come to the ~*** a) hervortreten, in den Vordergrund treten, b) sich hervortun; **III** *int. Golf*: Achtung!

ˌfore-and-ˈaft [-ɔːrə-] *adj.* ⚓ längsschiffs: ***~ sail*** Stagsegel *n*.

fore·arm¹ [ˈfɔːrɑːm] *s.* ˈUnterarm *m*.

fore·arm² [fɔːrˈɑːm] *v/t.*: ***~ o.s.*** sich wappnen; → ***forewarn***.

ˈfore|·bear → ***forbear¹***; **~ˈbode** [-ˈbəʊd] *v/t.* **1.** vorˈhersagen, propheˈzeien; **2.** ahnen lassen, deuten auf (*acc.*); **3.** ein böses Omen sein für; **4.** *Schlimmes* ahnen, vorˈaussehen; **~ˈbod·ing** [-ˈbəʊdɪŋ] *s.* **1.** (böses) Vorzeichen *od.* Omen; **2.** (böse) Ahnung; **3.** Propheˈzeiung *f*; **ˈ~·cast I** *v/t.* [*irr.* → ***cast***] **1.** vorˈaussagen, vorˈhersehen; **2.** vorˈausberechnen, im vorˈaus schätzen *od.* planen; **3.** *Wetter etc.* vorˈhersagen; **II** *s.* **4.** Vorˈher-, Vorˈaussage *f*: ***weather ~*** Wetterbericht *m*, -vorhersage; **~·cas·tle** [ˈfəʊksl] *s.* ⚓ Back *f*, Vorderdeck *n*; **ˈ~ˌcheck·ing** *s. sport* Forechecking *n*, frühes Stören; **~ˈclose** *v/t.* **1.** ⚖ ausschließen (***of*** von *e-m Rechtsanspruch*); **2.** ***~ a mortgage*** a) e-e Hypothekenforderung geltend machen, b) e-e Hypothek (gerichtlich) für verfallen erklären, c) *Am.* aus e-r Hypothek die Zwangsvollstreckung betreiben; für verfallen erklären; **3.** (ver)hindern; **4.** *Frage etc.* vorˈwegnehmen; **~ˈclo·sure** *s.* ⚖ a) (gerichtliche) Verfallserklärung (*e-r Hypothek*), b) *Am.* Zwangsvollstreckung *f*: ***~ action*** Ausschlußklage *f*; ***~ sale*** *Am.* Zwangsversteigerung *f*; **ˈ~·deck** *s.* ⚓ Vorderdeck *n*; **~ˈdoom** *v/t.*: ***~ed*** (***to failure***) *fig.* von vornherein zum Scheitern verurteilt, totgeboren; **ˈ~ˌfa·ther** *s.* Ahn *m*, Vorfahr *m*; **ˈ~ˌfin·ger** *s.* Zeigefinger *m*; **ˈ~·foot** *s.* [*irr.*] **1.** *zo.* Vorderfuß *m*; **2.** ⚓ Stevenanlauf *m*; **ˈ~·front** *s.* vorderste Reihe (*a. fig.*): ***in the ~ of the battle*** ⚔ in vorderster Linie; ***be in the ~ of s.o.'s mind*** j-n (*geistig*) sehr beschäftigen; **~'gath·er** → ***forgather***; **~'go** *v/t. u. v/i.* [*irr.* → ***go***] **1.** vor'angehen (*dat.*), *zeitlich a.* vor'hergehen (*dat.*): ***~ing*** vorhergehend, vorerwähnt, vorig; **2.** → ***forgo***; **'~·gone** *adj.*: ***~ conclusion*** ausgemachte Sache, Selbstverständlichkeit *f*; ***his success was a ~ conclusion*** sein Erfolg stand von vornherein fest *od.* war ‚vorprogrammiert'; **'~·ground** *s.* Vordergrund *m* (*a. fig.*); **'~·hand I** *s.* **1.** Vorderhand *f* (*Pferd*); **2.** *sport* Vorhand(schlag *m*) *f*; **II** *adj.* **3.** *sport* Vorhand…

fore·head ['fɒrɪd] *s.* Stirn *f.*

'fore·hold *s.* ⚓ vorderer Laderaum.

for·eign ['fɒrən] *adj.* **1.** fremd, ausländisch, auswärtig, Auslands…, Außen…: ***~ affairs*** *pol.* auswärtige Angelegenheiten; ***~ aid*** Auslandshilfe *f*; ***~-born*** im Ausland geboren; ***~ bill*** (***of exchange***) † Auslandswechsel *m*; ***~ control*** Überfremdung *f*; ***~ country***, ***~ countries*** Ausland *n*; ***~ currency*** a) ausländische Währung, b) † Devisen *pl.*; ***~ department*** Auslandsabteilung *f*; ***~ language*** Fremdsprache *f*; ***~-language*** a) fremdsprachig, b) fremdsprachlich, Fremdsprachen…; ***≈ Legion*** ⚔ Fremdenlegion *f*; ***~ minister*** *pol.* Außenminister *m*; ***≈ Office*** *Brit.* Außenministerium *n*; ***~-owned*** in ausländischem Besitz (befindlich); ***~ policy*** Außenpolitik *f*; ***≈ Secretary*** *Brit.* Außenminister *m*; ***~ trade*** † Außenhandel *m*; ***~ word*** a) Fremdwort *n*, b) Lehnwort *n*; ***~ worker*** Gastarbeiter(in); **2.** fremd (***to*** *dat.*): ***~ body*** (*od.* ***matter***) Fremdkörper *m*; ***that is ~ to his nature*** das ist ihm wesensfremd; **3.** ***~ to*** nicht gehörig *od.* passend zu.

for·eign·er ['fɒrənə] *s.* **1.** Ausländer (-in); **2.** *et.* Ausländisches (*z. B. Schiff, Produkt etc.*).

fore|'judge *v/t.* im vor'aus *od.* voreilig entscheiden *od.* beurteilen; **~'know** *v/t.* [*irr.* → ***know***] vor'herwissen, vor'aussehen; **ˌ~'knowl·edge** *s.* Vor'herwissen *n*, vor'herige Kenntnis; **'~ˌla·dy** *Am.* → ***forewoman***; **'~·land** [-lənd] *s.* Vorland *n*, Vorgebirge *n*, Landspitze *f*; **'~·leg** *s.* Vorderbein *n*; **'~·lock** *s.* Stirnlocke *f*, -haar *n*: ***take time by the ~*** die Gelegenheit beim Schopfe fassen; **'~·man** [-mən] *s.* [*irr.*] **1.** Werkmeister *m*, Vorarbeiter *m*, ⚠ Po'lier *m*; Aufseher *m*; **2.** ⚖ Obmann *m der Geschworenen*; **'~·mast** [-mɑːst; ⚓ -məst] *s.* ⚓ Fockmast *m*; **'~·most I** *adj.* vorderst; erst, best, vornehmst; **II** *adv.* zu'erst: ***first and ~*** zuallererst; ***feet ~*** mit den Füßen voran; **'~·name** *s.* Vorname *m*; **'~·noon** *s.* Vormittag *m.*

fo·ren·sic [fə'rensɪk] *adj.* (□ ***~ally***) fo'rensisch, Gerichts…: ***~ medicine.***

ˌfore|·or'dain [-ɔːrɔː-] *v/t.* vor'herbestimmen; **ˌ~·or·di'na·tion** [-ɔːrɔː-] *s. eccl.* Vor'herbestimmung *f*; **'~·part** *s.* **1.** Vorderteil *m*; **2.** Anfang *m*; **'~·play** *s.* (*sexuelles*) Vorspiel; **'~ˌrun·ner** *s. fig.* **1.** Vorläufer *m*; **2.** Vorbote *m*, Anzeichen *n*; **'~·sail** [-seɪl; ⚓ -sl] *s.* ⚓ Focksegel *n*; **~'see** *v/t.* [*irr.* → ***see***[1]] vor'aussehen *od.* -wissen; **~'see·a·ble** [-'siːəbl] *adj.* vor'auszusehen(d), absehbar: ***in the ~ future*** in absehbarer Zeit; **~'shad·ow** *v/t.* ahnen lassen, (drohend) ankündigen; **'~·sheet** *s.* ⚓ **1.** Fockschot *f*; **2.** *pl.* Vorderboot *n*; **'~·shore** *s.* Uferland *n*, (Küsten)Vorland *n*; **~'short·en** *v/t. Figuren* in Verkürzung *od.* perspek'tivisch zeichnen; **'~·sight** *s.* **1.** a) Weitblick *m*, b) (weise) Vor'aussicht; → ***hindsight*** 2; **2.** Blick *m* in die Zukunft; **3.** ⚔ (Vi'sier)Korn *n*; **'~·skin** *s. anat.* Vorhaut *f.*

for·est ['fɒrɪst] **I** *s.* Wald *m* (*a. fig. von Masten etc.*), Forst *m*: ***~ fire*** Waldbrand *m*; **II** *v/t.* aufforsten.

fore|'stall *v/t.* **1.** *j-m* zu'vorkommen; **2.** *e-r Sache* vorbeugen, *et.* vereiteln; **3.** *Einwand etc.* vor'wegnehmen; **4.** † (spekula'tiv) aufkaufen; **'~·stay** *s.* ⚓ Fockstag *n.*

for·est·ed ['fɒrɪstɪd] *adj.* bewaldet; **'for·est·er** [-tə] *s.* **1.** Förster *m*; **2.** Waldbewohner *m* (*a. Tier*); **'for·est·ry** [-trɪ] *s.* **1.** Forstwirtschaft *f*, -wesen *n*; **2.** Wälder *pl.*

'fore|·taste *s.* Vorgeschmack *m*; **~'tell** *v/t.* [*irr.* → ***tell***] **1.** vor'her-, vor'aussagen; **2.** andeuten, ahnen lassen; **'~·thought** → ***foresight*** 1; **'~·top** [-tɒp; ⚓ -təp] *s.* ⚓ Fock-, Vormars *m*; **ˌ~-top'gal·lant** *s.* ⚓ Vorbramsegel *n*: ***~ mast*** Vorbramstenge *f*; **'~-top·mast** *s.* ⚓ Fock-, Vormarsstenge *f*; **'~-top·sail** [-seɪl; ⚓ -sl] *s.* ⚓ Vormarssegel *n.*

for ev·er, **for·ev·er** [fə'revə] *adv.* **1.** *a.* ***~ and ever*** für *od.* auf immer, für alle Zeit; **2.** andauernd, ständig, unaufhörlich; **3.** F ‚ewig' (lang); **for ev·er more**, **for'ev·er·more** *adv.* für immer u. ewig.

fore|'warn *v/t.* vorher warnen (***of*** vor *dat.*): ***~ed is forearmed*** gewarnt sein heißt gewappnet sein; **'~·wom·an** *s.* [*irr.*] **1.** Vorarbeiterin *f*, Aufseherin *f*; **2.** ⚖ Obmännin *f der Geschworenen*; **'~·word** *s.* Vorwort *n*; **'~·yard** *s.* ⚓ Fockrahe *f.*

for·feit ['fɔːfɪt] **I** *s.* **1.** (Geld-, *a.* Vertrags)Strafe *f*, Buße *f*: ***pay the ~ of one's life*** mit s-m Leben bezahlen; **2.** Verlust *m*, Einbuße *f*; **3.** verwirktes Pfand: ***pay a ~*** ein Pfand geben; **4.** *pl.* Pfänderspiel *n*; **II** *v/t.* **5.** verwirken, verlieren, *fig.* einbüßen, verscherzen; **III** *adj.* **6.** verwirkt, verfallen; **'for·fei·ture**

[-tʃə] *s.* Verlust *m*, Verwirkung *f*, Verfallen *n*, Einziehung *f*, Entzug *m*.

for·fend [fɔːˈfend] *v/t.* **1.** *obs.* verhüten: ***God ~!*** Gott behüte!; **2.** *Am.* schützen, sichern (***from*** vor *dat.*).

for·gath·er [fɔːˈgæðə] *v/i.* zs.-kommen, sich treffen; verkehren (***with*** mit).

for·gave [fəˈgeɪv] *pret. von* ***forgive***.

forge¹ [fɔːdʒ] *v/i.*: ***~ ahead*** a) sich (mühsam) vorˈankämpfen, sich Bahn brechen, b) *fig.* (allmählich) Fortschritte machen, c) (sich) nach vorn drängen, *a. sport* sich an die Spitze setzen.

forge² [fɔːdʒ] **I** *s.* **1.** Schmiede *f* (*a. fig.*); **2.** ⚙ a) Schmiedefeuer *n*, -esse *f*, b) Glühofen *m*, c) Hammerwerk *n*: ***~ lathe*** Schmiededrehbank *f*; **II** *v/t.* **3.** schmieden (*a. fig.*); **4.** *fig.* a) formen, schaffen, b) erfinden, sich ausdenken; **5.** fälschen: ***~ a document***; **ˈforge·a·ble** [-dʒəbl] *adj.* schmiedbar; **ˈforg·er** [-dʒə] *s.* **1.** Schmied *m*; **2.** Erfinder *m*, Erschaffer *m*; **3.** Fälscher *m*: ***~*** (***of coin***) Falschmünzer *m*; **ˈfor·ger·y** [-dʒərɪ] *s.* **1.** Fälschen *n*: ***~ of a document*** ⚖ Urkundenfälschung *f*; **2.** Fälschung *f*, Falsifiˈkat *n*.

for·get [fəˈget] **I** *v/t.* [*irr.*] **1.** vergessen, nicht denken an (*acc.*), nicht bedenken, sich nicht erinnern an (*acc.*): ***I ~ his name*** sein Name ist mir entfallen; **2.** vergessen, verlernen: ***I have forgotten my French***; **3.** vergessen, unterˈlassen: ***~ it!*** F a) vergiß es!, schon gut!, b) *iro.* das kannst du vergessen!; ***don't you ~ it*** merk dir das!; **4.** ***~ o.s.*** a) (nur) an andere denken, b) sich vergessen, ‚aus der Rolle fallen'; **II** *v/i.* [*irr.*] **5.** vergessen: ***~ about it!*** denk nicht mehr daran!; ***I ~!*** das ist mir entfallen!; **forˈget·ful** [-fʊl] *adj.* □ **1.** vergeßlich; **2.** achtlos, nachlässig (***of*** gegenüber): ***~ of one's duties*** pflichtvergessen; **forˈget·ful·ness** [-fʊlnɪs] *s.* **1.** Vergeßlichkeit *f*; **2.** Achtlosigkeit *f*.

forˈget-me-not *s.* ⚘ Verˈgißmeinnicht *n*.

for·giv·a·ble [fəˈgɪvəbl] *adj.* verzeihlich, entschuldbar; **for·give** [fəˈgɪv] *v/t.* [*irr.*] **1.** verzeihen, vergeben; **2.** *j-m e-e Schuld etc.* erlassen; **forˈgiv·en** [-vn] *p.p. von* ***forgive***; **forˈgive·ness** [-vnɪs] *s.* **1.** Verzeihung *f*, -gebung *f*; **2.** Versöhnlichkeit *f*; **forˈgiv·ing** [-vɪŋ] *adj.* □ **1.** versöhnlich, nachsichtig; **2.** verzeihend.

for·go [fɔːˈgəʊ] *v/t.* [*irr.* → ***go***] verzichten auf (*acc.*).

for·got [fəˈgɒt] *pret.* [*u. p.p. obs.*] *von* ***forget***; **forˈgot·ten** [-tn] *p.p. von* ***forget***.

fork [fɔːk] **I** *s.* **1.** (*Eß-, Heu-, Mist- etc.*) Gabel *f* (*a.* ⚙); **2.** ♪ (Stimm)Gabel *f*; **3.** Gabelung *f*, Abzweigung *f*; **4.** *Am.* a) Zs.-fluß *m*, b) *oft pl.* Gebiet *n* an e-r Flußgabelung; **II** *v/t.* **5.** gabelförmig machen, gabeln; **6.** mit e-r Gabel aufladen *od.* ˈumgraben *od.* wenden; **7.** *Schach*: *zwei Figuren* gleichzeitig angreifen; **III** *v/i.* **8.** sich gabeln *od.* spalten; **~ out**, **~ over**, **~ up** *v/t. u. v/i.* ‚blechen' (*zahlen*); **forked** [-kt] *adj.* gabelförmig, gegabelt, gespalten; zickzackförmig (*Blitz*); **ˈfork-lift** (**truck**) *s.* ⚙ Gabelstapler *m*.

for·lorn [fəˈlɔːn] *adj.* **1.** verlassen, einsam; **2.** verzweifelt, hilflos; unglücklich, elend; **~ hope** *s.* **1.** aussichtsloses Unterˈnehmen; **2.** letzte (verzweifelte) Hoffnung; **3.** ⚔ a) verlorener Haufen *od.* Posten, b) ˈHimmelfahrtskomˌmando *n*.

form [fɔːm] **I** *s.* **1.** Form *f*, Gestalt *f*, Fiˈgur *f*; **2.** ⚙ Form *f*, Fasˈson *f*, Moˈdell *n*, Schaˈblone *f*; ⚠ Schalung *f*; **3.** Form *f*, Art *f*; Meˈthode *f*, (An)Ordnung *f*, Schema *n*: ***in due ~*** vorschriftsmäßig; **4.** Form *f*, Fassung *f* (*Wort, Text, a. ling.*), Formel *f* (*Gebet etc.*); **5.** *phls.* Wesen *n*, Naˈtur *f*; **6.** ˈUmgangsform *f*, Maˈnieren *pl.*, Benehmen *n*: ***good*** (***bad***) ***~*** guter (schlechter) Ton; ***it is good*** (***bad***) ***~*** es gehört *od.* schickt sich (nicht); **7.** Formblatt *n*, Formuˈlar *n*: ***printed ~*** Vordruck *m*; ***~ letter*** Schemabrief *m*; **8.** Formaliˈtät *f*, Äußerlichkeit *f*: ***matter of ~*** Formsache *f*; ***mere ~*** bloße Förmlichkeit; **9.** Form *f*, (körperliche *od.* geistige) Verfassung: ***in*** (*od.* ***on***) ***~*** (gut) in Form; ***off*** (*od.* ***out of***) ***~*** nicht in Form; **10.** *Brit.* a) (Schul-) Bank *f*, b) (Schul)Klasse *f*: ***~ master*** (***mistress***) Klassenlehrer(in); **11.** *typ.* → ***forme***; **II** *v/t.* **12.** formen, bilden (*a. ling.*); schaffen, gestalten (***into*** zu, ***after*** nach); *Regierung* bilden, *Gesellschaft etc.* gründen; **13.** *den Charakter etc.* formen, bilden; **14.** a) *e-n Teil etc.* bilden, ausmachen, b) dienen als; **15.** anordnen, zs.-stellen; **16.** ⚔ formieren, aufstellen; **17.** *e-n Plan* fassen, entwerfen; **18.** sich *e-e Meinung* bilden; **19.** *e-e Freundschaft etc.* schließen; **20.** *e-e Gewohnheit* annehmen; **21.** ⚙ formen; **III** *v/i.* **22.** sich formen *od.* bilden *od.* gestalten, Form annehmen, entstehen; **23.** *a.* ***~ up*** ⚔ sich formieren *od.* aufstellen, antreten.

-form [-fɔːm] *in Zssgn* …förmig.

for·mal [ˈfɔːml] **I** *adj.* □ → ***formally***; **1.** förmlich, forˈmell: a) offiziˈell: ***~ call*** Höflichkeitsbesuch *m*, b) feierlich: ***~ event*** → 5; ***~ dress*** → 6, c) steif, ˈunperˌsönlich, d) (peinlich) genau, peˈdantisch (die Form wahrend), e) formgerecht, vorschriftsmäßig: ***~ contract*** förmlicher Vertrag; **2.** forˈmal, forˈmell: a) rein äußerlich, b) rein gewohnheitsmäßig, c) scheinbar, Schein…; **3.** forˈmal: a) herkömmlich, konventio-

F

'nell: ~ ***style***, b) schulmäßig, streng me'thodisch, c) Form...: ~ ***defect*** ⚖ Formfehler *m*; **4.** regelmäßig: ~ ***garden*** architektonischer Garten; **II** *s. Am.* **5.** Veranstaltung, für die Gesellschaftskleidung vorgeschrieben ist; **6.** Gesellschafts-, Abendanzug *m od.* -kleid *n*.

form·al·de·hyde [fɔː'mældɪhaɪd] *s.* ⚗ Formalde'hyd *m*; **for·ma·lin** ['fɔːməlɪn] *s.* ⚗ Forma'lin *n*.

for·mal·ism ['fɔːməlɪzəm] *s. allg.* Forma'lismus *m*; **'for·mal·ist** [-lɪst] *s.* Forma'list *m*; **for·mal·is·tic** [ˌfɔːmə'lɪstɪk] *adj.* forma'listisch; **for·mal·i·ty** [fɔː'mælətɪ] *s.* **1.** Förmlichkeit: a) Herkömmlichkeit *f*, b) Zeremo'nie *f*, c) *das* Offizi'elle, d) Steifheit *f*, e) Umständlichkeit *f*: ***without*** ~ ohne viel Umstände (zu machen); **2.** Formali'tät *f*: a) Formsache *f*, b) Formvorschrift *f*: ***for the sake of*** ~ aus formellen Gründen; **3.** Äußerlichkeit *f*, leere Geste; **'for·mal·ize** [-laɪz] *v/t.* **1.** zur bloßen Formsache machen; **2.** formalisieren, feste Form geben (*dat.*); **'for·mal·ly** [-əlɪ] *adv.* **1.** for'mell, in aller Form; **2.** → ***formal***.

for·mat ['fɔːmæt] **I** *s.* **1.** *typ.* a) Aufmachung *f*, b) For'mat *n*; **2.** Ein-, Ausrichtung *f*; **II** *v/t.* **3.** *Computer*: formatieren.

for·ma·tion [fɔː'meɪʃn] *s.* **1.** Bildung *f*: a) Formung *f*, Gestaltung *f*, b) Entstehung *f*, Entwicklung *f*: ~ ***of gas*** Gasbildung *f*, c) Gründung *f*: ~ ***of a company***, d) Gebilde *n*: ***word*** ~***s*** Wortbildungen; **2.** Anordnung *f*, Zs.-setzung *f*, Struk'tur *f*; **3.** ✈, ⚔, *sport* Formati'on *f*, Aufstellung *f*: ~ ***flight*** Formations-, Verbandsflug *m*; **4.** *geol.* Formati'on *f*; **form·a·tive** ['fɔːmətɪv] **I** *adj.* **1.** formend, gestaltend, bildend; **2.** prägend, Entwicklungs...: ~ ***years of a person***; **3.** *ling.* formbildend: ~ ***element*** → 5; **4.** ⚘, *zo.* morpho'gen; **II** *s.* **5.** *ling.* Forma'tiv *n*.

forme [fɔːm] *s. typ.* (Druck)Form *f*.

form·er[1] ['fɔːmə] *s.* **1.** Former *m* (*a.* ⚙), Gestalter *m*; **2.** *ped. Brit. in Zssgn* Schüler(in) der ... Klasse; **3.** ✈ Spant *m*.

for·mer[2] ['fɔːmə] *adj.* ☐ **1.** früher, vorig, ehe-, vormalig, vergangen: ***in*** ~ ***times*** vormals, einst; ***he is his*** ~ ***self again*** er ist wieder (ganz) der alte; ***the*** ~ ***Mrs. A.*** die frühere Frau A.; **2.** ***the*** ~ *sg. u. pl.* ersterwähnt, -genannt, erster: ***the*** ~ ***..., the latter ...*** der erstere..., der letztere; **'for·mer·ly** [-lɪ] *adv.* früher, vor-, ehemals: ***Mrs. A.,*** ~ ***B.*** a) Frau A., geborene B., b) Frau A., ehemalige Frau B.

'formˌfit·ting *adj.* **1.** enganliegend: ~ ***dress***; **2.** körpergerecht: ~ ***chair***.

for·mic ac·id ['fɔːmɪk] *s.* ⚗ Ameisensäure *f*.

for·mi·da·ble ['fɔːmɪdəbl] *adj.* ☐ **1.** schrecklich, furchterregend; **2.** gewaltig, ungeheuer, e'norm; **3.** beachtlich, ernstzunehmend: ~ ***opponent***; **4.** äußerst schwierig: ~ ***problem***.

form·ing ['fɔːmɪŋ] *s.* **1.** Formen *n*; **2.** ⚙ (Ver)Formen *n*, Fassonieren *n*; **form·less** ['fɔːmlɪs] *adj.* ☐ formlos.

for·mu·la ['fɔːmjʊlə] *pl.* **-las**, **-lae** [-liː] *s.* **1.** ⚗, ⚕ *etc.*, *a. mot.* Formel *f*, *pharm. u. fig. a.* Re'zept *n*; **2.** Formel *f*, fester Wortlaut; **3.** *contp.* a) ‚Schema F', b) (leere) Phrase; **'for·mu·lar·y** [-ərɪ] *s.* **1.** Formelsammlung *f*, -buch *n* (*bsd. eccl.*); **2.** *pharm.* Re'zeptbuch *n*; **'for·mu·late** [-leɪt] *v/t.* formulieren; **for·mu·la·tion** [ˌfɔːmjʊ'leɪʃn] *s.* Formulierung *f*, Fassung *f*.

'form·work *s.* ⚠ (Ver)Schalung *f*, Schalungen *pl*.

for·ni·cate ['fɔːnɪkeɪt] *v/i.* unerlaubten außerehelichen Geschlechtsverkehr haben; *bibl. u. weitS.* Unzucht treiben, huren; **for·ni·ca·tion** [ˌfɔːnɪ'keɪʃn] *s.* ⚖ unerlaubter außerehelicher Geschlechtsverkehr; *weitS.* Unzucht *f*, Hure'rei *f*; **'for·ni·ca·tor** [-tə] *s.* j-d, der unerlaubten außerehelichen Geschlechtsverkehr hat; *weitS.* Wüstling *m*.

for·rad·er ['fɒrədə] *adv.*: ***get no*** ~ *Brit.* F nicht vom Fleck kommen.

for·sake [fə'seɪk] *v/t.* [*irr.*] **1.** *j-n* verlassen, im Stich lassen; **2.** *et.* aufgeben; **for'sak·en** [-kən] **I** *p.p. von* ***forsake***; **II** *adj.* (gott)verlassen, einsam; **for'sook** [-'sʊk] *pret. von* ***forsake***.

for·sooth [fə'suːθ] *adv. iro.* wahrlich, für'wahr.

for·swear [fɔː'sweə] *v/t.* [*irr.* → ***swear***] **1.** eidlich bestreiten; **2.** unter Pro'test zu'rückweisen; **3.** abschwören (*dat.*), feierlich entsagen (*dat.*); feierlich geloben (*es nie wieder zu tun etc.*); **4.** ~ ***o.s.*** e-n Meineid leisten; **for'sworn** [-'swɔːn] **I** *p.p. von* ***forswear***; **II** *adj.* meineidig.

for·syth·i·a [fɔː'saɪθjə] *s.* ⚘ For'sythie *f*.

fort [fɔːt] *s.* ⚔ Fort *n*, Feste *f*, Festungswerk *n*: ***hold the*** ~ *fig.* ‚die Stellung halten'.

forte[1] ['fɔːteɪ] *s. fig. j-s* Stärke *f*, starke Seite.

for·te[2] ['fɔːtɪ] *adv.* ♪ forte, laut.

forth [fɔːθ] *adv.* **1.** her'vor, vor, her; → ***bring forth*** *etc.*; **2.** her'aus, hinaus; **3.** (dr)außen; **4.** vo'ran, vorwärts; **5.** weiter: ***and so*** ~ und so weiter; ***from that day*** ~ von diesem Tag an; **6.** weg, fort; ˌ~**'com·ing** *adj.* **1.** bevorstehend, kommend; **2.** erscheinend, unter'wegs: ***be*** ~ erfolgen, sich einstellen; **3.** in Kürze erscheinend (*Buch*) *od.* anlaufend (*Film*); **4.** bereitstehend, verfügbar; **5.**

zu'vor-, entgegenkommend (*Person*); **6.** mitteilsam; '**~·right** *adj. u. adv.* offen (und ehrlich), gerade(her'aus); ,**~'with** [-'wɪθ] *adv.* so'fort, (so)'gleich, unverzüglich.

for·ti·eth ['fɔːtɪɪθ] **I** *adj.* **1.** vierzigst; **II** *s.* **2.** Vierzigste(r *m*) *f, n*; **3.** Vierzigstel *n*.

for·ti·fi·a·ble ['fɔːtɪfaɪəbl] *adj.* zu befestigen(d); **for·ti·fi·ca·tion** [ˌfɔːtɪfɪ'keɪʃn] *s.* **1.** ⚔ a) Befestigung *f*, b) Befestigung(sanlage) *f*, c) Festung *f*; **2.** (*a.* geistige *od.* mo'ralische) Stärkung; **3.** a) Verstärkung *f* (*a.* ⚙), b) Anreicherung *f*; **4.** *fig.* Unter'mauerung *f*; '**for·ti·fi·er** [-faɪə] *s.* Stärkungsmittel *n*; **for·ti·fy** ['fɔːtɪfaɪ] *v/t.* **1.** (*a.* geistig *od.* mo'ralisch) kräftigen, **2.** ⚙ verstärken; *Nahrungsmittel* anreichern; *Wein etc.* verstärken; **3.** ⚔ befestigen; **4.** bekräftigen, stützen, unter'mauern; **5.** bestärken, ermutigen.

for·tis·si·mo [fɔː'tɪsɪməʊ] *adv.* ♪ sehr stark *od.* laut, for'tissimo.

for·ti·tude ['fɔːtɪtjuːd] *s.* (seelische) Kraft: ***bear s.th. with ~*** et. mit Fassung *od.* tapfer ertragen.

fort·night ['fɔːtnaɪt] *s. bsd. Brit.* vierzehn Tage: ***this day ~*** a) heute in 14 Tagen, b) heute vor 14 Tagen; ***a ~'s holiday*** ein vierzehntägiger Urlaub; '**fort·night·ly** [-lɪ] *bsd. Brit.* **I** *adj.* vierzehntägig, halbmonatlich, Halbmonats…; **II** *adv.* alle 14 Tage; **III** *s.* Halbmonatsschrift *f*.

For·tran ['fɔːtræn] *s.* FORTRAN *n* (*Computersprache*).

for·tress ['fɔːtrɪs] *s.* ⚔ Festung *f*, *fig. a.* Bollwerk *n*.

for·tu·i·tous [fɔː'tjuːɪtəs] *adj.* □ zufällig; **for'tu·i·ty** [-tɪ] *s.* Zufall *m*, Zufälligkeit *f*.

for·tu·nate ['fɔːtʃnət] *adj.* □ **1.** glücklich: ***be ~*** a) Glück haben (*Person*), b) ein (wahres) Glück sein (*Sache*); ***how ~!*** welch ein Glück!, wie gut!; **2.** glückverheißend; günstig; vom Glück begünstigt (*Leben*); '**for·tu·nate·ly** [-lɪ] *adv.* glücklicherweise, zum Glück.

for·tune ['fɔːtʃuːn] *s.* **1.** Glück(sfall *m*) *n*, (glücklicher) Zufall: ***good ~*** Gück; ***ill ~*** Unglück; ***try one's ~*** sein Glück versuchen; ***make one's ~*** sein Glück machen; **2.** *a.* ♀ *myth.* For'tuna *f*, Glücksgöttin *f*: ***~ favo(u)red him*** das Glück war ihm hold; **3.** Schicksal *n*, Geschick *n*, Los *n*: ***tell*** (*od.* ***read***) ***~s*** wahrsagen; ***read s.o.'s ~*** j-m die Karten legen *od.* aus der Hand lesen; ***have one's ~ told*** sich wahrsagen lassen; **4.** Vermögen *n*: ***make a ~*** ein Vermögen verdienen; ***come into a ~*** ein Vermögen erben; ***marry a ~*** e-e gute Partie machen; ***a small ~*** F ein kleines Vermögen (*viel Geld*); '**~-ˌhunt·er** ['fɔːtʃən-] *s.* Mitgiftjäger *m*; '**~-ˌtell·er** ['fɔːtʃən-] *s.* Wahrsager(in); '**~-ˌtell·ing** ['fɔːtʃən-] *s.* Wahrsage'rei *f*.

for·ty ['fɔːtɪ] **I** *adj.* **1.** vierzig: ***the ♀ Thieves*** die 40 Räuber (*1001 Nacht*); → ***wink*** 4; **II** *s.* **2.** Vierzig: ***he is in his forties*** er ist in den Vierzigern; ***in the forties*** in den vierziger Jahren (*e-s Jahrhunderts*); **3.** ***the Forties*** die See zwischen Schottlands Nord'ost- u. Norwegens Süd'westküste; **4.** ***the roaring forties*** stürmischer Teil des Ozeans (zwischen dem 39. u. 50. Breitengrad).

fo·rum ['fɔːrəm] *s.* **1.** *antiq. u. fig.* Forum *n*; **2.** Gericht *n*, Tribu'nal *n* (*a. fig.*); *engS.* ⚖ Gerichtsort *m*, örtliche Zuständigkeit; **3.** Forum *n*, (öffentliche) Diskussi'on(sveranstaltung).

for·ward ['fɔːwəd] **I** *adv.* **1.** vor, nach vorn, vorwärts, vor'an, vor'aus, weiter: ***from this day ~*** von heute an; ***freight ~*** ☤ Fracht gegen Nachnahme; ***buy ~*** ☤ auf Termin kaufen; ***go ~*** *fig.* Fortschritte machen, vorankommen; ***help ~*** weiterhelfen (*dat.*); → ***bring*** (***carry***, ***come***, *etc.*) ***forward***; **II** *adj.* □ **2.** vorwärts *od.* nach vorn gerichtet, Vorwärts…: ***a ~ motion***; ***~ defence*** ⚔ Vorwärtsverteidigung *f*; ***~ planning*** Vorausplanung *f*; ***~ speed*** *mot.* Vorwärtsgang *m*; ***~ strategy*** ⚔ Vorwärtsstrategie *f*; **3.** vorder; **4.** a) ⚘ frühreif (*a. fig. Kind*), b) zeitig (*Frühling etc.*); **5.** *zo.* a) hochträchtig, b) gutentwikkelt; **6.** *fig.* a) fortgeschritten, b) fortschrittlich; **7.** *fig.* vorlaut, dreist; **8.** *fig.* a) vorschnell, -eilig, b) schnell bereit (***to do s.th.*** et. zu tun); **9.** ☤ auf Ziel *od.* Zeit, Termin…: ***~ business*** (***market***, ***sale***, *etc.*); ***~ rate*** Terminkurs *m*, Kurs *m* für Termingeschäfte; **III** *s.* **10.** *sport* Stürmer *m*: ***~ line*** Sturm(reihe *f*) *m*; **IV** *v/t.* **11.** a) fördern, begünstigen, b) beschleunigen; **12.** befördern, schikken, verladen; **13.** *Brief etc.* nachsenden, weiterbefördern.

for·ward·er ['fɔːwədə] *s.* Spedi'teur; '**for·ward·ing** [-dɪŋ] **I** *s.* Versand *m*; **II** *adj.* Versand…: ***~ charges***; ***~ instructions***; ***~ agent*** Spediteur *m*; ***~ note*** Frachtbrief *m*; ***~ address*** Nachsendeadresse *f*; '**for·ward-ˌlook·ing** *adj.* vor'ausschauend, fortschrittlich; '**for·ward·ness** [-dnɪs] *s.* **1.** Frühzeitigkeit *f*, Frühreife *f* (*a.* ⚘); **2.** Dreistigkeit *f*, vorlaute Art; **3.** Voreiligkeit *f*.

for·wards ['fɔːwədz] → ***forward*** I.

fosse [fɒs] *s.* **1.** (Burg-, Wall)Graben *m*; **2.** *anat.* Grube *f*.

fos·sil ['fɒsl] **I** *s.* **1.** *geol.* Fos'sil *n*; Versteinerung *f*; **2.** F ‚Fos'sil' *n*: a) verkalkter *od.* verknöcherter Mensch, b) *et.* ‚Vorsintflutliches'; **II** *adj.* **3.** fos'sil, versteinert: ***~ fuel*** fossiler Brennstoff; ***~ oil*** Erd-, Steinöl *n*; **4.** F a) verknöchert, verkalkt (*Person*), b) vorsintflutlich

(*Sache*); **fos·sil·if·er·ous** [ˌfɒsɪˈlɪfərəs] *adj.* fosˈsilienhaltig; **fos·sil·i·za·tion** [ˌfɒsɪlaɪˈzeɪʃn] *s.* **1.** Versteinerung *f*; **2.** F Verknöcherung *f*; **ˈfos·sil·ize** [-sɪlaɪz] **I** *v/t. geol.* versteinern; **II** *v/i.* versteinern; *fig.* verknöchern, verkalken.

fos·so·ri·al [fɒˈsɔːrɪəl] *adj. zo.* grabend, Grab…

fos·ter [ˈfɒstə] **I** *v/t.* **1.** *Kind etc.* a) aufziehen, b) in Pflege haben *od.* geben; **2.** *et.* fördern; begünstigen, protegieren; **3.** *Wunsch etc.* hegen, nähren; **II** *adj.* **4.** Pflege…: **~ *child*** (***father***, ***mother*** *etc.*).

fos·ter·ling [ˈfɒstəlɪŋ] *s.* Pflegekind *n.*

fought [fɔːt] *pret. u. p.p. von* ***fight***.

foul [faʊl] **I** *adj.* □ **1.** a) stinkend, widerlich, übelriechend (*a. Atem*), b) verpestet, schlecht (*Luft*), c) faul, verdorben (*Lebensmittel etc.*); **2.** schmutzig, verschmutzt; **3.** verstopft; **4.** voll Unkraut, überwachsen; **5.** schlecht, stürmisch (*Wetter etc.*), widrig (*Wind*); **6.** ⚓ a) unklar (*Taue etc.*), b) in Kollisiˈon (geratend) (***of*** mit); **7.** *fig.* a) widerlich, ekelhaft, b) abscheulich, gemein: **~ *deed*** ruchlose Tat, c) schädlich, gefährlich: **~ *tongue*** böse Zunge, d) schmutzig, zotig, unflätig: **~ *language***; **8.** F scheußlich; **9.** unehrlich, betrügerisch; **10.** *sport* unfair, regelwidrig; **11.** *typ.* a) unsauber (*Druck etc.*), b) voller Fehler *od.* Änderungen; **II** *adv.* **12.** auf gemeine Art, gemein (*etc.* → 7–10): ***play* ~** *sport* foul spielen; ***play s.o.* ~** j-m übel mitspielen; **13.** ***fall* ~ *of*** ⚓ zs.-stoßen mit (*a. fig.*); **III** *s.* **14.** ***through fair and* ~** durch dick u. dünn; **15.** ⚓ Zs.-stoß *m*; **16.** *sport* a) Foul *n*, Regelverstoß *m*, b) → ***foul shot***; **IV** *v/t.* **17.** *a.* **~ *up*** a) beschmutzen (*a. fig.*), verschmutzen, verunreinigen, b) verstopfen; **18.** *sport* foulen; **19.** ⚓ zs.-stoßen mit; **20.** *a.* **~ *up*** sich verwickeln in (*dat.*) *od.* mit; **21.** **~ *up*** F a) ‚vermasseln', ‚versauen', b) durcheinˈanderbringen; **V** *v/i.* **22.** schmutzig werden; **23.** ⚓ zs.-stoßen (***with*** mit); **24.** sich verwickeln; **25.** *sport* foulen, ein Foul begehen; **26.** **~ *up*** F a), ‚Mist bauen', ‚patzen', b) durcheinˈanderkommen.

ˈfoul|-mouthed *adj.* unflätig; **~ play** *s.* **1.** *sport* unfaires Spiel, Unsportlichkeit *f*; **2.** (Gewalt)Verbrechen *n*, *bsd.* Mord *m*; **~ shot** *s. Basketball*: Freiwurf *m*; **ˈ~-ˌspo·ken** → ***foul-mouthed***.

found¹ [faʊnd] *pret. u. p.p. von* ***find***.

found² [faʊnd] *v/t.* ⚙ schmelzen; gießen.

found³ [faʊnd] *fig.* **I** *v/t.* **1.** gründen, errichten; **2.** begründen, einrichten, ins Leben rufen, *Schule etc.* stiften: ***ℒing Fathers*** *Am.* Staatsmänner aus der Zeit der Unabhängigkeitserklärung; **3.** *fig.* gründen, stützen (***on*** auf *acc.*): ***be ~ed on*** → 4; ***well-~ed*** wohlbegründet, fundiert; **II** *v/i.* **4.** (***on***) sich stützen (auf *acc.*), beruhen, sich gründen (auf *dat.*);

foun·da·tion [faʊnˈdeɪʃn] *s.* **1.** *oft pl.* ⚠ Grundmauer *f*, Fundaˈment *n* (*a. fig.*); ˈUnterbau *m*, -lage *f*, Bettung *f* (*Straße etc.*); **2.** Grund(lage *f*) *m*, Basis *f*: ***without*** (***any***) **~** (völlig) unbegründet; ***shaken to the ~s*** in den Grundfesten erschüttert; ***lay the ~s of*** den Grund(stock) legen zu; **3.** Gründung *f*, Errichtung *f*; **4.** (gemeinnützige) Stiftung: ***be on the ~*** Geld aus der Stiftung erhalten; **5.** Ursprung *m*, Beginn *m*; **6.** steifes (Zwischen)Futter: **~ *muslin*** Steifleinen *n*; **7.** *a.* **~ *garment*** a) Mieder *n*, b) Korˈsett *n*, c) *pl.* Mieder (-waren) *pl.*; **8.** *a.* **~ *cream*** *Kosmetik*: Grundierung *f*; **~ stone** *s.* Grundstein *m* (*a. fig.*); → ***lay¹*** 5.

found·er¹ [ˈfaʊndə] *s.* Gründer *m*, Stifter *m*: ***~s' shares*** ⚕ Gründeraktien.

found·er² [ˈfaʊndə] *s.* ⚙ Gießer *m*.

found·er³ [ˈfaʊndə] **I** *v/i.* **1.** ⚓ sinken, ˈuntergehen; **2.** einstürzen, -fallen; **3.** *fig.* scheitern; **4.** *vet.* a) lahmen, b) zs.-brechen (*Pferd*); **5.** steckenbleiben; **II** *v/t.* **6.** *Pferd* lahm reiten; **7.** *Schiff* zum Sinken bringen.

found·ling [ˈfaʊndlɪŋ] *s.* Findling *m*, Findelkind *n*: **~ *hospital*** Findelhaus *n*.

found·ress [ˈfaʊndrɪs] *s.* Gründerin *f*, Stifterin *f*.

found·ry [ˈfaʊndrɪ] *s.* ⚙ Gießeˈrei *f*.

fount¹ [faʊnt] *s. typ.* (Setzkasten *m* mit) Schriftsatz *m*.

fount² [faʊnt] → ***fountain*** 2, 4a.

foun·tain [ˈfaʊntɪn] *s.* **1.** Fonˈtäne *f*: a) Springbrunnen *m*, b) (Wasser)Strahl *m*; **2.** Quelle *f*, *fig. a.* Born *m*: ***ℒ of Youth*** Jungbrunnen *m*; **3.** a) (Trink-)Brunnen *m*, b) → ***soda fountain***; **4.** ⚙ a) (Öl-, Tinten- *etc.*)Behälter *m*, b) Reserˈvoir *n*; **ˌ~-ˈhead** *s.* Quelle *f* (*a. fig.*); *fig.* Urquell *m*; **ˈ~-pen** *s.* Füll(feder)-halter *m*.

four [fɔː] **I** *adj.* **1.** vier; **II** *s.* **2.** Vier *f* (*Zahl, Spielkarte etc.*): ***the ~ of hearts*** die Herzvier; ***by ~s*** immer vier (auf einmal); ***on all ~s*** a) auf allen vieren, b) *fig.* stimmend, richtig; ***be on all ~s with*** übereinstimmen mit, genau entsprechen (*dat.*); **3.** *Rudern*: Vierer *m* (*Boot od. Mannschaft*); **ˌ~-ˈcor·nered** *adj.* viereckig, mit vier Ecken; **ˈ~-ˌcy·cle** *adj.*: **~ *engine*** ⚙ Viertaktmotor *m*; **ˈ~-eyes** *s. pl. sg. konstr.* F ‚Brillenschlange' *f*; **~ flush** *s. Poker*: unvollständige Hand; **ˈ~-ˌflush·er** *s. Am.* Bluffer *m*, ‚falscher Fuffziger'; **ˈ~-fold** *adj. u. adv.* vierfach; **ˌ~-ˈfour** (**time**) *s.* ♪ Vierˈvierteltakt *m*; **ˌ~-ˈhand·ed** *adj.* ♪, *zo.* vierhändig; **ℒ Hun·dred** *s.*: ***the ~*** *Am.* die Hautevolee (*e-r Gemeinde*); **ˌ~-in-ˈhand** [-ɔːrɪn-] *s.* **1.** Vierspänner *m*; **2.** Viergespann *n*; **ˌ~-ˈleaf(ed) clover** *s.* ⚘ vierblätt(e)riges Kleeblatt; **ˈ~-legged** *adj.* vierbeinig; **ˌ~-ˈlet·ter word** *s.* unanständiges Wort; **ˌ~-ˈoar** [-ɔːrˈɔː] *s.* Vierer *m* (*Boot*); **ˈ~-part** *adj.* ♪ vierstimmig (*Satz*); **ˈ~·pence** [-pəns] *s. Brit. hist.* Vierpencestück *n*; **ˌ~-ˈpost·er** *s.* **1.** Himmelbett *n*; **2.** ⚓ *sl.* Viermaster *m*; **ˌ~ˈscore** *adj. obs.* achtzig; **ˈ~-ˌseat·er** *s. mot.* Viersitzer *m*; **ˈ~·some** [-səm] *s. Golf*: Vierer *m*; *fig. humor.* ‚Quarˈtett' *n*; **ˌ~-ˈspeed gear** *s.* ⚙ Vierganggetriebe *n*; **ˌ~-ˈsquare** *adj. u. adv.* **1.** quaˈdratisch; **2.** *fig.* a) fest, unerschütterlich, b) grob, barsch; **ˌ~-ˈstar** *adj.* Viersterne…: **~ general**; **~ hotel**; **ˌ~-ˈstroke** *adj.*: **~ engine** ⚙ Viertaktmotor *m*.

four·teen [ˌfɔːˈtiːn] **I** *adj.* vierzehn; **II** *s.* Vierzehn *f*; **ˌfourˈteenth** [-nθ] **I** *adj.* vierzehnt; **II** *s.* a) (*der*, *die*, *das*) Vierzehnte, b) Vierzehntel *n*.

fourth [fɔːθ] **I** *adj.* ☐ **1.** viert; **2.** viertel; **II** *s.* **3.** (*der*, *die*, *das*) Vierte; **4.** Viertel *n*; **5.** ♪ Quarte *f*; **6. *the* ℒ *(of July)*** *Am.* der Vierte (Juli), der Unabhängigkeitstag; **ˈfourth·ly** [-lɪ] *adv.* viertens.

ˌfour|-ˈway *adj.*: **~ *switch*** ⚡ Vierfach-, Vierwegeschalter *m*; **ˌ~-ˈwheel** *adj.* vierräd(e)rig; Vierrad…(*-antrieb*, *-bremse*).

fowl [faʊl] **I** *pl.* **fowls**, *coll. mst* **fowl** *s.* **1.** Haushuhn *n od.* -ente *f*, *a.* Truthahn *m*; *coll.* Geflügel *n* (*a. Fleisch*), Hühner *pl.*: **~ *house*** Hühnerstall *m*; **~ *pest*** Hühnerpest *f*; **~ *pox*** Geflügelpocken *pl*; **~ *run*** Hühnerhof *m*, Auslauf *m*; **2.** *selten* Vogel *m*, Vögel *pl.*: ***the ~(s) of the air*** *bibl.* die Vögel unter dem Himmel; **II** *v/i.* **3.** Vögel fangen *od.* schießen; **ˈfowl·er** [-lə] *s.* Vogelfänger *m*; **ˈfowl·ing** [-lɪŋ] *s.* Vogelfang *m*, -jagd *f*: **~-*piece*** Vogelflinte *f*; **~-*shot*** Hühnerschrot *n*.

fox [fɒks] **I** *s.* **1.** *zo.* Fuchs *m*: ***set the ~ to keep the geese*** den Bock zum Gärtner machen; **~ *and geese*** Wolf u. Schafe (*ein Brettspiel*); **2.** (***sly old***) **~** *fig.* (schlauer) Fuchs; **3.** Fuchspelz(kragen) *m*; **II** *v/t.* **4.** *sl.* überˈlisten, ‚reinlegen'; **III** *v/i.* **5.** stockfleckig werden (*Papier*); **~ brush** *s. hunt.* Lunte *f*, Fuchsschwanz *m*; **ˈ~·glove** *s.* ⚘ Fingerhut *m*; **ˈ~·hole** *s.* **1.** Fuchsbau *m*; **2.** ⚔ Schützenloch *n*; **ˈ~-hunt**, **ˈ~-ˌhunt·ing** *s.* Fuchsjagd *f*; **~ mark** *s.* Stockfleck *m*; **ˈ~·tail** *s.* **1.** Fuchsschwanz *m*; **2.** ⚘ Fuchsschwanzgras *n*; **ˌ~-ˈter·ri·er** *s. zo.* Foxterrier *m*; **ˈ~·trot** *s. u. v/i.* Foxtrott *m* (tanzen).

fox·y [ˈfɒksɪ] *adj.* **1.** gerissen, listig; **2.** fuchsrot; **3.** stockfleckig (*Papier*).

foy·er [ˈfɔɪeɪ] (*Fr.*) *s. allg.* Foˈyer *n*.

fra·cas [ˈfrækɑː] *pl.* **~** [-kɑːz] *s.* Aufruhr *m*, Spekˈtakel *m*.

frac·tion [ˈfrækʃn] *s.* **1.** ⩲ Bruch *m*: **~ *bar***, **~ *line***, **~ *stroke*** Bruchstrich *m*; **2.** Bruchteil *m*, Fragˈment *n*; Stückchen *n*, *ein* bißchen: ***not by a ~*** nicht im geringsten; ***by a ~ of an inch*** um ein Haar; **~ *of a share*** ⚖ Teilaktie *f*; **3.** ℒ *eccl.* Brechen *n des Brotes*; **ˈfrac·tion·al** [-ʃənl] *adj.* **1.** *a.* ⩲ Bruch…, gebrochen: **~ *amount*** Teilbetrag *m*; **~ *currency*** Scheidemünze *f*; **~ *part*** Bruchteil *m*; **2.** *fig.* unbedeutend, miniˈmal; **3.** ⚗ fraktioniert, teilweise; **ˈfrac·tion·ar·y** [-ʃnərɪ] *adj.* Bruch(stück)…, Teil…; **ˈfrac·tion·ate** [-ʃəneɪt] *v/t.* ⚗ fraktionieren.

frac·tious [ˈfrækʃəs] *adj.* ☐ **1.** mürrisch, zänkisch, reizbar; **2.** störrisch; **ˈfrac·tious·ness** [-nɪs] *s.* **1.** Reizbarkeit *f*; **2.** ˈWiderspenstigkeit *f*.

frac·ture [ˈfræktʃə] **I** *s.* **1.** ⚕ Frakˈtur *f*, Bruch *m* (*a. fig.*); **2.** *min.* Bruchfläche *f*; **3.** *ling.* Brechung *f*; **II** *v/t.* **4.** (zer)brechen: **~ *one's arm*** sich den Arm brechen; **~*d skull*** Schädelbruch *m*; **III** *v/i.* **5.** (zer)brechen.

frag·ile [ˈfrædʒaɪl] *adj.* **1.** zerbrechlich (*a. fig.*); **2.** ⚙ brüchig; **3.** *fig.* schwach, zart (*Gesundheit etc.*), gebrechlich (*Person*); **fra·gil·i·ty** [frəˈdʒɪlətɪ] *s.* **1.** Zerbrechlichkeit *f*; **2.** Brüchigkeit *f*; **3.** *fig.* Ge-, Zerbrechlichkeit *f*, Zartheit *f*.

frag·ment [ˈfrægmənt] *s.* **1.** Bruchstück *n* (*a.* ⚙), -teil *m*; **2.** Stück *n*, Brocken *m*, Splitter *m* (*a.* ⚔), Fetzen *m*; ˈÜberrest *m*; **3.** (liteˈrarisches *etc.*) Fragˈment; **frag·men·tal** [frægˈmentl] *adj.* **1.** *geol.* Trümmer…; **2.** → **ˈfrag·men·tar·y** [-tərɪ] *adj.* **1.** zerstückelt, aus Stücken bestehend; **2.** fragmenˈtarisch, unvollständig, bruchstückhaft; **frag·men·ta·tion** [ˌfrægmenˈteɪʃn] *s.* Zerstückelung *f*, -splitterung *f*: **~ *bomb*** ⚔ Splitterbombe *f*.

fra·grance [ˈfreɪgrəns] *s.* Wohlgeruch *m*, Duft *m*, Aˈroma *n*; **ˈfra·grant** [-nt] *adj.* ☐ **1.** wohlriechend, duftend: ***be ~ with*** duften nach; **2.** *fig.* angenehm, köstlich.

frail [freɪl] *adj.* ☐ **1.** zerbrechlich; **2.** a) zart, schwach, b) gebrechlich, c) (*charakterlich*) schwach, d) schwach, seicht (*Buch etc.*); **ˈfrail·ty** [-tɪ] *s.* **1.** Zerbrechlichkeit *f*; **2.** a) Zartheit *f*, b) Gebrechlichkeit *f*; **3.** a) Schwachheit *f*, (moˈralische) Schwäche, b) Fehltritt *m*.

fraise [freɪz] *s.* **1.** ⚔ Paliˈsade *f*; **2.** ⚙ Bohrfräse *f*.

fram·b(o)e·si·a [fræmˈbiːzɪə] *s.* ⚕ Framböˈsie *f* (*tropische Hautkrankheit*).

frame [freɪm] **I** *s.* **1.** (*Bilder-*, *Fenster- etc.*)Rahmen *m* (*a.* ⚙, *mot.*): **~ *aerial*** Rahmenantenne *f*; **2.** (*a. Brillen-*, *Schirm-*, *Wagen*)Gestell *n*, Gerüst *n*; **3.** Einfassung *f*; **4.** ⚠ a) Balkenwerk *n*: **~ *house*** Holz- *od.* Fachwerkhaus *n*, b)

Gerippe *n*, Ske'lett *n*: ***steel ~***; **5.** *typ.* ('Setz)Re,gal *n*; **6.** ⚡ Stator *m*; **7.** ✈, ⚓ a) Spant *n*, *m*, b) Gerippe *n*; **8.** *TV* a) Abtastfeld *n*, b) Raster(bild *n*) *m*; **9.** *Film*: Einzelbild *n*; **10.** *Comic strips*: Bild *n*; **11.** ✓ verglaster Treibbeetkasten; **12.** *Weberei*: ('Spinn-, 'Web)Ma,schine *f*; **13.** a) Rahmen(erzählung *f*) *m*, b) 'Hintergrund *m*; **14.** Körper(bau) *m*, Fi'gur *f*: ***the mortal ~*** die sterbliche Hülle; **15.** *fig.* Rahmen *m*, Sy'stem *n*: ***within the ~ of*** im Rahmen (*gen.*); **16.** *bsd.* ***~ of mind*** (Gemüts)Verfassung *f*, (-)Zustand *m*, Stimmung *f*; **17.** → ***frame-up***; **II** *v/t.* **18.** zs.-fügen, -setzen; **19.** a) *Bild etc.* (ein)rahmen, (-)fassen, b) *fig.* um'rahmen; **20.** *et.* ersinnen, entwerfen, *Plan* schmieden, *Gedicht etc.* machen, verfertigen, *Politik etc.* abstecken; **21.** *Worte*, *a. Entschuldigung etc.* formulieren; **22.** gestalten, formen, bilden; **23.** anpassen (***to*** *dat.*); **24.** *a.* ***~ up*** *sl.* a) *et.* ‚drehen', ‚schaukeln', b) *j-m* et. ‚anhängen', *j-n* ‚reinhängen': ***~ a match*** ein Spiel (vorher) absprechen; **framed** [-md] *adj.* **1.** gerahmt; **2.** ⚠ Fachwerk...; **3.** ⚓, ✈ in Spanten; **'fram·er** [-mə] *s.* **1.** (Bilder-) Rahmer *m*; **2.** *fig.* Gestalter *m*, Entwerfer *m*.

frame| saw *s.* ⚙ Spannsäge *f*; **~ sto·ry**, **~ tale** *s.* Rahmenerzählung *f*; **~ tent** *s.* Steilwandzelt *n*; **'~-up** *s.* F **1.** Kom'plott *n*, In'trige *f*; Falle *f*; **2.** abgekartetes Spiel, Schwindel *m*; **'~·work** *s.* **1.** ⚙, *a.* ✈ *u. biol.* Gerüst *n*, Gerippe *n*; **2.** ⚠ Fachwerk *n*, Gebälk *n*; **3.** 🚂 Gestell *n*; **4.** *fig.* Rahmen *m*, Gefüge *n*, Sy'stem *n*: ***within the ~ of*** im Rahmen (*gen.*).

franc [fræŋk] *s.* **1.** Franc *m* (*Währungseinheit Frankreichs etc.*); **2.** Franken *m* (*Währungseinheit der Schweiz*).

fran·chise ['frænt∫aɪz] *s.* **1.** *pol.* a) Wahl-, Stimmrecht *n*, b) Bürgerrecht(e *pl.*) *n*; **2.** *Am.* Privi'leg *n*; **3.** *hist.* Gerechtsame *f*; **4.** ⚖ *bsd. Am.* a) *a. sport* Konzessi'on *f*, b) Al'leinverkaufsrecht *n*, c) 'Rechtsper,sönlichkeit *f*, d) Franchise *n*, Franchising *n* (*Vertriebsart*); **5.** *Versicherung*: Fran'chise *f*.

Fran·cis·can [fræn'sɪskən] **I** *s.* Franzis'kaner(mönch) *m*; **II** *adj.* Franziskaner...

Fran·co-Ger·man [,fræŋkəʊ'dʒɜːmən] *adj.*: ***the ~ War*** der Deutsch-Französische Krieg (*1870/71*).

Fran·co·ni·an [fræŋ'kəʊnjən] *adj.* fränkisch.

Fran·co|·phile ['fræŋkəʊfaɪl], **'~·phil** [-fɪl] **I** *s.* Franko'phile *m*, Fran'zosenfreund *m*; **II** *adj.* franko'phil; **'~·phobe** [-fəʊb] **I** *s.* Fran'zosenhasser *m*, -feind *m*; **II** *adj.* fran'zosenfeindlich.

fran·gi·ble ['frændʒɪbl] *adj.* zerbrechlich.

fran·gi·pane ['frændʒɪpeɪn] *s. Art* Mandelcreme *f*.

Fran·glais ['frɑ̃ːŋgleɪ] (*Fr.*) *s. stark anglisiertes Französisch.*

Frank¹ [fræŋk] *s. hist.* Franke *m*.

frank² [fræŋk] **I** *adj.* □ → ***frankly***; **1.** offen, aufrichtig, frei(mütig); **II** *s.* **2.** 📯 *hist.* a) Freivermerk *m*, b) Portofreiheit *f*; **III** *v/t.* **3.** *Brief* (*a.* mit der Ma'schine) frankieren: ***~ing machine*** Frankiermaschine *f*; **4.** *j-m* (freien) Zutritt verschaffen; **5.** *et.* amtlich freigeben.

frank³ [fræŋk] *Am.* F *für* **frank·furt·er** ['fræŋkfɜːtə] *s.* Frankfurter (Würstchen *n*) *f*.

frank·in·cense ['fræŋkɪn,sens] *s.* Weihrauch *m*.

Frank·ish ['fræŋkɪ∫] *adj. hist.* fränkisch.

frank·lin ['fræŋklɪn] *s. hist.* **1.** Freisasse *m*; **2.** kleiner Landbesitzer.

frank·ly ['fræŋklɪ] *adv.* **1.** → ***frank²*** 1; **2.** frei her'aus, frank u. frei; **3.** *a.* ***~ speaking*** offen gestanden *od.* gesagt; **'frank·ness** [-nɪs] *s.* Offenheit *f*, Freimütigkeit *f*.

fran·tic ['fræntɪk] *adj.* □ (*mst* ***~ally***) **1.** wild, außer sich, rasend (***with*** vor *dat.*); wütend; **2.** verzweifelt: ***~ efforts***; **3.** hektisch: ***a ~ search***.

frap·pé ['fræpeɪ] (*Fr.*) **I** *adj.* eisgekühlt; **II** *s.* Frap'pé *m* (*Getränk*).

frat [fræt] *sl.* → ***fraternity*** 3.

fra·ter·nal [frə'tɜːnl] **I** *adj.* □ **1.** brüderlich, Bruder...; **2.** *biol.* zweieiig: ***~ twins***; **II** *s.* **3.** *a.* ***~ association***, ***~ society*** *Am.* Verein *m* zur Förderung gemeinsamer Interessen; **fra'ter·ni·ty** [-nətɪ] *s.* **1.** Brüderlichkeit *f*; **2.** Vereinigung *f*, Zunft *f*, Gilde *f*: ***the angling ~*** die Zunft der Angler; ***the legal ~*** die Juristen *pl.*; **3.** *Am.* Stu'dentenverbindung *f*; **frat·er·ni·za·tion** [,frætənaɪ'zeɪ∫n] *s.* Verbrüderung *f*; **frat·er·nize** ['frætənaɪz] *v/i.* sich verbrüdern, *bsd.* ⚔ fraternisieren.

frat·ri·cid·al [,frætrɪ'saɪdl] *adj.* brudermörderisch: ***~ war*** Bruderkrieg *m*; **frat·ri·cide** ['frætrɪsaɪd] *s.* **1.** Bruder-, Geschwistermord *m*; **2.** Bruder-, Geschwistermörder *m*.

fraud [frɔːd] *s.* **1.** ⚖ Betrug *m*, arglistige Täuschung: ***by ~*** arglistig; ***obtain by ~*** sich *et.* erschleichen; ***~ department*** Betrugsdezernat *n*; **2.** Schwindel *m*; **3.** F a) Schwindler *m*, ‚falscher Fuffziger', b) ‚Schauspieler' *m*, j-d, der nicht ‚echt' ist; **'fraud·u·lence** [-djʊləns] *s.* Betrüge'rei *f*; **'fraud·u·lent** [-djʊlənt] *adj.* □ betrügerisch, arglistig: ***~ bankruptcy*** betrügerischer Bankrott; ***~ conversion*** Unterschlagung *f*; ***~ preference*** Gläubigerbegünstigung *f*; ***~ representation*** Vorspiegelung *f* falscher Tatsachen; ***~ transaction*** Schwindelgeschäft *n*.

fraught [frɔːt] *adj.* **1.** *mst fig.* (***with***) voll (von), beladen (mit): ~ ***with danger*** gefahrvoll; ~ ***with meaning*** bedeutungsschwer, -schwanger; ~ ***with sorrow*** kummerbeladen; **2.** F a) schlimm, b) ‚schwer im Druck'.

fray[1] [freɪ] *s.* **1.** (lauter) Streit; **2.** a) Schläge'rei *f*, b) ⚔ *u. fig.* Kampf *m*: ***eager for the*** ~ kampflustig.

fray[2] [freɪ] **I** *v/t.* **1.** *a.* ~ ***out*** *Stoff etc.* abtragen, 'durchscheuern, ausfransen, *a. fig.* abnutzen: ~***ed nerves*** strapazierte Nerven; ~***ed at the edges*** *fig.* sehr mitgenommen; ~***ed temper*** *fig.* gereizte Stimmung; **2.** *Geweih* fegen; **II** *v/i.* **3.** *a.* ~ ***out*** sich abnutzen (*a. fig.*), sich ausfransen *od.* 'durchscheuern; **4.** *fig.* sich ereifern: ***tempers began to*** ~ die Stimmung wurde gereizt.

fraz·zle ['fræzl] **I** *v/t.* **1.** ausfransen; **2.** *oft* ~ ***out*** F *j-n* ‚fix u. fertig' machen; **II** *v/i.* **3.** sich ausfransen *od.* 'durchscheuern; **III** *s.* **4.** Franse *f*: ***worn to a*** ~ F ‚fix u. fertig'; ***work o.s. to a*** ~ F sich ‚kaputtmachen' (vor Arbeit); ***burnt to a*** ~ total verkohlt.

freak [fri:k] **I** *s.* **1.** 'Mißbildung *f*, (*Mensch, Tier*) *a.* 'Mißgeburt *f*, Monstrosi'tät *f*: ~ ***of nature*** Laune *f* der Natur, *contp.* Monstrum *n*; ~ ***show*** Monstrositätenkabinett *n*; **2.** Grille *f*, Laune *f*; **3.** ‚verrückte' *od.* ‚irre' Sache; **4.** *sl.* ‚Freak' *m*: a) ‚irrer Typ', *contp.* ‚Ausgeflippte(r' *m*) *f*, ‚Spinner' *m*, b) (*Jazz-, Computer- etc.*)Narr *m*, c) Süchtige(r *m*) *f*: ***pill*** ~; **II** *adj.* **5.** → ***freakish***; **III** *v/i.* **6.** ~ ***out*** *sl.* ‚ausflippen' (*Süchtiger, a. allg. fig.*); **IV** *v/t.* **7.** *sl. j-n* ‚ausflippen' lassen; '**freak·ish** [-kɪʃ] *adj.* □ **1.** launisch, unberechenbar; **2.** ‚verrückt', ‚irr'; '**freak-out** *s. sl.* **1.** ‚Horrortrip' *m*; **2.** ‚Ausflippen' *n*.

freck·le ['frekl] **I** *s.* **1.** Sommersprosse *f*; **2.** Fleck(chen *n*) *m*; **II** *v/t.* **3.** tüpfeln, sprenkeln; **III** *v/i.* **4.** Sommersprossen bekommen; '**freck·led** [-ld] *adj.* sommersprossig.

free [fri:] **I** *adj.* □ (→ *a.* 18) **1.** frei: a) unabhängig, b) selbständig, c) ungebunden, d) ungehindert, e) uneingeschränkt, f) in Freiheit (befindlich): ***a*** ~ ***man***; ***the*** ♀ ***World***; ~ ***elections***; ***you are*** ~ ***to go*** es steht dir frei zu gehen; **2.** frei: a) *unbeschäftigt*: ***I am*** ~ ***after 5 o'clock***, b) *ohne Verpflichtungen*: ***a*** ~ ***evening***, c) nicht besetzt: ***this room is*** ~; **3.** frei: a) *nicht wörtlich*: ***a*** ~ ***translation***, b) *nicht an Regeln gebunden*: ~ ***verse***; ~ ***skating*** *sport* Kür(laufen *n*) *f*, c) frei gestaltet: ***a*** ~ ***version***; **4.** (***from***, ***of***) frei (von), ohne (*acc.*): ~ ***from error*** fehlerfrei; ~ ***from infection*** frei von ansteckenden Krankheiten; ~ ***from pain*** schmerzfrei; ~ ***of debt*** schuldenfrei; ~ ***and unencumbered*** ⚖ unbelastet, hypothekenfrei; ~ ***of taxes*** steuerfrei; **5.** ⚗ frei, nicht gebunden; **6.** frei, los(e); **7.** frei, unbefangen, ungezwungen: ~ ***manners***; **8.** a) offen(herzig), freimütig, b) unverblümt, c) unverschämt: ***make*** ~ ***with*** sich Freiheiten herausnehmen gegen *j-n*; **9.** allzu frei, unanständig: ~ ***talk***; **10.** freigebig, großzügig: ***be*** ~ ***with s.th.***; **11.** leicht, flott, zügig; **12.** (kosten-, gebühren-) frei, kostenlos, unentgeltlich, gratis, zum Nulltarif: ~ ***copy*** Freiexemplar *n*; ~ ***fares*** Nulltarif *m*; ~ ***gift*** ✝ Zugabe *f*, Gratisprobe *f*; ~ ***ticket*** a) Freikarte *f*, b) Freifahrschein *m*; **13.** ✝ frei (*Klausel*): ~ ***on board*** frei an Bord; ~ ***on rail*** frei Waggon; ~ ***domicile*** frei Haus; **14.** ✝ frei verfügbar: ~ ***assets***; **15.** öffentlich: ~ ***library*** Volksbibliothek *f*; ***be*** (***made***) ~ ***of s.th.*** freien Zutritt zu et. haben; **16.** willig, bereit; **17.** *Turnen*: ohne Geräte: ~ ***gymnastics*** Freiübungen; **II** *adv.* **18.** *allg.* frei (→ I): ***go*** ~ frei ausgehen; ***run*** ~ ⚙ leer laufen (*Maschine*); **III** *v/t.* **19.** *a. fig.* befreien (***from*** von, aus); **20.** freilassen; **21.** entlasten (***from***, ***of*** von).

free| ar·e·a *s. fig.* Freiraum *m*; ~ **back** *s. sport* Libero *m*; '~**·board** *s.* ⚓ Freibord *n*; '~ˌ**boot·er** *s.* Freibeuter *m*; ♀ **Church** *s.* Freikirche *f*; '~-ˌ**cut·ting** *adj.*: ~ ***steel*** ⚙ Automatenstahl *m*.

freed·man ['fri:dmæn] *s.* [*irr.*] Freigelassene(r) *m*.

free·dom ['fri:dəm] *s.* **1.** a) Freiheit *f*, b) Unabhängigkeit *f*: ~ ***of the press*** Pressefreiheit; ~ ***of the seas*** Freiheit der Meere; ~ ***of the city*** (*od.* ***town***) Ehrenbürgerrecht; ~ ***from taxation*** Steuerfreiheit; ~ ***fighter*** Freiheitskämpfer (-in); **2.** freier Zutritt, freie Benutzung; **3.** Freimütigkeit *f*, Offenheit *f*; **4.** Zwanglosigkeit *f*; **5.** Aufdringlichkeit *f*, (plumpe) Vertraulichkeit; **6.** *phls.* Willensfreiheit *f*, Selbstbestimmung *f*.

free| en·er·gy *s. phys.* freie *od.* ungebundene Ener'gie; ~ **en·ter·prise** *s.* freies Unter'nehmertum; ~ **fall** *s.* ✈ *phys.* freier Fall; ~ **fight** *s.* ('Massen-) Schlägeˌrei *f*; '~**-forˌall** [-ərˌɔ:l] F **1.** → ***free fight***; **2.** wildes ‚Gerangel'; ~ **hand** *s.*: ***give s.o. a*** ~ j-m freie Hand lassen; '~**·hand** *adj.* **1.** Freihand..., freihändig: ~ ***drawing***; **2.** *fig.* a) frei, b) ausschweifend; ˌ~'**hand·ed** *adj.* **1.** freigebig, großzügig; **2.** → ***freehand***; ˌ~'**heart·ed** *adj.* **1.** freimütig, offen (-herzig); **2.** → ***freehanded*** 1; '~**·hold** *s.* (volles) Eigentumsrecht an Grundbesitz: ~ ***flat*** *Brit.* Eigentumswohnung *f*; '~ˌ**hold·er** *s.* Grund- u. Hauseigentümer *m*; ~ **kick** *s. Fußball*: Freistoß *m*: (***in***)***direct*** ~; ~ **la·bo(u)r** *s.* nichtorganisierte Arbeiter(schaft *f*) *pl.*; '~**·lance** **I** *s.* **1.** a) freier Schriftsteller *od.* Journa'list (*etc.*), Freiberufler *m*; freischaffender Künstler, b) freier Mitarbeiter; **2.** *pol.* Unabhängige(r) *m*, Par'teilose(r) *m*; **II** *adj.* **3.** freiberuflich (tätig), freischaffend; **III** *v/i.* **4.** freiberuflich tätig sein; '**~ˌlanc·er** → ***freelance*** 1; **~ list** *s.* **1.** Liste *f* zollfreier Ar'tikel; **2.** Liste *f* der Empfänger von 'Freikarten *od.* -exemˌplaren; **~ liv·er** *s.* Schlemmer *m*, Genießer *m*; '**~ˌload·er** *s. Am.* F ‚Schnorrer' *m*; **~ love** *s.* freie Liebe; **~ man** *s.* [*irr.*] *Fußball*: freier Mann, Libero *m*; '**~·man** *s.* [*irr.*] **1.** [-mæn] freier Mann; **2.** [-mən] (Ehren)Bürger *m* (*Stadt*); **~ mar·ket** *s.* ✝ **1.** freier Markt: **~ *economy*** freie Marktwirtschaft; **2.** *Börse*: Freiverkehr *m*; '**2ˌma·son** *s.* Freimaurer *m*: ***~s' lodge*** Freimaurerloge *f*; '**2ˌma·son·ry** *s.* **1.** Freimaure'rei *f*; **2.** *fig.* Zs.-gehörigkeitsgefühl *n*; **~ play** *s.* **1.** ⚙ Spiel *n*; **2.** *fig.* freie Hand; **~ port** *s.* Freihafen *m*; '**~-range** *adj.*: **~ *hens*** Freilandhühner; **~ rid·er** → ***freeloader***; **~ share** *s.* ✝ Freiaktie *f*.

free·si·a ['fri:zjə] *s.* ⚘ Freesie *f*.

free| speech *s.* Redefreiheit *f*; **ˌ~-'spo·ken** *adj.* offen, freimütig; **ˌ~-'standing** *adj.*: **~ *exercises*** Freiübungen *pl.*; **~ *sculpture*** Freiplastik *f*; **~ state** *s.* Freistaat *m*; **ˌ~-'style** *sport* **I** *s.* Freistil (-schwimmen *n etc.*) *m*; **II** *adj.* Freistil..., Kür...: **~ *skating*** Kür(laufen *n*) *f*; **ˌ~'think·er** *s.* Freidenker *m*, Freigeist *m*; **ˌ~'think·ing** *s.*, **~ thought** *s.* Freidenke'rei *f*, -geiste'rei *f*; **~ throw** *s. Basketball*: Freiwurf *m*; **ˌ~'trade a·re·a** *s.* Freihandelszone *f*; **ˌ~'trad·er** *s.* Anhänger *m* des Freihandels; **~ vote** *s. parl.* Abstimmung *f* ohne Frakti'onszwang; '**~·way** *s. Am.* gebührenfreie Schnellstraße; **ˌ~'wheel** ⚙ **I** *s.* Freilauf *m*; **II** *v/i.* im Freilauf fahren; **ˌ~'wheel·ing** *adj.* F **1.** sorglos; **2.** frei u. ungebunden; **~ will** *s.* freier Wille, Willensfreiheit *f*.

freeze [fri:z] **I** *v/i.* [*irr.*] → ***frozen***; **1.** frieren (*a. impers.*): ***it is freezing hard*** es friert stark; ***I am freezing*** mir ist eiskalt; **~ *to death*** erfrieren; **2.** gefrieren; **3.** *a.* **~ *up*** (*od.* ***over***) ein-, zufrieren, vereisen; **4.** an-, festfrieren: **~ *on to*** *sl.* sich wie eine Klette an *j-n* heften; **5.** (*vor Kälte*, *fig. vor Schreck etc.*) erstarren, eisig werden (*Person*, *Gesicht*): ***it made my blood ~*** es ließ mir das Blut in den Adern erstarren; **~!** *sl.* keine Bewegung!; **II** *v/t.* [*irr.*] **6.** zum Gefrieren bringen: ***I was frozen*** mir war eiskalt; **7.** erfrieren lassen; **8.** *Fleisch etc.* einfrieren, tiefkühlen; ⚹ vereisen; **9.** *a. fig.* erstarren lassen, *fig. a.* lähmen: **~ *out*** *Am.* F *j-n* hinausekeln, kaltstellen; **10.** ✝ *Guthaben etc.* sperren, *a. Preise etc.*, *pol. diplomatische Beziehungen* einfrieren: **~ *prices*** (***wages***) *a.* e-n Preis- (Lohn)stopp einführen; **III** *s.* **11.** Gefrieren *n*; **12.** Erstarrung *f*; **13.** 'Frost(periˌode *f*) *m*, Kälte(welle) *f*; **14.** ✝, *pol.* Einfrieren *n*, ✝ *a.* (Preis-, Lohn)Stopp *m*: **~ *on wages***; ***put a ~ on*** → 10; **ˌ~-'dry** *v/t.* gefriertrocknen; **~ dry·er** *s.* Gefriertrockner *m*.

freez·er ['fri:zə] *s.* **1.** Ge'friermaˌschine *f od.* -kammer *f*; **2.** Tiefkühlgerät *n*; **3.** Gefrierfach *n* (*Kühlschrank*); '**freeze-up** *s.* starker Frost; '**freez·ing** [-zɪŋ] **I** *adj.* ☐ **1.** ⚙ Gefrier..., Kälte...: **~ *compartment*** → ***freezer*** 3; ***below ~ point*** unter dem Gefrierpunkt, unter Null; **2.** eisig; **3.** kalt, unnahbar; **II** *s.* **4.** Einfrieren *n* (*a.* ✝, *pol.*); **5.** *a.* ⚹ Vereisung *f*; **6.** Erstarrung *f*.

freight [freɪt] **I** *s.* **1.** Fracht *f*, Beförderung *f*; **2.** ⚓ (*Am. a.* ✈, 🚂, *mot.*) Fracht(gut *n*) *f*, Ladung *f*: **~ *and carriage*** *Brit.* See- und Landfracht; **3.** Fracht(gebühr) *f*: **~ *forward*** Fracht gegen Nachnahme; **4.** *Am.* → ***freight train***; **II** *v/t.* **5.** *Schiff*, *Am. a. Güterwagen etc.* befrachten, beladen; **6.** *Güter* verfrachten; '**freight·age** [-tɪdʒ] *s.* **1.** Trans'port *m*; **2.** → ***freight*** 2, 3.

freight| bill *s.* ✝ *Am.* Frachtbrief *m*; **~ car** *s. Am.* Güterwagen *m*.

freight·er ['freɪtə] *s.* **1.** a) Frachtschiff *n*, Frachter *m*, b) Trans'portflugzeug *n*; **2.** a) Befrachter *m*, Reeder *m*, b) Ab-, Verlader *m*.

'**freight|ˌlin·er** *s. Brit.* Con'tainerzug *m*; **~ rate** *s.* ✝ Frachtsatz *m*; **~ sta·tion** *s. Am.* Güterbahnhof *m*; **~ train** *s. Am.* Güterzug *m*.

French [frentʃ] **I** *adj.* **1.** fran'zösisch: **~ *master*** Französischlehrer; **II** *s.* **2.** ***the ~*** die Franzosen *pl.*; **3.** *ling.* Fran'zösisch *n*: ***in ~*** a) auf französisch, b) im Französischen; **~ beans** *s. pl.* grüne Bohnen *pl.*; **~ Ca·na·di·an I** *s.* **1.** 'Frankokaˌnadier(in); **2.** *ling.* ka'nadisches Fran'zösisch; **II** *adj.* **3.** 'frankokaˌnadisch; **~ chalk** *s.* Schneiderkreide *f*; **~ doors** *Am.* → ***French windows***; **~ dress·ing** *s.* French Dressing *n* (*Salatsoße aus Öl*, *Essig*, *Senf u. Gewürzen*); **~ fried po·ta·toes**, F **~ fries** [fraɪz] *s. pl. Am.* Pommes 'frites *pl.*; **~ horn** *s.* ♪ (Wald)Horn *n*; **~ kiss** *s.* Zungenkuß *m*; **~ leave** *s.*: ***take ~*** sich (auf) französisch empfehlen; **~ let·ter** *s.* F ‚Pa'riser' *m* (*Kondom*); **~ loaf** *s.* [*irr.*] Ba'guette *f*; '**~·man** [-mən] *s.* [*irr.*] Fran'zose *m*; **~ mar·i·gold** *s.* ⚘ Stu'dentenblume *f*; **~ pol·ish** *s.* 'Schellackpoliˌtur *f*; **~ roof** *s.* △ Man'sardendach *n*; **~ win·dows** *s. pl.* Ter'rassen-, Bal'kontür *f*; '**~ˌwom·an** *s.* [*irr.*] Fran'zösin *f*.

fre·net·ic [frə'netɪk] *adj.* (☐ **~*ally***) → ***frenzied***.

fren·zied ['frenzɪd] *adj.* **1.** fre'netisch (*Geschrei etc.*), rasend: **~ *applause***; **2.** a) außer sich, rasend (***with*** vor *dat.*), b) wild, hektisch; **fren·zy** ['frenzı] **I** *s.* **1.** Wahnsinn *m*, Rase'rei *f*: ***in a ~ of hate*** rasend vor Haß; **2.** wilde Aufregung; **3.** Verzückung *f*, Ek'stase *f*; **4.** Wirbel *m*, Hektik *f*; **II** *v/t.* **5.** rasend machen.

fre·quen·cy ['fri:kwənsı] *s.* **1.** Häufigkeit *f* (*a.* ⚔, *biol.*); **2.** *phys.* Fre'quenz *f*, Schwingungszahl *f*: ***high ~*** Hochfrequenz; **~ band** *s.* ⚡ Fre'quenzband *n*; **~ chang·er**, **~ con·vert·er** *s.* ⚡, *phys.* Fre'quenzwandler *m*; **~ curve** *s.* ⚔, *biol.* Häufigkeitskurve *f*; **~ mod·u·la·tion** *s. phys.* Fre'quenzmodulati,on *f*; **~ range** *s.* Fre'quenzbereich *m*.

fre·quent **I** *adj.* ['fri:kwənt] □ → ***frequently***; **1.** häufig, (häufig) wieder'holt: ***be ~*** häufig vorkommen; ***he is a ~ visitor*** er kommt häufig zu Besuch; **2.** ⚕ beschleunigt (*Puls*); **II** *v/t.* [frı'kwent] **3.** häufig *od.* oft be-, aufsuchen, frequentieren; **fre·quen·ta·tive** [frı'kwentətıv] *ling.* **I** *adj.* frequenta'tiv; **II** *s.* Frequenta'tiv(um) *n*; **fre·quent·er** [frı'kwentə] *s.* (fleißiger) Besucher, Stammgast *m*; **'fre·quent·ly** [-lı] *adv.* oft, häufig.

fres·co ['freskəʊ] **I** *pl.* **-cos**, **-coes** *s.* a) 'Freskomale,rei *f*, b) Fresko(gemälde) *n*; **II** *v/t.* in Fresko (be)malen.

fresh [freʃ] **I** *adj.* □ (→ *a.* 8); **1.** *allg.* frisch; **2.** neu: ***~ evidence***; ***~ news***; ***~ arrival*** Neuankömmling *m*; ***make a ~ start*** neu anfangen; ***take a ~ look at*** *et.* noch einmal *od.* von e-r anderen Seite betrachten; **3.** frisch: a) zusätzlich: ***~ supplies***, b) *nicht alt*: ***~ eggs***, c) *nicht eingemacht*: ***~ vegetables*** *a.* Frischgemüse *n*; ***~ meat*** Frischfleisch *n*; ***~ herrings*** grüne Heringe, d) sauber, rein: ***~ shirt***; **4.** frisch: a) blühend, gesund: ***~ complexion***, b) ausgeruht, erholt: (***as***) ***~ as a daisy*** quicklebendig; **5.** frisch: a) unverbraucht, b) erfrischend, c) kräftig: ***~ wind***, d) kühl; **6.** *fig.* ‚grün', unerfahren; **7.** F frech, ‚pampig': ***don't get ~ with me!*** werd (mir) ja nicht frech!; **II** *adv.* **8.** frisch: ***~ from*** frisch *od.* direkt von *od.* aus; **III** *s.* **9.** Frische *f*, Kühle *f*: ***~ of the day*** *der* Tagesanfang; **10.** → ***freshet***.

,fresh-'air fiend *s.* F 'Frischluftfa,natiker(in), -a,postel *m*.

fresh·en ['freʃn] **I** *v/t. a.* ***~ up*** **1.** *j-n* erfrischen: ***~ o.s. up*** → 4; **2.** *fig. et.* auffrischen, ‚aufpolieren'; **II** *v/i. mst* ***~ up*** **3.** frisch werden, aufleben; **4.** sich frisch machen; **5.** auffrischen (*Wind*); **'fresh·er** [-ʃə] *Brit.* F → ***freshman***; **'fresh·et** [-ʃıt] *s.* Hochwasser *n*, Flut *f* (*a. fig.*); **'fresh·man** [-mən] *s.* [*irr.*] Stu'dent *m* im ersten Se'mester; **'fresh·ness** [-ʃnıs] *s.* Frische *f*; Neuheit *f*; Unerfahrenheit *f*.

fresh| wa·ter *s.* Süßwasser *n*; **'~,wa·ter** *adj.* **1.** Süßwasser...: ***~ fish***; **2.** *Am.* Provinz...: ***~ college***.

fret¹ [fret] *s.* ♪ Bund *m*, Griffleiste *f*.

fret² [fret] **I** *s.* ⚠ *etc.* **1.** durch'brochene Verzierung; **2.** Gitterwerk *n*; **II** *v/t.* **3.** durch'brochen *od.* gitterförmig verzieren.

fret³ [fret] **I** *v/t.* **1.** ⚙, ⚗ an-, zerfressen, angreifen; **2.** abnutzen, -scheuern; **3.** *j-n* ärgern, reizen; **II** *v/i.* **4.** a) sich ärgern: ***~ and fume*** vor Wut schäumen, b) sich Sorgen machen; **III** *s.* **5.** Ärger *m*, Verärgerung *f*; **'fret·ful** [-fʊl] *adj.* □ ärgerlich, gereizt.

fret| saw *s.* ⚙ Laubsäge *f*; **'~·work** *s.* **1.** ⚠ *etc.* Gitterwerk *n*; **2.** Laubsägearbeit *f*.

Freud·i·an ['frɔıdjən] **I** *s.* Freudi'aner (-in); **II** *adj.* freudi'anisch, Freudsch: ***~ slip*** *psych.* Freudsche Fehlleistung.

fri·a·ble ['fraıəbl] *adj.* bröck(e)lig, krümelig.

fri·ar ['fraıə] *s. eccl.* (*bsd.* Bettel-) Mönch *m*: ***Black ~*** Dominikaner *m*; ***Grey ~*** Franziskaner *m*; ***White ~*** Karmeliter *m*; **'fri·ar·y** [-ərı] *s.* Mönchskloster *n*.

fric·as·see ['frıkəsi:] (*Fr.*) **I** *s.* Frikas'see *n*; **II** *v/t.* [,frıkə'si:] frikassieren.

fric·a·tive ['frıkətıv] *ling.* **I** *adj.* Reibe...; **II** *s.* Reibelaut *m*.

fric·tion ['frıkʃn] **I** *s.* **1.** ⚙, *phys.* Reibung *f*, Frikti'on *f*; **2.** *bsd.* ⚕ Einreibung *f*; **3.** *fig.* Reibungen *pl.*, Reibe'rei *f*, Spannung *f*, 'Mißhelligkeit *f*; **II** *adj.* **4.** ⚙, *phys.* Reibungs...: ***~ brake***; ***~ clutch***; ***~ drive*** Friktionsantrieb *m*; ***~ gear(ing)*** Friktionsgetriebe *n*; ***~ match*** Streichholz *n*; ***~ surface*** Lauffläche *f*; ***~ tape*** *Am.* Isolierband *n*; **'fric·tion·al** [-ʃənl] *adj.* **1.** Reibungs..., Friktions...; **2.** ***~ unemployment*** temporäre Arbeitslosigkeit; **'fric·tion·less** [-lıs] *adj.* ⚙ reibungsfrei, -arm.

Fri·day ['fraıdı] *s.* Freitag *m*: ***on ~*** am Freitag; ***on ~s*** freitags; → ***Good Friday***, ***girl Friday***.

fridge [frıdʒ] *s. Brit.* F Kühlschrank *m*.

fried [fraıd] *adj.* **1.** gebraten; → ***fry²*** 1; **2.** *Am. sl.* ‚blau', besoffen; **'~·cake** *s. Am.* Krapfen *m*.

friend [frend] *s.* **1.** Freund(in): ***~ at court*** ‚Vetter' (*einflußreicher Freund*); ***~ of the court*** ⚖ sachverständiger Beistand (des Gerichts); → ***next*** 1; ***be ~s with s.o.*** mit j-m befreundet sein; ***make ~s with*** mit *j-m* Freundschaft schließen; ***a ~ in need is a ~ indeed*** der wahre Freund zeigt sich erst in der Not; **2.** Bekannte(r *m*) *f*; **3.** Helfer(in), Förderer *m*; **4.** Hilfe *f*, Freund(in); **5.** *Brit.* a) ***my honourable ~*** *parl.* mein Herr Kollege *od.* Vorredner (*Anrede*), b) ***my learned ~*** ⚖ mein verehrter Herr Kollege; **6.** ***Society of ~s*** Gesellschaft der Freunde, *die* Quäker;

ˈfriend·less [-lɪs] *adj.* ohne Freunde; **ˈfriend·li·ness** [-lɪnɪs] *s.* Freund(schaft)lichkeit *f*; freundschaftliche Gesinnung; **ˈfriend·ly** [-lɪ] **I** *adj.* **1.** freundlich; **2.** freundschaftlich, Freundschafts...: *~ match sport* Freundschaftsspiel *n*; *a ~ nation* e-e befreundete Nation; **3.** wohlwollend, -gesinnt: *~ neutrality pol.* wohlwollende Neutralität; *2 Society* Versicherungsverein *m* auf Gegenseitigkeit; *~ troops* ⚔ eigene Truppen; **4.** günstig; **II** *s.* **5.** *sport* F Freundschaftsspiel *n*; **ˈfriend·ship** [-ʃɪp] *s.* **1.** Freundschaft *f*; **2.** → ***friendliness***.

fri·er → ***fryer***.

Frie·sian [ˈfri:zjən] → ***Frisian***.

frieze¹ [fri:z] **I** *s.* **1.** ⌂ Fries *m*; **2.** Zierstreifen *m* (*Tapete etc.*); **II** *v/t.* **3.** mit e-m Fries versehen.

frieze² [fri:z] *s.* Fries *m* (*Wollzeug*).

frig [frɪg] V **I** *v/t.* ‚ficken'; **II** *v/i.* ‚wichsen'.

frig·ate [ˈfrɪgɪt] *s.* ⚓ Freˈgatte *f*.

frige [frɪdʒ] → ***fridge***.

fright [fraɪt] **I** *s.* Scheck(en) *m*, Entsetzen *n*: *get* (*od.* *have*) *a ~* erschrecken; *give s.o. a ~* j-n erschrecken; *take ~* a) erschrecken, b) scheuen (*Pferd*); *get off with a ~* mit dem Schrecken davonkommen; *he looked a ~* F er sah ‚verboten' aus; **II** *v/t. poet.* → ***frighten***; **ˈfright·en** [-tn] **I** *v/t.* **1.** a) *j-n* erschrecken (*s.o. to death* j-n zu Tode), *j-m* e-n Schrecken einjagen, b) *j-m* Angst einjagen: *~ s.o. into doing s.th.* j-n so einschüchtern, daß er et. tut; *I was ~ed* ich erschrak *od.* bekam Angst (*of* vor *dat.*); **2.** *~ away* vertreiben, -scheuchen; **II** *v/i.* **3.** *he ~s easily* a) er ist sehr schreckhaft, b) dem kann man leicht Angst einjagen; **ˈfright·ened** [-tnd] *adj.* erschreckt, erschrocken, verängstigt; **ˈfright·en·ing** [-tnɪŋ] *adj.* □ erschreckend; **ˈfright·ful** [-fʊl] *adj.* □ furchtbar, schrecklich, entsetzlich, gräßlich, scheußlich (*alle a.* F *fig.*); **ˈfright·ful·ly** [-flɪ] *adv.* furchtbar (*etc.*); **ˈfright·ful·ness** [-fʊlnɪs] *s.* **1.** Schrecklichkeit *f*; **2.** Schreckensherrschaft *f*, Terror *m*.

frig·id [ˈfrɪdʒɪd] *adj.* □ **1.** kalt, frostig, eisig (*alle a. fig.*): *~ zone geogr.* kalte Zone; **2.** *fig.* kühl, steif; **3.** *psych.* friˈgid, gefühlskalt; **fri·gid·i·ty** [frɪˈdʒɪdətɪ] *s.* Kälte *f*, Frostigkeit *f* (*a. fig.*); *psych.* Frigidiˈtät *f*.

frill [frɪl] **I** *s.* **1.** (Hals-, Hand)Krause *f*, Rüsche *f*; **2.** Paˈpierkrause *f*, Manˈschette *f*; **3.** *zo., orn.* Kragen *m*; **4.** *mst pl. contp.* ‚Verzierungen' *pl.*, Kinkerlitzchen *pl.*, ‚Mätzchen' *pl.*, ‚Firlefanz' *m*: *put on ~s fig.* ‚auf vornehm machen', sich aufplustern; *without ~s* ‚ohne Kinkerlitzchen', schlicht; **II** *v/t.* **5.** mit e-r Krause besetzen; **6.** kräuseln; **III** *v/i.* **7.** *phot.* sich kräuseln; **ˈfrill·ies** [-lɪz] *s. pl. Brit.* F ‚Reizwäsche' *f*, ˈSpitzenˌunterwäsche *f*.

fringe [frɪndʒ] **I** *s.* **1.** Franse *f*, Besatz *m*; **2.** Rand *m*, Einfassung *f*, Umˈrandung *f*; **3.** ˈPonyfriˌsur *f*; **4.** a) Randbezirk *m*, -gebiet *n* (*a. fig.*), b) *fig.* Rand(zone *f*) *m*, Grenze *f*: *~s of civilization*, c) → ***fringe group***; → ***lunatic*** I; **II** *v/t.* **5.** mit Fransen besetzen; **6.** (um)ˈsäumen; *~ ben·e·fits s. pl.* (Gehalts-, Lohn)Nebenleistungen *pl.*

fringed [frɪndʒd] *adj.* gefranst.

fringe group *s. sociol.* Randgruppe *f*.

frip·per·y [ˈfrɪpərɪ] *s.* **1.** Putz *m*, Flitterkram *m*; **2.** Tand *m*, Plunder *m*; **3.** *fig.* → ***frill*** 4.

Fri·sian [ˈfrɪzɪən] **I** *s.* **1.** Friese *m*, Friesin *f*; **2.** *ling.* Friesisch *n*; **II** *adj.* **3.** friesisch.

frisk [frɪsk] **I** *v/i.* **1.** herˈumtollen, -hüpfen; **II** *v/t.* **2.** wedeln mit; **3.** *j-n* ‚filzen', *a. et.* durchˈsuchen; **III** *s.* **4.** a) Ausgelassenheit *f*, b) Freudensprung *m*; **5.** F ‚Filzen' *n*; **ˈfrisk·i·ness** [-kɪnɪs] *s.* Lustigkeit *f*, Ausgelassenheit *f*; **ˈfrisk·y** [-kɪ] *adj.* □ lebhaft, munter, ausgelassen.

fris·son [ˈfrɪsɔ̃:ŋ] (*Fr.*) *s.* (leichter) Schauer.

frit [frɪt] *v/t.* ⚙ fritten, schmelzen.

frith [frɪθ] → ***firth***.

frit·ter¹ [ˈfrɪtə] *s.* Beiˈgnet *m* (*Gebäck*).

frit·ter² [ˈfrɪtə] *v/t.* **1.** *mst ~ away* verplempern, vergeuden; **2.** a) zerfetzen, b) in Streifen schneiden, *Küche*: schnetzeln.

fritz [frɪts] *s. Am. sl.*: *on the ~* kaputt, ‚im Eimer'.

friv·ol [ˈfrɪvl] **I** *v/i.* (heˈrum)tändeln; **II** *v/t.* *~ away* → ***fritter²*** 1; **fri·vol·i·ty** [frɪˈvɒlətɪ] *s.* Frivoliˈtät *f*: a) Leichtsinn(igkeit *f*) *m*, Oberflächlichkeit *f*, b) Leichtfertigkeit *f* (*Rede od. Handlung*); **ˈfriv·o·lous** [-vələs] *adj.* □ **1.** friˈvol, leichtsinnig, -fertig; **2.** nicht ernst zu nehmen(d); **3.** ⚖ schikaˈnös.

frizz¹ [frɪz] **I** *v/t. u. v/i.* (sich) kräuseln; **II** *s.* gekräuseltes Haar.

frizz² [frɪz] → ***frizzle¹*** I.

friz·zle¹ [ˈfrɪzl] **I** *v/i.* brutzeln; **II** *v/t.* (braun) rösten.

friz·zle² [ˈfrɪzl] → ***frizz¹***; **ˈfriz·zly** [-lɪ], **ˈfriz·zy** [-zɪ] *adj.* kraus, gekräuselt.

fro [frəʊ] *adv.*: *to and ~* hin u. her, auf u. ab.

frock [frɒk] **I** *s.* **1.** (Mönchs)Kutte *f*; **2.** (Damen)Kleid *n*; **3.** ⚓ Wolljacke *f*; **4.** Kinderkleid *n*, Kittel *m*; **5.** Gehrock *m*; **6.** (Arbeits)Kittel *m*; **II** *v/t.* **7.** mit e-m geistlichen Amt bekleiden; **8.** mit e-m Kittel bekleiden; *~ coat s.* Gehrock *m*.

frog [frɒg] *s.* **1.** *zo.* Frosch *m*: *have a ~ in the throat* e-n Frosch im Hals haben, heiser sein; **2.** Schnurbesatz *m*, -verschluß *m* (*Rock*); **3.** ⚔ Quaste *f*, Säbeltasche *f*; **4.** 🚂 Herz-, Kreuzungsstück *n*; **5.** ⚡ Oberleitungsweiche *f*; **6.** *zo.* Strahl *m* (*Pferdehuf*); **7.** *Am. sl.* Bizeps *m*; **8.** ☊ *sl. contp.* ‚'Scheißfranˌzose' *m*; **~ kick** *s. Schwimmen*: Grätschstoß *m*; **'~·man** [-mən] *s.* [*irr.*] Froschmann *m*, ⚔ *a.* Kampfschwimmer *m*; **'~·march** *v/t. j-n* (mit dem Gesicht nach unten) fortschleppen; **~'s legs** *s. pl.* Froschschenkel *pl.*; **~ spawn** *s.* **1.** *zo.* Froschlaich *m*; **2.** ⚘ Froschlaichalge *f*.

frol·ic ['frɒlɪk] **I** *s.* **1.** Her'umtollen *n*, Ausgelassenheit *f*; **2.** Jux *m*, Spaß *m*, Streich *m*; **II** *v/i. pret. u. p.p.* **'frol·icked** [-kt] **3.** her'umtollen, -toben; **'frol·ic·some** [-səm] *adj.* 'übermütig, ausgelassen.

from [frɒm; frəm] *prp.* von, von … her, aus, aus … her'aus: a) *Ort, Herkunft*: ***a gift ~ his son*** ein Geschenk von s-m Sohn; ***~ outside*** (*od.* ***without***) von (dr)außen; ***the train ~ X*** der Zug von *od.* aus X; ***he is ~ Kent*** er ist *od.* stammt aus Kent; *auf Sendungen*: ***~ …*** Absender …, b) *Zeit*: ***~ 2 to 4 o'clock*** von 2 bis 4 Uhr; ***~ now*** von jetzt an; ***~ a child*** von Kindheit an, c) *Entfernung*: ***6 miles ~ Rome*** 6 Meilen von Rom (entfernt); ***far ~ the truth*** weit von der Wahrheit entfernt, d) *Fortnehmen*: ***stolen ~ the shop*** (***the table***) aus dem Laden (vom Tisch) gestohlen; ***take it ~ him!*** nimm es ihm weg!, e) *Anzahl*: ***~ six to eight boats*** sechs bis acht Boote, f) *Wandlung*: ***~ bad to worse*** immer schlimmer, g) *Unterscheidung*: ***he does not know black ~ white*** er kann Schwarz u. Weiß nicht unterscheiden, h) *Quelle, Grund*: ***~ my point of view*** von meinem Standpunkt (aus); ***~ what he said*** nach dem, was er sagte; ***painted ~ life*** nach dem Leben gemalt; ***he died ~ hunger*** er verhungerte; **~ a·bove** *adv.* von oben; **~ a·cross** *adv. u. prp.* von jenseits (*gen.*), von der anderen Seite (*gen.*); **~ a·mong** *prp.* aus … her'aus; **~ be·fore** *prp.* aus der Zeit vor (*dat.*); **~ be·neath** *adv.* von unten; *prp.* unter (*dat.*) … her'vor *od.* her'aus; **~ be·tween** *prp.* zwischen (*dat.*) … her'vor; **~ be·yond** *adv. u. prp.* von jenseits (*gen.*); **~ in·side** *adv.* von innen; *prp.* aus … her'aus: ***~ the house*** aus dem Inneren des Hauses (heraus); **~ out of** *prp.* aus … her'aus; **~ un·der** → ***from beneath***.

frond [frɒnd] *s.* ⚘ (Farn)Wedel *m*.

front [frʌnt] **I** *s.* **1.** *allg.* Vorder-, Stirnseite *f*, Front *f*; **2.** ⚠ (Vorder)Front *f*, Fas'sade *f*; **3.** Vorderteil *n*; **4.** ⚔ a) Front *f*, Kampflinie *f*, -gebiet *n*, b) Frontbreite *f*: ***at the ~*** an der Front; ***on all ~s*** an allen Fronten (*a. fig.*); **5.** Vordergrund *f*, Spitze *f*: ***in ~*** an der *od.* die Spitze, vorn, davor; ***in ~ of*** vor (*dat.*); ***to the ~*** nach vorn; ***come to the ~*** *fig.* in den Vordergrund treten; ***up ~*** a) vorn, *fig. a.* an der Spitze, b) nach vorn, *fig. a.* an die Spitze; **6.** (Straßen-, Wasser)Front *f*: ***the ~*** *Brit.* die Strandpromenade; **7.** *fig.* Front *f*: a) (*bsd. politische*) Organisati'on, b) Sektor *m*: ***on the economic ~*** an der wirtschaftlichen Front; **8.** a) ‚Strohmann' *m*, b) ‚Aushängeschild' *n* (*e-r Interessengruppe od. Geheimorganisation etc.*); **9.** F ‚Fas'sade' *f*: ***put up a ~*** a) sich Allüren geben, b) ‚Theater spielen'; ***show a bold ~*** kühn auftreten; ***maintain a ~*** den Schein wahren; **10.** *poet.* a) Stirn *f*, b) Antlitz *n*; **11.** *fig.* Frechheit *f*: ***have the ~ to*** (*inf.*) die Stirn haben zu (*inf.*); **12.** Hemdbrust *f*; **13.** (falsche) Stirnlocken *pl.*; **14.** *meteor.* Front *f*: ***cold ~***; **II** *adj.* **15.** Front…, Vorder…: ***~ entrance***; ***~ row*** vorder(st)e Reihe; ***~ tooth*** Vorderzahn *m*; **16.** ***~ man*** ‚Strohmann' *m*; **17.** *ling.* Vorderzungen…; **III** *v/t.* **18.** gegen'überstehen, -liegen (*dat.*): ***the house ~s the sea*** das Haus liegt (nach) dem Meer zu; ***the windows ~ the street*** die Fenster gehen auf die Straße; **19.** *j-m* entgegen-, gegen'übertreten, *j-m* die Stirn bieten; **20.** mit e-r Front *od.* Vorderseite versehen; **21.** als Front *od.* Vorderseite dienen für; **22.** *ling.* palatalisieren; **23.** *TV Brit. Programm* moderieren; **IV** *v/i.* **24.** ***~ on*** (*od.* ***to***[***wards***]) → 18; **25.** ***~ for*** als ‚Strohmann' *od.* ‚Aushängeschild' fungieren für.

front·age ['frʌntɪdʒ] *s.* **1.** (Vorder)Front *f* (e-s Hauses): ***~ line*** Bau(flucht)linie *f*; ***~ road*** *Am. Parallelstraße zu e-r Schnellstraße* (*mit Wohnhäusern, Geschäften etc.*); ***have a ~ on*** → ***front*** 18; **2.** Land *n* an der Straßen- *od.* Wasserfront; **3.** Grundstück *n* zwischen der Vorderfront e-s Hauses u. der Straße; **4.** ⚔ Front- *od.* Angriffsbreite *f*.

fron·tal ['frʌntl] **I** *adj.* **1.** fron'tal, Vorder…, Front…: ***~ attack*** (***collision***) Frontalangriff *m* (-zs.-stoß *m*); ***~ axle*** ⚙ Vorderachse *f*; **2.** ⚙, *anat.* Stirn…; **II** *s.* **3.** *eccl.* Ante'pendium *n*; **4.** ⚠ Ziergiebel *m*; **~ bone** *s.* Stirnbein *n*; **~ sinus** *s.* Stirn(bein)höhle *f*.

front| bench *s. parl.* vordere Sitzreihe (*für Regierung u. Oppositionsführer*); **ˌ~-'bench·er** *s. parl.* führendes Frakti'onsmitglied; **~ door** *s.* Haus-, Vordertür *f*; **~ drive** *s. mot.* Frontantrieb *m*; **ˌ~-'end col·li·sion** *s. mot.* Auffahrunfall *m*; **~ en·gine** *s.* Frontmotor *m*.

fron·tier ['frʌnˌtɪə] **I** *s.* **1.** (Landes)Grenze *f*; **2.** *Am.* Grenzgebiet *n*, Grenze *f* (zum Wilden Westen): ***new ~s*** *fig.*

neue Ziele; **3.** *fig. oft pl.* Grenze *f*, Grenzbereich *m*; Neuland *n*; **II** *adj.* **4.** Grenz…: **~ *town***; ˌ**fron'tiers·man** [-ɪəzmən] *s.* [*irr.*] *Am. hist.* Grenzbewohner *m*.

fron·tis·piece ['frʌntɪspiːs] *s.* Fronti'spiz *n*: a) Titelbild *n* (*Buch*), b) ⚠ Giebelseite *f od.* -feld *n*.

front·let ['frʌntlɪt] *s.* **1.** *zo.* Stirn *f*; **2.** Stirnband *n*.

front| line *s.* ⚔ Kampffront *f*, Front(linie) *f*; '**~-line** *adj.*: **~ *officer*** Frontoffizier *m*; **~ page** *s.* Titelseite *f* (*Zeitung*); '**~-page** *adj.*: **~ *news*** wichtige *od.* aktuelle Nachricht(en); **~ pas·sen·ger** *s. mot.* Beifahrer(in); ˌ**~-'run·ner** *s.* **1.** *sport* a) Spitzenreiter *m* (*a. fig.*), b) Favo'rit(in); **2.** *pol.* 'Spitzenkandiˌdat(in); **3.** Tempoläufer *m*; **~ seat** *s.* Vordersitz *m*; **~ sight** *s.* ⚔ Korn *n*; **~ view** *s.* Vorderansicht *f*; '**~-wheel** *adj.*: **~ *drive*** ⚙ Vorderradantrieb *m*.

frosh [frɒʃ] *s. sg. u. pl. Am.* → ***freshman***.

frost [frɒst] **I** *s.* **1.** Frost *m*: ***10 degrees of ~*** *Brit.* 10 Grad Kälte; **2.** Eisblumen *pl.*, Reif *m*; **3.** *fig.* Kühle *f*, Kälte *f*, Frostigkeit *f*; **4.** *sl.* ‚Reinfall' *m*; ‚Pleite' *f*; **II** *v/t.* **5.** mit Reif *od.* Eis über'ziehen; **6.** ⚙ *Glas* mattieren; **7.** *Küche*: a) glasieren, mit Zuckerguß über'ziehen, b) mit (Puder)Zucker bestreuen; **8.** Frostschäden verursachen bei; **9.** *j-n* sehr kühl behandeln; '**~·bite** *s.* ⚕ Erfrierung *f*; '**~ˌbit·ten** *adj.* ⚕ erfroren.

frost·ed ['frɒstɪd] *adj.* **1.** bereift, über'froren; **2.** ⚙ mattiert: **~ *glass*** Matt-, Milchglas *n*; **3.** ⚕ erfroren; **4.** mit Zuckerguß, glasiert; '**frost·i·ness** [-tɪnɪs] *s.* Frost *m*, eisige Kälte (*a. fig.*); '**frost·ing** [-tɪŋ] *s.* **1.** Zuckerguß *m*, Gla'sur *f*; **2.** ⚙ Mattierung *f*; '**frost·work** *s.* Eisblumen *pl.*; '**frost·y** [-tɪ] *adj.* □ **1.** eisig, frostig (*a. fig.*); **2.** mit Reif *od.* Eis bedeckt; **3.** eisgrau: **~ *hair***.

froth [frɒθ] **I** *s.* **1.** Schaum *m*; **2.** ⚕ (Blasen)Schaum *m*; **3.** *fig.* ‚Firlefanz' *m*; **II** *v/t.* **4.** a) zum Schäumen bringen, b) zu Schaum schlagen; **III** *v/i.* **5.** schäumen (*a. fig. vor Wut*); '**froth·i·ness** [-θɪnɪs] *s.* **1.** Schäumen *n*, Schaum *m*; **2.** *fig.* Seicht-, Hohlheit *f*; '**froth·y** [-θɪ] *adj.* □ **1.** schaumig, schäumend; **2.** *fig.* seicht, hohl.

frou-frou ['fruːfruː] (*Fr.*) *s.* **1.** Knistern *n*, Rascheln *n* (*von Seide*); **2.** Flitter *m*.

fro·ward ['frəʊəd] *adj.* □ *obs.* eigensinnig.

frown [fraʊn] **I** *v/i.* a) die Stirn runzeln (***at*** über *acc.*; *a. fig.*), b) finster dreinschauen: **~ (*up*)*on*** stirnrunzelnd *od.* finster betrachten, *fig.* mißbilligen (*acc.*); **II** *v/t.* **~ *down*** *j-n* durch finstere Blicke einschüchtern; **III** *s.* Stirnrunzeln *n*; finsterer Blick; '**frown·ing** [-nɪŋ] *adj.* □ **1.** stirnrunzelnd; **2.** a) miß'billigend, b) finster (*Blick*); **3.** bedrohlich.

frowst [fraʊst] F **I** *s.* ‚Mief' *m*; **II** *v/i.* im ‚Mief' hocken; '**frowst·y** [-tɪ] *adj.* muffig, ‚miefig'.

frowz·i·ness ['fraʊzɪnɪs] *s.* **1.** Schlampigkeit *f*; Ungepflegtheit *f*; **2.** muffiger Geruch; **frowz·y** ['fraʊzɪ] *adj.* **1.** schlampig, ungepflegt; **2.** muffig.

froze [frəʊz] *pret. von* ***freeze***; '**fro·zen** [-zn] **I** *p.p. von* ***freeze***; **II** *adj.* **1.** (ein-, zu)gefroren; **2.** erfroren; **3.** gefroren, Gefrier…: **~ *food*** Tiefkühlkost *f*; **~ *meat*** Gefrierfleisch *n*; **4.** eisig, frostig (*a. fig.*); **5.** kalt, teilnahms-, gefühllos; **6.** ✝ eingefroren: a) festliegend: **~ *capital***, b) gestoppt: **~ *prices***; **~ *wages***; **7.** **~ *facts*** *Am.* unumstößliche Tatsachen.

fruc·ti·fi·ca·tion [ˌfrʌktɪfɪ'keɪʃn] *s.* ⚘ **1.** Fruchtbildung *f*; **2.** Befruchtung *f*; **fruc·ti·fy** ['frʌktɪfaɪ] ⚘ **I** *v/i.* Früchte tragen (*a. fig.*); **II** *v/t.* befruchten (*a. fig.*); **fruc·tose** ['frʌktəʊs] *s.* Fruchtzucker *m*.

fru·gal ['fruːgl] *adj.* □ **1.** sparsam, haushälterisch (***of*** mit); **2.** genügsam, bescheiden; **3.** einfach, spärlich, fru'gal: ***a ~ meal***; **fru·gal·i·ty** [fruː'gælətɪ] *s.* Sparsamkeit *f*; Genügsamkeit *f*; Einfachheit *f*.

fru·giv·o·rous [fruː'dʒɪvərəs] *adj. zo.* fruchtfressend.

fruit [fruːt] **I** *s.* **1.** ⚘ a) Frucht *f*, b) Samenkapsel *f*; **2.** *coll.* a) Früchte *pl.*: ***bear ~*** Früchte tragen (*a. fig.*), b) Obst *n*; **3.** *bibl.* Nachkommen(schaft *f*) *pl.*: ***~ of the body*** Leibesfrucht *f*; **4.** *mst pl. fig.* Frucht *f*, Früchte *pl.*, Ergebnis *n*, Erfolg *m*, Gewinn *m*; **5.** *sl.* ‚Spinner' *m*; **6.** *Am. sl.* ‚Homo' *m*; **II** *v/i.* **7.** ⚘ (Früchte) tragen; **fruit·ar·i·an** [fruː'teərɪən] *s.* Obstesser(in), Rohköstler(in).

'**fruit|·cake** *s.* **1.** englischer Kuchen; **2.** *Brit. sl.* ‚Spinner' *m*; **~ cock·tail** *s.* Früchtecocktail *m*; **~ cup** *s.* Früchtebecher *m*.

fruit·er·er ['fruːtərə] *s.* Obsthändler *m*; '**fruit·ful** [-tfʊl] *adj.* □ **1.** fruchtbar (*a. fig.*); **2.** *fig.* erfolgreich; '**fruit·ful·ness** [-tfʊlnɪs] *s.* Fruchtbarkeit *f*.

fru·i·tion [fruː'ɪʃn] *s.* Erfüllung *f*, Verwirklichung *f*: ***come to ~*** sich verwirklichen, Früchte tragen.

fruit| jar *s.* Einweckglas *n*; **~ juice** *s.* Obstsaft *m*; **~ knife** *s.* [*irr.*] Obstmesser *n*.

fruit·less ['fruːtlɪs] *adj.* □ **1.** unfruchtbar; **2.** *fig.* frucht-, erfolglos, vergeblich.

fruit| ma·chine *s. Brit.* F 'Spielautoˌmat *m*; **~ pulp** *s.* Fruchtfleisch *n*; **~ sal·ad** *s.* **1.** 'Obstsaˌlat *m*; **2.** *fig. humor.* ‚La-

ˈmetta' *n*, Ordenspracht *f*; **~ tree** *s.* Obstbaum *m*.

fruit·y [ˈfru:tɪ] *adj.* **1.** fruchtartig; **2.** fruchtig (*Wein*); **3.** soˈnor (*Stimme*); **4.** *Brit. sl.* ‚saftig', ‚gepfeffert' (*Witz*); **5.** *Am.* F ‚schmalzig'.

fru·men·ta·ceous [ˌfru:mənˈteɪʃəs] *adj.* getreideartig, Getreide...

frump [frʌmp] *s. a.* ***old ~*** ‚alte Schachtel', ‚Spiˈnatwachtel' *f*; **ˈfrump·ish** [-pɪʃ], **ˈfrump·y** [-pɪ] *adj.* **1.** altmodisch; **2.** schlampig, ungepflegt.

frus·trate [frʌˈstreɪt] *v/t.* **1.** *et.* vereiteln, durchˈkreuzen, zuˈnichte machen; **2.** *j-n od. et.* hemmen, (be)hindern, *j-n* einengen, *j-n* am Fortkommen hindern; **3.** *j-m* die *od.* jede Hoffnung *od.* Aussicht nehmen, *j-n* zuˈrückwerfen: ***I was ~d in my efforts*** meine Bemühungen wurden vereitelt; **4.** frustrieren: a) *j-n* entmutigen, b) *j-n* enttäuschen, c) mit Minderwertigkeitsgefühlen erfüllen; **frusˈtrat·ed** [-tɪd] *adj.* **1.** vereitelt, gescheitert: ***~ plans***; **2.** gescheitert (*Person*), ‚verhindert' (*Maler etc.*); **3.** frustriert: a) entmutigt, b) enttäuscht, c) voller Minderwertigkeitsgefühle; **frusˈtrat·ing** [-tɪŋ] *adj.* frustrierend, enttäuschend, entmutigend; **frusˈtra·tion** [-eɪʃn] *s.* **1.** Vereitelung *f*; **2.** Behinderung *f*, Hemmung *f*; **3.** Enttäuschung *f*, ˈMißerfolg *m*, Rückschlag *m*; **4.** *psych. u. allg.* Frustratiˈon *f*: a) Enttäuschung *f*, b) *a.* ***sense of ~*** *das* Gefühl, ein Versager zu sein, Minderwertigkeitsgefühle *pl.*, Niedergeschlagenheit *f*; **5.** aussichtslose Sache (***to*** für).

frus·tum [ˈfrʌstəm] *pl.* **-tums** *od.* **-ta** [-tə] *s.* ⩓ Stumpf *m*: ***~ of a cone*** Kegelstumpf.

fry¹ [fraɪ] *s. pl.* **1.** a) junge Fische *pl.*, b) Fischrogen *m*; **2.** ***small ~*** a) ‚junges Gemüse', Kinder *pl.*, b) kleine (*unbedeutende*) Leute *pl.*, c) ‚kleine Fische' *pl.*, Lappalien *pl.*

fry² [fraɪ] **I** *v/t.* **1.** braten: ***fried potatoes*** Bratkartoffeln; **2.** *Am. sl.* auf dem eˈlektrischen Stuhl hinrichten; **II** *v/i.* **3.** braten, schmoren; **4.** *Am. sl.* auf dem eˈlektrischen Stuhl hingerichtet werden; **III** *s.* **5.** Gebratenes *n*, *bsd.* gebratene Inneˈreien *pl.*; **6.** *Am. bsd. in Zssgn*: Brat-, Grillfest *n*: ***fish ~***; **fry·er** [ˈfraɪə] *s.* **1.** j-d, der et. brät: ***he is a fish-~*** er hat ein Fischrestaurant; **2.** (*Fisch- etc.*)Bratpfanne *f*; **3.** *et.* zum Braten Geeignetes, *bsd.* Brathühnchen *n*; **fry·ing pan** [ˈfraɪɪŋ] *s.* Bratpfanne *f*: ***jump out of the ~ into the fire*** vom Regen in die Traufe kommen.

fuch·sia [ˈfju:ʃə] *s.* ⚘ Fuchsie *f*.

fuch·sine [ˈfu:ksi:n] *s.* ⚗ Fuchˈsin *n*.

fuck [fʌk] V **I** *v/t.* **1.** ‚ficken', ‚vögeln': ***~ it!*** ‚Scheiße'!; ***~ you!***, ***get ~ed!*** a) du Scheißkerl!, b) leck mich am Arsch!; **2.** ***~ up*** *et.* ‚versauen' *od.* ‚vermasseln': (***all***) ***~ed up*** (total) ‚im Arsch'; **II** *v/i.* **3.** ‚ficken', ‚vögeln'; **4.** ***~ around*** *fig.* herˈumgammeln; ***~ off!*** verpiß dich!; **III** *s.* **5.** ‚Fick' *m*: ***I don't give a ~*** *fig.* das ist mir ‚scheißegal'; ***~!*** ‚Scheiße'!; **ˈfuck·er** [-kə] *s.* V **1.** ‚Ficker' *m*; **2.** ‚(Scheiß-)Kerl' *m*: ***poor ~*** armes Schwein; **ˈfuck·ing** [-kɪŋ] V **I** *adj.* verdammt, Scheiß... (*oft nur verstärkend*); **II** *adv.* verdammt: ***~ cold*** ‚saukalt'; ***~ good*** ‚unheimlich' gut, ‚sagenhaft'.

fud·dle [ˈfʌdl] F **I** *v/t.* **1.** berauschen: ***~ o.s.*** → 3; **2.** verwirren; **II** *v/i.* **3.** saufen, sich ‚vollaufen lassen'; **III** *s.* **4.** Verwirrung *f*: ***get in a ~*** durcheinanderkommen; **ˈfud·dled** [-ld] *adj.* F **1.** ‚benebelt'; **2.** verwirrt.

fud·dy-dud·dy [ˈfʌdɪˌdʌdɪ] F **I** *s.* ‚verkalkter Trottel'; **II** *adj.* ‚verkalkt'.

fudge [fʌdʒ] F **I** *v/t.* **1.** *oft* ***~ up*** zuˈrechtpfuschen, zs.-stoppeln; **2.** ‚frisieren', fälschen; **II** *v/i.* **3.** ‚blöd daˈherreden'; **4.** ***~ on*** *e-m Problem etc.* ausweichen; **III** *s.* **5.** ‚Quatsch' *m*, Blödsinn *m*; **6.** *Zeitung*: (Maˈschine *f od.* Spalte *f* für) letzte Meldungen *pl.*; **7.** *Küche*: (*Art*) Fonˈdant *m*.

fu·el [ˈfjʊəl] **I** *s.* Brennstoff *m*: a) ˈBrenn-, ˈHeizmateriˌal *n*, b) Betriebs-, Treib-, Kraftstoff *m*: ***add ~ to the flames*** (*od.* ***fire***) *fig.* Öl ins Feuer gießen; ***add ~ to*** *fig. et.* schüren; **II** *v/i.* Brennstoff nehmen; *a.* ***~ up*** (auf)tanken, ⚓ bunkern; **III** *v/t.* mit Brennstoff versehen, ✈ *a.* betanken; ⚓ *Öl* bunkern: ***fuelled with*** be- *od.* getrieben mit; **ˌ~-ˈair mix·ture** *s. mot.* Kraftstoff-Luft-Gemisch *n*; **~ cap** *s.* Tankdeckel *m*; **~ e·con·o·my** *s.* sparsamer Kraftstoffverbrauch; **~ feed** *s.* Brennstoffzuleitung *f*; **~ gas** *s.* Heizgas *n*; **~ ga(u)ge** *s. mot.* Kraftstoffmesser *m*, Benˈzinuhr *f*; **ˈ~-ˌguzz·ling** *adj.* F ‚benˈzinfressend' (*Motor etc.*); **~ in·jec·tion en·gine** *s.* Einspritzmotor *m*; **~ jet** *s.* Kraftstoffdüse *f*; **~ oil** *s.* Heizöl *n*; **~ pump** *s. mot.* Kraftstoff-, Benˈzinpumpe *f*; **~ rod** *s. Kernphysik*: Brennstab *m*.

fug [fʌg] *s.* F ‚Mief' *m*.

fu·ga·cious [fju:ˈgeɪʃəs] *adj.* kurzlebig (*a.* ⚘), flüchtig, vergänglich.

fug·gy [ˈfʌgɪ] *adj.* F ‚miefig'.

fu·gi·tive [ˈfju:dʒɪtɪv] **I** *s.* a) Flüchtige(r *m*) *f*, b) *pol. etc.* Flüchtling *m*, c) Ausreißer *m*: ***~ from justice*** flüchtiger Rechtsbrecher; **II** *adj.* flüchtig, *fig. a.* vergänglich, kurzlebig.

fu·gle·man [ˈfju:glmæn] *s.* [*irr.*] (An-, Wort)Führer *m*.

fugue [fju:g] **I** *s.* **1.** ♪ Fuge *f*; **2.** *psych.* Fuˈgue *f*; **II** *v/t. u. v/i.* **3.** ♪ fugieren.

ful·crum [ˈfʌlkrəm] *pl.* **-cra** [-krə] *s.* **1.** *phys.* Dreh-, Hebe-, Stützpunkt *m*; **2.**

fig. Angelpunkt *m.*
ful·fil(l) [fʊlˈfɪl] *v/t.* **1.** *allg.* erfüllen; **2.** vollˈbringen, -ˈziehen, ausführen; **fulˈfil(l)·ment** [-mənt] *s.* Erfüllung *f.*
ful·gent [ˈfʌldʒənt] *adj.* □ *poet.* strahlend, glänzend; **ful·gu·rant** [ˈfʌlgjʊərənt] *adj.* (auf)blitzend.
full¹ [fʊl] **I** *adj.* □ → ***fully***; **1.** *allg.* voll: ~ ***of*** voll von, voller *Fische etc.*, *fig. a.* a) reich an (*dat.*), b) (ganz) erfüllt von; ~ ***of plans*** voller Pläne; ~ ***of o.s.*** (ganz) von sich eingenommen; ***a ~ heart*** ein (über)volles Herz; **2.** voll, ganz: ***a ~ mile***; ***a ~ hour*** e-e volle *od.* ‚geschlagene' Stunde; **3.** voll, rund, vollschlank; **4.** weit(geschnitten): ***a ~ skirt***; **5.** voll, kräftig: ~ ***colo(u)r***, ~ ***voice***; **6.** schwer, vollmundig: ~ ***wine***; **7.** voll besetzt: ~ ***up*** (voll) besetzt (*Bus etc.*); ***house ~!*** *thea.* ausverkauft!; **8.** ausführlich, genau, voll(ständig): ~ ***details***; **9.** reichlich: ***a ~ meal***; **10.** a) voll, unbeschränkt: ~ ***power*** Vollmacht *f*, b) voll (-berechtigt): ~ ***member***; **11.** echt, rein: ***a ~ sister*** e-e leibliche Schwester; **12.** F ‚voll': a) *a.* ~ ***up*** satt, b) betrunken; **II** *adv.* **13.** völlig, gänzlich, ganz: ***know ~ well that*** ganz genau wissen, daß; **14.** gerade, genau, diˈrekt: ~ ***in the face***; **15.** ~ ***out*** mit Vollgas *fahren*, auf Hochtouren *arbeiten*; **III** *s.* **16.** ***in ~*** voll(ständig); ***write in ~ et.*** ausschreiben; ***to the ~*** vollständig, bis ins kleinste, total; ***at the ~*** auf dem Höhepunkt *od.* Höchststand.
full² [fʊl] *v/t.* ⚙ *Tuch* walken.
full|age *s.*: ***of ~*** ⚖ mündig, volljährig; **ˈ~·back** *s.* a) *Fußball*, *Hockey*: Verteidiger *m*, b) *Rugby*: Schlußspieler *m*; ~ **blood** *s. biol.* Vollblut *n*; **ˌ~-ˈblood·ed** *adj.* **1.** reinrassig, Vollblut...; **2.** *fig.* Vollblut...: ~ ***socialist***; **ˌ~-ˈblown** *adj.* **1.** ⚘ ganz aufgeblüht; **2.** *fig.* a) voll entwickelt, ausgereift, b) F → ***fully fledged*** 2, 3; ~ **board** *s.* ˈVollpensiˌon *f*; **ˌ~-ˈbod·ied** *adj.* **1.** schwer, üppig; **2.** schwer, vollmundig: ~ ***wine***; **ˌ~-ˈbot·tomed** *adj.* **1.** breit, mit großem Boden: ~ ***wig*** Allongeperücke *f*; **2.** ⚓ mit großem Laderaum; **ˈ~-bound** *adj.* Ganzleder..., Ganzleinen...: ~ ***book***; ~ **dress** *s.* **1.** Gesellschaftsanzug *m*; **2.** ⚔ ˈGalauniˌform *f*; **ˌ~-ˈdress** *adj.* **1.** Gala...: ~ ***uniform***; **2.** ~ ***rehearsal*** → ***dress rehearsal***; **3.** *fig.* groß angelegt, umˈfassend.
ful·ler [ˈfʊlə] *s.* ⚙ **1.** (Tuch)Walker *m*; **2.** (halb)runder Setzhammer; **~'s earth** *s. min.* Fullererde *f.*
ˌfull|ˈface I *s.* **1.** En-ˈface-Bild *n*, Vorderansicht *f*; **2.** *typ.* (halb)fette Schrift; **II** *adj.* **3.** en face; **4.** *typ.* (halb)fett; **ˌ~-ˈfaced** *adj.* **1.** mit vollem Gesicht, pausbäckig; **2.** *typ.* fett; **ˌ~-ˈfash·ioned** *Am.* → ***fully fashioned***; **ˌ~-ˈfledged** → ***fully fledged***; ~ **gal·lop** *s.*: ***at ~*** in vollem *od.* gestrecktem Galopp; **ˌ~-ˈgrown** *adj.* ausgewachsen; ~ **hand** → ***full house*** 2; **ˌ~-ˈheart·ed** *adj.* rückhaltlos, voll; ~ **house** *s.* **1.** *thea. etc.* volles Haus; **2.** *Poker*: Full house *n*; **ˌ~-ˈlength** *adj.* **1.** in voller Größe, lebensgroß: ~ ***portrait***; **2.** bodenlang (*Kleid*); **3.** abendfüllend (*Film*); ~ **load** *s.* **1.** ⚙, ✈ Gesamtgewicht *n*; **2.** ⚡ Volllast *f*; ~ **nel·son** *s. Ringen*: Doppelnelson *m.*
full·ness [ˈfʊlnɪs] *s.* **1.** Fülle *f*: ***in the ~ of time*** zur gegebenen Zeit; **2.** *fig.* (ˈÜber)Fülle *f* (*des Herzens*); **3.** Körperfülle *f*; **4.** Sattheit *f* (*a. Farben*); **5.** ♪ Klangfülle *f*; **6.** Weite *f* (*Kleid*).
ˌfull|-ˈpage *adj.* ganzseitig; ~ **pro·fes·sor** *s. Am. univ.* Ordiˈnarius *m*; **ˌ~-ˈrigged** *adj.* **1.** ⚓ vollgetakelt; **2.** voll ausgerüstet; ~ **scale** *s.* ⚙ naˈtürliche Größe; **ˌ~-ˈscale** *adj.* **1.** in naˈtürlicher Größe; **2.** *fig.* großangelegt, umˈfassend: ~ ***attack*** ⚔ Großangriff *m*; ~ ***test*** Großversuch *m*; ~ ***war*** regelrechter Krieg; ~ **stop** *s.* **1.** (Schluß)Punkt *m*; **2.** *fig.* Schluß *m*, Ende *n*, Stillstand *m*; **ˌ~-ˈtime I** *adj.* ✝ hauptberuflich (tätig): ~ ***job*** Ganztagsstellung *f*, -beschäftigung *f*; **II** *adv.* ganztags; **ˈ~-ˌtim·er** *s.* ganztägig Beschäftigte(r *m*) *f*; **ˌ~-ˈtrack** *adj.*: ~ ***vehicle*** ⚙ Vollketten-, Raupenfahrzeug *n*; **ˌ~-ˈview** *adj.* ✈ Vollsicht...
ful·ly [ˈfʊlɪ] *adv.* voll, völlig, gänzlich; ausführlich: ~ ***ten minutes*** volle zehn Minuten; ~ ***automatic*** vollautomatisch; ~ ***entitled*** vollberechtigt; ~ **fash·ioned** *adj.* mit (voller) Paßform (*Strümpfe etc.*); ~ **fledged** *adj.* **1.** flügge (*Vogel*); **2.** *fig.* richtig(gehend): ***a ~ pilot***; **3.** *fig.* ‚ausgewachsen': ***a ~ scandal***.
ful·mar [ˈfʊlmə] *s. orn.* Fulmar *m*, Eissturmvogel *m.*
ful·mi·nant [ˈfʌlmɪnənt] *adj.* **1.** krachend; **2.** ⚕ plötzlich ausbrechend; **ful·mi·nate** [ˈfʌlmɪneɪt] **I** *v/i.* **1.** donnern, explodieren (*a. fig.*); **2.** *fig.* (los)donnern, wettern; **II** *v/t.* **3.** zur Exploziˈon bringen; **4.** *fig. Befehle etc.* donnern; **III** *s.* **5.** ⚗ Fulmiˈnat *n*: ~ ***of mercury*** Knallquecksilber *n*; **ˈful·mi·nat·ing** [-neɪtɪŋ] *adj.* **1.** ⚗ explodierend, Knall...: ~ ***powder*** Knallpulver *n*; **2.** *fig.* donnernd, wetternd; **3.** → ***fulminant*** 2; **ful·mi·na·tion** [ˌfʌlmɪˈneɪʃn] *s.* **1.** Exploziˈon *f*, Knall *m*; **2.** *fig.* Donnern *n*, Wettern *n.*
ful·ness *bsd. Am.* → ***fullness***.
ful·some [ˈfʊlsəm] *adj.* □ **1.** überˈtrieben: ~ ***flattery***; **2.** *obs.* widerlich.
ful·vous [ˈfʌlvəs] *adj.* rötlichgelb.
fum·ble [ˈfʌmbl] **I** *v/i.* **1.** *a.* ~ ***around*** a) umˈhertappen, -tasten (***for*** nach): ~ ***for*** tappen *od.* suchen nach, b) (herˈum-)

fummeln (***at*** an *dat.*); **2.** (***with***) ungeschickt 'umgehen (mit), sich ungeschickt anstellen (bei); **3.** *sport* ‚patzen'; **II** *v/t.* **4.** ‚verpatzen'; **5.** ***~ out*** *et.* mühsam (her'vor)stammeln; **III** *s.* **6.** (Her'um)Tappen *n*, (-)Fummeln *n*; **7.** *sport* ‚Patzer' *m*; **'fum·bler** [-lə] *s.* Stümper *m*, ‚Patzer' *m*; **'fum·bling** [-lıŋ] *adj.* □ tappend; täppisch, ungeschickt.

fume [fju:m] **I** *s.* **1.** *oft pl.* a) (*unangenehmer*) Dampf, Rauch(gas *n*) *m*, Schwade *f*, b) Dunst *m*, Nebel *m*; **2.** *fig.* Koller *m*, Erregung *f*, Wut *f*; **3.** *fig.* Schall *m* u. Rauch *m*; **II** *v/t.* **4.** *Holz* räuchern, dunkler machen, beizen: ***~d oak*** dunkles Eichenholz; **III** *v/i.* **5.** rauchen, dunsten, dampfen; **6.** *fig.* wüten (***at*** gegen), (vor Wut) schäumen: ***fuming with anger*** kochend vor Wut.

fu·mi·gant ['fju:mıgənt] *s.* Ausräucherungsmittel *n*; **fu·mi·gate** ['fju:mıgeıt] *v/t.* ausräuchern; **fu·mi·ga·tion** [ˌfju:mı'geıʃn] *s.* Ausräucherung *f*; **'fu·mi·ga·tor** [-geıtə] *s.* 'Ausräucherappaˌrat *m*.

fun [fʌn] **I** *s.* Scherz *m*, Spaß *m*, Ulk *m*: ***for*** (*od.* ***in***) ***~*** aus *od.* zum Spaß; ***for the ~ of it*** spaßeshalber, zum Spaß; ***it's not all ~ and games*** es ist gar nicht so rosig; ***it is ~*** es macht Spaß; ***he*** (***it***) ***is great ~*** F er (es) ist sehr amüsant *od.* lustig; ***have ~!*** viel Spaß!; ***make ~ of s.o.*** sich über j-n lustig machen; ***I don't see the ~ of it*** ich finde das (gar) nicht komisch; **II** *adj.* lustig, spaßig: ***~ man*** → ***funster***.

func·tion ['fʌŋkʃn] **I** *s.* **1.** Funkti'on *f* (*a.* ⚗, ⚙, *biol.*, *ling.*, *phys.*): a) Aufgabe *f*, b) Zweck *m*, c) Tätigkeit *f*, d) Arbeits-, Wirkungsweise *f*, e) Amt *n*, f) (Amts-)Pflicht *f*, Obliegenheit *f*: ***out of ~*** ⚙ außer Betrieb, kaputt; **2.** a) feierlicher *od.* festlicher Anlaß, Feier *f*, Zeremo'nie *f*, b) Veranstaltung *f*, (gesellschaftliches) Fest; **II** *v/i.* **3.** fungieren, tätig sein; **4.** ⚙ *etc.* funktionieren, arbeiten.

func·tion·al ['fʌŋkʃənl] *adj.* □ → ***functionally***; **1.** amtlich, dienstlich; **2.** a) ⚕, ⚗, ⚙ funktio'nell, Funktions...: ***~ disorder*** ⚕ Funktionsstörung *f*, b) funkti'onsfähig, -tüchtig; **3.** sachlich, praktisch, zweckbetont, -mäßig: ***~ building*** Zweckbau *m*; **'func·tion·al·ism** [-ʃnəlızəm] *s.* **1.** △, *psych.* Funktiona'lismus *m*; **2.** Zweckmäßigkeit *f*; **'func·tion·al·ize** [-ʃnəlaız] *v/t.* funktionstüchtig machen, wirksam gestalten; **'func·tion·al·ly** [-ʃnəlı] *adv.* in funktioneller Hinsicht; **'func·tion·ar·y** [-ʃnərı] *s.* Funktio'när *m*.

fund [fʌnd] **I** *s.* **1.** a) Kapi'tal *n*, Geldsumme *f*, b) *zweckgebunden*: Fonds *m*: ***relief ~*** Hilfsfonds; ***strike ~*** Streikfonds; **2.** *pl.* (Bar-, Geld)Mittel *pl.*, Gelder *pl.*: ***be in ~s*** (gut) bei Kasse sein; ***no ~s*** † kein Guthaben, keine Deckung; ***public ~s*** öffentliche Gelder; **3.** ***2s*** *pl.* a) *Brit.* fundierte 'Staatspaˌpiere *pl.*, Kon'sols *pl.*, b) *Am.* Ef'fekten *pl.*; **4.** *fig.* Vorrat *m*, Schatz *m*, Fülle *f*, Grundstock *m* (***of*** von, an *dat.*); **II** *v/t.* **5.** † a) in 'Staatspaˌpieren anlegen, b) fundieren, konsolidieren: ***~ed debt*** fundierte Schuld; ***~ rais·er*** *s.* *Veranstaltung zum Aufbringen von Geldmitteln*, *bsd.* Wohltätigkeitsveranstaltung *f*; ***~ rais·ing*** *s.* Geld-, Kapitalbeschaffung *f*.

F

fun·da·ment ['fʌndəmənt] *s.* **1.** △ *u.* *fig.* Funda'ment *n*; **2.** *humor.* *die* ‚vier Buchstaben' *pl.*, Gesäß *n*.

fun·da·men·tal [ˌfʌndə'mentl] **I** *adj.* □ → ***fundamentally***; **1.** fundamen'tal, grundlegend, wesentlich (***to*** für), Haupt...; **2.** grundsätzlich, Grund..., elemen'tar: ***~ colo(u)r*** Grund-, Primärfarbe *f*; ***~ particle*** *phys.* Elementarteilchen *n*; ***~ research*** Grundlagenforschung *f*; ***~ tone*** ♪ Grundton *m*; ***~ truth(s)*** Grundwahrheit(en) *f*; **II** *s.* **3.** *oft pl.* 'Grundlage *f*, -prinˌzip *n*, -begriff *m*; **4.** ♪ Grundton *m*; **ˌfun·da'men·tal·ism** [-təlızəm] *s.* *eccl.* Fundamenta'lismus *m*, streng wörtliche Bibelgläubigkeit; **ˌfun·da'men·tal·ly** [-təlı] *adv.* im Grunde, im wesentlichen.

fu·ner·al ['fju:nərəl] **I** *s.* **1.** Begräbnis *n*, Beerdigung *f*, Bestattung *f*: ***that's your ~!*** *sl.* das ist deine Sache!; **2.** *a.* ***~ procession*** Leichenzug *m*; **3.** *Am.* Trauerfeier *f*; **II** *adj.* **4.** Begräbnis..., Leichen..., Trauer..., Grab...: ***~ director*** Bestattungsunternehmer *m*; ***~ home*** (*od.* ***parlor***) *Am.* Leichenhalle *f*; ***~ march*** ♪ Trauermarsch *m*; ***~ pile***, ***~ pyre*** Scheiterhaufen *m*; ***~ service*** Trauergottesdienst *m*; ***~ urn*** Totenurne *f*; **'fu·ner·ar·y** [-nərərı], **fu·ne·re·al** [fju:'nıərıəl] *adj.* □ **1.** Begräbnis..., Leichen... Trauer...; **2.** *fig.* düster, wie bei e-m Begräbnis.

'fun·fair *s.* *Brit.* Vergnügungspark *m*, Rummelplatz *m*.

fun·gal ['fʌŋgl] *adj.* Pilz...; **fun·gi** ['fʌŋgaı] *pl. von* ***fungus***.

fun·gi·ble ['fʌndʒıbl] *adj.* ⚖ vertretbar (*Sache*): ***~ goods*** Fungibilien.

fun·gi·cid·al [ˌfʌndʒı'saıdl] *adj.* pilztötend; **fun·gi·cide** ['fʌndʒısaıd] *s.* pilztötendes Mittel; **fun·goid** ['fʌŋgɔıd] *adj.*, **fun·gous** ['fʌŋgəs] *adj.* pilz-, schwammartig, *a.* ⚕ schwammig; **fun·gus** ['fʌŋgəs] *pl.* **fun·gi** ['fʌŋgaı] *od.* **-gus·es** *s.* **1.** ⚘ Pilz *m*, Schwamm *m*; **2.** ⚕ Fungus *m*, schwammige Geschwulst; **3.** *humor.* Bart *m*.

fu·nic·u·lar [fju:'nıkjʊlə] **I** *adj.* Seil..., Ketten...; **II** *s.* *a.* ***~ railway*** (Draht-)Seilbahn *f*.

funk [fʌŋk] F **I** *s.* **1.** ‚Schiß' *m*, ‚Bammel' *m*, Angst *f*: ***be in a blue ~*** a) ‚schwer Schiß haben' (***of*** vor *dat.*), b) völlig ‚down' sein; ***~ hole*** ⚔ a) ‚Heldenkeller' *m*, Unterstand *m*, b) *fig.* Druckposten *m*; **2.** feiger Kerl; **3.** Drückeberger *m*; **II** *v/i.* **4.** ‚Schiß' haben *od.* bekommen; **5.** ‚kneifen', sich drücken; **III** *v/t.* **6.** ‚Schiß' haben vor (*dat.*); **7.** ‚kneifen' vor (*dat.*), sich drücken vor (*dat.*) *od.* um; **ˈfunk·y** [-kɪ] *adj.* feig(e).

fun·nel [ˈfʌnl] **I** *s.* **1.** Trichter *m*; **2.** ⚓, 🚂 Schornstein *m*; **3.** ⚙ Luftschacht *m*; **4.** Vulˈkanschlot *m*; **II** *v/t.* **5.** eintrichtern, -füllen; **6.** *fig.* schleusen.

fun·nies [ˈfʌnɪz] *s. pl.* F **1.** Comic strips *pl.*, Comics *pl.*; **2.** Witzseite *f*.

fun·ny [ˈfʌnɪ] *adj.* ☐ **1.** *a.* ***~ haha*** komisch, drollig, lustig, ulkig; **2.** ‚komisch': a) *a.* ***~ peculiar*** sonderbar, merkwürdig, b) F unwohl, c) F zweifelhaft, faul: ***the ~ thing is that*** das Merkwürdige ist, daß; ***funnily enough*** merkwürdigerweise; ***~ business*** F ‚faule Sache', ‚krumme Tour'; **~ bone** *s.* Musiˈkantenknochen *m*; **~ farm** *s. sl.* ‚Klapsmühle' *f*; **ˈ~·man** [-mən] *s.* [*irr.*] Komiker *m*; **~ pa·per** *s. Am.* Comic-Teil *m e-r Zeitung*.

fun·ster [ˈfʌnstə] *s.* F Spaßvogel *m*.

fur [fɜː] **I** *s.* **1.** Pelz *m*, Fell *n*: ***make the ~ fly*** ‚Stunk' machen; **2.** a) Pelzbesatz *m*, b) *a.* ***~ coat*** Pelzmantel *m*, c) *pl.* Pelzwerk *n*, -kleidung *f*, Rauchwaren *pl.*; **3.** *coll.* Pelztiere *pl.*: ***~ and feather*** Haarwild u. Federwild *n*; **4.** ⚕ (Zungen)Belag *m*; **5.** ⚙ Kesselstein *m*; **II** *v/t.* **6.** mit Pelz besetzen *od.* füttern; **7.** ⚙ mit Kesselstein überˈziehen; **III** *v/i.* **8.** ⚙ Kesselstein ansetzen.

fur·be·low [ˈfɜːbɪləʊ] *s.* **1.** Falbel *f*; Faltensaum *m*; **2.** *pl. contp.* ‚Firlefanz' *m*.

fur·bish [ˈfɜːbɪʃ] *v/t.* **1.** polieren; **2.** *oft* ***~ up*** herrichten, renovieren; **3.** *mst* ***~ up*** *fig.* ‚aufpolieren', auffrischen.

fur·cate [ˈfɜːkeɪt] **I** *adj.* gabelförmig, gegabelt, gespalten; **II** *v/i.* sich gabeln *od.* teilen; **fur·ca·tion** [fɜːˈkeɪʃn] *s.* Gabelung *f*.

fu·ri·ous [ˈfjʊərɪəs] *adj.* ☐ **1.** wütend; **2.** wild, aufbrausend: ***~ temper***; **3.** wild, heftig, furiˈos: ***a ~ attack***.

furl [fɜːl] *v/t. Fahne*, *Segel* aufrollen, *Schirm* zs.-rollen.

fur·long [ˈfɜːlɒŋ] *s.* Achtelmeile *f* (*201,17 m*).

fur·lough [ˈfɜːləʊ] *bsd.* ⚔ **I** *s.* (Heimat-)Urlaub *m*; **II** *v/t.* beurlauben.

fur·nace [ˈfɜːnɪs] *s.* **1.** ⚙ (Schmelz-, Brenn-, Hoch)Ofen *m*: ***enamel(l)ing ~*** Farbenschmelzofen; **2.** ⚙ (Heiz)Kessel *m*, Feuerung *f*; **3.** *fig.* ‚Backofen' *m*, glühendheißer Raum *od.* Ort; **4.** *fig.* Feuerprobe *f*, harte Prüfung: ***tried in the ~*** gründlich erprobt.

fur·nish [ˈfɜːnɪʃ] *v/t.* **1.** ausstatten, -rüsten, versehen, -sorgen (***with*** mit); **2.** *Wohnung* einrichten, ausstatten, möblieren: ***~ed room*** möbliertes Zimmer; **3.** *allg. a. Beweise etc.* liefern, beschaffen, er- *od.* beibringen; **ˈfur·nish·er** [-ʃə] *s.* **1.** Liefeˈrant *m*; **2.** *Am.* Herrenausstatter *m*; **ˈfur·nish·ing** [-ʃɪŋ] *s.* **1.** Ausrüstung *f*, -stattung *f*; **2.** *pl.* Einrichtung *f*, Mobiliˈar *n*: ***soft ~s*** Möbelstoffe; **3.** *pl. Am.* (ˈHerren)Beˌkleidungsarˌtikel *pl.*; **4.** ⚙ a) Zubehör *n*, *m*, b) Beschläge *pl.*

fur·ni·ture [ˈfɜːnɪtʃə] *s.* **1.** Möbel *pl.*, Einrichtung *f*, Mobiliˈar *n*: ***piece of ~*** Möbel(stück) *n*; ***~ remover*** Möbelspediteur *m od.* -packer *m*; ***~ van*** Möbelwagen *m*; **2.** Ausrüstung *f*, -stattung *f*; **3.** Inhalt *m*, Bestand *m*; **4.** *geistiges* Rüstzeug, Wissen *n*; **5.** ⚙ Zubehör *n*, *m*.

fu·ror [ˈfjuːrɔː] *s. Am.*, **fu·ro·re** [fjʊəˈrɔːrɪ] *s.* **1.** Ekˈstase *f*, Begeisterungstaumel *m*; **2.** Wut *f*; **3.** Fuˈrore *n*, Aufsehen: ***create a ~*** Furore machen.

furred [fɜːd] *adj.* **1.** mit Pelz besetzt *od.* bekleidet; **2.** ⚕ belegt (*Zunge*); **3.** ⚙ mit Kesselstein belegt.

fur·ri·er [ˈfʌrɪə] *s.* Kürschner *m*, Pelzhändler *m*; **ˈfur·ri·er·y** [-ərɪ] *s.* **1.** Pelzwerk *n*; **2.** Kürschneˈrei *f*.

fur·row [ˈfʌrəʊ] **I** *s.* **1.** ✓ Furche *f*; **2.** Bodenfalte *f*; **3.** ⚙ Rille *f*; **4.** Runzel *f*, Furche *f* (*a. anat.*); **II** *v/t.* **5.** pflügen; **6.** ⚙ riefen, auskehlen; **7.** *Wasser* durchˈfurchen; **8.** runzeln; **III** *v/i.* **9.** sich furchen (*Stirn etc.*).

fur·ry [ˈfɜːrɪ] *adj.* **1.** pelzartig, Pelz…; **2.** → ***furred*** 2.

fur seal *s. zo.* Bärenrobbe *f*.

fur·ther [ˈfɜːðə] **I** *adv.* **1.** *comp. von* ***far*** weiter, ferner, entfernter: ***no ~*** nicht weiter; ***I'll see you ~ first*** F ich werde dir was husten!; **2.** ferner, weiterhin, überˈdies, außerdem; **II** *adj.* **3.** weiter, ferner, entfernter: ***the ~ end*** das andere Ende; **4.** *fig.* weiter: ***~ education*** *Brit.* Fort-, Weiterbildung *f*; ***~ particulars*** weitere Einzelheiten, Näheres; ***until ~ notice*** bis auf weiteres; ***anything ~?*** (sonst) noch etwas?; **III** *v/t.* **5.** fördern, unterˈstützen; **ˈfur·ther·ance** [-ðərəns] *s.* Förderung *f*, Unterˈstützung *f*; **ˌfur·therˈmore** *adv.* ferner, überˈdies, außerdem; **ˈfur·ther·most** *adj.* **1.** fernst, weitest; **2.** äußerst; **fur·thest** [ˈfɜːðɪst] *adj. u. adv.* **1.** *sup. von* ***far***; **2.** *fig.* weitest, meist: ***at the ~*** höchstens; **II** *adv.* **3.** am weitesten.

fur·tive [ˈfɜːtɪv] *adj.* ☐ **1.** heimlich, verstohlen; **2.** heimlichtuerisch; **ˈfur·tive·ness** [-nɪs] *s.* Heimlichkeit *f*, Verstohlenheit *f*.

fu·run·cle [ˈfjʊərʌŋkl] *s.* ⚕ Fuˈrunkel *m*; **fu·run·cu·lo·sis** [fjʊˌrʌŋkjʊˈləʊsɪs] *s.*

⚕ Furunku'lose *f*.

fu·ry ['fjʊərɪ] *s*. **1.** (wilder) Zorn *m*, Wut *f*; **2.** Wildheit *f*, Heftigkeit *f*: ***like ~*** wie toll; **3.** ♀ *antiq*. Furie *f*; **4.** *fig*. Furie *f* (*böses Weib etc*.).

furze [fɜːz] *s*. ⚘ Stechginster *m*.

fuse [fjuːz] **I** *s*. **1.** ⚔ Zünder *m*: ***~ cord*** Abreißschnur *f*; **2.** ϟ (Schmelz)Sicherung *f*: ***~ box*** Sicherungsdose *f*, -kasten *m*; ***~ wire*** Sicherungsdraht *m*; ***he blew a ~*** ihm ist die Sicherung durchgebrannt (*a. fig*. F); ***he has a short ~*** *Am*. F bei ihm brennt leicht die Sicherung durch; **II** *v/t*. **3.** ⚔ Zünder anbringen an (*dat*.); **4.** ⚙ (ab)sichern; **5.** *phys*., ⚙ (ver)schmelzen; **6.** *fig*. verschmelzen, vereinigen, ⚕ *a*. fusionieren; **III** *v/i*. **7.** ϟ 'durchbrennen; **8.** ⚙ schmelzen; **9.** *fig*. verschmelzen, ⚕ *a*. fusionieren.

fu·se·lage ['fjuːzɪlɑːʒ] *s*. ✈ (Flugzeug-) Rumpf *m*.

fu·sel (oil) ['fjuːzl] *s*. Fuselöl *n*.

fu·si·ble ['fjuːzəbl] *adj*. schmelzbar, -flüssig: ***~ cut-out*** ϟ Schmelzsicherung *f*.

fu·sil ['fjuːzɪl] *s*. ⚔ *hist*. Steinschloßflinte *f*, Mus'kete *f*; **fu·sil·ier**, *Am. a*. **fu·sil·eer** [ˌfjuːzɪ'lɪə] *s*. ⚔ Füsi'lier *m*; **fu·sil·lade** [ˌfjuːzɪ'leɪd] **I** *s*. **1.** ⚔ Salve *f*; **2.** Exekuti'onskomˌmando *n*; **3.** *fig*. Hagel *m*; **II** *v/t*. **4.** ⚔ unter Salvenfeuer nehmen; **5.** (standrechtlich) erschießen, füsilieren.

fus·ing ['fjuːzɪŋ] *s*. ⚙ Schmelzen *n*: ***~ burner*** Schneidbrenner *m*; ***~ point*** Schmelzpunkt *m*; **fu·sion** ['fjuːʒn] *s*. **1.** ⚙ Schmelzen *n*: ***~ welding*** Schmelzschweißen *n*; **2.** Schmelzmasse *f*; **3.** *biol*., *opt*., *Kernphysik*: Fusi'on *f* (*Verschmelzung*): ***~ bomb*** Wasserstoffbombe *f*; ***~ reactor*** Fusionsreaktor *m*; **4.** *fig*. Verschmelzung *f*, Vereinigung *f*; Zs.-schluß *m*, Fusi'on *f* (*a*. ⚕, *pol*.).

fuss [fʌs] **I** *s*. **1.** a) (unnötige) Aufregung, b) Hektik *f*; **2.** ‚Wirbel' *m*, ‚The'ater' *n*, Getue *n*: ***make a ~*** a) → 5, b) *a*. ***kick up a ~*** ‚Krach schlagen'; ***a lot of ~ about nothing*** viel Lärm um nichts; **3.** Ärger *m*, Unannehmlichkeiten *pl*.; **II** *v/i*. **4.** sich (unnötig) aufregen (***about*** über *acc*.): ***don't ~!*** nur keine Aufregung!, schon gut!; **5.** viel ‚Wirbel' *od*. ‚Wind' machen (***about***, ***of***, ***over*** um *j-n od. et*.); **6.** sich (viel) Umstände machen (***over*** mit *e-m Gast etc*.): ***~ over s.o.*** *a*. j-n bemuttern; ***~ about*** (*od*. ***around***) ‚herumfuhrwerken'; **7.** heikel sein; **III** *v/t*. **8.** *j-n* ner'vös machen; **'fussˌbudg·et** *Am*. → ***fusspot***; **fuss·i·ness** ['fʌsɪnɪs] *s*. **1.** (unnötige) Aufregung; **2.** Hektik *f*; **3.** Kleinlichkeit *f*; **4.** heikle Art; **'fuss·pot** *s*. F Umstands-, Kleinigkeitskrämer *m*, ‚pingeliger' Kerl; **fuss·y** ['fʌsɪ] *adj*. ☐ **1.** a) aufgeregt, b) hektisch; **2.** kleinlich, ‚pingelig'; **3.** heikel, wählerisch, ‚eigen' (***about*** hinsichtlich *gen*., mit).

fus·tian ['fʌstɪən] **I** *s*. **1.** Barchent *m*; **2.** *fig*. Schwulst *m*; **II** *adj*. **3.** Barchent...; **4.** *fig*. schwülstig.

fus·ti·ga·tion [ˌfʌstɪ'geɪʃn] *s*. *humor*. Tracht *f* Prügel.

fust·i·ness ['fʌstɪnɪs] *s*. **1.** Moder(geruch) *m*; **2.** *fig*. Rückständigkeit *f*; **fust·y** ['fʌstɪ] *adj*. **1.** mod(e)rig, muffig; **2.** a) verstaubt, antiquiert, b) rückständig.

fu·tile ['fjuːtaɪl] *adj*. ☐ nutz-, sinn-, zweck-, aussichtslos, vergeblich; **fu·til·i·ty** [fjuː'tɪlətɪ] *s*. Zweck-, Nutz-, Wert-, Sinnlosigkeit *f*.

fu·ture ['fjuːtʃə] **I** *s*. **1.** Zukunft *f*: ***in ~*** in Zukunft, künftig; ***in the near ~*** in der nahen Zukunft, bald; ***for the ~*** für die Zukunft, künftig; ***have no ~*** keine Zukunft haben; ***there is no ~ in that!*** das hat keine Zukunft!; **2.** *ling*. Fu'tur(um) *n*, Zukunft *f*: ***~ perfect*** Futurum exactum, zweite Zukunft; **3.** *pl*. ⚕ a) Ter'mingeschäfte *pl*., b) Ter'minwaren *pl*.; **II** *adj*. **4.** (zu)künftig, Zukunfts...; **5.** *ling*. fu'turisch: ***~ tense*** → 2; **6.** ⚕ Termin...; ***~ life*** *s*. Leben *n* nach dem Tode.

fu·tur·ism ['fjuːtʃərɪzəm] *s*. *Kunst*: Futu'rismus *m*; **'fu·tur·ist** [-ɪst] **I.** *adj*. **1.** futu'ristisch; **II.** *s*. **2.** Futu'rist *m*; **3.** → ***futurologist***; **fu·tu·ri·ty** [fjuː'tjʊərətɪ] *s*. **1.** Zukunft *f*; **2.** zukünftiges Ereignis; **3.** Zukünftigkeit *f*.

fu·tur·ol·o·gist [ˌfjuːtʃə'rɒlədʒɪst] *s*. Futuro'loge *m*, Zukunftsforscher *m*; **ˌfu·tur'ol·o·gy** [-dʒɪ] *s*. Futurolo'gie *f*, Zukunftsforschung *f*.

fuze *Am*. → ***fuse***.

fuzz [fʌz] **I** *s*. **1.** (feiner) Flaum *m*; **2.** Fusseln *pl*., Fäserchen *pl*.; **3.** F a) Wuschelhaar(e *pl*.) *n*, b) ‚Zottelbart' *m*; **4.** *sl*. a) ‚Bulle' *m* (*Polizist*), b) ***the ~*** *coll*. die Bullen (*die Polizei*); **II** *v/t*. **5.** zerfasern; **6.** *fig*. ‚benebeln'; **III** *v/i*. **7.** zerfasern; **'fuzz·y** [-zɪ] *adj*. ☐ **1.** flaumig; **2.** faserig, fusselig; **3.** kraus, struppig (*Haar*); **4.** verschwommen; **5.** benommen.

fyl·fot ['fɪlfɒt] *s*. Hakenkreuz *n*.

F

G

G, **g** [dʒiː] *s.* **1.** G *n*, g *n* (*Buchstabe*); **2.** ♪ G *n*, g *n* (*Note*): ***G flat*** Ges *n*, ges *n*; ***G sharp*** Gis *n*, gis *n*; **3.** ***G*** *Am. sl.* ,Riese' *m* (*1000 Dollar*).

G

gab [gæb] F **I** *s.* ,Gequassel' *n*, Geschwätz *n*: ***stop your ~!*** halt den Mund!; ***the gift of the ~*** ein gutes Mundwerk; **II** *v/i.* ,quasseln'.

gab·ar·dine ['gæbədiːn] *s.* Gabardine *m* (*feiner Wollstoff*).

gab·ble ['gæbl] **I** *v/i.* **1.** plappern; **2.** schnattern; **II** *v/t.* **3.** *et.* plappern; **4.** *et.* ,her'unterleiern'; **III** *s.* **5.** ,Gebrabbel' *n*; **6.** Geschnatter *n*; '**gab·bler** [-lə] *s.* Schwätzer(in); '**gab·by** [-bɪ] *adj.* F geschwätzig.

gab·er·dine → ***gabardine***.

gab·fest ['gæbfest] *s. Am.* F ,Quasse'lei' *f.*

ga·bi·on ['geɪbjən] *s.* ⚔ Schanzkorb *m.*

ga·ble ['geɪbl] *s.* ⚠ **1.** Giebel *m*; **2.** *a.* ***~ end*** Giebelwand *f*; '**ga·bled** [-ld] *adj.* giebelig, Giebel...; '**ga·blet** [-lɪt] *s.* giebelförmiger Aufsatz (*über Fenstern*), Ziergiebel *m.*

gad¹ [gæd] **I** *v/i. mst* ***~ about*** sich her'umtreiben, ,rumsausen'; **II** *s.* ***be on the ~*** → I.

gad² [gæd] *int.*: (***by***) ***~!*** *obs.* bei Gott!

'**gad**|·**a·bout** *s.* Her'umtreiber(in); '**~·fly** *s.* **1.** *zo.* Viehbremse *f*; **2.** *fig.* Störenfried *m*, lästiger Mensch.

gadg·et ['gædʒɪt] *s.* F **1.** a) Appa'rat *m*, Gerät *n*, Vorrichtung *f*, b) *iro.* ,Appa'rätchen' *n*, ,Kinkerlitzchen' *n*, technische Spiele'rei; **2.** ,Dingsbums' *n*; **3.** *fig.* ,Dreh' *m*, Kniff *m*; **gad·ge·teer** [ˌgædʒɪ'tɪə] *s.* F Liebhaber *m* von technischen Spiele'reien *od.* Neuerungen; '**gad·get·ry** [-trɪ] *s.* **1.** a) Appa'rate *pl.*, b) *iro.* technische Spiele'reien *pl.*; **2.** Beschäftigung *f* mit technischen Spiele'reien; '**gad·get·y** [-tɪ] *adj.* F **1.** raffiniert (konstruiert); **2.** Apparate...; **3.** versessen auf technische Spiele'reien.

Ga·dhel·ic [gæ'delɪk] → ***Gaelic***.

gad·wall ['gædwɔːl] *s. orn.* Schnatterente *f.*

Gael [geɪl] *s.* Gäle *m*; '**Gael·ic** [-lɪk] **I** *s. ling.* Gälisch *n*, das Gälische; **II** *adj.* gälisch.

gaff¹ [gæf] *s.* **1.** *Fischen*: Landungshaken *m*; **2.** ⚓ Gaffel *f*; **3.** Stahlsporn *m*; **4.** *Am. sl.* ,Schlauch' *m*: ***stand the ~*** durchhalten; **5.** *Am. sl.* Schwindel *m*; **6.** *sl.* ,Quatsch' *m*: ***blow the ~*** alles verraten, ,plaudern'.

gaff² [gæf] *s. Brit. sl. a.* ***penny ~*** Varie'té *n*, ,Schmiere' *f.*

gaffe [gæf] *s.* Faux'pas *m*, (grobe) Taktlosigkeit.

gaf·fer ['gæfə] *s.* **1.** *humor.* ,Opa' *m*; **2.** *Brit.* F a) Chef *m*, b) Vorarbeiter *m.*

gag [gæg] **I** *v/t.* **1.** knebeln, *fig. a.* mundtot machen; **2.** zum Würgen reizen; **3.** *a.* ***~ up*** *thea.* mit Gags spicken; **II** *v/i.* **4.** würgen (***on*** an *dat.*); **5.** *thea. etc.* F Gags anbringen, *allg.* witzeln; **III** *s.* **6.** Knebel *m*, *fig. a.* Knebelung *f*; **7.** ⚕ Mundsperrer *m*; **8.** *parl.* Schluß *m* der De'batte; **9.** *thea. u. allg.* F Gag *m*: a) witziger Einfall, komische Po'inte, ,Knüller' *m*, b) Jux *m*, Ulk *m*, c) Trick *m.*

ga·ga ['gɑːgɑː] *adj. sl.* a) vertrottelt, b) ,plem'plem': ***go ~ over*** in Verzückung geraten über (*acc.*).

gag bit *s.* Zaumgebiß *n.*

gage¹ [geɪdʒ] **I** *s.* **1.** *hist. u. fig.* Fehdehandschuh *m*; **2.** ('Unter)Pfand *n*; **II** *v/t.* **3.** *obs.* zum Pfand geben.

gage² [geɪdʒ] → ***gauge***.

gage³ [geɪdʒ] → ***greengage***.

gag·gle ['gægl] **I** *v/i.* **1.** schnattern; **II** *s.* **2.** Geschnatter *n*; **3.** a) Gänseherde *f*, b) F schnatternde Schar: ***a ~ of girls***.

gag·man ['gægmən] *s.* [*irr.*] *thea. etc.* Gagman *m* (*Pointenerfinder etc.*).

gai·e·ty ['geɪətɪ] *s.* **1.** Frohsinn *m*, Fröhlich-, Lustigkeit *f*; **2.** *oft pl.* Lustbarkeit *f*, Fest *n*; **3.** *fig.* (Farben)Pracht *f.*

gai·ly ['geɪlɪ] *adv.* **1.** → ***gay*** 1, 2; **2.** unbekümmert, sorglos.

gain [geɪn] **I** *v/t.* **1.** *s-n Lebensunterhalt etc.* verdienen; **2.** gewinnen: ***~ time***; **3.** *das Ufer etc.* erreichen; **4.** *fig.* erreichen, erlangen, erringen: ***~ wealth*** Reichtümer erwerben; ***~ experience*** Erfahrung(en) sammeln; ***~ admission*** Einlaß finden; **5.** *j-m et.* einbringen, -tragen; **6.** zunehmen an (*dat.*): ***~ strength*** (***speed***) kräftiger (schneller) werden; ***he ~ed 10 pounds*** (***in weight***) er nahm 10 Pfund zu; **7.** ***~ over*** *j-n* für sich gewinnen; **8.** vorgehen um *2 Minuten etc.* (*Uhr*); **II** *v/i.* **9.** besser *od.* kräftiger werden; **10.** ☤ Gewinn *od.* Pro'fit machen; **11.** (an Wert) gewinnen, im Ansehen steigen, besser zur Geltung kommen; **12.** zunehmen (***in*** an *dat.*): ~ (***in weight***) (an Gewicht) zunehmen; **13.** (***on***, ***upon***) a) näher her'ankommen (an *dat.*), (an) Boden gewinnen, aufholen (gegen'über), b) s-n Vorsprung vergrößern (vor *dat.*, gegen'über); **14.** (***on***, ***upon***) 'übergreifen (auf *acc.*); **15.** vorgehen (*Uhr*); **III** *s.* **16.** Gewinn *m*, Vorteil *m*, Nutzen *m* (***to*** für); **17.** Zunahme *f*, Steigerung *f*: ~ ***in weight*** Gewichtszunahme; **18.** ✝ a) Gewinn *m*, Pro'fit *m*: ***for*** ~ ⚖ gewerbsmäßig, in gewinnsüchtiger Absicht, b) Wertzuwachs *m*; **19.** ⚡, *phys.* Verstärkung *f*: ~ ***control*** Lautstärkeregelung *f*; **'gain·er** [-nə] *s.* **1.** Gewinner *m*; **2.** *sport* Auerbach(sprung) *m*: ***full*** ~ Auerbachsalto *m*; ***half*** ~ Auerbachkopfsprung *m*; **'gain·ful** [-fʊl] *adj.* □ einträglich, gewinnbringend: ~ ***occupation*** Erwerbstätigkeit *f*; ~***ly employed*** erwerbstätig; **'gain·ings** [-nɪŋz] *s. pl.* Gewinn(e *pl.*) *m*, Einkünfte *pl.*, Pro'fit *m*; **'gain·less** [-lɪs] *adj.* **1.** unvorteilhaft, ohne Gewinn; **2.** nutzlos.

gain·say [ˌgeɪn'seɪ] *v/t.* [*irr.* → ***say***] *obs.* **1.** *et.* bestreiten, leugnen: ***there is no*** ~***ing that*** das läßt sich nicht leugnen; **2.** *j-m* wider'sprechen.

gainst, **'gainst** [geɪnst] *poet. abbr. für* ***against***.

gait [geɪt] *s.* Gangart *f* (*a. fig. Tempo*), Gang *m*.

gai·ter ['geɪtə] *s.* **1.** Ga'masche *f*; **2.** *Am.* Zugstiefel *m*.

gal[1] [gæl] *s.* F Mädchen *n*.

gal[2] [gæl] *s. phys.* Gal *n* (*Einheit der Beschleunigung*).

ga·la ['gɑːlə] **I** *adj.* **1.** festlich, Gala...; **II** *s.* **2.** *a.* ~ ***occasion*** festlicher Anlaß, Fest *n*; **3.** Galaveranstaltung *f*; **4.** *sport Brit.* (*Schwimm- etc.*)Fest *n*.

ga·lac·tic [gə'læktɪk] *adj.* **1.** ga'laktisch, *ast.* Milchstraßen...; **2.** *physiol.* Milch...

Ga·la·tians [gə'leɪʃjənz] *s. pl. bibl.* (Brief *m* des Paulus an die) Galater *pl.*

gal·ax·y ['gæləksɪ] *s.* **1.** *ast.* Milchstraße *f*, Gala'xie *f*: ***the*** ♀ die Milchstraße, die Galaxis; **2.** *fig.* Schar *f* (*prominenter etc. Personen*).

gale[1] [geɪl] *s.* Sturm *m*; steife Brise: ~ ***force*** Sturmstärke *f*; ~ ***of laughter*** Lachsalve *f*.

gale[2] [geɪl] *s.* ⚘ Heidemyrthe *f*.

ga·le·na [gə'liːnə] *s. min.* Gale'nit *m*, Bleiglanz *m*.

Ga·li·cian [gə'lɪʃɪən] **I** *adj.* ga'lizisch; **II** *s.* Ga'lizier(in).

Gal·i·le·an[1] [ˌgælɪ'liːən] **I** *adj.* **1.** gali'läisch; **II** *s.* **2.** Gali'läer(in); **3.** ***the*** ~ der Gali'läer (*Christus*); **4.** Christ(in).

Gal·i·le·an[2] [ˌgælɪ'liːən] *adj.* gali'leisch: ~ ***telescope***.

gal·i·lee ['gælɪliː] *s.* ⚠ Vorhalle *f*.

gal·i·pot ['gælɪpɒt] Gali'pot-, Fichtenharz *n*.

gall[1] [gɔːl] *s.* **1.** *obs.* a) *anat.* Gallenblase *f*, b) *physiol.* Galle(nflüssigkeit) *f*; **2.** *fig.* Galle *f*: a) Bitterkeit *f*, Erbitterung *f*, b) Bosheit *f*; **3.** F Frechheit *f*.

gall[2] [gɔːl] **I** *s.* **1.** wund geriebene Stelle; **2.** *fig.* a) Ärger *m*, b) Ärgernis *n*; **II** *v/t.* **3.** wund reiben; **4.** (ver)ärgern; **III** *v/i.* **5.** reiben, scheuern; **6.** sich wund reiben; **7.** sich ärgern.

gall[3] [gɔːl] *s.* ⚘ Galle *f*.

gal·lant ['gælənt] **I** *adj.* □ **1.** tapfer, heldenhaft; **2.** prächtig, stattlich; **3.** ga'lant: a) höflich, ritterlich, b) amou'rös, Liebes...; **II** *s.* **4.** Kava'lier *m*; **5.** Verehrer *m*; **6.** Geliebte(r) *m*; **'gal·lant·ry** [-trɪ] *s.* **1.** Tapferkeit *f*; **2.** Galante'rie *f*, Ritterlichkeit *f*; **3.** heldenhafte Tat; **4.** Liebe'lei *f*.

gall| blad·der *s. anat.* Gallenblase *f*; ~ **duct** *s. anat.* Gallengang *m*.

gal·le·on ['gælɪən] *s.* ⚓ *hist.* Gale'one *f*.

gal·ler·y ['gælərɪ] *s.* **1.** ⚠ a) Gale'rie *f*, b) Em'pore *f* (*in Kirchen*); **2.** *thea.* dritter Rang, *a. weitS.* Gale'rie *f*: ***play to the*** ~ für die Galerie spielen, *fig. a.* nach Effekt haschen; **3.** ('Kunst-, Ge'mälde)Galeˌrie *f*; **4.** a) ⚓ Laufgang *m*, b) ⚙ Laufsteg *m*, c) ⚒ *u.* ⚔ Stollen *m*, d) → ***shooting-gallery***; **5.** *fig.* Gale'rie *f*, Schar *f* (*Personen*).

gal·ley ['gælɪ] *s.* **1.** ⚓ a) Ga'leere *f*, b) Langboot *n*; **2.** ⚓ Kom'büse *f*, Küche *f*; **3.** *typ.* Setzschiff *n*; **4.** *a.* ~ ***proof*** *typ.* Fahne *f*; ~ **slave** *s.* **1.** Ga'leerensklave *m*; **2.** *fig.* Sklave *m*, ‚Kuli' *m*; **ˌ~-'west** *adv.*: ***knock*** ~ *Am.* F a) *j-n* zs.-schlagen, b) *fig.* *j-n* ‚umhauen', c) *et.* (total) ‚kaputtmachen'.

'gall·fly *s. zo.* Gallwespe *f*.

gal·lic[1] ['gælɪk] *adj.*: ~ ***acid*** ⚗ Gallussäure *f*.

Gal·lic[2] ['gælɪk] *adj.* **1.** gallisch; **2.** fran'zösisch; **'Gal·li·cism** [-ɪsɪzəm] *s. ling.* Galli'zismus *m*, französische Spracheigenheit; **'Gal·li·cize** [-ɪsaɪz] *v/t.* franzö(si)sieren.

gal·li·na·ceous [ˌgælɪ'neɪʃəs] *adj. orn.* hühnerartig.

gall·ing ['gɔːlɪŋ] *adj.* ärgerlich (*Sache*).

gal·li·pot[1] → ***galipot***.

gal·li·pot[2] ['gælɪpɒt] *s.* Salbentopf *m*, Medika'mentenbehälter *m*.

gal·li·vant [ˌgælɪ'vænt] *v/i.* **1.** sich amüsieren; **2.** ~ ***around*** sich her'umtreiben.

'gall·nut *s.* ⚘ Gallapfel *m*.

gal·lon ['gælən] *s.* Gal'lone *f* (*Hohlmaß; Brit. 4,5459 l, Am. 3,7853 l*).

gal·loon [gə'luːn] *s.* Tresse *f*.

gal·lop ['gæləp] **I** *v/i.* **1.** galoppieren; **2.** F ‚sausen': ~ ***through s.th.*** et. ‚im Galopp' erledigen; ~ ***through a book*** ein Buch durchfliegen; ~***ing consumption*** (***inflation***) galoppierende Schwindsucht (Inflation); **II** *v/t.* **3.** galoppieren

G

lassen; **III** *s.* **4.** Ga'lopp *m* (*a. fig.*): ***at full ~*** in gestrecktem Galopp; **gal·lo·pade** [ˌgæləˈpeɪd] → ***galop***.

Gal·lo·phile [ˈgæləʊfaɪl], **ˈGal·lo·phil** [-fɪl] *s.* Fran'zosenfreund *m*; **ˈGal·lo·phobe** [-fəʊb] *s.* Fran'zosenhasser *m*.

gal·lows [ˈgæləʊz] *s. pl. mst sg. konstr.* **1.** Galgen *m*; **2.** galgenähnliches Gestell, Galgen *m*; **~ bird** *s.* F Galgenvogel *m*; **~ hu·mo(u)r** *s.* 'Galgenhuˌmor *m*; **~ tree** → ***gallows*** 1.

ˈgall·stone *s.* ⚕ Gallenstein *m*.

Gal·lup poll [ˈgæləp] *s.* 'Meinungsˌumfrage *f*.

gal·lus·es [ˈgæləsɪz] *s. pl. Am.* F Hosenträger *pl*.

gal·op [ˈgæləp] **I** *s.* Ga'lopp *m* (*Tanz*); **II** *v/i.* e-n Ga'lopp tanzen.

ga·lore [gəˈlɔː] *adv.* F ‚in rauhen Mengen': ***whisk(e)y ~*** *a.* jede Menge Whisky.

ga·losh [gəˈlɒʃ] *s. mst pl.* 'Über-, Gummischuh *m*, Ga'losche *f*.

ga·lumph [gəˈlʌmf] *v/i.* F stapfen, trapsen.

gal·van·ic [gælˈvænɪk] *adj.* (☐ ***~ally***) ⚡, *phys.* gal'vanisch; *fig.* F elektrisierend; **gal·va·nism** [ˈgælvənɪzəm] *s.* **1.** *phys.* Galva'nismus *m*; **2.** ⚕ Galvanisati'on *f*; **gal·va·ni·za·tion** [ˌgælvənaɪˈzeɪʃn] *s.* ⚕, ⚗ Galvanisierung *f*; **gal·va·nize** [ˈgælvənaɪz] *v/t.* **1.** ⚙ galvanisieren, (feuer)verzinken; **2.** ⚕ mit Gleichstrom behandeln; **3.** *fig.* F *j-n* elektrisieren: ***~ into action*** *j-n* schlagartig aktiv werden lassen; **gal·va·nom·e·ter** [ˌgælvəˈnɒmɪtə] *s. phys.* Galvano'meter *n*; **gal·va·no·plas·tic** [ˌgælvənəʊˈplæstɪk] *adj.* ⚙ galvano'plastisch; **gal·va·no·plas·tics** [ˌgælvənəʊˈplæstɪks] *s. pl. sg. konstr.*, **gal·va·no·plas·ty** [ˌgælvənəʊˈplæstɪ] *s.* Galvano'plastik *f*, Eˌlektroty'pie *f*; **gal·va·no·scope** [ˈgælvənəʊskəʊp] *s. phys.* Galvano'skop *n*.

gam·bit [ˈgæmbɪt] *s.* **1.** *Schach*: Gam'bit *n*, Eröffnung *f*; **2.** *fig.* a) erster Schritt, Einleitung *f*, b) (raffinierter) Trick.

gam·ble [ˈgæmbl] **I** *v/i.* **1.** (um Geld) spielen: ***~ with s.th.*** *fig.* et. aufs Spiel setzen; ***you can ~ on that*** darauf kannst du wetten; ***she ~d on his coming*** sie verließ sich darauf, daß er kommen würde; **2.** *Börse*: spekulieren; **II** *v/t.* **3.** ***~ away*** verspielen (*a. fig.*); **4.** (als Einsatz) setzen (***on*** auf *acc.*), *fig.* aufs Spiel setzen; **III** *s.* **5.** Glücksspiel *n*, Ha'sardspiel *n* (*a. fig.*); **6.** *fig.* Wagnis *n*, Risiko *n*; **ˈgam·bler** [-lə] *s.* Spieler(in); *fig.* Hasar'deur *m*; **ˈgam·bling** [-blɪŋ] *s.* Spielen *n*: ***~ den*** Spielhölle *f*; ***~ debt*** Spielschuld *f*.

gam·boge [gæmˈbuːʒ] *s.* ⚗ Gummigutt *n*.

gam·bol [ˈgæmbl] **I** *v/i.* her'umtanzen, Luftsprünge machen; **II** *s.* Freuden-, Luftsprung *m*.

game¹ [geɪm] **I** *s.* **1.** Spiel *n*, Zeitvertreib *m*, Sport *m*: ***2s*** *pl.* (*Olympische etc.*) Spiele, *ped.* Sport; ***~ of golf*** Golfspiel; ***~ of skill*** Geschicklichkeitsspiel; ***play the ~*** *a. fig.* sich an die Spielregeln halten; ***play a good ~*** gut spielen; ***play ~s with s.o.*** *fig.* mit j-m sein Spiel treiben; ***play a losing ~*** auf der Verliererstraße sein; ***be on (off) one's ~*** gut (nicht) in Form sein; ***the ~ is yours*** du hast gewonnen; **2.** *sport* (einzelnes) Spiel, Par'tie *f* (*Schach etc.*); *Tennis*: Spiel *n* (*in e-m Satz*): ***~, set and match*** *Tennis*: Spiel, Satz u. Sieg; **3.** Scherz *m*, Ulk *m*: ***make ~ of*** sich lustig machen über (*acc.*); **4.** Spiel *n*, Unter'nehmen *n*, Plan *m*: ***the ~ is up*** das Spiel ist aus *od.* verloren; ***give the ~ away*** F sich *od.* alles verraten; ***play a double ~*** ein doppeltes Spiel treiben; ***play a waiting ~*** e-e abwartende Haltung einnehmen; ***I know his (little) ~*** ich weiß, was er im Schilde führt; ***see through s.o.'s ~*** j-s Spiel *od.* j-n durchschauen; ***beat s.o. at his own ~*** j-n mit s-n eigenen Waffen schlagen; ***two can play at this ~!*** das kann ich auch!; **5.** *pl. fig.* Schliche *pl.*, Tricks *pl.*; **6.** Spiel *n* (*Geräte etc.*); **7.** F Branche *f*, Geschäft *n*: ***he is in the advertising ~*** er macht in Werbung; ***she's on the ~*** ‚sie geht auf den Strich'; **8.** *hunt.* Wild *n*: ***big ~*** Großwild; ***fly at higher ~*** höher hinaus wollen; **9.** Wildbret *n*: ***~ pie*** Wildpastete *f*; **II** *adj.* ☐ **10.** Jagd…, Wild…; **11.** schneidig, mutig; **12.** a) aufgelegt (***for*** zu), b) bereit (***for*** zu, ***to do*** zu tun): ***I am ~!*** ich bin dabei!, ich mache mit!; **III** *v/i.* **13.** (um Geld) spielen; **IV** *v/t.* **14.** ***~ away*** verspielen.

game² [geɪm] *adj.* F lahm: ***a ~ leg***.

game| bag *s.* Jagdtasche *f*; **~ bird** *s.* Jagdvogel *m*; **ˈ~·cock** *s.* Kampfhahn *m* (*a. fig.*); **~ fish** *s.* Sportfisch *m*; **~ fowl** *s.* **1.** Federwild *n*; **2.** Kampfhahn *m*; **ˈ~ˌkeep·er** *s. Brit.* Wildhüter *m*; **~ li·cence** *s. Brit.* Jagdschein *m*.

game·ness [ˈgeɪmnɪs] *s.* Mut *m*, Schneid *m*.

game| park *s.* Wildpark *m*; **~ plan** *s. Am. fig.* ‚Schlachtplan' *m*; **~ point** *s. sport* a) entscheidender Punkt, b) *Tennis*: Spielball *m*, c) *Tischtennis*: Satzball *m*; **~ pre·serve** *s.* Wildgehege *n*.

games·man·ship [ˈgeɪmzmənʃɪp] *s. bsd. sport* die Kunst, mit allen (gerade noch erlaubten) Tricks zu gewinnen.

games| mas·ter [geɪmz] *s. ped. Brit.* Sportlehrer *m*; **~ mis·tress** *s. ped. Brit.* Sportlehrerin *f*.

game·some [ˈgeɪmsəm] *adj.* ☐ lustig, ausgelassen.

game·ster [ˈgeɪmstə] *s.* Spieler(in) (*um Geld*).

gam·ete [gæ'mi:t] *s. biol.* Ga'met *m* (*Keimzelle*).

game ward·en *s.* Jagdaufseher *m*.

gam·in ['gæmɪn] *s.* Gassenjunge *m*.

gam·ing ['geɪmɪŋ] *s.* Spielen *n* (*um Geld*): **~ laws** Gesetze über Glücksspiele u. Wetten; **~ house** *s.* Spielhölle *f*, 'Spielkaˌsino *n*; **~ ta·ble** *s.* Spieltisch *m*.

gam·ma ['gæmə] *s.* **1.** Gamma *n* (*griech. Buchstabe*): **~ rays** *phys.* Gammastrahlen; **2.** *phot.* Kon'trastgrad *m*; **3.** *ped. Brit.* Drei *f*, Befriedigend *n*.

gam·mer ['gæmə] *s. Brit.* F ‚Oma' *f*.

gam·mon¹ ['gæmən] *s.* **1.** (schwach)geräucherter Schinken; **2.** unteres Stück e-r Speckseite.

gam·mon² ['gæmən] *s.* ⚓ Bugsprietzurring *f*.

gam·mon³ ['gæmən] F **I** *s.* **1.** Humbug *m*: a) Schwindel *m*, b) ‚Quatsch' *m*; **II** *v/i.* **2.** ‚quatschen', Unsinn reden; **3.** sich verstellen, so tun als ob; **III** *v/t.* **4.** *j-n* ‚reinlegen'.

gamp [gæmp] *s. Brit.* F (großer) Regenschirm, ‚Fa'miliendach' *n*.

gam·ut ['gæmət] *s.* **1.** ♪ Tonleiter *f*; **2.** *fig.* Skala *f*: ***run the whole ~ of emotion*** von e-m Gefühl ins andere taumeln.

gam·y ['geɪmɪ] *adj.* **1.** nach Wild riechend *od.* schmeckend: **~ taste** a) Wildgeschmack *m*, b) Hautgout *m*; **2.** F schneidig, mutig.

gan·der ['gændə] *s.* **1.** Gänserich *m*; → ***sauce*** 1; **2.** *fig.* F ‚Esel' *m*, Dussel *m*; **3.** *sl.* Blick *m*: ***take a ~ at*** sich (rasch) *et.* angucken.

gang [gæŋ] **I** *s.* **1.** ('Arbeiter)Koˌlonne *f*, (-)Trupp *m*; **2.** Gang *f*, (Verbrecher-) Bande *f*; **3.** *contp.* Bande *f*, Horde *f*, Clique *f*; **4.** ⚙ Satz *m* (*Werkzeuge*): **~ *of tools***; **II** *v/i.* **5.** *mst* **~ *up*** sich zs.-tun, sich zs.-rotten (***on***, ***against*** gegen).

'**gang|·bang** *s. sl.* a) *Geschlechtsverkehr mehrerer Männer nacheinander mit 'einer Frau*, b) *Vergewaltigung e-r Frau durch mehrere Männer nacheinander*; '**~·board** *s.* ⚓ Laufplanke *f*; **~ boss** → ***ganger***; **~ cut·ter** *s.* ⚙ Satz-, Mehrfachfräser *m*.

gang·er ['gæŋə] *s.* Vorarbeiter *m*, Kapo *m*.

'**gang·land** *s.* ‚'Unterwelt' *f*.

gan·gling ['gæŋglɪŋ] *adj.* schlaksig.

gan·gli·on ['gæŋglɪən] *pl.* **-a** [-ə] *s.* **1.** *anat.* Ganglion *n*, Nervenknoten *m*: **~ *cell*** Ganglienzelle *f*; **2.** ⚕ 'Überbein *n*; **3.** *fig.* Knoten-, Mittelpunkt *m*, Zentrum *n*.

'**gang|·plank** → ***gangway*** 2b; **~ rape** → ***gangbang*** b.

gan·grene ['gæŋgri:n] **I** *s.* **1.** ⚕ Brand *m*, Gan'grän *n*; **2.** *fig.* Fäulnis *f*, sittlicher Verfall; **II** *v/t. u. v/i.* **3.** ⚕ brandig machen (werden); '**gan·gre·nous** [-rɪnəs] *adj.* ⚕ brandig.

gang saw *s.* ⚙ Gattersäge *f*.

gang·ster ['gæŋstə] *s.* Gangster *m*.

'**gang·way I** *s.* **1.** 'Durchgang *m*, Pas'sage *f*; **2.** a) ⚓ Fallreep *n*, b) ⚓ Gangway *f*, Landungsbrücke *f*, c) ✈ Gangway *f*; **3.** *Brit. thea. etc.* (Zwischen)Gang *m*; **4.** ⚒ Strecke *f*; **5.** ⚙ a) Schräge *f*, Rutsche *f*, b) Laufbühne *f*; **II** *int.* **6.** Platz (machen) (, bitte)!

gan·net ['gænɪt] *s. orn.* Tölpel *m*.

gant·let ['gæntlɪt] → ***gauntlet¹***.

gan·try ['gæntrɪ] *s.* **1.** ⚙ Faßlager *n*; **2.** *a.* **~ *bridge*** ⚙ Kranbrücke *f*: **~ *crane*** Portalkran *m*; **3.** a) 🚂 Si'gnalbrücke *f*, b) *mot.* Schilderbrücke *f*; **4.** *a.* **~ *scaffold*** *Raumfahrt*: Mon'tageturm *m*.

Gan·y·mede ['gænɪmi:d] *s.* **1.** *a.* ♀ Mundschenk *m*; **2.** *ast.* Gany'med *m*.

gaol [dʒeɪl] *bsd. Brit.* → ***jail*** *etc.*

gap [gæp] *s.* **1.** Lücke *f*, Spalt *m*, Öffnung *f*; **2.** ⚔ Bresche *f*, Gasse *f*; **3.** (Berg)Schlucht *f*; **4.** *fig.* a) Lücke *f*, b) Zwischenraum *m*, -zeit *f*, c) Unter'brechung *f*, d) Kluft *f*, 'Unterschied *m*: ***close the ~*** die Lücke schließen; ***fill*** (*od.* ***stop***) ***a ~*** e-e Lücke ausfüllen; ***leave a ~*** e-e Lücke hinterlassen; ***dollar ~*** ⚚ Dollarlücke; ***rocket ~*** Raketenlücke; **~ *in one's education*** Bildungslücke; **5.** ϟ Funkenstrecke *f*.

gape [geɪp] **I** *v/i.* **1.** den Mund aufreißen (*vor Staunen etc.*), staunen: ***stand gaping*** Maulaffen feilhalten; **2.** starren, glotzen, gaffen: **~ *at s.o.*** j-n anstarren; **3.** gähnen; **4.** *fig.* klaffen, gähnen, sich öffnen *od.* auftun; **II** *s.* **5.** Gaffen *n*, Glotzen *n*; **6.** Staunen *n*; **7.** Gähnen *n*; **8.** ***the ~s*** *pl. sg. konstr.* a) *vet.* Schnabelsperre *f*, b) *humor.* Gähnkrampf *m*; '**gap·ing** [-pɪŋ] *adj.* □ **1.** gaffend, glotzend; **2.** klaffend (*Wunde*), gähnend (*Abgrund*).

gap·py ['gæpɪ] *adj.* lückenhaft (*a. fig.*).

ga·rage ['gærɑ:dʒ] **I** *s.* **1.** Ga'rage *f*; **2.** Repara'turwerkstätte *f* u. Tankstelle *f*; **II** *v/t.* **3.** *Auto* a) in e-r Ga'rage ab- *od.* 'unterstellen, b) in die Ga'rage fahren.

garb [gɑ:b] **I** *s.* Tracht *f*, Gewand *n* (*a. fig.*); **II** *v/t.* kleiden.

gar·bage ['gɑ:bɪdʒ] *s.* **1.** *Am.* Abfall *m*, Müll *m*; **~ *bag*** Müllbeutel *m*; **~ *can*** Mülleimer *m*, -tonne *f*; **~ *chute*** Müllschlucker *m*; **2.** *fig.* a) Schund *m*, b) ‚Abschaum' *m*; **3.** *Computer*: wertlose Daten *pl.*

gar·ble ['gɑ:bl] *v/t. Text etc.* a) durchein'anderbringen, b) verstümmeln, entstellen, ‚frisieren'.

gar·den ['gɑ:dn] **I** *s.* **1.** Garten *m*; **2.** *fig.* Garten *m*, fruchtbare Gegend: ***the ~ of England*** die Grafschaft Kent; **3.** *mst pl.* Gartenanlagen *pl.*, Park *m*: ***botanical ~(s)*** botanischer Garten; **II** *v/i.* **4.**

G

gärtnern, im Garten arbeiten; **5.** Gartenbau treiben; **III** *adj.* **6.** Garten…: **~ *plants***; **~ cit·y** *s. Brit.* Gartenstadt *f*; **~ cress** *s.* ⚘ Gartenkresse *f*.

gar·den·er ['gɑ:dnə] *s.* Gärtner(in).

gar·den| frame *s.* glasgedeckter Pflanzenkasten; **~ gnome** *s.* Gartenzwerg *m*.

gar·de·ni·a [gɑ:'di:njə] *s.* ⚘ Gar'denie *f*.

gar·den·ing ['gɑ:dnɪŋ] *s.* **1.** Gartenbau *m*; **2.** Gartenarbeit *f*.

gar·den| mo(u)ld *s.* Blumen(topf)erde *f*; **~ par·ty** *s.* Gartenfest *n*, -party *f*; **~ path** *s.*: ***lead s.o. up the ~*** *fig.* j-n hinters Licht führen; **2 State** *s. Am.* (*Beiname für*) New Jersey *n*; **~ stuff** *s.* Gartenerzeugnisse *pl.*; **~ sub·urb** *s. Brit.* Gartenvorstadt *f*; **~ truck** *Am.* → ***garden stuff***; **~ white** *s. zo.* Weißling *m*.

gar·gan·tu·an [gɑ:'gæntjʊən] *adj.* riesig, gewaltig, ungeheuer.

gar·gle ['gɑ:gl] **I** *v/t.* **1.** a) gurgeln mit: **~ *salt water***, b) **~ *one's throat*** → 3; **2.** *Worte* (her'vor)gurgeln; **II** *v/i.* **3.** gurgeln; **III** *s.* **4.** Gurgeln *n*; **5.** Gurgelmittel *n*.

gar·goyle ['gɑ:gɔɪl] *s.* **1.** ⚠ Wasserspeier *m*; **2.** *fig.* Scheusal *n*.

gar·ish ['geərɪʃ] *adj.* ☐ grell, schreiend, aufdringlich, protzig.

gar·land ['gɑ:lənd] **I** *s.* **1.** Gir'lande *f* (*a.* ⚠), Blumengewinde *n*, -gehänge *n*; (*a. fig.* Sieges)Kranz *m*; **2.** *fig.* (*bsd.* Gedicht)Sammlung *f*; **II** *v/t.* **3.** bekränzen.

gar·lic ['gɑ:lɪk] *s.* ⚘ Knoblauch *m*; '**gar·lick·y** [-kɪ] *adj.* **1.** knoblauchartig; **2.** nach Knoblauch schmeckend *od.* riechend.

gar·ment ['gɑ:mənt] *s.* **1.** Kleidungsstück *n*, *pl. a.* Kleider *pl.*; **2.** *fig.* Gewand *n*, Hülle *f*.

gar·ner ['gɑ:nə] **I** *s.* **1.** *obs.* Getreidespeicher *m*; **2.** *fig.* Speicher *m*, Vorrat *m* (**of** an *dat.*); **II** *v/t.* **3.** a) speichern (*a. fig.*), b) aufbewahren, c) sammeln (*a. fig.*), d) erlangen, erwerben.

gar·net ['gɑ:nɪt] **I** *s. min.* Gra'nat *m*; **II** *adj.* gra'natrot.

gar·nish ['gɑ:nɪʃ] **I** *v/t.* **1.** schmücken, verzieren; **2.** *Küche*: garnieren (*a. fig. iro.*); **3.** ⚖ a) *Forderung beim Drittschuldner* pfänden, b) *dem Drittschuldner* ein Zahlungsverbot zustellen; **II** *s.* **4.** Orna'ment *n*, Verzierung *f*; **5.** *Küche*: Garnierung *f* (*a. fig. iro.*); **gar·nish·ee** [ˌgɑ:nɪ'ʃi:] ⚖ **I** *s.* Drittschuldner *m*; **II** *v/t.* → ***garnish*** 3; '**gar·nish·ment** [-mənt] *s.* **1.** → ***garnish*** 4; **2.** ⚖ a) (Forderungs)Pfändung *f*, b) Zahlungsverbot *n* an den Drittschuldner, c) *Brit.* Mitteilung *f* an den Pro'zeßgegner; '**gar·ni·ture** [-ɪtʃə] *s.* **1.** → ***garnish*** 4; **2.** Zubehör *n*, *m*, Ausstattung *f*.

ga·rotte → ***garrot*(*t*)*e***.

gar·ret ['gærət] *s.* a) Dachstube *f*, Man'sarde *f*, b) Dachgeschoß *n*.

gar·ri·son ['gærɪsn] ⚔ **I** *s.* **1.** Garni'son *f* (*Standort od. stationierte Truppen*); **II** *v/t.* **2.** *Ort* mit e-r Garni'son belegen; **3.** *Truppen* in Garni'son legen: ***be ~ed*** in Garnison liegen; **~ cap** *s.* Feldmütze *f*; **~ com·mand·er** *s.* 'Standortkommanˌdant *m*; **~ town** *s.* Garni'sonsstadt *f*.

gar·rot(t)e [gə'rɒt] **I** *s.* **1.** ('Hinrichtung *f* durch die) Ga(r)'rotte *f*; **2.** Erdrosselung *f*; **II** *v/t.* **3.** ga(r)rottieren; **4.** erdrosseln.

gar·ru·li·ty [gæ'ru:lətɪ] *s.* Geschwätzigkeit *f*; **gar·ru·lous** ['gærʊləs] *adj.* ☐ geschwätzig.

gar·ter ['gɑ:tə] **I** *s.* **1.** a) Strumpfband *n*, b) Sockenhalter *m*, c) *Am.* Strumpfhalter *m*, Straps *m*: **~ *belt*** Hüfthalter *m*, -gürtel *m*; **2. *the* 2** a) *a.* ***the Order of the* 2** der Hosenbandorden (*der höchste brit. Orden*), b) der Hosenbandorden (*Abzeichen*), c) die Mitgliedschaft des Hosenbandordens; **II** *v/t.* **3.** mit e-m Strumpfband *etc.* befestigen *od.* versehen.

gas [gæs] **I** *s.* **1.** ⚗ Gas *n*; **2.** (Leucht-)Gas *n*; **3.** ⚒ Grubengas *n*; **4.** ⚕ Lachgas *n*; **5.** ⚔ (Gift)Gas *n*, (Gas)Kampfstoff *m*: **~ *shell*** Gasgranate *f*; **6.** *mot.* F a) *Am.* Ben'zin *n*, ‚Sprit' *m*, b) 'Gas(peˌdal) *n*: ***step on the ~*** Gas geben, ‚auf die Tube drücken' (*beide a. fig.*); **7.** *sl.* a) ‚Gequatsche' *n*, b) ‚Gaudi' *f*, Mordsspaß *m*: ***it's a*** (***real***) ***~!*** (das ist) zum Brüllen!, *weitS.* große Klasse!; **II** *v/t.* **8.** mit Gas versorgen *od.* füllen; **9.** ⚙ begasen; **10.** vergasen, mit Gas töten *od.* vernichten; **11. ~ *up*** *mot. Auto* volltanken; **III** *v/i.* **12.** *mst* **~ *up*** *Am.* F (auf-)tanken; **13.** F ‚quatschen'; '**~·bag** *s.* **1.** ⚙ Gassack *m*, -zelle *f*; **2.** F ‚Quatscher' *m*; **~ bomb** *s.* ⚔ Kampfstoffbombe *f*; **~ bot·tle** *s.* ⚙ Gas-, Stahlflasche *f*; **~ burn·er** *s.* Gasbrenner *m*; **~ cham·ber** *s.* **1.** Gaskammer *f* (*zur Hinrichtung*); **2.** ⚔ Gasprüfraum *m*; **~ coal** *s.* Gaskohle *f*; **~ coke** *s.* (Gas)Koks *m*; **~ cook·er** *s.* Gasherd *m*; **~ cyl·in·der** *s.* Gasflasche *f*; **~ en·gine** *s.* 'Gasmotor *m*, -maˌschine *f*.

gas·e·ous ['gæsjəs] *adj.* **1.** ⚗ a) gasartig, -förmig, b) Gas…; **2.** *fig.* leer.

gas| field *s.* (Erd)Gasfeld *n*; '**~-ˌfired** *adj.* mit Gasfeuerung, gasbeheizt; **~ fit·ter** *s.* 'Gasinstallaˌteur *m*; **~ fit·ting** *s.* **1.** 'Gasinstallatiˌon *f*; **2.** *pl.* 'Gasarmaˌturen *pl.*; **~ gan·grene** *s.* ⚕ Gasbrand *m*.

gash [gæʃ] **I** *s.* **1.** klaffende Wunde, tiefer Schnitt *od.* Riß; **2.** Spalte *f*; **II** *v/t.* **3.** *j-m* e-e klaffende Wunde beibringen.

gas| heat·er *s.* Gasofen *m*; **~ heat·ing** *s.* Gasheizung *f*.

gas·i·fi·ca·tion [ˌgæsɪfɪ'keɪʃn] *s.* ⚙ Vergasung *f*; **gas·i·fy** ['gæsɪfaɪ] **I** *v/t.* vergasen, in Gas verwandeln; **II** *v/i.* zu Gas werden.

gas jet *s.* Gasflamme *f*, -brenner *m*.

gas·ket ['gæskɪt] *s.* ⚙ 'Dichtung(sman‚schette *f*, -sring *m*) *f*: ***blow a ~ fig.*** F ‚durchdrehen'.

'**gas**|**·light** *s.* Gaslicht *n*, -lampe *f*; '**~‚light·er** *s.* **1.** Gasfeuerzeug *n*; **2.** Gasanzünder *m*; **~ main** *s.* (Haupt-) Gasleitung *f*; '**~·man** [-mæn] *s.* [*irr.*] **1.** 'Gasinstalla‚teur *m*; **2.** Gasmann *m*, -ableser *m*; **~ man·tle** *s.* (Gas)Glühstrumpf *m*; **~ mask** *s.* ⚔ Gasmaske *f*; **~ me·ter** *s.* ⚙ Gasuhr *f*, -zähler *m*; **~ mo·tor** → ***gas engine***.

gas·o·lene, gas·o·line ['gæsəʊli:n] *s.* **1.** ⚗ Gaso'lin *n*, Gasäther *m*; **2.** *Am.* Ben'zin *n*: ***~ ga(u)ge*** Kraftstoffmesser *m*, Benzinuhr *f*.

gas·om·e·ter [gæ'sɒmɪtə] *s.* Gaso'meter *m*, Gasbehälter *m*.

gas ov·en *s.* Gasherd *m*.

gasp [gɑːsp] **I** *v/i.* keuchen (*a. Maschine etc.*): ***~ for breath*** nach Luft schnappen; ***it made me ~*** mir stockte der Atem (*vor Erstaunen*); ***~ for s.th.*** *fig.* nach et. lechzen; **II** *v/t. a.* ***~ out*** Worte (her'vor)keuchen: ***~ one's life out*** sein Leben aushauchen; **III** *s.* a) Keuchen *n*, b) Laut *m* des Erstaunens *od.* Erschreckens: ***at one's last ~*** in den letzten Zügen (liegend), *fig.* ‚am Eingehen'; '**gasp·er** [-pə] *s. Brit. sl.* ‚Stäbchen' *n* (*Zigarette*).

gas| **pipe** *s.* Gasrohr *n*; '**~·proof** *adj.* gasdicht; **~ pump** *s. mot. Am.* Zapfsäule *f*; **~ range** *s. Am.* Gasherd *m*; **~ ring** *s.* Gasbrenner *m*, -kocher *m*.

gassed [gæst] *adj.* vergast, gaskrank, -vergiftet; **gas·ser** ['gæsə] *s.* **1.** Gas freigebende Ölquelle; **2.** F ‚Quatscher' *m*; **gas·sing** ['gæsɪŋ] *s.* **1.** ⚙ Behandlung *f* mit Gas; **2.** Vergasung *f*; **3.** F ‚Quatschen' *n*.

gas| **sta·tion** *s. Am.* Tankstelle *f*; **~ stove** *s.* Gasherd *m od.* -ofen *m*; **~ tank** *s.* Gas- *od. Am.* F Ben'zinbehälter *m*; **~ tar** *s.* Steinkohlenteer *m*.

gas·ter·o·pod ['gæstərəpɒd] → ***gastropod***.

'**gas·tight** *adj.* gasdicht.

gas·tric ['gæstrɪk] *adj.* ⚕ gastrisch, Magen...: ***~ acid*** Magensäure *f*; ***~ flu*** Darmgrippe *f*; ***~ juice*** Magensaft *m*; ***~ ulcer*** Magengeschwür *n*; **gas·tri·tis** [gæ'straɪtɪs] *s.* ⚕ Ga'stritis *f*, Magenschleimhautentzündung *f*; **gas·tro·en·ter·i·tis** [‚gæstrəʊentə'raɪtɪs] *s.* ⚕ Gastroente'ritis *f*, 'Magen-'Darm-Ka‚tarrh *m*; **gas·tro·in·tes·ti·nal** [‚gæstrəʊɪn'testɪnl] ⚕ gastrointesti'nal.

gas·trol·o·gist [gæ'strɒlədʒɪst] *s.* **1.** ⚕ Facharzt *m* für Magenkrankheiten; **2.** *humor.* Kochkünstler *m*.

gas·tro·nome ['gæstrənəʊm], **gas·tron·o·mer** [gæ'strɒnəmə] *s.* Feinschmecker *m*; **gas·tro·nom·ic, gas·tro·nom·i·cal** [‚gæstrə'nɒmɪk(l)] *adj.* □ feinschmeckerisch; **gas·tron·o·mist** [gæ'strɒnəmɪst] → ***gastronome***; **gas·tron·o·my** [gæ'strɒnəmɪ] *s.* **1.** Gastrono'mie *f*, höhere Kochkunst; **2.** *fig.* Küche *f*: ***the Italian ~***.

gas·tro·pod ['gæstrəpɒd] *s. zo.* Gastro'pode *m*, Schnecke *f*.

gas·tro·scope ['gæstrəʊskəʊp] *s.* ⚕ Magenspiegel *m*.

gas| **weld·ing** *s.* ⚙ Gasschweißen *n*; '**~·works** *s. pl. sg. konstr.* Gaswerk *n*.

gat [gæt] *s. Am. sl.* ‚Ka'none' *f*, ‚Ballermann' *m*, ‚Schießeisen' *n*.

gate [geɪt] **I** *s.* **1.** Tor *n*, Pforte *f*, *fig. a.* Zugang *m*, Weg *m* (***to*** zu): ***crash the ~*** → ***gatecrash***; **2.** a) 🚂 Sperre *f*, Schranke *f*, b) ✈ Flugsteig *m*; **3.** (enger) Eingang, (schmale) 'Durchfahrt; **4.** (Gebirgs)Paß *m*; **5.** ⚙ (Schleusen-) Tor *n*; **6.** *sport*: a) *Slalom*: Tor *n*, b) → ***starting gate***; **7.** *sport* a) Besucherzahl *f*, b) (Gesamt)Einnahmen *pl.*, Kasse *f*; **8.** ⚙ Schieber *m*, Ven'til *n*; **9.** *Gießerei*: (Einguß)Trichter *m*, Anschnitt *m*; **10.** *phot.* Bild-, Filmfenster *n*; **11.** ⚡ 'Torim‚puls *m*; **12.** *TV* Ausblendstufe *f*; **13.** *Am.* F a) ‚Rausschmiß' *m*, b) ‚Laufpaß' *m*: ***get the ~*** ‚gefeuert' werden; ***give s.o. the ~*** a) j-n ‚feuern', b) j-m den Laufpaß geben; **II** *v/t.* **14.** *ped., univ. Brit. j-m* den Ausgang sperren: ***he was ~d*** er erhielt Ausgangsverbot; '**~·crash** *v/i.* (*u. v/t.*) F a) uneingeladen kommen *od.* gehen (zu *e-r Party etc.*), b) sich (ohne zu bezahlen) einschmuggeln (in *e-e Veranstaltung*); '**~‚crash·er** *s.* F Eindringling *m*: a) uneingeladener Gast, b) *j-d, der sich in e-e Veranstaltung einschmuggelt*; '**~‚keep·er** *s.* **1.** Pförtner *m*; **2.** 🚂 Bahn-, Schrankenwärter *m*; '**~·leg(ged) ta·ble** *s.* Klapptisch *m*; '**~-‚mon·ey** → ***gate*** 7b; '**~·post** *s.* Tor-, Türpfosten *m*: ***between you and me and the ~*** im Vertrauen *od.* unter uns (gesagt); '**~·way** *s.* **1.** Torweg *m*, Einfahrt *f*; **2.** *fig.* Tor *n*, Zugang *m*: ***~ drug*** Einstiegsdroge *f*.

gath·er ['gæðə] **I** *v/t.* **1.** *Personen* versammeln; → ***father*** 4; **2.** *Dinge* (an-) sammeln, anhäufen: ***~ wealth***; ***~ experience*** Erfahrung(en) sammeln; ***~ facts*** Fakten zs.-tragen, Material sammeln; ***~ strength*** Kräfte sammeln; **3.** a) ernten, sammeln, b) *Blumen, Obst etc.* pflücken; **4.** *a.* ***~ up*** aufsammeln, -lesen, -heben: ***~ together*** zs.-raffen; ***~ o.s. together*** sich zs.-raffen; ***~ s.o. in one's arms*** j-n in s-e Arme schließen; **5.** erwerben, gewinnen, ansetzen: ***~ dust*** verstauben; ***~ speed*** Geschwindigkeit aufnehmen, schneller werden; ***~***

G

way ⚓ in Fahrt kommen (*a. fig.*), *fig.* sich durchsetzen; **6.** *fig.* folgern (*a.* ⚖), schließen (***from*** aus); **7.** *Näherei*: raffen, kräuseln, zs.-ziehen; → ***brow*** 1; **8.** ~ ***up*** a) *Kleid etc.* aufnehmen, zs.-raffen, b) *die Beine* einziehen; **II** *v/i.* **9.** sich versammeln *od.* scharen (***round s.o.*** um j-n); **10.** sich (an)sammeln, sich häufen; **11.** sich zs.-ziehen *od.* -ballen (*Wolken*, *Gewitter*); **12.** anwachsen, sich entwickeln, zunehmen; **13.** ⚕ a) reifen (*Abszeß*), b) eitern (*Wunde*); ˈ**gath·er·er** [-ərə] *s.* **1.** Erntearbeiter(in), Schnitter(in), Winzer *m*; **2.** (Ein)Sammler *m*; Geldeinnehmer *m*; ˈ**gath·er·ing** [-ðərɪŋ] *s.* **1.** Sammeln *n*; **2.** Sammlung *f*; **3.** a) (Menschen)Ansammlung *f*, b) Versammlung *f*, Zs.-kunft *f*; **4.** ⚕ a) Reifen *n*, b) Eitern *n*; **5.** Kräuseln *n*; **6.** *Buchbinderei*: Lage *f*.

gat·ing [ˈgeɪtɪŋ] *s.* **1.** ⚡ a) Austastung *f*, b) (Sigˈnal)Auswertung *f*; **2.** *ped.*, *univ. Brit.* Ausgangsverbot *n*.

gauche [gəʊʃ] *adj.* **1.** linkisch; **2.** taktlos; **gau·che·rie** [ˈgəʊʃəriː] *s.* **1.** linkische Art; **2.** Taktlosigkeit *f*.

Gau·cho [ˈgaʊtʃəʊ] *pl.* **-chos** *s.* Gaucho *m*.

gaud [gɔːd] *s.* **1.** billiger Schmuck, Flitterkram *m*; **2.** *oft pl.* (überˈtriebener) Prunk; ˈ**gaud·i·ness** [-dɪnɪs] *s.* **1.** → ***gaud***; **2.** Protzigkeit *f*, Geschmacklosigkeit *f*; ˈ**gaud·y** [-dɪ] **I** *adj.* □ (farben-)prächtig, auffällig (bunt), *Farben*: grell, schreiend, *Einrichtung etc.*: protzig; **II** *s. ped.*, *univ. Brit.* jährliches Festessen.

gauf·fer → ***goffer***.

gauge [geɪdʒ] **I** *s.* **1.** Norˈmal-, Eichmaß *n*; **2.** ⚙ Meßgerät *n*, Messer *m*, Anzeiger *m*: *bsd.* a) Pegel *m*, Wasserstandsanzeiger *m*, b) Manoˈmeter *n*, Druckmesser *m*, c) Lehre *f*, d) Maß-, Zollstab *m*, e) *typ.* Zeilenmaß *n*; **3.** ⚙ (Blech-, Draht)Stärke *f*; **4.** *Strumpfherstellung*: Gauge *n* (*Maschenzahl*); **5.** ⚔ Kaˈliber *n*; **6.** 🚂 Spur(weite) *f*; **7.** ⚓ *oft* ***gage*** Abstand *m*, Lage *f*: ***have the lee*** (***weather***) ~ zu Lee (Luv) liegen (*Schiff*); **8.** ˈUmfang *m*, Inhalt *m*: ***take the ~ of*** → 12; **9.** *fig.* Maßstab *m*, Norm *f*; **II** *v/t.* **10.** (ab)lehren, (ab-, aus)messen; **11.** eichen, justieren; **12.** *fig.* (ab)schätzen, beurteilen; ~ **lathe** *s.* Präzisiˈonsdrehbank *f*.

gaug·er [ˈgeɪdʒə] *s.* Eichmeister *m*.

gaug·ing [ˈgeɪdʒɪŋ] *s.* ⚙ Eichung *f*, Messung *f*: ~ ***office*** Eichamt *n*.

Gaul [gɔːl] *s.* **1.** Gallier *m*; **2.** Franˈzose *m*; ˈ**Gaul·ish** [-lɪʃ] **I** *adj.* gallisch; **II** *s. ling.* Gallisch *n*.

Gaull·ism [ˈgəʊlɪzəm] *s. pol.* Gaulˈlismus *m*.

gaunt [gɔːnt] *adj.* □ **1.** a) hager, mager, b) ausgemergelt; **2.** verlassen, öde; **3.** kahl.

gaunt·let[1] [ˈgɔːntlɪt] *s.* **1.** ⚔ *hist.* Panzerhandschuh *m*; **2.** *fig.* Fehdehandschuh *m*: ***fling*** (*od.* ***throw***) ***down the ~*** (***to s.o.***) (j-m) den Fehdehandschuh hinwerfen, (j-n) herausfordern; ***pick*** (*od.* ***take***) ***up the ~*** die Herausforderung annehmen; **3.** Schutzhandschuh *m*.

gaunt·let[2] [ˈgɔːntlɪt] *s.*: ***run the ~*** Spießruten laufen (*a. fig.*); ***run the ~ of s.th.*** et. durchstehen müssen.

gaun·try [ˈgɔːntrɪ] → ***gantry***.

gauss [gaʊs] *s. phys.* Gauß *n*.

gauze [gɔːz] *s.* **1.** Gaze *f*, ⚕ *a.* (Verbands)Mull *m*: ~ ***bandage*** Mull-, Gazebinde *f*; **2.** *fig.* Dunst *m*, Schleier *m*; ˈ**gauz·y** [-zɪ] *adj.* gazeartig, hauchdünn.

ga·vage [ˈgævɑːʒ] *s.* ⚕ künstliche Sonderernährung.

gave [geɪv] *pret. von* ***give***.

gav·el [ˈgævl] *s.* **1.** Hammer *m e-s Auktionators*, *Vorsitzenden etc.*; **2.** (Maurer)Schlegel *m*.

ga·vot(te) [gəˈvɒt] *s.* ♪ Gaˈvotte *f*.

gawk [gɔːk] **I** *s. contp.* (Bauern)Lackel *m*; **II** *v/i.* → ***gawp***; ˈ**gawk·y** [-kɪ] *adj. contp.* ‚blöd(e)', trottelhaft.

gawp [gɔːp] *v/i.* glotzen: ~ ***at*** anglotzen.

gay [geɪ] *adj.* □ → ***gaily***; **1.** lustig, fröhlich; **2.** a) bunt, (farben)prächtig: ~ ***with*** belebt von, geschmückt mit, b) fröhlich, lebhaft (*Farben*); **3.** flott, *Person*: *a.* lebenslustig: ***a ~ dog*** ein ‚lockerer Vogel'; **4.** liederlich; **5.** *Am. sl.* ‚pampig', frech; **6.** F homosexuˈell, ‚schwul', Schwulen…: ♀ ***Lib***(***eration***) *die* Schwulenbewegung.

gaze [geɪz] **I** *v/i.* starren: ~ ***at*** anstarren; ~ (***up***)***on*** ansichtig werden (*gen.*); **II** *s.* (starrer) Blick, Starren *n*.

ga·ze·bo [gəˈziːbəʊ] *s.* Gebäude *n* mit schönem Ausblick, Aussichtspunkt *m*.

ga·zelle [gəˈzel] *s. zo.* Gaˈzelle *f*.

gaz·er [ˈgeɪzə] *s.* Gaffer *m*.

ga·zette [gəˈzet] **I** *s.* **1.** Zeitung *f*; **2.** *Brit.* Amtsblatt *n*, Staatsanzeiger *m*; **II** *v/t.* **3.** *Brit.* im Amtsblatt bekanntgeben *od.* veröffentlichen; **gaz·et·teer** [ˌgæzəˈtɪə] *s.* alphaˈbetisches Ortsverzeichnis (mit Ortsbeschreibung).

gear [gɪə] **I** *s.* **1.** ⚙ a) Zahnrad *n*, b) *a. pl.* Getriebe *n*, Triebwerk *n*; **2.** ⚙ a) Überˈsetzung *f*, b) *mot. etc.* Gang *m*: ***first*** (***second***, *etc.*) ~; ***in high ~*** in e-m hohen *od.* schnellen Gang; ***get into*** (***high***) ~ *fig.* in Fahrt *od.* Schwung kommen; ***in low*** (*od.* ***bottom***) ~ im ersten Gang; (***in***) ***top ~*** im höchsten Gang; ***change*** (*Am.* ***shift***) ~(***s***) schalten; ***change into second ~*** den zweiten Gang einlegen, c) *pl.* Gangschaltung *f* (*e-s Fahrrads*); **3.** ⚙ Eingriff *m*: ***in ~*** a) eingerückt, eingeschaltet, b) *fig.* funktionierend, in Ordnung; ***in ~ with*** im Eingriff stehend mit; ***out of ~*** a) ausgerückt, ausgeschaltet, b) *fig.* in Unordnung, nicht funktionierend; ***throw out of ~*** ausrücken, -schalten, *fig.* durcheinanderbringen; **4.** ✈, ⚓ *etc. mst in Zssgn* Vorrichtung *f*, Gerät *n*; → ***landing gear*** *etc.*; **5.** Ausrüstung *f*, Gerät *n*, Werkzeug(e *pl.*) *n*, Zubehör *n*: ***fishing ~*** Angelgerät *n*, -zeug *n*; **6.** F a) Hausrat *m*, b) Habseligkeiten *pl.*, Sachen *pl.*, c) Aufzug *m*, Kleidung *f*; **7.** (Pferde- *etc.*)Geschirr *n*; **II** *v/t.* **8.** ⚙ a) mit e-m Getriebe versehen, b) über'setzen, c) in Gang setzen (*a. fig.*): ***~ up*** ins Schnelle übersetzen, *fig.* steigern, verstärken; **9.** *fig.* (***to***, ***for***) einstellen *od.* abstimmen (auf *acc.*), anpassen (*dat. od.* an *acc.*); **10.** ausrüsten; **11.** *a.* ***~ up*** *Tiere* anschirren; **III** *v/i.* **12.** ⚙ a) eingreifen (***into***, ***with*** in *acc.*), b) inein'andergreifen; **13.** ***~ up*** (***down***) *mot.* hin'auf- (her'unter)schalten; **14.** *fig.* (***with***) passen (zu), eingerichtet *od.* abgestimmt sein (auf *acc.*).

'gear|·box *s.* ⚙ Getriebe(gehäuse) *n*; **~ change** *s. Brit. mot.* (Gang)Schaltung *f*; **~ cut·ter** *s.* Zahnradfräser *m*; **~ drive** → ***gearing*** 1.

gear·ed [gɪəd] *adj.* ⚙ verzahnt; Getriebe...; **gear·ing** ['gɪərɪŋ] *s.* ⚙ **1.** (Zahnrad)Getriebe *n*, Vorgelege *n*; **2.** Über'setzung *f* (*e-s Getriebes*); Transmissi'on *f*; **3.** Verzahnung *f*.

gear| le·ver *s.* Schalthebel *m*; **~ ra·tio** *s.* Über'setzung(sverhältnis *n*) *f*; **~ rim** *s.* Zahnkranz *m*; **~ shaft** *s.* Getriebe-, Schaltwelle *f*; **~ shift** *s. Am.* a) → ***gear change***, b) → ***gear lever***; **'~·wheel** *s.* Getriebe-, Zahnrad *n*.

geck·o ['gekəʊ] *pl.* **-os, -oes** *s. zo.* Gecko *m* (*Echse*).

gee[1] [dʒiː] *s.* G *n*, g *n* (*Buchstabe*).

gee[2] [dʒiː] **I** *s.* **1.** *Kindersprache*: ‚Hotte'hü' *n* (*Pferd*); **II** *int.* **2.** *a.* ***~ up!*** a) hott! (*nach rechts*), b) hü(h), hott! (*schneller*); **3.** *Am.* F na so was!, Mann!

geese [giːs] *pl. von* ***goose***.

gee| whiz [ˌdʒiː'wɪz] → ***gee***[2] 3; **'~-whiz** *adj. Am.* F **1.** ‚toll', Super...; **2.** Sensations...

gee·zer ['giːzə] *s.* F komischer (alter) Kauz, ‚Opa' *m*.

Gei·ger count·er ['gaɪgə] *s. phys.* Geigerzähler *m*.

gei·sha ['geɪʃə] *s.* Geisha *f*.

gel [dʒel] **I** *s.* **1.** Gel *n*; **II** *v/i.* **2.** gelieren; **3.** → ***jell*** 3.

gel·a·tin(e) [ˌdʒelə'tiːn] *s.* **1.** Gela'tine *f*; **2.** Gal'lerte *f*; **3.** *a.* ***blasting ~*** 'Sprenggelaˌtine *f*; **ge·lat·i·nize** [dʒə'lætɪnaɪz] *v/i. u. v/t.* gelatinieren (lassen); **ge·lat·i·nous** [dʒə'lætɪnəs] *adj.* gallertartig.

geld [geld] *v/t. Tier* kastrieren, verschneiden; **'geld·ing** [-dɪŋ] *s.* kastriertes Tier, *bsd.* Wallach *m*.

gel·id ['dʒelɪd] *adj.* ☐ eisig.

gel·ig·nite ['dʒelɪgnaɪt] *s.* ⚙ Gela'tinedynaˌmit *n*.

gem [dʒem] **I** *s.* **1.** Edelstein *m*; **2.** Gemme *f*; **3.** *fig.* Perle *f*, Ju'wel *n*, Glanz-, Prachtstück *n*: ***~ rôle*** *thea.* Glanzrolle *f*; **4.** *Am.* Brötchen *n*; **5.** *typ. e-e 3½-Punkt-Schrift*; **II** *v/t.* **6.** mit Edelsteinen schmücken.

gem·i·nate I *adj.* ['dʒemɪnət] paarweise, Doppel...; **II** *v/t. u. v/i.* [-neɪt] (sich) verdoppeln (*a. ling.*); **gem·i·na·tion** [ˌdʒemɪ'neɪʃn] *s.* Verdoppelung *f* (*a. ling.*).

Gem·i·ni ['dʒemɪnaɪ] *s. pl. ast.* Zwillinge *pl.*

gem·ma ['dʒemə] *pl.* **-mae** [-miː] *s.* **1.** ⚘ a) Gemme *f*, Brutkörper *m*, b) Blattknospe *f*; **2.** *biol.* Knospe *f*, Gemme *f*; **'gem·mate** [-meɪt] *adj. biol.* sich durch Knospung fortpflanzend; **gem·ma·tion** [dʒe'meɪʃn] *s.* **1.** ⚘ Knospenbildung *f*; **2.** *biol.* Fortpflanzung *f* durch Knospen; **gem·mif·er·ous** [dʒe'mɪfərəs] *adj.* **1.** edelsteinhaltig; **2.** *biol.* → ***gemmate***.

gems·bok ['gemzbɒk] *s. zo.* 'GemsantiˌIope *f*.

gen [dʒen] *Brit. sl.* **I** *s.* Informati'on(en *pl.*) *f*; **II** *v/t. u. v/i.*: ***~ up*** (sich) informieren.

gen·der ['dʒendə] *s. ling.* Genus *n*, Geschlecht *n* (*a. humor. von Personen*); **~ ben·der** *s.* F jemand vom anderen Ufer.

gene [dʒiːn] *s. biol.* Gen *n*, Erbfaktor *m*: ***~ pool*** Erbmasse *f*; ***~ technology*** Gentechnologie *f*.

gen·e·a·log·i·cal [ˌdʒiːnjə'lɒdʒɪkl] *adj.* ☐ genea'logisch: ***~ tree*** Stammbaum *m*.

gen·e·al·o·gist [ˌdʒiːnɪ'ælədʒɪst] *s.* Genea'loge *m*, Ahnenforscher *m*; **ˌgen·e'al·o·gize** [-dʒaɪz] *v/i.* Stammbaumforschung treiben; **ˌgen·e'al·o·gy** [-dʒɪ] *s.* Genealo'gie *f*: a) Ahnenforschung *f*, b) Ahnentafel *f*, c) Abstammung *f*.

gen·er·a ['dʒenərə] *pl. von* ***genus***.

gen·er·al ['dʒenərəl] **I** *adj.* ☐ → ***generally***; **1.** allgemein, um'fassend: ***~ knowledge*** (***medicine***) Allgemeinbildung *f* (-medizin *f*); ***~ outlook*** allgemeine Aussichten; ***the ~ public*** die breite Öffentlichkeit; **2.** allgemein (*nicht spezifisch*): ***~ dealer*** *Brit.* Gemischtwarenhändler *m*; ***the ~ reader*** der Durchschnittsleser; ***~ store*** Gemischtwarenhandlung *f*; ***~ term*** Allgemeinbegriff *m*; ***in ~ terms*** allgemein (ausgedrückt); **3.** allgemein (üblich), gängig, verbreitet: ***~ practice***; ***as a ~ rule*** meistens; **4.** allgemein gehalten, ungefähr: ***a ~ idea*** e-e ungefähre Vorstellung; ***~ resemblance*** vage Ähnlichkeit; ***in a ~ way*** in großen Zügen, in gewisser Weise; **5.** allgemein, Gene-

G

ral..., Haupt...: ~ ***agent*** ✝ Generalvertreter *m*; ~ ***manager*** ✝ Generaldirektor *m*; ~ ***meeting*** ✝ General-, Hauptversammlung *f*; **6.** (*Amtstiteln nachgestellt*) *mst* General...: ***consul*** ~ Generalkonsul *m*; **II** *s*. **7.** ⚔ a) Gene'ral *m*, b) Heerführer *m*, Feldherr *m*, Stra'tege *m*; **8.** ⚔ *Am*. a) (Vier-'Sterne-)Gene͵ral *m* (*zweithöchster Offiziersrang*), b) ~ ***of the army*** Fünf-'Sterne-Gene͵ral *m* (*höchster Offiziersrang*); **9.** *eccl*. ('Ordens)Gene͵ral *m*; **10.** ***the*** ~ das Allgemeine: ♀ (*Überschrift*) Allgemeines; ***in*** ~ im allgemeinen.

gen·er·al| ac·cept·ance *s*. ✝ uneingeschränktes Ak'zept; ♀ **As·sem·bly** *s*. **1.** *pol*. Voll-, Gene'ralversammlung *f* (*der UNO*); **2.** *pol*. *Am*. Parla'ment *n* (*einiger Einzelstaaten*); **3.** *eccl*. oberstes Gericht der schottischen Kirche; ~ **car·go** *s*. ✝, ⚓ Stückgut(ladung *f*) *n*; ♀ **Cer·tif·i·cate of Ed·u·ca·tion** *s*. *ped*. *Brit*.: ~ ***O level*** *etwa*: mittlere Reife; ~ ***A level*** *etwa*: Abitur *n*; ~ **de·liv·er·y** *s*. ✉ *Am*. **1.** (Ausgabestelle *f* für) postlagernde Sendungen *pl*.; **2.** ‚postlagernd'; ~ **e·lec·tion** *s*. *pol*. allgemeine Wahlen *pl*.; ~ **head·quar·ters** *s*. *pl*. *mst sg*. *konstr*. ⚔ Großes Hauptquartier; ~ **hos·pi·tal** *s*. allgemeines Krankenhaus.

gen·er·al·is·si·mo [͵dʒenərə'lɪsɪməʊ] *pl*. **-mos** *s*. ⚔ Genera'lissimus *m*, Oberbefehlshaber *m*.

gen·er·al·ist ['dʒenərəlɪst] *s*. Genera'list *m* (*Ggs. Spezialist*).

gen·er·al·i·ty [͵dʒenə'rælətɪ] *s*. **1.** *pl*. allgemeine Redensarten *pl*., Gemeinplätze *pl*.; **2.** Allgemeingültigkeit *f*; **3.** allgemeine Regel; **4.** Unbestimmtheit *f*; **5.** *obs*. Mehrzahl *f*, große Masse; **gen·er·al·i·za·tion** [͵dʒenərəlaɪ'zeɪʃn] *s*. Verallgemeinerung *f*; **gen·er·al·ize** ['dʒenərəlaɪz] **I** *v/t*. **1.** verallgemeinern; **2.** auf e-e allgemeine Formel bringen; **3.** *paint*. in großen Zügen darstellen; **II** *v/i*. **4.** verallgemeinern; **gen·er·al·ly** ['dʒenərəlɪ] *adv*. **1.** *oft* ~ ***speaking*** allgemein, im allgemeinen, im großen u. ganzen; **2.** allgemein; **3.** gewöhnlich, meistens.

gen·er·al| med·i·cine *s*. Allge'meinmedi͵zin *f*; ~ **meet·ing** *s*. ✝ Gene'ral-, Hauptversammlung *f*; ~ **of·fi·cer** *s*. ⚔ Gene'ral *m*, Offi'zier *m* im Gene'ralsrang; ~ **par·don** *s*. (Gene'ral)Amne͵stie *f*; ♀ **Post Of·fice** *s*. Hauptpostamt *n*; ~ **prac·ti·tion·er** *s*. Arzt *m* für Allge'meinmedi͵zin, praktischer Arzt; ͵~-'**pur·pose** *adj*. ⚙ Mehrzweck..., Universal...

gen·er·al·ship ['dʒenərəlʃɪp] *s*. **1.** ⚔ Gene'ralsrang *m*; **2.** Strate'gie *f*: a) ⚔ Feldherrnkunst *f*, b) *a. allg*. geschickte Taktik.

gen·er·al| staff *s*. ⚔ Gene'ralstab *m*: ***chief of*** ~ Generalstabschef *m*; ~ **strike** *s*. ✝ Gene'ralstreik *m*.

gen·er·ate ['dʒenəreɪt] *v/t*. **1.** *bsd*. ⚗, *phys*. erzeugen (*a*. ⅍), *Gas, Rauch* entwickeln, *a*. ⅍ bilden; **2.** *biol*. zeugen; **3.** *fig*. erzeugen, her'vorrufen, bewirken, verursachen.

gen·er·at·ing sta·tion ['dʒenəreɪtɪŋ] *s*. ⚡ Kraftwerk *n*.

gen·er·a·tion [͵dʒenə'reɪʃn] *s*. **1.** Generati'on *f*: ***the rising*** ~ die junge (*od*. heranwachsende) Generation; ~ ***gap*** Generationsunterschied *m*, Generationenkonflikt *m*; **2.** Generati'on *f*, Menschenalter *n* (*etwa 33 Jahre*): ~***s*** F e-e Ewigkeit; **3.** ⚙, ✝ Generati'on *f*: ***a new*** ~ ***of cars***; **4.** *biol*. Entwicklungsstufe *f*; **5.** Zeugung *f*, Fortpflanzung *f*; **6.** *bsd*. ⚗, ⚡, *phys*. Erzeugung *f* (*a*. ⅍), Entwicklung *f*; **7.** Entstehung *f*; ͵**gen·er'a·tion·al** [-ʃənl] *adj*. Generations...: ~ ***conflict***; **gen·er·a·tive** ['dʒenərətɪv] *adj*. **1.** *biol*. Zeugungs..., Fortpflanzungs..., Geschlechts...; **2.** *biol*. fruchtbar; **3.** *ling*. genera'tiv: ~ ***grammar***; **gen·er·a·tor** ['dʒenəreɪtə] *s*. **1.** ⚡ Gene'rator *m*, Stromerzeuger *m*, Dy'namoma͵schine *f*; **2.** ⚙ a) Gaserzeuger *m*: ~ ***gas*** Generatorgas *n*, b) Dampferzeuger *m*, -kessel *m*; **3.** ⚙ (Ab)Wälzfräser *m*; **4.** ⚗ Entwickler *m*; **5.** ♪ Grundton *m*.

ge·ner·ic [dʒɪ'nerɪk] *adj*. (□ ~***ally***) **1.** allgemein, gene'rell; **2.** ge'nerisch, Gattungs...: ~ ***term*** *od*. ***name*** Gattungsname *m*, Oberbegriff *m*.

gen·er·os·i·ty [͵dʒenə'rɒsətɪ] *s*. **1.** Großzügigkeit *f*: a) Freigebigkeit *f*, b) Edelmut *m*, Hochherzigkeit *f*; **2.** edle Tat; **3.** Fülle *f*; **gen·er·ous** ['dʒenərəs] *adj*. □ **1.** großzügig: a) freigebig, b) edel, hochherzig; **2.** reichlich, üppig: ~ ***mouth*** volle Lippen *pl*.; **3.** vollmundig, gehaltvoll (*Wein*); fruchtbar (*Boden*).

gen·e·sis ['dʒenɪsɪs] *s*. **1.** Genesis *f*, Ge'nese *f*, Entstehung *f*; **2.** ♀ *bibl*. Genesis *f*, Erstes Buch Mose; **3.** Ursprung *m*.

gen·et ['dʒenɪt] *s*. **1.** *zo*. Ge'nette *f*, Ginsterkatze *f*; **2.** Ge'nettepelz *m*.

ge·net·ic [dʒɪ'netɪk] **I** *adj*. (□ ~***ally***) **1.** *bsd*. *biol*. ge'netisch: a) entwicklungsgeschichtlich, b) Vererbungs..., Erb...: ~ ***code*** genetischer Kode; ~ ***engineering*** Genmanipulation *f*; ~***ally manipulated, changed*** genetisch manipuliert, verändert; ~ ***fingerprint*** genetischer Fingerabdruck; ~ ***information*** Erbinformation *f*; **II** *s*. *pl*. *biol*. **2.** *sg*. *konstr*. Ge'netik *f*, Vererbungslehre *f*; **3.** ge'netische Formen *pl*. u. Erscheinungen *pl*.; **ge'net·i·cist** [-ɪsɪst] *s*. *biol*. Ge'netiker *m*.

ge·nette [dʒɪ'net] → ***genet***.

ge·ne·va[1] [dʒɪ'niːvə] *s*. Ge'never *m*,

Wa'cholderschnaps *m*.

Ge·ne·va² [dʒɪ'ni:və] **I** *npr.* Genf *n*; **II** *adj.* Genfer(...); ~ **bands** *s. pl. eccl.* Beffchen *n*; ~ **Con·ven·tion** *s. pol.*, ⚔ Genfer Konventi'on *f*; ~ **cross** → ***red*** 1; ~ **drive** *s.* ⚙ Mal'teserkreuzantrieb *m*; ~ **gown** *s. eccl.* Ta'lar *m*.

ge·ni·al ['dʒi:njəl] *adj.* □ **1.** freundlich (*a. fig. Klima etc.*), herzlich: ***in ~ company*** in angenehmer Gesellschaft; **2.** belebend, anregend; **ge·ni·al·i·ty** [ˌdʒi:nɪ'ælətɪ] *s.* **1.** Freundlichkeit *f*, Herzlichkeit *f*; **2.** Milde *f* (*Klima*).

ge·nie ['dʒi:nɪ] *s.* dienstbarer Geist, Dschinn *m*.

ge·ni·i ['dʒi:nɪaɪ] *pl. von* ***genie*** *u.* ***genius*** 4.

gen·i·tal ['dʒenɪtl] *adj.* Zeugungs..., Geschlechts..., geni'tal: ~ ***gland*** Keimdrüse *f*; '**gen·i·tals** [-lz] *s. pl.* Geni'talien *pl.*, Geschlechtsteile *pl.*

gen·i·ti·val [ˌdʒenɪ'taɪvl] *adj.* Genitiv..., genitivisch; **gen·i·tive** ['dʒenɪtɪv] *s. a.* ~ ***case*** *ling.* Genitiv *m*, zweiter Fall.

gen·i·to-u·ri·nar·y [ˌdʒenɪtəʊ'jʊərɪnərɪ] *adj.* ⚕ urogeni'tal.

ge·ni·us ['dʒi:njəs] *pl.* '**ge·ni·us·es** *s.* **1.** Ge'nie *n*: a) geni'aler Mensch, b) (*ohne pl.*) Geniali'tät *f*, geni'ale Schöpferkraft; **2.** Begabung *f*, Gabe *f*; **3.** Genius *m*, Geist *m*, Seele *f*, *das* Eigentümliche (*e-r Nation etc.*): ~ ***of a period*** Zeitgeist; **4.** *pl.* '**ge·ni·i** [-nɪaɪ] *antiq.* Genius *m*, Schutzgeist *m*: ***good*** (***evil***) ~ guter (böser) Geist (*a. fig.*); ~ **lo·ci** ['ləʊsaɪ] (*Lat.*) *s.* a) Genius *m* loci, Schutzgeist *m* e-s Ortes, b) Atmo'sphäre *f* e-s Ortes.

gen·o·blast ['dʒenəʊblɑ:st] *s. biol.* reife Geschlechtszelle.

gen·o·cide ['dʒenəʊsaɪd] *s.* Geno'zid *m*, *n*, Völker-, Gruppenmord *m*.

Gen·o·ese [ˌdʒenəʊ'i:z] **I** *s.* Genu'eser (-in); **II** *adj.* genu'esisch, Genueser...

gen·o·type ['dʒenəʊtaɪp] *s. biol.* Geno'typ(us) *m*.

gen·re ['ʒɑ̃:ŋrə] (*Fr.*) *s.* **1.** Genre *n*, (*a.* Litera'tur)Gattung *f*: ~ ***painting*** Genremalerei *f*; **2.** Form *f*, Stil *m*.

gent [dʒent] *s.* **1.** F *für* ***gentleman***; **2.** *pl. sg. konstr.* F ‚Herrenklo' *n*; **3.** *Am.* F ‚Knabe' *m*, Kerl *m*.

gen·teel [dʒen'ti:l] *adj.* □ **1.** *obs.* vornehm; **2.** vornehm tuend, geziert, affek'tiert; **3.** ele'gant, fein.

gen·tian ['dʒenʃɪən] *s.* ⚘ Enzian *m*; ~ **bit·ter** *s. pharm.* 'Enziantinkˌtur *f*.

gen·tile ['dʒentaɪl] **I** *s.* **1.** Nichtjude *m*, -jüdin *f*, *bsd.* Christ(in); **2.** Heide *m*, Heidin *f*; **3.** 'Nichtmorˌmone *m*, -morˌmonin *f*; **II** *adj.* **4.** nichtjüdisch, *bsd.* christlich; **5.** heidnisch; **6.** 'nichtmorˌmonisch.

gen·til·i·ty [dʒen'tɪlətɪ] *s.* **1.** *obs.* vornehme Herkunft; **2.** Vornehmheit *f*; **3.** Vornehmtue'rei *f*.

gen·tle ['dʒentl] *adj.* □ **1.** freundlich, sanft, gütig, liebenswürdig: ~ ***reader*** geneigter Leser; **2.** milde, ruhig, mäßig, leicht, sanft, zart: ~ ***blow*** leichter Schlag; ~ ***craft*** Angelsport *m*; ~ ***hint*** zarter Wink; ~ ***rebuke*** sanfter Tadel; ***the ~ sex*** das zarte Geschlecht; ~ ***slope*** sanfter Abhang; **3.** zahm, fromm (*Tier*); **4.** edel, vornehm: ***of ~ birth*** von vornehmer Geburt; '**~·folk**(**s**) *s. pl.* vornehme Leute *pl.*

gen·tle·man ['dʒentlmən] *s.* [*irr.*] **1.** Gentleman *m*: a) Ehrenmann *m*, b) Mann *m* von Lebensart u. Cha'rakter: ***~'s*** (*od.* ***gentlemen's***) ***agreement*** Gentleman's (*od.* Gentlemen's) Agreement *n*, ✝ *etc.* Vereinbarung *f* auf Treu u. Glauben; ***~'s ~*** (Kammer)Diener *m*; **2.** Herr *m*: ***gentlemen*** a) (*Anrede*) m-e Herren!, b) *in Briefen*: Sehr geehrte Herren (*oft unübersetzt*); ~ ***farmer*** Gutsbesitzer *m*; ~ ***friend*** Freund *m e-r Dame*; ~ ***rider*** Herrenreiter *m*; ***Gentlemen('s)*** Herren(toilette *f*) *pl.*; **3.** *Titel von Hofbeamten*: ~ ***in waiting*** Kämmerer *m*; ***~-at-arms*** Leibgardist *m*; **4.** *obs.* Privati'er *m*; **5.** *hist.* a) Mann *m* von Stand, b) Edelmann *m*; '**~·like** → ***gentlemanly***; '**gen·tle·man·li·ness** [-lɪnɪs] *s.* **1.** vornehmes *od.* feines Wesen, Vornehmheit *f*; **2.** gebildetes *od.* feines Benehmen; '**gen·tle·man·ly** [-lɪ] *adj.* ‚gentlemanlike', vornehm, fein.

gen·tle·ness ['dʒentlnɪs] *s.* **1.** Freundlichkeit *f*, Güte *f*, Milde *f*, Sanftheit *f*; **2.** *obs.* Vornehmheit *f*.

'**gen·tleˌwom·an** *s.* [*irr.*] Dame *f* (von Lebensart u. Cha'rakter; von Stand *od.* Bildung); '**gen·tleˌwom·an·like**, '**gen·tleˌwom·an·ly** [-lɪ] *adj.* damenhaft, vornehm.

gen·tly ['dʒentlɪ] *adv. von* ***gentle***.

gen·try ['dʒentrɪ] *s.* **1.** Oberschicht *f*; **2.** *Brit.* Gentry *f*, niederer Adel; **3.** *a. pl. konstr.* F Leute *pl.*, Sippschaft *f*.

gen·u·flect ['dʒenju:flekt] *v/i.* (*bsd. eccl.*) knien, die Knie beugen, *contp.* e-n Kniefall machen (***before*** vor *dat.*); **gen·u·flec·tion**, *Brit. a.* **gen·u·flex·ion** [ˌdʒenju:'flekʃn] *s.* Kniebeugung *f*; *fig.* Kniefall *m*.

gen·u·ine ['dʒenjʊɪn] *adj.* □ echt: a) au'thentisch, b) ernsthaft (*Angebot etc.*), c) aufrichtig (*Mitgefühl etc.*), d) ungekünstelt (*Lachen etc.*); '**gen·u·ine·ness** [-nɪs] *s.* Echtheit *f*.

ge·nus ['dʒi:nəs] *pl.* **gen·er·a** ['dʒenərə] *s.* **1.** ⚘, *zo.*, *phls.* Gattung *f*; **2.** *fig.* Art *f*, Klasse *f*.

ge·o·cen·tric [ˌdʒi:əʊ'sentrɪk] *adj. ast.* geo'zentrisch; ˌ**ge·o'chem·is·try** [-'kemɪstrɪ] *s.* Geoche'mie *f*; ˌ**ge·o'cy·clic** [-'saɪklɪk] *adj. ast.* geo'zyklisch.

ge·ode ['dʒi:əʊd] *s. min. allg.* Ge'ode *f*.

G

ge·o·des·ic, **ge·o·des·i·cal** [ˌdʒiːəʊˈdesɪk(l)] *adj.* □ geoˈdätisch; **ge·od·e·sist** [dʒiːˈɒdɪsɪst] *s.* Geoˈdät *m*; **ge·od·e·sy** [dʒiːˈɒdɪsɪ] *s.* Geodäˈsie *f* (*Erdvermessung*); ˌ**ge·oˈdet·ic**, ˌ**ge·oˈdet·i·cal** [-etɪk(l)] *adj.* geoˈdätisch.

ge·og·ra·pher [dʒɪˈɒgrəfə] *s.* Geoˈgraph (-in); **ge·o·graph·ic**, **ge·o·graph·i·cal** [dʒɪəˈgræfɪk(l)] *adj.* □ geoˈgraphisch: ***geographical mile***; **geˈog·ra·phy** [-fɪ] *s.* **1.** Geograˈphie *f*, Erdkunde *f*; **2.** geoˈgraphische Abhandlung; **3.** geoˈgraphische Beschaffenheit.

ge·o·log·ic, **ge·o·log·i·cal** [ˌdʒɪəʊˈlɒdʒɪk(l)] *adj.* □ geoˈlogisch; **ge·ol·o·gist** [dʒɪˈɒlədʒɪst] *s.* Geoˈloge *m*, Geoˈlogin *f*; **ge·ol·o·gize** [dʒɪˈɒlədʒaɪz] **I** *v/i.* geoˈlogische Studien betreiben; **II** *v/t.* geoˈlogisch unterˈsuchen; **ge·ol·o·gy** [dʒɪˈɒlədʒɪ] *s.* **1.** Geoloˈgie *f*; **2.** geoˈlogische Abhandlung; **3.** geoˈlogische Beschaffenheit.

ge·o·mag·net·ism [ˌdʒɪəʊˈmægnɪtɪzəm] *s. phys.* ˈErdmagneˌtismus *m*.

ge·o·man·cy [ˈdʒɪəʊmænsɪ] *s.* Geomanˈtie *f*, Geoˈmantik *f* (*Art Wahrsagerei*).

ge·om·e·ter [dʒɪˈɒmɪtə] *s.* **1.** *obs.* Geoˈmeter *m*; **2.** Exˈperte *m* auf dem Gebiet der Geomeˈtrie; **3.** *zo.* Spannerraupe *f*; **ge·o·met·ric**, **ge·o·met·ri·cal** [ˌdʒɪəʊˈmetrɪk(l)] *adj.* □ geoˈmetrisch; **ge·om·e·tri·cian** [ˌdʒɪəʊmeˈtrɪʃn] → ***geometer*** 1, 2; **geˈom·e·try** [-mətrɪ] *s.* **1.** Geomeˈtrie *f*; **2.** geoˈmetrische Abhandlung.

ge·o·phys·i·cal [ˌdʒiːəʊˈfɪzɪkl] *adj.* geophysiˈkalisch; ˌ**ge·oˈphys·ics** [-ks] *s. pl.*, *oft sg. konstr.* Geophyˈsik *f*.

ge·o·pol·i·tics [ˌdʒiːəʊˈpɒlɪtɪks] *s. pl.*, *oft sg. konstr.* Geopoliˈtik *f*.

George [dʒɔːdʒ] *s.*: ***St ~*** der heilige Georg (*Schutzpatron Englands*): ***St ~'s Cross*** Georgskreuz *n*; ***~ Cross*** *od.* ***Medal*** ⚔ *Brit.* Georgskreuz *n* (*Orden*); ***by ~!*** a) beim Zeus!, b) Mann!; ***let ~ do it!*** *Am. sl.* soll's machen, wer Lust hat!

geor·gette [dʒɔːˈdʒet] *Am.* ♎ *s.* Georˈgette *m* (*Seidenkrepp*).

Geor·gi·an [ˈdʒɔːdʒjən] **I** *adj.* **1.** georgiˈanisch: a) *aus der Zeit der Könige Georg I.–IV.* (*1714–1830*), b) *aus der Zeit der Könige Georg V. u. VI.* (*1910–52*); **2.** georˈginisch (*den Staat Georgia, USA, betreffend*); **3.** geˈorgisch (*die Sowjetrepublik Georgien betreffend*); **II** *s.* **4.** Geˈorgier(in).

ge·o·sci·ence [ˌdʒiːəʊˈsaɪəns] *s.* Geowissenschaft *f*.

ge·o·ther·mal [ˌdʒiːəʊˈθɜːml] *adj.* geothermisch; ***~ energy*** Erdwärme *f*.

ge·ra·ni·um [dʒɪˈreɪnjəm] *s.* ⚘ **1.** Storchschnabel *m*; **2.** Geˈranie *f*.

ger·fal·con [ˈdʒɜːˌfɔːlkən] *s. orn.* G(i)erfalke *m*.

ger·i·at·ric [ˌdʒerɪˈætrɪk] **I** *adj.* ⚕ geriˈatrisch; **II** *s. humor.* Greis *m*; **ger·i·a·tri·cian** [ˌdʒerɪəˈtrɪʃn] *s.* Geriˈater *m*, Facharzt *m* für Alterskrankheiten; ˌ**gerˈiˈat·rics** [-ks] *s. pl.*, *oft sg. konstr.* Geriaˈtrie *f*.

germ [dʒɜːm] **I** *s.* **1.** ⚘, *biol.* Keim *m* (*a. fig. Ansatz, Ursprung*); **2.** a) *biol.* Miˈkrobe *f*, b) ⚕ Keim *m*, Baˈzillus *m*, Bakˈterie *f*, Krankheitserreger *m*; **II** *v/i. u. v/t.* **3.** keimen (lassen).

ger·man[1] [ˈdʒɜːmən] *adj.* leiblich: ***brother ~*** leiblicher Bruder.

Ger·man[2] [ˈdʒɜːmən] **I** *adj.* **1.** deutsch; **II** *s.* **2.** Deutsche(r *m*) *f*; **3.** *ling.* Deutsch *n*, das Deutsche: ***in ~*** a) auf deutsch, b) im Deutschen; ***into ~*** ins Deutsche; ***from (the) ~*** aus dem Deutschen.

ˌ**Ger·man-Aˈmer·i·can** **I** *adj.* ˈdeutschameriˌkanisch; **II** *s.* ˈDeutschameriˌkaner(in).

ger·man·der [dʒɜːˈmændə] *s.* ⚘ **1.** Gaˈmander *m*; **2.** *a.* ***~ speedwell*** Gaˈmanderehrenpreis *m*.

ger·mane [dʒɜːˈmeɪn] *adj.* (***to***) gehörig (zu), zs.-hängend (mit), betreffend (*acc.*), passend (zu).

Ger·man·ic[1] [dʒɜːˈmænɪk] **I** *adj.* **1.** gerˈmanisch; **2.** deutsch; **II** *s.* **3.** *ling. das* Gerˈmanische.

ger·man·ic[2] [dʒɜːˈmænɪk] *adj.* ⚗ Germanium...: ***~ acid***.

Ger·man·ism [ˈdʒɜːmənɪzəm] *s.* **1.** *ling.* Germaˈnismus *m*, deutsche Spracheigenheit; **2.** (typisch) deutsche Art; **3.** et. typisch Deutsches; **4.** Deutschfreundlichkeit *f*; ˈ**Ger·man·ist** [-ɪst] *s.* Germaˈnist(in); **Ger·man·i·ty** [dʒɜːˈmænətɪ] → ***Germanism*** 2.

ger·ma·ni·um [dʒɜːˈmeɪnjəm] *s.* ⚗ Gerˈmanium *n*.

Ger·man·i·za·tion [ˌdʒɜːmənaɪˈzeɪʃn] *s.* Germanisierung *f*, Eindeutschung *f*; **Ger·man·ize** [ˈdʒɜːmənaɪz] **I** *v/t.* germanisieren, eindeutschen; **II** *v/i.* deutsch werden.

Ger·man mea·sles *s. pl. sg. konstr.* ⚕ Röteln *pl.*

Ger·man·o·phil [dʒɜːˈmænəfɪl], **Gerˈman·o·phile** [-faɪl] **I** *adj.* deutschfreundlich; **II** *s.* Deutschfreundliche(r *m*) *f*; **Gerˈman·o·phobe** [-fəʊb] *s.* Deutschenhasser(in); **Ger·man·o·pho·bi·a** [dʒɜːˌmænəˈfəʊbjə] *s.* Deutschfeindlichkeit *f*.

Ger·man| po·lice dog, **~ shep·herd (dog)** *s. Am.* Deutscher Schäferhund; **~ sil·ver** *s.* Neusilber *n*; **~ steel** *s.* ⚙ Schmelzstahl *m*; **~ text**, **~ type** *s. typ.* Frakˈtur(schrift) *f*.

germ| car·ri·er *s.* ⚕ Keim-, Baˈzillenträger *m*; **~ cell** *s. biol.* Keimzelle *f*.

ger·men [ˈdʒɜːmɪn] *s.* ⚘ Fruchtknoten *m*.

ger·mi·cid·al [ˌdʒɜːmɪˈsaɪdl] *adj.* keimtötend; **ger·mi·cide** [ˈdʒɜːmɪsaɪd] *adj. u. s.* keimtötend(es Mittel).

ger·mi·nal [ˈdʒɜːmɪnl] *adj.* □ **1.** *biol.* Keim(zellen)...; **2.** ⚕ Keim..., Bakterien...; **3.** *fig.* keimend, im Keim befindlich: **~ ideas**; **ˈger·mi·nant** [-nənt] *adj.* keimend (*a. fig.*); **ˈger·mi·nate** [-neɪt] ⚘ **I** *v/i.* keimen (*a. fig. sich entwickeln*); **II** *v/t.* zum Keimen bringen, keimen lassen (*a. fig.*); **ger·mi·na·tion** [ˌdʒɜːmɪˈneɪʃn] *s.* ⚘ Keimen *n* (*a. fig.*); **ˈger·mi·na·tive** [-nətɪv] *adj.* ⚘ **1.** Keim...; **2.** (keim)entwicklungsfähig.

ˈgerm|·proof *adj.* keimsicher, -frei; **~ war·fare** *s.* ⚔ Bakˈterienkrieg *m*, bioˈlogische Kriegführung.

ge·ron·toc·ra·cy [ˌdʒerɒnˈtɒkrəsɪ] *s.* Gerontokraˈtie *f*, Altenherrschaft *f*.

ger·on·tol·o·gist [ˌdʒerɒnˈtɒlədʒɪst] Gerontoˈloge *m*; **ˌger·onˈtol·o·gy** [-dʒɪ] → **geriatrics**.

ger·ry·man·der [ˈdʒerɪmændə] **I** *v/t.* **1.** *pol.* die Wahlbezirksgrenzen in *e-m Gebiet* manipulieren; **2.** *Fakten* manipulieren, verfälschen; **II** *s.* **3.** *pol.* manipulierte Wahlbezirksabgrenzung.

ger·und [ˈdʒerənd] *s. ling.* Geˈrundium *n*; **ge·run·di·al** [dʒɪˈrʌndjəl] *adj. ling.* Gerundial...; **ger·un·di·val** [ˌdʒerənˈdaɪvl] *adj. ling.* Gerundiv..., gerunˈdivisch; **ge·run·dive** [dʒɪˈrʌndɪv] *s. ling.* Gerunˈdiv *n*.

ges·ta·tion [dʒesˈteɪʃn] *s.* **1.** a) Schwangerschaft *f*, b) *zo.* Trächtigkeit *f*; **2.** *fig.* Reifen *n*.

ges·ta·to·ri·al chair [ˌdʒestəˈtɔːrɪəl] *s.* Tragsessel *m des Papstes*.

ges·tic·u·late [dʒeˈstɪkjʊleɪt] *v/i.* gestikulieren, (herˈum)fuchteln; **ges·tic·u·la·tion** [dʒeˌstɪkjʊˈleɪʃn] *s.* **1.** Gestikulatiˈon *f*, Gestik *f*, Gebärdenspiel *n*, Gesten *pl.*; **2.** lebhafte Geste; **ges·tic·u·la·to·ry** [-lətərɪ] *adj.* gestikulierend.

ges·ture [ˈdʒestʃə] **I** *s.* **1.** Gebärde *f*, Geste *f*: **~ of friendship** *fig.* freundschaftliche Geste; **2.** Gebärdenspiel *n*; **II** *v/i.* **3.** → **gesticulate**.

get [get] **I** *v/t.* [*irr.*] **1.** bekommen, erhalten, ‚kriegen‘: **~ it** F ‚sein Fett kriegen‘, etwas ‚erleben‘; **~ a (radio) station** e-n Sender (rein)bekommen *od.* (-)kriegen; **2.** a) **~ s.th. (for o.s.)**, **get o.s. s.th.** sich et. verschaffen *od.* besorgen, et. erwerben *od.* kaufen *od.* finden: **~ (o.s.) a car**, b) **~ s.o. s.th.**, **~ s.th. for s.o.** j-m et. besorgen *od.* verschaffen; **3.** *Ruhm etc.* erlangen, erringen, erwerben, *Sieg* erringen, erzielen, *Reichtum* erwerben, kommen zu, *Wissen, Erfahrung* erwerben, sich aneignen; **4.** *Kohle etc.* gewinnen, fördern; **5.** erwischen: a) (zu fassen) kriegen, packen, fangen, b) ertappen, c) treffen, d) *sl.* ‚kriegen‘, ‚erledigen‘ (*abschießen, töten*): (**I've got him!** (ich) hab' ihn!; **he'll ~ you yet!** er kriegt dich doch (noch)!; **he's got it bad(ly)** F *allg.* ‚ihn hat's bös erwischt‘; **you've got me there!** F da bin ich überfragt!, da muß ich passen!; **that ~s me!** F a) das kapier' ich nicht!, b) das geht mir auf die Nerven!, c) das geht mir unter die Haut *od.* an die Nieren!; **6.** a) holen: **~ help (a doctor**, *etc.*), b) bringen, holen: **~ me the book**, c) (ˈhin)bringen, *wohin* schaffen: **~ me to the hospital!**; **7.** (*a. telefonisch etc.*) erreichen; **8. have got** a) haben: **I've got enough money**, b) (*mit inf.*) müssen: **we have got to do it**; **it's got to be wrong** es muß falsch sein; **9.** machen, werden lassen: **~ o.s. dirty** sich schmutzig machen; **~ one's feet wet** nasse Füße bekommen; **~ s.o. nervous** j-n nervös machen; **10.** (*mit p.p.*) lassen: **~ one's hair cut** sich die Haare schneiden lassen; **~ the door shut** die Tür zubekommen; **~ things done** etwas zuwege bringen; **11.** (*mit inf. od. pres. p.*) dazu bringen *od.* bewegen: **~ s.o. to talk** j-n zum Sprechen bringen; **~ the machine to work**, **~ the machine working** die Maschine in Gang bringen; → **go** 21; **12.** a) machen, zubereiten: **~ dinner**, b) *Brit.* F essen, zu sich nehmen: **~ breakfast** frühstücken; **13.** F ‚kapieren‘, verstehen (*a. hören*): **I didn't ~ that!**; **I don't ~ him** ich versteh' nicht, was er will; **don't ~ me wrong!** versteh mich nicht falsch!; **got it?** kapiert?; **~ that!** *iron.* a) was sagst du dazu?, b) sieh (*od.* hör) dir das (bloß mal) an!; **II** *v/i.* **14.** kommen, gelangen: **~ home** nach Hause kommen, zu Hause ankommen; **~ into debt (into a rage)** in Schulden (in Wut) geraten; **~ somewhere** F weiterkommen, Erfolg haben; **now we are ~ting somewhere!** jetzt kommen wir der Sache schon näher!; **~ nowhere**, **not to ~ anywhere** nicht weiterkommen; **that will ~ us nowhere!** so kommen wir nicht weiter!; **15.** (*mit adj. od. p.p.*) werden: **~ old**; **~ better** a) besser werden, sich (ver)bessern, b) sich erholen; **~ caught** gefangen *od.* erwischt werden; **~ tired** müde werden, ermüden; **16.** (*mit inf.*) dahin kommen: **~ to like it** daran Gefallen finden, es allmählich mögen; **~ to know** kennenlernen; **how did you ~ to know that?** wie hast du das erfahren?; **~ to be friends** Freunde werden; **17.** (*mit pres. p.*) anfangen, beginnen: **they got quarrel(l)ing**; **~ talking** a) ins Gespräch kommen, b) zu reden anfangen; → **go** 21; **18.** *sl.* ‚abhauen‘: **~!** hau ab!;

Zssgn mit prp.:

get| a·round *v/i.* F **1.** *et.* umˈgehen; **2.** a) *j-n* ‚herˈumkriegen‘, b) *j-n* ‚reinlegen'; **~ at** *v/i.* **1.** (her'an)kommen an (*acc.*), erreichen: ***I can't ~ my books***; **2.** an *j-n* ‚rankommen', *j-m* beikommen; **3.** *et.* ‚kriegen', ‚auftreiben'; **4.** *et.* her'ausbekommen, *e-r Sache* auf den Grund kommen; **5.** sagen wollen: ***what is he getting at?*** worauf will er hinaus?; **6.** *j-n* ‚schmieren', bestechen; **~ be·hind** *v/i.* **1.** sich stellen hinter (*acc.*), *fig. a. j-n* unterstützen; **2.** zu'rückbleiben hinter (*dat.*); **~ off** *v/i.* **1.** a) absteigen von, b) aussteigen aus; **2.** freikommen von; **~ on** *v/i.* a) *Pferd, Wagen etc.* besteigen, b) einsteigen in (*acc.*): ***~ to one's feet*** sich erheben; ***~ to*** F hinter *et. od.* hinter *j-s* Schliche kommen; **~ out of** *v/i.* **1.** her'aussteigen, -kommen, -gelangen aus; **2.** e-e Gewohnheit ablegen: ***~ smoking*** sich das Rauchen abgewöhnen; **3.** *fig.* aus *e-r Sache* ‚aussteigen'; sich her'auswinden aus: ***~ from under*** F sich rauswinden; **4.** sich drücken vor (*dat.*); **5.** *Geld etc.* aus *j-m* ‚her'ausholen'; **6.** *et.* bei *e-r Sache* ‚kriegen'; **~ o·ver** *v/i.* **1.** (hin'über)kommen über (*acc.*); **2.** *fig.* hin'wegkommen über (*acc.*); **3.** *et.* über'stehen; **~ round** → ***get around***; **~ through** *v/i.* **1.** kommen durch (*e-e Prüfung, den Winter etc.*); **2.** *Geld* 'durchbringen; **3.** *et.* erledigen; **~ to** *v/i.* **1.** kommen nach, erreichen; **2.** a) sich machen an (*acc.*), b) (*zufällig*) dazu kommen: ***we got to talking about it*** wir kamen darauf zu sprechen;

Zssgn mit adv.:

get| a·bout *v/i.* **1.** her'umgehen; **2.** he'rumkommen; **3.** (wieder) auf den Beinen sein (*nach Krankheit*); **4.** sich her'umsprechen *od.* verbreiten (*Gerücht*); **~ a·cross I** *v/i.* **1.** *fig.* ‚ankommen': a) ‚einschlagen', Anklang finden: ***the play got across***, b) sich verständlich machen; **2.** (***to*** *j-m*) klarwerden; **II** *v/t.* **3.** *e-r Sache* Wirkung *od.* Erfolg verschaffen, *et.* an den Mann bringen: ***get an idea across***; **4.** *et.* klarmachen; **~ a·head** *v/i.* F vorankommen, Fortschritte machen: ***~ of s.o.*** j-n überholen *od.* überflügeln; **~ a·long** *v/i.* **1.** auskommen (***with*** mit *j-m*); **2.** zu'recht-, auskommen (***with*** mit *et.*); **3.** → ***get on*** 1; **4.** weitergehen: ***~!*** verschwinde!; ***~ with you!*** F a) verschwinde!, b) jetzt hör aber auf!; **5.** älter werden; **~ a·way** *v/i.* **1.** loskommen, sich losmachen: ***you can't ~ from that*** a) darüber kannst du dich nicht hinwegsetzen, b) das mußt du doch einsehen; ***you can't ~ from the fact that*** man kommt um die Tatsache nicht herum, daß; **2.** *bsd. sport* ‚wegkommen': a) starten, b) sich lösen; **3.** → ***get along*** 4; **4.** entkommen, entwischen: ***he won't ~ with that*** damit kommt er nicht durch; ***he gets away with everything*** (*od.* ***with murder***) er kann sich alles erlauben; **~ back I** *v/t.* **1.** zu'rückbekommen: ***get one's own back*** F sich rächen; ***get one's own back on s.o.*** → 3; **II** *v/i.* **2.** zu'rückkommen; **3.** ***~ at s.o.*** F sich an j-m rächen; **~ be·hind** *v/i.* zu'rückbleiben; in Rückstand kommen; **~ by** *v/i.* **1.** vor'bei-, 'durchkommen; **2.** aus-, zu'rechtkommen; ‚es schaffen'; **~ down I** *v/i.* **1.** her'unterkommen, -steigen; **2.** aus-, absteigen; **3. *~ to s.th.*** sich an et. (her'an-) machen; → ***business*** 5; **II** *v/t.* **4.** her'unterholen, -schaffen; **5.** aufschreiben; **6.** *Essen etc.* runterkriegen; **7.** *fig. j-n* ‚fertigmachen'; **~ in I** *v/t.* **1.** hin'einbringen, -schaffen, -bekommen; **2.** *Ernte* einbringen; **3.** einfügen; **4.** *Bemerkung, Schlag etc.* anbringen; **5.** *Arzt etc.* (hin)'zuziehen; **II** *v/i.* **6.** hin'ein- *od.* her'eingelangen, -kommen: **7.** einsteigen; **8.** *pol.* (ins Parla'ment *etc.*) gewählt werden; **9. *~ on*** F mitmachen bei; **10. *~ with s.o.*** sich mit j-m anfreunden; **~ off I** *v/t.* **1.** *Kleid etc.* ausziehen; **2.** losbekommen, -kriegen; **3.** *Brief etc.* ‚loslassen'; **II** *v/i.* **4.** abreisen; **5.** ✈ abheben; **6.** (***from***) absteigen (von), aussteigen (aus): ***tell s.o. where to ~*** F j-m ‚Bescheid stoßen'; **7.** da'vonkommen: ***~ cheaply*** a) billig wegkommen, b) mit e-m blauen Auge davonkommen; **8.** entkommen; **9.** (*von der Arbeit*) wegkommen; **~ on I** *v/i.* **1.** vor'ankommen (*a. fig.*): ***~ in life*** a) es zu et. bringen, b) *a.* **~** (***in years***) älter werden; ***be getting on for sixty*** auf die Sechzig zugehen; ***~ without*** ohne *et.* auskommen; ***let's ~ with it!*** machen wir weiter!; ***it was getting on*** es wurde spät; **2.** → ***get along*** 1, 2; **3. *~ to*** F a) *Brit.* sich in Verbindung setzen mit, *teleph. j-n* anrufen, b) *et.* ‚spitzkriegen', c) *j-m* auf die Schliche kommen; **II** *v/t.* **4.** *et.* vor'antreiben; **~ out I** *v/t.* **1.** her'ausbekommen, -kriegen (*a. fig.*); **2.** a) her'ausholen, b) hin'ausschaffen; **3.** *Worte* her'ausbringen; **II** *v/i.* **4.** a) aussteigen, b) her'auskommen, c) hin'ausgehen: ***~!*** raus!; ***~ from under*** *Am.* F mit heiler Haut davonkommen; **5.** *fig.* F ‚aussteigen'; **6.** → ***get out of*** (*Zssgn mit prp.*); **~ round** *v/i.* dazu kommen (***to doing s.th.*** et. zu tun); **~ through I** *v/t.* **1.** 'durchbringen, -bekommen (*a. fig.*); **2.** *et.* hinter sich bringen; **3.** (***to*** *j-m*) *et.* klarmachen; **II** *v/i.* **4.** *a. fig., a. ped., teleph.* 'durchkommen; **5.** (***with***) fertig werden mit, (*et.*) ‚schaffen'; **6.** (***to*** *j-m*) klarwerden; **~ to·geth·er I** *v/t.* **1.** zs.-bringen; **2.** zs.-tragen; **3. *get it together*** F ‚es bringen'; **II** *v/i.* **4.** zs.-kommen; **5.** sich einig werden; **~ up I** *v/t.* **1.** hin'aufbringen, -schaffen; **2.** ins Werk setzen; **3.** veranstalten, organisieren; **4.** (ein)richten, vorbereiten; **5.** konstruieren, zs.-basteln; **6.** (***o.s.*** sich) her'ausputzen; **7.** *Buch etc.* ausstatten; *Waren* (hübsch) aufmachen; **8.** *thea.* einstudieren; **9.** F ‚büffeln'; **II** *v/i.* **10.** aufstehen.

get|-at·a·ble [get'ætəbl] *adj.* **1.** erreichbar (*Ort od. Sache*); **2.** zugänglich (*Ort od. Person*); **'~·a·way** *s.* **1.** F Flucht *f*, Entkommen *n*: **~ car** Fluchtwagen *m*; **make one's ~** entkommen, entwischen, sich aus dem Staub machen; **2.** ✈, *sport* Start *m*; **3.** *mot.* Anzugsvermögen *n*; **'~-off** *s.* ✈ Abheben *n*.

get·ter ['getə] *s.* ⚒ Hauer *m*.

'get|-to,geth·er *s.* Zs.-kunft *f*, zwangloses Bei'sammensein; **,~-'tough** *adj. Am.* F hart, aggres'siv: **~ policy**; **'~-up** *s.* **1.** Aufbau *m*, Anordnung *f*; **2.** Aufmachung *f*: a) Ausstattung *f*, b) ‚Aufzug' *m*, Kleidung *f*; **3.** *thea.* Inszenierung *f*.

gew·gaw ['gju:gɔ:] *s.* **1.** → **gimcrack** I; **2.** *fig.* Lap'palie *f*, Kleinigkeit *f*.

gey·ser *s.* **1.** ['gaɪzə] Geysir *m*, heiße Quelle; **2.** ['gi:zə] *Brit.* ('Gas-),Durchlauferhitzer *m*.

ghast·li·ness ['gɑ:stlɪnɪs] *s.* **1.** Grausigkeit *f*; schreckliches Aussehen; **2.** Totenblässe *f*; **ghast·ly** ['gɑ:stlɪ] **I** *adj.* **1.** gräßlich, greulich, entsetzlich (*alle a. fig.* F); **2.** gespenstisch; **3.** totenbleich; **4.** verzerrt (*Lächeln*); **II** *adv.* **5.** gräßlich *etc.*: **~ pale** totenblaß.

gher·kin ['gɜ:kɪn] *s.* Essig-, Gewürzgurke *f*.

ghet·to ['getəʊ] *pl.* **-tos** *s. hist. u. sociol.* G(h)etto *n*; **'~·blas·ter** *s.* F Dröhne *f*; Heuler *m*.

ghost [gəʊst] **I** *s.* **1.** Geist *m*, Gespenst *n*: **lay a ~** e-n Geist beschwören; **lay the ~s of the past** *fig.* Vergangenheitsbewältigung betreiben; **the ~ walks** *thea. sl.* es gibt Geld; **2.** Geist *m*, Seele *f* (*nur noch in*): **give** (*od.* **yield**) **up the ~** den Geist aufgeben (*a. fig.* F); **3.** *fig.* Spur *f*, Schatten *m*: **not the ~ of a chance** F nicht die geringste Chance; **the ~ of a smile** der Anflug e-s Lächelns; **4.** → **ghost writer**; **5.** *opt. TV* Doppelbild *n*; **II** *v/t.* **6.** *j-n* verfolgen (*Erinnerungen etc.*); **7.** *Buch etc.* als Ghostwriter schreiben; **III** *v/i.* **8.** Ghostwriter sein (**for** für); **'~·like** → **ghostly**.

ghost·li·ness ['gəʊstlɪnɪs] *s.* Geisterhaftigkeit *f*; **ghost·ly** ['gəʊstlɪ] *adj.* geisterhaft, gespenstisch.

ghost| sto·ry *s.* Geister-, Gespenstergeschichte *f*; **~ town** *s. Am.* Geisterstadt *f*, verödete Stadt; **~ train** *s.* Geisterbahn *f*; **~ word** *s.* Ghostword *n* (*falsche Wortbildung*); **'~·write** → **ghost** 7, 8; **~ writ·er** *s.* Ghostwriter *m*.

ghoul [gu:l] *s.* **1.** Ghul *m* (*leichenfressender Dämon*); **2.** *fig.* Unhold *m* (*Person mit makabren Gelüsten*), *z.B.* Grabschänder *m*; **'ghoul·ish** [-lɪʃ] *adj.* □ **1.** ghulenhaft; **2.** greulich, ma'kaber.

G.I. [,dʒi:'aɪ] (*von* **Government Issue**) ⚔ *Am.* F **I** *s.* ‚G'I' *m* (*US-Soldat*); **II** *adj.* GI-…, Kommiß…; *weitS.* vorschriftsmäßig.

gi·ant ['dʒaɪənt] **I** *s.* Riese *m*, *fig. a.* Gi'gant *m*, Ko'loß *m*; **II** *adj.* riesenhaft, riesig; *a.* ⚘, *zo.* Riesen…: **~ slalom** Riesenslalom *m*; **~ stride** Riesenschritt *m*; **~('s) stride** Rundlauf *m* (*Turngerät*); **~ wheel** Riesenrad *n*; **'gi·ant·ess** [-tes] *s.* Riesin *f*.

gib [gɪb] *s.* ⚙ **1.** Keil *m*, Bolzen *m*; **2.** 'Führungsline,al *n* (*e-r Werkzeugmaschine*); **3.** Ausleger *m* (*e-s Krans*).

gib·ber ['dʒɪbə] *v/i.* schnattern, quatschen; **'gib·ber·ish** [-ərɪʃ] *s.* Geschnatter *n*; Geschwätz, ‚Geschwafel' *n*.

gib·bet ['dʒɪbɪt] **I** *s.* **1.** Galgen *m*; **2.** ⚙ Kran- *od.* Querbalken *m*; **II** *v/t.* **3.** *j-n* hängen; **4.** *fig.* anprangern, bloßstellen.

gib·bon ['gɪbən] *s. zo.* Gibbon *m*.

gib·bous ['gɪbəs] *adj.* **1.** gewölbt; **2.** buck(e)lig.

gibe [dʒaɪb] **I** *v/t.* verhöhnen, verspotten; **II** *v/i.* spotten (**at** über *acc.*); **III** *s.* höhnische Bemerkung, Stiche'lei *f*, Seitenhieb *m*.

gib·lets ['dʒɪblɪts] *s. pl.* Inne'reien *pl.*, *bsd.* Hühner-, Gänseklein *n*.

gid·di·ness ['gɪdɪnɪs] *s.* **1.** Schwindel (-gefühl *n*) *m*; **2.** *fig.* a) Leichtsinn *m*, Flatterhaftigkeit *f*, b) Wankelmütigkeit *f*; **gid·dy** ['gɪdɪ] *adj.* □ **1.** schwind(e)lig: **I am** (*od.* **feel**) **~** mir ist schwind(e)lig; **2.** *a. fig.* schwindelerregend, schwindelnd; **3.** *fig.* a) leichtsinnig, flatterhaft, b) ‚verrückt', ‚wild'.

gie [gi:] *Scot. für* **give**.

gift [gɪft] **I** *s.* **1.** Geschenk *n*, Gabe *f*: **make a ~ of** *et.* schenken; **I wouldn't have it as a ~** das nähme ich nicht (mal) geschenkt; **it's a ~!** das ist ja geschenkt (*billig*)!; **2.** ⚖ Schenkung *f*; **3.** ⚖ Verleihungsrecht *n*: **the office is in his ~** er kann dieses Amt verleihen; **4.** *fig.* Begabung *f*, Gabe *f*, Ta'lent *n* (**for**, **of** für): **~ for languages** Sprachbegabung; **of many ~s** vielseitig begabt; → **gab** I; **II** *v/t.* **5.** (be)schenken; **'gift·ed** [-tɪd] *adj.* begabt, talen'tiert.

gift| horse *s.*: **don't look a ~ in the mouth** e-m geschenkten Gaul schaut man nicht ins Maul; **~ shop** *s.* Ge'schenkar,tikelladen *m*; **~ tax** Schenkungssteuer *f*; **~ to·ken**, **~ vouch·er** *s.* Geschenkgutschein *m*; **'~-wrap** *v/t.* geschenkmäßig verpacken; **'~-,wrap·ping** *s.* Ge'schenkpa,pier *n*.

gig[1] [gɪg] *s.* **1.** ⚓ Gig(boot *n*) *f*; **2.** Gig *f* (*Ruderboot*); **3.** Gig *n* (*zweirädriger, offener Einspänner*); **4.** Fischspeer *m*;

5. ⚙ ('Tuch)ˌRauhmaˌschine *f.*

gig² [gɪg] *s.* ♪ F a) Engage'ment *n*, b) Auftritt *m.*

gi·gan·tic [dʒaɪ'gæntɪk] *adj.* (□ **~ally**) gi'gantisch: a) riesenhaft, Riesen…, b) riesig, ungeheuer (groß).

gig·gle ['gɪgl] **I** *v/i. u. v/t.* kichern; **II** *s.* Gekicher *n*, Kichern *n*; **'gig·gly** [-lɪ] *adj.* ständig kichernd.

gig·o·lo ['ʒɪgələʊ] *pl.* **-los** *s.* Gigolo *m.*

Gil·ber·ti·an [gɪl'bɜːtjən] *adj.* in der Art (*des Humors*) von W. S. Gilbert; *fig.* komisch, possenhaft.

gild¹ [gɪld] → ***guild***.

gild² [gɪld] *v/t.* [*irr.*] **1.** vergolden; **2.** *fig.* a) verschöne(r)n, (aus)schmücken, b) über'tünchen, verbrämen, c) versüßen: **~ *the pill*** die bittere Pille versüßen; **'gild·ed** [-dɪd] *adj.* vergoldet, golden (*a. fig.*): **~ *cage*** *fig.* goldener Käfig; **~ *youth*** Jeunesse dorée *f*; **'gild·er** [-də] *s.* Vergolder *m*; **'gild·ing** [-dɪŋ] *s.* **1.** Vergoldung *f*; **2.** *fig.* Verschönerung *f etc.* (→ ***gild²*** 2).

gill¹ [gɪl] *s.* **1.** *ichth.* Kieme *f*; **2.** *pl.* Doppelkinn *n*: ***rosy*** (***green***) ***about the ~s*** rosig, frischaussehend (grün im Gesicht); **3.** *orn.* Kehllappen *m*; **4.** ⚘ La'melle *f*: **~ *fungus*** Blätterpilz *m*; **5.** ⚙ (Heiz-, Kühl)Rippe *f.*

gill² [gɪl] *s. Scot.* **1.** waldige Schlucht; **2.** Gebirgsbach *m.*

gill³ [dʒɪl] *s.* Viertelpinte *f* (*Brit. 0,14, Am. 0,12 Liter*).

Gill⁴ [dʒɪl] *s. obs.* Liebste *f.*

gil·ly·flow·er ['dʒɪlɪˌflaʊə] *s.* ⚘ **1.** Gartennelke *f*; **2.** Lev'koje *f*; **3.** Goldlack *m.*

gilt [gɪlt] **I** *pret. u. p.p. von* ***gild²***; **II** *adj.* **1.** → ***gilded***; **III** *s.* **2.** Vergoldung *f*; **3.** *fig.* Reiz *m*: ***take the ~ off the gingerbread*** der Sache den Reiz nehmen; **ˌ~-'edged** *adj.* **1.** mit Goldschnitt; **2. ~ *securities*** ✝ mündelsichere (Wert)Papiere *pl.*

gim·bals ['dʒɪmbəlz] *s. pl.* ⚙ Kar'danringe *pl.*, -aufhängung *f.*

gim·crack ['dʒɪmkræk] **I** *s.* **1.** wertloser *od.* kitschiger Gegenstand *od.* Schmuck, (*a.* technische) Spiele'rei, ‚Mätzchen' *n*; **2.** *pl.* → ***gimcrackery***; **II** *adj.* **3.** wertlos, kitschig; **'gimˌcrack·er·y** [-kərɪ] *s.* Plunder *m*, ‚Kinkerlitzchen' *pl.*

gim·let ['gɪmlɪt] *s.* **1.** ⚙ Handbohrer *m*: **~ *eyes*** *fig.* stechende Augen; **2.** *Am. ein Cocktail.*

gim·mick ['gɪmɪk] *s.* F **1.** → ***gadget***; **2.** *fig.* ‚Dreh' *m*, (Re'klame- *etc.*)Masche *f*; ‚Aufhänger' *m*, ‚Knüller' *m*, *a.* Gimmick *m, n*; **'gim·mick·ry** [-krɪ] *s.* F (technische) Mätzchen *pl.*

gimp [gɪmp] *s. Schneiderei*: Gimpe *f.*

gin¹ [dʒɪn] *s.* Gin *m*, Wa'cholderschnaps *m*: **~ *and it*** Gin u. Wermut *m*; **~ *and tonic*** Gin Tonic *m.*

gin² [dʒɪn] **I** *s.* **1.** *a.* ***cotton ~*** Ent'körnungsmaˌschine *f*; **2.** ⚙ Hebezeug *n*, Winde *f*; ⚓ Spill *n*; **3.** ⚙ Göpel *m*, 'Fördermaˌschine *f*; **4.** *hunt.* Falle *f*, Schlinge *f*; **II** *v/t.* **5.** *Baumwolle* entkörnen; **6.** mit e-r Schlinge fangen.

gin·ger ['dʒɪndʒə] **I** *s.* **1.** ⚘ Ingwer *m*; **2.** Rötlich(gelb) *n*, Ingwerfarbe *f*; **3.** F a) ‚Mumm' *m*, Schneid *m* (*e-r Person*), b) Schwung *m*, ‚Schmiß' *m* (*a. e-r Sache*), c) ‚Pfeffer' *m*, ‚Pfiff' *m* (*e-r Geschichte etc.*); **II** *adj.* **4.** rötlich(gelb); **5.** F schwungvoll, ‚schmissig'; **III** *v/t.* **6.** mit Ingwer würzen; **7.** *a.* **~ *up*** *fig.* a) *et.* ‚ankurbeln', b) *j-n* aufmöbeln, c) *j-n* ‚scharfmachen', d) *e-m Film etc.* ‚Pfiff' geben; **~ ale**, **~ beer** *s.* Ginger-ale *n*, 'Ingwerlimoˌnade *f*; **'~·bread I** *s.* **1.** Ingwer-, Pfefferkuchen *m*; → ***gilt*** 3; **2.** *fig. contp.* über'ladene Verzierung, Kitsch *m*; **II** *adj.* **3.** kitschig, über'laden; **~ group** *s. pol. Brit.* Gruppe *f* von Scharfmachern.

gin·ger·ly ['dʒɪndʒəlɪ] *adv. u. adj.* sachte, behutsam; zimperlich.

'gin·ger|·nut *s.* Ingwerkeks *m*; **~ pop** *s.* F *für* ***ginger ale***; **'~·snap** *s.* Ingwerwaffel *f*; **~ wine** *s.* Ingwerwein *m.*

gin·ger·y ['dʒɪndʒərɪ] *adj.* **1.** Ingwer…; **2.** → ***ginger*** 4; **3.** *fig.* a) → ***ginger*** 5, b) beißend.

ging·ham ['gɪŋəm] *s.* Gingham *m*, Gingan *m* (*Baumwollstoff*).

gin·gi·vi·tis [ˌdʒɪndʒɪ'vaɪtɪs] *s.* ⚕ Zahnfleischentzündung *f.*

gink·go ['gɪŋkəʊ] *pl.* **-gos** *od.* **-goes** *s.* ⚘ Gingko *m* (*Baum*).

gin mill *s. Am.* F Kneipe *f.*

gin·ner·y ['dʒɪnərɪ] *s.* Entkörnungswerk *n* (*für Baumwolle*).

gin| pal·ace *s.* auffällig dekoriertes Wirtshaus; **~ rum·my** *s. Form des Rommés*; **~ sling** *s. Am.* Mischgetränk *n* mit Gin.

gip·sy ['dʒɪpsɪ] **I** *s.* **1.** Zi'geuner(in) (*a. fig.*); **2.** Zi'geunersprache *f*; **II** *adj.* **3.** zi'geunerhaft, Zigeuner…; **III** *v/i.* **4.** ein Zi'geunerleben führen; **'gip·sy·dom** [-dəm] *s.* **1.** Zi'geunertum *n*; **2.** *coll.* Zi'geuner *pl.*

gi·raffe [dʒɪ'rɑːf] *s. zo.* Gi'raffe *f.*

gird [gɜːd] *v/t.* [*irr.*] **1.** *obs. j-n* (um)'gürten; **2.** *Kleid etc.* gürten, mit e-m Gürtel halten; **3.** *oft* **~ *on*** *Schwert etc.* 'umgürten, an-, 'umlegen: **~ *s.th. on s.o.*** j-m et. umgürten; **4.** *j-m, sich* ein Schwert 'umgürten: **~ *o.s.*** (***up***), **~** (***up***) ***one's loins*** *fig.* sich rüsten *od.* wappnen; **5.** binden (***to*** an *acc.*); **6.** um'geben, -'schließen: ***sea-girt*** meerumschlungen; **7.** *fig.* ausstatten, -rüsten.

gird·er ['gɜːdə] *s.* ⚙ (Längs)Träger *m*: **~ *bridge*** Balken-, Trägerbrücke *f.*

gir·dle ['gɜːdl] **I** *s.* **1.** Gürtel *m*, Gurt *m*;

2. Hüfthalter *m*, -gürtel *m*; **3.** *anat. in Zssgn* (Knochen)Gürtel *m*; **4.** *fig.* Gürtel *m* (*Umkreis*, *Umgebung*); **II** *v/t.* **5.** um'gürten; **6.** um'geben, einschließen; **7.** *Baum* ringeln.

girl [gɜːl] *s.* **1.** Mädchen *n*: ***a German ~*** e-e junge Deutsche; ***~'s name*** weiblicher Vorname; ***my eldest ~*** m-e älteste Tochter; ***the ~s*** F a) die Töchter *pl.* des Hauses, b) die Damen *pl.*; **2.** (Dienst-)Mädchen *n*; **3.** F ‚Mädchen' *n* (*e-s jungen Mannes*); **~ Fri·day** *s.* (unentbehrliche) Gehilfin, ‚rechte Hand' (*des Chefs*, *bsd. Sekretärin*); **'~·friend** *s.* Freundin *f*; **~ guide** *s. Brit.* Pfadfinderin *f*.

girl·hood ['gɜːlhʊd] *s.* Mädchenzeit *f*, -jahre *pl.*, Jugend(zeit) *f*; **'girl·ie** [-lɪ] *s.* F Mädchen *n*: ***~ mag(azine)*** ‚Titten u. Po'-Magazin *n*; **'girl·ish** [-lɪʃ] *adj.* □ mädchenhaft; **'girl·ish·ness** [-lɪʃnɪs] *s.* *das* Mädchenhafte; **girl scout** *s. Am.* Pfadfinderin *f*.

gi·ro ['dʒaɪrəʊ] *s.* (*der*) Postscheckdienst (*in England*): ***~ account*** Postscheckkonto *n*.

girt¹ [gɜːt] *pret. u. p.p. von* ***gird***.

girt² [gɜːt] **I** *s.* 'Umfang *m*; **II** *v/t.* den 'Umfang messen von; **III** *v/i.* messen (*an Umfang*).

girth [gɜːθ] **I** *s.* **1.** 'Umfang *m*; **2.** 'Körperˌumfang *m*; **3.** (Sattel-, Pack)Gurt *m*; **4.** ⚙ Tragriemen *m*, Gurt *m*; **II** *v/t.* **5.** *Pferd* gürten; **6.** an-, aufschnallen; **7.** a) → ***gird*** 6, b) → ***girt²*** II.

gis·mo → ***gizmo***.

gist [dʒɪst] *s.* **1.** *das* Wesentliche, Hauptpunkt *m*, -inhalt *m*, Kern *m der Sache*; **2.** ⚖ Grundlage *f*: ***~ of action*** Klagegrund *m*.

give [gɪv] **I** *s.* **1.** *fig.* a) Nachgiebigkeit *f*, b) Elastizi'tät *f*; → ***give and take***; **2.** Elastizi'tät *f* (*des Fußbodens etc.*); **II** *v/t.* [*irr.*] **3.** geben, (über)'reichen; schenken: ***he gave me a book***; ***~ a present*** ein Geschenk machen; ***~ s.o. a blow*** j-m e-n Schlag versetzen; ***~ it to him!*** F gib's ihm!, gib ihm Saures (*Strafe*, *Schelte*)!; ***~ me Mozart any time*** a) Mozart geht mir über alles, b) da lobe ich mir (doch) Mozart; ***~ as good as one gets*** (*od.* ***takes***) mit gleicher Münze zurückzahlen; ***~ or take*** plus/minus; **4.** geben, zahlen: ***how much did you ~ for that hat?***; **5.** (ab-, weiter)geben, über'tragen; (zu)erteilen, an-, zuweisen; verleihen: ***she gave me her bag to carry*** sie gab mir ihre Tasche zu tragen; ***~ s.o. a part in a play*** j-m e-e Rolle in e-m Stück geben; ***~ s.o. a title*** j-m e-n Titel verleihen; **6.** hingeben, widmen, schenken: ***~ one's attention to*** s-e Aufmerksamkeit widmen (*dat.*); ***~ one's mind to s.th.*** sich e-r Sache widmen; ***~ one's life*** sein Leben hingeben *od.* opfern (***for*** für); **7.** geben, (dar)bieten, reichen: ***he gave me his hand***; ***do ~ us a song*** singen Sie uns doch bitte ein Lied; **8.** gewähren, liefern, geben: ***cows ~ milk*** Kühe geben *od.* liefern Milch; ***~ no result*** kein Ergebnis zeitigen; ***it was not ~n him to*** *inf.* es war ihm nicht gegeben *od.* vergönnt, zu *inf.*; **9.** verursachen: ***~ pleasure*** Vergnügen bereiten *od.* machen; ***~ pain*** Schmerzen bereiten, weh tun; **10.** zugeben, -gestehen, erlauben: ***just ~ me 24 hours*** gib mir nur 24 Stunden (Zeit); ***I ~ you till tomorrow!*** ich gebe dir noch bis morgen Zeit!; ***I ~ you that point*** in diesem Punkt gebe ich dir recht; **11.** ausführen, äußern, vortragen: ***~ a cry*** e-n Schrei ausstoßen, aufschreien; ***~ a loud laugh*** laut auflachen; ***~ s.o. a look*** j-m e-n Blick zuwerfen, j-n anblicken; ***~ a party*** e-e Party geben; ***~ a play*** ein Stück geben *od.* aufführen; ***~ a lecture*** e-n Vortrag halten; ***~ one's name*** s-n Namen nennen *od.* angeben; **12.** beschreiben, mitteilen, geben: ***~ us the facts***; (***come on,***) ***~!*** *Am.* F sag schon!, raus mit der Sprache!; **III** *v/i.* [*irr.*] **13.** geben, schenken, spenden (***to*** *dat.*): ***~ generously***; ***~ and take*** *fig.* geben u. nehmen, einander entgegenkommen; **14.** nachgeben (*a.* ♰ *Preise*), -lassen, weichen, versagen: ***~ under pressure*** unter Druck nachgeben; ***his knees gave under him*** s-e Knie versagten; ***what ~s?*** *sl.* was ist los?; ***s.th.'s got to ~*** *sl.* es muß (doch) was passieren; **15.** a) nachgeben, (*Fußboden etc.*) *a.* federn, b) sich dehnen (*Schuhe etc.*): ***~ but not to break*** sich biegen, aber nicht brechen; ***the chair ~s comfortably*** der Stuhl federt angenehm; ***the foundations are giving*** das Fundament senkt sich; **16.** a) führen (***into*** in *acc.*; ***on*** auf *acc.*, nach) (*Straße etc.*), b) gehen (***on*** [***-to***] nach) (*Fenster etc.*);

Zssgn mit adv.:

give| a·way *v/t.* **1.** weg-, hergeben, verschenken (*a. fig. u. sport den Sieg etc.*); → ***bride***; **2.** *Preise* verteilen; **3.** aufgeben, opfern, preisgeben; **4.** verraten: ***his accent gives him away***; ***give o.s. away*** sich verraten *od.* verplappern; → ***show*** 14; **~ back** *v/t.* **1.** zu'rückgeben; **2.** *Blick* erwidern; **~ forth** *v/t.* **1.** → ***give off***; **2.** *Ansicht etc.* äußern; **3.** veröffentlichen, bekanntgeben; **~ in I** *v/t.* **1.** *Gesuch etc.* einreichen, abgeben; **II** *v/i.* **2.** (***to*** *dat.*) a) nachgeben (*dat.*), b) sich anschließen (*dat.*); **3.** aufgeben, sich geschlagen geben; **~ off** *v/t.* *Dampf etc.* abgeben, *Gas*, *Wärme etc.* aus-, verströmen, *Rauch etc.* ausstoßen, *Geruch* verbreiten, ausströmen; **~ out I** *v/t.* **1.** ausge-

G

ben, aus-, verteilen; **2.** bekanntgeben: ***give it out that*** a) verkünden, daß, b) behaupten, daß; **3.** → ***give off***; **II** *v/i.* **4.** zu Ende gehen (*Kräfte*, *Vorrat*): ***his strength gave out*** die Kräfte verließen ihn; **5.** versagen (*Kräfte*, *Maschine etc.*); ~ **o·ver I** *v/t.* **1.** über'geben (***to*** *dat.*); **2.** *et.* aufgeben: ~ ***doing s.th.*** aufhören, et. zu tun; **3.** ***give o.s. over to*** sich *der Verzweiflung etc.* hingeben, verfallen (*dat.*): ***give o.s. over to drink***; **II** *v/i.* **4.** aufhören; ~ **up I** *v/t.* **1.** aufgeben, aufhören mit, *et.* sein lassen: ~ ***smoking*** das Rauchen aufgeben; **2.** (*als aussichtslos*) aufgeben: ~ ***a plan***; ***he was given up by the doctors***; **3.** *j-n* ausliefern: ***give o.s. up*** sich (freiwillig) stellen (***to the police*** der Polizei); **4.** *et.* abgeben, abtreten (***to*** an *acc.*); **5.** ***give o.s. up to*** a) → ***give over*** 3, b) sich *e-r Sache* widmen; **II** *v/i.* **6.** (es) aufgeben, sich geschlagen geben, *weitS. a.* resignieren.

give| and take *s.* **1.** (*ein*) Geben u. Nehmen, beiderseitiges Nachgeben, Kompro'miß(bereitschaft *f*) *m*; **2.** Meinungsaustausch *m*; **ˌ~-and-'take** [-vənt-] *adj.* Kompromiß..., Ausgleichs...; **'~·a·way I** *s.* **1.** (ungewolltes) Verraten, Verplappern *n*; **2.** ✝ a) Werbegeschenk *n*, b) kostenlos verteilte Zeitung; **3.** *a.* ~ ***show*** *TV* Quiz(sendung *f*) *n*, Preisraten *n*; **II** *adj.* **4.** ~ ***price*** Schleuderpreis *m*.

giv·en ['gɪvn] **I** *p.p. von* ***give***; **II** *adj.* **1.** gegeben, bestimmt: ***at a ~ time*** zur festgesetzten Zeit; ***under the ~ conditions*** unter den gegebenen Umständen; **2.** ~ ***to*** a) ergeben, verfallen (*dat.*): ~ ***to drinking***, b) neigend zu: ~ ***to boasting***; **3.** ⩚, *phls.* gegeben, bekannt; **4.** vor'ausgesetzt: ~ ***health*** Gesundheit vorausgesetzt; **5.** in Anbetracht (*gen.*): ~ ***his temperament***; **6.** *auf Dokumenten*: gegeben, ausgefertigt (am): ~ ***this 10th day of May***; ~ **name** *s. Am.* Vorname *m*.

giv·er ['gɪvə] *s.* **1.** Geber(in), Spender (-in); **2.** ✝ (*Wechsel*)Aussteller *m*.

giz·mo ['gɪzməʊ] *s. Am.* F ‚Dingsbums' *n*.

giz·zard ['gɪzəd] *s.* **1.** *ichth.*, *orn.* Muskelmagen *m*; **2.** F Magen *m*: ***that sticks in my ~***.

gla·brous ['gleɪbrəs] *adj.* ⚘, *zo.* kahl.

gla·cé ['glæseɪ] (*Fr.*) *adj.* **1.** glasiert, mit Zuckerguß; **2.** kandiert; **3.** Glacé..., Glanz... (*Leder*, *Stoff*).

gla·cial ['gleɪsjəl] *adj.* **1.** *geol.* Eis..., Gletscher...: ~ ***epoch*** *od.* ***period*** Eiszeit *f*; ~ ***man*** Eiszeitmensch *m*; **2.** ⚗ Eis...: ~ ***acetic acid*** Eisessig *m*; **3.** eisig (*a. fig.*); **gla·ci·a·tion** [ˌglæsɪ'eɪʃn] *s.* **1.** Vereisung *f*; **2.** Vergletscherung *f*.

gla·cier ['glæsjə] *s.* Gletscher *m*.

glac·i·ol·o·gy [ˌglæsɪ'ɒlədʒɪ] *s.* Glaziolo'gie *f*, Gletscherkunde *f*.

gla·cis ['glæsɪs; *pl.* -sɪz] *s.* **1.** Abdachung *f*; **2.** ⚔ Gla'cis *n*.

glad [glæd] *adj.* □ → ***gladly***; **1.** (*pred.*) froh, erfreut (***of***, ***at*** über *acc.*): ***I am ~ of it*** ich freue mich darüber, es freut mich; ***I am ~ to hear*** (***to say***) es freut mich zu hören (sagen zu können); ***I am ~ to come*** ich komme gern; ***I should be ~ to know*** ich möchte gern wissen; **2.** freudig, froh, fröhlich, erfreulich: ***give s.o. the ~ eye*** *sl.* j-m e-n einladenden Blick zuwerfen, j-m schöne Augen machen; ***give s.o. the ~ hand*** → ***gladhand***; ~ ***rags*** F ‚Sonntagsstaat' *m*; ~ ***news*** frohe Kunde; **'glad·den** [-dn] *v/t.* erfreuen.

glade [gleɪd] *s.* Lichtung *f*, Schneise *f*.

'glad-hand *v/t.* F *j-n* herzlich *od.* 'überschwenglich begrüßen.

glad·i·a·tor ['glædɪeɪtə] *s.* Gladi'ator *m*; *fig.* Streiter *m*, Kämpfer *m*; **glad·i·a·to·ri·al** [ˌglædɪə'tɔːrɪəl] *adj.* Gladiatoren...

glad·i·o·lus [ˌglædɪ'əʊləs] *pl.* **-li** [-laɪ] *od.* **-lus·es** *s.* ⚘ Gladi'ole *f*.

glad·ly ['glædlɪ] *adv.* mit Freuden, gern(e); **glad·ness** ['glædnɪs] *s.* Freude *f*, Fröhlichkeit *f*; **glad·some** ['glædsəm] *adj.* □ *obs.* **1.** erfreulich; **2.** freudig, fröhlich.

Glad·stone (**bag**) ['glædstən] *s.* zweiteilige leichte Reisetasche.

glair [gleə] **I** *s.* **1.** Eiweiß *n*; **2.** Eiweißleim *m*; **3.** eiweißartige Sub'stanz; **II** *v/t.* **4.** mit Eiweiß(leim) bestreichen.

glaive [gleɪv] *s. poet.* (Breit)Schwert *n*.

glam·or *Am.* → ***glamour***.

glam·or·ize ['glæməraɪz] *v/t.* **1.** (mit viel Re'klame *etc.*) verherrlichen; **2.** e-n besonderen Zauber verleihen (*dat.*); **'glam·or·ous** [-rəs] *adj.* bezaubernd (schön), zauberhaft; **glam·our** ['glæmə] **I** *s.* **1.** Zauber *m*, Glanz *m*, bezaubernde Schönheit: ~ ***boy*** a) Schönling *m*, b) ‚toller Kerl'; ~ ***girl*** Glamourgirl *n*, (Re'klame-, Film)Schönheit *f*; ***cast a ~ over*** bezaubern, *j-n* in s-n Bann schlagen; **2.** falscher Glanz; **II** *v/t.* **3.** bezaubern.

glance[1] [glɑːns] **I** *v/i.* **1.** e-n Blick werfen, (rasch *od.* flüchtig) blicken (***at*** auf *acc.*): ~ ***over*** (*od.* ***through***) ***a letter*** e-n Brief überfliegen; **2.** (auf)blitzen, (auf-) leuchten; **3.** ~ ***off*** abgleiten (von) (*Messer etc.*), abprallen (von) (*Kugel etc.*): ***hit*** (*od.* ***strike***) ***s.o. a glancing blow*** j-n (mit einem Schlag) streifen; **4.** (***at***) *Thema* flüchtig berühren *od.* streifen, *bsd.* anspielen (auf *acc.*); **II** *v/t.* **5.** ~ ***one's eye over*** (*od.* ***through***) → 1; **III** *s.* **6.** flüchtiger Blick (***at*** auf *acc.*): ***at a ~*** mit 'einem Blick; ***at first ~*** auf den ersten Blick; ***take a ~ at*** → 1; **7.** (Auf-)

Blitzen *n*, (Auf)Leuchten *n*; **8.** Abprallen *n*, Abgleiten *n*; **9.** (***at***) flüchtige Erwähnung (*gen.*), Anspielung *f* (auf *acc.*).

glance² [glɑːns] *s. min.* Blende *f*, Glanz *m*: ***lead ~*** Bleiglanz.

gland¹ [glænd] *s. biol.* Drüse *f*.

gland² [glænd] *s.* ⚙ **1.** Dichtungsstutzen *m*; **2.** Stopfbuchse *f*.

glan·dered [ˈglændəd] *adj. vet.* rotzkrank; **ˈglan·der·ous** [-dərəs] *adj.* **1.** Rotz...; **2.** rotzkrank; **glan·ders** [ˈglændəz] *s. pl. sg. konstr.* Rotz(krankheit *f*) *m* (*der Pferde*).

glan·du·lar [ˈglændjʊlə] *adj. biol.* drüsig, Drüsen...: ***~ fever*** (Pfeiffersches) Drüsenfieber; **ˈglan·du·lous** [-əs] → ***glandular***.

glans [glænz] *pl.* **ˈglan·des** [-diːz] *s. anat.* Eichel *f*.

glare¹ [gleə] **I** *v/i.* **1.** grell leuchten *od.* sein, *Farben*: *a.* schreiend sein; → ***glaring***; **2.** wütend starren: ***~ at s.o.*** j-n wütend anstarren; **II** *s.* **3.** blendendes Licht, greller Schein, grelles Leuchten: ***be in the full ~ of publicity*** im Scheinwerferlicht der Öffentlichkeit stehen; **4.** *fig. das* Grelle *od.* Schreiende; **5.** wütender Blick.

glare² [gleə] *Am.* **I** *s.* spiegelglatte Fläche: ***a ~ of ice***; **II** *adj.* spiegelglatt: ***~ ice*** Glatteis *n*.

glar·ing [ˈgleərɪŋ] *adj.* □ **1.** grell (*Sonne etc.*), *Farben*: *a.* schreiend; **2.** *fig.* kraß, eklaˈtant (*Fehler etc.*), (himmel)schreiend (*Unrecht etc.*); **3.** wütend, funkelnd (*Blick*).

glass [glɑːs] **I** *s.* **1.** Glas *n*: ***broken ~*** Glasscherben *pl.*; **2.** → ***glassware***; **3.** a) (Trink)Glas *n*, b) Glas(gefäß) *n*; **4.** Glas(voll) *n*: ***a ~ too much*** ein Gläschen zuviel; **5.** Glas(scheibe *f*) *n*; **6.** Spiegel *m*; **7.** *opt.* a) Lupe *f*, Vergrößerungsglas *n*, b) *pl. a.* ***pair of ~es*** Brille *f*, c) Linse *f*, Augenglas *n*, d) (Fern- *od.* Opern)Glas *n*, e) Mikroˈskop *n*; **8.** Uhrglas *n*; **9.** a) Thermoˈmeter *n*, b) Baroˈmeter *n*; **10.** Sanduhr *f*; **II** *v/t.* **11.** verglasen: ***~ in*** einglasen; **~ bead** Glasperle *f*; **~ block** *s.* ⚠ Glasziegel *m*; **~ blow·er** *s.* Glasbläser *m*; **~ blow·ing** *s.* Glasbläseˈrei *f*; **~ brick** → ***glass block***; **~ case** *s.* Glasschrank *m*, Viˈtrine *f*; **~ cloth** *s.* **1.** ⚙ Glas(faser)gewebe *n*; **2.** Gläsertuch *n*; **~ cul·ture** *s.* ˈTreibhauskulˌtur *f*; **~ cut·ter** *s.* **1.** Glasschleifer *m*; **2.** ⚙ Glasschneider *m* (*Werkzeug*); **~ eye** *s.* Glasauge *n*; **~ fi·bre** *s.* Glasfaser *f*, -fiber *f*.

glass·ful [ˈglɑːsfʊl] *pl.* **-fuls** *s. ein* Glasvoll *n*.

ˈglass|·house *s.* **1.** → ***glasswork*** 2; **2.** Treibhaus *n*: ***people who live in ~s should not throw stones*** wer im Glashaus sitzt, soll nicht mit Steinen werfen; **3.** ⚔ *Brit. sl.* ‚Bau' *m* (*Gefängnis*); **~ jaw** *s. Boxen*: F ‚Glaskinn' *n*; **~ pa·per** *s.* ˈGlaspaˌpier *n*; **ˈ~·ware** *s.* Glas(waren *pl.*) *n*, Glasgeschirr *n*, -sachen *pl.*; **~ wool** *s.* ⚙ Glaswolle *f*; **ˈ~·work** *s.* ⚙ **1.** Glas(waren)herstellung *f*; **2.** *pl. mst sg. konstr.* ˈGlashütte *f*, -faˌbrik *f*.

glass·y [ˈglɑːsɪ] *adj.* □ **1.** gläsern, glasartig, glasig; **2.** glasig (*Auge*).

Glas·we·gian [glæsˈwiːdʒjən] **I** *adj.* aus Glasgow; **II** *s.* Glasgower(in).

Glau·ber('s) salt [ˈglɔːbə(z)] *s.* Glaubersalz *n*.

glau·co·ma [glɔːˈkəʊmə] *s.* ⚕ Glauˈkom *n*, grüner Star; **glau·cous** [ˈglɔːkəs] *adj.* graugrün.

glaze [gleɪz] **I** *v/t.* **1.** verglasen, mit Glasscheiben versehen: ***~ in*** einglasen; **2.** polieren, glätten; **3.** ⚙, *a. Küche*: glasieren, mit Glaˈsur überˈziehen; **4.** *paint.* lasieren; **5.** ⚙ *Papier* satinieren; **6.** *Augen* glasig machen; **II** *v/i.* **7.** e-e Glaˈsur *od.* Poliˈtur annehmen, blank werden; **8.** glasig werden (*Augen*); **III** *s.* **9.** Poliˈtur *f*, Glätte *f*, Glanz *m*; **10.** a) Glaˈsur *f* (*a. auf Kuchen etc.*), b) Glaˈsurmasse *f*; **11.** Laˈsur *f*; **12.** ⚙ Satinierung *f*; **13.** Glasigkeit *f*; **14.** a) Eisschicht *f*, b) ✈ Vereisung *f*, c) *Am.* Glatteis *n*; **glazed** [-zd] *adj.* **1.** verglast, Glas...: ***~ veranda***; **2.** ⚙ glatt, blank, poliert, Glanz...: ***~ paper*** Glanzpapier *n*; ***~ tile*** Kachel *f*; **3.** glasiert; **4.** lasiert; **5.** satiniert; **6.** poliert; **7.** glasig (*Augen*); **8.** vereist: ***~ frost*** *Brit.* Glatteis *n*; **ˈglaz·er** [-zə] *s.* ⚙ **1.** Glasierer *m*; **2.** Polierer *m*; **3.** Satinierer *m*; **4.** Polier-, Schmirgelscheibe *f*; **ˈgla·zier** [-zjə] *s.* Glaser *m*; **ˈglaz·ing** [-zɪŋ] *s.* **1.** a) Verglasen *n*, b) Glaserarbeit *f*; **2.** Fenster(scheiben) *pl.*; **3.** ⚙ *u. Küche*: a) Glaˈsur *f*, b) Glasieren *n*; **4.** a) Poliˈtur *f*, b) Polieren *n*; **5.** Satinieren *n*; **6.** *paint.* a) Laˈsur *f*, b) Lasieren *n*; **ˈglaz·y** [-zɪ] *adj.* **1.** glasig, glasiert; **2.** glanzlos, glasig (*Auge*).

gleam [gliːm] **I** *s.* schwacher Schein, Schimmer *m* (*a. fig.*): ***~ of hope*** Hoffnungsschimmer; ***the ~ in his eye*** das Funkeln s-r Augen; **II** *v/i.* glänzen, leuchten, schimmern, *Augen a.* funkeln.

glean [gliːn] **I** *v/t.* **1.** *Ähren* (auf-, nach-)lesen, *Feld* sauber lesen; **2.** *fig.* sammeln, zs.-tragen, *a.* herˈausfinden: ***~ from*** schließen *od.* entnehmen aus; **II** *v/i.* **3.** Ähren lesen; **ˈglean·er** [-nə] *s.* Ährenleser *m*; *fig.* Sammler *m*; **ˈglean·ings** [-nɪŋz] *s. pl.* **1.** ⚘ Nachlese *f*; **2.** *fig. das* Gesammelte.

glebe [gliːb] *s.* **1.** ⚖, *eccl.* Pfarrland *n*; **2.** *poet.* (Erd)Scholle *f*, Feld *n*.

glede [gliːd] *s. orn.* Gabelweihe *f*.

glee [gliː] *s.* **1.** Fröhlichkeit *f*, Ausgelassenheit *f*; **2.** (*a.* Schaden)Freude *f*,

G

Froh'locken *n*; **3.** ♪ *hist.* Glee *m* (*geselliges Lied*): **~ club** *bsd. Am.* Gesangverein *m*; '**glee·ful** [-fʊl] *adj.* □ **1.** ausgelassen, fröhlich; **2.** schadenfroh, froh'lockend; '**glee·man** [-mən] *s.* [*irr.*] *hist.* fahrender Sänger.

glen [glen] *s.* Bergschlucht *f*, Klamm *f*.

glen·gar·ry [glen'gærɪ] *s.* Mütze *f der Hochlandschotten*.

glib [glɪb] *adj.* □ **1.** a) zungen-, schlagfertig, b) gewandt, ‚fix': ***a ~ tongue*** e-e glatte Zunge; **2.** oberflächlich; '**glib·ness** [-nɪs] *s.* **1.** Zungen-, Schlagfertigkeit *f*; Gewandtheit *f*; **2.** Glätte *f*, Oberflächlichkeit *f*.

glide [glaɪd] **I** *v/i.* **1.** gleiten (*a. fig.*): ***~ along*** dahingleiten, -fliegen (*a. Zeit*); ***~ out*** hinausgleiten, -schweben (*Person*); **2.** ✈ a) gleiten, e-n Gleitflug machen, b) segeln; **II** *s.* **3.** (Da'hin)Gleiten *n*; **4.** ✈ a) Gleitflug *m*, b) Segelflug *m*: ***~ path*** Gleitweg *m*; **5.** → ***glissade*** 2; **6.** *ling.* Gleitlaut *m*; '**glid·er** [-də] *s.* **1.** ⚓ Gleitboot *n*; **2.** ✈ a) Segelflugzeug *n*, b) *a.* ***~ pilot*** Segelflieger(in); **3.** *Skisport*: Gleiter(in); '**glid·ing** [-dɪŋ] *s.* **1.** Gleiten *n*; **2.** ✈ a) → ***glide*** 3, b) *das* Segelfliegen.

glim·mer ['glɪmə] **I** *v/i.* **1.** glimmen, schimmern; **II** *s.* **2.** a) Glimmen *n*, b) *a. fig.* Schimmer *m*, (schwacher) Schein: ***a ~ of hope*** ein Hoffnungsschimmer; **3.** *min.* Glimmer *m*.

glimpse [glɪmps] **I** *s.* **1.** flüchtiger (An-) Blick: ***catch a ~ of*** → 4; **2.** (***of***) flüchtiger Eindruck (von), kurzer Einblick (in *acc.*); **3.** *fig.* Schimmer *m*, schwache Ahnung; **II** *v/t.* **4.** *j-n*, *et.* (nur) flüchtig zu sehen bekommen, e-n flüchtigen Blick erhaschen von; **III** *v/i.* **5.** flüchtig blicken (***at*** auf *acc.*).

glint [glɪnt] **I** *s.* Schimmer *m*, Schein *m*, Glitzern *n*; **II** *v/i.* schimmern, glitzern, blinken.

glis·sade [glɪ'sɑ:d] **I** *s.* **1.** *mount.* Abfahrt *f*; **2.** *Tanz*: Glis'sade *f*, Gleitschritt *m*; **II** *v/i.* **3.** *mount.* abfahren; **4.** *Tanz*: Gleitschritte machen.

glis·ten ['glɪsn] **I** *v/i.* glitzern, glänzen; **II** *s.* Glitzern *n*, Glanz *m*.

glit·ter ['glɪtə] **I** *v/i.* **1.** glitzern, funkeln, *a. fig.* strahlen, glänzen; → ***gold*** 1; **II** *s.* **2.** Glitzern *n* (*etc.*), Glanz *m*; **3.** *fig.* Pracht *f*, Prunk *m*, Glanz *m*; **glit·ter·a·ti** [ˌglɪtə'rɑ:tɪ] *s. pl.* Schickimickis *pl.*; '**glit·ter·ing** [-tərɪŋ] *adj.* □ **1.** glitzernd (*etc.*); **2.** glanzvoll, prächtig.

gloat [gləʊt] *v/i.*: ***~ over*** sich weiden an (*dat.*): a) verzückt betrachten (*acc.*), b) sich hämisch *od.* diebisch freuen über (*acc.*); '**gloat·ing** [-tɪŋ] *adj.* □ schadenfroh, hämisch.

glob [glɒb] *s.* F ‚Klacks' *m*, ‚Klecks' *m*.

glob·al ['gləʊbl] *adj.* glo'bal: a) 'weltumˌfassend, Welt...: ***~ economy*** Weltwirtschaft *f*; ***~ warming*** Erderwärmung *f*; b) um'fassend, pau'schal, Gesamt...; '**glo·bate** [-beɪt] *adj.* kugelförmig.

globe [gləʊb] **I** *s.* **1.** Kugel *f*: ***~ of the eye*** Augapfel *m*; **2.** Pla'net *m*: ***the ~*** der Erdball, die Erdkugel, die Erde; **3.** *geogr.* Globus *m*; **4.** a) Lampenglocke *f*, b) Goldfischglas *n*; **5.** *hist.* Reichsapfel *m*; **II** *v/t. u. v/i.* **6.** kugelförmig machen (werden); ***~ ar·ti·choke*** *s.* ⚘ Arti'schocke *f*; '**~·fish** *s.* Kugelfisch *m*; '**~ˌtrot·ter** *s.* Weltenbummler(in), Globetrotter(in); '**~ˌtrot·ting** **I** *s.* Globetrotten *n*; **II** *adj.* Weltenbummler..., Globetrotter...

glo·bose ['gləʊbəʊs] → ***globular*** 1; **glo·bos·i·ty** [gləʊ'bɒsətɪ] *s.* Kugelform *f*, -gestalt *f*; **glob·u·lar** ['glɒbjʊlə] *adj.* □ **1.** kugelförmig: ***~ lightning*** Kugelblitz *m*; **2.** aus Kügelchen (bestehend); **glob·ule** ['glɒbju:l] *s.* Kügelchen *n*.

glom·er·ate ['glɒmərət] *adj.* (zs.-)geballt, knäuelförmig; **glom·er·a·tion** [ˌglɒmə'reɪʃn] *s.* Zs.-ballung *f*, Knäuel *m*, *n*.

gloom [glu:m] **I** *s.* **1.** *a. fig.* Dunkel *n*, Düsterkeit *f*; **2.** *fig.* düstere Stimmung, Schwermut *f*, Trübsinn *m*: ***cast a ~ over*** e-n Schatten werfen über (*acc.*); **II** *v/i.* **3.** traurig *od.* verdrießlich *od.* düster blicken *od.* aussehen; **4.** sich verdüstern; '**gloom·i·ness** [-mɪnɪs] *s.* **1.** → ***gloom*** 1, 2; **2.** *fig.* Hoffnungslosigkeit *f*; '**gloom·y** [-mɪ] *adj.* □ **1.** *a. fig.* düster, trübe; **2.** schwermütig, trübsinnig, düster, traurig; **3.** hoffnungslos.

glo·ri·fi·ca·tion [ˌglɔ:rɪfɪ'keɪʃn] *s.* **1.** Verherrlichung *f*; **2.** *eccl.* a) Verklärung *f*, b) Lobpreisung *f*; **3.** *Brit.* F lautes Fest; **glo·ri·fied** ['glɔ:rɪfaɪd] *adj.* F ‚besser': ***a ~ barn***; ***a ~ office boy***; **glo·ri·fy** ['glɔ:rɪfaɪ] *v/t.* **1.** verherrlichen; **2.** *eccl.* a) lobpreisen, b) verklären; **3.** erstrahlen lassen, e-e Zierde sein (*gen.*); **4.** F ‚aufmotzen', ‚hochjubeln'; → ***glorified***.

glo·ri·ole ['glɔ:rɪəʊl] *s.* Glori'ole *f*, Heiligenschein *m*.

glo·ri·ous ['glɔ:rɪəs] *adj.* □ **1.** ruhmvoll, -reich, glorreich; **2.** herrlich, prächtig, wunderbar (*alle a.* F *fig.*): ***a ~ mess*** *iro.* ein schönes Chaos.

glo·ry ['glɔ:rɪ] **I** *s.* **1.** Ruhm *m*, Ehre *f*: ***covered in ~*** ruhmbedeckt; ***~ be!*** F a) juchhu!, b) Donnerwetter!; → ***Old Glory***; **2.** Stolz *m*, Zierde *f*, Glanz (-punkt) *m*; **3.** *eccl.* Verehrung *f*, Lobpreisung *f*; **4.** Herrlichkeit *f*, Glanz *m*, Pracht *f*, Glorie *f*; höchste Blüte; **5.** *eccl.* a) himmlische Herrlichkeit, b) Himmel *m*: ***gone to ~*** F in die ewigen Jagdgründe eingegangen (*tot*); ***send to ~*** F *j-n* ins Jenseits befördern; **6.** → ***gloriole***; **II** *v/i.* **7.** sich freuen, triumphieren, froh'locken (***in*** über *acc.*); **8.**

(***in***) sich sonnen (in *dat.*), sich rühmen (*gen.*); '**~-hole** *s.* F a) Rumpelkammer *f od.* -kiste *f*; b) Kramschublade *f*.

gloss[1] [glɒs] **I** *s.* **1.** Glanz *m*: ***~ paint*** Glanzlack *m*; **2.** *fig.* äußerer Glanz; **II** *v/t.* **3.** glänzend machen; **4.** *mst* ***~ over*** *fig.* a) beschönigen, b) vertuschen.

gloss[2] [glɒs] **I** *s.* **1.** (Rand)Glosse *f*, Erläuterung *f*, Anmerkung *f*; **2.** Kommen'tar *m*, Auslegung *f*; **II** *v/t.* **3.** glossieren; **4.** *oft* ***~ over*** (absichtlich) irreführend deuten; '**glos·sa·ry** [-sərɪ] *s.* Glos'sar *n*.

gloss·eme [glɒ'si:m] *s. ling.* Glos'sem *n*.

gloss·i·ness ['glɒsɪnɪs] *s.* Glanz *m*; **gloss·y** ['glɒsɪ] **I** *adj.* □ **1.** glänzend: ***~ paper*** (Hoch)Glanzpapier *n*; **2.** auf ('Hoch)Glanzpa͵pier gedruckt, Hochglanz...: ***~ magazine***; **3.** *fig.* a) raffiniert, b) prächtig (aufgemacht); **II** *s.* **4.** 'Hochglanzmaga͵zin *n*.

glot·tal ['glɒtl] *adj.* **1.** *anat.* Stimmritzen...: ***~ chink*** → ***glottis***; **2.** *ling.* glot'tal: ***~ stop*** Knacklaut *m*; **glot·tis** ['glɒtɪs] *s. anat.* Stimmritze *f*.

glove [glʌv] **I** *s.* **1.** Handschuh *m*: ***fit*** (***s.o.***) ***like a ~*** a) (j-m) wie angegossen sitzen, b) *fig.* (auf j-n) haargenau passen; ***take the ~s off*** Ernst machen, ‚massiv werden'; ***with the ~s off***, ***without ~s*** unsanft, rücksichts-, schonungslos; **2.** *sport* (Box-, Fecht-, Reit- *etc.*) Handschuh *m*; **3.** ***fling*** (*od.* ***throw***) ***down the ~*** (***to s.o.***) *fig.* (j-m) den Fehdehandschuh hinwerfen, (j-n) herausfordern; ***pick*** (*od.* ***take***) ***up the ~*** die Herausforderung annehmen; **II** *v/t.* **4.** mit Handschuhen bekleiden: ***~d*** behandschuht; **~ box**, **~ com·part·ment** *s. mot.* Handschuhfach *n*; **~ pup·pet** *s.* Handpuppe *f*.

glow [gləʊ] **I** *v/i.* **1.** glühen; **2.** *fig.* glühen: a) leuchten, strahlen, b) brennen (*Gesicht*); **3.** *fig.* (er)glühen, brennen (***with*** vor *dat.*): ***~ with anger*** vor Zorn glühen; **II** *s.* **4.** Glühen *n*, Glut *f*: ***in a ~*** glühend; **5.** *fig.* Glut *f*: a) Glühen *n*, Leuchten *n*, b) Hitze *f*, Röte *f* (*im Gesicht etc.*): ***in a ~***, ***all of a ~*** glühend, ganz gerötet, c) Feuer *n*, Leidenschaft *f*.

glow·er ['glaʊə] *v/i.* finster (drein)blicken: ***~ at*** finster anblicken.

glow·ing ['gləʊɪŋ] *adj.* □ **1.** glühend; **2.** *fig.* glühend: a) leuchtend, strahlend, b) brennend, c) 'überschwenglich, begeistert: ***a ~ account***; ***in ~ colo***(***u***)***rs*** in glühenden *od.* leuchtenden Farben *schildern etc.*

glow| **plug** *s. mot.* Glühkerze *f*; '**~·worm** *s.* Glühwürmchen *n*.

gloze [gləʊz] → ***gloss***[1] 4.

glu·cose ['glu:kəʊs] *s.* ⚗ Glu'kose *f*, Glu'cose *f*, Traubenzucker *m*.

glue [glu:] **I** *s.* **1.** Leim *m*; **2.** Klebstoff *m*; ***~ sniffing*** Klebstoffschnüffeln *n*; ***~ stick*** Klebestift *m*; **II** *v/t.* **3.** leimen, kleben (***on*** auf *acc.*, ***to*** an *acc.*): ***~*** (***together***) zs.-kleben; **4.** *fig.* (***to***) heften (auf *acc.*), drücken (an *acc.*, gegen): ***she remained ~d to her mother*** sie ‚klebte' an ihrer Mutter; ***~d to his TV set*** *er saß* wie angewachsen vor dem Bildschirm; **glue·y** ['glu:ɪ] *adj.* klebrig.

glum [glʌm] *adj.* □ **1.** verdrossen; **2.** bedrückt, niedergeschlagen.

glume [glu:m] *s.* ⚘ Spelze *f*.

glut [glʌt] **I** *v/t.* **1.** *den Hunger* stillen; **2.** über'sättigen (*a. fig.*): ***~ o.s. on*** (*od.* ***with***) sich überessen mit *od.* an (*dat.*); **3.** ⚕ *Markt* über'schwemmen; **4.** verstopfen; **II** *s.* **5.** Über'sättigung *f*; **6.** ⚕ 'Überangebot *n*, Schwemme *f*: ***~ of eggs***; ***a ~ in the market*** e-e Marktschwemme.

glu·tam·ic ac·id [glu:'tæmɪk] *s.* ⚗ Gluta'minsäure *f*.

glu·ten ['glu:tən] *s.* ⚗ Kleber *m*, Glu'ten *n*; '**glu·ti·nous** [-tɪnəs] *adj.* □ klebrig.

glut·ton ['glʌtn] *s.* **1.** Vielfraß *m* (*a. zo.*); **2.** *fig. ein* Unersättlicher: ***a ~ for books*** ein Bücherwurm, e-e Leseratte; ***a ~ for work*** ein Arbeitstier; '**glut·ton·ous** [-nəs] *adj.* □ gefräßig, unersättlich (*a. fig.*); '**glut·ton·y** [-nɪ] *s.* Gefräßigkeit *f*, Unersättlichkeit *f* (*a. fig.*).

glyc·er·in(**e**) ['glɪsəri:n], '**glyc·er·ol** [-rɒl] *s.* ⚗ Glyze'rin *n*.

glyph [glɪf] *s.* ⚠ Glypte *f*, Glyphe *f*: a) (verti'kale) Furche *od.* Rille, b) Skulp'tur *f*.

glyp·tic ['glɪptɪk] **I** *adj.* Steinschneide...; **II** *s. pl. sg. konstr.* Glyptik *f*, Steinschneidekunst *f*; **glyp·tog·ra·phy** [glɪp'tɒgrəfɪ] *s.* Glyptogra'phie *f*: a) Steinschneidekunst *f*, b) Gemmenkunde *f*.

G-man ['dʒi:mæn] *s.* [*irr.*] F G-Mann *m*, FB'I-A͵gent *m*.

gnarled [nɑ:ld] *adj.* **1.** knorrig (*Baum*, *a. Hand*, *Person etc.*); **2.** *fig.* mürrisch, ruppig.

gnash [næʃ] *v/t.* **1.** *et.* knirschend beißen; **2.** ***~ one's teeth*** mit den Zähnen knirschen (*vor Wut etc.*): ***wailing and ~ing of teeth*** Heulen u. Zähneklappern *n*; '**gnash·ers** [-ʃəz] *s. pl.* F ‚dritte Zähne' *pl.*

gnat [næt] *s. zo.* **1.** (Stech)Mücke *f*: ***strain at a ~*** *fig.* Haarspalterei betreiben; **2.** *Am.* Kriebelmücke *f*.

gnaw [nɔ:] **I** *v/t.* **1.** nagen an (*dat.*) (*a. fig.*), ab-, zernagen; **2.** zerfressen (*Säure etc.*); **3.** *fig.* quälen, zermürben; **II** *v/i.* **4.** nagen: ***~ at*** → 1; **5.** ***~ into*** sich einfressen in (*acc.*); **6.** *fig.* nagen, zermürben; **gnaw·er** ['nɔ:ə] *s. zo.* Nagetier *n*; **gnaw·ing** ['nɔ:ɪŋ] **I** *adj.* nagend (*a. fig.*); **II** *s.* Nagen *n* (*a. fig.*); *fig.*

G

Qual *f*.

gneiss [naɪs] *s. geol.* Gneis *m*.

gnome¹ [nəʊm] *s.* **1.** Gnom *m*, *Zwerg m* (*beide a. contp. Person*), Kobold *m*; **2.** Gartenzwerg *m*.

gnome² [ˈnəʊmiː] *s.* Gnome *f*, Sinnspruch *m*.

gnom·ish [ˈnəʊmɪʃ] *adj.* gnomenhaft, zwergenhaft.

gno·sis [ˈnəʊsɪs] *s. phls.* Gnosis *f*; **Gnos·tic** [ˈnɒstɪk] **I** *adj.* gnostisch; **II** *s.* Gnostiker *m*; **Gnos·ti·cism** [ˈnɒstɪsɪzəm] *s.* Gnostiˈzismus *m*.

gnu [nuː] *s. zo.* Gnu *n*.

go [gəʊ] **I** *pl.* **goes** [gəʊz] *s.* **1.** Gehen *n*: ***on the ~*** F ständig in Bewegung, immer ‚auf Achse'; ***from the word ~*** F von Anfang an; ***it's a ~!*** abgemacht!; **2.** F Schwung *m*, ‚Schmiß' *m*: ***he is full of ~*** er hat Schwung, er ist voller Leben *od.* sehr unternehmungslustig; **3.** F Mode *f*: ***be all the ~*** große Mode sein; **4.** F Erfolg *m*: ***make a ~ of it*** es zu e-m Erfolg machen, bei *od.* mit et. Erfolg haben; ***it's no ~!*** es geht nicht!, nichts zu machen!; **5.** F Versuch *m*: ***have a ~ at it!*** probier's doch mal!; ***at one ~*** auf ˈeinen Schlag, auf Anhieb; ***at the first ~*** gleich beim ersten Versuch; ***it's your ~!*** du bist an der Reihe *od.* dran!; **6.** F ‚Geschichte' *f*: ***what a ~!*** 'ne schöne Geschichte *od.* Bescherung!; ***it was a near ~!*** es ging gerade noch (mal) gut!; **7.** F a) Portiˈon *f* (*e-r Speise*), b) Glas *n*: ***his third ~ of brandy*** sein dritter Kognak; **8.** Anfall *m* (*e-r Krankheit*): ***my second ~ of influenza*** m-e zweite Grippe; **II** *adj.* **9.** ⚙ F: ***you are ~ (for take-off)!*** alles klar (zum Start)!; **III** *v/i.* [*irr.*] **10.** gehen, fahren, reisen, sich begeben (***to*** nach): ***~ on foot*** zu Fuß gehen; ***~ by train*** mit dem Zug fahren; ***~ by plane*** (*od.* ***air***) mit dem Flugzeug reisen, fliegen; ***~ to Paris*** nach Paris reisen *od.* gehen; ***there he goes!*** da ist er (ja)!; ***who goes there?*** ⚔ wer da?; **11.** verkehren, fahren (*Bus*, *Zug etc.*); **12.** (fort)gehen, abfahren, abreisen (***to*** nach): ***don't ~ yet*** geh noch nicht (fort)!; ***let me ~!*** a) laß mich gehen!, b) laß mich los!; **13.** anfangen, loslegen: ***~!*** *sport* los!; ***~ to it!*** mach dich dran!, los!; ***here you ~ again!*** F jetzt fängst du schon wieder an!; ***here we ~ again*** F jetzt geht das schon wieder los!; ***just ~ and try it!*** versuch's doch mal!; ***here goes!*** also los!, jetzt geht's los!; **14.** gehen, führen: ***this road goes to York***; **15.** sich erstrecken, reichen, gehen (***to*** bis): ***the belt doesn't ~ round her waist*** der Gürtel geht *od.* reicht nicht um ihre Taille; ***it goes a long way*** es reicht lange (aus); ***as far as it goes*** bis zu e-m gewissen Grade, soweit man das sagen kann; **16.** *fig.* gehen: ***~ as far as to say*** so weit gehen zu sagen; ***let it ~ at that!*** laß es dabei bewenden!; ***~ all out*** F sich ins Zeug legen (***for*** für); *s. die Verbindungen mit anderen Stichwörtern*; **17.** ⅍ (***into***) gehen (in *acc.*), enthalten sein (in *dat.*): ***5 into 10 goes twice***; **18.** gehen, passen (***in, into*** in *acc.*): ***it does not ~ into my pocket***; **19.** gehören (***in, into*** in *acc.*, ***on*** auf *acc.*): ***the books ~ on this shelf*** die Bücher gehören *od.* kommen auf dieses Regal; **20.** ***~ to*** gehen an (*acc.*) (*Siegerpreis etc.*), zufallen (*dat.*) (*Erbe*); **21.** ⚙ *u. fig.* gehen, laufen, funktionieren: ***get ~ing*** ⚙ in Gang kommen, *fig. a.* in Schwung *od.* Fahrt kommen (*Person*, *Party etc.*), *Person*: *a.* loslegen; ***get s.th.*** (*od.* ***s.o.***) ***~ing*** et. (*Maschine*, *Projekt etc.*) in Gang bringen, et. (*Party etc.*) (*od.* j-n) in Schwung *od.* Fahrt bringen; ***keep ~ing*** ⚙ weiterlaufen, *fig.* weitermachen (*Person*); ***that hope kept her ~ing*** diese Hoffnung hielt sie aufrecht; ***this sum will keep you ~ing*** diese Summe wird dir (fürs erste) weiterhelfen; **22.** *kalt*, *schlecht*, *verrückt etc.* werden: ***~ blind*** erblinden; ***~ Conservative*** zu den Konservativen übergehen; ***~ decimal*** das Dezimalsystem einführen; **23.** (gewöhnlich) *in e-m Zustand* sein, sich befinden: ***~ armed*** bewaffnet sein; ***~ in rags*** (ständig) in Lumpen herumlaufen; ***~ hungry*** hungern; **24.** ***~ by*** (*od.* [***up***]***on***) sich halten an (*acc.*), gehen *od.* sich richten *od.* urteilen nach: ***have nothing to ~*** (***up***)***on*** keine Anhaltspunkte haben; ***~ing by her clothes*** ihrer Kleidung nach (zu urteilen); **25.** ˈumgehen, im ˈUmlauf sein, kursieren (*Gerüchte etc.*): ***the story goes*** es heißt, man erzählt sich; **26.** gelten (***for*** für): ***what he says goes*** F was er sagt, gilt; ***that goes for you too!*** das gilt auch für dich!; ***it goes without saying*** das versteht sich von selbst; **27.** ***~ by the name of*** a) unter dem Namen ... laufen, b) auf den Namen ... hören (*Hund*); **28.** im allgemeinen sein: ***as men ~*** wie Männer eben *od.* (nun ein-) mal sind; **29.** vergehen, verstreichen: ***how time goes!***; ***one minute to ~*** noch e-e Minute; **30.** ✝ (weg)gehen, verkauft werden: ***the coats went for £60***; **31.** (***on, in***) ausgegeben werden (für), aufgehen (in *dat.*) (*Geld*): ***all his money went in drink***; **32.** dazu beitragen, dienen (***to*** zu): ***it goes to show*** dies zeigt, daran erkennt man; ***this only goes to show you the truth*** dies dient nur dazu, Ihnen die Wahrheit zu zeigen; **33.** (aus)gehen, verlaufen, sich entwickeln *od.* gestalten: ***it went well*** es ging gut (aus), es lief (alles) gut; ***things have gone badly with me*** es ist mir schlecht ergangen; ***the decision went against him*** die Entscheidung fiel zu s-n Ungunsten aus; **~ *big*** F ein Riesenerfolg sein; **34. ~ *with*** gehen *od.* sich vertragen mit, passen zu: ***black goes well with yellow***; **35.** ertönen, läuten (*Glocke*), schlagen (*Uhr*): ***the door bell went*** es klingelte; ***bang went the gun*** die Kanone machte bumm; **36.** lauten (*Worte etc.*), gehen: ***this is how the tune goes*** so geht die Melodie; **37.** gehen, verschwinden, abgeschafft werden: ***my hat is gone!*** mein Hut ist weg!; ***he must ~*** er muß weg; ***these laws must ~*** diese Gesetze müssen weg; ***warmongering must ~!*** Schluß mit der Kriegshetze!; **38.** (da'hin)schwinden: ***his strength is ~ing***; ***my eyesight is ~ing*** m-e Augen werden immer schlechter; ***trade is ~ing*** der Handel kommt zum Erliegen; ***the shoes are ~ing*** die Schuhe gehen (langsam) kaputt; **39.** sterben: ***he is (dead and) gone*** er ist tot; **40.** (*pres. p. mit inf.*) *zum Ausdruck e-r Zukunft, e-r Absicht od. et. Unabänderlichem*: ***it is ~ing to rain*** es wird (gleich *od.* bald) regnen; ***he is ~ing to read it*** er wird *od.* will es (bald) lesen; ***she is ~ing to have a baby*** sie bekommt ein Kind; ***I was (just) ~ing to do it*** ich wollte es eben tun, ich war gerade dabei *od.* im Begriff, es zu tun; **41.** (*mit nachfolgendem Gerundium*) *mst* gehen: ***~ swimming*** schwimmen gehen; ***he goes frightening people*** er erschreckt immer die Leute; **42.** (da'ran)gehen, sich anschicken: ***he went to find him*** er ging ihn suchen; ***he went and sold it*** F er hat es doch tatsächlich verkauft; **43.** erlaubt sein: ***everything goes here*** hier ist alles erlaubt; ***anything goes!*** F alles ist ‚drin' (*möglich*); **44. *pizzas to ~!*** *Am.* Pizzas zum Mitnehmen!; **IV** *v/t.* [*irr.*] **45.** *e-n Betrag* wetten, setzen (***on*** auf *acc.*); **46. ~ *it*** F a) (mächtig) rangehen, sich dahinterklemmen, b) es toll treiben, ‚auf den Putz hauen': ***~ it alone*** es ganz allein(e) machen; ***~ it!*** ran!, feste!, drauf!;

Zssgn mit prp.:

go| a·bout *v/i.* in Angriff nehmen, sich machen an (*acc.*), anpacken (*acc.*); **~ aft·er** *v/i.* **1.** nachlaufen (*dat.*); **2.** → ***go for*** 4; **~ a·gainst** *v/i.* wider'streben (*dat.*), *j-s Prinzipien* zu'widerlaufen; **~ at** *v/i.* **1.** losgehen auf (*acc.*); **2.** → ***go about***; **~ be·hind** *v/i.* unter'suchen, auf den Grund gehen (*dat.*); **~ be·tween** *v/i.* vermitteln zwischen (*dat.*); **~ be·yond** *v/i. fig.* über'schreiten, *Erwartungen etc.* über'treffen; **~ by** *v/i.* **1.** sich richten nach, sich halten an (*acc.*), urteilen nach; **2.** auf *e-n Namen* hören; **~ for** *v/i.* **1.** holen (gehen); **2.** *e-n Spaziergang etc.* machen; **3.** gelten als *od.* für; **4.** streben nach, sich bemühen um; **5.** F losgehen auf (*acc.*), sich stürzen auf (*acc.*), *fig.* herziehen über (*acc.*); **6.** *sl.* ‚stehen' auf (*dat.*); **~ in·to** *v/i.* **1.** hin'eingehen in (*acc.*); **2.** eintreten in (*ein Geschäft etc.*): ***~ business*** Kaufmann werden; **3.** (genau) unter'suchen *od.* prüfen; eingehen auf (*acc.*); **4.** geraten in (*acc.*): ***~ a faint*** in Ohnmacht fallen; **~ off** *v/i.* **1.** abgehen von; **2.** *j-n, et.* nicht mehr mögen *od.* wollen; **~ on** *v/i.* **1.** sich stützen auf (*acc.*); **2.** sich richten nach, sich halten an (*acc.*), urteilen nach: ***I have nothing to ~*** ich habe keine Anhaltspunkte; **~ o·ver** → ***go through*** 1, 2, 3; **~ through** *v/i.* **1.** 'durchgehen, -nehmen, -sprechen; **2.** (gründlich) über'prüfen *od.* unter'suchen; **3.** 'durchsehen, -gehen, -lesen; **4.** durch'suchen; **5.** a) 'durchmachen, erleiden, b) erleben; **6.** *Vermögen* 'durchbringen; **~ with** *v/i.* **1.** begleiten; **2.** gehören zu; **3.** über'einstimmen mit; **4.** passen zu; **5.** mit *j-m* ‚gehen'; **~ with·out** *v/i.* **1.** auskommen ohne, sich behelfen ohne; **2.** verzichten auf (*acc.*);

Zssgn mit adv.:

go| a·bout *v/i.* **1.** um'hergehen, -fahren, -reisen; **2.** a) kursieren, im 'Umlauf sein (*Gerüchte etc.*), b) 'umgehen (*Grippe etc.*); **3.** ⚓ wenden; **~ a·head** *v/i.* **1.** vorwärts-, vor'angehen: ***~!*** *fig.* los!, nur zu!; ***~ with*** a) weitermachen mit, b) Ernst machen mit, durchführen; **2.** (*erfolgreich*) vor'ankommen; **3.** *bsd. sport* sich an die Spitze setzen; **~ a·long** *v/i.* **1.** weitergehen; **2.** *fig.* weitermachen; **3.** mitgehen, -kommen (***with*** mit); **4. *~ with*** einverstanden sein mit, mitmachen bei; **~ a·round** *v/i.* **1.** → ***go about*** 1, 2; **2.** → ***go round***; **~ back** *v/i.* **1.** zu'rückgehen: ***~ to*** *fig.* zurückgehen auf (*acc.*), zurückreichen bis; **2. *~ on*** *fig.* a) *j-n* im Stich lassen, b) *sein Wort etc.* nicht halten, c) *Entscheidung* rückgängig machen; **~ by** *v/i.* **1.** vor'beigehen (*a. Chance etc.*), -fahren; **2.** vergehen (*Zeit*): ***in days gone by*** in längst vergangenen Tagen; **~ down** *v/i.* **1.** hin'untergehen: ***~ in history*** *fig.* in die Geschichte eingehen; **2.** 'untergehen (*Schiff, Sonne etc.*); **3.** zu Boden gehen (*Boxer etc.*); **4.** *thea.* fallen (*Vorhang*); **5.** zu'rückgehen, sinken, fallen (*Fieber, Preise etc.*); **6.** a) sich im Niedergang befinden, b) zugrunde gehen; **7.** *sport* absteigen; **8.** ‚(runter)rutschen' (*Essen*); **9.** *fig.* (***with***) a) Anklang finden, ‚ankommen' (bei): ***it went down well with him***, b) ‚geschluckt' werden: ***that won't ~ with me*** das nehme ich dir nicht ab; **10.** *Brit.* London verlassen; **11.** *univ. Brit.* a) die Universi'tät verlassen, b) in die Ferien gehen; **~ in** *v/i.*

1. hin'eingehen: *~ **and win!*** auf in den Kampf!; **2.** *~ **for*** a) sich befassen mit, betreiben, *Sport etc.* treiben, b) mitmachen bei, c) *ein Examen* machen, d) hinarbeiten auf (*acc.*), e) sich einsetzen für, f) sich begeistern für; **~ off** *v/i.* **1.** fort-, weggehen, -laufen; (*Zug etc.*) abfahren; *thea.* abgehen; **2.** losgehen (*Gewehr, Sprengladung etc.*); **3.** (***into***) los-, her'ausplatzen (mit), ausbrechen (in *Gelächter etc.*); **4.** nachlassen, sich verschlechtern; **5.** (*gut etc.*) von'statten gehen; **6.** a) einschlafen, b) ohnmächtig werden; **7.** verderben, schlecht werden (*Essen etc.*), sauer werden (*Milch*); **8.** ausgehen (*Licht etc.*); **~ on** *v/i.* **1.** weitergehen *od.* -fahren; **2.** weitermachen, fortfahren (***with*** mit; ***doing*** zu tun): ***~!*** a) (mach) weiter!, b) *iro.* hör auf!, ach komm!; ***~ reading*** weiterlesen; **3.** fortdauern, weitergehen; **4.** vor sich gehen, vorgehen, passieren; **5.** sich ‚aufführen': ***don't ~ like that!*** hör schon auf damit!; **6.** F a) unaufhörlich reden (***about*** über *acc.*, von), b) ständig her'umnörgeln (***at*** an *dat.*); **7.** angehen (*Licht etc.*); **8.** *~ **for*** gehen auf (*acc.*), bald sein: ***it's going on for five o'clock***; **~ out** *v/i.* **1.** ausgehen: a) spazierengehen, b) zu Veranstaltungen *od.* Gesellschaften gehen, c) erlöschen (*Feuer, Licht*): ***~ fishing*** fischen (*od.* zum Fischen) gehen; **2.** in den Streik treten; **3.** aus der Mode kommen; **4.** *pol.* abgelöst werden; **5.** *sport* ausscheiden; **6.** zu'rückgehen (*Flut*); **7.** *~ **to** j-m* entgegenschlagen (*Herz*), sich *j-m* zuwenden (*Sympathie*); **~ o·ver** *v/i.* **1.** hin'übergehen (***to*** zu); **2.** 'übertreten, -gehen (***to*** zu *e-r anderen Partei etc.*); **3.** vertagt werden; **4.** *~ **big*** F ein Bombenerfolg sein; **~ round** *v/i.* **1.** her'umgehen (*a. fig. j-m im Kopf*); **2.** (für alle) (aus)reichen: ***there is enough (of it) to ~***; **~ through** *v/i.* **1.** 'durchgehen, angenommen werden (*Antrag*); **2.** *~ **with*** 'durchführen; **~ to·geth·er** *v/i.* **1.** zs.-passen (*Farben etc.*); **2.** F mitein'ander ‚gehen' (*Liebespaar*); **~ un·der** *v/i.* **1.** 'untergehen (*a. fig.*); **2.** *fig.* ‚eingehen' (*Firma etc.*), ‚ka'puttgehen'; **~ up** *v/i.* **1.** hin'aufgehen (*a. fig.*); **2.** *fig.* steigen (*Fieber, Preise etc.*); **3.** *thea.* hochgehen (*Vorhang*); **4.** gebaut werden; **5.** *Brit.* nach London fahren; **6.** *Brit.* (zum Se'mesteranfang) zur Universi'tät gehen; **7.** *sport* aufsteigen.

goad [gəʊd] **I** *s.* **1.** Stachelstock *m des Viehtreibers*; **2.** *fig.* Stachel *m*; Ansporn *m*; **II** *v/t.* **3.** antreiben; **4.** *mst* ***~ on*** *fig. j-n* an-, aufstacheln, (an)treiben (***into doing s.th.*** dazu, et. zu tun).

'go-a·head I *adj.* **1.** voller Unter'nehmungsgeist *od.* Initia'tive, zielstrebig; **II** *s.* **2.** (Mensch *m* mit) Unter'nehmungsgeist *od.* Initia'tive; **3.** ***get the ~ (on)*** ‚grünes Licht' bekommen (für); ***give s.o. the ~*** j-m ‚grünes Licht' geben.

goal [gəʊl] *s.* **1.** Ziel *n* (*a. fig.*); **2.** *sport* a) Ziel *n*, b) (*Fußball- etc.*)Tor *n*, c) Tor(erfolg *m*, -schuß *m*) *n*: ***score a ~*** ein Tor schießen; **~ a·re·a** *s. sport* Torraum *m*; **'~,get·ter** *s.* Torjäger *m*.

goal·ie ['gəʊlɪ] F → ***goalkeeper***.

'goal|,keep·er *s. sport* Tormann *m*, -wart *m*, -hüter(in); **~ kick** *s.* (Tor-)Abstoß *m*; **~ line** *s.* a) Torlinie *f*, b) Torauslinie *f*, c) *Rugby*: Mallinie *f*; **'~·mouth** *s.* Torraum *m*; **~ post** *s.* Torpfosten *m*.

,go-as-you-'please *adj.* ungebunden.

goat [gəʊt] *s.* **1.** a) Ziege *f*, b) *a.* ***he-~*** Ziegenbock *m*: ***play the (giddy) ~*** *fig.* herumkaspern; ***get s.o.'s ~*** *sl.* j-n ‚auf die Palme bringen'; **2.** *fig.* (geiler) Bock; **3.** F Sündenbock *m*; **4.** ♀ *ast.* → ***Capricorn***; **goat·ee** [gəʊ'tiː] *s.* Spitzbart *m*; **'goat·herd** *s.* Ziegenhirt *m*; **'goat·ish** [-tɪʃ] *adj.* □ **1.** bockig; **2.** *fig.* geil.

'goat|'s-beard *s.* ⚘ Bocks- *od.* Geiß- *od.* Ziegenbart *m*; **'~·skin** *s.* Ziegenleder(flasche *f*) *n*; **'~·suck·er** *s. orn.* Ziegenmelker *m*.

gob[1] [gɒb] *s.* F **1.** (*a.* Schleim)Klumpen *m*; **2.** *oft pl.* ‚Haufen' *m*, Menge *f*.

gob[2] [gɒb] *s.* ⚓ *Am. sl.* ‚Blaujacke' *f*, Ma'trose *m* (*US-Kriegsmarine*).

gob·bet ['gɒbɪt] *s.* Brocken *m*.

gob·ble[1] ['gɒbl] **I** *v/t.* *mst* ***~ up*** verschlingen (*a. fig.*); **II** *v/i.* gierig essen.

gob·ble[2] ['gɒbl] **I** *v/i.* kollern (*Truthahn*); **II** *s.* Kollern *n*.

gob·ble·dy·gook ['gɒbldɪguːk] *s.* F **1.** ‚Be'amtenchi,nesisch' *n*; **2.** (Be'rufs-)Jar,gon *m*; **3.** ‚Geschwafel' *n*.

gob·bler[1] ['gɒblə] *s.* Fresser(in).

gob·bler[2] ['gɒblə] *s.* Truthahn *m*, Puter *m*.

Gob·e·lin ['gəʊbəlɪn] **I** *adj.* Gobelin...; **II** *s.* Gobe'lin *m*.

'go-be,tween *s.* **1.** Mittelsmann *m*, Vermittler(in); **2.** Makler(in); **3.** Kuppler(in).

gob·let ['gɒblɪt] *s.* **1.** *obs.* Po'kal *m*; **2.** Kelchglas *n*.

gob·lin ['gɒblɪn] *s.* Kobold *m*.

go·by ['gəʊbɪ] *s. ichth.* Meergrundel *f*.

go-by ['gəʊbaɪ] *s.*: ***give s.o. the ~*** F j-n ‚schneiden' *od.* ignorieren; ***give s.th. the ~*** F die Finger von et. lassen.

'go-cart *s.* **1.** Laufstuhl *m* (*Gehhilfe für Kinder*); **2.** Sportwagen *m* (*für Kinder*); **3.** Handwagen *m*; **4.** → ***go-kart***.

god [gɒd] *s.* **1.** Gott(heit *f*) *m*; Götze *m*, Abgott *m*: ***~ of love*** Liebesgott, Amor *m*; ***ye ~s!*** F heiliger Strohsack!; ***a sight for the ~s*** ein Bild für (die) Götter; **2.** ♀ Gott *m*: ***♀'s acre*** Gottesacker *m*;

house of ♀ Gotteshaus *n*; ***play*** ~ den lieben Gott spielen; ♀ ***forbid!*** Gott behüte!; ♀ ***help him*** Gott sei ihm gnädig; ***so help me*** ♀ so wahr mir Gott helfe; ♀ ***knows*** a) weiß Gott, b) wer weiß(, *ob etc.*); ♀ ***willing*** so Gott will; ***thank*** ♀ Gott sei Dank; ***for ♀'s sake*** a) um Gottes willen, b) verdammt noch mal!; ***the good*** ♀ der liebe Gott; ***good ♀!, my ♀!,*** (***oh***) ***♀!*** du lieber Gott!, lieber Himmel!; → ***act*** 1 *etc.*; **3.** *fig.* (Ab)Gott *m*; **4.** *pl. thea.* (Publikum *n* auf der) Gale'rie *f*, ‚O'lymp' *m*; **ˌ~-'aw·ful** *adj.* F scheußlich, ‚beschissen'; **'~·child** *s.* [*irr.*] Patenkind *n*; **'~·damn(ed)** *adj.*, *adv. u. int.* (gott)verdammt.

god·des ['gɒdɪs] *s.* Göttin *f* (*a. fig.*).

'god|ˌfa·ther I *s.* Pate *m* (*a. fig.*), Patenonkel *m*, Taufzeuge *m*: ***stand ~ to*** → **II** *v/t. a. fig.* Pate stehen bei, aus der Taufe heben; **'~ˌfear·ing** *adj.* gottesfürchtig; **'~·forˌsak·en** *adj. contp.* gottverlassen.

god·head ['gɒdhed] *s.* Gottheit *f*; **'god·less** [-lɪs] *adj.* ohne Gott; *fig.* gottlos; **'god·like** *adj.* **1.** gottähnlich, göttlich; **2.** göttergleich; **'god·li·ness** [-lɪnɪs] *s.* Frömmigkeit *f*; Gottesfurcht *f*; **'god·ly** [-lɪ] *adj.* fromm.

'god|ˌmoth·er *s.* Patin *f*, Patentante *f*; **'~ˌpar·ent** *s.* Pate *m*, Patin *f*; **'~·send** *s. fig.* Geschenk *n* des Himmels, Glücksfall *m*, Segen *m*; **'~·son** *s.* Patensohn *m*; **ˌ~'speed** *s.*: ***bid s.o.*** ~ j-m viel Glück *od.* glückliche Reise wünschen.

go·er ['gəʊə] *s.* **1.** ***be a good*** ~ gut laufen (*bsd. Pferd*); **2.** *in Zssgn mst* ...besucher(in), ...gänger(in).

gof·fer ['gəʊfə] **I** *v/t.* kräuseln, plissieren; **II** *s.* Plis'see *n*.

ˌgo-'get·ter *s.* F j-d, der weiß, was er will; Draufgänger *m*.

gog·gle ['gɒgl] **I** *v/i.* **1.** stieren, glotzen; **II** *s.* **2.** stierer Blick; **3.** *pl.* Schutzbrille *f*; **'~·box** *s. bsd. Brit.* F ‚Glotze' *f* (*Fernseher*).

go-go ['gəʊgəʊ] *adj.* **1.** ~ ***girl*** Go-go-Girl *n*; **2.** *fig.* a) schwungvoll, b) schick.

Goid·el·ic [gɔɪ'delɪk] → ***Gaelic***.

go-in ['gəʊɪn] *s.* Go-'in *n*.

go·ing ['gəʊɪŋ] **I** *s.* **1.** (Weg)Gehen *n*, Abreise *f*; **2.** Straßenzustand *m*, (*Pferdesport*) Geläuf *n*; **3.** Tempo *n*: ***good*** ~ ein flottes Tempo; ***rough*** (*od.* ***heavy***) ~ e-e Schinderei; ***while the ~ is good*** a) solange noch Zeit ist, b) solange es noch gut läuft; **II** *adj.* **4.** in Betrieb, arbeitend: ***a ~ concern*** ein gutgehendes Geschäft; **5.** vor'handen: ***still*** ~ noch zu haben; ***the best beer*** ~ das beste Bier, das es gibt; ***~, ~, gone!*** (*Auktion*) zum ersten, zum zweiten, zum dritten!; **6.** geltend: ~ ***price*** Marktpreis *m*; ~ ***rate*** geltender Satz; **ˌgo·ing-'o·ver** *s.* F **1.** Über'prüfung *f*; **2.** a) Tracht *f* Prügel, b) Standpauke *f*; **ˌgo·ings-'on** *s. pl.* F *mst b.s.* Vorgänge *pl.*, Treiben *n*: ***strange*** ~ merkwürdige Dinge.

goi·ter *Am.*, **goi·tre** *Brit* ['gɔɪtə] *s.* ⚕ Kropf *m*; **'goi·trous** [-trəs] *adj.* **1.** kropfartig; **2.** mit e-m Kropf (behaftet).

go-kart ['gəʊkɑːt] *s. mot.* Go-Kart *m*.

gold [gəʊld] **I** *s.* **1.** Gold *n*: ***all is not ~ that glitters*** es ist nicht alles Gold, was glänzt; ***a heart of*** ~ *fig.* ein goldenes Herz; ***worth one's weight in*** ~ unbezahlbar, nicht mit Gold aufzuwiegen; → ***good*** 8; **2.** Gold(münzen *pl.*) *n*; **3.** Geld *n*, Reichtum *m*; **4.** Goldfarbe *f*; **II** *adj.* **5.** aus Gold, golden, Gold...: ~ ***dollar*** Golddollar *m*; ~ ***watch*** goldene Uhr; **~ back·ing** *s.* ✝ Golddeckung *f*; **~ bar** *s.* ✝ Goldbarren *m*; **~ bloc** *s.* ✝ Goldblock(länder *pl.*) *m*; **~ brick** *Am.* F **I** *s.* **1.** falscher Goldbarren; **2.** *fig.* a) wertlose Sache, b) Schwindel *m*, ‚Beschiß' *m*: ***sell s.o. a*** ~ → 4; **3.** Drückeberger *m*; **II** *v/t.* **4.** *j-n* ‚übers Ohr hauen'; **~ bul·lion** *s.* Gold *n* in Barren; **'~ˌdig·ger** *s.* **1.** Goldgräber *m*; **2.** *sl. Frau, die nur hinter dem Geld der Männer her ist*; **~ dust** *s.* Goldstaub *m*.

gold·en ['gəʊldən] *adj.* **1.** *mst fig.* golden: ~ ***days***; ~ ***disc*** goldene Schallplatte; ~ ***opportunity*** einmalige Gelegenheit; **2.** goldgelb, golden (*Haar etc.*); **~ age** *s. das* Goldene Zeitalter; **~ calf** *s. bibl. u. fig. das* Goldene Kalb; **~ ea·gle** *s. orn.* Gold-, Steinadler *m*; **♀ Fleece** *s. myth. das* Goldene Vlies; **~ hand·shake** *s.* F **1.** Abfindung *f bei Entlassung*; **2.** ‚'Umschlag' *m* (*mit e-m Geldgeschenk der Firma*); **~ mean** *s. die* goldene Mitte, *der* goldene Mittelweg; **~ o·ri·ole** *s. orn.* Pi'rol *m*; **~ pheas·ant** *s. orn.* 'Goldfaˌsan *m*; **~ rule** *s.* **1.** *bibl.* goldene Sittenregel; **2.** *fig.* goldene Regel; **~ sec·tion** *s.* Goldener Schnitt; **~ wed·ding** *s.* goldene Hochzeit.

gold| fe·ver *s.* Goldfieber *n*, -rausch *m*; **'~·field** *s.* Goldfeld *n*; **'~·finch** *s. orn.* Stieglitz *m*, Distelfink *m*; **'~·fish** *s.* Goldfisch *m*; **'~·foil** *s.* Blattgold *n*; **'~ˌham·mer** *s. orn.* Goldammer *f*; **~ lace** *s.* Goldtresse *f*, -borte *f*; **~ leaf** *s.* Blattgold *n*; **~ med·al** *s.* 'Goldmeˌdaille *f*; **~ med·al·(l)ist** *s. sport* 'Goldmeˌdaillengewinner(in); **~ mine** *s.* Goldbergwerk *n*; Goldgrube *f* (*a. fig.*); **~ plate** *s.* goldenes Tafelgeschirr; **'~-ˌplat·ed** *adj.* vergoldet; **~ point** *s.* ✝ Goldpunkt *m*; **~ rush** → ***gold fever***; **'~·smith** *s.* Goldschmied *m*; **~ stand·ard** *s.* Goldwährung *f*; **♀ Stick** *s. Brit.* Oberst *m* der königlichen Leibgarde.

golf [gɒlf] *sport* **I** *s.* Golf(spiel) *n*; **II** *v/i.* Golf spielen; **~ ball** *s.* **1.** Golfball *m*; **2.** Kugelkopf *m* (*der Schreibmaschine*); **~ club** *s.* **1.** Golfschläger *m*; **2.** Golfklub *m.*

golf·er ['gɒlfə] *s.* Golfspieler(in).

golf links *s. pl., a. sg. konstr.* Golfplatz *m.*

Go·li·ath [gəʊ'laɪəθ] *s. fig.* Goliath *m*, Riese *m*, Hüne *m*.

gol·li·wog(g) ['gɒlɪwɒg] *s.* **1.** gro'teske schwarze Puppe; **2.** *fig.* ‚Vogelscheuche' *f* (*Person*).

gol·ly ['gɒlɪ] *int. a.* ***by ~!*** F Menschenskind!, Mann!

go·losh [gə'lɒʃ] → ***galosh***.

Go·mor·rah, Go·mor·rha [gə'mɒrə] *s. fig.* Go'morr(h)a *n*, Sündenpfuhl *m*.

gon·ad ['gəʊnæd] *s.* ⚕ Keim-, Geschlechtsdrüse *f*.

gon·do·la ['gɒndələ] *s.* **1.** Gondel *f* (*a. e-s Ballons, e-r Seilbahn etc.*); **2.** *Am.* flaches Flußboot; **3.** *a.* ***~ car*** 🚃 *Am.* offener Güterwagen; **gon·do·lier** [ˌgɒndə'lɪə] *s.* Gondoli'ere *m*.

gone [gɒn] **I** *p.p. von* ***go***; **II** *adj.* **1.** weg(gegangen), fort: ***he is ~***; ***be ~!*** fort mit dir!; ***I must be ~*** ich muß weg; **2.** verloren, verschwunden, weg, da'hin; **3.** ‚hin', ‚futsch': a) weg, verbraucht, b) ka'putt, c) ruiniert, d) tot; ***a ~ case*** ein hoffnungsloser Fall; ***a ~ man*** → ***goner***; ***a ~ feeling*** ein Schwächegefühl; ***all his money is ~*** sein ganzes Geld ist weg *od.* ‚futsch'; **4.** mehr als, älter als, über: ***he is ~ forty***; **5.** F (***on***) ganz ‚weg' (von): a) begeistert (von), b) ‚verknallt' (in *acc.*); **6.** *sl.* ‚high', ‚weg'; **7.** ***she's four months ~*** F sie ist im 4. Monat; **gon·er** ['gɒnə] *s.* 'Todeskandiˌdat *m*: ***he is a ~*** F er ist ‚erledigt' (*a. weitS.*).

gon·fa·lon ['gɒnfələn] *s.* Banner *n*.

gong [gɒŋ] **I** *s.* **1.** Gong *m*; **2.** ⚔ *Brit. sl.* Orden *m*; **II** *v/t.* **3.** *Brit. Auto* durch 'Gongsiˌgnal stoppen (*Polizei*).

go·ni·om·e·ter [ˌgəʊnɪ'ɒmɪtə] *s.* ⚒ *u. Radio*: Winkelmesser *m*.

gon·o·coc·cus [ˌgɒnəʊ'kɒkəs] *pl.* **-coc·ci** [-'kɒkaɪ] *s.* ⚕ Gono'kokkus *m*.

gon·or·rhoe·a, *Am. mst* **gon·or·rhe·a** [ˌgɒnə'ri:ə] *s.* ⚕ Gonor'rhöe *f*, Tripper *m*.

goo [gu:] *s. sl.* **1.** Schmiere *f*, klebriges Zeug; **2.** *fig.* sentimen'taler Kitsch, ‚Schmalz' *m*.

good [gʊd] **I** *adj.* **1.** gut, angenehm, erfreulich: ***~ news***; ***it is ~ to be rich*** es ist angenehm, reich zu sein; ***~ morning*** (***evening***)***!*** guten Morgen (Abend)!; ***~ afternoon!*** guten Tag! (*nachmittags*); ***~ night!*** a) gute Nacht! (*a.* F *fig.*), b) guten Abend!; ***have a ~ time*** sich amüsieren; (***it's a***) ***~ thing that*** es ist gut, daß; ***be ~ eating*** gut schmecken; **2.** gut, geeignet, nützlich, günstig, zuträglich: ***is this ~ to eat?*** kann man das essen?; ***milk is ~ for children*** Milch ist gut für Kinder; ***~ for gout*** gut für *od.* gegen Gicht; ***that's ~ for you!*** *a. iro.* das tut dir gut!; ***get in ~ with s.o.*** sich mit j-m gut stellen; ***what is it ~ for?*** wofür ist es gut?, wozu dient es?; **3.** befriedigend, reichlich, beträchtlich: ***a ~ hour*** e-e gute Stunde; ***a ~ day's journey*** e-e gute Tagereise; ***a ~ many*** ziemlich viele; ***a ~ threshing*** e-e ordentliche Tracht Prügel; ***~ money*** *sl.* hoher Lohn; **4.** (*vor adj.*) *verstärkend*: ***a ~ long time*** sehr lange (Zeit); ***~ old age*** hohes Alter; ***~ and angry*** F äußerst erbost; **5.** gut, tugendhaft: ***lead a ~ life*** ein rechtschaffenes Leben führen; ***a ~ deed*** e-e gute Tat; **6.** gut, gewissenhaft: ***a ~ father and husband*** ein guter Vater und Gatte; **7.** gut, gütig, lieb: ***~ to the poor*** gut zu den Armen; ***it is ~ of you to help me*** es ist nett (von Ihnen), daß Sie mir helfen; ***be ~ enough*** (*od.* ***so ~ as***) ***to fetch it*** sei so gut und hole es; ***be ~ enough to hold your tongue!*** halt gefälligst deinen Mund!; ***my ~ man*** F mein Lieber!; **8.** artig, lieb, brav (*Kind*): ***be a ~ boy***; ***as ~ as gold*** a) kreuzbrav, b) goldrichtig; **9.** gut, geschickt, tüchtig (***at*** in *dat.*): ***a ~ rider*** ein guter Reiter; ***he is ~ at golf*** er spielt gut Golf; **10.** gut, geachtet: ***of ~ family*** aus guter Familie; **11.** gültig (*a.* ⚖), echt: ***a ~ reason*** ein triftiger Grund; ***tell false money from ~*** falsches Geld von echtem unterscheiden; ***a ~ Republican*** ein guter *od.* überzeugter Republikaner; ***be as ~ as*** auf dasselbe hinauslaufen; ***as ~ as finished*** so gut wie fertig; ***he has as ~ as promised*** er hat es so gut wie versprochen; **12.** gut, genießbar, frisch: ***a ~ egg***; ***is this fish still ~?***; **13.** gut, gesund, kräftig: ***in ~ health*** bei guter Gesundheit, gesund; ***be ~ for*** ‚gut' sein für, fähig *od.* geeignet sein zu; ***I am ~ for another mile*** ich schaffe noch eine Meile; ***he is always ~ for a surprise*** er ist immer für e-e Überraschung gut; ***I am ~ for a walk*** ich habe Lust zu e-m Spaziergang; **14.** *bsd.* ⚖ gut, sicher, zuverlässig: ***a ~ firm*** e-e gute *od.* zahlungsfähige Firma; ***~ debts*** sichere Schulden; ***be ~ for any amount*** für jeden Betrag gut sein; **II** *s.* **15.** *das* Gute, Gutes *n*, Wohl *n*: ***the common ~*** das Gemeinwohl; ***do s.o. ~*** a) j-m Gutes tun, b) j-m gut-, wohltun; ***he is up to no ~*** er führt nichts Gutes im Schilde; ***it comes to no ~*** es führt zu nichts Gutem; **16.** Nutzen *m*, Vorteil *m*: ***for his ~*** zu s-m Nutzen; ***he is too nice for his own ~*** er ist viel zu nett; ***what is the ~ of it?***, ***what ~ is it?*** was nützt es?, wozu soll das gut sein?; ***it's no ~*** a) es taugt nichts, b) es ist zwecklos; ***it is no ~ trying*** es hat keinen Wert *od.* Sinn, es zu versuchen; ***much ~ may it do you*** *iro.* wohl bekomm's!; ***for ~*** (***and all***) für immer, endgültig, ein für allemal; ***to the ~*** obendrein, extra, ✝ als Gewinn *od.* Kreditsaldo; ***it's all to the ~*** es ist nur zu s-m *etc.* Besten; **17.** ***the ~*** *pl.* die Guten *pl. od.* Rechtschaffenen *pl.*; **18.** *pl.* (bewegliche) Habe: ***~s and chattles*** Hab u. Gut *n*; F *j-s* ‚Siebensachen' *pl.*; **19.** *pl.* Güter *pl.*, Waren *pl.*, Gegenstände *pl.*: ***by ~s*** ✝ *Brit.* als Frachtgut; → ***deliver*** 5.

Good| Book *s. die* Bibel; **ˌ~'by(e)** [-'baɪ] **I** *s.* **1.** Abschiedsgruß *m*: ***say ~ to*** *j-m* auf Wiedersehen sagen, sich von *j-m* verabschieden; ***you may say ~ to that!*** F das kannst du vergessen!; **2.** Abschied *m*; **II** *adj.* Abschieds...: ***~ kiss***; **III** *int.* [ˌgʊd'baɪ] **3.** auf Wiedersehen!, adi'eu!, a'de!: ***then ~ democracy!*** *fig. iron.* dann ade Demokratie!; **ˌ~'fel·low·ship** *s.* gute Kame'radschaft, Kame'radschaftlichkeit *f*; **~-for-noth·ing I** ['gʊdfəˌnʌθɪŋ] *adj.* nichtsnutzig; **II** [ˌgʊdfə'n-] *s.* Taugenichts *m*, Nichtsnutz *m*; **♀ Fri·day** *s. eccl.* Kar'freitag *m*; **~ hu·mo(u)r** *s.* gute Laune; **ˌ~-'hu·mo(u)red** *adj.* ☐ **1.** bei guter Laune, gutaufgelegt; **2.** gutmütig.

good·ish ['gʊdɪʃ] *adj.* **1.** ziemlich gut; **2.** ziemlich (*Menge*); **good·li·ness** ['gʊdlɪnɪs] *s.* **1.** Güte *f*, Wert *m*; **2.** Anmut *f*; **3.** Schönheit *f*.

ˌgood|-'look·ing *adj.* gutaussehend, hübsch, schön; **~ looks** *s. pl.* gutes Aussehen, Schönheit *f*.

good·ly ['gʊdlɪ] *adj.* **1.** schön, anmutig; **2.** beträchtlich, ansehnlich; **3.** *oft iro.* glänzend, prächtig.

'good|·man [-mæn] *s.* [*irr.*] *obs.* Hausvater *m*, Ehemann *m*: **♀ *Death*** Freund Hein *m*; **ˌ~-'na·tured** *adj.* ☐ gutmütig, gefällig; **ˌ~-'neigh·bo(u)r·li·ness** *s.* gutnachbarliches Verhältnis; **♀ Neigh·bo(u)r pol·i·cy** *s.* Poli'tik *f* der guten Nachbarschaft.

good·ness ['gʊdnɪs] *s.* **1.** Tugend *f*, Frömmigkeit *f*; **2.** Güte *f*, Freundlichkeit *f*; **3.** Wert *m*, Güte *f*; *engS. das* Wertvolle *od.* Nahrhafte; **4.** ***~ gracious!, my ~!*** du meine Güte!, du lieber Gott!; ***~ knows*** weiß der Himmel; ***for ~' sake*** um Himmels willen; ***thank ~!*** Gott sei Dank!; ***I wish to ~*** wollte Gott.

goods| a·gent *s.* ✝ ('Bahn)Spediˌteur *m*; **~ en·gine** *s. Brit.* 'Güterzuglokomoˌtive *f*; **~ lift** *s. Brit.* Lastenaufzug *m*.

good speed *Am.* → ***godspeed***.

goods| sta·tion *s. Brit.* Güterbahnhof *m*; **~ train** *s. Brit.* Güterzug *m*; **~ van** *s. mot. Brit.* Lieferwagen *m*; **~ wag·on** *s. Brit.* Güterwagen *m*; **~ yard** *s. Brit.* Güter(bahn)hof *m*.

ˌgood|-'tem·pered *adj.* ☐ gutartig, -mütig, ausgeglichen; **ˌ~-'time Char·lie** ['tʃɑːlɪ] *s. Am.* F lebenslustiger *od.* vergnügungssüchtiger Mensch; **ˌ~'will** *s.* **1.** Wohlwollen *n*, guter Wille, Verständigungsbereitschaft *f*: ***~ tour*** *pol.* Goodwillreise *f*; ***~ visit*** Freundschaftsbesuch *m*; **2.** *mst* ***good will*** ✝ a) Goodwill *m*, (ide'eller) Firmen- *od.* Geschäftswert (*guter Ruf*, *Kundenstamm etc.*).

good·y ['gʊdɪ] F **I** *s.* **1.** Bon'bon *m, n, pl.* Süßigkeiten *pl.*, gute Sachen; **2.** *fig.* ‚klasse Ding'; **3.** *Film etc.*: Gute(r *m*) *f* (*Ggs Schurke*); **4.** Tugendbold *m*, Mukker *m*; **II** *adj.* **5.** frömmelnd, ‚mora'linsauer'; **III** *int.* **6.** prima!, ‚Klasse'!; **'~-ˌgood·y** → ***goody*** 4, 5, 6.

goo·ey ['guːɪ] *adj. sl.* klebrig, schmierig.

goof [guːf] F **I** *s.* **1.** ‚Pfeife' *f*, Idi'ot *m*; **2.** ‚Schnitzer' *m*, ‚Patzer' *m*; **II** *v/t.* **3.** *oft* ***~ up*** ‚vermasseln'; **III** *v/i.* **4.** ‚Mist bauen'; **5.** *oft* ***~ around*** ‚her'umspinnen'.

'go-off *s.* Start *m*: ***at the first ~*** (gleich) beim ersten Mal, auf Anhieb.

'goof·y ['guːfɪ] *adj.* ☐ *sl.* ‚doof', ‚bekloppt'.

gook [gʊk] *s. Am. sl. contp.* ‚Schlitzauge' *n* (*Asiate*).

goon [guːn] *s. sl.* **1.** *Am.* angeheuerter Schläger; **2.** → ***goof*** 1.

goose [guːs] **I** *pl.* **geese** [giːs] *s.* **1.** *orn.* Gans *f*: ***cook s.o.'s ~*** F es j-m ‚besorgen', j-n ‚fertigmachen'; ***he's cooked his ~ with me*** F bei mir ist er ‚untendurch'; ***all his geese are swans*** bei ihm ist immer alles besser als bei andern; ***kill the ~ that lays the golden eggs*** das Huhn schlachten, das goldene Eier legt; → ***sauce*** 1; **2.** Gans *f*, Gänsebraten *m*; **3.** *fig.* a) Dummkopf *m*, b) (dumme) Gans; **4.** (*pl.* **goos·es**) Schneiderbügeleisen *n*; **II** *v/t.* **5.** F *j-n* (in den ‚Po') zwicken.

goose·ber·ry ['gʊzbərɪ] *s.* **1.** ⚘ Stachelbeere *f*: ***play ~*** F den Anstandswauwau spielen; **2.** *a.* ***~ wine*** Stachelbeerwein *m*; **~ fool** *s.* Stachelbeercreme *f* (*Speise*).

goose| bumps *s. pl.*, **~ flesh** *s. fig.* Gänsehaut *f*; **'~·neck** *s.* ⚙ Schwanenhals *m*; **~ pim·ples** *s. pl.* → ***goose bumps***; **'~-quill** *s.* Gänsekiel *m*; **'~-skin** → ***goose bumps***; **'~-step** *s.* ⚔ Pa'rade-, Stechschritt *m*.

goos·ey ['guːsɪ] *s. fig.* Gäns-chen *n*.

go·pher¹ ['gəʊfə] *s. Am. zo.* a) Taschenratte *f*, b) Ziesel *m*, c) Gopherschildkröte *f*, d) *a.* ***~ snake*** Schildkrötenschlange *f*.

go·pher² → ***goffer***.

go·pher³ ['gəʊfə] *s. bibl. Baum, aus dessen Holz Noah die Arche baute*; **'~·wood** *s. Am.* ⚘ Gelbholz *n*.

Gor·di·an ['gɔːdjən] *adj.*: ***cut the ~ knot*** den gordischen Knoten durchhauen.

gore¹ [gɔː] *s.* (*bsd.* geronnenes) Blut.

gore² [gɔː] **I** *s.* **1.** Zwickel *m*, Keil(stück

n) m; **II** v/t. **2.** keilförmig zuschneiden; **3.** e-n Zwickel einsetzen in (acc.).
gore³ [gɔ:] v/t. (mit den Hörnern) durch'bohren, aufspießen.
gorge [gɔ:dʒ] **I** s. **1.** enge (Fels-) Schlucht; **2.** rhet. Kehle f, Schlund m: ***my ~ rises at it*** fig. mir wird übel davon od. dabei; **3.** Schlemme'rei f, Völle'rei f; **4.** ⚠ Hohlkehle f; **II** v/i. **5.** schlemmen: ***~ on*** (od. ***with***) → 7; **III** v/t. **6.** gierig verschlingen; **7.** ***~ o.s. on*** (od. ***with***) sich vollfressen mit, et. in sich hineinschlingen.
gor·geous ['gɔ:dʒəs] adj. □ **1.** prächtig, prachtvoll (beide a. fig. F); **2.** F großartig, wunderbar, ‚toll'.
Gor·gon ['gɔ:gən] s. **1.** myth. Gorgo f; **2.** a) häßliches od. abstoßendes Weib, b) ‚Drachen' m; **gor·go·ni·an** [gɔ:'gəʊnjən] adj. **1.** Gorgonen...; **2.** schauerlich.
go·ril·la [gə'rɪlə] s. **1.** zo. Go'rilla m; **2.** Am. sl. ‚Gorilla' m: a) Leibwächter m e-s Gangsters etc., b) Scheusal n.
gor·mand·ize ['gɔ:məndaɪz] **I** v/t. et. gierig verschlingen; **II** v/i. schlemmen; **'gor·mand·iz·er** [-zə] s. Schlemmer (-in).
gorse [gɔ:s] s. ⚘ Brit. Stechginster m.
gor·y ['gɔ:rɪ] adj. **1.** poet. a) blutbefleckt, voll Blut, b) blutig: ***~ battle***; **2.** fig. blutrünstig.
gosh [gɒʃ] int. F Mensch!, Mann!
gos·hawk ['gɒshɔ:k] s. orn. Hühnerhabicht m.
gos·ling ['gɒzlɪŋ] s. **1.** junge Gans, Gäns-chen n; **2.** fig. Grünschnabel m.
,go-'slow s. ✝ Brit. Bummelstreik m.
gos·pel ['gɒspl] s. eccl. a. ♎ Evan'gelium n (a. fig.): ***take s.th. for ~*** et. für bare Münze nehmen; ***~ song*** Gospelsong m; ***~ truth*** fig. absolute Wahrheit; **'gos·pel·(l)er** [-pələ] s. Vorleser m des Evan'geliums: ***hot ~*** a) religiöser Eiferer, b) fa'natischer Befürworter.
gos·sa·mer ['gɒsəmə] **I** s. **1.** Alt'weibersommer m, Spinnfäden pl.; **2.** a) feine Gaze, b) hauchdünner Stoff; **3.** et. sehr Zartes u. Dünnes; **II** adj. **4.** leicht u. zart, hauchdünn.
gos·sip ['gɒsɪp] **I** s. **1.** Klatsch m, Tratsch m: ***~ column*** Klatschspalte f; ***~ columnist*** Klatschkolumnist(in); **2.** Plaude'rei f, Schwatz m, Plausch m; **3.** Klatschbase f; **II** v/i. **4.** klatschen, tratschen; **5.** plaudern; **'gos·sip·y** [-pɪ] adj. **1.** klatschhaft, -süchtig; **2.** schwatzhaft; **3.** im Plauderton (geschrieben).
got [gɒt] pret. u. p.p. von ***get***.
Goth [gɒθ] s. **1.** Gote m; **2.** fig. Bar'bar m.
Go·tham ['gəʊθəm, 'gɒ-] s. Am. (Spitzname für) New York; **'Go·tham·ite** s. [-maɪt] humor. New Yorker(in).
Goth·ic ['gɒθɪk] **I** adj. **1.** gotisch; **2.** fig. bar'barisch, roh; **3.** typ. a) Brit. gotisch, b) Am. Grotesk...; **4.** Literatur: a) ba'rock, ro'mantisch, b) Schauer...: ***~ novel***; **II** s. **5.** ling. Gotisch n; **6.** ⚠ Gotik f, gotischer (Bau)Stil; **7.** typ. a) Brit. Frak'tur f, gotische Schrift, b) Am. Gro'tesk f; **Goth·i·cism** ['gɒθɪsɪzəm] s. **1.** Gotik f; **2.** fig. Barba'rei f, 'Unkul,tur f.
,go-to-'meet·ing adj. F Sonntags..., Ausgeh...: ***~ suit***.
got·ten ['gɒtn] obs. od. Am. p.p. von ***get***.
gou·ache [gʊ'ɑ:ʃ] (Fr.) s. paint. Gou'ache f.
gouge [gaʊdʒ] **I** s. **1.** ⚙ Hohlmeißel m; **2.** Rille f, Furche f; **3.** Am. F a) Gaune'rei f, b) Erpressung f; **II** v/t. **4.** a. ***~ out*** ⚙ ausmeißeln, -höhlen, -stechen; **5.** ***~ out s.o.'s eye*** a) j-m den Finger ins Auge stoßen, b) j-m ein Auge ausdrükken od. -stechen; **6.** Am. F a) j-n über'vorteilen, b) e-e Summe erpressen.
gou·lash ['gu:læʃ] s. Gulasch n: ***~ communism*** pol. contp. Gulaschkommunismus m.
gourd [gʊəd] s. **1.** ⚘ Flaschenkürbis m; **2.** Kürbisflasche f.
gour·mand ['gʊəmənd] **I** s. **1.** Schlemmer m, Gour'mand m; **2.** → ***gourmet***; **II** adj. **3.** schlemmerisch.
gour·met ['gʊəmeɪ] s. Feinschmecker m, Gour'met m.
gout [gaʊt] s. **1.** ⚕ Gicht f; **2.** ⚘ Gicht f (Weizenkrankheit): ***~-fly*** zo. gelbe Halmfliege; **'gout·y** [-tɪ] adj. □ ⚕ **1.** gichtkrank; **2.** zur Gicht neigend; **3.** gichtisch, Gicht...: ***~ concretion*** Gichtknoten m.
gov·ern ['gʌvn] **I** v/t. **1.** regieren (a. ling.); beherrschen (a. fig.); **2.** leiten, führen, verwalten, lenken; **3.** fig. regeln, bestimmen, maßgebend sein für, leiten: ***~ed by circumstances*** durch die Umstände bestimmt; ***I was ~ed by*** ich ließ mich leiten von ...; **4.** beherrschen, zügeln; **5.** ⚙ regeln, steuern; **II** v/i. **6.** regieren, herrschen (a. fig.); **'gov·ern·ance** [-nəns] s. **1.** Regierungsgewalt f od. -form f; **2.** fig. Herrschaft f, Gewalt f, Kon'trolle f (***of*** über acc.); **'gov·ern·ess** [-nɪs] **I** s. Erzieherin f, Gouver'nante f; **II** v/i. Erzieherin sein; **'gov·ern·ing** [-nɪŋ] adj. **1.** regierend, Regierungs...; **2.** leitend, Vorstands...: ***~ body*** Vorstand m, Leitung f; **3.** fig. leitend, Leit...: ***~ idea*** Leitgedanke m; **gov·ern·ment** ['gʌvnmənt] s. **1.** a) Regierung f, Herrschaft f, Kon'trolle f (***of, over*** über acc.), b) Regierungsgewalt f, c) Leitung f, Verwaltung f; **2.** Re'gierung(sform f, -sy,stem n) f; **3.** (e-s bestimmten Landes) mst ♎ die Regierung: ***the British ~***; ***~ agency*** Regierungsstelle f, (-)Behörde f; ***~ bill***

parl. Regierungsvorlage *f*; ~ ***spokesman*** Regierungssprecher *m*; **4.** Staat *m*: ~ ***bonds***, ~ ***securities*** a) Staatsanleihen, -papiere, b) *Am.* Bundesanleihen; ~ ***employee*** Angestellte(r *m*) *f* des öffentlichen Dienstes; ~ ***grant*** staatlicher Zuschuß; ~ ***indebtedness*** Staatsverschuldung *f*; ~ ***issue*** *Am. von der Regierung gestellte Ausrüstung*; ~ ***monopoly*** Staatsmonopol *n*; **5.** *univ.* Politolo'gie *f*; **6.** *ling.* Rekti'on *f*; **gov·ern·men·tal** [ˌgʌvn'mentl] *adj.* □ Regierungs..., Staats..., staatlich; **gov·ern·men·tal·ize** [ˌgʌvn'mentəlaɪz] *v/t.* unter staatliche Kon'trolle bringen.

ˌgov·ern·ment|-in-'ex·ile *pl.* **ˌ~s-in-'ex·ile** *s. pol.* E'xilregierung *f*; **'~-owned** *adj.* staatseigen; **'~-run** *adj.* staatlich (*Rundfunk etc.*).

gov·er·nor ['gʌvənə] *s.* **1.** Gouver'neur *m* (*a. e-s Staates der USA*): ~ ***general*** Generalgouverneur; **2.** ⚔ Komman'dant *m*; **3.** a) *allg.* Di'rektor *m*, Leiter *m*, Vorsitzende(r) *m*, b) Präsi'dent *m* (*e-r Bank*), c) *Brit.* Ge'fängnisdiˌrektor *m*, d) *pl.* Vorstand *m*, Direk'torium *n*; **4.** F *der* ,Alte': a) ,alter Herr' (*Vater*), b) Chef *m* (*a. als Anrede*); **5.** ⚙ Regler *m*: ~ ***valve*** Reglerventil *n*; **'gov·er·nor·ship** [-ʃɪp] *s.* **1.** Gouver'neursamt *n*; **2.** Amtszeit *f* e-s Gouver'neurs.

gown [gaʊn] **I** *s.* **1.** Kleid *n*; **2.** *bsd.* ⚖ *u. univ.* Ta'lar *m*, Robe *f*; **3.** *coll.* Stu'denten(schaft *f*) *pl. u.* Hochschullehrer *pl.* (*e-r Universitätsstadt*): ***town and*** ~ Stadt u. Universität; **II** *v/t.* **4.** mit e-m Ta'lar *etc.* bekleiden; **gowns·man** ['gaʊnzmən] *s.* [*irr.*] Robenträger *m* (*Anwalt, Richter, Geistlicher etc.*).

goy [gɔɪ] *s.* ,Goi' *m* (*jiddisch für Nichtjude*).

grab [græb] **I** *v/t.* **1.** (hastig *od.* gierig) ergreifen, an sich reißen, fassen, pakken, (sich) ,schnappen'; **2.** *fig.* a) sich ,schnappen', an sich reißen, b) *e-e Gelegenheit* beim Schopf ergreifen; **3.** F *Publikum* packen, fesseln; **II** *v/i.* **4.** ~ ***at*** (hastig *od.* gierig) greifen *od.* ,schnappen' nach; **III** *s.* **5.** (hastiger *od.* gieriger) Griff (***for*** nach): ***make a*** ~ ***at*** → 1 u. 4; ***be up for*** ~***s*** F für jeden zu haben *od.* zu gewinnen sein; **6.** *fig.* Griff (***for*** nach *der Macht etc.*); **7.** ⚙ (Bagger-, Kran)Greifer *m*: ~ ***crane*** Greiferkran *m*; ~ ***dredge(r)*** Greiferbagger *m*; ~ ***handle*** Haltegriff *m*; ~ **bag** *s. Am.* **1.** ,Grabbelsack' *m*; **2.** *fig.* Sammel'surium *n*.

grab·ber ['græbə] *s.* Habgierige(r *m*) *f*, ,Raffke' *m*.

grab·ble ['græbl] *v/i.* tasten, tappen, suchen (***for*** nach).

grab raid *s.* 'Raubˌüberfall *m*.

grace [greɪs] **I** *s.* **1.** Anmut *f*, Grazie *f*, Liebreiz *m*, Charme *m*: ***the three*** ♀***s*** *myth.* die drei Grazien; **2.** Anstand *m*, Takt *m*, Schicklichkeit *f*: ***have the*** ~ ***to do*** den Anstand haben zu tun; ***with*** ~ mit Anstand *od.* Würde *od.* ,Grazie' (→ *a.* 3); **3.** Bereitwilligkeit *f*: ***with a good*** ~ bereitwillig, gern; ***with a bad*** ~ widerwillig, (nur) ungern; **4.** *mst pl.* gute Eigenschaft, schöner Zug: ***social*** ~***s*** feine Lebensart; **5.** Gunst *f*, Wohlwollen *n*, Huld *f*, Gnade *f*: ***be in s.o.'s good*** ~***s*** in j-s Gunst stehen, bei j-m gut angeschrieben sein; ***be in s.o.'s bad*** ~***s*** bei j-m in Ungnade sein; ***fall from*** ~ in Ungnade fallen; ***by way of*** ~ ⚖ auf dem Gnadenwege; ***act of*** ~ Gnadenakt *m*; **6.** ***by the*** ~ ***of God*** von Gottes Gnaden; ***in the year of*** ~ im Jahre des Heils; **7.** *eccl.* a) *a.* ***state of*** ~ Stand *m* der Gnade, b) Tugend *f*: ~ ***of charity*** (Tugend der) Nächstenliebe *f*, c) ***say*** ~ das Tischgebet sprechen; **8.** ✝, ⚖ Aufschub *m*, (Zahlungs-, Nach)Frist *f*: ***days of*** ~ Respekttage *pl.*; ***grant s.o. a week's*** ~ j-m e-e Woche Aufschub gewähren; **9.** ♀ (*Eure*, *Seine*, *Ihre*) Gnaden *pl.* (*Titel*): ***Your*** ♀ a) Eure Hoheit (*Herzogin*), b) Eure Exzellenz (*Erzbischof*); **10.** *a.* ~ ***note*** ♪ Verzierung *f*; **II** *v/t.* **11.** zieren, schmücken; **12.** *fig.* a) zieren, b) (be)ehren, auszeichnen; **'grace·ful** [-fʊl] *adj.* □ **1.** anmutig, grazi'ös, reizend, ele'gant; **2.** geziemend, takt-, würdevoll: ~***ly*** *fig.* mit Anstand *od.* Würde *alt werden etc.*; **'grace·ful·ness** [-fʊlnɪs] *s.* Anmut *f*, Grazie *f*; **'grace·less** [-lɪs] *adj.* □ **1.** 'ungraziˌös, reizlos, 'uneleˌgant; **2.** *obs.* verworfen.

grac·ile ['græsaɪl] *adj.* zierlich, gra'zil, zart(gliedrig).

gra·cious ['greɪʃəs] **I** *adj.* □ **1.** gnädig, huldvoll, wohlwollend; **2.** *poet.* gütig, freundlich; **3.** *eccl.* gnädig, barmherzig (*Gott*); **4.** *obs.* für ***graceful*** 1; **5.** a) angenehm, b) geschmackvoll, schön: ~ ***living*** elegantes Leben, kultivierter Luxus; **II** *int.* **6.** ~ ***me!***, ~ ***goodness!***, ***good*** ~***!*** du meine Güte!, lieber Himmel!; **'gra·cious·ness** [-nɪs] *s.* **1.** Gnade *f*, *eccl. a.* Barm'herzigkeit *f*; **2.** *poet.* Güte *f*, Freundlichkeit *f*.

grad [græd] *s.* F Stu'dent(in).

gra·date [grə'deɪt] **I** *v/t. Farben* abstufen, inein'ander 'übergehen lassen, abtönen; **II** *v/i.* stufenweise (inein'ander) 'übergehen; **gra·da·tion** [grə'deɪʃn] *s.* **1.** Abstufung *f*: a) Abtönung *f*, b) Staffelung *f*; **2.** Stufenleiter *f*, -folge *f*; **3.** *ling.* Ablaut *m*.

grade [greɪd] **I** *s.* **1.** Grad *m*, Stufe *f*, Klasse *f*; **2.** ⚔ *Am.* Dienstgrad *m*; **3.** (*höherer etc.*) (Be'amten)Dienst; **4.** Art *f*, Gattung *f*, Sorte *f*; Quali'tät *f*, Güte *f*, Klasse *f*: ♀ ***A*** ✝ (Güte)Klasse A (→ 6); **5.** Steigung *f*, Gefälle *n*, Neigung *f*, Ni-

ˈveau *n* (*a. fig.*): **~ crossing** (schienengleicher) Bahnübergang; **at ~** *Am.* auf gleicher Höhe; **on the up ~** aufwärts (-gehend), im Aufstieg; **make the ~** ‚es schaffen'; **6.** *ped. Am.* a) (Schüler *pl.* e-r) Klasse *f*, b) Note *f*, Zenˈsur *f*, c) *pl.* (Grund)Schule *f*: **~ A** (Note *f*) Sehr Gut *n* (→ 4); **II** *v/t.* **7.** sortieren, einteilen, -reihen, -stufen, staffeln; **8.** *ped.* benoten, zensieren; **9. ~ up** verbessern, veredeln; **~ (up)** Vieh (auf)kreuzen; **10.** *Gelände* planieren; **11.** *ling.* ablauten; **12.** → **gradate** I; **ˈgrad·er** [-də] *s.* **1.** a) Sortierer(in), b) Sorˈtiermaˌschine *f*; **2.** ⚙ Plaˈniermaˌschine *f*; **3.** *Am. ped. in Zssgn* …kläßler *m*: **fourth ~** Viertkläßler.

grade school *s. Am.* Grundschule *f*.

gra·di·ent [ˈgreɪdjənt] **I** *s.* **1.** Neigung *f*, Steigung *f*, Gefälle *n* (*des Geländes etc.*); **2.** ⚡ Gradiˈent *m* (*a. meteor.*), Gefälle *n*; **II** *adj.* **3.** gehend, schreitend; **4.** *zo.* Geh…, Lauf…

grad·u·al [ˈgrædjʊəl] **I** *adj.* □ allˈmählich, schritt-, stufenweise, langsam (fortschreitend), graduˈell; **II** *s. eccl.* Graduˈale *n*; **ˈgrad·u·al·ly** [-əlɪ] *adv.* a) nach u. nach, b) → **gradual** I.

grad·u·ate [ˈgrædʒʊət] **I** *s.* **1.** *univ.* a) ˈHochschulabsolˌvent(in), Akaˈdemiker (-in), b) Graduierte(r *m*) *f* (*bsd. Inhaber[in] des niedrigsten akademischen Grades*), c) *Am.* Stuˈdent(in) an e-r **graduate school**; **2.** *ped. Am.* (ˈSchul-) Absolˌvent(in): **high-school ~** *etwa* Abiturient(in); **3.** *fig. Am.* ‚Proˈdukt' *n* (*e-r Anstalt etc.*); **4.** *Am.* Meßgefäß *n*; **II** *adj.* **5.** *univ.* a) Akademiker…, b) graduiert: **~ student** → 1, c) für Graduierte: **~ course** (Fach)Kurs *m* an e-r **graduate school**; **6.** *Am.* staatlich geprüft, Diplom…: **~ nurse**; **7.** → **graduated** 1; **III** *v/t.* [-djʊeɪt] **8.** ⚙ mit e-r Maßeinteilung versehen, in Grade einteilen, *a.* ⚗ gradieren; **9.** abstufen, staffeln; **10.** *univ.* graduieren, *j-m* e-n (*bsd. den niedrigsten*) akaˈdemischen Grad verleihen; **11.** *ped. Am.* a) *oft* **be ~d from** die Abschlußprüfung bestehen an (*e-r Schule*), absolvieren, herˈvorgehen aus, b) *j-n* (*in die nächste Klasse*) versetzen; **IV** *v/i.* [-djʊeɪt] **12.** *univ.* graduieren, e-n (*bsd. den niedrigsten*) akaˈdemischen Grad erwerben (**from** an *dat.*); **13.** *ped. Am.* die Abschlußprüfung bestehen: **~ from** → 11a; **14.** sich staffeln, sich abstufen: **~ into** a) sich entwickeln zu, b) allmählich übergehen in (*acc.*); **ˈgrad·u·at·ed** [-jʊeɪtɪd] *adj.* **1.** abgestuft, gestaffelt; **2.** ⚙ graduiert, mit e-r Gradeinteilung: **~ dial** Skalenscheibe *f*; **grad·u·ate school** *s. univ. Am.* a) höhere ˈFachseˌmester *pl.* (*mit Studienziel ‚Magister'*), b) *Universität(seinrichtung) zur Erlangung höherer akademischer Grade*; **grad·u·a·tion** [ˌgrædjʊˈeɪʃn] *s.* **1.** Abstufung *f*, Staffelung *f*; **2.** ⚙ a) Gradeinteilung *f*, b) Grad-, Teilstrich(e *pl.*) *m*; **3.** ⚗ Gradierung *f*; **4.** *univ.* Graduierung *f*, Erteilung *f od.* Erlangung *f* e-s akaˈdemischen Grades; **5.** *ped. Am.* a) Absolvieren *n* (**from** *e-r Schule*), b) Schluß-, Verleihungsfeier *f*.

Graeco- [gri:kəʊ] *in Zssgn* griechisch, gräko…

graf·fi·to [grəˈfi:təʊ] *pl.* **-ti** [-tɪ] *s.* **1.** (S)Grafˈfito *m*, *n*, Kratzmaleˈrei *f*; **2.** *pl.* Wandkritzeˈleien *pl.*, Grafˈfiti *pl.*

graft [grɑ:ft] **I** *s.* **1.** ⚘ a) Pfropfreis *n*, b) veredelte Pflanze, c) Pfropfstelle *f*; **2.** ⚕ a) Transplanˈtat *n*, b) Transplantatiˈon *f*; **3.** *bsd. Am.* F a) Korruptiˈon *f*, b) Bestechungs-, Schmiergelder *pl.*; **II** *v/t.* **4.** ⚘ a) *Zweig* pfropfen, b) *Pflanze* okulieren, veredeln; **5.** ⚕ *Gewebe* transplantieren, verpflanzen; **6.** *fig.* (**in**, [**up**]**on**) a) *et.* aufpfropfen (*dat.*), b) *Ideen etc.* einimpfen (*dat.*), c) überˈtragen (auf *acc.*); **III** *v/i.* **7.** *bsd. Am.* F a) sich (durch ˈAmtsˌmißbrauch) bereichern, b) Schmiergelder zahlen; **ˈgraft·er** [-tə] *s.* **1.** ⚘ a) Pfropfer *m*, b) Pfropfmesser *n*; **2.** *bsd. Am.* F korˈrupter Beˈamter *od.* Poˈlitiker *etc.*

Grail [greɪl] *s. eccl.* Gral *m*.

grain [greɪn] **I** *s.* **1.** ⚘ (Samen-, *bsd.* Getreide)Korn *n*; **2.** *coll.* Getreide *n*, Korn *n*; **3.** Körnchen *n*, (*Sand- etc.*) Korn *n*: **of fine ~** feinkörnig; → **salt** 1; **4.** *fig.* Spur *f*, *ein* bißchen: **a ~ of truth** ein Körnchen Wahrheit; **not a ~ of hope** kein Funke Hoffnung; **5.** ⚕ Gran *n* (*Gewicht*); **6.** a) Faser(ung) *f*, Maserung *f* (*Holz*), b) Narbe *f* (*Leder*), c) Korn *n*, Narbe *f* (*Papier*), d) *metall.* Korn *n*, Körnung *f*, e) Strich *m* (*Tuch*), f) *min.* Korn *n*, Gefüge *n*: **~ (side)** Narbenseite (*Leder*); **it goes against the ~** (**with me**) *fig.* es geht mir gegen den Strich; **7.** *hist.* Cocheˈnille *f* (*Farbstoff*): **dyed in ~** a) im Rohzustand gefärbt, b) *a. fig.* waschecht; **8.** *phot.* a) Korn *n*, b) Körnigkeit *f* (*Film*); **II** *v/t.* **9.** körnen, granulieren; **10.** ⚙ *Leder*: a) enthaaren, b) körnen, narben; **11.** ⚙ *Holz etc.* (*künstlich*) masern, ädern; **12.** ⚙ a) *Papier* narben, b) in der Wolle färben; **~ al·co·hol** *s.* ⚗ Äˈthylalkohol *m*; **~ leath·er** *s.* genarbtes Leder.

gram[1] [græm] → **chickpea**.

gram[2] [græm] *Am.* → **gramme**.

gram·i·na·ceous [ˌgræmɪˈneɪʃəs], **gra·min·e·ous** [grəˈmɪnɪəs] *adj.* ⚘ grasartig, Gras…; **gram·i·niv·o·rous** [ˌgræmɪˈnɪvərəs] *adj.* grasfressend.

gram·mar [ˈgræmə] *s.* **1.** Gramˈmatik *f* (*a. Lehrbuch*): **bad ~** ungrammatisch; **2.** *fig.* Grundbegriffe *pl.*; **gram·mar·i·an** [grəˈmeərɪən] *s.* **1.** Gramˈmatiker

(-in); **2.** Verfasser(in) e-r Gram'matik; **gram·mar school** *s.* **1.** *Brit.* höhere Schule, *etwa* Gym'nasium *n*; **2.** *Am. etwa* Grundschule *f*; **gram·mat·i·cal** [grə'mætıkl] *adj.* □ gram'matisch, grammati'kalisch: ***not ~*** grammatisch falsch.

gramme [græm] *s.* Gramm *n.*

gram mol·e·cule *s. phys.* 'Gramm-mole͵kül *n.*

Gram·my ['græmı] *s.* Grammy *m* (*amer. Schallplattenpreis*).

gram·o·phone ['græməfəʊn] *s.* a) Grammo'phon *n*, b) Plattenspieler *m*; **~ rec·ord** *s.* Schallplatte *f.*

gram·pus ['græmpəs] *s. zo.* Schwertwal *m*: ***blow like a ~*** *fig.* wie ein Nilpferd schnaufen.

gran·a·ry ['grænərı] *s.* Kornkammer *f* (*a. fig.*), Kornspeicher *m.*

grand [grænd] **I** *adj.* □ **1.** großartig, gewaltig, grandi'os, eindrucksvoll, prächtig: ***in ~ style*** großartig; **2.** (*geistig etc.*) groß, bedeutend, über'ragend; **3.** erhaben (*Stil etc.*); **4.** (*gesellschaftlich*) groß, hochstehend, vornehm, distinguiert: ***~ air*** Vornehmheit *f*, Würde *f*, *iro.* Gran'dezza *f*; ***do the ~*** den vornehmen Herrn spielen; ***..., he said ~ly*** ..., sagte er großartig; **5.** Haupt...: ***~ question***; ***~ staircase*** Haupttreppe *f*; ***~ total*** Gesamtsumme *f*; **6.** F großartig, prächtig: ***a ~ idea***; ***have a ~ time*** sich glänzend amüsieren; **II** *s.* **7.** ♪ Flügel *m*; **8.** *pl.* ***grand*** *Am. sl.* ‚Riese' *m* (*1000 Dollar*).

gran·dad → ***granddad***.

gran·dam ['grændæm] *s.* **1.** Großmutter *f*; **2.** alte Dame.

'grand|·aunt *s.* Großtante *f*; **'~·child** [-ntʃ-] *s.* [*irr.*] Enkel(in); **'~·dad** [-ndæd] *s.* ‚Opa' *m* (*a. alter Mann*); **'~͵daugh·ter** [-n͵dɔ:-] *s.* Enkelin *f*; **͵≈-'du·cal** [-ndʼd-] *adj.* großherzoglich; **≈ Duch·ess** [-ndd-] *s.* Großherzogin *f*; **≈ Duch·y** *s.* Großherzogtum *n*; **≈ Duke** *s.* **1.** Großherzog *m*; **2.** *hist.* (*russischer*) Großfürst.

gran·dee [græn'di:] *s.* Grande *m.*

gran·deur ['grændʒə] *s.* **1.** Großartigkeit *f* (*a. iro.*); **2.** Größe *f*, Erhabenheit *f*; **3.** Vornehmheit *f*, Hoheit *f*, Würde *f*: ***delusions of ~*** Größenwahnsinn *m*; **4.** Herrlichkeit *f*, Pracht *f.*

'grand͵fa·ther ['grænd͵f-] *s.* Großvater *m*: ***~('s) clock*** Standuhr *f*; ***~('s) chair*** Ohrensessel *m*; **'grand͵fa·ther·ly** [-lı] *adj.* großväterlich (*a. fig.*).

gran·dil·o·quence [græn'dıləkwəns] *s.* **1.** (Rede)Schwulst *m*, Bom'bast *m*; **2.** Großsprече'rei *f*; **gran'dil·o·quent** [-nt] *adj.* □ **1.** schwülstig, hochtrabend, ‚geschwollen'; **2.** großsprecherisch.

gran·di·ose ['grændıəʊs] *adj.* □ **1.** großartig, grandi'os; **2.** pom'pös, prunkvoll; **3.** schwülstig, hochtrabend, bom'bastisch.

grand| ju·ry *s.* ⚖ *Am.* Anklagejury *f* (*Geschworene, die die Eröffnung des Hauptverfahrens beschließen od. ablehnen*); **~ lar·ce·ny** *s.* ⚖ *Am.* schwerer Diebstahl; **~·ma** ['grænmɑ:], **~·mam·ma** ['grænmə͵mɑ:] *s.* F 'Großma͵ma *f*, ‚Oma' *f*; **~ mas·ter** *s.* **1.** *Schach*: Großmeister *m*; **2.** ***Grand Master*** Großmeister *m* (*der Freimaurer etc.*); **'~͵moth·er** [-n͵m-] *s.* Großmutter *f*: ***teach your ~ to suck eggs!*** das Ei will klüger sein als die Henne!; **'~͵moth·er·ly** [-lı] *adj.* großmütterlich (*a. fig.*); **≈ Na·tion·al** *s.* *Pferdesport*: Grand National *n* (*Hindernisrennen auf der Aintree-Rennbahn bei Liverpool*); **'~͵neph·ew** [-n͵n-] *s.* Großneffe *m.*

grand·ness ['grændnıs] → ***grandeur***.

'grand|·niece [-nni:s] *s.* Großnichte *f*; **~ old man** *s.* ‚großer alter Mann' (*e-r Berufsgruppe etc.*); **≈ Old Par·ty**, *abbr.* **GOP** *s. pol. Am. die* Republi'kanische Par'tei *der USA*; **~ op·er·a** *s.* ♪ große Oper; **~·pa** ['grænpɑ:], **~·pa·pa** ['grænpə͵pɑ:] *s.* ‚Opa' *m*, 'Großpa͵pa *m*; **'~͵par·ent** [-n͵p-] *s.* **1.** Großvater *m od.* -mutter *f*; **2.** *pl.* Großeltern *pl.*; **~ pi·an·o** *s.* ♪ (Kon'zert)Flügel *m*; **'~͵sire** [-n͵s-] *s. obs.* **1.** alter Herr; **2.** Großvater *m*; **'~·son** [-ns-] *s.* Enkel *m*; **~ slam** *s.* **1.** *Tennis*: Grand Slam *m*; **2.** → ***slam***[2]; **'~·stand** [-ndʒ-] **I** *s. sport* 'Haupttri͵büne *f*: ***play to the ~*** → III; **II** *adj.* Haupttribünen...: ***~ seat***; ***~ play*** F Effekthascherei *f*; ***~ finish*** packendes Finish; **III** *v/i. Am.* F sich in Szene setzen, ‚e-e Schau abziehen'; **~ tour** *s. hist.* Bildungs-, Kava'liersreise *f*; **'~͵un·cle** *s.* Großonkel *m.*

grange [greındʒ] *s.* **1.** Farm *f*; **2.** kleiner Gutshof *od.* Landsitz.

gra·nif·er·ous [grə'nıfərəs] *adj.* ⚘ körnertragend.

gran·ite ['grænıt] **I** *s. min.* Gra'nit *m* (*a. fig.*): ***bite on ~*** *fig.* auf Granit beißen; **II** *adj.* Granit...; *fig.* hart, eisern, unbeugsam; **gra·nit·ic** [græ'nıtık] → ***granite*** II.

gra·niv·o·rous [grə'nıvərəs] *adj.* körnerfressend.

gran·nie, **gran·ny** ['grænı] *s.* F **1.** ‚Oma' *f*: ***~ glasses*** Nickelbrille *f*; ***~ annexe*** Einliegerwohnung *f*; **2.** *a.* ***~('s) knot*** ⚓ Alt'weiberknoten *m.*

grant [grɑ:nt] **I** *v/t.* **1.** bewilligen, gewähren (***s.o. a credit*** *etc.* j-m e-n Kredit *etc.*): ***it was not ~ed to her*** es war ihr nicht vergönnt; ***God ~ that*** gebe Gott, daß; **2.** *e-e Erlaubnis etc.* geben, erteilen; **3.** *e-e Bitte etc.* erfüllen, (*a.* ⚖ *e-m Antrag etc.*) stattgeben; **4.** ⚖ über'tragen, -'eignen, verleihen, *Patent* erteilen; **5.** zugeben, zugestehen, einräu-

G

men: ***I ~ you that ...*** ich gebe zu, daß ...; ***~ed, but*** zugegeben, aber; ***~ed that ...*** a) zugegeben, daß, b) angenommen, daß; ***take for ~ed*** a) *et.* als erwiesen annehmen, b) *et.* als selbstverständlich betrachten, c) gar nicht mehr wissen, was man an *j-m* hat; **II** *s.* **6.** a) Bewilligung *f*, Gewährung *f*, b) Zuschuß *m*, Unter'stützung *f*, Subventi'on *f*; **7.** (Ausbildungs-, Studien)Beihilfe *f*, Sti'pendium *n*; **8.** ⚖ a) Verleihung *f e-s Rechts*, Erteilung *f e-s Patents etc.*, b) (urkundliche) Über'tragung (***to*** auf *acc.*); **9.** *Am.* zugewiesenes Amt; **gran·tee** [grɑːn'tiː] *s.* **1.** Begünstigte(r *m*) *f*; **2.** ⚖ a) Zessio'nar(in), Rechtsnachfolger(in), b) Privile'gierte(r *m*) *f*; ˌ**grant-in-'aid** *pl.* ˌ**grants-in-'aid** *s.* a) *Brit.* Re'gierungszuschuß *m* an Kom'munen, b) *Am.* Bundeszuschuß *m* an Einzelstaaten; **gran·tor** [grɑːn'tɔː] *s.* ⚖ a) Ze'dent(in), b) Li'zenzgeber(in).

gran·u·lar ['grænjʊlə] *adj.* **1.** gekörnt, körnig; **2.** granuliert; '**gran·u·late** [-leɪt] **I** *v/t.* **1.** körnen, granulieren; **2.** *Leder* rauhen, narben; **II** *v/i.* körnig werden; '**gran·u·lat·ed** [-leɪtɪd] *adj.* **1.** gekörnt, körnig, granuliert (*a.* ⚕): ***~ sugar*** Kristallzucker *m*; **2.** gerauht; **gran·u·la·tion** [ˌgrænjʊ'leɪʃn] *s.* **1.** ⚙ Körnen *n*, Granulieren *n*; **2.** Körnigkeit *f*; **3.** ⚕ Granulati'on *f*; '**gran·ule** [-juːl] *s.* Körnchen *n*; '**gran·u·lous** [-ləs] → ***granular***.

grape [greɪp] *s.* **1.** Weintraube *f*, -beere *f*: ***the (juice of the) ~*** der Saft der Reben (*Wein*); ***but that's just sour ~s*** *fig.* aber ihm (*etc.*) hängen die Trauben zu hoch; → ***bunch*** 1; **2.** → ***grapevine*** 1; **3.** *pl. vet.* a) Mauke *f*, b) 'Rindertuberkuˌlose *f*; ~ **cure** *s.* ⚕ Traubenkur *f*; '**~·fruit** *s.* ⚘ Grapefruit *f*, Pampelmuse *f*; ~ **juice** *s.* Traubensaft *m*; '**~·louse** *s.* [*irr.*] *zo.* Reblaus *f*; '**~·shot** *s.* ⚔ Kar'tätsche *f*; '**~·stone** *s.* (Wein)Traubenkern *m*; ~ **sug·ar** *s.* Traubenzucker *m*; '**~·vine** *s.* **1.** ⚘ Weinstock *m*; **2.** F a) Gerücht *n*, b) *a.* ***~ telegraph*** ‚Buschtrommel' *f*, 'Nachrichtensyˌstem *n*: ***hear s.th. on the ~*** et. gerüchteweise hören.

graph [græf] *s.* **1.** Schaubild *n*, Dia'gramm *n*, graphische Darstellung, Kurvenblatt *n*, -bild *n*; **2.** *bsd.* ⩓ Kurve *f*: ***~ paper*** Millimeterpapier *n*; **3.** *ling.* Graph *m*; '**graph·ic** [-fɪk] **I** *adj.* (□ ***~ally***) **1.** anschaulich, plastisch, lebendig (geschildert *od.* schildernd); **2.** graphisch, zeichnerisch: ***~ arts*** → 4; ***~ artist*** Graphiker(in); **3.** Schrift..., Schreib...; **II** *s. pl. sg. konstr.* **4.** Graphik, graphische Kunst; **5.** technisches Zeichnen; **6.** graphische Darstellung (*als Fach*); '**graph·i·cal** [-fɪkl] *adj.* □ → ***graphic*** I.

graph·ite ['græfaɪt] *s. min.* Gra'phit *m*, Reißblei *n*; **gra·phit·ic** [grə'fɪtɪk] *adj.* Graphit...

graph·o·log·i·cal [ˌgræfə'lɒdʒɪkl] *adj.* □ grapho'logisch; **graph·ol·o·gist** [græ'fɒlədʒɪst] *s.* Grapho'loge *m*; **graph·ol·o·gy** [græ'fɒlədʒɪ] *s.* Grapholo'gie *f*, Handschriftendeutung *f*.

grap·nel ['græpnl] *s.* **1.** ⚓ a) Enterhaken *m*, b) Dregganker *m*, Dregge *f*; **2.** ⚙ a) Ankereisen *n*, b) (Greif)Haken *m*, Greifer *m*.

grap·ple ['græpl] **I** *s.* **1.** → ***grapnel*** 1 a *u.* 2 b; **2.** a) Griff *m* (*a. beim Ringen etc.*), b) Handgemenge *n*, Kampf *m*; **II** *v/t.* **3.** ⚓ entern; **4.** ⚙ verankern, verklammern; **5.** packen, fassen; **III** *v/i.* **6.** e-n Enterhaken *od.* Greifer gebrauchen; **7.** ringen, kämpfen (*a. fig.*): ***~ with s.th.*** *fig.* sich mit et. herumschlagen.

grap·pling| hook, **~ i·ron** ['græplɪŋ] → ***grapnel*** 1 a u. 2 b.

grasp [grɑːsp] **I** *v/t.* **1.** packen, fassen, (er)greifen; → ***nettle*** 1; **2.** an sich reißen; **3.** *fig.* verstehen, begreifen, (er-)fassen; **II** *v/i.* **4.** zugreifen, zupacken; **5.** ***~ at*** greifen nach; → ***shadow*** 2, ***straw*** 1; **6.** ***~ at*** *fig.* streben nach; **III** *s.* **7.** Griff *m*; **8.** a) Reichweite *f*, b) *fig.* Macht *f*, Gewalt *f*, Zugriff *m*: ***within one's ~*** in Reichweite, *fig. a.* greifbar nahe; ***within the ~ of*** in der Gewalt von (*od. gen.*); **9.** *fig.* Verständnis *n*, Auffassungsgabe *f*: ***it is within his ~*** das kann er begreifen; ***it is beyond his ~*** es geht über seinen Verstand; ***have a good ~ of s.th.*** et. gut beherrschen; '**grasp·ing** [-pɪŋ] *adj.* □ habgierig.

grass [grɑːs] **I** *s.* **1.** ⚘ Gras *n*: ***hear the ~ grow*** *fig.* das Gras wachsen hören; ***not to let the ~ grow under one's feet*** nicht lange fackeln, keine Zeit verschwenden; **2.** Gras *n*, Rasen *m*: ***keep off the ~*** Betreten des Rasens verboten!; **3.** Grasland *n*, Weide *f*: ***be (out) at ~*** a) auf der Weide sein, b) F im Ruhestand sein; ***put*** (*od.* ***turn***) ***out to ~*** a) *Vieh* auf die Weide treiben, b) *bsd. e-m Rennpferd* das Gnadenbrot geben, c) F *j-n* in Rente schicken; **4.** *sl.* ‚Grass' *n*, Marihu'ana *n*; **II** *v/t.* **5.** a) *a.* ***~ down*** mit Gras besäen, b) *a.* ***~ over*** mit Rasen bedecken; **6.** *Vieh* weiden (lassen); **7.** *Wäsche* auf dem Rasen bleichen; **8.** *Vogel* abschießen; **9.** *sport Gegner* zu Fall bringen; **III** *v/i.* **10.** grasen, weiden; **11.** *Brit. sl.* ‚singen': ***~ on s.o.*** j-n ‚verpfeifen'; ~ **blade** *s.* Grashalm *m*; ~ **court** *s. Tennis*: Rasenplatz *m*; ˌ**~-'green** *adj.* grasgrün; '**~-grown** *adj.* mit Gras bewachsen; '**~ˌhop·per** *s.* **1.** *zo.* (Feld)Heuschrecke *f*, Grashüpfer *m*; **2.** ✈, ⚔ Leichtflugzeug *n*; '**~·land** *s.* Weide(land *n*) *f*; '**~·plot** *s.* Rasenplatz *m*; ~ **roots** *s. pl.* **1.** *fig.* Wurzel *f*; **2.** *pol.* a) Basis *f* (*e-r Partei*), b) ländliche Bezirke *od.* Landbevölkerung *f*; '**~·roots** *adj. pol.* a) (an) der Basis (*e-r Partei*), b) bodenständig: **~ *democracy***; ~ **snake** *s. zo.* Ringelnatter *f*; ~ **wid·ow** *s.* **1.** Strohwitwe *f*; **2.** *Am.* geschiedene *od.* getrennt lebende Frau; ~ **wid·ow·er** *s.* **1.** Strohwitwer *m*; **2.** *Am.* geschiedener *od.* getrennt lebender Mann.

grass·y ['grɑːsɪ] *adj.* grasbedeckt, grasig, Gras...

grate¹ [greɪt] **I** *v/t.* **1.** *Käse etc.* reiben, *Gemüse etc. a.* raspeln; **2.** a) knirschen mit: **~ *one's teeth***, b) kratzen mit, c) quietschen mit; **3.** *et.* krächzen(d sagen); **II** *v/i.* **4.** knirschen *od.* kratzen *od.* quietschen; **5.** weh tun ([***up***]***on s.o.*** j-m): **~ *on s.o.'s nerves*** an j-s Nerven zerren; **~ *on the ear*** dem Ohr weh tun; **~ *on s.o.'s ears*** j-m in den Ohren weh tun.

grate² [greɪt] *s.* **1.** Gitter *n*; **2.** (Feuer-, ⚙ Kessel)Rost *m*; **3.** Ka'min *m*; **4.** *Wasserbau*: Fangrechen *m*; '**grat·ed** [-tɪd] *adj.* vergittert.

grate·ful ['greɪtfʊl] *adj.* ☐ **1.** dankbar (***to s.o. for s.th.*** j-m für et.): ***a ~ letter*** ein Dank(es)brief; **2.** *fig.* dankbar (*Aufgabe etc.*); **3.** angenehm, wohltuend, will'kommen (***to s.o.*** j-m); '**grate·ful·ness** [-nɪs] *s.* Dankbarkeit *f*.

grat·er ['greɪtə] *s.* Reibe *f*, Reibeisen *n*, Raspel *f*.

grat·i·cule ['grætɪkjuːl] *s.* ⚙ **1.** a) (Grad)Netz *n*, Koordi'natensyˌstem *n*, b) mit e-m Netz versehene Zeichnung; **2.** Fadenkreuz *n*.

grat·i·fi·ca·tion [ˌgrætɪfɪ'keɪʃn] *s.* **1.** Befriedigung *f*: a) Zu'friedenstellung *f*, b) Genugtuung *f* (***at*** über *acc.*); **2.** Freude *f*, Vergnügen *n*, Genuß *m*; **3.** *obs.* Gratifikati'on *f*; **grat·i·fy** ['grætɪfaɪ] *v/t.* **1.** befriedigen: **~ *one's thirst for knowledge*** s-n Wissensdurst stillen; **2.** *j-m* gefällig sein; **3.** erfreuen: ***be gratified*** sich freuen; ***I am gratified to hear*** ich höre mit Genugtuung *od.* Befriedigung; **grat·i·fy·ing** ['grætɪfaɪɪŋ] *adj.* ☐ erfreulich, befriedigend (***to*** für).

gra·tin ['grætæ̃ŋ] (*Fr.*) *s.* **1.** Bratkruste *f*: ***au ~*** gratiniert, überbacken; **2.** Gra'tin *n*, gratinierte Speise.

grat·ing¹ ['greɪtɪŋ] *adj.* ☐ **1.** kratzend, knirschend; **2.** krächzend, heiser; **3.** unangenehm.

grat·ing² ['greɪtɪŋ] *s.* **1.** Gitter *n* (*a. phys.*), Gitterwerk *n*; **2.** ⚙ (Balken-, Lauf)Rost *m*; **3.** ⚓ Gräting *f*.

gra·tis ['greɪtɪs] **I** *adv.* gratis, unentgeltlich, um'sonst; **II** *adj.* unentgeltlich, frei, Gratis...

grat·i·tude ['grætɪtjuːd] *s.* Dankbarkeit *f*: ***in ~ for*** aus Dankbarkeit für.

gra·tu·i·tous [grə'tjuːɪtəs] *adj.* ☐ **1.** → ***gratis*** II; **2.** ⚖ ohne Gegenleistung; **3.** freiwillig, unverlangt; **4.** grundlos, unberechtigt, unverdient; **gra'tu·i·ty** [-tɪ] *s.* **1.** (Geld)Geschenk *n*, Gratifikati'on *f*, Sondervergütung *f*, Zuwendung *f*; **2.** Trinkgeld *n*.

gra·va·men [grə'veɪmen] *s.* **1.** ⚖ a) (Haupt)Beschwerdegrund *m*, b) *das Belastende e-r Anklage*; **2.** *bsd. eccl.* Beschwerde *f*.

grave¹ [greɪv] *s.* **1.** Grab *n*: ***dig one's own ~*** sein eigenes Grab schaufeln; ***have one foot in the ~*** mit einem Bein im Grab stehen; ***rise from the ~*** (von den Toten) auferstehen; ***turn in one's ~*** sich im Grabe umdrehen; **2.** *fig.* Grab *n*, Tod *m*, Ende *n*.

grave² [greɪv] **I** *adj.* ☐ **1.** ernst: a) feierlich, b) bedenklich: **~ *illness*** (***voice***, *etc.*), c) gewichtig, schwerwiegend, d) gesetzt, würdevoll, e) schwer, tief: **~ *thoughts***; **2.** dunkel, gedämpft (*Farbe*); **3.** *ling.* fallend: **~ *accent*** → 5; **4.** tief (*Ton*); **II** *s.* **5.** *ling.* Gravis *m*, Ac'cent *m* grave.

grave³ [greɪv] *v/t.* [*irr.*] *obs.* **1.** *Figur* (ein)schnitzen, (-)meißeln; **2.** *fig.* eingraben, -prägen.

grave⁴ [greɪv] *v/t.* ⚓ *Schiffsboden* reinigen u. teeren.

'**graveˌdig·ger** *s.* Totengräber *m* (*a. zo. u. fig.*).

grav·el ['grævl] **I** *s.* **1.** Kies *m*: **~ *pit*** Kiesgrube *f*; **2.** Schotter *m*; **3.** *geol.* Geröll *n*; **4.** ⚕ Harngrieß *m*; **II** *v/t.* **5.** a) mit Kies bestreuen, b) beschottern; **6.** *fig.* verwirren, verblüffen.

grav·en ['greɪvn] *p.p. von* ***grave³*** *u. adj.* geschnitzt: **~ *image*** Götzenbild *n*.

grav·er ['greɪvə] → ***graving tool***.

Graves' dis·ease [greɪvz] *s.* ⚕ Basedowsche Krankheit.

'**grave|·side** *s.*: ***at the ~*** am Grab; '**~·stone** *s.* Grabstein *m*; '**~·yard** *s.* Fried-, Kirchhof *m*.

grav·id ['grævɪd] *adj.* a) schwanger, b) trächtig (*Tier*).

gra·vim·e·ter [grə'vɪmɪtə] *s. phys.* Gravi'meter *n*: a) Dichtemesser *m*, b) Schweremesser *m*.

grav·ing| dock ['greɪvɪŋ] *s.* ⚓ Trockendock *n*; **~ tool** *s.* ⚙ Grabstichel *m*.

grav·i·tate ['grævɪteɪt] *v/i.* **1.** sich (durch Schwerkraft) fortbewegen; **2.** *a. fig.* gravitieren, (hin)streben (***towards*** zu, nach); **3.** *fig.* sich hingezogen fühlen, tendieren, (hin)neigen (***to***, ***towards*** zu); **4.** sinken, fallen; **grav·i·ta·tion** [ˌgrævɪ'teɪʃn] *s.* **1.** *phys.* Gravitati'on *f*: a) Schwerkraft *f*, b) Gravitieren *n*; **2.** *fig.* Neigung *f*, Hang *m*, Ten'denz *f*; **grav·i·ta·tion·al** [ˌgrævɪ'teɪʃənl] *adj. phys.* Gravitations...: **~ *force*** Schwerkraft *f*; **~ *field*** Schwerefeld *n*; **~ *pull***

Anziehungskraft *f*.

grav·i·ty ['grævətɪ] **I** *s.* **1.** Ernst *m*: a) Feierlichkeit *f*, b) Bedenklichkeit *f*, c) Gesetztheit *f*, d) Schwere *f*; **2.** ♪ Tiefe *f* (*Ton*); **3.** *phys.* a) *a.* ***force of ~*** Gravitati'on *f*, Schwerkraft *f*, b) (Erd)Schwere *f*, c) Erdbeschleunigung; → ***centre*** 1, ***specific*** 8; **II** *adj.* **4.** *phys.*, ⚙ Schwerkraft...: ***~ drive***; ***~ feed*** Gefällezuführung *f*; ***~ tank*** Falltank *m*.

gra·vure [grə'vjʊə] *s.* Gra'vüre *f*.

gra·vy ['greɪvɪ] *s.* **1.** Braten-, Fleischsaft *m*; **2.** (Fleisch-, Braten)Soße *f*; **3.** *sl.* a) lukra'tive Sache, b) (unverhoffter) Gewinn: ***that's pure ~!*** das ist ja phantastisch!; **~ beef** *s.* Saftbraten *m*; **~ boat** *s.* Sauci'ere *f*, Soßenschüssel *f*; **~ train** *s.*: ***get on the ~*** *sl.* a) leicht ans große Geld kommen, b) ein Stück vom ‚Kuchen' abkriegen.

gray *etc. bsd. Am.* → ***grey*** *etc.*

graze[1] [greɪz] **I** *v/t.* **1.** *Vieh* weiden (lassen); **2.** abweiden, -grasen; **II** *v/i.* **3.** weiden, grasen (*Vieh*): ***grazing ground*** Weideland *n*.

graze[2] [greɪz] **I** *v/t.* **1.** streifen: a) leicht berühren, b) schrammen; **2.** ⚕ (ab-) schürfen, (auf)schrammen; **II** *v/i.* **3.** streifen; **III** *s.* **4.** Streifen *n*; **5.** ⚕ Abschürfung *f*, Schramme *f*; **6.** *a.* ***grazing shot*** Streifschuß *m*.

gra·zier ['greɪzjə] *s.* Viehzüchter *m*.

grease I *s.* [gri:s] **1.** (*zerlassenes*) Fett, Schmalz *n*; **2.** ⚙ Schmierfett *n*, -mittel *n*, Schmiere *f*; **3.** a) Wollfett *n*, b) Schweißwolle *f*; **4.** *vet.* (Flechten)Mauke *f* (*Pferd*); **5.** *hunt.* Feist *n*: ***in ~ of pride*** (*od.* ***prime***) fett (*Wild*); **II** *v/t.* [gri:z] **6.** ⚙ (ein)fetten, (ab)schmieren; → ***lightning*** I; **7.** beschmieren; **8.** F *j-n* ‚schmieren', bestechen; **~ cup** *s.* ⚙ Staufferbüchse *f*; **~ gun** *s.* ⚙ (Ab-) Schmierpresse *f*; **~ mon·key** *s.* F ✈, *mot.* (*bsd.* 'Auto-, 'Flugzeug)Meˌchaniker *m*; **~ paint** *s. thea.* (Fett)Schminke *f*; **'~·proof** *adj.* fettabstoßend.

greas·er ['gri:zə] *s.* **1.** Schmierer *m*, Öler *m*; **2.** ⚙ Schmiervorrichtung *f*; **3.** *Brit.* F 'Automeˌchaniker *m*; **4.** *Brit.* F *contp.* ‚Schleimscheißer' *m*; **5.** *Am. contp.* Mexi'kaner *m*.

greas·i·ness ['gri:zɪnɪs] *s.* **1.** Fettig-, Öligkeit *f*; **2.** Schmierigkeit *f*; **3.** Schlüpfrigkeit *f*; **4.** *fig.* Aalglätte *f*;

greas·y ['gri:zɪ] *adj.* ☐ **1.** fettig, schmierig, ölig; **2.** schmierig, beschmiert; **3.** glitschig, schlüpfrig; **4.** ungewaschen (*Wolle*); **5.** *fig.* a) aalglatt, b) ölig, c) schmierig.

great [greɪt] **I** *adj.* ☐ → ***greatly***; **1.** groß, beträchtlich: ***a ~ number*** e-e große Anzahl; ***a ~ many*** sehr viele; ***the ~ majority*** die große Mehrheit; ***live to a ~ age*** ein hohes Alter erreichen; **2.** groß, Haupt...: ***to a ~ extent*** in hohem Maße; ***~ friends*** dicke Freunde; **3.** groß, bedeutend, berühmt: ***a ~ poet***; ***a ~ city*** e-e bedeutende Stadt; ***~ issues*** wichtige Probleme; **4.** hochstehend, vornehm, berühmt: ***a ~ family***; ***the ~ world*** die gute Gesellschaft; **5.** großartig, vor'züglich, wertvoll: ***a ~ opportunity*** e-e vorzügliche Gelegenheit; ***it is a ~ thing to be healthy*** es ist viel wert, gesund zu sein; **6.** erhaben, hoch: ***~ thoughts***; **7.** eifrig: ***a ~ reader***; **8.** groß(geschrieben); **9.** *nur pred.* a) gut: ***he is ~ at golf*** er spielt (sehr) gut Golf, er ist ‚ganz groß' im Golfspielen, b) interessiert: ***he is ~ on dogs*** er ist ein großer Hundeliebhaber; **10.** F großartig, wunderbar, prima; ***we had a ~ time*** wir haben uns herrlich amüsiert, es war sagenhaft (schön); ***the ~ thing is that ...*** das Großartige (daran) ist, daß; **11.** *in Verwandtschaftsbezeichnungen*: a) Groß..., b) (*vor* ***grand...***) Ur...; **12.** *als Beiname*: ***the ≈ Elector*** der Große Kurfürst; ***Frederick the ≈*** Friedrich der Große; **II** *s.* **13.** ***the ~*** *pl.* die Großen *pl.*, die Promi'nenten *pl.*; **14.** *pl. Brit. univ.* 'Schlußexˌamen *n* für den Grad des B.A. (*Oxford*).

ˌgreat|-'aunt *s.* Großtante *f*; **≈ Char·ter** → ***Magna C(h)arta***; **~ cir·cle** *s.* ⩕ Großkreis *m* (*e-r Kugel*); **'~·coat** *s.* (Herren)Mantel *m*; **≈ Dane** *s. zo.* Dänische Dogge; **~ di·vide** *s.* **1.** *geogr.* Hauptwasserscheide *f*: ***the Great Divide*** die Rocky Mountains; ***cross the ~*** *fig.* die Schwelle des Todes überschreiten; **2.** *fig.* Krise *f*, entscheidende Phase.

Great·er Lon·don ['greɪtə] *s.* Groß-London *n*.

ˌgreat|-'grand·child *s.* Urenkel(in); **ˌ~-'grandˌdaugh·ter** *s.* Urenkelin *f*; **ˌ~-'grandˌfa·ther** *s.* Urgroßvater *m*; **ˌ~-'grandˌmoth·er** *s.* Urgroßmutter *f*; **ˌ~-'grandˌpar·ents** *s. pl.* Urgroßeltern *pl.*; **ˌ~-'grand·son** *s.* Urenkel *m*; **~ gross** *s.* zwölf Gros *pl.*; **ˌ~-'heart·ed** *adj.* **1.** beherzt; **2.** hochherzig; **≈ Lakes** *s. pl. die* Großen Seen *pl.* (*USA*).

great·ly ['greɪtlɪ] *adv.* sehr, höchst, außerordentlich, 'überaus.

Great| Mo·gul ['məʊgʌl] *s. hist.* Großmogul *m*; **ˌ≈-'neph·ew** *s.* Großneffe *m*.

great·ness ['greɪtnɪs] *s.* **1.** Größe *f*, Erhabenheit *f*: ***~ of mind*** Geistesgröße; **2.** Größe *f*, Bedeutung *f*, Wichtigkeit *f*, Rang *m*; **3.** Ausmaß *n*.

ˌgreat|-'niece *s.* Großnichte *f*; **≈ Plains** *s. pl. Am. Präriegebiete im Westen der USA*; **≈ Pow·ers** *s. pl. pol.* Großmächte *pl.*; **≈ Seal** *s. Brit. hist.* Großsiegel *n*; **~ tit** *s. orn.* Kohlmeise *f*; **ˌ~-'un·cle** *s.* Großonkel *m*; **≈ Wall (of Chi·na)** *s. die* Chi'nesische Mauer; **≈ War** *s.* (*bsd. der* Erste) Weltkrieg.

greave [gri:v] *s. hist.* Beinschiene *f.*

greaves [gri:vz] *s. pl.* Grieben *pl.*

grebe [gri:b] *s. orn.* (See)Taucher *m.*

Gre·cian [ˈgri:ʃn] **I** *adj.* **1.** (*bsd.* klassisch) griechisch; **II** *s.* **2.** Grieche *m*, Griechin *f*; **3.** Gräˈzist *m.*

greed [gri:d] *s.* Gier *f* (**for** nach); Habgier *f*, -sucht *f*: **~ for power** Machtgier; ˈ**greed·i·ness** [-dɪnɪs] *s.* **1.** Gierigkeit *f*; **2.** Gefräßigkeit *f*; ˈ**greed·y** [-dɪ] *adj.* □ **1.** gierig (**for** auf *acc.*, nach): **~ for power** machtgierig; **2.** habgierig; **3.** gefräßig, gierig.

Greek [gri:k] **I** *s.* **1.** Grieche *m*, Griechin *f*: ***when ~ meets ~*** *fig.* wenn zwei Ebenbürtige sich miteinander messen; **2.** *ling.* Griechisch *n*, das Griechische: ***that's ~ to me*** das sind für mich böhmische Dörfer; **II** *adj.* **3.** griechisch; **~ Church** *s.* ˌgriechisch-orthoˈdoxe *od.* -kaˈtholische Kirche; **~ cross** *s.* griechisches Kreuz; **~ gift** *s. fig.* Danaergeschenk *n*; **~ Or·tho·dox Church** → ***Greek Church***.

green [gri:n] **I** *adj.* □ **1.** *allg.* grün (*a. weitS. grünend, schneefrei, unreif*): ***~ apples*** (***fields***); ***~ food***, ***~ vegetables*** → 13; ***~ with envy*** grün *od.* gelb vor Neid; ***~ with fear*** schreckensbleich; **2.** grün, frisch: ***~ fish***; ***~ wine*** neuer Wein; **3.** roh, frisch, Frisch…: ***~ meat***; ***~ coffee*** Rohkaffee *m*; **4.** ⚙ nicht fertigverarbeitet: ***~ ceramics*** ungebrannte Töpferwaren; ***~ hide*** ungegerbtes Fell; ***~ ore*** Roherz *n*; **5.** ⚙ faˈbrikneu: ***~ assembly*** Erstmontage *f*; ***~ run*** Einfahren *n*, erster Lauf; **6.** *fig.* frisch: a) neu, b) lebendig: ***~ memories***; **7.** *fig.* grün, unerfahren, naˈiv: ***a ~ youth***; ***~ in years*** jung an Jahren; **8.** jugendlich: ***~ old age*** rüstiges Alter; **II** *s.* **9.** Grün *n*, grüne Farbe: ***the lights are at ~*** *mot.* die Ampel steht auf Grün; ***at ~*** bei Grün; **10.** Grünfläche *f*, Rasen(platz) *m*: ***village ~*** Dorfanger *m*, -wiese *f*; **11.** Golfplatz *m*; **12.** *pl.* Grün *n*, grünes Laub; **13.** *mst pl.* grünes Gemüse, Blattgemüse *n*; **14.** *fig.* Jugendfrische *f*; **15.** *sl.* ‚Kies' *m* (*Geld*); **III** *v/t.* **16.** grün machen *od.* färben; **IV** *v/i.* **17.** grün werden, grünen.

ˈ**green|·back** *s.* **1.** *Am.* F Dollarschein *m*; **2.** *zo.* Laubfrosch *m*; **~ belt** *s.* Grüngürtel *m* (*um e-e Stadt*); **~ cheese** *s.* **1.** unreifer Käse; **2.** Molkenkäse *m*; **3.** Kräuterkäse *m*; **~ cloth** *s. bsd. Am.* **1.** Spieltisch *m*; **2.** Billardtisch *m*; **~ crop** *s.* ⚘ Grünfutter *n.*

green·er·y [ˈgri:nərɪ] *s.* **1.** Grün *n*, Laub *n*; **2.** → ***greenhouse*** 1.

ˈ**green|-eyed** *adj. fig.* eifersüchtig, neidisch: ***the ~ monster*** die Eifersucht; ˈ**~·finch** *s. orn.* Grünfink *m*; **~ fin·gers** *s. pl.* F gärtnerische Begabung: ***he has ~*** bei ihm gedeihen alle Pflanzen, ‚er hat einen grünen Daumen'; ˈ**~·fly** *s. zo. Brit.* grüne Blattlaus; ˈ**~·gage** *s.* Reineˈclaude *f*; ˈ**~ˌgro·cer** *s.* Obst- u. Gemüsehändler *m*; ˈ**~ˌgro·cer·y** *s.* **1.** Obst- u. Gemüsehandlung *f*; **2.** *pl.* Obst *n* u. Gemüse *n*; ˈ**~·horn** *s.* F **1.** ‚Greenhorn' *n*, Grünschnabel *m*, (unerfahrener) Neuling; **2.** Gimpel *m*; ˈ**~·house** *s.* **1.** Treib-, Gewächshaus *n*: ***~ effect*** Treibhauseffekt *m*; ***~ gases*** Treibhausgase *pl.*; **2.** ✈ F Vollsichtkanzel *f.*

green·ish [ˈgri:nɪʃ] *adj.* grünlich.

Green·land·er [ˈgri:nləndə] *s.* Grönländer(in).

green| light *s.* grünes Licht (*bsd. der Verkehrsampel*; *a. fig. Genehmigung*): ***give s.o. the ~*** *fig.* j-m grünes Licht geben; **~ lung** *s. Brit.* ‚grüne Lunge', Grünflächen *pl.*; ˈ**~·man** [-mən] *s.* [*irr.*] Platzmeister *m* (*Golfplatz*).

green·ness [ˈgri:nnɪs] *s.* **1.** Grün *n*, *das* Grüne; **2.** *fig.* Frische *f*, Munterkeit *f*, Kraft *f*; **3.** *fig.* Unreife *f*, Unerfahrenheit *f.*

green| pound *s.* † grünes Pfund (*EG-Verrechnungseinheit*); ˈ**~·room** [-rʊm] *s. thea.* ˈKünstlerzimmer *n*, -gardeˌrobe *f*; ˈ**~ˌsick·ness** *s.* ⚕ Bleichsucht *f*; ˈ**~·stick** (**frac·ture**) *s.* ⚕ Knickbruch *m*; ˈ**~·stuff** *s.* **1.** Grünfutter *n*; **2.** grünes Gemüse; ˈ**~·sward** *s.* Rasen *m*; **~ ta·ble** *s.* Konfeˈrenztisch *m*; **~ tea** *s.* grüner Tee; **~ thumb** *Am.* → ***green fingers***.

Green·wich (**Mean**) **Time** [ˈgrɪnɪdʒ] *s.* Greenwicher Zeit.

greet [gri:t] *v/t.* **1.** grüßen; **2.** begrüßen, empfangen; **3.** *fig. dem Auge* begegnen, *ans Ohr* dringen, sich *j-m* bieten (*Anblick*); **4.** *e-e Nachricht etc. freudig etc.* aufnehmen; ˈ**greet·ing** [-tɪŋ] *s.* **1.** Gruß *m*, Begrüßung *f*; **2.** *pl.* a) Grüße *pl.*, b) Glückwünsche *pl.*: ***~s card*** Glückwunschkarte *f.*

gre·gar·i·ous [grɪˈgeərɪəs] *adj.* □ **1.** gesellig; **2.** *zo.* in Herden *od.* Scharen lebend, Herden…; **3.** ⚘ traubenartig wachsend; **greˈgar·i·ous·ness** [-nɪs] *s.* **1.** Geselligkeit *f*; **2.** *zo.* Zs.-leben *n* in Herden.

Gre·go·ri·an [grɪˈgɔ:rɪən] *adj.* Gregoriˈanisch: ***~ calendar***; ***~ chant*** ♪ Gregorianischer Gesang.

greige [greɪʒ] *adj. u. s.* ⚙ naˈturfarben(e Stoffe *pl.*).

grem·lin [ˈgremlɪn] *s. sl.* böser Geist, Kobold *m* (*der Maschinenschaden etc. anrichtet*).

gre·nade [grɪˈneɪd] *s.* **1.** ⚔ Geˈwehr-, ˈHandgraˌnate *f*; **2.** ˈTränengaspaˌtrone *f*; **gren·a·dier** [ˌgrenəˈdɪə] *s.* ⚔ Grenaˈdier *m.*

gres·so·ri·al [greˈsɔ:rɪəl] *adj. orn.*, *zo.* Schreit…, Stelz…: ***~ birds***.

Gret·na Green mar·riage [ˈgretnə] *s.*

Heirat *f* in Gretna Green (*Schottland*).
grew [gru:] *pret. von* ***grow***.
grey [greɪ] **I** *adj.* □ **1.** grau; **2.** grau (-haarig), ergraut: ***grow ~*** → 8; **3.** farblos, blaß; **4.** trübe, düster, grau: ***a ~ day***; ***~ prospects*** trübe Aussichten; **5.** ⚙ neu'tral, farblos, na'turfarben: ***~ cloth*** ungebleichter Baumwollstoff; **II** *s.* **6.** Grau *n*, graue Farbe: ***dressed in ~*** grau *od.* in Grau gekleidet; **7.** *zo.* Grauschimmel *m*; **III** *v/i.* **8.** grau werden, ergrauen: ***~ing*** angegraut (*Haare*); **~ a·re·a** *s.* **1.** *Statistik*: Grauzone *f*; **2.** *Brit.* Gebiet *n* mit hoher Arbeitslosigkeit; **'~·back** *s.* **1.** *zo.* Grauwal *m*; **2.** *Am.* F ‚Graurock' *m* (*Soldat der Südstaaten im Bürgerkrieg*); **~ crow** *s. orn.* Nebelkrähe *f*; **'~·fish** *s. ein* Hai(fisch) *m*; **~ goose** → ***greylag***; **,~-'head·ed** *adj.* **1.** grauköpfig; **2.** *fig.* alterfahren; **'~-hen** *s. orn.* Birk-, Haselhuhn *n*; **'~·hound** *s.* Windhund *m*; ***~-racing*** Windhundrennen *n*.
grey·ish ['greɪɪʃ] *adj.* gräulich, Grau…
grey·lag ['greɪlæg] *s. orn.* Grau-, Wildgans *f*.
grey| mar·ket *s.* ✝ grauer Markt; **~ mat·ter** *s.* **1.** ✗ graue ('Hirnrinden-) Sub,stanz; **2.** F ‚Grips' *m*, ‚Grütze' *f* (*Verstand*); **~ mul·let** *s. ichth.* Meeräsche *f*.
grey·ness ['greɪnɪs] *s.* **1.** Grau *n*; **2.** *fig.* Trübheit *f*, Düsterkeit *f*.
grey squir·rel *s. zo.* Grauhörnchen *n*.
grid [grɪd] *s.* **1.** Gitter *n*, Rost *m*; **2.** ⚡ a) Bleiplatte *f*, b) Gitter *n* (*in Elektronenröhre*); **3.** ⚡ *etc.* Versorgungsnetz *n*; **4.** Gitternetz *n auf Landkarten*: ***~ded map*** Gitternetzkarte *f*; **5.** → ***gridiron*** 1, 4, 6; **~ bi·as** *s.* ⚡ Gittervorspannung *f*; **~ cir·cuit** *s.* ⚡ Gitterkreis *m*.
grid·dle ['grɪdl] *s.* **1.** Kuchen-, Backblech *n*: ***~ cake*** Pfannkuchen *m*; ***be on the ~*** F ‚in die Mangel genommen werden'; **2.** ⚙ Drahtsieb *n*.
'grid,i·ron *s.* **1.** Bratrost *m*; **2.** ⚙ Gitterrost *m*; **3.** Netz(werk) *n* (*Leitungen, Bahnlinien etc.*); **4.** ⚓ Balkenrost *m*; **5.** *thea.* Schnürboden *m*; **6.** *American Football*: F Spielfeld *n*.
grid| leak *s.* ⚡ 'Gitter(ableit),widerstand *m*; **~ line** *s.* Gitternetzlinie *f* (*auf Landkarten*); **~ plate** *s.* ⚡ Gitterplatte *f*; **~ square** *s.* 'Planqua,drat *n*.
grief [gri:f] *s.* Gram *m*, Kummer *m*, Leid *n*, Schmerz *m*: ***bring to ~*** zu Fall bringen, zugrunde richten; ***come to ~*** a) zu Schaden kommen, verunglücken, b) zugrunde gehen, c) fehlschlagen, scheitern: ***good ~!*** F meine Güte!; **'~-,strick·en** *adj.* kummervoll.
griev·ance ['gri:vns] *s.* **1.** Beschwerde (-grund *m*) *f*, (Grund *m* zur) Klage *f*: ***~ committee*** Schlichtungsausschuß *m*; **2.** Mißstand *m*; **3.** Groll *m*; **4.** Unzufriedenheit *f*; **grieve** [gri:v] **I** *v/t.* betrüben, bekümmern, *j-m* weh tun; **II** *v/i.* bekümmert sein, sich grämen (***at***, ***about*** über *acc.*, wegen; ***for*** um); **'griev·ous** [-vəs] *adj.* □ **1.** schmerzlich, bitter, quälend; **2.** schwer, schlimm: ***~ error***; ***~ bodily harm*** ⚖ schwere Körperverletzung; **3.** bedauerlich; **'griev·ous·ness** [-vəsnɪs] *s. das* Schmerzliche *etc.*
grif·fin[1] ['grɪfɪn] *s.* **1.** *myth.*, *her.* Greif *m*; **2.** → ***griffon***[1].
grif·fin[2] ['grɪfɪn] *s.* Neuankömmling *m* (*im Orient*).
grif·fon[1] ['grɪfən], *a.* **~ vul·ture** *s. orn.* Weißköpfiger Geier.
grif·fon[2] ['grɪfən] *s.* **1.** → ***griffin***[1] 1; **2.** Grif'fon *m* (*ein Vorstehhund*).
grift·er ['grɪftə] *s. Am. sl.* Gauner *m*.
grill[1] [grɪl] **I** *s.* **1.** Grill *m*, (Brat)Rost *m*; **2.** Grillen *n*; **3.** Gegrillte(s) *n*; **4.** → ***grillroom***; **II** *v/t.* **5.** *Fleisch etc.* grillen; **6.** ***~ o.s.*** sich (in der Sonne) grillen; **7.** *a.* ***give a ~ing*** F *j-n* ‚in die Mangel nehmen', ‚ausquetschen' (*bsd. Polizei*); **III** *v/i.* **8.** gegrillt werden.
grill[2] [grɪl] → ***grille***.
grille [grɪl] *s.* **1.** Tür-, Fenster-, Schaltergitter *n*; **2.** Gitterfenster *n*, Sprechgitter *n*; **3.** *mot.* (Kühler)Grill *m*; **grilled** [-ld] *adj.* vergittert.
grill·er ['grɪlə] → ***grill***[1] 1; **'grill·room** *s.* Grill(room) *m*.
grilse [grɪls] *s.*, *a. pl. ichth.* junger Lachs.
grim [grɪm] *adj.* □ **1.** grimmig: a) zornig, wütend, b) erbittert, verbissen: ***~ struggle***, c) hart, schlimm, grausam; **2.** schrecklich, grausig: ***~ accident***.
gri·mace [grɪ'meɪs] **I** *s.* Gri'masse *f*, Fratze *f*: ***make a ~***, ***make ~s*** → **II** *v/i.* e-e Gri'masse *od.* Gri'massen schneiden, das Gesicht verzerren *od.* verziehen.
gri·mal·kin [grɪ'mælkɪn] *s.* **1.** (alte) Katze; **2.** alte Hexe (*Frau*).
grime [graɪm] **I** *s.* (zäher) Schmutz *od.* Ruß; **II** *v/t.* beschmutzen; **'grim·i·ness** [-mɪnɪs] *s.* Schmutzigkeit *f*.
Grimm's law [grɪmz] *s. ling.* (Gesetz *n* der) Lautverschiebung *f*.
grim·ness ['grɪmnɪs] *s.* Grimmigkeit *f*, Schrecklichkeit *f*; Grausamkeit *f*, Härte *f*; Verbissenheit *f*.
grim·y ['graɪmɪ] *adj.* □ schmutzig, rußig.
grin [grɪn] **I** *v/i.* grinsen, feixen, *oft nur* (verschmitzt) lächeln: ***~ at s.o.*** j-n angrinsen *od.* anlächeln; ***~ to o.s.*** in sich hineingrinsen; ***~ and bear it*** a) gute Miene zum bösen Spiel machen, b) die Zähne zs.-beißen; **II** *v/t. et.* grinsend sagen; **III** *s.* Grinsen *n*, (verschmitztes) Lächeln.
grind [graɪnd] **I** *v/t.* [*irr.*] **1.** *Messer etc.* schleifen, wetzen, schärfen; *Glas*

schleifen: ~ ***in*** *Ventile* einschleifen; → ***ax*** 1; **2.** *a.* ~ ***down*** (zer)mahlen, zerreiben, -kleinern, -stoßen, -stampfen, schroten; **3.** *Kaffee, Korn, Mehl etc.* mahlen; **4.** ⚙ schmirgeln, glätten, polieren; **5.** ~ ***down*** abwetzen; → 2 *u.* 11; **6.** ~ ***one's teeth*** mit den Zähnen knirschen; **7.** knirschend (*hinein*)bohren; **8.** *Leierkasten etc.* drehen; **9.** ~ ***out*** a) *Zeitungsartikel etc.* her'unterschreiben, b) ♪ her'unterspielen; **10.** ~ ***out*** *et.* mühsam her'vorbringen; **11.** *a.* ~ ***down*** *fig.* (unter)'drücken, schinden, quälen: ~ ***the faces of the poor*** die Armen (gnadenlos) ausbeuten; **12.** ~ ***s.th. into s.o.*** F j-m et. ‚einpauken'; **II** *v/i.* [*irr.*] **13.** mahlen; **14.** knirschen; **15.** F sich plagen *od.* abschinden; **16.** *ped.* F ‚pauken', ‚ochsen', ‚büffeln'; **III** *s.* **17.** F Schinde'rei *f*: ***the daily*** ~; **18.** *ped.* F a) ‚Pauken' *n*, ‚Büffeln' *n*, b) Streber(in), ‚Büffler(in)'; **19.** *Brit. sl.* ‚Nummer' *f* (*Koitus*); '**grind·er** [-də] *s.* **1.** (*Messer-, Scheren-, Glas*)Schleifer *m*; **2.** Schleifstein *m*; **3.** oberer Mühlstein; **4.** ⚙ a) 'Schleifma,schine *f*, b) Mahlwerk *n*, Mühle *f*, c) Quetschwerk *n*; **5.** a) (Kaffee)Mühle *f*, b) *a.* ***meat*** ~ Fleischwolf *m*; **6.** *anat.* a) Backenzahn *m*, b) *pl. sl.* Zähne *pl.*; '**grind·ing** [-dɪŋ] **I** *s.* **1.** Mahlen *n*; **2.** Schleifen *n*; **3.** Knirschen *n*; **II** *adj.* **4.** mahlend (*etc.* → ***grind*** I *u.* II); **5.** Mahl..., Schleif...: ~ ***mill*** a) Mahlwerk *n*, Mühle *f*, b) Schleif-, Reibmühle *f*; ~ ***paste*** Schleifpaste *f*; **6.** ~ ***work*** ‚Schinderei' *f*.

'**grind·stone** [-ndʒ-] *s.* Schleifstein *m*: ***keep s.o.'s nose to the*** ~ *fig.* j-n hart *od.* schwer arbeiten lassen; ***keep one's nose to the*** ~ schwer arbeiten, sich ranhalten; ***get back to the*** ~ sich wieder an die Arbeit machen.

grin·go ['grɪŋgəʊ] *pl.* **-gos** *s.* Gringo *m* (*lateinamer. Spottname für Ausländer, bsd. Angelsachsen*).

grip [grɪp] **I** *s.* **1.** Griff *m* (*a. die Art, et. zu packen*): ***come to ~s with*** a) aneinandergeraten mit, b) *fig.* sich auseinandersetzen mit, *et.* in Angriff nehmen; ***be at ~s with*** a) in e-n Kampf verwikkelt sein mit, b) *fig.* sich auseinandersetzen *od.* ernsthaft beschäftigen mit *e-r Sache*; **2.** *fig.* a) Griff *m*, Halt *m*, b) Herrschaft *f*, Gewalt *f*, Zugriff *m*, c) Verständnis *n*, ‚'Durchblick' *m*: ***in the ~ of*** in den Klauen *od.* in der Gewalt (*gen.*); ***get a ~ on*** in s-e Gewalt *od.* (*geistig*) in den Griff bekommen; ***have a ~ on*** *et.* in der Gewalt haben, *fig. Zuhörer etc.* fesseln, gepackt halten; ***have a*** (***good***) ~ ***on*** *die Lage, e-e Materie etc.* (sicher) beherrschen, *die Situation etc.* (klar) erfassen; ***lose one's*** ~ a) die Herrschaft verlieren (***of*** über *acc.*), b) (*bsd. geistig*) nachlassen; **3.** (*bestimmter*) Händedruck *m* (*z.B. der Freimaurer*); **4.** (Hand)Griff *m* (*Koffer etc.*); **5.** Haarspange *f*; **6.** ⚙ Greifer *m*, Klemme *f*; **7.** ⚙ Griffigkeit *f* (*a. von Autoreifen*); **8.** *thea.* Ku'lissenschieber *m*; **9.** Reisetasche *f*; **II** *v/t.* **10.** packen, ergreifen; **11.** *fig.* *j-n* packen: a) ergreifen (*Furcht, Spannung*), b) *Leser, Zuhörer etc.* fesseln; **12.** *fig.* begreifen, verstehen; **13.** ⚙ festklemmen; **III** *v/i.* **14.** Halt finden; **15.** *fig.* packen, fesseln; ~ ***brake*** *s.* ⚙ Handbremse *f*.

gripe [graɪp] **I** *v/t.* **1.** zwicken: ***be ~d*** Bauchschmerzen *od.* e-e Kolik haben; **2.** ⚓ *Boot etc.* sichern; **II** *v/i.* **3.** F nörgeln, ‚meckern'; **III** *s.* **4.** *pl.* ⚕ Bauchweh *n*, Kolik *f*; **5.** F (Grund *m* zur) ‚Mecke'rei' *f*; **6.** *pl.* ⚓ Seile *pl.* zum Festmachen.

grip·per ['grɪpə] *s.* ⚙ Greifer *m*, Halter *m*; '**grip·ping** [-pɪŋ] *adj.* **1.** *fig.* fesselnd, packend, spannend; **2.** ⚙ Greif..., Klemm...: ~ ***lever*** Spannhebel *m*; ~ ***tool*** Spannwerkzeug *n*.

'**grip·sack** *s. Am.* Reisetasche *f*.

gris·kin ['grɪskɪn] *s. Brit. Küche*: Rippenstück *n*.

gris·ly ['grɪzlɪ] *adj.* gräßlich.

grist [grɪst] *s.* **1.** Mahlgut *n*, -korn *n*: ***that's ~ to his mill*** das ist Wasser auf s-e Mühle; ***bring ~ to the mill*** Gewinn bringen; ***all is ~ to his mill*** er weiß aus allem Kapital zu schlagen; **2.** Malzschrot *m*, *n*; **3.** *Am.* ('Grundlagen)Materi,al *n*; **4.** Stärke *f*, Dicke *f* (*Garn od. Tau*).

gris·tle ['grɪsl] *s.* Knorpel *m*; '**gris·tly** [-lɪ] *adj.* knorpelig.

grit [grɪt] **I** *s.* **1.** *geol.* a) grober Sand, Kies *m*, b) *a.* ~ ***stone*** grober Sandstein; **2.** *fig.* Mut *m*, ‚Mumm' *m*; **3.** *pl.* Haferschrot *m*, *n*, -grütze *f*; **II** *v/i.* **4.** knirschen, mahlen; **III** *v/t.* **5.** ~ ***one's teeth*** a) die Zähne zs.-beißen, b) mit den Zähnen knirschen; '**grit·ty** [-tɪ] *adj.* **1.** sandig, kiesig; **2.** *fig.* F mutig.

griz·zle[1] ['grɪzl] *v/i. Brit.* F **1.** quengeln; **2.** sich beklagen.

griz·zle[2] ['grɪzl] *s.* **1.** graue Farbe, Grau *n*; **2.** graues Haar; '**griz·zled** [-ld] *adj.* grau(haarig); '**griz·zly** [-lɪ] **I** *adj.* → ***grizzled***; **II** *s. a.* ~ ***bear*** Grizzly(bär) *m*, Graubär *m*.

groan [grəʊn] **I** *v/i.* **1.** stöhnen, ächzen (***with*** vor; *a. fig. leiden* ***beneath, under*** unter *dat.*); **2.** ächzen, knarren (*Tür etc.*): ***a ~ing board*** (*od.* ***table***) ein überladener Tisch; **II** *v/t.* **3.** ächzen, unter Stöhnen äußern; **4.** ~ ***down*** durch Laute des Unmuts zum Schweigen bringen; **III** *s.* **5.** Stöhnen *n*, Ächzen *n*: ***give a*** ~ → 1; **6.** Laut *m* des Unmuts.

groats [grəʊts] *s. pl.* Hafergrütze *f*.

gro·cer ['grəʊsə] *s.* Lebensmittelhändler *m*; '**gro·cer·y** [-sərɪ] *s.* **1.** Lebensmittelgeschäft *n*; **2.** *mst pl.* Lebensmittel *pl.*; **3.** Lebensmittelhandel *m*; **gro·ce·te·ri·a** [ˌgrəʊsəˈtɪərɪə] *s. Am.* Lebensmittelgeschäft *n* mit Selbstbedienung.

grog [grɒg] **I** *s.* Grog *m*; **II** *v/i.* Grog trinken.

grog·gi·ness [ˈgrɒgɪnɪs] *s.* **1.** F Betrunkenheit *f*, ‚Schwips' *m*; **2.** Wack(e)ligkeit *f*; **3.** *a. Boxen*: Benommenheit *f*, (halbe) Betäubung; ˈ**grog·gy** [-gɪ] *adj.* **1.** groggy: a) *Boxen*: angeschlagen, b) F erschöpft, ‚kaˈputt', c) F wacklig (auf den Beinen); **2.** wacklig; **3.** morsch.

groin [grɔɪn] *s.* **1.** *anat.* Leiste *f*, Leistengegend *f*; **2.** ⚠ Grat(bogen) *m*, Rippe *f*; **3.** ⚙ Buhne *f*; **groined** [-nd] *adj.* gerippt: **~ vault** Kreuzgewölbe *n*.

grom·met [ˈgrɒmɪt] → **grummet**.

groom [gru:m] **I** *s.* **1.** Pferdepfleger *m*, Stallbursche *m*; **2.** Bräutigam *m*; **3.** *Brit.* Diener *m*, königlicher Beˈamter; → **bedchamber**; **II** *v/t.* **4.** *Pferd* striegeln, pflegen; **5.** *Person*, *Kleidung* pflegen: **well-~ed** gepflegt; **6.** *fig.* a) *j-n* aufbauen (**for presidency** als zukünftigen Präsidenten), lancieren, b) *j-n als Nachfolger etc.* ‚herˈanziehen'; **grooms·man** [ˈgru:mzmən] *s.* [*irr.*] *Am.* → **best man**.

groove [gru:v] **I** *s.* **1.** Rinne *f*, Furche *f* (*a. anat.*): **in the ~** *sl. obs.* a) ‚groß in Form', b) *Am.* in Mode; **2.** ⚙ a) Rinne *f*, Furche *f*, b) Nut *f*, Hohlkehle *f*, Rille *f*, c) Kerbe *f*; **3.** Rille *f* (*e-r Schallplatte*); **4.** ⚙ Zug *m* (*in Gewehren etc.*); **5.** *fig.* a) gewohntes Geleise, b) altes Geleise, alter Trott, Schaˈblone *f*, Rouˈtine *f*: **get into a ~** in e-e Gewohnheit *od.* in e-n (immer gleichen) Trott verfallen; **run** (*od.* **work**) **in a ~** sich in e-m ausgefahrenen Geleise bewegen, stagnieren; **6.** *sl.* ‚klasse Sache'; **it's a ~!** das ist klasse!; **II** *v/t.* **7.** ⚙ a) auskehlen, rillen, falzen, nuten, kerben, b) *Gewehrlauf etc.* ziehen; **III** *v/i. sl.* **8.** Spaß haben (**with** bei *od.* mit); **9.** Spaß machen, ‚(große) Klasse sein'; **grooved** [-vd] *adj.* gerillt; genutet; ˈ**groov·y** [-vɪ] *adj.* **1.** schaˈblonenhaft; **2.** *sl.* ‚toll', ‚klasse'.

grope [grəʊp] **I** *v/i.* **1.** tasten (**for** nach): **~ about** herumtasten, -tappen, -suchen; **~ in the dark** *bsd. fig.* im dunkeln tappen; **~ for** (*od.* **after**) **a solution** nach e-r Lösung suchen; **II** *v/t.* **2.** tastend suchen: **~ one's way** sich vorwärtstasten; **3.** F *Mädchen* ‚befummeln'; **grop·er** *s.* F Grapscher *m*; ˈ**grop·ing·ly** [-pɪŋlɪ] *adv.* tastend: a) tappend, b) *fig.* vorsichtig, unsicher.

gros·beak [ˈgrəʊsbi:k] *s. orn.* Kernbeißer *m*.

gros·grain [ˈgrəʊgreɪn] *adj. u. s.* grob gerippt(es Seidentuch).

gross [grəʊs] **I** *adj.* □ → **grossly**; **1.** dick, feist, plump; **2.** grob(körnig); **3.** roh, grob, derb; **4.** schwer, grob (*Fehler*, *Pflichtverletzung etc.*): **~ negligence** ⚖ grobe Fahrlässigkeit; **5.** schwerfällig; **6.** dicht, stark, üppig: **~ vegetation**; **7.** a) derb, grob, unfein, b) unanständig; **8.** brutto, Brutto..., Roh..., Gesamt...: **~ amount** Gesamtbetrag *m*; **~ national product** Bruttosozialprodukt *n*; **~ profit** Rohgewinn *m*; **~ register(ed) ton** Bruttoregistertonne *f*; **~ tonnage** Bruttotonnengehalt *m*; **~ weight** Bruttogewicht *n*; **II** *s.* **9.** *das* Ganze, *die* Masse: **in** (**the**) **~** im ganzen, in Bausch u. Bogen; **10.** *pl.* **gross** Gros *n* (*12 Dutzend*); **III** *v/t.* **11.** brutto verdienen *od.* einnehmen *od.* (*Film etc.*) einspielen; ˈ**gross·ly** [-lɪ] *adv.* äußerst, maßlos, ungeheuerlich; ⚖ *etc.* grob: **~ negligent**; ˈ**gross·ness** [-nɪs] *s.* **1.** Schwere *f*, Ungeheuerlichkeit *f*; **2.** Roheit *f*, Derbheit *f*, Grobheit *f*; **3.** Anstößigkeit *f*, Unanständigkeit *f*; **4.** Dicke *f*; **5.** Plumpheit *f*.

gro·tesque [grəʊˈtesk] **I** *adj.* □ **1.** groˈtesk (*a. Kunst*); **II** *s.* **2.** *das* Groˈteske; **3.** *Kunst*: Groˈteske *f*, groˈteske Fiˈgur; **groˈtesque·ness** [-nɪs] *s. das* Groˈteske.

grot·to [ˈgrɒtəʊ] *pl.* **-toes** *od.* **-tos** *s.* Höhle *f*, Grotte *f*.

grot·ty [ˈgrɒtɪ] *adj. Brit. sl.* **1.** ‚mies'; **2.** gräßlich, eklig.

grouch [graʊtʃ] F **I** *v/i.* **1.** nörgeln, ‚meckern', **II** *s.* **2.** a) ‚miese' Laune, b) **have a ~** → 1; **3.** a) ‚Meckerfritze' *m*, b) ‚Miesepeter' *m*; ˈ**grouch·y** [-tʃɪ] *adj.* □ F a) ‚sauer', ‚grantig', b) nörglerisch.

ground[1] [graʊnd] **I** *s.* **1.** (Erd)Boden *m*, Erde *f*, Grund *m*: **above ~** a) oberirdisch, ⚒ über Tage, b) am Leben; **below ~** a) ⚒ unter Tage, b) unter der Erde, tot; **down to the ~** *fig.* völlig, total, restlos; **from the ~ up** *Am.* F von Grund auf; **break new** (*od.* **fresh**) **~** Land urbar machen, *a. fig.* Neuland erschließen; **cut the ~ from under s.o.'s feet** j-m den Boden unter den Füßen wegziehen; **fall to the ~** zu Boden fallen, *fig.* sich zerschlagen, ins Wasser fallen; **fall on stony ~** *fig.* auf taube Ohren stoßen; **get off the ~** a) *v/t. fig. et.* in Gang bringen, *et.* verwirklichen, b) *v/i.* ✈ abheben, c) *v/i. fig.* in Gang kommen, verwirklicht werden; **go to ~** im Bau verschwinden (*Fuchs*), *fig.* ‚untertauchen' (*Verbrecher*); **play s.o. into the ~** *sport* F j-n in Grund u. Boden spielen; **2.** Boden *m*, Grund *m*, Gebiet *n* (*a. fig.*), Strecke *f*, Gelände *n*: **on German ~** auf deutschem Boden; **be on safe ~** sich auf sicherem Boden bewegen; **be forbidden ~** *fig.* tabu sein; **cover much ~** e-e große Strecke zurücklegen, *fig.* viel umfassen, weit reichen; **cover the ~ well** *fig.* nichts außer acht lassen, alles in Betracht ziehen; ***gain ~*** (an) Boden gewinnen, *fig. a.* um sich greifen, Fuß fassen; ***give*** (*od.* ***lose***) ~ (an) Boden verlieren (*a. fig.*); ***go over the ~*** *fig.* die Sache durchsprechen, alles gründlich prüfen; ***hold*** (*od.* ***stand***) ***one's ~*** standhalten, nicht weichen, sich *od.* s-n Standpunkt behaupten; ***shift one's ~*** seinen Standpunkt ändern, umschwenken; **3.** Grundbesitz *m*, Grund *m* u. Boden *m*, Ländeˈreien *pl.*; **4.** Gebiet *n*, Grund *m*, *bsd. sport* Platz *m*: ***cricket-~***; **5.** ***hunting-~*** Jagd (-gebiet *n*) *f*; **6.** *pl.* (Garten)Anlagen *pl.*: ***standing in its own ~s*** von Anlagen umgeben (*Haus*); **7.** Meeresboden *m*, (Meeres)Grund *m*: ***take ~*** auflaufen, stranden; **8.** *pl.* Bodensatz *m* (*Kaffee etc.*); **9.** Grundierung *f*, Grund(farbe *f*) *m*, Grund(fläche *f*) *m*; **10.** *a. pl.* Grundlage *f* (*a. fig.*); **11.** *fig.* (Beweg-) Grund *m*: ***~ for divorce*** Scheidungsgrund; ***on the ~(s) of*** auf Grund (*gen.*), wegen (*gen.*); ***on the ~(s) that*** mit der Begründung, daß; ***on medical ~s*** aus gesundheitlichen Gründen; ***have no ~(s) for*** keinen Grund haben für (*od.* zu *inf.*); **12.** ϟ Erde *f*, Erdung *f*, Erdschluß *m*: ***~ cable*** Massekabel *n*; **13.** *thea.* Parˈterre *n*; **II** *v/t.* **14.** niederlegen, -setzen; → ***arm²*** 1; **15.** ⚓ *Schiff* auf Grund setzen; **16.** ϟ erden; **17.** ⚙, *paint.* grundieren; **18.** a) *e-m Flugzeug od. Piloten* Startverbot erteilen, b) *mot. Am. j-m* die Fahrerlaubnis entziehen: ***be ~ed*** *a.* nicht (ab)fliegen *od.* starten können *od.* dürfen, (*Passagiere*) *a.* festsitzen; **19.** *fig.* (***on***, ***in***) gründen, stützen (auf *acc.*), begründen (in *dat.*): ***~ed in fact*** auf Tatsachen beruhend; ***be ~ed in*** → 22; **20.** (***in***) j-n einführen (in *acc.*), *j-m* die Anfangsgründe beibringen (*gen.*): ***well ~ed in*** mit guten (Vor-) Kenntnissen in (*od. gen.*); **III** *v/i.* **21.** ⚓ stranden, auflaufen; **22.** (***on***, ***upon***) beruhen (auf *dat.*), sich gründen (auf *acc.*).

ground² [graʊnd] **I** *pret. u. p.p. von* ***grind***; **II** *adj.* **1.** gemahlen: ***~ coffee***; **2.** matt(geschliffen); → ***ground glass***.

ground·age [ˈgraʊndɪdʒ] *s.* ⚓ *Brit.* Hafengebühr *f*, Ankergeld *n*.

ˌ**ground|-ˈair** *adj.* ✈ Boden-Bord-…; ~ **a·lert** *s.* ✈, ⚔ Aˈlarm-, Startbereitschaft *f*; ~ **an·gling** *s.* Grundangeln *n*; ~ **at·tack** *s.* ✈ Angriff *m* auf Erdziele, Tiefangriff *m*; ~ **bass** *s.* ♪ Grundbaß *m*; ~ **box** *s.* ⚘ Zwergbuchsbaum *m*; ~ **clear·ance** *s. mot.* Bodenfreiheit *f*; ~-**col·o(u)r** *s.* Grundfarbe *f*; ~ **con·nec·tion** → ***ground¹*** 12; ˈ~-**conˌtrolled ap·proach** *s.* ✈ GCˈA-Anflug *m* (*per Bodenradar*); ~ **crew** *s.* ✈ ˈBodenpersoˌnal *n*; ˈ~-**fish** *s. ichth.* Grundfisch *m*; ~ **fish·ing** *s.* Grundangeln *n*; ~ **floor** *s. Brit.* Erdgeschoß *n*: ***get in on the ~*** F a) ☤ sich zu den Gründerbedingungen beteiligen, b) von Anfang an mit dabeisein, c) ganz unten anfangen (*in e-r Firma etc.*); ~ **fog** *s.* Bodennebel *m*; ~ **forc·es** *s. pl.* ⚔ Bodentruppen *pl.*, Landstreitkräfte *pl.*; ~ **form** *s. ling.* a) Grundform *f*, b) Wurzel *f*, c) Stamm *m*; ~ **frost** *s.* Bodenfrost *m*; ~ **glass** *s.* **1.** Mattglas *n*; **2.** *phot.* Mattscheibe *f*; ~ **game** *s. hunt. Brit.* Niederwild *n*; ~ **hog** *s. zo. Amer.* Murmeltier *n*; ~ **host·ess** *s.* ✈ Groundhostess *f*; ~ **ice** *s. geol.* Grundeis *n*.

ground·ing [ˈgraʊndɪŋ] *s.* **1.** Fundaˈment *n*, ˈUnterbau *m*; **2.** a) Grundierung *f*, b) Grundfarbe *f*; **3.** ⚓ Stranden *n*; **4.** ϟ Erdung *f*; **5.** a) ˈAnfangsˌunterricht *m*, Einführung *f*, b) (Vor)Kenntnisse *pl.*

ground·less [ˈgraʊndlɪs] *adj.* □ grundlos, unbegründet.

ground| lev·el *s. phys.* Bodennähe *f*; ~ **line** *s.* ⩓ Grundlinie *f*; ˈ~·**man** [-ndmæn] *s.* [*irr.*] *sport* Platzwart *m*; ~ **note** *s.* ♪ Grundton *m*; ˈ~·**nut** [-ndn-] *s.* Erdnuß *f*; ~ **plan** *s.* **1.** △ Grundriß *m*; **2.** *fig.* (erster) Entwurf, Konˈzept *n*; ~ **plane** *s.* Horizonˈtalebene *f*; ~ **plate** *s.* **1.** △ Grundplatte *f*; **2.** ϟ Erdplatte *f*; ~ **rule** *s.* Grundregel *f*; ~ **sea** *s.* ⚓ Grundsee *f*; ~ **sheet** *s.* **1.** Zeltboden *m*; **2.** *sport* Regenplane *f* (*für das Spielfeld*); ˈ~**s·man** [-ndzmən] → ***groundman***; ~ **speed** *s.* ✈ Geschwindigkeit *f* über Grund; ~ **staff** → ***ground crew***; ~ **sta·tion** *s.* ˈBodenstatiˌon *f*; ~ **swell** *s.* **1.** (Grund)Dünung *f*; **2.** *fig.* Anschwellen *n*; ˌ~-**to-ˈair** *adj.* a) ✈ Boden-Bord-…: ***~ communication***, b) ⚔ Boden-Luft-…: ***~ weapon***; ˈ~-ˌ**wa·ter lev·el** *s. geol.* Grundwasserspiegel *m*; ~ **wave** *s.* ϟ, *phys.* Bodenwelle *f*; ˈ~·**work** *s.* **1.** △ a) Erdarbeit *f*, b) ˈUnterbau *m*, Fundaˈment *n* (*a. fig.*); **2.** *fig.* Grundlage(n *pl.*) *f*; **3.** *paint. etc.* Grund *m*.

group [gru:p] **I** *s.* **1.** *allg.*, *a.* ⛏, ⩓, ♪, *biol.*, *sociol. etc.* Gruppe *f*; **2.** *fig.* Gruppe *f*, Kreis *m*; **3.** *parl.* a) Gruppe *f* (*Partei mit zu wenig Abgeordneten für e-e Fraktion*, b) Fraktiˈon *f*; **4.** ☤ Gruppe *f*, Konˈzern *m*; **5.** ⚔ a) Gruppe *f*, b) Kampfgruppe *f* (*2 od. mehr Bataillone*); **6.** ✈ a) *Brit.* Geschwader *n*: ***~ captain*** Oberst *m* (*der* ***RAF***), b) *Am.* Gruppe *f*; **7.** ♪ a) Instruˈmenten- *od.* Stimmgruppe *f*, b) Notengruppe *f*; **II** *v/t.* **8.** gruppieren, anordnen; **9.** klassifizieren, einordnen; **III** *v/i.* **10.** sich gruppieren; ~ **drive** *s.* ⚙ Gruppenantrieb *m*; ~ **dy·nam·ics** *s. pl. sg. konstr. sociol.*, *psych.* ˈGruppendyˌnamik *f*.

group·ie [ˈgru:pɪ] *s.* ‚Groupie' *n* (*weiblicher Fan*).

group| sex *s.* Gruppensex *m*; **~ ther·a·py** *s. psych.* 'Gruppenthera,pie *f*; **~ work** *s. sociol.* Gruppenarbeit *f*.

grouse¹ [graʊs] *s. sg. u. pl. orn.* **1.** Waldhuhn *n*; **2.** Schottisches Moorhuhn.

grouse² [graʊs] **I** *v/i.* (***about***) meckern (über *acc.*), nörgeln (an *dat.*, über *acc.*); **II** *s.* Nörge'lei *f*, Gemecker *n*; **'grous·er** [-sə] *s.* ‚Meckerfritze' *m*.

grout [graʊt] **I** *s.* **1.** ⚙ Vergußmörtel *m*; **2.** Schrotmehl *n*; **3.** *pl.* Hafergrütze *f*; **II** *v/t.* **4.** *Fugen* ausstreichen.

grove [grəʊv] *s.* Hain *m*, Gehölz *n*.

grov·el ['grɒvl] *v/i.* **1.** am Boden kriechen; **2.** **~ *before*** (*od.* ***to***) ***s.o.*** *fig.* vor j-m kriechen, vor j-m zu Kreuze kriechen; **3.** **~ *in*** schwelgen in (*dat.*), frönen (*dat.*); **'grov·el·(l)er** [-lə] *s. fig.* Kriecher *m*, Speichellecker *m*; **'grov·el·(l)ing** [-lɪŋ] *adj.* □ *fig.* kriecherisch, unter'würfig.

grow [grəʊ] **I** *v/i.* [*irr.*] **1.** wachsen; **2.** ⚘ wachsen, vorkommen; **3.** wachsen: a) größer *od.* stärker werden, sich entwikkeln, b) *fig.* anwachsen, zunehmen (***in*** an *dat.*); **4.** (all'mählich) werden: **~ *rich***; **~ *less*** sich vermindern; **~ *light*** hell(er) werden, sich aufklären; **II** *v/t.* [*irr.*] **5.** (an)bauen, züchten, ziehen: **~ *apples***; **6.** (sich) wachsen lassen: **~ *one's hair long***; **~ *a beard*** sich e-n Bart stehen lassen;
Zssgn mit adv. u. prp.:

grow| a·way *v/i.*: **~ *from*** sich *j-m* entfremden; **~ *from*** → ***grow out of***; **~ in·to** *v/i.* **1.** hin'einwachsen in (*acc.*) (*a. fig.*); **2.** werden zu, sich entwickeln zu; **~ on** *v/i.* **1.** Einfluß *od.* Macht gewinnen über (*acc.*): ***the habit grows on one*** man gewöhnt sich immer mehr daran; **2.** *j-m* lieb werden *od.* ans Herz wachsen; **~ out of** *v/i.* **1.** her'auswachsen aus: **~ *one's clothes***; **2.** *fig.* entwachsen (*dat.*), über'winden (*acc.*), ablegen: **~ *a habit***; **3.** erwachsen *od.* entstehen aus, e-e Folge sein (*gen.*); **~ up** *v/i.* **1.** auf-, her'anwachsen: **~ (*into*) *a beauty*** sich zu e-r Schönheit entwikkeln; **2.** erwachsen werden: **~*!*** sei kein Kindskopf!; **3.** sich einbürgern (*Brauch etc.*); **4.** sich entwickeln, entstehen; **~ up·on** → ***grow on***.

grow·er ['grəʊə] *s.* **1.** (*schnell etc.*) wachsende Pflanze: ***a fast ~***; **2.** Züchter *m*, Pflanzer *m*, Erzeuger *m*, *in Zssgn* …bauer *m*; **grow·ing** ['grəʊɪŋ] **I** *adj.* □ **1.** wachsend (*a. fig. zunehmend*); **II** *s.* **2.** Anbau *m*; **3.** Wachstum *n*: **~ *pains*** a) Wachstumsschmerzen, b) *fig.* Anfangsschwierigkeiten, ‚Kinderkrankheiten'.

growl [graʊl] **I** *v/i.* **1.** knurren (*Hund etc.*), brummen (*Bär*) (*beide a. fig. Person*): **~ *at*** *j-n* anknurren; **2.** (g)rollen (*Donner*); **II** *v/t.* **3.** *Worte* knurren; **III** *s.* **4.** Knurren *n*, Brummen *n*; **5.** (G)Rollen *n*; **'growl·er** [-lə] *s.* **1.** knurriger Hund; **2.** *fig.* ‚Brummbär' *m*; **3.** *ichth.* Knurrfisch *m*; **4.** ⚡ Prüfspule *f*; **5.** kleiner Eisberg.

grown [grəʊn] **I** *p.p. von* ***grow***; **II** *adj.* **1.** gewachsen; → ***full-grown***; **2.** erwachsen: **~ *man*** Erwachsene(r) *m*; **3.** *a.* **~ *over*** be-, über'wachsen; **~-up I** *adj.* [ˌgrəʊn'ʌp] **1.** erwachsen; **2.** a) für Erwachsene: **~ *books***, b) Erwachsenen…: **~ *clothes***; **II** *s.* ['grəʊnʌp] **3.** Erwachsene(r *m*) *f*.

growth [grəʊθ] *s.* **1.** Wachsen *n*, Wachstum *n* (*a. fig. u.* ✝); **2.** Wuchs *m*, Größe *f*; **3.** Anwachsen *n*, Zunahme *f*, Zuwachs *m*; **4.** *fig.* Entwicklung *f*; **5.** a) Anbau *m*, b) Pro'dukt *n*, Erzeugnis *n*: ***of one's own ~*** selbstgezogen; **6.** ⚘ Schößling *m*, Trieb *m*; **7.** ⚕ Gewächs *n*, Wucherung *f*; **~ in·dus·try** *s.* ✝ 'Wachstumsindu,strie *f*; **~ rate** *s.* ✝ Wachstumsrate *f*.

groyne [grɔɪn] *s. Brit.* ⚙ Buhne *f*.

grub [grʌb] **I** *v/i.* **1.** a) graben, wühlen, b) jäten, c) roden; **2.** ‚wühlen', schwer arbeiten; **3.** *fig.* stöbern, wühlen, kramen; **4.** *sl.* ‚futtern', essen; **II** *v/t.* **5.** a) aufwühlen, b) 'umgraben, c) roden; **6.** *oft* **~ *up*** a) ausjäten, b) (mit den Wurzeln) ausgraben, c) *fig.* ausgraben, aufstöbern; **III** *s.* **7.** *zo.* Made *f*, Larve *f*; **8.** *fig.* Arbeitstier *n*; **9.** *sl.* ‚Futter' *n* (*Essen*).

grub·ber ['grʌbə] *s.* **1.** ⚒ a) Rodehacke *f*, -werkzeug *n*, b) Eggenpflug *m*; **2.** → ***grub*** 8; **'grub·by** [-bɪ] *adj.* **1.** schmuddelig; **2.** madig.

'grub|·stake *s. Am.* ⚒ *e-m Schürfer gegen Gewinnbeteiligung gegebene* Ausrüstung u. Verpflegung; **≈ Street I** *s. fig.* armselige Lite'raten *pl.*; **II** *adj.* (lite'rarisch) minderwertig, ‚dritter Garni'tur'.

grudge [grʌdʒ] **I** *v/t.* **1.** (***s.o. s.th.*** *od.* ***s.th. to s.o.***) (j-m et.) miß'gönnen *od.* nicht gönnen, (j-n um et.) beneiden; **2.** **~ *doing s.th.*** et. nur widerwillig *od.* ungern tun; **II** *s.* **3.** Groll *m*: ***bear s.o. a ~***, ***have a ~ against s.o.*** e-n Groll gegen j-n hegen; **'grudg·er** [-dʒə] *s.* Neider *m*; **'grudg·ing** [-dʒɪŋ] *adj.* □ **1.** neidisch, 'mißgünstig; **2.** 'widerwillig, ungern (getan *od.* gegeben): ***she was very ~ in her thanks*** sie bedankte sich nur sehr widerwillig.

gru·el ['grʊəl] *s.* Haferschleim *m*; Schleimsuppe *f*; **'gru·el·(l)ing** [-lɪŋ] **I** *adj. fig.* mörderisch, aufreibend, zermürbend; **II** *s. Brit.* F a) harte Strafe *od.* Behandlung, b) Stra'paze *f*, ‚Schlauch' *m*.

grue·some ['gru:səm] *adj.* □ grausig, grauenhaft, schauerlich.

gruff [grʌf] *adj.* □ **1.** schroff, barsch,

ruppig; **2.** rauh (*Stimme*); '**gruff·ness** [-nɪs] *s.* **1.** Barsch-, Schroffheit *f*; **2.** Rauheit *f*.

grum·ble ['grʌmbl] **I** *v/i.* **1.** a) murren, schimpfen (***at, about, over*** über *acc.*, wegen), b) knurren, brummen; **2.** (g)rollen (*Donner*); **II** *s.* **3.** Murren *n*, Knurren *n*; **4.** (G)Rollen *n*; '**grum·bler** [-lə] *s.* Brummbär *m*, Nörgler *m*; '**grum·bling** [-lɪŋ] *adj.* □ **1.** brummig; **2.** murrend.

grume [gru:m] *s.* (*bsd.* Blut)Klümpchen *n*.

grum·met ['grʌmɪt] *s. Brit.* **1.** ⚓ Seilschlinge *f*; **2.** ⚙ (Me'tall)Öse *f*.

gru·mous ['gru:məs] *adj.* geronnen, dick, klumpig (*Blut etc.*).

grump [grʌmp] *s. Am.* F **1.** → ***grumbler***; **2.** *pl.* Mißmut *m*: ***have the ~s*** mißmutig sein; **grump·y** ['grʌmpɪ] *adj.* □ mürrisch, mißmutig.

Grun·dy ['grʌndɪ] *s.* engstirnige, sittenstrenge Per'son: ***Mrs. ~*** *a.* ‚die Leute' *pl.* (*die gefürchtete öffentliche Meinung*): ***what will Mrs. ~ say?***

grunt [grʌnt] **I** *v/i. u. v/t.* **1.** grunzen; **2.** *fig.* murren, brummen; **3.** ächzen, stöhnen (***with*** vor *dat.*); **II** *s.* **4.** Grunzen *n*; **5.** → ***growler*** 3.

gryph·on ['grɪfən] → ***griffin***[1] 1.

'**G-string** *s.* **1.** ♪ G-Saite *f*; **2.** a) ‚letzte Hülle' (*e-r Stripteasetänzerin*), b) Tanga *m* (*Mini-Bikini*).

gua·na ['gwɑ:nɑ:] → ***iguana***.

gua·no ['gwɑ:nəʊ] *s.* Gu'ano *m*.

guar·an·tee [ˌgærən'ti:] **I** *s.* **1.** Garan'tie *f*: a) Bürgschaft *f*, Sicherheit *f*, b) Gewähr *f*, Zusicherung *f*, c) Garan'tiefrist *f*: ***~ (card)*** Garantieschein *m*; ***there is a one-year ~ on this camera*** die Kamera hat ein Jahr Garantie; **2.** Kauti'on *f*, Sicherheit(sleistung) *f*, Pfand(summe *f*) *n*; **3.** Bürge *m*, Bürgin *f*; **4.** Sicherheitsempfänger(in); **II** *v/t.* **5.** (sich ver-) bürgen für, Garan'tie leisten für; **6.** *et.* garantieren, gewährleisten, sicherstellen, verbürgen; **7.** schützen, sichern (***from, against*** vor *dat.*, gegen); ˌ**guar·an'tor** [-'tɔ:] *s. bsd.* ⚖ Bürge *m*, Bürgin *f*, Ga'rant(in); **guar·an·ty** ['gærəntɪ] → ***guarantee*** 1, 2, 3.

guard [gɑ:d] **I** *v/t.* **1.** (***against, from***) (be)hüten, (be)schützen, bewahren (vor *dat.*), sichern (gegen): ***~ one's interests*** *fig.* s-e Interessen wahren; ***~ your tongue!*** hüte deine Zunge!; **2.** bewachen, beaufsichtigen; **3.** ⚙ (ab)sichern; **4.** *Schach*: *Figur* decken; **II** *v/i.* **5.** (***against***) auf der Hut sein, sich hüten *od.* schützen *od.* in acht nehmen (vor *dat.*), vorbeugen (*dat.*); **III** *s.* **6.** a) ⚔ *etc.* Wache *f*, (Wach)Posten *m*, b) Wächter *m*, c) Aufseher *m*, Wärter *m*; **7.** ⚔ a) Wachmannschaft *f*, Wache *f*, b) Garde *f*, Leibwache *f*: ***~ of hono(u)r*** Ehrenwache *f*, c) ***≈s*** *pl. Brit.* 'Garde (-korps *n*, -regiˌment *n*) *f*; **8.** 🚂 a) *Brit.* Schaffner *m*, b) *Am.* Bahnwärter *m*; **9.** Bewachung *f*, Aufsicht *f*: ***keep under close ~*** scharf bewachen; ***be on ~*** auf Wache sein; ***stand*** (***mount, relieve, keep***) ***~*** Wache stehen (beziehen, ablösen, halten); **10.** *fenc.*, *Boxen etc.*, *a. Schach*: Deckung *f*: ***lower one's ~*** die Deckung herunternehmen, *fig.* sich e-e Blöße geben, nicht aufpassen; **11.** *fig.* Wachsamkeit *f*: ***on one's ~*** auf der Hut, vorsichtig; ***off one's ~*** nicht auf der Hut, unachtsam; ***put s.o. on his ~*** j-n warnen; ***throw s.o. off his ~*** j-n überrumpeln; **12.** ⚙ Schutzvorrichtung *f*, -gitter *n*, -blech *n*; **13.** a) Stichblatt *n* (*am Degen*), b) Bügel *m* (*am Gewehr*); **14.** *fig.* Vorsichtsmaßnahme *f*, Sicherung *f*; ***~ boat*** *s.* ⚓ Wachboot *n*; ***~ book*** *s.* **1.** *Brit.* Sammelalbum *n*; **2.** ⚔ Wachbuch *n*; ***~ chain*** *s.* Sicherheitskette *f*; ***~ dog*** *s.* Wachhund *m*; ***~ du·ty*** *s.* Wachdienst *m*: ***be on ~*** Wache haben.

guard·ed ['gɑ:dɪd] *adj.* □ *fig.* vorsichtig, zu'rückhaltend: ***~ hope*** gewisse Hoffnung; ***~ optimism*** gedämpfter Optimismus; '**guard·ed·ness** [-nɪs] *s.* Vorsicht *f*, Zu'rückhaltung *f*.

'**guard·house** *s.* ⚔ **1.** 'Wachloˌkal *n*, -haus *n*; **2.** Ar'restloˌkal *n*.

guard·i·an ['gɑ:djən] *s.* **1.** Hüter *m*, Wächter *m*: ***~ angel*** Schutzengel *m*; ***~ of the law*** Gesetzeshüter; **2.** ⚖ Vormund *m*: ***~ ad litem*** Prozeßvertreter *m* (*für Minderjährige od. Geschäftsunfähige*); '**guard·i·an·ship** [-ʃɪp] *s.* **1.** ⚖ Vormundschaft *f*: ***be*** (***place***) ***under ~*** unter Vormundschaft stehen (stellen); **2.** *fig.* Schutz *m*, Obhut *f*.

'**guard|·rail** *s.* **1.** Handlauf *m*; **2.** *mot.* Leitplanke *f*; '**~s·man** [-dzmən] *s.* [*irr.*] ⚔ **1.** → ***guard*** 6a; **2.** Gar'dist *m*; **3.** *Am.* Natio'nalgarˌdist *m*.

Gua·te·ma·lan [ˌgwætɪ'mɑ:lən] **I** *adj.* guatemal'tekisch; **II** *s.* Guatemal'teke *m*, -'tekin *f*.

gua·va ['gwɑ:və] *s.* ♀ Gua'jave *f*.

gu·ber·na·to·ri·al [ˌgju:bənə'tɔ:rɪəl] *adj. bsd. Am.* Gouverneurs…

gudg·eon[1] ['gʌdʒən] *s.* **1.** *ichth.* Gründling *m*; **2.** *fig.* Gimpel *m*.

gudg·eon[2] ['gʌdʒən] *s.* **1.** ⚙ Zapfen *m*, Bolzen *m*: ***~ pin*** Kolbenbolzen; **2.** ⚓ Ruderöse *f*.

guel·der rose ['geldə] *s.* ♀ Schneeball *m*.

Guelph, Guelf [gwelf] *s.* Welfe *m*, Welfin *f*; '**Guelph·ic**, '**Guelf·ic** [-fɪk] *adj.* welfisch.

guer·don ['gɜ:dən] *poet.* **I** *s.* Sold *m*, Lohn *m*; **II** *v/t.* belohnen.

gue·ril·la → ***guerrilla***.

Guern·sey ['gɜ:nzɪ] *s.* **1.** Guernsey (-rind) *n*; **2.** *a.* ≈ ⚓ 'Wollpulˌlover *m*.

G

guer·ril·la [gəˈrɪlə] *s.* ⚔ **1.** Gueˈrilla *m*, Partiˈsan *m*; **2.** *mst* ~ ***war(fare)*** Gueˈrillakrieg *m*, *fig.* Kleinkrieg *m*.

guess [ges] **I** *v/t.* **1.** erraten: ~ ***a riddle***; ~ ***s.o.'s thoughts***; ~ ***who!*** rate mal, wer!; **2.** (ab)schätzen (***at*** auf): ~ ***s.o.'s age***; **3.** ahnen, vermuten; **4.** *bsd. Am.* F glauben, denken, meinen, ahnen; **II** *v/i.* **5.** schätzen (***at s.th.*** et.); **6.** a) raten, b) herˈumraten (***at***, ***about*** an *dat.*): ***keep s.o. ~ing*** j-n im unklaren *od.* ungewissen lassen; ***~ing game*** Ratespiel *n*; **III** *s.* **7.** Schätzung *f*, Vermutung *f*, Annahme *f*: ***my ~ is that*** ich schätze *od.* vermute, daß; ***that's anybody's ~*** das weiß niemand; ***your ~ is as good as mine*** ich kann auch nur raten; ***a good ~!*** gut geraten *od.* geschätzt; ***at a ~*** bei bloßer Schätzung; ***at a rough ~*** grob geschätzt; ***by ~*** schätzungsweise; ***by ~ and by god*** F ‚nach Gefühl u. Wellenschlag'; ***make*** (*od.* ***take***) ***a ~*** raten, schätzen; ***miss one's ~*** ‚danebenhauen', falsch raten; ~ **rope** → ***guest rope***; ~ **stick** *s. Am. sl.* **1.** Rechenschieber *m*; **2.** Maßstab *m*.

guess·ti·mate F **I** *s.* [ˈgestɪmət] grobe Schätzung, bloße Rateˈrei; **II** *v/t.* [-meɪt] ‚über den Daumen peilen'.

ˈguess·work *s.* (bloße) Rateˈrei, (reine) Vermutung(en *pl.*).

guest [gest] **I** *s.* **1.** Gast *m*: ***paying ~*** (Pensions)Gast; ~ ***of hono(u)r*** Ehrengast; ***be my ~!*** aber bitte(, ja)!; **2.** ♀, *zo.* Einmieter *m* (*Parasit*); **II** *v/i.* **3.** *bsd. Am. thea.* gastieren, als Gast mitwirken (***on*** bei); ~ **book** *s.* Gästebuch *n*; ~ **con·duc·tor** *s.* ♪ ˈGastdiriˌgent *m*; **ˈ~·house** *s.* Pensiˈon *f*; Gästehaus *n*; ~ **room** [rʊm] *s.* Gästezimmer *n*; ~ **rope**, ~ **warp** [ˈges-] *s.* ⚓ **1.** Schlepptrosse *f*; **2.** Bootstau *n*.

guf·faw [gʌˈfɔː] **I** *s.* schallendes Gelächter; **II** *v/i.* laut lachen.

guid·a·ble [ˈgaɪdəbl] *adj.* lenkbar, lenksam; **ˈguid·ance** [-dns] *s.* **1.** Leitung *f*, Führung *f*; **2.** Anleitung *f*, Belehrung *f*, Unterˈweisung *f*: ***for your ~*** zu Ihrer Orientierung; **3.** (*Berufs-*, *Ehe- etc.*)Beratung *f*, Führung *f*: ~ ***counselor*** a) Berufs-, Studienberater *m*, b) Heilpädagoge *m*.

guide [gaɪd] **I** *v/t.* **1.** *j-n* führen, geleiten, *j-m* den Weg zeigen; **2.** ⚙ *u. fig.* lenken, leiten, führen, steuern; **3.** *et.*, *a. j-n* bestimmen: ~ ***s.o.'s actions*** (***life***, *etc.*); ***be ~d by*** sich leiten lassen von, folgen (*dat.*), bestimmt sein von; **4.** anleiten, belehren, beraten(d zur Seite stehen *dat.*); **II** *s.* **5.** Führer(in), Leiter (-in); **6.** (Reise-, Fremden-, Berg- *etc.*) Führer *m*; **7.** (Reise- *etc.*)Führer *m* (***to*** durch, von) (*Buch*); **8.** (***to***) Leitfaden *m*, Handbuch *n* (*gen.*); **9.** Berater (-in); **10.** *fig.* Richtschnur *f*, Anhaltspunkt *m*: ***if that*** (***he***) ***is any ~*** wenn man sich danach (nach ihm) überhaupt richten kann; **11.** → ***girl guide***; **12.** a) Wegweiser *m*, b) ˈWegmarˌkierung(szeichen *n*) *f*; **13.** ⚙ Führung *f*; ~ **bar** *s.* ⚙ Führungsschiene *f*; ~ **beam** *s.* ✈ (Funk)Leitstrahl *m*; ~ **blade** *s.* ⚙ Leitschaufel *f* (*Turbine*); ~ **block** *s.* ⚙ Führungsschlitten *m*; **ˈ~·book** → ***guide*** 7.

guid·ed [ˈgaɪdɪd] *adj.* **1.** (fern)gelenkt: ~ ***missile*** ⚔ Fernlenkgeschoß *n*, Fernlenkkörper *m*; **2.** geführt: ~ ***tour*** Führung *f*.

guide| dog *s.* Blindenhund *m*; **ˈ~·line** *s.* **1.** ✈ Schleppseil *n*; **2.** (***on*** *gen.*) Richtlinie *f*, -schnur *f*; **ˈ~·post** *s.* Wegweiser *m*; ~ **pul·ley** *s.* ⚙ Leit-, ˈUmlenkrolle *f*; ~ **rail** *s.* → ***guide bar***; ~ **rod** *s.* ⚙ Führungsstange *f*; ~ **rope** *s.* ✈ Schlepptau *n*; **ˈ~·way** *s.* ⚙ Führungsbahn *f*.

guid·ing [ˈgaɪdɪŋ] *adj.* führend, leitend, Lenk...: ~ ***principle*** Leitprinzip *n*; ~ **rule** *s.* Richtlinie *f*; ~ **star** *s.* Leitstern *m*.

gui·don [ˈgaɪdən] *s.* **1.** Wimpel *m*, Fähnchen *n*, Stanˈdarte *f*; **2.** Stanˈdartenträger *m*.

guild [gɪld] *s.* **1.** Gilde *f*, Zunft *f*, Innung *f*; **2.** Vereinigung *f*.

guil·der [ˈgɪldə] *s.* Gulden *m*.

ˌguildˈhall *s.* **1.** *hist.* Gilden-, Zunfthaus *n*; **2.** Rathaus *n*: ***the*** ♀ *das Rathaus der City von London*.

guile [gaɪl] *s.* (Arg)List *f*, Tücke *f*; **ˈguile·ful** [-fʊl] *adj.* ☐ arglistig, tückisch; **ˈguile·less** [-lɪs] *adj.* ☐ arglos, ohne Falsch, treuherzig, harmlos; **ˈguile·less·ness** [-lɪsnɪs] *s.* Harm-, Arglosigkeit *f*.

guil·lo·tine [ˌgɪləˈtiːn] **I** *s.* **1.** Guilloˈtine *f*, Fallbeil *n*; **2.** ⚙ Paˈpierˌschneidemaˌschine *f*; **3.** *Brit. parl.* Befristung *f* der Deˈbatte; **II** *v/t.* **4.** guillotinieren, durch die Guilloˈtine hinrichten.

guilt [gɪlt] *s.* Schuld *f* (*a.* ⚖): ***joint ~*** Mitschuld; ~ ***complex*** Schuldkomplex *m*; **ˈguilt·i·ness** [-tɪnɪs] *s.* **1.** Schuld *f*; **2.** Schuldbewußtsein *n*, -gefühl *n*; **ˈguilt·less** [-lɪs] *adj.* ☐ **1.** schuldlos, unschuldig (***of*** an *dat.*); **2.** *fig.* (***of***) a) unwissend, unerfahren (in *dat.*): ***be ~ of s.th.*** et. nicht kennen (*a. fig.*), b) frei *od.* unberührt (von), ohne (*acc.*); **ˈguilt·y** [-tɪ] *adj.* ☐ **1.** schuldig (***of*** *gen.*): ***find*** (***not***) ~ für (un)schuldig erklären (***on a charge*** e-r Anklage); **2.** schuldbewußt, -beladen: ***a ~ conscience*** ein schlechtes Gewissen.

guin·ea [ˈgɪnɪ] *s.* **1.** *Brit.* Guiˈnee *f* (*£1.05*); **2.** → ~ **fowl** *s.*, ~ **hen** *s.* Perlhuhn *n*; ~ **pig** *s.* **1.** Meerschweinchen *n*; **2.** *fig.* Verˈsuchskaˌninchen *n*.

guise [gaɪz] *s.* **1.** Gestalt *f*, Erscheinung *f*, Aufmachung *f*: ***in the ~ of*** als ...

(verkleidet); **2.** *fig.* Maske *f*, (Deck-) Mantel *m*: ***under the ~ of*** in der Maske (*gen.*), unter dem Deckmantel (*gen.*).

gui·tar [gɪ'tɑː] *s.* ♪ Gi'tarre *f*; **gui'tar·ist** [-rɪst] *s.* Gitar'rist(in), Gi'tarrenspieler(in).

gulch [gʌlʃ] *s. Am.* (Berg)Schlucht *f*.

gulf [gʌlf] **I** *s.* **1.** Golf *m*, Meerbusen *m*, Bucht *f*; **2.** *a. fig.* Abgrund *m*, Schlund *m*; **3.** *fig.* Kluft *f*; **4.** Strudel *m*; **II** *v/t.* **5.** *fig.* verschlingen.

gull¹ [gʌl] *s. orn.* Möwe *f*.

gull² [gʌl] **I** *v/t.* über'tölpeln; **II** *s.* Gimpel *m*, Trottel *m*.

gul·let ['gʌlɪt] *s.* **1.** *anat.* Schlund *m*, Speiseröhre *f*; **2.** Gurgel *f*, Kehle *f*; **3.** Wasserrinne *f*; **4.** ⚙ 'Förderkaˌnal *m*.

gul·li·bil·i·ty [ˌgʌlə'bɪlətɪ] *s.* Leichtgläubigkeit *f*, Einfalt *f*; **gul·li·ble** ['gʌləbl] *adj.* leichtgläubig, na'iv.

gul·ly ['gʌlɪ] *s.* **1.** (Wasser)Rinne *f*; **2.** ⚙ a) Gully *m*, Sinkkasten *m*, Senkloch *n*, b) *a.* ***~ drain*** 'Abzugskaˌnal *m*: ***~ hole*** Abflußloch *n*.

gulp [gʌlp] **I** *v/t. mst* ***~ down*** **1.** *Speise* hin'unterschlingen, *Getränk* hin'unterstürzen; **2.** *Tränen etc.* hin'unterschlukken, unter'drücken; **II** *v/i.* **3.** (*a. vor Rührung etc.*) schlucken; **4.** würgen; **III** *s.* **5.** (großer) Schluck: ***at one ~*** auf 'einen Zug.

gum¹ [gʌm] *s. mst. pl. anat.* Zahnfleisch *n*.

gum² [gʌm] **I** *s.* **1.** ⚘, ⚙ a) Gummi *n*, *m*, b) Gummiharz *n*, c) Kautschuk *m*; **2.** Klebstoff *m*, *bsd.* Gummilösung *f*; **3.** → a) ***chewing gum***, b) ***gum arabic***, c) ***gum elastic***, d) ***gum tree***; **4.** ⚘ Gummifluß *m* (*Baumkrankheit*); **5.** 'Gummi (-bonˌbon) *m*, *n*; **6.** *pl. Am.* Gummischuhe *pl.*; **II** *v/t.* **7.** gummieren; **8.** (an-, ver)kleben; **9.** ***~ up*** a) verkleben, b) F *et.* ‚vermasseln'; **III** *v/i.* **10.** ⚘ Gummi absondern (*Baum*).

gum³ [gʌm], *a.* ♀ *s.*: ***my ~!, by ~!*** heiliger Strohsack!

gum| am·mo·ni·ac *s.* ⚗, ⚕ Ammoni'akgummi *n*, *m*; ***~ ar·a·bic*** *s.* Gummia'rabikum *n*; **'~·boil** *s.* ⚕ Zahngeschwür *n*; **'~·drop** → ***gum²*** 5; **~ e·las·tic** *s.* Gummie'lastikum *n*, Kautschuk *m*.

gum·my ['gʌmɪ] *adj.* **1.** gummiartig, klebrig; **2.** Gummi…; **3.** gummihaltig.

gump·tion ['gʌmpʃn] *s.* F **1.** ‚Köpfchen' *n*, ‚Grütze' *f*, ‚Grips' *m*; **2.** ‚Mumm' *m*, Schneid *m*.

gum| res·in *s.* ⚘ Schleim-, Gummiharz *n*; **'~·shield** *s. Boxen*: Zahnschutz *m*; **'~·shoe** *s. Am.* **1.** F a) 'Gummiˌüberschuh *m*, b) Tennis-, Turnschuh *m*; **2.** *sl.* ‚Schnüffler' *m* (*Detektiv*, *Polizist*); **~ tree** *s.* ⚘ **1.** Gummibaum *m*: ***be up a ~*** *sl.* in der Klemme sein *od.* sitzen; **2.** Euka'lyptus(baum) *m*; **3.** Tu'pelobaum *m*; **4.** Amberbaum *m*; **'~·wood** *s.* Holz *n* des Gummibaums (*etc.* → ***gum tree***).

gun [gʌn] **I** *s.* **1.** ⚔ Geschütz *n*, Ka'none *f* (*a. fig.*): ***bring up one's big ~s*** schweres Geschütz auffahren (*a. fig.*); ***go great ~s*** F ‚schwer in Fahrt sein'; ***stick to one's ~s*** *fig.* festbleiben, nicht weichen *od.* nachgeben; ***a big ~*** *sl.* ‚e-e große Kanone', ‚ein großes Tier'; **2.** (*engS.* Jagd)Gewehr *n*, Flinte *f*, Büchse *f*; **3.** ‚Ka'none' *f*, Pi'stole *f*, Re'volver *m*; **4.** *sport*: a) 'Startpisˌtole *f*, b) Startschuß *m*: ***jump the ~*** e-n Fehlstart verursachen, *fig.* voreilig handeln; **5.** Ka'nonen-, Sa'lutschuß *m*; **6.** Schütze *m*, Jäger *m*; **7.** ✈, ⚙ a) Drosselklappe *f*, b) Drosselhebel *m*: ***give the engine the ~*** Vollgas geben; **II** *v/i.* **8.** auf die Jagd gehen; schießen; **9.** ***~ for*** es abgesehen haben auf *j-n od. et.*; **III** *v/t.* **10.** a) schießen auf (*acc.*), b) erschießen, c) *mst* ***~ down*** niederschießen; **11.** *oft* ***~ up*** *mot.* F ‚auf Touren bringen': ***~ the car up*** (Voll)Gas geben.

gun| bar·rel *s.* ⚔ **1.** Geschützrohr *n*; **2.** Gewehrlauf *m*; **~ bat·tle** *s.* Feuergefecht *n*, Schieße'rei *f*; **'~·boat** *s.* Ka'nonenboot *n*: ***~ diplomacy***; **~ cam·er·a** *s.* ✈, ⚔ 'Foto-MˌG *n*; **~ car·riage** *s.* ⚔ La'fette *f*; **~ cot·ton** *s.* Schießbaumwolle *f*; **~ dog** *s.* Jagdhund *m*; **'~·fight** → ***gun battle***; **'~ˌfire** *s.* ⚔ Geschützfeuer *n*; **'~-ˌhap·py** *adj.* schießwütig; **~ har·poon** *s.* ⚓ Ge'schützharˌpune *f*.

gunk [gʌŋk] *Am.* F **I** *s.* klebriges Zeug; **II** *v/t.* ***~ up*** verkleben.

gun| li·cence, *Am.* **~ li·cense** *s.* Waffenschein *m*; **'~·lock** *s.* Gewehrschloß *n*; **'~·man** [-mən] *s.* [*irr.*] Bewaffnete(r) *m*; Re'volverheld *m*; **'~ˌmet·al** *s.* Rotguß *m*; **~ moll** *s. Am. sl.* Gangsterbraut *f*; **~ mount** *s.* ⚔ La'fette *f*.

gun·ner ['gʌnə] *s.* **1.** ⚔ a) Kano'nier *m*, Artille'rist *m*, b) Richtschütze *m* (*Panzer etc.*), c) M'G-Schütze *m*, Gewehrführer *m*; **2.** ✈ Bordschütze *m*; **gun·ner·y** ['gʌnərɪ] *s.* ⚔ Schieß-, Geschützwesen *n*: ***~ officer*** Artillerieoffizier *m*.

gun·ny ['gʌnɪ] *s.* Juteleinwand *f*: ***~ (bag)*** Jutesack *m*.

gun| pit *s.* ⚔ **1.** Geschützstand *m*; **2.** ✈ Kanzel *f*; **'~·play** → ***gun battle***; **'~·point** *s.*: ***at ~*** mit vorgehaltener (Schuß)Waffe; **'~ˌpow·der** *s.* Schießpulver *n*: ♀ ***Plot*** *hist.* Pulververschwörung *f* (*in London 1605*); **'~·room** [-rʊm] *s. Brit.* ⚓, ⚔ Ka'dettenmesse *f*; **'~ˌrun·ner** *s.* Waffenschmuggler *m*; **'~ˌrun·ning** *s.* Waffenschmuggel *m*.

gun·sel ['gʌnsl] *Am. sl.* **1.** → ***gunman***; **2.** ‚Fiesling' *m*; **3.** Trottel *m*.

'gun|·ship *s.* ✈, ⚔ Kampfhubschrauber *m*; **'~·shot** **1.** (Ka'nonen-, Gewehr-) Schuß *m*: ***~ wound*** Schußwunde *f*; **2.** ***within (out of) ~*** in (außer) Schußweite

G

(*a. fig.*); **'~-shy** *adj.* **1.** *hunt.* schußscheu (*Hund etc.*); **2.** *Am.* F 'mißtrauisch; **'~,sling·er** *s. Am.* F → ***gunman***; **'~·smith** *s.* Büchsenmacher *m*; **~ turret** *s.* ⚔ **1.** Geschützturm *m*; **2.** ✈ Waffendrehstand *m*.

gun·wale ['gʌnl] *s.* **1.** ⚓ Schandeckel *m*; **2.** Dollbord *n* (*am Ruderboot*).

gur·gi·ta·tion [ˌgɜːdʒɪ'teɪʃn] *s.* (Auf-) Wallen *n*, Strudeln *n*.

gur·gle ['gɜːgl] *v/i.* gurgeln: a) gluckern (*Wasser*), b) glucksen (*Stimme, Person, Wasser etc.*).

Gur·kha ['gɜːkə] *s.* Gurkha *m, f* (*Mitglied e-s indischen Volksstamms*).

G

gu·ru ['gʊruː] *s.* Guru *m* (*a. fig.*).

gush [gʌʃ] **I** *v/i.* **1.** her'vorströmen, -schießen, sich ergießen (***from*** aus); **2.** 'überströmen (***with*** von); **3.** (***over***) *fig.* F schwärmen (von), sich 'überschwenglich *od.* verzückt äußern (über *acc.*); **II** *s.* **4.** Schwall *m*, Strom *m*, Erguß *m* (*alle a. fig.*); **5.** F Schwärme'rei *f*, 'Überschwenglichkeit *f*, (Gefühls)Erguß *m*; **'gush·er** [-ʃə] *s.* **1.** Springquelle *f* (*Erdöl*); **2.** F Schwärmer(in); **'gush·ing** [-ʃɪŋ] *adj.* ☐ **1.** ('über)strömend; **2.** → **'gush·y** [-ʃɪ] *adj.* überschwenglich, schwärmerisch.

gus·set ['gʌsɪt] **I** *s.* **1.** *Näherei etc.*: Zwickel *m*, Keil *m*; **2.** ⚙ Winkelstück *n*, Eckblech *n*; **II** *v/t.* **3.** e-n Zwickel *etc.* einsetzen in (*acc.*).

gust [gʌst] *s.* **1.** Windstoß *m*, Bö *f*; **2.** *fig.* (Gefühls)Ausbruch *m*, Sturm *m* (*der Leidenschaft etc.*).

gus·ta·tion [gʌ'steɪʃn] *s.* **1.** Geschmack *m*, Geschmackssinn *m*; **2.** Schmecken *n*; **gus·ta·to·ry** ['gʌstətərɪ] *adj.* Geschmacks...

gus·to ['gʌstəʊ] *s.* Begeisterung *f*, Genuß *m*, Gusto *m*.

gust·y ['gʌstɪ] *adj.* ☐ **1.** böig, stürmisch; **2.** *fig.* ungestüm.

gut [gʌt] **I** *s.* **1.** *pl.* Eingeweide *pl.*, Gedärme *pl.*: ***I hate his ~s*** F ich hasse ihn wie die Pest; **2.** *anat.* a) 'Darm(kaˌnal) *m*, b) (*bestimmter*) Darm; **3.** *a. pl.* F Bauch *m*; **4.** (*präparierter*) Darm; **5.** a) Engpaß *m*, b) enge 'Durchfahrt, Meerenge *f*; **6.** *pl.* F a) *das* Innere: ***the ~s of a machine***, b) Kern *m*, *das* Wesentliche, c) Gehalt *m*, Sub'stanz *f*: ***it has no ~s in it*** es steckt nichts dahinter; **7.** *pl.* ‚Mumm' *m*, Schneid *m*; **II** *v/t.* **8.** *Fisch etc.* ausnehmen, -weiden; **9.** *Haus etc.* a) ausrauben, b) ausbrennen: ***~ted by fire*** völlig ausgebrannt; **10.** *fig. Buch etc.* ‚ausschlachten'; **III** *adj.* **11.** F instink'tiv, von innen her'aus, *a.* leidenschaftlich: ***a ~ reaction***; **12.** von entscheidender Bedeutung: ***a ~ problem***; **'gut·less** [-lɪs] *adj.* ‚schlaff': a) ohne Schneid, b) ‚müde': ***a ~ enterprise***; **'gut·sy** [-tsɪ] *adj.* mutig, schneidig.

gut·ta-per·cha [ˌgʌtə'pɜːtʃə] *s.* **1.** ⚗ Gutta *n*; **2.** ⚘, ⚙ Gutta'percha *n*.

gut·ter ['gʌtə] **I** *s.* **1.** Dachrinne *f*; **2.** Gosse *f*, Rinnstein *m*; **3.** *fig. contp.* Gosse *f*: ***language of the ~***; ***take s.o. out of the ~*** j-n aus der Gosse auflesen; **4.** (Abfluß-, Wasser)Rinne *f*; **5.** ⚙ Rille *f*, Hohlkehlfuge *f*, Furche *f*; **6.** Kugelfangrinne *f* (*der Bowlingbahn*); **II** *v/t.* **7.** furchen, aushöhlen; **III** *v/i.* **8.** rinnen, strömen; **9.** tropfen (*Kerze*); **IV** *adj.* **10.** vul'gär, schmutzig, Schmutz...; **~ press** *s.* Skan'dal-, Sensati'onspresse *f*; **'~·snipe** *s.* Gassenkind *n*.

gut·tur·al ['gʌtərəl] **I** *adj.* ☐ **1.** Kehl..., guttu'ral (*beide a. ling.*), kehlig; **2.** rauh, heiser; **II** *s.* **3.** *ling.* Kehllaut *m*, Guttu'ral *m*.

guv [gʌv], **guv·nor**, **guv'nor** ['gʌvnə] *sl.* → ***governor*** 4.

guy¹ [gaɪ] **I** *s.* **1.** F ‚Typ' *m*, Kerl *m*, ‚Bursche' *m*; **2.** ‚Vogelscheuche' *f*, ‚'Schießbudenfiˌgur' *f*; **3.** Zielscheibe *f* des Spotts; **4.** *Brit. Spottfigur des Guy Fawkes* (*die am **Guy Fawkes Day** verbrannt wird*); **II** *v/t.* **5.** F *j-n* lächerlich machen, verulken.

guy² [gaɪ] **I** *s.* **1.** *a.* ***~ rope*** Halteseil *n*, -tau *n*; **2.** a) ⚙ (Ab)Spannseil *n* (*e-s Mastes*): ***~ wire*** Spanndraht *m*, b) ⚓ Gei(tau *n*) *f*; **3.** Spannschnur *f* (*Zelt*); **II** *v/t.* **4.** mit e-m Tau *etc.* sichern, verspannen.

Guy Fawkes Day [ˌgaɪ'fɔːks] *s. Brit. der Jahrestag des **Gunpowder Plot*** (*5. November*).

guz·zle ['gʌzl] *v/t.* **1.** *a. v/i.* a) ‚saufen', b) ‚fressen'; **2.** *oft* ***~ away*** *Geld* verprassen, *bsd.* ‚versaufen'.

gybe [dʒaɪb] *v/t. u. v/i.* ⚓ *Brit.* (sich) 'umlegen (*Segel beim Kreuzen*).

gym [dʒɪm] *s. sl. abbr. für* ***gymnasium*** *u.* ***gymnastics***: ***~ shoe*** Turnschuh *m*.

gym·kha·na [dʒɪm'kɑːnə] *s.* Gym'khana *f* (*Geschicklichkeitswettbewerb für Reiter, a. Austragungsort*).

gym·na·si·um [dʒɪm'neɪzjəm] *pl.* **-si·ums**, **-si·a** [-zjə] *s.* **1.** Turnhalle *f*; **2.** *ped.* (*deutsches*) Gym'nasium; **gym·nast** ['dʒɪmnæst] *s.* (Kunst)Turner(in); **gym'nas·tic** [-'næstɪk] **I** *adj.* **1.** (☐ ***~ally***) gym'nastisch, turnerisch, Turn..., Gymnastik...; **II** *s.* **2.** *pl. sg. konstr.* Turnen *n*, Gym'nastik *f*: ***mental ~s*** ‚Gehirnakrobatik' *f*; **3.** *mst pl.* Turn-, Gym'nastikübung *f*.

gyn·ae·co·log·ic, **gyn·ae·co·log·i·cal** [ˌgaɪnɪkə'lɒdʒɪk(l)] *adj.* ⚕ gynäko'logisch; **gyn·ae·col·o·gist** [ˌgaɪnɪ'kɒlədʒɪst] *s.* ⚕ Gynäko'loge *m*, -'login *f*, Frauenarzt *m*, Frauenärztin *f*; **gyn·ae·col·o·gy** [ˌgaɪnɪ'kɒlədʒɪ] *s.* ⚕ Gynäkolo'gie *f*.

gyp [dʒɪp] *sl.* **I** *v/i. u. v/t.* **1.** ‚bescheißen', ‚neppen'; **II** *s.* **2.** a) ‚Beschiß' *m*, b) ‚Nepp' *m*; **3.** ***give s.o.*** **~** j-n ‚fertigmachen'; **'~-joint** *s. sl.* 'Nepploˌkal *n*.

gyp·se·ous ['dʒɪpsɪəs] *adj. min.* gipsartig, Gips...; **gyp·sum** ['dʒɪpsəm] *s. min.* Gips *m*.

gyp·sy ['dʒɪpsɪ] *etc. bsd. Am.* → ***gipsy*** *etc.*

gy·rate I *v/i.* [ˌdʒaɪə'reɪt] kreisen, sich (im Kreis) drehen, wirbeln; **II** *adj.* ['dʒaɪərɪt] gewunden; **ˌgy'ra·tion** [-eɪʃən] *s.* **1.** Kreisbewegung *f*, Drehung *f*; **2.** *anat., zo.* Windung *f*; **gy·ra·to·ry** ['dʒaɪərətərɪ] *adj.* kreisend, sich (im Kreis) drehend.

gyr·fal·con ['dʒɜːˌfɔːlkən] → ***gerfalcon***.

gy·ro-com·pass ['dʒaɪərəʊˌkʌmpəs] *s.* ⚓, *phys.* Kreiselkompaß *m*; **'gy·ro·graph** [-əʊgrɑːf] *s.* ⚙ Um'drehungszähler *m*.

gy·ro ho·ri·zon ['dʒaɪərəʊ] *s. ast.*, ✈ künstlicher Hori'zont.

gy·ro·pi·lot ['dʒaɪərəʊˌpaɪlət] *s.* ✈ Autopi'lot *m*; **'gy·ro·plane** [-rəpleɪn] *s.* ✈ Tragschrauber *m*; **'gy·ro·scope** [-rəskəʊp] *s.* **1.** *phys.* Gyro'skop *n*, Kreisel *m*; **2.** ⚓, ⚔ Ge'radlaufappaˌrat *m* (*Torpedo*); **gy·ro·scop·ic** [ˌdʒaɪərə'skɒpɪk] *adj.* (□ ***~ally***) Kreisel..., gyro'skopisch; **gy·ro·sta·bi·liz·er** [ˌdʒaɪərəʊ'steɪbɪlaɪzə] *s.* ⚓, ✈ (Stabilisier-, Lage)Kreisel *m*; **'gy·ro·stat** [-rəʊstæt] *s.* Gyro'stat *m*.

gyve [dʒaɪv] *obs. od. poet.* **I** *s. mst pl.* (*bsd.* Fuß)Fessel *f*; **II** *v/t.* fesseln.

H

H, h [eɪtʃ] *s.* H *n*, h *n* (*Buchstabe*).
ha [hɑ:] *int.* ha!, ah!
ha·be·as cor·pus [ˌheɪbjəsˈkɔ:pəs] (*Lat.*) *s. a.* ***writ of ~*** ⚖ Vorführungsbefehl *m* zur Haftprüfung: ***≈ Act*** Habeas-Corpus-Akte *f* (*1679*).
hab·er·dash·er [ˈhæbədæʃə] *s.* **1.** Kurzwarenhändler(in); **2.** *Am.* Herrenausstatter *m*; ˈ**hab·er·dash·er·y** [-ərɪ] *s.* **1.** a) Kurzwaren *pl.*, b) Kurzwarengeschäft *n*; **2.** *Am.* a) ˈHerrenbeˌkleidungsarˌtikel *pl.*, b) Herrenmodengeschäft *n*.
ha·bil·i·ments [həˈbɪlɪmənts] *s. pl.* (Amts)Kleidung *f*, Kleider *pl.*
hab·it [ˈhæbɪt] *s.* **1.** (An)Gewohnheit *f*: ***out of ~*** aus Gewohnheit; ***the force of ~*** die Macht der Gewohnheit; ***be in the ~ of doing s.th.*** pflegen *od.* die (An-)Gewohnheit haben, et. zu tun; ***get*** (*od.* ***fall***) ***into a ~*** sich et. angewöhnen; ***break o.s. of a ~*** sich et. abgewöhnen; ***make a ~ of s.th.*** et. zur Gewohnheit werden lassen; **2.** *oft* ***~ of mind*** Geistesverfassung *f*; **3.** *psych.* Habit *n*, *a. m*; **4.** ⚕ Sucht *f*; **5.** (Amts-, Berufs-) Kleidung *f*, Tracht *f*; **6.** ⚘ Habitus *m*, Wachstumsart *f*; **7.** *zo.* Lebensweise *f*.
hab·it·a·ble [ˈhæbɪtəbl] *adj.* □ bewohnbar; **hab·i·tant** *s.* **1.** [ˈhæbɪtənt] Einwohner(in); **2.** [ˈhæbɪtɔ̃:ŋ] a) ˈFrankokaˌnadier *m*, b) Einwohner *m* franˈzösischer Abkunft (*in Louisiana*); **hab·i·tat** [ˈhæbɪtæt] *s.* ⚘, *zo.* Habiˈtat *n*, Heimat *f*, Stand-, Fundort *m*; **hab·i·ta·tion** [ˌhæbɪˈteɪʃn] *s.* Wohnen *n*; Wohnung *f*, Behausung *f*, Aufenthalt *m*: ***unfit for human ~*** unbewohnbar.
ˈ**hab·it-ˌform·ing** *adj.* **1.** zur Gewohnheit werdend; **2.** ⚕ suchterzeugend: ***~ drug*** Suchtmittel *n*.
ha·bit·u·al [həˈbɪtjʊəl] *adj.* □ **1.** gewohnt, üblich, ständig; **2.** gewohnheitsmäßig, Gewohnheits…, *contp. a.* noˈtorisch: ***~ criminal*** Gewohnheitsverbrecher *m*; ***~ drinker*** Gewohnheitstrinker (-in); **haˈbit·u·ate** [-jʊeɪt] *v/t.* **1.** (***o.s.*** sich) gewöhnen (***to*** an *acc.*; ***to doing s.th.*** daran, et. zu tun); **2.** *Am.* F frequentieren, häufig besuchen; **haˈbit·u·é** [-jʊeɪ] *s.* ständiger Besucher, Stammgast *m*.
ha·chures [hæˈʃjʊə] *s. pl.* Schraffierung *f*, Schrafˈfur *f*.
hack¹ [hæk] **I** *v/t.* **1.** (zer)hacken: ***~ off*** abhacken (von); ***~ out*** *fig.* grob darstellen, ‚hinhauen'; ***~ to pieces*** (*od.* ***bits***) in Stücke hacken, *fig.* ‚kaputtmachen'; **2.** (ein)kerben; **3.** ⚒ *Boden* (auf-, los-) hacken; **4.** ⚙ *Steine* behauen; **5.** *sport* *j-n* (gegen das Schienbein) treten; **II** *v/i.* **6.** hacken: ***~ at*** a) hacken nach, b) einhauen auf (*acc.*); **7.** trocken u. stoßweise husten: ***~ing cough*** → 12; **8.** *sport* treten, ‚holzen'; **III** *s.* **9.** Hieb *m*; **10.** Kerbe *f*; **11.** *sport* a) Tritt *m* (gegen das Schienbein), b) Trittwunde *f*; **12.** trokkener, stoßweiser Husten.
hack² [hæk] **I** *s.* **1.** a) Reit- *od.* Kutschpferd *n*, b) Mietpferd *n*, Gaul *m*, Klepper *m*; **2.** *Am.* a) (Miets)Droschke *f*, b) F Taxi *n*, c) → ***hackie***; **3.** a) Lohnschreiber *m*, Schriftsteller, der auf Bestellung arbeitet, b) Schreiberling *m*; **II** *adj.* **4.** ***~ writer*** → 3; **5.** einfallslos, mittelmäßig; **6.** → ***hackneyed***; **III** *v/i.* **7.** *Brit.* ausreiten; **8.** *Am.* F a) in e-m Taxi fahren, b) ein Taxi fahren; **9.** auf Bestellung arbeiten (*Schriftsteller*).
hack·er [ˈhækə] *s. Computer*: Hacker *m*.
hack·ie [ˈhækɪ] *s. Am.* F Taxifahrer *m*.
hack·le [ˈhækl] **I** *s.* **1.** ⚙ Hechel *f*; **2.** a) *orn.* (lange) Nackenfeder(n *pl.*), b) *pl.* (*aufstellbare*) Rücken- u. Halshaare *pl.* (*Hund*): ***have one's ~s up*** *fig.* wütend sein; ***this got his ~s up***, ***his ~s rose*** (***at this***) das brachte ihn in Wut; **II** *v/t.* **3.** ⚙ hecheln.
hack·ney [ˈhæknɪ] *s.* **1.** → ***hack²*** 1; **2.** *a.* ***~ carriage*** Droschke *f*; ˈ**hack·neyed** [-ɪd] *adj. fig.* abgenutzt, abgedroschen.
ˈ**hack·saw** *s.* ⚙ Bügelsäge *f*.
had [hæd; həd] *pret. u. p.p. von* ***have***.
had·dock [ˈhædək] *s.* Schellfisch *m*.
Ha·des [ˈheɪdi:z] *s.* **1.** *antiq.* Hades *m*, ˈUnterwelt *f*; **2.** F Hölle *f*.
hae·mal [ˈhi:ml] *adj. anat.* Blut(gefäß)…; **hae·mat·ic** [hi:ˈmætɪk] **I** *adj.* a) blutgefüllt, b) Blut…, c) blutbildend; **II** *s.* ⚕ Häˈmatikum *n*, blutbildendes Mittel; **haem·a·tite** [ˈhemətaɪt] *s. min.* Hämaˈtit *m*; **hae·ma·tol·o·gy** [ˌheməˈtɒlədʒɪ] *s.* ⚕ Hämatoloˈgie *f*; **hae·mo·glo·bin** [ˌhi:məʊˈgləʊbɪn] *s.* Hämogloˈbin *n*, roter Blutfarbstoff; **hae·mo·phile** [ˈhi:məʊfaɪl] *s.* ⚕ Bluter *m*; **hae·mo·phil·i·a** [ˌhi:məʊˈfi:lɪə] *s.* ⚕ Bluterkrankheit *f*, Hämophiˈlie *f*; **hae·mo·phil·i·ac** [ˌhi:məʊˈfɪlɪæk] → ***haemophile***; **haem·or·rhage** [ˈhemərɪdʒ] *s.*

(***cerebral ~*** Gehirn)Blutung *f*; **haem·or·rhoids** ['hemərɔɪdz] *s. pl.* ⚕ Hämorrho'iden *pl.*

haft [hɑːft] *s.* Griff *m*, Heft *n*, Stiel *m*.

hag [hæg] *s.* ‚alte Vettel', Hexe *f*.

hag·gard ['hægəd] **I** *adj.* □ **1.** wild, verstört: ***~ look***; **2.** a) abgehärmt, b) sorgenvoll, gequält, c) abgespannt, d) abgezehrt, hager; **3.** ***~ falcon*** → 4; **II** *s.* **4.** Falke, der ausgewachsen gefangen wurde.

hag·gle ['hægl] *v/i.* (***about, over***) schachern, feilschen, handeln (um); '**hag·gler** [-lə] *s.* Feilscher(in).

hag·i·og·ra·phy [ˌhægɪ'ɒgrəfɪ] *s.* Hagiogra'phie *f* (*Erforschung u. Beschreibung von Heiligenleben*); ˌ**hag·i'ol·a·try** [-'ɒlətrɪ] *s.* Heiligenverehrung *f*.

'**hagˌrid·den** *adj.* **1.** gepeinigt, gequält; **2.** ***be ~*** *humor.* von Frauen schikaniert werden.

Hague| Con·ven·tions [heɪg] *s. pl. pol. die* Haager Abkommen *pl*; **~ Tri·bu·nal** *s. pol. der* Haager Schiedshof.

hail[1] [heɪl] **I** *s.* **1.** Hagel *m* (*a. fig. von Geschossen, Flüchen etc.*); **II** *v/i.* **2.** *impers.* hageln: ***it is ~ing*** es hagelt; **3.** *a.* ***~ down*** *fig.* (***on*** auf *acc.*) (nieder)hageln, (nieder)prasseln; **III** *v/t.* **4.** *a.* ***~ down*** *fig.* (nieder)hageln *od.* (-)prasseln lassen (***on*** auf *acc.*).

hail[2] [heɪl] **I** *v/t.* **1.** freudig *od.* mit Beifall begrüßen, zujubeln (*dat.*); **2.** *j-n, a. Taxi* her'beirufen *od.* -winken; **3.** *fig. et.* begrüßen, begeistert aufnehmen; **II** *v/i.* **4.** *bsd.* ⚓ rufen, sich melden; **5.** (her)stammen, (-)kommen (***from*** von *od.* aus); **III** *int.* **6.** heil!; **IV** *s.* **7.** Gruß *m*, Zuruf *m*: ***within ~*** (*od.* ***~ing distance***) in Ruf- *od.* Hörweite, *fig.* greifbar nahe; '**hail·er** *s. Am.* Mega'phon *n*.

'**hail|-ˌfel·low-ˌwell-'met** [-ləʊ-] **I** *s.* a) umgänglicher Mensch, b) *contp.* plump-vertraulicher Kerl; **II** *adj.* a) umgänglich, b) *contp.* plump-vertraulich, c) ***~ with*** (sehr) vertraut *od.* auf du u. du mit; '**~·stone** *s.* Hagelkorn *n*, -schloße *f*; '**~·storm** *s.* Hagelschauer *m*.

hair [heə] *s.* **1.** *ein* Haar *n*: ***by a ~*** *fig.* ganz knapp *gewinnen etc.*; ***to a ~*** haargenau; ***it turned on a ~*** es hing an e-m Faden; ***without turning a ~*** ohne mit der Wimper zu zucken, kaltblütig; ***split ~s*** Haarspalterei treiben; ***not to harm*** (*od.* ***hurt***) ***a ~ on s.o.'s head*** j-m kein Haar krümmen; **2.** *coll.* Haar *n*, Haare *pl.*: ***comb s.o.'s ~ for him*** (*od.* ***her***) F *fig.* j-m gehörig den Kopf waschen; ***do one's ~*** sich die Haare machen; ***get in s.o.'s ~*** F j-m auf die Nerven fallen; ***have s.o. by the short ~s*** F j-n in der Hand haben; ***have one's ~ cut*** sich die Haare schneiden lassen; ***have a ~ of the dog*** (***that bit you***) F e-n Schluck Alkohol trinken, um s-n ‚Kater' zu vertreiben; ***let one's ~ down*** a) sein Haar aufmachen, b) *fig.* sich ungeniert benehmen, c) aus sich herausgehen, d) sein Herz ausschütten; ***my ~ stood on end*** mir sträubten sich die Haare; ***keep s.o. out of one's ~*** F sich j-n vom Leib halten; ***keep your ~ on!*** F nur keine Aufregung; ***tear one's ~*** sich die Haare raufen; **3.** ⚘ Haar *n*; **4.** Härchen *n*, Fäserchen *n*; '**~·breadth** *s.*: ***by a ~*** um Haaresbreite; ***escape by a ~*** mit knapper Not davonkommen; '**~·brush** *s.* **1.** Haarbürste *f*; **2.** Haarpinsel *m*; **~ clip·pers** *s. pl.* 'Haarschneidemaˌschine *f*; '**~·cloth** *s.* Haartuch *n*; '**~-ˌcom·pass·es** *s. pl. a.* ***pair of ~*** Haar(strich)zirkel *m*; '**~ˌcurl·ing** *adj.* F **1.** grausig; **2.** haarsträubend; '**~·cut** *s.* Haarschnitt *m*, *weitS.* Fri'sur *f*: ***have a ~*** sich die Haare schneiden lassen; '**~·do** *pl.* '**~·dos** *s.* F Fri'sur *f*; '**~ˌdress·er** *s.* Fri'seur *m*, Fri'seuse *f*; '**~ˌdress·ing** *s.* Frisieren *n*: ***~ salon*** Friseursalon *m*; '**~ˌdri·er** *s.* Haartrockner *m*: a) Fön *m*, b) Trockenhaube *f*.

haired [heəd] *adj.* **1.** behaart; **2.** *in Zssgn* …haarig.

hair| fol·li·cle *s. anat.* Haarbalg *m*; '**~·grip** *s.* Haarklammer *f*.

hair·i·ness ['heərɪnɪs] *s.* Behaartheit *f*; **hair·less** ['heəlɪs] *adj.* unbehaart, haarlos, kahl.

'**hair|·line** *s.* **1.** Haaransatz *m*; **2.** a) feiner Streifen (*Stoffmuster*), b) feingestreifter Stoff; **3.** Haarseil *n*; **4.** *a.* ***~ crack*** ⚙ Haarriß *m*; **5.** *opt.* Fadenkreuz *n*; **6.** → ***hair stroke***; **~ mat·tress** *s.* 'Roßhaarmaˌtratze *f*; **~ net** *s.* Haarnetz *n*; **~ oil** *s.* Haaröl *n*; '**~·piece** *s.* Haarteil *n*, *für Männer*: Tou'pet *n*; '**~·pin** *s.* **1.** Haarnadel *f*; **2.** *a.* ***~ bend*** Haarnadelkurve *f*; '**~-ˌrais·er** *s.* F *et.* Haarsträubendes, *z.B.* Horrorfilm *m*; '**~-ˌrais·ing** *adj.* F haarsträubend; **~ re·stor·er** *s.* Haarwuchsmittel *n*.

hair's breadth → ***hairbreadth***.

hair| shirt *s.* härenes Hemd; **~ sieve** *s.* Haarsieb *n*; **~ slide** *s.* Haarspange *f*; '**~ˌsplit·ter** *s. fig.* Haarspalter(in); '**~ˌsplit·ting I** *s.* Haarspalte'rei *f*; **II** *adj.* haarspalterisch; '**~·spring** *s.* ⚙ Haar-, Unruhfeder *f*; **~ stroke** *s.* Haarstrich *m* (*Schrift*); '**~·style** *s.* Fri'sur *f*; **~ styl·ist** *s.* Hair-Stylist *m*, 'Damenfriˌseur *m*; '**~-ˌtrig·ger I** *s.* **1.** Stecher *m* (*am Gewehr*); **II** *adj.* F **2.** äußerst reizbar (*Person*); **3.** la'bil; **4.** prompt.

hair·y ['heərɪ] *adj.* **1.** haarig, behaart; **2.** Haar…; **3.** F ‚haarig', schwierig.

hake [heɪk] *s. ichth.* Seehecht *m*.

ha·la·tion [hə'leɪʃn] *s. phot.* Halo-, Lichthofbildung *f*.

hal·berd ['hælbɜːd] *s.* ⚔ *hist.* Helle'barde *f*; **hal·berd·ier** [ˌhælbə'dɪə] *s.* Helleber'dier *m*.

hal·cy·on ['hælsıən] **I** *s. orn.* Eisvogel *m*; **II** *adj.* halky'onisch, friedlich; **~ days** *s. pl.* **1.** halky'onische Tage *pl.*: a) Tage *pl.* der Ruhe (*auf dem Meer*), b) *fig.* Tage glücklicher Ruhe; **2.** *fig.* glückliche Zeit.

hale [heıl] *adj.* gesund, kräftig: ***~ and hearty*** gesund u. munter.

half [hɑːf] **I** *pl.* **halves** *s.* **1.** Hälfte *f*: ***an hour and a ~*** anderthalb Stunden; ***~ (of) the girls*** die Hälfte der Mädchen; ***~ the amount*** die halbe Menge *od.* Summe; ***cut in halves*** (*od.* **~**) in zwei Hälften *od.* Teile schneiden, entzweischneiden, halbieren; ***do s.th. by halves*** et. nur halb tun; ***do things by halves*** halbe Sachen machen; ***not to do things by halves*** Nägel mit Köpfen machen; ***go halves with s.o.*** (gleichmäßig) mit j-m teilen, mit j-m (bei et.) halbpart machen; ***too clever by ~*** überschlau; ***a game and a ~*** F ein ‚Bombenspiel'; ***not good enough by ~*** lange nicht gut genug; ***torn in ~*** *fig.* hin- u. hergerissen; → ***better***[1] 1; **2.** *sport*: a) Halbzeit *f*, (Spiel)Hälfte *f*, b) (Spielfeld)Hälfte *f*, c) *Golf*: Gleichstand *m*, d) → ***halfback***; **3.** Fahrkarte *f* zum halben Preis; **4.** kleines Bier (*halbes Pint*); **II** *adj.* **5.** halb: ***a ~ mile***, *mst* ***~ a mile*** e-e halbe Meile; ***~ an hour***, ***a ~ hour*** e-e halbe Stunde; ***two pounds and a ~*** zweieinhalb Pfund; ***a ~ share*** ein halber Anteil, e-e Hälfte; ***~ knowledge*** Halbwissen *n*; ***at ~ the price*** zum halben Preis; ***that's ~ the battle*** damit ist es halb gewonnen; → ***mind*** 5, ***eye*** 2; **III** *adv.* **6.** halb, zur Hälfte: ***~ full***; ***my work is ~ done***; ***~ as much*** halb so viel; ***~ as much again*** anderthalbmal soviel; ***~ past ten*** halb elf (Uhr); **7.** halb(wegs), nahezu, fast: ***~ dead*** halbtot; ***not ~ bad*** F gar nicht übel; ***be ~ inclined*** beinahe geneigt sein; ***he ~ wished*** (***suspected***) er wünschte (vermutete) fast.

ˌ**half|-and-'half** [-fənd'h-] **I** *s.* Halb-u.-halb-Mischung *f*; **II** *adj.* halb-u.-'halb; **III** *adv.* halb u. halb; '**~·back** *s.* **1.** *obs. Fußball etc.*: Läufer *m*; **2.** *Rugby*: Halbspieler *m*; ˌ**~-'baked** *adj. fig.* F **1.** ‚grün', unreif, unerfahren; **2.** unausgegoren, nicht durch'dacht (*Plan etc.*); **3.** blöd; **~ bind·ing** *s.* Halb(leder)band *m*; '**~·blood** *s.* **1.** Halbbürtigkeit *f*: ***brother of the ~*** Halbbruder *m*; **2.** → ***half-breed*** 1; ˌ**~-'blood·ed** → ***half-bred*** I; **~ board** *s. Hotel*: 'Halbpensiˌon *f*; ˌ**~-'bound** *adj.* im Halbband (*Buch*); '**~-bred I** *adj.* halbblütig, Halbblut…; **II** *s.* Halbblut(tier) *n*; '**~-breed I** *s.* **1.** Mischling *m*, Halbblut *n* (*a. Tier*); **2.** *Am.* Me'stize *m*; **3.** ⚘ Kreuzung *f*; **II** *adj.* **4.** → ***half-bred***; '**~-ˌbroth·er** *s.* Halbbruder *m*; '**~-caste** → ***half-breed*** 1 *u.* ***half-bred***; '**~-cloth** *adj.* in Halbleinen gebunden, Halbleinen…; **~ cock** *s.*: ***go off at ~*** F a) ‚hochgehen', wütend werden, b) ‚da'nebengehen'; **~ crown** *s. Brit. obs.* Halbkronenstück *n* (*Wert*: *2s.6d.*); **~ deck** *s.* ⚓ Halbdeck *n*; **~ face** *s. paint., phot.* Pro'fil *n*; ˌ**~'heart·ed** *adj.* □ halbherzig; **~ hol·i·day** *s.* halber Feier- *od.* Urlaubstag; **~ hose** *s. coll., pl. konstr.* a) Halb-, Kniestrümpfe *pl.*, b) Socken *pl.*; ˌ**~-'hour I** *s.* halbe Stunde; **II** *adj.* a) halbstündig, b) halbstündlich; **III** *adv.* → ˌ**~-'hour·ly** *adv.* jede *od.* alle halbe Stunde, halbstündlich; ˌ**~-'length** *s. a.* ***~ portrait*** Brustbild *n*; '**~-life** (**pe·ri·od**) *s.* ⚗, *phys.* Halbwertzeit *f*; ˌ**~-'mast** *s.*: ***fly at ~*** auf halbmast *od.* ⚓ halbstock(s) setzen (*v/i.* wehen); **~ meas·ure** *s.* Halbheit *f*, halbe Sache; **~ moon** *s.* **1.** Halbmond *m*; **2.** (Nagel)Möndchen *n*; **~ mourn·ing** *s.* Halbtrauer *f*; **~ nel·son** *s. Ringen*: Halbnelson *m*; ˌ**~-'or·phan** *s.* Halbwaise *f*; **~ pay** *s.* **1.** halbes Gehalt; **2.** ⚔ Halbsold *m*; Ruhegeld *n*: ***on ~*** außer Dienst; **~·pen·ny** ['heıpnı] *s.* **1.** *pl.* **half·pence** ['heıpəns] halber Penny: ***three halfpence***, ***a penny ~*** eineinhalb Pennies; ***turn up again like a bad ~*** immer wieder auftauchen; **2.** *pl.* **half·pen·nies** ['heıpnız] Halbpennystück *n*; '**~-pint** *s.* **1.** halbes Pint (*bsd. Bier*); **2.** F ‚halbe Porti'on'; ˌ**~·seas-'o·ver** *adj.* F ‚angesäuselt'; '**~-ˌsis·ter** *s.* Halbschwester *f*; ˌ**~-'staff** → ***half-mast***; **~ term** *s. univ. Brit. kurze Ferien in der Mitte e-s Trimesters*; ˌ**~-'tide** *s.* ⚓ Gezeitenmitte *f*; ˌ**~-'tim·bered** *adj.* ⚠ Fachwerk…; **~ time** *s.* **1.** halbe Arbeitszeit; **2.** *sport* Halbzeit *f*; ˌ**~-'time I** *adj.* **1.** Halbtags…: ***~ job***; **2.** *sport* Halbzeit…: ***~ score*** Halbzeitstand *m*; **II** *adv.* **3.** halbtags; ˌ**~-'tim·er** *s.* Halbtagsbeschäftigte(r *m*) *f*; **~ ti·tle** *s.* Schmutztitel *m*; '**~·tone** *s.* ♪, *paint., typ.* Halbton *m*: ***~ etching*** Autotypie *f*; ***~ process*** Halbtonverfahren *n*; '**~-track I** *s.* **1.** ⚙ Halbkettenantrieb *m*; **2.** Halbkettenfahrzeug *n*; **II** *adj.* **3.** Halbketten…; '**~-truth** *s.* Halbwahrheit *f*; ˌ**~-'vol·ley** *s. sport* Halbvolley *m*, Halbflugball *m*; ˌ**~-'way I** *adj.* **1.** auf halbem Weg *od.* in der Mitte (liegend): ***~ measures*** halbe Maßnahmen; **II** *adv.* **2.** auf halbem Weg, in der Mitte; → ***meet*** 4; **3.** teilweise, halb(wegs); ˌ**~-'way house** *s.* **1.** auf halbem Weg gelegenes Gasthaus; **2.** *fig.* a) 'Zwischenstufe *f*, -statiˌon *f*, b) Kompro'miß *m*, *n*; **3.** Rehabilitati'onszentrum *n*; '**~-wit** *s.* Schwachkopf *m*, -sinnige(r *m*) *f*, Trottel *m*; ˌ**~-'wit·ted** *adj.* schwachsinnig, blöd; ˌ**~-'year·ly** *adv.* halbjährlich.

hal·i·but ['hælıbət] *s.* Heilbutt *m.*

hal·ide ['hælaıd] *s.* ⚗ Haloge'nid *n.*

hal·i·to·sis [ˌhælɪˈtəʊsɪs] *s.* Haliˈtose *f*, (übler) Mundgeruch.

hall [hɔːl] *s.* **1.** Halle *f*, Saal *m*; **2.** a) Diele *f*, Flur *m*, b) (Empfangs-, Vor-) Halle *f*, Vestiˈbül *n*; **3.** a) (Versammlungs)Halle *f*, b) großes (öffentliches) Gebäude: ***≈ of Fame*** Ruhmeshalle; **4.** *hist.* Gilden-, Zunfthaus *n*; **5.** *Brit.* Herrenhaus *n* (*e-s Landguts*); **6.** *univ.* a) *a.* ***~ of residence*** Stuˈdentenheim *n*, b) *Brit.* (Essen *n* im) Speisesaal *m*, c) *Am.* Instiˈtut *n*: ***Science ≈***; **7.** *hist.* a) Schloß *n*, Stammsitz *m*, b) Fürsten-, Königssaal *m*, c) Festsaal *m*; **~ clock** *s.* Standuhr *f*.

hal·le·lu·jah, hal·le·lu·iah [ˌhælɪˈluːjə] **I** *s.* Halleˈluja *n*; **II** *int.* halleˈluja!

hal·liard [ˈhæljəd] → ***halyard***.

ˈ**hall·mark I** *s.* **1.** Feingehaltsstempel *m* (*der Londoner Goldschmiedeinnung*); **2.** *fig.* (Güte)Stempel *m*, Gepräge *n*, (Kenn)Zeichen *n*; **II** *v/t.* **3.** *Gold od. Silber* stempeln; **4.** *fig.* kennzeichnen, stempeln.

hal·lo [həˈləʊ] *bsd. Brit. für* ***hello***.

hal·loo [həˈluː] **I** *int.* hallo!, he!; **II** *s.* Hallo *n*; **III** *v/i.* (hallo) rufen *od.* schreien: ***don't ~ till you are out of the wood!*** freu dich nicht zu früh!

hal·low¹ [ˈhæləʊ] *v/t.* heiligen: a) weihen, b) als heilig verehren: ***~ed be Thy name*** geheiligt werde Dein Name.

hal·low² [ˈhæləʊ] → ***halloo***.

Hal·low·e'en [ˌhæləʊˈiːn] *s.* Abend *m* vor Allerˈheiligen; **Hal·low·mas** [ˈhæləʊmæs] *s. obs.* Allerˈheiligen(fest) *n*.

hall| por·ter *s. bsd. Brit.* Hoˈtel-, Hausdiener *m*; ˈ**~·stand** *s.* a) *Am. a.* **~ tree** Gardeˈrobenständer *m*, b) ˈFlurgardeˌrobe *f*.

hal·lu·ci·nate [həˈluːsɪneɪt] *v/i.* halluzinieren; **hal·lu·ci·na·tion** [həˌluːsɪˈneɪʃn] *s.* Halluzinatiˈon *f*; **hal·lu·ci·na·to·ry** [həˈluːsɪnətərɪ] *adj.* halluzinaˈtorisch; **hal·lu·ci·no·gen** [həˈluːsɪnədʒen] *s.* ⚕ Halluzinoˈgen *n*.

ˈ**hall·way** *s. Am.* **1.** (Eingangs)Halle *f*, Diele *f*; **2.** Korridor *m*.

halm [hɑːm] → ***haulm***.

hal·ma [ˈhælmə] *s.* Halma(spiel) *n*.

ha·lo [ˈheɪləʊ] *pl.* **ha·loes, ha·los** *s.* **1.** Heiligen-, Glorienschein *m*, Nimbus *m* (*a. fig.*); **2.** *ast.* Halo *m*, Ring *m*, Hof *m*; **3.** *allg.* Ring *m*, (*phot.* Licht)Hof *m*; ˈ**ha·loed** [-əʊd] *adj.* mit e-m Heiligenschein *etc.* umˈgeben.

hal·o·gen [ˈhælədʒen] *s.* ⚗ Haloˈgen *n*, Salzbildner *m*: ***~ lamp*** Halogenlampe *f*, *mot.* -scheinwerfer *m*.

halt¹ [hɔːlt] **I** *s.* **1.** a) Halt *m*, Pause *f*, Rast *f*, Aufenthalt *m*, b) *a. fig.* Stillstand *m*: ***call a ~*** (***to***) (*fig.* Ein)Halt gebieten (*dat.*); ***bring to a ~*** → 3; ***come to a ~*** → 4; **2.** 🚂 *Brit.* (Bedarfs-) Haltestelle *f*, Haltepunkt *m*; **II** *v/t.* **3.** a) haltmachen lassen, anhalten (lassen), *a. fig.* zum Halten *od.* Stehen bringen; **III** *v/i.* **4.** a) anhalten, haltmachen, b) *a. fig.* zum Stehen *od.* Stillstand kommen: ***~!*** halt!

halt² [hɔːlt] *v/i.* **1.** *obs.* hinken; **2.** *fig.* ‚hinken' (*Vergleich etc.*), (*Vers etc.*) *a.* holpern; **3.** zögern, schwanken, stocken.

hal·ter [ˈhɔːltə] **I** *s.* **1.** Halfter *f, m, n*; **2.** Strick *m* (*zum Hängen*); **3.** rückenfreies Oberteil *od.* Kleid mit Nackenband; **II** *v/t.* **4.** *Pferd* (an)halftern; **5.** *j-n* hängen; ˈ**~·neck** → ***halter*** 3.

halt·ing [ˈhɔːltɪŋ] *adj.* ☐ **1.** *obs.* hinkend; **2.** *fig.* a) hinkend, b) holp(e)rig; **3.** stockend; **4.** zögernd, schwankend.

halve [hɑːv] *v/t.* **1.** halbieren: a) zu gleichen Hälften teilen, b) auf die Hälfte reduzieren; **2.** ⚙ verblatten.

halves [hɑːvz] *pl. von* ***half***.

hal·yard [ˈhæljəd] *s.* ⚓ Fall *n*.

ham [hæm] **I** *s.* **1.** Schinken *m*: ***~ and eggs*** Schinken mit (Spiegel)Ei; **2.** *anat.* (hinterer) Oberschenkel, Gesäßbacke *f*, *pl.* Gesäß *n*; **3.** F a) *a.* ***~ actor*** überˈtrieben *od.* miseˈrabel spielender Schauspieler, ˈSchmierenkomödiˌant (-in), b) *fig. contp.* ‚Schauspieler(in)', c) Stümper(in); **4.** F Amaˈteurfunker *m*; **II** *v/t.* **5.** F a) *e-e Rolle* überˈtrieben *od.* miseˈrabel spielen: ***~ it up*** → 6, b) *et.* verkitschen; **III** *v/i.* **6.** überˈtrieben *od.* miseˈrabel spielen, wie ein ˈSchmierenkomödiˌant auftreten.

ham·burg·er [ˈhæmbɜːgə] *s.* **1.** *Am.* Rinderhack *n*; **2.** a) *a.* ***≈ steak*** Frikaˈdelle *f*, b) Hamburger *m*.

Ham·burg steak [ˈhæmbɜːg] → ***hamburger*** 2a.

hames [heɪmz] *s. pl.* Kummet *n*.

ˈ**ham|-ˌfist·ed**, ˈ**~-ˌhand·ed** *adj.* F ungeschickt, tolpatschig.

ha·mite¹ [ˈheɪmaɪt] *s. zo.* Ammoˈnit *m*.

Ham·ite² [ˈhæmaɪt] *s.* Haˈmit(in).

ham·let [ˈhæmlɪt] *s.* Weiler *m*, Flecken *m*, Dörfchen *n*.

ham·mer [ˈhæmə] **I** *s.* **1.** Hammer *m* (*a. anat.*): ***come*** (*od.* ***go***) ***under the ~*** unter den Hammer kommen, versteigert werden; ***go at it ~ and tongs*** F a) ‚mächtig rangehen', b) (sich) streiten, daß die Fetzen fliegen; ***~ and divider*** *pol.* Hammer u. Zirkel (*Symbol der DDR*); ***~ and sickle*** *pol.* Hammer u. Sichel (*Symbol der UdSSR*); **2.** Hammer *m* (*Klavier etc.*); **3.** *sport* Hammer *m*; **4.** ⚙ a) Hammer(werk *n*) *m*, b) Hahn *m* (*e-r Feuerwaffe*); **II** *v/t.* **5.** (ein-) hämmern, (ein)schlagen: ***~ an idea into s.o.'s head*** *fig.* j-m e-e Idee einhämmern *od.* -bleuen; **6.** *a.* ***~ out*** a) *Metall* hämmern, bearbeiten, formen, b) *fig.* ausarbeiten, schmieden, c) *Differenzen* ‚ausbügeln'; **7.** *a.* ***~ together*** zs.-häm-

H

mern, -zimmern; **8.** F a) vernichtend schlagen, *sport a.* ‚über'fahren', b) besiegen; **9.** *Börse*: *Brit.* für zahlungsunfähig erklären; **III** *v/i.* **10.** hämmern (*a. Puls etc.*): **~ at** einhämmern auf (*acc.*); **~ away** draufloshämmern, -arbeiten; **~ away** (**at**) *fig.* sich abmühen (mit); **~ blow** *s.* Hammerschlag *m*; **~ drill** *s.* ⚙ Schlagbohrer *m*.

ham·mered ['hæməd] *adj.* ⚙ gehämmert, getrieben, Treib…

ham·mer| face *s.* ⚙ Hammerbahn *f*; **~ forg·ing** *s.* ⚙ Reckschmieden *n*; **'~-ˌhard·en** *v/t.* ⚙ kalthämmern; **'~·head** *s.* **1.** *ichth.* Hammerhai *m*; **2.** ⚙ (Hammer)Kopf *m*; **~·less** ['hæməlɪs] *adj.* mit verdecktem Schlaghammer (*Gewehr*); **'~-lock** *s.* *Ringen*: Hammerlock *m* (*Griff*); **~ scale** *s.* ⚙ (Eisen)Hammerschlag *m*, Zunder *m*; **'~·smith** *s.* ⚙ Hammerschmied *m*; **~ throw** *s. sport* Hammerwerfen *n*; **~ throw·er** *s. sport* Hammerwerfer *m*; **'~·toe** *s.* ⚕ Hammerzehe *f*.

ham·mock ['hæmək] *s.* Hängematte *f*.

ham·per¹ ['hæmpə] *v/t.* **1.** (be)hindern, hemmen; **2.** stören.

ham·per² ['hæmpə] *s.* **1.** (Pack-, Trag-) Korb *m*; **2.** Geschenkkorb *m*, ‚Freßkorb' *m*.

ham·ster ['hæmstə] *s. zo.* Hamster *m*.

'ham·string I *s.* **1.** *anat.* Kniesehne *f*; **2.** *zo.* A'chillessehne *f*; **II** *v/t.* [*irr.* → **string**] **3.** (durch Zerschneiden der Kniesehnen) lähmen; **4.** *fig.* lähmen.

hand [hænd] **I** *s.* **1.** Hand *f* (*a. fig.*): ***~s off!*** Hände weg!; ***~s up!*** Hände hoch!; ***be in good ~s*** *fig.* in guten Händen sein; ***fall into s.o.'s ~s*** j-m in die Hände fallen; ***give*** (*od.* ***lend***) ***a*** (***helping***) ***~*** (*j-m*) helfen; ***give s.o. a. ~ up*** j-m auf die Beine helfen; ***I am entirely in your ~s*** ich bin ganz in Ihrer Hand; ***I have his fate in my ~s*** sein Schicksal liegt in m-r Hand; ***he asked for her ~*** er hielt um ihre Hand an; ***get a big ~*** F starken Applaus bekommen; → *Bes. Redew.*; **2.** *zo.* a) Hand *f* (*Affe*), b) Vorderfuß *m* (*Pferd*), c) Schere *f* (*Krebs*); **3.** *pl.* Hände *pl.*, Besitz *m*: ***change ~s*** → *Bes. Redew.*; **4.** (gute *od.* glückliche) Hand, Geschick *n*: ***he has a ~ for horses*** er versteht es, mit Pferden umzugehen; **5.** *oft in Zssgn* Arbeiter *m*, Mann (*a. pl.*), *pl.* Leute *pl.*, ⚓ Ma'trose: ***all ~s on deck!*** alle Mann an Deck!; **6.** Fachmann *m*, Routini'er *m*: ***an old ~*** *a.* ein alter ‚Hase' *od.* Praktikus; ***a good ~ at*** sehr geschickt in (*dat.*), ein guter *Golfspieler etc.*; **7.** Handschrift *f*: ***a legible ~***; **8.** Unterschrift *f*: ***set one's ~ to a document***; **9.** Handbreit *f* (*4 engl. Zoll*) (*nur für die Größe e-s Pferdes*); **10.** *Kartenspiel*: a) Spieler *m*, b) Blatt *n*, Karten *pl.*: ***show one's ~*** → *Bes. Redew.*, c) Runde *f*, Spiel *n*; **11.** (Uhr-) Zeiger *m*; **12.** Seite *f* (*a. fig.*): ***on the right ~*** rechter Hand, rechts; ***on every ~*** überall, ringsum; ***on all ~s*** a) überall, b) von allen Seiten; ***on the one ~, on the other ~*** einerseits … andererseits; **13.** Büschel *m*, *n*, Bündel *n* (*Früchte*), Hand *f* (*Bananen*); **14.** *Fußball*: Handspiel *n*: ***~s!*** Hand!;

Besondere Redewendungen:

~ and foot a) an Händen u. Füßen (*fesseln*), b) *fig.* hinten u. vorn (*bedienen*); ***be ~ in glove*** (***with***) a) ein Herz u. 'eine Seele sein (mit), b) *b.s.* unter 'einer Decke stecken (mit); ***~s down*** mühelos, spielend (*gewinnen etc.*); ***~ in ~*** Hand in Hand (*a. fig.*); ***~ over fist*** a) Hand über Hand (*klettern etc.*), b) schnell, spielend, c) zusehends; ***~ to ~*** Mann gegen Mann (*kämpfen*); ***at ~*** a) nahe, bei der Hand, b) nahe (bevorstehend), c) zur Hand, bereit, d) vorliegend; ***at first*** (***second***) ***~*** aus erster (zweiter) Hand *od.* Quelle; ***at the ~s of s.o.*** *schlechte Behandlung etc.* seitens j-s, durch j-n; ***by ~*** a) mit der Hand, b) durch Boten, c) mit der Flasche (*ein Kind ernähren*); ***made by ~*** handgefertigt, Handarbeit; ***take s.o. by the ~*** a) j-n bei der Hand nehmen, b) F j-n unter s-e Fittiche nehmen; ***from ~ to mouth*** von der Hand in den Mund (*leben*); ***in ~*** a) in der Hand, b) zur Verfügung, c) vorrätig, vorhanden, d) in Bearbeitung, e) *fig.* in der Hand *od.* Gewalt, f) im Gange; ***the matter in ~*** die vorliegende Sache; ***the stock in ~*** der Warenbestand; ***have the situation well in ~*** die Lage gut im Griff haben; ***take in ~*** a) *et.* in die Hand *od.* in Angriff nehmen, b) F *j-n* unter s-e Fittiche nehmen; ***on ~*** a) verfügbar, vorrätig, b) vorliegend, c) bevorstehend, d) *Am.* zur Stelle; ***have s.th. on one's ~s*** et. auf dem Hals haben; ***out of ~*** a) kurzerhand, ohne weiteres, b) außer Kontrolle, nicht mehr zu bändigen; ***get out of ~*** a) außer Rand u. Band geraten, *Party etc.*: *a.* ausarten, b) außer Kontrolle geraten (*Lage etc.*); ***to ~*** zur Hand; ***come to ~*** eingehen, eintreffen (*Brief etc.*); ***under ~*** a) unter Kontrolle, b) unter der Hand, heimlich; ***with a heavy ~*** mit harter Hand, streng; ***with a high ~*** selbstherrlich, willkürlich; ***change ~s*** in andere Hände übergehen, den Besitzer wechseln; ***force s.o.'s ~*** j-n zum Handeln zwingen; ***get s.th. off one's ~s*** et. loswerden; ***have a ~ in s.th.*** beteiligt sein an e-r Sache, *b.s. a.* die Hand im Spiel haben bei e-r Sache; ***have one's ~ in*** in Übung sein; ***hold ~s*** Händchen halten; ***hold*** (*od.* ***stay***) ***one's ~*** sich zurückhalten; ***join ~s*** sich die Hände reichen, *fig. a.* sich verbünden *od.* zs.-tun; ***keep one's ~ in*** sich in Übung halten; ***keep a firm ~ on*** unter strenger Zucht halten; ***lay*** (***one's***) ***~s on*** a) anfassen, b) ergreifen, habhaft werden (*gen.*), erwischen, c) *gewaltsam* Hand an *j-n* legen, d) *eccl.* ordinieren; ***I can't lay my ~s on it*** ich kann es nicht finden; ***play into s.o.'s ~s*** j-m in die Hände arbeiten; ***put one's ~s on*** a) finden, b) sich erinnern an (*acc.*); ***shake ~s*** sich die Hände schütteln; ***shake ~s with s.o., shake s.o. by the ~*** j-m die Hand schütteln *od.* geben; ***show one's ~*** *fig.* s-e Karten aufdecken; ***take a ~ at a game*** bei e-m Spiel mitmachen; ***try one's ~ at s.th.*** et. versuchen, es mit et. probieren; ***wash one's ~s of it*** a) (in dieser Sache) s-e Hände in Unschuld waschen, b) nichts mit der Sache zu tun haben wollen; ***I wash my ~s of him*** mit ihm will ich nichts mehr zu tun haben; → ***off hand***;

II *v/t.* **15.** ein-, aushändigen, (über)'geben, (-)'reichen (***s.o. s.th., s.th. to s.o.*** j-m et.): ***you have got to ~ it to him*** F das muß man ihm lassen (*anerkennend*); **16.** *j-m* helfen: ***~ s.o. into*** (***out of***) ***the car***;

Zssgn mit adv.:

hand| a·round *v/t.* her'umreichen; **~ back** *v/t.* zu'rückgeben; **~ down** *v/t.* **1.** *et.* her'unter- *od.* hin'unterreichen; **2.** *j-n* hin'untergeleiten; **3.** vererben, hinter'lassen (***to*** *dat.*); **4.** (***to***) *fig.* weitergeben (an *acc.*), über'liefern (*dat.*); **5.** ⚖ a) *Urteil etc.* verkünden, b) *Entscheidung e-s höheren Gerichts* e-m 'untergeordneten Gericht über'mitteln; **~ in** *v/t.* **1.** *et.* hin'ein- *od.* her'einreichen; **2.** abgeben, *Bericht, Gesuch etc.* einreichen; **~ on** *v/t.* **1.** weiterreichen, -geben; **2.** → ***hand down*** 3; **~ out** *v/t.* **1.** ausgeben, -teilen, verteilen (***to*** an *acc.*); **2.** *Ratschläge etc.* verteilen; **3.** verschenken; **~ o·ver** *v/t.* (***to*** *dat.*) **1.** über'geben; **2.** über'lassen; **3.** (her)geben, aushändigen; **4.** *j-n der Polizei etc.* über'geben; **~ up** *v/t.* hin'auf- *od.* her'aufreichen (***to*** *dat.*).

'hand|·bag [-ndb-] *s.* **1.** (Damen)Handtasche *f*; **2.** Handtasche *f*, -koffer *m*; **'~·ball** [-ndb-] *s. sport* Handball(spiel *n*) *m*; **'~-ˌbar·row** [-ndˌb-] *s.* **1.** → ***handcart***; **2.** Trage *f*; **'~·bell** [-ndb-] *s.* Tisch-, Handglocke *f*; **'~·bill** [-ndb-] *s.* Hand-, Re'klamezettel *m*, Flugblatt *n*; **'~·book** [-ndb-] *s.* **1.** Handbuch *n*; **2.** Reiseführer *m* (***of*** durch, von); **~ brake** *s.* ⚙ Handbremse *f*; **'~·breadth** [-ndb-] *s.* Handbreit *f*; **'~·cart** [-ndk-] *s.* Handkarre(n *m*) *f*; **'~·clasp** [-ndk-] *Am.* → ***handshake***; **'~·craft** [-ndk-] → ***handicraft***; **'~·cuff** [-ndk-] **I** *s. mst pl.* Handschellen *pl.*; **II** *v/t. j-m* Handschellen anlegen: ***~ed*** in Handschellen; **~ drill** *s.* ⚙ Handbohrer *m*.

-handed [hændɪd] *in Zssgn* ...händig, mit ... Händen.

'hand|·ful [-ndfʊl] *s.* **1.** Handvoll *f* (*a. fig. Personen*); **2.** F Plage *f* (*Person od. Sache*), ‚Nervensäge' *f*: ***he is a ~*** er macht einem ganz schön zu schaffen; **'~·glass** [-ndg-] *s.* **1.** Handspiegel *m*; **2.** (Lese)Lupe *f*; **~ gre·nade** *s.* ⚔ 'Handgraˌnate *f*; **'~·grip** [-ndg-] *s.* **1.** Händedruck *m*; **2.** *a.* ⚙ Griff *m*; **3.** ***come to ~s*** handgemein werden; **'~-held** *adj. Film*: tragbar (*Kamera*); **'~·hold** *s.* Halt *m*, Griff *m*.

hand·i·cap ['hændɪkæp] **I** *s.* Handikap *n*: a) *sport* Vorgabe *f*, b) Vorgaberennen *n od.* -spiel *n*, c) *fig.* Behinderung *f*, Hindernis *n*, Nachteil *m*, Erschwerung *f* (***to*** für); **II** *v/t. sport* (*a.* körperlich *od.* geistig) (be)hindern, benachteiligen, belasten: ***~ped*** behindert (*etc.*), gehandikapt.

hand·i·craft ['hændɪkrɑːft] *s.* **1.** Handfertigkeit *f*; **2.** (*bsd.* Kunst)Handwerk *n*.

hand·i·ness ['hændɪnɪs] *s.* **1.** Geschick(-lichkeit *f*) *n*; **2.** Handlichkeit *f*; **3.** Nützlichkeit *f*.

hand·i·work ['hændɪwɜːk] *s.* **1.** Handarbeit *f*; **2.** Werk *n*.

hand·ker·chief ['hæŋkətʃɪf] *s.* Taschentuch *n*.

'hand-ˌknit(·ted) *adj.* handgestrickt.

han·dle ['hændl] **I** *s.* **1.** Griff *m*, Stiel *m*; Henkel *m* (*Topf*); Klinke *f* (*Tür*); Schwengel *m* (*Pumpe*); ⚙ Kurbel *f*: ***a ~ to one's name*** F ein Titel; ***fly off the ~*** ‚hochgehen', wütend werden; **2.** *fig.* a) Handhabe *f*, b) Vorwand *m*; **II** *v/t.* **3.** anfassen, berühren; **4.** handhaben, hantieren mit, *Maschine* bedienen: ***~ with care! glass!*** Vorsicht, Glas!; **5.** a) *ein Thema etc.* behandeln, *e-e Sache a.* handhaben, b) *et.* erledigen, 'durchführen, abwickeln, c) mit *et. od. j-m* fertigwerden, *et.* deichseln: ***I can ~ it*** (***him***) damit (mit ihm) werde ich fertig; **6.** *j-n* behandeln, 'umgehen mit; **7.** a) *e-n Boxer* betreuen, trainieren, b) *Tier* dressieren (u. vorführen); **8.** sich beschäftigen mit; **9.** *Güter* befördern, weiterleiten; **10.** ✝ Handel treiben mit; **III** *v/i.* **11.** sich *leicht etc.* handhaben lassen; **12.** sich *weich etc.* anfühlen; **'~·bar** *s.* Lenkstange *f*.

hand·ler ['hændlə] *s.* **1.** Dres'seur *m*, Abrichter *m*; **2.** *Boxen*: a) Trainer *m*, b) Betreuer *m*, Sekun'dant *m*.

han·dling ['hændlɪŋ] *s.* **1.** Berühren *n*; **2.** Handhabung *f*; **3.** Führung *f*; **4.** *a. weitS.* Behandlung *f*; **5.** ✝ Beförderung *f*; **~ charg·es** *s. pl.* ✝ 'Umschlagspesen *pl.*

'hand|·loom *s.* Handwebstuhl *m*; **~ lug-**

gage *s.* Handgepäck *n*; ˌ~-ˈ**made** [-ndˈm-] *adj.* von Hand gemacht, handgefertigt, Hand…; handgeschöpft (*Papier*): ***~ paper*** Büttenpapier *n*; ˈ~ˌ**maid** (**-en**) [-ndˌm-] *s.* **1.** *obs. u. fig.* Dienerin *f*, Magd *f*; **2.** *fig.* Gehilfe *m*, Handlanger(in); ˈ**~-me-**ˌ**down I** *adj.* **1.** fertig *od.* von der Stange (gekauft), Konfektions…; **2.** abgelegt, getragen; **II** *s.* **3.** Konfektiˈonsanzug *m*, Kleid *n* von der Stange, *pl.* Konfektiˈonskleidung *f*; **4.** abgelegtes Kleidungsstück; ˌ**~-ˈop·er·at·ed** *adj.* ⚙ mit Handantrieb, handbedient, Hand…; **~ or·gan** *s.* ♪ Drehorgel *f*; ˈ**~·out** *s.* **1.** Almosen *n* (*a. fig.*), (milde) Gabe, *weitS.* (*Wahl- etc.*) Geschenk *n*; **2.** Proˈspekt *m*, Hand-, Werbezettel *m*; **3.** Handout *n* (*Informationsunterlage*); ˈ**~-pick** *v/t.* **1.** mit der Hand pflücken *od.* auslesen: ***~ed*** handverlesen; **2.** F sorgsam auswählen; ˈ**~·rail** *s.* Handlauf *m*; Handleiste *f*; ˈ**~·saw** *s.* Handsäge *f*; **~'s breadth** *s.* Handbreit *f*.

hand·sel [ˈhænsl] *s. obs.* **1.** Neujahrs-, *od.* Einstandsgeschenk *n*; **2.** Morgengabe *f*; Hand-, Angeld *n*.

ˈ**hand|·set** *s. teleph.* Hörer *m*; ˈ**~·shake** *s.* Händedruck *m*; ˈ**~-signed** *adj.* handsigniert.

hand·some [ˈhænsəm] *adj.* ☐ **1.** hübsch, schön, gutaussehend, stattlich; **2.** beträchtlich, ansehnlich, stattlich: ***a ~ sum***; **3.** großzügig, nobel, ‚anständig‘: ***~ is that ~ does*** edel ist, wer edel handelt; ***come down ~ly*** sich großzügig zeigen; **4.** *Am.* geschickt; ˈ**hand·some·ness** [-nɪs] *s.* **1.** Schönheit *f*, Stattlichkeit *f*, gutes Aussehen; **2.** Beträchtlichkeit *f*; **3.** Großzügigkeit *f*.

ˈ**hand|·spike** *s.* ⚓, ⚙ Handspake *f*, Hebestange *f*; ˈ**~·spring** *s. sport* ˈHandstandˌüberschlag *m*; ˈ**~·stand** *s. sport* Handstand *m*; ˌ**~-to-ˈhand** *adj.* Mann gegen Mann: ***~ combat*** Nahkampf *m*; ˌ**~-to-ˈmouth** *adj.* kümmerlich: ***lead a ~ existence*** von der Hand in den Mund leben; ˈ**~·wheel** *s.* ⚙ Hand-, Stellrad *n*; ˈ~ˌ**writ·ing** *s.* **1.** (Hand-) Schrift *f*: ***~ expert*** ⚖ Schriftsachverständige(r *m*) *f*; **2.** *et.* Handgeschriebenes.

hand·y [ˈhændɪ] *adj.* ☐ **1.** zur Hand, bei der Hand, greifbar, leicht erreichbar; **2.** geschickt, gewandt; **3.** handlich, praktisch; **4.** nützlich: ***come in ~*** (sehr) gelegen kommen; **~ man** *s.* [*irr.*] Mädchen *n* für alles, Fakˈtotum *n*.

hang [hæŋ] **I** *s.* **1.** Hängen *n*, Fall *m*, Sitz *m* (*Kleid etc.*); **2.** F a) Sinn *m*, Bedeutung *f*, b) (richtige) Handhabung: ***get the ~ of s.th.*** et. kaˈpieren, den ‚Dreh‘ rauskriegen; **3.** ***I don't care a ~*** F das ist mir völlig ‚schnuppe‘; **II** *v/t. pret. u. p.p.* **hung** [hʌŋ] *nur 9 mst* **hanged**; **4.** (***on***) aufhängen (an *dat.*), hängen (an *acc.*): ***~ s.th. on a hook***; ***~ the head*** den Kopf hängen lassen *od.* senken; **5.** (*zum Trocknen etc.*) aufhängen: ***hung beef*** gedörrtes Rindfleisch; **6.** *Tür* einhängen; **7.** *Tapete* ankleben; **8.** behängen: ***hung with flags***; **9.** (auf-) hängen: ***~ o.s.*** sich erhängen; ***I'll be ~ed first*** F eher lasse ich mich hängen!; ***I'll be ~ed if*** F ‚ich will mich hängen lassen‘, wenn; ***~ it*** (***all***)***!*** F zum Henker damit!; **10.** → ***fire*** 6; **III** *v/i.* **11.** hängen, baumeln (***by***, ***on*** an *dat.*); → ***balance*** 2, ***thread*** 1; **12.** (herˈab)hängen, fallen (*Kleid etc.*); **13.** hängen, gehängt werden: ***he deserves to ~***; ***let s.th. go ~*** F sich den Teufel um et. scheren; ***let it go ~!*** F zum Henker damit!; **14.** (***on***) sich hängen (an *dat.*), sich klammern (an *acc.*): ***~ on s.o.'s lips*** (***words***) *fig.* an j-s Lippen (Worten) hängen; **15.** (***on***) hängen (an *dat.*), abhängen (von); **16.** sich senken *od.* neigen;

Zssgn mit prp.:

hang| a·bout, **~ a·round** *v/i.* herˈumlungern *od.* sich herˈumtreiben in (*dat.*) *od.* bei; **~ on** → ***hang*** 14, 15; **~ o·ver** *v/i.* **1.** *fig.* hängen *od.* schweben über (*dat.*), drohen (*dat.*); **2.** sich neigen über (*acc.*); **3.** aufragen über (*acc.*);

Zssgn mit adv.:

hang| a·bout, **~ a·round** *v/i.* **1.** herˈumlungern, sich herˈumtreiben; **2.** trödeln; **3.** warten; **~ back** *v/i.* **1.** zögern; **2.** → **~ be·hind** *v/i.* zuˈrückbleiben, -hängen; **~ down** *v/i.* herˈunterhängen; **~ on** *v/i.* **1.** (***to***) *a. fig.* sich klammern (an *acc.*), festhalten (*acc.*), nicht loslassen *od.* aufgeben; **2.** *teleph.* am Appaˈrat bleiben; **3.** nicht nachlassen, ‚dranbleiben‘; **4.** warten; **~ out I** *v/t.* **1.** (hin- *od.* her)ˈaushängen; **II** *v/i.* **2.** herˈaushängen; **3.** ausgehängt sein; **4.** F a) hausen, sich aufhalten, b) sich herˈumtreiben; **~ o·ver I** *v/i.* andauern; **II** *v/t.*: ***be hung over*** F e-n ‚Kater‘ haben; **~ to·geth·er** *v/i.* **1.** zs.-halten (*Personen*); **2.** zs.-hängen, verknüpft sein; **~ up I** *v/t.* **1.** aufhängen; **2.** aufschieben, hinˈausziehen: ***be hung up*** aufgehalten werden; **3.** ***be hung up on*** F a) e-n Komplex haben wegen, ‚es haben‘ mit, b) besessen sein von; **II** *v/i.* **4.** *teleph.* (den Hörer) auflegen, einhängen: ***she hung up on me!*** sie legte einfach auf!

hang·ar [ˈhæŋə] *s.* Hangar *m*, Flugzeughalle *f*, -schuppen *m*.

ˈ**hang·dog I** *s.* **1.** Galgenvogel *m*, -strick *m*; **II** *adj.* **2.** gemein; **3.** jämmerlich: ***~ look*** Armesündermiene *f*.

hang·er [ˈhæŋə] *s.* **1.** a) (Auf)Hänger *m*, b) Ankleber *m*, c) Tapezierer *m*; **2.** a) Kleiderbügel *m*, b) Aufhänger *m* (*a.* ⚙), Schlaufe *f*; **3.** a) Hirschfänger *m*, b) kurzer Säbel.

ˌ**hang·er-'on** [-ər'ɒn] *pl.* ˌ**hang·ers-'on** *s. contp.* **1.** Anhänger *m*, *pl. a.* Anhang *m*; **2.** ‚Klette' *f*.
hang glid·er *s. sport* **1.** Hängegleiter *m*, (Flug)Drachen *m*; **2.** Drachenflieger(in).
hang·ing ['hæŋɪŋ] **I** *s.* **1.** (Auf)Hängen *n*; **2.** (Er)Hängen *n*: ***execution by ~*** Hinrichtung *f* durch den Strang; **3.** *mst pl.* Wandbehang *m*, Ta'pete *f*, Vorhang *m*; **II** *adj.* **4.** a) (her'ab)hängend, Hänge…, b) hängend, abschüssig, ter'rassenförmig: ***~ gardens***; **5.** ***a ~ matter*** e-e Sache, die e-n an den Galgen bringt; ***a ~ judge*** ein Richter, der mit der Todesstrafe rasch bei der Hand ist; ***~* com·mit·tee** *s.* Hängeausschuß *m* (*bei Gemäldeausstellungen*).
'**hang|·man** [-mən] *s.* [*irr.*] Henker *m*; '**~·nail** *s.* ⚕ Niednagel *m*; '**~·out** *s.* F **1.** ‚Bude' *f*, Wohnung *f*; **2.** Treffpunkt *m*, 'Stammloˌkal *n*; '**~ˌo·ver** *s.* **1.** 'Überbleibsel *n*; **2.** F ‚Katzenjammer' *m* (*a. fig.*), ‚Kater' *m*; '**~·up** *s.* F **1.** a) Kom'plex *m*, b) Fimmel *m*: ***have a ~ about*** → ***hang up*** 3; **2.** Pro'blem *n*.
hank [hæŋk] *s.* **1.** Strang *m*, Docke *f* (*Garn etc.*); **2.** Hank *n* (*ein Garnmaß*); **3.** ⚓ Legel *m*.
han·ker ['hæŋkə] *v/i.* sich sehnen (***after***, ***for*** nach); '**han·ker·ing** [-ərɪŋ] *s.* Sehnsucht *f*, Verlangen *n* (***after***, ***for*** nach).
han·ky, *a.* **han·kie** ['hæŋkɪ] F → ***handkerchief***.
han·ky-pan·ky [ˌhæŋkɪ'pæŋkɪ] *s. sl.* **1.** Hokus'pokus *m*; **2.** ‚fauler Zauber', ‚Mätzchen' *n od. pl.*, Trick(s *pl.*) *m*; **3.** ‚Techtelmechtel' *n*.
Han·o·ve·ri·an [ˌhænəʊ'vɪərɪən] **I** *adj.* han'nover(i)sch; *pol. hist.* hannove'ranisch; **II** *s.* Hannove'raner(in).
Han·sard ['hænsəd] *s. parl. Brit.* Parla'mentsprotoˌkoll *n*.
hanse [hæns] *s. hist.* **1.** Kaufmannsgilde *f*; **2.** ♀ Hanse *f*, Hansa *f*; **Han·se·at·ic** [ˌhænsɪ'ætɪk] *adj.* hanse'atisch, Hanse…: ***the ~ League*** die Hanse.
han·sel → ***handsel***.
han·som (**cab**) ['hænsəm] *s.* Hansom *m* (*zweirädrige Kutsche*).
hap [hæp] *obs.* **I** *s.* a) Zufall *m*, b) Glücksfall *m*; **II** *v/i.* → ***happen***; ˌ**hap'haz·ard** [-'hæzəd] **I** *adj. u. adv.* plan-, wahllos, willkürlich; **II** *s.*: ***at ~*** aufs Geratewohl; '**hap·less** [-lɪs] *adj.* □ glücklos, unglücklich.
hap·pen ['hæpən] *v/i.* **1.** geschehen, sich ereignen, vorkommen, -fallen, passieren, stattfinden, vor sich gehen: ***what has ~ed?*** was ist geschehen *od.* passiert?; ***... and nothing ~ed*** … u. nichts geschah; **2.** *impers.* zufällig geschehen, sich zufällig ergeben, sich (gerade) treffen: ***it ~ed that*** es traf *od.* ergab sich, daß; ***as it ~s*** a) wie es sich gerade trifft, b) wie es nun einmal so ist; **3.** ***~ to*** *inf.*: ***we ~ed to hear it*** wir hörten es zufällig; ***it ~ed to be hot*** zufällig war es heiß; **4.** ***~ to*** geschehen mit (*od. dat.*), passieren (*dat.*), zustoßen (*dat.*), werden aus: ***what is going to ~ to his plan?*** was wird aus s-m Plan?; ***if anything should ~ to me*** sollte mir et. zustoßen; **5.** ***~ (up)on*** a) zufällig begegnen (*dat.*) *od.* treffen (*acc.*), b) zufällig stoßen (auf *acc.*) *od.* finden (*acc.*); **6.** ***~ along*** F zufällig kommen; ***~ in*** F ‚hereinschneien'; **hap·pen·ing** ['hæpnɪŋ] *s.* **1.** a) Ereignis *n*, b) Eintreten *n e-s Ereignisses*; **2.** *thea. u. humor.* Happening *n*: ***~ artist*** Happenist *m*; **hap·pen·stance** ['hæpənstæns] *s. Am.* F Zufall *m*.
hap·pi·ly ['hæpɪlɪ] *adv.* **1.** glücklich; **2.** glücklicherweise, zum Glück; '**hap·pi·ness** [-ɪnɪs] *s.* **1.** Glück *n* (*Gefühl*); **2.** glückliche Wahl (*e-s Ausdrucks etc.*), glückliche Formulierung; **hap·py** ['hæpɪ] *adj.* □ → ***happily***; **1.** *allg.* glücklich: a) glückselig, b) beglückt, erfreut (***at***, ***about*** über *acc.*): ***I am ~ to see you*** es freut mich, Sie zu sehen; ***I would be ~ to do that*** ich würde das sehr *od.* liebend gern tun; ***I am quite ~*** (, ***thank you***)***!*** (danke,) ich bin wunschlos glücklich!, c) voller Glück: ***~ days***, d) erfreulich: ***~ event*** freudiges Ereignis, e) glückverheißend: ***~ news***, f) gut, trefflich: ***~ idea***, g) geglückt, treffend, passend: ***a ~ phrase***; **2.** *in Glückwünschen*: ***~ new year!*** gutes neues Jahr!; **3.** F beschwipst, ‚angesäuselt'; **4.** *in Zssgn* a) F wirr (im Kopf), benommen: → ***slaphappy***, b) begeistert, ‚verrückt', -freudig, -lustig: → ***trigger-happy***.
hap·py| dis·patch *s. euphem.* Hara'kiri *n*; ˌ**~-go-'luck·y** [-gəʊ-] *adj. u. adv.* unbekümmert, sorglos, leichtfertig, lässig.
hap·tic ['hæptɪk] *adj.* haptisch.
har·a·kir·i [ˌhærə'kɪrɪ] *s.* Hara'kiri *n* (*a. fig.*).
ha·rangue [hə'ræŋ] **I** *s.* **1.** Ansprache *f*, (flammende) Rede; **2.** Ti'rade *f*; **3.** Strafpredigt *f*; **II** *v/i.* **4.** e-e (bom'bastische *od.* flammende) Rede halten (*v/t.* vor *dat.*); **5.** e-e Strafpredigt halten (*v/t. j-m*).
har·ass ['hærəs] *v/t.* **1.** a) (ständig) belästigen, schikanieren, quälen, b) aufreiben, zermürben: ***~ed*** mitgenommen, (von Sorgen) gequält, (viel) geplagt; **2.** ⚔ stören: ***~ing fire*** Störfeuer *n*; '**har·ass·ment** [-mənt] *s.* **1.** Belästigung *f*; **2.** Schikanieren *n*, Schi'kane(n *pl.*) *f*; **3.** ⚔ 'Störmaˌnöver *pl.*
har·bin·ger ['hɑːbɪndʒə] **I** *s. fig.* a) Vorläufer *m*, b) Vorbote *m*: ***the ~ of spring***; **II** *v/t. fig.* ankündigen.
har·bo(u)r ['hɑːbə] **I** *s.* **1.** Hafen *m*; **2.**

fig. Zufluchtsort *m*, ˈUnterschlupf *m*; **II** *v/t.* **3.** beherbergen, Schutz *od.* Zuflucht gewähren (*dat.*); **4.** verbergen, verstecken: ***~ criminals***; **5.** *Gedanken, Groll etc.* hegen: ***~ thoughts of revenge***; **III** *v/i.* **6.** ⚓ (im Hafen) vor Anker gehen; **~ bar** *s.* Sandbank *f* vor dem Hafen; **~ dues** *s. pl.* Hafengebühren *pl.*; **~ mas·ter** *s.* Hafenmeister *m*; **~ seal** *s. zo.* Gemeiner Seehund.

hard [hɑːd] **I** *adj.* **1.** *allg.* hart (*a. Farbe, Stimme etc.*); **2.** fest: ***~ knot***; **3.** schwer, schwierig: a) mühsam, anstrengend, hart: ***~ work***, b) schwer zu bewältigen(d): ***~ problems*** schwierige Probleme; ***~ to believe*** kaum zu glauben; ***~ to imagine*** schwer vorstellbar; ***~ to please*** schwer zufriedenzustellen(d), ‚schwierig' (*Kunde etc.*); **4.** hart, zäh, ˈwiderstandsfähig: ***in ~ condition*** *sport* konditionsstark, fit; ***a ~ customer*** F ein schwieriger ‚Kunde', ein zäher Bursche; → ***nail*** *Bes. Redew.*; **5.** hart, angestrengt: ***~ studies***; **6.** hart arbeitend, fleißig: ***a ~ worker***; ***try one's ~est*** sich alle Mühe geben; **7.** heftig, stark: ***a ~ rain***; ***a ~ blow*** ein harter *od.* schwerer Schlag (*a. fig.* ***to*** für); ***be ~ on*** *Kleidung etc.* (sehr) strapazieren (→ 8); **8.** hart: a) streng, rauh: ***~ climate*** (***winter***), b) *fig.* hartherzig, gefühllos, streng, c) nüchtern, kühl (überlegend): ***a ~ businessman***, d) drückend: ***be ~ on s.o.*** j-n hart anfassen *od.* behandeln; ***it is ~ on him*** es ist hart für ihn; ***the ~ facts*** die harten *od.* nackten Tatsachen; ✝***~ sell***(***ing***) aggressive Verkaufstaktik; ***~ times*** schwere Zeiten; ***have a ~ time*** Schlimmes durchmachen (müssen); ***he had a ~ time doing it*** es fiel ihm schwer, dies zu tun; ***give s.o. a ~ time*** j-m hart zusetzen, j-m das Leben sauer machen; **9.** a) sauer, herb (*Getränk*), b) hart (*Droge*), *Getränk*: *a.* stark, ˈhochproˌzentig; **10.** *phys.* hart: ***~ water***; ***~ X rays***; ***~ wheat*** 🌾 Hartweizen *m*; **11.** ✝ hart (*Währung etc.*): ***~ dollars***; ***~ prices*** harte *od.* starre Preise; **12.** *Phonetik*: a) hart, stimmlos, b) nicht palatalisiert; **13.** ***~ up*** a) schlecht bei Kasse, in (Geld)Schwierigkeiten, b) in Verlegenheit (***for*** um); **II** *adv.* **14.** hart, fest; **15.** *fig.* hart, schwer: ***work ~***; ***brake ~*** scharf bremsen; ***drink ~*** ein starker Trinker sein; ***it will go ~ with him*** es wird unangenehm für ihn sein; ***hit s.o. ~*** a) j-m e-n harten Schlag versetzen, b) *fig.* ein harter Schlag für j-n sein; ***~ hit*** schwer betroffen; ***be ~ pressed***, ***be ~ put to it*** in schwerer Bedrängnis sein; ***look ~ at*** scharf ansehen; ***try ~*** sich alle Mühe geben; → ***die***[1] 1; **16.** nah(e), dicht: ***~ by*** ganz in der Nähe; ***~ on*** (*od.* ***after***) gleich nach; ***~ aport*** ⚓ hart Backbord; **III** *s.* **17.** ***get*** (***have***) ***a ~ on*** V e-n ‚Ständer' kriegen (haben).

ˌ**hard**|**-and-ˈfast** *adj.* fest, bindend, ˈunumstößlich: ***a ~ rule***; ˈ**~·back** → ***hardcover*** II; ˈ**~·ball** *s. Am.* Baseball(spiel *n*) *m*; ˌ**~-ˈbit·ten** *adj.* **1.** verbissen, hartnäckig; **2.** → ***hard-boiled*** 2a; ˈ**~·board** *s.* Hartfaserplatte *f*; ˌ**~-ˈboiled** *adj.* **1.** hart(gekocht): ***a ~ egg***; **2.** F ‚knallhart': a) ‚abgebrüht', ‚hartgesotten', b) ‚ausgekocht', gerissen, c) von hartem Reaˈlismus: ***~ fiction***; **~ case** *s.* **1.** Härtefall *m*; **2.** schwieriger Mensch; **3.** ‚schwerer Junge' (*Verbrecher*); **~ cash** *s.* ✝ **1.** a) Hartgeld *n*, b) Bargeld *n*: ***pay in ~*** (in) bar (be)zahlen; **2.** klingende Münze; **~ coal** *s.* Anthraˈzit *m*, Steinkohle *f*; **~ core** *s.* **1.** *Brit.* Schotter *m*; **2.** *fig.* harter Kern (*e-r Bande etc.*); ˌ**~-ˈcore** *adj. fig.* **1.** zum harten Kern gehörend; **2.** hart: ***~ pornography***; **~ court** *s. Tennis*: Hartplatz *m*; ˈ**~ˌcov·er I** *adj.* gebunden: ***~ edition***; **II** *s.* Hardcover *n*, gebundene Ausgabe; **~ cur·ren·cy** *s.* ✝ harte Währung.

hard·en [ˈhɑːdn] **I** *v/t.* **1.** härten (*a.* ⚙), hart *od.* härter machen; **2.** *fig.* hart *od.* gefühllos machen, verhärten: ***~ed*** verstockt, ‚abgebrüht'; ***a ~ed sinner*** ein verstockter Sünder; **3.** bestärken; **4.** abhärten (***to*** gegen); **II** *v/i.* **5.** hart werden, erhärten; **6.** *fig.* hart *od.* gefühllos werden, sich verhärten; **7.** *fig.* sich abhärten (***to*** gegen); **8.** a) ✝ *u. fig.* sich festigen, b) ✝ anziehen, steigen (*Preise*); ˈ**hard·en·er** [-nə] *s.* Härtemittel *n*, Härter *m*; ˈ**hard·en·ing** [-nɪŋ] **I** *s.* **1.** Härten *n*, Härtung *f* (*a.* ⚙): ***~ of the arteries*** Arterienverkalkung *f*; **2.** → ***hardener***; **II** *adj.* **3.** Härte…

ˌ**hard**|**-ˈfea·tured** *adj.* mit harten *od.* groben Gesichtszügen; **~ fi·ber**, *Brit.* **~ fi·bre** *s.* ⚙ Hartfaser *f*; **~ goods** *s. pl.* ✝ *Am.* Gebrauchsgüter *pl.*; **~ hat** *s.* **1.** *Brit.* Meˈlone *f* (*Hut*); **2.** a) Schutzhelm *m*, b) F Bauarbeiter *m*; **3.** *Brit.* ˈErzreaktioˌnär *m*; ˌ**~-ˈhead·ed** *adj.* **1.** praktisch, nüchtern, reaˈlistisch; **2.** *Am.* starrköpfig, stur; ˌ**~-ˈheart·ed** *adj.* □ hart(herzig); ˌ**~-ˈhit·ting** *adj. fig.* hart, aggresˈsiv.

har·di·hood [ˈhɑːdɪhʊd], ˈ**har·di·ness** [-ɪnɪs] *s.* **1.** Ausdauer *f*, Zähigkeit *f*; **2.** ⚘ Winterfestigkeit *f*; **3.** Kühnheit *f*: a) Tapferkeit *f*, b) Verwegenheit *f*, c) Dreistigkeit *f*.

hard| **la·bo**(**u**)**r** *s.* ⚖ Zwangsarbeit *f*; **~ line** *s.* **1.** *bsd. pol.* harte Linie, harter Kurs: ***follow*** *od.* ***adopt a ~*** e-n harten Kurs einschlagen; **2.** *pl. Brit.* ‚Pech' *n* (***on*** für); ˌ**~-ˈline** *adj. bsd. pol.* hart, komproˈmißlos; ˌ**~-ˈlin·er** *s. bsd. pol.* j-d, der e-n harten Kurs einschlägt; ˌ**~-ˈluck sto·ry** *s. contp.*, ‚Jammergeschichte' *f*.

hard·ly [ˈhɑːdlɪ] *adv.* **1.** kaum, fast nicht:

~ ever fast nie; *I ~ know her* ich kenne sie kaum; **2.** (wohl) kaum, schwerlich; **3.** mühsam, mit Mühe; **4.** hart, streng.

hard| mon·ey → *hard cash*; **ˌ~-ˈmouthed** *adj.* **1.** hartmäulig (*Pferd*); **2.** *fig.* starrköpfig.

hard·ness [ˈhɑːdnɪs] *s.* **1.** Härte *f* (*a. fig.*); **2.** Schwierigkeit *f*; **3.** Hartherzigkeit *f*; **4.** ˈWiderstandsfähigkeit *f*; **5.** Strenge *f*, Härte *f*.

ˌhard|-ˈnosed F → a) *hard-boiled* 2a, b) *hard-headed* 2; *~* **pan** *s.* **1.** *geol.* Ortstein *m*; **2.** harter Boden; **3.** *fig.* a) Grund(lage *f*) *m*, b) Kern *m* (der Sache); **ˌ~-ˈpress·ed** *adj.* (hart)bedrängt, unter Druck stehend; *~* **rock** *s.* ♪ Hardrock *m*; *~* **rub·ber** *s.* Hartgummi *m*; *~* **sci·ence** *s.* (*e-e*) exˈakte Wissenschaft; *~* **sell** *s.* aggressive Verkaufsmethode *f*; **ˌ~-ˈset** *adj.* **1.** hartbedrängt; **2.** streng, starr; **3.** angebrütet (*Ei*); **ˈ~-shell** *adj.* **1.** *zo.* hartschalig; **2.** *Am.* F ‚eisern'.

hard·ship [ˈhɑːdʃɪp] *s.* **1.** Not *f*, Elend *n*; **2.** *a.* ⚖ Härte *f*: *work ~ on s.o.* e-e Härte bedeuten für j-n; *~ case* Härtefall *m*.

hard| shoul·der *s. mot. Brit.* Standspur *f*; *~* **sol·der** *s.* ⚙ Hartlot *n*; **ˈ~-ˌsol·der** *v/t. u. v/i.* hartlöten; *~* **tack** *s.* Schiffszwieback *m*; **ˈ~·top** *s. mot.* Hardtop *n*, *m*: a) *festes, abnehmbares Autodach*, b) *Auto mit a*; **ˈ~·ware** *s.* **1.** a) Meˈtall-, Eisenwaren *pl.*, b) Haushaltswaren *pl.*; **2.** *Computer, a. Sprachlabor*: Hardware *f*; **3.** *a. military ~* Waffen *pl.* u. miliˈtärische Ausrüstung; **4.** *Am. sl.* Schießeisen *n od. pl.*; **ˈ~·wood** *s.* Hartholz *n*, *bsd.* Laubbaumholz *n*; **ˌ~-ˈwork·ing** *adj.* fleißig, hart arbeitend.

har·dy [ˈhɑːdɪ] *adj.* ☐ **1.** a) zäh, roˈbust, b) abgehärtet; **2.** ⚘ winterfest: *~ annual* a) winterfeste Pflanze, b) *humor.* Frage, die jedes Jahr wieder aktuell wird; **3.** kühn: a) tapfer, b) verwegen, c) dreist.

hare [heə] *s. zo.* Hase *m*: *run with the ~ and hunt with the hounds fig.* es mit beiden Seiten halten; *start a ~ fig.* vom Thema ablenken; *~ and hounds* Schnitzeljagd *f*; **ˈ~·bell** *s.* ⚘ Glockenblume *f*; **ˈ~·brained** *adj.* ‚verrückt'; **ˈ~·foot** *s.* [*irr.*] ⚘ **1.** Balsabaum *m*; **2.** Ackerklee *m*; **ˌ~ˈlip** *s.* ⚕ Hasenscharte *f*.

ha·rem [ˈhɑːriːm] *s.* Harem *m*.

ˈhare's-foot → *harefoot*.

har·i·cot [ˈhærɪkəʊ] *s.* **1.** *a. ~ bean* Gartenbohne *f*; **2.** ˈHammelraˌgout *n*.

hark [hɑːk] *v/i.* **1.** *obs. u. poet.* horchen: *~ at him! Brit.* F hör dir ihn (*od.* den) an!; **2.** *~ back* a) *hunt.* auf der Fährte zuˈrückgehen (*Hund*), b) *fig.* zuˈrückgreifen, -kommen, (*a. zeitlich*) zuˈrückgehen (*to* auf *acc.*); **hark·en** [ˈhɑːkən] → *hearken*.

har·le·quin [ˈhɑːlɪkwɪn] **I** *s.* Harlekin *m*, Hansˈwurst *m*; **II** *adj.* bunt, scheckig; **har·le·quin·ade** [ˌhɑːlɪkwɪˈneɪd] *s.* Harlekiˈnade *f*, Possenspiel *n*.

har·lot [ˈhɑːlət] *obs.* Hure *f*, Metze *f*; **ˈhar·lot·ry** [-rɪ] *s.* Hureˈrei *f*.

harm [hɑːm] **I** *s.* **1.** Schaden *m*: *bodily ~* körperlicher Schaden, ⚖ Körperverletzung *f*; *come to ~* zu Schaden kommen; *do ~ to s.o.* j-m schaden, j-m et. antun; (*there is*) *no ~ done!* es ist nichts (Schlimmes) passiert!; *it does more ~ than good* es schadet mehr, als daß es nützt; *there is no ~ in doing* (*s.th.*) es kann *od.* könnte nicht schaden, (et.) zu tun; *mean no ~* es nicht böse meinen; *keep out of ~'s way* die Gefahr meiden; *out of ~'s way* a) in Sicherheit, b) in sicherer Entfernung; **2.** Unrecht *n*, Übel *n*; **II** *v/t.* **3.** schaden (*dat.*), *j-n* verletzen (*a. fig.*); **ˈharm·ful** [-fʊl] *adj.* ☐ nachteilig, schädlich (*to* für): *~ publications* ⚖ jugendgefährdende Schriften; **ˈharm·ful·ness** [-fʊlnɪs] *s.* Schädlichkeit *f*; **ˈharm·less** [-lɪs] *adj.* ☐ **1.** harmlos: a) unschädlich, ungefährlich, b) unschuldig, arglos, c) unverfänglich; **2.** *keep* (*od. save*) *s.o. ~* ⚖ j-n schadlos halten; **ˈharm·less·ness** [-lɪsnɪs] *s.* Harmlosigkeit *f*.

har·mon·ic [hɑːˈmɒnɪk] **I** *adj.* (☐ *~ally*) **1.** ♪, ⚗, *phys.* harˈmonisch (*a. fig.*); **II** *s.* **2.** ♪, *phys.* Harˈmonische *f*: a) Oberton *m*, b) Oberwelle *f*; **3.** *pl. oft sg. konstr.* ♪ Harmoˈnielehre *f*; **harˈmon·i·ca** [-kə] *s.* **1.** *hist.* ˈGlasharˌmonika *f*; **2.** ˈMundharˌmonika *f*; **harˈmo·ni·ous** [-ˈməʊnjəs] *adj.* ☐ harˈmonisch: a) ebenmäßig, b) wohlklingend, c) überˈeinstimmend, d) einträchtig; **harˈmo·ni·ous·ness** [-ˈməʊnjəsnɪs] *s.* Harmoˈnie *f*; **harˈmo·ni·um** [-ˈməʊnjəm] *s.* ♪ Harˈmonium *n*; **har·mo·nize** [ˈhɑːmənaɪz] **I** *v/i.* **1.** harmonieren (*a.* ♪), zs.-passen, in Einklang sein (*with* mit); **II** *v/t.* **2.** (*with*) harmonisieren, in Einklang bringen (mit); **3.** versöhnen; **4.** ♪ harmonisieren, mehrstimmig setzen; **har·mo·ny** [ˈhɑːmənɪ] *s.* **1.** Harmoˈnie *f*: a) Wohlklang *m*, b) Eben-, Gleichmaß *n*, c) Einklang *m*, Eintracht *f*; **2.** ♪ Harmoˈnie *f*.

har·ness [ˈhɑːnɪs] **I** *s.* **1.** (Pferde- *etc.*) Geschirr *n*: *in ~ fig.* in der (täglichen) Tretmühle; *die in ~* in den Sielen sterben; *~ horse Am.* Traber(pferd *n*) *m*; *~ race Am.* Trabrennen *n*; **2.** a) *mot. etc.* (Sicherheits)Gurt *m* (*für Kinder*), b) (Fallschirm)Gurtwerk *n*; **3.** Laufgeschirr *n für Kinder*; **4.** *Am. sl.* (Arbeits-) Kluft *f*, Uniˈform *f* (*e-s Polizisten etc.*); **5.** ⚔ *hist.* Harnisch *m*; **II** *v/t.* **6.** *Pferd etc.* a) anschirren, b) anspannen (*to* an *acc.*); **7.** *fig. Naturkräfte etc.* nutzbar machen.

H

harp [hɑːp] **I** *s.* **1.** ♪ Harfe *f*; **II** *v/i.* **2.** (die) Harfe spielen; **3.** *fig.* (***on, upon***) her'umreiten (auf *dat.*), dauernd reden (von); → ***string*** 5; **'harp·er** [-pə], **'harp·ist** [-pɪst] *s.* Harfe'nist(in).

har·poon [hɑː'puːn] **I** *s.* Har'pune *f*: ~ ***gun*** Harpunengeschütz *n*; **II** *v/t.* harpunieren.

harp·si·chord ['hɑːpsɪkɔːd] *s.* ♪ Cembalo *n*.

har·py ['hɑːpɪ] *s.* **1.** *antiq.* Har'pyie *f*; **2.** *fig.* a) ‚Geier' *m*, Blutsauger *m*, b) Hexe *f* (*Frau*).

har·que·bus ['hɑːkwɪbəs] *s.* ⚔ *hist.* Hakenbüchse *f*, Arke'buse *f*.

har·ri·dan ['hærɪdən] *s.* alte Vettel.

har·ri·er[1] ['hærɪə] *s.* **1.** Verwüster *m*; Plünderer *m*; **2.** *orn.* Weihe *f*.

har·ri·er[2] ['hærɪə] *s.* **1.** *hunt.* Hund *m* für die Hasenjagd; **2.** *sport* Querfeld'einläufer(in).

Har·ro·vi·an [hə'rəʊvjən] *s.* Schüler *m* (*der Public School*) von Harrow.

har·row ['hærəʊ] **I** *s.* **1.** ⚘ Egge *f*: ***under the*** ~ *fig.* in großer Not; **II** *v/t.* **2.** ⚘ eggen; **3.** *fig.* quälen, peinigen; *Gefühl* verletzen; **'har·row·ing** [-əʊɪŋ] *adj.* □ quälend, qualvoll, schrecklich.

har·rumph [hə'rʌmpf] *v/i.* **1.** sich (gewichtig) räuspern; **2.** mißbilligend schnauben.

har·ry[1] ['hærɪ] *v/t.* **1.** verwüsten; **2.** plündern; **3.** quälen, peinigen.

Har·ry[2] ['hærɪ] *s.* ***old*** ~ der Teufel; ***play old*** ~ ***with*** Schindluder treiben mit, ‚zur Sau' machen.

harsh [hɑːʃ] *adj.* □ **1.** *allg.* hart: a) rauh: ~ ***cloth***, b) rauh, scharf: ~ ***voice***; ~ ***note***, c) grell: ~ ***colo(u)r***, d) barsch, schroff: ~ ***words***, e) streng: ~ ***penalty***; **2.** herb, scharf, sauer: ~ ***taste***; **'harsh·ness** [-nɪs] *s.* Härte *f*.

hart [hɑːt] *s.* Hirsch *m* (*nach dem 5. Jahr*): ~ ***of ten*** Zehnender *m*.

har·te·beest ['hɑːtɪbiːst] *s. zo.* 'Kuhanti,lope *f*.

'harts·horn *s.* ⚗ Hirschhorn *n*: ***salt of*** ~ Hirschhornsalz *n*.

har·um-scar·um [ˌheərəm'skeərəm] **I** *adj.* F **1.** leichtsinnig, ‚verrückt'; **2.** flatterhaft; **II** *s.* **3.** leichtsinniger *etc.* Mensch.

har·vest ['hɑːvɪst] **I** *s.* **1.** Ernte *f*: a) Ernten *n*, b) Erntezeit *f*, c) (Ernte)Ertrag *m*; **2.** *fig.* Ertrag *m*, Früchte *pl.*; **II** *v/t.* **3.** ernten, *fig. a.* einheimsen; **4.** *Ernte* einbringen; **5.** *fig.* sammeln; **III** *v/i.* **6.** die Ernte einbringen; **'har·vest·er** [-tə] *s.* **1.** Erntearbeiter(in); **2.** a) 'Mäh-, 'Erntemaˌschine *f*, b) Mähbinder *m*: ***combined*** ~ Mähdrescher *m*.

har·vest| fes·ti·val *s.* Ernte'dankfest *n*; ~ **home** *s.* **1.** Ernte(zeit) *f*; **2.** Erntefest *n*; **3.** Erntelied *n*; ~ **moon** *s.* Vollmond *m* (*im September*).

has [hæz; həz] *3. sg. pres. von* ***have***; **'~-been** *s.* F **1.** *et.* Über'holtes; **2.** ‚ausrangierte' Per'son, j-d, der s-e Glanzzeit hinter sich hat.

hash[1] [hæʃ] **I** *v/t.* **1.** *Fleisch* (zer)hacken; **2.** *a.* ~ ***up*** *fig. et.* ‚vermasseln', verpatzen; **II** *s.* **3.** *Küche*: Ha'schee *n*; **4.** *fig. et.* Aufgewärmtes, ‚Aufguß' *m*: ***old*** ~ ‚ein alter Hut'; **5.** *fig.* Kuddelmuddel *n*: ***make a*** ~ ***of*** → 2; ***settle s.o.'s*** ~ F es j-m ‚besorgen'.

hash[2] [hæʃ] *s.* F ‚Hasch' *n* (*Haschisch*).

hash·eesh, **hash·ish** ['hæʃiːʃ] *s.* Haschisch *n*.

has·n't ['hæznt] F *für* ***has not***.

hasp [hɑːsp] **I** *s.* **1.** ⚙ a) Haspe *f*, Spange *f*, b) Schließband *n*; **2.** Haspel *f*, Spule *f* (*für Garn*); **II** *v/t.* **3.** mit e-r Haspe *etc.* verschließen, zuhaken.

has·sle ['hæsl] *s.* F **I** *s.* **1.** a) ‚Krach' *m*, b) Schläge'rei *f*; **2.** Mühe *f*, ‚Zirkus' *m*; **II** *v/i.* **3.** ‚Krach' haben *od.* sich prügeln; **III** *v/t.* **4.** *Am.* drangsalieren.

has·sock ['hæsək] *s.* **1.** Knie-, Betkissen *n*; **2.** Grasbüschel *n*.

hast [hæst] *obs. 2. sg. pres. von* ***have***.

haste [heɪst] *s.* **1.** Eile *f*, Schnelligkeit *f*; **2.** Hast *f*, Eile *f*: ***make*** ~ sich beeilen; ***in*** ~ in Eile, hastig; ***more*** ~***, less speed*** eile mit Weile; ~ ***makes waste*** in der Eile geht alles schief; **'has·ten** [-sn] **I** *v/t.* a) *j-n* antreiben, b) *et.* beschleunigen; **II** *v/i.* sich beeilen, eilen, hasten: ***I*** ~ ***to add that ...*** ich muß gleich hinzufügen, daß; **'hast·i·ness** [-tɪnɪs] *s.* **1.** Eile *f*, Hastigkeit *f*, Über'eilung *f*, Voreiligkeit *f*; **2.** Heftigkeit *f*, Hitze *f*, ('Über-)Eifer *m*; **'hast·y** [-tɪ] *adj.* □ **1.** eilig, hastig, über'stürzt; **2.** voreilig, -schnell, über'eilt; **3.** heftig, hitzig.

hat [hæt] *s.* Hut *m*: ***my*** ~***!*** *sl.* von wegen!, daß ich nicht lache; ***a bad*** ~ *Brit.* F ein übler Kunde; ~ ***in hand*** demütig, unterwürfig; ***keep it under your*** ~***!*** behalte es für dich!, sprich nicht darüber!; ***pass*** (*od.* ***send***) ***the*** ~ ***round*** den Hut herumgehen lassen, e-e Sammlung veranstalten; ***take one's*** ~ ***off to s.o.*** s-n Hut vor j-m ziehen (*a. fig.*); ~***s off*** (***to him***)***!*** Hut ab (vor ihm)!; ***I'll eat my*** ~ ***if*** F ich fress' e-n Besen, wenn; ***produce out of a*** ~ hervorzaubern; ***talk through one's*** ~ F dummes Zeug reden; ***throw*** (*od.* ***toss***) ***one's*** ~ ***in the ring*** F ‚s-n Hut in den Ring werfen' (*sich zum Kampf stellen od. kandidieren*); → ***drop*** 5.

hat·a·ble ['heɪtəbl] → ***hateful***.

hatch[1] [hætʃ] *s.* **1.** ⚓, ✈ Luke *f*: ***down the*** ~***es!*** *sl.* ‚runter damit'!, prost!; **2.** ⚓ Lukendeckel *m*; **3.** Bodenluke *f*, -tür *f*; **4.** Halbtür *f*; **5.** 'Durchreiche *f* (*für Speisen*).

hatch[2] [hætʃ] **I** *v/t.* **1.** *a.* ~ ***out*** *Eier*,

Junge ausbrüten: ***the ~ed, matched and dispatched*** → 7; **2.** *a.* ***~ out*** *fig.* aushecken, -brüten, -denken; **II** *v/i.* **3.** Junge ausbrüten; **4.** *a.* ***~ out*** *aus dem Ei* ausschlüpfen; **5.** *fig.* sich entwickeln; **III** *s.* **6.** Brut *f*; **7.** ***~es, matches, and dispatches*** F Familienanzeigen *pl.*

hatch³ [hætʃ] **I** *v/t.* schraffieren; **II** *s.* Schraf'fur *f.*

'hatch·back *s. mot.* (Wagen *m* mit) Hecktür *f.*

'hat·check girl *s. Am.* Garde'robenfräulein *n.*

hatch·el ['hætʃl] **I** *s.* **1.** (Flachs- *etc.*)Hechel *f*; **II** *v/t.* **2.** hecheln; **3.** *fig.* quälen, piesacken.

hatch·er ['hætʃə] *s.* **1.** Bruthenne *f*; **2.** 'Brutappa,rat *m*; **3.** *fig.* Aushecker(in), Planer(in); **'hatch·er·y** [-ərɪ] *s.* Brutplatz *m.*

hatch·et ['hætʃɪt] *s.* (*a.* Kriegs)Beil *n*: ***bury*** (***take up***) ***the ~*** *fig.* das Kriegsbeil begraben (ausgraben); **'~-face** *s.* scharfgeschnittenes Gesicht; **~ job** *s.* F **1.** ‚Hinrichtung' *f*, ‚Abschuß' *m*; **2.** ‚Verriß' *m* (*Kritik*); **~ man** *s.* F **1.** ‚Henker' *m*, Killer *m*; **2.** ‚Zuchtmeister' *m.*

hatch·ing¹ ['hætʃɪŋ] *s.* **1.** Ausbrüten *n*; **2.** Ausschlüpfen *n*; **3.** Brut *f*; **4.** *fig.* Aushecken *n.*

hatch·ing² ['hætʃɪŋ] *s.* Schraffierung *f.*

'hatch·way → ***hatch¹*** 1–3.

hate [heɪt] **I** *v/t.* **1.** hassen (***like poison*** wie die Pest): ***~d*** verhaßt; **2.** verabscheuen, hassen, nicht ausstehen können; **3.** nicht mögen *od.* wollen, sehr ungern tun: ***I ~ to do it*** ich tue es (nur) sehr ungern, es ist mir äußerst peinlich; ***I ~ to think of it*** bei dem (bloßen) Gedanken wird mir schlecht; **II** *s.* **4.** Haß *m* (***of***, ***for*** auf *acc.*, gegen): ***full of ~***, ***with ~*** haßerfüllt; ***~ object*** Haßobjekt *n*; ***~ tunes*** *fig.* Haßgesänge *pl.*; **5.** *et.* Verhaßtes: ***that's my pet ~*** F das ist mir ein Greuel *od.* in tiefster Seele verhaßt; **6.** Abscheu *m* (***of***, ***for*** vor *dat.*, gegen); **'hate·a·ble** [-təbl], **'hate·ful** [-fʊl] *adj.* □ hassenswert, verhaßt, abscheulich; **'hat·er** [-tə] *s.* Hasser(in); **'hate,mong·er** *s.* (Auf)Hetzer *m.*

hath [hæθ; həθ] *obs. 3. sg. pres. von* ***have.***

hat·less ['hætlɪs] *adj.* ohne Hut, barhäuptig.

'hat|·pin *s.* Hutnadel *f*; **'~·rack** *s.* Hutablage *f.*

ha·tred ['heɪtrɪd] *s.* (***of***, ***for***, ***against***) a) Haß *m* (gegen, auf *acc.*), b) Abscheu *m* (vor *dat.*).

hat stand *s.* Hutständer *m.*

hat·ter ['hætə] *s.* Hutmacher *m*, -händler *m*: ***as mad as a ~*** total verrückt.

hat| tree *s. Am.* Hutständer *m*; **~ trick** *s. sport* Hat-Trick *m*: ***score a ~*** e-n Hat-Trick erzielen.

haugh·ti·ness ['hɔːtɪnɪs] *s.* Hochmut *m*, Über'heblichkeit *f*, Arro'ganz *f*;

haugh·ty ['hɔːtɪ] *adj.* □ hochmütig, -näsig, über'heblich, arro'gant.

haul [hɔːl] **I** *s.* **1.** Ziehen *n*, Zerren *n*, Schleppen *n*; **2.** kräftiger Zug, Ruck *m*; **3.** Fischzug *m*, *fig. a.* Fang *m*, Beute *f*: ***make a big ~*** e-n guten Fang *od.* reiche Beute machen; **4.** a) Beförderung *f*, Trans'port *m*, b) (Trans'port)Strecke *f*: ***it was quite a ~ home*** der Heimweg zog sich ganz schön hin; ***in*** (*od.* ***over***) ***the long ~*** auf lange Sicht, c) Ladung *f*: ***a ~ of coal***; **II** *v/t.* **5.** ziehen, zerren, schleppen; → ***coal*** 2; **6.** befördern, transportieren; **7.** ⚒ fördern; **8.** her'aufholen, (mit e-m Netz) fangen; **9.** ⚓ a) *Brassen* anholen, b) her'umholen, anluven: ***~ the wind*** an den Wind gehen, *fig.* sich zurückziehen; **III** *v/i.* **10.** ziehen, zerren (***on***, ***at*** an *dat.*); **11.** mit dem Schleppnetz fischen; **12.** 'umspringen (*Wind*); **13.** ⚓ a) abdrehen, b) an den Wind gehen, c) *fig.* s-e Meinung ändern; **~ down** *v/t.* **1.** *Flagge* ein- *od.* niederholen; **2.** *et.* her'unterschleppen *od.* -ziehen; **~ in** *v/t.* ⚓ *Tau* einholen; **~ off** *v/i.* **1.** ⚓ abdrehen; **2.** *Am.* F ausholen; **~ round** → ***haul*** 12; **~ up** *v/t.* **1.** → ***haul*** 9b; **2.** F sich *j-n* ‚vorknöpfen'; **3.** F a) *j-n* vor den ‚Kadi' schleppen, b) *j-n* ‚schleppen' (***before*** vor *e-n Vorgesetzten etc.*).

haul·age ['hɔːlɪdʒ] *s.* **1.** Ziehen *n*, Schleppen *n*; **2.** a) Trans'port *m*, Beförderung *f*: ***~ contractor*** → ***hauler*** 2, b) Trans'portkosten *pl.*; **3.** ⚒ Förderung *f*; **'haul·er** [-lə], *Brit.* **'haul·ier** [-ljə] *s.* **1.** ⚒ Schlepper *m*; **2.** Trans'portunter,nehmer *m*, Spedi'teur *m.*

haulm [hɔːm] *s.* ♀ **1.** Halm *m*, Stengel *m*; **2.** *coll. Brit.* Halme *pl.*, Stengel *pl.*, (*Bohnen- etc.*)Stroh *n.*

haunch [hɔːntʃ] *s.* **1.** Hüfte *f*; **2.** *pl.* Gesäß *n*; **3.** *zo.* Keule *f*; **4.** *Küche*: Lendenstück *n*, Keule *f.*

haunt [hɔːnt] **I** *v/t.* **1.** 'umgehen *od.* spuken in (*dat.*): ***this place is ~ed*** hier spukt es; **2.** *fig.* a) verfolgen, quälen, b) *j-m* nicht mehr aus dem Kopf gehen; **3.** frequentieren, häufig besuchen; **II** *v/i.* **4.** ständig verkehren (***with*** mit); **III** *s.* **5.** häufig besuchter Ort, *bsd.* Lieblingsplatz *m*: ***holiday ~*** beliebter Ferienort; **6.** a) Treffpunkt *m*, b) Schlupfwinkel *m*; **7.** *zo.* a) Lager *n*, b) Futterplatz *m*; **'haunt·ed** [-tɪd] *adj.*: ***a ~ house*** ein Haus, in dem es spukt; ***he was a ~ man*** er fand keine Ruhe mehr; ***~ed eyes*** gehetzter Blick; **'haunt·ing** [-tɪŋ] *adj.* □ **1.** quälend, beklemmend; **2.** unvergeßlich: ***~ beauty*** betörende Schönheit; ***a ~ melody*** e-e Melodie, die einen verfolgt.

H

haut·boy [ˈəʊbɔɪ] *obs.* → ***oboe.***
hau·teur [əʊˈtɜː] *s.* Hochmut *m*, Arroˈganz *f.*
Ha·van·a [həˈvænə] *s.* Haˈvanna(ziˌgarre) *f.*
have [hæv; həv] **I** *v/t.* [*irr.*] **1.** *allg.* haben, besitzen: ***he has a house*** (***a friend, a good memory***); ***you ~ my word for it*** ich gebe Ihnen mein Wort darauf; ***let me ~ a sample*** gib *od.* schicke *od.* besorge mir ein Muster; ***~ got*** → ***get*** 8; **2.** haben, erleben: ***we had a nice time*** wir hatten es schön; **3.** a) *ein Kind* bekommen: ***she had a baby in March***, b) *zo. Junge* werfen; **4.** *Gefühle, e-n Verdacht etc.* haben, hegen; **5.** behalten, haben: ***may I ~ it?***; **6.** erhalten, bekommen: ***we had no news from her***; (***not***) ***to be had*** (nicht) zu haben, (nicht) erhältlich; **7.** (erfahren) haben, wissen: ***I ~ it from my friend***; ***I ~ it from a reliable source*** ich habe es aus verläßlicher Quelle (erfahren); ***I ~ it!*** ich hab's!; → ***rumo(u)r*** I; **8.** *Speisen etc.* zu sich nehmen, einnehmen, essen *od.* trinken: ***what will you ~?*** was nehmen Sie?; ***I had a glass of wine*** ich trank ein Glas Wein; ***~ another sandwich!*** nehmen Sie noch ein Sandwich!; ***~ a cigar*** e-e Zigarre rauchen; ***~ a smoke?*** wollen Sie (eine) rauchen?; → ***breakfast*** I, ***dinner*** 1, *etc.*; **9.** haben, ausführen, (mit)machen: ***~ a discussion*** e-e Diskussion haben *od.* abhalten; ***~ a walk*** e-n Spaziergang machen; **10.** können, beherrschen: ***she has no French*** sie kann kein Französisch; **11.** (be)sagen, behaupten: ***as Mr. B has it*** wie Herr B. sagt; ***he will ~ it that*** er behauptet steif und fest, daß; **12.** sagen, ausdrücken: ***as Byron has it*** wie Byron sagt, wie es bei Byron heißt; **13.** haben, dulden, zulassen: ***I won't ~ it!***, ***I am not having that!*** ich dulde es nicht!, ich will es nicht (haben); ***I won't ~ it mentioned*** ich will nicht, daß es erwähnt wird; ***he wasn't having any*** F er ließ sich auf nichts ein; **14.** haben, erleiden: ***~ an accident***; **15.** *Brit.* F *j-n* ‚reinlegen', ‚übers Ohr hauen': ***you've been had!*** man hat dich reingelegt; **16.** (*vor inf.*) müssen: ***I ~ to go now***; ***he will ~ to do it***; ***we ~ to obey*** wir haben zu *od.* müssen gehorchen; ***it has to be done*** es muß getan werden; **17.** (*mit Objekt u. p.p.*) lassen: ***I had a suit made*** ich ließ mir e-n Anzug machen; ***they had him shot*** sie ließen ihn erschießen; **18.** (*mit Objekt u. p.p. zum Ausdruck des Passivs*): ***I had my arm broken*** ich brach mir den Arm; ***he had a son born to him*** ihm wurde ein Sohn geboren; ***~ a tooth out*** sich e-n Zahn ziehen lassen; **19.** (*mit Objekt u. inf.*) (veran)lassen: ***~ them come here at once!*** laß sie sofort hierherkommen!; ***I had him sit down*** ich ließ ihn Platz nehmen; **20.** (*mit Objekt u. inf.*) es erleben (müssen), daß: ***I had all my friends turn against me***; **21.** *in Wendungen wie*: ***he has had it*** F er ist ‚erledigt' (*a. tot*) *od.* ‚fertig'; ***the car has had it*** F das Auto ist ‚hin' *od.* ‚im Eimer'; ***he had me there*** da hatte er mich (an m-r schwachen Stelle *etc.*) erwischt; ***I would ~ you to know it*** ich möchte, daß Sie es wissen; ***let s.o. ~ it*** ‚es j-m besorgen *od.* geben', j-n ‚fertigmachen'; ***~ it in for s.o.*** F j-n ‚auf dem Kieker haben'; ***I didn't know he had it in him*** ich wußte gar nicht, daß er das Zeug dazu hat; ***~ it off*** (***with s.o.***) *Brit. sl.* (mit j-m) ‚bumsen'; ***you are having me on!*** F du nimmst mich (doch) auf den Arm!; ***~ it out with s.o.*** die Sache mit j-m endgültig bereinigen; ***~ nothing on s.o.*** F a) j-m nichts anhaben können, nichts gegen j-n in der Hand haben, b) j-m in keiner Weise überlegen sein; ***I ~ nothing on tonight*** ich habe heute abend nichts vor; ***~ it*** (***all***) ***over s.o.*** F j-m (haushoch) überlegen sein; ***~ what it takes*** das Zeug dazu haben; **II** *v/i.* **22.** würde, täte (*mit* ***as well, rather, better, best*** *etc.*): ***you had better go!*** es wäre besser, du gingest!; ***you had best go!*** du tätest am besten daran zu gehen; **III** *v/aux.* **23.** haben: ***I ~ seen*** ich habe gesehen; **24.** (*bei vielen v/i.*) sein: ***I ~ been*** ich bin gewesen; **IV** *s.* **25.** ***the ~s and the ~-nots*** die Begüterten u. die Habenichtse; **26.** *Brit.* F Trick *m.*
have·lock [ˈhævlɒk] *s. Am.* über den Nacken herˈabhängender ˈMützenˌüberzug (*Sonnenschutz*).
ha·ven [ˈheɪvn] *s.* **1.** *mst fig.* (sicherer) Hafen; **2.** Zufluchtsort *m*, Aˈsyl *n*, Oˈase *f.*
ˈ**have-not** → ***have*** 25.
hav·er·sack [ˈhævəsæk] *s. bsd.* ⚔ Proviˈanttasche *f.*
hav·ings [ˈhævɪŋz] *s. pl.* Habe *f.*
hav·oc [ˈhævək] *s.* Verwüstung *f*, Zerstörung *f*: ***cause ~*** große Zerstörungen anrichten *od.* (*a. fig.*) ein Chaos verursachen, schrecklich wüten; ***play ~ with***, ***make ~ of*** *et.* verwüsten *od.* zerstören, *fig.* verheerend wirken auf (*acc.*), übel zurichten.
haw[1] [hɔː] *s.* ⚘ **1.** Mehlbeere *f* (*Weißdornfrucht*); **2.** → ***hawthorn.***
haw[2] [hɔː] **I** *int.* hm!, äh; **II** *v/i.* hm machen, sich räuspern; stockend sprechen.
Ha·wai·ian [həˈwaɪɪən] **I** *adj.* haˈwaiisch: ***~ guitar*** Hawaiigitarre *f*; **II** *s.* Hawaiˈianer(in).
ˈ**haw·finch** *s. orn.* Kernbeißer *m.*
haw-haw **I** *int.* [ˌhɔːˈhɔː] haˈha!; **II** *s.*

['hɔːhɔː] (lautes) Ha'ha *n.*

hawk¹ [hɔːk] **I** *s.* **1.** *orn.* a) Falke *m*, b) Habicht *m*; **2.** *fig.* Halsabschneider *m*, Wucherer *m*; **3.** *pol.* ‚Falke' *m*: ***the ~s and the doves*** die Falken u. die Tauben; **II** *v/i.* **4.** (*mit Falken*) Jagd machen (***at*** auf *acc.*); **III** *v/t.* **5.** jagen.

hawk² [hɔːk] *v/t.* **1.** a) hausieren (gehen) mit (*a. fig.*), b) auf der Straße verkaufen; **2.** *a.* ***~ about*** *Gerücht etc.* verbreiten.

hawk³ [hɔːk] **I** *v/i.* sich räuspern; **II** *v/t. oft* ***~ up*** aushusten; **III** *s.* Räuspern *n.*

hawk⁴ [hɔːk] *s.* Mörtelbrett *n.*

hawk·er¹ ['hɔːkə] → ***falconer.***

hawk·er² ['hɔːkə] *s.* **1.** Hausierer(in); **2.** Straßenhändler(in).

'hawk-eyed *adj.* mit Falkenaugen, scharfsichtig.

hawk·ing ['hɔːkɪŋ] → ***falconry.***

hawk| moth *s. zo.* Schwärmer *m*; **~ nose** *s.* Adlernase *f.*

hawse [hɔːz] *s.* ⚓ (Anker)Klüse *f*; **'haw·ser** [-zə] *s.* Trosse *f.*

'haw·thorn *s.* ⚘ Weiß- *od.* Rot- *od.* Hagedorn *m.*

hay [heɪ] *s.* **1.** Heu *n*: ***make ~*** Heu machen; ***make ~ of s.th.*** *fig.* et. durcheinanderbringen *od.* zunichte machen; ***make ~ while the sun shines*** *fig.* das Eisen schmieden, solange es heiß ist; ***hit the ~*** *sl.* ‚sich in die Falle hauen'; **2.** *sl.* Marihu'ana *n*; **'~·cock** *s.* Heuschober *m*; **~ fe·ver** *s.* ⚕ Heufieber *n*, -schnupfen *m*; **~ field** *s.* Wiese *f* (*zum Mähen*); **'~·fork** *s.* Heugabel *f*; **~·loft** *s.* Heuboden *m*; **'~ˌmak·er** *s.* **1.** Heumacher *m*; **2.** ⚒, ⚙ Heuwender *m*; **3.** *sl. Boxen*: ‚Heumacher' *m*, wilder Schwinger; **'~·rick** *s.* Heumiete *f*; **'~·seed** *s.* **1.** Grassamen *m*; **2.** *Am.* F ‚Bauer' *m*; **'~·stack** → ***hayrick***; **'~ˌwire** *adj. sl.* a) ka'putt, b) (hoffnungslos) durchein'ander, c) verrückt (*Person*): ***go ~*** a) kaputtgehen (*Sache*), b) ‚schiefgehen', durcheinandergeraten (*Sache*), c) überschnappen.

haz·ard ['hæzəd] **I** *s.* **1.** Gefahr *f*, Wagnis *n*, Risiko *n* (*a. Versicherung*): ***health ~*** Gesundheitsrisiko; ***~ bonus*** Gefahrenzulage *f*; ***at all ~s*** unter allen Umständen; ***at the ~ of one's life*** unter Lebensgefahr; **2.** Zufall *m*: ***by ~*** zufällig; **3.** (***game of***) ***~*** Glücks-, Ha'sardspiel *n*; **4.** *Golf*: Hindernis *n*; **5.** *Brit. Billard*: ***losing ~*** Verläufer *m*; ***winning ~*** Treffer *m*; **6.** *pl.* Launen *pl.* (*des Wetters*); **II** *v/t.* **7.** riskieren, wagen, aufs Spiel setzen; **8.** zu sagen wagen, riskieren: ***~ a remark***; **9.** sich *e-r Gefahr etc.* aussetzen; **'haz·ard·ous** [-dəs] *adj.* ☐ gewagt, ris'kant, gefährlich, unsicher.

haze¹ [heɪz] *s.* **1.** Dunst(schleier) *m*, feiner Nebel; **2.** *fig.* Nebel *m*, Schleier *m*: ***his mind was in a ~*** a) er war wie betäubt, b) er ‚blickte nicht mehr durch'.

haze² [heɪz] *v/t. Am.* **1.** piesacken, schikanieren; **2.** beschimpfen.

ha·zel ['heɪzl] **I** *s.* **1.** ⚘ Hasel(nuß)-strauch *m*; **2.** (Hasel)Nußbraun *n*; **II** *adj.* (hasel)nußbraun; **'~·nut** *s.* ⚘ Haselnuß *f.*

ha·zi·ness ['heɪzɪnɪs] *s.* **1.** Dunstigkeit *f*; **2.** *fig.* Unklarheit *f*, Verschwommenheit *f*; **ha·zy** ['heɪzɪ] *adj.* ☐ **1.** dunstig, diesig, leicht nebelig; **2.** *fig.* verschwommen, nebelhaft: ***a ~ idea***; ***be ~ about*** nur e-e vage Vorstellung haben von; **3.** benommen.

H-bomb ['eɪtʃbɒm] *s.* ⚔ H-Bombe *f* (*Wasserstoffbombe*).

he [hiː; hɪ] **I** *pron.* **1.** er; **2.** ***~ who*** wer; derjenige, welcher; **II** *s.* **3.** ‚Er' *m*: a) Junge *m od.* Mann *m*, b) *zo.* Männchen *n*; **III** *adj.* **4.** *in Zssgn* männlich, ...männchen: ***~-goat*** Ziegenbock *m.*

head [hed] **I** *v/t.* **1.** die Spitze bilden von (*od. gen.*), anführen, an der Spitze *od.* an erster Stelle stehen von (*od. gen.*): ***~ a list***; **2.** vor'an-, vor'ausgehen (*dat.*); **3.** (an)führen, leiten: ***~ed by*** unter der Leitung von; **4.** lenken, steuern: ***~ off*** a) 'um-, ablenken, b) abfangen, c) *fig.* abwenden, verhindern; **5.** betiteln; **6.** *bsd. Pflanzen* köpfen, *Bäume* kappen; **7.** *Fußball*: (***~ in*** ein)köpfen; **II** *v/i.* **8.** a) gehen, fahren, b) (***for***) zu-, losgehen, -steuern (auf *acc.*): ***he is ~ing for trouble*** er wird noch Ärger kriegen; **9.** ⚓ Kurs halten, zusteuern (***for*** auf *acc.*); **10.** sich entwickeln: ***~*** (***up***) (e-n Kopf) ansetzen (*Kohl etc.*); **11.** entspringen (*Fluß*); **III** *s.* **12.** Kopf *m*: ***back of the ~*** Hinterkopf; ***have a ~*** F e-n ‚Brummschädel' haben; ***win by a ~*** um e-e Kopflänge *od.* (*a. fig.*) um e-e Nasenlänge gewinnen; → *Bes. Redew.*; **13.** *poet. u. fig.* Haupt *n*: ***~ of the family*** Haupt der Familie, Familienoberhaupt; ***~s of state*** Staatsoberhäupter *pl.*; **14.** Kopf *m*, Verstand *m*, *a.* Begabung *f* (***for*** für): ***he has a*** (***good***) ***~ for languages*** er ist (sehr) sprachbegabt; ***two ~s are better than one*** zwei Köpfe wissen mehr als einer; **15.** Spitze *f*, führende Stellung: ***at the ~ of*** an der Spitze (*gen.*); **16.** a) (An)Führer *m*, Leiter *m*, b) Chef *m*, c) Vorstand *m*, Vorsteher *m*, d) Di'rektor *m*, Direk'torin *f* (*e-r Schule*); **17.** Kopf(ende *n*) *m*, oberes Ende, oberer Teil *od.* Rand, Spitze *f*, *a.* oberer Absatz (*e-r Treppe*), Kopf *m* (*e-r Buchseite*, *e-s Briefes*, *e-r Münze*, *e-s Nagels*, *e-s Hammers etc.*): ***~s or tails?*** Kopf oder Wappen?; **18.** Kopf *m* (*e-r Brücke od. Mole*); oberes *od.* unteres Ende (*e-s Sees*); Boden *m* (*e-s Fasses*); **19.** Kopf *m*, Spitze *f*, vor-

H

deres Ende, Vorderteil *m*, *n*, ⚓ Bug *m*; **20.** Kopf *m*, (einzelne) Per'son: ***a pound a ~*** ein Pfund pro Person *od.* pro Kopf; **21.** a) (*pl.* **~**) Stück *n* (*Vieh*): ***50 ~ of cattle***, b) *Brit.* Anzahl *f*, Herde *f*; **22.** (Haupt)Haar *n*: ***a fine ~ of hair*** schönes, volles Haar; **23.** ⚘ a) (*Salat-etc.*)Kopf *m*, b) (*Baum*)Krone *f*, Wipfel *m*; **24.** *anat.* Kopf *m* (*e-s Knochens etc.*); **25.** ⚕ 'Durchbruchsstelle *f* (*e-s Geschwürs*); **26.** Vorgebirge *n*, Landspitze *f*, Kap *n*; **27.** *hunt.* Geweih *n*; **28.** Schaum(krone *f*) *m* (*vom Bier etc.*); **29.** *Brit.* Rahm *m*, Sahne *f*; **30.** Quelle *f* (*e-s Flusses*); **31.** a) 'Überschrift *f*, Titelkopf *m*, b) Abschnitt *m*, Ka'pitel *n*, c) (Haupt)Punkt *m* (*e-r Rede etc.*), d) Ru'brik *f*, Katego'rie *f*, e) *typ.* (Titel-)Kopf *m*; **32.** *ling.* Oberbegriff *m*; **33.** ⚙ a) Stauwasser *n*, b) Staudamm *m*; **34.** *phys.*, ⚙ a) Gefälle *n*, b) Druckhöhe *f*, c) (Dampf- *etc.*)Druck *m*, d) Säule(nhöhe) *f*: ***~ of water*** Wassersäule; **35.** ⚙ a) Spindelkopf *m*, b) Spindelbank *f*, c) Sup'port *m* (*e-r Bohrbank*), d) (Gewinde)Schneidkopf *m*, e) Kopf-, Deckplatte *f*; **36.** (Wagen-, Kutschen-)Dach *n*; **37.** → ***heading***; **IV** *adj.* **38.** Kopf...; **39.** Spitzen..., Vorder...; **40.** Chef..., Haupt..., Ober..., Spitzen..., führend, oberst: ***~ cook*** Chefkoch *m*;

Besondere Redewendungen:

that is (*od.* ***goes***) ***above*** (*od.* ***over***) ***my ~*** das ist zu hoch für mich, das geht über m-n Horizont; ***talk above s.o.'s ~*** über j-s Kopf hinwegreden; ***by ~ and shoulders*** an den Haaren (*herbeiziehen*); (***by***) ***~ and shoulders*** um Haupteslänge (*größer etc.*), weitaus; ***~ and shoulders above s.o.*** j-m haushoch überlegen; ***from ~ to foot*** von Kopf bis Fuß; ***off*** (*od.* ***out of***) ***one's ~*** F ‚übergeschnappt'; ***I can do that*** (***standing***) ***on my ~*** F das kann ich im Schlaf, das mach' ich ‚mit links'; ***on this ~*** in diesem Punkt; ***out of one's own ~*** von sich aus; ***over s.o.'s ~*** *fig.* über j-s Kopf hinweg; ***~ over heels*** a) kopfüber (*stürzen*), b) bis über beide Ohren (*verliebt*), c) ***in debt*** bis über die Ohren in Schulden (*stecken*); ***~ first*** (*od.* ***foremost***) → ***headlong***; ***bite s.o.'s ~ off*** F j-m ‚den Kopf abreißen'; ***bring to a ~*** zum Ausbruch *od.* zur Entscheidung *od.* ‚zum Klappen' bringen; ***come to a ~*** a) ⚕ aufbrechen, eitern, b) sich zuspitzen, zur Entscheidung *od.* ‚zum Klappen' kommen; ***it entered my ~*** es fiel mir ein; ***gather ~*** überhandnehmen, immer stärker werden; ***give a horse his ~*** e-m Pferd die Zügel schießen lassen; ***give s.o. his ~*** j-m s-n Willen lassen, j-n gewähren *od.* machen lassen; ***give*** (***s.o.***) ***~*** *Am.* V (j-m e-n) ‚blasen'; ***go to the ~*** zu Kopfe steigen; ***have*** (*od.* ***be***) ***an old ~ on young shoulders*** für sein Alter (schon) sehr reif sein; ***keep one's ~*** kühlen Kopf bewahren; ***keep one's ~ above water*** sich über Wasser halten (*a. fig.*); ***knock s.th. on the ~*** F et. (*e-n Plan etc.*) ‚über den Haufen werfen'; ***laugh*** (***shout***) ***one's ~ off*** sich halb totlachen (sich die Lunge aus dem Hals schreien); ***lose one's ~*** *fig.* den Kopf verlieren; ***make ~*** gut vorankommen; ***make ~ against*** sich entgegenstemmen (*dat.*); ***I cannot make ~ or tail of it*** ich kann daraus nicht schlau werden; ***put s.th. into s.o.'s ~*** j-m et. in den Kopf setzen; ***put that out of your ~*** schlag dir das aus dem Kopf; ***they put their ~s together*** sie steckten ihre Köpfe zusammen; ***take s.th. into one's ~*** sich et. in den Kopf setzen; ***talk one's ~ off*** reden wie ein Wasserfall; ***talk s.o.'s ~ off*** ‚j-m ein Loch in den Bauch reden'; ***turn s.o.'s ~*** j-m den Kopf verdrehen.

'head|·ache *s.* **1.** Kopfschmerzen *pl.*, -weh *n*; **2.** F *et., was Kopfzerbrechen od. Sorgen macht*, schwieriges Pro'blem, Sorge *f*; **'~ˌach·y** *adj.* F **1.** an Kopfschmerzen leidend; **2.** Kopfschmerzen verursachend; **'~·band** *s.* Stirnband *n*; **'~·board** *s.* Kopfbrett *n* (*Bett*); **'~-boy** *s. Brit. ped.* Schulsprecher *m*; **'~·cheese** *s. Am.* Preßkopf *m* (*Sülzwurst*); **~ clerk** *s.* Bü'rochef *m*; **'~·dress** *s.* **1.** Kopfschmuck *m*; **2.** Fri'sur *f*.

-headed [hedɪd] *in Zssgn* ...köpfig.

head·ed ['hedɪd] *adj.* **1.** mit e-m Kopf *etc.* (versehen); **2.** mit e-r 'Überschrift (versehen), betitelt.

head·er ['hedə] *s.* **1.** ⚠, ⚙ a) Schlußstein *m*, b) Binder *m*; **2.** ***take a ~*** a) *sport* e-n Kopfsprung machen, b) kopfüber *die Treppe etc. hinunter*-stürzen; **3.** *Fußball*: Kopfball *m*, -stoß *m*.

ˌhead|'first, **ˌ~'fore·most** → ***headlong***; **'~·gear** *s.* **1.** Kopfbedeckung *f*; **2.** Kopfgestell *n*, Zaumzeug *n* (*vom Pferd*); **3.** ⚒ Fördergerüst *n*; **'~ˌhunt·er** *s.* Kopfjäger *m*.

head·i·ness ['hedɪnɪs] *s.* **1.** Unbesonnenheit *f*, Ungestüm *n*; **2.** *das* Berauschende (*a. fig.*).

head·ing ['hedɪŋ] *s.* **1.** a) Kopfstück *n*, -ende *n*, b) Vorderende *n*, -teil *n*; **2.** 'Überschrift *f*, Titel(zeile *f*) *m*; **3.** Briefkopf *m*; **4.** (Rechnungs)Posten *m*; **5.** Thema *n*, Punkt *m*; **6.** ⚒ Stollen *m*; **7.** a) ✈ Steuerkurs *m*, b) ⚓ Kompaßkurs *m*; **8.** *Fußball*: Kopfballspiel *n*; **~ stone** *s.* ⚠ Schlußstein *m*.

'head|·lamp → ***headlight***; **'~·land** *s.* **1.** ✓ Rain *m*; **2.** [-lənd] Landspitze *f*, -zunge *f*.

head·less ['hedlɪs] *adj.* **1.** kopflos (*a. fig.*), ohne Kopf; **2.** *fig.* führerlos.

'head|·light *s.* **1.** *mot. etc.* Scheinwerfer *m*: **~ *flasher*** Lichthupe *f*; **2.** ⚓ Mast-, Topplicht *n*; **'~·line I** *s.* **1.** a) 'Überschrift *f*, b) *Zeitung*: Schlagzeile *f*, c) *pl. a.* **~ *news*** *Radio*, *TV*: (*das*) Wichtigste in Schlagzeilen: ***hit*** (*od.* ***make***) ***the ~s*** Schlagzeilen machen; **II** *v/t.* **2.** e-e Schlagzeile widmen (*dat.*); **3.** *fig.* groß her'ausstellen; **'~,lin·er** *s. Am.* F **1.** *thea. etc.* Star *m*; **2.** promi'nente Per'sönlichkeit; **'~·lock** *s. Ringen*: Kopfzange *f*; **'~·long I** *adv.* **1.** kopf'über, mit dem Kopf vor'an; **2.** *fig.* Hals über Kopf, blindlings; **II** *adj.* **3.** mit dem Kopf vor'an: ***a ~ fall***; **4.** *fig.* über'stürzt, unbesonnen, ungestüm; **~ louse** *s.* Kopflaus *f*; **~·man** *s.* [*irr.*] **1.** ['hedmæn] Führer *m*; **2.** Häuptling *m*; **3.** [,hed'mæn] Vorarbeiter *m*; **,~'mas·ter** *s.* Schulleiter *m*, Di'rektor *m*; **,~'mis·tress** *s.* Schulleiterin *f*, Direk'torin *f*; **~ mon·ey** *s.* Kopfgeld *n*; **~ of·fice** *s.* 'Hauptbü,ro *n*, -geschäftsstelle *f*, -sitz *m*, Zen'trale *f*; **,~-'on** *adj. u. adv.* **1.** fron'tal: **~ *collision*** Frontalzusammenstoß *m*; **2.** di'rekt; **'~·phone** *s. mst pl.* Kopfhörer *m*; **'~·piece** *s.* **1.** Kopfbedeckung *f*; **2.** Oberteil *n*, *bsd.* a) Türsturz *m*, b) Kopfbrett *n* (*Bett*); **3.** *typ.* 'Titelvi,gnette *f*; **,~'quar·ters** *s. pl. oft sg. konstr.* **1.** ⚔ a) 'Hauptquar,tier *n*, b) Stab *m*, c) Kom'mandostelle *f*, d) 'Oberkom,mando *n*; **2.** *allg.* (*Feuerwehr-*, *Partei- etc.*)Zen'trale *f*, (Poli'zei-) Prä,sidium *n*; **3.** → ***head office***; **'~·rest**, **~ re·straint** *s.* Kopfstütze *f*; **'~·room** [-rʊm] *s.* lichte Höhe; **'~·sail** *s.* ⚓ Fockmastsegel *n*; **'~·set** *s.* Kopfhörer *m*.

head·ship ['hedʃɪp] *s.* (oberste) Leitung, Führung *f*.

head|·shrink·er ['hed,ʃrɪŋkə] *s.* F Psychoana'lytiker(in); **'~·spring** *s.* **1.** Hauptquelle *f*; **2.** *fig.* Quelle *f*, Ursprung *m*; **3.** *sport* Kopfkippe *f*; **'~·stall** → ***headgear*** 2; **'~·stand** *s.* Kopfstand *m*; **~ start** *s.* **1.** *sport* a) Vorgabe *f*, b) Vorsprung *m* (*a. fig.*); **2.** *fig.* guter Start; **'~·stock** *s.* ⚙ **1.** Spindelstock *m*; **2.** Triebwerkgestell *n*; **'~·stone** *s.* **1.** ⚠ a) Eck-, Grundstein *m* (*a. fig.*), b) Schlußstein *m*; **2.** Grabstein *m*; **'~·strong** *adj.* eigensinnig, halsstarrig; **~ tax** *s.* Kopf-, *bsd.* Einwanderungssteuer *f* (*USA*); **,~-to-'head** *adj. Am.* **1.** Mann gegen Mann; **2.** Kopf-an-Kopf-...: **~ *race***; **~ voice** *s.* Kopfstimme *f*; **'~,wait·er** *s.* Oberkellner *m*; **'~,wa·ter** *s. mst pl.* Oberlauf *m*, Quellgebiet *n* (*Fluß*); **'~·way** *s.* **1.** ⚓ a) Fahrt *f* vor'aus, b) Fahrt *f*, Geschwindigkeit *f*; **2.** *fig.* Fortschritt(e *pl.*) *m*: ***make ~*** vorankommen, Fortschritte machen; **3.** ⚠ lichte Höhe; **4.** ⚒ *Brit.* Hauptstollen *m*; **5.** 🚂 Zugfolge *f*, -abstand *m*; **~ wind** *s.* Gegenwind *m*; **'~·work** *s.* geistige Arbeit; **'~,work·er** *s.* Geistes-, Kopfarbeiter *m*.

head·y ['hedɪ] *adj.* □ **1.** unbesonnen, ungestüm; **2.** a) berauschend (*Getränk*; *a. fig.*), b) berauscht (***with*** von); **3.** *Am.* F schlau.

heal [hi:l] **I** *v/t.* **1.** *a. fig.* heilen, kurieren (***of*** von); **2.** *fig.* versöhnen, *Streit etc.* beilegen; **II** *v/i.* **3.** *oft* **~ *up***, **~ *over*** (zu)heilen; **'heal·er** [-lə] *s.* **1.** Hei-l(end)er *m*, *bsd.* Gesundbeter(in); **2.** Heilmittel *n*: ***time is a great ~*** die Zeit heilt alle Wunden; **'heal·ing** [-lɪŋ] **I** *s.* Heilung *f*; **II** *adj.* □ heilsam, heilend, Heil(ungs)...

health [helθ] *s.* **1.** Gesundheit *f*: **~ *care*** Gesundheitsfürsorge *f*; **~ *centre*** (*Am.* ***center***) Ärztezentrum *n*; **~ *certificate*** ärztliches Attest; **~ *club*** Fitneßclub *m*; **~ *food*** Reformkost *f*; **~ *food shop*** (*od.* ***store***) Reformhaus *n*; **~ *freak*** Gesundheitsfanatiker(in); **~ *insurance*** Krankenversicherung *f*; **~ *officer*** *Am.* a) Beamte(r) *m* des Gesundheitsamtes, b) ⚓ Hafen-, Quarantänearzt *m*; **~ *resort*** Kurort *m*; **~ *service*** Gesundheitsdienst *m*; **~ *visitor*** Gesundheitsfürsorger(in); **2.** *a.* ***state of ~*** Gesundheitszustand *m*: ***ill ~***; ***in good ~*** gesund, bei guter Gesundheit; **3.** Gesundheit *f*, Wohl *n*: ***drink*** (***to***) ***s.o.'s ~*** auf j-s Wohl trinken; ***your ~!*** auf Ihr Wohl!; ***here is to the ~ of the host*** ein Prosit dem Gastgeber!; **'health·ful** [-fʊl] *adj.* □ → ***healthy*** 1, 2; **'health·y** [-θɪ] *adj.* □ **1.** *allg.* gesund (*a. fig.*): **~ *body*** (***climate***, ***economy***, *etc.*); **2.** gesund(heitsfördernd), heilsam, bekömmlich; **3.** F gesund, kräftig: **~ *appetite***; **4.** ***not ~*** F ‚nicht gesund', schlecht, gefährlich.

heap [hi:p] **I** *s.* **1.** Haufe(n) *m*: ***in ~s*** haufenweise; ***be struck all of a ~*** F ‚platt' *od.* sprachlos sein; ***fall in a ~*** (in sich) zs.-sacken; **2.** F Haufen *m*, Menge *f*: ***~s of time*** e-e *od.* jede Menge Zeit; ***~s of times*** unzählige Male; ***~s better*** sehr viel besser; **3.** *sl.* ‚Schlitten' *m* (*Auto*); **II** *v/t.* **4.** häufen: ***a ~ed spoonful*** ein gehäufter Löffel(voll); **~ *up*** anhäufen, *fig. a.* aufhäufen; **~ *insults*** (***praises***) (***up***)***on s.o.*** j-n mit Beschimpfungen (Lob) überschütten; → ***coal*** 2; **5.** beladen, anfüllen.

hear [hɪə] [*irr.*] **I** *v/t.* **1.** hören: ***I ~ him laugh***(***ing***) ich höre ihn lachen; ***make o.s. ~d*** sich Gehör verschaffen; ***let's ~ it for him!*** *Am.* F Beifall für ihn!; **2.** (an)hören: **~ *a concert*** sich ein Konzert anhören; **3.** *j-m* zuhören, *j-n* anhören: **~ *s.o. out*** j-n ausreden lassen; **4.** hören *od.* achten auf (*acc.*), *j-s* Rat folgen: ***do you ~ me?*** hast du (mich) verstanden?; **5.** *Bitte etc.* erhören; **6.** *ped.* *Aufgabe od. Schüler* abhören; **7.** *et.* hören, erfahren (***about***, ***of*** über *acc.*); **8.** ⚖ a) verhören, vernehmen, b) *Sachverständige etc.* anhören, c) (über) *e-n Fall* verhandeln: ***~ and decide a case*** über e-n Fall befinden; → ***evidence*** 1; **II** *v/i.* **9.** hören: ***~! ~!*** *parl.* hört! hört! (*a. iro.*), bravo!, sehr richtig!; **10.** hören, erfahren, Nachricht erhalten (***from*** von; ***of***, ***about*** von, über [*acc.*]; ***that*** daß): ***you'll ~ of this!*** F das wirst du mir büßen!; ***I won't ~ of it*** ich erlaube *od.* dulde es nicht; ***he would not ~ of it*** er wollte davon nichts hören *od.* wissen;

heard [hɜːd] *pret. u. p.p. von* ***hear***;

'hear·er [-ərə] *s.* (Zu)Hörer(in);

'hear·ing [-ərɪŋ] *s.* **1.** Hören *n*: ***within*** (***out of***) ***~*** in (außer) Hörweite; ***in his ~*** in s-r Gegenwart, solange er noch in Hörweite ist; **2.** Gehör(sinn *m*) *n*: ***~ aid*** Hörhilfe *f*, -gerät *n*; ***~ spectacles*** *pl.* Hörbrille *f*; ***hard of ~*** schwerhörig; **3.** a) Anhören *n*, b) Gehör *n*, c) Audi'enz *f*: ***gain a ~*** sich Gehör verschaffen; ***give s.o. a ~*** j-n anhören; **4.** *thea. etc.* Hörprobe *f*; **5.** ⚖ a) Vernehmung *f*, b) *a.* ***preliminary ~*** 'Vorunterˌsuchung *f*, c) (mündliche) Verhandlung, Ter'min *m*; **6.** *bsd. pol.* Hearing *n*, Anhörung *f*.

heark·en ['hɑːkən] *v/i. poet.* (***to***) a) horchen (auf *acc.*), b) Beachtung schenken (*dat.*).

'hear·say *s.* **1.** (***by ~*** vom) Hörensagen *n*; **2.** *a.* ***~ evidence*** ⚖ Beweis(e *pl.*) *m* vom Hörensagen, mittelbarer Beweis: ***~ rule*** *Regel über den grundsätzlichen Ausschluß aller Beweise vom Hörensagen.*

hearse [hɜːs] *s.* Leichenwagen *m*.

heart [hɑːt] *s.* **1.** *anat.* a) Herz *n*, b) Herzhälfte *f*; **2.** *fig.* Herz *n*: a) Seele *f*, Gemüt *n*, b) Liebe *f*, Zuneigung *f*, c) (Mit)Gefühl *n*, d) Mut *m*, e) Gewissen *n*: ***change of ~*** Gesinnungswandel *m*; ***affairs of the ~*** Herzensangelegenheiten; → *Bes. Redew.*; **3.** Herz *n*, (*das*) Innere, Kern *m*, Mitte *f*: ***in the ~ of*** inmitten (*gen.*), mitten in (*dat.*), im Herzen (*des Landes etc.*); **4.** Kern *m*, (*das*) Wesentliche: ***go to the ~ of s.th.*** zum Kern e-r Sache vorstoßen, e-r Sache auf den Grund gehen; ***the ~ of the matter*** der Kern der Sache, des Pudels Kern; **5.** Liebling *m*, Schatz *m*, *mein* Herz; **6.** *Kartenspiel*: a) Herz *n*, Cœur *n*, b) *pl.* Herz *n*, Cœur *n* (*Farbe*): ***king of ~s*** Herzkönig *m*; **7.** ⚘ Herz *n* (*Salat, Kohl*): ***~ of oak*** a) Kernholz *n* der Eiche, b) *fig.* Standhaftigkeit *f*;

Besondere Redewendungen:

~ and soul mit Leib u. Seele; ***~'s desire*** Herzenswunsch *m*; ***after my*** (***own***) ***~*** ganz nach m-m Herzen *od.* Geschmack *od.* Wunsch; ***at ~*** im Innersten, im Grunde (m-s *etc.* Herzens); (***have***, ***learn***) ***by ~*** auswendig (wissen, lernen); ***from one's ~*** von Herzen; ***in one's ~*** (***of ~s***) a) im Grunde s-s Herzens, b) insgeheim; ***in good ~*** ⚒ in gutem Zustand (*Boden*), *fig. a.* in guter Verfassung, gesund, *a.* guten Mutes; ***to one's ~'s content*** nach Herzenslust; ***with all my ~*** von *od.* mit ganzem Herzen; ***with a heavy ~*** schweren Herzens; ***bless my ~!*** du meine Güte!; ***it breaks my ~*** es bricht mir das Herz; ***you are breaking my ~!*** *iro.* ich fang' gleich an zu weinen!; ***cross my ~!*** Hand aufs Herz!; ***eat one's ~ out*** sich vor Gram verzehren; ***not to have the ~ to do s.th.*** es nicht übers Herz bringen, et. zu tun; ***go to s.o.'s ~*** j-m zu Herzen gehen; ***my ~ goes out to*** ich empfinde tiefes Mitleid mit; ***have a ~!*** hab Erbarmen!; ***have no ~*** kein Herz *od.* Mitgefühl haben; ***I have your health at ~*** deine Gesundheit liegt mir am Herzen; ***I had my ~ in my mouth*** das Herz schlug mir bis zum Halse, ich war zu Tode erschrocken; ***have one's ~ in the right place*** das Herz auf dem rechten Fleck haben; ***his ~ is not in his work*** er ist nicht mit ganzem Herzen dabei; ***lose ~*** den Mut verlieren; ***lose one's ~ to s.o.*** sein Herz an j-n verlieren; ***open one's ~*** a) (***to s.o.*** j-m) sein Herz ausschütten, b) großmütig sein; ***clasp s.o. to one's ~*** j-n ans Herz *od.* an die Brust drücken; ***put one's ~ into s.th.*** mit Leib u. Seele bei et. sein; ***set one's ~ on*** sein Herz hängen an (*acc.*); ***my ~ sank into my boots*** das Herz rutschte mir in die Hose(n); ***take ~*** Mut fassen; ***I took ~ from that*** das machte mir Mut; ***take s.th. to ~*** sich et. zu Herzen nehmen; ***wear one's ~ on one's sleeve*** das Herz auf der Zunge tragen.

'heart|·ache *s.* Kummer *m*; **~ ac·tion** *s. physiol.* Herztätigkeit *f*; **~ at·tack** *s.* ⚕ Herzanfall *m*; **'~·beat** *s.* **1.** *physiol.* Herzschlag *m* (*Pulsieren*); **2.** *fig. Am.* Herzstück *n*; **'~·break** *s.* (Herze)Leid *n*, Gram *m*; **'~ˌbreak·ing** *adj.* herzzerreißend; **'~ˌbro·ken** *adj.* (ganz) gebrochen, todunglücklich, untröstlich; **'~·burn** *s.* ⚕ Sodbrennen *n*; **~ con·di·tion**, **~ dis·ease** *s.* ⚕ Herzleiden *n*.

-hearted [hɑːtɪd] *in Zssgn* …herzig, …mütig.

heart·en ['hɑːtn] *v/t.* ermutigen, aufmuntern; **'heart·en·ing** [-nɪŋ] *adj.* ermutigend.

heart| fail·ure *s.* ⚕ a) Herzversagen *n*, b) 'Herzinsuffiziˌenz *f*; **'~·felt** *adj.* tiefempfunden, herzlich, aufrichtig, innig.

hearth [hɑːθ] *s.* **1.** Ka'min(platte *f*, -sohle *f*) *m*; **2.** Herd *m*, Feuerstelle *f*; **3.** ⚙ a) Schmiedeherd *m*, Esse *f*, b) Herd *m*, Hochofengestell *n*; **4.** *fig. a.* ***~ and home*** häuslicher Herd, Heim *n*; **'~·stone** *s.* **1.** → ***hearth*** 1 u. 4; **2.**

Scheuerstein *m*.

heart·i·ly [ˈhɑːtɪlɪ] *adv.* **1.** herzlich: a) von Herzen, innig, b) *iro.* äußerst, gründlich: ***dislike s.o.*** **~**; **2.** herzhaft, kräftig, tüchtig: ***eat*** **~**; **ˈheart·i·ness** [-nɪs] *s.* **1.** Herzlichkeit *f*: a) Innigkeit *f*, b) Aufrichtigkeit *f*; **2.** Herzhaftigkeit *f*, Kräftigkeit *f*.

ˈheart·land *s.* Herz-, Kernland *n*.

heart·less [ˈhɑːtlɪs] *adj.* ☐ herzlos, grausam, gefühllos; **ˈheart·less·ness** [-nɪs] *s.* Herzlosigkeit *f*.

ˌheart|-ˈlung ma·chine *s.* ⚕ ˈHerz-ˈLungen-Maˌschine *f*: ***put on the*** **~** an die Herz-Lungen-Maschine anschließen; **~ pace·mak·er** *s.* ⚕ Herzschrittmacher *m*; **~ rate** *s. physiol.* ˈHerzfreˌquenz *f*; **ˈ~ˌrend·ing** *adj.* herzzerreißend; **~ rot** *s.* Kernfäule *f* (*Baum*); **ˈ~'s-blood** *s.* Herzblut *n*; **ˈ~-ˌsearch·ing** *s.* Gewissenserforschung *f*; **~ shake** *s.* Kernriß *m* (*Baum*); **ˈ~-shaped** *adj.* herzförmig; **ˈ~-sick**, **ˈ~-sore** *adj.* tiefbetrübt, todunglücklich; **ˈ~-strings** *s. pl. fig.* Herz *n*, innerste Gefühle *pl.*: ***pull at s.o.'s*** **~** j-m das Herz zerreißen, j-n tief rühren; ***play on s.o.'s*** **~** mit j-s Gefühlen spielen; **~ sur·ger·y** *s.* ⚕ ˈHerzchirurˌgie *f*; **ˈ~-throb** *s.* **1.** *physiol.* Herzschlag *m*; **2.** F Schatz *m*, Schwarm *m*; **ˌ~-to-ˈ~** *adj.* offen, aufrichtig: **~ *talk***; **~ trans·plant** *s.* ⚕ Herzverpflanzung *f*; **ˈ~-ˌwarm·ing** *adj.* **1.** herzerfrischend; **2.** bewegend; **ˈ~-whole** *adj.* **1.** (noch) ungebunden, frei; **2.** aufrichtig, rückhaltlos.

heart·y [ˈhɑːtɪ] **I** *adj.* ☐ → ***heartily***; **1.** herzlich: a) von Herzen kommend, warm, innig, b) aufrichtig, tiefempfunden, c) *iro.* ‚gründlich': **~ *dislike***; **2.** a) munter, b) eˈnergisch, c) begeistert, d) herzlich, joviˈal; **3.** herzhaft, kräftig: **~ *appetite*** (***meal***, ***kick***); **4.** gesund, kräftig; **5.** fruchtbar (*Boden*); **II** *s.* **6.** *sport Brit.* F dyˈnamischer Spieler; **7.** F Maˈtrose *m*: ***my hearties*** meine Jungs.

heat [hiːt] **I** *s.* **1.** Hitze *f*: a) große Wärme, b) heißes Wetter; **2.** Wärme *f* (*a. phys.*); **3.** a) Erhitztheit *f* (*des Körpers*), b) (*bsd.* Fieber)Hitze *f*; **4.** (Glüh-)Hitze *f*, Glut *f*; **5.** Schärfe *f* (*von Gewürzen etc.*); **6.** *fig.* a) Ungestüm *n*, b) Zorn *m*, Wut *f*, c) Leidenschaft(lichkeit) *f*, Erregtheit *f*, d) Eifer *m*: ***in the*** **~** ***of the moment*** im Eifer des Gefechts; ***in the*** **~** ***of passion*** ⚖ im Affekt; ***at one*** **~** in ˈeinem Zug, auf ˈeinen Schlag; **7.** *sport* a) (Einzel)Lauf *m*, b) *a.* ***preliminary*** **~** Vorlauf *m*, c) ˈDurchgang *m*, Runde *f*; **8.** *zo.* Brunst *f*, *bsd.* a) Läufigkeit *f* (*e-r Hündin*), b) Rolligkeit *f* (*e-r Katze*), c) Rossen *n* (*e-r Stute*), d) Stieren *n* (*e-r Kuh*): ***in*** (*od.* ***on***) **~** brünstig; ***a bitch in*** **~** e-e läufige Hündin; **9.** *metall.* a) Schmelzgang *m*, b) Charge *f*; **10.** F Druck *m*: ***turn on the*** **~** Druck machen; ***turn*** (*od.* ***put***) ***the*** **~** ***on s.o.*** j-n unter Druck setzen; ***the*** **~** ***is on*** es herrscht ‚dicke Luft'; ***the*** **~** ***is off*** es hat sich wieder beruhigt; **11.** ***the*** **~** *Am.* F die ‚Bullen' *pl.* (*Polizei*); **II** *v/t.* **12.** *a.* **~ *up*** erhitzen (*a. fig.*), heiß machen, *Speisen a.* aufwärmen; **13.** *Haus etc.* heizen; **14.** **~ *up*** *fig. Diskussion*, *Konjunktur etc.* anheizen; **III** *v/i.* **15.** sich erhitzen (*a. fig.*).

heat·a·ble [ˈhiːtəbl] *adj.* **1.** erhitzbar; **2.** heizbar.

heat| ap·o·plex·y → ***heatstroke***; **~ bar·ri·er** *s.* ✈ Hitzemauer *f*, -schwelle *f*.

heat·ed [ˈhiːtɪd] *adj.* ☐ erhitzt: a) heiß geworden, b) *fig.* erhitzt *od.* erregt (***with*** von), hitzig: **~ *debate***.

heat·er [ˈhiːtə] *s.* **1.** Heizgerät *n*, -körper *m*, (Heiz)Ofen *m*; **2.** ⚡ Heizfaden *m*; **3.** (Plätt)Bolzen *m*; **4.** *sl.* ‚Kaˈnone' *f*, ‚Ballermann' *m* (*Pistole etc.*); **~ plug** *s. mot. Brit.* Glühkerze *f*.

heath [hiːθ] *s.* **1.** *bsd. Brit.* Heide(land *n*) *f*; **2.** ⚘ a) Erika *f*, b) Heidekraut *n*; **ˈ~-bell** *s.* ⚘ Heide(blüte) *f*.

hea·then [ˈhiːðn] **I** *s.* **1.** Heide *m*, Heidin *f*; **2.** *fig.* Barˈbar *m*; **II** *adj.* **3.** heidnisch, Heiden...; **4.** barˈbarisch, unzivilisiert; **ˈhea·then·dom** [-dəm] *s.* **1.** Heidentum *n*; **2.** *die* Heiden *pl.*; **ˈhea·then·ish** [-ðənɪʃ] → ***heathen*** 3 u. 4; **ˈhea·then·ism** [-ðənɪzəm] *s.* **1.** Heidentum *n*; **2.** Barbaˈrei *f*.

heath·er [ˈheðə] → ***heath*** 2; **ˈ~-bell** *s.* ⚘ Glockenheide *f*; **ˈ~-ˌmix·ture** *s.* gesprenkelter Wollstoff.

heat·ing [ˈhiːtɪŋ] **I** *s.* **1.** Heizung *f*; **2.** ⚙ a) Beheizung *f*, b) Heißwerden *n*, -laufen *n*; **3.** *phys.* Erwärmung *f*; **4.** Erhitzung *f* (*a. fig.*); **II** *adj.* **5.** heizend, *phys.* erwärmend; **6.** Heiz...: **~ *battery*** (***costs***, ***oil***, *etc.*); **~ *system*** Heizung *f*; **~ jack·et** *s.* ⚙ Heizmantel *m*; **~ pad** *s.* Heizkissen *n*; **~ sur·face** *s.* ⚙ Heizfläche *f*.

heat| in·su·la·tion *s.* ⚙ Wärmedämmung *f*; **ˈ~-proof** *adj.* hitzebeständig; **~ pro·stra·tion** *s.* ⚕ Hitzschlag *m*; **~ pump** *s.* ⚙ Wärmepumpe *f*; **~ rash** *s.* ⚕ Hitzeausschlag *m*; **ˈ~-reˌsist·ing** → ***heatproof***; **ˈ~-seal** *v/t. Kunststoffe* heißsiegeln; **~ shield** *s. Raumfahrt*: Hitzeschild *m*; **~ spot** *s.* ⚕ Hitzebläschen *n*; **ˈ~-stroke** *s.* ⚕ Hitzschlag *m*; **ˈ~-treat** *v/t.* ⚙ wärmebehandeln (*a.* ⚕); **~ u·nit** *s. phys.* Wärmeeinheit *f*; **~ wave** *s.* Hitzewelle *f*.

heave [hiːv] **I** *v/t.* (⚓ [*irr.*] *pret. u. p.p.* **hove** [həʊv]) **1.** (hoch)heben, (-)wuchten, (-)stemmen, (-)hieven: **~ *coal*** Kohlen schleppen; **~ *s.o. into a post*** *fig.* j-n auf e-n Posten ‚hieven'; **2.** hochziehen, -winden; **3.** F schmeißen, schleudern; **4.** ⚓ hieven; *den Anker* lichten: **~ the lead** (**log**) loten (loggen); **~ to** beidrehen; **5.** ausstoßen: **~ a sigh**; **6.** F ‚(aus)kotzen', erbrechen; **7.** aufschwellen, dehnen; **8.** heben u. senken; **II** *v/i.* (⚓ [*irr.*] *pret. u. p.p.* **hove** [həʊv]) **9.** sich heben u. senken, wogen (*a. Busen*): **~ and set** ⚓ stampfen (*Schiff*); **10.** keuchen; **11.** F a) ‚kotzen', sich über'geben, b) würgen, Brechreiz haben: **his stomach ~d** ihm hob sich der Magen; **12.** ⚓ a) hieven, ziehen (**at** an *dat.*): **~ ho!** holt auf!, *allg.* hau ruck!, b) treiben: **~ in(to) sight** in Sicht kommen, *fig. humor.* ‚aufkreuzen'; **~ to** beidrehen; **III** *s.* **13.** Heben *n*, Hub *m*, (mächtiger) Ruck; **14.** Hochziehen *n*, -winden *n*; **15.** Wurf *m*; **16.** *Ringen*: Hebegriff *m*; **17.** Wogen *n*: **~ of the sea** ⚓ Seegang *m*; **18.** *geol.* Verwerfung *f*; **19.** *pl. sg. konstr. vet.* Dämpfigkeit *f*; ˌ**~-'ho** [-'həʊ] *s.*: **give s.o. the** (**old**) **~** F a) j-n ‚rausschmeißen', b) j-m ‚den Laufpaß geben'.

heav·en ['hevn] *s.* **1.** Himmel(reich *n*) *m*: **go to ~** in den Himmel kommen; **move ~ and earth** *fig.* Himmel u. Hölle in Bewegung setzen; **to ~, to high ~s** F zum Himmel *stinken etc.*; **in the seventh ~** (**of delight**) *fig.* im siebten Himmel; **2.** *fig.* Himmel *m*, Para'dies *n*: **a ~ on earth**; **it was ~** es war himmlisch; **3.** ♀ Himmel *m*, Gott *m*, Vorsehung *f*: **the ♀s** die himmlischen Mächte; **4. by ~!**, (**good**) **~s!** du lieber Himmel!; **for ~'s sake** um Himmels willen!; **~ forbid!** Gott behüte!; **thank ~!** Gott sei Dank!; **~ knows what ...** weiß der Himmel, was ...; **5.** *mst pl.* Himmel *m*, Firma'ment *n*: **the northern ~s** der nördliche (Sternen)Himmel; **6.** Himmel *m*, Klima *n*, Zone *f*.

heav·en·ly ['hevnlɪ] *adj.* himmlisch: a) Himmels...: **~ body** Himmelskörper *m*, b) göttlich, 'überirdisch: **~ hosts** himmlische Heerscharen, c) F himmlisch, wunderbar.

'**heav·en|-sent** *adj.* (wie) vom Himmel gesandt: **it was a ~ opportunity** es kam wie gerufen; '**~·ward** [-wəd] **I** *adv.* himmelwärts; **II** *adj.* gen Himmel gerichtet; '**~·wards** [-wədz] → **heavenward** I.

ˌ**heav·i·er-than-'air** [ˌhevɪə-] *adj.* schwerer als Luft (*Flugzeug*).

heav·i·ly ['hevɪlɪ] *adv.* **1.** schwer (*etc.* → **heavy**): **suffer ~** schwere (finanzielle) Verluste erleiden; **~ polluted area** Belastungsgebiet *n*; **2.** mit schwerer Stimme; '**heav·i·ness** [-ɪnɪs] *s.* **1.** Schwere *f* (*a. fig.*); **2.** Gewicht *n*, Last *f*; **3.** Massigkeit *f*; **4.** Bedrückung *f*, Schwermut *f*; **5.** Schwerfälligkeit *f*; **6.** Schläfrigkeit *f*; **7.** Langweiligkeit *f*.

heav·y ['hevɪ] **I** *adj.* □ → **heavily**; **1.** *allg.* schwer (*a.* ⚗, *phys.*): **~ load**; **~ steps**; **~ benzene** Schwerbenzin *n*; **~ industry** Schwerindustrie *f*; **with a ~ heart** schweren Herzens; **2.** ⚔ schwer: **~ artillery** (**bomber**, **cruiser**); **bring up one's** (*od.* **the**) **~ guns** *fig.* F schweres Geschütz auffahren; **3.** schwer: a) heftig, stark: **~ fall** schwerer Sturz; **~ losses** schwere Verluste; **~ rain** starker Regen; **~ traffic** starker Verkehr, *a.* schwere Fahrzeuge *pl.*, b) massig: **~ body**, c) wuchtig: **~ blow**, d) hart: **~ fine** hohe Geldstrafe; **4.** groß, beträchtlich: **~ buyer** Großabnehmer *m*; **~ orders** große Aufträge; **5.** schwer, stark, 'übermäßig: **~ drinker** (**eater**) starker Trinker (Esser); **6.** schwer: a) stark, 'hochproˌzentig: **~ beer** Starkbier *n*, b) stark, betäubend: **~ perfume**, c) schwerverdaulich: **~ food**; **7.** drückend, lastend: **a ~ silence**; **8.** *meteor.* a) schwer: **~ clouds**, b) finster, trüb: **~ sky**, c) drückend: **~ air**; **9.** schwer: a) schwierig, mühsam: **a ~ task**, b) schwer verständlich: **a ~ book**; **10.** (**with**) a) (schwer)beladen (mit), b) *fig.* über'laden (mit), voll (von); **11.** schwerfällig: **~ style**; **12.** langweilig, stumpfsinnig; **13.** begriffsstutzig (*Person*); **14.** schläfrig, benommen (**with** von): **~ with sleep** schlaftrunken; **15.** ernst, düster; **16.** *thea. etc.* würdevoll *od.* (ge)streng: **a ~ husband**; **17.** ✝ flau, schleppend; **18.** unwegsam, lehmig: **~ road**; **19.** grob: **~ features**; **20.** a) *a.* **~ with child** (hoch)schwanger, b) *a.* **~ with young** *zo.* trächtig; **21.** *typ.* fett(gedruckt); **II** *adv.* **22.** schwer (*etc.*): **hang ~** dahinschleichen (*Zeit*); **time was hanging ~ on my hands** die Zeit wurde mir lang; **lie ~ on s.o.** schwer auf j-m lasten; **III** *s.* **23.** *thea. etc.* a) Schurke *m*, b) würdiger älterer Herr; **24.** *sport* F Schwergewichtler *m*; **25.** *pl. Am.* F warme 'Unterwäsche *f*; **26.** *Am.* F ‚schwerer Junge' (*Verbrecher*); **27.** ⚔ schwere Artille'rie; ˌ**~-'armed** *adj.* ⚔ schwerbewaffnet; **~ chem·i·cals** *s. pl.* 'Schwercheˌmiˌkalien *pl.*; **~ con·crete** *s.* 'Schwerbeˌton *m*; **~ cur·rent** *s.* ⚡ Starkstrom *m*; ˌ**~-'du·ty** *adj.* **1.** ⚙ Hochleistungs...; **2.** strapazierfähig; ˌ**~-'hand·ed** *adj.* **1.** *a. fig.* plump, unbeholfen; **2.** drückend; ˌ**~-'heart·ed** *adj.* niedergeschlagen, bedrückt; **~ hy·dro·gen** *s.* ⚗ schwerer Wasserstoff; **~ met·al** *s.* 'Schwermeˌtall *n*; **~ oil** *s.* ⚙ Schweröl *n*; **~ plate** *s.* Grobblech *n*; **~ spar** *s. min.* Schwerspat *m*; **~ type** *s. typ.* Fettdruck *m*; **~ wa·ter** *s.* ⚗ schweres Wasser; '**~·weight I** *s.* **1.** *sport* Schwergewicht (-ler *m*) *n*; **2.** ‚Schwergewicht' *n* (*Person od. Sache*); **3.** F Promi'nente(r) *m*, ‚großes Tier'; **II** *adj.* **4.** *sport* Schwergewichts...; **5.** schwer (*a. fig.*).

heb·dom·a·dal [heb'dɒmədl] *adj.* wöchentlich: ♀ ***Council*** *wöchentlich zs.-tretender Rat der Universität Oxford.*

He·bra·ic [hiːˈbreɪɪk] *adj.* (□ ***~ally***) heˈbräisch; **He·bra·ism** [ˈhiːbreɪɪzəm] *s.* **1.** *ling.* Hebraˈismus *m*; **2.** *das* Jüdische; **He·bra·ist** [ˈhiːbreɪɪst] *s.* Hebraˈist(in).

He·brew [ˈhiːbruː] **I** *s.* **1.** Heˈbräer(in), Jude *m*, Jüdin *f*; **2.** *ling.* Heˈbräisch *n*; **3.** F Kauderwelsch *n*; **4.** *pl. sg. konstr. bibl.* (Brief *m* an die) Heˈbräer *pl.*; **II** *adj.* **5.** heˈbräisch.

Heb·ri·de·an [ˌhebrɪˈdiːən] **I** *adj.* heˈbridisch; **II** *s.* Bewohner(in) der Heˈbriden.

hec·a·tomb [ˈhekətuːm] *s.* Hekaˈtombe *f* (*bsd. fig. gewaltige Menschenverluste*).

heck [hek] *s.* F Hölle *f*: ***a ~ of a row*** ein Höllenlärm; ***what the ~?*** was zum Teufel?; → *a.* ***hell*** 2.

heck·le [ˈhekl] *v/t.* **1.** *Flachs* hecheln; **2.** a) *j-n* ‚piesacken', b) *e-m Redner* durch Zwischenfragen zusetzen, ‚in die Zange nehmen'; ˈ**heck·ler** [-lə] *s.* Zwischenrufer *m*.

hec·tare [ˈhektɑː] *s.* Hektar *n*, *m*.

hec·tic [ˈhektɪk] *adj.* **1.** hektisch, schwindsüchtig: ***~ fever*** Schwindsucht *f*; ***~ flush*** hektische Röte; **2.** F fieberhaft, aufgeregt, hektisch: ***have a ~ time*** keinen Augenblick Ruhe haben.

hec·to·gram(me) [ˈhektəʊgræm] *s.* Hektoˈgramm *n*; ˈ**hec·to·graph** [-grɑːf] **I** *s.* Hektoˈgraph *m*; **II** *v/t.* hektographieren; ˈ**hec·toˌli·ter** *Am.*, ˈ**hec·toˌli·tre** *Brit.* [-ˌliːtə] *s.* Hektoliter *m*, *n*.

hec·tor [ˈhektə] **I** *s.* Tyˈrann *m*; **II** *v/t.* tyrannisieren, schikanieren: ***~ about*** (*od.* ***around***) *j-n* herumkommandieren; einhacken auf (*acc.*); **III** *v/i.* herˈumkommandieren.

he'd [hiːd] F *für* a) ***he would***, b) ***he had***.

hedge [hedʒ] **I** *s.* **1.** Hecke *f*, *bsd.* Heckenzaun *m*; **2.** *fig.* Kette *f*, Absperrung *f*: ***a ~ of police***; **3.** *fig.* (Ab)Sicherung *f* (***against*** gegen); **4.** ✝ Hedge-, Dekkungsgeschäft *n*; **II** *adj.* **5.** *fig.* drittrangig, schlecht; **III** *v/t.* **6.** *a.* ***~ in*** (*od.* ***round***) a) mit e-r Hecke umˈgeben, einzäunen, b) *a.* ***~ about*** (*od.* ***around***) *fig. et.* behindern, c) *fig. j-n* einengen: ***~ off*** *a. fig.* abgrenzen (***against*** gegen); **7.** a) (ab)sichern (***against*** gegen), b) sich gegen den Verlust *e-r Wette etc.* sichern: ***~ a bet***; ***~ one's bets*** *fig.* auf Nummer Sicher gehen; **IV** *v/i.* **8.** *fig.* ausweichen, sich nicht festlegen (wollen), sich winden, ‚kneifen'; **9.** sich vorsichtig äußern; **10.** sich (ab)sichern (***against*** gegen); ***~ cut·ter*** *s.* Heckenschere *f*; ***~·hog*** [ˈhedʒhɒg] *s.* **1.** *zo.* a) Igel *m*, b) *Am.* Stachelschwein *n*; **2.** ⚘ stachelige Samenkapsel; **3.** ⚔ a) Igelstellung *f*, b) Drahtigel *m*, c) ⚓ Wasserbombenwerfer *m*; ˈ***~·hop*** *v/i.* ✈ dicht über dem Boden fliegen; ˈ***~ˌhop·per*** *s.* ✈ *sl.* Tiefflieger *m*; ***~ law·yer*** *s.* ˈWinkeladvoˌkat *m*.

hedg·er [ˈhedʒə] *s.* **1.** Heckengärtner *m*; **2.** *j-d, der sich nicht festlegen will.*

ˈ**hedge|·row** *s.* Hecke *f*; ***~ school*** *s. Brit.* Klippschule *f*; ***~ shears*** *s. pl. a.* ***pair of ~*** Heckenschere *f*.

he·don·ic [hiːˈdɒnɪk] *adj.* hedoˈnistisch; **he·don·ism** [ˈhiːdəʊnɪzəm] *s. phls.* Hedoˈnismus *m*; **he·don·ist** [ˈhiːdəʊnɪst] *s.* Hedoˈnist *m*; **he·do·nis·tic** [ˌhiːdəˈnɪstɪk] *adj.* hedoˈnistisch.

hee·bie-jee·bies [ˌhiːbɪˈdʒiːbɪz] *s. pl.* F: ***it gives me the ~, I get the ~*** dabei wird's mir ganz ‚anders', da krieg' ich ‚Zustände'.

heed [hiːd] **I** *v/t.* beachten, achtgeben auf (*acc.*); **II** *v/i.* achtgeben; **III** *s.* Beachtung *f*: ***give*** (*od.* ***pay***) ***~ to***, ***take ~ of*** → I; ***take ~*** → II; ˈ**heed·ful** [-fʊl] *adj.* □ achtsam: ***be ~ of*** → ***heed*** I; ˈ**heed·less** [-lɪs] *adj.* □ achtlos, unachtsam: ***be ~ of*** keine Beachtung schenken (*dat.*); ˈ**heed·less·ness** [-lɪsnɪs] *s.* Achtlosigkeit *f*, Unachtsamkeit *f*.

hee·haw [ˌhiːˈhɔː] **I** *s.* **1.** ˈIˈah *n* (*Eselsschrei*); **2.** *fig.* wieherndes Gelächter; **II** *v/i.* **3.** ˈiˈahen; **4.** *fig.* wiehern(d lachen).

heel[1] [hiːl] **I** *v/t.* **1.** Absätze machen auf (*acc.*); **2.** Fersen anstricken an (*acc.*); **3.** *Fußball*: *den Ball* mit dem Absatz kicken; **II** *s.* **4.** Ferse *f*: ***~ of the hand*** *Am.* Handballen *m*; **5.** Absatz *m*, Hakken *m* (*vom Schuh*); **6.** Ferse *f* (*Strumpf*, *Golfschläger*); **7.** Fuß *m*, Ende *n*, Rest *m*, *bsd.* (Brot)Kanten *m*; **8.** vorspringender Teil, Sporn *m*; **9.** *Am. sl.* ‚Scheißkerl' *m*;

Besondere Redewendungen:

~ of Achilles Achillesferse *f*; ***at*** (*od.* ***on***) ***s.o.'s ~s*** j-m auf den Fersen, dicht hinter j-m; ***on the ~s of s.th.*** *fig.* unmittelbar auf et. folgend, gleich nach et.; ***down at ~*** a) mit schiefen Absätzen, b) *a.* ***out at ~s*** *fig.* heruntergekommen (*Person*, *Hotel etc.*); abgerissen, schäbig; ***under the ~ of*** *fig.* unter *j-s* Knute; ***bring to ~*** *j-n* gefügig *od.* ‚kirre' machen; ***come to ~*** a) bei Fuß gehen (*Hund*), b) gefügig werden, ‚spuren'; ***cool*** (*od.* ***kick***) ***one's ~s*** ungeduldig warten; ***dig*** (*od.* ***stick***) ***one's ~s in*** F ‚sich auf die Hinterbeine stellen'; ***drag one's ~s*** *fig.* sich Zeit lassen; ***kick up one's ~s*** F ‚auf den Putz hauen'; ***lay s.o. by the ~s*** j-n zur Strecke bringen, j-n dingfest machen; ***show a clean pair of ~s***, ***take to one's ~s*** Fersengeld geben, die Beine in die Hand nehmen; ***tread on s.o.'s ~s*** j-m auf die Hacken treten; ***turn on one's ~s*** (auf dem Absatz) kehrtmachen.

heel[2] [hiːl] *v/t. u. v/i. a.* ***~ over*** (sich) auf die Seite legen (*Schiff*), krängen.

ˌ**heel|-and-ˈtoe walk·ing** *s. sport* Gehen *n*; ˈ**~·ball** *s.* Polierwachs *n*; **~ bone** *s. anat.* Fersenbein *n*.

heeled [hiːld] *adj.* **1.** mit e-r Ferse *od.* e-m Absatz (versehen); **2.** → ***well-heeled***; ˈ**heel·er** [-lə] *s. pol. Am.* Handlanger *m*, ‚Laˈkai' *m*.

ˈ**heel·tap** *s.* **1.** Absatzfleck *m*; **2.** letzter Rest, Neige *f* (*im Glas*): ***no ~s!*** ex!

heft [heft] *v/t.* **1.** hochheben; **2.** in der Hand wiegen; ˈ**heft·y** [-tɪ] *adj.* F **1.** schwer; **2.** kräftig, stämmig; **3.** ‚mächtig', ‚saftig', gewaltig: ***~ blow*** (***prices***).

He·ge·li·an [heɪˈgiːljən] *s. phls.* Hegeliˈaner *m*.

he·gem·o·ny [hɪˈgemənɪ] *s. pol.* Hegemoˈnie *f*.

heif·er [ˈhefə] *s.* Färse *f*, junge Kuh.

heigh [heɪ] *int.* hei!; he(da)!; ˌ**~-ˈho** [-ˈhəʊ] *int.* ach jeh!; oh!

height [haɪt] *s.* **1.** Höhe *f* (*a. ast.*): ***10 feet in ~*** 10 Fuß hoch; ***~ of fall*** Fallhöhe *f*; **2.** (Körper)Größe *f*: ***what is your ~?*** wie groß sind Sie?; **3.** Anhöhe *f*; Erhebung *f*; **4.** *fig.* Höhe(punkt *m*) *f*, Gipfel *m*: ***at its ~*** auf s-m (ihrem) *od.* dem Höhepunkt; ***at the ~ of summer*** (***of the season***) im Hochsommer (in der Hochsaison); ***the ~ of folly*** der Gipfel der Torheit; ***dressed in the ~ of fashion*** nach der neuesten Mode gekleidet; ˈ**height·en** [-tn] **I** *v/t.* **1.** erhöhen (*a. fig.*); **2.** *fig.* vergrößern, -stärken, steigern, heben, vertiefen; **3.** herˈvorheben; **II** *v/i.* **4.** wachsen, (an)steigen.

height| find·er, **~ ga(u)ge** *s.* ✈ Höhenmesser *m*.

hei·nous [ˈheɪnəs] *adj.* □ abˈscheulich, gräßlich; ˈ**hei·nous·ness** [-nɪs] *s.* Abˈscheulichkeit *f*.

heir [eə] *s.* **1.** ⚖ *u. fig.* Erbe *m* (***to*** *od.* ***of s.o.*** j-s): ***~ to the throne*** Thronfolger *m*; ***~-at-law***, ***~ general***, ***~ apparent*** gesetzlicher Erbe; ***~ presumptive*** mutmaßlicher Erbe; ***~ of the body*** leiblicher Erbe; **heir·dom** [ˈeədəm] → ***heirship***; **heir·ess** [ˈeərɪs] *s.* (*bsd.* reiche) Erbin; **heir·loom** [ˈeəluːm] *s.* (Faˈmilien)Erbstück *n*; **heir·ship** [ˈeəʃɪp] *s.* **1.** Erbrecht *n*; **2.** Erbschaft *f*, Erbe *n*.

heist [haɪst] *Am. sl.* **I** *s.* a) ‚Ding' *n* (*Raubüberfall od. Diebstahl*), b) Beute *f*; **II** *v/t.* überˈfallen; ‚klauen'; erbeuten.

held [held] *pret. u. p.p. von* ***hold***[2].

he·li·an·thus [ˌhiːlɪˈænθəs] *s.* ⚘ Sonnenblume *f*.

hel·i·borne [ˈhelɪbɔːn] *adj.* im Hubschrauber befördert.

hel·i·bus [ˈhelɪbʌs] *s.* ✈ Hubschrauber *m* für Perˈsonenbeförderung, Lufttaxi *n*.

hel·i·cal [ˈhelɪkl] *adj.* □ spiˈralen-, schrauben-, schneckenförmig: ***~ gear*** ⚙ Schrägstirnrad *n*; ***~ spring*** Schraubenfeder *f*; ***~ staircase*** Wendeltreppe *f*.

hel·i·ces [ˈhelɪsiːz] *pl. von* ***helix***.

hel·i·cop·ter [ˈhelɪkɒptə] ✈ **I** *s.* Hubschrauber *m*, Heliˈkopter *m*: ***~ gunship*** Kampfhubschrauber; **II** *v/i. u. v/t.* mit dem Hubschrauber fliegen *od.* befördern.

helio- [hiːlɪəʊ-] *in Zssgn* Sonnen…

he·li·o·cen·tric [ˌhiːlɪəʊˈsentrɪk] *adj. ast.* helioˈzentrisch; **he·li·o·chro·my** [ˈhiːlɪəʊˌkrəʊmɪ] *s.* ˈFarbfotograˌfie *f*; **he·li·o·gram** [ˈhiːlɪəʊgræm] *s.* Helioˈgramm *n*; **he·li·o·graph** [ˈhiːlɪəʊgrɑːf] **I** *s.* Helioˈgraph *m*; **II** *v/t.* heliographieren; **he·li·o·gra·vure** [ˌhiːlɪəʊgrəˈvjʊə] *s. typ.* Heliograˈvüre *f*.

he·li·o·trope [ˈheljətrəʊp] *s.* ⚘, *min.* Helioˈtrop *n*.

he·li·o·type [ˈhiːlɪətaɪp] *s. typ.* Lichtdruck *m*.

hel·i·pad [ˈhelɪpæd], ˈ**hel·i·port** [-pɔːt] *s.* Heliˈport *m*, Hubschrauberlandeplatz *m*.

he·li·um [ˈhiːljəm] *s.* ⚗ Helium *n*.

he·lix [ˈhiːlɪks] *pl.* **hel·i·ces** [ˈhelɪsiːz] *s.* **1.** Spiˈrale *f*; **2.** ⚠ Schneckenlinie *f*; **3.** *anat.* Helix *f*, Ohrleiste *f*; **4.** ⚠ Schnekke *f*; **5.** *zo.* Helix *f* (*Schnecke*); **6.** ⚗ Helix *f* (*Molekülstruktur*).

hell [hel] **I** *s.* **1.** Hölle *f* (*a. fig.*): ***it was ~*** es war die reinste Hölle; ***catch*** (*od.* ***get***) ***~*** F ‚eins aufs Dach kriegen'; ***come ~ or high water*** F (ganz) egal, was passiert, unter allen Umständen; ***give s.o. ~*** F j-m ‚die Hölle heiß machen'; ***~ for leather*** F was das Zeug hält, wie verrückt; ***there will be ~ to pay*** F das werden wir schwer büßen müssen; ***raise ~*** F ‚e-n Mordskrach schlagen'; ***suffer ~*** (***on earth***) die Hölle auf Erden haben; **2.** F (*verstärkend*) Hölle *f*, Teufel *m*: ***a ~ of a noise*** ein Höllenlärm; ***be in a ~ of a temper*** e-e ‚Mordswut' *od.* e-e ‚Stinklaune' haben; ***a*** (*od.* ***one***) ***~ of a*** (***good***) ***car*** ein ‚verdammt' guter Wagen; ***a ~ of a guy*** ein prima Kerl; ***go to ~!*** ‚scher dich zum Teufel'!, *a.* ‚du kannst mich mal!'; ***get the ~ out of here!*** mach, daß du rauskommst!; ***like ~*** wie verrückt (*arbeiten etc.*); ***like*** (*od.* ***the***) ***~ you did!*** ‚e-n Dreck' hast du (getan)!; ***what the ~ ...?*** was zum Teufel …?; ***what the ~!*** ach, was!; ***~'s bells*** → 6; **3.** F Spaß *m*: ***for the ~ of it*** aus Spaß an der Freud; ***the ~ of it is that ...*** das Komische *od.* Tolle daran ist, daß; **4.** Spielhölle *f*; **5.** *typ.* Deˈfektenkasten *m*; **II** *int.* **6.** F a) *Brit. sl. a.* ***bloody ~!*** verdammt!, b) (*überrascht*) Teufel, Teufel!, Mann!; ***~, I didn't know*** (***that***)***!*** Mann, das hab' ich nicht gewußt!

he'll [hiːl] F *für* ***he will***.

ˈ**hell|ˌbend·er** *s.* **1.** *zo.* Schlammteufel

m; **2.** *Am.* F ‚wilder Bursche'; ˌ**~'bent** *adj.* F **1.** ***be ~ on*** (***doing***) ***s.th.*** ganz versessen sein auf et. (darauf, et. zu tun); **2.** ‚verrückt', wild, leichtsinnig; '**~·broth** *s.* Hexen-, Zaubertrank *m*; '**~·cat** *s.* (wilde) Hexe, Xan'thippe *f.*
hel·le·bore ['helɪbɔː] *s.* ⚘ Nieswurz *f.*
Hel·lene ['heliːn] *s.* Hel'lene *m*, Grieche *m*; **Hel·len·ic** [he'liːnɪk] *adj.* hel'lenisch, griechisch; **Hel·len·ism** ['helɪnɪzəm] *s.* Helle'nismus *m*, Griechentum *n*; **Hel·len·ist** ['helɪnɪst] *s.* Helle'nist *m*; **Hel·len·is·tic** [ˌhelɪ'nɪstɪk] *adj.* helle'nistisch; **Hel·len·ize** ['helɪnaɪz] *v/t. u. v/i.* (sich) hellenisieren.
ˌ**hell**|'**fire** *s.* **1.** Höllenfeuer *n*; **2.** *fig.* Höllenqualen *pl.*; '**~·hound** *s.* **1.** Höllenhund *m*; **2.** *fig.* Teufel *m.*
hel·lion ['heljən] *s.* F Range *f*, *m*, Bengel *m.*
hell·ish ['helɪʃ] *adj.* ☐ **1.** höllisch (*a. fig.* F); **2.** F ‚verteufelt', ‚scheußlich'.
hel·lo [hə'ləʊ] **I** *int.* **1.** hal'lo!, *überrascht*: *a.* na'nu!; **II** *pl.* **-los** *s.* **2.** Hal'lo *n*; **3.** Gruß *m*: ***say ~*** (***to s.o.***) (j-m) guten Tag sagen; **III** *v/i.* **4.** hal'lo rufen.
hell·uv·a ['heləvə] *adj. u. adv.* F ‚mordsmäßig', ‚toll': ***a ~ noise*** ein Höllenlärm; ***a ~ guy*** a) ein prima Kerl, b) ein toller Kerl.
helm[1] [helm] *s.* **1.** ⚓ a) Ruder *n*, Steuer *n*, b) Ruderpinne *f*: ***the ship answers the ~*** das Schiff gehorcht dem Ruder; **2.** *fig.* Ruder *n*, Führung *f*: ***~ of State*** Staatsruder; ***at the ~*** am Ruder *od.* an der Macht; ***take the ~*** das Ruder übernehmen.
helm[2] [helm] *s. obs.* Helm *m*; **helmed** [-md] *adj. obs.* behelmt.
hel·met ['helmɪt] *s.* **1.** ⚔ Helm *m*; **2.** (Schutz-, Sturz-, Tropen-, Taucher-) Helm *m*; **3.** ⚘ Kelch *m*; '**hel·met·ed** [-tɪd] *adj.* behelmt.
helms·man ['helmzmən] *s.* [*irr.*] ⚓ Steuermann *m* (*a. fig.*).
Hel·ot ['helət] *s. hist.* He'lot(e) *m*, *fig.* (*mst* ♀) *a.* Sklave *m*; '**hel·ot·ry** [-trɪ] *s.* **1.** He'lotentum *n*; **2.** *coll.* He'loten *pl.*
help [help] **I** *s.* **1.** Hilfe *f*, Beistand *m*, Mit-, Beihilfe *f*: ***by*** (*od.* ***with***) ***the ~ of*** mit Hilfe von; ***he came to my ~*** er kam mir zu Hilfe; ***it*** (***she***) ***is a great ~*** es (sie) ist e-e große Hilfe; ***can I be of any ~*** (***to you***)***?*** kann ich Ihnen (irgendwie) helfen *od.* behilflich sein?; **2.** Abhilfe *f*: ***there is no ~ for it*** da kann man nichts machen, es läßt sich nicht ändern; **3.** Hilfsmittel *n*; **4.** a) Gehilfe *m*, Gehilfin *f*, (*bsd.* Haus)Angestellte(r *m*) *f*, (*bsd.* Land)Arbeiter(in): ***domestic ~*** Hausgehilfin, b) *coll.* ('Dienst)Persoˌnal *n*, (Hilfs)Kräfte *pl.*; **II** *v/t.* **5.** *j-m* helfen *od.* beistehen *od.* behilflich sein, *j-n* unter'stützen (***in*** *od.* ***with s.th.*** bei et.): ***can I ~ you?*** a) kann ich Ihnen behilflich sein?, b) werden Sie schon bedient?; ***so ~ me*** (***I did***, *etc.*)***!*** Ehrenwort!; → ***god*** 2; **6.** fördern, beitragen zu; **7.** lindern, helfen *od.* Abhilfe schaffen bei; **8.** ***~ s.o. to s.th.*** a) j-m zu et. verhelfen, b) (*bsd. bei Tisch*) j-m et. reichen *od.* geben; ***~ o.s.*** sich bedienen, zugreifen; ***~ o.s. to*** a) sich bedienen mit, sich *et.* nehmen, b) sich *et.* aneignen *od.* nehmen (*a. iro. stehlen*); **9.** *mit* ***can***: abhelfen (*dat.*), *et.* verhindern, vermeiden, ändern: ***I can't ~ it*** a) ich kann's nicht ändern, b) ich kann nichts dafür; ***it can't be ~ed*** da kann man nichts machen, es läßt sich nicht ändern; (***not***) ***if I can ~ it*** (nicht,) wenn ich es vermeiden kann; ***how could I ~ it?*** a) was konnte ich dagegen tun?, b) was konnte ich dafür?; ***I can't ~ it*** a) ich kann es nicht ändern, b) ich kann nichts dafür; ***she can't ~ her freckles*** für ihre Sommersprossen kann sie nichts; ***don't be late if you can ~ it*** komme möglichst nicht zu spät!; ***I could not ~ laughing*** ich mußte einfach lachen; ***I can't ~ feeling*** ich werde das Gefühl nicht los; ***I can't ~ myself*** ich kann nicht anders; **III** *v/i.* **10.** helfen: ***every little ~s*** jede Kleinigkeit hilft; **11.** ***don't stay longer than you can ~!*** bleib nicht länger als nötig!;
Zssgn mit adv.:
help| **down** *v/t.* **1.** *j-m* her'unter-, hin'unterhelfen; **2.** *fig.* zum 'Untergang (*gen.*) beitragen; **~ in** *v/t. j-m* hin'einhelfen; **~ off** *v/t.* **1.** → ***help on*** 1; **2.** ***help s.o. off with his coat*** j-m aus dem Mantel helfen; **~ on** *v/t.* **1.** weiter-, forthelfen (*dat.*); **2.** ***help s.o. on with his coat*** j-m in den Mantel helfen; **~ out I** *v/t.* **1.** *j-m* her'aus-, hin'aushelfen (***of*** aus); **2.** *fig. j-m* aus der Not helfen; **3.** *fig. j-m* aushelfen, *j-n* unter'stützen; **II** *v/i.* **4.** aushelfen (***with*** bei, mit); **5.** helfen, nützlich sein; **~ through** *v/t. j-m* (hin)'durch-, hin'weghelfen; **~ up** *v/t. j-m* her'auf-, hin'aufhelfen.
help·er ['helpə] *s.* **1.** Helfer(in); **2.** Gehilfe *m*, Gehilfin *f*; → ***help*** 4; **help·ful** ['helpfʊl] *adj.* ☐ **1.** hilfsbereit, behilflich (***to*** *dat.*); **2.** hilfreich, nützlich (***to*** *dat.*); **help·ful·ness** ['helpfʊlnɪs] *s.* **1.** Hilfsbereitschaft *f*; **2.** Nützlichkeit *f*; **help·ing** ['helpɪŋ] **I** *adj.* helfend, hilfreich: ***lend*** (***s.o.***) ***a ~ hand*** (j-m) helfen *od.* behilflich sein; **II** *s.* Porti'on *f* (*e-r Speise*): ***have*** (*od.* ***take***) ***a second ~*** sich noch mal (davon) nehmen; **help·less** ['helplɪs] *adj.* ☐ *allg.* hilflos: ***be ~ with laughter*** sich totlachen; **help·less·ness** ['helplɪsnɪs] *s.* Hilflosigkeit *f.*
'**help·mate**, '**help·meet** *s. obs.* Gehilfe *m*, Gehilfin *f*; (Ehe)Gefährte *m*, (Ehe-) Gefährtin *f*, Gattin *f.*

H

hel·ter-skel·ter [ˌheltəˈskeltə] **I** *adv.* Hals über Kopf, in wilder Hast; **II** *adj.* hastig, überˈstürzt; **III** *s.* Durcheinˈander *n*, wilde Hast.

helve [helv] *s.* Griff *m*, Stiel *m*: ***throw the ~ after the hatchet*** *fig.* das Kind mit dem Bade ausschütten.

Hel·ve·tian [helˈviːʃjən] **I** *adj.* helˈvetisch, schweizerisch; **II** *s.* Helˈvetier (-in), Schweizer(in).

hem¹ [hem] **I** *s.* **1.** (Kleider-, Rock- *etc.*) Saum *m*; **2.** Rand *m*; **3.** Einfassung *f*; **II** *v/t.* **4.** *Kleid etc.* säumen; **5.** ***~ in, ~ about, ~ around*** umˈranden, einfassen; **6.** ***~ in*** a) ⚔ einschließen, b) *fig.* einengen.

hem² [hm] **I** *int.* hm!, hem!; **II** *s.* H(e)m *n*, Räuspern *n*; **III** *v/i.* ‚hm' machen, sich räuspern; stocken (*im Reden*): ***~ and haw*** herumstottern, -drucksen.

he·mal *etc.* → ***haemal*** *etc.*

ˈ**he-man** *s.* [*irr.*] F ‚He-man' *m*, ‚richtiger' Mann, sehr männlicher Typ.

he·mat·ic *etc.* → ***haematic*** *etc.*

hem·i·ple·gi·a [ˌhemɪˈpliːdʒɪə] *s.* ⚕ einseitige Lähmung, Hemipleˈgie *f*.

hem·i·sphere [ˈhemɪˌsfɪə] *s. bsd. geogr.* Halbkugel *f*, Hemiˈsphäre *f* (*a. anat. des Großhirns*); **hem·i·spher·i·cal** [ˌhemɪˈsferɪkl], *a.* **hem·i·spher·ic** [ˌhemɪˈsferɪk] *adj.* hemiˈsphärisch, halbkugelig.

ˈ**hem·line** *s.* (Kleider)Saum *m*: ***~s are going up again*** die Kleider werden wieder kürzer.

hem·lock [ˈhemlɒk] *s.* **1.** ⚘ Schierling *m*; **2.** *fig.* Schierlings-, Giftbecher *m*; **3.** *a.* ***~ fir, ~ spruce*** Hemlock-, Schierlingstanne *f*.

he·mo·glo·bin, he·mo·phil·i·a, hem·or·rhage, hem·or·rhoids *etc.* → ***haemo...***

hemp [hemp] *s.* **1.** ⚘ Hanf *m*; **2.** Hanf (-faser *f*) *m*; **3.** ˈHanfnarˌkotikum *n*, *bsd.* Haschisch *n*; ˈ**hemp·en** [-pən] *adj.* hanfen, Hanf...

ˈ**hem-stitch I** *s.* Hohlsaum(stich) *m*; **II** *v/t.* mit Hohlsaum nähen.

hen [hen] *s.* **1.** *orn.* Henne *f*, Huhn *n*: ***~'s egg*** Hühnerei *n*; **2.** Weibchen *n* (*von Vögeln, a. Krebs u. Hummer*); **3.** F a) (aufgeregte) ‚Wachtel', b) Klatschbase *f*; ˈ**~·bane** *s.* ⚘, *pharm.* ˈBilsenkraut(exˌtrakt *m*) *n*.

hence [hens] *adv.* **1.** *a.* ***from ~*** (*räumlich*) von hier, von hinnen, fort: ***~ with it!*** weg damit!; ***go ~*** von hinnen gehen (*sterben*); **2.** *zeitlich*: von jetzt an, binnen: ***a week ~*** in *od.* nach einer Woche; **3.** folglich, daher, deshalb; **4.** hieraus, daraus: ***~ it follows that*** daraus folgt, daß; ˌ**~ˈforth**, ˌ**~ˈfor·ward(s)** *adv.* von nun an, fortˈan, künftig.

hench·man [ˈhentʃmən] *s.* [*irr.*] *bsd. pol.* a) Gefolgsmann *m*, b) *contp.* Handlanger *m*, *j-s* ‚Kreaˈtur' *f*.

ˈ**hen|·coop** *s.* Hühnerstall *m*; **~ har·ri·er** *s. orn.* Kornweihe *f*; **~ hawk** *s. orn. Am.* Hühnerbussard *m*; ˌ**~-ˈheart·ed** *adj.* feig(e).

hen·na [ˈhenə] *s.* **1.** ⚘ Hennastrauch *m*; **2.** Henna *f* (*Färbemittel*); ˈ**hen·naed** [-nəd] *adj.* mit Henna gefärbt.

ˈ**hen|-ˌpar·ty** *s.* F Kaffeeklatsch *m*; ˈ**~·pecked** [-pekt] *adj.* F unter dem Panˈtoffel stehend: ***~ husband*** Pantoffelheld *m*; ˈ**~·roost** *s.* Hühnerstange *f od.* -stall *m*.

hen·ry [ˈhenrɪ] *pl.* **-rys, -ries** *s.* ϟ, *phys.* Henry *n* (*Induktionseinheit*).

hep [hep] → ***hip⁴***.

he·pat·ic [hɪˈpætɪk] *adj.* ⚕ heˈpatisch, Leber...; **hep·a·ti·tis** [ˌhepəˈtaɪtɪs] *s.* ⚕ Leberentzündung *f*, Hepaˈtitis *f*; **hep·a·tol·o·gist** [ˌhepəˈtɒlədʒɪst] *s.* ⚕ Hepatoˈloge *m*.

ˈ**hep·cat** *s. sl. obs.* Jazz-, *bsd.* Swingmusiker *m od.* -freund *m*.

hep·ta·gon [ˈheptəgən] *s.* ⩓ Siebeneck *n*, Heptaˈgon *n*; **hep·tag·o·nal** [hepˈtægənl] *adj.* ⩓ siebeneckig; **hep·ta·he·dron** [ˌheptəˈhedrən] *pl.* **-drons** *od.* **-dra** [-drə] *s.* ⩓ Heptaˈeder *n*.

hep·tath·lete [hepˈtæθliːt] *s. sport* Siebenkämpferin *f*; **hep·tath·lon** [hepˈtæθlɒn] *s.* Siebenkampf *m*.

her [hɜː; hə] **I** *pron.* **1.** a) sie (*acc. von* ***she***), b) ihr (*dat. von* ***she***); **2.** F sie (*nom.*): ***it's ~*** sie ist es; **II** *poss. adj.* **3.** ihr, ihre; **III** *refl. pron.* **4.** sich: ***she looked about ~*** sie sah um sich.

her·ald [ˈherəld] **I** *s.* **1.** *hist.* a) Herold *m*, b) Wappenherold *m*; **2.** *fig.* Verkünder *m*; **3.** *fig.* (Vor)Bote *m*; **II** *v/t.* **4.** verkünden, ankündigen (*a. fig.*); **5.** *a.* ***~ in*** a) einführen, b) einleiten.

he·ral·dic [heˈrældɪk] *adj.* heˈraldisch, Wappen...; **her·ald·ry** [ˈherəldrɪ] *s.* **1.** Heˈraldik *f*, Wappenkunde *f*; **2.** a) Wappen *n*, b) heˈraldische Symˈbole *pl*.

herb [hɜːb] *s.* ⚘ a) Kraut *n*, b) Heilkraut *n*, c) Küchenkraut *n*: ***~ tea*** Kräutertee *m*; **her·ba·ceous** [hɜːˈbeɪʃəs] *adj.* ⚘ krautartig, Kraut...: ***~ border*** (Stauden)Rabatte *f*; ˈ**herb·age** [-bɪdʒ] *s.* **1.** *coll.* Kräuter *pl.*, Gras *n*; **2.** ⚖ *Brit.* Weiderecht *n*; ˈ**herb·al** [-bl] **I** *adj.* Kräuter..., Pflanzen...; **II** *s.* Pflanzenbuch *n*; ˈ**herb·al·ist** [-bəlɪst] *s.* **1.** Kräuter-, Pflanzenkenner(in); **2.** Kräutersammler(in), -händler(in); **3.** Herbaˈlist(in), Kräuterheilkundige(r *m*) *f*; **her·bar·i·um** [hɜːˈbeərɪəm] *s.* Herˈbarium *n*.

her·bi·vore [ˈhɜːbɪvɔː] *s. zo.* Pflanzenfresser *m*; **her·biv·o·rous** [hɜːˈbɪvərəs] *adj.* pflanzenfressend.

Her·cu·le·an [ˌhɜːkjʊˈliːən] *adj.* herˈkulisch (*a. fig. riesenstark*), Herkules...: ***the ~ labo(u)rs*** die Arbeiten des Herkules; ***a ~ labo(u)r*** *fig.* e-e Herkulesarbeit; **Her·cu·les** ['hɜːkjʊliːz] *s. myth., ast. u. fig.* Herkules *m.*

herd [hɜːd] **I** *s.* **1.** Herde *f*, (*wildlebender Tiere a.*) Rudel *n*; **2.** *contp.* Herde *f*, Masse *f* (*Menschen*): ***the common*** (*od.* ***vulgar***) ***~*** die Masse (Mensch), die große Masse; **3.** *in Zssgn* Hirt(in); **II** *v/t.* **4.** *Vieh* hüten; **5.** (***~ together*** zs.-)treiben; **III** *v/i.* **6.** *a.* ***~ together*** a) in Herden gehen *od.* leben, b) sich zs.-drängen; **7.** sich zs.-tun (***among, with*** mit); **'~·book** *s.* ⚒ Herdbuch *n*; **~ in·stinct** *s.* 'Herdenin,stinkt *m*, -trieb *m* (*a. fig.*); **'~s·man** [-dzmən] *s.* [*irr.*] **1.** *Brit.* Hirt *m*; **2.** Herdenbesitzer *m.*

here [hɪə] **I** *adv.* **1.** hier: ***I am ~*** a) ich bin hier, b) ich bin da (*anwesend*); ***~ and there*** a) hier u. da, da u. dort, b) hierhin u. dorthin, c) hin u. wieder, hie u. da; ***~ and now*** hier u. jetzt *od.* heute; ***~, there and everywhere*** (all)überall; ***that's neither ~ nor there*** a) das gehört nicht zur Sache, b) das besagt nichts; ***we are leaving ~ today*** wir reisen heute von hier ab; ***~ goes*** F also los!; ***~'s to you!*** auf dein Wohl!; ***~ you are!*** hier (bitte)! (*da hast du es*); ***this ~ man*** *sl.* dieser Mann hier; **2.** (hier)her, hierhin: ***bring it ~!*** bring es hierher!; ***come ~!*** komm her!; ***this belongs ~*** das gehört hierher *od.* hierhin; **II** *s.* **3.** ***the ~ and now*** a) das Hier u. Heute, b) das Diesseits; **'~·a,bout(s)** [-ərə-] *adv.* hier her'um, in dieser Gegend; **,~'aft·er** [-ər'ɑː-] **I** *adv.* **1.** her'nach, nachher; **2.** in Zukunft; **II** *s.* **3.** Zukunft *f*; **4.** (*das*) Jenseits; **,~'by** *adv.* 'hierdurch, hiermit.

he·red·i·ta·ble [hɪ'redɪtəbl] → ***heritable***; **her·e·dit·a·ment** [,herɪ'dɪtəmənt] *s.* ⚖ a) *Brit.* Grundstück *n* (als Bemessungsgrundlage für die Kommu'nalabgaben), b) *Am.* vererblicher Vermögensgegenstand; **he'red·i·tar·y** [-tərɪ] *adj.* □ **1.** erblich, er-, vererbt, Erb...: ***~ disease*** ⚕ Erbkrankheit *f*; ***~ portion*** ⚖ Pflichtteil *m, n*; ***~ succession*** *Am.* Erbfolge *f*; ***~ taint*** ⚕ erbliche Belastung; **2.** *fig.* Erb..., alt'hergebracht: ***~ enemy*** Erbfeind *m*; **he'red·i·ty** [-tɪ] *s. biol.* **1.** Vererbbarkeit *f*, Erblichkeit *f*; **2.** ererbte Anlagen *pl.*, Erbmasse *f.*

,here|'from *adv.* hieraus; **,~'in** [-ər'ɪ-] *adv.* hierin; **,~·in·a'bove** *adv.* im vorstehenden, oben (*erwähnt*); **,~·in'aft·er** *adv.* nachstehend, im folgenden; **,~'of** *adv.* hiervon, dessen.

her·e·sy ['herəsɪ] *s.* Ketze'rei *f*, Häre'sie *f*; **'her·e·tic** [-ətɪk] **I** *s.* Ketzer(in); **II** *adj.* → **he·ret·i·cal** [hɪ'retɪkl] *adj.* □ ketzerisch.

,here|'to [-'tuː] *adv.* **1.** hierzu; **2.** bis'her; **,~·to'fore** [-tʊ-] *adv.* vordem, ehemals; **,~'un·der** [-ər'ʌ-] **1.** → ***hereinafter***; **2.** ⚖ kraft dieses (*Vertrags etc.*); **,~·un'to** [-ərʌ-] → ***hereto***; **,~·up'on** [-ərə-] *adv.* hierauf, darauf('hin); **,~'with** → ***hereby***.

her·it·a·ble ['herɪtəbl] *adj.* □ **1.** erblich, vererbbar; **2.** erbfähig; **'her·it·age** [-ɪtɪdʒ] *s.* **1.** Erbe *n*: a) Erbschaft *f*, Erbgut *n*, b) *ererbtes Recht etc.*; **2.** *bibl.* (*das*) Volk Israel; **'her·i·tor** [-ɪtə] *s.* ⚖ Erbe *m.*

her·maph·ro·dite [hɜː'mæfrədaɪt] *s. biol.* Hermaphro'dit *m*, Zwitter *m*; **her'maph·ro·dit·ism** [-daɪtɪzəm] *s. biol.* Hermaphrodi'tismus *m*, Zwittertum *n od.* -bildung *f.*

her·met·ic [hɜː'metɪk] *adj.* (□ ***~ally***) her'metisch (*a. fig.*), luftdicht: ***~ seal*** luftdichter Verschluß.

her·mit ['hɜːmɪt] *s.* Einsiedler *m* (*a. fig.*), Ere'mit *m*; **'her·mit·age** [-tɪdʒ] *s.* Einsiede'lei *f*, Klause *f.*

'her·mit-crab *s. zo.* Einsiedlerkrebs *m.*

her·ni·a ['hɜːnjə] *s.* ⚕ Bruch *m*, Hernie *f*; **'her·ni·al** [-jəl] *adj.*: ***~ truss*** ⚕ Bruchband *n.*

he·ro ['hɪərəʊ] *pl.* **-roes** *s.* **1.** Held *m*; **2.** *thea. etc.* Held *m*, 'Hauptper,son *f*; **3.** *antiq.* Heros *m*, Halbgott *m.*

he·ro·ic [hɪ'rəʊɪk] **I** *adj.* (□ ***~ally***) **1.** he'roisch (*a. paint. etc.*), heldenmütig, -haft, Helden...: ***~ age*** Heldenzeitalter *n*; ***~ couplet*** heroisches Reimpaar; ***~ poem*** → 4b; ***~ tenor*** ♪ Heldentenor *m*; ***~ verse*** → 4a; **2.** a) erhaben, b) hochtrabend (*Stil*); **3.** ⚕ drastisch, Radikal...; **II** *s.* **4.** a) he'roisches Versmaß, b) he'roisches Gedicht; **5.** *pl.* bom'bastische Worte.

her·o·in ['herəʊɪn] *s.* Hero'in *n.*

her·o·ine ['herəʊɪn] *s.* **1.** Heldin *f* (*a. thea. etc.*); **2.** *antiq.* Halbgöttin *f*; **'her·o·ism** [-ɪzəm] *s.* Heldentum *n*, Hero'ismus *m*; **he·ro·ize** ['hɪərəʊaɪz] **I** *v/t.* heroisieren, zum Helden machen; **II** *v/i.* den Helden spielen.

her·on ['herən] *s. orn.* Reiher *m*; **'her·on·ry** [-rɪ] *s.* Reiherhorst *m.*

he·ro| wor·ship *s.* **1.** Heldenverehrung *f*; **2.** Schwärme'rei *f*; **'~-,wor·ship** *v/t.* **1.** als Helden verehren; **2.** schwärmen für.

her·pes ['hɜːpiːz] *s.* ⚕ Herpes *m*, Bläschenausschlag *m.*

her·pe·tol·o·gy [,hɜːpɪ'tɒlədʒɪ] *s.* Herpetolo'gie *f*, Rep'tilienkunde *f.*

her·ring ['herɪŋ] *s. ichth.* Hering *m*; **'~·bone I** *s.* **1.** *a.* ***~ design, ~ pattern*** Fischgrätenmuster *n*; **2.** fischgrätenartige Anordnung; **3.** *Stickerei*: ***~ (stitch)*** Fischgrätenstich *m*; **4.** *Skilauf*: Grätenschritt *m*; **II** *v/t.* **5.** mit e-m Fischgrätenmuster nähen; **III** *v/i.* **6.** *Skilauf*: im Grätenschritt steigen; **~ pond** *s. humor. der* ‚Große Teich' (*Atlantik*).

hers [hɜːz] *poss. pron.* ihrer (ihre, ihres), der (die, das) ihre *od.* ihrige: ***my***

mother and ~ meine u. ihre Mutter; ***it is ~*** es gehört ihr; ***a friend of ~*** e-e Freundin von ihr.

her·self [hɜːˈself; hə-] *pron.* **1.** *refl.* sich: ***she hurt ~***; **2.** sich (selbst): ***she wants it for ~***; **3.** *verstärkend*: sie (*nom. od. acc.*) *od.* ihr (*dat.*) selbst: ***she ~ did it, she did it ~*** sie selbst hat es getan, sie hat es selbst getan; ***by ~*** allein, ohne Hilfe, von selbst; **4.** ***she is not quite ~*** a) sie ist nicht ganz normal, b) sie ist nicht auf der Höhe; ***she is ~ again*** sie ist wieder die alte.

hertz [hɜːts] *s. phys.* Hertz *n*; **Hertz·i·an** [ˈhɜːtsɪən] *adj. phys.* Hertzsch: ***~ waves*** Hertzsche Wellen.

he's [hiːz; hɪz] F *für* a) ***he is***, b) ***he has***.

hes·i·tance [ˈhezɪtəns], ˈ**hes·i·tan·cy** [-sɪ] *s.* Zögern *n*, Unschlüssigkeit *f*; ˈ**hes·i·tant** [-nt] *adj.* **1.** zögernd, unschlüssig; **2.** *beim Sprechen*: stockend; ˈ**hes·i·tate** [-teɪt] *v/i.* **1.** zögern, zaudern, unschlüssig sein, Bedenken haben (***to*** *inf.* zu *inf.*): ***not to ~ at*** nicht zurückschrecken vor (*dat.*); **2.** (*beim Sprechen*) stocken; ˈ**hes·i·tat·ing·ly** [-teɪtɪŋlɪ] *adv.* zögernd; **hes·i·ta·tion** [ˌhezɪˈteɪʃən] *s.* **1.** Zögern *n*, Zaudern *n*, Unschlüssigkeit *f*: ***without any ~*** ohne (auch nur) zu zögern, bedenkenlos; **2.** Stocken *n*.

Hes·si·an [ˈhesɪən] **I** *adj.* **1.** hessisch; **II** *s.* **2.** Hesse *m*, Hessin *f*; **3.** ♀ Juteleinen *n* (*für Säcke etc.*); ~ **boots** *s. pl.* Schaftstiefel *pl.*

het [het] *adj.*: ***~ up*** F ganz ‚aus dem Häuschen'.

he·tae·ra [hɪˈtɪərə] *pl.* **-rae** [-riː], **he·ˈtai·ra** [-ˈtaɪərə] *pl.* **-rai** [-raɪ] *s. antiq.* Heˈtäre *f*.

hetero- [hetərəʊ] *in Zssgn* anders, verschieden, fremd.

het·er·o [ˈhetərəʊ] *pl.* **-os** *s.* F ‚Hetero' *m* (*Heterosexuelle*[*r*]).

het·er·o·clite [ˈhetərəʊklaɪt] *ling.* **I** *adj.* heteroˈklitisch; **II** *s.* Heteˈrokliton *n*; **het·er·o·dox** [ˈhetərəʊdɒks] *adj.* **1.** *eccl.* heteroˈdox, anders-, irrgläubig; **2.** *fig.* ˈunkonventioˌnell; **het·er·o·dox·y** [ˈhetərəʊdɒksɪ] *s.* Andersgläubigkeit *f*, Irrglaube *m*; ˈ**het·er·o·dyne** [-əʊdaɪn] *adj. Radio*: ***~ receiver*** Überlagerungsempfänger *m*, Super(het) *m*; **het·er·o·ge·ne·i·ty** [ˌhetərəʊdʒɪˈniːətɪ] *s.* Verschiedenartigkeit *f*; **het·er·o·ge·ne·ous** [ˌhetərəʊˈdʒiːnjəs] *adj.* □ heteroˈgen, ungleichartig, verschiedenartig: ***~ number*** ⩓ gemischte Zahl; **het·er·on·o·mous** [ˌhetəˈrɒnɪməs] *adj.* heteroˈnom: a) unselbständig, b) *biol.* ungleichartig; **het·er·on·o·my** [ˌhetəˈrɒnɪmɪ] *s.* Heteronoˈmie *f*; **het·er·o·sex·u·al** [ˌhetərəʊˈseksjʊəl] **I** *adj.* heterosexuˈell; **II** *s.* Heterosexuˈelle(r *m*) *f*.

hew [hjuː] *v/t.* [*irr.*] hauen, hacken; *Steine* behauen; *Bäume* fällen; ~ **down** *v/t.* ˈum-, niederhauen, fällen; ~ **out** *v/t.* **1.** aushauen; **2.** *fig.* (mühsam) schaffen: ***~ a path for o.s.*** sich s-n Weg bahnen.

hew·er [ˈhjuːə] *s.* **1.** (Holz-, Stein)Hauer *m*: ***~s of wood and drawers of water*** a) *bibl.* Holzhauer u. Wasserträger, b) einfache Leute; **2.** ⚒ Hauer *m*; **hewn** [hjuːn] *p.p. von* ***hew***.

hex [heks] *Am.* F **I** *s.* **1.** Hexe *f*; **2.** Zauber *m*: ***put the ~ on*** → **II** *v/t.* **3.** *j-n* behexen; *et.* ‚verhexen'.

hexa- [heksə] *in Zssgn* sechs; **hex·a·gon** [ˈheksəgən] *s.* ⩓ Hexaˈgon *n*, Sechseck *n*: ***~ voltage*** ⚡ Sechseckspannung *f*; **hex·ag·o·nal** [hekˈsægənl] *adj.* sechseckig; ˈ**hex·a·gram** [-græm] *s.* Hexaˈgramm *n* (*Sechsstern*); **hex·a·he·dral** [ˌheksəˈhedrəl] *adj.* ⩓ sechsflächig; **hex·a·he·dron** [ˌheksəˈhedrən] *pl.* **-drons** *od.* **-dra** [-drə] *s.* ⩓ Hexaˈeder *n*; **hex·am·e·ter** [hekˈsæmɪtə] **I** *s.* Heˈxameter *m*; **II** *adj.* hexaˈmetrisch.

hey [heɪ] *int.* **1.** he!, heda!; **2.** *erstaunt*: he!, Mann!; **3.** hei; → ***presto*** I.

hey·day [ˈheɪdeɪ] *s.* Höhepunkt *m*, Blüte(zeit) *f*, Gipfel *m*: ***in the ~ of his power*** auf dem Gipfel s-r Macht.

H-hour [ˈeɪtʃˌaʊə] *s.* ⚔ die Stunde X (*Zeitpunkt für den Beginn e-r militärischen Aktion*).

hi [haɪ] *int.* **1.** he!, heda!; **2.** halˈlo!, F *als Begrüßung*: *a.* ‚Tag'!

hi·a·tus [haɪˈeɪtəs] *s.* **1.** Lücke *f*, Spalt *m*, Kluft *f*; **2.** *anat.*, *ling.* Hiˈatus *m*.

hi·ber·nate [ˈhaɪbəneɪt] *v/i.* überˈwintern: a) *zo.* Winterschlaf halten, b) den Winter verbringen; **hi·ber·na·tion** [ˌhaɪbəˈneɪʃn] *s.* Winterschlaf *m*, Überˈwinterung *f*.

Hi·ber·ni·an [haɪˈbɜːnjən] *poet.* **I** *adj.* irisch; **II** *s.* Irländer(in).

hi·bis·cus [hɪˈbɪskəs] *s.* ⚘ Eibisch *m*.

hic·cough, hic·cup [ˈhɪkʌp] **I** *s.* Schlucken *m*, Schluckauf *m*: ***have the ~s*** → **II** *v/i.* den Schluckauf haben.

hick [hɪk] *s. Am.* F ‚Bauer' *m*, ˈHinterwäldler *m*: ***~ girl*** Bauerntrampel *m*, *n*; ***~ town*** ‚(Provinz)Nest' *n*, Kaff *n*.

hick·o·ry [ˈhɪkərɪ] *s.* ⚘ **1.** Hickory(-baum) *m*; **2.** Hickoryholz *n od.* -stock *m*.

hid [hɪd] *pret. u. p.p. von* ***hide***[1]; **hid·den** [hɪdn] **I** *p.p. von* ***hide***[1]; **II** *adj.* □ verborgen, versteckt, geheim; ***~ persuaders*** heimliche Verführer.

hide[1] [haɪd] **I** *v/t.* [*irr.*] (***from***) verbergen (*dat. od.* vor *dat.*): a) verstecken (vor *dat.*), b) verheimlichen (*dat. od.* vor *dat.*), c) verhüllen: ***~ from view*** den Blicken entziehen; **II** *v/i.* [*irr.*] *a.* ***~ out*** sich verstecken (*a. fig.* ***behind*** hinter *dat.*).

hide[2] [haɪd] **I** *s.* **1.** Haut *f*, Fell *n* (*beide a. fig.*): ***save one's ~*** die eigene Haut retten; ***tan s.o.'s ~*** F j-m das Fell gerben; ***I'll have his ~ for this!*** F das soll er mir bitter büßen!; **II** *v/t.* **2.** abhäuten; **3.** F *j-n* ,verdreschen'.

hide³ [haɪd] *s.* Hufe *f* (*altes engl. Feldmaß, 60–120 acres*).

ˌhide|-and-ˈseek *s.* Versteckspiel *n*: ***play ~*** Versteck spielen (*a. fig.*); **ˈ~·a·way** → ***hideout***; **ˈ~·bound** *adj. fig.* engstirnig, beschränkt, borniert.

hid·e·ous [ˈhɪdɪəs] *adj.* □ abˈscheulich, scheußlich, schrecklich (*alle a.* F *fig.*); **ˈhid·e·ous·ness** [-nɪs] *s.* Scheußlichkeit *f etc.*

ˈhide·out *s.* **1.** Versteck *n*; **2.** Zufluchtsort *m*.

hid·ing¹ [ˈhaɪdɪŋ] *s.* Versteck *n*: ***be in ~*** sich versteckt halten.

hid·ing² [ˈhaɪdɪŋ] *s.* F Tracht *f* Prügel, ,Dresche' *f*.

hie [haɪ] *v/i. obs. od. humor.* eilen.

hi·er·arch [ˈhaɪərɑːk] *s. eccl.* Hierˈarch *m*, Oberpriester *m*; **hi·er·ar·chic**, **hi·er·ar·chi·cal** [ˌhaɪəˈrɑːkɪk(l)] *adj.* □ hierˈarchisch; **ˈhi·er·arch·y** [-kɪ] *s.* Hierarˈchie *f*.

hi·er·o·glyph [ˈhaɪərəʊglɪf] *s.* **1.** Hieroˈglyphe *f*; **2.** *pl. mst sg. konstr.* Hieroˈglyphenschrift *f*; **3.** *pl. humor.* Hieroˈglyphen *pl.*, unleserliches Gekritzel; **hi·er·o·glyph·ic** [ˌhaɪərəʊˈglɪfɪk] **I** *adj.* (□ ***~ally***) **1.** hieroˈglyphisch; **2.** rätselhaft; **3.** unleserlich; **II** *s.* **4.** → ***hieroglyph*** 1–3; **hi·er·o·glyph·i·cal** [ˌhaɪərəʊˈglɪfɪkl] *adj.* □ → ***hieroglyphic*** 1–3.

hi-fi [ˌhaɪˈfaɪ] F **I** *s.* **1.** → ***high fidelity***; **2.** Hi-Fi-Anlage *f*; **II** *adj.* **3.** Hi-Fi-...

hig·gle [ˈhɪgl] → ***haggle***.

hig·gle·dy-pig·gle·dy [ˌhɪgldɪˈpɪgldɪ] F **I** *adv.* drunter u. drüber, (wie Kraut u. Rüben) durcheinˈander; **II** *s.* Durcheinˈander *n*, Tohuwaˈbohu *n*.

high [haɪ] **I** *adj.* (□ → ***highly***) (→ ***higher***, ***highest***) **1.** hoch: ***ten feet ~***; ***a ~ tower***; **2.** hoch(gelegen): ***♀ Asia*** Hochasien *n*; ***~ latitude*** *geogr.* hohe Breite; ***the ~est floor*** das oberste Stockwerk; **3.** hoch (*Grad*): ***~ prices*** (***temperature***); ***~ favo(u)r*** hohe Gunst; ***~ praise*** großes Lob; ***~ speed*** hohe Geschwindigkeit, ⚓ hohe Fahrt, äußerste Kraft; → ***gear*** 2a; **4.** stark, heftig: ***~ wind***; ***~ words*** heftige Worte; **5.** hoch (im Rang), Hoch..., Ober..., Haupt...: ***~ commissioner*** Hoher Kommissar; ***the Most ♀*** der Allerhöchste (*Gott*); **6.** hoch, bedeutend, wichtig: ***~ aims*** hohe Ziele; ***~ politics*** hohe Politik; **7.** hoch (*Stellung*), vornehm, edel: ***of ~ birth***; ***~ society*** High-Society *f*, die vornehme Welt; ***~ and low*** hoch u. niedrig; **8.** hoch, erhaben, edel; **9.** hoch, gut, erstklassig: ***~ quality***; ***~ performance*** Hochleistung *f*; **10.** hoch, Hoch... (*auf dem Höhepunkt*): ***♀ Middle Ages*** Hochmittelalter *n*; ***~ period*** Glanzzeit *f*; **11.** hoch, fortgeschritten (*Zeit*): ***~ summer*** Hochsommer *m*; ***~ antiquity*** fernes *od.* tiefes Altertum; ***it is ~ time*** es ist höchste Zeit; → ***noon***; **12.** *ling.* a) Hoch... (*Sprache*), b) hoch (*Laut*); **13.** a) hoch, b) schrill: ***~ voice***; **14.** hoch (*im Kurs*), teuer; **15.** → ***high and mighty***; **16.** exˈtrem, eifrig: ***a ~ Tory***; **17.** lebhaft (*Farbe*): ***~ complexion*** a) rosiger Teint, b) gerötetes Gesicht; **18.** erregend, spannend: ***~ adventure***; **19.** a) heiter: ***in ~ spirits*** (in) gehobener Stimmung, b) F ,blau' (*betrunken*), c) F ,high' (*im Drogenrausch od. fig. in euphorischer Stimmung*); **20.** F ,scharf', erpicht (***on*** auf *acc.*); **21.** *Küche*: angegangen, mit Hautˈgout; **II** *adv.* **22.** hoch: ***aim ~*** *fig.* sich hohe Ziele setzen; ***run ~*** a) hochgehen (*Wellen*), b) toben (*Gefühle*); ***feelings ran ~*** die Gemüter erhitzten sich; ***play ~*** hoch *od.* mit hohem Einsatz spielen; ***pay ~*** teuer bezahlen; ***search ~ and low*** überall suchen; **23.** üppig: ***live ~***; **III** *s.* **24.** (An-)Höhe *f*: ***on ~*** a) hoch oben, droben, b) hoch (hinauf), c) im *od.* zum Himmel; ***from on ~*** a) von oben, b) vom Himmel; **25.** *meteor.* Hoch(druckgebiet) *n*; **26.** ⚙ a) höchster Gang, b) Geländegang *m*: ***shift into ~*** den höchsten Gang einlegen; **27.** *fig.* Höchststand *m*: ***reach a new ~***; **28.** F *für* ***high school***; **29.** ***he's still got his ~*** F er ist immer noch ,high'.

high| al·tar *s. eccl.* ˈHochalˌtar *m*; **ˌ~-ˈal·ti·tude** *adj.* ✈ Höhen...: ***~ flight***; ***~ nausea*** Höhenkrankheit *f*; **~ and dry** *adj.* hoch u. trocken, auf dem trockenen: ***leave s.o. ~*** *fig.* j-n im Stich lassen; **~ and might·y** *adj.* F anmaßend, arroˈgant; **ˈ~·ball** *Am.* **I** *s.* **1.** Highball *m* (*Whisky-Cocktail*); **2.** 🚂 a) Freie-ˈFahrt-Siˌgnal *n*, b) Schnellzug *m*; **II** *v/i. u. v/t.* **3.** F mit vollem Tempo fahren; **~ beam** *s. mot. Am.* Fernlicht *n*; **ˈ~ˌbind·er** *s. Am.* F **1.** Gangster *m*; **2.** Gauner *m*; **3.** Rowdy *m*; **ˈ~·blown** *adj. fig.* großspurig, aufgeblasen; **ˈ~·born** *adj.* hochgeboren; **ˈ~·boy** *s. Am.* Komˈmode *f* mit Aufsatz; **ˈ~-bred** *adj.* vornehm, wohlerzogen; **ˈ~·brow** *oft contp.* **I** *s.* Intellektuˈelle(r *m*) *f*; **II** *adj. a.* **ˈ~-browed** (betont) intellektuˈell, (geistig) anspruchsvoll, ,hochgestochen'; **♀ Church I** *s.* High-Church *f*, angliˈkanische Hochkirche; **II** *adj.* hochkirchlich, der High-Church; **ˌ~-cir·cu·ˈla·tion** *adj.* auflagenstark; **ˌ~-ˈclass** *adj.* **1.** erstklassig; **2.** der High-Society; **~ com·mand** *s.* ⚔ ˈOberkomˌmando *n*; **♀ Court (of Jus·tice)** *s. Brit.* oberstes (*erstinstanzliches*) Ziˈvilgericht; **~ day** *s.*: ***~s and holidays*** Fest- u. Feiertage;

H

~ div·ing *s. sport* Turmspringen *n*; **ˌ~-ˈdu·ty** *adj.* ⚙ Hochleistungs…

high·er [ˈhaɪə] **I** *comp. von* **high**; **II** *adj.* höher (*a. fig. Bildung, Rang etc.*), Ober…: ***the ~ mammals*** die höheren Säugetiere; ***~ mathematics*** höhere Mathematik; **III** *adv.* höher, mehr: ***bid ~***; **ˈ~-up** [-ərʌ-] *s.* F ‚höheres Tier'.

high·est [ˈhaɪɪst] **I** *sup. von* **high**; **II** *adj.* höchst (*a. fig.*), Höchst…: ***~ bidder*** Meistbietende(r *m*) *f*; **III** *adv.* am höchsten: ***~ possible*** höchstmöglich; **IV** *s.* (*das*) Höchste: ***at its ~*** auf dem Höhepunkt.

high| ex·plo·sive *s.* ˈhochexploˌsiver *od.* ˈhochbriˌsanter Sprengstoff; **ˌ~-exˈplo·sive** *adj.* ˈhochexploˌsiv: ***~ bomb*** Sprengbombe *f*; **ˌ~-faˈlu·tin** [-fəˈluːtɪn], **ˌ~-faˈlu·ting** [-tɪŋ] *adj. u. s.* hochtrabend(es Geschwätz); **~ farm·ing** *s.* ✓ intenˈsive Bodenbewirtschaftung; **~ fi·del·i·ty** *s. Radio*: ˈHigh-Fiˈdelity *f* (*hohe Wiedergabequalität*), Hi-Fi *n*; **ˌ~-fiˈdel·i·ty** *adj.* High-Fidelity-…, Hi-Fi-…; **~ fi·nance** *s.* ˈHochfiˌnanz *f*; **ˌ~ˈfli·er** → ***highflyer***; **ˈ~-flown** *adj.* **1.** bomˈbastisch, hochtrabend; **2.** hochgesteckt (*Ziele etc.*), hochfliegend (*Pläne*); **ˌ~ˈfly·er** *s.* **1.** Erfolgsmensch *m*; **2.** Ehrgeizling *m*, ‚Aufsteiger' *m*; **3.** schnell steigende Aktie; **ˌ~-ˈfly·ing** *adj.* **1.** hochfliegend; **2.** → ***high-flown***; **~ fre·quen·cy** *s.* ⚡ ˈHochfreˌquenz *f*; **ˌ~-ˈfre·quen·cy** *adj.* Hochfrequenz…; **♀ Ger·man** *s. ling.* Hochdeutsch *n*; **ˌ~-ˈgrade** *adj.* erstklassig, hochwertig; **~ hand** *s.*: ***with a ~*** → **ˌ~-ˈhand·ed** *adj.* ☐ anmaßend, selbstherrlich, eigenmächtig; **~ hat** *s.* Zyˈlinder *m* (*Hut*); **ˌ~-ˈhat I** *s.* Snob *m*, hochnäsiger Mensch; **II** *adj.* hochnäsig; **III** *v/t. j-n* von oben herˈab behandeln; **ˌ~-ˈheeled** *adj.* hochhackig (*Schuhe*); **~ jump** *s. sport* Hochsprung *m*: ***be for the ~*** *Brit.* F ‚dran' sein; **ˈ~·land** [-lənd] **I** *s.* Hoch-, Bergland *n*: ***the ♀s of Scotland*** das schottische Hochland; **II** *adj.* hochländisch, Hochland…; **ˈ♀·land·er** [-ləndə] *s.* (*bsd. schottische*[*r*]) Hochländer(in); **ˌ~-ˈlev·el** *adj.* **1.** hoch: ***~ railway*** Hochbahn *f*; **2.** *fig.* auf hoher Ebene, Spitzen…: ***~ talks***; ***~ officials*** hohe Beamte; **~ life** *s.* Highlife *n* (*exklusives Leben der vornehmen Welt*); **ˈ~·light I** *s.* **1.** *paint., phot.* (Schlag)Licht *n*; **2.** *fig.* Höhe-, Glanzpunkt *m*; **3.** *pl.* (*Opern- etc.*)Querschnitt *m* (*Schallplatte etc.*); **II** *v/t.* **4.** *fig.* ein Schlaglicht werfen auf (*acc.*), herˈvorheben, groß herˈausstellen; **5.** *fig.* den Höhepunkt (*gen.*) bilden.

high·ly [ˈhaɪlɪ] *adv.* hoch, höchst, äußerst, sehr: ***~ gifted*** hochbegabt; ***~ placed*** *fig.* hochgestellt; ***~ strung*** → ***high-strung***; ***~ paid*** a) hochbezahlt, b) teuer bezahlt; ***think ~ of*** viel halten von.

High| Mass *s. eccl.* Hochamt *n*; **ˌ♀-ˈmind·ed** *adj.* hochgesinnt; **ˌ♀-ˈmind·ed·ness** *s.* hohe Gesinnung; **ˌ♀-ˈnecked** *adj.* hochgeschlossen (*Kleid*).

high·ness [ˈhaɪnɪs] *s.* **1.** *mst fig.* Höhe *f*; **2.** ♀ Hoheit *f* (*in Titeln*); **3.** Hautˈgout *m* (*von Fleisch etc.*).

ˌhigh|-ˈpitched *adj.* **1.** hoch (*Ton etc.*); **2.** ⚠ steil; **3.** exaltiert: a) überˈspannt, b) überˈdreht, aufgeregt; **~ point** *s.* Höhepunkt *m*; **ˌ~-ˈpow·er(ed)** *adj.* **1.** ⚙ Hochleistungs…, Groß…, stark; **2.** *fig.* dyˈnamisch; **ˌ~-ˈpres·sure I** *adj.* **1.** ⚙ *u. meteor.* Hochdruck…: ***~ area*** Hoch (-druckgebiet) *n*; ***~ engine*** Hochdruckmaschine *f*; **2.** F a) aufdringlich, aggresˈsiv, b) dyˈnamisch: ***~ salesman***; **II** *v/t.* **3.** F *Kunden* ‚beknien', ‚bearbeiten'; **ˌ~-ˈpriced** *adj.* teuer; **~ priest** *s.* Hoheˈpriester *m* (*a. fig.*); **ˌ~-ˈprin·ci·pled** *adj.* von hohen Grundsätzen; **ˌ~-ˈproof** *adj.* stark alkoˈholisch; **ˈ~-ˌrank·ing** *adj.*: ***~ officer*** hoher Offizier; **~ re·lief** *s.* ˈHochreliˌef *n*; **ˌ~-res·o·ˈlu·tion** *adj.* TV hochauflösend; **ˈ~·rise I** *adj.* Hoch (-haus)…: ***~ building*** → **II** *s.* Hochhaus *n*; **ˈ~·road** *s.* Hauptstraße *f*: ***the ~ to success*** *fig.* der sicherste Weg zum Erfolg; **~ school** *s. Am.* High-School *f* (*weiterführende Schule*); **ˌ~-ˈsea** *adj.* Hochsee…; **~ sea·son** *s.* ˈHochsaiˌson *f*; **~ sign** *s. Am.* (*bsd.* warnendes) Zeichen; **ˈ~-ˌsound·ing** *adj.* hochtönend, -trabend; **ˌ~-ˈspeed** *adj.* **1.** ⚙ a) schnellaufend: ***~ motor***, b) Schnell…, Hochleistungs…: ***~ regulator***; ***~ steel*** Schnellarbeitsstahl *m*; **2.** *phot.* a) hochempfindlich: ***~ film***, b) lichtstark: ***~ lens***; **ˌ~-ˈspir·it·ed** *adj.* lebhaft, temperaˈmentvoll; **~ spir·its** *s. pl.* fröhliche Laune, gehobene Stimmung; **~ spot** F → ***highlight*** 2; **~ street** *s.* Hauptstraße *f*; **ˌ~-ˈstrung** *adj.* reizbar, (äußerst) nerˈvös; **~ ta·ble** *s. Brit. univ.* erhöhte Speisetafel (*für Dozenten etc.*); **ˈ~-tail** *v/i. a.* ***~ it*** *Am.* F (daˈhin-, daˈvon)rasen, (-)flitzen; **~ tea** *s. bsd. Brit.* frühes Abendessen; **~ tech** [tek] → ***high technology***; **ˌ~-ˈtech** *adj.* ˈhochtechnoˌlogisch: ***~ medicine*** Apparatemedizin *f*; **~ tech·nol·o·gy** *s.* ˈHochtechnoloˌgie *f*; **~ ten·sion** *s.* ⚡ Hochspannung *f*; **ˌ~-ˈten·sion** *adj.* ⚡ Hochspannungs…; **~ tide** *s.* **1.** Hochwasser *n* (*höchster Flutwasserstand*); **2.** *fig.* Höhepunkt *m*; **ˌ~-ˈtoned** *adj.* **1.** *fig.* erhaben; **2.** vornehm; **~ trea·son** *s.* Hochverrat *m*; **ˈ~-up** *s.* F ‚hohes Tier'; **~ volt·age** → ***high tension***; **~ wa·ter** → ***high tide*** 1; **ˌ~-ˈwa·ter mark** *s.* a) Hochwasserstandsmarke *f*, b) *fig.* Höchststand *m*; **ˈ~·way** *s.* Haupt(verkehrs)straße *f*, Highway *m*: ***Federal ~***

Am. Bundesstraße *f*; **2 *Code*** *Brit.* Straßenverkehrsordnung *f*; **~ *robbery*** a) Straßenraub *m*, b) F *der* ‚reinste Nepp'; ***the ~ to success*** der sicherste Weg zum Erfolg; ***all the ~s and byways*** a) alle Wege, b) sämtliche Spielarten; **'~·way·man** [-mən] *s.* [*irr.*] Straßenräuber *m.*

hi·jack ['haɪdʒæk] **I** *v/t.* **1.** *Flugzeug* entführen; **2.** *Geldtransport etc.* über'fallen u. ausrauben; **II** *s.* **3.** Flugzeugentführung *f*; **4.** 'Überfall *m* (*auf Geldtransport etc.*); **'hi,jack·er** [-kə] *s.* **1.** Flugzeugentführer *m*, 'Luftpi,rat *m*; **2.** Räuber *m*; **'hi,jack·ing** [-kɪŋ] → ***hijack*** II.

hike [haɪk] **I** *v/i.* **1.** wandern; **2.** marschieren; **3.** hochrutschen (*Kleidungsstück*); **II** *v/t.* **4.** *mst* **~ *up*** hochziehen; **5.** *Am. Preise etc.* (drastisch) erhöhen; **III** *s.* **6.** a) Wanderung *f*, b) ⚔ Geländemarsch *m*; **7.** *Am.* (drastische) Erhöhung: ***a ~ in prices***; **'hik·er** [-kə] *s.* Wanderer *m.*

hi·lar·i·ous [hɪ'leərɪəs] *adj.* □ vergnügt, 'übermütig, ausgelassen; **hi·lar·i·ty** [hɪ'lærətɪ] *s.* Ausgelassenheit *f*, 'Übermütigkeit *f.*

Hil·a·ry term ['hɪlərɪ] *s. Brit.* **1.** ⚖ *Gerichtstermine in der Zeit vom 11. Januar bis Mittwoch vor Ostern*; **2.** *univ.* 'Frühjahrsse,mester *n.*

hill [hɪl] **I** *s.* **1.** Hügel *m*, Anhöhe *f*, kleiner Berg: ***up ~ and down dale*** bergauf u. bergab; ***be over the ~*** a) s-e besten Jahre hinter sich haben, b) *bsd.* ⚕ über den Berg sein; → ***old*** 3; **2.** (Erd- *etc.*)Haufen *m*; **II** *v/t.* **3.** *a.* **~ *up*** ⚘ *Pflanzen* häufeln; **'~,bil·ly** *s. Am.* F *contp.* Hinterwäldler *m*: **~ *music*** Hillbilly-Musik *f*; **~ climb** *s. mot.*, *Radsport*: Bergrennen *n*; **'~-,climb·ing a·bil·i·ty** *s. mot.* Steigfähigkeit *f.*

hill·i·ness ['hɪlɪnɪs] *s.* Hügeligkeit *f.*

hill·ock ['hɪlək] *s.* kleiner Hügel.

,hill|'side *s.* Hang *m*, (Berg)Abhang *m*; **,~'top** *s.* Bergspitze *f.*

hill·y ['hɪlɪ] *adj.* hügelig.

hilt [hɪlt] *s.* Heft *n*, Griff *m* (*Schwert etc.*): ***up to the ~*** a) bis ans Heft, b) *fig.* total; ***armed to the ~*** bis an die Zähne bewaffnet; ***back s.o. up to the ~*** j-n voll (u. ganz) unterstützen; ***prove up to the ~*** unwiderleglich beweisen.

him [hɪm] *pron.* **1.** a) ihn (*acc.*), b) ihm (*dat.*); **2.** F er (*nom.*): ***it's ~*** er ist es; **3.** den(jenigen), wer: ***I saw ~ who did it***; **4.** *refl.* sich: ***he looked about ~*** er sah um sich.

Hi·ma·la·yan [,hɪmə'leɪən] *adj.* Himalaja…

him'self *pron.* **1.** *refl.* sich: ***he cut ~***; **2.** sich (selbst): ***he needs it for ~***; **3.** *verstärkend*: (er *od.* ihn *od.* ihm) selbst: ***he ~ said it, he said it ~*** er selbst sagte es, er sagte es selbst; ***by ~*** allein, ohne Hilfe, von selbst; **4. *he is not quite ~*** a) er ist nicht ganz normal, b) er ist nicht auf der Höhe; ***he is ~ again*** er ist wieder (ganz) der alte.

hind[1] [haɪnd] *s. zo.* Hindin *f*, Hirschkuh *f.*

hind[2] [haɪnd] *adj.* hinter, Hinter…: **~ *leg*** Hinterbein *n*; ***talk the ~ legs off a donkey*** F unaufhörlich reden; **~ *wheel*** Hinterrad *n.*

hind·er[1] ['haɪndə] *comp. von* ***hind***[2].

hin·der[2] ['hɪndə] **I** *v/t.* **1.** aufhalten; **2.** (***from***) hindern (an *dat.*), abhalten (von): ***~ed in one's work*** bei der Arbeit behindert *od.* gestört; **II** *v/i.* **3.** im Wege *od.* hinderlich sein, hindern.

Hin·di ['hɪndi:] *s. ling.* Hindi *n.*

'hind·most [-ndm-] *sup.* von ***hind***[2].

,hind'quar·ter *s.* **1.** 'Hinterviertel *n* (*vom Schlachttier*); **2.** *pl.* a) 'Hinterteil *n*, Gesäß *n*, b) 'Hinterhand *f* (*vom Pferd*).

hin·drance ['hɪndrəns] *s.* **1.** Hinderung *f*; **2.** Hindernis *n* (***to*** für).

'hind·sight *s.* **1.** ⚔ Vi'sier *n*; **2.** *fig.* späte Einsicht: ***by ~, with the wisdom of ~*** ‚im nachhinein', hinterher; ***foresight is better than ~*** Vorsicht ist besser als Nachsicht; **~ *is easier than foresight*** hinterher ist man immer klüger (als vorher), *contp. a.* hinterher kann man leicht klüger sein (als vorher).

Hin·du [,hɪn'du:] **I** *s.* **1.** Hindu *m*; **2.** Inder *m*; **II** *adj.* **3.** Hindu…; **Hin·du·ism** ['hɪndu:ɪzəm] *s.* Hindu'ismus *m*; **Hin·du·sta·ni** [,hɪndʊ'stɑ:nɪ] **I** *s. ling.* Hindu'stani *n*; **II** *adj.* hindu'stanisch.

hinge [hɪndʒ] **I** *s.* **1.** ⚙ Schar'nier *n*, Gelenk *n*, (Tür)Angel *f*: ***off its ~s*** aus den Angeln, *fig. a.* aus den Fugen; **2.** *fig.* Angelpunkt *m*; **II** *v/t.* **3.** mit Scharnieren *etc.* versehen; **4.** *Tür etc.* einhängen; **III** *v/i.* **5.** *fig.*: **~ *on*** a) sich drehen um, b) abhängen von, ankommen auf (*acc.*); **hinged** [-dʒd] *adj.* (um ein Gelenk) drehbar, auf-, her'unter-, zs.-klappbar, Scharnier…; **hinge joint** *s.* **1.** → ***hinge*** 1; **2.** *anat.* Schar'niergelenk *n.*

hin·ny ['hɪnɪ] *s. zo.* Maulesel *m.*

hint [hɪnt] **I** *s.* **1.** Wink *m*: a) Andeutung *f*, b) Tip *m*, Hinweis *m*, Fingerzeig *m*: ***broad ~*** Wink mit dem Zaunpfahl; ***take a*** (*od.* ***the***) **~** den Wink verstehen; ***drop a ~*** e-e Andeutung machen; **2.** Anspielung *f* (***at*** auf *acc.*); **3.** Anflug *m*, Spur *f* (***of*** von); **II** *v/t.* **4.** andeuten, *et.* zu verstehen geben; **III** *v/i.* **5.** (***at***) e-e Andeutung machen (von), anspielen (auf *acc.*).

hin·ter·land ['hɪntəlænd] *s.* **1.** 'Hinterland *n*; **2.** Einzugsgebiet *n.*

hip[1] [hɪp] *s.* **1.** *anat.* Hüfte *f*: ***have s.o. on the ~*** *fig.* j-n in der Hand haben; **2.**

→ ***hip joint***; **3.** ⚠ a) Walm *m*, b) Walmsparren *m*.

hip² [hɪp] *s.* ⚘ Hagebutte *f*.

hip³ [hɪp] *int.*: ***~, ~, hurrah!*** hipp, hipp, hurra!

hip⁴ [hɪp] *adj. sl.* **1.** ***be ~*** ‚voll dabei' sein (*in der Mode etc.*); **2.** ***be ~ to*** im Bilde *od.* auf dem laufenden sein über (*acc.*); ***get ~ to*** *et.* ‚spitzkriegen'.

'**hip|·bath** *s.* Sitzbad *n*; '**~·bone** *s. anat.* Hüftbein *n*; **~ flask** *s.* Taschenflasche *f*, ‚Flachmann' *m*; **~ joint** *s. anat.* Hüftgelenk *n*.

hipped¹ [hɪpt] *adj.* **1.** *in Zssgn* mit ... Hüften; **2.** ⚠ Walm...: ***~ roof***.

hipped² [hɪpt] *adj. Am. sl.* versessen, ‚scharf' (***on*** auf *acc.*).

hip·pie ['hɪpɪ] *s.* Hippie *m*.

hip·po ['hɪpəʊ] *pl.* **-pos** *s.* F *für* ***hippopotamus***.

hip·po·cam·pus [ˌhɪpəʊ'kæmpəs] *pl.* **-pi** [-paɪ] *s.* **1.** *myth.* Hippo'kamp *m*; **2.** *ichth.* Seepferdchen *n*; **3.** *anat.* Ammonshorn *n* (*des Gehirns*).

hip pock·et *s.* Gesäßtasche *f*.

Hip·po·crat·ic [ˌhɪpəʊ'krætɪk] *s.* hippo'kratisch: ***~ face***; ***~ oath***.

hip·po·drome ['hɪpədrəʊm] *s.* **1.** Hippo'drom *n*, Reitbahn *f*; **2.** a) Zirkus *m*, b) Varie'té(theˌater) *n*; **3.** *sport Am. sl.* ‚Schiebung' *f*.

hip·po·griff, hip·po·gryph ['hɪpəgrɪf] *s.* Hippo'gryph *m* (*Fabeltier*).

hip·po·pot·a·mus [ˌhɪpə'pɒtəməs] *pl.* **-mus·es, -mi** [-maɪ] *s. zo.* Fluß-, Nilpferd *n*.

hip·py ['hɪpɪ] → ***hippie***.

'**hip·shot** *adj.* **1.** mit verrenkter Hüfte; **2.** *fig.* (lenden)lahm.

hip·ster ['hɪpstə] *s. sl.* **1.** ‚cooler Typ'; **2.** *pl. a.* ***~ trousers*** *Brit.* Hüfthose *f*.

hir·a·ble ['haɪərəbl] *adj.* mietbar.

hire ['haɪə] **I** *v/t.* **1.** *et.* mieten, *Flugzeug* chartern: ***~d car*** Leih-, Mietwagen *m*; ***~d airplane*** Charterflugzeug *n*; **2.** *a.* ***~ on*** a) *j-n* ein-, anstellen, b) *bsd.* ⚓ anheuern, c) *j-n* engagieren: ***~d killer*** bezahlter *od.* gekaufter Mörder, Killer *m*; **3.** *mst* ***~ out*** vermieten; **4.** ***~ o.s. out*** e-e Beschäftigung annehmen (***to*** bei); **II** *s.* **5.** Miete *f*: ***on*** (*od.* ***for***) ***~*** a) mietweise, b) zu vermieten(d); ***for ~*** frei (*Taxi*); ***take*** (***let***) ***a car on ~*** ein Auto (ver)mieten; ***~ car*** Leih-, Mietwagen *m*; **6.** Entgelt *n*, Lohn *m*.

hire·ling ['haɪəlɪŋ] *mst contp.* **I** *s.* Mietling *m*; **II** *adj.* a) käuflich, b) *b.s.* angeheuert.

hire pur·chase *s. bsd. Brit.* ⚚ Abzahlungs-, Teilzahlungs-, Ratenkauf *m*: ***buy on ~*** auf Abzahlung kaufen; ˌ**~-'pur·chase** *adj.*: ***~ agreement*** Abzahlungsvertrag *m*; ***~ system*** Teilzahlungssystem *n*.

hir·er ['haɪərə] *s.* **1.** Mieter(in); **2.** Vermieter(in).

hir·sute ['hɜːsjuːt] *adj.* **1.** haarig, zottig, struppig; **2.** ⚘, *zo.* rauhhaarig, borstig.

his [hɪz] *poss. pron.* **1.** sein, seine: ***~ family***; **2.** seiner (seine, seines), der (die, das) seine *od.* seinige: ***my father and ~*** mein u. sein Vater; ***this hat is ~*** das ist sein Hut, dieser Hut gehört ihm; ***a book of ~*** eines seiner Bücher, ein Buch von ihm.

hiss [hɪs] **I** *v/i.* **1.** zischen; **II** *v/t.* **2.** auszischen, -pfeifen; **3.** zischeln; **III** *s.* **4.** Zischen *n*.

hist [sːt] *int.* sch!, pst!

his·tol·o·gist [hɪ'stɒlədʒɪst] *s.* ⚕ Histo'loge *m*; **his'tol·o·gy** [-dʒɪ] *s.* ⚕ Histolo'gie *f*, Gewebelehre *f*; **his'tol·y·sis** [-lɪsɪs] *s.* ⚕, *biol.* Histo'lyse *f*, Gewebszerfall *m*.

his·to·ri·an [hɪ'stɔːrɪən] *s.* Hi'storiker (-in), Geschichtsforscher(in); **his·tor·ic** [hɪ'stɒrɪk] *adj.* (□ ***~ally***) **1.** hi'storisch, geschichtlich (berühmt *od.* bedeutsam): ***~ buildings***; ***a ~ speech***; **2.** → **his·tor·i·cal** [hɪ'stɒrɪkl] *adj.* □ **1.** hi'storisch: a) geschichtlich (belegt *od.* über'liefert): ***a(n) ~ event***, b) Geschichts...: ***~ science***, c) geschichtlich orientiert: ***~ materialism*** historischer Materialismus, d) geschichtlich(en Inhalts): ***~ novel*** historischer Roman; **2.** → ***historic*** 1; **3.** *ling.* hi'storisch: ***~ present***; **his·to·ric·i·ty** [ˌhɪstə'rɪsətɪ] *s.* Geschichtlichkeit *f*; **his·to·ried** ['hɪstərɪd] → ***historic*** 1; **his·to·ri·og·ra·pher** [ˌhɪstɔːrɪ'ɒgrəfə] *s.* Historio'graph *m*, Geschichtsschreiber *m*; **his·to·ri·og·ra·phy** [ˌhɪstɔːrɪ'ɒgrəfɪ] *s.* Geschichtsschreibung *f*.

his·to·ry ['hɪstərɪ] *s.* **1.** Geschichte *f*: a) geschichtliche Vergangenheit *od.* Entwicklung, b) (*ohne art.*) Geschichtswissenschaft *f*: ***~ book*** Geschichtsbuch *n*; ***ancient*** (***modern***) ***~*** alte (neuere) Geschichte; ***~ of art*** Kunstgeschichte; ***go down in ~ as*** als ... in die Geschichte eingehen; ***make ~*** Geschichte machen; → ***natural history***; **2.** Werdegang *m* (*a.* ⚙), Entwicklung *f*, (Entwicklungs-) Geschichte *f*; **3.** *allg.*, *a.* ⚕ Vorgeschichte *f*, Vergangenheit *f*: (***case***) ***~*** Krankengeschichte *f*, Anamnese *f*; ***have a ~***; **4.** (*a.* Lebens)Beschreibung *f*, Darstellung *f*; **5.** *paint.* Hi'storienbild *n*; **6.** hi'storisches Drama.

his·tri·on·ic [ˌhɪstrɪ'ɒnɪk] **I** *adj.* (□ ***~ally***) **1.** Schauspiel(er)..., schauspielerisch; **2.** thea'tralisch; **II** *s.* **3.** *pl. a. sg. konstr.* a) Schauspielkunst *f*, b) *contp.* Schauspiele'rei *f*, thea'tralisches Getue.

hit [hɪt] **I** *s.* **1.** Schlag *m*, Hieb *m* (*a. fig.*); **2.** *a. sport u. fig.* Treffer *m*: ***make a ~*** a) e-n Treffer erzielen, b) *fig.* gut ankommen (***with*** bei); **3.** Glücksfall *m*, Erfolg *m*; **4.** *thea.*, *Buch etc.*: Schlager *m*, ‚Knüller' *m*, Hit *m*: ***song ~*** Schlager, Hit; ***he*** (***it***) ***was a great ~*** (***with***) er (es) war ein großer Erfolg (bei); **5.** (Seiten)Hieb *m*, Spitze *f* (***at*** gegen); **6.** *bsd. Am. sl.* ‚Abschuß' *m*, Ermordung *f*; **II** *v/t.* [*irr.*] **7.** schlagen, stoßen; *Auto etc.* rammen: ***~ one's head against s.th.*** mit dem Kopf gegen et. stoßen; **8.** treffen (*a. fig.*): ***be ~ by a bullet***; ***when it ~s you*** *fig.* wenn es dich packt; ***you've ~ it*** *fig.* du hast es getroffen (*ganz recht*); **9.** (*seelisch*) treffen: ***be hard*** (*od.* ***badly***) ***~*** schwer getroffen sein (***by*** durch); **10.** stoßen *od.* kommen auf (*acc.*), treffen, finden: ***~ the right road***; ***~ a mine*** ⚓, ⚔ auf e-e Mine laufen; ***~ the solution*** die Lösung finden; **11.** *fig.* geißeln, scharf kritisieren; **12.** erreichen, *et.* ‚schaffen': ***the car ~s 100 mph***; ***prices ~ an all-time high*** die Preise erreichten e-e Rekordhöhe; ***~ the town*** in der Stadt ankommen; **III** *v/i.* [*irr.*] **13.** treffen; **14.** schlagen (***at*** nach); **15.** stoßen, schlagen (***against*** gegen); **16.** ***~*** (***up***)***on*** → 10; **~ back** *v/i.* zu'rückschlagen (*a. fig.*): ***~ at s.o.*** j-m Kontra geben; **~ off** *v/t.* **1.** treffend *od.* über'zeugend darstellen *od.* schildern; *die Ähnlichkeit* genau treffen; **2. *hit it off with s.o.*** sich bestens vertragen *od.* glänzend auskommen mit j-m; **~ out** *v/i.* um sich schlagen: ***~ at*** auf *j-n* einschlagen, *fig.* über *j-n od. et.* losziehen.

ˌ**hit|-and-'miss** *adj.* **1.** mit wechselndem Erfolg; **2.** → ***hit-or-miss***; ˌ**~-and-'run I** *adj.* **1.** ***~ accident*** → 3; ***~ driver*** (unfall)flüchtiger Fahrer; **2.** kurz(lebig); **II** *s.* **3.** Unfall *m* mit Fahrerflucht.

hitch [hɪtʃ] **I** *s.* **1.** Ruck *m*, Zug *m*; **2.** ⚓ Stich *m*, Knoten *m*; **3.** ‚Haken' *m*: ***there is a ~*** (***somewhere***) die Sache hat (irgendwo) e-n Haken; ***without a ~*** reibungslos, glatt; **II** *v/t.* **4.** (ruckartig) ziehen: ***~ up one's trousers*** s-e Hosen hochziehen; **5.** befestigen, festhaken, ankoppeln, *Pferd* anspannen: ***get ~ed*** → 8; **III** *v/i.* **6.** hinken; **7.** sich festhaken; **8.** *a.* ***~ up*** F heiraten; **9.** → **'~-hike** *v/i.* F ‚per Anhalter' fahren, trampen; **'~ˌhik·er** *s.* F Anhalter(in), Tramper (-in).

hi-tech [ˌhaɪ'tek] → ***high-tech***.

hith·er ['hɪðə] **I** *adv.* hierher: ***~ and thither*** hierhin u. dorthin, hin und her; **II** *adj.* diesseitig: ***the ~ side*** die nähere Seite; ***ℒ India*** Vorderindien *n*; ˌ**~'to** [-'tuː] *adv.* bis'her, bis jetzt.

Hit·ler·ism ['hɪtlərɪzəm] *s.* Na'zismus *m*; **'Hit·ler·ite** [-raɪt] **I** *s.* Nazi *m*; **II** *adj.* na'zistisch.

hit| list *s. sl.* Abschußliste *f* (*a. fig.*); **~ man** *s.* [*irr.*] *Am. sl.* Killer *m*; **'~-off** *s.* treffende Nachahmung, über'zeugende Darstellung; **~ or miss** *adv.* aufs Geratewohl; ˌ**~-or-'miss** *adj.* **1.** sorglos, unbekümmert; **2.** aufs Gerate'wohl getan; **~ pa·rade** *s.* 'Hitpaˌrade *f*.

Hit·tite ['hɪtaɪt] *s. hist.* He'thiter *m*.

hive [haɪv] **I** *s.* **1.** Bienenkorb *m*, -stock *m*; **2.** Bienenvolk *n*, -schwarm *m*; **3.** *fig.* a) *a.* ***~ of activity*** *das* reinste Bienenhaus, b) Sammelpunkt *m*, c) Schwarm *m* (*von Menschen*); **II** *v/t.* **4.** *Bienen* in e-n Stock bringen; **5.** *Honig* im Bienenstock sammeln; **6.** *a.* ***~ up*** *fig.* a) sammeln, b) auf die Seite legen; **7.** ***~ off*** a) *Amt etc.* abtrennen (***from*** von), b) reprivatisieren; **III** *v/i.* **8.** in den Stock fliegen (*Bienen*): ***~ off*** *fig.* a) abschwenken, b) sich selbständig machen; **9.** sich zs.-drängen.

hives [haɪvz] *s. pl. sg. od. pl. konstr.* ⚕ Nesselausschlag *m*.

ho [həʊ] *int.* **1.** halt!, holla!, heda!; **2.** na'nu!; **3.** *contp.* ha'ha!, pah!; **4.** ***westward ~!*** auf nach Westen!; ***land ~!*** ⚓ Land in Sicht!

hoar [hɔː] *adj. obs.* **1.** → ***hoary***; **2.** (*vom Frost*) bereift, weiß.

hoard [hɔːd] **I** *s.* a) Hort *m*, Schatz *m*, b) Vorrat *m* (***of*** an *dat.*); **II** *v/t. u. v/i. a.* ***~ up*** horten, hamstern; **'hoard·er** [-də] *s.* Hamsterer *m*.

hoard·ing ['hɔːdɪŋ] *s.* **1.** Bau-, Bretterzaun *m*; **2.** *Brit.* Re'klamewand *f*.

ˌ**hoar'frost** *s.* (Rauh)Reif *m*.

hoarse [hɔːs] *adj.* ☐ heiser; **'hoarse·ness** [-nɪs] *s.* Heiserkeit *f*.

hoar·y ['hɔːrɪ] *adj.* ☐ **1.** weißlich; **2.** a) (alters)grau, ergraut, b) *fig.* altersgrau, (ur)alt, ehrwürdig.

hoax [həʊks] **I** *s.* **1.** Falschmeldung *f*, (Zeitungs)Ente *f*; **2.** Schabernack *m*, Streich *m*; **II** *v/t.* **3.** *j-n* zum besten haben, *j-m* e-n Bären aufbinden *od.* et. weismachen.

hob[1] [hɒb] **I** *s.* **1.** Ka'mineinsatz *m*, -vorsprung *m* (*für Kessel etc.*); **2.** → ***hobnail***; **3.** ⚙ a) (Ab)Wälzfräser *m*, b) Strehlbohrer *m*; **II** *v/t.* **4.** ⚙ abwälzen, verzahnen: ***~bing machine*** → 3a.

hob[2] [hɒb] *s.* Kobold *m*: ***play*** (*od.* ***raise***) ***~ with*** Schindluder treiben mit.

hob·ble ['hɒbl] **I** *v/i.* **1.** humpeln, hoppeln, *a. fig.* hinken, holpern; **II** *v/t.* **2.** *e-m Pferd etc.* die Vorderbeine fesseln; **3.** hindern; **III** *s.* **4.** Humpeln *n*.

hob·ble·de·hoy [ˌhɒbldɪ'hɔɪ] *s.* F (junger) Tolpatsch *od.* Flegel.

hob·by ['hɒbɪ] *s. fig.* Steckenpferd *n*, Liebhabe'rei *f*, Hobby *n*; **'~·horse** *s.* **1.** Steckenpferd *n* (*a. fig.*); **2.** Schaukelpferd *n*; **3.** Karus'sellpferd *n*; **'hob·by·ist** [-ɪɪst] *s.* Hobby'ist *m*, *engS. a.* Bastler *m*, Heimwerker *m*.

hob·gob·lin ['hɒbgɒblɪn] *s.* **1.** Kobold *m*; **2.** *fig.* (Schreck)Gespenst *n*.

'hob·nail *s.* grober Schuhnagel; **'hob·nailed** *adj.* **1.** genagelt; **2.** *fig.* ungehobelt; '**hob·nail(ed) liv·er** *s.* ⚕ Säuferleber *f.*

'**hob·nob** *v/i.* **1.** in'tim *od.* ‚auf du u. du' sein, freundschaftlich verkehren (***with*** mit); **2.** plaudern (***with*** mit).

ho·bo ['həʊbəʊ] *pl.* **-bos, -boes** *s. Am.* **1.** Wanderarbeiter *m*; **2.** Landstreicher *m*, Tippelbruder *m.*

Hob·son's choice ['hɒbsnz] *s.*: ***it's ~*** man hat keine andere Wahl.

hock¹ [hɒk] **I** *s.* **1.** *zo.* Sprung-, Fesselgelenk *n* (*der Huftiere*); **2.** Hachse *f* (*beim Schlachttier*); **II** *v/t.* **3.** → ***hamstring*** 3.

hock² [hɒk] *s.* **1.** weißer Rheinwein; **2.** trockener Weißwein.

hock³ [hɒk] F **I** *s.*: ***in ~*** a) verschuldet, b) versetzt, verpfändet, c) *Am.* im ‚Knast'; **II** *v/t.* versetzen, verpfänden.

hock·ey ['hɒkɪ] *s.* a) Hockey *n*, b) *bsd. Am.* Eishockey *n*: ***~ stick*** Hockeyschläger *m.*

'**hock·shop** *s. sl.* Pfandhaus *n.*

ho·cus ['həʊkəs] *v/t.* **1.** betrügen; **2.** *j-n* betäuben; **3.** *e-m Getränk* ein Betäubungsmittel beimischen; **,~-'po·cus** [-'pəʊkəs] *s.* Hokus'pokus *m*: a) *Zauberformel*, b) Schwindel *m*, fauler Zauber.

hod [hɒd] *s.* **1.** ⚠ Mörteltrog *m*, Steinbrett *n* (*zum Tragen*): ***~ carrier*** → ***hodman*** 1; **2.** Kohleneimer *m.*

hodge·podge ['hɒdʒpɒdʒ] *bsd. Am.* → ***hotchpotch.***

'**hod·man** [-mən] *s.* [*irr.*] **1.** ⚠ Mörtel-, Ziegelträger *m*; **2.** Handlanger *m.*

ho·dom·e·ter [hɒ'dɒmɪtə] *s.* Hodo'meter *n*, Wegmesser *m*, Schrittzähler *m.*

hoe [həʊ] ⚒ **I** *s.* Hacke *f*; **II** *v/t. Boden* hacken; *Unkraut* aushacken: ***a long row to ~*** e-e schwere Aufgabe.

hog [hɒg] **I** *s.* **1.** (Haus-, Schlacht-) Schwein *n*, *Am. allg.* (*a.* Wild)Schwein *n*: ***go the whole ~*** F aufs Ganze gehen, ganze Arbeit leisten; **2.** F a) Vielfraß *m*, b) Flegel *m*, c) Schmutzfink *m*, Ferkel *n*; **3.** ⚓ Scheuerbesen *m*; **4.** ⚙ *Am.* (Reiß)Wolf *m*; **5.** → ***hogget***; **II** *v/t.* **6.** *den Rücken* krümmen; **7.** scheren, stutzen; **8.** (gierig) verschlingen, ‚fressen', *fig. a.* an sich reißen, mit Beschlag belegen: ***~ the road*** → 10; **III** *v/i.* **9.** den Rücken krümmen; **10.** F rücksichtslos in der (Fahrbahn)Mitte fahren; '**~·back** *s.* langer u. scharfer Gebirgskamm; **~ chol·er·a** *s. vet. Am.* Schweinepest *f.*

hog·get ['hɒgɪt] *s. Brit. noch ungeschorenes* einjähriges Schaf.

hog·gish ['hɒgɪʃ] *adj.* □ a) schweinisch, b) rücksichtslos, c) gierig, gefräßig.

hog·ma·nay ['hɒgmənei] *s. Scot.* Sil'vester *m, n.*

hog| mane *s.* gestutzte Pferdemähne; '**~'s-back** → ***hogback.***

hogs·head ['hɒgzhed] *s.* **1.** *Hohlmaß, etwa 240 l*; **2.** großes Faß.

'**hog|·skin** *s.* Schweinsleder *n*; '**~-tie** *v/t.* **1.** *e-m Tier* alle vier Füße zs.-binden; **2.** *fig.* lähmen, (be)hindern; '**~-wash** *s.* **1.** Schweinefutter *n*; **2.** *contp.* ‚Spülwasser' *n* (*Getränk*); **3.** Quatsch *m*, ‚Mist' *m.*

hoi(c)k [hɔɪk] *v/t.* ✈ hochreißen.

hoicks [hɔɪks] *int. hunt.* hussa! (*Hetzruf an Hunde*).

hoi pol·loi [,hɔɪ'pɒlɔɪ] (*Greek*) *s.* **1.** ***the ~*** die (breite) Masse, der Pöbel; **2.** *Am. sl.* ‚Tam'tam' *n* (***about*** um).

hoist¹ [hɔɪst] *obs. p.p.*: ***~ with one's own petard*** *fig.* in der eigenen Falle gefangen.

hoist² [hɔɪst] **I** *v/t.* **1.** hochziehen, -winden, hieven, heben; **2.** *Flagge, Segel* hissen; **3.** *Am. sl.* ‚klauen'; **4.** ***~ a few*** *Am. sl.* ein paar ‚heben'; **II** *s.* **5.** (Lasten)Aufzug *m*, Hebezeug *n*, Kran *m*, Winde *f.*

hoist·ing| cage ['hɔɪstɪŋ] *s.* ⚒ Förderkorb *m*; **~ crane** *s.* ⚙ Hebekran *m*; **~ en·gine** *s.* **1.** ⚙ Hebewerk *n*; **2.** ⚒ 'Förderma,schine *f.*

hoi·ty-toi·ty [,hɔɪtɪ'tɔɪtɪ] **I** *adj.* **1.** hochnäsig; **2.** leichtsinnig; **II** *s.* **3.** Hochnäsigkeit *f.*

ho·k(e)y-po·k(e)y [,həʊkɪ'pəʊkɪ] *s.* **1.** *sl.* → ***hocus-pocus***; **2.** Speiseeis *n.*

ho·kum ['həʊkəm] *s. sl.* **1.** *thea.* ‚Mätzchen' *pl.*, Kitsch *m*; **2.** ‚Krampf' *m*, Quatsch *m.*

hold¹ [həʊld] *s.* ⚓, ✈ Lade-, Frachtraum *m.*

hold² [həʊld] **I** *s.* **1.** Halt *m*, Griff *m*: ***catch*** (*od.* ***get, lay, seize, take***) ***~ of s.th.*** et. ergreifen *od.* in die Hand bekommen *od.* zu fassen bekommen *od.* erwischen; ***get ~ of s.o.*** j-n erwischen; ***get ~ of o.s.*** *fig.* sich in die Gewalt bekommen; ***keep ~ of*** festhalten; ***let go one's ~ of*** loslassen; ***miss one's ~*** danebengreifen; ***take ~*** *fig.* sich festsetzen, Wurzel fassen; **2.** Halt *m*, Stütze *f*: ***afford no ~*** keinen Halt bieten; **3.** *Ringen*: Griff *m*: (***with***) ***no ~s barred*** *fig.* mit harten Bandagen (*kämpfen*); **4.** (***on, over, of***) Gewalt *f*, Macht *f* (über *acc.*), Einfluß (auf *acc.*): ***get a ~ on s.o.*** j-n unter s-n Einfluß *od.* in s-e Macht bekommen; ***have a*** (***firm***) ***~ on s.o.*** j-n in s-r Gewalt haben, j-n beherrschen; **5.** *Am.* Einhalt *m*: ***put a ~ on s.th.*** et. stoppen; **6.** *Raumfahrt*: Unter'brechung *f* des Countdown; **II** *v/t.* [*irr.*] **7.** (fest)halten; **8.** sich *die Nase, die Ohren* zuhalten: ***~ one's nose*** (***ears***); **9.** *Gewicht, Last etc.* tragen, (aus)halten; **10.** *in e-m Zustand* halten: ***~ o.s. erect*** sich geradehalten; ***~*** (***o.s.***) ***ready*** (sich) bereithalten; **11.** (zu'rück-, ein-) behalten: ***~ the shipment*** die Sendung zurück(be)halten; ***~ everything!*** sofort aufhören!; **12.** zu'rück-, abhalten (***from*** von *et.*, ***from doing s.th.*** davon, et. zu tun); **13.** an-, aufhalten, im Zaume halten: ***there is no ~ing him*** er ist nicht zu halten *od.* zu bändigen; ***~ the enemy*** den Feind aufhalten; **14.** *Am.* a) *j-n* festnehmen: ***12 persons were held***, b) in Haft halten; **15.** *sport* sich erfolgreich verteidigen gegen *den Gegner*; **16.** *j-n* festlegen (***to*** auf *acc.*): ***~ s.o. to his word*** j-n beim Wort nehmen; **17.** a) *Versammlung*, *Wahl etc.* abhalten, b) *Fest etc.* veranstalten, c) *sport Meisterschaft etc.* austragen; **18.** (beibe)halten: ***~ the course***; **19.** *Alkohol* vertragen: ***~ one's liquor well*** e-e ganze Menge vertragen; **20.** ⚔ *u. fig. Stellung* halten, behaupten: ***~ one's own*** sich behaupten (***with*** gegen); ***~ the stage*** a) sich halten (*Theaterstück*), b) *fig.* die Szene beherrschen, im Mittelpunkt stehen; → ***fort***; **21.** innehaben: a) besitzen: ***~ land*** (***shares***, *etc.*), b) *Amt* bekleiden, c) *Titel* führen, d) *Platz etc.* einnehmen, e) *Rekord* halten; **22.** fassen: a) enthalten: ***the tank ~s 10 gallons***, b) Platz bieten für, 'unterbringen (können): ***the hotel ~s 500 guests***; ***the place ~s many memories*** der Ort ist voll von Erinnerungen; ***life ~s many surprises*** das Leben ist voller Überraschungen; ***what the future ~s*** was die Zukunft bringt; **23.** *Bewunderung etc.* hegen, *a. Vorurteile etc.* haben (***for*** für); **24.** behaupten, meinen: ***~*** (***the view***) ***that*** die Ansicht vertreten *od.* der Ansicht sein, daß; **25.** halten für: ***I ~ him to be a fool***; ***it is held to be true*** man hält es für wahr; **26.** ⚖ entscheiden (***that*** daß); **27.** *fig.* fesseln: ***~ the audience***; ***~ s.o.'s attention***; **28.** ***~ to*** *Am.* beschränken auf (*acc.*); **29.** ***~ against*** *j-m et.* vorwerfen *od.* verübeln; **30.** ♪ *Ton* (aus)halten; **III** *v/i.* [*irr.*] **31.** (stand)halten: ***will the bridge ~?***; **32.** (sich) festhalten (***by***, ***to*** an *dat.*); **33.** sich verhalten: ***~ still*** stillhalten; **34.** *a.* ***~ good*** (weiterhin) gelten, gültig sein *od.* bleiben: ***the promise still ~s*** das Versprechen gilt noch; **35.** anhalten, andauern: ***the fine weather held***; ***my luck held*** das Glück blieb mir treu; **36.** einhalten: ***~!*** halt!; **37.** ***~ by*** (*od.* ***to***) *j-m od. e-r Sache* treu bleiben; **38.** ***~ with*** es halten mit *j-m*, für *j-n od. et.* sein;

Zssgn mit adv.:

hold| back I *v/t.* **1.** zu'rückhalten; **2.** → ***hold in***; **3.** zu'rückhalten mit, verschweigen; **II** *v/i.* **4.** sich zu'rückhalten (*a. fig.*); **5.** nicht mit der Sprache her'ausrücken; **~ down** *v/t.* **1.** niederhalten, *fig. a.* unter'drücken; **2.** F a) *e-n Posten* (inne)haben, b) sich *in e-r Stellung* halten; **~ forth I** *v/t.* **1.** (an)bieten; **2.** in Aussicht stellen; **II** *v/i.* **3.** sich auslassen *od.* verbreiten (***on*** über *acc.*); **4.** *Am.* stattfinden; **~ in I** *v/t.* im Zaum halten, zu'rückhalten: ***hold o.s. in*** a) → II, b) den Bauch einziehen; **II** *v/i.* sich zu'rückhalten; **~ off I** *v/t.* **1.** a) ab-, fernhalten, b) abwehren; **2.** *et.* aufschieben, *j-n* hinhalten; **II** *v/i.* **3.** sich fernhalten (***from*** von); **4.** a) zögern, b) warten; **5.** ausbleiben; **~ on** *v/i.* **1.** *a. fig.* (*a.* sich) festhalten (***to*** an *dat.*); **2.** aus-, 'durchhalten; **3.** andauern, -halten; **4.** *teleph.* am Appa'rat bleiben; **5.** ***~!*** immer langsam!, halt!; **6.** ***~ to*** *et.* behalten; **~ out I** *v/t.* **1.** *die Hand etc.* ausstrecken: ***hold s.th. out to s.o.*** j-m et. hinhalten; **2.** in Aussicht stellen: ***~ little hope*** wenig Hoffnung äußern *od.* haben; **3.** ***hold o.s. out as*** *Am.* sich ausgeben für *od.* als; **II** *v/i.* **4.** reichen (*Vorräte*); **5.** aus-, 'durchhalten; **6.** sich behaupten (***against*** gegen); **7.** ***~ on s.o.*** j-m et. vorenthalten *od.* verheimlichen; **8.** ***~ for*** F bestehen auf (*dat.*); **~ o·ver** *v/t.* **1.** *et.* vertagen, -schieben (***until*** auf *acc.*); **2.** ✝ prolongieren; **3.** *Amt etc.* (weiter) behalten; **4.** *thea. etc. j-s* Engage'ment verlängern (***for*** um); **~ to·geth·er** *v/t. u. v/i.* zs.-halten (*a. fig.*); **~ up I** *v/t.* **1.** (hoch)heben; **2.** hochhalten: ***~ to view*** den Blicken darbieten; **3.** halten, stützen, tragen; **4.** aufrechterhalten; **5.** ***~ as*** als *Beispiel etc.* hinstellen; **6.** *j-n od. et.* aufhalten, *et.* verzögern; **7.** *j-n*, *e-e Bank etc.* über'fallen; **II** *v/i.* **8.** → ***hold out*** 5, 6; **9.** sich halten (*Preise*, *Wetter*); **10.** sich bewahrheiten.

'hold|·all *s.* Reisetasche *f*; **'~·back** *s.* Hindernis *n*.

hold·er ['həʊldə] *s.* **1.** *oft in Zssgn* Halter *m*, Behälter *m*; **2.** ⚙ a) Halter(ung *f*) *m*, b) Zwinge *f*; **3.** ⚡ (Lampen)Fassung *f*; **4.** Pächter *m*; **5.** ✝ Inhaber(in) (*e-s Patents*, *Schecks etc.*), Besitzer(in): ***previous ~*** Vorbesitzer *m*; **6.** *sport* Inhaber(in) (*e-s Rekords*, *Titels etc.*).

'hold·fast *s.* **1.** ⚙ Klammer *f*, Zwinge *f*, Haken *m*, Kluppe *f*; **2.** ⚘ Haftscheibe *f*.

hold·ing ['həʊldɪŋ] *s.* **1.** (Fest)Halten *n*; **2.** ⚖ a) Pachtgut *n*, b) Pacht *f*, c) Grundbesitz *m*; **3.** *oft pl.* a) Besitz *m*, Bestand *m* (*an Effekten etc.*), b) (Aktien)Anteil *m*, (-)Beteiligung *f*: ***large steel ~s*** ✝ großer Besitz von Stahl(werks)aktien; **4.** ✝ a) Vorrat *m*, b) Guthaben *n*; **5.** ⚖ (gerichtliche) Entscheidung; **~ at·tack** *s.* ⚔ Fesselungsangriff *m*; **~ com·pa·ny** *s.* ✝ Dach-, Holdinggesellschaft *f*; **~ pat·tern** *s.* ✈ Warteschleife *f*.

'hold|ˌo·ver *s.* **1.** ‚Überbleibsel' *n* (*Amtsträger etc.*); **2.** *Film etc.*: a) Verlängerung *f*, b) *Künstler etc.*, *dessen Engagement verlängert worden ist*; **'~-up** *s.*

1. Verzögerung *f*, (*a.* Verkehrs)Stokkung *f*; **2.** (bewaffneter) ('Raub)ˌÜberfall.

hole [həʊl] **I** *s.* **1.** Loch *n*: ***be in a ~*** *fig.* in der Klemme sitzen; ***make a ~ in*** *fig.* ein Loch reißen in (*Vorräte*); ***pick ~s in*** *fig.* a) an *e-r Sache* herumkritteln, b) *Argument etc.* zerpflücken, c) *j-m* am Zeug flicken; ***full of ~s*** *fig.* fehlerhaft, ‚wack(e)lig' (*Theorie etc.*); ***like a ~ in the head*** F *unnötig* wie ein Kropf; **2.** Loch *n*, Grube *f*; **3.** Höhle *f*, Bau *m* (*Tier*); **4.** *fig.* ‚Loch' *n*: a) (Bruch)Bude *f*, b) ‚Kaff' *n*, c) Schlupfwinkel *m*; **5.** *Golf*: a) Hole *n*, Loch *n*, b) (Spiel)Bahn *f*: ***~ in one*** As *n*; **II** *v/t.* **6.** ein Loch machen in (*acc.*), durch'löchern; **7.** ⚒ schrämen; **8.** *Tier* in s-e Höhle treiben; **9.** *Golf*: *Ball* einlochen; **III** *v/i.* **10.** *mst* ***~ up*** a) sich in die Höhle verkriechen (*Tier*), b) *Am.* F sich verstecken *od.* -kriechen; **11.** *a.* ***~ out*** *Golf*: einlochen.

ˌ**hole-and-'cor·ner** [-ndˈk-] *adj.* **1.** heimlich, versteckt; **2.** anrüchig; **3.** armselig.

hol·i·day ['hɒlədɪ] **I** *s.* **1.** (***public ~*** gesetzlicher) Feiertag; **2.** freier Tag, Ruhetag *m*: ***have a ~*** e-n freien Tag haben (→ 3); ***have a ~ from*** sich von *et.* erholen können; **3.** *mst pl. bsd. Brit.* Ferien *pl.*, Urlaub *m*: ***the Easter ~s*** die Osterferien; ***be on ~*** im Urlaub sein; ***go on ~*** in Urlaub gehen; ***have a ~*** Urlaub haben (→ 2); ***take a ~*** Urlaub nehmen *od.* machen; ***~s with pay*** bezahlter Urlaub; **II** *adj.* **4.** Feiertags…: ***~ clothes*** Festtagskleidung *f*; **5.** *bsd. Brit.* Ferien…, Urlaubs…: ***~ camp*** Feriendorf *n*; ***~ course*** Ferienkurs *m*; **III** *v/i.* **6.** *bsd. Brit.* Ferien *od.* Urlaub machen; **'~ˌmak·er** *s. bsd. Brit.* Urlauber(in).

ˌ**ho·li·er-than-'thou** [ˌhəʊlɪə-] *Am.* F **I** *s.* ‚Phari'säer' *m*; **II** *adj.* phari'säisch.

ho·li·ness ['həʊlɪnɪs] *s.* Heiligkeit *f*: ***His* ≈** Seine Heiligkeit (*Papst*).

ho·lism ['həʊlɪzəm] *s. phls.* Ho'lismus *m* (*Ganzheitstheorie*); **ho·lis·tic** [həʊ'lɪstɪk] *adj.* ho'listisch.

Hol·lands ['hɒləndz], *a.* **Hol·land gin** *s.* Ge'never *m*.

hol·ler ['hɒlə] *v/i. u. v/t.* F brüllen.

hol·low ['hɒləʊ] **I** *s.* **1.** Höhle *f*, (Aus-)Höhlung *f*, Hohlraum *m*: ***~ of the hand*** hohle Hand; ***~ of the knee*** Kniekehle *f*; ***have s.o. in the ~ of one's hand*** *fig.* j-n völlig in der Hand haben; **2.** Vertiefung *f*, Mulde *f*, Senke *f*; **3.** ⚙ a) Hohlkehle *f*, b) (Guß)Blase *f*; **II** *adj.* □ → *a.* III; **4.** hohl, Hohl…; **5.** hohl, dumpf (*Ton*, *Stimme*); **6.** *fig.* a) hohl, leer: ***feel ~*** Hunger haben, b) falsch: ***~ promises***; ***~ victory*** wertloser Sieg; **7.** hohl: a) eingefallen (*Wangen*), b) tiefliegend (*Augen*); **III** *adv.* **8.** hohl: ***ring ~*** hohl *od.* unglaubwürdig klingen; ***beat s.o. ~*** F j-n vernichtend schlagen; **IV** *v/t.* **9.** *oft* ***~ out*** aushöhlen, -kehlen; **~ bit** *s.* ⚙ Hohlmeißel *m*, -bohrer *m*; **~ charge** *s.* ⚔ Haft-Hohlladung *f*; ˌ**~-'cheeked** *adj.* hohlwangig; **'~-eyed** *adj.* hohläugig; ˌ**~-'ground** *adj.* ⚙ hohlgeschliffen.

hol·low·ness ['hɒləʊnɪs] *s.* **1.** Hohlheit *f*; **2.** Dumpfheit *f*; **3.** *fig.* a) Hohlheit *f*, Leere *f*, b) Falschheit *f*.

hol·low| square *s.* ⚔ Kar'ree *n*; **~ tile** *s.* ⚙ Hohlziegel *m*; **'~·ware** *s.* tiefes (Küchen)Geschirr (*Töpfe etc.*).

hol·ly ['hɒlɪ] *s.* **1.** ⚘ Stechpalme *f*; **2.** Stechpalmenzweige *pl.*

'hol·ly·hock *s.* ⚘ Stockrose *f*.

hol·o·caust ['hɒləkɔːst] *s.* **1.** Massenvernichtung *f*, (*engS.* 'Brand)Kataˌstrophe *f*: ***the* ≈** *pol. hist.* der Holocaust; **2.** Brandopfer *n*.

hol·o|·cene ['hɒləʊsiːn] *s. geol.* Holo'zän *n*, Al'luvium *n*; **'~·gram** [-əʊgræm] *s. phys.* Holo'gramm *n*; **'~·graph** [-əʊgrɑːf; -əʊgræf] *adj. u. s.* ⚖ eigenhändig geschrieben(e Urkunde).

hols [hɒlz] *s. pl. Brit.* F *für* ***holiday*** 3.

hol·ster ['həʊlstə] *s.* (Pi'stolen)Halfter *f*, *n*.

ho·ly ['həʊlɪ] **I** *adj.* □ **1.** heilig, (*Hostie etc.*) geweiht: ***~ cow*** (*od.* ***smoke***)***!*** F ‚heiliger Bimbam'!; **2.** fromm; **3.** gottgefällig; **II** *s.* **4.** ***the ~ of holies*** *bibl.* das Allerheiligste; **≈ Al·li·ance** *s. hist. die* Heilige Alli'anz; **~ bread** *s.* Abendmahlsbrot *n*, Hostie *f*; **≈ Cit·y** *s. die* Heilige Stadt; **~ day** *s.* kirchlicher Feiertag; **≈ Fa·ther** *s. der* Heilige Vater; **≈ Ghost** *s. der* Heilige Geist; **≈ Land** *s. das* Heilige Land; **≈ Of·fice** *s. R.C.* a) *hist. die* Inquisiti'on, b) *das* Heilige Of'fizium; **≈ Ro·man Em·pire** *s. hist. das* Heilige Römische Reich; **≈ Sat·ur·day** *s.* Kar'samstag *m*; **≈ Scrip·ture** *s. die* Heilige Schrift; **≈ See** *s. der* Heilige Stuhl; **≈ Spir·it** → ***Holy Ghost***; **~ terror** *s.* F ‚Nervensäge' *f*; **≈ Thurs·day** *s.* **1.** *R.C.* Grün'donnerstag *m*; **2.** (*anglikanische Kirche*) Himmelfahrtstag *m*; **≈ Trin·i·ty** *s. die* Heilige Drei'einigkeit *od.* Drei'faltigkeit; **~ wa·ter** *s. R.C.* Weihwasser *n*; **≈ Week** *s.* Karwoche *f*; **≈ Writ** → ***Holy Scripture***.

hom·age ['hɒmɪdʒ] *s.* **1.** *hist. u. fig.* Huldigung *f*: ***do*** (*od.* ***render***) ***~*** huldigen (***to*** *dat.*); **2.** *fig.* Reve'renz *f*: ***pay ~ to*** Anerkennung zollen (*dat.*), (s-e) Hochachtung bezeigen (*dat.*).

Hom·burg (**hat**) ['hɒmbɜːg] *s.* Homburg *m* (*Herrenfilzhut*).

home [həʊm] **I** *s.* **1.** Heim *n*: a) Haus *n*, (*eigene*) Wohnung, b) Zu'hause *n*, Da'heim *n*, c) Elternhaus *n*: ***at ~*** zu Hause, daheim (*a. sport*) (→ 2); ***at ~ in*** (*od.* ***on, with***) *fig.* bewandert in (*dat.*), vertraut mit (*e-m Fachgebiet etc.*); ***not at ~***

(***to s.o.***) nicht zu sprechen (für j-n); ***feel at ~*** sich wie zu Hause fühlen; ***make o.s. at ~*** es sich bequem machen; tun, als ob man zu Hause wäre; ***make one's ~ at*** sich niederlassen in (*dat.*); ***away from ~*** abwesend, verreist, *bsd. sport* auswärts; **2.** Heimat *f* (*a.* ♀, *zo. u. fig.*), Geburts-, Heimatland *n*: ***at ~*** a) im Lande, in der Heimat, b) im Inland, daheim; ***at ~ and abroad*** im In- u. Ausland; ***a letter from ~*** ein Brief von Zuhause; **3.** (ständiger *od.* jetziger) Wohnort, Heimatort *m*: ***last ~*** letzte Ruhestätte; **4.** Heim *n*, Anstalt *f*: ***~ for the aged*** Altenheim; ***~ for the blind*** Blindenheim, -anstalt; **5.** *sport* a) Ziel *n*, b) → ***home plate***, c) Heimspiel *n*, d) Heimsieg *m*; **II** *adj.* **6.** Heim…: a) häuslich, Familien…, b) zu Hause ausgeübt: ***~ life*** häusliches Leben, Familienleben *n*; ***~ remedy*** Hausmittel *n*; ***~baked*** selbstgebacken; **7.** Heimat…: ***~ address*** (***city***, ***port*** *etc.*); ***~ fleet*** ⚓ Flotte *f* in Heimatgewässern; **8.** einheimisch, inländisch, Inland(s)…, Binnen…: ***~ affairs*** *pol.* innere Angelegenheiten; ***~ market*** Inlands-, Binnenhandel *m*; **9.** *sport* a) Heim…: ***~ advantage*** (***match***, ***win***, *etc.*): ***~ strength*** Heimstärke *f*, b) Ziel…; **10.** a) (wohl)gezielt, wirkungsvoll (*Schlag etc.*), b) *fig.* treffend, beißend (*Bemerkung etc.*); → ***home thrust***, ***home truth***; **III** *adv.* **11.** heim, nach Hause: ***the way ~*** der Heimweg; ***go ~*** nach Hause gehen (→ 13); → ***write*** 10; **12.** zu Hause, (wieder) da'heim; **13.** a) ins Ziel, b) im Ziel, c) bis zum Ausgangspunkt, d) ganz, soweit wie möglich: ***drive a nail ~*** e-n Nagel fest einschlagen; ***drive*** (*od.* ***bring***) ***s.th. ~ to s.o.*** j-m et. klarmachen *od.* beibringen *od.* vor Augen führen; ***drive a charge ~ to s.o.*** j-n überführen; ***go*** (*od.* ***get***, ***strike***) ***~*** ,sitzen', s-e Wirkung tun; ***the thrust went ~*** der Hieb saß; **IV** *v/i.* **14.** zu'rückkehren; **15.** ✈ a) (*per Leitstrahl*) das Ziel anfliegen, b) *mst* ***~ in on*** *ein Ziel* auto'matisch ansteuern (*Rakete*); **V** *v/t.* **16.** *Flugzeug* (*per Radar*) einweisen, ,her'unterholen'.

ˌhome|-and-'home *adj. sport Am.* im Vor- u. Rückspiel ausgetragen: ***~ match***; **~ ban·king** *s.* Tele-Bank-Verfahren *n*; **'~ˌbod·y** *s.* häuslicher Mensch, *contp.* Stubenhocker(in); **'~·bound** *adj.* ans Haus gefesselt: ***~ invalid***; **ˌ~'bred** *adj.* **1.** einheimisch; **2.** *obs.* hausbacken; **'~·brew** *s.* selbstgebrautes Getränk (*bsd.* Bier); **'~-ˌcom·ing** *s.* Heimkehr *f*; **~ con·tents** *s. pl.* Hausrat *m*; **♀ Coun·ties** *s. pl. die um London liegenden Grafschaften*; **~ e·co·nom·ics** *s. pl. sg. konstr.* Hauswirtschaft(slehre) *f*; **~ front** *s.* Heimatfront *f*; **~ ground** *s. sport* eigener Platz; *fig.* vertrautes Gelände; **♀ Guard** *s.* Bürgerwehr *f*; **'~-ˌkeep·ing** *adj.* häuslich, *contp.* stubenhockerisch; **'~·land** *s.* **1.** Heimat-, Vater-, Mutterland *n*; **2.** *pol.* Homeland *n*, Heimstatt *f* (*in Südafrika*).

home·less ['həʊmlɪs] *adj.* **1.** heimatlos; **2.** obdachlos; **'home·like** *adj.* wie zu Hause, gemütlich; **home·li·ness** ['həʊmlɪnɪs] *s.* **1.** Einfachheit *f*, Schlichtheit *f*; **2.** Gemütlichkeit *f*; **3.** *Am.* Reizlosigkeit *f*; **home·ly** ['həʊmlɪ] *adj.* **1.** → ***homelike***; **2.** freundlich; **3.** einfach, hausbacken; **4.** *Am.* reizlos: ***a ~ girl***.

ˌhome|'made *adj.* **1.** selbstgemacht, Hausmacher…; **2.** selbstgebastelt: ***~ bomb***; **3.** ✝ a) einheimisch, im Inland hergestellt: ***~ goods***, b) hausgemacht: ***~ inflation***; **'~ˌmak·er** *s. Am.* **1.** Hausfrau *f*; **2.** Fa'milienpflegerin *f*; **'~ˌmak·ing** *s. Am.* Haushaltsführung *f*; **~ mar·ket** *s.* ✝ Inlandsmarkt *m*; **~ me·chan·ic** *s.* Heimwerker *m*; **~ mov·ie** *s.* Heimkino *n*.

homeo- *etc.* → ***homoeo-*** *etc.*

home| of·fice *s.* **1.** ♀ *Brit.* 'Innenminiˌsterium *n*; **2.** *bsd.* ✝ *Am.* Hauptsitz *m*; **~ perm** *s.* F Heim-Dauerwelle *f*; **~ plate** *s. Baseball*: Heimbase *n*.

hom·er ['həʊmə] *s.* F *für* ***home run***.

Ho·mer·ic [həʊ'merɪk] *adj.* ho'merisch: ***~ laughter***.

home| rule *s. pol.* a) 'Selbstreˌgierung *f*, b) ♀ *hist.* Homerule *f* (*in Irland*); **~ run** *s. Baseball*: Homerun *m* (*Lauf über alle 4 Male*); **♀ Sec·re·tar·y** *s. Brit.* 'Innenmiˌnister *m*; **~ shop·ping** *s.* Teleshopping *n*; **'~·sick** *adj.*: ***be ~*** Heimweh haben; **'~ˌsick·ness** *s.* Heimweh *n*; **'~·spun I** *adj.* **1.** a) zu Hause gesponnen, b) Homespun…: ***~ clothing***; **2.** *fig.* schlicht, einfach; **II** *s.* **3.** Homespun *n* (*Streichgarn*[*gewebe*]); **'~·stead** *s.* **1.** Heimstätte *f*, Gehöft *n*; **2.** ⚖ *Am.* Heimstätte *f* (*Grundparzelle od. gegen Zugriff von Gläubigern geschützter Grundbesitz*); **~ straight**, **~ stretch** *s. sport* Zielgerade *f*: ***be on the ~*** *fig.* kurz vor dem Ziel stehen; **~ thrust** *s. fig.* wohlgezielter Hieb; **~ truth** *s.* harte Wahrheit, unbequeme Tatsache; **'~·ward** [-wəd] **I** *adv.* heimwärts, nach Hause; **II** *adj.* Heim…, Rück…; → ***bound***[2]; **'~·wards** [-wədz] → ***homeward*** I; **'~·work** *s.* **1.** *ped.* Hausaufgabe(n *pl.*) *f*, Schularbeiten *pl.*: ***do one's ~*** s-e Hausaufgaben machen (*a. fig. sich gründlich vorbereiten*); **2.** ✝ Heimarbeit *f*; **'~ˌwork·er** *s.* ✝ Heimarbeiter (-in); **'~ˌwreck·er** *s. j-d, der e-e Ehe zerstört.*

home·y *Am. für* ***homy***.

hom·i·cid·al [ˌhɒmɪ'saɪdl] *adj.* **1.** mörderisch, mordlustig; **2.** Mord..., Totschlags...; **hom·i·cide** ['hɒmɪsaɪd] *s.* **1.** *allg.* Tötung *f*, *engS.* a) Mord *m*, b) Totschlag *m*: ~ ***by misadventure*** *Am.* Unfall *m* mit Todesfolge; ~ (***squad***) Mordkommission *f*; **2.** Mörder(in), Totschläger(in).

hom·i·ly ['hɒmɪlɪ] *s.* **1.** Homi'lie *f*, Predigt *f*; **2.** *fig.* Mo'ralpredigt *f*.

hom·ing ['həʊmɪŋ] **I** *adj.* **1.** heimkehrend: ~ ***pigeon*** Brieftaube *f*; ~ ***instinct*** *zo.* Heimkehrvermögen *n*; **2.** ⚔ zielansteuernd (*Rakete etc.*); **II** *s.* ✈ **3.** a) Zielflug *m*, b) Zielpeilung *f*, c) Rückflug *m*: ~ ***beacon*** Zielflugfunkfeuer *n*; ~ ***device*** Zielfluggerät *n*.

hom·i·nid ['hɒmɪnɪd] *zo.* **I** *adj.* menschenartig; **II** *s.* Homi'nide *m*, menschenartiges Wesen; **'hom·i·noid** [-nɔɪd] *adj. u. s.* menschenähnlich(es Tier).

hom·i·ny ['hɒmɪnɪ] *s. Am.* **1.** Maismehl *n*; **2.** Maisbrei *m*.

ho·mo ['həʊməʊ] *s.* F ‚Homo' *m*.

homo- [həʊməʊ; hɒməʊ], **homoeo-** [həʊmjəʊ] *in Zssgn* gleich(artig).

ho·moe·o·path ['həʊmjəʊpæθ] *s.* ⚕ Homöo'path(in); **ho·moe·o·path·ic** [ˌhəʊmjəʊ'pæθɪk] *adj.* (□ ~***ally***) ⚕ homöo'pathisch; **ho·moe·op·a·thist** [ˌhəʊmɪ'ɒpəθɪst] → ***homoeopath***; **ho·moe·op·a·thy** [ˌhəʊmɪ'ɒpəθɪ] *s.* ⚕ Homöopa'thie *f*.

ho·mo·e·rot·ic [ˌhəʊməʊɪ'rɒtɪk] *adj.* homoe'rotisch.

ho·mo·ge·ne·i·ty [ˌhɒməʊdʒe'niːətɪ] *s.* Homogeni'tät *f*, Gleichartigkeit *f*; **ho·mo·ge·ne·ous** [ˌhɒməʊ'dʒiːnjəs] *adj.* □ homo'gen: a) gleichartig, b) einheitlich; **ho·mo·gen·e·sis** [ˌhɒməʊ'dʒenɪsɪs] *s. biol.* Homoge'nese *f*; **ho·mog·e·nize** [hɒ'mɒdʒənaɪz] *v/t.* homogenisieren.

ho·mol·o·gate [hɒ'mɒləgeɪt] *v/t.* **1.** ⚖ a) genehmigen, b) beglaubigen, bestätigen; **2.** *Ski- u. Motorsport*: homologieren; **ho'mol·o·gous** [-gəs] *adj.* ⚗, ⅍, *biol.* homo'log.

hom·o·nym ['hɒməʊnɪm] *s. ling.* Homo'nym *n* (*a. biol.*), gleichlautendes Wort; **ho·mo·nym·ic** [ˌhɒməʊ'nɪmɪk], **ho·mon·y·mous** [hɒ'mɒnɪməs] *adj.* homo'nym.

ho·mo·phile ['hɒməʊfaɪl] **I** *s.* Homo'phile(r *m*) *f*; **II** *adj.* homo'phil.

hom·o·phone ['hɒməʊfəʊn] *s. ling.* Homo'phon *n*; **hom·o·phon·ic** [ˌhɒməʊ'fɒnɪk] *adj.* ♪, *ling.* homo'phon.

ho·mop·ter·a [həʊ'mɒptərə] *s. pl. zo.* Gleichflügler *pl.* (*Insekten*).

ho·mo·sex·u·al [ˌhɒməʊ'seksjʊəl] **I** *s.* Homosexu'elle(r *m*) *f*; **II** *adj.* homosexu'ell; **ho·mo·sex·u·al·i·ty** [ˌhɒməʊseksjʊ'ælətɪ] *s.* Homosexuali'tät *f*.

ho·mun·cu·lar [hɒ'mʌŋkjʊlə] *adj.* ho'munkulusähnlich; **ho'mun·cule** [-kjuːl], **ho'mun·cu·lus** [-kjʊləs] *pl.* **-li** [-laɪ] *s.* **1.** Ho'munkulus *m* (*künstlich erzeugter Mensch*); **2.** Menschlein *n*, Knirps *m*.

hom·y ['həʊmɪ] *adj.* F gemütlich.

hone [həʊn] **I** *s.* **1.** (feiner) Schleifstein; **II** *v/t.* **2.** honen, fein-, ziehschleifen; **3.** *fig.* a) schärfen, b) (aus)feilen.

hon·est ['ɒnɪst] *adj.* □ **1.** ehrlich: a) redlich, rechtschaffen, anständig, b) offen, aufrichtig; **2.** *humor.* wacker, bieder; **3.** ehrlich verdient; **4.** *obs.* ehrbar (*Frau*); **'hon·est·ly** [-lɪ] **I** *adv.* → ***honest***; **II** *int.* F a) offen gesagt, b) ehrlich!, c) *empört*: nein (*od.* also) wirklich!; **ˌhon·est-to-'God**, **ˌhon·est-to-'good·ness** *adj.* F echt, wirklich, ‚richtig'; **'hon·es·ty** [-tɪ] *s.* **1.** Ehrlichkeit *f*: a) Rechtschaffenheit *f*: ~ ***is the best policy*** ehrlich währt am längsten, b) Aufrichtigkeit *f*; **2.** *obs.* Ehrbarkeit *f*; **3.** ⚘ 'Mondviˌole *f*.

hon·ey ['hʌnɪ] *s.* **1.** Honig *m* (*a. fig.*); **2.** ⚘ Nektar *m*; **3.** F *bsd. Am.* a) *Anrede*: ‚Schatz' *m*, Süße(r *m*) *f*, b) *Am.* ‚süßes' *od.* ‚schickes' Ding: ***a ~ of a car*** ein ‚klasse' Wagen; **'~-bag** *s. zo.* Honigmagen *m der Bienen*; **'~-bee** *s. zo.* Honigbiene *f*; **'~-bun(ch)** [-bʌn(tʃ)] → ***honey*** 3 a.

'hon·ey·comb [-kəʊm] **I** *s.* **1.** Honigwabe *f*; **2.** Waffelmuster *n* (*Gewebe*): ~ (***quilt***) Waffeldecke *f*; **3.** ⚙ Lunker *m*, (Guß)Blase *f*; **4.** *in Zssgn* ⚙ Waben... (*-kühler, -spule etc.*): ~ ***stomach*** *zo.* Netzmagen *m*; **II** *v/t.* **5.** (wabenartig) durch'löchern; **6.** *fig.* durch'setzen (***with*** mit); **'hon·ey·combed** [-kəʊmd] *adj.* **1.** durch'löchert, löcherig, zellig; **2.** ⚙ blasig; **3.** *fig.* (***with***) a) durch'setzt (mit), b) unter'graben (durch).

'hon·ey|·dew *s.* **1.** ⚘ Honigtau *m*, Blatthonig *m*: ~ ***melon*** Honigmelone *f*; **2.** gesüßter Tabak; **'~-ˌeat·er** *s. orn.* Honigfresser *m*.

hon·eyed ['hʌnɪd] *adj.* **1.** voller Honig; **2.** *a. fig.* honigsüß.

hon·ey| ex·trac·tor *s.* Honigschleuder *f*; ~ **flow** *s.* (Bienen)Tracht *f*; **'~·moon** **I** *s.* **1.** Flitterwochen *pl.*, Honigmond *m* (*a. iro. fig.*); **2.** Hochzeitsreise *f*; **II** *v/i.* **3.** a) die Flitterwochen verbringen, b) s-e Hochzeitsreise machen; **'~ˌmoon·er** *s.* a) ‚Flitterwöchner' *m*, b) Hochzeitsreisende(r *m*) *f*; ~ **sac** *s. zo.* Honigmagen *m*; **'~ˌsuck·le** *s.* ⚘ Geißblatt *n*.

hon·ied ['hʌnɪd] → ***honeyed***.

honk [hɒŋk] **I** *s.* **1.** Schrei *m* (*der Wildgans*); **2.** 'Hupensiˌgnal *n*; **II** *v/i.* **3.** schreien; **4.** hupen.

honk·y-tonk ['hɒŋkɪtɒŋk] *s. Am. sl.* ‚Spe'lunke' *f*.

hon·or *etc. Am.* → ***honour*** *etc.*

hon·o·rar·i·um [ˌɒnə'reərɪəm] *pl.* **-rar-**

i·a [-ˈreərɪə], **-rar·i·ums** *s.* (*freiwillig gezahltes*) Honoˈrar; **hon·or·ar·y** [ˈɒnərərɪ] *adj.* **1.** ehrend; **2.** Ehren…: **~ doctor** (**member**, *etc.*); **~ debt** Ehrenschuld *f*; **~ degree** ehrenhalber verliehener akademischer Grad; **3.** ehrenamtlich: **~ secretary**; **hon·or·if·ic** [ˌɒnəˈrɪfɪk] **I** *adj.* (☐ **~ally**) ehrend, Ehren…; **II** *s.* Ehrung *f*, Ehrentitel *m*.

hon·our [ˈɒnə] **I** *s.* **1.** Ehre *f*: (**sense of**) **~** Ehrgefühl *n*; (**up**)**on my ~!**, *Brit.* F **~ bright!** Ehrenwort!; **man of ~** Ehrenmann *m*; **point of ~** Ehrensache *f*; **do s.o. ~** j-m zur Ehre gereichen, j-m Ehre machen; **do s.o. the ~ of doing s.th.** j-m die Ehre erweisen, et. zu tun; **he is an ~ to his parents** (**to his school**) er macht s-n Eltern Ehre (er ist e-e Zierde s-r Schule); **put s.o. on his ~** j-n bei s-r Ehre packen; (**in**) **~ bound**, **on one's ~** moralisch verpflichtet; **to his ~ it must be said** zu s-r Ehre muß gesagt werden; (**there is**) **~ among thieves** (es gibt so etwas wie) Ganovenehre *f*; **may I have the ~** (**of the next dance**)**?** darf ich (um den nächsten Tanz) bitten?; **2.** Ehrung *f*, Ehre(n *pl.*) *f*: a) Ehrerbietung *f*, Ehrenbezeigung *f*, b) Hochachtung *f*, c) Auszeichnung *f*, (Ehren)Titel *m*, Ehrenamt *n*, -zeichen *n*: **in s.o.'s ~** zu j-s *od.* j-m zu Ehren; **hold** (*od.* **have**) **in ~** in Ehren halten; **pay s.o. the last** (*od.* **funeral**) **~s** j-m die letzte Ehre erweisen; **military ~s** militärische Ehren; **~s list** *Brit.* Liste *f* der Titelverleihungen (*zum Geburtstag des Herrschers etc.*) (→ 3); → **due** 3; **3.** *pl. univ.* besondere Auszeichnung: **~s degree** *akademischer Grad mit Prüfung in e-m Spezialfach*; **~s list** *Liste der Studenten, die auf e-n* **honours degree** *hinarbeiten*; **~s man** *Brit.*, **~s student** *Am. Student, der e-n* **honours degree** *anstrebt od. innehat*; **4.** *pl.* Honˈneurs *pl.*: **do the ~s** die Honneurs machen, als Gastgeber(in) fungieren; **5.** *Kartenspiel*: Bild *n*; **6.** *Golf*: Ehre *f* (*Berechtigung zum 1. Schlag*): **it is his ~** er hat die Ehre; **7. Your** (**His**) **~** *obs.* Euer (Seine) Gnaden; **II** *v/t.* **8.** ehren; **9.** ehren, auszeichnen (**with** mit); **10.** beehren (**with** mit); **11.** *j-m* zur Ehre gereichen *od.* Ehre machen; **12.** *e-r Einladung etc.* Folge leisten; **13.** ✝ a) *Scheck etc.* honorieren, einlösen, b) *Schuld* begleichen, c) *Vertrag* erfüllen; **hon·our·a·ble** [ˈɒnərəbl] *adj.* ☐ **1.** achtbar, ehrenwert; **2.** rechtschaffen: **an ~ man** ein Ehrenmann; **3.** ehrenhaft, ehrlich (*Absicht etc.*); **4.** ehrenvoll, rühmlich; **5.** ♀ (*der od. die*) Ehrenwerte (*in Großbritannien: Adelstitel od. Titel der Ehrendamen des Hofes, der Mitglieder des Unterhauses, der Bürgermeister; in USA: Titel der Mitglieder des Kongresses, hoher Beamter, der Richter u. Bürgermeister*): **Right ♀** (*der*) Sehr Ehrenwerte; → **friend** 5.

hooch [huːtʃ] *s. Am.* F ‚Fusel' *m*.

hood [hʊd] **I** *s.* **1.** Kaˈpuze *f* (*a. univ. am Talar*); **2.** ⚘ Helm *m*; **3.** *orn.*, *zo.* Haube *f*, Schopf *m*; Brillenzeichnung *f* der Kobra; **4.** *mot.* a) *Brit.* Verdeck *n*, b) *Am.* (Motor)Haube *f*; **5.** ⚙ a) Kappe *f*, (Schutz)Haube *f*, b) Abzug(shaube *f*) *m* (*für Gas etc.*); **6.** → **hoodlum**; **II** *v/t.* **7.** *j-m* e-e Kaˈpuze aufsetzen; **8.** be-, verdecken.

hood·ed [ˈhʊdɪd] *adj.* **1.** mit e-r Kaˈpuze bekleidet; **2.** ver-, bedeckt, verhüllt (*a. Augen*); **3.** *orn.* mit e-r Haube; **~ crow** *s. orn.* Nebelkrähe *f*; **~ seal** *s. zo.* Mützenrobbe *f*; **~ snake** *s. zo.* Kobra *f*.

hood·lum [ˈhuːdləm] *s.* F **1.** Rowdy *m*, ‚Schläger' *m*; **2.** Gaˈnove *m*, Gangster *m*.

hoo·doo [ˈhuːduː] **I** *s. Am.* **1.** → **voodoo** I; **2.** a) Unglücksbringer *m*, b) Unglück *n*, Pech *n*; **II** *v/t.* **3.** a) verhexen, b) *j-m* Unglück bringen; **III** *adj.* **4.** Unglücks…

ˈhood·wink *v/t.* **1.** *obs.* die Augen verbinden (*dat.*); **2.** *fig.* hinters Licht führen, reinlegen.

hoo·ey [ˈhuːɪ] *s. sl.* Quatsch *m*, Blödsinn *m*.

hoof [huːf] *pl.* **hoofs**, **hooves** [huːvz] **I** *s.* **1.** *zo.* a) Huf *m*, b) Fuß *m*: **on the ~** lebend (*Schlachtvieh*); **2.** *humor.* ‚Peˈdal' *n*, Fuß *m*; **3.** Huftier *n*; **II** *v/t.* **4.** F *Strecke* ‚tippeln': **~ it** → 6, 7; **5. ~ out** *j-n* ‚rausschmeißen'; **III** *v/i.* **6.** F ‚tippeln', marschieren; **7.** F tanzen; **ˌ~-and-ˈmouth dis·ease** *s. vet.* Maul- u. Klauenseuche *f*.

hoofed [huːft] *adj.* gehuft, Huf…; **ˈhoof·er** [-fə] *s. Am. sl.* Berufstänzer (-in), *bsd.* Reˈvuegirl *n*.

hoo-ha [ˈhuːhɑː] *s.* F ‚Tamˈtam' *n*.

hook [hʊk] **I** *s.* **1.** Haken *m* (*a.* ✂): **~ and eye** Haken u. Öse; **~ and ladder** *Am.* Gerätewagen *m* der Feuerwehr; **by ~ or** (**by**) **crook** mit allen Mitteln, so oder so; **on one's own ~** F auf eigene Faust; **2.** ⚙ a) (Klammer-, Dreh)Haken *m*, b) (Tür)Angel *f*, Haspe *f*; **3.** Angelhaken *m*: **be off the ~** F ‚aus dem Schneider' sein; **get s.o. off the ~** F j-m ‚aus der Patsche' helfen, j-n ‚herauspauken'; **get o.s. off the ~** sich aus der ‚Schlinge' ziehen; **have s.o. on the ~** F j-n ‚zappeln' lassen; **that lets him off the ~** damit ist er raus aus der Sache; **fall for s.o.** (**s.th.**) **~, line and sinker** voll auf j-n (et.) ‚abfahren'; **swallow s.th. ~, line and sinker** et. voll u. ganz ‚schlucken'; **4.** ↗ Sichel *f*; **5.** a) scharfe Krümmung, b) gekrümmte Landspitze; **6.** *pl. sl.* ‚Griffel' *pl.* (*Finger*); **7.** ♪ Notenfähnchen *n*; **8.** *sport*: a) *Boxen*: Haken *m*: **~ to the body** Körperhaken, b) *Golf*: Hook *m* (*Kurvschlag*); **II** *v/t.* **9.** an-, ein-, fest-, zuhaken; **10.** fangen, (sich) angeln (*a. fig.* F): **~ a husband** sich e-n Mann angeln; **he is ~ed** F a) er zappelt im Netz, er ist ‚dran' od. ‚geliefert', b) → **hooked** 3; **11.** *sl.* ‚klauen', stehlen; **12.** krümmen; **13.** aufspießen; **14.** a) *Boxen*: *j-m* e-n Haken versetzen, b) *Golf*: *Ball* mit (e-m) Hook schlagen, c) (*Eis*)*Hockey*: *Gegner* haken; **15. ~ it** F ‚verduften'; **III** *v/i.* **16.** sich zuhaken lassen; **17.** sich festhaken (**to** an *dat.*); **~ on I** *v/t.* **1.** ein-, anhaken; **II** *v/i.* **2.** → **hook** 17; **3.** sich einhängen (**to s.o.** bei j-m); **~ up** *v/t.* **1.** → **hook on** 1; **2.** zuhaken; **3.** ⚙ a) *Gerät* zs.-bauen, b) anschließen; **4.** *Radio*, *TV*: a) zs.-schalten, b) zuschalten (**with** *dat.*).

hook·a(h) [ˈhʊkə] *s.* Huka *f* (*orientalische Wasserpfeife*).

hooked [hʊkt] *adj.* **1.** krumm, hakenförmig, Haken...; **2.** mit (e-m) Haken (versehen); **3.** F a) (**on**) süchtig (nach); *fig. a.* ‚scharf' (auf *acc.*), ‚verrückt' (nach): **~ on heroin** (**television**) heroin- (fernseh)süchtig, b) → **hook** 10.

hook·er [ˈhʊkə] *s.* **1.** ⚓ a) Huker *m*, Fischerboot *n*, b) *contp.* ‚alter Kahn'; **2.** *sl.* ‚Nutte' *f*.

hook·ey → **hooky**.

ˈ**hook|-nosed** *adj.* mit e-r Hakennase; ˈ**~-up** *s.* **1.** *Radio*, *TV*: a) Zs.-, Konfeˈrenzschaltung *f*, b) Zuschaltung *f*; **2.** ⚡ a) Schaltbild *n*, -schema *n*, b) Blockschaltung *f*; **3.** ⚙ Zs.-bau *m*; **4.** F a) Zs.-schluß *m*, Bündnis *n*, b) Absprache *f*; ˈ**~-worm** *s. zo.* Hakenwurm *m*.

hook·y [ˈhʊkɪ] *s.*: **play ~** *Am.* F (*bsd.* die Schule) schwänzen.

hoo·li·gan [ˈhu:lɪgən] *s.* Rowdy *m*; ˈ**hoo·li·gan·ism** [-nɪzəm] *s.* Rowdytum *n*.

hoop¹ [hu:p] **I** *s.* **1.** *allg.* Reif(en) *m* (*a. als Schmuck*, *bei Kinderspielen*, *im Zirkus etc.*): **~** (**skirt**) Reifrock *m*; **go through the ~**(**s**) ‚durch die Mangel gedreht werden'; **2.** ⚙ a) (Faß)Reif(en) *m*, b) (Stahl)Band *n*, Ring *m*: **~ iron** Bandeisen *n*, c) Öse *f*, d) Bügel *m*; **3.** (Finger)Ring *m*; **4.** *Basketball*: Korbring *m*; **5.** *Krocket*: Tor *n*; **II** *v/t.* **6.** *Faß* binden; **7.** umˈgeben, -ˈfassen; **8.** *Basketball*: *Punkte* erzielen.

hoop² [hu:p] → **whoop**.

hoop·er¹ [ˈhu:pə] *s.* Böttcher *m*, Küfer *m*, Faßbinder *m*.

hoop·er² [ˈhu:pə], **~ swan** *s. orn.* Singschwan *m*.

hoo·poe [ˈhu:pu:] *s. orn.* Wiedehopf *m*.

hoo·ray [hʊˈreɪ] → **hurrah**.

hoos(**e**)**·gow** [ˈhu:sgaʊ] *s. Am. sl.* ‚Kittchen' *n*, ‚Knast' *m*.

hoot [hu:t] **I** *v/i.* **1.** (höhnisch) johlen: **~ at s.o.** j-n verhöhnen; **2.** schreien (*Eule*); **3.** *Brit.* a) hupen (*Auto*), b) pfeifen (*Zug etc.*), c) heulen (*Sirene etc.*); **II** *v/t.* **4.** *et.* johlen; **5.** *a.* **~ down** niederschreien, auspfeifen; **6. ~ out**, **~ off** durch Gejohle vertreiben; **III** *s.* **7.** (*johlender*) Schrei (*a. der Eule*), *pl.* Johlen *n*: **it's not worth a ~** F es ist keinen Pfifferling wert; **I don't care two ~s** F das ist mir völlig ‚piepe'; **8.** Hupen *n* (*Auto*); Heulen *n* (*Sirene*); ˈ**hoot·er** [-tə] *s.* **1.** Johler(in); **2.** a) *mot.* Hupe *f*, b) Siˈrene *f*, Pfeife *f*.

Hoo·ver [ˈhu:və] (*Fabrikmarke*) **I** *s.* Staubsauger *m*; **II** *v/t. mst* ♀ (ab)saugen; **III** *v/i.* (staub)saugen.

hooves [hu:vz] *pl. von* **hoof**.

hop¹ [hɒp] **I** *v/i.* **1.** hüpfen, hopsen: **~ on** → 5; **~ off** F ‚abschwirren'; **~ to it** *Am.* F sich (*an die Arbeit*) ‚ranmachen'; **2.** F ‚schwofen', tanzen; **3.** F a) ‚flitzen', sausen, b) rasch *wohin* fahren *od.* fliegen; **II** *v/t.* **4.** hüpfen *od.* springen über (*acc.*): **~ it** ‚abschwirren'; **5.** F a) (auf-) springen auf (*acc.*), b) einsteigen in (*acc.*): **~ a train**; **6.** ✈ überˈfliegen, -ˈqueren; **7.** *Am. Ball* hüpfen lassen; **8.** *Am.* F bedienen in (*dat.*); **III** *s.* **9.** Sprung *m*, Hops(er) *m*: **~, step, and jump** *sport* Dreisprung *m*; **be on the ~** F ‚auf Trab' sein; **keep s.o. on the ~** F j-n ‚in Trab halten'; **catch s.o. on the ~** F j-n erwischen *od.* überraschen; **10.** F ‚Schwof' *m*, Tanz *m*; **11.** *bsd.* ✈ F ‚Sprung' *m*, Abstecher *m*: **only a short ~** nur ein Katzensprung.

hop² [hɒp] **I** *s.* **1.** ⚘ a) Hopfen *m*, b) *pl.* Hopfen(blüten *pl.*) *m*: **pick ~s** → 4; **2.** *sl.* Rauschgift *n*, *engS.* Opium *n*; **II** *v/t.* **3.** *Bier* hopfen; **4. ~ up** *sl.* a) (*durch e-e Droge*) ‚high' machen, b) aufputschen (*a. fig.*), c) *Am. Auto etc.* ‚frisieren'; **III** *v/i.* **5.** Hopfen zupfen; ˈ**~-bind**, ˈ**~-bine** *s.* Hopfenranke *f*; **~ dri·er** *s.* Hopfendarre *f*.

hope [həʊp] **I** *s.* **1.** Hoffnung *f* (**of** auf *acc.*): **live in ~**(**s**) (immer noch) hoffen, die Hoffnung nicht aufgeben; **in the ~ of** *ger.* in der Hoffnung zu *inf.*; **past ~** hoffnungs-, aussichtslos; **he is past all ~** für ihn gibt es keine Hoffnung mehr; **2.** Hoffnung *f*: a) Zuversicht *f*, b) **no ~ of success** keine Aussicht auf Erfolg; **not a ~** F keine Chance; **3.** Hoffnung *f* (*Person od. Sache*): **she is our only ~**; → **white hope**; **4.** → **forlorn hope**; **II** *v/i.* **5.** hoffen (**for** auf *acc.*): **~ against ~** die Hoffnung nicht aufgeben, verzweifelt hoffen; **~ for the best** das Beste hoffen; **I ~ so** hoffentlich, ich hoffe (es); **the ~d-for result** das erhoffte Ergebnis; **III** *v/t.* **6.** *et.* hoffen; **~ chest** *s. Am.* F Aussteuertruhe *f*.

hope·ful [ˈhəʊpfʊl] **I** *adj.* ☐ **1.** hoffnungs-, erwartungsvoll: **be ~ of** *et.* hoffen; ***be ~ about*** optimistisch sein hinsichtlich (*gen.*); **2.** (*a. iro.*) vielversprechend; **II** *s.* **3.** *a. iro.* a) hoffnungsvoller *od.* vielversprechender (junger) Mensch, b) ‚Opti'mist' *m*; '**hope·ful·ly** [-fʊlɪ] *adv.* **1.** → ***hopeful*** 1; **2.** hoffentlich; '**hope·ful·ness** [-nɪs] *s.* Opti'mismus *m*.

hope·less ['həʊplɪs] *adj.* □ hoffnungslos: a) verzweifelt, b) aussichtslos, c) unheilbar, d) mise'rabel, e) F unverbesserlich: ***a ~ drunkard***; '**hope·less·ly** [-lɪ] *adv.* **1.** → ***hopeless***; **2.** F heillos, to'tal; '**hope·less·ness** [-nɪs] *s.* Hoffnungslosigkeit *f*.

hop-o'-my-thumb [ˌhɒpəmɪ'θʌm] *s.* Knirps *m*, Zwerg *m*.

hop·per ['hɒpə] *s.* **1.** Hüpfende(r *m*) *f*; **2.** F Tänzer(in); **3.** *zo.* hüpfendes In'sekt, *bsd.* Käsemade *f*; **4.** ⚙ a) Fülltrichter *m*, b) (Schüttgut-, Vorrats)Behälter *m*, c) *a.* ***~(-bottom) car*** 🚂 Fallboden-, Selbstentladewagen *m*, d) Spülkasten *m*, e) *Computer*: Karteneingabefach *n*.

hop·ping mad ['hɒpɪŋ] *adj.*: ***be ~*** F e-e ‚Stinkwut' (im Bauch) haben.

'**hop**|**·scotch** *s.* Himmel-und-Hölle-Spiel *n*; '**~-vine** → ***hop-bind***.

Ho·rae ['hɔːriː] *s. pl. myth.* Horen *pl.*

Ho·ra·tian [hə'reɪʃjən] *adj.* ho'razisch: ***~ ode***.

horde [hɔːd] **I** *s.* Horde *f*, (wilder) Haufen; **II** *v/i.* e-e Horde bilden; in Horden zs.-leben.

ho·ri·zon [hə'raɪzn] *s.* (*a. fig. geistiger*) Hori'zont, Gesichtskreis *m*: ***apparent*** (*od.* ***sensible***, ***visible***) ***~*** scheinbarer Horizont; ***celestial*** (*od.* ***rational***, ***true***) ***~*** wahrer Horizont; ***on the ~*** am Horizont (auftauchend *od.* sichtbar).

hor·i·zon·tal [ˌhɒrɪ'zɒntl] **I** *adj.* □ horizon'tal, waag(e)recht, ⚙ *a.* liegend (*Motor*, *Ventil etc.*), *a.* Seiten… (*bsd. Steuerung*); ***~ line*** → **II** *s.* ⩘ Horizon'tale *f*, Waag(e)rechte *f*; ***~ bar*** *s. Turnen*: Reck *n*; ***~ com·bi·na·tion*** *s.* ✝ Horizon'talverflechtung *f*, -konˌzern *m*; ***~ plane*** *s.* ⩘ Horizon'talebene *f*; ***~ pro·jec·tion*** *s.* ⩘ Horizon'talprojektiˌon *f*: ***~ plane*** Grundrißebene *f*; ***~ rud·der*** *s.* ⚓ Horizon'tal(steuer)ruder *n*, Tiefenruder *n*; ***~ sec·tion*** *s.* ⚙ Horizon'talschnitt *m*.

hor·mo·nal [hɔː'məʊnl] *adj. biol.* hormo'nal, Hormon…; **hor·mone** ['hɔːməʊn] *s.* Hor'mon *n*; ***~ bal·ance*** *s.* Hormonspiegel *m*.

horn [hɔːn] **I** *s.* **1.** *zo.* a) Horn *n*, b) *pl.* Geweih *n*; → ***dilemma***; **2.** *zo.* a) Horn *n* (*Nashorn*), b) Fühler *m* (*Insekt*), c) Fühlhorn *n* (*Schnecke*): ***draw*** (*od.* ***pull***) ***in one's ~s*** *fig.* die Hörner einziehen, ‚zurückstecken'; **3.** *pl. fig.* Hörner *pl.* (*des betrogenen Ehemanns*): ***put ~s on s.o.*** j-m Hörner aufsetzen; **4.** (Pulver-, Trink)Horn *n*: ***~ of plenty*** Füllhorn; **5.** ♪ a) Horn *n*, b) F 'Blasinstruˌment *n*: ***blow one's own ~*** *fig.* ins eigene Horn stoßen; **6.** a) *mot.* Hupe *f*, b) ⚙ Si'gnalhorn *n*; **7.** a) (Schall)Trichter *m*, b) ⚡ Hornstrahler *m*; **8.** 'Horn(subˌstanz *f*) *n*: ***~ handle*** Horngriff *m*; **9.** Horn *n* (*hornförmige Sache*), *bsd.* a) Bergspitze *f*, b) Spitze *f* (*der Mondsichel*), c) Schuhlöffel *m*: ***the*** ***≈*** (das) Kap Horn; **10.** Sattelknopf *m*; **11.** V ‚Ständer' *m*: ***~ pill*** Aphrodisiakum *n*; **II** *v/t.* **12.** a) mit den Hörnern stoßen, b) auf die Hörner nehmen; **III** *v/i.* **13.** ***~ in*** *sl.* sich einmischen *od.* -drängen (***on*** in *acc.*); '**~·beam** *s.* ⚘ Hain-, Weißbuche *f*; '**~-blende** *s. min.* Hornblende *f*.

horned [hɔːnd; *poet.* 'hɔːnɪd] *adj.* gehörnt, Horn…: ***~ cattle*** Hornvieh *n*; ***~ owl*** *s.* Ohreule *f*.

hor·net ['hɔːnɪt] *s. zo.* Hor'nisse *f*: ***bring a ~'s nest about one's ears***, ***stir up a ~'s nest*** *fig.* in ein Wespennest stechen.

'**horn**|**-fly** *s. zo.* Hornfliege *f*; '**~·less** [-lɪs] *adj.* hornlos, ohne Hörner; '**~·pipe** *s.* ♪ Hornpipe *f* (*Blasinstrument od. alter Tanz*); ˌ**~-'rimmed** *adj.* mit Hornfassung: ***~ spectacles*** Hornbrille *f*; '**~ˌswog·gle** [-ˌswɒgl] *v/t. sl.* *j-n* ‚reinlegen'.

horn·y ['hɔːnɪ] *adj.* **1.** hornig, schwielig: ***~-handed*** mit schwieligen Händen; **2.** aus Horn, Horn…; **3.** V geil, ‚scharf'.

hor·o·loge ['hɒrəlɒdʒ] *s.* Zeitmesser *m*, (Sonnen- *etc.*)Uhr *f*.

hor·o·scope ['hɒrəskəʊp] *s.* Horo'skop *n*: ***cast a ~*** ein Horoskop stellen; '**hor·o·scop·er** [-pə] *s.* Horo'skopsteller(in).

hor·ren·dous [hɒ'rendəs] □ → ***horrific***.

hor·ri·ble ['hɒrəbl] *adj.* □, **hor·rid** ['hɒrɪd] *adj.* □ schrecklich, fürchterlich, entsetzlich, gräßlich, scheußlich, ab'scheulich; '**hor·ri·ble·ness** [-nɪs] *s.*, **hor·rid·ness** ['hɒrɪdnɪs] *s.* Schrecklichkeit *etc.*

hor·rif·ic [hɒ'rɪfɪk] *adj.* (□ ***~ally***) **1.** schrecklich, entsetzlich; **2.** hor'rend; **hor·ri·fy** ['hɒrɪfaɪ] *v/t.* entsetzen.

hor·ror ['hɒrə] **I** *s.* **1.** Grau(s)en *n*, Entsetzen *n*: ***seized with ~*** von Grauen gepackt; ***have the ~s*** F a) ‚weiße Mäuse' sehen, b) ‚am Boden zerstört' sein; **2.** (***of***) 'Widerwille *m* (gegen), Abscheu *m* (vor *dat.*): ***have a ~ of*** e-n Horror haben vor (*dat.*); **3.** a) Schrecken *m*, Greuel *m*, b) Greueltat *f*: ***the ~s of war*** die Schrecken des Krieges; ***scene of ~*** Schreckensszene *f*; **4.** Entsetzlichkeit *f*, (*das*) Schauerliche; **5.** F Greuel *m* (*Person od. Sache*), Scheusal *n*, Ekel *n* (*Person*); **II** *adj.* **6.** Grusel…, Hor-

H

ror…: ~ ***film***; '**~-ˌstrick·en**, '**~-struck** *adj.* von Schrecken *od.* Grauen gepackt.

hors d'oeu·vre [ɔːˈdɜːvrə] *pl.* **hors d'oeu·vres** [ɔːˈdɜːvrəz] *s.* Hors'd'œuvre *n*, Vorspeise *f*.

horse [hɔːs] **I** *s.* **1.** *zo.* Pferd *n*, Roß *n*, Gaul *m*: ***to ~!*** ⚔ aufgesessen!; ***a dark ~*** *fig.* ein unbeschriebenes Blatt; ***that's a ~ of another colo(u)r*** *fig.* das ist etwas ganz anderes; ***straight from the ~'s mouth*** a) aus erster Hand, b) aus berufenem Mund; ***back the wrong ~*** aufs falsche Pferd setzen; ***wild ~s will not drag me there!*** keine zehn Pferde kriegen mich dorthin!; ***flog a dead ~*** a) offene Türen einrennen, b) sich unnötig mühen; ***give the ~ its head*** die Zügel schießen lassen; ***hold your ~s!*** F immer mit der Ruhe!; ***get on*** (*od.* ***mount***) ***one's high ~*** sich aufs hohe Roß setzen; ***ride*** (*od.* ***be on***) ***one's high ~*** auf dem *od.* s-m hohen Roß sitzen; ***spur a willing ~*** j-n unnötig antreiben; ***work like a ~*** wie ein Pferd arbeiten *od.* schuften; ***you can lead a ~ to the water but you can't make it drink*** man kann niemanden zu s-m Glück zwingen; **2.** a) Hengst *m*, b) Wallach *m*; **3.** *coll.* ⚔ Kavalle'rie *f*, Reite'rei *f*: ***1000 ~*** 1000 Reiter; ***~ and foot*** Kavallerie u. Infanterie, die ganze Armee; **4.** ⚙ (Säge- *etc.*)Bock *m*, Ständer *m*, Gestell *n*; **5.** *Turnen*: Pferd *n*; **6.** *Schach*: F Pferd *n*, Springer *m*; **7.** *sl.* Hero'in *n*; **II** *v/t.* **8.** mit Pferden versehen: a) *Truppen* beritten machen, b) *Wagen* bespannen; **9.** auf ein Pferd setzen *od.* laden; **III** *v/i.* **10.** aufsitzen, aufs Pferd steigen; **11.** rossen (*Stute*); **12.** ~ ***around*** F Blödsinn treiben; **ˌ~-and-'bug·gy** *adj. Am.* ‚vorsintflutlich'; **~ ar·til·ler·y** *s.* ⚔ berittene Artille'rie; '**~·back** *s.*: ***on ~*** zu Pferd(e); ***go on ~*** reiten; **~ bean** *s.* Saubohne *f*; **~ chest·nut** *s.* ⚘ 'Roßkaˌstanie *f*; **~ cop·er** *s. Brit.* Pferdehändler *m*.

horsed [hɔːst] *adj.* **1.** beritten (*Person*); **2.** (mit Pferden) bespannt.

horse| deal·er *s.* Pferdehändler *m*; **~ doc·tor** *s.* **1.** Tierarzt *m*; **2.** F ‚Viehdoktor' *m* (*schlechter Arzt*); '**~-drawn** *adj.* von Pferden gezogen, Pferde…; '**~·flesh** *s.* **1.** Pferdefleisch *n*; **2.** *coll.* Pferde *pl.*; '**~·fly** *s. zo.* (Pferde)Bremse *f*; ♀ **Guards** *s. pl. Brit.* 'Gardekavalleˌriebriˌgade *f*; '**~·hair** *s.* Roß-, Pferdehaar *n*; **~ lat·i·tudes** *s. pl. geogr.* Roßbreiten *pl.*; '**~-laugh** *s.* wieherndes Gelächter; **~ mack·er·el** *s.* **1.** Thunfisch *m*; **2.** 'Roßmaˌkrele *f*; '**~·man** [-mən] *s.* [*irr.*] **1.** (geübter) Reiter; **2.** Pferdezüchter *m*; '**~·man·ship** [-mənʃɪp] *s.* Reitkunst *f*; **~ op·er·a** *s.* F Western *m* (*Film*); '**~·play** *s.* ‚Blödsinn' *m*, Unfug *m*; '**~·pond** *s.* Pferdeschwemme *f*; '**~ˌpow·er** *s. pl.* (*abbr.* **h.p.**) *phys.* Pferdestärke *f* (= *1,01 PS*); **~ race** *s.* Pferderennen *n*; '**~-ˌrac·ing** *s.* Pferderennen *n od. pl.*; '**~ˌrad·ish** *s.* ⚘ Meerrettich *m*; **~ sense** *s.* F gesunder Menschenverstand; '**~·shit** *s.* V ‚Scheiß(-dreck)' *m*; **~·shoe** [ˈhɔːʃʃuː] **I** *s.* **1.** Hufeisen *n*; **2.** *pl. sg. konstr. Am.* Hufeisenwerfen *n*; **II** *adj.* **3.** Hufeisen…, hufeisenförmig: ~ ***bend*** (Straßen- *etc.*) Schleife *f*; ~ ***magnet*** Hufeisenmagnet *m*; ~ ***table*** in Hufeisenform aufgestellte Tische; **~ show** *s.* Reit- u. Springturnier *n*; '**~·tail** *s.* **1.** Pferdeschwanz *m* (*a. fig. Mädchenfrisur*), Roßschweif *m* (*a. hist. als türkisches Rangabzeichen od. Feldzeichen*); **2.** ⚘ Schachtelhalm *m*; **~ trad·ing** *s.* **1.** Pferdehandel *m*; **2.** *pol.* F ‚Kuhhandel' *m*; '**~·whip I** *s.* Reitpeitsche *f*; **II** *v/t.* (aus)peitschen; '**~ˌwom·an** *s.* [*irr.*] (geübte) Reiterin.

hors·y [ˈhɔːsɪ] *adj.* ☐ **1.** pferdenärrisch; **2.** Pferde…: ~ ***face***; ~ ***smell***; ~ ***talk*** Gespräch *n* über Pferde.

hor·ta·tive [ˈhɔːtətɪv], '**hor·ta·to·ry** [-tərɪ] *adj.* **1.** mahnend; **2.** anspornend.

hor·ti·cul·tur·al [ˌhɔːtɪˈkʌltʃərəl] *adj.* Gartenbau…: ~ ***show*** Gartenschau *f*; **hor·ti·cul·ture** [ˈhɔːtɪkʌltʃə] *s.* Gartenbau *m*; **ˌhor·ti'cul·tur·ist** [-ərɪst] *s.* 'Gartenbauexˌperte *m*.

ho·san·na [həʊˈzænə] **I** *int.* hosi'anna!; **II** *s.* Hosi'anna *n*.

hose [həʊz] **I** *s.* **1.** *coll.*, *pl. konstr.* Strümpfe *pl.*; **2.** *hist.* (Knie)Hose *f*; **3.** *pl. a.* ***hoses*** Schlauch *m*: ***garden ~*** Gartenschlauch; **4.** ⚙ Tülle *f*; **II** *v/t.* **5.** (mit e-m Schlauch) spritzen: ~ ***down*** abspritzen.

Ho·se·a [həʊˈzɪə] *npr. u. s. bibl.* (das Buch) Ho'sea *m od.* O'see *m*.

hose| pipe *s.* Schlauch(leitung *f*) *m*; '**~-proof** *adj.* ⚙ schwallwassergeschützt.

ho·sier [ˈhəʊzɪə] *s.* Strumpfwarenhändler (-in); '**ho·sier·y** [-rɪ] *s. coll.* Strumpfwaren *pl.*

hos·pice [ˈhɒspɪs] *s.* **1.** *hist.* Hos'piz *n*, Herberge *f*; **2.** Sterbeklinik *f*.

hos·pi·ta·ble [ˈhɒspɪtəbl] *adj.* ☐ **1.** gastfreundlich, (*a. Haus etc.*) gastlich; **2.** *fig.* freundlich: ~ ***climate***; **3.** (***to***) empfänglich (für), aufgeschlossen (*dat.*).

hos·pi·tal [ˈhɒspɪtl] *s.* **1.** Krankenhaus *n*, Klinik *f*, Hospi'tal *n*: ~ ***fever*** klassisches Fleckfieber; ~ ***nurse*** Kranken(haus)schwester *f*; ~ ***social worker*** Krankenhausfürsorgerin *f*; ~ ***tent*** Sanitätszelt *n*; **2.** ⚔ Laza'rett *n*: ~ ***ship*** (***train***) Lazarettschiff *n* (-zug *m*); **3.** Tierklinik *f*; **4.** *hist.* Spi'tal *n*: a) Armenhaus *n*, b) Altersheim *n*, c) Erziehungsheim *n*; **5.** *hist.* Herberge *f*, Hos'piz *n*; **6.** *humor.* Repara'turwerkstatt *f*: ***dolls' ~*** Puppenklinik *f*.

hos·pi·tal·i·ty [ˌhɒspɪ'tælətɪ] *s.* Gastfreundschaft *f*, Gastlichkeit *f*.

hos·pi·tal·i·za·tion [ˌhɒspɪtəlaɪ'zeɪʃn] *s.* **1.** Aufnahme *f od.* Einweisung *f* in ein Krankenhaus; **2.** Krankenhausaufenthalt *m*, -behandlung *f*; **hos·pi·tal·ize** ['hɒspɪtəlaɪz] *v/t.* **1.** ins Krankenhaus einliefern *od.* einweisen; **2.** im Krankenhaus behandeln.

Hos·pi·tal·(l)er ['hɒspɪtlə] *s.* **1.** *hist.* Hospita'liter *m*, Johan'niter *m*; **2.** Barm'herziger Bruder.

host¹ [həʊst] *s.* **1.** (Un)Menge *f*, Masse *f*: ***a ~ of questions*** e-e Unmenge Fragen; **2.** *poet.* (Kriegs)Heer *n*: ***the ~ of heaven*** a) die Gestirne, b) die himmlischen Heerscharen; ***the Lord of ≈s*** *bibl.* der Herr der Heerscharen.

host² [həʊst] **I** *s.* **1.** Gastgeber *m*, Hausherr *m*: ***~ country*** Gastland *n*, *sport etc.* Gastgeberland *n*; **2.** (Gast)Wirt *m*: ***reckon without one's ~*** *fig.* die Rechnung ohne den Wirt machen; **3.** *TV etc.*: a) Talk-, Showmaster *m*, b) Mode'rator *m*: ***your ~ was ...*** durch die Sendung führte (Sie) ...; **4.** *biol.* Wirt *m*, Wirtstier *n od.* -pflanze *f*; **II** *v/t.* **5.** a) *TV etc.*: Sendung moderieren, b) *Veranstaltung* ausrichten.

host³, *oft* ≈ [həʊst] *s. eccl.* Hostie *f*.

hos·tage ['hɒstɪdʒ] *s.* **1.** Geisel *f*: ***take (hold) s.o. ~*** j-n als Geisel nehmen (behalten); ***taking of ~s*** Geiselnahme *f*; **2.** *fig.* ('Unter)Pfand *n*.

hos·tel ['hɒstl] *s.* **1.** *mst* ***youth ~*** Jugendherberge *f*; **2.** (Studenten-, Arbeiter- *etc.*)Wohnheim *n*; **3.** → **'hos·tel·ry** [-rɪ] *s. obs.* Wirtshaus *n*.

host·ess ['həʊstɪs] *s.* **1.** Gastgeberin *f*; **2.** (Gast)Wirtin *f*; **3.** ✈ Ho'steß *f*, Ste-war'deß *f*; **4.** Ho'steß *f* (*Betreuerin, Führerin*); **5.** Animier-, Tischdame *f*.

hos·tile ['hɒstaɪl] *adj.* □ **1.** feindlich, Feind(es)...; **2.** (***to***) *fig.* a) feindselig (gegen), feindlich gesinnt (*dat.*), b) stark abgeneigt (*dat.*); **hos·til·i·ty** [hɒ'stɪlətɪ] *s.* **1.** Feindschaft *f*, Feindseligkeit *f* (***to*** gegen); **2.** Feindseligkeit *f* (*Handlung*); **3.** *pl.* ⚔ Feindseligkeiten *pl.*, Krieg(shandlungen *pl.*) *m*.

hos·tler ['ɒslə] → ***ostler***.

hot [hɒt] **I** *adj.* □ **1.** heiß (*a. fig.*): ***~ climate***; ***~ tears***; ***I am ~*** mir ist heiß, ich bin erhitzt; ***get ~*** sich erhitzen (*a. fig. u.* ⚙); ***~ under the collar*** F wütend; ***I went ~ and cold*** es überlief mich heiß u. kalt; ***~ scent*** *hunt.* warme *od.* frische Fährte (*a. fig.*); **2.** warm, heiß: ***~ meal***; ***~ and ~*** ganz heiß, direkt vom Feuer; **3.** a) scharf (*Gewürz*), b) scharf (gewürzt): ***a ~ dish***; **4.** *fig.* heiß, hitzig, heftig: ***a ~ fight***; ***~ words*** heftige Worte; ***grow ~*** sich erhitzen (***over*** über *acc.*); **5.** leidenschaftlich, feurig: ***a ~ temper*** ein hitziges Temperament; ***be ~ for*** (*od.* ***on***) F ‚scharf' sein auf (*acc.*); **6.** wütend, erbost: ***all ~ and bothered*** ganz ‚aus dem Häuschen'; **7.** ‚heiß': a) *zo.* brünstig, b) F geil, ‚scharf' (*Person, Film etc.*); **8.** ‚heiß' (*im Suchspiel*): ***you are getting ~ter!*** a) (es wird) schon heißer!, b) *fig.* du kommst der Sache schon näher!; **9.** ganz neu *od.* frisch, ‚noch warm': ***~ from the press*** frisch aus der Presse (*Nachrichten*), soeben erschienen (*Buch*); **10.** F a) ‚toll' (*großartig*): ***he (it) is not so ~!*** er (es) ist nicht so toll!; ***~ stuff*** a) ‚dolles Ding', b) toller Kerl; ***be ~ at*** (*od.* ***on***) ‚ganz groß' sein in (*e-m Fach*); **11.** ‚heiß' (*vielversprechend*): ***a ~ tip***; ***~ favo(u)rite*** *bsd. sport* heißer *od.* hoher Favorit; **12.** ‚heiß' (*Jazz etc.*): ***~ music***; **13.** gefährlich: ***make it ~ for s.o.*** j-m die Hölle heiß machen, j-m ‚einheizen'; ***the place was getting too ~ for him*** ihm wurde der Boden zu heiß (unter den Füßen); ***be in ~ water*** in ‚Schwulitäten' sein; ***get into ~ water*** a) *j-n* in ‚Schwulitäten' bringen, b) in ‚Schwulitäten' geraten, ‚Ärger kriegen'; **14.** F a) ‚heiß' (*gestohlen, geschmuggelt etc.*): ***~ goods*** ‚heiße Ware', b) (von der Polizei) gesucht; **15.** a) ⚡ stromführend: → ***hot line***, ***hot wire***, b) *phys.* F ‚heiß' (*radioaktiv*); **16.** ⚙, ⚡ Heiß..., Warm..., Glüh...; **II** *adv.* **17.** heiß: ***the sun shines ~***; ***get it ~ (and strong)*** F ‚eins aufs Dach kriegen', sein ‚Fett' bekommen; ***give it s.o. ~ (and strong)*** F j-m die Hölle heiß machen, j-m ‚einheizen'; → ***blow¹*** 4; **III** *v/t.* **18.** *mst* ***~ up*** heiß machen; **19.** ***~ up*** F a) *Auto, Motor* ‚frisieren', ‚aufmotzen', b) ‚anheizen', c) Schwung bringen in (*acc.*), *et.* ‚aufmöbeln'; **IV** *v/i.* **20.** *mst* ***~ up*** heiß werden; **21.** ***~ up*** F a) sich verschärfen, b) schwungvoller werden.

hot| air *s.* **1.** ⚙ Heißluft *f*; **2.** *sl.* ‚heiße Luft', (leeres) Geschwätz; **ˌ~-'air** *adj.* ⚙ Heißluft...: ***~ artist*** F ‚Windmacher' *m*; **'~·bed** *s.* **1.** ✓ Mist-, Frühbeet *n*; **2.** *fig.* Brutstätte *f*; **ˌ~-'blood·ed** *adj.* heißblütig; **~ cath·ode** *s.* ⚡ 'Glühkaˌthode *f*.

hotch·pot ['hɒtʃpɒt] *s.* ⚖ Vereinigung *f* des Nachlasses zwecks gleicher Verteilung.

hotch·potch ['hɒtʃpɒtʃ] *s.* **1.** Eintopf (-gericht *n*) *m*, *bsd.* Gemüse(suppe *f*) *n* mit Hammelfleisch; **2.** *fig.* Mischmasch *m*.

hot dog *s.* Hot dog *n*, *a. m*.

ho·tel [həʊ'tel] *s.* Ho'tel *n*: ***~ register*** Fremdenbuch *n*; **ho·tel·ier** [həʊ'telɪeɪ], **ho'tel-ˌkeep·er** *s.* Hoteli'er *m*, Ho'telbesitzer(in) *od.* -diˌrektor *m*, -direkˌtorin *f*.

hot| flush·es *s. pl.* ⚕ fliegende Hitze; **'~·foot** F **I** *adv.* schleunigst; **II** *v/i. a.* ***~ it***

H

rennen, flitzen; **'~-ˌgal·va·nize** *v/t.* ⚙ feuerverzinken; **'~-ˌgos·pel·(l)er** *s.* F Erweckungsprediger *m*; **'~·head** *s.* Hitzkopf *m*; **ˌ~-'head·ed** *adj.* hitzköpfig; **'~·house** *s.* Treib-, Gewächshaus *n*; **~ line** *s. bsd. pol.* ‚heißer Draht'; **~ mon·ey** *s.* ✝ Hot money *n*, ‚heißes Geld'.

hot·ness ['hɒtnɪs] *s.* Hitze *f.*

'hot|·plate *s.* **1.** Koch-, Heizplatte *f*; **2.** Warmhalteplatte *f*; **~ pot** *s.* Eintopf *m*; **'~-press** ⚙ **I** *s.* **1.** Heißpresse *f*; **2.** Dekatierpresse *f*; **II** *v/t.* **3.** heiß pressen; **4.** *Tuch* dekatieren; **5.** *Papier* satinieren; **~ rod** *s. Am. sl.* ‚frisierter' Wagen; **~ rod·der** ['rɒdə] *s. Am. sl.* **1.** Fahrer *m* e-s ***hot rod***; **2.** a) ‚Raser' *m*, b) Verkehrsrowdy *m*; **~ seat** *s. sl.* **1.** ✈ Schleudersitz *m* (*a. fig.*); **2.** *Am.* e'lektrischer Stuhl; **'~·shot I** *s. Am. sl.* **1.** ‚großes Tier'; **2.** *bsd. sport* ‚Ka'none' *f*, ‚As' *n*; **3.** ✈, *mot.* ‚Ra'kete' *f*; **II** *adj.* **4.** ‚groß', ‚toll'; **~ spot** *s.* **1.** *pol.* Krisenherd *m*; **2.** F ‚heißes Ding' (*Nachtklub etc.*); **~ spring** *s.* heiße Quelle, Ther'malquelle *f*; **'~·spur** *s.* Heißsporn *m*; **~ tube** *s.* ⚙ Heiz-, Glührohr *n*; **~ war** *s.* heißer Krieg; **ˌ~-'wa·ter** *adj.* Heißwasser...: ***~ heating***; ***~ bottle*** Wärmflasche *f*; **~ wire** *s.* **1.** ⚡ a) stromführender Draht, b) Hitzdraht *m*; **2.** *bsd. pol.* ‚heißer Draht'.

hound¹ [haʊnd] **I** *s.* **1.** Jagdhund *m*: ***ride to*** (*od.* ***follow the***) ***~s*** an e-r Parforcejagd (*bsd. Fuchsjagd*) teilnehmen; **2.** *sl.* ‚Hund' *m*, Schurke *m*; **3.** *Am. sl.* Fa'natiker(in): ***movie ~*** Kinonarr *m*; **4.** Verfolger *m* (*Schnitzeljagd*); **II** *v/t.* **5.** *mst fig.* jagen, hetzen, drängen, verfolgen: ***~ down*** zur Strecke bringen; **6.** *a.* ***~ on*** (auf)hetzen, antreiben.

hound² [haʊnd] *s.* **1.** ⚓ Mastbacke *f*; **2.** *pl.* ⚙ Seiten-, Diago'nalstreben *pl.* (*an Fahrzeugen*).

hour ['aʊə] *s.* **1.** Stunde *f*: ***by the ~*** stundenweise; ***for ~s*** (***and ~s***) stundenlang; ***on the ~*** (jeweils) zur vollen Stunde; ***an ~'s work*** e-e Stunde Arbeit; ***10 minutes past the ~*** 10 Minuten nach voll; **2.** (Tages)Zeit *f*: ***at 14.20 ~s*** um 14 Uhr 20; ***at all ~s*** zu jeder Zeit; ***at an early ~*** früh, zu früher Stunde; ***at the eleventh ~*** *fig.* in letzter Minute, fünf Minuten vor zwölf; ***keep early ~s*** früh schlafen gehen (u. früh aufstehen); ***sleep till all ~s*** ‚bis in die Puppen' schlafen; ***the small ~s*** die frühen Morgenstunden; **3.** Zeitpunkt *m*, Stunde *f*: ***~ of death*** Todesstunde; ***his ~ has come*** a) s-e Stunde ist gekommen, b) *a.* ***his*** (***last***) ***~ has struck*** s-e letzte Stunde *od.* sein letztes Stündlein ist gekommen *od.* hat geschlagen; ***question of the ~*** aktuelle Frage; **4.** *pl.* (Arbeits-) Zeit *f*, (Arbeits-, Geschäfts-, Dienst-) Stunden *pl.*: ***after ~s*** a) nach Geschäftsschluß, b) nach der Arbeit, c) *fig.* zu spät; **5.** *pl. eccl.* a) Stundenbuch *n*, b) *R.C.* Stundengebete *pl.*; **6.** **≈s** *pl. myth.* Horen *pl.*; **'~-ˌcir·cle** *s. ast.* Stundenkreis *m*; **'~·glass** *s.* Stundenglas *n*, *bsd.* Sanduhr *f*; **'~-hand** *s.* Stundenzeiger *m*.

hou·ri ['hʊərɪ] *s.* **1.** Huri *f* (*mohammedanische Paradiesjungfrau*); **2.** *fig.* üppige Schönheit (*Frau*).

hour·ly ['aʊəlɪ] *adv. u. adj.* **1.** stündlich: ***~ wage*** Stundenlohn *m*; **2.** ständig, dauernd: ***in ~ fear***.

house [haʊs] **I** *pl.* **hous·es** ['haʊzɪz] *s.* **1.** Haus *n* (*Gebäude u. Hausbewohner*): ***like a ~ on fire*** ganz ‚toll', ‚prima'; → ***safe*** 3; **2.** Wohnhaus *n*, Wohnung *f*, Heim *n*; Haushalt *m*: ***~ and home*** Haus u. Hof; ***keep ~*** a) das Haus hüten, b) (***for s.o.*** j-m) den Haushalt führen; ***put*** (*od.* ***set***) ***one's ~ in order*** s-e Angelegenheiten ordnen, sein Haus bestellen; → ***open*** 10; **3.** Fa'milie *f*, Geschlecht *n*, (*bsd. Fürsten*)Haus *n*: ***the ≈ of Hanover***; **4.** *univ. Brit.* Haus *n*: a) Wohngebäude *n* (*e-s College*, *a. ped. e-s Internats*), b) College *n*; **5.** *thea.* a) (Schauspiel)Haus *n*: ***full ~*** volles Haus, b) Zuhörer *pl.*; → ***bring down*** 8, c) Vorstellung *f*: ***the second ~*** die zweite Vorstellung (*des Tages*); **6.** *mst* ≈ *parl.* Haus *n*, Kammer *f*, Parla'ment *n*: ***the ≈*** a) → ***House of Commons*** (***Lords***, ***Representatives***), b) *coll.* das Haus (*die Abgeordneten*); ***enter the ≈*** Parlamentsmitglied werden; ***there is a ≈*** es ist Parlamentssitzung; ***no ≈*** das Haus ist nicht beschlußfähig; **7.** ✝ Haus *n*, Firma *f*: ***the ≈*** die Londoner Börse; ***on the ~*** auf Kosten des Hauses (*a. weitS. des Wirts od. Gastgebers*); **8.** *ast.* a) Haus *n*, b) Tierkreiszeichen *n*; **II** *v/t.* [haʊz] **9.** 'unterbringen (*a.* ⚙); **10.** aufnehmen, beherbergen; **11.** Platz haben für; **III** *v/i.* [haʊz] **12.** hausen, wohnen.

house| a·gent *s. Brit.* Häusermakler *m*; **~ ar·rest** *s.* 'Hausarˌrest *m*; **'~·boat** *s.* Hausboot *n*; **'~ˌbod·y** → ***homebody***; **'~·bound** *adj.* ans Haus gefesselt; **'~·break** *v/t. Am.* **1.** *Hund etc.* stubenrein machen; **2.** F *fig.* a) *j-m* Manieren beibringen, b) *j-n* ‚kirre' machen; **'~ˌbreak·er** *s.* **1.** ⚖ Einbrecher *m*; **2.** 'Abbruchunterˌnehmer *m*; **'~ˌbreak·ing** *s.* **1.** ⚖ Einbruch(sdiebstahl) *m*; **2.** Abbruch(arbeiten *pl.*) *m*; **'~ˌbro·ken** *adj.* stubenrein (*Hund etc.*); **'~·clean** *v/i.* **1.** Hausputz machen; **2.** (*a. v/t.*) *Am.* F gründlich aufräumen (in *dat.*); **'~-ˌclean·ing** *s.* **1.** Hausputz *m*; **2.** *Am.* F 'Säuberungsaktiˌon *f*; **'~·coat** *s.* Hauskleid *n*, Morgenrock *m*; **'~·craft** *s. Brit.* Hauswirtschaftslehre *f*; **~ de·tec·tive**

s. 'Hausdetek,tiv *m* (*Hotel etc.*); **~ dog** *s.* Haushund *m*; **'~·fly** *s. zo.* Stubenfliege *f*.

house·hold ['haʊshəʊld] **I** *s.* **1.** Haushalt *m*; **2.** ***the* ~** *Brit.* die königliche Hofhaltung: **~ *Brigade*, ~ *Troops*** Gardetruppen *pl.*; **II** *adj.* **3.** Haushalts…, häuslich: **~ *gods*** a) *antiq.* Hausgötter *pl.*, b) *fig.* heiliggehaltene Dinge *pl.*; **~ *remedy*** ⚕ Hausmittel *n*; **~ *soap*** Haushaltsseife *f*; **~ *spending*** Ausgaben der privaten Haushalte; **4.** all'täglich: ***a* ~ *word*** (*od.* ***name***) ein (fester *od.* geläufiger) Begriff; **'house,hold·er** *s.* **1.** Haushaltsvorstand *m*; **2.** Haus- *od.* Wohnungsinhaber *m*.

'house|-,hunt·ing *s.* F Wohnungssuche *f*; **'~,hus·band** *s.* Hausmann *m*; **'~·keep** *v/i.* den Haushalt führen (***for s.o.*** j-m); **'~,keep·er** *s.* **1.** Haushälterin *f*, Wirtschafterin *f*; **2.** Hausmeister(in); **'~,keep·ing** *s.* Haushaltung *f*, -wirtschaft *f*: **~** (***money***) Wirtschaftsgeld *n*; **'~·maid** *s.* Hausgehilfin *f*: **~'s *knee*** ⚕ Knieschleimbeutelentzündung *f*; **'~-,mas·ter** *s. ped. Brit.* Heimleiter *m* (*Lehrer, der für ein Wohngebäude e-s Internats zuständig ist*); **'~·mate** *s.* Hausgenosse *m*, -genossin *f*; **'~,mis·tress** *s. ped. Brit.* Heimleiterin *f* (*in e-m Internat*); **~ of Com·mons** *s. parl. Brit.* 'Unterhaus *n*; **~ of Lords** *s. parl. Brit.* Oberhaus *n*; **~ of Rep·re·sent·a·tives** *s. parl. Am.* Repräsen'tantenhaus *n* (*Unterhaus des US-Kongresses*); **~ or·gan** *s.* ✝ Hauszeitung *f*; **~ paint·er** *s.* Maler *m*, Anstreicher *m*; **~ par·ty** *s.* mehrtägige Party (*bsd. in e-m Landhaus*); **'~·phone** *s. Am.* 'Haustele,fon *n*; **~ phy·si·cian** *s.* **1.** Hausarzt *m* (*im Hotel etc.*); **2.** *im Krankenhaus wohnender Arzt*; **~ plant** *s.* ⚘ Zimmerpflanze *f*; **'~-proud** *adj.* über'trieben ordentlich, pe'nibel (*Hausfrau*); **'~·room** [-rʊm] *s.*: ***give s.o.* ~** j-n (in sein Haus) aufnehmen; ***he wouldn't give it* ~** *fig.* er nähme es nicht einmal geschenkt; **~ search** *s.* ⚖ Haussuchung *f*; **,~-to-'house** *adj.* von Haus zu Haus: **~ *collection*** Haussammlung *f*; **~ *selling*** Verkauf *m* an der Haustür; **'~·top** *s.* Dach *n*: ***proclaim*** (*od.* ***shout***) ***from the* ~*s*** öffentlich verkünden, *et.* ‚an die große Glocke hängen'; **'~·trained** *adj.* stubenrein (*Hund etc.*); **'~,warm·ing** (**par·ty**) *s.* Einzugsparty *f* (*im neuen Haus*).

'house·wife *s.* [*irr.*] **1.** Hausfrau *f*; **2.** ['hʌzɪf] *Brit.* 'Nähe,tui *n*, Nähzeug *n*; **'house,wife·ly** [-,waɪflɪ] *adj.* hausfraulich; **'house·wif·er·y** [-wɪfərɪ] → ***housekeeping***; **'house·work** *s.* Haus(halts)arbeit *f*.

hous·ing¹ ['haʊzɪŋ] *s.* **1.** 'Unterbringung *f*; **2.** 'Unterkunft *f*, Obdach *n*; **3.** Wohnung *f*, *coll.* Häuser *pl.*: **~ *development*, ~ *estate*** Wohnsiedlung *f*; **~ *development scheme*** Wohnungsbauprojekt *n*; **~ *shortage*** Wohnungsnot *f*; **~ *situation*** Lage *f* auf dem Wohnungsmarkt; **~ *unit*** Wohneinheit *f*; **4.** Wohnungsbau *m od.* -beschaffung *f*; **5.** ⚙ a) Gehäuse *n*, b) Gerüst *n*, c) Nut *f*.

hous·ing² ['haʊzɪŋ] *s.* Satteldecke *f*.

hove [həʊv] *pret. u. p.p. von* ***heave***.

hov·el ['hɒvl] *s.* **1.** Schuppen *m*; **2.** *contp.* ‚Bruchbude' *f*, ‚Loch' *n*.

hov·el·(l)er ['hɒvlə] *s.* ⚓ **1.** Bergungsboot *n*; **2.** Berger *m*.

hov·er ['hɒvə] *v/i.* **1.** schweben (*a. fig.*); **2.** sich her'umtreiben *od.* aufhalten (***about*** in der Nähe *gen.*); **3.** zögern, schwanken; **'~·craft** *s. sg. u. pl.* Hovercraft *n*, Luftkissenfahrzeug *n*; **'~·train** *s.* Hovertrain *m*, Schwebezug *m*.

how [haʊ] **I** *adv.* **1.** (*fragend*) wie: **~ *are you?*** wie geht es Ihnen?; **~ *do you do?*** (*bei der Vorstellung*) guten Tag!; **~ *about …?*** wie steht's mit …?; **~ *about a cup of tea?*** wie wäre es mit e-r Tasse Tee?; **~ *about it?*** (na,) wie wär's?; **~ *is it that …?*** wie kommt es, daß …?; **~ *now?*** was soll das bedeuten?; **~ *much?*** wieviel?; **~ *many?*** wie viele?, wieviel?; **~ *much is it?*** was kostet es?; **~ *do you know?*** woher wissen Sie das?; **~ *ever do you do it?*** wie machen Sie das nur?; **2.** (*ausrufend*) wie: **~ *absurd!***; ***and* ~!** F und wie!; ***here's* ~!** F auf Ihr Wohl!; **3.** (*relativ*) wie: ***I know* ~ *far it is*** ich weiß, wie weit es ist; ***he knows* ~ *to ride*** er kann reiten; ***I know* ~ *to do it*** ich weiß, wie man es macht; **II** *s.* **4.** Wie *n*: ***the* ~ *and the why*** das Wie u. Warum.

how·be·it [,haʊ'biːɪt] *obs.* **I** *adv.* nichtsdesto'weniger; **II** *cj.* ob'gleich, ob'schon.

how·dah ['haʊdə] *s.* (*mst gedeckter*) Sitz auf dem Rücken e-s Ele'fanten.

how-do-you-do [,haʊdjʊ'duː], **,how-d'ye-'do** [-djə'duː] *s.* F: ***a nice* ~** e-e schöne ‚Bescherung'.

how·ev·er [haʊ'evə] **I** *adv.* **1.** wie auch (immer), wenn auch noch so: **~ *good***; **~ *it*** (***may***) ***be*** wie dem auch sei; **~ *you do it*** wie du es auch machst; **2.** F wie … bloß *od.* denn nur: **~ *did you do it?***; **II** *cj.* **3.** je'doch, dennoch, doch, aber, in'des.

how·itz·er ['haʊɪtsə] *s.* Hau'bitze *f*.

howl [haʊl] **I** *v/i.* **1.** heulen (*Wölfe, Wind etc.*); **2.** brüllen, schreien (***with*** vor *dat.*); **3.** F ‚heulen', weinen; **4.** pfeifen (*Wind, Radio etc.*); **II** *v/t.* **5.** brüllen, schreien: **~ *down*** *j-n* niederschreien; **III** *s.* **6.** Heulen *n*, Geheul *n*; **7.** a) Schrei *m*: **~*s of laughter*** brüllendes Gelächter, b) Gebrüll *n*, Geschrei *n*: ***be a* ~** F ‚zum Brüllen' sein; **'howl·er** [-lə] *s.* **1.** Heuler(in); **2.** *zo.* Brüllaffe *m*; **3.**

H

F grober Schnitzer, ‚Heuler' *m*; **'howl·ing** [-lɪŋ] *adj.* **1.** heulend, brüllend; **2.** F ‚toll', Mords…

how·so·ev·er [ˌhaʊsəʊ'evə] → ***however*** 1.

ˌhow-to-'do-it book *s.* Bastelbuch *n.*

hoy¹ [hɔɪ] *s.* ⚓ Leichter *m.*

hoy² [hɔɪ] **I** *int.* **1.** he!, hoi!; **2.** ⚓ a'hoi!; **II** *s.* **3.** He(ruf *m*) *n.*

hoy·den ['hɔɪdn] *s.* Range *f*, Wildfang *m* (*Mädchen*); **'hoy·den·ish** [-nɪʃ] *adj.* wild, ausgelassen.

hub [hʌb] *s.* **1.** (Rad)Nabe *f*: ***~cap*** *mot.* Radkappe *f*; **2.** *fig.* Mittel-, Angelpunkt *m*, Zentrum *n*: ***~ of the universe*** Mittelpunkt der Welt (*bsd. fig.*); **3.** ***the ~*** *Am.* (*Spitzname für*) Boston *n.*

hub·bub ['hʌbʌb] *s.* **1.** Stimmengewirr *n*; **2.** Lärm *m*, Tu'mult *m.*

hub·by ['hʌbɪ] *s.* F ‚Männe' *m*, (Ehe-)Mann *m.*

hu·bris ['hju:brɪs] (*Greek*) *s.* Hybris *f*, freche 'Selbstüberˌhebung.

huck·le ['hʌkl] *s.* **1.** *anat.* Hüfte *f*; **2.** Buckel *m*; **'~·ber·ry** *s.* ⚘ Heidelbeere *f*; **'~-bone** *s. anat.* **1.** Hüftknochen *m*; **2.** Fußknöchel *m.*

huck·ster ['hʌkstə] **I** *s.* **1.** → ***hawker²***; **2.** *contp.* Krämer(seele *f*) *m*, Feilscher *m*; **3.** *Am. sl.* ‚Re'klamefritze' *m* (*Werbefachmann*); **II** *v/i.* **4.** hökern; hausieren; **5.** feilschen (***over*** um).

hud·dle ['hʌdl] **I** *v/t.* **1.** a) *mst* ***~ together*** (*od.* ***up***) zs.-werfen, auf e-n Haufen werfen, b) *wohin* stopfen; **2.** ***~ o.s.*** (***up***) → 6; ***~d up*** zs.-gekauert; **3.** *mst* ***~ together*** (*od.* ***up***) *Brit. Bericht etc.* a) ‚hinhauen', b) zs.-stoppeln; **4.** ***~ on*** sich *ein Kleid etc.* 'überwerfen, schlüpfen in (*acc.*); **5.** *fig.* vertuschen; **II** *v/i.* **6.** (***~ up*** sich zs.-)kauern; **7.** *a.* ***~ together*** (*od.* ***up***) sich zs.-drängen; **8.** ***~*** (***up***) ***against*** (*od.* ***to***) sich kuscheln *od.* schmiegen an (*acc.*); **III** *s.* **9.** a) (wirrer) Haufen, b) Wirrwarr *m*; **10.** ***go into a ~*** F a) die Köpfe zs.-stecken, ‚Kriegsrat halten', b) ***with o.s.*** ‚mal nachdenken', mit sich zu Rate gehen.

hue¹ [hju:] *s.*: ***~ and cry*** *a. fig.* (Zeter-)Geschrei *n*, Gezeter *n*; ***raise a ~ and cry*** ein Zetergeschrei erheben, lautstark protestieren (***against*** gegen).

hue² [hju:] *s.* Farbe *f*, (Farb)Ton *m*; Färbung *f* (*a. fig.*); **hued** [hju:d] *adj. in Zssgn* …farbig, …farben.

huff [hʌf] **I** *v/t.* **1.** a) ärgern, verstimmen, b) kränken, c) ‚piesacken': ***~ s.o. into s.th.*** j-n zu et. zwingen; ***easily ~ed*** leicht ‚eingeschnappt', sehr übelnehmerisch; **2.** *Damespiel*: *Stein* wegnehmen; **II** *v/i.* **3.** a) sich ärgern, b) ‚einschnappen'; **4.** *a.* ***~ and puff*** a) schnaufen, pusten, b) (vor Wut) schnauben; **III** *s.* **5.** Ärger *m*, Verstimmung *f*: ***be in a ~*** verstimmt *od.* ‚eingeschnappt' sein;

huff·i·ness ['hʌfɪnɪs] *s.* **1.** übelnehmerisches Wesen; **2.** Verärgerung *f*, Verstimmung *f*; **huff·ish** ['hʌfɪʃ], **huff·y** ['hʌfɪ] *adj.* ☐ **1.** übelnehmerisch; **2.** verärgert, ‚eingeschnappt'.

hug [hʌg] **I** *v/t.* **1.** um'armen, an sich drücken: ***~ o.s.*** sich beglückwünschen (***on***, ***over*** zu); **2.** *fig.* (zäh) festhalten an (*e-r Meinung etc.*); **3.** sich dicht halten an (*acc.*): ***~ the coast*** (***the side of the road***) sich dicht an die Küste (an den Straßenrand) halten; ***the car ~s the road well*** *mot.* der Wagen hat e-e gute Straßenlage; **II** *v/i.* **4.** ein'ander *od.* sich um'armen; **III** *s.* **5.** Um'armung *f*: ***give s.o. a ~*** j-n umarmen.

huge [hju:dʒ] *adj.* ☐ riesig, ungeheuer, e'norm, gewaltig, mächtig (*alle a. fig.*); **'huge·ly** [-lɪ] *adv.* gewaltig, ungeheuer, ungemein; **'huge·ness** [-nɪs] *s.* ungeheure Größe.

hug·ger·mug·ger ['hʌgəˌmʌgə] **I** *s.* **1.** ‚Kuddelmuddel' *m*, *n*; **2.** Heimlichtue'rei *f*; **II** *adj. u. adv.* **3.** unordentlich; **4.** heimlich, verstohlen; **III** *v/t.* **5.** vertuschen, verbergen.

Hu·gue·not ['hju:gənɒt] *s.* Huge'notte *m*, Huge'nottin *f.*

huh [hʌ] *int.* **1.** wie?, was?; **2.** ha(ha)!

hu·la ['hu:lə], **ˌhu·la-'hu·la** *s.* Hula *f*, *m* (*Tanz der Eingeborenen auf Hawaii*).

hulk [hʌlk] *s.* **1.** ⚓ Hulk *f*, *m*; **2.** Ko'loß *m* (*Sache od. Person*): ***a ~ of a man*** *a.* ein Riesenkerl, ein ungeschlachter Kerl; **'hulk·ing** [-kɪŋ], **'hulk·y** *adj.* **1.** ungeschlacht; **2.** sperrig, klotzig.

hull¹ [hʌl] **I** *s.* ⚘ Schale *f*, Hülle *f* (*beide a. weitS.*), Hülse *f*; **II** *v/t.* schälen, enthülsen: ***~ed barley*** Graupen *pl.*

hull² [hʌl] **I** *s.* ⚓, ✈ Rumpf *m*: ***~ down*** weit entfernt (*Schiff*); **II** *v/t.* ⚓ den Rumpf treffen *od.* durch'schießen.

hul·la·ba·loo [ˌhʌləbə'lu:] *s.* Lärm *m*, Tu'mult *m*, Trubel *m.*

hul·lo [hə'ləʊ] → ***hello***.

hum [hʌm] **I** *v/i.* **1.** summen (*Bienen*, *Draht*, *Person etc.*); **2.** ⚡ brummen; **3.** ***~ and ha***(***w***) a) ‚herumdrucksen', b) (hin u. her) schwanken; **4.** *a.* ***~ with activity*** F voller Leben *od.* Aktivi'tät sein: ***make things ~*** die Sache in Schwung bringen; **5.** ‚muffeln', stinken; **II** *v/t.* **6.** summen; **III** *s.* **7.** Summen *n*; **8.** ⚡ Brummen *n*; **9.** [*a.* mm] Hm *n*: ***~s and ha***(***w***)***s*** verlegenes Geräusper.

hu·man ['hju:mən] **I** *adj.* ☐ → ***humanly***; **1.** menschlich (*a. weitS. Person*, *Charakter etc.*), Menschen…, Human… (*-medizin etc.*): ***~ nature*** menschliche Natur; ***~ engineering*** a) angewandte Betriebspsychologie, Arbeitsplatzgestaltung *f*, b) menschengerechte Gestaltung (*von Maschinen etc.*) zwecks optimaler Leistung; ***~ interest*** *das* menschlich Ansprechende; ***~-inter-***

est story ergreifende *od.* ein menschliches Schicksal schildernde Geschichte; ***~ relations*** zwischenmenschliche Beziehungen, (✝ innerbetriebliche) Kontaktpflege; ***the ~ race*** das Menschengeschlecht; ***~ rights*** Menschenrechte; ***~ rights abuse*** Menschenrechtsverletzung *f*; ***~ rights activist*** Menschenrechtler *m*; ***~ touch*** menschliche Note; ***that's only ~*** das ist doch menschlich; ***I am only ~*** *iro.* ich bin auch nur ein Mensch; → ***err*** 1; **2.** → ***humane*** 1; **II** *s.* **3.** Mensch *m*; **hu·mane** [hju:ˈmeɪn] *adj.* □ **1.** huˈman, menschlich: ♁ ***Society*** Gesellschaft *f* zur Verhinderung von Grausamkeiten an Tieren; **2.** → ***humanistic*** 1; **hu·mane·ness** [hju:ˈmeɪnnɪs] *s.* Humaniˈtät *f*, Menschlichkeit *f*.

hu·man·ism [ˈhju:mənɪzəm] *s.* **1.** *oft* ♁ Humaˈnismus *m*; **2.** a) → ***humaneness***, b) → ***humanitarianism***; ˈ**hu·man·ist** [-ɪst] **I** *s.* **1.** Humaˈnist(in); **2.** → ***humanitarian*** II; **II** *adj.* → **hu·man·is·tic** [ˌhju:məˈnɪstɪk] *adj.* (□ ***~ally***) **1.** humaˈnistisch: ***~ education***; **2.** a) → ***humane*** 1, b) → **hu·man·i·tar·i·an** [hju:ˌmænɪˈteərɪən] **I** *adj.* humaniˈtär, menschenfreundlich, Humanitäts…; **II** *s.* Menschenfreund *m*; **hu·man·i·tar·i·an·ism** [hju:ˌmænɪˈteərɪənɪzəm] *s.* Menschenfreundlichkeit *f*, humaniˈtäre Gesinnung; **hu·man·i·ty** [hju:ˈmænətɪ] *s.* **1.** die Menschheit; **2.** Menschsein *n*, menschliche Naˈtur; **3.** Humaniˈtät *f*, Menschlichkeit *f*; **4.** *pl.* a) klassische Literaˈtur, b) ˈAltphiloloˌgie *f*, c) Geisteswissenschaften *pl*.

hu·man·i·za·tion [ˌhju:mənaɪˈzeɪʃn] *s.* **1.** Humanisierung *f*; **2.** Vermenschlichung *f*, Personifizierung *f*; **hu·man·ize** [ˈhju:mənaɪz] *v/t.* **1.** humanisieren, huˈmaner gestalten; **2.** vermenschlichen, personifizieren.

ˌ**hu·manˈkind** *s.* die Menschheit, das Menschengeschlecht; ˈ**hu·man·ly** [-lɪ] *adv.* **1.** menschlich; **2.** nach menschlichen Begriffen: ***~ possible*** menschenmöglich; ***~ speaking*** menschlich gesehen; **3.** huˈman, menschlich.

hum·ble [ˈhʌmbl] **I** *adj.* □ bescheiden: a) demütig: ***in my ~ opinion*** nach m-r unmaßgeblichen Meinung; ***my ~ self*** meine Wenigkeit; ***Your ~ servant*** *obs.* Ihr ergebener Diener; ***eat ~ pie*** *fig.* klein beigeben, zu Kreuze kriechen, b) anspruchslos, einfach, c) niedrig, dürftig, ärmlich: ***of ~ birth*** von niedriger Geburt; **II** *v/t.* demütigen, erniedrigen; ˈ**hum·ble·ness** [-nɪs] *s.* Demut *f*, Bescheidenheit *f*.

hum·bug [ˈhʌmbʌg] **I** *s.* **1.** ‚Humbug' *m*: a) Schwindel *m*, Betrug *m*, b) Unsinn *m*, ‚Mumpitz' *m*; **2.** Schwindler *m*, *bsd.* Hochstapler *m*, *a.* Scharlatan *m*; **3.** *a.* ***mint ~*** *Brit.* ˈPfefferminzbonˌbon *m*, *n*; **II** *v/t.* **4.** betrügen, ‚reinlegen'.

hum·ding·er [hʌmˈdɪŋgə] *s. sl.* **1.** ‚toller Bursche'; **2.** ‚tolles Ding'.

hum·drum [ˈhʌmdrʌm] **I** *adj.* **1.** eintönig, langweilig, fad; **II** *s.* **2.** Eintönigkeit *f*, Langweiligkeit *f*; **3.** langweilige Sache *od.* Perˈson.

hu·mec·tant [hju:ˈmektənt] *s.* ⚗ Feuchthaltemittel *n*.

hu·mer·al [ˈhju:mərəl] *adj. anat.* **1.** Oberarmknochen…; **2.** Schulter…; **hu·mer·us** [ˈhju:mərəs] *pl.* **-i** [-aɪ] *s.* Oberarm(knochen) *m*.

hu·mid [ˈhju:mɪd] *adj.* feucht; **hu·mid·i·fi·er** [hju:ˈmɪdɪfaɪə] *s.* Befeuchter *m*; **hu·mid·i·fy** [hju:ˈmɪdɪfaɪ] *v/t.* befeuchten; **hu·mid·i·ty** [hju:ˈmɪdətɪ] *s.* Feuchtigkeit(sgehalt *m*) *f*.

hu·mi·dor [ˈhju:mɪdɔ:] *s.* Feuchthaltebehälter *m*.

hu·mil·i·ate [hju:ˈmɪlɪeɪt] *v/t.* erniedrigen, demütigen; **huˈmil·i·at·ing** [-tɪŋ] *adj.* demütigend, erniedrigend; **hu·mil·i·a·tion** [hju:ˌmɪlɪˈeɪʃn] *s.* Erniedrigung *f*, Demütigung *f*; **huˈmil·i·ty** [-ətɪ] → ***humbleness***.

hum·ming [ˈhʌmɪŋ] *adj.* **1.** summend; **2.** ⚡ brummend; **3.** F a) lebhaft, schwungvoll, b) geschäftig; ˈ**~-bird** *s. orn.* Kolibri *m*; ˈ**~-top** *s.* Brummkreisel *m*.

hum·mock [ˈhʌmək] *s.* **1.** Hügel *m*; **2.** Eishügel *m*.

hu·mor *etc. Am.* → ***humour*** *etc.*

hu·mor·esque [ˌhju:məˈresk] *s.* ♪ Humoˈreske *f*; **hu·mor·ist** [ˈhju:mərɪst] *s.* **1.** Humoˈrist(in); **2.** Spaßvogel *m*; ˌ**hu·morˈis·tic** [-ˈrɪstɪk] *adj.* (□ ***~ally***) humoˈristisch; **hu·mor·ous** [ˈhju:mərəs] *adj.* □ huˈmorvoll, huˈmorig, lustig; **hu·mor·ous·ness** [ˈhju:mərəsnɪs] *s.* huˈmorvolle Art, (*das*) Huˈmorvolle, Komik *f*.

hu·mour [ˈhju:mə] **I** *s.* **1.** Gemütsart *f*, Temperaˈment *n*; **2.** Stimmung *f*, Laune *f*: ***in the ~ for*** aufgelegt zu; ***in a good*** (***bad***) ***~*** (bei) guter (schlechter) Laune; ***out of ~*** schlecht gelaunt; **3.** Huˈmor *m*, Spaß *m*; Komik *f*, *das* Komische (*e-r Situation etc.*); **4.** *a.* ***sense of ~*** (Sinn *m* für) Humor *m*; **5.** Spaß *m*; **6.** *physiol.* a) Körperflüssigkeit *f*, b) *obs.* Körpersaft *m*; **II** *v/t.* **7.** a) *j-m* s-n Willen tun *od.* lassen, b) *j-n od. et.* hinnehmen, mit Geduld ertragen; ˈ**hu·mo(u)r·less** [-lɪs] *adj.* huˈmorlos.

hump [hʌmp] **I** *s.* **1.** Buckel *m*, *bsd. des Kamels*: Höcker *m*; **2.** kleiner Hügel: ***be over the ~*** *fig.* über den Berg sein; **3.** *Brit.* F a) Trübsinn *m*, b) Stinklaune *f*: ***give s.o. the ~*** → 6; **II** *v/t.* **4.** *oft* ***~ up*** (zu e-m Buckel) krümmen: ***~ one's back*** e-n Buckel machen; **5.** a) sich *et.* aufladen, b) schleppen, tragen: ***~ o.s.*** (*od.* ***it***) *Am. sl.* sich ‚ranhalten' (*an-*

H

strengen); **6.** *Brit.* F a) *j-n* trübsinnig machen, b) *j-m* ‚auf den Wecker fallen'; **7.** V ‚bumsen' (*a. v/i.*); **'~·back** *s.* **1.** Buckel *m*; **2.** Bucklige(r *m*) *f*; **3.** *zo.* Buckelwal *m*; **'~·backed** *adj.* bucklig.

humped [hʌmpt] *adj.* **1.** bucklig, höckerig; **2.** holp(e)rig.

humph [mm; hʌmf] *int.* hm!, *contp.* pff!

hump·ty-dump·ty [ˌhʌmptɪˈdʌmptɪ] *s.* ‚Dickerchen' *n.*

hump·y [ˈhʌmpɪ] → ***humped.***

hu·mus [ˈhjuːməs] *s.* Humus *m.*

Hun [hʌn] *s.* **1.** Hunne *m*, Hunnin *f*; **2.** *fig.* Wanˈdale *m*, Barˈbar *m*; **3.** F *contp.* Deutsche(r) *m.*

hunch [hʌntʃ] **I** *s.* **1.** → ***hump*** 1; **2.** Klumpen *m*; **3.** ***a ~*** F das *od.* so ein Gefühl, e-n *od.* den Verdacht (***that*** daß): ***play a ~*** e-r Intuition folgen; **II** *v/t.* **4.** *a.* ***~ up*** → ***hump*** 4: ***~ one's shoulders*** die Schultern hochziehen; **5.** *a.* ***~ up*** (sich) kauern; **'~·back** → ***humpback*** 1 *u.* 2; **'~·backed** → ***humpbacked.***

hun·dred [ˈhʌndrəd] **I** *adj.* **1.** hundert: ***a*** (*od.* ***one***) ***~*** (ein)hundert; ***several ~ men*** mehrere hundert Mann; ***a ~ and one*** hundert(erlei), zahllose; **II** *s.* **2.** Hundert *n* (*a. Zahl*): ***by the ~*** hundertweise; ***several ~*** mehrere Hundert; ***~s of times*** hundertmal; ***~s of thousands*** Hunderttausende; ***~s and ~s*** Hunderte u. aber Hunderte; **3.** ⚘ Hunderter *m*; **4.** *hist. Brit.* Bezirk *m*, Hundertschaft *f*; **5.** ***~s and thousands*** Liebesperlen *pl.* (*auf Gebäck etc.*); **'~·fold I** *adj. u. adv.* hundertfach, -fältig; **II** *s. das* Hundertfache; **'~-perˌcent** *adj.* ˈhundertproˌzentig; **'~-perˌcent·er** *s. pol. Am.* ˈHurrapatriˌot *m.*

hun·dredth [ˈhʌndrədθ] **I** *adj.* **1.** hundertst; **II** *s.* **2.** Hundertste(r *m*) *f*; **3.** Hundertstel *n.*

'hun·dred·weight *s.* a) *in England 112 lbs.*, b) *in USA 100 lbs.*, c) *a.* ***metric ~*** Zentner *m.*

hung [hʌŋ] *pret. u. p.p. von* ***hang.***

Hun·gar·i·an [hʌŋˈgeərɪən] **I** *adj.* **1.** ungarisch; **II** *s.* **2.** Ungar(in); **3.** *ling.* Ungarisch *n.*

hun·ger [ˈhʌŋgə] **I** *s.* **1.** Hunger *m*: ***~ is the best sauce*** Hunger ist der beste Koch; **2.** *fig.* Hunger *m*, Verlangen *n*, Durst *m* (***for, after*** nach); **II** *v/i.* **3.** hungern, Hunger haben; **4.** *fig.* hungern (***for, after*** nach); **III** *v/t.* **5.** aushungern; durch Hunger zwingen (***into*** zu); ***~ march*** *s.* Hungermarsch *m*; ***~ strike*** *s.* Hungerstreik *m.*

hun·gry [ˈhʌŋgrɪ] *adj.* ☐ **1.** hungrig: ***be*** (*od.* ***feel***) ***~*** hungrig sein, Hunger haben: ***go ~*** hungern; ***~ as a hunter*** (*od.* ***bear***) hungrig wie ein Wolf; **2.** *fig.* hungrig (***for*** nach): ***~ for knowledge*** wissensdurstig; **3.** ⚒ karg, mager (*Boden*).

hunk [hʌŋk] *s.* F großes Stück, (dicker) Brocken.

hunk·y-do·ry [ˌhʌŋkɪˈdɔːrɪ] *adj. Am. sl.* **1.** ‚klasse', prima; **2.** bestens, ‚in Butter'.

hunt [hʌnt] **I** *s.* **1.** Jagd *f*, Jagen *n*: ***the ~ is up*** die Jagd hat begonnen; **2.** ˈJagd(-reˌvier *n*) *f*; **3.** Jagd(gesellschaft) *f*; **4.** *fig.* Jagd *f*: a) Verfolgung *f*, b) Suche *f* (***for*** nach); **II** *v/t.* **5.** (*a. fig. j-n*) jagen, Jagd machen auf (*acc.*), hetzen: ***~ed look*** *fig.* gehetzter Blick; ***~ down*** erlegen, *a. fig.* zur Strecke bringen; ***~ out*** a) hinausjagen, b) *a.* ***~ up*** aufstöbern, -spüren, -treiben, *weitS.* forschen nach; **6.** *Revier* durchˈjagen, -ˈstöbern, -ˈsuchen (*a. fig.*) (***for*** nach); **7.** jagen mit (*Hunden, Pferden etc.*); **8.** *Radar, TV*: abtasten; **III** *v/i.* **9.** jagen: ***~ for*** Jagd machen auf (*acc.*) (*a. fig.*); **10.** ***~ after*** (*od.* ***for***) a) suchen nach, b) jagen, streben nach; **11.** ⚙ flattern; **'hunt·er** [-tə] *s.* **1.** Jäger *m* (*a. zo. u. fig.*): ***~-killer satellite*** ⚔ Killersatellit *m*; **2.** Jagdhund *m od.* -pferd *n*; **3.** Sprungdeckeluhr *f.*

hunt·ing [ˈhʌntɪŋ] **I** *s.* **1.** Jagd *f*, Jagen *n*; **2.** → ***hunt*** 4; **3.** *Radar, TV*: Abtastvorrichtung *f*; **II** *adj.* **4.** Jagd...; ***~ box*** → ***hunting lodge***; ***~ cat*** → ***cheetah***; ***~ crop*** *s.* Jagdpeitsche *f*; ***~ ground*** *s.* ˈJagdreˌvier *n*, -gebiet *n* (*a. fig.*): ***the happy ~s*** die ewigen Jagdgründe; ***~ horn*** *s.* Hift-, Jagdhorn *n*; ***~ leop·ard*** → ***cheetah***; ***~ li·cence***, *Am.* ***~ li·cense*** *s.* Jagdschein *m*; ***~ lodge*** *s.* Jagdhütte *f*; ***~ sea·son*** *s.* Jagdzeit *f.*

hunt·ress [ˈhʌntrɪs] *s.* Jägerin *f.*

hunts·man [ˈhʌntsmən] *s.* [*irr.*] **1.** Jäger *m*, Weidmann *m*; **2.** Rüdemeister *m*; **'hunts·man·ship** [-ʃɪp] *s.* Jägeˈrei *f*, Weidwerk *n.*

hur·dle [ˈhɜːdl] **I** *s.* **1.** *sport u. fig.* a) Hürde *f*, b) *Hindernislauf, Pferdesport*: Hindernis *n*: ***take*** (*od.* ***pass***) ***the ~*** *a. fig.* die Hürde nehmen; **2.** Hürde *f*, (Weiden-, Draht)Geflecht *n*; **3.** ⚙ Faˈschine *f*, Gitter *n*; **II** *v/t.* **4.** mit Hürden umˈgeben, umˈzäunen; **5.** *ein Hindernis* überˈspringen; **6.** *fig. e-e Schwierigkeit* überˈwinden; **III** *v/i.* **7.** *sport*: e-n Hürden- *od.* Hindernislauf *od.* (*Pferdesport*) ein Hindernisrennen bestreiten; **'hur·dler** [-lə] *s. sport* a) Hürdenläufer (-in), b) Hindernisläufer *m*; **'hur·dle-race** *s. sport* a) Hürdenlauf *m*, b) Hindernislauf *m*, c) *Pferdesport*: Hindernisrennen *n.*

hur·dy-gur·dy [ˈhɜːdɪˌgɜːdɪ] *s.* ♪ a) Drehleier *f*, b) Leierkasten *m.*

hurl [hɜːl] **I** *v/t.* **1.** schleudern (*a. fig.*): ***~ abuse at s.o.*** j-m Beleidigungen ins Gesicht schleudern; ***~ o.s.*** sich stürzen (***on*** auf *acc.*); **II** *v/i.* **2.** *sport* Hurling spielen; **III** *s.* **3.** Schleudern *n*; **'hurl·er** [-lə] *s. sport* Hurlingspieler *m*; **'hurl·ey** [-lɪ] *s. sport* **1.** → ***hurling***; **2.** Hurlingstock *m*; **'hurl·ing** [-lɪŋ] *s. sport* Hurling (-spiel) *n* (*Art Hockey*).

hurl·y-burl·y ['hɜːlɪˌbɜːlɪ] **I** *s.* Tu'mult *m*, Aufruhr *m*; Wirrwarr *m*; **II** *adj.* turbu'lent.

hur·rah [hʊ'rɑː] **I** *int.* hur'ra!: ***~ for ...!*** hoch *od.* es lebe ...!; **II** *s.* Hur'ra(ruf *m*) *n*.

hur·ray [hʊ'reɪ] → ***hurrah***.

hur·ri·cane ['hʌrɪkən] *s.* a) Hurrikan *m*, Wirbelsturm *m*, b) Or'kan *m*, *fig. a.* Sturm *m*; **~ deck** *s.* ⚓ Sturmdeck *n*; **~ lamp** *s.* 'Sturmlaˌterne *f*.

hur·ried ['hʌrɪd] *adj.* ☐ eilig, hastig, schnell, über'eilt; **'hur·ri·er** [-ɪə] *s. Brit.* ⚒ Fördermann *m*.

hur·ry ['hʌrɪ] **I** *s.* **1.** Hast *f*, Eile *f*: ***in a ~*** eilig, hastig; ***be in a ~*** es eilig haben (***to do s.th.*** et. zu tun); ***there is no ~*** es eilt nicht, es hat keine Eile; ***in my ~ I forgot ...*** vor lauter Eile vergaß ich ...; ***you will not beat that in a ~*** F das machst du nicht so bald *od.* leicht nach; ***the ~ of daily life*** die Hetze des Alltags; ***in the ~ of business*** im Drang der Geschäfte; **II** *v/t.* **2.** schnell *od.* eilig befördern *od.* bringen: ***~ through*** *fig. Gesetzesvorlage etc.* durchpeitschen; **3.** *oft* ***~ up*** (*od.* ***on***) a) *j-n* antreiben, b) *et.* beschleunigen; **4.** *et.* über'eilen; **III** *v/i.* **5.** eilen, hasten: ***~ over s.th.*** et. hastig *od.* flüchtig erledigen; **6.** *oft* ***~ up*** sich beeilen: ***~ up!*** beeil dich!, (mach) schnell!; **ˌ~-'scur·ry** [-'skʌrɪ] → ***helter-skelter***; **'~-up** *adj. Am.* **1.** eilig, Eil...: ***~ job***; **2.** hastig: ***~ breakfast***.

hurst [hɜːst] *s.* **1.** (*obs. außer in Ortsnamen*) Forst *m*; **2.** *obs.* bewaldeter Hügel; **3.** *obs.* Sandbank *f*.

hurt [hɜːt] **I** *v/t.* [*irr.*] **1.** verletzen, verwunden (*beide a. fig.*): ***~ s.o.'s feelings***; ***feel ~*** gekränkt *od.* verletzt sein; → ***fly²*** 1; **2.** schmerzen, weh tun (*dat.*) (*beide a. fig.*); drücken (*Schuh*); **3.** *j-m* schaden *od.* Schaden zufügen: ***it won't ~ you to*** *inf.* F du stirbst nicht gleich, wenn du; **4.** *et.* beschädigen; **II** *v/i.* [*irr.*] **5.** schmerzen, weh tun (*a. fig.*); **6.** schaden: ***that won't ~*** das schadet nichts; **7.** F Schmerzen haben, *a. fig.* leiden (***from*** an *dat.*); **III** *s.* **8.** Schmerz *m* (*a. fig.*); **9.** Verletzung *f*; **10.** Kränkung *f*; **11.** Schaden *m*, Nachteil *m*; **'hurt·ful** [-fʊl] *adj.* ☐ **1.** verletzend; **2.** schmerzlich; **3.** schädlich, nachteilig (***to*** für).

hur·tle ['hɜːtl] **I** *v/i.* **1.** *obs.* (***against***) zs.-prallen (mit), prallen, krachen (gegen); **2.** sausen, rasen; **3.** rasseln, poltern; **II** *v/t.* **4.** → ***hurl*** 1.

'hur·tle·ber·ry *s.* ⚘ Heidelbeere *f*.

hus·band ['hʌzbənd] **I** *s.* (Ehe)Mann *m*, Gatte *m*, Gemahl *m*; **II** *v/t.* haushälterisch *od.* sparsam 'umgehen mit, haushalten mit; **'hus·band·man** [-ndmən] *s.* [*irr.*] *obs.* Bauer *m*; **'hus·band·ry** [-rɪ] *s.* **1.** Landwirtschaft *f*; **2.** Haushalten *n*.

hush [hʌʃ] **I** *int.* **1.** still!, pst!; **II** *v/t.* **2.** zum Schweigen *od.* zur Ruhe bringen; **3.** *fig.* besänftigen, beruhigen; **4.** *mst* ***~ up*** vertuschen; **III** *v/i.* **5.** still werden; **IV** *s.* **6.** Stille *f*, Ruhe *f*; **'hush·a·by** [-ʃəbaɪ] *int.* eiapo'peia!; **hushed** [-ʃt] *adj.* lautlos, still.

ˌhush|-'hush *adj.* geheim(gehalten), Geheim..., heimlich; **'~-ˌmon·ey** *s.* Schweigegeld *n*.

husk [hʌsk] **I** *s.* **1.** ⚘ Hülse *f*, Schale *f*, Schote *f*, *Am. mst* Maishülse *f*; **2.** *fig.* (leere) Hülle, Schale *f*; **II** *v/t.* **3.** enthülsen, schälen; **'husk·er** [-kə] *s.* **1.** Enthülser(in); **2.** 'Schälmaˌschine *f*; **'husk·i·ly** [-kɪlɪ] *adv.* mit rauher *od.* heiserer Stimme; **'husk·i·ness** [-kɪnɪs] *s.* Heiserkeit *f*, Rauheit *f*; **'husk·ing** [-kɪŋ] *s.* **1.** Enthülsen *n*, Schälen *n*; **2.** *a.* ***~ bee*** *Am.* geselliges Maisschälen.

husk·y¹ ['hʌskɪ] **I** *adj.* ☐ **1.** hülsig; **2.** ausgedörrt; **3.** rauh, heiser; **4.** F stämmig, kräftig; **II** *s.* **5.** F stämmiger Kerl.

hus·ky² ['hʌskɪ] *s. zo.* Husky *m*, Eskimohund *m*.

hus·sar [hʊ'zɑː] *s.* ⚔ Hu'sar *m*.

Huss·ite ['hʌsaɪt] *s. hist.* Hus'sit *m*.

hus·sy ['hʌsɪ] *s.* **1.** Range *f*, ‚Fratz' *m*; **2.** ‚leichtes Mädchen', ‚Flittchen' *n*.

hus·tings ['hʌstɪŋz] *s. pl. mst sg. konstr. pol.* a) Wahlkampf *m*, b) Wahl(en *pl.*) *f*.

hus·tle ['hʌsl] **I** *v/t.* **1.** a) stoßen, drängen, b) (an)rempeln; **2.** a) hetzen, (an-)treiben, b) drängen (***into doing s.th.*** dazu, et. zu tun); **3.** rasch *wohin* schaffen *od.* ‚verfrachten'; **4.** sich beeilen mit; **5.** ***~ up*** *Am.* F ‚herzaubern'; **6.** *Am.* F a) *et.* ergattern, b) sich *et.* ergaunern; **II** *v/i.* **7.** sich drängen, hasten, hetzen, sich beeilen; **8.** *Am.* F a) mit Hochdruck arbeiten, b) ‚rangehen', Dampf da'hinter machen; **9.** *Am. sl.* a) ‚klauen', b) Betrüge'reien begehen, c) betteln, d) auf Kundschaft ausgehen (*a. Prostituierte*), e) ‚schwer hinterm Geld her sein'; **III** *s.* **10.** *mst* ***~ and bustle*** a) Gedränge *n*, b) Gehetze *n*, c) ‚Betrieb' *m*; **11.** *Am.* F Gaune'rei *f*; **'hus·tler** [-lə] *s.* **1.** F rühriger Mensch, ‚Wühler' *m*; **2.** *bsd. Am.* F a) ‚Nutte' *f*, Prostitu'ierte *f*, b) (kleiner) Gauner.

hut [hʌt] **I** *s.* **1.** Hütte *f*; **2.** ⚔ Ba'racke *f*; **II** *v/t. u. v/i.* **3.** in Ba'racken *od.* Hütten 'unterbringen (wohnen): ***~ted camp*** Barackenlager *n*.

hutch [hʌtʃ] *s.* **1.** Kiste *f*, Kasten *m*; **2.** Trog *m*; **3.** (kleiner) Stall, Käfig *m*, Verschlag *m*; **4.** ⚒ Hund *m*; **5.** F Hütte *f*.

H

hut·ment ['hʌtmənt] *s.* ⚔ **1.** 'Unterbringung *f* in Ba'racken; **2.** Ba'rackenlager *n.*
huz·za [hʊ'zɑ:] *obs.* → ***hurrah.***
hy·a·cinth ['haɪəsɪnθ] *s.* **1.** ⚘ Hya'zinthe *f*; **2.** *min.* Hya'zinth *m.*
hy·ae·na → ***hyena.***
hy·brid ['haɪbrɪd] **I** *s.* **1.** *biol.* Hy'bride *f*, *m*, Mischling *m*, Bastard *m*, Kreuzung *f*; **2.** *ling.* Mischwort *n*; **II** *adj.* **3.** hy'brid: a) *biol.* Misch..., Bastard..., Zwitter..., b) *fig.* ungleichartig, gemischt; '**hy·brid·ism** [-dɪzəm], **hy·brid·i·ty** [haɪ'brɪdətɪ] *s. biol.* Mischbildung *f*, Kreuzung *f*; **hy·brid·i·za·tion** [ˌhaɪbrɪdaɪ'zeɪʃn] *s.* Kreuzung *f*; '**hy·brid·ize** [-daɪz] *v/t.* (*v/i.* sich) kreuzen.
Hy·dra ['haɪdrə] *s.* **1.** Hydra *f*: a) *myth.* *vielköpfige Schlange*, b) *ast.* Wasserschlange *f*; **2.** ♀ *fig.* Hydra *f* (*kaum auszurottendes Übel*); **3.** ♀ *zo.* 'Süßwasserpoˌlyp *m.*
hy·dran·ge·a [haɪ'dreɪndʒə] *s.* ⚘ Hor'tensie *f.*
hy·drant ['haɪdrənt] *s.* Hy'drant *m.*
hy·drate ['haɪdreɪt] ⚗ **I** *s.* Hy'drat *n*; **II** *v/t.* hydratisieren; '**hy·drat·ed** [-tɪd] *adj.* ⚗, *min.* hy'drathaltig; **hy·dra·tion** [haɪ'dreɪʃn] *s.* ⚗ Hydra(ta)ti'on *f.*
hy·drau·lic [haɪ'drɔ:lɪk] **I** *adj.* (□ **~*ally***) ⚙, *phys.* hy'draulisch: a) (Druck-)Wasser...: **~ *clutch*** (***jack, press***) hydraulische Kupplung (Winde, Presse); **~ *power*** (***pressure***) Wasserkraft *f* (-druck *m*), b) unter Wasser erhärtend: **~ *cement*** hydraulischer Mörtel, Wassermörtel *m*; **II** *s. pl. sg. konstr. phys.* Hy'draulik *f* (*Wissenschaft*); **~ brake** *s. mot.* hy'draulische Bremse, Flüssigkeitsbremse *f*; **~ dock** *s.* ⚓ Schwimmdock *n*; **~ en·gi·neer** *s.* 'Wasserbauingeniˌeur *m*; **~ en·gi·neer·ing** *s.* Wasserbau *m.*
hy·dric ['haɪdrɪk] *adj.* ⚗ Wasserstoff...: **~ *oxide*** Wasser *n*; '**hy·dride** [-raɪd] *s.* ⚗ Hy'drid *n.*
hy·dro ['haɪdrəʊ] *pl.* **-dros** *s.* F **1.** ✈ → ***hydroplane*** 1; **2.** ⚕ *Brit.* F Ho'tel *n* mit hydro'pathischen Einrichtungen.
hydro- [haɪdrəʊ] *in Zssgn* a) Wasser..., b) ...wasserstoff *m.*
'**hy·dro**|**·bomb** *s.* ⚔ 'Lufttorˌpedo *m*; ˌ**~'car·bon** *s.* ⚗ Kohlenwasserstoff *m*; ˌ**~'cel·lu·lose** *s.* ⚗ 'Hydrozelluˌlose *f*; ˌ**~·ce'phal·ic** [-əʊse'fælɪk], ˌ**~'ceph·a·lous** [-əʊ'sefələs] *adj.* ⚕ mit e-m Wasserkopf; ˌ**~'ceph·a·lus** [-əʊ'sefələs] *s.* ⚕ Wasserkopf *m*; ˌ**~'chlo·ric** *adj.* ⚗ salzsauer: **~ *acid*** Salzsäure *f*, Chlorwasserstoff *m*; ˌ**~'chlo·ride** *s.* ⚗ 'Chlorhyˌdrat *n*; ˌ**~·cy'an·ic ac·id** *s.* ⚗ Blausäure *f*, Zy'anwasserstoffsäure *f*; ˌ**~·dy'nam·ic** *adj. phys.* hydrody'namisch; ˌ**~·dy'nam·ics** *s. pl. mst sg. konstr. phys.* Hydrody'namik *f*; ˌ**~·e'lec·tric** *adj.* ⚙ hydroe'lektrisch: **~ *power station*** (*od.* ***plant***) Wasserkraftwerk *n*; ˌ**~·ex'tract** *v/t.* ⚙ zentrifugieren, entwässern; ˌ**~·flu'or·ic ac·id** *s.* ⚗ Flußsäure *f*; '**~·foil** *s.* ⚓ Tragflügel(boot *n*) *m.*
hy·dro·gen ['haɪdrədʒən] *s.* ⚗ Wasserstoff *m*: **~ *bomb***; **~ *cylinder*** Wasserstoffflasche *f*; **~ *peroxide*** Wasserstoffsuperoxyd *n*; **~ *sulphide*** Schwefelwasserstoff; '**hy·dro·gen·ate** [-ədʒɪneɪt] *v/t.* ⚗ **1.** hydrieren; **2.** *Öl* härten; **hy·dro·gen·a·tion** [ˌhaɪdrədʒɪ'neɪʃn] *s.* ⚗ **1.** Hydrierung *f*; **2.** (Öl)Härtung *f*; '**hy·dro·gen·ize** [-ədʒɪnaɪz] → ***hydrogenate***; **hy·drog·e·nous** [haɪ'drɒdʒɪnəs] *adj.* ⚗ wasserstoffhaltig, Wasserstoff...
hy·dro·graph·ic [ˌhaɪdrəʊ'græfɪk] *adj.* (□ **~*ally***) hydro'graphisch: **~ *map*** ⚓ Seekarte *f*; **~ *office*** (*od.* ***department***) ⚓ Seewarte *f*; **hy·drog·ra·phy** [haɪ'drɒgrəfɪ] *s.* **1.** Hydrogra'phie *f*, Gewässerkunde *f*; **2.** Gewässer *pl.* (*e-r Landkarte*).
hy·dro·log·ic, hy·dro·log·i·cal [ˌhaɪdrəʊ'lɒdʒɪk(l)] *adj.* □ hydro'logisch; **hy·drol·o·gy** [haɪ'drɒlədʒɪ] *s.* Hydrolo'gie *f.*
hy·drol·y·sis [haɪ'drɒlɪsɪs] *pl.* **-ses** [-si:z] *s.* ⚗ Hydro'lyse *f*; **hy·dro·lyt·ic** [ˌhaɪdrəʊ'lɪtɪk] *adj.* hydro'lytisch; **hy·dro·lyze** ['haɪdrəlaɪz] *v/t.* hydrolysieren.
hy·drom·e·ter [haɪ'drɒmɪtə] *s. phys.* Hydro'meter *n.*
hy·dro·path ['haɪdrəʊpæθ] → ***hydropathist***; **hy·dro·path·ic** [ˌhaɪdrəʊ'pæθɪk] ⚕ *adj.* hydro'pathisch, Wasserkur...; **hy·drop·a·thist** [haɪ'drɒpəθɪst] *s.* ⚕ Hydro'path *m*, Kneipparzt *m*; **hy·drop·a·thy** [haɪ'drɒpəθɪ] *s.* ⚕ Hydrothera'pie *f.*
hy·dro|**·pho·bi·a** [ˌhaɪdrəʊ'fəʊbjə] *s.* ⚕ Hydropho'bie *f*: a) *a. psych.* Wasserscheu *f*, b) Tollwut *f*; **~·phyte** ['haɪdrəʊfaɪt] *s.* ⚘ Wasserpflanze *f*; **~·plane** ['haɪdrəʊpleɪn] **I** *s.* **1.** ✈ Wasserflugzeug *n*; **2.** ✈ Gleitfläche *f* (*e-s Wasserflugzeugs*); **3.** ⚓ Tragflügelboot *n*; **4.** ⚓ Tiefenruder *n* (*e-s U-Boots*); **II** *v/i.* **5.** *Am.* → ***aquaplane*** 3; ˌ**~'pon·ics** [-'pɒnɪks] *s. pl. sg. konstr.* 'Hydro-, 'Wasserkulˌtur *f*; ˌ**~·qui·none** [-kwɪ'nəʊn] *s. phot.* Hydrochi'non *n*; **~·scope** ['haɪdrəskəʊp] *s.* ⚙ Unter'wassersichtgerät *n*; **~·sphere** ['haɪdrəsfɪə] *s.* Hydro'sphäre *f* (*die Wasserhülle der Erde*); ˌ**~'stat·ic** [-'stætɪk] *adj.* hydro'statisch; ˌ**~'stat·ics** [-'stætɪks] *s. pl. sg. konstr.* Hydro'statik *f*; ˌ**~'ther·a·py** [-'θerəpɪ] *s.* ⚕ Hydrothera'pie *f.*
hy·drous ['haɪdrəs] *adj.* ⚗ wasserhaltig.
hy·drox·ide [haɪ'drɒksaɪd] *s.* ⚗ Hydro'xyd *n*: **~ *of sodium*** Ätznatron *n.*
hy·e·na [haɪ'i:nə] *s. zo.* Hy'äne *f*: ***laugh***

like a ~ F sich schieflachen.

hy·giene ['haɪdʒiːn] *s.* **1.** Hygi'ene *f*, Gesundheitspflege *f*: ***personal ~*** Körperpflege; ***dental*** (***food***, ***sex***) ***~*** Zahn-(Nahrungs-, Sexual)hygiene; **2.** → ***hygienic*** II; **hy·gi·en·ic** [haɪ'dʒiːnɪk] **I** *adj.* (□ ***~ally***) hygi'enisch; sani'tär; **II** *s. pl. sg. konstr.* Hygi'ene *f*, Gesundheitslehre *f*; **'hy·gi·en·ist** [-nɪst] *s.* Hygi'eniker(in).

hy·gro·graph ['haɪgrəgrɑːf] *s. meteor.* Hygro'graph *m*, selbstregistrierender Luftfeuchtigkeitsmesser; **hy·grom·e·ter** [haɪ'grɒmɪtə] *s. meteor.* Hygro'meter *n*, Luftfeuchtigkeitsmesser *m*; **hy·gro·met·ric** [ˌhaɪgrəʊ'metrɪk] *adj.* hygro'metrisch; **hy·grom·e·try** [haɪ'grɒmɪtrɪ] *s.* Hygrome'trie *f*, Luftfeuchtigkeitsmessung *f*; **'hy·gro·scope** [-əskəʊp] *s. meteor.* Hygro'skop *n*, Feuchtigkeitsanzeiger *m*; **hy·gro·scop·ic** [ˌhaɪgrəʊ'skɒpɪk] *adj.* hygro'skopisch, Feuchtigkeit anzeigend *od. a.* anziehend.

hy·ing ['haɪɪŋ] *pres.p. von* ***hie***.

hy·men ['haɪmen] *s.* **1.** *anat.* Hymen *n*, Jungfernhäutchen *n*; **2.** *poet.* Ehe *f*, Hochzeit *f*; **3.** ♀ *myth.* Hymen *m*, Gott *m* der Ehe.

hy·me·nop·ter·a [ˌhaɪmə'nɒptərə] *s. pl. zo.* Hautflügler *pl.*

hymn [hɪm] **I** *s.* Hymne *f* (*a. fig. Loblied*, *-gesang*), Kirchenlied *n*, Cho'ral *m*; **II** *v/t.* (lob)preisen; **III** *v/i.* Hymnen singen; **hym·nal** ['hɪmnəl] **I** *adj.* hymnisch, Hymnen…; **II** *s.* → **'hymn-book** *s.* Gesangbuch *n*; **hym·nic** ['hɪmnɪk] *adj.* hymnenartig; **'hym·no·dy** [-nəʊdɪ] *s.* **1.** Hymnensingen *n*; **2.** Hymnendichtung *f*; **3.** *coll.* Hymnen *pl.*

hy·oid (**bone**) ['haɪɔɪd] *s. anat.* Zungenbein *n*.

hype[1] [haɪp] *sl.* **I** *s.* **1.** Reklamerummel *m*; **2.** ‚Spritze' *f*, ‚Schuß' *m* (*Rauschgift*); **3.** ‚Fixer(in)'; **II** *v/i.* **4.** *mst* ***~ up*** ‚sich e-n Schuß setzen'; **III** *v/t.* **5.** hochjubeln; **6.** ***be ~d up*** ‚high' sein (*a. fig.*).

hype[2] [haɪp] *sl.* **I** *s.* Trick *m*, ‚Beschiß' *m*; **II** *v/t. j-n* austricksen, ‚bescheißen'.

ˌhy·per·a'cid·i·ty [ˌhaɪpərə-] *s.* ⚕ Über'säuerung *f* (*des Magens*).

hy·per·bo·la [haɪ'pɜːbələ] *s.* A Hy'perbel *f* (*Kegelschnitt*); **hy'per·bo·le** [-lɪ] *s. rhet.* Hy'perbel *f*, Über'treibung *f*; **hy·per·bol·ic**, **hy·per·bol·i·cal** [ˌhaɪpə'bɒlɪk(l)] *adj.* □ A, *rhet.* hyper'bolisch.

hy·per·bo·re·an [ˌhaɪpəbɔː'riːən] **I** *s. myth.* Hyperbo'reer *m*; **II** *adj.* hyperbo'reisch; **ˌhy·per·cor'rect** [ˌhaɪpə-] *adj.* 'hyperkorˌrekt (*a. ling.*); **ˌhy·per'crit·i·cal** [ˌhaɪpə-] *adj.* □ hyperkritisch, allzu kritisch; **'hy·perˌmar·ket** ['haɪpə-] *s.* Groß-, Verbrauchermarkt *m*; **hy·per·me·tro·pi·a** [ˌhaɪpəmɪ'trəʊpɪə], **hy·per·o·pi·a** [ˌhaɪpə'rəʊpɪə] *s.* ⚕ 'Übersichtigkeit *f*; **ˌhy·per'sen·si·tive** [ˌhaɪpə-] *adj.* 'überempfindlich; **ˌhy·per'son·ic** [ˌhaɪpə-] *adj. phys.* hyper'sonisch (*etwa über fünffache Schallgeschwindigkeit*); **ˌhy·per'ten·sion** [ˌhaɪpə-] *s.* ⚕ Hyperto'nie *f*, erhöhter Blutdruck.

hy·per·troph·ic [ˌhaɪpə'trɒfɪk], **hy·per·tro·phied** [haɪ'pɜːtrəʊfɪd] *adj.* ⚕, *biol. u. fig.* hyper'troph; **hy·per·tro·phy** [haɪ'pɜːtrəʊfɪ] ⚕, *biol. u. fig.* **I** *s.* Hypertro'phie *f*; **II** *v/t.* (*v/i.* sich) 'übermäßig vergrößern.

hy·phen ['haɪfn] **I** *s.* **1.** Bindestrich *m*; **2.** Trennungszeichen *n*; **II** *v/t.* **3.** → **'hy·phen·ate** [-fəneɪt] *v/t.* mit Bindestrich schreiben: ***~d American*** ‚Bindestrichamerikaner' *m*; **hy·phen·a·tion** [ˌhaɪfə'neɪʃn] *s.* a) Schreibung *f* mit Bindestrich, b) (Silben)Trennung *f*.

hyp·noid ['hɪpnɔɪd] *adj.* hypno'id, hyp'nose- *od.* schlafähnlich.

hyp·no·sis [hɪp'nəʊsɪs] *pl.* **-ses** [-siːz] *s.* ⚕ Hyp'nose *f*; **ˌhyp·no'ther·a·py** [ˌhɪpnəʊ-] *s. psych.* Hypnothera'pie *f*; **hyp'not·ic** [-'nɒtɪk] **I** *adj.* (□ ***~ally***) **1.** hyp'notisch; **2.** einschläfernd; **3.** hypnotisierbar; **II** *s.* **4.** Hyp'notikum *n*, Schlafmittel *n*; **5.** a) Hypnotisierte(r *m*) *f*, b) *j-d, der hypnotisierbar ist*; **hyp·no·tism** ['hɪpnətɪzəm] *s.* ⚕ **1.** Hypno'tismus *m*; **2.** a) Hyp'nose *f*, b) Hypnotisierung *f*; **hyp·no·tist** ['hɪpnətɪst] *s.* Hypnoti'seur *m*; **hyp·no·ti·za·tion** [ˌhɪpnətaɪ'zeɪʃn] *s.* Hypnotisierung *f*; **hyp·no·tize** ['hɪpnətaɪz] *v/t.* ⚕ hypnotisieren (*a. fig.*).

hy·po[1] ['haɪpəʊ] *s.* ⚗, *phot.* Fixiersalz *n*, 'Natriumthiosulˌfat *n*.

hy·po[2] ['haɪpəʊ] *pl.* **-pos** *s.* F → a) ***hypodermic injection***, b) ***hypodermic syringe***.

hy·po·chon·dri·a [ˌhaɪpəʊ'kɒndrɪə] *s.* ⚕ Hypochon'drie *f*; **ˌhy·po'chon·dri·ac** [-ɪæk] ⚕ **I** *adj.* (□ ***~ally***) hypo'chondrisch; **II** *s.* Hypo'chonder *m*.

hy·poc·ri·sy [hɪ'pɒkrəsɪ] *s.* Heuche'lei *f*, Scheinheiligkeit *f*; **hyp·o·crite** ['hɪpəkrɪt] *s.* Hypo'krit *m*, Heuchler(in), Scheinheilige(r *m*) *f*; **hyp·o·crit·i·cal** [ˌhɪpəʊ'krɪtɪkl] *adj.* □ heuchlerisch, scheinheilig.

hy·po·der·mic [ˌhaɪpəʊ'dɜːmɪk] ⚕ **I** *adj.* (□ ***~ally***) **1.** subku'tan, hypoder'mal, unter der *od.* die Haut; **II** *s.* **2.** → ***hypodermic injection***; **3.** → ***hypodermic syringe***; **4.** subku'tan angewandtes Mittel; **~ in·jec·tion** *s.* ⚕ subku'tane Injekti'on; **~ nee·dle** *s.* ⚕ Nadel *f* für e-e subku'tane Spritze; **~ syr·inge** *s.* ⚕ Spritze *f* zur subku'tanen Injekti'on.

hy·po|·phos·phate [ˌhaɪpəʊ'fɒsfeɪt] *s.* ⚗ 'Hypophosˌphat *n*; **~·phos·phor·ic ac·id** [ˌhaɪpəʊfɒs'fɒrɪk] *s.* ⚗ Hypo-, 'Unterphosphorsäure *f*.

hy·poph·y·sis [haɪ'pɒfɪsɪs] *pl.* **-ses**

[-siːz] *s. anat.* Hirnanhangdrüse *f*, Hypo'physe *f*.

hy·pos·ta·sis [haɪ'pɒstəsɪs] *pl.* **-ses** [-siːz] *s.* **1.** *phls.* Hypo'stase *f*: a) Grundlage *f*, Sub'stanz *f*, b) Vergegenständlichung *f* (*e-s Begriffs*); **2.** ⚕, *biol.* Hypo'stase *f*.

hy·po|·sul·fite, *bsd. Brit.* **~·sul·phite** [ˌhaɪpəʊ'sʌlfaɪt] *s.* ⚗ **1.** Hyposul'fit *n*, 'unterschwefligsaures Salz; **2.** → ***hypo***[1]; **~·sul·fu·rous**, *bsd. Brit.* **~·sul·phu·rous** [ˌhaɪpəʊ'sʌlfərəs] *adj.* ⚗ 'unterschweflig.

hy·po·tac·tic [ˌhaɪpəʊ'tæktɪk] *adj. ling.* hypo'taktisch, 'unterordnend.

hy·po·ten·sion [ˌhaɪpəʊ'tenʃn] *s.* ⚕ zu niedriger Blutdruck, Hypoto'nie *f*.

hy·pot·e·nuse [haɪ'pɒtənjuːz] *s.* ⩓ Hypote'nuse *f*.

hy·poth·ec ['haɪpəθɪk] *s.* ⚖ *Scot.* Hypo'thek *f*; **hy·poth·e·car·y** [haɪ'pɒθɪkərɪ] *adj.* ⚖ hypothe'karisch: **~ *debts*** Hypothekenschulden; **~ *value*** Beleihungswert *m*; **hy·poth·e·cate** [haɪ'pɒθɪkeɪt] *v/t.* **1.** ⚖ *Grundstück etc.* hypothe'karisch belasten; **2.** *Schiff* verbodmen; **3.** ☤ *Effekten* lombardieren; **hy·poth·e·ca·tion** [haɪˌpɒθɪ'keɪʃn] *s.* **1.** ⚖ hypothe'karische Belastung (*Grundstück etc.*); **2.** Verbodmung *f* (*Schiff*); **3.** ☤ Lombardierung *f* (*Effekten*).

hy·poth·e·sis [haɪ'pɒθɪsɪs] *pl.* **-ses** [-siːz] *s.* Hypo'these *f*: a) Annahme *f*, Vor'aussetzung *f*: ***working* ~** Arbeitshypothese, b) (bloße) Vermutung; **hy·'poth·e·size** [-saɪz] **I** *v/i.* e-e Hypo'these aufstellen; **II** *v/t.* vor'aussetzen, annehmen, vermuten; **hy·po·thet·ic**, **hy·po·thet·i·cal** [ˌhaɪpəʊ'θetɪk(l)] *adj.* □ hypo'thetisch.

hyp·som·e·try [hɪp'sɒmɪtrɪ] *s. geogr.* Höhenmessung *f*.

hys·sop ['hɪsəp] *s.* **1.** ⚘ Ysop *m*; **2.** *R.C.* Weihwedel *m*.

hys·te·ri·a [hɪ'stɪərɪə] *s.* ⚕ *u. fig.* Hyste'rie *f*; **hys·ter·ic** [hɪ'sterɪk] ⚕ **I** *s.* **1.** Hy'steriker(in); **2.** *pl. mst sg. konstr.* Hyste'rie *f*, hy'sterischer Anfall: ***go* (*off*) *into* ~*s*** a) e-n hysterischen Anfall bekommen, hysterisch werden, b) F e-n Lachkrampf bekommen; **II** *adj.* (□ ***~ally***) **3.** → **hys·ter·i·cal** [hɪ'sterɪkl] *adj.* □ ⚕ *u. fig.* hy'sterisch.

I

I¹, **i** [aɪ] *s.* I *n*, i *n* (*Buchstabe*).

I² [aɪ] **I** *pron.* ich; **II** *pl.* **I's** *s. das* Ich.

i·am·bic [aɪˈæmbɪk] **I** *adj.* jambisch; **II** *s.* a) Jambus *m* (*Versfuß*), b) jambischer Vers; **iˈam·bus** [-bəs] *pl.* **-bi** [-baɪ], **-bus·es** *s.* Jambus *m.*

ˈI-beam *s.* ⚙ Doppel-T-Träger *m*; I-Formstahl *m*: **~ *section*** I-Profil *n.*

I·be·ri·an [aɪˈbɪərɪən] **I** *s.* **1.** Iˈberer(in); **2.** *ling.* Iˈberisch *n*; **II** *adj.* **3.** iˈberisch; **4.** die iˈberische Halbinsel betreffend; **Ibero-** [-rəʊ] *in Zssgn* Ibero...; **~-*America*** Lateinamerika *n.*

i·bex [ˈaɪbeks] *s. zo.* Steinbock *m.*

i·bi·dem [ɪˈbaɪdem], *a.* **ib·id** [ˈɪbɪd] (*Lat.*) *adv.* ebenda (*bsd. für Textstelle etc.*).

i·bis [ˈaɪbɪs] *s. zo.* Ibis *m.*

ice [aɪs] **I** *s.* **1.** Eis *n*: ***broken ~*** Eisstücke *pl.*; ***dry ~*** Trockeneis (*feste Kohlensäure*); ***break the ~*** *fig.* das Eis brechen; ***skate on*** (*od.* ***over***) ***thin ~*** *fig.* a) ein gefährliches Spiel treiben, b) ein heikles Thema berühren; ***cut no ~*** F keinen Eindruck machen, ‚nicht ziehen'; ***that cuts no ~ with me*** F das zieht bei mir nicht; ***keep*** (*od.* ***put***) ***on ~*** F *et. od. j-n* ‚auf Eis legen'; **2.** a) *Am.* Gefrorenes *n* aus Fruchtsaft u. Zuckerwasser, b) *Brit.* (Speise)Eis *n*, c) → ***icing*** 2; **3.** *sl.* Diaˈmanten *pl.*, ‚Klunkern' *pl.*; **II** *v/t.* **4.** mit Eis bedecken; **5.** in Eis verwandeln, vereisen; **6.** mit *od.* in Eis kühlen; **7.** überˈzuckern, glasieren; **8.** *sl.* *j-n* ‚umlegen'; **III** *v/i.* **9.** gefrieren: **~ *up*** (*od.* ***over***) zufrieren, vereisen.

ice| age *s. geol.* Eiszeit *f*; **~ ax(e)** *s. mount.* Eispickel *m*; **~ bag** *s. Am.* Eisbeutel *m*; **ˈ~·berg** [-bɜːg] *s.* Eisberg *m* (*a. fig. sl. Person*): ***the tip of the ~*** die Spitze des Eisbergs (*a. fig.*); **ˈ~·blink** *s.* Eisblink *m*; **ˈ~·boat** *s.* **1.** Eissegler *m*, Segelschlitten *m*; **2.** Eisbrecher *m*; **ˈ~·bound** *adj.* eingefroren (*Schiff*); zugefroren (*Hafen*); vereist (*Straße*); **ˈ~·box** *s.* **1.** *bsd. Am.* Eis-, Kühlschrank *m*; **2.** *Brit.* Eisfach *n*; **3.** Eisbox *f*; **4.** F ‚Eiskeller' *m* (*Raum*); **ˈ~ˌbreak·er** *s.* ⚓ Eisbrecher *m* (*a. an Brücken*); **ˈ~·cap** *s.* (*bsd. arktische*) Eisdecke; **~ cream** *s.* (Speise)Eis *n*, Eiscreme *f*: ***vanilla ~*** Vanilleeis; **ˈ~-cream** *adj.* Eis...: **~ *bar*** *od.* ***parlo(u)r*** Eisdiele *f*; **~ *cone*** Eistüte *f*; **~ *soda*** Eis *n* in Sodawasser (*mit Sirup etc.*); **~ *cube*** *s.* Eiswürfel *m.*

iced [aɪst] *adj.* **1.** mit Eis bedeckt, vereist; **2.** eisgekühlt; **3.** gefroren; **4.** glasiert, mit ˈZuckerglaˌsur *od.* -guß.

ˈice|·fall *s.* gefrorener Wasserfall; **~ fern** *s.* Eisblume(n *pl.*) *f*; **~ floe** *s.* Eisscholle *f*; **~ foot** *s.* [*irr.*] (arktischer) Eisgürtel; **~ fox** *s. zo.* Poˈlarfuchs *m*; **ˈ~·free** *adj.* eis-, vereisungsfrei; **~ hock·ey** *s.* Eishockey *n*; **~ house** *s.* Kühlhaus *n.*

Ice·land·er [ˈaɪsləndə] *s.* Isländer(in); **Ice·lan·dic** [aɪsˈlændɪk] **I** *adj.* isländisch; **II** *s. ling.* Isländisch *n.*

ice| lol·ly *s. Brit.* Eis *n* am Stiel; **~ ma·chine** *s.* ˈEis-, ˈKältemaˌschine *f*; **ˈ~·man** [-mæn] *s.* [*irr.*] *Am.* Eismann *m*, Eisverkäufer *m*; **~ pack** *s.* **1.** Packeis *n*; **2.** ⚕ ˈEisˌumschlag *m*, -beutel *m*; **3.** Kühlbeutel *m* (*in Kühltaschen etc.*); **~ pick** *s.* Eishacke *f*; **~ plant** *s.* ⚘ Eiskraut *n*; **~ rink** *s.* (Kunst)Eisbahn *f*; **~ run** *s.* Eis-, Rodelbahn *f*; **~ show** *s.* ˈEisreˌvue *f*; **ˈ~-skate I** *s.* Schlittschuh *m.* **II** *v/i.* Schlittschuh laufen; **~ wa·ter** *s.* **1.** Eiswasser *n*; **2.** Schmelzwasser *n*; **~ yacht** → ***iceboat*** 1.

ich·thy·o·log·i·cal [ˌɪkθɪəˈlɒdʒɪkl] *adj.* ichthyoˈlogisch; **ich·thy·ol·o·gy** [ˌɪkθɪˈɒlədʒɪ] *s.* Ichthyoloˈgie *f*, Fischkunde *f*; **ich·thy·oph·a·gous** [ˌɪkθɪˈɒfəgəs] *adj.* fisch(fr)essend; **ˌich·thy·oˈsau·rus** [-ˈsɔːrəs] *pl.* **-ri** [-raɪ] *s. zo.* Ichthyoˈsaurier *m.*

i·ci·cle [ˈaɪsɪkl] *s.* Eiszapfen *m.*

i·ci·ly [ˈaɪsɪlɪ] *adv.* eisig (*a. fig.*); **ˈi·ci·ness** [-nɪs] *s.* **1.** Eiseskälte *f* (*a. fig.*), eisige Kälte; **2.** Vereisung *f* (*Straße etc.*).

ic·ing [ˈaɪsɪŋ] *s.* **1.** Eisschicht *f*; Vereisung *f*; **2.** Zuckerguß *m*: **~ *sugar*** *Brit.* Puder-, Staubzucker *m*; **3.** *Eishockey*: unerlaubter Weitschuß.

i·con [ˈaɪkɒn] *s.* Iˈkone *f*, Heiligenbild *n*; **i·con·o·clasm** [aɪˈkɒnəʊklæzəm] *s.* Bilderstürmeˈrei *f* (*a. fig.*); **i·con·o·clast** [aɪˈkɒnəʊklæst] *s.* Bilderstürmer *m* (*a. fig.*); **i·con·o·clas·tic** [aɪˌkɒnəʊˈklæstɪk] *adj.* bilderstürmend; *fig.* bilderstürmerisch; **i·co·nog·ra·phy** [ˌaɪkɒˈnɒgrəfɪ] *s.* Ikonograˈphie *f*; **i·co·nol·a·try** [ˌaɪkɒˈnɒlətrɪ] *s.* Bilderverehrung *f*; **i·co·nol·o·gy** [ˌaɪkɒˈnɒlədʒɪ] *s.* Ikonoloˈgie *f*; **i·con·o·scope** [aɪˈkɒnəskəʊp] *s. TV* Ikonoˈskop *n*, Bildwandlerröhre *f.*

ic·tus [ˈɪktəs] *s.* ˈVersakˌzent *m.*

i·cy ['aɪsɪ] *adj.* □ **1.** eisig (*a. fig.*): *~ cold* eiskalt; **2.** vereist, eisig, gefroren.

id [ɪd] *s.* **1.** *psych.* Es *n*; **2.** *biol.* Id *n* (*Erbeinheit*).

I'd [aɪd] F *für* a) ***I would, I should***, b) ***I had***.

i·de·a [aɪ'dɪə] *s.* **1.** I'dee *f* (*a. phls.*, ♪): a) Vorstellung *f*, Begriff *m*, Ahnung *f*, b) Gedanke *m*: ***form an ~ of*** sich e-n Begriff machen von, sich *et.* vorstellen; ***I have an ~ that*** ich habe so das Gefühl, daß; (***I've***) ***no ~!*** (ich habe) keine Ahnung!; ***he hasn't the faintest ~*** er hat nicht die leiseste Ahnung; ***the very ~!***, ***what an ~!*** *contp.* was für e-e Idee!, (na,) so was!, unmöglich!; ***the very ~ makes me sick!*** bei dem bloßen Gedanken (daran) wird mir schlecht!; ***you have no ~ how ...*** du kannst dir nicht vorstellen, wie ...; ***could you give me an ~ of where*** (*etc.*) ***...?*** können Sie mir ungefähr sagen, wo (*etc.*) ...?; ***that's not my ~ of fun*** unter Spaß stell' ich mir was andres vor; ***it is my ~ that*** ich bin der Ansicht, daß; ***the ~ entered my mind*** mir kam der Gedanke; **2.** I'dee *f*: a) Einfall *m*, Gedanke *m*, b) Absicht *f*, Zweck *m*: ***not a bad ~*** keine schlechte Idee; ***the ~ is*** der Zweck der Sache ist ...; ***that's the ~!*** genau (darum dreht sich's)!; ***what's the big ~?*** F was soll denn das?; ***whose bright ~ was that?*** wer hat sich denn das ausgedacht?; ***put ~s into s.o.'s head*** j-m e-n Floh ins Ohr setzen; ***have ~s*** F ‚Rosinen' im Kopf haben; ***don't get ~s about ...*** mach dir keine Hoffnungen auf (*acc.*); ***~s man*** Ideenentwickler *m*; **i'de·aed**, **i'de·a'd** [-əd] *adj.* i'deenreich, voller I'deen.

i·de·al [aɪ'dɪəl] **I** *adj.* □ → ***ideally***; **1.** ide'al (*a. phls.*), voll'endet, voll'kommen, vorbildlich, Muster...; **2.** ide'ell: a) Ideen..., b) auf Ide'alen beruhend, c) (nur) eingebildet; **3.** ⩓ ide'al, uneigentlich: ***~ number***; **II** *s.* **4.** Ide'al *n*, Wunsch-, Vorbild *n*; **5.** *das* Ide'elle (*Ggs. das Wirkliche*); **i'de·al·ism** [-lɪzəm] *s.* Idea'lismus *m*; **i'de·al·ist** [-lɪst] *s.* Idea'list(in); **i·de·al·is·tic** [aɪˌdɪə'lɪstɪk] *adj.* (□ ***~ally***) idea'listisch; **i·de·al·i·za·tion** [aɪˌdɪəlaɪ'zeɪʃn] *s.* Idealisierung *f*; **i'de·al·ize** [-laɪz] *v/t. u. v/i.* idealisieren; **i'de·al·ly** [-lɪ] *adv.* **1.** ide'al(erweise), am besten; **2.** ide'ell, geistig; **3.** im Geiste.

i·dée fixe [ˌi:deɪ'fi:ks] (*Fr.*) *s.* fixe I'dee.

i·dem ['aɪdem] **I** *s.* der'selbe (Verfasser), das'selbe (Buch *etc.*); **II** *adv.* beim selben Verfasser.

i·den·tic [aɪ'dentɪk] *adj.* → ***identical***; ***~ note*** *pol.* gleichlautende Note; **i'den·ti·cal** [-kl] *adj.* □ (***with***) a) i'dentisch (mit), (genau) gleich (*dat.*): ***~ twins*** eineiige Zwillinge, b) (der-, die-, das-) 'selbe (wie), c) gleichbedeutend (mit), -lautend (wie).

i·den·ti·fi·a·ble [aɪ'dentɪfaɪəbl] *adj.* identifizier-, feststell-, erkennbar; **i·den·ti·fi·ca·tion** [aɪˌdentɪfɪ'keɪʃn] *s.* **1.** Identifizierung *f*: a) Gleichsetzung *f* (***with*** mit), b) Feststellung *f* der Identi'tät, Erkennung *f*: ***~ mark*** Kennzeichen *n*; ***~ papers***, ***~ card*** → ***identity card***; ***~ disk***, *Am.* ***~ tag*** ⚔ Erkennungsmarke *f*; ***~ parade*** ⚖ Gegenüberstellung *f* (zur Identifizierung e-s Verdächtigen); **2.** Legitimati'on *f*, Ausweis *m*; **3.** *Funk, Radar*: Kennung *f*; **i·den·ti·fy** [aɪ'dentɪfaɪ] **I** *v/t.* **1.** identifizieren, gleichsetzen, als i'dentisch betrachten (***with*** mit): ***~ o.s. with*** → 5; **2.** identifizieren, erkennen, die Identi'tät feststellen von (*od. gen.*); **3.** *biol.* die Art feststellen von (*od. gen.*); **4.** ausweisen, legitimieren; **II** *v/i.* **5.** ***~ with*** *od.* ***to*** sich identifizieren mit.

i·den·ti·kit [aɪ'dentɪkɪt] *s.* ⚖ Phan'tombild(gerät) *n*.

i·den·ti·ty [aɪ'dentətɪ] *s.* Identi'tät *f*: a) Gleichheit *f*, b) Per'sönlichkeit *f*: ***loss of ~*** Identitätsverlust *m*; ***mistaken ~*** Personenverwechslung *f*; ***establish s.o.'s ~*** → ***identify*** 2; ***prove one's ~*** sich ausweisen; ***reveal one's ~*** sich zu erkennen geben; ***~ card*** *s.* (Perso'nal-) Ausweis *m*, Kenn-, Ausweiskarte *f*; ***~ cri·sis*** *s. psych.* Identi'tätskrise *f*.

id·e·o·gram ['ɪdɪəʊɡræm], **'id·e·o·graph** [-ɡrɑ:f] *s.* Ideo'gramm *n*, Begriffszeichen *n*.

id·e·o·log·ic, **id·e·o·log·i·cal** [ˌaɪdɪə'lɒdʒɪk(l)] *adj.* ideo'logisch; **id·e·ol·o·gist** [ˌaɪdɪ'ɒlədʒɪst] *s.* **1.** Ideo'loge *m*; **2.** Theo'retiker *m*; **id·e·o·lo·gize** [ˌaɪdɪ'ɒlədʒaɪz] *v/t.* ideologisieren; **id·e·ol·o·gy** [ˌaɪdɪ'ɒlədʒɪ] *s.* **1.** Ideolo'gie *f*, Denkweise *f*; **2.** Begriffslehre *f*; **3.** reine Theo'rie.

ides [aɪdz] *s. pl. antiq.* Iden *pl.*

id·i·o·cy ['ɪdɪəsɪ] *s.* Idio'tie *f*: a) (⚕ hochgradiger) Schwachsinn, b) F Dummheit *f*, Blödsinn *m*.

id·i·om ['ɪdɪəm] *s. ling.* **1.** Idi'om *n*, Sondersprache *f*, Mundart *f*; **2.** Ausdrucksweise *f*, Sprache *f*; **3.** Sprachgebrauch *m*, -eigentümlichkeit *f*; **4.** idio'matische Wendung, Redewendung *f*; **id·i·o·mat·ic** [ˌɪdɪə'mætɪk] *adj.* (□ ***~ally***) *ling.* **1.** idio'matisch, spracheigentümlich; **2.** sprachrichtig, -üblich.

id·i·o·plasm ['ɪdɪəplæzəm] *s. biol.* Idio'plasma *n*, Erbmasse *f*.

id·i·o·syn·cra·sy [ˌɪdɪə'sɪŋkrəsɪ] *s.* Idiosynkra'sie *f*: a) per'sönliche Eigenart *od.* Veranlagung *od.* Neigung, b) ⚕ krankhafte Abneigung.

id·i·ot ['ɪdɪət] *s.* Idi'ot *m*: a) ⚕ Schwachsinnige(r *m*) *f*, b) F Dummkopf *m*: ***~ card*** *TV* ‚Neger' *m*; **id·i·ot·ic** [ˌɪdɪ'ɒtɪk] *adj.* (□ **~ally**) idi'otisch: a) F dumm, blödsinnig, b) ⚕ geistesschwach, schwachsinnig.

i·dle ['aɪdl] **I** *adj.* (□ **idly**) **1.** untätig, müßig: **the ~ rich** die reichen Müßiggänger; **2.** unbeschäftigt, arbeitslos; **3.** ⚙ a) außer Betrieb, stillstehend, b) im Leerlauf, Leerlauf...: **~ current** a) Leerlaufstrom *m*, b) Blindstrom *m*; **~ motion** Leergang *m*; **~ pulley** → **idler** 2 b; **~ wheel** → **idler** 2 a; **lie ~** stilliegen; **run ~** → 9; **4.** ✝ 'unproduk,tiv, brachliegend (*a.* ✓), tot (*Kapital*); **~ capacity** ungenützte Kapazität; **~ time** Stillstandszeit *f*; **5.** ruhig, still, ungenutzt: **~ hours** Mußestunden; **6.** faul, träge: **~ fellow** Faulenzer *m*; **7.** a) nutz-, zweck-, sinnlos, vergeblich, b) leer (*Worte etc.*), c) müßig (*Mutmaßungen etc.*): **~ talk** leeres *od.* müßiges Gerede; **it would be ~ to** *inf.* es wäre müßig *od.* sinnlos zu *inf.*; **II** *v/i.* **8.** faulenzen: **~ about** herumtrödeln; **9.** ⚙ leer laufen, im Leerlauf sein; **III** *v/t.* **10.** *mst* **~ away** vertrödeln, verbummeln, müßig zubringen; **'i·dled** [-ld] *adj.* → **idle** 2; **'i·dle·ness** [-nɪs] *s.* **1.** Untätigkeit *f*, Muße *f*; **2.** Faulheit *f*, Müßiggang *m*; **3.** a) Leere *f*, Hohlheit *f*, b) Müßigkeit *f*, Nutz-, Zwecklosigkeit *f*, Vergeblichkeit *f*; **'i·dler** [-lə] *s.* **1.** Faulenzer(in), Müßiggänger(in); **2.** a) Zwischenrad *n*, b) Leerlaufrolle *f*; **'i·dling** [-lɪŋ] *s.* **1.** Nichtstun *n*, Müßiggang *m*; **2.** ⚙ Leerlauf *m*; **'i·dly** [-lɪ] *adv.* → **idle**.

i·dol ['aɪdl] *s.* I'dol *n*, Abgott *m* (*beide a. fig.*); Götze *m*, Götzenbild *n*: **make an ~ of** → **idolize**.

i·dol·a·ter [aɪ'dɒlətə] *s.* **1.** Götzendiener *m*; **2.** *fig.* Anbeter *m*, Verehrer *m*; **i'dol·a·tress** [-trɪs] *s.* Götzendienerin *f*; **i'dol·a·trous** [-trəs] *adj.* □ **1.** *fig.* abgöttisch; **2.** Götzen...; **i'dol·a·try** [-trɪ] *s.* **1.** Abgötte'rei *f*, Götzendienst *m*; **2.** *fig.* Vergötterung *f*; **i·dol·i·za·tion** [,aɪdəlaɪ'zeɪʃn] *s.* **1.** Abgötte'rei *f*; **2.** *fig.* Vergötterung *f*; **i·dol·ize** ['aɪdəlaɪz] *v/t. fig.* abgöttisch verehren, vergöttern, anbeten.

i·dyl(l) ['ɪdɪl] *s.* **1.** I'dylle *f*, Hirtengedicht *n*; **2.** *fig.* I'dyll *n*; **i·dyl·lic** [aɪ'dɪlɪk] *adj.* (□ **~ally**) i'dyllisch.

if [ɪf] **I** *cj.* **1.** wenn, falls: **~ I were you** wenn ich Sie wäre, (ich) an Ihrer Stelle; **~ and when** *bsd.* ⚖ falls, im Falle (, daß); **~ any** wenn überhaupt einer (*od.* eine *od.* eines *od.* etwas), falls etwa *od.* je; **~ anything** a) wenn überhaupt etwas, b) wenn überhaupt (, *dann ist das Buch dicker etc.*); **~ not** wenn *od.* falls nicht; **~ so** wenn ja, *bsd. in Formularen*: *a.* zutreffendenfalls; **~ only to prove** und wäre es auch nur, um zu beweisen; **~ I know Jim** so wie ich Jim kenne; → **as if**; **2.** wenn auch: **he is nice ~ a bit silly**; **3.** ob: **try ~ you can do it!**; **I don't know ~ he will agree**; **4.** *ausrufend*: **~ I had only known!** hätte ich (das) nur gewußt!; **II** *s.* **5.** Wenn *n*: **without ~s or buts** ohne Wenn u. Aber.

ig·loo, *a.* **i·glu** ['ɪglu:] *s.* Iglu *m*.

ig·ne·ous ['ɪgnɪəs] *adj.* glühend: **~ rock** Erstarrungsgestein *n*, magmatisches Gestein.

ig·nis fat·u·us [,ɪgnɪs'fætjʊəs] (*Lat.*) *s.* **1.** Irrlicht *n*; **2.** *fig.* Trugbild *n*.

ig·nite [ɪg'naɪt] **I** *v/t.* **1.** an-, entzünden; **2.** ϟ, *mot.* zünden; **II** *v/i.* **3.** sich entzünden, Feuer fangen; **4.** ϟ, *mot.* zünden; **ig'nit·er** [-tə] *s.* Zündvorrichtung *f*, Zünder *m*.

ig·ni·tion [ɪg'nɪʃn] *s.* **1.** An-, Entzünden *n*; **2.** ϟ, *mot.* Zündung *f*; **3.** ⚗ Erhitzung *f*; **~ charge** *s.* ⚙ Zündladung *f*; **~ coil** *s.* ϟ Zündspule *f*; **~ de·lay** *s.* ⚙ Zündverzögerung *f*; **~ key** *s. mot.* Zündschlüssel *m*; **~ lock** *s.* ⚙ Zündschloß *n*; **~ point** *s.* Zünd-, Flammpunkt *m*; **~ spark** *s.* ϟ Zündfunke *m*; **~ tim·ing** *s.* Zündeinstellung *f*; **~ tube** *s.* ⚗ Glührohr *n*.

ig·no·ble [ɪg'nəʊbl] *adj.* □ **1.** gemein, unedel, niedrig; **2.** schmachvoll, schändlich; **3.** von niedriger Geburt.

ig·no·min·i·ous [,ɪgnəʊ'mɪnɪəs] *adj.* □ schändlich, schimpflich; **ig·no·min·y** ['ɪgnəmɪnɪ] *s.* **1.** Schmach *f*, Schande *f*; **2.** Schändlichkeit *f*.

ig·no·ra·mus [,ɪgnə'reɪməs] *pl.* **-mus·es** *s.* Igno'rant(in), Nichtswisser(in).

ig·no·rance ['ɪgnərəns] *s.* Unwissenheit *f*: a) Unkenntnis *f* (**of** *gen.*), b) *contp.* Igno'ranz *f*, Beschränktheit *f*: **~ of the law is no excuse** Unkenntnis schützt vor Strafe nicht; **'ig·no·rant** [-nt] *adj.* □ **1.** unkundig, nicht kennend *od.* wissend: **be ~ of** *et.* nicht wissen *od.* kennen, nichts wissen von; **2.** unwissend, ungebildet; **'ig·no·rant·ly** [-ntlɪ] *adv.* unwissentlich; **ig·nore** [ɪg'nɔ:] *v/t.* **1.** ignorieren, nicht beachten *od.* berücksichtigen, keine No'tiz nehmen von; **2.** ⚖ *Am. Klage* verwerfen, abweisen.

i·gua·na [ɪ'gwɑ:nə] *s. zo.* Legu'an *m*.

i·kon ['aɪkɒn] → **icon**.

il·e·um ['ɪlɪəm] *s. anat.* Ileum *n*, Krummdarm *m*; **'il·e·us** [-əs] *s.* ⚕ Darmverschluß *m*.

i·lex ['aɪleks] *s.* ⚘ **1.** Stechpalme *f*; **2.** Steicheiche *f*.

il·i·ac ['ɪlɪæk] *adj.* Darmbein...

Il·i·ad ['ɪlɪəd] *s.* Ilias *f*, Ili'ade *f*: **an ~ of woes** *fig.* e-e endlose Leidensgeschichte.

il·i·um ['ɪlɪəm] *pl.* **'il·i·a** [-ə] *s. anat.* a) Darmbein *n*, b) Hüfte *f*.

ilk [ɪlk] *s.* **1. of that ~** *Scot.* gleichnamigen Ortes: **Kinloch of that ~** = **Kin-**

loch of Kinloch; **2.** Art *f*, Sorte *f*: ***people of that ~*** solche Leute.

ill [ɪl] **I** *adj.* **1.** (*nur pred.*) krank: ***be taken ~***, ***fall*** *od.* ***take ~*** erkranken (***with***, ***of*** an *dat.*); ***be ~ with a cold*** e-e Erkältung haben; ***~ with fear*** krank vor Angst; **2.** (*moralisch*) schlecht, böse, übel; → ***fame*** 1; **3.** böse, feindlich: ***~ blood*** böses Blut; ***with an ~ grace*** widerwillig, ungern; ***~ humo(u)r*** *od.* ***temper*** üble Laune; ***~ treatment*** schlechte Behandlung, Mißhandlung *f*; ***~ will*** Feindschaft *f*, Groll *m*; ***I bear him no ~ will*** ich trage ihm nichts nach; → ***feeling*** 2; **4.** nachteilig; ungünstig, schlecht, übel: ***~ effect*** üble Folge *od.* Wirkung; ***it's an ~ wind (that blows nobody good)*** et. Gutes ist an allem; → ***health*** 2, ***luck*** 1, ***omen*** I, ***weed*** 1; **5.** schlecht, unbefriedigend, fehlerhaft: ***~ breeding*** a) schlechte Erziehung, b) Ungezogenheit *f*; ***~ management*** Mißwirtschaft *f*; ***~ success*** Mißerfolg *m*, Fehlschlag *m*; **II** *adv.* **6.** schlecht, übel: ***~ at ease*** unruhig, unbehaglich, verlegen; **7.** böse, feindlich; ***take s.th. ~*** et. übelnehmen; ***speak (think) ~ of s.o.*** schlecht von j-m sprechen (denken); **8.** ungünstig: ***it went ~ with him*** es erging ihm schlecht; ***it ~ becomes you*** es steht dir schlecht an; **9.** ungenügend, schlecht: ***~-equipped***; **10.** schwerlich, kaum: ***I can ~ afford it*** ich kann es mir kaum leisten; **III** *s.* **11.** Übel *n*, ˈMißgeschick *n*, Ungemach *n*; **12.** *a. fig.* Leiden *n*, Krankheit *f*; **13.** *das* Böse, Übel *n*.

I'll [aɪl] F *für* ***I shall***, ***I will***.

ˌill|-adˈvised *adj.* □ **1.** schlechtberaten; **2.** unbesonnen, unklug; **ˌ~-afˈfect·ed** → ***ill-disposed***; **ˌ~-asˈsort·ed** *adj.* schlecht zs.-passend, zs.-gewürfelt; **ˌ~-ˈbred** *adj.* schlecht erzogen, ungezogen; **ˌ~-conˈsid·ered** *adj.* unüberlegt, unbedacht, unklug; **ˌ~-disˈposed** *adj.* übelgesinnt (***towards*** *dat.*).

il·le·gal [ɪˈliːɡl] *adj.* □ ˈilleˌgal, ungesetzlich, gesetzwidrig, ˈwiderrechtlich, unerlaubt, verboten; **il·le·gal·i·ty** [ˌɪliːˈɡæləti] *s.* Gesetzwidrigkeit *f*: a) Ungesetzlichkeit *f*, Illegaliˈtät *f*, b) gesetzwidrige Handlung.

il·leg·i·bil·i·ty [ɪˌledʒɪˈbɪləti] *s.* Unleserlichkeit *f*; **il·leg·i·ble** [ɪˈledʒəbl] *adj.* □ unleserlich.

il·le·git·i·ma·cy [ˌɪlɪˈdʒɪtɪməsi] *s.* **1.** Unrechtmäßigkeit *f*; **2.** Unehelichkeit *f*, uneheliche Geburt(en *pl.*); **ˌil·leˈgit·i·mate** [-mət] *adj.* □ **1.** unrechtmäßig, rechtswidrig; **2.** außer-, unehelich, illegiˈtim; **3.** ˈinkorˌrekt, falsch; **4.** unzulässig, illegiˈtim; **5.** unlogisch.

ˌill|-ˈfat·ed *adj.* unselig: a) unglücklich, Unglücks..., b) verhängnisvoll, unglückselig; **ˌ~-ˈfa·vo(u)red** *adj.* □ unschön; **ˌ~-ˈfound·ed** *adj.* unbegründet, fragwürdig; **ˌ~-ˈgot·ten** *adj.* unrechtmäßig (erworben); **ˌ~-ˈhu·mo(u)red** *adj.* übelgelaunt.

il·lib·er·al [ɪˈlɪbərəl] *adj.* □ **1.** knauserig; **2.** engherzig, -stirnig; **3.** *pol.* ˈilliberˌral; **ilˈlib·er·al·ism** [-rəlɪzəm] *s. pol.* ˈilliberaler Standpunkt; **il·lib·er·al·i·ty** [ɪˌlɪbəˈræləti] *s.* **1.** Knauseˈrei *f*; **2.** Engherzigkeit *f*.

il·lic·it [ɪˈlɪsɪt] *adj.* □ → ***illegal***: ***~ trade*** Schleich-, Schwarzhandel *m*; ***~ work*** Schwarzarbeit *f*.

il·lit·er·a·cy [ɪˈlɪtərəsi] *s.* **1.** Unbildung *f*; **2.** Analphaˈbetentum *n*; **ilˈlit·er·ate** [-rət] **I** *adj.* **1.** ungebildet, unwissend; **2.** analphaˈbetisch, des Lesens u. Schreibens unkundig: ***he is ~*** er ist Analphabet; **3.** primiˈtiv, unkultiviert: ***~ style***; **4.** fehlerhaft, voller Fehler; **II** *s.* **5.** Ungebildete(r *m*) *f*; **6.** Analphaˈbet(in).

ˌill|-ˈjudged *adj.* unbedacht, unklug; **ˌ~-ˈman·nered** *adj.* ungehobelt, ungezogen, mit schlechten ˈUmgangsformen; **ˌ~-ˈmatched** *adj.* schlecht zs.-passend; **ˌ~-ˈna·tured** *adj.* □ **1.** unfreundlich, boshaft; **2.** verärgert.

ill·ness [ˈɪlnɪs] *s.* Krankheit *f*.

il·log·i·cal [ɪˈlɒdʒɪkl] *adj.* □ unlogisch; **il·log·i·cal·i·ty** [ˌɪlɒdʒɪˈkæləti] *s.* Unlogik *f*.

ˌill|-ˈo·mened → ***ill-fated***; **ˌ~-ˈstarred** *adj.* unglücklich, unselig, vom Unglück verfolgt, unter e-m ungünstigen Stern (stehend); **ˌ~-ˈtem·pered** *adj.* schlechtgelaunt, übellaunig, mürrisch; **ˌ~-ˈtimed** *adj.* ungelegen, unpassend, ˈinopporˌtun; zeitlich schlecht gewählt; **ˌ~-ˈtreat** *v/t.* mißˈhandeln; schlecht behandeln.

il·lu·mi·nant [ɪˈljuːmɪnənt] **I** *adj.* (er-)leuchtend, aufhellend; **II** *s.* Beleuchtungskörper *m*.

il·lu·mi·nate [ɪˈljuːmɪneɪt] **I** *v/t.* **1.** be-, erleuchten, erhellen; **2.** illuminieren, festlich beleuchten; **3.** *fig.* a) erläutern, erhellen, erklären, aufhellen, b) *j-n* erleuchten; **4.** *Bücher etc.* ausmalen, illuminieren; **5.** *fig.* Glanz verleihen (*dat.*); **II** *v/i.* **6.** sich erhellen; **ilˈlu·mi·nat·ed** [-tɪd] *adj.* beleuchtet, leuchtend, Leucht..., Licht...: ***~ advertising*** Leuchtreklame *f*; **ilˈlu·mi·nat·ing** [-tɪŋ] *adj.* **1.** leuchtend, Leucht..., Beleuchtungs...: ***~ gas*** Leuchtgas *n*; ***~ power*** Leuchtkraft *f*; **2.** *fig.* aufschlußreich, erhellend; **il·lu·mi·na·tion** [ɪˌljuːmɪˈneɪʃn] *s.* **1.** Be-, Erleuchtung *f*; **2.** *oft pl.* Illuminatiˈon *f*, Festbeleuchtung *f*; **3.** *fig.* a) Erläuterung *f*, Erhellung *f*, b) Erleuchtung *f*; **4.** *a. fig.* Licht *n* u. Glanz *m*; **5.** Illuminatiˈon *f*, Kolorierung *f*, Verzierung *f* (*von Büchern etc.*); **ilˈlu·mi·na·tive** [-nətɪv] → ***illuminat-***

I

ing.

il·lu·mine [ɪ'lju:mɪn] *v/t.* → ***illuminate*** 1–3.

ˌ**ill-'use** [-'ju:z] → ***ill-treat***.

il·lu·sion [ɪ'lu:ʒn] *s.* Illusi'on *f*: a) (Sinnes)Täuschung *f*; → ***optical***, b) Wahn *m*, Einbildung *f*, falsche Vorstellung, trügerische Hoffnung, c) Trugbild *n*, d) Blendwerk *n*: ***be under an ~*** e-r Täuschung unterliegen, sich Illusionen machen; ***be under the ~ that*** sich einbilden, daß; **il'lu·sion·ism** [-ʒənɪzəm] *s. bsd. phls.* Illusio'nismus *m*; **il'lu·sion·ist** [-ʒənɪst] *s.* Illusio'nist *m* (*a. phls.*): a) Schwärmer(in), Träumer(in), b) Zauberkünstler *m*.

il·lu·sive [ɪ'lu:sɪv] *adj.* □ illu'sorisch, trügerisch; **il'lu·sive·ness** [-nɪs] *s.* **1.** *das* Illu'sorische, Schein *m*; **2.** Täuschung *f*; **il'lu·so·ry** [-sərɪ] *adj.* □ → ***illusive***.

il·lus·trate ['ɪləstreɪt] *v/t.* **1.** erläutern, erklären, veranschaulichen; **2.** illustrieren, bebildern; **il·lus·tra·tion** [ˌɪlə'streɪʃn] *s.* Illustrati'on *f*: a) Erläuterung *f*, Erklärung *f*, Veranschaulichung *f*: ***in ~ of*** zur Veranschaulichung (*gen.*), b) Beispiel *n*, c) Bebildern *n*, Illustrieren *n*, d) Abbildung *f*, Bild *n*; '**il·lus·tra·tive** [-rətɪv] *adj.* □ erläuternd, veranschaulichend, Anschauungs..., Beispiel...: ***be ~ of*** → ***illustrate*** 1; '**il·lus·tra·tor** [-tə] *s. allg.* Illu'strator *m*.

il·lus·tri·ous [ɪ'lʌstrɪəs] *adj.* □ il'luster, berühmt, erhaben, erlaucht, glänzend.

I'm [aɪm] F *für* ***I am***.

im·age ['ɪmɪdʒ] *s.* **1.** Bild(nis) *n*; **2.** a) Standbild *n*, Bildsäule *f*, b) Heiligenbild *n*, c) Götzenbild *n*: ***~-worship*** Bilderanbetung *f*, *fig.* Götzendienst *m*; → ***graven***; **3.** ⩘, *opt.*, *phys.* Bild *n*: ***~ converter tube*** *TV* Bildwandlerröhre *f*; **4.** Ab-, Ebenbild *n*: ***the*** (***very***) ***~ of his father*** ganz der Vater; **5.** bildlicher Ausdruck, Vergleich *m*, Me'tapher *f*: ***speak in ~s*** in Bildern reden; **6.** a) Vorstellung *f*, I'dee *f*, (geistiges) Bild, b) Image *n* (*Persönlichkeitsbild*): ***the ~ of a politician***; ***~ building*** Imagepflege *f*; **7.** Verkörperung *f*; '**im·age·ry** [-dʒərɪ] *s.* **1.** Bilder *pl.*, Bildwerk(e *pl.*) *n*; **2.** Bilder(sprache *f*) *pl.*, Meta'phorik *f*; **3.** geistige Bilder *pl.*, Vorstellungen *pl.*

im·ag·i·na·ble [ɪ'mædʒɪnəbl] *adj.* □ vorstellbar, erdenklich, denkbar: ***the finest weather ~*** das denkbar schönste Wetter; **im'ag·i·nar·y** [-dʒɪnərɪ] *adj.* □ **1.** imagi'när (*a.* ⩘), nur in der Vorstellung vor'handen, eingebildet, (nur) gedacht, Schein..., Phantasie...; **2.** (frei) erfunden, imagi'när; **3.** ⚕ fingiert.

im·ag·i·na·tion [ɪˌmædʒɪ'neɪʃn] *s.* **1.** Phanta'sie *f*, Vorstellungs-, Einbildungskraft *f*, Einfallsreichtum *m*: ***a man of ~*** ein phantasievoller *od.* ideenreicher Mann; ***he has no ~*** er ist phantasielos; ***use your ~!*** laß dir was einfallen!; **2.** Einfälle *pl.*, I'deenreichtum *m*; **3.** Vorstellung *f*, Einbildung *f*: ***in*** (***my etc.***) ***~*** in der Vorstellung, im Geiste; ***pure ~*** reine Einbildung; **im·ag·i·na·tive** [ɪ'mædʒɪnətɪv] *adj.* □ **1.** phanta'siereich, erfinderisch, einfallsreich: ***~ faculty*** → ***imagination*** 1; **2.** phan'tastisch, phanta'sievoll: ***~ story***; **3.** *contp.* ‚erdichtet'; **im·ag·i·na·tive·ness** [ɪ'mædʒɪnətɪvnɪs] → ***imagination*** 1; **im·ag·ine** [ɪ'mædʒɪn] **I** *v/t.* **1.** sich *j-n od. et.* vorstellen *od.* denken: ***I ~ him as a tall man***; ***you can't ~ my joy***; ***you can't ~ how ...*** du kannst dir nicht vorstellen *od.* du machst dir kein Bild, wie ...; **2.** sich *et.* (*Unwirkliches*) einbilden: ***you are imagining things!*** du bildest dir das (alles) nur ein!; **3.** F glauben, denken, sich einbilden: ***don't ~ that I am satisfied***; ***~ to be*** halten für; **II** *v/i.* **4.** sich vorstellen *od.* denken: ***just ~!*** F stell dir vor!, denk (dir) nur!

i·ma·go [ɪ'meɪgəʊ] *pl.* **-goes** *od.* **i·mag·i·nes** [ɪ'meɪdʒɪni:z] *s.* **1.** *zo.* vollentwickeltes Insekt; **2.** *psych.* I'mago *n*.

im·bal·ance [ˌɪm'bæləns] *s.* **1.** Unausgewogenheit *f*, Unausgeglichenheit *f*; **2.** *bsd.* ⚕ gestörtes Gleichgewicht (*im Körperhaushalt etc.*); **3.** *bsd. pol.* Ungleichgewicht *n*.

im·be·cile ['ɪmbɪsi:l] **I** *adj.* □ **1.** ⚕ geistesschwach; **2.** *contp.* dumm, idi'otisch; **II** *s.* **3.** ⚕ Schwachsinnige(r *m*) *f*; **4.** *contp.* Idi'ot *m*, ‚Blödmann' *m*; **im·be·cil·i·ty** [ˌɪmbɪ'sɪlətɪ] *s.* **1.** ⚕ Schwachsinn *m*; **2.** *contp.* Idio'tie *f*, Blödheit *f*.

im·bibe [ɪm'baɪb] **I** *v/t.* **1.** *humor.* trinken; **2.** *fig. Ideen etc.* in sich aufnehmen, aufsaugen; **II** *v/i.* **3.** *humor.* trinken, bechern.

im·bro·glio [ɪm'brəʊlɪəʊ] *pl.* **-glios** *s.* **1.** Verwicklung *f*, Verwirrung *f*, Komplikati'on *f*, verzwickte Lage; **2.** a) ernstes 'Mißverständnis, b) heftige Ausein'andersetzung.

im·brue [ɪm'bru:] *v/t. mst fig.* (***with***, ***in***) baden (in *dat.*), tränken, *a.* beflecken (mit).

im·bue [ɪm'bju:] *v/t. fig.* erfüllen (***with*** mit): ***~d with*** erfüllt *od.* durchdrungen von.

im·i·ta·ble ['ɪmɪtəbl] *adj.* nachahmbar; **im·i·tate** ['ɪmɪteɪt] *v/t.* **1.** *j-n, j-s Stimme, Benehmen etc. od. et.* nachahmen, -machen, imitieren; **2.** *et.* imitieren, nachmachen, kopieren, *a.* fälschen; **3.** ähneln (*dat.*); '**im·i·tat·ed** [-teɪtɪd] *adj.* imitiert, unecht, künstlich; **im·i·ta·tion** [ˌɪmɪ'teɪʃn] **I** *s.* **1.** Nachahmung *f*, Imitati'on *f*: ***do an ~ of*** → ***imitate*** 1; **2.** Nachbildung *f*, -ahmung *f*, *das* Nachge-

I

ahmte, Imitati'on *f*, Ko'pie *f*; **3.** Fälschung *f*; **II** *adj.* **4.** unecht, künstlich, Kunst..., Imitations...: ~ ***leather*** Kunstleder *n*; '**im·i·ta·tive** [-tətɪv] *adj.* □ **1.** nachahmend, -bildend; auf Nachahmung *fremder Vorbilder* beruhend: ***be*** ~ ***of*** → ***imitate*** 1; **2.** nachgemacht, -geahmt (***of*** *dat.*); **3.** *ling.* lautmalend: ***an*** ~ ***word***; '**im·i·ta·tor** [-teɪtə] *s.* Nachahmer *m*, Imi'tator *m*.

im·mac·u·late [ɪ'mækjʊlɪt] *adj.* □ **1.** *fig.* unbefleckt, makellos, rein: ♀ ***Conception*** *R.C.* Unbefleckte Empfängnis; **2.** untadelig, tadellos, einwandfrei; **3.** fleckenlos, sauber.

im·ma·nence ['ɪmənəns], '**im·ma·nen·cy** [-sɪ] *s. phls., eccl.* Imma'nenz *f*, Innewohnen *n*; '**im·ma·nent** [-nt] *adj.* imma'nent, innewohnend.

im·ma·te·ri·al [ˌɪmə'tɪərɪəl] *adj.* **1.** unkörperlich, unstofflich; **2.** unwesentlich, (*a.* ⚖) unerheblich, belanglos; ˌ**im·ma'te·ri·al·ism** [-lɪzəm] *s.* Immateria'lismus *m*.

im·ma·ture [ˌɪmə'tjʊə] *adj.* □ unreif, unentwickelt (*a. fig.*); ˌ**im·ma'tu·ri·ty** [-'tjʊərətɪ] *s.* Unreife *f*.

im·meas·ur·a·ble [ɪ'meʒərəbl] *adj.* □ unermeßlich, grenzenlos, riesig.

im·me·di·a·cy [ɪ'miːdjəsɪ] *s.* **1.** Unmittelbarkeit *f*, Di'rektheit *f*; **2.** Unverzüglichkeit *f*; **im·me·di·ate** [ɪ'miːdjət] *adj.* □ **1.** *Raum*: unmittelbar, nächst(gelegen): ~ ***contact*** unmittelbare Berührung; ~ ***vicinity*** nächste Umgebung; **2.** *Zeit*: unverzüglich, so'fortig, 'umgehend: ~ ***answer***; ~ ***steps*** Sofortmaßnahmen; ~ ***objective*** Nahziel *n*; ~ ***future*** nächste Zukunft; **3.** augenblicklich, derzeitig: ~ ***plans***; **4.** di'rekt, unmittelbar; **5.** nächst (*Verwandtschaft*): ***my*** ~ ***family*** m-e nächsten Angehörigen; **im'me·di·ate·ly** [-jətlɪ] **I** *adv.* **1.** unmittelbar, di'rekt; **2.** so'fort, 'umgehend, unverzüglich, gleich, unmittelbar; **II** *cj.* **3.** *bsd. Brit.* so'bald (als).

im·me·mo·ri·al [ˌɪmɪ'mɔːrɪəl] *adj.* □ un(vor)denklich, uralt: ***from time*** ~ seit un(vor)denklichen Zeiten.

im·mense [ɪ'mens] *adj.* □ **1.** unermeßlich, ungeheuer, riesig, im'mens; **2.** F gewaltig, e'norm, ‚riesig': ***enjoy o.s.*** ~***ly***; **im'men·si·ty** [-sətɪ] *s.* Unermeßlichkeit *f*.

im·merse [ɪ'mɜːs] *v/t.* **1.** (ein)tauchen (*a.* ⚙), versenken; **2.** *fig.* (***o.s.*** sich) vertiefen *od.* versenken (***in*** in *acc.*); **3.** *fig.* verwickeln, verstricken (***in*** in *acc.*); **im'mersed** [-st] *adj. fig.* (***in***) versunken, vertieft (in *acc.*); **im·mer·sion** [ɪ'mɜːʃn] *s.* **1.** Ein-, 'Untertauchen *n*: ~ ***heater*** a) Tauchsieder *m*, b) Boiler *m*; **2.** *fig.* Versunkenheit *f*, Vertieftsein *n*; **3.** *eccl.* Immersi'onstaufe *f*; **4.** *ast.* Immersi'on *f*.

im·mi·grant ['ɪmɪgrənt] **I** *s.* Einwanderer *m*, Einwanderin *f*, Immi'grant(in); **II** *adj.* a) einwandernd, b) ausländisch, Fremd...: ~ ***workers***; '**im·mi·grate** [-greɪt] **I** *v/i.* einwandern, immi'grieren (***into***, ***to*** in *acc.*, nach); **II** *v/t.* ansiedeln (***into*** in *dat.*); **im·mi·gra·tion** [ˌɪmɪ'greɪʃn] *s.* Einwanderung *f*, Immigrati'on *f*: ~ ***officer*** Beamte(r) *m* der Einwanderungsbehörde.

im·mi·nence ['ɪmɪnəns] *s.* **1.** nahes Bevorstehen; **2.** drohende Gefahr, Drohen *n*; '**im·mi·nent** [-nt] *adj.* □ nahe bevorstehend, *a.* drohend.

im·mis·ci·ble [ɪ'mɪsəbl] *adj.* □ unvermischbar.

im·mo·bile [ɪ'məʊbaɪl] *adj.* unbeweglich: a) bewegungslos, b) starr, fest; **im·mo·bil·i·ty** [ˌɪməʊ'bɪlətɪ] *s.* Unbeweglichkeit *f*; **im·mo·bi·li·za·tion** [ɪˌməʊbɪlaɪ'zeɪʃn] *s.* **1.** Unbeweglichmachen *n*; ⚕ Ruhigstellung *f*, Immobilisierung *f*; **2.** † a) Einziehung *f* (*von Münzen*), b) Festlegung *f* (*von Kapital*); **im'mo·bi·lize** [-bɪlaɪz] *v/t.* **1.** unbeweglich machen; ⚕ ruhigstellen; ⚔ außer Gefecht setzen: ~***d*** bewegungsunfähig (*a. Auto etc.*); **2.** † a) *Münzen* aus dem Verkehr ziehen, b) *Kapital* festlegen.

im·mod·er·ate [ɪ'mɒdərət] *adj.* □ unmäßig, maßlos, über'trieben, -'zogen.

im·mod·est [ɪ'mɒdɪst] *adj.* □ **1.** unbescheiden, anmaßend; **2.** schamlos, unanständig; **im'mod·es·ty** [-tɪ] *s.* **1.** Unbescheidenheit *f*, Frechheit *f*; **2.** Unanständigkeit *f*.

im·mo·late ['ɪməʊleɪt] *v/t.* **1.** opfern, zum Opfer bringen (*a. fig.*); **2.** schlachten (*a. fig.*); **im·mo·la·tion** [ˌɪməʊ'leɪʃn] *s. a. fig.* Opferung *f*, Opfer *n*.

im·mor·al [ɪ'mɒrəl] *adj.* □ **1.** 'unmoˌralisch, unsittlich; **2.** ⚖ sittenwidrig, unsittlich; **im·mo·ral·i·ty** [ˌɪmə'rælətɪ] *s.* 'Unmoˌral *f*, Sittenlosigkeit *f*, Unsittlichkeit *f* (*a. Handlung*).

im·mor·tal [ɪ'mɔːtl] **I** *adj.* □ **1.** unsterblich (*a. fig.*); **2.** ewig, unvergänglich; **II** *s.* **3.** Unsterbliche(r *m*) *f* (*a. fig.*); **im·mor·tal·i·ty** [ˌɪmɔː'tælətɪ] *s.* **1.** Unsterblichkeit *f* (*a. fig.*); **2.** Unvergänglichkeit *f*; **im'mor·tal·ize** [-təlaɪz] *v/t.* unsterblich machen, verewigen.

im·mor·telle [ˌɪmɔː'tel] *s.* ⚘ Immor'telle *f*, Strohblume *f*.

im·mov·a·bil·i·ty [ɪˌmuːvə'bɪlətɪ] *s.* **1.** Unbeweglichkeit *f*; **2.** *fig.* Unerschütterlichkeit *f*; **im·mov·a·ble** [ɪ'muːvəbl] **I** *adj.* □ **1.** unbeweglich: a) ortsfest: ~ ***property*** → 4, b) unbewegt, bewegungslos; **2.** *zeitlich* unveränderlich: ~ ***feast*** unbeweglicher Feiertag; **3.** *fig.* fest, unerschütterlich, unnachgiebig; **II** *s.* **4.** *pl.* ⚖ unbewegliches Eigentum, Immo'bilien *pl.*, Liegenschaften *pl.*

im·mune [ɪ'mjuːn] **I** *adj.* **1.** ⚕ *u. fig.*

(***from***, ***against***, ***to***) im'mun (gegen), unempfänglich (für); **2.** (***from***, ***against***, ***to***) geschützt, gefeit (gegen), frei (von); **II** *s.* **3.** im'mune Per'son; **im'mu·ni·ty** [-nətɪ] *s.* **1.** *allg.* Immuni'tät *f*: a) ⚕ *u. fig.* Unempfänglichkeit *f*, b) ⚖ Freiheit *f*, Befreiung *f* (***from*** von *Strafe*, *Steuer*); **2.** ⚖ Privi'leg *n*, Sonderrecht *n*; **3.** Freisein *n* (***from*** von); **im·mu·ni·za·tion** [ˌɪmju:naɪ'zeɪʃn] *s.* ⚕ Immunisierung *f*; **im·mu·nize** ['ɪmju:naɪz] *v/t.* immunisieren; im'mun machen (***against*** gegen), schützen (vor *dat.*); **im·mu·no·gen** [ɪ'mju:nəʊdʒen] *s.* ⚕ Anti'gen *n*; **im·mu·nol·o·gy** [ˌɪmju:'nɒlədʒɪ] *s.* ⚕ Immuni'tätsforschung *f*, -lehre *f*.

im·mure [ɪ'mjʊə] *v/t.* **1.** einsperren, -schließen, -kerkern: ~ ***o.s.*** sich abschließen; **2.** einmauern.

im·mu·ta·bil·i·ty [ɪˌmju:tə'bɪlətɪ] *s. a. biol.* Unveränderlichkeit *f*; **im·mu·ta·ble** [ɪ'mju:təbl] *adj.* □ unveränderlich, unwandelbar.

imp [ɪmp] *s.* **1.** Teufelchen *n*, Kobold *m*; **2.** *humor.* Schlingel *m*, Racker *m*.

im·pact I *s.* ['ɪmpækt] **1.** An-, Zs.-prall *m*, Auftreffen *n*; **2.** *bsd.* ⚔ Auf-, Einschlag *m*: ~ ***fuse*** Aufschlagzünder *m*; **3.** ⚙, *phys.* a) Stoß *m*, Schlag *m*, b) Wucht *f*: ~ ***extrusion*** Schlagstrangpressen *n*; ~ ***strength*** ⚙ (Kerb)Schlagfestigkeit *f*; **4.** *fig.* a) (heftige) (Ein)Wirkung, Auswirkungen *pl.*, (starker) Einfluß (***on*** auf *acc.*), b) (starker) Eindruck (***on*** auf *acc.*), c) Wucht *f*, Gewalt *f*, d) (***on***) Belastung *f* (*gen.*), Druck *m* (auf *acc.*): ***make an*** ~ (***on***) ‚einschlagen' *od.* e-n starken Eindruck hinterlassen (bei), sich mächtig auswirken (auf *acc.*); **II** *v/t.* [ɪm'pækt] **5.** zs.-pressen; *a.* ⚕ einkeilen, -klemmen.

im·pair [ɪm'peə] *v/t.* **1.** verschlechtern; **2.** beeinträchtigen: a) nachteilig beeinflussen, schwächen, b) (ver)mindern, schmälern; **im'pair·ment** [-mənt] *s.* Verschlechterung *f*; Beeinträchtigung *f*, Verminderung *f*, Schädigung *f*, Schmälerung *f*.

im·pale [ɪm'peɪl] *v/t.* **1.** *hist.* pfählen; **2.** aufspießen, durch'bohren; **3.** *her. zwei Wappen* durch e-n senkrechten Pfahl verbinden.

im·pal·pa·ble [ɪm'pælpəbl] *adj.* □ **1.** unfühlbar; **2.** äußerst fein; **3.** kaum (er)faßbar, nicht greifbar.

im·pan·el [ɪm'pænl] → ***empanel***.

im·par·i·syl·lab·ic ['ɪmˌpærɪsɪ'læbɪk] *adj. u. s. ling.* ungleichsilbig(es Wort).

im·par·i·ty [ɪm'pærətɪ] *s.* Ungleichheit *f*.

im·part [ɪm'pɑ:t] *v/t.* **1.** (***to*** *dat.*) geben: a) gewähren, zukommen lassen, b) *e-e Eigenschaft etc.* verleihen; **2.** mitteilen: a) kundtun (***to*** *dat.*): ~ ***news***, b) vermitteln (***to*** *dat.*): ~ ***knowledge***, c) *a. phys.* übertragen (***to*** auf *acc.*): ~ ***a motion***.

im·par·tial [ɪm'pɑ:ʃl] *adj.* □ 'unparˌteiisch, unvoreingenommen, unbefangen; **im·par·ti·al·i·ty** ['ɪmˌpɑ:ʃɪ'ælətɪ] *s.* 'Unparˌteilichkeit *f*, Unvoreingenommenheit *f*.

im·pass·a·ble [ɪm'pɑ:səbl] *adj.* □ unpassierbar.

im·passe [æm'pɑ:s] (*Fr.*) *s.* Sackgasse *f*, *fig. a.* ausweglose Situati'on: ***reach an*** ~ *fig.* in e-e Sackgasse geraten, e-n toten Punkt erreichen; ***break the*** ~ aus der Sackgasse herauskommen.

im·pas·si·ble [ɪm'pæsɪbl] *adj.* □ (***to***) gefühllos (gegen), unempfindlich (für).

im·pas·sioned [ɪm'pæʃnd] *adj.* leidenschaftlich.

im·pas·sive [ɪm'pæsɪv] *adj.* □ **1.** teilnahms-, leidenschaftslos, ungerührt; **2.** gelassen; **3.** unbewegt: ~ ***face***.

im·paste [ɪm'peɪst] *v/t.* **1.** zu e-m Teig kneten; **2.** *paint. Farben* dick auftragen, pa'stos malen; **im·pas·to** [ɪm'pæstəʊ] *s. paint.* Im'pasto *n*.

im·pa·tience [ɪm'peɪʃns] *s.* **1.** Ungeduld *f*; **2.** (***of***) Unduldsamkeit *f*, Abneigung *f* (gegen['über]), Unwille *m* (über *acc.*); **im'pa·tient** [-nt] *adj.* □ **1.** ungeduldig; **2.** (***of***) unduldsam (gegen), ungehalten (über *acc.*), unzufrieden (mit): ***be*** ~ ***of*** nicht (v)ertragen können (*acc.*), nichts übrig haben für; **3.** begierig (***for*** nach, ***to do*** zu tun): ***be*** ~ ***for*** *et.* nicht erwarten können; ***be*** ~ ***to do it*** darauf brennen, es zu tun.

im·peach [ɪm'pi:tʃ] *v/t.* **1.** *j-n* anklagen, beschuldigen (***of***, ***with*** *gen.*); **2.** ⚖ *Beamten etc.* (wegen e-s Amtsvergehens) anklagen; **3.** anzweifeln, anfechten, in Frage stellen: ~ ***a witness*** die Glaubwürdigkeit e-s Zeugen anzweifeln; **4.** angreifen, her'absetzen, tadeln, bemängeln; **im'peach·a·ble** [-tʃəbl] *adj.* anklag-, anfecht-, bestreitbar; **im'peach·ment** [-mənt] *s.* **1.** Anklage *f*, Beschuldigung *f*; **2.** (öffentliche) Anklage *e-s Ministers etc. wegen Amtsmißbrauchs, Hochverrats etc.*; **3.** Anfechtung *f*, Bestreitung *f* der Glaubwürdigkeit *od.* Gültigkeit; **4.** In'fragestellung *f*; **5.** Vorwurf *m*, Tadel *m*.

im·pec·ca·bil·i·ty [ɪmˌpekə'bɪlətɪ] *s.* **1.** Sündlosigkeit *f*; **2.** Fehler-, Tadellosigkeit *f*; **im·pec·ca·ble** [ɪm'pekəbl] *adj.* □ **1.** sünd(en)los, rein; **2.** tadellos, untadelig, einwandfrei.

im·pe·cu·ni·os·i·ty ['ɪmpɪˌkju:nɪ'ɒsətɪ] *s.* Mittellosigkeit *f*, Armut *f*; **im·pe·cu·ni·ous** [ˌɪmpɪ'kju:njəs] *adj.* mittellos, arm.

im·ped·ance [ɪm'pi:dəns] *s.* ⚡ Impe'danz *f*, 'Scheinˌwiderstand *m*.

im·pede [ɪm'pi:d] *v/t.* **1.** *j-n* (be)hindern; **2.** *et.* erschweren, verhindern;

im·ped·i·ment [ɪmˈpedɪmənt] *s.* **1.** Be-, Verhinderung *f*; **2.** Hindernis *n* (***to*** für), ⚕ Behinderung *f*: ***~ in one's speech*** Sprachfehler *m*; **3.** ⚖ (*bsd.* Ehe)Hindernis *n*, Hinderungsgrund *m*; **im·ped·i·men·ta** [ɪmˌpedɪˈmentə] *s. pl.* **1.** ⚔ Gepäck *n*, Troß *m*; **2.** *fig.* Last *f*, (hinderliches) Gepäck, *j-s* ‚Siebensachen' *pl.*

im·pel [ɪmˈpel] *v/t.* **1.** (an-, vorwärts-) treiben, drängen; **2.** zwingen, nötigen: ***I felt ~led*** ich sah mich gezwungen *od.* veranlaßt, ich fühlte mich genötigt; **imˈpel·lent** [-lənt] **I** *adj.* (an)treibend, Trieb...; **II** *s.* Triebkraft *f*, Antrieb *m*; **imˈpel·ler** [-lə] *s.* ⚙ a) Flügel-, Laufrad *n*, b) Kreisel *m* (*e-r Pumpe*), c) ✈ Laderlaufrad *n*.

im·pend [ɪmˈpend] *v/i.* **1.** hängen, schweben (***over*** über *dat.*); **2.** *fig.* a) unmittelbar bevorstehen, b) (***over***) drohend schweben (über *dat.*), drohen (*dat.*); **imˈpend·ing** [-dɪŋ] *adj.* nahe bevorstehend, drohend.

im·pen·e·tra·bil·i·ty [ɪmˌpenɪtrəˈbɪlətɪ] *s.* **1.** ˈUndurchˌdringlichkeit *f*; **2.** *fig.* Unerforschlichkeit *f*, Unergründlichkeit *f*; **im·pen·e·tra·ble** [ɪmˈpenɪtrəbl] *adj.* ☐ **1.** ˈundurchˌdringlich (***by*** für); **2.** *fig.* unergründlich, unerforschlich; **3.** *fig.* (***to, by***) unempfänglich (für), unzugänglich (*dat.*).

im·pen·i·tence [ɪmˈpenɪtəns], **imˈpen·i·ten·cy** [-sɪ] *s.* Unbußfertigkeit *f*, Verstocktheit *f*; **imˈpen·i·tent** [-nt] *adj.* ☐ unbußfertig, verstockt, reuelos.

im·per·a·ti·val [ɪmˌperəˈtaɪvl] → ***imperative*** 3; **im·per·a·tive** [ɪmˈperətɪv] **I** *adj.* ☐ **1.** befehlend, gebieterisch, herrisch; **2.** ˈunumˌgänglich, zwingend, dringend (nötig), unbedingt erforderlich; **3.** *ling.* imperaˈtivisch, Imperativ..., Befehls...: ***~ mood*** → 5; **II** *s.* **4.** Befehl *m*, Gebot *n*; **5.** *ling.* Imperativ *m*, Befehlsform *f*.

im·per·cep·ti·bil·i·ty [ˈɪmpəˌseptəˈbɪlətɪ] *s.* Unwahrnehmbarkeit *f*; Unmerklichkeit *f*; **im·per·cep·ti·ble** [ˌɪmpəˈseptəbl] *adj.* ☐ **1.** nicht wahrnehmbar, unbemerkbar, unsichtbar, unhörbar; **2.** unmerklich; **3.** verschwindend klein.

im·per·fect [ɪmˈpɜːfɪkt] **I** *adj.* ☐ **1.** ˈunvollˌständig, ˈunvollˌendet; **2.** ˈunvollˌkommen (*a.* ⚘, ♪): ***~ rhyme*** unreiner Reim; **3.** mangel-, fehlerhaft; **4.** *ling.* ***~ tense*** → 5; **II** *s.* **5.** *ling.* Imperfekt *n*, ˈunvollˌendete Vergangenheit; **im·per·fec·tion** [ˌɪmpəˈfekʃn] *s.* **1.** ˈUnvollˌkommenheit *f*, Mangelhaftigkeit *f*; **2.** Mangel *m*, Fehler *m*.

im·per·fo·rate [ɪmˈpɜːfərət] *adj.* **1.** *bsd. anat.* ohne Öffnung; **2.** nicht perforiert, ungezähnt (*Briefmarke*).

im·pe·ri·al [ɪmˈpɪərɪəl] **I** *adj.* ☐ **1.** kaiserlich, Kaiser...; **2.** Reichs...; **3.** das brit. Weltreich betreffend, Empire...: ***♀ Conference*** Empire-Konferenz *f*; **4.** *Brit.* gesetzlich (*Maße u. Gewichte*): ***~ gallon*** (= *4,55 Liter*); **5.** großartig, herrlich; **II** *s.* **6.** Kaiserliche(r) *m* (*Soldat, Anhänger*); **7.** Knebelbart *m*; **8.** Imperiˈal(paˌpier) *n* (*Format: brit. 22×30 in., amer. 23×31 in.*); **imˈpe·ri·al·ism** [-lɪzəm] *s. pol.* Imperiaˈlismus *m*; **imˈpe·ri·al·ist** [-lɪst] **I** *s.* **1.** *pol.* Imperiaˈlist *m*; **2.** Kaiserliche(r) *m*; **II** *adj.* **3.** imperiaˈlistisch; **4.** kaiserlich, kaisertreu; **im·pe·ri·al·is·tic** [ɪmˌpɪərɪəˈlɪstɪk] *adj.* (☐ ***~ally***) → ***imperialist*** 3, 4.

im·per·il [ɪmˈperɪl] *v/t.* gefährden.

im·pe·ri·ous [ɪmˈpɪərɪəs] *adj.* ☐ **1.** herrisch, anmaßend, gebieterisch; **2.** dringend, zwingend; **imˈpe·ri·ous·ness** [-nɪs] *s.* **1.** Herrschsucht *f*, Anmaßung *f*, herrisches Wesen; **2.** Dringlichkeit *f*.

im·per·ish·a·ble [ɪmˈperɪʃəbl] *adj.* ☐ unvergänglich, ewig.

im·per·ma·nence [ɪmˈpɜːmənəns], **imˈper·ma·nen·cy** [-sɪ] *s.* Unbeständigkeit *f*, Vergänglichkeit *f*; **imˈper·ma·nent** [-nt] *adj.* unbeständig, vorˈübergehend, nicht von Dauer.

im·per·me·a·bil·i·ty [ɪmˌpɜːmjəˈbɪlətɪ] *s.* ˈUnˌdurchlässigkeit *f*; **im·per·me·a·ble** [ɪmˈpɜːmjəbl] *adj.* ☐ ˈunˌdurchlässig (***to*** für): ***~ (to water)*** wasserdicht.

im·per·mis·si·ble [ˌɪmpəˈmɪsəbl] *adj.* unzulässig, unerlaubt.

im·per·son·al [ɪmˈpɜːsnl] *adj. a. ling.* ˈunperˌsönlich: ***~ account*** ⚕ Sachkonto *n*; **im·per·son·al·i·ty** [ɪmˌpɜːsəˈnælətɪ] *s.* ˈUnperˌsönlichkeit *f*.

im·per·son·ate [ɪmˈpɜːsəneɪt] *v/t.* **1.** personifizieren, verkörpern; **2.** imitieren, nachahmen; **3.** sich ausgeben als *od.* für; **im·per·son·a·tion** [ɪmˌpɜːsəˈneɪʃn] *s.* **1.** Personifikatiˈon *f*, Verkörperung *f*; **2.** Nachahmung *f*, Imitatiˈon *f*; **3.** (betrügerisches *od.* scherzhaftes) Auftreten (***of*** als); **imˈper·son·a·tor** [-tə] *s.* **1.** *thea.* a) Imiˈtator *m*, b) Darsteller(in); **2.** Betrüger(in), Hochstapler(in).

im·per·ti·nence [ɪmˈpɜːtɪnəns] *s.* Unverschämtheit *f*, Frechheit *f*; **imˈper·ti·nent** [-nt] *adj.* ☐ **1.** unverschämt, frech; **2.** ⚖ nicht zur Sache gehörig, unerheblich; **3.** nebensächlich; **4.** unangebracht.

im·per·turb·a·bil·i·ty [ˈɪmpəˌtɜːbəˈbɪlətɪ] *s.* Unerschütterlichkeit *f*, Gelassenheit *f*, Gleichmut *m*; **im·per·turb·a·ble** [ˌɪmpəˈtɜːbəbl] *adj.* ☐ unerschütterlich, gelassen.

im·per·vi·ous [ɪmˈpɜːvjəs] *adj.* ☐ **1.** ˈundurchˌdringlich (***to*** für), ˈunˌdurchlässig: ***~ to rain*** regendicht; **2.** *fig.* (***to***) unzugänglich (für *od. dat.*), unempfindlich (gegen); taub (gegen); **imˈper·vi·ous·ness** [-nɪs] *s.* **1.** ˈUndurchˌdringlichkeit *f*, -lässigkeit *f*; **2.** *fig.* Un-

zugänglichkeit *f*, Unempfindlichkeit *f*.
im·pe·tig·i·nous [ˌɪmpɪ'tɪdʒɪnəs] *adj*. ⚕ pustelartig; ˌ**im·pe'ti·go** [-'taɪgəʊ] *s*. ⚕ Impe'tigo *m*.
im·pet·u·os·i·ty [ɪmˌpetjʊ'ɒsətɪ] *s*. **1.** Heftigkeit *f*, Ungestüm *n*; **2.** impul'sive Handlung; **im·pet·u·ous** [ɪm'petjʊəs] *adj*. □ heftig, ungestüm; hitzig, über'eilt, impul'siv; **im·pet·u·ous·ness** [ɪm'petjʊəsnɪs] → ***impetuosity***.
im·pe·tus ['ɪmpɪtəs] *s*. **1.** *phys*. Stoß-, Triebkraft *f*, Schwung *m*; **2.** *fig*. Antrieb *m*, Anstoß *m*, Schwung *m*: ***give a fresh ~ to*** Auftrieb *od*. neuen Schwung verleihen (*dat*.).
im·pi·e·ty [ɪm'paɪətɪ] *s*. **1.** Gottlosigkeit *f*; **2.** Pie'tätlosigkeit *f*.
im·pinge [ɪm'pɪndʒ] *v/i*. **1.** (***on***, ***upon***) stoßen (an *acc*., gegen), zs.-stoßen (mit), auftreffen (auf *acc*.); **2.** fallen, einwirken (***on*** auf *acc*.): ***~ on the eye***; ***~ on the ear*** ans Ohr dringen; **3.** (***on***) sich auswirken (auf *acc*.), beeinflussen (*acc*.); **4.** (***on***) ('widerrechtlich) eingreifen (in *acc*.), verstoßen (gegen *Rechte etc*.).
im·pi·ous ['ɪmpɪəs] *adj*. □ **1.** gottlos, ruchlos; **2.** pie'tätlos; **3.** re'spektlos.
imp·ish ['ɪmpɪʃ] *adj*. □ schelmisch, spitzbübisch, verschmitzt.
im·pla·ca·bil·i·ty [ɪmˌplækə'bɪlətɪ] *s*. Unversöhnlichkeit *f*, Unerbittlichkeit *f*; **im·pla·ca·ble** [ɪm'plækəbl] *adj*. □ unversöhnlich, unerbittlich.
im·plant [ɪm'plɑːnt] *v/t*. *fig*. einimpfen, *a*. ⚕ einpflanzen (***in*** *dat*.); **im·plan·ta·tion** [ˌɪmplɑːn'teɪʃn] *s*. **1.** *fig*. Einimpfung *f*; **2.** *mst fig*. *od*. ⚕ Einpflanzung *f*.
im·plau·si·ble [ɪm'plɔːzəbl] *adj*. nicht plau'sibel, unwahrscheinlich, unglaubwürdig, -haft, wenig über'zeugend.
im·ple·ment I *s*. ['ɪmplɪmənt] **1.** Werkzeug *n* (*a*. *fig*.), Gerät *n*; **2.** ⚖ *Scot*. Erfüllung *f* (*e-s Vertrages*); **II** *v/t*. [-ment] **3.** aus-, 'durchführen; **4.** in Kraft setzen; **5.** ergänzen; **6.** ⚖ *Scot*. *Vertrag* erfüllen; **im·ple·men·tal** [ˌɪmplɪ'mentl], **im·ple·men·ta·ry** [ˌɪmplɪ'mentərɪ] *adj*. Ausführungs...: ***~ orders*** Ausführungsbestimmungen; **im·ple·men·ta·tion** [ˌɪmplɪmen'teɪʃn] *s*. Erfüllung *f*, Aus-, 'Durchführung *f*.
im·pli·cate ['ɪmplɪkeɪt] *v/t*. **1.** *fig*. verwickeln, hin'einziehen (***in*** in *acc*.), in Zs.-hang *od*. Verbindung bringen (***with*** mit): ***~d in*** verwickelt in (*acc*.), betroffen von; **2.** *fig*. a) → ***imply*** 1, b) zur Folge haben; **im·pli·ca·tion** [ˌɪmplɪ'keɪʃn] *s*. **1.** Verwicklung *f*, Verflechtung *f*, (enge) Verbindung, Zs.-hang *m*; **2.** (eigentliche) Bedeutung; Andeutung *f*; **3.** Konse'quenz *f*, Folge *f*, Folgerung *f*, Auswirkung *f*: ***by ~*** a) als (natürliche) Folgerung *od*. Folge, b) implizite, durch sinngemäße Auslegung, ohne weiteres.
im·plic·it [ɪm'plɪsɪt] *adj*. □ **1.** (mit *od*. stillschweigend) inbegriffen, stillschweigend, unausgesprochen; **2.** abso'lut, vorbehalt-, bedingungslos: ***~ faith*** (***obedience***) blinder Glaube (Gehorsam); **im'plic·it·ly** [-lɪ] *adv*. **1.** im'plizite, stillschweigend, ohne weiteres; **2.** unbedingt; **im'plic·it·ness** [-nɪs] *s*. **1.** Mit'inbegriffensein *n*; Selbstverständlichkeit *f*; **2.** Unbedingtheit *f*.
im·plied [ɪm'plaɪd] *adj*. (stillschweigend *od*. mit) inbegriffen, einbezogen, sinngemäß (darin) enthalten, impliziert: ***~ condition***.
im·plode [ɪm'pləʊd] *v/i*. *phys*. implodieren.
im·plore [ɪm'plɔː] *v/t*. **1.** *j-n* anflehen, beschwören; **2.** *et*. erflehen, erbitten; **im'plor·ing** [-ɔːrɪŋ] *adj*. □ flehentlich, inständig.
im·plo·sion [ɪm'pləʊʒn] *s*. *phys*. Implosi'on *f*.
im·ply [ɪm'plaɪ] *v/t*. **1.** einbeziehen, in sich schließen, (*stillschweigend*) beinhalten; **2.** mit sich bringen, dar'auf hin'auslaufen: ***that implies*** daraus ergibt sich, das bedeutet; **3.** besagen, bedeuten, schließen lassen auf (*acc*.); **4.** andeuten, 'durchblicken lassen, implizieren.
im·po·lite [ɪmpə'laɪt] *adj*. □ unhöflich, grob.
im·pol·i·tic [ɪm'pɒlətɪk] *adj*. □ 'undiploˌmatisch, unklug.
im·pon·der·a·ble [ɪm'pɒndərəbl] **I** *adj*. unwägbar (*a*. *phys*.), unberechenbar; **II** *s*. *pl*. Impondera'bilien *pl*., Unwägbarkeiten *pl*.
im·port I *v/t*. [ɪm'pɔːt] **1.** ✝ importieren, einführen: ***~ing country*** Einfuhrland *n*; **2.** *fig*. einführen, hin'einbringen; **3.** bedeuten, besagen; **II** *s*. ['ɪmpɔːt] **4.** ✝ Einfuhr *f*, Im'port *m*; *pl*. 'Einfuhrwaren *pl*., -arˌtikel *pl*.; ***~ bounty*** Einfuhrprämie *f*; ***~ duty*** Einfuhrzoll *m*; ***~ licence*** (*Am*. ***license***), ***~ permit*** Einfuhrgenehmigung *f*; ***~ quota*** Einfuhrkontingent *n*; ***~ tariff*** Einfuhrzoll *m*; **5.** Bedeutung *f*, Sinn *m*; **6.** Wichtigkeit *f*, Bedeutung *f*, Tragweite *f*; **im'port·a·ble** [-təbl] *adj*. ✝ einführbar, importierbar.
im·por·tance [ɪm'pɔːtns] *s*. **1.** Wichtigkeit *f*, Bedeutung *f*: ***attach ~ to*** Bedeutung beimessen (*dat*.); ***conscious*** (*od*. ***full***) ***of one's own ~*** → ***important*** 3; ***it is of no ~*** es ist unwichtig, es hat keine Bedeutung; **2.** Einfluß *m*, Ansehen *n*, Gewicht *n*: ***a person of ~*** e-e gewichtige Persönlichkeit; **im'por·tant** [-nt] *adj*. □ **1.** wichtig, wesentlich, bedeutend (***to*** für); **2.** her'vorragend, bedeutend, angesehen, einflußreich; **3.** wichtigtuerisch, eingebildet, von s-r eigenen

I

Wichtigkeit erfüllt.

im·por·ta·tion [ˌɪmpɔːˈteɪʃn] *s.* ✝ **1.** Imˈport *m*, Einfuhr *f*; **2.** Einfuhrware(n *pl.*) *f*; **im·port·er** [ɪmˈpɔːtə] *s.* ✝ Imporˈteur *m*.

im·por·tu·nate [ɪmˈpɔːtjʊnət] *adj.* □ lästig, zu-, aufdringlich; **im·por·tune** [ɪmpɔːˈtjuːn] *v/t.* dauernd (mit Bitten) belästigen, behelligen; **im·por·tu·ni·ty** [ˌɪmpɔːˈtjuːnətɪ] *s.* Aufdringlichkeit *f*, Hartnäckigkeit *f*.

im·pose [ɪmˈpəʊz] **I** *v/t.* **1.** *Pflicht, Steuer etc.* auferlegen, aufbürden (**on, upon** *dat.*): **~ a tax on s.th.** et. besteuern, et. mit e-r Steuer belegen; **~ a penalty on s.o.** e-e Strafe verhängen gegen j-n, j-n mit e-r Strafe belegen; **~ law and order** Recht u. Ordnung schaffen; **2. ~ s.th. on s.o.** a) j-m et. aufdrängen, b) j-m et. ‚andrehen'; **~ o.s. on s.o.** → 7; **3.** *typ. Kolumnen* ausschießen; **4.** *eccl. die Hände* (segnend) auflegen; **II** *v/i.* **5.** (**upon**) beeindrucken (*acc.*), imponieren (*dat.*); **6.** ausnutzen, mißˈbrauchen (**on** *acc.*): **~ on s.o.'s kindness**; **7. ~ on s.o.** sich j-m aufdrängen, j-m zur Last fallen; **8.** betrügen, hinterˈgehen (**on s.o.** j-n); **imˈpos·ing** [-zɪŋ] *adj.* □ eindrucksvoll, imponierend, impoˈsant; **im·po·si·tion** [ˌɪmpəˈzɪʃn] *s.* **1.** Auferlegung *f*, Aufbürdung *f* (*von Steuern, Pflichten etc.*), Verhängung *f* (*e-r Strafe*): **~ of taxes** Besteuerung *f*; **2.** Last *f*, Belastung *f*; Auflage *f*, Pflicht *f*; **3.** Abgabe *f*, Steuer *f*; **4.** *ped. Brit.* Strafarbeit *f*; **5.** (schamlose) Ausnutzung (**on** *gen.*), Zumutung *f*; **6.** Überˈvorteilung *f*, Schwindel *m*; **7.** *eccl.* (*Hand*)Auflegen *n*; **8.** *typ.* a) Ausschießen *n*, b) Forˈmatmachen *n*.

im·pos·si·bil·i·ty [ɪmˌpɒsəˈbɪlətɪ] *s.* Unmöglichkeit *f*; **im·pos·si·ble** [ɪmˈpɒsəbl] *adj.* □ **1.** *allg.* unmöglich: a) unausführbar, b) ausgeschlossen, c) unglaublich: **it is ~ for me to do that** ich kann das unmöglich tun; **2.** F ‚unmöglich': **you are ~!**; **im·pos·si·bly** [ɪmˈpɒsəblɪ] *adv.* **1.** unmöglich; **2.** unglaublich: **~ young**.

im·post [ˈɪmpəʊst] **I** *s.* **1.** ✝ Auflage *f*, Abgabe *f*, Steuer *f*, *bsd.* Einfuhrzoll *m*; **2.** *sl. Pferderennen*: Handicap-Ausgleichsgewicht *n*; **II** *v/t.* **3.** *Am. Importwaren* zwecks Zollfestsetzung klassifizieren.

im·pos·tor [ɪmˈpɒstə] *s.* Betrüger(in), Schwindler(in), Hochstapler(in); **imˈpos·ture** [-tʃə] *s.* Betrug *m*, Schwindel *m*, Hochstapeˈlei *f*.

im·po·tence [ˈɪmpətəns], **ˈim·po·ten·cy** [-sɪ] *s.* **1.** a) Unvermögen *n*, Unfähigkeit *f*, b) Hilf-, Machtlosigkeit *f*, Ohnmacht *f*; **2.** Schwäche *f*, Kraftlosigkeit *f*; **3.** ⚕ Impotenz *f*; **ˈim·po·tent** [-nt] *adj.* □ **1.** a) unfähig, b) macht-, hilflos, ohnmächtig; **2.** schwach, kraftlos; **3.** ⚕ impotent.

im·pound [ɪmˈpaʊnd] *v/t.* **1.** *bsd. Vieh* einpferchen, einsperren; **2.** *Wasser* sammeln, stauen; **3.** ⚖ a) beschlagnahmen, b) sicherstellen, in (gerichtliche *od.* behördliche) Verwahrung nehmen.

im·pov·er·ish [ɪmˈpɒvərɪʃ] *v/t.* **1.** arm *od.* ärmer machen: **be ~ed** verarmen, verarmt sein; **2.** *Land etc.* auspowern, *Boden etc.* auslaugen; **3.** *fig.* a) ärmer machen, *kulturell etc.* verarmen lassen, b) *e-r Sache* den Reiz nehmen; **imˈpov·er·ish·ment** [-mənt] *s. a. fig.* Verarmung *f*; Auslaugung *f*.

im·prac·ti·ca·bil·i·ty [ɪmˌpræktɪkəˈbɪlətɪ] *s.* **1.** ˈUndurchˌführbarkeit *f*, Unmöglichkeit *f*; **2.** Unbrauchbarkeit *f*; **3.** Unpassierbarkeit *f* (*e-r Straße etc.*); **im·prac·ti·ca·ble** [ɪmˈpræktɪkəbl] *adj.* □ **1.** ˈundurchˌführbar, unmöglich; **2.** unbrauchbar; **3.** unpassierbar, unbefahrbar (*Straße*); **4.** unlenksam, störrisch (*Person*).

im·prac·ti·cal [ɪmˈpræktɪkl] *adj.* **1.** unpraktisch; **2.** (rein) theoˈretisch, sinnlos; **3.** → ***impracticable***.

im·pre·cate [ˈɪmprɪkeɪt] *v/t. Schlimmes* herˈabwünschen (**on, upon** auf *acc.*): **~ curses on s.o.** j-n verfluchen; **im·pre·ca·tion** [ˌɪmprɪˈkeɪʃn] *s.* Verwünschung *f*, Fluch *m*; **ˈim·pre·ca·to·ry** [-tərɪ] *adj.* Verwünschungs…

im·preg·na·bil·i·ty [ɪmˌpregnəˈbɪlətɪ] *s.* ˈUnüberˌwindlichkeit *f etc.* (→ ***impregnable***); **im·preg·na·ble** [ɪmˈpregnəbl] *adj.* □ **1.** ˈunüberˌwindlich, unbezwinglich, uneinnehmbar (*Festung*); **2.** unerschütterlich (**to** gegenüber); **im·preg·nate I** *v/t.* [ˈɪmpregneɪt] **1.** *biol.* a) schwängern (*a. fig.*), b) befruchten (*a. fig.*); **2.** sättigen, durchˈdringen; ⚙ tränken, imprägnieren; **3.** *fig. et. od. j-n* durchˈdringen, erfüllen; **4.** *paint.* grundieren; **II** *adj.* [ɪmˈpregnɪt] **5.** *biol.* a) geschwängert, schwanger, b) befruchtet; **6.** *fig.* (**with**) voll (von), durchˈdrungen (von); **im·preg·na·tion** [ˌɪmpregˈneɪʃn] *s.* **1.** *biol.* a) Schwängerung *f*, b) Befruchtung *f*; **2.** Imprägnierung *f*, (Durch)ˈTränkung *f*, Sättigung *f*; **3.** *fig.* Befruchtung *f*, Durchˈdringung *f*, Erfüllung *f*.

im·pre·sa·ri·o [ˌɪmprɪˈsɑːrɪəʊ] *pl.* **-os** *s.* **1.** Impreˈsario *m*; **2.** (Theˈater- *etc.*)Diˌrektor *m*.

im·pre·scrip·ti·ble [ˌɪmprɪˈskrɪptəbl] *adj.* ⚖ a) unverjährbar, b) *a. fig.* unveräußerlich: **~ rights**.

im·press[1] **I** *v/t.* [ɪmˈpres] **1.** beeindrucken, Eindruck machen auf (*acc.*), imponieren (*dat.*): **be favo(u)rably ~ed by** e-n guten Eindruck erhalten *od.* haben von; **I am not ~ed** das imponiert mir gar nicht; **he is not easily ~ed** er läßt sich nicht so leicht beeindrucken; **2.** *j-n* erfüllen, durch'dringen (***with*** mit); **3.** einprägen, -schärfen, klarmachen (***on***, ***upon*** *dat.*); **4.** (auf)drücken (***on*** auf *acc.*), eindrücken; **5.** aufprägen, -drucken; **6.** *fig.* verleihen, erteilen (***upon*** *dat.*); **II** *v/i.* **7.** Eindruck machen, imponieren; **III** *s.* ['ɪmpres] **8.** Prägung *f*; **9.** Abdruck *m*, Stempel *m*; **10.** *fig.* Gepräge *n*.

im·press² [ɪm'pres] *v/t.* **1.** requirieren, beschlagnahmen; **2.** *bsd.* ⚓ (zum Dienst) pressen.

im·press·i·ble [ɪm'presəbl] → ***impressionable***.

im·pres·sion [ɪm'preʃn] *s.* **1.** Eindruck *m*: ***make a (good) ~ (on s.o.)*** (auf j-n) (e-n guten) Eindruck machen; ***give s.o. a wrong ~*** bei j-m e-n falschen Eindruck erwecken; ***leave s.o. with an ~*** bei j-m e-n Eindruck hinterlassen; ***first ~s are often wrong*** der erste Eindruck täuscht oft; **2.** Eindruck *m*, Vermutung *f*, Ahnung *f*: ***I have an ~*** (*od.* ***I am under the ~***) ***that*** ich habe den Eindruck, daß; **3.** Abdruck *m* (*a.* ⚒), Prägung *f*; **4.** Ab-, Aufdruck *m*; **5.** *typ.* a) Abzug *m*, b) (*bsd.* unveränderte) Auflage (*Buch*): ***new ~*** Neudruck *m*, -auflage *f*; **6.** *fig.* Nachahmung *f*: ***do*** (*od.* ***give***) ***an ~ of s.o.*** j-n imitieren; **im'pres·sion·a·ble** [-ʃnəbl] **1.** für Eindrücke empfänglich; **2.** leicht zu beeindrucken(d), beeinflußbar, empfänglich; **im'pres·sion·ism** [-ʃnɪzəm] *s.* Impressio'nismus *m*; **im'pres·sion·ist** [-ʃnɪst] **I** *s.* Impressio'nist(in); **II** *adj.* → **im·pres·sion·is·tic** [ɪmˌpreʃə'nɪstɪk] *adj.* (☐ ***~ally***) impressio'nistisch.

im·pres·sive [ɪm'presɪv] *adj.* ☐ eindrucksvoll, impo'sant; **im'pres·sive·ness** [-nɪs] *s. das* Eindrucksvolle *etc.*

im·pri·ma·tur [ˌɪmprɪ'meɪtə] *s.* **1.** Impri'matur *n*, Druckerlaubnis *f*; **2.** *fig.* Zustimmung *f*, Billigung *f*.

im·print I *s.* ['ɪmprɪnt] **1.** Ab-, Aufdruck *m*; **2.** Aufdruck *m*, Stempel *m*; **3.** *typ.* Im'pressum *n*, Erscheinungs-, Druckvermerk *m*; **4.** *fig.* Stempel *m*, Gepräge *n*; *psych.* Prägung *f*; **II** *v/t.* [ɪm'prɪnt] ([***up***]***on***) **5.** *typ.* aufdrucken (auf *acc.*); **6.** prägen (auf *acc.*); **7.** *fig.* einprägen (*dat.*); **8.** *Kuß* (auf)drücken (auf *acc.*).

im·pris·on [ɪm'prɪzn] *v/t.* **1.** ins Gefängnis werfen, einsperren, inhaftieren; **2.** *fig.* a) einsperren, -schließen, gefangenhalten, b) beschränken; **im'pris·on·ment** [-mənt] *s.* **1.** Einkerkerung *f*, Haft *f*, Gefangenschaft *f* (*a. fig.*); **2.** (***sentence of***) ***~*** ⚖ Freiheitsstrafe *f*; → ***false*** I.

im·prob·a·bil·i·ty [ɪmˌprɒbə'bɪlətɪ] *s.* Unwahrscheinlichkeit *f*; **im·prob·a·ble** [ɪm'prɒbəbl] *adj.* ☐ **1.** unwahrscheinlich; **2.** unglaubwürdig.

im·pro·bi·ty [ɪm'prəʊbətɪ] *s.* Unredlichkeit *f*, Unehrlichkeit *f*.

im·promp·tu [ɪm'prɒmptju:] **I** *s.* Impromp'tu *n* (*a.* ♪), Improvisati'on *f*; **II** *adj. u. adv.* improvisiert, aus dem Stegreif, Stegreif...

im·prop·er [ɪm'prɒpə] *adj.* ☐ **1.** ungeeignet, unpassend, untauglich (***to*** für); **2.** unschicklich, ungehörig (*Benehmen*); **3.** a) unrichtig, falsch, b) unsachgemäß, c) unvorschriftsmäßig, d) 'mißbräuchlich: ***~ use*** Mißbrauch *m*; **4.** ⩚ unecht: ***~ fraction***; ***~ integral*** uneigentliches Integral; **im·pro·pri·e·ty** [ˌɪmprə'praɪətɪ] *s.* **1.** Ungeeignetheit *f*, Untauglichkeit *f*; **2.** Unschicklichkeit *f*, Ungehörigkeit *f*; **3.** Unrichtigkeit *f*, *a. ling.* falscher Gebrauch.

im·prov·a·ble [ɪm'pru:vəbl] *adj.* **1.** verbesserungsfähig; **2.** ⸔ anbaufähig, kultivierbar; **im·prove** [ɪm'pru:v] **I** *v/t.* **1.** *allg.*, *a.* ⚙ verbessern; **2.** verfeinern; **3.** verschönern; **4.** *Wert etc.* erhöhen, steigern; **5.** vor'anbringen, ausbauen; **6.** *Kenntnisse* erweitern: ***~ one's mind*** sich weiterbilden; **7.** *Gehalt* aufbessern; **8.** *Am. Land* a) erschließen, im Wert steigern, b) kultivieren, meliorieren; **9.** ausnützen; → ***occasion*** 3; **II** *v/i.* **10.** sich (ver)bessern, besser werden, Fortschritte machen, sich erholen (*gesundheitlich od.* ⚕ *Preise*): ***~ in strength*** kräftiger werden; ***~ on acquaintance*** bei näherer Bekanntschaft gewinnen; ***the patient is improving*** dem Patienten geht es besser; **11.** ***~ on*** *od.* ***upon*** a) verbessern, b) über'treffen: ***not to be ~d upon*** nicht zu übertreffen(d); **im'prove·ment** [-mənt] *s.* **1.** (Ver-)Besserung *f*, Ver'vollkommnung *f*, Verschönerung *f*: ***~ in health*** Besserung der Gesundheit; ***~ of one's mind*** (Weiter)Bildung *f*; ***~ of one's knowledge*** Erweiterung *f* des Wissens; **2.** Verfeinerung *f*, Veredelung *f*: ***~ industry*** Veredelungsindustrie *f*; **3.** Erhöhung *f*, Steigerung *f*, ⚕ *a.* Erholung *f*, Steigen *n*; **4.** Meliorati'on *f*: a) ⸔ Bodenverbesserung *f*, b) Erschließung *f*, c) *Am.* Wertverbesserung *f* (*Grundstück etc.*); **5.** Verbesserung *f* (*a. Patent*), Fortschritt(e *pl.*) *m*, Neuerung *f*, Gewinn *m*: ***an ~ on*** *od.* ***upon*** e-e Verbesserung gegenüber; **im'prov·er** [-və] *s.* **1.** Verbesserer *m*; **2.** ⚙ Verbesserungsmittel *n*; **3.** ⚕ Volon'tär *m*.

im·prov·i·dence [ɪm'prɒvɪdəns] *s.* **1.** Unbedachtsamkeit *f*; **2.** Unvorsichtigkeit *f*, Leichtsinn *m*; **im'prov·i·dent** [-nt] *adj.* ☐ **1.** unbedacht; **2.** unvorsichtig, leichtsinnig (***of*** mit).

im·prov·ing [ɪm'pru:vɪŋ] *adj.* ☐ **1.** (sich) bessernd; **2.** förderlich.

im·pro·vi·sa·tion [ˌɪmprəvaɪ'zeɪʃn] *s.* Improvisati'on *f* (*a.* ♪): a) unvorbereitete Veranstaltung, 'Stegreifrede *f*, -kompositi͵on *f etc.*, b) Behelfsmaßnahme *f*, c) behelfsmäßige Vorrichtung; **im·prov·i·sa·tor** [ɪmˈprɒvɪzeɪtə] *s.* Improviˈsator *m*; **im·pro·vise** [ˈɪmprəvaɪz] *v/t. u. v/i. allg.* improvisieren: a) aus dem Stegreif *od.* unvorbereitet tun, b) rasch *od.* behelfsmäßig herstellen, aus dem Boden stampfen; **im·pro·vised** [ˈɪmprəvaɪzd] *adj.* improvisiert: a) unvorbereitet, Stegreif…, b) behelfsmäßig; **im·pro·vis·er** [ˈɪmprəvaɪzə] *s.* Improviˈsator *m.*

im·pru·dence [ɪmˈpru:dəns] *s.* Unklugheit *f*, Unvorsichtigkeit *f*; **imˈpru·dent** [-nt] *adj.* □ unklug.

im·pu·dence [ˈɪmpjʊdəns] *s.* Unverschämtheit *f*, Frechheit *f*; **ˈim·pu·dent** [-nt] *adj.* □ unverschämt.

im·pugn [ɪmˈpju:n] *v/t.* bestreiten, anfechten, angreifen; **imˈpugn·a·ble** [-nəbl] *adj.* bestreit-, anfechtbar; **imˈpugn·ment** [-mənt] *s.* Anfechtung *f*, Einwand *m.*

im·pulse [ˈɪmpʌls] *s.* **1.** Antrieb *m*, Stoß *m*, Triebkraft *f*; **2.** *fig.* Imˈpuls *m*: a) Anstoß *m*, Anreiz *m*, b) Anregung *f*, c) plötzliche Regung *od.* Eingebung: ***act on*** **~** spontan *od.* impulsiv handeln; ***on the*** **~** ***of the moment*** e-r plötzlichen Regung folgend; **~** ***buying*** ⚕ Impulskauf *m*; **~** ***goods*** ⚕ Waren, die impulsiv gekauft werden; **3.** ⚙, ⚛, ⚡, *phys.* Imˈpuls *m*: **~** ***relais*** ⚡ Stromstoßrelais *n.*

im·pul·sion [ɪmˈpʌlʃn] *s.* **1.** Stoß *m*, Antrieb *m*; Triebkraft *f*; **2.** *fig.* Imˈpuls *m*, Antrieb *m*; **imˈpul·sive** [-lsɪv] *adj.* □ **1.** (an)treibend, Trieb…; **2.** *fig.* impulˈsiv, leidenschaftlich; **imˈpul·sive·ness** [-lsɪvnɪs] *s.* impulˈsive Art, Leidenschaftlichkeit *f.*

im·pu·ni·ty [ɪmˈpju:nətɪ] *s.* Straflosigkeit *f*: ***with*** **~** straflos, ungestraft.

im·pure [ɪmˈpjʊə] *adj.* □ **1.** unrein: a) schmutzig, unsauber, b) verfälscht, mit Beimischungen, c) *fig.* gemischt, nicht einheitlich (*Stil*), d) *fig.* fehlerhaft; **2.** *fig.* unrein (*a. eccl.*), schmutzig, unanständig; **im·pu·ri·ty** [ɪmˈpjʊərətɪ] *s.* **1.** Unreinheit *f*, Unsauberkeit *f*; **2.** Unanständigkeit *f*; **3.** ⚙ Verunreinigung *f*, Schmutz(teilchen *n*) *m*, Fremdkörper *m.*

im·put·a·ble [ɪmˈpju:təbl] *adj.* zuzuschreiben(d), beizumessen(d) (***to*** *dat.*); **im·pu·ta·tion** [͵ɪmpju:ˈteɪʃn] *s.* **1.** Zuschreibung *f*, Unterˈstellung *f*; **2.** Be-, Anschuldigung *f*, Bezichtigung *f*; **3.** Makel *m*, (Schand)Fleck *m*; **imˈput·a·tive** [-ətɪv] *adj.* □ **1.** zuschreibend; **2.** beschuldigend; **3.** unterˈstellt; **im·pute** [ɪmˈpju:t] *v/t.* (***to***) zuschreiben, zur Last legen, anlasten (*dat.*).

in [ɪn] **I** *prp.* **1.** *räumlich*: a) *auf die Frage wo?* in (*dat.*), an (*dat.*), auf (*dat.*): **~** ***London*** in London; **~** ***here*** hier drin (-nen); **~** ***the*** (*od.* ***one's***) ***head*** im Kopf; **~** ***the dark*** im Dunkeln; **~** ***the sky*** am Himmel; **~** ***the street*** auf der Straße; **~** ***the country*** (***field***) auf dem Land (Feld), b) *auf die Frage wohin?* in (*acc.*): ***put it*** **~** ***your pocket!*** steck(e) es in deine Tasche!; **2.** *zeitlich*: in (*dat.*), an (*dat.*), unter (*dat.*), bei, während, zu: **~** ***May*** im Mai; **~** ***the evening*** am Abend; **~** ***the beginning*** am *od.* im Anfang; **~** ***a week***(***'s time***) in *od.* binnen einer Woche; **~** ***1960*** (im Jahre) 1960; **~** ***his sleep*** während er schlief, im Schlaf; **~** ***life*** zu Lebzeiten; ***not*** **~** ***years*** seit Jahren nicht (mehr); **~** ***between meals*** zwischen den Mahlzeiten; **3.** *Zustand, Beschaffenheit, Art u. Weise*: in (*dat.*), auf (*acc.*), mit: **~** ***a rage*** in Wut; **~** ***trouble*** in Not; **~** ***tears*** in Tränen (aufgelöst), unter Tränen; **~** ***good health*** bei guter Gesundheit; **~** (***the***) ***rain*** im *od.* bei Regen; **~** ***German*** auf deutsch; **~** ***a loud voice*** mit lauter Stimme; **~** ***order*** der Reihe nach; **~** ***a whisper*** flüsternd; **~** ***a word*** mit ˈeinem Wort; **~** ***this way*** in dieser *od.* auf diese Weise; **4.** *im Besitz, in der Macht*: in (*dat.*), bei, an (*dat.*): ***it is not*** **~** ***him*** es liegt ihm nicht; ***he has*** (***not***) ***got it*** **~** ***him*** er hat (nicht) das Zeug dazu; **5.** *Zahl, Maß*: in (*dat.*), aus, von, zu: **~** ***twos*** zu zweien; **~** ***dozens*** zu Dutzenden, dutzendweise; ***one*** **~** ***ten*** eine(r) *od.* ein(e)s von *od.* unter zehn, jede(r) *od.* jedes zehnte; **6.** *Beteiligung*: in (*dat.*), an (*dat.*), bei: **~** ***the army*** beim Militär; **~** ***society*** in der Gesellschaft; ***shares*** **~** ***a company*** Aktien e-r Gesellschaft; **~** ***the university*** an der Universität; ***be*** **~** ***it*** beteiligt sein; ***he isn't*** **~** ***it*** er gehört nicht dazu; ***there is something*** (***nothing***) **~** ***it*** a) es ist et. (nichts) d(a)ran, b) es lohnt sich (nicht); ***he is*** **~** ***there too*** er ist auch mit dabei, er ‚mischt auch mit'; **7.** *Richtung*: in (*acc.*), auf (*acc.*): ***trust*** **~** ***s.o.*** auf j-n vertrauen; **8.** *Zweck*: in (*dat.*), zu, als: **~** ***my defence*** zu m-r Verteidigung; **~** ***reply to*** in Beantwortung (*gen.*), als Antwort auf (*acc.*); **9.** *Grund*: in (*dat.*), aus, wegen, zu: **~** ***despair*** in *od.* aus Verzweiflung; **~** ***his hono***(***u***)***r*** ihm zu Ehren; **10.** *Tätigkeit*: in (*dat.*), bei, auf (*dat.*): **~** ***reading*** beim Lesen; **~** ***saying this*** indem ich dies sage; **~** ***search of*** auf der Suche nach; **11.** *Material, Kleidung*: in (*dat.*), mit, aus, durch: **~** ***bronze*** aus Bronze; ***written*** **~** ***pencil*** mit Bleistift geschrieben; **12.** *Hinsicht, Beziehung*: in (*dat.*), an (*dat.*), in bezug auf (*acc.*): **~** ***size*** an Größe; ***a foot*** **~** ***length*** einen Fuß lang; **~** ***that*** weil, insofern als; **13.** *Bücher etc.*: in (*dat.*), bei: **~** ***Shakespeare*** bei Shakespeare;

14. nach, gemäß: ***~ my opinion*** m-r Meinung nach; **II** *adv.* **15.** innen, drinnen: ***~ among*** mitten unter; ***~ between*** dazwischen, zwischendurch; ***be ~ for s.th.*** et. zu erwarten *od.* gewärtigen haben; ***he is ~ for a shock*** er wird nicht schlecht erschrecken; ***I am ~ for an examination*** mir steht e-e Prüfung bevor; ***now you're ~ for it*** jetzt bist du ‚dran', jetzt kannst du dich auf et. gefaßt machen; ***have it ~ for s.o.*** es auf j-n abgesehen haben, j-n auf dem ‚Kieker' haben; ***be well ~ with s.o.*** mit j-m gut stehen; ***breed ~ and ~*** Inzucht treiben; ***~-and-~ breeding*** Inzucht *f*; ***~ and out*** a) bald drinnen, bald draußen, b) hin u. her; **16.** hin'ein, her'ein, nach innen: ***walk ~*** hineingehen; ***come ~!*** herein!; ***the way ~*** der Eingang; ***~ with you!*** hinein mir dir!; **17.** da'zu, als Zugabe: ***throw ~*** zusätzlich geben; **III** *adj.* **18.** zu Hause; im Zimmer: ***Mr. B. is not ~*** Herr B. ist nicht zu Hause; **19.** da, angekommen: ***the post is ~***; ***the harvest is ~*** die Ernte ist eingebracht; **20.** a) drin, b) F ‚in', in Mode, c) *sport* am Spiel, ‚dran', d) *pol.* an der Macht, im Amt, am Ruder: ***~ party*** *pol.* Regierungspartei *f*; ***an ~ restaurant*** ein Restaurant, das gerade ‚in' ist; ***the ~ thing is to wear a wig*** es ist ‚in' *od.* gerade Mode, e-e Perücke zu tragen; ***~ side*** *Kricket*: Schlägerpartei *f*; ***be ~ on it*** F eingeweiht sein; **IV** *s.* **21.** *pl.* Re'gierungspar,tei *f*; **22.** ***know the ~s and outs of s.th.*** genau Bescheid wissen bei e-r Sache.

in-[1] [ɪn] *in Zssgn* in…, innen, hinein…, Hin…, ein…

in-[2] [ɪn] *in Zssgn* un…, Un…, nicht.

in·a·bil·i·ty [ɪnə'bɪlətɪ] *s.* Unfähigkeit *f*: ***~ to pay*** ✝ Zahlungsunfähigkeit, Insolvenz *f*.

in·ac·ces·si·bil·i·ty ['ɪnækˌsesə'bɪlətɪ] *s.* Unzugänglichkeit *f etc.*; **in·ac·ces·si·ble** [ˌɪnæk'sesəbl] *adj.* □ unzugänglich: a) unerreichbar, b) un'nahbar (***to*** für *od. dat.*) (*Person*).

in·ac·cu·ra·cy [ɪn'ækjʊrəsɪ] *s.* **1.** Ungenauigkeit *f*; **2.** Fehler *m*, Irrtum *m*; **in'ac·cu·rate** [-rət] *adj.* □ **1.** ungenau; **2.** irrig, falsch.

in·ac·tion [ɪn'ækʃn] *s.* **1.** Untätigkeit *f*, Passivi'tät *f*; **2.** Trägheit *f*; **3.** Ruhe *f*; **in'ac·tive** [-ktɪv] *adj.* □ **1.** untätig; **2.** träge (*a. phys.*), müßig; **3.** ✝ flau, lustlos: ***~ market***; ***~ account*** umsatzloses Konto; ***~ capital*** brachliegendes Kapital; **4.** ⚗ unwirksam, neu'tral; **5.** ⚔ nicht ak'tiv, außer Dienst; **in·ac·tiv·i·ty** [ˌɪnæk'tɪvətɪ] *s.* **1.** Untätigkeit *f*; **2.** Trägheit *f* (*a. phys.*); **3.** ✝ Unbelebtheit *f*, Lustlosigkeit *f*; **4.** ⚗ Unwirksamkeit *f*.

in·a·dapt·a·bil·i·ty ['ɪnəˌdæptə'bɪlətɪ] *s.* **1.** Mangel *m* an Anpassungsfähigkeit; **2.** Unanwendbarkeit *f* (***to*** auf *acc.*, für); **in·a·dapt·a·ble** [ˌɪnə'dæptəbl] *adj.* **1.** nicht anpassungsfähig; **2.** (***to***) unanwendbar (auf *acc.*), untauglich (für).

in·ad·e·qua·cy [ɪn'ædɪkwəsɪ] *s.* Unzulänglichkeit *f etc.*; **in'ad·e·quate** [-kwət] *adj.* □ unzulänglich, mangelhaft; unangemessen.

in·ad·mis·si·bil·i·ty ['ɪnədˌmɪsə'bɪlətɪ] *s.* Unzulässigkeit *f*; **in·ad·mis·si·ble** [ˌɪnəd'mɪsəbl] *adj.* □ unzulässig, nicht statthaft.

in·ad·vert·ence [ˌɪnəd'vɜːtəns], **ˌin·ad'vert·en·cy** [-sɪ] *s.* **1.** Unachtsamkeit *f*; **2.** Unabsichtlichkeit *f*; Versehen *n*; **ˌin·ad'vert·ent** [-nt] *adj.* □ **1.** unachtsam; nachlässig; **2.** unabsichtlich, versehentlich.

in·ad·vis·a·bil·i·ty ['ɪnədˌvaɪzə'bɪlətɪ] *s.* Unratsamkeit *f*; **in·ad·vis·a·ble** [ˌɪnəd'vaɪzəbl] *adj.* nicht ratsam.

in·al·ien·a·ble [ɪn'eɪljənəbl] *adj.* □ unveräußerlich: ***~ rights***.

in·al·ter·a·ble [ɪn'ɔːltərəbl] *adj.* □ unveränderlich, unabänderlich.

in·am·o·ra·ta [ɪnˌæmə'rɑːtə] *s.* Geliebte *f*; **inˌam·o'ra·to** [-təʊ] *pl.* **-tos** *s.* Geliebte(r) *m*.

ˌin|-and-'in → ***in*** 15; **ˌ~-and-'out** *adj.* wechselhaft, schwankend.

in·ane [ɪ'neɪn] *adj.* □ hohl, geistlos, albern.

in·an·i·mate [ɪn'ænɪmət] *adj.* □ **1.** leblos, unbelebt; **2.** unbeseelt; **3.** *fig.* langweilig, fad(e); **4.** ✝ flau, matt; **in·an·i·ma·tion** [ɪnˌænɪ'meɪʃn] *s.* Leblosigkeit *f*, Unbelebtheit *f*.

in·a·ni·tion [ˌɪnə'nɪʃn] *s.* **1.** ⚕ Entkräftung *f*; **2.** (mo'ralische) Schwäche, Leere *f*.

in·an·i·ty [ɪ'nænətɪ] *s.* Geistlosigkeit *f*, Albernheit *f*: a) geistige Leere, Hohl-, Seichtheit *f*, b) dumme Bemerkung, *pl.* dummes Geschwätz.

in·ap·pli·ca·bil·i·ty ['ɪnˌæplɪkə'bɪlətɪ] *s.* Unanwendbarkeit *f*; **in·ap·pli·ca·ble** [ɪn'æplɪkəbl] *adj.* □ (***to***) unanwendbar, nicht anwendbar *od.* zutreffend (auf *acc.*); ungeeignet (für).

in·ap·po·site [ɪn'æpəzɪt] *adj.* □ unangebracht, unpassend.

in·ap·pre·ci·a·ble [ˌɪnə'priːʃəbl] *adj.* □ unmerklich, unbedeutend.

in·ap·pro·pri·ate [ˌɪnə'prəʊprɪət] *adj.* □ **1.** unpassend: a) ungeeignet (***to***, ***for*** für), b) unangebracht, ungehörig; **2.** unangemessen (***to*** *dat.*); **ˌin·ap'pro·pri·ate·ness** [-nɪs] *s.* **1.** Ungeeignetheit *f*; **2.** Ungehörigkeit *f*; **3.** Unangemessenheit *f*.

in·apt [ɪn'æpt] *adj.* □ **1.** unpassend, ungeeignet; **2.** ungeschickt, untauglich; **3.** unfähig; **in'apt·i·tude** [-tɪtjuːd], **in-**

ˈ**apt·ness** [-nɪs] *s.* **1.** Ungeeignetheit *f*; **2.** Ungeschicklichkeit *f*, Untauglichkeit *f*; **3.** Unfähigkeit *f*.

in·ar·tic·u·late [ˌɪnɑːˈtɪkjʊlət] *adj.* □ **1.** unartikuliert, undeutlich, unklar, schwer zu verstehen(d), unverständlich; **2.** undeutlich sprechend; **3.** unfähig, sich (deutlich) auszudrücken, wenig wortgewandt: ***he is* ~** a) er kann sich nicht ausdrücken, b) er ‚kriegt den Mund nicht auf'; **~ *with rage*** sprachlos vor Wut; **4.** *zo.* ungegliedert.

in·ar·tis·tic [ˌɪnɑːˈtɪstɪk] *adj.* (□ **~*ally***) unkünstlerisch.

in·as·much [ˌɪnəzˈmʌtʃ] *cj.*: **~ *as*** **1.** da (ja), weil; **2.** *obs.* inˈsofern als.

in·at·ten·tion [ˌɪnəˈtenʃn] *s.* **1.** Unaufmerksamkeit *f*, Unachtsamkeit *f* (***to*** gegenüber); **2.** Gleichgültigkeit *f* (***to*** gegen); ˌ**in·atˈten·tive** [-ntɪv] *adj.* □ **1.** unaufmerksam (***to*** gegenüber); **2.** gleichgültig (***to*** gegen), nachlässig.

in·au·di·bil·i·ty [ɪnˌɔːdəˈbɪlətɪ] *s.* Unhörbarkeit *f*; **in·au·di·ble** [ɪnˈɔːdəbl] *adj.* □ unhörbar.

in·au·gu·ral [ɪˈnɔːgjʊrəl] **I** *adj.* Einführungs…, Einweihungs…, Antritts…, Eröffnungs…: **~ *speech*** → **II** *s.* Eröffnungs- *od.* Antrittsrede *f*; **in·au·gu·rate** [ɪˈnɔːgjʊreɪt] *v/t.* **1.** (feierlich) einführen *od.* einsetzen; **2.** einweihen, eröffnen; **3.** beginnen, einleiten: **~ *a new era***; **in·au·gu·ra·tion** [ɪˌnɔːgjʊˈreɪʃn] *s.* **1.** (feierliche) Amtseinsetzung, -einführung *f*: **2 *Day*** *Am.* Tag *m* des Amtsantritts des Präsidenten; **2.** Einweihung *f*, Eröffnung *f*; **3.** Beginn *m*.

in·aus·pi·cious [ˌɪnɔːˈspɪʃəs] *adj.* □ **1.** ungünstig, unheilvoll, -drohend; **2.** unglücklich; ˌ**in·ausˈpi·cious·ness** [-nɪs] *s.* üble Vorbedeutung, Ungünstigkeit *f*.

ˌ**in-beˈtween I** *s.* **1.** Mittel-, Zwischending; **2.** a) Mittelsmann *m*, b) ✝ Zwischenhändler *m*; **II** *adj.* **3.** Zwischen…

in·board [ˈɪnbɔːd] ⚓ **I** *adj.* Innenbord…: **~ *engine*** → III; **II** *adv.* (b)innenbords; **III** *s.* Innenbordmotor *m*.

in·born [ˌɪnˈbɔːn] *adj.* angeboren.

in·bred [ˌɪnˈbred] *adj.* **1.** angeboren, ererbt; **2.** durch Inzucht erzeugt, Inzucht…

in·breed [ˌɪnˈbriːd] *v/t.* [*irr.* → ***breed***] durch Inzucht züchten; ˌ**inˈbreed·ing** [-dɪŋ] *s.* Inzucht *f*.

in·cal·cu·la·bil·i·ty [ɪnˌkælkjʊləˈbɪlətɪ] *s.* Unberechenbarkeit *f*; **in·cal·cu·la·ble** [ɪnˈkælkjʊləbl] *adj.* □ **1.** unberechenbar (*a. fig. Person etc.*); **2.** unermeßlich.

in·can·des·cence [ˌɪnkænˈdesns] *s.* **1.** Weißglühen *n*, -glut *f*; **2.** Erglühen *n* (*a. fig.*); ˌ**in·canˈdes·cent** [-nt] *adj.* **1.** weißglühend; **2.** ⚙ Glüh…: **~ *bulb*** ⚡ Glühbirne *f*; **~ *burner*** *phys.* Glühlichtbrenner *m*; **~ *filament*** ⚡ Glühfaden *m*; **~ *lamp*** ⚡ Glühlampe *f*; **~ *light*** *phys.* Glühlicht *n*; **3.** *fig.* leuchtend, strahlend.

in·can·ta·tion [ˌɪnkænˈteɪʃn] *s.* **1.** Beschwörung *f*; **2.** Zauber(spruch) *m*, Zauberformel *f*.

in·ca·pa·bil·i·ty [ɪnˌkeɪpəˈbɪlətɪ] *s.* Unfähigkeit *f*, Unvermögen *n*; **in·ca·pa·ble** [ɪnˈkeɪpəbl] *adj.* □ **1.** unfähig: a) untüchtig, b) unbegabt; **2.** nicht fähig (***of*** *gen.*, ***of doing*** zu tun), nicht imˈstande (***of doing*** zu tun): **~ *of a crime*** e-s Verbrechens nicht fähig; **~ *of working*** arbeitsunfähig; **3.** (*physisch*) hilflos: ***drunk and* ~** volltrunken; **4.** ungeeignet (***of*** für): **~ *of improvement*** nicht verbesserungsfähig; **~ *of solution*** unlösbar.

in·ca·pac·i·tate [ˌɪnkəˈpæsɪteɪt] *v/t.* **1.** unfähig *od.* untauglich machen (***for s.th.*** für et., ***from doing*** zu tun); *Gegner* außer Gefecht setzen; hindern (***from doing*** an *dat.*, zu tun); **2.** ⚖ für (geschäfts)unfähig erklären; ˌ**in·caˈpac·i·tat·ed** [-tɪd] *adj.* **1.** erwerbs-, arbeitsunfähig; **2.** (körperlich *od.* geistig) behindert; **3.** (***legally***) **~** ⚖ geschäftsunfähig; ˌ**in·caˈpac·i·ty** [-tɪ] *s.* **1.** Unfähigkeit *f*, Untauglichkeit *f* (***for*** für, zu; ***for doing*** zu tun): **~** (***for work***) Arbeits-, Erwerbs-, Berufsunfähigkeit; **2.** *a.* ***legal* ~** ⚖ Geschäftsunfähigkeit *f*: **~ *to sue*** *Am.* mangelnde Prozeßfähigkeit.

in·cap·su·late [ɪnˈkæpsjʊleɪt] → ***encapsulate***.

in·car·cer·ate [ɪnˈkɑːsəreɪt] *v/t.* **1.** einkerkern, einsperren (*a. fig.*); **2.** ⚕ *Bruch* einklemmen; **in·car·cer·a·tion** [ɪnˌkɑːsəˈreɪʃn] *s.* **1.** Einkerkerung *f*, Einsperrung *f* (*a. fig.*); **2.** ⚕ Einklemmung *f*.

in·car·nate I *v/t.* [ˈɪnkɑːneɪt] **1.** verkörpern; **2.** feste Form *od.* Gestalt geben (*dat.*); **II** *adj.* [ɪnˈkɑːneɪt] **3.** *eccl.* fleischgeworden, in Menschengestalt; **4.** *fig.* leibˈhaftig: ***a devil* ~** ein Teufel in Menschengestalt; ***innocence* ~** die personifizierte Unschuld, die Unschuld in Person; **in·car·na·tion** [ˌɪnkɑːˈneɪʃn] *s.* Inkarnatiˈon *f*: a) **2** *eccl.* Menschwerdung *f*, b) Inbegriff *m*, Verkörperung *f*.

in·case → ***encase***.

in·cau·tious [ɪnˈkɔːʃəs] *adj.* □ unvorsichtig, unbedacht.

in·cen·di·a·rism [ɪnˈsendjərɪzəm] *s.* **1.** Brandstiftung *f*; **2.** *fig.* Aufwiegelung *f*, Aufhetzung *f*; **in·cen·di·ar·y** [ɪnˈsendjərɪ] **I** *adj.* **1.** Feuer…, Brand…: **~ *bomb*** → 5 a; **~ *bullet*** → 5 b; **2.** ⚖ Brandstiftungs…: **~ *action*** Brandstiftung *f*; **3.** *fig.* aufwiegelnd, -hetzend: **~ *speech*** Hetzrede *f*; **II** *s.* **4.** Brandstifter(in); **5.** ⚔ a) Brandbombe *f*, b)

Brandgeschoß *n*; **6.** *fig.* Unruhestifter *m*, Hetzer *m*.

in·cense[1] [ɪn'sens] *v/t.* erzürnen: **~d** zornig, aufgebracht.

in·cense[2] ['ɪnsens] **I** *s.* **1.** Weihrauch *m*: ***~-burner*** *eccl.* Räucherfaß *n*, -vase *f*; **2.** Duft *m*; **3.** *fig.* ‚Weihrauch' *m*, Lobhude'lei *f*; **II** *v/t.* **4.** (mit Weihrauch) beräuchern; **5.** durch'duften; **6.** *fig.* *j-n* beweihräuchern.

in·cen·so·ry ['ɪnsensərɪ] *s.* *eccl.* Weihrauchfaß *n*.

in·cen·tive [ɪn'sentɪv] **I** *adj.* anspornend, antreibend, anreizend: ***~ bonus*** (***pay***) ✝ Leistungsprämie *f* (-lohn *m*); **II** *s.* Ansporn *m*, (✝ Leistungs)Anreiz *m*: ***buying ~*** Kaufanreiz.

in·cep·tion [ɪn'sepʃn] *s.* Beginn *m*, Anfang *m*; **in'cep·tive** [-ptɪv] *adj.* beginnend, anfangend, anfänglich, Anfangs…: ***~ verb*** *ling.* inchoatives Verb.

in·cer·ti·tude [ɪn'sɜːtɪtjuːd] *s.* Ungewißheit *f*, Unsicherheit *f*.

in·ces·sant [ɪn'sesnt] *adj.* ☐ unaufhörlich, unablässig, ständig.

in·cest ['ɪnsest] *s.* Blutschande *f*, In'zest *m*; **in·ces·tu·ous** [ɪn'sestjʊəs] *adj.* ☐ blutschänderisch, inzestu'ös.

inch [ɪntʃ] **I** *s.* Zoll *m* (*= 2,54 cm*), *fig. a.* Zenti'meter *m od.* Milli'meter *m*: ***every ~ a soldier*** jeder Zoll ein Soldat; ***~ by ~, by ~es*** Zentimeter um Zentimeter, zentimeterweise, langsam; ***not to yield an ~*** nicht einen Zoll weichen *od.* nachgeben; ***he came within an ~ of winning*** er hätte um ein Haar gewonnen; ***I came within an ~ of being killed*** ich wurde um ein Haar getötet, ich bin dem Tod um Haaresbreite entgangen; ***thrashed within an ~ of his life*** fast zu Tode geprügelt; ***give him an ~ and he'll take a yard*** (*od.* ***ell***) gibt man ihm den kleinen Finger, so nimmt er die ganze Hand; **II** *adj.* …zöllig: ***a two-~ rope***; **III** *v/t.* langsam *od.* zenti'meterweise schieben *od.* manövrieren; **IV** *v/i.* sich ganz langsam *od.* zentimeterweise (vorwärts- *etc.*)schieben; **inched** [ɪntʃt] *adj. in Zssgn* …zöllig.

in·cho·ate ['ɪnkəʊeɪt] *adj.* **1.** angefangen, anfangend, Anfangs…; **2.** 'unvoll,ständig, rudimen'tär; **'in·cho·a·tive** [-tɪv] **I** *adj.* **1.** → ***inchoate*** 1; **2.** *ling.* inchoa'tiv; **II** *s.* **3.** *ling.* inchoa'tives Verb.

in·ci·dence ['ɪnsɪdəns] *s.* **1.** Ein-, Auftreten *n*, Vorkommen *n*; **2.** Häufigkeit *f*, Verbreitung *f*: ***~ of divorces*** Scheidungsquote *f*, -rate *f*; **3.** a) Auftreffen *n* (***upon*** auf *acc.*) (*a. phys.*), b) *phys.* Einfall(en *n*) *m* (*von Strahlen*); → ***angle***[1] 1; **4.** ✝ Anfall *m* (*e-r Steuer*): ***~ of taxation*** Verteilung *f* der Steuerlast, Steuerbelastung *f*; **'in·ci·dent** [-nt] **I** *adj.* **1.** (***to***) a) vorkommend (bei *od.* in *dat.*), b) → ***incidental*** 4; **2.** *bsd. phys.* ein-, auffallend, auftreffend (*Strahlen etc.*); **II** *s.* **3.** Vorfall *m*, Ereignis *n*, Vorkommnis *n*, *a. pol.* Zwischenfall *m*: ***full of ~*** ereignisreich; **4.** 'Neben,umstand *m*, -sache *f*; **5.** Epi'sode *f*, Zwischenhandlung *f* (*im Drama etc.*); **6.** ⚖ a) (Neben)Folge *f* (***of*** aus), b) 'Nebensache *f*, -,umstand *m*.

in·ci·den·tal [,ɪnsɪ'dentl] **I** *adj.* ☐ **1.** beiläufig, nebensächlich, Neben…: ***~ earnings*** Nebenverdienst *m*; ***~ expenses*** → 7; ***~ music*** Begleit-, Bühnen-, Filmmusik *f*, musikalischer Hintergrund; **2.** gelegentlich; **3.** zufällig; **4.** (***to***) gehörig (zu), verbunden *od.* zs.-hängend (mit): ***be ~ to*** gehören zu, verbunden sein mit; ***the expenses ~ thereto*** die dabei entstehenden *od.* damit verbundenen Unkosten; **5.** folgend (***upon*** auf *acc.*), nachher auftretend: ***~ images*** *psych.* Nachbilder; **II** *s.* **6.** 'Neben,umstand *m*, -sächlichkeit *f*; **7.** *pl.* ✝ Nebenausgaben *pl.*, -spesen *pl.*; **,in·ci·'den·tal·ly** [-tlɪ] *adv.* **1.** beiläufig, neben'bei; **2.** zufällig; **3.** gelegentlich; **4.** neben'bei bemerkt, übrigens.

in·cin·er·ate [ɪn'sɪnəreɪt] *v/t.* verbrennen, *bsd. Leiche* einäschern; **in·cin·er·a·tion** [ɪn,sɪnə'reɪʃn] *s.* Verbrennung *f*, Einäscherung *f*; **in'cin·er·a·tor** [-tə] *s.* Verbrennungsofen *m*, -anlage *f*.

in·cip·i·ence [ɪn'sɪpɪəns], **in'cip·i·en·cy** [-sɪ] *s.* Anfang *m*; Anfangsstadium *n*; **in'cip·i·ent** [-nt] *adj.* ☐ beginnend, einleitend, Anfangs…; **in'cip·i·ent·ly** [-ntlɪ] *adv.* anfänglich, anfangs.

in·cise [ɪn'saɪz] *v/t.* **1.** einschneiden in (*acc.*), aufschneiden (*a.* ⚕): ***~d wound*** Schnittwunde *f*; **2.** einritzen, -schnitzen, -kerben, -gravieren; **in·ci·sion** [ɪn'sɪʒn] *s.* (Ein)Schnitt *m* (*a.* ⚕), Kerbe *f*; **in'ci·sive** [-aɪsɪv] *adj.* ☐ *fig.* **1.** scharf: a) 'durchdringend: ***~ intellect***, b) beißend: ***~ irony***, c) prä'gnant: ***~ style***; **2.** *anat.* Schneide(zahn)…; **in'ci·sive·ness** [-aɪsɪvnɪs] *s.* *fig.* Schärfe *f*, Prä'gnanz *f*; **in'ci·sor** [-zə] *s.* *anat.* Schneidezahn *m*.

in·ci·ta·tion [,ɪnsaɪ'teɪʃn] *s.* **1.** Anregung *f*, Ansporn *m*, Antrieb *m*; **2.** → ***incitement*** 2; **in·cite** [ɪn'saɪt] *v/t.* **1.** anregen (*a.* ⚕), anspornen, anstacheln; **2.** aufhetzen, -wiegeln, ⚖ *a.* anstiften (***to*** zu); **in·cite·ment** [ɪn'saɪtmənt] *s.* **1.** → ***incitation*** 1; **2.** Aufhetzung *f*, -wiegelung *f*, ⚖ *a.* Anstiftung *f* (***to commit a crime*** zu e-m Verbrechen).

in·ci·vil·i·ty [,ɪnsɪ'vɪlətɪ] *s.* Unhöflichkeit *f*, Grobheit *f*.

in·ci·vism ['ɪnsɪvɪzəm] *s.* Mangel *m* an staatsbürgerlicher Gesinnung.

'in-,clear·ing *s.* ✝ *Brit.* Gesamtbetrag *m* der auf e-e Bank laufenden Schecks, Abrechnungsbetrag *m*.

in·clem·en·cy [ɪnˈklemənsɪ] *s.* Rauheit *f*, Unfreundlichkeit *f*: **~ of the weather** *a.* Unbilden *pl.* der Witterung; **inˈclem·ent** [-nt] *adj.* □ **1.** rauh, unfreundlich, streng (*Klima etc.*); **2.** hart, grausam.

in·clin·a·ble [ɪnˈklaɪnəbl] *adj.* **1.** (hin-)neigend, tendierend (**to** zu); **2.** ⚙ schrägstellbar.

in·cli·na·tion [ˌɪnklɪˈneɪʃn] *s.* **1.** *fig.* Neigung *f*, Vorliebe *f*, Hang *m* (**to**, **for** zu): **~ to buy** ✝ Kauflust *f*; **~ to stoutness** Neigung *od.* Anlage *f* zur Korpulenz; **2.** *fig.* Zuneigung *f* (**for** zu); **3.** ⩓, *phys.* a) Neigung *f*, Schrägstellung *f*, Senkung *f*, b) Abhang *m*, c) Neigungswinkel *m*, Gefälle *n*; **4.** *ast.*, *phys.* Inklinatiˈon *f*; **in·cline** [ɪnˈklaɪn] **I** *v/i.* **1.** sich neigen (**to**, **towards** nach), (schräg) abfallen; **2.** sich neigen (*Tag*); **3.** *fig.* neigen (**to**, **toward** zu): **~ to an opinion**; **~ to do s.th.** dazu neigen, et. zu tun; **4.** Anlage haben, neigen (**to** zu): **~ to corpulence**; **~ to red** ins Rötliche spielen; **5.** *fig.* (**to**) sich hingezogen fühlen (zu), gewogen sein (*dat.*); **II** *v/t.* **6.** *Kopf etc.* neigen: **~ one's ear to s.o.** *fig.* j-m sein Ohr leihen; **7.** *fig.* *j-n* bewegen, (dazu) veranlassen (**to** zu; **to do** zu tun): **this ~s me to doubt** dies läßt mich zweifeln; **this ~s me to go** im Hinblick darauf möchte ich lieber gehen; **III** *s.* **8.** Neigung *f*, Schräge *f*, Abhang *m*, Gefälle *n*; **in·clined** [ɪnˈklaɪnd] *adj.* **1.** geneigt, aufgelegt (**to** zu): **be ~** dazu neigen, (dazu) aufgelegt sein (**to do** zu tun); **2.** (dazu) neigend *od.* veranlagt (**to** zu); **3.** geneigt, gewogen, wohlgesinnt (**to** *dat.*); **4.** geneigt, schräg, schief, abschüssig: **~ plane** *phys.* schiefe Ebene; **in·cli·nom·e·ter** [ˌɪnklɪˈnɒmɪtə] *s.* **1.** Inklinatiˈonskompaß *m*, -nadel *f*; **2.** ✈ Neigungsmesser *m*.

in·close [ɪnˈkləʊz] → **enclose**.

in·clude [ɪnˈkluːd] *v/t.* **1.** (in sich *od.* mit) einschließen, umˈfassen, enthalten, be-inhalten: **all ~d** alles inbegriffen *od.* inklusive; **tax ~d** einschließlich *od.* inklusive Steuer; **2.** einschließen, betreffen, gelten für: **that ~s you, too!**; **~ me out!** *humor.* ohne mich!; **3.** einbeziehen, -schließen (**in** in *acc.*), rechnen (**among** unter *acc.*, zu); **4.** aufnehmen (**in** in *e-e Gruppe*, *Liste etc.*), erfassen; **5.** *j-n* (*in s-m Testament*) bedenken; **inˈcluding** [-dɪŋ] *prp.* einschließlich (*gen.*), *bsd.* ✝ inkluˈsive (*Verpackung etc.*), *Gebühren etc.* (mit) inbegriffen, mit: **not ~** ausschließlich (*gen.*), *bsd.* ✝ exklusive; **up to and ~** bis einschließlich; **inˈclu·sion** [-uːʒn] *s.* **1.** Einbeziehung *f*, Einschluß *m* (*a. biol.*, *min. etc.*) (**in** in *acc.*): **with the ~ of** → **including**; **2.** Aufnahme *f* (**in** in *acc.*); **inˈclu·sive** [-uːsɪv] *adj.* □ **1.** einschließlich, inkluˈsive (**of** *gen.*): **be ~ of** einschließen; (**to**) **Friday ~** (bis) einschließlich Freitag; **2.** alles einschließend *od.* enthaltend, ✝ Inklusiv..., Pauschal...: **~ price**.

in·cog·ni·to [ɪnˈkɒgnɪtəʊ] **I** *adv.* **1.** inˈkognito, unter fremdem Namen: **travel ~**; **2.** anoˈnym: **do good ~**; **II** *pl.* **-tos** *s.* **3.** Inˈkognito *n*; **4.** j-d, der inˈkognito auftritt.

in·co·her·ence [ˌɪnkəʊˈhɪərəns] *s.* Zs.-hang(s)losigkeit *f*, Wirr-, Verwirrtheit *f*; ˌ**in·coˈher·ent** [-nt] *adj.* □ zs.-hanglos, wirr (*a. Person*).

in·com·bus·ti·ble [ˌɪnkəmˈbʌstəbl] *adj.* □ unverbrennbar.

in·come [ˈɪŋkʌm] *s.* ✝ Einkommen *n*, Einkünfte *pl.* (**from** aus): **~ bond** Schuldverschreibung *f* mit gewinnabhängiger Verzinsung *f*; **~ bracket** *od.* **group** Einkommensstufe *f*; **~ return** *Am.* Rendite *f*; **~ statement** *Am.* Gewinn- u. Verlustrechnung *f*; **~ tax** Einkommensteuer *f*; **~ tax return** Einkommensteuererklärung *f*; **live within** (**beyond**) **one's ~** s-n Verhältnissen entsprechend (über s-e Verhältnisse) leben.

in·com·er [ˈɪnˌkʌmə] *s.* **1.** (Neu)Ankömmling *m*; **2.** ✝ (Rechts)Nachfolger(in).

in·com·ing [ˈɪnˌkʌmɪŋ] **I** *adj.* **1.** herˈeinkommend: **the ~ tide** die Flut; **2.** ankommend (*Telefongespräch, Zug etc.*); **3.** nachfolgend, neu (*Regierung*, *Präsident*, *Mieter etc.*); **4.** ✝ eingehend (*Post etc.*): **~ goods** *od.* **stocks** Wareneingang *m*, -eingänge *pl.*; **~ orders** Auftragseingang *m*; **II** *s.* **5.** Ankommen *n*, Ankunft *f*; Eingang *m*; **6.** *pl.* ✝ Eingänge *pl.*, Einkünfte *pl.*

in·com·men·su·ra·ble [ˌɪnkəˈmenʃərəbl] **I** *adj.* □ **1.** ⩓ a) inkommensuˈrabel, b) ˈirratioˌnal; **2.** nicht vergleichbar; **3.** völlig unverhältnismäßig, in keinem Verhältnis stehend (**with** zu); **II** *s.* **4.** ⩓ inkommensuˈrable Größe; **in·com·men·su·rate** [ˌɪnkəˈmenʃərət] *adj.* □ **1.** (**to**) unangemessen (*dat.*), unvereinbar (mit); **2.** → **incommensurable** I.

in·com·mode [ˌɪnkəˈməʊd] *v/t.* *j-m* lästig fallen, *j-n* belästigen, stören; ˌ**in·comˈmo·di·ous** [-djəs] *adj.* □ unbequem: a) lästig (**to** *dat.* *od.* für), b) beengt.

in·com·mu·ni·ca·ble [ˌɪnkəˈmjuːnɪkəbl] *adj.* □ nicht mitteilbar, nicht auszudrücken(d); **in·com·mu·ni·ca·do** [ˌɪnkəmjuːnɪˈkɑːdəʊ] *adj.* vom Verkehr mit der Außenwelt abgeschnitten, ⚖ *a.* in Einzel- *od.* Isolierhaft; ˌ**in·comˈmu·ni·ca·tive** [-ətɪv] *adj.* □ nicht mitteilsam, zuˈrückhaltend, reserviert.

in·com·pa·ra·ble [ɪnˈkɒmpərəbl] *adj.* □ **1.** nicht zu vergleichen(d) (**with**, **to**

mit); **2.** unvergleichlich, einzigartig; **in'com·pa·ra·bly** [-blɪ] *adv.* unvergleichlich.

in·com·pat·i·bil·i·ty ['ɪnkəmˌpætə'bɪlətɪ] *s.* Unverträglichkeit *f* (*a.* ⚕): a) Unvereinbarkeit *f*, 'Widersprüchlichkeit *f*, b) (*charakterliche*) Gegensätzlichkeit; **in·com·pat·i·ble** [ˌɪnkəm'pætəbl] *adj.* □ **1.** unver'einbar, 'widersprüchlich, ein'ander wider'sprechend; **2.** unverträglich: a) nicht zs.-passend (*a. Personen*), b) ⚕ inkompa'tibel (*Medikamente etc.*).

in·com·pe·tence [ɪn'kɒmpɪtəns], **in'com·pe·ten·cy** [-sɪ] *s.* **1.** Unfähigkeit *f*, Untüchtigkeit *f*; **2.** *bsd.* ⚖ a) Unzuständigkeit *f*, b) Unbefugtheit *f*, c) Unzulässigkeit *f* (*e-r Aussage etc.*), d) *Am.* Unzurechnungsfähigkeit *f*; **3.** Unzulänglichkeit *f*; **in'com·pe·tent** [-nt] *adj.* □ **1.** unfähig, untauglich, ungeeignet; **2.** ⚖ a) unbefugt, b) unzuständig, 'inkompeˌtent, c) *Am.* unzurechnungsfähig, geschäftsunfähig, d) unzulässig (*a. Beweis, Zeuge*); **3.** unzulänglich, mangelhaft.

in·com·plete [ˌɪnkəm'pli:t] *adj.* □ **1.** 'unvollˌständig, 'unvollˌendet; **2.** 'unvollˌkommen, lücken-, mangelhaft.

in·com·pre·hen·si·bil·i·ty [ɪnˌkɒmprɪhensə'bɪlətɪ] *s.* Unbegreiflichkeit *f*; **in·com·pre·hen·si·ble** [ɪnˌkɒmprɪ'hensəbl] *adj.* □ unbegreiflich.

in·con·ceiv·a·ble [ˌɪnkən'si:vəbl] *adj.* □ **1.** unbegreiflich, unfaßbar; **2.** undenkbar, unvorstellbar.

in·con·clu·sive [ˌɪnkən'klu:sɪv] *adj.* □ **1.** nicht über'zeugend *od.* schlüssig, ohne Beweiskraft; **2.** ergebnislos; **ˌin·con'clu·sive·ness** [-nɪs] *s.* **1.** Mangel *m* an Beweiskraft; **2.** Ergebnislosigkeit *f*.

in·con·dite [ɪn'kɒndaɪt] *adj.* schlecht gemacht, mangelhaft; roh, grob.

in·con·gru·i·ty [ˌɪnkɒŋ'gru:ətɪ] *s.* **1.** Nichtüber'einstimmung *f*: a) 'Mißverhältnis *n*, b) Unver'einbarkeit *f*; **2.** 'Widersinnigkeit *f*; **3.** Unangemessenheit *f*; **4.** ⩚ 'Inkongruˌenz *f*; **in·con·gru·ous** [ɪn'kɒŋgrʊəs] *adj.* □ **1.** nicht zuein'ander passend, nicht über'einstimmend, unver'einbar (***to***, ***with*** mit); **2.** 'widersinnig, ungereimt; **3.** unangemessen, ungehörig; **4.** ⩚ 'inkongruˌent, nicht deckungsgleich.

in·con·se·quence [ɪn'kɒnsɪkwəns] *s.* **1.** 'Inkonseˌquenz *f*, Unlogik *f*, Folgewidrigkeit *f*; **2.** Belanglosigkeit *f*; **in'con·se·quent** [-nt] *adj.* □ **1.** 'inkonseˌquent, folgewidrig, unlogisch; **2.** nicht zur Sache gehörig, 'irreleˌvant; **3.** belanglos, unwichtig; **in·con·se·quen·tial** [ˌɪnkɒnsɪ'kwenʃl] → ***inconsequent***.

in·con·sid·er·a·ble [ˌɪnkən'sɪdərəbl] *adj.* □ unbedeutend, unerheblich, belanglos, gering(fügig).

in·con·sid·er·ate [ˌɪnkən'sɪdərət] *adj.* □ **1.** rücksichtslos, taktlos (***towards*** gegen); **2.** 'unüberˌlegt; **ˌin·con'sid·er·ate·ness** [-nɪs] *s.* **1.** Rücksichtslosigkeit *f*; **2.** Unbesonnenheit *f*.

in·con·sist·en·cy [ˌɪnkən'sɪstənsɪ] *s.* **1.** (innerer) 'Widerspruch, Unver'einbarkeit *f*; **2.** 'Inkonseˌquenz *f*, Folgewidrigkeit *f*; **3.** Unbeständigkeit *f*, Wankelmut *m*; **ˌin·con'sist·ent** [-nt] *adj.* □ **1.** unver'einbar, (ein'ander) wider'sprechend, gegensätzlich; **2.** 'inkonseˌquent, folgewidrig, ungereimt; **3.** unbeständig, *Person*: *a.* 'inkonseˌquent.

in·con·sol·a·ble [ˌɪnkən'səʊləbl] *adj.* □ untröstlich.

in·con·spic·u·ous [ˌɪnkən'spɪkjʊəs] *adj.* □ unauffällig: ***make o.s. ~*** sich möglichst unauffällig verhalten.

in·con·stan·cy [ɪn'kɒnstənsɪ] *s.* **1.** Unbeständigkeit *f*, Veränderlichkeit *f*; **2.** Wankelmut *m*, Treulosigkeit *f*; **3.** Ungleichförmigkeit *f*; **in'con·stant** [-nt] *adj.* □ **1.** unbeständig, unstet; **2.** wankelmütig; **3.** ungleichförmig.

in·con·test·a·ble [ˌɪnkən'testəbl] *adj.* □ **1.** unbestreitbar, unanfechtbar; **2.** 'unumˌstößlich, 'unwiderˌleglich.

in·con·ti·nence [ɪn'kɒntɪnəns] *s.* **1.** (*bsd.* sexu'elle) Unmäßigkeit, Zügellosigkeit *f*, Unkeuschheit *f*; **2.** Nicht'haltenkönnen *n*, ⚕ *a.* 'Inkontiˌnenz *f*: ***~ of speech*** Geschwätzigkeit *f*; ***~ of urine*** ⚕ Harnfluß *m*; **in'con·ti·nent** [-nt] *adj.* □ **1.** ausschweifend, zügellos, unkeusch; **2.** unauf'hörlich; **3.** nicht im'stande *et.* zu'rückzuhalten *od.* bei sich zu behalten (*a.* ⚕).

in·con·tro·vert·i·ble [ˌɪnkɒntrə'vɜ:təbl] *adj.* □ unbestreitbar, unstrittig, unbestritten.

in·con·ven·ience [ˌɪnkən'vi:njəns] **I** *s.* Unbequemlichkeit *f*, Lästigkeit *f*, Unannehmlichkeit *f*, Schwierigkeit *f*: ***put s.o. to great ~*** j-m große Ungelegenheiten bereiten; **II** *v/t.* belästigen, stören, *j-m* lästig sein, *j-m* Unannehmlichkeiten bereiten; **ˌin·con'ven·ient** [-nt] *adj.* □ **1.** unbequem, lästig, störend, beschwerlich; **2.** *Zeit, Lage etc.*: ungünstig, ‚ungeschickt'.

in·con·vert·i·bil·i·ty ['ɪnkənˌvɜ:tə'bɪlətɪ] *s.* **1.** Unverwandelbarkeit *f*; **2.** ✝ a) Nichtkonver'tierbarkeit *f*, Nicht'umwandelbarkeit *f* (*Guthaben*), b) Nicht'einlösbarkeit *f* (*Papiergeld*), c) Nicht'umsetzbarkeit *f* (*Waren*); **in·con·vert·i·ble** [ˌɪnkən'vɜ:təbl] *adj.* □ **1.** unverwandelbar; **2.** ✝ a) nicht 'umwandelbar, nicht konvertierbar, b) nicht einlösbar, c) nicht 'umsetzbar.

in·cor·po·rate [ɪn'kɔ:pəreɪt] **I** *v/t.* **1.** vereinigen, verbinden, zs.-schließen; **2.** (***in***, ***into***) einverleiben (*dat.*), *Staatsge-*

I

biet a. eingliedern; einbauen, integrieren (in *acc.*); **3.** *Stadt* eingemeinden; **4.** (***in***, ***into***) *als Mitglied* aufnehmen (in *acc.*); **5.** ⚖ als Körperschaft *od. Am.* als Aktiengesellschaft (amtlich) eintragen; 'Rechtsper,sönlichkeit verleihen (*dat.*); gründen, inkorporieren lassen; **6.** aufnehmen, enthalten, einschließen; **7.** ⚙, ⚗ (ver)mischen; **II** *v/i.* **8.** sich verbinden *od.* vereinigen; **9.** ⚖ e-e Körperschaft *etc.* bilden; **10.** ⚙, ⚗ sich vermischen; **III** *adj.* [-pərət] **11.** → **in'cor·po·rat·ed** [-tɪd] *adj.* **1.** ✝, ⚖ a) (als Körperschaft) (amtlich) eingetragen, inkorporiert, b) *Am.* als Aktiengesellschaft eingetragen: ~ ***bank*** *Am.* Aktienbank *f*; ~ ***company*** *Brit.* rechtsfähige (Handels)Gesellschaft, *Am.* Aktiengesellschaft *f*; **2.** (***in***, ***into***) a) eng verbunden, zs.-geschlossen (mit), b) einverleibt (*dat.*); **3.** eingemeindet; **in·cor·po·ra·tion** [ɪn,kɔːpə'reɪʃn] *s.* **1.** Vereinigung *f*, Verbindung *f*; **2.** Einverleibung *f*, Eingliederung *f*, Aufnahme *f* (***into*** in *acc.*); **3.** Eingemeindung *f*; **4.** ⚖ a) Bildung *f od.* Gründung *f* e-r Körperschaft *od.* (*Am.*) e-r Aktiengesellschaft: ***articles of*** ~ *Am.* Satzung *f* (*e-r AG*); ***certificate of*** ~ Korporationsurkunde *f*, *Am.* Gründungsurkunde *f* (*e-r AG*), b) amtliche Eintragung; **in'cor·po·ra·tor** [-tə] *s. Am.* Gründungsmitglied *n*.

in·cor·po·re·al [,ɪnkɔː'pɔːrɪəl] *adj.* ☐ **1.** unkörperlich, immateri'ell, geistig; **2.** ⚖ nicht greifbar: ~ ***hereditaments*** vererbliche Rechte; ~ ***rights*** Immaterialgüterrechte (*z. B. Patente*).

in·cor·rect [,ɪnkə'rekt] *adj.* ☐ **1.** unrichtig, ungenau, irrig, falsch; **2.** 'inkor,rekt, ungehörig (*Betragen*); **,in·cor'rect·ness** [-nɪs] *s.* **1.** Unrichtigkeit *f*; **2.** Unschicklichkeit *f*.

in·cor·ri·gi·bil·i·ty [ɪn,kɒrɪdʒə'bɪlətɪ] *s.* Unverbesserlichkeit *f*; **in·cor·ri·gi·ble** [ɪn'kɒrɪdʒəbl] *adj.* ☐ unverbesserlich.

in·cor·rupt·i·bil·i·ty ['ɪnkə,rʌptə'bɪlətɪ] *s.* **1.** Unbestechlichkeit *f*; **2.** Unverderblichkeit *f*; **in·cor·rupt·i·ble** [,ɪnkə'rʌptəbl] *adj.* ☐ **1.** unbestechlich, redlich; **2.** unverderblich, unvergänglich; **in·cor·rup·tion** ['ɪnkə,rʌpʃn] *s.* **1.** Unbestechlichkeit *f*; **2.** Unverdorbenheit *f*; **3.** *bibl.* Unvergänglichkeit *f*.

in·crease [ɪn'kriːs] **I** *v/i.* **1.** zunehmen, sich vermehren, größer werden, (an-)wachsen: ~ ***in size*** an Größe zunehmen; ~***d demand*** Mehrbedarf *m*; **2.** steigen (*Preise*); sich steigern *od.* vergrößern *od.* verstärken *od.* erhöhen; **II** *v/t.* **3.** vergrößern, verstärken, vermehren, erhöhen, steigern: ~ ***tenfold*** verzehnfachen; **III** *s.* ['ɪnkriːs] **4.** Vergrößerung *f*, Vermehrung *f*, Verstärkung *f*, Erhöhung *f*, Zunahme *f*, (An)Wachsen *n*, Zuwachs *m*, Wachstum *n*, Steigen *n*, Steigerung *f*, Erhöhung *f*: ***be on the*** ~ zunehmen, wachsen; ~ ***in wages*** ✝ Lohnerhöhung *f*, -steigerung *f*; ~ ***of trade*** Zunahme *od.* Aufschwung *m* des Handels; **5.** Ertrag *m*, Gewinn *m*; **in'creas·ing·ly** [-sɪŋlɪ] *adv.* immer mehr: ~ ***clear*** immer klarer.

in·cred·i·bil·i·ty [ɪn,kredɪ'bɪlətɪ] *s.* **1.** Unglaubhaftigkeit *f*; **2.** Un'glaublichkeit *f*; **in·cred·i·ble** [ɪn'kredəbl] *adj.* ☐ **1.** unglaublich, unvor'stellbar (*a. fig. unerhört*, *äußerst*); **2.** unglaubhaft.

in·cre·du·li·ty [,ɪnkrɪ'djuːlətɪ] *s.* Ungläubigkeit *f*; **in·cred·u·lous** [ɪn'kredjʊləs] *adj.* ☐ ungläubig.

in·cre·ment ['ɪnkrɪmənt] *s.* **1.** Zuwachs *m*, Zunahme *f*; **2.** ✝ (Gewinn-, Wert-) Zuwachs *m*, Mehrertrag *m*, -einnahme *f*; **3.** Ⱥ Zuwachs *m*, Inkre'ment *n*, *bsd.* positives Differenti'al.

in·crim·i·nate [ɪn'krɪmɪneɪt] *v/t.* beschuldigen, belasten: ~ ***o.s.*** sich (selbst) belasten; **in'crim·i·nat·ing** [-tɪŋ] *adj.* belastend; **in·crim·i·na·tion** [ɪn,krɪmɪ'neɪʃn] *s.* Beschuldigung *f*, Belastung *f*; **in'crim·i·na·to·ry** [-nətərɪ] → ***incriminating***.

in·crust [ɪn'krʌst] → ***encrust***.

in·crus·ta·tion [,ɪnkrʌs'teɪʃn] *s.* **1.** Verkrustung *f* (*a. fig.*); **2.** ⚙ a) Inkrustati'on *f*, Kruste *f*, b) Kesselstein(bildung *f*) *m*; **3.** Verkleidung *f*, Belag *m* (*Wand*); **4.** Einlegearbeit *f*.

in·cu·bate ['ɪnkjʊbeɪt] **I** *v/t.* **1.** *Ei* ausbrüten (*a. künstlich*); **2.** *Bakterien* im Brutschrank züchten; **3.** *fig.* ausbrüten, aushecken; **II** *v/i.* **4.** brüten; **in·cu·ba·tion** [,ɪnkjʊ'beɪʃn] *s.* **1.** Ausbrütung *f*, Brüten *n*; **2.** ⚕ Inkubati'on *f*: ~ ***period*** Inkubationszeit *f*; **'in·cu·ba·tor** [-tə] *s.* a) ⚕ Brutkasten *m*, Inku'bator *m* (*für Babys*), b) Brutschrank *m* (*für Bakterien*), c) 'Brutappa,rat *m* (*für Küken, Eier*).

in·cu·bus ['ɪŋkjʊbəs] *s.* **1.** ⚕ Alp(drükken *n*) *m*; **2.** *fig.* a) Alpdruck *m*, b) Schreckgespenst *n*.

in·cul·cate ['ɪnkʌlkeɪt] *v/t.* einprägen, einschärfen, einimpfen (***on***, ***in s.o.*** j-m); **in·cul·ca·tion** [,ɪnkʌl'keɪʃn] *s.* Einschärfung *f*.

in·cul·pate ['ɪnkʌlpeɪt] *v/t.* **1.** an-, beschuldigen, anklagen; **2.** belasten; **in·cul·pa·tion** [,ɪnkʌl'peɪʃn] *s.* **1.** An-, Beschuldigung *f*; **2.** Vorwurf *m*.

in·cult [ɪn'kʌlt] *adj.* 'unkulti,viert, roh, grob.

in·cum·ben·cy [ɪn'kʌmbənsɪ] *s.* **1.** a) Innehaben *n* e-s Amtes, b) Amtszeit *f*, c) Amt(sbereich *m*) *n*; **2.** *eccl. Brit.* (Besitz *m* e-r) Pfründe *f*; **3.** *fig.* Obliegenheit *f*; **in'cum·bent** [-nt] **I** *adj.* ☐ **1.** obliegend: ***it is*** ~ ***upon him*** es ist s-e Pflicht; **2.** amtierend: ***the*** ~ ***mayor***, **II**

s. **3.** Amtsinhaber(in); **4.** *eccl. Brit.* Pfründeninhaber *m.*

in·cu·nab·u·la [ˌɪnkjuːˈnæbjʊlə] *s. pl.* Inkuˈnabeln *pl.*, Wiegendrucke *pl.*

in·cur [ɪnˈkɜː] *v/t.* sich *et.* zuziehen; auf sich laden *od.* ziehen, geraten in (*acc.*): *~ displeasure* Mißfallen erregen; *~ debts* Schulden machen; *~ losses* Verluste erleiden; *~ liabilities* Verpflichtungen eingehen.

in·cur·a·bil·i·ty [ɪnˌkjʊərəˈbɪlətɪ] *s.* Unheilbarkeit *f*; **in·cur·a·ble** [ɪnˈkjʊərəbl] **I** *adj.* □ unheilbar; **II** *s.* unheilbar Kranke(r *m*) *f.*

in·cu·ri·ous [ɪnˈkjʊərɪəs] *adj.* □ **1.** nicht neugierig, gleichgültig, uninteressiert; **2.** ˈuninteresˌsant.

in·cur·sion [ɪnˈkɜːʃn] *s.* **1.** (feindlicher) Einfall, Raubzug *m*; **2.** Eindringen *n* (*a. fig.*); **3.** *fig.* Einbruch *m*, -griff *m.*

in·curve [ˌɪnˈkɜːv] *v/t.* (nach innen) krümmen, (ein)biegen.

in·debt·ed [ɪnˈdetɪd] *adj.* **1.** verschuldet; **2.** zu Dank verpflichtet: *I am ~ to you for* ich habe Ihnen zu danken für; **inˈdebt·ed·ness** [-nɪs] *s.* **1.** Verschuldung *f*, Schulden *pl.*; **2.** Dankesschuld *f*, Verpflichtung *f.*

in·de·cen·cy [ɪnˈdiːsnsɪ] *s.* **1.** Unanständigkeit *f*, Anstößigkeit *f*; **2.** Zote *f*; **inˈde·cent** [-nt] *adj.* □ **1.** unanständig, anstößig; *a.* ⚖ unsittlich, unzüchtig; **2.** ungebührlich: *~ haste* unziemliche Hast.

in·de·ci·pher·a·ble [ˌɪndɪˈsaɪfərəbl] *adj.* nicht zu entziffern(d).

in·de·ci·sion [ˌɪndɪˈsɪʒn] *s.* Unentschlossenheit *f*, Unschlüssigkeit *f*; **ˌin·deˈci·sive** [-ˈsaɪsɪv] *adj.* □ **1.** nicht entscheidend: *an ~ battle*; **2.** unentschlossen, unschlüssig, schwankend; **3.** unbestimmt.

in·de·clin·a·ble [ˌɪndɪˈklaɪnəbl] *adj. ling.* undeklinierbar.

in·dec·o·rous [ɪnˈdekərəs] *adj.* □ unschicklich, unanständig, ungehörig; **in·de·co·rum** [ˌɪndɪˈkɔːrəm] *s.* Unschicklichkeit *f.*

in·deed [ɪnˈdiːd] *adv.* **1.** in der Tat, tatsächlich, wirklich: *it is very lovely ~* es ist wirklich (sehr) hübsch; *if ~* wenn überhaupt; *if ~ he were right* falls er wirklich recht haben sollte; *we think, ~ we know this is wrong* wir glauben, ja wir wissen (sogar), daß dies falsch ist; *~ I am quite sure* ich bin (mir) sogar ganz sicher; *yes, ~!* ja tatsächlich! (→ 3); *did you ~?* tatsächlich?, ach wirklich?; *you, ~!* *iro.* ausgerechnet du!, Du? daß ich nicht lache!; *what ~!* *iro.* na, was wohl?; *thank you very much ~!* vielen herzlichen Dank!; *this is ~ an exception* das ist allerdings *od.* freilich e-e Ausnahme; **2.** zwar, wohl: *it is ~ a good plan, but ...*; **3.** (*in Antworten*) *a. yes ~* a) allerdings(!), aber sicher(!), und ob(!), b) aber gern!, ja doch!, c) ach wirklich?, was Sie nicht sagen; *~ you may not!* aber ja nicht!, kommt nicht in Frage!

in·de·fat·i·ga·ble [ˌɪndɪˈfætɪgəbl] *adj.* □ unermüdlich.

in·de·fea·si·ble [ˌɪndɪˈfiːzəbl] *adj.* □ ⚖ unverletzlich, unantastbar.

in·de·fen·si·ble [ˌɪndɪˈfensəbl] *adj.* □ unhaltbar: a) ⚔ nicht zu verteidigen(d), b) *fig.* nicht zu rechtfertigen(d), unentschuldbar.

in·de·fin·a·ble [ˌɪndɪˈfaɪnəbl] *adj.* □ undefinierbar: a) unbestimmbar, b) unbestimmt.

in·def·i·nite [ɪnˈdefɪnət] *adj.* □ **1.** unbestimmt (*a. ling.*); **2.** unbegrenzt, unbeschränkt; **3.** unklar, undeutlich, ungenau; **inˈdef·i·nite·ly** [-lɪ] *adv.* **1.** auf unbestimmte Zeit; **2.** unbegrenzt; **inˈdef·i·nite·ness** [-nɪs] *s.* **1.** Unbestimmtheit *f*; **2.** Unbegrenztheit *f.*

in·del·i·ble [ɪnˈdeləbl] *adj.* □ unauslöschlich (*a. fig.*); untilgbar: *~ ink* Zeichen-, Kopiertinte *f*; *~ pencil* Tintenstift *m.*

in·del·i·ca·cy [ɪnˈdelɪkəsɪ] *s.* **1.** Unanständigkeit *f*, Unfeinheit *f*; **2.** Taktlosigkeit *f*; **inˈdel·i·cate** [-kət] *adj.* □ **1.** unanständig, unfein, derb; **2.** taktlos.

in·dem·ni·fi·ca·tion [ɪnˌdemnɪfɪˈkeɪʃn] *s.* **1.** ✝ a) → *indemnity* 1 a, b) Entschädigung *f*, Schadloshaltung *f*, Ersatzleistung *f*, c) → *indemnity* 1 c; **2.** ⚖ Sicherstellung *f* (*gegen Strafe*); **in·dem·ni·fy** [ɪnˈdemnɪfaɪ] *v/t.* **1.** entschädigen, schadlos halten (*for* für); **2.** sicherstellen, sichern (*from*, *against* gegen); **3.** ⚖ *parl.* a) *j-m* Entlastung erteilen, b) *j-m* Straflosigkeit zusichern; **in·dem·ni·ty** [ɪnˈdemnətɪ] *s.* **1.** ✝ a) Sicherstellung *f* (*gegen Verlust od. Schaden*), Garanˈtie(versprechen *n*) *f*, b) → *indemnification* 1 b, c) Entschädigung(sbetrag *m*) *f*, Abfindung *f*: *~ against liability* Haftungsausschluß *m*; *~ bond*, *letter of ~* Ausfallbürgschaft *f*; *~ insurance* Schadensversicherung *f*; → *double indemnity*; **2.** ⚖, *parl.* Indemniˈtät *f.*

in·dent[1] [ɪnˈdent] **I** *v/t.* **1.** (ein-, aus-) kerben, auszacken: *~ed coastline* zerklüftete Küste; **2.** ⚙ (ver)zahnen; **3.** *typ. Zeile* einrücken; **4.** ⚖ *Vertrag* mit Doppel ausfertigen; **5.** ✝ *Waren* bestellen; **II** *v/i.* **6.** (*upon s.o. for s.th.*) (et. bei j-m) bestellen, (et. von j-m) anfordern; **III** *s.* [ˈɪndent] **7.** Kerbe *f*, Einschnitt *m*, Auszackung *f*; **8.** *typ.* Einzug *m*; **9.** ⚖ Vertragsurkunde *f*; **10.** ✝ (Auslands)Auftrag *m*; **11.** ⚔ *Brit.* Anforderung *f* (*von Vorräten*).

in·dent[2] **I** *v/t.* [ɪnˈdent] eindrücken, einprägen; **II** *s.* [ˈɪndent] Delle *f*, Vertie-

I

fung *f*.

in·den·ta·tion [ˌɪndenˈteɪʃn] *s.* **1.** Einschnitt *m*, Einkerbung *f*; Auszackung *f*, Zickzacklinie *f*; **2.** ⚙ Zahnung *f*; **3.** Einbuchtung *f*; Bucht *f*; **4.** *typ.* a) Einzug *m*, b) Absatz *m*; **5.** Vertiefung *f*, Delle *f*; **in·dent·ed** [ɪnˈdentɪd] *adj.* **1.** (aus)gezackt; **2.** ✝ vertraglich verpflichtet; **in·den·tion** [ɪnˈdenʃn] → ***indentation*** 1, 2, 4; **in·den·ture** [ɪnˈdentʃə] **I** *s.* **1.** Vertrag *m od.* Urkunde *f* (im Dupliˈkat); **2.** ✝, ⚖ Lehrvertrag *m*, -brief *m*: ***take up one's ~s*** ausgelernt haben; **3.** amtliche Liste; **4.** → ***indentation*** 1, 2; **II** *v/t.* **5.** ✝, ⚖ durch (*bsd.* Lehr)Vertrag binden, vertraglich verpflichten.

in·de·pend·ence [ˌɪndɪˈpendəns] *s.* **1.** Unabhängigkeit *f* (***on***, ***of*** von): ***♀ Day*** *Am.* Unabhängigkeitstag *m* (*4. Juli*); **2.** Selbständigkeit *f*; **3.** hinreichendes Aus- *od.* Einkommen; ˌ**in·deˈpend·en·cy** [-sɪ] *s.* **1.** → ***independence***; **2.** unabhängiger Staat; **3.** ♀ → ***Congregationalism***; ˌ**in·deˈpend·ent** [-nt] **I** *adj.* ☐ **1.** unabhängig (***of*** von) (*a.* ⅌, *ling.*), selbständig (*a. Person*): ***~ clause*** *ling.* Hauptsatz *m*; **2.** a) selbständig, -sicher, -bewußt, b) eigenmächtig, -ständig; **3.** *pol.* unabhängig (*Staat*), *Abgeordneter*: *a.* parˈteilos, *parl.* fraktiˈonslos; **4.** voneinˈander unabhängig: ***the various decisions were ~***; ***we arrived ~ly at the same results*** wir kamen unabhängig voneinander zu denselben Ergebnissen; **5.** finanziˈell unabhängig: ***~ gentleman***, ***man of ~ means*** Mann *m* mit Privateinkommen, Privatier *m*; **6.** eigen, Einzel...: ***~ axle*** ⚙ Schwingachse *f*; ***~ fire*** ⚔ Einzel-, Schützenfeuer *n*; ***~ suspension*** *mot.* Einzelaufhängung *f*; **II** *s.* **7.** ♀ *pol.* Unabhängige(r *m*) *f*, Parˈteilose(r *m*) *f*, *parl.* fraktiˈonsloser Abgeordneter; **8.** ♀ → ***Congregationalist***.

ˌ**in-ˈdepth** *adj.* tiefschürfend, eingehend: ***~ interview*** Tiefeninterview *n*, Intensivbefragung *f*.

in·de·scrib·a·ble [ˌɪndɪˈskraɪbəbl] *adj.* ☐ **1.** unbeschreiblich; **2.** unbestimmt, undefinierbar.

in·de·struct·i·bil·i·ty [ˈɪndɪˌstrʌktəˈbɪlətɪ] *s.* Unzerstörbarkeit *f*; **in·de·struct·i·ble** [ˌɪndɪˈstrʌktəbl] *adj.* ☐ unzerstörbar, (*a.* ✝) unverwüstlich.

in·de·ter·mi·na·ble [ˌɪndɪˈtɜːmɪnəbl] *adj.* ☐ unbestimmbar, nicht bestimmbar; ˌ**in·deˈter·mi·nate** [-nət] *adj.* ☐ **1.** unbestimmt (*a.* ⅌), unentschieden, ungewiß, nicht festgelegt; unklar, vage; **2.** → ***indeterminable***: ***of ~ sex***; ***~ sentence*** ⚖ (Freiheits)Strafe *f* von unbestimmter Dauer; **in·de·ter·mi·na·tion** [ˈɪndɪˌtɜːmɪˈneɪʃn] *s.* **1.** Unbestimmtheit *f*; **2.** Ungewißheit *f*; **3.** Unentschlossenheit *f*; ˌ**in·deˈter·min·ism** [-mɪnɪzəm] *s.* *phls.* Indetermiˈnismus *m*, Lehre *f* von der Willensfreiheit *f*.

in·dex [ˈɪndeks] **I** *pl.* ˈ**in·dex·es**, **in·di·ces** [ˈɪndɪsiːs] *s.* **1.** Inhalts-, Stichwortverzeichnis *n*, Taˈbelle *f*, (ˈSach)Reˌgister *n*, Index *m*; **2.** *a.* ***~ file*** Karˈtei *f*: ***~ card*** Karteikarte *f*; **3.** ⚙ a) (An)Zeiger *m*, b) (Einstell)Marke *f*, Strich *m*, c) Zunge *f* (*Waage*); **4.** *typ.* Hand(zeichen *n*) *f*; **5.** *fig.* a) (An)Zeichen *n* (***of*** für, von *od. gen.*), b) (***to***) Fingerzeig *m* (für), Hinweis *m* (auf *acc.*); **6.** *Statistik*: Indexziffer *f*, Vergleichs-, Meßzahl *f*, ✝ Index *m*: ***cost of living ~*** Lebenskosten-, Lebenshaltungsindex; ***share price ~*** Aktienindex; **7.** ⅌ a) Index *m*, Kennziffer *f*, b) Expoˈnent *m*: ***~ of refraction*** *phys.* Brechungsindex *od.* -exponent; **8.** *bsd. eccl.* Index *m* (*verbotener Bücher*); **9.** → ***index finger***; **II** *v/t.* **10.** mit e-m Inhaltsverzeichnis versehen; **11.** in ein Verzeichnis aufnehmen; **12.** *eccl.* auf den Index setzen; **13.** ⚙ a) *Revolverkopf etc.* schalten: ***~ing disc*** Schaltscheibe *f*, b) *in Maßeinheiten* einteilen; **~ fin·ger** *s.* Zeigefinger *m*; ˈ**~-linked** *adj.* indexgebunden: ***~ pension***; ***~ wage*** Indexlohn *m*; **~ num·ber** → ***index*** 6.

In·di·a| ink [ˈɪndjə] → ***Indian ink***; ˈ**~·man** [-mən] *s.* [*irr.*] (Ost)ˈIndienfahrer *m* (*Schiff*).

In·di·an [ˈɪndjən] **I** *adj.* **1.** (ost)ˈindisch; **2.** *bsd. Am.* indiˈanisch; **3.** *Am.* Mais...; **II** *s.* **4.** a) Inder(in), b) Ostˈindier(in); **5.** *bsd. Am.* Indiˈaner(in); **~ club** *s. sport* (Schwing)Keule *f*; **~ corn** *s.* Mais *m*; **~ file** *s.*: ***in ~*** im Gänsemarsch; **~ giv·er** *s. Am.* F *j-d, der s-e Geschenke zurückverlangt*; **~ ink** *s.* chiˈnesische Tusche; **~ meal** *s.* Maismehl *n*; **~ pa·per** → ***India paper***; **~ sum·mer** *s.* Altˈweiber-, Spät-, Nachsommer *m*.

In·di·a| pa·per *s.* ˈDünndruckpaˌpier *n*; ˌ**♀-ˈrub·ber** *s.* **1.** Kautschuk *m*, Gummi *n*, *m*: ***~ ball*** Gummiball *m*; ***~ tree***; **2.** Radiergummi *m*.

In·dic [ˈɪndɪk] *adj. ling.* indisch (*den indischen Zweig der indo-iranischen Sprachen betreffend*).

in·di·cate [ˈɪndɪkeɪt] *v/t.* **1.** anzeigen, angeben, bezeichnen, kennzeichnen; **2.** a) *Person*: andeuten, (an)zeigen, zu verstehen geben, b) *Sache*: hindeuten *od.* hinweisen auf (*acc.*), erkennen lassen (*acc.*), *a.* ⚙ anzeigen; **3.** ⚕ indizieren, erfordern: ***be ~d*** indiziert sein, *fig.* angezeigt *od.* angebracht sein; **in·di·ca·tion** [ˌɪndɪˈkeɪʃn] *s.* **1.** Anzeige *f*, Angabe *f*, Bezeichnung *f*; **2.** (***of***) a) (An-)Zeichen *n* (für), b) Hinweis *m* (auf *acc.*), c) (kurze) Andeutung: ***give ~ of*** *et.* anzeigen; ***there is every ~*** alles deutet darauf hin (***that*** daß); **3.** ⚕ a) Indikati'on *f*, b) Sym'ptom *n* (*a. fig.*); **4.** ⚙ a) Anzeige *f*, b) Grad *m*, Stand *m*; **in·dic·a·tive** [ɪn'dɪkətɪv] **I** *adj.* ☐ **1.** anzeigend, andeutend, hinweisend: ***be ~ of*** → ***indicate*** 2; **2.** *ling.* 'indikaˌtivisch: ***~ mood*** → 3; **II** *s.* **3.** *ling.* Indikativ *m*, Wirklichkeitsform *f*; **'in·di·ca·tor** [-tə] *s.* **1.** Anzeiger *m*; **2.** ⚙ a) Zeiger *m*, b) Anzeiger *m*, Anzeige- *od.* Ablesegerät *n*, Zähler *m*, (Leistungs)Messer *m*, c) Schauzeichen *n*, d) *mot.* Richtungsanzeiger *m*, e) *a.* ***~ telegraph*** 'Zeigertele-ˌgraph *m*; **3.** ⚗ Indi'kator *m*; **4.** *fig.* → ***index*** 5 *u.* 6; **in·dic·a·to·ry** [ɪn'dɪkətərɪ] → ***indicative*** 1.

in·di·ces ['ɪndɪsi:z] *pl. von* ***index***.

in·di·ci·um [ɪn'dɪʃɪəm] *pl.* **-ci·a** [-ʃɪə] *s.* ✉ *Am.* aufgedruckter Freimachungsvermerk.

in·dict [ɪn'daɪt] *v/t.* ⚖ anklagen (***for*** wegen); **in'dict·a·ble** [-təbl] *adj.* ⚖ strafrechtlich verfolgbar: ***~ offence*** schwurgerichtlich abzuurteilende Straftat, Verbrechen *n*; **in'dict·ment** [-mənt] **1.** (for'melle) Anklage (*vor e-m Geschworenengericht*); **2.** a) Anklagebeschluß *m* (*der* ***grand jury***), b) (*Am. a.* ***bill of ~***) Anklageschrift *f*.

in·dif·fer·ence [ɪn'dɪfrəns] *s.* **1.** (***to***) Gleichgültigkeit *f* (gegen), Inter'esselosigkeit *f* (gegen'über); **2.** Unwichtigkeit *f*: ***it is a matter of complete ~ to me*** das ist mir völlig gleichgültig; **3.** Mittelmäßigkeit *f*; **4.** Unwichtigkeit *f*; **in'dif·fer·ent** [-nt] *adj.* ☐ **1.** (***to***) gleichgültig (gegen), inter'esselos (gegen'über); **2.** 'unparˌteiisch; **3.** mittelmäßig, leidlich: ***~ quality***; **4.** mäßig, nicht besonders gut: ***a very ~ cook***; **5.** unwichtig; **6.** ⚕, ⚗, *phys.* neu'tral, indiffe'rent; **in'dif·fer·ent·ism** [-ntɪzəm] *s.* (Neigung *f* zur) Gleichgültigkeit *f*.

in·di·gence ['ɪndɪdʒəns] *s.* Armut *f*, Mittellosigkeit *f*.

in·di·gene ['ɪndɪdʒi:n] *s.* **1.** Eingeborene(r *m*) *f*; **2.** a) einheimisches Tier, b) einheimische Pflanze; **in·dig·e·nize** [ɪn'dɪdʒɪnaɪz] *v/t. Am.* **1.** *a. fig.* heimisch machen, einbürgern; **2.** (nur) mit einheimischem Perso'nal besetzen; **in·dig·e·nous** [ɪn'dɪdʒɪnəs] *adj.* ☐ **1.** *a.* ⚘, *zo.* einheimisch (***to*** in *dat.*); **2.** *fig.* angeboren (***to*** *dat.*).

in·di·gent ['ɪndɪdʒənt] *adj.* ☐ arm, bedürftig, mittellos.

in·di·gest·ed [ˌɪndɪ'dʒestɪd] *adj. mst fig.* unverdaut; wirr; 'undurchˌdacht; **in·di·gest·i·bil·i·ty** ['ɪndɪˌdʒestə'bɪlətɪ] *s.* Unverdaulichkeit *f*; **ˌin·di'gest·i·ble** [-təbl] *adj.* ☐ unverdaulich (*a. fig.*); **ˌin·di'ges·tion** [-tʃn] *s.* ⚕ Magenverstimmung *f*, verdorbener Magen.

in·dig·nant [ɪn'dɪgnənt] *adj.* ☐ (***at***, ***with***) entrüstet, ungehalten, empört (über *acc.*), peinlich berührt (von); **in·dig·na·tion** [ˌɪndɪg'neɪʃn] *s.* Entrüstung *f*, Unwille *m*, Empörung *f* (***at*** über *acc.*): ***~ meeting*** Protestkundgebung *f*.

in·dig·ni·ty [ɪn'dɪgnətɪ] *s.* Schmach *f*, Demütigung *f*, Kränkung *f*.

in·di·go ['ɪndɪgəʊ] *pl.* **-gos** *s.* Indigo *m*: ***~-blue*** indigoblau; **in·di·got·ic** [ˌɪndɪ'gɒtɪk] *adj.* Indigo…

in·di·rect [ˌɪndɪ'rekt] *adj.* ☐ **1.** 'indiˌrekt: ***~ lighting***; ***~ tax***; ***~ cost*** ✝ Gemeinkosten *pl.*; **2.** nicht di'rekt *od.* gerade: ***~ route*** Umweg *m*; ***~ means*** Umwege, Umschweife; **3.** *fig.* krumm, unredlich; **4.** *ling.* 'indiˌrekt, abhängig: ***~ object*** indirektes Objekt, Dativobjekt *n*; ***~ question*** indirekte Frage; ***~ speech*** indirekte Rede; **in·di·rec·tion** [ˌɪndɪ'rekʃn] *s.* **1.** 'Umweg *m* (*a. fig. b.s. unlautere Methode*): ***by ~*** a) indirekt, auf Umwegen, b) *fig.* hinten herum, unehrlich; **2.** Unehrlichkeit *f*; **3.** Anspielung *f*; **ˌin·di'rect·ness** [-nɪs] *s.* **1.** 'indiˌrekte Art u. Weise; **2.** → ***indirection***.

in·dis·cern·i·ble [ˌɪndɪ'sɜ:nəbl] *adj.* nicht wahrnehmbar, unmerklich.

in·dis·ci·pline [ɪn'dɪsɪplɪn] *s.* Diszi'plin-, Zuchtlosigkeit *f*.

in·dis·cov·er·a·ble [ˌɪndɪ'skʌvərəbl] *adj.* ☐ nicht zu entdecken(d).

in·dis·creet [ˌɪndɪ'skri:t] *adj.* ☐ **1.** 'indisˌkret; **2.** taktlos; **3.** 'unüberˌlegt.

in·dis·crete [ˌɪndɪ'skri:t] *adj.* homo'gen, kom'pakt, zs.-hängend.

in·dis·cre·tion [ˌɪndɪ'skreʃn] *s.* **1.** Indiskreti'on *f*; **2.** Taktlosigkeit *f*; **3.** 'Unüberˌlegtheit *f*.

in·dis·crim·i·nate [ˌɪndɪ'skrɪmɪnət] *adj.* ☐ **1.** wahllos, blind, 'unterschiedslos; **2.** kri'tiklos, unkritisch; **3.** willkürlich; **in·dis·crim·i·na·tion** ['ɪndɪˌskrɪmɪ'neɪʃn] *s.* **1.** Wahl-, Kri'tiklosigkeit *f*, Mangel *m* an Urteilskraft; **2.** 'Unterschiedslosigkeit *f*.

in·dis·pen·sa·bil·i·ty ['ɪndɪˌspensə'bɪlətɪ] *s.* Unerläßlichkeit *f*, Unentbehrlichkeit *f*; **in·dis·pen·sa·ble** [ˌɪndɪ'spensəbl] *adj.* ☐ **1.** unerläßlich, unentbehrlich (***for***, ***to*** für); **2.** ⚔ unabkömmlich; **3.** unbedingt einzuhalten(d) *od.* zu erfüllen(d) (*Pflicht etc.*).

in·dis·pose [ˌɪndɪ'spəʊz] *v/t.* **1.** untauglich machen (***for*** zu); **2.** unpäßlich machen, indisponieren; **3.** abgeneigt machen (***to do*** zu tun), einnehmen (***towards*** gegen); **ˌin·dis'posed** [-zd] *adj.* **1.** indisponiert, unpäßlich; **2.** (***towards***, ***from***) a) nicht aufgelegt (zu), abgeneigt (*dat.*), b) eingenommen (gegen), abgeneigt (*dat.*); **in·dis·po·si·tion** [ˌɪndɪspə'zɪʃn] *s.* **1.** Unpäßlichkeit *f*; **2.** Abneigung *f*, 'Widerwille *m* (***to***, ***towards*** gegen).

in·dis·pu·ta·bil·i·ty ['ɪndɪˌspju:tə'bɪlətɪ]

s. Unbestreitbarkeit *f*, Unstrittigkeit *f*; **in·dis·pu·ta·ble** [ˌɪndɪ'spjuːtəbl] *adj.* □ **1.** unbestreitbar, unstrittig, nicht zu bestreiten(d); **2.** unbestritten.

in·dis·sol·u·bil·i·ty ['ɪndɪˌsɒljʊ'bɪlətɪ] *s.* Unauflösbarkeit *f*; **in·dis·sol·u·ble** [ˌɪndɪ'sɒljʊbl] *adj.* □ **1.** unauflösbar, -lich; **2.** unzertrennlich; **3.** ⚗ unlöslich.

in·dis·tinct [ˌɪndɪ'stɪŋkt] *adj.* □ **1.** undeutlich; **2.** unklar, verworren, verschwommen; ˌ**in·dis'tinc·tive** [-tɪv] *adj.* □ ausdruckslos, nichtssagend; ˌ**in·dis'tinct·ness** [-nɪs] *s.* Undeutlichkeit *f etc.*

in·dis·tin·guish·a·ble [ˌɪndɪ'stɪŋgwɪʃəbl] *adj.* □ **1.** nicht zu unter'scheiden(d) (***from*** von); **2.** nicht wahrnehmbar *od.* erkennbar; **3.** unmerklich.

in·dite [ɪn'daɪt] *v/t.* ver-, abfassen.

in·di·vid·u·al [ˌɪndɪ'vɪdjʊəl] **I** *adj.* □ → ***individually***; **1.** einzeln, Einzel...: ***each ~ word***; ***~ case*** Einzelfall *m*; ***~ consumer*** Einzelverbraucher *m*; ***~ drive*** ⚙ Einzelantrieb *m*; **2.** für 'eine Per'son bestimmt, eigen, per'sönlich, einzel: ***~ credit*** Personalkredit *m*; ***~ property*** Privatvermögen *n*; ***~ psychology*** Individualpsychologie *f*; ***~ traffic*** Individualverkehr *m*; ***give ~ attention to*** individuell behandeln, s-e persönliche Aufmerksamkeit schenken (*dat.*); **3.** individu'ell, per'sönlich, eigen(tümlich), charakte'ristisch: ***an ~ style***; **4.** verschieden: ***five ~ cups***; **II** *s.* **5.** 'Einzelperˌson *f*, Indi'viduum *n*, Einzelne(r) *m*; **6.** *mst contp.* Per'son *f*, Indi'viduum *n*; **7.** ⚖ na'türliche Per'son *f*; ˌ**in·di'vid·u·al·ism** [-lɪzəm] *s.* **1.** Individua'lismus *m*; **2.** Ego'ismus *m*; ˌ**in·di'vid·u·al·ist** [-lɪst] **I** *s.* Individua'list(in); **II** *adj.* → **in·di·vid·u·al·is·tic** ['ɪndɪˌvɪdjʊə'lɪstɪk] *adj.* (□ ***~ally***) individua'listisch; **in·di·vid·u·al·i·ty** ['ɪndɪˌvɪdjʊ'ælətɪ] *s.* **1.** Individuali'tät *f*, (per'sönliche) Eigenart; **2.** *phls.* individu'elle Exi'stenz; **3.** → ***individual*** 5; **in·di·vid·u·al·i·za·tion** ['ɪndɪˌvɪdjʊəlaɪ'zeɪʃn] *s.* **1.** Individualisierung *f*; **2.** Einzelbetrachtung *f*; ˌ**in·di'vid·u·al·ize** [-laɪz] *v/t.* **1.** individualisieren, individu'ell gestalten *od.* behandeln, e-e individu'elle *od.* eigene Note verleihen (*dat.*); **2.** einzeln betrachten; ˌ**in·di'vid·u·al·ly** [-əlɪ] *adv.* **1.** einzeln, (jeder, jede, jedes) für sich; **2.** einzeln betrachtet, für sich genommen; **3.** per'sönlich; ˌ**in·di'vid·u·ate** [-jʊeɪt] *v/t.* **1.** → ***individualize*** 1; **2.** charakterisieren; **3.** unter'scheiden (***from*** von).

in·di·vis·i·bil·i·ty ['ɪndɪˌvɪzɪ'bɪlətɪ] *s.* Unteilbarkeit *f*; **in·di·vis·i·ble** [ˌɪndɪ'vɪzəbl] **I** *adj.* □ unteilbar; **II** *s.* ♈ unteilbare Größe.

In·do-Chi·nese [ˌɪndəʊtʃaɪ'niːz] *adj.* indochi'nesisch, 'hinterindisch.

in·doc·ile [ɪn'dəʊsaɪl] *adj.* **1.** ungelehrig; **2.** störrisch, unlenksam; **in·do·cil·i·ty** [ˌɪndəʊ'sɪlətɪ] *s.* **1.** Ungelehrigkeit *f*; **2.** Unlenksamkeit *f*.

in·doc·tri·nate [ɪn'dɒktrɪneɪt] *v/t.* **1.** unter'weisen, schulen (***in*** in *dat.*); *pol.* indoktrinieren; **2.** *j-m et.* einprägen, -bleuen, -impfen; **3.** durch'dringen (***with*** mit); **in·doc·tri·na·tion** [ɪnˌdɒktrɪ'neɪʃn] *s.* Unter'weisung *f*, Belehrung *f*, Schulung *f*; *pol.* Indoktrinati'on *f*, po'litische Schulung, ideo'logischer Drill; **in'doc·tri·na·tor** [-tə] *s.* Lehrer *m*, Instruk'teur *m*.

'In·do|-ˌEu·ro'pe·an [ˌɪndəʊ-] *ling.* **I** *adj.* **1.** 'indoger'manisch; **II** *s.* **2.** *ling.* 'Indoger'manisch *n*; **3.** 'Indoger'mane *m*, -ger'manin *f*; ˌ**~-Ger'man·ic** → ***Indo-European*** 1 *u.* 2; ˌ**~-I'ra·ni·an** *ling.* **I** *adj.* 'indoi'ranisch, arisch; **II** *s.* 'Indoi'ranisch *n*, Arisch *n*.

in·do·lence ['ɪndələns] *s.* Indo'lenz *f*: a) Trägheit *f*, b) Lässigkeit *f*, c) ⚕ Schmerzlosigkeit *f*; **'in·do·lent** [-nt] *adj.* □ indo'lent: a) träge, b) lässig, c) ⚕ schmerzlos.

in·dom·i·ta·ble [ɪn'dɒmɪtəbl] *adj.* □ **1.** unbezähmbar, nicht 'unterzukriegen(d); **2.** unbeugsam.

In·do·ne·sian [ˌɪndəʊ'niːzjən] **I** *adj.* indo'nesisch; **II** *s.* Indo'nesier(in).

in·door ['ɪndɔː] *adj.* im *od.* zu Hause, Haus..., Zimmer..., Innen..., *sport* Hallen...: ***~ aerial*** ⚡ Zimmer-, Innenantenne *f*; ***~ dress*** Hauskleid(ung *f*) *n*; ***~ games*** a) Spiele fürs Haus, b) *sport* Hallenspiele; ***~ swimming pool*** Hallenbad *n*; **in·doors** [ˌɪn'dɔːz] *adv.* **1.** im *od.* zu Hause, drin(nen); **2.** ins Haus.

in·dorse [ɪn'dɔːs] *etc.* → ***endorse*** *etc.*

in·du·bi·ta·ble [ɪn'djuːbɪtəbl] *adj.* □ unzweifelhaft, zweifellos.

in·duce [ɪn'djuːs] *v/t.* **1.** *j-n* veranlassen, bewegen, (dazu) bringen, über'reden (***to do*** zu tun); **2.** her'beiführen, verursachen, bewirken, her'vorrufen, führen zu: ***~ a birth*** ⚕ e-e Geburt einleiten; ***~d sleep*** künstlicher Schlaf; **3.** ⚡ *Kernphysik, a. Logik*: induzieren: ***~ current*** Induktionsstrom *m*; **in'duce·ment** [-mənt] *s.* **1.** a) Veranlassung *f*, Über'redung *f*, b) Verleitung (***to*** zu); **2.** Anlaß *m*, Beweggrund *m*; **3.** *a.* ✝ Anreiz *m* (***to*** zu); **4.** Her'beiführung *f*.

in·duct [ɪn'dʌkt] *v/t.* **1.** *in ein Amt etc.* einführen, -setzen; **2.** *j-n* einweihen (***to*** in *acc.*); **3.** ⚔ *Am. zum Militär* einberufen; **in'duct·ance** [-təns] *s.* ⚡ **1.** Induk'tanz *f*, induk'tiver ('Schein)ˌWiderstand; **2.** 'Selbstinduktiˌon *f*: ***~ coil*** Drosselspule *f*; **in·duc·tee** [ˌɪndʌk'tiː] *s.* ⚔ *Am.* Einberufene(r) *m*, Re'krut *m*; **in'duc·tion** [-kʃn] *s.* **1.** Einführung, -setzung *f* (*in ein Amt*); **2.** ⚙ Zuführung *f*, Einlaß *m*: ***~ pipe*** Einlaßrohr *n*; **3.**

Her'beiführung *f*, Auslösung *f*; **4.** Einleitung *f*, Beginn *m*; **5.** ⚔ *Am.* Einberufung *f*: **~ *order*** Einberufungsbefehl *m*; **6.** Anführung *f* (*Beweise etc.*); **7.** ⚡ Indukti'on *f*, sekun'däre Erregung: **~ *coil*** (***current***) Induktionsspule *f* (-strom *m*); **~ *motor*** Induktions-, Drehstrommotor *m*; **8.** ⚗, *phys.*, *phls.* Indukti'on *f*: **~ *accelerator*** Elektronenbeschleuniger *m*; **in'duc·tive** [-tɪv] *adj.* □ **1.** ⚡, *phys.*, *phls.* induk'tiv, Induktions…; **2.** ⚕ e-e Reakti'on her'vorrufend; **in'duc·tor** [-tə] *s.* ⚡, *biol.* In'duktor *m*.

in·dulge [ɪn'dʌldʒ] **I** *v/t.* **1.** *e-r Neigung etc.* nachgeben, frönen, sich hingeben, freien Lauf lassen; **2.** nachsichtig sein gegen: **~ *s.o. in s.th.*** j-m et. nachsehen; **3.** *j-m* nachgeben (***in*** in *dat.*): **~ *o.s. in*** → 7; **4.** *j-m* gefällig sein; **5.** *j-n* verwöhnen; **II** *v/i.* **6.** sich hingeben, frönen (***in*** *dat.*); **7.** **~ *in*** sich *et.* gönnen *od.* genehmigen *od.* leisten, *a.* sich gütlich tun an (*dat.*), *et.* essen *od.* trinken; **8.** F a) sich ‚einen genehmigen', b) sich e-e Zigarette *etc.* gönnen *od.* ‚genehmigen'; **in'dul·gence** [-dʒəns] *s.* **1.** Nachsicht *f*, Milde *f* (***to***, ***of*** gegenüber); **2.** Nachgiebigkeit *f*; **3.** Gefälligkeit *f*; **4.** Verwöhnung *f*; **5.** Befriedigung *f* (*e-r Begierde etc.*); **6.** (***in***) Frönen *n* (*dat.*), Schwelgen *n* (in *dat.*), Genießen *n* (*gen.*): (***excessive***) **~ *in drink*** übermäßiger Alkoholgenuß; **7.** Wohlleben *n*, Genußsucht *f*; **8.** Schwäche *f*, Leidenschaft *f* (***of*** für); **9.** *R.C.* Ablaß *m*: ***sale of ~s*** Ablaßhandel *m*; **in'dul·genced** [-dʒənst] *adj.*: **~ *prayer*** *R.C.* Ablaßgebet *n*; **in'dul·gent** [-dʒənt] *adj.* □ (***to***) nachsichtig, mild (gegen); schonend, sanft (mit).

in·du·rate ['ɪndjʊəreɪt] **I** *v/t.* **1.** (ver)härten, hart machen; **2.** *fig.* a) abstumpfen, b) abhärten (***against***, ***to*** gegen); **II** *v/i.* **3.** sich verhärten: a) hart werden, b) *fig.* gefühllos werden, abstumpfen; **4.** abgehärtet werden; **in·du·ra·tion** [ˌɪndjʊə'reɪʃn] *s.* **1.** (Ver)Härtung *f*; **2.** *fig.* Abstumpfung *f*; **3.** Verstocktheit *f*.

in·dus·tri·al [ɪn'dʌstrɪəl] **I** *adj.* □ **1.** industri'ell, gewerblich, Industrie…, Fabrik…, Gewerbe…, Wirtschafts…, Betriebs…, Werks…: **~ *accident*** Betriebsunfall *m*; **~ *decline*** industrieller Niedergang; **~ *effluent*** Industrieabwässer *pl.*; **~ *emissions*** Industrieabgase *pl.*; **~ *waste*** Industrieabfälle *pl.*; **II** *s.* **2.** Industri'elle(r) *m*; **3.** *pl.* Indu'strieaktien *pl.*, -paˌpiere *pl.*; **~ ac·tion** *s.* Arbeitskampf(maßnahmen *pl.*) *m*; **~ a·re·a** *s.* Indu'striegebiet *n*, -gelände *n*; **~ de·sign** *s.* Indu'striedeˌsign *n*; **~ de·sign·er** *s.* Indu'striedeˌsigner *m*; **~ dis·pute** *s.* Arbeitsstreitigkeit *f*; **~ en·gi·neer·ing** *s.* In'dustrial engi'neering *n* (*Rationalisierung von Arbeitsprozessen*); **~ es·pi·o·nage** *s.* 'Werk-, Indu'striespioˌnage *f*; **~ es·tate** *s. Brit.* Indu'striegebiet *n*; **~ goods** *s. pl.* Indu'strieproˌdukte *pl.*, Investiti'onsgüter *pl.*; **~ in·ju·ry** *s.* a) Berufsschaden *m*, b) Arbeitsunfall *m*.

in·dus·tri·al·ism [ɪn'dʌstrɪəlɪzəm] *s.* Industria'lismus *m*; **in'dus·tri·al·ist** [-ɪst] → ***industrial*** 2; **in'dus·tri·al·i·za·tion** [ɪnˌdʌstrɪəlaɪ'zeɪʃn] *s.* Industrialisierung *f*; **in'dus·tri·al·ize** [-aɪz] *v/t.* industrialisieren.

in·dus·tri·al| man·age·ment *s.* Betriebsführung *f*; **~ med·i·cine** *s.* Be'triebsmediˌzin *f*; **~ na·tion** *s.* Indu'striestaat *m*; **~ park** *s. Am.* Indu'striegebiet *n* (*e-r Stadt*); **~ part·ner·ship** *s.* ✝ *Am.* Gewinnbeteiligung *f* der Arbeitnehmer; **~ prop·er·ty** *s.* gewerbliches Eigentum; **~ psy·chol·o·gy** *s.* Be'triebspsycholoˌgie *f*; **~ re·la·tions** *s. pl.* Beziehungen *pl.* zwischen Arbeitgeber u. Arbeitnehmern *od.* Gewerkschaften; **~ re·la·tions court** *s. Am.* Arbeitsgericht *n*; **♀ Rev·o·lu·tion** *s. die* industri'elle Revoluti'on; **~ school** *s. Brit.* Gewerbeschule *f*; **~ stocks** *s. pl.* Indu'striepaˌpiere *pl.*; **~ town** *s.* Indu'striestadt *f*; **~ tri·bu·nal** *s.* Arbeitsgericht *n*.

in·dus·tri·ous [ɪn'dʌstrɪəs] *adj.* □ fleißig, arbeitsam, emsig.

in·dus·try ['ɪndəstrɪ] *s.* **1.** a) Indu'strie *f* (*e-s Landes etc.*), b) Indu'strie(zweig *m*) *f*, Gewerbe(zweig *m*) *n*, Branche *f*: ***the steel ~*** die Stahlindustrie; ***tourist ~*** Tou'ristik *f*, Fremdenverkehrswesen *n*; **2.** Unter'nehmer(schaft *f*) *pl.*, Arbeitgeber *pl.*; **3.** Fleiß *m*, Arbeitseifer *m*.

in·dwell [ˌɪn'dwel] [*irr.* → ***dwell***] **I** *v/t.* **1.** bewohnen; **II** *v/i.* (***in***) **2.** wohnen (in *dat.*); **3.** *fig.* innewohnen (*dat.*); **in·dwell·er** ['ɪnˌdwelə] *s. poet.* Bewohner(in).

in·e·bri·ate **I** *v/t.* [ɪ'niːbrɪeɪt] **1.** betrunken machen; **2.** *fig.* berauschen, trunken machen: ***~d by success*** vom Erfolg berauscht; **II** *s.* [-ɪət] **3.** Betrunkene(r) *m*; **4.** Alko'holiker(in); **III** *adj.* [-ɪət] **5.** betrunken; **6.** *fig.* berauscht; **in·e·bri·a·tion** [ɪˌniːbrɪ'eɪʃn], **in·e·bri·e·ty** [ˌɪniː'braɪətɪ] *s.* Trunkenheit *f* (*a. fig.*), betrunkener Zustand.

in·ed·i·bil·i·ty [ɪnˌedɪ'bɪlətɪ] *s.* Ungenießbarkeit *f*; **in·ed·i·ble** [ɪn'edɪbl] *adj.* ungenießbar, nicht eßbar.

in·ed·it·ed [ɪn'edɪtɪd] *adj.* **1.** unveröffentlicht; **2.** ohne Veränderungen her'ausgegeben, nicht redigiert.

in·ef·fa·ble [ɪn'efəbl] *adj.* □ **1.** unaussprechlich, unbeschreiblich; **2.** (unsagbar) erhaben.

in·ef·face·a·ble [ˌɪnɪ'feɪsəbl] *adj.* □ unauslöschlich.

in·ef·fec·tive [ˌɪnɪˈfektɪv] *adj.* □ **1.** unwirksam (*a.* ⚖), wirkungslos; **2.** frucht-, erfolglos; **3.** unfähig, untauglich; **4.** (*bsd. künstlerisch*) nicht wirkungsvoll; ˌ**in·efˈfec·tive·ness** [-nɪs] *s.* **1.** Wirkungslosigkeit *f*; **2.** Erfolglosigkeit *f*.

in·ef·fec·tu·al [ˌɪnɪˈfektjʊəl] *adj.* □ **1.** → ***ineffective*** 1 *u.* 2; **2.** kraftlos; ˌ**in·efˈfec·tu·al·ness** [-nɪs] *s.* **1.** → ***ineffectiveness***; **2.** Nutzlosigkeit *f*; **3.** Schwäche *f*.

in·ef·fi·ca·cious [ˌɪnefɪˈkeɪʃəs] → ***ineffective*** 1, 2; **in·ef·fi·ca·cy** [ɪnˈefɪkəsɪ] → ***ineffectiveness***.

in·ef·fi·cien·cy [ˌɪnɪˈfɪʃnsɪ] *s.* **1.** Wirkungslosigkeit *f*, ˈIneffiziˌenz *f*: ~ ***of a remedy***; **2.** Unfähigkeit *f*, Inkompeˈtenz *f*, Leistungsschwäche *f* (*e-r Person*); **3.** ˈunratioˌnelles Arbeiten *etc.*, Unwirtschaftlichkeit *f*, ˈUnproduktiviˌtät *f*, ˈIneffiziˌenz *f*: ~ ***of a method***; ˌ**inefˈfi·cient** [-nt] *adj.* □ **1.** unwirksam, wirkungslos, ˈineffiziˌent; **2.** unfähig, untauglich, untüchtig, ˈinkompeˌtent; **3.** ˈineffiziˌent: a) leistungsschwach, b) ˈunratioˌnell, ˈunprodukˌtiv.

in·e·las·tic [ˌɪnɪˈlæstɪk] *adj.* **1.** ˈuneˌlastisch (*a. fig.*); **2.** *fig.* starr, nicht fleˈxibel; **in·e·las·tic·i·ty** [ˌɪnɪlæsˈtɪsətɪ] *s.* **1.** Mangel *m* an Elastiziˈtät; **2.** *fig.* Starrheit *f*, Mangel *m* an Flexibiliˈtät.

in·el·e·gance [ɪnˈelɪgəns] *s.* **1.** ˈUneleˌganz *f*, Mangel *m* an Eleˈganz (*a. fig.*); **2.** *fig.* a) Derbheit *f*, Geschmacklosigkeit *f*, b) Unbeholfenheit *f*; **inˈel·e·gant** [-nt] *adj.* □ **1.** ˈuneleˌgant, ohne Eleˈganz (*a. fig.*); **2.** *fig.* a) derb, geschmacklos, b) unbeholfen, plump.

in·el·i·gi·bil·i·ty [ɪnˌelɪdʒəˈbɪlətɪ] *s.* **1.** Untauglichkeit *f*, mangelnde Eignung; **2.** Unwählbarkeit *f*, Unfähigkeit *f* (in ein Amt gewählt zu werden *etc.*); **3.** mangelnde Berechtigung; **in·el·i·gi·ble** [ɪnˈelɪdʒəbl] **I** *adj.* □ **1.** ungeeignet, nicht in Frage kommend (***for*** für): ~ ***for military service*** (wehr)untauglich; **2.** unwählbar; **3.** ⚖ unfähig, nicht qualifiziert: ~ ***to hold an office***; **4.** (***for***) nicht berechtigt (zu), keinen Anspruch habend (auf *acc.*): ~ ***for a grant***; ~ ***to vote*** nicht wahlberechtigt; **5.** a) unerwünscht, b) unpassend; **II** *s.* **6.** ungeeignete *od.* nicht in Frage kommende Perˈson.

in·e·luc·ta·ble [ˌɪnɪˈlʌktəbl] *adj.* unvermeidlich, unentrinnbar.

in·ept [ɪˈnept] *adj.* □ **1.** unpassend; **2.** ungeschickt; **3.** albern, dumm; **inˈept·i·tude** [-tɪtjuːd], **inˈept·ness** [-nɪs] *s.* **1.** Ungeeignetheit *f*; **2.** Ungeschicktheit *f*; **3.** Albernheit *f*, Dummheit *f*.

in·e·qual·i·ty [ˌɪnɪˈkwɒlətɪ] *s.* **1.** Ungleichheit *f* (*a.* Å, *sociol.*), Verschiedenheit *f*; **2.** Ungleichmäßigkeit *f*, Unregelmäßigkeit *f*; **3.** Unebenheit *f* (*a. fig.*); **4.** *ast.* Abweichung *f*.

in·eq·ui·ta·ble [ɪnˈekwɪtəbl] *adj.* □ ungerecht, unbillig; **inˈeq·ui·ty** [-kwətɪ] *s.* Ungerechtigkeit *f*, Unbilligkeit *f*.

in·e·rad·i·ca·ble [ˌɪnɪˈrædɪkəbl] *adj.* □ *fig.* unausrottbar; tiefsitzend, tief eingewurzelt.

in·e·ras·a·ble [ˌɪnɪˈreɪzəbl] *adj.* □ unauslöschbar, unauslöschlich.

in·ert [ɪˈnɜːt] *adj.* □ **1.** *phys.* träge: ~ ***mass***; **2.** ⚗ ˈinakˌtiv: ~ ***gas*** Inert-, Edelgas *n*; **3.** unwirksam; **4.** *fig.* träge, untätig, schwerfällig, schlaff; **in·er·tia** [ɪˈnɜːʃjə] *s.* **1.** *phys.* (Massen)Trägheit *f*, Beharrungsvermögen *n*: ~ ***starter*** *mot.* Schwungkraftanlasser *m*; **2.** *fig.* Träg-, Faulheit *f*; **3.** ⚗ Inerˈtie *f*, Reaktiˈonsträgheit *f*; **in·er·tial** [ɪˈnɜːʃjəl] *adj. phys.* Trägheits...; **inˈert·ness** [-nɪs] *s.* Trägheit *f*.

in·es·cap·a·ble [ˌɪnɪˈskeɪpəbl] *adj.* □ unvermeidlich: a) unentrinnbar, unabwendbar, b) unweigerlich.

in·es·sen·tial [ˌɪnɪˈsenʃl] **I** *adj.* unwesentlich, nebensächlich; **II** *s. et.* Unwesentliches, Nebensache *f*.

in·es·ti·ma·ble [ɪnˈestɪməbl] *adj.* □ unschätzbar, unbezahlbar.

in·ev·i·ta·bil·i·ty [ɪnˌevɪtəˈbɪlətɪ] *s.* Unvermeidlichkeit *f*; **in·ev·i·ta·ble** [ɪnˈevɪtəbl] **I** *adj.* □ unvermeidlich: a) unentrinnbar: ~ ***fate***, b) zwangsläufig, unweigerlich, c) *iro.* obliˈgat; **II** *s.* ***the*** ~ das Unvermeidliche; **in·ev·i·ta·ble·ness** [ɪnˈevɪtəblnɪs] → ***inevitability***.

in·ex·act [ˌɪnɪgˈzækt] *adj.* □ ungenau; ˌ**in·exˈact·i·tude** [-tɪtjuːd] *s.*, ˌ**in·exˈact·ness** [-nɪs] *s.* Ungenauigkeit *f*.

in·ex·cus·a·ble [ˌɪnɪkˈskjuːzəbl] *adj.* □ **1.** unverzeihlich; **2.** unverantwortlich; ˌ**in·exˈcus·a·bly** [-blɪ] *adv.* unverzeihlich(erweise).

in·ex·haust·i·bil·i·ty [ˈɪnɪgˌzɔːstəˈbɪlətɪ] *s.* **1.** Unerschöpflichkeit *f*; **2.** Unermüdlichkeit *f*; **in·ex·haust·i·ble** [ˌɪnɪgˈzɔːstəbl] *adj.* □ **1.** unerschöpflich; **2.** unermüdlich.

in·ex·o·ra·bil·i·ty [ɪnˌeksərəˈbɪlətɪ] *s.* Unerbittlichkeit *f*; **in·ex·o·ra·ble** [ɪnˈeksərəbl] *adj.* □ unerbittlich.

in·ex·pe·di·en·cy [ˌɪnɪkˈspiːdjənsɪ] *s.* **1.** Unzweckmäßigkeit *f*; **2.** Unklugheit *f*; ˌ**in·exˈpe·di·ent** [-nt] *adj.* □ **1.** ungeeignet, unzweckmäßig, nicht ratsam; **2.** unklug.

in·ex·pen·sive [ˌɪnɪkˈspensɪv] *adj.* nicht teuer, preiswert, billig.

in·ex·pe·ri·ence [ˌɪnɪkˈspɪərɪəns] *s.* Unerfahrenheit *f*; ˌ**in·exˈpe·ri·enced** [-st] *adj.* unerfahren: ~ ***hand*** Nichtfachmann *m*.

in·ex·pert [ɪnˈekspɜːt] *adj.* □ **1.** ungeübt, unerfahren (***in*** in *dat.*); **2.** ungeschickt; **3.** unsachgemäß.

in·ex·pi·a·ble [ɪn'ekspɪəbl] *adj.* □ **1.** unsühnbar; **2.** unversöhnlich.

in·ex·pli·ca·ble [ˌɪnɪk'splɪkəbl] *adj.* □ unerklärlich, unverständlich; ˌ**in·ex'pli·ca·bly** [-blɪ] *adv.* unerklärlich(erweise).

in·ex·plic·it [ˌɪnɪk'splɪsɪt] *adj.* □ nicht deutlich ausgedrückt, nur angedeutet; unklar.

in·ex·plo·sive [ˌɪnɪk'spləʊsɪv] *adj.* nicht explo'siv, explosi'onssicher.

in·ex·press·i·ble [ˌɪnɪk'spresəbl] *adj.* □ unaussprechlich, unsäglich.

in·ex·pres·sive [ˌɪnɪk'spresɪv] *adj.* □ **1.** ausdruckslos, nichtssagend; **2.** inhaltlos.

in ex·ten·so [ˌɪnɪk'stensəʊ] (*Lat.*) *adv.* vollständig, ungekürzt; ausführlich.

in·ex·tin·guish·a·ble [ˌɪnɪk'stɪŋgwɪʃəbl] *adj.* □ **1.** un(aus)löschbar; **2.** *fig.* unauslöschlich.

in·ex·tri·ca·ble [ɪn'ekstrɪkəbl] *adj.* □ **1.** unentwirrbar, un(auf)lösbar; **2.** gänzlich verworren.

in·fal·li·bil·i·ty [ɪnˌfælə'bɪlətɪ] *s.* Unfehlbarkeit *f* (*a. eccl.*); **in·fal·li·ble** [ɪn'fæləbl] *adj.* □ unfehlbar.

in·fa·mous ['ɪnfəməs] *adj.* □ **1.** verrufen, berüchtigt (*for* wegen); **2.** schändlich, niederträchtig, gemein, in'fam; **3.** F mise'rabel, ‚saumäßig'; **4.** ehrlos: a) ⚖ der bürgerlichen Ehrenrechte verlustig, b) entehrend, ehrenrührig: *~ conduct*; **'in·fa·mous·ness** [-nɪs] → ***infamy*** 2; **'in·fa·my** [-mɪ] *s.* **1.** Ehrlosigkeit *f*, Schande *f*; **2.** Verrufenheit *f*; Schändlichkeit *f*, Niedertracht *f*; **3.** ⚖ Verlust *m* der bürgerlichen Ehrenrechte.

in·fan·cy ['ɪnfənsɪ] *s.* **1.** frühe Kindheit, Säuglingsalter *n*; **2.** ⚖ Minderjährigkeit *f*; **3.** *fig.* Anfangsstadium *n*: ***in its ~*** in den Anfängen *od.* ‚Kinderschuhen' (steckend); **'in·fant** [-nt] **I** *s.* **1.** Säugling *m*, Baby *n*, kleines Kind; **2.** ⚖ Minderjährige(r *m*) *f*; **II** *adj.* **3.** Säuglings…, Kleinkinder…: ***~ mortality*** Säuglingssterblichkeit *f*; ***~ prodigy*** Wunderkind *n*; ***~ school*** *Brit. etwa* Vorschule *f*; ***~ welfare*** Säuglingsfürsorge *f*; ***~ Jesus*** das Jesuskind; ***his ~ son*** sein kleiner Sohn; **4.** ⚖ minderjährig; **5.** *fig.* jung, in den Anfängen (befindlich).

in·fan·ta [ɪn'fæntə] *s.* In'fantin *f*; **in'fan·te** [-tɪ] *s.* In'fant *m*.

in·fan·ti·cide [ɪn'fæntɪsaɪd] *s.* **1.** Kindestötung *f*; **2.** Kindesmörder(in).

in·fan·tile ['ɪnfəntaɪl] *adj.* **1.** kindlich, Kinder…, Kindes…; **2.** jugendlich; **3.** infan'til, kindisch; **~ (spi·nal) pa·ral·y·sis** *s.* ⚕ (spi'nale) Kinderlähmung.

in·fan·try ['ɪnfəntrɪ] *s.* ⚔ Infante'rie *f*, Fußtruppen *pl.*; **'~·man** [-mən] *s.* [*irr.*] ⚔ Infante'rist *m*.

in·farct [ɪn'fɑːkt] *s.* ⚕ In'farkt *m*: ***cardiac ~*** Herzinfarkt; **in'farc·tion** [-kʃn] *s.* In'farkt(bildung *f*) *m*.

in·fat·u·ate [ɪn'fætjʊeɪt] *v/t.* betören, verblenden (***with*** durch); **in'fat·u·at·ed** [-tɪd] *adj.* □ **1.** betört, verblendet (***with*** durch); **2.** vernarrt (***with*** in *acc.*); **in·fat·u·a·tion** [ɪnˌfætjʊ'eɪʃn] *s.* Verblendung *f*; Verliebt-, Vernarrtheit *f*.

in·fect [ɪn'fekt] *v/t.* **1.** ⚕ infizieren, anstecken (***with*** mit, ***by*** durch): ***become ~ed*** sich anstecken; **2.** *Sitten* verderben; *Luft* verpesten; **3.** *fig. j-n* anstekken, beeinflussen; **4.** einflößen (***s.o. with s.th.*** j-m et.); **in'fec·tion** [-kʃn] *s.* **1.** ⚕ Infekti'on *f*, Ansteckung *f*: ***catch an ~*** angesteckt werden, sich anstekken; **2.** ⚕ Ansteckungskeim *m*, Gift *n*; **3.** *fig.* Ansteckung *f*: a) Vergiftung *f*, b) (*a.* schlechter) Einfluß, Einwirkung *f*; **in'fec·tious** [-kʃəs] *adj.* □ ⚕ ansteckend (*a. fig. Lachen, Optimismus etc.*), infekti'ös, über'tragbar; **in'fec·tious·ness** [-kʃəsnɪs] *s. das* Ansteckende: a) ⚕ Über'tragbarkeit *f*, b) *fig.* Einfluß *m*.

in·fe·lic·i·tous [ˌɪnfɪ'lɪsɪtəs] *adj.* **1.** unglücklich; **2.** unglücklich (gewählt), ungeschickt (*Worte, Stil*); ˌ**in·fe'lic·i·ty** [-tɪ] *s.* **1.** Unglücklichkeit *f*; **2.** Unglück *n*, Elend *n*; **3.** unglücklicher *od.* ungeschickter Ausdruck *etc.*

in·fer [ɪn'fɜː] *v/t.* **1.** schließen, folgern, ableiten (***from*** aus); **2.** schließen lassen auf (*acc.*), an-, bedeuten; **in'fer·a·ble** [-ɜːrəbl] *adj.* zu schließen(d), zu folgern(d), ableitbar (***from*** aus); **in·fer·ence** ['ɪnfərəns] *s.* (Schluß)Folgerung *f*, (Rück)Schluß *m*: ***make ~s*** Schlüsse ziehen; **in·fer·en·tial** [ˌɪnfə'renʃl] *adj.* □ **1.** zu folgern(d); **2.** folgernd; **3.** gefolgert; **in·fer·en·tial·ly** [ˌɪnfə'renʃəlɪ] *adv.* durch Schlußfolgerung.

in·fe·ri·or [ɪn'fɪərɪə] **I** *adj.* **1.** (***to***) 'untergeordnet (*dat.*); niedriger, geringer, geringwertiger (als): ***be ~ to s.o.*** j-m nachstehen; ***he is ~ to none*** er nimmt es mit jedem auf; **2.** geringer, schwächer (***to*** als); **3.** 'untergeordnet, unter, nieder, zweitrangig: ***the ~ classes*** die unteren Klassen; ***~ court*** ⚖ niederer Gerichtshof; **4.** minderwertig, gering, (mittel)mäßig: ***~ quality***; **5.** unter, tiefer gelegen, Unter…; **6.** *typ.* tiefstehend (*z. B.* H_2); **7.** ***~ planet*** *ast.* unterer Planet (*zwischen Erde u. Sonne*); **II** *s.* **8.** 'Untergeordnete(r *m*) *f*, Unter'gebene(r *m*) *f*; **9.** Geringere(r *m*) *f*, Schwächere(r *m*) *f*.

in·fe·ri·or·i·ty [ɪnˌfɪərɪ'ɒrətɪ] *s.* **1.** Minderwertigkeit *f*: ***~ complex (feeling)*** *psych.* Minderwertigkeitskomplex *m* (-gefühl *n*); **2.** (*a.* zahlen- *od.* mengenmäßige) Unter'legenheit; **3.** geringerer Stand *od.* Wert.

in·fer·nal [ɪn'fɜːnl] *adj.* □ **1.** höllisch, Höllen…: ***~ machine*** Höllenmaschine

I

f; ~ ***regions*** Unterwelt *f*; **2.** *fig.* teuflisch; **3.** F gräßlich, höllisch; **in'fer·no** [-nəʊ] *pl.* **-nos** *s.* In'ferno *n*, Hölle *f*.

in·fer·tile [ɪn'fɜːtaɪl] *adj.* unfruchtbar; **in·fer·til·i·ty** [ˌɪnfə'tɪlətɪ] *s.* Unfruchtbarkeit *f*.

in·fest [ɪn'fest] *v/t.* **1.** heimsuchen, *Ort* unsicher machen; **2.** plagen, verseuchen: ~***ed with*** geplagt von, verseucht durch; **3.** *fig.* über'laufen, -'schwemmen, -'fallen, sich festsetzen in (*dat.*): ***be*** ~***ed with*** wimmeln von; **in·fes·ta·tion** [ˌɪnfe'steɪʃn] *s.* **1.** Heimsuchung *f*, (Land)Plage *f*; Belästigung *f*; **2.** *fig.* Über'schwemmung *f*.

in·feu·da·tion [ˌɪnfjuː'deɪʃn] *s.* ⚖, *hist.* **1.** Belehnung *f*; **2.** ~ ***of tithes*** Zehntverleihung *f* an Laien.

in·fi·del ['ɪnfɪdəl] *eccl.* **I** *s.* Ungläubige(r *m*) *f*; **II** *adj.* ungläubig; **in·fi·del·i·ty** [ˌɪnfɪ'delətɪ] *s.* **1.** Ungläubigkeit *f*; **2.** (*bsd.* eheliche) Untreue.

in·field ['ɪnfiːld] *s.* **1.** ↗ a) dem Hof nahes Feld, b) Ackerland *n*; **2.** *Kricket*: a) inneres Spielfeld, b) die dort stehenden Fänger; **3.** *Baseball*: (Spieler *pl.* im) Innenfeld *n*.

in·fight·ing ['ɪnˌfaɪtɪŋ] *s.* **1.** *Boxen*: Nahkampf *m*, Infight *m*; **2.** *fig.* Gerangel *n*, Hickhack *n*.

in·fil·trate ['ɪnfɪltreɪt] **I** *v/t.* **1.** (*a.* ⚔) einsickern in (*acc.*), 'durchsickern durch; **2.** durch'setzen, -'tränken; **3.** eindringen lassen, einschmuggeln (***into*** in *acc.*); **4.** *pol.* a) unter'wandern (*acc.*), b) *Agenten etc.* einschleusen (***into*** in *acc.*); **II** *v/i.* **5.** *a. fig.* einsickern, eindringen; **6.** *pol.* (***into***) sich einschleusen (in *acc.*), unter'wandern (*acc.*); **in·fil·tra·tion** [ˌɪnfɪl'treɪʃn] *s.* **1.** Einsickern *n* (*a.* ⚔); Eindringen *n*; **2.** Durch'tränkung *f*; **3.** *pol.* Unter'wanderung *f*: ~ ***of agents*** Einschleusen *n* von Agenten; **'in·fil·tra·tor** [-tə] *s. pol.* Unter'wanderer *m*.

in·fi·nite ['ɪnfɪnət] **I** *adj.* □ **1.** un'endlich, endlos, unbegrenzt: ~ ***loop*** *Computer*: Endlosschleife *f*; **2.** ungeheuer, 'allumˌfassend; **3.** *mit s. pl.* unzählige *pl.*; **4.** ~ ***verb*** *ling.* Verbum *n* infinitum; **II** *s.* **5.** *das* Un'endliche, un'endlicher Raum; **6.** ***the*** ♀ Gott *m*; **'in·fi·nite·ly** [-lɪ] *adv.* **1.** un'endlich; ungeheuer; **2.** ~ ***variable*** ⚙ stufenlos (regelbar).

in·fin·i·tes·i·mal [ˌɪnfɪnɪ'tesɪml] **I** *adj.* □ winzig, un'endlich klein; **II** *s.* un'endlich kleine Menge; ~ **cal·cu·lus** *s.* ⩗ Infinitesi'malrechnung *f*.

in·fin·i·ti·val [ɪnˌfɪnɪ'taɪvl] *adj. ling.* infinitivisch, Infinitiv…; **in·fin·i·tive** [ɪn'fɪnətɪv] *ling.* **I** *s.* Infinitiv *m*, Nennform *f*; **II** *adj.* infinitivisch: ~ ***mood*** Infinitiv *m*.

in·fin·i·tude [ɪn'fɪnɪtjuːd] → ***infinity*** 1 *u.* 2; **in'fin·i·ty** [-ətɪ] *s.* **1.** Un'endlichkeit *f*, Unbegrenztheit *f*, Unermeßlichkeit *f*; **2.** un'endliche Größe *od.* Zahl; **3.** ⩗ un'endliche Menge *od.* Größe, das Un'endliche: ***to*** ~ ad infinitum.

in·firm [ɪn'fɜːm] *adj.* □ **1.** schwach, gebrechlich; **2.** *a.* ~ ***of purpose*** wankelmütig, unentschlossen, willensschwach; **in'fir·ma·ry** [-mərɪ] *s.* **1.** Krankenhaus *n*; **2.** Krankenzimmer *n* (*in Internaten etc.*); ⚔ ('Kranken)Reˌvier *n*; **in'fir·mi·ty** [-mətɪ] *s.* **1.** Gebrechlichkeit *f*, (Alters)Schwäche *f*; Krankheit *f*; **2.** *a.* ~ ***of purpose*** Cha'rakterschwäche *f*, Unentschlossenheit *f*.

in·fix **I** *v/t.* [ɪn'fɪks] **1.** eintreiben, befestigen; **2.** *fig.* einprägen (***in*** *dat.*); **3.** *ling.* einfügen; **II** *s.* ['ɪnfɪks] **4.** *ling.* In'fix *n*, Einfügung *f*.

in·flame [ɪn'fleɪm] **I** *v/t.* **1.** *mst* ⚕ entzünden; **2.** *fig.* erregen, entflammen, reizen: ~***d with rage*** wutentbrannt; **II** *v/i.* **3.** sich entzünden (*a.* ⚕), Feuer fangen; **4.** *fig.* entbrennen (***with*** vor *dat.*, von); sich erhitzen, in Wut geraten; **in'flamed** [-md] *adj.* entzündet; **in·flam·ma·bil·i·ty** [ɪnˌflæmə'bɪlətɪ] *s.* **1.** Brennbarkeit *f*, Entzündlichkeit *f*; **2.** *fig.* Erregbarkeit *f*, Jähzorn *m*; **in·flam·ma·ble** [ɪn'flæməbl] **I** *adj.* **1.** brennbar, leicht entzündlich; **2.** feuergefährlich; **3.** *fig.* reizbar, jähzornig, hitzig; **II** *s.* **4.** *pl.* Zündstoffe *pl.*; **in·flam·ma·tion** [ˌɪnflə'meɪʃn] *s.* **1.** ⚕ Entzündung *f*; **2.** Aufflammen *n*; **3.** *fig.* Erregung *f*, Aufregung *f*; **in·flam·ma·to·ry** [ɪn'flæmətərɪ] *adj.* **1.** ⚕ Entzündungs…; **2.** *fig.* aufrührerisch, Hetz…: ~ ***speech***.

in·flat·a·ble [ɪn'fleɪtəbl] *adj.* aufblasbar: ~ ***boat*** Schlauchboot *n*; **in·flate** [ɪn'fleɪt] *v/t.* **1.** aufblasen, aufblähen (*beide a. fig.*), mit Luft *etc.* füllen, *Reifen etc.* aufpumpen; **2.** ✝ *Preise* hochtreiben, 'übermäßig steigern; **in'flat·ed** [-tɪd] *adj.* **1.** aufgebläht, aufgeblasen (*beide a. fig. Person*): ~ ***with pride*** stolzgeschwellt; **2.** *fig.* geschwollen (*Stil*); **3.** über'höht (*Preise*); **in'fla·tion** [-eɪʃn] *s.* **1.** ✝ Inflati'on *f*: ***creeping*** (***galloping***) ~ schleichende (galoppierende) Inflation; ***rate of*** ~ Inflationsrate *f*; **2.** *fig.* Dünkel *m*, Aufgeblasenheit *f*; **3.** *fig.* Schwülstigkeit *f*; **in'fla·tion·ar·y** [-eɪʃnərɪ] *adj.* ✝ inflatio'när, inflatio'nistisch, Inflations…: ~ ***period*** Inflationszeit *f*; **in'fla·tion·ism** [-eɪʃnɪzəm] *s.* ✝ Inflatio'nismus *m*; **in'fla·tion·ist** [-eɪʃnɪst] *s.* Anhänger *m* des Inflatio'nismus.

in·flect [ɪn'flekt] *v/t.* **1.** (nach innen) biegen; **2.** *ling.* flektieren, beugen, abwandeln; **in'flec·tion** [-kʃn] *etc.* → ***inflexion*** *etc.*

in·flex·i·bil·i·ty [ɪnˌfleksə'bɪlətɪ] *s.* **1.** Unbiegsamkeit *f*; **2.** Unbeugsamkeit *f*;

in·flex·i·ble [ɪnˈfleksəbl] *adj.* □ **1.** ˈunelastisch, unbiegsam; **2.** *fig.* a) unbeugsam, starr, b) unerbittlich.

in·flex·ion [ɪnˈflekʃn] n] *s.* **1.** Biegung *f*, Krümmung *f*; **2.** (meˈlodische) Modulatiˈon; **3.** (Ton)Veränderung *f der Stimme, weitS.* feine Nuˈance; **4.** *ling.* Flexiˈon *f*, Beugung *f*, Abwandlung *f*; **inˈflex·ion·al** [-ʃənl] *adj. ling.* flektierend, Flexions…

in·flict [ɪnˈflɪkt] *v/t.* **1.** *Leid etc.* zufügen; *Wunde, Niederlage* beibringen, *Schlag* versetzen, *Strafe* auferlegen, zudiktieren (**on**, **upon** *dat.*); **2.** aufbürden (**on**, **upon** *dat.*): **~ o.s. on s.o.** sich j-m aufdrängen; **inˈflic·tion** [-kʃn] *s.* **1.** Zufügung *f*, Auferlegung *f*; Verhängung *f* (*Strafe*); **2.** Last *f*, Plage *f*; **3.** Heimsuchung *f*, Strafe *f*.

in·flo·res·cence [ˌɪnflɔːˈresns] *s.* **1.** ⚘ a) Blütenstand *m*, b) *coll.* Blüten *pl.*; **2.** *a. fig.* Aufblühen *n*, Blüte *f*.

in·flow [ˈɪnfləʊ] → **influx** 1.

in·flu·ence [ˈɪnflʊəns] **I** *s.* **1.** Einfluß *m*, (Ein)Wirkung *f* (**on**, **upon**, **over** auf *acc.*, **with** bei); ⚖ Beeinflussung *f*: **be under s.o.'s ~** unter j-s Einfluß stehen; **under the ~ of drink** unter Alkoholeinfluß; **under the ~** F ‚blau'; **2.** Einfluß *m*, Macht *f*: **bring one's ~ to bear** s-n Einfluß geltend machen; **II** *v/t.* **3.** beeinflussen, (ein)wirken *od.* Einfluß ausüben auf (*acc.*); **4.** bewegen, bestimmen; **in·flu·en·tial** [ˌɪnflʊˈenʃl] *adj.* □ **1.** einflußreich; maßgeblich; **2.** von (großem) Einfluß (**on** auf *acc.*; **in** in *dat.*).

in·flu·en·za [ˌɪnflʊˈenzə] *s.* ⚕ Influˈenza *f*, Grippe *f*.

in·flux [ˈɪnflʌks] *s.* **1.** Einfließen *n*, Zustrom *m*, Zufluß *m*; **2.** ✝ (*Kapital- etc.*) Zufluß *m*, (Waren)Zufuhr *f*; **3.** Mündung *f* (*Fluß*); **4.** *fig.* Zustrom *m*: **~ of visitors** Besucherstrom *m*.

in·fo [ˈɪnfəʊ] *s.* F Informatiˈon *f*.

in·fold [ɪnˈfəʊld] → **enfold**.

in·form [ɪnˈfɔːm] **I** *v/t.* (**of**) informieren (über *acc.*), verständigen, benachrichtigen, in Kenntnis setzen, unterˈrichten (von), *j-m* mitteilen (*acc.*): **~ o.s. of s.th.** sich über et. informieren; **keep s.o. ~ed** j-n auf dem laufenden halten; **~ s.o. that** j-n davon in Kenntnis setzen, daß; **II** *v/i.* **~ against s.o.** j-n anzeigen *od.* denunzieren.

in·for·mal [ɪnˈfɔːml] *adj.* □ **1.** zwanglos, ungezwungen, nicht forˈmell *od.* förmlich; **2.** ˈinoffiziˌell: **~ visit** (**talks**); **3.** *ling.* Umgangs…: **~ speech**; **4.** ⚖ formlos: a) formfrei: **~ contract**, b) formwidrig; **in·for·mal·i·ty** [ˌɪnfɔːˈmælətɪ] *s.* **1.** Zwanglosigkeit *f*, Ungezwungenheit *f*; **2.** ⚖ a) Formlosigkeit *f*, b) Formfehler *m*.

in·form·ant [ɪnˈfɔːmənt] *s.* **1.** Gewährsmann *m*, Inforˈmant(in), (Informatiˈons)Quelle *f*; **2.** → **informer**.

in·for·ma·tics [ˌɪnfəˈmætɪks] *s. pl. oft sg. konstr.* Inforˈmatik *f*.

in·for·ma·tion [ˌɪnfəˈmeɪʃn] *s.* **1.** Nachricht *f*, Mitteilung *f*, Meldung *f*, Informatiˈon *f* (*a. Computer*): **~ bureau**, **~ office** Auskunftsstelle *f*, Auskunftei *f*; **~ desk** Auskunft(sschalter *m*) *f*; **~ flow** Informationsfluß *m*; **~ retrieval** Informationsabruf *m*; **~ science** Informatik *f*; **2.** Auskunft *f*, Bescheid *m*, Kenntnis *f*: **give ~** Auskunft geben; **we have no ~** wir sind nicht unterrichtet (**as to** über *acc.*); **3.** Erkundigungen *pl.*: **gather ~** sich erkundigen, Auskünfte einholen; **4.** Unterˈweisung *f*: **for your ~** zu Ihrer Kenntnisnahme; **5.** Einzelheiten *pl.*, Angaben *pl.*; **6.** ⚖ Anklage *f*, Anzeige *f*: **lodge ~ against s.o.** Anklage erheben gegen j-n, j-n anzeigen; **ˌin·forˈma·tion·al** [-ʃənl] *adj.* informaˈtorisch, Informations…

in·form·a·tive [ɪnˈfɔːmətɪv] *adj.* **1.** informaˈtiv, lehr-, aufschlußreich; **2.** mitteilsam; **inˈform·a·to·ry** [-tərɪ] *adj.* → a) **informational**, b) **informative** 1; **inˈformed** [-md] *adj.* **1.** inforˈmiert, (gut) unterˈrichtet: **~ quarters** unterrichtete Kreise; **2.** a) sachkundig, b) sachlich begründet *od.* einwandfrei, funˈdiert; **3.** gebildet; **inˈform·er** [-mə] *s.* **1.** Inforˈmant(in), Denunziˈant(in): (**common**) **~**, (**police**) **~** Spitzel *m*; **2.** ⚖ Anzeigeerstatter(in).

in·fra [ˈɪnfrə] *adv.* unten: **vide** (*od.* **see**) **~** siehe unten (*in Büchern*).

infra- [ɪnfrə] *in Zssgn* unter(halb).

in·frac·tion [ɪnˈfrækʃn] → **infringement**.

in·fra dig [ˌɪnfrəˈdɪg] (*Lat. abbr.*) *adv. u. adj.* F unter m-r (*etc.*) Würde, unwürdig.

in·fran·gi·ble [ɪnˈfrændʒɪbl] *adj.* unzerbrechlich; *fig.* unverletzlich.

ˌin·fra|ˈred *adj. phys.* infrarot; **ˌ~ˈson·ic** *adj.* Infraschall…, unter der Schallgrenze liegend.

ˈin·fraˌstruc·ture *s. allg.* ˈInfrastrukˌtur *f*.

in·fre·quen·cy [ɪnˈfriːkwənsɪ] *s.* Seltenheit *f*; **inˈfre·quent** [-nt] *adj.* □ **1.** selten; **2.** spärlich, dünn gesät.

in·fringe [ɪnˈfrɪndʒ] **I** *v/t. Gesetz, Eid etc.* brechen, verletzen, verstoßen gegen; **II** *v/i.* (**on**, **upon**) *Rechte etc.* verletzen, eingreifen (in *acc.*); **inˈfringe·ment** [-mənt] *s.* (**on**, **upon**) (*Rechts- etc., a. Patent*)Verletzung *f*, (*Rechts-, Vertrags*)Bruch *m*, Überˈtretung *f* (*gen.*); Verstoß *m* (gegen).

in·fu·ri·ate [ɪnˈfjʊərɪeɪt] *v/t.* wütend *od.* rasend machen; **inˈfu·ri·at·ing** [-tɪŋ] *adj.* aufreizend, rasend machend.

in·fuse [ɪnˈfjuːz] *v/t.* **1.** aufgießen, -brühen, ziehen lassen: ~ ***tea*** Tee aufgießen; **2.** *fig.* einflößen (***into*** *dat.*); **3.** erfüllen (***with*** mit); **in'fus·er** [-zə] *s.*: (***tea***) ~ Tee-Ei *n*; **in'fu·si·ble** [-zəbl] *adj.* ⚗ unschmelzbar; **in'fu·sion** [-ʒn] *s.* **1.** Aufgießen *n*, -brühen *n*; **2.** Aufguß *m*, (Kräuter- *etc.*)Tee *m*; **3.** ⚕ Infusi'on *f*; **4.** *fig.* Einflößung *f*; **5.** *fig.* a) Beimischung *f*, b) Zufluß *m*.

in·fu·so·ri·a [ˌɪnfjuː'zɔːrɪə] *s. pl. zo.* Infu'sorien *pl.*, Wimpertierchen *pl.*; **ˌin·fu'so·ri·al** [-əl] *adj. zo.* Infusorien...: ~ ***earth*** *min.* Infusorienerde *f*, Kieselgur *f*; **ˌin·fu'so·ri·an** [-ən] *zo.* **I** *s.* Wimpertierchen *n*, Infu'sorium *n*; **II** *adj.* → ***infusorial***.

in·gen·ious [ɪn'dʒiːnjəs] *adj.* □ geni'al: a) erfinderisch, findig, b) geistreich, klug, c) sinn-, kunstvoll, raffiniert: ~ ***design***; **in'gen·ious·ness** [-nɪs] → ***ingenuity***.

in·gé·nue ['ænʒeɪnjuː] *s.* **1.** na'ives Mädchen, ‚Unschuld' *f*; **2.** *thea.* Na'ive *f*.

in·ge·nu·i·ty [ˌɪndʒɪ'njuːətɪ] *s.* **1.** Geniali'tät *f*, Erfindungsgabe *f*, Einfallsreichtum *m*, Findigkeit *f*, Geschicklichkeit *f*, Bril'lanz *f*; **2.** Raffi'nesse *f*, geni'ale Ausführung *etc.*

in·gen·u·ous [ɪn'dʒenjʊəs] *adj.* □ **1.** offen(herzig), treuherzig, unbefangen, aufrichtig; **2.** na'iv, einfältig, unschuldig; **in'gen·u·ous·ness** [-nɪs] *s.* **1.** Offenheit *f*, Treuherzigkeit *f*; **2.** Naivi'tät *f*.

in·gest [ɪn'dʒest] *v/t.* *Nahrung* aufnehmen; **in'ges·tion** [-tʃn] *s.* Nahrungsaufnahme *f*.

in·glo·ri·ous [ɪn'glɔːrɪəs] *adj.* □ **1.** unrühmlich, schimpflich; **2.** *obs.* ruhmlos.

in·go·ing ['ɪnˌgəʊɪŋ] *adj.* **1.** eintretend; **2.** neu (*Beamter*, *Mieter etc.*).

in·got ['ɪŋgət] *s.* ⚙ Barren *m*, Stange *f*, Block *m*: ~ ***of gold*** Goldbarren *m*; ~ ***of steel*** Stahlblock *m*; ~ ***iron*** Flußstahl *m*, -eisen *n*.

in·graft [ɪn'grɑːft] → ***engraft***.

in·grain **I** *v/t.* [ˌɪn'greɪn] **1.** *obs.* in der Wolle *od.* Faser (*farbecht*) färben; **2.** *fig.* tief verwurzeln; **II** *adj.* [*attr.* 'ɪngreɪn; *pred.* ˌɪn'greɪn] **3.** → **ˌin'grained** [-nd] *adj. fig.* **1.** tief verwurzelt: ~ ***prejudice***; **2.** eingefleischt: ~ ***habit***; **3.** unverbesserlich.

in·grate [ɪn'greɪt] *obs.* **I** *adj.* undankbar; **II** *s.* Undankbare(r *m*) *f*.

in·gra·ti·ate [ɪn'greɪʃɪeɪt] *v/t.*: ~ ***o.s. with s.o.*** sich bei j-m einschmeicheln; **in'gra·ti·at·ing** [-tɪŋ] *adj.* □ schmeichlerisch.

in·grat·i·tude [ɪn'grætɪtjuːd] *s.* Undank (-barkeit *f*) *m*.

in·gre·di·ent [ɪn'griːdjənt] *s.* ⚗, *Küche u. fig.*: Bestandteil *m*, Zutat *f*; *fig. a.* (*Charakter- etc.*)Merkmal *n*.

in·gress ['ɪngres] *s.* **1.** Eintritt *m* (*a. ast.*), Eintreten *n* (***into*** in *acc.*); **2.** Zutritt *m*, Zugang (***into*** zu); **3.** Zustrom *m*: ~ ***of visitors***.

'in-group *s. sociol.* Ingroup *f*.

in·grow·ing ['ɪnˌgrəʊɪŋ] *adj.*, **'in·grown** *adj.* ⚕ eingewachsen: ***an*** ~ ***nail***.

in·gui·nal ['ɪŋgwɪnl] *adj.* ⚕ Leisten...

in·gur·gi·tate [ɪn'gɜːdʒɪteɪt] *v/t. bsd. fig.* verschlingen, schlucken.

in·hab·it [ɪn'hæbɪt] *v/t.* bewohnen, wohnen *od.* (*a. zo.*) leben in (*dat.*); **in'hab·it·a·ble** [-təbl] *adj.* bewohnbar; **in'hab·it·ant** [-tənt] *s.* **1.** Bewohner (-in) (*e-s Hauses etc.*), **2.** Einwohner (-in) (e-s *Orts*, *e-s Landes*).

in·ha·la·tion [ˌɪnhə'leɪʃn] *s.* **1.** Einatmung *f*; **2.** ⚕ Inhalati'on *f*; **in·hale** [ɪn'heɪl] **I** *v/t.* ⚕ einatmen, inhalieren; **II** *v/i.* inhalieren, *beim Rauchen*: *a.* Lungenzüge machen; **in·hal·er** [ɪn'heɪlə] *s.* **1.** ⚕ Inhalati'onsappaˌrat *m*; **2.** j-d, der inhaliert.

in·har·mo·ni·ous [ˌɪnhɑː'məʊnjəs] *adj.* □ 'unharˌmonisch: a) 'mißtönend, b) *fig.* uneinig.

in·here [ɪn'hɪə] *v/i.* **1.** innewohnen: a) anhaften (***in s.o.*** j-m), b) eigen sein (***in s.th.*** e-r Sache); **2.** enthalten sein (***in*** in *dat.*); **in'her·ence** [-ərəns] *s.* Innewohnen *n*, Anhaften *n*; *phls.* Inhä'renz *f*; **in'her·ent** [-ərənt] *adj.* □ **1.** innewohnend, eigen, anhaftend (*alle*: ***in*** *dat.*): ~ ***defect*** (*od.* ***vice***) ⚖ innerer Fehler; **2.** eingewurzelt; **3.** *phls.* inhä'rent; **in'her·ent·ly** [-ərəntlɪ] *adv.* von Na'tur aus, schon an sich.

in·her·it [ɪn'herɪt] **I** *v/t.* **1.** ⚖, *biol.*, *fig.* erben; **2.** *biol.*, *fig.* ererben; **II** *v/i.* **3.** ⚖ erben, Erbe sein; **in'her·it·a·ble** [-təbl] *adj.* **1.** ⚖, *biol.*, *fig.* vererbbar, erblich (*Sache*); **2.** erbfähig, -berechtigt (*Person*); **in'her·it·ance** [-təns] *s.* **1.** ⚖, *fig.* Erbe *n*, Erbschaft *f*, Erbteil *n*: ~ ***tax*** *Am.* Erbschaftssteuer *f*; **2.** ⚖, *biol.* Vererbung *f*: ***by*** ~ durch Vererbung, erblich; **in'her·it·ed** [-tɪd] *adj.* ererbt, Erb... (*a. ling.*); **in'her·i·tor** [-tə] *s.* Erbe *m* (*a. fig.*); **in'her·i·tress** [-trɪs], **in'her·i·trix** [-trɪks] *s.* Erbin *f*.

in·hib·it [ɪn'hɪbɪt] *v/t.* **1.** *et.*, *psych.* *j-n* hemmen: ~***ed*** gehemmt; **2.** (***from***) *j-n* abhalten (von), hindern (an *dat.*): ~ ***s.o. from doing s.th.*** j-n daran hindern, et. zu tun; **in·hi·bi·tion** [ˌɪnhɪ'bɪʃn] *s.* **1.** Hemmung *f* (*a.* ⚕ *u. psych.*); **2.** Unter'sagung *f*, Verbot *n*; **3.** ⚖ Unter'sagungsbefehl *m* (*e-e Sache weiterzuverfolgen*); **in'hib·i·tor** [-tə] *s.* ⚗, ⚙ Hemmstoff *m*, (*Korrosions- etc.*) Schutzmittel *n*; **in'hib·i·to·ry** [-tərɪ] **1.** hemmend, Hemmungs... (*a.* ⚕ *u. psych.*), hindernd; **2.** unter'sagend, verbietend.

in·hos·pi·ta·ble [ɪn'hɒspɪtəbl] *adj.* □ ungastlich: a) nicht gastfreundlich, b) unwirtlich: ***~ climate***; **in·hos·pi·tal·i·ty** [ɪnˌhɒspɪˈtælətɪ] *s.* Ungastlichkeit *f*: a) mangelnde Gastfreundschaft *f*, b) Unwirtlichkeit *f*.

ˈin-ˌhouse *adj.* innerbetrieblich, betriebsintern

in·hu·man [ɪnˈhjuːmən] *adj.* ☐, **in·hu·mane** [ˌɪnhjuːˈmeɪn] *adj.* ☐ unmenschlich, ˈinhuˌman; **in·hu·man·i·ty** [ˌɪnhjuːˈmænətɪ] *s.* Unmenschlichkeit *f*.

in·hume [ɪnˈhjuːm] *v/t.* beerdigen, bestatten.

in·im·i·cal [ɪˈnɪmɪkl] *adj.* ☐ (***to***) **1.** feindlich (gegen); **2.** schädlich, nachteilig (für).

in·im·i·ta·ble [ɪˈnɪmɪtəbl] *adj.* ☐ unnachahmlich, einzigartig.

in·iq·ui·tous [ɪˈnɪkwɪtəs] *adj.* ☐ **1.** ungerecht; **2.** frevelhaft; **3.** böse, lasterhaft, schlecht; **4.** gemein, niederträchtig; **inˈiq·ui·ty** [-tɪ] *s.* **1.** Ungerechtigkeit *f*; **2.** Niederträchtigkeit *f*; **3.** Schandtat *f*, Frevel *m*; **4.** Sünde *f*, Laster *n*.

in·i·tial [ɪˈnɪʃl] **I** *adj.* ☐ **1.** anfänglich, Anfangs..., Ausgangs..., erst, ursprünglich: ***~ advertising*** ☤ Einführungswerbung *f*; ***~ capital expenditure*** ☤ Anlagekosten *pl.*; ***~ material*** ☤ Ausgangsmaterial *n*; ***~ position*** ⚙, ⚔ *etc.* Ausgangsstellung *f*; ***~ salary*** Anfangsgehalt *n*; ***~ stages*** Anfangsstadium *n*; **2.** *ling.* anlautend; **II** *s.* **3.** (großer) Anfangsbuchstabe, Initiˈale *f*; **4.** *pl.* Monoˈgramm *n*; **5.** *ling.* Anlaut *m*; **III** *v/t.* **6.** mit Initiˈalen versehen *od.* unterˈzeichnen, paraphieren; **7.** mit e-m Monoˈgramm versehen; **inˈi·tial·ly** [-ʃəlɪ] *adv.* am *od.* zu Anfang, anfänglich, zuˈerst.

in·i·ti·ate **I** *v/t.* [ɪˈnɪʃɪeɪt] **1.** beginnen, einleiten, -führen, ins Leben rufen; **2.** *j-n* einweihen, -arbeiten, -führen (***into***, ***in*** in *acc.*); **3.** *j-n* einführen, aufnehmen (***into*** in *acc.*); **4.** *pol.* als erster beantragen; *Gesetzesvorlage* einbringen; **II** *adj.* [-ɪət] **5.** → ***initiated***; **III** *s.* [-ɪət] **6.** Eingeweihte(r *m*) *f*, Kenner(in); **7.** Eingeführte(r *m*) *f*; **8.** Neuling *m*, Anfänger (-in); **inˈi·ti·at·ed** [-tɪd] *adj.* eingeführt, eingeweiht: ***the ~*** die Eingeweihten *pl.*; **in·i·ti·a·tion** [ɪˌnɪʃɪˈeɪʃn] *s.* **1.** Einleitung *f*, Beginn *m*; **2.** (feierliche) Einführung, -setzung *f*, Aufnahme *f* (***into*** in *acc.*); **3.** Einweihung *f*, Weihe *f*.

in·i·ti·a·tive [ɪˈnɪʃɪətɪv] **I** *s.* **1.** Initiaˈtive *f*: a) erster Schritt *od.* Anstoß, Anregung *f*: ***take the ~*** die Initiative ergreifen, den ersten Schritt tun; ***on s.o.'s ~*** auf j-s Anregung hin; ***on one's own ~*** aus eigenem Antrieb, b) Unterˈnehmungsgeist *m*; **2.** *pol.* (Geˈsetzes)Initiaˌtive *f*; **II** *adj.* **3.** einleitend; **4.** beginnend.

in·i·ti·a·tor [ɪˈnɪʃɪeɪtə] *s.* **1.** Initiˈator *m*, Urheber *m*, Anreger *m*; **2.** ⚔ (Initiˈal-)Zündladung *f*; **3.** ⚗ reaktiˈonsauslösende Subˈstanz; **inˈi·ti·a·to·ry** [-ɪətərɪ] *adj.* **1.** einleitend; **2.** einweihend, Einweihungs...

in·ject [ɪnˈdʒekt] *v/t.* **1.** ⚕ a) (*a.* ⚙) einspritzen, b) ausspritzen (***with*** mit), c) e-e Einspritzung machen in (*acc.*); **2.** *fig.* einflößen, einimpfen (***into*** *dat.*); **3.** *Bemerkung* einwerfen.

in·jec·tion [ɪnˈdʒekʃn] *s.* ⚕ Injektiˈon *f*: a) Einspritzung *f* (*a.* ⚙), Spritze *f*, b) *das Eingespritzte*, c) Einlauf *m*, d) Ausspritzung *f* (*e-r Wunde etc.*): ***~ of money*** *fig.* ‚Spritze' *f*, Geldzuschuß *m*; ***~ cock*** *s.* Einspritzhahn *m*; ***~ die*** *s.* ⚙ Spritzform *f*; ***~ mo(u)ld·ing*** *s.* Spritzguß(verfahren *n*) *m*; ***~ noz·zle*** *s.* Einspritzdüse *f*; ***~ syr·inge*** *s.* ⚕ Injektiˈonsspritze *f*.

in·jec·tor [ɪnˈdʒektə] *s.* ⚙ Inˈjektor *m*, Dampfstrahlpumpe *f*.

in·ju·di·cious [ˌɪndʒuːˈdɪʃəs] *adj.* ☐ unklug, ˈunüberˌlegt.

In·jun [ˈɪndʒən] *s. Am. humor.* Indiˈaner *m*: ***honest ~!*** Ehrenwort!

in·junc·tion [ɪnˈdʒʌŋkʃn] *s.* **1.** ⚖ gerichtliche Verfügung, *bsd.* (gerichtlicher) Unterˈlassungsbefehl: ***interim ~*** einstweilige Verfügung; **2.** ausdrücklicher Befehl.

in·jure [ˈɪndʒə] *v/t.* **1.** verletzen, beschädigen, verwunden: ***~ one's leg*** sich am Bein verletzen; **2.** *fig. j-n, j-s Stolz etc.* kränken, verletzen; **3.** schaden (*dat.*), schädigen, beeinträchtigen; **ˈin·jured** [-əd] *adj.* **1.** verletzt: ***the ~*** die Verletzten; **2.** geschädigt: ***the ~ party*** der Geschädigte; **3.** gekränkt, verletzt: ***~ innocence*** gekränkte Unschuld; **in·ju·ri·ous** [ɪnˈdʒʊərɪəs] *adj.* ☐ **1.** schädlich, nachteilig (***to*** für): ***be ~ (to)*** schaden (*dat.*); **2.** beleidigend, verletzend (*Worte*); **3.** un(ge)recht; **in·ju·ry** [ˈɪndʒərɪ] *s.* **1.** Verletzung *f*, Wunde *f* (***to*** an *dat.*): ***~ to the head*** Kopfverletzung, -wunde; ***~ time*** *sport* Nachspielzeit *f*; **2.** (Be)Schädigung *f* (***to*** *gen.*), Schaden *m* (*a.* ⚖): ***~ to person (property)*** Personen-(Sach)schaden; **3.** *fig.* Verletzung *f*, Kränkung *f* (***to*** *gen.*); **4.** Unrecht *n*.

in·jus·tice [ɪnˈdʒʌstɪs] *s.* Unrecht *n*, Ungerechtigkeit *f*: ***do s.o. an ~*** j-m ein Unrecht antun.

ink [ɪŋk] **I** *s.* **1.** Tinte *f*: ***copying ~*** Kopiertinte *f*; **2.** Tusche *f*: ***~ drawing*** Tuschzeichnung *f*; → ***Indian ink***; **3.** *typ.* (Druck)Farbe *f*; → ***printer*** 1; **4.** *zo.* Tinte *f*, Sepia *f*; **II** *v/t.* **5.** mit Tinte schwärzen *od.* beschmieren; **6.** *typ. Druckwalzen* einfärben; **7.** ***~ in*** *mit Tusche* ausziehen, tuschieren; **8.** ***~ out*** *mit Tinte* unleserlich machen, ausstreichen; ***~ bag*** → ***ink sac***; ***~ blot*** *s.* Tintenklecks *m*.

ink·er ['ɪŋkə] *s.* **1.** → ***inking-roller***; **2.** *typ.* Tuscher(in).

ink·ing ['ɪŋkɪŋ] *s. typ.* Einfärben *n*; **~ pad** *s.* Einschwärzballen *m*; '**~-ˌroll·er** *s.* Auftrag-, Farbwalze *f*.

ink·ling ['ɪŋklɪŋ] *s.* **1.** Andeutung *f*, Wink *m*; **2.** dunkle Ahnung: ***get an ~ of s.th.*** et. merken, ,Wind von et. bekommen'; ***not the least ~*** nicht die leiseste Ahnung.

ink| pad *s.* Farb-, Stempelkissen *n*; **~ pot** *s.* Tintenfaß *n*; **~ rib·bon** *s.* Farbband *n*; **~ sac** *s. zo.* Tintenbeutel *m*; '**~·stand** *s.* **1.** Tintenfaß *n*; **2.** Schreibzeug *n*; '**~·well** *s.* (eingelassenes) Tintenfaß.

ink·y ['ɪŋkɪ] *adj.* **1.** tiefschwarz; **2.** voll Tinte, tintig.

in·laid [ˌɪn'leɪd; *attr.* 'ɪnleɪd] *adj.* eingelegt, Einlege…, Mosaik…: **~ *floor*** Parkett(fußboden *m*) *n*; **~ *table*** Tisch *m* mit Einlegearbeit; **~ *work*** Einlegearbeit *f*.

in·land ['ɪnlənd] **I** *s.* **1.** In-, Binnenland *n*; **II** *adj.* **2.** binnenländisch, Binnen…: **~ *town*** Stadt im Binnenland; **3.** inländisch, einheimisch, Inland…, Landes…; **III** *adv.* [ɪn'lænd] **4.** im Innern des Landes; **5.** ins Innere des Landes, landeinwärts; **~ bill (of ex·change)** ['ɪnlənd] *s.* ✝ Inlandwechsel *m*; **~ du·ty** *s.* ✝ Binnenzoll *m*.

in·land·er ['ɪnləndə] *s.* Binnenländer(in).

'**in·land| mail** *s. Brit.* Inlandspost *f*; **~ nav·i·ga·tion** *s.* Binnenschiffahrt *f*; **~ prod·uce** *s.* ✝ 'Landesproˌdukte *pl.*; **~ rev·e·nue** *s.* ✝ *Brit.* a) Steueraufkommen *n*, b) ♀ Steuerbehörde *f*; **~ trade** *s.* ✝ Binnenhandel *m*; **~ wa·ters**, **~ wa·ter·ways** *s. pl.* Binnengewässer *pl.*

in-laws ['ɪnlɔːz] *s. pl.* **1.** angeheiratete Verwandte *pl.*; **2.** Schwiegereltern *pl.*

in·lay I *v/t.* [*irr.* → ***lay***] [ˌɪn'leɪ] **1.** einlegen: **~ *with ivory***; **2.** furnieren; **3.** täfeln, parkettieren, auslegen; **II** *s.* ['ɪnleɪ] **4.** Einlegearbeit *f*, In'tarsia *f*; **5.** ⚕ (Zahn)Füllung *f*, Plombe *f*.

in·let ['ɪnlet] *s.* **1.** Meeresarm *m*, schmale Bucht; **2.** Eingang *m* (*a.* ⚕), Einlaß *m* (*a.* ⚙): **~ *valve*** ⚙ Einlaßventil *n*; **3.** Einsatz(stück *n*) *m*.

'**in-line en·gine** *s.* Reihenmotor *m*.

in·ly·ing ['ɪnˌlaɪɪŋ] *adj.* innen liegend, Innen…, inner.

in·mate ['ɪnmeɪt] *s.* **1.** Insasse *m*, Insassin *f* (*bsd. e-r Anstalt etc.*); **2.** *obs.* Hausgenosse *m*, -genossin *f*; **3.** Bewohner(in) (*a. fig.*).

in·most ['ɪnməʊst] *adj.* **1.** (*a. fig.*) innerst; **2.** *fig.* tiefst, geheimst.

inn [ɪn] *s.* **1.** Gasthaus *n*, -hof *m*; **2.** Wirtshaus *n*; **3. *Inns*** *pl.* ***of Court*** ⚖ *die* (Gebäude *pl.* der) vier Rechtsschulen in London.

in·nards ['ɪnədz] *s. pl.* F *das* Innere, *bsd.* a) *die* Eingeweide *pl.* (*a. fig.*), b) *Küche*: *die* Inne'reien *pl.*

in·nate [ˌɪ'neɪt] *adj.* □ angeboren, eigen (***in*** *dat.*); ˌ**in'nate·ly** [-lɪ] *adv.* von Na'tur (aus).

in·ner ['ɪnə] **I** *adj.* **1.** inner, inwendig, Innen…: **~ *door*** Innentür *f*; **2.** *fig.* inner, vertraut: ***the ~ circle*** der engere Kreis (*von Freunden etc.*); **3.** geistig, seelisch, inner(lich): **~ *life*** *das* Innen- *od.* Seelenleben; **4.** verborgen, geheim; **II** *s.* **5.** (Treffer *m* in das) Schwarze (*e-r Schießscheibe*); **~ man** *s.* [*irr.*] innerer Mensch: a) Seele *f*, Geist *m*, b) *humor. der* Magen *m*: ***refresh the ~*** sich stärken.

'**in·ner·most** → ***inmost***.

in·ner| span *s.* ⚠ lichte Weite; **~ sur·face** *s.* Innenfläche *f*, -seite *f*; **~ tube** *s.* ⚙ (Luft)Schlauch *m e-s Reifens*.

in·ner·vate ['ɪnɜːveɪt] *v/t.* **1.** ⚕ innervieren, mit Nerven versorgen; **2.** anregen, beleben.

in·ning ['ɪnɪŋ] *s.* **1.** *Brit.* **~*s*** *pl. sg. konstr.*, *Am.* **~** *sg.*: ***have one's ~(s)*** a) *Kricket*, *Baseball*: dran *od.* am Spiel *od.* am Schlagen sein, b) *fig.* an der Reihe sein, *pol.* an der Macht *od.* am Ruder sein; **2.** *pl. Brit.* Gelegenheit *f*, Glück *n*, Chance *f*.

'**innˌkeep·er** *s.* Gastwirt(in).

in·no·cence ['ɪnəsəns] *s.* **1.** *allg.* Unschuld *f*: a) ⚖ *etc.* Schuldlosigkeit *f* (***of*** an *dat.*), b) Keuschheit *f*, c) Harmlosigkeit *f*, d) Arglosigkeit *f*, Naivi'tät *f*, Einfalt *f*; **2.** Unwissenheit *f*; '**in·no·cent** [-snt] **I** *adj.* □ **1.** unschuldig: a) schuldlos (***of*** an *dat.*): **~ *air*** Unschuldsmiene *f*, b) keusch, rein, c) harmlos, d) arglos, na'iv, einfältig; **2.** harmlos: ***an ~ sport***; **3.** unbeabsichtigt: ***an ~ deception***; **4.** unwissend: ***he is ~ of such things*** er hat noch nichts von solchen Dingen gehört; **5.** ⚖ a) → 1 a, b) gutgläubig, c) le'gal; **6.** (***of***) frei (von), bar (*gen.*), ohne (*acc.*): **~ *of conceit*** frei von (jedem) Dünkel; **~ *of reason*** bar aller Vernunft; ***he is ~ of Latin*** er kann kein Wort Latein; **II** *s.* **7.** Unschuldige(r *m*) *f*: ***the slaughter of the ♀s*** a) *bibl.* der bethlehemitische Kindermord, b) *parl. sl.* das Über'bordwerfen von Vorlagen am Sessi'onsende; **8.** ,Unschuld' *f*, na'iver Mensch, Einfaltspinsel *m*; **9.** Igno'rant(in), Nichtswisser(in).

in·noc·u·ous [ɪ'nɒkjʊəs] *adj.* □ unschädlich, harmlos.

in·no·vate ['ɪnəʊveɪt] *v/i.* Neuerungen einführen *od.* vornehmen; **in·no·va·tion** [ˌɪnəʊ'veɪʃn] *s.* Neuerung *f*, *a.* ✝ Innovati'on *f*; '**in·no·va·tive** [-tɪv] *adj.* innovationsfreudig: **~ *advance*** Innovationsschub *m*; '**in·no·va·tor** [-tə] *s.* Neuerer *m*.

in·nox·ious [ɪ'nɒkʃəs] *adj.* □ unschädlich.

in·nu·en·do [ˌɪnju:'endəʊ] *pl.* **-does** *s.* **1.** (versteckte) Andeutung *od.* (boshafte) Anspielung, Anzüglichkeit *f*; **2.** Unter'stellung *f*.

in·nu·mer·a·ble [ɪ'nju:mərəbl] *adj.* □ unzählig, zahllos.

in·ob·serv·ance [ˌɪnəb'zɜ:vəns] *s.* **1.** Unaufmerksamkeit *f*, Unachtsamkeit *f*; **2.** Nichteinhaltung *f*, -beachtung *f*.

in·oc·u·late [ɪ'nɒkjʊleɪt] *v/t.* **1.** ⚕ a) *Serum etc.* einimpfen (***on***, ***into s.o.*** j-m), b) *j-n* impfen (***against*** gegen); **2.** ~ ***with*** *fig. j-m et.* einimpfen, *j-n* erfüllen mit; **3.** ⚘ okulieren; **in·oc·u·la·tion** [ɪˌnɒkjʊ'leɪʃn] *s.* **1.** ⚕ a) Impfung *f*: ~ ***gun*** Impfpistole *f*; ***preventive*** ~ Schutzimpfung, b) Einimpfung *f* (*a. fig.*); **2.** ⚘ Okulierung *f*.

in·o·dor·ous [ɪn'əʊdərəs] *adj.* □ geruchlos.

in·of·fen·sive [ˌɪnə'fensɪv] *adj.* □ harmlos.

in·of·fi·cious [ˌɪnə'fɪʃəs] *adj.* ⚖ pflichtwidrig.

in·op·er·a·ble [ɪn'ɒpərəbl] *adj.* ⚕ inope'rabel, nicht operierbar.

in·op·er·a·tive [ɪn'ɒpərətɪv] *adj.* **1.** unwirksam: a) wirkungslos, b) ⚖ ungültig, nicht in Kraft; **2.** a) außer Betrieb, b) nicht einsatzfähig.

in·op·por·tune [ɪn'ɒpətju:n] *adj.* □ 'inopporˌtun, unangebracht, zur Unzeit (geschehen *etc.*), ungelegen.

in·or·di·nate [ɪ'nɔ:dɪnət] *adj.* □ **1.** 'übermäßig, über'trieben, maßlos; **2.** ungeordnet; **3.** unbeherrscht.

in·or·gan·ic [ˌɪnɔ:'gænɪk] *adj.* (□ ***~ally***) 'un-, ⚗ 'anorˌganisch.

in·os·cu·late [ɪ'nɒskjʊleɪt] *mst* ⚕ **I** *v/t.* vereinigen (***with*** mit), einmünden lassen (***into*** in *acc.*); **II** *v/i.* sich vereinigen; eng verbunden sein.

in-pa·tient ['ɪnˌpeɪʃnt] *s.* 'Anstaltspatiˌent(in), statio'närer Pati'ent: ~ ***treatment*** stationäre Behandlung.

in·pay·ment ['ɪnˌpeɪmənt] *s.* ✝ Einzahlung *f*.

in-phase ['ɪnfeɪz] *adj.* ⚡ gleichphasig.

in-plant ['ɪnplɑ:nt] *adj.* ✝ innerbetrieblich, (be'triebs)inˌtern.

in·pour·ing ['ɪnˌpɔ:rɪŋ] **I** *adj.* (her-) 'einströmend; **II** *s.* (Her)'Einströmen *n*.

in·put ['ɪnpʊt] *s.* Input *m*: a) ✝ eingesetzte Produkti'onsmittel *pl.*: ***~-output analysis*** Input-Output-Analyse *f*, b) ⚙ eingespeiste Menge, c) ⚡ zugeführte Spannung *od.* Leistung, (Leistungs-) Aufnahme *f*, 'Eingangsenerˌgie *f*: ~ ***amplifier*** *Radio*: Eingangsverstärker *m*; ~ ***circuit*** ⚡ Eingangsstromkreis *m*; ~ ***impedance*** ⚡ Eingangswiderstand *m*, d) *Computer*: (Daten-, Pro'gramm)Eingabe *f*.

in·quest ['ɪnkwest] *s.* **1.** ⚖ a) gerichtliche Unter'suchung, b) *a.* ***coroner's*** ~ Gerichtsverhandlung *f* zur Feststellung der Todesursache (*bei ungeklärten Todesfällen*), c) Unter'suchungsergebnis *n*, Befund *m*; **2.** genaue Prüfung, Nachforschung *f*.

in·qui·e·tude [ɪn'kwaɪətju:d] *s.* Unruhe *f*, Besorgnis *f*.

in·quire [ɪn'kwaɪə] **I** *v/t.* **1.** sich erkundigen nach, fragen nach, erfragen: ~ ***the price***; ~ ***one's way*** sich nach dem Weg erkundigen; **II** *v/i.* **2.** fragen, sich erkundigen (***of s.o.*** bei j-m; ***for*** nach; ***about*** über *acc.*, wegen): ~ ***after s.o.*** sich nach j-m *od.* nach j-s Befinden erkundigen; ~ ***within!*** Näheres im Hause (zu erfragen)!; **3.** ~ ***into*** unter'suchen, erforschen; **in'quir·er** [-ərə] *s.* **1.** Fragesteller(in), Nachfragende(r *m*) *f*; **2.** Unter'suchende(r *m*) *f*; **in'quir·ing** [-ərɪŋ] *adj.* □ forschend, fragend; neugierig.

in·quir·y [ɪn'kwaɪərɪ] *s.* **1.** Erkundigung *f*, (An-, Nach)Frage *f*: ***on*** ~ auf Nachfrage *od.* Anfrage; ***make inquiries*** Erkundigungen einziehen (***of s.o.*** bei j-m; ***about*** über *acc.*, wegen); ***Inquiries*** *pl.* Auskunft(sstelle) *f*; **2.** Unter'suchung *f*, Prüfung *f* (***into*** *gen.*); (Nach)Forschung *f*: ***board of*** ~ Untersuchungsausschuß *m*; ~ ***of·fice*** *s.* 'Auskunft(sbüˌro *n*) *f*.

in·qui·si·tion [ˌɪnkwɪ'zɪʃn] *s.* **1.** (gerichtliche *od.* amtliche) Unter'suchung; **2.** *R.C.* a) *hist.* Inquisiti'on *f*, Ketzergericht *n*, b) Kongregati'on *f* des heiligen Of'fiziums; **3.** *fig.* strenges Verhör; **ˌin·qui'si·tion·al** [-ʃənl] *adj.* **1.** Untersuchungs…; **2.** *R.C.* Inquisitions…; **3.** → ***inquisitorial*** 3.

in·quis·i·tive [ɪn'kwɪzətɪv] *adj.* □ **1.** wißbegierig; **2.** neugierig, naseweis; **in'quis·i·tive·ness** [-nɪs] *s.* **1.** Wißbegierde *f*; **2.** Neugier(de) *f*; **in'quis·i·tor** [-tə] *s.* *R.C.* Inqui'sitor *m*: ***Grand*** ☊ Großinquisitor; **in·quis·i·to·ri·al** [ɪnˌkwɪzɪ'tɔ:rɪəl] *adj.* □ **1.** ⚖ Untersuchungs…; **2.** *R.C.* Inquisitions…; **3.** inquisiˌtorisch, streng (verhörend); **4.** aufdringlich fragend, neugierig.

in| re [ˌɪn'reɪ] (*Lat.*) *prp.* ⚖ in Sachen, betrifft; ~ **rem** [ˌɪn'rem] (*Lat.*) *adj.* ⚖ dinglich: ~ ***action***.

in·road ['ɪnrəʊd] *s.* **1.** Angriff *m*, 'Überfall *m* (***on*** auf *acc.*), Einfall *m* (***in***, ***on*** in *acc.*); **2.** *fig.* (***on***, ***into***) Eingriff *m* (in *acc.*), 'Übergriff *m* (auf *acc.*), 'übermäßige In'anspruchnahme (*gen.*); **3.** Eindringen *n*: ***make an*** ~ ***into*** *fig.* e-n Einbruch erzielen in (*dat.*).

in·rush ['ɪnrʌʃ] *s.* (Her)'Einströmen *n*, Zustrom *m*.

in·sa·lu·bri·ous [ˌɪnsə'lu:brɪəs] *adj.* ungesund; **ˌin·sa'lu·bri·ty** [-ətɪ] *s.* Gesundheitsschädlichkeit *f*.

in·sane [ɪnˈseɪn] *adj.* □ wahn-, irrsinnig: a) ⚕ geisteskrank; → ***asylum*** 1, b) *fig.* verrückt, toll.

in·san·i·tar·y [ɪnˈsænɪtərɪ] *adj.* ˈunhygiˌenisch, gesundheitsschädlich.

in·san·i·ty [ɪnˈsænətɪ] *s.* Irr-, Wahnsinn *m*: a) ⚕ Geisteskrankheit *f*, b) *fig.* Verrücktheit *f*.

in·sa·ti·a·bil·i·ty [ɪnˌseɪʃjəˈbɪlətɪ] *s.* Unersättlichkeit *f*; **in·sa·ti·a·ble** [ɪnˈseɪʃjəbl], **in·sa·ti·ate** [ɪnˈseɪʃɪət] *adj.* unersättlich (*a. fig.*).

in·scribe [ɪnˈskraɪb] *v/t.* **1.** (ein-, auf-) schreiben; **2.** beschriften, mit e-r Inschrift versehen; **3.** *bsd.* ⚚ eintragen: ***~d stock*** *Brit.* Namensaktien *pl.*; **4.** *Buch etc.* widmen (***to*** *dat.*); **5.** ⩓ einbeschreiben; **6.** *fig.* (fest) einprägen (***in*** *dat.*).

in·scrip·tion [ɪnˈskrɪpʃn] *s.* **1.** Beschriftung *f*; In-, Aufschrift *f*; **2.** Eintragung *f*, Registrierung *f* (*bsd. von Aktien*); **3.** Zueignung *f*, Widmung *f* (*Buch etc.*); **4.** ⩓ Einzeichnung *f*; **5.** ⚚ *Brit.* (Ausgabe *f* von) Namensaktien *pl.*; **inˈscrip·tion·al** [-ʃənl], **inˈscrip·tive** [-ptɪv] *adj.* Inschriften…

in·scru·ta·bil·i·ty [ɪnˌskru:təˈbɪlətɪ] *s.* Unergründlichkeit *f*; **in·scru·ta·ble** [ɪnˈskru:təbl] *adj.* □ unergründlich: ***~ face*** undurchdringliches Gesicht.

in·sect [ˈɪnsekt] *s.* **1.** *zo.* Inˈsekt *n*, Kerbtier *n*; **2.** *contp.* ‚Wurm' *m*, ‚Giftzwerg' *m* (*Person*); **in·sec·ti·cide** [ɪnˈsektɪsaɪd] *s.* Inˈsektengift *n*, Insektiˈzid *n*; **in·sec·ti·vore** [ɪnˈsektɪvɔ:] *s. zo.* Inˈsektenfresser *m*; **in·sec·tiv·o·rous** [ˌɪnsekˈtɪvərəs] *adj. zo.* inˈsektenfressend.

in·sect pow·der *s.* Inˈsektenpulver *n*.

in·se·cure [ˌɪnsɪˈkjʊə] *adj.* □ **1.** unsicher: a) ungesichert, preˈkär, b) ungewiß, zweifelhaft; **2.** *psych.* unsicher, verunsichert: ***make s.o. feel ~*** j-n verunsichern; **ˌin·seˈcu·ri·ty** [-ʊərətɪ] *s.* **1.** Unsicherheit *f*; **2.** Ungewißheit *f*.

in·sem·i·nate [ɪnˈsemɪneɪt] *v/t.* **1.** (ein-, aus)säen; **2.** *biol.* (*bsd.* künstlich) befruchten; **3.** *fig.* einimpfen; **in·sem·i·na·tion** [ɪnˌsemɪˈneɪʃn] *s.* **1.** (Ein)Säen *n*; **2.** *biol.* Befruchtung *f*: ***artificial ~*** künstliche Befruchtung.

in·sen·sate [ɪnˈsenseɪt] *adj.* □ **1.** leb-, empfindungs-, gefühllos; **2.** unsinnig, unvernünftig; **3.** → ***insensible*** 3.

in·sen·si·bil·i·ty [ɪnˌsensəˈbɪlətɪ] *s.* (***to***) **1.** (*a. fig.*) Gefühllosigkeit *f* (gegen), Unempfindlichkeit *f* (für); **2.** Bewußtlosigkeit *f*; **3.** Gleichgültigkeit *f* (gegen), Unempfänglichkeit *f* (für); Stumpfheit *f*; **in·sen·si·ble** [ɪnˈsensəbl] *adj.* □ **1.** unempfindlich, gefühllos (***to*** gegen): ***~ from cold*** vor Kälte gefühllos; **2.** bewußtlos; **3.** (***of***, ***to***) unempfänglich (für), gleichgültig (gegen); **4.** ***be ~ of*** nicht (an)erkennen (*acc.*); **5.** unmerklich; **in·sen·si·bly** [ɪnˈsensəblɪ] *adv.* unmerklich.

in·sen·si·tive [ɪnˈsensətɪv] *adj.* (***to***) **1.** *a. phys.*, ⚙ unempfindlich (gegen); **2.** unempfänglich (für), gefühllos (gegen); **inˈsen·si·tive·ness** [-nɪs] *s.* Unempfindlichkeit *f*; Unempfänglichkeit *f*.

in·sen·ti·ent [ɪnˈsenʃnt] → ***insensible*** 1.

in·sep·a·ra·bil·i·ty [ɪnˌsepərəˈbɪlətɪ] *s.* **1.** Untrennbarkeit *f*; **2.** Unzertrennlichkeit *f*; **in·sep·a·ra·ble** [ɪnˈsepərəbl] **I** *adj.* □ **1.** untrennbar (*a. ling.*); **2.** unzertrennlich; **II** *s.* **3.** *pl. die* Unzertrennlichen *pl.*

in·sert I *v/t.* [ɪnˈsɜ:t] **1.** einfügen, -setzen, -schieben, *Worte a.* einschalten, *Instrument etc.* einführen, *Schlüssel etc.* (hinˈein)stecken (***in***, ***into*** in *acc.*); **2.** ⚡ ein-, zwischenschalten; **3.** *Münze* einwerfen; **4.** *Anzeige* (*in e-e Zeitung*) setzen, *ein Inserat* aufgeben; **II** *s.* [ˈɪnsɜ:t] **5.** → ***insertion*** 2–4; **inˈser·tion** [-ɜ:ʃn] *s.* **1.** a) Einfügen *n* (*etc.* → ***insert***), b) Einfügung *f*, Ein-, Zusatz *m*, Einschaltung *f* (*a.* ⚡); Einwurf *m* (*Münze*); **2.** (Zeitungs)Beilage *f*; **3.** (Spitzen- *etc.*) Einsatz *m*; **4.** Inseˈrat *n*, Anzeige *f*.

ˈin-ˌser·vice *adj.* während der Dienstzeit: ***~ training*** betriebliche Berufsförderung.

in·set I *s.* [ˈɪnset] **1.** → ***insertion*** 1 b, 2, 3; **2.** Eckeinsatz *m*, Nebenbild *n*, -karte *f*; **II** *v/t.* [*irr.* → ***set***] [ˌɪnˈset] *pret. u. p.p. Brit. a.* **in·set·ted** [ˌɪnˈsetɪd] **3.** einfügen, -setzen.

in·shore [ˌɪnˈʃɔ:] **I** *adj.* **1.** an *od.* nahe der Küste: ***~ fishing*** Küstenfischerei *f*; **II** *adv.* **2.** a) küstenwärts, b) nahe der Küste; **3.** ***~ of*** näher der Küste als: ***~ of a ship*** zwischen Schiff und Küste.

in·side [ˌɪnˈsaɪd] **I** *s.* **1.** Innenseite *f*, -fläche *f*, innere Seite: ***on the ~*** innen; ***s.o. on the ~*** *fig.* → ***insider*** 1; **2.** *das* Innere: ***from the ~*** von innen; ***~ out*** das Innere nach außen, umgestülpt, *Kleidung*: verkehrt herum, links; ***turn ~ out*** (völlig) umkrempeln, durcheinanderbringen, ‚auf den Kopf stellen'; ***know ~ out*** in- u. auswendig kennen; **3.** F ‚Eingeweide' *pl.*: ***pain in one's ~*** Bauch- *od.* Leibschmerzen; **II** *adj.* **4.** inner, inwendig, Innen…: ***~ diameter*** lichter Durchmesser, lichte Weite; ***~ information*** interne Informationen *pl.*, Informationen *pl.* aus erster Quelle; ***~ job*** F Tat *f* e-s Eingeweihten *od.* Insiders; ***~ lane*** *sport* Innenbahn *f*; ***~ story*** Inside-Story *f* (*Bericht aus interner Sicht*); **III** *adv.* **5.** im Innern, innen, drin(nen); **6.** nach innen, hinˈein, herˈein: ***go ~***; ***put s.o. ~*** F j-n ‚einlochen'; **7.** ***~ of*** a) innerhalb (*gen.*), binnen: ***~ of a week***, b) *Am.* → 8; **IV** *prp.* **8.** innerhalb (*gen.*), im Innern (*gen.*), in (*dat.*): ***be ~ the house***; **9.** in (*acc.*) … (hin'ein *od.* her'ein): ***go ~ the house***; **in·sid·er** [ˌɪn'saɪdə] *s.* **1.** Eingeweihte(r *m*) *f*, Insider *m*; † ***~ trading*** Insidergeschäfte *pl.*; **2.** Zugehörige(r *m*) *f*, Mitglied *n*.

in·sid·i·ous [ɪn'sɪdɪəs] *adj.* □ **1.** heimtückisch, 'hinterhältig, tückisch; **2.** ⚕ tückisch, schleichend; **in'sid·i·ous·ness** [-nɪs] *s.* 'Hinterlist *f*, Tücke *f*.

in·sight ['ɪnsaɪt] *s.* (***into***) **1.** Einblick *m* (in *acc.*); **2.** Verständnis *n* (für), Kenntnis (*gen.*).

in·sig·ni·a [ɪn'sɪgnɪə] *s. pl.* In'signien *pl.*, Ab-, Ehrenzeichen *pl.*

in·sig·nif·i·cance [ˌɪnsɪg'nɪfɪkəns] *s.*, ˌ**in·sig'nif·i·can·cy** [-sɪ] *s.* Bedeutungslosigkeit *f*, Unwichtigkeit *f*, Belanglosigkeit *f*, Geringfügigkeit *f*; ˌ**in·sig'nif·i·cant** [-nt] *adj.* □ **1.** bedeutungs-, belanglos, unwichtig; geringfügig, unbedeutend; nichtssagend; **2.** verächtlich.

in·sin·cere [ˌɪnsɪn'sɪə] *adj.* □ unaufrichtig, falsch; ˌ**in·sin'cer·i·ty** [-'serətɪ] *s.* Unaufrichtigkeit *f*.

in·sin·u·ate [ɪn'sɪnjʊeɪt] *v/t.* **1.** andeuten, anspielen auf (*acc.*): ***what are you insinuating?*** was wollen Sie damit sagen?; **2.** *j-m et.* zu verstehen geben, *et.* vorsichtig beibringen; **3.** ***~ o.s. into s.o.'s favo(u)r*** sich bei j-m einschmeicheln; **in'sin·u·at·ing** [-tɪŋ] *adj.* □ **1.** anzüglich; **2.** schmeichlerisch; **in·sin·u·a·tion** [ɪnˌsɪnjʊ'eɪʃn] *s.* **1.** Anspielung *f*, (versteckte) Andeutung; **2.** Schmeiche'leien *pl.*

in·sip·id [ɪn'sɪpɪd] *adj.* □ **1.** fade, geschmacklos, schal; **2.** *fig.* fade, abgeschmackt, geistlos; **in·si·pid·i·ty** [ˌɪnsɪ'pɪdətɪ] *s.* Geschmacklosigkeit *f*, Fadheit *f*, *fig. a.* Abgeschmacktheit *f*.

in·sist [ɪn'sɪst] *v/i.* **1.** (***on***) bestehen (auf *dat.*), dringen (auf *acc.*), verlangen (*acc.*), insis'tieren (auf *dat.*): ***I ~ on doing it*** ich bestehe darauf, es zu tun; ***if you ~!*** wenn Sie darauf bestehen!; **2.** (***on***) beharren (auf *dat.*, bei), bleiben (bei); **3.** beteuern (***on*** *acc.*); **4.** (***on***) her'vorheben, nachdrücklich betonen (*acc.*); **5.** es sich nicht nehmen lassen (***on doing*** zu tun); **6.** ***~ on*** *doing* immer wieder *umfallen etc.* (*Sache*); **in'sist·ence** [-təns], **in'sist·en·cy** [-tənsɪ] *s.* **1.** Bestehen *n*, Beharren *n* (***on***, ***upon*** auf *dat.*); **2.** (***on***) Beteuerung *f* (*gen.*), Beharren (auf *dat.*); **3.** (***on***, ***upon***) Betonung *f* (*gen.*); Nachdruck *m* (auf *dat.*); **4.** Beharrlichkeit *f*, Hartnäckigkeit *f*; **in'sist·ent** [-tənt] *adj.* □ **1.** beharrlich, dauernd, hartnäckig, drängend; **2.** ***be ~ on*** → ***insist*** 1–3; **3.** eindringlich, nachdrücklich, dringend; **4.** aufdringlich, grell (*Farbe*, *Ton*).

in·so·bri·e·ty [ˌɪnsəʊ'braɪətɪ] *s.* Unmäßigkeit *f* (*engS.* im Trinken).

ˌ**in·so'far** → ***far*** 4.

in·so·la·tion [ˌɪnsəʊ'leɪʃn] *s.* Sonnenbestrahlung *f*; Sonnenbad *n*.

in·sole ['ɪnsəʊl] *s.* **1.** Brandsohle *f*; **2.** Einlegesohle *f*.

in·so·lence ['ɪnsələns] *s.* **1.** Über'heblichkeit *f*; **2.** Unverschämtheit *f*, Frechheit *f*; '**in·so·lent** [-nt] *adj.* □ **1.** anmaßend; **2.** unverschämt.

in·sol·u·bil·i·ty [ɪnˌsɒljʊ'bɪlətɪ] *s.* **1.** Un(auf)löslichkeit *f*; **2.** *fig.* Unlösbarkeit *f*; **in·sol·u·ble** [ɪn'sɒljʊbl] **I** *adj.* □ **1.** un(auf)löslich; **2.** unlösbar, unerklärlich; **II** *s.* **3.** ⚗ unlösliche Sub'stanz.

in·sol·ven·cy [ɪn'sɒlvənsɪ] *s.* † **1.** Zahlungsunfähigkeit *f*, Insol'venz *f*; **2.** Kon'kurs *m*; **in'sol·vent** [-nt] **I** *adj.* † **1.** zahlungsunfähig, insol'vent; **2.** *bsd. fig.* (*moralisch etc.*) bank'rott; **3.** Konkurs…: ***~ estate*** konkursreifer Nachlaß; **II** *s.* **4.** zahlungsunfähiger Schuldner.

in·som·ni·a [ɪn'sɒmnɪə] *s.* ⚕ Schlaflosigkeit *f*; **in'som·ni·ac** [-ɪæk] *s.* ⚕ an Schlaflosigkeit Leidende(r *m*) *f*.

in·so·much [ˌɪnsəʊ'mʌtʃ] *adv.* **1.** so (sehr), dermaßen (***that*** daß); **2.** → ***inasmuch***.

in·sou·ci·ance [ɪn'su:sjəns] *s.* Sorglosigkeit *f* (*etc.* →) **in'sou·ci·ant** [-nt] *adj.* sorglos, unbekümmert, gleichgültig, lässig.

in·spect [ɪn'spekt] *v/t.* **1.** unter'suchen, prüfen, nachsehen; **2.** besichtigen, sich (genau) ansehen, inspizieren; **3.** beaufsichtigen; **in'spec·tion** [-kʃn] *s.* **1.** Besichtigung *f*; An-, 'Durchsicht *f*; Einsicht(nahme) *f* (*von Akten etc.*): ***for your ~*** zur Ansicht; ***free ~*** Besichtigung ohne Kaufzwang; ***be*** (***laid***) ***open to ~*** zur Einsicht ausliegen; **2.** Unter'suchung *f*, Prüfung *f*, Kon'trolle *f*: ***~ hole*** ⊚ Schauloch *n*; ***~ lamp*** ⊚ Ableuchtlampe *f*; **3.** Besichtigung *f*, Inspekti'on *f*; **4.** Aufsicht *f*; **5.** ⚔ Ap'pell *m*; **in'spec·tor** [-tə] *s.* **1.** In'spektor *m*; Kontrol'leur *m* (*Bus etc.*), Aufseher *m*, Aufsichtsbeamte(r) *m*: ***customs ~*** Zollinspektor *m*; ***~ of schools*** Schulinspektor *m*; ***~ of weights and measures*** Eichmeister *m*; **2.** (Poli'zei)Inˌspektor *m*, (-)Kommisˌsar *m*; **3.** ⚔ Inspek'teur *m*; **in'spec·to·ral** [-tərəl] *adj.* Inspektor(en)…; Aufsichts…; **in'spec·tor·ate** [-tərət] *s.* Inspekto'rat *n*: a) Aufsichtsbezirk *m*, b) Aufsichtsbehörde *f*, c) Aufseheramt *n*; **in·spec·to·ri·al** [ˌɪnspek'tɔ:rɪəl] → ***inspectoral***; **in'spec·tor·ship** [-təʃɪp] **1.** In'spektoramt *n*; **2.** Aufsicht *f*.

in·spi·ra·tion [ˌɪnspə'reɪʃn] *s.* **1.** *eccl.* göttliche Eingebung, Erleuchtung *f*; **2.** Inspirati'on *f*, Eingebung *f*, (plötzlicher) Einfall; **3.** *et.* Inspirierendes; **4.** Anregung *f*: ***at the ~ of*** auf *j-s* Veranlassung; **5.** Begeisterung *f*; **in·spi·ra·tor** ['ɪnspəreɪtə] *s.* ⚕ Inha'lator *m*; **in·spir·a·to·ry** [ɪn'spaɪərətərɪ] *adj.* (Ein-)Atmungs…

in·spire [ɪn'spaɪə] *v/t.* **1.** begeistern, anfeuern; **2.** anregen, veranlassen; **3.** (***in s.o.***) *Gefühl etc.* einflößen, eingeben (j-m); erwecken, erregen (in j-m); **4.** *fig.* a) erleuchten, b) beseelen, erfüllen (***with*** mit), c) inspirieren; **5.** einatmen; **in'spired** [-əd] *adj.* **1.** *bsd. eccl.* erleuchtet; eingegeben; **2.** schöpferisch, einfallsreich; **3.** begeistert; **4.** a) glänzend, her'vorragend, b) schwungvoll; **5.** von ‚oben' (*von der Regierung etc.*) veranlaßt; **in'spir·er** [-ərə] *s.* Anreger (-in); **in'spir·ing** [-ərɪŋ] *adj.* ☐ anregend, begeisternd, inspirierend.

in·spir·it [ɪn'spɪrɪt] *v/t.* beleben, beseelen, anfeuern, ermutigen.

in·sta·bil·i·ty [ˌɪnstə'bɪlətɪ] *s. mst fig.* **1.** Instabili'tät *f*, Unsicherheit *f*; **2.** Labili'tät *f*, Unbeständigkeit *f*.

in·stall [ɪn'stɔːl] *v/t.* **1.** ⚙ a) installieren, montieren, aufstellen, einbauen, b) einrichten, (an)legen, anbringen; **2.** *j-n* bestallen; *in ein Amt* einsetzen, -führen; **3.** ***~ o.s.*** F sich niederlassen; **in·stal·la·tion** [ˌɪnstə'leɪʃn] *s.* **1.** ⚙ a) Installierung *f*, Einrichtung *f*, Einbau *m*, b) (*fertige*) Anlage *od.* Einrichtung; **2.** (Amts)Einsetzung *f*, Bestallung *f*.

in·stal(l)·ment[1] [ɪn'stɔːlmənt] → ***installation***.

in·stal(l)·ment[2] [ɪn'stɔːlmənt] *s.* **1.** ✝ Rate *f*, Teil-, Ab-, Abschlags-, Ratenzahlung *f*: ***by ~s*** in Raten; ***first ~*** Anzahlung *f*; ***~ credit*** Teilzahlungskredit *m*; ***~ plan*** Teilzahlungssystem *n*; ***buy on the ~ plan*** auf Raten kaufen, ‚abstottern'; **2.** (Teil)Lieferung *f* (*Buch etc.*); **3.** Fortsetzung *f* (*Roman etc.*), *Radio*, *TV*: *a.* (Sende)Folge *f*.

in·stance ['ɪnstəns] **I** *s.* **1.** (*einzelner*) Fall, Beispiel *n*: ***in this ~*** in diesem (*besonderen*) Fall; ***for ~*** zum Beispiel: ***as an ~ of s.th.*** als Beispiel für et.; **2.** Bitte *f*, Ersuchen *n*: ***at his ~*** auf sein Drängen *od.* Betreiben *od.* s-e Veranlassung; **3.** ⚖ In'stanz *f*: ***court of the first ~*** Gericht *n* erster Instanz; ***in the last ~*** in letzter Instanz, *fig.* letztlich; ***in the first ~*** *fig.* in erster Linie, zuerst; **II** *v/t.* **4.** als Beispiel anführen; **5.** mit Beispielen belegen; **'in·stan·cy** [-sɪ] *s.* Dringlichkeit *f*.

in·stant ['ɪnstənt] **I** *s.* **1.** Mo'ment *m*: a) (kurzer) Augenblick *m*, b) (genauer) Zeitpunkt; ***in an ~, on the ~*** sofort, augenblicklich, im Nu; ***at this ~*** in diesem Augenblick; ***this ~*** sofort, augenblicklich; **II** *adj.* ☐ → ***instantly***; **2.** so'fortig, augenblicklich: ***~ camera*** *phot.* Instant-, Sofortbildkamera *f*; ***~ coffee*** Pulverkaffee *m*; ***~ glue*** Sekundenkleber *m*; ***~ meal*** Fertig-, Schnellgericht *n*; **3.** *abbr.* ***inst.***: ***the 10th ~*** der 10. dieses Monats; **4.** dringend.

in·stan·ta·ne·ous [ˌɪnstən'teɪnjəs] *adj.* ☐ **1.** so'fortig, unverzüglich, augenblicklich: ***death was ~*** der Tod trat auf der Stelle ein; **2.** gleichzeitig (*Ereignisse*); **3.** *phys.*, ⚙ momen'tan, Augenblicks…: ***~ photo*** Momentaufnahme *f*; ***~ shutter*** *phot.* Momentverschluß *m*; **ˌin·stan'ta·ne·ous·ly** [-lɪ] *adv.* so'fort, unverzüglich; auf der Stelle; **ˌin·stan'ta·ne·ous·ness** [-nɪs] *s.* Augenblicklichkeit *f*; Blitzesschnelle *f*.

in·stan·ter [ɪn'stæntə] *adv.* so'fort.

in·stant·ly ['ɪnstəntlɪ] *adv.* so'fort, unverzüglich, augenblicklich.

in·state [ɪn'steɪt] *v/t.* *in ein Amt* einsetzen.

in·stead [ɪn'sted] *adv.* **1.** ***~ of*** (an)statt (*gen.*), an Stelle von: ***~ of me*** statt meiner, an meiner Statt *od.* Stelle; ***~ of going*** (an)statt zu gehen; ***~ of at work*** statt bei der Arbeit; **2.** statt dessen: ***she sent the boy ~.***

in·step ['ɪnstep] *s.* Rist *m*, Spann *m* (*Fuß*): ***~ raiser*** Plattfußeinlage *f*; ***high in the ~*** F hochnäsig.

in·sti·gate ['ɪnstɪgeɪt] *v/t.* **1.** an-, aufreizen, aufhetzen, anstiften (***to*** zu, ***to do*** zu tun); **2.** *et.* (*Böses*) anstiften, anfachen; **in·sti·ga·tion** [ˌɪnstɪ'geɪʃn] *s.* **1.** Anstiftung *f*, Aufhetzung *f*, -reizung *f*; **2.** Anregung *f*: ***at the ~ of*** auf Betreiben *od.* Veranlassung von (*od. gen.*); **'in·sti·ga·tor** [-tə] *s.* Anstifter(in), (Auf)Hetzer(in).

in·stil(l) [ɪn'stɪl] *v/t.* **1.** einträufeln, -tröpfeln; **2.** *fig.* (***into***) a) *j-m* einflößen, -impfen, beibringen, b) *et.* durch'dringen (mit), einfließen lassen (in *acc.*); **in·stil·la·tion** [ˌɪnstɪ'leɪʃn], **in'stil(l)·ment** [-mənt] *s.* **1.** Einträufelung *f*; **2.** *fig.* Einflößung *f*, Einimpfung *f*.

in·stinct **I** *s.* ['ɪnstɪŋkt] **1.** In'stinkt *m*, (Na'tur)Trieb *m*: ***by ~, on ~, from ~*** instinktiv; **2.** a) instink'tives Gefühl, (sicherer) In'stinkt, b) Begabung *f* (***for*** für); **II** *adj.* [ɪn'stɪŋkt] **3.** belebt, durch'drungen, erfüllt (***with*** von); **in·stinc·tive** [ɪn'stɪŋktɪv] *adj.* ☐ instink'tiv: a) in'stinkt-, triebmäßig, Instinkt…, b) unwillkürlich, c) angeboren.

in·sti·tute ['ɪnstɪtjuːt] **I** *s.* **1.** Insti'tut *n*, Anstalt *f*; **2.** (gelehrte *etc.*) Gesellschaft; **3.** Insti'tut *n* (*Gebäude*); **4.** *pl. bsd.* ✝ Grundgesetze *pl.*, -lehren *pl.*; **II** *v/t.* **5.** ein-, errichten, gründen; einführen; **6.** einleiten, in Gang setzen: ***~ an inquiry*** e-e Untersuchung einleiten; ***~ legal proceedings*** Klage erheben, das Verfahren einleiten (***against*** gegen);

7. *bsd. eccl. j-n* einsetzen, einführen.
in·sti·tu·tion [ˌɪnstɪˈtjuːʃn] *s.* **1.** Instiˈtut *n*, Anstalt *f*, Einrichtung *f*, Stiftung *f*, Gesellschaft *f*; **2.** Instiˈtut *n* (*Gebäude*); **3.** Institutiˈon *f*, Einrichtung *f*, (überˈkommene) Sitte, Brauch *m*; **4.** Ordnung *f*, Recht *n*, Satzung *f*; **5.** F a) alte Gewohnheit, b) vertraute Sache, feste Einrichtung, c) allbekannte Perˈson; **6.** Ein-, Errichtung *f*, Gründung *f*; **7.** *eccl.* Einsetzung *f*; ˌ**in·stiˈtu·tion·al** [-ʃənl] *adj.* **1.** Institutions…, Instituts…, Anstalts…; **2.** ✝ *Am.* ~ ***advertising*** Repräsentationswerbung *f*; ˌ**in·stiˈtu·tion·al·ize** [-ʃənlaɪz] *v/t.* **1.** *et.* institutionalisieren; **2.** *j-n* in e-e Anstalt einweisen.
in·struct [ɪnˈstrʌkt] *v/t.* **1.** (be)lehren, unterˈweisen, -ˈrichten, schulen, ausbilden (***in*** in *dat.*); **2.** informieren, unterˈrichten; **3.** instruieren (*a.* ⚖), anweisen, beauftragen; **inˈstruc·tion** [-kʃn] *s.* **1.** Belehrung *f*, Schulung *f*, Ausbildung *f*, ˈUnterricht *m*: ***private*** ~ Privatunterricht; ***course of*** ~ Lehrgang *m*, Kursus *m*; **2.** *pl.* Auftrag *m*, Vorschrift (-en *pl.*) *f*, (An)Weisung(en *pl.*) *f*, Verhaltungsmaßregeln *pl.*, Richtlinien *pl.*, (*a.* Betriebs)Anleitung *f*: ***according to*** ~***s*** auftrags-, weisungsgemäß, vorschriftsmäßig; ~***s for use*** Gebrauchsanweisung; **3.** *Am.* ⚖ *mst pl.* Rechtsbelehrung *f*; **4.** ⚔ *mst pl.* Dienstanweisung *f*, Instruktiˈon *f*; **inˈstruc·tion·al** [-kʃənl] *adj.* Unterrichts…, Erziehungs…, Ausbildungs…, Lehr…: ~ ***film*** Lehrfilm *m*; ~ ***staff*** Lehrkörper *m*; **inˈstruc·tive** [-tɪv] *adj.* □ belehrend; lehr-, aufschlußreich; **inˈstruc·tive·ness** [-tɪvnɪs] *s. das* Belehrende; **inˈstruc·tor** [-tə] *s.* **1.** Lehrer *m*; **2.** Ausbilder *m* (*a.* ⚔); **3.** *univ. Am.* Doˈzent *m*; **inˈstruc·tress** [-trɪs] *s.* Lehrerin *f*.
in·stru·ment [ˈɪnstrʊmənt] **I** *s.* **1.** Instruˈment *n* (*a.* ♪): a) (feines) Werkzeug *n*, b) Appaˈrat *m*, (*bsd.* Meß)Gerät *n*; **2.** *pl.* ⚕ Besteck *n*; **3.** ✝, ⚖ a) Dokuˈment *n*, Urkunde *f*; ˈWertpaˌpier *n*: ~ ***of payment*** Zahlungsmittel *n*; ~ ***payable to bearer*** ✝ Inhaberpapier; ~ ***to order*** Orderpapier, b) *pl.* Instrumenˈtarium *n*: ***the*** ~***s of credit policy***; **4.** *fig.* Werkzeug *n*: a) (Hilfs)Mittel *n*, b) Handlanger(in); **II** *v/t.* **5.** ♪ instrumentieren; **III** *adj.* **6.** ⚙ Instrumenten…: ~ ***board***, ~ ***panel*** a) Schalt-, Armaturenbrett *n*, b) ✈ Instrumentenbrett *n*; ~ ***maker*** Apparatebauer *m*, Feinmechaniker *m*; **7.** ✈ Blind…, Instrumenten…: ~ ***flying***; ~ ***landing***; **in·stru·men·tal** [ˌɪnstrʊˈmentl] *adj.* □ → ***instrumentally***; **1.** behilflich, dienlich, förderlich: ***be*** ~ ***in*** *ger.* behilflich sein *od.* wesentlich dazu beitragen, daß; e-e gewichtige Rolle spielen bei; **2.** ♪ Instrumental…; **3.** mit Instrumenten ausgeführt: ~ ***operation***; ~ ***error*** ⚙ Instrumentenfehler *m*; **4.** ~ ***case*** *ling.* Instrumental(is) *m*; **in·stru·men·tal·ist** [ˌɪnstrʊˈmentəlɪst] *s.* ♪ Instrumentaˈlist(in); **in·stru·men·tal·i·ty** [ˌɪnstrʊmenˈtælətɪ] *s.* **1.** Mitwirkung *f*, Mithilfe *f*: ***through his*** ~; **2.** (Hilfs)Mittel *n*; Einrichtung *f*; **in·stru·men·tal·ly** [ˌɪnstrʊˈmentəlɪ] *adv.* durch Instrumente; **in·stru·men·ta·tion** [ˌɪnstrʊmenˈteɪʃn] *s.* ♪ Instrumentatiˈon *f*.
in·sub·or·di·nate [ˌɪnsəˈbɔːdnət] *adj.* unbotmäßig, widerˈsetzlich, aufsässig; **in·sub·or·di·na·tion** [ˈɪnsəˌbɔːdɪˈneɪʃn] *s.* Unbotmäßigkeit *f etc.*; Gehorsamsverweigerung *f*, Auflehnung *f*.
in·sub·stan·tial [ˌɪnsəbˈstænʃl] *adj.* **1.** subˈstanzlos, unkörperlich; **2.** unwirklich; **3.** wenig nahrhaft.
in·suf·fer·a·ble [ɪnˈsʌfərəbl] *adj.* □ unerträglich, unausstehlich.
in·suf·fi·cien·cy [ˌɪnsəˈfɪʃnsɪ] *s.* **1.** Unzulänglichkeit *f*, Mangel(haftigkeit *f*) *m*; Untauglichkeit *f*; **2.** ⚕ Insuffiziˈenz *f*; ˌ**in·sufˈfi·cient** [-nt] *adj.* □ **1.** unzulänglich, unzureichend, ungenügend; **2.** untauglich, mangelhaft, unfähig.
in·suf·flate [ˈɪnsʌfleɪt] *v/t.* **1.** *a.* ⚕, ⚙ (hin)ˈeinblasen; **2.** *R.C.* anhauchen; ˈ**in·suf·fla·tor** [-tə] *s.* ⚙, ⚕ ˈEinblaseappaˌrat *m*.
in·su·lant [ˈɪnsjʊlənt] *s.* ⚙ Isoˈlierstoff *m*, -materiˌal *n*.
in·su·lar [ˈɪnsjʊlə] *adj.* □ **1.** inselartig, insuˈlar, Insel…; **2.** *fig.* isoliert, abgeschlossen; **3.** *fig.* engstirnig, beschränkt; **in·su·lar·i·ty** [ˌɪnsjʊˈlærətɪ] *s.* **1.** insuˈlare Lage; **2.** *fig.* Abgeschlossenheit *f*; **3.** *fig.* Engstirnigkeit *f*, Beschränktheit *f*.
in·su·late [ˈɪnsjʊleɪt] *v/t.* ⚡, ⚙ isolieren (*a. fig. absondern*); ˈ**in·su·lat·ing** [-tɪŋ] *adj.* isolierend, Isolier…: ~ ***compound*** ⚡ Isoliermasse *f*; ~ ***joint*** ⚡ Isolierkupplung *f*; ~ ***switch*** Trennschalter *m*; ~ ***tape*** ⚡ Isolierband *n*; **in·su·la·tion** [ˌɪnsjʊˈleɪʃn] *s.* Isolierung *f*; ˈ**in·su·la·tor** [-tə] *s.* **1.** ⚡ Isoˈlator *m*; **2.** Isolierer *m* (*Arbeiter*).
in·su·lin [ˈɪnsjʊlɪn] *s.* ⚕ Insuˈlin *n*.
in·sult I *v/t.* [ɪnˈsʌlt] beleidigen, beschimpfen; **II** *s.* [ˈɪnsʌlt] (***to***) Beleidigung *f* (für) (*durch Wort od. Tat*), Beschimpfung *f* (*gen.*): ***offer an*** ~ ***to*** → I; **inˈsult·ing** [-tɪŋ] *adj.* □ **1.** beleidigend, beschimpfend: ~ ***language*** Schimpfworte *pl.*; **2.** unverschämt, frech.
in·su·per·a·ble [ɪnˈsjuːpərəbl] *adj.* □ ˈunüberˌwindlich.
in·sup·port·a·ble [ˌɪnsəˈpɔːtəbl] *adj.* □ unerträglich, unausˈstehlich.
in·sur·a·bil·i·ty [ɪnˌʃʊərəˈbɪlətɪ] *s.* ✝ Versicherungsfähigkeit *f*; **in·sur·a·ble** [ɪnˈʃʊərəbl] *adj.* □ ✝ **1.** versicherungs-

fähig, versicherbar: ~ ***value*** Versicherungswert *m*; **2.** versicherungspflichtig.

in·sur·ance [ɪnˈʃʊərəns] **I** *s.* **1.** ✝ Versicherung *f*: ***buy*** ~ sich versichern (lassen); ***carry*** ~ versichert sein; ***effect*** (*od.* ***take out***) ***an*** ~ e-e Versicherung abschließen; **2.** ✝ a) Verˈsicherungspoˌlice *f*, b) Versicherungsprämie *f*; **II** *adj.* Versicherungs...: ~ ***agent*** (***broker***, ***company***, ***premium***, ***value***); ~ ***benefit*** Versicherungsleistung *f*; ~ ***certificate*** Versicherungsschein *m*; ~ ***claim*** Versicherungsanspruch *m*; ~ ***coverage*** Versicherungsschutz *m*; ~ ***fraud*** Versicherungsbetrug *m*; ~ ***office*** Versicherungsanstalt *f*; ~ ***policy*** Versicherungspolice *f*, -schein *m*; ***take out an*** ~ ***policy*** e-e Versicherung abschließen, sich versichern (lassen); **inˈsur·ant** [-nt] → ***insured*** II.

in·sure [ɪnˈʃʊə] *v/t.* **1.** ✝ versichern (***against*** gegen; ***for*** mit *e-r Summe*): ~ ***oneself*** (***one's life***, ***one's house***); **2.** → ***ensure***; **inˈsured** [-ʊəd] ✝ **I** *adj.*: ***the*** ~ ***party*** → II; **II** *s.* ***the*** ~ der *od.* die Versicherte, Versicherungsnehmer(in); **inˈsur·er** [-ʊərə] *s.* ✝ Versicherer *m*, Versicherungsträger(in): ***the*** ~***s*** die Versicherungsgesellschaft *f*.

in·sur·gent [ɪnˈsɜːdʒənt] **I** *adj.* aufrührerisch, aufständisch; reˈbellisch (*a. fig.*); **II** *s.* Aufrührer *m*, Aufständische(r) *m*; Reˈbell *m* (*a. pol. gegen die Partei*).

in·sur·mount·a·ble [ˌɪnsəˈmaʊntəbl] *adj.* □ ˈunüberˌsteigbar; *fig.* ˈunüberˌwindlich.

in·sur·rec·tion [ˌɪnsəˈrekʃn] *s.* Aufruhr *m*, Aufstand *m*, Erhebung *f*, Empörung *f*; **ˌin·surˈrec·tion·al** [-ʃənl], **ˌin·surˈrec·tion·ar·y** [-ʃnərɪ] → ***insurgent*** I; **ˌin·surˈrec·tion·ist** [-ʃnɪst] → ***insurgent*** II.

in·sus·cep·ti·bil·i·ty [ˈɪnsəˌseptəˈbɪlətɪ] *s.* Unempfänglichkeit *f*, Unzugänglichkeit *f* (***to*** für); **in·sus·cep·ti·ble** [ˌɪnsəˈseptəbl] *adj.* **1.** (***of***) nicht fähig (zu), ungeeignet (für, zu); **2.** (***of***, ***to***) unempfänglich (für), unzugänglich (*dat.*).

in·tact [ɪnˈtækt] *adj.* **1.** inˈtakt, heil, unversehrt; **2.** unberührt, unangetastet.

in·tagl·io [ɪnˈtɑːlɪəʊ] *pl.* **-ios** *s.* **1.** Inˈtaglio *n* (*Gemme mit eingeschnittenem Bild*); **2.** eingraviertes Bild; **3.** Inˈtaglioverfahren *n*, -arbeit *f*; **4.** *typ. Am.* Tiefdruck *m*.

in·take [ˈɪnteɪk] *s.* **1.** ⚙ a) Einlaß(öffnung *f*) *m*: ~ ***valve*** Einlaßventil *n*; ~ ***stroke*** *mot.* Saughub *m*, b) aufgenommene Enerˈgie; **2.** Einnehmen *n*, Ein-, Ansaugen *n*; **3.** (Neu)Aufnahme *f*, Zustrom *m*, aufgenommene Menge: ~ ***of food*** Nahrungsaufnahme.

in·tan·gi·bil·i·ty [ɪnˌtændʒəˈbɪlətɪ] *s.* Nichtgreifbarkeit *f*, Unkörperlichkeit *f*;

in·tan·gi·ble [ɪnˈtændʒəbl] **I** *adj.* □ **1.** nicht greifbar, immateriˈell (*a.* ✝), unkörperlich; **2.** *fig.* vage, unklar, unbestimmt; **3.** *fig.* unfaßbar; **II** *s.* **4.** *pl.* ✝ immateriˈelle Werte.

in·tar·si·a [ɪnˈtɑːsɪə] *s. Am.* Inˈtarsia *f*, Einlegearbeit *f*.

in·te·ger [ˈɪntɪdʒə] *s.* **1.** A ganze Zahl; **2.** → ***integral*** 5; **ˈin·te·gral** [-ɪgrəl] **I** *adj.* □ **1.** (*zur Vollständigkeit*) unerläßlich, integrierend, wesentlich, ⚙ (fest) eingebaut, e-e Einheit bildend (***with*** mit), integriert: ***an*** ~ ***part***; **2.** ganz, vollständig: ***an*** ~ ***whole*** → 5; **3.** → ***intact*** 2; **4.** A a) ganz(zahlig), b) Integral...: ~ ***calculus*** Integralrechnung *f*; **II** *s.* **5.** *ein* vollständiges *od.* einheitliches Ganzes; **6.** A Inteˈgral *n*; **ˈin·te·grand** [-ɪgrænd] *s.* A Inteˈgrand *m*; **ˈin·te·grant** [-ɪgrənt] → ***integral*** 1.

in·te·grate [ˈɪntɪgreɪt] *v/t.* **1.** integrieren (*a.* A, ⚙), zu e-m Ganzen zs.-fassen, zs.-schließen, vereinigen, vereinheitlichen; **2.** vervollständigen; **3.** eingliedern, integrieren (***within*** in *acc.*); **4.** ϟ zählen (*Meßgerät*); **5.** *Am. Schule etc.* für Farbige zugänglich machen; **ˈin·te·grat·ed** [-tɪd] *adj.* **1.** einheitlich, geschlossen, zs.-gefaßt, integriert; ✝ Verbund...: ~ ***economy***; **2.** zs.-hängend; **3.** ⚙ eingebaut, integriert (*Schaltung, Datenverarbeitung etc.*): ~ ***circuit*** ϟ integrierter Schaltkreis; **4.** *Am.* ohne Rassentrennung: ~ ***school***; **in·te·gra·tion** [ˌɪntɪˈgreɪʃn] *s.* **1.** Zs.-schluß *m*, Vereinigung *f*, Integratiˈon *f*, Vereinheitlichung *f*; **2.** Vervollständigung *f*; **3.** Eingliederung *f*; **4.** A Integratiˈon *f*; **5.** *Am.* Aufhebung *f* der Rassenschranken; **in·te·gra·tion·ist** [ˌɪntɪˈgreɪʃnɪst] *s. Am.* Verfechter(in) rassischer Gleichberechtigung.

in·teg·ri·ty [ɪnˈtegrətɪ] *s.* **1.** Rechtschaffenheit *f*, (chaˈrakterliche) Sauberkeit, (moˈralische) Integriˈtät; **2.** Vollständigkeit *f*, Unversehrtheit *f*; **3.** Reinheit *f*; **4.** A Integriˈtät *f*, Ganzzahligkeit *f*.

in·teg·u·ment [ɪnˈtegjʊmənt] *s. anat. biol.* Hülle *f*, Decke *f*, Haut *f*, Integuˈment *n*.

in·tel·lect [ˈɪntəlekt] *s.* **1.** Verstand *m*, Intelˈlekt *m*, Denkvermögen *n*; **2.** kluger Kopf; *coll.* große Geister *pl.*, Intelliˈgenz *f*; **in·tel·lec·tu·al** [ˌɪntəˈlektjʊəl] **I** *adj.* □ → ***intellectually***; **1.** intellektuˈell: a) verstandesmäßig, Verstandes..., geistig, Geistes..., b) verstandesbetont, (geistig) anspruchsvoll: ~ ***power*** Geisteskraft *f*; ~ ***property*** geistiges Eigentum; **2.** intelliˈgent; **II** *s.* **3.** Intellektuˈelle(r *m*) *f*, Verstandesmensch *m*; **in·tel·lec·tu·al·ist** [ˌɪntəˈlektjʊəlɪst] → ***intellectual*** 3; **in·tel·lec·tu·al·i·ty** [ˈɪntəˌlektjʊˈælətɪ] *s.* Intellektualiˈtät *f*, Verstandesmäßigkeit *f*; Geisteskraft *f*;

in·tel·lec·tu·al·ly [ˌɪntəˈlektjʊəlɪ] *adv.* verstandesmäßig, mit dem Verstand.

in·tel·li·gence [ɪnˈtelɪdʒəns] *s.* **1.** Intelliˈgenz *f*: a) Klugheit *f*, Verstand *m*, b) scharfer Verstand, rasche Auffassungsgabe, c) → ***intellect*** 2: ~ ***quotient*** (***test***) Intelligenzquotient *m* (-test *m*); **2.** Einsicht *f*, Verständnis *n*; **3.** Nachricht *f*, Mitteilung *f*, Informatiˈon *f*, Auskunft *f*; ⚔ ˈNachrichtenmateriˌal *n*; **4.** *a.* ~ ***office***, ~ ***service***, ♀ ***Department*** ⚔ (geheimer) Nachrichtendienst: ~ ***officer*** Abwehr-, Nachrichtenoffizier *m*; **5.** ~ ***with the enemy*** (*verräterische*) Beziehungen *pl.* zum Feind; **inˈtel·li·genc·er** [-sə] *s.* **1.** Berichterstatter (-in); **2.** Aˈgent(in), Spiˈon(in); **inˈtel·li·gent** [-nt] *adj.* □ **1.** intelliˈgent, klug, gescheit; **2.** vernünftig: a) verständig, einsichtsvoll, b) vernunftbegabt; **in·tel·li·gent·si·a**, **in·tel·li·gent·zi·a** [ɪnˌtelɪˈdʒentsɪə] *s. pl. konstr. coll. die* Intelliˈgenz, *die* Intellektuˈellen *pl.*; **in·tel·li·gi·bil·i·ty** [ɪnˌtelɪdʒəˈbɪlətɪ] *s.* Verständlichkeit *f*; **inˈtel·li·gi·ble** [-dʒəbl] □ verständlich, klar (***to*** für *od. dat.*).

in·tem·per·ance [ɪnˈtempərəns] *s.* Unmäßigkeit *f*, Zügellosigkeit *f*, *bsd.* Trunksucht *f*; **inˈtem·per·ate** [-rət] *adj.* □ **1.** unmäßig, maßlos; **2.** ausschweifend, zügellos; unbeherrscht; **3.** trunksüchtig.

in·tend [ɪnˈtend] *v/t.* **1.** beabsichtigen, vorhaben, planen, im Sinne haben (***s.th.*** et.; ***to do*** *od.* ***doing*** zu tun); **2.** bestimmen (***for*** für, zu): ***our son is ~ed for the navy*** unser Sohn soll (einmal) zur Marine gehen; ***what is it ~ed for?*** was ist der Sinn (*od.* Zweck) der Sache?, was soll das?; **3.** sagen wollen, meinen: ***what do you ~ by this?***; **4.** bedeuten, sein sollen: ***it was ~ed for a compliment*** es sollte ein Kompliment sein; **5.** wollen, wünschen; **inˈtend·ant** [-dənt] *s.* Verwalter *m*; **inˈtend·ed** [-dɪd] **I** *adj.* □ **1.** beabsichtigt, gewünscht; **2.** absichtlich; **3.** F zukünftig: ***my ~ wife***; **II** *s.* **4.** F Verlobte(r *m*) *f*: ***her ~*** ihr Zukünftiger; **inˈtend·ing** [-dɪŋ] *adj.* angehend, zukünftig; …lustig, …willig: ~ ***buyer*** ✝ (Kauf)Interessent (-in), Kaufwillige(r).

in·tense [ɪnˈtens] *adj.* □ **1.** intenˈsiv: a) stark, heftig: ~ ***heat*** (***longing*** *etc.*), b) hell, grell: ~ ***light***, c) tief, satt: ~ ***colo(u)rs***, d) angespannt: ~ ***study***, e) (an-) gespannt, konzentriert: ~ ***look***, f) sehnlich, dringend, g) eindringlich: ~ ***style***; **2.** leidenschaftlich, stark gefühlsbetont; **inˈtense·ly** [-lɪ] *adv.* **1.** äußerst, höchst; **2.** → ***intense***; **inˈtense·ness** [-nɪs] *s.* Intensiˈtät *f*: a) Stärke *f*, Heftigkeit *f*, b) Anspannung *f*, Angestrengtheit *f*, c) Feuereifer *m*, d) Leidenschaftlichkeit *f*, e) Eindringlichkeit *f*; **in·ten·si·fi·ca·tion** [ɪnˌtensɪfɪˈkeɪʃn] *s.* Verstärkung *f* (*a. phot.*); **inˈten·si·fi·er** [-sɪfaɪə] *s. a.* ⚙, *phot.* Verstärker *m*; **inˈten·si·fy** [-sɪfaɪ] **I** *v/t.* verstärken (*a. phot.*), steigern; **II** *v/i.* sich verstärken.

in·ten·sion [ɪnˈtenʃn] *s.* **1.** Verstärkung *f*; **2.** → ***intenseness*** a *u.* b; **3.** (Begriffs)Inhalt *m*.

in·ten·si·ty [ɪnˈtensətɪ] *s.* Intensiˈtät *f*: a) (hoher) Grad, Stärke *f*, Heftigkeit *f*, b) ⚡, ⚙, *phys.* (*Laut-, Licht-, Strom- etc.*)Stärke *f*, Grad *m*, c) → ***intenseness***; **inˈten·sive** [-sɪv] **I** *adj.* □ **1.** intenˈsiv: a) stark, heftig, b) gründlich, erschöpfend: ~ ***study***; ~ ***course*** *ped.* Intensivkurs *m*; **2.** verstärkend (*a. ling.*); **3.** ⚕ a) stark wirkend, b) ~ ***care unit*** Intensivstation *f*; **4.** ✝ intenˈsiv: a) ertragssteigernd, b) (*arbeits-, lohn-, kosten- etc.*)intenˈsiv; **II** *s.* **5.** *bsd. ling.* verstärkendes Eleˈment.

in·tent [ɪnˈtent] **I** *s.* **1.** Absicht *f*, Vorsatz *m*, Zweck *m*: ***criminal*** ~ ⚖ Vorsatz, (verbrecherische) Absicht; ***with ~ to defraud*** in betrügerischer Absicht; ***to all ~s and purposes*** a) in jeder Hinsicht, durchaus, b) im Grunde, eigentlich, c) praktisch, sozusagen; ***declaration of ~*** Absichtserklärung *f*; **II** *adj.* □ **2.** erpicht, versessen (***on*** auf *acc.*); **3.** (***on***) bedacht (auf *acc.*), eifrig beschäftigt (mit); **4.** aufmerksam, gespannt, eifrig.

in·ten·tion [ɪnˈtenʃn] *s.* **1.** Absicht *f*, Vorhaben *n*, Vorsatz *m*, Plan *m* (***to do*** *od.* ***of doing*** zu tun): ***with the best*** (***of***) ***~s*** in bester Absicht; **2.** *pl.* F (Heirats)Absichten *pl.*; **3.** Zweck *m* (*a. eccl.*), Ziel *n*; **4.** Sinn *m*, Bedeutung *f*; **inˈten·tion·al** [-ʃənl] *adj.* □ **1.** absichtlich, vorsätzlich; **2.** beabsichtigt; **inˈten·tioned** [-nd] *adj. in Zssgn* …gesinnt: ***well-~*** gutgesinnt, wohlmeinend.

in·tent·ness [ɪnˈtentnɪs] *s.* gespannte Aufmerksamkeit, Eifer *m*: ~ ***of purpose*** Zielstrebigkeit *f*.

in·ter [ɪnˈtɜː] *v/t.* beerdigen.

inter- [ɪntə] *in Zssgn* zwischen, Zwischen…; unter; gegen-, wechselseitig, einˈander, Wechsel…

ˈin·ter·act[1] [-ərækt] *s. thea.* Zwischenakt *m*, -spiel *n*.

ˌin·terˈact[2] [-ərˈækt] *v/i.* aufeinˈander wirken, sich gegenseitig beeinflussen; **ˌin·terˈac·tion** [-ərˈækʃn] *s.* Wechselwirkung *f*, Interaktiˈon *f*; **ˌin·ter·ˈac·tive** [-tɪv] *adj.* interaktiv.

ˌin·terˈbreed *biol.* **I** *v/t.* [*irr.* → ***breed***] durch Kreuzung züchten, kreuzen; **II** *v/i.* [*irr.* → ***breed***] a) sich kreuzen, b) Inzucht betreiben.

in·ter·ca·lar·y [ɪnˈtɜːkələrɪ] *adj.* eingeschaltet, eingeschoben; Schalt…: ~ ***day*** Schalttag *m*; **inˈter·ca·late** [ɪnˈtɜːkəleɪt] *v/t.* einschieben, einschalten; **in·ter·ca·la·tion** [ɪnˌtɜːkəˈleɪʃn] *s.* **1.** Einschiebung *f*, Einschaltung *f*; **2.** Einlage *f*.

in·ter·cede [ˌɪntəˈsiːd] *v/i.* sich verwenden, sich ins Mittel legen, Fürsprache einlegen, intervenieren (***with*** bei, ***for*** für); bitten (***with*** bei *j-m*, ***for*** um *et.*); **ˌin·terˈced·er** [-də] *s.* Fürsprecher(in).

in·ter·cept I *v/t.* [ˌɪntəˈsept] **1.** *Brief, Meldung, Flugzeug, Boten etc.* abfangen; **2.** *Meldung* auffangen, mit-, abhören; **3.** unterˈbrechen, abschneiden; **4.** den Weg abschneiden (*dat.*); **5.** *Sicht* versperren; **6.** ⩓ a) abschneiden, b) einschließen; **II** *s.* [ˈɪntəsept] **7.** ⩓ Abschnitt *m*; **8.** aufgefangene Meldung; **ˌin·terˈcep·tion** [-pʃn] *s.* **1.** Ab-, Auffangen *n* (*Meldung etc.*); **2.** Ab-, Mithören *n* (*Meldung*): **~ *service*** Abhör-, Horchdienst *m*; **3.** Abfangen *n* (*Flugzeug, Boten*): **~ *flight*** Sperrflug *m*; **~ *plane*** → ***interceptor*** 2; **4.** Unterˈbrechung *f*, Abschneiden *n*; **5.** Aufhalten *n*, Hinderung *f*; **ˌin·terˈcep·tor** [-tə] *s.* **1.** Auffänger *m*; **2.** *a.* **~ *plane*** ✈ ⚔ Abfangjäger *m*.

in·ter·ces·sion [ˌɪntəˈseʃn] *s.* Fürbitte *f* (*a. eccl.*), Fürsprache *f*: ***make ~ to s.o. for*** bei j-m Fürsprache einlegen für, sich bei j-m verwenden für; (***service of***) **~** Bittgottesdienst *m*; **ˌin·terˈces·sor** [-esə] *s.* Fürsprecher(in), Vermittler(in) (***with*** bei); **ˌin·terˈces·so·ry** [-esərɪ] *adj.* fürsprechend.

in·ter·change [ˌɪntəˈtʃeɪndʒ] **I** *v/t.* **1.** untereinˈander austauschen, auswechseln; **2.** vertauschen, auswechseln (*a.* ⚙); einander abwechseln lassen; **II** *v/i.* **3.** abwechseln (***with*** mit), aufeinˈanderfolgen; **III** *s.* **4.** Austausch *m*; Aus-, Abwechslung *f*; Wechsel *m*, Aufeinˈanderfolge *f*; **5.** ✝ Tauschhandel *m*; **6.** *Am.* (Straßen)Kreuzung *f*; (Autobahn-) Kreuz *n*; **in·ter·change·a·bil·i·ty** [ˈɪntəˌtʃeɪndʒəˈbɪlətɪ] *s.* Auswechselbarkeit *f*; **ˌin·terˈchange·a·ble** [-dʒəbl] *adj.* □ **1.** austauschbar, auswechselbar (*a.* ⚙, ✝); **2.** (miteinˈander) abwechselnd.

ˌin·ter·colˈle·gi·ate *adj.* zwischen verschiedenen Colleges (bestehend).

in·ter·com [ˈɪntəkɒm] *s.* **1.** ✈, ⚓ Bordverständigung(sanlage) *f*; **2.** (Gegen-, Haus)Sprechanlage *f*, (Werk- *etc.*)Rufanlage *f*.

ˌin·ter·comˈmu·ni·cate *v/i.* **1.** miteinˈander verkehren *od.* in Verbindung stehen; **2.** → ***communicate*** 4; **ˈin·ter·comˌmu·niˈca·tion** *s.* gegenseitige Verbindung, gegenseitiger Verkehr: **~ *system*** → ***intercom***.

ˌin·terˈcom·pa·ny *adj.* zwischenbetrieblich.

ˌin·ter·conˈnect I *v/t.* miteinˈander verbinden, ⚡ *a.* zs.-schalten; **II** *v/i.* miteinander verbunden werden *od.* sein, *fig. a.* in Zs.-hang (miteinander) stehen; **ˌin·ter·conˈnec·tion 1.** (gegenseitige) Verbindung, *fig. a.* Zs.-hang *m*; **2.** ⚡ a) Zs.-Schaltung *f*, b) verkettete Schaltung.

ˈin·terˌcon·tiˈnen·tal *adj.* interkontinenˈtal, Interkontinental…

ˈin·ter·course *s.* **1.** ˈUmgang *m*, Verkehr *m* (***with*** mit); **2.** ✝ Geschäftsverkehr *m*; **3.** *a.* ***sexual ~*** (Geschlechts-) Verkehr *m*.

ˌin·terˈcross I *v/t.* **1.** einˈander kreuzen lassen; **2.** ⚘, *zo.* kreuzen; **II** *v/i.* **3.** sich kreuzen (*a.* ⚘, *zo.*).

ˈin·ter·cut *s. Film etc.*: Einblendung *f*.

ˈin·ter·deˌnom·iˈna·tion·al *adj.* interkonfessioˈnell.

ˌin·ter·deˈpend *v/i.* voneinˈander abhängen; **ˌin·ter·deˈpend·ence, ˌin·ter·deˈpend·en·cy** *s.* gegenseitige Abhängigkeit; **ˌin·ter·deˈpend·ent** *adj.* □ voneinˈander abhängig, eng zs.-hängend *od.* verflochten, ineinˈandergreifend.

in·ter·dict I *s.* [ˈɪntədɪkt] **1.** Verbot *n*; **2.** *eccl.* Interˈdikt *n*; **II** *v/t.* [ˌɪntəˈdɪkt] **3.** (amtlich) unterˈsagen, verbieten (***to s.o.*** j-m): **~ *s.o. from s.th.*** j-n von et. ausschließen, j-m et. entziehen *od.* verbieten; **4.** *eccl.* mit dem Interˈdikt belegen; **ˌin·terˈdic·tion** → ***interdict*** 1, 2.

in·ter·est [ˈɪntrɪst] **I** *s.* **1.** (***in***) Interˈesse *n* (an *dat.*, für), (An)Teilnahme *f* (an *dat.*): ***take an ~ in s.th.*** sich für et. interessieren; **2.** Reiz *m*, Interˈesse *n*: ***be of ~*** (***to***) interessant *od.* reizvoll sein (für), interessieren (*acc.*); **3.** Wichtigkeit *f*, Bedeutung *f*: ***be of little ~*** von geringer Bedeutung sein; ***of great ~*** von großem Interesse; **4.** *bsd.* ✝ Beteiligung *f*, Anteil *m* (***in*** an *dat.*): ***have an ~ in s.th.*** an *od.* bei et. (*bsd.* finanziell) beteiligt sein; **5.** ✝ Interesˈsenten *pl.*, Kreise *pl.*: ***the banking ~*** die Bankkreise *pl.*; ***the landed ~*** die Grundbesitzer *pl.*; **6.** Interˈesse *n*, Vorteil *m*, Nutzen *m*, Gewinn *m*: ***be in*** (*od.* ***to***) ***the ~(s) of*** im Interesse von … liegen; ***in your ~*** zu Ihrem Vorteil; ***look after one's ~s*** s-e Interessen wahren; ***study s.o.'s ~(s)*** j-s Vorteil im Auge haben; **7.** Einfluß *m*, Macht *f*: ***have ~ with*** Einfluß haben bei; **8.** (An)Recht *n*, Anspruch *m* (***in*** auf *acc.*); **9.** Gesichtspunkt *m*, Seite *f* (*in e-r Geschichte etc.*): → ***human*** I; **10.** (*nie pl.*) ✝ Zins(en *pl.*) *m*: ***and*** (*od.* ***plus***) **~** zuzüglich Zinsen; ***ex ~*** ohne Zinsen; ***free of ~*** zinslos; ***bear*** (*od.* ***yield***) **~** Zinsen tragen, sich verzinsen; **~ (*rate*)** ✝ Zinsfuß *m*, -satz *m*; **~ *account*** a) Zinsrechnung *f*, b) Zinsenkonto *n*; **~ *certificate*** Zinsenvergütungsschein *m*; **~ *pro and***

contra Soll- u. Habenzinsen *pl.*; **~ coupon** (*od.* ***ticket***, ***warrant***) Zinscoupon *m*, -schein *m*; **11.** *fig.* Zinsen *pl.*: ***return a blow with ~*** e-n Schlag mit Zins u. Zinseszinsen zurückgeben; **II** *v/t.* **12.** interessieren (***in*** für), *j-s* Inter'esse *od.* Teilnahme erwecken (***in s.th.*** an e-r Sache; ***for s.o.*** für j-n): **~ *o.s. in*** sich interessieren für, Anteil nehmen an (*dat.*); **13.** interessieren, anziehen, reizen, fesseln; **14.** angehen, betreffen: ***everyone is ~ed in this*** dies geht jeden an; **15.** *bsd.* ⚚ beteiligen (***in*** an *dat.*); **16.** gewinnen (***in*** für).

in·ter·est·ed ['ɪntrɪstɪd] *adj.* □ **1.** interessiert, Anteil nehmend (***in*** an *dat.*); aufmerksam: ***be ~ in*** sich interessieren für; ***I was ~ to know*** es interessierte mich zu wissen; **2.** *bsd.* ⚚ beteiligt (***in*** an *dat.*, bei): ***the parties ~*** die Beteiligten; **3.** voreingenommen, par'teiisch; **4.** eigennützig: **~ *motives***; **'in·ter·est·ed·ly** [-lɪ] *adv.* mit Inter'esse, aufmerksam; **'in·ter·est·ing** [-tɪŋ] *adj.* □ interes'sant, fesselnd, anziehend: ***in an ~ condition*** *obs.* in anderen Umständen (*schwanger*); **'in·ter·est·ing·ly** [-tɪŋlɪ] *adv.* interes'santerweise.

'in·ter·face *s.* Zwischen-, Grenzfläche *f*; ϟ Schnittstelle *f*.

in·ter·fere [ˌɪntə'fɪə] *v/i.* **1.** sich einmischen, da'zwischentreten, -kommen; dreinreden; sich Freiheiten her'ausnehmen; **2.** eingreifen, -schreiten: ***it is time to ~***; **3.** *a.* ⚙ stören, hindern; **4.** zs.-stoßen (*a. fig.*), aufein'anderprallen; **5.** *phys.* aufein'andertreffen, sich kreuzen *od.* über'lagern; ϟ stören; **6. ~ *with*** a) *j-n* stören, unter'brechen, (be-) hindern, belästigen, b) *et.* stören, beeinträchtigen, sich einmischen in (*acc.*), störend einwirken auf (*acc.*); **7. ~ *in*** eingreifen in (*acc.*), sich befassen mit *od.* kümmern um; **ˌin·ter'fer·ence** [-ɪərəns] *s.* **1.** Einmischung *f* (***in*** in *acc.*), Eingreifen *n* (***with*** in *acc.*); **2.** Störung *f*, Hinderung *f*, Beeinträchtigung *f* (***with*** *gen.*); **3.** Zs.-stoß(en *n*) *m* (*a. fig.*); **4.** *Am. sport* Abschirmen *n*: ***run ~*** a) den balltragenden Stürmer abschirmen, b) (***for s.o.***) *fig.* (j-m) Schützenhilfe leisten; **5.** ϟ, *phys.* a) Interfe'renz *f*, Über'lagerung *f*, b) Störung *f*: ***reception ~*** Empfangsstörung *f*; **~ *suppression*** Entstörung *f*; **in·ter·fe·ren·tial** [ˌɪntəfə'renʃl] *adj. phys.* Interferenz…; **ˌin·ter'fer·ing** [-ɪərɪŋ] *adj.* □ **1.** störend, lästig: ***be always ~*** F sich ständig einmischen; **2.** kollidierend, entgegenstehend: **~ *claim***.

ˌin·ter'gla·cial *adj. geol.* zwischeneiszeitlich, interglazi'al.

in·ter·im ['ɪntərɪm] **I** *s.* **1.** Zwischenzeit *f*: ***in the ~*** in der Zwischenzeit, einstweilen, vorläufig; **2.** Interim *n*, einstweilige Regelung; **3.** ♀ *hist.* Interim *n*; **II** *adj.* **4.** einstweilig, vorläufig, Übergangs…, Interims…, Zwischen…: **~ *report*** Zwischenbericht *m*; → ***injunction*** 1; **~ aid** *s.* Über'brückungshilfe *f*; **~ bal·ance (sheet)** *s.* ⚚ 'Zwischenbiˌlanz *f*, -abschluß *m*; **~ cer·tif·i·cate** *s.* ⚚ Interimsschein *m*; **~ cred·it** *s.* ⚚ 'Zwischenkreˌdit *m*; **~ div·i·dend** *s.* ⚚ 'Interimsdiviˌdende *f*.

in·te·ri·or [ɪn'tɪərɪə] **I** *adj.* **1.** inner, innengelegen; Innen… (*a.* ⚒): **~ *decoration***, **~ *design*** a) Innenausstattung *f*, b) Innenarchitektur *f*; **~ *decorator***, **~ *designer*** a) Innenausstatter(in), b) Innenarchitekt(in); **2.** binnenländisch, Binnen…; **3.** inländisch, Inlands…; **4.** innerlich, geistig: **~ *monologue*** *Literatur*: innerer Monolog; **II** *s.* **5.** *das* Innere (*a.* ⚒), Innenraum *m*; **6.** *das* Innere, Binnenland *n*; **7.** *phot.* Innenaufnahme *f*; **8.** *das* Innere, wahres Wesen; **9.** *pol.* innere Angelegenheiten *pl.*: ***Department of the ♀ Am.*** Innenministerium *n*.

in·ter·ject [ˌɪntə'dʒekt] *v/t.* **1.** *Bemerkung* da'zwischen-, einwerfen; da'zwischenrufen; **2.** einschieben, einschalten; **ˌin·ter'jec·tion** [-kʃn] *s.* **1.** Aus-, Zwischenruf *m*; **2.** *ling.* Interjekti'on *f*; **ˌin·ter'jec·tion·al** [-kʃənl] *adj.* □, **ˌin·ter'jec·to·ry** [-tərɪ] *adj.* da'zwischengeworfen, eingeschoben, Zwischen…

ˌin·ter'lace **I** *v/t.* **1.** inein'ander-, verflechten, verschlingen; **2.** durch'flechten, verweben (*a. fig.*); **3.** (ver)mischen; **4.** *Computer*: verschachteln; **II** *v/i.* **5.** sich verflechten *od.* kreuzen: ***interlacing arches*** ⚠ verschränkte Bogen; **III** *s.* **6.** *TV* Zwischenzeile *f*.

'in·terˌlan·guage *s.* Verkehrssprache *f*.

ˌin·ter'lard *v/t. fig.* spicken, durch'setzen (***with*** mit).

'in·ter·leaf *s.* [*irr.*] leeres Zwischenblatt; **ˌin·ter'leave** *v/t.* **1.** *Bücher* durch'schießen; **2.** *Computer*: verschachteln.

ˌin·ter'line *v/t.* **1.** zwischen die Zeilen schreiben *od.* setzen, einfügen; **2.** *typ.* *Zeilen* durch'schießen; **3.** *Kleidungsstück* mit e-m Zwischenfutter versehen; **ˌin·ter'lin·e·ar** *adj.* **1.** da'zwischengeschrieben, zwischenzeilig, Interlinear…; **2. ~ *space*** *typ.* Durchschuß *m*; **'in·terˌlin·e'a·tion** *s. das* Da'zwischengeschriebene.

ˌin·ter'link **I** *v/t.* verketten (*a.* ϟ); **II** *s.* ['ɪntəlɪŋk] Binde-, Zwischenglied *n*.

ˌin·ter'lock **I** *v/i.* **1.** inein'andergreifen (*a. fig.*): ***~ing directorate*** ⚚ Schachtelaufsichtsrat *m*; **2.** 🚂 verblockt sein: ***~ing signals*** Blocksignale; **II** *v/t.* **3.** zs.-schließen, inein'anderschachteln; **4.** inein'anderhaken, verzahnen; **5.** ⚙, 🚂 verblocken: ***~ing plant*** Stellwerk *n*.

in·ter·lo·cu·tion [ˌɪntələʊ'kjuːʃn] *s.* Gespräch *n*, Unter'redung *f*; **in·ter·loc·u·tor** [ˌɪntəˈlɒkjʊtə] *s.* Gesprächspartner (-in); **in·ter·loc·u·to·ry** [ˌɪntəˈlɒkjʊtərɪ] *adj.* **1.** in Gesprächsform; Gesprächs…; **2.** ⚖ vorläufig, Zwischen…: ~ ***injunction*** einstweilige Verfügung.

in·ter·lop·er [ˈɪntələʊpə] *s.* **1.** Eindringling *m*; **2.** ✝ Schleichhändler *m*.

in·ter·lude [ˈɪntəluːd] *s.* **1.** Zwischenspiel *n* (*a.* ♪ *u. fig.*); **2.** Pause *f*; **3.** Zwischenzeit *f*; **4.** Epi'sode *f*.

ˌin·terˈmar·riage *s.* **1.** Mischehe *f* (*zwischen verschiedenen Konfessionen, Rassen etc.*); **2.** Heirat *f* unterein'ander *od.* zwischen nahen Blutsverwandten; **ˌin·terˈmar·ry** *v/i.* **1.** unterein'ander heiraten (*Stämme etc.*), Mischehen eingehen; **2.** innerhalb der Fa'milie heiraten.

ˌin·terˈmed·dle *v/i.* sich einmischen (***with***, ***in*** in *acc.*).

in·ter·me·di·ar·y [ˌɪntəˈmiːdjərɪ] **I** *adj.* **1.** → ***intermediate*** 1; **2.** vermittelnd; **II** *s.* **3.** Vermittler(in); **4.** ✝ Zwischenhändler *m*; **ˌin·terˈme·di·ate** [-jət] **I** *adj.* □ **1.** da'zwischenliegend, Zwischen…, Mittel…: ~ ***between*** liegend zwischen; ~ ***colo(u)r*** (***credit***, ***product***, ***stage***, ***trade***) Zwischenfarbe *f* (-kredit *m*, -produkt *n*, -stadium *n*, -handel *m*); ~ ***examination*** → 4; **II** *s.* **2.** Zwischenglied *n*, -form *f*, -stück *n*; **3.** ⚗ 'Zwischenproˌdukt *n*; **4.** Zwischenprüfung *f*; **5.** Vermittler(in), Mittelsmann *m*.

in·ter·ment [ɪnˈtɜːmənt] *s.* Beerdigung *f*, Beisetzung *f*.

in·ter·mez·zo [ˌɪntəˈmetsəʊ] *pl.* **-mez·zi** [-tsiː] *od.* **-mez·zos** *s.* Inter'mezzo *n*, Zwischenspiel *n*.

in·ter·mi·na·ble [ɪnˈtɜːmɪnəbl] *adj.* □ **1.** grenzenlos, endlos; **2.** langwierig.

ˌin·terˈmin·gle → ***intermix***.

ˌin·terˈmis·sion *s.* Unter'brechung *f*, Aussetzen *n*; Pause *f*: ***without*** ~ pausenlos, unaufhörlich, ständig.

in·ter·mit [ˌɪntəˈmɪt] **I** *v/t.* unter'brechen, aussetzen mit; **II** *v/i.* aussetzen, nachlassen; **ˌin·terˈmit·tence** [-təns] *s.* Aussetzen *n*, Unter'brechung *f*; **ˌin·terˈmit·tent** [-tənt] *adj.* □ mit Unter'brechungen, stoßweise; (zeitweilig) aussetzend, peri'odisch, intermittierend: ***be*** ~ aussetzen; ~ ***fever*** ⚕ Wechselfieber *n*; ~ ***light*** ⚓ Blinkfeuer *n*.

ˌin·terˈmix **I** *v/t.* vermischen; **II** *v/i.* sich vermischen; **ˌin·terˈmix·ture** *s.* **1.** Mischung *f*; **2.** Beimischung *f*, Zusatz *m*.

in·tern¹ **I** *v/t.* [ɪnˈtɜːn] internieren; **II** *s.* [ˈɪntɜːn] *Am.* Internierte(r *m*) *f*.

in·tern² [ˈɪntɜːn] *Am.* **I** *s.* ⚕ Assi'stenzarzt *m*, *a. ped.* Prakti'kant(in); **II** *v/i.* als Assi'stenzarzt (*in e-r Klinik*) tätig sein.

in·ter·nal [ɪnˈtɜːnl] **I** *adj.* □ **1.** inner, inwendig: ~ ***organs*** *anat.* innere Organe; ~ ***diameter*** Innendurchmesser *m*; **2.** ⚕ innerlich anzuwenden(d), einzunehmen(d): ~ ***remedy***; **3.** inner(lich), geistig; **4.** einheimisch, in-, binnenländisch, Inlands…, Innen…, Binnen…: ~ ***loan*** ✝ Inlandsanleihe *f*; ~ ***trade*** Binnenhandel *m*; **5.** *pol.* inner, Innen…: ~ ***affairs*** innere Angelegenheiten; **6.** *ped.* in'tern, im College *etc.* wohnend; **7.** ✝ *etc.* (be'triebs)inˌtern, innerbetrieblich; **II** *s.* **8.** *pl. anat.* innere Or'gane *pl.*; **9.** innere Na'tur; **~-comˈbus·tion en·gine** *s.* ⚙ Verbrennungs-, Explosi'onsmotor *m*.

in·ter·na·lize [ɪnˈtɜːnəlaɪz] *v/t. psych. et.* verinnerlichen, in sich aufnehmen.

in·ter·nal| med·i·cine *s.* ⚕ innere Medi'zin; ~ **rev·e·nue** *s. Am.* Steueraufkommen *n*: ≈ ***Office*** Finanzamt *n*; ~ **rhyme** *s.* Binnenreim *m*; ~ **spe·cial·ist** *s.* ⚕ Inter'nist *m*, Facharzt *m* für innere Krankheiten; ~ **thread** *s.* ⚙ Innengewinde *n*.

ˌin·terˈna·tion·al **I** *adj.* □ **1.** internatio'nal, zwischenstaatlich: ~ ***candle*** *phys.* Internationale Kerze (*Lichtstärke*); **2.** Welt…, Völker…; **II** *s.* **3.** *sport* a) Internatio'nale(r *m*) *f*, Natio'nalspieler (-in), b) F internatio'naler Vergleichskampf; Länderspiel *n*; **4.** ≈ *pol.* Internatio'nale *f*; **5.** *pl.* ✝ internatio'nal gehandelte 'Wertpaˌpiere *pl.*; **In·ter·na·tio·nale** [ˌɪntənæʃəˈnɑːl] *s.* Internatio'nale *f* (*Kampflied*); **ˌin·terˈna·tion·al·ism** *s.* **1.** Internationa'lismus *m*; **2.** internatio'nale Zs.-arbeit; **ˌin·terˈna·tion·al·ist** *s.* **1.** Internationa'list *m*, Anhänger *m* des Internationa'lismus; **2.** ⚖ Völkerrechtler *m*; **3.** → ***international*** 3a; **ˈin·terˌna·tionˈal·i·ty** *s.* internatio'naler Cha'rakter; **ˌin·terˈna·tion·al·ize** *v/t.* **1.** internationalisieren; **2.** internatio'naler Kon'trolle unter'werfen.

in·ter·na·tion·al| law *s.* Völkerrecht *n*; ≈ **Mon·e·tar·y Fund** *s.* Internatio'naler Währungsfonds; ~ **mon·ey or·der** *s.* Auslandspostanweisung *f*; ~ **re·ply cou·pon** *s.* internatio'naler Antwortschein.

in·terne [ˈɪntɜːn] → ***intern²*** I.

in·ter·ne·cine [ˌɪntəˈniːsaɪn] *adj.* **1.** gegenseitige Tötung bewirkend: ~ ***duel***; ~ ***war*** gegenseitiger Vernichtungskrieg; **2.** mörderisch, vernichtend.

in·tern·ee [ˌɪntɜːˈniː] *s.* Internierte(r *m*) *f*; **in·tern·ment** [ɪnˈtɜːnmənt] *s.* Internierung *f*: ~ ***camp*** Internierungslager *n*.

ˈin·terˌo·ceˈan·ic [-ərˌəʊ-] *adj.* interoze'anisch, zwischen (zwei) Weltmeeren liegend, (zwei) Weltmeere verbindend.

in·ter·pel·late [ɪnˈtɜːpeleɪt] *v/t. pol.* e-e Anfrage richten an (*acc.*); **in·ter·pel·la·tion** [ɪnˌtɜːpeˈleɪʃn] *s. pol.* Interpellati'on *f*.

ˌin·terˈpen·e·trate **I** *v/t.* völlig durch-

'dringen; **II** *v/i.* sich gegenseitig durch'dringen.
in·ter·phone ['ɪntəfəʊn] → ***intercom***.
ˌ**in·ter'plan·e·tar·y** *adj.* interplane'tarisch.
ˌ**in·ter'play** *s.* Wechselwirkung *f*, -spiel *n*.
In·ter·pol ['ɪntəpɒl] *s.* Interpol *f* (*Internationale kriminalpolizeiliche Organisation*).
in·ter·po·late [ɪn'tɜ:pəʊleɪt] *v/t.* **1.** interpolieren; *et.* einschalten, -fügen; **2.** (durch Einschiebungen) ändern, *bsd.* verfälschen; **3.** ⩚ interpolieren; **in·ter·po·la·tion** [ɪnˌtɜ:pəʊ'leɪʃn] *s.* Interpolati'on *f* (*a.* ⩚), Einschaltung *f*, Einschiebung *f* (*in e-n Text*).
ˌ**in·ter'pose I** *v/t.* **1.** da'zwischenstellen, -legen, -bringen; ⚙ zwischenschalten; **2.** *et.* in den Weg legen; **3.** *Bemerkung* einwerfen, einflechten; *Einwand etc.* vorbringen, *Veto* einlegen; **II** *v/i.* **4.** da'zwischenkommen, -treten; **5.** vermitteln, intervenieren; **6.** (sich) unter'brechen (*im Reden*); **in·ter·po·si·tion** [ɪnˌtɜ:pə'zɪʃn] *s.* **1.** Eingreifen *n*; **2.** Vermittlung *f*, Einfügung *f*, Einschaltung *f* (*a.* ⚙).
in·ter·pret [ɪn'tɜ:prɪt] **I** *v/t.* **1.** interpretieren, auslegen, deuten; ansehen (***as*** als); *bsd.* ⚔ auswerten; **2.** dolmetschen; **3.** ♪, *thea. etc.* interpretieren, 'wiedergeben, darstellen; **II** *v/i.* **4.** dolmetschen, als Dolmetscher fungieren; **in·ter·pre·ta·tion** [ɪnˌtɜ:prɪ'teɪʃn] *s.* **1.** Erklärung *f*, Auslegung *f*, Deutung *f*; Auswertung *f*; **2.** (mündliche) 'Wiedergabe, Über'setzung *f*; **3.** ♪, *thea. etc.* Darstellung *f*, 'Wiedergabe *f*; Auffassung *f*, Interpretati'on *f e-r Rolle etc.*; **in'ter·pret·er** [-tə] *s.* **1.** Erklärer(in), Ausleger(in), Inter'pret(in); **2.** Dolmetscher(in); **3.** *Computer*: Interpre'tierproˌgramm *n*; **in'ter·pret·er·ship** [-təʃɪp] *s.* Dolmetscherstellung *f*.
ˌ**in·ter'ra·cial** *adj.* **1.** verschiedenen Rassen gemeinsam, inter'rassisch; **2.** zwischenrassisch: **~ *tension*(*s*)** Rassenspannungen.
in·ter·reg·num [ˌɪntə'regnəm] *pl.* **-na** [-nə], **-nums** *s.* **1.** Inter'regnum *n*: a) herrscherlose Zeit, b) Zwischenregierung *f*; **2.** Pause *f*, Unter'brechung *f*.
ˌ**in·ter·re'late I** *v/t.* zuein'ander in Beziehung bringen; **II** *v/i.* zuein'ander in Beziehung stehen, zs.-hängen; ˌ**in·ter·re'lat·ed** *adj.* in Wechselbeziehung stehend, (unterein'ander) zs.-hängend; ˌ**in·ter·re'la·tion** *s.* Wechselbeziehung *f*.
in·ter·ro·gate [ɪn'terəʊgeɪt] *v/t.* **1.** (be-) fragen; **2.** ausfragen, vernehmen, verhören; **in·ter·ro·ga·tion** [ɪnˌterəʊ'geɪʃn] *s.* **1.** Frage *f* (*a. ling.*), Befragung *f*: **~ *mark***, ***point of* ~** *ling.* Fragezeichen *n*; **2.** Vernehmung *f*, Verhör *n*: **~ *officer*** Vernehmungsoffizier *m*, -beamter *m*; **in·ter·rog·a·tive** [ˌɪntə'rɒgətɪv] **I** *adj.* ☐ fragend, Frage…: **~ *pronoun*** → II; **II** *s. ling.* Fragefürwort *n*; **in'ter·ro·ga·tor** [-tə] *s.* **1.** Fragesteller (-in); **2.** Vernehmungsbeamte(r) *m*; **3.** *pol.* Interpel'lant *m*; **in·ter·rog·a·to·ry** [ˌɪntə'rɒgətərɪ] **I** *adj.* **1.** fragend, Frage…; **II** *s.* **2.** Frage(stellung) *f*; **3.** ⚖ Beweisfrage *f* (*vor der Verhandlung*).
in·ter·rupt [ˌɪntə'rʌpt] *v/t.* **1.** *allg.*, *a.* ⚡ unter'brechen, *a. j-m* ins Wort fallen; **2.** aufhalten, stören, hindern; ˌ**in·ter'rupt·ed** [-tɪd] *adj.* ☐ unter'brochen (*a.* ⚡, ⚙, ⚘); ˌ**in·ter'rupt·ed·ly** [-tɪdlɪ] *adv.* mit Unter'brechungen; ˌ**in·ter'rupt·er** [-tə] *s.* **1.** Unter'brecher *m* (*a.* ⚡, ⚙); **2.** Zwischenrufer(in); Störer(in); ˌ**in·ter'rup·tion** [-pʃn] *s.* **1.** Unter'brechung *f* (*a.* ⚡), Stockung *f*: ***without* ~** ununterbrochen; **2.** (⚙ Betriebs)Störung *f*.
in·ter·sect [ˌɪntə'sekt] **I** *v/t.* (durch-) 'schneiden; **II** *v/i.* sich schneiden *od.* kreuzen (*a.* ⩚); ˌ**in·ter'sec·tion** [-kʃn] *s.* **1.** Durch'schneiden *n*; **2.** Schnitt-, Kreuzungspunkt *m*; **3.** ⩚ a) Schnitt *m*, b) *a.* ***point of* ~** Schnittpunkt *m*, c) *a.* ***line of* ~** Schnittlinie *f*; **4.** *Am.* (Straßen- *etc.*)Kreuzung *f*; **5.** ⩓ Vierung *f*.
'**in·ter·sex** *s. biol.* Inter'sex *n* (*geschlechtliche Zwischenform*); ˌ**in·ter'sex·u·al** *adj.* zwischengeschlechtlich.
ˌ**in·ter'space I** *s.* Zwischenraum *m*, -zeit *f*; **II** *v/t.* Raum lassen zwischen (*dat.*); trennen.
in·ter·sperse [ˌɪntə'spɜ:s] *v/t.* **1.** einstreuen, hier und da einfügen (***among*** zwischen *acc.*); **2.** durch'setzen (***with*** mit).
'**in·ter·state** *adj. Am.* zwischenstaatlich, zwischen den US.-Bundesstaaten (bestehend *etc.*).
ˌ**in·ter'stel·lar** *adj.* interstel'lar.
in·ter·stice [ɪn'tɜ:stɪs] *s.* **1.** Zwischenraum *m*; **2.** Lücke *f*, Spalte *f*; **in·ter·sti·tial** [ˌɪntə'stɪʃl] *adj.* in Zwischenräumen (gelegen), zwischenräumlich, Zwischen…
ˌ**in·ter'trib·al** *adj.* zwischen verschiedenen Stämmen (vorkommend).
ˌ**in·ter'twine** *v/t. u. v/i.* (sich) verflechten *od.* verschlingen.
ˌ**in·ter'ur·ban** [-ər'ɜ:-] *adj.* Überland…: **~ *bus***.
in·ter·val ['ɪntəvl] *s.* **1.** Zwischenraum *m*, -zeit *f*, Abstand *m*: ***at* ~*s*** dann und wann, periodisch; → ***lucid*** 1; **2.** Pause *f* (*a. thea. etc.*): **~ *signal*** *Radio*: Pausenzeichen *n*; **3.** ♪ Inter'vall *n*, Tonabstand *m*; **~ train·ing** *s. sport* Inter'valltraining *n*.
in·ter·vene [ˌɪntə'vi:n] *v/i.* **1.** (*zeitlich*) da'zwischenliegen, liegen zwischen (*dat.*); **2.** sich (in'zwischen) ereignen,

(plötzlich) eintreten; **3.** (*unerwartet*) da'zwischenkommen: ***if nothing ~s***; **4.** sich einmischen (***in*** in *acc.*), einschreiten; **5.** (*helfend*) eingreifen, vermitteln; sich verwenden (***with s.o.*** bei j-m); **6.** *bsd.* ✝, ⚖ intervenieren; **ˌin·terˈven·tion** [-ˈvenʃn] *s.* **1.** Da'zwischenliegen *n*, -kommen *n*; **2.** Vermittlung *f*; **3.** Eingreifen *n*, -schreiten *n*, -mischung *f*; **4.** ✝, *pol.* (⚖ 'Neben)Interventiˌon *f*; **5.** Einspruch *m*; **ˌin·terˈven·tion·ist** [-ˈvenʃnɪst] *s. pol.* Befürworter *m* e-r Interventi'on, Interventio'nist *m*.

in·ter·view [ˈɪntəvjuː] **I** *s.* **1.** Inter'view *n*; **2.** Unter'redung *f*, (✝ *a.* Vorstellungs)Gespräch *n*: ***hours for ~s*** Sprechzeiten, -stunden *pl.*; **II** *v/t.* **3.** inter'viewen, ein Inter'view *od.* e-e Unter'redung haben mit, ein Gespräch führen mit; **in·ter·view·ee** [ˌɪntəvjuːˈiː] *s.* Inter'viewte(r *m*) *f*; *a.* Kandi'dat(in) (*für e-e Stelle*); **ˈin·ter·view·er** [-juːə] *s.* Inter'viewer(in); Leiter(in) e-s Vorstellungsgesprächs.

ˈin·ter·war *adj.*: ***the ~ period*** die Zeit zwischen den (Welt)Kriegen.

ˌin·terˈweave *v/t.* [*irr.* → ***weave***] **1.** verweben, verflechten (*a. fig.*); **2.** vermengen; **3.** durch'weben, -'flechten, -'wirken.

ˌin·terˈzon·al *adj.* Interzonen...

in·tes·ta·cy [ɪnˈtestəsɪ] *s.* ⚖ Fehlen *n* e-s Testa'ments; **inˈtes·tate** [-teɪt] **I** *adj.* **1.** ohne Hinter'lassung e-s Testa'ments: ***die ~***; **2.** nicht testamen'tarisch geregelt: ***~ estate***; ***~ succession*** gesetzliche Erbfolge; **II** *s.* **3.** Erb-lasser(in), der (*od.* die) kein Testa'ment hinter'lassen hat.

in·tes·ti·nal [ɪnˈtestɪnl] *adj.* ⚕ Darm...: ***~ flora*** Darmflora *f*; **in·tes·tine** [ɪnˈtestɪn] **I** *s. anat.* Darm *m*; *pl.* Gedärme *pl.*, Eingeweide *pl.*: ***large ~*** Dickdarm; ***small ~*** Dünndarm; **II** *adj.* inner, einheimisch: ***~ war*** Bürgerkrieg *m*.

in·thral(l) [ɪnˈθrɔːl] *Am.* → ***enthral(l)***.

in·throne [ɪnˈθrəʊn] *Am.* → ***enthrone***.

in·ti·ma·cy [ˈɪntɪməsɪ] *s.* **1.** Intimi'tät *f*: a) Vertrautheit *f*, vertrauter 'Umgang, b) (*contp. plumpe*) Vertraulichkeit; **2.** in'time (*sexuelle*) Beziehungen *pl.*

in·ti·mate[1] [ˈɪntɪmət] **I** *adj.* ☐ **1.** vertraut, innig, in'tim: ***on ~ terms*** auf vertrautem Fuß; **2.** eng, nah; **3.** per'sönlich; **4.** in'tim, in geschlechtlichen Beziehungen (stehend) (***with*** mit); **5.** gründlich: ***~ knowledge***; **6.** ⚙, ⚗ innig: ***~ contact***; ***~ mixture***; **II** *s.* **7.** Vertraute(r *m*) *f*, Intimus *m*.

in·ti·mate[2] [ˈɪntɪmeɪt] *v/t.* **1.** andeuten, zu verstehen geben; **2.** nahelegen; **3.** ankündigen, mitteilen; **in·ti·ma·tion** [ˌɪntɪˈmeɪʃn] *s.* **1.** Andeutung *f*, Wink *m*; **2.** Mitteilung *f*.

in·tim·i·date [ɪnˈtɪmɪdeɪt] *v/t.* einschüchtern, abschrecken, bange machen; **in·tim·i·da·tion** [ɪnˌtɪmɪˈdeɪʃn] *s.* Einschüchterung *f*; ⚖ Nötigung *f*.

in·ti·tle [ɪnˈtaɪtl] *Am.* → ***entitle***.

in·to [ˈɪntʊ; ˈɪntə] *prp.* **1.** in (*acc.*), in (*acc.*) ... hin'ein: ***go ~ the house***; ***get ~ debt*** in Schulden geraten; ***flog ~ obedience*** durch Prügel zum Gehorsam bringen; ***translate ~ English*** ins Englische übersetzen; ***far ~ the night*** tief in die Nacht; ***she is ~ her thirties*** sie ist Anfang dreißig; ***Socialist ~ Conservative*** die Verwandlung e-s Sozialisten in einen Konservativen; **2.** *Zustandsänderung*: zu: ***make water ~ ice*** Wasser zu Eis machen; ***turn ~ cash*** zu Geld machen; ***grow ~ a man*** ein Mann werden; **3.** ⩓ in: ***divide ~ 10 parts*** in 10 Teile teilen; ***4 ~ 20 goes five times*** 4 geht in 20 fünfmal; **4.** ***be ~ s.th.*** F a) auf (*acc.*) et. ‚stehen', b) et. ‚am Wikkel' haben: ***he is ~ modern art now*** F er ‚hat es' jetzt (*beschäftigt sich*) mit moderner Kunst.

in·tol·er·a·ble [ɪnˈtɒlərəbl] *adj.* ☐ unerträglich; **inˈtol·er·a·ble·ness** [-nɪs] *s.* Unerträglichkeit *f*; **inˈtol·er·ance** [-ləræns] *s.* **1.** 'Intoleˌranz *f*, Unduldsamkeit *f* (***of*** gegen); **2.** ⚕ 'Überempfindlichkeit *f* (***of*** gegen); **inˈtol·er·ant** [-lərænt] *adj.* ☐ **1.** unduldsam, 'intoleˌrant (***of*** gegen); **2.** ***be ~ of*** nicht (v)ertragen können.

in·tomb [ɪnˈtuːm] *Am.* → ***entomb***.

in·to·nate [ˈɪntəʊneɪt] *v/t.* → ***intone***; **in·to·na·tion** [ˌɪntəʊˈneɪʃn] *s.* **1.** *ling.* Intonati'on *f*, Tonfall *m*; **2.** ♪ Intonati'on *f*: a) Anstimmen *n*, b) Psalmodieren *n*, c) Tonansatz *m*; **in·tone** [ɪnˈtəʊn] *v/t.* **1.** ♪ anstimmen, intonieren; **2.** ♪ psalmodieren; **3.** (mit *e-m bestimmten* Tonfall) (aus)sprechen.

in to·to [ˌɪnˈtəʊtəʊ] (*Lat.*) *adv.* **1.** im ganzen, insgesamt; **2.** vollständig.

in·tox·i·cant [ɪnˈtɒksɪkənt] **I** *adj.* berauschend; **II** *s.* berauschendes Getränk, Rauschmittel *n*; **inˈtox·i·cate** [-keɪt] *v/t.* (*a. fig.*) berauschen, (be)trunken machen: ***~d with*** berauscht *od.* trunken von *Wein, Liebe etc.*; **in·tox·i·ca·tion** [ɪnˌtɒksɪˈkeɪʃn] *s. a. fig.* Rausch *m*, Trunkenheit *f*.

intra- [ɪntrə] *in Zssgn* innerhalb.

ˌin·traˈcar·di·ac *adj.* ⚕ im Herz'innern, intrakardi'al.

in·trac·ta·bil·i·ty [ɪnˌtræktəˈbɪlətɪ] *s.* Unlenksamkeit *f*, 'Widerspenstigkeit *f*; **in·trac·ta·ble** [ɪnˈtræktəbl] *adj.* ☐ **1.** unlenksam, störrisch, halsstarrig; **2.** schwer zu bearbeiten(d) *od.* zu handhaben(d), ‚'widerspenstig'.

in·tra·dos [ɪnˈtreɪdɒs] *s.* ⚠ Laibung *f*.

in·tra·mu·ral [ˌɪntrəˈmjʊərəl] *adj.* **1.** innerhalb der Mauern (*e-r Stadt, e-s Hauses etc.*) befindlich; **2.** innerhalb der

Universi'tät.

ˌ**in·tra'mus·cu·lar** *adj.* ⚕ intramusku'lär.

in·tran·si·gence [ɪn'trænsɪdʒəns] *s.* Unnachgiebigkeit *f*, Intransi'genz *f*; **in'tran·si·gent** [-nt] *adj. bsd. pol.* unnachgiebig, starr, intransi'gent.

in·tran·si·tive [ɪn'trænsɪtɪv] **I** *adj.* □ *ling.* intransitiv (*a.* ✈); **II** *s. ling.* Intransitiv *n.*

in·trant ['ɪntrənt] *s.* Neueintretende(r *m*) *f*, (*ein Amt*) Antretende(r *m*) *f*.

ˌ**in·tra'state** *adj.* innerstaatlich, *Am.* innerhalb e-s Bundesstaates.

ˌ**in·tra've·nous** *adj.* ⚕ intrave'nös.

in·trench [ɪn'trentʃ] → ***entrench***.

in·trep·id [ɪn'trepɪd] *adj.* □ unerschrokken; **in·tre·pid·i·ty** [ˌɪntrɪ'pɪdətɪ] *s.* Unerschrockenheit *f*.

in·tri·ca·cy ['ɪntrɪkəsɪ] *s.* **1.** Kompliziertheit *f*, Kniffligkeit *f*; **2.** Komplikati'on *f*, Schwierigkeit *f*; '**in·tri·cate** [-kət] *adj.* □ verwickelt, kompliziert, knifflig, schwierig.

in·trigue [ɪn'tri:g] **I** *v/i.* **1.** intrigieren, Ränke schmieden; **2.** ein Verhältnis haben (***with*** mit); **II** *v/t.* **3.** fesseln, faszinieren; **4.** neugierig machen; **5.** verblüffen; **III** *s.* **6.** In'trige *f*: a) Ränkespiel *n*, *pl.* Ränke *pl.*, Machenschaften *pl.*, b) Verwicklung *f* (*im Drama etc.*); **in'tri·guer** [-gə] *s.* Intri'gant(in); **in'tri·guing** [-gɪŋ] *adj.* □ **1.** fesselnd, faszinierend; **2.** verblüffend; **3.** intrigierend, ränkevoll.

in·trin·sic [ɪn'trɪnsɪk] *adj.* (□ ***~ally***) inner, wahr, eigentlich, wirklich, wesentlich, imma'nent: ***~ value*** innerer Wert; **in'trin·si·cal·ly** [-kəlɪ] *adv.* wirklich, eigentlich; an sich: ***~ safe*** ⚡ eigensicher.

in·tro·duce [ˌɪntrə'dju:s] *v/t.* **1.** einführen: ***~ a new method***; **2.** einleiten, eröffnen, anfangen; **3.** (***into*** in *acc.*) *et.* (her'ein)bringen; *Instrument etc.* einführen, -setzen; *Seuche* einschleppen; *parl. Gesetzesvorlage* einbringen; **4.** *Thema*, *Frage* anschneiden, aufwerfen; **5.** *j-n* (hin'ein)führen, (-)geleiten (***into*** in *acc.*); **6.** (***to***) *j-n* einführen (in *acc.*), bekannt machen (mit *et.*); **7.** (***to***) *j-n* bekannt machen (mit *j-m*), vorstellen (*dat.*); ˌ**in·tro'duc·tion** [-'dʌkʃn] *s.* **1.** Einführung *f*; **2.** Einleitung *f*, Anbahnung *f*; **3.** Einleitung *f*, Vorrede *f*, -wort *n*; **4.** Leitfaden *m*, Anleitung *f*; **5.** Einführung *f* (*Instrument*); Einschleppung *f* (*Seuche*); *pol.* Einbringung *f* (*Gesetz*); **6.** Vorstellung *f*: ***letter of ~*** Empfehlungsbrief *m*; ˌ**in·tro'duc·to·ry** [-'dʌktərɪ] *adj.* einleitend, Einleitungs…, Vor…

in·tro·mis·sion [ˌɪntrəʊ'mɪʃn] *s.* **1.** Einführung *f*; **2.** Zulassung *f*.

in·tro·spect [ˌɪntrəʊ'spekt] *v/t.* sich (innerlich) prüfen; ˌ**in·tro'spec·tion** [-kʃn] *s.* Selbstbeobachtung *f*, Innenschau *f*, Introspekti'on *f*; ˌ**in·tro'spec·tive** [-tɪv] *adj.* □ introspek'tiv, selbstprüfend, nach innen gewandt.

in·tro·ver·sion [ˌɪntrəʊ'vɜ:ʃn] *s.* **1.** Einwärtskehren *n*; **2.** *psych.* Introversi'on *f*, Introvertiertheit *f*; **in·tro·vert I** *s.* ['ɪntrəʊvɜ:t] *psych.* introvertierter Mensch; **II** *v/t.* [ˌɪntrəʊ'vɜ:t] nach innen richten, einwärtskehren; *psych.* introvertieren.

in·trude [ɪn'tru:d] **I** *v/t.* **1.** *fig.* (unnötigerweise) hi'neinbringen: ***~ one's own ideas into the argument***; **2.** ***~ s.th. upon s.o.*** j-m et. aufdrängen; ***~ o.s. upon s.o.*** sich j-m aufdrängen; **II** *v/i.* **3.** sich eindrängen *od.* einmischen (***into*** in *acc.*), sich aufdrängen (***upon*** *dat.*); **4.** (***upon***) *j-n* stören, belästigen: ***am I intruding?*** störe ich?; **in'trud·er** [-də] *s.* **1.** Eindringling *m*; **2.** Zudringliche(r *m*) *f*, Störenfried *m*; **3.** ✈ Störflugzeug *n*; **in'tru·sion** [-u:ʒn] *s.* **1.** Eindrängen *n*, Eindringen *n*; **2.** Einmischung *f*; **3.** Zu-, Aufdringlichkeit *f*; **4.** Belästigung *f* (***upon*** *gen.*); **5.** ⚖ Besitzstörung *f*; **in'tru·sive** [-u:sɪv] *adj.* □ **1.** auf-, zudringlich, lästig; **2.** *geol.* eingedrungen; **3.** *ling.* 'unetymoˌlogisch (eingedrungen); **in'tru·sive·ness** [-u:sɪvnɪs] → ***intrusion*** 3.

in·tu·it [ɪn'tju:ɪt] *v/t. u. v/i.* intui'tiv erfassen *od.* wissen; **in·tu·i·tion** [ˌɪntju:'ɪʃn] *s.* Intuiti'on *f*: a) unmittelbare Erkenntnis, b) Eingebung *f*, Ahnung *f*; **in·tu·i·tive** [ɪn'tju:ɪtɪv] *adj.* □ intui'tiv.

in·tu·mes·cence [ˌɪntju:'mesns] *s.* **1.** Anschwellen *n*; **2.** ⚕ Anschwellung *f*, Geschwulst *f*; ˌ**in·tu'mes·cent** [-nt] *adj.* (an)schwellend.

in·twine [ɪn'twaɪn] *Am.* → ***entwine***.

in·un·date ['ɪnʌndeɪt] *v/t.* über'schwemmen (*a. fig.*); **in·un·da·tion** [ˌɪnʌn'deɪʃn] *s.* Über'schwemmung *f*, Flut *f* (*a. fig.*).

in·ure [ɪ'njʊə] **I** *v/t. mst pass.* (***to***) abhärten (gegen), gewöhnen (an *acc.*); **II** *v/i. bsd.* ⚖ wirksam *od.* gültig *od.* angewendet werden.

in·vade [ɪn'veɪd] *v/t.* **1.** einfallen *od.* eindringen *od.* einbrechen in (*acc.*); **2.** über'fallen, angreifen; **3.** *fig.* über'laufen, -'schwemmen, sich ausbreiten über (*acc.*); **4.** eindringen in (*acc.*), 'übergreifen auf (*acc.*); **5.** *fig.* erfüllen, ergreifen, befallen: ***fear ~d all***; **6.** *fig.* verstoßen gegen, verletzen, antasten, eingreifen in (*acc.*); **in'vad·er** [-də] *s.* Eindringling *m*, Angreifer(in); *pl.* ⚔ Inva'soren *pl.*

in·va·lid[1] ['ɪnvəlɪd] **I** *adj.* **1.** a) krank, leidend, b) inva'lide, c) ⚔ dienstunfähig; **2.** Kranken…: ***~ chair*** Rollstuhl *m*; ~ ***diet*** Krankenkost *f*; **II** *s.* **3.** Kranke(r *m*) *f*; **4.** Inva'lide *m*; **III** *v/t.* [ˌɪnvə'liːd] **5.** zum Inva'liden machen; **6.** *a.* ~ ***out*** ⚔ dienstuntauglich erklären *od.* als dienstuntauglich entlassen: ***be ~ed out*** als Invalide (aus dem Heer) entlassen werden.

in·val·id² [ɪn'vælɪd] *adj.* ☐ **1.** (rechts)ungültig, null u. nichtig; **2.** nichtig, nicht stichhaltig (*Argumente*); **in'val·i·date** [-deɪt] *v/t.* **1.** außer Kraft setzen: a) (für) ungültig erklären, 'umstoßen, b) ungültig *od.* unwirksam machen; **2.** *Argument etc.* entkräften; **in·val·i·da·tion** [ɪnˌvælɪ'deɪʃn] *s.* **1.** Ungültigkeitserklärung *f*; **2.** Entkräftung *f*.

in·va·lid·ism ['ɪnvəlɪdɪzəm] *s.* ⚕ Invalidi'tät *f*.

in·va·lid·i·ty [ˌɪnvə'lɪdətɪ] *s.* **1.** *bsd.* ⚖ Ungültigkeit *f*, Nichtigkeit *f*; **2.** ⚕ *Am.* Invalidi'tät *f*.

in·val·u·a·ble [ɪn'væljʊəbl] *adj.* ☐ unschätzbar, unbezahlbar, von unschätzbarem Wert.

in·var·i·a·bil·i·ty [ɪnˌveərɪə'bɪlətɪ] *s.* Unveränderlichkeit *f*; **in·var·i·a·ble** [ɪn'veərɪəbl] **I** *adj.* ☐ unveränderlich, gleichbleibend; kon'stant (*a.* ⩚); **II** *s.* ⩚ Kon'stante *f*; **in·var·i·a·bly** [ɪn'veərɪəblɪ] *adv.* stets, ausnahmslos.

in·va·sion [ɪn'veɪʒn] *s.* **1.** (***of***) Invasi'on *f* (*gen.*): a) ⚔ *u. fig.* Einfall *m* (in *acc.*), 'Überfall *m* (auf *acc.*), b) Eindringen *n*, Einbruch *m* (in *acc.*); **2.** Andrang *m* (***of*** zu); **3.** *fig.* (***of***) Eingriff *m* (in *acc.*), Verletzung *f* (*gen.*); **4.** ⚕ Anfall *m*; **in'va·sive** [-eɪsɪv] *adj.* **1.** ⚔ Invasions..., angreifend; **2.** (gewaltsam) eingreifend (***of*** in *acc.*); **3.** zudringlich.

in·vec·tive [ɪn'vektɪv] *s.* Schmähung(en *pl.*) *f*, Beschimpfung *f*; *pl.* Schimpfworte *pl.*

in·veigh [ɪn'veɪ] *v/i.* (***against***) schimpfen (über, auf *acc.*), herziehen (über *acc.*).

in·vei·gle [ɪn'veɪgl] *v/t.* (***into***) **1.** verleiten, verführen (zu): ~ ***s.o. into doing s.th.*** j-n dazu verleiten, *et.* zu tun; **2.** locken (in *acc.*); **in'vei·gle·ment** [-mənt] *s.* Verleitung *f etc.*

in·vent [ɪn'vent] *v/t.* **1.** erfinden, ersinnen; **2.** *fig.* erfinden, erdichten; **in'ven·tion** [-nʃn] *s.* **1.** Erfindung *f* (*a. fig.*); **2.** (Gegenstand *m etc.* der) Erfindung *f*; **3.** Erfindungsgabe *f*; **4.** *contp.* Märchen *n*; **in'ven·tive** [-tɪv] *adj.* ☐ **1.** erfinderisch (***of*** in *dat.*); Erfindungs...; **2.** schöpferisch, einfallsreich, origi'nell; **in'ven·tive·ness** [-tɪvnɪs] → ***invention*** 3; **in'ven·tor** [-tə] *s.* Erfinder(in).

in·ven·to·ry ['ɪnvəntrɪ] *a.* ✝ **I** *s.* **1.** a) Inven'tar *n*, Bestandsverzeichnis, (-)Liste *f*, b) *Am.* Bestandsaufnahme *f*, Inven'tur *f*; **2.** Inven'tar *n*, Lagerbestand *m*, Vorräte *pl.*: ***take*** ~ Inventur machen; **II** *v/t.* **3.** inventarisieren: a) e-e Bestandsaufnahme machen von, b) im Inven'tar verzeichnen.

in·verse [ɪn'vɜːs] **I** *adj.* ☐ 'umgekehrt, entgegengesetzt; ⩚ in'vers, rezi'prok: ***~ly proportional*** umgekehrt proportional; **II** *s.* 'Umkehrung *f*, Gegenteil *n*; **in'ver·sion** [ɪn'vɜːʃn] *s.* **1.** 'Umkehrung *f* (*a.* ♪); **2.** ⚗, ⩚, *ling.*, *meteor.* Inversi'on *f*, *psych. a.* Homosexuali'tät *f*.

in·vert I *v/t.* [ɪn'vɜːt] **1.** 'umkehren (*a.* ♪), 'umdrehen, 'umwenden (*a.* ⚡); **2.** *ling.* 'umstellen; **3.** ⚗ invertieren; **II** *s.* ['ɪnvɜːt] **4.** ⚠ 'umgekehrter Bogen; **5.** ⚙ Sohle *f* (*Schleuse etc.*); **6.** *psych.* Invertierte(r *m*) *f*: a) Homosexu'elle(r) *m*, b) Lesbierin *f*, c) Transsexu'elle(r *m*) *f*.

in·ver·te·brate [ɪn'vɜːtɪbrət] **I** *adj.* **1.** *zo.* wirbellos; **2.** *fig.* rückgratlos; **II** *s.* **3.** *zo.* wirbelloses Tier: ***the ~s*** die Wirbellosen.

in·vert·ed [ɪn'vɜːtɪd] *adj.* **1.** 'umgekehrt; 'umgestellt; **2.** *psych.* invertiert, homosexu'ell; **3.** ⚙ hängend: ~ ***cylinders***; ~ ***engine*** Hängemotor *m*; ~ **com·mas** *s. pl.* Anführungszeichen *pl.*, ‚Gänsefüßchen' *pl.*; ~ **flight** *s.* ✈ Rückenflug *m*; ~ **im·age** *s. phys.* Kehrbild *n*.

in·vest [ɪn'vest] **I** *v/t.* **1.** ✝ investieren, anlegen (***in*** in *dat.*); **2.** (***with***, ***in*** mit) bekleiden (*a. fig.*); bedecken, um'hüllen; **3.** (***with***) kleiden (in *acc.*), ausstatten (mit *Befugnissen etc.*); um'geben (mit); **4.** (in Amt u. Würden) einsetzen; **5.** ⚔ einschließen, belagern; **II** *v/i.* **6.** investieren (***in*** in *dat.*); **7.** ~ ***in*** F ‚sein Geld investieren' in (*dat.*).

in·ves·ti·gate [ɪn'vestɪgeɪt] **I** *v/t.* unter'suchen, erforschen; ermitteln; **II** *v/i.* (***into***) nachforschen (nach), Ermittlungen anstellen (über *acc.*); **in·ves·ti·ga·tion** [ɪnˌvestɪ'geɪʃn] *s.* **1.** Unter'suchung *f*, Nachforschung *f*; *pl.* Ermittlung(en *pl.*) *f*, Re'cherchen *pl.*; **2.** *wissenschaftliche* (Er)Forschung; **in'ves·ti·ga·tive** [-tɪv] *adj.* recherchierend, Untersuchungs...: ~ ***journalism*** Enthüllungsjournalismus *m*; ~ ***reporter*** recherchierender Reporter; **in'ves·ti·ga·tor** [-tə] *s.* **1.** Unter'suchende(r) *m*, (Er-, Nach-) Forscher(in); **2.** Unter'suchungsbeamte(r) *m*; **3.** Prüfer(in).

in·ves·ti·ture [ɪn'vestɪtʃə] *s.* **1.** Investi'tur *f*, (feierliche) Amtseinsetzung *f*; **2.** Belehnung *f*; **3.** *fig.* Ausstattung *f*.

in·vest·ment [ɪn'ves*t*mənt] *s.* **1.** ✝ a) Investierung *f*, b) Investiti'on(en *pl.*) *f*, (Kapi'tal-, Geld)Anlage *f*, Anlagewerte *pl.*: ***that's a good ~*** das ist e-e gute Geldanlage, *fig.* das lohnt sich *od.* macht sich bezahlt; **2.** ✝ Einlage *f*, Beteiligung *f* (*e-s Gesellschafters*); **3.** Ausstattung *f* (***with*** mit); **4.** *biol.* (Außen-, Schutz)Haut *f*; **5.** ⚔ *obs.* Belagerung *f*;

6. → ***investiture*** 1; **~ ad·vis·er** *s.* Anlageberater *m*; **~ bank** *s.* Investiti'ons-, In'vestmentbank *f*; **~ bank·ing** *s.* Ef'fektenbankgeschäft *n*; **~ bonds** *s. pl.* festverzinsliche 'Anlagepa,piere *pl.*; **~ com·pan·y** *s.* Kapi'talanlage-, In'vestmentgesellschaft *f*; **~ cred·it** *s.* Investiti'onskre,dit *m*; **~ fund** *s.* **1.** Anlagefonds *m*; **2.** *pl.* Investiti'onsmittel *pl.*; **~ goods** *s. pl.* Investiti'onsgüter *pl.*; **~ grant** *s.* Investitionsbeihilfe *f*; **~ shares** *s. pl.*, **~ stocks** *s. pl.* 'Anlagepa,piere *pl.*, -werte *pl.*; **~ trust** → ***investment company***: ***~ certificate*** Anteilschein *m*, Investmentzertifikat *n*.

in·ves·tor [ɪn'vestə] *s.* ✝ In'vestor *m*, Geld-, Kapi'talanleger *m*.

in·vet·er·a·cy [ɪn'vetərəsɪ] *s.* Unausrottbarkeit *f*, *a.* ⚕ Hartnäckigkeit *f*; **in'vet·er·ate** [-rɪt] *adj.* □ **1.** eingewurzelt; **2.** ⚕ hartnäckig; **3.** eingefleischt, unverbesserlich.

in·vid·i·ous [ɪn'vɪdɪəs] *adj.* □ **1.** verhaßt, ärgerlich; **2.** gehässig, boshaft, gemein; **in'vid·i·ous·ness** [-nɪs] *s.* **1.** *das* Ärgerliche; **2.** Gehässigkeit *f*, Bosheit *f*, Gemeinheit *f*.

in·vig·i·la·tion [ɪn,vɪdʒɪ'leɪʃn] *s. ped. Brit.* Aufsicht *f*.

in·vig·or·ate [ɪn'vɪgəreɪt] *v/t.* stärken, kräftigen, beleben, *bsd. fig.* erfrischen: ***invigorating*** stärkend *etc.*; **in·vig·or·a·tion** [ɪn,vɪgə'reɪʃn] *s.* Kräftigung *f*, Belebung *f*.

in·vin·ci·bil·i·ty [ɪn,vɪnsɪ'bɪlətɪ] *s.* Unbesiegbarkeit *f etc.*; **in·vin·ci·ble** [ɪn'vɪnsəbl] *adj.* □ unbesiegbar, 'unüber,windlich.

in·vi·o·la·bil·i·ty [ɪn,vaɪələ'bɪlətɪ] *s.* Unverletzlichkeit *f*, Unantastbarkeit *f*; **in·vi·o·la·ble** [ɪn'vaɪələbl] *adj.* □ unverletzlich, unantastbar, heilig; **in·vi·o·late** [ɪn'vaɪələt] *adj.* □ **1.** unverletzt, unversehrt, nicht gebrochen (*Gesetz etc.*); **2.** unangetastet.

in·vis·i·bil·i·ty [ɪn,vɪzə'bɪlətɪ] *s.* Unsichtbarkeit *f*; **in·vis·i·ble** [ɪn'vɪzəbl] *adj.* □ unsichtbar (***to*** für): ***~ ink***; ***~ exports***; ***~ mending*** Kunststopfen *n*; ***he was ~*** *fig.* er ließ sich nicht sehen.

in·vi·ta·tion [,ɪnvɪ'teɪʃn] *s.* **1.** Einladung *f* (***to s.o.*** an j-n): ***~ to tea*** Einladung zum Tee; **2.** Aufforderung *f*, Ersuchen *n*; **3.** ***~ to bid*** ✝ Ausschreibung *f*; **in·vite** [ɪn'vaɪt] *v/t.* **1.** einladen: ***~ s.o. in*** j-n hereinbitten; **2.** *j-n* auffordern, bitten (***to do*** zu tun); **3.** *et.* erbitten, ersuchen um, auffordern zu *et.*; ✝ ausschreiben; **4.** *Kritik*, *Gefahr etc.* her'ausfordern, sich aussetzen (*dat.*); **5.** a) einladen zu, ermutigen zu, b) (ver)locken (***to do*** zu tun); **in·vit·ing** [ɪn'vaɪtɪŋ] *adj.* □ einladend, (ver)lockend.

in·vo·ca·tion [,ɪnvəʊ'keɪʃn] *s.* **1.** Anrufung *f*; **2.** *eccl.* Bittgebet *n*.

in·voice ['ɪnvɔɪs] ✝ **I** *s.* Fak'tura *f*, (Waren-, Begleit)Rechnung *f*: ***as per ~*** laut Rechnung; ***~ clerk*** Fakturist(in); **II** *v/t.* fakturieren, in Rechnung stellen.

in·voke [ɪn'vəʊk] *v/t.* **1.** anrufen, anflehen, flehen zu; **2.** flehen um, erflehen; **3.** *fig.* zu Hilfe rufen, sich berufen auf (*acc.*), anführen, zitieren; **4.** *Geist* beschwören.

in·vol·un·tar·i·ness [ɪn'vɒləntərɪnɪs] *s.* **1.** Unfreiwilligkeit *f*; **2.** 'Unwill,kürlichkeit *f*; **in·vol·un·tar·y** [ɪn'vɒləntərɪ] *adj.* □ **1.** unfreiwillig; **2.** 'unwill,kürlich; **3.** unabsichtlich.

in·vo·lute ['ɪnvəlu:t] **I** *adj.* **1.** ⚘ eingerollt; **2.** *zo.* mit engen Windungen; **3.** *fig.* verwickelt; **II** *s.* **4.** ⩚ Evol'vente *f*; **in·vo·lu·tion** [,ɪnvə'lu:ʃn] *s.* **1.** ⚘ Einrollung *f*; **2.** Involuti'on *f*: a) *biol.* Rückbildung *f*, b) ⩚ Potenzierung *f*; **3.** Verwicklung *f*, Verwirrung *f*.

in·volve [ɪn'vɒlv] (→ *a.* ***involved***) *v/t.* **1.** um'fassen, einschließen, involvieren; **2.** nach sich ziehen, zur Folge haben, mit sich bringen, verbunden sein mit, bedeuten: ***~ great expense***; ***this would ~*** (***our***) ***living abroad*** das würde bedeuten, daß wir im Ausland leben müßten; **3.** nötig machen, erfordern: ***~ hard work***; **4.** betreffen: a) angehen: ***the plan ~s all employees***, b) beteiligen (***in***, ***with*** an *dat.*): ***the number of persons ~d***, c) sich handeln *od.* drehen um, gehen um, zum Gegenstand haben: ***the case ~d some grave offences***, d) in Mitleidenschaft ziehen: ***diseases that ~ the nervous system***; ***it wouldn't ~ you*** du hättest nichts damit zu tun; **5.** verwickeln, -stricken, hin'einziehen (***in*** in *acc.*): ***~d in a lawsuit*** in e-n Rechtsstreit verwickelt; ***~d in an accident*** in e-n Unfall verwikkelt, an e-m Unfall beteiligt; ***I am not getting ~d in this!*** ich lasse mich da nicht hineinziehen!; **6.** *j-n* (*seelisch*, *persönlich*) engagieren (***in*** in *dat.*): ***~ o.s. with s.o.*** sich mit j-m einlassen; ***be ~d with s.o.*** a) mit j-m zu tun haben, b) zu j-m e-e (enge) Beziehung haben, *erotisch*: *a.* mit j-m ein Verhältnis haben, es mit j-m ‚haben'; ***she was ~d with several men***; **7.** *j-n* in Schwierigkeiten bringen (***with*** mit); **8.** *et.* komplizieren, verwirren; **in'volved** [-vd] *adj.* (→ *a.* ***involve***) **1.** a) kompliziert, b) verworren: ***an ~ sentence***; **2.** betroffen, beteiligt: ***the persons ~***; **3.** ***be ~*** a) → ***involve*** 4 c, b) mitspielen (***in*** bei *e-r Sache*), c) auf dem Spiel stehen, gehen um: ***the national prestige was ~***; **4.** (***in***) verwickelt, verstrickt (in *acc.*), beteiligt (an *dat.*); **5.** einbegriffen; **6.** (***in***, ***with***) a) stark beschäftigt (mit), versunken (in *acc.*), b) (stark) interessiert (an *dat.*); **7.** (*seelisch*, *innerlich*) engagiert: ***emotionally ~***; ***be deeply ~ with a girl*** e-e enge Beziehung zu e-m Mädchen haben, stark empfinden für ein Mädchen; **in'volve·ment** [-mənt] *s.* **1.** Verwicklung *f*, -strickung *f* (***in*** in *acc.*); **2.** Beteiligung *f* (***in*** an *dat.*); **3.** Betroffensein *n*; **4.** (*seelisches od. persönliches*) Engagement; **5.** (***with***) a) (*innere*) Beziehung (zu), b) (*sexuelles*) Verhältnis (mit), c) Umgang (mit); **6.** Kompliziertheit *f*; **7.** komplizierte Sache, Schwierigkeit *f*.

in·vul·ner·a·bil·i·ty [ɪnˌvʌlnərəˈbɪlətɪ] *s.* **1.** Unverwundbarkeit *f*; **2.** *fig.* Unanfechtbarkeit *f*; **in·vul·ner·a·ble** [ɪnˈvʌlnərəbl] *adj.* □ **1.** unverwundbar, ungefährdet, gefeit (***to*** gegen); **2.** *fig.* unanfechtbar.

in·ward [ˈɪnwəd] **I** *adj.* □ **1.** inner(lich), Innen…; nach innen gehend: ***~ parts*** *anat.* innere Organe; ***the ~ nature*** der Kern, das eigentliche Wesen; **2.** *fig.* seelisch, geistig, inner(lich); **3.** ***~ duty*** ✝ Eingangszoll *m*; ***~ journey*** ⚓ Heimfahrt *f*, -reise *f*; ***~ mail*** eingehende Post; **II** *s.* **4.** *das* Innere (*a. fig.*); **5.** *pl.* [ˈɪnədz] F a) innere Orˈgane *pl.*, Eingeweide *pl.*, b) *Küche*: Inneˈreien *pl.*; **III** *adv.* **6.** nach innen; **7.** im Innern (*a. fig.*); **ˈin·ward·ly** [-lɪ] *adv.* **1.** innerlich, im Innern (*a. fig.*); nach innen; **2.** im stillen, insgeheim, für sich, leise; **ˈin·ward·ness** [-nɪs] *s.* **1.** Innerlichkeit *f*; **2.** innere Naˈtur, wahre Bedeutung; **ˈin·wards** [-dz] → ***inward*** 6, 7.

in·weave [ˌɪnˈwiːv] *v/t.* [*irr.* → ***weave***] **1.** einweben (***into*** in *acc.*); **2.** *fig.* ein-, verflechten.

in·wrought [ˌɪnˈrɔːt] *adj.* **1.** eingewoben, eingearbeitet; **2.** verziert; **3.** *fig.* (eng) verflochten.

i·o·date [ˈaɪəʊdeɪt] *s.* ⚗ Joˈdat *n*; **i·od·ic** [aɪˈɒdɪk] *adj.* ⚗ jodhaltig, Jod…; **ˈi·o·dide** [-daɪd] *s.* ⚗ Joˈdid *n*; **ˈi·o·dine** [-diːn] *s.* Jod *n*: ***tincture of ~*** Jodtinktur *f*; **ˈi·o·dism** [-dɪzəm] *s.* Jodvergiftung *f*; **ˈi·o·dize** [-daɪz] *v/t.* jodieren, mit Jod behandeln.

i·on [ˈaɪən] *s. phys.* Iˈon *n*.

I·o·ni·an [aɪˈəʊnjən] **I** *adj.* iˈonisch; **II** *s.* Iˈonier(in).

I·on·ic[1] [aɪˈɒnɪk] *adj.* iˈonisch: ***~ order*** ionische Säulenordnung.

i·on·ic[2] [aɪˈɒnɪk] *adj. phys.* iˈonisch: ***~ centrifuge*** Ionenschleuder *f*; ***~ migration*** Ionenwanderung *f*.

i·o·ni·um [aɪˈəʊnɪəm] *s.* ⚗ Iˈonium *n*.

i·on·i·za·tion [ˌaɪənaɪˈzeɪʃn] *s. phys.* Ionisierung *f*; **i·on·ize** [ˈaɪənaɪz] *phys.* **I** *v/t.* ionisieren; **II** *v/i.* in Iˈonen zerfallen; **i·on·o·sphere** [aɪˈɒnəˌsfɪə] *s. phys.* Ionoˈsphäre *f*.

i·o·ta [aɪˈəʊtə] *s.* Jota *n* (*griech. Buchstabe*): ***not an ~*** *fig.* kein Jota *od.* bißchen.

IOU [ˌaɪəʊˈjuː] *s.* Schuldschein *m* (= ***I owe you***).

ip·so fac·to [ˌɪpsəʊˈfæktəʊ] (*Lat.*) gerade (*od.* alˈlein) durch diese Tatsache, eo ipso.

I·ra·ni·an [ɪˈreɪnjən] **I** *adj.* **1.** iˈranisch, persisch; **II** *s.* **2.** Iˈranier(in), Perser (-in); **3.** *ling.* Iˈranisch *n*, Persisch *n*.

I·ra·qi [ɪˈrɑːkɪ] **I** *s.* **1.** Iˈraker(in); **2.** *ling.* Iˈrakisch *n*; **II** *adj.* **3.** iˈrakisch.

i·ras·ci·bil·i·ty [ɪˌræsəˈbɪlətɪ] *s.* Jähzorn *m*, Reizbarkeit *f*; **i·ras·ci·ble** [ɪˈræsəbl] *adj.* □ jähzornig, reizbar.

i·rate [aɪˈreɪt] *adj.* zornig, wütend.

ire [ˈaɪə] *s. poet.* Zorn *m*, Wut *f*; **ˈire·ful** [-fʊl] *adj.* □ *poet.* zornig.

ir·i·des·cence [ˌɪrɪˈdesns] *s.* Schillern *n*; **ˌir·iˈdes·cent** [-nt] *adj.* schillernd, irisierend.

i·rid·i·um [aɪˈrɪdɪəm] *s.* ⚗ Iˈridium *n*.

i·ris [ˈaɪərɪs] *s.* **1.** *anat.* Regenbogenhaut *f*, Iris *f*; **2.** ⚘ Schwertlilie *f*.

I·rish [ˈaɪərɪʃ] **I** *adj.* **1.** irisch: ***the ~ Free State*** *obs.* der Irische Freistaat; → ***bull***[3]; **II** *s.* **2.** *ling.* Irisch *n*; **3.** ***the ~*** *pl.* die Iren *pl.*, die Irländer *pl.*; **ˈI·rish·ism** [-ʃɪzəm] *s.* irische (Sprach)Eigentümlichkeit.

ˈI·rish|·man [-mən] *s.* [*irr.*] Ire *m*, Irländer *m*; **~ stew** *s. Küche*: Irish Stew *n*; **~ ter·ri·er** *s.* Irischer Terrier; **ˈ~ˌwom·an** *s.* [*irr.*] Irin *f*, Irländerin *f*.

irk [ɜːk] *v/t.* ärgern, verdrießen; **ˈirk·some** [-səm] *adj.* □ **1.** ärgerlich, verdrießlich; **2.** lästig.

i·ron [ˈaɪən] **I** *s.* **1.** Eisen *n*: ***have (too) many ~s in the fire*** (zu) viele Eisen im Feuer haben; ***rule with a rod of ~*** *od.* ***with an ~ hand*** mit eiserner Faust regieren; ***strike while the ~ is hot*** das Eisen schmieden, solange es heiß ist; ***a man of ~*** ein harter Mann; ***he is made of ~*** er hat e-e eiserne Gesundheit; **2.** Brandeisen *n*, -stempel *m*; **3.** (Bügel-, Plätt)Eisen *n*; **4.** Steigbügel *m*; **5.** *Golf*: Eisen *n* (*Schläger*); **6.** ⚕ ˈEisen(-präpaˌrat) *n*: ***take ~*** Eisen einnehmen; **7.** *pl.* Hand-, Fußschellen *pl.*, Eisen *pl.*: ***put in ~s*** → 14; **8.** *pl.* ⚕ Beinschiene *f* (*Stützapparat*): ***put s.o.'s leg in ~s*** j-m das Bein schienen; **II** *adj.* **9.** eisern, Eisen…: ***~ bar*** Eisenstange *f*; **10.** *fig.* eisern: a) hart, kräftig: ***~ constitution*** eiserne Gesundheit; ***~ frame*** kräftiger Körper(bau), b) ehern, hart, grausam: ***~ fist*** *od.* ***hand*** eiserne Faust (→ 1); ***there was an ~ fist in a velvet glove*** bei all s-r Freundlichkeit war mit ihm doch nicht zu spaßen, c) unbeugsam, unerschütterlich: ***~ discipline*** eiserne Zucht; ***~ will*** eiserner Wille; **III** *v/t.* **11.** bügeln, plätten; **12. *~ out*** a) glätten, einebnen, glattwalzen, b) *fig.* ‚ausbügeln', in Ordnung bringen; **13.** ⚙ mit Eisen beschlagen; **14.** fesseln, in

Eisen legen.

I·ron| Age *s.* Eisenzeit *f*; **~ Chan·cel·lor** *s.*: ***the ~*** der Eiserne Kanzler (*Bismarck*); '**~·clad I** *adj.* **1.** gepanzert (*Schiff*), eisenverkleidet, -bewehrt, mit Eisenmantel; **2.** *fig.* eisern, starr, streng; **3.** *fig.* unangreifbar, abso'lut stichhaltig: ***~ argument***; **II** *s.* **4.** *hist.* Panzerschiff *n*; **~ con·crete** *s.* ⚙ 'Eisenbe,ton *m*; **~ Cross** *s.* ⚔ Eisernes Kreuz (*Auszeichnung*); **~ Cur·tain** *s. pol.* ‚Eiserner Vorhang': ***~ countries*** *die* Länder *pl.* hinter dem Eisernen Vorhang; **~ Duke** *s.*: ***the ~*** der Eiserne Herzog (*Wellington*); **~ found·ry** *s.* Eisengieße'rei *f*; **~ horse** *s.* F *obs.* ‚Dampfroß' *n* (*Lokomotive*).

i·ron·ic, i·ron·i·cal [aɪ'rɒnɪk(l)] *adj.* **1.** i'ronisch, spöttelnd, spöttisch; **2.** *Situation etc.*: seltsam, ‚komisch', paradox; **i'ron·i·cal·ly** [-ɪkəlɪ] *adv.* **1.** i'ronisch(erweise); **2.** komischerweise; **i·ro·nize** ['aɪərənaɪz] **I** *v/t. et.* ironisieren; **II** *v/i.* i'ronisch sein, spötteln.

i·ron·ing board ['aɪənɪŋ] *s.* Bügel-, Plättbrett *n*.

i·ron| lung *s.* ⚕ eiserne Lunge; '**~,mas·ter** *s. Brit.* 'Eisenfabri,kant *m*, *obs.* Eisenhüttenbesitzer *m*; '**~,mon·ger** *s. bsd. Brit.* Eisenwaren-, Me'tallwarenhändler(in); '**~,mon·ger·y** *s. bsd. Brit.* **1.** Eisen-, Me'tallwaren *pl.*; **2.** Eisenwaren-, Me'tallwarenhandlung *f*; **~ ore** *s. metall.* Eisenerz *n*; **~ ox·ide** *s.* ⚗ 'Eiseno,xyd *n*; **~ ra·tion** *s.* ⚔ eiserne Rati'on; '**~·sides** *s.* **1.** *sg.* Mann *m* von großer Tapferkeit; **2.** **~** *pl. hist.* Cromwells Reite'rei *f od.* Heer *n*; **3.** → ***ironclad*** 4; '**~·ware** *s.* Eisen-, Me'tallwaren *pl.*; '**~·work** *s.* ⚙ 'Eisenbeschlag *m*, -konstrukti,on *f*; '**~·works** *s. pl. sg. konstr.* Eisenhütte *f*.

i·ron·y[1] ['aɪənɪ] *adj.* **1.** eisern; **2.** eisenhaltig (*Erde*); **3.** eisenartig.

i·ro·ny[2] ['aɪərənɪ] *s.* **1.** Iro'nie *f*: ***~ of fate*** *fig.* Ironie des Schicksals; ***tragic ~*** tragische Ironie; ***the ~ of it!*** *fig.* welche Ironie (des Schicksals)!; **2.** i'ronische Bemerkung, Spötte'lei *f*.

Ir·o·quois ['ɪrəkwɔɪ] *pl.* **-quois** [-kwɔɪz] *s.* Iro'kese *m*, Iro'kesin *f*.

ir·ra·di·ance [ɪ'reɪdjəns] *s.* **1.** (An-, Aus-, Be)Strahlen *n*; **2.** Strahlenglanz *m*; **ir'ra·di·ant** [-nt] *adj. a. fig.* strahlend (***with*** vor *dat.*); **ir'ra·di·ate** [-dɪeɪt] *v/t.* **1.** bestrahlen (*a.* ⚕), erleuchten; **2.** ausstrahlen; **3.** *fig. Gesicht etc.* aufheitern, verklären; **4.** *fig. etc.* erhellen, Licht werfen auf (*acc.*); **ir·ra·di·a·tion** [ɪ,reɪdɪ'eɪʃn] *s.* **1.** (Aus)Strahlen *n*, Leuchten *n*; **2.** *phys.* a) 'Strahlungsintensi,tät *f*, b) spe'zifische 'Strahlungsener,gie; **3.** Irradiati'on *f*: a) *phot.* Belichtung *f*, b) ⚕ Bestrahlung *f*, Durch'leuchtung *f*; **4.** *fig.* Erhellung *f*.

ir·ra·tion·al [ɪ'ræʃənl] **I** *adj.* ☐ **1.** unvernünftig: a) vernunftlos: ***~ animal***, b) 'irratio,nal (*a.* ⚠, *phls.*), vernunftwidrig, unsinnig; **II** *s.* **2.** ⚠ 'Irratio,nalzahl *f*; **3.** *the* **~** → **ir·ra·tion·al·i·ty** [ɪ,ræʃə'nælətɪ] *s.* Irrationali'tät *f* (*a.* ⚠, *phls.*), *das* 'Irratio,nale, Unvernunft *f*, Unsinnigkeit *f*.

ir·re·but·ta·ble [,ɪrɪ'bʌtəbl] *adj.* 'unwider,legbar.

ir·re·claim·a·ble [,ɪrɪ'kleɪməbl] *adj.* ☐ **1.** unverbesserlich; **2.** ⚒ unbebaubar; **3.** 'unwieder,bringlich.

ir·rec·og·niz·a·ble [ɪ'rekəgnaɪzəbl] *adj.* ☐ nicht 'wiederzuer,kennen(d), unkenntlich.

ir·rec·on·cil·a·bil·i·ty [ɪ,rekənsaɪlə'bɪlətɪ] *s.* **1.** Unvereinbarkeit *f* (***to, with*** mit); **2.** Unversöhnlichkeit *f*; **ir·rec·on·cil·a·ble** [ɪ'rekənsaɪləbl] **I** *adj.* ☐ **1.** unvereinbar (***to, with*** mit); **2.** unversöhnlich; **II** *s.* **3.** *pol.* unversöhnlicher Gegner.

ir·re·cov·er·a·ble [,ɪrɪ'kʌvərəbl] *adj.* ☐ **1.** unrettbar (verloren), 'unwieder,bringlich, unersetzlich: ***~ debt*** nicht beitreibbare (Schuld)Forderung; **2.** unheilbar, nicht wieder'gutzumachen(d).

ir·re·deem·a·ble [,ɪrɪ'di:məbl] *adj.* ☐ **1.** nicht rückkaufbar; **2.** ✝ nicht (in Gold) einlösbar (*Papiergeld*); **3.** ✝ a) untilgbar; ***~ loan***, b) nicht ablösbar, unkündbar (*Schuldverschreibung etc.*); **4.** unrettbar (verloren), unverbesserlich, hoffnungslos.

ir·re·den·tism [,ɪrɪ'dentɪzəm] *s. pol.* Irreden'tismus *m*; **,ir·re'den·tist** [-ɪst] *pol.* **I** *s.* Irreden'tist *m*; **II** *adj.* irreden'tistisch.

ir·re·duc·i·ble [,ɪrɪ'dju:səbl] *adj.* ☐ **1.** nicht zu vereinfachen(d); **2.** nicht reduzierbar, nicht zu vermindern(d): ***the ~ minimum*** das äußerste Mindestmaß.

ir·re·fran·gi·ble [,ɪrɪ'frændʒəbl] *adj.* **1.** unverletzlich, nicht zu über'treten(d); **2.** *opt.* unbrechbar.

ir·re·fu·ta·ble [,ɪrɪ'fju:təbl] *adj.* ☐ 'unwider,legbar, nicht zu wider'legen(d).

ir·re·gard·less [,ɪrɪ'gɑ:dlɪs] *adj. Am.* F ***~ of*** ohne sich zu kümmern um.

ir·reg·u·lar [ɪ'regjʊlə] **I** *adj.* ☐ **1.** unregelmäßig (*a.* ⚘, *ling*, *a. Zähne etc.*), ungleichmäßig, uneinheitlich; **2.** ungeordnet, unordentlich; **3.** ungehörig, ungebührlich; **4.** regel-, vorschriftswidrig; **5.** ungesetzlich, ungültig; **6.** uneben; 'unsyste,matisch; **7.** ⚔ 'irregu,lär; **II** *s.* **8.** *pl.* Parti'sanen *pl.*, Freischärler *pl.*; **ir·reg·u·lar·i·ty** [ɪ,regjʊ'lærətɪ] *s.* **1.** Unregelmäßigkeit *f* (*a. ling.*), Ungleichmäßigkeit *f*; **2.** Regelwidrigkeit *f*; ⚖ Formfehler *m*, Verfahrensmangel *m*; **3.** Ungehörigkeit *f*; **4.** Unebenheit *f*; **5.** Unordnung *f*; **6.** Vergehen *n*, Verstoß *m*; **7.** *pl.* ✝ *Am.* Ausschußware(n *pl.*) *f.*

ir·rel·e·vance [ɪˈreləvəns], **irˈrel·e·van·cy** [-sɪ] *s.* ˈIrreleˌvanz *f*, Unerheblichkeit *f*, Belanglosigkeit *f*, Unwesentlichkeit *f*; **irˈrel·e·vant** [-nt] *adj.* □ ˈirreleˌvant, belanglos, unerheblich (*to* für) (*alle a.* ⚖), nicht zur Sache gehörig.

ir·re·li·gion [ˌɪrɪˈlɪdʒən] *s.* Religiˈonslosigkeit *f*, Unglaube *m*; Gottlosigkeit *f*; **ˌir·reˈli·gious** [-dʒəs] *adj.* □ **1.** ˈirreligiˌös, ungläubig, gottlos; **2.** religiˈonsfeindlich.

ir·re·me·di·a·ble [ˌɪrɪˈmiːdjəbl] *adj.* □ **1.** unheilbar; **2.** unabänderlich; **3.** → ***irreparable***.

ir·re·mis·si·ble [ˌɪrɪˈmɪsəbl] *adj.* □ **1.** unverzeihlich; **2.** unerläßlich.

ir·re·mov·a·ble [ˌɪrɪˈmuːvəbl] *adj.* □ **1.** nicht zu entfernen(d); unbeweglich (*a. fig.*); **2.** unabsetzbar.

ir·rep·a·ra·ble [ɪˈrepərəbl] *adj.* □ **1.** ˈirrepaˌrabel, nicht wiederˈgutzumachen(d); **2.** unersetzlich; **3.** unheilbar (*a.* ⚕).

ir·re·place·a·ble [ˌɪrɪˈpleɪsəbl] *adj.* unersetzlich, unersetzbar; ~ ***resources*** nicht erneuerbare Ressourcen.

ir·re·press·i·ble [ˌɪrɪˈpresəbl] *adj.* □ **1.** unbezähmbar, unbändig; **2.** *Person*: a) nicht ˈunterzukriegen(d), unverwüstlich, b) temperaˈmentvoll.

ir·re·proach·a·ble [ˌɪrɪˈprəʊtʃəbl] *adj.* □ untadelig, einwandfrei, tadellos.

ir·re·sist·i·bil·i·ty [ˈɪrɪˌzɪstəˈbɪlətɪ] *s.* ˈUnwiderˌstehlichkeit *f*; **ir·re·sist·i·ble** [ˌɪrɪˈzɪstəbl] *adj.* □ **1.** ˈunwiderˌstehlich (*a. fig. Charme etc.*); **2.** unaufhaltsam.

ir·res·o·lute [ɪˈrezəluːt] *adj.* □ unentschlossen, schwankend; **irˈres·o·lute·ness** [-nɪs], **ir·res·o·lu·tion** [ˈɪˌrezəˈluːʃn] *s.* Unentschlossenheit *f.*

ir·re·spec·tive [ˌɪrɪˈspektɪv] *adj.* □: ~ ***of*** ohne Rücksicht auf (*acc.*), ungeachtet (*gen.*), abgesehen von.

ir·re·spon·si·bil·i·ty [ˈɪrɪˌspɒnsəˈbɪlətɪ] *s.* **1.** Unverantwortlichkeit *f*; **2.** Verantwortungslosigkeit *f*; **ir·re·spon·si·ble** [ˌɪrɪˈspɒnsəbl] *adj.* □ **1.** unverantwortlich (*Handlung*); **2.** verantwortungslos (*Person*); **3.** ⚖ unzurechnungsfähig.

ir·re·spon·sive [ˌɪrɪˈspɒnsɪv] *adj.* **1.** teilnahms-, verständnislos, gleichgültig (***to*** gegenüber); **2.** unempfänglich (***to*** für); ***be ~ to*** *a.* nicht reagieren auf (*acc.*).

ir·re·triev·a·ble [ˌɪrɪˈtriːvəbl] *adj.* □ **1.** ˈunwiederˌbringlich, unrettbar (verloren): ~ ***breakdown of marriage*** ⚖ unheilbare Zerrüttung der Ehe; **2.** unersetzlich; **3.** nicht wiederˈgutzumachen(d); **ˌir·reˈtriev·a·bly** [-əblɪ] *adv.*: ~ ***broken down*** ⚖ unheilbar zerrüttet (*Ehe*).

ir·rev·er·ence [ɪˈrevərəns] *s.* **1.** Unehrerbietigkeit *f*, Reˈspekt-, Pieˈtätlosigkeit *f*; **2.** ˈMißachtung *f*; **irˈrev·er·ent** [-nt] *adj.* □ reˈspektlos, ehrfurchtslos, pieˈtätlos.

ir·re·vers·i·bil·i·ty [ˈɪrɪˌvɜːsəˈbɪlətɪ] *s.* **1.** Nichtˈumkehrbarkeit *f*; **2.** ˈUnwiderˌruflichkeit *f*; **ir·re·vers·i·ble** [ˌɪrɪˈvɜːsəbl] *adj.* □ **1.** nicht ˈumkehrbar; **2.** ⚙ nur in ˈeiner Richtung (laufend); **3.** ⚗, ⚡, *phys.* irreverˈsibel; **4.** ˈunwiderˌruflich.

ir·rev·o·ca·bil·i·ty [ɪˌrevəkəˈbɪlətɪ] *s.* ˈUnwiderˌruflichkeit *f*; **ir·rev·o·ca·ble** [ɪˈrevəkəbl] *adj.* □ ˈunwiderˌruflich (*a.* ✝), endgültig.

ir·ri·ga·ble [ˈɪrɪgəbl] *adj.* ⚒ bewässerungsfähig; **ir·ri·gate** [ˈɪrɪgeɪt] *v/t.* **1.** ⚒ bewässern, berieseln; **2.** ⚕ spülen; **ir·ri·ga·tion** [ˌɪrɪˈgeɪʃn] *s.* **1.** ⚒ Bewässerung *f*, Berieselung *f*; **2.** ⚕ Spülung *f.*

ir·ri·ta·bil·i·ty [ˌɪrɪtəˈbɪlətɪ] *s.* Reizbarkeit *f* (*a.* ⚕); **ir·ri·ta·ble** [ˈɪrɪtəbl] *adj.* □ **1.** reizbar; **2.** gereizt, ⚕ *a.* empfindlich.

ir·ri·tant [ˈɪrɪtənt] **I** *adj.* Reiz erzeugend, Reiz…; **II** *s.* a) Reizmittel *n* (*a. fig.*), b) ⚔ Reiz(kampf)stoff *m.*

ir·ri·tate¹ [ˈɪrɪteɪt] *v/t.* reizen (*a.* ⚕), (ver)ärgern, irritieren: ~***d at*** (*od.* ***by*** *od.* ***with***) ärgerlich über (*acc.*).

ir·ri·tate² [ˈɪrɪteɪt] *v/t. Scot.* ⚖ für nichtig erklären.

ir·ri·tat·ing [ˈɪrɪteɪtɪŋ] *adj.* □ irritierend, aufreizend; ärgerlich, lästig; **ir·ri·ta·tion** [ˌɪrɪˈteɪʃn] *s.* **1.** Reizung *f*, Ärger *m*; **2.** ⚕ Reizung *f*, Reizzustand *m.*

ir·rupt [ɪˈrʌpt] *v/i.* eindringen, herˈeinbrechen; **irˈrup·tion** [-pʃn] *s.* Einbruch *m*: a) Eindringen *n*, (plötzliches) Herˈeinbrechen, b) (feindlicher) Einfall, ˈÜberfall *m*; **irˈrup·tive** [-tɪv] *adj.* herˈeinbrechend.

is [ɪz] *3. sg. pres. von* ***be***.

I·sa·iah [aɪˈzaɪə], *a.* **Iˈsa·ias** [-əs] *npr. u. s. bibl.* (das Buch) Jeˈsaja *m od.* Iˈsaias *m.*

is·chi·ad·ic [ˌɪskɪˈædɪk] *mst* **ˌis·chiˈat·ic** [-ˈætɪk] *adj.* **1.** *anat.* Hüft-, Sitzbein…; **2.** ⚕ ischiˈatisch.

i·sin·glass [ˈaɪzɪŋglɑːs] *s.* Hausenblase *f*, Fischleim *m.*

Is·lam [ˈɪzlɑːm] *s.* Isˈlam *m*; **Is·lam·ic** [ɪzˈlæmɪk] *adj.* isˈlamisch; **Is·lam·ize** [ˈɪzləmaɪz] *v/t.* islamisieren.

is·land [ˈaɪlənd] *s.* **1.** Insel *f* (*a. fig. u.* ⚕); **2.** Verkehrsinsel *f*; **ˈis·land·er** [-də] *s.* Inselbewohner(in), Insuˈlaner (-in).

isle [aɪl] *s. poet. u. in npr.* (kleine) Insel, *poet.* Eiland *n.*

ism [ˈɪzəm] *s.* Ismus *m* (*bloße Theorie*).

is·n't [ˈɪznt] F *für* ***is not***.

i·so·bar [ˈaɪsəʊbɑː] *s.* **1.** *meteor.* Isoˈbare *f*; **2.** *phys.* Isoˈbar *n.*

i·so·chro·mat·ic [ˌaɪsəʊkrəʊˈmætɪk] *adj. phys.* isochroˈmatisch, gleichfarbig.

i·so·late [ˈaɪsəleɪt] *v/t.* **1.** isolieren, absondern, abschließen (**from** von); **2.** ⚗, ⚕, ϟ, *phys.* isolieren; **3.** *fig.* genau bestimmen; **'i·so·lat·ed** [-tɪd] *adj.* **1.** isoliert (*a.* ⚙), (ab)gesondert, al'leinstehend, vereinzelt: **~ case** Einzelfall *m*; **2.** einsam, abgeschieden; **i·so·la·tion** [ˌaɪsə'leɪʃn] *s.* ⚕, ⚙, *pol.*, *fig.* Isolierung *f*, Isolati'on *f*: **~ ward** Isolierstation *f*; **in ~** *fig.* einzeln, für sich (*betrachtet*); **i·so·la·tion·ism** [ˌaɪsə'leɪʃnɪzəm] *s. pol.* Isolatio'nismus *m*; **i·so·la·tion·ist** [ˌaɪsə'leɪʃnɪst] *s. pol.* Isolatio'nist *m*.

i·so·mer ['aɪsəʊmɜː] *s.* ⚗ Iso'mer *n*; **i·so·mer·ic** [ˌaɪsəʊ'merɪk] *adj.* ⚗ iso'mer.

i·so·met·ric [ˌaɪsəʊ'metrɪk] ⩓ **I** *adj.* iso'metrisch; **II** *s. pl. sg. konstr.* Isome'trie *f* (*a. Muskeltraining*).

i·sos·ce·les [aɪ'sɒsɪliːz] *adj.* ⩓ gleichschenk(e)lig (*Dreieck*).

i·so·therm ['aɪsəʊθɜːm] *s.* Iso'therme *f*; **i·so·ther·mal** [ˌaɪsəʊ'θɜːml] *adj.* iso'thermisch, gleich warm: **~ line** → **isotherm.**

i·so·tope ['aɪsəʊtəʊp] *s.* ⚗, *phys.* Iso'top *n*.

Is·ra·el ['ɪzreɪəl] *s. bibl.* (das Volk) Israel *n*; **Is·rae·li** [ɪz'reɪlɪ] **I** *adj.* isra'elisch; **II** *s.* Isra'eli *m*; **Is·ra·el·ite** ['ɪzˌrɪəlaɪt] **I** *s.* Israe'lit(in); **II** *adj.* israe'litisch, jüdisch.

is·su·a·ble ['ɪʃuːəbl] *adj.* **1.** auszugeben(d); **2.** ♆ emittierbar; **3.** ⚖ zu veröffentlichen(d); **'is·su·ance** [-əns] *s.* (Her)'Ausgabe *f*; Ver-, Erteilung *f*.

is·sue ['ɪʃuː] **I** *s.* **1.** Ausgabe *f*, Aus-, Erteilung *f*, Erlaß *m* (*Befehl*); **2.** Aus-, Her'ausgabe *f*; **3.** ♆ a) (Ef'fekten-)Emissiˌon *f*, (Aktien)Ausgabe *f*, Auflegen *n* (*Anleihe*); Ausstellung *f* (*Dokument*): **date of ~** Ausstellungsdatum *n*, Ausgabetag *m*; **bank of ~** Emissionsbank *f*, b) 'Wertpaˌpiere *pl.* der'selben Emissi'on; **4.** *bsd.* ⚔ Lieferung *f*, Ausgabe *f*, Zu-, Verteilung *f*; **5.** Ausgabe *f*: a) Veröffentlichung *f*, Auflage *f* (*Buch*), b) Nummer *f* (*Zeitung*); **6.** Streitfall *m*, (Streit)Frage *f*, Pro'blem *n*: **at ~** a) strittig, zur Debatte stehend, b) uneinig; **point at ~** strittige Frage; **evade the ~** ausweichen; **join** *od.* **take ~ with s.o.** sich mit j-m auf e-n Streit *od.* e-e Auseinandersetzung einlassen; **7.** (Kern)Punkt *m*, Fall *m*, Sachverhalt *m*: **~ of fact** (**law**) ⚖ Tatsachen-(Rechts)frage *f*; **side ~** Nebenpunkt *m*; **the whole ~** F das Ganze; **raise an ~** e-n Fall *od.* Sachverhalt anschneiden; **8.** Ergebnis *n*, Ausgang *m*, (Ab)Schluß *m*: **in the ~** schließlich; **bring to an ~** entscheiden; **force an ~** e-e Entscheidung erzwingen; **9.** Abkömmlinge *pl.*, leibliche Nachkommenschaft: **die without ~** ohne direkte Nachkommen sterben; **10.** *bsd.* ⚕ Ab-, Ausfluß *m*; **11.** Öffnung *f*, Mündung *f*; *fig.* Ausweg *m*; **II** *v/t.* **12.** *Befehle etc.* ausgeben, erteilen; **13.** ♆ *Banknoten* ausgeben, in 'Umlauf setzen; *Anleihe* auflegen; *Dokumente* ausstellen: **~d capital** effektiv ausgegebenes (Aktien)Kapital; **14.** *Bücher* her'ausgeben, publizieren; **15.** ⚔ a) ausgeben, liefern, ver-, zuteilen, b) ausrüsten, beliefern (**with** mit); **III** *v/i.* **16.** her'auskommen, -strömen; her'vorbrechen; **17.** (**from**) herrühren (von), entspringen (*dat.*); **18.** her'auskommen, her'ausgegeben werden (*Schriften etc.*); **19.** ergehen, erteilt werden (*Befehl etc.*); **20.** enden (**in** in *dat.*).

is·sue·less ['ɪʃuːlɪs] *adj.* ohne Nachkommen.

is·su·er ['ɪʃuːə] *s.* ♆ **1.** Aussteller(in); **2.** Ausgeber(in).

isth·mus ['ɪsməs] *s.* **1.** *geogr.* Isthmus *m*, Landenge *f*; **2.** ⚕ Verengung *f*.

it[1] [ɪt] **I** *pron.* **1.** es (*nom. od. acc.*): **do you believe it?** glaubst du es?; **2.** *auf deutsches s. bezogen* (*nom.*, *dat.*, *acc.*) *m* er, ihm, ihn; *f* sie, ihr, sie; *n* es, ihm, es; *refl.* (*dat.*, *acc.*) sich; **3.** *unpersönliches od. grammatisches Subjekt*: **it rains** es regnet; **what time is it?** wieviel Uhr ist es?; **it is I** (F **me**) ich bin es; **it was my parents** es waren m-e Eltern; **4.** *unbestimmtes Objekt* (*oft unübersetzt*): **foot it** zu Fuß gehen; **I take it that** ich nehme an, daß; **5.** *verstärkend*: **it is for this reason that** gerade aus diesem Grunde …; **6.** *nach prp.*: **at it** daran; **with it** damit *etc.*; **please see to it that** bitte sorge dafür, daß; **II** *s.* **7.** F ‚das Nonplus'ultra', ‚ganz große Klasse': **he thinks he's it**; **8.** F a) das gewisse Etwas, *bsd.* 'Sex-Apˌpeal *m*, b) Sex *m*, Geschlechtsverkehr *m*; **9.** F **that's it!** a) das ist es (ja)!, b) das wär's (gewesen)!; F **this is it!** gleich geht's los!

it[2] [ɪt], *a.* ♀ *abbr. für* **Italian**: **gin and it** Gin mit (italienischem) Wermut.

I·tal·ian [ɪ'tæljən] **I** *adj.* **1.** itali'enisch: **~ handwriting** lateinische Schreibschrift; **II** *s.* **2.** Itali'ener(in); **3.** *ling.* Itali'enisch *n*; **I'tal·ian·ate** [-neɪt] *adj.* italianisiert, nach itali'enischer Art; **I'tal·ian·ism** [-nɪzəm] *s.* itali'enische (Sprach- *etc.*)Eigenheit.

i·tal·ic [ɪ'tælɪk] **I** *adj.* **1.** *typ.* kur'siv; **2.** ♀ *ling.* i'talisch; **II** *s. pl.* **3.** *typ.* Kur'sivschrift *f*; **i'tal·i·cize** [-ɪsaɪz] *typ. v/t.* **1.** in Kur'siv drucken; **2.** durch Kur'sivschrift her'vorheben.

itch [ɪtʃ] **I** *s.* **1.** Jucken *n*; **2.** ⚕ Krätze *f*; **3.** *fig.* brennendes Verlangen, Sucht *f* (**for** nach): **I have an ~ to do s.th.** es ‚juckt' mich, et. zu tun; **II** *v/i.* **4.** jukken; **5.** *fig.* (**for**) brennen (auf *acc.*): **I am ~ing to do s.th.** es ‚juckt' mich, et. zu tun; **my fingers ~ to do it** es juckt mir (*od.* mich) in den Fingern, es zu tun; **itch·ing** ['ɪtʃɪŋ] **I** *s.* **1.** → ***itch*** 1, 3; **II** *adj.* **2.** juckend; **3.** F a) ‚scharf', begierig, *a.* geil, b) ner'vös; **itch·y** ['ɪtʃɪ] *adj.* **1.** juckend; **2.** ⚕ krätzig; **3.** → ***itching*** 3.

i·tem ['aɪtəm] **I** *s.* **1.** Punkt *m* (*der Tagesordnung etc.*); Gegenstand *m*, Stück *n*; Einzelheit *f*, De'tail *n*; ✝ (Buchungs-, Rechnungs)Posten *m*; ('Waren)Arˌtikel *m*; **2.** ('Presse)Noˌtiz *f*, (kurzer) Ar'tikel; **II** *adv. obs.* **3.** des'gleichen, ferner; **'i·tem·ize** [-maɪz] *v/t.* (einzeln) aufführen, spezifizieren.

it·er·ate ['ɪtəreɪt] *v/t.* wieder'holen; **it·er·a·tion** [ˌɪtə'reɪʃn] *s.* Wieder'holung *f*; **'it·er·a·tive** [-rətɪv] *adj.* (sich) wieder'holend; *ling.* itera'tiv.

i·tin·er·a·cy [ɪ'tɪnərəsɪ], **i'tin·er·an·cy** [-ənsɪ] *s.* Um'herreisen *n*, -ziehen *n*; **i'tin·er·ant** [-ənt] *adj.* □ (beruflich) reisend *od.* um'herziehend, Reise…, Wander…: ~ ***trade*** Wandergewerbe *n*; **i'tin·er·ar·y** [aɪ'tɪnərərɪ] **I** *s.* **1.** Reiseroute *f*, -plan *m*; **2.** Reisebericht *m*; **3.** Reiseführer *m* (*Buch*); **4.** Straßenkarte *f*; **II** *adj.* **5.** Reise…; **i·tin·er·ate** [ɪ'tɪnəreɪt] *v/i.* (um'her)reisen.

its [ɪts] *pron.* sein, ihr, dessen, deren: ***the house and ~ roof*** das Haus u. sein (*od.* dessen) Dach.

it's [ɪts] F *für* a) ***it is***, b) ***it has***.

it·self [ɪt'self] *pron.* **1.** *refl.* sich: ***the dog hides ~***; **2.** sich (selbst): ***the kitten wants it for ~***; **3.** *verstärkend*: selbst: ***like innocence ~*** wie die Unschuld selbst; ***by ~*** (für sich) allein, von selbst; ***in ~*** an sich (betrachtet); **4.** al'lein (schon), schon: ***the garden ~ measures two acres***.

I've [aɪv] F *für* ***I have***.

i·vied ['aɪvɪd] *adj.* 'efeuumˌrankt, mit Efeu bewachsen.

i·vo·ry ['aɪvərɪ] **I** *s.* **1.** Elfenbein *n*; **2.** Stoßzahn *m* (*des Elefanten*); **3.** 'Elfenbeinschnitzeˌrei *f*; **4.** *pl. sl.* a) *obs.* ‚Beißer' *pl.*, Gebiß *n*, b) (*Spiel*)Würfel *pl.*, c) Billardkugeln *pl.*, d) (Kla'vier)Tasten *pl.*: ***tickle the ivories*** (auf dem Klavier) klimpern; **II** *adj.* **5.** elfenbeinern, Elfenbein…; **6.** elfenbeinfarben; ~ **nut** *s.* ⚘ Steinnuß *f*; ~ **tow·er** *s. fig.* Elfenbeinturm *m*: ***live in an ~*** im Elfenbeinturm sitzen.

i·vy ['aɪvɪ] *s.* ⚘ Efeu *m*; ♀ **League** *s. die acht Eliteuniversitäten im Osten der U.S.A.*

iz·zard ['ɪzəd] *s.*: ***from A to ~*** von A bis Z.

J

J, j [dʒeɪ] *s.* J *n*, j *n*, Jot *n* (*Buchstabe*).

jab [dʒæb] **I** *v/t.* **1.** (hin'ein)stechen, (-)stoßen; **II** *s.* **2.** Stich *m*, Stoß *m*; **3.** *Boxen*: Jab *m*, (kurze) Gerade; **4.** ⚕ F Spritze *f*.

jab·ber ['dʒæbə] **I** *v/t. u. v/i.* **1.** schnattern, quasseln, schwatzen; **2.** nuscheln, undeutlich sprechen; **II** *s.* **3.** Geplapper *n*, Geschnatter *n*.

jack [dʒæk] **I** *s.* **1.** Mann *m*, Bursche *m*: ***every man ~*** F jeder einzelne, alle (ohne Ausnahme); **2.** *Kartenspiel*: Bube *m*; **3.** ⚙ Hebevorrichtung *f*, Winde *f*: ***car ~*** Wagenheber *m*; **4.** *Brit. Bowls-Spiel*: Zielkugel *f*; **5.** *zo.* a) Männchen *n einiger Tiere*, b) → ***jackass*** 1; **6.** ⚓ Gösch *f*, Bugflagge *f*; **7.** ⚡ a) Klinke *f*, b) Steckdose *f*; **8.** *Am. sl.* ‚Zaster' *m* (*Geld*); **II** *v/t.* **9.** *mst* ***~ up*** hochheben, -winden; *Auto* aufbocken; *fig.* F *Preise* hochtreiben; **10.** ***~ in*** F *et.* ‚aufstecken', ‚hinschmeißen'; **III** *v/i.* **11.** ***~ off*** *Am.* V ‚wichsen'.

jack·al ['dʒækɔːl] *s.* **1.** *zo.* Scha'kal *m*; **2.** *contp.* Handlanger *m*.

jack·a·napes ['dʒækəneɪps] *s.* **1.** Geck *m*, Laffe *m*; **2.** Frechdachs *m*, (kleiner) Schlingel.

jack·ass ['dʒækæs] *s.* **1.** (männlicher) Esel; **2.** *fig. contp.* ‚Esel' *m*.

'jack|·boot *s.* Schaftstiefel *m*; **'~·daw** *s. orn.* Dohle *f*.

jack·et ['dʒækɪt] **I** *s.* **1.** Jacke *f*, Jac'kett *n*; → ***dust*** 8; **2.** ⚙ Mantel *m*, Um'mantelung *f*, Hülle *f*, Um'wicklung *f*; **3.** ⚔ (Geschoß-, *a.* Rohr)Mantel *m*; **4.** Buchhülle *f*, 'Schutzˌumschlag *m*; *Am. a.* (Schallplatten)Hülle *f*; **5.** Haut *f*, Schale *f*: ***potatoes*** (***boiled***) ***in their ~s***, *a.* ***~ potatoes*** Pellkartoffeln; **II** *v/t.* **6.** ⚙ um'manteln, verkleiden, verschalen; ***~ crown*** *s.* ⚕ Jacketkrone *f*.

Jack| Frost *s.* Väterchen *n* Frost; **'♀-ˌham·mer** *s.* Preßlufthammer *m*; **'♀-in-ˌof·fice** wichtigtuerischer Beamter; **'♀-in-the-box** *pl.* **'♀-in-the-ˌbox·es** *s.* Schachtelmännchen *n* (*Kinderspielzeug*): ***like a ~*** *fig.* wie ein Hampelmann; **~ Ketch** [ketʃ] *s. Brit. obs.* der Henker; **'♀-knife I** *s.* [*irr.*] **1.** Klappmesser *n*; **2.** *a.* ***~ dive*** *sport* Hechtbeuge *f* (*Kopfsprung*); **II** *v/t.* **3.** *a. v/i.* wie ein Taschenmesser zs.-klappen; **III** *v/i.* **4.** *sport* hechten; **5.** *mot.* sich querstellen (*Anhänger e-s Lastzugs*); **ˌ♀-of-'all-trades** *s.* Aller'weltskerl *m*, Hans-'dampf *m* in allen Gassen; Fak'totum *n*; **ˌ♀-o'-'lan·tern** *pl.* **ˌ♀-o'-'lan·terns** [ˌdʒækəʊ-] **1.** Irrlicht *n* (*a. fig.*); **2.** 'Kürbislaˌterne *f*; **♀ plane** *s.* ⚙ Schrupphobel *m*; **'♀·pot** *s. Poker, Glücksspiel*: Jackpot *m*, *weitS. u. fig.* Haupttreffer *m*, *das* große Los, *fig. a.* ‚Schlager' *m*, Bombenerfolg *m*: ***hit the ~*** F *fig.* a) den Jackpot gewinnen, b) den Haupttreffer machen, c) großen Erfolg haben, den Vogel abschießen, d) ‚schwer absahnen'; **~ Ro·bin·son** *s.*: ***before you could say ~*** F im Nu, im Handumdrehen; **'♀·straw** *s.* a) Mi'kadostäbchen *n*, b) *pl.* Mi'kadospiel *n*; **♀ tar** *s.* ⚓ F Ma'trose *m*; **'♀-ˌtow·el** *s.* Rollhandtuch *n*.

Jac·o·be·an [ˌdʒækəʊ'biːən] *adj.* aus der Zeit Jakobs I.: ***~ furniture***.

Jac·o·bin ['dʒækəʊbɪn] *s.* **1.** *hist.* Jako'biner *m*, *fig. pol. a.* radi'kaler 'Umstürzler, Revolutio'när *m*; **2.** *orn.* Jako'binertaube *f*; **'Jac·o·bite** [-baɪt] *s. hist.* Jako'bit *m*.

Ja·cob's lad·der ['dʒeɪkəbz] *s.* **1.** *bibl.*, *a.* ⚘ Jakobs-, Himmelsleiter *f*; **2.** ⚓ Lotsentreppe *f*.

Ja·cuz·zi [dʒə'kuːziː] *s. Warenzeichen*: Whirlpool *m* (*Unterwassermassagebecken*).

jade¹ [dʒeɪd] *s.* **1.** *min.* Jade *m*; **2.** Jadegrün *n*.

jade² [dʒeɪd] *s.* **1.** Schindmähre *f*, Klepper *m*; **2.** Weibsstück *n*; **'jad·ed** [-dɪd] *adj.* **1.** erschöpft, abgespannt; **2.** über'sättigt, abgestumpft; **3.** schal (geworden): ***~ pleasures***.

jag [dʒæg] **I** *s.* **1.** Zacke *f*, Kerbe *f*; Zahn *m*; Auszackung *f*; Schlitz *m*, Riß *m*; **2.** *sl.* a) Schwips *m*, Rausch *m*: ***have a ~ on*** ‚e-n in der Krone haben', b) Sauftour *f*, Saufe'rei *f*, c) *bsd. fig.* Orgie *f*: ***go on a ~*** ‚einen draufmachen'; ***crying ~*** ‚heulendes Elend'; **II** *v/t.* **3.** auszakken, einkerben; **4.** zackig schneiden *od.* reißen; **'jag·ged** [-gɪd] *adj.* ☐ **1.** zakkig; schartig; **2.** schroff, zerklüftet; **3.** rauh, grob (*a. fig.*); **4.** *Am. sl.* ‚blau', besoffen.

jag·uar ['dʒægjʊə] *s. zo.* Jaguar *m*.

Jah [dʒɑː], **Jah·ve(h)** ['jɑːveɪ] *s.* Je'hova *m*.

jail [dʒeɪl] **I** *s.* **1.** Gefängnis *n*, Strafanstalt *f*; **2.** Gefängnis(haft *f*) *n*; **II** *v/t.* **3.**

ins Gefängnis werfen, einsperren, inhaftieren; '**~·bird** *s.* F ,Zuchthäusler' *m*, *engS.* ,Knastbruder' *m*; '**~·break** *s.* Ausbruch *m* (aus dem Gefängnis); '**~ˌbreak·er** *s.* Ausbrecher *m.*

jail·er ['dʒeɪlə] *s.* (Gefängnis)Aufseher *m*, (-)Wärter *m*, *obs. u. fig.* Kerkermeister *m.*

jake [dʒeɪk] *Am.* F **I** *s.* **1.** Bauernlackel *m*, *weitS.* ,Knülch' *m*; **2.** ,Pinke' *f* (*Geld*); **II** *adj.* **3.** ,bestens', in Ordnung: ***everything's ~.***

ja·lop·(p)y [dʒə'lɒpɪ] *s.* F ,alte Kiste' (*Auto*, *Flugzeug*).

jal·ou·sie ['ʒælu:zi:] *s.* Jalou'sie *f.*

jam¹ [dʒæm] **I** *v/t.* **1.** *a.* ***~ in*** a) *et.* (hin'ein)zwängen, -stopfen, -quetschen, *Menschen a.* (-)pferchen, b) einklemmen, -keilen; **2.** (zs.-, zer)quetschen; *Finger etc.* einklemmen, sich *et.* quetschen; **3.** *et.* pressen, (heftig) drücken, *Knie etc.* rammen (***into*** in *acc.*): ***~ (one's foot) on the brakes*** heftig auf die Bremse treten; **4.** verstopfen, -sperren, blockieren: ***a road ~med with cars***; ***~med with people*** von Menschen verstopft, gedrängt voll; **5.** ⚙ verklemmen, blockieren; **6.** *Funk*: (*durch Störsender*) stören; **II** *v/i.* **7.** eingeklemmt sein, festsitzen; **8.** *a.* ***~ in*** sich (hin'ein)quetschen, (-)zwängen, (-)drängen; **9.** ⚙ (sich ver)klemmen; ⚔ Ladehemmung haben; **10.** *Jazz*: (frei) improvisieren; **III** *s.* **11.** Gedränge *n*, Gewühl *n*; **12.** Verstopfung *f*, Stauung *f*; (Verkehrs)Stockung *f*, (-)Stau *m*: ***traffic ~***; **13.** ⚙ Blockierung *f*, Klemmen *n*; ⚔ Ladehemmung *f*; **14.** F ,Klemme' *f*: ***be in a ~*** in der Klemme *od.* Patsche sitzen; ***get s.o. out of a ~*** j-m aus der Klemme *od.* Patsche helfen.

jam² [dʒæm] *s.* **1.** Marme'lade *f*: ***~ jar*** Marmeladeglas *n*; **2.** *Brit.* F ,schicke Sache': ***money for ~*** leichtverdientes Geld; ***~ tomorrow*** *iro.* schöne Versprechungen *od.* Aussichten; ***that's ~ for him*** das ist ein Kinderspiel für ihn.

Ja·mai·can [dʒə'meɪkən] **I** *adj.* jamai'kanisch; **II** *s.* Jamai'kaner(in); **Ja·mai·ca rum** [dʒə'meɪkə] *s.* Ja'maika-Rum *m.*

jamb [dʒæm] *s.* (Tür-, Fenster)Pfosten *m.*

jam·bo·ree [ˌdʒæmbə'ri:] *s.* **1.** Pfadfindertreffen *n*; **2.** F ,rauschendes Fest', ,tolle Party'.

jam·mer ['dʒæmə] *s. Radio*: Störsender *m*; '**jam·ming** [-mɪŋ] *s.* **1.** ⚙ Klemmung *f*; Hemmung *f*; **2.** *Radio*: Störung *f*: ***~ station*** Störsender *m*; '**jam·my** [-mɪ] *adj. Brit. sl.* **1.** prima, ,Klasse'; **2.** glücklich, Glücks...: ***~ fellow*** Glückspilz *m.*

ˌ**jam|-'packed** *adj.* F vollgestopft, *Bus etc.* ,knallvoll'; **~ roll** *s.* Bis'kuitrolle *f*; **~ ses·sion** *s.* Jam Session *f* (*Jazzimprovisation*).

Jane [dʒeɪn] **I** *npr.* Johanna *f*; **II** *s. a.* ♀ *sl.* ,Weib' *n.*

jan·gle ['dʒæŋgl] **I** *v/i.* **1.** a) klirren, klimpern, b) bimmeln (*Glocken*); **2.** schimpfen; **II** *v/t.* **3.** a) klirren *od.* klimpern mit, b) bimmeln lassen; **4.** ***~ s.o.'s nerves*** j-m auf die Nerven gehen; **III** *s.* **5.** a) Klirren *n*, Klimpern *n*, b) Bimmeln *n*; **6.** Gekreisch *n*, laute Strei'te'rei.

jan·i·tor ['dʒænɪtə] *s.* **1.** Pförtner *m*; **2.** *bsd. Am.* Hausmeister *m.*

Jan·u·ar·y ['dʒænjʊərɪ] *s.* Januar *m*: ***in ~*** im Januar.

Ja·nus ['dʒeɪnəs] *s. myth.* Janus *m*; '**~-faced** *adj.* januskӧpfig.

Jap [dʒæp] F *contp.* **I** *s.* ,Japs' *m* (*Japaner*); **II** *adj.* ja'panisch.

ja·pan [dʒə'pæn] **I** *s.* **1.** Japanlack *m*; **2.** lackierte Arbeit (*in japanischer Art*); **II** *v/t.* **3.** mit Japanlack über'ziehen, lackieren.

Jap·a·nese [ˌdʒæpə'ni:z] **I** *adj.* **1.** ja'panisch; **II** *s.* **2.** Ja'paner(in); **3.** ***the ~*** *pl.* die Japaner; **4.** *ling.* Ja'panisch *n*, das Ja'panische.

jar¹ [dʒɑ:] *s.* **1.** a) (*irdenes od. gläsernes*) Gefäß, Topf *m* (*ohne Henkel*), b) (Einmach)Glas *n*; **2.** *Brit.* F ,Bierchen' *n.*

jar² [dʒɑ:] **I** *v/i.* **1.** kreischen, quietschen, kratzen (*Metall etc.*), durch Mark u. Bein gehen; **2.** ♪ dissonieren; **3.** (***on***, ***upon***) *das Ohr*, *ein Gefühl* beleidigen, verletzen, weh tun (*dat.*): ***~ on the ear***, ***~ on the nerves*** auf die Nerven gehen; **4.** sich ,beißen', nicht harmonieren (*Farben etc.*); **5.** *fig.* sich nicht vertragen (*Ideen etc.*), im 'Widerspruch stehen (***with*** zu), sich wider'sprechen: ***~ring opinions*** widerstreitende Meinungen; **6.** schwirren, vibrieren; **II** *v/t.* **7.** kreischen *od.* quietschen lassen, ein unangenehmes Geräusch erzeugen mit; **8.** a) erschüttern, e-n Stoß versetzen (*dat.*), b) 'durchrütteln, c) sich *das Knie etc.* anstoßen *od.* stauchen; **9.** *fig.* a) erschüttern, e-n Schock versetzen (*dat.*), b) → 3; **III** *s.* **10.** Kreischen *n*, Quietschen *n*, unangenehmes Geräusch; **11.** Ruck *m*, Stoß *m*, Erschütterung *f* (*a. fig.*); *fig.* Schock *m*, Schlag *m*; **12.** ♪ *u. fig.* 'Mißton *m*; **13.** *fig.* 'Widerstreit *m.*

jar·di·nière [ˌʒɑ:dɪ'njeə] (*Fr.*) *s.* **1.** Jardini'ere *f*: a) Blumenständer *m*, b) Blumenschale *f*; **2.** *Küche*: a) Gar'nierung *f*, b) (Fleisch)Gericht *n* à la jardinière.

jar·gon ['dʒɑ:gən] *s. allg.* Jar'gon *m*: a) Kauderwelsch *n*, b) Fach-, Berufssprache *f*, c) Mischsprache *f*, d) ungepflegte Ausdrucksweise.

jar·ring ['dʒɑ:rɪŋ] *adj.* ☐ **1.** 'mißtönend,

kreischend, schrill, unangenehm, ‚nervtötend‘: ***a ~ note*** ein Mißton *od.* -klang (*a. fig.*); **2.** nicht harmonierend, *Farben*: *a.* sich beißend; → *a.* ***jar²*** 5.

jas·min(e) [ˈdʒæsmɪn] *s.* ⚘ Jasˈmin *m.*

jas·per [ˈdʒæspə] *s. min.* Jaspis *m.*

jaun·dice [ˈdʒɔːndɪs] *s.* **1.** ⚕ Gelbsucht *f*; **2.** *fig.* a) Neid *m*, Eifersucht *f*, b) Feindseligkeit *f*; **ˈjaun·diced** [-st] *adj.* **1.** ⚕ gelbsüchtig; **2.** *fig.* voreingenommen, neidisch, eifersüchtig, scheel.

jaunt [dʒɔːnt] **I** *s.* Ausflug *m*, Spritztour *f*: ***go for*** (*od.* ***on***) ***a ~*** → **II** *v/i.* e-e Spritztour *od.* e-n Ausflug machen; **ˈjaun·ti·ness** [-tɪnɪs] *s.* Flottheit *f*, ‚Feschheit‘ *f*: a) Munterkeit *f*, ‚Spritzigkeit‘ *f*, Schwung *m*, b) flotte Eleˈganz; **ˈjaunt·ing-car** [-tɪŋ] *s. leichter, zweirädriger Wagen*; **ˈjaun·ty** [-tɪ] *adj.* □ fesch, flott: a) munter, ‚spritzig‘, b) keck, eleˈgant: ***with one's hat at a ~ angle*** den Hut keck über dem Ohr.

Ja·va [ˈdʒɑːvə] *s. Am.* F Kaffee *m*; **Ja·va·nese** [ˌdʒɑːvəˈniːz] **I** *adj.* **1.** jaˈvanisch; **II** *s.* **2.** Jaˈvaner(in): ***the ~*** die Javaner; **3.** *ling.* Jaˈvanisch *n*, das Jaˈvanische.

jave·lin [ˈdʒævlɪn] *s.* **1.** *a. sport* Speer *m*; **2.** ***the ~*** → **~ throw(·ing)** *s. sport* Speerwerfen *n*; **~ throw·er** *s.* Speerwerfer(in).

jaw [dʒɔː] **I** *s.* **1.** *anat., zo.* Kiefer *m*, Kinnbacken *m*, -lade *f*: ***lower ~*** Unterkiefer; ***upper ~*** Oberkiefer; **2.** *mst pl.* Mund *m*, Maul *n*: ***hold your ~!, none of your ~!*** F halt's Maul!; **3.** *mst pl.* Schlund *m*, Rachen *m* (*a. fig.*): ***~s of death*** *der* Rachen des Todes; **4.** ⚙ (Klemm)Backe *f*, Backen *m*; Klaue *f*: ***~ clutch*** Klauenkupplung *f*; **5.** *sl.* a) (freches) Geschwätz, Frechheit *f*, b) Schwatz *m*, ‚Tratsch‘ *m*, c) Moˈralpredigt *f*; **II** *v/i.* **6.** *sl.* a) ‚quatschen‘, ‚tratschen‘, b) schimpfen; **III** *v/t.* **7.** ***~ out*** *sl.* *j-n* ‚anschnauzen‘; **ˈ~·bone** *s.* **1.** *anat., zo.* Kiefer(knochen) *m*, Kinnlade *f*; **2.** *Am. sl.* (***on ~*** auf) Kreˈdit *m*; **ˈ~ˌbreak·er** *s.* F Zungenbrecher *m* (*Wort*); **ˈ~ˌbreak·ing** *adj.* F zungenbrecherisch; **~ chuck** *s.* ⚙ Backenfutter *n.*

jay [dʒeɪ] *s.* **1.** *orn.* Eichelhäher *m*; **2.** *fig.* ‚Trottel‘ *m*; **ˈ~·walk** *v/i.* verkehrswidrig über die Straße gehen; **ˈ~ˌwalk·er** *s.* unachtsamer Fußgänger.

jazz [dʒæz] **I** *s.* **1.** ˈJazz(muˌsik *f*) *m*: ***~ band*** Jazzkapelle *f*; **2.** *sl.* a) ‚Gequatsche‘ *n*, ‚blödes Zeug‘, b) ‚Quatsch‘ *m*, ‚Krampf‘ *m*: ***and all that ~*** und all der Mist; **II** *v/t.* **3.** *mst* ***~ up*** F a) verjazzen, b) *fig. et.* ‚aufmöbeln‘; **III** *v/i.* **4.** jazzen; **5.** *Am. sl.* ‚vögeln‘; **ˈjazz·er** [-zə] *s.* F Jazzmusiker *m*; **ˈjazz·y** [-zɪ] *adj.* F **1.** Jazz...; **2.** *fig.* a) ‚knallig‘, b) ‚toll‘, todschick.

jeal·ous [ˈdʒeləs] *adj.* □ **1.** eifersüchtig (***of*** auf *acc.*): ***a ~ wife***; **2.** (***of***) neidisch (auf *acc.*), ˈmißgünstig (gegen): ***she is ~ of his fortune*** sie beneidet ihn um *od.* mißgönnt ihm s-n Reichtum; **3.** ˈmißtrauisch (***of*** gegen); **4.** (***of***) besorgt (um), bedacht (auf *acc.*); **5.** *bibl.* eifernd (*Gott*); **ˈjeal·ous·y** [-sɪ] *s.* **1.** Eifersucht *f* (***of*** auf *acc.*); *pl.* Eifersüchteˈleien; **2.** (***of***) Neid *m* (auf *acc.*), ˈMißgunst *f* (gegen); **3.** Achtsamkeit *f* (***of*** auf *acc.*).

jean *s.* **1.** [dʒeɪn] *Art* Baumwollköper *m*; **2.** *pl.* [dʒiːnz] Jeans *pl.*

jeep [dʒiːp] (*Fabrikmarke*) *s.* Jeep *m*: a) ⚔ *Art* Kübelwagen *m*, b) kleines geländegängiges Mehrzweckfahrzeug.

jeer [dʒɪə] **I** *v/i.* spotten, höhnen (***at*** über *acc.*); **II** *s.* Hohn *m*, Sticheˈlei *f*; **ˈjeer·ing** [-ɪərɪŋ] **I** *s.* Verhöhnung *f*; **II** *adj.* □ höhnisch.

Je·ho·vah [dʒɪˈhəʊvə] *s. bibl.* Jeˈhovah *m*; **~'s Wit·ness·es** *s. pl.* Zeugen *pl.* Jehovas.

je·june [dʒɪˈdʒuːn] *adj.* □ **1.** mager, ohne Nährwert: ***~ food***; **2.** trocken: a) dürr (*Boden*), b) *fig.* fade, nüchtern; **3.** *fig.* simpel, naˈiv.

jell [dʒel] *Am.* F **I** *s.* **1.** → ***jelly*** 1–3; **II** *v/i.* **2.** → ***jelly*** II; **3.** *fig.* sich (herˈaus-)kristallisieren, Gestalt annehmen; **4.** ‚zum Klappen kommen‘ (*Geschäft etc.*).

jel·lied [ˈdʒelɪd] *adj.* **1.** gallertartig, eingedickt; **2.** in Geˈlee *od.* Asˈpik: ***~ eel.***

jel·ly [ˈdʒelɪ] **I** *s.* **1.** Gallert *n*, Galˈlerte *f*, *Küche*: *a.* Geˈlee *n*, Sülze *f*, Asˈpik *n*; **2.** a) Geˈlee *n* (*Marmelade*), b) Götterspeise *f*, ‚Wackelpeter‘ *m*, c) (rote *etc.*) Grütze (*Süßspeise*); **3.** gallertartige *od.* ‚schwabbelige‘ Masse, Brei *m*: ***beat s.o. into a ~*** F j-n ‚zu Brei schlagen‘; **4.** *Brit. sl.* Dynaˈmit *n*; **II** *v/t.* **5.** zum Gelieren *od.* Erstarren bringen, eindicken; **6.** *Küche*: in Sülze *od.* Asˈpik *od.* Geˈlee (ein)legen; **III** *v/i.* **7.** gelieren, Geˈlee bilden; **8.** erstarren; **~ ba·by** *s.* Gummibärchen *n*; **ˈ~·bean** *s.* ˈWeingummi(bonˌbon) *n*; **ˈ~·fish** *s.* **1.** Qualle *f*; **2.** *fig.* ‚Waschlappen‘ *m.*

jel·lo [ˈdʒeləʊ] *s. Am.* → ***jelly*** 2.

jem·my [ˈdʒemɪ] **I** *s.* Brecheisen *n*; **II** *v/t.* mit dem Brecheisen öffnen, aufstemmen.

jen·ny [ˈdʒenɪ] *s.* **1.** → ***spinning-jenny***; **2.** ⚙ Laufkran *m*; **3.** *zo.* Weibchen *n*; **~ ass** *s.* Eselin *f*; **~ wren** *s. orn.* (weiblicher) Zaunkönig.

jeop·ard·ize [ˈdʒepədaɪz] *v/t.* gefährden, aufs Spiel setzen; **ˈjeop·ard·y** [-dɪ] *s.* Gefahr *f*, Gefährdung *f*, Risiko *n*: ***put in ~*** → ***jeopardize***; ***no one shall be put twice in ~ for the same offence*** ⚖ niemand darf wegen derselben Straftat zweimal vor Gericht gestellt werden.

jer·e·mi·ad [ˌdʒerɪˈmaɪəd] *s.* Jeremiˈade *f*, Klagelied *n*; **Jer·e·mi·ah** [ˌdʒerɪˈmaɪə] *npr. u. s.* **1.** *bibl.* (das Buch) Jereˈmia(s) *m*; **2.** *fig.* ˈUnglücksproˌphet *m*, Schwarzseher *m*; **Jer·eˈmi·as** [-əs] → ***Jeremiah*** 1.

jerk¹ [dʒɜːk] **I** *s.* **1.** a) Ruck *m*, plötzlicher Stoß *od.* Schlag *od.* Zug, b) Satz *m*, Sprung *m*, Auffahren *n*: ***by ~s*** ruck-, sprung-, stoßweise; ***with a ~*** plötzlich, mit e-m Ruck; ***give s.th. a ~*** → 5; ***put a ~ in it*** *sl.* tüchtig rangehen; **2.** ⚕ Zuckung *f*, Zucken *n*, (*bsd.* ˈKnie-)Reˌflex *m*; **3.** *pl. Brit. mst* ***physical ~s*** *sl.* Freiübungen; Gymˈnastik *f*; **4.** *Am. sl.* a) ‚Blödmann' *m*, ‚Knülch' *m*, b) → ***soda jerker***; **II** *v/t.* **5.** schnellen; ruckweise *od.* ruckartig *od.* plötzlich ziehen *od.* reißen *od.* stoßen *etc.*: ***~ o.s. free*** sich losreißen; **III** *v/i.* **6.** (zs.-)zucken; **7.** (hoch- *etc.*)schnellen; **8.** sich ruckweise bewegen: ***~ to a stop*** ruckartig anhalten; **9.** ***~ off*** *Am. sl.* ‚wichsen'.

jerk² [dʒɜːk] *v/t. Fleisch* in Streifen schneiden u. dörren.

jer·kin [ˈdʒɜːkɪn] *s.* **1.** ärmellose Jacke; **2.** *hist.* (Leder)Wams *n*.

ˈjerkˌwa·ter *Am.* F **I** *s.* **1.** *a.* ***~ town*** kleines ‚Kaff'; **2.** *a.* ***~ train*** Bummelzug *m*; **II** *adj.* **3.** unbedeutend, armselig.

jerk·y [ˈdʒɜːkɪ] *adj.* ☐ **1.** ruckartig, stoß-, ruckweise; krampfhaft; **2.** *Am.* F ‚blöd'.

jer·o·bo·am [ˌdʒerəˈbəʊəm] *s. Brit.* Riesenweinflasche *f*.

jer·ry [ˈdʒerɪ] *s. Brit.* F **1.** Nachttopf *m*; **2.** ♀ a) Deutsche(r) *m*, deutscher Solˈdat, b) die Deutschen *pl.*; **ˈ~-ˌbuild·er** *s.* F Bauschwindler *m*; **ˈ~-built** *adj.* F unsolide gebaut: ***~ house*** ‚Bruchbude' *f*; **~ can** *s. Brit.* F Benˈzinkaˌnister *m*.

jer·sey [ˈdʒɜːzɪ] *s.* **1.** a) wollene Strickjacke, b) ˈUnterjacke *f*; **2.** Jersey *m* (*Stoffart*); **3.** ♀ *zo.* Jerseyrind *n*.

jes·sa·mine [ˈdʒesəmɪn] → ***jasmin(e)***.

jest [dʒest] **I** *s.* **1.** Scherz *m*, Spaß *m*, Witz *m*: ***in ~*** im Spaß; ***make a ~ of*** witzeln über (*acc.*); **2.** Zielscheibe *f* des Witzes *od.* Spotts: ***standing ~*** Zielscheibe ständigen Gelächters; **II** *v/i.* **3.** scherzen, spaßen, ulken; **ˈjest·er** [-tə] *s.* **1.** Spaßmacher *m*, -vogel *m*; **2.** *hist.* (Hof)Narr *m*; **ˈjest·ing** [-tɪŋ] *adj.* ☐ scherzend, spaßhaft: ***no ~ matter*** nicht zum Spaßen; **ˈjest·ing·ly** [-tɪŋlɪ] *adv.* im *od.* zum Spaß.

Jes·u·it [ˈdʒezjʊɪt] *s. eccl.* Jesuˈit *m*; **Jes·u·it·i·cal** [ˌdʒezjʊˈɪtɪkl] *adj.* ☐ *eccl.* jesuˈitisch, Jesuiten...; **ˈJes·u·it·ry** [-rɪ] *s.* a) Jesuiˈtismus *m*, b) *contp.* Spitzfindigkeit *f*.

jet¹ [dʒet] **I** *s. min.* Gaˈgat *m*, Pechkohle *f*, Jett *m*, *n*; **II** *adj. a.* ***~-black*** tief-, pech-, kohlschwarz.

jet² [dʒet] **I** *s.* **1.** (*Feuer-, Wasser- etc.*) Strahl *m*, Strom *m*: ***~ of flame*** Stichflamme *f*; **2.** ⚙ Strahlrohr *n*, Düse *f*; **3.** → a) ***jet engine***, b) ***jet plane***; **II** *v/t.* **4.** ausspritzen, -strahlen, herˈvorstoßen; **III** *v/i.* **5.** herˈvorschießen, ausströmen; **6.** mit Düsenflugzeug reisen, ‚jetten'; **~ age** *s.* Düsenzeitalter *n*; **~ bomb·er** *s.* ✈ Düsenbomber *m*; **~ en·gine** *s.* ⚙ Düsen-, Strahltriebwerk *n*; **~ fight·er** *s.* ✈ Düsenjäger *m*; **~ lag** *s.* (physische) Probˈleme *pl.* durch die Zeitumstellung (*nach langen Flugreisen*); **~ lin·er** *s.* ✈ Düsenverkehrsflugzeug *n*; **~ plane** *s.* ✈ Düsenflugzeug *n*, F ‚Düse' *f*, Jet *m*; **ˌ~-proˈpelled**, *abbr.* **ˌ~-ˈprop** *adj.* ✈ mit Düsenantrieb; **~ pro·pul·sion** *s.* ⚙, ✈ Düsen-, Rückstoß-, Strahlantrieb *m*.

jet·sam [ˈdʒetsəm] *s.* ⚓ **1.** Seewurfgut *n*, über Bord geworfene Ladung; **2.** Strandgut *n*; → ***flotsam***.

jet|set *s.* Jet-set *m*; **ˈ~-ˌset·ter** *s.* Angehörige(r *m*) *f* des Jet-set.

jet·ti·son [ˈdʒetɪsn] **I** *s.* **1.** ⚓ Überˈbordwerfen *n von Ladung*, Seewurf *m*; **2.** ✈ Notwurf *m*; **II** *v/t.* **3.** ⚓ über Bord werfen; **4.** ✈ im Notwurf abwerfen; **5.** *fig. Pläne etc.* über Bord werfen; *alte Kleider etc.* wegwerfen, *Personen* fallenlassen; **6.** *Raketenstufe* absprengen; **ˈjet·ti·son·a·ble** [-nəbl] *adj.* ✈ abwerfbar, Abwurf...(*-behälter etc.*): ***~ seat*** Schleudersitz *m*.

jet·ton [ˈdʒetn] *s.* Jeˈton *m*.

jet tur·bine *s.* ˈStrahlturˌbine *f*.

jet·ty [ˈdʒetɪ] *s.* ⚓ **1.** Landungsbrücke *f*, -steg *m*; **2.** Hafendamm *m*, Mole *f*; **3.** Strömungsbrecher *m* (*Brücke*).

Jew [dʒuː] *s.* Jude *m*, Jüdin *f*; **ˈ~-ˌbait·er** *s.* Judenhetzer *m*; **ˈ~-ˌbait·ing** *s.* Judenverfolgung *f*, -hetze *f*.

jew·el [ˈdʒuːəl] **I** *s.* **1.** Juˈwel *n*, Edelstein *m*, *weitS.* Schmuckstück *n*: ***~ box***, ***~ case*** Schmuckkästchen *n*; **2.** *fig.* Juˈwel *n*, Perle *f*; **3.** Stein *m* (*e-r Uhr*); **II** *v/t.* **4.** mit Juˈwelen schmücken *od.* versehen, mit Edelsteinen besetzen; **5.** *Uhr* mit Steinen versehen; **ˈjew·el·(l)er** [-lə] *s.* Juweˈlier *m*; **ˈjew·el·ler·y**, *bsd. Am.* **ˈjew·el·ry** [-lrɪ] *s.* **1.** Juˈwelen *pl.*; **2.** Schmuck(sachen *pl.*) *m*.

Jew·ess [ˈdʒuːɪs] *s.* Jüdin *f*; **ˈJew·ish** [-ɪʃ] *adj.* ☐ jüdisch, Juden...; **Jew·ry** [ˈdʒʊərɪ] *s.* **1.** *die* Juden *pl.*, (***world ~*** das Welt)Judentum; **2.** *hist.* Judenviertel *n*, G(h)etto *n*.

ˌJew's|-ˈear *s.* ♀ Judasohr *n*; **ˌ~-ˈharp** *s.* ♪ Maultrommel *f*.

jib¹ [dʒɪb] *s.* **1.** ⚓ Klüver *m*: ***~ boom*** Klüverbaum *m*; ***the cut of his ~*** F s-e äußere Erscheinung *od.* sein Auftreten; **2.** ⚙ Ausleger *m* (*e-s Krans*).

jib² [dʒɪb] *v/i.* **1.** scheuen, bocken (***at*** vor *dat.*) (*Pferd*); **2.** *Brit. fig.* (***at***) a) scheuen, zuˈrückweichen (vor *dat.*), b) sich sträuben (gegen), c) störrisch *od.* bokkig sein.

jibe¹ [dʒaɪb] *Am.* → ***gybe***.

jibe² [dʒaɪb] → ***gibe***.

jibe³ [dʒaɪb] *v/i. Am.* F über'einstimmen, sich entsprechen.

jif·fy [dʒɪfɪ], *a.* **jiff** [dʒɪf] *s.* F Augenblick *m*: ***in a ~*** im Nu; ***wait a ~!*** (einen) Moment!

jig¹ [dʒɪg] **I** *s.* **1.** ⚙ Spann-, Bohrvorrichtung *f*; **2.** ⚒ a) Kohlenwippe *f*, b) 'Setzmaˌschine *f*; **II** *v/t.* **3.** ⚙ mit e-r Einstellvorrichtung *od.* Schab'lone herstellen; **4.** ⚒ *Erze* setzen, scheiden.

jig² [dʒɪg] **I** *s.* **1.** ♪ Gigue *f* (*a. Tanz*); **2.** *Am. sl.* ‚Schwof' *m*, Tanzparty *f*: ***the ~ is up*** *fig.* das Spiel ist aus; **3.** *fig.* Freudentanz *m*; **II** *v/t.* **4.** schütteln; **III** *v/i.* **5.** e-e Gigue tanzen; **6.** hopsen, tanzen.

jig·ger ['dʒɪgə] *s.* **1.** Giguetänzer *m*; **2.** ⚓ a) Be'san(mast) *m*, b) Handtalje *f*; **3.** *Golf*: Jigger *m* (*Schläger, mst Nr. 4*); **4.** a) Schnapsglas *n*, b) ‚Schnäps-chen' *n*; **5.** *Am.* F Dings(bums) *n*, Appa'rat *m*; **6.** *a.* ~ ***flea*** Sandfloh *m*; **jig·gered** ['dʒɪgəd] *adj.*: ***well, I'm ~*** (***if***) hol mich der Teufel(, wenn).

jig·ger·y-pok·er·y [ˌdʒɪgərɪ'pəʊkərɪ] *s. Brit.* F fauler Zauber, ‚Schmu' *m*.

jig·gle ['dʒɪgl] **I** *v/t.* (leicht) rütteln; **II** *v/i.* wippen, hüpfen, wackeln.

'**jig·saw** *s.* ⚙ **1.** Laubsäge *f*; **2.** 'Schweifsäge(maˌschine) *f*; **3.** → ~ **puz·zle** *s.* Puzzle(spiel) *n*.

Jill [dʒɪl] → ***Gill⁴***.

jilt [dʒɪlt] *v/t.* a) *e-m Liebhaber* den Laufpaß geben, b) *ein Mädchen* sitzenlassen.

Jim Crow [ˌdʒɪm'krəʊ] *s. Am.* F **1.** *contp.* ‚Nigger' *m*; **2.** 'Rassendiskrimiˌnierung *f*: ~ ***car*** 🚃 Wagen *m* für Farbige.

jim-jams ['dʒɪmdʒæmz] *s. pl. sl.* **1.** De'lirium *n* tremens; **2.** a) Nervenflattern *n*, b) Gänsehaut *f*.

jim·my ['dʒɪmɪ] → ***jemmy***.

jin·gle ['dʒɪŋgl] **I** *v/i.* **1.** klimpern, klirren, klingeln; **II** *v/t.* **2.** klingeln lassen, klimpern (mit), bimmeln (mit); **III** *s.* **3.** Geklingel *n*, Klimpern *n*; **4.** (eingängiges) Liedchen *od.* Vers-chen, *a.* Werbesong *m od.* -spruch *m*.

jin·go ['dʒɪŋgəʊ] **I** *pl.* **-goes** *s.* **1.** *pol.* Chauvi'nist(in); **2.** → ***jingoism***; **II** *int.* **3.** ***by ~!*** beim Zeus!; '**jin·go·ism** [-əʊɪzəm] *s. pol.* Chauvi'nismus *m*, Hur'rapatrioˌtismus *m*; **jin·go·is·tic** [ˌdʒɪŋgəʊ'ɪstɪk] *adj.* chauvi'nistisch.

jink [dʒɪŋk] **I** *s.* **1.** 'Ausweichmaˌnöver *n*; **2.** ***high ~s*** ‚Highlife' *n*, ‚tolle Party'; **II** **3.** *v/i. u. v/t.* geschickt ausweichen.

jin·rik·i·sha, *a.* **jin·rick·sha** [dʒɪn'rɪkʃə] *s.* Rikscha *f*.

jinn [dʒɪn] *pl. von* **jin·nee** [dʒɪ'niː] *s.* Dschin *m* (*islamischer Geist*).

jinx [dʒɪŋks] *sl.* **I** *s.* **1.** Unheilbringer *m*; *weitS.* Unglück *n*, Pech *n* (***for*** für): ***there is a ~ on it!*** das ist wie verhext!; ***put a ~ on*** → 3b; **2.** Unheil *n*; **II** *v/t.* **3.** a) Unglück bringen (*dat.*), b) *et.* ‚verhexen'.

jit·ter ['dʒɪtə] F **I** *v/i.* ner'vös sein, ‚Bammel' haben, ‚bibbern'; **II** *s.*: ***the ~s*** *pl.* a) ‚Bammel' *m* (*Angst*), b) ‚Zustände' *pl.*, ‚Tatterich' *m* (*Nervosität*); '**jit·ter·bug** [-bʌg] *s.* **1.** Jitterbug *m* (*Tanz*); **2.** *fig.* Nervenbündel *n*; '**jit·ter·y** [-ərɪ] *adj.* F nervös, ‚bibbernd'.

jiu·jit·su [dʒjuː'dʒɪtsuː] → ***jujitsu***.

jive [dʒaɪv] **I** *s.* **1.** ♪ Jive *m*, (*Art*) 'Swingmuˌsik *f od.* -tanz *m*; **2.** *Am. sl.* Gequassel *n*; **II** *v/i.* **3.** Jive *od.* Swing tanzen *od.* spielen.

job¹ [dʒɒb] **I** *s.* **1.** *ein Stück* Arbeit *f*: ***a ~ of work*** e-e Arbeit; ***a good ~ of work*** e-e saubere Arbeit; ***be paid by the ~*** pro Auftrag bezahlt werden; ***odd ~s*** Gelegenheitsarbeiten; ***make a good ~ of it*** gute Arbeit leisten, s-e Sache gut machen; ***it was quite a ~*** es war (gar) nicht so einfach, es war e-e Mordsarbeit; ***I had a ~ to do it*** das war ganz schön schwer (für mich); ***on the ~*** a) an der Arbeit, ‚dran', b) in Aktion, c) ‚auf Draht'; **2.** Stück-, Ak'kordarbeit *f*: ***by the ~*** im Akkord; **3.** Stellung *f*, Tätigkeit *f*, Arbeit *f*, Job *m*: ***a ~ as a typist***; ***out of a ~*** stellungslos; ***know one's ~*** s-e Sache verstehen; ***on the ~ training*** Ausbildung *f* am Arbeitsplatz; ***create new ~s*** neue Arbeitsplätze schaffen; ***~s for the boys*** *pol.* F Vetternwirtschaft *f*; ***this is not everybody's ~*** dies liegt nicht jedem; **4.** Aufgabe *f*, Pflicht *f*, Sache *f*: ***it is your ~ to do it*** es ist deine Sache; **5.** F Sache *f*, Angelegenheit *f*, Lage *f*: ***a good ~*** (***too***)***!*** ein (wahres) Glück!; ***make the best of a bad ~*** a) retten, was zu retten ist, b) gute Miene zum bösen Spiel machen; ***I gave it up as a bad ~*** ich steckte es (*als aussichtslos*) auf; ***I gave him up as a bad ~*** ich ließ ihn fallen (*weil er nichts taugte etc.*); ***just the ~!*** genau das Richtige!; **6.** *sl.* a) Pro'fitgeschäft *n*, Schiebung *f*, ‚krumme Tour', b) ‚Ding' *n* (*Verbrechen*): ***pull a ~*** ein Ding drehen; ***do his ~ for him*** ihn ‚fertigmachen'; **7.** *bsd. Am.* F a) ‚Dings' *n*, ‚Appa'rat' *m* (*a. Auto etc.*), b) ‚Nummer' *f*, ‚Type' *f* (*Person*): ***he's a tough ~*** er ist ein unangenehmer Kerl; **II** *v/i.* **8.** Gelegenheitsarbeiten machen, ‚jobben'; **9.** im Ak'kord arbeiten; **10.** Zwischenhandel treiben; **11.** Maklergeschäfte treiben, mit Aktien handeln; **12.** ‚schieben', in die eigene Tasche arbeiten; **III** *v/t.* **13.** *a.* ~ ***out*** ✝ a) *Arbeit* im Ak'kord vergeben, b) *Auftrag* (weiter)vergeben; **14.** spekulieren mit; **15.** als Zwischenhänd-

J

ler verkaufen; **16.** veruntreuen; *Amt* miß'brauchen: **~ *s.o. into a post*** j-m e-n Posten zuschanzen.

Job² [dʒəʊb] *npr. bibl.* Hiob *m*, Job *m*: (***the Book of***) **~** (das Buch) Hiob *od.* Job; ***patience of* ~** *e-e* Engelsgeduld; ***that would try the patience of* ~** das würde selbst e-n Engel zur Verzweiflung treiben; ***~'s comforter*** schlechter Tröster (*der alles noch verschlimmert*); ***~'s news***, ***~'s post*** Hiobsbotschaft *f*.

job a·nal·y·sis *s.* 'Arbeitsplatzana,lyse *f*.

job·ber ['dʒɒbə] *s.* **1.** Gelegenheitsarbeiter *m*; **2.** Ak'kordarbeiter *m*: **3.** ✝ Zwischen-, *Am.* Großhändler *m*; **4.** *Brit. Börse*: Jobber *m* (*der auf eigene Rechnung Geschäfte tätigt*); **5.** *Am.* 'Börsenspeku,lant *m*; **6.** Geschäftemacher *m*, ‚Schieber' *m*, *a.* kor'rupter Beamter; **'job·ber·y** [-ərɪ] *s.* **1.** *b.s.* ‚Schiebung' *f*, Korrupti'on *f*; **2.** 'Amts,mißbrauch *m*; **'job·bing** [-bɪŋ] *s.* **1.** Gelegenheitsarbeit *f*; **2.** Ak'kordarbeit *f*; **3.** *Börse*: *Brit.* Ef'fektenhandel *m*, *a.* Spekulati'on(sgeschäfte *pl.*) *f*; **4.** Zwischen-, *Am.* Großhandel *m*; **5.** ‚Schiebung' *f*.

job| cre·a·tion *s.* Schaffung *f* von Arbeitsplätzen: **~ *scheme*** (*od.* ***program[me]***) Arbeitsbeschaffungsprogramm *n*; **~ cuts** *s.* Stellenabbau *m*; **~ de·scrip·tion** *s.* Arbeits(platz)-, Tätigkeitsbeschreibung *f*; **~ e·val·u·a·tion** *s.* Arbeits(platz)bewertung *f*; **~ hop·ping** *s.* häufiger Stellenwechsel (*zur Verbesserung des Einkommens*); **~ hunt·er** *s.* Stellungssuchende(r *m*) *f*; **~ kil·ler** *s.* Jobkiller *m* (*arbeitsplatzvernichtende Maschine etc.*); **'~·less** [-lɪs] **I** *adj.* arbeitslos; **II** *s.*: ***the* ~** *pl.* die Arbeitslosen *pl.*; **~ line**, **~ lot** *s.* ✝ **1.** Gelegenheitskauf *m*; **2.** Ramsch-, Par'tieware(n *pl.*) *f*; **~ mar·ket** *s.* Arbeitsmarkt *m*; **~ place·ment** *s.* Stellenvermittlung *f*; **~ print·ing** *s.* Akzi'denzdruck *m*; **~ ro·ta·tion** *s.* turnusmäßiger Arbeitsplatztausch; **~ sat·is·fac·tion** *s.* Zufriedenheit am Arbeitsplatz; **~ se·cu·ri·ty** *s.* Sicherheit *f* des Arbeitsplatzes; **~ shar·ing** *s.* Jobsharing *n*, Arbeitsplatzteilung *f*; **~ work** *s.* **1.** Ak'kordarbeit *f*; **2.** → ***job printing***.

jock·ey ['dʒɒkɪ] **I** *s.* Jockey *m*, Jockei *m*; **II** *v/t.* a) manipulieren, b) betrügen (***out of*** um): **~ *into s.th.*** in et. hineinmanövrieren, zu et. verleiten; **~ *s.o. into a position*** j-m durch Protektion e-e Stellung verschaffen, ‚j-n lancieren'; **III** *v/i.* **~ *for*** ‚rangeln' um (*a. fig.*): **~ *for position*** *sport u. fig.* sich e-e gute (Ausgangs)Position zu schaffen suchen.

'jock·strap ['dʒɒk-] *s. bsd. sport* Suspen'sorium *n*.

jo·cose [dʒəʊ'kəʊs] *adj.* □ **1.** scherzhaft, komisch, drollig; **2.** heiter, ausgelassen.

joc·u·lar ['dʒɒkjʊlə] *adj.* □ **1.** scherzhaft, witzig; **2.** lustig, heiter; **joc·u·lar·i·ty** [,dʒɒkjʊ'lærətɪ] *s.* **1.** Scherzhaftigkeit *f*; **2.** Heiterkeit *f*.

joc·und ['dʒɒkənd] *adj.* □ lustig, fröhlich, heiter; **jo·cun·di·ty** [dʒəʊ'kʌndətɪ] *s.* Lustigkeit *f*.

jodh·purs ['dʒɒdpəz] *s. pl.* Reithose(n *pl.*) *f*.

jog [dʒɒg] **I** *v/t.* **1.** (an)stoßen, rütteln, ‚stupsen'; **2.** *fig.* aufrütteln: **~ *s.o.'s memory*** j-s Gedächtnis nachhelfen; **II** *v/i.* **3.** *a.* **~ *on***, **~ *along*** (da'hin)trotten, (-)zuckeln; **4.** sich auf den Weg machen, ‚loszuckeln'; **5.** *fig. a.* **~ *on*** a) weiterwursteln, b) s-n Lauf nehmen; **6.** *sport* ‚joggen', im Trimmtrab laufen; **III** *s.* **7.** (leichter) Stoß; **8.** Rütteln *n*; **9.** → ***jogtrot*** 1; **'jog·ging** [-gɪŋ] *s.* ‚Jogging' *n*, Trimmtrab *m*.

jog·gle ['dʒɒgl] **I** *v/t.* **1.** leicht schütteln *od.* rütteln; **2.** ⚙ verschränken, verzahnen; **II** *v/i.* **3.** sich schütteln, wackeln; **III** *s.* **4.** Stoß *m*, Rütteln *n*; **5.** ⚙ Verzahnung *f*, Nut *f* u. Feder *f*.

'jog·trot I *s.* **1.** gemächlicher Trab, Trott *m*; **2.** *fig.* Trott *m*: a) Schlendrian *m*, b) Eintönigkeit *f*; **II** *v/i.* **3.** → ***jog*** 3.

john¹ [dʒɒn] *s. Am. sl.* Klo *n*.

John² [dʒɒn] *npr. u. s. bibl.* Jo'hannes (-evan,gelium *n*) *m*: **~ *the Baptist*** Johannes der Täufer; (***the Epistles of***) **~** die Johannesbriefe; **~ Bull** *s.* John Bull: a) *England*, b) *der* (*typische*) *Engländer*; **~ Doe** [dəʊ] *s.*: **~ *and Richard Roe*** ⚖ A. und B. (*fiktive Parteien*); **~ Do·ry** ['dɔːrɪ] *s. ichth.* Heringskönig *m*; **~ Han·cock** ['hænkɒk] *s. Am.* F *j-s* ‚Friedrich Wilhelm' *m* (*Unterschrift*).

john·ny ['dʒɒnɪ] *s. Brit.* F Bursche *m*, Typ *m*, ‚Knülch' *m*; **,⁀-come-'late·ly** *s. Am.* F **1.** Neuankömmling *m*, Neuling *m*; **2.** *fig.* ‚Spätzünder' *m*; **⁀ on the spot** *s. Am.* F a) j-d, der ‚auf Draht' ist, b) Retter *m* in der Not.

John·so·ni·an [dʒɒn'səʊnjən] *adj.* **1.** Johnsonsch (*Samuel Johnson od. s-n Stil betreffend*); **2.** pom'pös, hochtrabend.

join [dʒɔɪn] **I** *v/t.* **1.** *et.* verbinden, -einigen, zs.-fügen (***to***, ***on to*** mit): **~ *hands*** a) die Hände falten, b) sich die Hand reichen (*a. fig.*), c) *fig.* sich zs.-tun; **2.** *Personen* vereinigen, zs.-bringen (***with***, ***to*** mit): **~ *in marriage*** verheiraten; **~ *in friendship*** freundschaftlich verbinden; **3.** *fig.* verbinden, -ein(ig)en: **~ *prayers*** gemeinsam beten; → ***battle*** 2, ***force*** 1, ***issue*** 6; **4.** sich anschließen (*dat. od.* an *acc.*), stoßen *od.* sich gesellen zu, sich einfinden bei: **~ *s.o. in*** (***doing***) ***s.th.*** et. zusammen mit j-m tun; **~ *s.o. in a walk*** (gemeinsam) mit j-m e-n Spaziergang machen, sich j-m auf e-m Spaziergang anschließen; ~ ***one's regiment*** zu s-m Regiment stoßen; ~ ***one's ship*** an Bord s-s Schiffes gehen; ***may I ~ you?*** a) darf ich mich Ihnen anschließen *od.* Ihnen Gesellschaft leisten, b) darf ich mitmachen?; ***I'll ~ you soon!*** ich komme bald (nach)!; ***will you ~ me in a drink?*** trinken Sie ein Glas mit mir?; → ***majority*** 1; **5.** *e-m Klub, e-r Partei etc.* beitreten, eintreten in (*acc.*): ~ ***the army*** ins Heer eintreten, Soldat werden; ~ ***a firm as a partner*** in e-e Firma als Teilhaber eintreten; **6.** a) teilnehmen *od.* sich beteiligen an (*dat.*), mitmachen bei, b) sich einlassen auf (*acc.*), *den Kampf* aufnehmen: ~ ***an action*** *jur.* e-m Prozeß beitreten; ~ ***a treaty*** e-m (Staats)Vertrag beitreten; **7.** sich vereinigen mit, zs.-kommen mit, (ein-) münden in (*acc.*) (*Fluß, Straße*); **8.** *math. Punkte* verbinden; **9.** (an)grenzen an (*acc.*); **II** *v/i.* **10.** sich vereinigen *od.* verbinden, zs.-kommen, sich treffen (***with*** mit); **11.** a) ~ ***in*** (*s.th.*) → 6 a, b) ~ ***with s.o. in s.th.*** sich j-m bei et. anschließen, et. gemeinsam tun mit j-m: ~ ***in everybody!*** alle mitmachen!; **12.** anein'andergrenzen, sich berühren; **13.** ~ ***up*** Sol'dat werden, zum Mili'tär gehen; **III** *s.* **14.** Verbindungsstelle *f*, -linie *f*, Naht *f*, Fuge *f*.

join·der ['dʒɔɪndə] *s.* **1.** Verbindung *f*; **2.** ⚖ a) *a.* ~ ***of actions*** (objek'tive) Klagehäufung, b) *a.* ~ ***of parties*** Streitgenossenschaft *f*, c) ~ ***of issue*** Einlassung *f* (auf die Klage).

join·er ['dʒɔɪnə] *s.* Tischler *m*, Schreiner *m*: ~***'s bench*** Hobelbank *f*; '**join·er·y** [-ərɪ] *s.* **1.** Tischlerhandwerk *n*, Schreine'rei *f*; **2.** Tischlerarbeit *f*.

joint [dʒɔɪnt] **I** *s.* **1.** Verbindung(sstelle) *f*, *bsd.* a) *Tischlerei etc.*: Fuge *f*, Stoß *m*, b) (Löt)Naht *f*, Nahtstelle *f*, c) Falz *m* (*der Buchdecke*), d) *anat.*, *biol.*, ⚘, ⚙ Gelenk *n*: ***out of ~*** ausgerenkt, *bsd. fig.* aus den Fugen; → ***nose*** *Bes. Redew.*; **2.** Verbindungsstück *n*, Bindeglied *n*; **3.** Hauptstück *n* (*e-s Schlachttiers*), Braten(stück *n*) *m*; **4.** *sl.* ‚Bude' *f*, ‚Laden' *m*: a) Lo'kal *n*, ‚Schuppen' *m*, *contp.* ‚'Bumslo͵kal' *n*, Spe'lunke *f*, b) Gebäude; **5.** *sl.* Joint *m* (*Marihuanazigarette*); **II** *adj.* (□ → ***jointly***) **6.** gemeinsam, gemeinschaftlich (*a.* ⚖): ~ ***invention***; ~ ***liability***; ~ ***effort***; ~ ***efforts*** vereinte Kräfte *od.* Anstrengungen; ~ ***and several*** ⚖ gesamtschuldnerisch, solidarisch, zur gesamten Hand (→ ***jointly***); ~ ***and several creditor*** (***debtor***) Gesamtgläubiger *m* (-schuldner *m*); ***take ~ action*** gemeinsam vorgehen, zs.-wirken; **7.** *bsd.* ⚖ Mit..., Neben...: ~ ***heir*** Miterbe *m*; ~ ***offender*** Mittäter *m*; ~ ***plaintiff*** Mitkläger *m*; **8.** vereint, zs.-hängend; **III** *v/t.* **9.** verbinden, zs.-fügen; **10.** ⚙ a) fugen, stoßen, verbinden, -zapfen, b) *Fugen* verstreichen; ~ **ac·count** *s.* ✝ Gemeinschaftskonto *n*: ***on*** (*od.* ***for***) ~ auf *od.* für gemeinsame Rechnung; ~ **ad·ven·ture** → ***joint venture***; ~ **cap·i·tal** *s.* ✝ Ge'sellschaftskapi͵tal *n*; ~ **com·mit·tee** *s. pol.* gemischter Ausschuß; ~ **cred·it** *s.* ✝ Konsorti'alkre͵dit *m*; ~ **cred·i·tor** *s.* ⚖ Gesamthandgläubiger *m*; ~ **debt** *s.* ⚖ gemeinsame Verbindlichkeit(en *pl.*) *f*, Gesamthandschuld *f*; ~ **debt·or** *s.* ⚖ Mitschuldner *m*, Gesamthandschuldner *m*.

joint·ed ['dʒɔɪntɪd] *adj.* **1.** verbunden; **2.** gegliedert, mit Gelenken (versehen): ~ ***doll*** Gliederpuppe *f*.

joint·ly ['dʒɔɪntlɪ] *adv.* gemeinschaftlich: ~ ***and severally*** a) gemeinsam u. jeder für sich, b) solidarisch, zur gesamten Hand, gesamtschuldnerisch.

joint| **own·er** *s.* ✝ Miteigentümer(in), Mitinhaber(in); ~ **own·er·ship** *s.* Miteigentum *n*; ~ **res·o·lu·tion** *s. pol.* gemeinsame Resoluti'on; ~ **stock** *s.* ✝ Ge'sellschafts-, 'Aktienkapi͵tal *n*; ͵~-'**stock bank** *s.* Genossenschafts-, Aktienbank *f*; ͵~-'**stock com·pa·ny** *s.* ✝ **1.** *Brit.* Aktiengesellschaft *f*; **2.** *Am.* offene Handelsgesellschaft auf Aktien; ͵~-'**stock cor·po·ra·tion** *s. Am.* Aktiengesellschaft *f*; ~ **ten·an·cy** *s.* ✝ Mitbesitz *m*, -pacht *f*; ~ **un·der·tak·ing**, ~ **ven·ture** *s.* ✝ **1.** Ge'meinschaftsunter͵nehmen *n*; **2.** Gelegenheitsgesellschaft *f*.

joist [dʒɔɪst] ⚠ **I** *s.* (Quer)Balken *m*; (Quer-, Pro'fil)Träger *m*; **II** *v/t.* mit Pro'filträgern belegen.

joke [dʒəʊk] **I** *s.* **1.** Witz *m*: ***practical ~*** Schabernack *m*, Streich *m*; ***play a practical ~ on s.o.*** j-m einen Streich spielen; ***crack ~s*** Witze reißen; **2.** Scherz *m*, Spaß *m*: ***in ~*** zum Scherz; ***he cannot take*** (*od.* ***see***) ***a ~*** er versteht keinen Spaß; ***I don't see the ~!*** was soll daran so witzig sein?; ***it's no ~!*** a) (das ist) kein Witz!, b) das ist keine Kleinigkeit *od.* kein Spaß!; ***the ~ was on me*** der Spaß ging auf m-e Kosten; **II** *v/i.* **3.** Witze *od.* Spaß machen, scherzen, flachsen: ***I'm not joking!*** ich meine das ernst; ***you must be joking!*** soll das ein Witz sein?; '**jok·er** [-kə] *s.* **1.** Spaßvogel *m*, Witzbold *m*; **2.** *sl.* Kerl *m*, ‚Heini' *m*; **3.** Joker *m* (*Spielkarte*) (*a. fig.*); **4.** *Am. sl. mst pol.* ‚'Hintertürklausel' *f*; '**jok·ing** [-kɪŋ] *s.* Scherzen *n*: ~ ***apart!*** Scherz beiseite!

jol·li·fi·ca·tion [͵dʒɒlɪfɪ'keɪʃn] *s.* F (feucht)fröhliches Fest, Festivi'tät *f*; **jol·li·ness** ['dʒɒlɪnɪs], *mst* **jol·li·ty** ['dʒɒlətɪ] *s.* **1.** Fröhlichkeit *f*; **2.** Fest *n*.

jol·ly ['dʒɒlɪ] **I** *adj.* □ **1.** lustig, fi'del, vergnügt; **2.** F angeheitert, beschwipst;

3. *Brit.* F a) nett, hübsch: ***a ~ room***, b) *iro.* ‚schön', ‚furchtbar': ***he must be a ~ fool*** er muß (ja) ganz schön blöd sein; **II** *adv.* **4.** *Brit.* F ziemlich, ‚mächtig', ‚furchtbar': ***~ late***; ***~ nice*** ‚unheimlich' nett; ***~ good*** *a. iro.* (ist ja) Klasse!; ***a ~ good fellow*** ein ‚prima' Kerl; ***I ~ well told him*** ich hab' es ihm (doch) ganz deutlich gesagt; ***you'll ~ well*** (***have to***) ***do it!*** du mußt (es tun), ob du willst oder nicht; ***you ~ well know*** du weißt das ganz genau; **III** *v/t.* F **5.** *mst* ***~ along*** *od.* ***up*** *j-n* bei Laune halten *od.* aufmuntern: ***~ s.o. into doing s.th.*** j-n zu e-r Sache ‚bequatschen'; **6.** *j-n* ‚veräppeln'.

jol·ly boat ['dʒɒlɪ] *s.* ⚓ Jolle *f.*

Jol·ly Rog·er ['rɒdʒə] *s.* Totenkopf-, Pi'ratenflagge *f.*

jolt [dʒəʊlt] **I** *v/t.* **1.** ('durch)rütteln, stoßen; **2.** *Am. Boxen*: (*Gegner*) erschüttern (*a. fig.*); **3.** *fig. j-m* e-n Schock versetzen; **4.** *j-n* aufrütteln; **II** *v/i.* **5.** rütteln, holpern (*Fahrzeug*); **III** *s.* **6.** Ruck *m*, Stoß *m*, Rütteln *n*; **7.** Schock *m*; **8.** (harter) Schlag; **9.** F a) Wirkung *f* (*e-r Droge etc.*), b) ‚Schuß' *m* (*Kognak, Droge*).

Jo·nah ['dʒəʊnə] *npr. u. s.* **1.** *bibl.* (das Buch) Jonas *m*; **2.** *fig.* Unheilbringer *m*; '**Jo·nas** [-əs] → ***Jonah*** 1.

josh [dʒɒʃ] *sl.* **I** *v/t.* ‚aufziehen', veräppeln; **II** *s.* Hänse'lei *f.*

Josh·u·a ['dʒɒʃwə] *npr. u. s. bibl.* (das Buch) Josua *m od.* Josue *m.*

joss| house [dʒɒs] *s.* chi'nesischer Tempel; **~ stick** *s.* Räucherstäbchen *n.*

jos·tle ['dʒɒsl] **I** *v/i.* drängeln: ***~ against*** → **II** *v/t.* anrempeln, schubsen; **III** *s.* a) Gedränge *n*, Dränge'lei *f*, b) Rempe'lei *f.*

Jos·u·e ['dʒɒzjʊiː] → ***Joshua***.

jot [dʒɒt] **I** *s.*: ***not a ~*** nicht ein bißchen; ***there's not a ~ of truth in it*** da ist überhaupt nichts Wahres dran; **II** *v/t.* *mst* ***~ down*** schnell hinschreiben *od.* notieren *od.* hinwerfen; '**jot·ter** [-tə] *s.* No'tizbuch *n*; '**jot·ting** [-tɪŋ] *s.* (kurze) No'tiz.

joule [dʒuːl] *s. phys.* Joule *n.*

jounce [dʒaʊns] → ***jolt*** 1, 6, 7.

jour·nal ['dʒɜːnl] *s.* **1.** Jour'nal *n*, Zeitschrift *f*, Zeitung *f*; **2.** Tagebuch *n*; **3.** ✝ Jour'nal *n*, Memori'al *n*; **4.** ≈***s*** *pl. parl. Brit.* Proto'kollbuch *n*; **5.** ⚓ Logbuch *n*; **6.** ⚙ (Achs-, Lager)Zapfen *m*: ***~ bearing*** *od.* ***box*** Achs-, Zapfenlager *n*; **jour·nal·ese** [ˌdʒɜːnə'liːz] *s. contp.* Zeitungsstil *m*; '**jour·nal·ism** [-nəlɪzəm] *s.* Journa'lismus *m*; '**jour·nal·ist** [-nəlɪst] *s.* Journa'list(in); **jour·nal·istic** [ˌdʒɜːnə'lɪstɪk] *adj.* journa'listisch.

jour·ney ['dʒɜːnɪ] **I** *s.* **1.** Reise *f*: ***go on a ~*** verreisen; ***bus ~*** Busfahrt *f*; ***~'s end*** Ende *n* der Reise, *fig.* ‚Endstation' *f*, *a.* Tod *m*; **2.** Reise *f*, Strecke *f*, Route *f*, Weg *m*, Fahrt *f*, Gang *m*: ***it's a day's ~ from here*** es ist e-e Tagereise von hier, man braucht e-n Tag, um von hier dorthin zu kommen; **II** *v/i.* **3.** reisen; wandern; '**~·man** [-mən] *s.* [*irr.*] (Handwerks)Geselle *m*: ***~ baker*** Bäckergeselle.

joust [dʒaʊst] *hist.* **I** *s.* Turnier *n*; **II** *v/i.* im Turnier kämpfen; *fig.* e-n Strauß ausfechten.

Jove [dʒəʊv] *npr.* Jupiter *m*: ***by ~!*** a) Donnerwetter!, b) beim Zeus!

jo·vi·al ['dʒəʊvjəl] *adj.* □ **1.** jovi'al (*a. contp.*), freundlich, aufgeräumt, gemütlich: ***a ~ fellow***; **2.** freundlich, nett: ***a ~ welcome***; **3.** heiter, vergnügt, lustig; **jo·vi·al·i·ty** [ˌdʒəʊvɪ'ælətɪ] *s.* Joviali'tät *f*, Freundlichkeit *f*, Fröhlichkeit *f.*

jowl [dʒaʊl] *s.* **1.** ('Unter)Kiefer *m*; **2.** (*mst* feiste *od.* Hänge)Backe *f*; → ***cheek*** 1; **3.** *zo.* Wamme *f.*

joy [dʒɔɪ] *s.* **1.** Freude *f* (***at*** über *acc.*, ***in***, ***of*** an *dat.*): ***to my*** (***great***) ***~*** zu m-r (großen) Freude; ***leap for ~*** vor Freude hüpfen; ***tears of ~*** Freudentränen; ***it gives me great ~*** es macht mir große Freude; ***my children are a great ~ to me*** m-e Kinder machen mir viel Freude; ***wish s.o. ~*** (***of***) j-m Glück wünschen (zu); ***I wish you ~!*** *iro.* (na, dann) viel Spaß!; **2.** *Brit.* F Erfolg *m*: ***I didn't have any ~!*** ich hatte keinen Erfolg!, es hat nicht geklappt!; '**joy·ful** [-fʊl] *adj.* □ **1.** freudig, erfreut, froh: ***be ~*** sich freuen; **2.** erfreulich, froh; '**joyful·ness** [-fʊlnɪs] *s.* Freude *f*, Fröhlichkeit *f*; '**joy·less** [-lɪs] *adj.* □ freudlos; **joy·ous** ['dʒɔɪəs] *adj.* □ → ***joyful***.

joy| ride *s.* F Vergnügungsfahrt *f*, (wilde) Spritztour (*bsd.* in e-m gestohlenen Auto); '**~·stick** *s.* **1.** ✈ F Steuerknüppel *m*; **2.** *Computer*: Joystick *m.*

ju·bi·lant ['dʒuːbɪlənt] *adj.* □ jubelnd, froh'lockend, (glück)strahlend (*a. Gesicht*): ***be ~*** → ***jubilate*** 1; **ju·bi·late I** *v/i.* ['dʒuːbɪleɪt] **1.** jubeln, jubilieren, überglücklich sein, triumphieren; **II** ≈ [ˌdʒuːbɪ'lɑːtɪ] (*Lat.*) *s. eccl.* **2.** (Sonntag *m*) Jubi'late *m* (*3. Sonntag nach Ostern*); **3.** Jubi'latepsalm *m*; **ju·bi·la·tion** [ˌdʒuːbɪ'leɪʃn] *s.* Jubel *m.*

ju·bi·lee ['dʒuːbɪliː] *s.* **1.** (*bsd.* fünfzigjähriges) Jubi'läum: ***silver ~*** fünfundzwanzigjähriges Jubiläum; **2.** *R.C.* Jubel-, Ablaßjahr *n.*

Ju·da·ic [dʒuː'deɪɪk] *adj.* ju'daisch, jüdisch; **Ju·da·ism** ['dʒuːdeɪɪzəm] *s.* **1.** Juda'ismus *m*; **2.** *das* Judentum; **Ju·da·ize** ['dʒuːdeɪaɪz] *v/t.* judaisieren, jüdisch machen.

Ju·das ['dʒuːdəs] **I** *npr. bibl.* Judas *m* (*a. fig. Verräter*): ***~ kiss*** Judaskuß *m*; **II** ≈ *s.* Guckloch *n*, ‚Spi'on' *m.*

Jude [dʒuːd] *npr. u. s. bibl.* Judas *m*:

(***the Epistle of***) ~ der Judasbrief.

jud·der ['dʒʌdə] *v/i.* **1.** rütteln, wackeln; **2.** vibrieren.

judge [dʒʌdʒ] **I** *s.* **1.** ⚖ Richter *m*; **2.** *mst* Preis-, *sport a.* Kampfrichter *m*; **3.** Kenner *m*: ***a*** (***good***) ***~ of wine*** ein Weinkenner; ***I am no ~ of it*** ich kann es nicht beurteilen; ***I am no ~ of music, but*** ich verstehe (zwar) nicht viel von Musik, aber; ***I'll be the ~ of that*** das müssen Sie mich schon selbst beurteilen lassen; **4.** *bibl.* a) Richter *m*, b) ***&s*** *pl. sg. konstr.* (*das* Buch der) Richter *pl.*; **II** *v/t.* **5.** ⚖ ein Urteil fällen *od.* Recht sprechen über (*acc.*), *e-n Fall* verhandeln; **6.** entscheiden (***s.th.*** et.; ***that*** daß); **7.** beurteilen, bewerten, einschätzen (***by*** nach); **8.** a) Preis-, *sport* Kampfrichter sein bei, b) *Leistungen etc.* (als Preisrichter *etc.*) bewerten; **9.** betrachten als, halten für; **III** *v/i.* **10.** ⚖ urteilen, Recht sprechen; **11.** *fig.* richten; **12.** urteilen (***by***, ***from*** nach; ***of*** über *acc.*): ***~ for yourself!*** urteilen Sie selbst!; ***judging by his words*** s-n Worten nach zu urteilen; ***how can I ~?*** wie soll 'ich das beurteilen?; **13.** schließen (***from***, ***by*** aus); **14.** Preis-, *sport* Kampfrichter sein; **15.** a) denken, vermuten, b) ***~ of*** sich *et.* vorstellen; **~ ad·vo·cate** *s.* ⚔ Kriegsgerichtsrat *m*; **'~-made law** *s.* auf richterlicher Entscheidung beruhendes Recht, geschöpftes Recht.

judg(e)·ment ['dʒʌdʒmənt] *s.* **1.** ⚖ (Gerichts)Urteil *n*, gerichtliche Entscheidung: ***~ by default*** Versäumnisurteil; ***give*** (*od.* ***deliver***, ***render***, ***pronounce***) ***~*** ein Urteil erlassen *od.* verkünden (***on*** über *acc.*); ***pass ~*** ein Urteil fällen (***on*** über *acc.*); ***sit in ~ on a case*** Richter sein in e-m Fall; ***sit in ~ on s.o.*** über j-n zu Gericht sitzen; → ***error*** 1; **2.** Beurteilung *f*, Bewertung *f* (*a. sport etc.*), Urteil *n*; **3.** Urteilsvermögen *n*: ***man of ~*** urteilsfähiger Mann; ***use your best ~!*** handeln Sie nach Ihrem besten Ermessen; **4.** Urteil *n*, Ansicht *f*, Meinung *f*: ***form a ~*** sich ein Urteil bilden; ***against my better ~*** wider besseres Wissen; ***give one's ~ on s.th.*** sein Urteil über et. abgeben; ***in my ~*** meines Erachtens; **5.** Schätzung *f*: ***~ of distance***; **6.** göttliches (Straf)Gericht, Strafe *f* (Gottes): ***the Last &***, ***the Day of &***, ***& Day*** das Jüngste Gericht; **~ cred·i·tor** *s.* ⚖ Voll'streckungsgläubiger(in); **~ debt** *s.* ⚖ voll'streckbare Forderung, durch Urteil festgestellte Schuld; **~ debt·or** *s.* ⚖ Vollstreckungsschuldner(in); **'~-proof** *adj. Am.* ⚖ unpfändbar.

judge·ship ['dʒʌdʒʃɪp] *s.* Richteramt *n*.

ju·di·ca·ture ['dʒu:dɪkətʃə] *s.* ⚖ **1.** Rechtsprechung *f*, Rechtspflege *f*; **2.** Gerichtswesen *n*, Ju'stiz(verwaltung) *f*; → ***supreme*** 1; **3.** *coll.* Richter(stand *m*, -schaft *f*) *pl.*; **ju·di·cial** [dʒu:'dɪʃl] *adj.* □ **1.** ⚖ gerichtlich, Justiz…, Gerichts…: ***~ error*** Justizirrtum *m*; ***~ murder*** Justizmord *m*; ***~ proceedings*** Gerichtsverfahren *n*; ***~ office*** Richteramt *n*, richterliches Amt; ***~ power*** richterliche Gewalt; ***~ separation*** gerichtliche Trennung der Ehe; ***~ system*** Gerichtswesen *n*; **2.** ⚖ Richter…, richterlich; **3.** klar urteilend, kritisch; **ju·di·ci·ar·y** [dʒu:'dɪʃɪərɪ] ⚖ **I** *s.* **1.** → ***judicature*** 2, 3; **2.** *Am.* richterliche Gewalt; **II** *adj.* **3.** richterlich, rechtsprechend, gerichtlich: ***& Committee*** *Am. parl.* Rechtsausschuß *m*.

ju·di·cious [dʒu:'dɪʃəs] *adj.* □ **1.** vernünftig, klug; **2.** 'wohlüber,legt, verständnisvoll; **ju'di·cious·ness** [-nɪs] *s.* Klugheit *f*, Einsicht *f*.

ju·do ['dʒu:dəʊ] *s. sport* Judo *n*; **'ju·do·ka** [-əʊkɑ:] *s.* Ju'doka *m*.

Ju·dy ['dʒu:dɪ] → ***Punch***[4].

jug[1] [dʒʌg] **I** *s.* **1.** Krug *m*, Kanne *f*, Kännchen *n*; **2.** *sl.* ‚Kittchen' *n*, ‚Knast' *m*; **II** *v/t.* **3.** schmoren *od.* dämpfen: ***~ged hare*** Hasenpfeffer *m*; **4.** *sl.* ‚einlochen'.

jug[2] [dʒʌg] **I** *v/i.* schlagen (*Nachtigall*); **II** *s.* Nachtigallenschlag *m*.

'jug·ful [-fʊl] *pl.* **-fuls** *s. ein* Krug(voll) *m*.

jug·ger·naut ['dʒʌgənɔ:t] *s.* **1.** Moloch *m*: ***the ~ of war***; **2.** *Brit.* schwerer ‚Brummi', Schwerlastwagen *m*, Lastzug *m*.

jug·gins ['dʒʌgɪnz] *s. sl.* Trottel *m*.

jug·gle ['dʒʌgl] **I** *v/i.* **1.** jonglieren; **2.** ***~ with*** *fig.* (mit) *et.* jonglieren, *et.* manipulieren: ***~ with facts***; ***~ with one's accounts*** s-e Konten ‚frisieren'; ***~ with words*** mit Worten spielen *od.* ‚jonglieren', Worte verdrehen; **II** *v/t.* **3.** jonglieren mit; **4.** → 2; **'jug·gler** [-lə] *s.* **1.** Jon'gleur *m*; **2.** Schwindler *m*; **'jug·gler·y** [-lərɪ] *s.* **1.** Jonglieren *n*; **2.** Taschenspiele'rei *f*; **3.** Schwindel *m*, Hokus'pokus *m*.

Ju·go·slav [ˌju:gəʊ'slɑ:v] **I** *s.* Jugo'slawe *m*, Jugo'slawin *f*; **II** *adj.* jugo'slawisch.

jug·u·lar ['dʒʌgjʊlə] *anat.* **I** *adj.* Kehl…, Gurgel…; **II** *s. a.* ***~ vein*** Hals-, Drosselader *f*; **'ju·gu·late** [-leɪt] *v/t. fig.* abwürgen.

juice [dʒu:s] *s.* **1.** Saft *m* (*a. fig.*): ***orange ~***; ***~ extractor*** Entsafter *m*; ***body ~s*** Körpersäfte; ***stew in one's own ~*** F im eigenen Saft schmoren; **2.** *sl.* a) ⚡ ‚Saft' *m*, Strom *m*, b) *mot.* Sprit *m*, c) *Am.* ‚Zeug' *n*, Whisky *m*; **3.** *fig.* Kern *m*, Sub'stanz *f*, Es'senz *f*; **'juic·i·ness** [-sɪnɪs] *s.* Saftigkeit *f*; **'juic·y** [-sɪ] *adj.* **1.** saftig (*a. fig.*); **2.** F a) ‚saftig', ‚gepfeffert': ***~ scandal***, b) pi'kant, schlüpfrig: ***~ story***, c) interessant, ‚mit Pfiff'; **3.** *Am.* F lukra'tiv: ***~ contract***; **4.** *sl.* ‚scharf', ‚dufte': ***~ girl***.

ju·jit·su [dʒu:'dʒɪtsu:] *s. sport* Jiu-Jitsu

n.

ju·jube ['dʒu:dʒu:b] *s.* **1.** ⚘ Ju'jube *f*, Brustbeere *f*; **2.** *pharm.* 'Brustbon,bon *m*, *n*.

ju·jut·su [dʒu:'dʒʊtsu:] → ***jujitsu***.

'juke|·box ['dʒu:k-] *s.* Jukebox *f* (*Musikautomat*); **'~-joint** *s. Am. sl.* ,'Bumslo,kal' *n*, ,Jukebox-Bude' *f*.

ju·lep ['dʒu:lep] *s.* **1.** süßliches (Arz'nei-) Getränk; **2.** *Am.* Julep *m* (*alkoholisches Eisgetränk*).

Jul·ian ['dʒu:ljən] *adj.* juli'anisch: ***the ~ calendar*** der Julianische Kalender.

Ju·ly [dʒu:'laɪ] *s.* Juli *m*: ***in ~*** im Juli.

jum·ble ['dʒʌmbl] **I** *v/t.* **1.** *a.* ***~ together***, ***~ up*** zs.-werfen, in Unordnung bringen, (wahllos) vermischen, durchein'anderwürfeln; **II** *v/i.* **2.** *a.* ***~ together***, ***~ up*** durchein'andergeraten, -gerüttelt werden; **III** *s.* **3.** Durchein'ander *n*, Wirrwarr *m*; **4.** Ramsch *m*: ***~ sale*** *Brit.* Wohltätigkeitsbasar *m*; ***~ shop*** Ramschladen *m*.

jum·bo ['dʒʌmbəʊ] *s.* **1.** Ko'loß *m*: ***~-sized*** riesig; **2.** → **jum·bo jet** *s.* ✈ Jumbo(-Jet) *m*.

jump [dʒʌmp] **I** *s.* **1.** Sprung *m* (*a. fig.*), Satz *m*: ***make*** (*od.* ***take***) ***a ~*** e-n Sprung machen; ***by ~s*** *fig.* sprungweise; (***always***) ***on the ~*** F (immer) auf den Beinen *od.* in Eile; ***keep s.o. on the ~*** j-n in Trab halten; ***get the ~ on s.o.*** F j-m zuvorkommen, j-m den Rang ablaufen; ***have the ~ on s.o.*** F j-m gegenüber im Vorteil sein; ***be*** (***stay***) ***one ~ ahead*** *fig.* (immer) e-n Schritt voraus sein (***of*** *dat.*); ***give a ~*** → 15; ***give s.o. a ~*** F j-n erschrecken; **2.** (Fallschirm)Absprung *m*: ***~ area*** Absprunggebiet *n*; **3.** *sport* (Hoch- *od.* Weit)Sprung *m*: ***high*** (***long*** *od. Am.* ***broad***) ***~***; **4.** *bsd. Reitsport*: Hindernis *n*: ***take the ~***; **5.** sprunghaftes Anwachsen, Em'porschnellen *n* (***in prices*** der Preise *etc.*): ***~ in production*** rapider Produktionsanstieg; **6.** (plötzlicher) Ruck; **7.** *fig.* Sprung *m*: a) abrupter 'Übergang, b) Über'springen *n*, -'gehen *n*, Auslassen *n* (*von Buchseiten etc.*); **8.** a) *Film*: Sprung *m* (*Überblenden etc.*), b) *Computer*: (Pro'gramm)Sprung *m*; **9.** *Damespiel*: Schlagen *n*; **10.** a) Rückstoß *m* (*e-r Feuerwaffe*), b) ⚔ Abgangsfehler *m*; **11.** V ,Nummer' *f* (*Koitus*); **II** *v/i.* **12.** springen: ***~ at*** (*od.* ***to***) *fig.* sich stürzen auf (*acc.*), sofort zugreifen bei *e-m Angebot*, *Vorschlag etc.*, (sofort) aufgreifen, einhaken bei *e-r Frage etc.*; ***~ at the chance*** die Gelegenheit beim Schopf ergreifen, mit beiden Händen zugreifen; → ***conclusion*** 3; ***~ down s.o.'s throat*** F j-n ,anschnauzen'; ***~ off*** a) abspringen (von *s-m Fahrrad etc.*), b) *Am.* F loslegen; ***~ on s.o.*** F a) über j-n herfallen, b) j-m ,aufs Dach' steigen; ***~ out of one's skin*** aus der Haut fahren; ***~ to it*** F ,(d)rangehen', zupacken; ***~ to it!*** ran!, mach schon!; ***~ up*** aufspringen (***onto*** auf *acc.*); **13.** (*mit dem Fallschirm*) (ab-) springen; **14.** hopsen, hüpfen: ***~ up and down***; ***~ for joy*** e-n Freudensprung *od.* Freudensprünge machen; ***his heart ~ed for joy*** das Herz hüpfte ihm im Leibe; **15.** zs.-zucken, -fahren, aufschrecken, hochfahren (***at*** bei): ***the noise made him ~*** der Lärm schreckte ihn auf *od.* ließ ihn zs.-zucken; **16.** *fig.* ab'rupt 'übergehen, -wechseln (***to*** zu): ***~ from one topic to another***; **17.** a) rütteln (*Wagen etc.*), b) gerüttelt werden, schaukeln, wackeln; **18.** *fig.* sprunghaft ansteigen, em'porschnellen (*Preise etc.*); **19.** ⚙ springen (*Filmstreifen*, *Schreibmaschine etc.*); **20.** *Damespiel*: schlagen; **21.** *Bridge*: (unvermittelt) hoch reizen; **22.** pochen, pulsieren; **23.** F voller Leben sein: ***the place is ~ing*** dort ist ,schwer was los'; ***the party was ~ing*** die Party war ,schwer in Fahrt'; **III** *v/t.* **24.** (hin'weg)springen über (*acc.*): ***~ the fence***; ***~ the rails*** entgleisen (*Zug*); **25.** *fig.* über'springen, auslassen: ***~ a few lines***; ***~ the lights*** F bei Rot über die Kreuzung fahren; ***~ the queue*** *Brit.* sich vordrängeln, aus der Reihe tanzen (*a. fig.*); → ***gun*** 4; **26.** springen lassen: ***he ~ed his horse over the ditch*** er setzte mit dem Pferd über den Graben; **27.** *Damespiel*: schlagen; **28.** *Bridge*: (zu) hoch reizen; **29.** *sl.* ,abhauen' von: ***~ ship*** (***town***); → ***bail***[1] 1; **30.** a) aufspringen auf (*acc.*), b) abspringen von (*e-m fahrenden Zug*); **31.** schaukeln: ***~ a baby on one's knee***; **32.** F *j-n* überfallen, über *j-n* herfallen; **33.** em'porschnellen lassen, hochtreiben: ***~ prices***; **34.** *Am.* F *j-n* (plötzlich) *im Rang* befördern; **35.** V *Frau* ,bumsen'; **36.** → ***jump-start***.

jump ball *s. Basketball*: Sprungball *m*.

jumped-up [,dʒʌmpt'ʌp] *adj.* F **1.** (parve'nühaft) hochnäsig, ,hochgestochen'; **2.** improvisiert.

jump·er[1] ['dʒʌmpə] *s.* **1.** Springer(in): ***high ~*** *sport* Hochspringer(in); **2.** Springpferd *n*; **3.** ⚙ Steinbohrer *m*; Bohrmeißel *m*; **4.** ⚡ Kurzschlußbrücke *f*.

jump·er[2] ['dʒʌmpə] *s.* **1.** (*Am.* ärmelloser) Pullover *m*; **2.** *bsd. Am.* Trägerkleid *n*, -rock *m*; **3.** (Kinder)Spielhose *f*.

jump·i·ness ['dʒʌmpɪnɪs] *s.* Nervosi'tät *f*.

jump·ing ['dʒʌmpɪŋ] *s.* **1.** Springen *n*: ***~ pole*** Sprungstab *m*, -stange *f*; ***~ test*** *Reitsport*: (Jagd)Springen *n*; **2.** *Skisport*: Sprunglauf *m*, Springen *n*; **~ bean** *s.* ⚘ Springende Bohne; **~ jack** *s.*

Hampelmann *m*; ˌ~-ˈ**off place** *s.* **1.** *fig.* Sprungbrett *n*, Ausgangspunkt *m*; **2.** *Am.* F Ende *n* der Welt.

jump| jet *s.* ✈ (Düsen)Senkrechtstarter *m*; ~ **leads** *s. pl. mot.* Starthilfekabel *n*; ˈ~**-off** *s. Reitsport*: Stechen *n*; ~ **seat** *s.* Not-, Klappsitz *m*; ˈ~**-start** *v/t. Auto* mittels Starthilfekabel anlassen; ˈ**jump-start·er** *s. fig.* Starthilfe *f*; ~ **suit** *s.* Overall *m*; ~ **turn** *s. Skisport*: ˈUmsprung *m*.

jump·y [ˈdʒʌmpɪ] *adj.* nerˈvös.

junc·tion [ˈdʒʌŋ*k*ʃn] *s.* **1.** Verbindung(spunkt *m*) *f*, Vereinigung *f*, Zs.-treffen *n*; Treffpunkt *m*; Anschluß *m* (*a.* ⚙); (Straßen)Kreuzung *f*, (-)Einmündung *f*; **2.** 🚂 a) Knotenpunkt *m*, b) ˈAnschlußstatiˌon *f*; **3.** Berührung *f*; ~ **box** *s.* ⚡ Abzweig-, Anschlußdose *f*; ~ **line** *s.* 🚂 Verbindungs-, Nebenbahn *f*.

junc·ture [ˈdʒʌŋ*k*tʃə] *s.* (kritischer) Augenblick *od.* Zeitpunkt: ***at this ~*** in diesem Augenblick, an dieser Stelle.

June [dʒuːn] Juni *m*: ***in ~*** im Juni.

jun·gle [ˈdʒʌŋgl] *s.* **1.** Dschungel *m*, *a. n* (*a. fig.*): ***~ fever*** Dschungelfieber *n*; ***law of the ~*** Faustrecht *n*; **2.** (undurchdringliches) Dickicht (*a. fig.*); *fig.* Gewirr *n*: ***~ gym*** Klettergerüst *n* (*für Kinder*); ˈ**jun·gled** [-ld] *adj.* mit Dschungel(n) bedeckt, verdschungelt.

jun·ior [ˈdʒuːnjə] **I** *adj.* **1.** junior (*mst nach Familiennamen u. abgekürzt zu Jr., jr., Jun., jun.*): ***George Smith jr.***; ***Smith ~*** Smith II (*von Schülern*); **2.** jünger (*im Amt*), ˈuntergeordnet, zweiter: ***~ clerk*** a) untere(r) Büroangestellte(r), b) zweiter Buchhalter, c) *jur. Brit.* Anwaltspraktikant *m*, d) kleiner Angestellter; ***~ counsel*** (*od.* ***barrister***) *jur. Brit.* → ***barrister*** (*als Vorstufe zum* ***King's Counsel***); ***~ partner*** jüngerer Teilhaber, *fig. der* kleinere Partner; ***~ staff*** untere Angestellte *pl.*; **3.** später, jünger, nachfolgend: ***~ forms*** *ped. Brit. die* Unterklassen, *die* Unterstufe; ***~ school*** *Brit.* Grundschule *f*; **4.** *jur.* rangjünger, (im Rang) nachstehend: ***~ mortgage***; **5.** *sport* Junioren..., Jugend...: ***~ championship***; **6.** *Am.* Kinder..., Jugend...: ***~ books***; **7.** jugendlich, jung: ***~ citizens*** Jungbürger *pl.*; ***~ skin***; **8.** *Am.* F kleiner(er, e, es): ***a ~ hurricane***; **II** *s.* **9.** Jüngere(r *m*) *f*: ***he is my ~ by 2 years, he is 2 years my ~*** er ist (um) 2 Jahre jünger als ich; ***my ~s*** Leute, die jünger sind als ich; **10.** *univ. Am.* Stuˈdent *m* a) *im vorletzten Jahr vor s-r Graduierung*, b) *im 3. Jahr an e-m* ***senior college***, c) *im 1. Jahr an e-m* ***junior college***; **11.** *a.* ♀ (*ohne art*) a) Junior *m* (*Sohn mit dem Vornamen des Vaters*), b) *allg.* der Sohn, der Junge, c) *Am.* F Kleine(r) *m*; **12.** Jugendliche(r *m*) *f*, Herˈanwachsende(r *m*) *f*: ***~ miss*** *Am.* ‚junge Dame' (*Mädchen*); **13.** ˈUntergeordnete(r *m*) *f* (im Amt), jüngere(r) Angestellte(r): ***he is my ~ in this office*** a) er untersteht mir in diesem Amt, b) er ist in dieses Amt nach mir eingetreten; **14.** *Bridge*: Junior *m* (*Spieler, der rechts vom Alleinspieler sitzt*); ~ **col·lege** *s. Am.* Juniˈorencollege *n* (*umfaßt die untersten Hochschuljahrgänge, etwa 16- bis 18jährige Studenten*); ~ **high** (**school**) *s. Am.* (*Art*) Aufbauschule *f* (*für die* ***high school***) (*dritt- u. viertletzte Klasse der Grundschule u. erste Klasse der* ***high school***).

jun·ior·i·ty [ˌdʒuːnɪˈɒrətɪ] *s.* **1.** geringeres Alter *od.* Dienstalter; **2.** ˈuntergeordnete Stellung, niedrigerer Rang.

ju·ni·per [ˈdʒuːnɪpə] *s.* Waˈcholder *m*.

junk¹ [dʒʌŋk] **I** *s.* **1.** Trödel *m*, alter Kram, Plunder *m*: ***~ food*** *bsd. Am.* Nahrung *f* mit geringem Nährwert; ***~ market*** Trödel-, Flohmarkt *m*; ***~ dealer*** Trödler *m*, Altwarenhändler *m*; ***~ mail*** Papierkorb – Post *f*; ***~ shop*** Trödelladen *m*; ***~ yard*** Schrottplatz *m*; **2.** *contp.* Schund *m*, ‚Mist' *m*, ‚Schrott' *m*; **3.** *sl.* ‚Stoff' *m* (*Rauschgift*); **II** *v/t.* **4.** *Am.* F a) wegwerfen, b) verschrotten, c) *fig.* zum alten Eisen *od.* über Bord werfen.

junk² [dʒʌŋk] *s.* Dschunke *f*.

jun·ket [ˈdʒʌŋkɪt] **I** *s.* **1.** a) Sahnequark *m*, b) Quarkspeise *f* mit Sahne; **2.** Festiviˈtät *f*, Fete *f*; **3.** *Am.* F sogenannte Dienstreise, Vergnügungsreise *f* auf öffentliche Kosten; **II** *v/i.* **4.** feiern, es sich wohl sein lassen.

junk·ie [ˈdʒʌŋkɪ] *s. sl.* ‚Fixer' *m*, Rauschgiftsüchtige(r *m*) *f*.

Ju·no·esque [ˌdʒuːnəʊˈesk] *adj.* juˈnonisch.

jun·ta [ˈdʒʌntə] (*Span.*) *s.* **1.** *pol.* (*bsd.* Miliˈtär)Junta *f*; **2.** → ˈ**jun·to** [-təʊ] *pl.* **-tos** *s.* Clique *f*.

Ju·pi·ter [ˈdʒuːpɪtə] *s. myth. u. ast.* Jupiter *m*.

Ju·ras·sic [ˌdʒʊəˈræsɪk] *geol.* **I** *adj.* Jura..., juˈrassisch: ***~ period***; **II** *s.* ˈJuraformatiˌon *f*.

ju·rat [ˈdʒʊəræt] *s. Brit.* **1.** *hist.* Stadtrat *m* (*Person*) in den ***Cinque Ports***; **2.** Richter *m auf den Kanalinseln*; **3.** ⚖ Bekräftigungsformel *f* unter eidesstattlichen Erklärungen.

ju·rid·i·cal [ˌdʒʊəˈrɪdɪkl] *adj.* □ **1.** gerichtlich, Gerichts...; **2.** juˈristisch, Rechts...: ***~ person*** *Am.* juristische Person.

ju·ris·dic·tion [ˌdʒʊərɪsˈdɪkʃn] *s.* **1.** Rechtsprechung *f*; **2.** a) Gerichtsbarkeit *f*, b) (*örtliche u. sachliche*) Zuständigkeit (***of, over*** für): ***come under the ~ of*** unter die Zuständigkeit fallen (*gen.*); ***have ~ over*** zuständig sein für;

J

3. a) Gerichtsbezirk *m*, b) Zuständigkeitsbereich *m*; **ju·ris'dic·tion·al** [-ʃənl] *adj.* Gerichtsbarkeits…, Zuständigkeits…; **ju·ris·pru·dence** [ˌdʒʊərɪs'pruːdəns] *s.* Rechtswissenschaft *f*, Jurispru'denz *f*; **ju·rist** ['dʒʊərɪst] *s.* **1.** Ju'rist(in); **2.** *Brit.* Stu'dent *m* der Rechte; **3.** *Am.* Rechtsanwalt *m*; **ju·ris·tic, ju·ris·ti·cal** [ˌdʒʊə'rɪstɪk(l)] *adj.* □ ju'ristisch, Rechts…

ju·ror ['dʒʊərə] *s.* **1.** ⚖ Geschworene(r *m*) *f*; **2.** Preisrichter(in).

ju·ry¹ ['dʒʊərɪ] *s.* **1.** ⚖ *die* Geschworenen *pl.*, Ju'ry *f*: ***trial by ~***, ***~ trial*** Schwurgerichtsverfahren *n*; ***sit on the ~*** Geschworene(r) sein; **2.** Ju'ry *f*, Preisrichterausschuß *m*, *sport a.* Kampfgericht *n*; **3.** Sachverständigenausschuß *m*.

ju·ry² ['dʒʊərɪ] *adj.* ⚓, ✈ Ersatz…, Hilfs…, Not…

ju·ry| box *s.* ⚖ Geschworenenbank *f*; **'~·man** [-mən] *s.* [*irr.*] ⚖ Geschworene(r) *m*; **~ pan·el** *s.* ⚖ Geschworenenliste *f*.

jus [dʒʌs] *pl.* **ju·ra** ['dʒʊərə] (*Lat.*) *s.* Recht *n*.

jus·sive ['dʒʌsɪv] *adj. ling.* Befehls…, impera'tivisch.

just [dʒʌst] **I** *adj.* □ → II *u.* ***justly***; **1.** gerecht (***to*** gegen): ***be ~ to s.o.*** j-n gerecht behandeln; **2.** gerecht, richtig, angemessen, gehörig: ***it was only ~*** es war nur recht u. billig; ***~ reward*** gerechter *od.* (wohl)verdienter Lohn; **3.** rechtmäßig, wohlbegründet: ***a ~ claim***; **4.** berechtigt, gerechtfertigt, (wohl)begründet: ***~ indignation***; **5.** a) genau, kor'rekt, b) wahr, richtig; **6.** *bibl.* gerecht, rechtschaffen: ***the ~*** die Gerechten *pl.*; **7.** ♪ rein; **II** *adv.* **8.** *zeitlich*: a) gerade, (so)'eben: ***they have ~ left***; ***~ before I came*** kurz *od.* knapp bevor ich kam; ***~ after breakfast*** kurz *od.* gleich nach dem Frühstück; ***~ now*** eben erst, soeben (→ b), b) genau, gerade (*zu diesem Zeitpunkt*): ***~ as*** gerade als, genau in dem Augenblick als (→ 9); ***I was ~ going to say*** ich wollte gerade sagen; ***~ now*** a) gerade jetzt, b) jetzt gleich (→ a); ***~ then*** a) gerade damals, b) gerade in diesem Augenblick; ***~ five o'clock*** genau fünf Uhr; **9.** *örtlich u. fig.*: genau: ***~ there***; ***~ round the corner*** gleich um die Ecke; ***~ as*** ebenso wie; ***~ as good*** genausogut; ***~ about*** a) (so *od.* in) etwa, b) so ziemlich, c) so gerade, eben (noch); ***~ about here*** ungefähr hier, hier herum; ***~ so!*** ganz recht!; ***that's ~ it!*** das ist es ja gerade *od.* eben!; ***that's ~ like you!*** das sieht dir (ganz) ähnlich!; ***that's ~ what I thought!*** (genau) das hab' ich mir (doch) gedacht!; ***~ what do you mean (by that)?*** was (genau) wollen Sie damit sagen?; ***~ how many are they?*** wie viele sind es genau?; ***it's ~ as well*** (es ist) vielleicht besser *od.* ganz gut so; ***we might ~ as well go!*** da können wir genausogut auch gehen!; **10.** gerade (noch), ganz knapp, mit knapper Not: ***we ~ managed***; ***the bullet ~ missed him*** die Kugel ging ganz knapp an ihm vorbei; ***~ possible*** immerhin möglich, nicht unmöglich; ***~ too late*** gerade zu spät; **11.** nur, lediglich, bloß: ***~ in case*** nur für den Fall; ***~ the two of us*** nur wir beide; ***~ for the fun of it*** nur zum Spaß; ***~ a moment!*** (nur) e-n Augenblick!, *a. iro.* Moment (mal)!; ***~ give her a book*** schenk ihr doch einfach ein Buch; **12.** *vor imp.* a) doch, mal, b) nur: ***~ tell me*** sag (mir) mal, sag mir nur *od.* bloß; ***~ sit down, please!*** setzen Sie sich doch bitte; ***~ think!*** denk mal!; ***~ try!*** versuch's doch (mal)!; **13.** F einfach, wirklich: ***~ wonderful***.

jus·tice ['dʒʌstɪs] *s.* **1.** Gerechtigkeit *f* (***to*** gegen); **2.** Rechtmäßigkeit *f*, Berechtigung *f*, Recht *n*: ***with ~*** mit *od.* zu Recht; **3.** Gerechtigkeit *f*, gerechter Lohn: ***do ~ to*** a) *j-m od. e-r Sache* Gerechtigkeit widerfahren lassen, gerecht werden (*dat.*), b) *et.* (recht) zu würdigen wissen, *a. e-r Speise, dem Wein* tüchtig zusprechen; ***the picture did ~ to her beauty*** das Bild wurde ihrer Schönheit gerecht; ***do o.s. ~*** a) sein wahres Können zeigen, b) sich selbst gerecht werden; ***~ was done*** der Gerechtigkeit wurde Genüge getan; ***in ~ to him*** um ihm gerecht zu werden, fairerweise; **4.** ⚖ Gerechtigkeit *f*, Recht *n*, Ju'stiz *f*: ***administer ~*** Recht sprechen; ***flee from ~*** sich der verdienten Strafe (durch die Flucht) entziehen; ***bring to ~*** vor Gericht bringen; ***in ~*** von Rechts wegen; **5.** Richter *m*: ***Mr. ≈ X.*** (*Anrede in England*); ***~ of the peace*** Friedensrichter (*Laienrichter*); **'jus·tice·ship** [-ʃɪp] *s.* Richteramt *n*.

jus·ti·ci·a·ble [dʒʌ'stɪʃɪəbl] *adj.* ⚖ justiti'abel, gerichtlicher Entscheidung unter'worfen; **jus'ti·ci·ar·y** [-ɪərɪ] ⚖ **I** *s.* Richter *m*; **II** *adj.* Justiz…, gerichtlich.

jus·ti·fi·a·ble ['dʒʌstɪfaɪəbl] *adj.* □ zu rechtfertigen(d), berechtigt, vertretbar, entschuldbar; **'jus·ti·fi·a·bly** [-lɪ] *adv.* berechtigterweise.

jus·ti·fi·ca·tion [ˌdʒʌstɪfɪ'keɪʃn] *s.* **1.** Rechtfertigung *f*: ***in ~ of*** zur Rechtfertigung von (*od. gen.*); **2.** Berechtigung *f*: ***with ~*** berechtigterweise, mit Recht; **3.** *typ.* Justierung *f*, Ausschluß *m*; **jus·ti·fi·ca·to·ry** ['dʒʌstɪfɪkeɪtərɪ] *adj.* rechtfertigend, Rechtfertigungs…; **jus·ti·fy** ['dʒʌstɪfaɪ] *v/t.* **1.** rechtfertigen (***before*** *od.* ***to s.o.*** vor j-m, j-m gegenüber); ***be justified in doing s.th.*** et. mit gutem Recht tun; ein Recht haben, et. zu tun;

berechtigt sein, et. zu tun; **2.** a) gutheißen, b) entschuldigen, c) *j-m* recht geben; **3.** *eccl.* rechtfertigen, von Sündenschuld freisprechen; **4.** ⚙ richtigstellen, richten, justieren; **5.** *typ.* ausschließen.

just·ly [ˈdʒʌstlɪ] *adv.* **1.** richtig; **2.** mit *od.* zu Recht, gerechterweise; **3.** verdientermaßen; ˈ**just·ness** [-tnɪs] *s.* **1.** Gerechtigkeit *f*; **2.** Rechtmäßigkeit *f*; **3.** Richtigkeit *f*; **4.** Genauigkeit *f*.

jut [dʒʌt] **I** *v/i. a.* **~ out** vorspringen, herˈausragen: **~ into s.th.** in et. hineinragen; **II** *s.* Vorsprung *m*.

jute[1] [dʒuːt] ⚘ Jute *f*.

Jute[2] [dʒuːt] *s.* Jüte *m*; **Jut·land** [ˈdʒʌtlənd] *npr.* Jütland *n*: ***the Battle of ~*** *hist.* die Skagerrakschlacht.

ju·ve·nes·cence [ˌdʒuːvəˈnesns] *s.* **1.** Verjüngung *f*: ***well of ~*** Jungbrunnen *m*; **2.** Jugend *f*.

ju·ve·nile [ˈdʒuːvənaɪl] **I** *adj.* **1.** jugendlich, jung, Jugend...: ***~ book*** Jugendbuch *n*; ***~ court*** Jugendgericht *n*; ***~ delinquency*** Jugendkriminalität *f*; ***~ delinquent*** *od.* ***offender*** jugendlicher Täter; ***~ stage*** Entwicklungsstadium *n*; **II** *s.* **2.** Jugendliche(r *m*) *f*; **3.** *thea.* jugendlicher Liebhaber; **4.** Jugendbuch *n*; **ju·ve·ni·li·a** [ˌdʒuːvəˈnɪlɪə] *pl.* **1.** Jugendwerke *pl.* (*e-s Autors etc.*); **2.** Werke *pl.* für die Jugend; **ju·ve·nil·i·ty** [ˌdʒuːvəˈnɪlətɪ] *s.* **1.** Jugendlichkeit *f*; **2.** jugendlicher Leichtsinn; **3.** *pl.* Kindeˈreien *pl.*; **4.** *coll.* (*die*) Jugend.

jux·ta·pose [ˌdʒʌkstəˈpəʊz] *v/t.* nebeneinˈanderstellen: ***~d to*** angrenzend an (*acc.*); **jux·ta·po·si·tion** [ˌdʒʌkstəpəˈzɪʃn] *s.* Nebeneinˈanderstellung *f*, -liegen *n*.

J

K

K, k [keɪ] *s.* K *n*, k *n* (*Buchstabe*).
kab·(b)a·la [kəˈbɑːlə] → ***ca(b)bala***.
ka·di [ˈkɑːdɪ] → ***cadi***.
ka·ke·mo·no [ˌkækɪˈməʊnəʊ] *pl.* **-nos** *s.* Kakeˈmono *n* (*japanisches Rollbild*).
kale [keɪl] *s.* **1.** ⚘ Kohl *m*, *bsd.* Grün-, Blattkohl *m*: (***curly***) ~ Krauskohl *m*; **2.** Kohlsuppe *f*; **3.** *Am. sl.* ‚Zaster' *m*.
ka·lei·do·scope [kəˈlaɪdəskəʊp] *s.* Kaleidoˈskop *n* (*a. fig.*); **ka·lei·do·scop·ic**, **ka·lei·do·scop·i·cal** [kəˌlaɪdəˈskɒpɪk(l)] *adj.* □ kaleidoˈskopisch.
ˈ**kale·yard** *s. Scot.* Gemüsegarten *m*; ~ **school** *s. schottische Heimatdichtung*.
Kan·a·ka [ˈkænəkə, kəˈnækə] *s.* Kaˈnake *m* (*Südseeinsulaner*, *a. contp.*).
kan·ga·roo [ˌkæŋgəˈruː] *pl.* **-roos** *s. zo.* Känguruh *n*; ~ **court** *s. Am. sl.* **1.** ˈilleˌgales Gericht (*z. B. unter Sträflingen*); **2.** korˈruptes Gericht.
Kant·i·an [ˈkæntɪən] *phls.* **I** *adj.* kantisch; **II** *s.* Kantiˈaner(in).
ka·o·lin(e) [ˈkeɪəlɪn] *s. min.* Kaoˈlin *n*.
ka·ra·te [kəˈrɑːtɪ] *s.* Kaˈrate *n*; ~ **chop** *s.* Kaˈrateschlag *m*.
kar·ma [ˈkɑːmə] *s.* **1.** *Buddhismus etc.*: Karma *n*; **2.** *allg.* Schicksal *n*.
kat·a·bat·ic wind [ˌkætæˈbætɪk] *s.* Fallwind *m*, kataˈbatischer Wind.
kay·ak [ˈkaɪæk] *s.* Kajak *m*, *n*: ***two-seater*** ~ *sport* Kajakzweier *m*.
kay·o [ˌkeɪˈəʊ] F *für* ***knock out*** *od.* ***knockout***.
ke·bab [kəˈbæb] *s.* Keˈbab *n* (*orientalisches Fleischspießgericht*).
keck [kek] *v/i.* würgen, (sich) erbrechen (müssen).
kedge [kedʒ] ⚓ **I** *v/t.* warpen, verholen; **II** *s. a.* ~ ***anchor*** Wurf-, Warpanker *m*.
kedg·er·ee [ˌkedʒəˈriː] *s. Brit. Ind.* Kedgeˈree *n* (*Reisgericht mit Fisch, Eiern, Zwiebeln etc.*).
keel [kiːl] **I** *s.* **1.** ⚓ Kiel *m*: ***on an even*** ~ im Gleichgewicht, *fig. a.* gleichmäßig, ruhig: ***be on an even ~ again*** *fig.* wieder im Lot sein; **2.** *poet.* Schiff *n*; **3.** Kiel *m*: a) ✈ Längsträger *m*, b) ⚘ Längsrippe *f*; **II** *v/t.* **4.** ~ ***over*** a) (ˈum-)kippen, kentern lassen, b) kielˈoben legen; **III** *v/i.* **5.** ~ ***over*** ˈumschlagen, -kippen (*a. fig.*), kentern; kielˈoben liegen; **6.** F ‚umkippen' (*Person etc.*); ˈ**keel·age** [-lɪdʒ] *s.* ⚓ Kielgeld *n*, Hafengebühren *pl.*; ˈ**keel·haul** *v/t.* **1.** *j-n* kielholen; **2.** *fig. j-n* ‚zs.-stauchen';
keel·son [ˈkelsn] → ***kelson***.
keen¹ [kiːn] *adj.* □ → ***keenly***; **1.** scharf (geschliffen): ~ ***edge*** scharfe Schneide; **2.** scharf (*Wind*), schneidend (*Kälte*); **3.** beißend (*Spott*); **4.** scharf, ˈdurchdringend: ~ ***glance*** (***smell***); **5.** grell (*Licht*), schrill (*Ton*); **6.** heftig, stark (*Schmerzen*); **7.** scharf (*Augen*), fein (*Sinne*): ***be ~-eyed*** (***~-eared***) scharfe Augen (ein feines Gehör) haben; **8.** fein, ausgeprägt (*Gefühl*; ***of*** für): ***a ~ sense of literature***; **9.** heftig, stark, groß (*Freude etc.*): ~ ***desire*** heftiges Verlangen, heißer Wunsch; ~ ***interest*** starkes *od.* lebhaftes Interesse; ~ ***competition*** scharfe Konkurrenz; **10.** *a.* ***~-witted*** scharfsinnig; ***a ~ mind*** ein scharfer Verstand; **11.** eifrig, begeistert, leidenschaftlich: ***a ~ swimmer***; ~ ***on*** begeistert von, sehr interessiert an (*dat.*); ***he is ~ on dancing*** er ist ein begeisterter Tänzer; ***he is very ~*** F er ist ‚schwer auf Draht'; ***you shouldn't be too ~!*** du solltest dich etwas zurückhalten!; (→ *a.* 13); **12.** (stark) interessiert (*Bewerber etc.*); **13.** F erpicht, versessen, ‚scharf' (***on***, ***about*** auf *acc.*): ***he is ~ on doing*** (*od.* ***to do***) ***it*** er ist sehr darauf erpicht *od.* scharf darauf, es zu tun, es liegt ihm (sehr) viel daran, es zu tun; ***I am not ~ on it*** ich habe wenig Lust dazu, ich mache mir nichts daraus, es liegt mir nichts daran, ich lege keinen (gesteigerten) Wert darauf; ***I am not ~ on sweets*** ich mag keine Süßigkeiten; ***I am not ~ on that idea*** ich bin nicht gerade begeistert von dieser Idee; ***as ~ as mustard*** (***on***) F ganz versessen (auf *acc.*), Feuer u. Flamme (für); **14.** *Brit.* F niedrig, gut: ~ ***prices***; **15.** *Am.* F ‚prima', ‚prächtig'.
keen² [kiːn] *Ir.* **I** *s.* Totenklage *f*; **II** *v/i.* wehklagen; **III** *v/t.* beklagen.
ˌ**keen-ˈedged** *adj.* **1.** → ***keen¹*** 1; **2.** *fig.* messerscharf.
keen·ly [ˈkiːnlɪ] *adv.* **1.** scharf (*etc.* → ***keen¹***); **2.** ungemein, äußerst, sehr; ˈ**keen·ness** [-nnɪs] *s.* **1.** Schärfe *f* (*a. fig.*); **2.** Heftigkeit *f*; **3.** Eifer *m*, starkes Interˈesse, Begeisterung *f*; **4.** Scharfsinn *m*; **5.** Feinheit *f*; **6.** *fig.* Bitterkeit *f*.
keep [kiːp] **I** *s.* **1.** a) Burgverlies *n*, b) Bergfried *m*; **2.** a) (ˈLebens)ˌUnterhalt *m*, b) ˈUnterkunft *f* u. Verpflegung *f*:

K

earn one's ~ s-n Lebensunterhalt verdienen; **3.** ˈUnterhaltskosten *pl.*: ***the ~ of a horse***; **4.** Obhut *f*, Verwahrung *f*; **5. *for ~s*** F auf *od.* für immer, endgültig; **II** *v/t.* [*irr.*] **6.** (be)halten, haben: ***~ the ticket in your hand*** behalte die Karte in der Hand!; ***he kept his hands in his pockets*** er hatte die Hände in den Taschen; **7.** *j-n od. et.* lassen, (*in e-m gewissen Zustand*) (er)halten: ***~ apart*** getrennt halten, auseinanderhalten; ***~ a door closed*** e-e Tür geschlossen halten; ***~ s.th. dry*** et. trocken halten *od.* vor Nässe schützen; ***~ s.o. from doing s.th.*** j-n davon abhalten, et. zu tun; ***~ s.th. to o.s.*** et. für sich behalten; ***~ s.o. informed*** j-n auf dem laufenden halten; ***~ s.o. waiting*** j-n warten lassen; ***~ s.th. going*** et. in Gang halten; ***~ s.o. going*** a) j-n finanziell unterstützen, b) j-n am Leben erhalten; ***~ s.th. a secret*** et. geheimhalten (***from s.o.*** vor j-m); **8.** *fig.* (er)halten, (be)wahren: ***~ one's balance*** das *od.* sein Gleichgewicht (be)halten *od.* wahren; ***~ one's distance*** Abstand halten *od.* bewahren; **9.** (*im Besitz*) behalten: ***you may ~ the book***; ***~ the change!*** behalten Sie den Rest (*des Geldes*)!; ***~ your seat!*** bleiben Sie (doch) sitzen!; **10.** *fig.* halten, sich halten *od.* behaupten in *od.* auf (*dat.*): ***~ the stage*** sich auf der Bühne behaupten; **11.** *j-n* auf-, ˈhinhalten: ***don't let me ~ you!*** laß dich nicht aufhalten!; **12.** (fest)halten, bewachen: ***~ s.o. (a) prisoner*** (*od.* ***in prison***) j-n gefangenhalten; ***~ s.o. for lunch*** j-n zum Mittagessen dabehalten; ***she ~s him here*** sie hält ihn hier fest, er bleibt ihretwegen hier; ***~ (the) goal*** *sport* das Tor hüten, im Tor stehen; **13.** aufheben, (auf)bewahren: ***I ~ all my old letters***; ***~ a secret*** ein Geheimnis bewahren; ***~ for a later date*** für später *od.* für e-n späteren Zeitpunkt aufheben; **14.** (aufrechter)halten, unterˈhalten: ***~ an eye on s.o.*** j-n im Auge behalten; ***~ good relations with s.o.*** zu j-m gute Beziehungen unterhalten; **15.** pflegen, (er)halten: ***~ in (good) repair*** in gutem Zustand erhalten; ***a well-kept garden*** ein gutgepflegter Garten; **16.** *e-e Ware* führen, auf Lager haben: ***we don't ~ this article***; **17.** *Schriftstücke* führen, halten: ***~ a diary***; ***~ (the) books*** Buch führen; ***~ a record of s.th.*** über (*acc.*) et. Buch führen *od.* Aufzeichnungen machen; **18.** *ein Geschäft etc.* führen, verwalten, vorstehen (*dat.*): ***~ a shop*** ein (Laden)Geschäft führen *od.* betreiben; **19.** *ein Amt etc.* innehaben: ***~ a post***; **20.** *Am. e-e Versammlung etc.* (ab)halten: ***~ an assembly***; **21.** *ein Versprechen etc.* (ein)halten, einlösen: ***~ a promise***; ***~ an appointment*** e-e Verabredung einhalten; **22.** *das Bett, Haus, Zimmer* hüten, bleiben in (*dat.*): ***~ one's bed (house, room)***; **23.** *Vorschriften etc.* be(ob)achten, (ein)halten, befolgen: ***~ the rules***; **24.** *ein Fest* begehen, feiern: ***~ Christmas***; **25.** ernähren, er-, unterˈhalten, sorgen für: ***have a family to ~***; **26.** (*bei sich*) haben, halten, beherbergen: ***~ boarders***; **27.** sich halten *od.* zulegen: ***~ a maid*** ein Hausmädchen haben *od.* (sich) halten; ***a kept woman*** e-e Mätresse; ***~ a car*** sich e-n Wagen halten, ein Auto haben; **28.** (be)schützen: ***God ~ you!***; **III** *v/i.* [*irr.*] **29.** bleiben: ***~ in bed***; ***~ at home***; ***~ in sight*** in Sicht(weite) bleiben; ***~ out of danger*** sich außer Gefahr halten; ***~ (to the) left*** sich links halten, links fahren *od.* gehen; ***~ straight on*** (immer) geradeaus gehen; → ***clear*** 6; **30.** sich halten, (*in e-m gewissen Zustand*) bleiben: ***~ cool*** kühl bleiben (*a. fig.*); ***~ quiet!*** sei still!; ***~ to o.s.*** für sich bleiben, sich zurückhalten; ***~ friends*** (weiterhin) Freunde bleiben: ***~ in good health*** gesund bleiben; ***the milk (weather) will ~*** die Milch (das Wetter) wird sich halten; ***the weather ~s fine*** das Wetter bleibt schön; ***that (matter) will ~*** F diese Sache hat Zeit *od.* eilt nicht; ***how are you ~ing?*** wie geht es dir?; **31.** *mit ger.* weiter...: ***~ going*** a) weitergehen, b) weitermachen; ***~ (on) laughing*** weiterlachen, nicht aufhören zu lachen, dauernd *od.* unaufhörlich lachen; ***~ smiling!*** immer nur lächeln!, Kopf hoch!

Zssgn mit prp. u. adv.:

keep| a·head *v/i.* an der Spitze *od.* vorn(e) bleiben: ***~ of j-m*** vorausbleiben; **~ at** *v/i.* **1.** weitermachen mit: ***~ it!*** bleib dran!, weiter so!; **2.** ***~ s.o.*** j-n nicht in Ruhe lassen, j-m ständig zusetzen, j-n dauernd ‚bearbeiten'; **~ a·way I** *v/i.* wegbleiben, sich fernhalten (***from*** von); im Hintergrund bleiben; **II** *v/t.* fernhalten (***from*** von); **~ back I** *v/t.* **1.** *allg.* zurückhalten: a) fernhalten, b) *fig. Geld etc.* einbehalten, c) *et.* verschweigen (***from s.o.*** j-m); **2.** *j-n, et.* aufhalten; *et.* verzögern; *Schüler* dabehalten; **II** *v/i.* **3.** im Hintergrund bleiben; **~ down I** *v/t.* **1.** unten halten, *Kopf a.* ducken; **2.** *fig. Preise etc.* niedrig halten, be-, einschränken; **3.** *fig.* nicht aufkommen lassen, unterˈdrükken; **4.** *Essen etc.* bei sich behalten; **5.** *Schüler* (eine Klasse) wiederholen lassen; **II** *v/i.* **6.** unten bleiben; **7.** sich geduckt halten; **~ from I** *v/t.* **1.** ab-, zuˈrück-, fernhalten von, hindern an (*dat.*), bewahren vor (*dat.*): ***he kept me from work*** er hielt mich von m-r Arbeit ab; ***he kept me from danger*** er bewahrte mich vor Gefahr; ***I kept him***

from knowing too much ich verhinderte, daß er zuviel erfuhr; **2.** vorenthalten, verschweigen: ***you are keeping s.th. from me*** du verschweigst mir et.; **II** *v/i.* **3.** sich fernhalten von, sich enthalten (*gen.*), *et.* unterlassen *od.* nicht tun: ***I couldn't ~ laughing*** ich mußte einfach lachen; **~ in I** *v/t.* **1.** nicht außer Haus lassen, *bsd. Schüler* nachsitzen lassen; **2.** *Gefühle etc.* im Zaume halten; **3.** *Feuer* nicht ausgehen lassen; **4.** *Bauch* einziehen; **II** *v/i.* **5.** (dr)innen bleiben; **6.** anbleiben (*Feuer*); **7. *~ with*** gut Freund bleiben mit, sich gut stellen mit; **~ off I** *v/t.* fernhalten (von); *die Hände* weglassen (von); **II** *v/i.* sich fernhalten (von), *a. Getränk etc.* meiden: ***if the rain keeps off*** wenn es nicht regnet; ***~ the grass!*** Betreten des Rasens verboten; **~ on I** *v/t.* **1.** *Kleider* anbehalten; *Hut* aufbehalten; **2.** *Angestellte etc.* behalten, weiterbeschäftigen; **II** *v/i.* **3.** *mit ger.* weiter...: ***~ doing s.th.*** a) *et.* weiter tun, b) *et.* immer wieder tun, c) *et.* dauernd tun; → ***keep*** 31; **4. *~ at s.o.*** an j-m her'umnörgeln, auf j-n ‚einhacken'; **5.** weitergehen *od.* -fahren: ***keep straight on!*** immer geradeaus!; **~ out I** *v/t.* **1.** nicht her'einlassen, abhalten: ***~ s.o.*** (***the light*** *etc.*); **2.** schützen *od.* bewahren vor (*dat.*), *j-n a.* her'aushalten aus (*e-r Sache*); **II** *v/i.* **3.** draußen bleiben, nicht her'einkommen, *Zimmer etc.* nicht betreten: ***~!*** a) bleib draußen!, b) „Zutritt verboten"; **4. *~ of*** sich her'aushalten aus, *et.* meiden: ***~ of debt*** keine Schulden machen; ***~ of sight*** sich nicht sehen lassen; ***~ of mischief!*** mach keine Dummheiten!; ***you ~ of this!*** halten Sie sich da raus!; **~ to I** *v/t.* **1.** ***keep s.o. to his promise*** j-n auf sein Versprechen festnageln; ***keep s.th. to a minimum*** et. auf ein Minimum beschränken; **2.** ***keep o.s. to o.s.*** für sich bleiben, Gesellschaft meiden; **II** *v/i.* **3.** festhalten an (*dat.*), bleiben bei: ***~ one's word***; ***~ the rules*** an den Regeln festhalten, die Vorschriften einhalten; ***~ the subject*** (*od.* ***point***) bleiben Sie beim Thema!; **4.** bleiben in (*dat.*) *od.* auf (*acc.*) *etc.*: ***~ one's bed*** (*od.* ***room***) im Bett (in s-m Zimmer) bleiben; ***~ the left!*** halten Sie sich links!; ***~ o.s.*** → 2; **~ to·geth·er I** *v/t.* zu'sammenhalten; **II** *v/i.* a) zu'sammenbleiben, b) zu'sammenhalten (*Freunde etc.*); **~ un·der** *v/t.* **1.** *j-n* unter'drükken, unten halten: ***you won't keep him under*** den kriegst du nicht klein; **2.** *j-n* unter Nar'kose halten; **3.** *Gefühle* unter'drücken, zügeln; **4.** *Feuer* unter Kon'trolle halten; **~ up I** *v/t.* **1.** aufrecht (*a.* über Wasser) halten, hochhalten; **2.** *fig. Freundschaft, Moral etc.* aufrechterhalten, *Preise etc. a.* hoch halten, *et.* beibehalten, *Sitte etc.* weiterpflegen, *Tempo etc.* halten: ***~ a correspondence*** in Briefwechsel bleiben; ***~ it up!*** (nur) weiter so!; **3.** *Haus etc.* unter'halten, in'stand halten; **4.** *j-n* am Schlafen (-gehen) hindern; **II** *v/i.* **5.** andauern, -halten, nicht nachlassen; **6.** *lange etc.* aufbleiben: ***we ~ late***; **7. *~ with*** a) mit *j-m od. et.* Schritt halten, *fig. a.* mithalten (können), b) *j-m, e-r Sache* folgen können, c) sich auf dem laufenden halten über (*acc.*), d) in Kon'takt bleiben mit *j-m*: ***~ with the times*** mit der Zeit gehen; ***~ with the Joneses*** den Nachbarn nicht nachstehen wollen.

keep·er ['ki:pə] *s.* **1.** Wächter *m*, Aufseher *m*, (Gefangenen-, Irren-, Tier-, Park-, Leuchtturm)Wärter *m*, Betreuer (-in): ***am I my brother's ~?*** *bibl.* soll ich m-s Bruders Hüter sein?; **2.** Verwahrer *m*, Verwalter *m*: ***Lord ≈ of the Great Seal*** Großsiegelbewahrer *m*; **3.** *mst in Zssgn*: a) Inhaber(in), Besitzer (-in): → ***innkeeper*** *etc.*, b) Halter(in), Züchter(in): → ***beekeeper***, c) j-d, der et. besorgt, betreut *od.* verteidigt: (***goal***) **~** *sport* Torwart *m*; **4.** ⚙ a) Schutzring *m*, b) Verschluß *m*, Schieber *m*, c) ϟ Ma'gnetanker *m*; **5. *be a good ~*** sich gut halten (*Obst, Fisch etc.*); **6.** *sport abbr. für* ***wicket-~***.

ˌkeep-'fresh bag *s.* Frischhaltebeutel *m*.

keep·ing ['ki:pɪŋ] **I** *s.* **1.** Verwahrung *f*, Aufsicht *f*, Pflege *f*, (Ob)Hut *f*: ***in safe ~*** in guter Obhut, sicher verwahrt; ***have in one's ~*** in Verwahrung *od.* unter s-r Obhut haben; ***put s.th. in s.o.'s ~*** j-m et. zur Aufbewahrung geben; **2.** 'Unterhalt *m*; **3. *be in*** (***out of***) ***~ with*** mit et. (nicht) in Einklang stehen *od.* (nicht) übereinstimmen, *e-r Sache* (nicht) entsprechen; ***in ~ with the times*** zeitgemäß; **4.** Gewahrsam *m*, Haft *f*; **II** *adj.* **5.** haltbar: ***~ apples*** Winteräpfel.

keep·sake ['ki:pseɪk] *s.* Andenken *n* (*Geschenk etc.*): ***as*** (*od.* ***for***) ***a ~*** zum Andenken.

kef·ir ['kefɪə] *s.* Kefir *m* (*Getränk aus gegorener Milch*).

keg [keg] *s.* **1.** kleines Faß, Fäßchen *n*; **2.** *Brit.* (Alu'minium)Behälter *m* für Bier: **~** (***beer***) Bier *n* vom Faß; **3.** *Am. Gewichtseinheit für Nägel = 45,3 kg.*

kelp [kelp] *s.* ⚘ **1.** *ein* Seetang *m*; **2.** Kelp *n*, Seetangasche *f*.

kel·pie ['kelpɪ] *s. Scot.* Nix *m*, Wassergeist *m* in Pferdegestalt.

kel·son ['kelsn] *s.* ⚓ Kielschwein *n*.

kel·vin ['kelvɪn] *s. phys.* Kelvin *n*: ***~ temperature*** Kelvintemperatur *f*, thermody'namische Temperatur.

Kelt·ic ['keltɪk] → ***Celtic***.

ken [ken] **I** *s.* **1.** Gesichtskreis *m*, *fig. a.*

K

Hori'zont *m*: ***that is beyond*** (*od.* ***outside***) ***my ~*** das entzieht sich m-r Kenntnis; **2.** (Wissens)Gebiet *n*; **II** *v/t.* **3.** *bsd. Scot.* kennen, verstehen, wissen.

ken·nel ['kenl] **I** *s.* **1.** Hundehütte *f*; **2.** *pl. mst sg. konstr.* a) Hundezwinger *m*, b) Hunde-, Tierheim *n*; **3.** *a. fig.* Meute *f*, Pack *n* (*Hunde*); **4.** *fig.* ‚Loch' *n*, armselige Behausung; **II** *v/t.* **5.** in e-r Hundehütte *od.* in e-m (Hunde)Zwinger halten.

Ken·tuck·y Der·by [ken'tʌkɪ] *s. sport das wichtigste amer. Pferderennen* (*für Dreijährige*).

kep·i ['keɪpi:] *s.* ⚔ Käppi *n*.

kept [kept] **I** *pret. u. p.p. von* ***keep***; **II** *adj.*: ***~ woman*** Mä'tresse *f*; ***she is a ~ woman*** *a.* sie läßt sich aushalten.

kerb [kɜ:b] *s.* **1.** Bord-, Randstein *m*, Bord-, Straßenkante *f*: ***~ drill*** Verkehrserziehung *f* für Fußgänger; **2.** ***on the ~*** † im Freiverkehr; ***~ mar·ket*** † Freiverkehrsmarkt *m*, Nachbörse *f*: ***~ price*** Freiverkehrskurs *m*; **'~-stone** → ***kerb*** 1: ***~ broker*** Freiverkehrsmakler *m*.

ker·chief ['kɜ:tʃɪf] *s.* Hals-, Kopftuch *n*.

ker·fuf·fle [kə'fʌfl] *s. Brit.* F **1.** Lärm *m*, Krach *m*; **2.** *a.* ***fuss and ~*** ‚The'ater' *n*, ‚Gedöns' *n*.

ker·mess ['kɜ:mɪs], **'ker·mis** [-mɪs] *s.* **1.** Kirmes *f*, Kirchweih *f*; **2.** *Am.* 'Wohltätigkeitsba,sar *m*.

ker·nel ['kɜ:nl] *s.* **1.** (Nuß- *etc.*)Kern *m*; **2.** (Hafer-, Mais- *etc.*)Korn *n*; **3.** *fig.* Kern *m*, *das* Innerste, Wesen *n*; **4.** ⚙ (*Guß- etc.*)Kern *m*.

ker·o·sene, ker·o·sine ['kerəsi:n] *s.* ⚗ Kero'sin *n*.

kes·trel ['kestrəl] *s.* Turmfalke *m*.

ketch [ketʃ] *s.* ⚓ Ketsch *f* (*zweimastiger Segler*).

ketch·up ['ketʃəp] *s.* Ketchup *m*, *n*.

ket·tle ['ketl] *s.* (*Koch*)Kessel *m*: ***put the ~ on*** (Tee- *etc.*)Wasser aufstellen; ***a pretty*** (*od.* ***nice***) ***~ of fish*** F e-e schöne Bescherung; **'~·drum** *s.* ♪ (Kessel)Pauke *f*; **'~,drum·mer** *s.* ♪ (Kessel)Pauker *m*.

key [ki:] **I** *s.* **1.** Schlüssel *m*: ***false ~*** Nachschlüssel *m*, Dietrich *m*; ***power of the ~s*** *R.C.* Schlüsselgewalt *f*; ***turn the ~*** abschließen; **2.** *fig.* Schlüssel *m*, Lösung *f* (***to*** zu): ***the ~ to a problem*** (***riddle*** *etc.*); ***the ~ to success*** der Schlüssel zum Erfolg; **3.** *fig.* Schlüssel *m*: a) *Buch mit Lösungen*, b) Zeichenerklärung *f* (*auf e-r Landkarte etc.*), c) Übersetzung(sschlüssel *m*) *f*, d) Code (-schlüssel) *m*; **4.** Kennwort *n*, Chiffre *f* (*in Inseraten etc.*); **5.** ♪ a) Taste *f*, b) Klappe *f* (*an Blasinstrumenten*), c) Tonart *f*: ***major*** (***minor***) ***~*** Dur *n* (Moll *n*); ***in the ~ of C minor*** in c-Moll; ***sing off ~*** falsch singen; ***in ~ with*** *fig.* in Einklang mit, d) → ***key signature***; **6.** *fig.* Ton(art *f*) *m*: ***in a high*** (***low***) ***~*** laut (leise); ***all in the same ~*** alles im selben Ton(fall), monoton; ***in a low ~*** a) *paint. phot.* matt (getönt), in matten Farben (gehalten), b) *fig.* ‚lahm', ‚müde'; **7.** ⚙ a) Keil *m*, Splint *m*, Bolzen *m*, b) Schraubenschlüssel *m*, c) Taste *f* (*der Schreibmaschine etc.*); **8.** ⚡ a) Taste *f*, Druckknopf *m*, b) Taster *m*, 'Tastkon,takt *m*; **9.** *tel.* Taster *m*, Geber *m*; **10.** *typ.* Setz-, Schließkeil *m*; **11.** △ Keil *m*, Schlußstein *m*; **12.** ⚔ Schlüsselstellung *f*, Macht *f* (***to*** über *acc.*); **II** *adj.* **13.** *fig.* Schlüssel...: ***~ currency*** Leitwährung *f*; ***~ position*** Schlüsselstellung *f*, -position *f*; ***~ official*** Beamter in e-r Schlüsselstellung; **III** *v/t.* **14.** *a.* ***~ in***, ***~ on*** ver-, festkeilen; **15.** a) *tel.* tasten, geben, b) *Computer etc.*: tasten: ***~ in*** eintasten, -geben; **16.** ♪ stimmen: ***~ the strings***; **17.** (***to***, ***for***) anpassen (an *acc.*), abstimmen (auf *acc.*); **18.** *fig.*: ***~ up*** a) *j-n* in nervöse Spannung versetzen, b) *allg. et.* steigern: ***~ed up*** (an)gespannt, überreizt, ‚überdreht'; **19.** mit e-m Kennwort versehen; **'~·board I** *s.* **1.** ♪ a) Klavia'tur *f*, Tasta'tur *f* (*Klavier*), b) Manu'al *n* (*Orgel*): ***~ instruments***, ***~s*** *pl.* Tasteninstrumente; **2.** Tasten *pl.*, Tasta'tur *f* (*Schreibmaschine etc.*); **II** *v/t.* **3.** *Computer etc.*: eintasten, -geben; **'~·,board·er** *s.* Datentypist(in *f*) *m*; **'~·,board·ing** *s. Computer*: Eingabe *f*; **~ bu·gle** *s.* ♪ Klappenhorn *n*; **~ date** *s.* Stichtag *m*; **~ fos·sil** *s. geol.* 'Leitfos,sil *n*; **'~-hole** *s.* **1.** Schlüsselloch *n*: ***~ report*** *fig.* Bericht *m* mit intimen Einzelheiten; **2.** *Am.* F *Basketball*: Freiwurfraum *m*; **~ in·dus·try** *s.* 'Schlüsselindu,strie *f*; **~ man**, *a.* **'~·man** [-mæn] *s.* [*irr.*] 'Schlüsselfi,gur *f*, Mann *m* in e-r 'Schlüsselpositi,on; **~ map** *s.* 'Übersichtskarte *f*; **~ mon·ey** *s.* Abstandssumme *f*, ('Miet-) Kauti,on *f*; **'~·move** *s. Schach*: Schlüsselzug *m*; **'~·note I** *s.* **1.** ♪ Grundton *m*; **2.** *fig.* Grundton *m*, -gedanke *m*, Leitgedanke *m*, Hauptthema *n*; **3.** *pol. Am.* Par'teilinie *f*, -pro,gramm *n*: ***~ address*** programmatische Rede; ***~ speaker*** → ***keynoter***; **II** *v/t.* **4.** *pol. Am.* a) e-e program'matische Rede halten auf (*e-m Parteitag etc.*), b) program'matisch verkünden, c) als Grundgedanken enthalten; **5.** kennzeichnen; **'~,not·er** *s. pol. Am.* Hauptsprecher *m*, po'litischer Pro'grammredner *m*; **~ punch** *s.* ⚙ (Karten-, Tasta'tur)Locher *m*; **'~-punch op·er·a·tor** *s.* Locher(in); **~ ring** *s.* Schlüsselring *m*; **~ sig·na·ture** *s.* ♪ Vorzeichen *n od. pl.*; **'~·stone** *s.* **1.** △ Schlußstein *m*; **2.** *fig.* Grundpfeiler *m*, Funda'ment *n*; **~ stroke** *s.* Anschlag *m*; **'~·way** *s.* ⚙ Keilnut *f*; **~ wit·ness** *s.* ⚖

K

Hauptzeuge *m*; ~ **word** *s.* Schlüssel-, Stichwort *n.*

kha·ki ['kɑːkɪ] **I** *s.* **1.** Khaki *n*; **2.** a) Khakistoff *m*, b) 'Khakiuniˌform *f*; **II** *adj.* **3.** khaki, staubfarben.

khan¹ [kɑːn] → ***caravansary***.

khan² [kɑːn] *s.* Khan *m* (*orientalischer Fürstentitel*); '**khan·ate** [-neɪt] *s.* Kha'nat *n* (*Land e-s Khans*).

khe·dive [kɪ'diːv] *s.* Khe'dive *m.*

kib·butz [kiː'buːts] *pl.* **kib'butz·im** [-tsɪm] *s.* Kib'buz *m.*

khi [kaɪ] *s.* Chi *n* (*griech. Buchstabe*).

kibe [kaɪb] *s.* ⚕ offene Frostbeule.

kib·itz ['kɪbɪts] *v/i.* ‚kiebitzen'; '**kib·itz·er** [-tsə] *s.* F **1.** Kiebitz *m* (*Zuschauer, bsd. beim Kartenspiel*); **2.** *fig.* Besserwisser *m.*

ki·bosh ['kaɪbɒʃ] *s.*: ***put the ~ on*** *sl. et.* ‚ka'puttmachen' *od.* ‚vermasseln'.

kick [kɪk] **I** *s.* **1.** (Fuß)Tritt *m* (*a. fig.*), Stoß *m*: ***give*** *s.o. od. s.th.* ***a ~*** → 9; ***get the ~*** ‚(raus)fliegen' (*entlassen werden*); ***what he needs is a ~ in the pants*** er braucht mal e-n kräftigen Tritt in den Hintern; **2.** Rückstoß *m* (*Schußwaffe*); **3.** *Fußball*: Schuß *m*; **4.** *Schwimmen*: Beinschlag *m*; **5.** F (Stoß)Kraft *f*, Ener'gie *f*, E'lan *m*: ***give a ~ to*** *et.* in Schwung bringen, *e-r Sache* ‚Pfiff' verleihen; ***he has no ~ left*** er hat keinen Schwung mehr; ***a novel with a ~*** ein Roman mit ‚Pfiff'; **6.** F (Nerven)Kitzel *m*: ***get a ~ out of s.th.*** an et. mächtig Spaß haben; ***just for ~s*** nur zum Spaß; **7.** (*berauschende*) Wirkung: ***this cocktail has got a ~*** der Cocktail ‚hat es aber in sich'; **8.** *Am.* F a) Groll *m*, b) (Grund *m* zur) Beschwerde *f*; **II** *v/t.* **9.** (mit dem Fuß) stoßen *od.* treten, e-n Fußtritt versetzen (*dat.*): ***~ s.o.'s behind*** j-m in den Hintern treten; ***~ s.o. downstairs*** j-n die Treppe hinunterwerfen; ***~ upstairs*** *fig. j-n* durch Beförderung kaltstellen; ***I felt like ~ing myself*** ich hätte mich ohrfeigen können; **10.** *sport* a) *Ball* treten, kicken, b) *Tor, Freistoß etc.* schießen: ***~ a goal***; **11.** *sl.* ‚runterkommen' von (*e-m Rauschgift, e-r Gewohnheit*); **III** *v/i.* **12.** (mit dem Fuß) stoßen *od.* treten: ***~ at*** treten nach; **13.** um sich treten; **14.** strampeln (*bsd. Baby*); **15.** das Bein hochwerfen (*Tänzer*); **16.** ausschlagen (*Pferd*); **17.** zu'rückstoßen, -prallen (*Schußwaffe*); **18.** *mot.* ‚stottern'; **19.** F a) ‚meutern', sich mit Händen u. Füßen wehren, (***against, at*** gegen), b) ‚meckern', nörgeln (***about*** über *acc.*); **20.** → ***kick off*** 3; **~ a·bout** *od.* **~ a·round I** *v/t.* **1.** *Ball* he'rumkicken; **2.** F *j-n* he'rumstoßen, schikanieren; **3.** F a) *Idee etc.* ‚beschwatzen', diskutieren, b) ‚spielen' *od.* sich befassen mit; **II** *v/i.* **4.** F her'umreisen; **5.** F ‚rumliegen' (*Sache*); **~ in I** *v/t.* **1.** *Tür etc.* eintreten; **2.** *sl.* beisteuern; **II** *v/i.* **3.** *sl.* beisteuern; **~ off I** *v/i.* **1.** *Fußball*: anstoßen, den Anstoß ausführen; **2.** F loslegen (***with*** mit); **3.** *Am. sl.* ‚abkratzen' (*sterben*); **II** *v/t.* **4.** wegschleudern; **5.** F *et.* starten, in Gang setzen; **~ out** *v/t.* **1.** *Fußball*: ins Aus schießen; **2.** *sl.* ‚rausschmeißen'; **~ up** *v/t.* hochschleudern; *Staub* aufwirbeln; → ***heel¹*** *Redew.*, ***row³*** I.

'**kick·back** *s.* **1.** F heftige Reakti'on; **2.** *Am. sl.* a) *allg.* Provisi'on *f*, Anteil *m*, b) (geheime) Rückvergütung *f*, c) Schmiergeld *n.*

'**kick·down** *s. mot.* Kickdown *m* (*Durchtreten des Gaspedals*).

kick·er ['kɪkə] *s.* **1.** (Aus)Schläger *m* (*Pferd*); **2.** *Brit.* a) Kicker *m*, Fußballspieler *m*, b) *Rugby*: Kicker *m* (*Spezialist für Frei- und Strafstöße*); **3.** ‚Meckerer' *m*, Queru'lant(in).

'**kick|·off** *s.* **1.** *Fußball*: Anstoß *m*; **2.** F Start *m*, Anfang *m*; '**~-start** *v/t. mot.* anlassen; '**~-ˌstart·er** *s. mot.* Kickstarter *m*, Tretanlasser *m*; **~ turn** *s. Skisport*: Spitzkehre *f.*

kid¹ [kɪd] **I** *s.* **1.** *zo.* Zicklein *n*, Kitz(e *f*) *n*; **2.** *a.* ***~ leather*** Ziegen-, Gla'céleder *n*; → ***kid glove***; **3.** F ‚Kleine(r' *m*) *f*, Kind *n*, Junge *m*, Mädchen *n*: ***my ~ brother*** mein kleiner Bruder; ***that's ~ stuff!*** das ist was für (kleine) Kinder!; **II** *v/i.* **4.** zickeln.

kid² [kɪd] F **I** *v/t. j-n* a) ‚verkohlen', b) ‚aufziehen', ‚auf den Arm nehmen': ***don't ~ me*** erzähl mir doch keine Märchen; ***don't ~ yourself*** mach dir doch nichts vor; **II** *v/i.* a) albern, Jux machen, b) schwindeln: ***he was only ~ding*** er hat (ja) nur Spaß gemacht; ***no ~ding!*** im Ernst!, ehrlich!; ***you are ~ding!*** das sagst du doch nur so!

kid·dy ['kɪdɪ] → ***kid¹*** 3.

kid| glove *s.* Gla'céhandschuh *m* (*a. fig.*): ***handle with ~s*** *fig.* mit Samt- *od.* Glacéhandschuhen anfassen; '**~-glove** *adj. fig.* **1.** anspruchsvoll, wählerisch; **2.** sanft, diplo'matisch.

kid·nap ['kɪdnæp] *v/t.* kidnappen, entführen; '**kid·nap·(p)er** [-pə] *s.* Kidnapper(in), Entführer(in); '**kid·nap·(p)ing** [-pɪŋ] *s.* Kidnapping *n*, Entführung *f*, Menschenraub *m.*

kid·ney ['kɪdnɪ] *s.* **1.** *anat.* Niere *f* (*a. als Speise*); **2.** *fig.* Art *f*, Schlag *m*, Sorte *f*: ***a man of the same ~*** ein Mann vom gleichen Schlag; **~ bean** *s.* ⚘ Weiße Bohne; **~ ma·chine** *s.* ⚕ künstliche Niere; '**~-shaped** *adj.* nierenförmig; **~ stone** *s.* ⚕ Nierenstein *m.*

kill [kɪl] **I** *v/t.* **1.** (***o.s.*** sich) töten, 'umbringen: ***~ off*** abschlachten, ausrotten, vertilgen, beseitigen, ‚abmurksen'; ***~ two birds with one stone*** *fig.* zwei

Fliegen mit e-r Klappe schlagen; ***be ~ed*** getötet werden, ums Leben kommen, umkommen, sterben; ***be ~ed in action*** ⚔ (im Krieg *od.* im Kampf) fallen; **2.** *Tiere* schlachten; **3.** *hunt.* erlegen, schießen; **4.** ⚔ abschießen, zerstören, vernichten, *Schiff* versenken; **5.** töten, *j-s* Tod verursachen: ***his reckless driving will ~ him one day*** sein leichtsinniges Fahren wird ihn noch das Leben kosten; ***the job*** (*etc.*) ***is ~ing me*** die Arbeit (*etc.*) bringt mich (noch) um; ***the sight nearly ~ed me*** der Anblick war zum Totlachen; **6.** a) zu'grunde richten, ruinieren, ka'puttmachen, b) *Knospen etc.* vernichten, zerstören; **7.** *fig.* wider'rufen, ungültig machen, streichen; **8.** *fig. Gefühle* (ab)töten, erstikken; **9.** *Schmerzen* stillen; **10.** unwirksam machen, *Wirkung etc.* aufheben, *Farben* übertönen, ‚erschlagen'; **11.** *Geräusche* schlucken; **12.** *fig. ein Gesetz etc.* zu Fall bringen, *e-n Plan* durch'kreuzen; **13.** durch Kri'tik vernichten; **14.** *sport den Ball* töten; **15.** *Zeit* totschlagen: ***~ time***; **16.** a) *e-e Maschine etc.* abstellen, abschalten, *den Motor a.* ‚abwürgen', b) *Lichter* ausschalten; **17.** F a) *e-e Flasche etc.* austrinken, b) *e-e Zigarette* ausdrücken; **II** *v/i.* **18.** töten: a) den Tod verursachen *od.* her'beiführen, b) morden; **19.** F unwider'stehlich *od.* hinreißend sein, e-n tollen Eindruck machen: ***dressed to ~*** todschick gekleidet, *contp.* aufgedonnert; **III** *s.* **20.** *bsd. hunt.* a) Tötung *f* (*des Wildes*), Abschuß *m*, b) erlegtes Wild, Strecke *f*: ***be in at the ~*** *fig.* am Schluß dabei sein; **21.** a) ⚔ Zerstörung *f*, b) ✈ Abschuß *m*, c) ⚓ Versenkung *f*.

kill·er ['kɪlə] *s.* **1.** Mörder *m*, Killer *m*; **2.** *a. fig.* Schlächter *m*; **3.** tödliche Krankheit *etc.*; et., das e-n umbringt; **4.** *bsd. in Zssgn* Vertilgungsmittel *n*; **5.** *Am.* F a) schicke *od.* ‚tolle' Frau, b) ‚toller' Bursche, c) ‚tolle' Sache, d) mörderischer Schlag; **~ in·stinct** *s.* 'Killerinˌstinkt *m*; **~ whale** *s. zo.* Schwertwal *m*.

kill·ing ['kɪlɪŋ] **I** *s.* **1.** a) Tötung *f*, Morden *n*, b) Mord(fall) *m*: ***three more ~s in London***; **2.** Schlachten *n*; **3.** *hunt.* Erlegen *n*; **4.** ***make a ~*** e-n Riesengewinn machen; **II** *adj.* □ **5.** tödlich, vernichtend, mörderisch (*a. fig.*): ***a ~ glance*** ein vernichtender Blick; ***a ~ pace*** ein mörderisches Tempo; **6.** *a.* ***~ly funny*** F urkomisch, zum Brüllen.

'**kill**|**·joy** *s.* Spielverderber(in), Störenfried *m*, Miesmacher(in); '**~-time** *adj.* zum Zeitvertreib getan *etc.*

kiln [kɪln] *s.* Brenn-, Trocken-, Röst-, Darrofen *m*, Darre *f*; '**~-dry** *v/t.* (*im Ofen*) dörren, darren, brennen, rösten.

ki·lo ['kiːləʊ] *s.* Kilo *n*.

kil·o|**·gram**(**me**) ['kɪləʊgræm] *s.* Kilo'gramm *n*, Kilo *n*; **~·gram·me·ter** *Am.*, **~·gram·me·tre** *Brit.* [ˌkɪləʊgræm'miːtə] *s.* 'Meterkiloˌgramm *n*; **~·hertz** ['kɪləʊhɜːts] *s.* ⚡, *phys.* Kilo'hertz *n*; **~·li·ter** *Am.*, **~·li·tre** *Brit.* ['kɪləʊˌliːtə] *s.* Kilo'liter *m*, *n*; **~·me·ter** *Am.*, **~·me·tre** *Brit.* ['kɪləʊˌmiːtə] *s.* Kilo'meter *m*; **~·met·ric**, **~·met·ri·cal** [ˌkɪləʊ'metrɪk(l)] *adj.* kilo'metrisch; **~·ton** ['kɪləʊtʌn] *s.* **1.** 1000 Tonnen *pl.*; **2.** *phys. Sprengkraft, die 1000 Tonnen TNT entspricht*; **~·volt** ['kɪləʊvəʊlt] *s.* ⚡ Kilo'volt *n*; **~·watt** ['kɪləʊwɒt] *s.* ⚡ Kilo'watt *n*: ***~ hour*** Kilowattstunde *f*.

kilt [kɪlt] **I** *s.* **1.** Kilt *m*, Schottenrock *m*; **II** *v/t.* **2.** aufschürzen; **3.** fälteln, plissieren; '**kilt·ed** [-tɪd] *adj.* mit e-m Kilt (bekleidet).

ki·mo·no [kɪ'məʊnəʊ] *pl.* **-nos** *s.* Kimono *m*.

kin [kɪn] **I** *s.* **1.** Fa'milie *f*, Sippe *f*; **2.** *coll. pl. konstr.* (Bluts)Verwandtschaft *f*, Verwandte *pl.*; → ***kith***, ***next*** 1; **II** *adj.* **3.** (***to***) verwandt (mit), ähnlich (*dat.*).

kind¹ [kaɪnd] *s.* **1.** Art *f*: a) Typ *m*, Gattung *f*, b) Sorte *f*, c) Beschaffenheit *f*: ***all ~s of*** alle möglichen, alle Arten von; ***all of a ~*** (***with***) von der gleichen Art (wie); ***the only one of its ~*** das einzige s-r Art; ***two of a ~*** zwei von derselben Sorte; ***what ~ of ...?*** was für ein ...?; ***nothing of the ~*** a) keineswegs, b) nichts dergleichen; ***you'll do nothing of the ~*** *a.* das wirst du schön bleibenlassen; ***these ~*** (***of people***) F diese Art Menschen; ***he is not that ~ of person*** F er ist nicht so (einer); ***your ~*** Leute wie Sie; ***I know your ~*** Ihre Sorte *od.* Ihren Typ kenne ich; ***s.th. of the ~*** etwas Derartiges, so etwas; ***that ~ of*** (***a***) ***book*** so ein Buch; ***I haven't got that ~ of money*** F soviel Geld hab' ich nicht; ***he felt a ~ of compunction*** er empfand so etwas wie Reue; ***I ~ of expected it*** F ich hatte es halb *od.* irgendwie erwartet; ***I ~ of promised it*** F ich habe es so halb u. halb versprochen; ***he is ~ of funny*** F er ist etwas *od.* ein bißchen komisch; ***I was ~ of disappointed*** F ich war schon ein bißchen enttäuscht; ***I had ~ of thought that ...*** F ich hatte eigentlich *od.* fast gedacht, daß; ***that's not my ~ of film*** F solche Filme sind nicht mein Fall; **2.** Natu'ralien *pl.*, Waren *pl.*: ***pay in ~***; ***I shall pay him in ~!*** *fig.* dem werd' ich es in gleicher Münze zurückzahlen; **3.** *eccl.* Gestalt *f* (*von Brot u. Wein beim Abendmahl*).

kind² [kaɪnd] *adj.* □ → ***kindly*** II; **1.** gütig, freundlich, liebenswürdig, nett, lieb, gut (***to s.o.*** zu j-m): ***be so ~ as to*** (*inf.*) seien Sie bitte so gut *od.* freundlich, zu (*inf.*); ***would you be ~ enough***

K

to wären Sie (vielleicht) so nett *od.* gut, zu *inf.*; ***that was very ~ of you*** das war wirklich nett *od.* lieb von dir; **2.** gutartig, fromm (*Pferd*).

kin·der·gar·ten ['kɪndəˌgɑːtn] *s.* a) Kindergarten *m*, b) Vorschule *f*.

kind·heart·ed [ˌkaɪnd'hɑːtɪd] *adj.* gütig, gutherzig; ˌ**kind'heart·ed·ness** [-nɪs] *s.* (Herzens)Güte *f*.

kin·dle ['kɪndl] **I** *v/t.* **1.** an-, entzünden; **2.** *fig.* entflammen, -zünden, -fachen, *Interesse etc.* wecken; **3.** erleuchten; **II** *v/i.* **4.** *a. fig.* Feuer fangen, aufflammen; **5.** *fig.* (***at***) a) sich erregen (über *acc.*), b) sich begeistern (für).

kind·li·ness ['kaɪndlɪnɪs] → ***kindness***.

kin·dling ['kɪndlɪŋ] *s.* Anmach-, Anzündholz *n*.

kind·ly ['kaɪndlɪ] **I** *adj.* **1.** → ***kind***[2]; **II** *adv.* **2.** gütig, freundlich; **3.** F freundlicherweise, liebenswürdig(erweise), gütig(st), freundlich(st): ***~ tell me*** sagen Sie mir bitte; ***take ~ to*** sich befreunden mit, sich hingezogen fühlen zu, liebgewinnen; ***he didn't take ~ to that*** das hat ihm gar nicht gefallen, das paßte ihm gar nicht; ***will you ~ shut up!*** *iro.* willst du gefälligst den Mund halten!; '**kind·ness** [-dnɪs] *s.* **1.** Güte *f*, Freundlichkeit *f*, Liebenswürdigkeit *f*: ***out of the ~ of one's heart*** aus reiner (Herzens)Güte; ***please, have the ~ to*** bitte, seien Sie so freundlich, zu *inf.*; **2.** Gefälligkeit *f*: ***do s.o. a ~*** j-m e-n Gefallen tun.

K

kin·dred ['kɪndrɪd] **I** *s.* **1.** (Bluts)Verwandtschaft *f*; **2.** *coll. pl. konstr.* Verwandte *pl.*, Verwandtschaft *f*, Fa'milie *f*; **II** *adj.* **3.** (bluts)verwandt; **4.** *fig.* verwandt, ähnlich, gleichartig: ***~ languages***; ***~ spirit*** Gleichgesinnte(r *m*) *f*; ***he and I are ~ spirits*** er u. ich sind geistesverwandt *od.* verwandte Seelen.

kin·e·mat·ic, **kin·e·mat·i·cal** [ˌkɪnɪ'mætɪk(l)] *adj. phys.* kine'matisch; ˌ**kin·e·'mat·ics** [-ks] *s. pl. sg. konstr. phys.* Kine'matik *f*, Bewegungslehre *f*.

ki·net·ic [kaɪ'netɪk] *adj. phys.* ki'netisch: ***~ energy***; **ki'net·ics** [-ks] *s. pl. sg. konstr. phys.* Ki'netik *f*, Bewegungslehre *f*.

king [kɪŋ] **I** *s.* **1.** König *m*: ***~ of beasts*** König der Tiere (*Löwe*); → ***King's Counsel*** *etc.*; **2.** a) ***♀ of ♀s*** *eccl. der* König der Könige (*Gott, Christus*), b) (***Book of***) ***♀s*** *bibl.* (*das* Buch der) Könige *pl.*; **3.** a) *Kartenspiel, Schach*: König *m*, b) *Damespiel*: Dame *f*; **4.** *fig.* König *m*, Ma'gnat *m*: ***oil ~***; **II** *v/i.* **5.** ***~ it*** König sein, den König spielen, herrschen (***over*** über *acc.*).

king·dom ['kɪŋdəm] *s.* **1.** Königreich *n*; **2.** *a.* ***♀ of heaven*** Himmelreich *n*, *das* Reich Gottes; ***send s.o. to ~ come*** F j-n ins Jenseits befördern; ***till ~ come*** F bis in alle Ewigkeit; **3.** *fig.* (Na'tur-)Reich *n*: ***animal*** (***vegetable***, ***mineral***) ***~*** Tier- (Pflanzen-, Mineral)reich *n*.

'**king|ˌfish·er** *s. orn.* Eisvogel *m*; **♀ James Bi·ble** *od.* **Ver·sion** *s. autorisierte englische Bibelübersetzung*.

king·let ['kɪŋlɪt] *s.* unbedeutender König, Duo'dezfürst *m*.

'**king·ly** [-lɪ] *adj. u. adv.* königlich, maje'stätisch.

'**king|ˌmak·er** *s. bsd. fig.* Königsmacher *m*; '**~·pin** *s.* **1.** ⚙ Achsschenkelbolzen *m*; **2.** *Kegelspiel*: König *m*; **3.** F a) *der* ‚Hauptmacher', der wichtigste Mann, b) *die* Hauptsache, *der* Dreh- u. Angelpunkt; **♀'s Bench** (**Di·vi·sion**) *s.* ⚖ *Brit. Abteilung des **High Court of Justice**, zuständig für* a) *Zivilsachen* (*Obligations- und Deliktsrecht*, *Handels-*, *Steuer- u. Seesachen*), b) *Strafsachen* (*als oberste Instanz für **summary offences***); **♀'s Coun·sel** *s.* ⚖ *Brit.* Anwalt *m* der Krone; **♀'s Eng·lish** → ***English*** 3; **~'s ev·i·dence** → ***evidence*** 1.

king·ship ['kɪŋʃɪp] *s.* Königtum *n*.

'**king·size(d)** *adj.* 'überˌdurchschnittlich groß, Riesen..., *fig.* F *a.* Mords...: ***~ cigarettes*** King-size-Zigaretten.

King's Speech *s. Brit.* Thronrede *f*.

kink [kɪŋk] **I** *s.* **1.** *bsd.* ⚓ Kink *f*, Knick *m*, Schleife *f* (*Draht, Tau*); **2.** (Muskel-)Zerrung *f od.* (-)Krampf *m*; **3.** *fig.* a) Schrulle *f*, Tick *m*, b) ‚Macke' *f*, De'fekt *m*; **4.** *Brit.* F Abartigkeit *f*; **II** *v/i.* **5.** e-e Kink *etc.* haben (→ 1); **III** *v/t.* **6.** knicken, knoten, verknäueln; '**kink·y** [-kɪ] *adj.* **1.** voller Kinken, verdreht (*Tau etc.*); **2.** wirr, kraus (*Haar*); **3.** F a) spleenig, ‚irre', ausgefallen, ‚verrückt', b) *Brit.* per'vers, abartig.

kins·folk ['kɪnzfəʊk] *s. pl.* Verwandtschaft *f*, (Bluts)Verwandte *pl.*

kin·ship ['kɪnʃɪp] *s.* **1.** (Bluts)Verwandtschaft *f*; **2.** *fig.* Verwandtschaft *f*.

kins|·man ['kɪnzmən] *s.* [*irr.*] (Bluts-)Verwandte(r) *m*, Angehörige(r) *m*; **~·wom·an** ['kɪnzˌwʊmən] *s.* [*irr.*] (Bluts)Verwandte *f*, Angehörige *f*.

ki·osk ['kiːɒsk] *s.* **1.** Kiosk *m*, Verkaufsstand *m*; **2.** *Brit.* Tele'fonzelle *f*.

kip [kɪp] *sl.* **I** *s.* **1.** Schläfchen *n*; **2.** ‚Falle' *f*, ‚Klappe' *f* (*Bett*); **II** *v/i.* **3.** a) ‚pennen' (*schlafen*), b) *mst* ***~ down*** sich ‚hinhauen'.

kip·per ['kɪpə] **I** *s.* **1.** Räucherhering *m*, Bückling *m*; **2.** Lachs *m* (*während der Laichzeit*); **II** *v/t.* **3.** *Heringe* einsalzen u. räuchern: ***~ed herring*** → 1.

Kir·ghiz ['kɜːgɪz] *s.* Kir'gise *m*.

kirk [kɜːk] *s. Scot.* Kirche *f*.

Kirsch [kɪəʃ] *s.* Kirsch(wasser *n*) *m*.

kiss [kɪs] **I** *s.* **1.** Kuß *m*: ***~ of death*** *fig.* Todesstoß *m*; ***~ of life*** Mund-zu-Mund-Beatmung *f*; ***blow*** (*od.* ***throw***) ***a ~ to***

s.o. j-m e-e Kußhand zuwerfen; **2.** leichte Berührung (*zweier Billardbälle etc.*); **3.** *Am.* Bai'ser *n* (*Zuckergebäck*); **4.** Zuckerplätzchen *n*; **II** *v/t.* **5.** küssen: ***~ away*** *Tränen* fortküssen; ***~ s.o. good night*** j-m e-n Gutenachtkuß geben: ***~ s.o. goodbye*** j-m e-n Abschiedskuß geben; ***you can ~ your money goodbye!*** F dein Geld hast du gesehen!; ***~ one's hand to s.o.*** j-m e-e Kußhand zuwerfen; ***~ s.o.'s hand*** j-m die Hand küssen; → ***book*** 1, ***rod*** 2; **6.** *fig.* leicht berühren; **III** *v/i.* **7.** sich küssen: ***~ and make up*** sich mit e-m Kuß versöhnen; **8.** *fig.* sich leicht berühren; **'kiss·a·ble** *adj.* küssenswert; **kiss curl** *s. Brit.* Schmachtlocke *f*; **'kiss·er** [-sə] *s. sl.* ‚Fresse' *f* (*Mund od. Gesicht*).

kiss·ing gate ['kɪsɪŋ] *s.* kleines Schwingtor (*das immer nur eine Person durchläßt*).

'kiss|-off *s. Am. sl.* **1.** Ende *n* (*a. Tod*); **2.** ‚Rausschmiß' *m*; **'~·proof** *adj.* kußecht, -fest.

kit [kɪt] **I** *s.* **1.** (*Angel-, Reit- etc.*)Ausrüstung *f*: ***gym ~*** Sportsachen *pl.*, -zeug *n*; **2.** ⚔ a) Mon'tur *f*, b) Gepäck *n*; **3.** a) Arbeitsgerät *n*, Werkzeug(e *pl.*) *n*, b) Werkzeugkasten *m*, -tasche *f*, Flickzeug *n*, c) Baukasten *m*, d) Bastelsatz *m*, e) *allg.* Behälter *m*: ***first-aid ~*** Verbandskasten *m*; **4.** *Zeitungswesen*: Pressemappe *f*; **5.** F a) Kram *m*, Zeug *n*, ‚Sachen' *pl.*, b) Sippe *f*, ‚Blase' *f*: ***the whole ~*** (***and caboodle***) der ganze Kram *od.* der ganze ‚Verein'; **II** *v/t.* **6.** ***~ out*** *od.* ***up*** ausstatten (***with*** mit); **'~·bag** *s.* **1.** Reisetasche *f*; **2.** ⚔ Kleider-, Seesack *m*.

kitch·en ['kɪtʃɪn] **I** *s.* Küche *f*; **II** *adj.* Küchen..., Haushalts...; **kitch·en·et(te)** [ˌkɪtʃɪ'net] *s.* Kleinküche *f*, Kochnische *f*.

kitch·en| foil *s.* Haushalts- *od.* Alufolie *f*; **~ gar·den** *s.* Gemüsegarten *m*; **'~·maid** *s.* Küchenmädchen *n*; **~ mid·den** *s.* vorgeschichtlicher (Küchen-) Abfallhaufen; **~ po·lice** *s.* ⚔ *Am.* Küchendienst *m*; **~ range** *s.* Küchen-, Kochherd *m*; **~ scales** *s. pl.* Küchenwaage *f*; **~ sink** *s.* Ausguß *m*, Spülstein *m*, ‚Spüle' *f*: ***everything but the ~*** *humor.* alles, der ganze Krempel; ***~ drama*** *thea.* realistisches Sozialdrama; ***~ environment*** Kleineleutemilieu *n*; **'~·ware** *s.* Küchengeschirr *n od.* -geräte *pl.*

kite [kaɪt] *s.* **1.** (Pa'pier-, Stoff)Drachen *m*: ***fly a ~*** a) e-n Drachen steigen lassen, b) *fig.* e-n Versuchsballon loslassen, c) → 3; **2.** *orn.* Gabelweihe *f*; **3.** † F Gefälligkeits-, Kellerwechsel *m*: ***fly a ~*** Wechselreiterei betreiben; → 1; **4.** ✈ *sl.* ‚Kiste' *f*, ‚Mühle' *f* (*Flugzeug*); **5.** ⚖ ***mark*** *Brit.* (amtliches) Gütezeichen; **~ bal·loon** *s.* ⚔ 'Fessel-, 'Drachenbalˌlon *m*; **'~-ˌfly·ing** *s.* **1.** Steigenlassen *n* e-s Drachens; **2.** *fig.* Loslassen *n* e-s Ver'suchsbalˌlons, Sondieren *n*; **3.** † F Wechselreite'rei *f*.

kith [kɪθ] *s.*: ***~ and kin*** (Bekannte u.) Verwandte *pl.*; ***with ~ and kin*** mit Kind u. Kegel.

kitsch [kɪtʃ] *s.* Kitsch *m*.

kit·ten ['kɪtn] **I** *s.* Kätzchen *n*, junge Katze: ***have ~s*** F ‚Zustände' kriegen; **II** *v/i.* Junge werfen (*Katze*); **'kit·ten·ish** [-nɪʃ] *adj.* **1.** wie ein Kätzchen (geartet); **2.** (kindlich) verspielt *od.* ausgelassen.

kit·ty¹ ['kɪtɪ] *s.* Mieze *f*, Kätzchen *n*.

kit·ty² ['kɪtɪ] *s.* **1.** *Kartenspiel*: (Spiel-) Kasse *f*; **2.** (gemeinsame) Kasse.

ki·wi ['ki:wi:] *s.* **1.** *orn.* Kiwi *m*; **2.** ♀ Kiwi *f*.

klax·on ['klæksn] *s.* (Auto)Hupe *f*.

klep·to·ma·ni·a [ˌkleptəʊ'meɪnjə] *s. psych.* Kleptoma'nie *f*; **ˌklep·to'ma·ni·ac** [-nɪæk] **I** Klepto'mane *m*, Klepto'manin *f*; **II** *adj.* klepto'manisch.

klieg light [kli:g] *s. Film*: Jupiterlampe *f*.

klutz [klʌts] *s. Am. sl.* ‚Trottel' *m*.

knack [næk] *s.* **1.** Trick *m*, Kniff *m*, ‚Dreh' *m*; **2.** Geschick(lichkeit *f*) *n*, Kunst *f*, Ta'lent *n*: ***the ~ of writing*** die Kunst des Schreibens; ***have the ~ of s.th.*** den Dreh von et. heraushaben, wissen, wie man et. macht; ***I've lost the ~*** ich krieg' es nicht mehr hin.

knack·er ['nækə] *s.* **1.** *Brit.* Abdecker *m*, Schinder *m*; **2.** 'Abbruchunterˌnehmer *m*; **'knack·ered** *adj. Brit. sl.* (ganz) ‚ka'putt', ‚to'tal geschafft'.

knag [næg] *s.* Knorren *m*, Ast *m* (*im Holz*).

knap·sack ['næpsæk] *s.* **1.** ⚔ Tor'nister *m*; **2.** Rucksack *m*, Ranzen *m*.

knave [neɪv] *s.* **1.** *obs.* Schurke *m*, Schuft *m*, Spitzbube *m*; **2.** *Kartenspiel*: Bube *m*, Unter *m*; **'knav·er·y** [-vərɪ] *s. obs.* **1.** Schurke'rei *f*; **2.** Gaune'rei *f*; **'knav·ish** [-vɪʃ] *adj.* □ *obs.* schurkisch.

knead [ni:d] *v/t.* **1.** kneten; **2.** ('durch-) kneten, massieren; **3.** *fig.* formen (***into*** zu); **'knead·ing-trough** [-dɪŋ] *s.* Backtrog *m*.

knee [ni:] **I** *s.* **1.** Knie *n*: ***on one's*** (***bended***) ***~s*** auf Knien, kniefällig; ***bend*** (*od.* ***bow***) ***the ~ to*** niederknien vor (*dat.*); ***bring s.o. to his ~s*** j-n auf *od.* in die Knie zwingen; ***give a ~ to s.o.*** j-n unterstützen; ***go on one's ~s to*** a) niederknien vor (*dat.*), b) *fig. j-n* kniefällig bitten; **2.** ⚙ a) Knie(stück) *n*, Winkel *m*, b) Knie(rohr) *n*, (Rohr-) Krümmer *m*; **II** *v/t.* **3.** mit dem Knie stoßen; **4.** F *Hose an den Knien* ausbeulen; **~ bend(·ing)** *s.* Kniebeuge *f*; **~ breech·es** *s. pl.* Kniehose(n *pl.*) *f*;

ˈ~·cap s. 1. anat. Kniescheibe f; 2. Knieleder n, -schützer m; ˌ~-ˈdeep adj. knietief, bis an die Knie (reichend); ˌ~-ˈhigh 1. → knee-deep; 2. kniehoch; ˈ~-hole desk s. Schreibtisch m mit Öffnung für die Knie; ~ jerk s. ⚕ ˈKnie(sehnen)reˌflex m; ˈ~-joint s. anat., ⚙ Kniegelenk n.

kneel [ni:l] v/i. [irr.] a. ~ **down** (nieder)knien (**to** vor dat.).

ˈ**knee|-length** adj. knielang: ~ **skirt** kniefreier Rock; ~ **pad** s. Knieschützer m; ˈ~-**pan** → **kneecap** 1; ~ **pipe** s. ⚙ Knierohr n; ~ **shot** s. Film: ˈHalbtoˌtale f.

knell [nel] I s. 1. Totenglocke f, Grabgeläute n (a. fig.): **sound the** ~ → 3; 2. fig. Vorbote m, Ankündigung f; II v/i. 3. läuten; III v/t. 4. (bsd. durch Läuten) a) bekanntgeben, b) zs.-rufen.

knelt [nelt] pret. u. p.p. von **kneel**.

knew [nju:] pret von **know**.

Knick·er·bock·er [ˈnɪkəbɒkə] s. 1. (Spitzname für den) New Yorker; 2. ♀**s** pl. Knickerbocker pl. (Hose).

knick·ers [ˈnɪkəz] s. pl. Brit. (Damen-) Schlüpfer m: **get one's** ~ **in a twist** humor. sich ‚ins Hemd machen'; ~**!** Quatsch!, ‚Mist'!

knick-knack [ˈnɪknæk] s. 1. a) Nippsache f, b) billiger Schmuck; 2. Spieleˈrei f, Schnickschnack m.

knife [naɪf] I pl. **knives** [naɪvz] s. 1. Messer n (a. ⚙, ⚕): **play a good** ~ **and fork** ein starker Esser sein; **before you can say "~"** ehe man sich's versieht; **have (got) one's** ~ **into s.o.** j-n ‚gefressen' haben, es auf j-n abgesehen haben; **war to the** ~ Krieg bis aufs Messer; **be (go) under the** ~ F unterm Messer (des Chirurgen) sein (unters Messer kommen); **turn the** ~ (**in the wound**) fig. Salz in die Wunde streuen; **watch s.o. like a** ~ F j-n scharf beobachten; II v/t. 2. mit e-m Messer bearbeiten; 3. a) einstechen auf (acc.), mit e-m Messer stechen, b) erstechen, erdolchen; 4. Am. sl. bsd. pol. j-m in den Rücken fallen, j-n ‚abschießen'; ˈ~-**edge** s. 1. (Messer)Schneide f: **on a** ~ fig. sehr aufgeregt (**about** wegen); **be balanced on a** ~ fig. auf des Messers Schneide stehen; 2. ⚙ Waageschneide f; ˈ~-**edged** adj. messerscharf; ~ **grind·er** s. 1. Scheren-, Messerschleifer m; 2. Schleifrad n, -stein m; ~ **rest** s. Messerbänkchen n.

knif·ing [ˈnaɪfɪŋ] s. Messerstecheˈrei f.

knight [naɪt] I s. 1. hist. Ritter m, Edelmann m; 2. Brit. Ritter m (niederster, nicht erblicher Adelstitel; Anrede: **Sir** u. Vorname); 3. Ritter m e-s Ordens: ♀ **of the Bath** Ritter des Bath-Ordens; ♀ **of the Garter** Ritter des Hosenbandordens; ~ **of the pen** humor. Ritter der Feder (Schriftsteller); → **Hospital(l)er** 1; 4. fig. Ritter m, Kavaˈlier m; 5. Schach: Springer m, Pferd n; II v/t. 6. a) zum Ritter schlagen, b) adeln, in den Ritterstand erheben; ˈ**knight·age** [-tɪdʒ] s. 1. coll. Ritterschaft f; 2. Ritterstand m; 3. Ritterliste f.

knight| bach·e·lor pl. ~**s bach·e·lor** s. Ritter m (Mitglied des niedersten englischen Ritterordens); ~ **er·rant** pl. ~**s er·rant** s. 1. fahrender Ritter; 2. fig. ‚Don Quiˈxote' m; ˌ~-ˈ**er·rant·ry** s. 1. fahrendes Rittertum; 2. fig. a) Abenteuerlust f, unstetes Leben, b) Donquichotteˈrie f.

knight·hood [ˈnaɪthʊd] s. 1. Rittertum n, -würde f, -stand m: **receive a** ~ in den Ritterstand erhoben werden; 2. coll. Ritterschaft f.

knight·ly [ˈnaɪtlɪ] adj. u. adv. ritterlich.

Knight Tem·plar → **Templar** 1 u. 2.

knit [nɪt] I v/t. [irr.] 1. a) stricken, b) ⚙ wirken: ~ **two, purl two** zwei rechts, zwei links (stricken); 2. a. ~ **together** zs.-fügen, verbinden, verknüpfen, vereinigen (alle a. fig.); → **close-knit**, **well-knit**; 3. ~ **up** a) fest verbinden, b) ab-, beschließen; 4. Stirn runzeln, Augenbrauen zs.-ziehen; II v/i. [irr.] 5. a) stricken, b) ⚙ wirken; 6. a. ~ **up** sich (eng) verbinden od. zs.-fügen (a. fig.), zs.-wachsen (Knochen etc.); III s. 7. Strickart f; ˈ**knit·ted** [-tɪd] adj. gestrickt, Strick…, Wirk…; ˈ**knit·ter** [-tə] s. 1. Stricker(in); 2. ⚙ ˈStrick-, ˈWirkmaˌschine f.

knit·ting [ˈnɪtɪŋ] s. 1. a) Stricken n, b) ⚙ Wirken n; 2. Strickzeug n, -arbeit f; ~ **ma·chine** s. ˈStrickmaˌschine f; ~ **nee·dle** s. Stricknadel f.

ˈ**knit·wear** s. Strick-, Wirkwaren pl.

knives [naɪvz] pl. von **knife**.

knob [nɒb] s. 1. (runder) Griff, Knopf m, Knauf m: **with** ~**s on** sl. (na) und ob!, und wie!; **and the same to you with (brass)** ~**s on!** sl. das kann man erst recht von dir behaupten!; 2. Knorren m, Ast m (im Holz); 3. Buckel m, Beule f, Höcker m; 4. Stück(chen) n (Zucker etc.); 5. △ Knauf m; 6. Am. sl. ‚Birne' f (Kopf); 7. Brit. V ‚Schwanz' m (Penis); ˈ**knob·bly** [-blɪ] adj. ‚knubbelig': ~ **knees** ‚Knubbelknie' pl.; ˈ**knob·by** [-bɪ] adj. 1. knorrig; 2. knoten-, knopf-, knaufartig.

knock [nɒk] I s. 1. Schlag m, Stoß m: **he has had (od. taken) a few** ~**s** fig. F er hat ein paar Nackenschläge eingesteckt; **take the** ~ sl. ‚schwer bluten müssen'; **the table has had a few** ~**s** F der Tisch hat ein paar Schrammen abgekriegt; 2. Klopfen n, Pochen n: **there is a** ~ (**at the door**) es klopft; **I'll give you a** ~ **at six** Brit. F ich klopfe um sechs (an Ihre Tür) (zum Wecken); II *v/t.* **3.** schlagen, stoßen: ***~ s.o. cold*** → ***knock out*** 2; ***~ the bottom out of s.th.***, ***~ s.th. on the head*** *fig.* F et. zunichte machen, *Pläne* über den Haufen werfen; ***~ s.o. sideways*** (*od.* ***for a loop***) F j-n ‚glatt umhauen'; ***~ one's head against*** a) mit dem Kopf stoßen gegen, b) die Stirn bieten (*dat.*); ***~ s.th. into s.o.*** j-m et. einhämmern *od.* einbleuen; ***~ spots off s.o.*** (***s.th.***) F j-m (e-r Sache) haushoch überlegen sein; **4.** klopfen, schlagen; **5.** F her'untermachen, herziehen über (*acc.*), kritisieren: ***don't ~ him*** (***so hard***)***!*** mach ihn nicht (allzu) schlecht!; **6.** F *j-n* ‚'umhauen', 'umwerfen, sprachlos machen; **III** *v/i.* **7.** schlagen, klopfen, pochen (***at the door*** an die Tür): ***~ before entering!*** bitte anklopfen!; **8.** stoßen, schlagen, prallen (***against***, ***into*** gegen *od.* auf *acc.*); **9.** ⚙ a) rattern, rütteln (*Maschine*), b) klopfen (*Motor*, *Brennstoff*); *Zssgn mit adv.*:

knock| a·bout, *bsd. Am.* **~ a·round I** *v/t.* **1.** her'umstoßen (*a. fig. schikanieren*); **2.** verprügeln; **3.** übel zurichten; **II** *v/i.* **4.** F sich her'umtreiben (***with*** mit); **5.** her'umziehen; **6.** ‚rumliegen' (*Sache*); **~ back** *v/t. Brit.* F **1.** *Whisky etc.* ‚hinter die Binde gießen', ‚kippen'; **2.** *j-n et.* kosten: ***that has ~ed me back a few pounds***; **3.** *fig. j-n* ‚'umhauen', 'umwerfen; **~ down** *v/t.* **1.** niederschlagen, zu Boden schlagen (*a. fig.*); **2.** → ***knock over*** 2; **3.** *Haus* abreißen; **4.** ⚙ zerlegen, ausein'andernehmen; **5.** ☤ a) *bei Auktionen*: (***to s.o.*** j-m) *et.* zuschlagen, b) F mit *dem Preis* ‚runtergehen', c) F *j-n* her'unterhandeln (***to*** auf *acc.*); **~ off I** *v/t.* **1.** her'unter-, abschlagen, weghauen; **2.** F aufhören mit: ***~ work*** → 7; ***knock it off!*** *sl.* hör doch auf damit!; **3.** F a) *et.* rasch erledigen, b) *et.* ‚'hinhauen', aus dem Ärmel schütteln; **4.** ☤ *vom Preis* abziehen: ***he knocked £10 off the bill*** er hat £10 (von der Rechnung) nachgelassen; **5.** F a) *Brit.* ‚klauen', stehlen, b) *Bank etc.* ausrauben, c) *j-n* ‚umlegen' (*töten*); **6.** V *Mädchen* ‚bumsen'; **II** *v/i.* **7.** F Feierabend machen; **~ out** *v/t.* **1.** (her)'ausschlagen, -klopfen; **2.** *sport* a) *Boxen*: k.o. schlagen, niederschlagen, b) *Gegner* ausschalten; **3.** F *j-n* ‚umhauen': a) verblüffen, b) erschöpfen, c) ‚ins Land der Träume schicken' (*Droge etc.*); **4.** ⚔ abschießen; **5.** F *Melodie* ‚runterspielen, -hacken'; **~ o·ver** *v/t.* **1.** 'umwerfen (*a. fig.*), 'umstoßen; **2.** über'fahren; **~ to·geth·er** *v/t.* **1.** schnell zs.-bauen *od.* -basteln, *Essen etc.* rasch zu'rechtmachen; **2.** anein'anderstoßen: ***knock people's heads together*** *fig.* die Leute zur Vernunft bringen; **~ up I** *v/t.* **1.** (*durch Klopfen*) wecken; **2.** F *Essen etc.* rasch ‚auf die Beine stellen' *od.* zu'rechtmachen; **3.** F *Haus etc.* rasch ‚'hinstellen'; **4.** *Brit.* F *Geld* ‚machen' (*verdienen*); **5.** *j-n* ‚fertigmachen' *od.* ‚schaffen' (*erschöpfen*); **6.** V *Am. e-r Frau* ein Kind machen, *e-e Frau* ‚anbumsen'; **II** *v/i.* **7.** *Tennis etc.*: sich warm- *od.* einspielen.

'knock|·a,bout I *adj.* **1.** *thea.* F Radau…, Klamauk…; **2.** Alltags…, strapa'zierfähig: ***~ clothes***; ***~ car*** Gebrauchswagen *m*; **,~'down I** *adj.* **1.** niederschmetternd (*a. fig.*): ***~ blow*** a) Schlag *m*, der j-n umwirft, b) *Boxen*: Niederschlag *m*, c) *fig.* Nackenschlag *m*, schwerer Schlag; **2.** ⚙ zerlegbar, zs.-legbar; **3.** ☤ äußerst, niedrigst: ***~ price*** Schleuderpreis *m*; **II** *s.* **4.** ☤ F Preissenkung *f*; **5.** F zerlegbares Möbelstück *od.* Gerät; **6.** ***give s.o. a ~ to s.o.*** *Am.* F j-n j-m vorstellen.

knock·er ['nɒkə] *s.* **1.** (Tür)Klopfer *m*; **2.** *sl.* Nörgler *m*, Krittler *m*; **3.** *pl.* V ‚Titten' *pl.*; **'knock·ing** ['nɒkɪŋ] *s.* **1.** Klopfen *n* (*a. mot.*); **2.** F Kri'tik *f* (***of*** an *dat.*): ***he has taken a bad ~*** er wurde schwer in die Pfanne gehauen.

,knock|-'kneed *adj.* X-beinig; **'~-knees** *s. pl.* X-Beine *pl.*; **'~·out I** *s.* **1.** *Boxen*: Knockout *m*, K. 'o. *m*, Niederschlag *m*; **2.** *fig.* vernichtende Niederlage, tödlicher Schlag, *das* ‚Aus' (***for*** für *j-n*); **3.** F großartige *od.* ‚tolle' Sache *od.* Per'son: ***she's a real ~*** sie sieht toll aus; **II** *adj.* **4.** *Boxen*: K.-o.-…: ***~ blow*** K.-o.-Schlag *m*; ***~ system*** K.-o.-System *n*; ***~ match*** Ausscheidungsspiel *n*; **5.** *fig.* vernichtend; **6.** *Am. sl.* Betäubungs…: ***~ pill***; **'~-proof** *adj. mot.* klopffest; **~ rat·ing** *s. mot.* Ok'tanzahl *f*; **,~'up** *s. sport* Einspielen *n*.

knoll [nəʊl] *s.* Hügel *m*, Kuppe *f*.

knot [nɒt] **I** *s.* **1.** Knoten *m*: ***tie s.o.*** (***up***) ***into ~s*** *fig.* F j-n ‚fertigmachen'; ***his stomach was in a ~*** sein Magen krampfte sich zusammen; **2.** Schleife *f*, Schlinge *f*, ⚔ *a.* Achselstück *n*; **3.** Knorren *m*, Ast *m* (*im Holz*); **4.** ⚘ Knoten *m*, Knospe *f*, Auge *n*; **5.** ⚓ Knoten *m*: a) Stich *m* (*im Tau*), b) Seemeile *f* (*1,853 km/h*); **6.** *fig.* Knoten *m*, Schwierigkeit *f*, Pro'blem *n*: ***cut the ~*** den Knoten 'durchhauen; **7.** *fig.* Band *n der Ehe etc.*: ***tie the ~*** den Bund fürs Leben schließen; **8.** Knäuel *m*, *n*, Haufen *m* (*Menschen etc.*); **9.** ⚕ (*Gicht- etc.*)Knoten *m*; **II** *v/t.* **10.** (ver)knoten, (ver)knüpfen; **11.** *fig.* verwickeln, verwirren; **III** *v/i.* **12.** (e-n) Knoten bilden; **13.** *fig.* sich verwickeln; **'~·hole** *s.* Astloch *n*.

knot·ted ['nɒtɪd] *adj.* **1.** ver-, geknotet; **2.** → **'knot·ty** [-tɪ] *adj.* **1.** knorrig (*Holz*); **2.** knotig, *fig.* verzwickt, schwierig, kompliziert.

K

knout [naʊt] *s.* Knute *f.*

know [nəʊ] **I** *v/t.* [*irr.*] **1.** *allg.* wissen: ***come to ~*** erfahren, hören; ***he ~s what to do*** er weiß, was zu tun ist; ***~ what's what, ~ all about it*** genau Bescheid wissen; (***and***) ***don't I ~ it!*** und ob ich das weiß!, ***he wouldn't ~*** (***that***) er kann das nicht *od.* kaum wissen; ***I wouldn't ~!*** das kann ich leider nicht sagen!; *iro.* weiß ich doch nicht!; ***for all I ~*** a) soviel ich weiß, b) was weiß ich?; ***I would have you ~ that*** ich möchte betonen *od.* Ihnen klarmachen, daß; ***I have never ~n him to lie*** m-s Wissens hat er nie gelogen; ***what do you ~!*** F na, so was!; **2.** (es) können *od.* verstehen (***how to do*** zu tun): ***do you ~ how to do it?*** wissen Sie, wie man das macht?, können Sie das?; ***he ~s how to treat children*** er versteht mit Kindern umzugehen; ***do you ~ how to drive a car?*** können Sie Auto fahren?; ***he ~s*** (***some***) ***German*** er kann (etwas) Deutsch; **3.** kennen, vertraut sein mit: ***I have ~n him for years*** ich kenne ihn (schon) seit Jahren; ***he ~s a thing or two*** F ‚er ist nicht von gestern', er weiß (ganz gut) Bescheid; ***get to ~*** a) *j-n, et.* kennenlernen, b) *et.* erfahren, herausfinden; ***after I first knew him*** nachdem ich s-e Bekanntschaft gemacht hatte; **4.** erfahren, erleben: ***he has ~n better days*** er hat bessere Tage gesehen; ***I have ~n it to happen*** ich habe das schon erlebt; → ***known*** II, ***mind*** 4; **5.** (ˈwieder)erkennen, unterˈscheiden: ***I should ~ him anywhere*** ich würde ihn überall erkennen; ***~ one from the other*** e-n vom anderen unterscheiden (können), die beiden auseinanderhalten können; ***before you ~ where you are*** im Handumdrehen; ***I don't ~ whether I shall ~ him again*** ich weiß nicht, ob ich ihn wiedererkennen werde; **6.** *Bibl.* (*geschlechtlich*) erkennen; **II** *v/i.* [*irr.*] **7.** wissen (***of*** von, um), im Bilde sein *od.* Bescheid wissen (***about*** über *acc.*), sich auskennen (***about*** in *dat.*), et. verstehen (***about*** von); ***I ~ of s.o. who*** ich weiß *od.* kenne j-n, der; ***let me ~*** (***about it***) laß es mich wissen, sag mir Bescheid (darüber); ***I ~ better!*** so dumm bin ich nicht!; ***I ~ better than to say that*** ich werde mich hüten, das zu sagen; ***you ought to ~ better*** (***than that***) das sollten Sie besser wissen, so dumm werden Sie doch nicht sein; ***he ought to ~ better than to go swimming after a big meal*** er sollte so viel Verstand haben zu wissen, daß man nach e-m reichlichen Mahl nicht baden geht; ***they don't ~ any better*** sie kennen's nicht anders; ***not that I ~ of*** F nicht daß ich wüßte; ***do*** (*od.* ***don't***) ***you ~?*** F nicht wahr?; ***you ~*** (*oft unübersetzt*) a) weißt du, wissen Sie, b) nämlich, c) schon, na ja; **III** *s.* **8.** ***be in the ~*** Bescheid wissen, im Bilde *od.* eingeweiht sein.

know·a·ble [ˈnəʊəbl] *adj.* was man wissen kann.

ˈ**know|-(it-)all** *s.* Besserwisser *m*, ‚Klugscheißer' *m*; ˈ**~-how** *s.* Know-ˈhow *n*: a) Sachkenntnis *f*, Fachwissen *n*, (praktische, *bsd.* technische) Erfahrung, b) ⚙ Herstellungsverfahren *pl.*

know·ing [ˈnəʊɪŋ] **I** *adj.* □ **1.** intelliˈgent, geschickt; **2.** verständnisvoll, wissend: ***~ smile***; ***with a ~ hand*** mit kundiger Hand; **3.** schlau, raffiniert: ***a ~ one*** ein Schlauberger; **II** *s.* **4.** Wissen *n*: ***there is no ~*** man kann nie wissen; ˈ**know·ing·ly** [-lɪ] *adv.* **1.** schlau, klug; **2.** verständnisvoll, wissend; **3.** wissentlich, bewußt, absichtlich.

knowl·edge [ˈnɒlɪdʒ] *s. nur sg.* **1.** Kenntnis *f*, Wissen *n*: ***have ~ of*** Kenntnis haben von, wissen (*acc.*); ***have no ~ of*** nichts wissen von *od.* über (*acc.*); ***without my ~*** ohne mein Wissen; ***the ~ of the victory*** die Kunde *od.* Nachricht vom Siege; ***it has come to my ~*** es ist mir zu Ohren gekommen, ich habe erfahren; ***to*** (***the best of***) ***my ~*** m-s Wissens, soviel ich weiß; ***to the best of my ~ and belief*** nach bestem Wissen u. Gewissen; ***not to my ~*** nicht daß ich wüßte; ***~ of life*** Lebenserfahrung *f*; → ***carnal***; **2.** Wissen *n*, Kenntnisse *pl.*: ***a good ~ of German*** gute Deutschkenntnisse; ***my ~ of Dickens*** was ich von Dickens kenne; ˈ**knowl·edge·a·ble** [-dʒəbl] *adj.* kenntnisreich, (gut) unterˈrichtet: ***he is very ~ about wines*** er weiß gut Bescheid über Weine, er ist ein Weinkenner.

known [nəʊn] **I** *p.p. von* ***know***; **II** *adj.* bekannt: ***~ quantity*** ₰ bekannte Größe; ***make ~*** bekanntmachen; ***make o.s. ~ to s.o.*** F sich j-m vorstellen; ***~ to all*** allbekannt; ***the ~ facts*** die anerkannten Tatsachen.

knuck·le [ˈnʌkl] **I** *s.* **1.** Fingergelenk *n*, -knöchel *m*: ***a rap over the ~s*** *fig.* ein Verweis, e-e Rüge; **2.** (Kalbs- *od.* Schweins)Haxe (*od.* Hachse) *f*: ***near the ~*** *fig.* F reichlich ‚gewagt' (*Witz etc.*); **II** *v/i.* **3.** ***~ down***, ***~ under*** sich beugen, sich unterˈwerfen (***to*** *dat.*), klein beigeben; **4.** ***~ down to s.th.*** sich an et. ‚ranmachen', sich hinter et. ‚klemmen': ***~ down to work*** sich an die Arbeit machen; ˈ**~·bone** *s. anat., zo.* Knöchelbein *n*; ˈ**~ˌdust·er** *s.* Schlagring *m*; **~ joint** *s.* **1.** *anat.* Knöchel-, Fingergelenk *n*; **2.** ⚙ Karˈdan-, Kreuzgelenk *n.*

knurl [nɜːl] **I** *s.* **1.** Knoten *m*, Ast *m*, Buckel *m*; **2.** ⚙ Rändelrad *n*; **II** *v/t.* **3.** rändeln, kordeln: ***~ed screw*** Rändelschraube *f.*

KO [ˌkeɪ'əʊ] → ***knockout*** 1 *u.* ***knock out.***

ko·a·la [kəʊ'ɑːlə] *s. zo.* Ko'ala(bär) *m.*

kohl·ra·bi [ˌkəʊl'rɑːbɪ] *s.* ⚘ Kohl'rabi *m.*

kol·khoz, **kol·khos** [kɒl'hɔːz] *s.* Kolchos *m, n,* Kol'chose *f.*

kook [kʊk] *s. Am.* F ‚komischer Typ', ‚Spinner' *m;* **kook·y** ['kʊkɪ] *adj. Am.* F ‚irr', verrückt.

ko·pe(c)k ['kəʊpek] → ***copeck.***

Ko·ran [kɒ'rɑːn] *s.* Ko'ran *m.*

Ko·re·an [kə'rɪən] **I** *s.* Kore'aner(in); **II** *adj.* kore'anisch.

ko·sher ['kəʊʃə] *adj.* koscher: ~ ***food***; ~ ***restaurant***; ***not quite*** ~ *fig.* F nicht ganz koscher.

ko·tow [ˌkəʊ'taʊ], **kow·tow** [ˌkaʊ'taʊ] **I** *s.* Ko'tau *m,* unter'würfige Ehrenbezeigung; **II** *v/i. a. fig.* e-n Ko'tau machen: ~ ***to s.o.*** e-n Kotau machen (*fig. a.* kriechen) vor j-m.

kraal [krɑːl; *in Südafrika mst* krɔːl] *s. S.Afr.* Kral *m.*

kraft [krɑːft], *a.* ~ **pa·per** *s. Am.* braunes 'Packpaˌpier.

kraut [kraʊt] *sl. contp.* **I** *s.* Deutsche(r *m) f;* **II** *adj.* deutsch.

Krem·lin ['kremlɪn] *npr.* Kreml *m;* **Krem·lin·ol·o·gist** [ˌkremlɪ'nɒlədʒɪst] *s.* Sowjeto'loge *m,* Kremlforscher(in).

ku·dos ['kjuːdɒs] *s.* F Ruhm *m,* Ehre *f.*

Ku-Klux-Klan [ˌkjuːklʌks'klæn] *s. Am. pol.* 'Ku-Klux-'Klan *m* (*rassistischer amer. Geheimbund*).

ku·lak ['kuːlæk] (*Russ.*) *s.* Ku'lak *m,* Großbauer *m.*

kum·quat ['kʌmkwɒt] *s.* ⚘ Kumquat *f.*

kung fu [ˌkʌŋ'fuː; ˌkʊŋ-] *s.* Kung'fu *n* (*chines. Kampfsport*).

Kurd [kɜːd] *s.* Kurde *m,* Kurdin *f;* '**Kurd·ish** [-ɪʃ] *adj.* kurdisch.

kur·saal ['kʊəzɑːl] *s.* (*Ger.*) Kursaal *m,* -haus *n.*

Kyr·i·e ['kɪəriːeɪ], ~ **e·le·i·son** [ə'leɪsɒn] *s. eccl.* Kyrie (e'leison) *n.*

L

L, l [el] *s.* L *n*, l *n* (*Buchstabe*).

laa·ger ['lɑːgə] *s. S.Afr.* Lager *n*, *bsd.* Wagenburg *f*.

lab [læb] *s.* F La'bor *n*.

la·bel ['leɪbl] **I** *s.* **1.** Eti'kett *n* (*a. fig.*), (Klebe-, Anhänge)Zettel *m od.* (-)Schild(chen) *n*, Anhänger *m*, Aufkleber *m*; **2.** *fig.* a) Bezeichnung *f*, b) (Kenn)Zeichen *n*, Signa'tur *f*; **3.** Aufschrift *f*, Beschriftung *f*; **4.** Label *n*, 'Schallplatteneti,kett *n od.* F -firma *f*; **5.** *Computer*: Label *n* (*Markierung in e-m Programm*); **6.** ⚠ Kranzleiste *f*; **II** *v/t.* **7.** etikettieren, mit e-m Zettel *od.* Schild(chen) versehen; **8.** beschriften, mit e-r Aufschrift versehen: *~(l)ed "poison"* mit der Aufschrift „Gift"; **9.** *a. ~ as fig.* als … bezeichnen, zu … stempeln, abstempeln als; **'la·bel·(l)er** [-lə] *s.* Etiket'tierma,schine *f*.

la·bi·a ['leɪbɪə] *pl. von* ***labium***.

la·bi·al ['leɪbjəl] **I** *adj. anat., ling.* Lippen…, labi'al; **II** *s.* Lippenlaut *m*, Labi'al *m*.

la·bile ['leɪbaɪl] *adj. allg.* la'bil.

la·bi·o·den·tal [,leɪbɪəʊ'dentl] *ling.* **I** *adj.* labioden'tal; **II** *s.* Labioden'tal *m*, Lippenzahnlaut *m*.

la·bi·um ['leɪbɪəm] *pl.* **-bi·a** [-bɪə] *s. anat.* Labium *n*, (*bsd.* Scham)Lippe *f*.

la·bor *etc. Am.* → ***labour*** *etc.*

lab·o·ra·to·ry [*Brit.* lə'bɒrətərɪ; *Am.* 'læbrə,tɔːrɪ] *s.* **1.** Labora'torium *n*: *~ assistant* Laborant(in); *~ technician* Chemotechniker(in); *~ stage* Versuchsstadium *n*; **2.** *fig.* Werkstätte *f*.

la·bo·ri·ous [lə'bɔːrɪəs] *adj.* □ mühsam: a) anstrengend, schwierig, b) 'umständlich, schwerfällig (*Stil etc.*).

la·bor un·ion *s. Am.* Gewerkschaft *f*.

la·bour ['leɪbə] *Brit.* **I** *s.* **1.** a) (*bsd.* schwere) Arbeit, b) Anstrengung *f*, Mühe *f*: *~ of Hercules* Herkulesarbeit *f*; *~ of love* Liebesdienst *m*, gern *od.* unentgeltlich getane Arbeit; → ***hard labo(u)r***; **2.** a) Arbeiterschaft *f*, Arbeiter(klasse *f*) *pl.*, b) Arbeiter *pl.*, Arbeitskräfte *pl.*: ***cheap ~***; ***shortage of ~*** Arbeitskräftemangel *m*; → ***skilled*** 2; **3.** ♀ (*ohne Artikel*) → ***Labour Party***; **4.** ⚕ Wehen *pl.*: ***be in ~*** in den Wehen liegen; **II** *v/i.* **5.** arbeiten (***at*** an *dat.*); **6.** sich anstrengen (***to*** *inf.* zu *inf.*), sich abmühen (***at***, ***with*** mit; ***for*** um *acc.*); **7.** *a. ~ along* sich mühsam fortbewegen *od.* da'hinschleppen, sich (da'hin)quälen; **8.** stampfen, schlingern (*Schiff*); **9.** (***under***) zu leiden haben (unter *dat.*), zu kämpfen haben (mit *Schwierigkeiten etc.*), kranken (an *dat.*); → ***delusion*** 2; **10.** ⚕ in den Wehen liegen; **III** *v/t.* **11.** ausführlich eingehen auf (*acc.*), eingehend behandeln, *iro.* ‚breittreten', her'umreiten auf (*dat.*): ***I need not ~ the point***; **~ camp** *s.* Arbeitslager *n*; **♀ Day** *s.* Tag *m* der Arbeit; **~ costs** *s.* Arbeitskosten *pl.*; **~ dis·pute** *s.* ⚕ Arbeitskampf *m*.

la·bo(u)red ['leɪbəd] *adj.* **1.** → ***laborious***; **2.** → ***labo(u)ring*** 2; **'la·bo(u)r·er** [-ərə] *s.* (*bsd. ungelernter*) Arbeiter.

La·bour Ex·change *s. Brit. obs.* Arbeitsamt *n*.

la·bo(u)r force *s.* Arbeitskräfte *pl.*, Belegschaft *f* (*e-s Betriebs*).

la·bo(u)r·ing ['leɪbərɪŋ] *adj.* **1.** arbeitend, werktätig: ***the ~ classes***; **2.** mühsam, schwer (*Atem*).

'la·bo(u)r-in,ten·sive *adj.* ⚕ 'arbeitsinten,siv.

la·bour·ite ['leɪbəraɪt] *s. Brit.* Anhänger (-in) *od.* Mitglied *n* der ***Labour Party***.

la·bo(u)r| lead·er *s.* Arbeiterführer *m*; **~ mar·ket** *s.* Arbeitsmarkt *m*; **~ pains** *s. pl.* ⚕ Wehen *pl.*

La·bour Par·ty *s. Brit. pol. die* Labour Party.

la·bo(u)r| re·la·tions *s. pl.* Beziehungen *pl.* zwischen Arbeitgeber(n) u. Arbeitnehmern; **'~-,sav·ing** *adj.* arbeitssparend; **~ short·age** *s.* Arbeitskräftemangel *m*; **~ turn·o·ver** *s.* Personalfluktuation *f*.

Lab·ra·dor (dog) ['læbrədɔː] *s. zo.* Neu'fundländer *m* (*Hund*).

la·bur·num [lə'bɜːnəm] *s.* ⚘ Goldregen *m*.

lab·y·rinth ['læbərɪnθ] *s.* **1.** Laby'rinth *n*, Irrgarten *m* (*beide a. fig.*); **2.** *fig.* Wirrwarr *m*, Durchein'ander *n*; **3.** *anat.* Laby'rinth *n*, inneres Ohr; **lab·y·rin·thine** [,læbə'rɪnθaɪn] *adj.* laby'rinthisch (*a. fig.*).

lac[1] [læk] *s.* Gummilack *m*, Lackharz *n*.

lac[2] [læk] *s. Brit. Ind.* Lak *n* (*100 000*, *mst Rupien*).

lace [leɪs] **I** *s.* **1.** Spitze *f* (*Stoff*); **2.** Litze *f*, Borte *f*, Tresse *f*, Schnur *f*: ***gold ~***; **3.** Schnürband *n*, -senkel *m*; → ***laced*** 1; **4.** Schnur *f*, Band *n*; **II** *v/t.* **5.** *a. ~ up*

(zu-, zs.-)schnüren; **6.** *j-n, j-s Taille* schnüren; **7. ~ s.o.** F → 14; **8.** *Finger etc.* ineinanderschlingen; **9.** mit Spitzen *od.* Litzen besetzen; Schnürsenkel einziehen in; **10.** mit Streifenmuster verzieren; **11.** *fig.* durch'setzen (***with*** mit): ***a story ~d with jokes***; **12.** e-n Schuß Alkohol zugeben (*dat.*); **III** *v/i.* **13.** *a.* ***~ up*** sich schnüren (lassen); **14.** ***~ into*** F a) auf *j-n* einprügeln, b) *j-n* anbrüllen;
laced [-st] *adj.* **1.** geschnürt, Schnür...: ***~ boot*** Schnürstiefel *m*; **2.** mit e-m Schuß Alkohol, ‚mit Schuß': ***~ coffee.***
lace| pa·per *s.* Pa'pierspitzen *pl.*; **~ pil·low** *s.* Klöppelkissen *n*.
lac·er·ate ['læsəreɪt] *v/t.* **1.** a) aufreißen, -schlitzen, zerfetzen, -kratzen, b) zerfleischen, zerreißen; **2.** *fig. j-n, j-s Gefühle* zutiefst verletzen; **lac·er·a·tion** [ˌlæsə'reɪʃn] *s.* **1.** Zerreißung *f*, Zerfleischung *f* (*a. fig.*); **2.** ⚕ Schnitt-, Riß-, Fleischwunde *f*, Riß *m*.
'lace|-up (shoe) *s.* Schnürschuh *m*; **'~·work** *s.* **1.** Spitzenarbeit *f*, -muster *n*; **2.** *weitS.* Fili'gran(muster) *n*.
lach·ry·mal ['lækrɪml] **I** *adj.* **1.** Tränen...: ***~ gland***; **II** *s.* **2.** *pl. anat.* 'Tränenappaˌrat *m*; **3.** *hist.* Tränenkrug *m*; **'lach·ry·mose** [-məʊs] *adj.* ☐ **1.** weinerlich; **2.** *fig.* rührselig: ***~ story.***
lac·ing ['leɪsɪŋ] *s.* **1.** Litzen *pl.*, Tressen *pl.*; **2.** → ***lace*** 3; **3.** ‚Schuß' *m* (Alkohol); **4.** Tracht *f* Prügel.
lack [læk] **I** *s.* (***of***) Mangel *m* (an *dat.*), Fehlen *n* (von): ***for ~ of time*** aus Zeitmangel; ***there was no ~ of*** es fehlte nicht *od.* da war kein Mangel an (*dat.*); **II** *v/t.* Mangel haben an (*dat.*), *et.* nicht haben *od.* besitzen: ***he ~s time*** ihm fehlt es an (der nötigen) Zeit, er hat keine Zeit; **III** *v/i.*: ***be ~ing*** fehlen, nicht vorhanden sein; ***wine was not ~ing*** an Wein fehlte es nicht; ***he ~ed for nothing*** es fehlte ihm an nichts; ***be ~ing in*** → II.
lack·a·dai·si·cal [ˌlækə'deɪzɪkl] *adj.* ☐ **1.** lustlos, gelangweilt, gleichgültig; **2.** schlaff, lasch.
lack·ey ['lækɪ] *s. bsd. fig. contp.* La'kai *m*.
'lack|ˌlus·ter *Am.*, **'~ˌlus·tre** *Brit. adj.* glanzlos, matt, *fig. a.* farblos.
la·con·ic [lə'kɒnɪk] *adj.* (☐ ***~ally***) **1.** la'konisch, kurz u. treffend; **2.** wortkarg; **lac·o·nism** ['lækənɪzəm] *s.* Lako'nismus *m*: a) La'konik *f*, la'konische Kürze, b) la'konischer Ausspruch.
lac·quer ['lækə] **I** *s.* **1.** (Farb)Lack *m*, (Lack)Firnis *m*; **2.** a) (Nagel)Lack *m*, b) Haarspray *m*; **3.** *a.* ***~ ware*** Lackarbeit *f*, -waren *pl.*; **II** *v/t.* **4.** lackieren.
la·crosse [lə'krɒs] *s.* La'crosse *n* (*Ballspiel*): ***~ stick*** La'crosseschläger *m*.
lac·tate ['lækteɪt] **I** *v/t. physiol.* Milch absondern; **II** *s.* ⚗ Lak'tat *n*; **lac·ta·tion** [læk'teɪʃn] *s.* Laktati'on *f*: a) Milchabsonderung *f*, b) Stillen *n*, c) Stillzeit *f*; **'lac·te·al** [-tɪəl] **I** *adj.* Milch..., milchähnlich; **II** *s. pl.* Milch-, Lymphgefäße *pl.*; **'lac·tic** [-tɪk] *adj.* Milch...: ***~ acid*** Milchsäure *f*; **lac·tif·er·ous** [læk'tɪfərəs] *adj.* milchführend: ***~ duct*** Milchgang *m*; **lac·tom·e·ter** [læk'tɒmɪtə] *s.* Lakto'meter *n*, Milchwaage *f*; **'lac·tose** [-təʊs] *s.* Lak'tose *f*, Milchzucker *m*.
la·cu·na [lə'kju:nə] *pl.* **-nae** [-ni:] *od.* **-nas** *s.* Lücke *f*, La'kune *f*: a) *anat.* Spalt *m*, Hohlraum *m*, b) (Text- *etc.*) Lücke *f*; **la'cu·nar** [-nə] *s.* ⚠ Kas'settendecke *f*.
la·cus·trine [lə'kʌstraɪn] *adj.* See...: ***~ dwellings*** Pfahlbauten.
lac·y ['leɪsɪ] *adj.* spitzenartig, Spitzen...
lad [læd] *s.* **1.** (junger) Kerl *od.* Bursche, Junge *m*: ***he's just a ~!*** er ist (doch) noch ein Junge!; ***come on, ~s!*** los, Jungs!; ***he's a bit of a ~*** F *Brit.* er ist ein ziemlicher Draufgänger *od.* Schwerenöter; **2.** *Brit.* Stallbursche *m*.
lad·der ['lædə] **I** *s.* **1.** Leiter *f* (*a. fig.*): ***the social ~*** *fig.* die gesellschaftliche Stufenleiter; ***the ~ of fame*** die (Stufen-) Leiter des Ruhms; ***kick down the ~*** die Leute loswerden wollen, die e-m beim Aufstieg geholfen haben; **2.** *Brit.* Laufmasche *f*; **3.** *Tischtennis etc.*: Ta'belle *f*; **II** *v/i.* **4.** *Brit.* Laufmaschen bekommen (*Strumpf*); **III** *v/t.* **5.** *Brit.* zerreißen: ***~ one's stockings*** sich e-e Laufmasche holen; **'~·proof** *adj. Brit.* (lauf)maschenfest (*Strumpf*).
lad·die ['lædɪ] *s. bsd. Scot.* F Bürschchen *n*.
lade [leɪd] *p.p. a.* **'lad·en** [-dn] *v/t.* **1.** (be)laden, befrachten; **2.** *Waren* ver-, aufladen; **'lad·en** [-dn] **I** *p.p. von* ***lade***; **II** *adj.* (***with***) *a. fig.* beladen *od.* befrachtet (mit), voll (von), voller: ***~ with fruit*** (schwer) beladen mit Obst.
la-di-da(h) [ˌlɑ:dɪ'dɑ:] *adj. Brit.* F affektiert, vornehmtuerisch, ‚affig'.
la·dies'| choice *s.* Damenwahl *f* (*beim Tanz*); **~ man** *s.* [*irr.*] Frauenheld *m*, Char'meur *m*; **~ room** → ***lady*** 6.
lad·ing ['leɪdɪŋ] *s.* **1.** (Ver)Laden *n*; **2.** Ladung *f*; → ***bill***² 3.
la·dle ['leɪdl] **I** *s.* **1.** Schöpflöffel *m*, (Schöpf-, Suppen)Kelle *f*; **2.** ⚙ Gießkelle *f*, -löffel *m*; **3.** Schaufel *f* (*am Wasserrad*); **II** *v/t.* **4.** *a.* ***~ out*** (aus)schöpfen, *a.* F *fig. Lob etc.* austeilen.
la·dy ['leɪdɪ] **I** *s.* **1.** Dame *f*: ***she is no*** (*od.* ***not a***) ***~*** sie ist keine Dame; ***an English ~*** e-e Engländerin; ***young ~*** junge Dame, junges Mädchen; ***young ~!*** *iro.* (mein) liebes Fräulein!; ***his young ~*** F s-e (kleine) Freundin; ***my*** (***dear***) ***~*** (verehrte) gnädige Frau; ***ladies and gentlemen*** m-e (sehr verehr-

L

ten) Damen u. Herren; **2.** Lady *f* (*Titel*): ***my ~!*** Mylady!, gnädige Frau; **3.** *obs. od.* F (*außer wenn auf e-e* ***Lady*** *angewandt*) Gattin *f*, Gemahlin *f*: ***the old ~*** F a) die alte Dame (*Mutter*), b) m-e *etc.* ‚Alte' (*Frau*); **4.** Herrin *f*, Gebieterin *f*: ***~ of the house*** Hausherrin, Dame *f* des Hauses; ***our sovereign ~*** *Brit.* die Königin; **5.** ***Our ~*** Unsere Liebe Frau, die Mutter Gottes: ***Church of Our ~*** Marien-, (Lieb)Frauenkirche *f*; **6.** ***Ladies*** *pl. sg. konstr.* 'Damentoi,lette *f*, ‚Damen' *n*; **II** *adj.* **7.** weiblich: ***~ doctor*** Ärztin *f*; ***~ friend*** Freundin *f*; ***~ mayoress*** Frau *f* (Ober)Bürgermeister; ***~ dog*** *humor.* ‚Hundedame' *f*.

'la·dy|·bird *s. zo.* Ma'rienkäfer(chen *n*) *m*; **~ Boun·ti·ful** *s. fig.* gute Fee; **'~·bug** *Am.* → ***ladybird***; **~ Day** *s. eccl.* Ma'riä Verkündigung *f*; **'~,fin·ger** *s.* Löffelbiskuit *n*; **,~-in-'wait·ing** *s.* Hofdame *f*; **'~-,kill·er** *s.* F Herzensbrecher *m*, Ladykiller *m*; **'~·like** *adj.* damenhaft, vornehm; **'~·love** *s. obs.* Geliebte *f*; **~ of the Bed·cham·ber** *s. Brit.* königliche Kammerfrau, Hofdame *f*.

la·dy·ship ['leɪdɪʃɪp] *s.* Ladyschaft *f* (*Stand u. Anrede*): ***her*** (***your***) ***~*** ihre (Eure) Ladyschaft.

la·dy's| maid *s.* Kammerzofe *f*; **'~-,slip·per** *s.* ⚘ Frauenschuh *m*.

lag¹ [læg] **I** *v/i.* **1.** *mst* ***~ behind*** *a. fig.* zu'rückbleiben, nicht mitkommen, nach-, hinter'herhinken; **2.** *mst* ***~ behind*** a) sich verzögern, b) zögern, c) ϟ nacheilen; **II** *s.* **3.** Zu'rückbleiben *n*, Rückstand *m*, Verzögerung *f* (*a.* ⚙, *phys.*): ***cultural ~*** kultureller Rückstand; **4.** 'Zeitabstand *m*, -,unterschied *m*; **5.** ϟ negative Phasenverschiebung, (Phasen)Nacheilung *f*.

lag² [læg] *s. Brit. sl.* **1.** ‚Knastschieber' *m*, ‚Knacki' *m*; **2.** ***do a ~*** ‚(im Knast) sitzen'.

lag³ [læg] **I** *s.* **1.** (Faß)Daube *f*; **2.** ⚙ Verschalungsbrett *n*; **II** *v/t.* **3.** mit Dauben versehen; **4.** ⚙ *Rohre etc.* isolieren, um'wickeln.

lag·an ['lægən] *s.* ⚖, ⚓ versenktes (Wrack)Gut.

la·ger (**beer**) ['lɑ:gə] *s.* Lagerbier *n* (*ein helles Bier*).

lag·gard ['lægəd] **I** *adj.* □ **1.** langsam, bummelig, faul; **II** *s.* **2.** ‚Trödler(in)', Bummler(in); **3.** Nachzügler(in).

lag·ging ['lægɪŋ] *s.* ⚙ **1.** Verkleidung *f*, Verschalung *f*; **2.** a) Isolierung *f*, b) Iso'liermateri,al *n*.

la·goon [lə'gu:n] *s.* La'gune *f*.

la·ic, la·i·cal ['leɪɪk(l)] *adj.* weltlich, Laien...; **'la·i·cize** [-ɪsaɪz] *v/t.* säkularisieren.

laid [leɪd] *pret. u. p.p. von* ***lay¹***: ***~ up*** → ***lay up*** 4; **'~·back** *adj. Am.* **1.** entspannend; **2.** entspannt, ruhig.

lain [leɪn] *p.p. von* ***lie²***.

lair [leə] *s.* **1.** *zo.* a) Lager *n*, b) Höhle *f*, Bau *m* (*des Wildes*); **2.** *allg.* Lager(statt *f*) *n*; **3.** F *fig.* a) Versteck *n*, b) Zuflucht(sort *m*) *f*.

laird [leəd] *s. Scot.* Gutsherr *m*.

lais·sez-faire [,leɪseɪ'feə] (*Fr.*) *s.* Laissez-'faire *n* (*Gewährenlassen, Nichteinmischung*).

la·i·ty ['leɪətɪ] *s.* **1.** Laienstand *m*, Laien *pl.* (*Ggs. Geistlichkeit*); **2.** Laien *pl.*, Nichtfachleute *pl.*

lake¹ [leɪk] *s.* **1.** (*bsd.* rote) Pig'mentfarbe, Farblack *m*; **2.** Beizenfarbstoff *m*.

lake² [leɪk] *s.* (Binnen)See *m*: ***the Great ~*** der große Teich (*der Atlantische Ozean*); ***the Great ~s*** die Großen Seen (*an der Grenze zwischen USA u. Kanada*); ***the ~s*** → **~ Dis·trict** *s. das* Seengebiet (*im Nordwesten Englands*); **~ dwell·er** *s.* Pfahlbauer *m*; **~ dwell·ing** *s.* Pfahlbau *m*; **'~·land** → ***Lake District***; **~ po·et** *s.* Seendichter *m* (*e-r der 3 Dichter der* ***Lake school***); **~ school** *s.* Seeschule *f* (*die Dichter Southey, Coleridge u. Wordsworth*).

lam¹ [læm] *sl.* **I** *v/t.* verdreschen, ‚vermöbeln'; **II** *v/i.*: ***~ into*** a) → I, b) *fig.* auf *j-n* ‚einhauen'.

lam² [læm] *Am. sl.* **I** *s.*: ***on the ~*** im ‚Abhauen' (begriffen), auf der Flucht (*vor der Polizei*); ***take it on the ~*** → **II** *v/i.* ‚türmen', ‚Leine ziehen'.

la·ma ['lɑ:mə] *s. eccl.* Lama *m*; **'la·ma·ism** [-əɪzəm] *s. eccl.* Lama'ismus *m*; **'la·ma·ser·y** [-əsərɪ] *s.* Lamakloster *n*.

lamb [læm] **I** *s.* **1.** Lamm *n*: ***in*** (*od.* ***with***) ***~*** trächtig (*Schaf*); ***like a ~*** *fig.* wie ein Lamm, lammfromm; ***like a ~ to the slaughter*** *fig.* wie ein Lamm zur Schlachtbank; **2.** Lamm(fleisch) *n*; **3.** ***the ~*** (***of God***) *eccl.* das Lamm (Gottes); **4.** F Schätzchen *n*; **II** *v/i.* **5.** lammen: ***~ing time*** Lammzeit *f*.

lam·baste [læm'beɪst] *v/t. sl.* **1.** ‚vermöbeln' (*verprügeln*); **2.** *fig.* ‚her'unterputzen', ‚zs.-stauchen'.

lam·ben·cy ['læmbənsɪ] *s.* **1.** Züngeln *n* (*e-r Flamme*); **2.** *fig.* (*geistreiches*) Funkeln, Sprühen *n*; **'lam·bent** [-nt] *adj.* □ **1.** züngelnd, flackernd; **2.** sanft strahlend; **3.** *fig.* sprühend, funkelnd (*Witz*).

lamb·kin ['læmkɪn] *s.* **1.** Lämmchen *n*; **2.** *fig.* ‚Schätzchen' *n*.

'lamb·skin *s.* **1.** Lammfell *n*; **2.** Schafleder *n*.

lamb's| tails *s. pl.* ⚘ **1.** *Brit.* Haselkätzchen *pl.*; **2.** *Am.* Weiden-, Palmkätzchen *pl.*; **~ wool** *s.* Lammwolle *f*.

lame [leɪm] **I** *adj.* □ **1.** lahm, hinkend: ***~ in*** (*od.* ***of***) ***one leg*** auf 'einem Bein lahm; **2.** *fig.* ‚lahm', ‚müde': ***~ efforts***; ***~ story***; ***~ excuse*** faule Ausrede; ***~ verses*** holprige *od.* hinkende Verse; **II**

v/t. **3.** lahm machen, lähmen (*a. fig.*); ~ **duck** *s.* F **1.** Körperbehinderte(r *m*) *f*; **2.** ‚Versager' *m*, ‚Niete' *f*; **3.** ✝ ruinierter ('Börsen)Speku,lant; **4.** *Am. pol. nicht wiedergewählter Amtsinhaber, bsd. Kongreßmitglied od. Präsident, bis zum Ende s-r Amtsperiode.*

la·mel·la [lə'melə] *pl.* **-lae** [-li:] *s. allg.* La'melle *f*, Plättchen *n*; **la'mel·lar** [-lə], **lam·el·late** ['læməleɪt] *adj.* la'mellenartig, Lamellen...

lame·ness ['leɪmnɪs] *s.* **1.** Lahmheit *f* (*a. fig., contp.*); **2.** *fig.* Schwäche *f*; **3.** Hinken *n* (*von Versen*).

la·ment [lə'ment] **I** *v/i.* **1.** jammern, (weh)klagen, lamentieren (***for*** *od.* ***over*** um); **2.** trauern (***for*** *od.* ***over*** um); **II** *v/t.* **3.** bejammern, beklagen, bedauern, betrauern; **III** *s.* **4.** Jammer *m*, Wehklage *f*, Klage(lied *n*) *f*; **lam·en·ta·ble** ['læməntəbl] *adj.* □ **1.** beklagenswert, bedauerlich; **2.** *contp.* erbärmlich, kläglich, jämmerlich (schlecht); **lam·en·ta·tion** [,læmen'teɪʃn] *s.* **1.** Jammern *n*, Lamentieren *n*, (Weh)Klage *f*, *iro. a.* La'mento *n*; **2.** ≈**s** (***of Jeremiah***) *pl. mst sg. konstr. bibl.* Klagelieder *pl.* Jere'miae.

lam·i·na ['læmɪnə] *pl.* **-nae** [-ni:] *s.* **1.** Plättchen *n*, Blättchen *n*; **2.** (dünne) Schicht; **3.** ⚘ Blattspreite *f*; **'lam·i·nal** [-nl], **'lam·i·nar** [-nə] *adj.* **1.** blätterig; **2.** (blättchenartig) geschichtet; **3.** *phys.* lami'nar: ~ ***flow*** Laminarströmung *f*; **'lam·i·nate** [-neɪt] **I** *v/t.* **1.** ⚙ a) auswalzen, strecken, b) in Blättchen aufspalten, c) schichten; **2.** mit Plättchen belegen, mit Folie über'ziehen; **II** *v/i.* **3.** sich in Plättchen *od.* Schichten spalten; **III** *s.* **4.** ⚙ (Plastik-, Verbund)Folie *f*; **IV** *adj.* **5.** → ***laminar.***

lam·i·nat·ed ['læmɪneɪtɪd] *adj.* la'mellenartig, Lamellen...; ⚙ *a.* blättrig *od.* geschichtet: ~ ***glass*** Verbundglas *n*; ~ ***material*** Schichtstoff *m*; ~ ***paper*** Hartpapier *n*; ~ ***sheet*** Schichtplatte *f*; ~ ***spring*** Blattfeder *f*; ~ ***wood*** Sperr-, Preßholz *n*; **lam·i·na·tion** [,læmɪ'neɪʃn] *s.* **1.** ⚙ a) Lamellierung *f*, b) Streckung *f*, c) Schichtung *f*; **2.** 'Blätterstruk,tur *f*.

lam·mer·gei·er, lam·mer·gey·er ['læməgaɪə] *s. orn.* Lämmergeier *m*.

lamp [læmp] *s.* **1.** Lampe *f*; (*Straßen-etc.*)La'terne *f*: ***smell of the*** ~ nach ‚saurem Schweiß riechen', mehr Fleiß als Talent verraten; **2.** ⚡ Lampe *f*: a) Glühbirne *f*, b) Leuchte *f*; **3.** *fig.* Leuchte *f*, Licht *n*; **'~·black** *s.* Lampenruß *m*, -schwarz *n*; ~ **chim·ney** *s.* 'Lampenzy,linder *m*; **'~·light** *s.* (***by*** ~ bei) Lampenlicht *n*.

lam·poon [læm'pu:n] **I** *s.* Spott- *od.* Schmähschrift *f*, Pam'phlet *n*, Sa'tire *f*; **II** *v/t.* (*schriftlich*) verspotten, -höhnen; **lam'poon·er** [-nə], **lam'poon·ist** [-nɪst] *s.* Pamphle'tist(in).

'lamp·post *s.* La'ternenpfahl *m*: ***between you and me and the*** ~ F (ganz) unter uns (gesagt).

lam·prey ['læmprɪ] *s. ichth.* Lam'prete *f*, Neunauge *n*.

'lamp·shade *s.* Lampenschirm *m*.

Lan·cas·tri·an [læŋ'kæstrɪən] *Brit.* **I** *s.* **1.** Bewohner(in) der Stadt *od.* Grafschaft Lancaster; **2.** *hist.* Angehörige(r *m*) *f od.* Anhänger(in) des Hauses Lancaster; **II** *adj.* **3.** Lancaster...

lance [lɑ:ns] **I** *s.* **1.** Lanze *f*, Speer *m*: ***break a*** ~ ***for*** (*od.* ***on behalf of***) ***s.o.*** e-e Lanze für j-n brechen; **2.** → ***lancer*** 1; **3.** → ***lancet*** 1; **II** *v/t.* **4.** mit e-r Lanze durch'bohren; **5.** ⚕ mit e-r Lan'zette öffnen: ~ ***a boil*** ein Geschwür (*fig.* e-e Eiterbeule) aufstechen; ~ **cor·po·ral** *s.* ⚔ *Brit.* Ober-, Hauptgefreite(r) *m*.

lanc·er ['lɑ:nsə] *s.* **1.** ⚔ *hist.* U'lan *m*; **2.** *pl. sg. konstr.* Lanci'er *m* (*Tanz*).

lan·cet ['lɑ:nsɪt] *s.* **1.** ⚕ Lan'zette *f*; **2.** △ a) *a.* ~ ***arch*** Spitzbogen *m*, b) *a.* ~ ***window*** Spitzbogenfenster *n*.

land [lænd] **I** *s.* **1.** Land *n* (*Ggs. Meer, Wasser*): ***by*** ~ auf dem Landweg; ***by*** ~ ***and by sea*** zu Wasser u. zu Lande; ***make*** ~ ⚓ Land sichten; ***see how the*** ~ ***lies*** sehen, wie der Hase läuft, die Lage ‚peilen'; **2.** Land *n*, Boden *m*: ***live off the*** ~ a) von den Früchten des Landes leben, b) sich aus der Natur ernähren (*Soldaten etc.*); **3.** Land *n*, Grund *m* u. Boden *m*, Grundbesitz *m*, Lände'reien *pl.*; ~ ***set-aside*** *EU* Flächenstillegung *f*; **4.** Land *n* (*Staat, Region*): ***far-off*** ~***s*** ferne Länder; **5.** *fig.* Land *n*, Reich *n*: ~ ***of the living*** Diesseits *n*; ~ ***of dreams*** Reich der Träume; **II** *v/i.* **6.** ⚓, ✈ landen; ⚓ anlegen; **7.** landen, an Land gehen, aussteigen; **8.** landen, (an-) kommen: ***he*** ~***ed in a ditch*** er landete in e-m Graben; ~ ***on one's feet*** auf die Füße fallen (*a. fig.*); ~ (***up***) ***in prison*** im Gefängnis landen; **9.** *sport* durchs Ziel gehen; **III** *v/t.* **10.** *Personen, Waren, Flugzeug* landen; *Schiffsgüter* landen, löschen, ausladen; *Fisch*(*fang*) an Land bringen; **11.** *bsd. Fahrgäste* absetzen; **12.** *j-n in Schwierigkeiten etc.* bringen, verwickeln: ~ ***s.o. in difficulties***; ~ ***s.o. with s.th.*** j-m et. aufhalsen *od.* einbrocken; ~ ***o.s.*** (*od.* ***be*** ~***ed***) ***in*** (hinein)geraten in (*acc.*); **13.** F a) *e-n Schlag od. Treffer* landen: ***I*** ~***ed him one*** ich hab' ihm eine geknallt *od.* ‚verpaßt'; **14.** F *j-n od. et.* ‚erwischen', (sich) ‚schnappen', ‚kriegen': ~ ***a prize*** sich e-n Preis ‚holen'; ~ ***a good contract*** e-n guten Vertrag ‚an Land ziehen'.

land a·gent *s.* **1.** Grundstücksmakler *m*; **2.** *Brit.* Gutsverwalter *m*.

lan·dau ['lændɔ:] *s.* Landauer *m* (*Kut-*

sche).

land| bank *s.* 'Bodenkreˌdit-, Hypo'thekenbank *f*; **~ car·riage** *s.* 'Landtransˌport *m*, -fracht *f*; **~ crab** *s. zo.* Landkrabbe *f*.

land·ed ['lændɪd] *adj.* Land..., Grund...: ***~ estate, ~ property*** Grundbesitz *m*, -eigentum *n*; ***~ gentry*** Landadel *m*; ***~ proprietor*** Grundbesitzer (-in); ***the ~ interest*** *coll.* die Grundbesitzer.

'land|·fall *s.* ⚓ Landkennung *f*, Sichten *n* von Land; **~ forc·es** *s. pl.* ⚔ Landstreitkräfte *pl.*; **'~·grave** [-ndg-] *s. hist.* (deutscher) Landgraf; **'~ˌhold·er** *s.* Grundbesitzer *m od.* -pächter *m*.

land·ing ['lændɪŋ] *s.* **1.** ⚓ Landen *n*, Landung *f*: a) Anlegen *n* (*e-s Schiffs*), b) Ausschiffung *f* (*von Personen*), c) Ausladen *n*, Löschen *n* (*der Fracht*); **2.** ⚓ Lande-, Anlegeplatz *m*; **3.** ✈ Landung *f*; **4.** ⚠ Treppenabsatz *m*; **~ beam** *s.* ✈ Landeleitstrahl *m*; **~ card** *s.* Einreisekarte *f*; **~ craft** *s.* ⚓, ⚔ Landungsboot *n*; **~ field** *s.* ✈ Landeplatz *m*, -bahn *f*; **~ flap** *s.* ✈ Landeklappe *f*; **~ gear** *s.* ✈ Fahrgestell *n*, -werk *n*; **~ net** *s.* Hamen *m*, Kescher *m*; **~ par·ty** *s.* ⚔ 'Landungstrupp *m*, -komˌmando *n*; **~ place** → ***landing*** 2; **~ stage** *s.* ⚓ Landungsbrücke *f*, -steg *m*; **~ strip**, **~ track** → ***air strip***.

'landˌla·dy ['lænˌl-] *s.* (Haus-, Gast-, Pensi'ons)Wirtin *f*.

land·less ['lændlɪs] *adj.* ohne Grundbesitz.

'land|·locked *adj.* 'landumˌschlossen, ohne Zugang zum Meer: ***~ country*** Binnenstaat *m*; **'~ˌlop·er** [-ˌləʊpə] *s.* Landstreicher *m*; **'~·lord** ['lænl-] *s.* **1.** Grundbesitzer *m*; **2.** Hauseigentümer *m*; **3.** Hauswirt *m*, ⚖ *a.* Hauswirtin *f*; **4.** (Gast)Wirt *m*; **'~ˌlub·ber** *s.* ⚓ ‚Landratte' *f*; **'~·mark** [-ndm-] *s.* **1.** Grenzstein *m*; **2.** ⚓ Seezeichen *n*; **3.** ⚔ Gelände-, Orientierungspunkt *m*; **4.** Wahrzeichen *n* (*e-r Stadt etc.*); **5.** *fig.* Meilen-, Markstein *m*, Wendepunkt *m*: ***a ~ in history***; **'~·mine** [-ndm-] *s.* ⚔ Landmine *f*; **~ of·fice** *s. Am.* Grundbuchamt *n*; **'~ˌof·fice busi·ness** *s. Am.* F ‚Bombengeschäft' *n*; **'~ˌown·er** *s.* Land-, Grundbesitzer(in); **~ re·form** *s.* 'Bodenreˌform *f*; **~ reg·is·ter** *s.* Grundbuch *n*.

land·scape ['lænskeɪp] **I** *s.* **1.** Landschaft *f* (*a. paint.*); **2.** Landschaftsmale'rei *f*; **II** *v/i.* **3.** landschaftlich *od.* gärtnerisch gestalten, anlegen; **~ ar·chi·tect** *s.* **1.** 'Landschaftsarchiˌtekt(in); **2.** → **~ gar·den·er** *s.* Landschaftsgärtner (-in), 'Gartenarchiˌtekt(in); **~ gar·den·ing** *s.* Landschaftsgärtne'rei *f*; **~ paint·er** → **land·scap·ist** ['lænˌskeɪpɪst] *s.* Landschaftsmaler(in).

'land|·slide [-nds-] *s.* **1.** Erdrutsch *m*; **2.** *a.* ***~ victory*** *pol. fig.* ‚Erdrutsch' *m*, über'wältigender (Wahl)Sieg; **'~·slip** [-nds-] *Brit.* → ***landslide*** 1; **~ sur·vey·or** *s.* Geo'meter *m*, Land(ver)messer *m*; **~ swell** [-nds-] *s.* ⚓ einlaufende Dünung; **~ tax** *s. obs.* Grundsteuer *f*; **~ tor·toise** *s. zo.* Landschildkröte *f*; **'~ˌwait·er** *s. Brit.* 'Zollinˌspektor *m*.

land·ward ['lændwəd] **I** *adj.* land('ein)wärts (gelegen); **II** *adv. a.* **'land·wards** [-dz] land(ein)wärts.

lane [leɪn] *s.* **1.** (Feld)Weg *m*, (Hecken-)Pfad *m*; **2.** Gasse *f*: a) Gäßchen *n*, Sträßchen *n*, b) 'Durchgang *m*: ***form a ~*** Spalier stehen, e-e Gasse bilden; **3.** Schneise *f*; **4.** ⚓ Fahrrinne *f*, (Fahrt-)Route *f*; **5.** ✈ (Flug)Schneise *f*; **6.** *mot.* (Fahr)Spur *f*: ***get in ~!*** bitte einordnen!; **7.** *sport* (*einzelne*) Bahn (*e-s Läufers, Schwimmers etc.*).

lang·syne [ˌlæŋ'saɪn] *Scot.* **I** *adv.* vor langer Zeit; **II** *s.* längst vergangene Zeit; → ***auld lang syne***.

lan·guage ['læŋgwɪdʒ] *s.* **1.** Sprache *f*: ***foreign ~s*** Fremdsprachen; ***~ of flowers*** *fig.* Blumensprache; ***talk the same ~*** *a. fig.* dieselbe Sprache sprechen; **2.** Sprache *f*, Ausdrucks-, Redeweise *f*, Worte *pl.*: ***bad ~*** ordinäre Ausdrücke, Schimpfworte; ***strong ~*** a) Kraftausdrücke, b) harte Worte *od.* Sprache; **3.** Sprache *f*, Stil *m*; **4.** (Fach)Sprache *f*: ***medical ~***; **5.** *sl.* ordi'näre Sprache: ***~, Sir!*** ich verbitte mir solche (gemeinen) Ausdrücke!; **~ bar·ri·er** *s.* Sprachschranke *f*; **~ lab·o·ra·to·ry** *s. ped.* 'Sprachlaˌbor *n*.

lan·guid ['læŋgwɪd] *adj.* □ **1.** schwach, matt, schlaff; **2.** schleppend, träge; **3.** gelangweilt, lustlos, lau; **4.** lässig, träge; **5.** ✝ flau, lustlos (*Markt*).

lan·guish ['læŋgwɪʃ] *v/i.* **1.** ermatten, erschlaffen, erlahmen (*a. fig. Interesse, Konversation*); **2.** (ver)schmachten, da'hinsiechen, -welken: ***~ in prison*** im Gefängnis schmachten; **3.** da'niederliegen (*Handel, Industrie etc.*); **4.** schmachtend blicken; **5.** schmachten (***for*** nach); **6.** Sehnsucht haben, sich härmen (***for*** nach); **'lan·guish·ing** [-ʃɪŋ] *adj.* □ **1.** ermattend, erlahmend (*a. fig.*); **2.** (ver)schmachtend, (da'hin-)siechend, leidend; **3.** sehnsuchtsvoll, schmachtend (*Blick*); **4.** lustlos, träge (*a.* ✝), langsam; **5.** langsam (*Tod*), schleichend (*Krankheit*).

lan·guor ['læŋgə] *s.* **1.** Mattigkeit *f*, Schlaffheit *f*; **2.** Trägheit *f*, Schläfrigkeit *f*; **3.** Stumpfheit *f*, Gleichgültigkeit *f*, Lauheit *f*; **4.** Stille *f*, Schwüle *f*; **'lan·guor·ous** [-ərəs] *adj.* □ **1.** matt; **2.** schlaff, träge; **3.** stumpf, gleichgültig; **4.** schläfrig, wohlig; **5.** schmelzend (*Musik etc.*); **6.** (*a. sinnlich*) schwül.

lank [læŋk] *adj.* □ **1.** lang u. dünn, schlank, mager; **2.** glatt, strähnig (*Haar*); **'lank·i·ness** [-kınıs] *s.* Schlaksigkeit *f*; **'lank·y** [-kı] *adj.* hoch aufgeschossen, schlaksig.

lan·o·lin(e) ['lænəʊlın (-li:n)] *s.* ⚗ Lano'lin *n*, Wollfett *n*.

lan·tern ['læntən] *s.* **1.** La'terne *f*; **2.** Leuchtkammer *f* (*e-s Leuchtturms*); **3.** ⚠ La'terne *f* (*durchbrochener Dachaufsatz*); **'~-jawed** *adj.* hohlwangig; **~ jaws** *s. pl.* eingefallene Wangen *pl.*; **~ slide** *s. obs.* Dia(posi'tiv) *n*, Lichtbild *n*: **~ lecture** Lichtbildervortrag *m*.

lan·yard ['lænjəd] *s.* **1.** ⚓ Taljereep *n*; **2.** ⚔ a) *obs.* Abzugsleine *f* (*Kanone*), b) Traggurt *m* (*Pistole*), c) (Achsel-) Schnur *f*; **3.** Schleife *f*.

lap¹ [læp] *s.* **1.** Schoß *m* (*e-s Kleides od. des Körpers*; *a. fig.*): ***sit on s.o.'s ~***; ***in the ~ of the church***; ***drop into s.o.'s ~*** j-m in den Schoß fallen; ***in Fortune's ~*** im Schoß des Glücks; ***it is in the ~ of the gods*** es liegt im Schoß der Götter; ***live in the ~ of luxury*** ein Luxusleben führen; **2.** (Kleider- *etc.*)Zipfel *m*.

lap² [læp] **I** *v/t.* **1.** falten, wickeln (***round***, ***about*** um); **2.** einwickeln, -schlagen, -hüllen; **3.** *a. fig.* um'hüllen, (ein)betten, (-)hüllen: ***~ped in luxury*** von Luxus umgeben; **4.** überein'anderlegen, über'lappt anordnen; **5.** *sport* a) *Gegner* über'runden, b) *e-e Strecke* zu'rücklegen (*in 1 Minute etc.*); **II** *v/i.* **6.** sich winden *od.* legen (***round*** um); **7.** hin'ausragen, -gehen (*a. fig.*; ***over*** über *acc.*); **8.** über'lappen; **9.** *sport* die *od.* s-e Runde drehen *od.* laufen (***at*** in e-r Zeit von); **III** *s.* **10.** ⚙ Wickelung *f*, Windung *f*, Lage *f*; **11.** Über'lappung *f*, 'Überstand *m*; **12.** 'überstehender Teil, Vorstoß *m*; **13.** *Buchbinderei*: Falz *m*; **14.** *sport* Runde *f*; **15.** E'tappe *f* (*e-r Reise*, *a. fig.*).

lap³ [læp] **I** *v/t.* **1.** *a.* ***~ up*** auflecken; **2.** ***~ up*** a) *Suppe etc.* gierig (hin'unter-) schlürfen, b) F *et.* ‚fressen' (*glauben*), c) F *et.* gierig (in sich) aufnehmen, *et.* liebend gern hören *etc.*: ***they ~ped it up*** es ging ihnen ‚runter wie Öl'; **3.** plätschern gegen; **II** *v/i.* **4.** lecken, schlekken, schlürfen; **5.** plätschern; **III** *s.* **6.** Lecken *n*; **7.** Plätschern *n*.

'lap-dog *s.* Schoßhund *m*.

la·pel [lə'pel] *s.* (Rock)Aufschlag *m*, Re'vers *n*, *m*.

lap·i·dar·y ['læpıdərı] **I** *s.* **1.** Edelsteinschneider *m*; **II** *adj.* **2.** Stein…; **3.** Steinschleiferei…; **4.** (Stein)Inschriften…; **5.** in Stein gehauen; **6.** *fig.* wuchtig, lapi'dar.

lap·is laz·u·li [ˌlæpıs'læzjʊlaı] *s. min.* Lapis'lazuli *m*.

Lap·land·er ['læplændə] → ***Lapp*** I.

Lapp [læp] **I** *s.* Lappe *m*, Lappin *f*, Lappländer(in); **II** *adj.* lappisch.

lap·pet ['læpıt] *s.* **1.** Zipfel *m*; **2.** *anat.*, *zo.* Hautlappen *m*.

Lap·pish ['læpıʃ] → ***Lapp*** II.

lapse [læps] **I** *s.* **1.** Lapsus *m*, Fehler *m*, Versehen *n*: ***~ of the pen*** Schreibfehler *m*; ***~ of justice*** Justizirrtum *m*; ***~ of taste*** Geschmacksverirrung *f*; **2.** Fehltritt *m*, Vergehen *n*, Entgleisung *f*: ***~ from duty*** Pflichtversäumnis *n*; ***~ from faith*** Abfall *m* vom Glauben; **3.** Absinken *n*, Abgleiten *n*, Verfall(en *n*) *m* (***into*** in *acc.*); **4.** a) Ablauf *m*, Vergehen *n* (*e-r Zeit*), b) ⚖ (Frist)Ablauf *m*, c) Zeitspanne *f*; **5.** ⚖ a) Verfall *m*, Erlöschen *n e-s Anspruchs etc.*, b) Heimfall *m* (*von Erbteilen etc.*); **6.** Aufhören, Verschwinden *n*, Aussterben *n*; **II** *v/i.* **7.** a) verstreichen (*Zeit*), b) ablaufen (*Frist*); **8.** verfallen (***into*** in *acc.*): ***~ into silence***; **9.** absinken, abgleiten, verfallen (***into*** in *Barbarei etc.*); **10.** e-n Fehltritt tun, (mo'ralisch) entgleisen, sündigen; **11.** abfallen (***from faith*** vom Glauben); ***~ from duty*** s-e Pflicht versäumen; **12.** ‚einschlafen', aufhören (*Beziehung*, *Unterhaltung etc.*); **13.** ⚖ a) verfallen, erlöschen (*Recht etc.*), b) heimfallen (***to*** an *acc.*).

lap·top [.'læptɑp] *s. Computer*: Laptop *m*.

lap·wing ['læpwıŋ] *s. orn.* Kiebitz *m*.

lar·board ['lɑ:bəd] ⚓ *obs.* **I** *s.* Backbord *n*; **II** *adj.* Backbord…

lar·ce·ner ['lɑ:sənə], **'lar·ce·nist** [-nıst] *s.* ⚖ Dieb *m*; **'lar·ce·ny** [-nı] *s.* ⚖ Diebstahl *m*.

larch [lɑ:tʃ] *s.* ⚘ Lärche *f*.

lard [lɑ:d] **I** *s.* **1.** Schweinefett *n*, -schmalz *n*; **II** *v/t.* **2.** *Fleisch* spicken: ***~ing needle*** (*od.* ***pin***) Spicknadel *f*; **3.** *fig.* spicken (***with*** mit); **'lard·er** [-də] *s.* Speisekammer *f*, -schrank *m*.

large [lɑ:dʒ] **I** *adj.* □ → ***largely***; **1.** groß: ***a ~ room*** (***horse***, ***rock***, *etc.*); (***as***) ***~ as life*** in (voller) Lebensgröße (*a. humor.*); ***~r than life*** überlebensgroß; **2.** groß (*beträchtlich*): ***a ~ business*** (***family***, ***sum***, *etc.*); ***a ~ meal*** e-e reichliche Mahlzeit; ***~ farmer*** Großbauer *m*; ***~ producer*** Großerzeuger *m*; **3.** um'fassend, ausgedehnt, weit(gehend): ***~ powers*** umfassende Vollmachten; **4.** *obs.* großzügig; → *a.* ***large-minded***; **II** *adv.* **5.** groß: ***write ~***; ***it was written ~ all over his face*** *fig.* es stand ihm (deutlich) im Gesicht geschrieben; **6.** großspurig: ***talk ~*** ‚große Töne spucken'; **III** *s.* **7.** ***at ~*** a) auf freiem Fuß, in Freiheit: ***set s.o. at ~*** j-n auf freien Fuß setzen, b) (sehr) ausführlich: ***discuss s.th. at ~***, c) ganz allgemein, d) in der Gesamtheit: ***the nation at ~***; ***talk at ~*** ins Blaue hinein-

L

reden; **8.** ***in*** (***the***) ~ a) im großen, in großem Maßstab, b) im ganzen; **ˌ~-ˈhand·ed** *adj. fig.* freigebig; **ˌ~-ˈheart·ed** *adj. fig.* großherzig.

large·ly [ˈlɑːdʒlɪ] *adv.* **1.** in hohem Maße, großen-, größtenteils; **2.** weitgehend, im wesentlichen; **3.** reichlich; **4.** allgemein.

ˌlarge-ˈmind·ed *adj.* vorurteilslos, toleˈrant, aufgeschlossen.

large·ness [ˈlɑːdʒnɪs] *s.* **1.** Größe *f*; **2.** Größe *f*, Weite *f*, ˈUmfang *m*; **3.** Großzügigkeit *f*, Freigebigkeit *f*; **4.** Großmütigkeit *f*.

ˈlarge-scale *adj.* groß(angelegt), ˈumfangreich, ausgedehnt, Groß...: ***~ attack*** ⚔ Großangriff *m*; ***~ experiment*** Großversuch *m*; ***~ manufacture*** Serienherstellung *f*; ***a ~ map*** e-e Karte in großem Maßstab.

lar·gess(**e**) [lɑːˈdʒes] *s.* **1.** Freigebigkeit *f*; **2.** a) Gabe *f*, reiches Geschenk, b) reiche Geschenke *pl.*

larg·ish [ˈlɑːdʒɪʃ] *adj.* ziemlich groß.

lar·i·at [ˈlærɪət] *s.* Lasso *m*, *n*.

lark¹ [lɑːk] *s. orn.* Lerche *f*: ***rise with the ~*** mit den Hühnern aufstehen.

lark² [lɑːk] F **I** *s.* **1.** Jux *m*, Ulk *m*, Spaß *m*: ***for a ~*** zum Spaß, aus Jux; ***have a ~*** s-n Spaß haben *od.* treiben; ***what a ~!*** ist ja lustig *od.* ‚zum Brüllen'!; **2.** a) ‚Ding' *n*, Sache *f*, b) Quatsch *m*; **II** *v/i.* **3.** *a.* ***~ about*** *od.* ***around*** herˈumalbern, -blödeln.

lark·spur [ˈlɑːkspɜː] *s.* ⚘ Rittersporn *m*.

lar·ri·kin [ˈlærɪkɪn] *s. bsd. Austral.* (jugendlicher) Rowdy.

lar·va [ˈlɑːvə] *pl.* **-vae** [-viː] *s. zo.* Larve *f*; **ˈlar·val** [-vl] *adj. zo.* Larven...; **ˈlar·vi·cide** [-vɪsaɪd] *s.* Raupenvertilgungsmittel *n*.

la·ryn·ge·al [ˌlærɪnˈdʒiːəl] *adj.* Kehlkopf...; **ˌlar·ynˈgi·tis** [-ˈdʒaɪtɪs] *s.* ⚕ Kehlkopfentzündung *f*.

la·ryn·go·scope [ləˈrɪŋɡəskəʊp] *s.* ⚕ Kehlkopfspiegel *m*.

lar·ynx [ˈlærɪŋks] *s. anat.* Kehlkopf *m*.

las·civ·i·ous [ləˈsɪvɪəs] *adj.* □ lasˈziv: a) geil, lüstern, b) schlüpfrig: ***~ story.***

la·ser [ˈleɪzə] *s. phys.* Laser *m*; **~ beam** *s. phys.* Laserstrahl *m*; **~ print·er** *s.* Laserdrucker *m*.

lash¹ [læʃ] **I** *s.* **1.** a) Peitschenschnur *f*, b) Peitsche(nende *n*) *f*; **2.** Peitschen-, Rutenhieb *m*: ***the ~ of her tongue*** *fig.* ihre scharfe Zunge; **3.** Peitschen *n* (*a. fig. des Regens, des Sturms etc.*); **4.** *fig.* (Peitschen)Hieb *m*; **5.** (Augen)Wimper *f*; **II** *v/t.* **6.** *j-n* peitschen, schlagen, auspeitschen: ***~ the tail*** mit dem Schwanz um sich schlagen; ***~ the sea*** das Meer peitschen (*Sturm*); **7.** peitschen *od.* schlagen an (*acc.*) *od.* gegen (*Regen etc.*); **8.** *fig.* geißeln, abkanzeln; **9.** heftig (an)treiben: ***~ the audience into a fury*** das Publikum aufpeitschen; ***~ o.s. into a fury*** sich in e-e Wut hineinsteigern; **III** *v/i.* **10.** *a. fig.* peitschen, schlagen: ***~ about*** (wild) um sich schlagen; ***~ into s.o.*** a) auf j-n einschlagen, b) *fig.* j-n wild attackieren; **11.** *fig.* peitschen, (*Regen*) *a.* prasseln: ***~ down*** niederprasseln; **12.** ***~ out*** a) (wild) um sich schlagen, b) ausschlagen (*Pferd*), c) (***at***) vom Leder ziehen (gegen), ‚einhauen' (auf *j-n*); **13.** ***~ out on*** F a) (*mit Geld*) ‚auf den Putz hauen' bei *et.*, b) sich *j-m* gegenüber spendabel zeigen.

lash² [læʃ] *v/t. a.* ***~ down*** festbinden, -zurren (***to***, ***on*** an *dat.*).

lash·ing¹ [ˈlæʃɪŋ] *s.* **1.** a) Auspeitschung *f*, b) Prügel *pl.*; **2.** *pl. Brit.* F Masse(n *pl.*) *f* (*Speise etc.*).

lash·ing² [ˈlæʃɪŋ] *s.* **1.** Anbinden *n*; **2.** ⚓ Laschung *f*, Tau(werk) *n*.

lass [læs] *s. bsd. Brit.* **1.** Mädchen *n*; **2.** ‚Schatz' *m*; **las·sie** [ˈlæsɪ] → ***lass***.

las·si·tude [ˈlæsɪtjuːd] *s.* Mattigkeit *f*.

las·so [læˈsuː] **I** *pl.* **-so**(**e**)**s** *s.* Lasso *m*, *n*; **II** *v/t.* mit e-m Lasso fangen.

last¹ [lɑːst] **I** *adj.* □ → ***lastly***; **1.** letzt: ***~ but one*** vorletzt; ***~ but two*** drittletzt; ***for the ~ time*** zum letzten Male; ***to the ~ man*** bis auf den letzten Mann; **2.** letzt, vorig: ***~ Monday***, ***Monday ~*** (am) letzten *od.* vorigen Montag; ***~ night*** a) gestern abend, b) in der vergangenen Nacht; ***~ week*** in der letzten *od.* vorigen Woche; ***the week before ~*** (die) vorletzte Woche; ***this day ~ week*** heute vor e-r Woche; ***on May 6th ~*** am vergangenen 6. Mai; **3.** neuest, letzt: ***the ~ news***; ***the ~ thing in jazz*** das Neueste im Jazz; **4.** letzt, alˈlein übrigbleibend: ***the ~ hope*** die letzte (verbleibende) Hoffnung; ***my ~ pound*** mein letztes Pfund; **5.** letzt, endgültig, entscheidend; → ***word*** 1; **6.** äußerst: ***of the ~ importance*** von höchster Bedeutung; ***this is my ~ price*** dies ist mein äußerster *od.* niedrigster Preis; **7.** letzt, am wenigsten erwartet *od.* geeignet, unwahrscheinlich: ***the ~ man I would choose*** der letzte, den ich wählen würde; ***he is the ~ person I expected to see*** mit ihm hatte ich am wenigsten gerechnet; ***this is the ~ thing to happen*** das ist völlig unwahrscheinlich; **8.** *contp.* ‚letzt', miseˈrabelst; **II** *adv.* **9.** zuˈletzt, als letzter, -e, -es, an letzter Stelle: ***~ of all*** ganz zuletzt, zu allerletzt; ***~ but not least*** nicht zuletzt, nicht zu vergessen; **10.** zuˈletzt, das letztemal, zum letzten Male: ***I ~ met him in Berlin***; **11.** zu guter Letzt; **12.** *in Zssgn*: ***~-mentioned*** letzterwähnt, -genannt; **III** *s.* **13.** ***at ~*** a) endlich, b) schließlich, zuletzt; ***at long ~*** schließlich (doch noch); **14.** *der* (*die*, *das*) Letzte: ***the ~ of the Mohicans*** der letzte Mohikaner; ***he was the ~ to arrive*** er traf als letzter ein; ***he would be the ~ to do that*** er wäre der letzte, der so etwas täte; **15.** *der* (*die*, *das*) Letztgenannte *od.* Letzte; **16.** F a) letzte Erwähnung, b) letzter (An)Blick, c) letztes Mal: ***breathe one's ~*** s-n letzten Atemzug tun; ***hear the ~ of*** zum letzten Male (*od.* nichts mehr) hören von *et. od. j-m*; ***we shall never hear the ~ of this*** das werden wir noch lang zu hören kriegen; ***look one's ~ on s.th.*** e-n (aller)letzten Blick auf et. werfen; ***we shall never see the ~ of that man*** den (Mann) werden wir nie mehr los; **17.** Ende *n*: ***to the ~*** a) bis zum äußersten, b) bis zum Ende (*od.* Tod).

last² [lɑːst] **I** *v/i.* **1.** (an-, fort)dauern, währen: ***too good to ~*** zu schön, um lange zu währen *od.* um wahr zu sein; ***it won't ~*** es wird nicht lange anhalten *od.* so bleiben; **2.** bestehen: ***as long as the world ~s***; **3.** ˈdurch-, aushalten: ***he won't ~ much longer*** er wird's nicht mehr lange machen; **4.** (sich) halten: ***the paint will ~***; ***~ well*** haltbar sein; **5.** (aus)reichen, genügen: ***while the money ~s*** solange das Geld reicht; ***I must make my money ~*** ich muß mit m-m Gelde auskommen; **II** *v/t.* **6.** *a.* ***~ out*** *j-m* reichen: ***it will ~ us a week***; **7.** *mst* ***~ out*** a) überˈdauern, b) ˈdurchhalten, c) (es mindestens) ebenso lange aushalten wie.

last³ [lɑːst] *s.* Leisten *m*: ***put on the ~*** über den Leisten schlagen; ***stick to your ~!*** *fig.* (Schuster,) bleib bei deinem Leisten!

ˌ**last-ˈditch** *adj.*: ***~ stand*** *ein* letzter (verzweifelter) Widerstand *od.* Versuch.

last·ing [ˈlɑːstɪŋ] **I** *adj.* □ dauerhaft, dauernd, anhaltend, *Material etc. a.* haltbar: ***~ impression*** nachhaltiger Eindruck; **II** *s.* Lasting *n* (*fester Kammgarnstoff*); ˈ**last·ing·ness** [-nɪs] *s.* Dauer(haftigkeit) *f*, Haltbarkeit *f*.

last·ly [ˈlɑːstlɪ] *adv.* zuˈletzt, schließlich, am Ende, zum Schluß.

latch [lætʃ] **I** *s.* **1.** Klinke *f*, (Schnapp-) Riegel *m*: ***on the ~*** nur eingeklinkt (*Tür*); **2.** Schnappschloß *n*; **II** *v/t.* **3.** ein-, zuklinken; **III** *v/i.* **4.** sich einklinken, einschnappen; **5.** ***~ on to*** F a) sich (wie e-e Klette) an *j-n* hängen, b) *e-e Idee* (gierig) aufgreifen, c) *et.* kapieren *od.* ‚spitzkriegen'.

ˈ**latch·key** *s.* **1.** Drücker *m*, Schlüssel *m* (*für ein Schnappschloß*); **2.** Haus- *od.* Wohnungsschlüssel *m*: ***~ child*** Schlüsselkind *n*.

late [leɪt] **I** *adj.* □ → ***lately***; **1.** spät: ***at a ~ hour*** zu später Stunde, spät (*beide a. fig.*); ***on Monday at the ~st*** spätestens am Montag; ***it is (getting) ~*** es ist (schon) spät; ***at a ~r time*** später, zu e-m späteren Zeitpunkt; → ***latest*** I; **2.** vorgerückt, spät, Spät…: ***~ edition (programme, summer)*** Spätausgabe *f* (-programm *n*, -sommer *m*); ⩪ ***Latin*** Spätlatein *n*; ***the ~ 18th century*** das späte 18. Jahrhundert; ***in the ~ eighties*** gegen Ende der achtziger Jahre; ***a man in his ~ eighties*** ein Endachtziger; ***in ~ May*** Ende Mai; **3.** verspätet, zu spät: ***be ~*** zu spät kommen (***for s.th.*** zu et.), sich verspäten, spät dran sein, 🚂 *etc.* Verspätung haben: ***be ~ for dinner*** zu spät zum Essen kommen; ***he was ~ with the rent*** er bezahlte s-e Miete mit Verspätung *od.* zu spät; **4.** letzt, jüngst, neu: ***the ~ war*** der letzte Krieg; ***of ~ years*** in den letzten Jahren; **5.** a) letzt, früher, ehemalig, b) verstorben: ***the ~ headmaster*** der letzte *od.* der verstorbene Schuldirektor; ***the ~ government*** die letzte *od.* vorige Regierung; ***my ~ residence*** m-e frühere Wohnung; ***~ of Oxford*** früher in Oxford (wohnhaft); **II** *adv.* **6.** spät: ***of ~*** in letzter Zeit, neuerdings; ***as ~ as last year*** erst *od.* noch letztes Jahr; ***until as ~ as 1984*** noch bis 1984; ***better ~ than never*** lieber spät als gar nicht; ***~ into the night*** bis spät in die Nacht; ***sit*** (*od.* ***stay***) ***up ~*** bis spät in die Nacht *od.* lange aufbleiben; ***it's a bit ~*** F es ist schon ein bißchen spät dafür; (***even***) ***~ in life*** (auch noch) in hohem Alter; ***not ~r than*** spätestens, nicht später als; ***~r on*** später, nachher; ***see you ~r!*** bis später!, bis bald!; ***~ in the day*** F reichlich spät, ‚ein bißchen' spät; **7.** zu spät: ***come ~***; ***the train arrived 20 minutes ~*** der Zug hatte 20 Minuten Verspätung; ˈ**~-ˌcom·er** *s.* Zuˈspätgekommene(r *m*) *f*, Nachzügler(in), *fig. a. e-e* Neuerscheinung, *et.* Neues: ***he is a ~ in this field*** *fig.* er ist neu in diesem (Fach)Gebiet.

late·ly [ˈleɪtlɪ] *adv.* **1.** vor kurzem, kürzlich; **2.** in letzter Zeit, seit einiger Zeit, neuerdings.

la·ten·cy [ˈleɪtənsɪ] *s.* Laˈtenz *f*, Verborgenheit *f*.

late·ness [ˈleɪtnɪs] *s.* **1.** späte Zeit, spätes Stadium: ***the ~ of the hour*** die vorgerückte Stunde; **2.** Verspätung *f*, Zuˈspätkommen *n*.

la·tent [ˈleɪtənt] *adj.* □ laˈtent (*a.* ⚕, *phys.*, *psych.*), verborgen: ***~ abilities***; ***~ buds*** unentwickelte Knospen; ***~ heat*** *phys.* latente *od.* gebundene Wärme; ***~ period*** Latenzstadium *n od.* -zeit *f*.

lat·er [ˈleɪtə] *comp. von* ***late***.

lat·er·al [ˈlætərəl] **I** *adj.* □ **1.** seitlich, Seiten…, Neben…, Quer…: ***~ angle (view, wind)*** Seitenwinkel *m* (-ansicht *f*, -wind *m*); ***~ branch*** Seitenlinie *f* (*e-s Stammbaums*); ***~ thinking*** unorthodo-

L

xe Denkmethode(n *pl.*) *f*; **2.** *anat.*, *ling.* late'ral; **II** *s.* **3.** Seitenteil *n*, -stück *n*; **4.** *ling.* Late'ral *m*; **'lat·er·al·ly** [-rəlɪ] *adv.* seitlich, seitwärts; von der Seite.

Lat·er·an ['lætərən] *s.* Late'ran *m.*

lat·est ['leɪtɪst] **I** *sup. von* ***late***; **II** *adj.* **1.** spätest; **2.** neuest: ***the ~ fashion*** (***news***, *etc.*); **3.** letzt: ***he was the ~ to come*** er kam als letzter; **III** *adv.* **4.** am spätesten: ***he came ~*** er kam als letzter; **IV** *s.* **5.** (*der*, *die*, *das*) Neueste; **6.** ***at the ~*** spätestens.

la·tex ['leɪteks] *s.* ⚘ Milchsaft *m*, Latex *m.*

lath [lɑ:θ] *s.* **1.** Latte *f*, Leiste *f*: → ***thin*** 2; **2.** *coll.* Latten(werk *n*) *pl.*

lathe [leɪð] *s.* ⚙ **1.** Drehbank *f*: ***~ tool*** Drehstahl *m*; ***~ tooling*** Bearbeitung *f* auf der Drehbank; **2.** Töpferscheibe *f.*

lath·er ['lɑ:ðə] **I** *s.* **1.** (Seifen)Schaum *m*; **2.** Schweiß *m* (*bsd. e-s Pferdes*): ***in a ~*** schweißgebadet; ***be in a ~ about s.th.*** F sich über et. aufregen; **II** *v/t.* **3.** einseifen; **III** *v/i.* **4.** schäumen.

Lat·in ['lætɪn] **I** *s.* **1.** *ling.* La'tein(isch) *n*, das Lateinische; **2.** *antiq.* a) La'tiner *m*, b) Römer *m*; **3.** Ro'mane *m*, Ro'manin *f*, Südländer(in); **II** *adj.* **4.** *ling.* la'teinisch, Latein…; **5.** a) ro'manisch: ***the ~ peoples***, b) südländisch: ***~ temperament***; **6.** *eccl.* römisch-ka'tholisch: ***~ Church***; **7.** la'tinisch; **ˌ~-A'mer·i·can I** *adj.* la'teinameriˌkanisch; **II** *s.* La'teinameriˌkaner(in).

Lat·in·ism ['lætɪnɪzəm] *s.* Lati'nismus *m*; **'Lat·in·ist** [-nɪst] *s.* Lati'nist(in), ‚La'teiner' *m*; **Lat·in·i·za·tion** [ˌlætɪnaɪ'zeɪʃn] *s.* Latinisierung *f*; **'Lat·in·ize** [-naɪz] *v/t.* latinisieren; **La·ti·no** [lə'ti:nəʊ] *pl.* **-nos** *s. Am.* F (*US-*)*Einwohner* (*-in*) *lateinamerikanischer Abkunft.*

lat·ish ['leɪtɪʃ] *adj.* etwas spät.

lat·i·tude ['lætɪtju:d] *s.* **1.** *ast.*, *geogr.* Breite *f*: ***degree of ~*** Breitengrad *m*; ***in ~ 40° N.*** auf dem 40. Grad nördlicher Breite; **2.** *pl. geogr.* Breiten *pl.*, Gegenden *pl.*: ***low ~s*** niedere Breiten; ***cold ~s*** kalte Gegenden; **3.** *fig.* a) Spielraum *m*, Freiheit *f*: ***allow s.o. great ~*** j-m große Freiheit gewähren, b) großzügige Auslegung (*e-s Begriffs etc.*); **4.** *phot.* Belichtungsspielraum *m*; **lat·i·tu·di·nal** [ˌlætɪ'tju:dɪnl] *adj. geogr.* Breiten…

lat·i·tu·di·nar·i·an [ˌlætɪtju:dɪ'neərɪən] **I** *adj.* libe'ral, tole'rant, *eccl. a.* freisinnig; **II** *s. bsd. eccl.* Freigeist *m*; **ˌlat·i·tu·di'nar·i·an·ism** [-nɪzəm] *s. eccl.* Liberali'tät *f*, Tole'ranz *f.*

la·trine [lə'tri:n] *s.* La'trine *f.*

lat·ter ['lætə] **I** *adj.* ☐ → ***latterly***; **1.** *von zweien*: letzter: ***the ~ name*** der letztere *od.* letztgenannte Name; **2.** neuer, jünger: ***in these ~ days*** in der jüngsten Zeit; **3.** letzt, später: ***the ~ years of one's life***; ***the ~ half of June*** die zweite Junihälfte; ***the ~ part of the book*** die zweite Hälfte des Buches; **II** *s.* **4.** ***the ~*** a) der (die, das) letztere, b) die letzteren *pl.*; **'~-day** *adj.* aus neuester Zeit, mo'dern; **'~-day saints** *s. pl. eccl. die* Heiligen *pl.* der letzten Tage (*Mormonen*).

lat·ter·ly ['lætəlɪ] *adv.* **1.** in letzter Zeit, neuerdings; **2.** am Ende.

lat·tice ['lætɪs] **I** *s.* **1.** Gitter(werk) *n*; **2.** Gitterfenster *n od.* -tür *f*; **3.** Gitter(muster) *n*; **II** *v/t.* **4.** vergittern; **~ bridge** *s.* ⚙ Gitterbrücke *f*; **~ frame**, **~ gird·er** *s.* ⚙ Gitter-, Fachwerkträger *m*; **~ window** *s.* Gitter-, Rautenfenster *n*; **'~·work** → ***lattice*** 1.

Lat·vi·an ['lætvɪən] **I** *adj.* **1.** lettisch; **II** *s.* **2.** Lette *m*, Lettin *f*; **3.** *ling.* Lettisch *n.*

laud [lɔ:d] **I** *s.* Lobgesang *m*; **II** *v/t.* loben, preisen, rühmen; **'laud·a·ble** [-dəbl] *adj.* ☐ löblich, lobenswert.

lau·da·num ['lɒdnəm] *s. pharm.* Lau'danum *n*, 'Opiumtinkˌtur *f.*

lau·da·tion [lɔ:'deɪʃn] *s.* Lob *n*; **laud·a·to·ry** ['lɔ:dətərɪ] *adj.* lobend, Belobigungs…, Lob…

laugh [lɑ:f] **I** *s.* **1.** Lachen *n*, Gelächter *n*, *thea. etc. a.* ‚Lacher' *m*, *contp.* (*böse etc.*) Lache: ***with a ~*** lachend; ***have a good ~ at s.th.*** herzlich über e-e Sache lachen; ***have the ~ of s.o.*** über j-n (am Ende) triumphieren; ***have the ~ on one's side*** die Lacher auf s-r Seite haben; ***the ~ was on me*** der Scherz ging auf m-e Kosten; ***raise a ~*** Gelächter erregen, e-n Lacherfolg erzielen; ***what a ~!*** (das) ist ja zum Brüllen!; ***he*** (***it***) ***is a ~*** F er (es) ist doch zum Lachen; ***just for ~s*** nur zum Spaß; **II** *v/i.* **2.** lachen (*a. fig.*): ***to make s.o. ~*** j-n zum Lachen bringen; ***don't make me ~!*** *iro.* daß ich nicht lache!; ***he ~s best who ~s last*** wer zuletzt lacht, lacht am besten; → ***wrong*** 2; **3.** *fig.* lachen, strahlen (*Himmel etc.*); **III** *v/t.* **4.** lachend äußern: ***~ a bitter ~*** bitter lachen; → ***court*** 9;

Zssgn mit adv. u. prp.:

~ at *v/i.* lachen *od.* sich lustig machen über *j-n od. e-e Sache*, *j-n* auslachen; **~ a·way I** *v/t.* **1.** → ***laugh off***; **2.** *Sorgen etc.* durch Lachen verscheuchen; **3.** *Zeit* mit Scherzen verbringen; **II** *v/i.* **4.** drauf'loslachen, lachen u. lachen; **~ down** *v/t. j-n* durch Gelächter zum Schweigen bringen *od.* mit Lachen über'tönen, auslachen; **~ off** *v/t. et.* lachend *od.* mit e-m Scherz abtun.

laugh·a·ble ['lɑ:fəbl] *adj.* ☐ lachhaft, lächerlich, komisch.

laugh·ing ['lɑ:fɪŋ] **I** *s.* **1.** Lachen *n*, Gelächter *n*; **II** *adj.* ☐ **2.** lachend; **3.** lustig: ***it is no ~ matter*** das ist nicht zum Lachen; **4.** *fig.* lachend, strahlend: ***a ~ sky***; **~ gas** *s.* ⚗ Lachgas *n*; **~ gull** *s.*

orn. Lachmöwe *f*; **~ hy·e·na** *s. zo.* 'Flekkenhyˌäne *f*; **~ jack·ass** *s. orn.* Rieseneisvogel *m*; **'~-stock** *s.* Gegenstand *m* des Gelächters, Zielscheibe *f* des Spottes: ***make a ~ of o.s.*** sich lächerlich machen.

laugh·ter ['lɑːftə] *s.* Lachen *n*, Gelächter *n*.

launch [lɔːntʃ] **I** *v/t.* **1.** *Boot* aussetzen, ins Wasser lassen; **2.** *Schiff* a) vom Stapel lassen, b) taufen: ***be ~ed*** vom Stapel laufen *od.* getauft werden; **3.** ✈ katapultieren, abschießen; **4.** *Torpedo*, *Geschoß* abschießen, *Rakete a.* starten; **5.** *et.* schleudern, werfen: ***~ o.s into*** → 12; **6.** *Rede*, *Kritik*, *Protest etc.*, *a. e-n Schlag* vom Stapel lassen, loslassen; **7.** *et.* in Gang bringen, einleiten, starten, lancieren; **8.** *et.* lancieren: a) *Produkt*, *Buch*, *Film etc.* her'ausbringen, b) *Anleihe* auflegen, *Aktien* ausgeben; **9.** *j-n* lancieren, (gut) einführen, *j-m* ‚Starthilfe' geben; **10.** ⚔ *Truppen* einsetzen, *an e-e Front etc.* schicken *od.* werfen; **II** *v/i.* **11.** *mst* ***~ out***, ***~ forth*** losfahren, starten: ***~ out on a journey*** sich auf e-e Reise begeben; **12.** ***~ out*** (***into***) *fig.* a) sich (in *die Arbeit*, *e-e Debatte etc.*) stürzen, b) loslegen (mit *e-r Rede*, *e-r Tätigkeit etc.*), c) (*et.*) anpacken, (*e-e Karriere*, *ein Projekt etc.*) starten: ***~ out into*** → *a.* 6; **13.** ***~ out*** a) e-n Wortschwall von sich geben, b) F viel Geld springen lassen; **III** *s.* **14.** ⚓ Bar'kasse *f*; **15.** → ***launching***; **'launch·er** [-tʃə] *s.* **1.** ⚔ a) (Ra'keten)Werfer *m*, b) Abschußvorrichtung *f* (*Fernlenkgeschosse*); **2.** ✈ Kata'pult *m*, *n*, Startschleuder *f*.

launch·ing ['lɔːntʃɪŋ] *s.* **1.** ⚓ a) Stapellauf *m*, b) Aussetzen *n* (*von Booten*); **2.** Abschuß *m*, *e-r Rakete*: *a.* Start *m*; **3.** ⚔ Kata'pultstart *m*; **4.** *fig.* a) Starten *n*, In-'Gang-Setzen *n*, b) Start *m*, c) Einsatz *m*; **5.** Lancierung *f*, Einführung *f* (*e-s Produkts etc.*), Herausgabe *f* (*e-s Buches etc.*); **~ pad**, **~ plat·form** *s.* Abschußrampe *f* (*e-r Rakete*); **~ rope** *s.* ✈ Startseil *n*; **~ site** *s.* ⚔ (Ra'keten-)ˌAbschußˌbasis *f*; **~ ve·hi·cle** *s.* 'StartraˌkeTe *f*.

laun·der ['lɔːndə] **I** *v/t.* *Wäsche* waschen (u. bügeln); F *fig.* *illegal erworbenes Geld* ‚waschen'; **II** *v/i.* sich (*leicht etc.*) waschen lassen; **laun·der·ette** [ˌlɔːndə'ret] *s.* 'Waschsaˌlon *m*; **'laun·dress** [-drɪs] *s.* Wäscherin *f*.

laun·dry ['lɔːndrɪ] *s.* **1.** Wäsche'rei *f*; **2.** F (schmutzige *od.* frisch gereinigte) Wäsche; **~ list 1.** Wäschezettel *m*; **2.** *Am.* F lange Liste.

lau·re·ate ['lɔːrɪət] **I** *adj.* **1.** lorbeergekrönt, -geschmückt; -bekränzt; **II** *s.* **2.** *mst* ***poet ~*** Hofdichter *m*; **3.** Preisträger *m*.

lau·rel ['lɒrəl] *s.* **1.** ⚘ Lorbeer(baum) *m*; **2.** *mst pl. fig.* Lorbeeren *pl.*, Ehren *pl.*, Ruhm *m*: ***look to one's ~s*** sich behaupten wollen; ***reap*** (*od.* ***win*** *od.* ***gain***) ***~s*** Lorbeeren ernten; ***rest on one's ~s*** sich auf s-n Lorbeeren ausruhen; **'lau·rel(l)ed** [-ld] *adj.* **1.** lorbeergekrönt; **2.** preisgekrönt.

lav [læv] *s. Brit.* F ‚Klo' *n*.

la·va ['lɑːvə] *s. geol.* Lava *f*.

lav·a·to·ry ['lævətərɪ] *s.* Toi'lette *f*: ***public ~*** *a.* (öffentliche) Bedürfnisanstalt.

lav·en·der ['lævəndə] **I** *s.* **1.** ⚘ La'vendel *m* (*a. Farbe*); **2.** La'vendel(wasser) *n*; **II** *adj.* **3.** la'vendelfarben.

lav·ish ['lævɪʃ] **I** *adj.* □ a) großzügig, reich, fürstlich, üppig (*Geschenke etc.*), b) reich, 'überschwenglich (*Lob etc.*), c) großzügig, verschwenderisch (***of*** mit, ***in*** in *dat.*) (*Person*): ***be ~ of*** (*od.* ***with***) um sich werfen mit, nicht geizen mit, verschwenderisch umgehen mit; **II** *v/t.* verschwenden, verschwenderisch (aus-) geben: ***~ s.th. on s.o.*** j-n mit et. überhäufen; **'lav·ish·ness** [-nɪs] *s.* Großzügigkeit *f* (*etc.*); Verschwendung(ssucht) *f*.

law [lɔː] *s.* **1.** (*objektives*) Recht, (*das*) Gesetz *od.* (*die*) Gesetze *pl.*: ***by*** (*od.* ***in***, ***under the***) ***~*** nach dem Gesetz, von Rechts wegen, gesetzlich; ***under German ~*** nach deutschem Recht; ***contrary to ~*** gesetz-, rechtswidrig; ***~ and order*** Recht (*od.* Ruhe) u. Ordnung, *contp.* ‚Law and order'; ***become*** (*od.* ***pass into***) ***~*** Gesetz *od.* rechtskräftig werden; ***lay down the ~*** (alles) bestimmen, das Sagen haben; ***take the ~ into one's own hands*** zur Selbsthilfe greifen; ***his word is the ~*** was er sagt, gilt; **2.** Recht *n*: a) 'Rechtssyˌstem *n*: ***the English ~***, b) (*einzelnes*) Rechtsgebiet: ***~ of nations*** Völkerrecht; **3.** (*einzelnes*) Gesetz: ***Election*** ♀; ***he is a ~ unto himself*** er tut, was er will; ***is there a ~ against it?*** *iro.* ist das (etwa) verboten?; **4.** Rechtswissenschaft *f*, Jura *pl.*: ***read*** (*od.* ***study***, ***take***) ***~*** Jura studieren; ***be in the ~*** Jurist sein; ***practise ~*** e-e Anwaltspraxis ausüben; **5.** Gericht *n*, Rechtsweg *m*: ***go to ~*** vor Gericht gehen, den Rechtsweg beschreiten, prozessieren; ***go to ~ with s.o.*** j-n verklagen, gegen j-n prozessieren; **6.** ***the ~*** F die Polizei: ***call in the ~***; **7.** (*künstlerisches etc.*) Gesetz: ***the ~s of poetry***; **8.** (Spiel)Regel *f*: ***the ~s of the game***; **9.** a) (Na'tur)Gesetz *n*, b) (wissenschaftliches) Gesetz: ***the ~ of gravity***, c) (Lehr)Satz *m*: ***~ of sines*** Sinussatz; **10.** *eccl.* a) (göttliches) Gesetz, *coll. die* Gebote (Gottes), b) ***the*** ♀ (***of Moses***) das Gesetz (des Moses), c) ***the*** ♀ das Alte Testament; **11.** *hunt.*, *sport* Vorgabe *f*; **'~-aˌbid·ing** *adj.* gesetzestreu, ordnungsliebend: ~ ***citizen***; ˈ~ˌ**breaker** *s.* Geˈsetzesüberˌtreter(in); ~ **court** *s.* Gericht(shof *m*) *n*.

law·ful [ˈlɔːfʊl] *adj.* □ **1.** gesetzlich, leˈgal; **2.** rechtmäßig, legiˈtim: ~ ***son*** ehelicher *od.* legitimer Sohn; **3.** rechtsgültig, gesetzlich anerkannt: ~ ***marriage*** gültige Ehe; ˈ**law·ful·ness** [-nɪs] *s.* Gesetzlichkeit *f*, Legaliˈtät *f*; Rechtsgültigkeit *f*.

ˈ**lawˌgiv·er** *s.* Gesetzgeber *m*.

law·less [ˈlɔːlɪs] *adj.* □ **1.** gesetzlos (*Land, Person*); **2.** gesetzwidrig, unrechtmäßig; ˈ**law·less·ness** [-nɪs] *s.* **1.** Gesetzlosigkeit *f*; **2.** Gesetzwidrigkeit *f*.

Law Lord *s.* Mitglied *n* des brit. Oberhauses mit richterlicher Funktiˈon.

lawn[1] [lɔːn] *s.* Rasen *m*.

lawn[2] [lɔːn] *s.* Liˈnon *m*, Baˈtist *m*.

lawn| mow·er *s.* Rasenmäher *m*; ~ **sprin·kler** *s.* Rasensprenger *m*; ~ **tennis** *s.* Rasentennis *n*.

law| of·fice *s.* ˈAnwaltskanzˌlei *f*, -praxis *f*; ~ **of·fi·cer** *s.* ⚖ **1.** Juˈstizbeamte(r) *m*; **2.** *Brit. für* a) ***Attorney General***, b) ***Solicitor General***; ~ **re·ports** *s. pl.* Urteilsammlung *f*, Sammlung *f* von richterlichen Entscheidungen; ~ **school** *s.* **1.** ˈRechtsakadeˌmie *f*; **2.** *univ. Am.* juˈristische Fakulˈtät; ~ **student** *s.* ˈJurastuˌdent(in); ˈ~**suit** *s.* ⚖ a) Proˈzeß *m*, Verfahren *n*, b) Klage *f*: ***bring a*** ~ e-n Prozeß anstrengen, Klage einreichen (***against*** gegen).

law·yer [ˈlɔːjə] *s.* **1.** (Rechts)Anwalt *m*, (-)Anwältin *f*; **2.** Rechtsberater(in); **3.** Juˈrist(in).

lax [læks] *adj.* □ **1.** lax, locker, (nach-)lässig (***about*** hinsichtlich *gen.*, mit): ~ ***morals*** lockere Sitten; **2.** lose, schlaff, locker; **3.** unklar, verschwommen; **4.** *Phonetik*: schlaff artikuliert; **5.** ~ ***bowels*** a) offener Leib, b) ˈDurchfall *m*; **lax·a·tive** [ˈlæksətɪv] ⚕ **I** *s.* Abführmittel *n*; **II** *adj.* abführend; **lax·i·ty** [ˈlæksətɪ], ˈ**lax·ness** [-nɪs] *s.* **1.** Laxheit *f*, Lässigkeit *f*; **2.** Schlaffheit *f*, Lockerheit *f* (*a. fig.*); **3.** Verschwommenheit *f*.

lay[1] [leɪ] **I** *s.* **1.** *bsd. geogr.* Lage *f*: ***the*** ~ ***of the land*** *fig.* die Lage; **2.** Schicht *f*, Lage *f*; **3.** Schlag *m* (*Tauwerk*); **4.** V a) ‚Nummer' *f* (*Koitus*), b) ***she is an easy*** ~ die ist gleich ‚dabei'; ***she is a good*** ~ sie ‚bumst' gut; **II** *v/t.* [*irr.*] **5.** *allg.* legen: ~ ***it on the table***; ~ ***a cable*** ein Kabel (ver)legen; ~ ***a bridge*** e-e Brükke schlagen; ~ ***eggs*** Eier legen; ~ ***the foundation(s) of*** *fig.* den Grund(stock) legen zu; ~ ***the foundation-stone*** den Grundstein legen; → *die Verbindungen mit den entsprechenden Substantiven etc.*; **6.** *fig.* legen, setzen: ~ ***stress on*** Nachdruck legen auf (*acc.*), betonen; ~ ***an ambush*** e-n Hinterhalt legen; ~ ***the ax(e) to a tree*** die Axt an e-n Baum legen; ***the scene is laid in Rome*** der Schauplatz *od.* Ort der Handlung ist Rom, *thea.* das Stück *etc.* spielt in Rom; **7.** anordnen, herrichten: ~ ***the table*** (*od.* ***the cloth***) den Tisch decken; ~ ***the fire*** das Feuer (*im Kamin*) anlegen; **8.** belegen, bedecken: ~ ***the floor with a carpet***; **9.** (***before***) vorlegen (*dat.*), bringen (vor *acc.*): ~ ***one's case before a commission***; **10.** geltend machen, erheben: ~ ***an information against s.o.*** Klage erheben *od.* (Straf)Anzeige erstatten gegen; **11.** a) *Strafe etc.* verhängen, b) *Steuern* auferlegen; **12.** *Schuld etc.* zuschreiben, zur Last legen: ~ ***a mistake to s.o.*** (***'s charge***) j-m e-n Fehler zur Last legen; **13.** *Schaden* festsetzen (***at*** auf *acc.*); **14.** a) *et.* wetten, b) setzen auf (*acc.*); **15.** *e-n Plan* schmieden; **16.** ˈumlegen, niederwerfen: ~ ***s.o. low*** (*od.* ***in the dust***) j-n zu Boden strecken; **17.** *Getreide etc.* zu Boden drücken; **18.** *Wind, Wogen etc.* beruhigen, besänftigen: ***the wind is laid*** der Wind hat sich gelegt; **19.** *Staub* löschen; **20.** *Geist* bannen, beschwören; → ***ghost*** 1; **21.** ⚓ *Kurs* nehmen auf (*acc.*), ansteuern; **22.** ⚔ *Geschütz* richten; **23.** V ‚umlegen', ‚bumsen'; **III** *v/i.* [*irr.*] **24.** (Eier) legen; **25.** wetten; **26.** zuschlagen: ~ ***about one*** um sich schlagen; ~ ***into s.o.*** *sl.* auf j-n einschlagen; ~ ***to*** (mächtig) ‚rangehen' an *e-e Sache*; **27.** (*fälschlich für* ***lie***[2] II) liegen;

Zssgn mit adv.:

lay| a·bout *v/i.* (heftig) um sich schlagen; ~ **a·side**, ~ **by** *v/t.* **1.** beiˈseite legen; **2.** *fig.* a) aufgeben, b) ‚ausklammern'; **3.** *Geld etc.* beiseite *od.* auf die ‚hohe Kante' legen, zuˈrücklegen; ~ **down I** *v/t.* **1.** hinlegen; **2.** *Amt, Waffen etc.* niederlegen; **3.** *sein Leben* hingeben, opfern; **4.** *Geld* hinterˈlegen; **5.** *Grundsatz, Regeln etc.* aufstellen, festlegen, -setzen, vorschreiben, *Bedingung in e-m Vertrag* niederlegen, verankern; → ***law*** 1; **6.** a) die Grundlagen legen für, b) planen, entwerfen; **7.** ✓ besäen *od.* bepflanzen (***in***, ***to***, ***under***, ***with*** mit); **8.** *Wein etc.* (ein)lagern; **II** *v/i.* **9.** *fälschlich für* ***lie down*** 1; ~ **in** *v/t.* sich eindecken mit, einlagern; *Vorrat* anlegen; ~ **off I** *v/t.* **1.** *Arbeiter* (vorˈübergehend) entlassen; **2.** *die Arbeit* einstellen; **3.** *das Rauchen etc.* aufgeben: ~ ***smoking***; **4.** in Ruhe lassen: ~ (***it***)***!*** hör auf (damit)!; **II** *v/i.* **5.** aufhören; ~ **on I** *v/t.* **1.** *Steuer etc.* auferlegen; **2.** *Peitsche* gebrauchen; **3.** *Farbe etc.* auftragen: ***lay it on*** a) (***thick***) *fig.* ‚dick auftragen', übertreiben, b) e-e ‚saftige' Rechnung stellen, c) draufschlagen; **4.** a) *Gas etc.* installieren, b) *Haus* ans (*Gas- etc.*)Netz anschließen; **5.** F a) auftischen, b) bieten, sorgen für, c) veranstalten, arrangieren; **II** *v/i.* **6.** zuschlagen, angreifen; **~ o·pen** *v/t.* **1.** bloßlegen; **2.** *fig.* a) aufdecken, b) offenlegen; **~ out** *v/t.* **1.** ausbreiten; **2.** *Toten* aufbahren; **3.** *Geld* ausgeben; **4.** *allg.* gestalten, *Garten etc.* anlegen, *et.* entwerfen, planen, anordnen, *typ.* aufmachen, das Layout *e-r Zeitschrift etc.* machen; **5.** *sl.* a) *j-n* zs.-schlagen, b) *j-n* ˌ'umlegen', ˌkaltmachen'; **6. *~ o.s. out*** F sich ˌmächtig ranhalten'; **~ o·ver** *Am.* **I** *v/t. et.* zu'rückstellen; **II** *v/i.* Aufenthalt haben, 'Zwischenstatiˌon machen; **~ to** *v/i.* ⚓ beidrehen; **~ up** *v/t.* **1.** → ***lay in***; **2.** ansammeln, anhäufen; **3.** a) ⚓ *Schiff* auflegen, außer Dienst stellen, b) *mot.* stillegen; **4. *be laid up*** (***with***) bettlägerig sein (wegen), im Bett liegen (mit *Grippe etc.*).

lay² [leɪ] *pret. von* ***lie²***.

lay³ [leɪ] *adj.* Laien…: a) *eccl.* weltlich; b) laienhaft, nicht fachmännisch: ***to the ~ mind*** für den Laien(verstand).

lay⁴ [leɪ] *s. obs.* **1.** Bal'lade *f*; **2.** Lied *n*.

'lay|·a·bout *s. bsd. Brit.* F Faulenzer *m*; **~ broth·er** *s. eccl.* Laienbruder *m*; **'~-by** *s. mot. Brit.* a) Rastplatz *m*, Parkplatz *m*, b) Parkbucht *f* (*Landstraße*); **~ days** *s. pl.* ⚓ Liegetage *pl.*, -zeit *f*; **'~-down** → ***lie-down***.

lay·er I *s.* ['leɪə] **1.** Schicht *f*, Lage *f*: ***in ~s*** schicht-, lagenweise; **2.** Leger *m*, *in Zssgn* …leger *m*; **3.** Leg(e)henne *f*: ***this hen is a good ~*** diese Henne legt gut; **4.** ⚘ Ableger *m*; **5.** ⚔ 'Höhenrichtkanoˌnier *m*; **II** *v/t.* **6.** ⚘ durch Ableger vermehren; **7.** über'lagern, schichtweise legen; **'~-cake** *s.* Schichttorte *f*.

lay·ette [leɪ'et] *s.* Babyausstattung *f*.

lay fig·ure *s.* **1.** Gliederpuppe *f* (*als Modell*); **2.** *fig.* Mario'nette *f*, Null *f*.

lay·ing ['leɪɪŋ] *s.* **1.** Legen *n* (*etc.* → ***lay¹*** II u. III): ***~ on of hands*** Handauflegen *n*; **2.** Gelege *n* (*Eier*); **3.** ⚠ Bewurf *m*, Putz *m*.

lay| judge *s.* Laienrichter(in); **'~·man** [-mən] *s.* [*irr.*] **1.** Laie *m* (*Ggs. Geistlicher*); **2.** Laie *m*, Nichtfachmann *m*; **'~-off** *s.* **1.** (vor'übergehende) Entlassung; **2.** Feierschicht *f*; **'~·out** *s.* **1.** Planung *f*, Anordnung *f*, Anlage *f*; **2.** Plan *m*, Entwurf *m*; **3.** *typ.*, *a. Elektronik*: Layout *n*: ***~ man*** Layouter *m*; **4.** Aufmachung *f* (*e-r Zeitschrift etc.*); **~ sis·ter** *s.* Laienschwester *f*; **'~ˌwom·an** *s.* [*irr.*] Laiin *f*.

laze [leɪz] **I** *v/i. a.* ***~ around*** faulenzen, bummeln, auf der faulen Haut liegen; **II** *v/t.* ***~ away*** *Zeit* verbummeln; **III** *s.*: ***have a ~*** → I; **la·zi·ness** ['leɪzɪnɪs] *s.* Faulheit *f*, Trägheit *f*.

la·zy ['leɪzɪ] *adj.* □ träg(e): a) faul, b) langsam, sich langsam bewegend; **'~·bones** *s.* F Faulpelz *m*.

'ld [d] F *für* ***would*** *od.* ***should***.

lea [li:] *s. poet.* Flur *f*, Aue *f*.

leach [li:tʃ] **I** *v/t.* **1.** 'durchsickern lassen; **2.** (aus)laugen; **II** *v/i.* **3.** 'durchsickern.

lead¹ [li:d] **I** *s.* **1.** Führung *f*, Leitung *f*: ***under s.o.'s ~***; **2.** Führung *f*, Spitze *f*: ***be in the ~, have the ~*** an der Spitze stehen, führen(d sein), *sport etc.* in Führung *od.* vorn liegen; ***take the ~*** a) *a. sport* die Führung übernehmen, sich an die Spitze setzen, b) die Initiative ergreifen, c) vorangehen, neue Wege weisen; **3.** *bsd. sport* a) Führung *f*: ***have a two-goal ~*** mit zwei Toren führen, b) Vorsprung *m*: ***one minute's ~*** 'eine Minute Vorsprung (***over s.o.*** vor j-m); **4.** Vorbild *n*, Beispiel *n*: ***give s.o. a ~*** j-m mit gutem Beispiel vorangehen; ***follow s.o.'s ~*** j-s Beispiel folgen; **5.** Hinweis *m*, Fingerzeig *m*, Anhaltspunkt *m*, Spur *f*: ***the police have several ~s***; **6.** *Kartenspiel*: a) Vorhand *f*: ***your ~!*** Sie spielen aus!, b) zu'erst ausgespielte Karte; **7.** *thea.* a) Hauptrolle *f*, b) Hauptdarsteller(in); **8.** ♪ a) Eröffnung *f*, Auftakt *m*, b) *Jazz etc.*: Lead *n*, Führungsstimme *f* (*Trompete etc.*); **9.** *Zeitung*: a) → ***lead story***, b) (zs.-fassende) Einleitung; **10.** (Hunde)Leine *f*; **11.** ⚡ a) Leiter *m*, b) (Zu)Leitung *f*, c) *a.* ***phase ~*** Voreilung *f*; **12.** ⚙ Steigung *f* (*e-s Gewindes*); **13.** ⚔ Vorhalt *m*; **II** *v/t.* [*irr.*] **14.** führen: ***~ the way*** vorangehen; ***this is ~ing us nowhere*** das bringt uns nicht weiter; → ***nose*** *Redew.*; **15.** *j-n* führen, bringen (***to*** nach, zu) (*a. Straße etc.*); → ***temptation***; **16.** (an)führen, an der Spitze stehen von, *a. Orchester etc.* leiten, *Armee* führen *od.* befehligen: ***~ the field*** *sport* das Feld anführen, vorn liegen; **17.** *j-n* dazu bringen, bewegen, verleiten (***to do s.th.*** *et.* zu tun): ***this led me to believe*** das machte mich glauben(, *daß*); **18.** a) *ein behagliches etc. Leben* führen, b) *j-m ein elendes etc. Leben* bereiten: ***~ s.o. a dog's life*** j-m das Leben zur Hölle machen; **19.** *Karte*, *Farbe etc.* aus-, anspielen; **20.** *Kabel etc.* führen, legen; **III** *v/i.* [*irr.*] **21.** führen: a) vor'angehen, den Weg weisen (*a. fig.*), b) die erste Stelle einnehmen, c) *sport* in Führung liegen (***by*** mit 7 *Metern etc.*): ***~ by points*** nach Punkten führen; **22. *~ to*** a) führen *od.* gehen zu *od.* nach (*Straße etc.*), b) *fig.* führen zu: ***this is ~ing nowhere*** das führt zu nichts; **23.** *Kartenspiel*: ausspielen (***with s.th.*** *et.*): ***who ~s?***; **24.** *Boxen*: angreifen (mit der Linken *od.* Rechten): ***he ~s with his right*** *a.* s-e Führungshand ist die Rechte, er ist Rechtsausleger; ***~ with one's chin*** *fig.* das Schicksal herausfordern;

Zssgn mit adv.:

lead| a·stray *v/t.* in die Irre führen, *fig. a.* irre-, verführen; **~ a·way I** *v/t.* **1.** a) *j-n* wegführen, b) → ***lead off*** 1; **2.** *fig. j-n* abbringen (***from*** von *e-m Thema etc.*); **3.** ***be led away*** sich verleiten lassen; **II** *v/i.* **4.** **~ *from*** von *e-m Thema etc.* wegführen; **~ off I** *v/t.* **1.** *j-n* abführen; **2.** *fig.* einleiten, eröffnen; **II** *v/i.* **3.** den Anfang machen; **~ on I** *v/i.* vor'angehen; **II** *v/t. fig.* a) *j-n* hinters Licht führen, b) *j-n* auf den Arm nehmen, c) *j-n* an der Nase herumführen; **~ up I** *v/t.* (***to***) a) (hin'auf)führen (auf *acc.*), b) (hin'über)führen (zu); **II** *v/i.* **~ *to*** *fig.* a) (all'mählich) führen zu, 'überleiten zu, *et.* einleiten: ***what is he leading up to?*** worauf will er hinaus?

lead² [led] **I** *s.* **1.** ⚗ Blei *n*; **2.** ⚓ Senkblei *n*, Lot *n*: ***cast*** (*od.* ***heave***) ***the ~*** loten; **3.** Blei *n*, Kugeln *pl.* (*Geschosse*); **4.** Gra'phit *m*, Reißblei *n*; **5.** (Bleistift)Mine *f*; **6.** *typ.* 'Durchschuß *m*; **7.** Bleifassung *f* (*Fenster*); **8.** *pl. Brit.* a) bleierne Dachplatten *pl.*, b) Bleidach *n*; **II** *v/t.* **9.** verbleien; **10.** mit Blei beschweren; **11.** *typ.* durch'schießen; **~ con·tent** *s.* ⚗ Bleigehalt *m* (*im Benzin*).

lead·en ['ledn] *adj.* bleiern (*a. fig. Glieder, Schlaf etc.*; *a. bleigrau*), Blei…

lead·er ['li:də] *s.* **1.** Führer(in), Erste(r *m*) *f*, *sport a.* Ta'bellenführer *m*; **2.** (An)Führer(in), (*pol. Partei-, Fraktions-, Oppositions-,* ⚔ *bsd. Zug-, Gruppen*)Führer *m*: ***♀ of the House*** *parl.* Vorsitzende(r) *m* des Unterhauses; **3.** ♪ a) Kon'zertmeister *m*, erster Violi'nist, b) Führungsstimme *f* (*erster Sopran od. Bläser etc.*), c) *Am.* (Or'chester-, Chor)Leiter *m*, Diri'gent *m*; **4.** Leiter(in) (*e-s Projekts etc.*); **5.** Leitpferd *n od.* -hund *m*; **6.** ⚖ *Brit.* erster Anwalt (*mst Kronanwalt*): ***~ for the defence*** Hauptverteidiger *m*; **7.** *bsd. Brit.* 'Leitar,tikel *m* (*Zeitung*): ***~ writer*** Leitartikler *m*; **8.** *allg. fig.* ‚Spitzenreiter' *m*, *pl. a.* Spitzengruppe *f*; **9.** † a) 'Lockar,tikel *m*, b) 'Spitzenar,tikel *m*, führendes Pro'dukt, c) *pl. Börse*: führende Werte *pl.*, d) *Statistik*: Index *m*; **10.** ⚘ Leit-, Haupttrieb *m*; **11.** *anat.* Sehne *f*; **12.** Startband *n* (*e-s Films etc.*); **13.** *typ.* Leit-, Ta'bellenpunkt *m*.

lead·er·ship ['li:dəʃɪp] *s.* **1.** Führung *f*, Leitung *f*; **2.** 'Führungsquali,täten *pl.*

,lead-'in [,li:d-] **I** *adj.* **1.** ⚡ Zuleitungs…, *a. fig.* Einführungs…; **II** *s.* **2.** (An'tennen- *etc.*)Zuleitung *f*; **3.** *fig.* Einleitung *f*.

lead·ing ['li:dɪŋ] führend: a) erst, vorderst: ***the ~ car***, b) *fig.* Haupt…: ***~ part*** *thea.* Hauptrolle *f*; ***~ product*** Spitzenprodukt *n*, c) tonangebend, maßgeblich: ***~ citizen*** prominenter Bürger; **~ ar·ti·cle** → ***leader*** 7, 9 a, b; **~ case** *s.* ⚖ Präze'denzfall *m*; **~ la·dy** *s.* Hauptdarstellerin *f*; **~ light** *s.* F *fig.* ‚Leuchte' *f* (*Person*); **~ man** *s.* [*irr.*] Hauptdarsteller *m*; **~ note** *s.* ♪ Leitton *m*; **~ ques·tion** *s.* ⚖ Sugge'stivfrage *f*; **~ reins**, *Am.* **~ strings** *s. pl.* **1.** Leitzügel *m*; **2.** Gängelband *n* (*a. fig.*): ***in ~*** *fig.* a) in den Kinderschuhen (steckend), b) am Gängelband.

lead| pen·cil [led] *s.* Bleistift *m*; **~ poi·son·ing** *s.* ⚕ Bleivergiftung *f*.

lead sto·ry [li:d] *s. Zeitung*: 'Hauptar,tikel *m*, ‚Aufmacher' *m*.

leaf [li:f] **I** *pl.* **leaves** [li:vz] *s.* **1.** ⚘ (*a.* Blumen)Blatt *n*, *pl. a.* Laub *n*: ***in ~*** belaubt, grün; ***come into ~*** ausschlagen, grün werden; **2.** *coll.* a) Teeblätter *pl.*, b) Tabakblätter *pl.*; **3.** Blatt *n* (*im Buch*): ***take a ~ out of s.o.'s book*** *fig.* sich an j-m ein Beispiel nehmen; ***turn over a new ~*** *fig.* ein neues Leben beginnen; **4.** ⚙ a) Flügel *m* (*Tür, Fenster etc.*), b) Klappe *od.* Ausziehplatte *f* (*Tisch*), c) ⚔ (*Visier*)Klappe *f*; **5.** ⚙ Blatt *n*, (dünne) Folie: ***gold ~*** Blattgold *n*; **6.** ⚙ Blatt *n* (*Feder*); **II** *v/t. u. v/i.* **7.** ***~ through*** 'durchblättern.

leaf·age ['li:fɪdʒ] *s.* Laub(werk) *n*.

leaf| bud *s.* Blattknospe *f*; **~ green** *s.* ⚘ Blattgrün *n* (*a. Farbe*).

leaf·less ['li:flɪs] *adj.* blätterlos, entblättert, kahl.

leaf·let ['li:flɪt] *s.* **1.** ⚘ Blättchen *n*; **2.** a) Flugblatt *n*, b) Hand-, Re'klamezettel *m*, c) Merkblatt *n*, d) Pro'spekt *m*, e) Bro'schüre *f*.

leaf spring *s.* ⚙ Blattfeder *f*.

leaf·y ['li:fɪ] *adj.* **1.** belaubt, grün; **2.** Laub…; **3.** blattartig, Blatt…

league¹ [li:g] *s.* **1.** Liga *f*, Bund *m*: ***♀ of Nations*** *hist.* Völkerbund; **2.** Bündnis *n*, Bund *m*: ***be in ~ with*** im Bunde sein mit, unter 'einer Decke stecken mit; ***be in ~ against s.o.*** sich gegen j-n verbündet haben; **3.** *sport* Liga *f*: ***he is not in the same ~*** (***with me***) *fig.* da (an mich) kommt er nicht ran.

league² [li:g] *s. obs.* Wegstunde *f*, Meile *f* (*etwa 4 km*).

leak [li:k] **I** *s.* **1.** a) ⚓ Leck *n*, b) undichte Stelle, Loch *n*: ***spring a ~*** ein Leck *etc.* bekommen; ***take a ~*** *sl.* ‚pinkeln' (gehen), c) → ***leakage*** 1; **2.** *fig.* a) ‚undichte Stelle' (*in e-m Amt etc.*), b) 'Durchsickern *n* (*von Informationen*), c) gezielte Indiskreti'on: ***a ~ to the press*** *a.* e-e der Presse zugespielte Information *etc.*; **3.** ⚡ a) Streuung(sverluste *pl.*) *f*, b) Fehlerstelle *f*; **II** *v/i.* **4.** lecken (*a.* ⚡ streuen), leck *od.* undicht sein, *Eimer etc. a.* (aus)laufen, tropfen; **5.** *a.* ***~ out*** a) ausströmen, entweichen (*Gas*), b) auslaufen, sickern, tropfen (*Flüssigkeit*), c) 'durchsickern (*a. fig. Nachricht etc.*); **III** *v/t. a.* ***~ out*** **6.**

ˈdurchlassen: ***the container ~ed (out) oil*** aus dem Behälter lief Öl aus; **7.** *fig. Nachricht etc.* ˈdurchsickern lassen: ***~ s.th. (out) to*** *j-m* et. zuspielen.

leak·age [ˈliːkɪdʒ] *s.* **1.** a) Lecken *n*, Auslaufen *n*, -strömen *n*, -treten *n*, b) → ***leak*** 1 a *u.* 2; **2.** *a. fig.* Schwund *m*, Verlust *m*; **3.** ⚓ Lecˈkage *f*; ***~ cur·rent*** *s.* ⚡ Leck-, Ableitstrom *m*.

leak·y [ˈliːkɪ] *adj.* leck, undicht.

lean¹ [liːn] *adj.* **1.** a) mager (*a. fig. Ernte, Fleisch, Jahre, Lohn etc.*), schmal, hager, b) schlank; **2.** ⚙ Mager… (*-kohle etc.*), Spar… (*-beton, -gemisch etc.*): ***~-burn engine*** Magermotor *m*; ***~ production*** schlanke Produktion *f*.

lean² [liːn] **I** *v/i.* [*irr.*] **1.** sich neigen (***to*** nach), *Person a.* sich beugen (***over*** über *acc.*), (sich) lehnen (***against*** gegen, an *acc.*), sich stützen (***on*** auf *acc.*): ***~ back*** sich zurücklehnen; ***~ over*** sich (vor)neigen *od.* (vor)beugen; ***~ over backward(s)*** F sich ‚fast umbringen' (*et. zu tun*); ***~ to(ward) s.th.*** *fig.* zu et. (hin)neigen *od.* tendieren; **2.** ***~ on*** *fig.* a) sich auf *j-n* verlassen, b) F *j-n* unter Druck setzen; **II** *v/t.* [*irr.*] **3.** neigen, beugen; **4.** lehnen (***against*** gegen, an *acc.*), (auf)stützen (***on, upon*** auf *acc.*); **III** *s.* **5.** Hang *m*, Neigung *f* (***to*** nach); ˈ**lean·ing** [-nɪŋ] **I** *adj.* sich neigend, geneigt, schief: ***~ tower*** schiefer Turm; **II** *s.* Neigung *f*, Tenˈdenz *f* (*a. fig.* ***towards*** zu).

lean·ness [ˈliːnnɪs] *s.* Magerkeit *f* (*a. fig. der Ernte, Jahre etc.*).

leant [lent] *bsd. Brit. pret. u. p.p. von* ***lean²***.

ˈ**lean-to** [-tuː] **I** *pl.* **-tos** *s.* Anbau *m od.* Schuppen (*mit Pultdach*); **II** *adj.* angebaut, Anbau…, sich anlehnend.

leap [liːp] **I** *v/i.* [*irr.*] **1.** springen: ***look before you ~*** erst wägen, dann wagen; ***ready to ~ and strike*** sprungbereit; ***~ for joy*** vor Freude hüpfen (*a. Herz*); **2.** *fig.* a) springen, b) sich stürzen, c) *a.* ***~ up*** (auf)lodern (*Flammen*), d) *a.* ***~ up*** hochschnellen (*Preise etc.*): ***~ into view*** plötzlich sichtbar werden *od.* auftauchen; ***~ at*** sich (förmlich) auf *e-e Gelegenheit etc.* stürzen; ***~ into fame*** mit ˈeinem Schlag berühmt werden; ***~ to a conclusion*** voreilig e-n Schluß ziehen; ***~ to the eye, ~ out*** ins Auge springen; **II** *v/t.* [*irr.*] **3.** überˈspringen (*a. fig.*), springen über (*acc.*); **4.** *Pferd etc.* springen lassen (***over*** über *acc.*); **III** *s.* **5.** Sprung *m* (*a. fig.*): ***a ~ in the dark*** *fig.* ein Sprung ins Ungewisse; ***a great ~ forward*** *fig.* ein großer Sprung *od.* Schritt nach vorn; ***by ~s (and bounds)*** *fig.* sprunghaft; ˈ**~·frog I** *s.* Bockspringen *n*; **II** *v/i.* bockspringen; **III** *v/t.* bockspringen über (*acc.*), e-n Bocksprung machen über (*acc.*).

leapt [lept] *pret. u. p.p. von* ***leap***.

leap year *s.* Schaltjahr *n*.

learn [lɜːn] **I** *v/t.* [*irr.*] **1.** (er)lernen; **2.** (***from***) a) erfahren, hören (von), b) ersehen, entnehmen (aus *e-m Brief etc.*); **3.** *sl.* ‚lernen' (*lehren*); **II** *v/i.* [*irr.*] **4.** lernen: ***he will never ~!*** er lernt es nie!; **5.** erfahren, hören (***of, about*** von); ˈ**learn·ed** [-nɪd] *adj.* □ gelehrt, *Buch etc.*: *a.* wissenschaftlich, *Beruf etc.*: *a.* akaˈdemisch; ˈ**learn·er** [-nə] *s.* **1.** Anfänger(in); **2.** (*a. mot.* Fahr)Schüler (-in), Lernende(r *m*) *f*: ***slow ~*** Lernschwache(r *m*) *f*; ˈ**learn·ing** [-nɪŋ] *s.* **1.** Gelehrsamkeit *f*, Gelehrtheit *f*, Wissen *n*: ***man of ~*** Gelehrte(r) *m*; **2.** (Er)Lernen *n*; **learnt** [-nt] *pret. u. p.p. von* ***learn***.

lease [liːs] **I** *s.* **1.** Pacht-, Mietvertrag *m*; **2.** a) Verpachtung *f* (***to*** an *acc.*), b) Pacht *f*, Miete *f*, c) → ***leasing***: ***a new ~ of life*** *fig.* ein neues Leben, noch e-e (Lebens)Frist (*nach Krankheit etc.*); ***put out to*** (*od.* ***to let out on***) ***~*** → 5; ***take s.th. on ~, take a ~ of s.th.*** → 6; ***by*** (*od.* ***on***) ***~*** auf Pacht; **3.** Pachtbesitz *m*, -grundstück *n*; **4.** Pacht- *od.* Mietzeit *f od.* -verhältnis *n*; **II** *v/t.* **5.** ***~ out*** verpachten *od.* vermieten (***to*** an *acc.*); **6.** pachten *od.* mieten, *Investitionsgüter a.* leasen.

ˈ**lease|·hold** [-ʃəʊ-] **I** *s.* **1.** Pacht- *od.* Mietbesitz *m*, Pacht- *od.* Mietgrundstück *n*, Pachtland *n*; **II** *adj.* **2.** gepachtet, Pacht…; ˈ**~ˌhold·er** *s.* Pächter(in), Mieter(in).

leas·er [ˈliːsə] *s.* Pächter(in), Mieter(in), *von Investitionsgütern etc.*: *a.* Leasingnehmer(in).

leash [liːʃ] **I** *s.* **1.** (Koppel-, Hunde)Leine *f*: ***hold in ~*** a) → 4, b) *fig.* im Zaum halten; ***strain at the ~*** a) an der Leine zerren, b) *fig.* vor Ungeduld platzen; **2.** *hunt.* Koppel *f* (*drei Hunde, Füchse etc.*); **II** *v/t.* **3.** (zs.-)koppeln; **4.** an der Leine halten.

leas·ing [ˈliːsɪŋ] *s.* **1.** Pachten *n*, Mieten *n*; **2.** Verpachten *n od.* Vermieten *n*, *von Investitionsgütern etc.*: *a.* Leasing *n*.

least [liːst] **I** *adj.* (*sup. von* ***little***) geringst: a) kleinst, wenigst, mindest, b) unbedeutendst; **II** *s. das* Mindeste, *das* Wenigste: ***at (the) ~*** mindestens, wenigstens, zum mindesten; ***at the very ~*** allermindestens; ***not in the ~*** nicht im geringsten *od.* mindesten; ***say the ~ (of it)*** gelinde gesagt; ***~ said soonest mended*** je weniger Worte (darüber) desto besser; ***that's the ~ of my worries*** das ist m-e geringste Sorge; **III** *adv.* am wenigsten: ***~ of all*** am allerwenigsten; ***not ~*** nicht zuletzt; ***the ~ complicated solution*** die unkomplizierteste Lösung; ***with the ~ possible effort***

L

mit möglichst geringer Anstrengung.

leath·er ['leðə] **I** *s.* **1.** Leder *n* (*a. fig. humor. Haut*; *sport sl. Ball*): **~ goods** Lederwaren *pl.* ; **2.** Lederball *m*, -lappen *m*, -riemen *m etc.*; **3.** *pl.* a) Lederhose(n *pl.*) *f*, b) 'Lederga,maschen *pl.*; **II** *v/t.* **4.** mit Leder über'ziehen; **5.** F ‚versohlen'; '**~·neck** *s.* ⚔ *Am.* F ‚Ledernacken' *m*, Ma'rineinfante,rist *m* (*des U.S. Marine Corps*).

leath·er·y ['leðərı] *adj.* ledern, zäh.

leave¹ [li:v] **I** *v/t.* [*irr.*] **1.** *allg.* verlassen: a) von *j-m od. e-m Ort* weggehen, b) abreisen *od.* abfahren *od.* abfliegen von (***for*** nach), c) von *der Schule* abgehen, d) *j-n od. et.* im Stich lassen, *et.* aufgeben; **2.** lassen: **~ open** offenlassen; ***it ~s me cold*** F es läßt mich kalt; ***~ it at that*** F es dabei belassen *od.* (bewenden) lassen; ***~ things as they are*** die Dinge so lassen, wie sie sind; → ***leave alone***; **3.** (übrig)lassen: ***6 from 8 ~s 2*** 8 minus 6 ist 2; ***be left*** übrig sein, (übrig-) bleiben; ***there's nothing left for us but to go*** uns bleibt nichts übrig, als zu gehen; ***to be left till called for*** postlagernd; **4.** *Narbe etc.* zu'rücklassen, *Eindruck*, *Nachricht*, *Spur etc.* hinter'lassen: ***~ s.o. wondering whether*** j-n im Zweifel darüber lassen, ob; ***~ s.o. to himself*** j-n sich selbst überlassen; **5.** *s-n Schirm etc.* stehen- *od.* liegenlassen, vergessen; **6.** über'lassen, an'heimstellen (***to*** *dat.*): ***I ~ it to you*** (***to decide***); ***~ it to me!*** überlaß das mir!, laß mich das *od.* nur machen; ***~ nothing to accident*** nichts dem Zufall überlassen; **7.** (*nach dem Tode*) hinter'lassen, zu'rücklassen: ***he ~s a wife and five children***; **8.** vermachen, vererben (***to s.o.*** j-m); **9.** (*auf der Fahrt*) *links od. rechts* liegen lassen: ***~ the mill on the left***; **10.** aufhören mit, (unter)'lassen, *Arbeit etc.* einstellen; **II** *v/i.* [*irr.*] **11.** (fort-, weg-) gehen, (ab)reisen *od.* (ab)fahren *od.* (ab)fliegen (***for*** nach); **12.** gehen, die Stellung aufgeben;

Zssgn mit adv.:

leave| a·bout *v/t.* her'umliegen lassen; **~ a·lone** *v/t.* **1.** al'lein lassen; **2.** *j-n od. et.* in Ruhe lassen; *et.* auf sich beruhen lassen: ***leave well alone*** die Finger davon lassen; **~ a·side** *v/t.* bei'seite lassen; **~ be·hind** *v/t.* **1.** da-, zu'rücklassen; **2.** → ***leave¹*** 4, 5; **3.** *Gegner etc.* hinter sich lassen; **~ off I** *v/t.* **1.** weglassen; **2.** *Kleid etc.* a) nicht anziehen, b) ablegen, nicht mehr tragen; **3.** aufhören mit, *die Arbeit* einstellen; **4.** *Gewohnheit etc.* aufgeben; **II** *v/i.* **5.** aufhören; **~ on** *v/t. Kleid etc.* anbehalten, *a. Licht etc.* anlassen; **~ out** *v/t.* **1.** aus-, weglassen; **2.** draußen lassen; **3.** *j-n* ausschließen (***of*** von): ***leave her out of this!*** laß sie aus dem Spiel!; **~ o·ver** *v/t.* (*als Rest*) übriglassen: ***be left over*** übrig(geblieben) sein.

leave² [li:v] *s.* **1.** Erlaubnis *f*, Genehmigung *f*: ***ask ~ of s.o.*** j-n um Erlaubnis bitten; ***take ~ to say*** sich zu sagen erlauben; ***by your ~!*** mit Verlaub!; ***without so much as a by your ~*** *iro.* mir nichts, dir nichts; **2.** *a.* ***~ of absence*** Urlaub *m*: (***go on***) **~** auf Urlaub (gehen); ***a man on ~*** ein Urlauber; **3.** Abschied *m*: ***take*** (***one's***) **~** sich verabschieden, Abschied nehmen (***of s.o.*** von j-m); ***have taken ~ of one's senses*** nicht (mehr) ganz bei Trost sein.

leav·en ['levn] **I** *s.* **1.** a) Sauerteig *m* (*a. fig.*), b) Hefe *f*, c) → ***leavening***; **II** *v/t.* **2.** *Teig* a) säuern, b) (auf)gehen lassen; **3.** *fig.* durch'setzen, -'dringen; '**leav·en·ing** [-nıŋ] *s.* Treibmittel *n*, Gär(ungs)stoff *m*.

leaves [li:vz] *pl. von* ***leaf***.

'**leave-,tak·ing** *s.* Abschied(nehmen *n*) *m*.

leav·ing cer·tif·i·cate ['li:vıŋ] *s.* Abgangszeugnis *n*.

leav·ings ['li:vıŋz] *s. pl.* **1.** 'Überbleibsel *pl.*, Reste *pl.*; **2.** Abfall *m*.

Leb·a·nese [,lebə'ni:z] **I** *adj.* liba'nesisch; **II** *s.* a) Liba'nese *m*, Liba'nesin *f*, b) *pl.* Liba'nesen *pl.*

lech·er ['letʃə] *s.* Wüstling *m*, *humor.* ‚Lustmolch' *m*; **lech·er·ous** ['letʃərəs] *adj.* □ lüstern, geil; '**lech·er·y** [-ərı] *s.* Lüsternheit *f*, Geilheit *f*.

lec·tern ['lektɜ:n] *s. eccl.* (Lese- *od.* Chor)Pult *n*.

lec·ture ['lektʃə] **I** *s.* **1.** Vortrag *m*; *univ.* Vorlesung *f*, Kol'leg *n* (***on*** über *acc.*, ***to*** vor *dat.*): ***~ room*** Vortrags-, *univ.* Hörsaal *m*; ***~ tour*** Vortragsreise *f*; **2.** Strafpredigt *f*: ***give*** (*od.* ***read***) ***s.o. a ~*** → 5; **II** *v/i.* **3.** e-n Vortrag *od.* Vorträge halten (***to s.o. on s.th.*** vor j-m über e-e Sache); **4.** *univ.* e-e Vorlesung *od.* Vorlesungen halten, lesen (***on*** über *acc.*); **III** *v/t.* **5.** *j-m* e-e Strafpredigt *od.* Standpauke halten; '**lec·tur·er** [-tʃərə] *s.* **1.** Vortragende(r *m*) *f*; **2.** *univ.* Do'zent(in), Hochschullehrer(in); **3.** *Church of England*: Hilfsprediger *m*; '**lec·ture·ship** [-ʃıp] *s. univ.* Dozen'tur *f*, Lehrauftrag *m*.

led [led] *pret. u. p.p. von* ***lead¹***.

ledge [ledʒ] *s.* **1.** Leiste *f*, Kante *f*; **2.** a) (Fenster)Sims *m od. n*, b) (Fenster-) Brett *n*; **3.** (Fels)Gesims *n*, (-)Vorsprung *m*; **4.** Felsbank *f*, Riff *n*.

ledg·er ['ledʒə] *s.* **1.** ☦ Hauptbuch *n*; **2.** ⚠ Querbalken *m*, Sturz *m* (*e-s Gerüsts*); **3.** große Steinplatte; **~ line** *s.* **1.** Angelleine *f* mit festliegendem Köder; **2.** ♪ Hilfslinie *f*.

lee [li:] *s.* **1.** (wind)geschützte Stelle; **2.** Windschattenseite *f*; **3.** ⚓ Lee(seite) *f*.

leech [li:tʃ] *s.* **1.** *zo.* Blutegel *m*: ***stick***

like a ~ to s.o. *fig.* wie e-e Klette an j-m hängen; **2.** *fig.* Blutsauger *m*, Schma'rotzer *m*.

leek [li:k] *s.* ⚘ (Breit)Lauch *m*, Porree *m*.

leer [lɪə] **I** *s.* (lüsterner *od.* gehässiger *od.* boshafter) (Seiten)Blick, anzügliches Grinsen; **II** *v/i.* (lüstern *etc.*) schielen (***at*** nach); anzüglich grinsen; **leer·y** ['lɪərɪ] *adj. sl.* **1.** schlau; **2.** argwöhnisch (***of*** gegenüber).

lees [li:z] *s. pl.* Bodensatz *m*, Hefe *f* (*a. fig.*): ***drink*** (*od.* ***drain***) ***to the ~*** *bsd. fig.* bis zur Neige leeren.

lee| shore *s.* ⚓ Leeküste *f*; **~ side** *s.* ⚓ Leeseite *f*.

lee·ward ['li:wəd; ⚓ 'lu:əd] **I** *adj.* Lee...; **II** *s.* Lee(seite) *f*: ***to ~*** → **III** *adv.* leewärts.

'lee·way *s.* **1.** ⚓, *a.* ✈ Abtrift *f*: ***make ~*** abtreiben; **2.** *fig.* Rückstand *m*: ***make up ~*** (den Rückstand) aufholen, (das Versäumte) nachholen; **3.** *fig.* Spielraum *m*.

left¹ [left] *pret. u. p.p. von* ***leave¹***.

left² [left] **I** *adj.* **1.** link (*a. pol.*); **II** *adv.* **2.** links: ***move ~*** nach links rücken; ***turn ~*** links abbiegen; ***~ turn!*** ⚔ links um!; **III** *s.* **3.** Linke *f* (*a. pol.*), linke Seite: ***on*** (*od.* ***to***) ***the ~*** (***of***) links (von), linker Hand (von); ***on our ~*** zu unserer Linken, links von uns; ***to the ~*** nach links; ***keep to the ~*** sich links halten, links fahren; ***the ~ of the party*** *pol.* der linke Flügel der Partei; **4.** *Boxen*: a) Linke *f* (*Faust*), b) Linke(r *m*) *f* (*Schlag*); **'~-hand** *adj.* **1.** link; **2.** → ***left-handed*** 1–4; **ˌ~-'hand·ed** *adj.* □ **1.** linkshändig: ***a ~ person*** → ***left-hander*** 1; **2.** linkshändig, link (*Schlag etc.*); **3.** link, linksseitig; **4.** ⚙ linksgängig, -läufig, Links...: ***~ drive*** Linkssteuerung *f*; ***~ screw*** linksgängige Schraube; **5.** zweifelhaft, fragwürdig: ***~ compliments***; **6.** linkisch, ungeschickt; **7.** *hist.* morga'natisch, zur linken Hand (*Ehe*); **ˌ~-'hand·er** *s.* **1.** Linkshänder(in); **2.** *Boxen*: Linke *f*.

left·ist ['leftɪst] *pol.* **I** *s.* Linke(r *m*) *f*, 'Linkspoˌlitiker(in), -stehende(r *m*) *f*; **II** *adj.* linksgerichtet, -stehend, Links...

ˌleft|-'lug·gage lock·er *s. Brit.* (Gepäck)Schließfach *n*; **ˌ~-'lug·gage (of·fice)** *s. Brit.* Gepäckaufbewahrung(sstelle) *f*; **'~ˌo·ver I** *adj.* übrig(geblieben); **II** *s.* 'Überbleibsel *n*, (*bsd.* Speise)Rest *m*.

'left|-wing *adj. pol.* dem linken Flügel angehörend, Links..., *Person*: *a.* linksgerichtet, -stehend; **ˌ~-'wing·er** *s.* **1.** → ***leftist*** I; **2.** *sport* Linksaußen *m*.

leg [leg] **I** *s.* **1.** a) Bein *n*, b) 'Unterschenkel *m*; → *Bes. Redew.*; **2.** (*Hammel- etc.*)Keule *f*: ***~ of mutton***; **3.** a) Bein *n* (*Hose, Strumpf*), b) Schaft *m* (*Stiefel*); **4.** a) Bein *n* (*Tisch etc.*), b) Stütze *f*, c) Schenkel *m* (*Zirkel etc., a.* ⩓ *Dreieck*); **5.** E'tappe *f*, Abschnitt *m*, Teilstrecke *f*; **6.** *sport* a) E'tappe *f*, Teilstrecke *f*, b) Runde *f*, c) 'Durchgang *m*, Lauf *m*; **II** *v/i.* **7.** *mst* ***~ it*** F a) tippeln, marschieren, b) rennen;

Besondere Redewendungen:

on one's ~s a) stehend (*bsd. um e-e Rede zu halten*), b) auf den Beinen (*Ggs. bettlägerig*); ***be on one's last ~s*** es nicht mehr lange machen, ‚am Eingehen' sein, auf dem letzten Loch pfeifen; ***find one's ~s*** s-e Beine gebrauchen lernen, *fig.* sich finden; ***give s.o. a ~ up*** j-m (hin)aufhelfen, *fig.* j-m unter die Arme greifen; ***have not a ~ to stand on*** *fig.* keinerlei Beweise *od.* keine Chance haben; ***pull s.o.'s ~*** F j-n ‚auf den Arm nehmen' *od.* aufziehen; ***shake a ~*** a) F das Tanzbein schwingen, b) *sl.* ‚Tempo machen'; ***stand on one's own ~s*** auf eigenen Füßen stehen; ***stretch one's ~s*** sich die Beine vertreten.

leg·a·cy ['legəsɪ] *s.* ⚖ Le'gat *n*, Vermächtnis *n* (*a. fig.*), *fig. a.* Erbe *n*, *contp.* Hinter'lassenschaft *f*.

le·gal ['li:gl] *adj.* □ **1.** gesetzlich, rechtlich: ***~ holiday*** gesetzlicher Feiertag; ***~ reserves*** ✝ gesetzliche Rücklagen; **2.** le'gal: a) (rechtlich *od.* gesetzlich) zulässig, gesetzmäßig, b) rechtsgültig: ***~ claim***; ***not ~*** gesetzlich verboten *od.* nicht zulässig; ***make ~*** legalisieren; **3.** Rechts..., ju'ristisch: ***~ adviser*** Rechtsberater(in); ***~ aid*** Prozeßkostenhilfe *f*; ***~ capacity*** Geschäftsfähigkeit *f*; ***~ entity*** juristische Person; ***~ force*** Rechtskraft *f*; ***~ position*** Rechtslage *f*; ***~ remedy*** Rechtsmittel *n*; **4.** gerichtlich: ***a ~ decision***; ***take ~ action*** (*od.* ***steps***) ***against s.o.*** gegen j-n gerichtlich vorgehen; **le·gal·ese** [ˌli:gə'li:z] *s.* Ju'ristensprache *f*, -jarˌgon *m*; **le·gal·i·ty** [li:'gælətɪ] *s.* Legali'tät *f*, Gesetzlichkeit *f*, Rechtmäßigkeit *f*, Zulässigkeit *f*.

le·gal·i·za·tion [ˌli:gəlaɪ'zeɪʃn] *s.* Legalisierung *f*; **le·gal·ize** ['li:gəlaɪz] *v/t.* legalisieren, rechtskräftig machen, *a.* amtlich beglaubigen, beurkunden.

leg·ate¹ ['legɪt] *s.* (päpstlicher) Le'gat.

le·gate² [lɪ'geɪt] *v/t.* (testamen'tarisch) vermachen.

leg·a·tee [ˌlegə'ti:] *s.* ⚖ Lega'tar(in), Vermächtnisnehmer(in).

le·ga·tion [lɪ'geɪʃn] *s. pol.* Gesandtschaft *f*, Vertretung *f*.

leg·a·tor [ˌlegə'tɔ:; *Am.* lɪ'geɪtə] *s.* ⚖ Vermächtnisgeber(in), Erb-lasser(in).

leg·end ['ledʒənd] *s.* **1.** Sage *f*, (*a.* 'Heiligen)Leˌgende *f*; **2.** Le'gende *f*: a) erläuternder Text, Beschriftung *f*, 'Bildˌunterschrift *f*, b) Zeichenerklärung *f* (*auf Karten etc.*), c) Inschrift *f*; **3.** *fig.*

legen'däre Gestalt *od.* Sache, Mythus *m*; **'leg·end·ar·y** [-dərı] *adj.* legen'där: a) sagenhaft, Sagen…, b) berühmt.

leg·er·de·main [ˌledʒədə'meın] *s.* Taschenspiele'rei *f*, *a. fig.* (Taschenspieler)Trick *m*.

-legged [legd] *adj. bsd. in Zssgn* mit (…) Beinen, …beinig; **leg·gings** ['legıŋz] *s. pl.* **1.** (hohe) Ga'maschen *pl.*; **2.** 'Überhose *f*; **leg·gy** ['legı] *adj.* langbeinig.

leg·i·bil·i·ty [ˌledʒı'bılətı] *s.* Leserlichkeit *f*; **leg·i·ble** ['ledʒəbl] *adj.* □ (gut) leserlich.

le·gion ['li:dʒən] *s.* **1.** *antiq.* ⚔ Legi'on *f* (*a. fig. Unzahl*): ***their name is ~*** *fig.* ihre Zahl ist Legion; **2.** Legi'on *f*, (*bsd.* Frontkämpfer)Verband *m*: ***the American*** (***British***) ***≈***; ***≈ of Hono(u)r*** *französische* Ehrenlegion; ***the*** (***Foreign***) ***≈*** die (französische) Fremdenlegion; **'le·gion·ar·y** [-dʒənərı] **I** *adj.* Legions…; **II** *s.* Legio'när *m*; **le·gion·naire** [ˌli:dʒə'neə] *s.* ('Fremden- *etc.*)Legioˌnär *m*.

leg·is·late ['ledʒısleıt] **I** *v/i.* Gesetze erlassen; **II** *v/t.* durch Gesetze bewirken *od.* schaffen: ***~ away*** durch Gesetze abschaffen; **leg·is·la·tion** [ˌledʒıs'leıʃn] *s.* Gesetzgebung *f* (*a. weitS.* [erlassene] Gesetze *pl.*); **'leg·is·la·tive** [-lətıv] **I** *adj.* □ **1.** gesetzgebend, legisla'tiv; **2.** Legislatur…, Gesetzgebungs…; **II** *s.* **3.** → ***legislature***; **'leg·is·la·tor** [-leıtə] *s.* Gesetzgeber *m*; **'leg·is·la·ture** [-leıtʃə] *s.* Legisla'tive *f*, gesetzgebende Körperschaft.

le·git [lı'dʒıt] *sl. für* ***legitimate*** I, ***legitimate drama***.

le·git·i·ma·cy [lı'dʒıtıməsı] *s.* **1.** Legitimi'tät *f*: a) Rechtmäßigkeit *f*, b) Ehelichkeit *f*: ***~ of birth***, c) Berechtigung *f*, Gültigkeit *f*; **2.** (Folge)Richtigkeit *f*.

le·git·i·mate [lı'dʒıtımət] **I** *adj.* □ **1.** legi'tim: a) gesetzmäßig, gesetzlich, b) rechtmäßig, berechtigt (*Forderung etc.*), c) ehelich: ***~ birth***; ***~ son***; **2.** (folge)richtig, begründet, einwandfrei; **II** *v/t.* [-meıt] **3.** legitimieren: a) für gesetzmäßig erklären, b) ehelich machen; **4.** als (rechts)gültig anerkennen; **5.** rechtfertigen; **~ dra·ma** *s.* **1.** lite'rarisch wertvolles Drama; **2.** echtes Drama (*Ggs. Film etc.*).

le·git·i·ma·tion [lıˌdʒıtı'meıʃn] *s.* Legitimati'on *f*: a) Legitimierung *f*, *a.* Ehelichkeitserklärung *f*, b) 'Ausweis(paˌpiere *pl.*) *m*; **le·git·i·ma·tize** [lı'dʒıtımətaız], **le·git·i·mize** [lı'dʒıtımaız] → ***legitimate*** 3, 4, 5.

leg·less ['leglıs] *adj.* ohne Beine, beinlos.

'leg|·man *s.* [*irr.*] *bsd. Am.* **1.** Re'porter *m* (im Außendienst); **2.** ‚Laufbursche' *m*; **'~-pull** *s.* F Veräppelung *f*, Scherz *m*; **'~·room** [-rʊm] *s. mot.* Beinfreiheit *f*; **'~-show** *s.* F ‚Beinchenschau' *f*, Re'vue *f*.

leg·ume ['legju:m] *s.* **1.** ⚘ a) Hülsenfrucht *f*, b) Hülse *f* (*Frucht*); **2.** *mst pl.* a) Hülsenfrüchte *pl.* (*als Gemüse*), b) Gemüse *n*; **le·gu·mi·nous** [le'gju:mınəs] *adj.* Hülsen…; hülsentragend.

'leg·work *s.* F Laufe'rei *f*.

lei·sure ['leʒə] **I** *s.* **1.** Muße *f*, Freizeit *f*: ***at ~*** → ***leisurely***; ***be at ~*** Zeit *od.* Muße haben; ***at your ~*** wenn es Ihnen (gerade) paßt; **2.** → ***leisureliness***; **II** *adj.* Muße…, frei: ***~ hours***; ***~ activities*** Freizeitbeschäftigungen *pl.*, -gestaltung *f*; ***~ industry*** Freizeitindustrie *f*; ***~ time*** Freizeit *f*; ***~ wear*** Freizeit(be)kleidung *f*; **'lei·sured** [-əd] *adj.* frei, unbeschäftigt, müßig: ***the ~ classes*** die begüterten Klassen; **'lei·sure·li·ness** [-lınıs] *s.* Gemächlichkeit *f*, Gemütlichkeit *f*; **'lei·sure·ly** [-lı] *adj. u. adv.* gemächlich, gemütlich.

leit·mo·tiv, *a.* **leit·mo·tif** ['laıtməʊˌti:f] *s. bsd.* ♪ 'Leitmoˌtiv *n*.

lem·ming ['lemıŋ] *s. zo.* Lemming *m*.

lem·on ['lemən] **I** *s.* **1.** Zi'trone *f*; **2.** Zi'tronenbaum *m*; **3.** Zi'tronengelb *n*; **4.** *sl.* ‚Niete' *f*: a) ‚Flasche' *f* (*Person*), b) ‚Gurke' *f* (*Sache*): ***hand s.o. a ~*** ‚j-n schwer drankriegen'; **II** *adj.* **5.** zi'tronengelb; **lem·on·ade** [ˌlemə'neıd] *s.* Zi'tronenlimoˌnade *f*.

lem·on| dab *s. ichth.* Rotzunge *f*; **~ sole** *s. ichth.* Seezunge *f*; **~ squash** *s. Brit.* Zi'tronenlimoˌnade *f*; **~ squeez·er** *s.* Zi'tronenpresse *f*.

le·mur ['li:mə] *s. zo.* Le'mur(e) *m*, Maki *m*.

lem·u·res ['lemjʊri:z] *s. pl. myth.* Le'muren *pl.* (*Gespenster*).

lend [lend] *v/t.* [*irr.*] **1.** (aus-, ver)leihen: ***~ s.o. money*** (*od.* ***money to s.o.***) j-m Geld leihen, an j-n Geld verleihen; **2.** *fig. Würde etc.* verleihen (***to*** *dat.*); **3.** *Hilfe etc.* leisten, gewähren: ***~ itself to*** sich eignen zu *od.* für (*Sache*); → ***ear***[1] 3, ***hand*** 1; **4.** *s-n Namen* hergeben (***to*** zu): ***~ o.s. to*** sich hergeben zu; **lend·er** ['lendə] *s.* Aus-, Verleiher(in), Geld-, Kre'ditgeber(in); **lend·ing li·brar·y** ['lendıŋ] *s.* 'Leihbücheˌrei *f*; **~ lend·ing rate** *s.* Kreditzins *m*.

ˌLend-'Lease Act *s. hist.* Leih-Pacht-Gesetz *n* (*1941*).

length [leŋθ] *s.* **1.** *allg.* Länge *f*: a) *als Maß*, *a.* Stück *n* (*Stoff etc.*): ***two feet in ~*** 2 Fuß lang, b) (*a.* lange) Strecke, c) 'Umfang *m* (*Buch*, *Liste etc.*), d) (*a.* lange) Dauer (*a. Phonetik*); **2.** *sport* Länge *f* (Vorsprung): ***win by a ~*** mit e-r Länge (Vorsprung) siegen;

Besondere Redewendungen:

at ~ a) lang, ausführlich, b) endlich, schließlich; ***at full ~*** a) in allen Einzelheiten, ganz ausführlich, b) der Länge nach (*hinfallen*); ***at great*** (***some***) ~ sehr (ziemlich) ausführlich; ***for any ~ of time*** für längere Zeit; (***over all***) ***the ~ and breadth of France*** in ganz Frankreich (herum); ***go*** (***to***) ***great ~s*** a) sehr weit gehen, b) sich sehr bemühen; ***he went*** (***to***) ***the ~ of asserting*** er ging so weit zu behaupten; ***go*** (***to***) ***all ~s*** aufs Ganze gehen, vor nichts zurückschrecken; ***go any ~*** alles (Erdenkliche) tun.

length·en [ˈleŋθən] **I** *v/t.* **1.** verlängern, länger machen; **2.** ausdehnen; **3.** *Wein etc.* strecken; **II** *v/i.* **4.** sich verlängern, länger werden; **5.** ***~ out*** sich in die Länge ziehen; ˈ**length·en·ing** [-θənɪŋ] *s.* Verlängerung *f.*

length·i·ness [ˈleŋθɪnɪs] *s.* Langatmigkeit *f*, Weitschweifigkeit *f.*

ˈ**length·ways** [-weɪz], *Am.* ˈ**length·wise** *adv.* der Länge nach, längs.

length·y [ˈleŋθɪ] *adj.* □ **1.** (sehr) lang; **2.** *fig.* ermüdend *od.* ˈübermäßig lang, langatmig.

le·ni·en·cy [ˈliːnjənsɪ], *a.* **le·ni·ence** [ˈliːnjəns] *s.* Milde *f*, Nachsicht *f*; ˈ**le·ni·ent** [-nt] *adj.* □ mild(e), nachsichtig (***to***[***wards***] gegenˈüber).

lens [lenz] *s.* **1.** *anat.* Linse *f* (*a. phys.*, ⚙); **2.** *opt.* a) Linse *f*, b) Lupe *f*, (Vergrößerungs)Glas *n*; **3.** *phot.* Objekˈtiv *n*, ‚Linse' *f*: ***~ aperture*** Blende *f*; ***~ screen*** Gegenlichtblende *f.*

lent[1] [lent] *pret. u. p.p. von* ***lend.***

Lent[2] [lent] *s.* Fasten(zeit *f*) *pl.*

len·tic·u·lar [lenˈtɪkjʊlə] *adj.* □ **1.** linsenförmig, *bsd. anat.* Linsen…; **2.** *phys.* bikonˈvex.

len·til [ˈlentɪl] *s.* ⚘ Linse *f.*

Lent| lil·y *s.* ⚘ Narˈzisse *f*; **~ term** *s. Brit.* ˈFrühjahrstriˌmester *n.*

Le·o [ˈliːəʊ] *s. ast.* Löwe *m.*

le·o·nine [ˈliːəʊnaɪn] *adj.* Löwen…

leop·ard [ˈlepəd] *s. zo.* Leoˈpard *m*: ***black ~*** Schwarzer Panther; ***the ~ can't change its spots*** *fig.* die Katze läßt das Mausen nicht; **~ cat** *s. zo.* Benˈgalkatze *f.*

le·o·tard [ˈliːəʊtɑːd] *s.* Triˈkot(anzug *m*) *n*, *sport* Gymˈnastikanzug *m.*

lep·er [ˈlepə] *s.* **1.** Leprakranke(r *m*) *f*; **2.** *fig.* Aussätzige(r *m*) *f.*

lep·i·dop·ter·ous [ˌlepɪˈdɒptərəs] *adj.* Schmetterlings…

lep·re·chaun [ˈleprəkɔːn] *s. Ir.* Kobold *m.*

lep·ro·sy [ˈleprəsɪ] *s.* ⚕ Lepra *f*; ˈ**lep·rous** [-əs] *adj.* a) leprakrank, b) leˈprös, Lepra…

les·bi·an [ˈlezbɪən] **I** *adj.* lesbisch; **II** *s.* Lesbierin *f*; ˈ**les·bi·an·ism** [-nɪzəm] *s.* lesbische Liebe, Lesbiaˈnismus *m.*

lese-maj·es·ty [ˌliːzˈmædʒɪstɪ] *s.* **1.** *a. fig.* Majeˈstätsbeleidigung *f*; **2.** Hochverrat *m.*

le·sion [ˈliːʒn] *s.* **1.** Verletzung *f*, Wunde *f*; **2.** krankhafte Veränderung (*e-s Organs*).

less [les] **I** *adv.* (*comp. von* ***little***) weniger (***than*** als): ***a ~ known*** (*od.* ***~-known***) ***author*** ein weniger bekannter Autor; ***~ and ~*** immer weniger *od.* seltener; ***still*** (*od.* ***much***) ***~*** noch viel weniger, geschweige denn; ***the ~ so as*** (dies) um so weniger, als; **II** *adj.* (*comp. von* ***little***) geringer, kleiner, weniger: ***in ~ time*** in kürzerer Zeit; ***of ~ importance*** (***value***) von geringerer Bedeutung (von geringerem Wert); ***no ~ a person than Churchill***; *a.* ***Churchill, no ~*** kein Geringerer als Churchill; **III** *s.* weniger, e-e kleinere Menge *od.* Zahl, ein geringeres (Aus)Maß: ***for ~*** billiger; ***do with ~*** mit weniger auskommen; ***little ~ than robbery*** so gut wie *od.* schon fast Raub; ***nothing ~ than*** zumindest; ***nothing ~ than a disaster*** e-e echte Katastrophe; ***~ of that!*** hör auf damit!; **IV** *prp.* weniger, minus, ✝ abzüglich.

les·see [leˈsiː] *s.* Pächter(in) *od.* Mieter (-in), *von Investitionsgütern etc.*: *a.* Leasingnehmer(in).

less·en [ˈlesn] **I** *v/i.* sich vermindern *od.* verringern, abnehmen, geringer werden, nachlassen; **II** *v/t.* vermindern, -ringern, -kleinern; *fig.* herˈabsetzen, schmälern; ˈ**less·en·ing** [-nɪŋ] *s.* Nachlassen *n*, Abnahme *f*, Verringerung *f*, -minderung *f.*

less·er [ˈlesə] *adj.* (*nur attr.*) kleiner, geringer; unbedeutender.

les·son [ˈlesn] *s.* **1.** Lektiˈon *f* (*a. fig. Denkzettel, Strafe*), Übungsstück *n*, (*a.* Haus)Aufgabe *f*; **2.** (Lehr-, ˈUnterrichts)Stunde *f*; *pl.* ˈUnterricht *m*, Stunden *pl.*: ***give ~s*** Unterricht erteilen; ***take ~s from s.o.*** Stunden *od.* Unterricht bei j-m nehmen; **3.** *fig.* Lehre *f*: ***this was a ~ to me*** das war mir e-e Lehre; ***let this be a ~ to you*** laß dir das zur Lehre *od.* Warnung dienen; ***he has learnt his ~*** er hat s-e Lektion gelernt; **4.** *eccl.* Lesung *f.*

les·sor [leˈsɔː] *s.* Verpächter(in) *od.* Vermieter(in), *von Investitionsgütern etc.*: *a.* Leasinggeber(in).

lest [lest] *cj.* **1.** (*mst mit folgendem* ***should*** *konstr.*) daß *od.* daˈmit nicht; aus Furcht, daß; **2.** (*nach Ausdrücken des Befürchtens*) daß: ***fear ~.***

let[1] [let] **I** *s.* **1.** *Brit.* F a) Vermietung *f*, b) Mietwohnung *f*, Mietshaus *n*: ***get a ~ for*** e-n Mieter finden für; **II** *v/t.* [*irr.*] **2.** lassen, *j-m* erlauben: ***~ him talk!*** laß ihn reden!; ***~ me help you*** lassen Sie mich Ihnen helfen; ***~ s.o. know*** j-n wissen lassen *od.* Bescheid sagen; ***~ into*** a) (her)einlassen in (*acc.*), b) *j-n* einweihen in *ein Geheimnis*, c) *Stück Stoff etc.*

einsetzen in (*acc.*); **~ *s.o. off a penalty*** j-m e-e Strafe erlassen; **~ *s.o. off a promise*** j-n von e-m Versprechen entbinden; **3.** vermieten (***to*** an *acc.*, ***for*** auf *ein Jahr etc.*): ***"to ~"*** „zu vermieten"; **4.** *Arbeit etc.* vergeben (***to*** an *j-n*); **III** *v/aux.* [*irr.*] **5.** lassen, mögen, sollen (*zur Umschreibung des Imperativs der 1. u. 2. Person*): **~ *us go! Yes, ~'s!*** gehen wir! Ja, gehen wir! (*od.* Ja, einverstanden!); **~ *him go there at once!*** er soll sofort hingehen!; **~*'s not*** (F ***don't let's***) ***quarrel!*** wir wollen doch nicht streiten!; (***just***) **~ *them try*** das sollen sie nur versuchen; **~ *me see!*** Moment mal!; **~ *A be equal to B*** nehmen wir an, A ist gleich B; **~ *it be known that*** man soll *od.* alle sollen wissen, daß; **IV** *v/i.* [*irr.*] **6.** sich vermieten (lassen) (***at***, ***for*** für);

Besondere Redewendungen:

~ *alone* a) geschweige denn, ganz zu schweigen von, b) → ***let alone***; **~ *loose*** loslassen; **~ *be*** a) *et.* sein lassen, die Finger lassen von, b) *et. od. j-n* in Ruhe lassen; **~ *fall*** a) (*a. fig. Bemerkung*) fallen lassen, b) ⩓ *Senkrechte* fällen (***on***, ***upon*** auf *acc.*); **~ *fly*** a) *et.* abschießen, *fig. et.* vom Stapel lassen, b) (*v/i.*) schießen (***at*** auf *acc.*), c) *fig.* vom Leder ziehen, grob werden; **~ *go*** a) loslassen, fahren lassen, b) es sausen lassen, c) drauf'los rasen *od.* schießen *etc.*, d) loslegen; **~ *o.s. go*** a) sich gehenlassen, b) aus sich herausgehen; **~ *go of s.th.*** et. loslassen; **~ *it go at that*** laß es dabei bewenden;

Zssgn mit adv.:

let| a·lone *v/t.* **1.** al'lein lassen, verlassen; **2.** *j-n od. et.* in Ruhe lassen; *et.* sein lassen; die Finger von *et.* lassen (*a. fig.*): ***let well alone*** lieber die Finger davon lassen; **~ down** *v/t.* **1.** hin'unter- *od.* her'unterlassen: ***let s.o. down gently*** mit j-m glimpflich verfahren; **2.** a) *j-n* im Stich lassen (***on*** bei), b) *j-n* enttäuschen, c) *j-n* blamieren; **3.** die Luft aus *e-m Reifen* lassen; **~ in** *v/t.* **1.** (her)'einlassen; **2.** *Stück etc.* einlassen, -setzen; **3.** einweihen (***on*** in *acc.*); **4.** ***let s.o. in for*** j-m *et.* aufhalsen *od.* einbrocken; ***let o.s. in for*** sich *et.* einbrokken *od.* einhandeln, sich auf *et.* einlassen; **~ off** *v/t.* **1.** *Sprengladung etc.* loslassen, *Gewehr etc.* abfeuern; *Gas etc.* ablassen; → ***steam*** 1; **2.** *Witz etc.* vom Stapel lassen; **3.** *j-n* laufen *od.* gehen lassen, *mit e-r Geldstrafe etc.* da'vonkommen lassen; **~ on** F **I** *v/i.* **1.** ‚plaudern' (*Geheimnis verraten*); **2.** vorgeben, so tun als ob; **II** *v/t.* **3.** ‚ausplaudern', verraten; **4.** sich *et.* anmerken lassen; **~ out** *v/t.* **1.** hin'aus- *od.* her'auslassen; **2.** *Kleid* auslassen; **3.** *Geheimnis* ausplaudern; **4.** → ***let***[1] 3, 4; **~ up** *v/i.* F **1.** a) nachlassen, b) aufhören; **2.** **~ *on*** ablassen von, *j-n* in Ruhe lassen.

let[2] [let] *s.* **1.** *Tennis*: Netzaufschlag *m*, Netz(ball *m*) *n*; **2.** ***without ~ or hindrance*** völlig unbehindert.

'let·down *s.* **1.** Nachlassen *n*; **2.** F Enttäuschung *f*; **3.** ✈ Her'untergehen *n*.

le·thal ['li:θl] *adj.* **1.** tödlich, todbringend; **2.** Todes…

le·thar·gic, le·thar·gi·cal [lɪ'θɑ:dʒɪk(l)] *adj.* ☐ le'thargisch: a) ⚕ schlafsüchtig, b) teilnahmslos, stumpf, träg(e);

leth·ar·gy ['leθədʒɪ] *s.* Lethar'gie *f*: a) Teilnahmslosigkeit *f*, Stumpfheit *f*, b) ⚕ Schlafsucht *f*.

Le·the ['li:θi:] *s.* **1.** Lethe *f* (*Fluß des Vergessens im Hades*); **2.** *poet.* Vergessen(heit *f*) *n*.

Lett [let] → ***Latvian***.

let·ter ['letə] **I** *s.* **1.** Buchstabe *m* (*a. fig. buchstäblicher Sinn*): ***to the ~*** *fig.* buchstabengetreu, (ganz) exakt; ***the ~ of the law*** der Buchstabe des Gesetzes; ***in ~ and in spirit*** dem Buchstaben u. dem Sinne nach; **2.** Brief *m*, Schreiben *n* (***to*** an *acc.*): ***by ~*** brieflich, schriftlich; **~ *of application*** Bewerbungsschreiben; **~ *of attorney*** ⚖ Vollmacht *f*; **~ *of credit*** ⚜ Akkreditiv *n*; **~ *of intent*** schriftliche Absichtserklärung; **3.** *pl.* Urkunde *f*: **~*s of administration*** ⚜ Nachlaßverwalter-Zeugnis *n*; **~*s testamentary*** Testamentsvollstrecker-Zeugnis *n*; **~*s*** (*od.* **~**) ***of credence***, **~*s credential*** *pol.* Beglaubigungsschreiben *n*; **~*s patent*** ⚜ (*sg. od. pl. konstr.*) Patent(urkunde *f*) *n*; **4.** *typ.* a) Letter *f*, Type *f*, b) *coll.* Lettern *pl.*, Typen *pl.*, c) Schrift(art) *f*; **5.** *pl.* a) (schöne) Litera'tur, b) Bildung *f*, c) Wissenschaft *f*: ***man of ~s*** a) Literat *m*, b) Gelehrter *m*; **II** *v/t.* **6.** beschriften; mit Buchstaben bezeichnen; *Buch* betiteln.

let·ter| bomb *s.* Briefbombe *f*; **'~·box** *s. bsd. Brit.* Briefkasten *m*; **~ card** *s.* Briefkarte *f*.

let·tered ['letəd] *adj.* **1.** a) (lite'rarisch) gebildet, b) gelehrt; **2.** beschriftet, bedruckt.

let·ter| file *s.* Briefordner *m*; **'~-ˌfound·er** *s. typ.* Schriftgießer *m*.

'let·ter·head *s.* **1.** (gedruckter) Briefkopf; **2.** 'Kopfpaˌpier *n*.

let·ter·ing ['letərɪŋ] *s.* Aufdruck *m*, Beschriftung *f*.

ˌlet·ter-'per·fect *adj.* **1.** *thea.* rollensicher; **2.** *allg.* buchstabengetreu.

'let·ter|·press *s. typ.* **1.** (Druck)Text *m*; **2.** Hoch-, Buchdruck *m*; **~ scales** *s. pl.* Briefwaage *f*; **'~·weight** *s.* Briefbeschwerer *m*.

Let·tish ['letɪʃ] → ***Latvian***.

let·tuce ['letɪs] *s.* ⚘ (*bsd.* 'Kopf)Saˌlat *m*.

'let-up *s.* F Nachlassen *n*, Aufhören *n*,

L

Unter'brechung *f*: ***without ~*** unaufhörlich.

leu·co·cyte ['lju:kəʊsaɪt] *s. physiol.* Leuko'zyte *f*, weißes Blutkörperchen.

leu·co·ma [lju:'kəʊmə] *s.* ⚕ Leu'kom *n* (*Hornhauttrübung*).

leu·k(a)e·mi·a [lju:'ki:mɪə] *s.* ⚕ Leukä'mie *f*.

Le·van·tine ['levəntaɪn] **I** *s.* Levan'tiner (-in); **II** *adj.* levan'tinisch.

lev·ee¹ ['levɪ] *s.* (Ufer-, Schutz)Damm *m*, (Fluß)Deich *m*.

lev·ee² ['levɪ] *s.* **1.** *hist.* Le'ver *n*, Morgenempfang *m* (*e-s Fürsten*); **2.** *Brit.* Nachmittagsempfang *m*; **3.** *allg.* Empfang *m*.

lev·el ['levl] **I** *s.* **1.** Ebene *f* (*a. geogr.*), ebene Fläche; **2.** Horizon'tale *f*, Waagrechte *f*; **3.** Höhe *f* (*a. geogr.*), (*Meeres-, Wasser-, physiol. Alkohol-, Blutzucker- etc.*)Spiegel *m*, (*Geräusch-, Wasser*)Pegel *m*: ***on a ~*** (***with***) auf gleicher Höhe (mit); ***he's on the ~*** F a) er ist ‚in Ordnung', b) er meint es ehrlich; **4.** *fig.* (*a. geistiges*) Ni'veau, Stand *m*, Grad *m*, Stufe *f*: ***high ~ of education***; ***the ~ of prices*** das Preisniveau; ***low production ~*** niedriger Produktionsstand; ***come down to the ~ of others*** sich auf das Niveau anderer begeben; ***sink to the ~ of cut-throat practices*** auf das Niveau von Halsabschneidern absinken; ***find one's ~*** *fig.* den Platz einnehmen, der e-m zukommt; **5.** (*politische etc.*) Ebene: ***a conference at*** (*od.* ***on***) ***the highest ~*** e-e Konferenz auf höchster Ebene; **6.** ⚙ a) Li'belle *f*, b) Wasserwaage *f*; **7.** ⚙, *surv.* Nivel'lierinstru,ment *n*; **8.** ⚒ a) Sohle *f*, b) Sohlenstrecke *f*; **II** *adj.* **9.** eben: ***a ~ road***; **10.** horizon'tal, waag(e)recht; **11.** gleich (*a. fig.*): ***~ crossing*** schienengleicher Übergang; ***a ~ teaspoon(ful)*** ein gestrichener Teelöffel (voll); ***~*** (***with***) a) auf gleicher Höhe (mit), b) gleich hoch (wie); ***draw ~ with*** *j-n* einholen, *fig. a.* mit *j-m* gleichziehen; ***~ with the ground*** a) zu ebener Erde, b) in Bodenhöhe; ***make ~ with the ground*** dem Erdboden gleichmachen; **12.** ausgeglichen: ***~ race*** *a.* Kopf-an-Kopf-Rennen *n*; ***~ stress*** *ling.* schwebende Betonung; ***~ temperature*** gleichbleibende Temperatur; **13.** a) vernünftig, b) ausgeglichen (*Person*), c) kühl, ruhig (*a. Stimme*), d) ausgewogen (*Urteil*); **14.** F ‚anständig', ehrlich, fair; **III** *v/t.* **15.** (ein)ebnen, planieren: ***~*** (***with the ground***) dem Erdboden gleichmachen; **16.** *j-n* zu Boden schlagen; **17.** *fig.* a) gleichmachen, nivellieren, ‚einebnen', b) *Unterschiede* aufheben, c) ausgleichen; **18.** in horizon'tale Lage bringen; **19.** (***at, against***) a) *Waffe, Blick, a. Kritik etc.* richten (auf *acc.*), b) *Anklage* erheben (gegen); **IV** *v/i.* **20.** zielen (***at*** auf *acc.*); **21.** ***~ with s.o.*** F j-m gegenüber ehrlich sein; ***~ down*** *v/t.* **1.** *Löhne, Preise etc.* nach unten angleichen; **2.** auf ein tieferes Ni'veau her'abdrücken; ***~ off*** *od.* ***out*** **I** *v/t.* (*v/i.* das Flugzeug) abfangen *od.* aufrichten; **II** *v/i. fig.* sich einpendeln (***at*** bei); ***~ up*** *v/t.* **1.** (nach oben) angleichen; **2.** auf ein höheres Ni'veau heben.

,**lev·el-'head·ed** *adj.* vernünftig, nüchtern, klar.

lev·el·(l)er ['levlə] *s. sociol.* ‚Gleichmacher' *m* (*Faktor*).

le·ver ['li:və] **I** *s.* **1.** ⚙, *phys.* a) Hebel *m*, b) Brechstange *f*; **2.** ⚙ Anker *m* (*der Uhr*): ***~ escapement*** Ankerhemmung *f*; ***~ watch*** Ankeruhr *f*; **3.** *fig.* Druckmittel *n*; **II** *v/t.* **4.** hebeln, mit e-m Hebel bewegen, (hoch- *etc.*)stemmen: ***~ up***; '**le·ver·age** [-vərɪdʒ] *s.* **1.** ⚙ Hebelkraft *f*, -wirkung *f*; **2.** *fig.* a) Einfluß *m*, b) Druckmittel *n*: ***put ~ on s.o.*** j-n unter Druck setzen.

lev·er·et ['levərɪt] *s.* Junghase *m*, Häschen *n*.

le·vi·a·than [lɪ'vaɪəθn] *s. bibl.* Levi'athan *m*, (See)Ungeheuer *n*; *fig.* Ungetüm *n*, Gi'gant *m*.

lev·i·tate ['levɪteɪt] *v/i. u. v/t.* (frei) schweben (lassen); **lev·i·ta·tion** [,levɪ'teɪʃn] *s.* Levitati'on *f*, (freies) Schweben.

lev·i·ty ['levətɪ] *s.* Leichtfertigkeit *f*, Frivoli'tät *f*.

lev·y ['levɪ] **I** *s.* **1.** ☨ a) Erhebung *f* (*von Steuern etc.*), b) Abgabe *f*: ***capital ~*** Kapitalabgabe, c) Beitrag *m*, 'Umlage *f*; **2.** ⚖ Voll'streckungsvoll,zug *m*; **3.** ⚔ a) Aushebung *f*, b) *a. pl.* ausgehobene Truppen *pl.*, Aufgebot *n*; **II** *v/t.* **4.** *Steuern etc.* erheben, *a. Geldstrafe* auferlegen (***on*** *dat.*); **5.** a) beschlagnahmen, b) *Beschlagnahme* 'durchführen; **6.** ⚔ a) *Truppen* ausheben, b) *Krieg* anfangen *od.* führen ([***up***]***on*** gegen).

lewd [lu:d] *adj.* ☐ **1.** lüstern, geil; **2.** unanständig, schmutzig; '**lewd·ness** [-nɪs] *s.* **1.** Lüsternheit *f*; **2.** Unanständigkeit *f*.

lex·i·cal ['leksɪkl] *adj.* ☐ lexi'kalisch; **lex·i·cog·ra·pher** [,leksɪ'kɒgrəfə] *s.* Lexiko'graph(in), Wörterbuchverfasser (-in); **lex·i·co·graph·ic**, **lex·i·co·graph·i·cal** [,leksɪkəʊ'græfɪk(l)] *adj.* ☐ lexiko'graphisch; **lex·i·cog·ra·phy** [,leksɪ'kɒgrəfɪ] *s.* Lexikogra'phie *f*; **lex·i·col·o·gy** [,leksɪ'kɒlədʒɪ] *s.* Lexikolo'gie *f*; '**lex·i·con** [-kən] *s.* Lexikon *n*.

li·a·bil·i·ty [,laɪə'bɪlətɪ] *s.* **1.** ☨, ⚖ a) Verpflichtung *f*, Verbindlichkeit *f*, Schuld *f*, *Bilanz*: Passivposten *m*, *pl.* Pas'siva *pl.*, b) Haftung *f*, Haftpflicht *f*, Haftbarkeit *f*: ***~ insurance*** Haftpflichtversicherung *f*; → ***limited*** I, c) (*Bei-*

trags-, *Schadensersatz- etc.*)Pflicht *f*: **~ *for damages***; **2.** Verantwortlichkeit *f*: ***criminal* ~** strafrechtliche Verantwortung; **3.** Ausgesetztsein *n*, Unter'worfensein *n* (***to s.th.*** e-r Sache): **~ *to penalty*** Strafbarkeit *f*; **4.** (***to***) Hang *m* (zu), Anfälligkeit *f* (für).

li·a·ble ['laɪəbl] *adj.* **1.** ✝, ⚖ verantwortlich, haftbar, -pflichtig (***for*** für): ***be* ~ *for*** haften für; ***hold s.o.* ~** j-n haftbar machen; **2.** verpflichtet (***for*** zu); (*steuer- etc.*)pflichtig: **~ *to*** (*od.* ***for***) ***military service*** wehrpflichtig; **3.** (***to***) neigend (zu), ausgesetzt (*dat.*), unter'worfen (*dat.*): ***be* ~ *to*** a) *e-r Sache* ausgesetzt sein *od.* unterliegen, b) (*mit inf.*) leicht *et. tun* (können), in Gefahr sein *vergessen etc.* zu *werden*, c) (*mit inf.*) *et.* wahrscheinlich *tun*: ***be* ~ *to a fine*** e-r Geldstrafe unterliegen; **~ *to prosecution*** strafbar.

li·aise [lɪ'eɪz] *v/i.* (***with***) als Verbindungsmann fungieren (zu), die Verbindung aufrechterhalten (mit).

li·ai·son [liː'eɪzɔ̃ːŋ, ⚔ -zən] (*Fr.*) *s.* **1.** Zs.-arbeit *f*, Verbindung *f*: **~ *officer*** a) ⚔ Verbindungsoffizier *m*, b) Verbindungsmann *m*; **2.** Liai'son *f*: a) (Liebes-) Verhältnis *n*, b) *ling.* Bindung *f*.

li·a·na [lɪ'ɑːnə] *s.* ⚘ Li'ane *f*.

li·ar ['laɪə] *s.* Lügner(in).

Li·as ['laɪəs] *s. geol.* Lias *m, f*, schwarzer Jura.

li·ba·tion [laɪ'beɪʃn] *s.* **1.** Trankopfer *n*; **2.** *humor.* Zeche'rei *f*.

li·bel ['laɪbl] **I** *s.* **1.** ⚖ a) Verleumdung *f*, üble Nachrede, Beleidigung *f* (*durch e-e Veröffentlichung*) (***of***, ***on*** *gen.*), b) Klageschrift *f*; **2.** *allg.* (***on***) Verleumdung *f* (*gen.*), Beleidigung *f* (*gen.*), Hohn *m* (auf *acc.*); **II** *v/t.* **3.** ⚖ (schriftlich *etc.*) verleumden; **4.** *allg.* verunglimpfen; **'li·bel·(l)ant** [-lənt] *s.* ⚖ Kläger(in); **li·bel·(l)ee** [ˌlaɪbə'liː] *s.* ⚖ Beklagte(r *m*) *f*; **'li·bel·(l)ous** [-bləs] *adj.* □ verleumderisch.

lib·er·al ['lɪbərəl] **I** *adj.* □ **1.** libe'ral, frei(sinnig), vorurteilsfrei, aufgeschlossen; **2.** großzügig: a) freigebig (***of*** mit), b) reichlich (bemessen): ***a* ~ *gift*** ein großzügiges Geschenk; ***a* ~ *quantity*** e-e reichliche Menge, c) frei, weitherzig: **~ *interpretation***, d) allgemein(bildend): **~ *education*** allgemeinbildende Erziehung *od.* (gute) Allgemeinbildung; **~ *profession*** freier Beruf; **3.** *mst* ♀ *pol.* libe'ral: ♀ ***Party***; **II** *s.* **4.** *oft* ♀ *pol.* Libe'rale(r *m*) *f*; **~ arts** *s. pl.* Geisteswissenschaften *pl.* (*Philosophie*, *Literatur*, *Sprachen*, *Soziologie etc.*).

lib·er·al·ism ['lɪbərəlɪzəm] *s.* **1.** → ***liberality*** b; **2.** ♀ *pol.* Libera'lismus *m*; **lib·er·al·i·ty** [ˌlɪbə'rælətɪ] *s.* Großzügigkeit *f*: a) Freigebigkeit *f*, b) libe'rale Einstellung, Liberali'tät *f*; **lib·er·al·i·za·tion** [ˌlɪbərəlaɪ'zeɪʃn] *s.* ✝, *pol.* Liberalisierung *f*; **'lib·er·al·ize** [-laɪz] *v/t.* ✝, *pol.* liberalisieren.

lib·er·ate ['lɪbəreɪt] *v/t.* **1.** befreien (***from*** von) (*a. fig.*); **2.** ⚗ freisetzen; **lib·er·a·tion** [ˌlɪbə'reɪʃn] *s.* **1.** Befreiung *f*; **2.** ⚗ Freisetzen *n od.* -werden *n*; **'lib·er·a·tor** [-tə] *s.* Befreier *m*.

Li·be·ri·an [laɪ'bɪərɪən] **I** *s.* Li'berier(in); **II** *adj.* li'berisch.

lib·er·tin·age ['lɪbətɪnɪdʒ] → ***libertinism***; **'lib·er·tine** [-ətiːn] *s.* Wüstling *m*; **'lib·er·tin·ism** [-tɪnɪzəm] *s.* Sittenlosigkeit *f*, Liberti'nismus *m*.

lib·er·ty ['lɪbətɪ] *s.* **1.** Freiheit *f*: a) per'sönliche *etc.* Freiheit: ***religious* ~** Religionsfreiheit, b) freie Wahl, Erlaubnis *f*: ***large* ~ *of action*** weitgehende Handlungsfreiheit, c) *mst pl.* Privi'leg *n*, (Vor)Recht *n*, d) *b.s.* Ungehörigkeit *f*, Frechheit *f*; **2.** *hist. Brit.* Freibezirk *m* (*e-r Stadt*);

Besondere Redewendungen:

at* ~** a) in Freiheit, frei, b) berechtigt, c) unbenützt; ***be at* ~ *to do s.th. et. tun dürfen; ***you are at* ~ *to go*** es steht Ihnen frei zu gehen, Sie können gehen; ***set at* ~** in Freiheit setzen, freilassen; ***take the* ~ *to do*** (*od.* ***of doing***) ***s.th.*** sich die Freiheit nehmen, et. zu tun; ***take liberties with*** a) sich Freiheiten gegen *j-n* herausnehmen, b) willkürlich mit *et.* umgehen.

li·bid·i·nous [lɪ'bɪdɪnəs] *adj.* □ lüstern, triebhaft, *psych.* libidi'nös, wollüstig; **li·bi·do** [lɪ'biːdəʊ] *s. psych.* Li'bido *f*.

Li·bra ['laɪbrə] *s. ast.* Waage *f*; **'Li·bran** [-rən] *s.* Waage(mensch *m*) *f*.

li·brar·i·an [laɪ'breərɪən] *s.* Bibliothe'kar (-in); **li'brar·i·an·ship** [-ʃɪp] *s.* **1.** Bibliothe'karsstelle *f*; **2.** Biblio'thekswissenschaft *f*.

li·brar·y ['laɪbrərɪ] *s.* **1.** Biblio'thek *f*: a) *öffentliche* Büche'rei, b) *private* Büchersammlung, c) Studierzimmer *n*, d) Buchreihe *f*; **2.** Schallplattensammlung *f*; **~ sci·ence** → ***librarianship*** 2.

li·bret·to [lɪ'bretəʊ] *s.* ♪ Li'bretto *n*, Text(buch *n*) *m*.

Lib·y·an ['lɪbɪən] **I** *adj.* libysch; **II** *s.* Libyer(in).

lice [laɪs] *pl. von* ***louse***.

li·cence ['laɪsəns] **I** *s.* **1.** Erlaubnis *f*, Genehmigung *f*; **2.** (*a.* ✝ *Export-*, *Herstellungs-*, *Patent-*, *Verkaufs*)Li'zenz *f*, Konzessi'on *f*, behördliche Genehmigung, *z.B.* Schankerlaubnis *f*; amtlicher Zulassungsschein, Zulassung *f*, (*Führer-*, *Jagd-*, *Waffen- etc.*)Schein *m*: **~ *dodger*** TV Schwarzseher *m*, *Radio*: Schwarzhörer *m*; **~ *fee*** Lizenz- *od.* Konzessionsgebühr *f*; **~ *holder*** Führerscheininhaber *m*; **~ *number*** *mot.* Kraftfahrzeug- *od.* Kfz-Nummer *f*; **~ *plate*** *mot.* amtliches *od.* polizeiliches

Kennzeichen, Nummernschild *n*; ~ ***to practise medicine*** (ärztliche) Approbation; **3.** Heiratserlaubnis *f*; **4.** (*künstlerische, dichterische*) Freiheit; **5.** Zügellosigkeit *f*; **II** *v/t.* **6.** → ***license*** I; **'li·cense** [-ns] **I** *v/t.* **1.** *j-m* e-e (behördliche) Genehmigung *od.* e-e Li'zenz *od.* e-e Konzessi'on erteilen; **2.** *et.* lizenzieren, konzessionieren, (amtlich) genehmigen *od.* zulassen; **3.** *Buch* zur Veröffentlichung *od. Theaterstück* zur Aufführung freigeben; **4.** *j-n* ermächtigen; **II** *s.* **5.** *Am.* → ***licence*** I; **'li·censed** [-st] *adj.* **1.** konzessioniert, lizenziert, amtlich zugelassen: ~ ***house*** (*od.* ***premises***) Lokal *n* mit Schankkonzession; **2.** Lizenz...: ~ ***construction*** Lizenzbau *m*; **3.** privilegiert; **licen·see** [ˌlaɪsən'siː] *s.* **1.** Li'zenznehmer(in); **2.** Konzessi'onsinhaber(in); **'li·cens·er** [-sə] *s.* Li'zenzgeber *m*, Konzessi'onserteiler *m*; **li·cen·ti·ate** [laɪ'senʃɪət] *s. univ.* **1.** Lizenti'at *m*; **2.** (*Grad*) Lizenti'at *n*.

li·cen·tious [laɪ'senʃəs] *adj.* □ unzüchtig, ausschweifend, lasterhaft.

li·chen ['laɪkən] *s.* ⚘, ⚕ Flechte *f*.

lich gate [lɪtʃ] *s. überdachtes* Friedhofstor.

lick [lɪk] **I** *v/t.* **1.** (be-, ab)lecken, lecken an (*dat.*): ~ ***off*** ablecken; ~ ***up*** auflekken; ~ ***one's lips*** sich die Lippen lekken; ~ ***s.o.'s boots*** *fig.* vor j-m kriechen; ~ ***into shape*** *fig.* in die richtige Form bringen, zurechtbiegen, -stutzen; → ***dust*** 1; **2.** F a) *j-n* ‚verdreschen', b) schlagen, besiegen, c) über'treffen, ‚schlagen': ***this ~s everything!***, d) *et.* ‚schaffen', fertigwerden mit *e-m Problem*: ***we have got it ~ed!***; **II** *v/i.* **3.** lecken (***at*** an *dat.*), *fig. a.* a) plätschern (*Welle*), b) züngeln (*Flamme*); **III** *s.* **4.** Lecken *n*: ***give s.th. a ~*** an et. lecken; ***a ~ and a promise*** e-e flüchtige Arbeit *etc.*, *bsd.* e-e ‚Katzenwäsche'; **5.** (*ein*) bißchen: ***a ~ of paint***; ***he didn't do a ~ of work*** *Am.* F er hat keinen Strich getan; **6.** F a) Schlag *m*, b) ‚Tempo' *n*: (***at***) ***full ~*** mit größter Geschwindigkeit; **7.** Salzlecke *f*.

ˌlick·e·ty-'split [ˌlɪkətɪ-] *adv. Am.* F wie der Blitz.

lick·ing ['lɪkɪŋ] *s.* **1.** Lecken *n*; **2.** F (Tracht *f*) Prügel *pl.*, Abreibung *f* (*a. fig. Niederlage*).

'lickˌspit·tle *s.* Speichellecker *m*.

lic·o·rice ['lɪkərɪs] → ***liquorice***.

lid [lɪd] *s.* **1.** Deckel *m* (*a.* F *Hut*): ***put the ~ on s.th.*** *Brit.* F a) e-r Sache die Krone aufsetzen, b) et. endgültig ‚erledigen'; ***clamp*** (*od.* ***put***) ***the ~ on s.th.*** *Am.* a) et. verbieten, b) scharf vorgehen gegen et., c) et. (*Nachricht etc.*) sperren; **2.** (Augen)Lid *n*.

li·do ['liːdəʊ] *s. Brit.* Frei- *od.* Strandbad *n*.

lie[1] [laɪ] **I** *s.* Lüge *f*, Schwindel *m*: ***tell a ~*** (*od.* ***lies***) lügen; → ***white lie***; ***give s.o. the ~*** j-n der Lüge bezichtigen; ***give the ~ to*** *et. od. j-n* Lügen strafen; ***he lived a ~*** sein Leben war e-e einzige Lüge; **II** *v/i.* lügen: ~ ***to s.o.*** a) j-n belügen, j-n anlügen, b) j-m vorlügen (***that*** daß).

lie[2] [laɪ] **I** *s.* **1.** Lage *f* (*a. fig.*): ***the ~ of the land*** *Brit. fig.* die Lage (der Dinge); **II** *v/i.* [*irr.*] **2.** *allg.* liegen: a) *im Bett, im Hinterhalt, in Trümmern etc.* liegen, b) *ausgebreitet, tot etc.* daliegen, c) begraben sein, ruhen, d) gelegen sein, sich befinden, e) lasten (***on*** auf *der Seele*, im *Magen etc.*), f) begründet liegen, bestehen (***in*** in *dat.*): ~ ***dying*** im Sterben liegen; ~ ***behind*** *fig.* a) hinter *j-m* liegen (*Erlebnis etc.*), b) dahinterstecken (*Motiv etc.*); ~ ***in s.o.'s way*** j-m zur Hand *od.* möglich sein, *a.* in j-s Fach schlagen; ***his talents do not ~ that way*** dazu hat er kein Talent; ~ ***on s.o.*** ⚖ j-m obliegen; ~ ***under a suspicion*** unter e-m Verdacht stehen; ~ ***under a sentence of death*** zum Tode verurteilt sein; ~ ***with s.o.*** *obs. od. bibl.* j-m beischlafen, mit j-m schlafen; ***as far as ~s with me*** soweit es in m-n Kräften steht; ***it ~s with you to do it*** es liegt an dir, es zu tun; **3.** sich (hin)legen: ~ ***on your back!*** leg dich auf den Rücken!; **4.** führen, verlaufen (*Straße etc.*); **5.** ⚖ zulässig sein (*Klage etc.*): ***appeal ~s to the Supreme Court*** Rechtsmittel können beim Obersten Gericht eingelegt werden;

Zssgn mit adv.:

lie| back *v/i.* sich zu'rücklegen; *fig.* die Hände in den Schoß legen; ~ **down** *v/i.* **1.** sich hinlegen; **2.** ~ ***under***, ***take lying down*** *Beleidigung etc.* widerspruchslos hinnehmen, sich *et.* gefallen lassen: ***we won't take that lying down!*** das lassen wir uns nicht (so einfach) bieten!; ~ **in** *v/i.* **1.** im Bett bleiben; **2.** im Wochenbett liegen; ~ **off** *v/i.* **1.** ⚓ vom Land *etc.* abhalten; **2.** *fig.* pausieren; ~ **low** *v/i.* sich versteckt halten; ~ **o·ver** *v/i.* liegenbleiben, aufgeschoben werden; ~ **to** *v/i.* ⚓ beiliegen; ~ **up** *v/i.* **1.** ruhen (*a. fig.*); **2.** das Bett *od.* das Zimmer hüten (müssen); **3.** außer Betrieb sein.

lied [liːd] *pl.* **lie·der** ['liːdə] (*Ger.*) *s.* ♪ (*deutsches* Kunst)Lied.

lie de·tec·tor *s.* 'Lügendeˌtektor *m*.

'lie-down *s.* F Schläfchen *n*.

lief [liːf] *adv. obs.* gern: ***~er than*** lieber als; ***I had*** (*od.* ***would***) ***as ~*** ... ich würde eher *sterben etc.*, ich *ginge etc.* ebensogern.

liege [liːdʒ] **I** *s.* **1.** *a.* ~ ***lord*** Leh(e)nsherr *m*; **2.** *a.* ***~man*** Leh(e)nsmann *m*; **II** *adj.* **3.** Leh(e)ns...

lien [lɪən] *s.* ⚖ (*on*) Pfandrecht *n* (*an dat.*), Zu'rückbehaltungsrecht *n* (*auf acc.*).

lieu [lju:] *s.*: ***in ~ of*** an Stelle von (*od. gen.*), anstatt (*gen.*); ***in ~*** (***of that***) statt dessen.

lieu·ten·an·cy [*Brit.* lef'tenənsɪ; ⚓ le't-; *Am.* lu:'t-] *s.* ⚔, ⚓ Leutnantsrang *m*.

lieu·ten·ant [*Brit.* lef'tenənt; ⚓ le't-; *Am.* lu:'t-] *s.* **1.** ⚔, ⚓ a) *allg.* Leutnant *m*, b) *Brit.* (*Am.* ***first ~***) Oberleutnant *m*, c) ⚓ (*Am. a.* ***~ senior grade***) Kapi'tänleutnant *m*: ***~ junior grade*** *Am.* Oberleutnant zur See; **2.** Statthalter *m*; **3.** *fig.* rechte Hand, ‚Adju'tant'; **~ colo·nel** *s.* ⚔ Oberst'leutnant *m*; **~ com·mand·er** *s.* ⚓ Kor'vettenkapi,tän *m*; **~ gen·er·al** *s.* ⚔ Gene'ralleutnant *m*; **~ gov·er·nor** *s.* 'Vizegouver,neur *m* (*im brit. Commonwealth od. e-s amer. Bundesstaates*).

life [laɪf] *pl.* **lives** [laɪvz] *s.* **1.** (*organisches*) Leben; → ***large*** 1; **2.** Leben *n*: a) Lebenserscheinungen *pl.*, b) Lebewesen *pl.*: ***there is no ~ on the moon***; ***plant ~*** Pflanzen(welt *f*) *pl.*; **3.** (Menschen)Leben *n*: ***they lost their lives*** sie kamen ums Leben; ***three lives were lost*** drei Menschenleben sind zu beklagen; ***~ and limb*** Leib u. Leben; **4.** Leben *n* (*e-s Einzelwesens*): ***it is a matter of ~ and death*** es geht um Leben oder Tod; ***early in ~*** in jungen Jahren, (schon) früh; **5.** Leben *n*, Lebenszeit *f*, *a.* ⚙ Lebensdauer *f*: ***all his ~*** sein ganzes Leben (lang); **6.** Leben(skraft *f*) *n*: ***there is still ~ in the old dog yet!*** *humor.* so alt u. klapprig bin ich (*od.* ist er) noch gar nicht!; **7.** a) Bestehen *n*, b) ⚖, ✝ Gültigkeitsdauer *f*, Laufzeit *f*: ***the ~ of a contract*** (***an insurance, patent***, *etc.*), c) *parl.* Legisla'turperi,ode *f*; **8.** Lebensweise *f*, -führung *f*, -wandel *m*; Leben *n*: ***lead an honest ~*** ein ehrbares Leben führen; ***lead the ~ of Riley*** F leben wie Gott in Frankreich; **9.** Leben *n*, Welt *f* (*menschliches Tun u. Treiben*): ***~ in Canada*** das Leben in Kanada; ***see ~*** das Leben kennenlernen *od.* genießen, die Welt sehen; **10.** Leben *n*, Lebhaftigkeit *f*, Lebendigkeit *f*: ***put ~ into s.th.*** e-e Sache beleben, Leben in et. bringen; ***he was the ~ and soul of*** er war die Seele *des Unternehmens etc.*, er brachte Leben in *die Party etc.*; **11.** Leben(sbeschreibung *f*) *n*, Biogra'phie *f*: ***the ~ of Churchill***; **12.** *Versicherungswesen*: Lebensversicherung(en *pl.*) *f*;

Besondere Redewendungen:

for ~ a) fürs (ganze) Leben, b) *bsd.* ⚖ *u. pol.* lebenslänglich, auf Lebenszeit, c) *a.* ***for one's ~, for dear ~*** ums (liebe) Leben *rennen etc.*; ***not for the ~ of me*** F nicht um alles in der Welt; ***not on your ~!*** nie(mals)!; ***never in my ~*** meiner Lebtag (noch) nicht; ***to the ~*** lebensecht, naturgetreu; ***bring to ~*** *fig.* lebendig werden lassen; ***bring s.o. back to ~*** j-n wiederbeleben *od.* ins Leben zurückrufen; ***come to ~*** *fig.* lebendig werden, *Person*: *a.* munter werden; ***seek s.o.'s ~*** j-m nach dem Leben trachten; ***save s.o.'s ~*** j-m das Leben retten, *fig. humor.* j-n ‚retten'; ***sell one's ~ dearly*** *fig.* sein Leben teuer verkaufen; ***such is ~*** so ist das Leben; ***take s.o.'s*** (***one's own***) ***~*** j-m (sich [selbst]) das Leben nehmen; ***this is the ~!*** F Mann, ist das ein Leben!

,**life|-and-'death** [-fən'd-] *adj. Kampf etc.* auf Leben u. Tod; **~ an·nu·i·ty** *s.* Leibrente *f*; **~ as·sur·ance** *s. Brit.* Lebensversicherung *f*; **'~·belt** *s.* Rettungsgürtel *m*; **'~·blood** *s.* Herzblut *n* (*a. fig.*); **'~·boat** *s.* ⚓ Rettungsboot *n*; **~ buoy** *s.* Rettungsboje *f*; **~ cy·cle** *s.* **1.** Lebenszyklus *m*; **2.** Lebensphase *f*; **~ ex·pect·an·cy** *s.* Lebenserwartung *f*; **~ force** *s.* Lebenskraft *f*, lebenspendende Kraft; **'~-,giv·ing** *adj.* lebenspendend, belebend; **'~·guard** *s.* **1.** ⚔ Leibgarde *f*; **2.** Rettungsschwimmer *m*, Bademeister *m*; **~ Guards** *s. pl.* ⚔ Leibgarde *f* (zu Pferde), 'Gardekavalle,rie *f*; **~ in·sur·ance** *s.* Lebensversicherung *f*; **~ in·ter·est** *s.* ⚖ lebenslänglicher Nießbrauch; **~ jack·et** *s.* Schwimmweste *f*.

life·less ['laɪflɪs] *adj.* □ leblos: a) tot, b) unbelebt, c) *fig.* matt, schwunglos, ‚lahm', ✝ lustlos (*Börse*).

'life|·like *adj.* lebenswahr, -echt, na'turgetreu; **'~·line** *s.* **1.** ⚓ Rettungsleine *f*; **2.** Si'gnalleine *f* (*für Taucher*); **3.** *fig.* a) Lebensader *f* (*Versorgungsweg*), b) lebenswichtige Sache, ‚Rettungsanker' *m*; **4.** Lebenslinie *f* (*in der Hand*); **'~·long** *adj.* lebenslänglich; **~ mem·ber** *s.* Mitglied *n* auf Lebenszeit; **~ of·fice** *s. Brit.* Lebensversicherungsgesellschaft *f*; **~ pre·serv·er** *s.* **1.** *Am.* ⚓ Schwimmweste *f*, Rettungsgürtel *m*; **2.** Totschläger *m* (*Waffe*).

lif·er ['laɪfə] *s. sl.* **1.** Lebenslängliche(r *m*) *f* (*Strafgefangene*[*r*]); **2.** → ***life sentence***; **3.** *Am.* Be'rufssol,dat *m*.

life| raft *s.* Rettungsfloß *n*; **'~-,sav·er** *s.* **1.** Lebensretter(in); **2.** → ***lifeguard*** 2; **3.** *fig.* a) ‚rettender Engel', b) *die* ‚Rettung' (*Sache*); **~ sen·tence** *s.* ⚖ lebenslängliche Freiheitsstrafe; **'~-size(d)** *adj.* lebensgroß, in Lebensgröße; **~ span** *s.* Leben(sspanne *f*, -zeit *f*) *n*; **~ style** *s.* Lebensstil *m*; **'~-sup,port sy·stem** *n* 🚀, ⚙ 'Lebenserhaltungssy,stem *n*; **~ ta·ble** *s.* 'Sterblichkeitsta,belle *f*; **'~·time I** *s.* Lebenszeit *f*, Leben *n*, *a.* ⚙ Lebensdauer *f*: ***the chance of a ~*** e-e einmalige Chance; **II** *adj.* le-

L

benslänglich, Lebens…; **~ vest** *s.* Rettungs-, Schwimmweste *f*; **ˌ~-ˈwork** *s.* Lebenswerk *n*.

lift [lɪft] **I** *s.* **1.** (Auf-, Hoch)Heben *n*; **2.** stolze *etc.* Kopfhaltung; **3.** ⚙ a) Hub(-höhe *f*) *m*, b) Hubkraft *f*; **4.** ✈ a) Auftrieb *m*, b) Luftbrücke *f*; **5.** *fig.* a) Hilfe *f*, b) (innerer) Auftrieb *m*: ***give s.o. a ~*** a) j-m helfen, b) j-m Auftrieb geben, j-n aufmuntern, c) j-n (im Auto) mitnehmen; **6.** a) *Brit.* Lift *m*, Aufzug *m*, Fahrstuhl *m*, b) (Ski-, Sessel)Lift *m*; **II** *v/t.* **7.** *a.* ***~ up*** (auf-, emˈpor-, hoch-)heben; *Augen, Stimme etc.* erheben: ***~ s.th. down*** et. herunterheben; ***not to ~ a finger*** keinen Finger rühren; **8.** *fig.* a) (*geistig od. sittlich*) heben, b) *aus der Armut etc.* emˈporheben, c) *a.* ***~ up*** (*innerlich*) erheben, aufmuntern; **9.** *Preise* erhöhen; **10.** *Kartoffeln* ausgraben, ernten; **11.** ‚mitgehen lassen', ‚klauen', stehlen (*a. fig. plagiieren*); **12.** *Gesicht etc.* liften, straffen: ***have one's face ~ed*** sich das Gesicht liften lassen; **13.** *Blockade, Verbot, Zensur etc.* aufheben; **III** *v/i.* **14.** sich heben (*a. Nebel*); sich (hoch)heben lassen: ***~ off*** ✈ abheben, starten; **ˈlift·er** [-tə] *s.* **1.** (*sport* Gewicht)Heber *m*; **2.** ⚙ a) Hebegerät *n*, b) Nocken *m*, c) Stößel *m*; **3.** ‚Langfinger' *m* (*Dieb*).

lift·ing [ˈlɪftɪŋ] *adj.* Hebe…, Hub…; **~ jack** *s.* ⚙ Hebewinde *f*, *mot.* Wagenheber *m*.

ˈlift-off *s.* **1.** Start *m* (*Rakete*); **2.** Abheben *n* (*Flugzeug*).

lig·a·ment [ˈlɪgəmənt] *s. anat.* Ligaˈment *n*, Band *n*.

lig·a·ture [ˈlɪgəˌtʃʊə] **I** *s.* **1.** Binde *f*, Band *n*; **2.** *typ. u.* ♪ Ligaˈtur *f*; **3.** ⚕ Abbindungsschnur *f*, Bindung *f*; **II** *v/t.* **4.** ver-, ⚕ abbinden.

light¹ [laɪt] **I** *s.* **1.** *allg.* Licht *n* (*Helligkeit, Schein, Beleuchtung, Lichtquelle, Lampe, Tageslicht, fig. Aspekt, Erleuchtung*): ***by the ~ of a candle*** beim Schein e-r Kerze, bei Kerzenlicht; ***bring*** (***come***) ***to ~*** *fig.* ans Licht *od.* an den Tag bringen (kommen); ***cast*** (*od.* ***shed, throw***) ***a ~ on s.th.*** *fig.* Licht auf et. werfen; ***place*** (*od.* ***put***) ***in a favo***(***u***)***rable ~*** *fig.* in ein günstiges Licht stellen *od.* rücken; ***see the ~*** *eccl.* erleuchtet werden; ***see the ~*** (***of day***) *fig.* bekannt *od.* veröffentlicht werden; ***I see the ~!*** mir geht ein Licht auf!; (***seen***) ***in the ~ of these facts*** im Lichte *od.* angesichts dieser Tatsachen; ***show s.th. in a different ~*** et. in e-m anderen Licht erscheinen lassen; ***hide one's ~ under a bushel*** *fig.* sein Licht unter den Scheffel stellen; ***let there be ~!*** *Bibl.* es werde Licht; ***he went out like a ~*** F er war sofort ‚weg' (*eingeschlafen*); **2.** Licht *n*: a) Lampe *f*, *a. pl.* Beleuchtung *f* (*beide a. mot. etc.*): ***~s out*** ⚔ Zapfenstreich *m*; ***~s out!*** Lichter aus!, b) (Verkehrs)Ampel *f*; → ***green light, red*** 1; **3.** ⚓ a) Leuchtfeuer *n*, b) Leuchtturm *m*; **4.** Feuer *n* (*zum Anzünden*), *a.* Streichholz *n*: ***put a ~ to s.th.*** et. anzünden; ***strike a ~*** ein Streichholz anzünden; ***will you give me a ~?*** darf ich Sie um Feuer bitten?; **5.** *fig.* Leuchte *f* (*Person*): ***a shining ~*** e-e Leuchte, ein großes Licht; **6.** Lichtöffnung *f*, *bsd.* Fenster *n*, Oberlicht *n*; **7.** *paint.* a) Licht *n*, heller Teil (*e-s Gemäldes*); **8.** *fig.* Verstand *m*, geistige Fähigkeiten *pl.*: ***according to his ~s*** so gut er es eben versteht; **9.** *pl. sl.* Augen *pl.*; **II** *adj.* **10.** hell: ***~-red*** hellrot; **III** *v/t.* [*irr.*] **11.** *a.* ***~ up*** anzünden; **12.** *oft* ***~ up*** beleuchten, erhellen (*a. das Gesicht*); ***~ up*** *Augen etc.* aufleuchten lassen; **13.** *j-m* leuchten; **IV** *v/i.* [*irr.*] **14.** *a.* ***~ up*** sich entzünden, angehen (*Feuer, Licht*); **15.** *mst* ***~ up*** *fig.* sich erhellen, strahlen (*Gesicht*), aufleuchten (*Augen etc.*); **16.** ***~ up*** a) die Pfeife *etc.* anzünden, sich e-e Zigarette anstecken, b) Licht machen.

light² [laɪt] **I** *adj.* □ → ***lightly***; **1.** *allg.* leicht (*z. B. Last; Kleidung; Mahlzeit, Wein, Zigarre;* ⚔ *Infanterie,* ⚓ *Kreuzer etc.; Hand, Schritt, Schlaf; Regen, Wind; Arbeit, Fehler, Strafe; Charakter; Musik, Roman*): ***~ of foot*** leichtfüßig; ***a ~ girl*** ein ‚leichtes' Mädchen; ***~ current*** ϟ Schwachstrom *m*; ***~ metal*** Leichtmetall *n*; ***~ literature*** (*od.* ***reading***) Unterhaltungsliteratur *f*; ***~ railway*** Kleinbahn *f*; ***~ in the head*** benommen; ***~ on one's feet*** leichtfüßig; ***with a ~ heart*** leichten Herzens; ***no ~ matter*** keine Kleinigkeit; ***make ~ of*** a) *et.* auf die leichte Schulter nehmen, b) bagatellisieren; **2.** zu leicht: ***~ weights*** Untergewichte; **3.** locker (*Brot, Erde, Schnee*); **4.** sorglos, unbeschwert, heiter; **5.** a) leicht beladen, b) unbeladen; **II** *adv.* **6.** leicht: ***travel ~*** mit leichtem Gepäck reisen.

light³ [laɪt] *v/i.* [*irr.*] **1.** fallen (***on*** auf *acc.*); **2.** sich niederlassen (***on*** auf *dat.*) (*Vogel etc.*); **3.** ***~*** (***up***)***on*** *fig.* (zufällig) stoßen auf (*acc.*); **4.** ***~ out*** *sl.* ‚verduften'; **5.** ***~ into*** F herfallen über *j-n*.

light bar·ri·er *s.* ϟ Lichtschranke *f*.

light·en¹ [ˈlaɪtn] **I** *v/i.* **1.** hell werden, sich erhellen; **2.** blitzen; **II** *v/t.* **3.** erhellen.

light·en² [ˈlaɪtn] **I** *v/t.* **1.** leichter machen, erleichtern (*beide a. fig.*); **2.** *Schiff* (ab)leichtern; **3.** aufheitern; **II** *v/i.* **4.** leichter werden (*a. fig. Herz etc.*).

light·er¹ [ˈlaɪtə] *s.* Anzünder *m* (*a. Gerät*); (Taschen)Feuerzeug *n*.

light·er² [ˈlaɪtə] *s.* ⚓ Leichter(schiff *n*)

L

m, Prahm *m*; ˈ**light·er·age** [-ərɪdʒ] *s.* Leichtergeld *n.*
ˌ**light·er-than-ˈair** *adj.*: ~ ***craft*** Luftfahrzeug *n* leichter als Luft.
ˈ**light|-ˌfin·gered** *adj.* **1.** geschickt; **2.** langfingerig, diebisch; ˈ~-ˌ**foot·ed** *adj.* leicht-, schnellfüßig; ˌ~-ˈ**head·ed** *adj.* **1.** leichtsinnig, -fertig; **2.** ˈübermütig, ausgelassen; **3.** a) wirr, leicht verrückt, b) schwind(e)lig; ˌ~-ˈ**heart·ed** *adj.* □ fröhlich, heiter, unbeschwert; ~ **heav·y·weight** *s. sport* Halbschwergewicht (-ler *m*) *n*; ˈ~·**house** *s.* Leuchtturm *m.*
light·ing [ˈlaɪtɪŋ] *s.* **1.** Beleuchtung *f*; ~ ***effects*** Lichteffekte; ~ ***point*** ϟ Brennstelle *f*; **2.** Anzünden *n*; ˌ~-ˈ**up time** *s.* Zeit *f* des Einschaltens der Straßenbeleuchtung *od.* (*mot.*) der Scheinwerfer.
light·ly [ˈlaɪtlɪ] *adv.* **1.** *allg.* leicht: ~ ***come*** ~ ***go*** wie gewonnen, so zerronnen; **2.** gelassen, leicht; **3.** leichtfertig; **4.** leichthin; **5.** geringschätzig.
light·ness [ˈlaɪtnɪs] *s.* **1.** Leichtheit *f*, Leichtigkeit *f* (*a. fig.*); **2.** Leichtverdaulichkeit *f*; **3.** Milde *f*; **4.** Behendigkeit *f*; **5.** Heiterkeit *f*; **6.** Leichtfertigkeit *f*, Leichtsinn *m*, Oberflächlichkeit *f.*
light·ning [ˈlaɪtnɪŋ] **I** *s.* Blitz *m*: ***struck by*** ~ vom Blitz getroffen; ***like*** (***greased***) ~ *fig.* wie der *od.* ein geölter Blitz; **II** *adj.* blitzschnell, Schnell…: ~ ***artist*** Schnellzeichner *m*; ***with*** ~ ***speed*** mit Blitzesschnelle; ~ **ar·rest·er** *s.* ϟ Blitzschutzsicherung *f*; ~ **bug** *s. Am.* Leuchtkäfer *m*; ~ **con·duc·tor**, ~ **rod** *s.* Blitzableiter *m*; ~ **strike** *s.* Blitzstreik *m.*
light| oil *s.* ⚙ Leichtöl *n*; ~ **pen** *s. Computer*: Lichtgriffel *m.*
lights [laɪts] *s. pl.* (Tier)Lunge *f.*
ˈ**light|·ship** *s.* ⚓ Feuer-, Leuchtschiff *n*; ~ **source** *s.* ϟ, *phys.* Lichtquelle *f*; ˈ~·**weight** **I** *adj.* leicht; **II** *s. sport* Leichtgewicht(ler *m*) *n*; F *fig.* a) ‚kein großes Licht', b) unbedeutender Mensch; ˈ~-**year** *s. ast.* Lichtjahr *n.*
lig·ne·ous [ˈlɪgnɪəs] *adj.* holzig, holzartig, Holz…; ˈ**lig·ni·fy** [-nɪfaɪ] **I** *v/t.* in Holz verwandeln; **II** *v/i.* verholzen; ˈ**lig·nin** [-nɪn] *s.* ⚗ Liˈgnin *n*, Holzstoff *m*; ˈ**lig·nite** [-naɪt] *s.* Braunkohle *f*, *bsd.* Liˈgnit *m.*
lik·a·ble [ˈlaɪkəbl] *adj.* liebenswert, symˈpathisch, nett.
like¹ [laɪk] **I** *adj. u. prp.* **1.** gleich (*dat.*), wie (*a. adv.*): ***a man*** ~ ***you*** ein Mann wie du; ~ ***a man*** wie ein Mann; ***what is he*** ~***?*** a) wie sieht er aus?, b) wie ist er?; ***he is*** ~ ***that*** er ist nun mal so; ***he is just*** ~ ***his brother*** er ist genau (so) wie sein Bruder; ***that's just*** ~ ***him!*** das sieht ihm ähnlich!; ***that's just*** ~ ***a woman!*** typisch Frau!; ***what does it look*** ~***?*** wie sieht es aus?; ***it looks*** ~ ***rain*** es sieht nach Regen aus; ***feel*** ~ (***doing***) ***s.th.*** zu et. aufgelegt sein, Lust haben, et. zu tun, et. gern tun wollen; ***a fool*** ~ ***that*** ein derartiger *od.* so ein Dummkopf; ***a thing*** ~ ***that*** so etwas; ***I saw one*** ~ ***it*** ich sah ein ähnliches (*Auto etc.*); ***there is nothing*** ~ es geht nichts über (*acc.*); ***it is nothing*** ~ ***as bad as that*** es ist bei weitem nicht so schlimm; ***something*** ~ ***100 tons*** so etwa 100 Tonnen; ***this is something*** ~***!*** F das läßt sich hören!; ***that's more*** ~ ***it!*** das läßt sich (schon) eher hören!; ~ ***master,*** ~ ***man*** wie der Herr, so's Gescherr; **2.** gleich: ***a*** ~ ***amount*** ein gleicher Betrag; ***in*** ~ ***manner*** a) auf gleiche Weise, b) gleichermaßen; **3.** ähnlich: ***the portrait is not*** ~ das Porträt ist nicht ähnlich; ***as*** ~ ***as two eggs*** ähnlich wie ein Ei dem anderen; **4.** ähnlich, gleich-, derartig: ***… and other*** ~ ***problems*** … und andere derartige Probleme; **5.** F *od. obs.* (*a. adv.*) wahrˈscheinlich: ***he is*** ~ ***to pass his exam*** er wird sein Examen wahrscheinlich bestehen; ~ ***enough***, ***as*** ~ ***as not*** höchstwahrscheinlich; **6.** *sl.* ‚oder so': ***let's go to the cinema*** ~; **II** *cj.* **7.** *sl.* (*fälschlich für* ***as***) wie: ~ ***I said***; ~ ***who?*** wie wer, zum Beispiel?; **8.** *dial.* als ob; **III** *s.* **9.** *der* (*die*, *das*) Gleiche: ***his*** ~ seinesgleichen; ***the*** ~ der-, desgleichen; ***and the*** ~ und dergleichen; ***the*** ~(***s***) ***of*** so etwas wie, solche wie; ***the*** ~(***s***) ***of that*** so etwas, etwas derartiges; ***the*** ~***s of you*** F Leute wie Sie.
like² [laɪk] **I** *v/t.* (gern) mögen: a) gern haben, (gut) leiden können, lieben, b) gern essen, trinken *etc.*: ~ ***doing*** (*od.* ***to do***) gern tun; ***much*** ~***d*** sehr beliebt; ***I*** ~ ***it*** es gefällt mir; ***I*** ~ ***him*** ich hab' ihn gern, ich mag ihn (gern), ich kann ihn gut leiden; ***I*** ~ ***fast cars*** mir gefallen *od.* ich habe Spaß an schnellen Autos; ***how do you*** ~ ***it?*** wie gefällt es dir?, wie findest du es?; ***we*** ~ ***it here*** es gefällt uns hier; ***I*** ~ ***that!*** *iro.* so was hab' ich gern!; ***what do you*** ~ ***better?*** was hast du lieber?, was gefällt dir besser?; ***I should*** ~ ***to know*** ich möchte gerne wissen; ***I should*** ~ ***you to be here*** ich hätte gern, daß du hier wär(e)st; ~ ***it or not*** ob du willst oder nicht; ~ ***it or lump it!*** F wenn du nicht willst, dann laß es eben bleiben!; ***I*** ~ ***steak, but it doesn't*** ~ ***me*** *humor.* ich esse Beefsteak gern, aber es bekommt mir nicht; **II** *v/i.* wollen: (***just***) ***as you*** ~ (ganz) wie du willst; ***if you*** ~ wenn du willst; **III** *s.* Neigung *f*, Vorliebe *f*: ~***s and dislikes*** Neigungen u. Abneigungen.
-like [laɪk] *in Zssgn* wie, …artig, …ähnlich, …mäßig.
like·a·ble → ***likable.***

like·li·hood ['laɪklɪhʊd] *s.* Wahr'scheinlichkeit *f*: ***in all ~*** aller Wahrscheinlichkeit nach; ***there is a strong ~ of his succeeding*** es ist sehr wahrscheinlich, daß es ihm gelingt; **like·ly** ['laɪklɪ] **I** *adj.* **1.** wahr'scheinlich, vor'aussichtlich: ***not ~*** schwerlich, kaum; ***it is not ~*** (***that***) ***he will come, he is not ~ to come*** es ist nicht wahrscheinlich, daß er kommen wird; ***which is his most ~ route?*** welchen Weg wird er voraussichtlich *od.* am ehesten einschlagen?; ***this is not ~ to happen*** das wird wahrscheinlich nicht *od.* wohl kaum geschehen; ***not ~!*** *iro.* wohl kaum!; **2.** glaubhaft: ***a ~ story!*** *iro.* wer's glaubt, wird selig!; **3.** a) möglich, b) geeignet, in Frage kommend, c) aussichtsreich, d) vielversprechend: ***a ~ candidate***; ***a ~ explanation*** e-e mögliche Erklärung; ***a ~ place*** ein möglicher Ort (*wo sich et. befindet etc.*); **II** *adv.* **4.** wahr'scheinlich: ***as ~ as not, very ~*** höchstwahrscheinlich.

ˌ**like-'mind·ed** *adj.* gleichgesinnt: ***be ~ with s.o.*** mit j-m übereinstimmen.

lik·en ['laɪkən] *v/t.* vergleichen (***to*** mit).

like·ness ['laɪknɪs] *s.* **1.** Ähnlichkeit *f* (***to*** mit); **2.** Gleichheit *f*; **3.** Gestalt *f*, Form *f*; **4.** Bild *n*, Por'trät *n*: ***to have one's ~ taken*** sich malen *od.* fotografieren lassen; **5.** Abbild *n* (***of*** *gen.*).

'**like·wise** *adv. u. cj.* eben-, gleichfalls, des'gleichen, ebenso.

lik·ing ['laɪkɪŋ] *s.* **1.** Zuneigung *f*: ***have*** (***take***) ***a ~ for*** (*od.* ***to***) ***s.o.*** zu j-m eine Zuneigung haben (fassen), an j-m Gefallen haben (finden); **2.** (***for***) Gefallen *n* (an *dat.*), Neigung *f* (zu), Geschmack *m* (an *dat.*): ***be greatly to s.o.'s ~*** j-m sehr zusagen; ***this is not to my ~*** das ist nicht nach meinem Geschmack; ***it's too big for my ~*** es ist mir (einfach) zu groß.

li·lac ['laɪlək] **I** *s.* **1.** ⚘ Spanischer Flieder; **2.** Lila *n* (*Farbe*); **II** *adj.* **3.** lila (-farben).

Lil·li·pu·tian [ˌlɪlɪ'pju:ʃjən] **I** *adj.* **1.** a) winzig, zwergenhaft, b) Liliput..., Klein(st)...; **II** *s.* **2.** Lilipu'taner(in); **3.** Zwerg *m*.

lilt [lɪlt] **I** *s.* **1.** fröhliches Lied; **2.** rhythmischer Schwung; **3.** a) singender Tonfall, b) fröhlicher Klang: ***a ~ in her voice***; **II** *v/t. u. v/i.* **4.** trällern.

lil·y [lɪlɪ] *s.* ⚘ Lilie *f*: ***~ of the valley*** Maiglöckchen *n*; ***paint the ~*** *fig.* schönfärben; ˌ**~-'liv·ered** *adj.* feig(e).

limb [lɪm] *s.* **1.** *anat.* Glied *n*, *pl.* Glieder *pl.*, Gliedmaßen *pl.*; **2.** Ast *m*: ***out on a ~*** F in e-r gefährlichen Lage; **3.** *fig.* a) Glied *n*, Teil *m*, b) Arm *m*, c) *ling.* (Satz)Glied *n*, d) ⚖ Absatz *m*; **4.** F ‚Satansbraten' *m*.

lim·ber¹ ['lɪmbə] **I** *adj.* geschmeidig (*a. fig.*), gelenkig; **II** *v/t. u. v/i.* ***~ up*** (sich) geschmeidig machen, (sich) lockern, *v/i. a.* Lockerungsübungen machen, sich warm machen *od.* spielen.

lim·ber² [lɪmbə] **I** *s.* ⚔ Protze *f*; **II** *v/t. u. v/i. mst* ***~ up*** ⚔ aufprotzen.

lim·bo ['lɪmbəʊ] *s.* **1.** *eccl.* Vorhölle *f*; **2.** Gefängnis *n*; **3.** *fig.* a) ‚Rumpelkammer' *f*, b) Vergessenheit *f*, c) Schwebe (-zustand *m*) *f*: ***be in a ~*** ‚in der Luft hängen' (*Person od. Sache*).

lime¹ [laɪm] **I** *s.* **1.** ⚗ Kalk *m*; **2.** ⚘ Kalkdünger *m*; **3.** Vogelleim *m*; **II** *v/t.* **4.** kalken, mit Kalk düngen.

lime² [laɪm] *s.* ⚘ Linde *f*.

lime³ [laɪm] *s.* ⚘ Li'mone *f*, Limo'nelle *f*.

'**lime|·kiln** *s.* Kalkofen *m*; '**~·light** *s.* **1.** ⚙ Kalklicht *n*; **2.** *fig.* (***be in the ~*** im) Rampenlicht *n od.* (im) Licht *n* der Öffentlichkeit *od.* (im) Mittelpunkt *m* des (öffentlichen) Inter'esses (stehen).

li·men ['laɪmen] *s. psych.* (Bewußtseins- *od.* Reiz)Schwelle *f*.

lime pit *s.* **1.** Kalkbruch *m*; **2.** Kalkgrube *f*; **3.** *Gerberei*: Äscher *m*.

Lim·er·ick ['lɪmərɪk] *s.* Limerick *m* (*5-zeiliger Nonsensvers*).

'**lime|·stone** *s. min.* Kalkstein *m*; **~ tree** *s.* ⚘ Linde(nbaum *m*) *f*.

lim·ey ['laɪmɪ] *s. Am. sl.* ‚Tommy' *m* (*Brite*).

lim·it ['lɪmɪt] **I** *s.* **1.** *bsd. fig.* a) Grenze *f*, Schranke *f*, b) Begrenzung *f*, Beschränkung *f* (***on*** *gen.*): ***within ~s*** in Grenzen, bis zu e-m gewissen Grade; ***without ~*** ohne Grenzen, grenzen-, schrankenlos; ***there is a ~ to everything*** alles hat seine Grenzen; ***there is no ~ to his ambition*** sein Ehrgeiz kennt keine Grenzen; ***off ~s*** *Am.* Zutritt verboten (***to*** für); ***that's my ~!*** a) mehr schaffe ich nicht!, b) höher kann ich nicht gehen!; ***that's the ~!*** F das ist (doch) die Höhe!; ***he is the ~!*** F er ist unglaublich *od.* unmöglich!; ***go to the ~*** F bis zum Äußersten gehen, *sport* über die Runden kommen; → ***speed limit***; **2.** ⩚, ⚙ Grenze *f*, Grenzwert *m*; **3.** zeitliche Begrenzung, Frist *f*: ***extreme ~*** ✝ äußerster Termin; **4.** ✝ a) Höchstbetrag *m*, b) Limit *n*, Preisgrenze *f*: ***lowest ~*** äußerster *od.* letzter Preis; **II** *v/t.* **5.** begrenzen, beschränken, einschränken (***to*** auf *acc.*); *Preise* limitieren: ***~ o.s. to*** sich beschränken auf (*acc.*); **lim·i·ta·tion** [ˌlɪmɪ'teɪʃn] *s.* **1.** *fig.* Grenze *f*: ***know one's ~s*** s-e Grenzen kennen; **2.** Begrenzung *f*, Ein-, Beschränkung *f*; **3.** (***statutory period of***) ***~*** ⚖ Verjährung(sfrist) *f*: ***be barred by the statute of ~*** verjähren *od.* verjährt sein; '**lim·it·ed** [-tɪd] **I** *adj.* beschränkt, begrenzt (***to*** auf *acc.*): ***~*** (***express***) ***train*** → II; ***~ in time*** zeitlich begrenzt; ***~*** (***liability***) ***company*** ✝ *Brit.* Aktiengesellschaft *f*; ***~ monarchy*** konstitutionelle Monar-

L

chie; ~ ***partner*** ✝ Kommanditist(in); ~ ***partnership*** ✝ Kommanditgesellschaft; **II** *s.* Schnellzug *m od.* Bus *m* mit Platzkarten; **'lim·it·less** [-lɪs] *adj.* grenzenlos.

lim·net·ic [lɪm'netɪk] *adj.* Süßwasser...

lim·ou·sine ['lɪmu:zi:n] *s. mot.* **1.** *Brit.* Wagen *m* mit Glastrennscheibe; **2.** *Am.* Kleinbus *m.*

limp¹ [lɪmp] *adj.* □ **1.** schlaff, schlapp (*a. fig. kraftlos, schwach*): ***go*** ~ erschlaffen, *Person*: *a.* ‚abschlaffen'; **2.** biegsam, weich: ~ ***book cover***.

limp² [lɪmp] **I** *v/i.* **1.** hinken (*a. fig. Vers etc.*), humpeln; **2.** sich schleppen (*a. Schiff etc.*); **II** *s.* **3.** Hinken *n*: ***walk with a*** ~ → 1.

lim·pet ['lɪmpɪt] *zo.* Napfschnecke *f*: ***like a*** ~ *fig.* wie e-e Klette; ~ **mine** *s.* ⚔ Haftmine *f.*

lim·pid ['lɪmpɪd] *adj.* □ 'durchsichtig, klar (*a. fig. Stil etc.*), hell, rein; **lim·pid·i·ty** [lɪm'pɪdətɪ], **'lim·pid·ness** [-nɪs] *s.* 'Durchsichtigkeit *f*, Klarheit *f.*

limp·ness ['lɪmpnɪs] *s.* Schlaff-, Schlappheit *f.*

lim·y ['laɪmɪ] *adj.* **1.** Kalk..., kalkig: a) kalkhaltig, b) kalkartig; **2.** gekalkt.

lin·age ['laɪnɪdʒ] *s.* **1.** → ***alignment***; **2.** a) Zeilenzahl *f*, b) 'Zeilenhonoˌrar *n.*

linch·pin ['lɪntʃpɪn] *s.* ⚙ Lünse *f*, Vorstecker *m*, Achsnagel *m.*

lin·den ['lɪndən] *s.* ♀ Linde *f.*

line¹ [laɪn] **I** *s.* **1.** Linie *f*, Strich *m*; **2.** a) (*Hand- etc.*)Linie *f*: ~ ***of fate*** Schicksalslinie, b) Falte *f*, Runzel *f*, c) Zug *m* (*im Gesicht*); **3.** Zeile *f*: ***drop s.o. a*** ~ j-m ein paar Zeilen schreiben; ***read between the*** ~***s*** zwischen den Zeilen lesen; **4.** *TV* (Bild)Zeile *f*; **5.** a) Vers *m*, b) *pl. Brit. ped.* Strafarbeit *f*, c) *thea. etc.* Rolle *f*, Text *m*; **6.** *pl.* F Trauschein *m*; **7.** F a) Informati'on *f*, Hinweis *m*: ***get a*** ~ ***on*** e-e Information erhalten über (*acc.*); **8.** *Am.* F a) ‚Platte' *f* (*Geschwätz*), b) ‚Tour' *f*, ‚Masche' *f* (*Trick*); **9.** Linie *f*, Richtung *f*: ~ ***of attack*** Angriffsrichtung, *fig.* Taktik *f*; ~ ***of fire*** ⚔ Schußlinie *f*; ~ ***of sight*** a) Blickrichtung *f*, b) *a.* ~ ***of vision*** Gesichtslinie, -achse *f*; ***he said s.th. along these*** ~***s*** er sagte etwas in dieser Richtung; → ***resistance*** 1; **10.** *pl. fig.* Grundsätze *pl.*, Richtlinie(n *pl.*) *f*, Grundzüge *pl.*: ***along these*** ~***s*** a) nach diesen Grundsätzen, b) folgendermaßen; ***along general*** ~***s*** ganz allgemein, in großen Zügen; **11.** Art *f* (u. Weise), Me'thode *f*: ~ ***of approach*** Art, et. anzupacken, Methode *f*; ~ ***of argument*** (Art der) Argumentation *f*; ~ ***of reasoning*** Denkmethode *f*, -weise *f*; ***take a strong*** ~ energisch auftreten *od.* werden (***with s.o.*** j-m gegenüber); ***take the*** ~ ***that*** den Standpunkt vertreten, daß; ***don't take that*** ~ ***with me!*** komm mir ja nicht so! → ***hard line*** 1; **12.** Grenze *f*, Grenzlinie *f*: ***draw the*** ~ (***at***) *fig.* die Grenze ziehen (bei); ***I draw the*** ~ ***at that!*** da hört es bei mir auf; ***lay*** (*od.* ***put***) ***on the*** ~ *fig. sein Leben, s-n Ruf etc.* aufs Spiel setzen; ***be on the*** ~ auf dem Spiel stehen; ***I'll lay it on the*** ~ ***for you!*** F das kann ich Ihnen genau sagen!; **13.** *pl.* a) Linien(führung *f*) *pl.*, Kon'turen *pl.*, Form *f*, b) Riß *m*, Entwurf *m*; **14.** a) Reihe *f*, Kette *f*, b) *bsd. Am.* (Menschen-, *a.* Auto)Schlange *f*: ***stand in*** ~ (***for***) anstehen *od.* Schlange stehen (nach); ***drive in*** ~ *mot.* Kolonne fahren; ***be in*** ~ ***for*** *fig.* Aussichten haben auf (*acc.*) *od.* Anwärter sein für; **15.** Übereinstimmung *f*: ***be in*** (***out of***) ~ (nicht) übereinstimmen *od.* im Einklang sein (***with*** mit); ***bring*** (*od.* ***get***) ***into*** ~ a) in Einklang bringen (***with*** mit), b) *j-n* ‚auf Vordermann' bringen, c) *pol.* gleichschalten; ***fall into*** ~ sich einordnen, *fig.* sich anschließen (***with*** *j-m*); ***toe the*** ~ ‚spuren', sich der (*Partei- etc.*)Disziplin beugen; ***in*** ~ ***of duty*** *bsd.* ⚔ in Ausübung des Dienstes; **16.** a) (Abstammungs)Linie *f*, b) Fa'milie *f*, Geschlecht *n*: ***the male*** ~ die männliche Linie; ***in the direct*** ~ in direkter Linie; **17.** *pl.* Los *n*, Geschick *n*: ***hard*** ~***s*** F Pech *n*; **18.** Fach *n*, Gebiet *n*, Sparte *f*: ~ (***of business***) Branche *f*, Geschäftszweig *m*; ***that's not in my*** ~ das schlägt nicht in mein Fach, das liegt mir nicht; ***that's more in my*** ~ das liegt mir schon eher; **19.** (*Verkehrs-, Eisenbahn- etc.*)Linie *f*, Strecke *f*, Route *f*, *engS.* Gleis *n*: ***ship of the*** ~ Linienschiff *n*; ~***s of communications*** ⚔ rückwärtige Verbindungen; ***he was at the end of the*** ~ *fig.* er war am Ende; ***that's the end of the*** ~***!*** *fig.* Endstation!; **20.** (*Eisenbahn-, Luftverkehrs-, Autobus*)Gesellschaft *f*; **21.** a) ϟ, ⚙ Leitung *f*, *bsd.* Tele'fon- *od.* Tele'grafenleitung *f*: ***the*** ~ ***is engaged*** (*Am.* ***busy***) die Leitung ist besetzt; ***hold the*** ~***!*** bleiben Sie am Apparat!; ***three*** ~***s*** 3 Anschlüsse; → ***hot line***; **22.** ⚙ (Fertigungs)Straße *f*; **23.** ✝ a) Sorte *f*, Warengattung *f*, b) Posten *m*, Par'tie *f*, c) Ar'tikel(ˌserie *f*) *m od. pl.*; **24.** ⚔ a) Linie *f*: ***behind the enemy's*** ~***s*** hinter den feindlichen Linien; ~ ***of battle*** vorderste Linie, Kampflinie, b) Front *f*: ***go up the*** ~ an die Front gehen; ***all along the*** ~, (***all***) ***down the*** ~ *fig.* auf der ganzen Linie, voll (u. ganz); ***go down the*** ~ ***for*** *Am.* F sich voll einsetzen für, c) Linie *f* (*Formation beim Antreten*), d) Fronttruppe *f*: ***the*** ~***s*** die Linienregimenter; **25.** *geogr.* Längen- *od.* Breitenkreis *m*: ***the*** 𝔏 der Äquator; **26.** ⚓ Linie *f*: ~ ***abreast*** Dwarslinie; ~ ***ahead***

Kiellinie; **27.** (Wäsche)Leine *f*, (starke) Schnur, Seil *n*, Tau *n*; **28.** *teleph.* a) Draht *m*, b) Kabel *n*; **29.** Angelschnur *f*; **II** *v/i.* **30.** → ***line up*** 1, 2; **III** *v/t.* **31.** linieren; **32.** zeichnen, skizzieren; **33.** *Gesicht* (durch)'furchen; **34.** *Straße etc.* säumen: ***soldiers ~d the street*** Soldaten bildeten an der Straße Spalier; **~ in** *v/t.* einzeichnen; **~ off** *v/t.* abgrenzen; **~ through** *v/t.* 'durchstreichen; **~ up I** *v/i.* **1.** sich in e-r Linie *od.* Reihe aufstellen; **2.** Schlange stehen; **3.** *fig.* sich zs.-schließen; **II** *v/t.* **4.** in Linie *od.* in e-r Reihe aufstellen; **5.** aufstellen; **6.** *fig.* F *et.* ‚auf die Beine stellen', organisieren, arrangieren.

line² [laɪn] *v/t.* **1.** *Kleid etc.* füttern; **2.** ⚙ ausfüttern, -gießen, -kleiden, -schlagen, (innen) über'ziehen: **~ *one's* (*own*) *pockets*** in die eigene Tasche arbeiten, sich bereichern.

lin·e·age ['lɪnɪɪdʒ] *s.* **1.** (geradlinige) Abstammung; **2.** Stammbaum *m*; **3.** Geschlecht *n*, Fa'milie *f*.

lin·e·al ['lɪnɪəl] *adj.* □ geradlinig, in di'rekter Linie, di'rekt (*Abstammung, Nachkomme*).

lin·e·a·ment ['lɪnɪəmənt] *s.* (Gesichts-, *fig.* Cha'rakter)Zug *m*.

lin·e·ar ['lɪnɪə] *adj.* □ **1.** Linien..., geradlinig, *bsd.* ⚒, ⚙, *phys.* line'ar (*Gleichung, Elektrode, Perspektive etc.*), Linear...; **2.** Längen...(*-ausdehnung, -maß etc.*); **3.** Linien..., Strich..., strichförmig.

line| block *s.* → ***line etching***; **~ drawing** *s.* Strichzeichnung *f*; **~ etch·ing** *s.* *Kunst*: Strichätzung *f*; '**~·man** [-mən] *s.* [*irr.*] *Am.* **1.** 🚂 Streckenarbeiter *m*; **2.** → ***linesman*** 1.

lin·en ['lɪnɪn] **I** *s.* **1.** Leinen *n*, Leinwand *f*, Linnen *n*; **2.** (Bett-, 'Unter- *etc.*)Wäsche *f*: ***wash one's dirty ~ in public*** *fig.* s-e schmutzige Wäsche vor allen Leuten waschen; **II** *adj.* **3.** leinen, Leinen...: **~ *closet*** (*od.* ***cupboard***) Wäscheschrank *m*.

lin·er¹ ['laɪnə] *s.* **1.** ⚙ Futter *n*, Buchse *f*; **2.** Einsatz(stück *n*) *m*.

lin·er² ['laɪnə] *s.* **1.** ⚓ Linienschiff *n*; **2.** → ***air liner***.

lines·man ['laɪnzmən] *s.* [*irr.*] **1.** ⚡ (Fernmelde)Techniker *m*, *engS.* Störungssucher *m*; **2.** 🚂 Streckenwärter *m*; **3.** *sport* Linienrichter *m*.

'**line-up** *s.* **1.** *sport* (Mannschafts)Aufstellung *f*, Aufgebot *n*; **2.** Gruppierung *f*; **3.** *Am.* ‚Schlange' *f*.

lin·ger ['lɪŋgə] *v/i.* **1.** (*a. fig.*) (noch) verweilen, (zu'rück)bleiben (*beide a. Gefühl, Geschmack, Erinnerung etc.*), sich aufhalten; *fig. a.* nachklingen (*Töne, Gefühl etc.*): **~ *on*** *fig.* (noch) fortleben *od.* -bestehen (*Brauch etc.*); **~ *on a subject*** bei e-m Thema verweilen; **2.** a) zögern, b) trödeln; **3.** da'hinsiechen (*Kranker*); **4.** sich hinziehen *od.* -schleppen.

lin·ge·rie ['lǣːnʒəriː] (*Fr.*) *s.* ('Damen-)ˌUnterwäsche *f*.

lin·ger·ing ['lɪŋgərɪŋ] *adj.* □ **1.** a) verweilend, b) langsam, zögernd; **2.** (zu'rück)bleibend, nachklingend (*Ton, Gefühl etc.*); **3.** schleppend; **4.** schleichend (*Krankheit*); **5.** lang: a) sehnsüchtig, b) innig, c) prüfend: ***a ~ look***.

lin·go ['lɪŋgəʊ] *pl.* **-goes** [-gəʊz] *s.* Kauderwelsch *n*, *engS. a.* ('Fach)JarˌGon *m*.

lin·gua fran·ca [ˌlɪŋgwə'fræŋkə] *s.* Verkehrssprache *f*.

lin·gual ['lɪŋgwəl] **I** *adj.* Zungen...; **II** *s.* Zungenlaut *m*.

lin·guist ['lɪŋgwɪst] *s.* **1.** Sprachforscher (-in), Lingu'ist(in); **2.** Fremdsprachler (-in), Sprachkundige(r *m*) *f*: ***he is a good ~*** er ist sehr sprachbegabt; **lin·guis·tic** [lɪŋ'gwɪstɪk] *adj.* (□ **~*ally***) **1.** sprachwissenschaftlich, lingu'istisch; **2.** Sprach(en)...; **lin·guis·tics** [lɪŋ'gwɪstɪks] *s. pl.* (*mst sg. konstr.*) Sprachwissenschaft *f*, Lingu'istik *f*.

lin·i·ment ['lɪnɪmənt] *s.* ⚕ Einreibemittel *n*.

lin·ing ['laɪnɪŋ] *s.* **1.** Futter(stoff *m*) *n*, (Aus)Fütterung *f* (*von Kleidern etc.*); **2.** ⚙ Futter *n*, Ver-, Auskleidung *f*; Ausmauerung *f*; (*Brems- etc.*)Belag *m*; → ***silver lining***.

link [lɪŋk] **I** *s.* **1.** (Ketten)Glied *n*; **2.** *fig.* a) Glied *n* (*in e-r Kette von Ereignissen etc.*), b) Bindeglied *n*; → ***missing*** 1; **3.** *freundschaftliche etc.* Bande *pl.*; **4.** Verbindung *f*, -knüpfung *f*, Zs.-hang *m* (***between*** zwischen); **5.** Man'schettenknopf *m*; **6.** ⚙ Glied *n* (*a.* ⚡), Verbindungsstück *n*, Gelenk *n*; **7.** *tel.* a) Streckenabschnitt *m*, b) Über'tragungsweg *m*; **8.** *TV* a) Verbindungsstrecke *f*, b) → ***linkup*** 3; **9.** *surv.* Meßkettenglied *n*; **10.** → ***links***; **II** *v/t.* **11.** *a.* **~ *up*** *od.* ***together*** (***with***) a) verbinden, -knüpfen (mit): **~ *arms*** (***with***) sich einhaken (bei *j-m*), b) mitein'ander in Verbindung *od.* Zs.-hang bringen, c) anein'anderkoppeln: ***be ~ed*** (***with***) zs.-hängen *od.* in Zs.-hang stehen (mit); **~*ed*** ⚗ gekoppelt (*a. biol. Gene*); **III** *v/i.* **12.** (***with***) a) sich verbinden (lassen) (mit), b) verknüpft sein (mit).

link·age ['lɪŋkɪdʒ] *s.* **1.** Verkettung *f*, *Computer*: *a.* Pro'grammverbindung *f*; **2.** ⚙ Gestänge *n*, Gelenkviereck *n*; **3.** ⚗, *biol.* Koppelung *f*, (*a. phys. Atom- etc.*)Bindung *f*.

links [lɪŋks] *s. pl.* **1.** *bsd. Scot.* Dünen *pl.*; **2.** (*a. sg. konstr.*) Golfplatz *m*.

'**link·up** *s.* **1.** → ***link*** 4; **2.** (Anein'ander-)Koppeln *n*; **3.** *Radio, TV*: Zs.-schaltung *f*.

linn [lɪn] *s. bsd. Scot.* **1.** Teich *m*; **2.**

Wasserfall *m*.

lin·net ['lɪnɪt] *s. orn.* Hänfling *m*.

li·no ['laɪnəʊ] *abbr. für* ***linoleum***; **li·no·cut** ['laɪnəʊkʌt] *s.* Lin'olschnitt *m*.

li·no·le·um [lɪ'nəʊljəm] *s.* Lin'oleum *n*.

lin·o·type ['laɪnəʊtaɪp] *s. typ.* **1.** *a.* ☊ Linotype *f* (*Markenname für e-e Zeilensetz- u. -gießmaschine*); **2.** ('Setzma͵schinen)Zeile *f*.

lin·seed ['lɪnsi:d] *s.* ⚘ Leinsamen *m*; ~ **cake** *s.* Leinkuchen *m*; ~ **oil** *s.* Leinöl *n*.

lint [lɪnt] **I** *s.* **1.** ⚕ Schar'pie *f*, Zupflinnen *n*; **2.** *Am.* Fussel *f*; **II** *v/i.* **3.** *Am.* Fusseln bilden, fusseln.

lin·tel ['lɪntl] *s.* △ (Tür-, Fenster)Sturz *m*.

li·on ['laɪən] *s.* **1.** *zo.* Löwe *m* (*a. fig. Held*; *a. ast.* ☊): ***the ~'s share*** *fig.* der Löwenanteil; ***go into the ~'s den*** *fig.* sich in die Höhle des Löwen wagen; **2.** ‚Größe' *f*, Berühmtheit *f* (*Person*); **3.** *pl.* Sehenswürdigkeiten *pl.* (*e-s Ortes*); '**li·on·ess** [-nes] *s.* Löwin *f*; '**li·on-͵heart·ed** *adj.* furchtlos, mutig; **li·on·ize** ['laɪənaɪz] *v/t. j-n* feiern, zum Helden des Tages machen.

lip [lɪp] *s.* **1.** Lippe *f*: ***hang on s.o.'s ~s*** an j-s Lippen hängen; ***keep a stiff upper ~*** Haltung bewahren; ***lick*** (*od.* ***smack***) ***one's ~s*** sich die Lippen lekken; → ***bite*** 7; **2.** F Unverschämtheit *f*: ***none of your ~!*** keine Frechheiten!; **3.** Rand *m* (*Wunde*, *Schale*, *Krater etc.*); **4.** Tülle *f*, Schnauze *f* (*Krug etc.*).

'**lip**|**-read** *v/t. u. v/i.* [*irr.* → ***read***] von den Lippen ablesen; '**~-͵read·ing** *s.* Lippenlesen *n*; **~ ser·vice** *s.* Lippendienst *m*: ***pay ~ to*** ein Lippenbekenntnis ablegen zu *e-r Idee etc.*; '**~·stick** *s.* Lippenstift *m*.

li·quate ['laɪkweɪt] *v/t. metall.* (aus)seigern.

liq·ue·fa·cient [͵lɪkwɪ'feɪʃnt] **I** *s.* Verflüssigungsmittel *n*; **II** *adj.* verflüssigend; ͵**liq·ue'fac·tion** [-'fækʃn] *s.* Verflüssigung *f*; **liq·ue·fi·a·ble** ['lɪkwɪfaɪəbl] *adj.* schmelzbar; **liq·ue·fy** ['lɪkwɪfaɪ] *v/t. u. v/i.* (sich) verflüssigen; schmelzen; **li·ques·cent** [lɪ'kwesnt] *adj.* sich (leicht) verflüssigend, schmelzend.

li·queur [lɪ'kjʊə] *s.* Li'kör *m*.

liq·uid ['lɪkwɪd] **I** *adj.* □ **1.** flüssig; Flüssigkeits…: ***~ measure*** Flüssigkeitsmaß *n*; ***~ crystal*** Flüssigkristall *m*; ***~ crystal display*** Flüssigkristallanzeige *f*; **2.** a) klar, hell u. glänzend, b) feucht (schimmernd): ***~ eyes***; ***~ sky***; **3.** perlend, wohltönend; **4.** *ling.* li'quid, fließend: ***~ sound*** → 7; **5.** ✝ li'quid, flüssig: ***~ assets***; **II** *s.* **6.** Flüssigkeit *f*; **7.** *Phonetik*: Liquida *f*, Fließlaut *m*.

liq·ui·date ['lɪkwɪdeɪt] *v/t.* **1.** a) *Schulden etc.* tilgen, b) *Schuldbetrag* feststellen; **2.** *Konten* abrechnen, saldieren; **3.** ✝ *Unternehmen* liquidieren; **4.** ✝ *Wertpapier* flüssigmachen, realisieren; **5.** *j-n* liquidieren (*umbringen*); **liq·ui·da·tion** [͵lɪkwɪ'deɪʃn] *s.* **1.** ✝ a) Liquidati'on *f*, Abwicklung *f* (*Unternehmen*): ***go into ~*** in Liquidation treten, b) Tilgung *f* (*von Schulden*), c) Abrechnung *f*, d) Realisierung *f*; **2.** *fig.* Liquidierung *f*, Beseitigung *f*; '**liq·ui·da·tor** [-tə] *s.* ✝ Liqui'dator *m*, Abwickler *m*.

li·quid·i·ty [lɪ'kwɪdətɪ] *s.* **1.** flüssiger Zustand; **2.** ✝ Liquidi'tät *f*, (Geld)Flüssigkeit *f*.

liq·uor ['lɪkə] **I** *s.* **1.** alko'holisches Getränk, *coll.* Spiritu'osen *pl.*, Alkohol *m* (*bsd. Branntwein u. Whisky*): ***in ~, the worse for ~*** betrunken; **2.** Flüssigkeit *f*; *pharm.* Arz'neilösung *f*; **3.** ⚙ a) Lauge *f*, b) Flotte *f* (*Färbebad*); **II** *v/i.* **4.** *mst* ***~ up*** *sl.* ‚einen heben'; **III** *v/t.* **5.** ***get ~ed up*** sich ‚vollaufen' lassen; **~ cab·i·net** *s.* Hausbar *f*.

liq·uo·rice ['lɪkərɪs] *s.* La'kritze *f*.

lisp [lɪsp] **I** *v/i.* **1.** (*a. v/t. et.*) lispeln, mit der Zunge anstoßen; **2.** stammeln; **II** *s.* **3.** Lispeln *n*, Anstoßen *n* (mit der Zunge).

lis·some, *a.* **lis·som** ['lɪsəm] *adj.* **1.** geschmeidig; **2.** wendig, a'gil.

list[1] [lɪst] **I** *s.* Liste *f*, Verzeichnis *n*: ***on the ~*** auf der Liste; ***~ price*** ✝ Listenpreis *m*; **II** *v/t.* a) verzeichnen, aufführen, erfassen, katalogisieren; in e-e Liste eintragen, b) aufzählen: ***~ed*** *Am.* ✝ amtlich notiert, börsenfähig (*Wertpapier*).

list[2] [lɪst] *s.* **1.** Saum *m*, Rand *m*; **2.** *Weberei*: Salband *n*, Webekante *f*; **3.** (Sal)Leiste *f*; **4.** *pl. hist.* a) Schranken *pl.* (*e-s Turnierplatzes*), b) Kampfplatz *m* (*a. fig.*): ***enter the ~s*** *fig.* in die Schranken treten, zum Kampf antreten.

list[3] [lɪst] ⚓ **I** *s.* Schlagseite *f*; **II** *v/i.* Schlagseite haben.

lis·ten ['lɪsn] *v/i.* **1.** horchen, hören, lauschen (***to*** auf *acc.*): ***~ to*** a) *j-m* zuhören, *j-n* anhören, b) auf *j-n od. j-s Rat* hören, *j-m* Gehör schenken, c) *e-m Rat etc.* folgen: ***~!*** hör mal (zu)!; ***~ for*** auf *et. od. j-n* horchen (*warten*); → ***reason*** 1; **2.** ***~ in*** a) Radio hören, b) (*am Telefon etc.*) mithören *od.* mit anhören (***on s.th.*** et.): ***~ in to*** *et.* im Radio hören; '**lis·ten·er** [-nə] *s.* **1.** Horcher(in), Lauscher(in); **2.** Zuhörer(in); **3.** *Radio*: Hörer(in).

lis·ten·ing post ['lɪsnɪŋ] *s.* ⚔ **1.** Horchposten *m* (*a. fig.*); **2.** Abhörstelle *f*.

list·less ['lɪstlɪs] *adj.* □ lustlos, teilnahmslos, matt, a'pathisch.

lists [lɪsts] → ***list***[2] 4.

lit [lɪt] **I** *pret. u. p.p.* von ***light***[1] *u.* ***light***[3]; **II** *adj. mst* ***~ up*** *sl.* ‚blau' (*betrunken*).

lit·a·ny ['lɪtənɪ] *s. eccl. u. fig.* Lita'nei *f*.

li·ter ['li:tə] *Am.* → ***litre.***
lit·er·a·cy ['lɪtərəsɪ] *s.* **1.** Fähigkeit *f* zu lesen u. zu schreiben; **2.** (lite'rarische) Bildung, Belesenheit *f*; **'lit·er·al** [-rəl] **I** *adj.* □ **1.** wörtlich, wortgetreu: ***~ translation***; **2.** wörtlich, buchstäblich, eigentlich: ***~ sense***; **3.** nüchtern, wahrheitsgetreu: ***~ account***; ***the ~ truth*** die reine Wahrheit; **4.** *fig.* buchstäblich: ***~ annihilation***; ***a ~ disaster*** e-e wahre *od.* echte Katastrophe; **5.** pe'dantisch, pro'saisch (*Person*); **6.** Buchstaben…, Schreib…: ***~ error*** → 7; **II** *s.* **7.** Schreib- *od.* Druckfehler *m*; **'lit·er·al·ism** [-əlɪzəm], **'lit·er·al·ness** [-rəlnɪs] *s.* **1.** Festhalten *n* am Buchstaben, *bsd.* strenge *od.* allzu wörtliche Über'setzung *od.* Auslegung, Buchstabenglaube *m*; **2.** *Kunst*: Rea'lismus *m.*
lit·er·ar·y ['lɪtərərɪ] *adj.* □ **1.** lite'rarisch, Literatur…: ***~ historian*** Literaturhistoriker(in); ***~ history*** Literaturgeschichte *f*; ***~ language*** Schriftsprache *f*; **2.** schriftstellerisch: ***a ~ man*** ein Literat; ***~ property*** geistiges Eigentum; **3.** lite'rarisch gebildet; **4.** gewählt: ***a ~ expression***; **lit·er·ate** ['lɪtərət] **I** *adj.* **1.** des Lesens u. Schreibens kundig; **2.** (lite'rarisch) gebildet; **3.** lite'rarisch; **II** *s.* **4.** j-d, der Lesen u. Schreiben kann; **5.** Gebildete(r *m*) *f*; **lit·e·ra·ti** [ˌlɪtə'rɑ:ti:] *s. pl.* **1.** Lite'raten *pl.*; **2.** *die* Gelehrten *pl.*; **lit·e·ra·tim** [ˌlɪtə'rɑ:tɪm] (*Lat.*) *adv.* buchstäblich, (wort)wörtlich; **lit·er·a·ture** ['lɪtərətʃə] *s.* **1.** Litera'tur *f*, Schrifttum *n*; **2.** Schriftstelle'rei *f*; **3.** Druckschriften *pl.*, *bsd.* Pro'spekte *pl.*, 'Unterlagen *pl.*
lithe [laɪð] *adj.* □ geschmeidig; **'litheness** [-nɪs] *s.* Geschmeidigkeit *f.*
lith·o·chro·mat·ic [ˌlɪθəʊkrəʊ'mætɪk] *adj.* Farben-, Buntdruck…
lith·o·graph ['lɪθəʊgrɑ:f] **I** *s.* Lithogra'phie *f*, Steindruck *m* (*Erzeugnis*); **II** *v/t. u. v/i.* lithographieren; **li·thog·ra·pher** [lɪ'θɒgrəfə] *s.* Litho'graph *m*; **lith·o·graph·ic** [ˌlɪθəʊ'græfɪk] *adj.* (□ ***~ally***) litho'graphisch, Steindruck…; **li·thog·ra·phy** [lɪ'θɒgrəfɪ] *s.* Lithogra'phie *f*, Steindruck *m.*
Lith·u·a·ni·an [ˌlɪθju:'eɪnjən] **I** *s.* **1.** Litauer(in); **2.** *ling.* Litauisch *n*; **II** *adj.* **3.** litauisch.
lit·i·gant ['lɪtɪgənt] ⚖ **I** *s.* Pro'zeßführende(r *m*) *f*, (streitende) Par'tei; **II** *adj.* streitend, pro'zeßführend; **lit·i·gate** ['lɪtɪgeɪt] *v/i.* (*u. v/t.*) prozessieren (um), streiten (um); **lit·i·ga·tion** [ˌlɪtɪ'geɪʃn] *s.* Rechtsstreit *m*, Pro'zeß *m*; **li·ti·gious** [lɪ'tɪdʒəs] *adj.* □ **1.** ⚖ a) Prozeß…, b) strittig, streitig; **2.** pro'zeß-, streitsüchtig.
lit·mus ['lɪtməs] *s.* ⚗ Lackmus *n*; **'~ˌpa·per** *s.* 'Lackmuspaˌpier *n.*
li·tre ['li:tə] *s. Brit.* Liter *m, n.*
lit·ter ['lɪtə] **I** *s.* **1.** Sänfte *f*; **2.** Trage *f*; **3.** Streu *f*; **4.** her'umliegende Sachen *pl.*, *bsd.* (her'umliegendes) Pa'pier u. Abfälle *pl.*; **5.** Wust *m*, Unordnung *f*; **6.** *zo.* Wurf *m Ferkel etc.*; **II** *v/t.* **7.** *mst* ***~ down*** a) Streu legen für *Tiere*, b) *Stall, Boden* einstreuen, c) *Pflanzen* abdekken; **8.** a) verunreinigen, b) unordentlich verstreuen, her'umliegen lassen, c) *Zimmer* in Unordnung bringen, d) *oft* ***~ up*** (unordentlich) her'umliegen in (*dat.*) *od.* auf (*dat.*): ***be ~ed with*** übersät sein mit (*a. fig.*); **9.** *zo. Junge* werfen; **III** *v/i.* **10.** (Junge) werfen.
lit·tle ['lɪtl] **I** *adj.* **1.** klein: ***a ~ house*** ein kleines Haus, ein Häuschen; ***a ~ one*** ein Kleines (*Kind*); ***our ~ ones*** unsere Kleinen; ***the ~ people*** die Elfen; ***~ things*** Kleinigkeiten *pl.*; **2.** kurz (*Strecke od. Zeit*); **3.** wenig: ***~ hope***; ***a ~ honey*** ein wenig *od.* ein bißchen *od.* etwas Honig; **4.** klein, gering(fügig), unbedeutend: ***of ~ interest*** von geringem Interesse; **5.** klein(lich), beschränkt, engstirnig: ***~ minds*** Kleingeister *pl.*; **6.** gemein, erbärmlich; **7.** *iro.* klein: ***her poor ~ efforts***; ***his ~ ways*** s-e kleinen Eigenarten *od.* Schliche; **II** *adv.* **8.** wenig, kaum, nicht sehr: ***he ~ knows*** er ahnt ja nicht (***that*** daß); ***we see ~ of her*** wir sehen sie nur sehr selten; ***make ~ of*** *et.* bagatellisieren; ***think ~ of*** wenig halten von; **III** *s.* **9.** Kleinigkeit *f*, *das* Wenige, *ein* bißchen: ***a ~*** ein wenig, ein bißchen; ***not a ~*** nicht wenig; ***after a ~*** nach e-m Weilchen; ***for a ~*** für ein Weilchen; ***a ~ rash*** ein bißchen voreilig; ***~ by ~*** nach und nach; ***~ or nothing*** so gut wie nichts; ***what ~ I have seen*** das wenige, das ich gesehen habe; ***every ~ helps*** auch der kleinste Beitrag hilft; **'lit·tle·ness** [-nɪs] *s.* **1.** Kleinheit *f*; **2.** Geringfügigkeit *f*, Bedeutungslosigkeit *f*; **3.** Kleinlichkeit *f*; **4.** Beschränktheit *f.*
lit·to·ral ['lɪtərəl] **I** *adj.* a) Küsten…, b) Ufer…; **II** *s.* Küstenland *n*, -strich *m.*
li·tur·gic, **li·tur·gi·cal** [lɪ'tɜ:dʒɪk(l)] *adj.* □ li'turgisch; **lit·ur·gy** ['lɪtədʒɪ] *s. eccl.* Litur'gie *f.*
liv·a·ble ['lɪvəbl] *adj.* **1.** *a.* ***~-in*** wohnlich; **2.** *mst* ***~-with*** 'umgänglich (*Person*); **3.** erträglich.
live[1] [lɪv] **I** *v/i.* **1.** *allg.* leben: ***~ to a great age*** ein hohes Alter erreichen; ***~ to be eighty*** achtzig Jahre alt werden; ***~ to see*** *et.* erreichen; ***~ off*** leben von, sich ernähren von; *b.s.* auf *j-s* Kosten leben; ***~ on*** a) weiter-, fortleben, b) *a.* ***~ by*** leben *od.* sich ernähren von; ***~ through s.th.*** et. mit- *od.* durchmachen, et. miterleben; ***~ with*** a) *a. iro.* mit *der Atombombe etc.* leben, b) *bsd. sport* F mit *e-m Gegner etc.* mithalten; ***we ~ and learn!*** man lernt nie aus!; ***~***

and let ~ leben u. leben lassen; ***he will ~ to regret it!*** das wird er noch bereuen!; **2.** (über)ˈleben, am Leben bleiben: ***the patient will ~!***; **3.** leben, wohnen: ***~ in a town***; **4.** leben, ein *ehrliches etc.* Leben führen: ***~ well*** gut leben; ***~ to o.s.*** (ganz) für sich leben; **5.** leben, das Leben genießen: ***she wanted to ~*** sie wollte (et. er)leben; ***(then) you haven't ~d!*** *humor.* du weißt ja gar nicht, was du versäumt hast!; **II** *v/t.* **6.** *ein anständiges etc. Leben* führen *od.* leben: ***~ one's own life*** sein eigenes Leben leben; **7.** (vor)leben, im Leben verwirklichen: ***he ~d a lie*** sein Leben war e-e einzige Lüge;

Zssgn mit adv.:

live| down *v/t. et.* (durch tadellosen Lebenswandel) vergessen machen, sich reinwaschen *od.* rehabilitieren von: ***I will never live it down*** das wird man mir nie vergessen; **~ in** *v/i.* im Haus *od.* Heim *etc.* wohnen, nicht außerhalb wohnen; **~ out** *v/i.* außerhalb wohnen; **~ to·geth·er** *v/i.* zuˈsammen leben *od.* wohnen; **~ up I** *v/i.*: ***~ to*** *den Anforderungen, Erwartungen etc.* entsprechen, *a. s-m Ruf* gerecht werden; *sein Versprechen* halten; **II** *v/t.*: ***live it up*** ‚auf den Putz hauen', ‚toll leben'.

live² [laɪv] **I** *adj.* (*nur attr.*) **1.** leˈbendig: a) lebend: ***~ animals***, b) *fig.* lebhaft (*a. Debatte etc.*); rührig, tätig, eˈnergisch (*Person*); **2.** aktuˈell: ***a ~ question***; **3.** glühend (*Kohle etc.*) (*a. fig.*); ⚔ scharf (*Munition*); ungebraucht (*Streichholz*); ⚡ stromführend, geladen: ***~ wire*** *fig.* ‚Energiebündel' *n*; ***~ load*** ⚙ Nutzlast *f*; ***~ steam*** ⚙ Frischdampf *m*; **4.** *Radio, TV*: diˈrekt, live, Direkt…, Original…, Live-…: ***~ broadcast*** Live-Sendung *f*, Direktübertragung *f*; **5.** ⚙ a) Trieb…, b) angetrieben; **II** *adv.* **6.** *Radio, TV*: diˈrekt, live: ***the game will be broadcast ~***.

-lived [lɪvd] *in Zssgn* …lebig.

live·li·hood [ˈlaɪvlɪhʊd] *s.* ˈLebensˌunterhalt *m*, Auskommen *n*: ***earn*** (*od.* ***make***) ***a*** (*od.* ***one's***) ***~*** sein Brot *od.* s-n Lebensunterhalt verdienen.

live·li·ness [ˈlaɪvlɪnɪs] *s.* **1.** Lebhaftigkeit *f*; **2.** Leˈbendigkeit *f*.

live·long [ˈlɪvlɒŋ] *adj. poet.*: ***all the ~ day*** den lieben langen Tag.

live·ly [ˈlaɪvlɪ] *adj.* □ **1.** *allg.* lebhaft, leˈbendig (*Person, Geist, Gespräch, Rhythmus, Gefühl, Erinnerung, Farbe, Beschreibung etc.*): ***~ hope*** starke Hoffnung; **2.** kräftig, viˈtal; **3.** lebhaft, aufregend (*Zeit*): ***make it*** (*od.* ***things***) ***~ for*** *j-m* (tüchtig) einheizen; ***we had a ~ time*** es war ‚schwer was los'; **4.** flott (*Tempo*).

liv·en [ˈlaɪvn] *mst* ***~ up*** **I** *v/t.* beleben, Leben *od.* Schwung bringen in (*acc.*); **II** *v/i.* sich beleben, in Schwung kommen.

liv·er¹ [ˈlɪvə] *s. anat.* Leber *f*.

liv·er² [ˈlɪvə] *s.*: ***be a fast ~*** ein flottes Leben führen; ***be a good ~*** ‚gut leben'.

liv·er·ied [ˈlɪvərɪd] *adj.* livriert.

liv·er·ish [ˈlɪvərɪʃ] *adj.* F **1.** ***be ~*** es an der Leber haben; **2.** reizbar, mürrisch.

Liv·er·pud·li·an [ˌlɪvəˈpʌdlɪən] **I** *adj.* aus *od.* von Liverpool; **II** *s.* Liverpooler(in).

ˈliv·er·wort *s.* ♀ Leberblümchen *n*.

liv·er·y [ˈlɪvərɪ] *s.* **1.** Liˈvree *f*; **2.** (*bsd.* Amts- *od.* Gilden)Tracht *f*; *fig.* (*a. zo. Winter- etc.*)Kleid *n*; **3.** → ***livery company***; **4.** Pflege *f* u. ˈUnterbringung *f* (*von Pferden*) gegen Bezahlung: ***at ~*** in Futter *stehen etc.*; **5.** *Am.* → ***livery stable***; **6.** a) ˈÜbergabe *f*, Überˈtragung *f*, b) *Brit.* ˈÜbergabe *f* von vom Vormundschaftsgericht freigegebenem Eigentum; **~ com·pa·ny** *s.* (Handels-)Zunft *f* der ***City of London***; **ˈ~·man** [-mən] *s.* [*irr.*] Zunftmitglied *n*; **~ serv·ant** *s.* livrierter Diener; **~ sta·ble** *s.* Mietstall *m*.

lives [laɪvz] *pl. von* ***life***.

ˈlive·stock [ˈlaɪv-] *s.* Vieh(bestand *m*) *n*, lebendes Invenˈtar.

liv·id [ˈlɪvɪd] *adj.* □ **1.** bläulich; bleifarben, graublau; **2.** fahl, aschgrau, blaß (***with*** vor *dat.*); **3.** *Brit.* F ‚fuchsteufelswild'; **li·vid·i·ty** [lɪˈvɪdətɪ], **ˈliv·id·ness** [-nɪs] *s.* Fahlheit *f*, Blässe *f*.

liv·ing [ˈlɪvɪŋ] **I** *adj.* □ **1.** lebend (*a. Sprachen*), leˈbendig (*a. fig. Glaube, Gott etc.*): ***no man ~*** kein Sterblicher; ***not a ~ soul*** keine Menschenseele; ***while ~*** zu Lebzeiten; ***the greatest of ~ statesmen*** der größte lebende Staatsmann; ***~ death*** trostloses Dasein; ***within ~ memory*** seit Menschengedenken; **2.** glühend (*Kohle*); **3.** gewachsen (*Fels*); **4.** Lebens…: ***~ conditions***; **II** *s.* **5.** ***the ~*** die Lebenden; **6.** (das) Leben; **7.** Leben *n*, Lebensweise *f*, -führung *f*: ***good ~*** üppiges Leben; **8.** ˈLebensˌunterhalt *m*: ***make a ~*** s-n Lebensunterhalt verdienen (***as*** als, ***out of*** durch); **9.** Leben *n*, Wohnen *n*; **10.** *eccl. Brit.* Pfründe *f*; **~ room** [rʊm] *s.* Wohnzimmer *n*; **~ space** *s.* **1.** Wohnraum *m*, -fläche *f*; **2.** *pol.* Lebensraum *m*; **~ wage** *s.* ausreichender Lohn.

lix·iv·i·ate [lɪkˈsɪvɪeɪt] *v/t.* auslaugen.

liz·ard [ˈlɪzəd] *s.* **1.** *zo.* a) Eidechse *f*, b) Echse *f*; **2.** Eidechsenleder *n*.

'll [l; əl] F *für* ***will*** 1, 2, 4 *od.* ***shall***.

lla·ma [ˈlɑːmə] *s. zo.* Lama(wolle *f*) *n*.

lo [ləʊ] *int. obs.* siehe!, seht!: ***~ and behold!*** *oft humor.* sieh(e) da!

loach [ləʊtʃ] *s. ichth.* Schmerle *f*.

load [ləʊd] **I** *s.* **1.** Last *f* (*a. phys.*); **2.** *fig.* Last *f*, Bürde *f*: ***take a ~ off s.o.'s mind*** j-m e-e Last von der Seele neh-

L

men; ***that takes a ~ off my mind!*** da fällt mir ein Stein vom Herzen!; **3.** Ladung *f* (*a. e-r Schußwaffe*; *a. Am. sl. Menge Alkohol*), Fracht *f*, Fuhre *f*: ***a bus~ of tourists*** ein Bus voll(er) Touristen; ***have a ~ on*** *Am. sl.* ‚schwer geladen' haben; ***get a ~ of this!*** F hör mal gut zu!; ***~s of*** F e-e Unmasse *od.* massenhaft *od.* jede Menge *Geld*, *Fehler etc.*; **4.** *fig.* Belastung *f*: (***work***) ~ (Arbeits)Pensum *n*; **5.** ⚙, ⚡ a) Last *f*, (Arbeits)Belastung *f*, b) Leistung *f*: ~ ***capacity*** a) Ladefähigkeit *f*, b) Tragfähigkeit *f*, c) ⚡ Belastbarkeit *f*; **II** *v/t.* **6.** beladen; **7.** *Güter*, *Schußwaffe etc.* laden; aufladen: ***~ the camera*** *phot.* e-n Film einlegen; **8.** *fig. j-n* über'häufen (***with*** mit *Arbeit*, *Geschenken*, *Vorwürfen etc.*): ***he's ~ed*** *sl.* a) er hat Geld wie Heu, b) er hat ‚schwer geladen' *od.* ist ‚blau'; **9.** *den Magen* über'laden; **10.** beschweren: ***~ dice*** Würfel präparieren: ***~ the dice*** *fig.* die Karten zinken; ***the dice are ~ed against him*** *fig.* er hat kaum e-e Chance; ***~ed question*** Fangfrage *f*; **11.** *Wein* verfälschen; **III** *v/i.* **12.** *a.* ***~ up*** (auf-, ein)laden.

load·er ['ləʊdə] *s.* **1.** (Ver)Lader *m*; **2.** Verladevorrichtung *f*; **3.** *hunt.* Lader *m*; **4.** ⚔ Ladeschütze *m*.

load·ing ['ləʊdɪŋ] *s.* **1.** (Be-, Auf)Laden *n*; **2.** a) Laden *n* (*e-r Schußwaffe*), b) Einlegen *n* e-s Films (*in die Kamera*); **3.** Ladung *f*, Fracht *f*; **4.** ⚙, ⚡, ✈ Belastung *f*; **5.** *Versicherung*: Verwaltungskostenanteil *m* (*der Prämie*); **~ bridge** *s.* Verlade-, ✈ Fluggastbrücke *f*; **~ coil** *s.* ⚡ Belastungsspule *f*.

load| line *s.* ⚓ Lade(wasser)linie *f*; **'~·star** → ***lodestar***; **'~·stone** → ***lodestone***.

loaf[1] [ləʊf] *pl.* **loaves** [ləʊvz] *s.* **1.** Laib *m* (*Brot*), *weitS.* Brot *n*: ***half a ~ is better than no bread*** (etwas ist) besser als gar nichts; **2.** Zuckerhut *m*: ***~ sugar*** Hutzucker *m*; **3.** *a.* ***meat ~*** Hackbraten *m*; **4.** *Brit. sl.* ‚Birne' *f*: ***use your ~*** denk mal ein bißchen (nach)!

loaf[2] [ləʊf] **I** *v/i. a.* ***~ about*** (*od.* ***around***) her'umlungern, bummeln; faulenzen; **II** *v/t.* ***~ away*** *Zeit* verbummeln; **'loaf·er** [-fə] *s.* **1.** Faulenzer *m*, Nichtstuer *m*; Her'umtreiber(in); **2.** *Am.* Mokas'sin *m* (*Schuh*).

loam [ləʊm] *s.* Lehm(boden) *m*; **'loam·y** [-mɪ] *adj.* lehmig, Lehm…

loan [ləʊn] **I** *s.* **1.** (Ver)Leihen *n*, Ausleihung *f*: ***as a ~, on ~*** leihweise; ***it's on ~, it's a ~*** es ist geliehen; ***ask for the ~ of s.th.*** et. leihweise erbitten; ***put out to ~*** verleihen; **2.** Anleihe *f* (*a. fig.*): ***take up a ~ on*** e-e Anleihe aufnehmen auf *e-e Sache*; ***government ~*** Staatsanleihe; **3.** Darlehen *n*, Kre'dit *m*: ***~ on securities*** Lombarddarlehen; ***bankrate for ~s*** Lombardsatz *m*; **4.** Leihgabe *f* (*für e-e Ausstellung*); **II** *v/t. u. v/i.* **5.** (ver-, aus)leihen (***to*** *dat.*); **~ bank** *s.* Darlehensbank *f*; **~ of·fice** *s.* Darlehenskasse *f*; **~ shark** *s.* F ‚Kre'dithai' *m*; **~ trans·la·tion** *s. ling.* 'Lehnüber,setzung *f*; **~ word** *s. ling.* Lehnwort *n*.

loath [ləʊθ] *adj.* (*nur pred.*) abgeneigt, nicht willens: ***be ~ to do s.th.*** et. nur sehr ungern tun; ***nothing ~*** durchaus nicht abgeneigt.

loathe [ləʊð] *v/t. et. od. j-n* verabscheuen, hassen, nicht ausstehen können; **'loath·ing** [-ðɪŋ] *s.* Abscheu *m*, Ekel *m*; **'loath·ing·ly** [-ðɪŋlɪ] *adv.* mit Abscheu *od.* Ekel; **'loath·some** [-səm] *adj.* ☐ widerlich, ab'scheulich, verhaßt; ekelhaft, eklig.

loaves [ləʊvz] *pl. von* ***loaf***[1].

lob [lɒb] **I** *s.* **1.** *Tennis*: Lob *m*; **II** *v/t.* **2.** *den Ball* lobben; **3.** (*engS. et.* von unten her) werfen.

lob·by ['lɒbɪ] **I** *s.* **1.** a) Vor-, Eingangshalle *f*, Vesti'bül *n*, *bsd. thea.*, *Hotel*: Foy'er *n*, b) Wandelgang *m*, -halle *f*, Korridor *m*, *parl. a.* Lobby *f*; **2.** *pol.* Lobby *f*, (Vertreter *pl.* e-r) Inter'essengruppe *f*; **II** *v/t. u. v/i.* **3.** (auf Abgeordnete) Einfluß nehmen: ***~ for*** (mit Hilfe e-r Lobby) für die Annahme *e-s Antrags etc.* arbeiten; ***~ (through)*** *Gesetzesantrag* mit Hilfe e-r Lobby durchbringen; **'lob·by·ist** [-ɪɪst] *s. pol.* Lobby'ist(in).

lobe [ləʊb] *s.* ⚘, *anat.* Lappen *m*: ***~ of the ear*** Ohrläppchen *n*; **lobed** [-bd] *adj.* gelappt, lappig.

lob·ster ['lɒbstə] *s. zo.* **1.** Hummer *m*: ***as red as a ~*** *fig.* krebsrot; **2.** (***spiny***) ~ Languste *f*.

lob·ule ['lɒbju:l] *s.* ⚘, *anat.* Läppchen *n*.

lo·cal ['ləʊkl] **I** *adj.* ☐ **1.** lo'kal, örtlich, Lokal…, Orts…: ***~ authorities*** *pl.*, ***~ government*** Gemeinde-, Stadt-, Kommunalverwaltung *f*; ***~ call*** *teleph.* Ortsgespräch *n*; ***~ news*** Lokalnachrichten *pl.*; ***~ politics*** Lokalpolitik *f*; ***~ time*** Ortszeit *f*; ***~ traffic*** Lokal-, Orts-, Nahverkehr *m*; ***~ train*** → 5; **2.** Orts…, ortsansässig: a) hiesig, b) dortig: ***the ~ doctor***; **3.** lo'kal, örtlich, Lokal…: ***~ an(a)esthesia*** → 10; ***~ colo(u)r*** *fig.* Lokalkolorit *n*; ***a ~ custom*** ein ortsüblicher Brauch; ***~ expression*** ortsgebundener Ausdruck; **4.** *Brit.* (*als Postvermerk*) Ortsdienst!; **II** *s.* **5.** Vororts-, Nahverkehrszug *m*; **6.** *Am. Zeitung*: Lo'kalnachricht *f*; **7.** *Am.* Ortsgruppe *f* (*e-r Gewerkschaft etc.*); **8.** *pl.* Ortsansässige *pl.*; **9.** *Brit.* F Ortsgasthaus *n*, *a.* Stammkneipe *f*; **10.** ⚕ Lo'kalanästhe,sie *f*, örtliche Betäubung.

lo·cale [ləʊ'kɑ:l] *s.* Schauplatz *m*, Ort *m* (*e-s Ereignisses etc.*).

L

lo·cal·ism ['ləʊkəlɪzəm] *s.* Provinzia'lismus *m*: a) *ling.* örtliche (Sprach)Eigentümlichkeit, b) provinzi'elle Borniertheit, c) Lo'kalpatrioˌtismus *m*.

lo·cal·i·ty [ləʊ'kælətɪ] *s.* **1.** a) Ort *m*: ***sense of ~*** Ortssinn *m*, b) Gegend *f*; **2.** (örtliche) Lage.

lo·cal·i·za·tion [ˌləʊkəlaɪ'zeɪʃn] *s.* Lokalisierung *f*, örtliche Bestimmung *od.* Festlegung *od.* Begrenzung; **lo·cal·ize** ['ləʊkəlaɪz] *v/t.* **1.** lokalisieren: a) örtlich festlegen *od.* fixieren, b) (örtlich) begrenzen (***to*** auf *acc.*); **2.** Lo'kalkoloˌrit geben (*dat.*).

lo·cate [ləʊ'keɪt] **I** *v/t.* **1.** ausfindig machen, die örtliche Lage *od.* den Aufenthalt ermitteln von (*od. gen.*); **2.** a) ⚓ *etc.* orten, b) ⚔ *Ziel etc.* ausmachen; **3.** *Büro etc.* errichten, einrichten; **4.** a) (*an e-m bestimmten Ort*) an- *od.* 'unterbringen, b) *an e-n Ort* verlegen: ***be ~d*** gelegen sein, *wo* liegen *od.* sich befinden; **II** *v/i.* **5.** *Am.* F sich niederlassen; **lo'ca·tion** [-eɪʃn] *s.* **1.** Lage *f*: a) Platz *m*, Stelle *f*, b) Standort *m*, Ort *m*, Örtlichkeit *f*; **2.** Ausfindigmachen *n*, Lokalisierung *f*, ⚓ *etc.* Ortung *f*; **3.** *Am.* a) Grundstück *n*, b) angewiesenes Land; **4.** *Film*: Gelände *n* für Außenaufnahmen, Drehort *m*: ***on ~*** auf Außenaufnahme; ***~ shots*** Außenaufnahmen *pl.*; **5.** Niederlassung *f*, Siedlung *f*: **6.** *Computer*: 'Speicherstelle *f*, -aˌdresse *f*.

loc·a·tive ['lɒkətɪv] *ling.* **I** *adj.* Lokativ...: ***~ case*** → **II** *s.* Lokativ *m*, Ortsfall *m*.

loch [lɒk; lɒx] *s. Scot.* **1.** See *m*; **2.** Bucht *f*.

lo·ci ['ləʊsaɪ] *pl. u. gen. von* ***locus***.

lock¹ [lɒk] **I** *s.* **1.** (*Tür- etc.*)Schloß *n*: ***under ~ and key*** a) hinter Schloß u. Riegel (*Person*), b) unter Verschluß (*Sache*); **2.** Verschluß *m*, Schließe *f*; **3.** Sperrvorrichtung *f*; **4.** (*Gewehr- etc.*) Schloß *n*: ***~, stock, and barrel*** a) ganz u. gar, voll und ganz, mit Stumpf u. Stiel, b) mit allem Drum u. Dran, c) mit Sack u. Pack; **5.** a) Schleuse(nkammer) *f*, b) Luft-, Druckschleuse *f*; **6.** Knäuel *m*, *n*, Stau *m* (*von Fahrzeugen*); **7.** *mot. bsd. Brit.* Einschlag *m* (*der Vorderräder*); **8.** *Ringen*: Fessel(griff *m*) *f*; **II** *v/t.* **9.** (ab-, zu-, ver)schließen, zusperren, verriegeln; **10.** *a.* ***~ up*** a) *j-n* einschließen, (ein)sperren, (***in***, ***into*** in *acc.*), b) → ***lock up*** 2; **11.** (*in die Arme*) schließen, *a. Ringen*: um'fassen, -'klammern: ***~ed*** a) eng umschlungen, b) festgekeilt, *fig.* festsitzend, c) ineinander verkrallt: ***~ed in conflict***; **12.** inein'anderschlingen, *die Arme* verschränken; → ***horn***; **13.** ⚙ sperren, sichern, arretieren, festklemmen; **14.** *mot. Räder* blockieren; **15.** *Schiff* ('durch)schleusen; **16.** *Kanal* mit Schleusen versehen; **17.** † *Geld* festlegen, fest anlegen; **III** *v/i.* **18.** (ab-) schließen; **19.** sich schließen lassen; **20.** ⚙ inein'andergreifen, einrasten; **21.** *mot.* a) sich einschlagen lassen, b) blockieren (*Räder*); **22.** geschleust werden (*Schiff*);

Zssgn mit adv.:

lock| a·way *v/t.* weg-, einschließen; **~ down** *v/t. Schiff* hin'abschleusen; **~ in** *v/t.* einschließen, -sperren; **~ on** *v/i.* (***to***) **1.** *Radar*: (*Ziel*) erfassen u. verfolgen; **2.** *Raumfahrt*: (an)koppeln (an *acc.*); **3.** *fig.* a) einhaken (bei), b) sich ‚verbeißen' (in *acc.*); **~ out** *v/t.* (*a. Arbeiter*) aussperren; **~ up** *v/t.* **1.** → ***lock¹*** 9, 10; **2.** ver-, ein-, wegschließen; **3.** *Kapital* festlegen, fest anlegen; **4.** *Schiff* hin'aufschleusen.

lock² [lɒk] *s.* **1.** Locke *f*; *pl. poet.* Haar *n*; **2.** (Woll)Flocke *f*; **3.** Strähne *f*, Büschel *n*.

lock·age ['lɒkɪdʒ] *s.* **1.** Schleusen(anlage *f*) *pl.*; **2.** Schleusengeld *n*; **3.** ('Durch)Schleusen *n*.

lock·er ['lɒkə] *s.* **1.** (verschließbarer) Kasten *od.* Schrank, Spind *m*, *n*: ***~ room*** Umkleideraum *m*, *sport* (Umkleide)Kabine *f*; → ***shot²*** 4; **2.** Schließfach *n*.

lock·et ['lɒkɪt] *s.* Medail'lon *n*.

lock| gate *s.* Schleusentor *n*; **'~·jaw** *s.* ⚕ Kaumuskelkrampf *m*; **'~·nut** *s.* ⚙ Gegenmutter *f*; **'~·out** *s.* Aussperrung *f* (*von Arbeitern*); **'~·smith** *s.* Schlosser *m*; **~ stitch** *s.* Kettenstich *m*; **'~-up** *s.* **1.** a) Gefängnis *n*, b) (Haft)Zelle(n *pl.*) *f*; **2.** *Brit.* (kleiner) Laden; **3.** *mot.* 'Einzelgaˌrage *f*; **4.** Schließen *n*, (Tor-) Schluß *m*; **5.** feste Anlage (*von Kapital*).

lo·co¹ ['ləʊkəʊ] *adj. Am. sl.* ‚bekloppt', verrückt.

lo·co² ['ləʊkəʊ] *s.* Lok *f* (*Lokomotive*).

lo·co·mo·tion [ˌləʊkə'məʊʃn] *s.* **1.** Fortbewegung *f*; **2.** Fortbewegungsfähigkeit *f*; **'lo·coˌmo·tive** [-əʊtɪv] **I** *adj.* sich fortbewegend, fortbewegungsfähig, Fortbewegungs...: ***~ engine*** → **II** *s.* Lokomo'tive *f*.

lo·cum ['ləʊkəm] F *für* **~ te·nens** [ˌləʊkəm'ti:nenz] *pl.* **~ te·nen·tes** [-tɪ'nenti:z] *s.* Vertreter(in) (*z. B. e-s Arztes*).

lo·cus ['ləʊkəs] *pl. u. gen.* **lo·ci** ['ləʊsaɪ] *s.* (⩚ geo'metrischer) Ort.

lo·cust ['ləʊkəst] *s.* **1.** *zo.* Heuschrecke *f*; **2.** *a.* ***~ tree*** ⚘ a) Ro'binie *f*, b) Jo'hannisbrotbaum *m*; **3.** ⚘ Jo'hannisbrot *n*, Ka'rube *f*.

lo·cu·tion [ləʊ'kju:ʃn] *s.* **1.** Ausdrucksweise *f*, Redestil *m*; **2.** Redewendung *f*, Ausdruck *m*.

lode [ləʊd] *s.* ⚒ (Erz)Gang *m*, Ader *f*; **'~·star** *s.* Leitstern *m* (*a. fig.*), *bsd.* Po-

'larstern *m*; '**~·stone** *s.* **1.** Ma'gneteisen(stein *m*) *n*; **2.** *fig.* Ma'gnet *m*.

lodge [lɒdʒ] **I** *s.* **1.** *allg.* Häus-chen *n*: a) (Jagd-, Ski- *etc.*)Hütte *f*, b) Pförtnerhaus *n*, c) Parkwächter-, Forsthaus *n*; **2.** Pförtner-, Porti'erloge *f*; **3.** *Am.* Zen'tralgebäude *n* (*in e-m Park etc.*); **4.** (*bsd.* Freimaurer)Loge *f*; **5.** (*Indianer-*) Wigwam *m*; **II** *v/i.* **6.** (*with*) a) logieren, (*bsd.* in 'Untermiete) wohnen (bei), b) über'nachten (bei); **7.** stecken (-bleiben) (*Kugel etc.*); **III** *v/t.* **8.** *j-n* a) 'unterbringen, aufnehmen, b) in 'Untermiete nehmen; **9.** *Geld* deponieren, hinter'legen; **10.** ✝ *Kredit* eröffnen; **11.** *Antrag*, *Beschwerde etc.* einreichen, *Anzeige* erstatten, *Berufung*, *Protest* einlegen (*with* bei); **12.** *Kugel*, *Messer etc.* (hin'ein)jagen, *Schlag* landen; '**lodge·ment** [-mənt] → ***lodgment***; '**lodg·er** [-dʒə] *s.* ('Unter)Mieter(in).

lodg·ing ['lɒdʒɪŋ] *s.* **1.** 'Unterkunft *f*, ('Nacht)Quar,tier *n*; **2.** *pl.* a) (*bsd.* möbliertes) Zimmer, b) (möblierte) Zimmer *pl.*, c) Mietwohnung *f*; '**~-house** *s.* Fremdenheim *n*, Pensi'on *f*.

lodg·ment ['lɒdʒmənt] *s.* **1.** ⚖ Einreichung *f* (*Klage*, *Antrag etc.*); Erhebung *f* (*Beschwerde*, *Protest etc.*); Einlegung *f* (*Berufung*); **2.** Hinter'legung *f*, Deponierung *f*.

lo·ess ['ləʊɪs] *s. geol.* Löß *m*.

loft [lɒft] **I** *s.* **1.** (Dach-, *a.* ⚒ Heu)Boden *m*, Speicher *m*; **2.** ⛪ Em'pore *f* (*für Kirchenchor*, *Orgel*); **3.** Taubenschlag *m*; **II** *v/t. u. v/i. Golf*: (den Ball) hochschlagen; '**loft·er** [-tə] *s. Golf*: Schläger *m* für Hochbälle.

loft·i·ness ['lɒftɪnɪs] *s.* **1.** Höhe *f*; **2.** Erhabenheit *f* (*a. fig.*); **3.** Hochmut *m*; **loft·y** ['lɒftɪ] *adj.* □ **1.** hoch(ragend); **2.** *fig.* a) erhaben, b) hochfliegend, c) *contp.* hochtrabend; **3.** stolz, hochmütig.

log¹ [lɒg] **I** *s.* **1.** a) (Holz)Klotz *m*, (-)Block *m*, b) (*Feuer*)Scheit *n*, c) (*gefällter*) (Baum)Stamm: ***in the ~*** unbehauen; ***roll a ~ for s.o.*** *Am.* j-m e-n Dienst erweisen, *bsd.* j-m et. zuschanzen; ***sleep like a ~*** schlafen wie ein Klotz *od.* Bär; **2.** ⚓ Log *n*; **3.** ⚓ *etc.* → ***logbook***: ***keep a ~*** (***of***) Buch führen (über *acc.*); **II** *v/t.* **4.** ⚓ loggen: a) *Entfernung* zu'rücklegen, b) *Geschwindigkeit etc.* in das Logbuch eintragen; **5.** ***~ in*** (*od.* ***on***) *Computer*: einloggen.

log² [lɒg] → ***logarithm***.

lo·gan·ber·ry ['ləʊgənbərɪ] *s.* ⚘ Loganbeere *f* (*Kreuzung zwischen Bärenbrombeere u. Himbeere*).

log·a·rithm ['lɒgərɪðəm] *s.* ⅍ Loga'rithmus *m*; **log·a·rith·mic**, **log·a·rith·mi·cal** [,lɒgə'rɪðmɪk(l)] *adj.* □ loga'rithmisch.

'**log**|**·book** *s.* **1.** ⚓ Log-, ✈ Bord-, *mot.* Fahrtenbuch *n*; **2.** *mot. Brit.* Kraftfahrzeugbrief *m*; **3.** Reisetagebuch *n*; **~ cab·in** *s.* Blockhaus *n*.

log·ger·head ['lɒgəhed] *s.*: ***be at ~s*** (***with s.o.***) sich (mit j-m) in den Haaren liegen.

log·gia ['ləʊdʒə] *s.* ⛪ Loggia *f*.

log·ic ['lɒdʒɪk] *s. phls. u. fig.* Logik *f*; '**log·i·cal** [-kl] *adj.* □ **1.** logisch (*a. fig. folgerichtig od. natürlich*); **2.** *Computer*: logisch, Logik...; **lo·gi·cian** [ləʊ'dʒɪʃn] *s.* Logiker *m*; **lo·gis·tic** [ləʊ'dʒɪstɪk] **I** *adj.* **1.** *phls. u.* ⚔ lo'gistisch; **II** *s.* **2.** *phls.* Lo'gistik *f*; **3.** *pl. mst sg. konstr. bsd.* ⚔ Lo'gistik *f*.

log·o ['lɒgəʊ] → ***logotype***.

log·o·gram ['lɒgəʊgræm] *s.* Logo'gramm *n*, Wortzeichen *n*.

log·o·type ['lɒgəʊtaɪp] *s.* ✝ Firmen- *od.* Markenzeichen *n*.

'**log**|**·roll** *pol. Am.* **I** *v/t. Gesetz* durch gegenseitige ‚Schützenhilfe' 'durchbringen; **II** *v/i.* sich gegenseitig in die Hände arbeiten; '**~,roll·ing** *s. pol.* ‚Kuhhandel' *m*, gegenseitige Unter'stützung (*zur Durchsetzung von Gruppeninteressen etc.*).

loin [lɔɪn] *s.* **1.** (*mst pl.*) *anat.* Lende *f*: ***gird up one's ~s*** *fig.* s-e Lenden gürten, sich rüsten; **2.** *pl. bibl. u. poet.* a) Lenden *pl.* (*Fortpflanzungsorgane*), b) Schoß *m* (*der Frau*); **3.** *Küche*: Lende(nstück *n*) *f*; '**~·cloth** *s.* Lendentuch *n*.

loi·ter ['lɔɪtə] **I** *v/i.* **1.** bummeln, trödeln; **2.** her'umlungern, -stehen, sich her'umtreiben; **II** *v/t.* **3.** ***~ away*** *Zeit* vertrödeln; '**loi·ter·er** [-ərə] *s.* **1.** Bummler (-in), Faulenzer(in); **2.** Her'umtreiber(in).

loll [lɒl] **I** *v/i.* **1.** sich rekeln *od.* (her'um-) lümmeln; **2.** sich lässig lehnen (***against*** gegen); **3.** ***~ out*** her'aushängen, baumeln (*Zunge*); **II** *v/t.* **4.** *a.* ***~ out*** *die Zunge* her'aushängen lassen.

lol·li·pop ['lɒlɪpɒp] *s.* **1.** Lutscher *m* (*Stielbonbon*); **2.** *Brit.* Eis *n* am Stiel.

lol·lop ['lɒləp] *v/i.* F a) ‚latschen', b) hoppeln.

lol·ly ['lɒlɪ] *s.* **1.** F für ***lollipop***; **2.** *Brit. sl.* ‚Kies' *m* (*Geld*).

Lon·don·er ['lʌndənə] *s.* Londoner(in).

lone [ləʊn] *adj.* einsam: ***play a ~ hand*** *fig.* e-n Alleingang machen; → ***wolf*** 1; '**lone·li·ness** [-lɪnɪs] *s.* Einsamkeit *f*; '**lone·ly** [-lɪ] *adj. allg.* einsam: ***be ~ for*** *Am.* F Sehnsucht haben nach *j-m*; **lon·er** ['ləʊnə] *s.* F Einzelgänger(in); '**lone·some** [-səm] *adj.* □ → ***lonely***.

long¹ [lɒŋ] **I** *adj.* **1.** *allg.* lang (*a. fig. langwierig*, *a. ling.*): ***two miles*** (***weeks***) ***~***; ***~ journey*** (***list***, ***syllable***); ***~ years of misery***; ***~ measure*** Längenmaß *n*; ***~ wave*** ⚡ Langwelle *f*; ***~er***

comp. länger; ***a ~ chance***, ***~ odds*** *fig.* geringe Aussichten; ***a ~ dozen*** 13 Stück; ***~ drink*** Longdrink *m*; ***a ~ guess*** e-e vage Schätzung; **2.** lang, hoch(gewachsen): ***a ~ fellow***; **3.** groß, zahlreich: ***a ~ family***; ***a ~ figure*** eine vielstellige Zahl; ***a ~ price*** ein hoher Preis; **4.** weitreichend: ***a ~ memory***; ***take a ~ view*** weit vorausblicken; **5.** ⚕ langfristig, mit langer Laufzeit, auf lange Sicht; **6.** a) ⚕ eingedeckt (***of*** mit), b) ***~ on*** F reichlich versehen mit, *fig. a.* voller *Ideen etc.*; **II** *adv.* **7.** lang, lange: ***~ dead*** schon lange tot; ***as*** (*od.* ***so***) ***~ as*** a) solange (wie), b) sofern; vorausgesetzt, daß; ***~ after*** lange (da)nach; ***~ ago*** vor langer Zeit; ***not ~ ago*** vor kurzem; ***as ~ ago as 1900*** schon 1900; ***all day ~*** den ganzen Tag (lang); ***be ~*** a) lange dauern (*Sache*), b) lange brauchen ([***in***] ***doing s.th.*** et. zu tun); ***don't be*** (***too***) ***~!*** mach nicht so lang!, beeil dich!; ***I shan't be ~!*** (ich) bin gleich wieder da!; ***not ~ before*** kurz bevor; ***it was not ~ before*** es dauerte nicht lange, bis *er kam etc.*; ***so ~!*** tschüs!, bis später (dann)!; ***no*** (*od.* ***not any***) ***~er*** nicht (mehr) länger, nicht mehr; ***for how much ~er?*** wie lange noch?; ***~est*** *sup.* am längsten; **III** *s.* **8.** (e-e) lange Zeit: ***at the ~est*** längstens, höchstens; ***before ~*** bald, binnen kurzem; ***for ~*** lange (Zeit); ***it is ~ since*** es ist lange her, daß; **9.** ***take ~*** lange brauchen; ***the ~ and the short of it*** a) die ganze Geschichte, b) mit 'einem Wort, kurz'um; **10.** Länge *f*: a) *Phonetik*: langer Laut, b) *Metrik*: lange Silbe; **11.** *pl.* a) lange Hose, b) 'Übergrößen *pl.*

long² [lɒŋ] *v/i.* sich sehnen (***for*** nach): ***~ for*** *a. j-n od. et.* herbeisehnen; ***I ~ed to see him*** ich sehnte mich danach, ihn zu sehen; ***the*** (***much***) ***~ed-for rest*** die (heiß)ersehnte Ruhe.

'long|·boat *s.* ⚓ Großboot *n*, großes Beiboot (*e-s Segelschiffs*); **'~·bow** [-bəʊ] *s. hist.* Langbogen *m*: ***draw the ~*** F übertreiben, dick auftragen; **'~·case clock** *s.* Standuhr *f*; **ˌ~-'dat·ed** *adj.* langfristig; **ˌ~-'dis·tance I** *adj.* **1.** *teleph. etc.* Fern…(*-gespräch*, *-empfang*, *-leitung etc.*; *a. -fahrt*, *-lastzug*, *-verkehr etc.*); **2.** ✈, *sport* Langstrecken… (*-bomber*, *-flug*, *-lauf etc.*); **II** *adv.* **3.** ***call ~*** ein Ferngespräch führen; **III** *s.* **4.** *teleph. Am.* a) Fernamt *n*, b) Ferngespräch *n*; **ˌ~-drawn-'out** *adj. fig.* langatmig, in die Länge gezogen.

longe [lʌndʒ] → ***lunge²***.

lon·ge·ron ['lɒndʒərən] *s.* ✈ Rumpf(längs)holm *m*.

lon·gev·i·ty [lɒn'dʒevətɪ] *s.* Langlebigkeit *f*, langes Leben.

ˌlong|-'haired *adj.* **1.** langhaarig (*a. contp.*), *zo.* Langhaar…; **2.** (betont) intellektu'ell; **'~·hand** *s.* Langschrift *f*, (gewöhnliche) Schreibschrift; **ˌ~'head·ed** *adj.* **1.** langköpfig; **2.** gescheit, klug; **'~·horn** *s.* **1.** langhörniges Tier; **2.** langhörniges Rind, *Am.* Longhorn *n*.

long·ing ['lɒŋɪŋ] **I** *adj.* ☐ sehnsüchtig, verlangend; **II** *s.* Sehnsucht *f*, Verlangen *n* (***for*** nach).

long·ish ['lɒŋɪʃ] *adj.* ziemlich lang.

lon·gi·tude ['lɒndʒɪtju:d] *s. geogr.* Länge *f*; **lon·gi·tu·di·nal** [ˌlɒndʒɪ'tju:dɪnl] *adj.* ☐ **1.** *geogr.* Längen…; **2.** Längs…; **lon·gi·tu·di·nal·ly** [ˌlɒndʒɪ'tju:dɪnəlɪ] *adv.* längs, der Länge nach.

long| johns *s. pl.* F lange 'Unterhose; **~ jump** *s. sport* Weitsprung *m*; **'~-legged** *adj.* langbeinig; **ˌ~-'lived** *adj.* langlebig; **'~-ˌplay·ing rec·ord** *s.* Langspielplatte *f*; **~ prim·er** *s. typ.* Korpus *f* (*Schriftgrad*); **ˌ~-'range** *adj.* **1.** ⚔ weittragend, Fernkampf…, Fern…; ✈ Langstrecken…: ***~ bomber***; **2.** auf lange Sicht (geplant), langfristig; **'~·shore·man** [-mən] *s.* [*irr.*] Hafenarbeiter *m*; **~ shot** *s.* **1.** *Film*: To'tale *f*; **2.** *sport etc.* (krasser) Außenseiter; **3.** a) ris'kante Wette, b) (ziemlich) aussichtslose Sache, c) wilde Vermutung: ***not by a ~*** nicht entfernt, längst nicht (*so gut etc.*); **ˌ~-'sight·ed** *adj.* **1.** ⚕ weitsichtig; **2.** *fig.* weitblickend, 'umsichtig; **ˌ~-'stand·ing** *adj.* seit langer Zeit bestehend, langjährig, alt; **ˌ~-'suf·fer·ing I** *s.* Langmut *f*; **II** *adj.* langmütig; **'~-term** *adj.*, **'~·time** *adj.* langfristig, Langzeit…

lon·gueur [lɒŋ'gɜ:] (*Fr.*) *s.* Länge *f* (*in e-m Roman etc.*).

ˌlong-'wind·ed [-'wɪndɪd] *adj. fig.* langatmig.

loo [lu:] *Brit.* F **I** *s.* Klo *n*; **II** *v/i.* aufs Klo gehen.

loo·fa(**h**) ['lu:fə] → ***luffa***.

look [lʊk] **I** *s.* **1.** Blick *m* (***at*** auf *acc.*, nach): ***have a ~ at s.th.*** (sich) et. ansehen; ***take a good ~*** (***at it***)***!*** sieh es dir genau an!; ***have a ~ round*** sich (mal) umsehen; **2.** Miene *f*, Ausdruck *m*; **3.** *oft pl.* Aussehen *n*: (***good***) ***~s*** gutes Aussehen; ***I do not like the ~ of it*** die Sache gefällt mir (gar) nicht; **II** *v/i.* **4.** schauen, blicken, (hin)sehen (***at***, ***on*** auf *acc.*, nach): ***don't ~!*** nicht hersehen!; ***don't ~ like that!*** schau nicht so (drein)!; ***~ here!*** schau mal (her)!, hör mal (zu)!; → ***leap*** 1; **5.** (nach)schauen, nachsehen: ***~ who is here!*** schau, wer da kommt!, *humor.* ei, wer kommt denn da!; ***~ and see!*** überzeugen Sie sich (selbst)!; **6.** *krank etc.* aussehen (*a. fig.*): ***things ~ bad for him*** es sieht schlimm für ihn aus; ***it ~s as if*** es sieht (so) aus, als ob; ***~ like*** aussehen wie; ***it ~s like snow*** es sieht nach Schnee aus; ***he ~s like winning*** es sieht so aus, als ob er gewinnen sollte; ***it ~s all right to me*** es scheint (mir) in Ordnung zu sein; ***it ~s well on you*** es steht dir gut; **7.** aufpassen; → *Zssgn mit prp.* ***look to***; **8.** *nach e-r Richtung* liegen, gehen (***toward, to*** nach) (*Zimmer etc.*); **III** *v/t.* **9.** *j-m in die Augen etc.* sehen *od.* schauen *od.* blicken: ***~ s.o. in the eyes***; **10.** aussehen wie: ***he ~s an idiot***; ***he doesn't ~ his age*** man sieht ihm sein Alter nicht an; ***he ~s it!*** so sieht er auch aus!; **11.** durch Blicke ausdrücken: ***~ compassion*** mitleidig dreinschauen; → ***dagger*** 1;

Zssgn mit prp.:

look| a·bout *v/i.*: ***~ one*** sich 'umsehen, um sich blicken; **~ aft·er** *v/i.* **1.** *j-m* nachblicken; **2.** sehen nach, aufpassen auf (*acc.*), sich kümmern um, sorgen für: ***~ o.s.*** a) für sich selbst sorgen, b) auf sich aufpassen; **~ at** *v/i.* (*a.* sich *j-n, et.*) ansehen, -schauen, betrachten, blicken auf (*acc.*), *fig. a. et.* prüfen: ***to ~ him*** wenn man ihn (so) ansieht; ***he wouldn't ~ it*** er wollte nichts davon wissen; ***he*** (***it***) ***isn't much to ~*** er (es) sieht nicht ‚berühmt' aus; **~ for** *v/i.* **1.** suchen (nach), sich 'umsehen nach; **2.** erwarten; **~ in·to** *v/i.* **1.** blicken in (*acc.*); **2.** *fig. et.* unter'suchen, prüfen; **~ on** *v/i.* betrachten, ansehen (***as*** als); **~ through** *v/i.* **1.** blicken durch; **2.** 'durchsehen, -lesen; **3.** *fig. j-n od. et.* durch'schauen; **~ to** *v/i.* **1.** achten *od.* achtgeben auf (*acc.*): ***~ it that*** achte darauf, daß; sieh zu, daß; **2.** zählen auf (*acc.*), von *j-m* erwarten, *daß er ...*: ***I ~ you to help me*** (*od.* ***for help***) ich erwarte Hilfe von dir; **3.** sich wenden *od.* halten an (*acc.*); **~ up·on** → ***look on***;

Zssgn mit adv.:

look| a·bout *v/i.* sich 'umsehen (***for*** nach); **~ a·head** *v/i.* **1.** nach vorn blikken *od.* schauen; **2.** *fig.* a) vor'ausschauen, b) Weitblick haben; **~ a·round** → ***look about***; **~ back** *v/i.* **1.** sich 'umsehen; *a. fig.* zu'rückblicken (***upon*** auf *acc.*, ***to*** nach, zu); **2.** *fig.* schwankend werden; **~ down** *v/i.* **1.** her'ab-, her'untersehen (*a. fig.* [***up***]***on s.o.*** auf j-n); **2.** *bsd.* ✝ sich verschlechtern; **~ for·ward** *v/i.*: **~ *to*** sich freuen auf (*acc.*): ***I am looking forward to seeing him*** ich freue mich darauf, ihn zu sehen; **~ in** *v/i. als Besucher* her'ein- *od.* hin'einschauen (***on*** bei); **~ on** *v/i.* zusehen, -schauen (***at*** bei); **~ out I** *v/i.* **1.** her'aus- *od.* hin'aussehen, -schauen (***of the window*** zum *od.* aus dem Fenster); **2.** Ausschau halten (***for*** nach); **3.** (***for***) gefaßt sein (auf *acc.*), auf der Hut sein (vor *dat.*), aufpassen (auf *acc.*): ***~!*** paß auf!, Vorsicht!; **4.** Ausblick gewähren, (hin'aus)gehen (***on*** auf *acc.*) (*Fenster etc.*); **II** *v/t.* **5.** (her'aus)suchen; **~ o·ver** *v/t.* **1.** 'durchsehen, (über)'prüfen; **2.** sich *et. od. j-n* ansehen, *j-n* mustern; **~ round** *v/i.* sich 'umsehen; **~ through** *v/t.* → ***look over*** 1; **~ up I** *v/i.* **1.** hin'aufblicken (***at*** auf *acc.*); aufblikken (*fig.* ***to s.o.*** zu j-m); **2.** F *a.* ✝ sich bessern; steigen (*Preise*): ***things are looking up*** es geht bergauf; **II** *v/t.* **3.** *Wort* nachschlagen; **4.** *j-n* be- *od.* aufsuchen; **5.** ***look s.o. up and down*** j-n von oben bis unten mustern.

'look-a,like *s.* F Doppelgänger(in).

look·er ['lʊkə] *s.* F: ***be a*** (***good***) **~** gut *od.* ‚toll' aussehen; ***she is not much of a ~*** sie sieht nicht besonders gut aus; **,~-'on** [-ər'ɒn] *pl.* **,look·ers-'on** *s.* Zuschauer(in) (***at*** bei).

'look-in *s.* **1.** F kurzer Besuch; **2.** *sl.* Chance *f.*

'look·ing-glass ['lʊkɪŋ-] *s.* Spiegel *m.*

'look-out *s.* **1.** Ausschau *f*: ***be on the ~ for*** nach *et.* Ausschau halten; ***keep a good ~*** (***for***) auf der Hut sein (vor *dat.*); **2.** *a.* ⚓ Ausguck *m*; **3.** Wache *f*, Beobachtungsposten *m*; **4.** *fig.* Aussicht(en *pl.*) *f*; **5.** ***that's his ~*** F das ist s-e Sache *od.* sein Problem.

'look-see *s.*: ***have a ~*** *sl.* a) (kurz) mal nachgucken, b) sich mal umsehen.

loom[1] [lu:m] *s.* Webstuhl *m.*

loom[2] [lu:m] *v/i. oft* **~ *up*** **1.** (drohend) aufragen: **~ *large*** *fig.* a) sich auftürmen, b) von großer Bedeutung sein *od.* scheinen; **2.** undeutlich *od.* bedrohlich auftauchen; **3.** *fig.* a) sich abzeichnen, b) bedrohlich näherrücken, c) sich zs.-brauen.

loon[1] [lu:n] *s. orn.* Seetaucher *m.*

loon[2] [lu:n] *s.* F ‚Blödmann' *m.*

loon·y ['lu:nɪ] *sl.* **I** *adj.* ‚bekloppt', verrückt; **II** *s.* Verrückte(r *m*) *f*; **~ bin** *s. sl.* ‚Klapsmühle' *f.*

loop [lu:p] **I** *s.* **1.** Schlinge *f*, Schleife *f*; **2.** ⚡, 🚂, *Computer*, *Eislauf*, *Fingerabdruck*, *Fluß etc.*: Schleife *f*; **3.** a) Schlaufe *f*, b) Öse *f*; **4.** ✈ *etc.* Looping *m, n*; **5.** ⚕ Spi'rale *f* (*Verhütungsmittel*); **6.** → ***loop aerial***; **II** *v/t.* **7.** in e-e Schleife *od.* in Schleifen legen, schlingen; **8.** **~ *the ~*** ✈ e-n Looping drehen; **9.** ⚡ zur Schleife schalten; **III** *v/i.* **10.** e-e Schleife machen, sich schlingen *od.* winden; **~ aer·i·al** *s.*, **~ an·ten·na** *s.* ⚡ 'Rahmenan,tenne *f*, Peilrahmen *m*; **'~-hole** *s.* **1.** (Guck)Loch *n*; **2.** ⚔ a) Sehschlitz *m*, b) Schießscharte *f*; **3.** *fig.* Schlupfloch *n*, 'Hintertürchen *n*: ***a ~ in the law*** eine Lücke im Gesetz; **,~-the-'loop** *s. Am.* Achterbahn *f.*

loose [lu:s] **I** *adj.* ☐ **1.** los(e): ***come*** (*od.* ***get***, ***work***) **~** a) abgehen (*Knöpfe*), b) sich ablösen (*Farbe etc.*), c) sich lockern, d) loskommen; ***let ~*** a) loslassen, b) *s-m Ärger etc.* Luft machen; **2.** frei, befreit (***of***, ***from*** von): ***break ~*** a) sich losreißen, b) sich lösen (***from*** von), *fig. a.* sich freimachen (***from*** von); **3.** lose (hängend) (*Haar etc.*): ***~ ends*** *fig.* (noch zu erledigende) Kleinigkeiten; ***be at a ~ end*** a) nicht wissen, was man mit sich anfangen soll, b) ohne geregelte Tätigkeit sein; **4.** a) locker (*Boden, Glieder, Gürtel, Husten, Schraube, Zahn etc.*), b) offen, lose, unverpackt (*Ware*): ***buy s.th. ~*** et. offen kaufen; ***~ bowels*** offener Leib, *a.* Durchfall *m*; ***~ change*** Kleingeld *n*; ***~ connection*** ⚡ Wackelkontakt *m*; *fig.* lose Beziehung; ***~ dress*** weites *od.* lose sitzendes Kleid; ***~ leaves*** lose Blätter; **5.** *fig.* einzeln, verstreut, zs.-hanglos; **6.** ungenau: ***~ translation*** freie Übersetzung; **7.** *fig.* locker, lose (*unmoralisch*): ***~ girl*** (***life, morals***); ***~ tongue*** loses Mundwerk; **II** *adv.* **8.** lose, locker; **III** *v/t.* **9.** → ***loosen*** 1; **10.** befreien, lösen (***from*** von); **11.** lockern: ***~ one's hold of*** *et.* loslassen; **12.** *mst* ***~ off*** *Waffe, Schuß* abfeuern; **IV** *v/i.* **13.** *mst* ***~ off*** schießen, feuern (***at*** auf *acc.*): ***~ off at s.o.*** *fig.* loswettern gegen j-n; **V** *s.* **14.** ***be on the ~*** a) frei herumlaufen, b) die Gegend ‚unsicher machen', c) ‚einen draufmachen'; **ˌ~-ˈjoint·ed** *adj.* **1.** (außerordentlich) gelenkig; **2.** schlaksig; **ˌ~ˈleaf** *adj.* Loseblatt...: ***~ binder*** (*od.* ***book***) Loseblatt-, Ringbuch *n*, Schnellhefter *m*.

loos·en [ˈluːsn] **I** *v/t.* **1.** *Knoten etc., a.* ⚕ *Husten, fig. Zunge* lösen; ⚕ *Leib* öffnen; **2.** *Griff, Gürtel, Schraube etc., a. Disziplin etc.* lockern; ⚘ *Boden* auflockern; **II** *v/i.* **3.** sich lockern (*a. fig.*), sich lösen; **~ up I** *v/t. Muskeln etc.* lockern; *fig. j-n* auflockern; **II** *v/i. bsd. sport* sich (auf)lockern, *fig. a.* auftauen (*Person*).

loose·ness [ˈluːsnɪs] *s.* **1.** Lockerheit *f*; **2.** Schlaffheit *f*; **3.** Ungenauigkeit *f*, Unklarheit *f*; **4.** Freiheit *f der Übersetzung*; **5.** ⚕ ˈDurchfall *m*; **6.** lose Art, Liederlichkeit *f*.

loot [luːt] **I** *s.* **1.** (Kriegs-, Diebes)Beute *f*; **2.** *fig.* Beute *f*; **3.** F ‚Kies' *m* (*Geld*); **II** *v/t.* **4.** erbeuten; **5.** plündern; **III** *v/i.* **6.** plündern; **ˈloot·er** [-tə] *s.* Plünderer *m*; **ˈloot·ing** [-tɪŋ] *s.* Plünderung *f*.

lop[1] [lɒp] *v/t.* **1.** *Baum etc.* beschneiden, stutzen; **2.** *oft* ***~ off*** *Äste, a. Kopf etc.* abhauen, -hacken.

lop[2] [lɒp] *v/i. u. v/t.* schlaff (herˈunter-) hängen (lassen).

lope [ləʊp] **I** *v/i.* (daˈher)springen *od.* (-)trotten; **II** *s.*: ***at a ~*** im Galopp, in großen Sprüngen.

ˈlop|-eared *adj.* mit Hängeohren; **ˈ~-ears** *s. pl.* Hängeohren *pl.*; **ˌ~-ˈsid·ed** *adj.* **1.** schief (*a. fig.*), nach einer Seite hängend; **2.** einseitig (*a. fig.*).

lo·qua·cious [ləʊˈkweɪʃəs] *adj.* ☐ redselig, geschwätzig; **loˈqua·cious·ness** [-nɪs], **loˈquac·i·ty** [-ˈkwæsətɪ] *s.* Redseligkeit *f*.

lord [lɔːd] **I** *s.* **1.** Herr *m*, Gebieter *m* (***of*** über *acc.*): ***her ~ and master*** *bsd. humor.* ihr Herr u. Gebieter; ***the ~s of creation*** *a. humor.* die Herren der Schöpfung; **2.** *fig.* Maˈgnat *m*; **3.** Lehensherr *m*; → ***manor***; **4.** ***the*** 𝔏 a) *a.* 𝔏 ***God*** (Gott) der Herr, b) *a.* ***our*** 𝔏 (Christus) der Herr; ***the*** 𝔏***'s day*** der Tag des Herrn; ***the*** 𝔏***'s Prayer*** das Vaterunser; ***the*** 𝔏***'s Supper*** das (heilige) Abendmahl; ***the*** 𝔏***'s table*** der Tisch des Herrn (*a. Abendmahl*), der Altar; ***in the year of our*** 𝔏 im Jahre des Herrn; (***good***) 𝔏***!*** (du) lieber Gott *od.* Himmel!; **5.** 𝔏 Lord *m* (*Adliger od. Würdenträger, z.B. Bischof, hoher Richter*): ***the*** 𝔏***s*** *Brit. parl.* das Oberhaus; ***live like a ~*** leben wie ein Fürst; **6.** ***my*** 𝔏 [mɪˈlɔːd; ⚖ *Brit. oft* mɪˈlʌd] MyˈLord, Euer Lordschaft, ⚖ Euer Ehren (*Anrede*); **II** *v/i.* **7.** *oft* ***~ it*** den Herren spielen: ***to ~ it over*** a) sich *j-m* gegenüber als Herr aufspielen, b) herrschen über (*acc.*).

Lord| Cham·ber·lain (**of the House·hold**) *s.* Haushofmeister *m*; **~ Chan·cel·lor** *s.* Lordkanzler *m* (*Präsident des Oberhauses, Präsident der* ***Chancery Division*** *des* ***Supreme Court of Judicature*** *sowie des* ***Court of Appeal***, *Kabinettsmitglied, Bewahrer des Großsiegels*); **~ Chief Jus·tice of Eng·land** *s.* ⚖ Lordˈoberrichter *m* (*Vorsitzender der* ***King's Bench Division*** *des* ***High Court of Justice***); 𝔏 **in wait·ing** *s.* königlicher Kammerherr (*wenn e-e Königin regiert*); **~ Jus·tice** *pl.* **Lords Jus·tic·es** *s. Brit.* Lordrichter *m* (*Richter des* ***Court of Appeal***); 𝔏 **lieu·ten·ant** *pl.* **lords lieu·ten·ant** *s.* **1.** *hist. Vertreter der Krone in den englischen Grafschaften*; *jetzt oberster Exekutivbeamter*; **2.** ***Lord Lieutenant*** a) *hist.* Vizekönig *m* von Irland (*bis 1922*), b) *Vertreter der Krone in e-r Grafschaft*.

lord·li·ness [ˈlɔːdlɪnɪs] *s.* **1.** Großzügigkeit *f*; **2.** Würde *f*; **3.** Pracht *f*, Glanz *m*; **4.** Arroˈganz *f*.

lord·ling [ˈlɔːdlɪŋ] *s. contp.* Herrchen *n*, kleiner Lord.

lord·ly [ˈlɔːdlɪ] *adj. u. adv.* **1.** großzügig; **2.** vornehm, edel, Herren...; **3.** herrisch; **4.** stolz; **5.** arroˈgant; **6.** prächtig.

Lord| May·or *pl.* **Lord May·ors** *s. Brit.* Oberbürgermeister *m*: ***~'s Day*** *Tag des Amtsantritts des Oberbürgermeisters von London (9. November)*; ***~'s Show*** *Festzug des Oberbürgermeisters von London am 9. November*; **~ Priv·y Seal** *s.* Lordˈsiegelbewahrer *m*; **~ Prov·ost** *pl.* **Lord Prov·osts** *s.* Oberbürgermeister *m* (*der vier größten schottischen Städte*).

lord·ship [ˈlɔːdʃɪp] *s.* **1.** Lordschaft *f*: ***your*** (***his***) **~** Euer (Seine) Lordschaft; **2.** *hist.* Herrschaftsgebiet *n* e-s Lords; **3.** *fig.* Herrschaft *f*.

lord| spir·it·u·al *pl.* **lords spir·it·u·al** *s. geistliches Mitglied des brit. Oberhauses*; **~ tem·po·ral** *pl.* **lords tem·po·ral** *s. weltliches Mitglied des brit. Oberhauses.*

lore [lɔː] *s.* **1.** (*Tier- etc.*)Kunde *f*, (überˈliefertes) Wissen; **2.** Sagen- u. Märchengut *n*, Überˈlieferungen *pl.*

lorn [lɔːn] *adj. obs. od. poet.* verlassen, einsam.

lor·ry [ˈlɒrɪ] *s.* **1.** *Brit.* Last(kraft)wagen *m*, Lastauto *n*; **2.** 🚋, ⚒ Lore *f*, Lori *f*.

lose [luːz] **I** *v/t.* [*irr.*] **1.** *allg. Sache, j-n, Gesundheit, das Leben, Verstand, a. Weg, Zeit etc.* verlieren: **~ *o.s.*** a) sich verlieren (*a. fig.*), b) sich verirren; **~ *interest*** a) das Interesse verlieren, b) uninteressant werden (*Sache*); ***she lost the baby*** sie verlor das Baby (*durch Fehlgeburt*); → ***lost***; *s. a. Verbindungen mit verschiedenen Substantiven*; **2.** *Vermögen, Stellung* verlieren, einbüßen, kommen um; **3.** *Vorrecht etc.* verlieren, verlustig gehen (*gen.*); **4.** a) *Schlacht, Spiel etc.* verlieren, b) *Preis etc.* nicht erringen *od.* bekommen, c) *Gesetzesantrag* nicht ˈdurchbringen; **5.** *Zug etc., a. Gelegenheit* versäumen, verpassen; **6.** a) *Worte etc.* ‚nicht mitbekommen', b) ***he lost his listeners*** F s-e Zuhörer kamen nicht mit; **7.** aus den Augen verlieren; → ***sight*** 3; **8.** vergessen, verlernen: ***I have lost my French***; **9.** nachgehen, zuˈrückbleiben (*Uhr*); **10.** *Krankheit etc.* loswerden, *Verfolger a.* abschütteln; **11.** *j-n s-e Stellung etc.* kosten, bringen um: ***this will ~ you your position***; **12. ~ *it*** *mot. sl.* die Kontrolle über den Wagen verlieren; **II** *v/i.* [*irr.*] **13.** verlieren, Verluste erleiden (***on*** bei, ***by*** durch); **14.** *fig.* verlieren: ***the poem ~s in translation*** das Gedicht verliert (sehr) in der Übersetzung; **15.** (***to***) verlieren (gegen), unterˈliegen (*dat.*); **16. ~ *out*** F a) verlieren, b) ‚in den Mond gucken' (***on*** bei): **~ *on*** *a. et.* nicht kriegen; **ˈlos·er** [-zə] *s.* **1.** Verlierer(in): ***a good*** (***bad***) **~**; ***be a ~ by*** Schaden *od.* e-n Verlust erleiden durch; ***come off a ~*** den kürzeren ziehen; **2.** F ‚Verlierer' *m*, Versager *m*; **ˈlos·ing** [-zɪŋ] *adj.* **1.** verlierend; **2.** verlustbringend, Verlust...: **~ *bargain*** ✝ Verlustgeschäft *n*; **3.** verloren, aussichtslos (*Schlacht, Spiel*).

loss [lɒs] *s.* **1.** Verlust *m*: a) Einbuße *f*, Ausfall *m* (***in*** an *dat.*, von *od. gen.*): **~ *of blood*** (***time***) Blut- (Zeit)verlust; **~ *of pay*** Lohnausfall; ***a dead ~*** totaler Verlust, *fig.* ‚Pleite' *f*, totaler Reinfall (*Sache*), ‚totaler Ausfall', ‚Niete' *f* (*Person*), b) Nachteil *m*, Schaden *m*: ***it's your ~!*** das ist dein Problem!, c) *verlorene Sache od. Person*: ***he is a great ~ to his firm***, d) Verschwinden *n*, Verlieren *n*, e) *verlorene Schlacht, Wette etc., a.* Niederlage *f*, f) Abnahme *f*, Schwund *m*: **~ *in weight*** Gewichtsverlust, -abnahme; **2.** *mst pl.* ⚔ Verluste *pl.*, Ausfälle *pl.*; **3.** *Versicherungswesen*: Schadensfall *m*; **4. *at a ~*** a) ✝ mit Verlust (*arbeiten, verkaufen etc.*), b) in Verlegenheit (***for*** um): ***be at a ~*** *a.* nicht mehr ein u. aus wissen; ***be at a ~ for words*** (*od.* ***what to say***) keine Worte finden (können), nicht wissen, was man (dazu) sagen soll; ***he is never at a ~ for an excuse*** er ist nie um e-e Ausrede verlegen; **~ lead·er** *s.* ✝ ˈLockarˌtikel *m*; **ˈ~-ˌmak·er** *s.* ✝ *Brit.* **1.** mit Verlust arbeitender Betrieb; **2.** Verlustgeschäft *n*.

lost [lɒst] **I** *pret. u. p.p. von* ***lose***; **II** *adj.* **1.** verloren: **~ *articles*** (***battle, friend, time*** *etc.*); ***a ~ chance*** e-e verpaßte Gelegenheit; **~ *property office*** Fundbüro *n*; **2.** verloren(gegangen), vernichtet, (da)ˈhin: ***be ~*** a) verlorengehen (***to*** an *acc.*), b) zugrunde gehen, untergehen, c) umkommen, den Tod finden, d) verschwinden, e) verschwunden *od.* verschollen sein, f) vergessen sein, g) versunken *od.* vertieft sein (***in*** in *acc.*); **~ *in thought***; ***I am ~ without my car!*** ohne mein Auto bin ich verloren *od.* ‚aufgeschmissen'!; **3.** verirrt: ***be ~*** sich verirrt *od.* verlaufen haben, sich nicht mehr zurechtfinden (*a. fig.*); ***get ~*** sich verirren; ***get ~!*** F verschwinde!; ***I'm ~!*** F da komm' ich nicht mehr mit!; **4.** *fig.* verschwendet, vergeudet (***on s.o.*** an j-n): ***that's ~ on him*** *a.* a) das läßt ihn kalt, b) dafür hat er keinen Sinn, c) das versteht er nicht.

lot [lɒt] **I** *s.* **1.** Los *n*: ***cast*** (*od.* ***draw***) **~*s*** losen, Lose ziehen (***for*** um); ***throw in one's ~ with s.o.*** das Los mit j-m teilen, sich (auf Gedeih u. Verderb) mit j-m zs.-tun; ***by ~*** durch (das) Los; **2.** Anteil *m*; **3.** Los *n*, Schicksal *n*: ***it falls to my ~*** es ist mein Los, es fällt mir zu (*et. zu tun*); **4.** *bsd. Am.* a) Stück *n* Land, Grundstück *n*, *bsd.* Parˈzelle *f*, b) Bauplatz *m*, c) (Park- *etc.*)Platz *m*; **5.** *Am.* Filmgelände *n*, *bsd.* Studio *n*; **6.** ✝ a) Arˈtikel *m*, b) Parˈtie *f*, Posten *m* (*von Waren*): ***in ~s*** partienweise; **7.** Gruppe *f*, Gesellschaft *f*, ‚Verein' *m*: ***the whole ~*** a) die ganze Gesellschaft, der ganze ‚Laden', b) → 8; **8. *the ~*** alles, das Ganze: ***take the ~!***; ***that's the ~*** das ist alles; **9.** (Un)Menge *f*: ***a ~ of***, **~*s of*** viel, e-e Menge, ein Haufen *Geld etc.*; **~*s and ~s of people*** e-e Unmasse Menschen; **~*s!*** *in Antworten*: jede Menge!; **10.** F Kerl *m*: ***a bad ~*** ein übler Bursche; **II** *adv.* **11.** ***a ~***, F ***~s*** a) (sehr) viel: ***a ~ better***, ***I read a ~***, b) (sehr) oft: ***I see her a ~***.

loth [ləʊθ] → ***loath***.

Lo·thar·i·o [ləʊˈθɑːrɪəʊ] *s.* Schwerenöter *m.*

lo·tion [ˈləʊʃn] *s.* (*Augen-*, *Haut-*, *Rasier- etc.*)Wasser *n*, Lotiˈon *f.*

lot·ter·y [ˈlɒtərɪ] *s.* **1.** Lotteˈrie *f*: ***~ ticket*** Lotterielos *n*; **2.** *fig.* Glückssache *f*, Lotteˈriespiel *n.*

lo·tus [ˈləʊtəs] *s.* **1.** *Sage*: Lotos *m* (*Frucht*); **2.** ⚘ a) Lotos(blume *f*) *m*, b) Honigklee *m*; **ˈ~-ˌeat·er** *s.* **1.** (*in der Odyssee*) Lotosesser *m*; **2.** Träumer *m*, Müßiggänger *m*, tatenloser Genußmensch.

loud [laʊd] *adj.* ☐ **1.** (*a. adv.*) laut (*a. fig.*): ***~ admiration***; **2.** schreiend, auffallend, grell: ***~ colo(u)rs***; **ˌ~-ˈhail·er** *s. Brit.* Megaˈphon *n*; **ˈ~·mouth** *s.* F **1.** Großmaul *n*; **2.** ‚dummer Quatscher'; **ˈ~·mouthed** *adj.* großmäulig.

loud·ness [ˈlaʊdnɪs] *s.* **1.** Lautheit *f*, *a. phys.* Lautstärke *f*; **2.** Lärm *m*; **3.** *das* Auffallende, Grellheit *f.*

ˌloudˈspeak·er *s.* ⚡ Lautsprecher *m.*

lounge [laʊndʒ] **I** *s.* **1.** a) Halle *f*, Diele *f*, Gesellschaftsraum *m* (*Hotel*), b) *thea.* Foyˈer *n*, c) Abflug-, Wartehalle (*Flughafen*), d) *a.* ***~ bar*** ✈, ⚓, 🚂 Saˈlon *m*; **2.** Wohndiele *f*, -zimmer *n*; **3.** Sofa *n*, Liege *f*; **II** *v/i.* **4.** sich rekeln; **5.** faulenzen; **6.** ***~ about*** (*od.* ***around***) heˈrumliegen *od.* -sitzen *od.* -stehen *od.* -schlendern; **7.** schlendern; **III** *v/t.* **8.** ***~ away*** *Zeit* verbummeln; **~ bar** Saˈlon *m* (*e-s Restaurants*); **~ chair** *s.* Klubsessel *m*; **~ liz·ard** *s.* F Saˈlonlöwe *m*; **~ suit** *s. Brit.* Straßenanzug *m.*

lour, **lour·ing** → ***lower***[1], ***lowering***.

louse [laʊs] **I** *pl.* **lice** [laɪs] *s.* **1.** *zo.* Laus *f*; **2.** *sl.* ‚Fiesling' *m*, Scheißkerl *m*; **II** *v/t.* [laʊz] **3.** (ent)lausen; **4.** ***~ up*** *sl.* versauen, -masseln; **ˈlous·y** [-zɪ] *adj.* **1.** verlaust; **2.** *sl.* a) ‚fies', (hunds)gemein, b) miseˈrabel, ‚beschissen': ***the film was ~***; ***I feel ~***, c) ‚lausig': ***for ~ two dollars***; **3.** ***~ with*** *sl.* wimmelnd von; ***~ with people***; ***~ with money*** stinkreich.

lout [laʊt] *s.* Flegel *m*, Rüpel *m*; **ˈlout·ish** [-tɪʃ] *adj.* ☐ flegel-, rüpelhaft.

lou·ver, *Brit. a.* **lou·vre** [ˈluːvə] *s.* **1.** ⚠ *hist.* Dachtürmchen *n*; **2.** Jalouˈsie *f* (*a.* ⚙ *Luft-*, *Kühlschlitze*).

lov·a·ble [ˈlʌvəbl] *adj.* ☐ liebenswert, reizend, ‚süß'.

lov·age [ˈlʌvɪdʒ] *s.* ⚘ Liebstöckel *n*, *m.*

love [lʌv] **I** *s.* **1.** (*sinnliche od. geistige*) Liebe (***of***, ***for***, ***to[wards]*** zu): ***~ of music*** Liebe zur Musik, Freude *f* an der Musik; ***~ of adventure*** Abenteuerlust *f*; ***the ~ of God*** a) die Liebe Gottes, b) die Liebe zu Gott; ***for the ~ of God*** um Gottes willen; ***be in ~*** (***with s.o.***) verliebt sein (in j-n); ***fall in ~*** (***with s.o.***) sich verlieben (in j-n); ***make ~*** sich (*sexuell*) lieben; ***make ~ to s.o.*** a) j-n (*körperlich*) lieben, b) *obs.* j-n umˈwerben, j-m gegenüber zärtlich werden; ***send one's ~ to s.o.*** j-n grüßen lassen; ***give her my ~!*** grüße sie herzlich von mir!; ***~*** *als Briefschluß*: herzliche Grüße; ***for ~*** a) umsonst, gratis, b) *a.* ***for the ~ of it*** (nur) zum Spaß; ***play for ~*** um nichts spielen; ***not for ~ or money*** nicht für Geld u. gute Worte; ***there is no ~ lost between them*** sie haben nichts füreinander übrig; **2.** ♀ die Liebe, (Gott *m*) Amor *m*; **3.** *pl. Kunst*: Amoˈretten *pl.*; **4.** Liebling *m*, Schatz *m*; **5.** F a) mein Lieber, b) m-e Liebe; **6.** Liebe *f*, Liebschaft *f*; **7.** F lieber *od.* goldiger Kerl: ***he*** (***she***) ***is a ~***; **8.** F reizende *od.* goldige *od.* ‚süße' Sache *od.* Perˈson: ***a ~ of a child*** (***hat***); **9.** *bsd. Tennis*: null: ***~ all*** null beide; ***~ fifteen*** fünfzehn null; **II** *v/t.* **10.** *j-n* lieben; **11.** *et.* lieben, sehr mögen: ***~ to do*** (*od.* ***doing***) ***s.th.*** etwas (schrecklich) gern tun; ***we ~d having you with us*** wir haben uns sehr über deinen Besuch gefreut; **~ af·fair** *s.* ˈLiebesafˌfäre *f*; **ˈ~·bird** *s.* **1.** *orn.* Unzertrennliche(r) *m*; **2.** *pl.* F ‚Turteltauben' *pl.*; **~ child** *s.* Kind *n* der Liebe; **~ game** *s. Tennis*: Zu-ˈNull-Spiel *n*; **ˌ~-ˈhate re·la·tion·ship** *s.* Haßliebe *f.*

love·less [ˈlʌvlɪs] *adj.* ☐ **1.** ohne Liebe; **2.** lieblos.

love| let·ter *s.* Liebesbrief *m*; **~ life** *s.* Liebesleben *n.*

love·li·ness [ˈlʌvlɪnɪs] *s.* Lieblichkeit *f*, Schönheit *f.*

ˈlove|·lock *s.* Schmachtlocke *f*; **ˈ~·lorn** [-lɔːn] *adj.* liebeskrank, vor Liebeskummer *od.* Liebe vergehend.

love·ly [ˈlʌvlɪ] *adj.* ☐ **1.** a) lieblich, schön, hübsch, b) *allg.*, *a.* F *u. iro.* schön, wunderbar, reizend, entzückend, c) lieb, nett (***of you*** von dir); **2.** F ‚süß', niedlich.

ˈlove|-ˌmak·ing *s.* (*körperliche*) Liebe; Liebesspiele *pl.*, -kunst *f*; **~ match** *s.* Liebesheirat *f*; **~ nest** *s.* ‚Liebesnest' *n*; **~ po·tion** *s.* Liebestrank *m.*

lov·er [ˈlʌvə] *s.* **1.** a) Liebhaber *m*, Geliebte(r) *m*, b) Geliebte *f*; **2.** *pl.* Liebende *pl.*, Liebespaar *n*: ***~s' lane*** *humor.* ‚Seufzergäßchen' *n*; ***they were ~s*** sie liebten sich *od.* hatten ein Verhältnis miteinander; **3.** Liebhaber(in), (*Musik- etc.*)Freund(in); **ˈ~·boy** *s.* F Casaˈnova *m.*

love| seat *s.* Plaudersofa *n*; **~ set** *s. Tennis*: Zu-ˈNull-Satz *m*; **ˈ~·sick** *adj.* liebeskrank: ***be ~*** *a.* Liebeskummer haben; **~ song** *s.* Liebeslied *n*; **~ sto·ry** *s.* Liebesgeschichte *f.*

lov·ing [ˈlʌvɪŋ] *adj.* ☐ liebend, liebevoll,

Liebes…: ~ ***words***; ***your ~ father*** (*als Briefschluß*) Dein Dich liebender Vater; ~ **cup** *s.* Po'kal *m*; ,~-'**kind·ness** *s.* **1.** (göttliche) Gnade *od.* Barm'herzigkeit; **2.** Herzensgüte *f*.

low[1] [ləʊ] **I** *adj. u. adv.* **1.** nieder, niedrig (*a. Preis, Temperatur, Zahl etc.*): ***of ~ birth*** von niedriger Abkunft; ***~ pressure*** Tiefdruck *m*; ***~ speed*** niedrige *od.* geringe Geschwindigkeit; ***~ water*** ⚓ tiefster Gezeitenstand; ***at the ~est*** wenigstens, mindestens; ***be at its ~est*** auf dem Tiefpunkt angelangt sein; → ***lower***[3], ***opinion*** 2; **2.** tief (*a. fig.*): ***~ bow***; ***~ flying*** Tiefflug *m*; ***the sun is ~*** die Sonne steht tief; → ***low-necked***; **3.** knapp (*Vorrat etc.*): ***run ~*** knapp werden, zur Neige gehen; ***I am ~ in funds*** ich bin nicht gut bei Kasse; **4.** schwach: ***~ light***; ***~ pulse***; **5.** einfach, fru'gal (*Kost*); **6.** be-, gedrückt: ***~ spirits*** gedrückte Stimmung; ***feel ~*** a) in gedrückter Stimmung *od.* niedergeschlagen sein, b) sich elend fühlen; **7.** minderwertig, schlecht: ***~ quality***; **8.** a) niedrig (*denkend od. gesinnt*): ***~ thinking*** niedrige Denkungsart, b) ordi'när, vul'gär: ***a ~ expression***; ***a ~ fellow***, c) gemein, niederträchtig: ***a ~ trick***; **9.** nieder, primi'tiv: ***~ forms of life*** niedere Lebensformen; ***~ race*** primitive Rasse; **10.** a) tief (*Ton etc.*), b) leise (*Ton, Stimme etc.*): ***in a ~ voice*** leise; **11.** *Phonetik*: offen (*Vokal*); **12.** ⚙, *mot.* erst, niedrigst (*Gang*): ***in ~ gear***; **II** *adv.* **13.** niedrig (*zielen etc.*); **14.** tief: ***bow*** (***hit***, *etc.*) ***~***; ***sunk thus ~*** *fig.* so tief gesunken; ***bring s.o. ~*** *fig.* j-n zu Fall bringen *od.* ruinieren *od.* demütigen; ***lay s.o. ~*** a) j-n niederstrecken, b) *fig.* j-n zur Strecke bringen; ***be laid ~*** (***with***) darniederliegen (mit *e-r Krankheit*); **15.** a) leise, b) tief: ***sing ~***; **16.** kärglich: ***live ~***; **17.** billig: ***buy*** (***sell***) ***~***; **18.** niedrig, mit geringem Einsatz: ***play ~***; **III** *s.* **19.** *meteor.* Tief(druckgebiet) *n*; **20.** *fig.* Tiefstand *m*: ***reach a new ~*** e-n neuen Tiefstand erreichen; **21.** *mot.* erster Gang.

low[2] [ləʊ] **I** *v/i. u. v/t.* brüllen, muhen (*Rind*); **II** *s.* Brüllen *n*, Muhen *n*.

,**low**|-'**born** *adj.* von niedriger Geburt; '~·**boy** *s. Am.* niedrige Kom'mode; '~·**brow** F **I** *s.* Ungebildete(r *m*) *f*, ‚Unbedarfte(r' *m*) *f*; **II** *adj.* geistig anspruchslos, *Person*: *a.* ungebildet, ‚unbedarft'; ,~-'**cal·o·rie** *adj.* kalo'rienarm; ♀ **Church** *s. eccl.* Low Church *f* (*protestantisch-pietistische Sektion der anglikanischen Kirche*); ~ **com·e·dy** *s.* Schwank *m*, ‚Klamotte' *f*; '~-**cost** *adj.* billig, preisgünstig; ♀ **Coun·tries** *s. pl. die Niederlande, Belgien u. Luxemburg*; '~-**down** F **I** *adj.* fies, gemein; **II** *s.* (volle) Informati'onen *pl.*, *die* Wahrheit, genaue Tatsachen *pl.*, 'Hintergründe *pl.* (***on*** über *acc.*); ,~-e'**mis·sion** *adj. mot.* abgasarm.

low·er[1] ['laʊə] *v/i.* **1.** finster *od.* drohend blicken: ***~ at*** *j-n* finster anblicken; **2.** *fig.* bedrohlich aussehen (*Himmel, Wolken etc.*); **3.** *fig.* drohen (*Ereignisse*).

low·er[2] ['ləʊə] **I** *v/t.* **1.** niedriger machen; **2.** *Augen, Gewehrlauf etc., a. Stimme, Preis, Kosten, Niveau, Temperatur, Ton etc.* senken; *fig. Moral* senken, *a. Widerstand etc.* schwächen; **3.** her'unter- *od.* hin'unterlassen, niederlassen; *Fahne, Segel* niederholen, *Rettungsboote* aussetzen; **4.** *fig.* erniedrigen: ***~ o.s.*** sich herablassen (*et. zu tun*); **II** *v/i.* **5.** sinken, fallen, sich senken.

low·er[3] ['ləʊə] **I** *adj.* (*comp. von* ***low***[1] I) **1.** tiefer, niedriger; **2.** unter, Unter…: ♀ ***Chamber*** (*od.* ***House***) *parl.* Unter-, Abgeordnetenhaus *n*; ***the ~ class*** *sociol.* die untere Klasse *od.* Schicht; ***~ deck*** Unterdeck *n*; ***~ jaw*** Unterkiefer *m*; ***~ region*** Unterwelt *f* (*Hölle*); ***~ school*** Unter- u. Mittelstufe *f*; **3.** *geogr.* Unter…, Nieder…: ♀ ***Austria*** Niederösterreich *n*; **II** *adv.* **4.** tiefer: ***~ down the river*** (***list***) weiter unten am Fluß (auf der Liste).

low·er·ing ['laʊərɪŋ] *adj.* □ finster, düster, drohend.

low·er·most ['ləʊəməʊst] → ***lowest***.

low·est ['ləʊɪst] **I** *adj.* tiefst, niedrigst, unterst (*etc.*, → ***low***[1] I): ***~ bid*** ✝ Mindestgebot *n*; **II** *adv.* am tiefsten (*etc.*).

'**low**|-,**fly·ing** *adj.* tieffliegend: ***~ plane*** Tiefflieger *m*; ~ **fre·quen·cy** *s.* ⚡ 'Niederfre,quenz *f*; ,~-'**fu·el con·sump·tion en·gine** *s.* Sparmotor *m*; ♀ **Ger·man** *s. ling.* Niederdeutsch *n*, Plattdeutsch *n*; ,~-'**key**(**ed**) *adj.* gedämpft (*Farbe, Ton, Stimmung etc.*), *fig. a.* a) (sehr) zurückhaltend, b) bedrückt, c) unaufdringlich; '~·**land** [-lənd] **I** *s. oft pl.* Flach-, Tiefland *n*: ***the ♀s*** das schottische Tiefland; **II** *adj.* Tiefland(s)…; '~·**land·er** [-ləndə] *s.* **1.** Tieflandbewohner(in); **2.** ♀ (schottischer) Tiefländer; ♀ **Lat·in** *s. ling.* nichtklassisches La'tein; ,~-'**lev·el** *adj.* niedrig (*a. fig.*): ***~ officials***; ***~ talks*** *pol.* Gespräche *pl.* auf unterer Ebene; ***~ attack*** ✈ Tief(flieger)angriff *m*.

low·li·ness ['ləʊlɪnɪs] *s.* **1.** Niedrigkeit *f*; **2.** Bescheidenheit *f*.

low·ly ['ləʊlɪ] *adj. u. adv.* **1.** niedrig, gering, bescheiden; **2.** tief(stehend), primi'tiv, niedrig; **3.** demütig, bescheiden.

Low| **Mass** *s. R.C.* Stille Messe; ,♀-'**mind·ed** *adj.* niedrig (gesinnt), gemein; ,♀-'**necked** *adj.* tief ausgeschnitten (*Kleid*).

low·ness ['ləʊnɪs] *s.* **1.** Niedrigkeit *f* (*a. fig., contp.*); **2.** Tiefe *f* (*e-r Verbeugung*, *e-s Tons etc.*); **3.** ~ ***of spirits*** Niedergeschlagenheit *f*; **4.** a) Gemeinheit *f*, b) ordi'näre Art.

ˌlow|-'noise *adj.* rauscharm (*Tonband*); **ˌ~-'pitched** *adj.* **1.** ♪ tief; **2.** mit geringer Steigung (*Dach*); ~ **pres·sure** *s.* **1.** ⚙ Nieder-, 'Unterdruck *m*; **2.** *meteor.* Tiefdruck *m*; **ˌ~-'pres·sure** *adj.* a) Niederdruck..., b) *meteor.* Tiefdruck...; **ˌ~-'priced** *adj.* ✝ billig; **ˌ~-'spir·it·ed** *adj.* niedergeschlagen, gedrückt; ♀ **Sun·day** *s.* Weißer Sonntag (*erster Sonntag nach Ostern*); ~ **ten·sion** *s.* ϟ Niederspannung *f*; **ˌ~-'ten·sion** *adj.* ϟ Niederspannungs...; ~ **tide** *s.* ⚓ Niedrigwasser *n*; **ˌ~-'val·ue** *adj.* geringwertig; **ˌ~-'volt·age** *adj.* ϟ **1.** Niederspannungs...; **2.** Schwachstrom...; ~ **wa·ter** *s.* ⚓ Ebbe *f*, Niedrigwasser *n*: ***be in*** ~ *fig.* auf dem trockenen sitzen; **ˌ~-'water mark** *s.* **1.** ⚓ Niedrigwassermarke *f*; **2.** *fig.* Tiefpunkt *m*, -stand *m*.

loy·al ['lɔɪəl] *adj.* □ **1.** (***to***) loy'al (gegenüber), treu (ergeben) (*dat.*); **2.** (ge)treu (***to*** *dat.*); **3.** aufrecht, redlich; **loy·al·ist** ['lɔɪəlɪst] **I** *s.* Loya'list(in): a) *allg.* Treugesinnte(r *m*) *f*, b) *hist.* Königstreue(r *m*) *f*; **II** *adj.* loya'listisch; **'loy·al·ty** [-tɪ] *s.* Loyali'tät *f*, Treue *f* (***to*** zu, gegen).

loz·enge ['lɒzɪndʒ] *s.* **1.** *her.*, ⩓ Raute *f*, Rhombus *m*; **2.** *pharm.* (*bsd.* 'Husten-) Paˌstille *f*.

lub·ber ['lʌbə] *s.* **1.** a) Flegel *m*, b) Trottel *m*; **2.** ⚓ Landratte *f*.

lu·bri·cant ['lu:brɪkənt] *s.* Gleit-, ⚙ Schmiermittel *n*; **lu·bri·cate** ['lu:brɪkeɪt] *v/t.* ⚙ *u. fig.* schmieren, ölen; **lu·bri·ca·tion** [ˌlu:brɪ'keɪʃn] *s.* ⚙ *u. fig.* Schmieren *n*, Schmierung *f*, Ölen *n*: ~ ***chart*** Schmierplan *m*; ~ ***point*** Schmierstelle *f*, -nippel *m*; **'lu·bri·ca·tor** [-keɪtə] *s.* ⚙ Öler *m*, Schmiervorrichtung *f*; **lu·bric·i·ty** [lu:'brɪsətɪ] *s.* **1.** Gleitfähigkeit *f*, Schlüpfrigkeit *f* (*a. fig.*); **2.** ⚙ Schmierfähigkeit *f*.

luce [lu:s] *s. ichth.* (ausgewachsener) Hecht.

lu·cent ['lu:snt] *adj.* **1.** glänzend, strahlend; **2.** 'durchsichtig, klar.

lu·cern(e) [lu:'sɜ:n] *s.* ♀ Lu'zerne *f*.

lu·cid ['lu:sɪd] *adj.* □ **1.** *fig.* klar: ~ ***interval*** *psych.* lichter Augenblick; **2.** → ***lucent***; **lu·cid·i·ty** [lu:'sɪdətɪ], **'lu·cid·ness** [-nɪs] *s. fig.* Klarheit *f*.

Lu·ci·fer ['lu:sɪfə] *s. bibl.* Luzifer *m* (*a. ast. Venus als Morgenstern*).

luck [lʌk] *s.* **1.** Schicksal *n*, Geschick *n*, Zufall *m*: ***as*** ~ ***would have it*** wie es der Zufall wollte, (un)glücklicherweise; ***bad*** (*od.* ***hard***, ***ill***) ~ a) Unglück *n*, Pech *n*, b) *als Einschaltung*: Pech gehabt!; ***good*** ~ Glück *n*; ***good*** ~***!*** viel Glück!; Hals- u. Beinbruch!; ***worse*** ~ unglücklicherweise, leider; ***be down on one's*** ~ e-e Pechsträhne haben; ***just my*** ~***!*** so geht es mir immer; **2.** Glück *n*: ***for*** ~ als Glücksbringer; ***be in*** (***out of***) ~ (kein) Glück haben; ***try one's*** ~ sein Glück versuchen; ***with*** ~ mit ein bißchen Glück; ***here's*** ~***!*** F Prost!; **luck·i·ly** ['lʌkɪlɪ] *adv.* zum Glück, glücklicherweise; **luck·i·ness** ['lʌkɪnɪs] *s.* Glück *n*; **'luck·less** [-lɪs] *adj.* □ glücklos.

luck·y ['lʌkɪ] *adj.* □ → ***luckily***; **1.** Glücks..., glücklich: ***a*** ~ ***day*** ein Glückstag; ~ ***hit*** Glückstreffer *m*; ***be*** ~ Glück haben; ***you*** ~ ***thing!*** F du Glückliche(r *m*) *f*!; ***you are*** ~ ***to be alive!*** du kannst von Glück sagen, daß du noch lebst!; ***it was*** ~ ***that*** ein Glück, daß ..., zum Glück ...; **2.** glückbringend, Glücks...: ~ ***bag***, ~ ***dip*** Glücksbeutel *m*, -topf *m*; ~ ***star*** Glücksstern *m*.

lu·cra·tive ['lu:krətɪv] *adj.* □ einträglich, lukra'tiv.

lu·cre ['lu:kə] *s.* Gewinn(sucht *f*) *m*, Geld(gier *f*) *n*: ***filthy*** ~ schnöder Mammon, gemeine Profitgier.

lu·di·crous ['lu:dɪkrəs] *adj.* □ **1.** lächerlich, ab'surd; **2.** spaßig, drollig.

lu·do ['lu:dəʊ] *s.* Mensch, ärgere dich nicht *n* (*Würfelspiel*).

lu·es ['lu:i:z] *s.* ⚕ Lues *f*, Syphilis *f*.

luff [lʌf] ⚓ **I** *s.* **1.** Luven *n*; **2.** Luv(seite) *f*, Windseite *f*; **II** *v/t. u. v/i.* **3.** *a.* ~ ***up*** anluven.

luf·fa ['lʌfə] *s.* ♀ *u.* ✝ Luffa *f*.

lug¹ [lʌg] *v/t.* zerren, schleppen: ~ ***in*** *fig.* an den Haaren herbeiziehen, *Thema* (mit Gewalt) hineinbringen.

lug² [lʌg] *s.* **1.** (Leder)Schlaufe *f*; **2.** ⚙ a) Henkel *m*, Öhr *n*, b) Knagge *f*, Zinke *f*, c) Ansatz *m*; **3.** *Scot. od. Brit.* F Ohr *n*; **4.** *sl.* Trottel *m*.

luge [lu:ʒ] **I** *s.* Renn-, Rodelschlitten *m*; **II** *v/i.* rodeln.

lug·gage ['lʌgɪdʒ] *s. Brit.* Gepäck *n*; ~ **boot** *s. mot.* Kofferraum *m*; ~ **car·ri·er** *s.* Gepäckträger *m* (*am Fahrrad*); ~ **in·sur·ance** *s.* (Reise)Gepäckversicherung *f*; ~ **lock·er** *s.* (Gepäck)Schließfach *n*; ~ **rack** *s.* **1.** Gepäcknetz *n*; **2.** *mot.* Gepäckträger *m*; **'~-van** *s.* Packwagen *m*.

lug·ger ['lʌgə] *s.* ⚓ Logger *m* (*Schiff*).

lu·gu·bri·ous [lu:'gu:brɪəs] *adj.* □ schwermütig, kummervoll.

Luke [lu:k] *npr. u. s. bibl.* 'Lukas(evanˌgelium *n*) *m*.

luke·warm ['lu:kwɔ:m] *adj.* □ lau (-warm); *fig.* lau; **'luke·warm·ness** [-nɪs] *s.* Lauheit *f* (*a. fig.*).

lull [lʌl] **I** *v/t.* **1.** *mst* ~ ***to sleep*** einlullen (*a. fig.*); **2.** *fig.* beruhigen, *a. j-s Befürchtungen etc.* beschwichtigen: ~ ***into*** (***a false sense of***) ***security*** in Sicherheit wiegen; **II** *s.* **3.** Pause *f*; **4.** (Wind-) Stille *f*, Flaute *f* (*a.* ✝), *fig. a.* Stille *f* (*vor dem Sturm*): ***a*** ~ ***in conversation*** e-e Gesprächspause.

L

lull·a·by ['lʌləbaɪ] *s.* Wiegenlied *n.*
lu·lu ['lu:lu:] *s. Am. sl.* ‚dolles Ding', schicke Sache.
lum·ba·go [lʌm'beɪgəʊ] *s.* ⚕ Hexenschuß *m*, Lum'bago *f.*
lum·bar ['lʌmbə] *adj. anat.* Lenden…, lum'bal.
lum·ber[1] ['lʌmbə] **I** *s.* **1.** *bsd. Am.* Bau-, Nutzholz *n*; **2.** Gerümpel *n*, Plunder *m*; **II** *v/t.* **3.** *bsd. Am. Holz* aufbereiten; **4.** *a.* **~ *up*** vollstopfen, -pfropfen.
lum·ber[2] ['lʌmbə] *v/i.* **1.** trampeln, trappen; **2.** (da'hin)rumpeln (*Fahrzeug*).
lum·ber·ing ['lʌmbərɪŋ] *adj.* □ schwerfällig.
'lum·ber|·jack *s. bsd. Am.* Holzfäller *m*; **'~|jack·et** *s.* Lumberjack *m*; **~ mill** *s.* Sägewerk *n*; **~ room** *s.* Rumpelkammer *f*; **~ trade** *s.* (Bau)Holzhandel *m*; **~ yard** *s.* Holzplatz *m.*
lu·men ['lu:mən] *s. phys.* Lumen *n.*
lu·mi·nar·y ['lu:mɪnərɪ] *s.* Leuchtkörper *m*, *bsd. ast.* Himmelskörper *m*; *fig.* Leuchte *f* (*Person*); **lu·mi·nes·cence** [ˌlu:mɪ'nesns] *s.* Lumines'zenz *f*; **lu·mi·nes·cent** [ˌlu:mɪ'nesnt] *adj.* lumineszierend, leuchtend; **lu·mi·nos·i·ty** [ˌlu:mɪ'nɒsətɪ] *s.* **1.** Leuchten *n*, Glanz *m*; **2.** *ast., phys.* Lichtstärke *f*, Helligkeit *f*; **'lu·mi·nous** [-nəs] *adj.* □ **1.** leuchtend, Leucht…(*-farbe, -kraft, -uhr, -zifferblatt etc.*), *bsd. phys.* Licht…(*-energie etc.*); **2.** *fig.* a) klar, b) lichtvoll, bril'lant.
lum·mox ['lʌməks] *s. Am.* F Trottel *m.*
lump [lʌmp] **I** *s.* **1.** Klumpen *m*: ***have a ~ in one's throat*** *fig.* e-n Kloß im Hals haben; **2.** a) Schwellung *f*, Beule *f*, b) Geschwulst *f*; **3.** Stück *n Zucker etc.*; **4.** *metall.* Luppe *f*; **5.** *fig.* Masse *f*: ***all of*** (*od.* ***in***) ***a ~*** alles auf einmal; ***in the ~*** a) pauschal, in Bausch u. Bogen, b) im großen; **6.** F ‚Klotz' *m* (*langweiliger od. stämmiger Kerl*); **7. *the ~*** *Brit.* die Selbständigen *pl.* im Baugewerbe; **II** *adj.* **8.** Stück…: **~ *coal***; **~ *sugar*** Würfelzucker *m*; **9.** Pauschal…(*-fracht, -summe etc.*); **III** *v/t.* **10.** *oft* **~ *together*** a) zs.-tun, -legen, b) *fig. a.* in 'einen Topf werfen, über 'einen Kamm scheren, c) *fig.* zs.-fassen; **11. *if you don't like it you can ~ it*** a) wenn es dir nicht paßt, kannst du's ja bleiben lassen, b) du wirst dich eben damit abfinden müssen; **IV** *v/i.* **12.** Klumpen bilden; **'lump·ish** [-pɪʃ] *adj.* □ **1.** schwerfällig, klobig, plump; **2.** dumm; **'lump·y** [-pɪ] *adj.* □ **1.** klumpig; **2.** → ***lumpish*** 1; **3.** ⚓ unruhig (*See*).
lu·na·cy ['lu:nəsɪ] *s.* ⚕ Wahn-, Irrsinn *m* (*a. fig.* F).
lu·nar ['lu:nə] *adj.* Mond…, Lunar…: **~ *landing*** Mondlandung *f*; **~ *landing vehicle*** Mondlandefahrzeug *n*; **~ *module*** Mondfähre *f*; **~ *rock*** Mondgestein *n*; **~ *rover*** Mondfahrzeug *n*; **~ *year*** Mondjahr *n.*
lu·na·tic ['lu:nətɪk] **I** *adj.* wahn-, irrsinnig, geisteskrank: **~ *fringe*** F *pol.* extremistische Randgruppe; **II** *s.* Wahnsinnige(r *m*) *f*, Irre(r *m*) *f*: **~ *asylum*** Irrenanstalt *f.*
lunch [lʌntʃ] **I** *s.* Mittagessen *n*, Lunch *m*: **~ *break*** Mittagspause *f*; **~ *counter*** Imbißbar *f*; **~ *hour***, **~ *time*** Mittagszeit *f*, -pause *f*; **II** *v/i.* das Mittagessen einnehmen; **III** *v/t.* *j-n* zum Mittagessen einladen, beköstigen.
lunch·eon ['lʌntʃən] → ***lunch***: **~ *meat*** Frühstücksfleisch *n*; **~ *voucher*** Essen(s)marke *f*; **lunch·eon·ette** [ˌlʌntʃə'net] *s. Am.* Imbißstube *f.*
lu·nette [lu:'net] *s.* **1.** Lü'nette *f*: a) △ Halbkreis-, Bogenfeld *n*, b) ⚔ Brillschanze *f*, c) Scheuklappe *f* (*Pferd*); **2.** flaches Uhrglas.
lung [lʌŋ] *s. anat.* Lunge(nflügel *m*) *f*: ***the ~s*** die Lunge (*als Organ*); **~ *power*** Stimmkraft *f.*
lunge[1] [lʌndʒ] **I** *s.* **1.** *fenc.* Ausfall *m*, Stoß *m*; **2.** Satz *m od.* Sprung *m* vorwärts; **II** *v/i.* **3.** *fenc.* ausfallen (***at*** gegen); **4.** sich stürzen (***at*** auf *acc.*); **III** *v/t.* **5.** *Waffe etc.* stoßen.
lunge[2] [lʌndʒ] **I** *s.* Longe *f*, Laufleine *f* (*für Pferde*); **II** *v/t.* longieren.
lu·pin(e)[1] ['lu:pɪn] *s.* ⚘ Lu'pine *f.*
lu·pine[2] ['lu:paɪn] *adj.* Wolfs…, wölfisch.
lurch[1] [lɜ:tʃ] **I** *s.* **1.** Taumeln *n*, Torkeln *n*; **2.** ⚓ Schlingern *n*, Rollen *n*; **3.** Ruck *m*; **II** *v/i.* **4.** ⚓ schlingern; **5.** taumeln, torkeln.
lurch[2] [lɜ:tʃ] *s.*: ***leave in the ~*** *fig.* im Stich lassen.
lure [ljʊə] **I** *s.* **1.** Köder *m* (*a. fig.*); **2.** *fig.* Lockung *f*, Verlockungen *pl.*, Reiz *m*; **II** *v/t.* **3.** (an)locken, ködern: **~ *away*** fortlocken; **4.** verlocken (***into*** zu).
lu·rid ['ljʊərɪd] *adj.* □ **1.** grell; **2.** fahl, gespenstisch (*Beleuchtung etc.*); **3.** *fig.* a) düster, finster, unheimlich, b) grausig, gräßlich.
lurk [lɜ:k] **I** *v/i.* **1.** lauern (*a. fig.*); **2.** *fig.* a) verborgen liegen, b) (heimlich) drohen; **3.** *a.* **~ *about*** *od.* ***around*** her'umschleichen; **II** *s.* **4. *on the ~*** auf der Lauer; **'lurk·ing** [-kɪŋ] *adj. fig.* versteckt, lauernd, heimlich.
lus·cious ['lʌʃəs] *adj.* □ **1.** köstlich, lekker, *a.* saftig; **2.** üppig; **3.** *Mädchen, Figur etc.*: prächtig, ‚knackig'.
lush[1] [lʌʃ] *adj.* □ ⚘ saftig, üppig (*a. fig.*).
lush[2] [lʌʃ] *s. Am. sl.* **1.** ‚Stoff' *m* (*Whisky etc.*); **2.** Säufer(in).
lust [lʌst] **I** *s.* **1.** a) (sinnliche) Begierde, b) (Sinnes)Lust *f*, Wollust *f*; **2.** Gier *f*, Gelüste *n*, Sucht *f* (***of, for*** nach): **~ *of***

L

power Machtgier *f*; ***~ for life*** Lebensgier *f*; **II** *v/i.* **3.** gieren (***for***, ***after*** nach): ***they ~ for power*** es gelüstet sie nach Macht.

lus·ter [ˈlʌstə] *Am.* → ***lustre***.

lust·ful [ˈlʌstfʊl] *adj.* □ wollüstig, geil, lüstern.

lust·i·ly [ˈlʌstɪlɪ] *adv.* kräftig, mächtig, mit Macht *od.* Schwung, *a.* aus voller Kehle *singen*.

lus·tre [ˈlʌstə] *s.* **1.** Glanz *m* (*a. min. u. fig.*); **2.** Lüster *m*: a) Kronleuchter *m*, b) *Halbwollgewebe*, c) *Glanzüberzug auf Porzellan etc.*; ˈ**lus·tre·less** [-lɪs] *adj.* glanzlos, stumpf; **lus·trous** [ˈlʌstrəs] *adj.* □ glänzend.

lust·y [ˈlʌstɪ] *adj.* (□ → ***lustily***) **1.** kräftig, gesund u. munter; **2.** lebhaft, voller Leben, schwungvoll; **3.** kräftig, kraftvoll.

lu·ta·nist [ˈlu:tənɪst] *s.* Lautenspieler (-in), Lauteˈnist(in).

lute[1] [lu:t] *s.* ♪ Laute *f*.

lute[2] [lu:t] **I** *s.* **1.** ⚙ Kitt *m*, Dichtungsmasse *f*; **2.** Gummiring *m*; **II** *v/t.* **3.** (ver)kitten.

lu·te·nist [ˈlu:tənɪst] → ***lutanist***.

Lu·ther·an [ˈlu:θərən] **I** *s. eccl.* Lutheˈraner(in); **II** *adj.* lutherisch; ˈ**Lu·ther·an·ism** [-rənɪzəm] *s.* Luthertum *n*.

lu·tist [ˈlu:tɪst] → ***lutanist***.

lux [lʌks] *pl.* **lux**, ˈ**lux·es** *s. phys.* Lux *n* (*Einheit der Beleuchtungsstärke*).

lux·ate [ˈlʌkseɪt] *v/t.* ⚕ aus-, verrenken; **lux·a·tion** [lʌkˈseɪʃn] *s.* Verrenkung *f*, Luxatiˈon *f*.

luxe [lʊks] *s.* Luxus *m*; → ***de luxe***.

lux·u·ri·ance [lʌgˈzjʊərɪəns], **luxˈu·ri·an·cy** [-sɪ] *s.* **1.** Üppigkeit *f*; **2.** Fülle *f* (***of*** an *dat.*), Pracht *f*; **luxˈu·ri·ant** [-nt] *adj.* □ üppig (*Vegetation etc., a. fig.*); **lux·u·ri·ate** [lʌgˈzjʊərɪeɪt] *v/i.* **1.** schwelgen (*a. fig.*) (***in*** in *dat.*); **2.** üppig wachsen *od.* gedeihen; **luxˈu·ri·ous** [-ɪəs] *adj.* □ **1.** Luxus..., luxuriˈös, üppig; **2.** schwelgerisch, verschwenderisch (*Person*); **3.** genüßlich, wohlig; **lux·ury** [ˈlʌkʃərɪ] *s.* **1.** Luxus *m*: a) Wohlleben *n*: ***live in ~*** im Überfluß leben, b) (Hoch)Genuß *m*: ***permit o.s. the ~ of doing*** sich den Luxus gestatten, *et.* zu tun, c) Aufwand *m*, Pracht *f*; **2.** a) ˈLuxusarˌtikel *m*, b) Genußmittel *n*.

lych gate [lɪtʃ] → ***lich gate***.

lye [laɪ] *s.* ⚗ Lauge *f*.

ly·ing[1] [ˈlaɪɪŋ] **I** *pres.p. von* ***lie***[1]; **II** *adj.* lügnerisch, verlogen; **III** *s.* Lügen *n od. pl.*

ly·ing[2] [ˈlaɪɪŋ] **I** *pres.p. von* ***lie***[2]; **II** *adj.* liegend; ˌ**~-ˈin** *s.* a) Entbindung *f*, b) Wochenbett *n*: ***~ hospital*** Entbindungsanstalt *f*, -heim *n*.

lymph [lɪmf] *s.* **1.** Lymphe *f*: a) *physiol.* Gewebeflüssigkeit *f*, b) ⚕ Impfstoff *m*; **2.** *poet.* Quellwasser *n*; **lym·phat·ic** [lɪmˈfætɪk] ⚕ **I** *adj.* lymˈphatisch, Lymph...: ***~ gland***; **II** *s.* Lymphgefäß *n*.

lynch [lɪntʃ] *v/t.* lynchen; **~ law** *s.* ˈLynchjuˌstiz *f*.

lynx [lɪŋks] *s. zo.* Luchs *m*; ˈ**~-eyed** *adj. fig.* luchsäugig.

lyre [ˈlaɪə] *s.* ♪, *ast.* Leier *f*, Lyra *f*.

lyr·ic [ˈlɪrɪk] **I** *adj.* (□ ***~ally***) **1.** lyrisch (*a. fig.*); **2.** Musik...: ***~ drama***; **II** *s.* **3.** a) lyrisches Gedicht, b) *pl.* Lyrik *f*; **4.** *pl.* (Lied)Text *m*; ˈ**lyr·i·cal** [-kl] *adj.* □ → ***lyric*** I; ˈ**lyr·i·cism** [-ɪsɪzəm] *s.* **1.** Lyrik *f*, lyrischer Chaˈrakter *od.* Stil; **2.** Schwärmeˈrei *f*; ˈ**lyr·ist** [-ɪst] *s.* Lyriker(in).

L

M

M, m [em] *s.* M *n*, m *n* (*Buchstabe*).
ma [mɑː] *s.* F Ma'ma *f.*
ma'am [mæm] *s.* (*Anrede*) **1.** F *für* ***madam***; **2.** [mɑːm; mæm] *Brit.* a) Maje'stät (*Königin*), b) Hoheit (*Prinzessin*).
mac¹ [mæk] *s. Brit.* F → ***mackintosh***.
Mac² [mæk] *s. Am.* F ‚Chef' *m.*
ma·ca·bre [mə'kɑːbrə], *Am. a.* **ma'ca·ber** [-bə] *adj.* ma'kaber: a) grausig, b) Toten…
ma·ca·co [mə'keɪkəʊ] *s. zo.* Maki *m.*
mac·ad·am [mə'kædəm] **I** *s.* **1.** Maka'dam-, Schotterdecke *f*; **2.** Schotterstraße *f*; **3.** a) Maka'dam *m*, b) Schotter *m*; **II** *adj.* **4.** beschottert, Schotter…: **~ *road***; **mac'ad·am·ize** [-maɪz] *v/t.* makadamisieren.
mac·a·ro·ni [ˌmækə'rəʊnɪ] *s. sg. u. pl.* Makka'roni *pl.*
mac·a·roon [ˌmækə'ruːn] *s.* Ma'krone *f.*
ma·caw [mə'kɔː] *s. orn.* Ara *m.*
mac·ca·ro·ni → ***macaroni***.
mace¹ [meɪs] *s.* Mus'katblüte *f.*
mace² [meɪs] *s.* **1.** ⚔ *hist.* Streitkolben *m*; **2.** Amtsstab *m*; **3.** *a.* **~*-bearer*** Träger *m* des Amtsstabes; **4.** (***Chemical***) ® (*TM*) chemische Keule (*Reizgas*).
mac·er·ate ['mæsəreɪt] *v/t.* **1.** (*a. v/i.*) (aufquellen u.) aufweichen; **2.** *biol. Nahrungsmittel* aufschließen; **3.** ausmergeln; **4.** ka'steien.
Mach [mɑːk] *s.* ⚔ *phys.* Mach *n*: ***at ~ two*** (mit) Mach 2 *fliegen*.
Mach·i·a·vel·li·an [ˌmækɪə'velɪən] *adj.* machiavel'listisch, skrupellos.
mach·i·nate ['mækɪneɪt] *v/i.* Ränke schmieden, intrigieren; **mach·i·na·tion** [ˌmækɪ'neɪʃn] *s.* Anschlag *m*, In'trige *f*, Machenschaft *f*, *pl. a.* Ränke; **'mach·i·na·tor** [-tə] *s.* Ränkeschmied *m*, Intri'gant(in).
ma·chine [mə'ʃiːn] **I** *s.* **1.** ⚙ Ma'schine *f* (F *a. Auto, Motorrad, Flugzeug etc.*); **2.** Appa'rat *m*, Vorrichtung *f*, (*thea.* 'Bühnen)Mechaˌnismus *m*: ***the god from the ~*** Deus *m* ex machina (*e-e plötzliche Lösung*); **3.** *fig.* ‚Ma'schine' *f*, ‚Roboter' *m* (*Mensch*); **4.** *pol.* (Par'tei)Maˌschine *f*, (Re'gierungs)Appaˌrat *m*; **II** *v/t.* **5.** ⚙ maschi'nell herstellen; maschi'nell drucken; (maschi'nell) bearbeiten; *engS. Metall* zerspanen; **~ age** *s.* Ma'schinenzeitalter *n*; **~ fit·ter** *s.* ⚙ Ma'schinenschlosser *m*; **~-gun** ⚔ **I** *s.* Ma'schinengewehr *n*; **II** *v/t.* mit Ma'schinengewehrfeuer belegen; **~ lan·guage** *s. Computer*: Ma'schinensprache *f*; **~-made** *adj.* **1.** maschi'nell (hergestellt), Fabrik…: **~ *paper*** Maschinenpapier *n*; **2.** *fig.* stereo'typ; **~ pis·tol** *s.* Ma'schinenpisˌtole *f*; **'~-ˌread·able** *adj.* maschinenlesbar.
ma·chin·er·y [mə'ʃiːnərɪ] *s.* **1.** Maschine'rie *f*, Ma'schinen(park *m*) *pl.*; **2.** Mecha'nismus *m*, (Trieb)Werk *n*; **3.** *fig.* Maschine'rie *f*, Räderwerk *n*, (*Regierungs*)Ma'schine *f*; **4.** dra'matische Kunstmittel *pl.*
ma·chine| shop *s.* ⚙ Ma'schinenhalle *f*, -saal *m*; **~ tool** *s.* ⚙ 'Werkzeugmaˌschine *f*; **~-ˌwash·a·ble** *adj.* 'waschmaˌschinenfest (*Stoff etc.*).
ma·chin·ist [mə'ʃiːnɪst] *s.* **1.** ⚙ a) Ma'schineningeniˌeur *m*, b) Ma'schinenschlosser *m*, c) Maschi'nist *m* (*a. thea.*); **2.** Ma'schinennäherin *f.*
ma·chis·mo [mæ'tʃɪzməʊ] *s.* Ma'chismo *m*, Männlichkeitswahn *m.*
Mach num·ber [mɑːk] *s. phys.* Machzahl *f.*
ma·cho ['mætʃəʊ] **I** *s.* ‚Macho' *m*, ‚Kraft- *od.* Sexprotz' *m*; **II** *adj.* ‚macho', (betont) männlich.
mac·in·tosh → ***mackintosh***.
mack·er·el ['mækrəl] *pl.* **-el** *s. ichth.* Ma'krele *f*; **~ sky** *s. meteor.* (Himmel *m* mit) Schäfchenwolken *pl.*
Mack·i·naw ['mækɪnɔː] *s. a.* **~ *coat*** *Am.* Stutzer *m*, kurzer Plaidmantel.
mack·in·tosh ['mækɪntɒʃ] *s.* Regen-, Gummimantel *m.*
mack·le ['mækl] **I** *s.* **1.** dunkler Fleck; **2.** *typ.* Schmitz *m*, verwischter Druck; **II** *v/t. u. v/i.* **3.** *typ.* schmitzen.
ma·cle ['mækl] *s. min.* **1.** 'Zwillingskriˌstall *m*; **2.** dunkler Fleck.
macro- [mækrəʊ] *in Zssgn* Makro…, (sehr) groß: **~*climate*** Großklima *n.*
mac·ro ['mækrəʊ] *s. Computer*: Makro *n.*
mac·ro·bi·ot·ic [ˌmækrəʊbaɪ'ɒtɪk] *adj.* makrobi'otisch; **ˌmac·ro·bi'ot·ics** [-ks] *s. pl. sg. konstr.* Makrobi'otik *f.*
mac·ro·cosm ['mækrəʊkɒzəm] *s.* Makro'kosmos *m.*
ma·cron ['mækrɒn] *s.* Längestrich *m* (*über Vokalen*).
mad [mæd] *adj.* □ → ***madly***; **1.** wahnsinnig, verrückt, toll (*alle a. fig.*): **~ *cow disease*** Rinderwahnsinn *m*; ***go ~***

M

verrückt werden; ***it's enough to drive one ~*** es ist zum Verrücktwerden; ***like ~*** wie toll *od.* wie verrückt (*arbeiten etc.*); ***a ~ plan*** ein verrücktes Vorhaben; → ***hatter***, ***drive*** 15; **2.** (***after***, ***about***, ***for***, ***on***) versessen (auf *acc.*), verrückt (nach), vernarrt (in *acc.*): ***she is ~ about music***; **3.** F außer sich, verrückt (***with*** vor *Freude*, *Schmerzen*, *Wut etc.*); **4.** *bsd. Am.* F wütend, böse (***at***, ***about*** über *acc.*, auf *acc.*); **5.** toll, wild, 'übermütig: ***they are having a ~ time*** bei denen geht's toll zu, sie amüsieren sich toll; **6.** wild (geworden): ***a ~ bull***; **7.** tollwütig (*Hund*).

Mad·a·gas·can [ˌmædəˈgæskən] **I** *s.* Madeˈgasse *m*, Madeˈgassin *f*; **II** *adj.* madeˈgassisch.

mad·am [ˈmædəm] *s.* **1.** gnädige Frau *od.* gnädiges Fräulein (*Anrede*); **2.** Borˈdellwirtin *f*, Puffmutter *f*.

ˈ**mad·cap** **I** *s.* ‚verrückter Kerl'; **II** *adj.* ‚verrückt', wild, verwegen.

mad·den [ˈmædn] **I** *v/t.* verrückt *od.* toll *od.* rasend machen (*a. fig. wütend machen*); **II** *v/i.* verrückt *etc.* werden; ˈ**mad·den·ing** [-nɪŋ] *adj.* □ verrückt *etc.* machend: ***it is ~*** es ist zum Verrücktwerden.

mad·der¹ [ˈmædə] *comp. von* ***mad***.

mad·der² [ˈmædə] *s.* ⚘, ⚙ Krapp *m*.

mad·dest [ˈmædɪst] *sup. von* ***mad***.

mad·ding [ˈmædɪŋ] *adj. poet.* **1.** rasend, tobend: ***the ~ crowd***; **2.** → ***maddening***.

ˈ**mad-ˌdoc·tor** *s.* Irrenarzt *m*.

made [meɪd] **I** *pret. u. p.p. von* ***make***; **II** *adj.* **1.** (künstlich) hergestellt: ***~ dish*** aus mehreren Zutaten zs.-gestelltes Gericht; ***~ gravy*** künstliche Bratensoße; ***~ road*** befestigte Straße; ***~ of wood*** aus Holz, Holz...; ***English-~*** ✝ *Artikel* englischer Fabrikation; **2.** gemacht, arriviert: ***a ~ man***; ***he had got it ~*** F er hatte es geschafft; **3.** *körperlich* gebaut: ***a well-~ man***.

ˌ**made|-to-ˈmeas·ure**, ˌ**~-to-ˈor·der** *adj.* ✝ nach Maß angefertigt, Maß..., *a. fig.* maßgeschneidert, nach Maß; ˌ**~-ˈup** *adj.* **1.** (frei) erfunden: ***a ~ story***; **2.** geschminkt; **3.** ✝ Fertig..., Fabrik...: ***~ clothes*** Konfektionskleidung *f*.

ˈ**mad·house** *s.* Irren-, *fig. a.* Tollhaus *n*.

mad·ly [ˈmædlɪ] *adv.* **1.** wie verrückt, wie wild: ***they worked ~ all night***; **2.** F schrecklich, wahnsinnig: ***~ in love***; **3.** verrückt(erweise).

ˈ**mad·man** [-mən] *s.* [*irr.*] Verrückte(r) *m*, Irre(r) *m*.

mad·ness [ˈmædnɪs] *s.* **1.** Wahnsinn *m*, Tollheit *f* (*a. fig.*); **2.** *bsd. Am.* Wut *f* (***at*** über *acc.*).

mad·re·pore [ˌmædrɪˈpɔː] *s. zo.* Madreˈpore *f*, ˈLöcherkoˌralle *f*.

mad·ri·gal [ˈmædrɪgl] *s.* ♪ Madriˈgal *n*.

ˈ**madˌwom·an** *s.* [*irr.*] Wahnsinnige *f*, Irre *f*.

mael·strom [ˈmeɪlstrɒm] *s.* Mahlstrom *m*, Strudel *m* (*a. fig.*): ***~ of traffic*** Verkehrsgewühl *n*.

Mae West [ˌmeɪˈwest] *s. sl.* **1.** ⚓ aufblasbare Schwimmweste; **2.** ⚔ *Am.* Panzer *m* mit Zwillingsturm.

Maf·fi·a [ˈmæfɪə] → ***Mafia***.

maf·fick [ˈmæfɪk] *v/i. Brit. obs.* ausgelassen feiern.

Ma·fia [ˈmæfɪə] *s.* Mafia *f*; **ma·fi·o·so** [ˌmæfɪˈəʊsəʊ] *pl.* **-sos** *od.* **-si** [-sɪ] *s.* Mafiˈoso *m*.

mag¹ [mæg] F *für* ***magazine*** 4.

mag² [mæg] ⚙ *sl. für* ***magneto***: ***~-generator*** Magnetodynamo *m*.

mag·a·zine [ˌmægəˈziːn] *s.* **1.** ⚔ a) (ˈPulver)MagaˌzIn *n*, Munitiˈonslager *n*, b) Versorgungslager *n*, c) Magaˈzin *n* (*in Mehrladewaffen*): ***~ gun***, ***~ rifle*** Mehrladegewehr *n*; **2.** ⚙ Magaˈzin *n* (*a. Computer*), Vorratsbehälter *m*; **3.** ✝ Magaˈzin *n*, Speicher *m*, Lagerhaus *n*; *fig.* Vorrats-, Kornkammer *f* (*fruchtbares Gebiet*); **4.** Magaˈzin *n*, (*oft* illustrierte) Zeitschrift.

mag·da·len [ˈmægdəlɪn] *s. fig.* Magdaˈlena *f*, reuige Sünderin.

ma·gen·ta [məˈdʒentə] **I** *s.* ⚗ Maˈgenta (-rot) *n*, Fuchˈsin *n*; **II** *adj.* maˈgentarot.

mag·got [ˈmægət] *s.* **1.** *zo.* Made *f*, Larve *f*; **2.** *fig.* Grille *f*; ˈ**mag·got·y** [-tɪ] *adj.* **1.** madig; **2.** *fig.* schrullig.

Ma·gi [ˈmeɪdʒaɪ] *s. pl.*: ***the*** (***three***) ***~*** die (drei) Weisen aus dem Morgenland, die Heiligen Drei Könige.

mag·ic [ˈmædʒɪk] **I** *s.* **1.** Maˈgie *f*, Zaubeˈrei *f*; **2.** Zauber(kraft *f*) *m* (*a. fig.*): ***it works like ~*** es ist die reinste Hexerei; **II** *adj.* (□ ***~ally***) **3.** magisch, Wunder..., Zauber...: ***~ carpet*** fliegender Teppich; ***~ eye*** ⚡ magisches Auge; ***~ lamp*** Wunderlampe *f*; ***~ lantern*** Laterna *f* magica; ***~ square*** magisches Quadrat; **4.** zauberhaft: ***~ beauty***; ˈ**mag·i·cal** [-kl] → ***magic*** II.

ma·gi·cian [məˈdʒɪʃn] *s.* **1.** Magier *m*, Zauberer *m*; **2.** Zauberkünstler *m*.

mag·is·te·ri·al [ˌmædʒɪˈstɪərɪəl] *adj.* □ **1.** obrigkeitlich, behördlich; **2.** maßgeblich; **3.** herrisch.

mag·is·tra·cy [ˈmædʒɪstrəsɪ] *s.* **1.** ⚖, *pol. Amt e-s* ***magistrate***; **2.** Richterschaft *f*; **3.** *pol.* Verwaltung *f*; **mag·is·tral** [məˈdʒɪstrəl] *adj. pharm.* magiˈstral (*nach ärztlicher Vorschrift*); ˈ**mag·is·trate** [-reɪt] *s.* **1.** a) ⚖ Richter *m* (an e-m ***magistrates' court***), b) (***police***) ***~*** *Am.* Poliˈzeirichter *m*; **2.** (Verˈwaltungs)BeˌamteI(r) *m*: ***chief ~*** *Am.* a) Präsiˈdent *m*, b) Gouverˈneur *m*, c) Bürgermeister *m*; **mag·is·trates' court** *s.* ⚖ *erstinstanzliches Gericht für einfache Fälle*.

Mag·na C(h)ar·ta [ˌmægnəˈkɑːtə] *s.* **1.** *hist.* Magna Charta *f* (*der große Freibrief des englischen Adels* [*1215*]); **2.** Grundgesetz *n*.
mag·na·nim·i·ty [ˌmægnəˈnɪmətɪ] *s.* Edelmut *m*, Großmut *f*; **mag·nan·i·mous** [mægˈnænɪməs] *adj.* □ großmütig, hochherzig.
mag·nate [ˈmægneɪt] *s.* **1.** Maˈgnat *m*: a) ˈGroßindustriˌelle(r) *m*, b) Großgrundbesitzer *m*; **2.** Größe *f*, einflußreiche Perˈsönlichkeit.
mag·ne·sia [mægˈniːʃə] *s.* ⚗ Maˈgnesia *f*, Maˈgnesiumoˌxyd *n*; **magˈne·sian** [-ʃn] *adj.* **1.** Magnesia…; **2.** Magnesium…; **magˈne·si·um** [-iːzjəm] *s.* ⚗ Maˈgnesium *n*.
mag·net [ˈmægnɪt] *s.* Maˈgnet *m* (*a. fig.*); **mag·net·ic** [mægˈnetɪk] *adj.* (□ **~ally**) **1.** maˈgnetisch, Magnet…(*-feld*, *-kompaß*, *-nadel*, *-pol etc.*): **~ attraction** magnetische Anziehung(skraft) (*a. fig.*); **~ declination** Mißweisung *f*; **~ tape recorder** Magnettongerät *n*; **2.** *fig.* faszinierend, fesselnd, maˈgnetisch; **mag·net·ics** [mægˈnetɪks] *s. pl.* (*mst sg. konstr.*) Wissenschaft *f* vom Magneˈtismus; **ˈmag·net·ism** [-tɪzəm] *s.* **1.** *phys.* Magneˈtismus *m*; **2.** *fig.* (maˈgnetische) Anziehungskraft; **mag·net·i·za·tion** [ˌmægnɪtaɪˈzeɪʃn] *s.* Magnetisierung *f*; **ˈmag·net·ize** [-taɪz] *v/t.* **1.** magnetisieren; **2.** *fig.* (wie ein Maˈgnet) anziehen, fesseln; **ˈmag·net·iz·er** [-taɪzə] *s.* ⚕ Magnetiˈseur *m*.
mag·ne·to [mægˈniːtəʊ] *pl.* **-tos** *s.* ⚡ Maˈgnetzünder *m*.
magneto- [mægniːtəʊ] *in Zssgn* Magneto…; **mag·ne·to-e·lec·tric** [mægˌniːtəʊɪˈlektrɪk] *adj.* maˈgneto-eˌlektrisch.
mag·ni·fi·ca·tion [ˌmægnɪfɪˈkeɪʃn] *s.* **1.** Vergrößern *n*; **2.** Vergrößerung *f*; **3.** *phys.* Vergrößerungsstärke *f*; **4.** ⚡ Verstärkung *f*.
mag·nif·i·cence [mægˈnɪfɪsns] *s.* Großartigkeit *f*, Herrlichkeit *f*; **magˈnif·i·cent** [-nt] *adj.* □ großartig, prächtig, herrlich (*alle a.* F *fig.*).
mag·ni·fi·er [ˈmægnɪfaɪə] *s.* **1.** Vergrößerungsglas *n*, Lupe *f*; **2.** ⚡ Verstärker *m*; **3.** Verherrlicher *m*; **mag·ni·fy** [ˈmægnɪfaɪ] *v/t. opt. u. fig.* **1.** vergrößern: **~ing glass** → **magnifier** 1; **2.** *fig.* aufbauschen; **3.** ⚡ verstärken.
mag·nil·o·quence [mægˈnɪləʊkwəns] *s.* **1.** Großsprecheˈrei *f*; **2.** Schwulst *m*, Bomˈbast *m*; **magˈnil·o·quent** [-nt] *adj.* □ **1.** großsprecherisch; **2.** hochtrabend, bomˈbastisch.
mag·ni·tude [ˈmægnɪtjuːd] *s.* Größe *f*, Größenordnung *f* (*a. ast.*, ⅍), *fig. a.* Ausmaß *n*, Schwere *f*: **a star of the first ~** ein Stern erster Größe; **of the first ~** von äußerster Wichtigkeit.
mag·no·li·a [mægˈnəʊljə] *s.* ⚘ Maˈgnolie *f*.
mag·num [ˈmægnəm] *s.* Zweiˈquartflasche *f* (*etwa 2 l enthaltend*); **ˌ~ ˈo·pus** [-ˈəʊpəs] *s.* Meister-, Hauptwerk *n*.
mag·pie [ˈmægpaɪ] *s.* **1.** *zo.* Elster *f*; **2.** *fig.* Schwätzer(in); **3.** *fig.* sammelwütiger Mensch; **4.** *Scheibenschießen*: zweiter Ring von außen.
ma·gus [ˈmeɪgəs] *pl.* **-gi** [-dʒaɪ] *s.* **1.** ⚇ *antiq. persischer* Priester; **2.** Zauberer *m*; **3.** *a.* ⚇ *sg. von* **Magi**.
ma·ha·ra·ja(h) [ˌmɑːhəˈrɑːdʒə] *s.* Mahaˈradscha *m*; **ˌma·haˈra·nee** [-ɑːniː] *s.* Mahaˈrani *f*.
mahl·stick [ˈmɔːlstɪk] → **maulstick**.
ma·hog·a·ny [məˈhɒgənɪ] **I** *s.* **1.** ⚘ Mahaˈgonibaum *m*; **2.** Mahaˈgoni(holz) *n*; **3.** Mahaˈgoni(farbe *f*) *n*; **4. have** (*od.* **put**) **one's feet under s.o.'s ~** F j-s Gastfreundschaft genießen; **II** *adj.* **5.** Mahagoni…; **6.** mahaˈgonifarben.
ma·hout [məˈhaʊt] *s. Brit. Ind.* Eleˈfantentreiber *m*.
maid [meɪd] *s.* **1.** (junges) Mädchen, *poet. u. iro.* Maid *f*: **~ of hono(u)r** a) Ehren-, Hofdame *f*, b) *Am. erste* Brautjungfer; **old ~** alte Jungfer; **2.** (Dienst-)Mädchen *n*, Magd *f*: **~-of-all-work** *bsd. fig.* Mädchen für alles; **3.** *poet.* Jungfrau *f*: **the ⚇ (of Orleans)**.
maid·en [ˈmeɪdn] **I** *adj.* **1.** mädchenhaft, Mädchen…: **~ name** Mädchenname *e-r Frau*; **2.** jungfräulich, unberührt (*a. fig.*): **~ soil**; **3.** unverheiratet: **~ aunt**; **4.** Jungfern…, Antritts…: **~ flight** ✈ Jungfernflug *m*; **~ speech** *parl.* Jungfernrede *f*; **~ voyage** ⚓ Jungfernfahrt *f*; **II** *s.* **5.** → **maid** 1; **6.** *Scot. hist.* Guilloˈtine *f*; **7.** *Rennsport*: a) Maiden *n* (*Pferd, das noch nie gesiegt hat*), b) Rennen *n* für Maidens; **ˈ~·hair (fern)** *s.* ⚘ Frauenhaar(farn *m*) *n*; **ˈ~·head** *s.* **1.** → **maidenhood**; **2.** *anat.* Jungfernhäutchen *n*; **ˈ~·hood** [-hʊd] *s.* **1.** Jungfräulichkeit *f*, Jungfernschaft *f*; **2.** Jungˈmädchenzeit *f*.
maid·en·like [ˈmeɪdnlaɪk], **ˈmaid·en·ly** [-lɪ] *adj.* **1.** → **maiden** 1; **2.** jungfräulich, züchtig.
ˈmaidˌserv·ant → **maid** 2.
mail[1] [meɪl] **I** *s.* **1.** Post(sendung) *f*, *bsd.* Brief- *od.* Paˈketpost *f*: **by ~** *Am.* mit der Post; **by return ~** *Am.* postwendend, umgehend; **incoming ~** Posteingang *m*; **outgoing ~** Postausgang *m*; **2.** Briefbeutel *m*, Postsack *m*; **3.** Post (-dienst *m*) *f*: **the Federal ⚇s** *Am.* die Bundespost; **4.** Postversand *m*; **5.** Postauto *n*, -boot *n*, -bote *m*, -flugzeug *n*, -zug *m*; **II** *adj.* **6.** Post…: **~-boat** Post-, Paketboot *n*; **III** *v/t.* **7.** *bsd. Am.* (ab-)schicken, aufgeben; zuschicken (**to** *dat.*): **~ing list** ♰ Adressenliste *f*, -kartei *f*.
mail[2] [meɪl] **I** *s.* **1.** Kettenpanzer *m*:

M

coat of ~ Panzerhemd *n*; **2.** (Ritter-) Rüstung *f*; **3.** *zo.* Panzer *m*; **II** *v/t.* **4.** panzern.

mail·a·ble ['meɪləbl] *adj. Am.* postversandfähig.

'mail|·bag *s.* Postbeutel *m*; **'~·box** *s. Am.* Briefkasten *m*; **'~·car** *s. Am.* Postwagen *m*; **'~ˌcar·ri·er** *s.* → ***mailman***; **'~-clad** *adj.* gepanzert; **'~·coach** *s. Brit.* **1.** Postwagen *m*; **2.** *hist.* Postkutsche *f*.

mailed [meɪld] *adj.* gepanzert (*a. zo.*): ***the ~ fist*** *fig.* die eiserne Faust.

'mail|·man [-mən] *s.* [*irr.*] *Am.* Briefträger *m*; **~ or·der** *s.* ✝ Bestellung *f* (*von Waren*) durch die Post; **'~-ˌor·der** *adj.* Postversand...: ***~ business*** Versandhandel *m*; ***~ catalog(ue)*** Versandhauskatalog *m*; ***~ house*** (Post)Versandgeschäft *n*.

maim [meɪm] *v/t.* verstümmeln (*a. fig. Text*); zum Krüppel machen; lähmen (*a. fig.*).

main [meɪn] **I** *adj.* □ → ***mainly***; **1.** Haupt..., größt, wichtigst, vorwiegend, hauptsächlich: ***~ clause*** *ling.* Hauptsatz *m*; ***~ deck*** ⚓ Hauptdeck *n*; ***~ girder*** ⚠ Längsträger *m*; ***~ office*** Hauptbüro *n*; ***~ road*** Hauptverkehrsstraße *f*; ***the ~ sea*** die offene *od.* hohe See; ***~ station*** a) *teleph.* Hauptanschluß *m*, b) Hauptbahnhof *m*; ***the ~ thing*** die Hauptsache; ***by ~ force*** mit äußerster Kraft, mit (aller) Gewalt; **2.** ⚓ groß, Groß...: ***~ brace*** Großbrasse *f*; **II** *s.* **3.** *mst pl.* a) Haupt(gas- *etc.*)leitung *f*: (***gas***) ***~s***; (***water***) ***~s***, b) ⚡ Haupt-, Stromleitung *f*, c) (Strom)Netz *n*: ***operating on the ~s***, ***~s-operated*** mit Netzanschluß *od.* -betrieb; ***~s adapter*** Netzteil *n*; ***~s failure*** Stromausfall *m*; ***~s voltage*** Netzspannung *f*; **4.** a) Hauptrohr *n*, b) Hauptkabel *n*; **5.** 🚂 *Am.* Hauptlinie *f*; **6.** Hauptsache *f*, Kern *m*: ***in*** (*Am. a.* ***for***) ***the ~*** hauptsächlich, in der Hauptsache; **7.** *poet. die* hohe See; **8.** → ***might***[1] 2; **~ chance** *s.*: ***have an eye to the ~*** s-n eigenen Vorteil im Auge haben; **'~·frame** *s. Computer*: Großrechner *m*; **~ fuse** *s.* ⚡ Hauptsicherung *f*; **'~·land** [-lənd] *s.* Festland *n*; **~ line** *s.* **1.** 🚂 *etc.*, *a.* ⚔ Hauptlinie *f*: ***~ of resistance*** Hauptkampflinie *f*; **2.** *Am.* Hauptverkehrsstraße *f*; **3.** *sl.* a) Hauptvene *f*, b) ‚Schuß' *m* (*Heroin etc.*); **'~·line** *v/i. sl.* ‚fixen'; **'~ˌlin·er** *s. sl.* ‚Fixer(in)'.

main·ly ['meɪnlɪ] *adv.* hauptsächlich, vorwiegend.

main|·mast ['meɪnmɑːst; ⚓ -məst] *s.* ⚓ Großmast *m*; **~·sail** ['meɪnseɪl; ⚓ -sl] *s.* ⚓ Großsegel *n*; **'~·spring** *s.* **1.** Hauptfeder *f* (*Uhr etc.*); **2.** *fig.* (Haupt)Triebfeder *f*, treibende Kraft; **'~·stay** *s.* **1.** ⚓ Großstag *n*; **2.** *fig.* Hauptstütze *f*; **'~·stream** *s. fig.* Hauptströmung *f*; **♀ Street** *adj. Am.* provinzi'ell-materia'listisch.

main·tain [meɪn'teɪn] *v/t.* **1.** *Zustand, gute Beziehungen etc.* (aufrecht)erhalten, *e-e Haltung etc.* beibehalten, *Ruhe u. Ordnung etc.* (be)wahren: ***~ a price*** ✝ e-n Preis halten; **2.** in'stand halten, pflegen, ⚙ *a.* warten; **3.** *Briefwechsel etc.* unter'halten, (weiter)führen; **4.** (*in e-m bestimmten Zustand*) lassen, bewahren: ***~ s.th. in*** (***an***) ***excellent condition***; **5.** *Familie etc.* unter'halten, versorgen; **6.** behaupten (***that*** daß, ***to*** zu); **7.** *Meinung*, *Recht etc.* verfechten; auf *e-r Forderung* bestehen: ***~ an action*** ⚖ e-e Klage anhängig machen; **8.** *j-n* unter'stützen, *j-m* beipflichten; ⚖ *e-e Prozeßpartei* 'widerrechtlich unterstützen; **9.** nicht aufgeben, behaupten: ***~ one's ground*** *bsd. fig.* sich behaupten; **main'tain·a·ble** [-nəbl] *adj.* verfechtbar, haltbar; **main'tain·er** [-nə] *s.* Unter'stützer *m*: a) Verfechter *m* (*Meinung etc.*), b) Versorger *m*; **main'tain·or** [-nə] *s.* ⚖ außenstehender Pro'zeßtreiber; **main·te·nance** ['meɪntənəns] *s.* **1.** In'standhaltung *f*, Erhaltung *f*; **2.** ⚙ Wartung *f*: ***~ man*** Wartungsmonteur *m*; ***~-free*** wartungsfrei; **3.** 'Unterhalt(smittel *pl.*) *m*: ***~ grant*** Unterhaltszuschuß *m*; ***~ order*** ⚖ Anordnung *f* von Unterhaltszahlungen; **4.** Aufrechterhaltung *f*, Beibehalten *n*; **5.** Behauptung *f*, Verfechtung *f*; **6.** ⚖ 'illeˌgale Unter'stützung e-r pro'zeßführenden Par'tei.

'main|·top *s.* ⚓ Großmars *m*; **~ yard** *s.* ⚓ Großrah(e) *f*.

mai·son·(n)ette [ˌmeɪzə'net] *s.* **1.** Maiso'nette *f*; **2.** Einliegerwohnung *f*.

maize [meɪz] *s. Brit.* ⚘ Mais *m*.

ma·jes·tic [mə'dʒestɪk] *adj.* (□ ***~ally***) maje'stätisch; **maj·es·ty** ['mædʒəstɪ] *s.* **1.** Maje'stät *f*: ***His*** (***Her***) ♀ Seine (Ihre) Majestät; ***Your*** ♀ Eure Majestät; **2.** *fig.* Maje'stät *f*, Erhabenheit *f*, Hoheit *f*.

ma·jol·i·ca [mə'jɒlɪkə] *s.* Ma'jolika *f*.

ma·jor ['meɪdʒə] **I** *s.* **1.** Ma'jor *m*; **2.** ⚖ Volljährige(r *m*) *f*, Mündige(r *m*) *f*; **3.** *hinter Eigennamen*: der Ältere; **4.** ♪ a) Dur *n*, b) 'Durakˌkord *m*, c) Durtonart *f*; **5.** *phls.* a) *a.* ***~ term*** Oberbegriff *m*, b) *a.* ***~ premise*** Obersatz *m*; **6.** *univ. Am.* Hauptfach *n*; **II** *adj.* **7.** größer (*a. fig.*); *fig.* bedeutend: ***~ attack*** Großangriff *m*; ***~ event*** *bsd. sport* Großveranstaltung *f*, *weitS.* ‚große Sache'; ***~ repair*** größere Reparatur; ***~ shareholder*** Großaktionär(in); → ***operation*** 9; **8.** ⚖ volljährig, mündig; **9.** ♪ a) groß (*Terz etc.*), b) Dur...: ***~ key*** Durtonart *f*; ***C ~*** C-Dur *n*; **III** *v/t.* **10.** (*v/i.* ***~ in***) *Am.* als Hauptfach studieren; **ˌ~-'gen·er·al** *s.* ⚔ Gene'ralmaˌjor *m*.

M

ma·jor·i·ty [mə'dʒɒrətɪ] *s.* **1.** Mehrheit *f*: **~ *of votes*** (Stimmen)Mehrheit, Majorität *f*; **~ *decision*** Mehrheitsbeschluß *m*; ⚕ **~ *holding*** Mehrheitsbeteiligung *f*; **~ *leader*** *Am.* Fraktionsführer *m* der Mehrheitspartei; **~ *rule*** Mehrheitsregierung *f*; ***in the ~ of cases*** in der Mehrzahl der Fälle; ***join the ~*** a) sich der Mehrheit anschließen, b) zu den Vätern versammelt werden (*sterben*); ***win by a large ~*** mit großer Mehrheit gewinnen; **2.** ⚖ Voll-, Großjährigkeit *f*; **3.** ⚔ Ma'jorsrang *m*, -stelle *f*.

ma·jor| league *s. sport Am.* oberste Spielklasse; **~ mode** *s.* ♪ Dur(tonart *f*) *n*; **~ scale** *s.* Durtonleiter *f*.

ma·jus·cule ['mædʒəskju:l] *s.* Ma'juskel *f*, großer Anfangsbuchstabe.

make [meɪk] **I** *s.* **1.** a) Mach-, Bauart *f*, Form *f*, b) Erzeugnis *n*, Fabri'kat *n*: ***our own ~*** (unser) eigenes Fabrikat; ***of best English ~*** beste englische Qualität; **2.** *Mode*: Schnitt *m*, Fas'son *f*; **3.** ⚕ a) (Fa'brik)Marke *f*, b) ⚙ Typ *m*, Bau(-art *f*) *m*; **4.** (*Körper*)Bau *m*; **5.** Anfertigung *f*, Herstellung *f*; **6.** ⚡ Schließen *n* (*Stromkreis*): ***be at ~*** geschlossen sein; **7.** ***be on the ~*** *sl.* a) auf Geld (*od.* e-n Vorteil) aussein, ‚schwer dahinterher' sein, b) auf ein (sexuelles) Abenteuer aussein; **II** *v/t.* [*irr.*] **8.** *allg. z.B. Einkäufe, Einwände, Feuer, Reise, Versuch* machen; *Frieden* schließen; *e-e Rede* halten; → ***face*** 2, ***war*** 1 *etc.*; **9.** machen: a) anfertigen, herstellen, erzeugen (***from***, ***of***, ***out of*** von, aus), b) verarbeiten, bilden, formen (***to***, ***into*** in *acc.*, zu), c) *Tee etc.* (zu)bereiten, d) *Gedicht etc.* verfassen; **10.** errichten, bauen, *Garten*, *Weg etc.* anlegen; **11.** (er)schaffen: ***God made man*** Gott schuf den Menschen; ***you are made for this job*** du bist für diese Arbeit wie geschaffen; **12.** *fig.* machen zu: ***he made her his wife***; ***to ~ enemies of*** sich zu Feinden machen; **13.** ergeben, bilden, entstehen lassen: ***many brooks ~ a river***, ***oxygen and hydrogen ~ water*** Wasserstoff u. Sauerstoff bilden Wasser; **14.** verursachen: a) *ein Geräusch*, *Lärm*, *Mühe*, *Schwierigkeiten* machen, b) bewirken, (mit sich) bringen: ***prosperity ~s contentment***; **15.** (er)geben, den Stoff abgeben zu, dienen als (*Sache*): ***this ~s a good article*** das gibt e-n guten Artikel; ***this book ~s good reading*** dieses Buch liest sich gut; **16.** sich erweisen als (*Person*): ***he would ~ a good salesman*** er würde e-n guten Verkäufer abgeben; ***she made him a good wife*** sie war ihm e-e gute Frau; **17.** bilden, (aus)machen: ***this ~s the tenth time*** das ist das zehnte Mal; → ***difference*** 1, ***one*** 6, ***party*** 2; **18.** (*mit adj.*, *p.p. etc.*) machen: ***~ angry*** zornig machen, erzürnen; ***~ known*** bekanntmachen, -geben; → ***make good***; **19.** (*mit folgendem s.*) machen zu, ernennen zu: ***they made him a general***, ***he was made a general*** er wurde zum General ernannt; ***he made himself a martyr*** er wurde zum Märtyrer; **20.** *mit inf.* (*act. ohne* ***to***, *pass. mit* ***to***) *j-n* veranlassen, lassen, bringen, zwingen *od.* nötigen zu: ***~ s.o. wait*** j-n warten lassen; ***we made him talk*** wir brachten ihn zum Sprechen; ***they made him repeat it*** man ließ es ihn wiederholen; ***~ s.th. do***, ***~ do with s.th.*** mit et. auskommen, sich mit et. behelfen; **21.** *fig.* machen: ***~ much of*** a) viel Wesens um *et. od. j-n* machen, b) sich viel aus *et.* machen, viel von *et.* halten; → ***best*** 7, ***most*** 3, ***nothing*** *Redew.*; **22.** sich e-e Vorstellung von *et.* machen, *et.* halten für: ***what do you ~ of it?*** was halten Sie davon?; **23.** F *j-n* halten für: ***I ~ him a greenhorn***; **24.** schätzen auf (*acc.*): ***I ~ the distance three miles***; **25.** feststellen: ***I ~ it a quarter to five*** nach m-r Uhr ist es viertel vor fünf; **26.** erfolgreich 'durchführen: → ***escape*** 9; **27.** *j-m* zum Erfolg verhelfen, *j-s* Glück machen: ***I can ~ and break you*** ich kann aus Ihnen et. machen oder Sie auch fertigmachen; **28.** sich *ein Vermögen etc.* erwerben, verdienen, *Geld*, *Profit* machen, *Gewinn* erzielen; → ***name*** *Redew.*; **29.** ‚schaffen': a) *Strecke* zu'rücklegen: ***can we ~ it in 3 hours?***, b) *Geschwindigkeit* erreichen: ***~ 60 mph.***; **30.** F *et.* erreichen, ‚schaffen', *akademischen Grad* erlangen, *sport etc. Punkte*, *a. Schulnote* erzielen, *Zug* erwischen: ***~ it*** es schaffen; ***~ the team*** in die Mannschaft aufgenommen werden; **31.** *sl. Frau* ‚'umlegen' (*verführen*); **32.** ankommen in (*dat.*), erreichen: ***~ port*** ⚓ in den Hafen einlaufen; **33.** ⚓ sichten, ausmachen: ***~ land***; **34.** *Brit. Mahlzeit* einnehmen; **35.** *Fest etc.* veranstalten; **36.** *Preis* festsetzen, machen; **37.** *Kartenspiel*: a) *Karten* mischen, b) *Stich* machen; **38.** ⚡ *Stromkreis* schließen; **39.** *ling. Plural etc.* bilden, werden zu; **40.** sich belaufen auf (*acc.*), ergeben, machen: ***two and two ~ four*** 2 u. 2 macht *od.* ist 4; **III** *v/i.* [*irr.*] **41.** sich anschicken, den Versuch machen (***to do*** zu tun): ***he made to go*** er wollte gehen; **42.** (***to*** nach) a) sich begeben *od.* wenden, b) führen, gehen (*Weg etc.*), sich erstrecken, c) fließen; **43.** einsetzen (*Ebbe*, *Flut*), (an)steigen (*Flut etc.*); **44.** ***~ as if*** (*od.* ***as though***) so tun als ob *od.* als wenn: ***~ believe*** (***that*** *od.* ***to do***) vorgeben (daß *od.* zu tun); **45.** ***~ like*** *Am. sl.* sich verhalten wie: ***~ like a father***;

M

Zssgn mit prp.:
make| aft·er *v/i. obs. j-m* nachsetzen, *j-n* verfolgen; **~ a·gainst** *v/i.* **1.** ungünstig sein für, schaden (*dat.*); **2.** sprechen gegen (*a. fig.*); **~ for** *v/i.* **1.** a) zugehen auf (*acc.*), sich aufmachen nach, zustreben (*dat.*), b) ⚓ lossteuern (*a. fig.*) *od.* Kurs haben auf (*acc.*), c) sich stürzen auf (*acc.*); **2.** beitragen zu, förderlich sein *od.* dienen (*dat.*): ***it makes for his advantage*** es wirkt sich für ihn günstig aus; ***the aerial makes for better reception*** die Antenne verbessert den Empfang; **~ to·ward(s)** *v/i.* zugehen auf (*acc.*), sich bewegen nach, sich nähern (*dat.*); **~ with** *v/i. Am. sl.* loslegen mit: ***~ the feet!*** nun lauf schon!
Zssgn mit adv.:
make| a·way *v/i.* sich da'vonmachen: ***~ with*** a) sich davonmachen mit (*Geld etc.*), b) *et. od. j-n* beseitigen, aus dem Weg(e) räumen, c) *Geld etc.* durchbringen, d) sich entledigen (*gen.*); **~ good I** *v/t.* **1.** a) (wieder)'gutmachen, b) ersetzen, vergüten: ***~ a deficit*** ein Defizit decken; **2.** begründen, rechtfertigen, nachweisen; **3.** *Versprechen, sein Wort* halten; **4.** *den Erwartungen* entsprechen; **5.** *Flucht etc.* glücklich bewerkstelligen; **6.** (*berufliche etc.*) *Stellung* ausbauen; **II** *v/i.* **7.** sich 'durchsetzen, sein Ziel erreichen; **8.** sich bewähren, den Erwartungen entsprechen; **~ off** *v/i.* sich da'vonmachen, ausreißen (***with*** mit *Geld etc.*); **~ out I** *v/t.* **1.** *Scheck etc.* ausstellen; *Urkunde* ausfertigen; *Liste etc.* aufstellen; **2.** ausmachen, erkennen; **3.** *Sachverhalt etc.* feststellen, her'ausbekommen; **4.** a) *j-n* ausfindig machen, b) aus *j-m od. et.* klug werden; **5.** entziffern; **6.** a) behaupten, b) beweisen, c) *j-n als Lügner etc.* hinstellen; **7.** *Am. mühsam* zustande bringen; **8.** *Summe* voll machen; **9.** halten für; **II** *v/i.* **10.** *bsd. Am.* F Erfolg haben: ***how did you ~?*** wie haben Sie abgeschnitten?; **11.** *bsd. Am.* (*mit j-m*) auskommen; **12.** vorgeben, (so) tun (als ob); **~ o·ver** *v/t.* **1.** *Eigentum* über'tragen, -'eignen, vermachen; **2.** 'umbauen; *Anzug etc.* 'umarbeiten, **~ up I** *v/t.* **1.** bilden, zs.-setzen: ***be made up of*** bestehen *od.* sich zs.-setzen aus; **2.** *Arznei, Bericht etc.* zs.-stellen; *Schriftstück* aufsetzen, *Liste etc.* aufstellen; *Paket* (ver-) packen, verschnüren; **3.** *a. thea.* zu'rechtmachen, schminken, pudern; **4.** *Geschichte etc.* sich ausdenken, *a. b.s.* erfinden: ***a made-up story***; **5.** a) *Versäumtes* nachholen; → ***leeway*** 2, b) 'wiedergewinnen: ***~ lost ground***; **6.** ersetzen, vergüten; **7.** *Rechnung, Konten* ausgleichen; *Bilanz* ziehen; → ***account*** 5; **8.** *Streit etc.* beilegen; **9.** ver'vollständigen, *Fehlendes* ergänzen, *Betrag, Gesellschaft etc.* voll machen; **10.** ***make it up*** a) es wieder'gutmachen, b) → 17; **11.** *typ.* um'brechen; **II** *v/i.* **12.** sich zu'rechtmachen, *bsd.* sich pudern *od.* schminken; **13.** (***for***) Ersatz leisten, als Ersatz dienen (für), vergüten (*acc.*); **14.** aufholen, wieder'gutmachen, wettmachen (***for*** *acc.*): ***~ for lost time*** die verlorene Zeit wieder wettzumachen suchen; **15.** *Am.* sich nähern (***to*** *dat.*); **16.** (***to***) F (*j-m*) schöntun, sich anbiedern (bei *j-m*), sich her'anmachen (an *j-n*); **17.** sich versöhnen *od.* wieder vertragen (***with*** mit).

make| and break *s.* ⚡ Unter'brecher *m*; **ˌ~-and-'break** *adj.* ⚡ zeitweilig unter'brochen: ***~ contact*** Unterbrecherkontakt *m*; **'~-beˌlieve I** *s.* **1.** a) Verstellung *f*, b) Heuche'lei *f*; **2.** Vorwand *m*; **3.** Schein *m*, Spiegelfechte'rei *f*; **II** *adj.* **4.** vorgeblich, scheinbar, falsch: ***~ world*** Scheinwelt *f*.

mak·er ['meɪkə] *s.* **1.** a) Macher *m*, Verfertiger *m*; Aussteller(in) *e-r Urkunde*, b) ✝ Hersteller *m*, Erzeuger *m*; **2. *the*** ♀ der Schöpfer (*Gott*): ***meet one's ~*** das Zeitliche segnen.

'make|-ˌread·y *s. typ.* Zurichtung *f*; **'~-shift I** *s.* Notbehelf *m*; **II** *adj.* behelfsmäßig, Behelfs…, Not…

'make-up *s.* **1.** Aufmachung *f*: a) *Film etc.*: Ausstattung *f*, Kostümierung *f*, Maske *f*: ***~ man*** Maskenbildner *m*, b) Verpackung *f*, ✝ Ausstattung *f*: ***~ charge*** *Schneiderei*: Macherlohn *m*; **2.** Schminke *f*, Puder *m*; **3.** Make-up *n*: a) Schminken *n*, b) Pudern *n*; **4.** *fig. humor.* Aufmachung *f*, (Ver)Kleidung *f*; **5.** Zs.-setzung *f*; *sport* (*Mannschafts-*) Aufstellung *f*; **6.** Körperbau *m*; **7.** Veranlagung *f*, Na'tur *f*; **8.** *fig. humor. Am.* erfundene Geschichte; **9.** *typ.* 'Umbruch *m*.

'make·weight *s.* **1.** (Gewichts)Zugabe *f*, Zusatz *m*; **2.** Gegengewicht *n* (*a. fig.*); **3.** *fig.* a) Lückenbüßer *m* (*Person*), b) Notbehelf *m*.

mak·ing ['meɪkɪŋ] *s.* **1.** Machen *n*: ***this is of my own ~*** das habe ich selbst gemacht; **2.** Erzeugung *f*, Herstellung *f*, Fabrikati'on *f*: ***be in the ~*** *a. fig.* im Werden *od.* im Kommen *od.* in der Entwicklung sein; **3.** a) Zs.-setzung *f*, b) Verfassung *f*, c) Bau(art *f*) *m*, Aufbau *m*, d) Aufmachung *f*; **4.** Glück *n*, Chance *f*: ***this will be the ~ of him*** damit ist er ein gemachter Mann; **5.** *pl.* ('Roh)Materiˌal *n* (*a. fig.*): ***he has the ~s of*** er hat das Zeug *od.* die Anlagen zu; **6.** *pl.* Pro'fit *m*, Verdienst *m*; **7.** *pl.* F *die* (nötigen) Zutaten *pl.*

mal- [mæl] *in Zssgn* a) schlecht, b) mangelhaft, c) übel, d) Miß…, un…

Mal·a·chi ['mæləkaɪ], *a.* **Mal·a·chi·as**

[ˌmæləˈkaɪəs] *npr. u. s. bibl.* (das Buch) Maleˈachi *m od.* Malaˈchias *m.*

mal·a·chite [ˈmæləkaɪt] *s. min.* Malaˈchit *m*, Kupferspat *m.*

mal·ad·just·ed [ˌmæləˈdʒʌstɪd] *adj. psych.* nicht angepaßt, miˈlieugestört; **ˌmal·adˈjust·ment** [-*st*mənt] *s.* **1.** mangelnde Anpassung, Miˈlieustörung *f*; **2.** ⚙ Falscheinstellung *f*; **3.** ˈMißverhältnis *n.*

ˈmal·adˌmin·isˈtra·tion *s.* **1.** schlechte Verwaltung; **2.** *pol.* ˈMißwirtschaft *f.*

ˌmal·aˈdroit *adj.* □ **1.** ungeschickt; **2.** taktlos.

mal·a·dy [ˈmælədɪ] *s.* Krankheit *f*, Gebrechen *n*, Übel *n* (*a. fig.*).

ma·la fi·de [ˌmeɪləˈfaɪdɪ] (*Lat.*) *adj. u. adv.* arglistig, ⚖ *a.* bösgläubig.

ma·laise [mæˈleɪz] *s.* **1.** Unpäßlichkeit *f*; **2.** *fig.* Unbehagen *n.*

mal·a·prop·ism [ˈmæləprɒpɪzəm] *s.* (lächerliche) Wortverwechslung, ˈMißgriff *m*; **mal·ap·ro·pos** [ˌmælˈæprəpəʊ] **I** *adj.* **1.** unangebracht; **2.** unschicklich; **II** *adv.* **3.** a) zur Unzeit, b) im falschen Augenblick; **III** *s.* **4.** *et.* Unangebrachtes.

ma·lar [ˈmeɪlə] *anat.* **I** *adj.* Backen…; **II** *s.* Backenknochen *m.*

ma·lar·i·a [məˈleərɪə] *s.* ⚕ Maˈlaria *f*; **maˈlar·i·al** [-əl], **maˈlar·i·an** [-ən], **maˈlar·i·ous** [-ɪəs] *adj.* Malaria…, maˈlariaverseucht.

ma·lar·k(e)y [məˈlɑːkɪ] *s. Am. sl.* ‚Quatsch' *m*, ‚Käse' *m.*

Ma·lay [məˈleɪ] **I** *s.* **1.** Maˈlaie *m*, Maˈlaiin *f*; **2.** Maˈlaiisch *n*; **II** *adj.* **3.** maˈlaiisch; **Maˈlay·an** [-eɪən] *adj.* maˈlaiisch.

ˈmal·conˌtent I *adj.* unzufrieden (*a. pol.*); **II** *s.* Unzufriedene(r *m*) *f.*

male [meɪl] **I** *adj.* **1.** männlich (*a. biol. u.* ⚙): **~ child** Knabe *m*; **~ choir** Männerchor *m*; **~ cousin** Vetter *m*; **~ nurse** Krankenpfleger *m*; **~ plug** ⚙ Stecker *m*; **~ rhyme** männlicher Reim; **~ screw** Schraube(nspindel) *f*; **2.** *weitS.* männlich, mannhaft; **II** *s.* **3.** a) Mann *m*, b) Knabe *m*: **~ model** Dressman *m*; **4.** *zo.* Männchen *n*; **5.** ⚘ männliche Pflanze.

mal·e·dic·tion [ˌmælɪˈdɪkʃn] *s.* Fluch *m*, Verwünschung *f*; **ˌmal·eˈdic·to·ry** [-ktərɪ] *adj.* verwünschend, Verwünschungs…, Fluch…

mal·e·fac·tor [ˈmælɪfæktə] *s.* Misse-, Übeltäter *m*; **ˈmal·e·fac·tress** [-trɪs] *s.* Misse-, Übeltäterin *f.*

ma·lef·ic [məˈlefɪk] *adj.* (□ **~ally**) ruchlos, bösartig; **maˈlef·i·cent** [-ɪsnt] *adj.* **1.** bösartig; **2.** schädlich (**to** für *od. dat.*); **3.** verbrecherisch.

ma·lev·o·lence [məˈlevələns] *s.* ˈMißgunst *f*, Feindseligkeit *f* (**to** gegen), Böswilligkeit *f*; **maˈlev·o·lent** [-nt] *adj.* □ **1.** ˈmißgünstig, widrig (*Umstände etc.*); **2.** feindselig, böswillig, übelwollend.

mal·fea·sance [mælˈfiːzəns] *s.* ⚖ strafbare Handlung.

ˌmal·forˈma·tion *s. bsd.* ⚕ ˈMißbildung *f.*

ˌmalˈfunc·tion I *s.* **1.** ⚕ Funktiˈonsstörung *f*; **2.** ⚙ schlechtes Funktionieren, Versagen *n*, Deˈfekt *m*; **II** *v/i.* **3.** schlecht funktionieren, deˈfekt sein, versagen.

mal·ice [ˈmælɪs] *s.* **1.** Böswilligkeit *f*, Bosheit *f*; Arglist *f*, Tücke *f*; **2.** Groll *m*: **bear s.o. ~** j-m grollen, e-n Groll gegen j-n hegen; **3.** ⚖ (böse) Absicht, Vorsatz *m*: **with ~ aforethought** (*od.* **prepense**) vorsätzlich; **4.** (schelmische) Bosheit: **with ~** boshaft, maliziös; **ma·li·cious** [məˈlɪʃəs] *adj.* □ **1.** böswillig, boshaft; **2.** arglistig, (heim)tückisch; **3.** gehässig; **4.** hämisch; **5.** ⚖ böswillig, vorsätzlich; **6.** maliziˈös, boshaft; **ma·li·cious·ness** [məˈlɪʃəsnɪs] → **malice** 1, 2.

ma·lign [məˈlaɪn] **I** *adj.* □ **1.** verderblich, schädlich; **2.** unheilvoll; **3.** böswillig; **4.** ⚕ bösartig; **II** *v/t.* **5.** verleumden, beschimpfen.

ma·lig·nan·cy [məˈlɪgnənsɪ] *s.* Böswilligkeit *f*; Bösartigkeit *f* (*a.* ⚕); Bosheit *f*; Arglist *f*; Schadenfreude *f*; **maˈlig·nant** [-nt] **I** *adj.* □ **1.** böswillig; bösartig (*a.* ⚕); **2.** arglistig, (heim)tückisch; **3.** schadenfroh; **4.** gehässig; **II** *s.* **5.** *hist. Brit.* Royaˈlist *m*; **6.** Übelgesinnte(r *m*) *f*; **maˈlig·ni·ty** [-nətɪ] → **malignancy.**

ma·lin·ger [məˈlɪŋgə] *v/i.* sich krank stellen, simulieren, ‚sich drücken'; **maˈlin·ger·er** [-ərə] *s.* Simuˈlant *m*, Drükkeberger *m.*

mall[1] [mɔːl] *s.* **1.** Promeˈnade(nweg *m*) *f*; **2.** Mittelstreifen *m e-r Autobahn*; **3.** *Am.* Einkaufszentrum, Fußgängerzone *f.*

mall[2] [mɔːl] *s. orn.* Sturmmöwe *f.*

mal·lard [ˈmæləd] *pl.* **-lards**, *coll.* **-lard** *s. orn.* Stockente *f.*

mal·le·a·ble [ˈmælɪəbl] *adj.* **1.** ⚙ a) (kalt-) hämmerbar, b) dehn-, streckbar, c) verformbar; **2.** *fig.* gefügig, geschmeidig; **~ cast i·ron** *s.* ⚙ **1.** Tempereisen *n*; **2.** Temperguß *m*; **~ i·ron** *s.* ⚙ **1.** a) Schmiedeeisen *n*, b) schmiedbarer Guß; **2.** → **malleable cast iron.**

mal·le·o·lar [məˈliːələ] *adj. anat.* Knöchel…

mal·let [ˈmælɪt] *s.* **1.** Holzhammer *m*, Schlegel *m*; **2.** ⚙, ⚒ Fäustel *m*: **~ toe** ⚕ Hammerzehe *f*; **3.** *sport* Schlagholz *n*, Schläger *m.*

mal·low [ˈmæləʊ] *s.* ⚘ Malve *f.*

malm [mɑːm] *s. geol.* Malm *m.*

ˌmal·nuˈtri·tion *s.* ˈUnterernährung *f*, schlechte Ernährung.

M

mal·o·dor·ous [mælˈəʊdərəs] *adj.* übelriechend.

ˌ**malˈprac·tice** *s.* **1.** Übeltat *f*; **2.** ⚖ a) Vernachlässigung *f* der beruflichen Sorgfalt, b) Kunstfehler *m*, Fahrlässigkeit *f des Arztes*, c) Untreue *f im Amt etc.*

malt [mɔːlt] **I** *s.* **1.** Malz *n*: **~ kiln** Malzdarre *f*; **~ liquor** gegorener Malztrank, *bsd.* Bier *n*; **II** *v/t.* **2.** mälzen, malzen: **~ed milk** Malzmilch *f*; **3.** unter Zusatz von Malz herstellen; **III** *v/i.* **4.** zu Malz werden.

Mal·tese [ˌmɔːlˈtiːz] **I** *s. sg. u. pl.* **1.** a) Malˈteser(in), b) Malteser *pl.*; **2.** *ling.* Malˈtesisch *n*; **II** *adj.* **3.** malˈtesisch, Malteser…; **~ cross** *s.* **1.** Malˈteserkreuz *n*; **2.** ⚘ Brennende Liebe.

ˈ**malt-house** *s.* Mälzeˈrei *f*.

malt·ose [ˈmɔːltəʊs] *s.* ⚗ Malzzucker *m*.

ˌ**malˈtreat** *v/t.* **1.** schlecht behandeln, malträtieren; **2.** mißˈhandeln; ˌ**malˈtreat·ment** *s.* **1.** schlechte Behandlung; **2.** Mißˈhandlung *f*.

mal·ver·sa·tion [ˌmælvɜːˈseɪʃn] *s.* ⚖ **1.** Amtsvergehen *n*; **2.** Veruntreuung *f*, ˈUnterschleif *m*.

ma·mil·la [mæˈmɪlə] *pl.* **-lae** [-liː] *s.* **1.** *anat.* Brustwarze *f*; **2.** *zo.* Zitze *f*; **mam·il·lar·y** [ˈmæmɪlərɪ] *adj.* **1.** *anat.* Brustwarzen…; **2.** brustwarzenförmig.

M

mam·ma[1] [məˈmɑː] *s.* Mutti *f*.

mam·ma[2] [ˈmæmə] *pl.* **-mae** [-miː] *s.* **1.** *anat.* (weibliche) Brust, Brustdrüse *f*; **2.** *zo.* Zitze *f*, Euter *n*.

mam·mal [ˈmæml] *s. zo.* Säugetier *n*; **mam·ma·li·an** [mæˈmeɪljən] *zo.* **I** *s.* Säugetier *n*; **II** *adj.* Säugetier…

mam·ma·ry [ˈmæmərɪ] *adj.* **1.** *anat.* Brust(warzen)…, Milch…: **~ gland** Milchdrüse *f*; **2.** *zo.* Euter…

mam·mil·la *etc. Am.* → **mamilla** *etc.*

mam·mo·gram [ˈmæməʊgræm] *s.* ⚕ Mammoˈgramm *n*; **mam·mo·gra·phy** [mæˈmɒgrəfɪ] *s.* Mammograˈphie *f*.

mam·mon [ˈmæmən] *s.* Mammon *m*; ˈ**mam·mon·ism** [-nɪzəm] *s.* Mammonsdienst *m*, Geldgier *f*.

mam·moth [ˈmæməθ] **I** *s. zo.* Mammut *n*; **II** *adj.* Mammut…(*-baum*, *-unternehmen etc.*), riesig, Riesen…

mam·my [ˈmæmɪ] *s.* **1.** F Mami *f*; **2.** *Am. obs.* (schwarzes) Kindermädchen.

man [mæn] **I** *pl.* **men** [men] *s.* **1.** Mensch *m*; **2.** *oft* ♀ *coll.* (*mst ohne* **the**) der Mensch, die Menschen *pl.*, die Menschheit: **rights of ~** Menschenrechte; → **measure** 5; **3.** Mann *m*: **~ about town** Lebemann; **the ~ in the street** der Mann auf der Straße, der Durchschnittsmensch; **~ of God** Diener *m* Gottes; **~ of letters** a) Literat *m*, Schriftsteller *m*, b) Gelehrter *m*; **~ of all work** a) Faktotum *n*, b) Allerweltskerl *m*; **~ of straw** Strohmann; **~ of the world** Weltmann; **~ of few** (**many**) **words** Schweiger *m* (Schwätzer *m*); **Oxford ~** Oxforder (Akademiker) *m*; **I have known him ~ and boy** ich kenne ihn von Jugend auf; **be one's own ~** a) sein eigener Herr sein, b) im Vollbesitz s-r Kräfte sein; **the ~ Smith** (besagter) Smith; **my good ~!** *herablassend*: mein lieber Herr!; → **honour** 1; **4.** *weitS.* a) Mann *m*, Perˈson *f*, b) jemand, c) man: **a ~** jemand; **any ~** irgend jemand, jedermann; **no ~** niemand; **few men** wenige (Leute); **every ~ jack** F jeder einzelne; **~ by ~** Mann für Mann, einer nach dem andern; **as one ~** wie ˈein Mann, geschlossen; **to a ~** bis auf den letzten Mann; **give a ~ a chance** einem e-e Chance geben; **what can a ~ do in such a case?** was kann man da schon machen?; **5.** F Mensch *m*, Menschenskind *n*: **~ alive!** Menschenskind!; **hurry up, ~!** Mensch, beeil dich!; **6.** (Ehe)Mann *m*: **~ and wife** Mann u. Frau; **7.** a) Diener *m*, b) Angestellte(r) *m*, c) Arbeiter *m*: **men working** Baustelle (*Hinweis auf Verkehrsschildern*), d) *hist.* Lehnsmann *m*; **8.** ⚔, ⚓ Mann *m*: a) Solˈdat *m*, b) ⚓ Maˈtrose *m*, c) *pl.* Mannschaft *f*: **~ on leave** Urlauber *m*; **20 men** zwanzig Mann; **9.** *der* Richtige: **be the ~ for s.th.** der Richtige für et. (*e-e Aufgabe*) sein; **I am your ~!** ich bin Ihr Mann!; **10.** *Brettspiel*: Stein *m*, (ˈSchach)Fiˌgur *f*; **II** *v/t.* **11.** ⚔, ⚓ bemannen; *a. e-n Arbeitsplatz* besetzen; **12.** *fig. j-n* stärken: **~ o.s.** sich ermannen; **III** *adj.* **13.** männlich: **~ cook** Koch *m*.

man·a·cle [ˈmænəkl] **I** *s. mst pl.* (Hand-)Fessel *f*, -schelle *f* (*a. fig.*); **II** *v/t. j-m* Handfesseln *od.* -schellen anlegen, *j-n* fesseln (*a. fig.*).

man·age [ˈmænɪdʒ] **I** *v/t.* **1.** *Geschäft etc.* führen, verwalten; *Betrieb etc.* leiten; *Gut etc.* bewirtschaften; **2.** *Künstler etc.* managen; **3.** zuˈstande bringen, bewerkstelligen, es fertigbringen (**to do** zu tun) (*a. iro.*): **he ~d to** (*inf.*) es gelang ihm zu (*inf.*); **4.** ‚deichseln', ‚managen': **~ matters** ‚die Sache managen'; **5.** F *Arbeit*, *Essen* bewältigen, ‚schaffen'; **6.** ˈumgehen (können) mit: a) *Werkzeug etc.* handhaben, bedienen, b) *j-n* zu behandeln *od.* zu ‚nehmen' wissen, c) *j-n* bändigen, mit *j-m etc.* fertigwerden: **I can ~ him** ich werde (schon) mit ihm fertig; **7.** lenken (*a. fig.*); **II** *v/i.* **8.** das Geschäft *od.* den Betrieb *etc.* führen; die Aufsicht haben; **9.** auskommen, sich behelfen (**with** mit); **10.** F a) ‚es schaffen', ˈdurchkommen, zu Rande kommen, b) ermöglichen: *can you come?* **I'm afraid, I can't ~** (**it**) es geht leider nicht *od.* es ist mir leider nicht möglich; '**man·age·a·ble** [-dʒəbl] *adj.* □ **1.** lenksam, fügsam; **2.** handlich, leicht zu handhaben(d); '**man·age·a·ble·ness** [-dʒəblnɪs] *s.* **1.** Lenk-, Fügsamkeit *f*; **2.** Handlichkeit *f*; '**man·age·ment** [-mənt] *s.* **1.** (Haus- *etc.*)Verwaltung *f*; **2.** ✝ Management *n*, Unter'nehmensführung *f*: **~ consultant** Unternehmensberater *m*; → ***industrial management***; **3.** ✝ Geschäftsleitung *f*, Direkti'on *f*: ***under new ~*** unter neuer Leitung; ***labo(u)r and ~*** Arbeitnehmer *pl.* u. Arbeitgeber *pl.*; **4.** ✓ Bewirtschaftung *f* (*Gut etc.*); **5.** Geschicklichkeit *f*, (kluge) Taktik; **6.** Kunstgriff *m*, Trick *m*; **7.** Handhabung *f*, Behandlung *f*; '**man·ag·er** [-dʒə] *s.* **1.** (Haus- *etc.*)Verwalter *m*; **2.** ✝ a) Manager *m*, b) Führungskraft *f*, c) Geschäftsführer *m*, Leiter *m*, Di'rektor *m*: ***board of ~s*** Direktorium *n*; **3.** *thea.* a) Inten'dant *m*, b) Regis'seur *m*, c) Manager *m* (*a. sport*), Impre'sario *m*; **4.** ***be a good ~*** gut *od.* sparsam wirtschaften können; **man·ag·er·ess** [ˌmænɪdʒə'res] *s.* **1.** (Haus- *etc.*)Verwalterin *f*; **2.** ✝ a) Managerin *f*, b) Geschäftsführerin *f*, Leiterin *f*, Direk'torin *f*; **3.** Haushälterin *f*; **man·a·ge·ri·al** [ˌmænə'dʒɪərɪəl] *adj.* geschäftsführend, Direktions…, leitend: ***~ functions***; ***in ~ capacity*** in leitender Stellung; ***~ qualities*** Führungsqualitäten; ***~ staff*** leitende Angestellte *pl.*

man·ag·ing ['mænɪdʒɪŋ] *adj.* geschäftsführend, leitend, Betriebs…; **~ board** *s.* ✝ Direk'torium *n*; **~ clerk** *s.* ✝ **1.** Geschäftsführer *m*; **2.** Bü'rovorsteher *m*; **~ com·mit·tee** *s.* ✝ Vorstand *m*; **~ di·rec·tor** *s.* ✝ Gene'raldiˌrektor *m*, Hauptgeschäftsführer *m*.

Man·chu [ˌmæn'tʃu:] **I** *s.* **1.** Mandschu *m* (*Eingeborener der Mandschurei*); **2.** *ling.* Mandschu *n*; **II** *adj.* **3.** man'dschurisch; **Man·chu·ri·an** [mæn'tʃʊərɪən] → ***Manchu*** 1, 3.

man·da·mus [mæn'deɪməs] *s.* ⚖ *hist.* (*heute*: ***order of ~***) Befehl *m e-s höheren Gerichts an ein untergeordnetes.*

man·da·rin¹ ['mændərɪn] *s.* **1.** *hist.* Manda'rin *m* (*chinesischer Titel*); **2.** F ‚hohes Tier' (*hoher Beamter*); **3.** ♀ *ling.* Manda'rin *n*.

man·da·rin² ['mændərɪn] *s.* ♀ Manda'rine *f*.

man·da·tar·y ['mændətərɪ] *s.* ⚖ Manda'tar *m*: a) (Pro'zeß)Beˌvollmächtigte(r) *m*, Sachwalter *m*, b) Manda'tarstaat *m*.

man·date ['mændeɪt] **I** *s.* **1.** ⚖ a) Man'dat *n* (*a. parl.*), (Pro'zeß)ˌVollmacht *f*, b) Geschäftsbesorgungsauftrag *m*, c) Befehl *m e-s übergeordneten Gerichts*; **2.** *pol.* a) Man'dat *n* (*Schutzherrschaftsauftrag*), b) Man'dat(sgebiet) *n*; **3.** *R.C.* päpstlicher Entscheid; **II** *v/t.* **4.** *pol.* e-m Man'dat unter'stellen: ***~d territory*** Mandatsgebiet *n*; **man·da·tor** [mæn'deɪtə] *s.* ⚖ Man'dant *m*, Vollmachtgeber *m*; '**man·da·to·ry** [-dətərɪ] **I** *adj.* **1.** ⚖ vorschreibend, Muß…: ***~ regulation*** Mußvorschrift *f*; ***to make s.th. ~ upon s.o.*** j-m et. vorschreiben; **2.** obliga'torisch, verbindlich, zwangsweise; **II** *s.* **3.** → ***mandatary***.

man·di·ble ['mændɪbl] *s. anat.* **1.** Kinnbacken *m*, -lade *f*; **2.** 'Unterkieferknochen *m*.

man·do·lin(e) ['mændəlɪn] *s.* ♪ Mando'line *f*.

man·drake ['mændreɪk] *s.* ♀ Al'raun(e *f*) *m*; Al'raunwurzel *f*.

man·drel, *a.* **man·dril** ['mændrəl] *s.* ⚙ (Spann)Dorn *m*; (Drehbank)Spindel *f*; *für Holz*: Docke(nspindel) *f*.

mane [meɪn] *s.* Mähne *f* (*a. weitS.*).

'**man-ˌeat·er** *s.* **1.** Menschenfresser *m*; **2.** menschenfressendes Tier; **3.** F ‚männermordendes Wesen' (*Frau*).

maned [meɪnd] *adj.* mit Mähne; Mähnen…: ***~ wolf***.

ma·nège, *a.* **ma·nege** [mæ'neɪʒ] *s.* **1.** Ma'nege *f*: a) Reitschule *f*, b) Reitbahn *f*, c) Reitkunst *f*; **2.** Gang *m*, Schule *f*; **3.** Zureiten *n*.

ma·nes ['mɑ:neɪz] *s. pl.* Manen *pl.*

ma·neu·ver [mə'nu:və] *etc. Am.* → ***manœuvre*** *etc.*

man·ful ['mænfʊl] *adj.* □ mannhaft, beherzt; '**man·ful·ness** [-nɪs] *s.* Mannhaftigkeit *f*; Beherztheit *f*.

man·ga·nate ['mæŋgəneɪt] *s.* ⚗ man'gansaures Salz; **man·ga·nese** ['mæŋgəni:z] *s.* ⚗ Man'gan *n*; **man·gan·ic** [mæŋ'gænɪk] *adj.* man'ganhaltig, Mangan…

mange [meɪndʒ] *s. vet.* Räude *f*.

man·gel-wur·zel ['mæŋglˌwɜ:zl] *s.* ♀ Mangold *m*.

man·ger ['meɪndʒə] *s.* Krippe *f* (*a. ast.* ♌); Futtertrog *m*; → ***dog*** *Redew.*

man·gle¹ ['mæŋgl] *v/t.* **1.** zerfleischen, -fetzen, -stückeln; **2.** *fig. Text* verstümmeln.

man·gle² ['mæŋgl] **I** *s.* (Wäsche)Mangel *f*; **II** *v/t.* mangeln.

man·gler ['mæŋglə] *s.* Fleischwolf *m*.

man·go ['mæŋgəʊ] *pl.* **-goes** [-z] *s.* Mango *f* (*Frucht*); Mangobaum *m*.

man·grove ['mæŋgrəʊv] *s.* ♀ Man'grove(nbaum *m*) *f*.

man·gy ['meɪndʒɪ] *adj.* □ **1.** *vet.* krätzig, räudig; **2.** *fig.* a) eklig, b) schäbig.

'**manˌhan·dle** *v/t.* **1.** F miß'handeln; **2.** mit Menschenkraft bewegen *od.* befördern *od.* meistern.

'**man·hole** *s.* ⚙ Mann-, Einsteigloch *n*; (Straßen)Schacht *m*.

man·hood ['mænhʊd] *s.* **1.** Menschentum *n*; **2.** Mannesalter *n*; **3.** Männlichkeit *f*; **4.** Mannhaftigkeit *f*; **5.** *coll.* die

Männer *pl.*

'man|-ˌhour *s.* Arbeitsstunde *f*; **'~-hunt** *s.* Großfahndung *f*.

ma·ni·a ['meɪnjə] *s.* **1.** ⚕ Ma'nie *f*, Wahn(sinn) *m*, Besessensein *n*: ***religious ~*** religiöses Irresein; **2.** *fig.* (***for***) Sucht *f* (nach), Leidenschaft *f* (für), Ma'nie *f*, ‚Fimmel' *m*: ***collector's ~*** Sammlerwut *f*; ***sport ~*** ‚Sportfimmel'; **ma·ni·ac** ['meɪnɪæk] **I** *s.* Wahnsinnige(r *m*) *f*, Verrückte(r *m*) *f*; **II** *adj.* wahnsinnig, verrückt, irr(e); **ma·ni·a·cal** [mə'naɪəkl] *adj.* □ → ***maniac*** II.

ma·nic ['mænɪk] *psych.* **I** *adj.* manisch: ***~-depressive*** manisch-depressiv(e Person); **II** *s.* manische Per'son.

man·i·cure ['mænɪˌkjʊə] **I** *s.* Mani'küre *f*: a) Hand-, Nagelpflege *f*, b) Hand-, Nagelpflegerin *f*; **II** *v/t. u. v/i.* mani'küren; **'man·iˌcur·ist** [-ərɪst] *s.* Mani'küre *f* (*Person*).

man·i·fest ['mænɪfest] **I** *adj.* □ **1.** offenbar-, -kundig, augenscheinlich, mani'fest (*a.* ⚕); **II** *v/t.* **2.** offen'baren, bekunden, kundtun, manifestieren; **3.** be-, erweisen; **III** *v/i.* **4.** *pol.* Kundgebungen veranstalten; **5.** erscheinen (*Geister*); **IV** *s.* **6.** ⚓ Ladungsverzeichnis *n*; **7.** ✝ ('Schiffs)ManiˌfestI *n*, *bsd. Am.* ✈ Passa'gierliste *f*; **man·i·fes·ta·tion** [ˌmænɪfe'steɪʃn] *s.* **1.** Offen'barung *f*, Äußerung *f*, Manifestati'on *f*; **2.** (deutliches) Anzeichen, Sym'ptom *n*: ***~ of life*** Lebensäußerung *f*; **3.** *pol.* Demonstrati'on *f*; **4.** Erscheinen *n e-s Geistes*; **man·i·fes·to** [ˌmænɪ'festəʊ] *s.* Mani'fest *n*: a) öffentliche Erklärung, b) *pol.* Grundsatzerklärung *f*, (Par'tei-, 'Wahl)ProˌgrammI *n*.

man·i·fold ['mænɪfəʊld] **I** *adj.* □ **1.** mannigfaltig, vielfach, -fältig; **2.** ⚙ Mehr(fach)..., Mehrzweck...; **II** *s.* **3.** ⚙ a) Sammelleitung *f*, b) Rohrverzweigung *f*: ***intake ~*** *mot.* Einlaßkrümmer *m*; **4.** Ko'pie *f*, Abzug *m*; **III** *v/t.* **5.** *Text* vervielfältigen, hektographieren; **~ pa·per** *s.* 'Manifold-PaˌpierI *n* (*festes Durchschlagpapier*); **~ plug** *s.* ⚡ Vielfachstecker *m*; **~ writ·er** *s.* Ver'vielfältigungsappaˌratI *m*.

man·i·kin ['mænɪkɪn] *s.* **1.** Männchen *n*, Knirps *m*; **2.** Glieder-, Schaufensterpuppe *f*, ('AnproˌbierI)MoˌdellI *n*; **3.** ⚕ ana'tomisches Mo'dell, Phan'tom *n*; **4.** → ***mannequin*** 1.

Ma·nil·(l)a [mə'nɪlə] *s. abbr. für* a) ***~ cheroot***, b) ***~ hemp***, c) ***~ paper***; **~ che·root** *s.* Ma'nilaziˌgarreI *f*; **~ hemp** *s.* Ma'nilahanf *m*; **~ pa·per** *s.* Ma'nilapaˌpierI *n*.

ma·nip·u·late [mə'nɪpjʊleɪt] **I** *v/t.* **1.** manipulieren, (künstlich) beeinflussen: ***~ prices***; **2.** (geschickt) handhaben; ⚙ bedienen; **3.** *j-n od. et.* manipulieren *od.* geschickt behandeln; **4.** *et.* ‚deichseln', ‚schaukeln'; **5.** *Konten etc.* ‚frisieren'; **II** *v/i.* **6.** manipulieren; **ma·nip·u·la·tion** [məˌnɪpjʊ'leɪʃn] *s.* **1.** Manipulati'on *f*: ***~ of currency***; **2.** (Kunst)Griff *m*, Verfahren *n*; **3.** *b.s.* Machenschaft *f*, Manipulati'on *f*; **ma'nip·u·la·tive** [-lətɪv] → ***manipulatory***; **ma'nip·u·la·tor** [-tə] *s.* **1.** (geschickter) Handhaber; **2.** Drahtzieher *m*, Manipulierer *m*; **ma'nip·u·la·to·ry** [-lətərɪ] *adj.* **1.** durch Manipulati'on her'beigeführt; **2.** manipulierend; **3.** Handhabungs...

man·kind [mæn'kaɪnd] *s.* **1.** die Menschheit; **2.** *coll.* die Menschen *pl.*, der Mensch; **3.** ['mænkaɪnd] *coll.* die Männer *pl.*

'man·like *adj.* **1.** menschenähnlich; **2.** wie ein Mann, männlich; **3.** → ***mannish***.

man·li·ness ['mænlɪnɪs] *s.* **1.** Männlichkeit *f*; **2.** Mannhaftigkeit *f*; **man·ly** ['mænlɪ] *adj.* **1.** männlich; **2.** mannhaft; **3.** Mannes...: ***~ sports*** Männersport *m*.

'man-made *adj.* Kunst..., künstlich: ***~ satellite***; ***~ fibre*** (*Am.* ***fiber***) ⚙ Kunstfaser *f*.

man·na ['mænə] *s. bibl.* Manna *n*, *f* (*a.* ⚘ *u. fig.*).

man·ne·quin ['mænɪkɪn] *s.* **1.** Mannequin *n*: ***~ parade*** Mode(n)schau *f*; **2.** → ***manikin*** 2.

man·ner ['mænə] *s.* **1.** Art *f* (und Weise *f*) (*et. zu tun*): ***after*** (*od.* ***in***) ***this ~*** auf diese Art *od.* Weise, so: ***in such a ~*** (***that***) so *od.* derart (, daß); ***in what ~?*** wie?; ***adverb of ~*** *ling.* Umstandswort der Art u. Weise, Modaladverb *n*; ***in a ~*** auf e-e Art, gewissermaßen; ***in a ~ of speaking*** sozusagen; ***all ~ of things*** alles mögliche; ***no ~ of doubt*** gar kein Zweifel; ***by no ~ of means*** in keiner Weise; **2.** Art *f*, Betragen *n*, Auftreten *n*, Verhalten *n* (***to*** zu): ***I don't like his ~*** ich mag s-e Art nicht; ***to the ~ born*** hineingeboren (*in bestimmte Verhältnisse*), von Kind auf damit vertraut; ***as to the ~ born*** wie selbstverständlich, als ob er *etc.* es immer so getan hätte; **3.** *pl.* Benehmen *n*, 'Umgangsformen *pl.*, Ma'nieren *pl.*: ***bad*** (***good***) ***~s***; ***we shall teach them ~s*** ‚wir werden sie Mores lehren'; ***it is bad ~s*** es gehört sich nicht; **4.** *pl.* Sitten *pl.* (u. Gebräuche *pl.*); **5.** *paint. etc.* Stil(art *f*) *m*, Ma'nier *f*; **'man·nered** [-əd] *adj.* **1.** *mst in Zssgn* gesittet, geartet: ***ill-~*** von schlechtem Benehmen, ungezogen; **2.** gekünstelt, manie'riert; **'man·ner·ism** [-ərɪzəm] *s.* **1.** *Kunst etc.*: Manie'rismus *m*, Künste'lei *f*; **2.** Manie'riertheit *f*, Gehabe *n*; **3.** eigenartige Wendung (*in der Rede etc.*); **'man·ner·li·ness** [-əlɪnɪs] *s.* gutes Benehmen, Ma'nierlichkeit *f*; **'man·ner·ly** [-əlɪ] *adj.* ma'nierlich, gesittet.

man·ni·kin → ***manikin***.

man·nish [ˈmænɪʃ] *adj.* maskuˈlin, unweiblich.

ma·nœu·vra·ble [məˈnuːvrəbl] *adj.* **1.** ⚔ manövrierfähig; **2.** ⚙ lenk-, steuerbar; *weitS.* (*a. fig.*) wendig, beweglich; **ma·nœu·vre** [məˈnuːvə] **I** *s.* **1.** ⚔, ⚓ Maˈnöver *n*: a) taktische Bewegung, b) Truppen-, ⚓ Flottenübung *f*, ✈ ˈLuftmaˌnöver *n*; **2.** *fig.* Maˈnöver *n*, Schachzug *m*, List *f*; **II** *v/t. u. v/i.* **3.** manövrieren (*a. fig.*): ***~ s.o. into s.th.*** j-n in et. hineinmanövrieren; **maˈnœu·vrer** [-vərə] *s. fig.* **1.** (schlauer) Taktiker; **2.** Intriˈgant *m*.

man-of-war [ˌmænəvˈwɔː], *pl.* **ˌmen-ofˈwar** [ˌmen-] *s.* ⚓ Kriegsschiff *n*.

ma·nom·e·ter [məˈnɒmɪtə] *s.* ⚙ Manoˈmeter *n*, Druckmesser *m*.

man·or [ˈmænə] *s.* **1.** Ritter-, Landgut *n*: ***lord*** (***lady***) ***of the ~*** Gutsherr(in); **2.** *a.* ***~ house*** Herrenhaus *n*; **ma·no·ri·al** [məˈnɔːrɪəl] *adj.* herrschaftlich, (Ritter-) Guts..., Herrschafts...

man·qué(**e** *f*) *m* [ˈmɑ̃ːŋkeɪ] (*Fr.*) *adj.* verhindert, ‚verkracht': ***a poet manqué***.

ˈmanˌpow·er *s.* **1.** menschliche Arbeitskraft *od.* -leistung; **2.** ˈMenschenpotentiˌal *n*: *bsd.* a) Kriegsstärke *f* (*e-s Volkes*), b) (verfügbare) Arbeitskräfte *pl.*

man·sard [ˈmænsɑːd] *s.* **1.** *a.* ***~ roof*** Manˈsardendach *n*; **2.** Manˈsarde *f*.

ˈmanˌserv·ant *pl.* **ˈmenˌserv·ants** *s.* Diener *m*.

man·sion [ˈmænʃn] *s.* **1.** (herrschaftliches) Wohnhaus, Villa *f*; **2.** *bsd. pl. Brit.* (großes) Mietshaus; **~ *house*** *s. Brit.* **1.** Herrenhaus *n*, -sitz *m*; **2.** ***the*** ℒ *Amtssitz des* **Lord Mayor** *von London.*

ˈmanˌslaugh·ter *s.* ⚖ Totschlag *m*, Körperverletzung *f* mit Todesfolge: ***involuntary ~*** fahrlässige Tötung; ***voluntary ~*** Totschlag im Affekt.

man·tel [ˈmæntl] *abbr. für* a) ***mantelpiece***, b) ***mantelshelf***; **ˈ~·piece** *s.* **1.** Kaˈmineinfassung *f*, -mantel *m*; **2.** → **ˈ~·shelf** *s.* Kaˈminsims *m*, *n*.

man·tis [ˈmæntɪs] *pl.* **-tis·es** *s. zo.* Gottesanbeterin *f* (*Heuschrecke*).

man·tle [ˈmæntl] **I** *s.* **1.** Mantel *m* (*a. zo.*), (ärmelloser) ˈUmhang; **2.** *fig.* (Schutz-, Deck)Mantel *m*, Hülle *f*; **3.** ⚙ Mantel *m*; (Glüh)Strumpf *m*; **4.** *Gußtechnik*: Formmantel *m*; **II** *v/i.* **5.** sich überˈziehen (***with*** mit); sich röten (*Gesicht*); **III** *v/t.* **6.** überˈziehen; **7.** verhüllen (*a. fig. bemänteln*).

ˌman-to-ˈman *adj.* von Mann zu Mann: ***a ~ talk***.

ˈman·trap *s.* **1.** Fußangel *f*; **2.** *fig.* Falle *f*.

man·u·al [ˈmænjʊəl] **I** *adj.* □ **1.** mit der Hand, Hand..., manuˈell: ***~ alphabet*** Fingeralphabet *n*; ***~ exercises*** ⚔ Griffeüben *n*; ***~ labo***(***u***)***r*** Handarbeit *f*; ***~ training*** *ped.* Werkunterricht *m*; ***~ly operated*** ⚙ mit Handbetrieb, handgesteuert; **2.** handschriftlich: ***~ bookkeeping***; **II** *s.* **3.** a) Handbuch *n*, Leitfaden *m*: (***instruction***) ~ Bedienungsanleitung(en *pl.*) *f*, b) ⚔ Dienstvorschrift *f*; **4.** ♪ Manuˈal *n* (*Orgel etc.*).

man·u·fac·to·ry [ˌmænjʊˈfæktərɪ] *s. obs.* Faˈbrik *f*.

man·u·fac·ture [ˌmænjʊˈfæktʃə] **I** *s.* **1.** Fertigung *f*, Erzeugung *f*, Herstellung *f*, Fabrikatiˈon *f*: ***year of ~*** Herstellungs-, Baujahr *n*; **2.** Erzeugnis *n*, Fabriˈkat *n*; **3.** Induˈstrie(zweig *m*) *f*; **II** *v/t.* **4.** verfertigen, erzeugen, herstellen, fabrizieren (*a. fig. Beweismittel etc.*): ***~d goods*** Fabrik-, Fertig-, Manufakturwaren; **5.** verarbeiten (***into*** zu); **ˌmanuˈfac·tur·er** [-tʃərə] *s.* **1.** Hersteller *m*, Erzeuger *m*; **2.** Fabriˈkant *m*; **ˌmanuˈfac·tur·ing** [-tʃərɪŋ] *adj.* **1.** Herstellungs..., Produktions...: ***~ cost*** Herstellungskosten *pl.*; ***~ efficiency*** Produktionsleistung *f*; ***~ industries*** Fertigungsindustrien; ***~ plant*** Fabrikationsbetrieb *m*; ***~ process*** Herstellungsverfahren *n*; **2.** Industrie..., Fabrik..., Gewerbe...

ma·nure [məˈnjʊə] **I** *s.* **1.** Dünger *m*; **2.** Dung *m*: ***liquid ~*** (Dung)Jauche *f*; **II** *v/t.* **3.** düngen.

man·u·script [ˈmænjʊskrɪpt] **I** *s.* Manuˈskript *n*: a) Handschrift *f* (*alte Urkunde etc.*), b) Urschrift *f* (*e-s Autors*), c) *typ.* Satzvorlage *f*; **II** *adj.* Manuskript..., handschriftlich.

man·y [ˈmenɪ] **I** *adj.* **1.** viele, viel: ***~ times*** oft; ***as ~*** ebensoviel(e); ***as ~ again*** doppelt soviel(e); ***as ~ as forty*** (nicht weniger als) vierzig; ***one too ~*** einer zuviel; ***be one too ~ for*** F *j-m* ‚über' sein; ***they behaved like so ~ children*** sie benahmen sich wie (die) Kinder; **2.** ***~ a*** manch, manch ein: ***~ a man*** manch einer; ***~ a time*** des öfteren; **II** *s.* **3.** viele: ***the ~*** *pl. konstr.* die (große) Masse; ***~ of us*** viele von uns; ***a good ~*** ziemlich viel(e); ***a great ~*** sehr viele; **~-sid·ed** [ˌmenɪˈsaɪdɪd] *adj.* vielseitig (*a. fig.*); *fig.* vielschichtig (*Problem etc.*); **~-sid·ed·ness** [ˌmenɪˈsaɪdɪdnɪs] *s.* **1.** Vielseitigkeit *f* (*a. fig.*); **2.** *fig.* Vielschichtigkeit *f*.

Mao·ism [ˈmaʊɪzəm] *s.* Maoˈismus *m*; **ˈMao·ist** [-ɪst] **I** *s.* Maoˈist(in); **II** *adj.* maoˈistisch.

map [mæp] **I** *s.* **1.** (Land- *etc.*, *a.* Himmels)Karte *f*: ***~ of the city*** Stadtplan *m*; ***by ~*** nach der Karte; ***off the ~*** F a) abgelegen, ‚hinter dem Mond' (gelegen), b) bedeutungslos; ***on the ~*** F a) (noch) da *od.* vorhanden, b) beachtenswert; ***put on the ~*** *fig. Stadt etc.* bekannt machen, Geltung verschaffen (*dat.*); **2.** *sl.* ‚Vi'sage' *f*, ‚Fresse' *f* (*Gesicht*); **II** *v/t.* **3.** e-e Karte machen von, karto'graphisch darstellen; **4.** *Gebiet* karto'graphisch erfassen; **5.** auf e-r Karte eintragen; **6.** *~ out fig.* (vor'aus-) planen, ausarbeiten, *s-e Zeit* einteilen; *~* **case** *s.* Kartentasche *f*; *~* **ex·er·cise** *s.* ⚔ Planspiel *n*.

ma·ple ['meɪpl] **I** *s.* **1.** ⚘ Ahorn *m*; **2.** Ahornholz *n*; **II** *adj.* **3.** aus Ahorn (-holz), Ahorn...; *~* **sug·ar** *s.* Ahornzucker *m*.

map·per ['mæpə] *s.* Karto'graph *m*.

ma·quis ['mæki:] *pl.* **-quis** [-ki:] *s.* **1.** ⚘ Macchia *f*; **2.** a) Ma'quis *m*, fran'zösische 'Widerstandsbewegung (*im 2. Weltkrieg*), b) Maqui'sard *m*, (fran'zösischer) 'Widerstandskämpfer.

mar [mɑ:] *v/t.* **1.** (be)schädigen: ***~-resistant*** ⚙ kratzfest; **2.** ruinieren; **3.** *fig. Pläne etc.* stören, beeinträchtigen; *Schönheit, Spaß* verderben.

mar·a·bou ['mærəbu:] *s. orn.* Marabu *m*.

mar·a·schi·no [ˌmærə'ski:nəʊ] *s.* Mara'schino(liˌkör) *m*.

mar·a·thon ['mærəθn] **I** *s. sport* **1.** *a.* ***~ race*** Marathonlauf *m*; **2.** *fig.* Dauerwettkampf *m*; **II** *adj.* **3.** *sport* Marathon...: ***~ runner***; **4.** *fig.* Marathon..., Dauer...: ***~ session***.

ma·raud [mə'rɔ:d] ⚔ **I** *v/i.* plündern; **II** *v/t.* verheeren, (aus)plündern; **ma'raud·er** [-də] *s.* Plünderer *m*.

mar·ble ['mɑ:bl] **I** *s.* **1.** *min.* Marmor *m*: ***artificial ~*** Gipsmarmor, Stuck *m*; **2.** Marmorstatue *f*, -bildwerk *n*; **3.** a) Murmel(kugel) *f*, b) *pl. sg. konstr.* Murmelspiel *n*: ***play ~s*** (mit) Murmeln spielen; ***he's lost his ~s*** *Brit. sl.* ‚er hat nicht mehr alle'; **4.** marmorierter Buchschnitt; **II** *adj.* **5.** marmorn, aus Marmor; **6.** marmoriert, gesprenkelt; **7.** *fig.* steinern, gefühllos; **III** *v/t.* **8.** marmorieren, sprenkeln: ***~d meat*** durchwachsenes Fleisch.

mar·cel [mɑ:'sel] **I** *v/t. Haar* ondulieren; **II** *s. a.* ***~ wave*** Ondulati'on(swelle) *f*.

march[1] [mɑ:tʃ] **I** *v/i.* **1.** ⚔ *etc.* marschieren, ziehen: ***~ off*** abrücken; ***~ past*** (***s.o.***) (an j-m) vorbeiziehen *od.* -marschieren; ***~ up*** anrücken; **2.** *fig.* fortschreiten; Fortschritte machen; **II** *v/t.* **3.** *Strecke* marschieren, zu'rücklegen; **4.** marschieren lassen: ***~ off prisoners*** Gefangene abführen; **III** *s.* **5.** ⚔ Marsch *m* (*a.* ♪): ***slow ~*** langsamer Parademarsch; ***~ order*** *Am.* Marschbefehl *m*; **6.** Marsch(strecke *f*) *m*: ***a day's ~*** ein Tagemarsch; **7.** ⚔ Vormarsch *m* (***on*** auf *acc.*); **8.** *fig.* (Ab-) Lauf *m*, (Fort)Gang *m*: ***the ~ of events***; **9.** *fig.* Fortschritt *m*: ***the ~ of progress*** die fortschrittliche Entwicklung; **10.** ***steal a ~ (up)on s.o.*** j-m ein Schnippchen schlagen, j-m zuvorkommen.

march[2] [mɑ:tʃ] **I** *s.* **1.** *hist.* Mark *f*; **2.** a) *mst pl.* Grenzgebiet *n*, -land *n*, b) Grenze *f*; **II** *v/i.* **3.** grenzen (***upon*** an *acc.*); **4.** e-e gemeinsame Grenze haben (***with*** mit).

March[3] [mɑ:tʃ] *s.* März *m*: ***in ~*** im März; ***as mad as a ~ hare*** F total übergeschnappt.

march·ing ['mɑ:tʃɪŋ] *adj.* ⚔ Marsch..., marschierend: ***~ order*** a) Marschausrüstung *f*, b) Marschordnung *f*; ***in heavy ~ order*** feldmarschmäßig; ***~ orders*** *Brit.* Marschbefehl *m*; ***he got his ~ orders*** F er bekam den ‚Laufpaß'.

mar·chion·ess ['mɑ:ʃənɪs] *s.* Mar'quise *f*, Markgräfin *f*.

march·pane ['mɑ:tʃpeɪn] *s. obs.* Marzi'pan *n*.

Mar·di Gras [ˌmɑ:dɪ'grɑ:] (*Fr.*) *s.* Fastnacht(sdienstag *m*) *f*.

mare [meə] *s.* Stute *f*: ***the grey ~ is the better horse*** *fig.* die Frau ist der Herr im Hause; ***~'s nest*** *fig.* a) ‚Windei' *n*, *a.* (Zeitungs)Ente *f*, b) ‚Saustall' *m*.

mar·ga·rine [ˌmɑ:dʒə'ri:n] *s.* Marga'rine *f*.

marge [mɑ:dʒ] *s. Brit.* F Marga'rine *f*.

mar·gin ['mɑ:dʒɪn] **I** *s.* **1.** Rand *m* (*a. fig.*); **2.** *a. pl.* (Seiten)Rand *m* (*bei Büchern etc.*): ***as per ~*** ☤ wie nebenstehend; **3.** Grenze *f* (*a. fig.*): ***~ of income*** Einkommensgrenze; **4.** Spielraum *m*: ***leave a ~*** Spielraum lassen; **5.** *fig.* 'Überschuß *m*, (*ein*) Mehr *n* (*an Zeit, Geld etc.*): ***safety ~*** Sicherheitsfaktor *m*; ***by a narrow ~*** mit knapper Not; **6.** *mst* ***profit ~*** ☤ (Gewinn-, Verdienst-) Spanne *f*, Marge *f*, Handelsspanne *f*: ***interest ~*** Zinsgefälle *n*; **7.** ☤, *Börse*: Hinter'legungssumme *f*, Deckung *f* (*von Kursschwankungen*), Marge *f*: ***~ business*** *Am.* Effektendifferenzgeschäft *n*; **8.** ☤ Rentabili'tätsgrenze *f*; **9.** *sport* (***by a ~ of four seconds*** mit vier Sekunden) Abstand *m od.* Vorsprung *m*; **II** *v/t.* **10.** mit Rand(bemerkungen) versehen; **11.** an den Rand schreiben; **12.** ☤ *durch Hinterlegung* decken; **'mar·gin·al** [-nl] *adj.* □ **1.** am *od.* auf dem Rand, Rand...: ***~ note*** Randbemerkung *f*; ***~ release*** a) Randauslösung *f*, b) Randlöser *m* (*der Schreibmaschine*); **2.** am Rande, Grenz... (*a. fig.*); **3.** *fig.* Mindest...: ***~ capacity***; **4.** ☤ a) zum Selbstkostenpreis, b) knapp über der Rentabili'tätsgrenze (liegend), Grenz...: ***~ cost*** Grenz-, Mindestkosten *pl.*; ***~ sales*** Verkäufe zum Selbstkostenpreis; **mar·gi·na·li·a** [ˌmɑ:dʒɪ'neɪljə] *s. pl.* Margi'nalien *pl.*, Randbemerkungen *pl.*; **'mar·gin·al·ly** [-nəlɪ] *adv. fig.* **1.** geringfügig; **2.** (nur) am

M

Rande.

mar·grave ['mɑːgreɪv] *s. hist.* Markgraf *m*; **mar·gra·vi·ate** [mɑː'greɪvɪət] *s.* Markgrafschaft *f*; **'mar·gra·vine** [-grəviːn] *s.* Markgräfin *f*.

mar·gue·rite [ˌmɑːgə'riːt] *s.* ♀ **1.** Marge'rite *f*; **2.** Gänseblümchen *n*.

mar·i·gold ['mærɪgəʊld] *s.* ♀ Ringelblume *f*; Stu'dentenblume *f*.

mar·i·jua·na, *a.* **mar·i·hua·na** [ˌmærɪ'hwɑːnə] *s.* **1.** ♀ Marihu'anahanf *m*; **2.** Marihu'ana *n* (*Droge*).

mar·i·nade [ˌmærɪ'neɪd] *s.* **1.** Mari'nade *f*; **2.** marinierter Fisch; **mar·i·nate** ['mærɪneɪt] *v/t. Fisch* marinieren.

ma·rine [mə'riːn] **I** *adj.* **1.** See…: **~ *warfare***; **~ *court*** *Am.* ⚖ Seegericht *n*; **~ *insurance*** See(transport)versicherung *f*; **2.** Meeres…: **~ *plants***; **3.** Schiffs…; **4.** Marine…: **≈ *Corps*** *Am.* ⚔ Marineinfanteriekorps *n*; **II** *s.* **5.** Ma'rine *f*: ***mercantile* ~** Handelsmarine; **6.** ⚔ Ma'rineinfanteˌrist *m*: ***tell that to the* ~*s!*** F das kannst du deiner Großmutter erzählen!; **7.** *paint.* Seestück *n*.

mar·i·ner ['mærɪnə] *s. poet. od.* ⚖ Seemann *m*, Ma'trose *m*: ***master* ~** Kapitän *m* e-s Handelsschiffs.

Mar·i·ol·a·try [ˌmeərɪ'ɒlətrɪ] *s.* Ma'rienkult *m*, -verehrung *f*.

mar·i·o·nette [ˌmærɪə'net] *s.* Mario'nette *f* (*a. fig.*).

mar·i·tal ['mærɪtl] *adj.* □ ehelich, Ehe…, Gatten…: **~ *partners*** Ehegatten; **~ *relations*** eheliche Beziehungen; **~ *status*** ⚖ Familienstand *m*; ***disruption of* ~ *relations*** Zerrüttung *f* der Ehe.

mar·i·time ['mærɪtaɪm] *adj.* **1.** See…, Schiffahrts…: **~ *court*** Seeamt *n*; **~ *insurance*** Seeversicherung *f*; **~ *law*** Seerecht *n*; **2.** a) seefahrend, Seemanns…, b) Seehandel (be)treibend; **3.** an der See liegend *od.* lebend, Küsten…; **4.** *zo.* an der Küste lebend, Strand… **≈ Com·mis·sion** *s. Am. Oberste Handelsschiffahrtsbehörde der USA*; **~ terri·to·ry** *s.* ⚖ Seehoheitsgebiet *n*.

mar·jo·ram ['mɑːdʒərəm] *s.* ♀ Majoran *m*.

mark[1] [mɑːk] **I** *s.* **1.** Markierung *f*, Marke *f*, Mal *n*; *engS.* Fleck *m*: ***adjusting* ~** ⚙ Einstellmarke; **2.** *fig.* Zeichen *n*: **~ *of confidence*** Vertrauensbeweis *m*; **~ *of respect*** Zeichen der Hochachtung; **3.** (Kenn)Zeichen *n*, (Merk)Mal *n*; *zo.* Kennung *f*: ***distinctive* ~** Kennzeichen; **4.** (Schrift-, Satz)Zeichen *n*: ***question* ~** Fragezeichen; **5.** (An)Zeichen *n*: ***a* ~ *of great carelessness***; **6.** (Eigentums)Zeichen *n*, Brandmal *n*; **7.** Strieme *f*, Schwiele *f*; **8.** Narbe *f* (*a.* ⚙); **9.** Kerbe *f*, Einschnitt *m*; **10.** Kreuz *n als Unterschrift*; **11.** Ziel(scheibe *f*; *a. fig.*) *n*: ***wide of*** (*od.* ***beside***) ***the* ~** *fig.* a) fehl am Platz, nicht zur Sache gehörig, b) ‚fehlgeschossen'; ***you are quite off*** (*od.* ***wide of***) ***the* ~** *fig.* Sie irren sich gewaltig; ***hit the* ~** (ins Schwarze) treffen; ***miss the* ~** a) fehl-, vorbeischießen, b) sein Ziel *od.* s-n Zweck verfehlen, ‚danebenhauen'; **12.** *fig.* Norm *f*: ***below the* ~** unterdurchschnittlich, nicht auf der Höhe; ***up to the* ~** a) der Sache gewachsen, b) den Erwartungen entsprechend, c) *gesundheitlich etc.* auf der Höhe; ***within the* ~** innerhalb der erlaubten Grenzen, berechtigt (***in doing*** zu tun); ***overshoot the* ~** über das Ziel hinausschießen, zu weit gehen; **13.** (aufgeprägter) Stempel, Gepräge *n*; **14.** Spur *f* (*a. fig.*): ***leave one's* ~ *upon*** a) s-n Stempel aufdrücken (*dat.*), b) bei *j-m* s-e Spuren hinterlassen; ***make one's* ~** sich e-n Namen machen (***in*** in *dat.*, ***upon*** bei), Vorzügliches leisten; **15.** *fig.* Bedeutung *f*, Rang *m*: ***a man of* ~** e-e markante Persönlichkeit; **16.** ✝ a) (Waren)Zeichen *n*, Fa'brik-, Schutzmarke *f*, (Handels)Marke *f*, b) Preisangabe *f*; **17.** ⚔ *Brit.* Mo'dell *n*, Type *f* (*Panzerwagen etc.*); **18.** (Schul-)Note *f*, Zen'sur *f*: ***obtain full* ~*s*** in allen Punkten voll bestehen; ***give s.o. full* ~*s*** (***for***) *fig.* j-m höchstes Lob spenden (für); ***bad* ~** Note für schlechtes Benehmen; ***bad* ~*s*** (ein) schlechtes Zeugnis; **19.** *sport* a) *Fußball etc.*: (Strafstoß-)Marke *f*, b) *Laufsport*: Startlinie *f*, c) *Boxen*: *sl.* Magengrube *f*: ***on your* ~*s!*** auf die Plätze!; ***get off the* ~** starten; **20.** ***not my* ~** *sl.* nicht mein Geschmack, nicht das Richtige für mich; **21.** *sl.* ‚Gimpel' *m*, leichtes Opfer: ***be an easy* ~** leicht ‚reinzulegen' sein; **22.** *hist.* a) Mark *f* (*Grenzgebiet*), b) All'mende *f*; **II** *v/t.* **23.** markieren (*a.* ⚔), (*a. fig. j-n, et., ein Zeitalter*) kennzeichnen; bezeichnen; *Wäsche* zeichnen; ✝ *Waren* auszeichnen, *Preis* festsetzen; *Temperatur etc.* anzeigen; *fig.* ein Zeichen sein für: ***to* ~ *the occasion*** aus diesem Anlaß, zur Feier des Tages; ***the day was* ~*ed by heavy fighting*** der Tag stand im Zeichen schwerer Kämpfe; → ***time*** 18; **24.** brandmarken; **25.** Spuren hinter'lassen auf (*dat.*); **26.** zeigen, zum Ausdruck bringen; **27.** be-, vermerken, achtgeben auf (*acc.*), sich merken; **28.** *ped. Arbeiten* zensieren; **29.** bestimmen (***for*** für); **30.** *sport* a) *Gegenspieler* decken, markieren, b) *Punkte etc.* notieren; **III** *v/i.* **31.** achtgeben, aufpassen: **~*!*** Achtung!; **~ *you*** wohlgemerkt; **~ down** *v/t.* **1.** ✝ (*im Preis*) her'absetzen; **2.** bestimmen, vormerken (***for*** für, zu); **~ off** *v/t.* **1.** abgrenzen, -stecken; **2.** *auf e-r Liste* abhaken; **3.** *fig.* (ab)trennen; **4.** ⚒ *Strecke* ab-, auftragen; ~ **out** *v/t.* **1.** bestimmen, ausersehen (***for*** für, zu); **2.** abgrenzen, (*durch Striche etc.*) bezeichnen, markieren; ~ **up** *v/t.* ☦ **1.** (*im Preis etc.*) hin'auf-, her'aufsetzen; **2.** *Diskontsatz etc.* erhöhen.

mark² [mɑːk] *s.* ☦ **1.** (deutsche) Mark: ***blocked*** ~ Sperrmark; **2.** *hist.* Mark *f* (*Münze, Goldgewicht*).

Mark³ [mɑːk] *npr. u. s. bibl.* 'Markus (-evanˌgelium *n*) *m.*

'mark·down *s.* ☦ niedrigere Auszeichnung (*e-r Ware*), Preissenkung *f.*

marked [mɑːkt] *adj.* ☐ **1.** markiert, gekennzeichnet; mit e-r Aufschrift versehen; **2.** ☦ bestätigt (*Am.* gekennzeichnet) (*Scheck*); **3.** mar'kant, ausgeprägt; **4.** deutlich, merklich: ~ ***progress***; **5.** auffällig, ostenta'tiv: ~ ***indifference***; **6.** gezeichnet: ***a face ~ with smallpox*** ein pockennarbiges Gesicht; ***a ~ man*** *fig.* ein Gezeichneter; **'mark·ed·ly** [-kɪdlɪ] *adv.* deutlich, ausgesprochen.

mark·er ['mɑːkə] *s.* **1.** Anschreiber *m*; *Billard*: Mar'kör *m*; **2.** ⚔ a) Anzeiger *m* (*beim Schießstand*), b) Flügelmann *m*; **3.** a) Kennzeichen *n*, b) (Weg- *etc.*) Markierung *f*; **4.** Lesezeichen *n*; **5.** *Am.* a) Straßenschild *n*, b) Gedenktafel *f*; **6.** ✈ a) Sichtzeichen *n*: ~ ***panel*** Fliegertuch *n*, b) Leuchtbombe *f.*

mar·ket ['mɑːkɪt] ☦ **I** *s.* **1.** Markt *m* (*Handel*): ***be in the ~ for*** Bedarf haben an (*a. fig.*); ***come into the*** ~ (zum Verkauf) angeboten werden, auf den Markt kommen; ***place*** (*od.* ***put***) ***on the*** ~ → 11; ***sale in the open*** ~ freihändiger Verkauf; **2.** *Börse*: Markt *m*: ***railway*** ~ Markt für Eisenbahnwerte; **3.** (*a.* Geld)Markt *m*, Börse *f*, Handelsverkehr *m*: ***active*** (***dull***) ~ lebhafter (lustloser) Markt; ***play the*** ~ an der Börse spekulieren; **4.** a) Marktpreis *m*, b) Marktpreise *pl.*: ***the ~ is low*** (***rising***); ***at the*** ~ zum Marktpreis, *Börse*: zum ‚Bestens'-Preis; **5.** Markt(platz) *m*, Handelsplatz *m*: ***in the*** ~ auf dem Markt; (***covered***) ~ Markthalle *f*; **6.** *Am.* (Lebensmittel)Geschäft *n*: ***meat*** ~; **7.** (Wochen- *od.* Jahr)Markt *m*; **8.** Markt *m* (*Absatzgebiet*): ***hold the*** ~ a) den Markt beherrschen, b) (durch Kauf *od.* Verkauf) die Preise halten; **9.** Absatz *m*, Verkauf *m*, Markt *m*: ***find a*** ~ Absatz finden (*Ware*); ***find a ~ for*** *et.* an den Mann bringen; ***meet with a ready*** ~ schnellen Absatz finden; **10.** (***for***) Nachfrage *f* (nach), Bedarf *m* (an *dat.*); **II** *v/t.* **11.** auf den Markt bringen; vertreiben; **III** *v/i.* **12.** einkaufen; auf dem Markt handeln; Märkte besuchen; **IV** *adj.* **13.** Markt...: ~ ***day***; **14.** Börsen...; **15.** Kurs...: ~ ***profit***; **'mar·ket·a·ble** [-təbl] *adj.* marktfähig, -gängig; börsenfähig.

mar·ket| a·nal·y·sis *s.* ☦ 'Marktanaˌlyse *f*; ~ **con·di·tion** *s.* ☦ Marktlage *f*, Konjunk'tur *f*; ~ **e·con·o·my** *s.* ☦ (***free*** ~, ***social*** ~ freie, sozi'ale) Marktwirtschaft; ~ **fluc·tu·a·tion** *s.* ☦ **1.** Konjunk'turbewegung *f*; **2.** *pl.* Konjunk'turschwankungen *pl.*; ~ **gar·den** *s. Brit.* Handelsgärtne'rei *f.*

mar·ket·ing ['mɑːkɪtɪŋ] **I** *s.* **1.** ☦ Marketing *n*, Marktversorgung *f*, 'Absatzpoliˌtik *f*, -förderung *f*; **2.** Marktbesuch *m*; **II** *adj.* **3.** Markt...: ~ ***association*** Marktverband *m*; ~ ***company*** Vertriebsgesellschaft *f*; ~ ***organization*** Absatzorganisation *f*; ~ ***research*** Absatzforschung *f.*

mar·ket| in·ves·ti·ga·tion *s.* 'Marktunterˌsuchung *f*; ~ **lead·ers** *s. pl.* führende Börsenwerte *pl.*; ~ **let·ter** *s. Am.* Markt-, Börsenbericht *m*; ~ **niche** *s.* Marktnische *f*, -lücke *f*; **'~-ˌo·ri·ent·ed** *adj.* ☦ marktorientiert; **'~-place** *s.* Marktplatz *m*; ~ **price** *s.* **1.** Marktpreis *m*; **2.** *Börse*: Kurs(wert) *m*; ~ **quo·ta·tion** *s.* Börsennotierung *f*, Marktkurs *m*: ***list of ~s*** Markt-, Börsenzettel *m*; ~ **rate** → ***market price***; ~ **re·search** *s.* ☦ Marktforschung *f*; ~ **re·search·er** *s.* ☦ Marktforscher *m*; ~ **rig·ging** *s.* Kurstreibe'rei *f*, 'Börsenmaˌnöver *n*; ~ **sat·u·ra·tion** *s.* Marktsättigung *f*; ~ **share** *s.* Marktanteil *m*; ~ **stud·y** *s.* ☦ 'Marktunterˌsuchung *f*; ~ **swing** *s. Am.* Konjunk'turperiˌode *f*; **'~-town** *s.* Markt(flecken) *m*; ~ **val·ue** *s.* Kurs-, Verkehrswert *m.*

mark·ing ['mɑːkɪŋ] **I** *s.* **1.** Kennzeichnung *f*, Markierung *f*; Bezeichnung *f* (*a.* ♪); *ped.* Zensieren *n*; ✈ Hoheitsabzeichen *n*; **2.** *zo.* (Haut-, Feder)Musterung *f*, Zeichnung *f*; **II** *adj.* **3.** ⚙ markierend: ~ ***awl*** Reißahle *f*; ~ ***ink*** Zeichen-, Wäschetinte *f.*

marks·man ['mɑːksmən] *s.* [*irr.*] guter Schütze, Meisterschütze *m*, *bsd.* ⚔ *u. Polizei*: Scharfschütze *m*; **'marks·man·ship** [-ʃɪp] *s.* **1.** Schießkunst *f*; **2.** Treffsicherheit *f.*

'mark·up *s.* ☦ **1.** a) höhere Auszeichnung (*e-r Ware*), b) Preiserhöhung *f*; **2.** Kalkulati'onsaufschlag *m*; **3.** *Am.* im Preis erhöhter Ar'tikel.

marl [mɑːl] **I** *s. geol.* Mergel *m*; **II** *v/t.* ✔ mergeln.

mar·ma·lade ['mɑːməleɪd] *s.* (*bsd.* O'rangen)Marmeˌlade *f.*

mar·mo·set ['mɑːməʊzet] *s. zo.* Krallenaffe *m.*

mar·mot ['mɑːmət] *s. zo.* **1.** Murmeltier *n*; **2.** Prä'riehund *m.*

mar·o·cain ['mærəkeɪn] *s.* Maro'cain *n* (*ein Kreppgewebe*).

ma·roon¹ [mə'ruːn] **I** *v/t.* **1.** (*auf e-r einsamen Insel etc.*) aussetzen; **2.** *fig.* a) im Stich lassen, b) von der Außenwelt abschneiden; **II** *v/i.* **3.** *Brit.* her'umlungern; **4.** *Am.* einsam zelten; **III** *s.* **5.** Busch-, Ma'ronneger *m* (*Westindien u. Guayana*); **6.** Ausgesetzte(r *m*) *f.*

ma·roon² [mə'ru:n] **I** *s.* **1.** Ka'stanienbraun *n*; **2.** Ka'nonenschlag *m* (*Feuerwerk*); **II** *adj.* **3.** ka'stanienbraun.

mar·plot ['mɑ:plɒt] *s.* **1.** Quertreiber *m*; **2.** Spielverderber *m*, Störenfried *m.*

marque [mɑ:k] *s.* ⚓ *hist.*: ***letter(s) of ~*** (***and reprisal***) Kaperbrief *m.*

mar·quee [mɑ:'ki:] *s.* **1.** großes Zelt; **2.** *Am.* Mar'kise *f*, Schirmdach *n* (*über e-m Hoteleingang etc.*); **3.** Vordach *n* (*über Haustür*).

mar·quess ['mɑ:kwɪs] *s.* → ***marquis.***

mar·que·try, *a.* **mar·que·te·rie** ['mɑ:kɪtrɪ] *s.* In'tarsia *f*, Markete'rie *f*, Holzeinlegearbeit *f.*

mar·quis ['mɑ:kwɪs] *s.* Mar'quis *m* (*englischer Adelstitel*).

mar·riage ['mærɪdʒ] *s.* **1.** Heirat *f*, Vermählung *f*, Hochzeit *f* (***to*** mit); → ***civil*** 4; **2.** Ehe(stand *m*) *f*: ***~ of convenience*** Vernunftehe, Geldheirat *f*; ***by ~*** angeheiratet; ***of his*** (***her***) ***first ~*** aus erster Ehe; ***related by ~*** verschwägert; ***contract a ~*** die Ehe eingehen; ***give s.o. in ~*** j-n verheiraten; ***take s.o. in ~*** j-n heiraten; **3.** *fig.* Vermählung *f*, innige Verbindung; **'mar·riage·a·ble** [-dʒəbl] *adj.* heiratsfähig: ***~ age*** Ehemündigkeit *f.*

mar·riage| ar·ti·cles *s. pl.* ⚖ Ehevertrag *m*; **~ bro·ker** *s.* Heiratsvermittler *m*; **~ bu·reau** *s.* 'Heiratsinsti,tut *n*; **~ cer·e·mo·ny** *s.* Trauung *f*; **~ cer·tif·i·cate** *s.* Trauschein *m*; **~ con·tract** *s.* ⚖ Ehevertrag *m*; **~ flight** *s.* *Bienenzucht*: Hochzeitsflug *m*; **~ guid·ance** *s.* Eheberatung *f*: ***~ counsel(l)or*** Eheberater(in); **~ li·cence**, *Am.* **~ li·cense** *s.* ⚖ (kirchliche, *Am.* amtliche) Eheerlaubnis; **~ lines** *s. pl. Brit.* F Trauschein *m*; **~ por·tion** *s.* ⚖ Mitgift *f*; **~ set·tle·ment** *s.* ⚖ Ehevertrag *m.*

mar·ried ['mærɪd] *adj.* **1.** verheiratet, Ehe…, ehelich: ***~ life*** Eheleben *n*; ***~ man*** Ehemann *m*; ***~ state*** Ehestand *m*; **2.** *fig.* eng *od.* innig (mitein'ander) verbunden.

mar·ron ['mærən] *s.* ⚘ Ma'rone *f.*

mar·row¹ ['mærəʊ] *s.* **1.** *anat.* (Knochen)Mark *n*; **2.** *fig.* Mark *n*, Kern *m*, *das* Innerste *od.* Wesentlichste; Lebenskraft *f*: ***to the ~*** (***of one's bones***) bis aufs Mark, bis ins Innerste; → ***pith*** 2.

mar·row² ['mærəʊ] *s.* *Am.* *mst* ***~ squash***, *Brit. a.* ***vegetable ~*** ⚘ Eier-, Markkürbis *m.*

'mar·row·bone *s.* **1.** Markknochen *m*; **2.** *pl. humor.* Knie *pl.*; **3.** *pl.* → ***crossbones.***

mar·row·less ['mærəʊlɪs] *adj. fig.* mark-, kraftlos.

mar·row·y ['mærəʊɪ] *adj. a. fig.* markig, kernig, kräftig.

mar·ry¹ ['mærɪ] **I** *v/t.* **1.** heiraten, sich vermählen *od.* verheiraten mit: ***be married to*** verheiratet sein mit; ***get married to*** sich verheiraten mit; **2.** *a.* ***~ off*** *Sohn, Tochter* verheiraten (***to*** an *acc.*, mit); **3.** *ein Paar* trauen (*Geistlicher*); **4.** *fig.* eng verbinden *od.* verknüpfen (***to*** mit); **II** *v/i.* **5.** (sich ver-) heiraten: ***~ing man*** F Heiratslustige(r) *m*, Ehekandidat *m*; ***~ in haste and repent at leisure*** schnell gefreit, lang bereut.

mar·ry¹ ['mærɪ] *int. obs.* für'wahr!

Mars [mɑ:z] *npr. u. s.* Mars *m* (*Kriegsgott od. Planet*).

marsh [mɑ:ʃ] *s.* **1.** Sumpf(land *n*) *m*, Marsch *f*; **2.** Mo'rast *m.*

mar·shal ['mɑ:ʃl] **I** *s.* **1.** ⚔ Marschall *m*; **2.** ⚖ *Brit.* Gerichtsbeamte(r) *m*; **3.** ⚖ *Am.* a) ***US ~*** ('Bundes)Voll,zugsbeamte(r) *m*, b) Be'zirkspoli,zeichef *m*, c) *a.* ***city ~*** Poli'zeidi,rektor *m*, d) *a.* ***fire ~*** 'Branddi,rektor *m*; **4.** *hist.* 'Hofmar,schall *m*; **5.** Zere'monienmeister *m*; Festordner *m*; *mot.* Rennwart *m*; **II** *v/t.* **6.** aufstellen (*a.* ⚔); (an)ordnen, arrangieren: ***~ wag(g)ons into trains*** Züge zs.-stellen; ***~ one's thoughts*** *fig.* s-e Gedanken ordnen; **7.** (*bsd. feierlich*) (hin'ein)geleiten (***into*** in *acc.*); **8.** ✈ einwinken; **'mar·shal·(l)ing yard** [-ʃlɪŋ] *s.* 🚂 Rangier-, Verschiebebahnhof *m.*

'marsh|-,fe·ver *s.* ⚕ Sumpffieber *n*; **~ gas** *s.* Sumpfgas *n*; **'~·land** *s.* Sumpf-, Marschland *n*; **,~'mal·low** *s.* **1.** ⚘ Echter Eibisch, Al'thee *f*; **2.** Marsh'mallow *n* (*Süßigkeit*); **~ mar·i·gold** *s.* ⚘ Sumpfdotterblume *f.*

marsh·y ['mɑ:ʃɪ] *adj.* sumpfig, mo'rastig, Sumpf…

mar·su·pi·al [mɑ:'sju:pjəl] *zo.* **I** *adj.* **1.** Beuteltier…; **2.** Beutel…; **II** *s.* **3.** Beuteltier *n.*

mart [mɑ:t] *s.* **1.** Markt *m*, Handelszentrum *n*; **2.** Aukti'onsraum *m*; **3.** *obs. od. poet.* Markt(platz) *m*, (Jahr)Markt *m.*

mar·ten ['mɑ:tɪn] *s. zo.* Marder *m.*

mar·tial ['mɑ:ʃl] *adj.* □ **1.** kriegerisch, streitbar; **2.** mili'tärisch, sol'datisch: ***~ music*** Militärmusik *f*; **3.** Kriegs…, Militär…: ***~ law*** Kriegs-, Standrecht *n*; ***state of ~ law*** Ausnahmezustand *m*; ***~ arts*** asiatische Kampfsportarten.

Mar·ti·an ['mɑ:ʃjən] **I** *s.* **1.** Marsmensch *m*; **II** *adj.* **2.** Mars…, kriegerisch; **3.** *ast.* Mars…

mar·tin ['mɑ:tɪn] *s. orn.* Mauerschwalbe *f.*

mar·ti·net [,mɑ:tɪ'net] *s.* Leuteschinder *m*, Zuchtmeister *m.*

mar·tyr ['mɑːtə] **I** *s.* **1.** Märtyrer(in), Blutzeuge *m*; **2.** *fig.* Märtyrer(in), Opfer *n*: ***make a ~ of o.s.*** sich für et. aufopfern, *iro.* den Märtyrer spielen: ***die a ~ to*** (*od.* ***in the cause of***) ***science*** sein Leben im Dienst der Wissenschaft opfern; **3.** F Dulder *m*, armer Kerl: ***be a ~ to gout*** ständig von Gicht geplagt werden; **II** *v/t.* **4.** zum Märtyrer machen; **5.** zu Tode martern; **6.** martern, peinigen; '**mar·tyr·dom** [-dəm] *s.* **1.** Mar'tyrium *n* (*a. fig.*), Märtyrertod *m*; **2.** Marterqualen *pl.* (*a. fig.*); '**mar·tyr·ize** [-əraɪz] *v/t.* **1.** (***o.s.*** sich) zum Märtyrer machen (*a. fig.*); **2.** → ***martyr*** 6.

mar·vel ['mɑːvl] **I** *s.* **1.** Wunder(ding) *n*: ***engineering ~s*** Wunder der Technik; ***be a ~ at s.th.*** et. fabelhaft können; **2.** Muster *n* (***of*** an *dat.*): ***he is a ~ of patience*** er ist die Geduld selber; ***he is a perfect ~*** F er ist phantastisch *od.* ein Phänomen; **II** *v/i.* **3.** sich (ver)wundern, staunen (***at*** über *acc.*); **4.** sich verwundert fragen, sich wundern (***that*** daß, ***how*** wie, ***why*** warum).

mar·vel·(l)ous ['mɑːvələs] *adj.* □ **1.** erstaunlich, wunderbar; **2.** un'glaublich; **3.** F fabelhaft, phan'tastisch.

Marx·i·an ['mɑːksjən] → ***Marxist***; '**Marx·ism** [-sɪzəm] *s.* Mar'xismus *m*; '**Marx·ist** [-sɪst] **I** *s.* Mar'xist(in); **II** *adj.* mar'xistisch.

mar·zi·pan [ˌmɑːzɪ'pæn] *s.* Marzi'pan *n*.

mas·car·a [mæ'skɑːrə] *s.* Wimperntusche *f*.

mas·cot ['mæskət] *s.* Mas'kottchen *n*, Talisman *m*; Glücksbringer(in): ***radiator ~*** *mot.* Kühlerfigur *f*.

mas·cu·line ['mæskjʊlɪn] **I** *adj.* **1.** männlich, masku'lin (*a. ling.*); Männer...; **2.** unweiblich, masku'lin; **II** *s.* **3.** *ling.* Masku'linum *n*; **mas·cu·lin·i·ty** [ˌmæskjʊ'lɪnətɪ] *s.* **1.** Männlichkeit *f*; **2.** Mannhaftigkeit *f*.

mash¹ [mæʃ] **I** *s.* **1.** *Brauerei etc.*: Maische *f*; **2.** ⚒ Mengfutter *n*; **3.** Brei *m*, Mansch *m*; **4.** *Brit.* Kar'toffelbrei *m*; **5.** *fig.* Mischmasch *m*; **II** *v/t.* **6.** (ein)maischen; **7.** zerdrücken, -quetschen: ***~ed potatoes*** Kartoffelbrei *m*.

mash² [mæʃ] *obs. sl.* **I** *v/t.* **1.** *j-m* den Kopf verdrehen; **2.** flirten mit; **II** *v/i.* **3.** flirten, schäkern.

mash·er¹ ['mæʃə] *s.* **1.** Stampfer *m* (*Küchengerät*); **2.** *Brauerei*: 'Maischappaˌrat *m*.

mash·er² ['mæʃə] *s. obs. sl.* Schwerenöter *m*, ‚Schäker' *m*.

mask [mɑːsk] **I** *s.* **1.** Maske *f* (*a.* △), Larve *f*: ***death-~*** Totenmaske; **2.** (Schutz-, Gesichts)Maske *f*: ***fencing ~*** Fechtmaske; ***oxygen ~*** ⚕ Sauerstoffmaske; **3.** Gasmaske *f*; **4.** Maske *f*: a) Maskierte(r *m*) *f*, b) 'Maskenkoˌstüm *n*, Maskierung *f*, c) *fig.* Verkappung *f*: ***throw off the ~*** *fig.* die Maske fallen lassen; ***under the ~ of*** unter dem Deckmantel (*gen.*); **5.** maskenhaftes Gesicht; **6.** *Kosmetik*: (Gesichts)Maske *f*; **7.** → ***masque***; **8.** ⚔ Tarnung *f*, Blende *f*; **9.** *phot.* Vorsatzscheibe *f*; **II** *v/t.* **10.** *j-n* maskieren, verkleiden, vermummen; *fig.* verschleiern, -hüllen; **11.** ⚔ tarnen; **12.** *a.* ***~ out*** ⚙ korrigieren, retuschieren; *Licht* abblenden; **masked** [-kt] *adj.* **1.** maskiert (*a.* ⚘); Masken...: ***~ ball*** Maskenball *m*; **2.** ⚔, ⚘ getarnt: ***~ advertising*** Schleichwerbung *f*; '**mask·er** [-kə] *s.* Maske *f*, Maskenspieler *m*.

mas·och·ism ['mæsəʊkɪzəm] *s.* ⚕, *psych.* Maso'chismus *m*; '**mas·och·ist** [-ɪst] *s.* Maso'chist *m*.

ma·son ['meɪsn] **I** *s.* **1.** Steinmetz *m*; **2.** Maurer *m*; **3.** *oft* ♀ Freimaurer *m*; **II** *v/t.* **4.** mauern; **Ma·son·ic** [mə'sɒnɪk] *adj.* freimaurerisch, Freimaurer...; '**ma·son·ry** [-rɪ] *s.* **1.** Steinmetz-, Maurerarbeit *f od.* -handwerk *n*; **2.** Mauerwerk *n*; **3.** *mst.* ♀ Freimaure'rei *f*.

masque [mɑːsk] *s. thea. hist.* Maskenspiel *n*.

mas·quer·ade [ˌmæskə'reɪd] **I** *s.* **1.** Maske'rade *f*: a) Maskenball *m*, b) Maskierung *f*, c) *fig.* The'ater *n*, Verstellung *f*, d) *fig.* Maske *f*, Verkleidung *f*; **II** *v/i.* **2.** an e-r Maskerade teilnehmen; **3.** sich maskieren *od.* verkleiden (*a. fig.*); **4.** *fig.* sich ausgeben (***as*** als).

mass¹ [mæs] **I** *s.* **1.** *allg.* Masse *f* (*a.* ⚙ *u. phys.*): ***a ~ of blood*** ein Klumpen Blut; ***a ~ of troops*** e-e Truppenansammlung; ***in the ~*** im großen u. ganzen; **2.** Mehrzahl *f*: ***the*** (***great***) ***~ of imports*** der überwiegende Teil der Einfuhr; **3.** ***the ~*** die Masse, die Allge'meinheit: ***the ~es*** die ‚breite' Masse; **II** *v/t.* **4.** (*v/i.* sich) (an)sammeln *od.* (an)häufen, (*v/i.* sich) zs.-ballen; ⚔ (*v/i.* sich) massieren *od.* konzentrieren; **III** *adj.* **5.** Massen...: ***~ acceleration*** *phys.* Massenbeschleunigung *f*; ***~ communication*** Massenkommunikation *f*; ***~ meeting*** Massenversammlung *f*; ***~ murder*** Massenmord *m*; ***~ society*** Massengesellschaft *f*.

Mass² [mæs] *s. eccl.* (*a.* ♪) Messe *f*; → ***High*** (***Low***) ***Mass***; ***~ was said*** die Messe wurde gelesen; ***to attend*** (***the***) (*od.* ***go to***) ***~*** zur Messe gehen; ***~ for the dead*** Toten-, Seelenmesse.

mas·sa·cre ['mæsəkə] **I** *s.* Gemetzel *n*, Mas'saker *n*, Blutbad *n*; **II** *v/t.* niedermetzeln, massakrieren.

mas·sage ['mæsɑːʒ] **I** *s.* Mas'sage *f*: ***~ parlo*(*u*)*r*** Massagesalon *m*; **II** *v/t.* massieren.

mas·seur [mæ'sɜː] (*Fr.*) *s.* Mas'seur *m*; **mas·seuse** [mæ'sɜːz] (*Fr.*) *s.* Mas'seurin *f*, Mas'seuse *f*.

mas·sif ['mæsi:f] *s. geol.* Ge'birgsmas,siv *n*, -stock *m*.

mas·sive ['mæsɪv] *adj.* □ **1.** mas'siv (*a. geol.*, *a. Gold etc.*), schwer, massig; **2.** *fig.* mas'siv, gewaltig, wuchtig, ‚klotzig'; '**mas·sive·ness** [-nɪs] *s.* **1.** Mas'sive(s) *n*, Schwere(s) *n*; **2.** Gediegenheit *f* (*Gold etc.*); **3.** *fig.* Wucht *f*.

mass| me·di·a *s. pl.* Massenmedien *pl.*; '**~-pro,duce** *v/t.* serienmäßig herstellen: ***~d articles*** Massen-, Serienartikel; **~ pro·duc·tion** *s.* ✝ 'Massen-, 'Serienprodukti,on *f*: ***standardized ~*** Fließarbeit *f*.

mass·y ['mæsɪ] → ***massive***.

mast¹ [mɑ:st] **I** *s.* **1.** ⚓ (Schiffs)Mast *m*: ***sail before the ~*** (als Matrose) zur See fahren; **2.** (Gitter-, Leitungs-, An'tennen-, ✈ Anker)Mast *m*; **II** *v/t.* **3.** ⚓ bemasten: ***three-~ed*** dreimastig.

mast² [mɑ:st] *s.* ✓ Mast(futter *n*) *f*.

mas·tec·to·my [mæ'stektəmɪ] *s.* ⚕ 'Brustamputati,on *f*.

mas·ter ['mɑ:stə] **I** *s.* **1.** Meister *m* (*a. Kunst u. fig.*), Herr *m*, Gebieter *m*: ***the*** ♀ *eccl.* der Herr (*Christus*); ***be ~ of s.th.*** et. (*a. e-e Sprache*) beherrschen; ***be ~ of o.s.*** sich in der Gewalt haben; ***be ~ of the situation*** Herr der Lage sein; ***be one's own ~*** sein eigener Herr sein; ***be ~ of one's time*** über s-e Zeit (nach Belieben) verfügen können; **2.** Besitzer *m*, Eigentümer *m*, Herr *m*: ***make o.s. ~ of s.th.*** et. in s-n Besitz bringen; **3.** Hausherr *m*; **4.** Meister *m*, Sieger *m*; **5.** a) Lehrherr *m*, Meister *m*, b) *a.* ⚖ Dienstherr *m*, Arbeitgeber *m*, c) (Handwerks)Meister *m*: ***~ tailor*** Schneidermeister; ***like ~ like man*** wie der Herr, so's Gescherr; **6.** Vorsteher *m*, Leiter *m e-r Innung etc.*; **7.** ⚓ ('Handels)Kapi,tän *m*: ***~'s certificate*** Kapitänspatent *n*; **8.** *bsd. Brit.* Lehrer *m*: ***~ in English*** Englischlehrer; **9.** *Brit. univ.* Rektor *m* (*Titel der Leiter einiger Colleges*); **10.** *univ.* Ma'gister *m* (*Grad*): ♀ ***of Arts*** Magister Artium; ♀ ***of Science*** Magister der Naturwissenschaften; **11.** junger Herr (*a. als Anrede für Knaben bis zu 16 Jahren*); **12.** *Brit.* (*in Titeln*): Leiter *m*, Aufseher *m* (*am königlichen Hof etc.*): ♀ ***of Ceremonies*** a) Zeremonienmeister *m*, b) Conférencier *m*; ♀ ***of the Horse*** Oberstallmeister *m*; **13.** ⚖ proto'kollführender Gerichtsbeamter: ♀ ***of the Rolls*** Oberarchivar *m*; **14.** → ***master copy*** 1; **II** *v/t.* **15.** Herr sein *od.* werden über (*acc.*) (*a. fig.*), *a. Sprache etc.* beherrschen; *Aufgabe*, *Schwierigkeit* meistern; **16.** *Tier* zähmen; *a. Leidenschaften etc.* bändigen; **III** *adj.* **17.** Meister…, meisterhaft, -lich; **18.** Meister…, Herren…; **19.** Haupt…, hauptsächlich: ***~ file*** Hauptkartei *f*; ***~ switch*** ⚡ Hauptschalter *m*; **20.** leitend, führend.

,**mas·ter|-at-'arms** [-ərət'ɑ:-] *pl.* ,**mas·ters-at-'arms** [-əzət'ɑ:-] *s.* ⚓ 'Schiffspro,fos *m* (*Polizeioffizier*); **~ build·er** *s.* Baumeister *m*; **~ car·pen·ter** *s.* Zimmermeister *m*; **~ chord** *s.* ♪ Domi'nantdreiklang *m*; **~ clock** *s.* Zen'traluhr *f* (*e-r Uhrenanlage*); **~ cop·y** *s.* **1.** Origi'nalko,pie *f* (*a. Film etc.*); **2.** 'Handexem,plar *n* (*e-s literarischen etc. Werks*); **~ file** *s.* Stammdatei *f*.

mas·ter·ful ['mɑ:stəfʊl] *adj.* □ **1.** herrisch, gebieterisch; **2.** → ***masterly***.

mas·ter| fuse *s.* ⚡ Hauptsicherung *f*; **~ ga(u)ge** *s.* ⚙ Urlehre *f*; '**~·key** *s.* **1.** Hauptschlüssel *m*; **2.** *fig.* Schlüssel *m*.

mas·ter·less ['mɑ:stəlɪs] *adj.* herrenlos; '**mas·ter·li·ness** [-lɪnɪs] *s.* meisterhafte Ausführung, Meisterschaft *f*; '**mas·ter·ly** [-lɪ] *adj. u. adv.* meisterhaft, -lich, Meister…

'**mas·ter|·mind I** *s.* **1.** über'ragender Geist, Ge'nie *n*; **2.** (führender) Kopf; **II** *v/t.* **3.** der Kopf (*gen.*) sein, leiten; '**~·piece** *s.* Meisterstück *n*, -werk *n*; **~ plan** *s.* Gesamtplan *m*; **~ ser·geant** *s.* ⚔ *Am.* (Ober)Stabsfeldwebel *m*.

mas·ter·ship ['mɑ:stəʃɪp] *s.* **1.** meisterhafte Beherrschung (***of*** *gen.*), Meisterschaft *f*; **2.** Herrschaft *f*, Gewalt *f* (***over*** über *acc.*); **3.** Vorsteheramt *n*; **4.** Lehramt *n*.

'**mas·ter|-stroke** *s.* Meisterstreich *m*, -stück *n*, Glanzstück *n*; **~ tooth** *s.* [*irr.*] Eck-, Fangzahn *m*; **~ touch** *s.* **1.** Meisterhaftigkeit *f*, -schaft *f*; **2.** Meisterzug *m*; **3.** ⚙ *u. fig.* letzter Schliff; '**~·work** → ***masterpiece***.

mas·ter·y ['mɑ:stərɪ] *s.* **1.** Herrschaft *f*, Gewalt *f* (***of***, ***over*** über *acc.*); **2.** Über'legenheit *f*, Oberhand *f*: ***gain the ~ over s.o.*** über j-n die Oberhand gewinnen; **3.** Beherrschung *f* (*e-r Sprache etc.*); **4.** → ***master touch*** 1.

'**mast-head** *s.* **1.** ⚓ Masttop *m*, Mars *m*: ***~ light*** Topplicht *n*; **2.** *typ.* Im'pressum *n e-r Zeitung*.

mas·tic ['mæstɪk] *s.* **1.** Mastix(harz *n*) *m*; **2.** ⚘ Mastixstrauch *m*; **3.** Mastik *m*, 'Mastixze,ment *m*.

mas·ti·cate ['mæstɪkeɪt] *v/t.* (zer-) kauen; **mas·ti·ca·tion** [,mæstɪ'keɪʃn] *s.* Kauen *n*; '**mas·ti·ca·tor** [-tə] *s.* **1.** Kauende(r *m*) *f*; **2.** Fleischwolf *m*; **3.** ⚙ 'Mahlma,schine *f*; '**mas·ti·ca·to·ry** [-kətərɪ] *adj.* Kau…, Freß…

mas·tiff ['mæstɪf] *s.* Mastiff *m*, Bulldogge *f*, englische Dogge.

mas·ti·tis [mæ'staɪtɪs] *s.* ⚕ Brust(drüsen)entzündung *f*; **mas·toid** ['mæstɔɪd] *adj. anat.* masto'id, brust(warzen)förmig; **mas·tot·o·my** [mæ'stɒtəmɪ] *s.* ⚕ 'Brustoperati,on *f*.

mas·tur·bate ['mæstəbeɪt] *v/i.* masturbieren; **mas·tur·ba·tion** [ˌmæstə'beɪʃn] *s.* Masturbati'on *f.*

mat¹ [mæt] **I** *s.* **1.** Matte *f* (*a. Ringen, Turnen*): **~ position** *Ringen*: Bank *f*; **be on the ~** a) am Boden sein, b) *sl. fig.* ‚dran' sein, in der Tinte sitzen, *a.* e-e Zigarre verpaßt kriegen; **2.** 'Untersetzer *m*, -satz *m*: **beer ~** Bierdeckel *m*; **3.** Vorleger *m*, Abtreter *m*; **4.** grober Sack; **5.** verfilzte Masse (*Haar etc.*), Gewirr *n*; **6.** (*glasloser*) Wechselrahmen; **II** *v/t.* **7.** mit Matten belegen; **8.** (*v/i.* sich) verflechten; **9.** (*v/i.* sich) verfilzen (*Haar*).

mat² [mæt] **I** *adj.* matt (*a. phot.*), glanzlos, mattiert; **II** *v/t.* mattieren.

match¹ [mætʃ] **I** *s.* **1.** *der od. die od. das* gleiche *od.* Ebenbürtige: **his ~** a) seinesgleichen, b) sein Ebenbild *n*, c) j-d, der es mit ihm aufnehmen kann; **meet one's ~** s-n Meister finden; **be a ~ for s.o.** j-m gewachsen sein; **be more than a ~ for s.o.** j-m überlegen sein; **2.** Gegenstück *n*, Passende(s) *n*; **3.** (zs.-passendes) Paar, Gespann *n* (*a. fig.*): **they are an excellent ~** sie passen ausgezeichnet zueinander; **4.** ✝ Ar'tikel *m* gleicher Quali'tät: **exact ~** genaue Bemusterung; **5.** (Wett)Kampf *m*, Wettspiel *n*, Par'tie *f*, Treffen *n*: **boxing ~** Boxkampf; **singing ~** Wettsingen *n*; **6.** a) Heirat *f*, b) *gute etc.* Par'tie (*Person*): **make a ~ (of it)** e-e Ehe stiften *od.* zustande bringen; **II** *v/t.* **7.** *j-n* passend verheiraten (**to, with** mit); **8.** *j-n od. et.* vergleichen (**with** mit); **9.** *j-n* ausspielen (**against** gegen); **10.** passend machen, anpassen (**to, with** an *acc.*); *a.* *ehelich* verbinden, zs.-fügen; ↯ angleichen: **~ing circuit** Anpassungskreis *m*; **11.** entsprechen (*dat.*), *a. farblich etc.* passen zu: **well-~ed** gut zs.-passend; **12.** et. gleiches *od.* Passendes auswählen *od.* finden zu: **can you ~ this velvet for me?** haben Sie et. Passendes zu diesem Samtstoff?; **13.** *nur pass.*: **be ~ed** *j-m* ebenbürtig *od.* gewachsen sein, *e-r Sache* gleichkommen; **not to be ~ed** unerreichbar; **III** *v/i.* **14.** zs.-passen, über'einstimmen (**with** mit), entsprechen (**to** *dat.*): **a brown coat and gloves to ~** ein brauner Mantel u. dazu passende Handschuhe.

match² [mætʃ] *s.* **1.** Zünd-, Streichholz *n*; **2.** Zündschnur *f*; **3.** *hist.* Lunte *f*; **'~-box** *s.* Streichholzschachtel *f.*

match·less ['mætʃlɪs] *adj.* □ unvergleichlich, einzigartig.

'match,mak·er *s.* **1.** Ehestifter(in), *b.s.* Kuppler(in); **2.** Heiratsvermittler(in).

match| point *s. sport* (für den Sieg) entscheidender Punkt; *Tennis etc.*: Matchball *m*; **'~·wood** *s.* (Holz)Späne *pl.*, Splitter *pl.*: **make ~ of s.th.** aus et. Kleinholz machen, et. kurz u. klein schlagen.

mate¹ [meɪt] **I** *s.* **1.** a) ('Arbeits)Kame,rad *m*, Genosse *m*, Gefährte *m*, b) *als Anrede*: Kame'rad *m*, ‚Kumpel' *m*, c) Gehilfe *m*, Handlanger *m*; **2.** a) (Lebens)Gefährte *m*, Gatte *m*, Gattin *f*, b) *bsd. orn.* Männchen *n od.* Weibchen *n*, c) Gegenstück *n* (*von Schuhen etc.*); **3.** *Handelsmarine*: 'Schiffsoffi,zier *m*; **4.** ⚓ Maat *m*: **cook's ~** Kochsmaat; **II** *v/t.* **5.** (*paarweise*) verbinden, *bsd.* vermählen, -heiraten; *Tiere* paaren; **6.** *fig.* ein'ander anpassen: **~ words with deeds** auf Worte entsprechende Taten folgen lassen; **III** *v/i.* **7.** sich vermählen, (*a. weitS.*) sich verbinden; *zo.* sich paaren; **8.** ⚙ eingreifen (*Zahnräder*); aufein'ander arbeiten (*Flächen*): **mating surfaces** Arbeitsflächen.

mate² [meɪt] → **checkmate**.

ma·te·ri·al [mə'tɪərɪəl] **I** *adj.* □ **1.** materi'ell, physisch, körperlich; **2.** stofflich, Material...: **~ damage** Sachschaden *m*; **~ defect** Materialfehler *m*; **~ fatigue** ⚙ Materialermüdung *f*; **~ goods** Sachgüter; **3.** materia'listisch (*Anschauung etc.*); **4.** materi'ell, leiblich: **~ well-being**; **5.** a) sachlich wichtig, gewichtig, von Belang, b) wesentlich, ausschlaggebend (**to** für); ⚖ erheblich: **~ facts**; **a ~ witness** ein unentbehrlicher Zeuge; **6.** *Logik*: sachlich (*Folgerung etc.*); **7.** ⚘ materi'ell (*Punkt etc.*); **II** *s.* **8.** Materi'al *n*, Stoff *m* (*beide a. fig.*; **for** zu *e-m Buch etc.*); ⚙ Werkstoff *m*; (Kleider-)Stoff *m*; **9.** *coll. od. pl.* Materi'al(ien *pl.*) *n*, Ausrüstung *f*: **building ~s** Baustoffe; **cleaning ~s** Putzzeug *n*; **war ~** Kriegsmaterial; **writing ~s** Schreibmaterial(ien); **10.** *oft pl. fig.* 'Unterlagen *pl.*, *urkundliches etc.* Materi'al; **ma'te·ri·al·ism** [-lɪzəm] *s.* Materia'lismus *m*; **ma'te·ri·al·ist** [-lɪst] **I** *s.* Materia'list(in); **II** *adj. a.* **ma·te·ri·al·is·tic** [mə,tɪərɪə'lɪstɪk] *adj.* (□ **~ally**) materia'listisch; **ma·te·ri·al·i·za·tion** [mə,tɪərɪəlaɪ'zeɪʃn] *s.* **1.** Verkörperung *f*; **2.** *Spiritismus*: Materialisati'on *f*; **ma'te·ri·al·ize** [-laɪz] **I** *v/t.* **1.** *e-r Sache* stoffliche Form geben, *et.* verkörperlichen; **2.** *et.* verwirklichen; **3.** *bsd. Am.* materia'listisch machen: **~ thought**; **4.** *Geister* erscheinen lassen; **II** *v/i.* **5.** (feste) Gestalt annehmen, sich verkörpern (**in** in *dat.*); **6.** sich verwirklichen, Tatsache werden, zu'stande kommen; **7.** sich materialisieren, erscheinen (*Geister*).

ma·té·ri·el [mə,tɪərɪ'el] *s.* Ausrüstung *f*, (⚔ 'Kriegs)Materi,al *n.*

ma·ter·nal [mə'tɜːnl] *adj.* □ a) mütterlich, Mutter...: **~ instinct (love)**, b) *Verwandte(r) etc.* mütterlicherseits, c) Mütter...: **~ mortality** Müttersterblichkeit *f.*

M

ma·ter·ni·ty [məˈtɜːnətɪ] **I** *s.* Mutterschaft *f*; **II** *adj.* Wöchnerinnen…, Schwangerschafts…, Umstands…(*-kleidung*): **~ allowance** (*od.* **benefit**) Mutterschaftsbeihilfe *f*; **~ dress** Umstandskleid *n*; **~ home**, **~ hospital** Entbindungsklinik *f*; **~ leave** Mutterschaftsurlaub *m*; **~ ward** Entbindungsstation *f*.

mat·ey [ˈmeɪtɪ] **I** *adj.* kameˈradschaftlich, vertraulich, familiˈär; **II** *s. Brit.* F ‚Kumpel' *m* (*Anrede*).

math [mæθ] *s. Am. für* **maths**.

math·e·mat·i·cal [ˌmæθəˈmætɪkl] *adj.* □ **1.** matheˈmatisch; **2.** *fig.* (matheˈmatisch) exˈakt; **math·e·ma·ti·cian** [ˌmæθəməˈtɪʃn] *s.* Matheˈmatiker(in); **ˌmath·eˈmat·ics** [-ks] *s. pl. mst sg. konstr.* Mathemaˈtik *f*: **higher** (**new**) **~** höhere (neue) Mathematik.

maths [mæθs] *s. Brit.* F ‚Mathe' *f* (*Mathematik*).

mat·ins [ˈmætɪnz] *s. pl. oft* ♀ a) *R.C.* (Früh)Mette *f*, b) *Church of England*: ˈMorgenliturˌgie *f*.

mat·i·nee, **mat·i·née** [ˈmætɪneɪ] *s. thea.* Matiˈnee *f*, *bsd.* Nachmittagsvorstellung *f*.

mat·ing [ˈmeɪtɪŋ] *s. bsd. orn.* Paarung *f*: **~ season** Paarungszeit *f*.

ma·tri·ar·chal [ˌmeɪtrɪˈɑːkl] *adj.* matriarˈchalisch; **ma·tri·arch·y** [ˈmeɪtrɪɑːkɪ] *s.* Mutterherrschaft *f*, Matriarˈchat *n*; **ˌma·triˈcid·al** [-ɪˈsaɪdl] *adj.* muttermörderisch; **ma·tri·cide** [ˈmeɪtrɪsaɪd] *s.* **1.** Muttermord *m*; **2.** Muttermörder(in).

ma·tric·u·late [məˈtrɪkjʊleɪt] **I** *v/t.* immatrikulieren (*an e-r Universität*); **II** *v/i.* sich immatrikulieren (lassen); **III** *s.* Immatrikulierte(r *m*) *f*; **ma·tric·u·la·tion** [məˌtrɪkjʊˈleɪʃn] *s.* Immatrikulatiˈon *f*.

mat·ri·mo·ni·al [ˌmætrɪˈməʊnjəl] *adj.* □ ehelich, Ehe…: **~ agency** Heiratsinstitut *n*; **~ cases** ⚖ Ehesachen; **~ law** Eherecht *n*; **mat·ri·mo·ny** [ˈmætrɪmənɪ] *s.* Ehe(stand *m*) *f*.

ma·trix [ˈmeɪtrɪks] *pl.* **-tri·ces** [-trɪsiːz] *s.* **1.** Mutter-, Nährboden *m* (*beide a. fig.*), ˈGrundsubˌstanz *f*; **2.** *physiol.* Matrix *f*: a) Mutterboden *m*, b) Gewebeschicht *f*, c) Gebärmutter *f*; **3.** *min.* a) Grundmasse *f*, b) Ganggestein *n*; **4.** ⚙, *typ.* Maˈtrize *f* (*a. Schallplattenherstellung*); **5.** ⩕ Matrix *f*: **~ algebra** Matrizenrechnung *f*.

ma·tron [ˈmeɪtrən] *s.* **1.** würdige Dame, Maˈtrone *f*; **2.** Hausmutter *f* (*e-s Internats etc.*), Wirtschafterin *f*; **3.** a) Vorsteherin *f*, b) Oberschwester *f*, Oberin *f im Krankenhaus*, c) Aufseherin *f im Gefängnis etc.*; **ˈma·tron·ly** [-lɪ] *adj.* maˈtronenhaft (*a. adv.*), gesetzt: **~ duties** hausmütterliche Pflichten.

mat·ted¹ [ˈmætɪd] *adj.* mattiert.

mat·ted² [ˈmætɪd] *adj.* **1.** mit Matten bedeckt: **a ~ floor**; **2.** verflochten: **~ hair** verfilztes Haar.

mat·ter [ˈmætə] **I** *s.* **1.** Maˈterie *f* (*a. phys., phls.*), Materiˈal *n*, Stoff *m*; *biol.* Subˈstanz *f*: → **foreign** 2, **grey matter**; **2.** Sache *f* (*a.* ⚖), Angelegenheit *f*: **this is a serious ~**; **the ~ in hand** die vorliegende Angelegenheit; **a ~ of fact** e-e Tatsache; **as a ~ of fact** tatsächlich, eigentlich; **a ~ of course** e-e Selbstverständlichkeit; **as a ~ of course** selbstverständlich; **a ~ of form** e-e Formsache; **~ (in issue)** ⚖ Streitgegenstand *m*; **a ~ of taste** (e-e) Geschmackssache; **a ~ of time** e-e Frage der Zeit; **it is a ~ of life and death** es geht um Leben u. Tod; **it's no laughing ~** es ist nichts zum Lachen; **for that ~** was das (an)betrifft, schließlich; **in the ~ of** a) hinsichtlich (*gen.*), b) ⚖ in Sachen *A. gegen B.*; **3.** *pl.* (*ohne Artikel*) die ˈUmstände *pl.*, die Dinge *pl.*: **to make ~s worse** was die Sache noch schlimmer macht; **as ~s stand** wie die Dinge liegen; **4. the ~** die Schwierigkeit: **what's the ~?** was ist los?, wo fehlt's?; **what's the ~ with him (it)?** was ist los mit ihm (damit)?; **no ~!** es hat nichts zu sagen!; **it's no ~ whether** es spielt keine Rolle, ob; **no ~ what he says** was er auch sagt; **no ~ who** gleichgültig wer; **5. a ~ of** (*mit verblaßter Bedeutung*) Sache *f*, etwas: **it's a ~ of £5** es kostet 5 Pfund; **a ~ of three weeks** ungefähr 3 Wochen; **it was a ~ of five minutes** es dauerte nur 5 Minuten; **it's a ~ of common knowledge** es ist allgemein bekannt; **6.** *fig.* Stoff *m* (*Dichtung*), Thema *n*, Gegenstand *m*, Inhalt *m* (*Buch*), innerer Gehalt; **7.** *mst* **postal ~** Postsache *f*: **printed ~** Drucksache *f*; **8.** *typ.* a) Manuˈskript *n*, b) (Schrift)Satz *m*: **live ~**, **standing ~** Stehsatz *m*; **9.** ⚕ Eiter *m*; **II** *v/i.* **10.** von Bedeutung sein (**to** für), darˈauf ankommen (**to s.o.** j-m): **it doesn't ~** (es) macht nichts; **it ~s little** es ist ziemlich einerlei, es spielt kaum e-e Rolle; **11.** ⚕ eitern.

ˌmat·ter|-of-ˈcourse [-tərəvˈk-] *adj.* selbstverständlich; **ˌ~-of-ˈfact** [-tərəvˈf-] *adj.* sachlich, nüchtern; proˈsaisch.

Mat·thew [ˈmæθjuː] *npr. u. s. bibl.* Matˈthäus(evanˌgelium *n*) *m*.

mat·ting [ˈmætɪŋ] *s.* ⚙ **1.** Mattenstoff *m*; **2.** Matten(belag *m*) *pl.*

mat·tock [ˈmætək] *s.* (Breit)Hacke *f*, ⛏ Karst *m*.

mat·tress [ˈmætrɪs] *s.* Maˈtratze *f*.

mat·u·ra·tion [ˌmætjʊˈreɪʃn] *s.* **1.** ⚕ (Aus)Reifung *f*, Eiterung *f* (*Geschwür*); **2.** *biol.*, *a. fig.* Reifen *n*.

ma·ture [məˈtjʊə] **I** *adj.* □ **1.** *allg.* reif (*a. Käse, Wein; a.* ⚕ *Geschwür*); **2.** reif (*Person*): a) voll entwickelt, b) *fig.* gereift, mündig; **3.** *fig.* reiflich erwogen, ('wohl)durch,dacht: ***upon ~ reflection*** nach reiflicher Überlegung; ***~ plans*** ausgereifte Pläne; **4.** ✝ fällig, zahlbar (*Wechsel*); **II** *v/t.* **5.** reifen (lassen), zur Reife bringen; *fig. Pläne* reifen lassen; **III** *v/i.* **6.** reif werden, (her'an-, aus)reifen; ✝ fällig werden; **ma'tured** [-əd] *adj.* **1.** (aus)gereift; **2.** abgelagert; **3.** ✝ fällig; **ma'tu·ri·ty** [-ərətɪ] *s.* **1.** Reife *f* (*a.* ⚘ *u. fig.*): ***bring*** (***come***) ***to ~*** zur Reife bringen (kommen); ***~ of judg(e)ment*** Reife des Urteils; **2.** ✝ Fälligkeit *f*, Verfall(zeit *f*) *m*: ***at*** (*od.* ***on***) ***~*** bei Fälligkeit; ***~ date*** Fälligkeitstag *m*; **3.** *fig. pol.* Mündigkeit *f* (*des Bürgers*).

ma·tu·ti·nal [,mætju:'taɪnl] *adj.* morgendlich, Morgen…, früh.

mat·y ['meɪtɪ] *Brit.* → ***matey***.

maud·lin ['mɔ:dlɪn] **I** *s.* weinerliche Gefühlsduse'lei; **II** *adj.* weinerlich sentimen'tal, rührselig.

maul [mɔ:l] **I** *s.* **1.** ⚙ Schlegel *m*, schwerer Holzhammer; **II** *v/t.* **2.** *j-n, et.* übel zurichten, *j-n* 'durchprügeln, miß'handeln: ***~ about*** roh umgehen mit; **3.** ‚her'unterreißen' (*Kritiker*).

maul·stick ['mɔ:lstɪk] *s. paint.* Malerstock *m*.

maun·der ['mɔ:ndə] *v/i.* **1.** schwafeln, faseln; **2.** ziellos um'herschlendern *od.* handeln.

M

Maun·dy Thurs·day ['mɔ:ndɪ] *s. eccl.* Grün'donnerstag *m*.

mau·so·le·um [,mɔ:sə'lɪəm] *s.* Mauso'leum *n*, Grabmal *n*.

mauve [məʊv] **I** *s.* Malvenfarbe *f*; **II** *adj.* malvenfarbig, mauve.

mav·er·ick ['mævərɪk] *s. Am.* **1.** herrenloses Vieh ohne Brandzeichen; **2.** mutterloses Kalb; **3.** F *pol.* Einzelgänger *m*, *allg.* Außenseiter *m*.

maw [mɔ:] *s.* **1.** (Tier)Magen *m*, *bsd.* Labmagen *m* (*der Wiederkäuer*); **2.** *fig.* Rachen *m des Todes etc.*

mawk·ish ['mɔ:kɪʃ] *adj.* ☐ **1.** süßlich, abgestanden (*Geschmack*); **2.** *fig.* rührselig, süßlich, kitschig.

'**maw·seed** *s.* Mohnsame(n) *m*.

'**maw·worm** *s. zo.* Spulwurm *m*.

max·i ['mæksɪ] **I** *s.* Maximode *f*: ***wear ~*** maxi tragen; **II** *adj.* Maxi…: ***~ dress***.

max·il·la [mæk'sɪlə] *pl.* **-lae** [-li:] *s.* **1.** *anat.* (Ober)Kiefer *m*; **2.** *zo.* Fußkiefer *m*, Zange *f*; **max'il·lar·y** [-ərɪ] **I** *adj. anat.* (Ober)Kiefer…, maxil'lar; **II** *s.* Oberkieferknochen *m*.

max·im ['mæksɪm] *s.* Ma'xime *f*.

max·i·mal ['mæksɪml] *adj.* maxi'mal, Maximal…, Höchst…; '**max·i·mize** [-maɪz] *v/t.* ✝, ⚙ maximieren; **max·i·mum** ['mæksɪməm] **I** *pl.* **-ma** [-mə], **-mums** *s.* **1.** Maximum *n*, Höchstgrenze *f*, -maß *n*, -stand *m*, -wert *m* (*a.* &): ***smoke a ~ of 20 cigarettes a day*** maximal 20 Zigaretten am Tag rauchen; **2.** ✝ Höchstpreis *m*, -angebot *n*, -betrag *m*; **II** *adj.* **3.** höchst, größt, Höchst…, Maximal…: ***~ credible accident*** größter anzunehmender Unfall, GAU *m*; ***~ load*** ⚙, ⚡ Höchstbelastung *f*; ***~ safety load*** (*od.* ***stress***) zulässige Beanspruchung; ***~ performance*** Höchst-, Spitzenleistung *f*; ***~ permissible speed*** zulässige Höchstgeschwindigkeit; ***~ wages*** Höchst-, Spitzenlohn *m*.

'**max·i,sin·gle** *s.* Maxisingle *f* (*Schallplatte*).

may[1] [meɪ] *v/aux.* [*irr.*] **1.** (*Möglichkeit, Gelegenheit*) *sg.* kann, mag, *pl.* können, mögen: ***it ~ happen any time*** es kann jederzeit geschehen; ***it might happen*** es könnte geschehen; ***you ~ be right*** du magst recht haben; ***he ~ not come*** vielleicht kommt er nicht; ***he might lose his way*** er könnte sich verirren; **2.** (*Erlaubnis*) *sg.* darf, kann (*a.* ⚖), *pl.* dürfen können: ***you ~ go***; ***~ I ask?*** darf ich fragen?; ***we might as well go*** da können wir ebensogut auch gehen; **3.** *ungewisse Frage*: ***how old ~ she be?*** wie alt mag sie wohl sein?; ***I wondered what he might be doing*** ich fragte mich, was er wohl tue; **4.** *Wunschgedanke, Segenswunsch*: ***~ you be happy!*** sei glücklich!; ***~ it please your Majesty*** Eure Majestät mögen geruhen; **5.** *familiäre od. vorwurfsvolle Aufforderung*: ***you might help me*** du könntest mir (eigentlich) helfen; ***you might at least write me*** du könntest mir wenigstens schreiben; **6.** ***~*** *od.* ***might*** *als Konjunktivumschreibung*: ***I shall write to him so that he ~ know our plans***; ***whatever it ~ cost***; ***difficult as it ~ be*** so schwierig es auch sein mag; ***we feared they might attack*** wir fürchteten, sie könnten *od.* würden angreifen.

May[2] [meɪ] *s.* **1.** Mai *m*, *poet.* (*fig. a.* ♀) Lenz *m*: ***in ~*** im Mai; **2.** ♀ ⚘ Weißdornblüte *f*.

may·be ['meɪbi:] *adv.* viel'leicht.

May| bug *s. zo.* Maikäfer *m*; ***~ Day*** *s.* der 1. Mai; '**♀·day** *s. internationales Funknotsignal*; '**~,flow·er** *s.* **1.** ⚘ a) Maiblume *f*, b) *Am.* Primelstrauch *m*; **2.** ♀ *hist. Name des Auswandererschiffs der* ***Pilgrim Fathers***; '**~·fly** *s. zo.* Eintagsfliege *f*.

may·hap ['meɪhæp] *adv. obs. od. dial.* viel'leicht.

may·hem ['meɪhem] *s.* **1.** *bsd. Am.* ⚖ schwere Körperverletzung; **2.** *fig.* a) ‚Gemetzel' *n*, b) Chaos *n*, Verwüstung *f*.

may·on·naise [,meɪə'neɪz] *s.* Mayon'naise(gericht *n*) *f*: ***~ of lobster*** Hummermayonnaise *f*.

may·or [meə] *s.* Bürgermeister *m*; ˈ**may·or·al** [-ərəl] *adj.* bürgermeisterlich; ˈ**may·or·ess** [-ərɪs] *s.* **1.** Gattin *f* des Bürgermeisters; **2.** *Am.* Bürgermeisterin *f*.

ˈ**May|·pole**, ♀ *s.* Maibaum *m*; **~ queen** *s.* Mai(en)königin *f*; ˈ**~·thorn** *s.* ⚘ Weißdorn *m*.

maz·a·rine [ˌmæzəˈriːn] *adj.* mazaˈrin-, dunkelblau.

maze [meɪz] *s.* **1.** Irrgarten *m*, Labyˈrinth *n*, *fig. a.* Gewirr *n*; **2.** *fig.* Verwirrung *f*: ***in a ~*** → **mazed** [-zd] *adj.* verdutzt, verblüfft.

Mc·Coy [məˈkɔɪ] *s. Am. sl.*: ***the real ~*** der wahre Jakob, der (die, das) Richtige.

ˈ**M-day** *s.* Moˈbilmachungstag *m*.

me [miː; mɪ] **I** *pron.* **1.** (*dat.*) mir: ***he gave ~ money***; ***he gave it*** (***to***) ***~***; **2.** (*acc.*) mich: ***he took ~ away*** er führte mich weg; **3.** F ich: ***it's ~*** ich bin's; **II** ♀ *s.* **4.** *psych.* Ich *n*.

mead[1] [miːd] *s.* Met *m*.

mead[2] [miːd] *poet. für* **meadow**.

mead·ow [ˈmedəʊ] *s.* Wiese *f*; **~ grass** *s.* ⚘ Rispengras *n*; **~ saf·fron** *s.* ⚘ (*bsd.* Herbst)Zeitlose *f*; ˈ**~·sweet** *s.* ⚘ **1.** Mädesüß *n*; **2.** *Am.* Spierstrauch *m*.

mead·ow·y [ˈmedəʊɪ] *adj.* wiesenartig, -reich, Wiesen…

mea·ger *Am.*, **mea·gre** *Brit.* [ˈmiːgə] *adj.* ☐ **1.** mager, dürr; **2.** *fig.* dürftig, kärglich; ˈ**mea·ger·ness** *Am.*, ˈ**mea·gre·ness** *Brit.* [-nɪs] *s.* **1.** Magerkeit *f*; **2.** Dürftigkeit *f*.

meal[1] [miːl] *s.* **1.** Schrotmehl *n*; **2.** Mehl *n*, Pulver *n* (*aus Nüssen*, *Mineralen etc.*).

meal[2] [miːl] *s.* Mahl(zeit *f*) *n*, Essen *n*: ***have a ~*** e-e Mahlzeit einnehmen; ***make a ~ of s.th.*** et. verzehren; ***~s on wheels*** Essen *n* auf Rädern.

meal·ies [ˈmiːlɪz] (*S.Afr.*) *s. pl.* Mais *m*.

meal| tick·et *s. Am.* **1.** Essensbon(s *pl.*) *m*; **2.** *sl.* a) *b.s.* ‚Ernährer' *m*, b) Einnahmequelle *f*, ‚Goldesel' *m*, c) Kapiˈtal *n*: ***his voice is his ~***; ˈ**~·time** *s.* Essenszeit *f*.

meal·y [ˈmiːlɪ] *adj.* **1.** mehlig: ***~ potatoes***; **2.** mehlhaltig; **3.** (wie) mit Mehl bestäubt; **4.** blaß (*Gesicht*); ˈ**~-mouthed** *adj.* **1.** heuchlerisch, glattzüngig; **2.** leisetreterisch: ***be ~ about it*** um den (heißen) Brei herumreden.

mean[1] [miːn] **I** *v/t.* [*irr.*] **1.** *et.* beabsichtigen, vorhaben, im Sinn haben: ***I ~ it*** es ist mir Ernst damit; ***~ to do s.th.*** et. zu tun gedenken, et. tun wollen; ***he ~s no harm*** er meint es nicht böse; ***I didn't ~ to disturb you*** ich wollte dich nicht stören; ***without ~ing it*** ohne es zu wollen; → ***business*** 4; **2.** bestimmen (***for*** zu): ***he was meant to be a barrister*** er war zum Anwalt bestimmt; ***the cake is meant to be eaten*** der Kuchen ist zum Essen da; ***that remark was meant for you*** das war auf dich abgezielt; **3.** meinen, sagen wollen: ***by 'liberal' I ~*** unter ‚liberal' verstehe ich; ***I ~ his father*** ich meine s-n Vater; ***I ~ to say*** ich will sagen; **4.** bedeuten: ***that ~s a lot of work***; ***he ~s all the world to me*** er bedeutet mir alles; ***that ~s war*** das bedeutet Krieg; ***what does 'fair' ~?*** was bedeutet *od.* heißt (das Wort) ‚fair'?; **II** *v/i.* [*irr.*] **5.** ***~ well*** (***ill***) ***by*** (*od.* ***to***) ***s.o.*** j-m wohlgesinnt (übel gesinnt) sein.

mean[2] [miːn] *adj.* ☐ **1.** gering, niedrig: ***~ birth*** niedrige Herkunft; **2.** ärmlich, schäbig: ***~ streets***; **3.** unbedeutend, gering: ***no ~ artist*** ein recht bedeutender Künstler; ***no ~ foe*** ein nicht zu unterschätzender Gegner; **4.** schäbig, gemein; ***feel ~*** sich schäbig vorkommen; **5.** geizig, schäbig, ‚filzig'; **6.** *Am.* F a) bösartig, ‚ekelhaft', b) ‚bös', scheußlich (*Sache*), c) ‚toll', ‚wüst': ***a ~ fighter***, d) *Am.* unpäßlich: ***feel ~*** sich elend fühlen.

mean[3] [miːn] **I** *adj.* **1.** mittel, mittler, Mittel…; ˈdurchschnittlich, Durchschnitts…: ***~ life*** a) mittlere Lebensdauer, b) *phys.* Halbwertzeit *f*; ***~ sea level*** *das* Normalnull; ***~ value*** Mittelwert *m*; **II** *s.* **2.** Mitte *f*, *das* Mittlere, Mittel *n*, ˈDurchschnitt(szahl *f*) *m*; ⩚ Mittel(wert *m*) *n*: ***hit the happy ~*** die goldene Mitte treffen; ***arithmetical ~*** arithmetisches Mittel; → ***golden mean***; **3.** *pl. sg. od. pl. konstr.* (Hilfs)Mittel *n od. pl.*, Werkzeug *n*, Weg *m*: ***by all ~s*** auf alle Fälle, unbedingt; ***by any ~s*** etwa, vielleicht, möglicherweise; ***by no ~s*** durchaus nicht, keineswegs, auf keinen Fall; ***by some ~s or other*** auf die eine oder andere Weise, irgendwie; ***by ~s of*** mittels, durch; ***by this*** (*od.* ***these***) ***~s*** hierdurch; ***~ of production*** Produktionsmittel; ***~s of transport***(***ation***) Beförderungsmittel; ***find the ~s*** Mittel und Wege finden; → ***end*** 9, ***way***[1] 1; **4.** *pl.* (Geld)Mittel *pl.*, Vermögen *n*, Einkommen *n*: ***live within*** (***beyond***) ***one's ~s*** s-n Verhältnissen entsprechend (über s-e Verhältnisse) leben; ***a man of ~s*** ein bemittelter Mann; ***~s test*** *Brit.* (behördliche) Einkommens- *od.* Bedürftigkeitsermittlung.

me·an·der [mɪˈændə] **I** *s. bsd. pl.* Windung *f*, verschlungener Pfad, Schlängelweg *m*; ⚠ Mäˈander(linien *pl.*) *m*, Schlangenlinie *f*; **II** *v/i.* sich winden, (sich) schlängeln.

mean·ing [ˈmiːnɪŋ] **I** *s.* **1.** Absicht *f*, Zweck *m*, Ziel *n*; **2.** Sinn *m*, Bedeutung *f*: ***full of ~*** bedeutungsvoll, bedeutsam; ***what's the ~ of this?*** was soll das bedeuten?; ***words with the same ~*** Wörter mit gleicher Bedeutung; ***full of ~*** → 3; ***if you take my ~*** wenn Sie verstehen, was ich meine; **II** *adj.* □ **3.** bedeutungsvoll, bedeutsam (*Blick etc.*); **4.** *in Zssgn* in ... Absicht: ***well-~*** wohlmeinend, -wollend; '**mean·ing·ful** [-fʊl] *adj.* bedeutungsvoll; '**mean·ing·less** [-lɪs] *adj.* **1.** sinn-, bedeutungslos; **2.** ausdruckslos (*Gesicht*).

mean·ness ['mi:nnɪs] *s.* **1.** Niedrigkeit *f*, niedriger Stand; **2.** Wertlosigkeit *f*, Ärmlichkeit *f*; **3.** Schäbigkeit *f*: a) Gemeinheit *f*, Niederträchtigkeit *f*, b) Geiz *m*; **4.** *Am.* F Bösartigkeit *f*.

meant [ment] *pret. u. p.p. von* ***mean***[1].

ˌ**mean**|'**time I** *adv.* in'zwischen, mittler'weile, unter'dessen; **II** *s.* Zwischenzeit *f*: ***in the ~*** → I; ***~ time*** *s. ast.* mittlere (Sonnen)Zeit; ˌ**~'while** → ***meantime*** I.

mea·sles ['mi:zlz] *s. pl. sg. konstr.* **1.** ⚕ Masern *pl.*: ***false ~, German ~*** Röteln *pl.*; **2.** *vet.* Finnen *pl.* (*der Schweine*); '**mea·sly** [-lɪ] *adj.* **1.** ⚕ masernkrank; **2.** *vet.* finnig; **3.** *sl.* elend, schäbig, lumpig.

meas·ur·a·ble ['meʒərəbl] *adj.* □ meßbar: ***within ~ distance of*** *fig.* nahe (*dat.*); '**meas·ur·a·ble·ness** [-nɪs] *s.* Meßbarkeit *f*.

meas·ure ['meʒə] **I** *s.* **1.** Maß(einheit *f*) *n*: ***long ~*** Längenmaß; ***~ of capacity*** Hohlmaß; **2.** *fig.* richtiges Maß, Ausmaß *n*: ***beyond*** (*od.* ***out of***) ***all ~*** über alle Maßen, grenzenlos; ***in a great ~*** in großem Maße, großenteils, überaus; ***in some ~, in a*** (***certain***) ***~*** gewissermaßen, bis zu e-m gewissen Grade; ***for good ~*** obendrein; **3.** Messen *n*, Maß *n*: ***take the ~ of s.th.*** et. abmessen; ***take s.o.'s ~*** a) j-m (*zu e-m Anzug*) Maß nehmen, b) *fig.* j-n taxieren *od.* einschätzen; → ***made-to-measure***; **4.** Maß *n*, Meßgerät *n*; ***weigh with two ~s*** *fig.* mit zweierlei Maß messen; → ***tape-measure***; **5.** Maßstab *m* (***of*** für): ***be a ~ of s.th.*** e-r Sache als Maßstab dienen; ***man is the ~ of all things*** der Mensch ist das Maß aller Dinge; **6.** Anteil *m*, Porti'on *f*, gewisse Menge; **7.** a) ⅍ Maß(einheit *f*) *n*, Teiler *m*, Faktor *m*, b) ⚗, *phys.* Maßeinheit *f*: ***~ of variation*** Schwankungsmaß; ***common ~*** gemeinsamer Teiler; **8.** (abgemessener) Teil, Grenze *f*: ***set a ~ to s.th.*** et. begrenzen; **9.** *Metrik*: a) Silbenmaß *n*, b) Versglied *n*, c) Versmaß *n*; **10.** ♪ Metrum *n*, Takt *m*, Rhythmus *m*: ***tread a ~*** tanzen; **11.** *poet.* Weise *f*, Melo'die *f*; **12.** *pl. geol.* Lager *n*, Flöz *n*; **13.** *typ.* Zeilen-, Satz-, Ko'lumnenbreite *f*; **14.** *fig.* Maßnahme *f*, -regel *f*, Schritt *m*: ***take ~s*** Maßnahmen ergreifen; ***take legal ~s*** den Rechtsweg beschreiten; **15.** ⚖ gesetzliche Maßnahme, Verfügung *f*: ***coercive ~*** Zwangsmaßnahme; **II** *v/t.* **16.** (ver)messen, ab-, aus-, zumessen: ***~ one's length*** *fig.* längelang hinfallen; ***~ swords*** a) die Klingen messen, b) (***with***) die Klingen kreuzen (mit) (*a. fig.*); ***~ s.o. for a suit of clothes*** j-m Maß nehmen zu e-m Anzug; **17.** ***~ out*** ausmessen, die Ausmaße bestimmen; **18.** *fig.* ermessen; **19.** (ab)messen, abschätzen (***by*** an *dat.*): ***~d by*** gemessen an; **20.** beurteilen (***by*** nach); **21.** vergleichen, messen (***with*** mit): ***~ one's strength with s.o.*** s-e Kräfte mit j-m messen; **III** *v/i.* **22.** Messungen vornehmen; **23.** messen, groß sein: ***it ~s 7 inches*** es mißt 7 Zoll, es ist 7 Zoll lang; **24.** ***~ up*** (***to***) die Ansprüche (*gen.*) erfüllen, her'anreichen (an *acc.*); '**meas·ured** [-əd] *adj.* **1.** (ab)gemessen: ***~ in the clear*** (*od.* ***day***) ⚙ im Lichten gemessen; ***~ value*** Meßwert *m*; **2.** richtig proportioniert; **3.** (ab)gemessen, gleich-, regelmäßig: ***~ tread*** gemessener Schritt; **4.** 'wohlüberˌlegt, abgewogen, gemessen: ***to speak in ~ terms*** sich maßvoll ausdrücken; **5.** im Versmaß, metrisch; '**meas·ure·less** [-lɪs] *adj.* unermeßlich, unbeschränkt; '**meas·ure·ment** [-mənt] *s.* **1.** (Ver-) Messung *f*, (Ab)Messen *n*; **2.** Maß *n*; *pl.* Abmessungen *pl.*, Größe *f*, Ausmaße *pl.*; **3.** ⚓ Tonnengehalt *m*.

meas·ur·ing ['meʒərɪŋ] *s.* **1.** Messen *n*, (Ver)Messung *f*; **2.** *in Zssgn*: Meß...; ***~ bridge*** *s.* ⚡ Meßbrücke *f*; ***~ di·al*** *s.* Rundmaßskala *f*; ***~ glass*** *s.* Meßglas *n*; ***~ in·stru·ment*** *s.* Meßgerät *n*; ***~ range*** *s.* Meßbereich *m*; ***~ tape*** *s.* Maß-, Meßband *n*, Bandmaß *n*.

meat [mi:t] *s.* **1.** Fleisch *n* (*als Nahrung*; *Am. a. von Früchten etc.*): ***~s*** a) Fleischwaren, b) Fleichgerichte; ***fresh ~*** Frischfleisch; ***butcher's ~*** Schlachtfleisch; ***~ and drink*** Speise *f* u. Trank *m*; ***this is ~ and drink to me*** es ist mir e-e Wonne; ***one man's ~ is another man's poison*** des einen Freud ist des andern Leid; **2.** Fleischspeise *f*: ***cold ~*** kalte Platte; ***~ tea*** kaltes Abendbrot mit Tee; **3.** *fig.* Sub'stanz *f*, Gehalt *m*, Inhalt *m*: ***full of ~*** gehaltvoll; ***~ ax(e)*** *s.* Schlachtbeil *n*; '**~·ball** *s.* **1.** Fleischklößchen *n*; **2.** *Am. sl.* ‚Heini' *m*; ***~ broth*** *s.* Fleischbrühe *f*; '**~ˌchop·per** *s.* **1.** Hackmesser *n*; **2.** → ***~ grind·er*** *s.* Fleischwolf *m*; ***~ ex·tract*** *s.* 'Fleischexˌtrakt *m*; ***~ fly*** *s. zo.* Schmeißfliege *f*; ***~ in·spec·tion*** *s.* Fleischbeschau *f*.

meat·less ['mi:tlɪs] *adj.* fleischlos.

meat| **loaf** *s.* Hackbraten *m*; '**~·man** [-mæn] *s.* [*irr.*] *Am.* Fleischer *m*; ***~ meal*** *s.* Fleischmehl *n*; ***~ pie*** *s.* 'Fleischpaˌstete *f*; ***~ pud·ding*** *s.* Fleischpudding *m*; ***~ safe*** *s.* Fliegenschrank *m*.

meat·y ['mi:tɪ] *adj.* **1.** fleischig; **2.** fleischartig; **3.** *fig.* gehaltvoll, handfest, so'lid.

Mec·can·o [mɪ'kɑ:nəʊ] (*TM*) *s.* Sta'bilbaukasten *m* (*Spielzeug*).

me·chan·ic [mɪ'kænɪk] **I** *adj.* **1.** → ***mechanical***; **II** *s.* **2.** a) Me'chaniker *m*, Maschi'nist *m*, Mon'teur *m*, (Auto-)Schlosser *m*, b) Handwerker *m*; **3.** *pl. sg. konstr. phys.* a) Me'chanik *f*, Bewegungslehre *f*: ***~s of fluids*** Strömungslehre *f*, b) *a.* ***practical ~s*** Ma'schinenlehre *f*; **4.** *pl. sg. konstr.* ⚙ Konstrukti'on *f* von Ma'schinen *etc.*: ***precision ~s*** Feinmechanik *f*; **5.** *pl. sg. konstr.* Mecha'nismus *m* (*a. fig.*); **6.** *pl. sg. konstr. fig.* Technik *f*: ***the ~s of playwriting***; **me'chan·i·cal** [-kl] *adj.* □ **1.** ⚙ me'chanisch (*a. phys.*); maschi'nell, Maschinen...; auto'matisch: ***~ drawing*** maschinelles Zeichnen; ***~ force*** *phys.* mechanische Kraft; ***~ engineer*** Maschinenbauingenieur *m*; ***~ engineering*** Maschinenbau(kunde *f*) *m*; ***~ wood-pulp*** Holzschliff *m*; **2.** *fig.* me'chanisch, auto'matisch; **me'chan·i·cal·ness** [-klnɪs] *s.* *das* Me'chanische; **mech·a·ni·cian** [ˌmekə'nɪʃn] → ***mechanic*** 2.

mech·a·nism ['mekənɪzəm] *s.* **1.** Mecha'nismus *m*: ***~ of government*** *fig.* Regierungs-, Verwaltungsapparat *m*; **2.** *biol*, *physiol.*, *phls.*, *psych.* Mecha'nismus *m*; **3.** *paint. etc.* Technik *f*; **mech·a·nis·tic** [ˌmekə'nɪstɪk] *adj.* (□ ***~ally***) *phls.* mecha'nistisch; **mech·a·ni·za·tion** [ˌmekənaɪ'zeɪʃn] *s.* Mechanisierung *f*; **'mech·a·nize** [-naɪz] *v/t.* mechanisieren, ⚔ *a.* motorisieren: ***~d division*** ⚔ Panzergrenadierdivision *f*.

me·co·ni·um [mɪ'kəʊnjəm] *s.* *physiol.* Kindspech *n*.

med·al ['medl] *s.* Me'daille *f*: a) Denk-, Schaumünze *f*; → ***reverse*** 4, b) Orden *m*, Ehrenzeichen *n*, Auszeichnung *f*: ***2 of Honor*** *Am.* ⚔ Tapferkeitsmedaille; ***~ ribbon*** Ordensband *n*.

med·aled, **med·al·ist** *Am.* → ***medalled***, ***medallist***.

med·alled ['medld] *adj.* ordengeschmückt.

me·dal·lion [mɪ'dæljən] *s.* **1.** große Denk- *od.* Schaumünze, Me'daille *f*; **2.** Medail'lon *n*; **med·al·list** ['medlɪst] *s.* **1.** Me'daillenschneider *m*; **2.** *bsd. sport* (*Gold- etc.*)Medaillengewinner(in).

med·dle ['medl] *v/i.* **1.** sich (ein-)mischen (***with***, ***in*** in *acc.*); **2.** sich (unaufgefordert) befassen, sich abgeben, sich einlassen (***with*** mit); **3.** her'umhantieren, -spielen (***with*** mit); **'med·dler** [-lə] *s.* j-d, der sich (ständig) in fremde Angelegenheiten mischt, aufdringlicher Mensch; **'med·dle·some** [-səm] *adj.* aufdringlich.

me·di·a¹ ['medɪə] *pl.* **-di·ae** [-dɪi:] *s.* *ling.* Media *f*, stimmhafter Verschlußlaut.

me·di·a² ['mi:djə] **1.** *pl. von* ***medium***; **2.** Medien *pl.*: ***~ research*** Medienforschung *f*; ***mixed ~*** a) Multimedia *pl.*, b) *Kunst*: Mischtechnik *f*.

me·di·ae·val *etc.* → ***medieval*** *etc.*

me·di·al ['mi:djəl] **I** *adj.* □ **1.** mittler, Mittel...: ***~ line*** Mittellinie *f*; **2.** *ling.* medi'al, inlautend: ***~ sound*** Inlaut *m*; **3.** Durchschnitts...; **II** *s.* **4.** → ***media¹***.

me·di·an ['mi:djən] **I** *adj.* die Mitte bildend, mittler, Mittel...: ***~ salaries*** ✝ mittlere Gehälter; ***~ strip*** *Am. mot.* Mittelstreifen *m*; **II** *s.* Mittellinie *f*, -wert *m*; ***~ line*** *s.* ⩓ a) Mittellinie *f* (*a. anat.*), b) Halbierungslinie *f*; ***~ point*** *s.* ⩓ Mittelpunkt *m*, Schnittpunkt *m* der Winkelhalbierenden.

me·di·ant ['mi:djənt] *s.* ♪ Medi'ante *f*.

me·di·ate ['mi:dɪeɪt] **I** *v/i.* **1.** vermitteln (*a. v/t.*), den Vermittler spielen (***between*** zwischen *dat.*); **2.** da'zwischen liegen, ein Bindeglied bilden; **II** *adj.* [-dɪət] □ **3.** mittelbar, 'indiˌrekt; **4.** → ***median*** I; **me·di·a·tion** [ˌmi:dɪ'eɪʃn] *s.* Vermittlung *f*, Fürsprache *f*; *eccl.* Fürbitte *f*: ***through his ~***; **'me·di·a·tor** [-tə] *s.* Vermittler *m*; Fürsprecher *m*; *eccl.* Mittler *m*; **me·di·a·to·ri·al** [ˌmi:dɪə'tɔ:rɪəl] *adj.* □ vermittelnd, (Ver)Mittler...; **'me·di·a·tor·ship** [-təʃɪp] *s.* (Ver)Mittleramt *n*, Vermittlung *f*; **'me·di·a·to·ry** [-dɪətərɪ] → ***mediatorial***; **me·di·a·trix** [ˌmi:dɪ'eɪtrɪks] *s.* Vermittlerin *f*.

med·ic ['medɪk] **I** *adj.* → ***medical*** 1; **II** *s.* F Medi'ziner *m* (*Arzt od. Student*), ⚔ Sani'täter *m*.

Med·i·caid ['medɪkeɪd] *s.* *Am. Gesundheitsfürsorge(programm) für Bedürftige*.

med·i·cal ['medɪkl] **I** *adj.* □ **1.** medi'zinisch, ärztlich, Kranken..., *a.* inter'nistisch: ***~ attendance*** ärztliche Behandlung; ***~ board*** Gesundheitsbehörde *f*; ***~ certificate*** ärztliches Attest; ***2 Corps*** ⚔ Sanitätstruppe *f*; ***2 Department*** ⚔ Sanitätswesen *n*; ***~ examiner*** a) Amtsarzt *m*, -ärztin *f*, b) Vertrauensarzt *m*, -ärztin *f* (*Krankenkasse*), c) *Am.* Leichenbeschauer(in); ***~ history*** Krankengeschichte *f*; ***~ jurisprudence*** Gerichtsmedizin *f*; ***~ man*** → 3 a; ***~ officer*** Amtsarzt *m*, -ärztin *f*; ***~ practitioner*** praktischer Arzt, praktische Ärztin; ***~ retirement*** vorzeitige Pensionierung aus gesundheitlichen Gründen; ***~ science*** medizinische Wissenschaft, Medizin *f*; ***~ specialist*** Facharzt *m*, -ärztin *f*; ***~ student*** Mediziner(in), Medizinstudent(in); ***2 Superintendent*** Chefarzt *m*, -ärztin *f*; ***~ ward*** innere Abteilung (*e-r Klinik*); ***on ~ grounds*** aus gesundheitlichen Gründen; **2.**

Heil…, heilend; **II** *s.* **3.** F a) ‚Doktor' *m* (*Arzt*), b) ärztliche Unter'suchung; **me·dic·a·ment** [me'dɪkəmənt] *s.* Medika'ment *n*, Heil-, Arz'neimittel *n*.

Med·i·care ['medɪkeə] *s. Am.* Gesundheitsfürsorge *f* (*bsd. für Senioren*).

med·i·cate ['medɪkeɪt] *v/t.* **1.** medi'zinisch behandeln; **2.** mit Arz'neistoff versetzen *od.* imprägnieren: **~d cotton** medizinische Watte; **~d bath** (**wine**) Medizinalbad *n* (-wein *m*); **med·i·ca·tion** [ˌmedɪ'keɪʃn] *s.* **1.** Beimischung *f* von Arz'neistoffen; **2.** Verordnung *f*, medi'zinische *od.* medikamen'töse Behandlung; '**med·i·ca·tive** [-keɪtɪv] *adj.*, **me·dic·i·nal** [me'dɪsɪnl] *adj.* □ Medizinal…, medi'zinisch, heilkräftig, -sam, Heil…: **~ herbs** Heilkräuter; **~ spring** Heilquelle *f*.

med·i·cine ['medsɪn] *s.* **1.** Medi'zin *f*, Arz'nei *f* (*a. fig.*): **take one's ~** a) s-e Medizin (ein)nehmen, b) *fig.* ‚die Pille schlucken'; **2.** a) Heilkunde *f*, ärztliche Wissenschaft, b) innere Medi'zin (*Ggs. Chirurgie*); **3.** Zauber *m*, Medi'zin *f* (*bei Indianern etc.*): **he is bad ~** *Am. sl.* er ist ein gefährlicher Bursche; **~ ball** *s. sport* Medi'zinball *m*; **~ chest** *s.* Arz'neischrank *m*, 'Hausapoˌtheke *f*; '**~-man** [-mæn] *s.* [*irr.*] Medi'zinmann *m*.

med·i·co ['medɪkəʊ] *pl.* **-cos** *s.* → **medic** II.

medico- [medɪkəʊ] *in Zssgn* medi'zinisch, Mediko…: **~legal** gerichtsmedizinisch.

me·di·e·val [ˌmedɪ'i:vl] *adj.* □ mittelalterlich (*a.* F *fig. altmodisch, vorsintflutlich*); ˌ**me·di'e·val·ism** [-vəlɪzəm] *s.* **1.** Eigentümlichkeit *f od.* Geist *m* des Mittelalters; **2.** Vorliebe *f* für das Mittelalter; **3.** Mittelalterlichkeit *f*; ˌ**me·di'e·val·ist** [-vəlɪst] *s.* Mediä'vist(in), Erforscher(in) *od.* Kenner(in) des Mittelalters.

me·di·o·cre [ˌmi:dɪ'əʊkə] *adj.* mittelmäßig, zweitklassig; **me·di·oc·ri·ty** [ˌmi:dɪ'ɒkrətɪ] *s.* **1.** Mittelmäßigkeit *f*, mäßige Begabung; **2.** unbedeutender Mensch, kleiner Geist.

med·i·tate ['medɪteɪt] **I** *v/i.* nachsinnen, -denken, grübeln, meditieren (**on, upon** über *acc.*); **II** *v/t.* erwägen, planen, sinnen auf (*acc.*); **med·i·ta·tion** [ˌmedɪ'teɪʃn] *s.* **1.** Meditati'on *f*, tiefes Nachdenken, Sinnen *n*; **2.** (*bsd.* fromme) Betrachtung, Andacht *f*: **book of ~s** Andachts-, Erbauungsbuch *n*; '**med·i·ta·tive** [-tətɪv] *adj.* □ **1.** nachdenklich; **2.** besinnlich (*a. Buch etc.*).

med·i·ter·ra·ne·an [ˌmedɪtə'reɪnjən] **I** *adj.* **1.** von Land um'geben; binnenländisch; **2.** ♀ mittelmeerisch, mediter'ran, Mittelmeer…: ♀ **Sea** → 3; **II** *s.* **3.** ♀ Mittelmeer *n*, Mittelländisches Meer; **4.** ♀ Angehörige(r *m*) *f* der mediter'ranen Rasse.

me·di·um ['mi:djəm] **I** *pl.* **-di·a** [-djə], **-di·ums** *s.* **1.** *fig.* Mitte *f*, Mittel *n*, Mittelweg *m*: **the happy ~** die goldene Mitte, der goldene Mittelweg; **2.** *phys.* Mittel *n*, Medium *n*; **3.** ✝, *biol.* Medium *n*, Träger *m*, Mittel *n*: **circulating ~, currency ~** ✝ Umlaufs-, Zahlungsmittel; **dispersion ~** ⚗ Dispersionsmittel; **4.** 'Lebenseleˌment *n*, -bedingungen *pl.*; **5.** *fig.* Um'gebung *f*, Mili'eu *n*; **6.** (*a. künstlerisches, a. Kommunikations-*) Medium *n*, (Hilfs-, Werbe- *etc.*)Mittel *n*; Werkzeug *n*, Vermittlung *f*: **by** (*od.* **through**) **the ~ of** durch, vermittels; → **media²**; **7.** *paint.* Bindemittel *n*; **8.** *Spiritismus etc.*: Medium *n*; **9.** *typ.* Medi'anpaˌpier *n*; **II** *adj.* **10.** mittler, Mittel…, Durchschnitts…, *a.* mittelmäßig: **~ quality** mittlere Qualität; **~ price** Durchschnittspreis *m*; **~-price car** *mot.* Wagen *m* der mittleren Preisklasse; **~ brown** *s.* Mittelbraun *n*; '**~-ˌdat·ed** *adj.* ✝ mittelfristig; '**~-faced** *adj. typ.* halbfett.

me·di·um·is·tic [ˌmi:djə'mɪstɪk] *adj. Spiritismus*: medi'al (begabt).

me·di·um| size *s.* Mittelgröße *f*; '**~-size(d)** *adj.* mittelgroß: **~ car** Mittelklassewagen *m*; '**~-term** *adj.* mittelfristig; **~ wave** *s. Radio*: Mittelwelle *f*.

med·lar ['medlə] *s.* ⚘ **1.** Mispelstrauch *m*; **2.** Mispel *f* (*Frucht*).

med·ley ['medlɪ] **I** *s.* **1.** Gemisch *n*; *contp.* Mischmasch *m*, Durchein'ander *n*; **2.** ♪ Potpourri *n*, Medley *n*; **II** *adj.* **3.** gemischt, wirr; bunt; **4.** *sport* Lagen…: **~ swimming**; **~ relay** a) *Schwimmen*: Lagenstaffel *f*, b) *Laufsport*: Schwellstaffel *f*.

me·dul·la [me'dʌlə] *s.* **1.** *anat.* (Knochen)Mark *n*: **~ spinalis** Rückenmark; **2.** ⚘ Mark *n*; **me'dul·lar·y** [-ərɪ] *adj.* medul'lär, Mark…

meed [mi:d] *s. poet.* Lohn *m*.

meek [mi:k] *adj.* □ **1.** mild, sanft(mütig); **2.** demütig, 'unterwürfig; **3.** fromm (*Tier*): **as ~ as a lamb** *fig.* lammfromm; '**meek·ness** [-nɪs] *s.* **1.** Sanftmut *f*, Milde *f*; **2.** Demut *f*, 'Unterwürfigkeit *f*.

meer·schaum ['mɪəʃəm] *s.* Meerschaum(pfeife *f*) *m*.

meet [mi:t] **I** *v/t.* [*irr.*] **1.** begegnen (*dat.*), treffen, zs.-treffen mit, treffen auf (*acc.*), antreffen: **~ s.o. in the street**; **well met!** schön, daß wir uns treffen!; **2.** abholen; **~ s.o. at the station** j-n von der Bahn abholen; **be met** abgeholt *od.* empfangen werden; **come** (**go**) **to ~ s.o.** j-m entgegenkommen (-gehen); **3.** *j-n* kennenlernen: **when I first met him** als ich s-e Bekanntschaft machte; **pleased to ~ you** F sehr erfreut, Sie kennenzulernen; **~ Mr.**

Brown! *bsd. Am.* darf ich Sie mit Herrn B. bekannt machen?; **4.** *fig. j-m* entgegenkommen (***half-way*** auf halbem Wege); **5.** (*feindlich*) zs.-treffen *od.* -stoßen mit, begegnen (*dat.*), stoßen auf (*acc.*); *sport* antreten gegen (*Konkurrenten*); **6.** *a. fig. j-m* gegen'übertreten; → ***fate*** 1; **7.** *fig.* entgegentreten (*dat.*): a) *e-r Sache* abhelfen, *der Not* steuern, *Schwierigkeiten* über'winden, *e-m Übel* begegnen, *der Konkurrenz* Herr werden, b) *Einwände* wider'legen, entgegnen auf (*acc.*); **8.** *parl.* sich vorstellen (*dat.*): ~ (***the***) ***parliament***; **9.** berühren, münden in (*acc.*) (*Straßen*), stoßen *od.* treffen auf (*acc.*), schneiden (*a.* ⩚): ~ ***s.o.'s eye*** a) j-m ins Auge fallen, b) j-s Blick erwidern; ~ ***the eye*** auffallen; ***there is more in it than ~s the eye*** da steckt mehr dahinter; **10.** *Anforderungen etc.* entsprechen, gerecht werden (*dat.*), über'einstimmen mit: ***the supply ~s the demand*** das Angebot entspricht der Nachfrage; ***be well met*** gut zs.-passen; ***that won't ~ my case*** das löst mein Problem nicht; **11.** *j-s Wünschen* entgegenkommen *od.* entsprechen, *Forderungen* erfüllen, *Verpflichtungen* nachkommen, *Unkosten* bestreiten (***out of*** aus), *Nachfrage* befriedigen, *Rechnungen* begleichen, *j-s Auslagen* decken, *Wechsel* honorieren *od.* decken: ~ ***the claims of one's creditors*** s-e Gläubiger befriedigen; **II** *v/i.* [*irr.*] **12.** zs.-kommen, -treffen, -treten; **13.** sich begegnen, sich treffen, sich finden: ~ ***again*** sich wiedersehen; **14.** (*feindlich od. im Spiel*) zs.-stoßen, anein'andergeraten, sich messen; *sport* aufein'andertreffen (*Gegner*); **15.** sich kennenlernen, zs.-treffen; **16.** sich vereinigen (*Straßen etc.*), sich berühren; **17.** genau zs.-treffen *od.* -stimmen *od.* -passen, sich decken; zugehen (*Kleidungsstück*); → ***end*** 1; **18.** ~ ***with*** a) zs.-treffen mit, sich vereinigen mit, b) (an)treffen, finden, (zufällig) stoßen auf (*acc.*), c) erleben, erleiden, erfahren, betroffen werden von, erhalten, *Billigung* finden, *Erfolg* haben: ~ ***with an accident*** e-n Unfall erleiden, verunglücken; ~ ***with a kind reception*** freundlich aufgenommen werden; **III** *s.* **19.** *Am.* a) Treffen *n* (*von Zügen etc.*), b) → ***meeting*** 3 b; **20.** *Brit. hunt.* a) Jagdtreffen *n* (*zur Fuchsjagd*), b) Jagdgesellschaft *f*.

meet·ing ['mi:tɪŋ] *s.* **1.** Begegnung *f*, Zs.-treffen *n*, -kunft *f*; **2.** (***at a ~*** auf e-r) Versammlung *od.* Konfe'renz *od.* Sitzung *od.* Tagung: ~ ***of creditors*** (***members***) Gläubiger- (Mitglieder-) versammlung; **3.** a) Zweikampf *m*, Du'ell *n*, b) *sport* Treffen *n*, Wettkampf *m*, Veranstaltung *f*; **4.** Zs.-treffen *n* (*zweier Linien etc.*), Zs.-fluß *m* (*zweier Flüsse*); '**~-place** *s.* Treffpunkt *m* (*a. weitS.*), Tagungs-, Versammlungsort *m*.

meg(a)- [meg(ə)] *in Zssgn* a) (riesen-) groß, b) Milli'on.

meg·a·byte ['megəbaɪt] *s.* Megabyte *n*; **meg·a·cy·cle** ['megəˌsaɪkl] *s.* ⚡ Megahertz *n*; '**meg·a·death** [-deθ] *s.* Tod *m* von e-r Milli'on Menschen (*bsd. in e-m Atomkrieg*); '**meg·a·fog** [-fɒg] *s.* ⚓ 'Nebelsiˌgnal(anlage *f*) *n*; '**meg·a·lith** [-lɪθ] *s.* Mega'lith *m*, großer Steinblock.

megalo- [megələʊ] *in Zssgn* groß.

meg·a·lo·car·di·a [ˌmegələʊ'kɑ:dɪə] *s.* ⚕ Herzerweiterung *f*; **meg·a·lo·ma·ni·a** [ˌmegələʊ'meɪnjə] *s. psych.* Größenwahn *m*; **meg·a·lop·o·lis** [ˌmegə'lɒpəlɪs] *s.* **1.** Riesenstadt *f*; **2.** Ballungsgebiet *n*.

meg·a·phone ['megəfəʊn] **I** *s.* Mega'phon *n*; **II** *v/t. u. v/i.* durch ein Mega'phon sprechen; '**meg·a·ton** [-tʌn] *s.* Megatonne *f* (*1 Million Tonnen*); '**meg·a·watt** [-wɒt] *s.* ⚡ Megawatt *n*.

meg·ger ['megə] *s.* ⚡ Megohm'meter *n*.

me·gilp [mə'gɪlp] **I** *s.* Leinöl-, Retuschierfirnis *m*; **II** *v/t.* firnissen.

meg·ohm ['megəʊm] *s.* ⚡ Meg'ohm *n*.

me·grim ['mi:grɪm] *s.* **1.** ⚕ *obs.* Mi'gräne *f*; **2.** *obs.* Grille *f*, Schrulle *f*; **3.** *pl. obs.* Schwermut *f*, Melancho'lie *f*; **4.** *pl. vet.* Koller *m* (*der Pferde*).

mel·an·cho·li·a [ˌmelən'kəʊljə] *s.* ⚕ Melancho'lie *f*, Schwermut *f*; ˌ**mel·an'cho·li·ac** [-lɪæk], ˌ**mel·an'chol·ic** [-'kɒlɪk] **I** *adj.* melan'cholisch, schwermütig, traurig, schmerzlich; **II** *s.* Melan'choliker(in), Schwermütige(r *m*) *f*; **mel·an·chol·y** ['melənkəlɪ] **I** *s.* Melancho'lie *f*: a) ⚕ Depressi'on *f*, b) Schwermut *f*, Trübsinn *m*; **II** *adj.* melan'cholisch: a) schwermütig, trübsinnig, b) *fig.* traurig, düster, trübe.

mé·lange [meɪ'lɑ̃:nʒ] (*Fr.*) *s.* Mischung *f*, Gemisch *n*.

me·las·sic [mɪ'læsɪk] *adj.* ⚗ Melassin…(*-säure etc.*).

Mel·ba toast ['melbə] *s.* dünne, hartgeröstete Brotscheiben *pl.*

me·lee *Am.*, **mê·lée** ['meleɪ] (*Fr.*) *s.* Handgemenge *n*; *fig.* Tu'mult *m*; Gewühl *n*.

mel·io·rate ['mi:ljəreɪt] **I** *v/t.* **1.** (ver-) bessern; **2.** ✓ meliorieren; **II** *v/i.* sich (ver)bessern; **mel·io·ra·tion** [ˌmi:ljə'reɪʃn] *s.* (Ver)Besserung *f*; ✓ Meliorati'on *f*.

me·lis·sa [mɪ'lɪsə] *s.* ⚘, ⚕ (Zi'tronen-) MeˌIisse *f*.

mel·lif·er·ous [me'lɪfərəs] *adj.* **1.** ⚘ honigerzeugend; **2.** *zo.* Honig tragend *od.* bereitend; **mel'lif·lu·ence** [-flʊəns] *s.* **1.** Honigfluß *m*; **2.** *fig.* Süßigkeit *f*; **mel'lif·lu·ent** [-flʊənt] *adj.* ☐ (wie Ho-

M

nig) süß *od.* glatt da'hinfließend; **mel'lif·lu·ous** [-flʊəs] *adj.* □ *fig.* honigsüß.

mel·low ['meləʊ] **I** *adj.* □ **1.** reif, saftig, mürbe, weich (*Obst*); **2.** ⚒ a) leicht zu bearbeiten(d), locker, b) reich (*Boden*); **3.** ausgereift, mild (*Wein*); **4.** sanft, mild, zart, weich (*Farbe, Licht, Ton etc.*); **5.** *fig.* gereift u. gemildert, mild, freundlich, heiter (*Person*): ***of ~ age*** von gereiftem Alter; **6.** angeheitert, beschwipst; **II** *v/t.* **7.** weich *od.* mürbe machen, *Boden* auflockern; **8.** *fig.* sänftigen, mildern; **9.** (aus)reifen, reifen lassen (*a. fig.*); **III** *v/i.* **10.** weich *od.* mürbe *od.* mild *od.* reif werden (*Wein etc.*); **11.** *fig.* sich abklären *od.* mildern; **'mel·low·ness** [-nɪs] *s.* **1.** Weichheit *f* (*a. fig.*), Mürbheit *f*; **2.** ⚒ Gare *f*; **3.** Gereiftheit *f*; **4.** Milde *f*, Sanftheit *f*.

me·lo·de·on [mɪ'ləʊdjən] *s.* ♪ **1.** Me'lodium(orgel *f*) *n* (*ein amer. Harmonium*); **2.** *Art* Ak'kordeon *n*; **3.** *obs. Am.* Varie'té(the,ater) *n*.

me·lod·ic [mɪ'lɒdɪk] *adj.* me'lodisch; **me'lod·ics** [-ks] *s. pl. sg. konstr.* ♪ Melo'dielehre *f*, Me'lodik *f*; **me·lo·di·ous** [mɪ'ləʊdjəs] *adj.* □ melo'dienreich, wohlklingend; **mel·o·dist** ['melədɪst] *s.* **1.** 'Liedersänger(in), -kompo,nist(in); **2.** Me'lodiker *m*; **mel·o·dize** ['melədaɪz] **I** *v/t.* **1.** me'lodisch machen; **2.** *Lieder* vertonen; **II** *v/i.* **3.** Melo'dien singen *od.* komponieren; **mel·o·dra·ma** ['meləʊ,drɑːmə] *s.* Melo'dram(a) *n* (*a. fig.*); **mel·o·dra·mat·ic** [,meləʊdrə'mætɪk] *adj.* (□ ***~ally***) melodra'matisch.

mel·o·dy ['melədɪ] *s.* **1.** ♪ (*a. ling. u. fig.*) Melo'die *f*, Weise *f*; **2.** Wohllaut *m*, -klang *m*.

mel·on ['melən] *s.* **1.** ⚘ Me'lone *f*: ***water-~*** Wassermelone; **2.** ***cut a ~*** ✝ *sl.* e-e Sonderdividende ausschütten.

melt [melt] **I** *v/i.* **1.** (zer)schmelzen, flüssig werden; sich auflösen, auf-, zergehen (***into*** in *acc.*): ***~ down*** zerfließen; → ***butter*** 1; **2.** sich auflösen; **3.** aufgehen (***into*** in *acc.*), sich verflüchtigen; **4.** zs.-schrumpfen; **5.** *fig.* zerschmelzen, zerfließen (***with*** vor *dat.*): ***~ into tears*** in Tränen zerfließen; **6.** *fig.* auftauen, weich werden, schmelzen; **7.** verschmelzen, *ineinander* 'übergehen (*Ränder, Farben etc.*): ***outlines ~ing into each other***; **8.** (ver)schwinden, zur Neige gehen (*Geld etc.*): ***~ away*** dahinschwinden, -schmelzen; **9.** *humor.* vor Hitze vergehen, zerfließen; **II** *v/t.* **10.** schmelzen, lösen; **11.** (zer-)schmelzen *od.* (zer)fließen lassen (***into*** in *acc.*); *Butter* zerlassen; ⚙ schmelzen: ***~ down*** einschmelzen; **12.** *fig.* rühren, erweichen: ***~ s.o.'s heart***; **13.** *Farben etc.* verschmelzen lassen; **III** *s.* **14.** Schmelzen *n* (*Metall*); **15.** a) Schmelze *f*, geschmolzene Masse, b) → ***melting charge***.

melt·ing ['meltɪŋ] *adj.* □ **1.** schmelzend, Schmelz…: ***~ heat*** schwüle Hitze; **2.** *fig.* a) weich, zart, b) schmelzend, schmachtend, rührend (*Worte etc.*); ***~ charge*** *s. metall.* Schmelzgut *n*, Einsatz *m*; ***~ fur·nace*** *s.* ⚙ Schmelzofen *m*; ***~ point*** *s. phys.* Schmelzpunkt *m*; ***~ pot*** *s.* Schmelztiegel *m* (*a. fig. Land etc.*): ***put into the ~*** *fig.* von Grund auf ändern; ***~ stock*** *s. metall.* Charge *f*, Beschickungsgut *n* (*Hochofen*).

mem·ber ['membə] *s.* **1.** Mitglied *n*, Angehörige(r *m*) *f* (*e-s Klubs, e-r Familie, Partei etc.*): ***ℒ of Parliament*** *Brit.* Abgeordnete(r *m*) *f* des Unterhauses; ***ℒ of Congress*** *Am.* Kongreßmitglied *n*; **2.** *anat.* a) Glied(maße *f*) *n*, b) (männliches) Glied, Penis *m*; **3.** ⚙ (Bau)Teil *n*; **4.** *ling.* Satzteil *m*, -glied *n*; **5.** Ꭿ a) Glied *n* (*Reihe etc.*), b) Seite *f* (*Gleichung*); **'mem·bered** [-əd] *adj.* **1.** gegliedert; **2.** *in Zssgn* …gliedrig: ***four-~*** viergliedrig; **'mem·ber·ship** [-ʃɪp] *s.* **1.** Mitgliedschaft *f*, Zugehörigkeit *f*: ***~ card*** Mitgliedsausweis *m*; ***~ fee*** Mitgliedsbeitrag *m*; **2.** Mitgliederzahl *f*; *coll. die* Mitglieder *pl.*

mem·brane ['membreɪn] *s.* **1.** *anat.* Mem'bran(e) *f*, Häutchen *n*: ***drum ~*** Trommelfell *n*; ***~ of connective tissue*** Bindegewebshaut *f*; **2.** *phys.*, ⚙ Mem'bran(e) *f*; **mem·bra·ne·ous** [mem'breɪnjəs], **mem·bra·nous** [mem'breɪnəs] *adj. anat.*, ⚙ häutig, Membran…: ***~ cartilage*** Hautknorpel *m*.

me·men·to [mɪ'mentəʊ] *pl.* **-tos** [-z] *s.* Me'mento *n*, Mahnzeichen *n*; Erinnerung *f* (***of*** an *acc.*).

mem·o ['meməʊ] *s.* F Memo *n*, No'tiz *f*.

mem·oir ['memwɑː] *s.* **1.** Denkschrift *f*, Abhandlung *f*, Bericht *m*; **2.** *pl.* Memo'iren *pl.*, Lebenserinnerungen *pl.*

mem·o·ra·bil·i·a [,memərə'bɪlɪə] (*Lat.*) *s. pl.* Denkwürdigkeiten *pl.*; **mem·o·ra·ble** ['memərəbl] *adj.* □ denkwürdig.

mem·o·ran·dum [,memə'rændəm] *pl.* **-da** [-də], **-dums** *s.* **1.** Vermerk *m* (*a.* 'Akten)No,tiz *f*: ***make a ~ of*** *et.* notieren; ***urgent ~*** Dringlichkeitsvermerk; **2.** ⚖ Schriftsatz *m*; Vereinbarung *f*, Vertragsurkunde *f*: ***~ of association*** Gründungsurkunde (*e-r Gesellschaft*); **3.** ✝ a) Kommissi'onsnota *f*: ***send on a ~*** in Kommission senden, b) Rechnung *f*, Nota *f*; **4.** *pol.* diplo'matische Note, Denkschrift *f*, Memo'randum *n*; **5.** Merkblatt *n*; ***~ book*** *s.* No'tizbuch *n*, Kladde *f*.

me·mo·ri·al [mɪ'mɔːrɪəl] **I** *adj.* **1.** Gedächtnis…: ***~ service*** Gedenkgottesdienst *m*; **II** *s.* **2.** Denkmal *n*, Ehrenmal *n*; Gedenkfeier *f*; **3.** Andenken *n* (***for***

an *acc.*); **4.** ⚖ Auszug *m* (*aus e-r Urkunde etc.*); **5.** Denkschrift *f*, Eingabe *f*, Gesuch *n*; **6.** *pl.* → ***memoir*** 2; ♀ **Day** *s. Am.* Volkstrauertag *m* (*30. Mai*);
me'mo·ri·al·ize [-laɪz] *v/t.* **1.** e-e Denk- *od.* Bittschrift einreichen bei: ~ ***Congress***; **2.** erinnern an (*acc.*), e-e Gedenkfeier abhalten für.
mem·o·rize ['memərαɪz] *v/t.* **1.** sich einprägen, auswendig lernen, memorieren; **2.** niederschreiben, festhalten, verewigen; **'mem·o·ry** [-rɪ] *s.* **1.** Gedächtnis *n*, Erinnerung(svermögen *n*) *f*: ***from*** ~, ***by*** ~ aus dem Gedächtnis, auswendig; ***call to*** ~ sich *et.* ins Gedächtnis zurückrufen; ***escape s.o.'s*** ~ j-s Gedächtnis *od.* j-m entfallen; ***if my*** ~ ***serves me*** (***right***) wenn ich mich recht erinnere; → ***commit*** 1; **2.** Erinnerung(szeit) *f* (***of*** an *acc.*): ***within living*** ~ seit Menschengedenken; ***before*** ~, ***beyond*** ~ in unvordenklichen Zeiten; **3.** Andenken *n*, Erinnerung *f*: ***in*** ~ ***of*** zum Andenken an (*acc.*); → ***blessed*** 1; **4.** Reminis'zenz *f*, Erinnerung *f* (*an Vergangenes*); **5.** *Computer*: Speicher *m*: ~ ***bank*** Speicherbank *f*; ~ ***capacity*** Speicherkapazität *f*.
mem·sa·hib ['memˌsɑ:hɪb] *s. Brit. Ind.* euro'päische Frau.
men [men] *pl. von* ***man***.
men·ace ['menəs] **I** *v/t.* **1.** bedrohen, gefährden; **2.** *et.* androhen; **II** *v/i.* **3.** drohen, Drohungen ausstoßen; **III** *s.* **4.** (Be)Drohung *f* (***to*** *gen.*), *fig. a.* drohende Gefahr (***to*** für); **5.** F ‚Scheusal' *n*, Nervensäge *f*; **'men·ac·ing** [-sɪŋ] *adj.* □ drohend.
mé·nage, me·nage [me'nɑ:ʒ] (*Fr.*) *s.* Haushalt(ung *f*) *m*.
me·nag·er·ie [mɪ'nædʒərɪ] *s.* Menage'rie *f*, Tierschau *f*.
mend [mend] **I** *v/t.* **1.** ausbessern, flikken, reparieren: ~ ***stockings*** Strümpfe stopfen; ~ ***a friendship*** *fig.* e-e Freundschaft ‚kitten'; **2.** *fig.* (ver)bessern: ~ ***one's efforts*** s-e Anstrengungen verdoppeln; ~ ***one's pace*** den Schritt beschleunigen; ~ ***one's ways*** sich (*sittlich*) bessern; ***least said soonest*** ~***ed*** je weniger geredet wird, desto rascher wird alles wieder gut; **II** *v/i.* **3.** sich bessern; **4.** genesen: ***be*** ~***ing*** auf dem Wege der Besserung sein; **III** *s.* **5.** ⚕ *u. allg.* Besserung *f*: ***be on the*** ~ → 4; **6.** ausgebesserte Stelle, Stopfstelle *f*, Flikken *m*; **'mend·a·ble** [-dəbl] *adj.* (aus-)besserungsfähig.
men·da·cious [men'deɪʃəs] *adj.* □ lügnerisch, verlogen, lügenhaft; **men'dac·i·ty** [-'dæsətɪ] *s.* **1.** Lügenhaftigkeit *f*, Verlogenheit *f*; **2.** Lüge *f*, Unwahrheit *f*.
Men·de·li·an [men'di:ljən] *adj. biol.* Mendelsch, Mendel...; **'Men·de·lize** ['mendəlaɪz] *v/i.* mendeln.
men·di·can·cy ['mendɪkənsɪ] *s.* Bette'lei *f*, Betteln *n*; **'men·di·cant** [-nt] **I** *adj.* **1.** bettelnd, Bettel...: ~ ***friar*** → 3; **II** *s.* **2.** Bettler(in); **3.** Bettelmönch *m*.
men·dic·i·ty [men'dɪsətɪ] *s.* **1.** Bette'lei *f*; **2.** Bettelstand *m*: ***reduce to*** ~ *fig.* an den Bettelstab bringen.
mend·ing ['mendɪŋ] *s.* **1.** (Aus)Bessern *n*, Flicken *n*: ***his boots need*** ~ seine Stiefel müssen repariert werden; ***invisible*** ~ Kunststopfen *n*; **2.** *pl.* Stopfgarn *n*.
'men·folk(s) *s. pl.* Mannsvolk *n*, -leute *pl.*
me·ni·al ['mi:njəl] **I** *adj.* □ **1.** *contp.* knechtisch, niedrig (*Arbeit*): ~ ***offices*** niedrige Dienste; **2.** knechtisch, unter'würfig; **II** *s.* **3.** Diener(in), Knecht *m*, La'kai *m* (*a. fig.*): ~***s*** Gesinde *n*.
me·nin·ge·al [mɪ'nɪndʒɪəl] *adj. anat.* Hirnhaut...; **men·in·gi·tis** [ˌmenɪn'dʒaɪtɪs] *s.* ⚕ Menin'gitis *f*, (Ge)Hirnhautentzündung *f*.
me·nis·cus [mɪ'nɪskəs] *pl.* **-nis·ci** [-'nɪsaɪ] *s.* **1.** Me'niskus *m*: a) halbmondförmiger Körper, b) *anat.* Gelenkscheibe *f*; **2.** *opt.* Me'niskenglas *n*.
men·o·pause ['menəʊpɔ:z] *s. physiol.* Wechseljahre *pl.*, Klimak'terium *n*.
men·ses ['mensi:z] *s. pl. physiol.* Menses *pl.*, Regel *f* (*der Frau*).
men·stru·al ['menstrʊəl] *adj.* **1.** *ast.* Monats...: ~ ***equation*** Monatsgleichung *f*; **2.** *physiol.* Menstruations...: ~ ***flow*** Regelblutung *f*; **'men·stru·ate** [-ʊeɪt] *v/i.* menstruieren, die Regel haben; **men·stru·a·tion** [ˌmenstrʊ'eɪʃn] *s.* Menstruati'on *f*, (monatliche) Regel, Peri'ode *f*.
men·sur·a·bil·i·ty [ˌmenʃʊrə'bɪlətɪ] *s.* Meßbarkeit *f*; **men·sur·a·ble** ['menʃʊrəbl] *adj.* **1.** meßbar; **2.** ♪ Mensural...: ~ ***music***.
men·tal ['mentl] **I** *adj.* □ **1.** geistig, innerlich, intellektu'ell, Geistes...(*-kraft, -zustand etc.*): ~ ***arithmetic*** Kopfrechnen *n*; ~ ***reservation*** geheimer Vorbehalt, Mentalreservation *f*; → ***note*** 2; **2.** (geistig-)seelisch; **3.** ⚕ geisteskrank, -gestört, F verrückt: ~ ***disease*** Geisteskrankheit *f*; ~ ***home***, ~ ***hospital*** Nervenheilanstalt *f*; ~ ***patient***, ~ ***case*** Geisteskranke(r *m*) *f*; ~***ly handicapped*** geistig behindert; **II** *s.* **4.** F Verrückte(r *m*) *f*; ~ **age** *s. psych.* geistiges Alter; ~ **cru·el·ty** *s.* ⚖ seelische Grausamkeit; ~ **de·fi·cien·cy** *s.* ⚕ Geistesbehinderung *f*; ~ **de·range·ment** *s.* **1.** ⚖ krankhafte Störung der Geistestätigkeit; **2.** ⚕ Geistesstörung *f*, Irrsinn *m*; ~ **hy·giene** *s.* ⚕ 'Psychohygiˌene *f*.
men·tal·i·ty [men'tælətɪ] *s.* Mentali'tät *f*, Denkungsart *f*, Gesinnung *f*; Wesen *n*, Na'tur *f*.

men·thol [ˈmenθɒl] *s.* ⚗ Menˈthol *n*; ˈ**men·tho·lat·ed** [-θəleɪtɪd] *adj.* Menˈthol enthaltend, Menthol…

men·tion [ˈmenʃn] **I** *s.* **1.** Erwähnung *f*: ***to make (no) ~ of s.th.*** et. (nicht) erwähnen; ***hono(u)rable ~*** ehrenvolle Erwähnung; **2.** lobende Erwähnung; **II** *v/t.* **3.** erwähnen, anführen: ***(please) don't ~ it!*** bitte!, gern geschehen!, (es ist) nicht der Rede wert!; ***not to ~*** ganz zu schweigen von; ***not worth ~ing*** nicht der Rede wert; ˈ**men·tion·a·ble** [-ʃnəbl] *adj.* erwähnenswert.

men·tor [ˈmentɔː] *s.* Mentor *m*, treuer Ratgeber.

men·u [ˈmenjuː] (*Fr.*) *s.* **1.** Speise(n)-karte *f*; **2.** Speisenfolge *f*; **3.** *Computer*: Menü *n*.

me·ow [mɪˈaʊ] **I** *v/i.* miˈauen (*Katze*); **II** *s.* Miˈauen *n*.

me·phit·ic [meˈfɪtɪk] *adj.* verpestet, giftig (*Luft*, *Geruch etc.*).

mer·can·tile [ˈmɜːkəntaɪl] *adj.* **1.** kaufmännisch, handeltreibend, Handels…: ***~ agency*** a) Handelsauskunftei *f*, b) Handelsvertretung *f*; ***~ law*** Handelsrecht *n*; ***~ marine*** Handelsmarine *f*; ***~ paper*** † Warenpapier *n*; **2.** † Merkantil…: ***~ system*** *hist.* Merkantilismus *m*; ˈ**mer·can·til·ism** [-tɪlɪzəm] *s.* **1.** Handels-, Krämergeist *m*; **2.** kaufmännischer Unterˈnehmergeist; **3.** † *hist.* Merkantiˈlismus *m*.

mer·ce·nar·y [ˈmɜːsɪnərɪ] **I** *adj.* □ **1.** gedungen, Lohn…: ***~ troops*** Söldnertruppen; **2.** *fig.* feil, käuflich; **3.** *fig.* gewinnsüchtig: ***~ marriage*** Geldheirat *f*; **II** *s.* **4.** ⚔ Söldner *m*; *contp.* Mietling *m*.

mer·cer [ˈmɜːsə] *s. Brit.* Seiden- u. Texˈtilienhändler *m*; ˈ**mer·cer·ize** [-əraɪz] *v/t. Baumwollfasern* merzerisieren; ˈ**mer·cer·y** [-ərɪ] *s.* † *Brit.* **1.** Seiden-, Schnittwaren *pl.*; **2.** Seiden-, Schnittwarenhandlung *f*.

mer·chan·dise [ˈmɜːtʃəndaɪz] **I** *s.* **1.** *coll.* Ware(n *pl.*) *f*, Handelsgüter *pl.*: ***an article of ~*** eine Ware; **II** *v/i.* **2.** Handel treiben, Waren vertreiben; **III** *v/t.* **3.** *Waren* vertreiben; **4.** Werbung machen für *e-e Ware*, den Absatz *e-r Ware* steigern; ˈ**mer·chan·dis·ing** [-zɪŋ] † **I** *s.* **1.** Merchandising *n*, Verˈkaufspoliˌtik *f* u. -förderung *f* (*durch Marktforschung*, *wirksame Gütergestaltung*, *Werbung etc.*); **2.** Handel(sgeschäfte *pl.*) *m*; **II** *adj.* **3.** Handels…

mer·chant [ˈmɜːtʃənt] † **I** *s.* **1.** (Groß-) Kaufmann *m*, Handelsherr *m*, Großhändler *m*: ***the ~s*** die Kaufmannschaft, Handelskreise *pl.*; **2.** *bsd. Am.* Ladenbesitzer *m*, Krämer *m*; **3.** ***~ of doom*** *Brit. sl.* ‚Unke' *f*, Schwarzseher(in); **4.** ⚓ *obs.* Handelsschiff *n*; **II** *adj.* **5.** Handels…, Kaufmanns…; ˈ**mer·chant·a·ble** [-təbl] *adj.* marktgängig.

mer·chant| bank *s.* Handelsbank *f*; **~ fleet** *s.* ⚓ Handelsflotte *f*; ˈ**~·man** [-mən] *s.* [*irr.*] ⚓ Kauffahrˈtei-, Handelsschiff *n*; **~ na·vy** *s.* ˈHandelsmaˌrine *f*; **~ prince** *s.* † reicher Kaufherr, Handelsfürst *m*; **~ ship** *s.* Handelsschiff *n*.

mer·ci·ful [ˈmɜːsɪfʊl] *adj.* □ (***to***) barmˈherzig, mitleidvoll (gegen), gütig (gegen, zu); gnädig (*dat.*); ˈ**mer·ci·ful·ly** [-fʊlɪ] *adv.* **1.** → ***merciful***; **2.** glücklicherweise; ˈ**mer·ci·ful·ness** [-nɪs] *s.* Barmˈherzigkeit *f*, Erbarmen *n*, Gnade *f* (*Gottes*); ˈ**mer·ci·less** [-ɪlɪs] *adj.* □ unbarmherzig, erbarmungslos, mitleidlos; ˈ**mer·ci·less·ness** [-ɪlɪsnɪs] *s.* Erbarmungslosigkeit *f*.

mer·cu·ri·al [mɜːˈkjʊərɪəl] *adj.* □ **1.** ⚗ Quecksilber…; **2.** *fig.* lebhaft, quecksilb(e)rig; **3.** *myth.* Merkur…: ***♀ wand*** Merkurstab *m*; **merˈcu·ri·al·ism** [-lɪzəm] *s.* ⚕ Quecksilbervergiftung *f*; **merˈcu·ri·al·ize** [-laɪz] *v/t.* ⚕, *phot.* mit Quecksilber behandeln; **merˈcu·ric** [-rɪk] *adj.* ⚗ Quecksilber…

mer·cu·ry [ˈmɜːkjʊrɪ] *s.* **1.** ♀ *myth. ast.* Merˈkur *m*; *fig.* Bote *m*; **2.** ⚗, ⚕ Quecksilber *n*: ***~ column*** → 3; ***~ poisoning*** Quecksilbervergiftung *f*; **3.** Quecksilber(säule *f*) *n*: ***the ~ is rising*** das Barometer steigt (*a. fig.*); **4.** ⚘ Bingelkraut *n*; **~ pres·sure ga(u)ge** *s. phys.* ˈQuecksilbermanoˌmeter *n*.

mer·cy [ˈmɜːsɪ] *s.* **1.** Barmˈherzigkeit *f*, Mitleid *n*, Erbarmen *n*; Gnade *f*: ***be at the ~ of s.o.*** in j-s Gewalt sein, j-m auf Gnade u. Ungnade ausgeliefert sein; ***at the ~ of the waves*** den Wellen preisgegeben; ***throw o.s. on s.o.'s ~*** sich j-m auf Gnade u. Ungnade ergeben; ***be left to the tender mercies of*** *iro.* der rauhen Behandlung von … ausgesetzt sein; ***Sister of ♀*** Barmherzige Schwester; **2.** Glück *n*, Segen *m*, (wahre) Wohltat: ***it is a ~ that he left***; **~ kill·ing** *s.* Sterbehilfe *f*.

mere [mɪə] *adj.* □ bloß, nichts als, rein, völlig: ***~(st) nonsense*** purer Unsinn; ***~ words*** bloße Worte; ***he is no ~ craftsman*** er ist kein bloßer Handwerker; ***the ~st accident*** der reinste Zufall; ˈ**mere·ly** [-lɪ] *adv.* bloß, rein, nur, lediglich.

mer·e·tri·cious [ˌmerɪˈtrɪʃəs] *adj.* □ **1.** *obs.* dirnenhaft; **2.** *fig.* a) falsch, verlogen, b) protzig.

merge [mɜːdʒ] **I** *v/t.* **1.** (***in***) verschmelzen (mit), aufgehen lassen (in *dat.*), einverleiben (*dat.*): ***be ~d in*** in *et.* aufgehen; **2.** ⚖ tilgen, aufheben; **3.** † a) fusionieren, b) *Aktien* zs.-legen; **II** *v/i.* **4.** ***~ in*** sich verschmelzen mit, aufgehen in (*dat.*); **5.** a) *mot.* sich (in den Verkehr) einfädeln, b) zs.-laufen (*Straßen*); ˈ**mer·gence** [-dʒəns] *s.* Aufgehen *n* (***in*** in *dat.*), Verschmelzung *f* (***into*** mit); '**merg·er** [-dʒə] *s.* **1.** † Fusi'on *f*, Fusionierung *f von Gesellschaften*; Zs.-legung *f von Aktien*; **2.** ⚖ a) Verschmelzung(svertrag *m*) *f*, Aufgehen *n* (*e-s Besitzes od. Vertrages in e-m anderen etc.*), b) Konsumpti'on *f* (*e-r Straftat durch e-e schwerere*).

me·rid·i·an [mə'rɪdɪən] **I** *adj.* **1.** mittägig, Mittags…; **2.** *ast.* Kulminations…, Meridian…: ~ ***circle*** Meridiankreis *m*; **3.** *fig.* höchst; **II** *s.* **4.** *geogr.* Meridi'an *m*, Längenkreis *m*: ***prime*** ~ Nullmeridian; **5.** *poet.* Mittag(szeit *f*) *m*; **6.** *ast.* Kulminati'onspunkt *m*; **7.** *fig.* Höhepunkt *m*, Gipfel *m*; *fig.* Blüte(zeit) *f*; **me'rid·i·o·nal** [-dɪənl] **I** *adj.* ☐ **1.** *ast.* meridio'nal, Meridian…, Mittags…; **2.** südlich, südländisch; **II** *s.* **3.** Südländer (-in), *bsd.* 'Südfranˌzose *m*, -franˌzösin *f*.

me·ringue [mə'ræŋ] *s.* Me'ringe *f*, Schaumgebäck *n*, Bai'ser *n*.

me·ri·no [mə'ri:nəʊ] *pl.* **-nos** [-z] *s.* **1.** *a.* ~ ***sheep*** *zo.* Me'rinoschaf *n*; **2.** † a) Me'rinowolle *f*, b) Me'rino *m* (*Kammgarnstoff*).

mer·it ['merɪt] **I** *s.* **1.** Verdienst(lichkeit *f*) *n*: ***according to one's*** ~ nach Verdienst *belohnen etc.*; ***a man of*** ~ e-e verdiente Persönlichkeit; ***Order of*** ♀ Verdienstorden *m*; ~ ***pay*** † leistungsbezogene Bezahlung; ~ ***rating*** Leistungsbeurteilung *f*; **2.** Wert *m*, Vorzug *m*: ***of architectural*** ~ von architektonischem Wert, erhaltungswürdig; **3.** ***the*** ~***s*** *pl.* ⚖ *u. fig.* die Hauptpunkte, der sachliche Gehalt, die wesentlichen (⚖ *a.* materiell-rechtlichen) Gesichtspunkte: ***on its*** (***own***) ~***s*** dem wesentlichen Inhalt nach, an (u. für) sich betrachtet; ***on the*** ~***s*** ⚖ in der Sache selbst, nach materiellem Recht; ***decision on the*** ~***s*** Sachentscheidung *f*; ***inquire into the*** ~***s of a case*** e-r Sache auf den Grund gehen; **II** *v/t.* **4.** *Lohn, Strafe etc.* verdienen; '**mer·it·ed** [-tɪd] *adj.* ☐ verdient; '**mer·it·ed·ly** [-tɪdlɪ] *adv.* verdientermaßen.

me·ri·toc·ra·cy [ˌmerɪ'tɒkrəsɪ] *s. sociol.* **1.** (herrschende) E'lite; **2.** Leistungsgesellschaft *f*.

mer·i·to·ri·ous [ˌmerɪ'tɔ:rɪəs] *adj.* ☐ verdienstvoll.

mer·lin ['mɜ:lɪn] *s. orn.* Merlin-, Zwergfalke *m*.

mer·maid ['mɜ:meɪd] *s.* Meerweib *n*, Seejungfrau *f*, Nixe *f*; '**mer·man** [-mæn] *s.* [*irr.*] Wassergeist *m*, Triton *m*, Nix *m*.

mer·ri·ly ['merəlɪ] *adv. von* ***merry***; '**mer·ri·ment** [-ɪmənt] *s.* **1.** Fröhlichkeit *f*, Lustigkeit *f*; **2.** Belustigung *f*, Lustbarkeit *f*, Spaß *m*.

mer·ry ['merɪ] *adj.* ☐ **1.** lustig, fröhlich: ***as*** ~ ***as a lark*** (*od.* ***cricket***) kreuzfidel; ***make*** ~ lustig sein, feiern, scherzen; **2.** scherzhaft, spaßhaft, lustig: ***make*** ~ ***over*** sich lustig machen über (*acc.*); **3.** beschwipst, angeheitert; ~ **an·drew** ['ændru:] *s.* Hans'wurst *m*, Spaßmacher *m*; '**~-go-ˌround** [-gəʊˌr-] *s.* Karus'sell *n*; *fig.* Wirbel *m*; '**~-ˌmak·ing** *s.* Belustigung *f*, Lustbarkeit *f*, Fest *n*; '**~·thought** → ***wishbone*** 1.

me·sa ['meɪsə] *s. geogr. Am.* Tafelland *n*; ~ **oak** *s. Am.* Tischeiche *f*.

mes·en·ter·y ['mesəntərɪ] *s. anat., zo.* Gekröse *n*.

mesh [meʃ] **I** *s.* **1.** Masche *f*: ~ ***stocking*** Netzstrumpf *m*; **2.** ⚙ Maschenweite *f*; **3.** *mst pl. fig.* Netz *n*, Schlingen *pl.*: ***be caught in the*** ~***es of the law*** sich in den Schlingen des Gesetzes verfangen (haben); **4.** ⚙ Inein'andergreifen *n*, Eingriff *m* (*von Zahnrädern*): ***be in*** ~ im Eingriff sein; **5.** → ***mesh connection***; **II** *v/t.* **6.** in e-m Netz fangen, verwickeln; **7.** ⚙ in Eingriff bringen, einrücken; **8.** *fig.* (mitein'ander) verzahnen; **III** *v/i.* **9.** ⚙ ein-, inein'andergreifen (*Zahnräder*); ~ **con·nec·tion** *s.* ϟ Vieleck-, *bsd.* Deltaschaltung *f*.

meshed [meʃt] *adj.* netzartig; …maschig: ***close-***~ engmaschig.

'**mesh·work** *s.* Maschen *pl.*, Netzwerk *n*; Gespinst *n*.

mes·mer·ic, **mes·mer·i·cal** [mez'merɪk(l)] *adj.* **1.** mesmerisch, 'heilmaˌgnetisch; **2.** *fig.* hyp'notisch, ma'gnetisch, faszinierend.

mes·mer·ism ['mezmərɪzəm] *s.* Mesme'rismus *m*, tierischer Magne'tismus; '**mes·mer·ist** [-ɪst] *s.* 'Heilmagnetiˌseur *m*; '**mes·mer·ize** [-raɪz] *v/t.* mesmerisieren; *fig.* faszinieren, bannen.

mesne [mi:n] *adj.* ⚖ Zwischen…, Mittel…: ~ ***lord*** Afterlehnsherr *m*; ~ **interest** *s.* ⚖ Zwischenzins *m*.

meso- [mesəʊ] *in Zssgn* Zwischen…, Mittel…; ˌ**mes·o'lith·ic** [-'lɪθɪk] *adj.* meso'lithisch, mittelsteinzeitlich.

mes·on ['mi:zɒn] *s. phys.* Meson *n*.

Mes·o·zo·ic [ˌmesəʊ'zəʊɪk] *geol.* **I** *adj.* meso'zoisch; **II** *s.* Meso'zoikum *n*.

mess [mes] **I** *s.* **1.** *obs.* Gericht *n*, Speise *f*: ~ ***of pottage*** *bibl.* Linsengericht; **2.** Viehfutter *n*; **3.** ⚔ Ka'sino *n*, Speiseraum *m*; ⚓ Messe *f*, Back *f*: ***officers'*** ~ Offiziersmesse; **4.** *fig.* Mischmasch *m*, Mansche'rei *f*; **5.** *fig.* a) Durchein'ander *n*, Unordnung *f*, b) Schmutz *m*, ‚Schweine'rei' *f*, c) ‚Schla'massel' *m*, ‚Patsche' *f*, Klemme *f*: ***in a*** ~ beschmutzt, in Unordnung, *fig.* in der Klemme; ***get into a*** ~ in die Klemme kommen; ***make a*** ~ Schmutz machen; ***make a*** ~ ***of*** → 6 c; ***make a*** ~ ***of it*** alles vermasseln *od.* versauen, Mist bauen; ***you made a nice*** ~ ***of it*** da hast du was

M

Schönes angerichtet; ***he was a ~*** er sah gräßlich aus, *fig.* er war völlig verwahrlost; → ***pretty*** 2; **II** *v/t.* **6.** *a.* ***~ up*** a) beschmutzen, b) in Unordnung *od.* Verwirrung bringen, c) *fig.* verpfuschen, vermasseln, verhunzen; **III** *v/i.* **7.** (*an e-m gemeinsamen Tisch*) essen (***with*** mit): ***~ together*** ⚓ zu 'einer Back gehören; **8.** manschen, panschen (***in*** in *dat.*); **9.** ***~ with*** sich einmischen; **10.** ***~ about***, ***~ around*** her'ummurksen, (-)pfuschen, F *fig.* sich her'umtreiben.

mes·sage ['mesɪdʒ] *s.* **1.** Botschaft *f* (*a. bibl.*), Sendung *f*: ***can I take a ~?*** kann ich et. ausrichten?; **2.** Mitteilung *f*, Bescheid *m*, Nachricht *f*: ***get the ~*** F (es) kapieren; ***radio ~*** Funkmeldung *f*, -spruch *m*; **3.** *fig.* Botschaft *f*, Anliegen *n e-s Dichters etc.*; **'~-ˌtak·ing ser·vice** *s. teleph.* (Fernsprech)Auftragsdienst *m.*

mes·sen·ger ['mesɪndʒə] *s.* **1.** (Post-*etc.*)Bote *m*: (***express*** *od.* ***special***) ***~*** Eilbote; ***by ~*** durch Boten; **2.** Ku'rier *m*; ⚔ *a.* Melder *m*; **3.** *fig.* (Vor)Bote *m*, Verkünder *m*; **4.** ⚓ a) Anholtau *n*, b) Ankerkette *f*; **~ air·plane** *s.* ⚔ Ku'rierflugzeug *n*; **~ boy** *s.* Laufbursche *m*, Botenjunge *m*; **~ dog** *s.* Meldehund *m*; **~ pi·geon** *s.* Brieftaube *f*.

mess hall *s.* ⚔, ⚓ Messe *f*, Ka'sino (-raum *m*) *n*, Speisesaal *m*.

Mes·si·ah [mɪ'saɪə] *s. bibl.* Mes'sias *m*, Erlöser *m*; **Mes·si·an·ic** [ˌmesɪ'ænɪk] *adj.* messi'anisch.

mess| jack·et *s.* ⚓ kurze Uni'formjacke; **~ kit** *s.* ⚔ Kochgeschirr *n*, Eßgerät *n*; **'~-mate** *s.* ⚔, ⚓ Meßgenosse *m*, 'Tischkameˌrad *m*; **~ ser·geant** *s.* ⚔ 'Küchenˌunteroffiˌzier *m*; **'~-tin** *s.* ⚔, ⚓ *bsd. Brit.* Eßgeschirr *n*.

mes·suage ['meswɪdʒ] *s.* ⚖ Wohnhaus *n* (*mst mit Ländereien*), Anwesen *n*.

'mess-up *s.* F **1.** Durchein'ander *n*; **2.** Mißverständnis *n*.

mess·y ['mesɪ] *adj.* □ **1.** unordentlich, schlampig; **2.** unsauber, schmutzig.

mes·ti·zo [me'sti:zəʊ] *pl.* **-zos** [-z] *s.* Me'stize *m*; Mischling *m*.

met [met] *pret. u. p.p. von* ***meet***.

met·a·bol·ic [ˌmetə'bɒlɪk] *adj.* **1.** *physiol.* meta'bolisch, Stoffwechsel...; **2.** sich (ver)wandelnd; **me·tab·o·lism** [me'tæbəlɪzəm] *s.* **1.** *biol.* Metabo'lismus *m*, Formveränderung *f*; **2.** *physiol.*, *a.* ⚘ Stoffwechsel *m*: ***general ~***, ***total ~*** Gesamtstoffwechsel; → ***basal*** 2; **3.** ⚗ Metabo'lismus *m*; **me·tab·o·lize** [me'tæbəlaɪz] *v/t.* 'umwandeln.

met·a·car·pal [ˌmetə'kɑ:pl] *anat.* **I** *adj.* Mittelhand...; **II** *s.* Mittelhandknochen *m*; **ˌmet·a'car·pus** [-pəs] *pl.* **-pi** [-paɪ] *s.* **1.** Mittelhand *f*; **2.** Vordermittelfuß *m.*

met·age ['mi:tɪdʒ] *s.* **1.** amtliches Messen (*des Inhalts od. Gewichts bsd. von Kohlen*); **2.** Meßgeld *n*.

met·al ['metl] **I** *s.* **1.** ⚗, *min.* Me'tall *n*; **2.** ⚙ a) 'Nichteisenmeˌtall *n*, b) Me'talllegierung *f*, *bsd.* 'Typen-, Ge'schützmeˌtall *n*, c) 'Gußmeˌtall *n*: ***brittle ~***, ***red ~*** Rotguß *m*; ***fine ~*** Weiß-, Feinmetall; ***grey ~*** graues Gußeisen; **3.** *min.* a) Regulus *m*, Korn *n*, b) (Kupfer)Stein *m*; **4.** ⚒ Schieferton *m*; **5.** ⚙ (flüssige) Glasmasse; **6.** *pl. Brit.* Eisenbahnschienen *pl.*: ***run off the ~s*** entgleisen; **7.** *her.* Me'tall *n* (*Gold- u. Silberfarbe*); **8.** *Straßenbau*: Beschotterung *f*, Schotter *m*; **9.** *fig.* Mut *m*; **II** *v/t.* **10.** mit Me'tall bedecken *od.* versehen; **11.** 🚂, *Straßenbau*: beschottern; **III** *adj.* **12.** Metall..., me'tallen; **~ age** *s.* Bronze- u. Eisenzeitalter *n*; **'~-clad** *adj.* ⚙ me'tallgekapselt; **'~-coat** *v/t.* mit Me'tall über'ziehen; **~ cut·ting** *s.* ⚙ spanabhebende Bearbeitung; **~ found·er** *s.* Me'tallgießer *m*; **~ ga(u)ge** *s.* Blechlehre *f*.

met·al·ize *Am.* → ***metallize***.

me·tal·lic [mɪ'tælɪk] *adj.* (□ ***~ally***) **1.** me'tallen, Metall...: ***~ cover*** a) ⚙ Metallüberzug *m*, b) ✝ Metalldeckung *f*; ***~ currency*** Metallwährung *f*, Hartgeld *n*; **2.** me'tallisch (glänzend *od.* klingend): ***~ voice***; ***~ beetle*** Prachtkäfer *m*; **met·al·lif·er·ous** [ˌmetə'lɪfərəs] *adj.* me'tallführend, -reich; **met·al·line** ['metəlaɪn] *adj.* **1.** me'tallisch; **2.** me'tallhaltig; **met·al·lize** ['metəlaɪz] *v/t.* metallisieren.

met·al·loid ['metəlɔɪd] **I** *adj.* metallo'idisch; **II** *s.* ⚗ Metallo'id *n*.

met·al·lur·gic, **met·al·lur·gi·cal** [ˌmetə'lɜ:dʒɪk(l)] *adj.* metall'urgisch; **met·al·lur·gist** [me'tælədʒɪst] *s.* Metall'urg(e) *m*; **met·al·lur·gy** [me'tælədʒɪ] *s.* Metallur'gie *f*, Hüttenkunde *f*, -wesen *n*.

met·al| plat·ing *s.* ⚙ Plattierung *f*; **'~-ˌpro·ces·sing**, **'~ˌwork·ing I** *s.* Me'tallbearbeitung *f*; **II** *adj.* me'tallverarbeitend.

met·a·mor·phic [ˌmetə'mɔ:fɪk] *adj.* **1.** *geol.* meta'morph; **2.** *biol.* gestaltverändernd; **ˌmet·a'mor·phose** [-fəʊz] **I** *v/t.* **1.** (***to***, ***into***) 'umgestalten (zu), verwandeln (in *acc.*); **2.** verzaubern, -wandeln (***to***, ***into*** in *acc.*); **II** *v/i.* **3.** *zo.* sich verwandeln; **ˌmet·a'mor·pho·sis** [-fəsɪs] *pl.* **-ses** [-si:z] *s.* Metamor'phose *f* (*a. biol.*, *physiol.*), Verwandlung *f*.

met·a·phor ['metəfə] *s.* Me'tapher *f*, bildlicher Ausdruck.

met·a·phor·i·cal [ˌmetə'fɒrɪkl] *adj.* □ meta'phorisch, bildlich.

met·a·phrase ['metəfreɪz] **I** *s.* Meta'phrase *f*, wörtliche Über'setzung; **II** *v/t.* a) wörtlich über'tragen, b) um'schreiben.

met·a·phys·i·cal [ˌmetəˈfɪzɪkl] *adj.* ☐ **1.** *phls.* metaˈphysisch; **2.** ˈübersinnlich; abˈstrakt; **met·a·phy·si·cian** [ˌmetəfɪˈzɪʃn] *s. phls.* Metaˈphysiker *m*; ˌ**met·aˈphys·ics** [-ks] *s. pl. sg. konstr. phls.* Metaphyˈsik *f.*

met·a·plasm [ˈmetəplæzəm] *s.* **1.** *ling.* Metaˈplasmus *m*, Wortveränderung *f*; **2.** *biol.* Metaˈplasma *n.*

me·tas·ta·sis [mɪˈtæstəsɪs] *pl.* **-ses** [-siːz] *s.* **1.** ⚕ Metaˈstase *f*, Tochtergeschwulst *f*; **2.** *biol.* Stoffwechsel *m.*

met·a·tar·sal [ˌmetəˈtɑːsl] *anat.* **I** *adj.* Mittelfuß...; **II** *s.* Mittelfußknochen *m*; ˌ**met·aˈtar·sus** [-səs] *pl.* **-si** [-saɪ] *s. anat., zo.* Mittelfuß *m.*

mete [miːt] **I** *v/t.* **1.** *poet.* (ab-, aus)messen, durchˈmessen; **2.** *mst* **~ out** (*a. Strafe*) zumessen (**to** *dat.*); **3.** *fig.* ermessen; **II** *s. mst pl.* **4.** Grenze *f*: ***know one's ~s and bounds*** *fig.* Maß u. Ziel kennen.

me·tem·psy·cho·sis [ˌmetempsɪˈkəʊsɪs] *pl.* **-ses** [-siːz] *s.* Seelenwanderung *f*, Metempsyˈchose *f.*

me·te·or [ˈmiːtjə] *s. ast.* a) Meteˈor *m* (*a. fig.*), b) Sternschnuppe *f*; **me·te·or·ic** [ˌmiːtɪˈɒrɪk] *adj.* **1.** *ast.* meteˈorisch, Meteor...: **~ *shower*** Sternschnuppenschwarm *m*; **2.** *fig.* meteˈorhaft: a) glänzend: **~ *fame***, b) koˈmetenhaft, rasch: ***his ~ rise to power***; ˈ**me·te·or·ite** [-jəraɪt] *s. ast.* Meteoˈrit *m*, Meteˈorstein *m*; **me·te·or·o·log·ic**, **me·te·or·o·log·i·cal** [ˌmiːtjərəˈlɒdʒɪk(l)] *adj.* ☐ *phys.* meteoroˈlogisch, Wetter..., Luft...: **~ *conditions*** Witterungsverhältnisse; **~ *office*** Wetteramt *n*; **~ *satellite*** Wettersatellit *m*; **me·te·or·ol·o·gist** [ˌmiːtjəˈrɒlədʒɪst] *s. phys.* Meteoroˈloge *m*, Meteoroˈlogin *f*; **me·te·or·ol·o·gy** [ˌmiːtjəˈrɒlədʒɪ] *s. phys.* **1.** Meteoroloˈgie *f*; **2.** meteoroˈlogische Verhältnisse *pl.* (*e-r Gegend*).

me·ter[1] [ˈmiːtə] *Am.* → ***metre.***

me·ter[2] [ˈmiːtə] **I** *s.* ⚙ Messer *m*, Meßgerät *n*, Zähler *m*: ***electricity ~*** elektrischer Strommesser *od.* Zähler; **II** *v/t.* (*mit e-m Meßinstrument*) messen: **~ *out*** *et.* abgeben, dosieren; ˈ**~·maid** *s.* F Poliˈtesse *f.*

meth·ane [ˈmiːθeɪn] *s.* ⚗ Meˈthan *n.*

me·thinks [mɪˈθɪŋks] *v/impers. obs. od. poet.* mich dünkt, mir scheint.

meth·od [ˈmeθəd] *s.* **1.** Meˈthode *f*; *bsd.* ⚙ Verfahren *n*: **~ *of doing s.th.*** Art u. Weise *f*, et. zu tun; ***by a ~*** nach e-r Methode; **2.** ˈLehrmeˌthode *f*; **3.** Syˈstem *n*; **4.** *phls.* (logische) ˈDenkmeˌthode; **5.** Ordnung *f*, Meˈthode *f*, Planmäßigkeit *f*: ***work with ~*** methodisch arbeiten; ***there is ~ in his madness*** sein Wahnsinn hat Methode; ***there is ~ in this*** da ist System drin; **me·thod·ic**, **me·thod·i·cal** [mɪˈθɒdɪk(l)] *adj.* ☐ **1.** meˈthodisch, systeˈmatisch; **2.** überˈlegt.

Meth·od·ism [ˈmeθədɪzəm] *s. eccl.* Methoˈdismus *m*; ˈ**Meth·od·ist** [-ɪst] **I** *s.* **1.** *eccl.* Methoˈdist(in); **2.** ♀ *fig. contp.* Frömmler *m*, Mucker *m*; **II** *adj.* **3.** *eccl.* methoˈdistisch.

meth·od·ize [ˈmeθədaɪz] *v/t.* meˈthodisch ordnen; ˈ**meth·od·less** [-dlɪs] *adj.* ☐ plan-, syˈstemlos.

meth·od·ol·o·gy [ˌmeθəˈdɒlədʒɪ] *s.* **1.** Methodoloˈgie *f*; **2.** Meˈthodik *f.*

Me·thu·se·lah [mɪˈθjuːzələ] *npr. bibl.* Meˈthusalem *m*: ***as old as ~*** (so) alt wie Methusalem.

meth·yl [ˈmeθɪl; ⚗ ˈmiːθaɪl] *s.* ⚗ Meˈthyl *n*: **~ *alcohol*** Methylalkohol *m*; **meth·yl·ate** [ˈmeθɪleɪt] ⚗ **I** *v/t.* **1.** methylieren; **2.** denaturieren: **~*d spirits*** denaturierter Spiritus, Brennspiritus *m*; **II** *s.* **3.** Methyˈlat *n*; **meth·yl·ene** [ˈmeθɪliːn] *s.* ⚗ Methyˈlen *n*; **me·thyl·ic** [mɪˈθɪlɪk] *adj.* ⚗ Methyl...

me·tic·u·los·i·ty [mɪˌtɪkjʊˈlɒsətɪ] *s.* peinliche Genauigkeit, Akriˈbie *f*; **me·tic·u·lous** [mɪˈtɪkjʊləs] *adj.* ☐ peinlich genau, aˈkribisch.

mé·tier [ˈmeɪtɪeɪ] *s.* **1.** Gewerbe *n*; **2.** *fig.* (Speziˈal)Gebiet *n*, Metiˈer *n.*

me·ton·y·my [mɪˈtɒnɪmɪ] *s.* Metonyˈmie *f*, Begriffsvertauschung *f.*

me·tre [ˈmiːtə] *s. Brit.* **1.** Versmaß *n*, Metrum *n*; **2.** Meter *m, n.*

met·ric [ˈmetrɪk] **I** *adj.* (☐ **~*ally***) **1.** metrisch: **~ *system***; **~ *method of analysis*** ⚗ Maßanalyse *f*; **2.** → ***metrical*** 2; **II** *s. pl. sg. konstr.* **3.** Metrik *f*, Verslehre *f*; ♪ Rhythmik *f*, Taktlehre *f*; ˈ**met·ri·cal** [-kl] *adj.* ☐ **1.** → ***metric*** 1; **2.** a) metrisch, Vers..., b) rhythmisch; ˈ**met·ri·cate** [-keɪt] *v/t. u. v/i. Brit.* (sich) auf das metrische Syˈstem ˈumstellen.

met·ro·nome [ˈmetrənəʊm] *s.* ♪ Metroˈnom *n*, Taktmesser *m.*

me·trop·o·lis [mɪˈtrɒpəlɪs] *s.* **1.** Metroˈpole *f*, Haupt-, Großstadt *f*: ***the ♀*** *Brit.* London; **2.** Hauptzentrum *n*; **3.** *eccl.* Sitz *m* e-s Metropoˈliten *od.* Erzbischofs; **met·ro·pol·i·tan** [ˌmetrəˈpɒlɪtən] **I** *adj.* **1.** hauptstädtisch, Stadt...; **2.** *eccl.* erzbischöflich; **II** *s.* **3.** a) Metropoˈlit *m* (*Ostkirche*), Erzbischof *m*; **4.** Bewohner(in) der Hauptstadt; Großstädter(in).

met·tle [ˈmetl] *s.* **1.** Veranlagung *f*; **2.** Eifer *m*, Mut *m*, Feuer *n*: ***be on one's ~*** vor Eifer brennen; ***put s.o. on his ~*** j-n zur Aufbietung aller s-r Kräfte anspornen; ***try s.o.'s ~*** j-n auf die Probe stellen; ***horse of ~*** feuriges Pferd; ˈ**met·tled** [-ld], ˈ**met·tle·some** [-səm] *adj.* feurig, mutig.

mew[1] [mjuː] *s. orn.* Seemöwe *f.*

mew[2] [mjuː] *v/i.* miˈauen (*Katze*).

mew[3] [mjuː] *s.* **1.** Mauserkäfig *m*; **2.** *pl.*

M

sg. konstr. a) Stall *m*: ***the Royal* ~*s*** der Königliche Marstall, b) *Brit. zu Wohnungen umgebaute ehemalige Stallungen*.

mewl [mju:l] *v/i.* **1.** quäken, wimmern (*Baby*); **2.** mi'auen.

Mex·i·can ['meksıkən] **I** *adj.* mexi'kanisch; **II** *s.* Mexi'kaner(in).

mez·za·nine ['metsəni:n] *s.* ⚠ **1.** Mezza'nin *n*, Zwischengeschoß *n*; **2.** *thea.* Raum *m* unter der Bühne.

mez·zo ['medzəʊ] (*Ital.*) **I** *adj.* **1.** ♪ mezzo, mittel, halb: ~ ***forte*** halblaut; **II** *s.* **2.** → ***mezzo-soprano***; **3.** → ***mezzotint***; ˌ~**-so'pra·no** *s.* ♪ 'Mezzosoˌpran *m*; '~**·tint I** *s.* **1.** *Kupferstecherei*: Mezzo'tinto *n*, Schabkunst *f*; **2.** Schabkunstblatt *n*: ~ ***engraving*** Stechkunst *f* in Mezzotintomanier; **II** *v/t.* **3.** in Mezzo'tinto gravieren.

mi·aow [mi:'aʊ] → ***meow***.

mi·asm ['maıæzəm], **mi·as·ma** [mı'æzmə] *pl.* **-ma·ta** [-mətə] *s.* ⚕ Mi'asma *n*, Krankheitsstoff *m*; **mi·as·mal** [mı'æzml], **mi·as·mat·ic, mi·as·mat·i·cal** [ˌmıəz'mætık(l)] *adj.* ansteckend.

mi·aul [mi:'aʊl; mı'ɔ:l] *v/i.* mi'auen.

mi·ca ['maıkə] *min.* **I** *s.* Glimmer(erde *f*) *m*; **II** *adj.* Glimmer...: ~ ***capacitor*** ⚡ Glimmerkondensator *m*; **mi·ca·ceous** [maı'keıʃəs] *adj.* Glimmer...

Mi·cah ['maıkə] *npr. u. s. bibl.* (das Buch) Micha *m od.* Mi'chäas *m*.

mice [maıs] *pl. von* ***mouse***.

Mich·ael·mas ['mıklməs] *s.* Micha'elis *n*, Michaelstag *m* (*29. September*); ~ **Day** *s.* **1.** Michaelstag *m* (*29. September*); **2.** *e-r der 4 brit. Quartalstage*; ~ **term** *s. Brit. univ.* 'Herbstseˌmester *n*.

Mick [mık] → ***Mike***[1].

Mick·ey ['mıkı] *s.* **1.** *Am. sl.* ✈ Bordradar *n*; **2.** ***take the*** ~ ***out of s.o.*** j-n ‚veräppeln'; **3.** → ~ **Finn** [fın] *s. sl.* a) präparierter Drink, b) Betäubungsmittel *n*.

micro- [maıkrəʊ] *in Zssgn*: a) Mikro..., (sehr) klein, b) ein milli'onstel, c) mikro'skopisch.

mi·crobe ['maıkrəʊb] *s. biol.* Mi'krobe *f*; **mi·cro·bi·al** [maı'krəʊbjəl], **mi·cro·bic** [maı'krəʊbık] *adj.* mi'krobisch, Mikroben...; **mi·cro·bi·o·sis** [ˌmaıkrəʊbaı'əʊsıs] *s.* ⚕ Mi'krobeninfektiˌon *f*.

ˌmi·cro'chem·is·try *s.* Mikroche'mie *f*.

'mi·cro·chip *s. Computer*: Mikrochip *m*.

'mi·croˌcir·cuit *s.* Mikroschaltung *f*.

mi·cro·cosm ['maıkrəʊkɒzəm] *s.* Mikro'kosmos *m* (*a. phls. u. fig.*); **mi·cro·cos·mic** [ˌmaıkrəʊ'kɒzmık] *adj.* mikro'kosmisch.

'mi·croˌe·lec'tron·ics *s. pl. sg. konstr. phys.* Mikroelek'tronik *f*.

mi·cro·fiche ['maıkrəʊfi:ʃ] *s.* Mikrofiche *m*.

'mi·cro·film *phot.* **I** *s.* Mikrofilm *m*; **II** *v/t.* auf Mikrofilm aufnehmen.

'mi·cro·gram *Am.*, **'mi·cro·gramme** *Brit. s. phys.* Mikro'gramm *n* (*ein millionstel Gramm*).

'mi·cro·groove *s.* **1.** Mikrorille *f*; **2.** Schallplatte *f* mit Mikrorillen.

'mi·cro·inch *s.* ein milli'onstel Zoll.

mi·crom·e·ter [maı'krɒmıtə] *s.* **1.** *phys.* Mikro'meter *n* (*ein millionstel Meter*): ~ ***adjustment*** ⚙ Feinsteinstellung *f*; ~ (***caliper***) Feinmeßschraube *f*; **2.** *opt.* Oku'lar-Mikroˌmeter *n* (*an Fernrohren etc.*).

mi·cron ['maıkrɒn] *pl.* **-crons**, **-cra** [-krə] *s.* ⚗, *phys.* Mikron *n* (*ein tausendstel Millimeter*).

ˌmi·cro'or·gan·ism *s.* Mikroorga'nismus *m*.

mi·cro·phone ['maıkrəfəʊn] *s.* ⚡ **1.** (***at the*** ~ am) Mikro'phon *n*; **2.** *teleph.* Sprechmuschel *f*; **3.** F Radio *n*: ***through the*** ~ durch den Rundfunk.

ˌmi·cro'pho·to·graph *s.* **1.** Mikrofoto (-gra'fie *f*) *n*; **2.** → **ˌmi·cro·pho'tog·ra·phy** *s.* Mikrofotogra'fie *f*.

ˌmi·cro'pro·ces·sor *s. Computer*: Mikropro'zessor *m*.

mi·cro·scope ['maıkrəskəʊp] **I** *s.* Mikro'skop *n*: ***reflecting*** ~ Spiegelmikroskop; ~ ***stage*** Objektivtisch *m*; **II** *v/t.* mikro'skopisch unter'suchen; **mi·cro·scop·ic, mi·cro·scop·i·cal** [ˌmaıkrə'skɒpık(l)] *adj.* ☐ **1.** mikro'skopisch: ~ ***examination***; ~ ***slide*** Objektträger *m*; **2.** (peinlich) genau; **3.** mikro'skopisch klein, verschwindend klein.

'mi·croˌsec·ond *s.* Mikrose'kunde *f* (*eine millionstel Sekunde*).

ˌmi·cro'sur·ger·y *s.* ⚕ Mikrochirur'gie *f*.

'mi·cro·volt *s. phys.* Mikrovolt *n*.

'mi·cro·wave *s.* ⚡ Mikrowelle *f*, Dezi'meterwelle *f*: ~ ***engineering*** Höchstfrequenztechnik *f*; ~ ***oven*** Mikrowellenherd *m*.

mic·tu·ri·tion [ˌmıktjʊə'rıʃn] *s.* ⚕ **1.** U'rindrang *m*; **2.** Harnen *n*.

mid[1] [mıd] *adj. attr. od. in Zssgn* mittler, Mittel...: ***in*** ~***air*** mitten in der Luft, frei schwebend; ***in the*** ~ ***16th century*** in der Mitte des 16. Jhs.; ***in*** ~***-April*** Mitte April; ***in*** ~ ***ocean*** auf offener See.

mid[2] [mıd] *prp. poet.* in'mitten von (*od. gen.*).

Mi·das ['maıdæs] **I** *npr. antiq.* Midas *m* (*König von Phrygien*): ***he has the*** ~ ***touch*** *fig.* er macht aus allem Geld; **II** *s.* ~ *zo.* Midasfliege *f*.

'mid·day I *s.* Mittag *m*; **II** *adj.* mittägig, Mittags...

mid·dle ['mıdl] **I** *adj.* **1.** mittler, Mittel... (*a. ling.*): ~ ***finger*** Mittelfinger *m*; ~ ***quality*** ✝ Mittelqualität *f*; ~ ***management*** mittleres Management; **II** *s.* **2.** Mitte *f*: ***in the*** ~ in der Mitte; ***in the*** ~

of speaking mitten in der Rede; ***in the ~ of July*** Mitte Juli; **3.** Mittelweg *m*; **4.** Mittelstück *n* (*a. e-s Schlachttieres*); **5.** Mitte *f* (*des Leibes*), Taille *f*; **6.** Medium *n* (*griechische Verbalform*); **7.** *Logik*: Mittelglied *n* (*e-s Schlusses*); **8.** *Fußball*: Flankenball *m*; **9.** *a.* ***~ article*** *Brit.* Feuille'ton *n*; **10.** *pl.* ⚚ Mittelsorte *f*; **11.** Mittelsmann *m*; **III** *v/t.* **12.** in die Mitte plazieren; *Fußball*: zur Mitte flanken.

mid·dle| age *s.* mittleres Alter; **ˌ≈-'Age** *adj.* mittelalterlich; **ˌ~-'aged** *adj.* mittleren Alters; **≈ Ag·es** *s. pl. das* Mittelalter; **~ A·mer·i·ca** *s. Am.* die (konserva'tive) ameri'kanische Mittelschicht; **'~·brow** F **I** *s.* geistiger ‚Nor'malverbraucher'; **II** *adj.* von 'durchschnittlichen geistigen Inter'essen; **ˌ~-'class** *adj.* zum Mittelstand gehörig, Mittelstands...; **~ class·es** *s. pl.* Mittelstand *m*; **~ course** *s. fig.* Mittelweg *m*; **~ dis·tance** *s.* **1.** *paint.*, *phot.* Mittelgrund *m*; **2.** *sport* Mittelstrecke *f*; **ˌ~-'dis·tance** *adj. sport* Mittelstrecken...: ***~ runner*** Mittelstreckler(in); **~ ear** *s. anat.* Mittelohr *n*; **≈ East** *s. geogr.* **1.** *der* Mittlere Osten; **2.** *Brit. der* Nahe Osten; **≈ Eng·lish** *s. ling.* Mittelenglisch *n*; **≈ High Ger·man** *s. ling.* Mittelhochdeutsch *n*; **ˌ~-'in·come** *adj.* mit mittlerem Einkommen; **~ in·i·tial** *s. Am.* Anfangsbuchstabe *m* des zweiten Vornamens; **~ life** *s.* die mittleren Lebensjahre *pl.*; **'~·man** [-mæn] *s.* [*irr.*] **1.** Mittelsmann *m*; **2.** ⚚ Zwischenhändler *m*; **~ man·age·ment** *s.* mittlere Unternehmensführung *f*; **'~·most** *adj.* ganz in der Mitte (liegend); **~ name** *s.* **1.** zweiter Vorname; **2.** *fig.* her'vorstechende Eigenschaft; **ˌ~-of-the-'road** *adj. bsd. pol.* gemäßigt; neu'tral; **~ rhyme** *s.* Binnenreim *m*; **'~-sized** *adj.* von mittlerer Größe; **~ watch** *s.* ⚓ Mittelwache *f* (*zwischen Mitternacht u. 4 Uhr morgens*); **'~-weight** *s. sport* Mittelgewicht(ler *m*) *n*; **≈ West** *s. Am.* (*u. Kanada*) Mittelwesten *m*, *der* mittlere Westen.

mid·dling ['mɪdlɪŋ] **I** *adj.* □ → *a.* II; **1.** von mittlerer Güte *od.* Sorte, mittelmäßig, Mittel...: ***fair to ~*** ‚so lala', ‚mittelprächtig'; ***~ quality*** ⚚ Mittelqualität *f*; **2.** F leidlich (*Gesundheit*); **3.** F ziemlich groß; **II** *adv.* F **4.** (*a.* ***~ly***) leidlich, ziemlich; **5.** ziemlich gut; **III** *s.* **6.** *mst pl.* ⚚ Mittelsorte *f*; **7.** *pl.* Mittelmehl *n*; **8.** *pl. metall.* 'Zwischenproˌdukt *n*.

mid·dy ['mɪdɪ] *s.* **1.** F *für* ***midshipman***; **2.** → **~ blouse** *s.* Ma'trosenbluse *f*.

'mid·field *s. sport* Mittelfeld *n* (*a. Spieler*): ***~ man***, ***~ player*** Mittelfeldspieler *m*.

midge [mɪdʒ] *s.* **1.** *zo.* kleine Mücke; **2.** → ***midget*** 1.

midg·et ['mɪdʒɪt] **I** *s.* **1.** Zwerg *m*, Knirps *m*; **2.** *et.* Winziges; **II** *adj.* **3.** Zwerg..., Miniatur..., Kleinst...: ***~ car*** *mot.* Klein(st)wagen *m*; ***~ railroad*** Liliputbahn *f*.

mid·i ['mɪdɪ] **I** *s.* Midimode *f*: ***wear ~*** midi tragen; **II** *adj.* Midi...: ***~ skirt*** → **'mid·i·skirt** *s.* Midirock *m*.

'mid·land [-lənd] **I** *s.* **1.** *mst pl.* Mittelland *n*; **2.** ***the ≈s*** *pl.* Mittelengland *n*; **II** *adj.* **3.** binnenländisch; **4.** **≈** *geogr.* mittelenglisch.

'mid·life cri·sis *s. psych.* Midlife-crisis *f*, Krise *f* in der Lebensmitte.

'mid·most [-məʊst] **I** *adj.* ganz in der Mitte (liegend); innerst; **II** *adv.* (ganz) im Innern *od.* in der Mitte.

'mid·night I *s.* (***at ~*** um) Mitternacht *f*; **II** *adj.* mitternächtlich, Mitternachts...: ***burn the ~ oil*** bis spät in die Nacht arbeiten *od.* aufbleiben; **~ blue** *s.* Mitternachtsblau *n* (*Farbe*); **~ sun** *s.* **1.** Mitternachtssonne *f*; **2.** ⚓ Nordersonne *f*.

'mid|·noon *s.* Mittag *m*; **ˌ~-'off** (**ˌ~-'on**) *s. Kricket*: **1.** links (rechts) vom Werfer po'stierter Spieler; **2.** links (rechts) vom Werfer liegende Seite des Spielfelds; **'~·riff** *s.* **1.** *anat.* Zwerchfell *n*; **2.** *Am.* a) Mittelteil *m e-s Damenkleids*, b) zweiteilige Kleidung, c) Obertaille *f*, d) Magengrube *f*; **'~·ship** ⚓ **I** *s.* Mitte *f* des Schiffs; **II** *adj.* Mittschiffs...: ***~ section*** Hauptspant *n*; **'~·ship·man** [-mən] *s.* [*irr.*] ⚓ **1.** *Brit.* Leutnant *m* zur See; **2.** *Am.* 'Seeoffiˌziersanwärter *m*; **'~·ships** *adv.* ⚓ mittschiffs.

midst [mɪdst] *s.*: ***in the ~ of*** inmitten (*gen.*), mitten unter (*dat.*); ***in their*** (***our***) ***~*** mitten unter ihnen (uns); ***from our ~*** aus unserer Mitte.

'mid·stream *s.* Strommitte *f*: ***in ~*** *fig.* mittendrin.

'midˌsum·mer I *s.* **1.** Mitte *f* des Sommers, Hochsommer *m*; **2.** *ast.* Sommersonnenwende *f*; **II** *adj.* **3.** hochsommerlich, Hochsommer...; **≈ Day** *s.* **1.** Jo'hannistag *m* (*24. Juni*); **2.** *e-r der 4 brit. Quartalstage*.

ˌmid|'way I *s.* **1.** Hälfte *f* des Weges, halber Weg; **2.** *Am.* Haupt-, Mittelstraße *f* (*auf Ausstellungen etc.*); **II** *adj.* **3.** mittler; **III** *adv.* **4.** auf halbem Wege; **ˌ~'week I** *s.* Mitte *f* der Woche; **II** *adj.* (in der) Mitte der Woche stattfindend.

mid·wife ['mɪdwaɪf] *s.* [*irr.*] Hebamme *f*, Geburtshelferin *f* (*a. fig.*); **'mid·wife·ry** [-wɪfərɪ] *s.* Geburtshilfe *f*, *fig. a.* Mithilfe *f*.

ˌmid|'win·ter *s.* **1.** Mitte *f* des Winters; **2.** *ast.* Wintersonnenwende *f*; **ˌ~'year I** *adj.* **1.** in der Mitte des Jahres vorkommend, in der Jahresmitte; **II** *s.* **2.** Jahresmitte *f*; **3.** *Am.* F a) um die Jahresmitte stattfindende Prüfung, b) *pl.* Prü-

M

fungszeit *f* (*um die Jahresmitte*).

mien [mi:n] *s.* Miene *f*, Gesichtsausdruck *m*; Gebaren *n*: ***noble ~*** vornehme Haltung.

miff [mɪf] *s.* F Verstimmung *f*.

might[1] [maɪt] *s.* **1.** Macht *f*, Gewalt *f*: ***~ is (above) right*** Gewalt geht vor Recht; **2.** Stärke *f*, Kraft *f*: ***with ~ and main, with all one's ~*** aus Leibeskräften, mit aller Gewalt.

might[2] [maɪt] *pret. von* ***may***[1].

ˈ**might-have-ˌbeen** *s.* **1.** et., was hätte sein können; **2.** Perˈson, die es zu et. hätte bringen können.

might·i·ly [ˈmaɪtɪlɪ] *adv.* **1.** mit Macht, heftig, kräftig; **2.** F eˈnorm, mächtig, sehr; ˈ**might·i·ness** [-ɪnɪs] *s.* Macht *f*, Gewalt *f*; **might·y** [ˈmaɪtɪ] **I** *adj.* □ → ***mightily*** *u.* II; **1.** mächtig, gewaltig, heftig, groß, stark; → ***high and mighty***; **2.** *fig.* gewaltig, riesig, mächtig; **II** *adv.* **3.** F mächtig, riesig, ungeheuer: ***~ easy*** kinderleicht; ***~ fine*** prima.

mi·graine [ˈmi:greɪn] (*Fr.*) *s.* ⚕ Miˈgräne *f*; ˈ**mi·grain·ous** [-nəs] *adj.* durch Migräne verursacht, Migräne…

mi·grant [ˈmaɪgrənt] **I** *adj.* **1.** Wander…, Zug…; → *a.* ***migratory***; **II** *s.* **2.** Wandernde(r *m*) *f*; ˈUmsiedler(in); **3.** *zo.* Zugvogel *m*; Wandertier *n*; **mi·grate** [maɪˈgreɪt] *v/i.* (aus-, ab)wandern, (*a. orn.* fort)ziehen; **mi·gra·tion** [maɪˈgreɪʃn] *s.* Wanderung *f* (*a.* ⚗, *zo.*, *geol.*); Zug *m* (*Menschen od. Wandertiere*); *orn.* (Vogel)Zug *m*: ***~ of (the) peoples*** Völkerwanderung; ***intramolecular ~*** ⚗ intramolekulare Wanderung; → ***ionic***[2]; **mi·gra·tion·al** [maɪˈgreɪʃənl] *adj.* Wander…, Zug…; ˈ**mi·gra·to·ry** [-rətərɪ] *adj.* **1.** (aus)wandernd; **2.** Zug…, Wander…: ***~ bird*** Zugvogel *m*; ***~ instinct*** Wandertrieb *m*; **3.** umˈherziehend, noˈmadisch: ***~ life*** Wanderleben *n*; ***~ worker*** Wanderarbeiter(in).

Mike[1] [maɪk] **I** *npr.* (*Kosename für*) Michael; **II** *s.* ♀ *sl.* a) Ire *m*, b) Kathoˈlik *m*.

mike[2] [maɪk] *v/i. sl.* herˈumlungern.

mike[3] [maɪk] *s.* F ‚Mikro' *n* (*Mikrophon*).

mil [mɪl] *s.* **1.** Tausend *n*: ***per ~*** per Mille; **2.** ⚙ ⅟₁₀₀₀ Zoll *m* (*Drahtmaß*); **3.** ⚔ (Teil)Strich *m*.

mil·age [ˈmaɪlɪdʒ] → ***mileage***.

Mil·a·nese [ˌmɪləˈni:z] **I** *adj.* mailändisch; **II** *s. sg. u. pl.* Mailänder(in), Mailänder *pl.*

milch [mɪltʃ] *adj.* milchgebend, Milch…; ˈ**milch·er** [-tʃə] → ***milker*** 3.

mild [maɪld] *adj.* □ mild (*a. Strafe, Wein, Wetter etc.*); gelind, sanft; leicht (*Droge, Krankheit, Zigarre etc.*), schwach: ***~ attempt*** schüchterner Versuch; ***~ steel*** ⚙ Flußstahl *m*; ***to put it ~(ly)*** a) sich gelinde ausdrücken, b) gelinde gesagt; ***draw it ~*** mach's mal halblang!

mil·dew [ˈmɪldju:] **I** *s.* **1.** ⚘ Mehltau (-pilz) *m*, Brand *m* (*am Getreide*); **2.** Schimmel *m*, Moder *m*: ***spot of ~*** Moder- *od.* Stockfleck *m* (*in Papier etc.*); **II** *v/t.* **3.** mit Mehltau *od.* Schimmel- *od.* Moderflecken überˈziehen: ***be ~ed*** verschimmelt sein (*a. fig.*); **III** *v/i.* **4.** brandig *od.* schimm(e)lig *od.* mod(e)rig werden (*a. fig.*); ˈ**mil·dewed** [-dju:d], ˈ**mil·dew·y** [-dju:ɪ] *adj.* **1.** brandig, mod(e)rig, schimm(e)lig; **2.** ⚘ von Mehltau befallen; mehltauartig.

mild·ness [ˈmaɪldnɪs] *s.* Milde *f*; Sanftheit *f*; Sanftmut *f*.

mile [maɪl] *s.* Meile *f* (*zu Land = 1,609 km*): ***Admiralty ~*** *Brit.* englische Seemeile (*= 1,8532 km*); ***air ~*** Luftmeile (*= 1,852 km*); ***nautical ~, sea ~*** Seemeile (*= 1,852 km*); ***~ after ~ of fields, ~s and ~s of fields*** meilenweite Felder; ***~s apart*** meilenweit auseinander, *fig.* himmelweit entfernt; ***miss s.th. by a ~*** *fig.* et. (meilen)weit verfehlen.

mile·age [ˈmaɪlɪdʒ] *s.* **1.** Meilenlänge *f*, -zahl *f*; **2.** zuˈrückgelegte Meilenzahl *od.* Fahrstrecke, Meilenstand *m*: ***~ indicator, ~ recorder*** *mot.* Meilenzähler *m*; **3.** *a.* ***~ allowance*** Meilengeld *n* (*Vergütung*); **4.** Fahrpreis *m* per Meile; **5.** *a.* ***~ book*** 🚂 *Am.* Fahrscheinheft *n*; **6.** F ***get a lot of ~ out of it*** jede Menge (dabei) rausholen; ***there's no ~ in it*** das bringt nichts (ein).

mile·om·e·ter [maɪˈlɒmɪtə] *s. mot.* Meilenzähler *m*.

ˈ**mile·stone** *s.* Meilenstein *m* (*a. fig.*).

mil·foil [ˈmɪlfɔɪl] *s.* ⚘ Schafgarbe *f*.

mil·i·ar·i·a [ˌmɪlɪˈeərɪə] *s.* ⚕ Frieselfieber *n*; **mil·i·ar·y** [ˈmɪlɪərɪ] *adj.* ⚕ miliˈar, hirsekornartig: ***~ fever*** → ***miliaria***; ***~ gland*** Hirsedrüse *f*.

mil·i·tan·cy [ˈmɪlɪtənsɪ] *s.* **1.** Kriegszustand *m*, Kampf *m*; **2.** Kampfgeist *m*; ˈ**mil·i·tant** [-tənt] **I** *adj.* □ miliˈtant: a) streitend, kämpfend, b) streitbar, kriegerisch; **II** *s.* Kämpfer *m*, Streiter *m*; ˈ**mil·i·ta·rist** [-tərɪst] *s.* **1.** *pol.* Militaˈrist *m*; **2.** Wehr- *od.* Miliˈtärexperte *m*; **mil·i·ta·ris·tic** [ˌmɪlɪtəˈrɪstɪk] *adj.* militaˈristisch; ˈ**mil·i·ta·rize** [-təraɪz] *v/t.* militarisieren.

mil·i·tar·y [ˈmɪlɪtərɪ] **I** *adj.* □ **1.** miliˈtärisch, Militär…: ***of ~ age*** in wehrpflichtigem Alter; **2.** Heeres…, Kriegs…; **II** *s. pl. konstr.* **3.** Miliˈtär *n*, Solˈdaten *pl.*, Truppen *pl.*; ***~*** **a·cad·e·my** *s.* **1.** Miliˈtärakadeˌmie *f*; **2.** *Am.* (*zivile*) Schule mit miliˈtärischer Ausbildung; ***~*** **col·lege** *s. Am.* Miliˈtärcollege *n*; ***~*** **gov·ern·ment** *s.* Miliˈtärreˌgierung *f*; ***~*** **jun·ta** *s.* Miliˈtärjunta *f*; ***~*** **law** *s.* Wehr-

(straf)recht *n*; **~ map** *s.* Gene'ralstabskarte *f*; **~ po·lice** *s.* Mili'tärpoli,zei *f*; **~ ser·vice** *s.* Mili'tär-, Wehrdienst *m*; **~ ser·vice book** *s.* Wehrpaß *m*; **~ stores** *s. pl.* Mili'tärbedarf *m*, 'Kriegsmateri,al *n* (*Munition, Proviant etc.*); **~ tes·ta·ment** *s.* ⚖ 'Nottesta,ment *n* (*von Militärpersonen im Krieg*); **~ tri·bu·nal** *s.* Mili'tärgericht *n*.

mil·i·tate ['mılıteıt] *v/i.* (***against***) sprechen (gegen), wider'streiten (*dat.*), *e-r Sache* entgegenwirken; **~ *for*** eintreten *od.* kämpfen für.

mi·li·tia [mı'lıʃə] *s.* ⚔ Mi'liz *f*, Bürgerwehr *f*.

milk [mılk] **I** *s.* **1.** Milch *f*: ***~ and water*** *fig.* kraftloses Zeug, seichtes Gewäsch; ***~ of human kindness*** *fig.* Milch der frommen Denkungsart; ***~ of sulphur*** ⚗ Schwefelmilch; ***it is no use crying over spilt ~*** geschehen ist geschehen, hin ist hin; → ***coconut*** 1; **2.** ⚘ (Pflanzen)Milch *f*; **II** *v/t.* **3.** melken; **4.** *fig. j-n* schröpfen, ‚ausnehmen'; **5.** ⚡ *Leitung* ‚anzapfen', abhören; **III** *v/i.* **6.** Milch geben; **,~-and-'wa·ter** *adj.* saft- u. kraftlos, seicht; **~ bar** *s.* Milchbar *f*; **~ crust** *s.* ⚕ Milchschorf *m*; **~ duct** *s.* *anat.* Milchdrüsengang *m*.

milk·er ['mılkə] *s.* **1.** Melker(in); **2.** ⚙ 'Melkma,schine *f*; **3.** Milchkuh *f od.* -schaf *n od.* -ziege *f*.

milk| float *s. Brit.* Milchwagen *m*; **'~·man** [-mən] *s.* [*irr.*] Milchmann *m*; **~ run** *s.* ✈ *sl.* **1.** Rou'tineeinsatz *m*; **2.** ‚gemütliche Sache', gefahrloser Einsatz; **~ shake** *s.* Milchshake *m*; **'~·sop** *s. fig. contp.* Muttersöhnchen *n*; **~ sug·ar** *s.* ⚗ Milchzucker *m*, Lak'tose *f*; **~ tooth** *s.* [*irr.*] Milchzahn *m*; **'~·weed** *s.* ⚘ **1.** Schwalbenwurzgewächs *n*; **2.** Wolfsmilch *f*.

milk·y ['mılkı] *adj.* **1.** □ milchig, Milch…; milchweiß; **2.** *min.* milchig, wolkig (*bsd. Edelsteine*); **3.** *fig.* a) sanft, b) weichlich, ängstlich; **♀ Way** *s.* *ast.* Milchstraße *f*.

mill¹ [mıl] **I** *s.* **1.** (Mehl-, Mahl)Mühle *f*; → ***grist*** 1; **2.** ⚙ (*Kaffee-, Öl-, Säge- etc.*)Mühle *f*, Zerkleinerungsvorrichtung *f*: ***go through the ~*** *fig.* e-e harte Schule durchmachen; ***put s.o. through the ~*** j-n hart rannehmen; ***have been through the ~*** viel durchgemacht haben; **3.** *metall.* Hütten-, Hammer-, Walzwerk *n*; **4.** *a.* ***spinning-~*** ⚙ Spinne'rei *f*; **5.** ⚙ a) *Münzerei*: Prägwerk *n*, b) *Glasherstellung*: Schleifkasten *m*; **6.** Fa'brik *f*, Werk *n*; **7.** F Prüge'lei *f*; **II** *v/t.* **8.** *Korn etc.* mahlen; **9.** ⚙ *allg.* bearbeiten, *z.B. Holz, Metall* fräsen, *Papier, Metall* walzen, *Tuch, Leder* walken, *Münzen* rändeln, *Eier, Schokolade* quirlen, schlagen, *Seide* moulinieren; **10.** F ‚durchwalken'; **III** *v/i.* **11.** F sich prügeln; **12.** **~ *about*** *od.* ***around*** ('rund)her'umlaufen, her'umirren: ***~ing crowd*** Gewühl *n*, wogende Menge.

mill² [mıl] *s. Am.* Tausendstel *n* (*bsd.* $1/1000$ *Dollar*).

mill| bar *s.* ⚙ Pla'tine *f*; **'~·board** *s.* starke Pappe, Pappdeckel *m*; **'~·course** *s.* **1.** Mühlengerinne *n*; **2.** Mahlgang *m*.

mil·le·nar·i·an [,mılı'neərıən] **I** *adj.* **1.** tausendjährig; **2.** *eccl.* das Tausendjährige Reich (Christi) betreffend; **II** *s.* **3.** *eccl.* Chili'ast *m*; **mil·le·nar·y** [mı'lenərı] **I** *adj.* **1.** aus tausend (Jahren) bestehend, von tausend Jahren; **II** *s.* **2.** (Jahr)'Tausend *n*; **3.** Jahr'tausendfeier *f*; **mil·len·ni·al** [mı'lenıəl] *adj.* **1.** *eccl.* das Tausendjährige Reich betreffend; **2.** e-e Jahr'tausendfeier betreffend; **3.** tausendjährig; **mil·len·ni·um** [mı'lenıəm] *pl.* **-ni·ums** *od.* **-ni·a** [-nıə] *s.* **1.** Jahr'tausend *n*; **2.** Jahr'tausendfeier *f*; **3.** *eccl.* Tausendjähriges Reich (Christi); **4.** *fig.* Para'dies *n* auf Erden.

mil·le·pede ['mılıpi:d] *s. zo.* Tausendfüß(l)er *m*.

mill·er ['mılə] *s.* **1.** Müller *m*; **2.** ⚙ 'Fräsma,schine *f*.

mil·les·i·mal [mı'lesıml] **I** *adj.* □ **1.** tausendst; **2.** aus Tausendsteln bestehend; **II** *s.* **3.** Tausendstel *n*.

mil·let ['mılıt] *s.* ⚘ (Rispen)Hirse *f*.

'mill-hand *s.* Mühlen-, Fa'brik-, Spinne'reiarbeiter *m*.

milli- [mılı] *in Zssgn* Tausendstel.

,mil·li'am·me·ter *s.* ⚡ 'Milliam,pere,meter *n*.

mil·li·ard ['mılja:d] *s. Brit.* Milli'arde *f*.

mil·li·bar ['mılıba:] *s. meteor.* Milli'bar *n*.

'mil·li·gram(me) *s.* Milli'gramm *n*; **'mil·li·me·ter** *Am.*, **'mil·li·me·tre** *Brit. s.* Milli'meter *m, n*.

mil·li·ner ['mılınə] *s.* Hut-, Putzmacherin *f*, Mo'distin *f*; **'mil·li·ner·y** [-nərı] *s.* **1.** Putz-, Modewaren *pl.*; **2.** Hutmacherhandwerk *n*; **3.** 'Hutsa,lon *m*.

mill·ing ['mılıŋ] *s.* **1.** Mahlen *n*; **2.** ⚙ a) Walken *n*, b) Rändeln *n*, c) Fräsen *n*, d) Walzen *n*; **3.** *sl.* Tracht *f* Prügel; **~ cut·ter** *s.* ⚙ Fräser *m*; **~ ma·chine** *s.* **1.** 'Fräsma,schine *f*; **2.** Rändelwerk *n*; **~ prod·uct** *s.* 'Mühlen- *od.* ⚙ 'Walzpro,dukt *n*.

mil·lion ['mıljən] *s.* **1.** Milli'on *f*: ***a ~ times*** millionenmal; ***two ~ men*** 2 Millionen Mann; ***by the ~*** nach Millionen; ***~s of people*** *fig.* e-e Unmasse Menschen; **2.** ***the ~*** die große Masse, das Volk; **mil·lion·aire**, *bsd. Am.* **mil·lion·naire** [,mıljə'neə] *s.* Millio'när *m*; **mil·lion·air·ess** [,mıljə'neərıs] *s.* Millio'närin *f*; **'mil·lion·fold** *adj. u. adv.* milli'onenfach; **'mil·lionth** [-nθ] **I** *adj.* milli'onst; **II** *s.* Milli'onstel *n*.

M

mil·li·pede ['mılıpi:d], *a.* '**mil·li·ped** [-ped] → ***millepede***.
'**mil·li͵sec·ond** *s.* 'Millise͵kunde *f.*
'**mill|·pond** *s.* Mühlteich *m*; '**~·race** *s.* Mühlgerinne *n.*
Mills bomb [mılz], **Mills gre·nade** *s.* ⚔ 'Eier͵handgra͵nate *f.*
'**mill|·stone** *s.* Mühlstein *m* (*a. fig. Last*): ***be a ~ round s.o.'s neck*** *fig.* j-m ein Klotz am Bein sein; ***see through a ~*** *fig.* das Gras wachsen hören; '**~·wheel** *s.* Mühlrad *n.*
mi·lom·e·ter → ***mileometer***.
milt[1] [mılt] *s. anat.* Milz *f.*
milt[2] [mılt] *ichth.* **I** *s.* Milch *f* (*der männlichen Fische*); **II** *v/t. den Rogen* mit Milch befruchten; '**milt·er** [-tə] *s. ichth.* Milchner *m.*
mime [maım] **I** *s.* **1.** *antiq.* Mimus *m*, Possenspiel *n*; **2.** Mime *m*; **3.** Possenreißer *m*; **II** *v/t.* **4.** mimen, nachahmen.
mim·e·o·graph ['mımıəgrɑ:f] **I** *s.* Mimeo'graph *m* (*Vervielfältigungsapparat*); **II** *v/t.* vervielfältigen; **mim·e·o·graph·ic** [͵mımıə'græfık] *adj.* (□ ***~ally***) mimeo'graphisch, vervielfältigt.
mi·met·ic [mı'metık] *adj.* (□ ***~ally***) **1.** nachahmend (*a. ling. lautmalend*); *b.s.* nachäffend, Schein...; **2.** *biol.* fremde Formen nachbildend.
mim·ic ['mımık] **I** *adj.* **1.** mimisch, (durch Gebärden) nachahmend; **2.** Schauspiel...: ***~ art*** Schauspielkunst *f*; **3.** nachgeahmt, Schein...; **II** *s.* **4.** Nachahmer *m*, Imi'tator *m*; **III** *v/t. pret. u. p.p.* '**mim·icked** [-kt], *pres. p.* '**mim·ick·ing** [-kıŋ] **5.** nachahmen, -äffen; **6.** ⚘, *zo.* sich *in der Farbe etc.* angleichen (*dat.*); '**mim·ic·ry** [-krı] *s.* **1.** Nachahmen *n*, -äffung *f*; **2.** *zo.* Mimikry *f*, Angleichung *f.*
mi·mo·sa [mı'məʊzə] *s.* ⚘ Mi'mose *f.*
min·a·ret ['mınəret] *s.* ⚠ Mina'rett *n.*
min·a·to·ry ['mınətərı] *adj.* drohend, bedrohlich.
mince [mıns] **I** *v/t.* **1.** zerhacken, in kleine Stücke zerschneiden; 'durchdrehen: ***~ meat*** Hackfleisch machen; **2.** *fig.* mildern, bemänteln: ***~ one's words*** affektiert sprechen; ***not to ~ matters*** (*od.* ***one's words***) kein Blatt vor den Mund nehmen; **3.** geziert tun: ***~ one's steps*** → 5 b; **II** *v/i.* **4.** Fleisch (*a.* Fett, Gemüse) kleinschneiden *od.* zerkleinern, Hackfleisch machen; **5.** a) sich geziert benehmen, b) geziert gehen, trippeln; **III** *s.* **6.** *bsd. Brit.* → ***mincemeat*** 2; '**~·meat** *s.* **1.** Pa'stetenfüllung *f* (*aus Korinthen, Äpfeln, Rosinen, Rum etc. mit od. ohne Fleisch*); **2.** Hackfleisch *n*, Gehacktes *n*: ***make ~ of*** *fig.* a) ‚aus *j-m* Hackfleisch machen', b) *Argument etc.* ‚(in der Luft) zerreißen'; **~ pie** *s. mit* ***mincemeat*** *gefüllte Pastete.*
minc·er ['mınsə] → ***mincing machine***.
minc·ing ['mınsıŋ] *adj.* □ *fig.* geziert, affektiert; **~ ma·chine** *s.* 'Fleischhackma͵schine *f*, Fleischwolf *m.*
mind [maınd] **I** *s.* **1.** Sinn *m*, Gemüt *n*, Herz *n*: ***have s.th. on one's ~*** et. auf dem Herzen haben; **2.** Seele *f*, Verstand *m*, Geist *m*: ***presence of ~*** Geistesgegenwart *f*; (***the triumph of***) ***~ over matter*** *oft iro.* der Sieg des Geistes über die Materie; ***before one's ~'s eye*** vor s-m geistigen Auge; ***be of sound ~***, ***be in one's right ~*** bei (vollem) Verstand sein; ***of sound ~ and memory*** ⚖ im Vollbesitz s-r geistigen Kräfte; ***be out of one's ~*** nicht (recht) bei Sinnen sein, verrückt sein; ***lose one's ~*** den Verstand verlieren; ***close one's ~ to s.th.*** sich gegen et. verschließen; ***have an open ~*** unvoreingenommen sein; ***cast back one's ~*** sich zurückversetzen (***to*** nach, in *acc.*); ***enter s.o.'s ~*** j-m in den Sinn kommen; ***put*** (*od.* ***give***) ***one's ~ to s.th.*** sich mit e-r Sache befassen; ***put s.th. out of one's ~*** sich et. aus dem Kopf schlagen; ***read s.o.'s ~*** j-s Gedanken lesen; ***that blows your ~!*** F da ist man (einfach) ‚fertig'!; **3.** Geist *m* (*a. phls.*): ***the human ~***; ***things of the ~*** geistige Dinge; ***history of the ~*** Geistesgeschichte *f*; ***his is a fine ~*** er hat e-n feinen Verstand, er ist ein kluger Kopf; ***one of the greatest ~s of his time*** *fig.* e-r der größten Geister *od.* Köpfe s-r Zeit; **4.** Meinung *f*, Ansicht *f*: ***in*** (*od.* ***to***) ***my ~*** m-r Ansicht nach, m-s Erachtens; ***be of s.o.'s ~*** j-s Meinung sein; ***change one's ~*** sich anders besinnen; ***speak one's ~*** (***freely***) s-e Meinung frei äußern; ***give s.o. a piece of one's ~*** j-m gründlich die Meinung sagen; ***know one's own ~*** wissen, was man will; ***be in two ~s about s.th.*** mit sich selbst über et. nicht einig sein; ***there can be no two ~s about it*** darüber kann es keine geteilte Meinung geben; **5.** Neigung *f*, Lust *f*; Absicht *f*: ***have*** (***half***) ***a ~ to do s.th.*** (beinahe) Lust haben, et. zu tun; ***have s.th. in ~*** et. im Sinne haben; ***I have you in ~*** ich denke (dabei) an dich; ***have it in ~ to do s.th.*** beabsichtigen, et. zu tun; ***make up one's ~*** a) sich entschließen, e-n Entschluß fassen, b) zur Überzeugung kommen (***that*** daß), sich klarwerden (***about*** über *acc.*); ***I can't make up your ~*** *iro.* ich kann mir nicht deinen Kopf zerbrechen; **6.** Erinnerung *f*, Gedächtnis *n*: ***bear*** (*od.* ***keep***) ***in ~*** (immer) an *et.* denken, *et.* nicht vergessen, bedenken; ***call to ~*** sich *et.* ins Gedächtnis zurückrufen, sich an *et.* erinnern; ***put s.o. in ~ of s.th.*** j-n an et. erinnern; ***nothing comes to ~*** nichts fällt einem dabei ein; ***time out of ~*** seit

(*od.* vor) undenklichen Zeiten; **II** *v/t.* **7.** merken, (be)achten, achtgeben, hören auf (*acc.*): ***~ one's P's and Q's*** F sich ganz gehörig in acht nehmen; ***~ you write*** F denk daran (*od.* vergiß nicht) zu schreiben; **8.** sich in acht nehmen, sich hüten vor (*dat.*): ***~ the step!*** Achtung, Stufe!; **9.** sorgen für, sehen nach: ***~ the children*** sich um die Kinder kümmern, die Kinder hüten; ***~ your own business!*** kümmere dich um deine eigenen Dinge!; ***don't ~ me!*** laß dich durch mich nicht stören!; ***never ~ him!*** kümmere dich nicht um ihn!; **10.** et. haben gegen, es nicht gern sehen *od.* mögen, sich stoßen an (*dat.*): ***do you ~ my smoking?*** haben Sie et. dagegen, wenn ich rauche?; ***would you ~ coming?*** würden Sie so freundlich sein zu kommen?; ***I don't ~*** (***it***) ich habe nichts dagegen, meinetwegen; ***I wouldn't ~ a drink*** ich hätte nichts gegen einen Drink; **III** *v/i.* **11.** achthaben, aufpassen, bedenken: ***~*** (***you***)***!*** wohlgemerkt; ***never ~!*** laß es gut sein!, es hat nichts zu sagen!, es macht nichts! (→ *a.* 12); **12.** et. da'gegen haben: ***I don't ~*** ich habe nichts dagegen, meinetwegen; ***I don't ~ if I do*** F ja, ganz gern *od.* ich möchte schon; ***he ~s a great deal*** er ist allerdings dagegen, es macht ihm sehr viel aus; ***never ~!*** mach dir nichts draus!

'mind|ˌbend·ing, **'~ˌblow·ing**, **'~ˌbog·gling** *adj. sl.* ‚irr(e)', ‚toll'.

mind·ed ['maɪndɪd] *adj.* **1.** geneigt, gesonnen: ***if you are so ~*** wenn das deine Absicht ist; **2.** *in Zssgn* a) gesinnt: ***evil-~*** böse gesinnt; ***small-~*** kleinlich, b) *religiös*, *technisch etc.* veranlagt: ***religious-~***, c) interes'siert an (*dat.*): ***air-~*** flugbegeistert.

'mind-exˌpand·ing *adj.* bewußtseinserweiternd, psyche'delisch.

mind·ful ['maɪndfʊl] *adj.* □ (***of***) aufmerksam, achtsam (auf *acc.*), eingedenk (*gen.*): ***be ~ of*** achten auf; **'mind·less** ['maɪndlɪs] *adj.* □ **1.** (***of***) unbekümmert (um), ohne Rücksicht (auf *acc.*), uneingedenk (*gen.*); **2.** hirn-, gedankenlos, ‚blind'; **3.** geistlos, unbeseelt.

'mind|-ˌread·er *s.* Gedankenleser(in); **'~-ˌread·ing** *s.* Gedankenlesen *n.*

mine¹ [maɪn] **I** *poss. pron.* der (die, das) mein(ig)e: ***what is ~*** was mir gehört, das Meinige; ***a friend of ~*** ein Freund von mir; ***me and ~*** ich u. die Mein(ig)en *od.* meine Familie; **II** *poss. adj. poet. od. obs.* mein: ***~ eyes*** meine Augen; ***~ host*** (der) Herr Wirt.

mine² [maɪn] **I** *v/i.* **1.** minieren; **2.** schürfen, graben (***for*** nach); **3.** sich eingraben (*Tiere*); **II** *v/t.* **4.** *Erz, Kohlen* abbauen, gewinnen; **5.** ⚓, ⚔ a) verminen, b) minieren; **6.** *fig.* unter'graben, -mi'nieren; **III** *s.* **7.** *oft pl.* ⚒ Mine *f*, Bergwerk *n*, Zeche *f*, Grube *f*; **8.** ⚓, ⚔ (*Luft-*, *See*)Mine *f*: ***spring a ~*** e-e Mine springen lassen (*a. fig.*); **9.** *fig.* Fundgrube *f* (***of*** an *dat.*): ***a ~ of information***; **~ bar·ri·er** *s.* ⚔ Minensperre *f*; **~ de·tec·tor** *s.* ⚔ Minensuchgerät *n*; **'~·field** *s.* ⚔ Minenfeld *n*; **~ fore·man** *s.* [*irr.*] ⚒ Obersteiger *m*; **~ gas** *s.* **1.** Me'than *n*; **2.** ⚒ Grubengas *n*, schlagende Wetter *pl.*; **'~ˌlay·er** [-ˌleɪə] *s.* ⚓, ⚔ Minenleger *m.*

min·er ['maɪnə] *s.* **1.** ⚒ Bergarbeiter *m*, -mann *m*, Grubenarbeiter *m*, Kumpel *m*: ***~s' association*** Knappschaft *f*; ***~'s lamp*** Grubenlampe *f*; ***~'s lung*** ⚕ (Kohlen)Staublunge *f*; **2.** ⚓, ⚔ Minenleger *m.*

min·er·al ['mɪnərəl] **I** *s.* **1.** Mine'ral *n*; **2.** *bsd. pl.* Mine'ralwasser *n*; **II** *adj.* **3.** mine'ralisch, Mineral…; **4.** ⚗ 'anorˌganisch; **~ car·bon** *s.* Gra'phit *m*; **~ coal** *s.* Steinkohle *f*; **~ de·pos·it** *s.* Erzlagerstätte *f.*

min·er·al·ize ['mɪnərəlaɪz] *v/t. geol.* **1.** vererzen; **2.** mineralisieren, versteinern; **3.** mit 'anorˌganischem Stoff durch'setzen; **min·er·al·og·i·cal** [ˌmɪnərə'lɒdʒɪkl] *adj.* □ *min.* minera'logisch; **min·er·al·o·gy** [ˌmɪnə'rælədʒɪ] *s.* Mineralo'gie *f.*

min·er·al| oil *s.* Erdöl *n*, Pe'troleum *n*, Mine'ralöl *n*; **~ spring** *s.* Mine'ralquelle *f*, Heilbrunnen *m*; **~ wa·ter** *s.* Mine'ralwasser *n.*

'mineˌsweep·er *s.* ⚓, ⚔ Minenräum-, Minensuchboot *n.*

min·e·ver ['mɪnɪvə] → ***miniver.***

min·gle ['mɪŋgl] **I** *v/i.* **1.** verschmelzen, sich vermischen, sich verbinden (***with*** mit): ***with ~d feelings*** *fig.* mit gemischten Gefühlen; **2.** *fig.* sich (ein)mischen (***in*** in *acc.*), sich mischen (***among***, ***with*** unter *acc.*); **II** *v/t.* **3.** vermischen, -mengen.

min·i ['mɪnɪ] **I** *s.* **1.** Minimode *f*: ***wear ~*** mini tragen; **2.** Minikleid *n*, -rock *m etc.*; **II** *adj.* **3.** Mini…

min·i·a·ture ['mɪnətʃə] **I** *s.* **1.** Minia'tur(-gemälde *n*) *f*; **2.** *fig.* Minia'turausgabe *f*: ***in ~*** im kleinen, en miniature, Miniatur…; **3.** ⚔ kleine Ordensschnalle; **II** *adj.* **4.** Miniatur…, Klein…, im kleinen; **~ cam·er·a** *s. phot.* Kleinbildkamera *f*; **~ cur·rent** *s.* ϟ Mini'mal-, 'Unterstrom *m*; **~ grand** *s.* ♪ Stutzflügel *m*; **~ ri·fle shoot·ing** *s.* 'Kleinkaˌliberschießen *n.*

min·i·a·tur·ist ['mɪnəˌtjʊərɪst] *s.* Minia'turmaler(in); **min·i·a·tur·ize** ['mɪnətʃəraɪz] *v/t. bsd. elektronische Elemente* miniaturisieren.

'min·i|·bus *s. mot.* Mini-, Kleinbus *m*; **'~·cab** *s. mot.* Minicar *m* (*Kleintaxi*);

'~·car *s. mot.* Kleinwagen *m*; **'~·dress** *s.* Minikleid *n*.

min·i·kin ['mɪnɪkɪn] **I** *adj.* **1.** affektiert, geziert; **2.** winzig, zierlich; **II** *s.* **3.** kleine Stecknadel; **4.** *fig.* Knirps *m*.

min·im ['mɪnɪm] *s.* **1.** ♪ halbe Note; **2.** *et.* Winziges; Zwerg *m*; **3.** *pharm.* 1/60 Drachme *f* (*Apothekermaß*); **4.** Grundstrich *m* (*Kalligraphie*); **'min·i·mal** [-ml] *adj.* kleinst, mini'mal, Mindest…; **'min·i·mize** [-maɪz] *v/t.* **1.** auf das Mindestmaß zu'rückführen, möglichst gering halten; **2.** als geringfügig darstellen, bagatellisieren; **'min·i·mum** [-məm] **I** *pl.* **-ma** [-mə] *s.* Minimum *n* (*a.* ⩓), Mindestmaß *n*, -betrag *m*, -stand *m*: ***with a ~ of effort*** mit e-m Minimum an *od.* von Anstrengung; **II** *adj.* mini'mal, mindest, Mindest…, kleinst: **~ *output*** Leistungsminimum *n*; **~ *price*** Mindestpreis *m*; **~ *wage*** Mindestlohn *m*.

min·ing ['maɪnɪŋ] **I** *s.* Bergbau *m*, Bergwerk(s)betrieb *m*; **II** *adj.* Bergwerks…, Berg(bau)…, Gruben…, Montan…: **~ *academy*** Bergakademie *f*; **~ *law*** Bergrecht *n*; **~ dis·as·ter** *s.* Grubenunglück *n*; **~ en·gi·neer** *s.* 'Berg(bau)ingeni,eur *m*; **~ in·dus·try** *s.* 'Bergbau-, Mon'tanindu,strie *f*; **~ share** *s.* Kux *m*.

min·ion ['mɪnjən] *s.* **1.** Günstling *m*; **2.** *contp.* Speichellecker *m*: **~ *of the law*** *oft humor.* Gesetzeshüter *m*; **3.** *typ.* Kolo'nel *f* (*Schriftgrad*).

M

'min·i·skirt *s.* Minirock *m*.

'min·i-state *s. pol.* Zwergstaat *m*.

min·is·ter ['mɪnɪstə] **I** *s.* **1.** *eccl.* Geistliche(r) *m*, Pfarrer *m* (*bsd. e-r Dissenterkirche*); **2.** *pol. Brit.* Mi'nister(in), *a.* Premi'ermi,nister(in): **♀ *of the Crown*** (Kabinetts)Minister(in); **♀ *of Labour*** Arbeitsminister(in); **3.** *pol.* Gesandte(r *m*) *f*: **~ *plenipotentiary*** bevollmächtigter Gesandter; **4.** *fig.* Diener *m*, Werkzeug *n*; **II** *v/t.* **5.** darreichen; *eccl. die Sakramente* spenden; **III** *v/i.* **6.** (***to***) behilflich *od.* dienlich sein (*dat.*) (*a. fig. fördern*): **~ *to the wants of others*** für die Bedürfnisse anderer sorgen; **7.** *eccl.* Gottesdienst halten; **min·is·te·ri·al** [,mɪnɪ'stɪərɪəl] *adj.* ☐ **1.** amtlich, Verwaltungs…, 'untergeordnet: **~ *officer*** Verwaltungs-, Exekutivbeamte(r) *m*; **2.** *eccl.* geistlich; **3.** *pol.* a) Ministerial…, Minister…, b) Regierungs…: **~ *bill*** Regierungsvorlage *f*; **4.** Hilfs…, dienlich (***to*** *dat.*); **'min·is·trant** [-trənt] **I** *adj.* **1.** (***to***) dienend (zu), dienstbar (*dat.*); **II** *s.* **2.** Diener(in); **3.** *eccl.* Mini'strant *m*; **min·is·tra·tion** [,mɪnɪ'streɪʃn] *s.* Dienst *m* (***to*** an *dat.*); *bsd. kirchliches* Amt; **'min·is·try** [-trɪ] *s.* **1.** *eccl.* geistliches Amt; **2.** *pol. Brit.* a) Mini'sterium *n* (*a. Amtsdauer u. Gebäude*), b) Mi'nisterposten *m*, -amt *n*, c) Kabi'nett *n*, Regierung *f*; **3.** *pol. Brit.* Amt *n* e-s Gesandten; **4.** *eccl. coll.* Geistlichkeit *f*.

min·i·um ['mɪnɪəm] *s.* **1.** → ***vermilion*** 1; **2.** ⚗ Mennige *f*.

min·i·ver ['mɪnɪvə] *s.* Grauwerk *n*, Feh *n* (*Pelz*).

mink [mɪŋk] *s.* **1.** *zo.* Nerz *m*; **2.** Nerz (-fell *n*) *m*.

min·now ['mɪnəʊ] *s.* **1.** *ichth.* Elritze *f*; **2.** *fig. contp.* (*eine*) ‚Null', (*ein*) Niemand *m*.

mi·nor ['maɪnə] **I** *adj.* **1.** a) kleiner, geringer, b) klein, unbedeutend, geringfügig; 'untergeordnet (*a. phls.*): **~ *casualty*** ⚔ Leichtverwundete(r) *m*; **~ *offence*** (*Am.* **-se**) ⚖ (leichtes) Vergehen; ***the ♀ Prophets*** *bibl.* die kleinen Propheten; ***of ~ importance*** von zweitrangiger Bedeutung, c) Neben…, Hilfs…, Unter…: ***a ~ group*** eine Untergruppe; **~ *premise*** → 7; **~ *subject*** *Am. univ.* Nebenfach *n*; **2.** minderjährig; **3.** *Brit.* jünger (*in Schulen*): ***Smith ~*** Smith der Jüngere; **4.** ♪ a) klein (*Terz etc.*), b) Moll…: ***C ~*** c-Moll *n*; **~ *key*** Molltonart *f*; ***in ~ key*** *fig.* (etwas) gedämpft; **~ *mode*** Mollgeschlecht *n*; **II** *s.* **5.** Minderjährige(r *m*) *f*; **6.** ♪ a) Moll *n*, b) 'Mollak,kord *m*, c) Molltonart *f*; **7.** *phls.* 'Untersatz *m*; **8.** *Am. univ.* Nebenfach *n*; **III** *v/i.* **9.** **~ *in*** *Am. univ.* als Nebenfach studieren; **mi·nor·i·ty** [maɪ'nɒrətɪ] *s.* **1.** Minderjährigkeit *f*, Unmündigkeit *f*; **2.** Minori'tät *f*, Minderheit *f*, -zahl *f*: **~ *government*** (***party***) Minderheitsregierung (-partei) *f*; ***be in the ~*** in der Minderheit *od.* -zahl sein.

min·ster ['mɪnstə] *s. eccl.* **1.** Münster *n*; **2.** Klosterkirche *f*.

min·strel ['mɪnstrəl] *s.* **1.** *hist.* Spielmann *m*; Minnesänger *m*; **2.** *poet.* Sänger *m*, Dichter *m*; **'min·strel·sy** [-sɪ] *s.* **1.** Musi'kantentum *n*; **2.** a) Minnesang *m*, -dichtung *f*, b) *poet.* Dichtkunst *f*, Dichtung *f*; **3.** *coll.* Spielleute *pl.*

mint[1] [mɪnt] *s.* **1.** ⚘ Minze *f*: **~ *sauce*** (saure) Minzsoße; **2.** 'Pfefferminz(li,kör) *m*.

mint[2] [mɪnt] **I** *s.* **1.** Münze *f*: a) Münzstätte *f*, -anstalt *f*, b) Münzamt *n*: ***a ~ of money*** F ein Haufen Geld; **2.** *fig.* (reiche) Fundgrube, Quelle *f*; **II** *adj.* **3.** (wie) neu, tadellos erhalten, (*Buch etc.*): ***in ~ condition***; **4.** postfrisch (*Briefmarke*); **III** *v/t.* **5.** *Geld* münzen, schlagen, prägen; **6.** *fig. Wort etc.* prägen; **'mint·age** [-tɪdʒ] *s.* **1.** Münzen *n*, Prägung *f* (*a. fig.*); **2.** *das* Geprägte, Geld *n*; **3.** Prägegebühr *f*.

min·u·end ['mɪnjʊend] *s.* ⩓ Minu'end *m*.

min·u·et [,mɪnjʊ'et] *s.* ♪ Menu'ett *n*.

mi·nus ['maɪnəs] **I** *prp.* **1.** ⩓ minus, weniger; **2.** F ohne: **~ *his hat***; **II** *adv.* **3.**

minus, unter Null (*Temperatur*); **III** *adj.* **4.** Minus..., negativ: ***~ amount*** Fehlbetrag *m*; ***~ quantity*** → 6; ***~ sign*** → 5; **IV** *s.* **5.** Minuszeichen *n*; **6.** Minus *n*, negative Größe; **7.** Mangel *m* (***of*** an *dat.*).

mi·nus·cule ['mɪnəskju:l] *s.* Mi'nuskel *f*, kleiner (Anfangs)Buchstabe.

min·ute¹ ['mɪnɪt] **I** *s.* **1.** Mi'nute *f* (*a. ast.*, ⚗, △): ***for a ~*** e-e Minute (lang); ***~ hand*** Minutenzeiger *m* (*Uhr*); ***to the ~*** auf die Minute genau; (***up***) ***to the ~*** hypermodern; **2.** Augenblick *m*: ***in a ~*** sofort; ***just a ~!*** Moment mal!; ***the ~ that*** sobald; **3.** ✝ a) Kon'zept *n*, kurzer Entwurf, b) No'tiz *f*, Memo'randum *n*: ***~ book*** Protokollbuch *n*; **4.** *pl.* ⚖, *pol.* ('Sitzungs)Proto,koll *n*, Niederschrift *f*: (***the***) ***~s of the proceedings*** Verhandlungsprotokoll *n*; ***keep the ~s*** das Protokoll führen; **II** *v/t.* **5.** a) entwerfen, aufsetzen, b) notieren, protokollieren.

mi·nute² [maɪ'nju:t] *adj.* □ **1.** sehr klein, winzig: ***in the ~st details*** in den kleinsten Einzelheiten; **2.** *fig.* unbedeutend, geringfügig; **3.** peinlich genau, minuzi'ös.

min·ute·ly¹ ['mɪnɪtlɪ] **I** *adj.* jede Mi'nute geschehend, Minuten...; **II** *adv.* jede Mi'nute, von Minute zu Minute.

mi·nute·ly² [maɪ'nju:tlɪ] *adv. von* ***minute²***; **mi·nute·ness** [maɪ'nju:tnɪs] *s.* **1.** Kleinheit *f*, Winzigkeit *f*; **2.** minuzi'öse Genauigkeit.

mi·nu·ti·a [maɪ'nju:ʃɪə] *pl.* **-ti·ae** [-ʃɪi:] (*Lat.*) *s.* Einzelheit *f*, De'tail *n*.

minx [mɪŋks] *s.* Range *f*, ‚kleines Biest'.

mir·a·cle ['mɪrəkl] *s.* Wunder *n* (*a. fig.* ***of*** an *dat.*); Wundertat *f*, -kraft *f*: ***to a ~*** phantastisch (gut); ***work ~s*** Wunder tun *od.* vollbringen; ***~ drug*** Wunderdroge *f*; ***~ play*** *hist. eccl.* Mirakelspiel *n*; **mi·rac·u·lous** [mɪ'rækjʊləs] **I** *adj.* □ 'überna,türlich, wunderbar (*a. fig.*); Wunder...: ***~ cure*** Wunderkur *f*; **II** *s. das* Wunderbare; **mi·rac·u·lous·ly** [mɪ'rækjʊləslɪ] *adv.* (wie) durch ein Wunder, wunderbar(erweise).

mi·rage ['mɪrɑ:ʒ] *s.* **1.** *phys.* Luftspiegelung *f*, Fata Mor'gana *f*; **2.** *fig.* Trugbild *n*.

mire ['maɪə] **I** *s.* **1.** Schlamm *m*, Sumpf *m*, Kot *m* (*alle a. fig.*): ***drag s.o. through the ~*** *fig.* j-n in den Schmutz ziehen; ***be deep in the ~*** ‚tief in der Klemme sitzen'; **II** *v/t.* **2.** in den Schlamm fahren *od.* setzen: ***be ~d*** im Sumpf *etc.* stecken(bleiben); **3.** beschmutzen, besudeln; **III** *v/i.* **4.** im Sumpf versinken.

mir·ror ['mɪrə] **I** *s.* **1.** Spiegel *m* (*a. zo.*): ***hold up the ~ to s.o.*** *fig.* j-m den Spiegel vorhalten; **2.** *fig.* Spiegel(bild *n*) *m*; **II** *v/t.* **3.** 'widerspiegeln: ***be ~ed*** sich (wider)spiegeln (***in*** in *dat.*); **4.** mit Spiegel(n) versehen: ***~ed room*** Spiegelzimmer *n*; ***~ fin·ish*** *s.* ⚙ Hochglanz *m*; **'~-in,vert·ed** *adj.* seitenverkehrt; ***~ sym·me·try*** *s.* ⚗, *phys.* 'Spiegelsymme,trie *f*; **'~-,writ·ing** *s.* Spiegelschrift *f*.

mirth [mɜ:θ] *s.* Fröhlichkeit *f*, Heiterkeit *f*, Freude *f*; **'mirth·ful** [-fʊl] *adj.* □ fröhlich, heiter, lustig; **'mirth·ful·ness** [-fʊlnɪs] *s.* → ***mirth***; **'mirth·less** [-lɪs] *adj.* freudlos, trüb(e).

mir·y ['maɪərɪ] *adj.* **1.** sumpfig, schlammig, kotig; **2.** *fig.* schmutzig, gemein.

mis- [mɪs] *in Zssgn* falsch, Falsch..., miß..., Miß...; schlecht; Fehl...

,mis·ad'ven·ture *s.* Unfall *m*, Unglück *n*; 'Mißgeschick *n*; **,mis·a'lign·ment** *s.* ⚙ Flucht(ungs)fehler *m*; *Radio*, *TV*: schlechte Ausrichtung; **,mis·al'li·ance** *s.* Mesalli'ance *f*, 'Mißheirat *f*.

mis·an·thrope ['mɪzənθrəʊp] *s.* Menschenfeind *m*, Misan'throp *m*; **mis·an·throp·ic**, **mis·an·throp·i·cal** [,mɪzən'θrɒpɪk(l)] *adj.* □ menschenfeindlich, misan'thropisch; **mis·an·thro·pist** [mɪ'zænθrəpɪst] → ***misanthrope***; **mis·an·thro·py** [mɪ'zænθrəpɪ] *s.* Menschenhaß *m*, Misanthro'pie *f*.

'mis,ap·pli'ca·tion *s.* falsche Verwendung; *b.s.* 'Mißbrauch *m*; **,mis·ap'ply** *v/t.* **1.** falsch anbringen *od.* anwenden; **2.** → ***misappropriate*** 1.

'mis,ap·pre'hend *v/t.* 'mißverstehen; **'mis,ap·pre'hen·sion** *s.* 'Mißverständnis *n*, falsche Auffassung: ***be*** *od.* ***labo(u)r under a ~*** sich in e-m Irrtum befinden.

,mis·ap'pro·pri·ate *v/t.* **1.** sich 'widerrechtlich aneignen, unter'schlagen; **2.** falsch anwenden: ***~d capital*** ✝ fehlgeleitetes Kapital; **'mis·ap,pro·pri'a·tion** *s.* ⚖ 'widerrechtliche Aneignung *od.* Verwendung, Unter'schlagung *f*, Veruntreuung *f*.

,mis·be'come *v/t.* [*irr.* → ***become***] *j-m* schlecht stehen, sich nicht schicken *od.* ziemen für; **,mis·be'com·ing** *adj.* → ***unbecoming***.

'mis·be,got·ten *adj.* **1.** unehelich (gezeugt); **2.** → ***misgotten***; **3.** mise'rabel, verkorkst.

,mis·be'have *v/i. od. v/refl.* **1.** sich schlecht benehmen *od.* aufführen, sich da'nebenbenehmen; ungezogen sein (*Kind*); **2.** ***~ with*** sich einlassen *od.* in'tim werden mit; **,mis·be'hav·io(u)r** *s.* **1.** schlechtes Betragen, Ungezogenheit *f*; **2.** ***~ before the enemy*** ⚔ *Am.* Feigheit *f* vor dem Feind.

,mis·be'lief *s.* Irrglaube *m*; irrige Ansicht; **,mis·be'lieve** *v/i.* irrgläubig sein.

,mis'cal·cu·late I *v/t.* falsch berechnen *od.* (ab)schätzen; **II** *v/i.* sich verrechnen, sich verkalkulieren; **'mis,cal·cu'la·tion** *s.* Rechen-, Kalkulati'onsfehler *m*.

M

ˌ**mis'call** *v/t.* falsch *od.* zu Unrecht (be-)nennen.

ˌ**mis'car·riage** *s.* **1.** Fehlschlag(en *n*) *m*, Miß'lingen *n*: **~ of justice** ⚖ Fehlspruch *m*, -urteil *n*, Justizirrtum *m*; **2.** ✝ Versandfehler *m*; **3.** Fehlleitung *f* (*Brief*); **4.** ⚕ Fehlgeburt *f*; ˌ**mis'car·ry** *v/i.* **1.** miß'lingen, -'glücken, fehlschlagen, scheitern; **2.** verlorengehen (*Brief*); **3.** ⚕ e-e Fehlgeburt haben.

ˌ**mis'cast** *v/t.* [*irr.* → **cast**] *thea. etc. Rolle* fehlbesetzen: **be ~** a) e-e Fehlbesetzung sein (*Schauspieler*), b) *fig.* s-n Beruf verfehlt haben.

mis·ce·ge·na·tion [ˌmɪsɪdʒɪ'neɪʃn] *s.* Rassenmischung *f*.

mis·cel·la·ne·ous [ˌmɪsɪ'leɪnjəs] *adj.* □ **1.** ge-, vermischt, di'vers; **2.** mannigfaltig, verschiedenartig; ˌ**mis·cel'la·ne·ous·ness** [-nɪs] *s.* **1.** Gemischtheit *f*; **2.** Vielseitigkeit *f*; Mannigfaltigkeit *f*; **mis·cel·la·ny** [mɪ'selənɪ] *s.* **1.** Gemisch *n*, Sammlung *f*, Sammelband *m*; **2.** *pl.* vermischte Schriften *pl.*, Mis'zellen *pl.*

ˌ**mis'chance** *s.* 'Mißgeschick *n*: **by ~** durch e-n unglücklichen Zufall, unglücklicherweise.

mis·chief ['mɪstʃɪf] *s.* **1.** Unheil *n*, Unglück *n*, Schaden *m*: **do ~** Unheil anrichten; **mean ~** Böses im Schilde führen; **make ~** Zwietracht säen, böses Blut machen; **run into ~** in Gefahr kommen; **2.** Ursache *f* des Unheils, Übelstand *m*, Unrecht *n*, Störenfried *m*; **3.** Unfug *m*, Possen *m*: **get into ~** et. ‚anstellen'; **keep out of ~** keine Dummheiten machen, brav sein; **that will keep you out of ~!** damit du auf keine dummen Gedanken kommst!; **4.** Racker *m* (*Kind*); **5.** 'Übermut *m*, Ausgelassenheit *f*: **be full of ~** immer Unfug im Kopf haben; **6.** *euphem.* der Teufel: **what** (**why**) **the ~ ...?** was (warum) zum Teufel ...?; '**~-ˌmak·er** *s.* → **troublemaker**.

mis·chie·vous ['mɪstʃɪvəs] *adj.* □ **1.** nachteilig, schädlich, verderblich; **2.** boshaft, mutwillig, schadenfroh, schelmisch; '**mis·chie·vous·ness** [-nɪs] *s.* **1.** Schädlichkeit *f*; **2.** Bosheit *f*; **3.** Schalkhaftigkeit *f*, Ausgelassenheit *f*.

mis·ci·ble ['mɪsəbl] *adj.* mischbar.

ˌ**mis·con'ceive** *v/t.* falsch auffassen *od.* verstehen, sich e-n falschen Begriff machen von; ˌ**mis·con'cep·tion** *s.* 'Mißverständnis *n*, falsche Auffassung.

mis·con·duct I *v/t.* [ˌmɪskən'dʌkt] **1.** schlecht führen *od.* verwalten; **2. ~ o.s.** sich schlecht betragen *od.* benehmen, e-n Fehltritt begehen; **II** *s.* [ˌmɪs'kɒndʌkt] **3.** Ungebühr *f*, schlechtes Betragen *od.* Benehmen; **4.** Verfehlung *f*, *bsd.* Ehebruch *m*, Fehltritt *m*; ⚔ schlechte Führung: **~ in office** ⚖ Amtsvergehen *n*.

ˌ**mis·con'struc·tion** *s.* 'Mißdeutung *f*, falsche Auslegung; ˌ**mis·con'strue** *v/t.* falsch auslegen, miß'deuten, 'mißverstehen.

mis·cre·ant ['mɪskrɪənt] **I** *adj.* gemein, ab'scheulich; **II** *s.* Schurke *m*.

ˌ**mis'date I** *v/t.* falsch datieren; **II** *s.* falsches Datum.

ˌ**mis'deal** *v/t. u. v/i.* [*irr.* → **deal**] **~** (**the cards**) sich vergeben.

ˌ**mis'deed** *s.* Missetat *f*.

mis·de·mean [ˌmɪsdɪ'mi:n] *v/i. u. v/refl.* sich schlecht betragen, sich vergehen; ˌ**mis·de'mean·o(u)r** [-nə] *s.* ⚖ Vergehen *n*, minderes De'likt.

ˌ**mis·di'rect** *v/t.* **1.** *j-n od. et.* fehl-, irreleiten: **~ed charity** falsch angebrachte Wohltätigkeit; **2.** ⚖ *die Geschworenen* falsch belehren; **3.** *Brief* falsch adressieren.

mise en scène [ˌmi:zɑ̃:n'seɪn] (*Fr.*) *s. thea. u. fig.* Inszenierung *f*.

ˌ**mis·em'ploy** *v/t.* **1.** schlecht anwenden; **2.** miß'brauchen.

mi·ser ['maɪzə] *s.* Geizhals *m*.

mis·er·a·ble ['mɪzərəbl] *adj.* □ **1.** elend, jämmerlich, erbärmlich, armselig, kläglich (*alle a. contp.*); **2.** traurig, unglücklich: **make s.o. ~**; **3.** *contp. allg.* mise'rabel.

mi·ser·li·ness ['maɪzəlɪnɪs] *s.* Geiz *m*; **mi·ser·ly** ['maɪzəlɪ] *adj.* geizig.

mis·er·y ['mɪzərɪ] *s.* Elend *n*, Not *f*; Trübsal *f*, Jammer *m*; **put s.o. out of his ~** *mst iro.* j-n von s-m Leiden erlösen.

mis·fea·sance [mɪs'fi:zəns] *s.* ⚖ **1.** pflichtwidrige Handlung; **2.** 'Mißbrauch *m* (*der Amtsgewalt*).

ˌ**mis'fire I** *v/i.* **1.** versagen (*Waffe*); **2.** *mot.* fehlzünden, aussetzen; **3.** *fig.* ‚da'nebengehen'; **II** *s.* **4.** Versager *m*; **5.** *mot.* Fehlzündung *f*.

'**mis·fit** *s.* **1.** schlechtsitzendes Kleidungsstück; **2.** nicht passendes Stück; **3.** F *fig.* Außenseiter(in), Eigenbrötler(in).

mis'for·tune *s.* 'Mißgeschick *n*.

mis'give *v/t.* [*irr.* → **give**] *Böses* ahnen lassen: **my heart ~s me** mir schwant (**that** daß, **about s.th.** et.); **mis'giv·ing** *s.* Befürchtung *f*, böse Ahnung, Zweifel *m*.

mis'got·ten *adj.* unrechtmäßig erworben.

ˌ**mis'gov·ern** *v/t.* schlecht regieren; ˌ**mis'gov·ern·ment** *s.* 'Mißregierung *f*, schlechte Regierung.

ˌ**mis'guide** *v/t.* fehlleiten, verleiten, irreführen; ˌ**mis'guid·ed** *adj.* fehl-, irregeleitet; irrig, unangebracht.

ˌ**mis'han·dle** *v/t.* miß'handeln; *weitS.* falsch behandeln, schlecht handhaben; verpatzen.

mis·hap ['mɪshæp] *s.* Unglück *n*, Unfall

m; *mot.* (*a. humor. fig.*) Panne *f.*

ˌ**mis'hear** *v/t. u. v/i.* [*irr.* → ***hear***] falsch hören, sich verhören (bei).

mish·mash ['mɪʃmæʃ] *s.* Mischmasch *m.*

ˌ**mis·in'form I** *v/t. j-m* falsch berichten, *j-n* falsch unter'richten; **II** *v/i.* falsch aussagen (***against*** gegen); ˌ**mis·in·for'ma·tion** *s.* falscher Bericht, falsche Auskunft.

ˌ**mis·in'ter·pret** *v/t.* miß'deuten, falsch auffassen *od.* auslegen; '**mis·inˌter·pre'ta·tion** *s.* 'Mißdeutung *f*, falsche Auslegung.

ˌ**mis'join·der** *s.* ⚖ unzulässige Klagehäufung; unzulässige Zuziehung (*e-s Streitgenossen*).

ˌ**mis'judge** *v/i. u. v/t.* **1.** falsch (be)urteilen, verkennen; **2.** falsch schätzen: ***I ~d the distance***; ˌ**mis'judge·ment** *s.* irriges Urteil; falsche Beurteilung.

ˌ**mis'lay** *v/t.* [*irr.* → ***lay***] *et.* verlegen.

ˌ**mis'lead** *v/t.* [*irr.* → ***lead***] irreführen; *fig. a.* verführen, verleiten (***into doing*** zu tun): ***be misled*** sich verleiten lassen; ˌ**mis'lead·ing** *adj.* irreführend.

ˌ**mis'man·age I** *v/t.* schlecht verwalten, unrichtig handhaben; **II** *v/i.* schlecht wirtschaften; ˌ**mis'man·age·ment** *s.* schlechte Verwaltung, 'Mißwirtschaft *f.*

ˌ**mis'matched** *adj.* nicht zs.-passend, ungleich (*Paar*).

ˌ**mis'name** *v/t.* falsch benennen.

mis·no·mer [ˌmɪs'nəʊmə] *s.* **1.** ⚖ Namensirrtum *m* (*in e-r Urkunde*); **2.** falsche Benennung *od.* Bezeichnung.

mi·sog·a·mist [mɪ'sɒgəmɪst] *s.* Ehefeind *m.*

mi·sog·y·nist [mɪ'sɒdʒɪnɪst] *s.* Frauenfeind *m*; **mi'sog·y·ny** [-nɪ] *s.* Frauenhaß *m*, Mysogy'nie *f.*

ˌ**mis'place** *v/t.* **1.** *et.* verlegen; **2.** an e-e falsche Stelle legen *od.* setzen; **3.** *fig.* falsch *od.* übel anbringen: ***~d*** unangebracht, deplaziert.

mis·print I *v/t.* [ˌmɪs'prɪnt] verdrucken, fehldrucken; **II** *s.* ['mɪsprɪnt] Druckfehler *m.*

ˌ**mis·pro'nounce** *v/t.* falsch aussprechen; '**mis·proˌnun·ci'a·tion** *s.* falsche Aussprache.

ˌ**mis·quo'ta·tion** *s.* falsches Zi'tat; ˌ**mis'quote** *v/t. u. v/i.* falsch anführen *od.* zitieren.

ˌ**mis'read** *v/t.* [*irr.* → ***read***] **1.** falsch lesen; **2.** miß'deuten.

'**misˌrep·re'sent** *v/t.* **1.** falsch *od.* ungenau darstellen; **2.** entstellen, verdrehen; '**misˌrep·re·sen'ta·tion** *s.* falsche Darstellung *od.* Angabe (*a.* ⚖), Verdrehung *f.*

ˌ**mis'rule I** *v/t.* **1.** schlecht regieren; **II** *s.* **2.** schlechte Re'gierung, 'Mißregierung *f*; **3.** Unordnung *f.*

miss¹ [mɪs] *s.* **1.** ℒ *in der Anrede*: Fräulein *n*: ***ℒ Smith***; ***ℒ America*** Miß Amerika (*die Schönheitskönigin von Amerika*); **2.** *humor.* (junges) ‚Ding', Dämchen *n*; **3.** F (*ohne folgenden Namen*) Fräulein *n.*

miss² [mɪs] **I** *v/t.* **1.** *Chance*, *Zug etc.* verpassen, versäumen; *Beruf*, *Person*, *Schlag*, *Weg*, *Ziel* verfehlen: ***~ the point*** (***of an argument***) das Wesentliche (e-s Arguments) nicht begreifen; ***he didn't ~ much*** a) er versäumte nicht viel, b) ihm entging fast nichts; ***~ed approach*** ✈ Fehlanflug *m*; → ***boat*** 1, ***bus*** 1, ***fire*** 6 *etc.*; **2.** *a.* ***~ out*** auslassen, über'gehen, -'springen; **3.** nicht haben, nicht bekommen; **4.** nicht hören können, über'hören; **5.** vermissen; **6.** (ver-) missen, entbehren: ***we ~ her very much*** sie fehlt uns sehr; **7.** vermeiden: ***he just ~ed being hurt*** er ist gerade (noch) e-r Verletzung entgangen; ***I just ~ed running him over*** ich hätte ihn beinahe überfahren; **II** *v/i.* **8.** fehlen, nicht treffen: a) da'nebenschießen, -werfen, -schlagen *etc.*, b) da'nebengehen (*Schuß etc.*); **9.** miß'glücken, -'lingen, fehlschlagen, ‚da'nebengehen'; **10.** ***~ out on*** a) über'sehen, auslassen, b) sich entgehen lassen, c) *et.* nicht kriegen; **III** *s.* **11.** Fehlschuß *m*, -wurf *m*, -stoß *m*: ***every shot a ~*** jeder Schuß (ging) daneben; **12.** Verpassen *n*, Versäumen *n*, Verfehlen *n*, Entrinnen *n*: ***a ~ is as good as a mile*** a) knapp daneben ist auch daneben, b) mit knapper Not entrinnen ist immerhin entrinnen; ***give s.th. a ~*** a) et. vermeiden, et. nicht nehmen, et. nicht tun *etc.*, die Finger lassen von et., b) → 10 a; **13.** Verlust *m.*

mis·sal ['mɪsl] *s. eccl.* Meßbuch *n.*

mis·shap·en [ˌmɪs'ʃeɪpən] *adj.* 'mißgestaltet, ungestalt, unförmig.

mis·sile ['mɪsaɪl; *Am.* -səl] **I** *s.* **1.** (Wurf-) Geschoß *n*, Projek'til *n*; **2.** *a.* ***ballistic ~***, ***guided ~*** ⚔ Flugkörper *m*, Fernlenkwaffe *f*, Ra'kete(ngeschoß *n*) *f*; **II** *adj.* **3.** Wurf...; Raketen...: ***~ site*** Raketenstellung *f.*

miss·ing ['mɪsɪŋ] *adj.* **1.** fehlend, weg, nicht da, verschwunden: ***~ link*** *biol.* fehlendes Glied, Zwischenstufe *f* (*zwischen Mensch u. Affe*); **2.** vermißt (⚔ *a.* ***~ in action***), verschollen: ***be ~*** vermißt sein *od.* werden; ***the ~*** die Vermißten, die Verschollenen.

mis·sion ['mɪʃn] *s.* **1.** *pol.* Gesandtschaft *f*; Ge'sandtschaftspersoˌnal *n*; **2.** *pol.*, ⚔ Missi'on *f im Ausland*; **3.** (⚔ Kampf)Auftrag *m*; ✈ Einsatz *m*, Feindflug *m*: ***on*** (***a***) ***special ~*** mit besonderem Auftrag; ***~ accomplished!*** Auftrag ausgeführt!; **4.** *eccl.* a) Missi'on *f*, Sendung *f*, b) Missio'narstätigkeit *f*: ***foreign*** (***home***) ***~*** äußere (innere) Mis-

M

sion, c) Missi'on(sgesellschaft) *f*, d) Missi'onsstati,on *f*; **5.** Missi'on *f*, Sendung *f*, (innere) Berufung, Lebenszweck *m*: **~ *in life*** Lebensaufgabe *f*;

mis·sion·ar·y ['mɪʃnərɪ] **I** *adj.* missio'narisch, Missions...: **~ *work***; **II** *s.* Missio'nar(in).

mis·sis ['mɪsɪz] *s.* **1.** *sl.* gnä' Frau (*Hausfrau*); **2.** F ‚Alte' *f*, ‚bessere Hälfte' (*Ehefrau*).

mis·sive ['mɪsɪv] *s.* Sendschreiben *n*.

,mis'spell *v/t.* [*a. irr.* → ***spell***] falsch buchstabieren *od.* schreiben; **,mis'spell·ing** *s.* **1.** falsches Buchstabieren; **2.** Rechtschreibfehler *m*.

,mis'spend *v/t.* [*irr.* → ***spend***] falsch verwenden, *a. s-e Jugend etc.* vergeuden.

,mis'state *v/t.* falsch angeben, unrichtig darstellen; **,mis'state·ment** *s.* falsche Angabe *od.* Darstellung.

mis·sus ['mɪsəs] → ***missis***.

miss·y ['mɪsɪ] *s.* F kleines Fräulein.

mist [mɪst] **I** *s.* **1.** (feiner) Nebel, feuchter Dunst, *Am. a.* Sprühregen *m*; **2.** *fig.* Nebel *m*, Schleier *m*: ***be in a* ~** ganz irre *od.* verdutzt sein; **3.** F Beschlag *m*, Hauch *m* (*auf e-m Glas*); **II** *v/i.* **4.** *a.* **~ *over*** nebeln, neblig sein (*a. fig.*); sich trüben (*Augen*); (sich) beschlagen (*Glas*); **III** *v/t.* **5.** um'nebeln.

mis·tak·a·ble [mɪ'steɪkəbl] *adj.* verkennbar, (leicht) zu verwechseln(d), 'mißzuverstehen(d); **mis·take** [mɪ'steɪk] **I** *v/t.* [*irr.* → ***take***] **1.** (***for***) verwechseln (mit), (fälschlich) halten (für), verfehlen, nicht erkennen, verkennen, sich irren in (*dat.*): **~ *s.o.'s character*** sich in j-s Charakter irren; **2.** falsch verstehen, 'mißverstehen; **II** *v/i.* [*irr.* → ***take***] **3.** sich irren, sich versehen; **III** *s.* **4.** 'Mißverständnis *n*; **5.** Irrtum *m* (*a.* ⚖), Fehler *m*, Versehen *n*, 'Mißgriff *m*: ***by* ~** irrtümlich, aus Versehen; ***make a* ~** e-n Fehler machen, sich irren; ***and no* ~** F bestimmt, worauf du dich verlassen kannst; **6.** (Schreib-, Sprach-, Rechen-) Fehler *m*; **mis'tak·en** [-kn] *adj.* ☐ **1.** im Irrtum: ***be* ~** sich irren; ***unless I am very much* ~** wenn ich mich nicht sehr irre; ***we were quite* ~ *in him*** wir haben uns in ihm ziemlich getäuscht; **2.** irrtümlich, falsch, verfehlt (*Politik etc.*): (***case of***) **~ *identity*** Personenverwechslung *f*; **~ *kindness*** unangebrachte Freundlichkeit.

mis·ter ['mɪstə] *s.* **1.** ♀ Herr *m* (*abbr.* ***Mr*** *od.* ***Mr.***): ***Mr President*** Herr Präsident; **2.** F *als bloße Anrede*: (mein) Herr!, ‚Meister'!, ‚Chef'!

,mis'time *v/t.* zur unpassenden Zeit sagen *od.* tun; e-n falschen Zeitpunkt wählen für, *bsd. sport* schlecht timen.

,mis'timed *adj.* unpassend, unangebracht, zur Unzeit, *bsd. sport* schlecht getimed.

mist·i·ness ['mɪstɪnɪs] *s.* **1.** Nebligkeit *f*, Dunstigkeit *f*; **2.** Unklarheit *f*, Verschwommenheit *f* (*a. fig.*).

mis·tle·toe ['mɪsltəʊ] *s.* ♆ **1.** Mistel *f*; **2.** Mistelzweig *m*.

,mis·trans'late *v/t. u. v/i.* falsch über'setzen.

mis·tress ['mɪstrɪs] *s.* **1.** Herrin *f* (*a. fig.*), Gebieterin *f*, Besitzerin *f*: ***she is* ~ *of herself*** sie weiß sich zu beherrschen; **2.** Frau *f* des Hauses, Hausfrau *f*; **3.** *bsd. Brit.* Lehrerin *f*: ***chemistry* ~** Chemielehrerin; **4.** Kennerin *f*, Meisterin *f in e-r Kunst etc.*; **5.** Mä'tresse *f*, Geliebte *f*; **6.** → ***Mrs.***

,mis'tri·al *s.* ⚖ fehlerhaft geführter (*Am. a.* ergebnisloser) Pro'zeß.

,mis'trust I *s.* **1.** 'Mißtrauen *n*, Argwohn *m* (***of*** gegen); **II** *v/t.* **2.** *j-m* miß'trauen, nicht trauen; **3.** zweifeln an (*dat.*); **mis'trust·ful** *adj.* ☐ 'mißtrauisch, argwöhnisch (***of*** gegen).

mist·y ['mɪstɪ] *adj.* ☐ **1.** (leicht) neb(e)lig, dunstig; **2.** *fig.* nebelhaft, verschwommen, unklar.

,mis·un·der'stand *v/t. u. v/i.* [*irr.* → ***understand***] 'mißverstehen; **,mis·un·der'stand·ing** *s.* **1.** 'Mißverständnis *n*; **2.** 'Mißhelligkeit *f*, Diffe'renz *f*; **,mis·un·der'stood** *adj.* **1.** 'mißverstanden; **2.** verkannt, nicht richtig gewürdigt.

,mis'us·age → ***misuse*** 1.

mis·use I *s.* [,mɪs'juːs] **1.** 'Mißbrauch *m*, falscher Gebrauch, falsche Anwendung; **2.** Miß'handlung *f*; **II** *v/t.* [,mɪs'juːz] **3.** miß'brauchen, falsch *od.* zu unrechten Zwecken gebrauchen; falsch anwenden; **4.** miß'handeln.

mite¹ [maɪt] *s. zo.* Milbe *f*.

mite² [maɪt] *s.* **1.** Heller *m*; *weitS.* kleine Geldsumme: ***contribute one's* ~ *to*** sein Scherflein beitragen zu; ***not a* ~** kein bißchen; **2.** F kleines Ding, Dingelchen *n*: ***a* ~ *of a child*** ein Würmchen.

mi·ter ['maɪtə] *Am.* → ***mitre***.

mit·i·gate ['mɪtɪgeɪt] *v/t. Schmerz etc.* lindern; *Strafe etc.* mildern; *Zorn* besänftigen, mäßigen: ***mitigating circumstances*** ⚖ (straf)mildernde Umstände; **mit·i·ga·tion** [,mɪtɪ'geɪʃn] *s.* **1.** Linderung *f*, Milderung *f*; **2.** Milderung *f*, Abschwächung *f*: ***plead in* ~** ⚖ a) für Strafmilderung plädieren, b) strafmildernde Umstände geltend machen; **3.** Besänftigung *f*, Mäßigung *f*.

mi·to·sis [maɪ'təʊsɪs] *pl.* **-ses** [-siːz] *s. biol.* Mi'tose *f*, 'indi,rekte *od.* chromoso'male (Zell)Kernteilung.

mi·tre ['maɪtə] **I** *s.* **1.** a) Mitra *f*, Bischofsmütze *f*, b) *fig.* Bischofsamt *n*, -würde *f*; **2.** ⚙ a) → ***mitre joint***, ***mitre square***, b) Gehrungsfläche *f*; **II** *v/t.* **3.**

M

mit der Mitra schmücken, zum Bischof machen; **4.** ⚙ a) auf Gehrung verbinden, b) gehren, auf Gehrung zurichten; **III** *v/i.* **5.** ⚙ sich in ˈeinem Winkel treffen; **~ box** *s.* ⚙ Gehrlade *f*; **~ gear** *s.* Kegelrad *n*, Winkelgetriebe *n*; **~ joint** *s.* Gehrfuge *f*; **~ square** *s.* Gehrdreieck *n*; **~ valve** *s.* ˈKegelvenˌtil *n*; **~ wheel** *s.* Kegelrad *n*.

mitt [mɪt] *s.* **1.** Halbhandschuh *m*; **2.** *Baseball*: Fanghandschuh *m*; **3.** → ***mitten*** 1 *u.* 3; **4.** *Am. sl.* ‚Flosse' *f* (*Hand*).

mit·ten [ˈmɪtn] *s.* **1.** Fausthandschuh *m*, Fäustling *m*: ***get the ~*** F a) e-n Korb bekommen, abgewiesen werden, b) ‚(hinaus)fliegen', entlassen werden; **2.** → ***mitt*** 1; **3.** *sl.* Boxhandschuh *m*.

mit·ti·mus [ˈmɪtɪməs] (*Lat.*) *s.* **1.** ⚖ a) *richterlicher Befehl an die Gefängnisbehörde zur Aufnahme e-s Häftlings*, b) *Befehl zur Übersendung der Akten an ein anderes Gericht*; **2.** F ‚blauer Brief', Entlassung *f*.

mix [mɪks] **I** *v/t.* **1.** (ver)mischen, vermengen (***with*** mit); *Cocktail etc.* mixen, mischen; *Teig* anrühren, mischen: ***~ into*** mischen in (*acc.*); ***~ up*** zs.-, durcheinandermischen, *fig.* völlig durcheinanderbringen, verwechseln (***with*** mit); ***be ~ed up*** *fig.* a) verwickelt sein *od.* werden (***in***, ***with*** in *acc.*), b) (*geistig*) ganz durcheinander sein; **2.** *biol.* kreuzen; **3.** *Stoffe* melieren; **4.** *fig.* verbinden: ***~ business with pleasure*** das Angenehme mit dem Nützlichen verbinden; **II** *v/i.* **5.** sich (ver)mischen; **6.** sich mischen lassen; **7.** *gut etc.* auskommen (***with*** mit); **8.** verkehren (***with*** mit, ***in*** in *dat.*): ***~ in the best society***; **III** *s.* **9.** (*Am. a.* koch- *od.* back-, gebrauchsfertige) Mischung: ***cake ~*** Backmischung; **10.** F Durcheinˈander *n*, Mischmasch *m*; **11.** *sl.* Keileˈrei *f*.

mixed [mɪkst] *adj.* **1.** gemischt (*a. fig. Gefühl*, *Gesellschaft*, *Metapher*); **2.** vermischt, Misch…; **3.** F verwirrt, konˈfus; **~ bag** *s.* F bunte Mischung; **~ blood** *s.* **1.** gemischtes Blut; **2.** Mischling *m*; **~ car·go** *s.* ☤ Stückgutladung *f*; **~ con·struc·tion** *s.* Gemischtbauweise *f*; **~ dou·bles** *s. pl. sg. konstr. sport* gemischtes Doppel: ***play a ~***; **~ e·con·o·my** *s.* ☤ gemischte Wirtschaftsform; **ˌ~-eˈcon·o·my** *adj.* ☤ gemischtwirtschaftlich; **~ fi·nan·cing** *s.* Mischfinanzierung *f*; **~ for·est** *s.* Mischwald *m*; **~ frac·tion** *s.* ∦ gemischter Bruch; **~ mar·riage** *s.* Mischehe *f*; **~ me·di·a** *s. pl.* **1.** Multiˈmedia *pl.*; **2.** *Kunst*: Mischtechnik *f*; **~ pick·les** *s. pl.* Mixed Pickles *pl.* (*Essiggemüse*).

mix·er [ˈmɪksə] *s.* **1.** Mischer *m*; **2.** Mixer *m* (*von Cocktails etc.*) (*a. Küchengerät*); **3.** ⚙ Mischer *m*, ˈMischmaˌschine *f*; **4.** ⚡ *Fernsehen etc.*: Mischpult *n*; **5. *be a good*** (***bad***) ***~*** F kontaktfreudig (kontaktarm) sein; **mix·ture** [ˈmɪkstʃə] *s.* **1.** Mischung *f* (*a. von Tee, Tabak etc.*), Gemisch *n* (*a.* ⚗); **2.** *mot.* Gas-Luft-Gemisch *n*; **3.** *pharm.* Mixˈtur *f*; **4.** *biol.* Kreuzung *f*; **5.** Beimengung *f*; **ˈmix-up** *s.* F **1.** Durcheinˈander *n*; **2.** Verwechslung *f*; **3.** Handgemenge *n*.

miz·(z)en [ˈmɪzn] *s.* ⚓ **1.** Beˈsan(segel *n*) *m*; **2.** → **ˈ~-mast** [-mɑːst; ⚓ -məst] *s.* Beˈsan-, Kreuzmast *m*; **ˈ~-sail** → ***miz(z)en*** 1; **ˈ~-ˌtopˈgal·lant** *s.* Kreuzbramsegel *n*.

miz·zle [ˈmɪzl] *dial.* **I** *v/i.* nieseln; **II** *s.* Nieseln *n*, Sprühregen *m*.

mne·mon·ic [niːˈmɒnɪk] **I** *adj.* **1.** mnemoˈtechnisch; **2.** mneˈmonisch, Gedächtnis…; **II** *s.* **3.** Gedächtnishilfe *f*; **4.** → ***mnemonics*** 1; **mneˈmon·ics** [-ks] *s. pl.* **1.** *a. sg. konstr.* Mnemoˈtechnik *f*, Gedächtniskunst *f*; **2.** mneˈmonische Zeichen *pl.*; **mne·mo·tech·nics** [ˌniːməʊˈteknɪks] *s. pl. a. sg. konstr.* → ***mnemonics*** 1.

mo [məʊ] *s.* F Moˈment *m*: ***wait half a ~!*** (eine) Sekunde!

moan [məʊn] **I** *s.* **1.** Stöhnen *n*, Ächzen *n* (*a. fig. des Windes etc.*); **II** *v/i.* **2.** stöhnen, ächzen; **3.** (weh)klagen, jammern; **ˈmoan·ful** [-fʊl] *adj.* □ (weh-) klagend.

moat [məʊt] ⚔ *hist.* **I** *s.* (Wall-, Burg-, Stadt)Graben *m*; **II** *v/t.* mit e-m Graben umˈgeben.

mob [mɒb] **I** *s.* **1.** Mob *m*, zs.-gerotteter Pöbel(haufen): ***~ law*** Lynchjustiz *f*; ***~ psychology*** Massenpsychologie *f*; **2.** Pöbel *m*, Gesindel *n*; **3.** *sl.* a) (Verbrecher)Bande *f*, b) *allg.* Bande *f*, Sippschaft *f*; **II** *v/t.* **4.** lärmend herfallen über (*acc.*); anpöbeln; angreifen, attakkieren; *Geschäfte etc.* stürmen.

mo·bile [ˈməʊbaɪl] **I** *adj.* **1.** beweglich, wendig (*a. Geist etc.*); schnell (beweglich); **2.** unstet, veränderlich; lebhaft (*Gesichtszüge*); **3.** leichtflüssig; **4.** ⚙, ⚔ fahrbar, beweglich, moˈbil, ⚔ *a.* motorisiert: ***~ crane*** Autokran *m*; ***~ home*** *mot.* Wohnwagen *m*; ***~ phone*** Mobiltelefon *n*, Handy *n*; ***~ warfare*** Bewegungskrieg *m*; ***~ workshop*** Werkstattwagen *m*; **5.** ☤ flüssig: ***~ funds***; **II** ♀ *s* **6.** *Kunst*: Mobile *n*; **mo·bil·i·ty** [məʊˈbɪlətɪ] *s.* **1.** Beweglichkeit *f*, Wendigkeit *f*; **2.** Mobiliˈtät *f*, Freizügigkeit *f* (*der Arbeitnehmer etc.*).

mo·bi·li·za·tion [ˌməʊbɪlaɪˈzeɪʃn] *s.* Mobilisierung *f*: a) ⚔ Moˈbilmachung *f*, b) *bsd. fig.* Aktivierung *f*, Aufgebot *n* (*der Kräfte etc.*), c) ☤ Flüssigmachung *f*; **mo·bi·lize** [ˈməʊbɪlaɪz] *v/t.* mobilisieren: a) ⚔ moˈbilmachen, *a.* dienstverpflichten, b) *fig. Kräfte etc.* aufbieten, einsetzen, c) ☤ *Kapital* flüssigmachen.

mob·oc·ra·cy [mɒˈbɒkrəsɪ] *s.* **1.** Pöbelherrschaft *f*; **2.** (herrschender) Pöbel.
mobs·man [ˈmɒbzmən] *s.* [*irr.*] **1.** Gangster *m*; **2.** *Brit. sl.* (eleˈganter) Taschendieb.
mob·ster [ˈmɒbstə] *Am. sl. für* ***mobsman*** 1.
moc·ca·sin [ˈmɒkəsɪn] *s.* **1.** Mokasˈsin *m* (*a. Damenschuh*); **2.** *zo.* Mokasˈsinschlange *f*.
mo·cha¹ [ˈmɒkə] **I** *s.* **1.** *a.* **~ *coffee*** ˈMokka(kafˌfee) *m*; **2.** Mochaleder *n*; **II** *adj.* **3.** Mokka…
mo·cha² [ˈməʊkə], **~ stone** *s. min.* Mochastein *m*.
mock [mɒk] **I** *v/t.* **1.** verspotten, -höhnen, lächerlich machen; **2.** (*zum Spott*) nachäffen; **3.** *poet.* nachahmen; **4.** täuschen, narren; **5.** spotten (*gen.*), trotzen (*dat.*), nicht achten (*acc.*); **II** *v/i.* **6.** sich lustig machen, spotten (***at*** über *acc.*); **III** *s.* **7.** → ***mockery*** 1–3; **8.** Nachahmung *f*, Fälschung *f*; **IV** *adj.* **9.** nachgemacht, Schein…, Pseudo…: **~ *attack*** ⚔ Scheinangriff *m*; **~ *battle*** ⚔ Scheingefecht *n*; **~ *king*** Schattenkönig *m*; **mock·er** [ˈmɒkə] *s.* **1.** Spötter(in); **2.** Nachäffer(in); **mock·er·y** [ˈmɒkərɪ] *s.* **1.** Spott *m*, Hohn *m*, Spötteˈrei *f*; **2.** Gegenstand *m* des Spottes, Gespött *n*: ***make a ~ of*** zum Gespött (der Leute) machen; **3.** Nachäffung *f*; **4.** *fig.* Possenspiel *n*, Farce *f*.
ˌmock-heˈro·ic *adj.* (☐ **~*ally***) ˈkomisch-heˈroisch (*Gedicht etc.*).
mock·ing [ˈmɒkɪŋ] **I** *s.* Spott *m*, Gespött *n*; **II** *adj.* ☐ spöttisch; **ˈ~·bird** *s. orn.* Spottdrossel *f*.
mock| moon *s. ast.* Nebenmond *m*; **~ tri·al** *s.* ⚖ ˈScheinproˌzeß *m*; **~ tur·tle** *s. Küche*: Kalbskopf *m* en torˈtue; **~ tur·tle soup** *s.* falsche Schildkrötensuppe; **ˈ~-up** *s.* Moˈdell *n* (in naˈtürlicher Größe), Atˈtrappe *f*.
mod·al [ˈməʊdl] *adj.* ☐ **1.** moˈdal (*a. phls.*, *ling.*, ♪): **~ *proposition*** *Logik*: Modalsatz *m*; **~ *verb*** modales Hilfsverb; **2.** *Statistik*: typisch; **mo·dal·i·ty** [məʊˈdælətɪ] *s.* Modaliˈtät *f* (*a.* ✝, *pol.*, *phls.*), Art *f* u. Weise *f*, Ausführungsart *f*.
mode¹ [məʊd] *s.* **1.** (Art *f* u.) Weise *f*, Meˈthode *f*: **~ *of action*** ⚙ Wirkungsweise; **~ *of life*** Lebensweise; **~ *of operation*** Verfahrensweise; **~ *of payment*** ✝ Zahlungsweise; **2.** (Erscheinungs-)Form *f*, Art *f*: ***heat is a ~ of motion*** Wärme ist e-e Form der Bewegung; **3.** *Logik*: a) Modaliˈtät *f*, b) Modus *m* (*e-r Schlußfigur*); **4.** ♪ Modus *m*, Tonart *f*, -geschlecht *n*; **5.** *ling.* Modus *m*, Aussageweise *f*; **6.** *Statistik*: Modus *m*, häufigster Wert.
mode² [məʊd] *s.* Mode *f*, Brauch *m*.
mod·el [ˈmɒdl] **I** *s.* **1.** Muster *n*, Vorbild *n* (***for*** für): ***after*** (*od.* ***on***) ***the ~ of*** nach dem Muster von (*od. gen.*); ***he is a ~ of self-control*** er ist ein Muster an Selbstbeherrschung; **2.** (*fig.* ˈDenk)Moˌdell *n*, Nachbildung *f*: ***working ~*** Arbeitsmodell; **3.** Muster *n*, Vorlage *f*; **4.** *paint. etc.* Moˈdell *n*: ***act as a ~ to a painter*** e-m Maler Modell stehen *od.* sitzen; **5.** *Mode*: a) Mannequin *n*, Vorführdame *f*: ***male ~*** Dressman *m*, b) Moˈdellkleid *n*; **6.** ⚙ a) Bau(weise *f*) *m*, b) (Bau)Muster *n*, Moˈdell *n*, Typ(e *f*) *m*; **II** *adj.* **7.** vorbildlich, musterhaft, Muster…: **~ *farm*** landwirtschaftlicher Musterbetrieb; **~ *husband*** Mustergatte *m*; **~ *plant*** ✝ Musterbetrieb *m*; **~ *school*** Musterschule *f*; **8.** Modell…: **~ *airplane*; ~ *builder*** ⚙ Modellbauer *m*; **~ *dress*** → 5 b; **III** *v/t.* **9.** nach Moˈdell formen *od.* herstellen; **10.** modellieren, nachbilden; abformen; **11.** *fig.* formen, gestalten (***after***, ***on***, ***upon*** nach [dem Vorbild *gen.*]): **~ *o.s. on*** sich *j-n* zum Vorbild nehmen; **IV** *v/i.* **12.** *Kunst*: modellieren; **13.** Moˈdell stehen *od.* sitzen; **14.** Kleider vorführen, als Mannequin *od.* Dressman arbeiten; **ˈmod·el·(l)er** [-lə] *s.* **1.** Modellierer *m*; **2.** Moˈdell-, Musterbauer *m*; **ˈmod·el·(l)ing** [-lɪŋ] **I** *s.* **1.** Modellieren *n*; **2.** Formgebung *f*, Formung *f*; **3.** Moˈdellstehen *od.* -sitzen *n*; **II** *adj.* **4.** Modellier…: **~ *clay***.
mo·dem [ˈməʊdem] *s. Computer*, *teleph.* Modem *m* (*Datenübertragungsgerät*).
mod·er·ate [ˈmɒdərət] **I** *adj.* ☐ **1.** gemäßigt (*a. Sprache etc.*; *a. pol.*), mäßig; **2.** mäßig *im Trinken etc.*; fruˈgal (*Lebensweise*); **3.** mild (*Winter*, *Strafe etc.*); **4.** vernünftig, maßvoll (*Forderung etc.*); angemessen, niedrig (*Preis*); **5.** mittelmäßig; **II** *s.* **6.** (*pol. mst* ♀) Gemäßigte(r *m*) *f*; **III** *v/t.* [-dəreɪt] **7.** mäßigen, mildern; beruhigen; **8.** einschränken; **9.** ⚙, *phys.* dämpfen, abbremsen; **IV** *v/i.* [-dəreɪt] **10.** sich mäßigen; **11.** nachlassen (*Wind etc.*); **ˈmod·er·ate·ness** [-nɪs] *s.* Mäßigkeit *f etc.*; **mod·er·a·tion** [ˌmɒdəˈreɪʃn] *s.* **1.** Mäßigung *f*, Maß(halten) *n*: ***in ~*** mit Maß; **2.** Mäßigkeit *f*; **3.** *pl. univ.* erste öffentliche Prüfung *in Oxford*; **4.** Milderung *f*; **ˈmod·er·a·tor** [-dəreɪtə] *s.* **1.** Mäßiger *m*, Beruhiger *m*; Vermittler *m*; **2.** Vorsitzende(r) *m*; Diskussiˈonsleiter *m*; *univ.* Examiˈnator *m* (*Oxford*); **3.** a) Modeˈrator *m* (*Vorsitzender e-s Kollegiums reformierter Kirchen*), b) *TV*: Modeˈrator *m*, Moderaˈtorin *f*, Proˈgrammleiter(in); **4.** ⚙, *phys.* Modeˈrator *m*.
mod·ern [ˈmɒdən] **I** *adj.* **1.** moˈdern, neuzeitlich: **~ *times*** die Neuzeit; ***the ~ school*** (*od.* ***side***) *ped. Brit.* die Realabteilung; **2.** moˈdern, (neu)modisch;

M

3. *mst* ♀ *ling.* a) mo'dern, Neu..., b) neuer: ♀ ***Greek*** Neugriechisch *n*; ~ ***languages*** neuere Sprachen; ♀ ***Languages*** (*als Fach*) Neuphilologie *f*; **II** *s.* **4.** mo'derner Mensch, Fortschrittliche(r *m*) *f*; **5.** Mensch *m* der Neuzeit; **6.** *typ.* neuzeitliche An'tiqua; '**mod·ern·ism** [-dənɪzəm] *s.* **1.** Moder'nismus *m*: a) mo'derne Einstellung, b) mo'dernes Wort, mo'derne Redewendung(en *pl.*); **2.** *eccl.* Moder'nismus *m*; **mo·der·ni·ty** [mɒ'dɜ:nətɪ] *s.* **1.** Moderni'tät *f*, (*das*) Mo'derne; **2.** *et.* Mo'dernes; **mod·ern·i·za·tion** [ˌmɒdənaɪ'zeɪʃn] *s.* Modernisierung *f*; '**mod·ern·ize** [-dənaɪz] *v/t. u. v/i.* (sich) modernisieren.

mod·est ['mɒdɪst] *adj.* □ **1.** bescheiden, anspruchslos (*Person od. Sache*): ~ ***income*** bescheidenes Einkommen; **2.** anständig, sittsam; **3.** maßvoll, vernünftig; '**mod·es·ty** [-tɪ] *s.* **1.** Bescheidenheit *f* (*Person, Einkommen etc.*): ***in all*** ~ bei aller Bescheidenheit; **2.** Anspruchslosigkeit *f*, Einfachheit *f*; **3.** Schamgefühl *n*; Sittsamkeit *f*.

mod·i·cum ['mɒdɪkəm] *s.* kleine Menge, *ein* bißchen: ***a*** ~ ***of truth*** ein Körnchen Wahrheit.

mod·i·fi·a·ble ['mɒdɪfaɪəbl] *adj.* modifizierbar, (ab)änderungsfähig; **mod·i·fi·ca·tion** [ˌmɒdɪfɪ'keɪʃn] *s.* **1.** Modifikati'on *f*: a) Abänderung *f*: ***make a*** ~ ***to*** → ***modify*** 1 a, b) Abart *f*, modifizierte Form, c) Einschränkung *f*, nähere Bestimmung, d) *biol.* nichterbliche Abänderung, e) *ling.* nähere Bestimmung, f) *ling.* lautliche Veränderung, 'Umlautung *f*; **2.** Mäßigung *f*; **mod·i·fy** ['mɒdɪfaɪ] *v/t.* **1.** modifizieren: a) abändern, teilweise 'umwandeln, b) einschränken, näher bestimmen; **2.** mildern, mäßigen; abschwächen; **3.** *ling. Vokal* 'umlauten.

mod·ish ['məʊdɪʃ] *adj.* □ **1.** modisch, mo'dern; **2.** Mode...

mods [mɒdz] *s. pl. Brit.* Halbstarke *pl.* von betont dandyhaftem Äußeren (*in den 60er Jahren*) (*Ggs.* ***rockers***).

mod·u·lar ['mɒdjʊlə] *adj.* ⩚, ⚙ Modul...: ~ ***design*** Modulbauweise *f*.

mod·u·late ['mɒdjʊleɪt] **I** *v/t.* **1.** abstimmen, regulieren; **2.** anpassen (***to*** an *acc.*); **3.** dämpfen; **4.** *Stimme, Ton etc., a. Funk* modulieren: ~***d reception*** ↯ Tonempfang *m*; **II** *v/i.* **5.** ♪ modulieren (***from*** von, ***to*** nach), die Tonart wechseln; **6.** all'mählich 'übergehen (***into*** in *acc.*); **mod·u·la·tion** [ˌmɒdjʊ'leɪʃn] *s.* **1.** Abstimmung *f*, Regulierung *f*; **2.** Anpassung *f*; **3.** Dämpfung *f*; **4.** ♪, *Funk, a. Stimme*: Modulati'on *f*; **5.** Intonati'on *f*, Tonfall *m*; '**mod·u·la·tor** [-tə] *s.* **1.** Regler *m*; ↯ Modu'lator *m*: ~ ***of tonality*** *Film*: Tonblende *f*; **2.** ♪ die Tonverwandtschaft (*nach der Tonic-Solfa-Methode*) darstellende Skala; '**mod·ule** [-dju:l] *s.* **1.** Modul *m*, Model *m*, Maßeinheit *f*, Einheits-, Verhältniszahl *f*; **2.** ⚙ Mo'dul *n* (*austauschbare Funktionseinheit*), ↯ *a.* Baustein *m*; **3.** ⚙ Baueinheit *f*: ~ ***construction*** Baukastensystem *n*; **4.** *Raumfahrt*: (*Kommando- etc.*)Kapsel *f*; '**mod·u·lus** [-ləs] *pl.* **-li** [-laɪ] *s.* ⩚, *phys.* Modul *m*: ~ ***of elasticity*** Elastizitätsmodul.

Mo·gul ['məʊgʌl] *s.* **1.** Mogul *m*: ***the*** (***Great*** *od.* ***Grand***) ~ der Großmogul; **2.** ♀ *Am. humor.* ‚großes Tier', ‚Bonze' *m*, Ma'gnat *m*.

mo·hair ['məʊheə] *s.* **1.** Mo'hair *m* (*Angorahaar*); **2.** Mo'hairstoff *m*, -kleidungsstück *n*.

Mo·ham·med·an [məʊ'hæmɪdən] **I** *adj.* mohamme'danisch; **II** *s.* Mohamme'daner(in).

moi·e·ty ['mɔɪətɪ] *s.* **1.** Hälfte *f*; **2.** Teil *m*.

moire [mwɑ:] *s.* **1.** Moi'ré *m*, *n*, Wasserglanz *m auf Stoffen*; **2.** moirierter Stoff; **moi·ré** ['mwɑ:reɪ] **I** *adj.* moiriert, gewässert, geflammt, mit Wellenmuster; **II** *s.* → ***moire*** 1.

moist [mɔɪst] *adj.* □ feucht, naß; '**mois·ten** [-sn] **I** *v/t.* an-, befeuchten, benetzen; **II** *v/i.* feucht werden; nässen; '**moist·ness** [-nɪs] *s.* Feuchte *f*; '**mois·ture** [-tʃə] *s.* Feuchtigkeit *f*: ~-***proof*** feuchtigkeitsfest; '**mois·tur·iz·er** [-tʃəraɪzə] *s.* **1.** Feuchtigkeitscreme *f*; **2.** Luftbefeuchter *m*.

moke [məʊk] *s. Brit. sl.* Esel *m* (*a. fig.*).

mo·lar[1] ['məʊlə] *anat.* **I** *s.* Backenzahn *m*, Mo'lar *m*; **II** *adj.* Mahl..., Backen...: ~ ***tooth*** → I.

mo·lar[2] ['məʊlə] *adj.* **1.** *phys.* Massen...: ~ ***motion*** Massenbewegung *f*; **2.** ⚗ mo'lar, Mol...: ~ ***weight*** Mol-, Molargewicht *n*.

mo·lar[3] ['məʊlə] *adj.* ⚕ Molen...

mo·las·ses [məʊ'læsɪz] *s. sg. u. pl.* **1.** Me'lasse *f*; **2.** (Zucker)Sirup *m*.

mold [məʊld] *etc. Am.* → ***mould*** *etc.*

mole[1] [məʊl] *s. zo.* Maulwurf *m* (*a.* F *fig. eingeschleuster Agent*).

mole[2] [məʊl] *s.* (kleines) Muttermal, *bsd.* Leberfleck *m*.

mole[3] [məʊl] *s.* Mole *f*, Hafendamm *m*.

mole[4] [məʊl] *s.* ⚗ Mol *n*, 'Grammoleˌkül *n*.

mole[5] [məʊl] *s.* ⚕ Mole *f*, Mondkalb *n*.

'**mole-ˌcrick·et** *s. zo.* Maulwurfsgrille *f*.

mo·lec·u·lar [məʊ'lekjʊlə] *adj.* ⚗, *phys.* moleku'lar, Molekular...: ~ ***biology***; ~ ***weight***; **mo·lec·u·lar·i·ty** [məʊˌlekjʊ'lærətɪ] *s.* ⚗, *phys.* Moleku'larzustand *m*; **mol·e·cule** ['mɒlɪkju:l] *s.* **1.** ⚗, *phys.* Mole'kül *n*; **2.** *fig.* winziges Teilchen.

'**mole**|·**hill** *s.* Maulwurfshügel *m*, -haufen *m*; → ***mountain*** I; '**~·skin** *s.* **1.** Maulwurfsfell *n*; **2.** ✝ Moleskin *m*, *n*, Englischleder *n* (*Baumwollgewebe*); **3.** *pl.* Hose *f* aus Moleskin.

mo·lest [məʊ'lest] *v/t.* belästigen; **mo·les·ta·tion** [ˌməʊle'steɪʃn] *s.* Belästigung *f.*

Moll, *a.* ♀ [mɒl] *s. sl.* **1.** ‚Nutte' *f* (*Prostituierte*); **2.** Gangsterbraut *f.*

mol·li·fi·ca·tion [ˌmɒlɪfɪ'keɪʃn] *s.* **1.** Besänftigung *f*; **2.** Erweichung *f*; **mol·li·fy** ['mɒlɪfaɪ] *v/t.* **1.** besänftigen, beruhigen, beschwichtigen; **2.** weich machen, erweichen.

mol·lusc ['mɒləsk] → ***mollusk***.

mol·lus·can [mɒ'lʌskən] **I** *adj.* Weichtier...; **II** *s.* → **mol·lusk** ['mɒləsk] *s. zo.* Mol'luske *f*, Weichtier *n.*

mol·ly·cod·dle ['mɒlɪˌkɒdl] **I** *s.* Weichling *m*, Muttersöhnchen *n*; **II** *v/t.* verhätscheln.

molt [məʊlt] *Am.* → ***moult***.

mol·ten ['məʊltən] *adj.* **1.** geschmolzen, (schmelz)flüssig: **~ *metal*** flüssiges Metall; **2.** gegossen, Guß...

mo·lyb·date [mɒ'lɪbdeɪt] *s.* ⚗ Molyb'dat *n*, molyb'dänsaures Salz; **mo'lyb·de·nite** [-dɪnaɪt] *s. min.* Molybdä'nit *m.*

mom [mɒm] *s.* F *bsd. Am.* **1.** Mami *f*; **2.** ‚Oma' *f* (*alte Frau*); **ˌ~-and-'pop store** *s. Am.* F Tante-Emma-Laden *m.*

mo·ment ['məʊmənt] *s.* **1.** Mo'ment *m*, Augenblick *m*: ***one*** (*od.* ***just a***) ***~!*** (nur) e-n Augenblick!; ***in a ~*** in e-m Augenblick, sofort; **2.** Zeitpunkt *m*, Augenblick *m*: ***~ of truth*** Stunde *f* der Wahrheit; ***the very ~ I saw him*** in dem Augenblick, in dem ich ihn sah; ***at the ~*** im Augenblick, gerade (jetzt *od.* damals); ***at the last ~*** im letzten Augenblick; ***not for the ~*** im Augenblick nicht; ***to the ~*** auf die Sekunde genau, pünktlich; **3.** Bedeutung *f*, Tragweite *f*, Belang *m* (***to*** für); **4.** *phys.* Mo'ment *n*: ***~ of inertia*** Trägheitsmoment; **mo·men·tal** [məʊ'mentl] *adj. phys.* Momenten...; '**mo·men·tar·y** [-tərɪ] *adj.* □ **1.** momen'tan, augenblicklich; **2.** vor'übergehend, flüchtig; **3.** jeden Augenblick geschehend *od.* möglich; '**mo·ment·ly** [-lɪ] *adv.* **1.** augenblicklich, in e-m Augenblick; **2.** von Se'kunde zu Se'kunde: ***increasing ~***; **3.** e-n Augenblick lang; **mo·men·tous** [məʊ'mentəs] *adj.* □ bedeutsam, folgenschwer, von großer Tragweite; **mo·men·tous·ness** [məʊ'mentəsnɪs] *s.* Bedeutsam-, Wichtigkeit *f*, Tragweite *f.*

mo·men·tum [məʊ'mentəm] *pl.* **-ta** [-tə] *s.* **1.** *phys.* Im'puls *m*, Mo'ment *n e-r Kraft*: ***~ theorem*** Momentensatz *m*; **2.** ⚙ Triebkraft *f*; **3.** *allg.* Wucht *f*, Schwung *m*, Fahrt *f*: ***gather*** (*od.* ***gain***) ***~*** in Fahrt kommen, Stoßkraft gewinnen; ***lose ~*** (an) Schwung verlieren.

mon·ad ['mɒnæd] *s.* **1.** *phls.* Mo'nade *f*; **2.** *biol.* Einzeller *m*; **3.** ⚗ einwertiges Ele'ment *od.* A'tom; **mo·nad·ic** [mɒ'nædɪk] *adj.* **1.** mo'nadisch, Monaden...; **2.** ⚡ eingliedrig, -stellig.

mon·arch ['mɒnək] *s.* Mon'arch(in), Herrscher(in); **mo·nar·chal** [mɒ'nɑːkl] *adj.* □ mon'archisch; **mo·nar·chic** *adj.*, **mo·nar·chi·cal** [mɒ'nɑːkɪk(l)] *adj.* □ **1.** mon'archisch; **2.** monar'chistisch; **3.** königlich (*a. fig.*); '**mon·arch·ism** [-kɪzəm] *s.* Monar'chismus *m*; '**mon·arch·ist** [-kɪst] **I** *s.* Monar'chist(in); **II** *adj.* monar'chistisch; '**mon·arch·y** [-kɪ] *s.* Monar'chie *f.*

mon·as·ter·y ['mɒnəstərɪ] *s.* (Mönchs-)Kloster *n*; **mo·nas·tic** [mə'næstɪk] *adj.* (□ ***~ally***) **1.** klösterlich, Kloster...; **2.** mönchisch (*a. fig.*), Mönchs...: ***~ vows*** Mönchsgelübde *n*; **mo·nas·ti·cism** [mə'næstɪsɪzəm] *s.* **1.** Mönch(s)tum *n*; **2.** mönchisches Leben, As'kese *f.*

mon·a·tom·ic [ˌmɒnə'tɒmɪk] *adj.* ⚗ 'einaˌtomig.

Mon·day ['mʌndɪ] *s.* Montag *m*: ***on ~*** am Montag; ***on ~s*** montags.

mon·e·tar·y ['mʌnɪtərɪ] *adj.* ✝ **1.** Geld..., geldlich, finanzi'ell: ***~ expansion*** Ausweitung der Geldmenge; ***~ policy*** Geldmengenpolitik *f*; ***~ restraint*** restriktive Geldpolitik; **2.** Währungs...(*-einheit*, *-reform etc.*): ***~ union*** Währungsunion *f*; **3.** Münz...: ***~ standard*** Münzfuß *m*; '**mone·tize** [-taɪz] *v/t.* **1.** zu Münzen prägen; **2.** zum gesetzlichen Zahlungsmittel machen; **3.** den Münzfuß (*gen.*) festsetzen.

mon·ey ['mʌnɪ] *s.* ✝ **1.** Geld *n*; Geldbetrag *m*, -summe *f*: ***~ on*** (*od.* ***at***) ***call*** Tagesgeld; ***be out of ~*** kein Geld haben; ***short of ~*** knapp an Geld, ‚schlecht bei Kasse'; ***~ due*** ausstehendes Geld; ***~ on account*** Guthaben *n*; ***~ on hand*** verfügbares Geld; ***get one's ~'s worth*** et. (*Vollwertiges*) für sein Geld bekommen; **2.** Geld *n*, Vermögen *n*: ***make ~*** Geld machen, gut verdienen (***by*** bei); ***marry ~*** sich reich verheiraten; ***have ~ to burn*** Geld wie Heu haben; **3.** Geldsorte *f*; **4.** Zahlungsmittel *n*; **5.** ***monies*** *pl.* ⚖ Gelder *pl.*, (Geld-)Beträge *pl.*; '**~·bag** *s.* **1.** Geldbeutel *m*; ⚔ Brustbeutel *m*; **2.** *pl.* F a) Geldsäcke *pl.*, Reichtum *m*, b) *sg. konstr.* ‚Geldsack' *m* (*reiche Person*); **~ bill** *s. parl.* Fi'nanzvorlage *f*; '**~-box** *s.* Sparbüchse *f*; **~ bro·ker** *s.* Fi'nanzmakler *m*; '**~ˌchang·er** *s.* **1.** Geldwechsler *m*; **2.** 'Wechselautoˌmat *m.*

mon·eyed ['mʌnɪd] *adj.* **1.** reich, vermögend; **2.** Geld...: ***~ corporation*** ✝ *Am.* Geldinstitut *n*; ***~ interest*** Finanzwelt *f.*

'**mon·ey|ˌgrub·ber** [-ˌgrʌbə] *s.* Geldraffer *m*; '**~ˌgrub·bing** [-ˌgrʌbɪŋ] *adj.*

M

geldraffend, -gierig; **~ laun·der·ing** *s.* Geldwäsche *f*; **~ laun·dry** *s.* Geldwaschanstalt *f*; **'~ˌlend·er** *s.* ✝ Geldverleiher *m*; **~ let·ter** *s.* Geld-, Wertbrief *m*; **'~ˌmak·er** *s.* **1.** guter Geschäftsmann; **2.** Bombengeschäft *n*, ‚Renner' *m*, ‚Goldgrube' *f*; **'~-ˌmak·ing I** *adj.* gewinnbringend, einträglich; **II** *s.* Geldverdienen *n*; **~ mar·ket** *s.* ✝ Geldmarkt *m*; **~ mat·ters** *s. pl.* Geldangelegenheiten *pl.*; **~ or·der** *s.* **1.** Postanweisung *f*; **2.** Zahlungsanweisung *f*; **'~ˌspin·ner** *s.* → ***moneymaker*** 2; **~ sup·ply** *s.* Geldmenge *f*.

mon·ger ['mʌŋgə] *s.* (*mst in Zssgn*) **1.** Händler *m*, Krämer *m*: ***fish~*** Fischhändler; **2.** *fig. contp.* Verbreiter(in) *von Gerüchten etc.*; → ***scaremonger***, ***warmonger*** *etc.*

Mon·gol ['mɒŋgɒl] **I** *s.* **1.** Mon'gole *m*, Mon'golin *f*; **2.** *ling.* Mon'golisch *n*; **II** *adj.* **3.** → ***Mongolian*** I; **Mon·go·li·an** [mɒŋ'gəʊljən] **I** *adj.* **1.** mon'golisch; **2.** mongo'lid, gelb (*Rasse*); **3.** → ***Mongoloid*** I; **II** *s.* **4.** → ***Mongol*** 1; **5.** → ***Mongoloid*** II; **'Mon·gol·oid** [-lɔɪd] *bsd.* ⚕ **I** *adj.* mongolo'id; **II** *s.* Mongolo'ide(r *m*) *f*.

mon·goose ['mɒŋguːs] *s. zo.* Mungo *m*.

mon·grel ['mʌŋgrəl] **I** *s.* **1.** *biol.* Bastard *m*; **2.** Köter *m*, Prome'nadenmischung *f*; **3.** Mischling *m* (*Mensch*); **4.** Zwischending *n*; **II** *adj.* **5.** Bastard…, Misch…: **~ *race*** Mischrasse *f*.

'mongst [mʌŋst] *abbr. für* ***among***(***st***).

mon·ick·er ['mɒnɪkə] → ***moniker***.

mon·ies ['mʌnɪz] *s. pl.* → ***money*** 5.

mon·i·ker ['mɒnɪkə] *s. sl.* (Spitz)Name *m*.

mon·ism ['mɒnɪzəm] *s. phls.* Mo'nismus *m*.

mo·ni·tion [məʊ'nɪʃn] *s.* **1.** (Er)Mahnung *f*; **2.** Warnung *f*.

mon·i·tor ['mɒnɪtə] **I** *s.* **1.** (Er)Mahner *m*; **2.** Warner *m*; **3.** *ped.* Klassenordner *m*; **4.** ⚓ *Art* Panzerschiff *n*; **5.** ⚡, *tel.* a) Abhörer(in), b) Abhorchgerät *n*; **6.** ⚡ *etc.* Monitor *m*, Kon'trollgerät *n*, -schirm *m*; **II** *v/t.* **7.** *tel.* ab-, mithören, über'wachen (*a. fig.*); **8.** ⚡ *Akustik etc.* durch Abhören kontrollieren; **9.** auf Radioaktivi'tät über'prüfen; **'mon·i·tor·ing** [-tərɪŋ] *adj.* ⚡, *tel.* Mithör…, Prüf…, Überwachungs…: **~ *desk*** Misch-, Reglerpult *n*; **'mon·i·to·ry** [-tərɪ] *adj.* **1.** (er)mahnend, Mahn…; **2.** warnend, Warnungs…

monk [mʌŋk] *s.* **1.** *eccl.* Mönch *m*; **2.** *zo.* Mönchsaffe *m*; **3.** *typ.* Schmierstelle *f*.

mon·key ['mʌŋkɪ] **I** *s.* **1.** *zo.* a) Affe *m* (*a. fig. humor.*), b) *engS.* kleinerer (langschwänziger) Affe (*Ggs.* ***ape***); **2.** ⚙ a) Ramme *f*, b) Fallhammer *m*; **3.** *Brit. sl.* Wut *f*: ***get*** (*od.* ***put***) ***s.o.'s ~ up*** j-n auf die Palme bringen; ***get one's ~ up*** ‚hochgehen', in Wut geraten; **4.** *sl.* 500 Dollar *od.* brit. Pfund; **II** *v/i.* **5.** Possen treiben; **6.** F (***with***) spielen (mit), her'umpfuschen (an *dat.*): **~ (*about*)** (herum)albern; **III** *v/t.* **7.** nachäffen; **'~-bread** *s.* ⚘ Affenbrotbaum-Frucht *f*; **~ busi·ness** *s. sl.* **1.** ‚krumme Tour', ‚fauler Zauber'; **2.** ‚Blödsinn' *m*, Unfug *m*; **~ en·gine** *s.* ⚙ (Pfahl)Ramme *f*; **'~-ˌjack·et** *s.* ⚔ Affenjäckchen *n*; **'~-shine** *s. Am. sl.* (dummer *od.* 'übermütiger) Streich, ‚Blödsinn' *m*; **'~-wrench** *s.* ⚙ ‚Engländer' *m*, Univer'sal(schrauben)schlüssel *m*: ***throw a ~ into s.th.*** *Am.* F et. behindern *od.* beeinträchtigen.

monk·ish ['mʌŋkɪʃ] *adj.* **1.** Mönchs…; **2.** *mst contp.* mönchisch, Pfaffen…

mon·o ['mɒnəʊ] F **I** *s. Radio etc*: Mono *n*; **II** *adj.* mono (abspielbar), Mono…

mono- [mɒnəʊ] *in Zssgn* ein…, einfach…; **mon·o·ac·id** [ˌmɒnəʊ'æsɪd] ⚗ **I** *adj.* einsäurig; **II** *s.* einbasige Säure; **mon·o·car·pous** [ˌmɒnəʊ'kɑːpəs] *adj.* ⚘ **1.** einfrüchtig (*Blüte*); **2.** nur einmal fruchtend.

mon·o·chro·mat·ic [ˌmɒnəʊkrəʊ'mætɪk] *adj.* (☐ **~*ally***) monochro'matisch, einfarbig; **mon·o·chrome** ['mɒnəkrəʊm] **I** *s.* **1.** einfarbiges Gemälde; **2.** Schwarz'weißaufnahme *f*; **II** *adj.* **3.** mono'chrom.

mon·o·cle ['mɒnəkl] *s.* Mon'okel *n*.

mo·no·coque ['mɒnəkɒk] (*Fr.*) *s.* ✈ **1.** Schalenrumpf *m*; **2.** Flugzeug *n* mit Schalenrumpf: **~ *construction*** ⚙ Schalenbau(weise *f*) *m*.

mo·noc·u·lar [mɒ'nɒkjʊlə] *adj.* monoku'lar, für 'ein Auge.

mon·o·cul·ture ['mɒnəʊˌkʌltʃə] *s.* 🖌 'Monokulˌtur *f*; **mo·nog·a·mous** [mɒ'nɒgəməs] *adj.* mono'gam(isch); **mo·nog·a·my** [mɒ'nɒgəmɪ] *s.* Monoga'mie *f*, Einehe *f*; **mon·o·gram** ['mɒnəgræm] *s.* Mono'gramm *n*; **mon·o·graph** ['mɒnəgrɑːf] *s.* Monogra'phie *f*; **mon·o·hy·dric** [ˌmɒnəʊ'haɪdrɪk] *adj.* ⚗ einwertig: **~ *alcohol***; **mon·o·lith** ['mɒnəʊlɪθ] *s.* Mono'lith *m*; **mon·o·lith·ic** [ˌmɒnəʊ'lɪθɪk] *adj.* mono'lithisch; *fig.* gi'gantisch; **mo·nol·o·gize** [mɒ'nɒlədʒaɪz] *v/i.* monologisieren, ein Selbstgespräch führen; **mon·o·logue** ['mɒnəlɒg] *s.* Mono'log *m*, Selbstgespräch *n*; **mon·o·ma·ni·a** [ˌmɒnəʊ'meɪnjə] *s.* Monoma'nie *f*, fixe I'dee.

mo·no·mi·al [mɒ'nəʊmjəl] *s.* Ꭿ eingliedrige Zahlengröße.

mon·o·phase ['mɒnəʊfeɪz] *adj.* ⚡ einphasig; **mon·o·pho·bi·a** [ˌmɒnəʊ'fəʊbjə] *s.* Monopho'bie *f*; **mon·o·phtong** ['mɒnəfθɒŋ] Mono'phtong *m*, einfacher Selbstlaut; **mon·o·plane** ['mɒnəʊpleɪn] *s.* ✈ Eindecker *m*.

mo·nop·o·list [mə'nɒpəlɪst] *s.* ✝ Monopo'list *m*; Mono'polbesitzer(in); **mo'nop·o·lize** [-laɪz] *v/t.* monopolisieren: a) ✝ ein Mono'pol erringen *od.* haben für, b) *fig.* an sich reißen: ***~ the conversation*** die Unterhaltung ganz allein bestreiten, c) *fig. j-n od. et.* mit Beschlag belegen; **mo'nop·o·ly** [-lɪ] *s.* ✝ **1.** Mono'pol(stellung *f*) *n*; **2.** (***of***) Mono'pol *n* (auf *acc.*); Al'leinverkaufs-, Al'leinbetriebs-, Al'leinherstellungsrecht *n* (für): ***market ~*** Marktbeherrschung *f*; **3.** *fig.* Mono'pol *n*, al'leiniger Besitz, al'leinige Beherrschung: ***~ of learning*** Bildungsmonopol.

mon·o·rail ['mɒnəʊreɪl] *s.* 🚂 **1.** Einschiene *f*; **2.** Einwegbahn *f*.

mon·o·syl·lab·ic [ˌmɒnəʊsɪ'læbɪk] *adj.* (☐ ***~ally***) *ling. u. fig.* einsilbig; **mon·o·syl·la·ble** ['mɒnəˌsɪləbl] *s.* einsilbiges Wort: ***speak in ~s*** einsilbige Antworten geben.

mon·o·the·ism ['mɒnəʊθiːˌɪzəm] *s. eccl.* Monothe'ismus *m*; **'mon·o·theˌist** [-ˌɪst] **I** *s.* Monothe'ist *m*; **II** *adj.* → **mon·o·the·is·tic, mon·o·the·is·ti·cal** [ˌmɒnəʊθiː'ɪstɪk(l)] *adj.* monothe'istisch.

mon·o·tone ['mɒnətəʊn] *s.* **1.** mono'tones Geräusch, gleichbleibender Ton; eintönige Wieder'holung; **2.** → ***monotony***; **mo·not·o·nous** [mə'nɒtnəs] *adj.* ☐ mono'ton, eintönig (*a. fig.*); **mo·not·o·ny** [mə'nɒtnɪ] *s.* Monoto'nie *f*, Eintönigkeit *f*, *fig. a.* Einförmigkeit *f*, (ewiges) Einerlei.

mon·o·type ['mɒnəʊtaɪp] (*Fabrikmarke*) *s. typ.* **1.** ♀ Monotype *f*; **2.** mit der Monotype hergestellte Letter.

mon·o·va·lent ['mɒnəʊˌveɪlənt] *adj.* ⚗ einwertig; **mon·ox·ide** [mɒ'nɒksaɪd] *s.* ⚗ 'Monoˌxyd *n*.

mon·soon [mɒn'suːn] *s.* Mon'sun *m*.

mon·ster ['mɒnstə] **I** *s.* **1.** *a. fig.* Monster *n*, Ungeheuer *n*, Scheusal *n*; **2.** Monstrum *n*: a) 'Mißgeburt *f*, -bildung *f*, b) *fig.* Ungeheuer *n*, Ko'loß *m*; **II** *adj.* **3.** ungeheuer(lich), Riesen…, Monster…: ***~ film*** Monsterfilm *m*; ***~ meeting*** Massenversammlung *f*.

mon·strance ['mɒnstrəns] *s. eccl.* Mon'stranz *f*.

mon·stros·i·ty [mɒn'strɒsətɪ] *s.* **1.** Ungeheuerlichkeit *f*; **2.** → ***monster*** 2.

mon·strous ['mɒnstrəs] *adj.* ☐ **1.** mon'strös: a) ungeheuer, riesig, b) unge'heuerlich, gräßlich, scheußlich, c) 'mißgestaltet, unförmig, ungestalt; **2.** un-, 'wideraˌtürlich; **3.** ab'surd, lächerlich; **'mon·strous·ness** [-nɪs] *s.* **1.** Unge'heuerlichkeit *f*; **2.** Riesenhaftigkeit *f*; **3.** 'Wideraˌtürlichkeit *f*.

mon·tage [mɒn'tɑːʒ] *s.* **1.** ('Bild-, 'Foto-) Monˌtage *f*; **2.** *Film, Radio etc.*: Mon'tage *f*.

month [mʌnθ] *s.* **1.** Monat *m*: ***this day ~*** heute in *od.* vor e-m Monat; ***by the ~*** (all)monatlich; ***a ~ of Sundays*** e-e ewig lange Zeit; **2.** F vier Wochen *od.* 30 Tage; **month·ly** ['mʌnθlɪ] **I** *s.* **1.** Monatsschrift *f*; **2.** *pl.* → ***menses***; **II** *adj.* **3.** einen Monat dauernd; **4.** monatlich, Monats…: ***~ salary*** Monatsgehalt *n*; **III** *adv.* **5.** monatlich, einmal im Monat, jeden Monat.

mon·ti·cule ['mɒntɪkjuːl] *s.* **1.** (kleiner) Hügel; **2.** Höckerchen *n*.

mon·u·ment ['mɒnjʊmənt] *s.* Monu'ment *n*, (*a.* Grab-, Na'tur- *etc.*)Denkmal *n* (***to*** für, ***of*** *gen.*): ***a ~ of literature*** *fig.* ein Literaturdenkmal; **mon·u·men·tal** [ˌmɒnjʊ'mentl] *adj.* ☐ **1.** monumen'tal, gewaltig, impo'sant; **2.** F kolos'sal, ungeheuer: ***~ stupidity***; **3.** Denkmal(s)…, Gedenk…; Grabmal(s)…

moo [muː] **I** *v/i.* muhen; **II** *s.* Muhen *n*.

mooch [muːtʃ] *sl.* **I** *v/i.* **1.** *a.* ***~ about*** her'umlungern, -strolchen: ***~ along*** dahinlatschen; **II** *v/t.* **2.** ‚klauen', stehlen; **3.** schnorren, erbetteln.

mood[1] [muːd] *s.* **1.** *ling.* Modus *m*, Aussageweise *f*; **2.** ♪ Tonart *f*.

mood[2] [muːd] *s.* **1.** Stimmung *f* (*a. paint.*, ♪ *etc.*), Laune *f*: ***be in the ~ to work*** zur Arbeit aufgelegt sein; ***be in no ~ for a walk*** nicht zu e-m Spaziergang aufgelegt sein, keine Lust haben spazierenzugehen; ***change of ~*** Stimmungsumschwung *m*; ***~ music*** stimmungsvolle Musik; **2.** *paint.*, *phot.* Stimmungsbild *n*; **mood·i·ness** ['muːdɪnɪs] *s.* **1.** Launenhaftigkeit *f*; **2.** Übellaunigkeit *f*; **3.** Trübsinn(igkeit *f*) *m*; **mood·y** ['muːdɪ] *adj.* **1.** ☐ launisch, launenhaft; **2.** übellaunig, verstimmt; **3.** trübsinnig.

moon [muːn] **I** *s.* **1.** Mond *m*: ***full ~*** Vollmond; ***new ~*** Neumond; ***once in a blue ~*** F alle Jubeljahre einmal, höchst selten; ***be over the ~*** F ganz selig sein; ***cry for the ~*** nach etwas Unmöglichem verlangen; ***promise s.o. the ~*** j-m das Blaue vom Himmel (herunter) versprechen; ***reach for the ~*** nach den Sternen greifen; ***shoot the ~*** F bei Nacht u. Nebel ausziehen (*Mieter*); **2.** *ast.* Tra'bant *m*, Satel'lit *m*: ***man-made*** (*od.* ***baby***) ***~*** (Erd)Satellit, ‚Sputnik' *m*; **3.** *poet.* Mond *m*, Monat *m*; **II** *v/i.* **4.** *mst* ***~ about*** um'herlungern, -geistern; **III** *v/t.* **5.** ***~ away*** *Zeit* vertrödeln, verträumen; **'~·beam** *s.* Mondstrahl *m*: **'~·calf** *s.* [*irr.*] **1.** ‚Mondkalb' *n*, Trottel *m*; **2.** Träumer *m*; **'~·faced** *adj.* vollmondgesichtig; **'~·light I** *s.* Mondlicht *n*, -schein *m*: ***♀ Sonata*** ♪ Mondscheinsonate *f*; **II** *adj.* mondhell, Mondlicht…: ***~ flit*(*ting*)** *sl.* heimliches Ausziehen bei Nacht (*wegen Mietschulden*); **'~ˌlight·er**

s. Schwarzarbeiter *m*; '**~·lit** *adj.* mondhell; **~ rak·er** *s.* ⚓ Mondsegel *n*; '**~·rise** *s.* Mondaufgang *m*; '**~·set** *s.* 'Mond,untergang *m*; '**~·shine** *s.* **1.** Mondschein *m*; **2.** *fig.* a) Schwindel *m*, fauler Zauber, b) Unsinn *m*, Geschwafel *n*; **3.** *sl.* geschmuggelter *od.* schwarzgebrannter Alkohol; '**~,shin·er** *s. Am. sl.* Alkoholschmuggler *m*; Schwarzbrenner *m*; '**~·stone** *s. min.* Mondstein *m*; '**~·struck** *adj.* **1.** mondsüchtig; **2.** verrückt.

moon·y ['mu:nɪ] *adj.* **1.** (halb)mondförmig; **2.** Mond...; **3.** mondhell, Mondlicht...; **4.** F a) verträumt, dösig, b) beschwipst, c) verrückt.

moor¹ [mʊə] *s.* **1.** Ödland *n*, *bsd.* Heideland *n*; **2.** Hochmoor *n*; Bergheide *f*.

moor² [mʊə] **I** *v/t.* **1.** ⚓ vertäuen, festmachen; *fig.* verankern, sichern; **II** *v/i.* ⚓ **2.** festmachen, ein Schiff vertäuen; **3.** sich festmachen; **4.** festgemacht *od.* vertäut liegen.

Moor³ [mʊə] *s.* Maure *m*; Mohr *m*.

moor·age ['mʊərɪdʒ] → ***mooring***.

'**moor|·fowl**, **~ game** *s.* (schottisches) Moorhuhn; '**~·hen** *s.* **1.** weibliches Moorhuhn; **2.** Gemeines Teichhuhn.

moor·ing ['mʊərɪŋ] *s.* ⚓ **1.** Festmachen *n*; **2.** *mst pl.* Vertäuung *f* (*Schiff*); **3.** *pl.* Liegeplatz *m*; **4.** Anlegegebühr *f*; **~ buoy** *s.* ⚓ Festmacheboje *f*; **~ rope** *s.* Halteleine *f*.

Moor·ish ['mʊərɪʃ] *adj.* maurisch.

'**moor·land** [-lənd] *s.* Heidemoor *n*.

moose [mu:s] *pl.* **moose** *s. zo.* Elch *m*.

moot [mu:t] **I** *s.* **1.** *hist.* (beratende) Volksversammlung; **2.** ⚖, *univ.* Diskussi'on *f* fik'tiver (Rechts)Fälle; **II** *v/t.* **3.** *Frage* aufwerfen, anschneiden; **4.** erörtern, diskutieren; **III** *adj.* **5.** a) strittig: ***~ point***, b) (rein) aka'demisch: ***~ question***.

mop¹ [mɒp] **I** *s.* **1.** Mop *m* (*Fransenbesen*); Schrubber *m*; Wischlappen *m*; **2.** (Haar)Wust *m*; **3.** ⚓ Dweil *m*; **4.** ⚙ Schwabbelscheibe *f*; **II** *v/t.* **5.** auf-, abwischen: ***~ one's face*** sich das Gesicht (ab)wischen; → ***floor*** 1; **6.** ***~ up*** a) (mit dem Mop) aufwischen, b) ⚔ *sl.* (*vom Feinde*) säubern, *Wald* durch'kämmen, c) *sl. Profit etc.* ‚schlucken', d) *sl.* aufräumen mit.

mop² [mɒp] **I** *v/i. mst* ***~ and mow*** Gesichter schneiden; **II** *s.* Gri'masse *f*: ***~s and mows*** Grimassen.

mope [məʊp] **I** *v/i.* **1.** den Kopf hängen lassen, Trübsal blasen; **II** *v/t.* **2.** (*nur pass.*) ***be ~d*** niedergeschlagen sein; ‚sich mopsen' (*langweilen*); **III** *s.* **3.** Trübsalbläser(in); **4.** *pl.* Trübsinn *m*.

mo·ped ['məʊped] *s. mot. Brit.* Moped *n*.

'**mop·head** *s.* F a) Wuschelkopf *m*, b) Struwwelpeter *m*.

mop·ing ['məʊpɪŋ] *adj.* □; '**mop·ish** [-ɪʃ] *adj.* □ trübselig, a'pathisch, kopfhängerisch; '**mop·ish·ness** [-ɪʃnɪs] *s.* Lustlosigkeit *f*, Griesgrämigkeit *f*, Trübsinn *m*.

mop·pet ['mɒpɪt] *s.* F Püppchen *n* (*a. fig. Kind, Mädchen*).

'**mop·ping-up** ['mɒpɪŋ-] *s.* ⚔ *sl.* **1.** Aufräumungsarbeit *f*; **2.** Säuberung *f* (*vom Feinde*): ***~ operation*** Säuberungsaktion *f*.

mo·raine [mɒ'reɪn] *s. geol.* Mo'räne *f*.

mor·al ['mɒrəl] **I** *adj.* □ **1.** *allg.* mo'ralisch: a) sittlich: ***~ force***; ***~ sense*** sittliches Empfinden, b) geistig: ***~ obligation*** moralische Verpflichtung; ***~ support*** moralische Unterstützung; ***~ victory*** moralischer Sieg, c) vernunftgemäß: ***~ certainty*** moralische Gewißheit, d) Moral..., Sitten...: ***~ law*** Sittengesetz *n*; ***~ theology*** Moraltheologie *f*, e) sittenstreng, tugendhaft: ***a ~ life***; **2.** (sittlich) gut: ***a ~ act***; **3.** cha'rakterlich: ***~ly firm*** innerlich gefestigt; **II** *s.* **4.** Mo'ral *f*, Nutzanwendung *f* (*e-r Geschichte etc.*): ***draw the ~ from*** die Lehre ziehen aus; **5.** mo'ralischer Grundsatz: ***point the ~*** den sittlichen Standpunkt betonen; **6.** *pl.* Mo'ral *f*, sittliches Verhalten, Sitten *pl.*: ***code of ~s*** Sittenkodex *m*; **7.** *pl. sg. konstr.* Sittenlehre *f*, Ethik *f*.

mo·rale [mɒ'rɑ:l] *s.* Mo'ral *f*, Haltung *f*, Stimmung *f*, (Arbeits-, Kampf)Geist *m*: ***the ~ of the army*** die Kampfmoral *od.* Stimmung der Armee; ***raise*** (***lower***) ***the ~*** die Moral heben (senken).

mor·al| fac·ul·ty *s.* Sittlichkeitsgefühl *n*; **~ haz·ard** *s. Versicherungswesen*: subjek'tives Risiko, Risiko *n* falscher Angaben des Versicherten; **~ in·san·i·ty** *s. psych.* mo'ralischer De'fekt.

mor·al·ist ['mɒrəlɪst] *s.* **1.** Mora'list *m*, Sittenlehrer *m*; **2.** Ethiker *m*.

mo·ral·i·ty [mə'rælətɪ] *s.* **1.** Mo'ral *f*, Sittlichkeit *f*, Tugend(haftigkeit) *f*; **2.** Morali'tät *f*, sittliche Gesinnung; **3.** Ethik *f*, Sittenlehre *f*; **4.** *pl.* mo'ralische Grundsätze *pl.*, Ethik *f* (*e-r Person*); **5.** *contp.* Mo'ralpredigt *f*; **6.** → **~ play** *s. hist. thea.* Morali'tät *f*.

mor·al·ize ['mɒrəlaɪz] **I** *v/i.* **1.** moralisieren (***on*** über *acc.*); **II** *v/t.* **2.** mo'ralisch auslegen; **3.** versittlichen, die Mo'ral (*gen.*) heben; '**mor·al·iz·er** [-zə] *s.* Sittenprediger(in).

mor·al| phi·los·o·phy, **~ sci·ence** *s.* Mo'ralphiloso,phie *f*, Ethik *f*.

mo·rass [mə'ræs] *s.* **1.** Mo'rast *m*, Sumpf (-land *n*) *m*; **2.** *fig.* a) Wirrnis *f*, b) Klemme *f*, schwierige Lage.

mor·a·to·ri·um [,mɒrə'tɔ:rɪəm] *pl.* **-ri·ums** *s.* ✝ Mora'torium *n*, Zahlungsaufschub *m*, Stillhalteabkommen *n*, Stundung *f*; **mor·a·to·ry** ['mɒrətərɪ]

M

adj. Moratoriums…, Stundungs…

Mo·ra·vi·an [məˈreɪvjən] **I** *s.* **1.** Mähre *m*, Mährin *f*; **2.** *ling.* Mährisch *n*; **II** *adj.* **3.** mährisch: ***~ Brethren*** *eccl. die* Herrnhuter Brüdergemein(d)e.

mor·bid [ˈmɔːbɪd] *adj.* □ morˈbid, krankhaft, pathoˈlogisch: ***~ anatomy*** ⚕ pathologische Anatomie; **mor·bid·i·ty** [mɔːˈbɪdətɪ] *s.* **1.** Krankhaftigkeit *f*; **2.** Erkrankungsziffer *f*.

mor·dan·cy [ˈmɔːdənsɪ] *s.* Bissigkeit *f*, beißende Schärfe; **ˈmor·dant** [-dənt] **I** *adj.* □ **1.** beißend: a) brennend (*Schmerz*), b) *fig.* scharf, sarˈkastisch (*Worte etc.*); **2.** ⚙ a) beizend, ätzend, b) *Farben* fixierend; **II** *s.* **3.** ⚙ a) Ätzwasser *n*, b) (*bsd. Färberei*) Beize *f*.

more [mɔː] **I** *adj.* **1.** mehr: ***(no) ~ than*** (nicht) mehr als; ***they are ~ than we*** sie sind zahlreicher als wir; **2.** mehr, noch (mehr), weiter: ***some ~ tea*** noch etwas Tee; ***one ~ day*** noch ein(en) Tag; ***so much the ~ courage*** um so mehr Mut; ***he is no ~*** er ist nicht mehr (*ist tot*); **3.** größer (*obs. außer in*): ***the ~ fool*** der größere Tor; ***the ~ part*** der größere Teil; **II** *adv.* **4.** mehr: ***~ dead than alive*** mehr *od.* eher tot als lebendig; ***~ and ~*** immer mehr; ***~ and ~ difficult*** immer schwieriger; ***~ or less*** mehr oder weniger, ungefähr; ***the ~*** um so mehr; ***the ~ so because*** um so mehr, da; ***all the ~ so*** nur um so mehr; ***no*** (*od.* ***not any***) ***~ than*** ebensowenig wie; ***neither*** (*od.* ***no***) ***~ nor less than stupid*** nicht mehr u. nicht weniger als dumm; **5.** (*zur Bildung des comp.*): ***~ important*** wichtiger; ***~ often*** öfter; **6.** noch: ***once ~*** noch einmal; ***two hours ~*** noch zwei Stunden; **7.** noch mehr, ja soˈgar: ***it is wrong and, ~, it is foolish***; **III** *s.* **8.** Mehr *n* (***of*** an *dat.*); **9.** mehr: ***~ than one person has seen it*** mehr als einer hat es gesehen; ***we shall see ~ of him*** wir werden ihn noch öfter sehen; ***and what is ~*** und was noch wichtiger ist; ***no ~*** nicht(s) mehr.

mo·rel [mɒˈrel] *s.* ⚘ **1.** Morchel *f*; **2.** Nachtschatten *m*; **3.** → **mo·rel·lo** [məˈreləʊ] *pl.* **-los** *s.* ⚘ Moˈrelle *f*, Schwarze Sauerweichsel.

more·o·ver [mɔːˈrəʊvə] *adv.* außerdem, überˈdies, ferner, weiter.

mo·res [ˈmɔːriːz] *s. pl.* Sitten *pl.*

mor·ga·nat·ic [ˌmɔːgəˈnætɪk] *adj.* (□ ***~ally***) morgaˈnatisch.

morgue [mɔːg] *s.* **1.** Leichenschauhaus *n*; **2.** F Arˈchiv *n* (*e-s Zeitungsverlages etc.*).

mor·i·bund [ˈmɒrɪbʌnd] *adj.* **1.** sterbend, dem Tode geweiht; **2.** *fig.* zum Aussterben *od.* Scheitern verurteilt.

Mor·mon [ˈmɔːmən] *eccl.* **I** *s.* Morˈmone *m*, Morˈmonin *f*; **II** *adj.* morˈmonisch: ***~ Church*** mormonische Kirche, Kirche Jesu Christi der Heiligen der letzten Tage; ***~ State*** *Beiname für* Utah *n* (*USA*).

morn [mɔːn] *s. poet.* Morgen *m*.

morn·ing [ˈmɔːnɪŋ] **I** *s.* **1.** a) Morgen *m*, b) Vormittag *m*: ***in the ~*** morgens, am Morgen, vormittags; ***early in the ~*** frühmorgens, früh am Morgen; ***on the ~ of May 5*** am Morgen des 5. Mai; ***one*** (***fine***) ***~*** eines (schönen) Morgens; ***this ~*** heute früh; ***the ~ after*** am Morgen darauf, am darauffolgenden Morgen; ***good ~!*** guten Morgen!; ***~!*** F (’n) Morgen!; **2.** *fig.* Morgen *m*, Beginn *m*; **3.** *poet.* a) Morgendämmerung *f*, b) ♀ Auˈrora *f*; **II** *adj.* **4.** a) Morgen…, Vormittags…, b) Früh…; **ˌ~-ˈaft·er pill** *s. die* Pille danach; **~ call** *s.* Weckdienst *m* (*im Hotel etc.*); **~ coat** *s.* Cut(away) *m*; **~ dress** *s.* **1.** Hauskleid *n*; **2.** Besuchs-, Konfeˈrenzanzug *m*, ‚Stresemann' *m* (*schwarzer Rock mit gestreifter Hose*); **~ gift** *s.* ⚖ *hist.* Morgengabe *f*; **~ glo·ry** *s.* ⚘ Winde *f*; **~ gown** *s.* Morgenrock *m*; Hauskleid *n* (*der Frau*); **~ per·form·ance** *s. thea.* Frühvorstellung *f*, Matiˈnee *f*; **~ prayer** *s. eccl.* **1.** Morgengebet *n*; **2.** Frühgottesdienst *m*; **~ sick·ness** *s.* ⚕ morgendliches Erbrechen (*bei Schwangeren*); **~ star** *s.* **1.** *ast.*, *a.* ⚔ *hist.* Morgenstern *m*; **2.** ⚘ Menˈtzelie *f*.

Mo·roc·can [məˈrɒkən] **I** *adj.* marokˈkanisch; **II** *s.* Marokˈkaner(in).

mo·roc·co [məˈrɒkəʊ] *pl.* **-cos** [-z] *s. a.* ***~ leather*** Saffian(leder *n*) *m*.

mo·ron [ˈmɔːrɒn] *s.* **1.** Schwachsinnige(r *m*) *f*; **2.** F Trottel *m*, Idiˈot *m*; **mo·ron·ic** [məˈrɒnɪk] *adj.* schwachsinnig.

mo·rose [məˈrəʊs] *adj.* □ mürrisch, grämlich, verdrießlich; **moˈrose·ness** [-nɪs] *s.* Verdrießlichkeit *f*.

mor·pheme [ˈmɔːfiːm] *s. ling.* Morˈphem *n*.

mor·phi·a [ˈmɔːfjə], **ˈmor·phine** [-fiːn] *s.* ⚗ Morphium *n*; **ˈmor·phin·ism** [-fɪnɪzəm] *s.* **1.** Morphiˈnismus *m*, Morphiumsucht *f*; **2.** Morphiumvergiftung *f*; **ˈmor·phin·ist** [-fɪnɪst] *s.* Morphiˈnist(in).

morpho- [mɔːfəʊ] *in Zssgn* Form…, Gestalt…, Morpho…

mor·pho·log·ic, **mor·pho·log·i·cal** [ˌmɔːfəˈlɒdʒɪk(l)] *adj.* □ morphoˈlogisch, Form…: ***~ element*** Formelement *n*; **mor·phol·o·gy** [mɔːˈfɒlədʒɪ] *s.* Morpholoˈgie *f*.

mor·ris [ˈmɒrɪs] *s. a.* ***~ dance*** Moˈriskentanz *m*; **~ tube** *s.* Einstecklauf *m* (*für Gewehre*).

mor·row [ˈmɒrəʊ] *s. mst poet.* morgiger *od.* folgender Tag: ***the ~ of*** a) der Tag nach, b) *fig.* die Zeit unmittelbar nach.

Morse[1] [mɔːs] **I** *adj.* Morse…: ***~ code*** Morsealphabet *n*; **II** *v/t. u. v/i.* ♀

morsen.

morse² [mɔːs] → ***walrus***.

mor·sel [ˈmɔːsl] **I** *s.* **1.** Bissen *m*, Happen *m*; **2.** Stückchen *n*, *das* bißchen; **3.** Leckerbissen *m*; **II** *v/t.* **4.** in kleine Stückchen teilen, in kleinen Portiˈonen austeilen.

mort¹ [mɔːt] *s. hunt.* (ˈHirsch)ˌTotsiˌgnal *n*.

mort² [mɔːt] *s. ichth.* dreijähriger Lachs.

mor·tal [ˈmɔːtl] **I** *adj.* □ **1.** sterblich; **2.** tödlich: a) verderblich, todbringend (***to*** für): ~ ***wound***, b) erbittert: ~ ***battle***; ~ ***hatred*** tödlicher Haß; **3.** Tod(es)…: ~ ***agony*** Todeskampf *m*; ~ ***enemies*** Todfeinde; ~ ***fear*** Todesangst *f*; ~ ***hour*** Todesstunde *f*; ~ ***sin*** Todsünde *f*; **4.** menschlich, irdisch, Menschen…: ~ ***life*** irdisches Leben, Vergänglichkeit *f*; ***by no ~ means*** F auf keine menschenmögliche Art; ***of no ~ use*** F absolut zwecklos; ***every ~ thing*** F alles menschenmögliche; **5.** F Mords…, ‚mordsmäßig': ***I'm in a ~ hurry*** ich hab's furchtbar eilig; **6.** ewig, sterbenslangweilig: ***three ~ hours*** drei endlose Stunden; **II** *s.* **7.** Sterbliche(r *m*) *f*; **mor·tal·i·ty** [mɔːˈtæləti] *s.* **1.** Sterblichkeit *f*; **2.** die (sterbliche) Menschheit; **3.** *a.* ~ ***rate*** a) Sterblichkeit(sziffer) *f*, b) ⚙ Verschleiß(quote *f*) *m*.

mor·tar¹ [ˈmɔːtə] **I** *s.* **1.** ⚗ Mörser *m*; **2.** *metall.* Pochladen *m*; **3.** ⚔ a) Mörser *m* (*Geschütz*), b) Graˈnatwerfer *m*: ~ ***shell*** Werfergranate *f*; **4.** (Feuerwerks-)Böller *m*; **II** *v/t.* **5.** ⚔ mit Mörsern beschießen, mit Graˈnatwerferfeuer belegen.

mor·tar² [ˈmɔːtə] *s.* ⚠ Mörtel *m*.

ˈmor·tar·board *s.* **1.** ⚠ Mörtelbrett *n*; **2.** *univ.* quaˈdratisches Baˈrett.

mort·gage [ˈmɔːgɪdʒ] ⚖ **I** *s.* **1.** Verpfändung *f*; Pfandgut *n*: ***give in ~*** verpfänden; **2.** Pfandbrief *m*; **3.** Hypoˈthek *f*: ***by ~*** hypothekarisch; ***lend on ~*** auf Hypothek (ver)leihen; ***raise a ~*** e-e Hypothek aufnehmen (***on*** auf *acc.*); **4.** Hypoˈthekenbrief *m*; **II** *v/t.* **5.** (*a. fig.*) verpfänden (***to*** an *acc.*); **6.** hypotheˈkarisch belasten, e-e Hypoˈthek aufnehmen auf (*acc.*); ~ **bond** *s.* Hypoˈthekenpfandbrief *m*; ~ **deed** *s.* **1.** Pfandbrief *m*; **2.** Hypoˈthekenbrief *m*.

mort·ga·gee [ˌmɔːgəˈdʒiː] *s.* ⚖ Hypotheˈkar *m*, Pfand- *od.* Hypoˈthekengläubiger *m*; **ˌmort·gaˈgor** [-ˈdʒɔː] *s.* Pfand- *od.* Hypoˈthekenschuldner *m*.

mor·ti·cian [mɔːˈtɪʃən] *s. Am.* Leichenbestatter *m*.

mor·ti·fi·ca·tion [ˌmɔːtɪfɪˈkeɪʃn] *s.* **1.** Demütigung *f*, Kränkung *f*; **2.** Ärger *m*, Verdruß *m*; **3.** Kaˈsteiung *f*; Abtötung *f* (*Leidenschaften*); **4.** ✱ (kalter) Brand, Neˈkrose *f*; **mor·ti·fy** [ˈmɔːtɪfaɪ] **I** *v/t.* **1.** demütigen, kränken; **2.** *Gefühle* verletzen; **3.** *Körper, Fleisch* kaˈsteien; *Leidenschaften* abtöten; **4.** ✱ brandig machen, absterben lassen; **II** *v/i.* **5.** ✱ brandig werden, absterben.

mor·tise [ˈmɔːtɪs] ⚙ **I** *s.* a) Zapfenloch *n*, b) Stemmloch *n*, c) (Keil)Nut *f*, d) Falz *m*, Fuge *f*; **II** *v/t.* a) verzapfen, b) einstemmen, c) einzapfen (***into*** in *acc.*); ~ **chis·el** *s.* Lochbeitel *m*; ~ **ga(u)ge** *s.* Zapfenstreichmaß *n*; ~ **joint** *s.* Verzapfung *f*; ~ **lock** *s.* (Ein-)Steckschloß *n*.

mort·main [ˈmɔːtmeɪn] *s.* ⚖ unveräußerlicher Besitz, Besitz *m* der Toten Hand: ***in ~*** unveräußerlich.

mor·tu·ar·y [ˈmɔːtjʊərɪ] **I** *s.* Leichenhalle *f*; **II** *adj.* Leichen…, Begräbnis…

mo·sa·ic¹ [məʊˈzeɪɪk] **I** *s.* **1.** Mosaˈik *n* (*a. fig.*); **2.** (ˈLuftbild)Mosaˌik *n*, Reihenbild *n*; **II** *adj.* **3.** Mosaik…; mosaˈikartig.

Mo·sa·ic² *adj.*, **Mo·sa·i·cal** [məʊˈzeɪɪk(l)] *adj.* moˈsaisch.

Mo·selle [məʊˈzel] *s.* Mosel(wein) *m*.

mo·sey [ˈməʊzɪ] *v/i. Am. sl.* **1.** *a.* ~ ***along*** daˈhinlatschen; **2.** ‚abhauen'.

Mos·lem [ˈmɒzlem] **I** *s.* Moslem *m*; **II** *adj.* mosˈlemisch, mohammeˈdanisch.

mosque [mɒsk] *s.* Moˈschee *f*.

mos·qui·to [məˈskiːtəʊ] *s.* **1.** *pl.* **-toes** *zo.* Stechmücke *f*, *bsd.* Mosˈkito *m*; **2.** *pl.* **-toes** *od.* **-tos** ✈ Mosˈkito *m* (*brit. Bomber*); ~ **boat**, ~ **craft** *s.* Schnellboot *n*; ~ **net** *s.* Mosˈkitonetz *n*; ♀ **State** *s. Am.* (*Beiname für*) New Jersey *n* (*USA*).

moss [mɒs] *s.* **1.** ♀ Moos *n*; **2.** (Torf-)Moor *n*; **ˈ~-grown** *adj.* **1.** moosbewachsen, bemoost; **2.** *fig.* altmodisch, überˈholt.

moss·i·ness [ˈmɒsɪnɪs] *s.* **1.** ˈMoosˌüberzug *m*; **2.** Moosartigkeit *f*, Weichheit *f*; **moss·y** [ˈmɒsɪ] *adj.* **1.** moosig, bemoost; **2.** moosartig; **3.** Moos…: ~ ***green*** Moosgrün *n*.

most [məʊst] **I** *adj.* □ → ***mostly***; **1.** meist, größt; höchst, äußerst; ***the ~ fear*** die meiste *od.* größte Angst; ***for the ~ part*** größten-, meistenteils; **2.** (*vor e-m Substantiv im pl.*) die meisten: ~ ***people*** die meisten Leute; **II** *s.* **3.** *das* meiste, *das* Höchste, *das* Äußerste: ***at (the) ~*** höchstens, bestenfalls; ***make the ~ of*** *et.* nach Kräften ausnützen, (noch) das Beste aus *et.* herausholen; **4.** das meiste, der größte Teil: ***he spent ~ of his time there*** er verbrachte die meiste Zeit dort; **5.** die meisten: ***better than ~*** besser als die meisten; ~ ***of my friends*** die meisten m-r Freunde; **III** *adv.* **6.** am meisten: ~ ***of all*** am allermeisten; **7.** *zur Bildung des Superlativs*: ***the ~ important point*** der wichtigste Punkt; **8.** *vor adj.* höchst, äußerst, ˈüberaus: ***it's ~ kind of you.***

M

-most [məʊst] *in Zssgn Bezeichnung des sup.*: ***in~***, ***top~*** *etc.*

ˈ**most-ˌfa·vo(u)red-ˈna·tion clause** *s. pol.* Meistbegünstigungsklausel *f.*

most·ly [ˈməʊstlɪ] *adv.* **1.** größtenteils, im wesentlichen, in der Hauptsache; **2.** hauptsächlich.

mote [məʊt] *s.* (Sonnen)Stäubchen *n*: ***the ~ in another's eye*** *bibl.* der Splitter im Auge des anderen.

mo·tel [məʊˈtel] *s.* Moˈtel *n.*

mo·tet [məʊˈtet] *s.* ♪ Moˈtette *f.*

moth [mɒθ] *s.* **1.** *pl.* **moths** *zo.* Nachtfalter *m*; **2.** *pl.* **moths** *od. coll.* **moth** (Kleider)Motte *f*; ˈ**~·ball I** *s.* Mottenkugel *f*: ***put in ~s*** → **II** *v/t. Kleidung, a. Maschinen etc.* einmotten; *fig. Plan etc.* ‚auf Eis legen'; ˈ**~-ˌeat·en** *adj.* **1.** von Motten zerfressen; **2.** *fig.* veraltet, antiˈquiert.

moth·er[1] [ˈmʌðə] **I** *s.* **1.** Mutter *f* (*a. fig.*); **II** *adj.* **2.** Mutter...: ***2's Day*** Muttertag *m*; **III** *v/t.* **3.** (*mst fig.*) gebären, herˈvorbringen; **4.** bemuttern; **5.** ***~ a novel on s.o.*** j-m e-n Roman zuschreiben.

moth·er[2] [ˈmʌðə] **I** *s.* Essigmutter *f*; **II** *v/i.* Essigmutter ansetzen.

Moth·er Car·ey's chick·en [ˈkeərɪz] *s. orn.* Sturmschwalbe *f.*

moth·er| cell *s. biol.* Mutterzelle *f*; **~ church** *s.* **1.** Mutterkirche *f*; **2.** Hauptkirche *f*; **~ coun·try** *s.* **1.** Mutterland *n*; **2.** Vater-, Heimatland *n*; **~ earth** *s.* Mutter *f* Erde; **~ fix·a·tion** *s. psych.* Mutterfixierung *f*, -bindung *f*; ˈ**~ˌfuck·er** *s. fig.* V ‚Scheißkerl' *m.*

moth·er·hood [ˈmʌðəhʊd] *s.* **1.** Mutterschaft *f*; **2.** *coll. die* Mütter *pl.*

ˈ**moth·er-in-law** [-ðərɪn-] *pl.* ˈ**moth·ers-in-law** [-ðəzɪn-] *s.* Schwiegermutter *f.*

ˈ**moth·er·land** → ***mother country***.

moth·er·less [ˈmʌðəlɪs] *adj.* mutterlos.

ˈ**moth·er·li·ness** [ˈmʌðəlɪnɪs] *s.* Mütterlichkeit *f.*

moth·er| liq·uor *s.* ⚗ Mutterlauge *f*; **~ lode** *s.* ⚒ Hauptader *f.*

moth·er·ly [ˈmʌðəlɪ] *adj. u. adv.* mütterlich.

moth·er| of pearl *s.* Perlˈmutter *f*, Perlˈmutt *n*; ˌ**~-of-ˈpearl** [-ðərəvˈp-] *adj.* perlˈmuttern, Perlmutt...

moth·er| ship *s.* ⚓ *Brit.* Mutterschiff *n*; **~ su·pe·ri·or** *s. eccl.* Oberin *f*, Äbˈtissin *f*; ˈ**~-tie** *s. psych.* Mutterbindung *f*; **~ tongue** *s.* Muttersprache *f*; **~ wit** *s.* Mutterwitz *m.*

moth·er·y [ˈmʌðərɪ] *adj.* hefig, trübe.

moth·y [ˈmɒθɪ] *adj.* **1.** voller Motten; **2.** mottenzerfressen.

mo·tif [məʊˈtiːf] *s.* **1.** ♪ (ˈLeit)Moˌtiv *n*; **2.** *paint. etc., Literatur*: Moˈtiv *n*, Vorwurf *m*; **3.** *fig.* Leitgedanke *m.*

mo·tile [ˈməʊtaɪl] *adj. biol.* freibeweglich; **mo·til·i·ty** [məʊˈtɪlətɪ] *s.* selbständiges Bewegungsvermögen.

mo·tion [ˈməʊʃn] **I** *s.* **1.** Bewegung *f* (*a. phys.*, ⚘, ♪): ***go through the ~s of doing s.th.*** *fig.* et. mechanisch *od.* pro forma tun; **2.** Gang *m* (*a.* ⚙): ***set in ~*** in Gang bringen, in Bewegung setzen; → ***idle*** 3; **3.** (Körper-, Hand)Bewegung *f*, Wink *m*: ***~ of the head*** Zeichen *n* mit dem Kopf; **4.** Antrieb *m*: ***of one's own ~*** aus eigenem Antrieb, *a.* freiwillig; **5.** *pl.* Schritte *pl.*, Handlungen *pl.*: ***watch s.o.'s ~s***; **6.** ⚖, *parl. etc.* Antrag *m*: ***carry a ~*** e-n Antrag durchbringen; ***~ of no confidence*** Mißtrauensantrag *m*; **7.** *physiol.* Stuhlgang *m*; **II** *v/i.* **8.** winken (***with*** mit, ***to*** *dat.*); **III** *v/t.* **9.** *j-m* (zu)winken, *j-n* durch e-n Wink auffordern (***to do*** zu tun), *j-n wohin* winken; ˈ**mo·tion·less** [-lɪs] *adj.* bewegungslos, regungslos, unbeweglich.

mo·tion| pic·ture *s.* Film *m*; ˈ**~-ˌpic·ture** *adj.* Film...: ***~ camera***; ***~ projector*** Filmprojektor *m*; **~ stud·y** *s.* Bewegungs-, Rationalisierungsstudie *f*; **~ ther·a·py** *s.* ⚕ Beˈwegungstheraˌpie *f.*

mo·ti·vate [ˈməʊtɪveɪt] *v/t.* **1.** motivieren: a) *et.* begründen, b *j-n* anregen, anspornen; **2.** *et.* anregen, herˈvorrufen; **mo·ti·va·tion** [ˌməʊtɪˈveɪʃn] *s.* **1.** Motivierung *f*: a) Begründung *f*, b) Motivatiˈon *f*, Ansporn *m*, Antrieb *m*: ***~ research*** Motivforschung *f*; **2.** Anregung *f.*

mo·tive [ˈməʊtɪv] **I** *s.* **1.** Moˈtiv *n*, Beweggrund *m*, Antrieb *m* (***for*** zu); **2.** → ***motif*** 1 *u.* 2; **II** *adj.* **3.** bewegend, treibend (*a. fig.*): ***~ power*** Triebkraft *f*; **III** *v/t.* **4.** *mst pass.* der Beweggrund sein von, veranlassen: ***an act ~d by hatred*** e-e vom Haß diktierte Tat.

mo·tiv·i·ty [məʊˈtɪvətɪ] *s.* Bewegungsfähigkeit *f*, -kraft *f.*

mot·ley [ˈmɒtlɪ] **I** *adj.* **1.** bunt (*a. fig. Menge etc.*), scheckig; **II** *s.* **2.** *hist.* Narrenkleid *n*; **3.** Kunterbunt *n.*

mo·tor [ˈməʊtə] **I** *s.* **1.** ⚙ (*bsd.* Eˈlektro-, Verbrennungs)Motor *m*; **2.** *fig.* treibende Kraft; **3.** *bsd. Brit.* a) Kraftwagen *m*, Auto *n*, b) Motorfahrzeug *n*; **4.** *anat.* a) Muskel *m*, b) moˈtorischer Nerv; **II** *adj.* **5.** bewegend, (an)treibend; **6.** Motor...; **7.** Auto...; **8.** *anat.* moˈtorisch; **III** *v/i.* **9.** *mot.* fahren; **IV** *v/t.* **10.** in e-m Kraftfahrzeug befördern; **~ ac·ci·dent** *s.* Autounfall *m*; **~ am·bu·lance** *s.* Krankenwagen *m*, Ambuˈlanz *f*; ˈ**~-asˌsist·ed** *adj.*: ***~ bicycle*** a) Fahrrad *n* mit Hilfsmotor, b) Mofa *n*; **~ bi·cy·cle** → ***motorcycle***; ˈ**~·bike** F *für* ***motorcycle***; ˈ**~·boat** *s.* Motorboot *n*; ˈ**~·bus** *s.* Autobus *m*; ˈ**~·cade** [-keɪd] *s.* ˈAutokoˌlonne *f*; ˈ**~·car** *s.* **1.** Kraftwagen *m*, Auto(moˈbil) *n*: ***~ industry*** Automobilindustrie *f*; **2.** 🚃 Triebwagen *m*; **~ car·a·van** *s.*

Brit. 'Wohnmo,bil *n*; ~ **coach** → ***coach*** 3; ~ **court** → ***motel***; '~,**cy·cle I** *s.* Motorrad *n*; **II** *v/i.* a) Motorrad fahren, b) mit dem Motorrad fahren; '~,**cy·clist** *s.* Motorradfahrer(in); '~-,**driv·en** *adj.* mit Motorantrieb, Motor...; '~**·drome** [-drəʊm] *s.* Moto'drom *n*.

mo·tored ['məʊtəd] *adj.* ⚙ **1.** motorisiert, mit e-m Motor *od.* mit Mo'toren (versehen); **2.** ...motorig.

mo·tor| en·gine *s.* 'Kraftma,schine *f*; ~ **fit·ter** *s.* Autoschlosser *m*; ~ **home** 'Wohnmo,bil *n*.

mo·tor·ing ['məʊtərɪŋ] *s.* Autofahren *n*; Motorsport *m*: ***school of*** ~ Fahrschule *f*; '**mo·tor·ist** [-ɪst] *s.* Kraft-, Autofahrer(in).

mo·tor·i·za·tion [,məʊtəraɪ'zeɪʃn] *s.* Motorisierung *f*; **mo·tor·ize** ['məʊtəraɪz] *v/t.* ⚙ *u.* ⚔ motorisieren: ~***d unit*** ⚔ (voll)motorisierte Einheit.

mo·tor launch *s.* 'Motorbar,kasse *f*.

mo·tor·less ['məʊtəlɪs] *adj.* motorlos: ~ ***flight*** Segelflug *m*.

mo·tor| lor·ry *s. Brit.* Lastkraftwagen *m*; '~**·man** [-mən] *s.* [*irr.*] Wagenführer *m*; ~ **me·chan·ic** *s.* 'Autome,chaniker *m*; ~ **nerve** *s. anat.* mo'torischer Nerv, Bewegungsnerv *m*; ~ **oil** *s.* Motoröl *n*; ~ **pool** *s.* Fahrbereitschaft *f*; ~ **road** *s.* Autostraße *f*; ~ **scoot·er** *s.* Motorroller *m*; ~ **ship** *s.* Motorschiff *n*; ~ **show** *s.* Automo'bilausstellung *f*; ~ **start·er** *s.* (Motor)Anlasser *m*; ~ **tor·pe·do boat** *s.* ⚓, ⚔ Schnellboot *n*; ~ **trac·tor** *s.* Traktor *m*, Schlepper *m*, 'Zugma,schine *f*; ~ **truck** *s.* **1.** *bsd. Am.* Lastkraftwagen *m*; **2.** ⚡ E'lektrokarren *m*; ~ **van** *s. Brit.* Lieferwagen *m*; ~ **ve·hi·cle** *s.* Kraftfahrzeug *n*; '~**·way** *s. Brit.* Autobahn *f*.

mot·tle ['mɒtl] *v/t.* sprenkeln, marmorieren; '**mot·tled** [-ld] *adj.* gesprenkelt, gefleckt, bunt.

mot·to ['mɒtəʊ] *pl.* **-toes, -tos** *s.* Motto *n*, Wahl-, Sinnspruch *m*.

mou·jik ['mu:ʒɪk] → ***muzhik***.

mould¹ [məʊld] **I** *s.* **1.** ⚙ (Gieß-, Guß-) Form *f*: ***cast in the same*** ~ *fig.* aus demselben Holz geschnitzt; **2.** (Körper-) Bau *m*, Gestalt *f*, (*äußere*) Form; **3.** Art *f*, Na'tur *f*, Cha'rakter *m*; **4.** ⚙ a) Hohlform *f*, b) Preßform *f*, c) Ko'kille *f*, Hartgußform *f*, d) Ma'trize *f*, e) ('Form)Mo,dell *n*, f) Gesenk *n*; **5.** ⚙ a) 'Gußmateri,al *n*, b) Guß(stück *n*) *m*; **6.** *Schiffbau*: Mall *n*; **7.** ⚠ a) Sims *m*, *n*, b) Leiste *f*, c) Hohlkehle *f*; **8.** *Küche*: Form *f* (*für Speisen*): ***jelly*** ~ Puddingform; **9.** *geol.* Abdruck *m* (*Versteinerung*); **II** *v/t.* **10.** ⚙ gießen; (ab)formen, modellieren; pressen; *Holz* profilieren; ⚓ abmallen; **11.** formen (*a. fig. Charakter*), bilden, gestalten (***on*** nach dem Muster von); **III** *v/i.* **12.** Gestalt annehmen, sich formen.

mould² [məʊld] **I** *s.* **1.** Schimmel *m*, Moder *m*; **2.** ⚘ Schimmelpilz *m*; **II** *v/i.* **3.** schimm(e)lig werden, (ver)schimmeln.

mould³ [məʊld] *s.* **1.** lockere Erde, Gartenerde *f*; **2.** Humus(boden) *m*.

mould·a·ble ['məʊldəbl] *adj.* (ver-) formbar, bildsam: ~ ***material*** ⚙ Preßmasse *f*.

mould·er¹ ['məʊldə] *s.* **1.** ⚙ Former *m*, Gießer *m*; **2.** *fig.* Gestalter(in).

mould·er² ['məʊldə] *v/i. a.* ~ ***away*** vermodern, (*zu Staub*) zerfallen.

mould·i·ness ['məʊldɪnɪs] *s.* Moder *m*, Schimm(e)ligkeit *f*; (*a. fig.*) Schalheit *f*; *fig. sl.* Fadheit *f*.

mould·ing ['məʊldɪŋ] *s.* **1.** Formen *n*, Formgebung *f*; **2.** Formgieße'rei *f*, -arbeit *f*; Modellieren *n*; **3.** Formstück *n*; Preßteil *n*; **4.** → ***mould¹*** 7; ~ **board** *s.* **1.** Formbrett *n*; **2.** *Küche*: Kuchen-, Nudelbrett *n*; ~ **clay** *s.* ⚙ Formerde *f*, -ton *m*; ~ **ma·chine** *s.* **1.** *Holzbearbeitung*: 'Kehl(hobel)ma,schine *f*; **2.** *metall.* 'Formma,schine *f*; **3.** 'Spritzma,schine *f* (*für Spritzguß etc.*); ~ **press** *s.* Formpresse *f*; ~ **sand** *s.* Formsand *m*.

mould·y ['məʊldɪ] *adj.* **1.** schimm(e)lig; **2.** Schimmel..., schimmelartig: ~ ***fungi*** Schimmelpilze; **3.** muffig, schal (*a. fig.*), *sl.* fad.

moult [məʊlt] *zo.* **I** *v/i.* (sich) mausern (*a. fig.*); sich häuten; **II** *v/t. Federn, Haut* abwerfen, verlieren; **III** *s.* Mauser(ung) *f*; Häutung *f*.

mound¹ [maʊnd] *s.* **1.** Erdwall *m*, -hügel *m*; **2.** Damm *m*; **3.** *Baseball*: Abwurfstelle *f*.

mound² [maʊnd] *s. hist.* Reichsapfel *m*.

mount¹ [maʊnt] **I** *v/t.* **1.** *Berg, Pferd, Barrikaden etc., fig. den Thron* besteigen; *Treppen* hin'aufgehen, ersteigen; *Fluß* hin'auffahren; **2.** beritten machen: ~ ***troops***; ~***ed police*** berittene Polizei; **3.** errichten; *a. Maschine* aufstellen, montieren (*a. phot., TV*); anbringen, einbauen, befestigen; *Papier, Bild* aufkleben, -ziehen; *Edelstein* fassen; *Messer etc.* mit e-m Griff versehen, stielen; ⚕ *Versuchsobjekt* präparieren; *Präparat im Mikroskop* fixieren; **4.** zs.-bauen, -stellen, arrangieren; *thea. Stück* inszenieren, *fig. a.* aufziehen; **5.** ⚔ a) *Geschütz* in Stellung bringen, b) *Posten* aufstellen; → ***guard*** 9; **6.** ⚓ bewaffnet sein mit, *Geschütz* führen; **II** *v/i.* **7.** (auf-, em'por-, hoch)steigen; **8.** *fig.* (an)wachsen, steigen, sich auftürmen (*bsd. Schulden, Schwierigkeiten etc.*): ~***ing suspense*** (***debts***) wachsende Spannung (Schulden); **9.** *oft* ~ ***up*** sich belaufen (***to*** auf *acc.*); **III** *s.* **10.** Gestell *n*; ⚙ Ständer *m*, Halterung *f*, 'Untersatz *m*; Fassung *f*; (Wechsel)Rahmen

M

m, Passepar'tout *n*; 'Aufziehkar,ton *m*; ⚔ (Ge'schütz)La,fette *f*; Ob'jektträger *m* (*Mikroskop*); **11.** Pferd *n*, Reittier *n*.

mount² [maʊnt] *s.* **1.** *poet.* a) Berg *m*, b) Hügel *m*; **2.** ≈ (*in Eigennamen*) Berg *m*: ≈ ***Sinai***; ≈ ***of Venus*** *Handlesekunst f*: Venusberg *m*.

moun·tain ['maʊntɪn] **I** *s.* Berg *m* (*a. fig. von Arbeit etc.*); *pl.* Gebirge *n*: ***make a ~ out of a molehill*** aus e-r Mücke e-n Elefanten machen; **II** *adj.* Berg..., Gebirgs...: ~ ***artillery*** Gebirgsartillerie *f*; ~ **ash** *s. e-e* Eberesche *f*; ~ **bike** *s.* Mountain bike *n*, Geländefahrrad *n*; ~ **chain** *s.* Berg-, Gebirgskette *f*; ~ **crys·tal** *s.* 'Bergkri,stall *m*; ~ **cock** *s.* Auerhahn *m*.

moun·tained ['maʊntɪnd] *adj.* bergig, gebirgig.

moun·tain·eer [,maʊntɪ'nɪə] **I** *s.* **1.** Bergbewohner(in); **2.** Bergsteiger(in); **II** *v/i.* **3.** bergsteigen; ,**moun·tain'eer·ing** [-'nɪərɪŋ] **I** *s.* Bergsteigen *n*; **II** *adj.* bergsteigerisch; **moun·tain·ous** ['maʊntɪnəs] *adj.* **1.** bergig, gebirgig; **2.** Berg..., Gebirgs...; **3.** *fig.* riesig, gewaltig.

moun·tain| rail·way *s.* Bergbahn *f*; ~ **range** *s.* Gebirgszug *m*, -kette *f*; ~ **sick·ness** *s.* ⚕ Berg-, Höhenkrankheit *f*; '~**·side** *s.* Berg(ab)hang *m*; ~ **slide** *s.* Bergrutsch *m*; ≈ **State** *s. Am.* (*Beiname für*) a) Mon'tana *n*, b) West Vir'ginia *n* (*USA*); ~ **troops** *s. pl.* Gebirgstruppen *pl.*; ~ **wood** *s.* 'Holzas,best *m*.

moun·te·bank ['maʊntɪbæŋk] *s.* **1.** Quacksalber *m*; Marktschreier *m*; **2.** Scharlatan *m*.

mount·ing ['maʊntɪŋ] *s.* **1.** ⚙ a) Einbau *m*, Aufstellung *f*, Mon'tage *f* (*a. phot., TV etc.*), b) Gestell *n*, Rahmen *m*, c) Befestigung *f*, Aufhängung *f*, d) (Auf-)Lagerung *f*, e) Arma'tur *f*, f) (Ein)Fassung *f* (*Edelstein*), g) Ausstattung *f*, h) *pl.* Fenster-, Türbeschläge *pl.*, i) *pl.* Gewirre *n* (*an Türschlössern*), j) (*Weberei*) Geschirr *n*, Zeug *n*; **2.** ϟ (Ver-)Schaltung *f*, Installati'on *f*; ~ **brack·et** *s.* Befestigungsschelle *f*.

mourn [mɔːn] **I** *v/i.* **1.** trauern, klagen (***at***, ***over*** über *acc.*; ***for***, ***over*** um); **2.** Trauer(kleidung) tragen, trauern; **II** *v/t.* **3.** *j-n* betrauern, *a. et.* beklagen, trauern um *j-n*; '**mourn·er** [-nə] *s.* Trauernde(r *m*) *f*, Leidtragende(r *m*) *f*; '**mourn·ful** [-fʊl] *adj.* □ trauervoll, traurig, düster, Trauer...

mourn·ing ['mɔːnɪŋ] **I** *s.* **1.** Trauer(n *n*) *f*; ***national*** ~ Staatstrauer; **2.** Trauer (-kleidung) *f*: ***in*** ~ in Trauer; ***go into*** (***out of***) ~ Trauer anlegen (die Trauer ablegen); **II** *adj.* □ **3.** trauernd; **4.** Trauer...: ~ ***band*** Trauerband *n*, -flor *m*; ~ **bor·der**, ~ **edge** *s.* Trauerrand *m*; ~ **pa·per** *s.* Pa'pier *n* mit Trauerrand.

mouse [maʊs] **I** *pl.* **mice** [maɪs] *s.* **1.** *zo., a. Computer*: Maus *f*: ~***trap*** Mausefalle *f* (*a. fig.*); **2.** ⚙ Zugleine *f* mit Gewicht; **3.** F Feigling *m*; **4.** *sl.* ,blaues Auge', ,Veilchen' *n*; **II** *v/i.* [maʊz] **5.** mausen, Mäuse fangen; '~**-,col·o(u)red** *adj.* mausfarbig, -grau.

mousse [muːs] *s.* Schaumspeise *f*.

mous·tache [mə'stɑːʃ] *s.* Schnurrbart *m* (*a. zo.*).

mous·y ['maʊsɪ] *adj.* **1.** von Mäusen heimgesucht; **2.** mausartig; mausgrau; **3.** *fig.* grau, trüb; **4.** *fig.* leise; furchtsam; farblos; unscheinbar.

mouth [maʊθ] **I** *pl.* **mouths** [maʊðz] *s.* **1.** Mund *m*: ***give*** ~ Laut geben, anschlagen (*Hund*); ***by word*** (*od.* ***way***) ***of*** ~ mündlich; ***keep one's*** ~ ***shut*** F den Mund halten; ***shut s.o.'s*** ~ j-m den Mund stopfen; ***stop s.o.'s*** ~ j-m (durch Bestechung) den Mund stopfen; ***down in the*** ~ F niedergeschlagen, bedrückt; → ***wrong*** 2; **2.** Maul *n*, Schnauze *f*, Rachen *m* (*Tier*); **3.** Mündung *f* (*Fluß, Kanone etc.*); Öffnung *f* (*Flasche, Sack*); Ein-, Ausgang *m* (*Höhle, Röhre etc.*); Ein-, Ausfahrt *f* (*Hafen etc.*); ♪ → ***mouthpiece*** 1; **4.** ⚙ a) Mundloch *n*, b) Schnauze *f*, c) Öffnung *f*, d) Gichtöffnung *f* (*Hochofen*), e) Abstichloch *n* (*Hoch-, Schmelzofen*); **II** *v/t.* [maʊð] **5.** (*bsd.* affek'tiert *od.* gespreizt) (aus-) sprechen; **6.** *Worte* (*unhörbar*) mit den Lippen formen; **7.** in den Mund *od.* ins Maul nehmen; '**mouth·ful** [-fʊl] *pl.* **-fuls** *s.* **1.** *ein* Mundvoll *m*, Brocken *m* (*a. fig. ellenlanges Wort*); **2.** kleine Menge; **3.** *sl.* großes Wort.

'**mouth|-,or·gan** *s.* ♪ **1.** 'Mundhar,monika *f*; **2.** Panflöte *f*; '~**·piece** *s.* **1.** ♪ Mundstück *n*, Ansatz *m*; **2.** ⚙ a) Schalltrichter *m*, Sprechmuschel *f*, b) Mundstück *n* (*a. e-r Tabakspfeife od. Gasmaske*), Tülle *f*; **3.** *fig.* Sprachrohr *n* (*a. Person*); ⚖ *sl.* (Straf)Verteidiger *m*; **4.** Gebiß *n* (*Pferdezaum*); **5.** *Boxen*: Zahnschutz *m*; ,~**-to-'~ res·pi·ra·tion** *s.* ⚕ Mund-zu-Mund-Beatmung *f*; '~**·wash** *s.* Mundwasser *n*; '~**-,wa·ter·ing** *adj.* lecker.

mov·a·bil·i·ty [,muːvə'bɪlətɪ] *s.* Beweglichkeit *f*, Bewegbarkeit *f*.

mov·a·ble ['muːvəbl] **I** *adj.* □ **1.** beweglich (*a.* ⚙; *a.* ⚖ *Eigentum, Feiertag*), bewegbar: ~ ***goods*** → 5; **2.** a) verschiebbar, verstellbar, b) fahrbar; **3.** ⚗ ortsveränderlich; **II** *s.* **4.** *pl.* Möbel *pl.*; **5.** *pl.* ⚖ Mo'bilien *pl.*, bewegliche Habe; ~ **kid·ney** *s.* ⚕ Wanderniere *f*.

move [muːv] **I** *v/t.* **1.** fortbewegen, -rükken, von der Stelle bewegen, verschieben; ⚔ *Einheit* verlegen: ~ ***up*** a) *Truppen* heranbringen, b) *ped. Brit. Schüler* versetzen; F ~ ***it*** Tempo!; **2.** entfernen, fortbringen, -schaffen; **3.** bewegen (*a.*

fig.), in Bewegung setzen *od.* halten, (an)treiben: **~ on** vorwärtstreiben; **4.** *fig.* bewegen, rühren, ergreifen: **be ~d to tears** zu Tränen gerührt sein; **5.** *j-n* veranlassen, bewegen, hinreißen (**to** zu): **~ to anger** erzürnen; **6.** *Schach etc.*: e-n Zug machen mit, ziehen; **7.** *et.* beantragen, Antrag stellen auf (*acc.*), vorschlagen: **~ an amendment** *parl.* e-n Abänderungsantrag stellen; **8.** *Antrag* stellen, einbringen; **II** *v/i.* **9.** sich bewegen, sich rühren, sich regen; ⚙ laufen, in Gang sein (*Maschine etc.*); **10.** sich fortbewegen, gehen, fahren: **~ on** weitergehen: **~ with the times** *fig.* mit der Zeit gehen; **11.** sich entfernen, abziehen, abmarschieren; *wegen Wohnungswechsels* ('um)ziehen (**to** nach): **~ in** einziehen; **if ~d** falls verzogen; **12.** fortschreiten, weitergehen (*Vorgang*); **13.** verkehren, sich bewegen: **~ in good society**; **14.** a) vorgehen, Schritte unter'nehmen (**in s.th.** in e-r Sache, **against** gegen), b) *a.* **~ in** handeln, zupacken, losschlagen: **he ~d quickly**; **15. ~ for** beantragen, (e-n) Antrag stellen auf (*acc.*); **~ that** beantragen, daß; **16.** *Schach etc.*: e-n Zug machen, ziehen; **17.** ⚕ sich entleeren (*Darm*); **18. ~ up** ⚚ anziehen, steigen (*Preise*); **III** *s.* **19.** (Fort)Bewegung *f*, Aufbruch *m*: **on the ~** in Bewegung, auf den Beinen; **get a ~ on!** *sl.* Tempo!, mach(t) schon!; **make a ~** a) aufbrechen, sich (von der Stelle) rühren, b) → 14 b; **20.** 'Umzug *m*; **21.** *Schach etc.*: Zug *m*; *fig.* Schritt *m*, Maßnahme *f*: **a clever ~** ein kluger Schachzug (*od.* Schritt); **make the first ~** den ersten Schritt tun; **'move·ment** [-mənt] *s.* **1.** Bewegung *f* (*a. fig., pol., eccl., paint. etc.*); ⚔, ⚓ (Truppen- *od.* Flotten)Bewegung *f*: **~ by air** Lufttransport *m*; **2.** *mst pl.* Handeln *n*, Schritte *pl.*, Maßnahmen *pl.*; **3.** (rasche) Entwicklung, Fortschreiten *n* (*von Ereignissen, e-r Handlung*); **4.** Bestrebung *f*, Ten'denz *f*, (mo'derne) Richtung; **5.** ♪ a) Satz *m*: **a ~ of a sonata**, b) Tempo *n*; **6.** ⚙ a) Bewegung *f*, b) Lauf *m* (*Maschine*), c) Gang-, Gehwerk *n* (*der Uhr*), 'Antriebsmecha,nismus *m*; **7.** *a.* **~ of the bowels** ⚕ Stuhlgang *m*; **8.** ⚚ (Kurs-, Preis)Bewegung *f*; 'Umsatz *m* (*Börse, Markt*): **downward ~** Senkung *f*, Fallen *n*; **retrograde ~** rückläufige Bewegung; **upward ~** Steigen *n*, Aufwärtsbewegung *f* (*der Preise*); **'mov·er** [-və] *s.* **1.** *fig.* treibende Kraft, Triebkraft *f*, Antrieb *m* (*a. Person*); **2.** ⚙ Triebwerk *n*, Motor *m*; → **prime mover**; **3.** Antragsteller(in); **4.** *Am.* a) Spedi'teur *m*, b) (Möbel)Packer *m*.

mov·ie ['mu:vɪ] *Am.* F **I** *s.* **1.** Film(streifen) *m*; **2.** *pl.* a) Filmwesen *n*, b) Kino *n*, c) Kinovorstellung *f*: **go to the ~s** ins Kino gehen; **II** *adj.* **3.** Film..., Kino..., Lichtspiel...: **~ camera** Filmkamera *f*; **~ projector** Filmprojektor *m*; **~ star** Filmstar *m*; **'~-,go·er** *s. Am.* F Kinobesucher(in).

mov·ing ['mu:vɪŋ] *adj.* □ **1.** beweglich, sich bewegend; **2.** bewegend, treibend: **~ power** treibende Kraft; **3.** a) rührend, bewegend, b) eindringlich, packend; **~ coil** *s.* ⚡ Drehspule *f*; **~ magnet** *s.* 'Drehma,gnet *m*; **~ pic·ture** F → **motion picture**; **~ stair·case** *s.* Rolltreppe *f*; **~ van** *s.* Möbelwagen *m*.

mow[1] [məʊ] **I** *v/t.* [*a. irr.*] (ab)mähen, schneiden: **~ down** niedermähen (*a. fig.*); **II** *v/i.* [*a. irr.*] mähen.

mow[2] [məʊ] *s.* **1.** Getreidegarbe *f*, Heuhaufen *m*; **2.** Heu-, Getreideboden *m*.

mow·er ['məʊə] *s.* **1.** Mäher(in), Schnitter(in); **2.** a) Rasenmäher *m*, b) → **'mow·ing-ma,chine** ['məʊɪŋ-] *s.* 'Mähma,schine *f*.

mown [məʊn] *p.p. von* **mow**[1].

Mr, **Mr.** → **mister** 1.

Mrs, **Mrs.** ['mɪsɪz] *s.* Frau *f* (*Anrede für verheiratete Frauen*): **Mrs Smith**.

Ms, **Ms.** [mɪz] *Anrede für Frauen ohne Berücksichtigung des Familienstandes*.

mu [mju:] *s.* My *n* (*griechischer Buchstabe*).

much [mʌtʃ] **I** *s.* **1.** Menge *f*, große Sache, Besondere(s) *n*: **nothing ~** nichts Besonderes; **it did not come to ~** es kam nicht viel dabei heraus; **think ~ of s.o.** viel von j-m halten; **he is not ~ of a dancer** er ist kein großer Tänzer; → **make** 21; **II** *adj.* **2.** viel: **too ~** zu viel; **III** *adv.* **3.** sehr: **~ to my regret** sehr zu m-m Bedauern; **4.** (*in Zssgn*) viel...: **~-admired**; **5.** (*vor comp.*) viel, weit: **~ stronger**; **6.** (*vor sup.*) bei weitem, weitaus: **~ the oldest**; **7.** fast: **he did it in ~ the same way** er tat es auf ungefähr die gleiche Weise; **it is ~ the same thing** es ist ziemlich dasselbe;

Besondere Redewendungen:

~ as I would like so gern ich (auch) möchte; **as ~ as** so viel wie; **he did not as ~ as write** er schrieb nicht einmal; **as ~ again** noch einmal soviel; **he said as ~** das war (ungefähr) der Sinn s-r Worte; **this is as ~ as to say** das heißt mit anderen Worten; **as ~ as to say** als wenn er (*etc.*) sagen wollte; **I thought as ~** das habe ich mir gedacht; **so ~** a) so sehr, b) so viel, c) lauter, nichts als; **so ~ the better** um so besser; **so ~ for our plans** soviel (wäre also) zu unseren Plänen (zu sagen); **not so ~ as** nicht einmal; **without so ~ as to move** ohne sich auch nur zu bewegen; **so ~ so** (und zwar) so sehr; **~ less** a) viel weniger, b) geschweige denn; **~ like a child** ganz wie ein Kind.

much·ly ['mʌtʃlɪ] *adv. obs. od. humor.*

M

sehr, viel, besonders; '**much·ness** [-tʃnɪs] *s.* große Menge: ***much of a ~*** F ziemlich *od.* praktisch dasselbe.

mu·ci·lage ['mju:sɪlɪdʒ] *s.* **1.** ⚘ (Pflanzen)Schleim *m*; **2.** *bsd. Am.* Klebstoff *m*, Gummilösung *f*; **mu·ci·lag·i·nous** [ˌmju:sɪ'lædʒɪnəs] *adj.* **1.** schleimig; **2.** klebrig.

muck [mʌk] **I** *s.* **1.** Mist *m*, Dung *m*; **2.** Kot *m*, Dreck *m*, Unrat *m*, Schmutz *m* (*a. fig.*); **3.** *Brit.* F Blödsinn *m*, ‚Mist' *m*: ***make a ~ of*** → 6; **II** *v/t.* **4.** düngen; *a.* ***~ out*** ausmisten; **5.** *oft* ***~ up*** F beschmutzen; **6.** *sl.* verpfuschen, verhunzen, ‚vermasseln'; **III** *v/i.* **7.** *mst* ***~ about*** *sl.* a) her'umlungern, b) her'umpfuschen (***with*** an *dat.*), c) her'umalbern; **8.** ***~ in*** F mit anpacken; '**muck·er** [-kə] *s.* **1.** *sl.* a) ‚Blödmann' *m*, b) ‚Kumpel' *m*; **2.** ⚒ Lader *m*: ***~'s car*** Minenhund *m*; **3.** *sl.* a) schwerer Sturz, b) *fig.* ‚Reinfall' *m*: ***come a ~*** auf die ‚Schnauze' fallen, *fig. a.* ‚reinfallen'.

'**muck|-hill** *s.* Mist-, Dreckhaufen *m*; '**~-rake** *v/i. fig.* im Schmutz her'umwühlen; *Am. sl.* Skan'dale aufdecken; '**~ˌrak·er** *s. Am.* Skan'dalmacher *m*.

muck·y ['mʌkɪ] *adj.* schmutzig, dreckig (*a. fig.*).

mu·cous ['mju:kəs] *adj.* schleimig, Schleim…: ***~ membrane*** Schleimhaut *f*; '**mu·cus** [-kəs] *s. biol.* Schleim *m*.

mud [mʌd] *s.* **1.** Schlamm *m*, Matsch *m*: ***~ and snow tyres*** (*Am.* ***tires***) *mot.* Matsch-u.-Schnee-Reifen; **2.** Mo'rast *m*, Kot *m*, Schmutz *m* (*alle a. fig.*): ***drag in the ~*** *fig.* in den Schmutz ziehen; ***stick in the ~*** im Schlamm steckenbleiben, *fig.* aus dem Dreck nicht mehr herauskommen; ***sling*** (*od.* ***throw***) ***~ at s.o.*** *fig.* j-n mit Schmutz bewerfen; ***his name is ~ with me*** er ist für mich erledigt; ***~ in your eye!*** F prost!; → ***clear*** 1; '**~-bath** *s.* ⚕ Moor-, Schlammbad *n*.

mud·di·ness ['mʌdɪnɪs] *s.* **1.** Schlammigkeit *f*, Trübheit *f* (*a. des Lichts*); **2.** Schmutzigkeit *f*.

mud·dle ['mʌdl] **I** *s.* **1.** Durchein'ander *n*, Unordnung *f*, Wirrwarr *m*: ***make a ~ of s.th.*** et. durcheinanderbringen *od.* ‚vermasseln'; ***get into a ~*** in Schwierigkeiten geraten; **2.** Verworrenheit *f*, Unklarheit *f*: ***be in a ~*** in Verwirrung *od.* verwirrt sein; **II** *v/t.* **3.** *Gedanken etc.* verwirren: ***~ up*** verwechseln, durcheinanderwerfen; **4.** in Unordnung bringen, durchein'anderbringen; **5.** ‚benebeln' (*bsd. durch Alkohol*): ***~ one's brains*** sich benebeln; **6.** verpfuschen, verderben; **III** *v/i.* **7.** pfuschen, stümpern, ‚wursteln': ***~ about*** herumwursteln (***with*** an *dat.*); ***~ on*** weiterwursteln; ***~ through*** sich durchwursteln; '**mud·dle·dom** [-dəm] *s. humor.* Durchein'ander *n*; '**mud·dle-ˌhead·ed** *adj.* wirr(-köpfig), kon'fus; '**mud·dler** [-lə] *s.* **1.** j-d, der sich 'durchwurstelt; Wirrkopf *m*; Pfuscher *m*; **2.** *Am.* ('Um)Rührlöffel *m*.

mud·dy ['mʌdɪ] **I** *adj.* ☐ **1.** schlammig, trüb(e) (*a. Licht*); Schlamm…: ***~ soil***; **2.** schmutzig; **3.** *fig.* unklar, verworren, kon'fus; **4.** verschwommen (*Farbe*); **II** *v/t.* **5.** trüben; **6.** beschmutzen.

'**mud|·guard** *s.* **1.** a) *mot.* Kotflügel *m*, b) Schutzblech *n* (*Fahrrad*); **2.** ⚙ Schmutzfänger *m*; '**~·hole** *s.* **1.** Schlammloch *n*; **2.** ⚙ Schlammablaß *m*; '**~·lark** *s.* Gassenjunge *m*, Dreckspatz *m*; **~ pack** *s.* ⚕ Fangopackung *f*; '**~ˌsling·er** [-ˌslɪŋə] *s.* F Verleumder (-in); '**~ˌsling·ing** [-ˌslɪŋɪŋ] F **I** *s.* Beschmutzung *f*, Verleumdung *f*; **II** *adj.* verleumderisch.

muff [mʌf] **I** *s.* **1.** Muff *m*; **2.** F *sport. u. fig.* ‚Patzer' *m*; **3.** F ‚Flasche' *f*, Stümper *m*; **4.** ⚙ a) Stutzen *m*, b) Muffe *f*; **II** *v/t.* **5.** F *sport u. fig.* ‚verpatzen'; **III** *v/i.* **6.** F ‚patzen'.

muf·fin ['mʌfɪn] *s.* Muffin *n*: a) *Brit.* Hefeteigsemmel *f*, b) *Am. kleine süße Semmel*.

muf·fle ['mʌfl] **I** *v/t.* **1.** *oft* ***~ up*** einhüllen, einwickeln; *Ruder* um'wickeln; **2.** *Ton etc.* dämpfen (*a. fig.*); **II** *s.* **3.** *metall.* Muffel *f*: ***~ furnace*** Muffelofen *m*; **4.** ⚙ Flaschenzug *m*; '**muf·fler** [-lə] *s.* **1.** (dicker) Schal *m*, Halstuch *n*; **2.** ⚙ Schalldämpfer *m*; *mot.* Auspufftopf *m*; ♪ Dämpfer *m*.

muf·ti ['mʌftɪ] *s.* **1.** Mufti *m*; **2.** ⚔ Zi'vilkleidung *f*: ***in ~*** in Zivil.

mug [mʌg] **I** *s.* **1.** Krug *m*; **2.** Becher *m*; **3.** *sl.* a) Vi'sage *f*, Gesicht *n*: ***~ shot*** Kopfbild *n* (*bsd. für das Verbrecheralbum*), *Film etc.*: Großaufnahme *f*, b) ‚Fresse' *f*, Mund *m*, c) Gri'masse *f*; **4.** *Brit. sl.* a) Trottel *m*, b) Büffler *m*, Streber *m*; **5.** *Am. sl.* a) Boxer *m*, b) Ga'nove *m*; **II** *v/t.* **6.** *sl. bsd. Verbrecher* fotografieren; **7.** *sl.* über'fallen, niederschlagen u. ausrauben; **8.** *a.* ***~ up*** *Brit. sl.* ‚büffeln', ‚ochsen'; **III** *v/i.* **9.** *sl.* Gri'massen schneiden; **10.** *Am. sl.* ‚schmusen'; '**mug·ger** [-gə] *s. sl.* Straßenräuber *m*.

mug·gi·ness ['mʌgɪnɪs] *s.* **1.** Schwüle *f*; **2.** Muffigkeit *f*; '**mug·ging** [-gɪŋ] *s. sl.* 'Raubˌüberfall *m* (auf der Straße); **mug·gy** ['mʌgɪ] *adj.* **1.** schwül (*Wetter*); **2.** dumpfig, muffig.

'**mug·wort** *s.* ⚘ Beifuß *m*.

mug·wump ['mʌgwʌmp] *s. Am.* **1.** F ‚hohes Tier'; **2.** *pol. sl.* a) Unabhängige(r *m*) *f*, Einzelgänger(in), b) ‚Re'bell(in)', Abtrünnige(r *m*) *f*.

mu·lat·to [mju:'lætəʊ] **I** *pl.* **-toes** *s.* Mu'latte *m*, Mu'lattin *f*; **II** *adj.* Mulatten…

mul·ber·ry ['mʌlbərɪ] *s.* **1.** Maulbeer-

baum *m*; **2.** Maulbeere *f*.
mulch [mʌltʃ] ✓ **I** *s*. Mulch *m*; **II** *v/t*. mulchen.
mulct [mʌlkt] **I** *s*. **1.** Geldstrafe *f*; **II** *v/t*. **2.** mit e-r Geldstrafe belegen; **3.** a) *j-n* betrügen (***of*** um), b) *Geld etc.* ‚abknöpfen' (***from s.o.*** j-m).
mule [mju:l] *s*. **1.** *zo*. a) Maultier *n*, b) Maulesel *m*; **2.** *biol*. Bastard *m*, Hy'bride *f*; **3.** *fig*. sturer Kerl, Dickkopf *m*; **4.** ⚙ a) (Motor)Schlepper *m*, Traktor *m*, b) 'Förderlokomo‚tive *f*, c) 'Mule-(spinn)ma‚schine *f* (*Spinnerei*); **5.** Pan'toffel *m*; **'mule-‚jen·ny** → ***mule*** 4 c; **mule skin·ner**, *Am*. F **mu·le·teer** [‚mju:lɪ'tɪə] *s*. Maultiertreiber *m*; **mule track** *s*. Saumpfad *m*.
mul·ish ['mju:lɪʃ] *adj*. ☐ störrisch, stur.
mull[1] [mʌl] **I** *v/t*. F verpatzen, verpfuschen; **II** *v/i*. ~ ***over*** F *Am*. nachdenken, -grübeln über (*acc*.).
mull[2] [mʌl] *v/t*. *Getränk* heiß machen u. (süß) würzen: ***~ed wine*** Glühwein *m*.
mull[3] [mʌl] *s*. (⚕ Verband)Mull *m*.
mull[4] [mʌl] *s*. *Scot*. Vorgebirge *n*.
mul·la(h) ['mʌlə] *s*. *eccl*. Mulla *m*.
mul·le(i)n ['mʌlɪn] *s*. ⚘ Königskerze *f*, Wollkraut *n*.
mull·er ['mʌlə] *s*. ⚙ Reibstein *m*.
mul·let ['mʌlɪt] *s*. *ichth*. **1.** *a*. ***grey*** ~ Meeräsche *f*; **2.** *a*. ***red*** ~ Seebarbe *f*.
mul·li·gan ['mʌlɪgən] *s*. *Am*. F Eintopfgericht *n*.
mul·li·ga·taw·ny [‚mʌlɪgə'tɔ:nɪ] *s*. Currysuppe *f*.
mul·li·grubs ['mʌlɪgrʌbz] *s*. *pl*. F **1.** Bauchweh *n*; **2.** miese Laune.
mul·lion ['mʌlɪən] *s*. ⚠ Mittelpfosten *m* (*Fenster etc*.).
mul·tan·gu·lar [mʌl'tæŋgjʊlə] *adj*. vielwink(e)lig, -eckig.
mul·te·i·ty [mʌl'ti:ətɪ] *s*. Vielheit *f*.
multi- [mʌltɪ] *in Zssgn*: viel…, mehr…, …reich, Mehrfach…, Multi…
mul·ti ['mʌltɪ] *s*. ⚚ F ‚Multi' *m*.
'mul·ti‚ax·le drive *s*. *mot*. Mehrachsenantrieb *m*; **'mul·ti‚col·o(u)r**, **'mul·ti‚col·o(u)red** *adj*. mehrfarbig, Mehrfarben…; **‚mul·ti'en·gine(d)** *adj*. 'mehrmo‚torig.
mul·ti·far·i·ous [‚mʌltɪ'feərɪəs] *adj*. ☐ mannigfaltig.
'mul·ti·form *adj*. vielförmig, -gestaltig; **'mul·ti·graph** *typ*. **I** *s*. Ver'vielfältigungsma‚schine *f*; **II** *v/t*. *u*. *v/i*. vervielfältigen; **'mul·ti·grid tube** *s*. ⚡ Mehrgitterröhre *f*; **‚mul·ti'lat·er·al** *adj*. **1.** vielseitig (*a*. *fig*.); **2.** *pol*. mehrseitig, multilate'ral; **‚mul·ti'lin·gual** *adj*. mehrsprachig; **‚mul·ti'me·di·a** *s*. *pl*. Medienverbund *m*, Multi'media *pl*.; **‚mul·ti·mil·lion'aire** *s*. 'Multimillio‚när *m*; **‚mul·ti'na·tion·al I** *adj*. *bsd*. ⚚ multinatio'nal; **II** *s*. multinatio'naler Kon'zern, ‚Multi' *m*; **mul·tip·a·rous** [mʌl'tɪpərəs] *adj*. mehrgebärend; **‚mul·ti'par·tite** *adj*. **1.** vielteilig; **2.** → ***multilateral*** 2.
mul·ti·ple ['mʌltɪpl] **I** *adj*. ☐ **1.** viel-, mehrfach; **2.** mannigfaltig; **3.** *biol*., ⚕, Ꭿ mul'tipel; **4.** ⚙, ⚡ a) Mehr(fach)…, Vielfach…: ~ ***switch***, b) Parallel…; **5.** *ling*. zs.-gesetzt (*Satz*); **II** *s*. **6.** Vielfache(s) *n* (*a*. Ꭿ); **7.** *a*. ~ ***connection*** ⚡ Paral'lelschaltung *f*: ***in*** ~ parallel (geschaltet); ~ **birth** *s*. ⚕ Mehrlingsgeburt *f*; ~ **choice ques·tion** *s*. Auswahlfrage *f*; **'~-disk clutch** *s*. *mot*. La'mellenkupplung *f*; ~ **fac·tors** *s*. *pl*. *biol*. poly'mere Gene *pl*.; **‚~-'par·ty** *adj*. *pol*. Mehrparteien…: ~ ***system***; ~ **plug** *s*. ⚡ Mehrfachstecker *m*; ~ **pro·duc·tion** *s*. ⚚ Serienherstellung *f*; ~ **root** *s*. Ꭿ mehrwertige Wurzel; ~ **scle·ro·sis** *s*. ⚕ mul'tiple Skle'rose; ~ **shop** *s*., ~ **store** *s*. ⚚ Ketten-, Fili'algeschäft *n*; ~ **thread** *s*. ⚙ mehrgängiges Gewinde.
mul·ti·plex ['mʌltɪpleks] **I** *adj*. **1.** mehr-, vielfach; **2.** ⚡, *tel*. Mehrfach…(*-betrieb*, *-telegrafie etc*.); **II** *v/t*. **3.** ⚡, *tel*. a) in Mehrfachschaltung betreiben, b) gleichzeitig senden; **'mul·ti·pli·a·ble** [-plaɪəbl] *adj*. multiplizierbar; **mul·ti·pli·cand** [‚mʌltɪplɪ'kænd] *s*. Ꭿ Multipli'kand *m*; **'mul·ti·pli·cate** [-plɪkeɪt] *adj*. mehr-, vielfach; **mul·ti·pli·ca·tion** [‚mʌltɪplɪ'keɪʃn] *s*. **1.** Vermehrung *f* (*a*. ⚘); **2.** Ꭿ a) Multiplikati'on *f*: ~ ***sign*** Mal-, Multiplikationszeichen *n*; ~ ***table*** *das* Einmaleins, b) Vervielfachung *f*; **3.** ⚙ (Ge'triebe)Über‚setzung *f*; **mul·ti·plic·i·ty** [‚mʌltɪ'plɪsətɪ] *s*. **1.** Vielfalt *f*; **2.** Menge *f*, Vielzahl *f*, -heit *f*; **3.** Ꭿ a) Mehr-, Vielwertigkeit *f*, b) Mehrfachheit *f*; **'mul·ti·pli·er** [-plaɪə] *s*. **1.** Vermehrer *m*; **2.** Ꭿ a) Multipli'kator *m*, b) Multipli'zierma‚schine *f*; **3.** *phys*. a) Verstärker *m*, b) Vergrößerungslinse *f*, Lupe *f*; **4.** ⚡ 'Vor- *od*. 'Neben‚widerstand *m*; **5.** ⚙ Über'setzung *f*; **'mul·ti·ply** [-plaɪ] **I** *v/t*. **1.** vermehren (*a*. *biol*.), vervielfältigen: ***~ing glass*** *opt*. Vergrößerungsglas *n*, -linse *f*; **2.** Ꭿ multiplizieren (***by*** mit); **3.** ⚡ vielfachschalten; **II** *v/i*. **4.** multiplizieren; **5.** sich vermehren *od*. vervielfachen.
‚mul·ti|'po·lar *adj*. ⚡ viel-, mehrpolig; **‚~-'pur·pose** *adj*. Mehrzweck…: ~ ***aircraft***; **‚~'ra·cial** *adj*. gemischtrassig, Vielvölker…: ~ ***state***; **'~‚seat·er** *s*. ✈ Mehrsitzer *m*; **'~·speed** *adj*. ⚙ Mehrgang…; **'~·stage** *adj*. ⚙, ⚡ mehrstufig, Mehrstufen…: ~ ***rocket***; **‚~-'sto·r(e)y** *adj*. vielstöckig: ~ ***building*** Hochhaus *n*; ~ ***parking garage***, ~ ***car park*** Park-(hoch)haus *n*.
mul·ti·tude ['mʌltɪtju:d] *s*. **1.** große Zahl, Menge *f*; **2.** Vielheit *f*; **3.** Menschenmenge *f*: ***the*** ~ der große Haufen, die Masse; **mul·ti·tu·di·nous** [‚mʌltɪ-

M

ˈtju:dɪnəs] *adj.* □ **1.** (sehr) zahlreich; **2.** mannigfaltig, vielfältig.

ˌ**mul·ti**|ˈ**va·lent** *adj.* ⚗ mehr-, vielwertig; ˈ**~·way** *adj.* ↯ mehrwegig: **~ *plug*** Vielfachstecker *m*.

mum¹ [mʌm] F **I** *int.* pst!, still!; **~*'s the word!*** (aber) Mund halten!; **II** *adj.* still, stumm.

mum² [mʌm] *v/i.* **1.** sich vermummen; **2.** Mummenschanz treiben.

mum³ [mʌm] *s.* F Mami *f*.

mum·ble [ˈmʌmbl] **I** *v/t. u. v/i.* **1.** murmeln; **2.** mummeln, knabbern; **II** *s.* **3.** Gemurmel *n*.

Mum·bo Jum·bo [ˌmʌmbəʊ ˈdʒʌmbəʊ] *s.* **1.** Popanz *m*; **2.** ♀ a) Hokusˈpokus *m*, fauler Zauber, b) Kauderwelsch *n*.

mum·mer [ˈmʌmə] *s.* **1.** Vermummte(r *m*) *f*, Maske *f* (*Person*); **2.** *contp.* Komödiˈant *m*; ˈ**mum·mer·y** [-ərɪ] *s.* **1.** *contp.* Mummenschanz *m*, Maskeˈrade *f*; **2.** Hokusˈpokus *m*.

mum·mi·fi·ca·tion [ˌmʌmɪfɪˈkeɪʃn] *s.* **1.** Mumifizierung *f*; **2.** ⚕ trockener Brand; **mum·mi·fy** [ˈmʌmɪfaɪ] **I** *v/t.* mumifizieren; **II** *v/i.* *a. fig.* vertrocknen, -dorren.

mum·my¹ [ˈmʌmɪ] *s.* **1.** Mumie *f* (*a. fig.*); **2.** Brei *m*, breiige Masse.

mum·my² [ˈmʌmɪ] *s.* F Mutti *f*.

mump [mʌmp] *v/i.* **1.** schmollen, schlecht gelaunt sein; **2.** F schnorren, betteln; ˈ**mump·ish** [-pɪʃ] *adj.* □ mürrisch.

mumps [mʌmps] *s. pl.* **1.** *sg. konstr.* ⚕ Mumps *m*; **2.** miese Laune.

munch [mʌntʃ] *v/t. u. v/i.* schmatzend kauen, ‚mampfen'.

Mun·chau·sen·ism [mʌnˈtʃɔ:znɪzəm] Münchhausiˈade *f*, phanˈtastische Geschichte.

mun·dane [ˈmʌndeɪn] *adj.* □ **1.** weltlich, Welt…; **2.** irdisch, weltlich: **~ *poetry*** weltliche Dichtung; **3.** proˈsaisch, nüchtern.

mu·nic·i·pal [mju:ˈnɪsɪpl] *adj.* □ **1.** städtisch, Stadt…; kommuˈnal, Gemeinde…: **~ *elections*** Kommunalwahlen; **2.** Selbstverwaltungs…: **~ *town*** → ***municipality*** 1; **3.** Land(es)…: **~ *law*** Landesrecht *n*; **~ bank** *s.* ⚚ Kommuˈnalbank *f*; **~ bonds** *s. pl.* ⚚ Kommuˈnalobligatiˌonen *pl.*, Stadtanleihen *pl.*; **~ cor·po·ra·tion** *s.* **1.** Gemeindebehörde *f*; **2.** Körperschaft *f* des öffentlichen Rechts.

mu·nic·i·pal·i·ty [mju:ˌnɪsɪˈpælətɪ] *s.* **1.** Stadt *f* mit Selbstverwaltung; Stadtbezirk *m*; **2.** Stadtbehörde *f*, -verwaltung *f*; **mu·nic·i·pal·ize** [mju:ˈnɪsɪpəlaɪz] *v/t.* **1.** *Stadt* mit Obrigkeitsgewalt ausstatten; **2.** *Betrieb etc.* kommunalisieren.

mu·nic·i·pal| **loan** *s.* Kommuˈnalanleihe *f*; **~ rates**, **~ tax·es** *s. pl.* Gemeindesteuern *pl.*, -abgaben *pl.*

mu·nif·i·cence [mju:ˈnɪfɪsns] *s.* Freigebigkeit *f*, Großzügigkeit *f*; **muˈnif·i·cent** [-nt] *adj.* □ freigebig, großzügig.

mu·ni·ment [ˈmju:nɪmənt] *s.* **1.** *pl.* ⚖ Rechtsurkunde *f*; **2.** Urkundensammlung *f*, Arˈchiv *n*.

mu·ni·tion [mju:ˈnɪʃn] **I** *s.* *mst pl.* ˈKriegsmateriˌal *n*, -vorräte *pl.*, *bsd.* Munitiˈon *f*: **~ *plant*** Rüstungsfabrik *f*; **~ *worker*** Munitionsarbeiter(in); **II** *v/t.* mit Materiˈal *od.* Munitiˈon versehen, ausrüsten.

mu·ral [ˈmjʊərəl] **I** *adj.* Mauer…, Wand…; **II** *s.* *a.* **~ *painting*** Wandgemälde *n*.

mur·der [ˈmɜ:də] **I** *s.* **1.** (***of***) Mord *m* (an *dat.*), Ermordung *f* (*gen.*): **~ *will out*** *fig.* die Sonne bringt es an den Tag; ***the* ~ *is out*** *fig.* das Geheimnis ist gelüftet; ***cry blue* ~** F zetermordio schreien; ***get away with* ~** F sich alles erlauben können; ***it was* ~!** F es war fürchterlich!; **II** *v/t.* **2.** (er)morden; **3.** *fig.* (*a. Sprache*) verschandeln, verhunzen; **4.** *sport* F ‚auseinˈandernehmen'; ˈ**mur·der·er** [-ərə] *s.* Mörder *m*; ˈ**mur·der·ess** [-ərɪs] *s.* Mörderin *f*; ˈ**mur·der·ous** [-dərəs] *adj.* □ **1.** mörderisch (*a. fig. Hitze, Tempo etc.*); **2.** Mord…: **~ *intent***; **3.** tödlich, todbringend; **4.** blutdürstig; **mur·der squad** *s. Brit.* ˈMordkommissiˌon *f*.

mure [mjʊə] *v/t.* **1.** einmauern; **2.** *mst* **~ *up*** einsperren.

mu·ri·ate [ˈmjʊərɪət] *s.* ⚗ **1.** Muriˈat *n*, Hydrochloˈrid *n*; **2.** ˈKaliumchloˌrid *n*; **mu·ri·at·ic** [ˌmjʊərɪˈætɪk] *adj.* salzsauer: **~ *acid*** Salzsäure *f*.

murk·y [ˈmɜ:kɪ] *adj.* □ dunkel, düster, trüb (*alle a. fig.*).

mur·mur [ˈmɜ:mə] **I** *s.* **1.** Murmeln *n*, (leises) Rauschen (*Wasser, Wind etc.*); **2.** Gemurmel *n*; **3.** Murren *n*: ***without a* ~** ohne zu murren; **4.** ⚕ Geräusch *n*; **II** *v/i.* **5.** murmeln (*a. Wasser etc.*); **6.** murren (***at***, ***against*** gegen); **III** *v/t.* **7.** murmeln; ˈ**mur·mur·ous** [-mərəs] *adj.* □ **1.** murmelnd; **2.** murrend.

mur·rain [ˈmʌrɪn] *s.* Viehseuche *f*.

mus·ca·dine [ˈmʌskədɪn], ˈ**mus·cat** [-kət], **mus·ca·tel** [ˌmʌskəˈtel] *s.* Muskaˈteller(wein) *m*, -traube *f*.

mus·cle [ˈmʌsl] **I** *s.* **1.** *anat.* Muskel *m*, Muskelfleisch *n*: ***not to move a* ~** *fig.* sich nicht rühren, nicht mit der Wimper zucken; **2.** *fig.* *a.* **~ *power*** Muskelkraft *f*; **3.** *Am. sl.* Muskelprotz *m*, ‚Schläger' *m*; **4.** *fig.* F Macht *f*, Einfluß *m*, ‚Muskeln' *pl.*; **II** *v/i.* **5.** **~ *in*** *bsd. Am.* F sich rücksichtslos eindrängen; ˈ**~-bound** *adj.*: ***be* ~** eine überentwickelte Muskulatur haben; **~ man** [mæn] *s.* **1.** ˈMuskelpaˌket *n*, -mann *m*; **2.** ‚Schläger' *m*.

Mus·co·vite [ˈmʌskəʊvaɪt] **I** *s.* **1.** a) Moskoˈwiter(in), b) Russe *m*, Russin *f*;

2. ♀ *min.* Musko'wit *m*, Kaliglimmer *m*; **II** *adj.* **3.** a) mosko'witisch, b) russisch.

mus·cu·lar ['mʌskjʊlə] *adj.* □ **1.** Muskel...: ~ ***atrophy*** Muskelschwund *m*; **2.** musku'lös; **mus·cu·lar·i·ty** [ˌmʌskjʊ'lærətɪ] *s.* Muskelkraft *f*, musku'löser Körperbau; '**mus·cu·la·ture** [-lətʃə] *s. anat.* Muskula'tur *f.*

Muse[1] [mju:z] *s. myth.* Muse *f* (*fig. a.* ♀).

muse[2] [mju:z] *v/i.* **1.** (nach)sinnen, (-)denken, (-)grübeln (***on***, ***upon*** über *acc.*); **2.** in Gedanken versunken sein, träumen; '**mus·er** [-zə] *s.* Träumer(in), Sinnende(r *m*) *f.*

mu·se·um [mju:'zɪəm] *s.* Mu'seum *n*: ~ ***piece*** Museumsstück *n* (*a. fig.*).

mush[1] [mʌʃ] *s.* **1.** Brei *m*, Mus *n*; **2.** *Am.* (Mais)Brei *m*; **3.** F a) Gefühlsduse'lei *f*, b) sentimen'tales Zeug; **4.** *Radio*: Knistergeräusch *n*: ~ ***area*** Störgebiet *n.*

mush[2] [mʌʃ] *v/i. Am.* **1.** durch den Schnee stapfen; **2.** mit Hundeschlitten fahren.

mush·room ['mʌʃrʊm] **I** *s.* **1.** ⚘ a) Ständerpilz *m*, b) *allg.* eßbarer Pilz, *bsd.* Champignon *m*: ***grow like ~s*** → 6 a; **2.** *fig.* Em'porkömmling *m*; **II** *adj.* **3.** Pilz...; pilzförmig: ~ ***bulb*** ↯ Pilzbirne *f*; ~ ***cloud*** Atompilz *m*; **4.** plötzlich entstanden; Eintags...: ~ ***fame***; **III** *v/i.* **5.** Pilze sammeln; **6.** *fig.* a) wie Pilze aus dem Boden schießen, b) sich ausbreiten (*Flammen*); **IV** *v/t.* **7.** F *Zigarette* ausdrücken.

mush·y ['mʌʃɪ] *adj.* □ **1.** breiig, weich; **2.** *fig.* a) weichlich, b) F gefühlsduselig.

mu·sic ['mju:zɪk] *s.* **1.** Mu'sik *f*, Tonkunst *f*; *konkr.* Kompositi'on(en *pl. coll.*) *f*: ***face the*** ~ F ,die Suppe auslöffeln'; ***set to*** ~ vertonen; **2.** Noten(blatt *n*) *pl.*: ***play from*** ~ vom Blatt spielen; **3.** *coll.* Musi'kalien *pl.*: ~ ***shop*** → ***music house***; **4.** *fig.* Mu'sik *f*, Wohllaut *m*, Gesang *m*; **5.** (Mu'sik)Kaˌpelle *f.*

mu·si·cal ['mju:zɪkl] **I** *adj.* □ **1.** Musik...: ~ ***history***; ~ ***instrument***; **2.** me'lodisch; **3.** musi'kalisch (*Person*, *Komödie etc.*); **II** *s.* **4.** Musical *n*; **5.** F *für* ***musical film***; ~ **art** *s.* (Kunst *f* der) Mu'sik *f*, Tonkunst *f*; ~ **box** *s. Brit.* Spieldose *f*; ~ **chairs** *s. pl.* ,Reise *f* nach Je'rusalem' (*Gesellschaftsspiel*); ~ **clock** *s.* Spieluhr *f*; ~ **film** *s.* Mu'sikfilm *m*; ~ **glass·es** *s. pl.* ♪ 'Glasharˌmonika *f.*

mu·si·cal·i·ty [ˌmju:zɪ'kælətɪ], **mu·si·cal·ness** ['mju:zɪklnɪs] *s.* **1.** Musikali'tät *f*; **2.** Wohlklang *m.*

'**mu·sic|-apˌpre·ci'a·tion rec·ord** *s.* Schallplatte *f* mit mu'sikkundlichem Kommen'tar; ~ **book** *s.* Notenheft *n*, -buch *n*; ~ **box** *s.* **1.** Spieldose *f*; **2.** → ***jukebox***; ~ **hall** *s. Brit.* Varie'té(theˌater) *n*; ~ **house** *s.* Musi'kalienhandlung *f.*

mu·si·cian [mju:'zɪʃn] *s.* **1.** (*bsd.* Berufs)Musiker(in): ***be a good*** ~ a) gut spielen *od.* singen, b) sehr musikalisch sein; **2.** Musi'kant *m.*

mu·si·col·o·gy [ˌmju:zɪ'kɒlədʒɪ] *s.* Mu'sikwissenschaft *f.*

mu·sic| pa·per *s.* 'Notenpaˌpier *n*; ~ **rack**, ~ **stand** *s.* Notenständer *m*; ~ **stool** *s.* Kla'vierstuhl *m.*

mus·ing ['mju:zɪŋ] **I** *s.* **1.** Sinnen *n*, Grübeln *n*, Nachdenken *n*; **2.** *pl.* Träume'reien *pl.*; **II** *adj.* □ **3.** nachdenklich, sinnend, in Gedanken (versunken).

musk [mʌsk] *s.* **1.** *zo.* Moschus *m* (*a. Geruch*), Bisam *m*; **2.** → ***musk deer***; **3.** Moschuspflanze *f*; ~ **bag** *s. zo.* Moschusbeutel *m*; ~ **deer** *s. zo.* Moschustier *n.*

mus·ket ['mʌskɪt] *s.* ⚔ *hist.* Mus'kete *f*, Flinte *f*; **mus·ket·eer** [ˌmʌskɪ'tɪə] *s. hist.* Muske'tier *m*; '**mus·ket·ry** [-trɪ] *s.* **1.** *hist. coll.* a) Mus'keten *pl.*, b) Muske'tiere *pl.*; **2.** *hist.* Mus'ketenschießen *n*; **3.** ⚔ 'Schießˌunterricht *m*: ~ ***manual*** Schießvorschrift *f.*

musk| ox *s. zo.* Moschusochse *m*; '**~-rat** *s. zo.* Bisamratte *f*; ~ **rose** *s.* ⚘ Moschusrose *f.*

musk·y ['mʌskɪ] *adj.* □ **1.** nach Moschus riechend; **2.** Moschus...

Mus·lim ['mʊslɪm] → ***Moslem***.

mus·lin ['mʌzlɪn] *s.* Musse'lin *m.*

mus·quash ['mʌskwɒʃ] → ***muskrat***.

muss [mʌs] *bsd. Am.* F **I** *s.* Durchein'ander *n*, Unordnung *f*; **II** *v/t. oft* ~ ***up*** durchein'anderbringen, in Unordnung bringen, *Haar* verwuscheln.

mus·sel ['mʌsl] *s.* Muschel *f.*

Mus·sul·man ['mʌslmən] **I** *pl.* **-mans**, *a.* **-men** [-mən] *s.* Muselman(n) *m*; **II** *adj.* muselmanisch.

muss·y ['mʌsɪ] *adj. Am.* F unordentlich; verknittert; schmutzig.

must[1] [mʌst] **I** *v/aux.* **1.** *pres.* muß, mußt, müssen, müßt: ***I ~ go now*** ich muß jetzt gehen; ***he ~ be over eighty*** er muß über achtzig (Jahre alt) sein; **2.** *neg.* darf, darfst, dürfen, dürft: ***you ~ not smoke here*** du darfst hier nicht rauchen; **3.** *pret.* a) mußte, mußtest, mußten, mußtet: ***it was too late now, he ~ go on***; ***just as I was busiest, he ~ come*** gerade als ich am meisten zu tun hatte, mußte er kommen, b) *neg.* durfte, durftest, durften, durftet; **II** *adj.* **4.** unerläßlich, abso'lut notwendig: ***a ~ book*** ein Buch, das man (unbedingt) gelesen haben muß; **III** *s.* **5.** Muß *n*: ***it is a ~*** es ist unerläßlich *od.* unbedingt erforderlich (→ *a.* 4).

must[2] [mʌst] *s.* Most *m.*

must[3] [mʌst] *s.* **1.** Moder *m*, Schimmel *m*; **2.** Modrigkeit *f.*

mus·tache [mə'stɑːʃ; *Am.* 'mʌstæʃ] *Am.* → ***moustache.***

mus·tang ['mʌstæŋ] *s.* **1.** *zo.* Mustang *m* (*halbwildes Präriepferd*); **2.** ✈ Mustang *m* (*amer. Jagdflugzeug im 2. Weltkrieg*).

mus·tard ['mʌstəd] *s.* **1.** Senf *m*, Mostrich *m*; → ***keen***[1] 13; **2.** ⚘ Senf *m*; **3.** *Am. sl.* a) ‚Mordskerl' *m*, b) ‚tolle' Sache, c) ‚Pfeffer' *m*, Schwung *m*; **~ gas** *s.* ⚔ Senfgas *n*, Gelbkreuz *n*; **~ plas·ter** *s.* ⚕ Senfpflaster *n*; **~ poul·tice** *s.* ⚕ Senfpackung *f*; **~ seed** *s.* **1.** ⚘ Senfsame *m*: ***grain of ~*** *bibl.* Senfkorn *n*; **2.** *hunt.* Vogelschrot *m*, *n*.

mus·ter ['mʌstə] **I** *v/t.* **1.** ⚔ a) (zum Ap'pell) antreten lassen, mustern, b) aufbieten: ***~ in*** (***out***) *Am.* einziehen (entlassen, ausmustern); **2.** zs.-bringen, auftreiben; **3.** *a.* ***~ up*** *fig.* aufbieten, *s-e Kraft* zs.-nehmen, *Mut* fassen; **II** *v/i.* **4.** sich versammeln, ⚔ *a.* antreten; **III** *s.* **5.** ⚔ Ap'pell *m*, Pa'rade *f*; Musterung *f*: ***pass ~*** *fig.* durchgehen, Billigung finden (***with*** bei); **6.** ⚔ → ***muster roll*** 2; **7.** Versammlung *f*; **8.** Aufgebot *n*; **~ book** *s.* ⚔ Stammrollenbuch *n*; **~ roll** *s.* **1.** ⚓ Musterrolle *f*; **2.** ⚔ Stammrolle *f*.

mus·ti·ness ['mʌstɪnɪs] *s.* **1.** Muffigkeit *f*, Modrigkeit *f*; **2.** *fig.* Verstaubtheit *f*; **mus·ty** ['mʌstɪ] *adj.* ☐ **1.** muffig; **2.** mod(e)rig; **3.** schal (*a. fig.*); **4.** *fig.* verstaubt.

mu·ta·bil·i·ty [ˌmjuːtə'bɪlətɪ] *s.* **1.** Veränderlichkeit *f*; **2.** *fig.* Unbeständigkeit *f*; **3.** *biol.* Mutati'onsfähigkeit *f*; **mu·ta·ble** ['mjuːtəbl] *adj.* ☐ **1.** veränderlich; **2.** *fig.* unbeständig; **3.** *biol.* mutati'onsfähig; **mu·tant** ['mjuːtənt] *biol.* **I** *adj.* **1.** mutierend; **2.** mutati'onsbedingt; **II** *s.* **3.** Vari'ante *f*, Mu'tant *m*; **mu·tate** [mjuː'teɪt] **I** *v/t.* **1.** verändern; **2.** *ling.* 'umlauten: ***~d vowel*** Umlaut *m*; **II** *v/i.* **3.** sich ändern; **4.** *ling.* 'umlauten; **5.** *biol.* mutieren; **mu·ta·tion** [mjuː'teɪʃn] *s.* **1.** (Ver)Änderung *f*; **2.** 'Umwandlung *f*: ***~ of energy*** *phys.* Energieumformung *f*; **3.** *biol.* a) Mutati'on *f* (*a.* ♪), b) Mutati'onsproˌdukt *n*; **4.** *ling.* 'Umlaut *m*.

mute [mjuːt] **I** *adj.* ☐ **1.** stumm (*a. ling.*), *weitS. a.* still, schweigend: ***~ sound*** *ling.* Verschlußlaut *m*; **II** *s.* **2.** Stumme(r *m*) *f*; **3.** *thea.* Sta'tist(in); **4.** ♪ Dämpfer *m*; **5.** *ling.* a) stummer Buchstabe, b) Verschlußlaut *m*; **III** *v/t.* **6.** ♪ *Instrument* dämpfen.

mu·ti·late ['mjuːtɪleɪt] *v/t.* verstümmeln (*a. fig.*); **mu·ti·la·tion** [ˌmjuːtɪ'leɪʃn] *s.* Verstümmelung *f*.

mu·ti·neer [ˌmjuːtɪ'nɪə] **I** *s.* Meuterer *m*; **II** *v/i.* meutern; **mu·ti·nous** ['mjuːtɪnəs] *adj.* ☐ **1.** meuterisch; **2.** aufrührerisch, re'bellisch (*a. fig.*); **mu·ti·ny** ['mjuːtɪnɪ] **I** *s.* **1.** Meute'rei *f*; **2.** Auflehnung *f*, Rebelli'on *f*; **II** *v/i.* **3.** meutern.

mut·ism ['mjuːtɪzəm] *s.* (Taub)Stummheit *f*.

mutt [mʌt] *s. Am. sl.* **1.** Trottel *m*, Schafskopf *m*; **2.** Köter *m*, Hund *m*.

mut·ter ['mʌtə] **I** *v/i.* **1.** (*a. v/t. et.*) murmeln: ***~ to o.s.*** vor sich hinmurmeln; **2.** murren (***at*** über *acc.*; ***against*** gegen); **II** *s.* **3.** Gemurmel *n*; **4.** Murren *n*.

mut·ton ['mʌtn] *s.* Hammelfleisch *n*: ***leg of ~*** Hammelkeule *f*; → ***dead*** 1; **~ chop** *s.* **1.** 'Hammelkoteˌlett *n*; **2.** *pl.* Kote'letten *pl.* (*Backenbart*); **'~·head** *s.* F ‚Schafskopf' *m*.

mu·tu·al ['mjuːtʃʊəl] *adj.* ☐ **1.** gegen-, wechselseitig: ***~ aid*** gegenseitige Hilfe; ***~ building association*** Baugenossenschaft *f*; ***by ~ consent*** in gegenseitigem Einvernehmen; ***~ contributory negligence*** ⚖ beiderseitiges Verschulden; ***~ improvement society*** Fortbildungsverein *m*; ***~ insurance*** ☤ Versicherung *f* auf Gegenseitigkeit; ***~ investment trust***, ***~ fund*** *Am.* Investmentfonds *m*; ***~ will*** ⚖ gegenseitiges Testament; ***it's ~*** *iro.* es beruht auf Gegenseitigkeit; **2.** gemeinsam: ***our ~ friends***; **mu·tu·al·i·ty** [ˌmjuːtjʊ'ælətɪ] *s.* Gegenseitigkeit *f*.

mu·zhik, **mu·zjik** ['muːʒɪk] *s.* Muschik *m*, russischer Bauer.

muz·zle ['mʌzl] **I** *s.* **1.** Maul *n*, Schnauze *f* (*Tier*); **2.** Maulkorb *m*; **3.** Mündung *f e-r Feuerwaffe*; **4.** ⚙ Mündung *f*, Tülle *f*; **II** *v/t.* **5.** e-n Maulkorb anlegen (*dat.*); *fig. a. Presse etc.* knebeln, mundtot machen, den Mund stopfen (*dat.*); **~ brake** *s.* ⚔ Mündungsbremse *f*; **~ burst** *s.* ⚔ Mündungskrepierer *m*; **'~-ˌload·er** *s.* ⚔ *hist.* Vorderlader *m*; **~ ve·loc·i·ty** *s. Ballistik*: Mündungs-, Anfangsgeschwindigkeit *f*.

muz·zy ['mʌzɪ] *adj.* ☐ F **1.** zerstreut, verwirrt; **2.** dus(e)lig; **3.** stumpfsinnig.

my [maɪ] *poss. pron.* mein(e): ***I must wash ~ face*** ich muß mir das Gesicht waschen; (***oh***) ***~!*** F (du) meine Güte!

my·al·gi·a [maɪ'ældʒɪə] *s.* ⚕ 'Muskelrheuma(ˌtismus *m*) *n*.

my·col·o·gy [maɪ'kɒlədʒɪ] *s.* ⚘ **1.** Pilzkunde *f*, Mykolo'gie *f*; **2.** Pilzflora *f*, Pilze *pl.* (*e-s Gebiets*).

my·cose ['maɪkəʊs] *s.* ⚗ My'kose *f*.

my·co·sis [maɪ'kəʊsɪs] *s.* ⚕ Pilzkrankheit *f*, My'kose *f*.

my·e·li·tis [ˌmaɪə'laɪtɪs] *s.* Mye'litis *f*: a) Rückenmarksentzündung *f*, b) Knochenmarksentzündung *f*; **my·e·lon** ['maɪəlɒn] *s.* Rückenmark *n*.

my·o·car·di·o·gram [ˌmaɪəʊ'kɑːdɪəʊgræm] *s.* ⚕ Eˌlektrokardio'gramm *n*; **ˌmy·o'car·di·o·graph** [-grɑːf] *s.* ⚕ Eˌlektrokardio'graph *m*, EK'G-Appaˌrat *m*; **my·o·car·di·tis** [ˌmaɪəʊkɑː'daɪtɪs] *s.* Herzmuskelentzündung *f*.

my·ol·o·gy [maɪˈɒlədʒɪ] *s.* Myoloˈgie *f*, Muskelkunde *f*, -lehre *f*.

my·o·ma [maɪˈəʊmə] *s.* ⚕ Myˈom *n*.

my·ope [ˈmaɪəʊp] *s.* ⚕ Kurzsichtige(r *m*) *f*; **my·o·pi·a** [maɪˈəʊpjə] *s.* ⚕ Kurzsichtigkeit *f* (*a. fig.*); **my·op·ic** [maɪˈɒpɪc] *adj.* kurzsichtig; **my·o·py** [ˈmaɪəpɪ] → ***myopia***.

myr·i·ad [ˈmɪrɪəd] **I** *s.* Myriˈade *f*; *fig. a.* Unzahl *f*; **II** *adj.* unzählig.

myr·mi·don [ˈmɜːmɪdən] *s.* Scherge *m*, Häscher *m*; Helfershelfer *m*: **~ *of law*** Hüter *m* des Gesetzes.

myrrh [mɜː] *s.* ⚘ Myrrhe *f*.

myr·tle [ˈmɜːtl] *s.* ⚘ **1.** Myrthe *f*; **2.** *Am.* Immergrün *n*.

my·self [maɪˈself] *pron.* **1.** (*verstärkend*) (ich *od.* mir *od.* mich) selbst: ***I did it ~*** ich selbst habe es getan; ***I ~ wouldn't do it*** ich (persönlich) würde es sein lassen; ***it is for ~*** es ist für mich (selbst); **2.** *refl.* mir (*dat.*), mich (*acc.*): ***I cut ~*** ich habe mich geschnitten.

mys·te·ri·ous [mɪˈstɪərɪəs] *adj.* □ mysteriˈös: a) geheimnisvoll, b) rätsel-, schleierhaft, unerklärlich; **mysˈte·ri·ous·ness** [-nɪs] *s.* Rätselhaftigkeit *f*, Unerklärlichkeit *f*, *das* Geheimnisvolle *od.* Mysteriˈöse.

mys·ter·y [ˈmɪstərɪ] *s.* **1.** Geheimnis *n*, Rätsel *n* (***to*** für *od. dat.*): ***make a ~ of*** *et.* geheimhalten; ***wrapped in ~*** in geheimnisvolles Dunkel gehüllt; ***it's a complete ~ to me*** es ist mir völlig schleierhaft; **2.** Rätselhaftigkeit *f*, Unerklärlichkeit *f*; **3.** *eccl.* Myˈsterium *n*; **4.** *pl.* Geheimlehre *f*, -kunst *f*; Myˈsterien *pl.*; **5.** → ***mystery play*** 1; **6.** *Am.* → **~ nov·el** *s.* Krimiˈnalroˌman *m*; **~ play** *s.* **1.** *hist.* Myˈsterienspiel *n*; **2.** *thea.* Krimiˈnalstück *n*; **~ ship** *s.* ⚓ U-Boot-Falle *f*; **~ tour** *s.* Fahrt *f* ins Blaue.

mys·tic [ˈmɪstɪk] **I** *adj.* (□ ***~ally***) **1.** mystisch; **2.** *fig.* rätselhaft, mysteriˈös, geheimnisvoll; **3.** geheim, Zauber...; **II** *s.* **4.** Mystiker(in); Schwärmer(in); **ˈmys·ti·cal** [-kl] *adj.* □ **1.** symˈbolisch; **2.** → ***mystic*** 1, 2; **ˈmys·ti·cism** [-ɪsɪzəm] *s.* *phls.*, *eccl.* a) Mystiˈzismus *m*, Glaubensschwärmeˈrei *f*, b) Mystik *f*.

mys·ti·fi·ca·tion [ˌmɪstɪfɪˈkeɪʃn] *s.* **1.** Täuschung *f*, Irreführung *f*; **2.** Foppeˈrei *f*; **3.** Verwirrung *f*, Verblüffung *f*; **mys·ti·fy** [ˈmɪstɪfaɪ] *v/t.* **1.** täuschen, hinters Licht führen, foppen; **2.** verwirren, verblüffen; **3.** in Dunkel hüllen.

myth [mɪθ] *s.* **1.** (Götter-, Helden)Sage *f*, Mythos *m* (*a. pol.*), Mythus *m*, Mythe *f*; **2.** Märchen *n*, erfundene Geschichte; **3.** *fig.* Mythus *m* (*legendär gewordene Person od. Sache*).

myth·ic, **myth·i·cal** [ˈmɪθɪk(l)] *adj.* □ **1.** mythisch, sagenhaft; Sagen...; **2.** *fig.* erdichtet, fikˈtiv.

myth·o·log·ic, **myth·o·log·i·cal** [ˌmɪθəˈlɒdʒɪk(l)] *adj.* □ mythoˈlogisch; **my·thol·o·gist** [mɪˈθɒlədʒɪst] *s.* Mythoˈloge *m*; **my·thol·o·gize** [mɪˈθɒlədʒaɪz] *v/t.* mythologisieren; **my·thol·o·gy** [mɪˈθɒlədʒɪ] *s.* **1.** Mytholoˈgie *f*, Götter- u. Heldensagen *pl.*; **2.** Sagenforschung *f*, -kunde *f*.

N

N, n [en] *s.* **1.** N *n*, n *n* (*Buchstabe*); **2.** ⚗ N *n* (*Stickstoff*); **3.** ⚖ N *n*, n *n* (*unbestimmte Konstante*).
nab [næb] *v/t.* F **1.** schnappen, erwischen; **2.** sich *et.* schnappen.
na·bob [ˈneɪbɒb] *s.* Nabob *m* (*a. fig.* Krösus).
na·celle [næˈsel] *s.* ✈ **1.** (Flugzeug-)Rumpf *m*; **2.** (Motor-, Luftschiff)Gondel *f*; **3.** Balˈlonkorb *m*.
na·cre [ˈneɪkə] *s.* Perlmutt(er *f*) *n*; **ˈna·cre·ous** [-krɪəs], **ˈna·crous** [-krəs] *adj.* **1.** perlmutterartig; **2.** Perlmutt(er)…
na·dir [ˈneɪˌdɪə] *s.* **1.** *ast.*, *geogr.* Naˈdir *m*, Fußpunkt *m*; **2.** *fig.* Tief-, Nullpunkt *m*.
nag¹ [næg] *s.* **1.** kleines Reitpferd, Pony *n*; **2.** F *contp.* Gaul *m*.
nag² [næg] **I** *v/t.* **1.** herˈumnörgeln an (*dat.*); *j-m* zusetzen; **II** *v/i.* **2.** nörgeln, keifen: **~ *at*** → 1; **3.** *fig.* nagen, bohren; **III** *s.* **4.** → **ˈnag·ger** [-gə] *s.* Nörgler (-in); **ˈnag·ging** [-gɪŋ] **I** *s.* Nörgeˈlei *f*, Gekeife *n*; **II** *adj.* nörgelnd, keifend, *fig.* nagend.
nai·ad [ˈnaɪæd] *s.* **1.** *myth.* Naˈjade *f*, Wassernymphe *f*; **2.** *fig.* (Bade)Nixe *f*.
nail [neɪl] **I** *s.* **1.** (Finger-, Zehen)Nagel *m*; **2.** ⚙ Nagel *m*; Stift *m*; **3.** *zo.* a) Nagel *m*, b) Klaue *f*, Kralle *f*;
Besondere Redewendungen:
a ~ in s.o.'s coffin ein Nagel zu j-s Sarg; ***on the ~*** auf der Stelle, sofort, bar *bezahlen*; ***to the ~*** bis ins letzte, vollendet; ***hit the*** (***right***) ***~ on the head*** *fig.* den Nagel auf den Kopf treffen; ***hard as ~s*** eisern: a) fit, in guter Kondition, b) unbarmherzig; ***right as ~s*** ganz richtig;
II *v/t.* **4.** (an)nageln (***on*** auf *acc.*, ***to*** an *acc.*): ***~ed to the spot*** wie an- *od.* festgenagelt; ***~ to the barndoor*** *fig. Lüge etc.* festnageln; → ***colour*** 10; **5.** benageln, mit Nägeln beschlagen; **6.** *a.* ***~ up*** vernageln; **7.** *fig. Augen etc.* heften, *Aufmerksamkeit* richten (***to*** auf *acc.*); **8.** → ***nail down*** 2; **9.** F a) schnappen, erwischen, b) sich *et.* schnappen, c) ‚klauen', d) *et.* ‚spitzkriegen' (*entdekken*); **~ down** *v/t.* **1.** zunageln; **2.** *fig.* *j-n* festnageln (***to*** auf *acc.*); **3.** *fig. et.* endgültig beweisen; **~ up** *v/t.* **1.** zs.-nageln; **2.** zu-, vernageln; **3.** *fig.* zs.-basteln: ***a nailed-up drama***.
ˈnail|-bed *s. anat.* Nagelbett *n*; **ˈ~-brush** *s.* Nagelbürste *f*; **~ en·am·el** *s.* Nagellack *m*; **~ file** *s.* Nagelfeile *f*; **ˈ~-head** *s.* ⚙ Nagelkopf *m*; **~ pol·ish** *s.* Nagellack *m*; **ˈ~-ˌpull·er** *s.* ⚙ Nagelzieher *m*; **~ scis·sors** *s. pl.* Nagelschere *f*; **~ var·nish** *s. Brit.* Nagellack *m*.
na·ïve [nɑːˈiːv], *a.* **na·ive** [neɪv] *adj.* □ *allg.* naˈiv (*a. Kunst*); **na·ïve·té** [nɑːˈiːvteɪ], *a.* **na·ive·ty** [ˈneɪvtɪ] *s.* Naiviˈtät *f*.
na·ked [ˈneɪkɪd] *adj.* □ **1.** nackt, bloß, unbedeckt: ♀ ***Lady*** ⚘ Herbstzeitlose *f*; **2.** bloß, unbewaffnet (*Auge*); **3.** bloß, blank (*Schwert*; ⚙ *Draht*); **4.** nackt, kahl (*Feld*, *Raum*, *Wand etc.*); **5.** entblößt (***of*** von): ***~ of all provisions*** bar aller Vorräte; **6.** a) schutz-, wehrlos, b) preisgegeben (***to*** *dat.*); **7.** nackt, unverhüllt: ***~ facts***; ***~ truth***; **8.** ⚖ bloß, unbestätigt: ***~ confession***; ***~ possession*** tatsächlicher Besitz (*ohne Rechtsanspruch*); **ˈna·ked·ness** [-nɪs] *s.* **1.** Nacktheit *f*, Blöße *f*; **2.** Kahlheit *f*; **3.** Schutz-, Wehrlosigkeit *f*; **4.** Mangel *m* (***of*** an *dat.*); **5.** *fig.* Unverhülltheit *f*.
nam·a·ble [ˈneɪməbl] *adj.* **1.** benennbar; **2.** nennenswert.
nam·by-pam·by [ˌnæmbɪˈpæmbɪ] **I** *adj.* **1.** seicht, abgeschmackt; **2.** affektiert, ‚etepeˈtete'; **3.** sentimenˈtal; **II** *s.* **4.** sentimentales Zeug; **5.** sentimentaler Mensch; **6.** Mutterkindchen *n*.
name [neɪm] **I** *v/t.* **1.** nennen; erwähnen, anführen; **2.** (be)nennen (***after***, ***from*** nach), e-n Namen geben (*dat.*): ***~d*** genannt, namens; **3.** beim (richtigen) Namen nennen; **4.** a) ernennen (zu), b) nomiˈnieren, vorschlagen (***for*** für); **5.** *Datum etc.* bestimmen; **6.** *parl. Brit.* mit Namen zur Ordnung rufen: ***~!*** a) zur Ordnung rufen!, b) *allg.* Namen nennen!; **II** *s.* **7.** Name *m*: ***what is your ~?*** wie heißen Sie?; ***in ~ only*** nur dem Namen nach; **8.** Name *m*, Bezeichnung *f*, Benennung *f*; **9.** Schimpfname *m*: ***call s.o. ~s*** j-n beschimpfen; **10.** Name *m*, Ruf *m*: ***a bad ~***; → *Bes. Redew.*; **11.** (berühmter) Name, (guter) Ruf: ***a man of ~*** ein Mann von Ruf; **12.** Name *m*, Berühmtheit *f* (*Person*): ***the great ~s of our century***; **13.** Geschlecht *n*, Faˈmilie *f*;
Besondere Redewendungen:
by ~ a) mit Namen, namentlich, b) namens, c) dem Namen nach; ***a man by***

N

(*od.* ***of***) ***the ~ of A.*** ein Mann namens A.; ***in the ~ of*** a) um (*gen.*) willen, b) im Namen *des Gesetzes etc.*, c) auf *j-s* Namen *bestellen etc.*; ***I haven't a penny to my ~*** ich besitze keinen Pfennig; ***give one's ~*** s-n Namen nennen; ***give it a ~!*** F heraus damit!, sagen Sie, was Sie (haben) wollen!; ***give s.o.*** (***s.th.***) ***a bad ~*** j-n (et.) in Verruf bringen; ***give a dog a bad ~ and hang him*** j-n wegen s-s schlechten Rufs *od.* auf Grund von Gerüchten verurteilen; ***have a ~ for being*** dafür bekannt sein, *et.* zu sein; ***make one's ~, make*** (*od.* ***win***) ***a ~ for o.s.*** sich e-n Namen machen (***as*** als, ***by*** durch); ***put one's ~ down for*** a) kandidieren für, b) sich anmelden für, c) sich vormerken lassen für; ***send in one's ~*** sich (an)melden (lassen); ***what's in a ~?*** was bedeutet schon ein Name?; ***that's the ~ of the game!*** darum dreht es sich!

'name|-ˌcall·ing *s.* Beschimpfung(en *pl.*) *f*; **'~-child** *s.*: ***my ~*** das nach mir benannte Kind.

named [neɪmd] *adj.* **1.** genannt, namens; **2.** genannt, erwähnt: ***~ above*** oben genannt.

'name|-day *s.* **1.** Namenstag *m*; **2.** ☨ Abrechnungstag *m*; **'~-ˌdrop·per** *s.* j-d, der ständig mit promi'nenten Bekannten angibt; **'~-ˌdrop·ping** *s.* Wichtigtue'rei *f* durch Erwähnung von Promi'nenten, die man angeblich kennt.

name·less ['neɪmlɪs] *adj.* □ **1.** namenlos, unbekannt, ob'skur; **2.** ungenannt, unerwähnt; ano'nym; **3.** unehelich (*Kind*); **4.** *fig.* namenlos, unbeschreiblich (*Furcht etc.*); **5.** unaussprechlich, ab'scheulich; **'name·ly** [-lɪ] *adv.* nämlich.

name| part *s. thea.* Titelrolle *f*; **~ plate** *s.* **1.** Tür-, Firmen-, Namens-, Straßenschild *n*; **2.** ⚙ Typenschild *n*; **'~·sake** *s.* Namensvetter *m*, -schwester *f*.

nam·ing ['neɪmɪŋ] *s.* Namengebung *f*.

nan·cy ['nænsɪ] *s. sl.* **1.** Muttersöhnchen *n*; **2.** ‚Homo' *m*.

nan·ny ['nænɪ] *s.* **1.** Kindermädchen *n*; **2.** Oma *f*; **3.** → **~ goat** *s.* Ziege *f*.

nap¹ [næp] **I** *v/i.* **1.** ein Schläfchen *od.* ein Nickerchen machen; **2.** *fig.* ‚schlafen': ***catch s.o. ~ping*** j-n überrumpeln; **II** *s.* **3.** Schläfchen *n*, ‚Nickerchen' *n*: ***take a ~*** → 1.

nap² [næp] **I** *s.* **1.** Haar(seite *f*) *n e-s Gewebes*; **2.** a) *Spinnerei*: Noppe *f*, b) *Weberei*: (Gewebe)Flor *m*; **II** *v/t. u. v/i.* **3.** noppen, rauhen.

nap³ [næp] *s.* **1.** Na'poleon *n* (*Kartenspiel*): ***a ~ hand*** *fig.* gute Chancen; ***go ~*** a) die höchste Zahl von Stichen ansagen, b) *fig.* alles auf eine Karte setzen; **2.** Setzen *n* auf eine einzige Gewinnchance.

na·palm ['neɪpɑːm] *s.* ⚔ Napalm *n*.

nape [neɪp] *s. mst* ***~ of the neck*** Genick *n*, Nacken *m*.

naph·tha ['næfθə] *s.* ⚗ **1.** Naphtha *n*, 'Leuchtpeˌtroleum *n*; **2.** ('Schwer)Benˌzin *n*: ***cleaner's ~*** Waschbenzin; ***painter's ~*** Testbenzin; **'naph·thalene** [-liːn] *s.* Naphtha'lin *n*; **naph·tha·len·ic** [ˌnæfθə'lenɪk] *adj.* naphtha'linsauer: ***~ acid*** Naphthalinsäure *f*; **naph·thal·ic** [næf'θælɪk] *adj.* naph'thalsauer: ***~ acid*** Naphthalsäure *f*; **'naph·tha·line** [-liːn] → ***naphthalene***.

nap·kin ['næpkɪn] *s.* **1.** *a.* ***table ~*** Servi'ette *f*; **2.** Wischtuch *n*; **3.** *bsd. Brit.* Windel *f*; **4.** *a.* ***sanitary ~*** *Am.* Monatsbinde *f*.

napped [næpt] *adj.* genoppt, gerauht (*Tuch*); **nap·ping** ['næpɪŋ] *s.* **1.** Ausnoppen *n* (*der Wolle*); **2.** Rauhen *n*: ***~ comb*** Aufstreichkamm *m*.

nap·py ['næpɪ] *s. bsd. Brit.* F Windel *f*.

nar·cis·sism [nɑː'sɪsɪzəm] *s. psych.* Nar'zißmus *m*; **nar'cis·sist** [-ɪst] *s.* Nar'zißt (-in).

nar·cis·sus [nɑː'sɪsəs] *pl.* **-sus·es** [-sɪz] *s.* ⚘ Nar'zisse *f*.

'nar·co [nɑːkəʊ] *s. sl.* → ***narcotics agent***.

nar·co·sis [nɑː'kəʊsɪs] *s.* Nar'kose *f*.

nar·cot·ic [nɑː'kɒtɪk] **I** *adj.* (□ ***~ally***) **1.** nar'kotisch (*a. fig. einschläfernd*); **2.** Rauschgift…; **II** *s.* **3.** Nar'kotikum *n*, Betäubungsmittel *n* (*a. fig.*); **4.** Rauschgift *n*: ***~s agent*** Drogenfahnder *m*; ***~s squad*** Rauschgiftdezernat *n*; **nar·co·tism** ['nɑːkətɪzəm] *s.* **1.** Narko'tismus *m* (*Sucht*); **2.** nar'kotischer Zustand *od.* Rausch; **nar·co·tize** ['nɑːkətaɪz] *v/t.* narkotisieren.

nard [nɑːd] *s.* **1.** ⚘ Narde *f*; **2.** *pharm.* Nardensalbe *f*.

nark [nɑːk] *sl.* **I** *s.* **1.** Poli'zeispitzel *m*; **II** *v/t.* **2.** bespitzeln; **3.** ärgern; **nark·y** ['nɑːkɪ] *adj.* gereizt, grantig.

nar·rate [nə'reɪt] *v/t. u. v/i.* erzählen; **nar'ra·tion** [-eɪʃn] *s.* Erzählung *f*; **nar·ra·tive** ['nærətɪv] **I** *s.* **1.** Erzählung *f*, Geschichte *f*; **2.** Bericht *m*, Schilderung *f*; **II** *adj.* □ **3.** erzählend: ***~ poem***; **4.** Erzählungs…: ***~ skill*** Erzählergabe *f*; **nar'ra·tor** [-tə] *s.* Erzähler(in).

nar·row ['nærəʊ] **I** *adj.* □ **1.** eng, schmal: ***the ~ seas*** der Ärmelkanal u. die Irische See; **2.** eng (*a. fig.*), (*räumlich*) beschränkt, knapp: ***within ~ bounds*** in engen Grenzen; ***in the ~est sense*** im engsten Sinne; **3.** *fig.* eingeschränkt, beschränkt; **4.** → ***narrow-minded***; **5.** knapp, beschränkt (*Mittel, Verhältnisse*); **6.** knapp (*Entkommen, Mehrheit etc.*); **7.** gründlich, eingehend; genau: ***~ investigations***; **II** *v/i.* **8.** enger *od.* schmäler werden, sich verengen (***into*** zu); **9.** knapper werden; **III** *v/t.*

N

10. enger *od.* schmäler machen, verenge(r)n; **11.** einengen, beengen; **12.** *a.* ~ ***down*** (***to*** auf *acc.*) be-, einschränken, begrenzen, eingrenzen; **13.** *Maschen* abnehmen; **14.** engstirnig machen; **IV** *s.* **15.** Enge *f*, enge *od.* schmale Stelle; *pl.* a) (Meer)Enge *f*, b) *bsd. Am.* Engpaß *m.*

nar·row| ga(u)ge *s.* 🚂 Schmalspur *f*; **'~-ga(u)ge** [-ɡeɪdʒ], *a.* **ˌ~-'ga(u)ged** [-ɡeɪdʒd] *adj.* Schmalspur…; **ˌ~-'mind·ed** [-'maɪndɪd] *adj.* engherzig, -stirnig, borniert, kleinlich; **ˌ~-'mind·ed·ness** [-'maɪndɪdnɪs] *s.* Engstirnigkeit *f*, Borniertheit *f*.

nar·row·ness ['nærəʊnɪs] *s.* **1.** Enge *f*, Schmalheit *f*; **2.** Knappheit *f*; **3.** → ***narrow-mindedness***; **4.** Gründlichkeit *f*.

na·sal ['neɪzl] **I** *adj.* □ → ***nasally***; **1.** Nasen…: ~ ***bone***; ~ ***cavity***; ~ ***organ*** *humor.* Riechorgan *n*; ~ ***septum*** Nasenscheidewand *f*; **2.** *ling.* na'sal, Nasal…: ~ ***twang*** Näseln *n*; **II** *s.* **3.** *ling.* Na'sal(laut) *m*; **na·sal·i·ty** [neɪ'zælətɪ] *s.* Nasali'tät *f*; **na·sal·i·za·tion** [ˌneɪzəlaɪ'zeɪʃn] *s.* Nasalierung *f*, nasale Aussprache; **'na·sal·ize** [-zəlaɪz] **I** *v/t.* nasalieren; **II** *v/i.* näseln, durch die Nase sprechen; **'na·sal·ly** [-zəlɪ] *adv.* **1.** nasal, durch die Nase; **2.** näselnd.

nas·cent ['næsnt] *adj.* **1.** werdend, entstehend: ~ ***state*** Entwicklungszustand *m*; **2.** ⚗ freiwerdend.

nas·ti·ness ['nɑːstɪnɪs] *s.* **1.** Schmutzigkeit *f*; **2.** Ekligkeit *f*; **3.** Unflätigkeit *f*; **4.** Gefährlichkeit *f*; **5.** a) Bosheit *f*, b) Gemeinheit *f*, c) Übelgelauntheit *f*.

nas·tur·tium [nə'stɜːʃəm] *s.* ⚘ Kapu'ziner- *od.* Brunnenkresse *f*.

nas·ty ['nɑːstɪ] **I** *adj.* □ **1.** schmutzig; **2.** ekelhaft, eklig, widerlich (*alle a. fig.*): ~ ***taste***; ~ ***fellow***; **3.** *fig.* schmutzig, zotig; **4.** *fig.* böse, schlimm, gefährlich: ~ ***accident***; **5.** *fig.* a) bös, gehässig, garstig (***to*** zu, gegen), b) fies, niederträchtig, c) übelgelaunt, ‚eklig'; **II** *s.* **6.** *mst pl. Video*: ‚'Schmutz- u. 'Horror-Kasˌsette' *f*.

na·tal ['neɪtl] *adj.* Geburts…: ~ ***day***; **na·tal·i·ty** [nə'tælətɪ] *s. bsd. Am.* Geburtenziffer *f*.

na·ta·tion [nə'teɪʃn] *s.* Schwimmen *n*; **na·ta·to·ri·al** [ˌneɪtə'tɔːrɪəl] *adj.* Schwimm…: ~ ***bird***; **na·ta·to·ry** ['neɪtətərɪ] *adj.* Schwimm…

na·tion ['neɪʃn] *s.* **1.** Nati'on *f*: a) Volk *n*, b) Staat *m*; **2.** (Indi'aner)Stamm *m*.

na·tion·al ['næʃənl] **I** *adj.* □ **1.** natio'nal, National…, Landes…, Volks…: ~ ***language*** Landessprache *f*; **2.** staatlich, öffentlich, Staats…: ~ ***debt*** Staatsschuld *f*, öffentliche Schuld; **3.** (ein)heimisch; **4.** landesweit (*Streik etc.*), 'überregioˌnal (*Zeitung etc.*); **II** *s.* **5.** Staatsangehörige(r *m*) *f*; ~ **an·them** *s.* Natio'nalhymne *f*; ~ **as·sem·bly** *s. pol.* Natio'nalversammlung *f*; ~ **bank** *s.* ✝ Landes-, Natio'nalbank *f*; ~ **cham·pi·on** *s.* Landesmeister(in); ~ **con·ven·tion** *s. pol. Am.* Par'teikonvent *m* (*zur Nominierung des Präsidentschaftskandidaten etc.*); ~ **e·con·o·my** *s.* ✝ Volkswirtschaft *f*; ♀ **Gi·ro** *s.* 📯 *Brit.* Postscheck-, Postgirodienst *m*; ♀ **Guard** *s. Am.* Natio'nalgarde *f* (*Art Miliz*); ♀ **Health Ser·vice** *s. Brit.* Staatlicher Gesundheitsdienst; ~ **in·come** *s.* ✝ Sozi'alproˌdukt *n*; ♀ **In·sur·ance** *s. Brit.* Sozi'alversicherung *f*.

na·tion·al·ism ['næʃnəlɪzəm] *s.* **1.** Natio'nalgefühl *n*, Nationa'lismus *m*; **2.** ✝ *Am.* Ver'staatlichungspoliˌtik *f*; **'na·tion·al·ist** [-ɪst] **I** *s. pol.* Nationa'list (-in); **II** *adj.* nationa'listisch; **na·tion·al·i·ty** [næʃə'nælətɪ] *s.* **1.** Nationali'tät *f*, Staatsangehörigkeit *f*; **2.** Nati'on *f*; **na·tion·al·i·za·tion** [ˌnæʃnəlaɪ'zeɪʃn] *s.* **1.** *bsd. Am.* Einbürgerung *f*, Naturalisierung *f*; **2.** ✝ Verstaatlichung *f*; **3.** Verwandlung *f* in e-e (*einheitliche, unabhängige etc.*) Nation; **'na·tion·al·ize** [-laɪz] *v/t.* **1.** einbürgern, naturalisieren; **2.** ✝ verstaatlichen; **3.** zu e-r Nation machen; **4.** *Problem etc.* zur Sache der Nation machen.

na·tion·al| park *s.* Natio'nalpark *m* (*Naturschutzgebiet*); ~ **prod·uct** *s.* ✝ Sozi'alproˌdukt *n*; ~ **ser·vice** *s.* ⚔ Wehrdienst *m*; ♀ **So·cial·ism** *s. pol. hist.* Natio'nalsoziaˌlismus *m*.

'na·tion|·hood [-hʊd] *s.* (natio'nale) Souveräni'tät; **'~-state** *s.* Natio'nalstaat *m*; **ˌ~-'wide** *adj.* allgemein, das ganze Land um'fassend.

na·tive ['neɪtɪv] **I** *adj.* □ **1.** angeboren (***to s.o.*** j-m), na'türlich (*Recht etc.*); **2.** eingeboren, Eingeborenen…: ~ ***quarter***; ***go*** ~ unter den *od.* wie die Eingeborenen leben, *fig.* verwahrlosen; **3.** (ein)heimisch, inländisch, Landes…: ~ ***plant*** ⚘ einheimische Pflanze; ~ ***product***; **4.** heimatlich, Heimat…: ~ ***country*** Heimat *f*, Vaterland *n*; ~ ***language*** Muttersprache *f*; ~ ***speaker*** *ling.* Muttersprachler(in); ~ ***town*** Heimat-, Vaterstadt *f*; **5.** ursprünglich, urwüchsig, na'turhaft: ~ ***beauty***; **6.** ursprünglich, eigentlich: ***the*** ~ ***sense of a word***; **7.** gediegen (*Metall etc.*); **8.** *min.* a) roh, Jungfern…, b) na'türlich vorkommend; **II** *s.* **9.** Eingeborene(r *m*) *f*; **10.** Einheimische(r *m*) *f*, Landeskind *n*: ***a*** ~ ***of Berlin*** ein gebürtiger Berliner; **11.** ⚘ einheimisches Gewächs; **12.** *zo.* einheimisches Tier; **13.** Na'tive *f*, (künstlich) gezüchtete Auster; **'~-born** *adj.* gebürtig: ***a*** ~ ***American***.

na·tiv·i·ty [nə'tɪvətɪ] *s.* **1.** Geburt *f* (*a. fig.*): ***the*** ♀ *eccl.* a) die Geburt Christi (*a. paint. etc.*), b) Weihnachten *n*, c)

Ma'riä Geburt (*8. September*); ♀ ***play*** Krippenspiel *n*; **2.** *ast.* Nativi'tät *f*, (Ge'burts)Horo,skop *n*.

na·tron ['neɪtrən] *s. min.* kohlensaures Natron.

nat·ter ['nætə] *Brit.* F **I** *v/i.* plauschen, plaudern; **II** *s.* Plausch *m*, Schwatz *m*.

nat·ty ['nætɪ] *adj.* □ F schick, piekfein (angezogen), ele'gant (*a. fig.*).

nat·u·ral ['nætʃrəl] **I** *adj.* □ → ***naturally***; **1.** na'türlich, Natur...: ***~ disaster*** Naturkatastrophe *f*; ***~ law*** Naturgesetz *n*; ***die a ~ death*** e-s natürlichen Todes sterben; → ***person*** 1; **2.** na'turgemäß, -bedingt; **3.** angeboren, na'türlich, eigen (***to*** *dat.*): ***~ talent***; **4.** → ***natural-born***; **5.** re'al, wirklich, physisch; **6.** selbstverständlich, na'türlich: ***it comes quite ~ to him*** es ist ihm ganz selbstverständlich; **7.** na'türlich, ungekünstelt (*Benehmen etc.*); **8.** na'turgetreu, na'türlich (wirkend) (*Nachahmung, Bild etc.*); **9.** unbearbeitet, Natur..., Roh...: ***~ steel*** Rohstahl *m*; **10.** na'turhaft, urwüchsig; **11.** na'türlich, unehelich (*Kind, Vater etc.*); **12.** ♈ na'türlich: ***~ number*** natürliche Zahl; **13.** ♪ a) ohne Vorzeichen: ***~ key*** C-Dur-Tonart *f*, b) mit e-m Auflösungszeichen (versehen) (*Note*), c) Vokal...: ***~ music***; **II** *s.* **14.** *obs.* Idi'ot(in); **15.** ♪ a) Auflösungszeichen *n*, b) mit e-m Auflösungszeichen versehene Note, c) Stammton *m*, d) weiße Taste (*Klaviatur*); **16.** F a) Na'turta,lent *n* (*Person*), b) (sicherer) Erfolg (*a. Person*); *e-e* ‚klare Sache' (***for s.o.*** für j-n); **'~-born** *adj.* von Geburt, geboren: ***~ genius***; **~ fre·quen·cy** *s. phys.* 'Eigenfre,quenz *f*; **~ gas** *s. geol.* Erdgas *n*; **~ his·to·ry** *s.* Na'turgeschichte *f*.

nat·u·ral·ism ['nætʃrəlɪzəm] *s. phls., paint. etc.* Natura'lismus *m*; **'nat·u·ral·ist** [-ɪst] **I** *s.* **1.** *phls., paint. etc.* Natura'list *m*; **2.** Na'turwissenschaftler(in), -forscher(in), *bsd.* Zoo'loge *m*, Zoo'login *f od.* Bo'taniker(in); **3.** *Brit.* a) Tierhändler *m*, b) ('Tier)Präpa,rator *m*; **II** *adj.* **4.** natura'listisch; **nat·u·ral·is·tic** [,nætʃrə'lɪstɪc] *adj.* (□ ***~ally***) **1.** *phls., paint. etc.* naturalistisch; **2.** na'turkundlich, -geschichtlich.

nat·u·ral·i·za·tion [,nætʃrəlaɪ'zeɪʃn] *s.* Naturalisierung *f*, Einbürgerung *f*; **nat·u·ral·ize** ['nætʃrəlaɪz] *v/t.* **1.** naturalisieren, einbürgern; **2.** einbürgern (*a. ling. u. fig.*), ⚘, *zo.* heimisch machen; **3.** akklimatisieren (*a. fig.*).

nat·u·ral·ly ['nætʃrəlɪ] *adv.* **1.** von Na'tur (aus); **2.** instink'tiv, spon'tan; **3.** auf na'türlichem Wege, na'türlich; **4.** *a. int.* na'türlich, selbstverständlich; **'nat·u·ral·ness** [-rəlnɪs] *s. allg.* Na'türlichkeit *f*.

nat·u·ral| phi·los·o·phy *s.* **1.** Na'turphiloso,phie *f*, -kunde *f*; **2.** Phy'sik *f*; **~ re·li·gion** *s.* Na'turreligi,on *f*; **~ rights** *s. pl.* ⚖, *pol.* Na'turrechte *pl. des Menschen*; **~ scale** *s.* **1.** ♪ Stammtonleiter *f*; **2.** ♈ Achse *f* der na'türlichen Zahlen; **~ sci·ence** *s.* Na'turwissenschaft *f*; **~ se·lec·tion** *s. biol.* na'türliche Auslese; **~ sign** *s.* ♪ Auflösungszeichen *n*; **~ state** *s.* Na'turzustand *m*.

na·ture ['neɪtʃə] *s.* **1.** Na'tur *f*, Schöpfung *f*; **2.** (*a.* ♀; *ohne art.*) Na'tur(kräfte *pl.*) *f*: ***law of ~*** Naturgesetz *n*; ***from ~*** nach der Natur *malen etc.*; ***back to ~*** zurück zur Natur; ***in the state of ~*** in natürlichem Zustand, nackt; → ***debt***, ***true*** 4; **3.** Na'tur *f*, Veranlagung *f*, Cha'rakter *m*, (Eigen-, Gemüts)Art *f*, Natu'rell *n*: ***animal ~*** das Tierische *im Menschen*; ***by ~*** von Natur (aus); ***human ~*** die menschliche Natur; ***of good ~*** gutherzig, -mütig; ***it is in her ~*** es liegt in ihrem Wesen; → ***second*** 1; **4.** Art *f*, Sorte *f*: ***of*** (*od.* ***in***) ***the ~ of a trial*** nach Art (*od.* in Form) e-s Verhörs; ***~ of the business*** Gegenstand *m* der Firma; **5.** (na'türliche) Beschaffenheit; **6.** Na'tur *f*, na'türliche Landschaft: ***~ conservation*** Naturschutz *m*; ♀ ***Conservancy*** *Brit.* Naturschutzbehörde *f*; ***~ reserve*** Naturschutzgebiet *n*; ***~ trail*** Naturlehrpfad *m*; **7.** ***ease*** (*od.* ***relieve***) ***~*** sich erleichtern (*urinieren etc.*).

-natured [neɪtʃəd] *in Zssgn* geartet, ...artig, ...mütig: ***good-~*** gutartig.

na·tur·ism ['neɪtʃərɪzəm] *s.* 'Freikörperkul,tur *f*; **'na·tur·ist** [-ɪst] *s.* FK'K-Anhänger(in).

na·tur·o·path ['neɪtʃərəʊpæθ] *s.* ⚕ **1.** Heilpraktiker(in); **2.** Na'turheilkundige(r *m*) *f*.

naught [nɔːt] **I** *s.* Null *f*: ***bring*** (***come***) ***to ~*** zunichte machen (werden); ***set at ~*** *Mahnung etc.* in den Wind schlagen; **II** *adj. obs.* keineswegs.

naugh·ti·ness ['nɔːtɪnɪs] *s.* Ungezogenheit *f*, Unartigkeit *f*; **naugh·ty** ['nɔːtɪ] *adj.* □ **1.** ungezogen, unartig; **2.** ungehörig (*Handlung*); **3.** unanständig, schlimm (*Wort etc.*): ***~, ~!*** F aber, aber!

nau·se·a ['nɔːsjə] *s.* **1.** Übelkeit *f*, Brechreiz *m*; **2.** Seekrankheit *f*; **3.** *fig.* Ekel *m*; **'nau·se·ate** [-sɪeɪt] **I** *v/i.* **1.** (e-n) Brechreiz empfinden, sich ekeln (***at*** vor *dat.*); **II** *v/t.* **2.** sich ekeln vor (*dat.*); **3.** anekeln, *j-m* Übelkeit erregen: ***be ~d*** (***at***) → 1; **'nau·se·at·ing** [-sɪeɪtɪŋ], **'nau·seous** [-sjəs] *adj.* □ ekelerregend, widerlich.

nau·tic ['nɔːtɪk] → ***nautical***.

nau·ti·cal ['nɔːtɪkl] *adj.* □ ⚓ nautisch, Schiffs..., See(fahrts)...; **~ al·ma·nac** *s.* nautisches Jahrbuch; **~ chart** *s.* Seekarte *f*; **~ mile** *s.* ⚓ Seemeile *f* (*1,852 km*).

na·val ['neɪvl] *adj.* ⚓ **1.** Flotten...,

N

(Kriegs)Marine…; **2.** See…, Schiffs…; **~ a·cad·e·my** *s.* ⚓ **1.** Ma'rine-Akade,mie *f*; **2.** Navigati'onsschule *f*; **~ air·plane** *s.* Ma'rineflugzeug *n*; **~ ar·chi·tect** *s.* 'Schiffbauingeni,eur *m*; **~ base** *s.* 'Flottenstützpunkt *m*, -,basis *f*; **~ bat·tle** *s.* Seeschlacht *f*; **~ ca·det** *s.* 'Seeka,dett *m*; **~ forc·es** *s. pl.* Seestreitkräfte *pl.*; **~ of·fi·cer** *s.* **1.** Ma'rineoffi,zier *m*; **2.** *Am.* (höherer) Hafenzollbeamter; **~ pow·er** *s. pol.* Seemacht *f*.

nave[1] [neɪv] *s.* ⚠ Mittel-, Hauptschiff *n*: ***~ of a cathedral.***

nave[2] [neɪv] *s.* ⚙ (Rad)Nabe *f*.

na·vel ['neɪvl] *s.* **1.** *anat.* Nabel *m*, *fig. a.* Mitte(lpunkt *m*) *f*; **2.** → **~ or·ange** *s.* 'Navelo,range *f*; '**~-string** *s. anat.* Nabelschnur *f*.

nav·i·cert ['nævɪsɜ:t] *s.* ✝, ⚓ Navi'cert *n* (*Geleitschein*).

na·vic·u·lar [nə'vɪkjʊlə] *adj.* nachen-, kahnförmig: **~** (***bone***) *anat.* Kahnbein *n*.

nav·i·ga·bil·i·ty [,nævɪgə'bɪlətɪ] *s.* **1.** ⚓ a) Schiffbarkeit *f* (*e-s Gewässers*), b) Fahrtüchtigkeit *f*; **2.** ✈ Lenkbarkeit *f*; **nav·i·ga·ble** ['nævɪgəbl] *adj.* **1.** ⚓ a) schiffbar, (be)fahrbar, b) fahrtüchtig; **2.** ✈ lenkbar (*Luftschiff*); **nav·i·gate** ['nævɪgeɪt] **I** *v/i.* **1.** schiffen, (zu Schiff) fahren; **2.** *bsd.* ⚓, ✈ steuern, orten (***to*** nach); **II** *v/t.* **3.** *Gewässer* a) befahren, b) durch'fahren; **4.** ✈ durch'fliegen; **5.** steuern, lenken; **nav·i·ga·tion** [,nævɪ'geɪʃn] *s.* **1.** ⚓ Nautik *f*, Navigati'on *f*, Schiffsführung *f*, Schiffahrtskunde *f*; **2.** ✈ Navigati'onskunde *f*; **3.** ⚓ Schiffahrt *f*, Seefahrt *f*; **4.** ✈, ⚓ a) Navigati'on *f*, b) Ortung *f*; **nav·i·ga·tion·al** [,nævɪ'geɪʃnl] *adj.* Navigations…

nav·i·ga·tion| chan·nel *s.* Fahrwasser *n*; **~ chart** *s.* Navigati'onskarte *f*; **~ guide** *s.* Bake *f*; **~ light** *s.* Positi'onslicht *n*; **~ of·fi·cer** *s.* ⚓, ✈ Navigati'onsoffi,zier *m*.

nav·i·ga·tor ['nævɪgeɪtə] *s.* **1.** ⚓ a) Seefahrer *m*, b) Nautiker *m*, c) Steuermann *m*, d) *Am.* Navigati'onsoffi,zier *m*; **2.** ✈ a) (Aero)'Nautiker *m*, b) Beobachter *m*.

nav·vy ['nævɪ] *s.* **1.** *Brit.* Ka'nal-, Erd-, Streckenarbeiter *m*; **2.** ⚙ Exka'vator *m*, Löffelbagger *m*.

na·vy ['neɪvɪ] *s.* ⚓ **1.** *mst* ♀ 'Kriegsma,rine *f*; **2.** (Kriegs)Flotte *f*; **~ blue** *s.* Ma'rineblau *n*; ,**~-'blue** *adj.* ma'rineblau; ♀ **Board** *s. Brit.* Admirali'tät *f*; **~ league** *s.* Flottenverein *m*; ♀ **List** *s.* Ma'rine,rangliste *f*; **~ yard** *s.* Ma'rinewerft *f*.

nay [neɪ] **I** *adv.* **1.** *obs.* nein; **2.** *obs.* ja so'gar; **II** *s.* **3.** *parl. etc.* Nein(stimme *f*) *n*: ***the ~s have it!*** der Antrag ist abgelehnt!

Naz·a·rene [,næzə'ri:n] *s.* Naza'rener *m* (*a. Christus*).

naze [neɪz] *s.* Landspitze *f*.

Na·zi ['nɑ:tsɪ] *pol. contp.* **I** *s.* Nazi *m*; **II** *adj.* Nazi…; '**Na·zism** [-ɪzəm] *s.* Na'zismus *m*.

neap [ni:p] **I** *adj.* niedrig, abnehmend (*Flut*); **II** *s. a.* ***~ tide*** Nippflut *f*; **III** *v/i.* zu'rückgehen (*Flut*).

near [nɪə] **I** *adv.* **1.** nahe, (ganz) in der Nähe; **2.** nahe (bevorstehend) (*Ereignis etc.*): ***~ upon five o'clock*** ziemlich genau um 5 Uhr; **3.** F annähernd, nahezu, fast: ***not ~ so bad*** bei weitem nicht so schlecht;

Besondere Redewendungen:

~ at hand a) nahe, in der Nähe, dicht dabei, b) *fig.* nahe bevorstehend, vor der Tür; ***~ by*** → ***nearby*** I; ***come*** (*od.* ***go***) ***~ to*** a) sich ungefähr belaufen auf (*acc.*), b) *e-r Sache* sehr nahekommen, fast *et.* sein; ***come ~ to doing s.th.*** et. beinahe tun; ***draw ~*** heranrücken (*a. Zeitpunkt*); ***live ~*** sparsam *od.* kärglich leben; ***sail ~ to the wind*** ⚓ hart am Wind segeln;

II *adj.* □ → **I** *u.* ***nearly***; **4.** nahe(gelegen), in der Nähe: ***the ~est place*** der nächste Ort; ***~ miss*** a) ⚔ Nahkrepierer *m*, b) ✈ Beinahzusammenstoß *m*, c) *fig.* fast ein Erfolg; **5.** kurz, nahe (*Weg*): ***the ~est way*** der kürzeste Weg; **6.** nahe (*Zeit, Ereignis*): ***the ~ future***; **7.** nahe (verwandt): ***the ~est relations*** die nächsten Verwandten; **8.** eng (befreundet), in'tim: ***a ~ friend***; **9.** a'kut, brennend (*Frage, Problem etc.*); **10.** knapp (*Entkommen, Rennen etc.*): ***that was a ~ thing*** F ‚das hätte ins Auge gehen können'; **11.** genau, (wort)getreu (*Übersetzung etc.*); **12.** sparsam, geizig; **13.** link (*vom Fahrer aus; Pferd, Fahrbahnseite etc.*): ***~ horse*** Handpferd *n*; **14.** Imitations…: ***~ leather***; ***~ beer*** Dünnbier *n*; ***~ silk*** Halbseide *f*; **III** *prp.* **15.** nahe, in der Nähe von (*od. gen.*), nahe an (*dat.*) *od.* bei, unweit (*gen.*): ***~ s.o.*** j-m nahe; ***~ doing s.th.*** nahe daran, et. zu tun; **16.** (*zeitlich*) nahe, nicht weit von; **IV** *v/t. u. v/i.* **17.** sich nähern, näherkommen (*dat.*): ***be ~ing completion*** der Vollendung entgegengehen.

near·by I [,nɪə'baɪ] *adv. bsd. Am.* in der Nähe, nahe; **II** ['nɪəbaɪ] *adj.* nahe(gelegen).

Near East *s. geogr., pol.* **1.** *Brit. obs. die* Balkanstaaten *pl.*; **2.** *der* Nahe Osten.

near·ly ['nɪəlɪ] *adv.* **1.** beinahe, fast; **2.** annähernd: ***not ~*** bei weitem nicht, nicht annähernd; **3.** genau, gründlich; **near·ness** ['nɪənɪs] *s.* **1.** Nähe *f*; **2.** Innigkeit *f*, Vertrautheit *f*; **3.** große Ähnlichkeit; **4.** Knauserigkeit *f*.

near| point *s. opt.* Nahpunkt *m*; '**~-side**

s. mot. Beifahrerseite *f*; ˌ**~-ˈsight·ed** *adj.* kurzsichtig; ˌ**~-ˈsight·ed·ness** *s.* Kurzsichtigkeit *f*.

neat[1] [ni:t] *adj.* □ **1.** sauber: a) ordentlich, reinlich, b) hübsch, nett (*a. fig.*), aˈdrett, geschmackvoll, c) klar, ˈübersichtlich, d) geschickt; **2.** treffend (*Antwort etc.*); **3.** a) rein: ***~ silk***, b) pur: ***~ whisky***; **4.** *sl.* prima.

neat[2] [ni:t] **I** *s. pl.* **1.** *coll.* Rind-, Hornvieh *n*, Rinder *pl.*; **2.** Ochse *m*, Rind *n*; **II** *adj.* **3.** Rind(er)…

'neath, neath [ni:θ] *prp. poet. od. dial.* unter (*dat.*), ˈunterhalb (*gen.*).

neat·ness [ˈni:tnɪs] *s.* **1.** Ordentlichkeit *f*, Sauberkeit *f*; **2.** Gefälligkeit *f*, Nettigkeit *f*; Zierlichkeit *f*; **3.** schlichte Eleˈganz, Klarheit *f* (*Stil etc.*); **4.** Geschicklichkeit *f*; **5.** Unvermischtheit *f* (*Getränke etc.*).

ˈneat's|-foot oil *s.* Klauenfett *n*; **ˈ~-leath·er** *s.* Rindsleder *n*.

neb·u·la [ˈnebjʊlə] *pl.* **-lae** [-li:] *s.* **1.** *ast.* Nebel(fleck) *m*; **2.** ⚕ a) Trübheit *f* (*des Urins*), b) Hornhauttrübung *f*; **ˈneb·u·lar** [-lə] *adj. ast.* **1.** Nebel(fleck)…, Nebular…; **2.** nebelartig; **neb·u·los·i·ty** [ˌnebjʊˈlɒsətɪ] *s.* **1.** Neb(e)ligkeit *f*; **2.** Trübheit *f*; **3.** *fig.* Verschwommenheit *f*; **4.** → ***nebula*** 1; **ˈneb·u·lous** [-ləs] *adj.* □ **1.** neb(e)lig, wolkig (*a. Flüssigkeit*); *ast.* Nebel…; **2.** *fig.* verschwommen, nebelhaft.

nec·es·sar·i·ly [ˈnesəsərəlɪ] *adv.* **1.** notwendigerweise; **2.** unbedingt: ***you need not ~ do it***; **nec·es·sar·y** [ˈnesəsərɪ] **I** *adj.* □ **1.** notwendig, nötig, erforderlich (***to*** für): ***it is ~ for me to do it*** es ist nötig, daß ich es tue; ***a ~ evil*** ein notwendiges Übel; ***if ~*** nötigenfalls; **2.** unvermeidlich, zwangsläufig, notwendig: ***a ~ consequence***; **3.** notgedrungen; **II** *s.* **4.** Erfordernis *n*, Bedürfnis *n*: ***necessaries of life*** Notbedarf *m*, Lebensbedürfnisse; ***strict necessaries*** unentbehrliche Unterhaltsmittel; **5.** ✝ Beˈdarfsarˌtikel *m*.

ne·ces·si·tar·i·an [nɪˌsesɪˈteərɪən] *phls.* **I** *s.* Determiˈnist *m*; **II** *adj.* determiˈnistisch.

ne·ces·si·tate [nɪˈsesɪteɪt] *v/t.* **1.** notwendig *od.* nötig machen, erfordern, verlangen; **2.** *j-n* zwingen, nötigen; **ne·ces·si·ta·tion** [nɪˌsesɪˈteɪʃn] *s.* Nötigung *f*, Zwang *m*; **neˈces·si·tous** [-təs] *adj.* □ **1.** bedürftig, notleidend; **2.** dürftig, ärmlich (*Umstände*); **3.** notgedrungen (*Handlung*); **neˈces·si·ty** [-tɪ] *s.* **1.** Notwendigkeit *f*: a) Erforderlichkeit *f*, b) ˈUnumˌgänglichkeit *f*, Unvermeidlichkeit *f*, c) Zwang *m*: ***as a ~, of ~*** notwendigerweise; ***be under the ~ of doing*** gezwungen sein zu tun; **2.** (dringendes) Bedürfnis: (***the bare***) ***necessities of life*** (die dringendsten) Lebensbedürfnisse; **3.** Not *f*, Zwangslage *f*, *a.* ⚖ Notstand *m*: ***~ is the mother of invention*** Not macht erfinderisch; ***~ knows no law*** Not kennt kein Gebot; ***in case of ~*** im Notfall; → ***virtue*** 3; **4.** Not(lage) *f*, Bedürftigkeit *f*.

neck [nek] **I** *s.* **1.** Hals *m* (*a. Flasche, Gewehr, Saiteninstrument*); **2.** Nacken *m*, Genick *n*: ***break one's ~*** sich das Genick brechen; ***crane one's ~*** sich den Hals ausrenken (***at*** nach); ***get it in the ~*** *sl.* ‚eins aufs Dach bekommen'; ***risk one's ~*** Kopf u. Kragen riskieren; ***stick one's ~ out*** F viel riskieren, den Kopf hinhalten; ***be up to one's ~ in s.th.*** bis über die Ohren in et. stecken; ***win by a ~*** *sport* um e-e Kopflänge gewinnen (*Pferd*); ***~ and ~*** Kopf an Kopf (*a. fig.*); ***~ and crop*** mit Stumpf u. Stiel; ***~ or nothing*** a) (*adv.*) auf Biegen oder Brechen, b) (*attr.*) tollkühn, verzweifelt; ***it is ~ or nothing*** es geht um alles oder nichts; **3.** Hals-, Kammstück *n* (*Schlachtvieh*); **4.** Ausschnitt *m* (*Kleid*); **5.** *anat.* Hals *m e-s Organs*; **6.** △ Halsglied *n* (*Säule*); **7.** ⚙ a) Hals *m* (*Welle*), b) Schenkel *m* (*Achse*), c) (abgesetzter) Zapfen, d) Ansatz *m* (*Schraube*), e) Einfüllstutzen *m*; **8.** a) Landenge *f*, b) Engpaß *m*: ***~ of the woods*** ‚Ecke' *f e-s Landes*; **II** *v/t.* **9.** *e-m Huhn etc.* den Kopf abschlagen *od.* den Hals ˈumdrehen; **10.** ⚙ *a.* ***~ out*** aushalsen; **11.** *sl.* ‚knutschen' *od.* ‚schmusen' mit; **III** *v/i.* **12.** *sl.* ‚knutschen'; **ˈ~·cloth** *s.* Halstuch *n*.

neck·er·chief [ˈnekətʃɪf] *s.* Halstuch *n*.

neck·ing [ˈnekɪŋ] *s.* **1.** △ Säulenhals *m*; **2.** ⚙ a) Aushalsen *n e-s Hohlkörpers*, b) Querschnittverminderung *f*; **3.** *sl.* ‚Geknutsche' *n*.

neck·lace [ˈneklɪs], **ˈneck·let** [-lɪt] *s.* Halskette *f*.

neck| le·ver *s. Ringen*: Nackenhebel *m*; **ˈ~·line** *s.* Ausschnitt *m* (*am Kleid*); **~ scis·sors** *s. pl. sg. konstr. Ringen*: Halsschere *f*; **ˈ~·tie** *s.* Kraˈwatte *f*, Schlips *m*; **ˈ~·wear** *s.* ✝ *coll.* Kraˈwatten *pl.*, Kragen *pl.*, Halstücher *pl.*

ne·crol·o·gy [neˈkrɒlədʒɪ] *s.* **1.** Toten-, Sterbeliste *f*; **2.** Nachruf *m*; **nec·ro·man·cer** [ˈnekrəʊmænsə] *s.* **1.** Geister-, Totenbeschwörer *m*; **2.** *allg.* Schwarzkünstler *m*; **nec·ro·man·cy** [ˈnekrəʊmænsɪ] *s.* **1.** Geisterbeschwörung *f*, Nekromanˈtie *f*; **2.** *allg.* Schwarze Kunst; **ne·croph·i·lism** [neˈkrɒfɪlɪzəm] *s. psych.* Nekrophiˈlie *f*; **ne·cro·sis** [neˈkrəʊsɪs] *s.* ⚕ Neˈkrose *f*, Brand *m* (*a.* ⚘): ***~ of the bone*** Knochenfraß *m*; **ne·crot·ic** [neˈkrɒtɪk] *adj.* ⚘, ⚕ brandig.

nec·tar [ˈnektə] *s. myth.* Nektar *m* (*a.* ⚘ *u. fig.*), Göttertrank *m*; **ˈnec·ta·ry** [-ərɪ] *s.* ⚘, *zo.* Nekˈtarium *n*, Honigdrüse *f*.

née, *bsd. Am.* **nee** [neɪ] *adj.* geborene (*vor dem Mädchennamen e-r Frau*).

need [ni:d] **I** *s.* **1.** (*of*, *for*) (dringendes) Bedürfnis (nach), Bedarf *m* (an *dat.*): ***one's own ~s*** Eigenbedarf; ***be*** (*od.* ***stand***) ***in ~ of s.th.*** et. dringend brauchen, et. sehr nötig haben; ***fill a ~*** e-m Bedürfnis entgegenkommen, e-m Mangel abhelfen; ***in ~ of repair*** reparaturbedürftig; ***have no ~ to do*** kein Bedürfnis *od.* keinen Grund haben zu tun; **2.** Mangel *m* (***of***, ***for*** an *dat.*): ***feel the ~ of*** (*od.* ***for***) ***s.th.*** et. vermissen, Mangel an et. verspüren; **3.** dringende Notwendigkeit: ***there is no ~ for you to come*** du brauchst nicht zu kommen; **4.** Not(lage) *f*: ***in case of ~***, ***if ~ be***, ***if ~ arise*** nötigenfalls, im Notfall; **5.** Armut *f*, Not *f*; **6.** *pl.* Erfordernisse *pl.*, Bedürfnisse *pl.*; **II** *v/t.* **7.** benötigen, nötig haben, brauchen; **8.** erfordern: ***it ~s all your strength***; ***it ~ed doing*** es mußte (einmal) getan werden; **III** *v/aux.* **9.** müssen, brauchen: ***it ~s to be done*** es muß getan werden; ***it ~s but to become known*** es braucht nur bekannt zu werden; **10.** (*vor e-r Verneinung u. in Fragen, ohne* ***to***; *3. sg. pres.* ***need***) brauchen, müssen: ***she ~ not do it***; ***you ~ not have come*** du hättest nicht zu kommen brauchen; ˈ**need·ful** [-fʊl] **I** *adj.* □ nötig; **II** *s. das* Nötige: ***the ~*** F das nötige Kleingeld; ˈ**need·i·ness** [-dɪnɪs] *s.* Bedürftigkeit *f*, Armut *f*.

nee·dle [ˈni:dl] **I** *s.* **1.** (*Näh-, a. Grammophon-, Magnet- etc.*)Nadel *f* (*a.* ⚕, ⚘): ***knitting-~*** Stricknadel; ***as sharp as a ~*** *fig.* äußerst intelligent, ‚auf Draht'; ***~'s eye*** Nadelöhr *n*; ***get*** (*od.* ***take***) ***the ~*** F ‚hochgehen', e-e Wut kriegen; ***give s.o. the ~*** → 7; **2.** ⚙ a) Venˈtilnadel *f*, b) *mot.* Schwimmernadel *f* (*Vergaser*), c) Zeiger *m*, d) Zunge *f* (*Waage*), e) Radiernadel *f*; **3.** Nadel *f* (*Berg-*, *Felsspitze*); **4.** Obeˈlisk *m*; **5.** *min.* Kriˈstallnadel *f*; **II** *v/t.* **6.** (*mit e-r Nadel*) nähen, durchˈstechen; ⚕ punktieren: ***~ one's way through*** *fig.* sich hindurchschlängeln; **7.** F *durch Sticheleien* aufbringen, reizen; **8.** anstacheln; **9.** F *Getränk durch Alkoholzusatz* schärfen; **~ bath** *s.* Strahldusche *f*; ˈ**~-book** *s.* Nadelbuch *n*; ˈ**~-gun** *s.* ⚔ Zündnadelgewehr *n*; ˈ**~-like** *adj.* nadelartig; **~ point** *s.* **1.** Petitˈpoint-Stickeˌrei *f*; **2.** → ˈ**~-point lace** *s.* Nadelspitze *f* (*Ggs. Klöppelspitze*).

need·less [ˈni:dlɪs] *adj.* unnötig, ˈüberflüssig: ***~ to say*** selbstredend, selbstverständlich; ***~ly*** *adv.* unnötig(erweise); ˈ**need·less·ness** [-nɪs] *s.* Unnötigkeit *f*, ˈÜberflüssigkeit *f*.

nee·dle| valve *s.* ⚙ ˈNadelvenˌtil *n*; ˈ**~ˌwom·an** *s.* [*irr.*] Näherin *f*; ˈ**~·work I** *s.* Handarbeit *f*, Näheˈrei *f*; **II** *adj.* Handarbeits…: ***~ shop***.

needs [ni:dz] *adv.* unbedingt, notwendigerweise: ***if you must ~ do it*** wenn du es durchaus tun willst.

need·y [ˈni:dɪ] *adj.* □ arm, bedürftig, notleidend.

ne'er [neə] *poet. für* ***never***; ˈ**~-do-well I** *s.* Taugenichts *m*, Tunichtgut *m*; **II** *adj.* nichtsnutzig.

ne·far·i·ous [nɪˈfeərɪəs] *adj.* □ ruchlos, schändlich; **neˈfar·i·ous·ness** [-nɪs] *s.* Ruchlosigkeit *f*, Bosheit *f*.

ne·gate [nɪˈgeɪt] *v/t.* **1.** verneinen, negieren, leugnen; **2.** annullieren, unwirksam machen, aufheben, verwerfen; **neˈga·tion** [-eɪʃn] *s.* **1.** Verneinung *f*, Verneinen *n*, Negieren *n*; **2.** Verwerfung *f*, Annullierung *f*, Aufhebung *f*; **3.** *phls.* a) (*Logik*) Negatiˈon *f*, b) Nichts *n*.

neg·a·tive [ˈnegətɪv] **I** *adj.* □ **1.** negativ, verneinend; **2.** abschlägig, ablehnend (*Antwort etc.*); **3.** erfolglos, ergebnislos; **4.** negativ (*ohne positive Werte*); **5.** ⚗, ⚡, ⅍, ⚕, *phot.*, *phys.* negativ: ***~ conductor*** ⚡ Minusleitung *f*; ***~ electrode*** Kathode *f*; ***~ lens*** *opt.* Zerstreuungslinse *f*; ***~ sign*** ⅍ Minuszeichen *n*, negatives Vorzeichen; ***~!*** Fehlanzeige!; **II** *s.* **6.** Verneinung *f*: ***answer in the ~*** verneinen; **7.** abschlägige Antwort; **8.** *ling.* Negatiˈon *f*; **9.** a) Einspruch *m*, Veto *n*, b) ablehnende Stimme; **10.** negative Eigenschaft, Negativum *n*; **11.** ⚡ negativer Pol; **12.** ⅍ a) Minuszeichen *n*, b) negative Zahl; **13.** *phot.* Negativ *n*; **III** *v/t.* **14.** negieren, verneinen; **15.** verwerfen, ablehnen; **16.** widerˈlegen; **17.** unwirksam machen, neutralisieren, aufheben; ˈ**neg·a·tiv·ism** [-vɪzəm] *s.* Negatiˈvismus *m* (*a. phls., psych.*); **neˈga·tor** [nɪˈgeɪtə] *s.* Verneiner *m*; ˈ**neg·a·to·ry** [-tərɪ] *adj.* verneinend, negativ.

neg·lect [nɪˈglekt] **I** *v/t.* **1.** vernachlässigen; **2.** mißˈachten; **3.** versäumen, unterˈlassen (***to do*** *od.* ***doing*** zu tun); **4.** überˈsehen, -ˈgehen; außer acht lassen; **II** *s.* **5.** Vernachlässigung *f*, Hintˈansetzung *f*; **6.** ˈMißachtung *f*; **7.** Unterˈlassung *f*, Versäumnis *n*, ⚖ *a.* Fahrlässigkeit *f*: ***~ of duty*** Pflichtversäumnis; **8.** Verwahrlosung *f*: ***in a state of ~*** verwahrlost; **9.** Überˈgehen *n*, Auslassung *f*; **10.** Nachlässigkeit *f*; **negˈlect·ful** [-fʊl] *adj.* □ → ***negligent*** 1.

neg·li·gée [ˈnegli:ʒeɪ] *s.* Negliˈgé *n*: a) *ungezwungene Hauskleidung*, b) *dünner Morgenmantel*.

neg·li·gence [ˈneglɪdʒəns] *s.* **1.** Nachlässigkeit *f*, Unachtsamkeit *f*; **2.** ⚖ Fahrlässigkeit *f*: ***contributory ~*** mitwirkendes Verschulden; ˈ**neg·li·gent** [-nt] *adj.* □ **1.** nachlässig, gleichgültig, unachtsam (***of*** gegen): ***be ~ of s.th.*** et.

vernachlässigen, et. außer acht lassen; **2.** ⚖ fahrlässig; **3.** lässig, sa'lopp.

neg·li·gi·ble ['neglɪdʒəbl] *adj.* ☐ **1.** nebensächlich, unwesentlich; **2.** geringfügig, unbedeutend; → ***quantity*** 2.

ne·go·ti·a·bil·i·ty [nɪˌgəʊʃjə'bɪlətɪ] *s.* ✝ **1.** Verkäuflichkeit *f*; **2.** Begebbarkeit *f*; **3.** Bank-, Börsenfähigkeit *f*; **4.** Über'tragbarkeit *f*; **5.** Verwertbarkeit *f*; **ne·go·ti·a·ble** [nɪ'gəʊʃjəbl] *adj.* ☐ **1.** ✝ a) verkäuflich, veräußerlich, b) verkehrsfähig, c) bank-, börsenfähig, d) (durch Indossa'ment) über'tragbar, begebbar, e) verwertbar: **~ *instrument*** begebbares (Wert)Papier; ***not*** **~** nur zur Verrechnung; **2.** über'windbar (*Hindernis*); befahrbar (*Straße*); **3.** auf dem Verhandlungsweg erreichbar: ***salary*** **~** Gehalt nach Vereinbarung.

ne·go·ti·ate [nɪ'gəʊʃɪeɪt] **I** *v/i.* **1.** ver-, unter'handeln, in Unter'handlung stehen (***with*** mit, ***for***, ***about*** um, wegen): ***negotiating table*** Verhandlungstisch *m*; **II** *v/t.* **2.** *Vertrag etc.* zu'stande bringen, (ab)schließen; **3.** verhandeln über (*acc.*); **4.** ✝ *Wechsel* begeben: **~ *back*** zurückbegeben; **5.** *Hindernis etc.* über'winden, *a. Kurve* nehmen; **ne·go·ti·a·tion** [nɪˌgəʊʃɪ'eɪʃn] *s.* **1.** Ver-, Unter'handlung *f*: ***enter into*** **~*s*** in Verhandlungen eintreten: ***by way of*** **~** auf dem Verhandlungswege; **2.** Aushandeln *n* (*Vertrag*); **3.** ✝ Begebung *f*, Über'tragung *f* (*Wechsel etc.*): ***further*** **~** Weiterbegebung; **4.** Über'windung *f*, Nehmen *n von Hindernissen*; **ne'go·ti·a·tor** [-tə] *s.* **1.** 'Unterhändler *m*; **2.** Vermittler *m*.

ne·gress ['ni:grɪs] *s. obs.* Negerin *f*.

ne·gro ['ni:grəʊ] **I** *pl.* **-groes** *s.* Neger (-in); **II** *adj.* Neger...: **~ *question*** Negerfrage *f*, -problem *n*; **~ *spiritual*** → ***spiritual*** 8; **'ne·groid** [-rɔɪd] *adj.* negro'id, negerartig.

Ne·gus[1] ['ni:gəs] *s. hist.* Negus *m* (*äthiopischer Königstitel*).

ne·gus[2] ['ni:gəs] *s.* Glühwein *m*.

neigh [neɪ] **I** *v/t. u. v/i.* wiehern; **II** *s.* Gewieher *n*, Wiehern *n*.

neigh·bo(u)r ['neɪbə] **I** *s.* **1.** Nachbar (-in); **2.** Nächste(r) *m*, Mitmensch *m*; **II** *adj.* **3.** → ***neighbo(u)ring***; **III** *v/t.* **4.** (an)grenzen an (*acc.*); **IV** *v/i.* **5.** benachbart sein, in der Nachbarschaft wohnen; **6.** grenzen (***upon*** an *acc.*); **'neigh·bo(u)r·hood** [-hʊd] *s.* **1.** Nachbarschaft *f* (*a. fig.*), Um'gebung *f*, Nähe *f*: ***in the*** **~ *of*** a) in der Umgebung von, b) *fig.* F ungefähr, etwa, um ... herum; **2.** *coll.* Nachbarn *pl.*, Nachbarschaft *f*; **3.** (Wohn)Gegend *f*: ***a fashionable*** **~**; **'neigh·bo(u)r·ing** [-bərɪŋ] *adj.* benachbart, angrenzend, Nachbar...: **~ *state*** *a.* Anliegerstaat *m*; **'neigh·bo(u)r·li·ness** [-lɪnɪs] *s.* (gut)'nachbarliches Verhalten; Freundlichkeit *f*; **'neigh·bo(u)r·ly** [-lɪ] *adj. u. adv.* **1.** (gut)'nachbarlich; **2.** freundlich, gesellig.

nei·ther ['naɪðə] **I** *adj. u. pron.* **1.** kein (von beiden): **~ *of you*** keiner von euch (beiden); **II** *cj.* **2.** weder: **~ *you nor he knows*** weder du weißt es noch er; **3.** noch (auch), auch nicht, ebensowenig: ***he does not know,*** **~ *do I*** er weiß es nicht, noch *od.* ebensowenig weiß ich es.

nem·a·tode ['nemətəʊd] *zo. s.* Nema'tode *f*, Fadenwurm *m*.

nem con [ˌnem'kɒn] *adv.* einstimmig.

nem·e·sis, *a.* ♀ ['nemɪsɪs] *s. myth. u. fig.* Nemesis *f*, (die Göttin der) Vergeltung *f*.

ne·mo ['ni:məʊ] *s. Radio*, *TV*: 'Außenrepor,tage *f*.

neo- [ni:əʊ] *in Zssgn* neu, jung, neo..., Neo...

ne·o·lith ['ni:əʊlɪθ] *s.* jungsteinzeitliches Gerät; **ne·o·lith·ic** [ˌni:əʊ'lɪθɪk] *adj.* jungsteinzeitlich, neo'lithisch: ♀ ***period*** Jungsteinzeit *f*.

ne·ol·o·gism [ni:'ɒlədʒɪzəm] *s.* **1.** *ling.* Neolo'gismus *m*, Wortneubildung *f*; **2.** *eccl.* neue Dok'trin; **ne'ol·o·gy** [-dʒɪ] *s.* **1.** → ***neologism*** 1 *u.* 2; **2.** *ling.* Neolo'gie *f*, Bildung *f* neuer Wörter.

ne·on ['ni:ən] *s.* ⚗ Neon *n*: **~ *lamp*** Neonlampe *f*, Leucht(stoff)röhre *f*; **~ *signs*** Leuchtreklame *f*.

ne·o·phyte ['ni:əʊfaɪt] *s.* **1.** *eccl.* Neubekehrte(r *m*) *f*, Konver'tit(in); **2.** *R.C.* a) No'vize *m*, *f*, b) Jungpriester *m*; **3.** *fig.* Neuling *m*, Anfänger(in).

ne·o·plasm ['ni:əʊplæzəm] *s.* ⚕ Neo'plasma *n*, Gewächs *n*.

ne·o·ter·ic [ˌni:əʊ'terɪk] *adj.* (☐ **~*ally***) neuzeitlich, mo'dern.

Ne·o·zo·ic [ˌni:əʊ'zəʊɪk] *geol.* **I** *s.* Neo'zoikum *n*, Neuzeit *f*; **II** *adj.* neo'zoisch.

Nep·a·lese [ˌnepɔ:'li:z] **I** *s.* Nepa'lese *m*, Nepalesin *f*, Bewohner(in) von Ne'pal; Nepa'lesen *pl.*; **II** *adj.* nepa'lesisch.

neph·ew ['nevju:] Neffe *m*.

ne·phol·o·gy [nɪ'fɒlədʒɪ] *s.* Wolkenkunde *f*.

ne·phrit·ic [ne'frɪtɪk] *adj.* ⚕ Nieren...; **ne·phri·tis** [ne'fraɪtɪs] *s.* ⚕ Ne'phritis *f*, Nierenentzündung *f*; **neph·ro·lith** ['nefrəʊlɪθ] *s.* ⚕ Nierenstein *m*; **ne·phrol·o·gist** [ne'frɒlədʒɪst] *s.* ⚕ Nierenfacharzt *m*, Uro'loge *m*.

nep·o·tism ['nepətɪzəm] *s.* Nepo'tismus *m*, Vetternwirtschaft *f*.

Nep·tune ['neptju:n] *s. myth. u. ast.* Neptun *m*.

Ne·re·id ['nɪərɪɪd] *s. myth.* Nere'ide *f*, Wassernymphe *f*.

ner·va·tion [nə:'veɪʃn], **nerv·a·ture** ['nɜ:vəˌtʃʊə] *s.* **1.** Anordnung *f* der Nerven; **2.** ⚘ Aderung *f*.

nerve [nɜ:v] **I** *s.* **1.** Nerv(enfaser *f*) *m*:

N

get on s.o.'s ~s j-m auf die Nerven gehen; ***be all ~s, be a bag of ~s*** F ein Nervenbündel sein; ***a fit of ~s*** e-e Nervenkrise; ***strain every ~*** s-e ganze Kraft aufbieten; **2.** *fig.* a) Lebensnerv *m*, b) Stärke *f*, Ener'gie *f*, c) (innere) Ruhe, d) Mut *m*, e) *sl.* Frechheit *f*: ***lose one's ~*** die Nerven verlieren; ***have the ~ to do s.th.*** es wagen, et. zu tun; ***he has got a ~!*** *sl.* der hat vielleicht Nerven!; **3.** ⚘ Nerv *m*, Ader *f* (*Blatt*); **4.** ⚠ (Gewölbe)Rippe *f*; **II** *v/t.* **5.** *fig.* (*körperlich od. seelisch*) stärken, ermutigen: ***~ o.s.*** sich aufraffen; **~ cen·ter** *Am.*, **~ cen·tre** *Brit. s.* Nervenzentrum *n* (*a. fig.*); **~ cord** *s.* Nervenstrang *m*.

nerved [nɜːvd] *adj.* **1.** nervig (*mst in Zssgn*): ***strong-~*** nervenstark; **2.** ⚘, *zo.* geädert, gerippt.

nerve·less ['nɜːvlɪs] *adj.* □ **1.** *fig.* kraft-, ener'gielos; **2.** ohne Nerven; **3.** ⚘ ohne Adern, nervenlos.

nerve| poi·son *s.* Nervengift *n*; **'~-ˌrack·ing** *adj.* nervenaufreibend.

nerv·ine ['nɜːviːn] *adj. u. s.* ⚕ nervenstärkend(es Mittel).

nerv·ous ['nɜːvəs] *adj.* **1.** Nerven...(*-system, -zusammenbruch etc.*): ***~ excitement*** nervöse Erregtheit; **2.** nervenreich; **3.** ner'vös: a) nervenschwach, erregbar, b) ängstlich, scheu, c) aufgeregt; **4.** aufregend; **5.** *obs.* kräftig, nervig; **'ner·vous·ness** [-nɪs] *s.* Nervosi'tät *f*.

nerv·y ['nɜːvɪ] *adj.* F **1.** frech; **2.** ner'vös; **3.** nervenaufreibend.

nes·ci·ence ['nesɪəns] *s.* (vollständige) Unwissenheit; **'nes·ci·ent** [-nt] *adj.* unwissend (***of*** in *dat.*).

ness [nes] *s.* Vorgebirge *n*.

nest [nest] **I** *s.* **1.** *orn., zo., a. geol.* Nest *n*; **2.** *fig.* Nest *n*, Zufluchtsort *m*, behagliches Heim; **3.** *fig.* Schlupfwinkel *m*, Brutstätte *f*: ***~ of vice*** Lasterhöhle *f*; **4.** Brut *f* (*junger Tiere*): ***take a ~*** ein Nest ausnehmen; **5.** ⚔ (Widerstands-, M'G-)Nest *n*; **6.** Serie *f*, Satz *m* (*ineinanderpassender Dinge, z.B. Schüsseln*); **7.** ⚙ Satz *m*, Gruppe *f*: ***~ of boiler tubes*** Heizrohrbündel *n*; **II** *v/i.* **8.** a) ein Nest bauen, b) nisten; **9.** sich einnisten, sich 'niederlassen; **10.** Vogelnester ausnehmen; **III** *v/t.* **11.** *Töpfe etc.* inein'anderstellen, -setzen; **~ egg** *s.* **1.** Nestei *n*; **2.** *fig.* Spar-, Notgroschen *m*.

nes·tle ['nesl] **I** *v/i.* **1.** *a.* ***~ down*** sich behaglich 'niederlassen; **2.** sich anschmiegen *od.* kuscheln (***to, against*** an *acc.*); **3.** sich einnisten; **II** *v/t.* **4.** schmiegen, kuscheln (***on, to, against*** an *acc.*); **nest·ling** ['nestlɪŋ] *s.* **1.** *orn.* Nestling *m*; **2.** *fig.* Nesthäkchen *n*.

net¹ [net] **I** *s.* **1.** (*a. weitS. Straßen- etc.*, ⩘ Koordi'naten)Netz *n*; → *a.* ***network*** 4; **2.** *fig.* Falle *f*, Netz *n*, Garn *n*; **3.** netzartiges Gewebe, Netz *n*; ✝ Tüll *m*, Musse'lin *m*: ***~ curtain*** Store *m*; **4.** *Tennis*: Netzball *m*; **II** *v/t.* **5.** mit e-m Netz fangen; **6.** *fig.* (ein)fangen; **7.** mit e-m Netz um'geben *od.* bedecken; **8.** *Gewässer* mit Netzen abfischen; **9.** in Fi'let arbeiten, knüpfen; **10.** *Tennis*: Ball ins Netz schlagen; **III** *v/i.* **11.** Netz- *od.* Fi'letarbeit machen.

net² [net] **I** *adj.* ✝ **1.** netto, Netto..., Rein..., Roh...: ***~ income*** Nettoeinkommen *n*; **II** *v/t.* **2.** netto einbringen, e-n Reingewinn von ... abwerfen; **3.** netto verdienen, e-n Reingewinn haben von; **~ a·mount** *s.* Nettobetrag *m*, Reinertrag *m*; **~ as·sets** *s. pl.* Reinvermögen *n*; **~ bor·row·ings** *s. pl.* Nettokreditaufnahme *f*; **~ cash** *s.* ✝ netto Kasse: ***~ in advance*** Nettokasse im voraus; **~ ef·fi·cien·cy** *s.* ⚙ Nutzleistung *f*.

neth·er ['neðə] *adj.* **1.** unter, Unter...: ***~ regions, ~ world*** Unterwelt *f*; **2.** nieder, Nieder...

Neth·er·land·er ['neðələndə] *s.* Niederländer(in); **'Neth·er·land·ish** [-dɪʃ] *adj.* niederländisch.

'neth·er·most *adj.* unterst, tiefst.

net| load *s.* ✝, ⚙ Nutzlast *f*; **~ price** *s.* ✝ Nettopreis *m*; **~ pro·ceeds** *s. pl.* ✝ Nettoeinnahme(n *pl.*) *f*, Reinerlös *m*; **~ prof·it** *s.* ✝ Reingewinn *m*.

net·ted ['netɪd] *adj.* **1.** netzförmig, maschig; **2.** von Netzen um'geben *od.* bedeckt; **'net·ting** [-tɪŋ] *s.* **1.** Netzstricken *n*, Fi'letarbeit *f*; **2.** Netz(werk) *n*, Geflecht *n* (*a. Draht*); ⚔ Tarnnetze *pl.*

net·tle ['netl] **I** *s.* **1.** ⚘ Nessel *f*: ***grasp the ~*** *fig.* den Stier bei den Hörnern packen; **II** *v/t.* **2.** mit *od.* an Nesseln brennen; **3.** *fig.* ärgern, reizen: ***be ~d at*** aufgebracht sein über (*acc.*); **~ cloth** *s.* Nesseltuch *n*; **~ rash** *s.* ⚕ Nesselausschlag *m*.

net| weight *s.* ✝ Netto-, Rein-, Eigen-, Trockengewicht *n*; **'~·work I** *s.* **1.** Netz-, Maschenwerk *n*, Geflecht *n*, Netz *n*; **2.** Netz-, Fi'letarbeit *f*; **3.** *fig.* Netz *n*: ***~ of roads*** Straßennetz; ***~ of intrigues*** Netz von Intrigen; **4.** ϟ a) Leitungs-, Verteilungsnetz *n*, b) *Rundfunk*: Sendernetz *n*, -gruppe *f*; **II** *v/t.* *Computer*: vernetzen; **~ yield** *s.* ✝ effek'tive Ren'dite *od.* Verzinsung, Nettoertrag *m*.

neu·ral ['njʊərəl] *adj. physiol.* Nerven...: ***~ axis*** Nervenachse *f*.

neu·ral·gia [ˌnjʊə'rældʒə] *s.* ⚕ Neural'gie *f*, Nervenschmerz *m*; **ˌneu'ral·gic** [-dʒɪk] *adj.* (□ ***~ally***) neur'algisch.

neu·ras·the·ni·a [ˌnjʊərəs'θiːnɪə] *s.* ⚕ Neurasthe'nie *f*, Nervenschwäche *f*; **ˌneu·ras'then·ic** [-'θenɪk] ⚕ **I** *adj.* (□ ***~ally***) neura'sthenisch; **II** *s.* Neura'sthe-

N

niker(in).
neu·ri·tis [ˌnjʊəˈraɪtɪs] *s.* Nervenentzündung *f.*
neu·rol·o·gist [ˌnjʊəˈrɒlədʒɪst] *s.* Neuroˈloge *m*, Nervenarzt *m*; ˌ**neuˈrol·o·gy** [-dʒɪ] *s.* Neuroloˈgie *f.*
neu·ro·path [ˈnjʊərəʊpæθ] *s.* ⚕ Nervenleidende(r *m*) *f*; **neu·ro·path·ic** [ˌnjʊərəʊˈpæθɪk] *adj.* (□ **~ally**) neuroˈpathisch: a) nerˈvös (*Leiden etc.*), b) nervenkrank; **neu·rop·a·thist** [ˌnjʊəˈrɒpəθɪst] → ***neurologist***; **neuˈrop·a·thy** [ˌnjʊəˈrɒpəθɪ] *s.* Nervenleiden *n.*
neu·rop·ter·an [ˌnjʊəˈrɒptərən] *zo.* **I** *adj.* Netzflügler...; **II** *s.* Netzflügler *m.*
neu·ro·sis [ˌnjʊəˈrəʊsɪs] *pl.* **-ses** [-siːz] *s.* ⚕ Neuˈrose *f*; ˌ**neuˈrot·ic** [-ˈrɒtɪk] **I** *adj.* (□ **~ally**) **1.** neuˈrotisch; **2.** Nerven...(*-mittel*, *-leiden etc.*); **II** *s.* **3.** Neuˈrotiker(in); **4.** Nervenmittel *n*; ˌ**neuˈrot·o·my** [-ˈrɒtəmɪ] *s.* **1.** ˈNervenanatoˌmie *f*; **2.** Nervenschnitt *m.*
neu·ter [ˈnjuːtə] **I** *adj.* **1.** *ling.* a) sächlich, b) intransitiv (*Verb*); **2.** *biol.* geschlechtslos; **II** *s.* **3.** *ling.* a) Neutrum *n*, sächliches Hauptwort, b) intransitives Verb; **4.** ⚘ Blüte *f* ohne Staubgefäße u. Stempel; **5.** *zo.* geschlechtsloses *od.* kastriertes Tier; **III** *v/t.* **6.** kastrieren.
neu·tral [ˈnjuːtrəl] **I** *adj.* □ **1.** neuˈtral (*a. pol.*), parˈteilos, ˈunparˌteiisch, unbeteiligt; **2.** neutral, unbestimmt, farblos; **3.** neutral (*a.* ⚗, ⚡), gleichgültig, ˈindiffeˌrent; **4.** ⚘, *zo.* geschlechtslos; **5.** ⚙, *mot.* a) Ruhe..., Null... (*Lage*), b) Leerlauf... (*Gang*); **II** *s.* **6.** a) Neuˈtrale(r *m*) *f*, Parˈteilose(r *m*) *f*, b) neutraler Staat, c) Angehörige(r *m*) *f* e-s neutralen Staates; **7.** *mot.*, ⚙ Ruhelage *f*, Leerlaufstellung *f*: ***put the car in ~*** den Gang herausnehmen; **~ ax·is** *s.* ⩚, *phys.*, ⚙ neutrale Achse, Nullinie *f*; **~ con·duc·tor** *s.* ⚡ Nulleiter *m*; **~ gear** *s.* ⚙ Leerlauf(gang) *m.*
neu·tral·ism [ˈnjuːtrəlɪzəm] *s.* Neutraˈlismus *m*; ˈ**neu·tral·ist** [-ɪst] **I** *s.* Neutraˈlist *m*; **II** *adj.* neutraˈlistisch.
neu·tral·i·ty [njuːˈtrælətɪ] *s.* Neutraliˈtät *f* (*a.* ⚗, *pol.*).
neu·tral·i·za·tion [ˌnjuːtrəlaɪˈzeɪʃn] *s.* **1.** Neutralisierung *f*, Ausgleichung *f*, (gegenseitige) Aufhebung; **2.** ⚗ Neutralisatiˈon *f*; **3.** *pol.* Neutraliˈtätserklärung *f e-s Staates etc.*; **4.** ⚡ Entkopplung *f*; **5.** ⚔ Niederhaltung *f*, Lahmlegung *f*, *a. sport*: Ausschaltung *f*; **neu·tral·ize** [ˈnjuːtrəlaɪz] *v/t.* **1.** neutralisieren (*a.* ⚗), ausgleichen, aufheben: ***to ~ each other*** sich gegenseitig aufheben; **2.** *pol.* für neuˈtral erklären; **3.** ⚡ neutralisieren, entkoppeln; **4.** ⚔ niederhalten, -kämpfen, *a. sport*: *Gegner* ausschalten; *Kampfstoff* entgiften.
neu·tral| line *s.* **1.** ⩚, *phys.* Neuˈtrale *f*, neuˈtrale Linie; **2.** *phys.* Nullinie *f*; **3.** → ***neutral axis***; **~ po·si·tion** *s.* **1.** ⚙ Nullstellung *f*, -lage *f*; Ruhestellung *f*; **2.** ⚡ neutrale Stellung (*Anker etc.*).
neu·tro·dyne [ˈnjuːtrədaɪn] *s.* ⚡ Neutroˈdyn *n.*
neu·tron [ˈnjuːtrɒn] *phys.* **I** *s.* Neuˈtron *n*; **II** *adj.* Neutronen...(*-bombe*, *-zahl etc.*).
né·vé [ˈneveɪ] (*Fr.*) *s.* Firn(feld *n*) *m.*
nev·er [ˈnevə] *adv.* **1.** nie, niemals, nimmer(mehr); **2.** durchˈaus nicht, (ganz und) gar nicht, nicht im geringsten; **3.** (doch) wohl nicht;
Besondere Redewendungen:
~ fear nur keine Bange!; ***~ mind*** das macht nichts!; ***well I ~!*** F nein, so was!, das ist ja unerhört!; ***~ so*** auch noch so; ***he ~ so much as answered*** er hat noch nicht einmal geantwortet; ***~ say die!*** nur nicht verzweifeln!
ˈ**nev·er|-do-ˌwell** *s.* Taugenichts *m*, Tunichtgut *m*; ˌ**~-ˈend·ing** [-ərˈe-] *adj.* endlos, nicht enden wollend; ˌ**~-ˈfail·ing** *adj.* **1.** unfehlbar, untrüglich; **2.** nie versiegend; ˌ**~ˈmore** *adv.* nimmermehr, nie wieder; ˌ**~-ˈnev·er** *s.* F **1.** ***buy on the ~*** ‚abstottern', auf Pump kaufen; **2.** *a.* ***~ land*** a) ‚Arsch *m* der Welt', b) *fig.* Wolkenˈkuckucksheim *n.*
ˌ**nev·er·theˈless** *adv.* nichtsdestoˈweniger, dennoch, trotzdem.
ne·vus [ˈniːvəs] *s.* ⚕ Muttermal *n*, Leberfleck *m*: ***vascular ~*** Feuermal.
new [njuː] **I** *adj.* □ → ***newly***; **1.** *allg.* neu: ***nothing ~*** nichts Neues; → ***broom***[2]; **2.** *a. ling.* neu, moˈdern; *bsd. contp.* neumodisch; **3.** neu (*Obst etc.*), frisch (*Brot*, *Milch etc.*); **4.** neu (*Ggs. alt*), gut erhalten: ***as good as ~*** so gut wie neu; **5.** neu(entdeckt *od.* -erschienen *od.* -erstanden *od.* -geschaffen): ***~ facts***; ***~ star***; ***~ moon*** Neumond *m*; ***~ publications*** Neuerscheinungen *pl.*; ***the ~ woman*** die Frau von heute; ***the ~ World*** die Neue Welt (*Amerika*); ***that is not ~ to me*** das ist mir nichts Neues; **6.** unerforscht: ***~ ground*** Neuland *n* (*a. fig.*); **7.** neu(gewählt, -ernannt): ***the ~ president***; **8.** (***to***) a) *j-m* unbekannt, b) nicht vertraut (mit *e-r Sache*), unerfahren (in *dat.*), c) *j-m* ungewohnt; **9.** neu, ander, besser: ***feel a ~ man*** sich wie neugeboren fühlen; **10.** erneut: ***a ~ start***; **11.** (*bsd. bei Ortsnamen*) Neu...; **II** *adv.* **12.** neu(erlich), soˈeben, frisch (*bsd. in Zssgn*): ***~-built*** neuerbaut.
ˈ**new|·born** *adj.* neugeboren (*a. fig.*); **~ build·ing** *s.* Neubau *m*; ˈ**~-come** *adj.* neuangekommen; ˈ**~ˌcom·er** *s.* **1.** Neuankömmling *m*, Fremde(r *m*) *f*; **2.** Neuling *m* (***to*** in *e-m Fach*); **~ Deal** *s. hist.* New Deal *m* (*Wirtschafts- u. Sozialpolitik des Präsidenten F. D. Roosevelt*).
new·el [ˈnjuːəl] *s.* ⚙ **1.** Spindel *f* (*Wen-*

N

deltreppe, *Gußform etc.*); **2.** Endpfosten *m* (*Geländer*).

ˈnew|ˌfan·gled [-ˌfæŋgld] *adj. contp.* neu(modisch); **ˈ~-fledged** *adj.* **1.** flügge geworden; **2.** *fig.* neugebacken; **ˌ~-ˈfound** *adj.* **1.** neugefunden; neuerfunden; **2.** neuentdeckt.

New·found·land (**dog**) [nju:ˈfaʊndlənd], **New**ˈ**found·land·er** [-də] *s.* Neuˈfundländer *m* (*Hund*).

new·ish [ˈnju:ɪʃ] *adj.* ziemlich neu;

new·ly [ˈnju:lɪ] *adv.* **1.** neulich, kürzlich, jüngst: **~ *married*** neu-, jungvermählt; **2.** von neuem; **new·ness** [ˈnju:nɪs] *s.* Neuheit *f*, *das* Neue; *fig.* Unerfahrenheit *f*.

ˌnew-ˈrich I *adj.* neureich; **II** *s.* Neureiche(r *m*) *f*, Parveˈnü *m*.

news [nju:z] *s. pl. sg. konstr.* **1.** *das* Neue, Neuigkeit(en *pl.*) *f*, Neues *n*, Nachricht(en *pl.*) *f*: ***a piece of ~*** e-e Nachricht *od.* Neuigkeit; ***at this ~*** bei dieser Nachricht; ***commercial ~*** ✝ Handelsteil *m* (*Zeitung*); ***break the*** (***bad***) ***~ to s.o.*** j-m die (schlechte) Nachricht (schonend) beibringen; ***have ~ from s.o.*** von j-m Nachricht haben; ***it is ~ to me*** das ist mir (ganz) neu; ***what***(***'s the***) ***~?*** was gibt es Neues?; ***~ certainly travels fast!*** es spricht sich alles herum!; ***he is bad ~s*** *Am. sl.* mit ihm werden wir Ärger kriegen; **2.** neueste (Zeitungs-, Radio)Nachrichten *pl.*: ***be in the ~*** (in der Öffentlichkeit) von sich reden machen; **~ a·gen·cy** *s.* ˈNachrichtenagenˌtur *f*, -büˌro *n*; **~ a·gent** *s.* Zeitungshändler(in); **~ black·out** *s.* Nachrichtensperre *f*; **ˈ~·boy** *s.* Zeitungsjunge *m*; **~ butch·er** *s.* 🚂 *Am.* Verkäufer *m* von Zeitungen, Süßigkeiten *etc.*; **ˈ~·cast** *s. Radio*, *TV*: Nachrichtensendung *f*; **ˈ~ˌcast·er** *s.* Nachrichtensprecher(in); **~ cin·e·ma** *s.* Aktualiˈtätenkino *n*; **~ con·fer·ence** *s.* ˈPressekonfeˌrenz *f*; **~ deal·er** *Am.* → ***news agent***; **~ flash** *s.* (eingeblendete) Kurzmeldung; **ˈ~·hawk** *s.*, **ˈ~·hound** *s. Am.* F ˈZeitungsreˌporter (-in); **~ i·tem** *s.* ˈPressenoˌtiz *f*; **ˈ~-ˌlet·ter** *s.* (Nachrichten)Rundschreiben *n*, Zirkuˈlar *n*; **~ mag·a·zine** *s.* ˈNachrichtenmagaˌzin *n*; **ˈ~·man** [-mæn] *s.* [*irr.*] **1.** Zeitungshändler *m*, -austräger *m*; **2.** Journaˈlist *m*; **ˈ~ˌmon·ger** *s.* Neuigkeitskrämer(in).

ˈnewsˌpa·per *s.* Zeitung *f*; **~ ad·ver·tise·ment** *s.* ˈZeitungsanˌnonce *f*, -anzeige *f*; **~ clip·ping** *Am.*, **~ cut·ting** *s.* Zeitungsausschnitt *m*; **ˈ~·man** [-mæn] *s.* [*irr.*] **1.** Zeitungsverkäufer *m*; **2.** Journaˈlist *m*; **3.** Zeitungsverleger *m*.

ˈnews|·print *s.* ˈZeitungspaˌpier *n*; **ˈ~ˌread·er** *s. Brit.* für ***newscaster***; **ˈ~·reel** *s.* Wochenschau *f*; **ˈ~·room** [-rʊm] *s.* **1.** ˈNachrichtenraum *m*, -zenˌtrale *f*; **2.** *Brit.* Zeitschriftenlesesaal *m*; **3.** *Am.* ˈZeitungsladen *m*, -kiˌosk *m*; **~ serv·ice** *s.* Nachrichtendienst *m*; **ˈ~·sheet** *s.* Informatiˈonsblatt *n*; **ˈ~-stall** *s. Brit.*, **ˈ~·stand** *s.* ˈZeitungskiˌosk *m*, -stand *m*.

New Style *s.* neue Zeitrechnung (*nach dem Gregorianischen Kalender*), neuer Stil.

news| ven·dor *s.* Zeitungsverkäufer(in); **ˈ~ˌwor·thy** *adj.* von Interˈesse (für den Zeitungsleser), aktuˈell.

news·y [ˈnju:zɪ] *adj.* F voller Neuigkeiten.

newt [nju:t] *s. zo.* Wassermolch *m*.

new·ton [ˈnju:tn] *s. phys.* Newton *n* (*Maßeinheit*).

New·to·ni·an [nju:ˈtəʊnjən] *adj.* Newton(i)sch: **~ *force*** Newtonsche Kraft.

new| year *s.* Neujahr *n*, *das* neue Jahr; **≈ Year** *s.* Neujahrstag *m*; **≈ Year's Day** *s.* Neujahrstag *m*; **≈ Year's Eve** *s.* Silˈvesterabend *m*.

next [nekst] **I** *adj.* **1.** nächst, nächstfolgend, -stehend: ***the ~ house*** (***train***) das nächste Haus (der nächste Zug); (***the***) ***~ day*** am nächsten *od.* folgenden Tag; ***~ door*** (im Haus) nebenan; ***~ door to*** *fig.* beinahe, fast *unmöglich etc.*, so gut wie; ***~ to*** a) (gleich) neben, b) (gleich) nach (*Rang*, *Reihenfolge*), c) fast *unmöglich etc.*; ***~ to nothing*** fast gar nichts; ***~ to last*** zweitletzt; ***the ~ but one*** der (die, das) übernächste; ***~ in size*** a) nächstgrößer, b) nächstkleiner; ***~ friend*** ⚖ Prozeßpfleger *m*; ***the ~ of kin*** der (*pl.* die) nächste(n) Angehörige(n) *od.* Verwandte(n); ***be ~ best*** a) der (die, das) Zweitbeste sein, b) (***to***) *fig.* gleich kommen (nach), fast so gut sein (wie); ***week after ~*** übernächste Woche; ***what ~?*** was (denn) noch?; **II** *adv.* **2.** (*Ort*, *Zeit etc.*) zuˈnächst, gleich darˈauf, als nächste(r) *od.* nächstes: ***come ~*** (als nächstes) folgen; **3.** nächstens, demnächst, das nächste Mal; **4.** (*bei Aufzählung*) dann, darˈauf; **III** *prp.* **5.** (gleich) neben (*dat.*) *od.* bei (*dat.*) *od.* an (*dat.*); **6.** zuˈnächst nach, (*an Rang*) gleich nach; **IV** *s.* **7.** *der* (*die*, *das*) Nächste; **ˈnext-door** *adj.* nebenˈan, im Nachbar- *od.* Nebenhaus, benachbart.

nex·us [ˈneksəs] *s.* Verknüpfung *f*, Zs.-hang *m*.

nib [nɪb] *s.* **1.** Schnabel *m* (*Vogel*); **2.** (Gold-, Stahl)Spitze *f* (*Schreibfeder*); **3.** *pl.* Kaffee- *od.* Kaˈkaobohnenstückchen *pl.*

nib·ble [ˈnɪbl] **I** *v/t.* **1.** nagen, knabbern an (*dat.*): ***~ off*** abbeißen, -fressen; **2.** vorsichtig anbeißen (*Fische am Köder*); **II** *v/i.* **3.** nagen, knabbern (***at*** an *dat.*): ***~ at one's food*** im Essen herumstochern; **4.** *Kekse etc.* ‚knabbern', naschen; **5.** (fast) anbeißen (*Fisch*) (*a. fig. Käufer*); **6.** *fig.* kritteln, tadeln; **III** *s.* **7.** Nagen *n*, Knabbern *n*; **8.** (kleiner) Bissen, Happen *m*.

nib·lick ['nıblık] *s. Golf*: *obs.* Niblick *m* (*Schläger*).

nibs [nıbz] *s. pl. sg. konstr.* F ‚großes Tier': ***his ~*** ‚seine Hoheit'.

nice [naıs] *adj.* ☐ **1.** fein (*Beobachtung, Sinn, Urteil, Unterschied etc.*); **2.** lekker, fein (*Speise etc.*); **3.** nett, freundlich (***to*** zu *j-m*); **4.** nett, hübsch, schön (*alle a. iro.*): ***~ girl***; ***~ weather***; ***a ~ mess*** *iro.* e-e schöne Bescherung; ***~ and fat*** schön fett; ***~ and warm*** hübsch warm; **5.** niedlich, nett; **6.** heikel, wählerisch (***about*** in *dat.*); **7.** (peinlich) genau, gewissenhaft; **8.** (*mst mit **not***) anständig; **9.** *fig.* heikel, schwierig; **'nice·ly** [-lı] *adv.* **1.** nett, fein: ***I was done ~*** *sl. iro.* ich wurde schön übers Ohr gehauen; **2.** gut, fein, befriedigend: ***that will do ~*** das paßt ausgezeichnet; ***she is doing ~*** F es geht ihr gut (*od.* besser), sie macht gute Fortschritte; **3.** sorgfältig, genau; **'nice·ness** [-nıs] *s.* **1.** Feinheit *f*; **2.** Nettheit *f*; Niedlichkeit *f*; **3.** F Nettigkeit *f*; **4.** Schärfe *f des Urteils*; **5.** Genauigkeit *f*, Pünktlichkeit *f*; **'ni·ce·ty** [-sətı] **1.** Feinheit *f*, Schärfe *f des Urteils etc.*; **2.** peinliche Genauigkeit, Pünktlichkeit *f*: ***to a ~*** aufs genaueste, bis aufs Haar; **3.** Spitzfindigkeit *f*; **4.** *pl.* kleine 'Unterschiede *pl.*, Feinheiten *pl.*: ***not to stand upon niceties*** es nicht so genau nehmen; **5.** wählerisches Wesen; **6.** ***the niceties of life*** die Annehmlichkeiten des Lebens.

niche [nıtʃ] **I** *s.* **1.** ⚠, *a.* ⚕ Nische *f*; **2.** *fig.* Platz *m*, wo man hingehört: ***he finally found his ~ in life*** er hat endlich s-n Platz im Leben gefunden; **3.** *fig.* (ruhiges) Plätzchen; **II** *v/t.* **4.** mit e-r Nische versehen; **5.** in e-e Nische stellen.

ni·chrome ['naıkrəʊm] *s.* ⚙ Nickelchrom *n*.

Nick[1] [nık] *npr.* **1.** Niki *m* (*Koseform zu **Nicholas***); **2.** ***Old ~*** *sl.* der Teufel.

nick[2] [nık] **I** *s.* **1.** Kerbe *f*, Einkerbung *f*, Einschnitt *m*; **2.** Kerbholz *n*; **3.** *typ.* Signa'tur(rinne) *f*; **4.** ***in the (very) ~ (of time)*** a) im richtigen Augenblick, wie gerufen, b) im letzten Moment; ***in good ~*** ‚gut in Schuß'; **5.** *Würfelspiel etc.*: (hoher) Wurf, Treffer *m*; **II** *v/t.* **6.** (ein)kerben, einschneiden: ***~ out*** auszacken, -furchen; ***~ o.s.*** sich *beim Rasieren* schneiden; **7.** *et.* glücklich treffen: ***~ the time*** gerade den richtigen Zeitpunkt treffen; **8.** erraten; **9.** *Zug etc.* erwischen, (noch) kriegen; **10.** *Brit. sl.* a) betrügen, reinlegen, b) ‚klauen', c) *j-n* ‚schnappen' *od.* ‚einlochen'.

nick·el ['nıkl] **I** *s.* **1.** ⚗, *min.* Nickel *n*; **2.** *Am.* F Nickel *m*, Fünf'centstück *n*; **II** *adj.* **3.** Nickel...; **III** *v/t.* **4.** vernickeln; ***~ bloom*** *s. min.* Nickelblüte *f*; **'~-clad sheet** *s.* ⚙ nickelplattiertes Blech.

nick·el·o·de·on [ˌnıkə'ləʊdıən] *s. Am.* **1.** *hist.* billiges ('Film-, Varie'té)Theˌater; **2.** Mu'sikautoˌmat *m*.

'nick·el|-plate *v/t.* ⚙ vernickeln; **'~-ˌplat·ing** *s.* Vernickelung *f*; **~ sil·ver** *s.* Neusilber *n*; **~ steel** *s.* Nickelstahl *m*.

nick·nack ['nıknæk] → ***knickknack***.

nick·name ['nıkneım] **I** *s.* Spitzname *m*; ⚔ Deckname *m*; **II** *v/t.* mit e-m Spitznamen bezeichnen, *j-m* e-n *od.* den Spitznamen geben.

nic·o·tine ['nıkətiːn] *s.* ⚗ Niko'tin *n*; **'nic·o·tin·ism** [-nızəm] *s.* Niko'tinvergiftung *f*.

nide [naıd] *s.* (Fa'sanen)Nest *n*.

nid·i·fy ['nıdıfaı] *v/i.* nisten.

nid-nod ['nıdnɒd] *v/i.* (mehrmals *od.* ständig) nicken.

ni·dus ['naıdəs] *pl. a.* **-di** [-daı] *s.* **1.** *zo.* Nest *n*, Brutstätte *f*; **2.** *fig.* Lagerstätte *f*, Sitz *m*; **3.** ⚕ Herd *m e-r Krankheit*.

niece [niːs] *s.* Nichte *f*.

nif·ty ['nıftı] *adj. sl.* **1.** ‚sauber': a) hübsch, fesch, b) prima, c) raffiniert; **2.** *Brit.* stinkend.

nig·gard ['nıgəd] **I** *s.* Knicker(in), Geizhals *m*, Filz *m*; **II** *adj.* ☐ geizig, knikk(er)ig, kärglich; **'nig·gard·li·ness** [-lınıs] *s.* Knause'rei *f*, Geiz *m*; **'nig·gard·ly** [-lı] **I** *adv.* → ***niggard*** II; **II** *adj.* schäbig, kümmerlich: ***a ~ gift***.

nig·ger ['nıgə] *s.* F *contp.* Nigger *m*, Neger(in), Schwarze(r *m*) *f*: ***work like a ~*** wie ein Pferd arbeiten, schuften; ***~ in the woodpile*** *sl. der* Haken an der Sache.

nig·gle ['nıgl] *v/i.* **1.** pe'dantisch sein *od.* her'umtüfteln; **2.** trödeln; **3.** nörgeln, ‚meckern'.

nigh [naı] *obs. od. poet.* **I** *adv.* **1.** nahe (***to*** an *dat.*): ***~ (un)to death*** dem Tode nahe; ***~ but*** beinahe; ***draw ~ to*** sich nähern (*dat.*); **2.** *mst* ***well ~*** beinahe, nahezu; **II** *prp.* **3.** nahe bei, neben.

night [naıt] *s.* **1.** Nacht *f*: ***at ~***, ***by ~***, ***in the ~***, F ***o'nights*** bei Nacht, nachts, des Nachts; ***~'s lodging*** Nachtquartier *n*; ***all ~ (long)*** die ganze Nacht (hindurch); ***over ~*** über Nacht; ***bid*** (*od.* ***wish***) ***s.o. good ~*** j-m gute Nacht wünschen; ***make a ~ of it*** die ganze Nacht durchmachen, -feiern, sich die Nacht um die Ohren schlagen; ***stay the ~ at*** übernachten in *e-m Ort od.* bei *j-m*; **2.** Abend *m*: ***last ~*** gestern abend; ***the ~ before last*** vorgestern abend; ***first ~*** *thea.* Erstaufführung *f*, Premiere *f*; ***a ~ of Wagner*** Wagnerabend; ***on the ~ of May 4th*** am Abend des 4. Mai; ***~ out*** freier Abend; ***have a ~ out*** e-n Abend ausspannen, ausgehen; **3.** *fig.* Nacht *f*,

N

Dunkelheit *f*; ~ **at·tack** *s.* ⚔ Nachtangriff *m*; ~ **bird** *s.* **1.** Nachtvogel *m*; **2.** *fig.* Nachtschwärmer *m*; '~-**blind** *adj.* ⚕ nachtblind; '~·**cap** *s.* **1.** Nachtmütze *f*, -haube *f*; **2.** *fig.* Schlummertrunk *m*; ~ **club** *s.* Nachtklub *m*, 'Nachtloˌkal *n*; '~·**dress** *s.* Nachthemd *n* (*für Frauen u. Kinder*); ~ **ex·po·sure** *s. phot.* Nachtaufnahme *f*; '~·**fall** *s.* Einbruch *m* der Nacht; ~ **fight·er** *s.* ✈, ⚔ Nachtjäger *m*; ~ **glass** *s.* Nachtfernrohr *n*, -glas *n*; '~·**gown** → ***nightdress***.

night·in·gale ['naɪtɪŋgeɪl] *s. orn.* Nachtigall *f*.

'**night**|·**jar** *s. orn.* Ziegenmelker *m*; ~ **leave** *s.* ⚔ Urlaub *m* bis zum Wecken; ~ **let·ter**(-**gram**) *s. Am.* (verbilligtes) 'Nachtteleˌgramm; '~·**life** *s.* Nachtleben *n*; '~-**long I** *adj.* e-e *od.* die ganze Nacht dauernd; **II** *adv.* die ganze Nacht (hin'durch).

night·ly ['naɪtlɪ] **I** *adj.* **1.** nächtlich, Nacht...; **2.** jede Nacht *od.* jeden Abend stattfindend; **II** *adv.* **3.** a) (all-) nächtlich, jede Nacht, b) jeden Abend, (all)abendlich.

night·mare ['naɪtmeə] *s.* **1.** Nachtmahr *m* (*böser Geist*); **2.** ⚕ Alp(drücken *n*) *m*, böser Traum; **3.** *fig.* Schreckgespenst *n*, Alptraum *m*, Spuk *m*; '**night·mar·ish** [-eərɪʃ] *adj.* beklemmend, schauerlich.

night| **nurse** *s.* Nachtschwester *f*; ~ **owl** *s.* **1.** *orn.* Nachteule *f* (*a.* F *fig. Nachtmensch*); **2.** F Nachtschwärmer *m*; ~ **por·ter** *s.* 'Nachtportiˌer *m*; ~ **rate** *s.* Nachttarif *m*.

nights [naɪts] *adv.* F bei Nacht, nachts.

night| **school** *s.* Abend-, Fortbildungsschule *f*; '~·**shade** *s.* ⚘ Nachtschatten *m*: ***deadly*** ~ Tollkirsche *f*; ~ **shift** *s.* Nachtschicht *f*: ***be on*** ~ Nachtschicht haben; '~·**shirt** *s.* Nachthemd *n* (*für Männer u. Knaben*); '~·**spot** *s.* F *für* ***nightclub***; '~·**stand** *s. Am.* Nachttisch *m*; ~ **stick** *s. Am.* Schlagstock *m der Polizei*; '~·**stool** *s.* Nachtstuhl *m*; '~-**time** *s.* Nachtzeit *f*; ~ **vi·sion** *s.* **1.** nächtliche Erscheinung; **2.** Nachtsehvermögen *n*; ~ **watch** *s.* Nachtwache *f*; ˌ~'**watch·man** [-mən] *s.* [*irr.*] Nachtwächter *m*; '~·**wear** *s.* Nachtzeug *n*.

night·y ['naɪtɪ] *s.* F (Damen-, Kinder-) Nachthemd *n*.

ni·hil·ism ['naɪlɪzəm] *s. phls., pol.* Nihi'lismus *m*; '**ni·hil·ist** [-ɪst] **I** *s.* Nihi'list (-in); **II** *adj.* → **ni·hil·is·tic** [ˌnaɪ'lɪstɪk] *adj.* nihi'listisch.

nil [nɪl] *s.* Nichts *n*, Null *f* (*bsd. in Spielresultaten*): ***two goals to*** ~ zwei zu null (2:0); ~ ***report*** Fehlanzeige *f*; ***his influence is*** ~ *fig.* sein Einfluß ist gleich null.

nim·ble ['nɪmbl] *adj.* □ flink, hurtig, gewandt, be'hend: ~ ***mind*** *fig.* beweglicher Geist, rasche Auffassungsgabe; ˌ~-'**fin·gered** *adj.* **1.** geschickt; **2.** langfingerig, diebisch; ˌ~-'**foot·ed** *adj.* leicht-, schnellfüßig.

nim·ble·ness ['nɪmblnɪs] *s.* Flinkheit *f*, Gewandtheit *f*, *fig. a.* geistige Beweglichkeit.

nim·bus ['nɪmbəs] *pl.* -**bi** [-baɪ] *od.* -**bus·es** *s.* **1.** *a.* ~ ***cloud*** graue Regenwolke; **2.** Nimbus *m*: a) Heiligenschein *m*, b) *fig.* Ruhm *m*.

nim·i·ny-pim·i·ny [ˌnɪmɪnɪ'pɪmɪnɪ] *adj.* affek'tiert, ‚etepe'tete'.

Nim·rod ['nɪmrɒd] *npr. Bibl. u. fig.* Nimrod *m* (*großer Jäger*).

nin·com·poop ['nɪnkəmpu:p] *s.* Einfaltspinsel *m*, Trottel *m*.

nine [naɪn] **I** *adj.* **1.** neun: ~ ***days' wonder*** Tagesgespräch *n*, sensationelles Ereignis; ~ ***times out of ten*** in neun von zehn Fällen; **II** *s.* **2.** Neun *f*, Neuner *m* (*Spielkarte etc.*): ***the*** ~ ***of hearts*** Herzneun; ***to the*** ~***s*** in höchstem Maße; ***dressed up to the*** ~***s*** piekfein gekleidet, aufgedonnert; **3.** ***the*** ♀ die neun Musen; **4.** *sport* Baseballmannschaft *f*; '**nine·fold I** *adj. u. adv.* neunfach; **II** *s. das* Neunfache; '**nine·pins** *s. pl.* **1.** Kegel *pl.*: ~ ***alley*** Kegelbahn *f*; **2.** *a. sg. konstr.* Kegelspiel *n*: ***play*** ~ Kegel spielen, kegeln.

nine·teen [ˌnaɪn'ti:n] **I** *adj.* neunzehn; → ***dozen*** 2; **II** *s.* Neunzehn *f*; ˌ**nine'teenth** [-θ] **I** *adj.* neunzehnt; **II** *s.* Neunzehntel *n*; **nine·ti·eth** ['naɪntɪɪθ] **I** *adj.* neunzigst; **II** *s.* Neunzigstel *n*; **nine·ty** ['naɪntɪ] **I** *s.* Neunzig *f*: ***he is in his nineties*** er ist in den Neunzigern; ***in the nineties*** in den neunziger Jahren (*e-s Jahrhunderts*); **II** *adj.* neunzig.

nin·ny ['nɪnɪ] F *s.* Trottel *m*.

ninth [naɪnθ] **I** *adj.* **1.** neunt: ***in the*** ~ ***place*** neuntens, an neunter Stelle; **II** *s.* **2.** *der* (*die*, *das*) Neunte; **3.** *a.* ~ ***part*** Neuntel *n*; **4.** ♪ None *f*; '**ninth·ly** [-lɪ] *adv.* neuntens.

nip[1] [nɪp] **I** *v/t.* **1.** kneifen, zwicken, klemmen: ~ ***off*** abzwicken, -kneifen, -beißen; **2.** (*durch Frost etc.*) beschädigen, vernichten, ka'puttmachen: ~ ***in the bud*** *fig.* im Keim ersticken; **3.** *sl.* → ***nick***[2] 10 b *u.* c; **II** *v/i.* **4.** schneiden (*Kälte*, *Wind*); ⚙ klemmen (*Maschine*); **5.** F ‚flitzen': ~ ***in*** hineinschlüpfen; ~ ***on ahead*** nach vorne flitzen; **III** *s.* **6.** Kneifen *n*, Kniff *m*, Biß *m*; **7.** Schneiden *n* (*Kälte etc.*); scharfer Frost; **8.** ⚘ Frostbrand *m*; **9.** Knick *m* (*Draht etc.*); **10.** ~ ***and tuck***, *attr.* ~-***and-tuck*** *Am.* auf Biegen oder Brechen, scharf (*Kampf*), hart (*Rennen*).

nip[2] [nɪp] **I** *v/i. u. v/t.* nippen (an *dat.*); **II** *s.* Schlückchen *n*.

Nip [nɪp] *s. sl.* ‚Japs' *m*.

nip·per ['nɪpə] *s.* **1.** *zo.* a) Vorder-,

Schneidezahn *m* (*bsd. des Pferdes*), b) Schere *f* (*Krebs etc.*); **2.** *mst pl.* ⚙ a) *a.* ***a pair of ~s*** (Kneif)Zange *f*, b) Pin'zette *f*; **3.** *pl.* Kneifer *m*; **4.** *Brit.* F Bengel *m*, ‚Stift' *m*; **5.** *pl.* F Handschellen *pl.*

nip·ping ['nɪpɪŋ] *adj.* □ **1.** kneifend; **2.** beißend, schneidend (*Kälte, Wind*); **3.** *fig.* bissig, scharf (*Worte*).

nip·ple ['nɪpl] *s.* **1.** *anat.* Brustwarze *f*; **2.** (Saug)Hütchen *n*, Sauger *m* (*e-r Saugflasche*); **3.** ⚙ (Speichen-, Schmier)Nippel *m*; (Rohr)Stutzen *m*.

nip·py ['nɪpɪ] **I** *adj.* **1.** → ***nipping*** 2, 3; **2.** F schnell, ‚fix'; spritzig (*Auto*); **II** *s.* **3.** *Brit.* F Kellnerin *f*.

ni·sei ['niːˌseɪ] *pl.* **-sei, -seis** *s.* Ja'paner (-in) geboren in den USA.

ni·si ['naɪsaɪ] (*Lat.*) *cj.* ⚖ wenn nicht: ***decree ~*** vorläufiges Scheidungsurteil.

Nis·sen hut ['nɪsn] *s.* ⚔ Nissenhütte *f*, 'Wellblechbaˌracke *f*.

nit [nɪt] *s. zo.* Nisse *f*, Niß *f*.

ni·ter *Am.* → ***nitre***.

'nitˌpick·ing I *adj.* F kleinlich, ‚pingelig'; **II** *s.* ‚Pingeligkeit' *f*.

ni·trate ['naɪtreɪt] **I** *s.* ⚗ Ni'trat *n*, sal'petersaures Salz: ***~ of silver*** salpetersaures Silber, Höllenstein *m*; ***~ of soda*** (*od.* ***sodium***) salpetersaures Natrium; **II** *v/t.* nitrieren; **III** *v/i.* sich in Sal'peter verwandeln.

ni·tre ['naɪtə] *s.* ⚗ Sal'peter *m*: ***~ cake*** Natriumkuchen *m*.

ni·tric ['naɪtrɪk] *adj.* ⚗ sal'petersauer, Salpeter..., Stickstoff...; **~ ac·id** *s.* Sal'petersäure *f*; **~ ox·ide** *s.* 'Stickstoffoˌxyd *n*.

ni·tride ['naɪtraɪd] **I** *s.* Ni'trid *n*; **II** *v/t.* nitrieren; **ni·trif·er·ous** [naɪ'trɪfərəs] *adj.* **1.** stickstoffhaltig; **2.** sal'peterhaltig; **'ni·tri·fy** [-trɪfaɪ] **I** *v/t.* nitrieren; **II** *v/i.* sich in Sal'peter verwandeln; **'ni·trite** [-aɪt] *s.* Ni'trit *n*, sal'pet(e)rigsaures Salz.

ni·tro·ben·zene [ˌnaɪtrəʊ'benziːn], **ni·tro·ben·zol(e)** [ˌnaɪtrəʊ'benzɒl] *s.* ⚗ Nitroben'zol *n*.

ni·tro·cel·lu·lose [ˌnaɪtrəʊ'seljʊləʊs] *s.* ⚗ Nitrozellu'lose *f*: ***~ lacquer*** Nitro(zellulose)lack *m*.

ni·tro·gen ['naɪtrədʒən] *s.* ⚗ Stickstoff *m*: ***~ carbide*** Stickkohlenstoff *m*; ***~ chloride*** Chlorstickstoff; ***~ oxide*** Stickoxid *n*; ***~ oxide reduction*** Entstikkung *f*; **ni·tro·gen·ize** [naɪ'trɒdʒɪnaɪz] *v/t.* mit Stickstoff verbinden *od.* anreichern *od.* sättigen: ***~d foods*** stickstoffhaltige Nahrungsmittel; **ni·trog·e·nous** [naɪ'trɒdʒɪnəs] *adj.* stickstoffhaltig.

ni·tro·glyc·er·in(e) [ˌnaɪtrəʊ'glɪsəriːn] *s.* ⚗ Nitroglyze'rin *n*.

ni·tro·hy·dro·chlo·ric ['naɪtrəʊˌhaɪdrəʊ'klɒrɪk] *adj.* Salpetersalz...

ni·trous ['naɪtrəs] *adj.* ⚗ Salpeter..., sal'peterhaltig, sal'petrig; **~ ac·id** *s.* sal'petrige Säure; **~ ox·ide** *s.* 'Stickstoffoxyˌdul *n*, Lachgas *n*.

nit·ty-grit·ty [ˌnɪtɪ'grɪtɪ] *s.*: ***get down to the ~*** F zur Sache kommen.

nit·wit ['nɪtwɪt] *s.* Schwachkopf *m*.

nix¹ [nɪks] *Am. sl. pron. adv.* ‚nix', nichts, *int. a.* nein.

nix² [nɪks] *pl.* **-es** *s.* Nix *m*, Wassergeist *m*; **'nix·ie** [-ksɪ] *s.* (Wasser)Nixe *f*.

no [nəʊ] **I** *adv.* **1.** nein: ***answer ~*** nein sagen; **2.** (*nach* **or** *am Ende e-s Satzes*) nicht (*jetzt mst* **not**): ***whether ... or ~*** ob ... oder nicht; **3.** (*beim comp.*) um nichts, nicht: ***~ better a writer*** kein besserer Schriftsteller; ***~ longer*** (***ago***) ***than yesterday*** erst gestern; ***~!*** nicht möglich!, nein!; → ***more*** 2, 4, ***soon*** 1; **II** *adj.* **4.** kein(e): ***~ hope*** keine Hoffnung; ***~ one*** keiner; ***~ man*** niemand; ***~ parking*** Parkverbot; ***~ thoroughfare*** Durchfahrt gesperrt; ***in ~ time*** im Nu; ***~-claims bonus*** Vergütung *f* für Schadenfreiheit; ***no-fly zone*** Flugverbotszone *f*; **5.** kein, alles andere als ein(e): ***he is ~ artist***; ***~ such thing*** nichts dergleichen; **6.** (*vor ger.*): ***there is ~ denying*** es läßt sich *od.* man kann nicht leugnen; **III** *pl.* **noes** *s.* **7.** Nein *n*, verneinende Antwort, Absage *f*, Weigerung *f*; **8.** *parl.* Gegenstimme *f*: ***the ayes and ~es*** die Stimmen für u. wider; ***the ~es have it*** die Mehrheit ist dagegen, der Antrag ist abgelehnt.

'no-acˌcount *adj. Am. dial.* unbedeutend (*mst Person*).

nob¹ [nɒb] *s. sl.* ‚Birne' *f* (*Kopf*).

nob² [nɒb] *s. sl.* ‚feiner Pinkel' (*vornehmer Mann*), ‚großes Tier'.

nob·ble ['nɒbl] *v/t. sl.* **1.** betrügen, ‚reinlegen'; **2.** *j-n* auf s-e Seite ziehen, ‚her'umkriegen'; **3.** bestechen; **4.** ‚klauen'.

nob·by ['nɒbɪ] *adj. sl.* schick.

No·bel Prize [nəʊ'bel] *s.* No'belpreis *m*: ***~ winner*** Nobelpreisträger(in); ***Nobel Peace Prize*** Friedensnobelpreis.

no·bil·i·ar·y [nəʊ'bɪlɪərɪ] *adj.* adlig, Adels...

no·bil·i·ty [nəʊ'bɪlətɪ] *s.* **1.** *fig.* Adel *m*, Würde *f*, Vornehmheit *f*: ***~ of mind*** vornehme Denkungsart; ***~ of soul*** Seelenadel; **2.** Adel(sstand) *m*, *die* Adligen *pl.*; (*bsd. in England*) *der* hohe Adel: ***the ~ and gentry*** der hohe u. niedere Adel.

no·ble ['nəʊbl] **I** *adj.* □ **1.** adlig, von Adel; edel, erlaucht; **2.** *fig.* edel, nobel, erhaben, groß(mütig), vor'trefflich: ***the ~ art*** (***of self-defence***, *Am.* ***self-defense***) die edle Kunst der Selbstverteidigung (*Boxen*); **3.** prächtig, stattlich: ***a ~ edifice***; **4.** prächtig geschmückt (***with*** mit); **5.** *phys.* Edel...(*-gas, -metall*); **II** *s.* **6.** Edelmann *m*, (hoher) Adliger; **7.** *hist.* Nobel *m* (*Goldmünze*); **'~·man**

[-mən] *s.* [*irr.*] **1.** Edelmann *m*, (hoher) Adliger; **2.** *pl. Schach*: Offiˈziere *pl.*; ˌ**~-ˈmind·ed** *adj.* edeldenkend; ˌ**~-ˈmind·ed·ness** *s.* vornehme Denkungsart, Edelmut *m*.

no·ble·ness [ˈnəʊblnɪs] *s.* **1.** Adel *m*, hohe Abstammung; **2.** *fig.* a) Adel *m*, Würde *f*, b) Edelsinn *m*, -mut *m*.

ˈ**no·bleˌwom·an** *s.* [*irr.*] Adlige *f*.

no·bod·y [ˈnəʊbədɪ] **I** *adj. pron.* niemand, keiner: **~ *else*** sonst niemand, niemand anders; **II** *s. fig.* unbedeutende Perˈson, ‚Niemand' *m*, ‚Null' *f*: ***be (a) ~*** *a.* nichts sein, nichts zu sagen haben.

nock [nɒk] **I** *s. Bogenschießen*: Kerbe *f*; **II** *v/t.* a) *Pfeil* auf die Kerbe legen, b) *Bogen* einkerben.

noc·tam·bu·la·tion [nɒkˌtæmbjʊˈleɪʃn], *a.* **noc·tam·bu·lism** [nɒkˈtæmbjʊlɪzəm] *s.* ⚕ Somnambuˈlismus *m*, Nachtwandeln *n*; **noc·tam·bu·list** [nɒkˈtæmbjʊlɪst] *s.* Schlafwandler(in), Somnamˈbule(r *m*) *f*.

noc·turn [ˈnɒktɜːn] *s. R.C.* Nachtmette *f*; **noc·tur·nal** [nɒkˈtɜːnl] *adj.* □ nächtlich, Nacht...; **noc·turne** [ˈnɒktɜːn] *s.* **1.** *paint.* Nachtstück *n*; **2.** ♪ Notˈturno *n*.

noc·u·ous [ˈnɒkjʊəs] *adj.* □ **1.** schädlich; **2.** giftig (*Schlangen*).

nod [nɒd] **I** *v/i.* **1.** nicken: **~ *to s.o.*** j-m zunicken, j-n grüßen; ***~ding acquaintance*** oberflächliche(r) Bekannte(r), Grußbekanntschaft *f*; ***we are on ~ding terms*** wir grüßen uns; **2.** sich neigen (*Blumen etc.*) (*a. fig.* ***to*** vor *dat.*); wippen (*Hutfeder*); **3.** nicken, (*sitzend*) schlafen: **~ *off*** einnicken; **4.** *fig.* unaufmerksam sein, ‚schlafen': ***Homer sometimes ~s*** auch dem Aufmerksamsten entgeht manchmal etwas; **II** *v/t.* **5.** **~ *one's head*** (mit dem Kopf) nicken; **6.** (*durch Nicken*) andeuten: **~ *one's assent*** beifällig (zu)nicken; **~ *s.o. out*** j-n hinauswinken; **III** *s.* **7.** (Kopf)Nicken *n*, Wink *m*: ***give s.o. a ~*** j-m zunicken; ***go to the land of ~*** einschlafen; ***on the ~*** *Am. sl.* auf Pump.

nod·al [ˈnəʊdl] *adj.* Knoten...: **~ *point*** a) ♪, *phys.* Schwingungsknoten *m*, b) ⚟, *phys.* Knotenpunkt *m*.

nod·dle [ˈnɒdl] *s. sl.* Schädel *m*, ‚Birne' *f*, *fig.* ‚Grips' *m*.

node [nəʊd] *s.* **1.** *allg.* Knoten *m* (*a. ast.*, ⚘, ⚟; *a. fig. im Drama etc.*): **~ *of a curve*** ⚟ Knotenpunkt *m* e-r Kurve; **2.** ⚕ Knoten *m*, Knötchen *n*: ***gouty ~*** Gichtknoten; **3.** *phys.* Schwingungsknoten *m*.

no·dose [ˈnəʊdəʊs] *adj.* knotig (*a.* ⚕), voller Knoten; **no·dos·i·ty** [nəʊˈdɒsətɪ] *s.* **1.** knotige Beschaffenheit; **2.** → ***node*** 2.

nod·u·lar [ˈnɒdjʊlə] *adj.* knoten-, knötchenförmig: **~-*ulcerous*** ⚕ tubero-ulzerös.

nod·ule [ˈnɒdjuːl] *s.* **1.** ⚘, ⚕ Knötchen *n*: ***lymphatic ~*** Lymphknötchen *n*; **2.** *geol.*, *min.* Nest *n*, Niere *f*.

no·dus [ˈnəʊdəs] *pl.* **-di** [-daɪ] *s.* Knoten *m*, Schwierigkeit *f*.

nog [nɒg] *s.* **1.** Holznagel *m*, -klotz *m*; **2.** ⚠ a) Holm *m* (*querliegender Balken*), b) *Maurerei*: Riegel *m*.

nog·gin [ˈnɒgɪn] *s.* **1.** kleiner (Holz-)Krug; **2.** F ‚Birne' *f* (*Kopf*).

nog·ging [ˈnɒgɪŋ] *s.* ⚠ Riegelmauer *f*, (ausgemauertes) Fachwerk.

ˈ**no-good** *Am.* F **I** *s.* Lump *m*, Nichtsnutz *m*; **II** *adj.* nichtsnutzig, elend, miseˈrabel.

ˈ**no·how** *adv.* F **1.** auf keinen Fall, durchˈaus nicht; **2.** nichtssagend, ungut: ***feel ~*** nicht auf der Höhe sein; ***look ~*** nach nichts aussehen.

noil [nɔɪl] *s. sg. u. pl.* ✝, ⚙ Kämmling *m*, Kurzwolle *f*.

ˌ**no-ˈi·ron** *adj.* bügelfrei (*Hemd etc.*).

noise [nɔɪz] **I** *s.* **1.** Geräusch *n*; Lärm *m*, Getöse *n*, Geschrei *n*: **~ *of battle*** Gefechtslärm; **~ *abatement***, **~ *control*** Lärmbekämpfung *f*; **~ *nuisance*** Lärmbelästigung *f*; ***hold your ~!*** F halt den Mund!; **2.** Rauschen *n* (*a.* ⚡ *Störung*), Summen *n*: **~ *factor*** ⚡ Rauschfaktor *m*; **3.** *fig.* Streit *m*, Krach *m*: ***make a ~*** Krach machen (***about*** wegen); → 4; **4.** *fig.* Aufsehen *n*, Geschrei *n*: ***make a great ~ in the world*** großes Aufsehen erregen; ***make a ~*** viel Tamtam machen (***about*** um); **5.** ***a big ~*** *sl.* ein hohes (*od.* großes) Tier (*wichtige Persönlichkeit*); **II** *v/i.* **6.** **~ *it*** lärmen; **III** *v/t.* **7.** **~ *abroad*** verbreiten, aussprengen.

noise·less [ˈnɔɪzlɪs] *adj.* □ laut-, geräuschlos (*a.* ⚙), still; ˈ**noise·less·ness** [-nɪs] *s.* Geräuschlosigkeit *f*.

noise| lev·el *s.* Lärm-, ⚡ Störpegel *m*; **~ sup·pres·sion** *s.* ⚡ **1.** Störschutz *m*; **2.** Entstörung *f*; **~ pol·lu·tion** *s.* Lärmbelästigung *f*; **~ volt·age** *s.* ⚡ **1.** Geräuschspannung *f*; **2.** Störspannung *f*.

nois·i·ness [ˈnɔɪzɪnɪs] *s.* Lärm *m*, Getöse *n*; lärmendes Wesen.

noi·some [ˈnɔɪsəm] *adj.* □ **1.** schädlich, ungesund; **2.** widerlich.

nois·y [ˈnɔɪzɪ] *adj.* □ **1.** geräuschvoll, laut; lärmend: **~ *running*** ⚙ geräuschvoller Gang; **~ *fellow*** Krakeeler *m*, Schreier *m*; **2.** *fig.* grell, schreiend (*Farbe etc.*); laut, aufdringlich (*Stil*).

nol·le [ˈnɒlɪ], **nol·le·pros** [ˌnɒlɪˈprɒs] (*Lat.*) ⚖ *Am.* **I** *v/i.* a) die Zuˈrücknahme e-r Klage einleiten, b) *im Strafprozeß*: das Verfahren einstellen; **II** *s.* → ***nolle prosequi***.

nol·le pros·e·qui [ˌnɒlɪˈprɒsɪkwaɪ] (*Lat.*) *s.* ⚖ a) Zuˈrücknahme *f* der (*Zi-*

vil)Klage, b) Einstellung *f* des (*Straf-*) Verfahrens.

ˌ**no-'load** *s.* ϟ Leerlauf *m*: ~ ***speed*** Leerlaufdrehzahl *f*.

nol-pros [nɒl'prɒs] → ***nolle*** I.

no·mad ['nɒməd] **I** *adj.* no'madisch, Nomaden…; **II** *s.* No'made *m*, No'madin *f*; **no·mad·ic** [nəʊ'mædɪk] *adj.* (□ ~***ally***) **1.** → ***nomad*** I; **2.** *fig.* unstet; '**no·mad·ism** [-dɪzəm] *s.* No'madentum *n*, Wanderleben *n*.

'**no-man's land** *s.* ⚔ Niemandsland *n* (*a. fig.*).

nom·bril ['nɒmbrɪl] *s.* Nabel *m* (*des Wappenschilds*).

nom de plume [ˌnɔ̃mdə'plu:m] (*Fr.*) *s.* Pseudo'nym *n*, Schriftstellername *m*.

no·men·cla·ture [nəʊ'menklətʃə] *s.* **1.** Nomenkla'tur *f*: a) (*wissenschaftliche*) Namengebung, b) Namensverzeichnis *n*; **2.** (*fachliche*) Terminolo'gie; **3.** *coll. die* Namen *pl.*, Bezeichnungen *pl.* (*a.* ⚠).

nom·i·nal ['nɒmɪnl] *adj.* □ **1.** Namen…; **2.** nomi'nell, Nominal…: ~ ***consideration*** ⚖ formale Gegenleistung; ~ ***fine*** nominelle (*sehr geringe*) Geldstrafe; ~ ***rank*** Titularrang *m*; **3.** *ling.* nomi'nal; **4.** ⚙, ϟ Nominal…, Nenn…, Soll…; ~ **ac·count** *s.* ✝ Sachkonto *n*; ~ **a·mount** *s.* ✝ Nennbetrag *m*; ~ **bal·ance** *s.* ✝ Sollbestand *m*; ~ **ca·pac·i·ty** *s.* ϟ, ⚙ Nennleistung *f*; ~ **cap·i·tal** *s.* ✝ 'Grund-, 'Stammkapiˌtal *n*; ~ **fre·quen·cy** *s.* ϟ 'Sollfreˌquenz *f*; ~ **in·ter·est** *s.* ✝ Nomi'nalzinsfuß *m*.

nom·i·nal·ism ['nɒmɪnəlɪzəm] *s. phls.* Nomina'lismus *m*.

nom·i·nal| out·put *s.* ⚙ Nennleistung *f*; ~ **par** *s.* ✝ Nenn-, Nomi'nalwert *m*; ~ **par·i·ty** *s.* ✝ 'Nennwertpariˌtät *f*; ~ **speed** *s.* ϟ Nenndrehzahl *f*; ~ **stock** *s.* ✝ 'Gründungs-, 'Stammkapiˌtal *n*; ~ **val·ue** *s.* ✝, ⚙ Nennwert *m*.

nom·i·nate *v/t.* ['nɒmɪneɪt] **1.** (***to***) berufen, ernennen (zu *e-r Stelle*), einsetzen (in *ein Amt*); **2.** nominieren, als ('Wahl)Kandiˌdaten aufstellen; **nom·i·na·tion** [ˌnɒmɪ'neɪʃn] *s.* **1.** (***to***) Berufung *f*, Ernennung *f* (zu), Einsetzung *f* (in): ***in*** ~ vorgeschlagen (***for*** für); **2.** Vorschlagsrecht *n*; **3.** Nominierung *f*, Vorwahl *f* (*e-s Kandidaten*): ~ ***day*** Wahlvorschlagstermin *m*; **nom·i·na·tive** ['nɒmɪnətɪv] **I** *adj. ling.* nominativ (-isch): ~ ***case*** → ***II***; **II** *s. ling.* Nominativ *m*, erster Fall; '**nom·i·na·tor** [-tə] *s.* Ernenn(end)er *m*; **nom·i·nee** [ˌnɒmɪ'ni:] *s.* **1.** Vorgeschlagene(r *m*) *f*, Kandi'dat(in); **2.** ✝ Begünstigte(r *m*) *f*, Empfänger(in) *e-r Rente etc.*

non- [nɒn] *in Zssgn*: nicht…, Nicht…, un…, miß…

ˌ**non(-)ac'cept·ance** *s.* Annahmeverweigerung *f*, Nichtannahme *f e-s Wechsels etc.*

ˌ**non(-)a'chiev·er** *s.* Versager *m*.

non·age ['nəʊnɪdʒ] *s.* Unmündigkeit *f*, Minderjährigkeit *f*.

non·a·ge·nar·i·an [ˌnəʊnədʒɪ'neərɪən] **I** *adj.* neunzigjährig; **II** *s.* Neunzigjährige(r *m*) *f*.

ˌ**non-ag'gres·sion** *s.* Nichtangriff *m*: ~ ***treaty*** *pol.* Nichtangriffspakt *m*.

non·a·gon ['nɒnəgən] *s.* ⚠ Nona'gon *n*, Neuneck *n*.

ˌ**non(-)al·co'hol·ic** *adj.* alkoholfrei.

ˌ**non-a'ligned** *adj. pol.* bündnis-, blockfrei.

ˌ**non(-)ap'pear·ance** *s.* Nichterscheinen *n vor Gericht etc.*

ˌ**non(-)as'sess·a·ble** *adj.* nicht steuerpflichtig, steuerfrei.

ˌ**non(-)at'tend·ance** *s.* Nichterscheinen *n*.

ˌ**non(-)bel'lig·er·ent** **I** *adj.* nicht kriegführend; **II** *s.* nicht am Krieg teilnehmende Per'son *od.* Nati'on.

ˌ**non(-)'busi·ness** *adj.* gemeinnützig.

nonce [nɒns] *s.* (*nur in*): ***for the*** ~ a) für das 'eine Mal, nur für diesen Fall, b) einstweilen; ~ **word** *s. ling.* Ad-'hoc-Bildung *f*.

non·cha·lance ['nɒnʃələns] (*Fr.*) *s.* Noncha'lance *f*: a) (Nach)Lässigkeit *f*, Gleichgültigkeit *f*, b) Unbekümmertheit *f*; '**non·cha·lant** [-nt] *adj.* □ lässig: a) gleichgültig, b) unbekümmert.

ˌ**non(-)'chlo·rine bleached** *adj.* chlorfrei (*Papier*).

ˌ**non(-)col'le·gi·ate** *adj.* **1.** *Brit. univ.* keinem College angehörend; **2.** nicht aka'demisch; **3.** nicht aus Colleges bestehend (*Universität*).

non·com [ˌnɒn'kɒm] F *für* ***non-commissioned*** (***officer***).

ˌ**non(-)'com·bat·ant** ⚔ **I** *s.* 'Nichtkämpfer *m*, -kombatˌtant *m*; **II** *adj.* am Kampf nicht beteiligt.

ˌ**non(-)com'mis·sioned** *adj.* **1.** unbestallt, nicht be'vollmächtigt; **2.** 'Unteroffiˌziersˌrang besitzend; ~ **of·fi·cer** *s.* ⚔ 'Unteroffiˌzier *m*.

ˌ**non-com'mit·tal** **I** *adj.* **1.** unverbindlich, nichtssagend, neu'tral; **2.** zu'rückhaltend, sich nicht festlegen wollend (*Person*); **II** *s.* Unverbindlichkeit *f*.

ˌ**non(-)com'mit·ted** → ***non-aligned***.

ˌ**non(-)com'pli·ance** *s.* **1.** Zu'widerhandeln *n* (***with*** gegen), Weigerung *f*; **2.** Nichterfüllung *f*, Nichteinhaltung *f* (***with*** von *od. gen.*).

non com·pos (men·tis) [ˌnɒn'kɒmpəs('mentɪs)] (*Lat.*) *adj.* ⚖ unzurechnungsfähig.

ˌ**non-con'duc·tor** *s.* ϟ Nichtleiter *m*.

ˌ**non·con'form·ist** **I** *s.* Nonkonfor'mist (-in): a) (sozi'aler *od.* po'litischer) Einzelgänger, b) *Brit. eccl.* Dissi'dent(in), Freikirchler(in); **II** *adj.* 'nonkonforˌmi-

N

stisch; ˌ**non·conˈform·i·ty** *s.* **1.** mangelnde Überˈeinstimmung (***with*** mit) *od.* Anpassung (***to*** an *acc.*); **2.** Nonkonforˈmismus *m*; **3.** *eccl.* Dissiˈdententum *n*.

ˌ**non-conˈtent** *s. Brit. parl.* Neinstimme *f* (*im Oberhaus*).

ˌ**non(-)conˈten·tious** *adj.* □ nicht strittig: ~ ***litigation*** ⚖ freiwillige Gerichtsbarkeit.

ˌ**non-conˈtrib·u·to·ry** *adj.* beitragsfrei (*Organisation*).

ˈ**non(-)co(-)ˌop·erˈa·tion** *s.* Verweigerung *f* der Mit- *od.* Zuˈsammenarbeit; *pol.* passiver ˈWiderstand.

ˌ**non(-)corˈrod·ing** *adj.* ⚙ **1.** korrosiˈonsfrei; **2.** rostbeständig (*Eisen*).

ˌ**non(-)ˈcreas·ing** *adj.* ✝ knitterfrei.

ˌ**non(-)ˈcut·ting** *adj.* ⚙ spanlos: ~ ***shaping*** spanlose Formung.

ˌ**non(-)ˈdaz·zling** *adj.* ⚙ blendfrei.

ˌ**non(-)deˈliv·er·y** *s.* **1.** ✝, ⚖ Nichtauslieferung *f*, Nichterfüllung *f*; **2.** ✉ Nichtbestellung *f*.

ˈ**non(-)deˌnom·iˈna·tion·al** *adj.* nicht konfesˈsionsgebunden: ~ ***school*** Simultan-, Gemeinschaftsschule *f*.

non·de·script [ˈnɒndɪskrɪpt] **I** *adj.* schwer zu beschreiben(d), unbestimmbar, nicht klassifizierbar (*mst contp.*); **II** *s.* Perˈson *od.* Sache, die schwer zu klassifizieren ist *od.* über die nichts Näheres bekannt ist, *etwas* ˈUndefiˌnierbares.

ˌ**non-diˈrec·tion·al** *adj. Funk*, *Radio*: ungerichtet: ~ ***aerial*** (*bsd. Am.* ***antenna***) Rundstrahlantenne *f*.

ˌ**non(-)ˈdu·rab·les** *s. pl.* kurzlebige Konsumgüter *pl*.

none [nʌn] **I** *pron. u. s. mst pl. konstr.* kein, niemand: ~ ***of them is here*** keiner von ihnen ist hier; ***I have*** ~ ich habe keine(n); ~ ***but fools*** nur Narren; ***it's*** ~ ***of your business*** das geht dich nichts an; ~ ***of that*** nichts dergleichen; ~ ***of your tricks!*** laß deine Späße!; ***he will have*** ~ ***of me*** er will von mir nichts wissen; → ***other*** 8; **II** *adv.* in keiner Weise, nicht im geringsten, keineswegs: ~ ***too high*** keineswegs zu hoch; ~ ***the less*** nichtsdestoweniger; ~ ***too soon*** kein bißchen zu früh, im letzten Augenblick; → ***wise*** 3.

ˌ**non-efˈfec·tive** ⚔ **I** *adj.* dienstuntauglich; **II** *s.* Dienstuntaugliche(r) *m*.

ˌ**non(-)ˈe·go** *s. phls.* Nicht-Ich *n*.

non·en·ti·ty [nɒˈnentətɪ] *s.* **1.** Nicht(da)sein *n*; **2.** Unding *n*, Nichts *n*; *fig. contp.* Null *f* (*Person*).

nones [nəʊnz] *s. pl.* **1.** *antiq.* Nonen *pl.*; **2.** *R.C.* ˈMittagsofˌfizium *n*.

ˌ**non(-)esˈsen·tial** *Brit.* **I** *adj.* unwesentlich; **II** *s.* unwesentliche Sache, Nebensächlichkeit *f*: ~***s*** *a.* nicht lebenswichtige Dinge.

ˈ**none·such** **I** *adj.* **1.** unvergleichlich; **II** *s.* **2.** Perˈson *od.* Sache, die nicht ihresgleichen hat, Muster *n*; **3.** ⚘ a) Brennende Liebe, b) Nonpaˈreilleapfel *m*.

ˌ**non·theˈless** *adv.* nichtsdestoweniger, dennoch.

ˌ**non(-)eˈvent** *s.* F ‚Reinfall' *m*.

ˌ**non(-)exˈist·ence** *s.* Nicht(da)sein *n*; *weitS.* Fehlen *n*; ˌ**non(-)exˈist·ent** *adj.* nicht existierend.

ˌ**non(-)ˈfad·ing** *adj.* ⚙, ✝ lichtecht.

non(-)fea·sance [ˌnɒnˈfiːzəns] *s.* ⚖ pflichtwidrige Unterˈlassung.

ˌ**non(-)ˈfer·rous** *adj.* **1.** nicht eisenhaltig; **2.** Nichteisen…: ~ ***metal***.

ˌ**non(-)ˈfic·tion** *s.* Sachbücher *pl*.

ˌ**non(-)ˈfreez·ing** *adj.* ⚙ kältebeständig: ~ ***mixture*** Frostschutzmittel *n*.

ˌ**non(-)ful·fil(l)·ment** *s.* Nichterfüllung *f*.

ˌ**non(-)ˈglar·ing** *adj.* blendfrei.

ˌ**non(-)ˈhu·man** *adj.* nicht zur menschlichen Rasse gehörig.

ˌ**non(-)inˈduc·tive** *adj.* ⚡ induktiˈonsfrei.

ˌ**non(-)inˈflam·ma·ble** *adj.* nicht feuergefährlich.

ˌ**non-ˈin·ter·est-ˌbear·ing** *adj.* ✝ zinslos.

ˈ**non(-)ˌin·terˈven·tion** *s. pol.* Nichteinmischung *f*.

ˌ**non-ˈi·ron** *adj.* bügelfrei.

ˌ**non(-)ˈju·ry** *adj.*: ~ ***trial*** ⚖ summarisches Verfahren.

ˌ**non-ˈlad·der·ing** *adj.* maschenfest.

ˌ**non(-)ˈlead·ed** [-ˈledɪd] *adj.* ⚗ bleifrei (*Benzin*).

ˌ**non(-)ˈmet·al** *s.* ⚗ ˈNichtmeˌtall *n*; ˌ**non(-)meˈtal·lic** *adj.* ˈnichtmeˌtallisch: ~ ***element*** Metalloid *n*.

ˌ**non(-)neˈgo·ti·a·ble** *adj.* ✝ ˈunüberˌtragbar, nicht begebbar: ~ ***bill*** (***cheque***, *Am.* ***check***) Rektawechsel *m* (-scheck *m*).

no-ˈnon·sense *adj.* sachlich, kühl.

ˌ**non(-)ˈnu·cle·ar** *adj.* **1.** a) *pol.* ohne Aˈtomwaffen, b) ⚔ konventioˈnell; **2.** ⚙ ohne Aˈtomkraft.

ˌ**non(-)obˈjec·tion·a·ble** *adj.* einwandfrei.

ˌ**non(-)obˈserv·ance** *s.* Nichtbe(ob)achtung *f*; Nichterfüllung *f*.

non·pa·reil [ˈnɒnpərəl] (*Fr.*) **I** *adj.* **1.** unvergleichlich; **II** *s.* **2.** *der* (*die*, *das*) Unvergleichliche; **3.** *typ.* Nonpaˈreille(-schrift) *f*; **4.** Liebesperlen(plätzchen *n*) *pl*.

ˌ**non(-)ˈpar·ti·san** *adj.* **1.** (parˈtei)unabhängig; ˈüberparˌteilich; **2.** objekˈtiv, ˈunparˌteiisch.

ˌ**non(-)ˈpar·ty** → ***non(-)partisan***.

ˌ**non(-)ˈpay·ment** *s.* Nicht(be)zahlung *f*, Nichterfüllung *f*.

ˌ**non(-)perˈform·ance** *s.* ⚖ Nichterfüllung *f*.

ˌ**non(-)ˈper·ish·a·ble** *adj.* haltbar: ***~ foods***.

ˌ**non(-)ˈper·son** *s.* ‚ˈUnperson' *f.*

ˌ**nonˈplus I** *v/t.* verblüffen, verwirren: **be *~(s)ed*** *a.* verdutzt sein; **II** *s.* Verlegenheit *f*, Klemme *f*: ***at a ~*** ratlos, verdutzt.

ˌ**non(-)polˈlut·ing** *adj.* ˈumweltfreundlich, ungiftig.

ˌ**non(-)proˈduc·tive** *adj.* ✝ ˈunproduktiv (*a. Person*); unergiebig.

ˌ**non(-)ˈprof·it (mak·ing)** *adj.* gemeinnützig: ***a ~ institution***.

ˈ**nonˌpro·lif·erˈa·tion** *s. pol.* Nichtweitergabe *f* von Aˈtomwaffen: ***~ treaty*** Atomsperrvertrag *m*.

non-pros [ˌnɒnˈprɒs] *v/t.* ⚖ *e-n Kläger* (*wegen Nichterscheinens*) abweisen; **non pro·se·qui·tur** [ˌnɒnprəʊˈsekwɪtə] (*Lat.*) *s.* Abweisung *f* e-s Klägers *wegen Nichterscheinens*.

ˌ**non(-)ˈquo·ta** *adj.* ✝ nicht kontingenˈtiert: ***~ imports***.

ˌ**non(-)reˈcov·er·a·ble** *adj.* ***~ energy*** nicht erneuerbare Energie.

ˌ**non-reˈcur·ring** *adj.* einmalig (*Zahlung etc.*).

ˈ**non(-)ˌrep·re·senˈta·tion·al** *adj. Kunst*: gegenstandslos, abˈstrakt.

ˌ**non(-)ˈres·i·dent I** *adj.* **1.** außerhalb des Amtsbezirks wohnend; abwesend (*Amtsperson*); **2.** nicht ansässig: ***~ traffic*** Durchgangsverkehr *m*; **3.** auswärtig (*Klubmitglied*); **II** *s.* **4.** Abwesende(r *m*) *f*; **5.** Nichtansässige(r *m*) *f*; nicht im Hause Wohnende(r *m*) *f*; **6.** ✝ Deˈvisenausländer *m*.

ˌ**non(-)reˈturn·a·ble** *adj.* ✝ Einweg...: ***~ bottle***.

ˌ**non(-)ˈrig·id** *adj. Brit.* ✈ unstarr (*Luftschiff*; *a. phys. Molekül*).

ˌ**non(-)ˈsched·uled** *adj.* **1.** außerplanmäßig; **2.** ✈ Charter...

non·sense [ˈnɒnsəns] **I** *s.* Unsinn *m*, dummes Zeug: ***talk ~***; ***stand no ~*** sich nichts gefallen lassen; ***make ~ of*** a) ad absurdum führen, b) illusorisch machen; ***there's no ~ about him*** er ist ein ganz kühler Bursche; **II** *int.* Unsinn!, Blödsinn!; **III** *adj.* a) Nonsens...: ***~ verses***, ***~ word***, b) → **non·sen·si·cal** [nɒnˈsensɪkl] *adj.* □ unsinnig, sinnlos, abˈsurd.

non se·qui·tur [ˌnɒnˈsekwɪtə] (*Lat.*) *s.* Trugschluß *m*, irrige Folgerung.

ˌ**non(-)ˈskid** *adj. mot.* rutschsicher, Gleitschutz...

ˌ**non(-)ˈslip** *adj.* rutschfest.

ˌ**non(-)ˈsmok·er** *s.* **1.** Nichtraucher(in) (*Person*); **2.** Nichtraucher(abteil *n*) *m* (*Zug*, *Restaurant*).

ˌ**non-ˈstart·er** *s. fig.* F **1.** ‚Blindgänger' *m* (*Person*); **2.** ‚Pleite' *f*, ‚Reinfall' *m* (*Plan etc.*).

ˌ**non(-)ˈstick** *adj.* mit Antihaftbeschichtung, beschichtet.

ˌ**non(-)ˈstop** *adj.* ohne Halt, pausenlos, Nonstop..., ˈdurchgehend (*Zug*), ohne Zwischenlandung (*Flug*), *adv. a.* nonˈstop: ***~ flight*** Nonstopflug *m*; ***~ operation*** ⚙ 24-Stunden-Betrieb *m*; ***~ run*** *mot.* Ohnehaltfahrt *f*.

ˈ**non·such** → ***nonesuch***.

ˌ**non(-)ˈsuit** ⚖ **I** *s.* **1.** (*gezwungene*) Zuˈrücknahme e-r Klage; **2.** Abweisung *f* e-r Klage; **II** *v/t.* **3.** *den Kläger* mit der Klage abweisen.

ˌ**non(-)supˈport** *s.* ⚖ Nichterfüllung *f* einer ˈUnterhaltsverpflichtung.

ˌ**non-ˈsyn·chro·nous** *adj.* ⚙ *Brit.* asynˈchron.

ˌ**non-ˈU** *adj. Brit.* F unfein.

ˌ**non(-)ˈu·ni·form** *adj.* ungleichmäßig (*a. phys.*, ⚗), uneinheitlich.

ˌ**non(-)ˈun·ion** *Brit. adj.* ✝ keiner Gewerkschaft angehörig, nicht organisiert: ***~ shop*** *Am.* gewerkschaftsfreier Betrieb; ˌ**non(-)ˈun·ion·ist** *s.* **1.** nicht organisierter Arbeiter; **2.** Gewerkschaftsgegner *m*.

ˌ**non(-)ˈus·er** *s.* ⚖ Nichtausübung *f* e-s Rechts.

ˌ**non(-)ˈval·ue bill** *s.* ✝ Gefälligkeitswechsel *m*.

ˌ**non(-)ˈva·lent** *adj.* ⚗, *phys.* nullwertig.

ˌ**non(-)ˈvi·o·lent** *adj.* gewaltlos.

ˌ**non(-)ˈwar·ran·ty** *s.* ⚖ Haftungsausschluß *m*.

noo·dle[1] [ˈnu:dl] *s.* **1.** F Trottel *m*; **2.** *sl.* ‚Birne' *f*, Schädel *m*.

noo·dle[2] [ˈnu:dl] *s.* Nudel *f*: ***~ soup*** Nudelsuppe *f*.

nook [nʊk] *s.* (Schlupf)Winkel *m*, Ecke *f*, (stilles) Plätzchen.

noon [nu:n] **I** *s. a.* ˈ**~·day**, ˈ**~·tide**, ˈ**~·time** Mittag(szeit *f*) *m*: ***at ~*** zu Mittag; ***at high ~*** am hellen Mittag; **II** *adj.* mittägig, Mittags...

noose [nu:s] **I** *s.* Schlinge *f* (*a. fig.*): ***running ~*** Lauf-, Gleitschlinge; ***slip one's head out of the hangman's ~*** *fig.* mit knapper Not dem Galgen entgehen; ***put one's head into the ~*** *fig.* den Kopf in die Schlinge stecken; **II** *v/t.* a) *et.* schlingen (***over*** über *acc.*, ***round*** um), b) (mit e-r Schlinge) fangen.

ˌ**no-ˈpar** *adj.* ✝ nennwertlos (*Aktie*).

nope [nəʊp] *adv.* F ‚ne(e)', nein.

nor [nɔ:] *cj.* **1.** (*mst nach neg.*) noch: ***neither ... ~*** weder ... noch; **2.** (*nach e-m verneinten Satzglied od. zu Beginn e-s angehängten verneinten Satzes*) und nicht, auch nicht(s): ***~ do*** (*od.* ***am***) ***I*** ich auch nicht.

Nor·dic [ˈnɔ:dɪk] **I** *adj.* nordisch: ***~ combined*** *Skisport*: Nordische Kombination; **II** *s.* nordischer Mensch.

norm [nɔ:m] *s.* **1.** Norm *f* (*a.* ⚗, ✝); **2.** *biol.* Typus *m*; **3.** *bsd. ped.* ˈDurchschnittsleistung *f*; ˈ**nor·mal** [-ml] **I** *adj.*

☐ → ***normally***; **1.** nor'mal, Normal...; gewöhnlich, üblich: ~ ***school*** Pädagogische Hochschule; ~ ***speed*** ⚙ Betriebsdrehzahl *f*; **2.** ⩚ normal: a) richtig, b) lot-, senkrecht: ~ ***line*** → 5; **II** *s.* **3.** → ***normalcy***; **4.** Nor'maltyp *m*; **5.** ⩚ Nor'male *f*, Senkrechte *f*, (Einfalls)Lot *n*; '**nor·mal·cy** [-mlsɪ] *s.* Normali'tät *f*, Nor'malzustand *m*, *das* Nor'male: ***return to*** ~ sich normalisieren; **nor·mal·i·ty** [nɔː'mæləti] *s.* Normali'tät *f* (*a.* ⩚).

nor·mal·i·za·tion [ˌnɔːməlaɪ'zeɪʃn] *s.* **1.** Normalisierung *f*; **2.** Normung *f*, Vereinheitlichung *f*; **nor·mal·ize** ['nɔːməlaɪz] *v/t.* **1.** normalisieren; **2.** normen, vereinheitlichen; **3.** *metall.* nor'malglühen; **nor·mal·ly** ['nɔːməlɪ] *adv.* nor'malerweise, (für) gewöhnlich.

Nor·man ['nɔːmən] **I** *s.* **1.** *hist.* Nor'manne *m*, Nor'mannin *f*; **2.** Bewohner(in) der Norman'die; **3.** *ling.* Nor'mannisch *n*; **II** *adj.* **4.** nor'mannisch.

nor·ma·tive ['nɔːmətɪv] *adj.* norma'tiv.

Norse [nɔːs] **I** *adj.* **1.** skandi'navisch; **2.** altnordisch; **3.** (*bsd.* alt)norwegisch; **II** *s.* **4.** *ling.* a) Altnordisch *n*, b) (*bsd.* Alt)Norwegisch *n*; **5.** *coll.* a) *die* Skandinavier *pl.*, b) *die* Norweger *pl.*; '**~·man** [-mən] *s.* [*irr.*] *hist.* Nordländer *m*, Norweger *m*.

north [nɔːθ] **I** *s.* **1.** *mst* ***the*** ≈ Nord(en *m*) (*Himmelsrichtung*, *Gegend etc.*): ***to the*** ~ ***of*** nördlich von; ~ ***by east*** ⚓ Nord zu Ost; **2.** ***the*** ≈ a) *Brit.* Nordengland *n*, b) *Am.* die Nordstaaten *pl.*, c) die Arktis; **II** *adj.* **3.** nördlich, Nord...; **III** *adv.* **4.** nördlich, nach *od.* im Norden (***of*** von); ≈ **At·lan·tic Trea·ty** *s.* 'Nordatˌlantikˌpakt *m*; ≈ **Brit·ain** *s.* Schottland *n*; ≈ **Coun·try** *s.* Nord-England *n*; **~-east** [ˌnɔːθ'iːst; ⚓ nɔːr'iːst] **I** *s.* Nord'ost(en *m*): ~ ***by east*** ⚓ Nordost zu Ost; **II** *adj.* nord'östlich, Nordost...; **III** *adv.* nordöstlich, nach Nordosten; **~-east·er** [ˌnɔːθ'iːstə; ⚓ nɔːr'iːstə] *s.* Nord'ostwind *m*; **~-east·er·ly** [ˌnɔːθ'iːstəlɪ; ⚓ nɔːr'iːstəlɪ] *adj. u. adv.* nordöstlich, Nordost...; ˌ**~-'east·ern** *adj.* nordöstlich; ˌ**~-'east·ward I** *adj. u. adv.* nordöstlich; **II** *s.* nordöstliche Richtung.

north·er·ly ['nɔːðəlɪ] *adj. u. adv.* nördlich; '**north·ern** [-ðn] *adj.* **1.** nördlich, Nord...: ~ ***Europe*** Nordeuropa *n*; ~ ***lights*** Nordlicht *n*; **2.** nordisch; '**north·ern·er** [-ðənə] *s.* Bewohner(in) des nördlichen Landesteils, *bsd.* der amer. Nordstaaten; '**north·ern·most** *adj.* nördlichst; **north·ing** ['nɔːθɪŋ] *s.* **1.** *ast.* nördliche Deklinati'on (*Planet*); **2.** Weg *m od.* Di'stanz *f* nach Norden, nördliche Richtung.

'**North**|**·man** [-mən] *s.* [*irr.*] Nordländer *m*; ≈ **point** *s. phys.* Nordpunkt *m*; ~ **Pole** *s.* Nordpol *m*; ~ **Sea** *s.* Nordsee *f*; ≈**-south di·vide** *s.* Nord-Süd-Gefälle *n*; ~ **Star** *s. ast.* Po'larstern *m*.

north·ward ['nɔːθwəd] *adj. u. adv.* nördlich (***of***, ***from*** von), nordwärts, nach Norden; '**north·wards** [-dz] *adv.* → ***northward***.

north-west [ˌnɔːθ'west; ⚓ nɔː'west] **I** *s.* Nord'west(en *m*); **II** *adj.* nord'westlich, Nordwest...: ≈ ***Passage*** *geogr.* Nordwestpassage *f*; **III** *adv.* nordwestlich, nach *od.* von Nordwesten; **north-west·er** [ˌnɔːθ'westə; ⚓ nɔː'westə] *s.* **1.** Nord'westwind *m*; **2.** *Am.* Ölzeug *n*; **north-west·er·ly** [ˌnɔːθ'westəlɪ; ⚓ nɔː'westəlɪ] *adj. u. adv.* nordwestlich; ˌ**north-'west·ern** *adj.* nordwestlich.

Nor·we·gian [nɔː'wiːdʒən] **I** *adj.* **1.** norwegisch; **II** *s.* **2.** Norweger(in); **3.** *ling.* Norwegisch *n*.

nose [nəʊz] **I** *s.* **1.** *anat.* Nase *f* (*a. fig.* ***for*** für); **2.** *Brit.* A'roma *n*, starker Geruch (*Tee*, *Heu etc.*); **3.** ⚙ *etc.* a) Nase *f*, Vorsprung *m*, (⚔ Geschoß)Spitze *f*, Schnabel *m*, b) Schneidkopf *m* (*Drehstahl etc.*), Mündung *f*; **4.** a) ✈ (Rumpf)Nase *f*, (*a.* ⚓ Schiffs)Bug *m*, b) *mot.* ‚Schnauze' *f* (*Vorderteil*);

Besondere Redewendungen:

bite (*od.* ***snap***) ***s.o.'s*** ~ ***off*** j-n scharf anfahren; ***cut off one's*** ~ ***to spite one's face*** sich ins eigene Fleisch schneiden; ***follow one's*** ~ a) immer der Nase nach gehen, b) s-m Instinkt folgen; ***have a good*** ~ ***for s.th.*** F e-e gute Nase *od.* e-n ‚Riecher' für et. haben; ***hold one's*** ~ sich die Nase zuhalten; ***lead s.o. by the*** ~ j-n völlig beherrschen; ***keep one's*** ~ ***clean*** F sich nichts zuschulden kommen lassen; ***look down one's*** ~ ein verdrießliches Gesicht machen; ***look down one's*** ~ ***at*** *j-n od. et.* verachten; ***pay through the*** ~ ‚bluten' *od.* übermäßig bezahlen müssen; ***poke*** (*od.* ***put***, ***thrust***) ***one's*** ~ ***into*** s-e Nase in *et.* stecken; ***put s.o.'s*** ~ ***out of joint*** a) j-n ausstechen, j-m die Freundin *etc.* ausspannen, b) j-m das Nachsehen geben; ***not to see beyond one's*** ~ a) die Hand nicht vor den Augen sehen können, b) *fig.* e-n engen (*geistigen*) Horizont haben; ***turn up one's*** ~ (***at***) die Nase rümpfen (über *acc.*); ***as plain as the*** ~ ***in your face*** sonnenklar; ***under s.o.'s*** (***very***) ~ direkt vor j-s Nase; **II** *v/t.* **5.** riechen, spüren, wittern; **6.** beschnüffeln; mit der Nase berühren *od.* stoßen; **7.** *fig.* a) sich *im Verkehr etc.* vorsichtig vortasten, b) *Auto etc.* vorsichtig (*aus der Garage etc.*) fahren; **8.** näseln(d aussprechen); **III** *v/i.* **9.** *a.* ~ ***around*** (her'um)schnüffeln (***after***, ***for*** nach) (*a. fig.*);

Zssgn mit adv.:

nose| **down** ✈ **I** *v/t.* *Flugzeug* (an-) drücken; **II** *v/i.* im Steilflug niedergehen; ~ **out** *v/t.* **1.** ausschnüffeln, -spionieren, her'ausbekommen; **2.** um e-e Handbreit schlagen; ~ **o·ver** *v/i.* ✈ (sich) über'schlagen, e-n ‚Kopfstand' machen; ~ **up** ✈ **I** *v/t. Flugzeug* hochziehen; **II** *v/i.* steil hochgehen.

nose| ape *s. zo.* Nasenaffe *m*; '~**·bag** *s.* Futterbeutel *m*; '~**·bleed** *s.* ⚕ Nasenbluten *n*; '~**-cone** *s.* Ra'ketenspitze *f.*

nosed [nəʊzd] *adj. mst in Zssgn* mit e-r *dicken etc.* Nase, ...nasig.

'**nose|·dive I** *s.* **1.** ✈ Sturzflug *m*; **2.** † F (Kurs-, Preis)Sturz *m*; **II** *v/i.* **3.** e-n Sturzflug machen; **4.** † ‚purzeln' (*Kurs, Preis*); '~**·gay** *s.* Sträußchen *n*; '~**-ˌheav·y** *adj.* ✈ vorderlastig; '~**-ˌo·ver** *s.* ✈ ‚Kopfstand' *m beim Landen*; '~**·piece** *s.* ⚙ a) Mundstück *n* (*Blasebalg, Schlauch etc.*), b) Re'volver *m* (*Objektivende e-s Mikroskops*), c) Steg *m* (*e-r Brille*); Nasensteg *m* (*Schutzbrille*); '~**·rag** *s. sl.* ‚Rotzfahne' *f* (*Taschentuch*); ~ **tur·ret** *s.* ✈ vordere Kanzel; '~**ˌwarm·er** *s. sl.* ‚Nasenwärmer' *m*, kurze Pfeife; ~ **wheel** *s.* ✈ Bugrad *n.*

nos·ey → ***nosy.***

ˌno-'show *s.* ✈ *Am. sl.* **1.** *zur Abflugszeit nicht erschienener Flugpassagier*; **2.** ‚Phantom' *n* (*fiktiver Arbeitnehmer etc.*).

nos·o·log·i·cal [ˌnɒsəʊ'lɒdʒɪkl] *adj.* □ ⚕ noso-, patho'logisch; **no·sol·o·gist** [nəʊ'sɒlədʒɪst] *s.* Patho'loge *m.*

nos·tal·gi·a [nɒ'stældʒɪə] *s.* ⚕ Nostal'gie *f* (*a.* ⚕): a) Heimweh *n*, b) Sehnsucht *f nach etwas Vergangenem*; **nos·tal·gic** [nɒ'stældʒɪk] *adj.* (□ ~***ally***) **1.** Heimweh...; **2.** no'stalgisch, wehmütig.

nos·tril ['nɒstrɪl] *s.* Nasenloch *n*, *bsd. zo.* Nüster *f*: ***it stinks in one's*** ~***s*** es ekelt einen an.

nos·trum ['nɒstrəm] *s.* **1.** ⚕ Geheimmittel *n*, 'Quacksalbermediˌzin *f*; **2.** *fig.* (*soziales, politisches*) Heilmittel *n*, Pa'tentreˌzept *n.*

nos·y ['nəʊzɪ] *adj.* **1.** F neugierig: ~ ***parker*** *Brit.* neugierige Person; **2.** *Brit.* a) aro'matisch, duftend (*bsd. Tee*), b) muffig.

not [nɒt] *adv.* **1.** nicht; ~ ***that*** nicht, daß, nicht als ob; ***is it*** ~***?***, F ***isn't it?*** nicht wahr?; → ***at*** 7; **2.** ~ ***a*** kein(e): ~ ***a few*** nicht wenige.

no·ta·bil·i·ty [ˌnəʊtə'bɪlətɪ] *s.* **1.** wichtige Per'sönlichkeit, 'Standesperˌson *f*; **2.** her'vorragende Eigenschaft, Bedeutung *f*; **no·ta·ble** ['nəʊtəbl] **I** *adj.* □ **1.** beachtens-, bemerkenswert, denkwürdig, wichtig; **2.** beträchtlich: ***a*** ~ ***difference***; **3.** angesehen, her'vorragend; **4.** ⚗ merklich; **II** *s.* **5.** → ***notability*** 1.

no·tar·i·al [nəʊ'teərɪəl] *adj.* □ ⚖ **1.** Notariats..., notari'ell; **2.** notariell beglaubigt; **no·ta·rize** ['nəʊtəraɪz] *v/t.* notariell be'urkunden *od.* beglaubigen; **no·ta·ry** ['nəʊtərɪ] *s. mst* ~ ***public*** (öffentlicher) Notar.

no·ta·tion [nəʊ'teɪʃn] *s.* **1.** Aufzeichnung *f*, Notierung *f*; **2.** *bsd.* ⚗, ⚛ Schreibweise *f*, Bezeichnung *f*: ***chemical*** ~ chemisches Formelzeichen; **3.** ♪ (Aufzeichnen *n* in) Notenschrift *f.*

notch [nɒtʃ] **I** *s.* **1.** *a.* ⚙ Kerbe *f*, Einschnitt *m*, Aussparung *f*, Falz *m*, Nute *f*, Raste *f*: ***be a*** ~ ***above*** F e-e Klasse besser sein als; **2.** (Vi'sier)Kimme *f* (*Schußwaffe*): ~ ***and bead sights*** Kimme und Korn; **3.** *Am.* Engpaß *m*; **II** *v/t.* **4.** *bsd.* ⚙ (ein)kerben, (ein)schneiden, einfeilen; **5.** ⚙ a) ausklinken, b) nuten, falzen; **notched** [-tʃt] *adj.* **1.** ⚙ (ein-)gekerbt, mit Nuten versehen; **2.** ⚘ grob gezähnt (*Blatt*).

note [nəʊt] **I** *s.* **1.** (Kenn)Zeichen *n*, Merkmal *n*; *fig.* Ansehen *n*, Ruf *m*, Bedeutung *f*: ***man of*** ~ bedeutender Mann; ***nothing of*** ~ nichts von Bedeutung; **2.** *mst pl.* No'tiz *f*, Aufzeichnung *f*: ***compare*** ~***s*** Meinungen *od.* Erfahrungen austauschen, sich beraten; ***make a*** ~ ***of s.th.*** sich et. vormerken *od.* notieren; ***make a mental*** ~ ***of s.th.*** sich et. merken; ***take*** ~***s of s.th.*** sich über et. Notizen machen; ***take*** ~ ***of s.th.*** *fig.* et. zur Kenntnis nehmen, et. berücksichtigen; **3.** *pol.* (diplo'matische) Note: ***exchange of*** ~***s*** Notenwechsel *m*; **4.** Briefchen *n*, Zettelchen *n*; **5.** *typ.* a) Anmerkung *f*, b) (Satz-) Zeichen *n*; **6.** † a) Nota *f*, Rechnung *f*: ***as per*** ~ laut Nota, b) (Schuld)Schein *m*: ~ ***of hand*** → ***promissory***; ***bought and sold*** ~ Schlußschein; ~***s payable*** (***receivable***) *Am.* Wechselverbindlichkeiten (-forderungen), c) Banknote *f*, d) Vermerk *m*, Notiz *f*: ***urgent*** ~ Dringlichkeitsvermerk *m*, e) Mitteilung *f*: ***advice*** ~ Versandanzeige *f*; ~ ***of exchange*** Kursblatt *n*; **7.** ♪ a) Note *f*, b) Ton *m*, c) Taste *f*; **8.** *weitS.* a) Klang *m*, Melo'die *f*; Gesang *m* (*Vogel*), b) *fig.* Ton(art *f*) *m*: ***change one's*** ~ e-n anderen Ton anschlagen; ***strike the right*** ~ den richtigen Ton treffen; ***strike a false*** ~ a) sich im Ton vergreifen, b) sich danebenbenehmen; ***on this*** (***encouraging*** *etc.*) ~ mit diesen (ermutigenden *etc.*) Worten; **9.** *fig.* Brandmal *n*, Schandfleck *m*; **II** *v/t.* **10.** Kenntnis nehmen von, bemerken, be(ob)achten; **11.** besonders erwähnen; **12.** *a.* ~ ***down*** niederschreiben, notieren, vermerken; **13.** † *Wechsel* protestieren; *Preise* angeben.

note| bank *s.* † Notenbank *f*; '~**·book** *s.* No'tizbuch *n*; †, ⚖ Kladde *f*; ~ **broker** *s.* † *Am.* Wechselhändler *m*, Dis'kontmakler *m.*

not·ed ['nəʊtɪd] *adj.* □ **1.** bekannt, be-

N

rühmt (***for*** wegen); **2.** † notiert: ***~ before official hours*** vorbörslich (*Kurs*); ˈ**not·ed·ly** [-lɪ] *adv.* ausgesprochen, deutlich, besonders.

note| pa·per *s.* ˈBriefpaˌpier *n*; **~ press** *s.* † ˈBanknotenpresse *f*, -druckeˌrei *f*; ˈ**~ˌwor·thy** *adj.* bemerkens-, beachtenswert.

noth·ing [ˈnʌθɪŋ] **I** *pron.* **1.** nichts (***of*** von): ***~ much*** nichts Bedeutendes; **II** *s.* **2.** Nichts *n*: ***to ~*** zu *od.* in nichts; ***for ~*** vergebens, umsonst; **3.** *fig.* Nichts *n*, Unwichtigkeit *f*, Kleinigkeit *f*; *pl.* Nichtigkeiten *pl.*; Null *f* (*a. Person*): ***whisper sweet ~s*** Süßholz raspeln; **III** *adv.* **4.** durchˈaus nicht, keineswegs: ***~ like complete*** alles andere als vollständig; **IV** *int.* **5.** F keine Spur!, Unsinn!;
Besondere Redewendungen:
good for ~ zu nichts zu gebrauchen; ***~ doing*** F a) (das) kommt gar nicht in Frage, b) nichts zu machen; ***~ but*** nichts als, nur; ***~ else*** nichts anderes, sonst nichts; ***~ if not courageous*** überaus mutig; ***not for ~*** nicht umsonst, nicht ohne Grund; ***that is ~ to what we have seen*** das ist nichts gegen das, was wir gesehen haben; ***that's ~ to me*** das bedeutet mir nichts; ***that is ~ to you*** das geht dich nichts an; ***there is ~ like*** es geht nichts über; ***there is ~ to it*** a) da ist nichts dabei, b) an der Sache ist nichts dran; ***come to ~*** *fig.* zunichte werden, sich zerschlagen; ***feel like ~ on earth*** sich hundeelend fühlen; ***make ~ of s.th.*** nicht viel Wesens von et. machen, sich nichts aus et. machen; ***I can make ~ of it*** ich kann daraus nicht klug werden; → ***say*** 2, ***think*** 3 e.

noth·ing·ness [ˈnʌθɪŋnɪs] *s.* **1.** Nichts *n*; **2.** Nichtigkeit *f*; **3.** Leere *f*.

no·tice [ˈnəʊtɪs] **I** *s.* **1.** Wahrnehmung *f*: ***to avoid ~*** (*Redew.*) um Aufsehen zu vermeiden; ***come under s.o.'s ~*** j-m bekanntwerden; ***escape ~*** unbemerkt bleiben; ***take ~ of*** Notiz nehmen von *et. od. j-m*, beachten; ***~!*** zur Beachtung!; **2.** Noˈtiz *f*, (*a. Presse*)Nachricht *f*, Anzeige *f* (*a.* †), (An)Meldung *f*, Ankündigung *f*, Mitteilung *f*; ⚖ Vorladung *f*; (Buch)Besprechung *f*; Kenntnis *f*: ***~ of acceptance*** † Annahmeerklärung *f*; ***~ of arrival*** † Eingangsbestätigung *f*; ***~ of assessment*** Steuerbescheid *m*; ***~ of departure*** (polizeiliche) Abmeldung *f*; ***previous ~*** Voranzeige *f*; ***bring s.th. to s.o.'s ~*** j-m et. zur Kenntnis bringen; ***give ~ that*** bekanntgeben, daß; ***give s.o. ~ of s.th.*** j-n von et. benachrichtigen; ***give ~ of appeal*** ⚖ Berufung einlegen; ***give ~ of motion*** *parl.* e-n Initiativantrag stellen; ***give ~ of a patent*** ein Patent anmelden; ***have ~ of*** Kenntnis haben von; **3.** Warnung *f*; Kündigung(sfrist) *f*: ***give s.o. ~ (for Easter)*** j-m (zu Ostern) kündigen; ***I am under ~ to leave*** mir ist gekündigt worden; ***at a day's ~*** binnen eines Tages; ***at a moment's ~*** sogleich, jederzeit; ***at short ~*** kurzfristig, auf (kurzen) Abruf, sofort; ***subject to a month's ~*** mit monatlicher Kündigung; ***without ~*** fristlos; ***until further ~*** bis auf weiteres; → ***quit*** 9; **II** *v/t.* **4.** bemerken, beobachten, wahrnehmen; **5.** beachten, achten auf (*acc.*); **6.** Noˈtiz nehmen von; **7.** *Buch* besprechen; **8.** anzeigen, melden, bekanntmachen, ⚖ benachrichtigen; **no·tice·a·ble** [ˈnəʊtɪsəbl] *adj.* ☐ **1.** wahrnehmbar, merklich, spürbar; **2.** bemerkenswert, beachtlich; **3.** auffällig, ins Auge fallend.

no·tice| board *s.* **1.** Anschlagtafel *f*, Schwarzes Brett; **2.** Warnschild *n*; **~ pe·ri·od** *s.* Kündigungsfrist *f*.

no·ti·fi·a·ble [ˈnəʊtɪfaɪəbl] *adj.* meldepflichtig; **no·ti·fi·ca·tion** [ˌnəʊtɪfɪˈkeɪʃn] *s.* Anzeige *f*, Meldung *f*, Mitteilung *f*, Bekanntmachung *f*, Benachrichtigung *f*; **no·ti·fy** [ˈnəʊtɪfaɪ] *v/t.* **1.** bekanntgeben, anzeigen, avisieren, melden, (amtlich) mitteilen (***s.th. to s.o.*** j-m et.); **2.** *j-n* benachrichtigen, in Kenntnis setzen (***of*** von, ***that*** daß).

no·tion [ˈnəʊʃn] *s.* **1.** Begriff *m* (*a. phls.*, ⩚), Gedanke *m*, Iˈdee *f*, Vorstellung *f* (***of*** von): ***not to have the vaguest ~ of s.th.*** nicht die leiseste Ahnung von et. haben; ***I have a ~ that*** ich denke mir, daß; **2.** Meinung *f*, Ansicht *f*: ***fall into the ~ that*** auf den Gedanken kommen, daß; **3.** Neigung *f*, Lust *f*, Absicht *f* (***of doing*** zu tun); **4.** *pl. Am.* a) Kurzwaren *pl.*, b) Kinkerlitzchen *pl.*; ˈ**no·tion·al** [-ʃənl] *adj.* ☐ **1.** begrifflich, Begriffs...; **2.** *phls.* rein gedanklich, spekulaˈtiv; **3.** theoˈretisch; **4.** fikˈtiv, angenommen, imagiˈnär.

no·to·ri·e·ty [ˌnəʊtəˈraɪətɪ] *s.* **1.** *bsd. contp.* allgemeine Bekanntheit, (traurige) Berühmtheit, schlechter Ruf; **2.** Berüchtigtsein *n*, *das* Noˈtorische; **3.** allbekannte Perˈsönlichkeit *od.* Sache; **no·to·ri·ous** [nəʊˈtɔːrɪəs] *adj.* ☐ noˈtorisch: a) offenkundig, b) all-, stadt-, weltbekannt, c) berüchtigt (***for*** wegen).

not·with·stand·ing [ˌnɒtwɪθˈstændɪŋ] **I** *prp.* ungeachtet, trotz (*gen.*): ***~ the objections*** ungeachtet der Einwände; ***his great reputation ~*** trotz s-s hohen Ansehens; **II** *a.* ***~ that*** *cj.* obˈgleich; **III** *adv.* nichtsdestoˈweniger, dennoch.

nou·gat [ˈnuːgɑː] *s. Art* türkischer Honig.

nought [nɔːt] *s. u. pron.* **1.** nichts: ***bring to ~*** ruinieren, zunichte machen; ***come to ~*** zunichte werden, mißlingen, fehlschlagen; **2.** Null *f* (*a. fig.*): ***set at ~*** *et.* in den Wind schlagen, verlachen, ignorieren.

noun [naʊn] *ling.* **I** *s.* Hauptwort *n*, Substantiv *n*: ***proper ~*** Eigenname *m*; **II** *adj.* substantivisch.
nour·ish [ˈnʌrɪʃ] *v/t.* **1.** (er)nähren, erhalten (***on*** von); **2.** *fig. Gefühl* nähren, hegen; ˈ**nour·ish·ing** [-ʃɪŋ] *adj.* nahrhaft, Nähr...; ˈ**nour·ish·ment** [-mənt] *s.* **1.** Ernährung *f*; **2.** Nahrung *f* (*a. fig.*), Nahrungsmittel *n*: ***take ~*** Nahrung zu sich nehmen.
nous [naʊs] *s.* **1.** *phls.* Vernunft *f*, Verstand *m*; **2.** F Mutterwitz *m*, ‚Grütze' *f*, ‚Grips' *m*.
no·va [ˈnəʊvə] *pl.* **-vae** [-vi:], *a.* **-vas** *s. ast.* Nova *f*, neuer Stern.
no·va·tion [nəʊˈveɪʃn] *s.* ⚖ Novaˈtion *f* (*Forderungsablösung od. -übertragung*).
nov·el [ˈnɒvl] **I** *adj.* neu(artig); ungewöhnlich, überˈraschend; **II** *s.* Roˈman *m*: ***short ~*** Kurzroman; ***~-writer*** → ***novelist***; **no·vel·la** [nəʊˈvelə] *s.* Noˈvelle *f*; **nov·el·ette** [ˌnɒvəˈlet] *s.* **1.** kurzer Roman; **2.** *contp.* seichter Unterˈhaltungsroˌman; **nov·el·ist** [ˈnɒvəlɪst] *s.* Roˈmanschriftsteller(in); **nov·el·is·tic** [ˌnɒvəˈlɪstɪk] *adj.* roˈmanhaft, Roman...; ˈ**nov·el·ty** [-tɪ] *s.* **1.** Neuheit *f*: a) *das* Neue, b) *et.* Neues: ***the ~ had soon worn off*** der Reiz des Neuen war bald verflogen; **2.** Ungewöhnlichkeit *f*, *et.* Ungewöhnliches; **3.** *pl.* ✝ (billige) Neuheiten *pl.*: ***~ item*** Neuheit *f*, Schlager *m*, (billiger) Modeartikel; **4.** Neuerung *f*.
No·vem·ber [nəʊˈvembə] *s.* Noˈvember *m*: ***in ~*** im November.
nov·ice [ˈnɒvɪs] *s.* **1.** Anfänger(in), Neuling *m* (***at*** auf *e-m Gebiet*); **2.** *R.C.* Noˈvize *m, f*, Noˈvizin *f*; **3.** *bibl.* Neubekehrte(r *m*) *f*.
now [naʊ] **I** *adv.* **1.** nun, gegenwärtig, jetzt: ***from ~*** von jetzt an; ***up to ~*** bis jetzt; **2.** soˈfort, bald; **3.** eben, soˈeben: ***just ~*** gerade eben, vor ein paar Minuten; **4.** nun, dann, darˈauf, damals; **5.** (*nicht zeitlich*) nun (aber); **II** *cj.* **6.** *a.* ***~ that*** nun aber, nun da, da nun, jetzt wo; **III** *s.* **7.** *poet.* Gegenwart *f*, Jetzt *n*;
Besondere Redewendungen:
before ~ schon einmal, schon früher; ***by ~*** mittlerweile, jetzt; ***~ if*** wenn nun aber; ***how ~?*** nun?, was gibt's?, was soll das heißen?; ***what is it ~?*** was ist jetzt schon wieder los?; ***now ... now ...*** bald ... bald ...; ***~ and again***, (***every***) ***~ and then*** von Zeit zu Zeit, hie(r) und da, dann und wann, gelegentlich; ***~ then*** (nun) also; ***come ~!*** nur ruhig!, sachte, sachte!; ***what ~?*** was nun?; ***~ or never*** jetzt oder nie.
now·a·days [ˈnaʊədeɪz] **I** *adv.* heutzutage, jetzt; **II** *s. das* Heute *od.* Jetzt.
ˈ**no·way(s)** [-weɪ(z)] F → ***nowise***.
ˈ**no·where I** *adv.* **1.** nirgends, nirgendwo: ***be ~*** a) *Sport*: unter ‚ferner liefen' enden, b) nichts erreicht haben; ***get ~*** nicht weiterkommen, nichts erreichen; ***~ near*** auch nicht annähernd; **2.** nirgendwohin; **II** *s.* **3.** Nirgendwo *n*: ***from ~*** aus dem Nichts; ***in the middle of ~*** 🚂 auf freier Strecke *halten*.
ˈ**no·wise** *adv.* in keiner Weise.
nox·ious [ˈnɒkʃəs] *adj.* □ schädlich (***to*** für): ***~ substance*** Schadstoff *m*; ***~ emission*** Schadstoffausstoß *m*.
noz·zle [ˈnɒzl] *s.* **1.** Schnauze *f*, Rüssel *m*; **2.** *sl.* ‚Rüssel' *m* (*Nase*); **3.** ⚙ a) Schnauze *f*, Tülle *f*, Schnabel *m*, Mundstück *n*, Ausguß *m*, Röhre *f*, (*an Gefäßen etc.*), b) Stutzen *m*, Mündung *f* (*an Röhren etc.*), c) (*Kraftstoff- etc.*)Düse *f*, d) ˈZapfpisˌtole *f*.
nth [enθ] *adj.* 𝔄 n-te(r), n-tes: ***to the ~ degree*** a) 𝔄 bis zum n-ten Grade, b) *fig.* im höchsten Maße; ***for the ~ time*** zum hundertsten Mal.
nu [nju:] *s.* Ny *n* (*griech. Buchstabe*).
nu·ance [nju:ˈɑ̃:ns] (*Fr.*) *s.* Nuˈance *f*: a) Schattierung *f*, b) Feinheit *f*, feiner ˈUnterschied.
nub [nʌb] *s.* **1.** Knopf *m*, Auswuchs *m*, Knötchen *n*; **2.** (kleiner) Klumpen, Nuß *f* (*Kohle etc.*); **3.** ***the ~*** F der springende Punkt (***of*** bei); ˈ**nub·bly** [-blɪ] *adj.* knotig.
nu·bile [ˈnju:baɪl] *adj.* **1.** heiratsfähig, ehemündig (*Frau*); **2.** attrakˈtiv; **nu·bil·i·ty** [nju:ˈbɪlətɪ] *s.* Heiratsfähigkeit *f etc.*
nu·cle·ar [ˈnju:klɪə] **I** *adj.* **1.** kernförmig; *a. biol. etc.* Kern...; **2.** *phys.* nukleˈar, Nuklear..., (Atom)Kern..., atoˈmar, Atom...: ***~ test***; ***~ weapon*** Kernwaffe *f*; **3.** *a.* ***~-powered*** mit Aˈtomantrieb, Atom...: ***~ submarine***; **II** *s.* **4.** Kernwaffe *f*, Aˈtomraˌkete *f*; **5.** *pol.* Aˈtommacht *f*; **~ bomb** *s.* Aˈtombombe *f*; **~ charge** *s. phys.* Kernladung *f*; **~ chem·is·try** *s.* ˈKerncheˌmie *f*; **~ dis·in·te·gra·tion** *s. phys.* Kernzerfall *m*; **~ en·er·gy** *s. phys.* **1.** ˈKernenerˌgie *f*; **2.** *allg.* Aˈtomenerˌgie *f*; **~ fam·i·ly** *s.* ˈKernfaˌmilie *f*; **~ fis·sion** *s. phys.* Kernspaltung *f*; **~ fuel** *s.* Kernbrennstoff *m*: ***~ rod*** Brennstab *m*; **~ fu·sion** *s. phys.* ˈKernfusˌion *f*; **~ par·ti·cle** *s. phys.* Kernteilchen *n*; **~ phys·ics** *s. pl. sg. konstr.* ˈKernphyˌsik *f*; **~ pow·er** *s.* **1.** *phys.* Aˈtomkraft *f*; **2.** *pol.* Aˈtommacht *f*; **~ re·ac·tor** *s. phys.* ˈKernreˌaktor *m*; **~ re·search** *s.* (Aˈtom)Kernforschung *f*; **~ ship** *s.* Reˈaktorschiff *n*; **~ smug·gling** *s.* Atomschmuggel *m*; **~ the·o·ry** *s. phys.* ˈKerntheoˌrie *f*; **~ war(·fare)** *s.* Aˈtomkrieg(führung *f*) *m*; **~ war·head** *s.* ⚔ Aˈtomsprengkopf *m*; **~ waste** *s.* Aˈtommüll *m*.
nu·cle·i [ˈnju:klɪaɪ] *pl. von* ***nucleus***.
nu·cle·o·lus [nju:ˈkli:ələs] *pl.* **-li** [-laɪ] *s.* ⚘, *biol.* Kernkörperchen *n*.

N

nu·cle·on [ˈnjuːklɪɒn] *s. phys.* Nukleon *n*, (Aˈtom)Kernbaustein *m*.

nu·cle·us [ˈnjuːklɪəs] *pl.* **-e·i** [-ɪaɪ] *s.* **1.** *allg.* (*a.* Aˈtom-, Koˈmeten-, Zell)Kern *m* (*a.* ♀); **2.** *fig.* Kern *m*: a) Mittelpunkt *m*, b) Grundstock *m*; **3.** *opt.* Kernschatten *m*.

nude [njuːd] **I** *adj.* **1.** nackt (*a. fig. Tatsache etc.*), bloß; **2.** nackt, kahl: *~ hill*; **3.** ⚖ unverbindlich, nichtig: *~ contract*; **II** *s.* **4.** *paint. etc.* Akt *m*: *study from the ~* Aktstudie *f*; **5.** Nacktheit *f*: *in the ~* nackt.

nudge [nʌdʒ] **I** *v/t. j-n* anstoßen, ‚(an-)stupsen'; **II** *s.* Stups *m*.

nu·die [ˈnjuːdɪ] *s. sl.* Nacktfilm *m*.

nud·ism [ˈnjuːdɪzəm] *s.* ˈNackt-, ˈFreikörperkulˌtur *f*, Nuˈdismus *m*; ˈ**nud·ist** [-ɪst] *s.* Nuˈdist(in), FKˈK-Anhänger (-in): *~ beach* Nacktbadestrand *m*; *~ camp*, *~ colony* FKK-Platz *m*; ˈ**nu·di·ty** [-ətɪ] *s.* **1.** Nacktheit *f*, Blöße *f*; **2.** *fig.* Armut *f*; **3.** Kahlheit *f*; **4.** *paint. etc.* ˈAkt(fiˌgur *f*) *m*.

nu·ga·to·ry [ˈnjuːgətərɪ] *adj.* **1.** wertlos, albern; **2.** unwirksam (*a.* ⚖), eitel, leer.

nug·get [ˈnʌgɪt] *s.* **1.** Nugget *n* (*Goldklumpen*); **2.** *fig.* Brocken *m*.

nui·sance [ˈnjuːsns] *s.* **1.** Ärgernis *n*, Plage *f*, *et.* Lästiges *od.* Unangenehmes; Unfug *m*, ˈMißstand *m*: *dust ~* Staubplage; *what a ~!* wie ärgerlich!; **2.** ⚖ Poliˈzeiwidrigkeit *f*: *public ~* Störung *f od.* Gefährdung *f* der öffentlichen Sicherheit u. Ordnung, *a. fig. iro.* öffentliches Ärgernis; *private ~* Besitzstörung *f*; *commit no ~!* das Verunreinigen (dieses Ortes) ist verboten!; **3.** (*von Personen*) ‚Landplage' *f*, Quälgeist *m*, Nervensäge *f*: *be a ~ to s.o.* j-m lästig fallen; *make a ~ of o.s.* anderen auf die Nerven gehen; *~* **raid** *s.* ⚔, ✈ Störangriff *m*; *~* **tax** *s. sl. ärgerliche kleine* (*Verbraucher*)*Steuer*: *~* **val·ue** *s.* Wert *m od.* Wirkung *f* als störender Faktor.

nuke [nuːk] *Am. sl.* **I** *s.* **1.** Kernwaffe *f*; **2.** ˈKernreˌaktor *m*; **II** *v/t.* **3.** mit Kernwaffen angreifen.

null [nʌl] **I** *adj.* **1.** ⚖ *u. fig.* nichtig, ungültig: *declare ~ and void* für null u. nichtig erklären; **2.** wertlos, leer, nichtssagend, unbedeutend; **II** *s.* **3.** ♀, ϟ Null *f*: *~ set* Nullmenge *f*.

nul·li·fi·ca·tion [ˌnʌlɪfɪˈkeɪʃn] *s.* **1.** Aufhebung *f*, Nichtigerklärung *f*; **2.** Zuˈnichtemachen *n*; **nul·li·fy** [ˈnʌlɪfaɪ] *v/t.* **1.** ungültig machen, für null u. nichtig erklären, aufheben; **2.** zuˈnichte machen; **nul·li·ty** [ˈnʌlətɪ] *s.* **1.** Unwirksamkeit *f*; ⚖ Ungültigkeit *f*, Nichtigkeit *f*: *decree of ~* Nichtigkeitsurteil *n od.* Annullierung *f e-r Ehe*; *~ suit* Nichtigkeitsklage *f*; *be a ~* (null u.) nichtig sein; **2.** Nichts *n*; *fig.* Null *f* (*Person*).

numb [nʌm] **I** *adj.* □ starr, erstarrt (*with* vor *Kälte etc.*); taub (*empfindungslos*); *fig.* a) (wie) betäubt, starr (*with fear* vor Angst), b) abgestumpft; **II** *v/t.* starr *od.* taub machen, erstarren lassen; *fig.* a) betäuben, b) abstumpfen.

num·ber [ˈnʌmbə] **I** *s.* **1.** Zahl(enwert *m*) *f*, Ziffer *f*; **2.** (Haus-, Teleˈfon- *etc.*) Nummer *f*: *by ~s* nummernweise; *~ engaged teleph.* besetzt; *have s.o.'s ~* F j-n durchschaut haben; *his ~ is up* F s-e Stunde hat geschlagen, jetzt ist er dran; → *number one*; **3.** (An)Zahl *f*: *a ~ of* e-e Anzahl von (*od. gen.*), mehrere; *a great ~ of* sehr viele *Leute etc.*; *five in ~* fünf an (der) Zahl; *in large ~s* in großen Mengen; *in round ~* rund; *one of their ~* einer aus ihrer Mitte; *~s of times* zu wiederholten Malen; *times without ~* unzählige Male; *five times the ~ of people* fünfmal so viele Leute; **4.** ✝ a) (An)Zahl *f*, Nummer *f*, b) Arˈtikel *m*, Ware *f*; **5.** Heft *n*, Nummer *f*, Ausgabe *f* (*Zeitschrift etc.*), Lieferung *f e-s Werkes*: *appear in ~s* in Lieferungen erscheinen; **6.** *thea. etc.* (Proˈgramm)Nummer *f*; **7.** ♪ a) Nummer *f* (*Satz*), b) *sl.* Tanznummer *f*, Schlager *m*; **8.** *poet. pl.* Verse *pl.*; **9.** *ling.* Numerus *m*: *plural* (*singular*) *~* Mehrzahl (Einzahl) *f*; **10.** ⚙ Feinheitsnummer *f* (*Garn*); **11.** *sl.* ‚Type' *f*, ‚Nummer' *f* (*Person*); **12.** *2s* *bibl.* Numeri *pl.*, Viertes Buch Mose; **II** *v/t.* **13.** zs.-zählen, aufrechnen: *~ off* abzählen; *his days are ~ed* s-e Tage sind gezählt; **14.** zählen, rechnen (*a. fig. among, in, with* zu *od.* unter *acc.*); **15.** numerieren: *~ consecutively* durchnumerieren; **16.** zählen, sich belaufen auf (*acc.*); **17.** *Jahre* zählen, alt sein; **III** *v/i.* **18.** (auf)zählen; **19.** zählen (*among* zu *j-s Freunden etc.*); ˈ**num·ber-ˌcrunch·ing** *Computer*: **1.** *s.* Zahlenverarbeitung *f*; **2.** *adj.* rechenintensiv; ˈ**num·ber·ing** [-bərɪŋ] *s.* Numerierung *f*; ˈ**num·ber·less** [-lɪs] *adj.* unzählig, zahllos.

num·ber| one I *adj.* **1.** a) erstklassig, b) (aller)höchst: *~ priority*; **II** *s.* **2.** Nummer *f* Eins; der (die, das) Erste; erste Klasse; **3.** F das liebe Ich: *look after ~* auf seinen Vorteil bedacht sein, nur an sich selbst denken; **4.** *do ~* F sein ‚kleines Geschäft' machen; ˈ*~*-**plate** *s. mot.* Nummernschild *n*; *~* **pol·y·gon** *s.* ♀ ˈZahlenvieleck *n*, -polyˌgon *n*; *~* **two** *s.*: *do ~* F sein ‚großes Geschäft' machen.

numb·ness [ˈnʌmnɪs] *s.* Erstarrung *f*, Starr-, Taubheit *f*; *fig.* Betäubung *f*.

nu·mer·a·ble [ˈnjuːmərəbl] *adj.* zählbar; ˈ**nu·mer·al** [-rəl] **I** *adj.* **1.** Zahl..., Zahlen..., nuˈmerisch: *~ language* Ziffernsprache *f*; **II** *s.* **2.** Ziffer *f*, Zahlzeichen

N

n; **3.** *ling.* Zahlwort *n*; **ˈnu·mer·ar·y** [-ərɪ] *adj.* Zahl(en)…; **nu·mer·a·tion** [ˌnjuːməˈreɪʃn] *s.* **1.** Zählen *n*; Rechenkunst *f*; **2.** Numerierung *f*; **3.** (Auf-) Zählung *f*; **ˈnu·mer·a·tive** [-ətɪv] *adj.* zählend, Zahl(en)…: *~ system* Zahlensystem *n*; **ˈnu·mer·a·tor** [-məreɪtə] *s.* Ꭿ Zähler *m e-s Bruchs*; **nu·mer·i·cal** [njuːˈmerɪkl] *adj.* □ nuˈmerisch: a) Ꭿ Zahl(en)…: *~ value*; *~ equation* Zahlengleichung *f*, b) zahlenmäßig: *~ superiority*.

nu·mer·ous [ˈnjuːmərəs] *adj.* □ zahlreich: *a ~ assembly*; **ˈnu·mer·ous·ness** [-nɪs] *s.* große Zahl, Menge *f*, Stärke *f*.

nu·mis·mat·ic [ˌnjuːmɪzˈmætɪk] *adj.* (□ *~ally*) numisˈmatisch, Münz(en)…; **ˌnu·misˈmat·ics** [-ks] *s. pl. sg. konstr.* Numisˈmatik *f*, Münzkunde *f*; **nu·mis·ma·tist** [njuːˈmɪzmətɪst] *s.* Numisˈmatiker(in): a) Münzkenner(in), b) Münzsammler(in).

num·skull [ˈnʌmskʌl] *s.* Dummkopf *m*, Trottel *m*.

nun [nʌn] *s. eccl.* Nonne *f*.

nun·ci·a·ture [ˈnʌnʃɪətʃə] *s. eccl.* Nuntiaˈtur *f*; **nun·ci·o** [ˈnʌnʃɪəʊ] *pl.* **-os** *s.* Nuntius *m*.

nun·cu·pa·tive [ˈnʌnkjʊpeɪtɪv] *adj.* ⚖ mündlich: *~ will* mündliches Testament, *bsd.* ⚔ Not-, ⚓ Seetestament.

nun·ner·y [ˈnʌnərɪ] *s.* Nonnenkloster *n*.

nup·tial [ˈnʌptʃəl] **I** *adj.* hochzeitlich, Hochzeit(s)…, Ehe…, Braut…: *~ bed* Brautbett *n*; *~ flight* Hochzeitsflug *m der Bienen*; **II** *s. mst pl.* Hochzeit *f*.

nurse [nɜːs] **I** *s.* **1.** *mst wet ~* (Säug-) Amme *f*; **2.** *a. dry ~* Kinderfrau *f*, -mädchen *n*; **3.** Krankenschwester *f*, *a.* *~-attendant* (Kranken)Pfleger(in): *head ~* Oberschwester; → *male* 1; **4.** a) Stillen *n*, Stillzeit *f*, b) Pflege *f*: *at ~* in Pflege; *put out to ~* *Kinder* in Pflege geben; **5.** *zo.* a) Amme *f*, b) Arbeiterin *f* (*Biene*); **6.** *fig.* Nährmutter *f*; **II** *v/t.* **7.** *Kind* säugen, nähren, stillen, *dem Kind* die Brust geben; **8.** *Kind* auf-, großziehen; **9.** a) *Kranke* pflegen, b) *Krankheit* auskurieren, c) *Glied*, *Stimme* schonen, d) *Knie etc.* (schützend) umˈfassen: *~ one's leg* ein Bein über das andere schlagen, e) sparsam *od.* schonend ˈumgehen mit: *~ a glass of wine* bedächtig ein Glas Wein trinken; **10.** *fig.* a) nähren, fördern, b) *Gefühl etc.* nähren, hegen; **11.** streicheln, hätscheln; *weitS. a. pol.* sich eifrig kümmern um, sich ‚warm halten': *~ one's constituency*; **III** *v/i.* **12.** a) säugen, stillen, b) die Brust nehmen (*Säugling*); **13.** als (Kranken)Pfleger(in) arbeiten.

nurse·ling → *nursling*.

ˈnurse·maid *s.* Kindermädchen *n*.

nurs·er·y [ˈnɜːsrɪ] *s.* **1.** Kinderzimmer *n*: *day ~* Spielzimmer *n*; *night ~* Kinderschlafzimmer; **2.** Kindertagesstätte *f*; **3.** Pflanz-, Baumschule *f*; Schonung *f*; *fig.* Pflanzstätte *f*, Schule *f*; **4.** Fischpflege *f*, Streckteich *m*; **5.** *a. ~ stakes* (Pferde-) Rennen *n* für Zweijährige; *~* **gov·er·ness** *s.* Kinderfräulein *n*; **ˈ~·man** [-mən] *s.* [*irr.*] Pflanzenzüchter *m*; *~* **rhyme** *s.* Kinderlied *n*, -reim *m*; *~* **school** *s.* Kindergarten *m*; *~* **slope** *s.* *Skisport*: ‚Idiˈotenhügel' *m*, Anfängerhügel *m*; *~* **tale** *s.* Ammenmärchen *n*.

nurs·ing [ˈnɜːsɪŋ] **I** *s.* **1.** Säugen *n*, Stillen *n*; **2.** *a. sick~*, *~ care* (Kranken-) Pflege *f*; **II** *adj.* **3.** Nähr…, Pflege…, Kranken…; *~* **ben·e·fit** *s.* Stillgeld *n*; *~* **bot·tle** *s.* Säuglingsflasche *f*; *~* **home** *s.* **1.** *bsd. Brit.* a) Priˈvatklinik *f*, b) priˈvate Entbindungsklinik; **2.** Pflegeheim *n*; *~* **moth·er** *s.* stillende Mutter; *~* **staff** *s.* ˈPflegepersoˌnal *n*.

nurs·ling [ˈnɜːslɪŋ] *s.* **1.** Säugling *m*; **2.** Pflegling *m*; **3.** *fig.* a) Liebling *m*, Hätschelkind *n*, b) Schützling *m*.

nur·ture [ˈnɜːtʃə] **I** *v/t.* **1.** (er)nähren; **2.** auf-, erziehen; **3.** *fig. Gefühle etc.* hegen; **II** *s.* **4.** Nahrung *f*; *fig.* Pflege *f*, Erziehung *f*.

nut [nʌt] **I** *s.* **1.** ♀ Nuß *f*; **2.** ⚙ a) Nuß *f*, b) (Schrauben)Mutter *f*: *~s and bolts fig.* praktische Grundlagen, wesentliche Details; **3.** ♪ a) Frosch *m* (*am Bogen*), b) Saitensattel *m*; **4.** *pl.* ⚒ Nußkohle *f*; **5.** *fig.* schwierige Sache: *a hard ~ to crack* e-e harte Nuß; **6.** *sl.* a) ‚Birne' *f* (*Kopf*): *be* (*go*) *off one's ~* verrückt sein (werden), b) *contp.* ‚Knülch' *m*, Kerl *m*, c) komischer Kauz, ‚Spinner' *m*, d) Idiˈot *m*, e) Geck *m*; **7.** *sl.* *be ~s* verrückt sein (*on* nach); *he is ~s about her* er ist in sie total verschossen; *drive s.o. ~s* j-n verrückt machen; *go ~s* überschnappen; *that's ~s to him* das ist genau sein Fall; *~s!* a) du spinnst wohl!, b) *a. ~ to you!* ‚du kannst mich mal!'; **8.** *pl.* V ‚Eier' *pl.* (*Hoden*); **9.** *not for ~s sl.* überhaupt nicht; *he can't play for ~s sl.* er spielt miserabel; **II** *v/i.* **10.** Nüsse pflücken.

nut| bolt ⚙ **1.** Mutterbolzen *m*; **2.** Bolzen *m od.* Schraube *f* mit Mutter; **ˈ~-ˌbut·ter** *s.* Nußbutter *f*; **ˈ~·case** *s. sl.* ‚Spinner' *m*; **ˈ~ˌcrack·er** *s.* **1.** *a. pl.* Nußknacker *m*; **2.** *orn.* Tannenhäher *m*; **ˈ~·gall** *s.* Gallapfel *m*: *~ ink* Gallustinte *f*; **ˈ~·hatch** *s. orn.* Kleiber *m*, Spechtmeise *f*; **ˈ~·house** *s. sl.* ‚Klapsmühle' *f*.

nut·meg [ˈnʌtmeg] *s.* Musˈkat(nuß *f*) *m*: *~ butter* Muskatbutter *f*.

nu·tri·a [ˈnjuːtrɪə] *s.* **1.** *zo.* Biberratte *f*, Nutria *f*; **2.** ⚒ Nutriafell *n*.

nu·tri·ent [ˈnjuːtrɪənt] **I** *adj.* **1.** nährend, nahrhaft; **2.** Ernährungs…: *~ medium biol.* Nährsubstanz *f*; *~ solution* Nährlösung *f*; **II** *s.* **3.** Nährstoff *m*; **4.** *biol.* Baustoff *m*; **'nu·tri·ment** [-ımənt] *s.* Nahrung *f*, Nährstoff *m* (*a. fig.*); *biol.* Baustoff *m*.

nu·tri·tion [nju:'trıʃn] *s.* **1.** Ernährung *f*; **2.** Nahrung *f*: ~ ***cycle*** Nahrungskreislauf *m*; **nu'tri·tion·al** [-ʃənl] Ernährungs...; **nu'tri·tion·ist** [-ʃnıst] *s.* Ernährungswissenschaftler(in), Diä'tetiker(in); **nu'tri·tious** [-ʃəs] *adj.* □ nährend, nahrhaft; **nu'tri·tious·ness** [-ʃəsnıs] *s.* Nahrhaftigkeit *f*.

nu·tri·tive ['nju:trətıv] *adj.* □ **1.** nährend, nahrhaft: ~ ***value*** Nährwert *m*; **2.** Ernährungs...: ~ ***tract*** Ernährungsbahn *f*.

nuts [nʌts] → ***nut*** 7.

nut| screw *s.* ⚙ **1.** Schraube *f* mit Mutter; **2.** Innengewinde *n*; **'~·shell** *s.* ⚘ Nußschale *f*: (***to put it***) ***in a*** ~ (*Redewendung*) mit 'einem Wort, kurz gesagt; **'~·tree** *s.* ⚘ **1.** Haselnußstrauch *m*; **2.** Nußbaum *m*.

nut·ty ['nʌtı] *adj.* **1.** voller Nüsse; **2.** nußartig, Nuß...; **3.** pi'kant; **4.** *sl.* verrückt (***on*** nach).

nuz·zle ['nʌzl] **I** *v/t.* **1.** mit der Schnauze aufwühlen; **2.** mit der Schnauze *od.* Nase reiben an (*dat.*); *fig. Kind* liebkosen, hätscheln; **3.** *e-m Schwein etc.* e-n Ring durch die Nase ziehen; **II** *v/i.* **4.** (mit der Schnauze) wühlen, schnüffeln (***in*** in *dat.*, ***for*** nach); **5.** sich (an)schmiegen (***to*** an *acc.*).

ny·lon ['naılɒn] *s.* Nylon *n*: ~***s*** F Nylonstrümpfe, Nylons.

nymph [nımf] *s.* **1.** *myth.* Nymphe *f* (*a. poet. u. iro. Mädchen*); **2.** *zo.* a) Puppe *f*, b) Nymphe *f*; **'nymph·et** [nım'fet] *s.* ‚Nymphchen' *n*; **nym·pho** ['nımfəʊ] *pl.* **-phos** *s.* F *für* ***nymphomaniac*** II.

nym·pho·ma·ni·a [ˌnımfəʊ'meınjə] *s.* ⚕ Nymphoma'nie *f*, Mannstollheit *f*; **ˌnym·pho'ma·ni·ac** [-nıæk] **I** *adj.* nympho'man, mannstoll; **II** *s.* Nympho'manin *f*.

N

O

O, o¹ [əʊ] *s.* **1.** O *n*, o *n* (*Buchstabe*); **2.** *bsd. teleph.* Null *f*.

O, o² [əʊ] *int.* o(h)!, ah!, ach!

oaf [əʊf] *s.* **1.** Dummkopf *m*, ‚Esel' *m*; **2.** Lümmel *m*, Flegel *m*; **oaf·ish** ['əʊfɪʃ] *adj.* **1.** dumm, ‚blöd'; **2.** lümmel-, flegelhaft.

oak [əʊk] **I** *s.* **1.** ⚘ *a.* ***~-tree*** Eiche *f*, Eichbaum *m*; **2.** *poet.* Eichenlaub *n*; **3.** Eichenholz *n*; **4.** *Brit. univ. sl.* Eichentür *f*: ***sport one's ~*** die Tür verschlossen halten, nicht zu sprechen sein; **5.** ***the &s*** *sport Stutenrennen in Epsom*; **II** *adj.* **6.** eichen, Eichen…; **~ ap·ple** *s.* ⚘ Gallapfel *m*.

oak·en ['əʊkən] *adj.* **1.** *bsd. poet.* Eichen…; **2.** eichen, von Eichenholz; **oak·let** ['əʊklɪt], **oak·ling** ['əʊklɪŋ] *s.* ⚘ junge *od.* kleine Eiche.

oa·kum ['əʊkəm] *s.* Werg *n*: ***pick ~*** a) Werg zupfen, b) F ‚Tüten kleben', ‚Knast schieben'.

'oak·wood *s.* **1.** Eichenholz *n*; **2.** Eichenwald(ung *f*) *m*.

oar [ɔː] **I** *s.* **1.** Ruder *n* (*a. zo.*), *bsd. sport* Riemen *m*: ***four-~*** Vierer *m* (*Boot*); ***pull a good ~*** gut rudern; ***put*** (*od.* ***shove***) ***one's ~ in*** F sich einmischen, *im Gespräch* ‚s-n Senf dazugeben'; ***rest on one's ~s*** *fig.* sich auf s-n Lorbeeren ausruhen; → ***ship*** 8; **2.** *sport* Ruderer *m*, Ruderin *f*: ***a good ~***; **3.** *fig.* Flügel *m*, Arm *m*; **4.** *Brauerei*: Krücke *f*; **II** *v/t. u. v/i.* **5.** rudern; **oared** [ɔːd] *adj.* **1.** mit Rudern (versehen), Ruder…; **2.** *in Zssgn* …rud(e)rig; **oar·lock** ['ɔːlɒk] *s. Am.* Riemendolle *f*; **oars·man** ['ɔːzmən] *s.* [*irr.*] Ruderer *m*; **oars·wom·an** ['ɔːzˌwʊmən] *s.* [*irr.*] Ruderin *f*.

o·a·sis [əʊ'eɪsɪs] *pl.* **-ses** [-siːz] *s.* O'ase *f* (*a. fig.*).

oast [əʊst] *s. Brauerei*: Darre *f*.

oat [əʊt] *s. mst pl.* Hafer *m*: ***be off one's ~s*** F keinen Appetit haben; ***he feels his ~s*** F a) ihn sticht der Hafer, b) er ist ‚groß in Form'; ***sow one's wild ~s*** sich austoben, sich die Hörner abstoßen; **oat·en** ['əʊtn] *adj.* **1.** Hafer…; **2.** Hafermehl…

oath [əʊθ; *pl.* əʊðz] *s.* **1.** Eid *m*, Schwur *m*: ***~ of allegiance*** Fahnen-, Treueid; ***~ of disclosure*** ⚖ Offenbarungseid; ***~ of office*** Amts-, Diensteid; ***false ~*** Falsch-, Meineid *m*; ***bind by ~*** eidlich verpflichten; (***up***)***on ~*** unter Eid, eidlich; ***upon my ~!*** das kann ich beschwören!; ***administer*** (*od.* ***tender***) ***an ~ to s.o., put s.o. to*** (*od.* ***on***) ***his ~*** j-m e-n Eid abnehmen, j-n schwören lassen; ***swear*** (*od.* ***take***) ***an ~*** e-n Eid leisten, schwören (***on, to*** auf *acc.*); ***in lieu of an ~*** an Eides Statt; ***under ~*** unter Eid, eidlich verpflichtet; ***be on one's ~*** unter Eid stehen; **2.** Fluch *m*, Verwünschung *f*.

'oat·meal *s.* **1.** Hafermehl *n*, -grütze *f*; **2.** Haferschleim *m*.

ob·bli·ga·to [ˌɒblɪ'gɑːtəʊ] ♪ **I** *adj.* obli'gat, hauptstimmig; **II** *pl.* **-tos** *s.* selbständige Begleitstimme.

ob·du·ra·cy ['ɒbdjʊrəsɪ] *s. fig.* Verstocktheit *f*, Halsstarrigkeit *f*; **'ob·du·rate** [-rət] *adj.* □ **1.** verstockt, halsstarrig; **2.** hartherzig.

o·be·di·ence [ə'biːdjəns] *s.* **1.** Gehorsam *m* (***to*** gegen); **2.** *fig.* Abhängigkeit *f* (***to*** von): ***in ~ to*** gemäß (*dat.*), im Verfolg (*gen.*); ***in ~ to s.o.*** auf j-s Verlangen; **o'be·di·ent** [-nt] *adj.* □ **1.** gehorsam (***to*** *dat.*); **2.** ergeben, unter'würfig (***to*** *dat.*): ***Your ~ servant*** Hochachtungsvoll (*Amtsstil*); **3.** *fig.* abhängig (***to*** von).

o·bei·sance [əʊ'beɪsəns] *s.* **1.** Verbeugung *f*; **2.** Ehrerbietung *f*, Huldigung *f*: ***do*** (*od.* ***make*** *od.* ***pay***) ***~ to s.o.*** j-m huldigen; **o'bei·sant** [-nt] *adj.* huldigend, unter'würfig.

ob·e·lisk ['ɒbelɪsk] *s.* **1.** Obe'lisk *m*; **2.** *typ.* a) → ***obelus***, b) Kreuz(zeichen) *n* (*für Randbemerkungen*).

ob·e·lus ['ɒbɪləs] *pl.* **-li** [-laɪ] *s. typ.* **1.** Obe'lisk *m* (*Zeichen für fragwürdige Stellen*); **2.** Verweisungszeichen *n auf Randbemerkungen*.

o·bese [əʊ'biːs] *adj.* fettleibig, korpu'lent, *a. fig.* fett, dick; **o'bese·ness** [-nɪs], **o'bes·i·ty** [-sətɪ] *s.* Fettleibigkeit *f*, Korpu'lenz *f*.

o·bey [ə'beɪ] **I** *v/t.* **1.** *j-m* gehorchen, folgen (*a. fig.*); **2.** *e-m Befehl etc.* Folge leisten, befolgen (*acc.*); **II** *v/i.* **3.** gehorchen, folgen (***to*** *dat.*).

ob·fus·cate ['ɒbfʌskeɪt] *v/t.* **1.** verfinstern, trüben (*a. fig.*); **2.** *fig. Urteil etc.* trüben, verwirren; *die Sinne* benebeln; **ob·fus·ca·tion** [ˌɒbfʌs'keɪʃn] Verfinsterung *f etc.*

o·bit·u·ar·y [ə'bɪtjʊərɪ] **I** *s.* **1.** Todesanzeige *f*; **2.** Nachruf *m*; **3.** *eccl.* Totenliste *f*; **II** *adj.* **4.** Toten…, Todes…: **~ *notice*** Todesanzeige *f*.

ob·ject[1] [əb'dʒekt] **I** *v/t.* **1.** *fig.* einwenden, vorbringen (***to*** gegen); **2.** vorhalten, vorwerfen (***to***, ***against*** *dat.*); **II** *v/i.* **3.** Einwendungen machen, Einsprüche erheben, protestieren, reklamieren (***to***, ***against*** gegen); **4.** et. einwenden, et. dagegen haben: **~ *to s.th.*** et. beanstanden; ***do you ~ to my smoking?*** haben Sie et. dagegen, wenn ich rauche?; ***if you don't ~*** wenn Sie nichts dagegen haben.

ob·ject[2] ['ɒbdʒɪkt] *s.* **1.** Ob'jekt *n* (*a. Kunst*), Gegenstand *m* (*a. fig. des Mitleids etc.*): **~ *of invention*** ⚖ Erfindungsgegenstand; ***money is no ~*** Geld spielt keine Rolle; ***salary no ~*** Gehalt Nebensache; **2.** Absicht *f*, Ziel *n*, Zweck *m*: ***make it one's ~ to do s.th.*** es sich zum Ziel setzen, et. zu tun; **3.** F komische *od.* scheußliche Per'son *od.* Sache: ***what an ~ you are!*** wie sehen Sie denn aus!; **4.** *ling.* a) Ob'jekt *n*: ***direct ~*** Akkusativobjekt; **~ *clause*** Objektsatz *m*, b) von e-r Präpositi'on abhängiges Wort; **~ draw·ing** *s.* Zeichnen *n* nach Vorlagen *od.* Mo'dellen; '**~-ˌfind·er** *s. phot.* (Objek'tiv)Sucher *m*; '**~-glass** *s. opt.* Objek'tiv(linse *f*) *n*.

ob·jec·ti·fy [ɒb'dʒektɪfaɪ] *v/t.* objektivieren.

ob·jec·tion [əb'dʒekʃn] *s.* **1.** a) Einwendung *f* (*a.* ⚖), Einspruch *m*, -wand *m*, -wurf *m*, Bedenken *n* (***to*** gegen), b) *weitS.* Abneigung *f*, 'Widerwille *m* (***against*** gegen): ***I have no ~ to him*** ich habe nichts gegen ihn *od.* an ihm nichts auszusetzen; ***make*** (*od.* ***raise***) ***an ~ to s.th.*** gegen et. e-n Einwand erheben; ***take ~ to s.th.*** gegen et. protestieren; **2.** Beanstandung *f*, Reklamati'on *f*; **ob'jec·tion·a·ble** [-ʃnəbl] *adj.* □ **1.** nicht einwandfrei, zu beanstanden(d), unerwünscht, anrüchig; **2.** unangenehm (***to*** *dat. od.* für); **3.** anstößig.

ob·jec·tive [əb'dʒektɪv] **I** *adj.* □ **1.** objek'tiv (*a. phls.*), sachlich, vorurteilslos; **2.** *ling.* Objekts…: **~ *case*** → 5; **~ *genitive*** objektiver Genitiv; **3.** Ziel…: **~ *point*** → 6; **II** *s.* **4.** *opt.* Objek'tiv(linse *f*) *n*; **5.** *ling.* Ob'jektsfall *m*; **6.** (*bsd.* ⚔ Kampf-, Angriffs)Ziel *n*; **ob'jec·tive·ness** [-nɪs], **ob·jec·tiv·i·ty** [ˌɒbdʒek'tɪvətɪ] *s.* Objektivi'tät *f*.

ob·ject lens *s. opt.* Objek'tiv(linse *f*) *n*.

ob·ject·less ['ɒbdʒɪktlɪs] *adj.* gegenstands-, zweck-, ziellos.

ob·ject les·son *s.* **1.** *ped. u. fig.* 'Anschauungsˌunterricht *m*; **2.** *fig.* Schulbeispiel *n*; **3.** *fig.* Denkzettel *m*.

ob·jec·tor [əb'dʒektə] *s.* Gegner(in) (***to*** *gen*); → ***conscientious***.

ob·ject| plate, **~ slide** *s.* Ob'jektträger *m* (*Mikroskop etc.*); **~ teach·ing** *s.* 'Anschauungsˌunterricht *m*.

ob·jet d'art [ˌɒbʒeɪ'dɑ:] (*Fr.*) *s.* (*bsd.* kleiner) Kunstgegenstand.

ob·jur·gate ['ɒbdʒɜ:geɪt] *v/t.* tadeln, schelten.

ob·late[1] ['ɒbleɪt] *adj.* A, *phys.* (an den Polen) abgeplattet.

ob·late[2] ['ɒbleɪt] *R.C.* Ob'lat(in) (*Laienbruder od. -schwester*).

ob·la·tion [əʊ'bleɪʃn] *s. bsd. eccl.* Opfer (-gabe *f*) *n*.

ob·li·gate *v/t.* ['ɒblɪgeɪt] *a.* ⚖ verpflichten; **ob·li·ga·tion** [ˌɒblɪ'geɪʃn] *s.* **1.** Verpflichten *n*; **2.** Verpflichtung *f*, Verbindlichkeit *f*: ***of ~*** obligatorisch; ***be under an ~ to s.o.*** j-m (zu Dank) verpflichtet sein; **3.** ✝ a) Schuldverschreibung *f*, Obligati'on *f*, b) (Schuld-) Verpflichtung *f*, Verbindlichkeit *f*: ***financial ~*** Zahlungsverpflichtung; **~ *to buy*** Kaufzwang *m*; ***no ~***, ***without ~*** unverbindlich, freibleibend; **ob·li·ga·to·ry** [ə'blɪgətərɪ] *adj.* □ verpflichtend, bindend, (rechts)verbindlich, obliga'torisch (***on***, ***upon*** für), Zwangs…

o·blige [ə'blaɪdʒ] **I** *v/t.* **1.** nötigen, zwingen: ***I was ~d to go*** ich mußte gehen; **2.** *fig.* *j-n* (zu Dank) verpflichten: ***much ~d!*** sehr verbunden!, danke bestens!; ***I am ~d to you for it*** ich habe es Ihnen zu verdanken; ***will you ~ me by*** (*ger.*)***?*** wären Sie so freundlich, zu (*inf.*)?, *iro.* würden Sie gefälligst *et. tun*?; **3.** *j-m* gefällig sein, e-n Gefallen tun, dienen: ***to ~ you*** Ihnen zu Gefallen; **~ *the company with*** die Gesellschaft mit *e-m Lied etc.* erfreuen; **4.** ⚖ *j-n* (*durch Eid etc.*) binden (***to*** an *acc.*): **~ *o.s.*** sich verpflichten (***to do*** *et.* zu tun); **II** *v/i.* **5.** **~ *with*** F *Lied etc.* vortragen, zum besten geben; **6.** erwünscht sein: ***an early reply will ~*** um baldige Antwort wird gebeten; **ob·li·gee** [ˌɒblɪ'dʒi:] *s.* ⚖ Obligati'onsgläubiger (-in), Forderungsberechtigte(r *m*) *f*; **o'blig·ing** [-dʒɪŋ] *adj.* □ verbindlich, gefällig, zu'vor-, entgegenkommend; **o'blig·ing·ness** [-dʒɪŋnɪs] *s.* Gefälligkeit *f*, Zu'vorkommenheit *f*; **ob·li·gor** [ˌɒblɪ'gɔ:] *s.* ⚖ (Obligati'ons)Schuldner(in).

ob·lique [ə'bli:k] *adj.* □ **1.** *bsd.* A schief, schräg: **~*(-angled)*** schiefwink(e)lig; ***at an ~ angle with*** im spitzen Winkel zu; **2.** 'indiˌrekt, versteckt, verblümt: **~ *accusation***; **~ *glance*** Seitenblick *m*; **3.** unaufrichtig, unredlich; **4.** *ling.* abhängig, 'indiˌrekt: **~ *case*** Beugefall *m*; **~ *speech*** indirekte Rede; **ob'lique·ness** [-nɪs], **ob·liq·ui·ty** [ə'blɪkwətɪ] *s.* **1.** Schiefe *f* (*a. ast.*), schiefe Lage *od.* Richtung, Schrägheit *f*; **2.** *fig.* Schiefheit *f*: ***moral ~*** Unredlichkeit *f*; **~**

O

of judg(e)ment Schiefe *f* des Urteils.

ob·lit·er·ate [əˈblɪtəreɪt] *v/t.* **1.** auslöschen, tilgen (*beide a. fig.*), *Schrift a.* ausstreichen, wegradieren; *Briefmarken* entwerten; **2.** ⚕ veröden; **ob·lit·er·a·tion** [əˌblɪtəˈreɪʃn] *s.* **1.** Verwischung *f*, Auslöschung *f*; **2.** *fig.* Vernichtung *f*, Vertilgung *f*.

ob·liv·i·on [əˈblɪvɪən] *s.* **1.** Vergessenheit *f*: ***fall*** (*od.* ***sink***) ***into ~*** in Vergessenheit geraten; **2.** Vergessen *n*, Vergeßlichkeit *f*; **3.** ⚖, *pol.* Straferlaß *m*: (***Act of***) ♀ Amneˈstie *f*; **obˈliv·i·ous** [-ɪəs] *adj.* □ vergeßlich: ***be ~ of s.th.*** et. vergessen (haben); ***be ~ to s.th.*** F *fig.* blind sein gegen et., et. nicht beachten.

ob·long [ˈɒblɒŋ] **I** *adj.* **1.** länglich: ***~ hole*** ⚙ Langloch *n*; **2.** ⩓ rechteckig; **II** *s.* **3.** ⩓ Rechteck *n*.

ob·lo·quy [ˈɒbləkwɪ] *s.* **1.** Verleumdung *f*, Schmähung *f*: ***fall into ~*** in Verruf kommen; **2.** Schmach *f*.

ob·nox·ious [əbˈnɒkʃəs] *adj.* □ **1.** anstößig, anrüchig, verhaßt, abˈscheulich; **2.** (***to***) unbeliebt (bei), unangenehm (*dat.*); **obˈnox·ious·ness** [-nɪs] *s.* **1.** Anstößigkeit *f*, Anrüchigkeit *f*; **2.** Verhaßtheit *f*.

o·boe [ˈəʊbəʊ] *s.* ♪ Oˈboe *f*; **ˈo·bo·ist** [-əʊɪst] *s.* Oboˈist(in).

ob·scene [əbˈsiːn] *adj.* □ **1.** unzüchtig (*a.* ⚖), unanständig, zotig, obˈszön: ***~ libel*** ⚖ Veröffentlichung *f* unzüchtiger Schriften; ***~ talker*** Zotenreißer *m*; **2.** ˈwiderlich; **ob·scen·i·ty** [əbˈsenətɪ] *s.* **1.** Unanständigkeit *f*, Schmutz *m*, Zote *f*, *pl. a.* Obszöniˈtäten *pl.*; **2.** ˈWiderlichkeit *f*.

ob·scur·ant [ˈɒbskjʊərənt] *s.* Obskuˈrant *m*, Dunkelmann, Bildungsfeind *m*; **ob·scur·ant·ism** [ˌɒbskjʊəˈræntɪzəm] *s.* Obskuranˈtismus *m*, Bildungshaß *m*; **ob·scur·ant·ist** [ˌɒbskjʊəˈræntɪst] **I** *s.* → ***obscurant***; **II** *adj.* obskuranˈtistisch.

ob·scu·ra·tion [ˌɒbskjʊˈreɪʃn] *s.* Verdunkelung *f* (*a. fig.*).

ob·scure [əbˈskjʊə] **I** *adj.* □ **1.** dunkel, düster; **2.** *fig.* dunkel, unklar; **3.** *fig.* obˈskur, unbekannt, unbedeutend; **4.** *fig.* verborgen: ***live an ~ life***; **II** *v/t.* **5.** verdunkeln, verfinstern (*a. fig.*); **6.** *fig.* verkleinern, in den Schatten stellen; **7.** *fig.* unverständlich *od.* undeutlich machen; **8.** verbergen; **obˈscu·ri·ty** [-ərətɪ] *s.* **1.** Dunkelheit *f* (*a. fig.*); **2.** *fig.* Unklarheit *f*, Undeutlichkeit *f*, Unverständlichkeit *f*; **3.** *fig.* Unbekanntheit *f*, Verborgenheit *f*, Niedrigkeit *f der Herkunft*: ***be lost in ~*** vergessen sein.

ob·se·quies [ˈɒbsɪkwɪz] *s. pl.* Trauerfeierlichkeit(en *pl.*) *f*.

ob·se·qui·ous [əbˈsiːkwɪəs] *adj.* □ unterˈwürfig (***to*** gegen), serˈvil, kriecherisch; **obˈse·qui·ous·ness** [-nɪs] *s.* Unterˈwürfigkeit *f*.

ob·serv·a·ble [əbˈzɜːvəbl] *adj.* □ **1.** wahrnehmbar; **2.** bemerkenswert; **3.** zu be(ob)achten(d); **obˈserv·ance** [-vns] *s.* **1.** Befolgung *f*, Be(ob)achtung *f*, Ein-, Innehaltung *f von Gesetzen etc.*; **2.** *eccl.* Heilighaltung *f*, Feiern *n*; **3.** Brauch *m*, Sitte *f*; **4.** Regel *f*, Vorschrift *f*; **5.** *R.C.* Ordensregel *f*, Obserˈvanz *f*; **obˈserv·ant** [-vnt] *adj.* □ **1.** beobachtend, befolgend (***of*** *acc.*): ***be very ~ of forms*** sehr auf Formen halten; **2.** aufmerksam, acht-, wachsam (***of*** auf *acc.*).

ob·ser·va·tion [ˌɒbzəˈveɪʃn] **I** *s.* **1.** Beobachtung *f* (*a.* ⚕, ⚓ *etc.*), Überˈwachung *f*, Wahrnehmung *f*: ***keep s.o. under ~*** j-n beobachten (lassen); **2.** ⚔ (Nah)Aufklärung *f*; **3.** Beobachtungsvermögen *n*; **4.** Bemerkung *f*; **5.** Befolgung *f*; **II** *adj.* **6.** Beobachtungs…, Aussichts…; ***~ bal·loon*** *s.* ˈFesselbalˌlon *m*; ***~ car*** *s.* 🚃 Aussichtswagen *m*; ***~ coach*** *s.* Omnibus *m* mit Aussichtsplattform; ***~ post*** *s.* ⚔ Beobachtungsstand *m*, -posten *m*; ***~ tow·er*** *s.* Beobachtungswarte *f*; Aussichtsturm *m*; ***~ ward*** *s.* ⚕ Beˈobachtungsstatiˌon *f*; ***~ win·dow*** *s.* ⚙ *etc.* Beobachtungsfenster *n*.

ob·serv·a·to·ry [əbˈzɜːvətrɪ] *s.* Observaˈtorium *n*: a) Wetterwarte *f*, b) Sternwarte *f*.

ob·serve [əbˈzɜːv] **I** *v/t.* **1.** beobachten: a) überˈwachen, b) (be)merken, wahrnehmen, c) *Gesetz etc.* befolgen, (ein-)halten, beachten, *Fest etc.* feiern, begehen: ***~ silence*** Stillschweigen bewahren; **2.** bemerken, äußern, sagen; **II** *v/i.* **3.** Beobachtungen machen; **4.** Bemerkungen machen, sich äußern (***on***, ***upon*** über *acc.*); **obˈserv·er** [-və] *s.* **1.** Beobachter(in) (*a. pol.*), Zuschauer(in); **2.** Befolger(in); **3.** ⚔, ✈ a) Beobachter *m*, b) *Flugmeldedienst*: Luftspäher *m*; **obˈserv·ing** [-vɪŋ] *adj.* □ aufmerksam, achtsam.

ob·sess [əbˈses] *v/t.* quälen, heimsuchen, verfolgen (*von Ideen etc.*): ***~ed by*** (*od.* ***with***) besessen von; **ob·ses·sion** [əbˈseʃn] *s.* Besessenheit *f*, fixe Iˈdee; *psych.* Zwangsvorstellung *f*; **obˈses·sive** [-sɪv] *adj. psych.* zwanghaft, Zwangs…: ***~ neurosis***.

ob·so·les·cence [ˌɒbsəʊˈlesns] *s.* Veralten *n*: ***planned ~*** ✝, ⚙ künstliche Veralterung; **ob·soˈles·cent** [-nt] *adj.* veraltend.

ob·so·lete [ˈɒbsəliːt] *adj.* □ **1.** veraltet, überˈholt, altmodisch; **2.** abgenutzt, verbraucht; **3.** *biol.* zuˈrückgeblieben, rudimenˈtär.

ob·sta·cle [ˈɒbstəkl] *s.* Hindernis *n* (***to*** für) (*a. fig.*): ***put ~s in s.o.'s way*** *fig.* j-m Hindernisse in den Weg legen; ***~ race*** *sport* Hindernisrennen *n*.

ob·stet·ric, ob·stet·ri·cal [ɒbˈstetrɪk(l)] *adj.* Geburts(hilfe)…, Entbindungs…; **ob·ste·tri·cian** [ˌɒbsteˈtrɪʃn] *s.* ⚕ Geburtshelfer(in); **obˈstet·rics** [-ks] *s. pl. mst sg. konstr.* Geburtshilfe *f.*

ob·sti·na·cy [ˈɒbstɪnəsɪ] *s.* Hartnäckigkeit *f* (*a. fig.*, ⚕ *etc.*), Eigensinn *m*; **ˈob·sti·nate** [-tənət] *adj.* □ hartnäckig (*a. fig.*), halsstarrig, eigensinnig.

ob·strep·er·ous [əbˈstrepərəs] *adj.* □ **1.** ungebärdig, tobend, ˈwiderspenstig; **2.** lärmend.

ob·struct [əbˈstrʌkt] **I** *v/t.* **1.** versperren, -stopfen, blockieren: *~ s.o.'s view* j-m die Sicht nehmen; **2.** *a. fig.* behindern, hemmen, lahmlegen; **3.** *fig.*, *a. pol.* blockieren, vereiteln; **4.** *sport*: sperren, (*a. Amtsperson*) behindern (*in* bei); **II** *v/i.* **5.** *pol.* Obstruktiˈon treiben; **obˈstruc·tion** [-kʃn] *s.* **1.** Versperrung *f*, Verstopfung *f*; **2.** Behinderung *f*, Hemmung *f*; **3.** Hindernis *n* (*to* für); **4.** *pol.* Obstruktiˈon *f*; **obˈstruc·tion·ism** [-kʃənɪzəm] *s. bsd. pol.* Obstruktiˈonspoliˌtik *f*; **obˈstruc·tion·ist** [-kʃənɪst] **I** *s.* Obstruktiˈonspoˌlitiker(in); **II** *adj.* Obstruktions…; **obˈstruc·tive** [-tɪv] **I** *adj.* □ **1.** versperrend (*etc.* → *obstruct* I); **2.** (*of*, *to*) hinderlich, hemmend (für): *be ~ to s.th.* et. behindern; **3.** Obstruktions…; **II** *s.* **4.** Hindernis *n.*

ob·tain [əbˈteɪn] **I** *v/t.* **1.** erlangen, erhalten, bekommen, erwerben, sich verschaffen, *Sieg* erringen: *~ by flattery* sich erschmeicheln; *~ legal force* Rechtskraft erlangen; *details can be ~ed from* Näheres ist zu erfahren bei; **2.** *Willen*, *Wünsche etc.* ˈdurchsetzen; **3.** erreichen; **4.** ✝ *Preis* erzielen; **II** *v/i.* **5.** (vor)herrschen, bestehen; Geltung haben, sich behaupten; **obˈtain·a·ble** [-nəbl] *adj.* erreichbar, erlangbar; erhältlich, zu erhalten(d) (*at* bei); **obˈtain·ment** [-mənt] *s.* Erlangung *f.*

ob·trude [əbˈtruːd] **I** *v/t.* aufdrängen, -nötigen, -zwingen (*upon*, *on dat.*): *~ o.s. upon* → **II** *v/i.* sich aufdrängen (*upon*, *on dat.*); **obˈtru·sion** [-uːʒn] *s.* **1.** Aufdrängen *n*, Aufnötigung *f*; **2.** Aufdringlichkeit *f*; **obˈtru·sive** [-uːsɪv] *adj.* □ aufdringlich (*a. Sache*).

ob·tu·rate [ˈɒbtjʊəreɪt] *v/t.* **1.** *a.* ⚕ verstopfen, verschließen; **2.** ⚙ (ab)dichten, lidern; **ob·tu·ra·tion** [ˌɒbtjʊəˈreɪʃn] *s.* **1.** Verstopfung *f*, Verschließung *f*; **2.** ⚙ (Ab)Dichtung *f.*

ob·tuse [əbˈtjuːs] *adj.* □ **1.** stumpf (*a.* ⩓): *~(-angled)* stumpfwink(e)lig; **2.** *fig.* begriffsstutzig, beschränkt; dumpf (*Ton*, *Schmerz etc.*); **obˈtuse·ness** [-nɪs] *s.* **1.** Stumpfheit *f* (*a. fig.*); **2.** Begriffsstutzigkeit *f.*

ob·verse [ˈɒbvɜːs] **I** *s.* **1.** Vorderseite *f*; Bildseite *f e-r Münze*; **2.** Gegenstück *n*, *die* andere Seite, Kehrseite *f*; **II** *adj.* □ **3.** Vorder…, dem Beobachter zugekehrt; **4.** entsprechend, ˈumgekehrt; **ob·verse·ly** [ɒbˈvɜːslɪ] *adv.* ˈumgekehrt.

ob·vi·ate [ˈɒbvɪeɪt] *v/t.* **1.** *e-r Sache* begegnen, zuˈvorkommen, vorbeugen, *et.* verhindern, verhüten; **2.** aus dem Weg räumen, beseitigen; **3.** erübrigen; **ob·vi·a·tion** [ˌɒbvɪˈeɪʃn] *s.* **1.** Vorbeugen *n*, Verhütung *f*; **2.** Beseitigung *f.*

ob·vi·ous [ˈɒbvɪəs] *adj.* □ offensichtlich, augenfällig, klar, deutlich; naheliegend, einleuchtend: *it is ~ that* es liegt auf der Hand, daß; *it was the ~ thing to do* es war das Nächstliegende; *he was the ~ choice* kein anderer kam dafür in Frage; **ˈob·vi·ous·ness** [-nɪs] *s.* Offensichtlichkeit *f.*

oc·ca·sion [əˈkeɪʒn] **I** *s.* **1.** (günstige) Gelegenheit; **2.** (*of*) Gelegenheit *f* (zu), Möglichkeit *f* (*gen.*); **3.** (besondere) Gelegenheit, Anlaß *m*; (F festliches) Ereignis: *on this ~* bei dieser Gelegenheit; *on the ~ of* anläßlich (*gen.*); *on ~* a) bei Gelegenheit, b) gelegentlich, c) wenn nötig; *for the ~* für diese besondere Gelegenheit, eigens zu diesem Zweck; *a great ~* ein großes Ereignis; *improve the ~* die Gelegenheit (*bsd.* zu e-r Moralpredigt) benützen; *rise to the ~* sich der Lage gewachsen zeigen; **4.** Anlaß *m*, Anstoß *m*: *give ~ to* → 6; **5.** (*for*) Grund *m* (zu), Ursache *f* (*gen.*), Veranlassung *f* (zu); **II** *v/t.* **6.** verursachen (*s.o. s.th.*, *s.th. to s.o.* j-m et.), hervorrufen, bewirken, zeitigen; **7.** *j-n* veranlassen (*to do* zu tun); **ocˈca·sion·al** [-ʒənl] *adj.* □ **1.** gelegentlich, Gelegenheits…(*-arbeit*, *-dichter*, *-gedicht etc.*); vereinzelt; **2.** zufällig; **ocˈca·sion·al·ly** [-ʒnəlɪ] *adv.* gelegentlich, hin u. wieder.

Oc·ci·dent [ˈɒksɪdənt] *s.* **1.** ˈOkzident *m*, Westen *m*, Abendland *n*; **2.** ꝛ Westen *m*; **Oc·ci·den·tal** [ˌɒksɪˈdentl] **I** *adj.* □ **1.** abendländisch, westlich; **2.** ꝛ westlich; **II** *s.* **3.** Abendländer(in).

oc·cip·i·tal [ɒkˈsɪpɪtl] *anat.* **I** *adj.* Hinterhaupt(s)…; **II** *s.* ˈHinterhauptsbein *n*; **oc·ci·put** [ˈɒksɪpʌt] *pl.* **oc·cip·i·ta** [ɒkˈsɪpɪtə] *s. anat.* ˈHinterkopf *m.*

oc·clude [ɒˈkluːd] *v/t.* **1.** *a.* ⚕ verstopfen, verschließen; **2.** a) einschließen, b) ausschließen, c) abschließen (*from* von); **3.** ⚗ okkludieren, adsorbieren; **ocˈclu·sion** [-uːʒn] *s.* **1.** *a.* ⚕ a) Verstopfung *f*, Verschließung *f*, b) Verschluß *m*; **2.** Okklusiˈon *f*: a) ⚗ Adsorptiˈon *f*, b) ⚕ Biß(stellung *f*) *m*; *abnormal ~* Bißanomalie *f.*

oc·cult [ɒˈkʌlt] **I** *adj.* □ okˈkult: a) geheimnisvoll, verborgen (*a.* ⚕), b) magisch, ˈübersinnlich, c) geheim, Geheim…: *~ sciences* Geheimwissenschaften; **II** *v/t.* verdecken; *ast.* verfinstern; **III** *s.* ***the ~*** das Ok'kulte; **oc·cult·ism** ['ɒkəltɪzəm] *s.* Okkul'tismus *m*; **oc·cult·ist** ['ɒkəltɪst] **I** *s.* Okkul'tist (-in); **II** *adj.* okkul'tistisch.

oc·cu·pan·cy ['ɒkjʊpənsɪ] *s.* **1.** Besitzergreifung *f* (*a.* ⚖); Einzug *m* (***of*** in *e-e Wohnung*); **2.** Innehaben *n*, Besitz *m*: ***during his ~ of the post*** solange er die Stelle innehatte; **3.** In'anspruchnahme *f* (*von Raum etc.*); '**oc·cu·pant** [-nt] *s.* **1.** *bsd.* ⚖ Besitzergreifer(in); **2.** Besitzer (-in), Inhaber(in); **3.** Bewohner(in), Insasse *m*, Insassin *f* (*Haus etc.*); **oc·cu·pa·tion** [ˌɒkjʊ'peɪʃn] *s.* **1.** Besitz *m*, Innehaben *n*; **2.** Besitznahme *f*, -ergreifung *f*; **3.** ⚔, *pol.* Besetzung *f*, Besatzung *f*, Okkupati'on *f*: ***~ troops*** Besatzungstruppen; → ***zone*** 1; **4.** Beschäftigung *f*: ***without ~*** beschäftigungslos; **5.** Beruf *m*, Gewerbe *n*: ***by ~*** von Beruf; ***employed in an ~*** berufstätig; ***in*** (*od.* ***as a***) ***regular ~*** hauptberuflich; **oc·cu·pa·tion·al** [ˌɒkjuː'peɪʃənl] *adj.* **1.** beruflich, Berufs...(*-gruppe*, *-krankheit etc.*), Arbeits...(*-psychologie*, *-unfall etc.*): ***~ hazard*** Berufsrisiko *n*; **2.** Beschäftigungs...: ***~ therapy***.

oc·cu·pi·er ['ɒkjʊpaɪə] → ***occupant***.

oc·cu·py ['ɒkjʊpaɪ] *v/t.* **1.** in Besitz nehmen, Besitz ergreifen von; *Wohnung* beziehen; ⚔ besetzen; **2.** besitzen, innehaben; *fig.* *Amt etc.* bekleiden, innehaben: ***~ the chair*** den Vorsitz führen; **3.** bewohnen; **4.** *Raum* einnehmen, (*a.* *Zeit*) in Anspruch nehmen; **5.** *j-n*, *j-s Geist* beschäftigen: ***~ o.s.*** sich beschäftigen *od.* befassen (***with*** mit); ***be occupied with*** (*od.* ***in***) ***doing*** damit beschäftigt sein, *et.* zu tun.

oc·cur [ə'kɜː] *v/i.* **1.** sich ereignen, vorfallen, -kommen, passieren, eintreten; **2.** vorkommen (***in Poe*** bei Poe); **3.** zustoßen, vorkommen, begegnen (***to s.o.*** j-m); **4.** einfallen (***to*** *dat.*): ***it ~red to me that*** es fiel mir ein *od.* es kam mir der Gedanke, daß; **oc·cur·rence** [ə'kʌrəns] *s.* **1.** Vorkommen *n*, Auftreten *n*; **2.** Ereignis *n*, Vorfall *m*, Vorkommnis *n*.

o·cean ['əʊʃn] *s.* **1.** Ozean *m*, Meer *n*: ***~ lane*** Schiffahrtsroute *f*; ***~ liner*** Ozeandampfer *m*; **2.** *fig.* Meer *n*: ***~s of*** F e-e Unmenge von; ***~ bill of lad·ing*** *s.* ✝ Konnosse'ment *n*, Seefrachtbrief *m*; '**~-ˌgo·ing** *adj.* ⚓ Hochsee..., hochseetüchtig.

o·ce·an·ic [ˌəʊʃɪ'ænɪk] *adj.* oze'anisch, Ozean..., Meer(es)...

o·ce·a·no·graph·ic, **o·ce·a·no·graph·i·cal** [ˌəʊʃɪənəʊ'græfɪk(l)] *adj.* ozeano'graphisch; **o·ce·a·nog·ra·phy** [ˌəʊʃjə'nɒgrəfɪ] *s.* Meereskunde *f*; **o·ce·a·nol·o·gy** [ˌəʊʃjə'nɒlədʒɪ] *s.* Ozeanolo'gie *f*, Meereskunde *f*.

oc·el·lat·ed ['ɒsəleɪtɪd] *adj.* *zo.* **1.** augenfleckig; **2.** augenähnlich; **o·cel·lus** [əʊ'seləs] *pl.* **-li** [-laɪ] *s.* *zo.* **1.** Punktauge *n*; **2.** Augenfleck *m*.

o·cher *Am.* → ***ochre***.

och·loc·ra·cy [ɒk'lɒkrəsɪ] *s.* Ochlokra'tie *f*, Pöbelherrschaft *f*.

o·chre ['əʊkə] **I** *s.* **1.** *min.* Ocker *m*: ***blue*** (*od.* ***iron***) ***~*** Eisenocker *m*; ***brown*** (*od.* ***spruce***) ***~*** brauner Eisenocker; **2.** Okkerfarbe *f*, -gelb *n*; **II** *adj.* **3.** ockergelb; **o·chre·ous** ['əʊkrɪəs] *adj.* **1.** Ocker...; **2.** ockerhaltig *od.* -artig *od.* -farbig.

o'clock [ə'klɒk] Uhr (*bei Zeitangaben*): ***four ~*** vier Uhr.

oc·ta·gon ['ɒktəgən] *s.* ⩕ Achteck *n*; **oc·tag·o·nal** [ɒk'tægənl] *adj.* □ **1.** achteckig, -seitig; **2.** Achtkant...

oc·ta·he·dral [ˌɒktə'hedrəl] *adj.* ⩕, *min.* okta'edrisch, achtflächig; ˌ**oc·ta'he·dron** [-drən] *pl.* **-drons** *od.* **-dra** [-drə] *s.* Okta'eder *n*.

oc·tal ['ɒktl] *adj.* ⚡ Oktal...

oc·tane ['ɒkteɪn] *s.* ⚗ Ok'tan *n*: ***~ number***, ***~ rating*** Oktanzahl *f*.

oc·tant ['ɒktənt] *s.* ⩕, ⚓ Ok'tant *m*.

oc·tave ['ɒktɪv; *eccl.* 'ɒkteɪv] *s.* ♪, *eccl.*, *phys.* Ok'tave *f*.

oc·ta·vo [ɒk'teɪvəʊ] *pl.* **-vos** *s.* **1.** Ok'tav(forˌmat) *n*; **2.** Ok'tavband *m*.

oc·til·lion [ɒk'tɪljən] *s.* ⩕ *Brit.* Oktilli'on *f*, *Am.* Quadrilli'arde *f*.

Oc·to·ber [ɒk'təʊbə] *s.* Ok'tober *m*: ***in ~*** im Oktober.

oc·to·dec·i·mo [ˌɒktəʊ'desɪməʊ] *pl.* **-mos** *s.* **1.** Okto'dezforˌmat *n*; **2.** Okto'dezband *m*.

oc·to·ge·nar·i·an [ˌɒktəʊdʒɪ'neərɪən] **I** *adj.* achtzigjährig; **II** *s.* Achtzigjährige(r *m*) *f*, Achtziger(in).

oc·to·pod ['ɒktəpɒd] *s.* *zo.* Okto'pode *m*, Krake *m*.

oc·to·pus ['ɒktəpəs] *pl.* **-pus·es** *od.* '**oc·to·pi** [-paɪ] *s.* **1.** *zo.* Krake *m*: a) 'Seepoˌlyp *m*, b) Okto'pode *m*; **2.** *fig.* Po'lyp *m*.

oc·to·syl·lab·ic [ˌɒktəʊsɪ'læbɪk] **I** *adj.* achtsilbig; **II** *s.* Achtsilb(l)er *m* (*Vers*); **oc·to·syl·la·ble** ['ɒktəʊˌsɪləbl] *s.* **1.** achtsilbiges Wort; **2.** → ***octosyllabic*** II.

oc·u·lar ['ɒkjʊlə] **I** *adj.* □ **1.** Augen... (*-bewegung*, *-zeuge etc.*); **2.** sichtbar (*Beweis*), augenfällig; **II** *s.* **3.** *opt.* Oku'lar *n*; '**oc·u·lar·ly** [-lɪ] *adv.* **1.** augenscheinlich; **2.** durch Augenschein, mit eigenen Augen; '**oc·u·list** [-lɪst] *s.* Augenarzt *m*.

odd [ɒd] **I** *adj.* □ → ***oddly***; **1.** sonderbar, seltsam, merkwürdig, kuri'os: ***an ~ fellow*** (*od.* F ***fish***) ein sonderbarer Kauz; **2.** (*nach Zahlen etc.*) und etliche, und einige *od.* etwas dar'über: ***50 ~*** über 50, einige 50; ***fifty ~ thousand*** zwischen 50000 u. 60000; ***it cost five***

pounds ~ es kostete etwas über 5 Pfund; **3.** (*noch*) übrig, ˈüberzählig, restlich; **4.** ungerade: ***~ and even*** gerade u. ungerade; ***an ~ number*** eine ungerade Zahl; ***~ man out*** Überzählige(r) *m*; ***the ~ man*** der Mann mit der entscheidenden Stimme (*bei Stimmengleichheit*) (→ 6); **5.** a) einzeln (*Schuh etc.*): ***~ pair*** Einzelpaar *n*, b) vereinzelt: ***some ~ volumes*** einige Einzelbände, c) ausgefallen, wenig gefragt (*Kleidergröße*); **6.** gelegentlich, Gelegenheits...: ***~ jobs*** Gelegenheitsarbeiten; ***at ~ moments, at ~ times*** dann und wann, zwischendurch; ***~ man*** Gelegenheitsarbeiter *m*; **II** *s.* **7.** → ***odds***; ˈ**odd-ball** *s. Am.* F → ***oddity*** 2.

odd·i·ty [ˈɒdɪtɪ] *s.* **1.** Seltsamkeit *f*, Wunderlichkeit *f*, Eigenartigkeit *f*; **2.** komischer Kauz, Unikum *n*; **3.** seltsame *od.* kuriˈose Sache; **odd·ly** [ˈɒdlɪ] *adv.* **1.** → ***odd*** 1; **2.** *a.* ***~ enough*** seltsamerweise; **odd·ments** [ˈɒdmənts] *s. pl.* Reste *pl.*, ˈÜberbleibsel *pl.*; Krimskrams *m*; ✝ Einzelstücke *pl.*; **odd·ness** [ˈɒdnɪs] *s.* Seltsamkeit *f*, Sonderbarkeit *f*.

ˈ**odd**ˌ**num·bered** *adj.* ungeradzahlig.

odds [ɒdz] *s. pl. oft sg. konstr.* **1.** Verschiedenheit *f*, ˈUnterschied *m*: ***what's the ~?*** F was macht es (schon) aus?; ***it makes no ~*** es macht nichts (aus); **2.** Vorgabe *f* (*im Spiel*): ***give s.o. ~*** j-m et. vorgeben; ***take ~*** sich vorgeben lassen; ***take the ~*** e-e ungleiche Wette eingehen; **3.** (Gewinn)Chancen *pl.*: ***the ~ are 10 to 1*** die Chancen stehen 10 zu 1; ***the ~ are in our favo(u)r*** (*od.* ***on us***) *a. fig.* wir haben die besseren Chancen; ***the ~ are against us*** unsere Chancen stehen schlecht, wir sind im Nachteil; ***against long ~*** mit wenig Aussicht auf Erfolg; ***by long ~*** bei weitem; ***the ~ are that he will come*** es ist sehr wahrscheinlich, daß er kommt; **4.** Uneinigkeit *f*: ***at ~ with*** im Streit mit, uneins mit; ***set at ~*** uneinig machen, gegeneinander aufhetzen; **5.** ***~ and ends*** a) allerlei Kleinigkeiten, Krimskrams *m*, dies u. das, b) Reste, Abfälle; ˌ**~-ˈon I** *adj.* aussichtsreich (*z. B. Rennpferd*): ***~ certainty*** sichere Sache; ***it's ~ that*** es ist so gut wie sicher, daß; **II** *s.* gute Chance.

ode [əʊd] *s.* Ode *f*.

o·di·ous [ˈəʊdjəs] *adj.* □ **1.** verhaßt, hassenswert, abˈscheulich; **2.** widerlich, ekelhaft; ˈ**o·di·ous·ness** [-nɪs] *s.* **1.** Verhaßtheit *f*, Abˈscheulichkeit *f*; **2.** Widerlichkeit *f*; ˈ**o·di·um** [-jəm] *s.* **1.** Verhaßtheit *f*; **2.** Odium *n*, Vorwurf *m*, Makel *m*; **3.** Haß *m*, Gehässigkeit *f*.

o·dom·e·ter [əʊˈdɒmɪtə] *s.* **1.** Weg(strecken)messer *m*; **2.** Kiloˈmeterzähler *m*.

o·don·tic [ɒˈdɒntɪk] *adj.* Zahn...: ***~ nerve***; **o·don·tol·o·gy** [ˌɒdɒnˈtɒlədʒɪ] *s.* Zahn(heil)kunde *f*, Odontoloˈgie *f*.

o·dor(**·less**) *Am.* → ***odour***(***less***).

o·dor·ant [ˈəʊdərənt] *adj.*, **o·dor·if·er·ous** [ˌəʊdəˈrɪfərəs] *adj.* □ **1.** wohlriechend, duftend; **2.** *allg.* riechend.

o·dour [ˈəʊdə] *s.* **1.** Geruch *m*; **2.** Duft *m*, Wohlgeruch *m*; **3.** *fig.* Geruch *m*, Ruf *m*: ***the ~ of sanctity*** der Geruch der Heiligkeit; ***to be in bad ~ with s.o.*** bei j-m in schlechtem Rufe stehen; ˈ**o·dour·less** [-lɪs] *adj.* geruchlos.

Od·ys·sey [ˈɒdɪsɪ] *s. lit.* (*fig. oft* ♒) Odysˈsee *f*.

oe·col·o·gy [iːˈkɒlədʒɪ] → ***ecology***.

oec·u·men·i·cal [ˌiːkjʊˈmenɪkəl] *etc.* → ***ecumenical*** *etc.*

oe·de·ma [iːˈdiːmə] *pl.* **-ma·ta** [-mətə] *s.* ⚕ Öˈdem *n*.

oe·di·pal [ˈiːdɪpl] *adj. psych.* ödiˈpal, Ödipus...

Oed·i·pus com·plex [ˈiːdɪpəs] *s. psych.* ˈÖdipuskomˌplex *m*.

oen·o·lo·gy [iːˈnɒlədʒɪ] Wein(bau)kunde *f*, Önoloˈgie *f*.

o'er [ˈəʊə] *poet. od. dial. für* ***over***.

oe·so·phag·e·al [iːˌsɒfəˈdʒiːəl] *adj. anat.* Speiseröhren..., Schlund...: ***~ orifice*** Magenmund *m*; **oe·soph·a·gus** [iːˈsɒfəgəs] *pl.* **-gi** [-gaɪ] *od.* **-gus·es** *s. anat.* Speiseröhre *f*.

of [ɒv, əv] *prp.* **1.** *allg.* von; **2.** *zur Bezeichnung des Genitivs*: ***the tail ~ the dog*** der Schwanz des Hundes; ***the tail ~ a dog*** der Hundeschwanz; **3.** *Ort*: bei: ***the battle ~ Hastings***; **4.** *Entfernung, Trennung, Befreiung*: a) von: ***south ~*** (***within ten miles ~***) ***London***; ***cure*** (***rid***) ***~ s.th.***; ***free ~***, b) *gen.*: ***robbed ~ his purse*** s-r Börse beraubt, c) um: ***cheat s.o. ~ s.th.***; **5.** *Herkunft*: von, aus: ***~ good family***; ***Mr. X ~ London***; **6.** *Teil*: von *od. gen.*: ***the best ~ my friends***; ***a friend ~ mine*** ein Freund von mir, e-r m-r Freunde; ***that red nose ~ his*** diese rote Nase, die er hat; **7.** *Eigenschaft*: von, mit: ***a man ~ courage***; ***a man ~ no importance*** ein unbedeutender Mensch; **8.** *Stoff*: aus, von: ***a dress ~ silk*** ein Kleid aus *od.* von Seide, ein Seidenkleid; (***made***) ***~ steel*** aus Stahl (hergestellt), stählern, Stahl...; **9.** *Urheberschaft, Art u. Weise*: von: ***the works ~ Byron***; ***it was clever ~ him***; ***~ o.s.*** von selbst, von sich aus; **10.** *Ursache, Grund*: a) von, an (*dat.*): ***die ~ cancer*** an Krebs sterben, b) aus: ***~ charity***, c) vor (*dat.*): ***afraid ~***, d) auf (*acc.*): ***proud ~***, e) über (*acc.*): ***ashamed ~***, f) nach: ***smell ~***; **11.** *Beziehung*: hinsichtlich (*gen.*): ***quick ~ eye*** flinkäugig; ***nimble ~ foot*** leichtfüßig; **12.** *Thema*: a) von, über (*acc.*): ***speak ~ s.th.***, b) an (*acc.*): ***think ~ s.th.***; **13.** *Apposition, im Deutschen nicht ausge-*

drückt: a) ***the city ~ London***; ***the University ~ Oxford***; ***the month ~ April***; ***the name ~ Smith***, b) *Maß*: ***two feet ~ snow***; ***a glass ~ wine***; ***a piece ~ meat***; **14.** *Genitivus objectivus*: a) zu: ***the love ~ God***, b) vor (*dat.*): ***the fear ~ God*** die Furcht vor Gott, die Gottesfurcht, c) bei: ***an audience ~ the king;*** **15.** *Zeit*: a) an (*dat.*), in (*dat.*), *mst gen.*: ***~ an evening*** e-s Abends; ***~ late years*** in den letzten Jahren, b) von: ***your letter ~ March 3rd*** Ihr Schreiben vom 3. März, c) *Am.* F vor (*bei Zeitangaben*): ***ten minutes ~ three***.

off [ɒf] **I** *adv.* **1.** *mst in Zssgn mit vb.* fort, weg, da'von: ***be ~*** a) weg *od.* fort sein, b) (weg)gehen, sich davonmachen, (ab)fahren, c) weg müssen; ***be ~!***, ***~ you go!***, ***~ with you!*** fort mit dir!, pack dich!, weg!; ***where are you ~ to?*** wo gehst du hin?; **2.** ab(*-brechen*, *-kühlen*, *-rutschen*, *-schneiden etc.*), her'unter(…), los(…): ***the apple is ~*** der Apfel ist ab; ***dash ~*** losrennen; ***have one's shoes*** *etc.* ***~*** s-e *od.* die Schuhe *etc.* ausgezogen haben; ***~ with your hat!*** herunter mit dem Hut!; **3.** entfernt, weg: ***3 miles ~***; **4.** *Zeitpunkt*: von jetzt an, hin: ***Christmas is a week ~*** bis Weihnachten ist es eine Woche; ***~ and on*** a) ab u. zu, hin u. wieder, b) ab u. an, mit (kurzen) Unterbrechungen; **5.** abgezogen, ab(züglich); **6.** a) aus(geschaltet), abgeschaltet, -gestellt (*Maschine*, *Radio etc.*), (ab)gesperrt (*Gas etc.*), zu (*Hahn etc.*), b) *fig.* aus, vor'bei, abgebrochen; gelöst (*Verlobung*): ***the bet is ~*** die Wette gilt nicht mehr; ***the whole thing is ~*** die ganze Sache ist abgeblasen *od.* ins Wasser gefallen; **7.** aus(gegangen), verkauft, nicht mehr vorrätig; **8.** frei (*von Arbeit*): ***take a day ~*** sich e-n Tag freinehmen; **9.** ganz, zu Ende: ***drink ~*** (ganz) austrinken; ***kill ~*** ausrotten; ***sell ~*** ausverkaufen; **10.** ✝ flau: ***the market is ~***; **11.** nicht frisch, (leicht) verdorben (*Nahrungsmittel*); **12.** *sport* außer Form; **13.** ⚓ vom Land *etc.* ab; **14.** ***well*** (***badly***) ***~*** gut (schlecht) d(a)ran *od.* gestellt *od.* situiert; ***how are you ~ for …?*** wie bist du dran mit …?; **II** *prp.* **15.** von … (weg, ab, her'unter): ***climb ~ the horse*** vom Pferd (herunter)steigen; ***eat ~ a plate*** von e-m Teller essen; ***take 3 percent ~ the price*** 3 Prozent vom Preis abziehen; ***be ~ a drug*** *sl.* von e-r Droge ‚heruntersein'; **16.** abseits von *od. gen.*, von … ab: ***~ the street***; ***a street ~ Piccadilly*** e-e Seitenstraße von Piccadilly; ***~ one's balance*** aus dem Gleichgewicht; ***~ form*** außer Form; **17.** frei von: ***~ duty*** dienstfrei; **18.** ⚓ auf der Höhe von *Trafalgar etc.*, vor *der Küste*; **III** *adj.* **19.** (weiter) entfernt; **20.** Seiten…, Neben…: ***~ street***; **21.** recht (*von Tieren*, *Fuhrwerken etc.*): ***the ~ horse*** das rechte Pferd, das Handpferd; **22.** *Kricket*: abseitig (*rechts vom Schlagmann*); **23.** ab(-), los(gegangen); **24.** (arbeits-, dienst)frei: ***an ~ day***; → **25.** (*verhältnismäßig*) schlecht: ***an ~ day*** ein schlechter Tag (*an dem alles mißlingt etc.*); ***an ~ year for fruit*** ein schlechtes Obstjahr; **26.** ✝ a) flau, still, tot (*Saison*), b) von schlechter Quali'tät: ***~ shade*** Fehlfarbe *f*; **27.** ‚ab', unwohl, nicht auf dem Damm: ***I am feeling rather ~ today***; **28.** ***on the ~ chance*** auf gut Glück: ***I went there on the ~ chance of seeing him*** ich ging in der vagen Hoffnung hin, ihn zu sehen; **IV** *int.* **29.** weg!, fort!, raus!: ***hands ~!*** Hände weg!; **30.** her'unter!, ab!

of·fal ['ɒfl] *s.* **1.** Abfall *m*; **2.** *sg. od. pl. konstr.* Fleischabfall *m*, Inne'reien *pl.*; **3.** billige *od.* minderwertige Fische *pl.*; **4.** *fig.* Schund *m*, Ausschuß *m*.

ˌ**off**|'**beat** *adj.* F ausgefallen, extrava'gant (*Geschmack*, *Kleidung etc.*); '**~·cast I** *adj.* verworfen, abgetan; **II** *s.* abgetane Per'son *od.* Sache; ˌ**~-'cen·ter** *Am.*, ˌ**~-'cen·tre** *Brit. adj.* verrutscht; ⚙ außermittig, ex'zentrisch (*a. fig.*); ˌ**~-'col·o(u)r** *adj.* **1.** a) farblich abweichend, b) nicht lupenrein: ***~ jewel***; **2.** *fig.* nicht (ganz) in Ordnung; unpäßlich; **3.** zweideutig, schlüpfrig: ***~ jokes***; ˌ**~-'du·ty** *adj.* dienstfrei.

of·fence [ə'fens] *s.* **1.** *allg.* Vergehen *n*, Verstoß *m* (***against*** gegen); **2.** ⚖ a) *a.* ***criminal ~*** Straftat *f*, strafbare Handlung, De'likt *n*, b) *a.* ***lesser*** *od.* ***minor ~*** Über'tretung *f*; **3.** Anstoß *m*, Ärgernis *n*, Beleidigung *f*, Kränkung *f*: ***give ~*** Anstoß *od.* Ärgernis erregen (***to*** bei); ***take ~*** (***at***) Anstoß nehmen (an *dat.*), beleidigt *od.* gekränkt sein (durch, über *acc.*), (*et.*) übelnehmen; ***no ~*** (***meant***)***!*** nichts für ungut!; **4.** Angriff *m*: ***arms of ~*** Angriffswaffen *pl.*; **of'fence·less** [-lɪs] *adj.* harmlos.

of·fend [ə'fend] **I** *v/t.* **1.** *j-n*, *j-s Gefühle etc.* verletzen, beleidigen, kränken: ***it ~s the eye*** es beleidigt das Auge; ***be ~ed at*** (*od.* ***by***) ***s.th.*** sich durch et. beleidigt fühlen; ***be ~ed with*** (*od.* ***by***) ***s.o.*** sich durch j-n beleidigt fühlen; **II** *v/i.* **2.** Anstoß erregen; **3.** (***against***) verstoßen (gegen), sündigen, sich vergehen (an *dat.*); **of'fend·ed·ly** [-dɪdlɪ] *adv.* beleidigt; **of'fend·er** [-də] *s.* Übel-, Missetäter(in); ⚖ Straffällige(r *m*) *f*: ***first ~*** ⚖ nicht Vorbestrafte(r *m*) *f*, Ersttäter(in); ***second ~*** Rückfällige(r *m*) *f*; **of'fend·ing** [-dɪŋ] *adj.* **1.** verletzend, beleidigend; **2.** anstößig.

of·fense(**·less**) *Am.* → ***offence***(***less***).

of·fen·sive [ə'fensɪv] **I** *adj.* □ **1.** beleidigend, anstößig, anstoß- *od.* ärgerniserregend; **2.** 'widerwärtig, ekelhaft, übel: ***~ smell***; **3.** angreifend, offen'siv: ***~ war*** Angriffs-, Offensivkrieg *m*; ***~ weapon*** Angriffswaffe *f*; **II** *s.* **4.** Offen'sive *f*, Angriff *m*: ***take the ~*** die Offensive ergreifen, zum Angriff übergehen; **of'fen·sive·ness** [-nɪs] *s.* **1.** *das* Beleidigende, Anstößigkeit *f*; **2.** 'Widerlichkeit *f*.

of·fer ['ɒfə] **I** *v/t.* **1.** *Geschenk, Ware etc., a. Schlacht* anbieten; ✝ *a.* offerieren; *Preis, Summe* bieten: ***~ s.o. a cigarette***; ***~ one's hand*** (***to***) *j-m* die Hand bieten *od.* reichen; ***~ for sale*** zum Verkauf anbieten; **2.** *Ansicht, Entschuldigung etc.* vorbringen, äußern; **3.** *Anblick, Schwierigkeit etc.* bieten: ***no opportunity ~ed itself*** es bot sich keine Gelegenheit; **4.** sich bereit erklären zu, sich (an)erbieten zu; **5.** Anstalten machen zu, sich anschicken zu; **6.** *fig. Beleidigung* zufügen; *Widerstand* leisten; *Gewalt* antun (***to*** *dat.*); **7.** *a.* ***~ up*** opfern, *Opfer, Gebet, Geschenk* darbringen (***to*** *dat.*); **II** *v/i.* **8.** sich bieten, auftauchen: ***no opportunity ~ed*** es bot sich keine Gelegenheit; **III** *s.* **9.** *allg.* Angebot *n*, Anerbieten *n*; **10.** ✝ (An-)Gebot *n*, Of'ferte *f*, Antrag *m*: ***on ~*** zu verkaufen, verkäuflich; **11.** Vorbringen *n* (*e-s Vorschlags, e-r Meinung etc.*); **of·fer·ing** ['ɒfərɪŋ] *s.* **1.** *eccl.* Opfer *n*; **2.** *eccl.* Spende *f*; **3.** Angebot *n* (*Am. a.* ✝ *Börse*).

of·fer·to·ry ['ɒfətərɪ] *s. eccl.* **1.** *mst* ♀ Offer'torium *n*; **2.** Kol'lekte *f*, Geldsammlung *f*; **3.** Opfer(geld) *n*.

ˌ**off|-'face** *adj.* stirnfrei (*Damenhut*); '**~-fla·vo(u)r** *s.* (unerwünschter) Beigeschmack; ˌ**~'grade** *adj.* ✝ von geringerer Quali'tät: ***~ iron*** Ausfalleisen *n*.

off|·hand [ˌɒf'hænd] **I** *adv.* **1.** aus dem Stegreif *od.* Kopf, (so) ohne weiteres *sagen können etc.*; **II** *adj.* **2.** unvorbereitet, improvisiert, Stegreif...: ***an ~ speech***; **3.** lässig (*Art etc.*), 'hingeworfen (*Bemerkung*); **4.** kurz (angebunden); ˌ**~'hand·ed** [-dɪd] → ***offhand*** II; ˌ**~'hand·ed·ness** [-dɪdnɪs] *s.* Lässigkeit *f*.

of·fice ['ɒfɪs] *s.* **1.** Bü'ro *n*, Kanz'lei *f*, Kon'tor *n*; Geschäftsstelle *f* (*a.* ⚖ *des Gerichts*), Amt *n*; Geschäfts-, Amtszimmer *n od.* -gebäude *n*; **2.** Behörde *f*, Amt *n*, (Dienst)Stelle *f*; *mst* ♀ *bsd. Brit.* Mini'sterium *n*, (Ministeri'al)Amt *n*: ***Foreign*** ♀; **3.** Zweigstelle *f*, Fili'ale *f*; **4.** (*bsd.* öffentliches, staatliches) Amt, Posten *m*, Stellung *f*: ***take ~, enter upon an ~*** ein Amt antreten; ***be in ~*** im Amt *od.* an der Macht sein; ***hold an ~*** ein Amt bekleiden *od.* innehaben; ***resign one's ~*** zurücktreten, sein Amt niederlegen; **5.** Funkti'on *f*, Aufgabe *f*, Pflicht *f*: ***it is my ~ to advise him***; **6.** Dienst(leistung *f*) *m*, Gefälligkeit *f*: ***good ~s*** *pol.* gute Dienste; ***do s.o. a good ~*** j-m e-n guten Dienst erweisen; ***through the good ~s of*** durch die freundliche Vermittlung von; **7.** *eccl.* Gottesdienst *m*: ♀ ***for the Dead*** Totenamt *n*; ***perform the last ~s to*** *e-n Toten* aussegnen; ***divine ~*** das Brevier; **8.** *pl. bsd. Brit.* Wirtschaftsteil *m*, -raum *m od.* -räume *pl. od.* -gebäude *n od. pl.*; **9.** *sl.* Wink *m*, Tip *m*.

of·fice| ac·tion *s.* (Prüfungs)Bescheid *m des Patentamts*; '**~-ˌbear·er** *s.* Amtsinhaber(in); **~ block** *s.* Bü'rogebäude *n*; **~ boy** *s.* Laufbursche *m*, Bü'rogehilfe *m*; **~ clerk** *s.* Konto'rist(in), Bü'roangestellte(r *m*) *f*; **~ girl** *s.* Bü'rogehilfin *f*; '**~ˌhold·er** *s.* Amtsinhaber(in), (Staats)Beamte(r) *m*, (Staats)Beamtin *f*; **~ hours** *s. pl.* Dienststunden *pl.*, Geschäftszeit *f*; '**~-ˌhunt·er** *s.* Postenjäger(in).

of·fi·cer ['ɒfɪsə] **I** *s.* **1.** ⚔, ⚓ Offi'zier *m*: ***~ of the day*** Offizier vom Tagesdienst; ***commanding ~*** Kommandeur *m*, Einheitsführer *m*; ***~ cadet*** Fähnrich *m*; ***~ candidate*** Offiziersanwärter *m*; ***♀s' Training Corps*** *Brit.* Offiziersausbildungskorps *n*; **2.** a) Poli'zist *m*, Poli'zeibeamte(r) *m*, b) Herr Wachtmeister (*Anrede*); **3.** Beamte(r) *m* (*a.* ✝ *etc.*), Beamtin *f*, Amtsträger(in): ***medical ~*** Amtsarzt *m*; ***public ~*** Beamte(r) im öffentlichen Dienst; **4.** Vorstandsmitglied *n*; **II** *v/t.* **5.** ⚔ a) mit Offizieren versehen, b) *e-e Einheit* als Offizier befehligen (*mst pass.*): ***be ~ed by*** befehligt werden von; **6.** *fig.* leiten, führen.

of·fice| seek·er *s. bsd. Am.* **1.** Stellungssuchende(r *m*) *f*; **2.** *b.s.* Postenjäger(in); **~ staff** *s.* Bü'roperso,nal *n*; **~ sup·plies** *s. pl.* Bü'romateri,al *n*, -bedarf *m*.

of·fi·cial [ə'fɪʃl] **I** *adj.* ☐ **1.** offizi'ell, amtlich, dienstlich, behördlich: ***~ act*** Amtshandlung *f*; ***~ business*** ✉ Dienstsache *f*; ***~ call*** *teleph.* Dienstgespräch *n*; ***~ duties*** Amtspflichten; ***~ language*** Amtssprache *f*; ***~ oath*** Amtseid *m*; ***~ residence*** Amtssitz *m*; ***~ secret*** Amts-, Dienstgeheimnis *n*; ***through ~ channels*** auf dem Dienst- *od.* Instanzenweg; ***~ trip*** Dienstreise *f*; **2.** offiziell, amtlich (bestätigt *od.* autorisiert): ***an ~ report***; **3.** offizi'ell, for'mell: ***an ~ dinner***; **4.** ⚕ offizi'nell; **II** *s.* **5.** Beamte(r) *m*, Beamtin *f*; Funktio'när(in); **of'fi·cial·dom** [-dəm] *s.* → ***officialism*** 2 *u.* 3; **of·fi·cial·ese** [əˌfɪʃə'li:z] *s.* Behördensprache *f*, Amtsstil *m*; **of'fi·cial·ism** [-ʃəlɪzəm] *s.* **1.** Amtsme'thoden *pl.*; **2.** Bürokra'tie *f*, Amtsschimmel *m*; **3.** *coll. das* Beamtentum, *die* Beamten *pl.*

of·fi·ci·ate [ə'fɪʃɪeɪt] *v/i.* **1.** amtieren,

O

fungieren (***as*** als); **2.** den Gottesdienst leiten: ~ ***at the wedding*** die Trauung vornehmen.

of·fic·i·nal [ˌɒfɪˈsaɪnl] **I** *adj.* ⚕ a) offiziˈnell, als Arzˈnei anerkannt, b) Arznei...: ~ ***plants*** Heilkräuter *pl.*; **II** *s.* offizinelle Arznei.

of·fi·cious [əˈfɪʃəs] *adj.* □ **1.** aufdringlich, überˈtrieben diensteifrig, ˈübereifrig; **2.** offiziˈös, halbamtlich; **ofˈfi·cious·ness** [-nɪs] *s.* Zudringlichkeit *f*, (aufdringlicher) Diensteifer.

of·fing [ˈɒfɪŋ] *s.* ⚓ offene See, Seeraum *m*: ***in the*** ~ a) auf offener See, b) *fig.* in (Aus)Sicht: ***be in the*** ~ *a.* sich abzeichnen.

off·ish [ˈɒfɪʃ] *adj.* F reserviert, unnahbar, kühl, steif.

ˈoff|-key *adj. u. adv.* ♪ falsch; **ˈ~-ˌli·cence** *s. Brit.* ˈSchankkonzessiˌon *f* über die Straße; **ˈoff(-)line** *adj. Computer*: off-line; **ˌ~ˈload** *v/t. fig.* abladen (***on s.o.*** auf j-n); **ˌ~-ˈpeak I** *adj.* abfallend, unter der Spitze liegend: ~ ***charges*** *pl.* verbilligter Tarif; ~ ***hours*** verkehrsschwache Stunden; ~ ***tariff*** Nacht(strom)tarif *m*; **II** *s.* ϟ Belastungstal *n*; ~ **po·si·tion** *s.* ⚙ Ausschalt-, Nullstellung *f*; **ˈ~·print I** *s.* Sonder(ab)druck *m* (***from*** aus); **II** *v/t.* als Sonder(ab)druck herstellen; **ˈ~-ˌput·ting** *adj.* F störend, unangenehm; **ˈ~ˌscour·ings** *s. pl.* **1.** Kehricht *m*, Schmutz *m*; **2.** Abschaum *m* (*bsd. fig.*): ***the ~s of humanity***; **ˈ~·scum** *s. fig.* Abschaum *m*, Auswurf *m*; ~ **sea·son** *s.* ˈNebensaiˌson *f*, stille Saiˈson.

off·set [ˈɒfset] **I** *s.* **1.** Ausgleich *m*, Kompensatiˈon *f*; ✝ Verrechnung *f*: ~ ***account*** Verrechnungskonto *n*; **2.** ⚘ a) Ableger *m*, b) kurzer Ausläufer; **3.** Neben-, Seitenlinie *f* (*e-s Stammbaums etc.*); **4.** Abzweigung *f*; Ausläufer *m* (*bsd. e-s Gebirges*); **5.** *typ.* a) Offsetdruck *m*, b) Abziehen *n*, Abliegen *n* (*bsd. noch feuchten Druckes*), c) Abzug *m*, Paˈtrize *f* (*Lithographie*); **6.** ⚙ a) Kröpfung *f*; Biegung *f e-s Rohrs*, b) ⚒ kurze Sohle, c) ϟ (Ab)Zweigleitung *f*; **7.** *surv.* Ordiˈnate *f*; **8.** ⚠ Absatz *m e-r Mauer etc.*; **II** *v/t.* [*irr.* → ***set***] **9.** ausgleichen, aufwiegen, wettmachen: ***the gains ~ the losses***; **10.** ✝ *Am.* aufrechnen, ausgleichen; **11.** ⚙ kröpfen; **12.** ⚠ *Mauer etc.* absetzen; **13.** *typ.* im Offsetverfahren drucken; ~ **bulb** *s.* ⚘ Brutzwiebel *f*; ~ **sheet** *s. typ.* ˈDurchschußbogen *m*.

ˈoff|·shoot *s.* **1.** ⚘ Sprößling *m*, Ausläufer *m*, Ableger *m*; **2.** Abzweigung *f*; **3.** *fig.* Seitenlinie *f* (*e-s Stammbaums etc.*); **ˈ~·shore I** *adv.* **1.** von der Küste ab *od.* her; **2.** in einiger Entfernung von der Küste; **II** *adj.* **3.** küstennah: ~ ***drilling*** Off-shore-Bohrung *f*; **4.** ablandig (*Wind, Strömung*); **5.** Auslands...: ~ ***order*** *Am.* Off-shore-Auftrag *m*; **ˌ~ˈside** *adj. u. adv. sport* abseits; **ˈ~·side I** *s.* **1.** *sport* Abseits(stellung *f*) *n*; **2.** *mot.* Fahrerseite *f*; **II** *adj. u. adv.* abseits: ***be*** ~ im Abseits stehen; ~ ***trap*** Abseitsfalle *f*; **ˈ~·size** *s.* ⚙ Maßabweichung *f*; **ˈ~·spring** *s.* **1.** Nachkommen(schaft *f*) *pl.*; **2.** (*pl.* ***offspring***) Nachkomme *m*, Abkömmling *m*; **3.** *fig.* Frucht *f*, Ergebnis *n*; **ˌ~ˈstage** *adj.* hinter der Bühne, hinter den Kuˈlissen (*a. fig.*); **ˈ~·take** *s.* **1.** ✝ Abzug *m*; Einkauf *m*; **2.** ⚙ Abzug(srohr *n*) *m*; **ˌ~-the-ˈcuff** *adj. fig.* aus dem Handgelenk *od.* Stegreif; **ˌ~-the-ˈpeg** *adj.* von der Stange, Konfektions...; **ˌ~-the-ˈrec·ord** *adj.* nicht für die Öffentlichkeit bestimmt, ˈinoffiziˌell; **ˌ~-the-ˈshelf** *adj.* ✝, ⚙ Standard...: ~ ***accessories***; **ˌ~-ˈwhite** *adj.* gebrochen weiß.

oft [ɒft] *adv. obs., poet. u. in Zssgn* oft: ***~-told*** oft erzählt.

of·ten [ˈɒfn] *adv.* oft(mals), häufig: ***as ~ as not, ever so ~*** sehr oft; ***more ~ than not*** meistens.

o·gee [ˈəʊdʒiː] *s.* **1.** S-Kurve *f*, S-förmige Linie; **2.** ⚠ a) Karˈnies *n*, Rinnleiste *f*, b) *a.* ~ ***arch*** Eselsrücken *m* (*Bogenform*).

o·give [ˈəʊdʒaɪv] *s.* **1.** ⚠ a) Gratrippe *f e-s Gewölbes*, b) Spitzbogen *m*; **2.** ⚔ Geschoßspitze *f*; **3.** *Statistik*: Häufigkeitsverteilungskurve *f*.

o·gle [ˈəʊgl] **I** *v/t.* liebäugeln mit; **II** *v/i.* (***with***) liebäugeln (mit, *a. fig.*), ‚Augen machen' (*dat.*); **III** *s.* verliebter *od.* liebäugelnder Blick; **ˈo·gler** [-lə] *s.* Liebäugelnde(r *m*) *f*.

o·gre [ˈəʊgə] *s.* **1.** (menschenfressendes) Ungeheuer, *bsd.* Riese *m* (*im Märchen*); **2.** *fig.* Scheusal *n*, Ungeheuer *n* (*Mensch*); **o·gress** [ˈəʊgrɪs] *s.* Menschenfresserin *f*, Riesin *f* (*im Märchen*).

oh [əʊ] *int.* oh!; ach!

ohm [əʊm], **ohm·ad** [ˈəʊmæd] *s.* ϟ Ohm *n*: ***2's Law*** Ohmsches Gesetz; **ohm·age** [ˈəʊmɪdʒ] *s.* Ohmzahl *f*; **ohm·ic** [ˈəʊmɪk] *adj.* Ohmsch: ~ ***resistance***; **ohm·me·ter** [ˈəʊmˌmiːtə] *s.* ϟ Ohmmeter *n*.

oil [ɔɪl] **I** *s.* **1.** Öl *n*: ***pour ~ on the flames*** *fig.* Öl ins Feuer gießen; ***pour ~ on troubled waters*** *fig.* die Gemüter beruhigen; ***smell of ~*** *fig.* mehr Fleiß als Geist *od.* Talent verraten; **2.** (Erd-)Öl *n*, Peˈtroleum *n*: ***to strike ~*** a) Erdöl finden, auf Öl stoßen, fündig werden (*a. fig.*), b) *fig.* Glück *od.* Erfolg haben; **3.** *mst pl.* Ölfarbe *f*: ***paint in ~s*** in Öl malen; **4.** *mst pl.* F Ölgemälde *n*; **5.** *pl.* Ölzeug *n*, -haut *f*; **II** *v/t.* **6.** ⚙ (ein-)ölen, einfetten, schmieren; → ***palm***[1] 1; **ˈ~ˌbear·ing** *adj. geol.* ölhaltig, -führend; **ˈ~·berg** [-bɜːg] *s.* ⚓ Riesentanker

O

m; ~ **box** *s.* ⚙ Schmierbüchse *f*; ˈ~-**brake** *s. mot.* Öldruckbremse *f*; ~ **burn·er** *s.* ⚙ Ölbrenner *m*; ˈ~·**cake** *s.* Ölkuchen *m*; ˈ~·**can** *s.* ˈÖlkaˌnister *m*, -kännchen *n*; ~ **change** *s. mot.* Ölwechsel *m*; ˈ~·**cloth** *s.* **1.** Wachstuch *n*; **2.** → ***oilskin***; ~ **col·o(u)r** *s. mst pl.* Ölfarbe *f*; ~ **cri·sis** *s.* [*irr.*] ✝ Ölkrise *f*; ˈ~·**cup** *s.* ⚙ Öler *m*, Schmierbüchse *f*.

oiled [ɔɪld] *adj.* **1.** (ein)geölt; **2.** *bsd.* ***well*** ~ *sl.* ‚blau', besoffen.

oil·er [ˈɔɪlə] *s.* **1.** ⚓, ⚙ Öler *m*, Schmierer *m* (*Person u. Gerät*); **2.** ⚙ Öl-, Schmierkanne *f*; **3.** *Am.* F → ***oilskin*** 2; **4.** *Am.* Ölquelle *f*; **5.** ⚓ Öltanker *m*.

ˈ**oil|·field** *s.* Ölfeld *n*; ˈ~ˌ**fired** *adj.* mit Ölfeuerung, ölbeheizt: ~ ***central heating*** Ölzentralheizung *f*; ~ **fu·el** *s.* **1.** Heizöl *n*; **2.** Öltreibstoff *m*; ~ **gas** *s.* Ölgas *n*; ˈ~-**ga(u)ge** *s.* ⚙ Ölstandsanzeiger *m*; ~ **glut** *s.* Ölschwemme *f*.

oil·i·ness [ˈɔɪlɪnɪs] *s.* **1.** ölige Beschaffenheit, Fettigkeit *f*, Schmierfähigkeit *f*; **2.** *fig.* Glattheit *f*, aalglattes Wesen; **3.** *fig.* Öligkeit *f*, salbungsvolles Wesen.

oil| lev·el *s. mot.* Ölstand *m*; ~ **paint** *s.* Ölfarbe *f*; ~ **paint·ing** *s.* **1.** ˈÖlmaleˌrei *f*; **2.** Ölgemälde *n*; **3.** ⚙ Ölanstrich *m*; ~ **pan** *s. mot.* Ölwanne *f*; ˈ~-**proˌduc·ing coun·try** *s.* Ölförderland *n*; ~ **rig** *s.* Bohrinsel *f*; ~ **seal** *s.* ⚙ **1.** Öldichtung *f*; **2.** *a.* ~ ***ring*** Simmerring *m*; ˈ~·**skin** *s.* **1.** Ölleinwand *f*; **2.** *pl.* Ölzeug *n*, -kleidung *f*; ~ **slick** *s.* **1.** ⚙ Ölschlick *m*; **2.** Ölteppich *m* (*auf dem Meer etc.*); ~ **stove** *s.* Ölofen *m*; ~ **sump** *s.* ⚙ Ölwanne *f*; ~ **switch** *s.* ⚙ Ölschalter *m*; ~ **var·nish** *s.* Öllack *m*; ~ **well** *s.* Ölquelle *f*.

oil·y [ˈɔɪlɪ] *adj.* □ **1.** ölig, ölhaltig, Öl…; **2.** fettig, schmierig; **3.** *fig.* glatt(züngig), aalglatt, schmeichlerisch; **4.** *fig.* ölig, salbungsvoll.

oint·ment [ˈɔɪntmənt] *s.* ⚕ Salbe *f*; → ***fly***² 1.

O.K., **OK**, **o·kay** [ˌəʊˈkeɪ] F **I** *adj. u. int.* richtig, gut, in Ordnung, genehmigt; **II** *v/t.* genehmigen, gutheißen, *e-r Sache* zustimmen; **III** *s.* Zustimmung *f*, Genehmigung *f*.

old [əʊld] **I** *adj.* **1.** alt, betagt: ***grow*** ~ alt werden, altern; **2.** *zehn Jahre etc.* alt: ***ten years*** ~; **3.** alt(ˈhergebracht): ~ ***tradition***; ***as*** ~ ***as the hills*** uralt; **4.** alt, vergangen, früher: ***the*** ~ ***masters*** *paint. etc.* die alten Meister; → ***old boy***; **5.** alt(bekannt, -bewährt): ***an*** ~ ***friend***; **6.** alt, abgenutzt; (ab)getragen (*Kleider*): ***that is*** ~ ***hat*** das ist ein alter Hut; **7.** alt(modisch), verkalkt; **8.** alt, erfahren, gewitz(ig)t: ~ ***offender*** alter Sünder; → ***hand*** 6; **9.** F (*guter*) alter, lieber: ~ ***chap*** *od.* ***man*** ‚altes Haus'; ***nice*** ~ ***boy*** netter alter ‚Knabe'; ***the*** ~ ***man*** der ‚Alte' (*Chef*); ***my*** ~ ***man*** mein ‚Alter' (*Vater*); ***my*** ~ ***woman*** meine ‚Alte' (*Ehefrau*); **10.** *sl.* toll: ***have a fine*** ~ ***time*** sich toll amüsieren; ***any*** ~ ***thing*** irgend (et)was, egal was; ***any*** ~ ***time*** egal wann; **II** *s.* **11.** ***the*** ~ die Alten *pl*; **12.** ***of*** ~, ***in times of*** ~ ehedem, vor alters; ***from of*** ~ seit alters; ***times of*** ~ alte Zeiten; ***a friend of*** ~ ein alter Freund.

old| age *s.* (hohes) Alter, Greisenalter *n*: ~ ***annuity***, ~ ***pension*** (Alters)Rente *f*, Ruhegeld *n*; ~ ***insurance*** Altersversicherung *f*; ~ ***pensioner*** (Alters)Rentner(in), Ruhegeldempfänger(in); ~ **boy** *s. Brit.* ehemaliger Schüler, Ehemalige(r) *m*; ~·**clothes·man** [ˌəʊldˈkləʊðzmæn] *s.* [*irr.*] Trödler *m*.

old·en [ˈəʊldən] *adj. Brit. obs. od. poet.* alt: ***in*** ~ ***times***.

Old| Eng·lish *s. ling.* Altenglisch *n*; ˌ♀-**esˈtab·lished** *adj.* alteingesessen (*Firma etc.*), alt (*Brauch etc.*); ˌ♀-ˈ**fash·ioned** *adj.* **1.** altmodisch: ***an*** ~ ***butler*** ein Butler der alten Schule; **2.** altklug (*Kind*); ˌ♀-ˈ**fo·g(e)y·ish** *adj.* altmodisch, verknöchert, verkalkt; ♀ **girl** *s.* **1.** *Brit.* ehemalige Schülerin; **2.** F ‚altes Mädchen'; ~ **Glo·ry** *s.* Sternenbanner *n* (*Flagge der USA*); ~ **Guard** *s. pol.* ‚alte Garde': a) *Am. der ultrakonservative Flügel der Republikaner*, b) *allg. jede streng konservative Gruppe*.

old·ie [ˈəʊldɪ] *s.* F **1.** Oldie *m* (*alter Schlager*); **2.** alter Witz.

old·ish [ˈəʊldɪʃ] *adj.* ältlich.

ˌ**old|-ˈline** *adj.* **1.** konservaˈtiv; **2.** traditioˈnell; **3.** e-r alten Linie entstammend; ˌ~-ˈ**maid·ish** *adj.* altˈjüngferlich.

old·ster [ˈəʊldstə] *s.* F ‚alter Knabe'.

old| style *s.* **1.** alte Zeitrechnung (*nach dem Julianischen Kalender*); **2.** *typ.* Mediäˈval(schrift) *f*; ˈ~-**time** *adj.* aus alter Zeit, alt; ˌ~-ˈ**tim·er** *s.* F **1.** Oldtimer *m*: a) altmodische Sache, *z.B.* altes Auto, b) ‚alter Hase', ‚Veteˈran' *m*; **2.** → ***oldster***; ~ **wives' tale** *s.* Ammenmärchen *n*; ˌ~-ˈ**wom·an·ish** *adj.* altˈweiberhaft; ˌ~-ˈ**world** *adj.* **1.** altertümlich, anheimelnd; **2.** alt, anˈtik: ~ ***furniture***; **3.** altmodisch.

o·le·ag·i·nous [ˌəʊlɪˈædʒɪnəs] *adj.* ölig (*a. fig.*), ölhaltig, Öl…

o·le·ate [ˈəʊlɪeɪt] *s.* ⚗ ölsaures Salz: ~ ***of potash*** ölsaures Kali.

o·le·fi·ant [ˈəʊlɪfaɪənt] *adj.* ⚗ ölbildend: ~ ***gas***.

o·le·if·er·ous [ˌəʊlɪˈɪfərəs] *adj.* ⚘ ölhaltig.

o·le·in [ˈəʊlɪɪn] *s.* ⚗ **1.** Oleˈin *n*; **2.** (handelsübliche) Ölsäure.

o·le·o·graph [ˈəʊlɪəʊgrɑ:f] *s.* Öldruck *m* (*Bild*); **o·le·og·ra·phy** [ˌəʊlɪˈɒgrəfɪ] *s.* Öldruck(verfahren *n*) *m*.

o·le·o·mar·ga·rine [ˈəʊlɪəʊˌmɑ:dʒəˈri:n] *s.* Margaˈrine *f*.

O lev·el *s. Brit. ped.* (*etwa*) mittlere Reife.
ol·fac·tion [ɒlˈfækʃn] *s.* Geruchssinn *m*; **ol·fac·to·ry** [ɒlˈfæktərɪ] *adj.* Geruchs…: *~ nerves.*
ol·i·garch [ˈɒlɪgɑːk] *s.* Oligˈarch *m*; ˈ**ol·i·garch·y** [-kɪ] *s.* Oligarˈchie *f*.
o·li·o [ˈəʊlɪəʊ] *pl.* **-os** *s.* **1.** Raˈgout *n* (*a. fig.*); **2.** ♪ Potpourri *n*.
ol·ive [ˈɒlɪv] **I** *s.* **1.** *a. ~-tree* Oˈlive *f*, Ölbaum *m*: ***Mount of* ≈*s*** *bibl.* Ölberg; **2.** Oˈlive *f* (*Frucht*); **3.** Ölzweig *m*; **4.** *a. ~-green* Oˈlivgrün *n*; **II** *adj.* **5.** oˈlivenartig, Oliven…; **6.** oˈlivgrau, -grün; ˈ**~-branch** *s.* Ölzweig *m* (*a. fig.*): ***hold out the ~*** s-n Friedenswillen zeigen; **~ drab** *s.* **1.** Oˈlivgrün *n*; **2.** *Am.* oˈlivgrünes Uniˈformtuch; ˌ**~-ˈdrab** *adj.* oˈlivgrün; **~ oil** *s.* Oˈlivenöl *n*.
ol·la po·dri·da [ˌɒləpɒˈdriːdə] → ***olio*** 1.
ol·o·gy [ˈɒlədʒɪ] *s. humor.* Wissenschaft(szweig *m*) *f*.
O·lym·pi·ad [əʊˈlɪmpɪæd] *s. allg.* Olympiˈade *f*; **Oˈlym·pi·an** [-ɪən] *adj.* oˈlympisch; **Oˈlym·pic** [-ɪk] **I** *adj.* oˈlympisch: ***~ games*** → **II** *s. pl.* Oˈlympische Spiele *pl.*
om·buds·man [ˈɒmbʊdzmən] *s.* [*irr.*] **1.** *pol.* Ombudsmann *m* (*Beauftragter für Beschwerden von Staatsbürgern*); **2.** Beschwerdestelle *f*, Schiedsrichter *m*.
om·e·let(te) [ˈɒmlɪt] *s.* Omeˈlett *n*: ***you cannot make an ~ without breaking eggs*** *fig.* wo gehobelt wird, (da) fallen Späne.
o·men [ˈəʊmen] **I** *s.* Omen *n*, (*bsd.* schlechtes) Vorzeichen (***for*** für): ***a good*** (***bad, ill***) ***~***; **II** *v/i. u. v/t.* deuten (auf *acc.*), ahnen (lassen), propheˈzeien, (ver)künden.
o·men·tum [əʊˈmentəm] *pl.* **-ta** [-tə] *s. anat.* (Darm)Netz *n*.
om·i·nous [ˈɒmɪnəs] *adj.* □ unheil-, verhängnisvoll, omiˈnös, drohend.
o·mis·si·ble [əʊˈmɪsɪbl] *adj.* auslaßbar; **o·mis·sion** [əˈmɪʃn] *s.* **1.** Aus-, Weglassung *f* (***from*** aus); **2.** Unterˈlassung *f*, Versäumnis *n*, Überˈgehung *f*: ***sin of ~*** Unterlassungssünde *f*; **o·mit** [əˈmɪt] *v/t.* **1.** aus-, weglassen (***from*** aus *od.* von); überˈgehen; **2.** unterˈlassen, (es) versäumen (***doing, to do*** *et.* zu tun).
om·ni·bus [ˈɒmnɪbəs] **I** *s.* **1.** Omnibus *m*, (Auto)Bus *m*; **2.** Sammelband *m*, Anthoioˈgie *f*; **II** *adj.* **3.** Sammel… (*-konto, -klausel etc.*); **~ bar** *s.* ⚡ Sammelschiene *f*; **~ bill** *s. parl.* (Vorlage *f* zu e-m) Mantelgesetz *n*.
om·ni·di·rec·tion·al [ˌɒmnɪdɪˈrekʃənl] *s.* ⚡ Rundstrahl…(*-antenne*), Allrichtungs…(*-mikrofon*).
om·ni·far·i·ous [ˌɒmnɪˈfeərɪəs] *adj.* von aller(lei) Art, vielseitig.
om·nip·o·tence [ˌɒmˈnɪpətəns] *s.* Allmacht *f*; **omˈnip·o·tent** [-nt] *adj.* □ allˈmächtig.
om·ni·pres·ence [ˌɒmnɪˈprezns] *s.* Allˈgegenwart *f*; ˌ**om·niˈpres·ent** [-nt] *adj.* allˈgegenwärtig, überˈall.
om·nis·cience [ɒmˈnɪsɪəns] *s.* Allˈwissenheit *f*; **omˈnis·cient** [-nt] *adj.* □ allˈwissend.
om·ni·um [ˈɒmnɪəm] *s.* ✝ *Brit.* Omnium *n*, Gesamtwert *m e-r fundierten öffentlichen Anleihe*; ˌ**~-ˈgath·er·um** [-ˈgæðərəm] *s.* **1.** Sammelˈsurium *n*; **2.** bunte Gesellschaft.
om·niv·o·rous [ɒmˈnɪvərəs] *adj.* alles fressend.
o·mo·plate [ˈəʊməʊpleɪt] *s. anat.* Schulterblatt *n*.
om·phal·ic [ɒmˈfælɪk] *adj. anat.* Nabel…; **om·pha·lo·cele** [ˈɒmfələʊsiːl] *s.* ✱ Nabelbruch *m*.
om·pha·los [ˈɒmfəlɒs] *pl.* **-li** [-laɪ] *s.* **1.** *anat.* Nabel *m* (*a. fig. Mittelpunkt*); **2.** *antiq.* Schildbuckel *m*.
on [ɒn; ən] **I** *prp.* **1.** *mst* auf (*dat. od. acc.*): *siehe die mit* **on** *verbundenen Wörter*; **2.** *Lage*: a) (*getragen von*): auf (*dat.*), an (*dat.*), in (*dat.*): ***~ board*** an Bord; ***~ earth*** auf Erden; ***the scar ~ the face*** die Narbe im Gesicht; ***~ foot*** zu Fuß; ***~ all fours*** auf allen vieren; ***~ the radio*** im Radio; ***have you a match ~ you?*** haben Sie ein Streichholz bei sich?, b) (*festgemacht od. unmittelbar*) an (*dat.*): ***~ the chain***; ***~ the Thames***; ***~ the wall***; **3.** *Richtung, Ziel*: auf (*acc.*) … (hin) (*od.* los), nach … (hin), an (*acc.*), zu: ***a blow ~ the chin*** ein Schlag ans Kinn; ***throw s.o.*** *od.* ***s.th. ~ the floor*** j-n *od.* et. zu Boden werfen; **4.** *fig.* a) *Grund*: auf … (hin): ***~ his authority***; ***~ suspicion***; ***levy a duty ~ silk*** einen Zoll auf Seide erheben; ***~ his own theory*** nach s-r eigenen Theorie; ***~ these conditions*** unter diesen Bedingungen, b) *Aufeinanderfolge*: auf (*acc.*), über (*acc.*), nach: ***loss ~ loss*** Verlust auf *od.* über Verlust, ein Verlust nach dem andern, c) *gehörig* zu, *beschäftigt* bei, an (*dat.*): ***~ a committee*** zu e-m Ausschuß gehörend; ***be ~ the Stock Exchange*** an der Börse (beschäftigt) sein, d) *Zustand*: in, auf (*dat.*), zu: ***~ duty*** im Dienst; ***~ fire*** in Brand; ***~ leave*** auf Urlaub; ***~ sale*** verkäuflich, e) *gerichtet* auf (*acc.*): ***an attack ~***; ***~ business*** geschäftlich; ***a joke ~ me*** ein Spaß auf m-e Kosten; ***shut*** (***open***) ***the door ~ s.o.*** j-m die Tür verschließen (öffnen); ***have s.th. ~ s.o.*** *sl.* et. Belastendes über j-n wissen; ***have nothing ~ s.o.*** *sl.* j-m nichts anhaben können, *a.* j-m nichts voraus haben; ***this is ~ me*** F das geht auf m-e Rechnung; ***be ~ a pill*** e-e Pille (ständig) nehmen, f) *Thema*: über (*acc.*): ***agreement*** (***lecture, opinion***) ***~***; ***talk***

O

~ a subject; **5.** *Zeitpunkt*: an (*dat.*): ***~ Sunday***; ***~ the 1st of April***; ***~ or before April 1st*** bis zum 1. April; ***~ his arrival*** bei *od.* (gleich) nach seiner Ankunft; ***~ being asked*** als ich *etc.* (danach) gefragt wurde; ***~ entering*** beim Eintritt; **II** *adv.* **6.** (*a. Zssgn mit vb.*) (dar)'auf(*-legen*, *-schrauben etc.*); **7.** *bsd. Kleidung*: a) an(*-haben*, *-ziehen*): ***have*** (***put***) ***a coat ~***, b) auf: ***keep one's hat ~***; **8.** (*a. in Zssgn mit vb.*) weiter(*-gehen*, *-sprechen etc.*): ***and so ~*** und so weiter; ***~ and ~*** immer weiter; ***~ and off*** a) ab u. zu, b) ab u. an, mit Unterbrechungen; ***from that day ~*** von dem Tage an; ***~ with the show!*** weiter im Programm!; ***~ to ...*** auf (*acc.*) ... (hinauf *od.* hinaus); **III** *adj. pred.* **9.** ***be ~*** a) im Gange sein (*Spiel etc.*), vor sich gehen: ***what's ~?*** was ist los?; ***have you anything ~ tomorrow?*** haben Sie morgen et. vor?; ***that's not ~!*** das ist nicht ‚drin'!, b) an sein (*Licht*, *Radio*, *Wasser etc.*), an-, eingeschaltet sein, laufen; auf sein (*Hahn*): ***~-off*** ⚙ An-Aus, c) *thea.* gegeben werden, laufen (*Film*), *Radio*, *TV*: gesendet werden, d) d(a)ran (*an der Reihe*) sein, e) (mit) dabeisein, mitmachen; **10.** ***be ~ to*** *sl.* *et.* ‚spitzgekriegt' haben, über *j-n od. et.* im Bilde sein; ***he is always ~ at me*** er ‚bearbeitet' mich ständig (***about*** wegen); **11.** *sl.* beschwipst: ***be a bit ~*** e-n Schwips haben.

o·nan·ism ['əʊnənɪzəm] *s.* ⚕ **1.** Coitus *m* inter'ruptus; **2.** Ona'nie *f.*

'on·board *adj.* ✈ bordeigen, Bord...: ***~ computer***.

once [wʌns] **I** *adv.* **1.** einmal: ***~ again*** (*od.* ***more***) noch einmal; ***~ and again*** (*od.* ***~ or twice***) einige Male, ab u. zu; ***~ in a while*** (*od.* ***way***) zuweilen, hin u. wieder; ***~*** (***and***) ***for all*** ein für allemal; ***if ~ he should suspect*** wenn er erst einmal mißtrauisch würde; ***not ~*** kein einziges Mal; **2.** einmal, einst: ***~*** (***upon a time***) ***there was*** es war einmal (*Märchenanfang*); **II** *s.* **3.** ***every ~ in a while*** von Zeit zu Zeit; ***for ~***, ***this ~*** dieses 'eine Mal, (für) diesmal (*ausnahmsweise*); **4.** ***at ~*** a) auf einmal, zugleich, gleichzeitig: ***don't all speak at ~***; ***at ~ a soldier and a poet*** Soldat u. Dichter zugleich, b) sogleich, sofort: ***all at ~*** plötzlich, mit 'einem Male; **III** *cj.* **5.** *a.* ***~ that*** so'bald *od.* wenn ... (einmal), wenn erst; **'-ˌo·ver** *s.* F ***give*** *s.o. od. s.th.* ***the ~*** a) *j-n* kurz mustern *od.* abschätzen, (sich) *j-n od. et.* (rasch) mal ansehen, b) *j-n* ‚in die Mache' nehmen.

'onˌcom·ing *adj.* **1.** (her'an)nahend, entgegenkommend: ***~ traffic*** Gegenverkehr *m*; **2.** *fig.* kommend: ***the ~ generation***.

one [wʌn] **I** *adj.* **1.** ein (eine, ein): ***~ hundred*** (ein)hundert; ***~ man in ten*** jeder zehnte; ***~ or two*** ein paar, einige; **2.** (*betont*) ein (eine, ein), ein einziger (eine einzige, ein einziges): ***all were of ~ mind*** sie waren alle 'eines Sinnes; ***for ~ thing*** (zunächst) einmal; ***his ~ thought*** sein einziger Gedanke; ***the ~ way to do it*** die einzige Möglichkeit (es zu tun); **3.** ein gewisser (e-e gewisse, ein gewisses), ein (eine, ein): ***~ day*** e-s Tages (*in Zukunft od. Vergangenheit*); ***~ of these days*** irgendwann (ein)mal; ***~ John Smith*** ein gewisser J. S.; **II** *s.* **4.** Eins *f*, eins: ***Roman ~*** römische Eins; ***~ and a half*** ein(und)einhalb, anderthalb; ***at ~ o'clock*** um ein Uhr; **5.** *der* (*die*) einzelne, *das* einzelne (Stück): ***~ by ~***, ***~ after another*** e-r nach dem andern, einzeln; ***I for ~*** ich zum Beispiel; **6.** Einheit *f*: ***be at ~ with s.o.*** mit j-m 'einer Meinung *od.* einig sein; ***~ and all*** alle miteinander; ***all in ~*** alles in 'einem; ***it is all ~*** (***to me***) es ist (mir) ganz einerlei; ***be made ~*** ein (*Ehe*)Paar werden; ***make ~*** mit von der Partie sein; **7.** *bsd.* Ein'dollar- *od.* Ein'pfundnote *f*; **III** *pron.* **8.** ein, einer, jemand: ***like ~ dead*** wie ein Toter; ***~ of the poets*** einer der Dichter; ***~ another*** einander; ***~ who*** einer, der; ***the ~ who*** der(jenige), der; ***~ of these days*** dieser Tage; ***~ in the eye*** F *fig.* ein Denkzettel; **9.** (*Stützwort*, *mst unübersetzt*): ***a sly ~*** ein (ganz) Schlauer; ***the little ~s*** die Kleinen; ***a red pencil and a blue ~*** ein roter Bleistift u. ein blauer; ***that ~*** der (die, das) da *od.* dort; ***the ~s you mention*** die (von Ihnen) erwähnten; → ***each*** *etc.*; **10.** man: ***~ knows***; **11.** ***~'s*** sein: ***break ~'s leg*** sich das Bein brechen; ***take ~'s walk*** s-n Spaziergang machen; **ˌ~-'act play** *s. thea.* Einakter *m*; **ˌ~-'armed** *adj.* einarmig: ***~ bandit*** F Spielautomat *m*; **ˌ~-'crop sys·tem** *s.* ✓ 'Monokulˌtur *f*; **ˌ~-'dig·it** *adj.* A einstellig (*Zahl*); **ˌ~-'eyed** *adj.* einäugig; **ˌ~-'hand·ed** *adj.* **1.** einhändig; **2.** mit nur 'einer Hand zu bedienen(d); **ˌ~-'horse** *adj.* **1.** einspännig; **2.** ***~ town*** F (elendes) ‚Kaff' *n od.* ‚Nest' *n*; **ˌ~-'legged** [-'legd] *adj.* **1.** einbeinig; **2.** *fig.* einseitig; **ˌ~-'line busi·ness** *s.* ⚚ Fachgeschäft *n*; **ˌ~-'man** *adj.* Einmann...: ***~ business*** ⚚ Einzelunternehmen *n*; ***~ bus*** Einmannbus *m*; ***~ show*** a) One-man-Show *f* (*a. fig.*), b) Ausstellung *f* der Werke 'eines Künstlers.

one·ness ['wʌnnɪs] *s.* **1.** Einheit *f*; **2.** Gleichheit *f*, Identi'tät *f*; **3.** Einigkeit *f*, (völliger) Einklang.

ˌone|-'night stand *s. thea.* einmaliges Gastspiel (*a. fig.* F *sexuelles Abenteuer*); **ˌone-'off** *adj.* einmalig; ***~ production*** Einzelfertigung *f*; **ˌ~-'piece** *adj.* **1.**

einteilig: ~ ***bathing-suit***; **2.** ⚙ aus 'einem Stück, Voll...; **ˌ~-'price shop** *s.* Einheitspreisladen *m.*

on·er ['wʌnə] *s.* **1.** *sl.* ‚Ka'none' *f* (*Könner*) (***at*** in *dat.*); **2.** *sl.* ‚Mordsding' *n* (*bsd. wuchtiger Schlag*).

on·er·ous ['ɒnərəs] *adj.* □ lästig, drükkend, beschwerlich (***to*** für); **'on·er·ous·ness** [-nɪs] *s.* Beschwerlichkeit *f*, Last *f.*

one'self *pron.* **1.** *refl.* sich (selber): ***by*** ~ aus eigener Kraft, von selbst; **2.** selbst, selber; **3.** *mst* ***one's self*** man (selbst *od.* selber).

ˌone|-'sid·ed [-'saɪdɪd] *adj.* □ einseitig (*a. fig.*); **'~·time I** *adj.* einst-, ehemalig; **II** *adv.* einst-, ehemals; **'~-track** *adj.* **1.** 🚂 eingleisig; **2.** *fig.* einseitig: ***you have a ~ mind*** du hast immer nur dasselbe im Kopf; **~-up·man·ship** [wʌn'ʌpmənʃɪp] *s.* die Kunst, dem andern immer (um eine Nasenlänge) vor'aus zu sein; **ˌ~-'way** *adj.* **1.** Einweg...(*-flasche etc.*), Einbahn...(*-straße, -verkehr*): ~ ***ticket*** *Am.* einfache Fahrkarte; **2.** *fig.* einseitig.

on·ion ['ʌnjən] *s.* **1.** ⚘ Zwiebel *f*; **2.** *sl.* ‚Rübe' *f* (*Kopf*): ***off one's*** ~ *sl.* (total) verrückt; **3.** ***know one's ~s*** F sein Geschäft verstehen; **'~·skin** *s.* **1.** Zwiebelschale *f*; **2.** 'Durchschlag- *od.* 'Luftpostpaˌpier *n.*

'on(-)line *adj. Computer*: on-line.

'onˌlook·er *s.* Zuschauer(in) (***at*** bei); **'onˌlook·ing** *adj.* zuschauend.

on·ly ['əʊnlɪ] **I** *adj.* **1.** einzig, al'leinig: ***the ~ son*** der einzige Sohn; ***my one and ~ hope*** meine einzige Hoffnung; ***the ~ begotten Son of God*** Gottes eingeborener Sohn; **2.** einzigartig: ***the ~ and only Mr. X*** *a. iro.* der unvergleichliche, einzigartige Mr. X; **II** *adv.* **3.** nur, bloß: ***not ~ ..., but*** (***also***) nicht nur ..., sondern auch; ***if*** ~ wenn nur; **4.** erst: ~ ***yesterday*** erst gestern, gestern noch; ~ ***just*** eben erst, gerade, kaum; **III** *cj.* **5.** je'doch, nur (daß), aber; **6.** ~ ***that*** nur, daß; außer, wenn.

ˌon-'off switch *s.* ⚡ Ein-Aus-Schalter *m.*

on·o·mat·o·poe·ia [ˌɒnəʊmætəʊ'piːə] *s.* Lautmale'rei *f*; **ˌon·o·mat·o'poe·ic** [-'piːɪk], **on·o·mat·o·po·et·ic** [ˌɒnəʊmætəʊpəʊ'etɪk] *adj.* (□ ***~ally***) lautnachahmend, onomatopo'etisch.

'on|-poˌsi·tion *s.* ⚙ Einschaltstellung *f*, -zustand *m*; **'~·rush** *s.* Ansturm *m* (*a. fig.*); **'~·set** *s.* **1.** Angriff *m*, At'tacke *f*; **2.** Anfang *m*, Beginn *m*, Einsetzen *n*: ***at the first*** ~ gleich beim ersten Anlauf; **3.** ⚕ Ausbruch *m* (*e-r Krankheit*), Anfall *m*; **~'shore** *adj. u. adv.* **1.** landwärts; **2.** a) in Küstennähe, b) an Land; **3.** ⚓ Inlands...: ~ ***purchases***; **'on(-)site** *adj.* Vor-Ort-...; **~-slaught** ['ɒnslɔːt] *s.* (heftiger) Angriff *od.* Ansturm (*a. fig.*); **ˌ~-the-'job** *adj.* praktisch: ~ ***training.***

on·to ['ɒntʊ; -tə] *prp.* **1.** auf (*acc.*); **2.** ***be ~ s.th.*** *sl.* hinter et. gekommen sein; ***he's ~ you*** *sl.* er hat dich durchschaut.

on·to·gen·e·sis [ˌɒntəʊ'dʒenɪsɪs] *s. biol.* Ontoge'nese *f.*

on·tol·o·gy [ɒn'tɒlədʒɪ] *s. phls.* Ontolo'gie *f.*

o·nus ['əʊnəs] (*Lat.*) *s. nur sg.* **1.** *fig.* Last *f*, Verpflichtung *f*, Onus *n*; **2.** *a.* ~ ***of proof***, ~ ***probandi*** ⚖ Beweislast *f*: ***the ~ rests with him*** die Beweislast trifft ihn.

on·ward ['ɒnwəd] **I** *adv.* vorwärts, weiter: ***from the tenth century ~*** vom 10. Jahrhundert an; **II** *adj.* vorwärts-, fortschreitend; **'on·wards** [-dz] → ***onward*** I.

on·yx ['ɒnɪks] *s.* **1.** *min.* Onyx *m*; **2.** ⚕ Nagelgeschwür *n* der Hornhaut, Onyx *m.*

o·o·blast ['əʊəblɑːst] *s. biol.* Eikeim *m*; **o·o·cyst** ['əʊəsɪst] *s.* Oo'zyste *f.*

oo·dles ['uːdlz] *s. pl.* F Unmengen *pl.*, ‚Haufen' *m*: ***he has ~ of money*** er hat Geld wie Heu.

oof [uːf] *s. Brit. sl.* ‚Kies' *m* (*Geld*).

oomph [ʊmf] *s. sl.* 'Sex-Ap'peal *m.*

o·o·sperm ['əʊəspɜːm] *s. biol.* befruchtetes Ei *od.* befruchtete Eizelle, Zy'gote *f.*

ooze [uːz] **I** *v/i.* **1.** ('durch-, aus-, ein)sikkern (***through***, ***out of***, ***into***); ein-, hin'durchdringen (*a. Licht etc.*): ~ ***away*** a) versickern, b) *fig.* (dahin)schwinden; ~ ***out*** a) entweichen (*Luft, Gas*), b) *fig.* durchsickern (*Geheimnis*); ~ ***with sweat*** von Schweiß triefen; **II** *v/t.* **2.** ausströmen, -schwitzen; **3.** *fig.* ausstrahlen, *iro.* triefen von; **III** *s.* **4.** ⚙ Lohbrühe *f*: ~ ***leather*** lohgares Leder; **5.** Schlick *m*, Schlamm(grund) *m*; **oo·zy** ['uːzɪ] *adj.* **1.** schlammig, schlikk(er)ig; **2.** schleimig; **3.** feucht.

o·pac·i·ty [əʊ'pæsətɪ] *s.* **1.** 'Undurchˌsichtigkeit *f* (*a. fig.*); **2.** Dunkelheit *f* (*a. fig.*); **3.** *fig.* Borniertheit *f*; **4.** *phys.* ('Licht)ˌUndurchˌlässigkeit *f*; **5.** Deckfähigkeit *f* (*Farbe*).

o·pal ['əʊpl] *s. min.* O'pal *m*: ~ ***blue*** Opalblau *n*; ~ ***glass*** Opal-, Milchglas *n*; ~ ***lamp*** Opallampe *f*; **o·pal·esce** [ˌəʊpə'les] *v/i.* opalisieren, bunt schillern; **o·pal·es·cence** [ˌəʊpə'lesns] *s.* Opalisieren *n*, Schillern *n*; **o·pal·es·cent** [ˌəʊpə'lesnt] *adj.* opalisierend, schillernd.

o·paque [əʊ'peɪk] *adj.* □ **1.** 'undurchˌsichtig, o'pak: ~ ***colo(u)r*** Deckfarbe *f*; **2.** 'undurchˌlässig (***to*** für *Strahlen*): ~ ***meal*** ⚕ Kontrastmahlzeit *f*; **3.** glanzlos, trüb; **4.** *fig.* a) unklar, dunkel, b) borniert, dumm; **o'paque·ness** [-nɪs] *s.* (ˈLicht)ˌUndurchˌlässigkeit *f*; Deckkraft *f* (*Farben*).

op art [ɒp] *s. Kunst*: Op-art *f*.

o·pen [ˈəʊpən] **I** *adj.* □ **1.** *allg.* offen (*z. B. Buch*, *Flasche*, ⛰ *Kette*, ϟ *Stromkreis*, ⚔ *Stadt*, *Tür*, ⚕ *Wunde*); offenstehend, auf: **~ *prison*** offenes Gefängnis; **~ *warfare*** ⚔ Bewegungskrieg *m*; ***keep one's eyes ~*** *fig.* die Augen offenhalten; → ***arm***[1] 1, ***bowels*** 1, ***order*** 5; **2.** zugänglich, frei, offen (*Gelände*, *Straße*, *Meer etc.*): **~ *field*** freies Feld; **~ *spaces*** öffentliche Plätze (*Parkanlagen etc.*); **3.** frei, bloß, offen (*Wagen etc.*; ϟ *Motor*); → ***lay open***; **4.** offen, eisfrei (*Wetter*, ⚓ *Hafen*, *Gewässer*); ⚓ klar (*Sicht*): **~ *winter*** frostfreier Winter; **5.** ge-, eröffnet (*Laden*, *Theater etc.*), offen (*a. fig.* ***to*** *dat.*), öffentlich (*Sitzung*, *Versteigerung etc.*); (jedem) zugänglich: ***a career ~ to talent***; **~ *competition*** freier Wettbewerb; **~ *market*** ⚚ offener *od.* freier Markt; **~ *position*** freie *od.* offene (*Arbeits*)Stelle; **~ *policy*** a) ⚚ Offenmarktpolitik *f*, b) *Versicherung*: Pauschalpolice *f*; **~ *scholarship*** *Brit.* offenes Stipendium; **~ *for subscription*** ⚚ zur Zeichnung aufgelegt; ***in ~ court*** in öffentlicher Verhandlung, vor Gericht; **6.** (***to***) *fig. der Kritik*, *dem Zweifel etc.* ausgesetzt, unterˈworfen: **~ *to question*** anfechtbar; **~ *to temptation*** anfällig gegen die Versuchung; ***leave o.s. wide ~*** (***to s.o.***) sich (j-m gegenüber) e-e (große) Blöße geben; **7.** zugänglich, aufgeschlossen (***to*** für *od. dat.*): ***an ~ mind***; ***be ~ to conviction*** (***an offer***) mit sich reden (handeln) lassen; ***that is ~ to argument*** darüber läßt sich streiten; **8.** offen(kundig), unverhüllt: **~ *contempt***; ***an ~ secret*** ein offenes Geheimnis; **9.** offen, freimütig: ***an ~ character***; **~ *letter*** offener Brief; ***I will be ~ with you*** ich will ganz offen mit dir reden; **10.** freigebig: ***with an ~ hand***; ***keep an ~ house*** ein offenes Haus führen, gastfrei sein; **11.** *fig.* unentschieden, offen (*Frage*, *Forderung*, *Kampf*, *Urteil etc.*); **12.** *fig.* frei (*ohne Verbote*): **~ *pattern*** ⚖ ungeschütztes Muster; **~ *season*** Jagd-, Fischzeit *f*; **13.** ⚚ laufend (*Konto*, *Kredit*, *Rechnung*): **~ *cheque*** Barscheck *m*; **14.** ⚙ durchˈbrochen (*Gewebe*, *Handarbeit*); **15.** *ling.* offen (*Silbe*, *Vokal*): **~ *consonant*** Reibelaut *m*; **16.** ♪ a) weit (*Lage*, *Satz*), b) leer (*Saite etc.*): **~ *note*** Grundton *m*; **17.** *typ.* licht (*Satz*): **~ *type*** Konturschrift *f*; **II** *s.* **18. *the ~*** a) offenes Land, b) offene See: ***in the ~*** im Freien, unter freiem Himmel; ⚒ über Tag; ***bring into the ~*** *fig.* an die Öffentlichkeit bringen; ***come into the ~*** *fig.* sich erklären, offen reden, Farbe bekennen, (***with s.th.*** mit et.) an die Öffentlichkeit treten; **19. *the ᴤ*** *bsd. Golf*: offenes Turnier *für Amateure u. Berufsspieler*; **III** *v/t.* **20.** *allg.* öffnen, aufmachen; *Buch a.* aufschlagen; ϟ *Stromkreis* ausschalten, unterˈbrechen: **~ *the bowels*** ⚕ den Leib öffnen; **~ *s.o.'s eyes*** *fig.* j-m die Augen öffnen; → ***throttle*** 2; **21.** *Aussicht*, ⚚ *Akkreditiv*, *Debatte*, ⚔ *das Feuer*, ⚚ *Konto*, *Geschäft*, ⚖ *die Verhandlung etc.* eröffnen; *Verhandlungen* anknüpfen, in *Verhandlungen* eintreten; ⚚ *neue Märkte* erschließen: **~ *s.th. to traffic*** *e-e Straße etc.* dem Verkehr übergeben; **22.** *fig. Gefühle*, *Gedanken* enthüllen, *s-e Absichten* entdecken: **~ *o.s. to s.o.*** sich j-m mitteilen; → ***heart*** *Redew.*; **IV** *v/i.* **23.** sich öffnen *od.* auftun, aufgehen; *fig.* sich *dem Auge*, *Geist etc.* erschließen, zeigen, auftun; **24.** führen, gehen (*Tür*, *Fenster*) (***on to*** auf *acc.*, ***into*** nach *dat.*); **25.** *fig.* a) anfangen, beginnen (*Schule*, *Börse etc.*), öffnen, aufmachen (*Laden etc.*), b) (e-n Brief, s-e Rede) beginnen (***with*** mit *e-m Kompliment etc.*); **26.** *allg.* öffnen; (ein Buch) aufschlagen; **~ out I** *v/t.* **1.** *et.* ausbreiten; **II** *v/i.* **2.** sich ausbreiten, -dehnen, sich erweitern; **3.** *mot.* Vollgas geben; **~ up I** *v/t.* **1.** *Land*, ⚚ *Markt etc.* erschließen; **II** *v/i.* **2.** ⚔ das Feuer eröffnen; **3.** *fig.* a) ‚loslegen' (*mit Worten*, *Schlägen etc.*), b) ‚auftauen', mitteilsam werden; **4.** sich auftun *od.* zeigen.

ˌo·pen|-ˈac·cess li·brar·y *s.* ˈFreihandbiblioˌthek *f*; **ˌ~-ˈair** *adj.* Freilicht…, Freiluft…, unter freiem Himmel: **~ *swimming pool*** Freibad *n*; **ˌ~-and-ˈshut** *adj.* ganz einfach, sonnenklar; **ˌ~-ˈarmed** *adj.* warm, herzlich (*Empfang*); **ˈ~-cast min·ing** *s.* Tagebau *m*; **ˌ~-ˈdoor** *adj.* frei zugänglich: **~ *policy*** (Handels)Politik *f* der offenen Tür; **ˌ~-ˈend·ed** *adj.* **1.** zeitlich unbegrenzt: **~ *discussion*** Open-end-Diskussion *f*; **2.** ausbaufähig: **~ *program(me)***.

o·pen·er [ˈəʊpnə] *s.* **1.** (*fig.* Er)Öffner (-in); **2.** (*Büchsen- etc.*)Öffner *m*; *sport etc.* Eröffnung(sspiel *n*, *thea.* -nummer *f*) *f*.

ˌo·pen|-ˈeyed *adj.* **1.** mit großen Augen, staunend; **2.** wachsam; **ˌ~-ˈhand·ed** *adj.* □ freigebig; **ˌ~-ˈheart** *adj.*: **~ *surgery*** ⚕ Offenherzchirurgie *f*; **ˌ~-ˈheart·ed** *adj.* □ offen(herzig), aufrichtig; **ˌ~-ˈhearth** *adj.* ⚙ Siemens-Martin(*-ofen*, *-stahl*).

o·pen·ing [ˈəʊpnɪŋ] **I** *s.* **1.** *das* Öffnen; Eröffnung *f* (*a. fig. Akkreditiv*, *Konto*, *Testament*, *Unternehmen*); *fig.* Inbetriebnahme *f* (*e-r Anlage etc.*); *fig.* Erschließung *f* (*Land*, ⚚ *Markt*); **2.** Öffnung *f*, Loch *n*, Lücke *f*, Bresche *f*, Spalt *m*, ˈDurchlaß *m*; **3.** *Am.* (Wald-)

Lichtung *f*; **4.** ⚙ (Spann)Weite *f*; **5.** *fig.* Eröffnung *f* (*a. Schach, Kampf etc.*), Beginn *m*, einleitender Teil (*a.* ⚖); **6.** Gelegenheit *f*, (✝ Absatz)Möglichkeit *f*; **7.** ✝ offene *od.* freie Stelle; **II** *adj.* **8.** Öffnungs...; **9.** Eröffnungs...: **~ speech**; **~ price** ✝ Eröffnungskurs *m*; **~ night** *thea.* Eröffnungsvorstellung *f*.

ˌo·pen|-ˈmar·ket *adj.* Freimarkt...: **~ paper** marktgängiges Wertpapier; **~ policy** Offenmarktpolitik *f*; **ˌ~-ˈmind·ed** *adj.* □ aufgeschlossen, vorurteilslos; **ˌ~-ˈmouthed** *adj.* mit offenem Mund, *fig. a.* gaffend; **ˌ~-ˈplan of·fice** *s.* ˈGroßraumbüˌro *n*; **~ ses·a·me** *s.* Sesam öffne dich *n*; **~ shop** *s. Am.* Betrieb *m*, der auch Nichtgewerkschaftsmitglieder beschäftigt; **≈ U·ni·ver·si·ty** *s.* ˈFernsehuniversiˌtät *f*, ˈTelekolˌleg *n*; **ˈ~·work** *s.* ˈDurchbrucharbeit *f* (*Handarbeit*); **~ work·ing** *s.* ⚒ Tagebau *m*.

op·er·a¹ [ˈɒpərə] *s.* Oper *f* (*a. Gebäude*): **comic ~** komische Oper; **grand ~** große Oper.

op·er·a² [ˈɒpərə] *pl. von* **opus**.

op·er·a·ble [ˈɒpərəbl] *adj.* **1.** ˈdurchführbar; **2.** ⚙ betriebsfähig; **3.** ⚕ opeˈrabel.

op·er·a| cloak *s.* Abendmantel *m*; **~ glass(·es** *pl.*) *s.* Opern-, Theˈaterglas *n*; **~ hat** *s.* ˈKlappzyˌlinder *m*, Chapeauˈclaque *m*; **~ house** *s.* Opernhaus *n*, Oper *f*; **~ pump** *s. Am.* glatter Pumps.

op·er·ate [ˈɒpəreɪt] **I** *v/i.* **1.** arbeiten, in Betrieb sein, funktionieren, laufen (*Maschine etc.*): **be operating** in Betrieb sein; **~ on batteries** von Batterien betrieben werden; **~ at a deficit** ✝ mit Verlust arbeiten; **2.** wirksam werden *od.* sein, (ein)wirken (**on**, **upon** auf *acc.*, **as** als), hinwirken (**for** auf *acc.*); **3.** ⚕ (**on**, **upon**) *j-n* operieren: **be ~d on** operiert werden; **4.** ✝ F spekulieren, operieren: **~ for a fall** auf e-e Baisse spekulieren; **5.** ⚔ operieren; **II** *v/t.* **6.** bewirken, verursachen, (mit sich) bringen; **7.** ⚙ *Maschine* laufen lassen, bedienen, *Gerät* handhaben, *Schalter*, *Bremse etc.* betätigen, *Auto* fahren: **safe to ~** betriebssicher; **8.** *Unternehmen*, *Geschäft* betreiben, führen, *Vorhaben* ausführen.

op·er·at·ic [ˌɒpəˈrætɪk] *adj.* (□ **~ally**) opernhaft (*a. fig. contp.*), Opern...: **~ performance** Opernaufführung *f*; **~ singer** Opernsänger(in).

op·er·at·ing [ˈɒpəreɪtɪŋ] *adj.* **1.** *bsd.* ⚙ in Betrieb befindlich, Betriebs..., Arbeits...: **~ conditions** Betriebsbedingungen; **~ instructions** Bedienungsvorschrift *f*, Betriebsanweisung *f*; **~ lever** Betätigungshebel *m*; **~ system** *Computer*: Betriebssystem *n*; **2.** ✝ Betriebs..., betrieblich: **~ assets** Vermögenswerte; **~ costs** (*od.* **expenses**) Betriebs-, Geschäfts(un)kosten; **~ profit** Betriebsgewinn *m*; **~ statement** Betriebsbilanz *f*; **3.** ⚕ operierend, Operations...: **~ room** *od.* **~ theatre** (*Am.* **theater**) Operationssaal *m*; **~ surgeon** → **operator** 4; **~ table** Operationstisch *m*.

op·er·a·tion [ˌɒpəˈreɪʃn] *s.* **1.** Wirken *n*, Wirkung *f* (**on** auf *acc.*); **2.** *bsd.* ⚖ Wirksamkeit *f*, Geltung *f*: **by ~ of law** kraft Gesetzes; **come into ~** in Kraft treten; **3.** ⚙ Betrieb *m*, Tätigkeit *f*, Lauf *m* (*Maschine etc.*): **in ~** in Betrieb; **put** (*od.* **set**) **in** (**out of**) **~** in (außer) Betrieb setzen; **4.** *bsd.* ⚙ Wirkungs-, Arbeitsweise *f*; Arbeits(vor)gang *m*, (*Arbeits-, Denk- etc. a. chemischer*) Proˈzeß *m*; **5.** ⚙ Inbetriebsetzung *f*, Bedienung *f* (*Maschine, Gerät*), Betätigung *f* (*Bremse, Schalter*); **6.** Arbeit *f*: **building ~s** Bauarbeiten; **7.** ✝ a) Betrieb *m*: **continuous ~** durchgehender Betrieb; **in ~** in Betrieb, b) Unterˈnehmen *n*, -ˈnehmung *f*, c) Geschäft *n*: **trading ~** Tauschgeschäft; **8.** *Börse*: Transaktiˈon *f*; **9.** ⚕ Operatiˈon *f*, (chirˈurgischer) Eingriff: **~ for appendicitis** Blinddarmoperation; **~ to** (*od.* **on**) **the neck** Halsoperation; **major ~** a) größere Operation, b) *fig.* F große Sache, ‚schwere Geburt'; **10.** ⚔ Operatiˈon *f*, Einsatz *m*, Unterˈnehmung *f*; **ˌop·erˈa·tion·al** [-ʃənl] *adj.* **1.** ⚙ a) Betriebs..., Arbeits..., b) betriebsbereit, -fähig; **2.** ✝ betrieblich, Betriebs...; **3.** ⚔ Einsatz..., Operations..., einsatzfähig: **~ objective** Operationsziel *n*; **4.** ⚓ klar, fahrbereit; **op·er·a·tive** [ˈɒpərətɪv] **I** *adj.* □ **1.** wirkend, treibend: **an ~ motive**; **2.** wirksam: **an ~ dose**; **become ~** ⚖ (rechts)wirksam werden, in Kraft treten; **the ~ word** das Wort, auf das es ankommt, ⚖ *a.* das rechtsbegründende Wort; **3.** praktisch; **4.** ✝, ⚙ Arbeits..., Betriebs..., betriebsfähig; **5.** ⚕ operaˈtiv, chirˈurgisch: **~ dentistry** Zahn- u. Kieferchirurgie *f*; **6.** arbeitend, tätig, beschäftigt; **II** *s.* **7.** (Fach)Arbeiter *m*, Meˈchaniker *m*; → **operator** 2; **8.** *Am.* Priˈvatdetekˌtiv(in); **op·er·a·tor** [ˈɒpəreɪtə] *s.* **1.** *der* (*die, das*) Wirkende; **2.** a) ⚙ Bedienungsperson *f*, Arbeiter(in), (*Kran- etc.*)Führer *m*: **engine ~** Maschinist *m*; **~'s license** *Am.* Führerschein *m*, b) Telegraˈfist(in), c) Telefoˈnist(in), d) (Film)Vorführer *m*, *a.* Kameramann *m*; **3.** ✝ a) Unterˈnehmer *m*, b) *Börse*: (berufsmäßiger) Spekuˈlant, *b.s.* Schieber *m*; **4.** ⚕ operierender Arzt, Operaˈteur *m*; **5.** *Computer*: Opeˈrator *m*.

o·per·cu·lum [əʊˈpɜːkjʊləm] *pl.* **-la** [-lə] *s.* **1.** ⚘ Deckel *m*; **2.** *zo.* a) Deckel *m* (*Schnecken*), b) Kiemendeckel *m* (*Fische*).

O

op·er·et·ta [ˌɒpəˈretə] *s.* Opeˈrette *f.*

oph·thal·mi·a [ɒfˈθælmɪə] *s.* ⚕ Bindehautentzündung *f*; **ophˈthal·mic** [-ɪk] *adj.* Augen…; augenkrank: **~ hospital** Augenklinik *f*; **oph·thal·mol·o·gist** [ˌɒfθælˈmɒlədʒɪst] *s.* Augenarzt *m*, Augenärztin *f*; **oph·thal·mol·o·gy** [ˌɒfθælˈmɒlədʒɪ] *s.* Augenheilkunde *f*, Ophthalmoloˈgie *f*; **oph·thal·mo·scope** [ɒfˈθælməskəʊp] *s.* ⚕ Augenspiegel *m*, Ophthalmoˈskop *n*.

o·pi·ate [ˈəʊpɪət] **I** *s.* **1.** ⚕ Opiˈat *n*, ˈOpiumpräpaˌrat *n*; **2.** Schlaf- *od.* Beruhigungs- *od.* Betäubungsmittel *n* (*a. fig.*): **~ for the people** Opium *n* fürs Volk; **II** *adj.* **3.** einschläfernd; betäubend (*a. fig.*).

o·pine [əʊˈpaɪn] **I** *v/i.* daˈfürhalten; **II** *v/t. et.* meinen.

o·pin·ion [əˈpɪnjən] *s.* **1.** Meinung *f*, Ansicht *f*, Stellungnahme *f*: **in my ~** m-s Erachtens, nach m-r Meinung *od.* Ansicht; **be of (the) ~ that** der Meinung sein, daß; **that is a matter of ~** das ist Ansichtssache *f*; **public ~** die öffentliche Meinung; **2.** Achtung *f*, (gute) Meinung: **have a high (low** *od.* **poor) ~ of** e-e (keine) hohe Meinung haben von, (nicht) viel halten von; **she has no ~ of Frenchmen** sie hält nicht viel von (den) Franzosen; **3.** (schriftliches) Gutachten (**on** über *acc.*): **counsel's ~** Rechtsgutachten; **4.** *mst pl.* Überˈzeugung *f*: **have the courage of one's ~s** zu s-r Überzeugung stehen; **5.** ⚖ (Urteils)Begründung *f*; **oˈpin·ion·at·ed** [-neɪtɪd] *adj.* **1.** starr-, eigensinnig; dogˈmatisch; **2.** schulmeisterlich, überˈheblich.

oˈpin·ion|-ˌform·ing *adj.* meinungsbildend; **~ form·er**, **~ lead·er**, **~-ˌmak·er** *s.* Meinungsbildner *m*; **~ poll** *s.* ˈMeinungsˌumfrage *f*; **~ re·search** *s.* Meinungsforschung *f*.

o·pi·um [ˈəʊpjəm] *s.* Opium *n*: **~-eater** Opiumesser *m*; **~ poppy** ⚘ Schlafmohn *m*; **ˈo·pi·um·ism** [-mɪzəm] *s.* ⚕ **1.** Opiumsucht *f*; **2.** Opiumvergiftung *f*.

o·pos·sum [əˈpɒsəm] *s. zo.* Oˈpossum *n*, Beutelratte *f*.

op·po·nent [əˈpəʊnənt] **I** *adj.* entgegenstehend, -gesetzt, gegnerisch (**to** *dat.*); **II** *s.* Gegner(in) (*a.* ⚖, *sport*), Gegenspieler(in), ˈWidersacher(in), Oppoˈnent(in).

op·por·tune [ˈɒpətjuːn] *adj.* ☐ **1.** günstig, passend, gut angebracht, opporˈtun; **2.** rechtzeitig; **ˈop·por·tune·ness** [-nɪs] *s.* Opportuniˈtät *f*, Rechtzeitigkeit *f*; günstiger Zeitpunkt.

op·por·tun·ism [ˈɒpətjuːnɪzm] *s.* Opportuˈnismus *m*; **ˈop·por·tun·ist** [-ɪst] *s.* Opportuˈnist(in).

op·por·tu·ni·ty [ˌɒpəˈtjuːnətɪ] *s.* (*günstige*) Gelegenheit, Möglichkeit *f* (**of doing, to do** zu tun; **for s.th.** zu et.): **miss the ~** die Gelegenheit verpassen; **seize** (*od.* **take**) **an ~** e-e Gelegenheit ergreifen; **at the first ~** bei der ersten Gelegenheit; **~ for advancement** Aufstiegsmöglichkeit; **~ makes the thief** Gelegenheit macht Diebe.

op·pose [əˈpəʊz] *v/t.* **1.** (*vergleichend*) gegenˈüberstellen; **2.** entgegensetzen, -stellen (**to** *dat.*); **3.** entgegentreten (*dat.*), sich widerˈsetzen (*dat.*); angehen gegen, bekämpfen; **4.** ⚖ *Am.* gegen *e-e Patentanmeldung* Einspruch erheben; **opˈposed** [-zd] *adj.* **1.** gegensätzlich, entgegengesetzt (*a.* ⩟); **2.** (**to**) abgeneigt (*dat.*), feind (*dat.*), feindlich (gegen): **be ~ to** *j-m od. e-r Sache* feindlich *od.* ablehnend gegenüberstehen, gegen *j-n od. et.* sein; **3.** ⚙ Gegen…: **~ piston engine** Gegenkolben-, Boxermotor *m*; **opˈpos·ing** [-zɪŋ] *adj.* **1.** gegenˈüberliegend; **2.** opponierend, gegnerisch; **3.** *fig.* entgegengesetzt, unvereinbar.

op·po·site [ˈɒpəzɪt] **I** *adj.* ☐ **1.** gegenˈüberliegend, -stehend (**to** *dat.*): **~ angle** ⩟ Gegen-, Scheitelwinkel *m*; **2.** entgegengesetzt (gerichtet), ˈumgekehrt: **~ directions**; **~ signs** ⩟ entgegengesetzte Vorzeichen; **of ~ sign** ⩟ ungleichnamig; **~ pistons** ⚙ gegenläufige Kolben; **3.** gegensätzlich, entgegengesetzt, gegenteilig, (grund)verschieden, ander: **words of ~ meaning**; **4.** gegnerisch, Gegen…: **~ side** *sport* Gegenpartei *f*, gegnerische Mannschaft; **~ number** *sport*, *pol. etc.* Gegenspieler(in), ‚Gegenüber' *n*, *weitS.* ‚Kollege' *m*, ‚Kollegin' *f* (von der anderen Seite); **5.** ⚘ gegenständig (*Blätter*); **II** *s.* **6.** Gegenteil *n* (*a.* ⩟), -satz *m*: **just the ~** das genaue Gegenteil; **III** *adv.* **7.** gegenˈüber; **IV** *prp.* **8.** gegenüber (*dat.*): **the ~ house**; **play ~ X.** *sport, Film etc.* (der, die) Gegenspieler(in) von X sein.

op·po·si·tion [ˌɒpəˈzɪʃn] *s.* **1.** Gegenˈüberstellung *f*; *das* Gegenˈüberstehen *od.* -liegen; ⚙ Gegenläufigkeit *f*; **2.** ˈWiderstand *m* (**to** gegen): **offer ~ (to)** Widerstand leisten (gegen); **meet with** (*od.* **face**) **stiff ~** auf heftigen Widerstand stoßen; **3.** Gegensatz *m*, ˈWiderspruch *m*: **act in ~ to** zuwiderhandeln (*dat.*); **4.** *pol.* (*a. ast. u. fig.*) Oppositiˈon *f*; **5.** ✝ Konkurˈrenz *f*; **6.** ⚖ a) ˈWiderspruch *m*, b) *Am.* Einspruch *m* (**to** gegen *e-e Patentanmeldung*); **7.** *Logik*: Gegensatz *m*; **ˌop·poˈsi·tion·al** [-ʃənl] *adj.* **1.** *pol.* oppositioˈnell, Oppositions…, regierungsfeindlich; **2.** gegensätzlich, Widerstands…

op·press [əˈpres] *v/t.* **1.** *seelisch* bedrükken; **2.** unterˈdrücken, tyrannisieren, schikanieren; **opˈpres·sion** [-eʃn] *s.* **1.** Unterˈdrückung *f*, Tyrannisierung *f*; ⚖

a) Schi'kane(n *pl.*) *f*, b) 'Mißbrauch *m* der Amtsgewalt; **2.** Druck *m*, Bedrängnis *f*, Not *f*; **3.** Bedrücktheit *f*; **4.** ⚕ Beklemmung *f*; **op'pres·sive** [-sɪv] *adj.* □ **1.** *seelisch* (be)drückend; **2.** ty'rannisch, grausam, hart; ⚖ schika'nös; **3.** drückend (schwül); **op'pres·sive·ness** [-sɪvnɪs] *s.* **1.** Druck *m*; **2.** Schwere *f*, Schwüle *f*; **op'pres·sor** [-sə] *s.* Unter'drücker *m*, Ty'rann *m*.

op·pro·bri·ous [ə'prəʊbrɪəs] *adj.* □ **1.** schmähend, Schmäh…; **2.** schändlich, in'fam; **op'pro·bri·um** [-ɪəm] *s.* Schmach *f*, Schande *f*.

op·pugn [ɒ'pjuːn] *v/t.* anfechten.

opt [ɒpt] *v/i.* wählen (***between*** zwischen *dat.*), sich entscheiden (***for*** für, ***against*** gegen), *bsd. pol.* optieren (***for*** für); **~ *out*** a) sich dagegen entscheiden, b) ‚aussteigen' (***of, on*** aus *der Gesellschaft, e-r Unternehmung etc.*); **op·ta·tive** ['ɒptətɪv] **I** *adj.* Wunsch…, *ling.* optativ(isch): **~ *mood*** → **II** *s. ling.* Optativ *m*, Wunschform *f*.

op·tic ['ɒptɪk] **I** *adj.* **1.** Augen…, Seh…, Gesichts…: **~ *angle*** Seh-, Gesichtswinkel *m*; **~ *axis*** a) optische Achse, b) Sehachse *f*; **~ *nerve*** Sehnerv *m*; **2.** → ***optical***; **II** *s.* **3.** *mst pl. humor.* Auge *n*; **4.** *pl. sg. konstr. phys.* Optik *f*, Lichtlehre *f*; '**op·ti·cal** [-kl] *adj.* □ optisch: **~ *illusion*** optische Täuschung; **~ *microscope*** Lichtmikroskop *n*; **~ *viewfinder*** *TV* optischer Sucher; **op·ti·cian** [ɒp'tɪʃn] *s.* Optiker(in).

op·ti·mal ['ɒptɪml] → ***optimum*** II.

op·ti·mism ['ɒptɪmɪzəm] *s.* Opti'mismus *m*; '**op·ti·mist** [-ɪst] *s.* Opti'mist(in); **op·ti·mis·tic** [ˌɒptɪ'mɪstɪk] *adj.* (□ **~*ally***) opti'mistisch.

op·ti·mize ['ɒptɪmaɪz] *v/t.* ✝, ⚙ optimieren.

op·ti·mum ['ɒptɪməm] **I** *pl.* **-ma** [-mə] *s.* **1.** Optimum *n*, günstigster Fall, Bestfall *m*; **2.** ✝, ⚙ Bestwert *m*; **II** *adj.* **3.** opti'mal, günstigst, best.

op·tion ['ɒpʃn] *s.* **1.** Wahlfreiheit *f*, freie Wahl *od.* Entscheidung: **~ *of a fine*** Recht *n*, e-e Geldstrafe (*an Stelle der Haft*) zu wählen; **2.** Wahl *f*: ***at one's ~*** nach Wahl; ***make one's ~*** s-e Wahl treffen; **3.** Alterna'tive *f*: ***I had no ~ but to*** ich hatte keine andere Wahl als; **4.** ✝ Opti'on *f* (*a. Versicherung*), Vorkaufsrecht *n*: ***buyer's ~*** Kaufoption, Vorprämie *f*; **~ *for the call*** (***the put***) Vor- (Rück)prämiengeschäft *n*; **~ *rate*** Prämiensatz *m*; **~ *of repurchase*** Rückkaufsrecht *n*; **op·tion·al** ['ɒpʃənl] *adj.* □ **1.** freigestellt, wahlfrei, freiwillig, fakulta'tiv: **~ *bonds*** *Am.* kündbare Obligationen; **~ *subject*** *ped.* Wahlfach *n*; **2.** ✝ Options…: **~ *bargain*** Prämiengeschäft *n*.

op·u·lence ['ɒpjʊləns] *s.* Reichtum *m*, ('Über)Fülle *f*, 'Überfluß *m*: ***live in ~*** im Überfluß leben; '**op·u·lent** [-nt] *adj.* □ **1.** (sehr) reich (*a. fig.*); **2.** üppig, opu'lent: **~ *meal***.

o·pus ['əʊpəs] *pl.* **op·er·a** ['ɒpərə] (*Lat.*) *s.* (*einzelnes*) Werk, Opus *n*; → ***magnum opus***; **o·pus·cule** [ɒ'pʌskjuːl] *s.* ♪, *lit.* kleines Werk.

or[1] [ɔː] *cj.* **1.** oder: **~ *else*** sonst, andernfalls; ***one ~ two*** ein bis zwei, einige; **2.** (*nach neg.*) noch, und kein, und auch nicht.

or[2] [ɔː] *s. her.* Gold *n*, Gelb *n*.

or·a·cle ['ɒrəkl] **I** *s.* **1.** O'rakel(spruch *m*) *n*; *fig. a.* Weissagung *f*: ***work the ~*** F e-e Sache ‚drehen'; **2.** *fig.* o'rakelhafter Ausspruch; **3.** *fig.* Pro'phet(in), unfehlbare Autori'tät; **II** *v/t. u. v/i.* **4.** o'rakeln; **o·rac·u·lar** [ɒ'rækjʊlə] *adj.* □ **1.** o'rakelhaft (*a. fig.*), Orakel…; **2.** *fig.* weise.

o·ral ['ɔːrəl] **I** *adj.* □ **1.** mündlich: **~ *contract***; **~ *examination***; **2.** ⚕ o'ral (*a. ling.*), Mund…: ***for ~ use*** zum innerlichen Gebrauch; **~ *intercourse*** Oralverkehr *m*; **~ *stage*** *psych.* orale Phase; **II** *s.* **3.** F mündliche Prüfung.

or·ange ['ɒrɪndʒ] **I** *s.* ⚘ O'range *f*, Apfel'sine *f*: ***bitter ~*** Pomeranze *f*; ***squeeze the ~ dry*** F j-n ausquetschen wie e-e Zitrone; **II** *adj.* Orangen…; o'range (-farben); **~ lead** [led] *s.* ⚙ O'rangemennige *f*, Bleisafran *m*; **~ peel** *s.* **1.** O'rangenschale *f*; **2.** *a.* **~ *effect*** ⚙ O'rangenschalenstrukˌtur *f* (*Lackierung*).

or·ange·ry ['ɒrɪndʒərɪ] *s.* Orange'rie *f*.

o·rang-ou·tang [ɔːˌræŋuː'tæŋ], **oˌrang-u'tan** [-uː'tæn] *s. zo.* 'Orang-'Utan *m*.

o·rate [ɔː'reɪt] *v/i.* **1.** e-e Rede halten; **2.** *humor. u. contp.* (lange) Reden halten *od.* ‚schwingen', reden; **o'ra·tion** [-'eɪʃn] *s.* **1.** *förmliche od. feierliche* Rede; **2.** *ling.* (*direkte etc.*) Rede *f*; **or·a·tor** ['ɒrətə] *s.* **1.** Redner(in); **2.** ⚖ *Am.* Kläger(in) (*in **equity**-Prozessen*); **or·a·tor·i·cal** [ˌɒrə'tɒrɪkl] *adj.* □ rednerisch, Redner…, ora'torisch, rhe'torisch, Rede…; **or·a·to·ri·o** [ˌɒrə'tɔːrɪəʊ] *pl.* **-ri·os** *s.* ♪ Ora'torium *n*; **or·a·tor·ize** ['ɒrətəraɪz] → ***orate*** 2; **or·a·to·ry** ['ɒrətərɪ] *s.* **1.** Redekunst *f*, Beredsamkeit *f*, Rhe'torik *f*; **2.** *eccl.* Ka'pelle *f*, Andachtsraum *m*.

orb [ɔːb] **I** *s.* **1.** Kugel *f*, Ball *m*; **2.** *poet.* Gestirn *n*, Himmelskörper *m*; **3.** *poet.* a) Augapfel *m*, b) Auge *n*; **4.** *hist.* Reichsapfel *m*; **or·bic·u·lar** [ɔː'bɪkjʊlə] *adj.* □ **1.** kugelförmig; **2.** rund, kreisförmig; **3.** ringförmig; **or·bit** ['ɔːbɪt] **I** *s.* **1.** (*ast. etc.* Kreis-, *phys.* Elek'tronen-) Bahn *f*: ***get into ~*** in e-e Umlaufbahn gelangen (*Erdsatellit*); ***put into ~*** → 5; **2.** *fig.* Bereich *m*, Wirkungskreis *m*; *pol.* Einflußsphäre *f*; **3.** *anat.* a) Augenhöhle *f*, b) Auge *n*; **II** *v/t.* **4.** *die Erde etc.* um'kreisen; **5.** in e-e 'Umlaufbahn bringen; **III** *v/i.* **6.** die Erde *etc.* um'kreisen; **7.** ✈ (über dem Flugplatz) kreisen; **'or·bit·al** [-bɪtl] **I** *adj.* **1.** *anat.* Augenhöhlen…: **~ cavity** Augenhöhle *f*; **2.** *ast.*, *phys.* Bahn…: **~ electron**; **II** *s.* **3.** *Brit.* Ringstraße *f*.

or·chard ['ɔːtʃəd] *s.* Obstgarten *m*; 'Obstplanˌtage *f*: **in ~** mit Obstbäumen bepflanzt; **'or·chard·ing** [-dɪŋ] *s.* **1.** Obstbau *m*; **2.** *coll. Am.* 'Obstkulˌturen *pl.*

or·ches·tic [ɔː'kestɪk] **I** *adj.* Tanz…; **II** *s. pl.* Or'chestik *f*.

or·ches·tra ['ɔːkɪstrə] *s.* **1.** ♪ Or'chester *n*; **2.** *thea.* a) Or'chester(raum *m*, -graben *m*) *n*, b) Par'terre *n*, c) *a.* **~ stalls** Par'kett *n*; **or·ches·tral** [ɔː'kestrəl] *adj.* ♪ **1.** Orchester…; **2.** orche'stral; **'or·ches·trate** [-reɪt] *v/t.* **1.** *a. v/i.* ♪ orchestrieren, instrumentieren; **2.** *fig. Am.* ordnen, aufbauen; **or·ches·tra·tion** [ˌɔːke'streɪʃn] *s.* Instrumentati'on *f*.

or·chid ['ɔːkɪd] *s.* ⚘ Orchi'dee *f*.

or·chis ['ɔːkɪs] *pl.* **'or·chis·es** *s.* ⚘ **1.** Orchi'dee *f*; **2.** Knabenkraut *n*.

or·dain [ɔː'deɪn] *v/t.* **1.** *eccl.* ordinieren, (*zum Priester*) weihen; **2.** bestimmen, fügen (*Gott*, *Schicksal*); **3.** anordnen, verfügen.

or·deal [ɔː'diːl] *s.* **1.** *hist.* Gottesurteil *n*: **~ by fire** Feuerprobe *f*; **2.** *fig.* Zerreiß-, Feuerprobe *f*, schwere Prüfung; **3.** *fig.* Qual *f*, Nervenprobe *f*, Tor'tur *f*, Mar'tyrium *n*.

or·der ['ɔːdə] **I** *s.* **1.** Ordnung *f*, geordneter Zustand: **love of ~** Ordnungsliebe *f*; **in ~** in Ordnung (*a. fig.*); **out of ~** in Unordnung; → 8; **2.** (öffentliche) Ordnung: **law and ~** Ruhe *f* u. Ordnung; **3.** Ordnung *f* (*a.* ⚘ *Kategorie*), Sy'stem *n*: **social ~** soziale Ordnung; **4.** (An)Ordnung *f*, Reihenfolge *f*; *ling.* (Satz)Stellung *f*, Wortfolge *f*: **in alphabetical ~** in alphabetischer Ordnung; **~ of priority** Dringlichkeitsfolge *f*; **~ of merit** (*od.* **precedence**) Rangordnung; **5.** Ordnung *f*, Aufstellung *f*; ⚠ Stil *m*: **in close** (**open**) **~** ⚔ in geschlossener (geöffneter) Ordnung; **~ of battle** a) ⚔ Schlachtordnung, Gefechtsaufstellung, b) ⚓ Gefechtsformation *f*; **Doric ~** ⚠ dorische Säulenordnung; **6.** ⚔ vorschriftsmäßige Uni'form u. Ausrüstung; → **marching**; **7.** (Geschäfts-) Ordnung *f*: **standing ~s** *parl.* feststehende Geschäftsordnung; **a call to ~** ein Ordnungsruf *m*; **call to ~** zur Ordnung rufen; **rise to** (**a point of**) **~** zur Geschäftsordnung sprechen; **~!, ~!** zur Ordnung!; **in** (**out of**) **~** (un)zulässig; **~ of the day** Tagesordnung; → 9; **be the ~ of the day** *fig.* an der Tagesordnung sein; **pass to the ~ of the day** zur Tagesordnung übergehen; → **rule** 15; **8.** Zustand *m*: **in bad ~** nicht in Ordnung, in schlechtem Zustand; **out of ~** nicht in Ordnung, defekt; **in running ~** betriebsfähig; **9.** Befehl *m*, Instrukti'on *f*, Anordnung *f*: **~ in Council** *pol.* Kabinettsbefehl; **~ of the day** ⚔ Tagesbefehl; **~ for remittance** Überweisungsauftrag *m*; **doctor's ~s** ärztliche Anordnung; **by ~** a) befehls-, auftragsgemäß, b) im Auftrag (*vor der Unterschrift*); **by** (*od.* **on the**) **~ of** auf Befehl von, im Auftrag von; **be under ~s to do s.th.** Befehl haben, et. zu tun; **till further ~s** bis auf weiteres; **in short ~** *Am.* F sofort; **10.** ⚖ (Gerichts)Beschluß *m*, Befehl *m*, Verfügung *f*; **11.** ✝ Bestellung *f* (*a. Ware*), Auftrag *m* (**for** für): **a large** (*od.* **tall**) **~** F e-e (arge) Zumutung, (zu)viel verlangt; **~s on hand** Auftragsbestand *m*; **give** (*od.* **place**) **an ~** e-n Auftrag erteilen, e-e Bestellung aufgeben; **make to ~** a) auf Bestellung anfertigen, b) nach Maß anfertigen; **shoes made to ~** Maßschuhe; **last ~s, please** Polizeistunde!; **12.** ✝ Order *f* (*Zahlungsauftrag*): **pay to s.o.'s ~** an j-s Order zahlen; **pay to the ~ of** für mich an … (*Wechselindossament*); **payable to ~** zahlbar an Order; **own ~** eigene Order; **13.** → **post-office order**, **postal** I; **14.** A Ordnung *f*, Grad *m*: **equation of the first ~** Gleichung *f* ersten Grades; **15.** Größenordnung *f*: **of** (*od.* **in**) **the ~ of** in der Größenordnung von; **16.** Art *f*, Rang *m*: **of a high ~** von hohem Rang; **of quite another ~** von ganz anderer Art; **on the ~ of** nach Art von; **17.** (Gesellschafts)Schicht *f*, Klasse *f*, Stand *m*: **the higher ~s** die höheren Klassen; **the military ~** der Soldatenstand; **18.** Orden *m* (*Gemeinschaft*): **the Franciscan ~** *eccl.* der Franziskanerorden; **the Teutonic ~** *hist.* der Deutsche (*Ritter-*) Orden; **19.** Orden(szeichen *n*) *m*; → **Garter** 2; **20.** *pl. mst* **holy ~s** *eccl.* (heilige) Weihen, Priesterweihe *f*: **take** (**holy**) **~s** die (heiligen) Weihen empfangen; **major ~s** höhere Weihen; **21.** Einlaßschein *m*, *thea.* Freikarte *f*; **22.** **in ~ to** *inf.* um zu *inf.*; **in ~ that** damit; **II** *v/t.* **23.** *j-m od. e-e Sache* befehlen, *et.* anordnen: **he ~ed him to come** er befahl ihm zu kommen; **24.** *j-n* schikken, beordern (**to** nach); **25.** ⚕ *j-m et.* verordnen; **26.** bestellen (*a.* ✝; *a. im Restaurant*); **27.** regeln, leiten, führen; **28.** **~ arms!** ⚔ Gewehr ab!; **29.** ordnen, einrichten: **~ one's affairs** s-e Angelegenheiten in Ordnung bringen; **~ a·bout** *v/t.* her'umkommandieren; **~ a·way** *v/t.* **1.** weg-, fortschicken; **2.** abführen lassen; **~ back** *v/t.* zu'rückbeordern; **~ in** *v/t.* her'einkommen lassen; **~**

off *v/t. sport* vom Platz stellen; ~ **out** *v/t.* **1.** hin'ausbeordern; **2.** hin'ausweisen.

or·der| bill *s.* ✝ 'Orderpa,pier *n*; ~ **bill of lad·ing** *s.* ✝, ⚙ 'Orderkonnosse,ment *n*; ~ **book** *s.* **1.** ✝ Auftragsbuch *n*; **2.** *Brit. parl.* Liste *f* der angemeldeten Anträge; ~ **check** *Am.*, ~ **cheque** *Brit. s.* ✝ Orderscheck *m*; ~ **form** *s.* ✝ Bestellschein *m*; ~ **in·stru·ment** *s.* ✝ 'Orderpa,pier *n*.

or·der·less ['ɔːdəlɪs] *adj.* unordentlich, regellos; **'or·der·li·ness** [-lɪnɪs] *s.* **1.** Ordnung *f*, Regelmäßigkeit *f*; **2.** Ordentlichkeit *f*.

or·der·ly ['ɔːdəlɪ] **I** *adj.* **1.** ordentlich, (wohl)geordnet; **2.** plan-, regelmäßig, me'thodisch; **3.** *fig.* ruhig, friedlich: ***an ~ citizen***; **4.** ⚔ a) im *od.* vom Dienst, diensttuend, b) Ordonnanz...: ***on ~ duty*** auf Ordonnanz; **II** *adv.* **5.** ordnungsgemäß, planmäßig; **III** *s.* **6.** ⚔ a) Ordon'nanz *f*, b) Sani'täter *m*, Krankenträger *m*, c) (Offi'ziers)Bursche *m*; **7.** *allg.* (Kranken)Pfleger *m*; ~ **of·fi·cer** *s.* ⚔ **1.** Ordon'nanzoffi,zier *m*; **2.** Offi'zier *m* vom Dienst; ~ **room** *s.* ⚔ Schreibstube *f*.

or·der| num·ber *s.* ✝ Bestellnummer *f*; ~ **pad** *s.* ✝ Bestell(schein)block *m*; ~ **pa·per** *s.* **1.** 'Sitzungspro,gramm *n*, (*schriftliche*) Tagesordnung; **2.** ✝ *Am.* 'Orderpa,pier *n*; ~ **proc·ess·ing** *s.* Auftragsabwicklung *f*; ~ **slip** *s.* ✝ Bestellzettel *m*.

or·di·nal ['ɔːdɪnl] **I** *adj.* **1.** ⩚ Ordnungs..., Ordinal...: ***~ number***; **2.** ⚘, *zo.* Ordnungs...; **II** *s.* **3.** ⩚ Ordnungszahl *f*; **4.** *eccl.* a) Ordi'nale *n* (*Regelbuch für die Ordinierung anglikanischer Geistlicher*), b) *oft* ♀ Ordi'narium *n* (*Ritualbuch od. Gottesdienstordnung*).

or·di·nance ['ɔːdɪnəns] *s.* **1.** *amtliche* Verordnung; **2.** *eccl.* (*festgesetzter*) Brauch, Ritus *m*.

or·di·nand [,ɔːdɪ'nænd] *s. eccl.* Ordi'nandus *m*.

or·di·nar·i·ly ['ɔːdnrɪlɪ] *adv.* **1.** nor'malerweise, gewöhnlich; **2.** wie gewöhnlich *od.* üblich.

or·di·nar·y ['ɔːdnrɪ] **I** *adj.* □ → ***ordinarily***; **1.** gewöhnlich, nor'mal, üblich; **2.** gewöhnlich, mittelmäßig, Durchschnitts...: ***~ face*** Alltagsgesicht *n*; **3.** ständig; ordentlich (*Gericht*, *Mitglied*); **II** *s.* **4.** *das* Übliche, *das* Nor'male: ***nothing out of the ~*** nichts Ungewöhnliches; ***above the ~*** außergewöhnlich; **5.** ***in ~*** ordentlich, von Amts wegen; ***judge in ~*** ordentlicher Richter; ***physician in ~*** (***to a king***) Leibarzt *m* (e-s Königs); **6.** *eccl.* Ordi'narium *n*, Gottesdienst-, Meßordnung *f*; **7.** *a.* ♀ *eccl.* Ordi'narius *m* (*Bischof*); **8.** ⚖ a) ordentlicher Richter, b) *Am.* Nachlaßrichter *m*; **9.** *Brit. obs.* a) Hausmannskost *f*, b) Tagesgericht *n*; **10.** *Brit. obs.* Gaststätte *f*; ~ **life in·sur·ance** *s.* Lebensversicherung *f* auf den Todesfall; ~ **sea·man** *s.* 'Leichtma,trose *m*; ~ **share** *s.* ✝ Stammaktie *f*.

or·di·nate ['ɔːdnət] *s.* ⩚ Ordi'nate *f*.

or·di·na·tion [,ɔːdɪ'neɪʃn] *s.* **1.** *eccl.* Priesterweihe *f*, Ordinati'on *f*; **2.** Ratschluß *m* (*Gottes etc.*).

ord·nance ['ɔːdnəns] *s.* ⚔ **1.** Artille'rie *f*, Geschütze *pl.*: ***a piece of ~*** ein (schweres) Geschütz; ***~ technician*** Feuerwerker *m*; **2.** 'Feldzeugmateri,al *n*; **3.** Feldzeugwesen *n*: ***Royal Army ♀ Corps*** Feldzeugkorps *n* des brit. Heeres; ♀ **De·part·ment** *s.* ⚔ Zeug-, Waffenamt *n*; ~ **de·pot** *s.* ⚔ 'Feldzeug-, *bsd.* Artille'riede,pot *n*; ~ **map** *s.* ⚔ **1.** *Am.* Gene'ralstabskarte *f*; **2.** *Brit.* Meßtischblatt *n*; ~ **of·fi·cer** *s.* **1.** ⚓ *Am.* Artille'rieoffi,zier *m*; **2.** Offi'zier *m* der Feldzeugtruppe; **3.** 'Waffenoffi,zier *m*; ~ **park** *s.* ⚔ a) Geschützpark *m*, b) Feldzeugpark *m*; ~ **ser·geant** *s.* ⚔ 'Waffen-, Ge'räte,unteroffi,zier *m*; ♀ **Sur·vey** *s.* amtliche Landesvermessung: ***♀ map*** *Brit.* a) Meßtischblatt *n*, b) (*1:100000*) Generalstabskarte *f*.

or·dure ['ɔː,djʊə] *s.* Kot *m*, Schmutz *m*, Unflat *m* (*a. fig.*).

ore [ɔː] *s.* **1.** Erz *n*; **2.** *poet.* (kostbares) Me'tall; **'~-,bear·ing** *adj. geol.* erzführend, -haltig; ~ **bed** *s.* Erzlager *n*.

or·gan ['ɔːgən] *s.* **1.** Or'gan *n*: a) *anat.* Körperwerkzeug *n*: ***~ donor*** Organspender *m*; ***~ transplant*** Organverpflanzung *f*; ***~ of sight*** Sehorgan, b) *fig.* Werkzeug *n*, Hilfsmittel *n*, c) Sprachrohr *n* (*Zeitschrift*): ***party ~*** Parteiorgan, d) *laute etc.* Stimme; **2.** ♪ a) Orgel *f*: ***~ stop*** Orgelregister *n*, b) Kla'vier *n* (*e-r Orgel*), c) *a.* ***American ~*** *Art* Har'monium *n*, d) → ***barrel-organ***: ***~-grinder*** Leier(kasten)mann *m*.

or·gan·die, **or·gan·dy** ['ɔːgəndɪ] *s.* Or'gandy *m* (*Baumwollgewebe*).

or·gan·ic [ɔː'gænɪk] *adj.* (□ ***~ally***) *allg.* **1.** or'ganisch; **2.** bio'logisch-or'ganisch: ***~ vegetables***; ~ **chem·is·try** *s.* or'ganische Che'mie; ~ **dis·ease** *s.* ⚕ or'ganische Krankheit; ~ **e·lec·tric·i·ty** *s.* *zo.* tierische Elektrizi'tät; ~ **far·mer** *s.* Ökobauer *m*; ~ **food** *s.* Biokost *f*; ~ **law** *s. pol.* Grundgesetz *n*.

or·gan·ism ['ɔːgənɪzəm] *s. biol. u. fig.* Orga'nismus *m*.

or·gan·ist ['ɔːgənɪst] *s.* ♪ Orga'nist(in).

or·gan·i·za·tion [,ɔːgənaɪ'zeɪʃn] *s.* **1.** Organisati'on *f*: a) Organisierung *f*, Bildung *f*, Gründung *f*, b) (syste'matischer) Aufbau, Gliederung *f*, (Aus)Gestaltung *f*, c) Zs.-schluß *m*, Verband *m*, Gesellschaft *f*: ***administrative ~*** Verwaltungsapparat *m*; **2.** Orga'nismus *m*,

Sy'stem *n*; ˌ**or·gan·i'za·tion·al** [-ʃənl] *adj.* organisa'torisch; **or·gan·ize** ['ɔːgənaɪz] **I** *v/t.* **1.** organisieren: a) aufbauen, einrichten, b) gründen, ins Leben rufen, c) veranstalten, *sport a.* ausrichten: **~d tour** Gesellschaftsreise *f*, d) gestalten; **2.** in ein Sy'stem bringen; **3.** (gewerkschaftlich) organisieren: **~d labo(u)r**; **II** *v/i.* **4.** sich organisieren; **or·gan·iz·er** ['ɔːgənaɪzə] *s.* Organi'sator *m*; Veranstalter *m*, *sport a.* Ausrichter *m*; ⚖ Gründer *m*.

or·gan loft *s.* ⚠ Orgelchor *m*.

or·gan·zine ['ɔːgənziːn] *s.* Organ'sin (-seide *f*) *m*, *n*.

or·gasm ['ɔːgæzəm] *s. physiol.* **1.** Or'gasmus *m*, (sexu'eller) Höhepunkt; **2.** heftige Erregung; **or·gi·as·tic** [ˌɔːdʒɪ'æstɪk] *adj.* orgi'astisch; **or·gy** ['ɔːdʒɪ] *s.* Orgie *f*.

o·ri·el ['ɔːrɪəl] *s.* ⚠ Erker *m*.

o·ri·ent ['ɔːrɪənt] **I** *s.* **1.** Osten *m*; **2. the** ♀ der (Ferne) Osten, der Orient; **II** *adj.* **3.** aufgehend (*Sonne*); **4.** östlich; **5.** glänzend; **III** *v/t.* [-ɪent] **6.** orientieren, die Lage *od.* die Richtung bestimmen von, orten; *Landkarte* einnorden; *Instrument* einstellen; *Kirche* osten; **7.** *fig. geistig* (aus)richten, orientieren (**by** an *dat.*): **profit-~ed** gewinnorientiert; **8. ~ o.s.** sich orientieren (**by** an *dat.*), sich zu'rechtfinden, sich informieren; **o·ri·en·tal** [ˌɔːrɪ'entl] **I** *adj.* **1.** östlich; **2.** *mst* ♀ orien'talisch, *bsd. Am. a.* ostasiatisch, östlich; **II** *s.* **3.** Orien'tale *m*, Orien'talin *f*, *bsd. Am. a.* Ostasiat(in); **o·ri·en·tal·ist** [ˌɔːrɪ'entəlɪst] *s.* Orienta'list(in); **o·ri·en·tate** ['ɔːrɪenteɪt] → **orient** 6, 7, 8; **o·ri·en·ta·tion** [ˌɔːrɪen'teɪʃn] *s.* **1.** ⚠ Ostung *f* (*Kirche*); **2.** Anlage *f*, Richtung *f*; **3.** Orientierung *f* (*a.* ⚓ *u. fig.*), Ortung *f*; Ausrichtung *f* (*a. fig.*); **4.** *a. fig.* Orientierung *f*, (Sich-)Zu'rechtfinden *n*: **~ course** Einführungskurs *m*; **5.** Orientierungssinn *m*; **or·i·en·teer·ing** [ˌɔːrɪen'tiːrɪŋ] *s.* Orientierungslauf *m*.

or·i·fice ['ɒrɪfɪs] *s.* Öffnung *f* (*a. anat.*, ⚙), Mündung *f*.

or·i·flamme ['ɒrɪflæm] *s.* Banner *n*, Fahne *f*; *fig.* Fa'nal *n*.

or·i·gin ['ɒrɪdʒɪn] *s.* **1.** Ursprung *f*: a) Quelle *f*, b) *fig.* Herkunft *f*, Abstammung *f*: **certificate of ~** ✝ Ursprungszeugnis *n*; **country of ~** ✝ Ursprungsland *n*, c) Anfang *m*, Entstehung *f*: **the ~ of species** der Ursprung der Arten; **2.** ⩚ Koordi'natenursprung *m*, -nullpunkt *m*.

o·rig·i·nal [ə'rɪdʒənl] **I** *adj.* □ → **originally**; **1.** origi'nal, Original..., Ur..., ursprünglich, echt: **the ~ text** der Ur- *od.* Originaltext; **2.** erst, ursprünglich, Ur...: **~ bill** ✝ *Am.* Primawechsel *m*; **~ capital** ✝ Gründungskapital *n*; **~ copy** Erstausfertigung *f*; **~ cost** ✝ Selbstkosten *pl.*; **~ inhabitants** Ureinwohner; **~ jurisdiction** ⚖ erstinstanzliche Zuständigkeit; **~ share** ✝ Stammaktie *f*; → **sin** 1; **3.** origi'nell, neu(artig); **an ~ idea**; **4.** schöpferisch, ursprünglich: **~ genius** Originalgenie *n*, Schöpfergeist *m*; **~ thinker** selbständiger Geist; **5.** urwüchsig, Ur...: **~ nature** Urnatur *f*; **II** *s.* **6.** Origi'nal *n*: a) Urbild *n*, -stück *n*, b) Urfassung *f*, -text *m*: **in the ~** im Original, im Urtext, ⚖ urschriftlich; **7.** Original *n* (*Mensch*); **8.** ⚘, *zo.* Stammform *f*; **o·rig·i·nal·i·ty** [əˌrɪdʒə'nælətɪ] *s.* **1.** Originali'tät *f*: a) Ursprünglichkeit *f*, Echtheit *f*, b) Eigenart *f*, origi'neller Cha'rakter, c) Neuheit *f*; **2.** *das* Schöpferische; **o'rig·i·nal·ly** [-dʒənəlɪ] *adv.* **1.** ursprünglich, zu'erst; **2.** hauptsächlich, eigentlich; **3.** von Anfang an, schon immer; **4.** origi'nell.

o·rig·i·nate [ə'rɪdʒəneɪt] **I** *v/i.* **1.** (**from**) entstehen (aus), s-n Ursprung haben (in *dat.*), herrühren (von *od.* aus); **2.** (**with**, **from**) ausgehen (von *j-m*); **II** *v/t.* **3.** her'vorbringen, verursachen, erzeugen, schaffen; **4.** den Anfang machen mit, den Grund legen zu; **o·rig·i·na·tion** [əˌrɪdʒə'neɪʃn] *s.* **1.** Her'vorbringung *f*, Schaffung *f*, Veranlassung *f*; **2.** → **origin** 1 b *u.* c; **o'rig·i·na·tive** [-tɪv] *adj.* schöpferisch; **o'rig·i·na·tor** [-tə] *s.* Urheber(in), Begründer(in), Schöpfer(in).

o·ri·ole ['ɔːrɪəʊl] *s. orn.* Pi'rol *m*.

or·mo·lu ['ɔːməʊluː] *s.* a) Malergold *n*, b) Goldbronze *f*.

or·na·ment **I** *s.* ['ɔːnəmənt] Orna'ment *n*, Verzierung *f* (*a.* ♪), Schmuck *m*; *fig.* Zier(de) *f* (**to** für *od. gen.*): **rich in ~** reich verziert; **II** *v/t.* [-ment] verzieren, schmücken; **or·na·men·tal** [ˌɔːnə'mentl] *adj.* □ ornamen'tal, schmükkend, dekora'tiv, Zier...: **~ castings** ⚙ Kunstguß *m*; **~ plants** Zierpflanzen; **~ type** Zierschrift *f*; **or·na·men·ta·tion** [ˌɔːnəmen'teɪʃn] *s.* Ornamentierung *f*, Verzierung *f*.

or·nate [ɔː'neɪt] *adj.* □ **1.** reich verziert; **2.** über'laden (*Stil etc.*); blumig (*Sprache*).

or·ni·tho·log·i·cal [ˌɔːnɪθə'lɒdʒɪkl] *adj.* □ ornitho'logisch; **or·ni·thol·o·gist** [ˌɔːnɪ'θɒlədʒɪst] *s.* Ornitho'loge *m*; **or·ni·thol·o·gy** [ˌɔːnɪ'θɒlədʒɪ] *s.* Ornitholo'gie *f*, Vogelkunde *f*; **or·ni·thop·ter** [ˌɔːnɪ'θɒptə] *s.* ✈ Schwingenflügler *m*; ˌ**or·ni·tho'rhyn·chus** [-ə'rɪŋkəs] *s. zo.* Schnabeltier *n*.

o·rol·o·gy [ɒ'rɒlədʒɪ] *s.* Gebirgskunde *f*.

o·ro·pha·ryn·ge·al ['ɔːrəʊˌfærɪn'dʒiːəl] *adj.* ⚕ Mundrachen...

o·ro·tund ['ɔːrəʊtʌnd] *adj.* **1.** volltönend; **2.** bom'bastisch (*Stil*).

or·phan ['ɔːfn] **I** *s.* **1.** (Voll)Waise *f*,

Waisenkind *n*: ***~s' home*** → ***orphanage*** 1; **II** *adj*. **2.** Waisen…: ***an ~ child***; **III** *v/t*. **3.** zur Waise machen: ***be ~ed*** (zur) Waise werden, verwaisen; **or·phan·age** ['ɔ:fənɪdʒ] *s*. **1.** Waisenheim *n*, -haus *n*; **2.** Verwaistheit *f*; **or·phan·ize** ['ɔ:fnaɪz] *v/t*. → ***orphan*** 3.

or·rer·y ['ɒrərɪ] *s*. Plane'tarium *n*.

or·tho·chro·mat·ic [ˌɔ:θəʊkrəʊ'mætɪk] *adj*. *phot*. orthochro'matisch, farb(wert)richtig.

or·tho·don·ti·a [ˌɔ:θəʊ'dɒnʃɪə] *s*. ⚕ 'Kieferorthopäˌdie *f*.

or·tho·dox ['ɔ:θədɒks] *adj*. ☐ **1.** *eccl*. ortho'dox: a) streng-, recht-, altgläubig, b) ♀ 'griechisch-ortho'dox: ***♀ Church***; **2.** *fig*. ortho'dox: a) streng: ***an ~ opinion***, b) anerkannt, üblich, konventio'nell; **'or·tho·dox·y** [-ksɪ] *s*. *eccl*. Ortho-do'xie *f* (*a. fig. orthodoxes Denken*).

or·thog·o·nal [ɔ:'θɒgənl] *adj*. ⩚ ortho-go'nal, rechtwink(e)lig.

or·tho·graph·ic, or·tho·graph·i·cal [ˌɔ:θəʊ'græfɪk(l)] *adj*. ☐ **1.** ortho'graphisch; **2.** ⩚ senkrecht, rechtwink(e)lig; **or·thog·ra·phy** [ɔ:'θɒgrəfɪ] *s*. Orthogra'phie *f*, Rechtschreibung *f*.

or·tho·p(a)e·dic [ˌɔ:θəʊ'pi:dɪk] *adj*. ⚕ ortho'pädisch; **ˌor·tho'p(a)e·dics** [-ks] *s. pl. oft sg. konstr*. Orthopä'die *f*; **ˌor·tho'p(a)e·dist** [-ɪst] *s*. Ortho'päde *m*; **or·tho·p(a)e·dy** ['ɔ:θəʊpi:dɪ] → ***orthop(a)edics***.

or·thop·ter [ɔ:'θɒptə] *s*. **1.** ✈ → ***ornithopter***; **2.** → **or'thop·ter·on** [-ərɒn] *s. zo*. Geradflügler *m*.

or·tho·scope ['ɔ:θəʊskəʊp] *s*. ⚕ Ortho'skop *n*.

Os·car ['ɒskə] *s*. Oskar *m* (*Filmpreis*).

os·cil·late ['ɒsɪleɪt] **I** *v/i*. **1.** oszillieren, schwingen, pendeln, vibrieren: ***oscillating axle*** *mot*. Schwingachse *f*; ***oscillating circuit*** ⚡ Schwingkreis *m*; **2.** *fig*. (hin- u. her) schwanken; **II** *v/t*. **3.** in Schwingungen versetzen; **os·cil·la·tion** [ˌɒsɪ'leɪʃn] *s*. **1.** Oszillati'on *f*, Schwingung *f*, Pendelbewegung *f*, Schwankung *f*; **2.** *fig*. Schwanken *n*; **3.** ⚡ a) Ladungswechsel *m*, b) Stoßspannung *f*, c) Peri'ode *f*; **'os·cil·la·tor** [-tə] *s*. ⚡ Oszil'lator *m*; **'os·cil·la·to·ry** [-lətərɪ] *adj*. oszilla'torisch, schwingend, schwingungsfähig: ***~ circuit*** ⚡ Schwingkreis *m*; **os·cil·lo·graph** [ə'sɪləʊgrɑ:f] *s*. Oszillo'graph *m*; **os·cil·lo·scope** [ə'sɪləʊskəʊp] *s. phys*., ⚡ Oszillo'skop *n*.

os·cu·late ['ɒskjʊleɪt] *v/t. u. v/i*. **1.** *humor*. (sich) küssen; **2.** ⩚ oskulieren.

o·sier ['əʊʒə] *s*. ⚘ Korbweide *f*: ***~ basket*** Weidenkorb *m*; ***~ furniture*** Korbmöbel *pl*.

os·mic ['ɒzmɪk] *adj*. ⚗ Osmium…

os·mo·sis [ɒz'məʊsɪs] *s*. *phys*. Os'mose *f*; **os·mot·ic** [ɒz'mɒtɪk] *adj*. (☐ ***~ally***) os'motisch.

os·prey ['ɒsprɪ] *s*. **1.** *orn*. Fischadler *m*; **2.** ✝ Reiherfederbusch *m*.

os·se·in ['ɒsɪɪn] *s*. *biol*., ⚗ Knochenleim *m*.

os·se·ous ['ɒsɪəs] *adj*. knöchern, Knochen…; **os·si·cle** ['ɒsɪkl] *s*. *anat*. Knöchelchen *n*; **os·si·fi·ca·tion** [ˌɒsɪfɪ'keɪʃn] Verknöcherung *f*; **os·si·fied** ['ɒsɪfaɪd] *adj*. verknöchert (*a. fig*.); **os·si·fy** ['ɒsɪfaɪ] **I** *v/t*. **1.** verknöchern (lassen); **2.** *fig*. verknöchern; (*in Konventionen*) erstarren lassen; **II** *v/i*. **3.** verknöchern; **4.** *fig*. verknöchern, (in Konventi'onen) erstarren; **os·su·ar·y** ['ɒsjʊərɪ] *s*. Beinhaus *n*.

os·te·i·tis [ˌɒstɪ'aɪtɪs] *s*. ⚕ Knochenentzündung *f*.

os·ten·si·ble [ɒ'stensəbl] *adj*. ☐ **1.** scheinbar; **2.** an-, vorgeblich: ***~ partner*** ✝ Strohmann *m*.

os·ten·ta·tion [ˌɒsten'teɪʃn] *s*. **1.** (protzige) Schaustellung; **2.** Protze'rei *f*, Prahle'rei *f*; **3.** Gepränge *n*; **ˌos·ten'ta·tious** [-ʃəs] *adj*. ☐ **1.** großtuerisch, prahlerisch, prunkend; **2.** (*absichtlich*) auffällig, ostenta'tiv, betont; **ˌos·ten'ta·tious·ness** [-ʃəsnɪs] → ***ostentation***.

os·te·o·blast ['ɒstɪəʊblɑ:st] *s*. *biol*. Knochenbildner *m*; **os·te·oc·la·sis** [ˌɒstɪ'ɒkləsɪs] *s*. ⚕ (opera'tive) 'Knochenfrakˌtur; **os·te·ol·o·gy** [ˌɒstɪ'ɒlədʒɪ] *s*. Knochenlehre *f*; **os·te·o·ma** [ˌɒstɪ'əʊmə] *s*. ⚕ Oste'om *n*, gutartige Knochengeschwulst; **os·te·o·ma·la·ci·a** [ˌɒstɪəʊmə'leɪʃɪə] *s*. ⚕ Knochenerweichung *f*; **'os·te·o·path** [-ɪəʊpæθ] *s*. ⚕ Osteo'path *m*.

ost·ler ['ɒslə] *s*. Stallknecht *m*.

os·tra·cism ['ɒstrəsɪzəm] *s*. **1.** *antiq*. Scherbengericht *n*; **2.** *fig*. a) Verbannung *f*, b) Ächtung *f*; **'os·tra·cize** [-saɪz] *v/t*. **1.** verbannen (*a. fig*.); **2.** *fig*. ächten, (aus der Gesellschaft) ausstoßen, verfemen.

os·trich ['ɒstrɪtʃ] *s*. *orn*. Strauß *m*; **~ pol·i·cy** *s*. Vogel-'Strauß-Poliˌtik *f*.

oth·er ['ʌðə] **I** *adj*. **1.** ander; **2.** (*vor s. im pl*.) andere, übrige: ***the ~ guests***; **3.** ander, weiter, sonstig: ***one ~ person*** e-e weitere Person, (noch) j-d anders; **4.** anders (***than*** als): ***no person ~ than yourself*** niemand außer dir; **5.** (***from, than***) anders (als), verschieden (von); **6.** zweit (*nur in*): ***every ~*** jeder (jede, jedes) zweite; ***every ~ day*** jeden zweiten Tag; **7.** (*nur in*): ***the ~ day*** neulich, kürzlich; ***the ~ night*** neulich abends; **II** *pron*. **8.** ander: ***the ~*** der (die, das) andere; ***each ~*** einander; ***the two ~s*** die beiden anderen; ***of all ~s*** vor allen anderen; ***no*** (*od*. ***none***) ***~ than*** kein anderer als; ***some day*** (*od*. ***time***) ***or ~*** eines Tages, irgendeinmal; ***some way***

or ~ irgendwie, auf irgendeine Weise; → ***someone*** I; **III** *adv.* **9.** anders (***than*** als); '**~·wise** [-waɪz] *adv.* **1.** (*a. cj.*) sonst, andernfalls; **2.** sonst, im übrigen: ***stupid but ~ harmless***; **3.** anderweitig: ***~ occupied***; ***unless you are ~ engaged*** wenn du nichts anderes vorhast; **4.** anders (***than*** als): ***we think ~*** wir denken anders; ***berries edible and ~*** eßbare u. nicht eßbare Beeren; ,**~'world** *adj.* jenseitig; ,**~'world·ly** *adj.* **1.** jenseitig, Jenseits...; **2.** auf das Jenseits gerichtet; **3.** weltfremd.

o·ti·ose ['əʊʃɪəʊs] *adj.* ☐ müßig: a) untätig, b) zwecklos.

o·to·lar·yn·gol·o·gist ['əʊtəʊ,lærɪŋ'gɒlədʒɪst] *s.* ⚕ Hals-Nasen-Ohren-Arzt *m*; **o·tol·o·gy** [əʊ'tɒlədʒɪ] *s.* Ohrenheilkunde *f*; **o·to·rhi·no·lar·yn·gol·o·gist** ['əʊtəʊ,raɪnəʊ,lærɪŋ'gɒlədʒɪst] → ***otolaryngologist***; **o·to·scope** ['əʊtəskəʊp] *s.* ⚕ Ohr(en)spiegel *m*.

ot·ter ['ɒtə] *s.* **1.** *zo.* Otter *m*; **2.** Otterfell *n*, -pelz *m*; '**~·hound** *s. hunt.* Otterhund *m*.

Ot·to·man ['ɒtəʊmən] **I** *adj.* **1.** os'manisch, türkisch; **II** *s. pl.* **-mans 2.** Os'mane *m*, Türke *m*; **3.** ♀ Otto'mane *f* (*Sofa*).

ouch [aʊtʃ] *int.* autsch!, au!

ought[1] [ɔːt] **I** *v/aux.* *ich, er, sie, es* sollte, *du* solltest, *ihr* solltet, *wir, sie, Sie* sollten: ***he ~ to do it*** er sollte es (eigentlich) tun; ***he ~ (not) to have seen it*** er hätte es (nicht) sehen sollen; ***you ~ to have known better*** du hättest es besser wissen sollen *od.* müssen; **II** *s.* (mo'ralische) Pflicht.

ought[2] [ɔːt] *s.* Null *f*.

ought[3] [ɔːt] → ***aught***.

ounce[1] [aʊns] *s.* **1.** Unze *f* (*28,35 g*): ***by the ~*** nach (dem) Gewicht; **2.** *fig. ein* bißchen, Körnchen *n* (*Wahrheit etc.*): ***an ~ of practice is worth a pound of theory*** Probieren geht über Studieren.

ounce[2] [aʊns] *s.* **1.** *zo.* Irbis *m* (*Schneeleopard*); **2.** *poet.* Luchs *m*.

our ['aʊə] *poss. adj.* unser: ***♀ Father*** das Vaterunser; **ours** ['aʊəz] *poss. pron.* **1.** *der* (*die, das*) uns(e)re: ***I like ~ better*** mir gefällt das unsere besser; ***a friend of ~*** ein Freund von uns; ***this world of ~*** diese unsere Welt; ***~ is a small group*** unsere Gruppe ist klein; **2.** unser, *der* (*die, das*) uns(e)re: ***it is ~*** es gehört uns, es ist unser; ,**our'self** *pron.*: ***We ♀*** Wir höchstselbst; ,**our'selves** *pron.* **1.** *refl.* uns (selbst): ***we blame ~*** wir geben uns (selbst) die Schuld; **2.** (wir) selbst: ***let us do it ~***; **3.** uns (selbst): ***good for the others, not for ~*** gut für die andern, nicht für uns (selbst).

oust [aʊst] *v/t.* **1.** vertreiben, entfernen, verdrängen, hin'auswerfen (***from*** aus): ***~ s.o. from office***; ***~ from the market*** ⚚ vom Markt verdrängen; **2.** ⚖ enteignen, um den Besitz bringen; **3.** berauben (***of*** *gen.*); '**oust·er** [-tə] *s.* ⚖ a) Enteignung *f*, b) Besitzvorenthaltung *f*.

out [aʊt] **I** *adv.* **1.** (*a. in Zssgn mit vb.*) hin'aus (*-gehen, -werfen etc.*), her'aus (*-kommen, -schauen etc.*), aus (*-brechen, -pumpen, -sterben etc.*): ***voyage ~*** Ausreise *f*; ***way ~*** Ausgang *m*; ***on the way ~*** beim Hinausgehen; ***~ with him!*** hinaus mit ihm!; ***~ with it!*** hinaus *od.* heraus damit!; ***have a tooth ~*** sich e-n Zahn ziehen lassen; ***insure ~ and home*** ⚚ hin u. zurück versichern; ***have it ~ with s.o.*** *fig.* die Sache mit j-m ausfechten; ***that's ~!*** das kommt nicht in Frage!; **2.** außen, draußen, fort: ***some way ~*** ein Stück draußen; ***he is ~*** er ist draußen; **3.** nicht zu Hause, ausgegangen: ***be ~ on business*** geschäftlich verreist sein; ***a day ~*** ein freier Tag; ***an evening ~*** ein Ausgeh-Abend *m*; ***be ~ on account of illness*** wegen Krankheit der Arbeit fernbleiben; **4.** ausständig (*Arbeiter*): ***be ~*** streiken; **5.** a) ins Freie, b) draußen, im Freien, c) ⚓ draußen, auf See, d) ⚔ im Felde; **6.** a) ausgeliehen (*Buch*), b) verliehen (*Geld*), c) verpachtet, vermietet, d) (*aus dem Gefängnis etc.*) entlassen; **7.** her'aus *sein*: a) (***just***) ***~*** (soeben) erschienen (*Buch*), b) in Blüte (*Blumen*), entfaltet (*Blüte*), c) ausgeschlüpft (*Küken*), d) verrenkt (*Glied*), e) *fig.* enthüllt (*Geheimnis*): ***the girl is not yet ~*** das Mädchen ist noch nicht in die Gesellschaft eingeführt (worden); → ***blood*** 3, ***murder*** 1; **8.** *sport* aus, draußen: a) nicht (mehr) im Spiel, b) im Aus; **9.** *Boxen*: ausgezählt, kampfunfähig; **10.** *pol.* draußen, raus, nicht (mehr) im Amt, nicht (mehr) am Ruder; **11.** aus der Mode; **12.** aus, vor'bei (*zu Ende*): ***before the week is ~*** vor Ende der Woche; **13.** aus, erloschen (*Feuer, Licht*); **14.** aus(gegangen), verbraucht: ***the potatoes are ~***; **15.** aus der Übung: ***my hand is ~***; **16.** zu Ende, bis zum Ende, ganz: ***hear s.o. ~*** j-n bis zum Ende *od.* ganz anhören; **17.** ausgetreten, über die Ufer getreten (*Fluß*); **18.** löch(e)rig, 'durchgescheuert; → ***elbow*** 1; **19.** ärmer um *1 Dollar etc.*; **20.** unrichtig, im Irrtum (befangen): ***his calculations are ~*** s-e Berechnungen stimmen nicht; ***be*** (***far***) ***~*** sich (gewaltig) irren, (ganz) auf dem Holzweg sein; **21.** entzweit, verkracht: ***be ~ with s.o.***; **22.** laut *lachen etc.*; **23.** ***~ for*** auf *e-e Sache* aus, auf der Jagd *od.* Suche nach: ***~ for prey*** auf Raub aus; **24.** ***~ to do s.th.*** darauf aus, et. zu tun; **25.** (*bsd. nach sup.*) *das Beste etc.* weit u. breit; **26.** ***~ and about*** (wieder) auf den Beinen; ***~ and away*** bei weitem; ***~***

O

and ~ durch u. durch; **~ of** → 31; **II** *adj.* **27.** Außen...: **~ edge**; **~ party** Oppositionspartei *f*; **28.** *sport* auswärtig, Auswärts... (*-spiel*); **29.** *Kricket*: nicht schlagend: **~ side** → 34; **30.** ˈübernorˌmal, Über...; → **outsize**; **III** *prp.* **31.** **~ of** a) aus (... herˈaus), zu ... hinˈaus, b) *fig.* aus *Furcht*, *Mitleid etc.*, c) aus, von: **two ~ of three** zwei von drei *Personen etc.*, d) außerhalb, außer *Reichweite*, *Sicht etc.*, e) außer *Atem*, *Übung etc.*, ohne: **be ~ of s.th.** et. nicht (mehr) haben, ohne et. sein; → **money** 1, **work** 1, f) aus *der Mode*, *Richtung etc.*, nicht gemäß: **~ of drawing** verzeichnet; → **focus** 1, **hand** *Redew.*, **question** 4, g) außerhalb (*gen. od.* von): **6 miles ~ of Oxford**; **~ of doors** im Freien, ins Freie; **be ~ of it** nicht dabeisein (dürfen); **feel ~ of it** sich ausgeschlossen *od.* nicht zugehörig fühlen, h) um *et. betrügen*: **cheat s.o. ~ of s.th.**, i) aus, von: **get s.th. ~ of s.o.** et. von j-m bekommen; **he got more (pleasure) ~ of it** er hatte mehr davon, j) *hergestellt* aus: **made ~ of paper**; **IV** *s.* **32.** *typ.* Auslassung *f*, ‚Leiche' *f*; **33.** *Tennis etc.*: Ausball *m*; **34. the ~s** *Kricket etc.*: die ˈFeldparˌtei; **35. the ~s** *parl.* die Oppositiˈon; **36.** *Am.* F Ausweg *m*, Schlupfloch *n*; **37.** → **outage** 2; **V** *v/t.* **38.** F rausschmeißen; **39.** *sport*: a) *den Gegner* ausschalten, b) *Boxen*: k.ˈo. schlagen, c) *Tennis*: *Ball* ins Aus schlagen; **VI** *int.* **40.** hinˈaus!, raus!

ˌoutˈact *v/t. thea. etc. j-n* ‚an die Wand spielen'.

out·age [ˈaʊtɪdʒ] *s.* **1.** fehlende Menge; **2.** ⚙ (Strom- *etc.*)Ausfall *m*.

ˌout|-and-ˈout *adj.* absoˈlut, völlig: **an ~ villain** ein Erzschurke; **ˌ~-and-ˈout·er** *s. sl.* **1.** ˈHundertproˌzentige(r *m*) *f*, ‚Waschechte(r' *m*) *f*; **2.** *et.* ˈHundertproˌzentiges *od.* ganz Typisches *s-r Art*; **ˈ~·back** *s.* (*bsd. der* australische) Busch, *das* Hinterland; **ˌ~ˈbal·ance** *v/t.* überˈwiegen; **ˌ~ˈbid** *v/t.* [*irr.* → **bid**] überˈbieten (*a. fig.*); **ˈ~·board** ⚓ **I** *adj.* Außenbord...: **~ motor**; **II** *adv.* außenbords; **ˈ~·bound** *adj.* **1.** ⚓ nach auswärts bestimmt *od.* fahrend, auslaufend, ausgehend; **2.** ✈ im Abflug; **3.** ✝ nach dem Ausland bestimmt; **ˌ~ˈbox** *v/t. j-n* ausboxen, *im Boxen* schlagen; **ˌ~ˈbrave** *v/t.* **1.** trotzen (*dat.*); **2.** an Kühnheit *od.* Glanz überˈtreffen; **ˈ~·break** *s. allg.* Ausbruch *m*; **ˈ~ˌbuild·ing** *s.* Außen-, Nebengebäude *n*; **ˈ~·burst** *s.* Ausbruch *m* (*a. fig.*); **ˈ~·cast I** *adj.* **1.** ausgestoßen, verstoßen; **II** *s.* **2.** Ausgestoßene(r *m*) *f*; **3.** Abfall *m*, Ausschuß *m*; **ˌ~ˈclass** *v/t. j-m* weit überˈlegen sein, *j-n* weit überˈtreffen, *sport a. j-n* deklassieren; **ˈ~ˌclear·ing** *s.* ✝ Gesamtbetrag *m* der Wechsel- u. Scheckforderungen e-r Bank an das **Clearing-House**; **ˈ~·come** *s.* Ergebnis *n*, Resulˈtat *n*, Folge *f*; **ˈ~·crop I** *s.* **1.** *geol.* a) Zuˈtageliegen *n*, Anstehen *n*, b) Anstehendes *n*, Ausbiß *m*; **2.** *fig.* Zuˈtagetreten *n*; **II** *v/i.* **ˌoutˈcrop 3.** *geol.* zuˈtage liegen *od.* treten (*a. fig.*); **ˈ~·cry** *s.* Aufschrei *m*, Schrei *m* der Entrüstung; **ˌ~ˈdat·ed** *adj.* überˈholt, veraltet; **ˌ~ˈdis·tance** *v/t.* (weit) überˈholen *od.* hinter sich lassen (*a. fig.*); **ˌ~ˈdo** *v/t.* [*irr.* → **do**[1]] überˈtreffen (**o.s.** sich selbst); **ˈ~·door** *adj.* Außen..., draußen, außerhalb des Hauses, im Freien: **~ aerial** Außen-, Hochantenne *f*; **~ dress** Ausgehanzug *m*; **~ exercise** Bewegung *f* im Freien; **~ performance** *thea.* Freilichtaufführung *f*; **~ season** *bsd. sport* Freiluftsaison *f*; **~ shot** *phot.* Außen-, Freilichtaufnahme *f*; **ˌ~ˈdoors I** *adv.* **1.** draußen, im Freien; **2.** hinˈaus, ins Freie; **II** *adj.* **3.** → **outdoor**; **III** *s.* **4.** das Freie; die freie Naˈtur.

out·er [ˈaʊtə] *adj.* Außen...: **~ garments**, **~ wear** Oberbekleidung *f*; **~ cover** ✈ Außenhaut *f*; **~ diameter** äußerer Durchmesser; **~ harbo(u)r** ⚓ Außenhafen *m*; **the ~ man** der äußere Mensch; **~ skin** Oberhaut *f*, Epidermis *f*; **~ space** Weltraum *m*; **~ surface** Außenfläche *f*, -seite *f*; **~ world** Außenwelt *f*; **ˈ~·most** *adj.* äußerst.

ˌout|ˈface *v/t.* **1.** Trotz bieten (*dat.*), mutig *od.* gefaßt begegnen (*dat.*): **~ a situation** e-r Lage Herr werden; **2.** *j-n* mit Blicken aus der Fassung bringen; **ˈ~·fall** *s.* Mündung *f*; **ˈ~·field** *s.* **1.** *Baseball u. Kricket*: a) Außenfeld *n*, b) Außenfeldspieler *pl.*; **2.** *fig.* fernes Gebiet; **3.** weitabliegende Felder *pl.* (*e-r Farm*); **ˈ~ˌfield·er** *s.* Außenfeldspieler(in); **ˌ~ˈfight** *v/t.* niederkämpfen, schlagen; **ˈ~ˌfight·er** *s.* Diˈstanzboxer *m*; **ˈ~·fit I** *s.* **1.** Ausrüstung *f*, -stattung *f*: **travel(l)ing ~**; **~ of tools** Werkzeug *n*; **cooking ~** Kochutensilien *pl.*; **puncture ~** Reifenflickzeug *n*; **the whole ~** F der ganze Kram; **2.** F a) ⚔ Einheit *f*, ‚Haufen' *m*, b) Gruppe *f*, c) F ‚Verein' *m*, ‚Laden' *m*, Gesellschaft *f*; **II** *v/t.* **3.** ausrüsten, -statten; **ˈ~ˌfit·ter** *s.* ✝ **1.** ˈAusrüstungslieferˌant *m*; **2.** Herrenausstatter *m*; **3.** (Fach)Händler *m*: **electrical ~** Elektrohändler; **ˌ~ˈflank** *v/t.* **1.** ⚔ die Flanke umˈfassen von: **~ing attack** Umfassungsangriff *m*; **2.** *fig.* überˈlisten; **ˈ~·flow** *s.* Ausfluß *m* (*a.* ⚕): **~ of gold** ✝ Goldabfluß *m*; **ˌ~ˈgen·er·al** → **outmanoeuvre**; **ˌ~ˈgo I** *v/t.* [*irr.* → **go**] *fig.* überˈtreffen; überˈlisten; **II** *s.* **ˈout-go** *pl.* **ˈ~·goes** ✝ Ausgaben *pl.*; **ˌ~ˈgo·ing I** *adj.* weggehend; 🚂, ⚓, *teleph. etc.* abgehend (*a. Verkehr*, ⚡, *Strom*); ausziehend (*Mieter*); zuˈrückgehend (*Flut*); abtretend (*Regierung*): **~ mail** Postaus-

O

gang *m*; **II** *s.* Ausgehen *n*; *pl.* ✝ Ausgaben *pl.*; **'~·group** *s.* Fremdgruppe *f*; **ˌ~'grow** *v/t.* [*irr.* → ***grow***] **1.** schneller wachsen als, hin'auswachsen über (*acc.*); **2.** *j-m* über den Kopf wachsen; **3.** her'auswachsen aus *Kleidern*; **4.** *fig. Gewohnheit etc.* (mit der Zeit) ablegen, her'auswachsen aus; **'~·growth** *s.* **1.** na'türliche Folge, Ergebnis *n*; **2.** Nebenerscheinung *f*; **3.** ⚕ Auswuchs *m*; **'~·guard** *s.* ⚔ Vorposten *m*, Feldwache *f*; **ˌ~-'Her·od** [-'herəd] *v/t.*: ***~ Herod*** der schlimmste Tyrann sein; **'~·house** *s.* **1.** Nebengebäude *n*, Schuppen *m*; **2.** *Am.* Außenabort *m*.

out·ing ['aʊtɪŋ] *s.* Ausflug *m*: ***go for an ~*** e-n Ausflug machen; ***works ~, company ~*** Betriebsausflug.

ˌout|'jump *v/t.* höher *od.* weiter springen als; **~'land·ish** [-'lændɪʃ] *adj.* **1.** fremdartig, seltsam, e'xotisch; **2.** a) unkultiviert, b) rückständig; **3.** abgelegen; **4.** ausländisch; **ˌ~'last** *v/t.* über'dauern, -'leben.

out·law ['aʊtlɔː] **I** *s.* **1.** *hist.* Geächtete(r *m*) *f*, Vogelfreie(r *m*) *f*; **2.** Ban'dit *m*, Verbrecher *m*; **3.** *Am.* bösartiges Pferd; **II** *v/t.* **4.** *hist.* ächten, für vogelfrei erklären; **5.** ⚖ *Am.* für verjährt erklären: ***~ed claim*** verjährter Anspruch; **6.** für ungesetzlich erklären, verbieten; *Krieg etc.* ächten; **'out·law·ry** [-rɪ] *s.* **1.** *hist.* a) Acht *f* (u. Bann *m*), b) Ächtung *f*; **2.** Verfemung *f*, Verbot *n*, Ächtung *f*; **3.** Ge'setzesmißˌachtung *f*; **4.** Verbrechertum *n*.

'out|·lay *s.* (Geld)Auslage(n *pl.*) *f*: ***initial ~*** Anschaffungskosten *pl.*; **'~·let** *s.* **1.** Auslaß *m*, Abzug *m*, Abzugsöffnung *f*, 'Durchlaß *m*; *mot.* Abluftstutzen *m*; **2.** ⚡ Steckdose *f*; *weitS.* (***electric ~***) Stromverbraucher *m*; **3.** *fig.* Ven'til *n*, Betätigungsfeld *n*: ***find an ~ for one's emotions*** s-n Gefühlen Luft machen können; **4.** ✝ a) Absatzmarkt *m*, -möglichkeit *f*, b) Großabnehmer *m*, c) Verkaufsstelle *f*; **'~·line I** *s.* **1.** a) 'Umriß(linie *f*) *m*, b) *mst pl.* 'Umrisse *pl.*, Kon'turen *pl.*, Silhou'ette *f*; **2.** *Zeichnen*: a) Kon'turzeichnung *f*, b) 'Umriß-, Kon'turlinie *f*; **3.** Entwurf *m*, Skizze *f*; **4.** (***of***) *fig.* 'Umriß *m* (von), 'Überblick *m* (über *acc.*); **5.** Abriß *m*, Auszug *m*: ***an ~ of history***; **II** *v/t.* **6.** entwerfen, skizzieren; *fig. a.* um'reißen, e-n 'Überblick geben über (*acc.*), in groben Zügen darstellen; **7.** die 'Umrisse zeigen von: ***~d against*** scharf abgehoben von; **ˌ~'live** *v/t. j-n od. et.* über'leben; *et.* über'dauern; **'~·look** *s.* **1.** Aussicht *f*, (Aus-)Blick *m*; *fig.* Aussichten *pl.*; **2.** *fig.* Auffassung *f*, Einstellung *f*; Ansichten *pl.*, (Welt)Anschauung *f*; *pol.* Zielsetzung *f*; **3.** Ausguck *m*, Warte *f*; **4.** Wacht *f*, Wache *f*; **'~ˌly·ing** *adj.* **1.** außerhalb *od.* abseits gelegen, entlegen, Außen...: ***~ district*** Außenbezirk *m*; **2.** *fig.* am Rande liegend, nebensächlich; **ˌ~·ma'neu·ver** *Am.*, **ˌ~·ma'noeu·vre** *Brit. v/t.* ausmanövrieren (*a. fig. überlisten*); **ˌ~'match** *v/t.* über'treffen, (aus dem Felde) schlagen; **ˌ~'mod·ed** *adj.* 'unmoˌdern, veraltet, über'holt; **'~·most** [-məʊst] *adj.* äußerst (*a. fig.*); **ˌ~'num·ber** *v/t.* an Zahl über'treffen, zahlenmäßig über'legen sein (*dat.*): ***be ~ed*** in der Minderheit sein.

ˌout-of|-'bal·ance [ˌaʊtəv-] *adj.* ⚙ unausgeglichen: ***~ force*** Unwuchtkraft *f*; **ˌ~-'date** *adj.* veraltet, 'unmoˌdern; **ˌ~-'door(s)** → ***outdoor(s)***; **ˌ~-'pock·et ex·pens·es** *s. pl.* Barauslagen *pl.*; **ˌ~-the-'way** [ˌaʊtəvðə-] *adj.* **1.** abgelegen, versteckt; **2.** ausgefallen, ungewöhnlich; **3.** ungehörig; **ˌ~-'town** *adj.* auswärtig: ***~ bank*** ✝ auswärtige Bank; ***~ bill*** Distanzwechsel *m*; **ˌ~-'turn** *adj.* unangebracht, taktlos, vorlaut; **ˌ~-'work pay** *s.* Er'werbslosenunterˌstützung *f*.

ˌout|'pace *v/t. j-n* hinter sich lassen; **'~ˌpa·tient** *s.* ⚕ ambu'lanter Pati'ent: ***~ treatment*** ambulante Behandlung; **ˌ~'play** *v/t.* besser spielen als, schlagen; **ˌ~'point** *v/t. sport* nach Punkten schlagen; **'~·port** *s.* ⚓ **1.** Vorhafen *m*; **2.** abgelegener Hafen; **'~·pour**, **'~ˌpour·ing** *s.* Erguß *m* (*a. fig.*); **'~·put** *s.* Output *m*: a) ✝, ⚙ (Arbeits)Leistung *f*, b) ✝ Ausstoß *m*, Produkti'on *f*, Ertrag *m*, c) ⚒ Förderung *f*, Fördermenge *f*, d) ⚡ Ausgang(sleistung *f*) *m*, e) *Computer*: (Daten)Ausgabe *f*: ***~ capacity*** ⚙ Leistungsfähigkeit *f*, *e-r Maschine*: *a.* Stückleistung *f*; ***~ voltage*** ⚡ Ausgangsspannung *f*.

out·rage ['aʊtreɪdʒ] **I** *s.* **1.** Frevel(tat *f*) *m*, Greuel(tat *f*) *m*, Ausschreitung *f*, Verbrechen *n*, *a. fig.* Ungeheuerlichkeit *f*; **2.** (***on, upon***) Frevel(tat *f*) *m* (an *dat.*), Atten'tat *n* (auf *acc.*) (*bsd. fig.*): ***an ~ upon decency*** e-e grobe Verletzung des Anstandes; ***an ~ upon justice*** e-e Vergewaltigung der Gerechtigkeit; **3.** Schande *f*, Schmach *f*; **II** *v/t.* **4.** sich vergehen an (*dat.*), *j-m* Gewalt antun (*a. fig.*); **5.** *Gefühle etc.* mit Füßen treten, gröblich beleidigen *od.* verletzen; **6.** *j-n* em'pören, schockieren; **out·ra·geous** [aʊt'reɪdʒəs] *adj.* ☐ **1.** frevelhaft, abscheulich, verbrecherisch; **2.** schändlich, em'pörend, ungeheuerlich: ***~ behavio(u)r***; **3.** heftig, unerhört: ***~ heat***.

ˌout|'range *v/t.* **1.** ⚔ e-e größere Reichweite haben als; **2.** hin'ausreichen über (*acc.*); **3.** *fig.* über'treffen; **ˌ~'rank** *v/t.* **1.** im Rang höherstehen als; **2.** *fig.* wichtiger sein als; **ˌ~'reach** → ***outrange*** 2, 3; **ˌ~'ride** *v/t.* [*irr.* → ***ride***] **1.** besser *od.* schneller reiten *od.* fahren als; **2.** ⚓ *e-n Sturm* ausreiten; **ˈ~ˌrid·er** *s.* Vorreiter *m*; **ˈ~ˌrig·ger** *s.* **1.** ⚓, ⚙ *u. Rudern*: Ausleger *m*; **2.** Auslegerboot *n*; **ˈ~·right I** *adj.* **1.** völlig, gänzlich, toˈtal: ***an ~ loss***; ***an ~ lie*** e-e glatte Lüge; **2.** vorbehaltlos, offen: ***an ~ refusal*** e-e glatte Weigerung; **3.** gerade (her)ˈaus, diˈrekt; **II** *adv.* ***outˈright*** **4.** → 1; **5.** ohne Vorbehalt, ganz: ***refuse ~*** rundweg ablehnen; ***sell ~*** fest verkaufen; **6.** auf der Stelle, soˈfort: ***kill ~***; ***buy ~*** *Am.* gegen sofortige Lieferung kaufen; ***laugh ~*** laut lachen; **ˌ~ˈri·val** *v/t.* überˈtreffen, überˈbieten (***in*** an *od.* in *dat.*), ausstechen; **ˌ~ˈrun I** *v/t.* [*irr.* → ***run***] **1.** schneller laufen als, (im Laufen) besiegen; **2.** *fig.* überˈschreiten; **II** *s.* ***ˈoutrun*** **3.** *Skisport*: Auslauf *m*; **ˈ~ˌrun·ner** *s.* **1.** (Vor)Läufer *m* (*Bedienter*); **2.** Leithund *m*; **ˌ~ˈsell** *v/t.* [*irr.* → ***sell***] **1.** mehr verkaufen als; **2.** sich besser verkaufen als; mehr einbringen als; **ˈ~·set** *s.* **1.** Anfang *m*, Beginn *m*: ***at the ~*** am Anfang; ***from the ~*** gleich von Anfang an; **2.** Aufbruch *m zu e-r Reise*; **ˌ~ˈshine** [*irr.* → ***shine***] *v/t.* überˈstrahlen, *fig. a.* in den Schatten stellen.

ˌoutˈside I *s.* **1.** *das* Äußere (*a. fig.*), Außenseite *f*: ***on the ~ of*** außerhalb, jenseits (*gen.*); **2.** *fig. das* Äußerste: ***at the ~*** äußerstenfalls, höchstens; **3.** *sport* Außenstürmer *m*: ***~ right*** Rechtsaußen *m*; **II** *adj.* **4.** äußer, Außen… (*-antenne*, *-durchmesser etc.*), von außen: ***~ broker*** ⚚ freier Makler; ***~ capital*** Fremdkapital *n*; ***an ~ opinion*** die Meinung e-s Außenstehenden; **5.** außerhalb, (dr)außen; **6.** *fig.* äußerst (*Schätzung*, *Preis*); **7.** ***~ chance*** winzige Chance, *sport* Außenseiterchance *f*; **III** *adv.* **8.** draußen, außerhalb: ***~ of*** a) außerhalb, b) *Am.* F außer, ausgenommen; **9.** herˈaus, hinˈaus; **10.** außen, an der Außenseite; **IV** *prp.* **11.** außerhalb, jenseits (*gen.*) (*a. fig.*); **ˌoutˈsid·er** *s.* **1.** *allg.* Außenseiter(in); **2.** ⚚ freier Makler.

ˌout|ˈsit *v/t.* [*irr.* → ***sit***] länger sitzen (bleiben) als; **ˈ~·size I** *s.* ˈÜbergröße *f* (*a. Kleidungsstück*); **II** *adj. a.* **ˈ~·sized** ˈübergroß, -dimensioˌnal; **ˈ~·skirts** *s. pl.* nahe Umˈgebung, Stadtrand *m*, *a. fig.* Rand(gebiet *n*) *m*, Peripheˈrie *f*; **ˌ~ˈsmart** → ***outwit***; **ˌ~ˈspeed** *v/t.* [*irr.* → ***speed***] schneller sein als.

ˌout|ˈspo·ken *adj.* ☐ offen, freimütig; unverblümt: ***she was very ~ about it*** sie äußerte sich sehr offen darüber; **ˌ~ˈspo·ken·ness** [-ˈspəʊkənnɪs] *s.* Offenheit *f*, Freimütigkeit *f*; Unverblümtheit *f*.

ˌoutˈstand·ing *adj.* **1.** herˈvorragend (*bsd. fig. Leistung*, *Spieler etc.*); *fig.* herˈvorstechend (*Eigenschaft etc.*), promiˈnent (*Persönlichkeit*); **2.** *bsd.* ⚚ unerledigt, aus-, offenstehend (*Forderung etc.*), unbezahlt (*Zinsen*): ***~ capital stock*** ausgegebenes Aktienkapital; ***~ debts*** → **ˈoutˌstand·ings** *s. pl.* ⚚ Außenstände *pl.*, Forderungen *pl.*

ˌout|ˈstare *v/t.* mit e-m Blick aus der Fassung bringen; **ˈ~ˌsta·tion** *s.* **1.** ˈAußenstatiˌon *f*; **2.** *Funk*: ˈGegenstatiˌon *f*; **ˌ~ˈstay** *v/t.* länger bleiben als; → ***welcome*** 1; **ˌ~ˈstretch** *v/t.* ausstrecken; **ˌ~ˈstrip** *v/t.* überˈholen, hinter sich lassen, *fig. a.* überˈflügeln, (aus dem Feld) schlagen; **ˌ~ˈswim** *v/t.* [*irr.* → ***swim***] schneller schwimmen als, schlagen; **ˌ~ˈtalk** *v/t.* in Grund u. Boden reden; ‚überˈfahren'; **ˈ~·turn** *s.* **1.** Ertrag *m*; **2.** ⚚ Ausfall *m*: ***~ sample*** Ausfallmuster *n*; **ˌ~ˈvote** *v/t.* überˈstimmen.

out·ward [ˈaʊtwəd] **I** *adj.* ☐ → ***outwardly***; **1.** äußer, sichtbar; Außen…; **2.** äußerlich (*a.* ⚕ *u. fig. contp.*); **3.** nach (dr)außen gerichtet *od.* führend, Aus(wärts)…, Hin…: ***~ cargo***, ***~ freight*** ⚓ ausgehende Ladung, Hinfracht *f*; ***~ journey*** Aus-, Hinreise *f*; ***~ trade*** Ausfuhrhandel *m*; **II** *adv.* **4.** (nach) auswärts, nach außen: ***clear ~*** *Schiff* ausklarieren; → ***bound***[2]; **ˈout·ward·ly** [-lɪ] *adv.* äußerlich; außen, nach außen (hin); **ˈout·ward·ness** [-nɪs] *s.* Äußerlichkeit *f*; äußere Form; **ˈout·wards** [-dz] → ***outward*** II.

ˌout|ˈwear *v/t.* [*irr.* → ***wear***] **1.** abnutzen; **2.** *fig.* erschöpfen; **3.** *fig.* überˈdauern, haltbarer sein als; **ˌ~ˈweigh** *v/t.* **1.** mehr wiegen als; **2.** *fig.* überˈwiegen, gewichtiger sein als, *e-e Sache* aufwiegen; **ˌ~ˈwit** *v/t.* überˈlisten, ‚austricksen'; **ˈ~·work** *s.* **1.** ⚔ Außenwerk *n*; *fig.* Bollwerk *n*; **2.** ⚚ Heimarbeit *f*; **ˈ~ˌwork·er** *s.* **1.** Außenarbeiter(in); **2.** Heimarbeiter(in); **ˈ~·worn** *adj.*, *pred.* ***ˌoutˈworn*** **1.** abgetragen, abgenutzt; **2.** veraltet, überˈholt; **3.** erschöpft.

ou·zel [ˈuːzl] *s. orn.* Amsel *f*.

o·va [ˈəʊvə] *pl. von* ***ovum***.

o·val [ˈəʊvl] **I** *adj.* oˈval; **II** *s.* Oˈval *n*.

o·var·i·an [ˌəʊˈveərɪən] *adj.* **1.** *anat.* Eierstock(s)…; **2.** ⚘ Fruchtknoten…; **o·va·ri·tis** [ˌəʊvəˈraɪtɪs] *s.* Eierstockentzündung *f*; **o·va·ry** [ˈəʊvərɪ] *s.* **1.** *anat.* Eierstock *m*; **2.** ⚘ Fruchtknoten *m*.

o·va·tion [əʊˈveɪʃn] *s.* Ovatiˈon *f*, begeisterte Huldigung.

ov·en [ˈʌvn] *s.* **1.** Backofen *m*, -rohr *n*; **2.** ⚙ Ofen *m*; **ˈ~·dry** *adj.* ofentrocken; **ˈ~ˌread·y** *adj.* bratfertig; **ˈ~·ware** *s.* feuerfestes Geschirr.

o·ver [ˈəʊvə] **I** *prp.* **1.** *Lage*: über (*dat.*): ***the lamp ~ his head***; ***be ~ the signature of Mr. N.*** von Herrn N. unterzeichnet sein; **2.** *Richtung*, *Bewegung*: über (*acc.*), über (*acc.*) … hin *od.* (hin-) ˈweg: ***jump ~ the fence***; ***the bridge ~ the Danube*** die Brücke über die Donau; ~ ***the radio*** im Radio; ***all*** ~ ***the town*** durch die ganze *od.* in der ganzen Stadt; ***from all*** ~ ***Germany*** aus ganz Deutschland; ***be all*** ~ ***s.o.*** *sl.* ganz hingerissen sein von j-m; **3.** über (*dat.*), auf der anderen Seite von (*od. gen.*): ~ ***the sea*** in Übersee, jenseits des Meeres; ~ ***the street*** über die Straße, auf der anderen Seite; ~ ***the way*** gegenüber; **4.** a) über *der Arbeit einschlafen etc.*, bei *e-m Glase Wein etc.*, b) über (*acc.*), wegen: ***laugh*** ~ über *et.* lachen; **5.** *Herrschaft, Rang*: über (*dat. od. acc.*): ***be*** ~ ***s.o.*** über j-m stehen; **6.** über (*acc.*), mehr als: ~ ***a mile***: ~ ***and above*** zusätzlich zu, außer; → 21; **7.** über (*acc.*), während (*gen.*): ~ ***the weekend***; ~ ***night*** die Nacht über; **8.** durch: ***he went*** ~ ***his notes*** er ging seine Notizen durch; **II** *adv.* **9.** hin'über, dar'über: ***he jumped*** ~; **10.** hin'über (***to*** zu), auf die andere Seite; **11.** her'über: ***come*** ~ herüberkommen (*a. weitS. zu Besuch*); **12.** drüben: ~ ***there*** da drüben; ~ ***against*** gegenüber (*dat.*; *a. fig. im Gegensatz zu*); **13.** (*genau*) dar'über: ***the bird is directly*** ~; **14.** über (*acc.*) …; dar'über…(*-decken, -legen etc.*); über'…: ***to paint*** ~ *et.* übermalen; **15.** (*mst in Verbindung mit vb.*) a) über'… (*-geben etc.*): ***hand s.th.*** ~, b) 'über… (*-kochen etc.*): ***boil*** ~; **16.** (*oft in Verbindung mit vb.*) a) 'um… (*-fallen, -werfen etc.*), b) (her)'um… (*-drehen etc.*): ***see*** ~***!*** siehe umstehend; **17.** 'durch(weg), vom Anfang bis zum Ende: ***the world*** ~ a) in der ganzen Welt, b) durch die ganze Welt; ***read s.th.*** ~ *et.* (ganz) durchlesen; **18.** (gründlich) über'… (*-denken, -legen*): ***think s.th.*** ~; ***talk s.th.*** ~ et. durchsprechen; **19.** nochmals, wieder: ***do s.th.*** ~; (***all***) ~ ***again*** nochmals, (ganz) von vorn; ~ ***and*** ~ (***again***) immer wieder; ***ten times*** ~ zehnmal hintereinander; **20.** 'übermäßig, allzu *sparsam etc.*, 'über…(*-vorsichtig etc.*); **21.** dar'über, mehr: ***10 years and*** ~ 10 Jahre und darüber; ~ ***and above*** außerdem, überdies; → 6; **22.** übrig, über: ***left*** ~ übrig (-gelassen *od.* -geblieben); ***have s.th.*** ~ et. übrig haben; **23.** zu Ende, vor'über, vor'bei: ***the lesson is*** ~; ~ ***with*** F erledigt, vorüber; ***it's all*** ~ es ist aus und vorbei; ***get s.th.*** ~ (***and done***) ***with*** F et. hinter sich bringen; *Funk*: ~***!*** over!, Ende!; ~ ***and out!*** over and out!, Ende (*der Gesamtdurchsage*)!

ˌo·ver|-a'bun·dant [-vərə-] *adj.* □ 'überreich(lich), 'übermäßig; **ˌ~'act** [-vər'æ-] **I** *v/t.* *e-e Rolle* über'treiben, über'spielen; **II** *v/i.* (s-e Rolle) über'treiben; **'~·all** [-ərɔːl] **I** *adj.* **1.** gesamt, Gesamt…: ~ ***length***; ~ ***efficiency*** ⚙ Totalnutzeffekt *m*; **II** *s.* **2.** *a. pl.* Arbeits-, Mon'teur-, Kombinati'onsanzug *m*; (*Arzt- etc.*)Kittel *m*; **3.** *Brit.* Kittelschürze *f*; **4.** *pl. obs.* 'Überzieh-, Arbeitshose *f*; **ˌ~a'chiev·er** *s.* Überflieger *m*; **ˌ~-am'bi·tious** [-əræ-] *adj.* □ allzu ehrgeizig; **ˌ~'anx·ious** [-ər'æ-] *adj.* □ **1.** 'überängstlich; **2.** allzu begierig; **'~·arm stroke** [-ərɑːm] *s. Schwimmen*: Hand-über-'Hand-Stoß *m*; **ˌ~'awe** [-ər'ɔː] *v/t.* **1.** einschüchtern; **2.** tief beeindrucken; **ˌ~'bal·ance I** *v/t.* **1.** über'wiegen (*a. fig.*); **2.** 'umstoßen, -kippen; **II** *v/i.* **3.** 'umkippen, das 'Übergewicht bekommen; **III** *s.* **'overbalance 4.** 'Übergewicht *n*; **5.** ✝ 'Überschuß *m*: ~ ***of exports***; **ˌ~'bear** *v/t.* [*irr.* → ***bear***[1]] **1.** niederdrücken; **2.** über'winden; **3.** tyrannisieren; **4.** *fig.* schwerer wiegen als; **ˌ~'bear·ance** *s.* Anmaßung *f*, Arro'ganz *f*; **ˌ~'bear·ing** *adj.* □ **1.** anmaßend, arro'gant, hochfahrend; **2.** von über'ragender Bedeutung; **ˌ~'bid** *v/t.* [*irr.* → ***bid***] **1.** ✝ über'bieten; **2.** *Bridge*: über'reizen; **'~·blouse** *s.* Kasackbluse *f*; **ˌ~'blown** *adj.* **1.** am Verblühen (*a. fig.*); **2.** ♪ über'blasen (*Ton*); **3.** *metall.* 'übergar (*Stahl*); **4.** *fig.* schwülstig; **'~·board** *adv.* ⚓ über Bord: ***throw*** ~ über Bord werfen (*a. fig.*); ***go*** ~ (***about*** *od.* ***for***) F hingerissen sein (von); **ˌ~'brim** *v/i. u. v/t.* 'überfließen (lassen); **ˌ~'build** *v/t.* [*irr.* → ***build***] **1.** über'bauen; **2.** zu dicht bebauen; **3.** ~ ***o.s.*** sich ‚verbauen'; **ˌ~'bur·den** *v/t.* über'bürden, -'laden, -'lasten; **ˌ~'bus·y** *adj.* **1.** zu sehr beschäftigt; **2.** 'übergeschäftig; **ˌ~'buy** [*irr.* → ***buy***] ✝ **I** *v/t.* zu viel kaufen von; **II** *v/i.* zu teuer *od.* über Bedarf (ein)kaufen; **ˌ~·ca'pac·i·ty** *s.* Überkapazität *f*; **ˌ~-'cap·i·tal·ize** *v/t.* ✝ **1.** e-n zu hohen Nennwert für das 'Stammkapiˌtal *e-s Unternehmens* angeben: ~ ***a firm***; **2.** 'überkapitalisieren; **ˌ~'cast I** *v/t.* [*irr.* → ***cast***] **1.** *mit Wolken* über'ziehen, bedecken, verdunkeln, trüben (*a. fig.*); **2.** *Naht* um'stechen; **II** *v/i.* [*irr.* → ***cast***] **3.** sich bewölken, sich beziehen (*Himmel*); **III** *adj.* **'overcast 4.** bewölkt, bedeckt (*Himmel*); **5.** trüb(e), düster (*a. fig.*); **6.** über'wendlich (genäht); **ˌ~'charge I** *v/t.* **1.** a) *j-m* zu'viel berechnen, b) *e-n Betrag* zu'viel verlangen, c) zu'viel anrechnen *od.* verlangen für *et.*; **2.** ⚙, ϟ über'laden (*a. fig.*); **II** *s.* **3.** ✝ a) Mehrbetrag *m*, Aufschlag *m*: ~ ***for arrears*** Säumniszuschlag *m*, b) Über'forderung *f*, Über'teuerung *f*; **4.** Über'ladung *f*, 'Überbelastung *f*; **ˌ~'cloud** → ***overcast*** 1, 3; **'~·coat** *s.* Mantel *m*; **ˌ~'come** [*irr.* → ***come***] **I** *v/t.* über'winden, -'wältigen, -'mannen, bezwingen; *e-r Sache* Herr werden: ***he was*** ~ ***with*** (*od.* ***by***) ***emotion*** er wurde von s-n Gefühlen übermannt; **II** *v/i.* siegen, triumphieren: ***we***

shall ~!; ˌ~ˈ**com·pen·sate** *v/t. psych.* ˈüberkompensieren; ˌ~-ˈ**con·fi·dence** *s.* **1.** übersteigertes Selbstvertrauen *od.* -bewußtsein; **2.** zu großes Vertrauen; **3.** zu großer Optiˈmismus; ˌ~-ˈ**con·fi·dent** *adj.* □ **1.** allzuˈsehr vertrauend (***of*** auf *acc.*); **2.** überˈtrieben selbstbewußt; **3.** (all)zu optiˈmistisch; ˌ~ˈ**crop** *v/t.* Raubbau treiben mit; ˌ~ˈ**crowd** *v/t.* überˈfüllen: ***~ed profession*** überlaufener Beruf; ˌ~-**deˈvel·op** *v/t. bsd. phot.* ˈüberentwickeln; ˌ~ˈ**do** *v/t.* [*irr.* → ***do***[1]] **1.** überˈtreiben, zu weit treiben; **2.** *fig.* zu weit gehen mit *od.* in (*dat.*), *et.* zu arg treiben: ***~ it*** (*od.* ***things***) a) zu weit gehen, b) des Guten zuviel tun; **3.** ˈüberbeanspruchen; **4.** zu stark *od.* zu lange kochen *od.* braten; ˌ~ˈ**done** *adj.* ˈübergar; ˈ~·**dose I** *s.* ˈÜberdosis *f*; **II** *v/t.* ˌ***overˈdose*** a) *j-m* e-e zu starke Dosis geben, b) *et.* ˈüberdosieren; ˈ~·**draft** *s.* a) (ˈKonto)Überˌziehung *f*, b) Überˈziehung *f*, überˈzogener Betrag; ˌ~ˈ**draw** *v/t.* [*irr.* → ***draw***] **1.** *Konto* überˈziehen; **2.** *Bogen* überˈspannen; **3.** *fig.* überˈtreiben; ˌ~ˈ**dress** *v/t. u. v/i.* (sich) überˈtrieben anziehen; ˌ~ˈ**drive I** *v/t.* [*irr.* → ***drive***] **1.** abschinden, -hetzen; **2.** *et.* zu weit treiben; **II** *s.* ˈ***overdrive*** **3.** *mot.* Overdrive *m*, Schnell-, Schongang *m*; ˌ~ˈ**due** *adj.* ˈüberfällig (*a.* ,): ***the train is ~*** der Zug hat Verspätung; ***she is ~*** sie müßte längst hier sein; ˌ~ˈ**eat** [-ərˈiːt] *v/i.* [*irr.* → ***eat***] (*a.* ***~ o.s.***) sich überˈessen; ˌ~ˈ**em·pha·size** [-ərˈe-] *v/t.* ˈüberbetonen; ˌ~·**emˈploy·ment** *s.* Überbeschäftigung *f*; ˌ~-ˈ**es·ti·mate** [-ərˈestɪmeɪt] **I** *v/t.* überˈschätzen, ˈüberbewerten; **II** *s.* [-mət] Überˈschätzung *f*; ˌ~-**exˈcite** [-vərɪ-] *v/t.* **1.** überˈreizen; **2.** ˈübererregen; ˌ~-**exˈert** [-vərɪ-] *v/t.* überˈanstrengen; ˌ~-**exˈpo·se** [-vərɪ-] *v/t. phot.* ˈüberbelichten; ˌ~-**exˈpo·sure** [-vərɪ-] *s. phot.* ˈÜberbelichtung *f*; ˌ~-**faˈtigue I** *v/t.* überˈmüden, überˈanstrengen; **II** *s.* Überˈmüdung *f*; ˌ~ˈ**feed** *v/t.* [*irr.* → ***feed***] überˈfüttern, ˈüberernähren; ˌ~·**fer·ti·liˈza·tion** *s.* Überdüngung *f*; ˌ~ˈ**fish·ing** *s.* Überfischen *n*; ˌ~ˈ**flow I** *v/i.* **1.** ˈüberlaufen, ˈüberfließen, ˈüberströmen, sich ergießen (***into*** in *acc.*); **2.** *fig.* ˈüberquellen (***with*** von); **II** *v/t.* **3.** überˈfluten, überˈschwemmen; **4.** nicht mehr Platz finden in (*e-m Saal etc.*); **III** *s.* ˈ***overflow*** **5.** Überˈschwemmung *f*, ˈÜberfließen *n*; **6.** a) *a.* ˈÜberlauf *m*, b) *a.* ***~ pipe*** Überlaufrohr *n*, c) *a.* ***~ basin*** ˈÜberlaufbasˌsin *n*: ***~ valve*** Überströmventil *n*; **7.** ˈÜberschuß *m*: ***~ meeting*** Parallelversammlung *f*; ˌ~ˈ**flow·ing I** *adj.* **1.** ˈüberfließend, -quellend, -strömend (*a. fig. Güte, Herz etc.*); **2.** ˈüberreich (*Ernte etc.*); **II** *s.* **3.** ˈÜberfließen *n*: ***full to ~*** voll (bis) zum Überlaufen, *weitS.* zum Platzen voll; ˌ~ˈ**fly** *v/t.* [*irr.* → ***fly***[1]] überˈfliegen; ˌ~ˈ**fond** *adj.*: ***be ~ of doing s.th.*** et. leidenschaftlich gern tun; ˈ~·**freight** *s.* ˈÜberfracht *f*; ˈ~·**ground** *adj.* über der Erde (befindlich); ˌ~ˈ**grow** *v/t.* [*irr.* → ***grow***] **1.** überˈwachsen, -ˈwuchern; **2.** hinˈauswachsen über (*acc.*), zu groß werden für; ˌ~ˈ**grown** *adj.* **1.** überˈwachsen; **2.** ˈübermäßig gewachsen, ˈübergroß; ˈ~·**growth** *s.* **1.** Überˈwucherung *f*; **2.** ˈübermäßiges Wachstum; ˈ~·**hand** *adj. u. adv.* **1.** *Schlag etc.* von oben; **2.** *sport* ˈüberhand: ***~ stroke*** a) *Tennis*: Überhandschlag *m*, b) *Schwimmen*: Hand-über-Hand-Stoß *m*; ***~ service*** Hochaufschlag *m*; **3.** *Näherei*: überˈwendlich; ˌ~ˈ**hang I** *v/t.* [*irr.* → ***hang***] **1.** herˈvorstehen *od.* -ragen *od.* ˈüberhängen über (*acc.*); **2.** *fig.* (drohend) schweben über (*dat.*), drohen (*dat.*); **II** *v/i.* [*irr.* → ***hang***] **3.** ˈüberhängen, -kragen (*a.*), herˈvorstehen, -ragen; **III** *s.* ˈ***overhang*** **4.** ˈÜberhang *m* (*a.* , ,); Ausladung *f*; ˌ~-ˈ**hap·py** *adj.* ˈüberglücklich; ˌ~-ˈ**hast·y** *adj.* überˈeilt; ˌ~ˈ**haul I** *v/t.* **1.** *Maschine etc.* (geneˈral)überˌholen, (*a. fig.*) gründlich überˈprüfen (*a. fig.*) u. inˈstand setzen; **2.** *Tau, Taljen etc.* ˈüberholen; **3.** a) einholen, b) überˈholen; **II** *s.* ˈ***overhaul*** **4.** Überˈholung *f*, gründliche Überˈprüfung (*a. fig.*); ˈ~·**head I** *adj.* **1.** oberirdisch, Frei…, Hoch…(*-antenne*, *-behälter etc.*): ***~ line*** Frei-, Oberleitung *f*; ***~ railway*** Hochbahn *f*; **2.** *mot.* a) obengesteuert (*Motor*, *Ventil*), b) obenliegend (*Nockenwelle*); **3.** allgemein, Gesamt…: ***~ costs***, ***~ expenses*** → 5; **4.** *sport*: a) ***~ stroke*** → 6, b) ***~ kick*** (Fall-) Rückzieher *m*; **II** *s.* **5.** *a. pl.* allgemeine Unkosten *pl.*, Gemeinkosten *pl.*, laufende Geschäftskosten *pl.*; **6.** *Tennis*: Überˈkopfball *m*; **III** *adv.* ˌ***overˈhead*** **7.** (dr)oben: ***works ~!*** Vorsicht, Dacharbeiten!; ˌ~ˈ**hear** *v/t.* [*irr.* → ***hear***] belauschen, (zufällig) (mitˈan)hören; ˌ~ˈ**heat I** *v/t. Motor etc., a. fig.* überˈhitzen, *Raum* überˈheizen: ***~ itself*** → II; **II** *v/i.* heißlaufen; ˈ~·**house** *adj.* Dach…(*-antenne etc.*); ˌ~ˈ**hung** *adj.* fliegend (angeordnet), freitragend; ˈüberhängend; ˌ~·**inˈdulge** [-vərɪ-] **I** *v/t.* **1.** zu nachsichtig behandeln; **2.** *e-r Leidenschaft etc.* ˈübermäßig frönen; **II** *v/i.* **3.** ***~ in*** sich allzuˈsehr ergehen in (*dat.*); ˌ~·**inˈdul·gence** [-vərɪ-] *s.* **1.** zu große Nachsicht; **2.** ˈübermäßiger Genuß; ˌ~-**inˈdul·gent** [-vərɪ-] *adj.* allzu nachsichtig; ˌ~·**inˈsure** [-vərɪ-] *v/t. u. v/i.* (sich) ˈüberversichern; ˌ~-ˈ**is·sue** [-ərˈɪ-] **I** *s.* ˈÜberemissiˌon *f*; **II** *v/t.* zuˈviel *Banknoten etc.* ausgeben; ˌ~ˈ**joyed** [-ˈdʒɔɪd] *adj.* außer sich vor Freude, ˈüberglücklich;

'~·kill *s.* **1.** ⚔ Overkill *m*; **2.** *fig.* 'Übermaß *n*, Zu'viel *n* (***of*** an *dat.*); **ˌ~'lad·en** *adj.* über'laden (*a. fig.*); **ˌ~'land I** *adv.* über Land, auf dem Landweg; **II** *adj.* ***'overland*** Überland...: **~ *route*** Landweg *m*; **~ *transport*** Überland-, Fernverkehr *m*; **ˌ~'lap I** *v/t.* **1.** 'übergreifen auf (*acc.*) *od.* in (*acc.*), sich über'schneiden mit, teilweise zs.-fallen mit; ⚙ über'lappen; **2.** hin'ausgehen über (*acc.*); **II** *v/i.* **3.** sich *od.* ein'ander über'schneiden, sich teilweise decken, auf- *od.* inein'ander 'übergreifen; ⚙ über'lappen, 'übergreifen; **III** *s.* ***'overlap*** **4.** 'Übergreifen *n*, Über'schneiden *n*; ⚙ Über'lappung *f*; **ˌ~'lay I** *v/t.* [*irr.* → ***lay***[1]] **1.** belegen; ⚙ über'lagern; **2.** über'ziehen (***with*** mit *Gold etc.*); **3.** *typ.* zurichten; **II** *s.* ***'overlay*** **4.** Bedekkung *f*: **~ *mattress*** Auflegematratze *f*; **5.** Auflage *f*, 'Überzug *m*; **6.** *typ.* Zurichtung *f*; **7.** Planpause *f*; **ˌ~'leaf** *adv.* 'umstehend, 'umseitig; **ˌ~'lie** *v/t.* [*irr.* → ***lie***[2]] **1.** liegen auf *od.* über (*dat.*); **2.** *geol.* über'lagern; **ˌ~'load I** *v/t.* über'laden, 'überbelasten, *a.* ⚡ über'lasten; **II** *s.* ***'overload*** 'Überbelastung *f*, -beanspruchung *f*, *a.* ⚡ Über'lastung *f*; **ˌ~'long** *adj. u. adv.* 'überlang, (all)zu lang; **ˌ~'look** *v/t.* **1.** *Fehler etc.* (geflissentlich) über'sehen, nicht beachten, *fig. a.* ignorieren, (nachsichtig) hin'wegsehen über (*acc.*); **2.** über'blicken; *weitS. a.* Aussicht gewähren auf (*acc.*); **3.** über'wachen; (prüfend) 'durchsehen; **'~·lord** *s.* Oberherr *m*; **'~·lord·ship** *s.* Oberherrschaft *f*.

o·ver·ly ['əʊvəlɪ] *adv.* allzu('sehr).

ˌo·ver|'ly·ing *adj.* da'rüberliegend; **'~·man** [-mæn] *s.* [*irr.*] Aufseher *m*, Vorarbeiter *m*; ⚒ Steiger *m*; **ˌ~'manned** *adj.* 'überbelegt, zu stark bemannt; **ˌ~'much I** *adj.* allzu'viel; **II** *adv.* allzu('sehr, -'viel), 'übermäßig; **ˌ~'nice** *adj.* 'überfein; **ˌ~'night I** *adv.* über Nacht; **II** *adj.* Nacht...; Übernachtungs...: **~ *lodgings***; **~ *bag*** Reisetasche *f*; **~ *case*** Handkoffer *m*; **~ *guests*** Übernachtungsgäste; **~ *stay*** Übernachtung *f*; **~ *stop*** Aufenthalt *m* für e-e Nacht; **'~·pass** *s.* ('Straßen-, 'Eisenbahn)Überˌführung *f*; **ˌ~'pay** *v/t.* [*irr.* → ***pay***] **1.** zu teuer bezahlen; **2.** 'überreichlich belohnen; **3.** 'überbezahlen; **ˌ~'peo·pled** *adj.* über'völkert; **ˌ~·per'suade** *v/t. j-n* (gegen s-n Willen) über'reden; **ˌ~'play** *v/t.* **1.** über'treiben; **2.** **~ *one's hand*** *fig.* sich über'nehmen, es über'treiben; **'~·plus** *s.* 'Überschuß *m*; **'~ˌpop·u'la·tion** *s.* 'Über(be)völkerung *f*; **ˌ~'pow·er** *v/t.* über'wältigen (*a. fig.*); **ˌ~'print I** *v/t.* **1.** *typ.* a) über'drucken, b) e-e zu große Auflage drucken von; **2.** *phot.* 'überkopieren; **II** *s.* ***'overprint*** **3.** *typ.* 'Überdruck *m*; **4.** a) Aufdruck *m* (*auf Briefmarken*), b) Briefmarke *f* mit Aufdruck; **ˌ~·pro'duce** *v/t.* ☤ 'überproduzieren; **ˌ~·pro'duc·tion** *s.* 'Überproduktiˌon *f*; **ˌ~'proof** *adj.* 'überproˌzentig (*alkoholisches Getränk*); **ˌ~'rate** *v/t.* **1.** über'schätzen, 'überbewerten (*a. sport*); **2.** ☤ zu hoch veranschlagen; **ˌ~'reach** *v/t.* **1.** zu weit gehen für: **~ *one's purpose*** *fig.* über sein Ziel hinausschießen; **~ *o.s.*** es zu weit treiben, sich übernehmen; **2.** *j-n* über'vorteilen, -'listen; **ˌ~·re'act** *v/i.* 'überreagieren; **ˌ~'ride** *v/t.* [*irr.* → ***ride***] **1.** über'reiten; **2.** *fig.* sich (rücksichtslos) hin'wegsetzen über (*acc.*); **3.** *fig.* 'umstoßen, aufheben, nichtig machen; **4.** den Vorrang haben vor (*dat.*); **ˌ~'rid·ing** *adj.* über'wiegend, hauptsächlich; vorrangig; **ˌ~'ripe** *adj.* 'überreif; **ˌ~'rule** *v/t.* **1.** *Vorschlag etc.* verwerfen, zu'rückweisen; ⚖ *Urteil* 'umstoßen; **2.** *fig.* die Oberhand gewinnen über (*acc.*); **ˌ~'ruling** *adj.* beherrschend, 'übermächtig; **ˌ~'run** *v/t.* [*irr.* → ***run***] **1.** *fig. Land etc.* über'fluten, -'schwemmen (*a. fig.*), einfallen in (*acc.*), über'rollen (*a. fig.*): ***be ~ with*** wimmeln von, überlaufen sein von; **2.** *fig.* rasch um sich greifen in (*dat.*); **3.** *typ.* um'brechen; **ˌ~'run·ning** *adj.* ⚙ Freilauf..., Überlauf...: **~ *clutch***; **ˌ~'sea I** *adv. a.* **ˌ~'seas** nach *od.* in 'Übersee; **II** *adj.* 'überseeisch, Übersee...; **ˌ~'see** *v/t.* [*irr.* → ***see***[1]] beaufsichtigen, über'wachen; **'~ˌse·er** [-ˌsɪə] *s.* **1.** Aufseher(in), In'spektor *m*, Inspek'torin *f*; **2.** Vorarbeiter(in); ⚒ Steiger *m*; **ˌ~-'sen·si·tive** *adj.* □ 'überempfindlich; **ˌ~'set** *v/t.* [*irr.* → ***set***] → ***upset***[1] I; **ˌ~'sew** *v/t.* [*irr.* → ***sew***] über'wendlich nähen; **ˌ~'sexed** *adj.* sexbesessen; **ˌ~'shad·ow** *v/t.* **1.** *fig.* in den Schatten stellen; **2.** *bsd. fig.* über'schatten, e-n Schatten werfen auf (*acc.*), verdüstern; **'~·shoe** *s.* 'Überschuh *m*; **ˌ~'shoot** *v/t.* [*irr.* → ***shoot***] **1.** über *ein Ziel* hin'ausschießen (*a. fig.*): **~ *o.s.*** (*od.* ***the mark***) zu weit gehen, übers Ziel hinausschießen; **'~·shot** *adj.* oberschlächtig (*Wasserrad*, *Mühle*); **'~·sight** *s.* **1.** Versehen *n*: ***by an ~*** aus Versehen; **2.** Aufsicht *f*; **ˌ~'sim·pli·fy** *v/t.* (zu) grob vereinfachen; **'~·size** *s.* 'Übergröße *f*; **'~·size(d)** *adj.* 'übergroß; **~·slaugh** ['əʊvəslɔː] *v/t.* **1.** ⚔ abkommandieren; **2.** *Am. bei der Beförderung* über'gehen; **ˌ~'sleep I** *v/t.* [*irr.* → ***sleep***] *e-n Zeitpunkt* verschlafen: **~ *o.s.*** → II; **II** *v/i.* [*irr.* → ***sleep***] (sich) verschlafen; **'~·sleeve** *s.* Ärmelschoner *m*; **ˌ~'speed** *v/t.* [*irr.* → ***speed***] *den Motor* über'drehen; **ˌ~'spend** [*irr.* → ***spend***] **I** *v/i.* **1.** zuviel ausgeben; **II** *v/t.* **2.** *Ausgabensumme* über'schreiten; **3.** **~ *o.s.*** über s-e Verhältnisse leben; **'~·spill** *s.* (*bsd.* Be'völkerungs)ˌÜberschuß *m*; ₗ~ˈ**spread** *v/t*. [*irr*. → ***spread***] **1.** überˈziehen, sich ausbreiten über (*acc*.); **2.** (***with***) überˈziehen *od*. bedekken (mit); ₗ~ˈ**staffed** *adj*. (persoˈnell) ˈüberbesetzt; ₗ~ˈ**state** *v/t*. überˈtreiben: ***~ one's case*** in s-n Behauptungen zu weit gehen; ₗ~ˈ**state·ment** *s*. Überˈtreibung *f*; ₗ~ˈ**stay** *v/t*. *e-e Zeit* überˈschreiten: ***~ one's time*** über s-e Zeit hinaus bleiben; → ***welcome*** 1; ₗ~ˈ**steer** *v/i*. *mot*. überˈsteuern; ₗ~ˈ**step** *v/t*. überˈschreiten (*a*. *fig*.); ₗ~ˈ**stock I** *v/t*. **1.** ˈüberreichlich eindecken, ⚕ *a*. ˈüberbeliefern, *den Markt* überˈschwemmen: ***~ o.s.*** → 3; **2.** ⚕ in zu großen Mengen auf Lager halten; **II** *v/i*. **3.** sich zu hoch eindecken; ₗ~ˈ**strain I** *v/t*. überˈanstrengen, ˈüberstrapazieren (*a*. *fig*.): ***~ one's conscience*** übertriebene Skrupel haben; **II** *s*. ˈ***overstrain*** Überˈanstrengung *f*; ₗ~ˈ**strung** *adj*. **1.** überˈreizt (*Nerven od. Person*); **2.** ˈ***overstrung*** ♪ kreuzsaitig (*Klavier*); ₗ~·**subˈscribe** *v/t*. ⚕ *Anleihe* überˈzeichnen; ₗ~·**subˈscrip·tion** *s*. ⚕ Überˈzeichnung *f*; ₗ~·**supˈply** *s*. (***of*** an *dat*.) **1.** ˈÜberangebot *n*; **2.** zu großer Vorrat.

o·vert [ˈəʊvɜːt] *adj*. □ offen(kundig): ***~ act*** ⚖ Ausführungshandlung *f*; ***~ hostility*** offene Feindschaft; ***~ market*** ⚕ offener Markt.

ₗ**o·ver|ˈtake** *v/t*. [*irr*. → ***take***] **1.** einholen (*a*. *fig*.); **2.** überˈholen (*a*. *v/i*.); **3.** *fig*. überˈraschen, -ˈfallen; **4.** *Versäumtes* nachholen; ₗ~ˈ**task** *v/t*. **1.** überˈbürden; **2.** über *j-s* Kräfte gehen; ₗ~ˈ**tax** *v/t*. **1.** ˈüberbesteuern; **2.** zu hoch einschätzen; **3.** ˈüberbeanspruchen, zu hohe Anforderungen stellen an (*acc*.); *Geduld* strapazieren: ***~ one's strength*** sich (kräftemäßig) übernehmen; ₗ~-**the-ˈcount·er** *adj*. **1.** ⚕ freihändig (*Effektenverkauf*): ***~ market*** Freiverkehrsmarkt *m*; **2.** *pharm*. reˈzeptfrei; ₗ~ˈ**throw I** *v/t*. [*irr*. → ***throw***] **1.** (ˈum-)stürzen (*a*. *fig*. *Regierung etc*.); **2.** niederwerfen, besiegen; **3.** niederreißen, vernichten; **II** *s*. ˈ***overthrow*** **4.** Sturz *m*, Niederlage *f* (*e-r Regierung etc*.); **5.** Vernichtung *f*, ˈUntergang *m*; ˈ~·**time I** *s*. ⚕ a) ˈÜberstunden *pl*., b) *a*. ***~ pay*** Mehrarbeitszuschlag *m*, ˈÜberstundenlohn *m*; **II** *adv*.: ***work ~*** Überstunden machen; ₗ~ˈ**tire** *v/t*. überˈmüden; ˈ~·**tone** *s*. **1.** ♪ Oberton *m*; **2.** *fig*. a) ˈUnterton *m*, b) *pl*. Neben-, Zwischentöne *pl*.: ***it had ~s of*** es schwang darin et. mit von; ₗ~ˈ**top**, ₗ~ˈ**tow·er** *v/t*. überˈragen (*a*. *fig*.); ₗ~ˈ**train** *v/t*. *u*. *v/i*. ˈübertrainieren; ˈ~·**trump** *v/t*. *u*. *v/i*. überˈtrumpfen.

o·ver·ture [ˈəʊvəˌtjʊə] *s*. **1.** ♪ Ouverˈtüre *f*; **2.** *fig*. Einleitung *f*, Vorspiel *n*; **3.** (forˈmeller Heirats-, Friedens)Antrag *m*, Angebot *n*; **4.** *pl*. Annäherungsversuche *pl*.

ₗ**o·ver|ˈturn I** *v/t*. (ˈum)stürzen (*a*. *fig*.); ˈumstoßen, -kippen; **II** *v/i*. ˈumkippen, -schlagen, -stürzen, kentern; **III** *s*. ˈ***overturn*** (ˈUm)Sturz *m*; ₗ~ˈ**val·ue** *v/t*. zu hoch einschätzen, ˈüberbewerten; ˈ~·**view** *s*. *fig*. ˈÜberblick *m*; ₗ~ˈ**ween·ing** *adj*. **1.** anmaßend, überˈheblich; **2.** überˈtrieben; ˈ~·**weight I** *s*. ˈÜbergewicht *n* (*a*. *fig*.); **II** *adj*. ˌ***overˈweight*** ˈübergewichtig, mit ˈÜbergewicht.

o·ver·whelm [ˌəʊvəˈwelm] *v/t*. **1.** überˈwältigen, -ˈmannen (*bsd*. *fig*.); **2.** *fig*. *mit Fragen*, *Geschenken etc*. überˈschütten, -ˈhäufen: ***~ed with work*** überlastet; **3.** erdrücken; **o·verˈwhelm·ing** [-mɪŋ] *adj*. überˈwältigend.

o·ver|·wind [ˌəʊvəˈwaɪnd] *v/t*. [*irr*. → ***wind***[2]] *Uhr etc*. überˈdrehen; ₗ~ˈ**work I** *v/t*. **1.** überˈanstrengen, mit Arbeit überˈlasten, ˈüberstrapazieren (*a*. *fig*.): ***~ o.s.*** → 2; **II** *v/i*. **2.** sich überˈarbeiten; **III** *s*. **3.** ˈArbeitsüberˌlastung *f*; **4.** Überˈarbeitung *f*; ₗ~ˈ**wrought** *adj*. **1.** überˈarbeitet, erschöpft; **2.** überˈreizt; ₗ~ˈ**zeal·ous** *adj*. ˈübereifrig.

o·vi·duct [ˈəʊvɪdʌkt] *s*. *anat*. Eileiter *m*; ˈ**o·vi·form** [-ɪfɔːm] *adj*. eiförmig, oˈval; **o·vip·a·rous** [əʊˈvɪpərəs] *adj*. oviˈpar, eierlegend.

o·vo·gen·e·sis [ˌəʊvəʊˈdʒenɪsɪs] *s*. *biol*. Eibildung *f*; **o·void** [ˈəʊvɔɪd] *adj*. *u*. *s*. eiförmig(er Körper).

o·vu·lar [ˈɒvjʊlə] *adj*. *biol*. Ei..., Ovular...; **o·vu·la·tion** [ˌɒvjʊˈleɪʃn] *s*. Ovulatiˈon *f*, Eisprung *m*; **o·vule** [ˈəʊvjuːl] *s*. **1.** *biol*. Ovulum *n*, kleines Ei; **2.** ⚘ Samenanlage *f*; **o·vum** [ˈəʊvəm] *pl*. **o·va** [ˈəʊvə] *s*. *biol*. Ovum *n*, Ei(zelle *f*) *n*.

owe [əʊ] **I** *v/t*. **1.** *Geld*, *Achtung*, *e-e Erklärung etc*. schulden, schuldig sein: ***~ s.o. a grudge*** gegen j-n e-n Groll hegen; ***you ~ that to yourself*** das bist du dir schuldig; **2.** bei *j-m* Schulden haben (***for*** für); **3.** *et*. verdanken, zu verdanken haben, Dank schulden für: ***I ~ him much*** ich habe ihm viel zu verdanken; **II** *v/i*. **4.** Schulden haben; **5.** die Bezahlung schuldig sein (***for*** für); **ow·ing** [ˈəʊɪŋ] *adj*. **1.** geschuldet: ***be ~*** zu zahlen sein, noch offenstehen; ***have ~*** ausstehen haben; **2.** ***~ to*** infolge (*gen*.), wegen (*gen*.), dank (*dat*.): ***be ~ to*** zurückzuführen sein auf (*acc*.), zuzuschreiben sein (*dat*.).

owl [aʊl] *s*. **1.** *orn*. Eule *f*; **2.** *fig*. ‚alte Eule' (*Person*): ***wise old ~*** ‚kluges Kind'; **owl·ish** [ˈaʊlɪʃ] *adj*. □ eulenhaft.

own [əʊn] **I** *v/t*. **1.** besitzen; **2.** *Erben*, *Kind*, *Schuld etc*. anerkennen; **3.** zugeben, (ein)gestehen, einräumen: ***~ o.s. defeated*** sich geschlagen geben; **II** *v/i*. **4.** sich bekennen (***to*** zu): ***~ to*** → 3; **5.** ***~***

O

up es zugeben *od.* gestehen; **III** *adj.* **6.** eigen: ***my ~ self*** ich selbst; ***~ brother to s.o.*** j-s leiblicher Bruder; **7.** eigen (-artig), besonder: ***it has a value all its ~*** es hat e-n ganz besonderen *od.* eigenen Wert; **8.** selbst: ***I cook my ~ breakfast*** ich mache mir das Frühstück selbst; **9.** (innig) geliebt, einzig: ***my ~ child!***; **IV** *s.* **10.** ***my ~*** a) mein Eigentum *n*, b) meine Angehörigen *pl.*: ***may I have it for my ~?*** darf ich es haben?; ***come into one's ~*** a) s-n rechtmäßigen Besitz erlangen, b) zur Geltung kommen; ***she has a car of her ~*** sie hat ein eigenes Auto; ***he has a way of his ~*** er hat e-e eigene Art; ***on one's ~*** F a) selbständig, unabhängig, ohne fremde Hilfe, b) von sich aus, aus eigenem Antrieb, c) auf eigene Verantwortung; ***be left on one's ~*** F sich selbst überlassen sein; ***get one's ~ back*** F sich revanchieren, sich rächen (***on*** an *dat.*); → ***hold*** 20.

-owned [əʊnd] *adj. in Zssgn* gehörig, gehörend (*dat.*), in *j-s* Besitz: ***state-~*** staatseigen, Staats…

own·er [ˈəʊnə] *s.* Eigentümer(in), Inhaber(in); ***at ~'s risk*** ✝ auf eigene Gefahr; ***~-driver*** j-d, der sein eigenes Auto fährt; ***~-occupation*** Eigennutzung *f* (*e-s Hauses etc.*); **ˈown·er·less** [-lɪs] *adj.* herrenlos; **ˈown·er·ship** [-ʃɪp] *s.* **1.** Eigentum(srecht) *n*, Besitzerschaft *f*; **2.** Besitz *m*.

ox [ɒks] *pl.* **ox·en** [ˈɒksn] *s.* **1.** Ochse *m*; **2.** (Haus)Rind *n*.

ox·a·late [ˈɒksəleɪt] *s.* ⚗ Oxaˈlat *n*; **ox·al·ic** [ɒksˈælɪk] *adj.* ⚗ oˈxalsauer: ***~ acid*** Oxalsäure *f*.

Ox·bridge [ˈɒksbrɪdʒ] *s. Brit.* F (die Universiˈtäten) Oxford *u.* Cambridge *pl.*

Ox·ford| man *s.* [*irr.*] → ***Oxonian*** II; **~ move·ment** *s. eccl.* Oxfordbewegung *f*.

ox·i·dant [ˈɒksɪdənt] *s.* ⚗ Oxydatiˈonsmittel *n*; **ˈox·i·date** [-deɪt] → ***oxidize***; **ox·i·da·tion** [ˌɒksɪˈdeɪʃn] *s.* ⚗ Oxydatiˈon *f*, Oxydierung *f*; **ox·ide** [ˈɒksaɪd] *s.* ⚗ Oˈxyd *n*; **ˈox·i·dize** [-daɪz] *v/t. u. v/i.* ⚗ oxydieren; **ˈox·i·diz·er** [-daɪzə] *s.* ⚗ Oxydatiˈonsmittel *n*.

ˈox·lip *s.* ⚘ Hohe Schlüsselblume.

Ox·o·ni·an [ɒkˈsəʊnjən] **I** *adj.* Oxforder, Oxford…; **II** *s.* Mitglied *n od.* Graduierte(r *m*) *f* der Universiˈtät Oxford; *weitS.* Oxforder(in).

ˈox·tail *s.* Ochsenschwanz *m*: ***~ soup***.

ox·y·a·cet·y·lene [ˌɒksɪəˈsetɪliːn] *adj.* ⚗, ⚙ Sauerstoff-Azetylen…: ***~ torch*** *od.* ***burner*** Schweißbrenner *m*; ***~ welding*** Autogenschweißen *n*.

ox·y·gen [ˈɒksɪdʒən] *s.* ⚗ Sauerstoff *m*: ***~ apparatus*** Atemgerät *n*; ***~ tent*** ⚕ Sauerstoffzelt *n*; **ox·yg·e·nant** [ɒkˈsɪdʒənənt] *s.* Oxydatiˈonsmittel *n*; **ox·y·gen·ate** [ɒkˈsɪdʒəneɪt], **ox·y·gen·ize** [ɒkˈsɪdʒənaɪz] *v/t.* **1.** oxydieren, mit Sauerstoff verbinden *od.* behandeln; **2.** mit Sauerstoff anreichern.

ox·y·hy·dro·gen [ˌɒksɪˈhaɪdrədʒən] ⚗, ⚙ **I** *adj.* Hydrooxygen…, Knallgas…; **II** *s.* Knallgas *n*.

o·yer [ˈɔɪə] *s.* ⚖ **1.** *hist.* gerichtliche Unterˈsuchung; **2.** → **~ and ter·mi·ner** [ˈtɜːmɪnə] *s.* ⚖ **1.** *hist.* gerichtliche Unterˈsuchung u. Entscheidung; **2.** *mst* ***commission*** (*od.* ***writ***) ***of ~*** *Brit. königliche Ermächtigung an die Richter der Assisengerichte, Gericht zu halten.*

o·yez [əʊˈjes] *int.* hört (zu)!

oys·ter [ˈɔɪstə] *s.* **1.** *zo.* Auster *f*: ***~s on the shell*** frische Austern; ***he thinks the world is his ~*** *fig.* er meint, er kann alles haben; **2.** F ‚zugeknöpfter Mensch'; **~ bank**, **~ bed** *s.* Austernbank *f*; **~ catch·er** *s. orn.* Austernfischer *m*; **~ farm** *s.* Austernpark *m*.

o·zone [ˈəʊzəʊn] *s.* **1.** ⚗ Oˈzon *m, n*: **2.** F Oˈzon *m, n*, reine frische Luft; **~-deˈplet·ing** *adj.* ozonschädlich; **o·zon·ic** [əʊˈzɒnɪk] *adj.* **1.** oˈzonisch, Ozon…; **2.** oˈzonhaltig; **o·zo·nif·er·ous** [ˌəʊzəʊˈnɪfərəs] *adj.* **1.** oˈzonhaltig; **2.** oˈzonerzeugend; **o·zo·nize** [ˈəʊzəʊnaɪz] **I** *v/t.* ozonisieren; **II** *v/i.* sich in Oˈzon verwandeln; **o·zo·niz·er** [ˈəʊzəʊnaɪzə] *s.* Ozoniˈsator *m*.

P

P, **p** [piː] *s.* P *n*, p *n* (*Buchstabe*): ***mind one's P's and Q's*** sich sehr in acht nehmen.
pa [pɑː] *s.* F Pa'pa *m*, ‚Paps' *m*.
pab·u·lum ['pæbjʊləm] *s.* Nahrung *f* (*a. fig.*).
pace[1] [peɪs] **I** *s.* **1.** Schritt *m* (*a. als Maß*); **2.** Gang(art *f*) *m*: ***put a horse through its ~s*** ein Pferd alle Gangarten machen lassen; ***put s.o. through his ~s*** *fig.* j-n auf Herz u. Nieren prüfen; **3.** Paßgang *m* (*Pferd*); **4.** a) ⚔ Marschschritt *m*, b) (Marsch)Geschwindigkeit *f*, Tempo *n* (*a. sport*; *a. fig. e-r Handlung etc.*), Fahrt *f*, Schwung *m*: ***go the ~*** a) ein scharfes Tempo anschlagen, b) *fig.* flott leben; ***keep ~ with*** Schritt halten mit (*a. fig.*); ***set the ~*** *sport* das Tempo angeben (*a. fig.*) *od.* machen; ***at a great ~*** in schnellem Tempo; **II** *v/t.* **5.** *a.* ***~ out*** (*od.* ***off***) abschreiten; **6.** *Zimmer etc.* durch'schreiten, -'messen; **7.** *fig.* das Tempo (*gen.*) bestimmen; **8.** *sport* Schrittmacher sein für; **9.** *Pferd* im Paßgang gehen lassen; **III** *v/i.* **10.** (*auf u. ab etc.*) schreiten; **11.** im Paßgang gehen (*Pferd*).
pa·ce[2] ['peɪsɪ] (*Lat.*) *prp.* ohne (*dat.*) nahetreten zu wollen.
'**pace**|**,mak·er** *s. sport* (*a.* ⚕ Herz-) Schrittmacher *m*: ***~ race*** *Radsport*: Steherrennen *n*; '**~,mak·ing** *s. sport* Schrittmacherdienste *pl.*
pac·er ['peɪsə] *s.* **1.** → ***pacemaker***; **2.** Paßgänger *m* (*Pferd*).
pach·y·derm ['pækɪdɜːm] *s. zo.* Dickhäuter *m* (*a. humor. fig.*); **pach·y·der·ma·tous** [ˌpækɪ'dɜːmətəs] *adj.* **1.** *zo.* dickhäutig; *fig. a.* dickfellig; **2.** ♀ dickwandig.
pa·cif·ic [pə'sɪfɪk] *adj.* (□ ***~ally***) **1.** friedfertig, versöhnlich, Friedens...: ***~ policy***; **2.** ruhig, friedlich; **3.** ♀ *geogr.* pa'zifisch, Pa'zifisch: ***the ♀*** (***Ocean***) der Pazifische *od.* Stille Ozean, der Pa'zifik; **pac·i·fi·ca·tion** [ˌpæsɪfɪ'keɪʃn] *s.* **1.** Befriedung *f*; **2.** Beschwichtigung *f*.
pac·i·fi·er ['pæsɪfaɪə] *s.* **1.** Friedensstifter(in); **2.** *Am.* a) Schnuller *m*, b) Beißring *m für Kleinkinder*; '**pac·i·fism** [-fɪzəm] *s.* Pazi'fismus *m*; '**pac·i·fist** [-fɪst] **I** *s.* Pazi'fist *m*; **II** *adj.* pazi'fistisch; '**pac·i·fy** [-faɪ] *v/t.* **1.** *Land* befrieden; **2.** besänftigen, beschwichtigen.
pack [pæk] **I** *s.* **1.** Pack(en) *m*, Ballen *m*, Bündel *n*; **2.** *bsd. Am.* Packung *f*, Schachtel *f Zigaretten etc.*, Päckchen *n*: ***a ~ of films*** ein Filmpack *m*; **3.** ⚕, *Kosmetik*: Packung *f*: ***face ~***; **4.** (Karten)Spiel *n*; **5.** ⚔ a) Tor'nister *m*, b) Rückentrage *f* (*Kabelrolle etc.*); **6.** Verpackungsweise *f*; **7.** (Schub *m*) Kon'serven *pl.*; **8.** Menge *f*: ***a ~ of lies*** ein Haufen Lügen; ***a ~ of nonsense*** lauter Unsinn; **9.** Packeis *n*; **10.** Pack *n*, Bande *f* (*Diebe etc.*); **11.** Meute *f*, Koppel *f* (*Hunde*); Rudel *n* (*Wölfe*, ⚔ *U-Boote*); **12.** *Rugby*: Sturm(reihe *f*) *m*; **II** *v/t.* **13.** *oft* ***~ up*** einpacken (*a.* ⚕), zs.-, verpacken: ***~ it in!*** F *fig.* hör doch auf (damit)!; **14.** zs.-pressen, -pferchen; → ***sardine***; **15.** vollstopfen: ***a ~ed house*** *thea. etc.* ein zum Bersten volles Haus; **16.** eindosen, konservieren; **17.** ⚙ (ab)dichten; **18.** bepacken, -laden; **19.** *Geschworenenbank etc.* mit s-n Leuten besetzen; **20.** *Am.* F (bei sich) tragen: ***~ a hard punch*** *Boxen*: e-n harten Schlag haben; **21.** *a.* ***~ off*** (fort)schicken, (-)jagen; **III** *v/i.* **22.** packen (*oft* ***~ up***): ***~ up*** *fig.* ‚einpacken' (*es aufgeben*); **23.** sich *gut etc.* (ver)packen lassen; **24.** fest werden, sich fest zs.-ballen; **25.** *mst* ***~ off*** *fig.* sich packen *od.* da'vonmachen: ***send s.o. ~ing*** j-n fortjagen; **26.** ***~ up*** *sl.* ‚absterben', ‚verrecken' (*Motor*) (***on s.o.*** j-m).
pack·age ['pækɪdʒ] **I** *s.* **1.** Pack *m*, Ballen *m*; Frachtstück *n*; *bsd. Am.* Pa'ket *n*; **2.** Packung *f* (*Spaghetti etc.*): ***~ insert*** Packungsbeilage *f*; **3.** Verpackung *f*; **4.** ⚙ betriebsfertige Maschine *od.* Baueinheit; **5.** ✝, *pol.*, *fig.* Pa'ket *n* (*a. Computer*), *pol. a.* Junktim *n*: ***~ deal*** a) Kopplungsgeschäft *n*, b) Pau'schalarrange,ment *n*, -angebot *n*: ***~ tour*** Pauschalreise *f*, c) *pol.* Junktim *n*, d) (als Ganzes *od.* en bloc verkauftes) ('Fernseh- *etc.*)Pro,gramm *n*; **II** *v/t.* **6.** verpacken; **7.** *Lebensmittel etc.* abpacken; **8.** ✝ en bloc anbieten *od.* verkaufen; '**pack·ag·ing** [-dʒɪŋ] **I** *s.* (Einzel-) Verpackung *f*; **II** *adj.* Verpackungs...: ***~ machine***; ***~ waste*** Verpackungsmüll *m*.
'**pack**|**-,an·i·mal** *s.* Pack-, Lasttier *n*; '**~-cloth** *s.* Packleinwand *f*; '**~-drill** *s.* ⚔ Strafexerzieren *n* in voller Marschaus-

P

rüstung.

pack·er ['pækə] *s.* **1.** (Ver)Packer(in); **2.** ✝ Verpacker *m*, Großhändler *m*; *Am.* Kon'serven,hersteller *m*; **3.** Ver'packungsma,schine *f*.

pack·et ['pækɪt] **I** *s.* **1.** kleines Pa'ket, Päckchen *n*, Schachtel *f* (*Zigaretten etc.*); ***sell s.o. a ~*** F j-n ‚anschmieren'; **2.** ⚓ *a.* **~ *boat*** Postschiff *n*, Pa'ketboot *n*; **3.** *sl.* Haufen *m* Geld, *e-e* ‚(hübsche) Stange Geld'; **4.** *sl.* ‚Ding' *n* (*Schlag, Ärger etc.*); **II** *v/t.* **5.** verpacken, paketieren.

'pack|·horse *s.* **1.** Packpferd *n*; **2.** *fig.* Lastesel *m*; **~ ice** *s.* Packeis *n*.

pack·ing ['pækɪŋ] *s.* **1.** (Ver)Packen *n*: ***do one's ~*** packen; **2.** Konservierung *f*; **3.** Verpackung *f* (*a.* ✝); **4.** ⚙ a) (Ab-)Dichtung *f*, b) Dichtung *f*, c) 'Dichtungsmateri,al *n*, d) Füllung *f*, e) *Computer*: Verdichtung *f*; **5.** Zs.-ballen *n*; **~ box** *s.* **1.** Packkiste *f*; **2.** ⚙ Stopfbüchse *f*; **~ case** *s.* Packkiste *f*; **~ de·part·ment** *s.* ✝ Packe'rei *f*; **~ house** *s.* **1.** *Am.* Abpackbetrieb *m*; **2.** Warenlager *n*; **~ pa·per** *s.* 'Packpa,pier *n*; **~ ring** *s.* ⚙ Dichtring *m*, Man'schette *f*; **~ sleeve** *s.* ⚙ Dichtungsmuffe *f*.

pack| rat *s. zo.* Packratte *f*; **'~·sack** *s. Am.* Rucksack *m*, Tor'nister *m*; **'~,sad·dle** *s.* Pack-, Saumsattel *m*; **'~·thread** *s.* Packzwirn *m*, Bindfaden *m*; **~ train** *s.* 'Tragtierko,lonne *f*.

pact [pækt] s. Pakt *m*, Vertrag *m*.

pad¹ [pæd] **I** *s.* **1.** Polster *n*, (Stoß)Kissen *n*, Wulst *m*, Bausch *m*: ***oil ~*** ⚙ Schmierkissen *n*; **2.** *sport* Knie- *od.* Beinschützer *m*; **3.** 'Unterlage *f*; ⚙ Kon'sole *f für Hilfsgeräte*; **4.** ('Löschpa,pier-, Brief-, Schreib)Block *m*; **5.** Stempelkissen *n*; **6.** *zo.* (Fuß)Ballen *m*; **7.** *hunt.* Pfote *f*; **8.** *sl.* ‚Bude' *f* (*Zimmer od. Wohnung*); **9.** ✈ a) Startrampe *f*, b) (Ra'keten)Abschußrampe *f*; **10.** *Am. sl.* a) Schutzgelder *pl.*, b) Schmiergelder *pl.*; **II** *v/t.* **11.** (aus)polstern, wattieren: ***~ded cell*** Gummizelle *f* (*für Irre*): **12.** *fig. Rede, Schrift* ‚garnieren', ‚aufblähen'.

pad² [pæd] *v/t. u. v/i. a.* **~ *along*** *sl.* (da'hin)trotten, (-)latschen.

pad·ding ['pædɪŋ] *s.* **1.** (Aus)Polstern *n*; **2.** Polsterung *f*, Wattierung *f*, Einlage *f*; **3.** (Polster)Füllung *f*; **4.** *fig.* leeres Füllwerk, (Zeilen)Füllsel *n*; **5.** *a.* **~ *capacitor*** ⚡ 'Paddingkonden,sator *m*.

pad·dle ['pædl] **I** *s.* **1.** Paddel *n*: **2.** ⚓ a) Schaufel(rad *n*) *f*, b) Raddampfer *m*; **3.** *obs.* Waschbleuel *m*; **4.** ⚙ Kratze *f*, Rührstange *f*; **5.** ⚙ a) Schaufel *f* (*Wasserrad*), b) Schütz *n*, Falltor *n* (*Schleuse*); **II** *v/i.* **6.** rudern, *bsd.* paddeln; → ***canoe*** I; **7.** *im Wasser* planschen; **8.** watscheln; **III** *v/t.* **9.** paddeln; **10.** *Am.* F verhauen; **~ steam·er** *s.* ⚓ Raddampfer *m*; **~ wheel** *s.* Schaufelrad *n*.

pad·dling pool ['pædlɪŋ] *s.* Planschbecken *n*.

pad·dock¹ ['pædək] *s.* **1.** (Pferde)Koppel *f*; **2.** *sport* a) Sattelplatz *m*, b) *mot.* Fahrerlager *n*.

pad·dock² ['pædək] *s. zo.* **1.** *obs. od. dial.* Frosch *m*; **2.** *obs.* Kröte *f*.

Pad·dy¹ ['pædɪ] *s.* F ‚Paddy' *m* (*Ire*).

pad·dy² ['pædɪ] *s.* ✝ roher Reis.

pad·dy³ ['pædɪ] *s.* F Wutanfall *m*; **~ wag·on** *s. Am.* F ‚grüne Minna' (*Polizeigefangenenwagen*).

pad·lock ['pædlɒk] **I** *s.* Vorhänge-, Vorlegeschloß *n*; **II** *v/t.* mit e-m Vorhängeschloß verschließen.

pa·dre ['pɑːdrɪ] *s.* Pater *m* (*Priester*); ⚔ Ka'plan *m*.

pae·an ['piːən] *s.* **1.** *antiq.* Pä'an *m*; **2.** *allg.* Freuden-, Lobgesang *m*.

paed·er·ast *etc.* → ***pederast*** *etc.*

pae·di·at·ric *etc.* → ***pediatric*** *etc.*

pa·gan ['peɪgən] **I** *s.* Heide *m*, Heidin *f*; **II** *adj.* heidnisch; **'pa·gan·ism** [-nɪzəm] *s.* Heidentum *n*.

page¹ [peɪdʒ] **I** *s.* **1.** Seite *f* (*Buch etc.*); *typ.* Schriftseite *f*, Ko'lumne *f*: **~ *printer*** *tel.* Blattdrucker *m*; **2.** *fig.* Chronik *f*, Buch *n*; **3.** *fig.* Blatt *n aus der Geschichte etc.*; **II** *v/t.* **4.** paginieren.

page² [peɪdʒ] **I** *s.* **1.** *hist.* Page *m*; Edelknabe *m*; **2.** *a.* **~ *boy*** (Ho'tel)Page *m*; **II** *v/t.* **3.** *j-n* (durch e-n Pagen *od.* per Lautsprecher) ausrufen lassen; **4.** mit *j-m* über Funkrufempfänger Kon'takt aufnehmen, *j-n* ‚anpiepsen'.

pag·eant ['pædʒənt] *s.* **1.** a) (*bsd.* hi'storischer) Fest- *od.* Umzug, b) (historisches) Festspiel; **2.** (Schau)Gepränge *n*, Pomp *m*; **3.** *fig.* leerer Prunk; **'pag·eant·ry** [-rɪ] *s.* → ***pageant*** 2, 3.

pag·er ['peɪdʒə(r)] Funkrufempfänger *m*, ‚Piepser' *m*.

pag·i·nal ['pædʒɪnl] *adj.* Seiten...; **'pag·i·nate** [-neɪt] *v/t.* paginieren; **pag·i·na·tion** [,pædʒɪ'neɪʃn], *a.* **pag·ing** ['peɪdʒɪŋ] *s.* Paginierung *f*, 'Seitennume,rierung *f*.

pa·go·da [pə'gəʊdə] *s.* Pa'gode *f*; **~ tree** *s.* ⚘ So'phora *f*: ***shake the ~*** *obs. fig.* in Indien schnell ein Vermögen machen.

pah [pɑː] *int. contp.* a) pfui!, b) pah!

paid [peɪd] **I** *pret. u. p.p. von* ***pay***; **II** *adj.* bezahlt: **~ *in*** → ***paid-in***; **~ *up*** → ***paid-up***; ***put ~ to s.th.*** e-r Sache ein Ende setzen; **,~-'in** *adj.* **1.** ✝ (voll) eingezahlt: **~ *capital*** Einlagekapital *n*; **2.** → ***paid-up*** 2; **,~-'up** *adj.* **1.** → ***paid-in*** 1; **2.** ***fully ~ member*** Mitglied *n* ohne Beitragsrückstände, vollwertiges Mitglied.

pail [peɪl] *s.* Eimer *m*, Kübel *m*; **'pail·ful** [-fʊl] *s. ein* Eimer(voll) *m*: ***by ~s*** eimerweise.

pail·lasse ['pælɪæs] *s.* Strohsack *m* (*Ma-*

tratze).

pain [peɪn] **I** *s.* **1.** Schmerz(en *pl.*) *m*, Pein *f*; *pl.* ⚕ (Geburts)Wehen *pl.*: ***be in ~*** Schmerzen haben, leiden; ***you are a ~ in the neck*** F du gehst mir auf die Nerven; **2.** Schmerz(en *pl.*) *m*, Leid *n*, Kummer *m*: ***give*** (*od.* ***cause***) ***s.o. ~*** j-m Kummer machen; **3.** *pl.* Mühe *f*, Bemühungen *pl.*: ***be at ~s, take ~s*** sich Mühe geben, sich anstrengen; ***spare no ~s*** keine Mühe scheuen; ***all he got for his ~s*** der (ganze) Dank (für s-e Mühe); **4.** Strafe *f*: (***up***)***on*** (*od.* ***under***) ***~ of*** bei Strafe von; ***on*** (*od.* ***under***) ***~ of death*** bei Todesstrafe; **II** *v/t.* **5.** *j-m* weh tun, *j-n* schmerzen; *fig. a. j-n* schmerzlich berühren, peinigen; **pained** [-nd] *adj.* gequält, schmerzlich; **'pain·ful** [-fʊl] *adj.* □ **1.** schmerzhaft; **2.** a) schmerzlich, quälend, b) peinlich: ***produce a ~ impression*** peinlich wirken; **3.** mühsam; **'pain·ful·ness** [-fʊlnɪs] *s.* Schmerzhaftigkeit *f etc.*; **'pain,kill·er** *s.* F schmerzstillendes Mittel; **'pain·less** [-lɪs] *adj.* □ schmerzlos (*a. fig.*).

pains·tak·ing ['peɪnz,teɪkɪŋ] **I** *adj.* □ sorgfältig, gewissenhaft; eifrig; **II** *s.* Sorgfalt *f*, Mühe *f*.

paint [peɪnt] **I** *v/t.* **1.** *Bild* malen; *fig.* ausmalen, schildern: ***~ s.o.'s portrait*** j-n malen; **2.** an-, bemalen, (an)streichen; *Auto* lackieren: ***~ out*** übermalen; ***~ the town red*** *sl.* ‚auf die Pauke hauen', ‚(schwer) einen draufmachen'; → ***lily***; **3.** *Mittel* auftragen, *Hals, Wunde* (aus)pinseln; **4.** schminken: ***~ one's face*** sich schminken, sich ‚anmalen'; **II** *v/i.* **5.** malen; **6.** streichen; **7.** sich schminken; **III** *s.* **8.** (Anstrich-, Öl)Farbe *f*; (Auto)Lack *m*; Tünche *f*; **9.** *a.* ***coat of ~*** Anstrich *m*: ***as fresh as ~*** F frisch u. munter; **10.** Schminke *f*; **11.** ⚕ Tink'tur *f*; **'~·box** *s.* **1.** Tusch-, Malkasten *m*; **2.** Schminkdose *f*; **'~·brush** *s.* Pinsel *m*.

paint·ed ['peɪntɪd] *p.p. u. adj.* **1.** ge-, bemalt, gestrichen; lackiert; **2.** *bsd.* ⚘, *zo.* bunt, scheckig; **3.** *fig.* gefärbt; **♀ La·dy** *s.* **1.** *zo.* Distelfalter *m*; **2.** ⚘ Rote Wucherblume; **~ wom·an** *s.* Hure *f*, ‚Flittchen' *n*.

paint·er[1] ['peɪntə] *s.* ⚓ Fangleine *f*: ***cut the ~*** *fig.* alle Brücken hinter sich abbrechen.

paint·er[2] ['peɪntə] *s.* **1.** (Kunst)Maler (-in); **2.** Maler *m*, Anstreicher *m*: ***~'s colic*** ⚕ Bleikolik *f*; ***~'s shop*** a) Malerwerkstatt *f*, b) (Auto)Lackiererei *f*; **'paint·ing** [-tɪŋ] *s.* **1.** Malen *n*, Male'rei *f*: ***~ in oil*** Ölmalerei *f*; **2.** Gemälde *n*, Bild *n*; **3.** ⚙ a) Farbanstrich *m*, b) Spritzlackieren *n*.

paint| re·fresh·er *s.* 'Neuglanzpoli,tur *f*; **~ re·mov·er** *s.* (Farben)Abbeizmittel *n*.

paint·ress ['peɪntrɪs] *s.* Malerin *f*.

'paint|-,spray·ing pis·tol *s.* ⚙ ('Anstreich),Spritzpi,stole *f*; **'~·work** *s. mot.* Lackierung *f*, Lack *m*.

pair [peə] **I** *s.* **1.** Paar *n*: ***a ~ of boots, legs etc.***; **2.** (*Zweiteiliges, mst unübersetzt*): ***a ~ of scales*** (***scissors, spectacles***) eine Waage (Schere, Brille); ***a ~ of trousers*** ein Paar Hosen, eine Hose; **3.** Paar *n*, Pärchen *n* (*Mann u. Frau; zo. Männchen u. Weibchen*): ***~ skating*** *sport* Paarlauf(en *n*) *m*; ***in ~s*** paarweise; **4.** Partner *m*; Gegenstück *n* (*von e-m Paar*); *der* (*die, das*) *andere od. zweite*: ***where is the ~ to this shoe?***; **5.** *pol.* a) *zwei Mitglieder verschiedener Parteien, die sich abgesprochen haben, sich der Stimme zu enthalten etc.*, b) *dieses Abkommen*, c) *e-r dieser Partner*; **6.** (Zweier)Gespann *n*: ***carriage and ~*** Zweispänner *m*; **7.** *sport* Zweier *m* (*Ruderboot*): ***~ with cox*** Zweier mit Steuermann; **8.** *a.* ***kinematic ~*** ⚙ Ele'mentenpaar *n*; **9.** *Brit.* ***~ of stairs*** (*od.* ***steps***) Treppe *f*: ***two ~ front*** (***back***) (Raum *m od.* Mieter *m*) im zweiten Stock nach vorn (hinten); **II** *v/t.* **10.** *a.* ***~ off*** a) paarweise anordnen, b) F *fig.* verheiraten; **11.** *Tiere* paaren (***with*** mit); **III** *v/i.* **12.** sich paaren (*Tiere*) (*a. fig.*); **13.** zs.-passen; **14.** ***~ off*** a) paarweise weggehen, b) F *fig.* sich verheiraten (***with*** mit), c) *pol.* (***with*** mit *e-m Mitglied e-r anderen Partei*) ein Abkommen treffen (→ 5a); **pair·ing** ['peərɪŋ] *s. biol.* Paarung *f* (*a. sport*): ***~ season, ~ time*** Paarungszeit *f*.

pair-oar ['peərɔː] **I** *s.* Zweier *m* (*Boot*); **II** *adj.* zweiruderig.

pa·ja·mas [pə'dʒɑːməs] *bsd. Am.* → ***pyjamas***.

Pak·i ['pækɪ] *s. Brit. sl.* Paki'stani *m*.

Pak·i·stan·i [,pɑːkɪ'stɑːnɪ] **I** *adj.* paki'stanisch; **II** *s.* Paki'staner(in), Paki'stani *m*.

pal [pæl] **I** *s.* F ‚Kumpel' *m*, ‚Spezi' *m*, Freund *m*; **II** *v/i. mst* ***~ up*** F sich anfreunden (***with s.o.*** mit j-m).

pal·ace ['pælɪs] *s.* Schloß *n*, Pa'last *m*, Pa'lais *n*: ***~ of justice*** Justizpalast; **~ car** *s.* 🚂 Sa'lonwagen *m*; **~ guard** *s.* **1.** Pa'lastwache *f*; **2.** *fig. contp.* Clique *f um e-n Regierungschef*, Kama'rilla *f*; **~ rev·o·lu·tion** *s. pol. fig.* Pa'lastrevoluti,on *f*.

pal·a·din ['pælədɪn] *s. hist.* Pala'din *m* (*a. fig.*).

pa·lae·og·ra·pher *etc.* → ***paleographer*** *etc.*

pal·at·a·ble ['pælətəbl] *adj.* □ wohlschmeckend, schmackhaft (*a. fig.*); **'pal·a·tal** [-tl] **I** *adj.* **1.** Gaumen...; **II** *s.* **2.** Gaumenknochen *m*; **3.** *ling.* Pala'tal (-laut) *m*; **'pal·a·tal·ize** [-təlaɪz] *v/t. ling. Laut* palatalisieren; **pal·ate**

P

['pælət] *s.* **1.** *anat.* Gaumen *m*: ***bony*** (*od.* ***hard***) ~ harter Gaumen, Vordergaumen; ***cleft*** ~ Wolfsrachen *m*; ***soft*** ~ weicher Gaumen, Gaumensegel *n*; **2.** *fig.* (***for***) Gaumen *m*, Sinn *m* (für), Geschmack *m* (an *dat.*).

pa·la·tial [pə'leɪʃl] *adj.* pa'lastartig, Palast…, Schloß…, Luxus…

pa·lat·i·nate [pə'lætɪnət] **I** *s.* **1.** *hist.* Pfalzgrafschaft *f*; **2.** ***the*** ♀ die (Rhein-)Pfalz; **II** *adj.* **3.** ♀ Pfälzer, pfälzisch.

pal·a·tine¹ ['pælətaɪn] **I** *adj.* **1.** *hist.* Pfalz…, pfalzgräflich: ***Count*** ♀ Pfalzgraf; ***County*** ♀ Pfalzgrafschaft *f*; **2.** ♀ pfälzisch, Pfälzer(…); **II** *s.* **3.** Pfalzgraf *m*; **4.** ♀ (Rhein)Pfälzer(in).

pal·a·tine² ['pælətaɪn] *anat.* **I** *adj.* Gaumen…: ~ ***tonsil*** Gaumen-, Halsmandel *f*; **II** *s.* Gaumenbein *n*.

pa·lav·er [pə'lɑːvə] **I** *s.* **1.** Unter'handlung *f*, -'redung *f*, Konfe'renz *f*; **2.** F ‚Pa'laver' *n*, Geschwätz *n*; **3.** F ‚Wirbel' *m*; **II** *v/i.* **4.** unter'handeln; **5.** pa'lavern, ‚quasseln'; **III** *v/t.* **6.** F *j-n* beschwatzen; *j-m* schmeicheln.

pale¹ [peɪl] **I** *s.* **1.** Pfahl *m* (*a. her.*); **2.** *bsd. fig.* um'grenzter Raum, Bereich *m*, (enge) Grenzen *pl.*: ***beyond the*** ~ *fig.* jenseits der Grenzen des Erlaubten; ***within the*** ~ ***of the Church*** im Schoße der Kirche; **II** *v/t.* **3.** *a.* ~ ***in*** einpfählen, -zäunen; *fig.* um'schließen; **4.** *hist.* pfählen.

pale² [peɪl] **I** *adj.* □ **1.** blaß, bleich, fahl: ***turn*** ~ → 3; ~ ***with fright*** schreckensbleich; ***as*** ~ ***as ashes*** (***clay***, ***death***) aschfahl (kreidebleich, totenblaß); **2.** hell, blaß, matt (*Farben*): ~ ***ale*** helles Bier; ~ ***green*** Blaß-, Zartgrün; ~ ***pink*** (Blaß)Rosa; **II** *v/i.* **3.** blaß werden, erbleichen, erblassen; **4.** *fig.* verblassen (***before*** *od.* ***beside*** vor *dat.*); **III** *v/t.* **5.** bleich machen, erbleichen lassen.

'pale·face *s.* Bleichgesicht *n* (*Ggs. Indianer*).

pale·ness ['peɪlnɪs] *s.* Blässe *f*, Farblosigkeit *f* (*a. fig.*).

pa·le·og·ra·pher [ˌpælɪ'ɒgrəfə] *s.* Paläo'graph *m*; **ˌpa·le'og·ra·phy** [-fɪ] *s.* **1.** alte Schriftarten *pl.*, alte Schriftdenkmäler *pl.*; **2.** Paläogra'phie *f*, Handschriftenkunde *f*.

pa·le·o·lith·ic [ˌpælɪəʊ'lɪθɪk] **I** *adj.* paläo'lithisch, altsteinzeitlich; **II** *s.* Altsteinzeit *f*.

pa·le·on·tol·o·gist [ˌpælɪɒn'tɒlədʒɪst] *s.* Paläonto'loge *m*; **ˌpa·le·on'tol·o·gy** [-dʒɪ] *s.* Paläontolo'gie *f*.

pa·le·o·zo·ic [ˌpælɪəʊ'zəʊɪk] *geol.* **I** *adj.* paläo'zoisch: ~ ***era*** → II; **II** *s.* Paläo'zoikum *n*.

Pal·es·tin·i·an [ˌpæle'stɪnɪən] **I** *adj.* paläsᵗi'nensisch; **II** *s.* Palästi'nenser(in).

pal·e·tot ['pæltəʊ] *s.* **1.** 'Paletot *m*, 'Überzieher *m* (*für Herren*); **2.** loser (Damen)Mantel.

pal·ette ['pælət] *s. paint.* Pa'lette *f*, *fig. a.* Farbenskala *f*; ~ ***knife*** *s.* Streichmesser *n*, Spachtel *m*, *f*.

pal·frey ['pɔːlfrɪ] *s.* Zelter *m*.

pal·ing ['peɪlɪŋ] *s.* Um'pfählung *f*, Pfahl-, Lattenzaun *m*, Sta'ket *n*.

pal·in·gen·e·sis [ˌpælɪn'dʒenɪsɪs] *s. bsd. eccl.* 'Wiedergeburt *f*, *a. biol.* Palinge'nese *f*.

pal·i·sade [ˌpælɪseɪd] **I** *s.* **1.** Pali'sade *f*; Pfahlzaun *m*, Sta'ket *n*; **2.** Schanzpfahl *m*; **II** *v/t.* **3.** mit Pfählen *od.* mit e-r Palisade um'geben.

pall¹ [pɔːl] *s.* **1.** Bahr-, Leichentuch *n*; **2.** *fig.* Mantel *m*, Hülle *f*, Decke *f*; **3.** a) (Rauch)Wolke *f*, b) Dunstglocke *f*; **4.** *eccl.* → ***pallium*** 2; **5.** *her.* Gabel(kreuz *n*) *f*.

pall² [pɔːl] **I** *v/i.* **1.** (***on***, ***upon***) jeden Reiz verlieren (für), *j-n* kalt lassen *od.* langweilen; **2.** schal *od.* fade werden, s-n Reiz verlieren; **II** *v/t.* **3.** *a. fig.* über'sättigen.

pal·la·di·um [pə'leɪdjəm] [-djə] *s.* Pal'ladium *n*: a) *pl.* **-di·a** *fig.* Hort *m*, Schutz *m*, b) ⚗ *ein Element.*

'pallˌbear·er *s.* Sargträger *m*.

pal·let¹ ['pælɪt] *s.* (Stroh)Lager *n*, Strohsack *m*, Pritsche *f*.

pal·let² ['pælɪt] *s.* **1.** ⚙ Dreh-, Töpferscheibe *f*; **2.** *paint.* Pa'lette *f*; **3.** Trokkenbrett *n* (*für Keramik*, *Ziegel etc.*); **4.** ⚙ Pa'lette: ~ ***truck*** Gabelstapler *m*; **'pal·let·ize** [-lətaɪz] *v/t.* ⚙ palettieren.

pal·liasse ['pælɪæs] → ***paillasse***.

pal·li·ate ['pælɪeɪt] *v/t.* **1.** ⚕ lindern; **2.** *fig.* bemänteln, beschönigen; **pal·li·a·tion** [ˌpælɪ'eɪʃn] *s.* **1.** Linderung *f*; **2.** Bemäntelung *f*, Beschönigung *f*; **'pal·li·a·tive** [-ɪətɪv] **I** *adj.* **1.** ⚕ lindernd, pallia'tiv; **2.** *fig.* bemäntelnd, beschönigend; **II** *s.* **3.** ⚕ Linderungsmittel *n*; **4.** *fig.* Bemäntelung *f*.

pal·lid ['pælɪd] *adj.* □ *a. fig.* blaß, farblos; **'pal·lid·ness** [-nɪs] *s.* Blässe *f*.

pal·li·um ['pælɪəm] *pl.* **-li·a** [-lɪə], **-li·ums** *s.* **1.** *antiq.* 'Pallium *n*, Philo'sophenmantel *m*; **2.** *eccl.* a) Pallium *n* (*Schulterband des Erzbischofs*), b) Al'tartuch *n*; **3.** *anat.* (Ge)Hirnmantel *m*; **4.** *zo.* Mantel *m*.

pal·lor ['pælə] *s.* Blässe *f*.

pal·ly ['pælɪ] *adj.* F **1.** (eng) befreundet; **2.** kumpelhaft.

palm¹ [pɑːm] **I** *s.* **1.** Handfläche *f*, -teller *m*, hohle Hand: ***grease*** (*od.* ***oil***) ***s.o.'s*** ~ j-n ‚schmieren', bestechen; **2.** Hand(-breite) *f* (*als Maß*); **3.** Schaufel *f* (*Anker*, *Hirschgeweih*); **II** *v/t.* **4.** betasten, streicheln; **5.** a) palmieren (*wegzaubern*), b) *Am. sl.* ‚klauen', stehlen; **6.** ~ ***s.th. off on s.o.***, ~ ***s.o. off with s.th.*** j-m et. ‚aufhängen' *od.* ‚andrehen'; ~ ***o.s. off*** (***as***) sich ausgeben (als).

P

palm² [pɑːm] *s.* **1.** ⚘ Palme *f*; **2.** *fig.* Siegespalme *f*, Krone *f*, Sieg *m*: ***bear*** (*od.* ***win***) ***the ~*** den Sieg davontragen; → ***yield*** 4.

pal·mate [ˈpælmɪt] *adj.* **1.** ⚘ handförmig (gefingert *od.* geteilt); **2.** *zo.* schwimmfüßig.

palm grease *s.* F Schmiergeld *n*.

pal·mi·ped [ˈpælmɪped], **ˈpal·mi·pede** [-ɪpiːd] *zo.* **I** *adj.* schwimmfüßig; **II** *s.* Schwimmfüßer *m*.

palm·ist [ˈpɑːmɪst] *s.* Handleser(in); **ˈpalm·is·try** [-trɪ] *s.* Handlesekunst *f*, Chiromanˈtie *f*.

palm| oil *s.* **1.** Palmöl *n*; **2.** → ***palm grease***; **♀ Sun·day** *s.* Palmˈsonntag *m*; **~ tree** *s.* Palme *f*.

palm·y [ˈpɑːmɪ] *adj.* **1.** palmenreich; **2.** *fig.* glorreich, Glanz…, Blüte…

pa·loo·ka [pəˈluːkə] *s. Am. sl.* **1.** *bsd. sport* ,Niete' *f*, ,Flasche' *f*; **2.** ,Ochse' *m*; **3.** Lümmel *m*.

palp [pælp] *s. zo.* Taster *m*, Fühler *m*; **pal·pa·bil·i·ty** [ˌpælpəˈbɪlətɪ] *s.* **1.** Fühl-, Greif-, Tastbarkeit *f*; **2.** *fig.* Handgreiflichkeit *f*, Augenfälligkeit *f*; **ˈpal·pa·ble** [-pəbl] *adj.* ☐ **1.** fühl-, greif-, tastbar; **2.** *fig.* handgreiflich, augenfällig; **ˈpal·pa·ble·ness** [-pəblnɪs] → ***palpability***; **ˈpal·pate** [-peɪt] *v/t.* befühlen, abtasten (*a.* ⚕); **pal·pa·tion** [pælˈpeɪʃn] *s.* Abtasten *n* (*a.* ⚕).

pal·pe·bra [ˈpælpɪbrə] *s. anat.* Augenlid *n*: ***lower ~*** Unterlid *n*.

pal·pi·tant [ˈpælpɪtənt] *adj.* klopfend, pochend; **pal·pi·tate** [ˈpælpɪteɪt] *v/i.* **1.** klopfen, pochen (*Herz*); **2.** (er)zittern; **pal·pi·ta·tion** [ˌpælpɪˈteɪʃn] *s.* Klopfen *n*, (heftiges) Schlagen: **~** (***of the heart***) ⚕ Herzklopfen *n*.

pal·sied [ˈpɔːlzɪd] *adj.* **1.** gelähmt; **2.** zittrig, wacklig; **pal·sy** [ˈpɔːlzɪ] **I** *s.* **1.** ⚕ Lähmung *f*: ***shaking ~*** Schüttellähmung; ***wasting ~*** progressive Muskelatrophie; → ***writer*** 1; **2.** *fig.* Ohnmacht *f*, Lähmung *f*; **II** *v/t.* **3.** lähmen.

pal·ter [ˈpɔːltə] *v/i.* **1.** (***with***) gemein handeln (an *dat.*), sein Spiel treiben (mit); **2.** feilschen.

pal·tri·ness [ˈpɔːltrɪnɪs] *s.* Armseligkeit *f*, Schäbigkeit *f*; **pal·try** [ˈpɔːltrɪ] *adj.* ☐ **1.** armselig, karg: ***a ~ sum***; **2.** dürftig, fadenscheinig: ***a ~ excuse***; **3.** schäbig, schofel, gemein: ***a ~ fellow***; ***a ~ lie***; ***a ~ ten dollars*** lumpige zehn Dollar.

pam·pas [ˈpæmpəs] *s. pl.* Pampas *pl.* (*südamer. Grasebene*[*n*]).

pam·per [ˈpæmpə] *v/t.* verwöhnen, -hätscheln; *fig. Stolz etc.* nähren, ,hätscheln'; *e-m Gelüst* frönen.

pam·phlet [ˈpæmflɪt] *s.* **1.** Broˈschüre *f*, Druckschrift *f*, Heft *n*; **2.** Flugblatt *n*, -schrift *f*; **pam·phlet·eer** [ˌpæmfləˈtɪə] *s.* Verfasser(in) von Flugschriften.

pan¹ [pæn] **I** *s.* **1.** Pfanne *f*: ***frying ~*** Bratpfanne; **2.** ⚙ Pfanne *f*, Tiegel *m*, Becken *n*, Mulde *f*, Trog *m*; **3.** Schale *f* (*e-r Waage*); **4.** ⚔ *hist.* (Zünd)Pfanne *f*; → ***flash*** 2; **5.** *sl.* Viˈsage *f*, Gesicht *n*; **6.** F ,Verriß' *m*, vernichtende Kriˈtik; **II** *v/t.* **7.** *oft* ***~ out***, ***~ off*** *Gold*(*sand*) auswaschen; **8.** F ,verreißen', scharf kritisieren; **III** *v/i.* **9.** ***~ out*** *Am. sl.* sich bezahlt machen, ,klappen': ***~ out well*** a) *an Gold* ergiebig sein, b) *fig.* ,hinhauen', ,einschlagen'.

pan² [pæn] **I** *v/t. Filmkamera* schwenken, fahren; **II** *v/i.* a) panoramieren, die ˈFilmˌkamera fahren *od.* schwenken, b) (herˈum)schwenken (*Kamera*); **III** *s. Film*: Schwenk *m*.

pan- [pæn] *in Zssgn* all…, gesamt…; All…, Gesamt…, Pan…

pan·a·ce·a [ˌpænəˈsɪə] *s.* Allˈheil-, Wundermittel *n*; *fig. a.* Paˈtentreˌzept *n*.

pa·nache [pəˈnæʃ] *s.* **1.** Helm-, Federbusch *m*; **2.** *fig.* Großtueˈrei *f*.

Pan-A·mer·i·can [ˌpænəˈmerɪkən] *adj.* panameriˈkanisch.

ˈpan·cake I *s.* **1.** Pfann-, Eierkuchen *m*; **2.** Leder *n* geringerer Qualität (*aus Resten hergestellt*); **3.** *a.* ***~ landing*** ✈ Bumslandung *f*; **II** *v/i.* **4.** ✈ *bei Landung* ˈdurchsacken; **III** *v/t.* **5.** ✈ *Maschine* ˈdurchsacken lassen; **IV** *adj.* **6.** Pfannkuchen…: ***~ Day*** F Fastnachtsdienstag *m*; **7.** flach: ***~ coil*** ⚡ Flachspule.

pan·chro·mat·ic [ˌpænkrəʊˈmætɪk] *adj.* ♪, *phot.* panchroˈmatisch.

pan·cre·as [ˈpæŋkrɪəs] *s. anat.* Bauchspeicheldrüse *f*, Pankreas *n*; **pan·cre·at·ic** [ˌpæŋkrɪˈætɪk] *adj.* Bauchspeicheldrüsen…: ***~ juice*** Bauchspeichel *m*.

pan·da [ˈpændə] *s. zo.* Panda *m*, Katzenbär *m*; **~ car** *s. Brit.* (Funk-, Poliˈzei)Streifenwagen *m*; **~ cros·sing** *s. Brit.* ˈFußgängerˌüberweg *m* mit Druckampel.

pan·dem·ic [pænˈdemɪk] *adj.* ⚕ panˈdemisch, ganz allgemein verbreitet.

pan·de·mo·ni·um [ˌpændɪˈməʊnjəm] *s. fig.* **1.** Inˈferno *n*, Hölle *f*; **2.** Höllenlärm *m*.

pan·der [ˈpændə] **I** *s.* **1.** a) Kuppler(in), b) Zuhälter *m*; **2.** *fig.* j-d, der aus den Schwächen u. Lastern anderer Kapiˈtal schlägt; j-d, der e-m Laster Vorschub leistet; **II** *v/t.* **3.** verkuppeln; **III** *v/i.* **4.** kuppeln; **5.** (***to***) *e-m Laster etc.* Vorschub leisten: ***~ to s.o.'s ambition*** j-s Ehrgeiz anstacheln.

Pan·do·ra's box [pænˈdɔːrəz] *s. myth. u. fig.* die Büchse der Panˈdora.

pane [peɪn] *s.* **1.** (Fenster)Scheibe *f*; **2.** ⚙ Feld *n*, Fach *n*, Platte *f*, Tafel *f*, Füllung *f* (*Tür*), ⚠ Kasˈsette *f* (*Decke*): ***~ of glass*** e-e Tafel Glas; **3.** ebene Seitenfläche; Finne *f* (*Hammer*); Fa-

P

'cette *f* (*Edelstein*).

pan·e·gyr·ic [ˌpænɪ'dʒɪrɪk] **I** *s.* Lobrede *f*, -preisung *f*, -schrift *f*, Lobeshymne *f* (***on*** über *acc.*); **II** *adj.* → **pan·e'gyr·i·cal** [-kl] *adj.* □ lobpreisend, Lob(es) ...; ˌ**pan·e'gyr·ist** [-ɪst] *s.* Lobredner *m*; **pan·e·gy·rize** ['pænɪdʒɪraɪz] **I** *v/t.* (lob)preisen, ‚in den Himmel heben'; **II** *v/i.* sich in Lobeshymnen ergehen.

pan·el ['pænl] **I** *s.* **1.** ⚠ (vertieftes) Feld, Fach *n*, Füllung *f* (*Tür*), Täfelung *f* (*Wand*); **2.** Tafel *f* (*Holz*), Platte *f* (*Blech etc.*); **3.** *paint.* Holztafel *f*, Gemälde *n* auf Holz; **4.** *phot.* (Bild *n* im) 'Hochforˌmat *n*; **5.** Einsatz(streifen) *m am Kleid*; **6.** ✈ a) ⚔ 'Flieger-, Si'gnaltuch *n*, b) Stoffbahn *f* (*Fallschirm*), c) Streifen *m* der Bespannung (*am Flugzeugflügel*), Verkleidung(sblech *n*) *f* (*Flügelbauteil*); **7.** ⚡, ⚙ a) → ***instrument*** 6, b) Schalttafel(feld *n*) *f*, c) *Radio etc.*: Feld *n*, Einschub *m*, d) → ***panel board*** 2; **8.** (Bau)Abteilung *f*, Abschnitt *m*; **9.** ⚒ (Abbau)Feld *n*; **10.** ⚖ a) Liste *f* der Geschworenen, b) Geschworene *pl.*; **11.** ('Unter)Ausschuß *m*, Kommissi'on *f*, Gremium *n*, Kammer *f*; **12.** a) → ***panel discussion***, b) Diskussi'onsteilnehmer *pl.*; **13.** *Meinungsforschung*: Befragtengruppe *f*; **II** *v/t.* **14.** täfeln, paneelieren, in Felder einteilen; **15.** *Kleid* mit Einsatzstreifen verzieren.

pan·el| board *s.* **1.** ⚙ Füllbrett *n*, (Wand-, Par'kett)Tafel *f*; **2.** ⚡ Schaltbrett *n*, -tafel *f*; ~ **dis·cus·sion** *s.* Podiumsgespräch *n*, öffentliche Diskussi'on; ~ **game** *s.* *TV etc.*: Ratespiel *n*, 'Quiz(proˌgramm) *n*; ~ **heat·ing** *s.* Flächenheizung *f*.

pan·el·ist ['pænlɪst] *s.* **1.** Diskussi'onsteilnehmer(in); **2.** *TV etc.* Teilnehmer (-in) an e-m 'Quizproˌgramm.

pan·el·(l)ing ['pænlɪŋ] *s.* Täfelung *f*, Verkleidung *f*.

pan·el| sys·tem *s.* 'Listensyˌstem *n* (*für die Auswahl von Abgeordneten etc.*); ~ **saw** *s.* Laubsäge *f*; ~ **truck** *s.* *Am.* (kleiner) Lieferwagen; '**~·work** *s.* Tafel-, Fachwerk *n*.

pang [pæŋ] *s.* **1.** plötzlicher Schmerz, Stechen *n*, Stich *m*: ***death ~s*** Todesqualen; ***~s of hunger*** nagender Hunger; ***~s of love*** Liebesschmerz *m*; **2.** *fig.* aufschießende Angst, plötzlicher Schmerz, Qual *f*, Weh *n*, Pein *f*: ***~s of remorse*** heftige Gewissensbisse.

ˌ**Pan-'Ger·man** **I** *adj.* 'pangerˌmanisch, all-, großdeutsch; **II** *s.* 'Pangermaˌnist *m*, Alldeutsche(r) *m*.

pan·han·dle ['pænˌhændl] **I** *s.* **1.** Pfannenstiel *m*; **2.** *Am.* schmaler Fortsatz (*bes. e-s Staatsgebiets*); **II** *v/t. u. v/i.* **3.** *Am. sl. j-n* (an)betteln, *et.* ‚schnorren', erbetteln (*a. fig.*); '**panˌhan·dler** [-lə] *s. Am. sl.* Bettler *m*, ‚Schnorrer' *m*.

pan·ic¹ ['pænɪk] *s.* ⚘ (Kolben)Hirse *f*.

pan·ic² ['pænɪk] **I** *adj.* **1.** panisch: ~ ***fear***; ~ ***haste*** blinde Hast; ~ ***braking*** *mot.* scharfes Bremsen; ~ ***buying*** Angstkäufe; ***push the ~ button*** *fig.* F panisch reagieren; ***be at ~ stations*** F fast ‚'durchdrehen'; **II** *s.* **2.** Panik *f*, panischer Schrecken; **3.** ✝ Börsenpanik *f*, Kurssturz *m*: ***~-proof*** krisenfest; **4.** *Am. sl.* etwas zum Totlachen; **III** *v/t. pret. u. p.p.* '**pan·icked** [-kt] **5.** in Panik versetzen; **6.** in Panik geraten, *Am. sl. Publikum* hinreißen; **IV** *v/i.* **7.** von panischem Schrecken erfaßt werden: ***don't ~!*** nur die Ruhe!; **8.** sich zu e-r Kurzschlußhandlung hinreißen lassen, ‚'durchdrehen'; '**pan·ick·y** [-kɪ] *adj.* F **1.** 'überängstlich, -nerˌvös; **2.** in Panik.

pan·i·cle ['pænɪkl] *s.* ⚘ Rispe *f*.

'**pan·ic|ˌmon·ger** *s.* Bange-, Panikmacher(in); ~ **re·ac·tion** *s.* Kurzschlußhandlung *f*; '**~-ˌstrick·en**, '**~-struck** *adj.* von panischem Schrecken gepackt.

pan·jan·drum [pən'dʒændrəm] *s.* *humor.* Wichtigtuer *m*.

pan·nier ['pænɪə] *s.* **1.** (Trag)Korb *m*: ***a pair of ~s*** e-e Doppelpacktasche (*Fahr-, Motorrad*); **2.** a) Reifrock *m*, b) Reifrockgestell *n*.

pan·ni·kin ['pænɪkɪn] *s.* **1.** Pfännchen *n*; **2.** kleines Trinkgefäß.

pan·ning ['pænɪŋ] *s.* *Film*: Panoramierung *f*, (Kamera)Schwenkung *f*: ~ ***shot*** Schwenk *m*.

pan·o·plied ['pænəplɪd] *adj.* **1.** vollständig gerüstet (*a. fig.*); **2.** prächtig geschmückt; **pan·o·ply** ['pænəplɪ] *s.* **1.** vollständige Rüstung; **2.** *fig.* prächtige Um'rahmung *od.* Aufmachung, Schmuck *m*.

pan·o·ra·ma [ˌpænə'rɑːmə] *s.* **1.** Pano'rama *n* (*a. paint.*), Rundblick *m*; **2.** a) *Film*: Schwenk *m*, b) *phot.* Rundbildaufnahme *f*: ~ ***lens*** Weitwinkelobjektiv *n*; **3.** *fig.* vollständiger 'Überblick (***of*** über *acc.*); ˌ**pan·o'ram·ic** [-'ræmɪk] *adj.* (□ ***~ally***) pano'ramisch, Rundblick...: ~ ***camera*** Panoramenkamera; ~ ***sketch*** Ansichtsskizze; ~ ***windshield*** *mot. Am.* Rundsichtverglasung.

pan shot *s.* (Kamera)Schwenk *m*.

pan·sy ['pænzɪ] *s.* **1.** ⚘ Stiefmütterchen *n*; **2.** *a.* ~ ***boy*** F a) ‚Bubi' *m*, b) ‚Homo' *m*, ‚Schwule(r)' *m*.

pant [pænt] **I** *v/i.* **1.** keuchen, japsen, schnaufen: ~ ***for breath*** nach Luft schnappen; **2.** *fig.* lechzen, dürsten, gieren (***for*** *od.* ***after*** nach); **II** *v/t.* **3.** ~ ***out*** *Worte* (her'vor)keuchen.

pan·ta·loon [ˌpæntə'luːn] *s.* **1.** *thea.* Hans'wurst *m*; **2.** *pl. hist.* Panta'lons *pl.* (*Herrenhose*).

pan·tech·ni·con [pæn'teknɪkən] *s. Brit.* **1.** Möbellager *n*; **2.** *a.* ~ ***van*** Möbelwa-

P

gen *m*.
pan·the·ism ['pænθi:ɪzəm] *s. phls.* Pantheˈismus *m*; **ˈpan·the·ist** [-ɪst] *s.* Pantheˈist(in); **pan·the·is·tic** [ˌpænθi:ˈɪstɪk] *adj.* pantheˈistisch.
pan·the·on ['pænθɪən] *s.* Pantheon *n*, Ehrentempel *m*, Ruhmeshalle *f*.
pan·ther ['pænθə] *s. zo.* Panther *m*.
pan·ties ['pæntɪz] *s. pl.* F **1.** Kinderhöschen *n od. pl.*; **2.** (Damen)Slip *m*.
pan·ti·hose ['pæntɪhəʊz] *s.* Strumpfhose *f*.
pan·tile ['pæntaɪl] *s.* Dachziegel *m*, -pfanne *f*, Hohlziegel *m*.
pan·to·graph ['pæntəʊgrɑ:f] *s.* **1.** ⚡ Scherenstromabnehmer *m*; **2.** ⚙ Storchschnabel *m*.
pan·to·mime ['pæntəmaɪm] **I** *s.* **1.** *thea.* Pantoˈmime *f*; **2.** *Brit.* (Laien)Spiel *n*, englisches Weihnachtsspiel; **3.** Mienen-, Gebärdenspiel *n*; **II** *v/t.* **4.** pantoˈmimisch darstellen, mimen; **pan·to·mim·ic** [ˌpæntəˈmɪmɪk] *adj.* (□ ***~ally***) pantoˈmimisch.
pan·try ['pæntrɪ] *s.* Vorratskammer *f*, Speiseschrank *m*: ***butlers ~*** Anrichteraum *m*.
pants [pænts] *s. pl.* **1.** lange (Herren-) Hose; → ***wear***[1] 1; **2.** *Brit.* Herrenunterhose *f*.
ˈpant| skirt [pænt] *s.* Hosenrock *m*; **pant(s) suit** *s. Am.* Hosenanzug *m*.
pant·y ['pæntɪ] → ***panties***; **~ gir·dle** *s.* Miederhös-chen *n*; **~ hose** *s.* Strumpfhose *f*; **ˈ~·waist** *Am. s.* **1.** Hemdhöschen *n*; **2.** *sl.* Schwächling *m*.
pap [pæp] *s.* **1.** (Kinder)Brei *m*, Papp *m*; **2.** *fig. Am.* F Protektiˈon *f*.
pa·pa [pəˈpɑ:] *s.* Paˈpa *m*.
pa·pa·cy ['peɪpəsɪ] *s.* **1.** päpstliches Amt; **2.** ♀ Papsttum *n*; **3.** Pontifiˈkat *n*; **ˈpa·pal** [-pl] *adj.* □ **1.** päpstlich; **2.** ˈrömisch-kaˈtholisch; **ˈpa·pal·ism** [-əlɪzəm] *s.* Papsttum *n*; **ˈpa·pal·ist** [-əlɪst] *s.* Paˈpist(in).
pa·per ['peɪpə] **I** *s.* **1.** ⚙ a) Paˈpier *n*, b) Pappe *f*, c) Taˈpete *f*; **2.** Blatt *n* Papier; **3.** Papier *n als Schreibmaterial*: ***~ does not blush*** Papier ist geduldig; ***on ~*** *fig.* auf dem Papier, theoretisch; → ***commit*** 1; **4.** Dokuˈment *n*, Schriftstück *n*; **5.** ✝ a) (ˈWert)Paˌpier *n*, b) Wechsel *m*, c) Paˈpiergeld *n*: ***best ~*** erstklassiger Wechsel; ***convertible ~*** (*in Gold*) einlösbares Papiergeld; ***~ currency*** Papierwährung *f*; **6.** *pl.* a) ˈAusweis- *od.* Beˈglaubigungspaˌpiere *pl.*, Dokuˈmente *pl.*: ***send in one's ~s*** den Abschied nehmen, b) Akten *pl.*, Schriftstücke *pl.*: ***~s on appeal*** ⚖ Berufungsakten; ***move for ~s*** *bsd. parl.* die Vorlage der Unterlagen *e-s Falles* beantragen; **7.** Prüfungsarbeit *f*; **8.** Aufsatz *m*, Abhandlung *f*, Vortrag *m*, -lesung *f*, Refeˈrat *n*: ***read a ~*** e-n Vortrag halten, referieren (***on*** über *acc.*); **9.** Zeitung *f*, Blatt *n*; **10.** Brief *m*, Heft *n mit Nadeln etc.*; **11.** *thea. sl.* a) Freikarte *f*, b) Besucher *m* mit Freikarte; **II** *adj.* **12.** paˈpieren, Papier..., Papp...; **13.** *fig.* (hauch)dünn, schwach; **14.** nur auf dem Paˈpier vorhanden: ***~ team***; **III** *v/t.* **15.** in Papier einwickeln; mit Papier ausschlagen: ***~ over*** überkleben, *fig.* (notdürftig) übertünchen; **16.** tapezieren; **17.** mit ˈSandpaˌpier polieren; **18.** *thea. sl. Haus* mit Freikarten füllen; **ˈ~·back** *s.* Paperback *n*, Taschenbuch *n*; **~ bag** *s.* Tüte *f*; **ˈ~·board** *s.* Pappdeckel *m*, Pappe...; **~ chase** *s.* Schnitzeljagd *f*; **~ clip** *s.* Büˈro-, Heftklammer *f*; **~ cup** *s.* Pappbecher *m*; **~ cutter** *s.* **1.** Paˈpierˌschneidemaˌschine *f*; **2.** → ***paper knife***; **~ ex·er·cise** *s.* ⚔ Planspiel *n*; **~ fas·ten·er** *s.* Heftklammer *f*; **~ feed** *s.* Papiereinzug *m*; **ˈ~ˌhang·er** *s.* Tapezierer *m*; **~ jam** *s.* Papierstau *m*; **~ knife** *s.* Paˈpiermesser *n*, Brieföffner *m*; **~ mill** *s.* Paˈpierfaˌbrik *f*, -mühle *f*; **~ mon·ey** *s.* Paˈpiergeld *n*; **~ plate** *s.* Pappteller *m*; **~ profit** *s.* ✝ rechnerischer Gewinn; **~ stainer** *s.* Taˈpetenmaler *m*, -macher *m*; **~ tape** *s. Computer*: Lochstreifen *m*; **ˈ~·thin** *adj.* hauchdünn (*a. fig.*); **~ tiger** *s. fig.* Paˈpiertiger *m*; **~ war(·fare)** *s.* **1.** Pressekrieg *m*, -fehde *f*, Federkrieg *m*; **2.** Paˈpierkrieg *m*; **ˈ~-weight** *s.* **1.** Briefbeschwerer *m*; **2.** *sport* Paˈpiergewicht(ler *m*) *n*; **ˈ~-work** *s.* Schreib-, Büˈroarbeit *f*.
pa·per·y ['peɪpərɪ] *adj.* paˈpierähnlich; (paˈpier)dünn.
pa·pier-mâ·ché [ˌpæpjeɪˈmæʃeɪ] *s.* Paˈpiermaˌché, ˈPappmaˌché *n*.
pa·pil·i·o·na·ceous [pəˌpɪlɪəʊˈneɪʃəs] *adj.* ⚘ schmetterlingsblütig.
pa·pil·la [pəˈpɪlə] *pl.* **-pil·lae** [-li:] *s. anat.* Paˈpille *f* (*a.* ⚘), Warze *f*; **papˈil·lar·y** [-ərɪ] *adj.* **1.** warzenartig, papilˈlär; **2.** mit Paˈpillen versehen.
pa·pist ['peɪpɪst] *s. contp.* Paˈpist *m*; **pa·pis·tic** *adj.*; **pa·pis·ti·cal** [pəˈpɪstɪk(l)] *adj.* □ **1.** päpstlich; **2.** *contp.* paˈpistisch; **ˈpa·pist·ry** [-rɪ] *s.* Paˈpismus *m*, Papisteˈrei *f*.
pa·poose [pəˈpu:s] *s.* **1.** Indiˈanerbaby *n*; **2.** *Am. humor.* ‚Balg' *m*.
pap·pus ['pæpəs] *pl.* **-pi** [-aɪ] *s.* **1.** ⚘ a) Haarkrone *f*, b) Federkelch *m*; **2.** Flaum *m*.
pap·py ['pæpɪ] *adj.* breiig, pappig.
Pap| test, **~ smear** [pæp] *s.* ⚕ Abstrich *m*.
pa·py·rus [pəˈpaɪərəs] *pl.* **-ri** [-raɪ] *s.* **1.** ⚘ Paˈpyrus(staude *f*) *m*; **2.** *antiq.* Paˈpyrus(rolle *f*, -text) *m*.
par [pɑ:] **I** *s.* **1.** ✝ Nennwert *m*, Pari *n*: ***issue ~*** Emissionskurs *m*; ***nominal*** (*od.* ***face***) ***~*** Nennbetrag *m* (*Aktie*),

Nominalwert *m*; ~ ***of exchange*** Wechselpari(tät *f*) *n*, Parikurs *m*; ***at*** ~ zum Nennwert, al pari; ***above*** (***below***) ~ über (unter) Pari; **2.** *fig.* ***above*** ~ in bester Form; ***up to*** (***below***) ~ F (nicht) auf der Höhe; ***be on a*** ~ (***with***) ebenbürtig *od.* gewachsen sein (*dat.*), entsprechen (*dat.*); ***put on a*** ~ ***with*** gleichstellen (*dat.*); ***on a*** ~ *Brit.* im Durchschnitt; **3.** *Golf*: Par *n*, festgesetzte Schlagzahl; **II** *adj.* **4.** ✝ pari: ~ ***clearance*** *Am.* Clearing *n* zum Pariwert; ~ ***value*** Pari-, Nennwert *m*.

para- [pærə] *in Zssgn* **1.** neben, über ... hin'aus; **2.** ähnlich; **3.** falsch; **4.** ⚗ neben, ähnlich; Verwandtschaft bezeichnend; **5.** ⚕ a) fehlerhaft, ab'norm, b) ergänzend, c) um'gebend; **6.** Schutz...; **7.** Fallschirm...

pa·ra ['pærə] *s.* F **1.** ⚔ Fallschirmjäger *m*; **2.** *typ.* Absatz *m*.

par·a·ble ['pærəbl] *s.* Pa'rabel *f*, Gleichnis *n* (*a. bibl.*).

pa·rab·o·la [pə'ræbələ] *s.* ⩓ Pa'rabel *f*: ~ ***compasses*** Parabelzirkel *m*.

par·a·bol·ic [ˌpærə'bɒlɪk] *adj.* **1.** → ***parabolical***; **2.** ⩓ para'bolisch, Parabel...: ~ ***mirror*** Parabolspiegel *m*; ˌ**par·a'bol·i·cal** [-kl] *adj.* □ para'bolisch, gleichnishaft; **pa·rab·o·loid** [pə'ræbələɪd] *s.* ⩓ Parabolo'id *n*.

'**par·a·brake** *v/t.* ✈ durch Bremsfallschirm abbremsen.

par·a·chute ['pærəʃu:t] **I** *s.* **1.** ✈ Fallschirm *m*: ~ ***jumper*** Fallschirmspringer *m*; **2.** ⚘ Schirmflieger *m*; **3.** ⚙ Sicherheits-, Fangvorrichtung *f*; **II** *v/t.* **4.** (mit dem Fallschirm) absetzen, -werfen; **III** *v/i.* **5.** mit dem Fallschirm abspringen; **6.** (wie) mit e-m Fallschirm schweben; ~ **flare** *s.* ⚔ Leuchtfallschirm *m*; ~ **troops** *s. pl.* ⚔ Fallschirmtruppen *pl.*

par·a·chut·ist ['pærəʃu:tɪst] *s.* ✈ **1.** Fallschirmspringer(in); **2.** ⚔ Fallschirmjäger *m*.

pa·rade [pə'reɪd] **I** *s.* **1.** Pa'rade *f*, Vorführung *f*, Zur'schaustellen *n*; ***make a*** ~ ***of*** → 7; **2.** ⚔ a) Pa'rade *f* (*Truppenschau u. Vorbeimarsch*): ***be on*** ~ e-e Parade abhalten, b) Ap'pell *m*: ~ ***rest!*** Rührt Euch!, c) *a.* ~ ***ground*** Pa'rade-, Exerzierplatz *m*; **3.** ('Um)Zug *m*, (Auf-, Vor'bei)Marsch *m*; **4.** *bsd. Brit.* Prome'nade *f*; **5.** *fenc.* Pa'rade *f*; **II** *v/t.* **6.** zur Schau stellen, vorführen; **7.** zur Schau tragen, protzen mit; **8.** ⚔ auf-, vor'beimarschieren lassen; **9.** *Straße* entlangstolzieren; **III** *v/i.* **10.** ⚔ paradieren, (vor'bei)marschieren; **11.** e-n Umzug veranstalten, durch die Straßen ziehen; **12.** sich zur Schau stellen, stolzieren.

par·a·digm ['pærədaɪm] *s. ling.* Para'digma *n*, (Muster)Beispiel *n*; **par·a·dig·mat·ic** [ˌpærədɪg'mætɪk] *adj.* (□ ~***ally***) paradig'matisch.

par·a·dise ['pærədaɪs] *s.* (*bibl.* 2) Para'dies *n* (*a. fig.*): ***bird of*** ~ Paradiesvogel *m*; → ***fool's paradise***; **par·a·dis·i·ac** [ˌpærə'dɪsɪæk], **par·a·di·si·a·cal** [ˌpærədɪ'saɪəkl] *adj.* para'diesisch.

par·a·dox ['pærədɒks] *s.* Pa'radoxon *n*, Para'dox *n*; **par·a·dox·i·cal** [ˌpærə'dɒksɪkl] *adj.* □ para'dox.

'**par·a·drop** *v/t.* ✈ mit dem Fallschirm abwerfen *od.* absetzen.

par·af·fin ['pærəfɪn], **par·af·fine** ['pærəfi:n] **I** *s.* Paraf'fin *n*: ***liquid*** ~, *Brit.* ~ (***oil***) Paraffinöl *n*; ***solid*** ~ Erdwachs *n*; ~ ***wax*** Paraffin (*für Kerzen*); **II** *v/t.* ⚙ paraffinieren.

par·a·glid·er ['pærəˌglaɪdə] *s. sport* Gleitschirm *m*.

par·a·gon ['pærəgən] *s.* **1.** Muster *n*, Vorbild *n*: ~ ***of virtue*** Muster *od. iro.* Ausbund *m* an Tugend; **2.** *typ.* Text *f* (*Schriftgrad*).

par·a·graph ['pærəgrɑ:f] *s.* **1.** *typ.* a) Absatz *m*, Abschnitt *m*, Para'graph *m*, b) Para'graphzeichen *n*; **2.** kurzer ('Zeitungs)Arˌtikel; '**par·a·graph·er** [-fə] *s.* **1.** Verfasser *m* kleiner Zeitungsartikel; **2.** 'Leitarˌtikler *m* (*e-r Zeitung*).

Par·a·guay·an [ˌpærə'gwaɪən] **I** *adj.* para'guayisch; **II** *s.* Para'guayer(in).

par·a·keet ['pærəki:t] *s. orn.* Sittich *m*: ***Australian grass*** ~ Wellensittich.

par·al·de·hyde [pə'rældɪhaɪd] *s.* ⚗ Paralde'hyd *n*.

par·al·lac·tic [ˌpærə'læktɪk] *adj. ast., phys.* paral'laktisch: ~ ***motion*** parallaktische Verschiebung; **par·al·lax** ['pærəlæks] *s.* Paral'laxe *f*.

par·al·lel ['pærəlel] **I** *adj.* **1.** (***with***, ***to***) paral'lel (zu, mit), gleichlaufend (mit): ~ ***bars*** *Turnen*: Barren *m*; ~ ***connection*** ⚡ Parallelschaltung *f*; ***run*** ~ ***to*** parallel verlaufen zu; **2.** *fig.* paral'lel, gleich(gerichtet, -laufend), entsprechend: ~ ***case*** Parallelfall *m*; ~ ***passage*** Parallele *f in e-m Text*; **II** *s.* **3.** ⩓ *u. fig.* Paral'lele *f* (***to*** zu): ***in*** ~ ***with*** parallel zu; ***draw a*** ~ ***between*** *fig.* e-e Parallele ziehen zwischen (*dat.*), (miteinander) vergleichen; **4.** ⩓ Paralleli'tät *f* (*a. fig. Gleichheit*); **5.** *geogr.* Breitenkreis *m*; **6.** ⚡ Paral'lelschaltung *f*: ***connect*** (*od.* ***join***) ***in*** ~ parallelschalten; **7.** Gegenstück *n*, Entsprechung *f*: ***have no*** ~ nicht seinesgleichen haben; ***without*** ~ ohnegleichen; **III** *v/t.* **8.** (***with***, ***to***) anpassen, -gleichen (*dat.*); **9.** gleichkommen (*dat.*); **10.** et. Gleiches *od.* Entsprechendes finden zu; **11.** *bsd. Am.* F parallel laufen zu; '**par·al·lel·ism** [-lɪzəm] *s.* ⩓ Paralle'lismus *m* (*a. ling., phls., fig.*), Paralleli'tät *f*; **par·al·lel·o·gram** [ˌpærə'leləʊgræm] *s.* ⩓ Parallelo'gramm *n*: ~ ***of forces*** *phys.* Kräfteparallelogramm *n*.

P

pa·ral·o·gism [pəˈrælədʒɪzəm] *s. phls.* Paraloˈgismus *m*, Trugschluß *m*.
par·a·ly·sa·tion [ˌpærəlaɪˈzeɪʃn] *s.* **1.** ⚕ Lähmung *f* (*a. fig.*); **2.** *fig.* Lahmlegung *f*; **par·a·lyse** [ˈpærəlaɪz] *v/t.* **1.** ⚕ paralysieren, lähmen (*a. fig.*); **2.** *fig.* lahmlegen, lähmen, zum Erliegen bringen; **pa·ral·y·sis** [pəˈrælɪsɪs] *pl.* **-ses** [-siːz] *s.* **1.** ⚕ Paraˈlyse *f*, Lähmung *f*; **2.** *fig.* a) Lähmung *f*, Lahmlegung *f*, b) Daˈniederliegen *n*, c) Ohnmacht *f*; **par·a·lyt·ic** [ˌpærəˈlɪtɪk] **I** *adj.* (□ **~ally**) ⚕ paraˈlytisch: a) Lähmungs…, b) gelähmt (*a. fig.*), c) F volltrunken; **II** *s.* ⚕ Paraˈlytiker(in).
par·a·lyze *bsd. Am.* → ***paralyse***.
par·a·med·ic [ˌpærəˈmedɪk] *s. Am.* **1.** ärztlicher Assiˈstent, *a.* Saniˈtäter *m*; **2.** Arzt, der sich in abgelegenen Gegenden mit dem Fallschirm absetzen läßt.
pa·ram·e·ter [pəˈræmɪtə] *s.* ⩚ **1.** Paˈrameter *m*; **2.** Nebenveränderliche *f*.
ˌ**par·aˈmil·i·tar·y** *adj.* ˈparamiliˌtärisch.
par·a·mount [ˈpærəmaʊnt] **I** *adj.* □ **1.** höher stehend (***to*** als), oberst, höchst; **2.** *fig.* an der Spitze stehend, größt, überˈragend, ausschlaggebend: ***of ~ importance*** von (aller)größter Bedeutung.
par·a·mour [ˈpærəˌmʊə] *s.* Geliebte(r *m*) *f*, Buhle *m*, *f*.
par·a·noi·a [ˌpærəˈnɔɪə] *s.* ⚕ Paraˈnoia *f*; ˌ**par·aˈnoi·ac** [-ɪæk] **I** *adj.* paraˈnoisch; **II** *s.* Paraˈnoiker(in); **par·a·noid** [ˈpærənɔɪd] *adj.* paranoˈid.
par·a·pet [ˈpærəpɪt] *s.* **1.** ⚔ Wall *m*, Brustwehr *f*; **2.** ⚠ (Brücken)Geländer *n*, (Balˈkon-, Fenster)Brüstung *f*.
par·aph [ˈpærəf] *s.* Paˈraphe *f*, (ˈUnterschrifts)Schnörkel *m*.
par·a·pher·na·li·a [ˌpærəfəˈneɪljə] *s. pl.* **1.** Zubehör *n*, *m*, Utenˈsilien *pl.*, ‚Drum u. ˈDran' *n*; **2.** ⚖ Parapherˈnalgut *n der Ehefrau*.
par·a·phrase [ˈpærəfreɪz] **I** *s.* Paraˈphrase *f* (*a.* ♪), Umˈschreibung *f*; freie ˈWiedergabe, Interpretatiˈon *f*; **II** *v/t. u. v/i.* paraphrasieren (*a.* ♪), interpretieren, *e-n Text* frei ˈwiedergeben; umˈschreiben.
par·a·ple·gi·a [ˌpærəˈpliːdʒə] *s.* Parapleˈgie *f*, doppelseitige Lähmung; ˌ**paraˈpleg·ic** [-dʒɪk] *adj.* paraˈplegisch.
ˌ**par·a·psyˈchol·o·gy** [ˌpærəsaɪˈkɒlədʒɪ] *s.* ˈParapsycholoˌgie *f*.
par·a·scend·ing [ˌpærəˈsendɪŋ] *s.* Fallschirmsport *m*, -springen *n*.
par·a·sit·al [ˌpærəˈsaɪtl] *adj.* paraˈsitisch (*a. fig.*); **par·a·site** [ˈpærəsaɪt] **I** *s.* **1.** *biol. u. fig.* Schmaˈrotzer *m*, Paraˈsit *m*; **2.** *ling.* paraˈsitischer Laut; **II** *adj.* **3.** → ***parasitic*** 4; ˌ**par·aˈsit·ic**, ˌ**par·aˈsit·ic·al** [-ˈsɪtɪk(l)] *adj.* □ **1.** *biol.* paraˈsitisch (*a. ling.*), schmaˈrotzend; **2.** ⚕ paraˈsitisch, parasiˈtär; **3.** *fig.* schmaˈrotzerhaft, paraˈsitisch; **4.** ⚙, ⚡ (*nur* ***parasitic***) störend, parasiˈtär: **~ *current*** Fremdstrom *m*; **par·a·sit·ism** [ˈpærəsaɪtɪzəm] *s.* Parasiˈtismus *m* (*a.* ⚕), Schmaˈrotzertum *n*.
par·a·sol [ˈpærəsɒl] *s.* (Damen)Sonnenschirm *m*, *obs.* Paraˈsol *m*, *n*.
par·a·suit [ˈpærəsuːt] *s.* ✈ ˈFallschirmkombinatiˌon *f*.
par·a·thy·roid (**gland**) [ˌpærəˈθaɪrɔɪd] *s. anat.* Nebenschilddrüse *f*.
ˈ**par·aˌtroop·er** *s.* ⚔ Fallschirmjäger *m*; ˈ**par·a·troops** *s. pl.* ⚔ Fallschirmtruppen *pl.*
par·a·ty·phoid (**fe·ver**) [ˌpærəˈtaɪfɔɪd] *s.* ⚕ Paratyphus *m*.
par·a·vane [ˈpærəveɪn] *s.* ⚓ Minenabweiser *m*, Ottergerät *n*.
par·boil [ˈpɑːbɔɪl] *v/t.* **1.** halbgar kochen, ankochen; **2.** *fig.* überˈhitzen.
par·cel [ˈpɑːsl] **I** *s.* **1.** Paˈket *n*, Päckchen *n*; Bündel *n*; *pl.* Stückgüter *pl.*: **~ *of shares*** Aktienpaket; ***do up in ~s*** einpacken; **2.** ✝ Posten *m*, Parˈtie *f*, Los *n* (*Ware*): ***in ~s*** in kleinen Posten, stück-, packweise; **3.** *contp.* Haufe(n) *m*; **4.** *a.* **~ *of land*** Parˈzelle *f*; **II** *v/t.* **5.** *mst* **~ *out*** auf-, aus-, abteilen, *Land* parzellieren; **6.** *a.* **~ *up*** einpacken, (ver)packen; **~ *of·fice*** *s.* Gepäckabfertigung(sstelle) *f*; **~ *post*** *s.* Paˈketpost *f*.
par·ce·nar·y [ˈpɑːsɪnərɪ] *s.* ⚖ Mitbesitz *m* (*durch Erbschaft*); ˈ**par·ce·ner** [-nə] *s.* Miterbe *m*.
parch [pɑːtʃ] **I** *v/t.* **1.** rösten, dörren; **2.** ausdörren, -trocknen, (ver)sengen: ***be ~ed*** (***with thirst***), ‚am Verdursten' sein; **II** *v/i.* **3.** ausdörren, -trocknen, rösten, schmoren; ˈ**parch·ing** [-tʃɪŋ] *adj.* **1.** brennend (*Durst*); **2.** sengend (*Hitze*); ˈ**parch·ment** [-mənt] *s.* **1.** Pergaˈment *n*; **2.** *a.* ***vegetable*** **~** Pergaˈmentpaˌpier *n*; **3.** Perˈgament(urkunde *f*) *n*, Urkunde *f*.
pard [pɑːd], ˈ**pard·ner** [-dnə] *s. bsd. Am.* F Partner *m*, ‚Kumpel' *m*.
par·don [ˈpɑːdn] **I** *v/t.* **1.** *j-m od. e-e Sache* verzeihen, *j-n od. et.* entschuldigen: **~ *me!*** Verzeihung!, entschuldigen Sie!, verzeihen Sie!; **~ *me for interrupting you!*** entschuldigen Sie, wenn ich Sie unterbreche!; **2.** *Schuld* vergeben; **3.** *j-m* das Leben schenken, *j-m* die Strafe erlassen, *j-n* begnadigen; **II** *s.* **4.** Verzeihung *f*: ***a thousand ~s*** ich bitte Sie tausendmal um Entschuldigung; ***beg*** (*od.* ***ask***) ***s.o.'s*** **~** j-n um Verzeihung bitten; (***I***) ***beg your*** **~** a) entschuldigen Sie bitte!, Verzeihung!, b) F *a.* **~?** wie sagten Sie (doch eben)?, wie bitte?, c) *empört*: erlauben Sie mal!; **5.** Vergebung *f*; *R.C.* Ablaß *m*; ⚖ Begnadigung *f*, Straferlaß *m*: ***general*** **~** (allgemeine) Amnestie; **6.** Parˈdon *m*, Gnade *f*; ˈ**par·don·a·ble** [-nəbl] *adj.*

P

☐ verzeihlich (*Fehler*), läßlich (*Sünde*); **'par·don·er** [-nə] *s. eccl. hist.* Ablaßkrämer *m.*

pare [peə] *v/t. Äpfel etc.* schälen; *Fingernägel etc.* (be)schneiden: **~ *down*** *fig.* beschneiden, einschränken; **~ *off*** (ab-)schälen (*a.* ⚙); → ***claw*** 1 b.

par·e·gor·ic [ˌpærə'gɒrɪk] *adj. u. s.* ⚕ schmerzstillend(es Mittel).

par·en·ceph·a·lon [ˌpæren'sefəlɒn] *s. anat.* Kleinhirn *n.*

pa·ren·chy·ma [pə'reŋkɪmə] *s.* **1.** Paren'chym *n* (*biol.*, ⚘ *Grund-*, *anat. Organgewebe*); **2.** ⚕ Tumorgewebe *n.*

par·ent ['peərənt] **I** *s.* **1.** *pl.* Eltern *pl.*: **~*-teacher association*** *ped.* (*amer.*, *a. brit.*) Eltern-Lehrer-Ausschuß *m*; **~*-teacher meeting*** Elternabend *m*; **2.** *a.* ⚖ Elternteil *m*; **3.** Vorfahr *m*; **4.** *biol.* Elter *m*; **5.** *fig.* Ursache *f*: ***the ~ of vice*** aller Laster Anfang; **6.** ⚚ F ‚Mutter' *f* (*Muttergesellschaft*); **II** *adj.* **7.** *biol.* Stamm…, Mutter…: **~ *cell*** Mutterzelle *f*; **8.** ursprünglich, Ur…: **~ *form*** Urform *f*; **9.** *fig.* Mutter…, Stamm…: **~ *company*** ⚚ Stammhaus *n*, Muttergesellschaft *f*; **~ *material*** Urstoff *m*, *geol.* Ausgangsgestein *n*; **~ *organization*** Dachorganisation *f*; **~ *patent*** ⚚ Stammpatent *n*; **~ *rock*** *geol.* Urgestein *n*; **~ *ship*** ⚓ Mutterschiff *n*; **~ *unit*** ⚔ Stammtruppenteil *m*; **'par·ent·age** [-tɪdʒ] *s.* **1.** Abkunft *f*, Abstammung *f*, Fa'milie *f*; **2.** Elternschaft *f*; **3.** *fig.* Urheberschaft *f*; **pa·ren·tal** [pə'rentl] *adj.* ☐ elterlich, Eltern…: **~ *authority*** ⚖ elterliche Gewalt.

pa·ren·the·sis [pə'renθɪsɪs] *pl.* **-the·ses** [-si:z] *s.* **1.** *ling.* Paren'these *f*, Einschaltung *f*: ***by way of ~*** *fig.* beiläufig; **2.** *mst pl. typ.* (runde) Klammer(n *pl.*): ***put in parentheses*** einklammern; **pa'ren·the·size** [-saɪz] *v/t.* **1.** einschalten, einflechten; **2.** *typ.* einklammern; **par·en·thet·ic**, **par·en·thet·i·cal** [ˌpærən'θetɪk(l)] *adj.* ☐ **1.** paren'thetisch, eingeschaltet; *fig.* beiläufig; **2.** eingeklammert.

par·ent·less ['peərəntlɪs] *adj.* elternlos.

pa·re·sis ['pærɪsɪs] *s.* ⚕ **1.** Pa'rese *f*, unvollständige Lähmung; **2.** *a.* ***general ~*** progres'sive Para'lyse.

par·get ['pɑ:dʒɪt] **I** *s.* **1.** Gips(stein) *m*; **2.** Verputz *m*; **3.** Stuck *m*; **II** *v/t.* **4.** verputzen; **5.** mit Stuck verzieren.

par·he·li·on [pɑ:'hi:ljən] *pl.* **-li·a** [-ljə] *s.* Nebensonne *f*, Par'helion *n.*

pa·ri·ah ['pærɪə] *s.* Paria *m* (*a. fig.*).

pa·ri·e·tal [pə'raɪɪtl] **I** *adj.* **1.** *anat.* parie'tal: a) (*a.* ⚘, *biol.*) wandständig, Wand…, b) seitlich, c) Scheitel(bein)…; **2.** *ped. Am.* in'tern, Haus…; **II** *s.* **3.** *a.* **~ *bone*** Scheitelbein *n.*

par·ing ['peərɪŋ] *s.* **1.** Schälen *n*; (Be-)Schneiden *n*, Stutzen *n* (*a. fig.*); **2.** *pl.* Schalen *pl.*: ***potato ~s***; **3.** *pl.* ⚙ Späne *pl.*, Schabsel *pl.*, Schnitzel *pl.*; **~ *knife*** *s.* **1.** Schälmesser *n* (*für Obst etc.*); **2.** Beschneidmesser.

pa·ri pas·su [ˌpɑ:rɪ'pæsu:] (*Lat.*) *adv.* gleichrangig, -berechtigt.

Par·is ['pærɪs] *adj.* Pa'riser; **~ *blue*** *s.* Ber'liner Blau *n*; **~ *green*** *s.* Pa'riser *od.* Schweinfurter Grün *n.*

par·ish ['pærɪʃ] **I** *s.* **1.** *eccl.* a) Kirchspiel *n*, Pfarrbezirk *m*, b) Gemeinde *f* (*a. coll.*); **2.** *a.* ***civil*** (*od.* ***poor-law***) **~** *pol. Brit.* (po'litische) Gemeinde: ***go*** (*od.* ***be***) ***on the ~*** der Gemeinde zur Last fallen; **II** *adj.* **3.** Kirchen…, Pfarr…: **~ *church*** Pfarrkirche *f*; **~ *clerk*** Küster *m*; **~ *register*** Kirchenbuch *n*; **4.** *pol.* Gemeinde…: **~ *council*** Gemeinderat *m*; **~*-pump politics*** Kirchturmpolitik *f*; **pa·rish·ion·er** [pə'rɪʃənə] *s.* Gemeindeglied *n.*

Pa·ri·sian [pə'rɪzjən] **I** *s.* Pa'riser(in); **II** *adj.* Pa'riser.

par·i·syl·lab·ic [ˌpærɪsɪ'læbɪk] *ling.* **I** *adj.* parisyl'labisch, gleichsilbig; **II** *s.* Pari'syllabum *n.*

par·i·ty ['pærətɪ] *s.* **1.** Gleichheit *f*, *a.* gleichberechtigte Stellung; **2.** ⚚ a) Pari'tät *f*, b) 'Umrechnungskurs *m*: ***at the ~ of*** zum Umrechnungskurs von; **~ *clause*** Paritätsklausel *f*; **~ *price*** Parikurs *m.*

park [pɑ:k] **I** *s.* **1.** Park *m*, (Park)Anlagen *pl.*; **2.** Na'turschutzgebiet *n*, Park *m*: ***national ~***; **3.** *bsd.* ⚔ (Geschütz-, Fahrzeug- *etc.*)Park *m*; **4.** *Am.* Parkplatz *m*; **5.** a) *Am.* (Sport)Platz *m*, b) ***the ~*** *Brit.* F der Fußballplatz; **II** *v/t.* **6.** *mot. etc.* parken, ab-, aufstellen; F *et.* abstellen, *wo* lassen: **~ *o.s.*** sich ‚hinhocken'; **III** *v/i.* **7.** parken.

par·ka ['pɑ:kə] *s.* Parka *m*, *f.*

ˌpark-and-'ride sys·tem *s.* 'Park-and-'ride-Syˌstem *n.*

park·ing ['pɑ:kɪŋ] *s. mot.* **1.** Parken *n*: ***No ~!*** Parken verboten!; **2.** Parkplatz *m*, -plätze *pl.*, -fläche *f*; **~ *brake*** *s.* Feststellbremse *f*; **~ *disc*** *s.* Parkscheibe *f*; **~ *fee*** *s.* Parkgebühr *f*; **~ *ga·rage*** *s.* Parkhaus *n*; **~ *light*** *s.* Park-, Standlicht *n*; **~ *lot*** *s. Am.* Parkplatz *m*, -fläche *f*; **~ *me·ter*** *s.* Park(zeit)uhr *f*; **~ *of·fend·er*** *s.* Parksünder *m*; **~ *place*** *s.* Parkplatz *m*, -fläche *f*; **~ *space*** *s.* **1.** → ***parking place***; **2.** Abstellfläche *f*; -lücke *f*; **~ *tick·et*** *s.* Strafzettel *m* (für unerlaubtes Parken).

par·lance ['pɑ:ləns] *s.* Ausdrucksweise *f*, Sprache *f*: ***in common ~*** auf gut deutsch; ***in legal ~*** in der Rechtssprache; ***in modern ~*** im modernen Sprachgebrauch.

par·lay ['pɑ:lɪ] *Am.* **I** *v/t.* **1.** *Wett-*, *Spielgewinn* wieder einsetzen; **2.** *fig.* aus *j-m od. et.* Kapi'tal schlagen; **3.** erweitern, ausbauen (***into*** zu); **II** *v/i.* **4.** e-n Spielgewinn wieder einsetzen; **III** *s.* **5.** erneuter Einsatz e-s Gewinns; **6.** Auswertung *f*; **7.** Ausweitung *f*, Ausbau *m*.

par·ley ['pɑːlɪ] **I** *s.* **1.** Unter'redung *f*, Verhandlung *f*; **2.** ⚔ (Waffenstillstands)Verhandlung(en *pl.*) *f*, Unter'handlung(en *pl.*) *f*; **II** *v/i.* **3.** sich besprechen (***with*** mit); **4.** ⚔ unter'handeln; **III** *v/t.* **5.** *humor.* parlieren: ***~ French***.

par·lia·ment ['pɑːləmənt] *s.* Parla'ment *n*: ***enter*** (*od.* ***get into*** *od.* ***go into***) ***2*** ins Parlament gewählt werden; ***Member of 2*** *Brit.* Mitglied des Unterhauses, Abgeordnete(r *m*) *f*; **par·lia·men·tar·i·an** [ˌpɑːləmen'teərɪən] *pol.* **I** *s.* (erfahrener) Parlamen'tarier; **II** *adj.* → ***parliamentary***; **par·lia·men·ta·rism** [ˌpɑːlə'mentərɪzəm] *s.* parlamen'tarisches Sy'stem, Parlamenta'rismus *m*; **par·lia·men·ta·ry** [ˌpɑːlə'mentərɪ] *adj.* **1.** parlamen'tarisch, Parlaments…: ***2 Commissioner*** *Brit.* → ***ombudsman*** 1; ***~ group*** (*od.* ***party***) Fraktion *f*; ***~ party leader*** *Brit.* Fraktionsvorsitzende(r) *m*; **2.** *fig.* höflich (*Sprache*).

par·lo(u)r ['pɑːlə] **I** *s.* **1.** Wohnzimmer *n*; **2.** *obs.* Besuchszimmer *n*, Sa'lon *m*; **3.** Empfangs-, Sprechzimmer *n*; **4.** Klub-, Gesellschaftszimmer *n* (*Hotel*); **5.** *bsd. Am.* Geschäftsraum *m*, Sa'lon *m*; → ***beauty parlo(u)r***; **II** *adj.* **6.** Wohnzimmer…: ***~ furniture***; **7.** *fig.* Salon…: ***~ radical***, *Am.* ***~ red*** *pol.* Salonbolschewist(in); ***~ car*** *s.* 🚃 *Am.* Sa'lonwagen *m*; ***~ game*** *s.* Gesellschaftsspiel *n*; **'~·maid** *s.* Stubenmädchen *n*.

par·lous ['pɑːləs] *obs.* **I** *adj.* **1.** pre'kär; **2.** schlau; **II** *adv.* **3.** ‚furchtbar'.

pa·ro·chi·al [pə'rəʊkjəl] *adj.* ☐ **1.** parochi'al, Pfarr…, Gemeinde…: ***~ church council*** Kirchenvorstand *m*; ***~ school*** *Am.* Konfessionsschule *f*; **2.** *fig.* beschränkt, eng(stirnig): ***~ politics*** Kirchturmpolitik *f*; **pa'ro·chi·al·ism** [-lɪzəm] *s.* **1.** Parochi'alsyˌstem *n*; **2.** *fig.* Beschränktheit *f*, Spießigkeit *f*.

par·o·dist ['pærədɪst] *s.* Paro'dist(in); **par·o·dy** ['pærədɪ] **I** *s. a. fig.* Paro'die *f* (***of*** auf *acc.*); **II** *v/t.* parodieren.

pa·rol [pə'rəʊl] *adj.* ⚖ a) (bloß) mündlich, b) unbeglaubigt, ungesiegelt: ***~ contract*** formloser (*mündlicher od. schriftlicher*) Vertrag; ***~ evidence*** Zeugenbeweis *m*.

pa·role [pə'rəʊl] **I** *s.* **1.** ⚖ a) bedingte Haftentlassung *od.* Strafaussetzung, b) Hafturlaub *m*: ***put s.o. on ~*** → 4; ***~ officer*** *Am.* Bewährungshelfer *m*; **2.** *a.* ***~ of hono(u)r*** *bsd.* ⚔ Ehrenwort *n*: ***on ~*** auf Ehrenwort; **3.** ⚔ Pa'role *f*, Kennwort *n*; **II** *v/t.* **4.** ⚖ a) *j-n* bedingt (aus der Haft) entlassen, j-s Strafe bedingt aussetzen, b) *j-m* Hafturlaub gewähren; **pa·rol·ee** [pərəʊ'liː] *s.* ⚖ bedingt Haftentlassene(r *m*) *f*.

par·o·nym ['pærənɪm] *s. ling.* **1.** Paro'nym *n*, Wortableitung *f*; **2.** 'Lehnüberˌsetzung *f*; **pa·ron·y·mous** [pə'rɒnɪməs] *adj.* ☐ a) (stamm)verwandt, b) 'lehnüberˌsetzt (*Wort*).

par·o·quet ['pærəket] → ***parakeet***.

pa·rot·id [pə'rɒtɪd] *s. a.* ***~ gland*** *anat.* Ohrspeicheldrüse *f*; **par·o·ti·tis** [ˌpærəʊ'taɪtɪs] *s.* Mumps *m*.

par·ox·ysm ['pærəksɪzəm] *s.* ⚕ Paro'xysmus *m*, Krampf *m*, Anfall *m* (*a. fig.*): ***~s of laughter*** Lachkrampf *m*; ***~s of rage*** Wutanfall *m*; **par·ox·ys·mal** [ˌpærek'sɪzməl] *adj.* krampfartig.

par·quet ['pɑːkeɪ] **I** *s.* **1.** Par'kett(fußboden *m*) *n*; **2.** *thea. bsd. Am.* Par'kett *n*; **II** *v/t.* **3.** parkettieren; **'par·quet·ry** [-kɪtrɪ] *s.* Par'kett(arbeit *f*) *n*.

par·ri·cid·al [ˌpærɪ'saɪdl] *adj.* vater-, muttermörderisch; **par·ri·cide** ['pærɪsaɪd] *s.* **1.** Vater-, Muttermörder(in); **2.** Vater-, Mutter-, Verwandtenmord *m*.

par·rot ['pærət] **I** *s. orn.* Papa'gei *m*, *fig. a.* Nachschwätzer(in); **II** *v/t.* nachplappern; ***~ dis·ease***, ***~ fe·ver*** *s.* ⚕ Papa'geienkrankheit *f*.

par·ry ['pærɪ] **I** *v/t. Stöße, Schläge, Fragen etc.* parieren, abwehren (*beide a. v/i.*); **II** *s. fenc. etc.* Pa'rade *f*, Abwehr *f*.

parse [pɑːz] *v/t. ling. Satz* gram'matisch zergliedern, *Satzteil* bestimmen, *Wort* grammatisch definieren.

par·sec ['pɑːsek] *s. ast.* Parsek *n*, Sternweite *f* (*3,26 Lichtjahre*).

par·si·mo·ni·ous [ˌpɑːsɪ'məʊnjəs] *adj.* ☐ **1.** sparsam, geizig, knauserig (***of*** mit); **2.** armselig, kärglich; **ˌpar·si'mo·ni·ous·ness** [-nɪs], **par·si·mo·ny** ['pɑːsɪmənɪ] *s.* Sparsamkeit *f*, Geiz *m*, Knauserigkeit *f*.

pars·ley ['pɑːslɪ] *s.* ⚘ Peter'silie *f*.

pars·nip ['pɑːsnɪp] *s.* ⚘ Pastinak *m*.

par·son ['pɑːsn] *s.* Pastor *m*, Pfarrer *m*; F *contp.* Pfaffe *m*: ***~'s nose*** Bürzel *m* (*e-r Gans etc.*); **'par·son·age** [-nɪdʒ] *s.* Pfar'rei *f*, Pfarrhaus *n*.

part [pɑːt] **I** *s.* **1.** Teil *m*, *n*, Stück *n*: ***~ by volume*** (***weight***) *phys.* Raum(Gewichts)teil; ***~ of speech*** *ling.* Redeteil, Wortklasse *f*; ***in ~*** teilweise; ***payment in ~*** Abschlagszahlung *f*; ***be ~ and parcel of*** e-n wesentlichen Bestandteil bilden von (*od. gen.*); ***for the best ~ of the year*** fast das ganze Jahr (über); **2.** ♌ Bruchteil *m*: ***three ~s*** drei Viertel; **3.** ⚙ (Bau-, Einzel)Teil *n*: ***~s list*** Ersatzteil-, Stückliste *f*; **4.** ✝ Lieferung *f e-s Buches*; **5.** (Körper)Teil *m*, Glied *n*: ***soft ~*** Weichteil *n*; ***the*** (***privy***) ***~s*** die Geschlechtsteile; **6.** Anteil *m* (***of***, ***in*** an *dat.*): ***have a ~ in*** teilhaben an (*dat.*); ***have neither ~ nor lot in*** nicht das geringste mit *et.* zu tun haben; ***take ~***

P

(***in***) teilnehmen (an *dat.*), mitmachen (bei); ***he wanted no ~ of it*** er wollte davon nichts wissen *od.* damit zu tun haben; **7.** *fig.* Teil *m*, Seite *f*: ***the most ~*** die Mehrheit, das Meiste *von et.*; ***for my ~*** ich für mein(en) Teil; ***for the most ~*** meistens, größtenteils; ***on the ~ of*** von seiten, seitens (*gen.*); ***take in good*** (***bad***) ***~*** *et.* gut (übel) aufnehmen; **8.** Seite *f*, Par'tei *f*: ***he took my ~*** er ergriff m-e Partei; **9.** Pflicht *f*: ***do one's ~*** das Seinige *od.* s-e Schuldigkeit tun; **10.** *thea.* Rolle *f* (*a. fig.*): ***act*** (*od. a. fig.* ***play***) ***a ~*** e-e Rolle spielen; **11.** ♪ Sing- *od.* Instrumen'talstimme *f*, Par'tie *f*: ***for*** (*od.* ***in*** *od.* ***of***) ***several ~s*** mehrstimmig; **12.** *pl.* (geistige) Fähigkeiten *pl.*, Ta'lent *n*: ***a man of ~s*** ein fähiger Kopf; **13.** *oft pl.* Gegend *f*, Teil *m e-s Landes, der Erde*: ***in these ~s*** hierzulande; ***in foreign ~s*** im Ausland; **14.** *Am.* (Haar)Scheitel *m*; **II** *v/t.* **15.** teilen, ab-, ein-, zerteilen; trennen (***from*** von); **16.** *Streitende* trennen, *Metalle* scheiden, *Haar* scheiteln; **III** *v/i.* **17.** ausein'andergehen, sich lösen, zerreißen, brechen (*a.* ⚓), aufgehen (*Vorhang*); **18.** ausein'andergehen, sich trennen (*Menschen, Wege etc.*): ***~ friends*** als Freunde auseinandergehen; ***~ with*** sich von *j-m od. et.* trennen; ***~ with one's money*** mit dem Geld herausrücken; **IV.** *adj.* **19.** Teil…: ***~ damage*** Teilschaden *m*; ***~ delivery*** Teillieferung *f*; **V** *adv.* **20.** teilweise, zum Teil: ***made ~ of iron, ~ of wood*** teils aus Eisen, teils aus Holz.

part- [pɑːt] *in Zssgn* teilweise, zum Teil: ***~-done*** zum Teil erledigt; ***accept s.th. in ~-exchange*** et. in Zahlung nehmen; ***~-finished*** halbfertig; ***~-opened*** ein Stück geöffnet.

par·take [pɑː'teɪk] **I** *v/i.* [*irr.* → ***take***] **1.** teilnehmen, -haben (***in***, ***of*** an *dat.*); **2.** (***of***) *et.* an sich haben (von), *et.* teilen (mit): ***his manner ~s of insolence*** es ist et. Unverschämtes in s-m Benehmen; **3.** (***of***) mitessen, genießen, *j-s Mahlzeit* teilen; *Mahlzeit* einnehmen; **II** *v/t.* [*irr.* → ***take***] **4.** *obs.* teilen, teilhaben (an *dat.*).

par·terre [pɑː'teə] *s.* **1.** französischer Garten; **2.** *thea. bsd. Am.* Par'terre *n*.

par·the·no·gen·e·sis [ˌpɑːθɪnəʊ'dʒenɪsɪs] *s.* Parthenoge'nese *f*: a) ⚘ Jungfernfrüchtigkeit *f*, b) *zo.* Jungfernzeugung *f*, c) *eccl.* Jungfrauengeburt *f*.

Par·thi·an ['pɑːθjən] *adj.* parthisch: ***~ shot*** → ***parting shot***.

par·tial ['pɑːʃl] *adj.* □ → ***partially***; **1.** teilweise, parti'ell, Teil…: ***~ eclipse*** *ast.* partielle Finsternis; ***~ payment*** Teilzahlung *f*; ***~ view*** Teilansicht *f*; **2.** par'teiisch, eingenommen (***to*** für), einseitig: ***be ~ to s.th.*** e-e besondere Vorliebe haben für et.; **par·ti·al·i·ty** [ˌpɑːʃɪ'ælətɪ] *s.* **1.** Par'teilichkeit *f*, Voreingenommenheit *f*; **2.** Vorliebe *f* (***to***, ***for*** für); '**par·tial·ly** [-ʃəlɪ] *adv.* teilweise, zum Teil.

par·tic·i·pant [pɑː'tɪsɪpənt] **I** *s.* Teilnehmer(in) (***in*** an *dat.*); **II** *adj.* teilnehmend, Teilnehmer…, (mit)beteiligt; **par·tic·i·pate** [pɑː'tɪsɪpeɪt] *v/i.* **1.** teilhaben, -nehmen, sich beteiligen (***in*** an *dat.*), mitmachen (bei); beteiligt sein (an *dat.*); ⚚ am Gewinn beteiligt sein; **2.** ***~ of*** *et.* an sich haben von; **par'tic·i·pat·ing** [-peɪtɪŋ] *adj.* **1.** ⚚ gewinnberechtigt, mit Gewinnbeteiligung (*Versicherungspolice etc.*): ***~ share*** dividendenberechtigte Aktie; ***~ rights*** Gewinnbeteiligungsrechte; **2.** → ***participant*** II; **par·tic·i·pa·tion** [pɑːˌtɪsɪ'peɪʃn] *s.* **1.** Teilnahme *f*, Beteiligung *f*, Mitwirkung *f*; **2.** ⚚ Teilhaberschaft *f*, (Gewinn)Beteiligung *f*; **par'tic·i·pa·tor** [-peɪtə] *s.* Teilnehmer(in) (***in*** an *dat.*).

par·ti·cip·i·al [ˌpɑːtɪ'sɪpɪəl] *adj.* □ *ling.* partizipi'al; **par·ti·ci·ple** ['pɑːtɪsɪpl] *s.* *ling.* Parti'zip *n*, Mittelwort *n*.

par·ti·cle ['pɑːtɪkl] *s.* **1.** Teilchen *n*, Stückchen *n*; **2.** *phys.* Par'tikel *n* (*a. f*), (Stoff-, Masse-, Elemen'tar)Teilchen *n*; **3.** *fig.* Fünkchen *n*, Spur *f*: ***not a ~ of truth in it*** nicht ein wahres Wort daran; **4.** *ling.* Par'tikel *f*.

par·ti-col·o(u)red ['pɑːtɪˌkʌləd] *adj.* bunt, vielfarbig.

par·tic·u·lar [pə'tɪkjʊlə] **I** *adj.* □ → ***particularly***; **1.** besonder, einzeln, spezi'ell, Sonder…: ***~ average*** ⚚ kleine (besondere) Havarie; ***for no ~ reason*** aus keinem besonderen Grund; ***this ~ case*** dieser spezielle Fall; **2.** individu'ell, ausgeprägt; **3.** ausführlich; 'umständlich; **4.** peinlich genau, eigen: ***be ~ about*** es genau nehmen mit, Wert legen auf (*acc.*); **5.** wählerisch (***in***, ***about***, ***as to*** in *dat.*): ***none too ~ about*** *iro.* nicht gerade wählerisch (*in s-n Methoden etc.*); **6.** eigentümlich, sonderbar; **II** *s.* **7.** Einzelheit *f*, besonderer 'Umstand; *pl.* nähere Umstände *od.* Angaben *pl.*, *das* Nähere: ***in ~*** insbesondere; ***enter into ~s*** sich auf Einzelheiten einlassen; ***further ~s from*** Näheres (erfährt man) bei; **8.** Perso'nalien *pl.*, Angaben *pl. zur Person*; **9.** F Speziali'tät *f*, *et.* Typisches; **par'tic·u·lar·ism** [-ərɪzəm] *s. pol.* Partikula'rismus *m*: a) Sonderbestrebungen *pl.*, b) ˌKleinstaate'rei *f*; **par·tic·u·lar·i·ty** [pəˌtɪkjʊ'lærətɪ] *s.* **1.** Besonderheit *f*, Eigentümlichkeit *f*; **2.** besonderer 'Umstand, Einzelheit *f*; **3.** Ausführlichkeit *f*; **4.** (peinliche) Genauigkeit; **5.** Eigenheit *f*; **par·tic·u·lar·i·za·tion** [pəˌtɪkjʊləraɪ'zeɪʃn] *s.* Detaillierung *f*, Spezifi-

P

zierung *f*; **par'tic·u·lar·ize** [-əraɪz] **I** *v/t.* spezifizieren, einzeln (*a.* 'umständlich) anführen, ausführlich angeben; **II** *v/i.* ins einzelne gehen; **par'tic·u·lar·ly** [-lɪ] *adv.* **1.** besonders, im besonderen, insbesondere: ***not ~*** nicht sonderlich; (***more***) ***~ as*** um so mehr als, zumal; **2.** ungewöhnlich; **3.** ausdrücklich.

part·ing ['pɑːtɪŋ] **I** *adj.* **1.** Scheide..., Abschieds...: ***~ kiss***; ***~ breath*** letzter Atemzug; **2.** trennend, abteilend: ***~ wall*** Trennwand *f*; **II** *s.* **3.** Abschied *m*, Scheiden *n*, Trennung *f* (***with*** von); *fig.* Tod *m*; **4.** Trennlinie *f*, (Haar)Scheitel *m*: ***~ of the ways*** Weggabelung, *fig.* Scheideweg; **5.** ⚗, *phys.* Scheidung *f*: ***~ silver*** Scheidesilber; **6.** ⚙ *Gießerei*: a) *a.* ***~ sand*** Streusand *m*, trockener Formsand, b) *a.* ***~ line*** Teilfuge *f* (*Gußform*); **7.** ⚓ Bruch *m*, Reißen *n*; ***~ shot*** *s. fig.* letzte boshafte Bemerkung (*beim Abschied*).

par·ti·san¹ ['pɑːtɪzn] *s.* ⚔ *hist.* Parti'sane *f* (*Stoßwaffe*).

par·ti·san² [ˌpɑːtɪ'zæn] **I** *s.* **1.** Par'teigänger(in), -genosse *m*, -genossin *f*; **2.** ⚔ Parti'san *m*, Freischärler *m*; **II** *adj.* **3.** Partei...; **4.** par'teiisch: ***~ spirit*** leidenschaftliche Parteilichkeit; **5.** ⚔ Partisanen..., ˌ**par·ti'san·ship** [-ʃɪp] *s.* **1.** *pl.* Par'teigängertum *n*; **2.** *fig.* Par'tei-, Vetternwirtschaft *f*.

par·tite ['pɑːtaɪt] *adj.* **1.** geteilt (*a.* ⚘); **2.** *in Zssgn* ...teilig.

par·ti·tion [pɑː'tɪʃn] **I** *s.* **1.** (Auf-, Ver-)Teilung *f*; **2.** ⚖ ('Erb)Auseinˌandersetzung *f*; **3.** Trennung *f*, Absonderung *f*; **4.** Scheide-, Querwand *f*, Fach *n* (*Schrank etc.*); (Bretter)Verschlag *m*: ***~ wall*** Zwischenwand *f*; **II** *v/t.* **5.** (auf-, ver)teilen; **6.** *Erbschaft* ausein'andersetzen; **7.** *mst* ***~ off*** abteilen, -fachen; **par·ti·tive** ['pɑːtɪtɪv] **I** *adj.* teilend, Teil...; *ling.* parti'tiv: ***~ genitive***; **II** *s. ling.* Parti'tivum *n*.

part·ly ['pɑːtlɪ] *adv.* zum Teil, teilweise, teils: ***~ ..., ~ ...*** teils ..., teils ...

part·ner ['pɑːtnə] **I** *s.* **1.** *allg.* (*a. sport, a.* Tanz)Partner(in); **2.** ✝ Gesellschafter *m*, (Geschäfts)Teilhaber(in), Kompagnon *m*: ***general ~*** (unbeschränkt) haftender Gesellschafter, Komplementär *m*; ***special ~*** *Am.* Kommanditist (-in); → ***dormant*** 3; ***limited*** I; ***silent*** 2; ***sleeping partner***; **3.** 'Lebenskameˌrad (-in), Gatte *m*, Gattin *f*; **II** *v/t.* **4.** zs.-bringen, -tun; **5.** sich zs.-tun, sich assoziieren (***with*** mit *j-m*): ***be ~ed with*** *j-n* zum Partner haben; '**part·ner·ship** [-ʃɪp] *s.* **1.** Teilhaberschaft *f*, Partnerschaft *f*, Mitbeteiligung *f* (***in*** an *dat.*); **2.** ✝ a) Handelsgesellschaft *f*, b) Perso'nalgesellschaft *f*: ***general*** *od.* ***ordinary ~*** Offene Handelsgesellschaft; → ***limited*** I; ***special ~*** *Am.* Kommanditgesellschaft *f*; ***deed of ~*** Gesellschaftsvertrag *m*; ***enter into a ~ with*** → ***partner*** 5.

part| own·er *s.* **1.** Miteigentümer(in); **2.** ⚓ Mitreeder *m*; **~ pay·ment** *s.* Teil-, Abschlagszahlung *f*.

par·tridge ['pɑːtrɪdʒ] *pl.* **par·tridge** *u.* **par·tridg·es** *s. orn.* Rebhuhn *n*.

part| sing·ing *s.* ♪ mehrstimmiger Gesang; '**~-time I** *adj.* Teilzeit..., Halbtags...: ***~ job***; ***~ farmer*** Nebenerwerbslandwirt *m*; **II** *adv.* halbtags; '**~ˌtim·er** *s.* Teilzeitbeschäftigte(r *m*) *f*, Halbtagskraft *f*.

par·tu·ri·ent [pɑː'tjʊərɪənt] *adj.* **1.** gebärend, kreißend; **2.** *fig.* (*mit e-r Idee*) schwanger; **par·tu·ri·tion** [ˌpɑːtjʊə'rɪʃn] *s.* Gebären *n*.

par·ty ['pɑːtɪ] *s.* **1.** *pol.* Par'tei *f*: ***~ boss*** Parteibonze *m*; ***~ spirit*** Parteigeist *m*; → ***whip*** 4a; **2.** Par'tie *f*, Gesellschaft *f*: ***hunting ~***; ***make one of the ~*** sich anschließen, mitmachen; **3.** Trupp *m*: a) ⚔ Kom'mando *n*, b) (Arbeits)Gruppe *f*, c) (Rettungs- *etc.*)Mannschaft *f*; **4.** Einladung *f*, Party *f*, Gesellschaft *f*: ***give a ~***; ***~ pooper*** *sl.* Partykiller *m*; **5.** ⚖ (Pro'zeß- *etc.*)Parˌtei *f*: ***contracting ~***, ***~ to a contract*** Vertragspartei, Kontrahent *m*; ***a third ~*** ein Dritter; **6.** Teilhaber(in), -nehmer(-in), Beteiligte(r *m*) *f*: ***be a ~ to*** beteiligt sein an, *et.* mitmachen; ***the parties concerned*** die Beteiligten; **7.** F ‚Typ' *m*, Per'son *f*; **~ card** *s.* Par'teibuch *n*; **~ line** *s.* **1.** *teleph.* Gemeinschaftsanschluß *m*; **2.** *pol.* Par'teilinie *f*, -direkˌtive *f*: ***follow the ~*** *parl.* linientreu sein; ***voting was on ~s*** bei der Abstimmung herrschte Fraktionszwang; **~ in·fight·ing** *s.* parteiinterne Querelen; **~ lin·er** *s.* *Am.* Linientreue(r *m*) *f*; **~ tick·et** *s.* **1.** Gruppenfahrkarte *f*; **2.** *pol. Am.* (Kandi'daten)liste *f e-r Partei*.

par·ve·nu ['pɑːvənjuː] (*Fr.*) *s.* Em'porkömmling *m*, Parve'nü *m*.

Pas·cal ['pæskl] Pas'cal *n*: a) *phys. Einheit des Drucks*, b) *e-e Computersprache*.

pa·sha ['pɑːʃə] *s.* Pascha *m*.

pasque·flow·er ['pæskˌflaʊə] *s.* ⚘ Küchenschelle *f*.

pass¹ [pɑːs] *s.* **1.** (Eng)Paß *m*, Zugang *m*, 'Durchgang *m*, -fahrt *f*, Weg *m*: ***hold the ~*** die Stellung halten (*a. fig.*); ***sell the ~*** *fig.* alles verraten; **2.** Joch *n*, Sattel *m* (*Berg*); **3.** schiffbarer Ka'nal; **4.** Fischgang *m* (*Schleuse etc.*).

pass² [pɑːs] **I** *s.* **1.** (Reise)Paß *m*; (Perso'nal)Ausweis *m*; Passierschein *m*; 🚂, *thea. a.* ***free ~*** Frei-, Dauerkarte *f*; **2.** ⚔ a) Urlaubsschein *m*, b) Kurzurlaub *m*: ***be on ~*** auf (Kurz)Urlaub sein; **3.** a) Bestehen *n*, 'Durchkommen *n im Examen etc.*, b) bestandenes Examen, c) Note *f*, Zeugnis *n*, d) *univ. Brit.* ein-

P

facher Grad; **4.** ⚕, ⚙ Abnahme *f*, Genehmigung *f*; **5.** Bestreichung *f*, Strich *m beim Hypnotisieren etc.*; **6.** *Maltechnik*: Strich *m*; **7.** (Hand)Bewegung *f*, (Zauber)Trick *m*; **8.** *Fußball etc.*: Paß *m*, (Ball)Abgabe *f*, Vorlage *f*: **~ back** Rückgabe *f*; **low ~** Flachpaß; **9.** *fenc.* Ausfall *m*, Stoß *m*; **10.** *sl.* Annäherungsversuch *m*, *oft* **hard ~** Zudringlichkeit *f*: **make a ~ at** *e-r Frau gegenüber* zudringlich werden; **11.** *fig.* a) Zustand *m*, b) kritische Lage: **a pretty ~** F e-e ‚schöne Geschichte'; **be at a desperate ~** hoffnungslos sein; **things have come to such a ~** die Dinge haben sich derart zugespitzt; **12.** ⚙ Arbeitsgang *m* (*Werkzeugmaschine*); **13.** ⚙ (Schweiß)Lage *f*; **14.** *Walzwesen*: a) Gang *m*, b) Zug *m*; **15.** ϟ Paß *m* (*frequenzabhängiger Vierpol*); **II** *v/t.* **16.** *et.* passieren, vor'bei-, vor'übergehen, -fahren, -fließen, -kommen, -reiten, -ziehen an (*dat.*); **17.** über'holen (*a. mot.*), vor'beilaufen, -fahren an (*dat.*); **18.** durch-, über'schreiten, passieren, durch'gehen, -'reisen *etc.*: **~ s.o.'s lips** über j-s Lippen kommen; **19.** über'steigen, -'treffen, hin'ausgehen über (*acc.*) (*a. fig.*): **it ~es my comprehension** es geht über m-n Verstand; **20.** *fig.* über'gehen, -'springen, keine No'tiz nehmen von; ⚕ *e-e Dividende* ausfallen lassen; **21.** *durch et.* hin'durchleiten, -führen (*a.* ⚙), gleiten lassen: **~** (**through a sieve**) durch ein Sieb passieren, durchseihen; ; **~ one's hand over** mit der Hand über *et.* fahren; **22.** *Gegenstand* reichen, (*a.* ⚖ *Falschgeld*) weitergeben; *Geld* in 'Umlauf setzen; (über-) 'senden, (*a. Funkspruch*) befördern; *sport Ball* abspielen, abgeben (**to** an *acc.* passen), (zu): **~ the chair** (**to**) den Vorsitz abgeben (an *j-n*); **~ the hat** (**round** *Brit.*) e-e Sammlung veranstalten (**for** für *j-n*); **~ the time of day** guten Tag *etc.* sagen, grüßen; **~ to s.o.'s account** j-m *e-n Betrag* in Rechnung stellen; **~ to s.o.'s credit** j-m gutschreiben; → **word** 5; **23.** *Türschloß* öffnen; **24.** vor'bei-, 'durchlassen, passieren lassen; **25.** *fig.* anerkennen, gelten lassen, genehmigen; **26.** ⚕ a) *Eiter, Nierenstein etc.* ausscheiden, b) *Eingeweide* entleeren, *Wasser* lassen; **27.** *Zeit* verbringen, -leben, -treiben; **28.** *parl. etc.* a) *Vorschlag* 'durchbringen, -setzen, b) *Gesetz* verabschieden, ergehen lassen, c) *Resolution* annehmen; **29.** rechtskräftig machen; **30.** ⚖ *Eigentum, Rechtstitel* über'tragen, *letztwillig* zukommen lassen; **31.** a) *Examen* bestehen, b) *Prüfling* bestehen lassen, 'durchkommen lassen; **32.** *Urteil* äußern, *s-e Meinung* aussprechen (**upon** über *acc.*), *Bemerkung* fallenlassen, *Kompliment* machen: **~ criticism on** Kritik üben an (*dat.*); → **sentence** 2 a; **III** *v/i.* **33.** sich fortbewegen, von e-m Ort zum andern gehen *od.* fahren *od.* ziehen *etc.*; **34.** vor'bei-, vor'übergehen *etc.* (**by** an *dat.*); **35.** 'durchgehen, passieren (*a. Linie*): **it just ~ed through my mind** *fig.* es ging mir eben durch den Kopf; **36.** ⚕ abgehen, abgeführt werden; **37.** 'durchkommen: a) ein Hindernis *etc.* bewältigen, b) (e-e Prüfung) bestehen; **38.** her'umgereicht werden, von Hand zu Hand gehen, her'umgehen; im 'Umlauf sein: **harsh words ~ed between them** es fielen harte Worte bei ihrer Auseinandersetzung; **39.** a) *sport* passen, (den Ball) zuspielen *od.* abgeben, b) (*Kartenspiel u. fig.*) passen: **I ~ on that!** da muß ich passen!; **40.** *fenc.* ausfallen; **41.** 'übergehen (**from ...** [**in**]**to** von ... zu), werden (**into** zu); **42.** *in andere Hände* 'übergehen, über'tragen werden (*Eigentum*); fallen (**to** an *Erben etc.*); *unter j-s Aufsicht* kommen, geraten; **43.** an-, hin-, 'durchgehen, leidlich sein, unbeanstandet bleiben, geduldet werden: **let that ~** reden wir nicht mehr davon; **44.** *parl. etc.* 'durchgehen, bewilligt *od.* zum Gesetz erhoben werden, Rechtskraft erlangen; **45.** gangbar sein, Geltung finden (*Ideen, Grundsätze*); **46.** angesehen werden, gelten (**for** als); **47.** urteilen, entscheiden (**upon** über *acc.*); ⚖ *a.* gefällt werden (*Urteil*); **48.** vergehen (*a. Schmerz etc.*), verstreichen (*Zeit*); endigen; sterben: **fashions ~** Moden kommen u. gehen; **49.** sich zutragen *od.* abspielen, passieren: **what ~ed between you and him?**; **bring to ~** bewirken; **it came to ~ that** *bibl.* es begab sich, daß;

Zssgn mit prp.:

pass| be·yond *v/i.* hin'ausgehen über (*acc.*) (*a. fig.*); **~ by** *v/i.* **1.** vor'bei-, vor'übergehen an (*dat.*); **2.** *et. od. j-n* über'gehen (**in silence** stillschweigend); **3.** unter *dem Namen* ... bekannt sein; **~ for** → **pass** 46; **~ in·to I** *v/t.* **1.** *et.* einführen in (*acc.*); **II** *v/i.* **2.** (hin'ein)gehen *etc.* in (*acc.*); **3.** führen *od.* leiten in (*acc.*); **4.** 'übergehen in (*acc.*): **~ law** (zum) Gesetz werden; **~ through I** *v/t.* **1.** durch ... führen *od.* leiten *od.* stecken; 'durchschleusen; **II** *v/i.* **2.** durch'fahren, -'queren, -'schreiten *etc.*; durch ... gehen *etc.*; durch'fließen; **3.** durch ... führen (*Draht, Tunnel etc.*); **4.** durch'bohren; **5.** 'durchmachen, erleben;

Zssgn mit adv.:

pass| a·way I *v/t.* **1.** *Zeit* ver-, zubringen (**doing s.th.** mit et.); **II** *v/i.* **2.** vergehen (*Zeit etc.*); **3.** verscheiden, sterben; **~ by** *v/i.* **1.** vor'bei-, vor'überge-

P

hen (*a. Zeit*); **2.** → ***pass over*** 4; **~ down** *v/t. Bräuche etc.* über'liefern, weitergeben (***to*** an *dat.*); **~ in** *v/t.* **1.** einlassen; **2.** einreichen, -händigen: **~ *one's check*** *Am. sl.* ‚den Löffel abgeben' (*sterben*); **~ off I** *v/t.* **1.** *j-n od. et.* ausgeben (***for***, ***as*** für, als); **II** *v/i.* **2.** vergehen (*Schmerz etc.*); **3.** *gut etc.* vor'übergehen, von'statten gehen; **4.** 'durchgehen (***as*** als); **~ on I** *v/t.* **1.** weitergeben, -reichen (***to*** *dat. od.* an *acc.*); befördern; **2.** ✝ abwälzen (***to*** auf *acc.*); **II** *v/i.* **3.** weitergehen; **4.** 'übergehen (***to*** zu); **5.** → ***pass away*** 3; **~ out I** *v/i.* **1.** hin'ausgehen, -fließen, -strömen; **2.** *sl.* ‚umkippen', ohnmächtig werden; **II** *v/t.* **3.** ver-, austeilen; **~ o·ver I** *v/i.* **1.** hin'übergehen; **2.** 'überleiten, -führen; **II** *v/t.* **3.** über'reichen, -'tragen; **4.** über'gehen (***in silence*** stillschweigend), ignorieren; **5.** → ***pass up*** 1; **~ through** *v/i.* **1.** hin'durchführen; **2.** hin'durchgehen, -reisen *etc.*: ***be passing through*** auf der Durchreise sein; **~ up** *v/t. sl.* **1.** a) sich *e-e Chance* entgehen lassen, b) *et.* ‚sausen' lassen; verzichten auf (*acc.*); **2.** *j-n* über'gehen.

pass·a·ble ['pɑːsəbl] *adj.* □ **1.** passierbar; gang-, befahrbar; **2.** ✝ gangbar, gültig (*Geld etc.*); **3.** *fig.* leidlich, pas'sabel.

pas·sage ['pæsɪdʒ] *s.* **1.** Her'ein-, Her'aus-, Vor'über-, 'Durchgehen *n*, 'Durchgang *m*, -reise *f*, -fahrt *f*, 'Durchfließen *n*: ***no ~!*** kein Durchgang!, keine Durchfahrt!; → ***bird*** 1; **2.** ✝ ('Waren-) Tran‚sit *m*, 'Durchgang *m*; **3.** Pas'sage *f*, ('Durch-, Verbindungs)Gang *m*; *bsd. Brit.* Korridor *m*; **4.** Ka'nal *m*, Furt *f*; **5.** ⚙ 'Durchlaß *m*, -tritt *m*; **6.** (See-, Flug)Reise *f*, ('Über)Fahrt *f*: ***book one's ~*** s-e Schiffskarte lösen (***to*** nach); ***work one's ~*** s-e Überfahrt durch Arbeit abverdienen; **7.** Vergehen *n*, Ablauf *m*: ***the ~ of time***; **8.** *parl.* 'Durchkommen *n*, Annahme *f*, In'krafttreten *n e-s Gesetzes*; **9.** Wortwechsel *m*; **10.** *pl.* Beziehungen *pl.*, *geistiger* Austausch; **11.** (Text)Stelle *f*, Passus *m*; **12.** ♪ Pas'sage *f* (*a. Reiten*); **13.** *fig.* 'Übergang *m*, -tritt *m* (***from ... to***, ***into*** von ... in *acc.*, zu); **14.** a) (Darm)Entleerung *f*, Stuhlgang *m*, b) *anat.* (*Gehör- etc.*)Gang *m*, (*Harn- etc.*) Weg(e *pl.*) *m*: ***auditory*** (***urinary***) **~**; **~ at arms** *s.* **1.** Waffengang; **2.** Wortgefecht *n*, ‚Schlagabtausch' *m*; **~ boat** *s.* Fährboot *n*; **'~·way** *s.* 'Durchgang *m*, Korridor *m*, Pas'sage *f*.

'pass|·book *s.* **1.** *bsd. Brit.* a) Bank-, Kontobuch *n*, b) Sparbuch *n*; **2.** Buch *n* über kreditierte Waren; **~ check** *s. Am.* Pas'sierschein *m*; **~ de·gree** → ***pass***[2] 3c.

pas·sé, pas·sée ['pɑːseɪ] (*Fr.*) *adj.* pas'sé: a) vergangen, b) veraltet, c) verblüht: ***a passée belle*** e-e verblühte Schönheit.

passe·men·terie ['pɑːsməntrɪ] (*Fr.*) *s.* Posamentierwaren *pl.*

pas·sen·ger ['pæsɪndʒə] *s.* **1.** Passa'gier *m*, Fahr-, Fluggast *m*, Reisende(r *m*) *f*, Insasse *m*: **~ *cabin*** ✈ Fluggastraum *m*; **2.** F a) Schma'rotzer *m*, b) Drückeberger *m*; **~ car** *s.* **1.** Per'sonen(kraft)wagen *m*, *abbr.* Pkw; **2.** 🚃 *Am.* Per'sonenwagen *m*, **~ lift** *s. Brit.* Per'sonenaufzug *m*; **~ pi·geon** *s. orn.* Wandertaube *f*; **~ plane** *s.* ✈ Passa'gierflugzeug *n*; **~ serv·ice** *s.* Per'sonenbeförderung *f*; **~ traf·fic** *s.* Per'sonenverkehr *m*; **~ train** *s.* 🚃 Per'sonenzug *m*.

passe-par·tout ['pæspɑːtuː] (*Fr.*) *s.* **1.** Hauptschlüssel *m*; **2.** Passepar'tout *n* (*Bildumrahmung*).

‚pass·er-'by *pl.* **‚pass·ers-'by** *s.* Pas'sant(in).

pass ex·am·i·na·tion *s. univ. Brit.* unterstes 'Abschluße‚xamen.

pas·sim ['pæsɪm] (*Lat.*) *adv.* passim, hier u. da, an verschiedenen Orten.

pass·ing ['pɑːsɪŋ] **I** *adj.* **1.** vor'über-, 'durchgehend: **~ *axle*** ⚙ durchgehende Achse; **2.** vergehend, vor'übergehend, flüchtig; **3.** beiläufig; **II** *s.* **4.** Vor'bei-, 'Durch-, Hin'übergehen *n*: ***in ~*** im Vorbeigehen, *fig.* beiläufig, nebenbei; ***no ~!*** *mot.* Überholverbot!; **5.** 'Übergang *m*: **~ *of title*** Eigentumsübertragung *f*; **6.** Da'hinschwinden *n*; **7.** Hinscheiden *n*, Ableben *n*; **8.** *pol.* 'Durchgehen *n e-s Gesetzes*; **~ beam** *s. mot.* Abblendlicht *n*; **~ lane** *s. mot.* Über'holspur *f*; **~ note** *s.* ♪ 'Durchgangston *m*; **~ shot** *s. Tennis*: Pas'sierschlag *m*; **~ zone** *s. Staffellauf*: Wechselzone *f*.

pas·sion ['pæʃn] *s.* **1.** Leidenschaft *f*, heftige Gemütserregung, (Gefühls-) Ausbruch *m*; **2.** Zorn *m*: ***fly into a ~*** e-n Wutanfall bekommen; → ***heat*** 6; **3.** Leidenschaft *f*: a) heiße Liebe, heftige Neigung, b) heißer Wunsch, c) Passi'on *f*, Vorliebe *f* (***for*** für), d) Liebhabe'rei *f*; Passi'on *f*: ***it has become a ~ with him*** es ist bei ihm zur Leidenschaft geworden, er tut es leidenschaftlich gern(e); **4.** ♀ *eccl.* Leiden *n* (Christi), Passion *f* (*a.* ♪, *paint. u. fig.*); **pas·sion·ate** ['pæʃənət] *adj.* □ **1.** leidenschaftlich (*a. fig.*); **2.** hitzig, jähzornig; **pas·sion·less** ['pæʃnlɪs] *adj.* □ leidenschaftslos.

pas·sion| play *s. eccl.* Passi'onsspiel *n*; **♀ Sun·day** *s. eccl.* Passi'onssonntag *m*; **~ week** *s.* **1.** Karwoche *f*; **2.** Woche zwischen Passi'onssonntag u. Palm'sonntag.

pas·si·vate ['pæsɪveɪt] *v/t.* ⚙, ⚗ passivieren.

pas·sive ['pæsɪv] **I** *adj.* □ **1.** passiv (*a.*

ling., ϟ, ⚔, *sport*), leidend, teilnahmslos, ˈwiderstandslos: ~ ***air defence*** Luftschutz; ~ ***smoker*** Passivraucher *m*; ~ ***smoking*** Passivrauchen *n*; ~ ***verb*** *ling.* passivisch konstruiertes Verb; ~ ***voice*** → 3; ~ ***vocabulary*** passiver Wortschatz; **2.** ✝ untätig, nicht zinstragend, passiv: ~ ***debt*** unverzinsliche Schuld; ~ ***trade*** Passivhandel *m*; **II** *s.* **3.** *ling.* Passiv *n*, Leideform *f*; **ˈpas·sive·ness** [-nɪs], **pas·siv·i·ty** [pæˈsɪvətɪ] *s.* Passiviˈtät *f*, Teilnahmslosigkeit *f*.

ˈpass·key *s.* **1.** Hauptschlüssel *m*; **2.** Drücker *m*; **3.** Nachschlüssel *m*.

pas·som·e·ter [pæˈsɒmɪtə] *s.* ⚙ Schrittmesser *m*.

Pass·o·ver [ˈpɑːsˌəʊvə] *s. eccl.* **1.** Passah(fest) *n*; **2.** ♀ Osterlamm *n*.

pass·port [ˈpɑːspɔːt] *s.* **1.** (Reise)Paß *m*: ~ ***inspection*** Paßkontrolle *f*; **2.** ✝ Passierschein *m*; **3.** *fig.* Zugang *m*, Weg *m*, Schlüssel *m* (***to*** zu).

ˈpass·word *s.* Paˈrole *f*, Losung *f*, Kennwort *n*.

past [pɑːst] **I** *adj.* **1.** vergangen, verflossen: ***for some time*** ~ seit einiger Zeit; **2.** *ling.* Vergangenheits…: ~ ***participle*** Mittelwort *n* der Vergangenheit, Partizip *n* Perfekt; ~ ***tense*** Vergangenheit *f*, Präteritum *n*; **3.** vorig, früher, ehemalig, letzt: ~ ***president***; ~ ***master*** *fig.* Altmeister *m*, großer Könner; **II** *s.* **4.** Vergangenheit *f* (*a. ling.*), *weitS. a.* Vorleben *n*: ***a woman with a*** ~ eine Frau mit Vergangenheit; **III** *adv.* **5.** vorˈbei, vorˈüber: ***to run*** ~; **IV** *prp.* **6.** (*Zeit*) nach, über (*acc.*): ***half*** ~ ***seven*** halb acht; ***she is*** ~ ***forty*** sie ist über vierzig; **7.** an … vorbei: ***he ran*** ~ ***the house***; **8.** über … hinˈaus: ~ ***comprehension*** unfaßbar, unfaßlich; ~ ***cure*** unheilbar; ~ ***hope*** hoffnungslos; ***he is*** ~ ***it*** F er ist ‚darüber hinaus'; ***she is*** ~ ***caring*** das kümmert sie alles nicht mehr; ***I would not put it*** ~ ***him*** *sl.* ich traue es ihm glatt zu.

pas·ta [ˈpæstə] *s.* Teigwaren *pl.*

past-ˈdue *ad.* ✝ ˈüberfällig (*Wechsel etc.*); Verzugs…(*-zinsen*).

paste [peɪst] **I** *s.* **1.** Teig *m*, (*Fisch-*, *Zahn- etc.*)Paste *f*, Brei *m*; ⚙ Tonmasse *f*; Glasmasse *f*; **2.** Kleister *m*, Klebstoff *m*, Papp *m*; **3.** a) Paste *f* (*Diamantenherstellung*), b) künstlicher Edelstein, Simili *n*, *m*; **II** *v/t.* **4.** kleben, kleistern, pappen, bekleben (***with*** mit); **5.** ~ ***up*** a) auf-, ankleben (***on***, ***in*** auf, in *acc.*), b) verkleistern (*Loch*); **6.** *sl.* (ˈdurch)hauen: ~ ***s.o. one*** j-m ‚eine kleben'; **ˈ~·board I** *s.* **1.** Pappe *f*, Pappendeckel *m*, Karˈton *m*; **2.** *sl.* (Eintritts-, Spiel-, Viˈsiten)Karte *f*; **II** *adj.* **3.** aus Pappe, Papp…: ~ ***box*** Karton; **4.** *fig.* unecht, wertlos, kitschig, nachgemacht.

pas·tel I *s.* [pæˈstel] **1.** ⚘ Färberwaid *m*; **2.** ⚙ Waidblau *n*; **3.** Paˈstellstift *m*, -farbe *f*; **4.** Paˈstellzeichnung *f*, -bild *n*; **II** *adj.* [ˈpæstl] **5.** zart, duftig, Pastell… (*Farbe*); **pas·tel·ist** [ˈpæstəlɪst], **pas·tel·list** [pæˈstelɪst] *s.* Paˈstellmaler(in).

pas·tern [ˈpæstəːn] *s. zo.* Fessel *f* (*vom Pferd*).

ˈpaste-up *s. typ.* ˈKlebeˌumbruch *m*.

pas·teur·i·za·tion [ˌpæstəraɪˈzeɪʃn] *s.* Pasteurisierung *f*; **pas·teur·ize** [ˈpæstəraɪz] *v/t.* pasteurisieren.

pas·tille [ˈpæstəl] *s.* **1.** Räucherkerzchen *n*; **2.** *pharm* Paˈstille *f*.

pas·time [ˈpɑːstaɪm] *s.* (***as a*** ~ zum) Zeitvertreib *m*.

past·i·ness [ˈpeɪstɪnɪs] *s.* **1.** breiiger Zustand; breiiges Aussehen; **2.** *fig.* käsiges Aussehen.

past·ing [ˈpeɪstɪŋ] *s.* **1.** Kleistern *n*, Kleben *n*; **2.** ⚙ Klebstoff *m*; **3.** *sl.* ‚Dresche' *f*, (Tracht *f*) Prügel *pl.*

pas·tor [ˈpɑːstə] *s.* Pfarrer *m*, Pastor *m*, Seelsorger *m*; **ˈpas·to·ral** [-tərəl] **I** *adj.* □ **1.** Schäfer…, Hirten…, iˈdyllisch, ländlich; **2.** *eccl.* pastoˈral, seelsorgerlich: ~ ***staff*** Krummstab; **II** *s.* **3.** Hirtengedicht *n*, Iˈdylle *f*; **4.** *paint.* ländliche Szene; **5.** ♪ a) Schäferspiel *n*, b) Pastoˈrale *n*; **6.** *eccl.* a) Hirtenbrief *m*, b) *pl. a.* ♀ ***Epistles*** Pastoˈralbriefe *pl.* (*von Paulus*); **ˈpas·tor·ate** [-ərət] *s.* **1.** Pastoˈrat *n*, Pfarramt *n*; **2.** *coll. die* Geistlichen *pl.*; **3.** *Am.* Pfarrhaus *n*.

past per·fect *ling. s.* Vorvergangenheit *f*, ˈPlusquamperˌfekt(um) *n*.

pas·try [ˈpeɪstrɪ] *s.* **1.** a) *coll.* Konˈditorwaren *pl.*, Feingebäck *n*, b) Kuchen *m*, Torte *f*; **2.** (Kuchen-, Torten)Teig *m*; ~ ***cook*** *s.* Konˈditor *m*.

pas·tur·age [ˈpɑːstjʊrɪdʒ] *s.* **1.** Weiden *n* (*Vieh*); **2.** Weidegras *n*; **3.** Weide(land *n*) *f*; **4.** Bienenzucht *f* u. -fütterung *f*.

pas·ture [ˈpɑːstʃə] **I** *s.* **1.** Weidegras *n*, Viehfutter *n*; **2.** Weide(land *n*) *f*: ***seek greener*** ~***s*** *fig.* sich nach besseren Möglichkeiten umsehen; ***retire to*** ~ (in den Ruhestand) abtreten; **II** *v/i.* **3.** grasen, weiden; **III** *v/t.* **4.** *Vieh* auf die Weide treiben, weiden; **5.** *Wiese* abweiden.

past·y¹ [ˈpeɪstɪ] *adj.* **1.** teigig, kleisterig; **2.** *fig.* ‚käsig', blaß.

past·y² [ˈpæstɪ] *s.* (ˈFleisch)Paˌstete *f*.

pat [pæt] **I** *s.* **1.** *Brit.* (*leichter*) Schlag, Klaps *m*: ~ ***on the back*** *fig.* Schulterklopfen *n*, Lob *n*, Glückwunsch *m*; **2.** (Butter)Klümpchen *n*; **3.** Klopfen *n*, Getrappel *n*, Tapsen *n*; **II** *adj.* **4.** a) paˈrat, bereit, b) passend, treffend: ~ ***answer*** schlagfertige Antwort; ~ ***solution*** Patentlösung; ***a*** ~ ***style*** ein gekonnter Stil; ***know s.th. off*** (*od.* ***have it down***) ~ F et. (wie) am Schnürchen

P

können; **5.** fest: ***stand ~*** festbleiben, sich nicht beirren lassen; **6.** (*a. adv.*) im rechten Augenblick, rechtzeitig, wie gerufen; **III** *v/t.* **7.** *Brit.* klopfen, tätscheln: ***~ s.o. on the back*** j-m (anerkennend) auf die Schulter klopfen, *fig. a.* j-n beglückwünschen.

pat² [pæt] *s.* Ire *m* (*Spitzname*).

'pat-a-cake backe, backe Kuchen (*Kinderspiel*).

patch [pætʃ] **I** *s.* **1.** Fleck *m*, Flicken *m*, Lappen *m*; ⚔ *etc.* Tuchabzeichen *n*: ***not a ~ on*** F gar nicht zu vergleichen mit; **2.** a) ⚕ Pflaster *n*, b) Augenbinde *f*; **3.** Schönheitspflästerchen *n*; **4.** Stück *n* Land, Fleck *m*; Stück *n* Rasen; Stelle *f* (*a. im Buch*): ***in ~es*** stellenweise; ***strike a bad ~*** e-e Pechsträhne *od.* e-n schwarzen Tag haben; **5.** (Farb)Fleck *m* (*bei Tieren etc.*); **6.** *pl.* Bruchstücke *pl.*, *et.* Zs.-gestoppeltes; **II** *v/t.* **7.** flikken, ausbessern; mit Flicken versehen; **8.** ***~ up*** *bsd. fig.* a) zs.-stoppeln: ***~ up a textbook***, b) ‚zs.-flicken', c) *Ehe etc.* ‚kitten', d) *Streit* beilegen, e) über'tünchen, beschönigen; **'~·board** *s. Computer*: Schaltbrett; **~ kit** *s.* Flickzeug *n*.

patch·ou·li ['pætʃʊlɪ] *s.* 'Patschuli *n* (*Pflanze u. Parfüm*).

patch| pock·et *s.* aufgesetzte Tasche; **~ test** *s.* ⚕ Tuberku'linprobe *f*; **'~·word** *s. ling.* Flickwort *n*; **'~·work** *s. a. fig.* Flickwerk *n*.

patch·y ['pætʃɪ] *adj.* □ **1.** voller Flicken; **2.** *fig.* zs.-gestoppelt; **3.** fleckig; **4.** *fig.* ungleichmäßig.

pate [peɪt] *s.* F Schädel *m*, ‚Birne' *f*.

pâté ['pæteɪ] (*Fr.*) *s.* Pa'stete *f*.

pat·en ['pætən] *s. eccl.* Pa'tene *f*, Hostienteller *m*.

pa·ten·cy ['peɪtənsɪ] *s.* **1.** Offenkundigkeit *f*; **2.** ⚕ 'Durchgängigkeit *f* (*e-s Kanals etc.*).

pat·ent ['peɪtənt; *bsd.* ⚖ *u. Am.* 'pæ-] **I** *adj.* □ **1.** offen(kundig): ***to be ~*** auf der Hand liegen; **2.** ***letters ~*** → 6 *u.* 7; **3.** patentiert, gesetzlich geschützt: ***~ article*** Markenartikel *m*; ***~ fuel*** Preßkohlen *pl.*; ***~ leather*** Lack-, Glanzleder *n*; ***~-leather shoe*** Lackschuh *m*; ***~ medicine*** Marken-, Patentmedizin *f*; **4.** ⚖ Patent…: ***~ agent*** (*Am.* ***attorney***) Patentanwalt *m*; ***~ law*** *objektives* Patentrecht; ***≈ Office*** Patentamt *n*; ***~ right*** *subjektives* Patentrecht; ***~ roll*** *Brit.* Patentregister *n*; ***~ specification*** Patentschrift *f*, -beschreibung *f*; **5.** *Brit.* F ‚pa'tent': ***~ methods***; **II** *s.* **6.** Pa'tent *n*, Privi'leg(ium) *n*, Freibrief *m*, Bestallung *f*; **7.** ⚖ Pa'tent(urkunde *f*) *n*: ***~ of addition*** Zusatzpatent; ***~ applied for***, ***~ pending*** Patent angemeldet; ***take out a ~ for*** → 10; **8.** *Brit.* F ‚Re'zept' *n*; **III** *v/t.* **9.** patentieren, gesetzlich schützen; **10.** patentieren lassen; **'pat·ent·a·ble** [-təbl] *adj.* pa'tentfähig; **pat·ent·ee** [ˌpeɪtən'tiː] *s.* Pa'tentinhaber(in).

pa·ter ['peɪtə] *s. ped. sl.* ‚alter Herr' (*Vater*).

pa·ter·nal [pə'tɜːnl] *adj.* □ väterlich, Vater…: ***~ grandfather*** Großvater väterlicherseits; **pa'ter·ni·ty** [-nətɪ] *s.* Vaterschaft *f* (*a. fig.*): ***~ suit*** ⚖ Vaterschaftsklage *f*; ***declare ~*** die Vaterschaft feststellen.

pa·ter·nos·ter [ˌpætə'nɒstə] **I** *s.* **1.** *R.C.* a) Vater'unser *n*, b) Rosenkranz *m*; **2.** ⚙ Pater'noster *m* (*Aufzug*); **II** *adj.* **3.** ⚙ Paternoster…

path [pɑːθ] **~s** [pɑːðz] *s.* **1.** Pfad *m*, Weg *m* (*a. fig.*): ***cross s.o.'s ~*** j-m über den Weg laufen; **2.** ⚙, *phys.*, *sport* Bahn *f*: ***~ of electrons*** Elektronenbahn.

pa·thet·ic [pə'θetɪk] *adj.* (□ ***~ally***) **1.** *obs.* pa'thetisch, allzu gefühlvoll: ***~ fallacy*** Vermenschlichung *f* der Natur (*in der Literatur*); **2.** mitleiderregend; **3.** *Brit.* F kläglich, jämmerlich, ‚zum Weinen'.

'path,find·er *s.* **1.** ✈, ⚔ Pfadfinder *m*; **2.** Forschungsreisende(r) *m*; **3.** *fig.* Bahnbrecher *m*.

path·less ['pɑːθlɪs] *adj.* weglos.

path·o·gen·ic [ˌpæθə'dʒenɪk] *adj.* ⚕ patho'gen, krankheitserregend.

path·o·log·i·cal [ˌpæθə'lɒdʒɪkl] *adj.* □ ⚕ patho'logisch: a) krankhaft, b) *die Krankheitslehre betreffend*; **pa·thol·o·gist** [pə'θɒlədʒɪst] *s.* ⚕ Patho'loge *m*; **pa·thol·o·gy** [pə'θɒlədʒɪ] *s.* ⚕ **1.** Patholo'gie *f*, Krankheitslehre *f*; **2.** pathologischer Befund.

pa·thos ['peɪθɒs] *s.* **1.** *obs.* Pathos *n*; **2.** a) Mitleid *n*, b) *das* Mitleiderregende.

'path·way *s.* Pfad *m*, Weg *m*, Bahn *f*.

pa·tience ['peɪʃns] *s.* **1.** Geduld *f*; Ausdauer *f*: ***lose one's ~*** die Geduld verlieren; ***be out of ~ with s.o.*** aufgebracht sein gegen j-n; ***have no ~ with s.o.*** j-n nicht leiden können, nichts übrig haben für j-n; ***try s.o.'s ~*** j-s Geduld auf die Probe stellen; → ***Job²***; ***possess*** 2 b; **2.** *bsd. Brit.* Pati'ence *f* (*Kartenspiel*); **'pa·tient** [-nt] **I** *adj.* □ **1.** geduldig; nachsichtig; beharrlich: ***be ~ of*** ertragen; ***~ of two interpretations*** *fig.* zwei Deutungen zulassend; **II** *s.* **2.** Pati'ent(in), Kranke(r *m*) *f*; **3.** ⚖ *Brit.* Geistesgestörte(r *m*) *f* (*in e-r Heil- und Pflegeanstalt*).

P

pat·i·o ['pætɪəʊ] *s.* **1.** Innenhof *m*, Patio *m*; **2.** Ter'rasse *f*, Ve'randa *f*.

pa·tri·arch ['peɪtrɪɑːk] *s.* Patri'arch *m*; **pa·tri·ar·chal** [ˌpeɪtrɪ'ɑːkl] *adj.* patriar'chalisch (*a. fig. ehrwürdig*); **'pa·tri·arch·ate** [-kɪt] *s.* Patriar'chat *n*.

pa·tri·cian [pə'trɪʃn] **I** *adj.* pa'trizisch; *fig.* aristo'kratisch; **II** *s.* Pa'trizier(in).

pat·ri·cide ['pætrɪsaɪd] → ***parricide***.

pat·ri·mo·ni·al [ˌpætrɪˈməʊnjəl] *adj.* ererbt, Erb…; **pat·ri·mo·ny** [ˈpætrɪmənɪ] *s.* **1.** väterliches Erbteil (*a. fig.*); **2.** Vermögen *n*; **3.** Kirchengut *n*.

pa·tri·ot [ˈpætrɪət] *s.* Patriˈot(in); **pa·tri·ot·eer** [ˌpætrɪəˈtɪə] *s.* Hurˈrapatriˌot *m*; **pa·tri·ot·ic** [ˌpætrɪˈɒtɪk] *adj.* (□ ***~ally***) patriˈotisch; **ˈpa·tri·ot·ism** [-tɪzəm] *s.* Patrioˈtismus *m*, Vaterlandsliebe *f*.

pa·trol [pəˈtrəʊl] **I** *v/i.* **1.** ⚔ patroullieren, ✈ Paˈtrouille fliegen; auf Streife sein (*Polizisten*), s-e Runde machen (*Wachmann*); **II** *v/t.* **2.** ⚔ abpatrouillieren, ✈ *Strecke* abfliegen; auf Streife sein in (*dat.*); **III** *s.* **3.** (***on ~*** auf) Paˈtrouille *f*; Streife *f*; Runde *f*; **4.** ⚔ Paˈtrouille *f*, Späh-, Stoßtrupp *m*; (Poliˈzei)Streife *f*: ***~ activity*** ⚔ Spähtrupptätigkeit *f*; ***~ car*** a) ⚔ (Panzer-) Spähwagen *m*, b) (Funk-, Poliˈzei-) Streifenwagen *m*; ***~ wagon*** *Am.* Polizeigefangenenwagen *m*; **~·man** [-mæn] *s.* [*irr.*] Streifenbeamte(r) *m*.

pa·tron [ˈpeɪtrən] *s.* **1.** Paˈtron *m*, Schutz-, Schirmherr *m*; **2.** Gönner *m*, Förderer *m*; **3.** *R.C.* a) ˈKirchenpaˌtron *m*, b) → ***patron saint***; **4.** a) ✝ (Stamm-) Kunde *m*, b) Stammgast *m*, *a. thea. etc.* regelmäßiger Besucher; **5.** *Brit. mot.* Pannenhelfer *m*; **pa·tron·age** [ˈpætrənɪdʒ] *s.* **1.** Schirmherrschaft *f*; **2.** Gönnerschaft *f*, Förderung *f*; **3.** ⚖ Patroˈnatsrecht *n*; **4.** Kundschaft *f*; **5.** gönnerhaftes Benehmen; **6.** *Am.* Recht *n* der Ämterbesetzung; **pa·tron·ess** [ˈpeɪtrənɪs] *s.* Paˈtronin *f etc.* (→ ***patron***).

pa·tron·ize [ˈpætrənaɪz] *v/t.* **1.** beschirmen, beschützen; **2.** fördern, unterˈstützen; **3.** (Stamm)Kunde *od.* Stammgast sein bei, *Theater etc.* regelmäßig besuchen; **4.** gönnerhaft behandeln; **ˈpa·tron·iz·er** [-zə] *s.* → ***patron*** 2, 4; **ˈpa·tron·iz·ing** [-zɪŋ] *adj.* □ gönnerhaft, herˈablassend: ***~ air*** Gönnermiene *f*.

pa·tron saint *s. R.C.* Schutzheilige(r) *m*.

pat·sy [ˈpætsɪ] *s. sl.* **1.** Sündenbock *m*; **2.** Gimpel *m*; **3.** ˈWitzfiˌgur *f*.

pat·ten [ˈpætn] *s.* **1.** Holzschuh *m*; **2.** Stelzschuh *m*; **3.** ⚠ Säulenfuß *m*.

pat·ter¹ [ˈpætə] **I** *v/i. u. v/t.* **1.** schwatzen, (daˈher)plappern; ‚heˈrunterleiern'; **II** *s.* **2.** Geplapper *n*; **3.** (ˈFach-) Jargon *m*; **4.** Gaunersprache *f*.

pat·ter² [ˈpætə] **I** *v/i.* **1.** prasseln (*Regen etc.*); **2.** trappeln (*Füße*); **II** *s.* **3.** Prasseln *n* (*Regen*); **4.** (Fuß)Getrappel *n*; **5.** Klappern *n*.

pat·tern [ˈpætən] **I** *s.* **1.** (*a.* Schnitt-, Stick)Muster *n*, Vorlage *f*, Moˈdell *n*: ***on the ~ of*** nach dem Muster von *od. gen.*; **2.** ✝ Muster *n*: a) (Waren)Probe *f*, b) Desˈsin *n*, Moˈtiv *n* (*Stoff*): ***by ~ post*** als Muster ohne Wert; **3.** *fig.* Muster *n*, Vorbild *n*; **4.** *fig.* Plan *m*, Anlage *f*: ***~ of one's life***; **5.** ⚙ a) Schaˈblone *f*, b) ˈGußmoˌdell *n*, c) Lehre *f*; **6.** *Weberei*: Paˈtrone *f*; **7.** (***behavio[u]r***) ***~*** *psych.* (Verhaltens)Muster *n*; **II** *adj.* **8.** musterhaft, Muster…: ***a ~ wife***; **III** *v/t.* **9.** (nach)bilden, gestalten (***after***, ***on*** nach): ***~ one's conduct on s.o.*** sich (in s-m Benehmen) ein Beispiel an j-m nehmen; **10.** mit Muster(n) verzieren, mustern; **~ bomb·ing** *s.* ⚔ Flächenwurf *m*; **~ book** *s.* ✝ Musterbuch *n*; **~ mak·er** *s.* ⚙ Moˈdellmacher *m*; **~ paint·ing** *s.* ⚔ Tarnanstrich *m*.

pat·ty [ˈpætɪ] *s.* Paˈstetchen *n*.

pau·ci·ty [ˈpɔːsətɪ] *s.* geringe Zahl *od.* Menge, Knappheit.

Paul·ine [ˈpɔːlaɪn] *adj. eccl.* pauˈlinisch.

paunch [pɔːntʃ] *s.* **1.** (Dick)Bauch *m*, Wanst *m*; **2.** *zo.* Pansen *m*; **ˈpaunch·y** [-tʃɪ] *adj.* dickbäuchig.

pau·per [ˈpɔːpə] **I** *s.* **1.** Arme(r *m*) *f*; **2.** *Am.* a) Unterˈstützungsempfänger(in), b) ⚖ unter Armenrecht Klagende(r *m*) *f*; **II** *adj.* **3.** Armen…; **ˈpau·per·ism** [-ərɪzəm] *s.* Verarmung *f*, Massenarmut *f*; **pau·per·i·za·tion** [ˌpɔːpəraɪˈzeɪʃn] *s.* Verarmung *f*, Verelendung *f*; **ˈpau·per·ize** [-əraɪz] *v/t.* bettelarm machen.

pause [pɔːz] **I** *s.* **1.** Pause *f*, Unterˈbrechung *f*: ***make a ~*** innehalten, pausieren; ***it gives one ~ to think*** es gibt e-m zu denken; **2.** *typ.* Gedankenstrich *m*; **3.** ♪ Ferˈmate *f*; **II** *v/i.* **4.** pausieren, innehalten; stehenbleiben; zögern; **5.** verweilen (***on***, ***upon*** bei): ***to ~ upon a note*** (*od.* ***tone***) ♪ e-n Ton aushalten.

pave [peɪv] *v/t. Straße* pflastern, *Fußboden* legen: ***~ the way for*** *fig.* den Weg ebnen für; → ***paving***; **ˈpave·ment** [-mənt] *s.* **1.** (Straßen)Pflaster *n*; **2.** *Brit.* Bürgersteig *m*, Trotˈtoir *n*: ***~ artist*** Pflastermaler *m*; ***~ café*** Straßencafé *n*; **3.** *Am.* Fahrbahn *f*; **4.** Fußboden(belag) *m*; **ˈpav·er** [-və] *s.* **1.** Pflasterer *m*; **2.** Fliesen-, Plattenleger *m*; **3.** Pflasterstein *m*, Fußbodenplatte *f*; **4.** *Am.* ˈStraßenbeˌtonmischer *m*.

pa·vil·ion [pəˈvɪljən] *s.* **1.** (großes) Zelt; **2.** Pavillon *m*, Gartenhäuschen *n*; **3.** ✝ (Messe)Pavillon *m*.

pav·ing [ˈpeɪvɪŋ] *s.* Pflastern *n*; (Be)Pflasterung *f*, Straßendecke *f*; Fußbodenbelag *m*; **~ stone** *s.* Pflasterstein *m*; **~ tile** *s.* Fliese *f*.

pav·io(u)r [ˈpeɪvjə] *s.* Pflasterer *m*.

paw [pɔː] **I** *s.* **1.** Pfote *f*, Tatze *f*; **2.** F ‚Pfote' *f* (*Hand*); **3.** F *humor.* ‚Klaue' *f* (*Handschrift*); **II** *v/t.* **4.** *mit dem Vorderfuß od. der Pfote* scharren; **5.** F ‚betatschen': a) derb *od.* ungeschickt anfassen, b) *j-n* ‚begrabschen': ***~ the air*** (in der Luft) herumfuchteln; **III** *v/i.* **6.** stampfen, scharren; **7.** ‚(heˈrum)fum-

P

meln‘.

pawl [pɔ:l] *s.* **1.** ⚙ Sperrhaken *m*, -klinke *f*, Klaue *f*; **2.** ⚓ Pall *n*.

pawn¹ [pɔ:n] *s.* **1.** *Schach*: Bauer *m*; **2.** *fig.* ˈSchachfiˌgur *f*; ***sacrifice a ~*** ein Bauernopfer bringen.

pawn² [pɔ:n] **I** *s.* **1.** Pfand(sache *f*) *n*; ⚖ *u. fig. a.* Faustpfand *n*: ***in*** (*od.* ***at***) ~ verpfändet, versetzt; **II** *v/t.* **2.** verpfänden (*a. fig.*), versetzen; **3.** ✝ lombardieren; ˈ**~ˌbro·ker** *s.* Pfandleiher *m*.

pawn·ee [ˌpɔ:ˈni:] *s.* ⚖ Pfandinhaber *m*, -nehmer *m*; **pawn·er**, **pawn·or** [ˈpɔ:nə] *s.* Pfandschuldner *m*.

ˈ**pawn|·shop** *s.* Pfandhaus *n*, Pfandleihe *f*; **~ tick·et** *s.* Pfandschein *m*.

pay [peɪ] **I** *s.* **1.** Bezahlung *f*; (Arbeits-)Lohn *m*, Löhnung *f*; Gehalt *n*; Sold *m* (*a. fig.*); ⚔ (Wehr)Sold *m*: ***in the ~ of s.o.*** bei j-m beschäftigt, in j-s Sold; **2.** *fig.* Belohnung *f*, Lohn *m*; **II** *v/t.* [*irr.*] **3.** zahlen, entrichten; *Rechnung* bezahlen *od.* begleichen, *Wechsel* einlösen, *Hypothek* ablösen; *j-n* bezahlen, *Gläubiger* befriedigen: **~ *into*** einzahlen auf *ein Konto*; **~ *one's way*** ohne Verlust arbeiten, s-n Verbindlichkeiten nachkommen, auskommen mit dem, was man hat; **4.** *fig.* (be)lohnen, vergelten (***for*** *et.*): **~ *home*** heimzahlen; **5.** *fig. Achtung* zollen; *Aufmerksamkeit* schenken; *Besuch* abstatten; *Ehre* erweisen; *Kompliment* machen; → ***court*** 10; ***homage*** 2; **6.** *fig.* sich lohnen für *j-n*; **III** *v/i.* [*irr.*] **7.** zahlen, Zahlung leisten: **~ *for*** (für) *et.* bezahlen (*a. fig. et. büßen*), die Kosten tragen für; ***he had to ~ dearly for it*** *fig.* er mußte es bitter büßen, es kam ihn teuer zu stehen; **8.** *fig.* sich lohnen, sich rentieren, sich bezahlt machen;

Zssgn mit adv.:

pay| back *v/t.* **1.** zuˈrückzahlen, -erstatten; **2.** *fig.* a) *Besuch etc.* erwidern, b) *j-m* heimzahlen (***for s.th.*** et.); → ***coin*** 1; **~ down** *v/t.* **1.** bar bezahlen; **2.** e-e Anzahlung machen von; **~ in** *v/t. u. v/i.* (*auf ein Konto*) einzahlen; → ***paid-in***; **~ off I** *v/t.* **1.** *j-n* auszahlen, entlohnen; ⚓ abmustern; **2.** *et.* abbezahlen, tilgen; **3.** *Am. für* ***pay back*** 2b; **II** *v/i.* **4.** F → ***pay*** 8; **~ out** *v/t.* **1.** auszahlen; **2.** F *fig.* → ***pay back*** 2b; **3.** (*pret. u. p.p.* **payed**) *Kabel*, *Kette etc.* ausstekken, -legen, abrollen; **~ up** *v/t. j-n od. et.* voll *od.* soˈfort bezahlen; *Schuld* tilgen; ✝ *Anteile*, *Versicherung etc.* voll einzahlen; → ***paid-up***.

pay·a·ble [ˈpeɪəbl] *adj.* **1.** zahlbar, fällig: **~ *to bearer*** auf den Überbringer lautend; ***make a cheque*** (*Am.* ***check***) **~ *to s.o.*** e-n Scheck auf j-n ausstellen; **2.** ✝ renˈtabel.

ˌ**pay|-as-you-ˈearn** *s. Brit.* Lohnsteuerabzug *m*; ˌ**~-as-you-ˈsee tel·e·vi·sion** *s.* Münzfernsehen *n*; **~ bed** *s.* ⚕ Priˈvatbett *n*; **~ check** *s. Am.* Lohn-, Gehaltsscheck *m*; **~ claim** *s.* Lohn-, Gehaltsforderung *f*; **~ clerk** *s.* **1.** ✝ Lohnauszahler *m*; **2.** ⚔ Rechnungsführer *m*; ˈ**~·day** *s.* Zahl-, Löhnungstag *m*; **~ desk** *s.* ✝ Kasse *f* (*im Kaufhaus*); **~ dirt** *s.* **1.** *geol.* goldführendes Erdreich; **2.** *fig. Am.* Geld *n*, Gewinn *m*: ***strike ~*** Erfolg haben.

pay·ee [peɪˈi:] *s.* **1.** Zahlungsempfänger (-in); **2.** Wechselnehmer(in).

pay en·ve·lope *s.* Lohntüte *f*.

pay·er [ˈpeɪə] *s.* **1.** (Be)Zahler *m*; **2.** (*Wechsel*)Bezogene(r) *m*, Trasˈsat *m*.

pay freeze *s.* Lohnstopp *m*.

pay·ing [ˈpeɪɪŋ] *adj.* **1.** lohnend, einträglich, renˈtabel: ***not ~*** unrentabel; **~ *concern*** lohnendes Geschäft; **2.** Kassen…, Zahl(ungs)…: **~ *guest*** zahlender Gast; ˌ**~-ˈin slip** *s.* Einzahlungsschein *m*.

pay| load *s.* **1.** ⚙, ⚓, ✈ Nutzlast *f*: **~ *capacity*** Ladefähigkeit *f*; **2.** ⚔ Sprengladung *f*; **3.** ✝ *Am.* Lohnanteil *m*; ˈ**~ˌmas·ter** *s.* ⚔ Zahlmeister *m*.

pay·ment [ˈpeɪmənt] *s.* **1.** (Ein-, Aus-, Be)Zahlung *f*, Entrichtung *f*, Abtragung *f von Schulden*, Einlösung *f e-s Wechsels*: **~ *in kind*** Sachleistung *f*; ***in ~ of*** zum Ausgleich (*gen.*); ***on ~*** (***of***) nach Eingang (*gen.*), gegen Zahlung (von *od. gen.*); ***accept in ~*** in Zahlung nehmen; **2.** gezahlte Summe, Bezahlung *f*; **3.** Lohn *m*, Löhnung *f*, Besoldung *f*; **4.** *fig.* Lohn *m* (*a. Strafe*).

ˈ**pay|·off** *s. sl.* **1.** Aus- *od.* Abzahlung *f*; **2.** *fig.* Abrechnung *f* (*Rache*); **3.** Resulˈtat *n*; Entscheidung *f*; **4.** *Am.* Clou *m* (*Höhepunkt*); **~ of·fice** *s.* **1.** ˈLohnbüˌro *n*; **2.** Zahlstelle *f*.

pay·o·la [peɪˈəʊlə] *s. Am. sl.* Bestechungs-, Schmiergeld(er *pl.*) *n*.

pay| pack·et *s.* Lohntüte *f*; **~ pause** *s.* Lohnpause *f*; ˈ**~·roll** *s.* Lohnliste *f*: ***have*** (*od.* ***keep***) ***s.o. on one's ~*** j-n (bei sich) beschäftigen; ***he is no longer on our ~*** er arbeitet nicht mehr für *od.* bei uns; **~ round** *s.* Tarifrunde *f*; **~ scale** *s.* Lohn- und Gehaltstarif *m*; **~ slip** *s.* Lohn-, Gehaltsstreifen *m*; **~ tel·e·phone** *s.* Münzfernsprecher *m*; **~ tel·e·vi·sion** *s.* Münzfernsehen *n*.

pea [pi:] **I** *s.* ⚘ Erbse *f*: ***as like as two ~s*** sich gleichend wie ein Ei dem andern; → ***sweet pea***; **II** *adj.* erbsengroß, -förmig.

peace [pi:s] **I** *s.* **1.** Friede(n) *m*: ***at ~*** a) in Frieden, im Friedenszustand, b) in Frieden ruhend (*tot*); **2.** *a.* ***the King's*** (*od.* ***Queen's***) **~**, ***public ~*** Landfrieden *m*, öffentliche Ruhe und Ordnung, öffentliche Sicherheit: ***breach of the ~*** ⚖ (öffentliche) Ruhestörung; ***disturb the ~*** die öffentliche Ruhe stören; ***keep the***

P

~ die öffentliche Sicherheit wahren; **3.** *fig.* Ruhe *f*, Friede(n) *m*: ***~ of mind*** Seelenruhe; ***hold one's ~*** sich ruhig verhalten; ***leave in ~*** in Ruhe *od.* Frieden lassen; **4.** Versöhnung *f*, Eintracht *f*: ***make one's ~ with s.o.*** sich mit j-m versöhnen; **II** *int.* **5.** sst!, still!, ruhig!; **III** *adj.* **6.** Friedens...: ***~ conference***; ***~ feelers***; ***~ movement***; ***~ offensive***; ***~ corps*** Friedenstruppe *f*; **'peace·a·ble** [-səbl] *adj.* □ friedlich: a) friedfertig, -liebend, b) ruhig, ungestört; **'peace·ful** [-fʊl] *adj.* □ friedlich; **'~-ˌkeep·ing** *adj.*: ***~ force*** *pol.* ⚔ Friedenstruppe *f*; **'peace·less** [-lɪs] *adj.* friedlos.

peace·nik ['pi:snɪk] *s. Am. sl.* Kriegsgegner(in).

peace| of·fer·ing *s.* **1.** *eccl.* Sühneopfer *n*; **2.** Versöhnungsgeschenk *n*, versöhnliche Geste, Friedenszeichen *n*; **~ of·fi·cer** *s.* Sicherheitsbeamte(r) *m*, Schutzmann *m*; **~ re·search** *s.* Friedensforschung *f*; **~ set·tle·ment** *s.* Friedensregelung *f*; **'~·time I** *s.* Friedenszeit *f*; **II** *adj.* in Friedenszeiten, Friedens...; **~ trea·ty** *s. pol.* Friedensvertrag *m*.

peach[1] [pi:tʃ] *s.* **1.** ⚘ Pfirsich(baum) *m*; **2.** *sl.* ‚klasse' Per'son *od.* Sache: ***a ~ of a car*** ein ‚todschicker' Wagen; ***a ~ of a girl*** ein bildhübsches Mädchen.

peach[2] [pi:tʃ] *v/i.*: **~ *against*** (*od.* ***on***) *Komplicen* ‚verpfeifen', *Schulkameraden* verpetzen.

peach·y ['pi:tʃɪ] *adj.* **1.** pfirsichartig; **2.** *sl.* ‚prima', ‚schick', ‚klasse'.

pea·cock ['pi:kɒk] *s.* **1.** *orn.* Pfau(hahn) *m*; **2.** *fig.* (eitler) Fatzke *m*; **~ blue** *s.* Pfauenblau *n* (*Farbe*).

'pea|·fowl *s. orn.* Pfau *m*; **'~·hen** *s. orn.* Pfauhenne *f*; **~ jack·et** *s.* ⚓ Ko'lani *m* (*Uniformjacke*).

peak[1] [pi:k] **I** *s.* **1.** Spitze *f*; **2.** Bergspitze *f*; Horn *n*, spitzer Berg; **3.** (Mützen-) Schirm *m*; **4.** ⚓ Piek *f*; **5.** ⩕, *phys.* Höchst-, Scheitelwert *m*; **6.** *fig.* (Leistungs- *etc.*)Spitze *f*, Höchststand *m*; Gipfel *m des Glücks etc.*: ***~ of traffic*** Verkehrsspitze; ***reach the ~*** den Höchststand erreichen; **II** *adj.* **7.** Spitzen..., Höchst..., Haupt...: ***~ factor*** *phys.*, ⚡ Scheitelfaktor *m*; ***~ load*** Spitzenbelastung *f* (*a.* ⚡); ***~ season*** Hochsaison *f*, -konjunktur; ***~ time*** a) Hochkonjunktur *f*, b) Stoßzeit *f*, c) = ***~ (traffic) hours*** Hauptverkehrszeit *f*; ***~ viewing time*** TV Hauptsendezeit *f*.

peak[2] [pi:k] *v/i.* **1.** kränkeln, abmagern; **2.** spitz aussehen.

peaked [pi:kt] *adj.* **1.** spitz(ig): ***~ cap*** Schirmmütze; **2.** F ‚spitz', kränklich.

peak·y ['pi:kɪ] *adj.* **1.** gipfelig; **2.** spitz (-ig); **3.** → ***peaked*** 2.

peal [pi:l] **I** *s.* **1.** (Glocken)Läuten *n*; **2.** Glockenspiel *n*; **3.** (*Donner*)Schlag *m*, Dröhnen *n*: ***~ of laughter*** schallendes Gelächter; **II** *v/i.* **4.** läuten; erschallen, dröhnen, schmettern; **III** *v/t.* **5.** erschallen lassen.

'pea·nut I *s.* **1.** ⚘ Erdnuß *f*; **2.** *Am. sl.* a) *pl.* ‚kleine Fische' *pl.* (*geringer Betrag*), b) ‚kleines Würstchen' (*Person*); **II** *adj.* **3.** *Am. sl.* klein, unbedeutend, lächerlich: ***a ~ politician***; **~ but·ter** *s.* Erdnußbutter *f*.

pear [peə] *s.* ⚘ **1.** Birne *f* (*a. weitS. Objekt*); **2.** *a.* ***~ tree*** Birnbaum *m*.

pearl [pɜ:l] **I** *s.* **1.** Perle *f* (*a. fig. u. pharm.*): ***cast ~s before swine*** Perlen vor die Säue werfen; **2.** Perl'mutt *n*; **3.** *typ.* Perl(schrift) *f*; **II** *adj.* **4.** Perlen...; Perlmutt(er)...; **III** *v/i.* **5.** Perlen bilden, perlen, tropfen; **~ bar·ley** *s.* Perlgraupen *pl.*; **~ div·er** *s.* Perlentaucher *m*; **'~-ˌoys·ter** *s. zo.* Perlmuschel *f*.

pearl·y ['pɜ:lɪ] *adj.* **1.** Perlen..., perlenartig, perlmutterartig; **2.** perlenreich.

'pear|-quince *s.* ⚘ Echte Quitte, Birnenquitte *f*; **'~-shaped** *adj.* birnenförmig.

peas·ant ['peznt] **I** *s.* **1.** (Klein)Bauer *m*; **2.** *fig.* F ‚Bauer' *m*; **II** *adj.* **3.** (klein-) bäuerlich, Bauern...: ***~ woman*** Bäuerin *f*; **'peas·ant·ry** [-rɪ] *s. die* (Klein-) Bauern *pl.*, Landvolk *n*.

pease [pi:z] *s. pl. Br. dial.* Erbsen *pl.*: ***~ pudding*** Erbs(en)brei *m*.

'pea|-ˌshoot·er *s.* **1.** Blas-, Pusterohr *n*; **2.** *Am.* Kata'pult *m, n*; **3.** *Am. sl.* ‚Ka'none' *f* (*Pistole*); **~ soup** *s.* **1.** Erbsensuppe *f*; **2.** *a.* **ˌ~-'soup·er** [-'su:pə] *s.* **1.** F ‚Waschküche' *f* (*dichter Nebel*); **2.** 'Frankokaˌnadier *m*; **ˌ~-'soup·y** [-'su:pɪ] *adj.* F dicht u. gelb (*Nebel*).

peat [pi:t] *s.* **1.** Torf *m*: ***cut*** (*od.* ***dig***) ~ Torf stechen: ***~ bath*** ⚕ Moorbad *n*; ***~ coal*** Torfkohle *f*: ***~ moss*** Torfmoos *n*; **2.** Torfstück *n*, -sode *f*.

peb·ble ['pebl] **I** *s.* **1.** Kiesel(stein) *m*: ***you are not the only ~ on the beach*** F man (*od.* ich) kann auch ohne dich auskommen; **2.** A'chat *m*; **3.** 'Bergkriˌstall *m*; **4.** *opt.* Linse *f* aus 'Bergkriˌstall; **II** *v/t.* **5.** *Weg* mit Kies bestreuen; **6.** ⚙ *Leder* krispeln; **'peb·bly** [-lɪ] *adj.* kieselig.

pec·ca·dil·lo [ˌpekə'dɪləʊ] *pl.* **-loes** *s.* ‚kleine Sünde', Kava'liersdeˌlikt *n*.

peck[1] [pek] *s.* **1.** Viertelscheffel *m* (*Brit. 9,1, Am. 8,8 Liter*); **2.** *fig.* Menge *f*, Haufen *m*: ***a ~ of trouble***.

peck[2] [pek] **I** *v/t.* **1.** *mit dem Schnabel etc.* (auf)picken, (-)hacken; **2.** *j-m* ein Küßchen geben; **II** *v/i.* **3.** (***at***) picken, hacken (nach), einhacken (auf *acc.*): ***~ing order*** *zo.* u. *fig.* Hackordnung *f*; ***~ at s.o.*** *fig.* auf j-m ‚herumhacken'; ***~ at one's food*** *lustlos* im Essen herumstochern; **III** *s.* **4.** Schlag *m*, (Schnabel-) Hieb *m*; **5.** Loch *n*; **6.** leichter *od.* flüchtiger Kuß; **7.** *Brit. sl.* ‚Futter' *n*

(*Essen*); '**peck·er** [-kə] *s.* **1.** Picke *f*, Haue *f*; **2.** ⚙ Abfühlnadel *f*; **3.** *sl.* ‚Zinken' *m* (*Nase*): ***keep your ~ up!*** halt die Ohren steif!; **4.** *Am. sl.* ‚Schwanz' *m* (*Penis*); **peck·ish** ['pekɪʃ] *adj.* F **1.** hungrig; **2.** *Am.* reizbar.

pec·to·ral ['pektərəl] **I** *adj.* **1.** *anat.*, ⚕ Brust…; **II** *s.* **2.** *hist.* Brustplatte *f*; **3.** *anat.* Brustmuskel *m*; **4.** *pharm.* Brustmittel *n*; **5.** *zo. a.* ***~ fin*** Brustflosse *f*; **6.** *R.C.* Brustkreuz *n*.

pec·u·late ['pekjʊleɪt] *v/t.* (*v/i.* öffentliche Gelder) unter'schlagen, veruntreuen; **pec·u·la·tion** [ˌpekjʊ'leɪʃn] *s.* Unter'schlagung *f*, Veruntreuung *f*, 'Unterschleif *m*; '**pec·u·la·tor** [-tə] *s.* Veruntreuer *m*.

pe·cul·iar [pɪ'kju:ljə] **I** *adj.* □ **1.** eigen(-tümlich) (***to*** *dat.*); **2.** eigen, seltsam, absonderlich; **3.** besonder; **II** *s.* **4.** ausschließliches Eigentum; **pe·cu·li·ar·i·ty** [pɪˌkju:lɪ'ærətɪ] *s.* **1.** Eigenheit *f*, Eigentümlichkeit *f*, Besonderheit *f*; **2.** Eigenartigkeit *f*, Seltsamkeit *f*.

pe·cu·ni·ar·y [pɪ'kju:njərɪ] *adj.* □ Geld…, pekuni'är, finanzi'ell: ***~ advantage*** Vermögensvorteil.

ped·a·gog·ic, **ped·a·gog·i·cal** [ˌpedə'gɒdʒɪk(l)] *adj.* □ päda'gogisch, erzieherisch, Erziehungs…; ˌ**ped·a'gog·ics** [-ks] *s. pl. sg. konstr.* Päda'gogik *f*; **ped·a·gogue** ['pedəgɒg] *s.* **1.** Päda'goge *m*, Erzieher *m*; **2.** *contp. fig.* Pe'dant *m*, Schulmeister *m*; **ped·a·go·gy** ['pedəgɒdʒɪ] *s.* Päda'gogik *f*.

ped·al ['pedl] **I** *s.* **1.** Pe'dal *n* (*a.* ♪), Fußhebel *m*, Tretkurbel *f*; → ***soft pedal***; **2.** *a.* ***~ note*** ♪ Pe'dal- *od.* Orgelton *m*; **II** *v/i.* **3.** ⚙, ♪ Pe'dal treten; **4.** radfahren, ‚strampeln'; **III** *v/t.* **5.** treten, fahren; **IV.** *adj.* **6.** Pedal…, Fuß…: ***~ bin*** Treteimer *m*; ***~ car*** Tretauto *n*; ***~ brake*** *mot.* Fußbremse *f*; ***~ control*** ✈ Pedalsteuerung *f*; ***~ switch*** ⚙ Fußschalter *m*.

ped·a·lo ['pedələʊ] *s.* Tretboot *n*.

ped·ant ['pedənt] *s.* Pe'dant(in), Kleinigkeitskrämer(in); **pe·dan·tic** [pɪ'dæntɪk] *adj.* (□ ***~ally***) pe'dantisch, kleinlich; '**ped·ant·ry** [-trɪ] *s.* Pedante'rie *f*.

ped·dle ['pedl] **I** *v/i.* **1.** hausieren gehen; **2.** sich mit Kleinigkeiten abgeben, tändeln; **II** *v/t.* **3.** hausieren gehen mit (*a. fig.*), handeln mit: ***~ drugs***; ***~ new ideas***; '**ped·dler** [-lə] *Am.* → ***pedlar***; '**ped·dling** [-lɪŋ] *adj. fig.* kleinlich; geringfügig, unbedeutend, wertlos.

ped·er·ast ['pedəræst] *s.* Päde'rast *m*; '**ped·er·as·ty** [-tɪ] *s.* Pädera'stie *f*, Knabenliebe *f*.

ped·es·tal ['pedɪstl] *s.* **1.** ⚠ Sockel *m*, Posta'ment *n*, Säulenfuß *m*: ***set s.o. on a ~*** *fig.* j-n aufs Podest erheben; **2.** *fig.* Basis *f*, Grundlage *f*; **3.** ⚙ 'Untergestell *n*, Sockel *m*, (Lager)Bock *m*.

pe·des·tri·an [pɪ'destrɪən] **I** *adj.* **1.** zu Fuß, Fuß…; Spazier…; Fußgänger…: ***~ precinct*** (*od.* ***area***) Fußgängerzone *f*; **2.** *fig.* pro'saisch, nüchtern; langweilig; **II** *s.* **3.** Fußgänger(in); **pe'des·tri·an·ize** [-naɪz] *v/t.* in e-e Fußgängerzone verwandeln.

pe·di·at·ric [ˌpi:dɪ'ætrɪk] *adj.* ⚕ pädi'atrisch, Kinder(heilkunde)…; **pe·di·a·tri·cian** [ˌpi:dɪə'trɪʃn] *s.* Kinderarzt *m*, -ärztin *f*; ˌ**pe·di'at·rics** [-ks] *s. pl. sg. konstr.* Kinderheilkunde *f*, Pädia'trie *f*; ˌ**pe·di'at·rist** [-ɪst] → ***pediatrician***; **ped·i·at·ry** ['pi:dɪætrɪ] → ***pediatrics***.

ped·i·cel ['pedɪsəl] *s.* **1.** ⚘ Blütenstengel *m*; **2.** *anat.*, *zo.* Stiel(chen *n*) *m*; '**ped·i·cle** [-kl] *s.* **1.** ⚘ Blütenstengel *m*; **2.** ⚕ Stiel *m* (*Tumor*).

ped·i·cure ['pedɪkjʊə] **I** *s.* Pedi'küre *f*: a) Fußpflege *f*, b) Fußpfleger(in); **II** *v/t.* *j-s* Füße behandeln *od.* pflegen; '**ped·i·cur·ist** [-ərɪst] → ***pedicure*** I b.

ped·i·gree ['pedɪgri:] **I** *s.* **1.** Stammbaum *m* (*a. zo. u. fig.*), Ahnentafel *f*; **2.** Entwicklungstafel *f*; **3.** Ab-, Herkunft *f*; **4.** lange Ahnenreihe; **II** *adj. a.* '**ped·i·greed** [-i:d] **5.** mit Stammbaum, reinrassig, Zucht…

ped·i·ment ['pedɪmənt] *s.* ⚠ **1.** Giebel(-feld *n*) *m*; **2.** Ziergiebel *m*.

ped·lar ['pedlə] *s.* Hausierer *m*.

pe·dom·e·ter [pɪ'dɒmɪtə] *s.* *phys.* Schrittmesser *m*, -zähler *m*.

pe·dun·cle [pɪ'dʌŋkl] *s.* **1.** ⚘ Blütenstandstiel *m*, Blütenzweig *m*; **2.** *zo.* Stiel *m*, Schaft *m*; **3.** *anat.* Zirbel-, Hirnstiel *m*.

pee [pi:] *v/i.* F ‚Pi'pi machen', ‚pinkeln'.

peek[1] [pi:k] **I** *v/i.* **1.** gucken, spähen (***into*** in *acc.*); **2.** ***~ out*** her'ausgucken (*a. fig.*); **II** *s.* **3.** flüchtiger *od.* heimlicher Blick.

peek[2] [pi:k] *s.* Piepsen *n* (*Vogel*).

peek·a·boo [ˌpi:kə'bu:] *s.* ‚Guck-Guck-Spiel' *n* (*kleiner Kinder*).

peel[1] [pi:l] **I** *v/t.* **1.** *Frucht, Kartoffeln, Bäume* schälen: ***~ off*** abschälen, -lösen; ***~ed barley*** Graupen *pl.*; ***keep your eyes ~ed*** *sl.* halt die Augen offen; **2.** *sl. Kleider* abstreifen; **II** *v/i.* **3.** *a.* ***~ off*** sich abschälen, sich abblättern, abbrökkeln, abschilfern; **4.** *sl.* ‚sich entblättern', ‚strippen'; **5.** ***~ off*** ✈ *aus e-m Verband* ausscheren; **III** *s.* **6.** (*Zitronen- etc.*)Schale *f*; Rinde *f*; Haut *f*.

peel[2] [pi:l] *s.* **1.** Backschaufel *f*, Brotschieber *m*; **2.** *typ.* Aufhängekreuz *n*.

peel·er[1] ['pi:lə] *s.* **1.** (*Kartoffel- etc.*) Schäler *m*; **2.** *sl.* Stripperin *f*.

peel·er[2] ['pi:lə] *s. sl. obs.* ‚Bulle' *m* (*Polizist*).

peel·ing ['pi:lɪŋ] *s.* (*lose*) Schale, Rinde *f*, Haut *f*.

peen [pi:n] *s.* ⚙ Finne *f*, Hammerbahn

P

f.

peep¹ [piːp] **I** *v/i.* **1.** piep(s)en (*Vogel etc.*): ***he never dared ~ again*** er hat es nicht mehr gewagt, den Mund aufzumachen; **II** *s.* **2.** Piep(s)en *n*; **3.** *sl.* ,Pieps' *m* (*Wort*).

peep² [piːp] **I** *v/i.* **1.** gucken, neugierig *od.* verstohlen blicken (***into*** in *acc.*): ***~ at*** e-n Blick werfen auf (*acc.*); **2.** *oft* ***~ out*** her'vorgucken, -schauen, -lugen (*a. fig. sich zeigen, zum Vorschein kommen*); **II** *s.* **3.** neugieriger *od.* verstohlener Blick: ***have*** (*od.* ***take***) ***a ~*** → 1; **4.** Blick *m* (***of*** in *acc.*), ('Durch)Sicht *f*; **5.** ***at ~ of day*** bei Tagesanbruch; **'peeper** [-pə] *s.* **1.** Spitzel *m*; **2.** *sl.* ,Gucker' *m* (*Auge*); **3.** *sl.* Spiegel *m*; Fenster *n*; Brille *f.*

'peep-hole *s.* Guckloch *n.*

Peep·ing Tom ['piːpɪŋ] *s.* ,Spanner' *m* (*Voyeur*).

'peep|·scope *s.* ,Spion' *m* (*an der Tür*); **~ show** *s.* **1.** Guckkasten *m*; **2.** Peep-Show *f.*

peer¹ [pɪə] *v/i.* **1.** spähen, gucken (***into*** in *acc.*): ***~ at*** sich *et.* genau an- *od.* begucken; **2.** *poet.* sich zeigen; **3.** → ***peep²*** 2.

peer² [pɪə] *s.* **1.** Gleiche(r *m*) *f*, Ebenbürtige(r *m*) *f*: ***without a ~*** ohnegleichen, unvergleichlich; ***he associates with his ~s*** er gesellt sich zu seinesgleichen; ***~ group*** *sociol.* Peer-group *f*; **2.** Angehörige(r) *m* des (brit.) Hochadels: ***~ of the realm*** *Brit.* Peer *m* (*Mitglied des Oberhauses*); **peer·age** ['pɪərɪdʒ] *s.* **1.** Peerage *f*: a) Peerswürde *f*, b) Hochadel *m*, (*die*) Peers *pl.*; **2.** 'Adelska,lender *m*; **peer·ess** ['pɪərɪs] *s.* **1.** Gemahlin *f* e-s Peers; **2.** hohe Adlige: ***~ in her own right*** Peereß *f* im eigenen Recht; **peer·less** ['pɪəlɪs] *adj.* □ unvergleichlich, einzig(artig).

peeve [piːv] F *v/t.* (ver)ärgern; **peeved** [-vd] *adj.* F ,eingeschnappt', verärgert; **'pee·vish** [-vɪʃ] *adj.* □ grämlich, übellaunig, verdrießlich.

peg [peg] **I** *s.* **1.** (Holz-, *surv.* Absteck-) Pflock *m*; (Holz)Nagel *m*; (Schuh)Stift *m*; ⚙ Dübel *m*; Sprosse *f* (*a. fig.*): ***take s.o. down a ~*** (***or two***) j-m ,einen Dämpfer aufsetzen'; ***come down a ~*** gelindere Saiten aufziehen, ,zurückstecken'; ***a round ~ in a square hole, a square ~ in a round hole*** ein Mensch am falschen Platze; **2.** (Kleider)Haken *m*: ***off the ~*** von der Stange (*Anzug*); **3.** (Wäsche)Klammer *f*; **4.** (Zelt)Hering *m*; **5.** ♪ Wirbel *m* (*Saiteninstrument*); **6.** *fig.* ,Aufhänger' *m*: ***a good ~ on which to hang a story***; **7.** *Brit.* ,Gläs-chen' *n*, *bsd.* Whisky *m* mit Soda; **II** *v/t.* **8.** anpflöcken, -nageln; **9.** ⚙ (ver)dübeln; **10.** *a.* ***~ out*** *surv. Grenze, Land* abstecken: ***~ out one's claim*** *fig.* s-e Ansprüche geltend machen; **11.** ✝ *Löhne, Preise* stützen, halten: ***~ged price*** Stützkurs; **12.** F schmeißen (***at*** nach); **III** *v/i.* **13.** ***~ away*** (*od.* ***along***) F drauf'los arbeiten; **14.** ***~ out*** F a) ,zs.-klappen', b) ,abkratzen' (*sterben*); **'~·top** *s.* Kreisel *m.*

peign·oir ['peɪnwɑː] (*Fr.*) *s.* Morgenrock *m.*

pe·jo·ra·tive ['piːdʒərətɪv] **I** *adj.* □ abschätzig, her'absetzend, pejora'tiv; **II** *s. ling.* abschätziges Wort, Pejora'tivum *n.*

peke [piːk] F *für* ***Pekingese*** 2.

Pe·king·ese [ˌpiːkɪŋ'iːz] *s. sg. u. pl.* **1.** Bewohner(in) von Peking; **2.** ♀ Peki'nese *m* (*Hund*).

pel·age ['pelɪdʒ] *s. zo.* Körperbedekkung *f* wilder Tiere (*Fell etc.*).

pel·ar·gon·ic [ˌpelɑː'gɒnɪk] *adj.* ⚗ Pelargon…: ***~ acid***; **ˌpel·ar'go·ni·um** [-'gəʊnjəm] *s.* ⚘ Pelar'gonie *f.*

pelf [pelf] *s. contp.* Mammon *m.*

pel·i·can ['pelɪkən] *s. orn.* Pelikan *m*; **~ cross·ing** *s. mit Ampeln gesicherter* Fußgängerüberweg *m.*

pe·lisse [pe'liːs] *s.* (*langer*) Damen- *od.* Kindermantel.

pel·let ['pelɪt] *s.* **1.** Kügelchen *n*, Pille *f*; **2.** Schrotkorn *n* (*Munition*).

pel·li·cle ['pelɪkl] *s.* Häutchen *n*; Mem'bran *f*; **pel·lic·u·lar** [pe'lɪkjʊlə] *adj.* häutchenförmig, Häutchen…

pell-mell [ˌpel'mel] **I** *adv.* **1.** durchein'ander, ,wie Kraut u. Rüben'; **2.** 'unterschiedslos; **3.** Hals über Kopf; **II** *adj.* **4.** verworren, kunterbunt; **5.** hastig, über'eilt; **III** *s.* **6.** Durchein'ander *n.*

pel·lu·cid [pe'ljuːsɪd] *adj.* □ 'durchsichtig, klar (*a. fig.*).

pelt¹ [pelt] *s.* Fell *n*, (Tier)Pelz *m*; ✝ *rohe* Haut.

pelt² [pelt] **I** *v/t.* **1.** *j-n mit Steinen etc.* bewerfen, (*fig. mit Fragen*) bombardieren; **2.** verhauen, prügeln; **II** *v/i.* **3.** *mit Steinen etc.* werfen (***at*** nach); **4.** niederprasseln: ***~ing rain*** Platzregen *m*; **III** *s.* **5.** Schlag *m*, Wurf *m*; **6.** Prasseln *n* (*Regen*); **7.** Eile *f*: (***at***) ***full ~*** in voller Geschwindigkeit.

pelt·ry ['peltrɪ] *s.* **1.** Rauch-, Pelzwaren *pl.*; **2.** Fell *n*, Haut *f.*

pel·vic ['pelvɪk] *adj. anat.* Becken…: ***~ cavity*** Beckenhöhle; **pel·vis** ['pelvɪs] *pl.* **-ves** [-viːz] *s. anat.* Becken *n.*

pem·(m)i·can ['pemɪkən] *s.* Pemmikan *n* (*Dörrfleisch*).

pen¹ [pen] **I** *s.* **1.** Pferch *m*, Hürde *f* (*Schafe*), Verschlag *m* (*Geflügel*), Hühnerstall *m*; **2.** kleiner Behälter *od.* Raum; **3.** ⚓ (U-Boot)Bunker *m*; **4.** *Am. sl.* ,Kittchen' *n*, ,Knast' *m*; **II** *v/t.* **5.** *a.* ***~ in, ~ up*** einpferchen, -schließen, -sperren.

pen² [pen] **I** *s.* **1.** (Schreib)Feder *f*, *a.*

P

Federhalter *m*; Füller *m*; Kugelschreiber *m*: ***set ~ to paper*** die Feder ansetzen; ***~ and ink*** Schreibzeug *n*; ***~ friend*** Brieffreund(in); **2.** *fig.* Feder *f*, Stil *m*: ***he has a sharp ~*** er führt e-e spitze Feder; **II** *v/t.* **3.** (nieder)schreiben; ab-, verfassen.

pe·nal ['pi:nl] *adj.* □ **1.** strafrechtlich, Straf...: ***~ code*** Strafgesetzbuch *n*; ***~ colony*** Sträflingskolonie *f*; ***~ duty*** Strafzoll *m*; ***~ institution*** Strafanstalt *f*; ***~ law*** Strafrecht *n*; ***~ reform*** Strafrechtsreform *f*; ***~ sum*** Vertrags-, Konventionalstrafe *f*; → ***servitude*** 2; **2.** sträflich, strafbar: ***~ act***; **'pe·nal·ize** [-nəlaɪz] *v/t.* **1.** mit e-r Strafe belegen, bestrafen; **2.** benachteiligen, ‚bestrafen'; **pen·al·ty** ['penltɪ] *s.* **1.** gesetzliche Strafe: ***on*** (*od.* ***under***) ***~ of*** bei Strafe von; → ***extreme*** 2; ***pay*** (*od.* ***bear***) ***the ~ of*** *et.* büßen; **2.** (Geld)Buße *f*, Vertragsstrafe *f*; **3.** *fig.* Nachteil *m*, Fluch *m des Ruhms etc.*; **4.** *sport* a) Strafe *f*, Strafpunkt *m*, b) *Fußball*: Elf'meter *m*, c) *Hockey*: Sieben'meter *m*, *Eishockey*: Penalty *m*: ***~ area*** *Fußball*: Strafraum *m*; ***~ box*** a) *Eishockey*: Strafbank, b) *Fußball*: Strafraum *m*; ***~ kick*** *Fußball*: Strafstoß *m*; ***~ shot*** *Eishockey*: Penalty *m*; ***~ shootout*** *Fußball*: Elfmeterschießen *n*; ***~ spot*** a) *Fußball*: Elfmeterpunkt *m*, b) *Hockey*: Siebenmeterpunkt *m*.

pen·ance ['penəns] *s.* Buße *f*: ***do ~*** Buße tun.

ˌpen-and-'ink *adj.* Feder..., Schreiber...: ***~ (drawing)*** Federzeichnung *f*.

pence [pens] *pl. von* ***penny***.

pen·chant ['pɑ̃:ŋʃɑ̃:ŋ] (*Fr.*) *s.* (***for***) Neigung *f*, Hang *m* (für, zu), Vorliebe *f* (für).

pen·cil ['pensl] **I** *s.* **1.** Blei-, Zeichen-, Farbstift *m*: ***red ~*** Rotstift; ***in ~*** mit Bleistift; **2.** *paint. obs.* Pinsel *m*; *fig.* Stil *m e-s Malers*; **3.** *rhet.* Griffel *m*, Stift *m*; **4.** ⚙, ⚕, *Kosmetik*: Stift *m*; **5.** ⚼, *phys.* (Strahlen)Büschel *m*, *n*: ***~ of light*** *phot.* Lichtbündel *n*; **II** **6.** *v/t.* zeichnen; **7.** mit e-m Bleistift aufschreiben, anzeichnen *od.* anstreichen; **8.** mit e-m Stift behandeln, *z.B. die Augenbrauen* nachziehen; **'pen·cil(l)ed** [-ld] *adj.* **1.** fein gezeichnet *od.* gestrichelt; **2.** mit e-m Bleistift gezeichnet *od.* angestrichen; **3.** ⚼, *phys.* gebündelt (*Strahlen etc.*).

pen·cil| push·er *s. humor.* ‚Bürohengst' *m*; **~ sharp·en·er** *s.* Bleistiftspitzer *m*.

'pen·craft *s.* **1.** → ***penmanship***; **2.** Schriftstelle'rei *f*.

pend·ant ['pendənt] **I** *s.* **1.** Anhänger *m*, (*Schmuckstück*), Ohrgehänge *n*; **2.** a) Behang *m*, b) Hängeleuchter *m*; **3.** Bügel *m* (*Uhr*); **4.** ⚠ Hängezierat *m*; **5.** *fig.* Anhang *m*, Anhängsel *n*; **6.** *fig.* Pen'dant *n*, Seiten-, Gegenstück *n* (***to*** zu); **7.** ⚓ → ***pennant*** 1; **II** *adj.* → ***pendent*** I; **'pend·en·cy** [-dənsɪ] *s. fig. bsd.* ⚖ Schweben *n*, Anhängigkeit *f* (*e-s Prozesses*); **'pen·dent** [-nt] **I** *adj.* **1.** (her'ab)hängend; 'überhängend; Hänge...; **2.** *fig.* → ***pending*** 3; **3.** *ling.* unvollständig; **II** *s.* **4.** → ***pendant*** I; **'pend·ing** [-dɪŋ] **I** *adj.* **1.** hängend; **2.** bevorstehend; **3.** *bsd.* ⚖ schwebend, (noch) unentschieden; anhängig (*Klage*); → ***patent*** 7; **II** *prp.* **4.** a) während, b) bis zu.

pen·du·late ['pendjʊleɪt] *v/i.* **1.** pendeln; **2.** *fig.* fluktuieren, schwanken; **'pen·du·lous** [-ləs] *adj.* hängend, pendelnd; Hänge...(*bauch etc.*), Pendel...(*-bewegung etc.*); **'pen·du·lum** [-ləm] **I** *s.* **1.** *phys.* Pendel *n*; **2.** ⚙ a) Pendel *n*, Perpen'dikel *m*, *n* (*Uhr*), b) Schwunggewicht *n*; **3.** *fig.* Pendelbewegung *f*, wechselnde Stimmung *od.* Haltung; → ***swing*** 20; **II** *adj.* **4.** Pendel... (*-säge*, *-uhr*, *-waage etc.*): ***~ wheel*** Unruh *f der Uhr*.

pen·e·tra·bil·i·ty [ˌpenɪtrə'bɪlətɪ] *s.* Durch'dringbarkeit *f*, Durch'dringlichkeit *f*; **pen·e·tra·ble** ['penɪtrəbl] *adj.* □ durch'dringlich, erfaßbar, erreichbar; **pen·e·tra·li·a** [ˌpenɪ'treɪljə] (*Lat.*) *s. pl.* **1.** *das* Innerste, *das* Aller'heiligste; **2.** *fig.* Geheimnisse *pl.*; in'time Dinge *pl.*

pen·e·trate ['penɪtreɪt] **I** *v/t.* **1.** durch'dringen, eindringen in (*acc.*), durch'bohren, *a.* ⚔ durch'stoßen; **2.** *fig. seelisch* durch'dringen, erfüllen; **3.** *fig. geistig* eindringen in (*acc.*), ergründen, durch'schauen; **II** *v/i.* **4.** eindringen, 'durchdringen (***into***, ***to*** in *acc.*, zu); ✈, ⚔ einfliegen; **5.** 'durch-, vordringen (***to*** zu); **6.** *fig.* ergründen: ***~ into a secret***; **'pen·e·trat·ing** [-tɪŋ] *adj.* □ **1.** 'durchdringend, durch'bohrend (*a. Blick*): ***~ power*** ⚔ Durchschlagskraft *f*; **2.** *fig.* durch'dringend, scharf(sinnig); **pen·e·tra·tion** [ˌpenɪ'treɪʃn] *s.* **1.** Ein-, 'Durchdringen, Durch'bohren *n*; **2.** Eindringungsvermögen *n*, 'Durchschlagskraft *f* (*e-s Geschosses*); Tiefenwirkung *f*; **3.** ⚔ 'Durch-, Einbruch *m*; ✈ Einflug *m*; **4.** *phys.* Schärfe *f*, Auflösungsvermögen *n* (*Auge*, *Objektiv etc.*); **5.** *fig.* Ergründung *f*; **6.** *fig.* Einflußnahme *f*, Durchdringung *f*: ***peaceful ~*** friedliche Durchdringung *e-s Landes*; **7.** *fig.* Scharfsinn *m*, durch'dringender Verstand; **'pen·e·tra·tive** [-trətɪv] *adj.* □ → ***penetrating***.

pen friend *s.* Brieffreund(in).

pen·guin ['peŋgwɪn] *s.* **1.** Pinguin *m*; **2.** ✈ Übungsflugzeug *n*; **~ suit** *s.* Raumanzug *m*.

'penˌhold·er *s.* Federhalter *m*.

pen·i·cil·lin [ˌpenɪ'sɪlɪn] *s.* ⚕ Penicil'lin

P

n.

pen·in·su·la [pɪˈnɪnsjʊlə] *s.* Halbinsel *f*; **penˈin·su·lar** [-lə] *adj.* **1.** Halbinsel…; **2.** halbinselförmig.

pe·nis [ˈpiːnɪs] *s. anat.* Penis *m.*

pen·i·tence [ˈpenɪtəns] *s.* Bußfertigkeit *f*, Buße *f*, Reue *f*; **ˈpen·i·tent** [-nt] **I** *adj.* □ **1.** bußfertig, reuig, zerknirscht; **II** *s.* **2.** Bußfertige(r *m*) *f*, Büßer(in); **3.** Beichtkind *n*; **pen·i·ten·tial** [ˌpenɪˈtenʃl] *eccl.* **I** *adj.* □ bußfertig, Buß…; **II** *s. a.* ~ ***book*** *R.C.* Buß-, Pöniˈtenzbuch *n*; **pen·i·ten·tia·ry** [ˌpenɪˈtenʃərɪ] **I** *s.* **1.** *eccl.* Bußpriester *m*; **2.** *Am.* ˈStraf(vollˈzugs)anstalt *f*; **3.** *hist.* Besserungsanstalt *f*; **II** *adj.* **4.** *eccl.* Buß…

ˈpen|·knife *s.* [*irr.*] Feder-, Taschenmesser *n*; **ˈ~·man** [-mən] *s.* [*irr.*] **1.** Kalliˈgraph *m*; **2.** Schriftsteller *m*; **ˈ~·man·ship** [-mənʃɪp] *s.* **1.** Schreibkunst *f*; **2.** Stil *m*; schriftstellerisches Können; **~ name** *s.* Schriftstellername *m*, Pseudoˈnym *n.*

pen·nant [ˈpenənt] *s.* **1.** ⚓, ⚔ Wimpel *m*, Stander *m*, kleine Flagge; **2.** (Lanzen)Fähnchen *n*; **3.** *sport Am.* Siegeswimpel *m*; *fig.* Meisterschaft *f*; **4.** ♪ *Am.* Fähnchen *n.*

pen·ni·less [ˈpenɪlɪs] *adj.* □ ohne (e-n Pfennig) Geld, mittellos.

pen·non [ˈpenən] *s.* **1.** *bsd.* ⚔ Fähnlein *n*, Wimpel *m*, Lanzenfähnchen *n*; **2.** Fittich *m*, Schwinge *f.*

Penn·syl·va·nia Dutch [ˌpensɪlˈveɪnjə] *s.* **1.** *coll.* in Pennsylˈvania lebende ˈDeutsch-Ameriˌkaner *pl.*; **2.** *ling.* Pennsylˈvanisch-Deutsch *n.*

pen·ny [ˈpenɪ] *pl.* **-nies** *od. coll.* **pence** [pens] *s.* **1.** a) *Brit.* Penny *m* (= £ 0.01 = 1 p), b) *Am.* Centstück *n*: ***in for a ~, in for a pound*** wer A sagt, muß auch B sagen; ***the ~ dropped!*** *humor.* ‚der Groschen ist gefallen'!; ***spend a ~*** F ‚mal verschwinden' (*auf die Toilette*); **2.** *fig.* Pfennig *m*, Heller *m*, Kleinigkeit *f*: ***not worth a ~*** keinen Heller wert; ***he hasn't a ~ to bless himself with*** er hat keinen roten Heller; ***a ~ for your thoughts!*** (an) was denkst du denn (eben)?; **3.** *fig.* Geld *n*: ***turn an honest ~*** sich et. (durch ehrliche Arbeit) (daˈzu)verdienen; ***a pretty ~*** ein hübsches Sümmchen.

ˌpen·ny|-a-ˈlin·er *s. bsd. Brit.* Schreiberling *m*, Zeilenschinder *m*; **~ ar·cade** *s.* ˈSpielsaˌlon *m*; **~ dread·ful** *s.* ˈGroschen-, ˈSchauerroˌman *m*; Groschenblatt *n*; **ˌ~-in-the-ˈslot ma·chine** *s.* (Verkaufs)Automat *m*; **ˈ~-ˌpinch·er** *s.* F Pfennigfuchser *m*; **ˈ~·weight** *s. Brit.* Pennygewicht *n* (*1½ Gramm*); **ˌ~-ˈwise** *adj.* am falschen Ende sparsam: ***~ and pound-foolish*** im Kleinen sparsam, im Großen verschwenderisch; **ˈ~·worth** [ˈpenəθ] *s.* **1.** was man für e-n Penny kaufen kann: ***a ~ of tobacco*** für e-n Penny Tabak; **2.** (*bsd.* guter) Kauf: ***a good ~.***

pe·no·log·ic, pe·no·log·i·cal [ˌpiːnəˈlɒdʒɪkl] *adj.* □ ⚖ krimiˈnalkundlich, Strafvollzugs…; **pe·nol·o·gy** [piːˈnɒlədʒɪ] *s.* Krimiˈnalstrafkunde *f*, *bsd.* Strafvollzugslehre *f.*

pen pal *Am. für* ***pen friend.***

pen·sion¹ [ˈpɑ̃ːŋsɪɔ̃ːŋ] (*Fr.*) *s.* Pensiˈon *f*: a) Fremdenheim *n*, b) ˈUnterkunft u. Verpflegung *f*: ***full ~.***

pen·sion² [ˈpenʃn] **I** *s.* Pensiˈon *f*, Ruhegeld *n*, Rente *f*: ***~ fund*** Pensionskasse *f*; ***~ plan, ~ scheme*** (Alters)Versorgungsplan *m*; ***entitled to a ~*** pensionsberechtigt; ***be on a ~*** in Rente *od.* Pension sein; **II** *v/t. oft* ***~ off*** *j-n* pensionieren; **ˈpen·sion·a·ble** [-ʃnəbl] *adj.* pensiˈonsberechtigt, -fähig: ***of ~ age*** im Renten- *od.* Pensionsalter; **ˈpen·sion·er** [-ʃənə] *s.* **1.** Pensioˈnär *m*, Ruhegeldempfänger(in), Rentner(in); **2.** *Brit.* Stuˈdent *m* (*in Cambridge*), der für Kost u. Wohnung im College zahlt.

pen·sive [ˈpensɪv] *adj.* □ **1.** nachdenklich, sinnend, gedankenvoll; **2.** ernst, tiefsinnig; **ˈpen·sive·ness** [-nɪs] *s.* Nachdenklichkeit *f*; Tiefsinn *m*, Ernst *m.*

ˈpen·stock *s.* **1.** Wehr *n*, Stauanlage *f*; **2.** *Am.* Druckrohr *n.*

pen·ta·cle [ˈpentəkl] → ***pentagram.***

pen·ta·gon [ˈpentəgən] *s.* ⩓ Fünfeck *n*: ***the ℒ*** *Am.* das Pentagon (*das amer. Verteidigungsministerium*); **pen·tag·o·nal** [penˈtægənl] *adj.* fünfeckig; **ˈpen·ta·gram** [-græm] *s.* Pentaˈgramm *n*, Drudenfuß *m*; **pen·ta·he·dral** [ˌpentəˈhiːdrəl] *adj.* ⩓ fünfflächig; **pen·ta·he·dron** [ˌpentəˈhiːdrɒn] *pl.* **-drons** *od.* **-dra** [-drə] *s.* ⩓ ˌPentaˈeder *n*; **pen·tam·e·ter** [penˈtæmɪtə] *s.* Penˈtameter *m.*

Pen·ta·teuch [ˈpentətjuːk] *s. bibl.* Pentaˈteuch *m*, die Fünf Bücher Mose.

pen·tath·lete [penˈtæθliːt] *s. sport* Fünfkämpfer(in); **penˈtath·lon** [-lɒn] *s. sport* Fünfkampf *m.*

pen·ta·va·lent [ˌpentəˈveɪlənt] *adj.* ⚗ fünfwertig.

Pen·te·cost [ˈpentɪkɒst] *s.* Pfingsten *n od. pl.*, Pfingstfest *n*; **Pen·te·cos·tal** [ˌpentɪˈkɒstl] *adj.* pfingstlich; Pfingst…

pent·house [ˈpenthaʊs] *s.* ⚠ **1.** Wetter-, Vor-, Schirmdach *n*; **2.** Anbau *m*, Nebengebäude *n*, angebauter Schuppen; **3.** Penthouse *n*, ˈDachterˌrassenwohnung *f.*

pen·tode [ˈpentəʊd] *s.* ⚡ Penˈtode *f*, Fünfpolröhre *f.*

ˌpent-ˈup *adj.* **1.** eingepfercht; **2.** *fig.* angestaut (*Gefühle*): ***~ demand*** ✝ *Am.* Nachholbedarf *m.*

pe·nult [peˈnʌlt] *s. ling.* vorletzte Silbe;

P

pe'nul·ti·mate [-tɪmət] **I** *adj.* vorletzt; **II** *s.* → ***penult.***

pe·num·bra [pɪ'nʌmbrə] *pl.* **-bras** *s.* Halbschatten *m.*

pe·nu·ri·ous [pɪ'njʊərɪəs] *adj.* ☐ **1.** geizig, knauserig; **2.** karg; **pen·u·ry** ['penjʊrɪ] *s.* Knappheit *f*, Armut *f*, Not *f*, Mangel *m.*

pe·on ['pi:ən] *s.* **1.** Sol'dat *m*, Poli'zist *m*, Bote *m* (*in Indien u. Ceylon*); **2.** Tagelöhner *m* (*in Südamerika*); **3.** (*durch Geldschulden*) zu Dienst verpflichteter Arbeiter (*Mexiko*); **4.** *Am.* zu Arbeit her'angezogener Sträfling; **'pe·on·age** [-nɪdʒ] **'pe·on·ism** [-nɪzəm] *s.* Dienstbarkeit *f*, Leibeigenschaft *f.*

pe·o·ny ['pi:ənɪ] *s.* ⚘ Pfingstrose *f.*

peo·ple ['pi:pl] **I** *s.* **1.** *pl. konstr.* die Leute *pl.*, die Menschen *pl.*: ***English ~*** (die) Engländer; ***London ~*** die Londoner (Bevölkerung); ***country ~*** Landleute, -bevölkerung; ***literary ~*** (die) Literaten; ***a great many ~*** sehr viele Leute; ***some ~*** manche; ***he of all ~*** ausgerechnet er; **2. *the ~*** a) *a. sg. konstr.* das *gemeine* Volk, b) die Bürger *pl.*, die Wähler *pl.*; **3.** *pl.* ***~s*** Volk *n*, Nati'on *f*: ***the ~s of Europe***; ***the chosen ~*** das auserwählte Volk; **4.** *pl. konstr.* F *j-s* Angehörige *pl.*, Fa'milie *f*: ***my ~*** m-e Leute; **5.** F man: ***~ say*** man sagt; **II** *v/t.* **6.** bevölkern (***with*** mit).

peo·ple's re·pub·lic *s. pol.* 'Volksrepu͵blik *f*: ***the ♀ of China.***

pep [pep] *sl.* **I** *s.* E'lan *m*, Schwung *m*, ‚Schmiß' *m*: ***~ pill*** Aufputschtablette *f*; ***~ talk*** Anfeuerung *f*, ermunternde Worte; **II** *v/t.* ***~ up*** a) *j-n* ‚aufmöbeln', in Schwung bringen, b) *j-n* anfeuern, c) *Geschichte* ‚pfeffern', d) *et.* in Schwung bringen.

pep·per ['pepə] **I** *s.* **1.** Pfeffer *m* (*a. fig. et. Scharfes*); **2.** ⚘ Pfefferstrauch *m*, *bsd.* a) Spanischer Pfeffer, b) Roter Pfeffer, c) Paprika *m*; **3.** pfefferähnliches Gewürz: ***~ cake*** Ingwerkuchen *m*; **II** *v/t.* **4.** pfeffern; **5.** *fig. Stil etc.* würzen; **6.** *fig.* sprenkeln, bestreuen; **7.** *fig.* ‚bepfeffern', bombardieren (*a. mit Fragen etc.*); **8.** *fig.* 'durchprügeln; **͵~-and-'salt I** *adj.* pfeffer-und-salz-farbig (*Stoff*); **II** *s.* a) Pfeffer u. Salz *n* (*Stoff*), b) Anzug *m* in Pfeffer u. Salz; **'~·box** *s. bsd. Brit.*, **'~-͵cast·or** *s.* Pfefferbüchse *f*, -streuer *m*; **'~·corn** *s.* Pfefferkorn *n*; **'~·mint** *s.* **1.** ⚘ Pfefferminze *f*; **2.** Pfefferminzöl *n*; **3.** *a.* ***~ drop***, ***~ lozenge*** Pfefferminzplätzchen *n.*

pep·per·y ['pepərɪ] *adj.* **1.** pfefferig, scharf; **2.** *fig.* hitzig, jähzornig; **3.** gepfeffert, scharf (*Stil*).

pep·py ['pepɪ] *adj. sl.* schwungvoll, ‚schmissig', forsch.

pep·sin ['pepsɪn] *s.* ⚗ Pep'sin *n*; **pep·tic** ['peptɪk] *anat. adj.* **1.** Verdauungs…: ***~ gland*** Magendrüse *f*; ***~ ulcer*** Magengeschwür *n*; **2.** verdauungsfördernd, peptisch; **pep·tone** ['peptəʊn] *s. physiol.* Pep'ton *n.*

per [pɜ:; pə] *prp.* **1.** per, durch: ***~ bearer*** durch Überbringer; ***~ post*** durch die Post; ***~ rail*** per Bahn; **2.** pro, je, für: ***~ annum*** [pər'ænəm] pro Jahr, jährlich; ***~ capita*** ['kæpɪtə] pro Kopf, pro Person; ***~ capita income*** Pro-Kopf-Einkommen *n*; ***~ capita quota*** Kopfbetrag *m*; ***~ cent*** pro *od.* vom Hundert; ***~ second*** in der *od.* pro Sekunde; **3.** laut, gemäß (☞ *a.* ***as ~***).

per·ad·ven·ture [pərəd'ventʃə] *adv. obs.* viel'leicht, ungefähr.

per·am·bu·late [pə'ræmbjʊleɪt] **I** *v/t.* **1.** durch'wandern, -'reisen, -'ziehen; **2.** bereisen, besichtigen; **3.** die Grenzen *e-s Gebiets* abschreiten; **II** *v/i.* **4.** um'herwandern; **per·am·bu·la·tion** [pə͵ræmbjʊ'leɪʃn] *s.* **1.** Durch'wanderung *f*; **2.** Bereisen *n*, Besichtigung(sreise) *f*; **3.** Grenzbegehung *f*; **per·am·bu·la·tor** [pə'ræmbjʊleɪtə] *s. bsd. Brit.* Kinderwagen *m.*

per·ceiv·a·ble [pə'si:vəbl] *adj.* ☐ **1.** wahrnehmbar, spürbar, merklich; **2.** verständlich; **per·ceive** [pə'si:v] *v/t. u. v/i.* **1.** wahrnehmen, empfinden, (be-)merken, spüren; **2.** verstehen, erkennen, begreifen.

per·cent, *Brit.* **per cent** [pə'sent] **I** *adj.* **1.** …prozentig; **II** *s.* **2.** Pro'zent *n* (%); **3.** *pl.* 'Wertpa͵piere *pl.* mit feststehendem Zinssatz: ***three per cents*** dreiprozentige Wertpapiere; **per'cent·age** [-tɪdʒ] *s.* **1.** Pro'zent-, Hundertsatz *m*; Prozentgehalt *m*: ***~ by weight*** Gewichtsprozent *n*; **2.** ☞ Pro'zente *pl.*; **3.** *weitS.* Teil *m*, Anteil *m* (***of*** an *dat.*); **4.** ☞ Gewinnanteil *m*, Provisi'on *f*, Tan'tieme *f*; **per'cen·tal** [-tl], **per'cen·tile** [-taɪl] *adj.* prozentu'al, Prozent…

per·cep·ti·bil·i·ty [pə͵septə'bɪlətɪ] *s.* Wahrnehmbarkeit *f*; **per·cep·ti·ble** [pə'septəbl] *adj.* ☐ wahrnehmbar, merklich; **per·cep·tion** [pə'sepʃn] *s.* **1.** (sinnliche *od.* geistige) Wahrnehmung, Empfindung *f*; **2.** Wahrnehmungsvermögen *n*; **3.** Auffassung(skraft) *f*; **4.** Begriff *m*, Vorstellung *f*; **5.** Erkenntnis *f*; **per·cep·tion·al** [pə'sepʃənl] *adj.* Wahrnehmungs…, Empfindungs…; **per·cep·tive** [pə'septɪv] *adj.* ☐ **1.** wahrnehmend, Wahrnehmungs…; **2.** auffassungsfähig, scharfsichtig; **per·cep·tiv·i·ty** [͵pɜ:sep'tɪvətɪ] *s.* → ***perception*** 2.

perch[1] [pɜ:tʃ] *pl.* **'perch·es** [-ɪz] *od.* **perch** *s. ichth.* Flußbarsch *m.*

perch[2] [pɜ:tʃ] **I** *s.* **1.** (Auf)Sitzstange *f für Vögel*, Hühnerstange *f*; **2.** F *fig.* hoher (sicherer) Sitz, ‚Thron' *m*: ***knock s.o. off his ~*** *fig.* j-n von s-m Sockel

P

herunterstoßen; ***come off your ~!*** F tu nicht so überlegen!; **3.** *surv.* Meßstange *f*; **4.** Rute *f* (*Längenmaß = 5,029 m*); **5.** ⚓ Pricke *f*; **6.** Lang-, Lenkbaum *m e-s Wagens*; **II** *v/i.* **7.** sich setzen *od.* niederlassen (***on*** auf *acc.*), sitzen (*Vögel*); *fig.* hoch sitzen *od.* ‚thronen'; **III** *v/t.* **8.** (*auf et. Hohes*) setzen: ***~ o.s.*** sich setzen; ***be ~ed*** sitzen, ‚thronen'.

per·chance [pə'tʃɑ:ns] *adv. poet.* viel'leicht, zufällig.

perch·er ['pɜ:tʃə] *s. orn.* Sitzvogel *m*.

per·chlo·rate [pə'klɔ:reɪt] *s.* ⚗ Perchlo'rat *n*; **per'chlo·ric** [-ɪk] *adj.* 'überchlorig: ***~ acid*** Über- *od.* Perchlorsäure *f*; **per'chlo·ride** [-raɪd] *s.* Perchlo'rid *n*.

per·cip·i·ence [pə'sɪpɪəns] *s.* **1.** Wahrnehmen *n*; **2.** Wahrnehmung(svermögen *n*) *f*; **per'cip·i·ent** [-nt] → ***perceptive*** 1.

per·co·late ['pɜ:kəleɪt] **I** *v/t.* **1.** *Kaffee etc.* filtern, 'durchseihen, 'durchsickern lassen; **II** *v/i.* **2.** 'durchsickern (*a. fig.*): ***percolating tank*** Sickertank *m*; **3.** gefiltert werden; **per·co·la·tion** [ˌpɜ:kə'leɪʃn] *s.* 'Durchseihung *f*, Filtrati'on *f*; **'per·co·la·tor** [-tə] *s.* Fil'triertrichter *m*, Perko'lator *m*, 'Kaffeemaˌschine *f*.

per·cuss [pə'kʌs] *v/t. u. v/i.* ⚕ perkutieren, abklopfen; **per'cus·sion** [-ʌʃən] **I** *s.* **1.** Schlag *m*, Stoß *m*, Erschütterung *f*, Aufschlag *m*; **2.** ⚕ a) Perkussi'on *f*, Abklopfen *n*, b) 'Klopfmasˌsage *f*; **3.** ♪ *coll.* 'Schlaginstruˌmente *pl.*, -zeug *n*; **II** *adj.* **4.** Schlag..., Stoß..., Zünd...: ***~ cap*** Zündhütchen *n*; ***~ drill*** ⚙ Schlagbohrer *m*; ***~ fuse*** ⚔ Aufschlagzünder *m*; ***~ instrument*** ♪ Schlaginstrument *n*; ***~ welding*** ⚙ Schlag-, Stoßschweißen *n*; **III** *v/t.* **5.** ⚕ a) perkutieren, abklopfen, b) durch Beklopfen massieren; **per'cus·sion·ist** [-ʌʃnɪst] *s.* ♪ Schlagzeuger *m*; **per'cus·sive** [-sɪv] → ***percussion*** 4.

per·cu·ta·ne·ous [ˌpɜ:kju:'teɪnjəs] *adj.* □ ⚕ perku'tan, durch die Haut.

per di·em [ˌpɜ:'daɪem] **I** *adj. u. adv.* täglich, pro Tag: ***~ rate*** Tagessatz *m*; **II** *s.* Tagegeld *n*.

per·di·tion [pə'dɪʃn] *s.* **1.** Verderben *n*; **2.** a) ewige Verdammnis, b) Hölle *f*.

per·e·gri·nate ['perɪgrɪneɪt] **I** *v/i.* wandern, um'herreisen; **II** *v/t.* durch'wandern, bereisen; **per·e·gri·na·tion** [ˌperɪgrɪ'neɪʃn] *s.* **1.** Wanderschaft *f*; **2.** Wanderung *f*; **3.** *fig.* Weitschweifigkeit *f*.

per·emp·to·ri·ness [pə'rem*p*tərɪnɪs] *s.* **1.** Entschiedenheit *f*, Bestimmtheit *f*; herrisches Wesen; **2.** Endgültigkeit *f*; **per·emp·to·ry** [pə'rem*p*tərɪ] *adj.* □ **1.** entschieden, bestimmt; gebieterisch, herrisch; **2.** entscheidend, endgültig; zwingend, defini'tiv: ***a ~ command***.

per·en·ni·al [pə'renjəl] **I** *adj.* □ **1.** das ganze Jahr *od.* Jahre hin'durch dauernd, beständig; **2.** immerwährend, anhaltend; **3.** ⚘ perennierend, winterhart; **II** *s.* **4.** ⚘ perennierende Pflanze.

per·fect ['pɜ:fɪkt] **I** *adj.* □ → ***perfectly***; **1.** per'fekt, voll'endet: a) fehler-, makellos, ide'al, b) fertig, abgeschlossen: ***make ~*** vervollkommnen; ***~ pitch*** ♪ absolutes Gehör; ***~ participle*** *ling.* Mittelwort *n* der Vergangenheit, Partizip *n* Perfekt; ***~ tense*** Perfekt *n*; **2.** gründlich (ausgebildet), per'fekt (***in*** in *dat.*); **3.** gänzlich, 'vollständig: ***a ~ circle***; ***~ strangers*** wildfremde Leute; **4.** F rein, ‚kom'plett': ***~ nonsense***; ***a ~ fool*** ein ausgemachter Narr; **II** *s.* **5.** *ling.* Perfekt *n*: ***past ~*** Plusquamperfekt; **III** *v/t.* [pə'fekt] **6.** voll'enden; ver'vollkommnen (***o.s.*** sich); **per·fect·i·ble** [pə'fektəbl] *adj.* ver'vollkommnungsfähig; **per·fec·tion** [pə'fekʃn] *s.* **1.** Ver'vollkommnung *f*; **2.** *fig.* Voll'kommenheit *f*, Voll'endung *f*, Perfekti'on *f*: ***bring to ~*** vervollkommnen; ***to ~*** vollkommen, meisterlich; **3.** Vor'trefflichkeit *f*; **4.** Fehler-, Makellosigkeit *f*; **5.** *fig.* Gipfel *m*; **6.** *pl.* Fertigkeiten *pl.*; **per·fec·tion·ist** [pə'fekʃnɪst] **I** *s.* Perfektio'nist *m*; **II** *adj.* perfektio'nistisch; **'per·fect·ly** [-ktlɪ] *adv.* **1.** vollkommen, fehlerlos; gänzlich, völlig; **2.** F ganz, abso'lut, einfach *wunderbar etc.*

per·fid·i·ous [pə'fɪdɪəs] *adj.* □ verräterisch, falsch, heimtückisch, per'fid; **per'fid·i·ous·ness** [-nɪs], **per·fi·dy** ['pɜ:fɪdɪ] *s.* Falschheit *f*, Perfi'die *f*, Tücke *f*, Verrat *m*.

per·fo·rate **I** *v/t.* ['pɜ:fəreɪt] durch'bohren, -'löchern, lochen, perforieren: ***~d disk*** ⚙ (Kreis)Lochscheibe *f*; ***~d tape*** Lochstreifen *m*; **II** *adj.* [-rɪt] durch'löchert, gelocht; **per·fo·ra·tion** [ˌpɜ:fə'reɪʃn] *s.* **1.** Durch'bohrung *f*, -'lochung *f*, -'löcherung *f*, Perforati'on *f*: ***~ of the stomach*** ⚕ Magendurchbruch *m*; **2.** Lochung *f*, gelochte Linie; **3.** Loch *n*, Öffnung *f*; **'per·fo·ra·tor** [-tə] *s.* Locher *m*.

per·force [pə'fɔ:s] *adv.* notgedrungen, gezwungenermaßen.

per·form [pə'fɔ:m] **I** *v/t.* **1.** *Arbeit, Dienst etc.* verrichten, leisten, machen, tun, ausführen; ⚕ *e-e Operation* 'durchführen (***on*** bei); **2.** voll'bringen, -'ziehen, 'durchführen; *e-r Verpflichtung* nachkommen, *e-e Pflicht, a. e-n Vertrag* erfüllen; **3.** *Theaterstück, Konzert etc.* aufführen, geben, spielen; *e-e Rolle* spielen, darstellen; **II** *v/i.* **4.** et. ausführen *od.* leisten; ⚙ funktionieren, arbeiten: ***~ well*** e-e gute Leistung bringen; **5.** *thea. etc.* e-e Vorstellung geben, auftreten, spielen: ***~ on the piano*** Klavier spielen, auf dem Klavier et. vortragen; **per'form·ance** [-məns] *s.* **1.** Aus-,

'Durchführung *f*: ***in the ~ of his duty*** in Ausübung s-r Pflicht; **2.** Leistung *f* (*a.* ⚖, ⚙), Erfüllung *f* (*Pflicht*, *Versprechen*, *Vertrag*), Voll'ziehung *f*: ***~ in kind*** Sachleistung; ***~ data*** ⚙ Leistungswerte *pl.*; ***~ principle*** *sociol.* Leistungsprinzip *n*; ***~ test*** *ped.* Leistungsprüfung *f*; ***~ of a machine*** (Arbeits)Leistung *od.* Arbeitsweise *f* e-r Maschine; **3.** ♪, *thea.* Aufführung *f*; Vorstellung *f*; Vortrag *m*; **4.** *thea.* Darstellung(skunst) *f*, Spiel *n*; **5.** *ling.* Perfor'manz *f*; **per'form·er** [-mə] *s.* **1.** Ausführende(r *m*) *f*; **2.** Leistungsträger(in): ***top ~***; **3.** Schauspieler(in); Darsteller(in); Musiker(in); Künstler(in); **per'form·ing** [-mɪŋ] *adj.* **1.** *thea.* Aufführungs…: ***~ rights***; **2.** darstellend: ***~ arts***; **3.** dressiert (*Tier*).

per·fume I *v/t.* [pə'fju:m] **1.** mit Duft erfüllen, parfümieren (*a. fig.*); **II** *s.* ['pɜ:fju:m] **2.** Duft *m*, Wohlgeruch *m*; **3.** Par'füm *n*, Duftstoff *m*; **per'fum·er** [-mə] *s.* Parfüme'riehändler *m*, Parfü'meur *m*; **per'fum·er·y** [-mərɪ] *s.* Parfüme'rien *pl.*; Parfüme'rie(geschäft *n*) *f.*

per·func·to·ry [pə'fʌŋktərɪ] *adj.* □ **1.** oberflächlich, obenhin, flüchtig; **2.** me'chanisch, inter'esselos.

per·go·la ['pɜ:gələ] *s.* Laube *f*, offener Laubengang, Pergola *f.*

per·haps [pə'hæps; præps] *adv.* viel'leicht.

per·i·car·di·tis [ˌperɪkɑ:'daɪtɪs] *s.* ⚕ Herzbeutelentzündung *f*, Perikar'ditis *f*; **per·i·car·di·um** [ˌperɪ'kɑ:djəm] *pl.* **-di·a** [-djə] *s. anat.* **1.** Herzbeutel *m*; **2.** Herzfell *n.*

per·i·carp ['perɪkɑ:p] *s.* ⚘ Fruchthülle *f*, Peri'karp *n.*

per·i·gee ['perɪdʒi:] *s. ast.* Erdnähe *f.*

per·i·he·li·on [ˌperɪ'hi:ljən] *s. ast.* Sonnennähe *f e-s Planeten.*

per·il ['perəl] **I** *s.* Gefahr *f*, Risiko *n* (*a.* ✝): ***in ~ of one's life*** in Lebensgefahr; ***at (one's) ~*** auf eigene Gefahr; ***at the ~ of*** auf die Gefahr hin, daß; **II** *v/t.* gefährden; **'per·il·ous** [-rələs] *adj.* □ gefährlich.

per·im·e·ter [pə'rɪmɪtə] *s.* **1.** Periphe'rie *f*: a) ⩚ 'Umkreis *m*, b) *allg.* Rand *m*: ***~ position*** ⚔ Randstellung *f*; **2.** ⚕, *opt.* Peri'meter *n* (*Instrument*).

per·i·ne·um [ˌperɪ'ni:əm] *pl.* **-ne·a** [-ə] *s. anat.* Damm *m*, Peri'neum *n.*

pe·ri·od ['pɪərɪəd] **I** *s.* **1.** Peri'ode *f* (*a.* ⩚, ⚡, ♪), Zeit(dauer *f*, -raum *m*, -spanne *f*) *f*, Frist *f*: ***~ of appeal*** ⚖ Berufungsfrist; ***~ of exposure*** *phot.* Belichtungszeit; ***~ of office*** Amtsdauer *f*; ***for a ~*** für einige Zeit; ***for a ~ of*** auf die Dauer von; **2.** *ast.* 'Umlaufszeit *f*; **3.** (vergangenes *od.* gegenwärtiges) Zeitalter: ***glacial ~*** Eiszeit *f*; ***dresses of the ~*** zeitgenössische Kleider; ***a girl of the ~*** ein modernes Mädchen; **4.** *ped.* ('Unterrichts)Stunde *f*; **5.** *Sport*: Spielabschnitt *m*, *z.B. Eishockey*: Drittel *n*; **6.** *a.* ***monthly ~*** (*od.* ***~s*** *pl.*) ⚕ Periode *f der Frau*; **7.** (Sprech)Pause *f*, Absatz *m*; **8.** *ling.* a) Punkt *m*: ***put a ~ to*** *fig.* *e-r Sache* ein Ende setzen, b) Satzgefüge *n*, c) *allg.* wohlgefügter Satz; **II** *adj.* **9.** a) zeitgeschichtlich, Zeit…: ***~ play*** Zeitstück *n*; b) Stil…: ***~ furniture***; ***~ house*** Haus *n* im Zeitstil; ***~ dress*** historisches Kostüm.

pe·ri·od·ic¹ [ˌpɪərɪ'ɒdɪk] *adj.* (□ ***~ally***) **1.** peri'odisch, Kreis…, regelmäßig 'wiederkehrend; **2.** *ling.* rhe'torisch, wohlgefügt (*Satz*).

per·i·od·ic² [ˌpɜ:raɪ'ɒdɪk] *adj.* ⚗ per-, überjodsauer: ***~ acid*** Überjodsäure *f.*

pe·ri·od·i·cal [ˌpɪərɪ'ɒdɪkl] **I** *adj.* □ **1.** → ***periodic¹***; **2.** regelmäßig erscheinend; **3.** Zeitschriften…; **II** *s.* **4.** Zeitschrift *f*; **pe·ri·o·dic·i·ty** [ˌpɪərɪə'dɪsətɪ] *s.* **1.** Periodizi'tät *f* (*a.* ⚕); **2.** ⚗ Stellung *f* e-s Ele'ments in der A'tomgewichtstafel; **3.** ⚡ Fre'quenz *f.*

per·i·os·te·um [ˌperɪ'ɒstɪəm] *pl.* **-te·a** [-ə] *s. anat.* Knochenhaut *f*; **per·i·os·ti·tis** [ˌperɪə'staɪtɪs] *s.* ⚕ Knochenhautentzündung *f.*

per·i·pa·tet·ic [ˌperɪpə'tetɪk] *adj.* (□ ***~ally***) **1.** um'herwandelnd; **2.** ♀ *phls.* peripa'tetisch; **3.** *fig.* weitschweifig.

pe·riph·er·al [pə'rɪfərəl] *adj.* □ **1.** peri'pherisch, Rand…; ***~ equipment*** *Computer*: Peripherie(geräte *pl.*) *f*; **2.** *anat.* peri'pher; **pe·riph·er·y** [pə'rɪfərɪ] *s.* Periphe'rie *f*; *fig. a.* Rand *m*, Grenze *f.*

pe·riph·ra·sis [pə'rɪfrəsɪs] *pl.* **-ses** [-si:z] *s.* Um'schreibung *f*, Peri'phrase *f*; **per·i·phras·tic** [ˌperɪ'fræstɪk] *adj.* (□ ***~ally***) um'schreibend, peri'phrastisch.

per·i·scope ['perɪskəʊp] *s.* ⚔ **1.** Sehrohr *n* (*U-Boot*, *Panzer*); **2.** Beobachtungsspiegel *m.*

per·ish ['perɪʃ] **I** *v/i.* **1.** 'umkommen, 'untergehen, zu'grunde gehen, sterben, (tödlich) verunglücken (***by***, ***of***, ***with*** durch, von, an *dat.*): ***to ~ by drowning*** ertrinken; ***~ the thought!*** Gott behüte!; **2.** hinschwinden, absterben, eingehen; **II** *v/t.* **3.** vernichten (*mst pass.*): ***be ~ed with*** F (fast) umkommen vor *Kälte etc.*; **'per·ish·a·ble** [-ʃəbl] **I** *adj.* □ vergänglich; leichtverderblich (*Lebensmittel etc.*); **II** *s. pl.* leichtverderbliche Waren *pl.*; **'per·ish·er** [-ʃə] *s. Brit.* ***little ~*** kleiner Räuber (*Kind*); **'per·ish·ing** [-ʃɪŋ] **I** *adj.* □ vernichtend, tödlich (*a. fig.*); **II** *adv.* F scheußlich, verflixt: ***~ cold***.

per·i·style ['perɪstaɪl] *s.* ⚠ Säulengang *m*, Peri'styl *n.*

per·i·to·n(a)e·um [ˌperɪtəʊ'ni:əm] *pl.* **-ne·a** [-ə] *s. anat.* Bauchfell *n*; **ˌper·i·to'ni·tis** [-tə'naɪtɪs] *s.* ⚕ Bauchfellent-

P

zündung *f.*

per·i·wig ['perɪwɪg] *s.* Pe'rücke *f.*

per·i·win·kle ['perɪˌwɪŋkl] *s.* **1.** ♀ Immergrün *n.*; **2.** *zo.* (*eßbare*) Uferschnecke.

per·jure ['pɜːdʒə] *v/t.*: ~ ***o.s.*** e-n Meineid leisten, meineidig werden; ~***d*** meineidig; '**per·jur·er** [-dʒərə] *s.* Meineidige(r *m*) *f*; '**per·ju·ry** [-dʒərɪ] *s.* Meineid *m.*

perk¹ [pɜːk] *s. mst pl. bsd. Brit* F *für* ***perquisite*** 1.

perk² [pɜːk] **I** *v/i. mst* ~ ***up*** **1.** (lebhaft) den Kopf recken, munter werden; **2.** *fig.* die Nase hoch tragen, selbstbewußt *od.* forsch auftreten; **3.** *fig.* sich erholen, munter werden; **II** *v/t. mst* ~ ***up*** **4.** *den Kopf* recken; *die Ohren* spitzen; **5.** ~ ***up*** *j-n* ,aufmöbeln'; **6.** ~ ***o.s.*** (***up***) sich schön machen; '**perk·i·ness** [-kɪnɪs] *s.* Keckheit *f*, Selbstbewußtsein *n*; '**perk·y** [-kɪ] *adj.* □ **1.** flott, forsch; **2.** keck, dreist, frech.

perm [pɜːm] *s.* F Dauerwelle *f.*

per·ma·frost ['pɜːməfrɒst] *s.* Dauerfrostboden *m.*

per·ma·nence ['pɜːmənəns] *s.* **1.** Perma'nenz *f* (*a. phys.*), Ständigkeit *f*, (Fort)Dauer *f*; **2.** Beständigkeit *f*, Dauerhaftigkeit *f*; '**per·ma·nen·cy** [-sɪ] **1.** → ***permanence***; **2.** *et.* Dauerhaftes *od.* Bleibendes; feste Anstellung, Dauerstellung *f*; '**per·ma·nent** [-nt] *adj.* □ (fort)dauernd, bleibend, perma'nent; ständig (*Ausschuß*, *Bauten*, *Personal*, *Wohnsitz etc.*); dauerhaft, Dauer… (*-magnet*, *-stellung*, *-ton*, *-wirkung etc.*), mas'siv (*Bau*): ~ ***assets*** ✝ Anlagevermögen *n*; ~ ***call*** *teleph.* Dauerbelegung *f*; ~ ***disposal*** Endlagerung *f*; ♀ ***Secretary*** *Brit.* ständiger (*fachlicher*) Staatssekretär; ~ ***situation*** ✝ Dauer-, Lebensstellung *f*; ~ ***wave*** Dauerwelle *f*; ~ ***way*** 🚂 Bahnkörper *m*; Oberbau *m.*

per·man·ga·nate [pɜː'mæŋgəneɪt] *s.* ⚗ Permanga'nat *n*: ~ ***of potash*** Kaliumpermanganat; **per·man·gan·ic** [ˌpɜːmæŋ'gænɪk] *adj.* Übermangan…: ~ ***acid.***

per·me·a·bil·i·ty [ˌpɜːmjə'bɪlətɪ] *s.* Durch'dringbarkeit *f*, *bsd. phys.* Permeabili'tät *f*: ~ ***to gas***(***es***) *phys.* Gasdurchlässigkeit *f.*

per·me·a·ble ['pɜːmjəbl] *adj.* □ 'durchlässig (***to*** für); **per·me·ance** ['pɜːmɪəns] *s.* **1.** Durch'dringung *f*; **2.** *phys.* ma'gnetischer Leitwert; **per·me·ate** ['pɜːmɪeɪt] **I** *v/t.* durch'dringen; **II** *v/i.* dringen (***into*** in *acc.*), sich verbreiten (***among*** unter *dat.*), 'durchsickern; **per·me·a·tion** [ˌpɜːmɪ'eɪʃn] *s.* Eindringen *n*, Durch'dringung *f.*

per·mis·si·ble [pə'mɪsəbl] *adj.* □ zulässig; **per'mis·sion** [-'mɪʃn] *s.* Erlaubnis *f*, Genehmigung *f*, Zulassung *f*: ***by special*** ~ mit besonderer Erlaubnis; ***ask s.o. for*** ~, ***ask s.o.'s*** ~ j-n um Erlaubnis bitten; **per'mis·sive** [-sɪv] *adj.* □ **1.** gestattend, zulassend; ⚖ fakulta'tiv; **2.** tole'rant, libe'ral; (sexu'ell) freizügig: ~ ***society*** tabufreie Gesellschaft; **per'mis·sive·ness** [-sɪvnɪs] *s.* **1.** Zulässigkeit *f*; **2.** Tole'ranz *f*; **3.** (sexu'elle) Freizügigkeit *f.*

per·mit [pə'mɪt] **I** *v/t.* **1.** *et.* erlauben, gestatten, zulassen, dulden: ***am I*** ~***ted to*** darf ich?; ~ ***o.s. s.th.*** sich et. erlauben; **II** *v/i.* **2.** erlauben: ***weather*** (***time***) ~***ting*** wenn es das Wetter (die Zeit) erlaubt; **3.** ~ ***of*** *fig.* zulassen: ***the rule*** ~***s of no exception***; **III** *s.* ['pɜːmɪt] **4.** Genehmigung(sschein *m*) *f*, Li'zenz *f*, Zulassung *f* (***to*** für); ✝ Aus-, Einfuhrerlaubnis *f*; **5.** Aus-, Einreiseerlaubnis *f*; **6.** Passierschein *m*; **per·mit·tiv·i·ty** [ˌpɜːmɪ'tɪvətɪ] *s.* ⚡ Dielektrizi'tätskonˌstante *f.*

per·mu·ta·tion [ˌpɜːmjuː'teɪʃn] *s.* **1.** Vertauschung *f*, Versetzung *f*: ~ ***lock*** Vexierschloß; **2.** ⅍ Permutati'on *f.*

per·ni·cious [pə'nɪʃəs] *adj.* □ **1.** verderblich, schädlich; **2.** ⚕ bösartig, perni'ziös; **per'ni·cious·ness** [-nɪs] *s.* Schädlichkeit *f*; Bösartigkeit *f.*

per·nick·et·y [pə'nɪkətɪ] *adj.* **1.** F ,pingelig', kleinlich, wählerisch, pe'dantisch (***about*** mit); **2.** heikel (*a. Sache*).

per·o·rate ['perəreɪt] *v/i.* **1.** große Reden schwingen; **2.** e-e Rede abschließen; **per·o·ra·tion** [ˌperə'reɪʃn] *s.* (zs.-fassender) Redeschluß.

per·ox·ide [pə'rɒksaɪd] ⚗ 'Superoˌxyd *n*; *engS.* 'Wasserstoffˌsuperoˌxyd *n*: ~ ***blonde*** F ,Wasserstoffblondine' *f*; **per'ox·i·dize** [-sɪdaɪz] *v/t. u. v/i.* peroxydieren.

per·pen·dic·u·lar [ˌpɜːpən'dɪkjʊlə] **I** *adj.* □ **1.** senk-, lotrecht (***to*** zu): ~ ***style*** ⚠ englische Spätgotik; **2.** rechtwinklig (***to*** auf *dat.*); **3.** ⚒ seiger; **4.** steil; **5.** aufrecht (*a. fig.*); **II** *s.* **6.** (Einfalls)Lot *n*, Senkrechte *f*; Perpen'dikel *n*, *m*: ***out of*** (***the***) ~ schief, nicht senkrecht; ***raise*** (***let fall***) ***a*** ~ ein Lot errichten (fällen); **7.** ⚙ (Senk)Lot *n*, Senkwaage *f.*

per·pe·trate ['pɜːpɪtreɪt] *v/t. Verbrechen etc.* begehen, verüben; F *fig. Buch etc.* ,verbrechen'; **per·pe·tra·tion** [ˌpɜːpɪ'treɪʃn] *s.* Begehung *f*, Verübung *f*; '**per·pe·tra·tor** [-tə] *s.* Täter *m.*

per·pet·u·al [pə'petʃʊəl] *adj.* □ **1.** fort-, immerwährend, unaufhörlich, beständig, ewig, andauernd: ~ ***check*** Dauerschach *n*; ~ ***motion machine*** Perpetuum mobile *n*; ~ ***snow*** ewiger Schnee, Firn *m*; **2.** lebenslänglich, unabsetzbar: ~ ***officer***; **3.** ✝ unablösbar, unkündbar: ~ ***lease***; ~ ***bonds*** Rentenanleihen; **4.** ♀ perennierend; **per'pet·u·ate** *v/t.* [-tʃʊ-

P

eɪt] verewigen, fortbestehen lassen, (immerwährend) fortsetzen; **per·pet·u·a·tion** [pəˌpetʃʊ'eɪʃn] *s.* Fortdauer *f*, endlose Fortsetzung, Verewigung *f*, Fortbestehenlassen *n*; **per·pe·tu·i·ty** [ˌpɜːpɪ'tjuːətɪ] *s.* **1.** Fortdauer *f*, unaufhörliches Bestehen, Unaufhörlichkeit *f*, Ewigkeit *f*: ***in*** (*od.* ***to*** *od.* ***for***) ~ auf ewig; **2.** ⚖ Unveräußerlichkeit(sverfügung) *f*; **3.** lebenslängliche (Jahres-) Rente.

per·plex [pə'pleks] *v/t.* verwirren, verblüffen, bestürzt machen; **per'plexed** [-kst] *adj.* ☐ **1.** verwirrt, verblüfft, verdutzt, bestürzt (*Person*); **2.** verworren, verwickelt (*Sache*); **per'plex·i·ty** [-ksətɪ] *s.* **1.** Verwirrung *f*, Bestürzung *f*, Verlegenheit *f*; **2.** Verworrenheit *f*.

per·qui·site ['pɜːkwɪzɪt] *s.* **1.** *mst pl. bsd. Brit.* a) Nebeneinkünfte *pl.*, -verdienst *m*, b) Vergünstigung *f*; **2.** Vergütung *f*, Gehalt *n*; **3.** per'sönliches Vorrecht.

per·se·cute ['pɜːsɪkjuːt] *v/t.* **1.** *bsd. pol.*, *eccl.* verfolgen; **2.** a) plagen, belästigen, b) drangsalieren, schikanieren; **per·se·cu·tion** [ˌpɜːsɪ'kjuːʃn] *s.* **1.** Verfolgung *f*: ~ ***mania***, ~ ***complex*** Verfolgungswahn *m*; **2.** Drangsalierung *f*, Schi'kane(n *pl.*) *f*; **'per·se·cu·tor** [-tə] *s.* **1.** Verfolger *m*; **2.** Peiniger(in).

per·se·ver·ance [ˌpɜːsɪ'vɪərəns] *s.* Beharrlichkeit *f*, Ausdauer *f*; **per·sev·er·ate** [pə'sevəreɪt] *v/i. psych.* ständig *od.* immer 'wiederkehren (*Melodie*, *Motiv*, *Gedanken etc.*); **per·se·vere** [ˌpɜːsɪ'vɪə] *v/i.* (***in***) beharren, ausdauern, aushalten (bei), fortfahren (mit), festhalten (an *dat.*); **ˌper·se'ver·ing** [-'vɪərɪŋ] *adj.* ☐ beharrlich, standhaft.

Per·sian ['pɜːʃn] **I** *adj.* **1.** persisch; **II** *s.* **2.** Perser(in); **3.** *ling.* Persisch *n*; ~ **blinds** *s. pl.* Jalou'sien *pl.*; ~ **car·pet** *s.* Perserteppich *m*; ~ **cat** *s.* An'gorakatze *f*.

per·si·flage [ˌpɜːsɪ'flɑːʒ] *s.* Persi'flage *f*, (*feine*) Verspottung *f*.

per·sim·mon [pɜː'sɪmən] *s.* ⚘ Persi'mone *f*, Kaki-, Dattelpflaume *f*.

per·sist [pə'sɪst] *v/i.* **1.** (***in***) aus-, verharren (bei), hartnäckig bestehen (auf *dat.*), beharren (auf *dat.*, bei), unbeirrt fortfahren (mit); **2.** weiterarbeiten (***with*** an *dat.*); **3.** fortdauern, anhalten; fort-, weiterbestehen; **per'sist·ence** [-təns], **per'sist·en·cy** [-tənsɪ] *s.* **1.** Beharren *n* (***in*** bei); Beharrlichkeit *f*; Fortdauer *f*; **2.** beharrliches *od.* hartnäckiges Fortfahren (***in*** in *dat.*); **3.** Hartnäckigkeit *f*, Ausdauer *f*; **4.** *phys.* Beharrung(szustand *m*) *f*, Nachwirkung *f*; Wirkungsdauer *f*; *TV etc.* Nachleuchten *n*; *opt.* (Augen)Trägheit *f*; **per'sist·ent** [-tənt] *adj.* ☐ **1.** beharrlich, ausdauernd, hartnäckig; **2.** ständig, nachhaltig; anhaltend (*a.* ✝ *Nachfrage*; *a. Regen*); ⚔ seßhaft (*Kampfstoff*), schwerflüchtig (*Gas*).

per·son ['pɜːsn] *s.* **1.** Per'son *f* (*a. contp.*), (Einzel)Wesen *n*, Indi'viduum *n*; *weitS.* Per'sönlichkeit *f*: ***any*** ~ irgend jemand: ***in*** ~ in eigener Person, persönlich; ***no*** ~ niemand; ***natural*** ~ ⚖ natürliche Person; **~-*to*-~ *call*** *teleph.* Voranmeldung(sgespräch *n*) *f*; **2.** *das* Äußere, Körper *m*: ***carry s.th. on one's*** ~ et. bei sich tragen; **3.** *thea.* Rolle *f*.

per·so·na [pɜː'səʊnə] *pl.* **-nae** [-niː] *s.* (*Lat.*) **1.** a) *thea.* Cha'rakter *m*, Rolle *f*, b) Gestalt *f* (*in der Literatur*); **2.** ~ (***non***) ***grata*** Persona (non) grata *f*, (nicht) genehme Person.

per·son·a·ble ['pɜːsnəbl] *adj.* **1.** von angenehmem Äußeren; **2.** sym'pathisch; **'per·son·age** [-nɪdʒ] *s.* **1.** (hohe) Per'sönlichkeit; **2.** → ***persona*** 1; **'per·son·al** [-nl] **I** *adj.* ☐ **1.** per'sönlich (*a. ling.*); Personal…(*-konto*, *-kredit*, *-steuer etc.*); Privat…(*-einkommen*, *-leben etc.*); eigen (*a. Meinung*): ~ ***call*** *teleph.* Voranmeldung(sgespräch *n*) *f*; ~ ***column*** → 5; ~ ***damage*** Personenschaden *m*; ~ ***data*** Personalien *pl.*; ~ ***file*** Personalakte *f*; ~ ***injury*** Körperverletzung *f*; ~ ***property*** (*od.* ***estate***) → ***personalty***; ~ ***union*** *pol.* Personalunion *f*; **2.** persönlich, pri'vat, vertraulich (*Brief etc.*); mündlich (*Auskunft etc.*): ~ ***matter*** Privatsache *f*; **3.** äußer, körperlich: ~ ***charms***; ~ ***hygiene*** Körperpflege *f*; **4.** persönlich, anzüglich (*Bemerkung etc.*): ***become*** ~ anzüglich werden; **II** *s.* **5.** Per'sönliches *n* (*Zeitung*); **per·son·al·i·ty** [ˌpɜːsə'næləti] *s.* **1.** Per'sönlichkeit *f* (*a. jur.*), Per'son *f*: ~ ***clash*** *psych.* Persönlichkeitskonflikt *m*; ~ ***cult*** *pol.* Personenkult *m*; ~ ***test*** *psych.* Persönlichkeitstest *m*; **2.** Individuali'tät *f*; **3.** *pl.* Anzüglichkeiten *pl.*, anzügliche Bemerkungen *pl.*; **per·son·al·ize** ['pɜːsnəlaɪz] → ***personify***; **'per·son·al·ty** [-nltɪ] ⚖ bewegliches Vermögen; **'per·son·ate** [-səneɪt] *v/t.* **1.** → ***personify***; **2.** vor-, darstellen; **3.** nachahmen; **4.** sich (fälschlich) ausgeben als; **per·son·a·tion** [ˌpɜːsə'neɪʃn] *s.* **1.** Vor-, Darstellung *f*; **2.** Personifikati'on *f*, Verkörperung *f*; **3.** Nachahmung *f*; **4.** ⚖ fälschliches Sich'ausgeben.

per·son·i·fi·ca·tion [pɜːˌsɒnɪfɪ'keɪʃn] *s.* Verkörperung *f*; **per·son·i·fy** [pɜː'sɒnɪfaɪ] *v/t.* personifizieren, verkörpern, versinnbildlichen.

per·son·nel [ˌpɜːsə'nel] *s.* Perso'nal *n*, Belegschaft *f*; ⚔, ⚓ Mannschaft(en *pl.*) *f*, Besatzung *f*: ~ ***manager*** ✝ Personalchef *m*.

per·spec·tiv·al [ˌpɜːspekt'taɪvl] *adj.* perspek'tivisch; **per·spec·tive** [pə'spektɪv] **I** *s.* **1.** Ⓐ, *paint. etc.* Perspek'tive *f*:

in (*true*) ~ in richtiger Perspektive; **2.** *a.* ~ ***drawing*** perspektivische Zeichnung; **3.** Perspek'tive *f*: a) Aussicht *f*, -blick *m* (*beide a. fig.*), b) *fig.* klarer Blick: ***he has no*** ~ er sieht die Dinge nicht im richtigen Verhältnis (zueinander); **II** *adj.* □ → ***perspectival***.

per·spex ['pɜːspeks] (*TM*) *s. Brit.* Sicherheits-, Plexiglas *n*.

per·spi·ca·cious [ˌpɜːspɪ'keɪʃəs] *adj.* □ scharfsinnig, 'durchdringend; ˌ**per·spi'cac·i·ty** [-'kæsətɪ] *s.* Scharfblick *m*, -sinn *m*; ˌ**per·spi'cu·i·ty** [-'kjuːətɪ] *s.* Klarheit *f*, Verständlichkeit *f*; **per·spic·u·ous** [pə'spɪkjʊəs] *adj.* □ deutlich, klar, (leicht)verständlich.

per·spi·ra·tion [ˌpɜːspə'reɪʃn] *s.* **1.** Ausdünsten *n*, Schwitzen *n*; **2.** Schweiß *m*; **per·spir·a·to·ry** [pə'spaɪərətərɪ] *adj.* Schweiß...: ~ ***gland*** Schweißdrüse *f*; **per·spire** [pə'spaɪə] **I** *v/i.* schwitzen, transpirieren; **II** *v/t.* ausschwitzen, -dünsten.

per·suade [pə'sweɪd] *v/t.* **1.** über'reden, bereden (***to*** *inf.*, ***into*** *ger.* zu *inf.*); **2.** über'zeugen (***of*** von, ***that*** daß): ~ ***o.s.*** a) sich überzeugen, b) sich einbilden *od.* einreden; ***be*** ~***d that*** überzeugt sein, daß; **per'suad·er** [-də] *s.* **1.** Überredungskünstler(in), ‚Verführer' *m*; **2.** *sl.* Über'redungsmittel *n* (*a. Pistole etc.*).

per·sua·sion [pə'sweɪʒn] *s.* **1.** Über'redung *f*; **2.** *a.* ***powers of*** ~ Über'redungsgabe *f*, -künste *pl.*; **3.** Über'zeugung *f*, fester Glaube; **4.** *eccl.* Glaube(nsrichtung *f*) *m*; **5.** F *humor.* a) Art *f*, Sorte *f*, b) Geschlecht *n*: ***female*** ~; **per'sua·sive** [-eɪsɪv] *adj.* □ **1.** über'redend; **2.** über'zeugend; **per'sua·sive·ness** [-eɪsɪvnɪs] *s.* **1.** ***persuasion*** 2; **2.** über'zeugende Art.

P

pert [pɜːt] *adj.* □ keck (*a. fig. Hut etc.*), schnippisch, vorlaut.

per·tain [pɜː'teɪn] *v/i.* (***to***) a) gehören (*dat. od.* zu), b) betreffen (*acc.*), sich beziehen (auf *acc.*): ~***ing to*** betreffend.

per·ti·na·cious [ˌpɜːtɪ'neɪʃəs] *adj.* □ **1.** hartnäckig, zäh; **2.** beharrlich, standhaft; ˌ**per·ti'nac·i·ty** [-'næsətɪ] *s.* Hartnäckigkeit *f*; Zähigkeit *f*, Beharrlichkeit *f*.

per·ti·nence ['pɜːtɪnəns], '**per·ti·nen·cy** [-sɪ] *s.* **1.** Angemessenheit *f*, Gemäßheit *f*; **2.** Sachdienlichkeit *f*, Rele'vanz *f*; '**per·ti·nent** [-nt] *adj.* □ **1.** angemessen, passend, gemäß; **2.** zur Sache gehörig, einschlägig, sachdienlich, gehörig (***to*** zu): ***be*** ~ ***to*** Bezug haben auf (*acc.*).

pert·ness ['pɜːtnɪs] *s.* Keckheit *f*, schnippisches Wesen, vorlaute Art.

per·turb [pə'tɜːb] *v/t.* beunruhigen, stören, verwirren, ängstigen; **per·tur·ba·tion** [ˌpɜːtə'beɪʃn] *s.* **1.** Unruhe *f*, Bestürzung *f*; **2.** Beunruhigung *f*, Störung *f*; **3.** *ast.* Perturbati'on *f*.

pe·ruke [pə'ruːk] *s. hist.* Pe'rücke *f*.

pe·rus·al [pə'ruːzl] *s.* sorgfältiges 'Durchlesen, 'Durchsicht *f*, Prüfung *f*: ***for*** ~ zur Einsicht; **pe·ruse** [pə'ruːz] *v/t.* ('durch)lesen; *weitS.* 'durchgehen, prüfen.

Pe·ru·vi·an [pə'ruːvjən] **I** *adj.* peru'anisch: ~ ***bark*** ⚘ Chinarinde *f*; **II** *s.* Peru'aner(in).

per·vade [pə'veɪd] *v/t.* durch'dringen, -'ziehen, erfüllen (*a. fig.*); **per'va·sion** [-eɪʒn] *s.* Durch'dringung *f* (*a. fig.*); **per'va·sive** [-eɪsɪv] *adj.* □ 'durchdringend; *fig.* 'überall vor'handen, beherrschend.

per·verse [pə'vɜːs] *adj.* □ **1.** verkehrt, Fehl...; **2.** verderbt, böse; **3.** verdreht, wunderlich; **4.** verstockt; **5.** launisch; **6.** *psych.* per'vers (*a. fig.*), 'widernatürlich; **per'ver·sion** [-ɜːʒn] *s.* **1.** Verdrehung *f*, 'Umkehrung *f*; Entstellung *f*: ~ ***of justice*** Rechtsbeugung *f*; ~ ***of history*** Geschichtsklitterung *f*; **2.** *bsd. eccl.* Verirrung *f*, Abkehr *f vom Guten etc.*; **3.** *psych.* Perversi'on *f*; **4.** ⚘ 'Umkehrung *f* (*e-r Figur*); **per'ver·si·ty** [-sətɪ] *s.* **1.** Verdrehtheit *f*; **2.** Halsstarrigkeit *f*; **3.** Verderbtheit *f*; **4.** 'Widernaˌtürlichkeit *f*, Perversi'tät *f* (*a. fig.*); **per'ver·sive** [-sɪv] *adj.* verderblich (***of*** für).

per·vert **I** *v/t.* [pə'vɜːt] **1.** verdrehen, verkehren, entstellen, fälschen, pervertieren (*a. psych.*); miß'brauchen; **2.** *j-n* verderben, verführen; **II** *s.* ['pɜːvɜːt] **3.** Abtrünnige(r *m*) *f*; **4.** *a.* ***sexual*** ~ *psych.* per'verser Mensch; **per'vert·er** [-tə] *s.* Verdreher(in); Verführer(in).

per·vi·ous ['pɜːvjəs] *adj.* □ **1.** 'durchlässig (*a. phys.*), durch'dringbar, gangbar (***to*** für); **2.** *fig.* zugänglich (***to*** für), offen (***to*** *dat.*); **3.** ⚙ undicht.

pes·ky ['peskɪ] *adj. u. adv. Am.* F ‚verflixt'.

pes·sa·ry ['pesərɪ] *s.* ⚕ Pes'sar *n*.

pes·si·mism ['pesɪmɪzəm] *s.* Pessi'mismus *m*, Schwarzsehe'rei *f*; '**pes·si·mist** [-ɪst] **I** *s.* Pessi'mist(in), Schwarzseher (-in); **II** *adj. a.* **pes·si·mis·tic** [ˌpesɪ'mɪstɪk] *adj.* (□ ~***ally***) pessi'mistisch.

pest [pest] *s.* **1.** Pest *f*, Plage *f* (*a. fig.*); **2.** *fig.* Pestbeule *f*; **3.** *fig.* a) ‚Ekel' *n*, ‚Nervensäge' *f*, b) Plage *f*, lästige Sache; **4.** *bsd.* ***insect*** ~ *biol.* Schädling *m*: ~ ***control*** Schädlingsbekämpfung *f*.

pes·ter ['pestə] *v/t.* plagen, quälen, belästigen, *j-m* auf die Nerven gehen.

pes·ti·cide ['pestɪsaɪd] *s.* Schädlingsbekämpfungsmittel *n*.

pes·ti·lence ['pestɪləns] *s.* Seuche *f*, Pest *f*, Pesti'lenz *f* (*a. fig.*); '**pes·ti·lent** [-nt] *adj.* → **pes·ti·len·tial** [ˌpestɪ'lenʃl] *adj.* □ **1.** verpestend, ansteckend; **2.** *fig.*

verderblich, schädlich; **3.** *oft humor.* ekelhaft.

pes·tle ['pesl] **I** *s.* **1.** Mörserkeule *f*, Stößel *m*; **2.** ⚗ Pi'still *n*; **II** *v/t.* **3.** zerstoßen.

pet¹ [pet] **I** *s.* **1.** (zahmes) Haustier; Stubentier *n*; **2.** gehätscheltes Tier *od.* Kind, Liebling *m*, ‚Schatz' *m*, ‚Schätzchen' *n*; **II** *adj.* **3.** Lieblings…: **~ dog** Schoßhund *m*; **~ hate** bevorzugtes Haßobjekt; **~ mistake** Lieblingsfehler *m*; **~ name** Kosename *m*; **~ shop** Tierhandlung *f*; → **aversion** 3; **III** *v/t.* **4.** (ver)hätscheln, liebkosen; **5.** F ‚abfummeln', Petting machen mit; **IV** *v/i.* **6.** F ‚fummeln', knutschen, Petting machen.

pet² [pet] *s.* schlechte Laune: **in a ~** verärgert, schlecht gelaunt.

pet·al ['petl] *s.* ⚘ Blumenblatt *n*.

pe·tard [pe'tɑ:d] *s.* **1.** ⚔ *hist.* Pe'tarde *f*, Sprengbüchse *f*; → **hoist¹**; **2.** Schwärmer *m* (*Feuerwerk*).

pe·ter¹ ['pi:tə] *v/i.*: **~ out** a) (allmählich) zu Ende gehen, b) sich verlieren, c) sich totlaufen, versanden.

Pe·ter² ['pi:tə] *npr. u. s. bibl.* 'Petrus *m*: (**the Epistles of**) **~** die Petrusbriefe.

pe·ter³ ['pi:tə] *s. sl.* ‚Zipfel' *m* (*Penis*).

pe·ter⁴ ['pi:tə] *s. sl.* **1.** Geldschrank *m*; **2.** (Laden)Kasse *f*.

pet·it ['petı] → **petty**.

pe·ti·tion [pı'tıʃn] **I** *s.* Bitte *f*, *bsd.* Bittschrift *f*, Gesuch *n*; Eingabe *f* (*a. Patentrecht*); ⚖ (schriftlicher) Antrag: **~ for divorce** Scheidungsklage *f*; **~ in bankruptcy** Konkursantrag *m*; **file one's ~ in bankruptcy** Konkurs anmelden; **~ for clemency** Gnadengesuch *n*; **II** *v/i.* (*u. v/t. j-n*) bitten, an-, ersuchen (**for** um), schriftlich einkommen (**s.o.** bei j-m), e-e Bittschrift einreichen (**s.o.** an j-n): **~ for divorce** die Scheidungsklage einreichen; **pe'ti·tion·er** [-ʃnə] *s.* Antragsteller(in): a) Bitt-, Gesuchsteller(in), Pe'tent *m*, b) ⚖ (Scheidungs)Kläger(in).

pet·rel ['petrəl] *s.* **1.** *orn.* Sturmvogel *m*; → **stormy petrel**; **2.** Unruhestifter *m*.

pet·ri·fac·tion [ˌpetrı'fækʃn] *s.* Versteinerung *f* (*Vorgang u. Ergebnis*; *a. fig.*); **pet·ri·fy** ['petrıfaı] **I** *v/t.* **1.** versteinern (*a. fig.*); **2.** *fig. durch Schrecken etc.* versteinern, erstarren lassen: **petrified with horror** starr vor Schrecken; **II** *v/i.* **3.** sich versteinern (*a. fig.*).

pe·tro·chem·is·try [ˌpetrəʊ'kemıstrı] *s.* Petroche'mie *f*; **pe·trog·ra·phy** [pı'trɒgrəfı] *s.* Gesteinsbeschreibung *f*, -kunde *f*.

pet·rol ['petrəl] *s. mot. Brit.* Ben'zin *n*, Kraftstoff *m*: **~ bomb** Molotowcocktail *m*; **~ coupon** Benzingutschein *m*; **~ engine** Benzin-, Vergasermotor *m*; **~ ga(u)ge** Kraftstoffanzeige *f*; **~ station** Tankstelle *f*; **pet·ro·la·tum** [ˌpetrə'leıtəm] *s.* **1.** ⚗ Petro'latum *n*, Vase'lin *n*; **2.** ⚒ Paraf'finöl *n*; **pe·tro·le·um** [pı'trəʊljəm] *s.* Pe'troleum *n*, Erd-, Mine'ralöl *n*: **~ jelly** → **petrolatum**; **pe·trol·o·gy** [pı'trɒlədʒı] *s.* Gesteinskunde *f*.

pet·ti·coat ['petıkəʊt] **I** *s.* **1.** 'Unterrock *m*; Petticoat *m*; **2.** *fig.* Frauenzimmer *n*, Weibsbild *n*, ‚Unterrock' *m*; **3.** Kinderröckchen *n*; **4.** ⚙ Glocke *f*; **5.** ⚡ a) *a.* **~ insulator** 'Glockeniso,lator *m*, b) Isolierglocke *f*; **6.** *mot.* (Ven'til)Schutzhaube *f*; **II** *adj.* **7.** Weiber…: **~ government** Weiberregiment *n*.

pet·ti·fog·ger ['petıfɒgə] *s.* 'Winkeladvo,kat *m*; Haarspalter *m*, Rabu'list *m*; '**pet·ti·fog·ging** [-gıŋ] **I** *adj.* **1.** rechtsverdrehend; **2.** schika'nös, rabu'listisch; **3.** gemein, lumpig; **II** *s.* **4.** Rabu'listik *f*, Haarspalte'rei *f*, Rechtskniffe *pl*.

pet·ti·ness ['petınıs] *s.* **1.** Geringfügigkeit *f*; **2.** Kleinlichkeit *f*.

pet·ting ['petıŋ] *s.* F ‚Fumme'lei' *f*, Petting *n*.

pet·tish ['petıʃ] *adj.* □ reizbar, mürrisch; '**pet·tish·ness** [-nıs] *s.* Gereiztheit *f*.

pet·ti·toes ['petıtəʊz] *s. pl. Küche*: Schweinsfüße *pl*.

pet·ty ['petı] *adj.* □ **1.** unbedeutend, geringfügig, klein, Klein…: **~ cash** ✝ a) geringfügige Beträge, b) kleine Kasse, Portokasse; **~ offence** ⚖ Bagatelldelikt *n*; **~ wares** Kurzwaren; **2.** kleinlich; **~ bour·gois** ['bʊəʒwɑ:] **I** *s.* (*Fr.*) Kleinbürger(in); **II** *adj.* kleinbürgerlich; **~ bour·geoi·sie** [ˌbʊəʒwɑ:'zi:] *s.* (*Fr.*) Kleinbürgertum *n*; **~ ju·ry** *s.* ⚖ kleine Jury; **~ lar·ce·ny** *s.* ⚖ leichter Diebstahl; **~ of·fi·cer** *s.* ⚔, ⚓ Maat *m* (*Unteroffizier*); **~ ses·sions** *s. pl.* → **magistrate**.

pet·u·lance ['petjʊləns] *s.* Gereiztheit *f*; '**pet·u·lant** [-nt] *adj.* □ gereizt.

pe·tu·ni·a [pı'tju:njə] *s.* ⚘ Pe'tunie *f*.

pew [pju:] *s.* **1.** Kirchenstuhl *m*, -sitz *m*, Bank(reihe) *f*; **2.** *Brit.* F Platz *m*: **take a ~** sich ‚platzen'.

pe·wit ['pi:wıt] *s. orn.* **1.** Kiebitz *m*; **2.** *a.* **~ gull** Lachmöwe *f*.

pew·ter ['pju:tə] **I** *s.* **1.** brit. Schüsselzinn *n*, Hartzinn *n*; **2.** *coll.* Zinngerät *n*; **3.** Zinnkrug *m*, -gefäß *n*; **4.** *Brit. sl. bsd. Sport*: Po'kal *m*; **II** *adj.* **5.** (Hart-) Zinn…, zinnern; '**pew·ter·er** [-ərə] *s.* Zinngießer *m*.

pha·e·ton ['feıtn] *s.* Phaeton *m* (*Kutsche*; *mot. obs. Tourenwagen*).

phag·o·cyte ['fægəʊsaıt] *s. biol.* Phago'cyte *f*, Freßzelle *f*.

phal·ange ['fælændʒ] *s.* **1.** *anat.* Finger-, Zehenknochen *m*; **2.** ⚘ Staubfädenbündel *n*; **3.** *zo.* Tarsenglied *n*.

pha·lanx ['fælæŋks] *pl.* **-lanx·es** *od.* **-lan·ges** [fæ'lændʒi:z] *s.* **1.** ⚔ *hist.* Phalanx *f*, *fig. a.* geschlossene Front; **2.**

P

→ ***phalange*** 1 *u.* 2.

phal·lic ['fælɪk] *adj.* phallisch, Phallus…: ~ ***symbol***; **phal·lus** ['fæləs] *pl.* **-li** [-laɪ] *s.* Phallus *m.*

phan·tasm ['fæntæzəm] → ***phantom*** 1 a *u.* b; **phan·tas·ma·go·ri·a** [ˌfæntæzmə'gɒrɪə] *s.* Phantasmago'rie *f*, Gaukelbild *n*, Blendwerk *n*; **phan·tas·ma·gor·ic** [ˌfæntæzmə'gɒrɪk] *adj.* (□ ~***ally***) phantasma'gorisch, gespensterhaft, trügerisch; **phan·tas·mal** [fæn'tæzml] *adj.* □ **1.** halluzina'torisch, eingebildet; **2.** geisterhaft; **3.** illu'sorisch, unwirklich, trügerisch.

phan·tom ['fæntəm] **I** *s.* **1.** Phan'tom *n*: a) Erscheinung *f*, Gespenst *n*, *a. fig.* Geist *m*, b) Wahngebilde *n*, Hirngespinst *n*; Trugbild *n*, c) *fig.* Alptraum *m*, Schreckgespenst *n*; **2.** *fig.* Schatten *m*, Schein *m*; **3.** ⚕ Phantom *n* (*Körpermodell*); **II** *adj.* **4.** Phantom…, Gespenster…, Geister…; **5.** scheinbar, Schein…; ~ **cir·cuit** *s.* ⚡ Phan'tomkreis *m*, Duplexleitung *f*; ~ (**limb**) **pain** *s.* ⚕ Phan'tomschmerz *m*; ~ **ship** *s.* Geisterschiff *n*; ~ **view** *s.* ⚙ (Konstrukti'ons-)Durchsicht *f*.

phar·i·sa·ic, **phar·i·sa·i·cal** [ˌfærɪ'seɪɪk(l)] *adj.* □ phari'säisch, selbstgerecht, scheinheilig; **phar·i·sa·ism** ['færɪseɪɪzəm] *s.* Phari'säertum *n*, Scheinheiligkeit *f*; **Phar·i·see** ['færɪsi:] *s.* **1.** *eccl.* Phari'säer *m*; **2.** ♀ *fig.* Phari'säer(in), Selbstgerechte(r *m*) *f*, Heuchler(in).

phar·ma·ceu·ti·cal [ˌfɑ:mə'sju:tɪkl] *adj.* □ pharma'zeutisch; Apotheker…; ˌ**phar·ma'ceu·tics** [-ks] *s. pl. sg. konstr.* Pharma'zeutik *f*, Arz'neimittelkunde *f*; **phar·ma·cist** ['fɑ:məsɪst] *s.* **1.** Pharma'zeut *m*, Apo'theker *m*; **2.** pharma'zeutischer Chemiker; **phar·ma·col·o·gy** *s.* [ˌfɑ:mə'kɒlədʒɪ] ˌPharmakolo'gie *f*, Arz'neimittellehre *f*; **phar·ma·co·poe·ia** [ˌfɑ:məkə'pi:ə] *s.* **1.** ˌPharmako'pöe *f*, amtliches Arz'neibuch; **2.** Arz'neimittelvorrat *m*; **phar·ma·cy** ['fɑ:məsɪ] *s.* **1.** → ***pharmaceutics***; **2.** Apo'theke *f*.

pha·ryn·gal [fə'rɪŋgl]; **pha·ryn·ge·al** [ˌfærɪn'dʒi:l] **I** *adj. anat.* Rachen… (*-mandeln etc.*; *a. ling. -laut*); **II** *s. anat.* Schlundknochen *m*; **phar·yn·gi·tis** [ˌfærɪn'dʒaɪtɪs] *s.* 'Rachenkaˌtarrh *m*; **phaˌryn·go'na·sal** [-gəʊ'neɪzl] *adj.* Rachen u. Nase betreffend; **phar·ynx** ['færɪŋks] *s.* Schlund *m*, Rachen(höhle *f*) *m*.

phase [feɪz] **I** *s.* **1.** ⚗, ⚡, ⚘, *ast., biol., phys.* Phase *f*: ***the*** ~***s of the moon*** *ast.* Mondphasen; ~ ***advancer*** (*od.* ***converter***) ⚡ Phasenverschieber *m*; ***in*** ~ (***out of*** ~) ⚡ phasengleich (phasenverschoben); **2.** (Entwicklungs)Stufe *f*, Stadium *n*, Phase *f* (*a. psych.*); **3.** ⚔ (Front)Abschnitt *m*; **II** *v/t.* **4.** ⚡ in Phase bringen; **5.** aufeinander abstimmen, ⚙ synchronisieren; **6.** stufenweise durchführen, staffeln: ~ ***down*** einstellen; ~ ***in*** stufenweise einführen; ~ ***out*** *et.* stufenweise einstellen *od.* abwickeln *od.* auflösen, *Produkt etc.* auslaufen lassen; **III** *v/i.* **7.** ~ ***out*** sich stufenweise zurückziehen (***of*** aus).

pheas·ant ['feznt] *s. orn.* Fa'san *m*; '**pheas·ant·ry** [-rɪ] *s.* Fasane'rie *f*.

phe·nic ['fi:nɪk] *adj.* ⚗ kar'bolsauer, Karbol…: ~ ***acid*** → **phe·nol** ['fi:nɒl] *s.* ⚗ Phe'nol *n*, Kar'bolsäure *f*; **phe·nol·ic** [fɪ'nɒlɪk] **I** *adj.* Phenol…: ~ ***resin*** → **II** *s.* Phe'nolharz *n*.

phe·nom·e·nal [fɪ'nɒmɪnl] *adj.* □ phänome'nal: a) *phls.* Erscheinungs… (*-welt etc.*), b) unglaublich, ‚toll'; **phe'nom·e·nal·ism** [-nəlɪzəm] *s. phls.* Phänomena'lismus *m*; **phe·nom·e·non** [fɪ'nɒmɪnən] *pl.* **-na** [-nə] *s.* **1.** Phäno'men *n*, Erscheinung *f* (*a. phys. u. phls.*); **2.** *pl.* ***-nons*** *fig.* wahres Wunder; *a.* ***infant*** ~ Wunderkind *n*.

phe·no·type ['fi:nəʊtaɪp] *s. biol.* 'Phänoˌtypus *m*, Erscheinungsbild *n*.

phen·yl ['fi:nɪl] *s.* Phe'nyl *n*; **phe·nyl·ic** [fɪ'nɪlɪk] *adj.* Phenyl…, phe'nolisch: ~ ***acid*** → ***phenol***.

phew [fju:] *int.* puh!

phi·al ['faɪəl] *s.* Phi'ole *f* (*bsd.* Arz'nei-)Fläschchen *n*, Am'pulle *f*.

Phi Be·ta Kap·pa [ˌfaɪˌbi:tə'kæpə] *s. Am.* a) *studentische Vereinigung hervorragender Akademiker*, b) *ein Mitglied dieser Vereinigung*.

phi·lan·der [fɪ'lændə] *v/i.* ‚poussieren', schäkern; **phi'lan·der·er** [-ərə] *s.* Schäker *m*, Schürzenjäger *m*.

phil·an·throp·ic, **phil·an·throp·i·cal** [ˌfɪlən'θrɒpɪk(l)] *adj.* □ philan'thropisch, menschenfreundlich; **phi·lan·thro·pist** [fɪ'lænθrəpɪst] **I** *s.* Philan'throp *m*, Menschenfreund *m*; **II** *adj.* → ***philanthropic***; **phi·lan·thro·py** [fɪ'lænθrəpɪ] *s.* Philanthro'pie *f*, Menschenliebe *f*.

phil·a·tel·ic [ˌfɪlə'telɪk] *adj.* philate'listisch; **phi·lat·e·list** [fɪ'lætəlɪst] **I** *s.* Philate'list *m*; **II** *adj.* philate'listisch; **phi·lat·e·ly** [fɪ'lætəlɪ] *s.* Philate'lie *f*.

phil·har·mon·ic [ˌfɪlɑ:'mɒnɪk] *adj.* philhar'monisch (*Konzert*, *Orchester*): ~ ***society*** Philharmonie *f*.

Phi·lip·pi·ans [fɪ'lɪpɪənz] *s. pl. sg. konstr. bibl.* (Brief *m* des Paulus an die) Phi'lipper *pl*.

phi·lip·pic [fɪ'lɪpɪk] *s.* Phi'lippika *f*, Strafpredigt *f*.

Phil·ip·pine ['fɪlɪpi:n] *adj.* **1.** philip'pinisch, Philippinen…; **2.** Filipino…

Phi·lis·tine ['fɪlɪstaɪn] **I** *s. fig.* Phi'lister *m*, Spießbürger *m*, Spießer *m*; **II** *adj.* phi'listerhaft, spießbürgerlich; '**phi·lis-**

P

tin·ism [-tɪnɪzəm] *s.* Phi'listertum *n*, Philiste'rei *f*, Spießbürgertum *n*, Ba'nausentum *n*.

phil·o·log·i·cal [ˌfɪlə'lɒdʒɪkl] *adj.* □ philo'logisch, sprachwissenschaftlich; **phi·lol·o·gist** [fɪ'lɒlədʒɪst] *s.* Philo'loge *m*, Philo'login *f*, Sprachwissenschaftler (-in); **phi·lol·o·gy** [fɪ'lɒlədʒɪ] *s.* Philolo'gie *f*, (Litera'tur- u.) Sprachwissenschaft *f*.

phi·los·o·pher [fɪ'lɒsəfə] *s.* Philo'soph *m* (*a. fig. Lebenskünstler*): ***natural ~*** Naturforscher *m*; ***~s' stone*** Stein *m* der Weisen; **phil·o·soph·ic**, **phil·o·soph·i·cal** [ˌfɪlə'sɒfɪk(l)] *adj.* □ philo'sophisch (*a. fig. weise, gleichmütig*); **phi'los·o·phize** [-faɪz] *v/i.* philosophieren; **phi'los·o·phy** [-fɪ] *s.* **1.** Philoso'phie *f*: ***natural ~*** Naturwissenschaft *f*; ***~ of history*** Geschichtsphilosophie; **2.** a) *a.* ***~ of life*** ('Lebens)Philosoˌphie *f*, Weltanschauung *f*, b) *fig.* (philo'sophische) Gelassenheit, c) ‚Philoso'phie' *f*, Denkbild *n*, -modell *n*.

phil·ter *Am.*, **phil·tre** *Brit.* ['fɪltə] *s.* **1.** Liebestrank *m*; **2.** Zaubertrank *m*.

phiz [fɪz] *s. sl.* Vi'sage *f*, Gesicht *n*.

phle·bi·tis [flɪ'baɪtɪs] *s.* ⚕ Venenentzündung *f*, Phle'bitis *f*.

phlegm [flem] *s.* **1.** *physiol.* Phlegma *n*, Schleim *m*; **2.** *fig.* Phlegma *n*: a) stumpfer Gleichmut, b) (geistige) Trägheit; **phleg·mat·ic** [fleg'mætɪk] **I** *adj.* (□ ***~ally***) *physiol. u. fig.* phleg'matisch; **II** *s.* Phleg'matiker(in).

pho·bi·a ['fəʊbɪə] *s. psych.* (***about***) Pho'bie *f*, krankhafte Furcht (vor *dat.*) *od.* Abneigung (gegen).

Phoe·ni·cian [fɪ'nɪʃɪən] **I** *s.* **1.** Phö'nizier (-in); **2.** *ling.* Phö'nikisch *n*; **II** *adj.* **3.** phö'nizisch.

phoe·nix ['fi:nɪks] *s. myth.* Phönix *m* (*legendärer Vogel*), *fig. a.* Wunder *n*.

phon [fɒn] *s. phys.* Phon *n*.

phone[1] [fəʊn] *s. ling.* (Einzel)Laut *m*.

phone[2] [fəʊn] *s., v/t. u. v/i.* F → ***telephone***; ***~-in*** *Radio, TV* Sendung *f* mit telefonischer Publikumsbeteiligung.

pho·neme ['fəʊni:m] *s. ling.* **1.** Pho'nem *n*; **2.** → ***phone***[1].

pho·net·ic [fəʊ'netɪk] *adj.* (□ ***~ally***) pho'netisch, lautlich: ***~ spelling***, ***~ transcription*** Lautschrift *f*; **pho·ne·ti·cian** [ˌfəʊnɪ'tɪʃn] *s.* Pho'netiker *m*; **pho'net·ics** [-ks] *s. pl. mst sg. konstr.* Pho'netik *f*, Laut(bildungs)lehre *f*.

pho·ney ['fəʊnɪ] → ***phony***.

phon·ic ['fəʊnɪk] *adj.* **1.** lautlich, a'kustisch; **2.** pho'netisch; **3.** ⚙ phonisch.

pho·no·gram ['fəʊnəgræm] *s.* Lautzeichen *n*; '**pho·no·graph** [-grɑ:f] *s.* ⚙ **1.** Phono'graph *m*, 'Sprechmaˌschine *f*; **2.** *Am.* Plattenspieler *m*, Grammo'phon *n*; **pho·no·graph·ic** [ˌfəʊnə'græfɪk] *adj.* (□ ***~ally***) phono'graphisch.

pho·nol·o·gy [fəʊ'nɒlədʒɪ] *s. ling.* Phonolo'gie *f*, Lautlehre *f*.

pho·nom·e·ter [fəʊ'nɒmɪtə] *s. phys.* Phono'meter *n*, Schall(stärke)messer *m*.

pho·ny ['fəʊnɪ] F **I** *adj.* **1.** falsch, gefälscht, unecht; Falsch…, Schwindel…, Schein…: ***~ war*** *hist.* ‚Sitzkrieg' *m*; **II** *s.* **2.** Schwindler(in), ‚Schauspieler(in)', Scharlatan *m*: ***he is ~ a.*** der ist nicht ‚echt'; **3.** Fälschung *f*, Schwindel *m*.

phos·gene ['fɒzdʒi:n] *s.* ⚗ Phos'gen *n*, Chlor'kohlenoˌxyd *n*; **phos·phate** ['fɒsfeɪt] *s.* ⚗ **1.** Phos'phat *n*: ***~ of lime*** phosphorsaurer Kalk; **2.** ⚘ Phos'phat(-düngemittel) *n*; **phos·phat·ic** [fɒs'fætɪk] *adj.* ⚗ phos'phathaltig; **phosphide** ['fɒsfaɪd] *s.* ⚗ Phos'phid *n*; **phos·phite** ['fɒsfaɪt] *s.* **1.** ⚗ Phos'phit *n*; **2.** *min.* 'Phosphormeˌtall *n*; **phosphor** ['fɒsfə] **I** *s.* **1.** *poet.* Phosphor *m*; **2.** ⚙ Leuchtmasse *f*; **II** *adj.* **3.** Phosphor…; **phos·pho·rate** ['fɒsfəreɪt] *v/t.* ⚗ **1.** phosphorisieren; **2.** phosphoreszierend machen; **phos·pho·resce** [ˌfɒsfə'res] *v/i.* phosphoreszieren, (nach)leuchten; **phos·pho·res·cence** [ˌfɒsfə'resns] *s.* **1.** ⚗, *phys.* Chemolumines'zenz *f*; **2.** *phys.* Phosphores'zenz *f*, Nachleuchten *n*; **phos·pho·res·cent** [ˌfɒsfə'resnt] *adj.* phosphoreszierend; **phos·phor·ic** [fɒs'fɒrɪk] *adj.* phosphorsauer, -haltig, Phosphor…; **phospho·rous** ['fɒsfərəs] *adj.* ⚗ phos'phorig(sauer); **phos·pho·rus** ['fɒsfərəs] *pl.* **-ri** [-raɪ] *s.* **1.** ⚗ Phosphor *m*; **2.** *phys.* 'Leuchtphosˌphore *f*, -masse *f*.

phot [fɒt] *s. phys.* Phot *n*.

pho·to ['fəʊtəʊ] F → ***photograph***.

photo- [fəʊtəʊ] *in Zssgn* Photo…, Foto…: a) Licht…, b) photo'graphisch; '**~cell** *s.* ⚡ Photozelle *f*; ˌ**~'chem·i·cal** *adj.* □ photo'chemisch; ˌ**~com'pose** *v/t.* im Photosatz herstellen; '**~ˌcop·i·er** *s.* Fotoko'piergerät *n*; '**~ˌcop·y** → ***photostat*** 1 *u.* 3; ˌ**~e'lec·tric** [-təʊ-] *adj.*; ˌ**~e'lec·tri·cal** [-təʊ-] *adj.* □ *phys.* photoe'lektrisch: ***~ barrier*** Lichtschranke *f*; ***~ cell*** Photozelle *f*; ˌ**~-en'grav·ing** [-təʊ-] *s.* Lichtdruck(verfahren *n*) *m*; **~ fin·ish** *s. sport* a) Fotofinish *n*, b) äußerst knappe Entscheidung; '**~fit** *s. Polizei*: Phan'tombild *n*; '**~flash (lamp)** *s.* Blitzlicht(birne *f*) *n*.

pho·to·gen·ic [ˌfəʊtəʊ'dʒenɪk] *adj.* **1.** photo'gen, bildwirksam; **2.** *biol.* lichterzeugend, Leucht…; **~gram·me·try** [ˌfəʊtə'græmɪtrɪ] *s.* Photogramme'trie *f*, Meßbildverfahren *n*.

pho·to·graph ['fəʊtəgrɑ:f] **I** *s.* Fotogra'fie *f*, (Licht)Bild *n*, Aufnahme *f*: ***take a ~*** e-e Aufnahme machen (***of*** von); **II** *v/t.* fotografieren, aufnehmen, ‚knipsen'; **III** *v/i.* fotografieren; fotografiert werden: ***he does not ~ well*** er wird nicht gut auf den Bildern, er läßt sich schlecht fotografieren; **pho·tog·ra·pher** [fəˈtɒgrəfə] *s.* Fotoˈgraf(in); **pho·to·graph·ic** [ˌfəʊtəˈgræfɪk] *adj.* (□ ***~ally***) **1.** fotoˈgrafisch; **2.** *fig.* fotografisch genau; **pho·tog·ra·phy** [fəˈtɒgrəfɪ] *s.* Fotograˈfie *f*, Lichtbildkunst *f*.

pho·to·gra·vure [ˌfəʊtəgrəˈvjʊə] *s.* ˈPhotograˌvüre *f*, Kupferlichtdruck *m*; **ˌpho·toˈjour·nal·ism** *s.* ˈBildjournaˌlismus *m*; **ˌpho·toˈlith·o·graph** *typ.* **I** *s.* ˌPhotolithograˈphie *f* (*Erzeugnis*); **II** *v/t.* photolithographieren; **ˌpho·to·liˈthog·ra·phy** *s.* ˌPhotolithograˈphie *f* (*Verfahren*).

pho·tom·e·ter [fəʊˈtɒmɪtə] *s. phys.* Photoˈmeter *n*, Lichtstärkemesser *m*; **phoˈtom·e·try** [-trɪ] *s.* Lichtstärkemessung *f*.

ˌpho·toˈmi·cro·graph *s. phot.* ˈMikrofotograˌfie *f* (*Bild*).

ˌpho·to|·monˈtage *s.* ˈFotomonˌtage *f*; **ˌ~ˈmu·ral** *s.* Riesenvergrößerung *f* (*Wandschmuck*), *a.* ˈFototaˌpete *f*; **ˌ~ˈoff·set** *s. typ.* fotoˈgrafischer Offsetdruck *m*.

pho·ton [ˈfəʊtɒn] *s.* **1.** *phys.* Photon *n*, Lichtquant *n*; **2.** *opt.* Troland *n*.

ˈpho·to-play *s.* Filmdrama *n*.

pho·to·stat [ˈfəʊtəʊstæt] *phot.* **I** *s.* **1.** Fotokoˈpie *f*, Ablichtung *f*; **2.** ♀ Fotokoˈpiergerät *n* (*Handelsname*); **II** *v/t.* **3.** fotokopieren, ablichten; **pho·to·stat·ic** [ˌfəʊtəʊˈstætɪk] *adj.* Kopier…, Ablichtungs…: ***~ copy*** → ***photostat*** 1.

ˌpho·to·teˈleg·ra·phy *s.* ˈBildtelegraˌphie *f*; **ˈpho·to·type** *s. typ.* **I** *s.* Lichtdruck(bild *n*, -platte *f*) *m*; **II** *v/t.* im Lichtdruckverfahren vervielfältigen; **ˌpho·toˈtype·set** → ***photocompose***.

phrase [freɪz] **I** *s.* **1.** (Rede)Wendung *f*, Redensart *f*, Ausdruck *m*: ***~ of civility*** Höflichkeitsfloskel *f*; ***~ book*** a) Sammlung *f* von Redewendungen, b) Sprachführer *m*; **2.** Phrase *f*, Schlagwort *n*: ***~ monger*** Phrasendrescher *m*; ***as the ~ goes*** wie man so schön sagt; **3.** *ling.* a) Wortverbindung *f*, b) kurzer Satz, c) Sprechtakt *m*; **4.** ♪ Satz *m*; Phrase *f*; **II** *v/t.* **5.** ausdrücken, formulieren; **6.** ♪ phrasieren; **phra·se·ol·o·gy** [ˌfreɪzɪˈɒlədʒɪ] *s.* Phraseoloˈgie *f* (*a. Buch*), Ausdrucksweise *f*.

phren·ic [ˈfrenɪk] *anat.* **I** *adj.* Zwerchfell…; **II** *s.* Zwerchfell *n*.

phre·nol·o·gist [frɪˈnɒlədʒɪst] *s.* Phrenoˈloge *m*; **phreˈnol·o·gy** [-dʒɪ] *s.* Phrenoloˈgie *f*, Schädellehre *f*.

phthi·sis [ˈθaɪsɪs] *s.* Tuberkuˈlose *f*, Schwindsucht *f*.

phut [fʌt] **I** *int.* fft!; **II** *adj. sl.*: ***go ~*** a) futschgehen, b) ‚platzen'.

phy·col·o·gy [faɪˈkɒlədʒɪ] *f* Algenkunde *f*.

phyl·lox·e·ra [ˌfɪlɒkˈsɪərə] *pl.* **-rae** [-riː] *s. zo.* Reblaus *f*.

phy·lum [ˈfaɪləm] *pl.* **-la** [-lə] *s.* **1.** *bot. zo.* ˈUnterabteilung *f*, Ordnung; **2.** *biol.* Stamm *m*; **3.** *ling.* Sprachstamm *m*.

phys·ic [ˈfɪzɪk] **I** *s.* **1.** Arzˈnei(mittel *n*) *f*, *bsd.* Abführmittel *n*; **2.** *obs.* Heilkunde *f*; **3.** *pl. sg. konstr.* (die) Phyˈsik; **II** *v/t. pret. u. p.p.* **ˈphys·icked** [-kt] **4.** *obs.* j-n (ärztlich) behandeln; **ˈphys·i·cal** [-kl] **I** *adj.* □ **1.** physisch, körperlich (*a. Liebe etc.*): ***~ condition*** Gesundheitszustand *m*; ***~ culture*** Körperkultur *f*; ***~ education***, ***~ training*** *ped.* Leibeserziehung *f*; ***~ examination*** → 3; ***~ force*** physische Gewalt; ***~ impossibility*** absolute Unmöglichkeit; ***~ inventory*** ✝ Bestandsaufnahme *f*; ***~ stock*** ✝ Lagerbestand *m*; **2.** physiˈkalisch; naˈturwissenschaftlich: ***~ geography*** physikalische Geographie; ***~ science*** a) Physik *f*, b) Naturwissenschaft(en *pl.*) *f*; **II** *s.* **3.** ärztliche Unterˈsuchung, ⚔ Musterung *f*; **phy·si·cian** [fɪˈzɪʃn] *s.* Arzt *m*; **ˈphys·i·cist** [-ɪsɪst] *s.* Physiker *m*.

ˌphys·i·co-ˈchem·i·cal [ˌfɪzɪkəʊ-] *adj.* □ physikoˈchemisch.

phys·i·og·no·my [ˌfɪzɪˈɒnəmɪ] *s.* **1.** Physiognoˈmie *f* (*a. fig.*), Gesichtsausdruck *m*, -züge *pl.*; **2.** Phyioˈgnomik *f*; **ˌphys·iˈog·ra·phy** [-ˈɒgrəfɪ] *s.* **1.** ˌPhysio(geo)graˈphie *f*; **2.** Naˈturbeschreibung *f*; **phys·i·o·log·i·cal** [ˌfɪzɪəˈlɒdʒɪkl] *adj.* □ physioˈlogisch; **ˌphys·iˈol·o·gist** [-ˈɒlədʒɪst] *s.* Physioˈloge *m*; **ˌphys·i·ˈol·o·gy** [-ˈɒlədʒɪ] *s.* Physioloˈgie *f*; **phys·i·o·ther·a·pist** [ˌfɪzɪəʊˈθerəpɪst] *s.* ⚕ Physiotheraˈpeut(in), *weitS.* Heilgymnastiker(in); **phys·i·o·ther·a·py** [ˌfɪzɪəʊˈθerəpɪ] *s.* ˌPhysiotheraˈpie *f*, ˈHeilgymˌnastik *f*.

phy·sique [fɪˈziːk] *s.* Körperbau *m*, -beschaffenheit *f*, Konstitutiˈon *f*.

phy·to·gen·e·sis [ˌfaɪtəʊˈdʒenɪsɪs] *s.* ⚘ Lehre *f* von der Entstehung der Pflanzen; **phy·tol·o·gy** [faɪˈtɒlədʒɪ] *s.* Pflanzenkunde *f*; **phy·to·to·my** [faɪˈtɒtəmɪ] *s.* ⚘ ˈPflanzenanatoˌmie *f*.

pi·an·ist [ˈpɪənɪst] *s.* ♪ Piaˈnist(in), Klaˈvierspieler(in).

pi·an·o[1] [pɪˈænəʊ] *pl.* **-os** *s.* ♪ Klaˈvier *n*, Piˌano(ˈforte) *n*: ***at*** (***on***) ***the ~*** am (auf dem) Klavier.

pi·a·no[2] [ˈpjɑːnəʊ] ♪ **I** *pl.* **-nos** *s.* Piˈano *n* (*leises Spiel*): ***~ pedal*** Pianopedal *n*; **II** *adv.* piˈano, leise.

pi·an·o·for·te [ˌpjænəʊˈfɔːtɪ] → ***piano***[1].

pi·an·o play·er 1. → ***pianist***; **2.** Piaˈnola *n*.

pi·az·za [pɪˈætsə] *pl.* **-zas** (*Ital.*) *s.* **1.** öffentlicher Platz; **2.** *Am.* (große) Veˈranda.

pi·broch [ˈpiːbrɒk; -ɒx] *s.* ˈKriegsmuˌsik *f* der Bergschotten; ˈDudelsackvariati,onen *pl.*

pi·ca ['paɪkə] *s. typ.* Cicero *f*, Pica *f*.

pic·a·resque [ˌpɪkə'resk] *adj.* pika'resk: **~ *novel*** Schelmenroman *m*.

pic·a·roon [ˌpɪkə'ru:n] *s.* **1.** Gauner *m*, Abenteurer *m*; **2.** Pi'rat *m*.

pic·a·yune [ˌpɪkɪ'ju:n] *Am.* **I** *s.* **1.** *mst fig.* Pfennig *m*, Groschen *m*; **2.** *fig.* Lap'palie *f*; Tinnef *m*, *n*; **3.** *fig.* ‚Null' *f* (*unbedeutender Mensch*); **II** *adj.*, *a.* **ˌpic·a'yun·ish** [-nɪʃ] **4.** unbedeutend, schäbig; klein(lich).

pic·ca·lil·li ['pɪkəlɪlɪ] *s. pl.* Picca'lilli *pl.* (*eingemachtes, scharf gewürztes Mischgemüse*).

pic·ca·nin·ny ['pɪkənɪnɪ] **I** *s. humor.* (*bsd.* Neger)Kind *n*, Gör *n*; **II** *adj.* kindlich; winzig.

pic·co·lo ['pɪkələʊ] *pl.* **-los** *s.* ♪ Pikkoloflöte *f*; **~ pi·an·o** *s.* ♪ Kleinklavier *n*.

pick [pɪk] **I** *s.* **1.** ⚙ a) Spitz-, Kreuzhacke *f*, Picke *f*, Pickel *m*, b) ⚒ (Keil)Haue *f*; **2.** Schlag *m*; **3.** Auswahl *f*, -lese *f*: ***the ~ of the bunch*** der (die, das) Beste von allen; ***take your ~!*** suchen Sie sich etwas aus!; Sie haben die Wahl!; **4.** *typ.* unreiner Buchstabe; **5.** ⸗ Ernte *f*; **II** *v/t.* **6.** aufhacken, -picken: → ***brain*** 2, ***hole*** 1; **7.** *Körner* aufpicken; auflesen; sammeln; *Blumen*, *Obst* pflücken; *Beeren* abzupfen; F lustlos essen, herumstochern in (*dat.*); **8.** *fig.* (sorgfältig) auswählen, -suchen: **~ *one's way*** (*od.* ***steps***) sich s-n Weg suchen *od.* bahnen, *fig.* sich durchlavieren; **~ *one's words*** s-e Worte (sorgfältig) wählen; **~ *a quarrel*** (***with s.o.***) (mit j-m) Streit suchen *od.* anbändeln; **9.** *Gemüse etc.* (ver)lesen, säubern; *Hühner* rupfen; *Metall* scheiden; *Wolle* zupfen; in *der Nase* bohren; in *den Zähnen* stochern; *e-n Knochen* (ab)nagen; → ***bone*** 1; **10.** *Schloß* mit e-m Dietrich öffnen, ‚knakken'; *j-m die Tasche* ausräumen (*Dieb*); **11.** ♪ *Am. Banjo etc.* spielen; **12.** ausfasern, zerpflücken: **~ *to pieces*** *fig. Theorie etc.* zerpflücken, herunterreißen; **III** *v/i.* **13.** hacken, picke(l)n; **14.** (lustlos) im Essen her'umstochern; **15.** sorgfältig wählen: **~ *and choose*** *a.* wählerisch sein; **16.** ‚sti'bitzen', stehlen;

Zssgn mit prp. u. adv.:

pick| at *v/i.* **1.** *im Essen* her'umstochern; **2.** F her'ummäkeln *od.* -nörgeln an (*dat.*); auf *j-m* her'umhacken; **~ off** *v/t.* **1.** (ab)pflücken, -rupfen; **2.** wegnehmen; **3.** (einzeln) abschießen, ‚wegputzen'; **~ on** *v/i.* **1.** aussuchen, sich entscheiden für; **2.** → ***pick at*** 2; **~ out** *v/t.* **1.** (sich) *et. od. j-n* auswählen; **2.** ausmachen, erkennen; *fig.* her'ausfinden, -bekommen; **3.** ♪ sich *e-e Melodie auf dem Klavier etc.* zs.-suchen; **4.** *mit e-r anderen Farbe* absetzen; **~ o·ver** *v/t.* **1.** (gründlich) 'durchsehen, -gehen; **2.** (das Beste) auslesen; **~ up I** *v/t.* **1.** *Boden* aufhacken; **2.** aufheben, -nehmen, -lesen; in die Hand nehmen: ***pick o.s. up*** sich ‚hochrappeln' (*a. fig.*); → ***gauntlet***¹ 2; **3.** *j-n im Fahrzeug* mitnehmen, abholen; **4.** F a) *j-n* ‚auflesen, -gabeln, -reißen', b) ‚hochnehmen' (*verhaften*), c) ‚klauen' (*stehlen*); **5.** *Strickmaschen* aufnehmen; **6.** a) *Rundfunksender* ‚(rein)kriegen', b) *Sendung* empfangen, aufnehmen, abhören, c) *Funkspruch etc.* auffangen; **7.** in Sicht bekommen; **8.** *fig. et.* ‚mitkriegen', *Wort, Sprache etc.* ‚aufschnappen'; **9.** erstehen, gewinnen: **~ *a livelihood*** sich mit Gelegenheitsarbeiten *etc.* durchschlagen; **~ *courage*** Mut fassen; **~ *speed*** auf Touren (*od.* in Fahrt) kommen; **II** *v/i.* **10.** sich (wieder) erholen (*a.* ⚕); **11.** sich anfreunden (***with*** mit); **12.** auf Touren kommen, Geschwindigkeit aufnehmen; *fig.* stärker werden.

pick-a-back ['pɪkəbæk] *adj. u. adv.* huckepack *tragen etc.*: **~ *plane*** ✈ Huckepackflugzeug *n*.

pick·a·nin·ny → ***piccaninny***.

'pick·ax(e) *s.* (Spitz)Hacke *f*, (Beil)Pike *f*, Pickel *m*.

picked [pɪkt] *adj. fig.* ausgewählt, -gesucht, (aus)erlesen: **~ *troops*** ⚔ Kerntruppen *pl.*

pick·er·el ['pɪkərəl] *s. ichth.* (*Brit.* junger) Hecht.

pick·et ['pɪkɪt] **I** *s.* **1.** (Holz-, Absteck-) Pfahl *m*; Pflock *m*; **2.** ⚔ Vorposten *m*; **3.** Streikposten *m*; **II** *v/t.* **4.** einpfählen; **5.** an e-n Pfahl binden, anpflocken; **6.** Streikposten aufstellen vor (*dat.*), mit Streikposten besetzen; (als Streikposten) anhalten *od.* belästigen; **7.** ⚔ als Vorposten ausstellen; **III** *v/i.* **8.** Streikposten stehen.

pick·ings ['pɪkɪŋz] *s. pl.* **1.** Nachlese *f*, 'Überbleibsel *pl.*, Reste *pl.*; **2.** *a.* **~ *and stealings*** a) unehrliche Nebeneinkünfte *pl.*, b) Diebesbeute *f*, Fang *m*; **3.** Pro'fit *m*.

pick·le ['pɪkl] **I** *s.* **1.** Pökel *m*, Salzlake *f*, Essigsoße *f* (*zum Einlegen*); **2.** Essig-, Gewürzgurke *f*; **3.** *pl.* Eingepökelte(s) *n*, Pickles *pl.*; → ***mixed pickles***; **4.** ⚙ Beize *f*; **5.** F *a.* ***nice*** (*od.* ***sad*** *od.* ***sorry***) **~** mißliche Lage, ‚böse Sache': ***be in a ~*** (schön) in der Patsche sitzen; **6.** F Balg *m*, *n*, Gör *n*; **II** *v/t.* **7.** einpökeln, -salzen, -legen; **8.** ⚙ *Metall* (ab)beizen; *Bleche* dekapieren: ***pickling agent*** Abbeizmittel *n*; **9.** ⸗ *Saatgut* beizen; **'pick·led** [-ld] *adj.* **1.** gepökelt, eingesalzen; Essig..., Salz...: **~ *herring*** Salzhering *m*; **2.** *sl.* ‚blau' (*betrunken*).

'pick|·lock *s.* **1.** Einbrecher *m*; **2.** Dietrich *m*; **'~-me-up** *s.* F Schnäps-chen *n*, *a. fig.* Stärkung *f*; **'~-off** *adj.* ⚙ *Am.*

P

ˈabmonˌtierbar, Wechsel…; ˈ**~ˌpock·et** *s.* Taschendieb *m*; ˈ**~·up** *s.* **1.** Ansteigen *n*; ♆ Erholung *f*: **~** (***in prices***) Anziehen *n* der Preise, Hausse *f*; **2.** *mot.* Start-, Beschleunigungsvermögen *n*; **3.** *a.* **~ *truck*** (kleiner) Lieferwagen; **4.** *Am.* → ***pick-me-up***; **5.** ⚙ Tonabnehmer *m*, Pick-up *m* (*am Plattenspieler*); Empfänger *m* (*Mikrophon*); Geber *m* (*Meßgerät*); **6.** *TV*: a) Abtasten *n*, b) Abtastgerät *n*, c) *a. Radio*: ˈAufnahme- und Überˈtragungsapparaˌtur *f*; **7.** ϟ a) Schalldose *f*, b) Ansprechen *n* (*Relais*); **8.** F a) Zufallsbekanntschaft *f*, b) ‚Flittchen' *n*, c) ‚Anhalter' *m*; **9.** *mst* **~ *dinner*** *sl.* improvisierte Mahlzeit, Essen *n* aus (Fleisch)Resten; **10.** *sl.* a) Verhaftung *f*, b) Verhaftete(r *m*) *f*; **11.** *sl.* Fund *m*.

pick·y [ˈpɪkɪ] *adj.* F wählerisch.

pic·nic [ˈpɪknɪk] **I** *s.* **1.** a) Picknick *n*, b) Ausflug *m*; **2.** F a) (reines) Vergnügen, b) Kinderspiel *n*: ***no* ~** keine leichte Sache, kein Honiglecken; **II** *v/i.* **3.** ein Picknick *etc.* machen; picknicken.

pic·to·gram [ˈpɪktəʊgræm] Piktoˈgramm *n*.

pic·to·ri·al [pɪkˈtɔːrɪəl] **I** *adj.* ☐ **1.** malerisch, Maler…: **~ *art*** Malerei; **2.** Bild(er)…, illustriert: **~ *advertising*** Bildwerbung; **3.** *fig.* bildmäßig (*a. phot.*), -haft; **II** *s.* **4.** Illustrierte *f* (*Zeitung*).

pic·ture [ˈpɪktʃə] **I** *s.* **1.** *allg.*, *a. TV* Bild *n*: (***clinical***) **~** ⚕ Krankheitsbild, Befund *m*; **2.** Abbildung *f*, Illustratiˈon *f*, Bild *n*; **3.** Gemälde *n*, Bild *n*: ***sit for one's* ~** sich malen lassen; **4.** (geistiges) Bild, Vorstellung *f*: ***form a* ~ *of s.th.*** sich von et. ein Bild machen; **5.** *fig.* F Bild *n*, Verkörperung *f*: ***he looks the very* ~ *of health*** er sieht aus wie das blühende Leben; ***be the* ~ *of misery*** ein Bild des Jammers sein; **6.** Ebenbild *n*: ***the child is the* ~ *of his father***; **7.** *fig.* anschauliche Darstellung *od.* Schilderung (*in Worten*), Bild *n*; **8.** F bildschöne Sache *od.* Perˈson: ***she is a perfect* ~** sie ist bildschön; ***the hat is a* ~** der Hut ist ein Gedicht; **9.** *fig.* F Blickfeld *n*: ***be in the* ~** a) sichtbar sein, e-e Rolle spielen, b) im Bilde (*informiert*) sein; ***come into the* ~** in Erscheinung treten; ***put s.o. in the* ~** j-n ins Bild setzen; ***quite out of the* ~** gar nicht von Interesse, ohne Belang; **10.** *phot.* Aufnahme *f*, Bild *n*; **11.** a) Film *m*, Streifen *m*, b) *pl.* F Kino *n*, Film *m* (*Filmvorführung od. Filmwelt*): ***go to the* ~*s*** *Brit.* ins Kino gehen; **II** *v/t.* **12.** abbilden, darstellen, malen; **13.** *fig.* anschaulich schildern, beschreiben, ausmalen; **14.** *a.* **~ *to o.s.*** *fig.* sich ein Bild machen von, sich *et.* ausmalen *od.* vorstellen; **15.** *s-e Empfindung etc.* spiegeln, zeigen; **III** *adj.* **16.** Bild…, Bilder…; **17.** Film…: **~ *play*** Filmdrama *n*; **~ book** *s.* Bilderbuch *n*; **~ card** *s. Kartenspiel*: Fiˈgurenkarte *f*, Bild *n*; **~ ed·i·tor** *s.* ˈBildredakˌteur *m*; ˈ**~ˌgo·er** *s. Brit.* Kinobesucher(in); **~ post·card** *s.* Ansichtskarte *f*; **~ puz·zle** *s.* **1.** Vexierbild *n*; **2.** Bilderrätsel *n*.

pic·tur·esque [ˌpɪktʃəˈresk] *adj.* ☐ malerisch (*a. fig.*).

pic·ture| te·leg·ra·phy *s.* ˈBildtelegraˌphie *f*; **~ the·a·ter** *Am.*, **~ the·a·tre** *Brit. s.* ˈFilmtheˌater *n*, Lichtspielhaus *n*, Kino *n*; **~ trans·mis·sion** *s.* ˈBildüberˌtragung *f*, Bildfunk *m*; **~ tube** *s.* *TV* Bildröhre *f*; **~ writ·ing** *s.* Bilderschrift *f*.

pic·tur·ize [ˈpɪktʃəraɪz] *v/t.* **1.** *Am.* verfilmen; **2.** bebildern.

pid·dle [ˈpɪdl] *v/i.* **1.** (*v/t.* ver)trödeln; **2.** F ‚Piˈpi machen', ‚pinkeln'; ˈ**pid·dling** [-lɪŋ] *adj.* ‚lumpig'.

pidg·in [ˈpɪdʒɪn] *s.* **1.** *sl.* Angelegenheit *f*: ***that is your* ~** das ist deine Sache; **2.** **~ *English*** Pidgin-Englisch *n* (*Verkehrssprache zwischen Europäern u. Ostasiaten*); *weitS.* Kauderwelsch *n*.

pie¹ [paɪ] *s.* **1.** *orn.* Elster *f*; **2.** *zo.* Scheck(e) *m* (*Pferd*).

pie² [paɪ] *s.* **1.** (ˈFleisch-, ˈObst- *etc.*)PaˌStete *f*, Pie *f*: **~ *in the sky*** F a) ein ‚schöner Traum', b) leere Versprechung(en); ***a share in the* ~** ♆ F ein ‚Stück vom Kuchen'; **~*-flinging*** ‚Tortenschlacht' *f*; ***it's*** (***as easy as***) **~** *sl.* es ist kinderleicht; → ***finger*** 1; ***humble*** I; **2.** (Obst)Torte *f*; **3.** *pol. Am. sl.* Protektiˈon *f*, Bestechung *f*: **~ *counter*** ‚Futterkrippe' *f*; **4.** F *e-e* feine Sache, *ein* ‚gefundenes Fressen'.

pie³ [paɪ] **I** *s.* **1.** *typ.* Zwiebelfisch(e *pl.*) *m*; **2.** *fig.* Durcheinˈander *n*; **II** *v/t.* **3.** *typ. Satz* zs.-werfen; **4.** *fig.* durcheinˈanderbringen.

pie·bald [ˈpaɪbɔːld] **I** *adj.* scheckig, bunt; **II** *s.* scheckiges Tier; Schecke *m, f* (*Pferd*).

piece [piːs] **I** *s.* **1.** Stück *n*: ***a* ~ *of land*** ein Stück Land; ***a* ~ *of furniture*** ein Möbel(stück) *n*; ***a* ~ *of wallpaper*** e-e Rolle Tapete; ***a* ~** je, das Stück (*im Preis*); ***by the* ~** a) stückweise *verkaufen*, b) im Akkord *od.* Stücklohn *arbeiten od. bezahlen*; ***in* ~*s*** entzwei, ‚kaputt'; ***of a* ~** gleichmäßig; ***all of a* ~** aus ˈeinem Guß; ***be all of a* ~ *with*** ganz passen zu; ***break*** (*od.* ***fall***) ***to* ~*s*** entzweigehen, zerbrechen; ***go to* ~*s*** a) in Stücke gehen (*a. fig.*), b) *fig.* zs.-brechen (*Person*); ***take to* ~*s*** auseinandernehmen, zerlegen; → ***pick*** 12, ***pull*** 16; **2.** *fig.* Beispiel *n*, Fall *m*, *mst* ein(e): ***a* ~ *of advice*** ein Rat(schlag) *m*; ***a* ~ *of folly*** e-e Dummheit; ***a* ~ *of news*** e-e Neuigkeit; → ***mind*** 4; **3.** Teil *m* (*e-s Service etc.*): ***two-* ~ *set*** zweiteiliger

P

Satz; **4.** (Geld)Stück *n*, Münze *f*; **5.** ⚔ Geschütz *n*; Gewehr *n*; **6.** a) *a.* **~ of work** Arbeit *f*, Stück *n*: ***a nasty ~ of work*** *fig.* F ein ‚fieser' Kerl, b) *paint.* Stück *n*, Gemälde *n*, c) *thea.* (Bühnen-) Stück *n*, d) ♪ (Mu'sik)Stück *n*, e) (kleines) *literarisches* Werk; **7.** ('Spiel)Fi'gur *f*, Stein *m*; *Schach*: Offi'zier *m*, Figur *f*: ***minor ~s*** leichtere Figuren (*Läufer u. Springer*); **8.** F a) Stück *n* Wegs, kurze Entfernung, b) Weilchen *n*; **9.** V *a.* **~ of ass** a) ‚heiße Biene', b) ‚Nummer' *f* (*Koitus*); **II** *v/t.* **10.** *a.* **~ up** flicken, ausbessern, zs.-stücken; **11.** verlängern, anstücken, -setzen (***on to*** an *acc.*); **12.** *oft* **~ *together*** zs.-setzen, -stücke(l)n (*a. fig.*); **13.** ver'vollständigen, ergänzen; **~ goods** *pl.* ✝ Meter-, Schnittware *f*; **'~·meal** *adv. u. adj.* stückchenweise, all'mählich; **~ rate** *s.* Ak'kordsatz *m*; **~ wag·es** *s. pl.* Ak'kord-, Stücklohn *m*; **'~·work** *s.* Ak'kordarbeit *f*; **'~ˌwork·er** *s.* Ak'kordarbeiter(in).

pièce de ré·sis·tance [pɪˌesdərezɪ'stɑ̃:ŋs] (*Fr.*) *s.* **1.** Hauptgericht *n*; **2.** *fig.* Glanzstück *n*, Krönung *f*.

pie| chart *s. Statistik*: 'Kreisdiaˌgramm *n*; **'~·crust** *s.* Pa'stetenkruste *f*, ungefüllte Pa'stete.

pied¹ [paɪd] *adj.* gescheckt, buntscheckig: ***♀ Piper*** (***of Hamelin***) *der* Rattenfänger von Hameln.

pied² [paɪd] *pret. u. p.p. von* ***pie³*** II.

'pie|-eyed *adj. Am. sl.* ‚blau', ‚besoffen'; **'~·plant** *s. Am.* Rha'barber *m*.

pier [pɪə] *s.* **1.** Pier *m, f* (*feste Landungsbrücke*); **2.** Kai *m*; **3.** Mole *f*, Hafendamm *m*; (Brücken- *od.* Tor- *od.* Stütz-) Pfeiler *m*; **pier·age** ['pɪərɪdʒ] *s.* Kaigeld *n*.

pierce [pɪəs] **I** *v/t.* **1.** durch'bohren, -'dringen, -'stechen, -'stoßen; ⚙ lochen; ⚔ durch'brechen, -'stoßen, eindringen in (*acc.*); **2.** *fig.* durch'dringen (*Kälte, Schrei, Schmerz etc.*): ***to ~ s.o.'s heart*** j-m ins Herz schneiden; **3.** *fig.* durch'schauen, ergründen, eindringen in *Geheimnisse etc.*; **II** *v/i.* **4.** (ein)dringen (***into*** in *acc.*) (*a. fig.*); dringen (***through*** durch); **'pierc·ing** [-sɪŋ] *adj.* □ 'durchdringend, scharf, schneidend, stechend (*a. Kälte, Blick, Schmerz*); gellend (*Schrei*).

pier| glass *s.* Pfeilerspiegel *m*; **'~·head** *s.* Molenkopf *m*.

pi·er·rot ['pɪərəʊ] *s.* Pier'rot *m*, Hans'wurst *m*.

pi·e·tism ['paɪətɪzəm] *s.* **1.** Pie'tismus *m*; **2.** → ***piety*** 1; **3.** *contp.* Frömme'lei *f*; **'pi·e·tist** [-ɪst] *s.* **1.** Pie'tist(in); **2.** *contp.* Frömmler(in).

pi·e·ty ['paɪətɪ] *s.* **1.** Frömmigkeit *f*; **2.** Pie'tät *f*, Ehrfurcht *f* (***to*** vor *dat.*).

pi·e·zo·e·lec·tric [paɪˌi:zəʊɪ'lektrɪk] *adj. phys.* pi'ezoeˌlektrisch.

pif·fle ['pɪfl] F **I** *v/i.* Quatsch reden *od.* machen; **II** *s.* Quatsch *m*.

pig [pɪg] **I** *pl.* **pigs** *od. coll.* **pig** *s.* **1.** Ferkel *n*: ***sow in ~*** trächtiges Mutterschwein; ***sucking ~*** Spanferkel; ***buy a ~ in a poke*** *fig.* die Katze im Sack kaufen; ***~s might fly*** *iron.* ‚man hat schon Pferde kotzen sehen'; ***in a*** (*od.* ***the***) ***~'s eye!*** *Am. sl.* Quatsch!, ‚von wegen'!; **2.** *fig. contp.* a) ‚Freßsack' *m*, b) ‚Ekel' *n*, c) sturer Kerl, d) gieriger Kerl; **3.** *sl.* ‚Bulle' *m* (*Polizist*); **4.** ⚙ a) Massel *f*, (Roheisen)Barren *m*, b) Roheisen *n*, c) Block *m*, Mulde *f* (*bsd. Blei*); **II** *v/i.* **5.** ferkeln, frischen; **6.** *mst* **~ *it*** F ‚aufein'anderhocken', eng zs.-hausen.

pi·geon ['pɪdʒɪn] *s.* **1.** *pl.* **-geons** *od. coll.* **-geon** Taube *f*: ***that's not my ~*** F a) das ist nicht mein Fall, b) das ist nicht mein ‚Bier'; **2.** *sl.* ‚Gimpel' *m*; **3.** → ***clay pigeon***; **~ breast** *s.* ⚕ Hühnerbrust *f*; **'~·hole I** *s.* **1.** (Ablege-, Schub-) Fach *n*; **2.** Taubenloch *n*; **II** *v/t.* **3.** in ein Schubfach legen, einordnen, *Akten* ablegen; **4.** *fig.* zu'rückstellen, zu den Akten legen, auf die lange Bank schieben, die Erledigung *e-r Sache* verschleppen; **5.** *fig. Tatsachen, Wissen* (ein)ordnen, klassifizieren; **6.** mit Fächern versehen; **~ house**, **~ loft** *s.* Taubenschlag *m*; **'~-ˌliv·ered** *adj.* feige.

pi·geon·ry ['pɪdʒɪnrɪ] *s.* Taubenschlag *m*.

pig·ger·y ['pɪgərɪ] *s.* **1.** Schweinezucht *f*; **2.** Schweinestall *m*; **3.** *fig. contp.* Saustall *m*; **pig·gish** ['pɪgɪʃ] *adj.* **1.** schweinisch, unflätig; **2.** gierig; **3.** dickköpfig; **pig·gy** ['pɪgɪ] **I** *s.* F **1.** Schweinchen *n*: **~ *bank*** Sparschwein(chen); **2.** *Am.* Zehe *f*; **II** *adj.* **3.** → ***piggish***; **'pig·gy·back** → ***pick-a-back***.

ˌpig|'head·ed *adj.* □ dickköpfig, stur; **~ i·ron** *s.* Massel-, Roheisen *n*; **~ Lat·in** *s. e-e Kindergeheimsprache*.

pig·let ['pɪglɪt] *s.* Ferkel *n*.

pig·ment ['pɪgmənt] **I** *s.* **1.** *a. biol.* Pig'ment *n*; **2.** Farbe *f*, Farbstoff *m*, -körper *m*; **II** *v/t. u. v/i.* **3.** (sich) pigmentieren, (sich) färben; **'pig·men·tar·y** [-tərɪ], *a.* **pig·men·tal** [pɪg'mentl] *adj.* Pigment...; **pig·men·ta·tion** [ˌpɪgmən'teɪʃn] *s.* **1.** *biol.* Pigmentati'on *f*, Färbung *f*; **2.** ⚕ Pigmentierung *f*.

pig·my ['pɪgmɪ] → ***pygmy***.

'pig|·nut *s.* ⚘ 'Erdkaˌstanie *f*, -nuß *f*; **'~·skin** *s.* **1.** Schweinehaut *f*; **2.** Schweinsleder *n*; **'~ˌstick·ing** *s.* **1.** Wildschweinjagd *f*, Sauhatz *f*; **2.** Schweineschlachten *n*; **'~·sty** [-staɪ] *s.* Schweinestall *m* (*a. fig.*); **'~·tail** *s.* **1.** Zopf *m*; **2.** Rolle *f* ('Kau)ˌTabak.

pi-jaw ['paɪdʒɔ:] *s. Brit. sl.* Mo'ralpredigt *f*, Standpauke *f*.

P

pike¹ [paɪk] *pl.* **pikes** *od. bsd. coll.* **pike** *s.* **1.** *ichth.* Hecht *m*; **2.** *Sport*: Hechtsprung *m*.

pike² [paɪk] *s.* **1.** ⚔ *hist.* Pike *f*, (Lang-)Spieß *m*; **2.** (Speer- *etc.*)Spitze *f*, Stachel *m*; **3.** a) Schlagbaum *m* (*Mautstraße*), b) Maut *f*, Straßenbenutzungsgebühr *f*, c) Mautstraße *f*, gebührenpflichtige Straße; **4.** *Brit. dial.* Bergspitze *f*.

ˈ**pike·man** [-mən] *s.* [*irr.*] **1.** ⚒ Hauer *m*; **2.** Mauteinnehmer *m*; **3.** ⚔ *hist.* Pikeˈnier *m*.

pik·er [ˈpaɪkə] *s. Am. sl.* **1.** Geizhals *m*; **2.** vorsichtiger Spieler.

ˈ**pike·staff** *s.*: ***as plain as a ~*** sonnenklar.

pi·las·ter [pɪˈlæstə] *s.* △ Piˈlaster *m*, (*viereckiger*) Stützpfeiler.

pil·chard [ˈpɪltʃəd] *s.* Sarˈdine *f*.

pile¹ [paɪl] **I** *s.* **1.** Haufen *m*, Stoß *m*, Stapel *m* (*Akten, Holz etc.*): ***a ~ of arms*** e-e Gewehrpyramide; **2.** Scheiterhaufen *m*; **3.** großes Gebäude, Geˈbäudekomˌplex *m*; **4.** F ‚Haufen' *m*, ‚Masse' *f* (*bsd. Geld*): ***make a*** (*od.* ***one's***) ***~*** e-e Menge Geld machen, ein Vermögen verdienen; ***make a ~ of money*** e-e Stange Geld verdienen; **5.** ⚡ a) (galˈvanische *etc.*) Säule: ***thermoelectrical ~*** Thermosäule, b) Batteˈrie *f*; **6.** *a.* ***atomic ~*** (Aˈtom)Meiler *m*, Reˈaktor *m*; **7.** *metall.* ˈSchweiß(eisen)paˈket *n*; **8.** *Am. sl.* ‚Schlitten' *m* (*Auto*); **9.** → ***piles***; **II** *v/t.* **10.** *a.* ***~ up*** (*od.* ***on***) (an-, auf)häufen, (auf)stapeln, aufschichten: ***~ arms*** ⚔ Gewehre zs.-setzen; **11.** aufspeichern (*a. fig.*); **12.** überˈhäufen, -ˈladen (*a. fig.*): ***~ a table with food***; ***~ up*** (*od.* ***on***) ***the agony*** F Schrecken auf Schrecken häufen; ***~ it on*** F dick auftragen; **13.** ***~ up*** F a) ⚓ *Schiff* auflaufen lassen, b) ✈ mit *dem Flugzeug* ‚Bruch machen', c) *mot. sein Auto* kaˈputtfahren; **III** *v/i.* **14.** *mst* ***~ up*** sich (auf- *od.* an)häufen, sich ansammeln *od.* stapeln (*a. fig.*); **15.** F sich (scharenweise) drängen (***into*** in *acc.*); **16.** ***~ up*** a) ⚓ auffahren, b) ✈ ‚Bruch machen', c) *mot.* aufeinˈanderprallen.

pile² [paɪl] **I** *s.* **1.** ⚙ (Stütz)Pfahl *m*, Pfeiler *m*; Bock *m*, Joch *n e-r Brücke*; **2.** *her.* Spitzpfahl *m*; **II** *v/t.* **3.** auspfählen, unterˈpfählen, durch Pfähle verstärken; **4.** (hinˈein)treiben *od.* (ein)rammen in (*acc.*).

pile³ [paɪl] **I** *s.* **1.** Flaum *m*; **2.** (Woll-)Haar *n*, Pelz *m* (*des Fells*); **3.** *Weberei*: a) Samt *m*, Veˈlours *n*, b) Flor *m*, Pol *m* (*e-s Gewebes*); **II** *adj.* **4.** …fach gewebt (*Teppich etc.*): ***a three-~ carpet***.

pile| bridge (Pfahl)Jochbrücke *f*; **~ driv·er** *s.* ⚙ **1.** (Pfahl)Ramme *f*; **2.** Rammklotz *m*; **~ dwell·ing** *s.* Pfahlbau *m*; **~ fab·ric** *s.* Samtstoff *m*; *pl.* Polgewebe *pl.*

piles [paɪlz] *s. pl.* ⚕ Hämorrhoˈiden *pl.*

ˈ**pile-up** *s. mot.* ˈMassenkaramboˌlage *f*.

pil·fer [ˈpɪlfə] *v/t. u. v/i.* stehlen, stiˈbitzen; ˈ**pil·fer·age** [-ərɪdʒ] *s.* Diebeˈrei *f*; ˈ**pil·fer·er** [-ərə] *s.* Dieb(in).

pil·grim [ˈpɪlgrɪm] *s.* **1.** Pilger(in), Wallfahrer(in); **2.** *fig.* Pilger *m*, Wanderer *m*; **3.** ♀ (*pl. a.* ♀ ***Fathers***) *hist.* Pilgervater *m*; ˈ**pil·grim·age** [-mɪdʒ] **I** *s.* **1.** Pilger-, Wallfahrt *f* (*a. fig.*); **2.** *fig.* lange Reise; **II** *v/i.* **3.** pilgern, wallfahren.

pill [pɪl] **I** *s.* **1.** Pille *f* (*a. fig.*), Taˈblette *f*: ***swallow the ~*** die bittere Pille schlukken, in den sauren Apfel beißen; ***~ popper*** F Pillenschlucker *m*; → ***gild²*** 2; **2.** *sl.* ‚Brechmittel' *n*, ‚Ekel' *n* (*Person*); **3.** *sport sl.* Ball *m*; *Brit. a.* Billard *n*; **4.** ⚔ *sl. od. humor.* ‚blaue Bohne' (*Gewehrkugel*), ‚Ei' *n*, ‚Koffer' *m* (*Granate, Bombe*); **5.** *sl.* ‚Stäbchen' *n* (*Zigarette*); **6.** ***the ~*** die (Antiˈbaby-)Pille: ***be on the ~*** die Pille nehmen; **II** *v/t.* **7.** *sl. bei e-r Wahl* durchfallen lassen.

pil·lage [ˈpɪlɪdʒ] **I** *v/t.* **1.** (aus)plündern; **2.** rauben, erbeuten; **II** *v/i.* **3.** plündern; **III** *s.* **4.** Plünderung *f*, Plündern *n*; **5.** Beute *f*.

pil·lar [ˈpɪlə] **I** *s.* **1.** Pfeiler *m*, Ständer *m* (*a. Reitsport*): ***a ~ of coal*** ⚒ Kohlenpfeiler; ***run from ~ to post*** *fig.* von Pontius zu Pilatus laufen; **2.** △ (*a. weitS.* Luft-, Rauch- *etc.*)Säule *f*; **3.** *fig.* Säule *f*, (Haupt)Stütze *f*: ***the ~s of society*** (***wisdom***) die Säulen der Gesellschaft (der Weisheit); ***he was a ~ of strength*** er stand da wie ein Fels in der Brandung; **4.** ⚙ Stütze *f*, Supˈport *m*, Sockel *m*; **II** *v/t.* **5.** mit Pfeilern *od.* Säulen stützen *od.* schmücken; ˈ**~-box** *s. Brit.* Briefkasten *m* (in Säulenform).

pil·lared [ˈpɪləd] *adj.* **1.** mit Säulen *od.* Pfeilern (versehen); **2.** säulenförmig.

ˈ**pill·box** *s.* **1.** Pillenschachtel *f*; **2.** ⚔ *sl.* Bunker *m*, ˈUnterstand *m*.

pil·lion [ˈpɪljən] *s.* **1.** leichter (Damen-)Sattel; **2.** Sattelkissen *n*; **3.** *a.* ***~ seat*** *mot.* Soziussitz *m*: ***ride ~*** auf dem Soziussitz (mit)fahren; **~ rid·er** *s.* Soziusfahrer(in).

pil·lo·ry [ˈpɪlərɪ] **I** *s.* (***in the ~*** am) Pranger *m* (*a. fig.*); **II** *v/t.* an den Pranger stellen; *fig.* anprangern.

pil·low [ˈpɪləʊ] **I** *s.* **1.** (Kopf)Kissen *n*, Polster *n*: ***take counsel of one's ~*** *fig. die* Sache beschlafen; **2.** ⚙ (Zapfen)Lager *n*, Pfanne *f*; **II** *v/t.* **3.** (auf ein Kissen) betten, stützen (***on*** auf *acc.*): ***~ up*** hoch betten; ˈ**~·case** *s.* (Kopf)Kissenbezug *m*; **~ fight** *s.* Kissenschlacht *f*; ˈ**~-lace** *s.* Klöppel-, Kissenspitzen *pl.*; **~ slip** → ***pillowcase***.

pi·lose [ˈpaɪləʊs] *adj.* ♀, *zo.* behaart.

pi·lot [ˈpaɪlət] **I** *s.* **1.** ⚓ Lotse *m*: ***drop***

the ~ *fig.* den Lotsen von Bord schikken; **2.** ✈ Flugzeug-, Bal'lonführer *m*, Pi'lot *m*: ***~'s licence*** Flug-, Pilotenschein *m*; ***second ~*** Kopilot *m*; **3.** *fig.* a) Führer *m*, Wegweiser *m*, b) Berater *m*; **4.** ⚙ a) Be'tätigungsele,ment *n*, b) Führungszapfen *m*; **5.** → a) ***pilot program(me)***, b) ***pilot film***; **II** *v/t.* **6.** ⚓ lotsen (*a. mot. u. fig.*), steuern: ***~ through*** durchlotsen (*a. fig.*); **7.** ✈ steuern, fliegen; **8.** *bsd. fig.* führen, lenken, leiten; **III** *adj.* **9.** Versuchs…, Pilot…; **10.** Hilfs-…: ***~ parachute***; **11.** Steuer…, Kontroll…, Leit…: ***~ relay*** Steuer-, Kontrollrelais *n*; **'pi·lot·age** [-tɪdʒ] *s.* **1.** ⚓ Lotsen(kunst *f*) *n*: ***certificate of ~*** Lotsenpatent *n*; **2.** Lotsengeld *n*; **3.** ✈ a) Flugkunst *f*, b) 'Bodennavigati,on *f*; **4.** *fig.* Leitung *f*, Führung *f*.

pi·lot| bal·loon *s.* ✈ Pi'lotbal,lon *m*; **~ boat** *s.* Lotsenboot *n*; **~ burn·er** *s.* ⚙ Sparbrenner *m*; **~ cloth** *s.* dunkelblauer Fries; **~ en·gine** *s.* 🚂 'Leerfahrtlokomo,tive *f*; **~ film** *s.* Pi'lotfilm *m*; **~ in·jec·tion** *s. mot.* Voreinspritzung *f*; **~ in·struc·tor** *s.* ✈ Fluglehrer(in); **~ jet** *s.* ⚙ Leerlaufdüse *f*; **~ lamp** *s.* ⚙ Kon'trollampe *f*.

pi·lot·less ['paɪlətlɪs] *adj.* führerlos, unbemannt: ***~ airplane***.

pi·lot| light *s.* **1.** → ***pilot burner***; **2.** → ***pilot lamp***; **~ of·fi·cer** *s.* ⚔ Fliegerleutnant *m*; **~ plant** *s.* **1.** Versuchsanlage *f*; **2.** Musterbetrieb *m*; **~ pro·gram(me** *Brit.*) *s. Radio, TV*: Pi'lotsendung *f*; **~ pro·ject** *s.*, **~ scheme** *s.* Pi'lot-, Ver'suchspro,jekt *n*; **~ stu·dy** *s.* Pi'lotstudie *f*; **~ train·ee** *s.* Flugschüler (-in); **~ valve** *s.* ⚙ 'Steuerven,til *n*.

pi·lous ['paɪləs] → ***pilose***.

pil·ule ['pɪlju:l] *s.* kleine Pille.

pi·men·to [pɪ'mentəʊ] *pl.* **-tos** *s.* ⚘ *bsd. Brit.* **1.** Pi'ment *m, n*, Nelkenpfeffer *m*; **2.** Pi'mentbaum *m*.

pimp [pɪmp] **I** *s.* a) Kuppler *m*, b) Zuhälter *m*; **II** *v/i.* Kuppler *od.* Zuhälter sein.

pim·per·nel ['pɪmpənel] *s.* ⚘ Pimper'nell *m*.

pim·ple ['pɪmpl] **I** *s.* Pustel *f*, (Haut)Pikkel *m*; **II** *v/i.* pickelig werden; **'pim·pled** [-ld], **'pim·ply** [-lɪ] *adj.* pickelig.

pin [pɪn] **I** *s.* **1.** (Steck)Nadel *f*: ***~s and needles*** ‚Kribbeln' (*in eingeschlafenen Gliedern*); ***sit on ~s and needles*** *fig.* wie auf Kohlen sitzen; ***I don't care a ~*** das ist mir völlig schnuppe; **2.** (Schmuck-, Haar-, Hut)Nadel *f*: ***scarf-~*** Krawattennadel; **3.** (Ansteck)Nadel *f*, Abzeichen *n*; **4.** ⚙ Pflock *m*, Dübel *m*, Bolzen *m*, Zapfen *m*, Stift *m*: ***split ~*** Splint *m*; ***~ with thread*** Gewindezapfen *m*; ***~ bearing*** Nadel-, Stiftlager *n*; **5.** ⚙ Dorn *m*; **6.** *a.* ***drawing ~*** *Brit.* Reißnagel *m*, -zwecke *f*; **7.** *a.* ***clothes-~*** Wäscheklammer *f*; **8.** *a.* ***rolling ~*** Nudel-, Wellholz *n*; **9.** F ‚Stelzen' *pl.* (*Beine*): ***that knocked him off his ~s*** das hat ihn ‚umgehauen'; **10.** ♪ Wirbel *m* (*Streichinstrument*); **11.** a) *Kegelsport*: Kegel *m*, b) *Bowling*: Pin *m*; **II** *v/t.* **12.** (an)heften, -stecken, befestigen (***to***, ***on*** an *acc.*): ***~ up*** auf-, hochstecken; ***~ one's faith on*** sein Vertrauen auf j-n setzen; ***~ one's hopes on*** s-e (ganze) Hoffnung setzen auf (*acc.*); ***~ a murder on s.o.*** F j-m e-n Mord ‚anhängen'; **13.** pressen, drücken, heften (***against***, ***to*** gegen, an *acc.*), festhalten; **14.** *a.* ***~ down*** a) zu Boden pressen, b) *fig. j-n* festnageln (***to*** auf *ein Versprechen, e-e Aussage etc.*), c) ⚔ *Feindkräfte* fesseln (*a. Schach*), d) *et.* genau bestimmen *od.* definieren; **15.** ⚙ verbolzen, -dübeln, -stiften.

pin·a·fore ['pɪnəfɔ:] *s.* (Kinder)Lätzchen *n*, (-)Schürze *f*.

'pin|·ball ma·chine *s.* Flipper *m* (*Spielautomat*); **~ bit** *s.* ⚙ Bohrspitze *f*; **~ bolt** *s.* Federbolzen *m*.

pince-nez ['pæ:nsneɪ] (*Fr.*) *s.* Kneifer *m*, Klemmer *m*.

pin·cer ['pɪnsə] *adj.* Zangen…: ***~ movement*** ⚔ Zangenbewegung *f*; **'pin·cers** [-əz] *s. pl.* **1.** (Kneif-, Beiß)Zange *f*: ***a pair of ~*** eine Kneifzange; **2.** ⚕, *typ.* Pin'zette *f*; **3.** *zo.* Krebsschere *f*.

pinch [pɪntʃ] **I** *v/t.* **1.** zwicken, kneifen, (ein)klemmen, quetschen: ***~ off*** abkneifen; **2.** beengen, einengen, -zwängen; *fig.* (be)drücken, beengen, beschränken: ***be ~ed for time*** wenig Zeit haben; ***be ~ed*** in Bedrängnis sein, Not leiden, knapp sein (***for***, ***in***, ***of*** an *dat.*); ***be ~ed for money*** knapp bei Kasse sein; ***~ed circumstances*** beschränkte Verhältnisse; **3.** *fig.* quälen: ***be ~ed with hunger*** ausgehungert sein; ***a ~ed face*** ein spitzes *od.* abgehärmtes Gesicht; **4.** *sl. et.* ‚klauen' (*stehlen*); **5.** *sl. j-n* ‚schnappen' (*verhaften*); **II** *v/i.* **6.** drücken, kneifen, zwicken: ***~ing want*** drückende Not; → ***shoe*** 1; **7.** *fig. a.* ***~ and scrape*** knausern, darben, sich nichts gönnen; **III** *s.* **8.** Kneifen *n*, Zwicken *n*; **9.** *fig.* Druck *m*, Qual *f*, Not(lage) *f*: ***at a ~*** im Notfall; ***if it comes to a ~*** wenn es zum Äußersten kommt; **10.** Prise *f* (*Tabak etc.*); **11.** Quentchen *n*, (kleines) bißchen: ***a ~ of butter***; ***with a ~ of salt*** *fig.* mit Vorbehalt; **12.** *sl.* Festnahme *f*, Verhaftung *f*.

pinch·beck ['pɪntʃbek] **I** *s.* **1.** Tombak *m*, Talmi *n* (*a. fig.*); **II** *adj.* **2.** Talmi… (*a. fig.*); **3.** unecht.

'pinch|·hit *v/i.* [*irr.* → ***hit***] *Am. Baseball u. fig.* einspringen (***for*** für); **'~·hit·ter** *s. Am.* Ersatz(mann) *m*.

'pinch,pen·ny I *adj.* knick(e)rig; **II** *s.* knick(e)riger Mensch, Knicker *m*.

P

ˈ**pinˌcush·ion** *s.* Nadelkissen *n.*

pine¹ [paɪn] *s.* **1.** ⚘ Kiefer *f*, Föhre *f*, Pinie *f*; **2.** Kiefernholz *n*; **3.** F Ananas *f.*

pine² [paɪn] *v/i.* **1.** sich sehnen, schmachten (***after***, ***for*** nach); **2.** *mst* ~ ***away*** verschmachten, vor Gram vergehen; **3.** sich grämen *od.* abhärmen (***at*** über *acc.*).

pin·e·al gland [ˈpaɪnɪəl] *s. anat.* Zirbeldrüse *f.*

ˈ**pine|ˌap·ple** *s.* **1.** ⚘ Ananas *f*; **2.** ⚔ *sl.* a) ˈHandgraˌnate *f*, b) (kleine) Bombe; ~ **cone** *s.* ⚘ Kiefernzapfen *m*; ~ **marten** *s. zo.* Baummarder *m*; ~ **nee·dle** *s.* ⚘ Fichtennadel *f*; ~ **oil** *s.* Kiefernöl *n.*

pine| tar *s.* Kienteer *m*; ~ **tree** → ***pine¹*** 1.

ping [pɪŋ] **I** *v/i.* **1.** pfeifen (*Kugel*), schwirren (*Mücke etc.*); *mot.* klingeln; **II** *s.* **2.** Peng *n*; **3.** Pfeifen *n*, Schwirren *n*; *mot.* Klingeln *n*; ˈ**~-pong** [-pɒŋ] *s.* Tischtennis *n.*

ˈ**pin|·head** *s.* **1.** (Steck)Nadelkopf *m*; **2.** *fig.* Kleinigkeit *f*; **3.** F Dummkopf *m*; ˈ**~·hole** *s.* **1.** Nadelloch *n*; **2.** kleines Loch (*a. opt.*): ~ ***camera*** Lochkamera *f.*

pin·ion¹ [ˈpɪnjən] *s.* ⚙ **1.** Ritzel *n*, Antriebs(kegel)rad *n*: ***gear*** ~ Getriebezahnrad *n*; ~ ***drive*** Ritzelantrieb *m*; **2.** Kammwalze *f.*

pin·ion² [ˈpɪnjən] **I** *s.* **1.** *orn.* Flügelspitze *f*; **2.** *orn.* (Schwung)Feder *f*; **3.** *poet.* Schwinge *f*, Fittich *m*; **II** *v/t.* **4.** die Flügel stutzen (*dat.*) (*a. fig.*); **5.** fesseln (***to*** an *acc.*).

pink¹ [pɪŋk] **I** *s.* **1.** ⚘ Nelke *f*: ***plumed*** (*od.* ***feathered***) ~ Federnelke; **2.** Blaßrot *n*, Rosa *n*; **3.** *bsd. Brit.* (scharlach-) roter Jagdrock; **4.** *pol. Am. sl.* ‚rot Angehauchte(r)' *m*, Saˈlonbolscheˌwist *m*; **5.** *fig.* Gipfel *m*, Krone *f*, höchster Grad: ***in the*** ~ ***of health*** bei bester Gesundheit; ***the*** ~ ***of perfection*** die höchste Vollendung; ***be in the*** ~ (***of condition***) in ‚Hochform' sein; **II** *adj.* **6.** rosa(farben), blaßrot: ~ ***slip*** ‚blauer Brief', Kündigungsschreiben *n*; **7.** *pol. sl.* ‚rötlich', kommuˈnistisch angehaucht.

pink² [pɪŋk] *v/t.* **1.** *a.* ~ ***out*** auszacken: ***~ing shears*** *pl.* Zickzackschere *f*; **2.** durchˈbohren, -ˈstechen.

pink³ [pɪŋk] *s.* ⚓ Pinke *f* (*Boot*).

pink⁴ [pɪŋk] *v/i.* klopfen (*Motor*).

pink·ish [ˈpɪŋkɪʃ] *adj.* rötlich (*a. pol. sl.*), blaßrosa.

ˈ**pin-ˌmon·ey** *s.* (*a.* selbstverdientes) Taschengeld (*der Frau*).

pin·na [ˈpɪnə] *pl.* **-nae** [-niː] *s.* **1.** *anat.* Ohrmuschel *f*; **2.** *zo.* a) Feder *f*, Flügel *m*, b) Flosse *f*; **3.** ⚘ Fieder(blatt *n*) *f.*

pin·nace [ˈpɪnɪs] *s.* ⚓ Piˈnasse *f.*

pin·na·cle [ˈpɪnəkl] *s.* **1.** △ a) Spitzturm *m*, b) Zinne *f*; **2.** (Fels-, Berg)Spitze *f*, Gipfel *m*; **3.** *fig.* Gipfel *m*, Spitze *f*, Höhepunkt *m.*

pin·nate [ˈpɪnɪt] *adj.* gefiedert.

pin·ni·grade [ˈpɪnɪɡreɪd], ˈ**pin·ni·ped** [-ped] *zo.* **I** *adj.* flossen-, schwimmfüßig; **II** *s.* Flossen-, Schwimmfüßer *m.*

pin·nule [ˈpɪnjuːl] *s.* **1.** Federchen *n*; **2.** *zo.* Flössel *n*; **3.** ⚘ Fiederblättchen *n.*

pin·ny [ˈpɪnɪ] F → ***pinafore.***

pi·noch·le, **pi·noc·le** [ˈpiːnʌkl] *s. Am.* Biˈnokel *n* (*Kartenspiel*).

ˈ**pin|·point I** *v/t. Ziel* genau festlegen *od.* lokalisieren *od.* bombardieren; *fig. et.* genau bestimmen; **II** *adj.* genau, Punkt…: ~ ***bombing*** Bombenpunktwurf *m*; ~ ***strike*** ⚒ Schwerpunktstreik *m*; ~ ***target*** Punktziel *n*; ˈ**~-prick** *s.* **1.** Nadelstich *m* (*a. fig.*): ***policy of ~s*** Politik *f* der Nadelstiche; **2.** *fig.* Sticheˈlei *f*, spitze Bemerkung; ˈ**~-striped** *adj.* mit Nadelstreifen (*Anzug*).

pint [paɪnt] *s.* **1.** Pinte *f* (*Brit. 0,57, Am. 0,47 Liter*); **2.** F Halbe *f* (Bier); ˈ**pint-size(d)** *adj.* F winzig.

pin·tle [ˈpɪntl] *s.* **1.** ⚙ (Dreh)Bolzen *m*; **2.** *mot.* Düsennadel *f*, -zapfen *m*; **3.** ⚓ Fingerling *m*, Ruderhaken *m.*

pin·to [ˈpɪntəʊ] *Am. pl.* **-tos** *s.* Scheck(e) *m*, Schecke *f* (*Pferd*).

ˈ**pin-up** (**girl**) *s.* Pin-ˈup-Girl *n.*

pi·o·neer [ˌpaɪəˈnɪə] **I** *s.* **1.** ⚔ Pioˈnier *m*; **2.** *fig.* Pioˈnier *m*, Bahnbrecher *m*, Vorkämpfer *m*, Wegbereiter *m*; **II** *v/i.* **3.** *fig.* den Weg bahnen, bahnbrechende Arbeit leisten; **III** *v/t.* **4.** den Weg bahnen für (*a. fig.*); **IV.** *adj.* **5.** Pionier…: ~ ***work***; **6.** *fig.* bahnbrechend, wegbereitend, Versuchs…, erst.

pi·ous [ˈpaɪəs] *adj.* □ **1.** fromm (*a. iro.*), gottesfürchtig: ~ ***fraud*** (***wish***) *fig.* frommer Betrug (Wunsch); ~ ***effort*** F gutgemeinter Versuch; **2.** lieb (*Kind*).

pip¹ [pɪp] *s.* **1.** *vet.* Pips *m* (*Geflügelkrankheit*); **2.** *Brit.* F miese Laune: ***he gives me the*** ~ er geht mir auf den ‚Wecker'.

pip² [pɪp] *s.* **1.** Auge *n* (*auf Spielkarten*), Punkt *m* (*auf Würfeln etc.*); **2.** (Obst-) Kern *m*; **3.** ⚔ *bsd. Brit. sl.* Stern *m* (*Rangabzeichen*); **4.** *Radar*: Blip *m* (*Bildspur*); **5.** *Brit. Radio*: Ton *m* (*Zeitzeichen*).

pip³ [pɪp] *Brit.* F **I** *v/t.* **1.** ˈdurchfallen lassen (*bei e-r Wahl etc.*); **2.** *fig.* knapp besiegen, im Ziel abfangen; **3.** ‚abknallen' (*erschießen*); **II** *v/i.* **4.** *a.* ~ ***out*** ‚abkratzen' (*sterben*).

pipe [paɪp] **I** *s.* **1.** ⚙ a) Rohr *n*, Röhre *f*, b) (Rohr)Leitung *f*; **2.** (Tabaks)Pfeife *f*: ***put that in your*** ~ ***and smoke it*** F laß dir das gesagt sein; **3.** ♪ Pfeife *f* (*Flöte*); Orgelpfeife *f*; (ˈHolz)Blasinstruˌment *n*; *mst pl.* Dudelsack *m*; **4.** a) Pfeifen *n* (*e-s Vogels*), Piep(s)en *n*, b) Pfeifenton *m*, c) Stimme *f*; **5.** F Luft-

P

röhre *f*: ***clear one's ~*** sich räuspern; **6.** *metall.* Lunker *m*; **7.** ⚒ (Wetter)Lutte *f*; **8.** † Pipe *f* (*Weinfaß = Brit. 477,3, Am. 397,4 Liter*); **II** *v/t.* **9.** (durch Röhren, *weitS.* durch Kabel) leiten, *weitS. a.* schleusen, *a. e-e Radiosendung* über'tragen: ***~d music*** Musik *f* aus dem Lautsprecher, Musikberieselung *f*; **10.** Röhren *od.* e-e Rohrleitung legen in (*acc.*); **11.** pfeifen, flöten; *Lied* anstimmen, singen; **12.** quieken, piepsen; **13.** ⚓ *Mannschaft* zs.-pfeifen; **14.** *Schneiderei*: paspelieren, mit Biesen besetzen; **15.** *Torte etc.* mit feinem Guß verzieren, spritzen; **16.** ***~ one's eye*** F ‚flennen', weinen; **III** *v/i.* **17.** pfeifen (*a. Wind etc.*), flöten; piep(s)en: ***~ down*** *sl.* ‚die Luft anhalten', ‚die Klappe halten'; ***~ up*** loslegen, anfangen; **~ bowl** *s.* Pfeifenkopf *m*; **~ burst** *s.* Rohrbruch *m*; **~ clamp** *s.* ⚙ Rohrschelle *f*; **'~·clay I** *s.* **1.** *min.* Pfeifenton *m*; **2.** ⚔ *fig.* ‚Kom'miß' *m*; **II** *v/t.* **3.** mit Pfeifenton weißen; **~ clip** *s.* ⚙ Rohrschelle *f*; **~ dream** *s.* F Luftschloß *n*, Hirngespinst *n*; **~ fit·ter** *s.* ⚙ Rohrleger *m*; **'~·line** *s.* **1.** Rohrleitung *f*; *für Erdöl, Erdgas*: Pipeline *f*: ***in the ~*** *fig.* in Vorbereitung (*Pläne etc.*), im Kommen (*Entwicklung etc.*); **2.** *fig.* ‚Draht' *m*, (geheime) Verbindung *od.* (Informati'ons)Quelle; **3.** (*bsd.* Ver'sorgungs)Sy,stem *n*.

pip·er ['paɪpə] *s.* Pfeifer *m*: ***pay the ~*** *fig.* die Zeche bezahlen, *weitS.* der Dumme sein.

pipe| rack *s.* Pfeifenständer *m*; **~ tongs** *s. pl.* ⚙ Rohrzange *f*.

pi·pette [pɪ'pet] *s.* ⚗ Pi'pette *f*.

pipe wrench *s.* ⚙ Rohrzange *f*.

pip·ing ['paɪpɪŋ] **I** *s.* **1.** ⚙ a) Rohrleitung *f*, -netz *n*, Röhrenwerk *n*, b) Rohrverlegung *f*; **2.** *metall.* a) Lunker *m*, b) Lunkerbildung *f*; **3.** Pfeifen *n*, Piep(s)en *n*; Pfiff *m*; **4.** *Schneiderei*: Paspel *f*, (*an Uniformen*) Biese *f*; **5.** (feiner) Zuckerguß, Verzierung *f* (*Kuchen*); **II** *adj.* **6.** pfeifend, schrill; **7.** friedlich, i'dyllisch (*Zeit*); **III** *adv.* **8.** ***~ hot*** siedend heiß, *fig.* ‚brühwarm'.

pip·pin ['pɪpɪn] *s.* **1.** Pippinapfel *m*; **2.** *sl.* a) ‚tolle Sache', b) ‚toller Kerl'.

'pip·squeak *s.* F ‚Grashüpfer' *m*, ‚Würstchen' *n* (*Person*).

pi·quan·cy ['pi:kənsɪ] *s.* Pi'kantheit *f*, *das* Pi'kante; **'pi·quant** [-nt] *adj.* □ pi'kant (*a. fig.*).

pique [pi:k] **I** *v/t.* **1.** (auf)reizen, sticheln, ärgern, *j-s Stolz etc.* verletzen: ***be ~d at*** über *et.* pikiert *od.* verärgert sein; **2.** *Neugier etc.* reizen, wecken; **3.** ***~ o.s.*** (***on***) sich et. einbilden (auf *acc.*), sich brüsten (mit); **II** *s.* **4.** Groll *m*; Gereiztheit *f*, Gekränktsein *n*, Ärger *m*.

pi·qué ['pi:keɪ] *s.* Pi'kee *m* (*Gewebe*).

pi·quet [pɪ'ket] *s.* Pi'kett *n* (*Kartenspiel*).

pi·ra·cy ['paɪərəsɪ] *s.* **1.** Pirate'rie *f*, Seeräube'rei *f*; **2.** Plagi'at *n*, *bsd.* a) Raubdruck *m*, b) Raubpressung *f* (*e-r Schallplatte f*); **3.** Pa'tentverletzung *f*; **pi·rate** ['paɪərət] **I** *s.* **1.** a) Pi'rat *m*, Seeräuber *m*, b) Seeräuberschiff *n*; **2.** Plagi'ator *m*, *bsd.* a) Raubdrucker *m*, b) Raubpresser *m* (*von Schallplatten*); **II** *adj.* **3.** Piraten...: ***~ ship***; **4.** ⚖ Raub...: ***~ record***; ***~ edition*** Raubdruck *m*; **5.** Schwarz...: ***~ listener***; ***~ (radio) station*** Pi'raten-, Schwarzsender *m*; **III** *v/t.* **6.** kapern, (aus)plündern (*a. weitS.*); **7.** plagiieren, *bsd.* unerlaubt nachdrukken; **pi·rat·i·cal** [paɪ'rætɪkl] *adj.* □ **1.** (see)räuberisch, Piraten...; **2.** ***~ edition*** Raubdruck *m*.

pir·ou·ette [ˌpɪrʊ'et] **I** *s.* *Tanz etc.*: Pirou'ette *f*; **II** *v/i.* pirouettieren.

Pis·ces ['pɪsi:z] *s. pl. ast.* **1.** Fische *pl.*; **2.** *Person*: *ein* Fisch *m*.

pis·ci·cul·ture ['pɪsɪkʌltʃə] *s.* Fischzucht *f*; **pis·ci·cul·tur·ist** [ˌpɪsɪ'kʌltʃərɪst] *s.* Fischzüchter *m*.

pish [pɪʃ] *int.* **1.** pfui!; **2.** pah!

pi·si·form ['paɪsɪfɔ:m] *adj.* erbsenförmig, Erbsen...

piss [pɪs] *sl.* **I** *v/i.* ‚pissen', ‚pinkeln': ***~ on s.th.*** *fig.* ‚auf et. scheißen'; ***~ off!*** hau ab!; **II** *v/t.* ‚be-, anpissen': ***~ the bed*** ins Bett pinkeln; **III** *s.* ‚Pisse' *f*; **pissed** [-st] *adj. sl.* **1.** ‚blau', besoffen; **2.** ***~ off*** ‚(stock)sauer'.

pis·tach·i·o [pɪ'stɑ:ʃɪəʊ] *pl.* **-i·os** *s.* ⚘ Pi'stazie *f*.

pis·til ['pɪstɪl] *s.* ⚘ Pi'still *n*, Stempel *m*, Griffel *m*; **'pis·til·late** [-lət] *adj.* mit Stempel(n), weiblich (*Blüte*).

pis·tol ['pɪstl] *s.* Pi'stole *f* (*a. phys.*): ***hold a ~ to s.o.'s head*** *fig.* j-m die Pistole auf die Brust setzen; **~ point** *s.*: ***at ~*** mit vorgehaltener Pistole; **~ shot** *s.* **1.** Pi'stolenschuß *m*; **2.** *Am.* Pi'stolenschütze *m*.

pis·ton ['pɪstən] *s.* **1.** ⚙ Kolben *m*: ***~ engine*** Kolbenmotor *m*; **2.** ⚙ (Druck-) Stempel *m*; **~ dis·place·ment** *s.* Kolbenverdrängung *f*, Hubraum *m*; **~ rod** *s.* Kolben-, Pleuelstange *f*; **~ stroke** *s.* Kolbenhub *m*.

pit¹ [pɪt] **I** *s.* **1.** Grube *f* (*a. anat.*): ***refuse ~*** Müllgrube; ***~ of the stomach*** Magengrube; *sl.* ***the ~s*** das Letzte, Mist *m*; **2.** Abgrund *m* (*a. fig.*): (***bottomless***) ***~***, ***~*** (***of hell***) (Abgrund der) Hölle *f*, Höllenschlund *m*; **3.** ⚒ a) (*bsd.* Kohlen)Grube *f*, Zeche *f*, b) (*bsd.* Kohlen)Schacht *m*; **4.** ✓ (Rüben- *etc.*)Miete *f*; **5.** ⚙ a) *Gießerei*: Dammgrube *f*, b) Abstichherd *m*, Schlackengrube *f*; **6.** *thea.* a) *bsd. Brit.* Par'kett *n*, b) Or'chestergraben *m*; **7.** *mot. Sport*: Box *f*: ***~ stop*** Boxenstopp *m*; **8.** † *Am.* Börse *f*, Maklerstand *m*: ***grain ~***

P

Getreidebörse; **9.** ⚕ (Blattern-, Pokken)Narbe *f*; **10.** ⚙ Rostgrübchen *n*; **II** *v/t.* **11.** Löcher *od.* Vertiefungen bilden in (*dat.*) *od.* graben in (*acc.*); ⚙ an-, zerfressen (*Korrosion*); ⚕ mit Narben bedecken: ***~ted with smallpox*** pokkennarbig; **12.** ⚘ *Rüben etc.* einmieten; **13.** (***against***) a) *feindlich* gegen'überstellen (*dat.*), b) *j-n* ausspielen (gegen), c) *s-e Kraft etc.* messen (mit), *Argument* ins Feld führen (gegen); **III** *v/i.* **14.** Löcher *od.* Vertiefungen bilden; ⚕ narbig werden; ⚙ sich festfressen (*Kolben*).

pit² [pɪt] *Am.* **I** *s.* (Obst)Stein *m*; **II** *v/t.* entsteinen.

pit-a-pat [ˌpɪtə'pæt] **I** *adv.* ticktack (*Herz*); klippklapp (*Schritte*); **II** *s.* Getrappel *n*, Getrippel *n*.

pitch¹ [pɪtʃ] **I** *s.* Pech *n*; **II** *v/t.* (ver)pichen, teeren (*a.* ⚓).

pitch² [pɪtʃ] **I** *s.* **1.** Wurf *m* (*a. sport*): ***queer s.o.'s ~*** F j-m ‚die Tour vermasseln', j-m e-n Strich durch die Rechnung machen; ***what's the ~?*** *Am. sl.* was ist los?; **2.** † (Waren)Angebot *n*; **3.** ⚓ Stampfen *n*; **4.** Neigung *f*, Gefälle *n* (*Dach etc.*); **5.** ⚙ a) Teilung *f* (*Gewinde*, *Zahnrad*), b) Schränkung *f* (*Säge*), c) Steigung *f* (*Luftschraube* ✈); **6.** ♪ a) Tonhöhe *f*, b) (*absolute*) Stimmung *e-s Instruments*, c) Nor'malstimmung *f*, Kammerton *m*: ***above ~*** zu hoch; ***have absolute ~*** das absolute Gehör haben; ***sing true to ~*** tonrein singen; **7.** Grad *m*, Stufe *f*, Höhe *f* (*a. fig.*); *fig.* höchster Grad, Gipfel *m*: ***to the highest ~*** aufs äußerste; **8.** † a) Stand *m e-s Händlers*, b) *sl.* Anpreisung *f*, Verkaufsgespräch *n*, c) *sl.* ‚Platte' *f*, ‚Masche' *f*; **9.** *sport Brit.* Spielfeld *n*; *Krikket*: (Mittel)Feld *n*; **II** *v/t.* **10.** (*gezielt*) werfen (*a. sport*), schleudern; *Golf*: *den Ball* heben (*hoch schlagen*); **11.** *Heu etc.* aufladen, -gabeln; **12.** *Pfosten etc.* einrammen, befestigen; *Zelt*, *Verkaufsstand etc.* aufschlagen; *Leiter*, *Stadt etc.* anlegen; **13.** ♪ a) *Instrument* stimmen, b) *Grundton* angeben, c) *Lied etc. in e-r Tonart* anstimmen *od.* singen *od.* spielen: ***high-~ed voice*** hohe Stimme; ***~ one's hopes too high*** *fig.* s-e Hoffnungen zu hoch stecken; ***~ a yarn*** *fig.* ein Garn spinnen; **14.** *fig. Rede etc.* abstimmen (***on*** auf *acc.*), *et.* ausdrücken; **15.** *Straße* beschottern, *Böschung* verpacken; **16.** *Brit. Ware* ausstellen, feilhalten; **17.** ⚔ ***~ed battle*** regelrechte *od.* offene (Feld)Schlacht; **III** *v/i.* **18.** (kopf'über) hinstürzen, -schlagen; **19.** ⚔ (sich) lagern; **20.** † e-n (Verkaufs-) Stand aufschlagen; **21.** ⚓ stampfen (*Schiff*); *fig.* taumeln; **22.** sich neigen (*Dach etc.*); **23.** ***~ in*** F a) sich (tüchtig) ins Zeug legen, loslegen, b) tüchtig ‚zulangen' (*essen*); **24.** ***~ into*** F a) herfallen über *j-n* (*a. fig.*), b) herfallen über *das Essen*, c) sich (mit Schwung) an *die Arbeit* machen; **25.** ***~ on***, ***~ upon*** sich entscheiden für, verfallen auf (*acc.*); **ˌ~-and-'toss** *s.* ‚Kopf oder Schrift' (*Spiel*); **~ an·gle** *s.* ⚙ Steigungswinkel *m*; **ˌ~-'black** *adj.* pechschwarz; **'~-blende** [-blend] *s. min.* (U'ran)Pechblende *f*; **~ cir·cle** *s.* ⚙ Teilkreis *m* (*Zahnrad*); **ˌ~-'dark** *adj.* pechschwarz, stockdunkel (*Nacht*).

pitch·er¹ ['pɪtʃə] *s. sport* Werfer *m*.

pitch·er² ['pɪtʃə] *s.* (irdener) Krug (*mit Henkel*).

'pitch|·fork I *s.* **1.** ⚘ Heu-, Mistgabel *f*; **2.** ♪ Stimmgabel *f*; **II** *v/t.* **3.** mit der Heugabel werfen; **4.** *fig.* rücksichtslos werfen: ***~ troops into a battle***; **5.** ‚schubsen' (***into*** in *ein Amt etc.*); **~ pine** *s.* ⚘ Pechkiefer *f*; **~ pipe** *s.* ♪ Stimmpfeife *f*.

pitch·y ['pɪtʃɪ] *adj.* **1.** pechartig; **2.** voll Pech; **3.** pechschwarz (*a. fig.*).

pit coal *s.* Schwarz-, Steinkohle *f*.

pit·e·ous ['pɪtɪəs] → ***pitiable*** 1.

'pit·fall *s.* Fallgrube *f*, Falle *f*, *fig. a.* Fallstrick *m*.

pith [pɪθ] *s.* **1.** ⚘, *anat.* Mark *n*; **2.** *a.* ***~ and marrow*** *fig.* Mark *n*, Kern *m*, 'Quintesˌsenz *f*; **3.** *fig.* Kraft *f*, Prä'gnanz *f* (*e-r Rede etc.*); **4.** *fig.* Gewicht *n*, Bedeutung *f*.

'pit·head *s.* ⚒ **1.** Füllort *m*, Schachtöffnung *f*; **2.** Fördergerüst *n*.

pith·e·can·thro·pus [ˌpɪθɪkæn'θrəʊpəs] *s.* Javamensch *m*.

pith| hat, **~ hel·met** *s.* Tropenhelm *m*.

pith·i·ness ['pɪθɪnɪs] *s.* **1.** *das* Markige, Markigkeit *f*; **2.** *fig.* Kernigkeit *f*, Prä'gnanz *f*, Kraft *f*; **pith·less** ['pɪθlɪs] *adj.* marklos; *fig.* kraftlos, schwach; **pith·y** ['pɪθɪ] *adj.* ☐ **1.** mark(art)ig; **2.** *fig.* markig, kernig, prä'gnant.

pit·i·a·ble ['pɪtɪəbl] *adj.* ☐ **1.** mitleiderregend, bedauernswert; *a. contp.* erbärmlich, jämmerlich, elend, kläglich; **2.** *contp.* armselig, dürftig; **'pit·i·ful** [-fʊl] *adj.* ☐ **1.** mitleidig, mitleidsvoll; **2.** → ***pitiable***; **'pit·i·less** [-lɪs] *adj.* ☐ **1.** unbarmherzig; **2.** erbarmungslos, mitleidlos.

'pit|·man [-mən] *s.* [*irr.*] Bergmann *m*, Knappe *m*, Grubenarbeiter *m*; **~ prop** *s.* ⚒ (Gruben)Stempel *m*; *pl.* Grubenholz *n*; **~ saw** *s.* ⚙ Schrot-, Längensäge *f*.

pit·tance ['pɪtəns] *s.* **1.** Hungerlohn *m*, ‚paar Pfennige' *pl.*; **2.** (kleines) bißchen: ***the small ~ of learning*** das kümmerliche Wissen.

pit·ting ['pɪtɪŋ] *s. metall.* Körnung *f*, Lochfraß *m*, 'Grübchenkorrosiˌon *f*.

pi·tu·i·tar·y [pɪ'tjʊɪtərɪ] *physiol.* **I** *adj.* pitui'tär, schleimabsondernd, Schleim…;

II *s. a.* **~ *gland*** Hirnanhang(drüse *f*) *m*, Hypo'physe *f*.

pit·y ['pɪtɪ] **I** *s.* **1.** Mitleid *n*, Erbarmen *n*: ***feel ~ for, have*** (*od.* ***take***) **~ *on*** Mitleid haben mit; ***for ~'s sake!*** um Himmels willen!; **2.** Jammer *m*: ***it is a*** (***great***) **~** es ist (sehr) schade; ***what a ~!*** wie schade!; ***it is a thousand pities*** es ist jammerschade; ***the ~ of it is that*** es ist ein Jammer, daß; **II** *v/t.* **3.** bemitleiden, bedauern, Mitleid haben mit: ***I ~ him*** er tut mir leid; **pit·y·ing** ['pɪtɪɪŋ] *adj.* □ mitleidig.

piv·ot ['pɪvət] **I** *s.* **1.** a) (Dreh)Punkt *m*, b) (Dreh)Zapfen *m*: **~ *bearing*** Zapfenlager, c) Stift *m*, d) Spindel *f*; **2.** (Tür-) Angel *f*; **3.** ⚔ stehender Flügel(mann), Schwenkungspunkt *m*; **4.** *fig.* a) Dreh-, Angelpunkt *m*, b) → ***pivot man***, c) *Fußball*: 'Schaltstatiˌon *f* (*Spieler*); **II** *v/t.* **5.** ⚙ a) mit Zapfen *etc.* versehen, b) drehbar lagern, c) (ein)schwenken; **III** *v/i.* **6.** sich drehen (***upon, on*** um) (*a. fig.*); ⚔ schwenken; '**piv·ot·al** [-tl] *adj.* **1.** Zapfen..., Angel...: **~ *point*** Angelpunkt *m*; **2.** *fig.* zen'tral, Kardinal...: ***a ~ question***.

piv·ot| bolt *s.* Drehbolzen *m*; **~ bridge** *s.* Drehbrücke *f*; **~ man** [-mən] *s.* [*irr.*] *fig.* 'Schlüsselfiˌgur *f*; '**~-ˌmount·ed** *adj.* schwenkbar; **~ tooth** *s.* ⚕ Stiftzahn *m*.

pix·el ['pɪksəl] *s. TV, Computer*: Bild(schirm)punkt *m*.

pix·ie → ***pixy***.

pix·i·lat·ed ['pɪksɪleɪtɪd] *adj. Am.* F **1.** ‚verdreht', leicht verrückt; **2.** ‚blau' (*betrunken*).

pix·y ['pɪksɪ] *s.* Fee *f*, Elf *m*, Kobold *m*.

piz·zle ['pɪzl] *s.* **1.** *zo.* Fiesel *m*; **2.** Ochsenziemer *m*.

pla·ca·ble ['plækəbl] *adj.* □ versöhnlich, nachgiebig.

plac·ard ['plækɑːd] **I** *s.* **1.** a) Pla'kat *n*, b) Transpa'rent *n*; **II** *v/t.* **2.** mit Pla'katen bekleben; **3.** durch Pla'kate bekanntgeben, anschlagen.

pla·cate [plə'keɪt] *v/t.* beschwichtigen, besänftigen, versöhnlich stimmen.

place [pleɪs] **I** *s.* **1.** Ort *m*, Stelle *f*, Platz *m*: ***from ~ to ~*** von Ort zu Ort; ***in ~*** am Platze (*a. fig. angebracht*); ***in ~s*** stellenweise; ***in ~ of*** an Stelle (*gen.*), anstatt (*gen.*); ***out of ~*** *fig.* fehl am Platz, unangebracht; ***take ~*** stattfinden; ***take s.o.'s ~*** j-s Stelle einnehmen; ***take the ~ of*** ersetzen, an die Stelle treten von; ***if I were in your ~*** an Ihrer Stelle (*würde ich ...*); ***put yourself in my ~*** versetzen Sie sich in meine Lage; **2.** Ort *m*, Stätte *f*: **~ *of amusement*** Vergnügungsstätte; **~ *of birth*** Geburtsort; **~ *of business*** ✝ Geschäftssitz *m*; **~ *of delivery*** ✝ Erfüllungsort; **~ *of jurisdiction*** Gerichtsstand *m*; **~ *of worship*** Gotteshaus *n*, Kultstätte *f*; ***from this ~*** ✝ ab hier; ***in*** (*od.* ***of***) ***your ~*** ✝ dort; ***go ~s*** *Am.* a) ‚groß ausgehen', b) die Sehenswürdigkeiten *e-s Ortes* ansehen, c) *fig.* es weit bringen (*im Leben*); **3.** Wohnsitz *m*; F Wohnung *f*, Haus *n*: ***at his ~*** bei ihm (zu Hause); **4.** Wohnort *m*; Ort(schaft *f*) *m*, Stadt *f*, Dorf *n*: ***in this ~*** hier; **5.** ⚓ Platz *m*, Hafen *m*: **~ *for tran(s)shipment*** Umschlagplatz; **6.** ⚔ Festung *f*; **7.** F Gaststätte *f*, Lo'kal *n*; **8.** (Sitz)Platz *m*; **9.** *fig.* Platz *m* (*in e-r Reihenfolge*; *a. sport*), Stelle *f* (*a. in e-m Buch*): ***in the first ~*** a) an erster Stelle, erstens, b) zuerst, von vornherein, c) in erster Linie, d) überhaupt (erst); ***in third ~*** *sport* auf dem dritten Platz; **10.** ⩲ (Dezi'mal)Stelle *f*; **11.** Raum *m* (*a. fig., a. für Zweifel etc.*); **12.** *thea.* Ort *m* (der Handlung); **13.** (An)Stellung *f*, (Arbeits)Stelle *f*: ***out of ~*** stellenlos; **14.** Dienst *m*, Amt *n*: ***it is not my ~*** *fig.* es ist nicht meines Amtes; **15.** (sozi'ale) Stellung, Rang *m*, Stand *m*: ***keep s.o. in his ~*** j-n in s-n Schranken *od.* Grenzen halten; ***know one's ~*** wissen, wohin man gehört; ***put s.o. in his ~*** j-n in s-e Schranken weisen; **16.** *univ.* (Studien)Platz *m*; **II** *v/t.* **17.** stellen, setzen, legen (*a. fig.*); *teleph. Gespräch* anmelden; → ***disposal*** 3; **18.** ⚔ *Posten* aufstellen, (***o.s.*** sich) postieren; **19.** *j-n* an-, einstellen; ernennen, in ein Amt einsetzen; **20.** *j-n* 'unterbringen (*a. Kind*), *j-m* Arbeit *od.* e-e Anstellung verschaffen; **21.** ✝ *Anleihe, Kapital* 'unterbringen; *Auftrag* erteilen *od.* vergeben; *Bestellung* aufgeben; *Vertrag* abschließen; → ***account*** 5, ***credit*** 1; **22.** ✝ *Ware* absetzen; **23.** (der Lage nach) näher bestimmen; *fig. j-n* ‚'unterbringen' (*identifizieren*): ***I can't ~ him*** ich weiß nicht, wo ich ihn ‚unterbringen' *od.* ‚hintun' soll; **24.** *sport* plazieren: ***be ~d*** unter den ersten drei sein, sich plazieren; **~ bet** *s. Rennsport*: Platzwette *f*.

pla·ce·bo [plə'siːbəʊ] *pl.* **-bos** *s.* **1.** ⚕ Pla'cebo *n*, 'Blindpräpaˌrat *n*; **2.** *fig.* Beruhigungspille *f*.

place| card *s.* Platz-, Tischkarte *f*; **~ hunt·er** *s.* Pöstchenjäger *m*; **~ hunt·ing** *s.* Pöstchenjäge'rei *f*; **~ kick** *s. sport* a) *Fußball*: Stoß *m* auf den ruhenden Ball (*Freistoß etc.*), b) *Rugby*: Platztritt *m*; '**~·man** [-mən] *s.* [*irr.*] *pol. contp.* ‚Pöstcheninhaber' *m*, ‚'Futterkrippenpoˌlitiker' *m*; **~ mat** *s.* Set *n*, Platzdeckchen *n*.

place·ment ['pleɪsmənt] *s.* **1.** (Hin-, Auf)Stellen *n*, Plazieren *n*; **2.** a) Einstellung *f e-s Arbeitnehmers*, b) Vermittlung *f e-s Arbeitsplatzes*, c) 'Unterbringung *f von Arbeitskräften, Waisen*; **3.** Stellung *f*, Lage *f*; Anordnung *f*; **4.**

✝ a) Anlage *f*, Unterbringung *f von Kapital*, b) Vergabe *f von Aufträgen*; **5.** *ped. Am.* Einstufung *f.*
place name *s.* Ortsname *m.*
pla·cen·ta [plə'sentə] *pl.* **-tae** [-ti:] *s.* **1.** *anat.* Pla'zenta *f*, Mutterkuchen *m*; **2.** ⚘ Samenleiste *f.*
plac·er ['plæsə] *s. min.* **1.** *bsd. Am.* (*Gold- etc.*)Seife *f*; **2.** seifengold- *od.* erzseifenhaltige Stelle; '**~-gold** *s.* Seifen-, Waschgold *n*; '**~-ˌmin·ing** *s.* Goldwaschen *n.*
pla·cet ['pleɪset] (*Lat.*) *s.* Plazet *n*, Zustimmung *f*, Ja *n.*
plac·id ['plæsɪd] *adj.* □ **1.** (seelen)ruhig, ‚gemütlich'; **2.** mild, sanft; **3.** selbstgefällig; **pla·cid·i·ty** [plæ'sɪdətɪ] *s.* Milde *f*, Gelassenheit *f*, (Seelen)Ruhe *f.*
plack·et ['plækɪt] *s. Mode*: a) Schlitz *m an Frauenkleid*, b) Tasche *f.*
pla·gi·a·rism ['pleɪdʒjərɪzəm] *s.* Plagi'at *n*; '**pla·gi·a·rist** [-ɪst] *s.* Plagi'ator *m*; '**pla·gi·a·rize** [-raɪz] **I** *v/t.* plagiieren, abschreiben; **II** *v/i.* ein Plagi'at begehen.
plague [pleɪg] **I** *s.* **1.** ⚕ Seuche *f*, Pest *f*: ***avoid like the ~*** *fig.* wie die Pest meiden; **2.** *bsd. fig.* Plage *f*, Heimsuchung *f*, Geißel *f*: ***the ten ~s*** *bibl.* die Zehn Plagen; ***a ~ on it!*** zum Henker damit!; **3.** *fig.* F a) Plage *f*, b) Quälgeist *m* (*Mensch*); **II** *v/t.* **4.** plagen, quälen; **5.** F belästigen, peinigen; **6.** *fig.* heimsuchen; **~ spot** *s. mst fig.* Pestbeule *f.*
plaice [pleɪs] *pl. coll.* **plaice** *s. ichth.* Scholle *f.*
plaid [plæd] **I** *s.* schottisches Plaid(tuch); **II** *adj.* 'buntkaˌriert.
plain [pleɪn] **I** *adj.* □ **1.** einfach, schlicht: ***~ clothes*** Zivil(kleidung *f*) *n*; ***~-clothes man*** Kriminalbeamte(r) *m od.* Polizist in Zivil; ***~ cooking*** bürgerliche Küche; ***~ fare*** Hausmannskost *f*; ***~ paper*** unliniertes Papier; ***~ postcard*** gewöhnliche Postkarte; **2.** schlicht, schmucklos, kahl (*Zimmer etc.*); ungemustert, einfarbig (*Stoff*): ***~ knitting*** Rechts-, Glattstrickerei *f*; ***~ sewing*** Weißnäherei *f*; **3.** unscheinbar, reizlos, hausbacken (*Gesicht, Mädchen etc.*); **4.** klar, leicht verständlich: ***in ~ language*** *tel.* im Klartext (*a. fig.*), offen; **5.** klar, offenbar, -kundig (*Irrtum etc.*); **6.** klar (und deutlich), 'unmißverständlich, 'unumˌwunden: ***~ talk***; ***the ~ truth*** die nackte Wahrheit; **7.** offen, ehrlich: ***~ dealing*** ehrliche Handlungsweise; **8.** pur, unverdünnt (*Getränk*); *fig.* bar, rein (*Unsinn etc.*): ***~ folly*** heller Wahnsinn; **9.** *bsd. Am.* flach; ⚙ glatt: ***~ country*** *Am.* Flachland *n*; ***~ roll*** ⚙ Glattwalze *f*; ***~ bearing*** Gleitlager *n*; ***~ fit*** ⚙ Schlichtsitz *m*; *fig.* → ***sailing*** 1; **10.** ohne Filter (*Zigarette*); **II** *adv.* **11.** klar, deutlich; **III** *s.* **12.** Ebene *f*, Fläche *f*; Flachland *n*; *pl. bsd. Am.* Prä'rie *f*; '**plain·ness** [-nɪs] *s.* **1.** Einfachheit *f*, Schlichtheit *f*; **2.** Deutlichkeit *f*, Klarheit *f*; **3.** Offenheit *f*, Ehrlichkeit *f*; **4.** Reizlosigkeit *f* (*e-r Frau etc.*); **ˌplain-'spo·ken** *adj.* offen, freimütig: ***he is a ~ man*** er nimmt (sich) kein Blatt vor den Mund.
plaint [pleɪnt] *s.* **1.** Beschwerde *f*, Klage *f*; **2.** ⚖ (An)Klage(schrift) *f*; '**plain·tiff** [-tɪf] *s.* ⚖ (Zi'vil)Kläger(in): ***party ~*** klagende Partei; '**plain·tive** [-tɪv] *adj.* □ traurig, kläglich; wehleidig (*Stimme*); Klage…: ***~ song.***
plait [plæt] **I** *s.* **1.** Zopf *m*, Flechte *f*; (Haar-, Stroh)Geflecht *n*; **2.** Falte *f*; **II** *v/t.* **3.** *Haar, Matte etc.* flechten; **4.** verflechten.
plan [plæn] **I** *s.* **1.** (Spiel-, Wirtschafts-, Arbeits)Plan *m*, Entwurf *m*, Pro'jekt *n*, Vorhaben *n*: ***~ of action*** Schlachtplan (*a. fig.*); ***according to ~*** planmäßig; ***make ~s*** (***for the future***) (Zukunfts-) Pläne schmieden; **2.** (Lage-, Stadt-) Plan *m*: ***general ~*** Übersichtsplan; **3.** ⚙ (Grund)Riß *m*: ***~ view*** Draufsicht; **II** *v/t.* **4.** planen, entwerfen, e-n Plan entwerfen für *od.* zu: ***~ ahead*** (*a. v/i.*) vorausplanen; ***~ning board*** Planungsamt *n*; **5.** *fig.* planen, beabsichtigen.
plane[1] [pleɪn] *s.* ⚘ Pla'tane *f.*
plane[2] [pleɪn] **I** *adj.* **1.** flach, eben; ⚙ plan; **2.** A eben: ***~ figure***; ***~ curve*** einfach gekrümmte Kurve; **II** *s.* **3.** Ebene *f*, (ebene) Fläche: ***~ of refraction*** *phys.* Brechungsebene; ***on the upward ~*** *fig.* im Anstieg; **4.** *fig.* Ebene *f*, Stufe *f*, Ni'veau *n*, Bereich *m*: ***on the same ~ as*** auf dem gleichen Niveau wie; **5.** ⚙ Hobel *m*; **6.** ⚒ Förderstrecke *f*; **7.** ✈ a) Tragfläche *f*: ***elevating*** (***depressing***) ***~s*** Höhen-(Flächen)steuer *n*, b) Flugzeug *n*; **III** *v/t.* **8.** (ein)ebnen, planieren, ⚙ *a.* schlichten, *Bleche* abrichten; **9.** (ab)hobeln; **10.** *typ.* bestoßen; **IV.** *v/i.* **11.** ✈ gleiten; fliegen; '**plan·er** [-nə] *s.* **1.** ⚙ 'Hobel(maˌschine *f*) *m*; **2.** *typ.* Klopfholz *n.*
plane sail·ing *s.* ⚓ Plansegeln *n.*
plan·et ['plænɪt] *s. ast.* Pla'net *m.*
'**plane-ˌta·ble** *s. surv.* Meßtisch *m*: ***~ map*** Meßtischblatt *n.*
plan·e·tar·i·um [ˌplænɪ'teərɪəm] *s.* Plane'tarium *n*; **plan·e·tar·y** ['plænɪtərɪ] *adj.* **1.** *ast.* plane'tarisch, Planeten…; **2.** *fig.* um'herirrend; **3.** ⚙ Planeten…: ***~ gear*** Planetengetriebe *n*; ***~ wheel*** Umlaufrad *n*; **plan·et·oid** ['plænɪtɔɪd] *s. ast.* Planeto'id *m.*
'**plane-tree** → ***plane***[1].
pla·nim·e·ter [plæ'nɪmɪtə] *s.* ⚙ Plani'meter *n*, Flächenmesser *m*; **pla'nim·e·try** [-trɪ] *s.* Planime'trie *f.*
plan·ish ['plænɪʃ] ⚙ *v/t.* **1.** glätten, (ab-)

P

schlichten, planieren; **2.** *Holz* glatthobeln; **3.** *Metall* glatthämmern; polieren.

plank [plæŋk] **I** *s.* **1.** (*a.* Schiffs)Planke *f*, Bohle *f*, (Fußboden)Diele *f*, Brett *n*: ***~ flooring*** Bohlenbelag *m*; ***walk the ~*** a) ⚓ *hist.* ertränkt werden, b) *fig. pol. etc.* ‚abgeschossen' werden; **2.** *pol. bsd. Am.* (Pro'gramm)Punkt *m e-r Partei*; **3.** ⚒ Schwarte *f*; **II** *v/t.* **4.** mit Planken *etc.* belegen, beplanken, dielen; **5.** verschalen, ⚒ verzimmern; **6.** *Speise* auf e-m Brett servieren; **7.** ***~ down*** (*od.* ***out***) F *Geld* auf den Tisch legen, hinlegen, ‚blechen'; **~ bed** *s.* (Holz)Pritsche *f* (*im Gefängnis etc.*).

plank·ing ['plæŋkɪŋ] *s.* Beplankung *f*, (Holz)Verschalung *f*, Bohlenbelag *m*; *coll.* Planken *pl.*

plank·ton ['plæŋktən] *s. zo.* Plankton *n.*

plan·less ['plænlɪs] *adj.* planlos; **'plan·ning** [-nɪŋ] *s.* **1.** Planen *n*, Planung *f*; **2.** ✝ Bewirtschaftung *f*, Planwirtschaft *f.*

pla·no-con·cave [ˌpleɪnəʊ'kɒnkeɪv] *adj. phys.* 'plan-konˌkav (*Linse*).

plant [plɑːnt] **I** *s.* **1.** a) Pflanze *f*, Gewächs *n*, b) Setz-, Steckling *m*: ***in ~*** im Wachstum befindlich; **2.** ⚙ (Betriebs-, Fa'brik)Anlage *f*, Werk *n*, Fa'brik *f*, (Fabrikati'ons)Betrieb *m*: ***~ engineer*** Betriebsingenieur *m*; **3.** ⚙ (Ma'schinen)Anlage *f*, Aggre'gat *n*; Appara'tur *f*; **4.** (Be'triebs)Materiˌal *n*, Betriebseinrichtung *f*, Inven'tar *n*: ***~ equipment*** Werksausrüstung *f*; **5.** *sl.* a) *et.* Eingeschmuggeltes, Schwindel *m*, (*a.* Poli'zei)Falle *f*, b) (Poli'zei)Spitzel *m*; **II** *v/t.* **6.** (ein-, an)pflanzen: ***~ out*** aus-, um-, verpflanzen; **7.** *Land* a) bepflanzen, b) besiedeln, kolonisieren; **8.** *Kolonisten* ansiedeln; **9.** *Garten etc.* anlegen; *et.* errichten; *Kolonie etc.* gründen; **10.** *fig.* (***o.s.*** sich) *wo* aufpflanzen, (auf-)stellen, postieren; **11.** *Faust, Fuß wohin* setzen, ‚pflanzen'; **12.** *fig. Ideen etc.* (ein)pflanzen, einimpfen; **13.** *sl. Schlag* ‚landen', ‚verpassen'; *Schuß* setzen, knallen; **14.** *Spitzel* einschleusen; **15.** *sl. Belastendes etc.* (ein)schmuggeln, ‚deponieren': ***~ s.th. on*** *j-m et.* ‚unterschieben'; **16.** *j-n* im Stich lassen.

plan·tain[1] ['plæntɪn] *s.* ⚘ Wegerich *m.*

plan·tain[2] ['plæntɪn] *s.* ⚘ **1.** Pi'sang *m*; **2.** Ba'nane *f* (*Frucht*).

plan·ta·tion [plæn'teɪʃn] *s.* **1.** Pflanzung *f* (*a. fig.*), Plan'tage *f*; **2.** (Wald)Schonung *f*; **3.** *hist.* Ansiedlung *f*, Kolo'nie *f.*

plant·er ['plɑːntə] *s.* **1.** Pflanzer *m*, Plan'tagenbesitzer *m*; **2.** *hist.* Siedler *m*; **3.** 'Pflanzmaˌschine *f.*

plan·ti·grade ['plæntɪgreɪd] *zo.* **I** *adj.* auf den Fußsohlen gehend; **II** *s.* Sohlengänger *m* (*Bär etc.*).

plant louse *s.* [*irr.*] *zo.* Blattlaus *f.*

plaque [plɑːk] *s.* **1.** (Schmuck)Platte *f*; **2.** A'graffe *f*, (Ordens)Schnalle *f*, Spange *f*; **3.** Gedenktafel *f*; **4.** (Namens-)Schild *n*; **5.** ⚕ Fleck *m*: ***dental ~*** Zahnbelag *m.*

plash[1] [plæʃ] *v/t. u. v/i.* (Zweige) zu e-r Hecke verflechten.

plash[2] [plæʃ] **I** *v/i.* **1.** platschen, plätschern (*Wasser*); *im Wasser* planschen; **II** *v/t.* **2.** platschen *od.* klatschen auf (*acc.*): ***~!*** platsch!; **III** *s.* **3.** Platschen *n*, Plätschern *n*, Spritzen *n*; **4.** Pfütze *f*, Lache *f*; **'plash·y** [-ʃɪ] *adj.* **1.** plätschernd, klatschend, spritzend; **2.** voller Pfützen, matschig, feucht.

plasm ['plæzəm], **'plas·ma** [-zmə] *s.* **1.** *biol.* ('Milch-, 'Blut-, 'Muskel)ˌPlasma *n*; **2.** *biol.* Proto'plasma *n*; **3.** *min.*, *phys.* 'Plasma *n*; **plas·mat·ic** [plæz'mætɪk], **'plas·mic** [-zmɪk] *adj. biol.* plas'matisch, Plasma…

plas·ter ['plɑːstə] **I** *s.* **1.** *pharm.* (Heft-, Senf)Pflaster *n*; **2.** a) Gips *m* (*a.* ⚕), b) ⚙ Mörtel *m*, Verputz *m*, Bewurf *m*, Tünche *f*: ***~ cast*** a) Gipsabdruck *m*, b) ⚕ Gipsverband *m*; **3.** *mst* ***~ of Paris*** a) (gebrannter) Gips (*a.* ⚕), b) Stuck *m*, Gips(mörtel) *m*; **II** *v/t.* **4.** ⚙ (ver)gipsen, (über)'tünchen, verputzen; **5.** bepflastern (*a. fig. mit Plakaten, Steinwürfen etc.*); **6.** *fig.* über'schütten (***with*** mit *Lob etc.*); **7.** ***be ~ed*** *sl.* ‚besoffen' sein; **'plas·ter·er** [-ərə] *s.* Stukka'teur *m*; **'plas·ter·ing** [-ərɪŋ] *s.* **1.** Verputz *m*, Bewurf *m*; **2.** Stuck *m*; **3.** Gipsen *n*; **4.** Stukka'tur *f.*

plas·tic ['plæstɪk] **I** *adj.* (□ ***~ally***) **1.** plastisch: ***~ art*** bildende Kunst, Plastik *f*; **2.** formgebend, gestaltend; **3.** ⚙ (ver)formbar, knetbar, plastisch: ***~ clay*** bildfähiger Ton; **4.** Kunststoff…: ***~ bag*** Plastikbeutel *m*, -tüte *f*; (***synthetic***) ***~ material*** → 9; **5.** ⚕ plastisch: ***~ surgery***; ***~ surgeon*** Facharzt *m* für plastische Chirurgie; **6.** *fig.* plastisch, anschaulich; **7.** *fig.* formbar (*Geist*); **8.** ***~ bomb*** Plastikbombe *f*; **II** *s.* **9.** ⚙ (Kunstharz)Preßstoff *m*, Plastik-, Kunststoff *m*; **'plas·ti·cine** [-ɪsiːn] *s.* Plasti'lin *n*, Knetmasse *f*; **plas·tic·i·ty** [plæ'stɪsətɪ] *s.* Plastizi'tät *f* (*a. fig. Bildhaftigkeit*), (Ver)Formbarkeit *f*; **'plas·ti·ciz·er** [-ɪsaɪzə] *s.* ⚙ Weichmacher *m.*

plat [plæt] → ***plait***, ***plot*** 1.

plate [pleɪt] **I** *s.* **1.** *allg.* Platte *f* (*a. phot.*); (Me'tall)Schild *n*, Tafel *f*; (Namen-, Firmen-, Tür)Schild *n*; **2.** *paint.* (Kupfer- *etc.*)Stich *m*; *weitS.* Holzschnitt *m*: ***etched ~*** Radierung *f*; **3.** (Bild)Tafel *f* (*Buch*); **4.** (Eß-, *eccl.* Kol'lekten)Teller *m*; Platte *f* (*a. Gang e-r Mahlzeit*); *coll.* (Gold-, Silber-, Tafel-) Geschirr *n od.* (-)Besteck *n*: ***German ~*** Neusilber *n*; ***have a lot on one's ~*** F viel am Hals haben; ***hand s.o. s.th. on a ~*** j-m et. ‚auf dem Tablett servieren'; **5.** ⚙ (Glas-, Me'tall)Platte *f*; Scheibe *f*,

La'melle *f* (*Kupplung etc.*); Deckel *m*; **6.** ⚙ Grobblech *n*; Blechtafel *f*; **7.** ⚡ *Radio*: A'node *f e-r Röhre*; Platte *f*, Elek'trode *f e-s Kondensators*; **8.** *typ.* (Druck-, Stereo'typ)Platte *f*; **9.** Po'kal *m*, Preis *m beim Rennen*; **10.** *Am. Baseball*: (Schlag)Mal *n*; **11.** *a.* ***dental ~*** a) (Gaumen)Platte *f*, b) *weitS.* (künstliches) Gebiß; **12.** *Am. sl.* a) ('hyper)ele,gante Per'son, b) ‚tolle Frau'; **13.** *pl. sl.* ‚Plattfüße' *pl.* (*Füße*); **II** *v/t.* **14.** mit Platten belegen; ⚔, ⚓ panzern, blenden; **15.** plattieren, (mit Me'tall) über'ziehen; **16.** *typ.* a) stereotypieren, b) *Typendruck*: in Platten formen; **~ ar·mo(u)r** *s.* ⚓, ⚙ Plattenpanzer(ung *f*) *m*.

pla·teau ['plætəʊ] *pl.* **-teaux, teaus** [-z] (*Fr.*) *s.* Pla'teau *n* (*a. fig. psych. etc.*), Hochebene *f*.

plate cir·cuit *s.* ⚡ An'odenkreis *m*.

plat·ed ['pleɪtɪd] *adj.* ⚙ plattiert, me'tallüber,zogen, versilbert, -goldet, dubliert; **'plate·ful** [-fʊl] *pl.* **-fuls** *s. ein* Teller(voll) *m*.

plate| glass *s.* Scheiben-, Spiegelglas *n*; **'~-,hold·er** *s. phot.* ('Platten)Kas,sette *f*; **'~,lay·er** *s.* 🚂 Streckenarbeiter *m*; **'~-mark** → ***hallmark***.

plat·en ['plætən] *s.* **1.** *typ.* Drucktiegel *m*, Platte *f*: ***~ press*** Tiegeldruckpresse *f*; **2.** ('Schreibma,schinen)Walze *f*; **3.** 'Druckzy,linder *m* (*Rotationsmaschine*).

plat·er ['pleɪtə] *s.* **1.** ⚙ Plattierer *m*; **2.** (minderwertiges) Rennpferd.

plate| shears *s. pl.* Blechschere *f*; **~ spring** *s.* ⚙ Blattfeder *f*.

plat·form ['plætfɔːm] *s.* **1.** Plattform *f*, ('Redner)Tri,büne *f*, Podium *n*; **2.** ⚙ Rampe *f*; (Lauf-, Steuer)Bühne *f*: ***lifting ~*** Hebebühne *f*; **3.** Treppenabsatz *m*; **4.** *geogr.* a) Hochebene *f*, b) Ter'rasse *f* (*a. engS.*); **5.** 🚂 a) Bahnsteig *m*, b) Plattform *f am Wagenende*); **6.** ⚔ Bettung *f e-s Geschützes*; **7.** a) *a.* ***~ sole*** Pla'teausohle *f*, b) *pl, a.* ***~ shoes*** Schuhe *pl.* mit Plateausohle; **8.** *fig.* öffentliches Forum, Podiumsgespräch *n*; **9.** *pol.* Par'teipro,gramm *n*, Plattform *f*; *bsd. Am.* program'matische Wahlerklärung; **~ car** *bsd. Am.* → ***flatcar***; **~ scale** *s.* ⚙ Brückenwaage *f*; **~ tick·et** *s.* Bahnsteigkarte *f*.

plat·ing ['pleɪtɪŋ] *s.* **1.** Panzerung *f*; **2.** ⚙ Beplattung *f*, Me'tall,auflage *f*, Verkleidung *f* (*mit Metallplatten*); **3.** Plattieren *n*, Versilberung *f*.

pla·tin·ic [plə'tɪnɪk] *adj.* Platin...: ***~ acid*** ⚗ Platinchlorid *n*; **plat·i·nize** ['plætɪnaɪz] *v/t.* **1.** ⚙ platinieren, mit Platin über'ziehen; **2.** ⚗ mit Platin verbinden; **plat·i·num** ['plætɪnəm] *s.* Platin *n*: ***~ blonde*** F Platinblondine *f*.

plat·i·tude ['plætɪtjuːd] *s. fig.* Plattheit *f*, Gemeinplatz *m*, Plati'tüde *f*; **plat·i·tu·di·nar·i·an** ['plætɪ,tjuːdɪ'neərɪən] *s.* Phrasendrescher *m*, Schwätzer *m*; **plat·i·tu·di·nize** [,plætɪ'tjuːdɪnaɪz] *v/i.* sich in Gemeinplätzen ergehen, quatschen; **plat·i·tu·di·nous** [,plætɪ'tjuːdɪnəs] *adj.* □ platt, seicht, phrasenhaft.

Pla·ton·ic [plə'tɒnɪk] *adj.* (□ ***~ally***) pla'tonisch.

pla·toon [plə'tuːn] *s.* **1.** ⚔ Zug *m* (*Kompanieabteilung*): ***in*** (*od.* ***by***) ***~s*** zugweise; **2.** Poli'zeiaufgebot *n*.

plat·ter ['plætə] *s.* **1.** (Servier)Platte *f*: ***hand s.o. s.th. on a ~*** *fig.* F j-m et. ‚auf e-m Tablett servieren'; **2.** *Am. sl.* Schallplatte *f*.

plat·y·pus ['plætɪpəs] *pl.* **-pus·es** *s. zo.* Schnabeltier *n*.

plat·y(r)·rhine ['plætɪraɪn] *zo.* **I** *adj.* breitnasig; **II** *s.* Breitnase *f* (*Affe*).

plau·dit ['plɔːdɪt] *s. mst pl.* lauter Beifall, Ap'plaus *m*.

plau·si·bil·i·ty [,plɔːzə'bɪlətɪ] *s.* **1.** Glaubwürdigkeit *f*, Wahr'scheinlichkeit *f*; **2.** gefälliges Äußeres, einnehmendes Wesen; **plau·si·ble** ['plɔːzəbl] *adj.* □ **1.** glaubhaft, einleuchtend, annehmbar, plau'sibel; **2.** einnehmend, gewinnend (*Äußeres*); **3.** glaubwürdig.

play [pleɪ] **I** *s.* **1.** (Glücks-, Wett-, Unter'haltungs)Spiel *n* (*a. sport*): ***be at ~*** a) spielen, b) *Kartenspiel*: am Ausspielen sein, c) *Schach*: am Zuge sein; ***it is your ~*** Sie sind am Spiel; ***in*** (***out of***) ***~*** *sport*: (noch) im Spiel (im Aus) (*Ball*); ***lose money at ~*** Geld verwetten; **2.** Spiel(weise *f*) *n*: ***that was pretty ~*** das war gut (gespielt); → ***fair***[1] 9, ***foul play***; **3.** Spiele'rei *f*, Kurzweil *f*, *a.* Liebesspiel(e *pl.*) *n*: ***a ~ of words*** ein Spiel mit Worten; ***a ~ (up)on words*** ein Wortspiel; ***in ~*** im Scherz; **4.** *thea.* (Schau)Spiel *n*, (The'ater)Stück *n*: ***at the ~*** im Theater; ***go to the ~*** ins Theater gehen; ***as good as a ~*** äußerst amüsant *od.* interessant; **5.** Spiel *n*, Vortrag *m*; **6.** *fig.* Spiel *n des Lichtes auf Wasser etc.*, spielerische Bewegung, (*Muskel- etc.*)Spiel *n*: ***~ of colo(u)rs*** Farbenspiel; **7.** Bewegung *f*, Gang *m*: ***bring into ~*** a) in Gang bringen, b) ins Spiel *od.* zur Anwendung bringen; ***come into ~*** ins Spiel kommen; ***make ~*** a) Wirkung haben, b) s-n Zweck erfüllen; ***make ~ with*** zur Geltung bringen, sich brüsten mit; ***make a ~ for*** *Am. sl. e-m Mädchen* den Kopf verdrehen wollen; **8.** Spielraum *m* (*a. fig.*); ⚙ *mst* Spiel *n*: ***allow*** (*od.* ***give***) ***full*** (*od.* ***free***) ***~ to*** *e-r Sache, s-r Phantasie etc.* freien Lauf lassen; **II** *v/i.* **9.** a) spielen (*a. sport, thea. u. fig.*) (***for*** um *Geld etc.*), b) mitspielen (*a. fig. mitmachen*): ***~ at*** a) *Ball, Karten etc.* spielen, b) *fig.* sich nur so nebenbei mit *et.* beschäftigen; ***~ at business*** ein bißchen in Geschäften machen; ~ ***for time*** a) Zeit zu gewinnen suchen, b) *sport*: auf Zeit spielen; ~ ***into s.o.'s hands*** j-m in die Hände spielen; ~ (***up***)***on*** a) ♪ auf *einem Instrument* spielen, b) mit *Worten* spielen, c) *fig. j-s Schwächen* ausnutzen; ~ ***with*** spielen mit (*a. fig. e-m Gedanken*; *a. leichtfertig umgehen mit*; *a. engS. herumfingern an*); ~ ***safe*** ‚auf Nummer Sicher' gehen; ~! *Tennis etc.*: bitte! (= *fertig*); → ***fair***[1] 15, ***false*** II, ***fast***[2] 3, ***gallery*** 2; **10.** a) *Kartenspiel*: ausspielen, b) *Schach*: am Zug sein, ziehen; **11.** a) ‚her'umspielen', sich amüsieren, b) Unsinn treiben, c) scherzen; **12.** a) sich tummeln, b) flattern, gaukeln, c) spielen (*Lächeln*, *Licht etc.*) (***on*** auf *dat.*), d) schillern (*Farbe*), e) in Tätigkeit sein (*Springbrunnen*); **13.** a) schießen, b) spritzen, c) strahlen, streichen: ~ ***on*** gerichtet sein auf (*acc.*), bestreichen, bespritzen (*Schlauch*, *Wasserstrahl*), anstrahlen, absuchen (*Scheinwerfer*); **14.** ⚙ a) Spiel(raum) haben, b) sich bewegen (*Kolben etc.*); **15.** sich *gut etc.* zum Spielen eignen (*Boden etc.*); **III** *v/t.* **16.** *Karten*, *Tennis etc.*, *a.* ♪, *a. thea. Rolle od. Stück*, *a. fig.* spielen: ~ (***s.th. on***) ***the piano*** (et. auf dem) Klavier spielen; ~ ***both ends against the middle*** *fig.* vorsichtig lavieren; ~ ***it safe*** a) kein Risiko eingehen, b) (*Wendung*) um (ganz) sicher zu gehen; ~ ***it low down*** *sl.* ein gemeines Spiel treiben (***on*** mit *j-m*); ~ ***the races*** bei (Pferde)Rennen wetten; → ***deuce*** 3, ***fool***[1] 2, ***game***[1] 4, ***havoc***, ***hooky***[2], ***trick*** 2, ***truant*** 1; **17.** a) *Karte* ausspielen (*a. fig.*): ~ ***one's cards well*** s-e Chancen gut (aus)nutzen, b) *Schachfigur* ziehen; **18.** spielen, Vorstellungen geben in (*dat.*): ~ ***the larger cities***; **19.** *Geschütz*, *Scheinwerfer*, *Licht-*, *Wasserstrahl etc.* richten (***on*** auf *acc.*): ~ ***a hose on*** *et.* bespritzen; ~ ***colo***(***u***)***red lights on*** *et.* bunt anstrahlen; **20.** *Fisch* auszappeln lassen;

Zssgn mit prp.:

play| at → ***play*** 9; ~ **(up·)on** → ***play*** 9, 12, 13, 19; ~ **up to** → ***play*** 9; ~ **with** → ***play*** 9;

Zssgn mit adv.:

play| a·round *v/i.* → ***play*** 11a; ~ **a·way I** *v/t. Geld* verspielen; **II** *v/i.* drauf'losspielen; ~ **back** *v/t. Platte*, *Band* abspielen; ~ **down** *v/t. fig.* ‚her'unterspielen'; ~ **off** *v/t.* **1.** *sport Spiel* a) beenden, b) *durch Stichkampf* entscheiden; **2.** *fig. j-n* ausspielen (***against*** gegen *e-n andern*); **3.** *Musik* her'unterspielen; ~ **out** *v/t.* erschöpfen: ***played out*** erschöpft, ‚fertig'; ~ **up I** *v/i.* **1.** ♪ lauter spielen; **2.** *sport* F ‚aufdrehen'; **3.** *Brit.* F ‚verrückt spielen' (*Auto etc.*); **4.** ~ ***to*** a) *j-m* schöntun, b) *j-n* unter'stützen; **II** *v/t.* **5.** *e-e Sache* ‚hochspielen'; **6.** F *j-n* ‚auf die Palme bringen' (*reizen*).

play·a·ble ['pleɪəbl] *adj.* **1.** spielbar; **2.** *thea.* bühnenreif, -gerecht.

'**play|·act** *v/i. contp.* ‚schauspielern'; ~ **ac·tor** *s. mst contp.* Schauspieler *m* (*a. fig.*); '**~·back** *s.* ↯ **1.** Playback *n*, Abspielen *n*: ~ ***head*** Tonabnehmerkopf *m*; **2.** Wiedergabegerät *n*; '**~·bill** *s.* The'aterpla,kat *n*; '**~·book** *s. thea.* Textbuch *n*; '**~·boy** *s.* Playboy *m*; '**~·day** *s.* (schul)freier Tag.

play·er ['pleɪə] *s.* **1.** *sport*, *a.* ♪ Spieler (-in); **2.** *Brit. sport* Berufsspieler *m*; **3.** (Glücks)Spieler *m*; **4.** Schauspieler(in); ~ **pi·an·o** *s.* me'chanisches Kla'vier.

'**play,fel·low** → ***playmate***.

play·ful ['pleɪfʊl] *adj.* □ **1.** spielerisch; **2.** verspielt; **3.** ausgelassen, neckisch; '**play·ful·ness** [-nɪs] *s.* **1.** Munterkeit *f*; Ausgelassenheit *f*; **2.** Verspieltheit *f*.

'**play|·girl** *s.* Playgirl *n*; '**~,go·er** *s.* The'aterbesucher(in); '**~·ground** *s.* **1.** Spiel-, Tummelplatz *m* (*a. fig.*); **2.** Schulhof *m*; '**~·house** *s.* **1.** *thea.* Schauspielhaus *n*; **2.** Spielhaus *n*, -hütte *f*.

play·ing| card ['pleɪɪŋ] *s.* Spielkarte *f*; ~ **field** *s. Brit.* Sport-, Spielplatz *m*.

play·let ['pleɪlɪt] *s.* kurzes Schauspiel.

'**play|·mate** *s.* 'Spielkame,rad(in), Gespiele *m*, Gespielin *f*; '**~·off** *s. sport* Entscheidungsspiel *n*; '**~·pen** Laufgitter *n*; '**~·suit** *s.* Spielhöschen *n*; '**~·thing** *s.* Spielzeug *n* (*fig. a. Person*); '**~·time** *s.* **1.** Freizeit *f*; **2.** *ped.* große Pause; '**~·wright** *s.* Bühnenschriftsteller *m*, Dra'matiker *m*.

plea [pliː] *s.* **1.** Vorwand *m*, Ausrede *f*: ***on the ~ of*** (*od.* ***that***) unter dem Vorwand (*gen.*) *od.* daß; **2.** ⚖ a) Verteidigung *f*, b) Antwort *f* des Angeklagten: ~ ***of guilty*** Schuldgeständnis *n*; **3.** ⚖ Einrede *f*: ***make a ~*** Einspruch erheben; ~ ***of the crown*** *Brit.* Strafklage *f*; **4.** *fig.* (dringende) Bitte (***for*** um), Gesuch *n*; **5.** *fig.* Befürwortung *f*.

plead [pliːd] **I** *v/i.* **1.** ⚖ *u. fig.* plädieren (***for*** für); **2.** ⚖ (*vor Gericht*) e-n Fall erörtern, Beweisgründe vorbringen; **3.** ⚖ sich zu s-r Verteidigung äußern: ~ ***guilty*** sich schuldig bekennen (***to*** *gen.*); **4.** dringend bitten (***for*** um, ***with s.o.*** j-n); **5.** sich einsetzen *od.* verwenden (***for*** für, ***with s.o.*** bei j-m); **6.** einwenden *od.* geltend machen (***that*** daß); **II** *v/t.* **7.** ⚖ *u. fig.* als Verteidigung *od.* Entschuldigung anführen, *et.* vorschützen: ~ ***ignorance***; **8.** ⚖ erörtern; **9.** ⚖ a) *Sache* vertreten, verteidigen: ~ ***s.o.'s cause***, b) (als Beweisgrund) vorbringen, anführen; '**plead·er** [-də] *s.* ⚖ *u. fig.* Anwalt *m*, Sachwalter *m*; '**plead·ing** [-dɪŋ] **I** *s.* **1.** ⚖ a) Plädo'yer *n*, b)

P

Plädieren *n*, Führen *n* e-r Rechtssache, c) Parteivorbringen *n*, d) *pl.*, gerichtliche Verhandlungen *pl.*, e) *bsd. Brit.* vorbereitete Schriftsätze *pl.*, Vorverhandlung *f*; **2.** Fürsprache *f*; **3.** Bitten *n* (***for*** um); **II** *adj.* □ **4.** flehend, bittend, inständig.

pleas·ant ['pleznt] *adj.* □ **1.** angenehm (*a. Geruch, Traum etc.*), wohltuend, erfreulich (*Nachrichten etc.*), vergnüglich; **2.** freundlich (*a. Wetter, Zimmer*): ***please look ~!*** bitte recht freundlich!; '**pleas·ant·ness** [-nɪs] *s.* **1.** *das* Angenehme; angenehmes Wesen; **2.** Freundlichkeit *f*; **3.** Heiterkeit *f* (*a. fig.*); '**pleas·ant·ry** [-trɪ] *s.* **1.** Heiter-, Lustigkeit *f*; **2.** Scherz *m*: a) Witz *m*, b) Hänse'lei *f*.

please [pli:z] **I** *v/i.* **1.** gefallen, angenehm sein, befriedigen, Anklang finden: ***~!*** bitte (sehr)!; ***as you ~*** wie Sie wünschen; ***if you ~*** a) wenn ich bitten darf, wenn es Ihnen recht ist, b) *iro.* gefälligst, c) man stelle sich vor, denken Sie nur; ***~ come in!*** bitte, treten Sie ein!; **2.** befriedigen, zufriedenstellen: ***anxious to ~*** dienstbeflissen, sehr eifrig; **II** *v/t.* **3.** *j-m* gefallen *od.* angenehm sein *od.* zusagen, *j-n* erfreuen: ***be ~d to do*** sich freuen *et.* zu tun; ***I am only too ~d to do it*** ich tue es mit dem größten Vergnügen; ***be ~d with*** a) befriedigt sein von, b) Vergnügen haben an (*dat.*), c) Gefallen finden an (*dat.*): ***I am ~d with it*** es gefällt mir; **4.** befriedigen, zufriedenstellen: ***~ o.s.*** tun, was man will; ***~ yourself*** a) wie Sie wünschen, b) bitte, bedienen Sie sich; ***only to ~ you*** nur Ihnen zuliebe; → ***hard*** 3; **5.** (*a. iro.*) geruhen, belieben (***to do*** *et.* zu tun): ***~ God*** so Gott will; '**pleased** [-zd] *adj.* zufrieden (***with*** mit), erfreut (***at*** über *acc.*); → ***Punch***[4]; '**pleas·ing** [-zɪŋ] *adj.* □ angenehm, wohltuend, gefällig.

pleas·ur·a·ble ['pleʒərəbl] *adj.* □ angenehm, vergnüglich, ergötzlich.

pleas·ure ['pleʒə] **I** *s.* **1.** Vergnügen *n*, Freude *f*, (*a. sexueller*) Genuß, Lust *f*: ***with ~!*** mit Vergnügen!; ***give s.o. ~*** j-m Vergnügen (*od.* Freude) machen; ***have the ~ of doing*** das Vergnügen haben, *et.* zu tun; ***take ~ in*** (*od.* ***at***) Vergnügen *od.* Freude finden an (*dat.*): ***he takes (a) ~ in contradicting*** es macht ihm Spaß zu widersprechen; ***take one's ~*** sich vergnügen; ***a man of ~*** ein Genußmensch; **2.** Gefallen *m*, Gefälligkeit *f*: ***do s.o. a ~*** j-m e-n Gefallen tun; **3.** Belieben *n*, Gutdünken *n*: ***at ~*** nach Belieben; ***at the Court's ~*** nach dem Ermessen des Gerichts; ⚖ ***during Her Majesty's ~*** *Brit.* auf unbestimmte Zeit (*Freiheitsstrafe*); **II** *v/i.* **4.** sich erfreuen *od.* vergnügen; **~ boat** *s.* Vergnügungsdampfer *m*; **~ ground** *s.* Vergnügungs-, Rasenplatz *m*; **~ prin·ci·ple** *s. psych.* 'Lustprin,zip *n*; '**~-,seek·ing** *adj.* vergnügungssüchtig; **~ tour** *s.*, **~ trip** *s.* Vergnügungsreise *f*.

pleat [pli:t] **I** *s.* (Rock- *etc.*)Falte *f*; **II** *v/t.* falten, fälteln, plissieren.

ple·be·ian [plɪ'bi:ən] **I** *adj.* ple'bejisch; **II** *s.* Ple'bejer(in); **ple'be·ian·ism** [-nɪzəm] *s.* Ple'bejertum *n*.

pleb·i·scite ['plebɪsɪt] *s.* Plebis'zit *n*, Volksabstimmung *f*, -entscheid *m*.

plec·trum ['plektrəm] *pl.* **-tra** [-ə] *s.* ♪ Plektron *n*.

pledge [pledʒ] **I** *s.* **1.** (Faust-, 'Unter-) Pfand *n*, Pfandgegenstand *m*; Verpfändung *f*; Bürgschaft *f*, Sicherheit *f*; *hist.* Bürge *m*, Geisel *f*: ***in ~ of*** a) als Pfand für, b) *fig.* als Beweis für, zum Zeichen, daß; ***hold in ~*** als Pfand halten; ***put in ~*** verpfänden; ***take out of ~*** *Pfand* auslösen; **2.** Versprechen *n*, feste Zusage, Gelübde *n*, Gelöbnis *n*: ***take the ~*** dem Alkohol abschwören; **3.** *fig.* 'Unterpfand *n*, Beweis *m* (*der Freundschaft etc.*): ***under the ~ of secrecy*** unter dem Siegel der Verschwiegenheit; **4.** *a.* ***~ of love*** *fig.* Pfand *n* der Liebe (*Kind*); **5.** Zutrinken *n*, Toast *m*; **6.** *bsd. univ. Am.* a) Versprechen *n*, e-r Verbindung *od.* e-m (Geheim)Bund beizutreten, b) Anwärter(in) auf solche Mitgliedschaft; **II** *v/t.* **7.** verpfänden (***s.th. to s.o.*** j-m et.); Pfand bestellen für, e-e Sicherheit leisten für; als Sicherheit *od.* zum Pfand geben: ***~ one's word*** *fig.* sein Wort verpfänden; ***~d article*** Pfandobjekt; ***~d merchandise*** ✝ sicherungsübereignete Ware(n); ***~d securities*** ✝ lombardierte Effekten; **8.** *j-n* verpflichten (***to*** zu, auf *acc.*): ***~ o.s.*** geloben, sich verpflichten; **9.** *j-m* zutrinken, auf das Wohl (*gen.*) trinken; '**pledge·a·ble** [-dʒəbl] *adj.* verpfändbar; **pledg·ee** [ple'dʒi:] *s.* Pfandnehmer(in), -inhaber (-in), -gläubiger(in); **pledge·or** [ple'dʒɔ:], '**pledg·er** [-dʒə], **pledg·or** [ple'dʒɔ:] *s.* ⚖ Pfandgeber(in), -schuldner(in).

Ple·iad ['plaɪəd] *pl.* '**Ple·ia·des** [-di:z] *s. ast., fig.* Siebengestirn *n*.

Pleis·to·cene ['plaɪstəʊsi:n] *s. geol.* Pleisto'zän *n*, Di'luvium *n*.

ple·na·ry ['pli:nərɪ] *adj.* **1.** □ voll(ständig), Voll..., Plenar...: ***~ session*** Plenarsitzung *f*; **2.** voll('kommen), uneingeschränkt: ***~ indulgence*** *R.C.* vollkommener Ablaß; ***~ power*** Generalvollmacht *f*.

plen·i·po·ten·ti·ar·y [,plenɪpəʊ'tenʃərɪ] **I** *s.* **1.** (Gene'ral)Be,vollmächtigte(r *m*) *f*, bevollmächtigter Gesandter *od.* Mi'nister; **II** *adj.* **2.** bevollmächtigt; **3.** abso'lut, unbeschränkt.

plen·i·tude ['plenɪtju:d] *s.* **1.** → ***plenty***

1; **2.** Vollkommenheit *f*.

plen·te·ous ['plentjəs] *adj.* □ *poet.* reich(lich); '**plen·te·ous·ness** [-nɪs] *s. poet.* Fülle *f*.

plen·ti·ful ['plentɪfʊl] *adj.* □ reich(lich), im 'Überfluß (vor'handen); '**plen·ti·ful·ness** [-nɪs] → ***plenty*** 1.

plen·ty ['plentɪ] **I** *s.* Fülle *f*, 'Überfluß *m*, Reichtum *m* (***of*** an *dat.*): ***have ~ of s.th.*** mit et. reichlich versehen sein, et. in Hülle u. Fülle haben; ***in ~*** im Überfluß; ***~ of money*** (***time***) jede Menge *od.* viel Geld (Zeit); ***~ of times*** sehr oft; → ***horn*** 4; **II** *adj. bsd. Am.* reichlich, jede Menge; **III** *adv.* F a) bei weitem, ‚lange', b) *Am.* ‚mächtig'.

ple·num ['pli:nəm] *s.* **1.** Plenum *n*, Vollversammlung *f*; **2.** *phys.* (vollkommen) ausgefüllter Raum.

ple·o·nasm ['plɪəʊnæzəm] *s.* Pleo'nasmus *m*; **ple·o·nas·tic** [ˌplɪəʊ'næstɪk] *adj.* (□ ***~ally***) pleo'nastisch.

pleth·o·ra ['pleθərə] *s.* **1.** ⚕ Blutandrang *m*; **2.** *fig.* 'Überfülle *f*, Zu'viel *n* (***of*** an *dat.*); **ple·thor·ic** [ple'θɒrɪk] *adj.* (□ ***~ally***) **1.** ⚕ ple'thorisch; **2.** *fig.* 'übervoll, über'laden.

pleu·ra ['plʊərə] *pl.* **-rae** [-ri:] *s. anat.* Brust-, Rippenfell *n*; '**pleu·ral** [-rəl] *adj.* Brust-, Rippenfell...; '**pleu·ri·sy** [-rəsɪ] *s.* ⚕ Pleu'ritis *f*, Brustfell-, Rippenfellentzündung *f*.

pleu·ro·car·pous [ˌplʊərəʊ'kɑ:pəs] *adj.* ⚘ seitenfrüchtig; ˌ**pleu·ro·pneu'mo·ni·a** [-njʊ'məʊnjə] *s.* **1.** ⚕ Lungen- u. Rippenfellentzündung *f*; **2.** *vet.* Lungen- u. Brustseuche *f*.

plex·or ['pleksə] *s.* ⚕ Perkussi'onshammer *m*.

plex·us ['pleksəs] *pl.* **-es** [-ɪz] *s.* **1.** *anat.* Plexus *m*, (Nerven)Geflecht *n*; **2.** *fig.* Flechtwerk *n*, Netz(werk) *n*, Kom'plex *m*.

pli·a·bil·i·ty [ˌplaɪə'bɪlətɪ] *s.* Biegsamkeit *f*, Geschmeidigkeit *f* (*a. fig.*); **pli·a·ble** ['plaɪəbl] *adj.* □ **1.** biegsam, geschmeidig (*a. fig.*); **2.** *fig.* nachgiebig, fügsam, leicht zu beeinflussen(d).

pli·an·cy ['plaɪənsɪ] *s.* Biegsamkeit *f*, Geschmeidigkeit *f* (*a. fig.*); '**pli·ant** [-nt] *adj.* □ → ***pliable***.

pli·ers ['plaɪəz] *s. pl.* (*a. als sg. konstr.*) ⚙ (***a pair of ~*** e-e) (Draht-, Kneif)Zange: ***round***(***-nosed***) ***~*** Rundzange *f*.

plight¹ [plaɪt] *s.* (mißliche) Lage, Not-, Zwangslage *f*.

plight² [plaɪt] *bsd. poet.* **I** *v/t.* **1.** *Wort, Ehre* verpfänden, *Treue* geloben: ***~ed troth*** gelobte Treue; **2.** verloben (***to*** *dat.*); **II** *s.* **3.** *obs.* Gelöbnis *n*, feierliches Versprechen; **4.** *a.* ***~ of faith*** Verlobung *f*.

plim·soll ['plɪmsəl] *s.* Turnschuh *m*.

plinth [plɪnθ] *s.* △ **1.** Plinthe *f*, Säulenplatte *f*; **2.** Fußleiste *f*.

Pli·o·cene ['plaɪəʊsi:n] *s. geol.* Plio'zän *n*.

plod [plɒd] **I** *v/i.* **1.** *a.* ***~ along***, ***~ on*** mühsam *od.* schwerfällig gehen, sich da'hinschleppen, trotten, (ein'her)stapfen; **2.** ***~ away*** *fig.* sich abmühen *od.* -plagen (***at*** mit), ‚schuften'; **II** *v/t.* **3.** ***~ one's way*** → 1; '**plod·der** [-də] *s. fig.* Arbeitstier *n*; '**plod·ding** [-dɪŋ] **I** *adj.* □ **1.** stapfend; **2.** arbeitsam, angestrengt *od.* unverdrossen (*arbeitend*); **II** *s.* **3.** Placke'rei *f*, Schufte'rei *f*.

plonk¹ [plɒŋk] *s.* F billiger u. schlechter Wein.

plonk² [plɒŋk] F **I** *v/t.* **1.** *a.* ***~ down*** *et.* ‚hinschmeißen'; **2.** ♪ zupfen auf (*acc.*); **3.** ***~ down*** *Am. sl.* ‚blechen', bezahlen; **II** *v/i.* **4.** ‚knallen'; **III** *adv.* **5.** knallend; **6.** ‚zack', genau: ***~ in the eye***; ***~!*** wamm!

plop [plɒp] **I** *v/i.* plumpsen; **II** *v/t.* plumpsen lassen; **III** *s.* Plumps *m*, Plumpsen *n*; **IV** *adv.* mit e-m Plumps; **V** *int.* plumps!

plo·sion ['pləʊʒn] *s. ling.* Verschluß (-sprengung *f*) *m*; **plo·sive** ['pləʊsɪv] **I** *adj.* Verschluß...; **II** *s.* Verschlußlaut *m*.

plot [plɒt] **I** *s.* **1.** Stück(chen) *n* Land, Par'zelle *f*, Grundstück *n*: ***a garden-~*** ein Stück Garten; **2.** *bsd. Am.* (Lage-, Bau)Plan *m*, (Grund)Riß *m*, Dia'gramm *n*, graphische Darstellung; **3.** ⚔ a) *Artillerie*: Zielort *m*, b) *Radar*: Standort *m*; **4.** (geheimer) Plan, Kom'plott *n*, Anschlag *m*, Verschwörung *f*, In'trige *f*: ***lay a ~*** ein Komplott schmieden; **5.** Handlung *f*, Fabel *f* (*Roman, Drama etc.*), *a.* In'trige *f* (*Komödie*); **II** *v/t.* **6.** e-n Plan von *et.* anfertigen, *et.* planen, entwerfen; aufzeichnen (*a.* ***~ down***) (***on*** in *dat.*); ⚓, ✈ *Kurs* abstecken, -setzen, ermitteln; ⩚ *Kurve* (graphisch) darstellen *od.* auswerten; *Luftbilder* auswerten: ***~ted fire*** ⚔ Planfeuer *n*; **7.** *a.* ***~ out*** *Land* parzellieren; **8.** *Verschwörung* planen, aushecken, *Meuterei etc.* anzetteln; **9.** *Romanhandlung etc.* entwickeln, ersinnen; **III** *v/i.* **10.** (***against***) Ränke *od.* ein Komplott schmieden, intrigieren, sich verschwören (gegen), e-n Anschlag verüben (auf *acc.*); '**plot·ter** [-tə] *s.* **1.** Planzeichner (-in); **2.** Anstifter(in); **3.** Ränkeschmied *m*, Intri'gant(in), Verschwörer(in).

plough [plaʊ] **I** *s.* **1.** Pflug *m*: ***put one's hand to the ~*** s-e Hand an den Pflug legen; **2.** ***the*** ♎ *ast.* der Große Bär *od.* Wagen; **3.** *Tischlerei*: Falzhobel *m*; **4.** *Buchbinderei*: Beschneidhobel *m*; **5.** *univ. Brit. sl.* ‚('Durch)Rasseln' *n*, ‚'Durchfall' *m*; **II** *v/t.* **6.** *Boden* ('um-) pflügen: ***~ back*** unterpflügen, *fig. Gewinn* wieder in das Geschäft stecken; →

P

sand 2; **7.** *fig.* a) *Wasser*, *Gesicht* (durch)'furchen, *Wellen* pflügen, b) sich (*e-n Weg*) bahnen: ***~ one's way***; **8.** *univ. Brit. sl.* 'durchfallen lassen: ***be*** *od.* ***get ~ed*** durchrasseln; **III** *v/i.* **9.** *fig.* sich e-n Weg bahnen: ***~ through a book*** F ein Buch durchackern; **'~-land** *s.* Ackerland *n*; **'~·man** [-mən] *s.* [*irr.*] Pflüger *m*: ***~'s lunch*** Imbiß *m* aus Brot, Käse *etc.*; **~ plane** *s.* ⚙ Nuthobel *m*; **'~·share** *s.* ⚒ Pflugschar *f.*

plov·er ['plʌvə] *s. orn.* **1.** Regenpfeifer *m*; **2.** Gelbschenkelwasserläufer *m*; **3.** Kiebitz *m.*

plow [plaʊ] *etc. Am.* → ***plough*** *etc.*

ploy [plɔɪ] *s.* F Trick *m*, ‚Masche' *f.*

pluck [plʌk] **I** *s.* **1.** Rupfen *n*, Zupfen *n*, Zerren *n*; **2.** Ruck *m*, Zug *m*; **3.** Geschlinge *n von Schlachttieren*; **4.** *fig.* Schneid *m*, Mut *m*; **5.** → ***plough*** 5; **II** *v/t.* **6.** *Obst*, *Blumen etc.* pflücken, abreißen; **7.** *Federn*, *Haar*, *Unkraut etc.* ausreißen, -zupfen, *Geflügel* rupfen; ⚙ *Wolle* plüsen; → ***crow***[1] 1; **8.** zupfen, ziehen, zerren, reißen: ***~ s.o. by the sleeve*** j-n am Ärmel zupfen; ***~ up courage*** *fig.* Mut fassen; **9.** *sl. j-n* ‚rupfen', ausplündern; **10.** → ***plough*** 8; **III** *v/i.* **11.** (***at***) zupfen, ziehen, zerren (an *dat.*), schnappen, greifen (nach); **'pluck·i·ness** [-kɪnɪs] *s.* Schneid *m*, Mut *m*; **'pluck·y** [-kɪ] *adj.* □ F mutig, schneidig.

plug [plʌg] **I** *s.* **1.** Pflock *m*, Stöpsel *m*, Dübel *m*, Zapfen *m*; (Faß)Spund *m*; Pfropf(en) *m* (*a.* ⚕); Verschlußschraube *f*, (Hahn-, Ven'til)Küken *n*: ***drain ~*** Ablaßschraube; **2.** ⚡ Stecker *m*, Stöpsel *m*: ***~-ended cord*** Stöpselschnur *f*; ***~ socket*** Steckdose *f*; **3.** *mot.* Zündkerze *f*; **4.** ('Feuer)Hy,drant *m*; **5.** (Klo'sett-) Spülvorrichtung *f*; **6.** (Zahn)Plombe *f*; **7.** Priem *m* (*Kautabak*); **8.** → ***plug hat***; **9.** ✝ *sl.* Ladenhüter *m*; **10.** *sl.* alter Gaul; **11.** *sl.* a) (Faust)Schlag *m*, b) Schuß *m*, c) Kugel *f*: ***take a ~ at*** → 18; **12.** *Am. Radio*: Re'klame(hinweis *m*) *f*; **13.** F falsches Geldstück; **II** *v/t.* **14.** *a.* ***~ up*** zu-, verstopfen, zustöpseln; **15.** *Zahn* plombieren; **16.** ***~ in*** ⚡ *Gerät* einstecken, -stöpseln, *durch Steckkontakt* anschließen; **17.** F *im Radio etc.* (ständig) Reklame machen für; *Lied etc.* ständig spielen (lassen); **18.** *sl. j-m* ‚eine (*e-n Schlag*, *e-e Kugel*) verpassen'; **III** *v/i.* **19.** F *a.* ***~ away*** ‚schuften' (***at*** an *dat.*); **~ box** *s.* 'Steckdose *f*, -kon,takt *m*; **~ fuse** *s.* Stöpselsicherung *f*; **~ hat** *s. Am. sl.* ‚Angströhre' *f* (*Zylinder*); **'~-in** *adj.* ⚙ Steck..., Einschub...: ***~ board*** *Computer*: Steckkarte *f*; ***~ telephone*** umsteckbares Telefon; **'~-,ug·ly I** *s. Am. sl.* Schläger *m*, Ra'bauke *m*; **II** *adj.* F abgrundhäßlich; **~ wrench** *s. mot.* Zündkerzenschlüssel *m.*

plum [plʌm] *s.* **1.** Pflaume *f*, Zwetsch(g)e *f*; **2.** Ro'sine (*im Pudding etc.*): ***~ cake*** Rosinenkuchen *m*; **3.** *fig.* a) ‚Ro'sine' *f* (*das Beste*), b) *a.* ***~ job*** ‚Bombenjob' *m*, c) *Am. sl.* Belohnung *f für Unterstützung bei der Wahl* (*Posten*, *Titel etc.*); **4.** *Am. sl.* unverhoffter Gewinn, ✝ 'Sonderdivi,dende *f.*

plum·age ['plu:mɪdʒ] *s.* Gefieder *n.*

plumb [plʌm] **I** *s.* **1.** (Blei)Lot *n*, Senkblei *n*: ***out of ~*** aus dem Lot, nicht (mehr) senkrecht; **2.** ⚓ (Echo)Lot *n*; **II** *adj.* **3.** lot-, senkrecht; **4.** F völlig, rein (*Unsinn etc.*); **III** *adv.* **5.** *fig.* genau, ‚peng', platsch (*ins Wasser etc.*); **6.** *Am.* F ‚to'tal' (*verrückt etc.*); **IV** *v/t.* **7.** lotrecht machen; **8.** ⚓ *Meerestiefe* (ab-, aus)loten, sondieren; **9.** *fig.* sondieren, ergründen; **10.** ⚙ (mit Blei) verlöten, verbleien; **11.** F Wasser- *od.* Gasleitungen legen in (*e-m Haus*); **V** *v/i.* **12.** klempnern; **plum·ba·go** [plʌm'beɪgəʊ] *s.* **1.** *min.* a) Gra'phit *m*, b) Bleiglanz *m*; **2.** ⚘ Bleiwurz *f.*

'plumb-bob → ***plumb*** 1.

plum·be·ous ['plʌmbɪəs] *adj.* **1.** bleiartig; **2.** bleifarben; **3.** *Keramik*: mit Blei glasiert; **plumb·er** ['plʌmə(r)] *s.* **1.** Klempner *m*, Installa'teur *m*; **2.** Bleiarbeiter *m*; **'plum·bic** [-bɪk] *adj.* Blei...: ***~ chloride*** ⚗ Bleitetrachlorid *n*; **plum·bif·erous** [plʌm'bɪfərəs] *adj.* bleihaltig; **'plumb·ing** [-mɪŋ] *s.* **1.** Klempner-, Installa'teurarbeit *f*; **2.** Rohr-, Wasser-, Gasleitung *f*; sani'täre Einrichtung; **3.** Blei(gießer)arbeit *f*; **4.** ⚠, ⚓ Ausloten *n*; **'plum·bism** [-bɪzəm] *s.* ⚕ Bleivergiftung *f.*

'plumb-line I *s.* **1.** Senkschnur *f*, -blei *n*; **II** *v/t.* **2.** ⚠, ⚓ ausloten; **3.** *fig.* sondieren, prüfen.

plumbo- [plʌmbəʊ] ⚗ *in Zssgn* Blei..., *z.B.* ***plumbosolvent*** bleizersetzend.

plumb rule *s.* ⚙ Lot-, Senkwaage *f.*

plume [plu:m] **I** *s.* **1.** *orn.* (*Straußen- etc.*) Feder *f*: ***adorn o.s. with borrowed ~s*** *fig.* sich mit fremden Federn schmükken; **2.** (Hut-, Schmuck)Feder *f*; **3.** Feder-, Helmbusch *m*; **4.** *fig.* ***~*** (***of cloud***) Wolkenstreifen *m*; ***~*** (***of smoke***) Rauchfahne *f*; **II** *v/t.* **5.** mit Federn schmücken: ***~ o.s.*** (***up***)***on*** *fig.* sich brüsten mit; ***~d*** a) gefiedert, b) mit Federn geschmückt; **6.** *Gefieder* putzen; **'plume·less** [-lɪs] *adj.* ungefiedert.

plum·met ['plʌmɪt] **I** *s.* **1.** (Blei)Lot *n*, Senkblei *n*; **2.** ⚙ Senkwaage *f*; **3.** *Fischen*: (Blei)Senker *m*; **4.** *fig.* Bleigewicht *n*; **II** *v/i.* **5.** absinken, (ab)stürzen (*a. fig.*).

plum·my ['plʌmɪ] *adj.* **1.** pflaumenartig, Pflaumen...; **2.** reich an Pflaumen *od.* Ro'sinen; **3.** F ‚prima', ‚schick'; **4.** so'nor: ***~ voice.***

plu·mose ['plu:məʊs] *adj.* **1.** *orn.* gefie-

P

dert; **2.** ⚘, *zo.* federartig.

plump¹ [plʌmp] **I** *adj.* drall, mollig, ‚pummelig': ~ ***cheeks*** Pausbacken; **II** *v/t. u. v/i. oft* ~ ***out*** prall *od.* fett machen (werden).

plump² [plʌmp] **I** *v/i.* **1.** (hin)plumpsen, schwer fallen, sich (*in e-n Sessel etc.*) fallen lassen; **2.** *pol.* kumulieren: ~ ***for*** a) *e-m Wahlkandidaten* s-e Stimme ungeteilt geben, b) *j-n* rückhaltlos unterstützen, c) sich sofort für *et.* entscheiden; **II** *v/t.* **3.** plumpsen lassen; **4.** mit *s-r Meinung etc.* her'ausplatzen, unverblümt her'aussagen; **III** *s.* **5.** F Plumps *m*; **IV** *adv.* **6.** plumpsend, mit e-m Plumps; **7.** F unverblümt, gerade her'aus; **V** *adj.* □ **8.** F plump (*Lüge etc.*), deutlich, glatt (*Ablehnung etc.*); '**plump·er** [-pə] *s.* **1.** Plumps *m*; **2.** Bausch *m*; **3.** *pol.* ungeteilte Wahlstimme; **4.** *sl.* plumpe Lüge.

plum pud·ding *s.* Plumpudding *m.*

plum·y ['plu:mɪ] *adj.* **1.** gefiedert; **2.** federartig.

plun·der ['plʌndə] **I** *v/t.* **1.** *Land, Stadt etc.* plündern; **2.** rauben, stehlen; **3.** *j-n* ausplündern; **II** *v/i.* **4.** plündern, räubern; **III** *s.* **5.** Plünderung *f*; **6.** Beute *f*, Raub *m*; **7.** *Am.* F Plunder *m*; '**plun·der·er** [-ərə] *s.* Plünderer *m*, Räuber *m.*

plunge [plʌndʒ] **I** *v/t.* **1.** (ein-, 'unter-)tauchen, stürzen (***in***, ***into*** in *acc.*); *fig. j-n in Schulden etc.* stürzen; *e-e Nation in e-n Krieg* stürzen *od.* treiben; *Zimmer in Dunkel* tauchen *od.* hüllen; **2.** *Waffe* stoßen; **II** *v/i.* **3.** (ein-, 'unter-)tauchen (***into*** in *acc.*); **4.** (ab)stürzen (*a. fig. Klippe etc.*, ✝ *Preise*); **5.** *ins Zimmer etc.* stürzen, stürmen; *fig.* sich *in e-e Tätigkeit, in Schulden etc.* stürzen; **6.** ⚓ stampfen (*Schiff*); **7.** sich nach vorne werfen, ausschlagen (*Pferd*); **8.** *sl.* et. riskieren, alles auf 'eine Karte setzen; **III** *s.* **9.** (Ein-, 'Unter)Tauchen *n*; *sport* (Kopf)Sprung *m*: ***take the*** ~ *fig.* den entscheidenden Schritt *od.* den Sprung wagen; **10.** Sturz *m*, Stürzen *n*; **11.** Ausschlagen *n e-s Pferdes*; **12.** Sprung-, Schwimmbekken *n*; **13.** Schwimmen *n*, Bad *n*; '**plung·er** [-dʒə] *s.* **1.** Taucher *m*; **2.** ⚙ Tauchkolben *m*; **3.** ⚡ a) Tauchkern *m*, b) Tauchspule *f*; **4.** *mot.* Ven'tilkolben *m*; **5.** ⚔ Schlagbolzen *m*; **6.** *sl.* a) Hasar'deur *m*, Spieler *m*, b) wilder Speku'lant.

plunk [plʌŋk] → ***plonk²***.

plu·per·fect [ˌplu:'pɜ:fɪkt] *s. a.* ~ ***tense*** *ling.* Plusquamperfekt *n*, Vergangenheit *f.*

plu·ral ['plʊərəl] **I** *adj.* □ **1.** mehrfach: ~ ***marriage*** Mehrehe *f*; ~ ***society*** pluralistische Gesellschaft; ~ ***vote*** Mehrstimmenwahlrecht *n*; **2.** *ling.* Plural..., im Plural, plu'ralisch: ~ ***number*** → 3; **II** *s.* **3.** *ling.* Plural *m*, Mehrzahl *f*; '**plu·ral·ism** [-rəlɪzəm] *s.* **1.** Vielheit *f*; **2.** *eccl.* Besitz *m* mehrerer Pfründen *od.* Ämter; **3.** *phls.*, *pol.* Plura'lismus *m*; '**plu·ral·ist** [-rəlɪst] *adj. phls.*, *pol.* plura'listisch; **plu·ral·i·ty** [ˌplʊə'rælətɪ] *s.* **1.** Mehrheit *f*, 'Über-, Mehrzahl *f*; **2.** Vielheit *f*, -zahl *f*; **3.** *pol.* (*Am. bsd.* rela'tive) Stimmenmehrheit; **4.** → ***pluralism*** 2; '**plu·ral·ize** [-rəlaɪz] *v/t. ling.* **1.** in den Plural setzen; **2.** als *od.* im Plural gebrauchen.

plus [plʌs] **I** *prp.* **1.** plus, und; **2.** *bsd.* ✝ zuzüglich (*gen.*); **II** *adj.* **3.** Plus..., *a.* extra, Extra...; **4.** ⩲, ⚡ positiv, Plus...: ~ ***quantity*** positive Größe; **5.** F plus, mit; **III** *s.* **6.** Plus(zeichen) *n*; **7.** Plus *n*, Mehr *n*, 'Überschuß *m*; **8.** *fig.* Plus (-punkt *m*) *n*; ˌ~-'**fours** *s. pl.* weite Knickerbocker- *od.* Golfhose.

plush [plʌʃ] **I** *s.* **1.** Plüsch *m*; **II** *adj.* **2.** Plüsch...; **3.** *sl.* (stink)vornehm, ‚feu'dal'; '**plush·y** [-ʃɪ] *adj.* **1.** plüschartig; **2.** → ***plush*** 3.

plus·(s)age ['plʌsɪdʒ] *s. Am.* 'Überschuß *m.*

Plu·to ['plu:təʊ] *s. myth. u. ast.* Pluto *m* (*Gott u. Planet*).

plu·toc·ra·cy [plu:'tɒkrəsɪ] *s.* **1.** Plutokra'tie *f*, Geldherrschaft *f*; **2.** 'Geldaristokraˌtie *f*, *coll.* Pluto'kraten *pl.*; **plu·to·crat** ['plu:təʊkræt] *s.* Pluto'krat *m*, Kapita'list *m*; **plu·to·crat·ic** [ˌplu:təʊ'krætɪk] *adj.* pluto'kratisch.

plu·ton·ic [plu:'tɒnɪk] *adj. geol.* plu'tonisch; **plu'to·ni·um** [-'təʊnjəm] *s.* ⚗ Plu'tonium *n.*

plu·vi·al ['plu:vjəl] *adj.* regnerisch; Regen...; '**plu·vi·o·graph** [-əʊgrɑ:f] *s. phys.* Regenschreiber *m*; **plu·vi·om·e·ter** [ˌplu:vɪ'ɒmɪtə] *s. phys.* Pluvio'meter *n*, Regenmesser *m*; '**plu·vi·ous** [-jəs] → ***pluvial.***

ply¹ [plaɪ] **I** *v/t.* **1.** *Arbeitsgerät* handhaben, hantieren mit; **2.** *Gewerbe* betreiben, ausüben; **3.** (***with***) bearbeiten (mit) (*a. fig.*); *fig. j-m* (mit *Fragen etc.*) zusetzen, *j-n* (mit *et.*) über'häufen: ~ ***s.o. with drink*** j-n zum Trinken nötigen; **4.** *Strecke* (regelmäßig) befahren; **II** *v/i.* **5.** verkehren, fahren, pendeln (***between*** zwischen); **6.** ⚓ aufkreuzen.

ply² [plaɪ] **I** *s.* **1.** Falte *f*; (Garn)Strähne *f*; (Stoff-, Sperrholz- *etc.*)Lage *f*, Schicht *f*: ***three-***~ dreifach (*z.B. Garn, Teppich*); **2.** *fig.* Hang *m*, Neigung *f*; **II** *v/t.* **3.** falten; *Garn* fachen; '**ply·wood** *s.* Sperrholz *n.*

pneu·mat·ic [nju:'mætɪk] **I** *adj.* (□ ~***al·ly***) **1.** ⚙, *phys.* pneu'matisch, Luft...; ⚙ Druck-, Preßluft...: ~ ***brake*** Druckluftbremse *f*; ~ ***tool*** Preßluftwerkzeug *n*; **2.** *zo.* lufthaltig; **II** *s.* **3.** Luftreifen *m*; **4.** Fahrzeug *n* mit Luftbereifung; ~ ***dis-***

patch *s.* Rohrpost *f*; **~ drill** *s.* Preßluftbohrer *m*; **~ float** *s.* Floßsack *m*; **~ ham·mer** *s.* Preßlufthammer *m*.
pneu·mat·ics [nju:ˈmætɪks] *s. pl. sg. konstr. phys.* Pneuˈmatik *f*.
pneu·mat·ic| tire (*od.* **tyre**) *s.* Luftreifen *m*; *pl. a.* Luftbereifung *f*; **~ tube** *s.* pneuˈmatische Röhre; *weitS., a. pl.* Rohrpost *f*.
pneu·mo·ni·a [nju:ˈməʊnjə] *s.* ⚕ Lungenentzündung *f*, Pneumoˈnie *f*; **pneuˈmon·ic** [-ˈmɒnɪk] *adj.* pneuˈmonisch, die Lunge *od.* Lungenentzündung betreffend.
poach¹ [pəʊtʃ] **I** *v/t.* **1.** *a.* **~ *up*** *Erde* aufwühlen, *Rasen* zertrampeln; **2.** (zu e-m Brei) anrühren; **3.** wildern, unerlaubt jagen *od.* fangen; **4.** räubern (*a. fig.*); **5.** *sl.* wegschnappen; **6.** ⚙ *Papier* bleichen; **II** *v/i.* **7.** weich *od.* matschig werden (*Boden*); **8.** unbefugt eindringen (***on*** in *acc.*); → ***preserve*** 8b; **9.** *hunt.* wildern.
poach² [pəʊtʃ] *v/t. Eier* pochieren: ***~ed egg*** pochiertes *od.* verlorenes Ei.
poach·er¹ [ˈpəʊtʃə] *s.* Wilderer *m*, Wilddieb *m*.
poach·er² [ˈpəʊtʃə] *s.* Poˈchierpfanne *f*.
poach·ing [ˈpəʊtʃɪŋ] *s.* Wildern *n*, Wildeˈrei *f*.
PO Box [ˌpi: əʊ ˈbɒks] *s.* Postfach *n*.
po·chette [pɒˈʃet] (*Fr.*) *s.* Handtäschchen *n*.
pock [pɒk] *s.* ⚕ **1.** Pocke *f*, Blatter *f*; **2.** → ***pockmark***.
pock·et [ˈpɒkɪt] **I** *s.* **1.** (*Hosen- etc., a. zo. Backen- etc.*)Tasche *f*: ***have s.o. in one's ~*** *fig.* j-n in der Tasche *od.* Gewalt haben; ***put s.o. in one's ~*** *fig.* j-n in die Tasche stecken; ***put one's pride in one's ~*** s-n Stolz überwinden, klein beigeben; **2.** *fig.* Geldbeutel *m*, Fiˈnanzen *pl.*: ***be in ~*** gut bei Kasse sein; ***be 3 dollars in*** (***out of***) ***~*** drei Dollar profitiert (verloren) haben; ***put one's hand in one's ~*** (tief) in die Tasche greifen; → ***line²*** 2; **3.** *Brit.* Sack *m Hopfen, Wolle* (= *76 kg*); **4.** *geol.* Einschluß *m*; **5.** *min.* (*Erz-, Gold*)Nest *n*; **6.** *Billard*: Tasche *f*, Loch *n*; **7.** ✈ (Luft)Loch *n*, Fallbö *f*; **8.** ⚔ Kessel *m*: ***~ of resistance*** Widerstandsnest *n*; **II** *adj.* **9.** Taschen…, im (*fig.* Westen)Taschenformat; **III** *v/t.* **10.** in die Tasche stecken, einstecken (*a. fig. einheimsen*); **11.** a) *fig. Kränkung* einstecken, hinnehmen, b) *Gefühle* unterˈdrücken, *s-n Stolz* überˈwinden; **12.** *Billardkugel* einlochen; **13.** *pol. Am. Gesetzesvorlage* nicht unterˈschreiben, sein Veto einlegen gegen (*Präsident etc.*); **14.** ⚔ *Feind* einkesseln; **~ bat·tle·ship** *s.* ⚓ Westentaschenkreuzer *m*; **~ bil·liards** *s. pl. sing. konstr.* Poolbillard *n*; **~ book** *s.* **1.** Taschen-, Noˈtizbuch *n*; **2.** a) Brieftasche *f*, b) Geldbeutel *m* (*beide a. fig.*); **3.** *Am.* Handtasche *f*; **4.** Taschenbuch *n*; **~ cal·cu·la·tor** *s.* Taschenrechner *m*; **~ e·di·tion** *s.* Taschenausgabe *f*.
pock·et·ful [ˈpɒkɪtfʊl] *pl.* **-fuls** *s.* e-e Tasche(voll): ***a ~ of money***.
ˈpock·et|·knife *s.* [*irr.*] Taschenmesser *n*; **~ lamp** *s.* Taschenlampe *f*; **~ light·er** *s.* Taschenfeuerzeug *n*; **~ mon·ey** *s.* Taschengeld *n*; **ˈ~-size(d)** *adj.* im (*fig.* Westen)Taschenformat; **~ ve·to** *s. pol. Am.* Zuˈrückhalten *n od.* Verzögerung *f* e-s Gesetzentwurfs (*bsd. durch den Präsidenten etc.*).
ˈpock|·mark *s.* Pockennarbe *f*; **ˈ~-marked** *adj.* pockennarbig.
pod¹ [pɒd] *s. zo.* **1.** Herde *f* (*Wale, Robben*); **2.** Schwarm *m* (*Vögel*).
pod² [pɒd] **I** *s.* **1.** ♆ Hülse *f*, Schale *f*, Schote *f*: **~ *pepper*** Paprika *f*; **2.** *zo.* (Schutz)Hülle *f*, *a.* Koˈkon *m* (*der Seidenraupe*), Beutel *m* (*des Moschustiers*); **3.** *sl.* ‚Wampe' *f*, Bauch *m*: ***in ~*** ‚dick' (*schwanger*); **II** *v/i.* **4.** Hülsen ansetzen; **5.** *Erbsen etc.* aushülsen, -schoten.
po·dag·ra [pəʊˈdægrə] *s.* ⚕ Podagra *n*, (Fuß)Gicht *f*.
podg·y [ˈpɒdʒɪ] *adj.* F unterˈsetzt, dicklich.
po·di·a·trist [pəʊˈdaɪətrɪst] *s. Am.* Fußpfleger(in); **poˈdi·a·try** [-trɪ] *s.* Fußpflege *f*, Pediˈküre *f*.
Po·dunk [ˈpəʊdʌŋk] *s. Am. contp.* ‚Krähwinkel' *n*.
po·em [ˈpəʊɪm] *s.* Gedicht *n* (*a. fig.*), Dichtung *f*; **po·et** [ˈpəʊɪt] *s.* Dichter *m*, Poˈet *m*: **~ *laureate*** a) Dichterfürst *m*, b) *Brit.* Hofdichter *m*; **po·et·as·ter** [pəʊɪˈtæstə] *s.* Dichterling *m*; **po·et·ess** [ˈpəʊɪtɪs] *s.* Dichterin *f*.
po·et·ic, po·et·i·cal [pəʊˈetɪk(l)] *adj.* ☐ **1.** poˈetisch, dichterisch: **~ *justice*** *fig.* ausgleichende Gerechtigkeit; → ***licence*** 4; **2.** *fig.* poˈetisch, roˈmantisch, stimmungsvoll; **poˈet·ics** [-ks] *s. pl. sg. konstr.* Poˈetik *f*; **po·et·ize** [ˈpəʊɪtaɪz] **I** *v/i.* **1.** dichten; **II** *v/t.* **2.** in Verse bringen; **3.** (im Gedicht) besingen; **po·et·ry** [ˈpəʊɪtrɪ] *s.* **1.** Poeˈsie *f* (*a. Ggs. Prosa*) (*a. fig.*), Dichtkunst *f*; **2.** Dichtung *f*, *coll.* Dichtungen *pl.*, Gedichte *pl.*: ***dramatic ~*** dramatische Dichtung.
po-faced [ˌpəʊˈfeɪst] *Brit.* F grimmig (dreinschauend).
po·grom [ˈpɒgrəm] *s.* Poˈgrom *m, n*, (*bsd.* Juden)Verfolgung *f*.
poign·an·cy [ˈpɔɪnənsɪ] *s.* **1.** Schärfe *f von Gerüchen etc.*; **2.** *fig.* Bitterkeit *f*, Heftigkeit *f*, Schärfe *f*; **3.** Schmerzlichkeit *f*; **ˈpoign·ant** [-nt] *adj.* ☐ **1.** scharf, beißend (*Geruch, Geschmack*); **2.** piˈkant (*a. fig.*); **3.** *fig.* a) bitter, quälend (*Reue, Hunger etc.*), b) ergreifend: ***a ~***

P

scene, c) beißend, scharf: ***~ wit***, d) treffend, präg'nant: ***~ remark***; **4.** 'durchdringend: ***a ~ look***.

point [pɔınt] **I** *s.* **1.** (Nadel-, Messer-, Bleistift- *etc.*)Spitze *f*: (***not***) ***to put too fine a ~ upon s.th.*** *fig.* et. (nicht gerade) gewählt ausdrücken; ***at the ~ of the pistol*** → ***pistol point***; ***at the ~ of the sword*** *fig.* unter Zwang, mit Gewalt; **2.** ⚙ a) Stecheisen *n*, b) Grabstichel *m*, Griffel *m*, c) Radiernadel *f*, d) Ahle *f*; **3.** *geogr.* a) Landspitze *f*, b) Himmelsrichtung *f*; → ***cardinal*** 1; **4.** *hunt.* a) (Geweih)Ende *n*, b) Stehen *n des Jagdhundes*; **5.** *ling.* a) *a.* ***full ~*** Punkt *m am Satzende*, b) ***~ of exclamation*** Ausrufezeichen *n*; → ***interrogation*** 1; **6.** *typ.* a) Punk'tur *f*, b) typo'graphischer Punkt (= *0,376 mm im Didot-System*); **7.** ⩚ a) Punkt *m*: ***~ of intersection*** Schnittpunkt, b) (Dezi'mal)Punkt *m*, Komma *n*; **8.** (Kompaß)Strich *m*; **9.** Auge *n*, Punkt *m auf Karten*, *Würfeln*; **10.** → ***point lace***; **11.** *phys.* Grad *m e-r Skala* (*a. ast.*), Stufe *f* (*a.* ⚙ *e-s Schalters*), Punkt *m*: ***~ of action*** Angriffspunkt (der Kraft); ***~ of contact*** Berührungspunkt; ***~ of culmination*** Kulminations-, Gipfelpunkt; ***boiling-~*** Siedepunkt; ***freezing-~*** Gefrierpunkt; ***3 ~s below zero*** 3 Grad unter Null; ***to bursting ~*** zum Bersten (*voll*); ***frankness to the ~ of insult*** *fig.* an Beleidigung grenzende Offenheit; ***up to a ~*** bis zu e-m gewissen Grad; ***when it came to the ~*** *fig.* als es so weit war, als es darauf ankam; → ***stretch*** 10; **12.** Punkt *m*, Stelle *f*, Ort *m*: ***~ of departure*** Ausgangsort; ***~ of destination*** Bestimmungsort; ***~ of entry*** ⚓ Eingangshafen *m*; ***~ of lubrication*** ⚙ Schmierstelle; ***~ of view*** *fig.* Gesichts-, Standpunkt; **13.** ⚡ a) Kon'takt(punkt) *m*, b) *Brit.* 'Steckkon,takt *m*; **14.** *Brit.* (Kon'troll)Posten *m e-s Verkehrspolizisten*; **15.** *pl.* 🚂 *Brit.* Weichen *pl.*; **16.** Punkt *m e-s Bewertungs- od. Bewirtschaftungssystems* (*a. Börse u. sport*): ***bad ~*** *sport* Strafpunkt; ***beat*** (***win***) ***on ~s*** nach Punkten schlagen (gewinnen); ***winner on ~s*** Punktsieger *m*; ***level on ~s*** punktgleich; ***give ~s to s.o.*** a) *sport* j-m vorgeben, b) *fig.* j-m überlegen sein; **17.** *Boxen*: ‚Punkt' *m* (*Kinnspitze*); **18.** *a.* ***~ of time*** Zeitpunkt *m*, Augenblick *m*: ***at the ~ of death***; ***at this ~*** a) in diesem Augenblick, b) an dieser Stelle, hier (*a. in e-r Rede etc.*); ***be on the ~ of doing s.th.*** im Begriff sein, et. zu tun; **19.** Punkt *m e-r Tagesordnung etc.*, (Einzel-, Teil)Frage *f*: ***a case in ~*** ein einschlägiger Fall, ein Beispiel; ***the case in ~*** der vorliegende Fall; ***at all ~s*** in allen Punkten, in jeder Hinsicht; ***~ of interest*** interessante Einzelheit; ***~ of law*** Rechtsfrage; ***~ of order*** a) (Punkt der) Tagesordnung *f*, b) Verfahrensfrage *f*; ***differ on many ~s*** in vielen Punkten nicht übereinstimmen; **20.** Kernpunkt *m*, -frage *f*, springender Punkt, Sache *f*: ***beside*** (*od.* ***off***) ***the ~*** nicht zur Sache gehörig, abwegig, unerheblich; ***come to the ~*** zur Sache kommen; ***the ~*** zur Sache gehörig, (zu)treffend, exakt; ***keep*** (*od.* ***stick***) ***to the ~*** bei der Sache bleiben; ***make*** (*od.* ***score***) ***a ~*** ein Argument anbringen, s-e Ansicht durchsetzen; ***make a ~ of s.th.*** Wert *od.* Gewicht auf et. legen, auf et. bestehen; ***make the ~ that*** die Feststellung machen, daß; ***that's the ~ I wanted to make*** darauf wollte ich hinaus; ***in ~ of*** hinsichtlich (*gen.*); ***in ~ of fact*** tatsächlich; ***that is the ~!*** das ist die Frage!; ***the ~ is that*** die Sache ist die, daß; ***it's a ~ of hono(u)r to him*** das ist Ehrensache für ihn; ***you have a ~ there!*** da haben Sie nicht unrecht!; ***I take your ~!*** ich verstehe, was Sie meinen!; → ***miss***² 1, ***press*** 8; **21.** Pointe *f e-s Witzes etc.*; **22.** Zweck *m*, Ziel *n*, Absicht *f*: ***what's your ~ in coming?***; ***carry*** (*od.* ***gain*** *od.* ***make***) ***one's ~*** sich (*od.* s-e Ansicht) durchsetzen, sein Ziel erreichen; ***there is no ~ in doing*** es hat keinen Zweck *od.* es ist sinnlos, zu tun; **23.** Nachdruck *m*: ***give ~ to one's words*** s-n Worten Nachdruck *od.* Gewicht verleihen; **24.** (her'vorstechende) Eigenschaft, (Vor)Zug *m*: ***a noble ~ in her*** ein edler Zug an ihr; ***it has its ~s*** es hat so s-e Vorzüge; ***strong ~*** starke Seite, Stärke; ***weak ~*** schwache Seite, wunder Punkt; **II** *v/t.* **25.** (an-, zu)spitzen; **26.** *fig.* pointieren; **27.** *Waffe etc.* richten (***at*** auf *acc.*): ***~ one's finger at*** (mit dem Finger) auf *j-n* deuten *od.* zeigen; ***~*** (***up***)***on*** *Augen*, *Gedanken etc.* richten auf (*acc.*); ***~ to*** *Kurs*, *Aufmerksamkeit* lenken auf (*acc.*), *j-n* bringen auf (*acc.*); **28.** ***~ out*** a) zeigen, b) *fig.* hinweisen *od.* aufmerksam machen auf (*acc.*), betonen, c) *fig.* aufzeigen (*a. Fehler*), klarmachen, d) ausführen, darlegen; **29.** ***~ off places*** ⩚ (Dezimal-) Stellen abstreichen; **30.** ***~ up*** a) △ verfugen, b) ⚙ *Fugen* glattstreichen, c) *Am. fig.* unter'streichen; **III** *v/i.* **31.** (mit dem Finger) zeigen, deuten, weisen (***at*** auf *acc.*); **32.** ***~ to*** nach *e-r Richtung* weisen *od.* liegen (*Haus etc.*); *fig.* a) hinweisen, -deuten auf (*acc.*), b) ab-, hinzielen auf (*acc.*); **33.** *hunt.* (vor)stehen (*Jagdhund*); **34.** ⚕ reifen (*Abszeß etc.*); **,~-'blank** **I** *adj.* **1.** schnurgerade; **2.** ⚔ Kernschuß... (*weite etc.*): ***at ~ range*** aus kürzester Entfernung; ***~ shot*** Fleckschuß *m*; **3.** unverblümt, offen; glatt (*Ablehnung*); **II** *adv.* **4.** geradewegs; **5.** *fig.* 'rundher-

P

'aus, klipp u. klar; '~-ˌ**du·ty** *s. Brit.* (Verkehrs)Postendienst *m* (*Polizei*).

point·ed ['pɔɪntɪd] *adj.* □ **1.** spitz, zugespitzt, Spitz...(*-bogen, -geschoß etc.*); **2.** scharf, pointiert (*Stil, Bemerkung*), anzüglich; **3.** treffend; '**point·ed·ness** [-nɪs] *s.* **1.** Spitzigkeit *f*; **2.** *fig.* Schärfe *f*, Deutlichkeit *f*; **3.** Anzüglichkeit *f*, Spitze *f*; '**point·er** [-tə] *s.* **1.** ⚔ 'Richtschütze *m*, -kanoˌnier *m*; **2.** Zeiger *m*, Weiser *m* (*Uhr, Meßgerät*); **3.** Zeigestock *m*; **4.** Radiernadel *f*; **5.** *hunt.* Vorsteh-, Hühnerhund *m*; **6.** F Fingerzeig *m*, Tip *m*.

point lace *s.* genähte Spitze(n *pl.*).

point·less ['pɔɪntlɪs] *adj.* □ **1.** ohne Spitze, stumpf; **2.** *sport etc.* punktlos; **3.** *fig.* witzlos, ohne Pointe; **4.** *fig.* sinn-, zwecklos.

'**point-poˌlice·man** [-mən] *s.* [*irr.*] → ***pointsman*** 2; **points·man** ['pɔɪntsmən] *s.* [*irr.*] *Brit.* **1.** 🚂 Weichensteller *m*; **2.** Ver'kehrspoliˌzist *m*; **point sys·tem** *s.* **1.** *sport, ped. etc.* 'Punktsysˌtem *n* (*a. typ.*); **2.** Punktschrift *f für Blinde*; ˌ**point-to-'point** (**race**) *s.* Geländejagdrennen *n*.

poise [pɔɪz] **I** *s.* **1.** Gleichgewicht *n*; **2.** Schwebe *f* (*a. fig. Unentschiedenheit*); **3.** (*Körper-, Kopf*)Haltung *f*; **4.** *fig.* sicheres Auftreten; Gelassenheit *f*; Haltung *f*; **II** *v/t.* **5.** im Gleichgewicht halten; *et.* balancieren: ***be ~d*** a) im Gleichgewicht sein, b) gelassen *od.* ausgeglichen sein, c) *fig.* schweben: ***~d for*** bereit zu; **6.** *Kopf, Waffe etc.* halten; **III** *v/i.* **7.** schweben.

poi·son ['pɔɪzn] **I** *s.* **1.** Gift *n* (*a. fig.*): ***what is your ~?*** F was wollen Sie trinken?; **II** *v/t.* **2.** (***o.s.*** sich) vergiften (*a. fig.*); **3.** ⚕ infizieren; '**poi·son·er** [-nə] *s.* **1.** Giftmörder(in), Giftmischer(in); **2.** *fig.* Vergifter(in), ‚Giftspritze' *f*.

'**poi·son**|**-fang** *s. zo.* Giftzahn *m*; ~ **gas** *s.* ⚔ Kampfstoff *m*, *bsd.* Giftgas *n*.

poi·son·ing ['pɔɪznɪŋ] *s.* **1.** Vergiftung *f*; **2.** Giftmord *m*; '**poi·son·ous** [-nəs] *adj.* □ **1.** giftig (*a. fig.*) Gift...; **2.** F ekelhaft.

ˌ**poi·son-'pen let·ter** *s.* verleumderischer *od.* ob'szöner (*anonymer*) Brief.

poke¹ [pəʊk] **I** *v/t.* **1.** *j-n* stoßen, puffen, knuffen: ***~ s.o. in the ribs*** j-m e-n Rippenstoß geben; **2.** *Loch* stoßen (***in*** in *acc.*); **3.** *a.* ~ ***up*** *Feuer* schüren; **4.** *Kopf* vorstrecken, *Nase etc. wohin* stecken: ***she ~s her nose into everything*** sie steckt überall ihre Nase hinein; **5.** ***~ fun at s.o.*** sich über j-n lustig machen; **II** *v/i.* **6.** stoßen (***at*** nach); stöbern (***into*** in *dat.*): ***~ about*** (herum)tasten, -tappen (***for*** nach); **7.** *fig.* a) *a.* ***~ and pry*** (her'um)schnüffeln, b) sich einmischen (***into*** in *acc.*); **8.** *a.* ***~ about*** F (her'um)trödeln, bummeln; **III** *s.* **9.** (Rippen)Stoß *m*, Puff *m*, Knuff *m*; **10.** *Am.* → ***slowpoke***.

poke² [pəʊk] *s. obs.* Spitztüte *f*; → ***pig*** 1.

'**poke-bon·net** *s.* Kiepe(nhut *m*) *f*.

pok·er¹ ['pəʊkə] *s.* Schürhaken *m*: ***be as stiff as a ~*** steif wie ein Stock sein.

po·ker² ['pəʊkə] *s.* Poker(spiel) *n*.

pok·er| **face** *s.* Pokergesicht *n* (*unbewegtes, undurchdringliches Gesicht, a. Person*); ~ **work** *s.* Brandmale'rei *f*.

pok·y ['pəʊkɪ] *adj.* **1.** eng, winzig; **2.** 'unelegant: ~ ***dress***; **3.** langweilig, ‚lahm' (*a. Mensch*).

po·lar ['pəʊlə] **I** *adj.* □ **1.** po'lar (*a. phys.*, ⩘), Polar...: ~ ***air*** Polarluft *f*, polare Kaltluft; ~ ***fox*** Polarfuchs *m*; ~ ***lights*** Polarlicht *n*; ♀ ***Sea*** Polar-, Eismeer *n*; **2.** *fig.* po'lar, genau entgegengesetzt (wirkend); **II** *s.* **3.** ⩘ Po'lare *f*; ~ **ax·is** *s.* ⩘, *ast.* Po'larachse *f*; ~ **bear** *s. zo.* Eisbär *m*; ~ **cir·cle** *s. geogr.* Po'larkreis *m*.

po·lar·i·ty [pəʊ'lærətɪ] *s. phys.* Polari'tät *f* (*a. fig.*): ~ ***indicator*** ⚡ Polsucher *m*; **po·lar·i·za·tion** [ˌpəʊləraɪ'zeɪʃn] *s.* ⚡, *phys.* Polarisati'on *f*; *fig.* Polarisierung *f*; **po·lar·ize** ['pəʊləraɪz] *v/t.* ⚡, *phys.* polarisieren (*a. fig.*); **po·lar·iz·er** ['pəʊləraɪzə] *s. phys.* Polari'sator *m*.

pole¹ [pəʊl] **I** *s.* **1.** Pfosten *m*, Pfahl *m*; **2.** (*Bohnen-, Telegraphen-, Zelt- etc.*) Stange *f*; (*sport* Sprung)Stab *m*; (Wagen)Deichsel *f*; ⚡ (Leitungs)Mast *m*; (Schi)Stock *m*: ~ ***jumper*** *sport* Stabhochspringer; ***be up the ~*** *sl.* a) in der Tinte sitzen, b) verrückt sein; **3.** ⚓ a) Flaggenmast *m*, b) Schifferstange *f*: ***under bare ~s*** ⚓ vor Topp und Takel; **4.** (Meß)Rute *f* (*5,029 Meter*); **II** *v/t.* **5.** *Boot* staken; **6.** *Bohnen etc.* stängen.

pole² [pəʊl] *s.* **1.** *ast., biol., geogr., phys.* Pol *m*: ***celestial ~*** Himmelspol; ***negative ~*** *phys.* negativer Pol, ⚡ *a.* Kathode *f*; → ***positive*** 8; **2.** *fig.* Gegenpol *m*, entgegengesetztes Ex'trem: ***they are ~s apart*** Welten trennen sie.

Pole³ [pəʊl] *s.* Pole *m*, Polin *f*.

pole| **aer·i·al** *s.* 'Stabanˌtenne *f*; '~**·ax**(**e**) *s.* **1.** Streitaxt *f*; **2.** ⚓ a) *hist.* Enterbeil *n*, b) Kappbeil *n*; **3.** Schlächterbeil *n*; '~**·cat** *s. zo.* **1.** Iltis *m*; **2.** *Am.* Skunk *m*; ~ **chang·er** *s.* ⚡ Polwechsler *m*; ~ **charge** *s.* ⚔ gestreckte Ladung; ~ **jump** *etc.* → ***polevault*** *etc.*

po·lem·ic [pɒ'lemɪk] **I** *adj.* (□ ***~ally***) **1.** po'lemisch, Streit...; **II** *s.* **2.** Po'lemiker (-in); **3.** Po'lemik *f*; **po'lem·i·cist** [-ɪsɪst] *s.* Po'lemiker(in); **po'lem·ics** [-ks] *s. pl. sg. konstr.* Po'lemik *f*.

pole| **star** *s. ast.* Po'larstern *m*; *fig.* Leitstern *m*; ~ **vault** *s. sport* Stabhochsprung *m*; '~**-vault** *sport v/i.* stabhochspringen; ~ **vault·er** *s. sport* Stabhochspringer *m*.

P

po·lice [pəˈliːs] **I** *s.* **1.** Poliˈzei(behörde, -truppe) *f*; **2.** *coll. pl. konstr.* Poliˈzei *f*, *einzelne* Poliˈzisten *pl.*: ***five ~***; **3.** ⚔ *Am.* Ordnungsdienst *m*: ***kitchen ~*** Küchendienst; **II** *v/t.* **4.** (poliˈzeilich) überˈwachen; **5.** *fig.* kontrollieren, überˈwachen; **6.** ⚔ *Am. Kaserne etc.* säubern, in Ordnung halten; **III** *adj.* **7.** poliˈzeilich, Polizei…(*-gericht, -gewalt, -staat etc.*): **~ blot·ter** *s. Am.* Dienstbuch *n*; **~ con·sta·ble** → ***policeman*** 1; **~ dog** *s.* **1.** Poliˈzeihund *m*; **2.** (deutscher) Schäferhund; **~ force** *s.* Poliˈzei(truppe) *f*; **~·man** [-mən] *s.* [*irr.*] **1.** Poliˈzist *m*, Schutzmann *m*; **2.** *zo.* Solˈdat *m* (*Ameise*); **~ of·fi·cer** *s.* Poliˈzeibeamte(r) *m*, Poliˈzist *m*; **~ rec·ord** *s.* ˈVorstrafenreˌgister *n*; **~ sta·tion** *s.* Poliˈzeiwache *f*, -reˌvier *n*; **~ trap** *s.* Autofalle *f*; **~ˌwo·man** *s.* Poliˈzistin *f*.

pol·i·clin·ic [ˌpɒlɪˈklɪnɪk] *s.* ⚕ Poliklinik *f*, Ambuˈlanz *f*.

pol·i·cy¹ [ˈpɒlɪsɪ] *s.* **1.** Verfahren(sweise *f*) *n*, Taktik *f*, Poliˈtik *f*: ***marketing ~*** ✝ Absatzpolitik *e-r Firma*; ***honesty is the best ~*** ehrlich währt am längsten; ***the best ~ would be to*** (*inf.*) das Beste *od.* Klügste wäre, zu (*inf.*); **2.** Poliˈtik *f* (*Wege u. Ziele der Staatsführung*), poˈlitische Linie: ***foreign ~*** Außenpolitik; ***~ adviser*** (politischer) Berater; **3.** ***public ~*** ⚖ Rechtsordnung *f*: ***against public ~*** sittenwidrig; **4.** Klugheit *f*: a) Zweckmäßigkeit *f*, b) Schlauheit *f*.

pol·i·cy² [ˈpɒlɪsɪ] *s.* **1.** (Verˈsicherungs-) Poˌlice *f*, Versicherungsschein *m*; **2.** *a.* ***~ racket*** *Am.* Zahlenlotto *n*; **ˈ~ˌhold·er** *s.* Versicherungsnehmer(in), Poˈliceninhaber(in); **ˈ~-ˌmak·ing** *adj.* die Richtlinien der Poliˈtik bestimmend.

pol·i·o [ˈpəʊlɪəʊ] *s.* ⚕ F **1.** Polio *f*; **2.** Polio-Fall *m*.

pol·i·o·my·e·li·tis [ˌpəʊlɪəʊmaɪəˈlaɪtɪs] *s.* ⚕ spiˈnale Kinderlähmung, Poliomyeˈlitis *f*.

Pol·ish¹ [ˈpəʊlɪʃ] **I** *adj.* polnisch; **II** *s.* *ling.* Polnisch *n*.

pol·ish² [ˈpɒlɪʃ] **I** *v/t.* **1.** polieren, glätten; *Schuhe etc.* wichsen; ⚙ abschleifen, -schmirgeln, glanzschleifen; **2.** *fig.* abschleifen, verfeinern: ***~ off*** F a) *Gegner* ‚erledigen', b) *Arbeit* ‚hinhauen' (*schnell erledigen*), c) *Essen* ‚wegputzen', ‚verdrücken' (*verschlingen*); ***~ up*** aufpolieren (*a. fig. Wissen auffrischen*); **II** *v/i.* **3.** glänzend werden; sich polieren lassen; **III** *s.* **4.** Poliˈtur *f*, (Hoch)Glanz *m*, Glätte *f*: ***give s.th. a ~*** et. polieren; **5.** Poliermittel *n*, Poliˈtur *f*; Schuhcreme *f*; Bohnerwachs *n*; **6.** *fig.* Schliff *m* (*feine Sitten*); **7.** *fig.* Glanz *m*; **ˈpol·ished** [-ʃt] *adj.* **1.** poliert, glatt, glänzend; **2.** *fig.* geschliffen: a) höflich, b) gebildet, fein, c) brilˈlant; **ˈpol·ish·er** [-ʃə] *s.* **1.** Polierer *m*, Schleifer *m*; **2.** ⚙ a) Polierfeile *f*, -stahl *m*, -scheibe *f*, -bürste *f*, b) Poˈliermaˌschine *f*; **3.** Poliermittel *n*, Poliˈtur *f*; **ˈpol·ish·ing** [-ʃɪŋ] **I** *s.* Polieren *n*, Glätten *n*, Schleifen *n*; **II** *adj.* Polier…, Putz…: ***~ file*** Polierfeile *f*; ***~ powder*** Polier-, Schleifpulver *n*; ***~ wax*** Bohnerwachs *n*.

po·lite [pəˈlaɪt] *adj.* □ **1.** höflich, artig (***to*** gegen); **2.** verfeinert, fein: ***~ arts*** schöne Künste; ***~ letters*** schöne Literatur, Belletristik; **poˈlite·ness** [-nɪs] *s.* Höflichkeit *f*.

pol·i·tic [ˈpɒlɪtɪk] *adj.* □ **1.** diploˈmatisch; **2.** *fig.* diploˈmatisch, (welt)klug, berechnend, poˈlitisch; **3.** poˈlitisch: ***body ~*** Staatskörper *m*; **po·lit·i·cal** [pəˈlɪtɪkl] *adj.* □ **1.** poˈlitisch: ***~ economy*** Volkswirtschaft *f*; ***~ science*** Politologie *f*; ***~ scientist*** Politologe *m*, Politikwissenschaftler *m*; ***a ~ issue*** ein Politikum; **2.** staatlich, Staats…: ***~ system*** Regierungssystem *n*; **pol·i·ti·cian** [ˌpɒlɪˈtɪʃn] *s.* **1.** Poˈlitiker *m*; **2.** a) (Parˈtei)Poˌlitiker *m* (*a. contp.*), b) *Am.* poˈlitischer Opportuˈnist; **po·lit·i·cize** [pəˈlɪtɪsaɪz] *v/i. u. v/t. allg.* politisieren; **po·lit·i·co** [pəˈlɪtɪkəʊ] *Am.* F *für* ***politician*** 2.

politico- [pəlɪtɪkəʊ] *in Zssgn* politisch-…: ***~-economical*** wirtschaftspolitisch.

pol·i·tics [ˈpɒlɪtɪks] *s. pl. oft sg. konstr.* **1.** Poliˈtik *f*, Staatskunst *f*; **2.** (Parˈtei-, ˈStaats)Poliˌtik: ***enter ~*** ins politische Leben (ein)treten; **3.** poˈlitische Überˈzeugung *od.* Richtung: ***what are his ~?*** wie ist er politisch eingestellt?; **4.** *fig.* (Interˈessen)Poliˌtik *f*; **5.** *Am.* (politische) Machenschaften *pl.*: ***play ~*** Winkelzüge machen, manipulieren; **ˈpol·i·ty** [-ɪtɪ] *s.* **1.** Regierungsform *f*, Verfassung *f*, politische Ordnung; **2.** Staats-, Gemeinwesen *n*, Staat *m*.

pol·ka [ˈpɒlkə] **I** *s.* ♪ Polka *f*; **II** *v/i.* Polka tanzen; **~ dot** *s.* Punktmuster *n* (*auf Textilien*).

poll¹ [pəʊl] **I** *s.* **1.** *bsd. dial. od. humor.* (Hinter)Kopf *m*; **2.** (ˈEinzel)Perˌson *f*; **3.** Abstimmung *f*, Stimmabgabe *f*, Wahl *f*: ***poor ~*** geringe Wahlbeteiligung; **4.** Wählerliste *f*; **5.** a) Stimmenzählung *f*, b) Stimmenzahl *f*; **6.** *mst pl.* ˈWahlloˌkal *n*: ***go to the ~s*** zur Wahl(-urne) gehen; **7.** (Ergebnis *n* e-r) (ˈMeinungs)ˌUmfrage *f*; **II** *v/t.* **8.** *Haar etc.* stutzen, (*a. Tier*) scheren; *Baum* kappen; *Pflanze* köpfen; *e-m Rind* die Hörner stutzen; **9.** in die Wahlliste eintragen; **10.** *Wahlstimmen* erhalten, auf sich vereinigen; **11.** *Bevölkerung* befragen; **III** *v/i.* **12.** s-e Stimme abgeben, wählen: ***~ for*** stimmen für.

poll² [pɒl] *s. univ. Brit. sl.* **1.** *coll.* ***the*** **~** *Studenten, die sich nur auf den* ***poll degree*** (→ 2) *vorbereiten*; **2.** *a.* ***~ ex-***

P

amination (leichteres) Bakkalaure'atsex,amen: ~ ***degree*** *nach Bestehen dieses Examens erlangter Grad.*

poll³ [pəʊl] **I** *adj.* hornlos: ~ ***cattle***; **II** *s.* hornloses Rind.

pol·lack ['pɒlək] *pl.* **-lacks**, *bsd. coll.* **-lack** *s.* Pollack *m* (*Schellfisch*).

pol·lard ['pɒləd] **I** *s.* **1.** gekappter Baum; **2.** *zo.* a) hornloses Tier, b) Hirsch, der sein Geweih abgeworfen hat; **3.** (Weizen)Kleie *f*; **II** *v/t.* **4.** *Baum etc.* kappen, stutzen.

'poll·book *s.* Wählerliste *f.*

pol·len ['pɒlən] *s.* ⚘ Pollen *m*, Blütenstaub *m*: ~ ***catarrh*** Heuschnupfen *m*; ~ ***sac*** Pollensack *m*; ~ ***tube*** Pollenschlauch *m*; **'pol·li·nate** [-neɪt] *v/t. bot.* bestäuben, befruchten.

poll·ing ['pəʊlɪŋ] **I** *s.* **1.** Wählen *n*, Wahl *f*; **2.** Wahlbeteiligung *f*: ***heavy*** (***poor***) ~ starke (geringe) Wahlbeteiligung; **II** *adj.* **3.** Wahl...: ~ ***booth*** Wahlzelle *f*; ~ ***district*** Wahlkreis *m*; ~ ***place*** *Am.*, ~ ***station*** *bsd. Brit.* Wahllokal *n.*

pol·lock ['pɒlək] → ***pollack***.

poll·ster ['pəʊlstə] *s. Am.* Meinungsforscher *m*, Inter'viewer *m.*

'poll-tax *s.* Kopfsteuer *f*, -geld *n.*

pol·lu·tant [pə'lu:tənt] *s.* Schadstoff *m*; **pol·lute** [pə'lu:t] *v/t.* **1.** beflecken (*a. fig. Ehre etc.*), beschmutzen; **2.** *Wasser etc.* verunreinigen, *Umwelt etc.* verschmutzen; **3.** *fig.* besudeln; *eccl.* entweihen; *moralisch* verderben; **pol'lu·ter** [-tə] *s.* 'Umweltverschmutzer *m*, -sünder *m*; **pol'lu·tion** [-u:ʃn] *s.* **1.** Befleckung *f*, Verunreinigung *f* (*a. fig.*); **2.** *fig.* Entweihung *f*, Schändung *f*; **3.** *physiol.* Polluti'on *f*; **4.** ('Umwelt-, Luft-, Wasser)Verschmutzung *f*: ~ ***control*** Umweltschutz *m*; ~ ***level*** Schadstoffbelastung *f*; **pol'lu·tive** [-tɪv] *adj.* 'umweltverschmutzend, -feindlich.

po·lo ['pəʊləʊ] *s. sport* Polo *n*: ~ (***neck***) Rollkragen(pullover) *m*; ~ ***shirt*** Polohemd *n.*

po·lo·ny [pə'ləʊnɪ] *s.* grobe Zerve'latwurst.

pol·troon [pɒl'tru:n] *s.* Feigling *m.*

poly- [pɒlɪ] *in Zssgn* Viel..., Mehr..., Poly...; **pol·y·an·drous** [,pɒlɪ'ændrəs] *adj.* ⚘, *zo.*, *sociol.* poly'andrisch; **,pol·y·a'tom·ic** *adj.* ⚗ 'viel-, 'mehra,tomig; **,pol·y'bas·ic** *adj.* ⚗ mehrbasig; **,pol·y·chro'mat·ic** *adj.* (□ ~***ally***) viel-, mehrfarbig; **'pol·y·chrome I** *adj.* **1.** viel-, mehrfarbig, bunt: ~ ***printing*** Bunt-, Mehrfarbendruck; **II** *s.* **2.** Vielfarbigkeit *f*; **3.** buntbemalte Plastik; **,pol·y'clin·ic** *s.* Klinik *f* (für alle Krankheiten).

po·lyg·a·mist [pə'lɪgəmɪst] *s.* Polyga'mist(in); **po'lyg·a·mous** [-məs] *adj.* poly'gam(isch ⚘, *zo.*); **po'lyg·a·my** [-mɪ] *s.* Polyga'mie *f* (*a. zo.*), Mehrehe *f*, Vielweibe'rei *f.*

pol·y·glot ['pɒlɪglɒt] **I** *adj.* **1.** vielsprachig; **II** *s.* **2.** Poly'glotte *f* (*Buch in mehreren Sprachen*); **3.** Poly'glotte(r *m*) *f* (*Person*).

pol·y·gon ['pɒlɪgən] *s.* ⩓ a) Poly'gon *n*, Vieleck *n*, b) Polygo'nalzahl *f*: ~ ***of forces*** *phys.* Kräftepolygon; **po·lyg·o·nal** [pɒ'lɪgənl] *adj.* polygo'nal, vieleckig.

po·lyg·y·ny [pə'lɪdʒɪnɪ] *s. allg.* Polygy'nie *f.*

pol·y·he·dral [,pɒlɪ'hedrl] *adj.* ⩓ poly'edrisch, vielflächig, Polyeder...; **,pol·y'he·dron** [-rən] *s.* ⩓ Poly'eder *n.*

pol·y·mer·ic [,pɒlɪ'merɪk] *adj.* ⚗ ,poly'mer; **po·lym·er·ism** [pə'lɪmərɪzəm] *s.* Polyme'rie *f*; **pol·y·mer·ize** [pə'lɪməraɪz] ⚗ **I** *v/t.* polymerisieren; **II** *v/i.* poly'mere Körper bilden.

pol·y·mor·phic [,pɒlɪ'mɔ:fɪk] *adj.* poly'morph, vielgestaltig.

Pol·y·ne·sian [,pɒlɪ'ni:zjən] **I** *adj.* **1.** poly'nesisch; **II** *s.* **2.** Poly'nesier(in); **3.** *ling.* Poly'nesisch *n.*

pol·y·no·mi·al [,pɒlɪ'nəʊmjəl] **I** *adj.* ⩓ poly'nomisch, vielglied(e)rig; **II** *s.* ⩓ Poly'nom *n.*

pol·yp(**e**) ['pɒlɪp] *s.* ⚕, *zo.* Po'lyp *m.*

'pol·y·phase *adj.* ⚡ mehrphasig: ~ ***current*** Mehrphasen-, Drehstrom *m*; **,pol·y'phon·ic** [-'fɒnɪk] *adj.* **1.** vielstimmig, mehrtönig; **2.** ♪ poly'phon, kontra'punktisch; **3.** *ling.* pho'netisch mehrdeutig; **'pol·y·pod** [-pɒd] *s. zo.* Vielfüßer *m.*

pol·y·pus ['pɒlɪpəs] *pl.* **-pi** [-paɪ] *s.* **1.** *zo.* Po'lyp *m*, Tintenfisch *m*; **2.** ⚕ Po'lyp *m.*

pol·y·sty·rene [,pɒlɪ'staɪri:n] *s.* ⚗ Styro'por *n.*

,pol·y·syl'lab·ic *adj.* mehr-, vielsilbig; **'pol·y,syl·la·ble** *s.* vielsilbiges Wort; **,pol·y'tech·nic I** *adj.* poly'technisch; **II** *s.* poly'technische Schule, Poly'technikum *n*; **'pol·y·the·ism** *s.* Polythe'ismus *m*, Vielgötte'rei *f*; **pol·y·thene** ['pɒlɪθi:n] *s.* ⚗ Polyäthy'len *n*: ~ ***bag*** Plastiktüte *f*; **,pol·y'trop·ic** *adj.* ⩓, *biol.* poly'trop(isch); **,pol·y'va·lent** *adj.* ⚗ polyva'lent, mehrwertig.

pol·y·zo·on [,pɒlɪ'zəʊɒn] *pl.* **-'zo·a** [-ə] *s.* Moostierchen *n.*

pom [pɒm] → ***pommy***.

po·made [pə'mɑ:d] **I** *s.* Po'made *f*; **II** *v/t.* pomadisieren, mit Po'made einreiben.

po·man·der [pəʊ'mændə] *s.* Duftkugel *f.*

po·ma·tum [pəʊ'meɪtəm] → ***pomade***.

pome [pəʊm] *s.* **1.** ⚘ Apfel-, Kernfrucht *f*; **2.** *hist.* Reichsapfel *m.*

pome·gran·ate ['pɒmɪ,grænɪt] *s.* **1.** *a.* ~ ***tree*** Gra'natapfelbaum *m*; **2.** *a.* ~ ***apple*** Gra'natapfel *m.*

Pom·er·a·nian [,pɒmə'reɪnjən] **I** *adj.* **1.** pommer(i)sch; **II** *s.* **2.** Pommer(in); **3.**

a. ~ ***dog*** Spitz *m*.
po·mi·cul·ture ['pəʊmɪˌkʌltʃə] *s*. Obstbaumzucht *f*.
pom·mel ['pʌml] **I** *s*. (Degen-, Sattel-, Turm)Knopf *m*, Knauf *m*; **II** *v/t*. mit den Fäusten bearbeiten, schlagen.
pom·my ['pɒmɪ] *s. sl. brit*. Einwanderer *m* (in Au'stralien *od*. Neu'seeland).
pomp [pɒmp] *s*. Pomp *m*, Prunk *m*.
pom·pon ['pɔ̃:mpɔ̃:ŋ] (*Fr.*) *s*. Troddel *f*, Quaste *f*.
pom·pos·i·ty [pɒm'pɒsətɪ] *s*. **1.** Prunk *m*; Pomphaftigkeit *f*, Prahle'rei *f*; wichtigtuerisches Wesen; **2.** Bom'bast *m*, Schwülstigkeit *f* (*im Ausdruck*); **pomp·ous** ['pɒmpəs] *adj*. □ **1.** pom'pös, prunkvoll; **2.** wichtigtuerisch, aufgeblasen; **3.** bom'bastisch, schwülstig (*Sprache*).
ponce [pɒns] *Brit. sl*. **I** *s*. **1.** Zuhälter *m*; **2.** ,Homo' *m*; **II** *v/i*. **3.** Zuhälter sein; '**ponc·ing** [-sɪŋ] *s. Brit. sl*. Zuhälte'rei *f*.
pon·cho ['pɒntʃəʊ] *pl*. **-chos** [-z] *s*. Poncho *m*, 'Umhang *m*.
pond [pɒnd] *s*. Teich *m*, Weiher *m*: ***horse*** ~ Pferdeschwemme *f*; ***big*** ~ ,Großer Teich' (*Atlantik*).
pon·der ['pɒndə] **I** *v/i*. nachdenken, -sinnen, (nach)grübeln (***on***, ***upon***, ***over*** über *acc*.): ~ ***over s.th.*** et. überlegen; **II** *v/t*. über'legen, nachdenken über (*acc*.): ~ ***one's words*** s-e Worte abwägen; ~***ing silence*** nachdenkliches Schweigen; **pon·der·a·bil·i·ty** [ˌpɒndərə'bɪlətɪ] *s. phys*. Wägbarkeit *f*; '**pon·der·a·ble** [-dərəbl] *adj*. wägbar (*a. fig*.); **pon·der·os·i·ty** [ˌpɒndə'rɒsətɪ] *s*. **1.** Gewicht *n*, Schwere *f*, Gewichtigkeit *f*; **2.** *fig*. Schwerfälligkeit *f*; '**pon·der·ous** [-dərəs] *adj*. □ **1.** schwer, massig, gewichtig; **2.** *fig*. schwerfällig (*Stil*); '**pon·der·ous·ness** [-dərəsnɪs] → ***ponderosity***.
pone[1] [pəʊn] *s. Am*. Maisbrot *n*.
po·ne[2] ['pəʊnɪ] *s. Kartenspiel*: **1.** Vorhand *f*; **2.** Spieler, der abhebt.
pong [pɒŋ] **I** *s*. **1.** dumpfes Dröhnen; **2.** *Br. sl*. Gestank *m*, ,Mief' *m*; **II** *v/i*. **3.** dröhnen; **4.** *Br. sl*. stinken; **5.** *sl. thea*. improvisieren.
pon·tiff ['pɒntɪf] *s*. **1.** Hohe'priester *m*; **2.** Papst *m*; **pon·tif·i·cal** [pɒn'tɪfɪkl] *adj*. □ **1.** *antiq*. (ober)priesterlich; **2.** *R.C*. pontifi'kal: a) bischöflich, b) *bsd*. päpstlich: ♀ ***Mass*** Pontifikalamt *n*; **3.** *fig*. a) feierlich, würdig, b) päpstlich, über'heblich; **pon·tif·i·cate I** *s*. [pɒn'tɪfɪkət] Pontifi'kat *n*; **II** *v/i*. [-keɪt] a) sich päpstlich gebärden, b) ~ (***on***) sich dogmatisch auslassen (über); '**pon·ti·fy** [-ɪfaɪ] → ***pontificate*** II.
pon·toon[1] [pɒn'tu:n] *s*. **1.** Pon'ton *m*, Brückenkahn *m*: ~ ***bridge*** Ponton-, Schiffsbrücke *f*; ~ ***train*** ⚔ Brückenkolonne *f*; **2.** ⚓ Kielleichter *m*, Prahm *m*; **3.** ✈ Schwimmer *m*.
pon·toon[2] [pɒn'tu:n] *s. Brit*. 'Siebzehnund'vier *n* (*Kartenspiel*).
po·ny ['pəʊnɪ] **I** *s*. **1.** *zo*. Pony *n*: a) kleines Pferd, b) *Am. a*. Mustang *m*, c) *pl. sl*. Rennpferde *pl*.; **2.** *Brit. sl*. £ 25; **3.** *Am*. F ,Klatsche' *f*, Eselsbrücke *f* (*Übersetzungshilfe*); **4.** *Am*. F a) kleines (Schnaps- *etc*.)Glas, b) Gläs-chen *n* Schnaps *etc*.; **5.** *Am*. et. ,im Westentaschenformat', Miniatur... (*z.B. Auto, Zeitschrift*); **II** *v/t*. **6.** ~ ***up*** *Am. sl*. berappen, bezahlen; ~ **en·gine** *s*. 🚂 Ran'gierlokomoˌtive *f*; ~ **tail** *s*. Pferdeschwanz *m* (*Frisur*).
pooch [pu:tʃ] *s. Am. sl*. Köter *m*.
poo·dle ['pu:dl] *s. zo*. Pudel *m*.
poof [pu:f] *Brit. sl*. ,Schwule(r)' *m*, ,Homo' *m*.
pooh [pu:] *int. contp*. pah!; ˌ~-'**pooh** *v/t*. geringschätzig behandeln, *et*. als unwichtig abtun, die Nase rümpfen über (*acc*.), *et*. verlachen.
pool[1] [pu:l] *s*. **1.** Teich *m*, Tümpel *m*; **2.** Pfütze *f*, Lache *f*: ~ ***of blood*** Blutlache; **3.** (Schwimm)Becken *n*; **4.** *geol*. pe'troleumhaltige Ge'steinsparˌtie; **5.** ⚙ Schmelzbad *n*.
pool[2] [pu:l] **I** *s*. **1.** *Kartenspiel*: a) (Gesamt)Einsatz *m*, b) (Spiel)Kasse *f*; **2.** *mst pl*. (Fußball- *etc*.)Toto *m*, *n*; **3.** *Billard*: a) *Brit*. Poulespiel *n* (*mit Einsatz*), b) *Am*. Poolbillard *n*; **4.** *fenc*. Ausscheidungsrunde *f*; **5.** ✝ a) Pool *m*, Kar'tell *n*, Ring *m*, Inter'essengemeinschaft *f*, b) *a*. ***working*** ~ Arbeitsgemeinschaft *f*, c) (Preis- *etc*.)Abkommen *n*; **6.** ✝ gemeinsamer Fonds; **7.** ~ (***of players***) *sport* a) Kader *m*, b) Aufgebot *n*, Auswahl *f*; **II** *v/t*. **8.** ✝ *Geld, Kapital* zs.-legen: ~ ***funds*** zs.-schießen; *Gewinn* unterein'ander (ver)teilen; *Geschäftsrisiko* verteilen; **9.** ✝ zu e-m Ring vereinigen; **10.** *fig. Kräfte, Wissen etc*. vereinigen, zs.-tun; **III** *v/i*. **11.** ein Kar'tell bilden; '~**·room** *s. Am*. **1.** Billardzimmer *n*; **2.** 'Spielsaˌlon *m*; **3.** Wettannahmestelle *f*.
poop[1] [pu:p] ⚓ **I** *s*. **1.** Heck *n*; **2.** *a*. ~ ***deck*** Achterdeck *n*; **3.** *obs*. Achterhütte *f*; **II** *v/t*. **4.** *Schiff* von hinten treffen (*Sturzwelle*): ***be*** ~***ed*** e-e Sturzsee von hinten bekommen.
poop[2] [pu:p] **I** *v/i*. **1.** tuten; **2.** ,pupen', furzen; **II** *v/t*. **3.** *sl*. *j-n* ,auspumpen': ~***ed*** (***out***) ,fix u. fertig'.
poor [pʊə] **I** *adj*. □ → ***poorly*** II; **1.** arm, mittellos, (unter'stützungs)bedürftig: ~ ***person*** ⚖ Arme(r *m*) *f*; **2.** *fig*. arm(selig), ärmlich, dürftig (*Kleidung, Mahlzeit etc*.); **3.** dürr, mager (*Boden, Erz, Vieh etc*.), schlecht, unergiebig (*Ernte etc*.): ~ ***coal*** Magerkohle *f*; **4.** *fig*. arm (***in*** an *dat*.); schlecht, mangelhaft,

schwach (*Gesundheit, Leistung, Spieler, Sicht, Verständigung etc.*): *~ consolation* schwacher Trost; *a ~ lookout* schlechte Aussichten; *a ~ night* e-e schlechte Nacht; **5.** *fig. contp.* jämmerlich, traurig: *in my ~ opinion iro.* m-r unmaßgeblichen Meinung nach; **6.** F arm, bedauernswert: *~ me! humor.* ich Ärmste(r)!; **II** *s.* **7.** *the ~* die Armen *pl.*; **'~·house** *s. hist.* Armenhaus *n*; **~ law** *s. hist.* **1.** ⚖ Armenrecht *n*; **2.** *pl.* öffentliches Fürsorgerecht.

poor·ly ['pʊəlɪ] **I** *adj.* **1.** unpäßlich, kränklich: *he looks ~* er sieht schlecht aus; **II** *adv.* **2.** armselig, dürftig: *he is ~ off* es geht ihm schlecht; **3.** *fig.* schlecht, dürftig, schwach: *~ gifted* schwachbegabt; *think ~ of* nicht viel halten von; **'poor·ness** [-nɪs] *s.* **1.** Armut *f*, Mangel *m*; *fig.* Armseligkeit *f*, Ärmlichkeit *f*, Dürftigkeit *f*; **2.** ↗ Magerkeit *f*, Unfruchtbarkeit *f* (*des Bodens*); *min.* Unergiebigkeit *f*.

poove [puːv] *s.* → *poof*; **'poov·y** *adj.* ‚schwul'.

pop¹ [pɒp] **I** *v/i.* **1.** knallen, puffen, losgehen (*Flaschenkork, Feuerwerk etc.*); **2.** aufplatzen (*Kastanien, Mais*); **3.** F knallen, ‚ballern' (*at* auf *acc.*); **4.** *mit adv.* flitzen, huschen: *~ in* hereinplatzen, auf e-n Sprung vorbeikommen (*Besuch*); *~ off* F a) ‚abhauen', sich aus dem Staub machen, plötzlich verschwinden, b) einnicken, c) ‚abkratzen' (*sterben*), d) *Am. sl.* ‚das Maul aufreißen'; *~ up* (plötzlich) auftauchen; **5.** *a. ~ out* aus den Höhlen treten (*Augen*); **II** *v/t.* **6.** knallen *od.* platzen lassen; *Am. Mais* rösten; **7.** F *Gewehr etc.* abfeuern; **8.** abknallen, -schießen; **9.** schnell *wohin* tun *od.* stecken: *~ one's head in the door*, *~ on Hut* aufstülpen; **10.** her'ausplatzen mit (*e-r Frage etc.*): *~ the question* F (*to* e-r *Dame*) e-n Heiratsantrag machen; **11.** *Brit. sl.* versetzen, verpfänden; **III** *s.* **12.** Knall *m*, Puff *m*, Paff *m*; **13.** F Schuß *m*: *take a ~ at* schießen nach; **14.** *Am. sl.* Pi'stole *f*; **15.** F ‚Limo' *f* (*Limonade*); **16.** *in ~ Brit. sl.* versetzt, verpfändet; **IV** *int.* **17.** puff!, paff!, husch!, zack!; **V** *adv.* **18.** a) mit e-m Knall, b) plötzlich: *go ~* knallen, platzen.

pop² [pɒp] *s. Am.* F **1.** Pa'pa *m*, Papi *m*; **2.** ‚Opa' *m*, Alter *m*.

pop³ [pɒp] F **I** *s.* **1.** *a. ~ music* 'Schlager-, 'Popmuˌsik *f*; **2.** *a. ~ song* Schlager *m*; **II** *adj.* **3.** Schlager...: *~ group* Popgruppe *f*; *~ singer* Schlager-, Popsänger(in).

pop⁴ [pɒp] → *popsicle*.

pop art *s. Kunst*: Pop-art *f*.

'pop·corn *s.* Puffmais *m*, Popcorn *n*.

pope [pəʊp] *s. R.C.* Papst *m* (*a. fig.*); **'pope·dom** [-dəm] *s.* Papsttum *n*; **'pop·er·y** [-pərɪ] *s. contp.* Papiste'rei *f*, Pfaffentum *n*.

'pop|·eyed *adj.* F glotzäugig: *be ~* Stielaugen machen (*with* vor *dat.*); **'~·gun** *s.* Kindergewehr *n*; ‚Knallbüchse' *f* (*a. fig. schlechtes Gewehr*).

pop·in·jay ['pɒpɪndʒeɪ] *s. obs.* Geck *m*, Laffe *m*, Fatzke *m*.

pop·ish ['pəʊpɪʃ] *adj.* □ *contp.* pa'pistisch.

pop·lar ['pɒplə] *s.* ⚘ Pappel *f*.

pop·lin ['pɒplɪn] *s.* Pope'lin *m*, Pope'line *f* (*Stoff*).

pop·per ['pɒpə] *s.* F Druckknopf *m*.

pop·pet ['pɒpɪt] *s.* **1.** *obs. od. dial.* Püppchen *n* (*a. Kosewort*); **2.** ⚙ a) *a. ~ head* Docke *f e-r Drehbank*, b) *a. ~ valve* 'Schnüffelvenˌtil *n*.

pop·py ['pɒpɪ] *s.* **1.** ⚘ Mohn(blume *f*) *m*; **2.** a) Mohnsaft *m*, b) Mohnrot *n*; **'~·cock** *s. Am.* F Quatsch *m*; **♀ Day** *s. Brit.* F Volkstrauertag *m* (*Sonntag vor od. nach dem 11. November*); **'~·seed** *s.* Mohn(samen) *m*.

pops [pɒps] → *pop²* 2.

pop·si·cle ['pɒpsɪkl] *s. Am.* Eis *n* am Stiel.

pop·sy ['pɒpsɪ], *a.* **ˌ~-'wop·sy** [-'wɒpsɪ] *s.* ‚süße Puppe', ‚Mädchen' *n*, ‚Schatz' *m*.

pop·u·lace ['pɒpjʊləs] *s.* **1.** Pöbel *m*; **2.** (gemeines) Volk, *der* große Haufen.

pop·u·lar ['pɒpjʊlə] *adj.* □ → *popularly*; **1.** Volks...: *~ election* allgemeine Wahl; *~ front pol.* Volksfront *f*; *~ government* Volksherrschaft *f*; **2.** allgemein, weitverbreitet (*Irrtum, Unzufriedenheit etc.*); **3.** popu'lär, (allgemein) beliebt (*with* bei): *the ~ hero* der Held des Tages; *make o.s. ~ with* sich bei *j-m* beliebt machen; **4.** a) popu'lär, volkstümlich, b) gemeinverständlich, Popular...: *~ magazine* populäre Zeitschrift; *~ music* volkstümliche Musik; *~ science* Popularwissenschaft *f*; *~ song* Schlager *m*; *~ writer* Volksschriftsteller(in); **5.** (für jeden) erschwinglich, Volks...: *~ edition* Volksausgabe *f*; *~ prices* volkstümliche Preise; **pop·u·lar·i·ty** [ˌpɒpjʊ'lærətɪ] *s.* Populari'tät *f*, Volkstümlichkeit *f*, Beliebtheit *f* (*with* bei, *among* unter *dat.*); **'pop·u·lar·ize** [-əraɪz] *v/t.* **1.** popu'lär machen, (*beim Volk*) einführen; **2.** popularisieren, volkstümlich *od.* gemeinverständlich darstellen; **'pop·u·lar·ly** [-lɪ] *adv.* **1.** allgemein; im Volksmund; **2.** populär, volkstümlich, gemeinverständlich.

pop·u·late ['pɒpjʊleɪt] *v/t.* bevölkern, besiedeln; **pop·u·la·tion** [ˌpɒpjʊ'leɪʃn] *s.* **1.** Bevölkerung *f*, Einwohnerschaft *f*: *~ density* Bevölkerungsdichte *f*; *~ explosion* Bevölkerungsexplosion *f*; **2.** Bevölkerungszahl *f*; **3.** Gesamtzahl *f*,

P

Bestand *m*: ***swine*** ~ Schweinebestand (*e-s Landes*); '**pop·u·lous** [-ləs] *adj.* □ dichtbesiedelt, volkreich; '**pop·u·lous·ness** [-ləsnıs] *s.* dichte Besied(e)lung, Bevölkerungsdichte *f.*

por·ce·lain ['pɔ:səlın] **I** *s.* Porzel'lan *n*; **II** *adj.* Porzellan...: ~ ***clay*** *min.* Porzellanerde *f*, Kaolin *n.*

porch [pɔ:tʃ] *s.* **1.** (über'dachte) Vorhalle, Por'tal *n*; **2.** *Am.* Ve'randa *f*: ~ ***climber*** *sl.* ‚Klettermaxe' *m*, Einsteigdieb *m.*

por·cine ['pɔ:saın] *adj.* **1.** *zo.* zur Fa'milie der Schweine gehörig; **2.** schweineartig; **3.** *fig.* schweinisch.

por·cu·pine ['pɔ:kjʊpaın] *s. zo.* Stachelschwein *n.*

pore¹ [pɔ:] *v/i.* **1.** (***over***) brüten (über *dat.*): ~ ***over one's books*** über s-n Büchern hocken; **2.** (nach)grübeln (***on, upon*** über *acc*).

pore² [pɔ:] *s. biol. etc.* Pore *f.*

pork [pɔ:k] *s.* **1.** Schweinefleisch *n*; **2.** *Am.* F *von der Regierung aus politischen Gründen gewährte (finanzielle) Begünstigung od. Stellung*; ~ **bar·rel** *s. Am.* F *politisch berechnete* Geldzuwendung *der Regierung*; ~ **butch·er** *s.* Schweineschlächter *m*; ~ **chop** *s.* 'Schweinekote,lett *n.*

pork·er ['pɔ:kə] *s.* Mastschwein *n*; '**pork·ling** [-klıŋ] *s.* Ferkel *n.*

pork pie *s.* 'Schweinefleischpa,stete *f.*

'**pork-pie hat** *s.* runder Filzhut.

pork·y¹ ['pɔ:kı] *adj.* fett(ig), dick.

por·ky² ['pɔ:kı] *s. Am.* F Stachelschwein *n.*

porn [pɔ:n], **por·no** ['pɔ:nəʊ] *sl.* **I** *s.* **1.** Porno(gra'phie *f*) *m*; **2.** Porno(film) *m*; **II** *adj.* **3.** → ***pornographic***.

por·no·graph·ic [,pɔ:nəʊ'græfık] *adj.* porno'graphisch, Porno...: ~ ***film*** Porno(film) *m*; **por·nog·ra·phy** [pɔ:'nɒgrəfı] *s.* Pornogra'phie *f.*

por·ny ['pɔ:nı] *adj. sl.* → ***pornographic***.

po·ros·i·ty [pɔ:'rɒsətı] *s.* **1.** Porosi'tät *f*, ('Luft-, 'Wasser),Durchlässigkeit *f*; **2.** Pore *f*, po'röse Stelle; **po·rous** ['pɔ:rəs] *adj.* po'rös: a) löch(e)rig, porig, b) ('luft-, 'wasser),durchlässig.

por·poise ['pɔ:pəs] *pl.* **-pois·es**, *coll.* **-poise** *s. zo.* **1.** Tümmler *m*; **2.** Del'phin *m.*

por·ridge ['pɒrıdʒ] *s.* Porridge *n, m*, Hafer(flocken)brei *m*, -grütze *f*: ***pease-***~ Erbsenbrei.

por·ri·go [pə'raıgəʊ] *s.* ⚕ Grind *m.*

port¹ [pɔ:t] *s.* **1.** ⚓, ✈ (See-, Flug)Hafen *m*: ***free*** ~ Freihafen; ***inner*** ~ Binnenhafen; ~ ***of call*** a) ⚓ Anlaufhafen, b) ✈ Anflughafen; ~ ***of delivery*** (*od.* ***discharge***) Löschhafen, -platz *m*; ~ ***of departure*** a) ⚓ Abgangshafen, b) ✈ Abflughafen; ~ ***of destination*** a) ⚓ Bestimmungshafen, b) ✈ Zielflughafen; ~ ***of entry*** Einlaufhafen; ~ ***of registry*** Heimathafen; ~ ***of tran(s)shipment*** Umschlaghafen; ***any*** ~ ***in a storm*** *fig.* in der Not frißt der Teufel Fliegen; **2.** Hafenplatz *m*, -stadt *f*; **3.** *fig.* (sicherer) Hafen, Ziel *n*: ***come safe to*** ~.

port² [pɔ:t] ⚓ **I** *s.* Backbord(seite *f*) *n*: ***on the*** ~ ***beam*** an Backbord dwars; ***on the*** ~ ***bow*** an Backbord voraus; ***on the*** ~ ***quarter*** Backbord achtern; ***cast to*** ~ nach Backbord abfallen; **II** *v/t. Ruder* nach der Backbordseite 'umlegen; **III** *v/i.* nach Backbord drehen (*Schiff*); **IV** *adj.* a) ⚓ Backbord..., b) ✈ link.

port³ [pɔ:t] *s.* **1.** Tor *n*, Pforte *f*; ***city*** ~ Stadttor; **2.** ⚓ a) (Pfort-, Lade)Luke *f*, b) (Schieß)Scharte *f* (*a.* ⚔ *Panzer*); **3.** ⚙ (Auslaß-, Einlaß)Öffnung *f*, Abzug *m*; **4.** ⚡ Anschlußbuchse *f.*

port⁴ [pɔ:t] *s.* Portwein *m.*

port⁵ [pɔ:t] *v/t.* **1.** *obs.* tragen; **2.** ⚔ *Am.* ~ ***arms!*** Gewehr in Schräghalte nach links!

port·a·ble ['pɔ:təbl] **I** *adj.* **1.** tragbar: ~ ***radio*** (***set***) a) → 3a, b) ⚔ Tornisterfunkgerät; ~ ***typewriter*** → 4; **2.** transpor'tabel, beweglich: ~ ***derrick*** fahrbarer Kran; ~ ***firearm*** Handfeuerwaffe *f*; ~ ***railway*** Feldbahn *f*; ~ ***search-light*** Handscheinwerfer *m*; **II** *s.* **3.** a) Kofferradio *n*, b) Portable *m, n*, tragbares Fernsehgerät, c) Phonokoffer *m*, d) Koffertonbandgerät *n*; **4.** 'Reiseschreibma,schine *f.*

por·tage ['pɔ:tıdʒ] *s.* **1.** (*bsd.* 'Trage-) Trans,port *m*; **2.** ✝ Fracht *f*, Rollgeld *n*; **3.** ⚓ a) Por'tage *f*, Trageplatz *m*, b) Tragen *n* (*von Kähnen etc.*) über e-e Portage.

por·tal¹ ['pɔ:tl] *s.* **1.** ⚠ Por'tal *n*, (Haupt)Eingang *m*, Tor *n*: ~ ***crane*** ⚙ Portalkran *m*; **2.** *poet.* Pforte *f*, Tor *n*: ~ ***of heaven***.

por·tal² ['pɔ:tl] *anat.* **I** *adj.* Pfort(ader)...; **II** *s.* Pfortader *f.*

,**por·tal-to-'por·tal pay** *s.* ✝ *Arbeitslohn, berechnet für die Zeit vom Betreten der Fabrik etc. bis zum Verlassen.*

port·cul·lis [,pɔ:t'kʌlıs] *s.* ⚔ *hist.* Fallgatter *n.*

por·tend [pɔ:'tend] *v/t.* vorbedeuten, anzeigen, deuten auf (*acc.*); **por·tent** ['pɔ:tent] *s.* **1.** Vorbedeutung *f*; **2.** (*bsd.* schlimmes) (Vor-, An)Zeichen, Omen *n*; **3.** Wunder *n* (*Sache od. Person*); **por'ten·tous** [-ntəs] *adj.* □ **1.** omi'nös, unheil-, verhängnisvoll; **2.** ungeheuer, wunderbar, *a. humor.* unheimlich.

por·ter¹ ['pɔ:tə] *s.* a) Pförtner *m*, b) Por'tier *m.*

por·ter² ['pɔ:tə] *s.* **1.** 🚂 (Gepäck)Träger *m*, Dienstmann *m*; **2.** 🚂 *Am.* (Schlafwagen)Schaffner *m.*

por·ter³ ['pɔ:tə] *s.* Porter(bier *n*) *m.*

P

ˈ**por·ter-house** *s.* **1.** *obs.* Bier-, Speisehaus *n*; **2.** *a.* ~ ***steak*** Porterhousesteak *n*.

ˈ**port**|ˌ**fire** *s.* ⚔ Zeitzündschnur *f*, Lunte *f*; ˌ~ˈ**fo·li·o** *s.* **1.** a) Aktentasche *f*, (*a.* Künstler- *etc.*)Mappe *f*, b) Porteˈfeuille *n* (*für Staatsdokumente*); **2.** *fig.* (Miˈnister)Porteˌfeuille *n*: ***without*** ~ ohne Geschäftsbereich; **3.** † (ˈWechsel-)Porteˌfeuille *n*; ˈ~**-hole** *s.* **1.** ⚓ a) (Pfort)Luke *f*, b) Bullauge *n*; **2.** ⚙ → ***port***[3] 3.

por·ti·co [ˈpɔːtɪkəʊ] *pl.* **-cos** *s.* ⚠ Säulengang *m*.

por·tion [ˈpɔːʃn] **I** *s.* **1.** (An)Teil *m* (***of*** an *dat.*); **2.** Portiˈon *f* (*Essen*); **3.** Teil *m*, Stück *n* (*Buch*, *Gebiet*, *Strecke etc.*); **4.** Menge *f*, Quantum *n*; **5.** ⚖ a) Mitgift *f*, Aussteuer *f*, b) Erbteil *n*: ***legal*** ~ Pflichtteil *n*; **6.** *fig.* Los *n*, Schicksal *n*; **II** *v/t.* **7.** aufteilen: ~ ***out*** aus-, verteilen; **8.** zuteilen; **9.** *Tochter* aussteuern.

port·li·ness [ˈpɔːtlɪnɪs] *s.* **1.** Stattlichkeit *f*; **2.** Wohlbeleibtheit *f*; **port·ly** [ˈpɔːtlɪ] *adj.* **1.** stattlich, würdevoll; **2.** wohlbeleibt.

port·man·teau [ˌpɔːtˈmæntəʊ] *pl.* **-s** *u.* **-x** [-z] *s.* **1.** Handkoffer *m*; **2.** *obs.* Mantelsack *m*; **3.** *mst* ~ ***word*** *ling.* Schachtelwort *n*.

por·trait [ˈpɔːtrɪt] *s.* **1.** a) Porˈträt *n*, Bild(nis) *n*, b) *phot.* Porˈträt(aufnahme *f*) *n*; ***take s.o.'s*** ~ j-n porträtieren *od.* malen; → ***sit for*** 3; **2.** *fig.* Bild *n*, (lebenswahre) Schilderung *f*; ˈ**por·trait·ist** [-tɪst] *s.* Porˈträtmaler(in); ˈ**por·trai·ture** [-tʃə] *s.* **1.** → ***portrait***; **2.** a) Porˈträtmaleˌrei *f*, b) *phot.* Porˈträtphotograˌphie *f*; **por·tray** [pɔːˈtreɪ] *v/t.* **1.** porträˈtieren, (ab)malen; **2.** *fig.* schildern, darstellen; **por·tray·al** [pɔːˈtreɪəl] *s.* **1.** Porträtieren *n*; **2.** Porˈträt *n*; **3.** *fig.* Schilderung *f*.

Por·tu·guese [ˌpɔːtjʊˈgiːz] **I** *pl.* **-guese** *s.* **1.** Portuˈgiese *m*, Portuˈgiesin *f*; **2.** *ling.* Portuˈgiesisch *n*; **II** *adj.* **3.** portuˈgiesisch.

pose[1] [pəʊz] **I** *s.* **1.** Pose *f* (*a. fig.*), Posiˈtur *f*, Haltung *f*; **II** *v/t.* **2.** aufstellen, in Posiˈtur setzen; **3.** *Frage* stellen, aufwerfen; **4.** *Behauptung* aufstellen, *Anspruch* erheben; **5.** (***as***) hinstellen (als), ausgeben (für); **III** *v/i.* **6.** sich in Posiˈtur setzen; **7.** a) *paint etc.* Moˈdell stehen *od.* sitzen, b) sich photographieren lassen; **8.** posieren, sich in Pose werfen; **9.** auftreten *od.* sich ausgeben (***as*** als).

pose[2] [pəʊz] *v/t.* durch Fragen verwirren, verblüffen.

pos·er [ˈpəʊzə] *s.* **1.** → ***poseur***; **2.** ‚harte Nuß', knifflige Frage.

po·seur [pəʊˈzɜː] (*Fr.*) *s.* Poˈseur *m*, ‚Schauspieler' *m*.

posh [ˈpɒʃ] *adj.* F ‚pikfein', ‚todschick', ‚feuˈdal'.

pos·it [ˈpɒzɪt] *phls.* **I** *v/t.* postulieren; **II** *n* Postuˈlat *n*.

po·si·tion [pəˈzɪʃn] **I** *s.* **1.** Positiˈon *f*, Lage *f*, Standort *m*; ⚙ (Schalt- *etc.*) Stellung *f*: ~ ***of the sun*** *ast.* Sonnenstand *m*; ***in*** (***out of***) ~ (nicht) in der richtigen Lage; **2.** *körperliche* Lage, Stellung *f*: ***horizontal*** ~; **3.** ⚓, ✈ Positiˈon *f* (*a. sport*), ⚓ *a.* Besteck *n*: ~ ***lights*** a) ⚓, ✈ Positionslichter, b) *mot.* Begrenzungslichter; **4.** ⚔ Stellung *f*: ~ ***warfare*** Stellungskrieg *m*; **5.** (Arbeits-)Platz *m*, Stellung *f*, Posten *m*, Amt *n*: ***hold a responsible*** ~ e-e verantwortliche Stellung innehaben; **6.** *fig.* (soziˈale) Stellung, (gesellschaftlicher) Rang: ***people of*** ~ Leute von Rang; **7.** *fig.* Lage *f*, Situatiˈon *f*: ***an awkward*** ~; ***be in a*** ~ ***to do s.th.*** in der Lage sein, et. zu tun; **8.** *fig.* (Sach)Lage *f*, Stand *m der Dinge*: ***financial*** ~ Finanzlage, Vermögensverhältnisse *pl.*; ***legal*** ~ Rechtslage; **9.** Standpunkt *m*, Haltung *f*: ***take up a*** ~ ***on a question*** zu e-r Frage Stellung nehmen; **10.** ⩘, *phls.* (Grund-, Lehr)Satz *m*; **II** *v/t.* **11.** *bsd.* ⚙ in die richtige Lage bringen, (ein-)stellen; anbringen; **12.** lokalisieren; **13.** *Polizisten etc.* postieren; **poˈsi·tion·al** [-ʃənl] *adj.* Stellungs…, Lage…: ~ ***play*** *sport* Stellungsspiel *n*; **po·si·tion find·er** *s.* Ortungsgerät *n*; **po·si·tion pa·per** *s. pol.* ˈGrundsatzpaˌpier *n*.

pos·i·tive [ˈpɒzətɪv] **I** *adj.* □ **1.** bestimmt, definiˈtiv, ausdrücklich (*Befehl etc.*), fest (*Versprechen etc.*), unbedingt: ~ ***law*** ⚖ positives Recht; **2.** sicher, ˈunumˌstößlich, eindeutig (*Beweis*, *Tatsache*); **3.** positiv, tatsächlich; **4.** positiv, zustimmend: ~ ***reaction***; **5.** überˈzeugt, (absoˈlut) sicher: ***be*** ~ ***about s.th.*** e-r Sache ganz sicher sein; **6.** rechthaberisch; **7.** F ausgesprochen, absoˈlut: ***a*** ~ ***fool*** ein ausgemachter Narr; **8.** ⚡, ⩘, ⚛, *biol.*, *phys.*, *phot.*, *phls.* positiv: ~ ***electrode*** ⚡ Anode *f*; ~ ***pole*** ⚡ Pluspol *m*; **9.** ⚙ zwangsläufig, Zwangs… (*Getriebe*, *Steuerung etc.*); **10.** *ling.* im Positiv stehend: ~ ***degree*** Positiv *m*; **II** *s.* **11.** *et.* Positives, Positivum *n*; **12.** *phot.* Positiv *n*; **13.** *ling.* Positiv *m*; ˈ**pos·i·tive·ness** [-nɪs] *s.* **1.** Bestimmtheit *f*; Wirklichkeit *f*; **2.** *fig.* Hartnäckigkeit *f*; ˈ**pos·i·tiv·ism** [-vɪzəm] *s. phls.* Positiˈvismus *m*.

pos·se [ˈpɒsɪ] *s.* (Poliˈzei- *etc.*)Aufgebot *n*; *allg.* Haufen *m*, Schar *f*.

pos·sess [pəˈzes] *v/t.* **1.** *allg.* (*a. Eigenschaften*, *Kenntnisse etc.*) besitzen, haben; im Besitz haben, (inne)haben: ~***ed of*** im Besitz *e-r Sache*; ~ ***o.s. of*** et. in Besitz nehmen, sich *e-r Sache* bemächtigen; ~***ed noun*** *ling.* Besitzsubjekt *n*; **2.** a) (*a. fig. e-e Sprache etc.*) beherrschen, Gewalt haben über (*acc.*), b) erfüllen (***with*** mit *e-r Idee*, mit *Unwillen etc.*): ***like a man ~ed*** wie ein Besessener, wie toll; ***~ one's soul in patience*** sich in Geduld fassen; **pos'ses·sion** [-eʃn] *s.* **1.** *abstrakt*: Besitz *m* (*a.* ⚖): ***actual ~*** tatsächlicher *od.* unmittelbarer Besitz; ***adverse ~*** Ersitzung(sbesitz *m*) *f*; ***in the ~ of*** in *j-s* Besitz; ***in ~ of s.th.*** im Besitz e-r Sache; ***have ~ of*** im Besitze von *et.* sein; ***take ~ of*** Besitz ergreifen von, in Besitz nehmen; **2.** Besitz(tum *n*) *m*, Habe *f*; **3.** *pl.* Besitzungen *pl.*, Liegenschaften *pl.*: ***foreign ~s*** auswärtige Besitzungen; **4.** *fig.* Besessenheit *f*; **5.** *fig.* Beherrscht-, Erfülltsein *n* (***by*** von *e-r Idee etc.*); **6.** *mst* ***self-~*** *fig.* Fassung *f*, Beherrschung *f*; **pos'ses·sive** [-sɪv] **I** *adj.* ☐ **1.** Besitz...; **2.** besitzgierig, -betonend: ***~ instinct*** Sinn *m* für Besitz; **3.** *fig.* besitzergreifend (*Mutter etc.*); **4.** *ling.* posses'siv, besitzanzeigend: ***~ case*** → 5 b; **II** *s.* **5.** *ling.* a) Posses'siv(um) *n*, besitzanzeigendes Fürwort, b) Genitiv *m*, zweiter Fall; **pos'ses·sor** [-sə] *s.* Besitzer (-in), Inhaber(in); **pos'ses·so·ry** [-sərɪ] *adj.* Besitz...: ***~ action*** ⚖ Besitzstörungsklage *f*; ***~ right*** Besitzrecht *n*.

pos·si·bil·i·ty [ˌpɒsə'bɪlətɪ] *s.* **1.** Möglichkeit *f* (***of*** zu, für, ***of doing*** *et.* zu tun): ***there is no ~ of his coming*** es besteht keine Möglichkeit, daß er kommt; **2.** *pl.* (Entwicklungs)Möglichkeiten *pl.*, (-)Fähigkeiten *pl.*; **pos·si·ble** ['pɒsəbl] **I** *adj.* ☐ **1.** möglich (***with*** bei, ***to*** *dat.*, ***for*** für): ***this is ~ with him*** das ist bei ihm möglich; ***highest ~*** größtmöglich; **2.** eventu'ell, etwaig, denkbar; **3.** F annehmbar, pas'sabel, leidlich; **II** *s.* **4.** ***the ~*** das (Menschen-) Mögliche, das Beste; *sport* die höchste Punktzahl; **5.** in Frage kommende Per'son (*bei Wettbewerb etc.*); **pos·si·bly** ['pɒsəblɪ] *adv.* **1.** möglicherweise, viel'leicht; **2.** (irgend) möglich: ***when I ~ can*** wenn ich irgend kann; ***I cannot ~ do this*** ich kann das unmöglich tun; ***how can I ~ do it?*** wie kann ich es nur *od.* bloß machen?

pos·sum ['pɒsəm] *s.* F *abbr. für* ***opossum***: ***to play ~*** sich nicht rühren, sich tot *od.* krank *od.* dumm stellen.

post¹ [pəʊst] **I** *s.* **1.** Pfahl *m*, Pfosten *m*, Ständer *m*, Stange *f*, Stab *m*: ***as deaf as a ~*** *fig.* stocktaub; **2.** Anschlagsäule *f*; **3.** *sport* (Start- *od.* Ziel)Pfosten *m*, Start- (*od.* Ziel)linie *f*: ***be beaten at the ~*** kurz vor dem Ziel geschlagen werden; **II** *v/t.* **4.** *mst* ***~ up*** *Plakate etc.* anschlagen, -kleben; **5.** *mst* ***~ over*** *Mauer mit Zetteln* bekleben; **6.** a) *et.* (durch Aushang *etc.*) bekanntgeben: ***~ as missing*** ⚓, ✈ als vermißt melden, b) *fig.* (öffentlich) anprangern.

post² [pəʊst] **I** *s.* **1.** ⚔ Posten *m* (*Stelle od. Soldat*): ***advanced ~*** vorgeschobener Posten; ***last ~*** *Brit.* Zapfenstreich *m*; ***at one's ~*** auf (s-m) Posten; **2.** ⚔ Standort *m*, Garni'son *f*: ***♀ Exchange*** (*abbr.* ***PX***) *Am.* Einkaufsstelle *f*; ***~ headquarters*** Standortkommandantur *f*; **3.** Posten *m*, Platz *m*, Stand *m*; ✝ Börsenstand *m*; **4.** Handelsniederlassung *f*, -platz *m*; **5.** ✝ (Rechnungs)Posten *m*; **6.** Posten *m*, (An)Stellung *f*, Stelle *f*, Amt *n*: ***~ of a secretary*** Sekretärsposten; **II** *v/t.* **7.** *Soldaten etc.* aufstellen, postieren; **8.** ⚔ a) ernennen, b) versetzen, (ab)kommandieren; **9.** ✝ eintragen, verbuchen; *Konto* (ins Hauptbuch) über'tragen: ***~ up*** *Bücher* nachtragen, in Ordnung bringen.

post³ [pəʊst] **I** *s.* **1.** 📯 *bsd. Brit.* Post *f*: a) *als Einrichtung*, b) *Brit.* Postamt *n*, c) *Brit.* Post-, Briefkasten *m*, d) Postzustellung *f*, e) Postsendung(en *pl.*) *f*, -sachen *pl.*, *f*) Nachricht *f*: ***by ~*** per (*od.* mit der) Post; **2.** *hist.* a) Post(kutsche) *f*, b) Ku'rier *m*; **3.** *bsd. Brit.* 'Briefˌpapier *n* (*Format*); **II** *v/t.* **4.** *Brit.* zur Post geben, mit der Post (zu)senden, aufgeben, in den Briefkasten werfen; **5.** F *mst* ***~ up*** *j-n* informieren: ***keep s.o. ~ed*** j-n auf dem laufenden halten; ***well ~ed*** gut unterrichtet.

post- [pəʊst] *in Zssgn* nach, später, hinter, post...

post·age ['pəʊstɪdʒ] *s.* Porto *n*, Postgebühr *f*, -spesen *pl.*: ***additional*** (*od.* ***extra***) ***~*** Nachporto, Portozuschlag *m*; ***~ free***, ***~ paid*** portofrei, franko; **'~-due** *s.* Nach-, Strafporto *n*; **~ stamp** *s.* Briefmarke *f*, Postwertzeichen *n*.

post·al ['pəʊstəl] **I** *adj.* po'stalisch, Post...: ***~ card*** → II; ***~ cash order*** Postnachnahme *f*; ***~ code*** → ***postcode***; ***~ district*** Postzustellbezirk *m*; ***~ order*** *Brit.* Postanweisung *f*; ***~ parcel*** Postpaket *n*; ***~ tuition*** Fernunterricht *m*; ***~ vote*** *Brit.* Briefwahl *f*; ***~ voter*** Briefwähler(in); ***♀ Union*** Weltpostverein *m*; **II** *s. Am.* Postkarte *f* (*mit aufgedruckter Marke*).

'post|·card [-stk] *s.* Postkarte *f*; **'~·code** *s. Brit.* Postleitzahl *f*.

ˌpost|-'date *v/t.* **1.** *Brief etc.* vo'rausdaˌtieren; **2.** nachträglich *od.* später datieren; **'~ˌen·try** *s.* **1.** ✝ nachträgliche (Ver)Buchung; **2.** ✝ Nachverzollung *f*; **3.** *sport* Nachnennung *f*.

post·er ['pəʊstə] *s.* **1.** Pla'katankleber *m*; **2.** Pla'kat *n*: ***~ paint*** Plakatfarbe *f*; **3.** Poster *m*, *n*.

poste res·tante [ˌpəʊst'restɑ̃:nt] (*Fr.*) **I** *adj.* postlagernd; **II** *s. bsd. Brit.* Aufbewahrungsstelle *f* für postlagernde Sendungen.

pos·te·ri·or [pɒ'stɪrɪə] **I** *adj.* ☐ a) später (***to*** als), b) hinter, Hinter...: ***be ~ to*** *zeitlich od. örtlich* kommen nach, fol-

P

gen auf (*acc.*); **II** *s.* Hinterteil *n*, Hintern *m*; **pos·ter·i·ty** [pɒ'sterətɪ] *s.* **1.** Nachkommen(schaft *f*) *pl.*; **2.** Nachwelt *f*.

pos·tern ['pəʊstɜːn] *s. a.* **~ door**, **~ gate** Hinter-, Neben-, Seitentür *f*.

ˌpost-'free *adj.* portofrei.

ˌpost'grad·u·ate [-st'g-] **I** *adj.* nach dem ersten aka'demischen Grad: **~ studies**; **II** *s.* j-d, der nach dem ersten aka'demischen Grad weiterstudiert.

ˌpost'haste *adv.* eiligst.

post·hu·mous ['pɒstjʊməs] *adj.* □ po'stum, post'hum: a) *nach des Vaters Tod geboren*, b) nachgelassen, hinter'lassen (*Schriftwerk*), c) nachträglich (*Ordensverleihung etc.*): **~ fame** Nachruhm *m*.

pos·til·(l)ion [pə'stɪljən] *s. hist.* Postillion *m*.

post·ing ['pəʊstɪŋ] *s.* Versetzung *f*, ⚔ 'Abkommanˌdierung *f*.

post|·man ['pəʊstmən] *s.* [*irr.*] Briefträger *m*, Postbote *m*; **'~·mark** [-stm-] **I** *s.* Poststempel *m*; **II** *v/t.* (ab)stempeln; **'~ˌmas·ter** [-stˌm-] *s.* Postamtsvorsteher *m*, Postmeister *m*: **2 General** Postminister *m*.

post·me·rid·i·an [ˌpəʊstmə'rɪdɪən] *adj.* Nachmittags…, nachmittägig; **post me·rid·i·em** [-mə'rɪdɪəm] (*Lat.*) *adv.* (*abbr.* **p.m.**) nachmittags.

'postˌmis·tress [-stˌm-] *s.* Postmeisterin *f*.

post|-mor·tem [ˌpəʊst'mɔːtəm] ⚖, ⚕ **I** *adj.* Leichen…, nach dem Tode (stattfindend); **II** *s.* (*abbr. für* **~ examination**) Leichenöffnung *f*, Auto'psie *f*; *fig.* Ma'növerkriˌtik *f*, nachträgliche Ana'lyse; **ˌ~'na·tal** *adj.* nach der Geburt (stattfindend); **ˌ~'nup·tial** *adj.* nach der Hochzeit (stattfindend).

post of·fice *s.* **1.** Post(amt *n*) *f*: **General 2** Hauptpost(amt); **2 Department** *Am.* Postministerium *n*; **2.** *Am. ein Gesellschaftsspiel*; **~ box** *s.* Post(schließ)fach *n*; **~ or·der** *s.* Postanweisung *f*; **~ savings bank** *s.* Postsparkasse *f*.

ˌpost'op·er·a·tive *adj.* ⚕ postopera'tiv, nachträglich.

ˌpost-'paid *adj. u. adv.* freigemacht, frankiert.

post·pone [ˌpəʊst'pəʊn] *v/t.* **1.** verschieben, auf-, hin'ausschieben; **2.** 'unterordnen (**to** *dat.*), hint'ansetzen; **ˌpost'pone·ment** [-mənt] *s.* **1.** Verschiebung *f*, Aufschub *m*; **2.** ⚙, *a. ling.* Nachstellung *f*.

ˌpost·po'si·tion *s.* **1.** Nachstellung *f* (*a. ling.*); **2.** *ling.* nachgestelltes (Verhältnis)Wort; **ˌpost'pos·i·tive** *ling.* **I** *adj.* nachgestellt; **II** *s.* → **postposition** 2.

ˌpost'pran·di·al *adj.* nach dem Essen, nach Tisch (*Rede, Schläfchen etc.*).

post·script ['pəʊsskrɪpt] *s.* **1.** Post'skriptum *n* (*zu e-m Brief*), Nachschrift *f*; **2.** Nachtrag *m* (*zu e-m Buch*); **3.** Nachbemerkung *f*.

pos·tu·lant ['pɒstjʊlənt] *s.* **1.** Antragsteller(in); **2.** *R.C.* Postu'lant(in); **pos·tu·late I** *v/t.* ['pɒstjʊleɪt] **1.** fordern, verlangen, begehren; **2.** postulieren, (als gegeben) vor'aussetzen; **II** *s.* [-lət] **3.** Postu'lat *n*, ('Grund)Vorˌaussetzung *f*.

pos·ture ['pɒstʃə] **I** *s.* **1.** (Körper)Haltung *f*, Stellung *f*; (*a. thea., paint.*) Posi'tur *f*, Pose *f*; **2.** Lage *f* (*a. fig. Situation*), Anordnung *f*; **3.** *fig. geistige* Haltung; **II** *v/t.* **4.** zu'rechtstellen, arrangieren; **III** *v/i.* **5.** sich in Posi'tur stellen *od.* in Pose werfen; posieren (*a. fig.* **as** als); **'pos·tur·er** [-ərə] *s.* **1.** Schlangenmensch *m* (*Artist*); **2.** → **poseur**.

ˌpost'war *adj.* Nachkriegs…

po·sy ['pəʊzɪ] *s.* **1.** Sträußchen *n*; **2.** *obs.* Motto *n*, Denkspruch *m*.

pot [pɒt] **I** *s.* **1.** (*Blumen-, Koch-, Nachtetc.*)Topf *m*: **go to ~** *sl.* a) kaputtgehen, b) ‚vor die Hunde gehen' (*Person*); **keep the ~ boiling** a) die Sache in Gang halten, b) sich über Wasser halten; **the ~ calls the kettle black** ein Esel schilt den andern Langohr; **big ~** *sl.* ‚großes Tier'; **a ~ of money** F ‚ein Heidengeld'; **he has ~s of money** F er hat Geld wie Heu; **2.** Kanne *f*; **3.** ⚙ Tiegel *m*, Gefäß *n*: **~ annealing** Kastenglühen *n*; **~ galvanization** Feuerverzinken *n*; **4.** *sport sl.* Po'kal *m*; **5.** (Spiel)Einsatz *m*; **6.** → **pot shot**; **7.** *sl.* Pot *n*, Marihu'ana *n*; **II** *v/t.* **8.** in e-n Topf tun; *Pflanze* eintopfen; **9.** *Fleisch* einlegen, einmachen: **~ted meat** Fleischkonserven *pl.*; **10.** *Billardball* einlochen; **11.** *hunt.* (ab)schießen; **12.** F einheimsen, erbeuten; **13.** *Baby* aufs Töpfchen setzen; **14.** *fig.* F a) *Musik* ‚konservieren', b) *Stoff* mundgerecht machen; **III** *v/i.* **15.** (los)ballern, schießen (**at** auf *acc.*).

po·ta·ble ['pəʊtəbl] **I** *adj.* trinkbar; **II** *s.* Getränk *n*.

po·tage [pɒ'tɑːʒ] (*Fr.*) *s.* (dicke) Suppe.

pot·ash ['pɒtæʃ] *s.* ⚗ **1.** Pottasche *f*, 'Kaliumkarboˌnat *n*: **bicarbonate of ~** doppeltkohlensaures Kali; **~ fertilizer** Kalidünger *m*; **~ mine** Kalibergwerk *n*; **2.** → **caustic** 1.

po·tas·si·um [pə'tæsjəm] *s.* ⚗ Kalium *n*; **~ bro·mide** *s.* 'Kaliumbroˌmid *n*; **~ car·bon·ate** *s.* 'Kaliumkarboˌnat *n*, Pottasche *f*; **~ cy·a·nide** *s.* 'Kaliumcyaˌnid *n*, Zyan'kali *n*; **~ hy·drox·ide** *s.* 'Kaliumhydroˌxyd *n*, Ätzkali *n*; **~ ni·trate** *s.* 'Kaliumniˌtrat *n*.

po·ta·tion [pəʊ'teɪʃn] *s.* **1.** Trinken *n*; Zeche'rei *f*; **2.** Getränk *n*.

po·ta·to [pə'teɪtəʊ] *pl.* **-toes** *s.* **1.** Kar'toffel *f*: **fried ~es** Bratkartoffeln;

small ~es *Am.* F ‚kleine Fische'; ***hot ~*** F ‚heißes Eisen'; ***drop s.th. like a hot ~*** et. wie eine heiße Kartoffel fallen lassen; ***think o.s. no small ~es*** *sl.* sehr von sich eingenommen sein; **2.** *Am. sl.* a) ‚Rübe' *f* (*Kopf*), b) Dollar *m*; **~ bee·tle** *s. zo.* Kar'toffelkäfer *m*; **~ blight** → ***potato disease***; **~ bug** → ***potato beetle***; **~ chips** *s. pl.* a) *Brit.* Pommes frites *pl.*, b) *Am.* → **~ crisps** *s. pl.* Kar'toffelchips *pl.*; **~ dis·ease** *s.* Kar'toffelkrankheit *f*; **~ trap** *s. sl.* ‚Klappe' *f*, ‚Maul' *n*.

pot| bar·ley *s.* Graupen *pl.*; **'~-ˌbel·lied** *adj.* dickbäuchig; **'~-ˌbel·ly** *s.* Schmerbauch *m*; **'~ˌboil·er** *s.* F *Kunst etc.*: reine Brotarbeit; **'~·boy** *s. Brit.* Schankkellner *m*.

po·teen [pɒ'ti:n] *s.* heimlich gebrannter Whisky (*in Irland*).

po·ten·cy ['pəʊtənsɪ] *s.* **1.** Stärke *f*, Macht *f*; *fig. a.* Einfluß *m*; **2.** Wirksamkeit *f*, Kraft *f*; **3.** *physiol.* Po'tenz *f*; **'po·tent** [-nt] *adj.* ☐ **1.** mächtig, stark; **2.** einflußreich; **3.** po'tent, fi'nanzstark: ***a ~ bidder***; **4.** zwingend, über'zeugend (*Argumente etc.*); **5.** stark (*Drogen, Getränk*); **6.** *physiol.* po'tent; **'po·ten·tate** [-teɪt] *s.* Poten'tat *m*, Machthaber *m*, Herrscher *m*; **po·ten·tial** [pəʊ'tenʃl] **I** *adj.* ☐ **1.** potenti'ell: a) möglich, eventu'ell, b) in der Anlage vorhanden, la'tent: ***~ market*** (***murderer***) potentieller Markt (Mörder); **2.** *ling.* Möglichkeits...: ***~ mood*** → 4; **3.** *phys.* potenti'ell, gebunden: ***~ energy*** potentielle Energie, Energie der Lage; **II** *s.* **4.** *ling.* Potenti'alis *m*, Möglichkeitsform *f*; **5.** *phys.* Potenti'al *n* (*a.* ⚡), ⚡ Spannung *f*: ***~ equation*** ⚓ Potentialgleichung *f*; **6.** (*Kriegs-, Menschen- etc.*)Potenti'al *n*, Re'serven *pl.*; **7.** Leistungsfähigkeit *f*, Kraftvorrat *m*; **po·ten·ti·al·i·ty** [pəʊtenʃɪ'ælətɪ] *s.* **1.** Potentiali'tät *f*, (Entwicklungs)Möglichkeit *f*; **2.** Wirkungsvermögen *n*, innere Kraft; **po·ten·ti·om·e·ter** [pəʊˌtenʃɪ'ɒmɪtə] *s.* ⚡ Potentio'meter *n* (*veränderbarer Widerstand*).

'pot·head *s. sl.* ‚Hascher' *m*.

po·theen [pɒ'θi:n] → ***poteen***.

poth·er ['pɒðə] **I** *s.* **1.** Aufruhr *m*, Lärm *m*, Aufregung *f*, ‚The'ater' *n*: ***be in a ~ about s.th.*** e-n großen Wirbel wegen et. machen; **2.** Rauch-, Staubwolke *f*, Dunst *m*; **II** *v/t.* **3.** verwirren, aufregen; **III** *v/i.* **4.** sich aufregen.

'pot|·herb *s.* Küchenkraut *n*; **'~·hole** *s.* **1.** *mot.* Schlagloch *n*; **2.** *geol.* Gletschertopf *m*, Strudelkessel *m*; **'~ˌhol·er** *s.* Höhlenforscher *m*; **'~·hook** *s.* **1.** Kesselhaken *m*; **2.** Schnörkel *m* (*Kinderschrift*); *pl.* Gekritzel *n*; **'~·house** *s.* Wirtschaft *f*, Kneipe *f*; **'~ˌhunt·er** *s. sl.* **1.** Aasjäger *m*; **2.** *sport* F Preisjäger *m*.

po·tion ['pəʊʃn] *s.* (Arz'nei-, Gift-, Zauber)Trank *m*.

pot luck *s.*: ***take ~*** a) (***with s.o.***) (bei j-m) mit dem vorliebnehmen, was es gerade (zu essen) gibt, b) es aufs Geratewohl probieren.

pot·pour·ri [ˌpəʊ'pʊrɪ] *s.* Potpourri *n*: a) Dufttopf *m*, b) musi'kalisches Aller'lei, c) *fig.* Kunterbunt *n*, Aller'lei *n*.

pot| roast *s.* Schmorfleisch *n*; **'~·sherd** [-ʃɜ:d] *s.* (Topf)Scherbe *f*; **~ shot** *s.* **1.** unweidmännischer Schuß; **2.** Nahschuß *m*, 'hinterhältiger Schuß; **3.** (wahllos abgegebener) Schuß; **4.** *fig.* Seitenhieb *m*.

pot·tage ['pɒtɪdʒ] *s.* dicke Gemüsesuppe (mit Fleisch).

pot·ter¹ ['pɒtə] **I** *v/i.* **1.** *oft* **~ *about*** her'umwerkeln, -hantieren; **2.** (her'um-)trödeln: ***~ at*** herumspielen, -pfuschen an *od.* in (*dat.*); **II** *v/t.* **3.** ***~ away*** *Zeit* vertrödeln.

pot·ter² ['pɒtə] *s.* Töpfer(in): ***~'s clay*** Töpferton *m*; ***~'s lathe*** Töpferscheibentisch *m*; ***~'s wheel*** Töpferscheibe *f*; **'pot·ter·y** [-ərɪ] *s.* **1.** Töpfer-, Tonware(n *pl.*) *f*, Steingut *n*, Ke'ramik *f*; **2.** Töpfe'rei(werkstatt) *f*; **3.** Töpfe'rei *f* (*Kunst*), Ke'ramik *f*.

pot·ty ['pɒtɪ] *adj.* F **1.** verrückt; **2.** klein, unbedeutend.

'pot-ˌval·o(u)r *s.* angetrunkener Mut.

pouch [paʊtʃ] **I** *s.* **1.** Beutel (*a. zo.*, ♀), (Leder-, Trage-, *a.* Post)Tasche *f*, (kleiner) Sack; **2.** Tabaksbeutel *m*; **3.** Geldbeutel *m*; **4.** ⚔ Pa'tronentasche *f*; **5.** *anat.* (Tränen)Sack *m*; **II** *v/t.* **6.** in e-n Beutel tun; **7.** *fig.* einstecken; **8.** (*v/i.* sich) beuteln *od.* bauschen; **pouched** [-tʃt] *adj. zo.* Beutel...

pouf(fe) [pu:f] *s.* **1.** a) Haarknoten *m*, -rolle *f*, b) Einlage *f*; **2.** Puff *m* (*Sitzpolster*); **3.** Tur'nüre *f*; **4.** → ***poof***.

poul·ter·er ['pəʊltərə] *s.* Geflügelhändler *m*.

poul·tice ['pəʊltɪs] ⚕ **I** *s.* 'Breiˌumschlag *m*, Packung *f*; **II** *v/t.* e-n 'Breiˌumschlag auflegen auf (*acc.*), e-e Packung machen um.

poul·try ['pəʊltrɪ] *s.* (Haus)Geflügel *n*, Federvieh *n*: **~ *farm*** Geflügelfarm *f*; **'~·man** [-mən] *s. irr.* Geflügelzüchter *m od.* -händler *m*.

pounce¹ [paʊns] **I** *s.* **1.** a) Her'abstoßen *n e-s Raubvogels*, b) Sprung *m*, Satz *m*: ***on the ~*** sprungbereit; **II** *v/i.* **2.** (her'ab)stoßen, sich stürzen (***on, upon*** auf *acc.*) (*Raubvogel*); **3.** *fig.* a) (***on, upon***) sich stürzen (auf *j-n, e-n Fehler, e-e Gelegenheit etc.*), losgehen (auf *j-n*), b) ‚zuschlagen'; **4.** (plötzlich) stürzen: ***~ into the room***.

pounce² [paʊns] **I** *s.* **1.** Glättpulver *n*, *bsd.* Bimssteinpulver *n*; **2.** Pauspulver *n*; **3.** 'durchgepaustes (*bsd.* Stick)Muster; **II** *v/t.* **4.** glatt abreiben, bimsen; **5.** ˈdurchpausen.

pound[1] [paʊnd] *s.* **1.** Pfund *n* (*abbr.* ***lb.*** *= 453,59 g*): *~* ***cake*** *Am.* (reichhaltiger) Früchtekuchen *m*; **2.** *a.* *~* ***sterling*** Pfund *n* (Sterling) (*abbr.* £): ***pay twenty shillings in the ~*** *fig. obs.* voll bezahlen.

pound[2] [paʊnd] **I** *s.* **1.** schwerer Stoß *od.* Schlag, Stampfen *n*; **II** *v/t.* **2.** (zer-)stoßen, (zer)stampfen; **3.** feststampfen, rammen; **4.** hämmern (auf), trommeln auf, schlagen: *~* ***sense into s.o.*** *fig.* j-m Vernunft einhämmern; *~* ***out*** a) glatthämmern, b) *Melodie* herunterhämmern (*auf dem Klavier*); **5.** ⚔ beschießen; **III** *v/i.* **6.** hämmern (*a. Herz*), pochen, schlagen; **7.** *mst* *~* ***along*** (einˈher)stampfen, wuchtig gehen; **8.** stampfen (*Maschine etc.*); **9.** *~* (***away***) ***at*** ⚔ unter schweren Beschuß nehmen.

pound[3] [paʊnd] **I** *s.* **1.** ˈTieraˌsyl *n*; **2.** Hürde *f*, Pferch *m*; **3.** Abstellplatz *m* für abgeschleppte Autos; **II** *v/t.* **4.** *oft* *~* ***up*** einpferchen.

pound·age [ˈpaʊndɪdʒ] *s.* **1.** Anteil *m* *od.* Gebühr *f* pro Pfund (*Sterling*); **2.** Bezahlung *f* pro Pfund (*Gewicht*); **3.** Gewicht *n* in Pfund.

pound·er [ˈpaʊndə] *s. in Zssgn* ...pfünder.

ˌpound-ˈfool·ish *adj.* unfähig, mit großen Summen *od.* Proˈblemen ˈumzugehen; → ***penny-wise***.

pour [pɔː] **I** *s.* **1.** Strömen *n*; **2.** (Regen-)Guß *m*; **3.** *metall.* Einguß *m*: *~* ***test*** Stockpunktbestimmung; **II** *v/t.* **4.** gießen, schütten (***from***, ***out of*** aus, ***into***, ***in*** in *acc.*, ***on***, ***upon*** auf *acc.*): *~* ***forth*** (*od.* ***out***) a) ausgießen, (aus)strömen lassen, b) *fig. Herz* ausschütten, *Kummer* ausbreiten, c) *Flüche etc.* ausstoßen; *~* ***out drinks*** Getränke eingießen, -schenken; *~* ***off*** abgießen; *~* ***it on*** *Am. sl.* a) ‚rangehen', b) *a.* *~* ***on the speed*** ‚volle Pulle' fahren; **5.** *~* ***itself*** sich ergießen (*Fluß*); **III** *v/i.* **6.** strömen, gießen: *~* ***down*** niederströmen; *~* ***forth*** (*od.* ***out***) (*a. fig.*) sich ergießen, strömen (***from*** aus); ***it ~s with rain*** es gießt in Strömen; ***it never rains but it ~s*** *fig.* ein Unglück kommt selten allein; **7.** *fig.* strömen (*Menschenmenge etc.*): *~* ***in*** hereinströmen (*a. Aufträge, Briefe etc.*); **8.** *metall. in die Form* gießen; **pour·a·ble** [ˈpɔːəbl] *adj.* ⚙ vergießbar: *~* ***compound*** Gußmasse *f*; **pour·ing** [ˈpɔːrɪŋ] **I** *adj.* **1.** strömend (*a. Regen*); **2.** ⚙ Gieß..., Guß...: *~* ***gate*** Gießtrichter *m*; **II** *s.* **3.** ⚙ (Ver)Gießen *n*, Guß *m*.

pout[1] [paʊt] **I** *v/i.* **1.** die Lippen spitzen *od.* aufwerfen; **2.** a) e-e Schnute *od.* e-n Flunsch ziehen, b) *fig.* schmollen; **3.** vorstehen (*Lippen*); **II** *v/t.* **4.** *Lippen*, *Mund* (schmollend) aufwerfen, (*a. zum Kuß*) spitzen; **5.** schmollen(d sagen); **III** *s.* **6.** Flunsch *m*, Schnute *f*, Schmollmund *m*; **7.** Schmollen *n*: ***have the ~s*** schmollen, im Schmollwinkel sitzen.

pout[2] [paʊt] *s. ein* Schellfisch *m*.

pout·er [ˈpaʊtə] *s.* **1.** *a.* *~* ***pigeon*** *orn.* Kropftaube *f*; **2.** → ***pout***[2].

pov·er·ty [ˈpɒvətɪ] *s.* **1.** (***of*** an *dat.*) Armut *f*, Mangel *m* (*beide a. fig.*): *~* ***of ideas*** Ideenarmut; **2.** *fig.* Armseligkeit *f*, Dürftigkeit *f*; **3.** Armut *f*, geringe Ergiebigkeit (*des Bodens etc.*); **ˈ~-ˌstrick·en** *adj.* **1.** in Armut lebend, verarmt; **2.** *fig.* armselig.

pow·der [ˈpaʊdə] **I** *s.* **1.** (*Back-, Schieß- etc.*)Pulver *n*: ***not worth ~ and shot*** keinen Schuß Pulver wert; ***keep your ~ dry!*** sei auf der Hut!; ***take a ~*** *Am. sl.* ‚türmen'; **2.** Puder *m*: ***face ~***; **II** *v/t.* **3.** pulvern, pulverisieren: ***~ed milk*** Trokkenmilch *f*; ***~ed sugar*** Staubzucker *m*; **4.** (be)pudern: *~* ***one's nose*** a) sich die Nase pudern, b) F ‚mal kurz verschwinden'; **5.** bestäuben, bestreuen (***with*** mit); **III** *v/i.* **6.** zu Pulver werden; *~* ***box*** *s.* Puderdose *f*; *~* ***keg*** *s. fig.* Pulverfaß *n*; **ˈ~-ˌmet·al·lur·gy** *s.* ˈSintermetallurˌgie *f*, Meˈtallkeˌramik *f*; *~* ***mill*** *s.* ˈPulvermühle *f*, -faˌbrik *f*; *~* ***puff*** *s.* Puderquaste *f*; *~* ***room*** *s.* ˈDamentoiˌlette *f*.

pow·der·y [ˈpaʊdərɪ] *adj.* **1.** pulverig, Pulver...: *~* ***snow*** Pulverschnee *m*; **2.** bestäubt.

pow·er [ˈpaʊə] **I** *s.* **1.** Kraft *f*, Stärke *f*, Macht *f*, Vermögen *n*: ***do all in one's ~*** alles tun, was in s-r Macht steht; ***it was out of*** (*od.* ***not in***) ***his ~*** es stand nicht in s-r Macht (***to do*** zu tun); ***more ~ to you***(***r elbow***)***!*** nur zu!, viel Erfolg!; **2.** Kraft *f*, Enerˈgie *f*; *weitS.* Wucht *f*, Gewalt *f*; **3.** *mst pl. hypnotische etc.* Kräfte *pl.*, (geistige) Fähigkeiten *pl.*, Taˈlent *n*: ***reasoning ~*** Denkvermögen *n*; **4.** Macht *f*, Gewalt *f*, Herrschaft *f*, Einfluß *m* (***over*** über *acc.*): ***be in ~*** *pol.* an der Macht *od.* am Ruder sein; ***be in s.o.'s ~*** in j-s Gewalt sein; ***come into ~*** *pol.* an die Macht kommen; *~* ***politics*** Machtpolitik *f*; **5.** *pol.* Gewalt *f als Staatsfunktion*: ***legislative ~***; ***separation of ~s*** Gewaltenteilung *f*; **6.** *pol.* (Macht)Befugnis *f*, (Amts)Gewalt *f*; **7.** ⚖ (Handlungs-, Vertretungs)Vollmacht *f*, Befugnis *f*, Recht *n*: *~* ***of testation*** Testierfähigkeit *f*; → ***attorney***; **8.** *pol.* Macht *f*, Staat *m*; **9.** Macht(faktor *m*) *f*, einflußreiche Stelle *od.* Perˈson: ***the ~s that be*** die maßgeblichen (Regierungs)Stellen; *~* ***behind the throne*** graue Eminenz; **10.** *mst pl.* höhere Macht: ***heavenly ~s***; **11.** F Masse *f*: ***a ~ of people***; **12.** ⩓ Poˈtenz *f*: ***raise to the third ~*** in die dritte Potenz erheben; **13.** ↯, *phys.* Kraft *f*, Enerˈgie *f*,

Leistung *f*; *a.* ~ ***current*** ϟ (Stark)Strom *m*; *Funk*, *Radio*, *TV*: Sendestärke *f*; *opt.* Stärke *f e-r Linse*: ~ ***cable*** Starkstromkabel *n*; ~ ***economy*** Energiewirtschaft *f*; **14.** ⚙ me'chanische Kraft, Antriebskraft *f*: ~***-propelled*** kraftbetrieben, Kraft...; ~ ***on*** (mit) Vollgas; ~ ***off*** a) mit abgestelltem Motor, b) im Leerlauf; **II** *v/t.* **15.** mit (*elektrischer etc.*) Kraft versehen *od.* betreiben, antreiben: ***rocket-~ed*** raketengetrieben; ~ **am·pli·fi·er** *s. Radio*: Kraft-, Endverstärker *m*; '~**-as|sis·ted** *adj. mot.* Servo... (*-lenkung etc.*); ~ **brake** *s. mot.* 'Servobremse *f*; ~ **con·sump·tion** *s.* ϟ Strom-, Ener'gieverbrauch *m*; ~ **cut** *s.* ϟ **1.** Stromsperre *f*; **2.** → ***power failure***; '~**-drive** *s.* ⚙ Kraftantrieb *m*; '~**-|driv·en** *adj.* ⚙ kraftbetrieben, Kraft...; ~ **en·gi·neer·ing** *s.* ϟ 'Starkstrom|technik *f*; ~ **fac·tor** *s.* ϟ, *phys.* 'Leistungs|faktor *m*; |~**-'fail pro·tec·tion** *s.* Netzausfallschutz *m*; ~ **fail·ure** *s.* ϟ Strom-, Netzausfall *m*.

pow·er·ful ['paʊəfʊl] *adj.* □ **1.** mächtig (*a. Körper*, *Schlag*, *Mensch*), stark (*a. opt. u. Motor*), gewaltig, kräftig; **2.** *fig.* kräftig, wirksam (*a. Argument*); wuchtig (*Stil*); packend (*Roman etc.*); **3.** F ‚massig', gewaltig.

pow·er| glid·er *s.* ✈ Motorsegler *m*; '~**·house** *s.* **1.** → ***power station***; **2.** ⚙ Ma'schinenhaus *n*; **3.** *Am. sl.* a) *sport* ‚Bombenmannschaft' *f*, b) *sport* ‚Ka'none' *f* (*Spitzenspieler*), c) Riesenkerl *m*, d) ‚Wucht' *f*, ‚tolle' Person *od.* Sache; ~ **lathe** *s.* ⚙ Hochleistungsdrehbank *f*.

pow·er·less ['paʊəlɪs] *adj.* □ kraft-, machtlos, ohnmächtig.

pow·er| line *s.* ϟ **1.** Starkstromleitung *f*; **2.** 'Überlandleitung *f*; |~**-'op·er·at·ed** *adj.* ⚙ kraftbetätigt, -betrieben; ~ **output** *s.* ϟ, ⚙ Ausgangs-, Nennleistung *f*; ~ **pack** *s.* ϟ Netzteil *n* (*Radio etc.*); '~**-plant** *s.* **1.** → ***power station***; **2.** Ma'schinensatz *m*, Aggre'gat *n*, Triebwerk(anlage *f*) *n*; ~ **play** *s. sport* Powerplay *n*; ~ **point** *s.* ϟ Steckdose *f*; ~ **pol·i·tics** *s. pl. sg. konstr.* 'Machtpoli|tik *f*; ~ **saw** *s.* ⚙ Motorsäge *f*; ~ **shar·ing** *s.* Teilhabe *f* an der Macht; '~**-|shov·el** *s.* ⚙ Löffelbagger *m*; ~ **sta·tion** *s.* ϟ Elektrizi'täts-, Kraftwerk *n*: ***long-distance*** ~ Überlandzentrale *f*; ~ **steer·ing** *s. mot.* Servolenkung *f*; ~ **stroke** *s.* ⚙, ϟ, *mot.* Arbeitshub *m*, -takt *m*; ~ **strug·gle** *s.* Machtkampf *m*; ~ **sup·ply** *s.* ϟ **1.** Ener'gieversorgung *f*, Netz(anschluß *m*) *n*; **2.** → ***power pack***; ~ **trans·mis·sion** *s.* ⚙ 'Leistungs-, Ener'gieüber|tragung *f*; ~ **un·it** *s.* **1.** → ***power station***; **2.** → ***power plant*** 2.

pow·wow ['paʊwaʊ] **I** *s.* **1.** a) indi'anisches Fest, b) Ratsversammlung *f*, c) indi'anischer Medi'zinmann; **2.** *Am.* F a) (lärmende, *a.* po'litische) Versammlung, b) Konfe'renz *f*, Besprechung *f*; **II** *v/i.* **3.** *bsd. Am.* F e-e Versammlung *etc.* abhalten; debattieren.

pox [pɒks] *s.* ⚕ **1.** Pocken *pl.*, Blattern *pl.*; Pusteln *pl.*; **2.** V Syphilis *f*.

prac·ti·ca·bil·i·ty [|præktɪkə'bɪlətɪ] *s.* 'Durchführbarkeit *f etc.*; **prac·ti·ca·ble** ['præktɪkəbl] *adj.* □ **1.** 'durch-, ausführbar, möglich; **2.** anwendbar, brauchbar; **3.** gang-, (be)fahrbar (*Straße*, *Furt etc.*).

prac·ti·cal ['præktɪkl] *adj.* □ → ***practically***; **1.** (*Ggs. theoretisch*) praktisch (*Kenntnisse*, *Landwirtschaft etc.*); angewandt: ~ ***chemistry***; ~ ***fact*** Erfahrungstatsache *f*; **2.** praktisch (*Anwendung*, *Versuch etc.*); **3.** praktisch, geschickt (*Person*); **4.** praktisch, in der Praxis tätig, ausübend: ~ ***politician***; ~ ***man*** Mann der Praxis, Praktiker; **5.** praktisch (*Denken*); **6.** praktisch, faktisch, tatsächlich; **7.** sachlich; **8.** praktisch anwendbar, 'durchführbar; **9.** handgreiflich, grob: ~ ***joke***; **prac·ti·cal·i·ty** [|præktɪ'kælətɪ] *s. das* Praktische, praktisches Wesen, Sachlichkeit *f*; praktische Anwendbarkeit; '**prac·ti·cal·ly** *adv.* **1.** [-kəlɪ] → ***practical***; **2.** [-klɪ] praktisch, so gut wie *nichts etc.*

prac·tice ['præktɪs] **I** *s.* **1.** Praxis *f* (*Ggs. Theorie*): ***in*** ~ in der Praxis; ***put into*** ~ in die Praxis umsetzen, ausführen, verwirklichen; **2.** Übung *f* (*a.* ♪, ⚔), *mot. sport* Training *n*: ***in*** (***out of***) ~ in (aus) der Übung; ~ ***makes perfect*** Übung macht den Meister; **3.** Praxis *f* (*Arzt*, *Anwalt*): ***be in*** ~ praktizieren, s-e Praxis ausüben (*Arzt*); **4.** Brauch *m*, Gewohnheit *f*, übliches Verfahren, Usus *m*; **5.** Handlungsweise *f*, Praktik *f*; *oft pl. contp.* (unsaubere) Praktiken *pl.*, Machenschaften *pl.*, Schliche *pl.*; **6.** Verfahren *n*; ⚙ *a.* Technik *f*: ***welding*** ~ Schweißtechnik; **7.** ⚖ Verfahren(sregeln *pl.*) *n*, for'melles Recht; **8.** Übungs..., Probe...: ~ ***alarm***, ~ ***alert*** Probealarm *m*; ~ ***ammunition*** ⚔ Übungsmunition *f*; ~ ***cartridge*** ⚔ Exerzierpatrone *f*; ~ ***flight*** ✈ Übungsflug *m*; ~ ***run*** *mot.* Trainingsfahrt *f*; **II** *v/t. u. v/i.* **9.** *Am.* → ***practise***.

prac·tise ['præktɪs] **I** *v/t.* **1.** *Beruf* ausüben; *Geschäft etc.* betreiben; tätig sein als *od.* in (*dat.*), *als Arzt*, *Anwalt* praktizieren: ~ ***medicine*** (***law***); **2.** ♪ *etc.* (ein)üben, sich üben in (*dat.*); *et. auf e-m Instrument* üben; *j-n* schulen: ~ ***Bach*** Bach üben; **3.** *fig. Höflichkeit etc.* üben: ~ ***politeness***; **4.** verüben: ~ ***a fraud on*** *j-n* arglistig täuschen; **II** *v/i.* **5.** praktizieren (*als Arzt*, *Jurist*, *a. Katholik*); **6.** (sich) üben (***on the piano*** auf dem Klavier, ***at shooting*** im Schießen); **7.** ~ ***on*** (*od.* ***upon***) a) *j-n* ‚bearbeiten', b) *j-s Schwäche etc.* ausnutzen, miß'brauchen; '**prac·tised** [-st] *adj.* geübt (*Person, a. Auge, Hand*).

prac·ti·tion·er [præk'tɪʃnə] *s.* **1.** Praktiker *m*; **2.** ***general*** (*od.* ***medical***) ~ praktischer Arzt; **3.** ***legal*** (*od.* ***general***) ~ (Rechts)Anwalt *m*.

prag·mat·ic [præg'mætɪk] *adj.* (□ ~***ally***) **1.** *phls.* prag'matisch; **2.** → **prag'mat·i·cal** [-kl] *adj.* □ **1.** *phls.* prag'matisch, *fig. a.* praktisch (denkend), sachlich; **2.** belehrend; **3.** geschäftig; **4.** 'übereifrig, aufdringlich; **5.** rechthaberisch; **prag·ma·tism** ['prægmətɪzəm] *s.* **1.** *phls.* Pragma'tismus *m*, *fig. a.* Sachlichkeit *f*, praktisches Denken; **2.** 'Übereifer *m*; **3.** rechthaberisches Wesen; **prag·ma·tize** ['prægmətaɪz] *v/t.* **1.** als re'al darstellen; **2.** vernunftmäßig erklären, rationalisieren.

prai·rie ['preərɪ] *s.* **1.** Grasebene *f*, Steppe *f*; **2.** Prä'rie *f* (*in Nordamerika*); **3.** *Am.* (grasbewachsene) Lichtung; ~ **dog** *s. zo.* Prä'riehund *m*; ~ **schoon·er** *s. Am.* Planwagen *m der frühen Siedler*.

praise [preɪz] **I** *v/t.* **1.** loben, rühmen, preisen; → ***sky*** 2; **2.** (*bsd. Gott*) (lob-)preisen, loben; **II** *s.* **3.** Lob *n*: ***sing s.o.'s*** ~ j-s Lob singen; ***in*** ~ ***of s.o.***, ***in s.o.'s*** ~ zu j-s Lob; '~ˌ**wor·thi·ness** *s.* Löblichkeit *f*, lobenswerte Eigenschaft; '~ˌ**wor·thy** *adj.* □ lobenswert, löblich.

pram[1] [præm] *s.* ⚓ Prahm *m*.

pram[2] [præm] *s.* F → ***perambulator***.

prance [prɑːns] *v/i.* **1.** a) sich bäumen, b) tänzeln (*Pferd*); **2.** (ein'her)stolzieren, paradieren; sich brüsten; **3.** F her'umtollen.

pran·di·al ['prændɪəl] *adj.* Essens…, Tisch…

prang [præŋ] *Brit.* F **I** *s.* **1.** ✈ Bruchlandung *f*; **2.** *mot.* schwerer Unfall; **3.** Luftangriff *m*; **4.** *fig.* ‚tolles Ding'; **II** *v/i.* **5.** ‚knallen', ‚krachen'.

prank[1] [præŋk] *s.* **1.** Streich *m*, Ulk *m*, Jux *m*; **2.** *weitS.* Kapri'ole *f*, Faxe *f e-r Maschine etc.*

prank[2] [præŋk] **I** *v/t. mst* ~ ***out*** (*od.* ***up***) (her'aus)putzen, schmücken; **II** *v/i.* prunken, prangen.

prate [preɪt] **I** *v/i.* schwatzen, schwafeln (***of*** von); **II** *v/t.* (da'her)schwafeln; **III** *s.* Geschwätz *n*, Geschwafel *n*; '**prat·er** [-tə] *s.* Schwätzer(in); '**prat·ing** [-tɪŋ] *adj.* □ schwatzhaft, geschwätzig; **prat·tle** ['prætl] → ***prate***.

prawn [prɔːn] *s. zo.* Gar'nele *f*.

pray [preɪ] **I** *v/i.* **1.** beten (***to*** zu, ***for*** um, für); **2.** bitten, ersuchen (***for*** um); ⚖ beantragen (***that*** daß); **II** *v/t.* **3.** *j-n* inständig bitten, ersuchen, anflehen (***for*** um): ~, ***consider!*** bitte, bedenken Sie doch!; **4.** *et.* erbitten, erflehen.

prayer [preə] *s.* **1.** Ge'bet *n*: ***put up a*** ~ ein Gebet emporsenden; ***say one's*** ~***s*** beten, s-e Gebete verrichten; ***he hasn't got a*** ~ *Am. sl.* er hat nicht die geringste Chance; **2.** *oft pl.* Andacht *f*: ***evening*** ~ Abendandacht; **3.** inständige Bitte, Flehen *n*; **4.** Gesuch *n*; ⚖ *a.* Antrag *m*, Klagebegehren *n*; **5.** ['preɪə] Beter(in); ~ **book** *s.* Ge'betbuch *n*; ~ **meet·ing** *s.* Ge'betsversammlung *f*; ~ **wheel** *s.* Ge'betsmühle *f*.

pre- [priː; prɪ] *in Zssgn* a) (*zeitlich*) vor (-her); vor…; früher als, b) (*räumlich*) vor, da'vor.

preach [priːtʃ] **I** *v/i.* **1.** (***to***) predigen (zu *od.* vor *dat.*), e-e Predigt halten (*dat. od.* vor *dat.*); **2.** *fig.* ‚predigen': ~ ***at s.o.*** j-m e-e (Moral)Predigt halten; **II** *v/t.* **3.** *et.* predigen: ~ ***the gospel*** das Evangelium verkünden; ~ ***a sermon*** e-e Predigt halten; **4.** ermahnen zu: ~ ***charity*** Nächstenliebe predigen; '**preach·er** [-tʃə] *s.* Prediger(in); '**preach·i·fy** [-tʃɪfaɪ] *v/i.* sal'badern, Mo'ral predigen; '**preach·ing** [-tʃɪŋ] *s.* **1.** Predigen *n*; **2.** *bibl.* Lehre *f*; '**preach·y** [-tʃɪ] *adj.* □ F sal'badernd, moralisierend.

pre·am·ble [priː'æmbl] *s.* **1.** Prä'ambel *f* (*a.* ⚖), Einleitung *f*; Oberbegriff *m e-r Patentschrift*; Kopf *m e-s Funkspruchs etc.*; **2.** *fig.* Vorspiel *n*, Auftakt *m*.

pre·ar·range [ˌpriːə'reɪndʒ] *v/t.* **1.** vorher abmachen *od.* anordnen *od.* bestimmen; **2.** vorbereiten.

preb·end ['prebənd] *s. eccl.* Prä'bende *f*, Pfründe *f*; '**preb·en·dar·y** [-bəndərɪ] *s.* Pfründner *m*.

pre·cal·cu·late [ˌpriː'kælkjʊleɪt] *v/t.* vor'ausberechnen.

pre·car·i·ous [prɪ'keərɪəs] *adj.* □ **1.** pre'kär, unsicher (*a. Lebensunterhalt*), bedenklich (*a. Gesundheitszustand*); **2.** gefährlich; **3.** anfechtbar; **4.** ⚖ 'widerruflich; **pre'car·i·ous·ness** [-nɪs] *s.* **1.** Unsicherheit *f*; **2.** Gefährlichkeit *f*; **3.** Zweifelhaftigkeit *f*.

pre·cau·tion [prɪ'kɔːʃn] *s.* **1.** Vorkehrung *f*, Vorsichtsmaßregel *f*: ***take*** ~***s*** Vorsichtsmaßregeln *od.* Vorsorge treffen; ***as a*** ~ vorsichtshalber, vorsorglich; **2.** Vorsicht *f*; **pre'cau·tion·ar·y** [-ʃnərɪ] *adj.* **1.** vorbeugend, Vorsichts…: ~ ***measures*** Vorkehrungen; **2.** Warn…: ~ ***signal*** Warnsignal *n*.

pre·cede [ˌpriː'siːd] **I** *v/t.* **1.** vor'aus-, vor'angehen (*dat.*) (*a. fig. Buchkapitel, Zeitraum etc.*); **2.** den Vorrang *od.* Vortritt *od.* Vorzug haben vor (*dat.*), vorgehen (*dat.*); **3.** *fig.* (***by***, ***with s.th.***) (durch *et.*) einleiten, (*e-r Sache et.*) vor'ausschicken; **II** *v/i.* **4.** vor'an-, vor'ausgehen; **5.** den Vorrang *od.* Vortritt haben; ˌ**pre'ced·ence** [-dəns] *s.* **1.** Vor'hergehen *n*, Priori'tät *f*: ***have the*** ~

of *e-r Sache zeitlich* vorangehen; **2.** Vorrang *m*, Vorzug *m*, Vortritt *m*, Vorrecht *n*: ***take ~ of*** (*od.* ***over***) → ***precede*** 2; (***order of***) ~ Rangordnung *f*; **prec·e·dent** ['presɪdənt] **I** *s.* ⚖ Präze'denzfall *m*, Präju'diz *n*: ***without ~*** ohne Beispiel, noch nie dagewesen; ***set a ~*** e-n Präzedenzfall schaffen; **II** [prɪ'si:dənt] *adj.* □ vor'hergehend; **pre'ced·ing** [-dɪŋ] **I** *adj.* vor'hergehend: ***~ indorser*** ✝ Vor(der)mann *m* (*Wechsel*); **II** *prp.* vor (*dat.*).

pre·cen·sor [ˌpri:'sensə] *v/t.* e-r 'Vorzenˌsur unter'werfen.

pre·cen·tor [ˌpri:'sentə] *s.* ♪, *eccl.* Kantor *m*, Vorsänger *m*.

pre·cept ['pri:sept] *s.* **1.** (*a.* göttliches) Gebot; **2.** Regel *f*, Richtschnur *f*; **3.** Lehre *f*, Unter'weisung *f*; **4.** ⚖ Gerichtsbefehl *m*; **pre·cep·tor** [prɪ'septə] *s.* Lehrer *m*.

pre·cinct ['pri:sɪŋkt] *s.* **1.** Bezirk *m*: ***cathedral ~s*** Domfreiheit *f*; **2.** *bsd. Am.* Poli'zei-, Wahlbezirk *m*; **3.** *pl.* Bereich *m*, *pl. fig. a.* Grenzen *pl.*

pre·ci·os·i·ty [ˌpreʃɪ'ɒsətɪ] *s.* Geziertheit *f*, Affektiertheit *f*.

pre·cious ['preʃəs] **I** *adj.* □ **1.** kostbar, wertvoll (*a. fig.*): ***~ memories***; **2.** edel (*Steine etc.*): ***~ metals*** Edelmetalle; **3.** F ‚schön': a) *iro.* ‚nett': ***a ~ mess***, b) beträchtlich: ***a ~ lot better than*** bei weitem besser als; **4.** *fig.* prezi'ös, affektiert, geziert: ***~ style***; **II** *adv.* **5.** F reichlich, äußerst: ***~ little***; **III** *s.* **6.** Schatz *m*, Liebling *m*: ***my ~!***; **'pre·cious·ness** [-nɪs] *s.* **1.** Köstlichkeit *f*, Kostbarkeit *f*; **2.** → ***preciosity***.

prec·i·pice ['presɪpɪs] *s.* Abgrund *m*, *fig. a.* Klippe *f*.

pre·cip·i·ta·ble [prɪ'sɪpɪtəbl] *adj.* ⚗ abscheidbar, fällbar, niederschlagbar; **pre'cip·i·tance** [-təns], **pre·cip·i·tan·cy** [-tənsɪ] *s.* **1.** Eile *f*; **2.** Hast *f*, Über'stürzung *f*; **pre'cip·i·tant** [-tənt] **I** *adj.* □ **1.** (steil) abstürzend, jäh; **2.** *fig.* hastig, eilig; **3.** *fig.* über'eilt; **II** *s.* **4.** ⚗ Fällungsmittel *n*; **pre'cip·i·tate** [-teɪt] **I** *v/t.* **1.** hin'abstürzen (*a. fig.*); **2.** *fig. Ereignisse* her'aufbeschwören, (plötzlich) her'beiführen, beschleunigen; **3.** *j-n* (hin'ein)stürzen (***into*** in *acc.*): ***~ a country into war***; **4.** ⚗ (aus)fällen; **5.** *meteor.* niederschlagen, verflüssigen; **II** *v/i.* **6.** ⚗ *u. meteor.* sich niederschlagen; **III** *adj.* [-tət] **7.** jäh(lings) hin'abstürzend, steil abfallend; **8.** *fig.* über'stürzt, -'eilt, 'voreilig; eilig, hastig; **9.** plötzlich; **IV** *s.* [-teɪt] **10.** ⚗ Niederschlag *m*, 'Fällproˌdukt *n*; **pre'cip·i·tate·ness** [-tətnɪs] *s.* Über'eilung *f*, 'Voreiligkeit *f*; **pre·cip·i·ta·tion** [prɪˌsɪpɪ'teɪʃn] *s.* **1.** jäher Sturz, (Her'ab)Stürzen *n*; **2.** *fig.* Über'stürzung *f*; Hast *f*; **3.** ⚗ Fällung *f*; **4.** *meteor.* Niederschlag *m*; **5.** *Spiritismus*: Materialisati'on *f*; **pre'cip·i·tous** [-təs] *adj.* □ **1.** jäh, steil (abfallend), abschüssig; **2.** *fig.* über'stürzt.

pré·cis ['preɪsi:] (*Fr.*) **I** *pl.* **-cis** [-si:z] *s.* (kurze) 'Übersicht, Zs.-fassung *f*; **II** *v/t.* kurz zs.-fassen.

pre·cise [prɪ'saɪs] *adj.* □ **1.** prä'zis(e), klar, genau; **2.** ex'akt, (peinlich) genau, kor'rekt; *contp.* pe'dantisch; **3.** genau, richtig (*Betrag*, *Moment etc.*); **pre'cise·ly** [-lɪ] *adv.* **1.** → ***precise***; **2.** gerade, genau, ausgerechnet; **3.** ***~!*** genau!; **pre'cise·ness** [-nɪs] *s.* **1.** (über'triebene) Genauigkeit; **2.** (ängstliche) Gewissenhaftigkeit, Pedante'rie *f*; **pre·ci·sion** [prɪ'sɪʒn] **I** *s.* Genauigkeit *f*, Ex'aktheit *f*; *a.* ⚙, ⚔ Präzisi'on *f*; **II** *adj.* ⚙, ⚔ Präzisions…, Fein…: ***~ adjustment*** a) ⚙ Feineinstellung, b) ⚔ genaues Einschießen; ***~ bombing*** gezielter Bombenwurf; ***~ instrument*** Präzisionsinstrument *n*; ***~ mechanics*** Feinmechanik *f*; ***~-made*** Präzisions…

pre·clude [prɪ'klu:d] *v/t.* **1.** ausschließen (***from*** von); **2.** *e-r Sache* vorbeugen *od.* zu'vorkommen; *Einwände* vor'wegnehmen; **3.** *j-n* hindern (***from*** an *dat.*, ***from doing*** zu tun); **pre'clu·sion** [-u:ʒn] *s.* **1.** Ausschließung *f*, Ausschluß *m* (***from*** von); **2.** Verhinderung *f*; **pre'clu·sive** [-u:sɪv] *adj.* □ **1.** ausschließend (***of*** von); **2.** (ver)hindernd.

pre·co·cious [prɪ'kəʊʃəs] *adj.* □ **1.** frühreif, frühzeitig (entwickelt); **2.** *fig.* frühreif, altklug; **pre'co·cious·ness** [-nɪs], **pre'coc·i·ty** [-'kɒsətɪ] *s.* **1.** Frühreife *f*, -zeitigkeit *f*; **2.** *fig.* Frühreife *f*, Altklugheit *f*.

pre·cog·ni·tion [ˌpri:kɒg'nɪʃn] *s.* Präkogniti'on *f*, Vorauswissen *n*.

pre·con·ceive [ˌpri:kən'si:v] *v/t.* (sich) vorher ausdenken, sich vorher vorstellen: ***~d opinion*** → **pre·con·cep·tion** [ˌpri:kən'sepʃn] *s.* vorgefaßte Meinung, *a.* Vorurteil *n*.

pre·con·cert [ˌpri:kən'sɜ:t] *v/t.* vorher vereinbaren: ***~ed*** verabredet, *b.s.* abgekartet.

pre·con·di·tion [ˌpri:kən'dɪʃn] **I** *s.* **1.** Vorbedingung *f*, Vor'aussetzung *f*; **II** *v/t.* **2.** ⚙ vorbehandeln; **3.** *fig.* j-n einstimmen.

pre·co·nize ['pri:kənaɪz] *v/t.* **1.** öffentlich verkündigen; **2.** *R. C. Bischof* präkonisieren.

pre·cook [ˌpri:'kʊk] *v/t.* vorkochen.

pre·cool [ˌpri:'ku:l] *v/t.* vorkühlen.

pre·cur·sor [ˌpri:'kɜ:sə] *s.* **1.** Vorläufer (-in), Vorbote *m*, -botin *f*; **2.** (Amts-) Vorgänger(in); **ˌpre'cur·so·ry** [-ərɪ] *adj.* **1.** vor'ausgehend; **2.** einleitend, vorbereitend.

pre·da·ceous *Am.*, **pre·da·cious** *Brit.* [prɪ'deɪʃəs] *adj.* räuberisch: ***~ animal***

P

Raubtier *n*; ~ ***instinct*** Raub(tier)instinkt *m*.

pre·date [ˌpriːˈdeɪt] *v/t*. **1.** zuˈrück-, vordatieren; **2.** *zeitlich* vorˈangehen.

pred·a·to·ry [ˈpredətərɪ] *adj*. □ räuberisch, Raub…(*-krieg, -vogel etc.*).

pre·de·cease [ˌpriːdɪˈsiːs] *v/t*. früher sterben als *j-d*, vor *j-m* sterben: ***~d parent*** ⚖ vorverstorbener Elternteil.

pred·e·ces·sor [ˈpriːdɪsesə] *s*. **1.** Vorgänger(in) (*a. fig. Buch etc.*): ~ ***in interest*** ⚖ Rechtsvorgänger; ~ ***in office*** Amtsvorgänger; **2.** Vorfahr *m*.

pre·des·ti·nate [ˌpriːˈdestɪneɪt] **I** *v/t*. *eccl. u. weitS*. prädestinieren, aus(er)wählen, (vorˈher)bestimmen, ausersehen (***to*** für, zu); **II** *adj*. [-neɪt] prädestiniert, auserwählt; **pre·des·ti·na·tion** [priːˌdestɪˈneɪʃn] *s*. **1.** Vorˈherbestimmung *f*; **2.** *eccl*. Prädestinatiˈon *f*, Gnadenwahl *f*; ˌ**preˈdes·tine** [-tɪn] → ***predestinate*** I.

pre·de·ter·mi·na·tion [ˈpriːdɪˌtɜːmɪˈneɪʃn] *s*. Vorˈherbestimmung *f*; **pre·de·ter·mine** [ˌpriːdɪˈtɜːmɪn] *v/t*. **1.** *eccl*., *a*. ⚙ vorˈherbestimmen; **2.** *Kosten etc.* vorher festsetzen *od*. bestimmen: ~ ***s.o. to s.th.*** j-n für et. vorbestimmen.

pred·i·ca·ble [ˈpredɪkəbl] **I** *adj*. aussagbar, *j-m* zuzuschreiben(d); **II** *s. pl. phls*. Prädikaˈbilien *pl*., Allgemeinbegriffe *pl*.; **pre·dic·a·ment** [prɪˈdɪkəmənt] *s*. **1.** *phls*. Kategoˈrie *f*; **2.** (mißliche) Lage; **pred·i·cate** [ˈpredɪkeɪt] **I** *v/t*. **1.** behaupten, aussagen; **2.** *phls*. prädizieren, aussagen; **3.** gründen, basieren (***on*** auf *dat*.): ***be ~d on*** basieren auf (*dat*.); **II** *s*. [-kət] **4.** *phls*. Aussage *f*; **5.** *ling*. Prädiˈkat *n*, Satzaussage *f*: ~ ***adjective*** prädikatives Adjektiv; ~ ***noun*** Prädikatsnomen *n*; **pred·i·ca·tion** [ˌpredɪˈkeɪʃn] *s*. Aussage *f* (*a. ling. im Prädikat*), Behauptung *f*; **pred·i·ca·tive** [prɪˈdɪkətɪv] *adj*. □ **1.** aussagend, Aussage…; **2.** *ling*. prädikaˈtiv; **pred·i·ca·to·ry** [prɪˈdɪkətərɪ] *adj*. **1.** predigend, Prediger…; **2.** gepredigt.

pre·dict [prɪˈdɪkt] *v/t*. vorˈher-, vorˈaussagen, propheˈzeien; **preˈdict·a·ble** [-təbl] *adj*. vorˈaussagbar, berechenbar (*a. Person, Politik etc.*): ***he's so*** ~ bei ihm weiß man immer genau, was er tun wird; **preˈdict·a·bly** [-təblɪ] *adv*. a) wie vorherzusehen war, b) man kann jetzt schon sagen, daß; **preˈdic·tion** [-kʃn] *s*. Vorˈher-, Vorˈaussage *f*, Weissagung *f*, Propheˈzeiung *f*; **preˈdic·tor** [-tə] *s*. **1.** Proˈphet(in); **2.** ✈ Komˈmandogerät *n*.

pre·di·lec·tion [ˌpriːdɪˈlekʃn] *s*. Vorliebe *f*, Voreingenommenheit *f*.

pre·dis·pose [ˌpriːdɪˈspəʊz] *v/t*. **1.** (***for***) *j-n* (im vorˈaus) geneigt *od*. empfänglich machen *od*. einnehmen (für); **2.** (***to***) *bsd*. ⚕ prädisponieren, empfänglich *od*. anfällig machen (für); **pre·dis·po·si·tion** [ˈpriːˌdɪspəˈzɪʃn] *s*. (***to***) Neigung *f* (zu); Empfänglichkeit *f* (für); Anfälligkeit *f* (für) (*alle a*. ⚕).

pre·dom·i·nance [prɪˈdɒmɪnəns] *s*. **1.** Vorherrschaft *f*; Vormacht(stellung) *f*; **2.** *fig*. Vorherrschen *n*, Überˈwiegen *n*, ˈÜbergewicht *n* (***in*** in *dat*., ***over*** über *acc*.); **3.** Überˈlegenheit *f*; **preˈdom·i·nant** [-nt] *adj*. □ **1.** vorherrschend, überˈwiegend, ˈvorwiegend; **2.** überˈlegen; **preˈdom·i·nate** [-neɪt] *v/i*. **1.** vorherrschen, überˈwiegen, vorwiegen; **2.** *zahlenmäßig, geistig, körperlich etc.* überˈlegen sein; **3.** die Oberhand *od*. das ˈÜbergewicht haben (***over*** über *acc*.); **4.** herrschen, die Herrschaft haben (***over*** über *acc*.).

pre·em·i·nence [ˌpriːˈemɪnəns] *s*. **1.** Herˈvorragen *n*, Überˈlegenheit *f* (***above, over*** über *acc*.); **2.** Vorrang *m*, -zug *m* (***over*** vor *dat*.); **3.** herˈvorragende Stellung; ˌ**pre-ˈem·i·nent** [-nt] *adj*. □ herˈvorragend, überˈragend: ***be*** ~ hervorstechen, sich hervortun.

pre·empt [ˌpriːˈempt] *v/t*. **1.** (*v/i*. Land) durch Vorkaufsrecht erwerben; **2.** (im voraus) mit Beschlag belegen; ˌ**preˈemp·tion** [-pʃn] *s*. Vorkauf(srecht *n*) *m*: ~ ***price*** Vorkaufspreis *m*; ˌ**preˈemp·tive** [-tɪv] *adj*. **1.** Vorkaufs…: ~ ***right***; **2.** ⚔ Präventiv…: ~ ***strike*** Präventivschlag *m*; ˌ**preˈemp·tor** [-tə] *s*. Vorkaufsberechtigte(r *m*) *f*.

preen [priːn] *v/t*. *Gefieder etc.* putzen; *sein Haar* (her)richten: ~ ***o.s.*** sich putzen (*a. Person*); ~ ***o.s. on*** sich et. einbilden auf (*acc*.).

pre·en·gage [ˌpriːɪnˈgeɪdʒ] *v/t*. **1.** im vorˈaus *vertraglich* verpflichten; **2.** im vorˈaus in Anspruch nehmen; **3.** ✝ vorbestellen; ˌ**pre·enˈgage·ment** [-mənt] *s*. vorher eingegangene Verpflichtung, frühere Verbindlichkeit.

pre·ex·am·i·na·tion [ˈpriːɪgˌzæmɪˈneɪʃn] *s*. vorˈherige Vernehmung, ˈVoruntersuchung *f*, -prüfung *f*.

pre·ex·ist [ˌpriːɪgˈzɪst] *v/i*. vorher vorˈhanden sein *od*. existieren; ˌ**pre·exˈist·ence** [-təns] *s*. *bsd. eccl*. früheres Dasein, Präexiˈstenz *f*.

pre·fab [ˈpriːfæb] **I** *adj*. → ***prefabricated***; **II** *s*. Fertighaus *n*.

pre·fab·ri·cate [ˌpriːˈfæbrɪkeɪt] *v/t*. vorfabrizieren, *genormte* Fertigteile für *Häuser etc.* herstellen; ˌ**preˈfab·ri·cat·ed** [-tɪd] *adj*. vorgefertigt, zs.-setzbar, Fertig…: ~ ***house*** Fertighaus *n*; ~ ***piece*** Bauteil *n*.

pref·ace [ˈprefɪs] **I** *s*. Vorwort *n*, -rede *f*; Einleitung *f* (*a. fig*.); **II** *v/t*. *Rede etc.* einleiten (*a. fig*.), ein Vorwort schreiben zu *e-m Buch*.

pref·a·to·ry [ˈprefətərɪ] *adj*. □ einlei-

P

tend, Einleitungs...

pre·fect ['pri:fekt] *s.* **1.** *pol.* Prä'fekt *m*; **2.** *Brit.* Vertrauensschüler *m*.

pre·fer [prɪ'fɜ:] *v/t.* **1.** (es) vorziehen (**to** *dat.*, **rather than** statt); bevorzugen: **I ~ to go today** ich gehe lieber heute; **~red** ✝ bevorzugt, Vorzugs...(*-aktie etc.*); **2.** befördern (**to** [**the rank of**] zum); **3.** ⚖ *Gläubiger etc.* begünstigen, bevorzugt befriedigen; **4.** ⚖ *Gesuch, Klage* einreichen (**to** bei, **against** gegen); *Ansprüche* erheben; **pref·er·a·ble** ['prefərəbl] *adj.* □ (**to**) vorzuziehen(d) (*dat.*); vorzüglicher (als); **pref·er·a·bly** ['prefərəblɪ] *adv.* vorzugsweise, lieber, am besten; **pref·er·ence** ['prefərəns] *s.* **1.** Bevorzugung *f*, Vorzug *m* (**above, before, over, to** vor *dat.*); **2.** Vorliebe *f* (**for** für): **by ~** mit (besonderer) Vorliebe; **3.** ✝, ⚖ a) Vor(zugs)recht *n*, Priori'tät *f*: **~ bond** Prioritätsobligation *f*; **~ dividend** *Brit.* Vorzugsdividende *f*; **~ share** (*od.* **stock**) → e), b) Vorzug *m*, Bevorrechtigung *f*: **~ as to dividends** Dividendenbevorrechtigung *f*, c) bevorzugte Befriedigung (*a. Konkurs*): **fraudulent ~** Gläubigerbegünstigung *f*, d) *Zoll*: 'Meistbegünstigung(sta,rif *m*) *f*, e) *Brit.* 'Vorzugs,aktie *f*; **pref·er·en·tial** [,prefə'renʃl] *adj.* □ bevorzugt; *a.* ✝, ⚖ bevorrechtigt (*Forderung, Gläubiger etc.*), Vorzugs...(*-aktie, -dividende, -recht, -zoll*): **~ treatment** Vorzugsbehandlung *f*; **pref·er·en·tial·ly** [,prefə'renʃəlɪ] *adv.* vorzugsweise; **pre'fer·ment** [-mənt] *s.* **1.** Beförderung *f* (**to** zu); **2.** höheres Amt, Ehrenamt *n* (*bsd. eccl.*); **3.** ⚖ Einreichung *f* (*Klage*).

pre·fig·u·ra·tion ['pri:,fɪgjʊ'reɪʃn] *s.* **1.** vorbildhafte Darstellung, Vor-, Urbild *n*; **2.** vor'herige Darstellung.

pre·fix I *v/t.* [,pri:'fɪks] (*a. ling. Wort, Silbe*) vorsetzen, vor'ausgehen lassen (**to** *dat.*); **II** *s.* ['pri:fɪks] *ling.* Prä'fix *n*, Vorsilbe *f*.

,pre-'for·mat *v/t. Computer*: vorformatieren.

preg·gers ['pregəz] *adj.* F schwanger.

preg·nan·cy ['pregnənsɪ] *s.* **1.** Schwangerschaft *f*; *zo.* Trächtigkeit *f*; **2.** *fig.* Fruchtbarkeit *f*, Schöpferkraft *f*, Gedankenfülle *f*; **3.** *fig.* Prä'gnanz *f*, Bedeutungsgehalt *m*, -schwere *f*; **'preg·nant** [-nt] *adj.* □ **1.** a) schwanger (*Frau*), b) trächtig (*Tier*); **2.** *fig.* fruchtbar, reich (**in** an *dat.*); **3.** einfalls-, geistreich; **4.** *fig.* bedeutungsvoll, gewichtig; voll (**with** von).

pre·heat [,pri:'hi:t] *v/t.* vorwärmen (*a.* ⚙).

pre·hen·sile [prɪ'hensaɪl] *adj. zo.* Greif...: **~ organ**.

pre·his·tor·ic, pre·his·tor·i·cal [,pri:hɪ'stɒrɪk(l)] *adj.* □ prähi'storisch, vorgeschichtlich; **pre·his·to·ry** [,pri:'hɪstərɪ] *s.* Vor-, Urgeschichte *f*.

pre·ig·ni·tion [,pri:ɪg'nɪʃn] *s. mot.* Frühzündung *f*.

pre·judge [,pri:'dʒʌdʒ] *v/t.* im vor'aus *od.* vorschnell be- *od.* verurteilen.

prej·u·dice ['predʒʊdɪs] **I** *s.* **1.** Vorurteil *n*, Voreingenommenheit *f*, *a.* ⚖ Befangenheit *f*; **2.** (*a.* ⚖) Nachteil *m*, Schaden *m*: **to the ~ of** zum Nachteil (*gen.*); **without ~** ohne Verbindlichkeit; **without ~ to** ohne Schaden für, unbeschadet (*gen.*); **II** *v/t.* **3.** mit e-m Vorurteil erfüllen, einnehmen (**in favo[u]r of** für, **against** gegen): **~d** a) (vor)eingenommen, b) ⚖ befangen, c) vorgefaßt (*Meinung*); **4.** *a.* ⚖ beeinträchtigen, benachteiligen, schaden (*dat.*), *e-r Sache* abträglich sein; **prej·u·di·cial** [,predʒʊ'dɪʃl] *adj.* □ nachteilig, schädlich (**to** für): **be ~ to** → **prejudice** 4.

prel·a·cy ['preləsɪ] *s. eccl.* **1.** Präla'tur *f* (*Würde od. Amtsbereich*); **2.** *coll.* Prä'laten(stand *m*, -tum *n*) *pl.*; **prel·ate** ['prelɪt] *s.* Prä'lat *m*.

pre·lect [prɪ'lekt] *v/i.* lesen, e-e Vorlesung *od.* Vorlesungen halten (**on, upon** über *acc.*, **to** vor *dat.*); **pre'lec·tion** [-kʃn] *s.* Vorlesung *f*, Vortrag *m*; **pre'lec·tor** [-tə] *s.* Vorleser *m*, (Universi'täts)Lektor *m*.

pre·lim ['pri:lɪm] **1.** F → **preliminary examination**; **2.** *pl. typ.* Tite'lei *f*.

pre·lim·i·nar·y [prɪ'lɪmɪnərɪ] **I** *adj.* □ **1.** einleitend, vorbereitend, Vor...: **~ discussion** Vorbesprechung *f*; **~ inquiry** ⚖ Voruntersuchung *f*; **~ measures** vorbereitende Maßnahmen; **~ round** *sport* Vorrunde *f*; **~ work** Vorarbeit *f*; **2.** vorläufig: **~ dressing** ⚕ Notverband *m*; **II** *s.* **3.** *mst pl.* Einleitung *f*, Vorbereitung(en *pl.*) *f*, vorbereitende Maßnahmen *pl.*; *pl.* Prälimi'narien *pl.* (*a.* ⚖ *e-s Vertrags*); **4.** ⚖ Vorverhandlungen *pl.*; **5.** → **~ ex·am·i·na·tion** *s. univ.* **1.** Aufnahmeprüfung *f*; **2.** a) Vorprüfung *f*, b) ⚕ Physikum *n*.

prel·ude ['prelju:d] **I** *s.* **1.** ♪ Vorspiel *n*, Einleitung *f* (*beide a. fig.*), Prä'ludium *n*; *fig.* Auftakt *m*; **II** *v/t.* **2.** ♪ a) einleiten, b) als Prä'ludium spielen; **3.** *bsd. fig.* einleiten, das Vorspiel *od.* der Auftakt sein zu; **III** *v/i.* **4.** ♪ a) ein Prä'ludium spielen, b) als Vorspiel dienen (**to** für, zu); **5.** *fig.* das Vorspiel *od.* die Einleitung bilden (**to** zu).

pre·mar·i·tal [,pri:'mærɪtl] *adj.* vorehelich.

pre·ma·ture [,premə'tjʊə] *adj.* □ **1.** früh-, vorzeitig, verfrüht: **~ birth** Frühgeburt *f*; **~ ignition** *mot.* Frühzündung *f*; **2.** *fig.* voreilig, -schnell, über'eilt; **3.** frühreif; **,pre·ma'ture·ness** [-nɪs], **,pre·ma'tu·ri·ty** [-ərətɪ] *s.* **1.** Frühreife *f*; **2.** Früh-, Vorzeitigkeit *f*; **3.** Über'eiltheit *f*.

pre·med·i·cal [ˌpriːˈmedɪkl] *adj. univ. Am.* ˈvormediˌzinisch, in die Mediˈzin einführend: ~ ***course*** Einführungskurs *m* in die Medizin; ~ ***student*** Medizinstudent(in), der (die) e-n Einführungskurs besucht.

pre·me·di·e·val [ˈpriːˌmedɪˈiːvl] *adj.* frühmittelalterlich.

pre·med·i·tate [ˌpriːˈmedɪteɪt] *v/t. u. v/i.* vorher überˈlegen: ~***d murder*** vorsätzlicher Mord; ˌ**preˈmed·i·tat·ed·ly** [-tɪdlɪ] *adv.* mit Vorbedacht, vorsätzlich; **pre·med·i·ta·tion** [priːˌmedɪˈteɪʃn] *s.* Vorbedacht *m*; Vorsatz *m*.

pre·mi·er [ˈpremjə] **I** *adj.* erst; oberst, Haupt…; **II** *s.* Premiˈer(miˌnister) *m*, Miˈnisterpräsiˌdent(in).

pre·mière [prəˈmjeə] (*Fr.*) *thea.* **I** *s.* **1.** Premiˈere *f*, Ur-, Erstaufführung *f*; **2.** a) Darstellerin *f*, b) Primaballeˈrina *f*; **II** *v/t.* **3.** ur-, erstaufführen.

pre·mi·er·ship [ˈpremjəʃɪp] *s.* Amt *n od.* Würde *f* des Premiˈermiˌnisters.

prem·ise[1] [ˈpremɪs] *s.* **1.** *phls.* Präˈmisse *f*, Vorˈaussetzung *f*, Vordersatz *m e-s Schlusses*; **2.** ⚖ a) *pl. das* Obenerwähnte: ***in the ~s*** im Vorstehenden; ***in these ~s*** in Hinsicht auf das eben Erwähnte, b) obenerwähntes Grundstück; **3.** *pl.* a) Grundstück *n*, b) Haus *n* nebst Zubehör (*Nebengebäude*, *Grund u. Boden*), c) Loˈkal *n*, Räumlichkeiten *pl.*: ***business ~s*** Geschäftsräume *pl.*, Werksgelände *n*; ***licensed ~*** Schanklokal *n*; ***on the ~s*** an Ort u. Stelle, auf dem Grundstück, im Hause *od.* Lokal.

pre·mise[2] [prɪˈmaɪz] *v/t.* **1.** vorˈausschikken; **2.** *phls.* postulieren.

pre·mi·um [ˈpriːmjəm] *s.* **1.** (Leistungs- *etc.*)Prämie *f*, Bonus *m*; Belohnung *f*, Preis *m*; Zugabe *f*: ~ ***offers*** † Verkauf *m* mit Zugaben; ~ ***system*** Prämienlohnsystem *n*; **2.** (Versicherungs)Prämie *f*: ***free of ~*** prämienfrei; **3.** † Aufgeld *n*, Agio *n*: ***at a ~*** a) † über Pari, b) *fig.* hoch im Kurs (stehend), sehr gesucht; ***sell at a ~*** a) (*v/i.*) über Pari stehen, b) (*v/t.*) mit Gewinn verkaufen; **4.** Lehrgeld *n e-s Lehrlings*, ˈAusbildungshonoˌrar *n*.

pre·mo·ni·tion [ˌpriːməˈnɪʃn] *s.* **1.** Warnung *f*; **2.** (Vor)Ahnung *f*, (Vor)Gefühl *n*; **pre·mon·i·to·ry** [prɪˈmɒnɪtərɪ] *adj.* warnend: ~ ***symptom*** ⚕ Frühsymptom *n*.

pre·na·tal [ˌpriːˈneɪtl] *adj.* ⚕ vor der Geburt, vorgeburtlich, pränaˈtal: ~ ***care*** Schwangerenvorsorge *f*.

pre·oc·cu·pan·cy [ˌpriːˈɒkjʊpənsɪ] *s.* **1.** (Recht *n* der) frühere(n) Besitznahme; **2.** (***in***) Beschäftigtsein *n* (mit), Vertieftsein *n* (in *acc.*); **pre·oc·cu·pa·tion** [priːˌɒkjʊˈpeɪʃn] *s.* **1.** vorˈherige Besitznahme; **2.** (***with***) Beschäftigtsein *n* (mit), Vertieftsein *n* (in *acc.*), Inˈanspruchnahme *f* (durch); **3.** Hauptbeschäftigung *f*; **4.** Vorurteil *n*, Voreingenommenheit *f*; ˌ**preˈoc·cu·pied** [-paɪd] *adj.* vertieft (***with*** in *acc.*), gedankenverloren; **pre·oc·cu·py** [ˌpriːˈɒkjʊpaɪ] *v/t.* **1.** vorher *od.* vor anderen in Besitz nehmen; **2.** *j-n* (völlig) in Anspruch nehmen, *j-s Gedanken* ausschließlich beschäftigen, erfüllen.

pre·or·dain [ˌpriːɔːˈdeɪn] *v/t.* vorher anordnen, vorˈherbestimmen.

prep [prep] *s.* F **1.** a) *a.* ~ ***school*** → ***preparatory school***, b) *Am.* Schüler (-in) e-r ***preparatory school***; **2.** *Brit.* → ***preparation*** 5.

pre·pack [ˌpriːˈpæk], **pre·pack·age** [ˌpriːˈpækɪdʒ] *v/t.* † abpacken.

pre·paid [ˌpriːˈpeɪd] *adj.* vorˈausbezahlt; ✉ frankiert, (porto)frei.

prep·a·ra·tion [ˌprepəˈreɪʃn] *s.* **1.** Vorbereitung *f*: ***in ~ for*** als Vorbereitung auf (*acc.*); ***make ~s*** Vorbereitungen *od.* Anstalten treffen (***for*** für); **2.** (Zu-) Bereitung *f* (*von Tee*, *Speisen etc.*), Herstellung *f*; ⚒, ⚙ Aufbereitung *f* (*von Erz*, *Kraftstoff etc.*); Vorbehandlung *f*, Imprägnieren *n* (*von Holz etc.*); **3.** ⚗, ⚕ Präpaˈrat *n*, *pharm. a.* Arzˈnei (-mittel *n*) *f*; **4.** Abfassung *f e-r Urkunde etc.*; Ausfüllen *n e-s Formulars*; **5.** *ped. Brit.* (Anfertigung *f* der) Hausaufgaben *pl.*, Vorbereitung(sstunde) *f*; **6.** ♪ a) (Dissoˈnanz)Vorbereitung *f*, b) Einleitung *f*; **pre·par·a·tive** [prɪˈpærətɪv] **I** *adj.* □ → ***preparatory*** I; **II** *s.* Vorbereitung *f*, vorbereitende Maßnahme (***for*** auf *acc.*, ***to*** zu).

pre·par·a·to·ry [prɪˈpærətərɪ] **I** *adj.* □ **1.** vorbereitend, als Vorbereitung dienend (***to*** für); **2.** Vor(bereitungs)…; **3.** ~ ***to*** *adv.* im Hinblick auf (*acc.*), vor (*dat.*): ~ ***to doing s.th.*** bevor *od.* ehe man etwas tut; **II** *s.* **4.** *Brit.* → ~ **school** *s.* (*Am.* priˈvate) Vor(bereitungs)schule.

pre·pare [prɪˈpeə] **I** *v/t.* **1.** (*a. Rede*, *Schularbeiten*, *Schüler etc.*) vorbereiten; zuˈrecht-, fertigmachen, (her)richten; *Speise etc.* (zu)bereiten; **2.** (aus)rüsten, bereitstellen; **3.** *j-n seelisch* vorbereiten (***to do*** zu tun, ***for*** auf *acc.*): a) geneigt *od.* bereit machen, b) gefaßt machen: ~ ***o.s. to do s.th.*** sich anschikken, et. zu tun; **4.** anfertigen, ausarbeiten, *Plan* entwerfen, *Schriftstück* abfassen; **5.** ⚗, ⚙ a) herstellen, anfertigen, b) präparieren, zurichten; **6.** *Kohle* aufbereiten; **II** *v/i.* **7.** (***for***) sich (*a. seelisch*) vorbereiten (auf *acc.*), sich anschicken *od.* rüsten, Vorbereitungen *od.* Anstalten treffen (für): ~ ***for war*** (sich) zum Krieg rüsten; ~ ***to …!*** ⚔ Fertig zum …!; **preˈpared** [-eəd] *adj.* **1.** vor-, zubereitet, bereit; **2.** *fig.* bereit, gewillt; **3.** gefaßt (***for*** auf *acc.*); **preˈpar·ed·ness** [-eədnɪs] *s.* **1.** Bereitschaft *f*, -sein *n*; **2.**

P

Gefaßtsein *n* (**for** auf *acc.*).

pre·pay [ˌpriːˈpeɪ] *v/t.* [*irr.* → **pay**] vorˈausbezahlen, *Brief etc.* frankieren; ˌ**preˈpay·ment** [-mənt] *s.* Vorˈaus(be)zahlung *f*; ✉ Frankierung *f*.

pre·pense [prɪˈpens] *adj.* □ ⚖ vorsätzlich, vorbedacht: **with** (*od.* **of**) **malice** ~ in böswilliger Absicht.

pre·pon·der·ance [prɪˈpɒndərəns] *s.* **1.** ˈÜbergewicht *n* (*a. fig.* **over** über *acc.*); **2.** *fig.* Überˈwiegen *n* (*an Zahl etc.*), überˈwiegende Zahl (**over** über *acc.*); **preˈpon·der·ant** [-nt] *adj.* □ überˈwiegend, entscheidend; **pre·pon·der·ate** [prɪˈpɒndəreɪt] *v/i. fig.* überˈwiegen, vorherrschen: ~ **over** (an Zahl) übersteigen, überlegen sein (*dat.*).

prep·o·si·tion [ˌprepəˈzɪʃn] *s. ling.* Präposiˈtion *f*, Verhältniswort *n*; ˌ**prep·oˈsi·tion·al** [-ʃənl] *adj.* □ präpositioˈnal.

pre·pos·sess [ˌpriːpəˈzes] *v/t.* **1.** *mst pass. j-n, j-s Geist* einnehmen (**in favo[u]r of** für): ~**ed** voreingenommen; ~**ing** einnehmend, anziehend; **2.** erfüllen (**with** mit *Ideen etc.*); ˌ**pre·posˈses·sion** [-eʃn] *s.* Voreingenommenheit *f* (**in favo[u]r of** für), Vorurteil *n* (**against** gegen); vorgefaßte (günstige) Meinung (**for** von).

pre·pos·ter·ous [prɪˈpɒstərəs] *adj.* □ **1.** abˈsurd, un-, ˈwidersinnig; **2.** lächerlich, groˈtesk.

pre·po·tence [prɪˈpəʊtəns], **preˈpo·ten·cy** [-sɪ] *s.* **1.** Vorherrschaft *f*, Überˈlegenheit *f*; **2.** *biol.* stärkere Vererbungskraft; **preˈpo·tent** [-nt] *adj.* **1.** vorherrschend, (an Kraft) überˈlegen; **2.** *biol.* sich stärker fortpflanzend *od.* vererbend.

pre·print I *s.* [ˈpriːprɪnt] **1.** Vorabdruck *m* (*e-s Buches etc.*); **2.** Teilausgabe *f*; **II** *v/t.* [ˌpriːˈprint] **3.** vorabdrucken.

pre·puce [ˈpriːpjuːs] *s. anat.* Vorhaut *f*.

Pre-Raph·a·el·ite [ˌpriːˈræfəlaɪt] *paint.* **I** *adj.* präraffaeˈlitisch; **II** *s.* Präraffaeˈlit(in).

pre·re·cord·ed [ˌpriːrɪˈkɔːdɪd] *adj.* bespielt (*Musikkassette etc.*).

pre·req·ui·site [ˌpriːˈrekwɪzɪt] **I** *adj.* vorˈauszusetzen(d), erforderlich (**for, to** für); **II** *s.* Vorbedingung *f*, (ˈGrund-)Vorˌaussetzung (**for, to** für).

pre·rog·a·tive [prɪˈrɒgətɪv] **I** *s.* Priviˈleg(ium) *n*, Vorrecht *n*: **royal** ~ Hoheitsrecht *n*; **II** *adj.* bevorrechtigt: ~ **right** Vorrecht.

pre·sage [ˈpresɪdʒ] **I** *v/t.* **1.** *mst Böses* ahnen; **2.** (vorher) anzeigen *od.* ankündigen; **3.** weissagen, propheˈzeien; **II** *s.* **4.** Omen *n*, Warnungs-, Anzeichen *n*; **5.** (Vor)Ahnung *f*, Vorgefühl *n*; **6.** Vorbedeutung *f*: **of evil** ~.

pres·by·op·ic [ˌprezbɪˈɒpɪk] *adj.* alters(weit)sichtig.

pres·by·ter [ˈprezbɪtə] *s. eccl.* **1.** (Kirchen)Älteste(r) *m*; **2.** (Hilfs)Geistliche(r) *m* (*in Episkopalkirchen*); **Pres·by·te·ri·an** [ˌprezbɪˈtɪərɪən] **I** *adj.* presbyteriˈanisch; **II** *s.* Presbyteriˈaner(in); ˈ**pres·by·ter·y** [-tərɪ] *s.* **1.** Presbyˈterium *n* (*a.* ⛪ *Chor*); **2.** Pfarrhaus *n*.

pre·school *ped.* **I** *adj.* [ˌpriːˈskuːl] vorschulisch, Vorschul…: ~ **child** noch nicht schulpflichtiges Kind; **II** *s.* [ˈpriːskuːl] Vorschule *f*.

pre·sci·ence [ˈpresɪəns] *s.* Vorˈherwissen *n*, Vorˈaussicht *f*; ˈ**pre·sci·ent** [-nt] *adj.* □ vorˈherwissend, -sehend (**of** *acc.*).

pre·scribe [prɪˈskraɪb] **I** *v/t.* **1.** vorschreiben (**to s.o.** j-m), *et.* anordnen: (**as**) ~**d** (wie) vorgeschrieben, vorschriftsmäßig; **2.** ⚕ verordnen, -schreiben (**for** *od.* **to s.o.** j-m, **for s.th.** gegen et.); **II** *v/i.* **3.** ⚕ et. verschreiben, ein Reˈzept ausstellen (**for s.o.** j-m); **4.** ⚖ a) verjähren, b) Verjährung *od.* Ersitzung geltend machen (**for, to** für, auf *acc.*).

pre·scrip·tion [prɪˈskrɪpʃn] **I** *s.* **1.** Vorschrift *f*, Verordnung *f*; **2.** ⚕ a) Reˈzept *n*, b) verordnete Mediˈzin; **3.** ⚖ a) (**positive**) ~ Ersitzung *f*, b) (**negative**) ~ Verjährung *f*; **II** *adj.* **4.** ärztlich verordnet: ~ **glasses**; ~ **pad** Rezeptblock *m*; **preˈscrip·tive** [-ptɪv] *adj.* □ **1.** verordnend, vorschreibend; **2.** ⚖ a) ersessen: ~ **right**, b) Verjährungs…: ~ **period**; ~ **debt** verjährte Schuld.

pre·se·lec·tion [ˌpriːsɪˈlekʃn] *s.* **1.** ⚙ Vorwahl *f*; **2.** *Radio*: ˈVorselektiˌon *f*; ˌ**pre·seˈlec·tive** [-ktɪv] *adj.* ⚙, *mot.* Vorwähler…: ~ **gears**; ˌ**pre·seˈlec·tor** [-ktə] *s.* ⚙ Vorwähler *m*.

pres·ence [ˈprezns] *s.* **1.** Gegenwart *f*, Anwesenheit *f*, ⚔ *pol.* Präˈsenz *f*: **in the** ~ **of** in Gegenwart *od.* in Anwesenheit von *od. gen.*, *vor Zeugen*; **saving your** ~ so sehr ich es bedaure, dies in Ihrer Gegenwart sagen zu müssen; → **mind** 2; **2.** (unmittelbare) Nähe, Vorˈhandensein *n*: **be admitted into the** ~ (zur Audienz) vorgelassen werden; **in the** ~ **of danger** angesichts der Gefahr; **3.** hohe Perˈsönlichkeit(en *pl.*); **4.** Äußere(s) *n*, Aussehen *n*, (stattliche Erscheinung; *weitS.* Auftreten *n*, Haltung *f*; **5.** Anwesenheit *f* e-s unsichtbaren Geistes; ~ **cham·ber** *s.* Audiˈenzsaal *m*.

pres·ent[1] [ˈpreznt] **I** *adj.* □ → **presently**; **1.** (*räumlich*) gegenwärtig, anwesend; vorˈhanden (*a.* ⚗ *etc.*): ~ **company**, **those** ~ die Anwesenden; **be** ~ **at** teilnehmen an (*dat.*), beiwohnen (*dat.*), zugegen sein bei; ~**!** (*bei Namensaufruf*) hier!; **it is** ~ **to my mind** *fig.* es ist mir gegenwärtig; **2.** (*zeitlich*) gegenwärtig, jetzig, augenblicklich, momenˈtan: **the** ~ **day** (*od.* **time**) die Gegenwart; ~ **value** Gegenwartswert

P

m; **3.** heutig (*bsd. Tag*), laufend (*bsd. Jahr*, *Monat*); **4.** vorliegend (*Fall*, *Urkunde etc.*): ***the ~ writer*** der Schreiber *od.* Verfasser (dieser Zeilen); **5.** *ling.* ***~ participle*** Mittelwort *n* der Gegenwart, Partizip *n* Präsens; ***~ perfect*** Perfekt *n*, zweite Vergangenheit; ***~ tense*** → 7; **II** *s.* **6.** Gegenwart *f*: ***at ~*** gegenwärtig, im Augenblick, jetzt, momentan; ***for the ~*** für den Augenblick, vorläufig, einstweilen; ***up to the ~*** bislang, bis dato; **7.** *ling.* Präsens *n*, Gegenwart *f*; **8.** *pl.* ⚖ (vorliegendes) Schriftstück *od.* Doku'ment: ***by these ~s*** hiermit, hierdurch; ***know all men by these ~s*** hiermit jedermann kund und zu wissen (*daß*).

pre·sent² [prɪ'zent] **I** *v/t.* **1.** (dar)bieten, (über)'reichen; *Nachricht etc.* über'bringen: ***~ one's compliments to*** sich *j-m* empfehlen; ***~ s.o. with*** j-n mit *et.* beschenken; ***~ s.th. to*** *j-m* et. schenken; **2.** *Gesuch etc.* einreichen, vorlegen, unter'breiten; ☤ *Scheck*, *Wechsel* (zur Zahlung) vorlegen, präsentieren; ⚖ *Klage* erheben: ***~ a case*** e-n Fall vor Gericht vertreten; **3.** *j-n für ein Amt* vorschlagen; **4.** *Bitte*, *Klage* vorbringen; *Gedanken*, *Wunsch etc.* äußern, unterbreiten; **5.** *j-n* vorstellen (***to*** *dat.*), einführen (***at*** bei *Hofe*): ***~ o.s.*** a) sich vorstellen, b) sich einfinden, erscheinen, sich melden (***for*** zu), c) *fig.* sich bieten (*Möglichkeit etc.*); **6.** *Schwierigkeiten* bieten, *Problem* darstellen; **7.** *thea. etc.* darbieten, *Film* vorführen, zeigen, *Sendung* bringen *od.* moderieren, *Rolle* spielen *od.* verkörpern; *fig.* vergegenwärtigen, darstellen, schildern; **8.** ⚔ a) *Gewehr* präsentieren, b) *Waffe* anlegen, richten (***at*** auf *acc.*).

pres·ent³ ['preznt] *s.* Geschenk *n*: ***make s.o. a ~ of s.th.*** j-m et. zum Geschenk machen.

pre·sent·a·ble [prɪ'zentəbl] *adj.* □ **1.** darstellbar; **2.** präsen'tabel (*Geschenk*); **3.** präsen'tabel (*Erscheinung*), anständig angezogen.

pres·en·ta·tion [ˌprezən'teɪʃn] *s.* **1.** Schenkung *f*, (feierliche) Über'reichung *od.* 'Übergabe: ***~ copy*** Widmungsexemplar *n*; **2.** Gabe *f*, Geschenk *n*; **3.** Vorstellung *f*, Einführung *f e-r Person*; **4.** Vorstellung *f*, Erscheinen *n*; **5.** *fig.* Darstellung *f*, Schilderung *f*, Behandlung *f e-s Falles*, *Problems etc.*; **6.** *thea.*, *Film*: Darbietung *f*, Vorführung *f*; *Radio*, *TV*: Moderati'on *f*; ⚕ Demonstrati'on *f* (*im Kolleg*); **7.** Einreichung *f e-s Gesuchs etc.*; ☤ Vorlage *f e-s Wechsels*: (***up***)***on ~*** gegen Vorlage; ***payable on ~*** zahlbar bei Sicht; **8.** Vorschlag(srecht *n*) *m*; Ernennung *f* (*Brit. a. eccl.*); **9.** ⚕ (Kinds)Lage *f im Uterus*; **10.** *psych.* a) Wahrnehmung *f*, b) Vorstellung *f*.

ˌpres·ent-'day [ˌpreznt-] *adj.* heutig, gegenwärtig, mo'dern.

pre·sent·er [prɪ'zentə] *s. Brit.* ('Fernseh)Modeˌrator *m*.

pre·sen·tient [prɪ'senʃɪənt] *adj.* im vor'aus fühlend, ahnend (***of*** *acc.*); **pre·sen·ti·ment** [prɪ'zentɪmənt] *s.* (Vor-)Gefühl *n*, (*mst* böse Vor)Ahnung.

pres·ent·ly ['prezntlɪ] *adv.* **1.** (so-)'gleich, bald (dar'auf), als'bald; **2.** jetzt, gegenwärtig; **3.** so'fort.

pre·sent·ment [prɪ'zentmənt] *s.* **1.** Darstellung *f*, 'Wiedergabe *f*, Bild *n*; **2.** *thea. etc.* Darbietung *f*, Aufführung *f*; **3.** ☤ (*Wechsel- etc.*)Vorlage *f*; **4.** ⚖ Anklage(schrift) *f*; Unter'suchung *f* von Amts wegen.

pre·serv·a·ble [prɪ'zɜːvəbl] *adj.* erhaltbar, zu erhalten(d), konservierbar; **pres·er·va·tion** [ˌprezə'veɪʃn] *s.* **1.** Bewahrung *f*, (Er)Rettung *f*, Schutz *m* (***from*** vor *dat.*): ***~ of natural beauty*** Naturschutz; **2.** Erhaltung *f*, Konservierung *f*: ***in good ~*** gut erhalten: ***~ of evidence*** ⚖ Beweissicherung *f*; **3.** Einmachen *n*, -kochen *n*, Konservierung *f* (*von Früchten etc.*); **pre'serv·a·tive** [-vətɪv] **I** *adj.* **1.** bewahrend, Schutz...: ***~ coat*** ⚙ Schutzanstrich *m*; **2.** erhaltend, konservierend; **II** *s.* **3.** Konservierungsmittel *n* (*a.* ⚙); **pre·serve** [prɪ'zɜːv] **I** *v/t.* **1.** bewahren, behüten, (er)retten, (be)schützen (***from*** vor *dat.*); **2.** erhalten, vor dem Verderb schützen: ***well-~d*** gut erhalten; **3.** aufbewahren, -heben; ⚖ *Beweise* sichern; **4.** konservieren (*a.* ⚙), *Obst etc.* einkochen, -machen, -legen: ***~d meat*** Büchsenfleisch *n*, *coll.* Fleischkonserven *pl.*; **5.** *hunt. bsd. Brit. Wild*, *Fische* hegen; **6.** *fig. Haltung*, *Ruhe*, *Andenken etc.* (be)wahren: ***~ silence***; **II** *s.* **7.** *mst pl.* Eingemachte(s) *n*, Kon'serve(n *pl.*) *f*; **8.** *oft pl.* a) *hunt. bsd. Brit.* ('Wild)ReserˌVat *n*, (Jagd-, Fisch)Gehege *n*, b) *fig.* Gehege *n*: ***poach on s.o.'s ~s*** j-m ins Gehege kommen (*a. fig.*); **pre'serv·er** [-və] *s.* **1.** Bewahrer(in), Erhalter(in), (Er)Retter(in); **2.** Konservierungsmittel *n*; **3.** 'Einkochappaˌrat *m*; **4.** *hunt. Brit.* Heger *m*, Wildhüter *m*.

pre·set [ˌpriː'set] *v/t.* [*irr.* → ***set***] ⚙ voreinstellen.

pre·shrink [ˌpriː'ʃrɪŋk] *v/t.* [*irr.* → ***shrink***] ⚙ *Stoffe* krumpfen; vorwaschen.

pre·side [prɪ'zaɪd] *v/i.* **1.** den Vorsitz haben *od.* führen (***at*** bei, ***over*** über *acc.*), präsidieren: ***~ over*** (*od.* ***at***) ***a meeting*** e-e Versammlung leiten; ***presiding judge*** ⚖ Vorsitzende(r *m*) *f*; **2.** ♪ *u. fig.* führen.

pres·i·den·cy ['prezɪdənsɪ] *s.* **1.** Prä'sidium *n*, Vorsitz *m*, (Ober)Aufsicht *f*; **2.**

pol. a) Präsi'dentschaft *f*, b) Amtszeit *f e-s Präsidenten*; **3.** *eccl.* (***First*** ≈ oberste) Mor'monenbehörde *f*; **'pres·i·dent** [-nt] *s.* **1.** Präsi'dent *m* (*a. pol. u.* ⚖), Vorsitzende(r *m*) *f*, Vorstand *m e-r* Körperschaft; *Am.* ✝ (Gene'ral)Di,rektor *m*: ≈ ***of the Board of Trade*** *Brit.* Handelsminister *m*; **2.** *univ. bsd. Am.* Rektor *m*; **pres·i·dent e·lect** *s. der* gewählte Präsi'dent (*vor Amtsantritt*); **pres·i·den·tial** [,prezı'denʃl] *adj.* □ Präsidenten…, Präsidentschafts…: ~ ***message*** *Am.* Botschaft *f* des Präsidenten an den Kongreß; ~ ***primary*** *Am.* Vorwahl *f* zur Nominierung des Präsidentschaftskandidaten *e-r Partei*; ~ ***system*** Präsidialsystem *n*; ~ ***term*** Amtsperiode *f* des Präsidenten; ~ ***year*** *Am.* F Jahr *n* der Präsidentenwahl.

press [pres] **I** *v/t.* **1.** *allg.*, *a. j-m die Hand* drücken, pressen (*a.* ⚙); **2.** drükken auf (*acc.*): ~ ***the button*** auf den Knopf drücken (*a. fig.*); **3.** *Saft, Frucht etc.* (aus)pressen, keltern; **4.** (*vorwärts-, weiter- etc.*)drängen, (-)treiben: ~ ***on***; **5.** *j-n* (be)drängen: a) in die Enge treiben, zwingen (***to do*** zu tun), b) *j-m* zusetzen, *j-n* bestürmen: ~ ***s.o. for*** j-n dringend um *et.* bitten, von j-m *Geld* erpressen; ***be ~ed for money*** (***time***) in Geldverlegenheit sein (unter Zeitdruck stehen, es eilig haben); ***hard ~ed*** in Bedrängnis; **6.** ([***up***]***on*** *j-m*) *et.* aufdrängen, -nötigen; **7.** *Kleidungsstück* plätten; **8.** Nachdruck legen auf (*acc.*): ~ ***a charge*** Anklage erheben; ~ ***one's point*** auf s-r Forderung *od.* Meinung nachdrücklich bestehen; ~ ***the point that*** nachdrücklich betonen, daß; ~ ***home*** a) *Forderung etc.* 'durchsetzen, b) *Angriff* energisch 'durchführen, c) *Vorteil* ausnutzen (wollen); **9.** ⚔, ⚓ *in den Dienst* pressen; **II** *v/i.* **10.** drücken, (e-n) Druck ausüben (*a. fig.*); **11.** drängen, pressieren: ***time ~es*** die Zeit drängt; **12.** ~ ***for*** dringen *od.* drängen auf (*acc.*), fordern; **13.** (sich) *wohin* drängen: ~ ***forward*** (sich) vor(wärts)drängen; ~ ***on*** vorwärtsdrängen, weitereilen; ~ ***in upon s.o.*** auf j-n eindringen (*a. fig.*); **III** *s.* **14.** (*Frucht-, Wein- etc.*)Presse *f*; **15.** *typ.* a) (Drucker-) Presse *f*, b) Drucke'rei(anstalt *f*, -raum *m*, -wesen *n*) *f*, c) Druck(en *n*) *m*: ***correct the ~*** Korrektur lesen; ***go to*** (***the***) ~ in Druck gehen; ***send to*** (***the***) ~ in Druck geben; ***in the ~*** im Druck; ***ready for the ~*** druckfertig; **16.** ***the ~*** die Presse (*Zeitungswesen, a. coll. die Zeitungen od. die Presseleute*): ~ ***campaign*** Pressefeldzug *m*; ~ ***conference*** Pressekonferenz *f*; ~ ***photographer*** Pressephotograph *m*; ***have a good*** (***bad***) ~ e-e gute (schlechte) Presse haben; **17.** Spanner *m für Skier od. Tennisschläger*; **18.** (*Bücher- etc., bsd. Wäsche*)Schrank *m*; **19.** *fig.* a) Druck *m*, Hast *f*, b) Dringlichkeit *f*, Drang *m der Geschäfte*: ***the ~ of business***; **20.** ⚔, ⚓ *hist.* Zwangsaushebung *f*; ~ **a·gen·cy** *s.* 'Presseagen,tur *f*; ~ **a·gent** *s. thea. etc.* 'Pressea,gent *m*; ~ **bar·on** *s.* Pressezar *m*; '~**-box** *s.* 'Pressetri,büne *f*; ~ **but·ton** *s.* ϟ (Druck)Knopf *m*; ~ **clipping** *Am.* → ***press cutting***; ~ **cop·y** *s.* **1.** 'Durchschlag *m*; **2.** Rezensi'onsexem,plar *n*; ~ **cor·rec·tor** *s. typ.* Kor'rektor *m*; ≈ **Coun·cil** *s. Brit.* Presserat *m*; ~ **cut·ting** *s. Brit.* Zeitungsausschnitt *m*.

pressed [prest] *adj.* gepreßt, Preß… (*-glas, -käse, -öl, -ziegel etc.*); **'press·er** [-sə] *s.* **1.** ⚙ Presser(in); **2.** *typ.* Drukker *m*; **3.** Bügler(in); **4.** ⚙ Preßvorrichtung *f*; **5.** *typ. etc.* Druckwalze *f*.

press| gal·ler·y *s. parl. bsd. Brit.* 'Pressetri,büne *f*; '~**-gang I** *s.* ⚓ *hist.* 'Preßpa,trouille *f*; **II** *v/t.*: ~ ***s.o. into doing s.th.*** F j-n zu et. zwingen.

press·ing ['presıŋ] **I** *adj.* □ **1.** pressend, drückend; **2.** *fig.* a) (be)drückend, b) dringend, dringlich; **II** *s.* **3.** (Aus)Pressen *n*; **4.** ⚙ a) Stanzen *n*, b) *Papierfabrikation*: Satinieren *n*; **5.** ⚙ Preßling *m*; **6.** *Schallplattenfabrikation*: a) Preßplatte *f*, b) Pressung *f*, c) Auflage *f*.

press| law *s. mst pl.* Pressegesetz(e *pl.*) *n*; ~ **lord** *s.* Pressezar *m*; '~**·man** [-mən] *s.* [*irr.*] **1.** (Buch)Drucker *m*; **2.** Zeitungsmann *m*, Pressevertreter *m*; '~**·mark** *s.* Signa'tur *f*, Biblio'theksnummer *f e-s Buches*; ~ **proof** *s. typ.* letzte Korrek'tur, Ma'schinenrevisi,on *f*; ~ **re·lease** *s.* Presseverlautbarung *f*; ~ **room** *s.* Drucke'rei(raum *m*) *f*, Ma'schinensaal *m*; '~**·stud** *s.* Druckknopf *m*; ,~**-to-'talk but·ton** *s.* Sprechtaste *f*; '~**-up** *s. sport* Liegestütz *m*.

pres·sure ['preʃə] **I** *s.* **1.** Druck *m* (*a.* ⚙, *phys.*): ~ ***hose*** (***pump***, ***valve***) ⚙ Druckschlauch *m*, (-pumpe *f*, -ventil *n*); ***work at high ~*** mit Hochdruck arbeiten (*a. fig.*); **2.** *meteor.* (Luft)Druck *m*: ***high*** (***low***) ~ Hoch-(Tief)druck; **3.** *fig.* Druck *m* (*Last od. Zwang*): ***act under ~*** unter Druck handeln; ***bring ~ to bear upon*** auf *j-n* Druck ausüben; ***the ~ of business*** der Drang *od.* Druck der Geschäfte; ~ ***of taxation*** Steuerdruck *m*, -last *f*; **4.** *fig.* Drangsal *f*, Not *f*: ***monetary ~*** Geldknappheit *f*; ~ ***of conscience*** Gewissensnot *f*; **II** *v/t.* **5.** → ***pressurize*** 1; **6.** *fig. j-n* (dazu) treiben *od.* zwingen (***into doing*** et. zu tun); ~ **cab·in** *s.* ✈ 'Druckausgleichska,bine *f*; ~ **cook·er** *s.* Schnellkochtopf *m*; ~ **drop** *s.* **1.** ⚙ Druckgefälle *n*; **2.** ϟ Spannungsabfall *m*; ~ **e·qual·i·za·tion** *s.* Druckausgleich *m*; ~ **ga(u)ge** *s.* ⚙ Druckmesser *m*, Mano'meter *n*; ~

P

group *s. pol.* Inter'essengruppe *f*; **~ lu·bri·ca·tion** *s.* ⚙ 'Druck(ˌumlauf)ˌschmierung *f*; **'~-ˌsen·si·tive** *adj.* ⚡ druckempfindlich; **~ suit** *s.* ✈ ('Über-)Druckanzug *m*; **~ tank** *s.* ⚙ Druckbehälter *m*.

pres·sur·ize ['preʃəraɪz] *v/t.* **1.** ⚗, ⚙ unter Druck setzen (*a. fig.*), unter 'Überdruck halten, *bsd.* ✈ druckfest machen: ***~d cabin*** → ***pressure cabin***; **2.** ⚗ belüften.

'press·work *s. typ.* Druckarbeit *f*.

pres·ti·dig·i·ta·tion ['prestɪˌdɪdʒɪ'teɪʃn] *s.* **1.** Fingerfertigkeit *f*; **2.** Taschenspielerkunst *f*; **pres·ti·dig·i·ta·tor** [ˌprestɪ'dɪdʒɪteɪtə] *s.* Taschenspieler *m* (*a. fig.*).

pres·tige [pre'sti:ʒ] (*Fr.*) *s.* Pre'stige *n*, Geltung *f*, Ansehen *n*.

pres·tig·ious [pre'stɪdʒəs] *adj.* berühmt, renom'miert.

pres·to ['prestəʊ] (*Ital.*) **I** *adv.* ♪ presto, (sehr) schnell (*a. fig.*): ***hey ~, pass!*** Hokuspokus (Fidibus)! (*Zauberformel*); **II** *adj.* blitzschnell.

pre·stressed [ˌpri:'strest] *adj.* ⚙ vorgespannt: ***~ concrete*** Spannbeton *m*.

pre·sum·a·ble [prɪ'zju:məbl] *adj.* □ vermutlich, mutmaßlich, wahr'scheinlich; **pre·sume** [prɪ'zju:m] **I** *v/t.* **1.** *als wahr* annehmen, vermuten; vor'aussetzen; schließen (***from*** aus): ***~d dead*** verschollen; **2.** sich *et.* erlauben; **II** *v/i.* **3.** vermuten, mutmaßen: ***I ~*** (wie) ich vermute, vermutlich; **4.** sich her'ausnehmen, sich erdreisten, (es) wagen (***to*** *inf.* zu *inf.*); anmaßend sein; **5.** **~** (***up***)***on*** ausnutzen *od.* miß'brauchen (*acc.*); **pre'sum·ed·ly** [-mɪdlɪ] *adv.* vermutlich; **pre'sum·ing** [-mɪŋ] *adj.* □ → ***presumptuous*** 1.

pre·sump·tion [prɪ'zʌmpʃn] *s.* **1.** Vermutung *f*, Annahme *f*, Mutmaßung *f*; **2.** ⚖ Vermutung *f*, Präsumti'on *f*: ***~ of death*** Todesvermutung, Verschollenheit *f*; ***~ of innocence*** Unschuldsvermutung *f*; ***~ of law*** Rechtsvermutung *f* (*der Wahrheit bis zum Beweis des Gegenteils*); **3.** Wahrscheinlichkeit *f*: ***there is a strong ~ of his death*** es ist (mit Sicherheit) anzunehmen, daß er tot ist; **4.** Vermessenheit *f*, Anmaßung *f*, Dünkel *m*; **pre'sump·tive** [-ptɪv] *adj.* □ vermutlich, mutmaßlich, präsum'tiv: ***~ evidence*** ⚖ Indizienbeweis *m*; ***~ title*** ⚖ präsumtives Eigentum; **pre'sump·tu·ous** [-ptjʊəs] *adj.* □ **1.** anmaßend, vermessen, dreist; **2.** über'heblich, dünkelhaft.

pre·sup·pose [ˌpri:sə'pəʊz] *v/t.* vor'aussetzen: a) im vor'aus annehmen, b) zur Vor'aussetzung haben; **pre·sup·po·si·tion** [ˌpri:sʌpə'zɪʃn] *s.* Vor'aussetzung *f*.

pre-tax [ˌpri:'tæks] *adj.* ✝ vor Abzug der Steuern, *a.* Brutto…

pre-teen [ˌpri:'ti:n] *adj. u. s.* (Kind *n*) im Alter zwischen 10 u. 12.

pre·tence [prɪ'tens] *s.* **1.** Anspruch *m*: ***make no ~ to*** keinen Anspruch erheben auf (*acc.*); **2.** Vorwand *m*, Scheingrund *m*, Vortäuschung *f*: ***false ~s*** ⚖ Arglist *f*; ***under false ~s*** arglistig, unter Vorspiegelung falscher Tatsachen; **3.** *fig.* Schein *m*, Verstellung *f*: ***make ~ of doing s.th.*** sich den Anschein geben, als tue man etwas.

pre·tend [prɪ'tend] **I** *v/t.* **1.** vorgeben, -täuschen, -schützen, -heucheln; so tun als ob: ***~ to be sick*** sich krank stellen, krank spielen; **2.** → ***presume*** 2–4; **II** *v/i.* **3.** sich verstellen, heucheln: ***he is only ~ing*** er tut nur so; **4.** Anspruch erheben (***to*** auf *den Thron etc.*); **pre'tend·ed** [-dɪd] *adj.* □ vorgetäuscht, an-, vorgeblich; **pre'tend·er** [-də] *s.* **1.** Beanspruchende(r *m*) *f*; **2.** ('Thron-)Prätenˌdent *m*, Thronbewerber *m*.

pre·tense *Am.* → ***pretence***.

pre·ten·sion [prɪ'tenʃn] *s.* **1.** Anspruch *m* (***to*** auf *acc.*): ***of great ~s*** anspruchsvoll; **2.** Anmaßung *f*, Dünkel *m*; **pre'ten·tious** [-ʃəs] *adj.* □ **1.** anmaßend; **2.** prätenti'ös, anspruchsvoll; **3.** protzig; **pre'ten·tious·ness** [-ʃəsnɪs] *s.* Anmaßung *f*.

preter- [pri:tə] *in Zssgn* (hin'ausgehend) über (*acc.*), mehr als.

pret·er·it(e) ['pretərɪt] *ling.* **I** *adj.* Vergangenheits…; **II** *s.* Prä'teritum *n*, (erste) Vergangenheit; **ˌ~-'pres·ent** [-'preznt] *s.* Prä'teritoˌpräsens *n*.

pre·ter·nat·u·ral [ˌpri:tə'nætʃrəl] *adj.* □ **1.** ab'norm, außergewöhnlich; **2.** 'übernaˌtürlich.

pre·text ['pri:tekst] *s.* Vorwand *m*, Ausrede *f*: ***under*** (*od.* ***on***) ***the ~ of*** unter dem Vorwand (*gen.*).

pre·tri·al [ˌpri:'traɪəl] ⚖ **I** *s.* Vorverhandlung *f*; **II** *adj.* vor der (Haupt)Verhandlung, Untersuchungs…

pret·ti·fy ['prɪtɪfaɪ] *v/t.* F verschönern, hübsch machen; **'pret·ti·ly** [-ɪlɪ] *adv.* → ***pretty*** 1; **'pret·ti·ness** [-ɪnɪs] *s.* **1.** Hübschheit *f*, Niedlichkeit *f*; Anmut *f*; **2.** Geziertheit *f*; **pret·ty** ['prɪtɪ] **I** *adj.* □ **1.** hübsch, nett, niedlich; **2.** (*a. iro.*) schön, fein, tüchtig: ***a ~ mess!*** e-e schöne Geschichte!; **3.** F ‚(ganz) schön', ‚hübsch', beträchtlich: ***it costs a ~ penny*** es kostet e-e schöne Stange Geld; **II** *adv.* **4.** a) ziemlich, ganz, b) einigermaßen, leidlich: ***~ cold*** ganz schön kalt; ***~ good*** recht gut, nicht schlecht; ***~ much the same thing*** so ziemlich dasselbe; ***~ near*** nahe daran, ziemlich nahe; **5.** ***sitting ~*** *sl.* wie der Hase im Kohl, ‚warm' (sitzend); **II** *v/t.* **6.** ***~ up*** *et.* hübsch machen, ‚aufpolieren'.

pret·zel ['pretsəl] *s.* (Salz)Brezel *f*.

P

pre·vail [prɪˈveɪl] *v/i.* **1.** (*over*, *against*) die Oberhand *od.* das ˈÜbergewicht gewinnen *od.* haben (über *acc.*), (*a.* ⚖ ob)siegen; *fig. a.* sich ˈdurchsetzen *od.* behaupten (gegen); **2.** *fig.* ausschlag-, maßgebend sein; **3.** *fig.* (vor)herrschen; (weit) verbreitet sein; **4.** ~ (*up*)*on s.o. to do* j-n dazu bewegen *od.* bringen, *et.* zu tun; **preˈvail·ing** [-lɪŋ] *adj.* □ **1.** überˈlegen: ~ *party* ⚖ obsiegende Partei; **2.** (vor)herrschend, maßgebend: *the ~ opinion* die herrschende Meinung; *under the ~ circumstances* unter den obwaltenden Umständen; ~ *tone* ⚚ Grundstimmung *f*; **prev·a·lence** [ˈprevələns] *s.* **1.** (Vor)Herrschen *n*; Überˈhandnehmen *n*; **2.** (allgemeine) Gültigkeit; **prev·a·lent** [ˈprevələnt] *adj.* □ (vor)herrschend, überˈwiegend; häufig, weit verbreitet.

pre·var·i·cate [prɪˈværɪkeɪt] *v/i.* Ausflüchte machen; die Wahrheit verdrehen; **pre·var·i·ca·tion** [prɪˌværɪˈkeɪʃn] *s.* **1.** Ausflucht *f*, Tatsachenverdrehung *f*, Winkelzug *m*; **2.** ⚖ Anwaltstreubruch *m*; **preˈvar·i·ca·tor** [-tə] *s.* Ausflüchtemacher(in), Wortverdreher(in).

pre·vent [prɪˈvent] *v/t.* **1.** verhindern, -hüten; *e-r Sache* vorbeugen *od.* zuˈvorkommen; **2.** (*from*) *j-n* hindern (an *dat.*), abhalten (von): ~ *s.o. from coming* j-n am Kommen hindern, j-n vom Kommen abhalten; **preˈvent·a·ble** [-təbl] *adj.* verhütbar, abwendbar; **preˈven·tion** [-nʃn] *s.* **1.** Verhinderung *f*, Verhütung *f*: ~ *of accidents* Unfallverhütung; **2.** *bsd.* ⚕ Vorbeugung *f*; **preˈven·tive** [-tɪv] **I** *adj.* □ **1.** *a.* ⚕ vorbeugend, prophyˈlaktisch, Vorbeugungs…: ~ *medicine* Vorbeugungsmedizin *f*; **2.** *bsd.* ⚖ prävenˈtiv: ~ *arrest* Schutzhaft *f*; ~ *detention* a) Sicherungsverwahrung, b) *Am.* Vorbeugehaft *f*; ~ *war pol.* Präventivkrieg *m*; **II** *s.* **3.** *a.* ⚕ Vorbeugungs-, Schutzmittel *n*; **4.** Schutz-, Vorsichtsmaßnahme *f*.

pre·view [ˈpriːvjuː] *s.* **1.** Vorbesichtigung *f*; *Film*: a) Probeaufführung *f*, b) (Proˈgramm)Vorschau *f*; *Radio*, *TV*: Probe *f*; **2.** Vorbesprechung *f e-s Buches*; **3.** (Vor)ˈAusblick *m*.

pre·vi·ous [ˈpriːvjəs] **I** *adj.* □ → *previously*; **1.** vorˈher-, vorˈausgehend, früher, vorˈherig, Vor…: ~ *conviction* ⚖ Vorstrafe *f*; ~ *holder* ⚚ Vor(der)mann *m*; ~ *question parl.* Vorfrage, ob ohne weitere Debatte abgestimmt werden soll; *move the ~ question* Übergang zur Tagesordnung beantragen; *without ~ notice* ohne vorherige Ankündigung; **2.** *mst too ~* F verfrüht, voreilig; **II** *adv.* **3.** ~ *to* bevor, vor (*dat.*); ~ *to that* zuvor; **ˈpre·vi·ous·ly** [-lɪ] *adv.* vorher, früher.

pre·vo·ca·tion·al [ˌpriːvəʊˈkeɪʃənl] *adj.* vorberuflich.

pre·vue [ˈpriːvjuː] *s. Am.* (Film)Vorschau *f*.

pre·war [ˌpriːˈwɔː] *adj.* Vorkriegs…

prey [preɪ] **I** *s.* **1.** *zo. u. fig.* Raub *m*, Beute *f*, Opfer *n*: → *beast* 1, *bird* 1; *become* (*od. fall*) *a ~ to j-m od. e-r Sache* zum Opfer fallen; **II** *v/i.* **2.** auf Raub *od.* Beute ausgehen; **3.** ~ (*up*)*on* a) *zo.* Jagd machen auf (*acc.*), erbeuten, fressen, b) *fig.* berauben, aussaugen, c) *fig.* nagen *od.* zehren an (*dat.*): *it ~ed upon his mind* es ließ ihm keine Ruhe, der Gedanke quälte ihn.

price [praɪs] **I** *s.* **1.** ⚚ a) (Kauf)Preis *m*, Kosten *pl.*, b) *Börse*: Kurs(wert) *m*: ~ *of issue* Emissionspreis; *bid ~* gebotener Preis, *Börse*: Geldkurs; *share* (*od. stock*) ~ Aktienkurs; *secure a good ~* e-n guten Preis erzielen; *every man has his ~ fig.* keiner ist unbestechlich; (*not*) *at any ~* um jeden (keinen) Preis; **2.** (Kopf)Preis *m*: *set a ~ on s.o.'s head* e-n Preis auf j-s Kopf aussetzen; **3.** *fig.* Lohn *m*, Preis *m*; **4.** (Wett-)Chance(n *pl.*) *f*: *what ~ …? sl.* wie steht es mit …?, welche Chancen hat …?; **II** *v/t.* **5.** ⚚ a) den Preis festsetzen für, b) *Waren* auszeichnen: *~d* mit Preisangaben (*Katalog*); *high-~d* hoch im Preis, teuer; **6.** bewerten: ~ *s.th. high* (*low*) e-r Sache großen (geringen) Wert beimessen; **7.** F nach dem Preis *e-r Ware* fragen; ~ **a·gree·ment** *s.* Preisabsprache *f*; ~ **ceil·ing** *s.* oberste Preisgrenze; **ˈ~-ˌcon·scious** *adj.* preisbewußt; ~ **con·trol** *s.* ˈPreiskonˌtrolle *f*, -überˌwachung *f*; ~ **cut** *s.* Preissenkung *f*; ~ **cut·ting** *s.* Preisdrückeˈrei *f*, -senkung *f*, ˈPreisunterˌbietung *f*; ~ **dif·fer·en·tial** *s.* Preisunterschied *m*, -gefälle *n*; ~ **floor** *s.* unterste Preisgrenze; ~ **freeze** *s.* Preisstopp *m*.

price·less [ˈpraɪslɪs] *adj.* unschätzbar, unbezahlbar (*a.* F *köstlich*).

price| lev·el *s.* ˈPreisniˌveau *n*; ~ **lim·it** *s.* (Preis)Limit *n*, Preisgrenze *f*; ~ **list** *s.* **1.** Preisliste *f*; **2.** *Börse*: Kurszettel *m*; **ˈ~-mainˌtained** *adj.* ⚚ preisgebunden (*Ware*); ~ **main·te·nance** *s.* ⚚ Preisbindung *f*; ~ **peg·ging** *s.* Preisstützung *f*; ~ **range** *s.* Preisklasse *f*; ~ **tag**, ~ **tick·et** *s.* Preisschild *n*, -zettel *m*.

pric·ey [ˈpraɪsɪ] *adj.* F (ganz schön) teuer.

prick [prɪk] **I** *s.* **1.** (*Insekten-*, *Nadel- etc.*)Stich *m*; **2.** stechender Schmerz, Stich *m*: *~s of conscience fig.* Gewissensbisse; **3.** spitzer Gegenstand; Stachel *m* (*a. fig.*): *kick against the ~s* wider den Stachel löcken; **4.** V a) ‚Schwanz' *m*, b) ‚blöder Hund'; **II** *v/t.* **5.** (ein-, ˈdurch)stechen, ‚piken': ~ *one's finger* sich in den Finger stechen; *his conscience ~ed him fig.* er bekam Gewissensbisse; **6.** *a.* ~ ***out*** (aus)stechen, lochen; *Muster etc.* punktieren; **7.** pikieren: ~ ***in*** (***out***) ein-(aus)pflanzen; **8.** prickeln auf *od.* in (*dat.*); **9.** ~ ***up one's ears*** die Ohren spitzen (*a. fig.*); **III** *v/i.* **10.** stechen (*a. Schmerzen*); **11.** prickeln; **12.** ~ ***up*** sich aufrichten (*Ohren etc.*); '**prick·er** [-kə] *s.* **1.** ⚙ Pfriem *m*, Ahle *f*; **2.** *metall.* Schießnadel *f*; '**prick·et** [-kɪt] *s. zo.* Spießbock *m*.

prick·le ['prɪkl] **I** *s.* **1.** Stachel *m*, Dorn *m*; **2.** Prickeln *n*, Kribbeln *n* (*der Haut*); **II** *v/i.* **3.** stechen; **4.** prickeln, kribbeln; '**prick·ly** [-lɪ] *adj.* **1.** stachelig, dornig; **2.** stechend, pickelnd: ~ ***heat*** Frieselausschlag *m*, Hitzebläschen *pl.*; **3.** *fig.* reizbar.

pric·y ['praɪsɪ] → ***pricey***.

pride [praɪd] **I** *s.* **1.** Stolz *m* (*a. Gegenstand des Stolzes*): ***civic*** ~ Bürgerstolz *m*; ~ ***of place*** Ehrenplatz *m*, *fig.* Vorrang *m*, *b.s.* Standesdünkel *m*; ***take*** ~ ***of place*** die erste Stelle einnehmen; ***take*** (***a***) ~ ***in*** stolz sein auf (*acc.*); ***he is the*** ~ ***of his family*** er ist der Stolz s-r Familie; **2.** *b.s.* Stolz *m*, Hochmut *m*: ~ ***goes before a fall*** Hochmut kommt vor dem Fall; **3.** *rhet.* Pracht *f*; **4.** Höhe *f*, Blüte *f*: ~ ***of the season*** beste Jahreszeit; ***in the*** ~ ***of his years*** in s-n besten Jahren; **5.** *zo.* (Löwen)Rudel *n*; **6.** ***in his*** ~ *her.* radschlagend (*Pfau*); **II** *v/t.* **7.** ~ ***o.s.*** (***on, upon***) stolz sein (auf *acc.*), sich et. einbilden (auf *acc.*), sich brüsten (mit).

priest [pri:st] *s.* Priester *m*, Geistliche(r) *m*; '**priest·craft** *s. contp.* Pfaffenlist *f*; '**priest·ess** [-tɪs] *s.* Priesterin *f*; '**priest·hood** [-hʊd] *s.* **1.** Priesteramt *n*, -würde *f*; **2.** Priesterschaft *f*, Priester *pl.*; '**priest·ly** [-lɪ] *adj.* priesterlich, Priester...

prig [prɪg] *s.* (selbstgefälliger) Pe'dant; eingebildeter Mensch; Tugendbold *m*; '**prig·gish** [-gɪʃ] *adj.* □ **1.** selbstgefällig, eingebildet; **2.** pe'dantisch; **3.** tugendhaft.

prim [prɪm] **I** *adj.* □ **1.** steif, for'mell, *a.* affektiert, gekünstelt; **2.** spröde, ‚etepe'tete'; **3.** → ***priggish***; **II** *v/t.* **4.** *Mund, Gesicht* affektiert verziehen.

pri·ma·cy ['praɪməsɪ] *s.* **1.** Pri'mat *m, n*, Vorrang *m*, Vortritt *m*; **2.** *eccl.* Pri'mat *m, n* (*Würde, Sprengel e-s Primas*); **3.** *R.C.* Pri'mat *m, n* (*Gerichtsbarkeit des Papstes*).

pri·ma don·na [ˌpri:mə'dɒnə] *s.* ♪ Prima'donna *f* (*a. fig.*).

pri·ma fa·ci·e [ˌpraɪmə'feɪʃi:] (*Lat.*) *adj. u. adv.* dem (ersten) Anschein nach: ~ ***case*** ⚖ Fall, bei dem der Tatbestand einfach liegt; ~ ***evidence*** ⚖ a) glaubhafter Beweis, b) Beweis des ersten Anscheins.

pri·mal ['praɪml] *adj.* □ **1.** erst, frühest, ursprünglich; **2.** wichtigst, Haupt...; '**pri·ma·ri·ly** [-mərəlɪ] *adv.* in erster Linie; **pri·ma·ry** ['praɪmərɪ] **I** *adj.* □ **1.** erst, ursprünglich, Anfangs..., Ur...: ~ ***instinct*** Urinstinkt *m*; ~ ***matter*** Urstoff *m*; ~ ***rocks*** Urgestein *n*, -gebirge *n*; ~ ***scream*** *psych.* Urschrei *m*; **2.** pri'mär, hauptsächlich, wichtigst, Haupt...: ~ ***accent*** *ling.* Hauptakzent *m*; ~ ***concern*** Hauptsorge *f*; ~ ***industry*** Grundstoffindustrie *f*; ~ ***liability*** ⚖ unmittelbare Haftung; ~ ***road*** Straße *f* erster Ordnung; ~ ***share*** ✝ Stammaktie *f*; ***of*** ~ ***importance*** von höchster Wichtigkeit; **3.** grundlegend, elemen'tar, Grund...: ~ ***education*** Volksschul-, *Am.* Grundschul(aus)bildung *f*; ~ ***school*** Volks-, *Am.* Grundschule *f*; **4.** ϟ Primär...(*-batterie, -spule, -strom etc.*); **5.** Primär...: ~ ***tumo(u)r*** Primärtumor *m*; **II** *s.* **6.** *a.* ~ ***colo(u)r*** Pri'mär-, Grundfarbe *f*; **7.** *a.* ~ ***feather*** *orn.* Haupt-, Schwungfeder *f*; **8.** *pol. Am.* a) *a.* ~ ***election*** Vorwahl *f* (*zur Aufstellung von Wahlkandidaten*), b) *a.* ~ ***meeting*** (*innerparteiliche*) Versammlung zur Nominierung der 'Wahlkandiˌdaten; **9.** *a.* ~ ***planet*** *ast.* 'Hauptplaˌnet *m*.

pri·mate ['praɪmət] *s. eccl. Brit.* Primas *m*: ***P of England*** (*Titel des Erzbischofs von York*); ***P of All England*** (*Titel des Erzbischofs von Canterbury*); **pri·ma·tes** [praɪ'meɪti:z] *s. pl. zo.* Pri'maten *pl.*

prime [praɪm] **I** *adj.* □ **1.** erst, wichtigst, wesentlichst, Haupt...(*-grund etc.*): ***of*** ~ ***importance*** von größter Wichtigkeit; **2.** erstklassig (*Kapitalanlage, Qualität etc.*), prima: ~ ***bill*** ✝ vorzüglicher Wechsel; ~ ***rate*** Vorzugszins *m* für erste Adressen; ~ ***time*** *TV* Haupteinschaltzeit *f*; **3.** pri'mär, grundlegend; **4.** erst, Erst..., Ur...; **5.** a) unteilbar, b) teilerfremd (***to*** zu): ~ ***factor*** (***number***) Primfaktor *m* (Primzahl *f*); **II** *s.* **6.** Anfang *m*: ~ ***of the day*** (***year***) Tagesanbruch *m* (Frühling *m*); **7.** *fig.* Blüte(zeit) *f*: ***in his*** ~ in der Blüte s-r Jahre, im besten (Mannes)Alter; **8.** *das* Beste, höchste Voll'kommenheit; ✝ Primasorte *f*, auserlesene Quali'tät; **9.** *eccl.* Prim *f*, erste Gebetsstunde; Frühgottesdienst *m*; **10.** a) Primzahl *f*, b) Strich *m* (*erste Ableitung e-r Funktion*): ***x*** ~ (***x'***) x Strich (x'); **11.** Strichindex *m*; **12.** ♪ *u. fenc.* Prim *f*; **III** *v/t.* **13.** ⚔ *Bomben, Munition* scharfmachen: ~***d*** zündfertig; **14.** a) ⚙ *Pumpe* anlassen, b) *sl.* ‚vollaufen lassen': ~***d*** ‚besoffen'; **15.** *mot.* a) *Kraftstoff* vorpumpen, b) Anlaßkraftstoff einspritzen in (*acc.*); **16.** ⚙, *paint.* grundieren; **17.** mit Strichindex versehen; **18.** *fig.* instruieren, vorbereiten; ~ **cost** *s.* ✝ **1.** Selbstkosten(preis *m*) *pl.*,

Gestehungskosten *pl.*; **2.** Einkaufspreis *m*, Anschaffungskosten *pl.*; **~ min·is·ter** *s.* Premi'ermi,nister *m*, Mi'nisterpräsi,dent *m*; **~ mov·er** *s.* **1.** *phys.* Antriebskraft *f*; *fig.* Triebfeder *f*, treibende Kraft; **2.** ⚙ 'Antriebsma,schine *f*; 'Zugma,schine *f* (*Sattelschlepper*); ⚔ *Am.* Geschützschlepper *m*; Triebwagen *m* (*Straßenbahn*).

prim·er¹ ['praımə] *s.* **1.** ⚔ Zündvorrichtung *f*, -hütchen *n*, -pille *f*; Sprengkapsel *f*; **2.** ⚔ Zündbolzen *m* (*am Gewehr*); **3.** ⚒ Zünddraht *m*; **4.** ⚙ Einspritzvorrichtung *f* (*bsd. mot.*): **~ *pump*** Anlaßeinspritzpumpe *f*; **~ *valve*** Anlaßventil *n*; **5.** ⚙ Grundier-, Spachtelmasse *f*: **~ *coat*** Voranstrich *m*; **6.** Grundierer *m*.

prim·er² ['praımə] *s.* **1.** a) Fibel *f*, b) Elemen'tarbuch *n*, c) *fig.* Leitfaden *m*; **2.** ['prımə] *typ.* a) ***great* ~** Tertia (-schrift) *f*, b) ***long* ~** Korpus(schrift) *f*, (-), Garmond(schrift) *f*.

pri·me·val [praı'mi:vl] *adj.* □ urzeitlich, Ur…(*-wald etc.*).

prim·ing ['praımıŋ] *s.* **1.** ⚔ Zündmasse *f*, Zündung *f*: **~ *charge*** Zünd-, Initialladung *f*; **2.** ⚙ Grundierung *f*: **~ *colo(u)r*** Grundierfarbe *f*; **3.** *a.* **~ *material*** Spachtelmasse *f*; **4.** *mot.* Einspritzen *n* von Anlaßkraftstoff: **~ *fuel injector*** Anlaßeinspritzanlage *f*; **5.** ⚙ Angießen *n e-r Pumpe*; **6.** *a.* **~ *of the tide*** verfrühtes Eintreten der Flut; **7.** *fig.* Instrukti'on *f*, Vorbereitung *f*.

prim·i·tive ['prımıtıv] **I** *adj.* □ **1.** erst, ursprünglich, urzeitlich, Ur…: ***2 Church*** Urkirche; **~ *races*** Ur-, Naturvölker; **~ *rocks*** *geol.* Urgestein *n*; **2.** *allg.* (*a. contp.*) primi'tiv (*Kultur, Mensch, a. fig. Denkweise, Konstruktion etc.*); **3.** *ling.* Stamm…: **~ *verb***; **4.** **~ *colo(u)r*** Grundfarbe *f*; **II** *s.* **5.** *der* (*die, das*) Primi'tive: ***the* ~*s*** die Primitiven (*Naturvölker*); **6.** *Kunst*: a) primi'tiver Künstler, b) Frühmeister *m*, c) Früher Meister (*der Frührenaissance, a. Bild*); **7.** *ling.* Stammwort *n*; **'prim·i·tive·ness** [-nıs] *s.* **1.** Ursprünglichkeit *f*; **2.** Primitivi'tät *f*; **'prim·i·tiv·ism** [-vızəm] *s.* **1.** Primitivi'tät *f*; **2.** *Kunst*: Primiti'vismus *m*.

prim·ness ['prımnıs] *s.* **1.** Steifheit *f*, Förmlichkeit *f*; **2.** Sprödigkeit *f*, Zimperlichkeit *f*.

pri·mo·gen·i·tor [,praıməʊ'dʒenıtə] *s.* (Ur)Ahn *m*, Stammvater *m*; **,pri·mo·'gen·i·ture** [-ıtʃə] *s.* Erstgeburt(srecht *n* ⚖) *f*.

pri·mor·di·al [praı'mɔ:djəl] □ primordi'al (*a. biol.*), Ur…

prim·rose ['prımrəʊz] *s.* **1.** ⚘ Primel *f*, gelbe Schlüsselblume: **~ *path*** *fig.* Rosenpfad *m*; **2.** ***evening* ~** ⚘ Nachtkerze *f*; **3.** *a.* **~ *yellow*** Blaßgelb *n*.

prim·u·la ['prımjʊlə] *s.* ⚘ Primel *f*.

prince [prıns] *s.* **1.** Fürst *m* (*Landesherr u. Adelstitel*): ***2 of the Church*** Kirchenfürst; ***2 of Darkness*** Fürst der Finsternis (*Satan*); ***2 of Peace*** Friedensfürst (*Christus*); **~ *of poets*** Dichterfürst; ***merchant* ~** Kaufherr *m*; **~ *consort*** Prinzgemahl *m*; **2.** Prinz *m*: **~ *of the blood*** Prinz von (königlichem) Geblüt; ***2 Albert*** *Am.* Gehrock *m*;

prince·dom ['prınsdəm] *s.* **1.** Fürstenwürde *f*; **2.** Fürstentum *n*; **'prince·ling** [-lıŋ] *s.* **1.** Prinzchen *n*; **2.** kleiner Herrscher, Duo'dezfürst *m*; **'prince·ly** [-lı] *adj.* fürstlich (*a. fig.*); prinzlich, königlich; **prin·cess** [prın'ses] **I** *s.* **1.** Prin'zessin *f*: **~ *royal*** *älteste Tochter e-s Herrschers*; **2.** Fürstin *f*; **II** *adj.* **3.** *Damenmode*: Prinzeß…(*-kleid etc.*).

prin·ci·pal ['prınsəpl] **I** *adj.* □ → ***principally***; **1.** erst, hauptsächlich, Haupt…: **~ *actor*** Haupt(rollen)darsteller *m*; **~ *office*, ~ *place of business*** Hauptgeschäftsstelle *f*, -niederlassung *f*; **2.** ♪, *ling.* Haupt…, Stamm…: **~ *chord*** Stammakkord; **~ *clause*** Hauptsatz; **~ *parts*** Stammformen *des Verbs*; **3.** ⚕ Kapital…: **~ *amount*** Kapitalbetrag *m*; **II** *s.* **4.** 'Haupt(per,son *f*) *n*; Vorsteher (-in), *bsd. Am.* ('Schul)Di,rektor *m*, Rektor *m*; **5.** ⚕ Chef(in), Prinzi'pal (-in); **6.** ⚕, ⚖ Auftrag-, Vollmachtgeber (-in), Geschäftsherr *m*; **7.** ⚖ *a.* **~ *in the first degree*** Haupttäter(in), -schuldige(r *m*) *f*: **~ *in the second degree*** Mittäter(in); **8.** *a.* **~ *debtor*** Hauptschuldner(in); **9.** Duel'lant *m* (*Ggs. Sekundant*); **10.** ⚕ ('Grund)Kapi,tal *n*, Hauptsumme *f*; (*Nachlaß- etc.*)Masse *f*: **~ *and interest*** Kapital u. Zins(en); **11.** *a.* **~ *beam*** ⚠ Hauptbalken *m*; **prin·ci·pal·i·ty** [,prınsı'pælətı] *s.* Fürstentum *n*; **'prin·ci·pal·ly** [-plı] *adv.* hauptsächlich, in der Hauptsache.

prin·ci·ple ['prınsəpl] *s.* **1.** Prin'zip *n*, Grundsatz *m*, -regel *f*: ***a man of* ~*s*** ein Mann mit Grundsätzen; **~ *of law*** Rechtsgrundsatz *m*; ***in* ~** im Prinzip, an sich; ***on* ~** aus Prinzip, grundsätzlich; ***on the* ~ *that*** nach dem Grundsatz, daß; **2.** *phys. etc.* Prinzip *n*, (Na'tur-) Gesetz *n*, Satz *m*: **~ *of causality*** Kausalitätsprinzip; **~ *of averages*** Mittelwertsatz: **~ *of relativity*** Relativitätstheorie *f*; **3.** Grund(lage *f*) *m*; **4.** ⚗ Grundbestandteil *m*; **'prin·ci·pled** [-ld] *adj.* mit *hohen etc.* Grundsätzen.

prink [prıŋk] **I** *v/i. a.* **~ *up*** sich (auf)putzen, sich schniegeln; **II** *v/t.* (auf)putzen: **~ *o.s.* (*up*)**.

print [prınt] **I** *v/t.* **1.** *typ.* drucken (lassen), in Druck geben: **~ *in italics*** kursiv drucken; **2.** (ab)drucken: **~*ed form*** Vordruck *m*; **~*ed matter*** ✉ Drucksache(n *pl.*) *f*: **~*ed circuit*** ⚡ gedruckte

P

Schaltung; **3.** bedrucken: ***~ed goods*** bedruckte Stoffe; **4.** in Druckschrift schreiben: ***~ed characters*** Druckbuchstaben; **5.** *Stempel etc.* (auf)drükken (***on*** *dat.*), *Eindruck*, *Spur* hinter'lassen (***on*** auf *acc.*), *Muster etc.* ab-, aufdrucken, drücken (***in*** in *acc.*); **6.** *fig.* einprägen (***on s.o.'s mind*** j-m); **7.** ***~ out*** a) *Computer*: ausdrucken, b) *a.* ***~ off*** *phot.* abziehen, kopieren; **II** *v/i.* **8.** *typ.* drucken; **9.** gedruckt werden, sich im Druck befinden: ***the book is ~ing***; **10.** sich drucken (*phot.* abziehen) lassen; **III** *s.* **11.** (*Finger- etc.*)Abdruck *m*, Eindruck *m*, Spur *f*, Mal *n*; **12.** *typ.* Druck *m*: ***colo(u)red ~*** Farbdruck; ***in ~*** a) im Druck (erschienen), b) vorrätig; ***out of ~*** vergriffen; ***in cold ~*** *fig.* schwarz auf weiß; **13.** Druckschrift *f*, *bsd. Am.* Zeitung *f*, Blatt *n*: ***rush into ~*** sich in die Öffentlichkeit flüchten; ***appear in ~*** im Druck erscheinen; **14.** Druckschrift *f*, -buchstaben *pl.*; **15.** 'Zeitungspa,pier *n*; **16.** (*Stahl- etc.*) Stich *m*; Holzschnitt *m*; Lithogra'phie *f*; **17.** bedruckter Kat'tun, Druckstoff *m*: ***~ dress*** Kattunkleid *n*; **18.** *phot.* Abzug *m*, Ko'pie *f*; **19.** ⚙ Stempel *m*, Form *f*: ***~ cutter*** Formenschneider *m*; **20.** *metall.* Gesenk *n*; *Eisengießerei*: Kernauge *n*; **21.** *fig.* Stempel *m*; '**print·a·ble** [-təbl] *adj.* **1.** druckfähig; **2.** druckfertig, -reif (*Manuskript*); '**print·er** [-tə] *s.* **1.** (Buch- *etc.*)Drucker *m*: ***~'s devil*** Setzerjunge *m*; ***~'s error*** Druckfehler *m*; ***~'s flower*** Vignette *f*; ***~'s ink*** Druckerschwärze *f*; **2.** Drucke'reibesitzer *m*; **3.** ⚙ 'Druck-, Ko'pierappa,rat *m*; **4.** → ***printing telegraph***; '**print·er·y** [-tərı] *s. bsd. Am.* Drucke'rei *f*.

print·ing ['prıntıŋ] *s.* **1.** Drucken *n*; (Buch)Druck *m*, Buchdruckerkunst *f*; **2.** Tuchdruck *m*; **3.** *phot.* Abziehen *n*, Kopieren *n*; **~ block** *s.* Kli'schee *n*; **~ frame** *s. phot.* Ko'pierrahmen *m*; **~ ink** *s.* Druckerschwärze *f*, -farbe *f*; **~ machine** *s. typ.* Schnellpresse *f*, ('Buch-),Druckma,schine *f*; **~ of·fice** *s.* (Buch-) Drucke'rei *f*: ***lithographic ~*** lithographische Anstalt; **~ me·di·a** *s. pl.* Druckmedien *pl.*; '**~-out** *adj. phot.* Kopier...; **~ pa·per** *s.* **1.** 'Druckpa,pier *n*; **2.** 'Lichtpauspa,pier *n*; **3.** Ko'pierpa,pier *n*; **~ press** *s.* Druckerpresse *f*: ***~ type*** Letter *f*, Type *f*; **~ space** *s.* Satzspiegel *m*; **~ tel·e·graph** *s.* 'Drucktele,graph *m*; **~ types** *s. pl.* Lettern *pl.*; **~ works** *s. pl. oft sg. konstr.* Drucke'rei *f*.

'**print|,mak·er** *s.* Graphiker(in); '**~-out** *s. Computer*: Ausdruck *m*, Printout *m*.

pri·or ['praıə] **I** *adj.* **1.** (***to***) früher, älter (als): ***~ art*** *Patentrecht*: Stand *m* der Technik, Vorwegnahme *f*; ***~ patent*** älteres Patent; ***~ use*** Vorbenutzung *f*; ***subject to ~ sale*** ⚕ Zwischenverkauf vorbehalten; **2.** vordringlich, Vorzugs...: ***~ right*** (*od.* ***claim***) Vorzugsrecht *n*; ***~ condition*** erste Voraussetzung; **II** *adv.* **3.** ***~ to*** vor (*dat.*) (*zeitlich*); **III** *s. eccl.* **4.** Prior *m*; '**pri·or·ess** [-ərıs] *s.* Pri'orin *f*; **pri·or·i·ty** [praı'ɒrətı] *s.* **1.** Priori'tät *f* (*a.* ⚖), Vorrang *m* (*a. e-s Anspruchs etc.*), Vorzug *m* (***over***, ***to*** vor *dat.*): ***take ~ of*** den Vorrang haben *od.* genießen vor (*dat.*); ***set priorities*** Prioritäten setzen, Schwerpunkte bilden; ***~ share*** ⚕ Vorzugsaktie *f*; **2.** Dringlichkeit(sstufe) *f*: ***~ call*** *teleph.* Vorrangsgespräch *n*; ***~ list*** Dringlichkeitsliste *f*; ***of first*** (*od.* ***top***) ***~*** von größter Dringlichkeit; ***give ~ to*** *et.* vordringlich behandeln; **3.** Vorfahrt(srecht *n*) *f*; '**pri·o·ry** [-ərı] *s. eccl.* Prio'rei *f*.

prism ['prızəm] *s.* Prisma *n* (*a. fig.*): ***~ binoculars*** Prismen(fern)glas *n*; **pris·mat·ic** [prız'mætık] *adj.* (□ ***~ally***) pris'matisch, Prismen...: ***~ colo(u)rs*** Regenbogenfarben.

pris·on ['prızn] *s.* Gefängnis *n* (*a. fig.*), Strafanstalt *f*; '**~-,break·ing** *s.* Ausbruch *m* aus dem Gefängnis; **~ camp** *s.* **1.** (Kriegs)Gefangenenlager *n*; **2.** ‚offenes' Gefängnis; **~ ed·i·tor** *s.* (*presserechtlich verantwortlicher*) ‚'Sitzredak,teur' *m*.

pris·on·er ['prıznə] *s.* Gefangene(r *m*) *f* (*a. fig.*), Häftling *m*: ***~ (at the bar)*** Angeklagte(r *m*) *f*; ***~ (on remand)*** Untersuchungsgefangene(r); ***~ of state*** Staatsgefangene(r), politischer Häftling; ***~ (of war)*** Kriegsgefangene(r); ***hold (take) s.o. ~*** j-n gefangenhalten (-nehmen); ***he is a ~ to*** *fig.* er ist gefesselt an (*acc.*); ***~'s bar(s)***, ***~'s base*** *s.* Barlauf(spiel *n*) *m*.

pris·on| of·fi·cer *s.* Strafvollzugsbeamte(r) *m*; **~ psy·cho·sis** *s.* [*irr.*] 'Haftpsy,chose *f*.

pris·sy ['prısı] *adj. Am.* F zimperlich, etepe'tete.

pris·tine ['prıstaın] *adj.* **1.** ursprünglich, -tümlich, unverdorben; **2.** vormalig, alt.

pri·va·cy ['prıvəsı] *s.* **1.** Zu'rückgezogenheit *f*; Alleinsein *n*; Ruhe *f*: ***disturb s.o.'s ~*** j-n stören; **2.** Pri'vatleben *n*, *a.* ⚖ Pri'vat-, In'timsphäre *f*: ***right of ~*** Persönlichkeitsrecht *n*; **3.** Heimlichkeit *f*, Geheimhaltung *f*: ***~ of letters*** ⚖ Briefgeheimnis *n*; ***talk to s.o. in ~*** mit j-m unter vier Augen sprechen; ***in strict ~*** streng vertraulich.

pri·vate ['praıvıt] **I** *adj.* □ **1.** pri'vat, Privat...(*-konto*, *-leben*, *-person*, *-recht etc.*), per'sönlich: ***~ affair*** Privatangelegenheit *f*; ***~ member's bill*** *parl.* Antrag *m* e-s Abgeordneten; ***~ eye*** *Am. sl.* Privatdetektiv *m*; ***~ firm*** ⚕ Einzelfirma *f*; ~ ***gentleman*** Privatier *m*; ~ ***means*** Privatvermögen *n*; → ***nuisance*** 2; ~ ***property*** Privateigentum *n*; -besitz *m*; **2.** pri'vat, Privat...(*-pension*, *-schule etc.*), nicht öffentlich: ~ **(*limited*) *company*** ✝ *Brit.* Gesellschaft *f* mit beschränkter Haftung; ~ ***corporation*** a) ⚖ privatrechtliche Körperschaft, b) ✝ *Am.* Gesellschaft *f* mit beschränkter Haftung; ***sell by ~ contract*** unter der Hand verkaufen; ~ ***hotel*** Fremdenheim *n*; ~ ***industry*** Privatwirtschaft *f*; ~ ***road*** Privatweg *m*; ~ ***theatre*** Liebhabertheater *n*; ~ ***view*** Besichtigung *f* durch geladene Gäste; **3.** al'lein, zu'rückgezogen, einsam; **4.** geheim (*Gedanken, Verhandlungen etc.*), heimlich; vertraulich (*Mitteilung etc.*): ~ ***parts*** → 10; ~ ***prayer*** stilles Gebet; ~ ***reasons*** Hintergründe; ***keep s.th. ~*** et. geheimhalten *od.* vertraulich behandeln; ***this is for your ~ ear*** dies sage ich Ihnen ganz im Vertrauen; **5.** außeramtlich (*Angelegenheit*); **6.** nicht beamtet; **7.** ⚖ außergerichtlich: ~ ***arrangement*** gütlicher Vergleich; **8.** ~ ***soldier*** → 9; **II** *s.* **9.** ⚔ (gewöhnlicher) Sol'dat; *pl.* Mannschaften *pl.*: ~ ***1st Class*** *Am.* Obergefreite(r) *m*; **10.** *pl.* Geschlechtsteile *pl.*; **11.** ***in ~*** a) pri'vat(im), b) insge'heim, unter vier Augen.

pri·va·teer [ˌpraɪvə'tɪə] **I** *s.* **1.** ⚓ Freibeuter *m*, Kaperschiff *n*; **2.** Kapi'tän *m* e-s Kaperschiffes, Kaperer *m*; **3.** *pl.* Mannschaft *f* e-s Kaperschiffes; **II** *v/i.* **4.** Kape'rei treiben.

pri·va·tion [praɪ'veɪʃn] *s.* **1.** *a. fig.* Wegnahme *f*, Entziehung *f*, Entzug *m*; **2.** Not *f*, Entbehrung *f*.

priv·a·tive ['prɪvətɪv] **I** *adj.* ☐ **1.** entziehend, beraubend; **2.** *a. ling. od. phls.* verneinend, negativ; **II** *s.* **3.** *ling.* a) Ver'neinungsparˌtikel *f*, b) priva'tiver Ausdruck.

priv·et ['prɪvɪt] *s.* ⚘ Li'guster *m*.

priv·i·lege ['prɪvɪlɪdʒ] **I** *s.* **1.** Privi'leg *n*, Sonder-, Vorrecht *n*, Vergünstigung *f*, *Am. pol.* Grundrecht *n*; ***breach of a ~*** a) Übertretung *f* der Machtbefugnis, b) *parl.* Vergehen *n* gegen die Vorrechte des Parlaments; ***Committee of ⁓s*** Ausschuß *m* zur Untersuchung von Rechtsübergriffen; ~ ***of Parliament*** *pol.* Immunität *f* e-s Abgeordneten; ~ ***of self-defence*** (Recht *n* der) Notwehr *f*; ***with kitchen ~s*** mit Küchenbenutzung; **2.** *fig.* (besonderer) Vorzug: ***have the ~ of being admitted*** den Vorzug haben, zugelassen zu sein; ***it is a ~ to do*** es ist e-e besondere Ehre, *et.* zu tun; **3.** *pl.* ✝ Prämien- *od.* Stellgeschäft *n*; **II** *v/t.* **4.** privilegieren, bevorrecht(ig)en: ***the ~d classes*** die privilegierten Stände; ***~d debt*** bevorrechtigte Forderung; ***~d communication*** ⚖ a) vertrauliche Mitteilung (*für die Schweigepflicht besteht*), b) Berufsgeheimnis *n*.

priv·i·ty ['prɪvətɪ] *s.* **1.** ⚖ (Inter'essen-) Gemeinschaft *f*; **2.** ⚖ Rechtsbeziehung *f*; **3.** ⚖ Rechtsnachfolge *f*; **4.** Mitwisserschaft *f*.

priv·y ['prɪvɪ] **I** *adj.* ☐ **1.** eingeweiht (***to*** in *acc.*); **2.** ⚖ (mit)beteiligt (***to*** an *dat.*); **3.** *mst. poet.* heimlich, geheim: ~ ***parts*** Scham-, Geschlechtsteile; ~ ***stairs*** Hintertreppe *f*; **II** *s.* **4.** 'Mitinteresˌsent(in) (***to*** an *dat.*); **5.** A'bort *m*, Abtritt *m*; ⁓ **Coun·cil** *s. Brit.* (Geheimer) Staats- *od.* Kronrat: ***Judicial Committee of the ~*** ⚖ Justizausschuß *m* des Staatsrats (*höchste Berufungsinstanz für die Dominions*); ⁓ **Coun·cil·lor** *s. Brit.* Geheimer (Staats)Rat (*Person*); ⁓ **Purse** *s. königliche* Pri'vatschaˌtulle; ⁓ **Seal** *s. Brit.* Geheimsiegel *n*: ***Lord ~*** königlicher Geheimsiegelbewahrer.

prize[1] [praɪz] **I** *s.* **1.** (Sieger)Preis *m* (*a. fig.*), Prämie *f*: ***the ~s of a profession*** die höchsten Stellungen in e-m Beruf; **2.** (*a.* Lotte'rie)Gewinn *m*: ***the first ~*** das Große Los; **3.** Lohn *m*, Belohnung *f*; **II** *adj.* **4.** preisgekrönt, prämiiert; **5.** Preis...: ~ ***medal***; **6.** a) erstklassig (*a. iro.*), b) F *contp.* Riesen...: ~ ***idiot***; **III** *v/t.* **7.** (hoch)schätzen, würdigen.

prize[2] [praɪz] **I** *s.* ⚓ Prise *f*, Beute *f* (*a. fig.*): ***make ~ of*** → **II** *v/t.* (als Prise) aufbringen, kapern.

prize[3] [praɪz] *bsd. Brit.* **I** *v/t.* **1.** (auf-) stemmen: ~ ***open*** (mit e-m Hebel) aufbrechen; ~ ***up*** hochwuchten *od.* -stemmen; **II** *s.* **2.** Hebelwirkung *f*, -kraft *f*; **3.** Hebel *m*.

prize| com·pe·ti·tion *s.* Preisausschreiben *n*; ~ **court** *s.* ⚓ Prisengericht *n*; ~ **fight** *s.* Preisboxkampf *m*; ~ **fight·er** *s.* Preis-, Berufsboxer *m*; ~ **list** *s.* Gewinnliste *f*; '**~·man** [-mən] *s.* [*irr.*] Preisträger *m*; ~ **mon·ey** *s.* **1.** ⚓ Prisengeld(er *pl.*) *n*; **2.** Geldpreis *m*; ~ **ques·tion** *s.* Preisfrage *f*; ~ **ring** *s.* (Box)Ring *m*, *das* Berufsboxen; ~ **win·ner** *s.* Preisträger(in); '**~-ˌwin·ning** *adj.* preisgekrönt, präm(i)iert.

pro[1] [prəʊ] *pl.* **pros I** *s.* Ja-Stimme *f*, Stimme *f* da'für: ***the ~s and cons*** das Für und Wider; **II** *adv.* (da)'für.

pro[2] [prəʊ] (*Lat.*) *prp.* für; pro, per; → ***pro forma***, ***pro rata***.

pro[3] [prəʊ] *s.* F **1.** *sport* Profi *m* (*a. fig.*); **2.** ‚Nutte' *f*.

pro- [prəʊ] *in Zssgn*: **1.** pro..., ...freundlich, *z.B.* ***~-German***; **2.** stellvertretend, Vize..., Pro...; **3.** vor (*räumlich u. zeitlich*).

prob·a·bil·i·ty [ˌprɒbə'bɪlətɪ] *s.* Wahrscheinlichkeit *f* (*a.* A): ***in all ~*** aller Wahrscheinlichkeit nach, höchstwahrscheinlich; ***theory of ~, ~ calculus*** ⩲ Wahrscheinlichkeitsrechnung *f*; ***the ~ is that*** es besteht die Wahrscheinlichkeit, daß; **prob·a·ble** ['prɒbəbl] *adj.* □ **1.** wahrscheinlich, vermutlich, mutmaßlich: ***~ cause*** ⚖ hinreichender Verdacht; **2.** wahrscheinlich, glaubhaft, einleuchtend.

pro·bate ['prəʊbeɪt] ⚖ **I** *s.* **1.** gerichtliche (*bsd.* Testa'ments)Bestätigung; **2.** Testa'mentser,öffnung *f*; **3.** Abschrift *f* e-s gerichtlich bestätigten Testaments; **II** *v/t.* **4.** *bsd. Am. Testament* a) bestätigen, b) eröffnen u. als rechtswirksam bestätigen lassen; **~ court** *s.* Nachlaßgericht *n*, (*in U.S.A. a. zuständig in Sachen der freiwilligen Gerichtsbarkeit*, *bsd. als*) Vormundschaftsgericht *n*; **~ du·ty** *s.* ⚖ Erbschaftssteuer *f*.

pro·ba·tion [prə'beɪʃn] *s.* **1.** (Eignungs-)Prüfung *f*, Probe(zeit) *f*: ***on ~*** auf Probe(zeit); **2.** ⚖ a) Bewährungsfrist *f*, b) bedingte Freilassung *f*: ***place s.o. on ~*** j-m Bewährungsfrist zubilligen, j-n unter Zubilligung von Bewährungsfrist freilassen: ***~ officer*** Bewährungshelfer (-in); **3.** *eccl.* Novizi'at *n*; **pro'ba·tion·ar·y** [-ʃnərɪ], **pro'ba·tion·al** [-ʃənl] *adj.* Probe...: ***~ period*** ⚖ Bewährungsfrist *f*; **pro'ba·tion·er** [-ʃnə] *s.* **1.** 'Probekandi,dat(in), Angestellte(r *m*) *f* auf Probe, *z.B.* Lernschwester *f*; **2.** *fig.* Neuling *m*; **3.** *eccl.* No'vize *m*, *f*; **4.** ⚖ a) j-d, dessen Strafe zur Bewährung ausgesetzt ist, b) auf Bewährung bedingt Strafentlassene(r).

pro·ba·tive ['prəʊbətɪv] als Beweis dienend (***of*** für): ***~ facts*** ⚖ beweiserhebliche Tatsachen; ***~ force*** Beweiskraft *f*.

probe [prəʊb] **I** *v/t.* **1.** ⚕ sondieren (*a. fig.*); **2.** *fig.* eindringen in (*acc.*), erforschen, (gründlich) unter'suchen; **II** *v/i.* **3.** *fig.* (forschend) eindringen (***into*** in *acc.*); **III** *s.* **4.** ⚕, *a. Raumforschung etc.*: Sonde *f*; **5.** *fig.* Sondierung *f*; *bsd. Am.* Unter'suchung *f*.

prob·i·ty ['prəʊbətɪ] *s.* Rechtschaffenheit *f*, Redlichkeit *f*.

prob·lem ['prɒbləm] **I** *s.* **1.** Pro'blem *n* (*a. phls.*, *Schach etc.*), proble'matische Sache, Schwierigkeit *f*: ***set a ~*** ein Problem stellen; **2.** ⩲ Aufgabe *f*, Problem *n*; **3.** *fig.* Rätsel *n* (***to*** für *j-n*); **II** *adj.* **4.** proble'matisch: ***~ play*** Problemstück *n*; ***~ child*** schwererziehbares Kind, Sorgenkind; ***~ drinker*** Alkoholiker(in); **prob·lem·at·ic**, **prob·lem·at·i·cal** [,prɒblə'mætɪk(l)] *adj.* □ proble'matisch, zweifelhaft.

pro·bos·cis [prəʊ'bɒsɪs] *pl.* **-cis·es** [-sɪsi:z] *s. zo.* Rüssel *m* (*a. humor.*).

pro·ce·dur·al [prə'si:dʒərəl] *adj.* ⚖ verfahrensrechtlich; Verfahrens...: ***~ law***; **pro·ce·dure** [prə'si:dʒə] *s.* **1.** *allg.* Verfahren *n* (*a.* ⚙), Vorgehen *n*; **2.** ⚖ (*bsd. prozeßrechtliches*) Verfahren: ***rules of ~*** Prozeßvorschriften, Verfahrensbestimmungen; **3.** Handlungsweise *f*, Verhalten *n*.

pro·ceed [prə'si:d] *v/i.* **1.** weitergehen, -fahren *etc.*; sich begeben (***to*** nach); **2.** *fig.* weitergehen (*Handlung etc.*), fortschreiten; **3.** vor sich gehen, von'statten gehen; **4.** *fig.* fortfahren (***with***, ***in*** mit, in *s-r Rede etc.*), s-e Arbeit *etc.* fortsetzen: ***~ on one's journey*** s-e Reise fortsetzen, weiterreisen; **5.** *fig.* vorgehen, verfahren: ***~ with*** *et.* durchführen *od.* in Angriff nehmen; ***~ on the assumption that*** davon ausgehen, daß; **6.** schreiten *od.* 'übergehen (***to*** zu), sich anschicken (***to do*** zu tun): ***~ to business*** an die Arbeit gehen, anfangen; **7.** (***from***) ausgehen *od.* herrühren *od.* kommen (von) (*Geräusch*, *Hoffnung*, *Krankheit etc.*), (*e-r Hoffnung etc.*) entspringen; **8.** ⚖ (gerichtlich) vorgehen, e-n Pro'zeß anstrengen (***against*** gegen); **9.** *univ. Brit.* promovieren (***to*** [***the degree of***] zum); **pro'ceed·ing** [-dɪŋ] *s.* **1.** Vorgehen *n*, Verfahren *n*; **2.** *pl.* ⚖ Verfahren *n*, (Gerichts)Verhandlung(en *pl.*) *f*: ***take*** (*od.* ***institute***) ***~s against*** ein Verfahren einleiten *od.* gerichtlich vorgehen gegen; **3.** *pl.* (Sitzungs-, Tätigkeits)Bericht(e *pl.*) *m*, (⚖ Pro'zeß)Akten *pl.*; **pro·ceeds** ['prəʊsi:dz] *s. pl.* **1.** Erlös *m* (***from a sale*** aus e-m Verkauf), Ertrag *m*, Gewinn *m*; **2.** Einnahmen *pl.*

pro·cess ['prəʊses] **I** *s.* **1.** Verfahren *n*, Pro'zeß *m* (*a.* ⚙, ⚗): ***~ engineering*** Verfahrenstechnik *f*; ***~ chart*** Arbeitsablaufdiagramm *n*; ***~ control*** *Computer*: Prozeßsteuerung *f*; ***~ of manufacture*** Herstellungsvorgang *m*, Werdegang *m*; ***in ~ of construction*** im Bau (befindlich); **2.** Vorgang *m*, Verlauf *m*, Pro'zeß *m* (*a. phys.*): ***~ of combustion*** Verbrennungsvorgang; ***mental ~*** Denkprozeß *m*; **3.** Arbeitsgang *m*; **4.** Fortgang *m*, -schreiten *n*, (Ver)Lauf *m*: ***in ~ of time*** im Laufe der Zeit; ***be in ~*** im Gange sein; **5.** *typ.* 'photome,chanisches Reprodukti'onsverfahren: ***~ printing*** Mehrfarbendruck *m*; **6.** *anat.* Fortsatz *m*; **7.** ⚘ Auswuchs *m*; **8.** ⚖ a) Zustellung(en *pl.*) *f*, *bsd.* Vorladung *f*, b) (ordentliches) Verfahren: ***due ~ of law*** rechtliches Gehör; **II** *v/t.* **9.** ⚙ *etc.* bearbeiten, (chemisch *etc.*) behandeln, e-m Verfahren unter'werfen; *Material*, *a. Daten* verarbeiten; *Lebensmittel* haltbar machen, *Milch etc.* sterilisieren: ***~ into*** verarbeiten zu; **10.** ⚖ *j-n* gerichtlich belangen; **11.** *Am. fig. j-n* 'durchschleusen, abfertigen, *j-s Fall etc.* bearbeiten; **III** *v/i.* [prəʊ'ses] **12.** F in e-r Prozessi'on (mit)gehen; '**proc·ess·ing** [-sɪŋ] *s.* **1.** ⚙ Vered(e)lung *f*: ***~ indus-***

try weiterverarbeitende Industrie, Veredelungsindustrie *f*; **2.** ⚙, *a. Computer*: Verarbeitung *f*; **3.** *bsd. Am. fig.* Bearbeitung *f*.

pro·ces·sion [prəˈseʃn] *s.* **1.** Prozessiˈon *f*, (feierlicher) (Auf-, ˈUm)Zug: ***go in ~*** e-e Prozession abhalten *od.* machen; **2.** Reihe(nfolge) *f*; **3.** *a.* ***~ of the Holy Spirit*** *eccl.* Ausströmen *n* des Heiligen Geistes; **proˈces·sion·al** [-ʃənl] **I** *adj.* Prozessions…; **II** *s. eccl.* a) Prozessiˈonsbuch *n*, b) Prozessiˈonshymne *f*.

pro·ces·sor [ˈprəʊsesə] *s.* **1.** ⚙ Verarbeiter *m*; Hersteller(in); **2.** *Am.* (Sach-) Bearbeiter(in); **3.** *Computer*: Proˈzessor *m*.

pro·claim [prəˈkleɪm] *v/t.* **1.** proklamieren, (öffentlich) verkünd(ig)en, kundgeben: ***~ war*** den Krieg erklären; ***~ s.o. a traitor*** j-n zum Verräter erklären; ***~ s.o. king*** j-n zum König ausrufen; **2.** den Ausnahmezustand verhängen über *ein Gebiet etc.*; **3.** in die Acht erklären; **4.** *Versammlung etc.* verbieten.

proc·la·ma·tion [ˌprɒkləˈmeɪʃn] *s.* **1.** Proklamatiˈon *f* (***to*** an *acc.*), (öffentliche *od.* feierliche) Verkündigung *od.* Bekanntmachung, Aufruf *m*: ***~ of martial law*** Verhängung *f* des Standrechts; **2.** Erklärung *f*, Ausrufung *f zum König etc.*; **3.** Verhängung *f* des Ausnahmezustandes.

pro·cliv·i·ty [prəˈklɪvətɪ] *s.* Neigung *f*, Hang *m* (***to, toward*** zu).

pro·cras·ti·nate [prəʊˈkræstɪneɪt] **I** *v/i.* zaudern, zögern; **II** *v/t.* hiˈnausziehen, verschleppen.

pro·cre·ant [ˈprəʊkrɪənt] *adj.* (er)zeugend; **pro·cre·ate** [ˈprəʊkrɪeɪt] *v/t.* (er-)zeugen, herˈvorbringen (*a. fig.*); **pro·cre·a·tion** [ˌprəʊkrɪˈeɪʃn] *s.* (Er)Zeugung *f*, Herˈvorbringen *n*; **ˈpro·cre·a·tive** [-ɪeɪtɪv] *adj.* **1.** zeugungsfähig, Zeugungs…: ***~ capacity*** Zeugungsfähigkeit; **2.** fruchtbar; **ˈpro·cre·a·tor** [-ɪeɪtə] *s.* Erzeuger *m*.

Pro·crus·te·an [prəʊˈkrʌstɪən] *adj.* Prokrustes… (*a. fig.*): ***~ bed.***

proc·tor [ˈprɒktə] **I** *s.* **1.** *univ. Brit.* a) Disziplinarbeˌamte(r) *m*, b) Aufsichtsführende(r) *m*, (*bsd. bei Prüfungen*): ***~'s man, ~'s (bull)dog*** *sl.* Pedell; **2.** ⚖ a) Anwalt *m* (*an Spezialgerichten*), b) *a.* ***King's*** (*od.* ***Queen's***) ***~*** Prokuˈrator *m* der Krone; **II** *v/t.* **3.** beaufsichtigen.

pro·cur·a·ble [prəˈkjʊərəbl] *adj.* zu beschaffen(d), erhältlich; **proc·u·ra·tion** [ˌprɒkjʊəˈreɪʃn] *s.* **1.** → ***procurement*** 1 *u.* 3; **2.** (Stell)Vertretung *f*; **3.** ✝ Proˈkura *f*, Vollmacht *f*: ***by ~*** per Prokura; ***joint ~*** Gesamthandlungsvollmacht; ***single*** (*od.* ***sole***) ***~*** Einzelprokura; **4.** → ***procuring*** 2; **proc·u·ra·tor** [ˈprɒkjʊəreɪtə] *s.* **1.** ⚖ Anwalt *m*: ***~ General*** *Brit.* Königlicher Anwalt des Schatzamtes; **2.** ⚖ Bevollmächtigte(r) *m*, Sachwalter *m*; **3.** ***~ fiscal*** ⚖ *Scot.* Staatsanwalt *m*.

pro·cure [prəˈkjʊə] **I** *v/t.* **1.** (sich) be-, verschaffen, besorgen (***s.th. for s.o., s.o. s.th.*** j-m et.); *a. Beweise etc.* liefern, beibringen; **2.** erwerben, erlangen; **3.** verkuppeln; **4.** *fig.* bewirken, herˈbeiführen; **5.** veranlassen: ***~ s.o. to commit a crime*** j-n zu e-m Verbrechen anstiften; **II** *v/i.* **6.** kuppeln; Zuhälteˈrei treiben; **proˈcure·ment** [-mənt] *s.* **1.** Besorgung *f*, Beschaffung *f*; **2.** Erwerbung *f*; **3.** Vermittlung *f*; **4.** Veranlassung *f*; **proˈcur·er** [-ərə] *s.* **1.** Beschaffer(in), Vermittler(in); **2.** a) Kuppler *m*, b) Zuhälter *m*; **proˈcur·ess** [-ərɪs] *s.* Kupplerin *f*; **proˈcur·ing** [-ərɪŋ] *s.* **1.** Beschaffen *n etc.*; **2.** a) Kuppeˈlei *f*, b) Zuhälteˈrei *f*.

prod [prɒd] **I** *v/t.* **1.** stechen, stoßen; **2.** *fig.* anstacheln, -spornen (***into*** zu *et.*); **II** *s.* **3.** Stich *m*, Stechen *n*, Stoß *m* (*a. fig.*); **4.** *fig.* Ansporn *m*; **5.** Stachelstock *m*; **6.** Ahle *f*.

prod·i·gal [ˈprɒdɪgl] **I** *adj.* ☐ **1.** verschwenderisch (***of*** mit): ***be ~ of*** → ***prodigalize***; ***the ~ son*** *bibl.* der verlorene Sohn; **II** *s.* **2.** Verschwender(in); **3.** reuiger Sünder; **prod·i·gal·i·ty** [ˌprɒdɪˈgælətɪ] *s.* **1.** Verschwendung *f*; **2.** Üppigkeit *f*, Fülle *f* (***of*** an *dat.*); **ˈprod·i·gal·ize** [-gəlaɪz] *v/t.* verschwenden, verschwenderisch ˈumgehen mit.

pro·di·gious [prəˈdɪdʒəs] *adj.* ☐ **1.** erstaunlich, wunderbar, großartig; **2.** gewaltig, ungeheuer; **prod·i·gy** [ˈprɒdɪdʒɪ] *s.* **1.** Wunder *n* (***of*** *gen. od.* an *dat.*): ***a ~ of learning*** ein Wunder der *od.* an Gelehrsamkeit; **2.** ***mst infant ~*** Wunderkind *n*.

pro·duce¹ [prəˈdjuːs] *v/t.* **1.** *allg.* erzeugen, machen, schaffen; ✝ *Waren etc.* produzieren, herstellen, erzeugen; *Kohle etc.* gewinnen, fördern; *Buch* a) verfassen, b) herˈausbringen; *thea. Stück* a) inszenieren, b) aufführen; *Film* produzieren; *Brit. thea.*, *Radio*: Reˈgie führen bei: ***~ o.s.*** *fig.* sich produzieren; **2.** ⚘ *Früchte etc.* herˈvorbringen; **3.** ✝ *Gewinn*, *Zinsen* (ein)bringen, abwerfen; **4.** *fig.* erzeugen, bewirken, herˈvorrufen, zeitigen; *Wirkung* erzielen; **5.** herˈvorziehen, -holen (***from*** aus *der Tasche etc.*); *Ausweis etc.* (vor)zeigen, vorlegen; *Beweise*, *Zeugen etc.* beibringen; *Gründe* anführen; **6.** *A Linie* verlängern.

prod·uce² [ˈprɒdjuːs] *s.* (*nur sg.*) **1.** (*bsd.* ˈBoden)Proˌdukt(e *pl.*) *n*, (Naˈtur)Erzeugnis(se *pl.*) *n*: ***~ market*** Produkten-, Warenmarkt *m*; **2.** Ertrag *m*, Gewinn *m*.

pro·duc·er [prəˈdjuːsə] *s.* **1.** *a.* ✝ Erzeuger(in), ˈHersteller(in): ***~ country*** ✝

P

Erzeugerland *n*; **2.** ✝ Produ'zent *m*, Fabri'kant *m*: **~ *goods*** Produktionsgüter; **3.** a) *Film*: Produ'zent *m*, Produkti'onsleiter *m*, b) *Brit. thea.*, *Radio*: Regis'seur *m*, Spielleiter *m*; **4.** ⚙ Gene'rator *m*: **~ *gas*** Generatorgas *n*; **pro'duc·i·ble** [-səbl] *adj.* **1.** erzeug-, herstellbar, produzierbar; **2.** vorzuzeigen(d), beizubringen(d); **pro'duc·ing** [-sɪŋ] *adj.* Produktions..., Herstellungs...

prod·uct ['prɒdəkt] *s.* **1.** *a.* ✝, ⚙ Pro'dukt *n* (*a.* ⚗, ⚗), Erzeugnis *n*: ***intermediate ~*** Zwischenprodukt *n*; **~ *liability*** Produkthaftung *f*; **~ *line*** Erzeugnis(gruppe *f*) *n*; **~ *patent*** Stoffpatent *n*; **~ *range*** Produktpalette *f*; **2.** *fig.* (*a.* 'Geistes)Pro,dukt *n*, Ergebnis *n*, Werk *n*; **3.** *fig.* Pro'dukt *n* (*Person*).

pro·duc·tion [prə'dʌkʃn] *s.* **1.** (*z.B. Kälte-, Strom*)Erzeugung *f*, (*z.B. Rauch*)Bildung *f*; **2.** ✝ Produkti'on *f*, Herstellung *f*, Erzeugung *f*, Fertigung *f*; ⚗, ⚒, *min.* Gewinnung *f*; ⚒ Förderleistung *f*: **~ *of gold*** Goldgewinnung; ***be in ~*** serienmäßig hergestellt werden; ***be in good ~*** genügend hergestellt werden; ***go into ~*** a) in Produktion gehen, b) die Produktion aufnehmen (*Fabrik*); **3.** (*Arbeits*)Erzeugnis *n*, (*a.* Na'tur)Pro,dukt *n*, Fabri'kat *n*; **4.** *fig.* (*mst* lite'rarisches) Pro'dukt, Ergebnis *n*, Werk *n*, Schöpfung *f*, Frucht *f*; **5.** Her'vorbringen *n*, Entstehung *f*; **6.** Vorlegung *f*, -zeigung *f e-s Dokuments etc.*, Beibringung *f e-s Zeugen*, Erbringen *n e-s Beweises*; Vorführen *n*, Aufweisen *n*; **7.** Her'vorholen *n*, -ziehen *n*; **8.** *thea.* Vor-, Aufführung *f*, Inszenierung *f*; **9.** a) *Brit. thea.*, *Radio*, *TV*: Re'gie *f*, Spielleitung *f*, b) *Film*: Produkti'on *f*; **pro'duc·tion·al** [-ʃənl] *adj.* Produktions...

pro·duc·tion| ca·pac·i·ty *s.* Produkti'onskapazi,tät *f*, Leistungsfähigkeit *f*; **~ car** *s. mot.* Serienwagen *m*; **~ costs** *s. pl.* Gestehungskosten *pl.*; **~ di·rec·tor** *s. Radio*: Sendeleiter *m*; **~ en·gi·neer** *s.* Be'triebsingeni,eur *m*; **~ goods** *s. pl.* Produkti'onsgüter *pl.*; **~ line** *s.* ⚙ Fließband *n*, Fertigungsstraße *f*; **~ lo·ca·tion** *s.* Produktionsstandort *m*; **~ man·ag·er** *s.* ✝ 'Herstellungsleiter *m*.

pro·duc·tive [prə'dʌktɪv] *adj.* □ **1.** (***of*** *acc.*) her'vorbringend, erzeugend, schaffend: ***be ~ of*** führen zu, erzeugen; **2.** produk'tiv, ergiebig, ertragreich, fruchtbar, ren'tabel; **3.** produzierend, leistungsfähig; ⚒ abbauwürdig; **4.** *fig.* produk'tiv, fruchtbar, schöpferisch; **pro'duc·tive·ness** [-nɪs], **pro·duc·tiv·i·ty** [,prɒdʌk'tɪvətɪ] *s.* Produktivi'tät *f*: a) ✝ Rentabili'tät *f*, Ergiebigkeit *f*, b) ✝ Leistungs-, Ertragsfähigkeit *f*, c) *fig.* Fruchtbarkeit *f*.

pro·em ['prəʊem] *s.* Einleitung *f* (*a. fig.*), Vorrede *f*.

prof [prɒf] *s.* F Prof *m* (*Professor*).

prof·a·na·tion [,prɒfə'neɪʃn] *s.* Entweihung *f*, Profanierung *f*; **pro·fane** [prə'feɪn] **I** *adj.* □ **1.** weltlich, pro'fan, ungeweiht, Profan...(*-bau*, *-geschichte*); **2.** lästerlich, gottlos: **~ *language***; **3.** uneingeweiht (***to*** in *acc.*); **II** *v/t.* **4.** entweihen, profanieren; **pro·fan·i·ty** [prə'fænətɪ] *s.* **1.** Gott-, Ruchlosigkeit *f*; **2.** Weltlichkeit *f*; **3.** Fluchen *n*; *pl.* Flüche *pl.*

pro·fess [prə'fes] *v/t.* **1.** (*a.* öffentlich) erklären, *Reue etc.* bekunden, sich bezeichnen (***to be*** als), sich bekennen zu (*e-m Glauben etc.*) *od.* als (*Christ etc.*): **~ *o.s. a communist***, **~ *Christianity***; **2.** beteuern, versichern, *b.s.* heucheln, zur Schau tragen; **3.** eintreten für, *Grundsätze etc.* vertreten; **4.** (*als Beruf*) ausüben, betreiben; **5.** *Brit.* Pro'fessor sein in (*dat.*), lehren; **pro'fessed** [-st] *adj.* □ **1.** erklärt (*Feind etc.*), ausgesprochen; **2.** an-, vorgeblich; **3.** Berufs..., berufsmäßig; **4.** (in einen Orden) aufgenommen: **~ *monk*** Profeß *m*; **pro'fess·ed·ly** [-sɪdlɪ] *adv.* **1.** angeblich; **2.** erklärtermaßen; **3.** offenkundig; **pro'fes·sion** [-eʃn] *s.* **1.** (*bsd.* aka'demischer *od.* freier) Beruf, Stand *m*: ***learned ~*** gelehrter Beruf; ***the ~s*** die akademischen Berufe; ***the military ~*** der Soldatenberuf; ***by ~*** von Beruf; **2.** ***the ~*** *coll.* der Beruf *od.* Stand: ***the medical ~*** die Ärzteschaft; **3.** (*bsd.* Glaubens)Bekenntnis *n*; **4.** Bekundung *f*, (*a.* falsche) Versicherung *od.* Behauptung, Beteuerung *f*: **~ *of friendship*** Freundschaftsbeteuerung *f*; **5.** *eccl.* Pro'feß *f*, Gelübde(ablegung *f*) *n*; **pro'fes·sion·al** [-eʃənl] **I** *adj.* □ **1.** Berufs..., beruflich, Amts..., Standes...: **~ *discretion*** Schweigepflicht *f des Arztes etc.*; **~ *ethics*** Berufsethos *n*; **2.** Fach..., Berufs..., fachlich: **~ *association*** Berufsgenossenschaft *f*; **~ *school*** Fach-, Berufsschule *f*; **~ *studies*** Fachstudium *n*; **~ *terminology*** Fachsprache *f*; **~ *man*** Mann vom Fach (→ 4); **3.** professio'nell, Berufs... (*a. sport*): **~ *player***; **4.** freiberuflich, aka'demisch; **~ *man*** Akademiker, Geistesarbeiter; ***the ~ classes*** die höheren Berufsstände; **5.** gelernt, fachlich ausgebildet: **~ *gardener***; **6.** *fig. iro.* unentwegt, ‚Berufs...': **~ *patriot***; **II** *s.* **7.** *sport* Berufssportler(in) *od.* -spieler (-in); **8.** Berufskünstler *m etc.*, Künstler *m* vom Fach; **9.** Fachmann *m*; **10.** Geistesarbeiter *m*; **pro'fes·sion·al·ism** [-eʃnəlɪzəm] *s.* Berufssportlertum *n*, -spielertum *n*, Profitum *n*.

pro·fes·sor [prə'fesə] *s.* **1.** Pro'fessor *m*, Profes'sorin *f*; → ***associate*** 8; **2.** *Am.* Hochschullehrer *m*; **3.** *a. humor.* Lehrmeister *m*; **4.** *bsd. Am. od. Scot.* (*a.* Glaubens)Bekenner *m*; **pro·fes·so·ri·al** [ˌprɒfɪˈsɔːrɪəl] *adj.* □ professoˈral; Professoren...: **~ *chair*** Lehrstuhl *m*, Professur *f*; **pro·fes·so·ri·ate** [ˌprɒfɪˈsɔːrɪət] *s.* **1.** Profesˈsoren(schaft *f*) *pl.*; **2.** → **proˈfes·sor·ship** [-ʃɪp] *s.* Profesˈsur *f*, Lehrstuhl *m*.

prof·fer [ˈprɒfə] **I** *s.* Angebot *n*; **II** *v/t.* (an)bieten.

pro·fi·cien·cy [prəˈfɪʃnsɪ] *s.* Können *n*, Tüchtigkeit *f*, (gute) Leistungen *pl.*; Fertigkeit *f*; **proˈfi·cient** [-nt] **I** *adj.* □ tüchtig, geübt, bewandert, erfahren (***in***, ***at*** in *dat.*); **II** *s.* Fachmann *m*, Meister *m*.

pro·file [ˈprəʊfaɪl] **I** *s.* **1.** Proˈfil *n*: a) Seitenansicht *f*, b) Konˈtur *f*: ***keep a low ~*** *fig.* sich ‚bedeckt' *od.* im Hintergrund halten; **2.** (*a.* ⚠, ⚙) Proˈfil *n*, Längsschnitt *m*; **3.** Querschnitt *m* (*a. fig.*); **4.** ˈKurzbiograˌphie *f*; **II** *v/t.* **5.** im Profil darstellen, profilieren; ⚙ im Quer- *od.* Längsschnitt zeichnen; **6.** ⚙ profilieren, fassonieren; kopierfräsen: **~ *cutter*** Fassonfräser *m*.

prof·it [ˈprɒfɪt] **I** *s.* **1.** (✝ *oft pl.*) Gewinn *m*, Proˈfit *m*: **~ *and loss account*** Gewinn- u. Verlustkonto *n*, Erfolgsrechnung *f*; **~ *margin*** Gewinnspanne *f*; **~ *maximization*** Gewinnmaximierung *f*; **~*-sharing*** Gewinnbeteiligung *f*; **~*-taking*** *Börse*: Gewinnmitnahme *f*; ***sell at a ~*** mit Gewinn verkaufen; ***leave a ~*** e-n Gewinn abwerfen; **2.** *oft pl.* a) Ertrag *m*, Erlös *m*, b) Reinertrag *m*; **3.** ⚖ Nutzung *f*, Früchte *pl.* (*aus Land*); **4.** Nutzen *m*, Vorteil *m*: ***turn s.th. to ~*** aus et. Nutzen ziehen; ***to his ~*** zu s-m Vorteil; **II** *v/i.* **5.** (***by***, ***from***) (e-n) Nutzen *od.* Gewinn ziehen (aus), profitieren (von): **~ *by*** *a.* sich *et.* zunutze machen, *e-e Gelegenheit* ausnützen; **III** *v/t.* **6.** nützen, nutzen (*dat.*), von Nutzen sein für; **ˈprof·it·a·ble** [-təbl] *adj.* □ **1.** gewinnbringend, einträglich, lohnend, renˈtabel: ***be ~*** *a.* sich rentieren; **2.** vorteilhaft, nützlich (***to*** für); **ˈprof·it·a·ble·ness** [-təblnɪs] *s.* **1.** Einträglichkeit *f*, Rentabiliˈtät *f*; **2.** Nützlichkeit *f*; **prof·it·eer** [ˌprɒfɪˈtɪə] **I** *s.* Proˈfitmacher *m*, (Kriegs- *etc.*)Gewinnler *m*, ‚Schieber' *m*, Wucherer *m*; **II** *v/i.* Schieber- *od.* Wuchergeschäfte machen, ‚schieben'; **prof·it·eer·ing** [ˌprɒfɪˈtɪərɪŋ] *s.* Schieber-, Wuchergeschäfte *pl.*, Preistreibeˈrei *f*; **ˈprof·it·less** [-lɪs] *adj.* □ **1.** ˈunrenˌtabel, ohne Gewinn; **2.** nutzlos.

prof·li·ga·cy [ˈprɒflɪgəsɪ] *s.* **1.** Lasterhaftigkeit *f*, Verworfenheit *f*; **2.** Verschwendung(ssucht) *f*; **ˈprof·li·gate** [-gət] **I** *adj.* □ **1.** verworfen, liederlich; **2.** verschwenderisch; **II** *s.* **3.** lasterhafter Mensch, Liederjan *m*; **4.** Verschwender(in).

pro for·ma [ˌprəʊˈfɔːmə] (*Lat.*) *adv. u. adj.* **1.** pro forma, zum Schein; **2.** ✝ Proforma...(*-rechnung*), Schein...(*-geschäft*): **~ *bill*** Proforma-, Gefälligkeitswechsel *m*.

pro·found [prəˈfaʊnd] *adj.* □ **1.** tief (*mst fig. Friede*, *Seufzer*, *Schlaf etc.*); **2.** tiefschürfend, inhaltsschwer, gründlich, proˈfund; **3.** *fig.* unergründlich, dunkel; **4.** *fig.* tief, groß (*Hochachtung etc.*), stark (*Interesse etc.*), vollkommen (*Gleichgültigkeit*); **proˈfound·ness** [-nɪs], **proˈfun·di·ty** [-ˈfʌndətɪ] *s.* **1.** Tiefe *f*, Abgrund *m* (*a. fig.*); **2.** Tiefgründigkeit *f*, -sinnigkeit *f*; **3.** Gründlichkeit *f*; **4.** *pl.* tiefgründige Proˈbleme *od.* Theoˈrien; **5.** *oft pl.* Weisheit *f*, proˈfunder Ausspruch; **6.** Stärke *f*, hoher Grad (*der Erregung etc.*).

pro·fuse [prəˈfjuːs] *adj.* □ **1.** (*a.* ˈüber-)reich (***of***, ***in*** an *dat.*), ˈüberfließend, üppig; **2.** (*oft* allzu) freigebig, verschwenderisch (***of***, ***in*** mit): ***be ~ in one's thanks*** überschwenglich danken; **~*ly illustrated*** reich(haltig) illustriert; **proˈfuse·ness** [-nɪs], **proˈfu·sion** [-uːʒn] *s.* **1.** (ˈÜber)Fülle *f*, ˈÜberfluß *m* (***of*** an *dat.*): ***in ~*** in Hülle u. Fülle; **2.** Verschwendung *f*, Luxus *m*, allzu große Freigebigkeit.

pro·gen·i·tive [prəʊˈdʒenɪtɪv] *adj.* **1.** Zeugungs...: **~ *act***; **2.** zeugungsfähig; **proˈgen·i·tor** [-tə] *s.* **1.** Vorfahr *m*, Ahn *m*; **2.** *fig.* Vorläufer *m*; **proˈgen·i·tress** [-trɪs] *s.* Ahne *f*; **proˈgen·i·ture** [-tʃə] *s.* **1.** Zeugung *f*; **2.** Nachkommenschaft *f*; **prog·e·ny** [ˈprɒdʒənɪ] *s.* **1.** Nachkommen(schaft *f a.* ⚘) *pl.*; *zo. die* Jungen *pl.*, Brut *f*; **2.** *fig.* Frucht *f*, Proˈdukt *n*.

pro·gna·thy [ˈprɒgnəθɪ] *s.* ⚕ **1.** Prognaˈthie *f*; **2.** Progeˈnie *f*.

prog·no·sis [prɒgˈnəʊsɪs] *pl.* **-ses** [-siːz] *s.* ⚕ *etc.* Proˈgnose *f*, Vorˈhersage *f*; **progˈnos·tic** [-ˈnɒstɪk] **I** *adj.* **1.** proˈgnostisch (*bsd.* ⚕), vorˈaussagend (***of*** *acc.*); **2.** warnend, vorbedeutend; **II** *s.* **3.** Vorˈhersage *f*; **4.** (An-, Vor)Zeichen *n*; **prog·nos·ti·cate** [prɒgˈnɒstɪkeɪt] *v/t.* **1.** (*a. v/i.*) vorˈher-, vorˈaussagen, prognostizieren; **2.** anzeigen; **prog·nos·ti·ca·tion** [prəgˌnɒstɪˈkeɪʃn] *s.* **1.** Vorˈher-, Vorˈaussage *f*, Proˈgnose *f* (*a.* ⚕); **2.** Propheˈzeiung *f*; **3.** Vorzeichen *n*.

pro·gram(me) [ˈprəʊgræm] **I** *s.* **1.** (ˈStudien-, Parˈtei- *etc.*)Proˌgramm *n*, Plan *m* (*a. fig.* F): ***manufacturing ~*** Herstellungsprogramm *n*; **2.** Proˈgramm *n*: a) *thea.* Spielplan *m*, b) Proˈgrammheft *n*, c) Darbietung *f*, d) *Radio*, *TV*: Sendefolge *f*, Sendung *f*: **~ *director*** Programmdirektor *m*; **~ *music*** Programmmusik *f*; **~ *picture*** Beifilm *m*; **~ *rating*** TV Einschaltquote *f*; **3.** *Computer*:

P

Programm *n*: **~-controlled** programmgesteuert; **~ step** Programmschritt *m*; **II** *v/t.* **4.** ein Pro'gramm aufstellen für; **5.** auf das Pro'gramm setzen, planen, ansetzen; **6.** *Computer* programmieren; **'pro·grammed** [-md] *adj.* programmiert: **~ instruction**; **~ learning**; **'pro·gram·mer** [-mə] *s. Computer*: Program'mierer(in); **'pro·gram·ming** [-mıŋ] *s.* **1.** *Rundfunk, TV*: Pro'grammgestaltung *f*; **2.** *Computer*: Programmierung *f*: **~ language** Programmiersprache *f*.

pro·gress I ['prəʊgres] *s.* (*nur sg. außer* 6) **1.** *fig.* Fortschritt(e *pl.*) *m*: **make ~** Fortschritte machen; **~ engineer** Entwicklungsingenieur *m*; **~ report** Zwischenbericht; **2.** (Weiter)Entwicklung *f*: **in ~** im Werden (begriffen); **3.** Fortschreiten *n*, Vorrücken *n*; ⚔ Vordringen *n*; **4.** Fortgang *m*, (Ver)Lauf *m*: **be in ~** im Gange sein; **5.** Über'handnehmen *n*, 'Umsichgreifen *n*: **the disease made rapid ~** die Krankheit griff schnell um sich; **6.** *obs.* Reise *f*, Fahrt *f*; *Brit. mst hist.* Rundreise *f e-s Herrschers etc.*; **II** [prəʊ'gres] *v/i.* **7.** fortschreiten, weitergehen, s-n Fortgang nehmen; **8.** sich (fort-, weiter)entwickeln: **~ towards completion** s-r Vollendung entgegengehen; **9.** *fig.* Fortschritte machen, vo'ran-, vorwärtskommen.

pro·gres·sion [prəʊ'greʃn] *s.* **1.** Vorwärts-, Fortbewegung *f*; **2.** Weiterentwicklung *f*, Verlauf *m*; **3.** (Aufein'ander)Folge *f*; **4.** Progressi'on *f*: a) ⩘ Reihe *f*, b) Staffelung *f e-r Steuer etc.*; **5.** ♪ a) Se'quenz *f*, b) Fortschreitung *f* (*Stimmbewegung*); **pro'gres·sion·ist** [-ʃnıst], **pro'gress·ist** [-esıst] *s. pol.* Fortschrittler *m*; **pro'gres·sive** [-esıv] **I** *adj.* □ **1.** fortschrittlich (*Person u. Sache*): **~ party** *pol.* Fortschrittspartei *f*; **2.** fortschreitend, -laufend, progres'siv: **a ~ step** *fig.* ein Schritt nach vorn; **~ assembly** ⚙ Fließbandmontage *f*; **3.** gestaffelt, progres'siv (*Besteuerung etc.*); **4.** (fort)laufend: **~ numbers**; **5.** *a.* ⚕ zunehmend, progres'siv: **~ paralysis**; **6.** *ling.* progres'siv: **~ form** Verlaufsform *f*; **II** *s.* **7.** *pol.* Progres'sive(r *m*) *f*, Fortschrittler *m*; **pro'gres·sive·ly** [-esıvlı] *adv.* schritt-, stufenweise, nach u. nach, all'mählich.

pro·hib·it [prə'hıbıt] *v/t.* **1.** verbieten, unter'sagen (**s.th.** et., **s.o. from doing** j-m *et.* zu tun); **2.** verhindern (**s.th. being done** daß et. geschieht); **3.** hindern (**s.o. from doing** j-n daran, *et.* zu tun); **pro·hi·bi·tion** [ˌprəʊı'bıʃn] *s.* **1.** Verbot *n*; **2.** (*hist. Am. mst* ♀) Prohibiti'on(szeit) *f*, Alkoholverbot *n*; **pro·hi·bi·tion·ist** [ˌprəʊı'bıʃnıst] *s. hist. Am.* Prohibitio'nist *m*, Verfechter *m* des Alkoholverbots; **pro'hib·i·tive** [-tıv] *adj.* □ **1.** verbietend, unter'sagend; **2.** ✝ Prohibitiv…, Schutz…, Sperr…: **~ duty** Prohibitivzoll *m*; **~ tax** Prohibitivsteuer *f*; **3.** unerschwinglich (*Preis*), untragbar (*Kosten*); **pro'hib·i·to·ry** [-tərı] → **prohibitive**.

pro·ject I *v/t.* [prə'dʒekt] **1.** planen, entwerfen, projektieren; **2.** werfen, schleudern; **3.** *Bild, Licht, Schatten etc.* werfen, projizieren; **4.** *fig.* projizieren (*a.* ⩘): **~ o.s.** (*od.* **one's thoughts**) **into** sich versetzen in (*acc.*); **~ one's feelings into** s-e Gefühle übertragen auf (*acc.*); **II** *v/i.* **5.** vorspringen, -stehen, -ragen (**over** über *acc.*); **III** *s.* ['prɒdʒekt] **6.** Pro'jekt *n* (*a. Am. ped.*), Plan *m*, (*a.* Bau)Vorhaben *n*, Entwurf *m*: **~ engineer** Projektingenieur *m*.

pro·jec·tile [prəʊ'dʒektaıl] **I** *s.* **1.** ⚔ Geschoß *n*, Projek'til *n*; **2.** (Wurf)Geschoß *n*; **II** *adj.* **3.** (an)treibend, Stoß…, Trieb…: **~ force**; **4.** Wurf…

pro·jec·tion [prə'dʒekʃn] *s.* **1.** Vorsprung *m*, vorspringender Teil *od.* Gegenstand *etc.*; ⚠ Auskragung *f*, -ladung *f*, 'Überhang *m*; **2.** Fortsatz *m*; **3.** Werfen *n*, Schleudern *n*, (Vorwärts)Treiben *n*; **4.** Wurf *m*, Stoß *m*; **5.** ⩘, *ast.* Projekti'on *f*: **upright ~** Aufriß *m*; **6.** *phot.* Projekti'on *f*: a) Projizieren *n* (*Lichtbilder*), b) Lichtbild *n*; **7.** Vorführen *n* (*Film*): **~ booth** Vorführkabine *f*; **~ screen** Projektions-, Leinwand *f*, Bildschirm *m*; **8.** *psych.* Projekti'on *f*; **9.** *fig.* 'Widerspiegelung *f*; **10.** a) Planen *n*, Entwerfen *n*, b) Plan *m*, Entwurf *m*; **11.** *Statistik etc.*: Hochrechnung *f*; **pro'jec·tion·ist** [-kʃnıst] *s.* Filmvorführer *m*; **pro'jec·tor** [-ktə] *s.* **1.** Projekti'onsappaˌrat *m*, Vorführgerät *n*, Bildwerfer *m*, Pro'jektor *m*; **2.** ⚙ Scheinwerfer *m*; **3.** ⚔ (Ra'keten-, Flammen- *etc.*)Werfer *m*; **4.** a) Planer *m*, b) *contp.* Pläneschmied *m*, Pro'jektemacher *m*.

pro·lapse ['prəʊlæps] ⚕ **I** *s.* Vorfall *m*, Pro'laps(us) *m*; **II** *v/i.* [prə'læps] prolabieren, vorfallen; **pro·lap·sus** [prəʊ'læpsəs] → **prolapse** I.

prole [prəʊl] *s.* F Pro'let(in).

pro·le·tar·i·an [ˌprəʊlı'teərıən] **I** *adj.* prole'tarisch, Proletarier…; **II** *s.* Prole'tarier(in); **ˌpro·le'tar·i·at(e)** [-ıət] *s.* Proletari'at *n*.

pro·li·cide ['prəʊlısaıd] *s.* ⚖ Tötung *f* der Leibesfrucht, Abtreibung *f*.

pro·lif·er·ate [prəʊ'lıfəreıt] *v/i. biol.* **1.** wuchern; **2.** sich fortpflanzen (*durch Zellteilung etc.*); **3.** sich stark vermehren; **pro·lif·e'ra·tion** [prəʊˌlıfə'reıʃn] *s.* **1.** Wuchern *n*; **2.** Fortpflanzung *f*; **3.** starke Vermehrung *od.* Ausbreitung; **pro'lif·ic** [-fık] *adj.* (□ **~ally**) **1.** *bsd. biol.* (*oft* 'überaus) fruchtbar; **2.** *fig.*

P

reich (***of***, ***in*** an *dat.*); **3.** *fig.* fruchtbar, produk'tiv (*Schriftsteller etc.*).

pro·lix ['prəʊlɪks] *adj.* □ weitschweifig; **pro·lix·i·ty** [ˌprəʊ'lɪksətɪ] *s.* Weitschweifigkeit *f.*

pro·log *Am.* → ***prologue.***

pro·logue ['prəʊlɒg] *s.* **1.** *bsd. thea.* Pro'log *m*, Einleitung *f* (***to*** zu); **2.** *fig.* Vorspiel *n*, Auftakt *m*; **'pro·logu·ize** [-gaɪz] *v/i.* e-n Pro'log verfassen *od.* sprechen.

pro·long [prə'lɒŋ] *v/t.* **1.** verlängern, (aus)dehnen; **2.** ✝ *Wechsel* prolongieren; **pro'longed** [-ŋd] *adj.* anhaltend (*Beifall, Regen etc.*): ***for a ~ period*** längere Zeit; **pro·lon·ga·tion** [ˌprəʊlɒŋ'geɪʃn] *s.* **1.** Verlängerung *f*; **2.** Prolongierung *f e-s Wechsels etc.*, Fristverlängerung *f*, Aufschub *m*: ***~ business*** ✝ Prolongationsgeschäft *n.*

prom [prɒm] *s.* **1.** *Am.* F High-School-, College-Ball *m*; **2.** *bsd. Brit.* F a) 'Strandpromeˌnade *f*, b) → ***promenade concert.***

prom·e·nade [ˌprɒmə'nɑːd] **I** *s.* **1.** Prome'nade *f*: a) Spaziergang *m*, -fahrt *f*, -ritt *m*, b) Spazierweg *m*, Wandelhalle *f*; **2.** [*a.* -'neɪd] feierlicher Einzug der (Ball)Gäste, Polo'naise *f*; **3.** → ***prom*** 1; **4.** → ***promenade concert***; **II** *v/i.* **5.** promenieren, spazieren(gehen *etc.*); **III** *v/t.* **6.** promenieren *od.* (her'um)spazieren in (*dat.*) *od.* auf (*dat.*); **7.** spazierenführen, (um'her)führen; **~ con·cert** *s. Konzert in ungezwungener Atmosphäre*; **~ deck** *s.* ⚓ Prome'nadendeck *n.*

prom·i·nence ['prɒmɪnəns] *s.* **1.** (Her-)'Vorragen *n*, -springen *n*; **2.** Vorsprung *m*, vorstehender Teil; *ast.* Protube'ranz *f*; **3.** *fig.* a) Berühmtheit *f*, b) Bedeutung *f*: ***bring into ~*** a) berühmt machen, b) klar herausstellen, hervorheben; ***come into ~*** in den Vordergrund rücken, hervortreten; → ***blaze*** 7; **'prom·i·nent** [-nt] *adj.* □ **1.** vorstehend, -springend (*a. Nase etc.*); **2.** mar'kant, auffallend, her'vorstechend (*Eigenschaft*); **3.** promi'nent: a) führend (*Persönlichkeit*), her'vorragend, b) berühmt.

prom·is·cu·i·ty [ˌprɒmɪ'skjuːətɪ] *s.* **1.** Vermischt-, Verworrenheit *f*, Durchein'ander *n*; **2.** Wahllosigkeit *f*; **3.** Promiskui'tät *f*, wahllose *od.* ungebundene Geschlechtsbeziehungen *pl.*; **pro·mis·cu·ous** [prə'mɪskjʊəs] *adj.* □ **1.** (kunter)bunt, verworren; **2.** wahl-, 'unterschiedslos; **3.** gemeinsam (*beider Geschlechter*): ***~ bathing.***

prom·ise ['prɒmɪs] **I** *s.* **1.** Versprechen *n*, -heißung *f*, Zusage *f* (***to*** *j-m* gegen'über): ***~ to pay*** ✝ Zahlungsversprechen; ***break*** (***keep***) ***one's ~*** sein Versprechen brechen (halten); ***make a ~*** ein Versprechen geben; ***breach of ~*** Bruch *m* des Eheversprechens; ***Land of ~*** → ***Promised Land***; **2.** *fig.* Hoffnung *f od.* Aussicht *f* (***of*** auf *acc.*, zu *inf.*): ***of great ~*** vielversprechend (*Aussicht, junger Mann etc.*); ***show some ~*** gewisse Ansätze zeigen; **II** *v/t.* **3.** versprechen, zusagen, in Aussicht stellen (***s.o. s.th., s.th. to s.o.*** j-m et.): ***I ~ you*** a) das kann ich Ihnen versichern, b) ich warne Sie!; **4.** *fig.* versprechen, erwarten *od.* hoffen lassen, ankündigen; **5.** ***be ~d*** (in die Ehe) versprochen sein; **6.** ***~ o.s. s.th.*** sich et. versprechen *od.* erhoffen; **III** *v/i.* **7.** versprechen, zusagen; **8.** *fig.* Hoffnungen erwecken: ***he ~s well*** er läßt sich gut an; ***the weather ~s fine*** das Wetter verspricht gut zu werden; **Prom·ised Land** ['prɒmɪst] *s. bibl. u. fig. das* Gelobte Land, Land *n* der Verheißung; **prom·is·ee** [ˌprɒmɪ'siː] *s.* ⚖ Versprechensempfänger(in), Berechtigte(r *m*) *f*; **'prom·is·ing** [-sɪŋ] *adj.* □ *fig.* vielversprechend, hoffnungs-, verheißungsvoll, aussichtsreich; **'prom·i·sor** [-sɔː] *s.* ⚖ Versprechensgeber(in); **'prom·is·so·ry** [-sərɪ] *adj.* versprechend: ***~ note*** ✝ Schuldschein *m*, Eigen-, Solawechsel *m.*

pro·mo ['prəʊməʊ] F **I** *adj.* Reklame…; **II** *s. Radio, TV*: (Werbe)Spot *m*; *Zeitung*: Anzeige *f.*

prom·on·to·ry ['prɒməntrɪ] *s.* Vorgebirge *n.*

pro·mote [prə'məʊt] *v/t.* **1.** fördern, unter'stützen; *b.s.* Vorschub leisten (*dat.*); **2.** *j-n* befördern: ***be ~d*** a) befördert werden, b) *sport* aufsteigen; **3.** *parl. Antrag* a) unter'stützen, b) einbringen; **4.** ✝ *Gesellschaft* gründen; **5.** ✝ a) *Verkauf* (*durch Werbung*) steigern, b) werben für; **6.** *Boxkampf etc.* veranstalten; **7.** *ped. Am. Schüler* versetzen; **8.** *Schach*: *Bauern* verwandeln; **9.** *Am. sl.* ‚organisieren'; **pro'mot·er** [-tə] *s.* **1.** Förderer *m*; Befürworter *m*; *b.s.* Anstifter *m*; **2.** ✝ Gründer *m*: ***~'s shares*** Gründeraktien; **3.** *sport* Veranstalter *m*; **pro'mo·tion** [-əʊʃn] *s.* **1.** Beförderung *f* (*a.* ⚔): ***~ list*** Beförderungsliste *f*; ***get one's ~*** befördert werden; ***~ prospects*** *pl.* Aufstiegschancen *pl.*; **2.** Förderung *f*, Befürwortung *f*: ***export ~*** ✝ Exportförderung; **3.** ✝ Gründung *f*; **4.** ✝ Verkaufsförderung *f*, Werbung *f*; **5.** *ped. Am.* Versetzung *f*; **6.** *sport* Aufstieg *m*: ***gain ~*** aufsteigen; **7.** *Schach*: Umwandlung *f*; **pro'mo·tion·al** [-əʊʃənl] *adj.* **1.** Beförderungs…; **2.** fördernd; **3.** ✝ Reklame…, Werbe…; **pro'mo·tive** [-tɪv] *adj.* fördernd, begünstigend (***of*** *acc.*).

prompt [prɒm*p*t] **I** *adj.* □ **1.** unverzüglich, prompt, so'fortig, 'umgehend: ***a ~ reply*** e-e prompte *od.* schlagfertige

Antwort; **2.** schnell, rasch; **3.** bereit (-willig); **4.** ✝ a) pünktlich, b) bar, c) sofort liefer- u. zahlbar: ***for ~ cash*** gegen sofortige Kasse; **II** *adv.* **5.** pünktlich; **III** *v/t.* **6.** *j-n* antreiben, bewegen, (*a. et.*) veranlassen (***to*** zu); **7.** *Gedanken, Gefühl etc.* eingeben, wecken; **8.** *j-m* das Stichwort geben, ein-, vorsagen; *thea. j-m* soufflieren: ***~-book*** Soufflierbuch *n*; ***~ box*** Souffleurkasten; ***~ facility*** *Computer*: Bedienerführung *f*; **IV** *s.* **9.** ✝ Ziel *n*, Zahlungsfrist *f*; ˈ**prompt·er** [-tə] *s.* **1.** *thea.* Soufˈfleur *m*, Soufˈfleuse *f*; **2.** Vorsager(in); **3.** Anreger(in), Urheber(in); *b.s.* Anstifter(in); ˈ**prompt·ing** [-tɪŋ] *s.* (*oft pl.*) *fig.* Eingebung *f*, Stimme *f des Herzens*; ˈ**promp·ti·tude** [-tɪtju:d], ˈ**prompt·ness** [-nɪs] *s.* **1.** Schnelligkeit *f*; **2.** Bereitwilligkeit *f*; **3.** *bsd.* ✝ Promptheit *f*, Pünktlichkeit *f*.

ˈ**prompt-note** *s.* ✝ Verkaufsnota *f* mit Angabe der Zahlungsfrist.

pro·mul·gate [ˈprɒmlgeɪt] *v/t.* **1.** *Gesetz etc.* (öffentlich) bekanntmachen *od.* verkündigen; **2.** *Lehre etc.* verbreiten; **pro·mul·ga·tion** [ˌprɒmlˈgeɪʃn] *s.* **1.** (öffentliche) Bekanntmachung, Verkündung *f*, -öffentlichung *f*; **2.** Verbreitung *f*.

prone [prəʊn] *adj.* □ **1.** auf dem Bauch *od.* mit dem Gesicht nach unten liegend, hingestreckt: ***~ position*** a) Bauchlage, b) ⚔ *etc.* Anschlag liegend; **2.** (vornˈüber)gebeugt; **3.** abschüssig; **4.** *fig.* (***to***) neigend (zu), veranlagt (zu), anfällig (für); ˈ**prone·ness** [-nɪs] *s.* (***to***) Neigung *f*, Hang *m* (zu), Anfälligkeit *f* (für).

prong [prɒŋ] **I** *s.* **1.** Zinke *f e-r* (*Heu- etc.*)*Gabel*; Zacke *f*, Spitze *f*, Dorn *m*; **2.** (Geweih)Sprosse *f*, -ende *n*; **3.** Horn *n*; **4.** (Heu-, Mist- *etc.*)Gabel *f*; **II** *v/t.* **5.** mit e-r Gabel stechen *od.* heben; **6.** aufspießen; **pronged** [-ŋd] *adj.* gezinkt, zackig: ***two-~*** zweizinkig.

pro·nom·i·nal [prəˈnɒmɪnl] *adj.* □ *ling.* pronomiˈnal.

pro·noun [ˈprəʊnaʊn] *s. ling.* Proˈnomen *n*, Fürwort *n*.

pro·nounce [prəˈnaʊns] **I** *v/t.* **1.** aussprechen (*a. ling.*); **2.** erklären für, bezeichnen als; **3.** *Urteil* aussprechen *od.* verkünden, *Segen* erteilen: ***~ sentence of death*** das Todesurteil fällen, auf Todesstrafe erkennen; **4.** behaupten (***that*** daß); **II** *v/i.* **5.** Stellung nehmen, s-e Meinung äußern (***on*** zu): ***~ in favo(u)r of*** (***against***) ***s.th.*** sich für (gegen) et. aussprechen; **proˈnounced** [-st] *adj.* □ **1.** ausgesprochen, ausgeprägt, deutlich (*Tendenz etc.*), sichtlich (*Besserung etc.*); **2.** bestimmt, entschieden (*Ansicht etc.*); **proˈnounc·ed·ly** [-sɪdlɪ] *adv.* ausgesprochen *gut, schlecht etc.*; **proˈnounce·ment** [-mənt] *s.* **1.** Äußerung *f*; **2.** Erklärung *f*, (⚖ *Urteils*)Verkünd(ig)ung *f*; **3.** Entscheidung *f*.

pron·to [ˈprɒntəʊ] *adv. Am.* F fix, schnell, ‚aber dalli'.

pro·nun·ci·a·tion [prəˌnʌnsɪˈeɪʃn] *s.* Aussprache *f*.

proof [pru:f] **I** *adj.* **1.** fest (***against***, ***to*** gegen), ˈundurchˌlässig, (*wasser- etc.*) dicht, (*hitze*)beständig, (*kugel*)sicher; **2.** gefeit (***against*** gegen) (*a. fig.*); *fig. a.* unzugänglich: ***~ against bribes*** unbestechlich; **3.** ⚗ *obs.* probehaltig, norˈmalstark (*alkoholische Flüssigkeit*); **II** *s.* **4.** Beweis *m*, Nachweis *m*: ***in ~ of*** zum *od.* als Beweis (*gen.*); ***give ~ of*** *et.* beweisen; **5.** (*a.* ⚖) Beweis(mittel *n*, -stück *n*) *m*; Beleg(e *pl.*) *m*; **6.** Probe *f* (*a.* ⅍), (*a.* Materiˈal)Prüfung *f*: ***put to*** (***the***) ***~*** auf die Probe stellen; ***the ~ of the pudding is in the eating*** Probieren geht über Studieren; **7.** *typ.* a) Korrekˈturfahne *f*, -bogen *m*, b) Probeabzug *m* (*a. phot.*): ***clean ~*** Revisionsbogen *m*; **8.** Norˈmalstärke *f alkoholischer Getränke*; **III** *v/t.* **9.** ⚙ (*wasser- etc.*)dicht *od.* (*hitze- etc.*)beständig *od.* (*kugel- etc.*)fest machen, imprägnieren; ˈ**~ˌread·er** *s. typ.* Korˈrektor *m*; ˈ**~ˌread·ing** *s. typ.* Korrekˈturlesen *n*; **~ sheet** → ***proof*** 7 a; **~ spir·it** *s.* Norˈmalweingeist *m*.

prop¹ [prɒp] **I** *s.* **1.** Stütze *f* (*a.* ⚓), (Stütz)Pfahl *m*; **2.** *fig.* Stütze *f*, Halt *m*; **3.** ⚠, ⚙ Stempel *m*, Stützbalken *m*, Strebe *f*; **4.** ⚙ Drehpunkt *m e-s Hebels*; **5.** *pl. sl.* ‚Stelzen' *pl.* (*Beine*); **II** *v/t.* **6.** stützen (*a. fig.*); **7.** *a.* ***~ up*** a) (ab)stützen, ⚙ *a.* absteifen, verstreben, *mot.* aufbocken, b) *sich, et.* lehnen (***against*** gegen).

prop² [prɒp] *s. thea.* Requiˈsit *n* (*a. fig.*).

prop³ [prɒp] *s.* ✈ Proˈpeller *m*.

prop·a·gan·da [ˌprɒpəˈgændə] *s.* Propaˈganda *f*; ✝ Werbung *f*, Reˈklame *f*: ***make ~ for***; ***~ week*** Werbewoche *f*; ˌ**prop·aˈgan·dist** [-dɪst] **I** *s.* Propaganˈdist(in); **II** *adj.* propaganˈdistisch; **prop·a·gan·dis·tic** [ˌprɒpəgænˈdɪstɪk] *adj.* propaganˈdistisch; ˌ**prop·aˈgan·dize** [-daɪz] **I** *v/t.* **1.** Propaˈganda machen für, propagieren; **2.** *j-n* durch Propaˈganda beeinflussen; **II** *v/i.* **3.** Propaˈganda machen.

prop·a·gate [ˈprɒpəgeɪt] **I** *v/t.* **1.** *biol., a. phys. Ton, Bewegung, Licht* fortpflanzen; **2.** *Nachricht etc.* aus-, verbreiten, propagieren; **II** *v/i.* **3.** sich fortpflanzen; **prop·a·ga·tion** [ˌprɒpəˈgeɪʃn] *s.* **1.** Fortpflanzung *f* (*a. phys.*), Vermehrung *f*; **2.** Aus-, Verbreitung *f*; **prop·a·ga·tor** [ˈprɒpəgeɪtə] *s.* **1.** Fortpflanzer *m*; **2.** Verbreiter *m*, Propaganˈdist *m*.

pro·pane [ˈprəʊpeɪn] *s.* ⚗ Proˈpan *n*.

P

pro·pel [prəˈpel] *v/t.* (an-, vorwärts)treiben (*a. fig. od.* ⚙); **proˈpel·lant** [-lənt] *s.* ⚙ Treibstoff *m*, -mittel *n*: ~ (***charge***) Treibladung *f e-r Rakete etc.*; **proˈpel·lent** [-lənt] **I** *adj.* **1.** (an-, vorwärts-) treibend: ~ ***gas*** Treibgas; ~ ***power*** Antriebs-, Triebkraft *f*; **II** *s.* **2.** *fig.* treibende Kraft; **3.** → ***propellant***; **proˈpel·ler** [-lə] *s.* Proˈpeller *m*: a) ✈ Luftschraube *f*, b) ⚓ Schiffsschraube *f*: ~ ***blade*** ✈ Luftschraubenblatt *n*; **proˈpel·ling** [-lɪŋ] *adj.* Antriebs…, Trieb…, Treib…: ~ ***charge*** Treibladung *f*, -satz *m e-r Rakete etc.*; ~ ***nozzle*** ✈ Schubdüse *f*; ~ ***pencil*** Drehbleistift *m*.

pro·pen·si·ty [prəˈpensətɪ] *s. fig.* Hang *m*, Neigung *f* (***to***, ***for*** zu).

prop·er [ˈprɒpə] *adj.* □ **1.** richtig, passend, geeignet, angemessen, ordnungsgemäß, zweckmäßig: ***in ~ form*** in gebührender *od.* angemessener Form; ***in the ~ place*** am rechten Platz; ***do as you think*** (***it***) ~ tun Sie, was Sie für richtig halten; ~ ***fraction*** ⩲ echter Bruch; **2.** anständig, schicklich, korˈrekt, einwandfrei (*Benehmen etc.*): ***it is*** ~ es (ge)ziemt *od.* schickt sich; **3.** zulässig; **4.** eigen(tümlich) (***to*** *dat.*), besonder; **5.** genau: ***in the ~ meaning of the word*** strenggenommen; **6.** (*mst nachgestellt*) eigentlich: ***philosophy*** ~ die eigentliche Philosophie; ***in the Middle East*** ~ im Mittleren Osten selbst; **7.** maßgebend, zuständig (*Dienststelle etc.*); **8.** F ‚richtig', ‚ordentlich', ‚anständig': ***a ~ licking*** e-e gehörige Tracht Prügel; **9.** *ling.* Eigen…: ~ ***name*** (*od.* ***noun***) Eigenname *m*; **ˈprop·er·ly** [-lɪ] *adv.* **1.** richtig (*etc.* → ***proper*** 1, 2), passend, wie es sich gehört: ***behave*** ~ sich (anständig) benehmen; **2.** genau: ~ ***speaking*** eigentlich, streng genommen; **3.** F gründlich, ‚anständig', ‚tüchtig'.

prop·er·tied [ˈprɒpətɪd] *adj.* besitzend, begütert: ***the ~ classes***.

prop·er·ty [ˈprɒpətɪ] *s.* **1.** Eigentum *n*, Besitz(tum *n*) *m*, Gut *n*, Vermögen *n*: ***common*** ~ Gemeingut; ***damage to*** ~ Sachschaden *m*; ***law of*** ~ ⚖ Sachenrecht *n*; ***left*** ~ Hinterlassenschaft *f*; ***lost*** ~ Fundsache *f*; ***man of*** ~ begüterter Mann; ***personal*** ~ → ***personalty***; **2.** *a.* ***landed*** ~ (Grund-, Land)Besitz *m*, Grundstück *n*, Liegenschaft *f*, Ländeˈreien *pl.*; **3.** ⚖ Eigentum(srecht) *n*: ***industrial*** ~ gewerbliches Schutzrecht; ***intellectual*** ~ geistiges Eigentum; ***literary*** ~ literarisches Eigentum, Urheberrecht; **4.** *mst pl. thea.* Requiˈsit(en *pl.*) *n*; **5.** Eigenart *f*, -heit *f*; Merkmal *n*; **6.** *phys. etc.* Eigenschaft *f*, ⚙ *a.* Fähigkeit *f*: ~ ***of material*** Werkstoffeigenschaft; ***insulating*** ~ Isolationsvermögen *n*; ~ **as·sets** *s. pl.* ✝ Vermögenswerte *pl.*; ~ **in·sur·ance** *s.* Sachversicherung *f*; ~ **man** [mæn] *s.* [*irr.*] *thea.* Requisiˈteur *m*; ~ **mar·ket** *s.* Immoˈbilienmarkt *m*; ~ **tax** *s.* **1.** Vermögenssteuer *f*; **2.** Grundsteuer *f*.

proph·e·cy [ˈprɒfɪsɪ] *s.* Propheˈzeiung *f*, Weissagung *f*; **ˈproph·e·sy** [-saɪ] *v/t.* propheˈzeien, weis-, vorˈaussagen (***s.th. for s.o.*** j-m et.).

proph·et [ˈprɒfɪt] *s.* Proˈphet *m* (*a. fig.*): ***the Major*** (***Minor***) ***&s*** *bibl.* die großen (kleinen) Propheten; **ˈproph·et·ess** [-tɪs] *s.* Proˈphetin *f*; **pro·phet·ic**, **pro·phet·i·cal** [prəˈfetɪk(l)] *adj.* □ proˈphetisch.

pro·phy·lac·tic [ˌprɒfɪˈlæktɪk] **I** *adj. bsd.* ⚕ prophyˈlaktisch, vorbeugend, Vorbeugungs…, Schutz…; **II** *s.* ⚕ Prophyˈlaktikum *n*, vorbeugendes Mittel; *fig.* vorbeugende Maßnahme; **ˌpro·phyˈlax·is** [-ksɪs] *s.* ⚕ Prophyˈlaxe *f*, Prävenˈtivbeˌhandlung *f*, Vorbeugung *f*.

pro·pin·qui·ty [prəˈpɪŋkwətɪ] *s.* **1.** Nähe *f*; **2.** nahe Verwandtschaft.

pro·pi·ti·ate [prəˈpɪʃɪeɪt] *v/t.* versöhnen, besänftigen, günstig stimmen; **pro·pi·ti·a·tion** [prəˌpɪʃɪˈeɪʃn] *s.* **1.** Versöhnung *f*; Besänftigung *f*; **2.** *obs.* (Sühn-) Opfer *n*, Sühne *f*; **proˈpi·ti·a·to·ry** [-ɪətərɪ] *adj.* □ versöhnend, sühnend, Sühn…

pro·pi·tious [prəˈpɪʃəs] *adj.* □ **1.** günstig, vorteilhaft (***to*** für); **2.** gnädig, geneigt.

ˈprop·jet *s.* ✈ **1.** *a.* ~ ***engine*** Proˈpellerturˌbine(n-Triebwerk *n*) *f*; **2.** *a.* ~ ***plane*** Flugzeug *n* mit Proˈpellerturˌbine(n).

pro·po·nent [prəˈpəʊnənt] *s.* **1.** Vorschlagende(r *m*) *f*; *fig.* Befürworter(in); **2.** ⚖ präsumˈtiver Testaˈmentserbe.

pro·por·tion [prəˈpɔːʃn] **I** *s.* **1.** (richtiges) Verhältnis; Gleich-, Ebenmaß *n*; *pl.* (Aus)Maße *pl.*, Größenverhältnisse *pl.*, Dimensiˈonen *pl.*, Proportiˈonen *pl.*: ***in ~ as*** in dem Maße wie, je nachdem wie; ***in ~ to*** im Verhältnis zu; ***be out of*** (***all***) ~ ***to*** in keinem Verhältnis stehen zu; ***sense of*** ~ *fig.* Augenmaß *n*; **2.** *fig.* a) Ausmaß *n*, Größe *f*, Umfang *m*, b) Symmetˈrie *f*, Harmoˈnie *f*; **3.** ⩲, ⚗ Proportiˈon *f*; **4.** ⩲ a) Dreisatz(rechnung *f*) *m*, *obs.* Regeldeˈtri *f*, b) *a.* ***geometric*** ~ Verhältnisgleichheit *f*; **5.** Anteil *m*, Teil *m*: ***in*** ~ anteilig; **II** *v/t.* **6.** (***to***) in das richtige Verhältnis bringen (mit, zu), anpassen (*dat.*); **7.** verhältnismäßig verteilen; **8.** proportionieren, bemessen; **9.** symˈmetrisch gestalten: ***well-~d*** ebenmäßig, wohlgestaltet; **proˈpor·tion·al** [-ʃənl] **I** *adj.* □ **1.** proportioˈnal, verhältnismäßig; anteilmäßig: ~ ***numbers*** ⩲ Proportionalzahlen *pl.*; ~ ***representation*** *pol.* Verhältniswahl(system *n*) *f*; **2.** → ***proportionate***; **II** *s.* **3.** ⩲ Proportioˈnale *f*;

P

pro'por·tion·ate [-ʃnət] *adj.* □ (*to*) im richtigen Verhältnis (stehend) (zu), angemessen (*dat.*), entsprechend (*dat.*): *~ share* ✝ Verhältnisanteil *m*, anteilmäßige Befriedigung.

pro·pos·al [prə'pəʊzl] *s.* **1.** Vorschlag *m*, (*a.* ✝, *a. Friedens*)Angebot *n*, (*a.* Heirats)Antrag *m*; **2.** Plan *m*; **pro·pose** [prə'pəʊz] **I** *v/t.* **1.** vorschlagen (*s.th. to s.o.* j-m et., *s.o. for* j-n zu *od.* als); **2.** *Antrag* stellen; *Resolution* einbringen; *Mißtrauensvotum* stellen *od.* beantragen; **3.** *Rätsel* aufgeben; *Frage* stellen; **4.** beabsichtigen, sich vornehmen; **5.** e-n Toast ausbringen auf (*acc.*), auf *et.* trinken; **II** *v/i.* **6.** beabsichtigen, vorhaben; planen: *man ~s (but) God disposes* der Mensch denkt, Gott lenkt; **7.** e-n Heiratsantrag machen (*to dat.*), anhalten (*for* um *j-n*, *j-s Hand*); **pro'pos·er** [-zə] *s. pol.* Antragsteller *m*; **prop·o·si·tion** [ˌprɒpə'zɪʃn] **I** *s.* **1.** Vorschlag *m*, Antrag *m*; **2.** (vorgeschlagener) Plan, Pro'jekt *n*; **3.** ✝ Angebot *n*; **4.** Behauptung *f*; **5.** F a) Sache *f*, b) Geschäft *n*: *an easy ~* ‚kleine Fische', Kleinigkeit *f*; **6.** *phls.* Satz *m*; **7.** ⩚ (Lehr)Satz *m*; **II** *v/t.* **8.** *j-m* e-n Vorschlag machen; **9.** *e-m Mädchen* e-n unsittlichen Antrag machen.

pro·pound [prə'paʊnd] *v/t.* **1.** *Frage etc.* vorlegen, -tragen (*to dat.*); **2.** vorschlagen; **3.** *~ a will* ⚖ auf Anerkennung e-s Testaments klagen.

pro·pri·e·tar·y [prə'praɪətərɪ] **I** *adj.* **1.** Eigentums…(*-recht etc.*), Vermögens…; **2.** Eigentümer…, Besitzer…: *~ company* ✝ a) *Am.* Holding-, Dachgesellschaft *f*, b) *Brit.* Familiengesellschaft *f*; *the ~ classes* die besitzenden Schichten; **3.** gesetzlich geschützt (*Arznei*, *Ware*): *~ article* Markenartikel *m*; *~ name* Markenbezeichnung *f*; **II** *s.* **4.** Eigentümer *m od. pl.*; **5.** ⚕ a) medi'zinischer 'Markenarˌtikel, b) nicht re'zeptpflichtiges Medika'ment; **pro·pri·e·tor** [prə'praɪətə] *s.* Eigentümer *m*, Besitzer *m*, (Geschäfts)Inhaber *m*, Anteilseigner *m*, Gesellschafter *m*: *~s' capital* Eigenkapital *n e-r Gesellschaft*; *sole ~* a) Alleininhaber(in), b) ✝ *Am.* Einzelkaufmann *m*; **pro'pri·e·tor·ship** [-təʃɪp] *s.* **1.** Eigentum(srecht) *n* (*in* an *dat.*); **2.** Verlagsrecht *n*; **3.** *Bilanz*: 'Eigenkapiˌtal *n*; **4.** *sole ~* a) al'leiniges Eigentumsrecht, b) ✝ *Am.* 'Einzelunterˌnehmen *n*; **pro'pri·e·tress** [-trɪs] *s.* Eigentümerin *f etc.*; **pro'pri·e·ty** [-tɪ] *s.* **1.** Schicklichkeit *f*, Anstand *m*; **2.** *pl.* Anstandsformen *pl.*; **3.** Angemessenheit *f*, Richtigkeit *f*.

props [prɒps] *s. pl. thea. sl.* **1.** Requi'siten *pl.*; **2.** *sg. konstr.* Requisi'teur *m*.

pro·pul·sion [prə'pʌlʃn] *s.* **1.** ⚙ Antrieb *m* (*a. fig.*), Antriebskraft *f*: *~ nozzle* Rückstoßdüse *f*; **2.** Fortbewegung *f*; **pro'pul·sive** [-lsɪv] *adj.* (an-, vorwärts-) treibend (*a. fig.*): *~ force* Triebkraft *f*; *~ jet* Treibstrahl *m*.

pro ra·ta [ˌprəʊ'rɑːtə] (*Lat.*) *adj. u. adv.* verhältnis-, anteilmäßig, pro 'rata; **pro·rate** ['prəʊreɪt] *Am v/t.* anteilmäßig ver-, aufteilen.

pro·ro·ga·tion [ˌprəʊrə'geɪʃn] *s. pol.* Vertagung *f*; **pro·rogue** [prə'rəʊg] *v/t. u. v/i.* (sich) vertagen.

pro·sa·ic [prəʊ'zeɪɪk] *adj.* (□ *~ally*) *fig.* pro'saisch: a) all'täglich, b) nüchtern, trocken, c) langweilig.

pro·sce·ni·um [prəʊ'siːnjəm] *pl.* **-ni·a** [-njə] *s. thea.* Pro'szenium *n*.

pro·scribe [prəʊ'skraɪb] *v/t.* **1.** ächten, für vogelfrei erklären; **2.** *mst fig.* verbannen; **3.** *fig.* a) verurteilen, b) verbieten; **pro'scrip·tion** [-'skrɪpʃn] *s.* **1.** Ächtung *f*, Acht *f*, Proskripti'on *f* (*mst hist.*); **2.** Verbannung *f*; **3.** *fig.* Verurteilung *f*, Verbot *n*; **pro'scrip·tive** [-'skrɪptɪv] *adj.* □ **1.** Ächtungs…, ächtend; **2.** verbietend, Verbots…

prose [prəʊz] **I** *s.* **1.** Prosa *f*; **2.** *fig.* Prosa *f*, Nüchternheit *f*, All'täglichkeit *f*; **3.** *ped.* Über'setzung *f in die Fremdsprache*; **II** *adj.* **4.** Prosa…: *~ writer* Prosaschriftsteller(in); **5.** *fig.* pro'saisch; **III** *v/t. u. v/i.* **6.** in Prosa schreiben; **7.** langweilig erzählen.

pros·e·cute ['prɒsɪkjuːt] **I** *v/t.* **1.** *Plan etc.* verfolgen, weiterführen: *~ an action* ⚖ e-n Prozeß führen; **2.** *Gewerbe*, *Studien etc.* betreiben; **3.** *Untersuchung* 'durchführen; **4.** ⚖ a) strafrechtlich verfolgen, b) gerichtlich verfolgen, belangen, anklagen (*for* wegen), c) *Forderung* einklagen; **II** *v/i.* **5.** gerichtlich vorgehen; **6.** ⚖ als Kläger auftreten, die Anklage vertreten: *prosecuting counsel* (*Am. attorney*) → *prosecutor*; **pros·e·cu·tion** [ˌprɒsɪ'kjuːʃn] *s.* **1.** Verfolgung *f*, Fortsetzung *f*, 'Durchführung *f e-s Plans etc.*; **2.** Betreiben *n e-s Gewerbes etc.*; **3.** ⚖ a) strafrechtliche Verfolgung, Strafverfolgung *f*, b) Einklagen *n e-r Forderung etc.*: *liable to ~* strafbar; *Director of Public ♀s* Leiter *m* der Anklagebehörde; **4.** *the ~* ⚖ die Staatsanwaltschaft, die Anklage(behörde); → *witness* 1; **'pros·e·cu·tor** [-tə] *s.* ⚖ (An)Kläger *m*, Anklagevertreter *m*: *public ~* Staatsanwalt *m*.

pros·e·lyte ['prɒsɪlaɪt] *s. eccl.* Prose'lyt (-in), Konver'tit(in), *a. fig.* Neubekehrte(r *m*) *f*; **'pros·e·lyt·ism** [-lɪtɪzəm] *s.* Prosely'tismus *m*: a) Bekehrungseifer *m*, b) Prose'lytentum *n*; **'pros·e·lyt·ize** [-lɪtaɪz] **I** *v/t.* (*to*) bekehren (zu), *fig. a.* gewinnen (für); **II** *v/i.* Anhänger gewinnen.

pros·i·ness ['prəʊzɪnɪs] *s.* **1.** Eintönigkeit *f*, Langweiligkeit *f*; **2.** Weitschweifigkeit *f*.

pros·o·dy ['prɒsədɪ] *s*. Proso'die *f* (*Silbenmessungslehre*).

pros·pect I *s*. ['prɒspekt] **1.** (Aus)Sicht *f*, (-)Blick *m* (***of*** auf *acc*.); **2.** *fig*. Aussicht *f*: ***hold out a ~ of*** *et*. in Aussicht stellen; ***have s.th. in ~*** auf et. Aussicht haben, et. in Aussicht haben; **3.** *fig*. Vor('aus)schau *f* (***of*** auf *acc*.); **4.** ✝ *etc*. Interes'sent *m*, Reflek'tant *m*; ✝ möglicher Kunde; **5.** ⚒ a) (*Erz- etc*.) Anzeichen *n*, b) Schürfprobe *f*, c) Schürfstelle *f*; **II** *v/t*. [prə'spekt] **6.** *Gebiet* durch'forschen, unter'suchen (***for*** nach *Gold etc*.); **III** *v/i*. [prə'spekt] **7.** (***for***) ⚒ suchen (nach, *a. fig*.), schürfen (nach); (nach *Öl*) bohren; **pro·spec·tive** [prə'spektɪv] *adj*. □ **1.** (zu)künftig, vor'aussichtlich, in Aussicht stehend, potenti'ell: ***~ buyer*** Kaufinteressent *m*, potentieller Käufer; **2.** *fig*. vor'ausschauend; **pros·pec·tor** [prə'spektə] *s*. Pro'spektor *m*, Schürfer *m*, Goldsucher *m*; **pro·spec·tus** [prə'spektəs] *s*. Pro'spekt *m*: a) Werbeschrift *f*, b) ✝ Subskripti'onsanzeige *f*, c) *Brit*. 'Schulpro,spekt *m*.

pros·per ['prɒspə] **I** *v/i*. Erfolg haben (***in*** bei); gedeihen, florieren, blühen (*Unternehmen etc*.); **II** *v/t*. begünstigen, *j-m* hold *od*. gewogen sein; segnen, *j-m* gnädig sein (*Gott*); **pros·per·i·ty** [prɒ'sperətɪ] *s*. **1.** Wohlstand *m* (*a*. ✝), Gedeihen *n*, Glück *n*; **2.** ✝ Prosperi'tät *f*, Blüte(zeit) *f*, (*a*. ***peak ~*** 'Hoch)Konjunk,tur *f*; **'pros·per·ous** [-pərəs] *adj*. □ **1.** gedeihend, blühend, erfolgreich, glücklich; **2.** wohlhabend, Wohlstands…; **3.** günstig (*Wind etc*.).

pros·tate (**gland**) ['prɒsteɪt] *s*. *anat*. Prostata *f*, Vorsteherdrüse *f*.

pros·the·sis ['prɒsθɪsɪs] *pl*. **-ses** [-si:z] *s*. **1.** ⚕ Pro'these *f*, künstliches Glied; **2.** ⚕ Anfertigung *f* e-r Pro'these; **3.** *ling*. Pros'these *f* (*Vorsetzen e-s Buchstabens od. e-r Silbe vor ein Wort*).

pros·ti·tute ['prɒstɪtju:t] **I** *s*. **1.** a) Prostituierte *f*, b) *a*. ***male ~*** Strichjunge *m*; **II** *v/t*. **2.** prostituieren: ***to ~ o.s.*** sich prostituieren *od*. verkaufen (*a. fig*.); **3.** *fig*. (für ehrlose Zwecke) her-, preisgeben, entwürdigen, *Talente etc*. wegwerfen; **pros·ti·tu·tion** [prɒstɪ'tju:ʃn] *s*. **1.** Prostituti'on *f*; **2.** *fig*. Her'ab-, Entwürdigung *f*.

pros·trate I *v/t*. [prɒ'streɪt] **1.** zu Boden werfen *od*. strecken, niederwerfen; **2.** ***~ o.s.*** *fig*. sich in den Staub werfen, sich demütigen (***before*** vor); **3.** entkräften, erschöpfen; *fig*. niederschmettern; **II** *adj*. ['prɒstreɪt] **4.** hingestreckt; **5.** *fig*. erschöpft (***with*** vor *dat*.), da'niederliegend, kraftlos; *weitS*. gebrochen (***with grief*** vom Gram); **6.** *fig*. a) demütig, b) fußfällig, im Staube liegend; **pros'tra·tion** [-eɪʃn] *s*. **1.** Fußfall *m* (*a. fig*.); **2.** *fig*. Niederwerfung *f*; Demütigung *f*; **3.** Erschöpfung, Entkräftung *f*; **4.** *fig*. Niedergeschlagenheit *f*.

pros·y ['prəʊzɪ] *adj*. □ **1.** langweilig, weitschweifig; **2.** nüchtern, pro'saisch.

pro·tag·o·nist [prəʊ'tægənɪst] *s*. **1.** *thea*. 'Hauptfi,gur *f*, Held(in), Träger(in) der Handlung; **2.** *fig*. Vorkämpfer(in).

pro·te·an [prəʊ'ti:ən] *adj*. **1.** *fig*. pro'teisch, vielgestaltig; **2.** *zo*. a'möbenartig: ***~ animalcule*** Amöbe *f*.

pro·tect [prə'tekt] *v/t*. **1.** (be)schützen (***from*** vor *dat*., ***against*** gegen): ***~ interests*** Interessen wahren; **2.** ✝ (durch Zölle) schützen; **3.** ✝ a) *Sichtwechsel* honorieren, einlösen, b) *Wechsel mit Laufzeit* schützen; **4.** ⚙ (ab)sichern, abschirmen; *weitS*. schonen: ***~ed against corrosion*** korrosionsgeschützt; ***~ed motor*** ⚡ geschützter Motor; **5.** ⚔ (taktisch) sichern, abschirmen; **6.** *Schach*: *Figur* decken; **pro'tec·tion** [-kʃn] *s*. **1.** Schutz *m*, Beschützung *f* (***from*** vor *dat*.); Sicherheit *f*: ***~ of interests*** Interessenwahrung *f*; (***legal***) ***~ of registered designs*** ⚖ Gebrauchsmusterschutz *m*; ***~ of industrial property*** gewerblicher Rechtsschutz; **2.** ✝ Wirtschaftsschutz *m*, 'Schutzzoll (-poli,tik *f*, -sy,stem *n*) *m*; **3.** ✝ Honorierung *f e-s Wechsels*: ***find due ~*** honoriert werden; **4.** Protekti'on *f*, Gönnerschaft *f*, Förderung *f*: ***~*** (***money***) *Am*. ‚Schutzgebühr' *f*; **5.** ⚙ Schutz *m*, Abschirmung *f*; **pro'tec·tion·ism** [-kʃənɪzəm] *s*. ✝ 'Schutzzollpoli,tik *f*; **pro'tec·tion·ist** [-kʃənɪst] **I** *s*. **1.** Protektio'nist *m*, Verfechter *m* der Schutzzollpolitik; **2.** Na'turschützer *m*; **II** *adj*. **3.** protektio'nistisch, Schutzzoll…; **pro'tec·tive** [-tɪv] *adj*. □ **1.** (be)schützend, schutzgewährend, Schutz…: ***~ conveyance*** ⚖ Sicherungsübereignung *f*; ***~ custody*** ⚖ Schutzhaft *f*; ***~ duty*** ✝ Schutzzoll *m*; ***~ goggles*** Schutzbrille *f*; **2.** ✝ Schutzzoll…; **3.** beschützerisch; **pro'tec·tor** [-tə] *s*. **1.** Beschützer *m*, Schutz-, Schirmherr *m*, Gönner *m*; **2.** ⚙ *etc*. Schutz(vorrichtung *f*, -mittel *n*) *m*, Schützer *m*, Schoner *m*; **3.** *hist*. Pro'tektor *m*, Reichsverweser *m*; **pro'tec·tor·ate** [-tərət] *s*. Protekto'rat *n*: a) Schutzherrschaft *f*, b) Schutzgebiet *n*; **pro'tec·tress** [-trɪs] *s*. Beschützerin *f*, Schutz-, Schirmherrin *f*.

pro·té·gé ['prəʊteʒeɪ] (*Fr*.) *s*. Schützling *m*, Prote'gé *m*.

pro·te·in ['prəʊti:n] *s*. *biol*. Prote'in *n*, Eiweiß(körper *m od. pl*.) *n*.

pro·test I *s*. ['prəʊtest] **1.** Pro'test *m*, Ein-, 'Widerspruch *m*: ***in ~***, ***as a ~*** aus (*od*. als) Protest; ***enter*** (*od*. ***lodge***) ***a ~*** Protest erheben *od*. Verwahrung einlegen (***with*** bei); ***accept under ~*** unter

P

Vorbehalt *od.* Protest annehmen; **2.** ✝, ⚖ ('Wechsel)Pro,test *m*; **3.** ⚓, ⚖ 'See-pro,test *m*, Verklarung *f*; **II** *v/i.* [prə'test] **4.** protestieren, Verwahrung einlegen, sich verwahren (***against*** gegen); **III** *v/t.* [prə'test] **5.** protestieren gegen, reklamieren; **6.** beteuern (***s.th.*** et., ***that*** daß): ***~ one's loyalty***; **7.** ✝ *Wechsel* protestieren: ***have a bill ~ed*** e-n Wechsel zu Protest gehen lassen.

Prot·es·tant ['prɒtɪstənt] **I** *s.* Prote'stant (-in); **II** *adj.* prote'stantisch; **'Prot·es·tant·ism** [-tɪzəm] *s.* Protestan'tismus *m*.

prot·es·ta·tion [,prəʊte'steɪʃn] *s.* **1.** Beteuerung *f*; **2.** Pro'test *m*.

pro·to·col ['prəʊtəkɒl] **I** *s.* **1.** (Ver'handlungs)Proto,koll *n*; **2.** *pol.* Proto'koll *n*: a) *diplomatische Etikette*, b) *kleineres Vertragswerk*; **3.** *pol.* Einleitungs- u. Schlußformeln *pl. e-r Urkunde etc.*; **II** *v/t. u. v/i.* **4.** protokollieren.

pro·ton ['prəʊtɒn] *s. phys.* Proton *n*.

pro·to·plasm ['prəʊtəʊplæzəm] *s. biol.* **1.** Proto'plasma *n* (*Zellsubstanz*); **2.** Urschleim *m*; **'pro·to·plast** [-plæst] *s. biol.* Proto'plast *m*.

pro·to·type ['prəʊtəʊtaɪp] *s.* Proto'typ *m* (*a. biol.*): a) Urbild *n*, -typ *m*, -form *f*, b) (Ur)Muster *n*; ⚙ ('Richt)Mo,dell *n*, Ausgangsbautyp *m*.

pro·to·zo·on [,prəʊtəʊ'zəʊən] *pl.* **-'zo·a** [-'zəʊə] *s. zo.* Proto'zoon *n*, Urtierchen *n*, Einzeller *m*.

pro·tract [prə'trækt] *v/t.* **1.** in die Länge (*od.* hinaus)ziehen, verschleppen: ***~ed illness*** langwierige Krankheit; ***~ed defence*** ⚔ hinhaltende Verteidigung; **2.** 𝒜 mit e-m Winkelmesser *od.* maßstabsgetreu zeichnen *od.* auftragen; **pro'trac·tion** [-kʃn] *s.* **1.** Hin'ausschieben *n*, -ziehen *n*, Verschleppen *n* (*a.* ⚕); **2.** 𝒜 maßstabsgetreue Zeichnung; **pro'trac·tor** [-tə] *s.* **1.** 𝒜 Transpor'teur *m*, Gradbogen *m*, Winkelmesser *m*; **2.** *anat.* Streckmuskel *m*.

pro·trude [prə'tru:d] **I** *v/i.* her'aus-, (her)'vorstehen, -ragen, -treten; **II** *v/t.* her'ausstrecken, (her)'vortreten lassen; **pro'tru·sion** [-u:ʒn] *s.* **1.** Her'vorstehen *n*, -treten *n*, Vorspringen *n*; **2.** Vorwölbung *f*, (her)'vorstehender Teil; **pro'tru·sive** [-u:sɪv] *adj.* □ vorstehend, her'vortretend.

pro·tu·ber·ance [prə'tju:bərəns] *s.* **1.** Auswuchs *m*, Beule *f*, Höcker *m*; **2.** *ast.* Protube'ranz *f*; **3.** (Her)'Vortreten *n*, -stehen *n*; **pro'tu·ber·ant** [-nt] *adj.* □ (her)'vorstehend, -tretend, -quellend (*a. Augen*).

proud [praʊd] **I** *adj.* □ **1.** stolz (***of*** auf *acc.*, ***to*** *inf.* zu *inf.*): ***a ~ day*** *fig.* ein stolzer Tag *für uns etc.*; **2.** hochmütig, eingebildet; **3.** *fig.* stolz, prächtig; **4.** ***~ flesh*** ⚕ wildes Fleisch; **II** *adv.* **5.** F stolz: ***do s.o. ~*** a) j-m große Ehre erweisen, b) j-n königlich bewirten; ***do o.s. ~*** a) stolz auf sich sein können, b) es sich gutgehen lassen.

prov·a·ble ['pru:vəbl] *adj.* □ be-, nachweisbar, erweislich; **prove** [pru:v] **I** *v/t.* **1.** er-, nach-, beweisen, **2.** ⚖ *Testament* bestätigen (lassen); **3.** bekunden, unter Beweis stellen, zeigen; **4.** (*a.* ⚙) prüfen, erproben: ***a ~d remedy*** ein erprobtes *od.* bewährtes Mittel; ***~ o.s.*** a) sich bewähren, b) sich erweisen als; → ***proving*** 1; **5.** 𝒜 die Probe machen auf (*acc.*); **II** *v/i.* **6.** sich her'ausstellen *od.* erweisen (als): ***he will ~*** (***to be***) ***the heir*** es wird sich herausstellen, daß er der Erbe ist; ***~ true*** (***false***) a) sich als richtig (falsch) herausstellen, b) sich (nicht) bestätigen (*Voraussage etc.*); **7.** ausfallen, sich ergeben; **'prov·en** [-vən] *adj.* be-, erwiesen, nachgewiesen; *fig.* bewährt.

prov·e·nance ['prɒvənəns] *s.* Herkunft *f*, Ursprung *m*, Proveni'enz *f*.

prov·en·der ['prɒvɪndə] *s.* **1.** ✓ (Trokken)Futter *n*; **2.** F *humor.* ‚Futter' *n* (*Lebensmittel*).

prov·erb ['prɒvɜ:b] **1.** *s.* Sprichwort *n*: ***he is a ~ for shrewdness*** s-e Schläue ist sprichwörtlich (*b.s.* berüchtigt); **2.** (***The Book of***) ***2s*** *pl. bibl.* die Sprüche *pl.* (Salo'monis); **pro·ver·bi·al** [prə'vɜ:bjəl] *adj.* □ sprichwörtlich (*a. fig.*).

pro·vide [prə'vaɪd] **I** *v/t.* **1.** versehen, -sorgen, ausstatten, beliefern (***with*** mit); **2.** ver-, beschaffen, besorgen, liefern; zur Verfügung (*od.* bereit)stellen; *Gelegenheit* schaffen; **3.** ⚖ vorsehen, -schreiben, bestimmen (*a. Gesetze, Vertrag etc.*); **II** *v/i.* **4.** Vorsorge *od.* Vorkehrungen treffen, vorsorgen, sich sichern (***against*** vor *dat.*, gegen): ***~ against*** a) sich schützen vor (*dat.*), b) *et.* unmöglich machen, verhindern; ***~ for*** a) sorgen für (*j-s Lebensunterhalt*), b) *Maßnahmen* vorsehen, *e-r Sache* Rechnung tragen, *Bedürfnisse* befriedigen, *Gelder etc.* bereitstellen; **5.** ⚖ den Vorbehalt machen (***that*** daß): ***unless otherwise ~d*** sofern nichts Gegenteiliges bestimmt ist; ***providing*** (***that***) → **pro'vid·ed** [-dɪd] *cj. a.* ***~ that*** **1.** vor'ausgesetzt (daß), unter der Bedingung, daß; **2.** wenn, so'fern.

prov·i·dence ['prɒvɪdəns] *s.* **1.** (göttliche) Vorsehung; **2.** ***the 2*** die Vorsehung, Gott *m*; **3.** Vorsorge *f*, (weise) Vor'aussicht; **'prov·i·dent** [-nt] *adj.* □ **1.** vor'ausblickend, vor-, fürsorglich: ***~ bank*** Sparkasse *f*; ***~ fund*** Unterstützungskasse *f*; ***~ society*** Versicherungsverein *m* auf Gegenseitigkeit; **2.** haushälterisch, sparsam; **prov·i·den·tial** [,prɒvɪ'denʃl] *adj.* □ **1.** schicksalhaft; **2.** glücklich, gnädig (*Geschick etc.*).

P

pro·vid·er [prəˈvaɪdə] *s.* **1.** Versorger (-in), Ernährer *m*: ***good ~*** F treusorgende(r) Mutter (Vater); **2.** Liefeˈrant *m.*

prov·ince [ˈprɒvɪns] *s.* **1.** Proˈvinz *f* (*a. Ggs. Stadt*), Bezirk *m*; **2.** *fig.* a) (Wissens)Gebiet *n*, Fach *n*, b) (Aufgaben-) Bereich *m*, Amt *n*: ***it is not within my ~*** a) es schlägt nicht in mein Fach, b) es ist nicht m-s Amtes (***to*** *inf.* zu *inf.*).

pro·vin·cial [prəˈvɪnʃl] **I** *adj.* □ **1.** Provinz…, provinziˈell (*a. fig. engstirnig, spießbürgerlich*): ***~ town***; **2.** provinziˈell, ländlich, kleinstädtisch; **3.** *fig. contp.* proˈvinzlerisch (*ungebildet, plump*); **II** *s.* **4.** Proˈvinzbewohner(in); *contp.* Proˈvinzler(in); **proˈvin·cial·ism** [-ʃəlɪzəm] *s.* Provinziaˈlismus *m* (*a. mundartlicher Ausdruck, a. contp. Kleingeisterei, Lokalpatriotismus, Plumpheit*); *contp.* Proˈvinzlertum *n.*

prov·ing [ˈpruːvɪŋ] *s.* **1.** Prüfen *n*, Erprobung *f*: ***~ flight*** Probe-, Erprobungsflug *m*; ***~ ground*** Versuchsgelände *n*; **2.** ***~ of a will*** ⚖ Eröffnung *f* u. Bestätigung *f* e-s Testaments.

pro·vi·sion [prəˈvɪʒn] **I** *s.* **1.** a) Vorkehrung *f*, -sorge *f*, Maßnahme *f*, b) Vor-, Einrichtung *f*: ***make ~*** sorgen *od.* Vorkehrungen treffen (***for*** für), sich schützen (***against*** vor *dat. od.* gegen); **2.** ⚖ Bestimmung *f*, Vorschrift *f*: ***come within the ~s of the law*** unter die gesetzlichen Bestimmungen fallen; **3.** ⚖ Bedingung *f*, Vorbehalt *m*; **4.** Beschaffung *f*, Besorgung *f*, Bereitstellung *f*; **5.** *pl.* (Lebensmittel)Vorräte *pl.*, Vorrat *m* (***of*** an *dat.*), Nahrungsmittel *pl.*, Proviˈant *m*: ***~s dealer*** (*od.* ***merchant***) Lebensmittel-, Feinkosthändler *m*; ***~s industry*** Nahrungsmittelindustrie *f*; **6.** *oft pl.* Rückstellungen *pl.*, -lagen *pl.*, Reˈserven *pl.*: ***~ for taxes*** Steuerrückstellungen *pl.*; **II** *v/t.* **7.** mit Lebensmitteln versehen, verproviantieren; **proˈvi·sion·al** [-ʒənl] *adj.* □ proviˈsorisch, einstweilig, behelfsmäßig: ***~ agreement*** Vorvertrag *m*; ***~ arrangement*** Provisorium *n*; ***~ receipt*** Interimsquittung *f*; ***~ regulations*** Übergangsbestimmungen; ***~ result*** *sport* vorläufiges *od.* inoffizielles Endergebnis.

pro·vi·so [prəˈvaɪzəʊ] *s.* ⚖ Vorbehalt *m*, (Bedingungs)Klausel *f*, Bedingung *f*: ***~ clause*** Vorbehaltsklausel *f*; **proˈvi·so·ry** [-zərɪ] *adj.* □ **1.** bedingend, bedingt, vorbehaltlich; **2.** proviˈsorisch, vorläufig.

pro·vo [ˈprəʊvəʊ] *s. Mitglied der provisorischen irisch-republikanischen Armee.*

prov·o·ca·tion [ˌprɒvəˈkeɪʃn] *s.* **1.** Herˈausforderung *f*, Provokatiˈon *f* (*a.* ⚖); **2.** Aufreizung *f*, Erregung *f*; **3.** Verärgerung *f*, Ärger *m*: ***at the slightest ~*** beim geringsten Anlaß; **pro·voc·a·tive** [prəˈvɒkətɪv] **I** *adj.* (*a.* zum ˈWiderspruch) herˈausfordernd, aufreizend (***of*** zu), provozierend; **II** *s.* Reiz(mittel *n*) *m*, Antrieb *m* (***of*** zu).

pro·voke [prəˈvəʊk] *v/t.* provozieren: a) erzürnen, aufbringen, b) *et.* herˈvorrufen, *Gefühl a.* erregen, c) *j-n* (auf)reizen, herˈausfordern: ***~ s.o. to do s.th.*** j-n dazu bewegen, et. zu tun; **proˈvok·ing** [-kɪŋ] *adj.* □ **1.** → ***provocative*** I; **2.** unerträglich, unausstehlich.

prov·ost [ˈprɒvəst] *s.* **1.** Vorsteher *m* (*a. univ. Brit. e-s College*); **2.** *Scot.* Bürgermeister *m*; **3.** *eccl.* Propst *m*; **4.** [prəˈvəʊ] ⚔ Proˈfos *m*, Offiˈzier *m* der Miliˈtärpoliˌzei; ***~ mar·shal*** [prəˈvəʊ] *s.* ⚔ Kommanˈdeur *m* der Miliˈtärpoliˌzei.

prow [praʊ] *s.* ⚓, ✈ Bug *m.*

prow·ess [ˈpraʊɪs] *s.* **1.** Tapferkeit *f*, Kühnheit *f*; **2.** überˈragendes Können, Tüchtigkeit *f.*

prowl [praʊl] **I** *v/i.* umˈherschleichen, -streichen; **II** *v/t.* durchˈstreifen; **III** *s.* Umˈherstreifen *n*, Streife *f*: ***be on the ~*** → I; ***~ car*** *Am.* (Polizei)Streifenwagen *m*; **ˈprowl·er** [-lə] *s.* Herˈumtreiber *m.*

prox·i·mal [ˈprɒksɪml] *adj.* □ *anat.* proxiˈmal, körpernah; **ˈprox·i·mate** [-mət] *adj.* □ **1.** nächst, folgend, (sich) unmittelbar (anschließend): ***~ cause*** unmittelbare Ursache; **2.** naheliegend; **3.** annähernd; **prox·im·i·ty** [prɒkˈsɪmətɪ] *s.* Nähe *f*: ***~ fuse*** ⚔ Annäherungszünder *m*; **ˈprox·i·mo** [-məʊ] *adv.* (des) nächsten Monats.

prox·y [ˈprɒksɪ] *s.* **1.** (Stell)Vertretung *f*, (Handlungs)Vollmacht *f*: ***by ~*** in Vertretung (→ 2); ***marriage by ~*** Ferntrauung *f*; **2.** (Stell)Vertreter(in), Bevollmächtigte(r *m*) *f*: ***by ~*** durch e-n Bevollmächtigten; ***stand ~ for s.o.*** als Stellvertreter fungieren für j-n; **3.** Vollmacht(surkunde) *f.*

prude [pruːd] *s.* prüder Mensch: ***be a ~*** prüde sein.

pru·dence [ˈpruːdəns] *s.* **1.** Klugheit *f*, Vernunft *f*; **2.** ˈUm-, Vorsicht *f*, Überˈlegtheit *f*: ***ordinary ~*** ⚖ die im Verkehr erforderliche Sorgfalt; **ˈpru·dent** [-nt] *adj.* □ **1.** klug, vernünftig; **2.** ˈum-, vorsichtig, besonnen; **pru·den·tial** [prʊˈdenʃl] *adj.* □ a) → ***prudent***, b) sachverständig: ***for ~ reasons*** aus Gründen praktischer Überlegung.

prud·er·y [ˈpruːdərɪ] *s.* Prüdeˈrie *f*; **ˈprud·ish** [-dɪʃ] *adj.* □ prüde.

prune[1] [pruːn] *s.* **1.** (*a.* Back)Pflaume *f*; **2.** *sl.* ‚Blödmann' *m.*

prune[2] [pruːn] *v/t.* **1.** *Bäume etc.* (aus-) putzen, beschneiden; **2.** *a.* ***~ off***, ***~ away*** wegschneiden; **3.** *fig.* zu(ˈrecht-) stutzen, befreien (***of*** von), säubern, *Text etc.* zs.-streichen, straffen, kürzen,

P

Überflüssiges entfernen.

pru·nel·la[1] [prʊˈnelə] *s.* ✝ Pruˈnell *m*, Lasting *m* (*Gewebe*).

pru·nel·la[2] [prʊˈnelə] *s.* ⚕ *obs.* Halsbräune *f*.

pru·nelle [prʊˈnel] *s.* Prüˈnelle *f* (*getrocknete entkernte Pflaume*).

pru·nel·lo [prʊˈneləʊ] → ***prunelle***.

prun·ing| knife [ˈpruːnɪŋ] *s.* [*irr.*] Gartenmesser *n*; **~ shears** *s. pl.* Baumschere *f*.

pru·ri·ence [ˈprʊərɪəns], **ˈpru·ri·en·cy** [-sɪ] *s.* **1.** Geilheit *f*, Lüsternheit *f*; (Sinnen)Kitzel *m*; **2.** Gier *f* (***for*** nach); **ˈpru·ri·ent** [-nt] *adj.* □ geil, lüstern, lasˈziv.

Prus·sian [ˈprʌʃn] **I** *adj.* preußisch; **II** *s.* Preuße *m*, Preußin *f*; **~ blue** *s.* Preußischblau *n*.

prus·si·ate [ˈprʌʃɪət] *s.* ⚗ Prussiˈat *n*; **~ of pot·ash** *s.* ⚗ ˈKaliumferrocyaˌnid *n*.

prus·sic ac·id [ˈprʌsɪk] *s.* ⚗ Blausäure *f*, Zyˈanwasserstoff(säure *f*) *m*.

pry[1] [praɪ] *v/i.* neugierig gucken *od.* sein, (***about*** herˈum)spähen, (-)schnüffeln: **~ *into*** a) *et.* zu erforschen suchen, b) *contp.* s-e Nase stecken in (*acc.*).

pry[2] [praɪ] **I** *v/t.* **1.** *a.* **~ *open*** *mit e-m Hebel etc.* aufbrechen, -stemmen: **~ *up*** hochstemmen, -heben; **2.** *fig.* herˈausholen; **II** *s.* **3.** Hebel *m*; Brecheisen *n*; **4.** Hebelwirkung *f*.

pry·ing [ˈpraɪɪŋ] *adj.* □ neugierig, naseweis.

psalm [sɑːm] *s.* Psalm *m*: ***the*** (***Book of***) **≈s** *bibl.* die Psalmen; **ˈpsalm·ist** [-mɪst] *s.* Psalˈmist *m*; **psal·mo·dy** [ˈsælmədɪ] *s.* **1.** Psalmoˈdie *f*, Psalmengesang *m*; **2.** Psalmen *pl.*

Psal·ter [ˈsɔːltə] *s.* Psalter *m*, (Buch *n* der) Psalmen *pl.*; **psal·te·ri·um** [sɔːlˈtɪərɪəm] *pl.* **-ri·a** [-rɪə] *s. zo.* Blättermagen *m*.

pse·phol·o·gy [*p*seˈfɒlədʒɪ] *s.* (wissenschaftliche) Anaˈlyse von Wahlergebnissen u. -trends.

pseudo- [ˈ*p*sjuːdəʊ] *in Zssgn* Pseudo..., pseudo..., falsch, unecht; **ˌpseu·do-ˈcarp** [-ˈkɑːp] *s.* ♀ Scheinfrucht *f*; **ˈpseu·do·nym** [-dənɪm] *s.* Pseudoˈnym *n*, Deckname *m*; **ˌpseu·doˈnym·i·ty** [-dəˈnɪmətɪ] *s.* **1.** Pseudonymiˈtät *f*; **2.** Führen *n* e-s Pseudoˈnyms; **pseuˈdon·y·mous** [-ˈdɒnɪməs] *adj.* □ pseudoˈnym.

pshaw [pʃɔː] *int.* pah!

psit·ta·co·sis [psɪtəˈkəʊsɪs] *s.* ⚕ Papaˈgeienkrankheit *f*.

pso·ri·a·sis [*p*sɒˈraɪəsɪs] *s.* ⚕ Schuppenflechte *f*, Psoˈriasis *f*.

Psy·che [ˈsaɪkɪ] *s.* **1.** *myth.* Psyche *f*; **2.** ≈ Psyche *f*, Seele *f*, Geist *m*.

psy·che·del·ic [ˌsaɪkɪˈdelɪk] *adj.* psycheˈdelisch, bewußtseinserweiternd.

psy·chi·at·ric, **psy·chi·at·ri·cal** [ˌsaɪkɪˈætrɪk(l)] *adj.* psychiˈatrisch; **psy·chi·a·trist** [saɪˈkaɪətrɪst] *s.* ⚕ Psychiˈater *m*; **psyˈchi·a·try** [saɪˈkaɪətrɪ] *s.* ⚕ Psychiaˈtrie *f*.

psy·chic [ˈsaɪkɪk] **I** *adj.* (□ ***~ally***) **1.** psychisch, seelisch(-geistig), Seelen...; **2.** ˈübersinnlich: **~ *forces***; **3.** mediˈal (veranlagt), F ‚hellseherisch'; **4.** parapsychoˈlogisch: **~ *research*** Para-Forschung *f*; **II** *s.* **5.** mediˈal veranlagte Perˈson, Medium *n*; **6.** *das* Psychische; **7.** *pl. sg. konstr.* a) Seelenkunde *f*, -forschung *f*, b) Parapsycholoˈgie *f*; **ˈpsy·chi·cal** [-kl] *adj.* □ → ***psychic*** I.

psy·cho·a·nal·y·sis [ˌsaɪkəʊəˈnæləsɪs] *s.* ˌPsychoanaˈlyse *f*; **psy·cho·an·a·lyst** [ˌsaɪkəʊˈænəlɪst] *s.* ˌPsychoanaˈlytiker (-in).

psy·cho·graph [ˈsaɪkəʊgrɑːf] *s.* Psychoˈgramm *n*.

psy·cho·log·ic [ˌsaɪkəˈlɒdʒɪk] → ***psychological***; **ˌpsy·choˈlog·i·cal** [-kl] *adj.* □ psychoˈlogisch: **~ *moment*** richtiger Augenblick; **~ *warfare*** a) psychologische Kriegführung, b) *fig.* Nervenkrieg *m*; **psy·chol·o·gist** [saɪˈkɒlədʒɪst] *s.* Psychoˈloge *m*, Psychoˈlogin *f*; **psy·chol·o·gy** [saɪˈkɒlədʒɪ] *s.* Psycholoˈgie *f* (*Wissenschaft od. Seelenleben*): ***good* ~** *fig.* das psychologisch Richtige.

psy·cho·path [ˈsaɪkəʊpæθ] *s.* Psychoˈpath(in); **psy·cho·path·ic** [ˌsaɪkəʊˈpæθɪk] **I** *adj.* psychoˈpathisch; **II** *s.* Psychoˈpath(in); **psy·chop·a·thy** [saɪˈkɒpəθɪ] *s.* Psychopaˈthie *f*, Gemütskrankheit *f*.

psy·cho·sis [saɪˈkəʊsɪs] *pl.* **-ses** [-siːz] *s.* Psyˈchose *f* (*a. fig.*).

psy·cho·ther·a·py [ˌsaɪkəʊˈθerəpɪ] *s.* ⚕ ˌPsychotheraˈpie *f*.

psy·chot·ic [saɪˈkɒtɪk] **I** *adj.* □ psyˈchotisch; **II** *s.* Psyˈchotiker(in).

ptar·mi·gan [ˈtɑːmɪgən] *s. zo.* Schneehuhn *n*.

pto·maine [ˈtəʊmeɪn] *s.* ⚗ Ptomaˈin *n*, Leichengift *n*.

pub [pʌb] *s. bsd. Brit.* F Pub *n od. m*, Kneipe *f*; **ˈ~-crawl** *s. bsd. Brit.* F Kneipenbummel *m*.

pu·ber·ty [ˈpjuːbətɪ] *s.* **1.** Puberˈtät *f*, Geschlechtsreife *f*; **2.** *a.* ***age of* ~** Puberˈtät(salter *n*) *f*: **~ *vocal change*** Stimmbruch *m*.

pu·bes[1] [ˈpjuːbiːz] *s. anat.* a) Schamgegend *f*, b) Schamhaare *pl.*

pu·bes[2] [ˈpjuːbiːz] *pl. von* ***pubis***.

pu·bes·cence [pjuːˈbesns] *s.* **1.** Geschlechtsreife *f*; **2.** ♀, *zo.* Flaumhaar *n*; **puˈbes·cent** [-nt] *adj.* **1.** geschlechtsreif (werdend); **2.** Pubertäts...; **3.** ♀, *zo.* fein behaart.

pu·bic [ˈpjuːbɪk] *adj. anat.* Scham...

pu·bis [ˈpjuːbɪs] *pl.* **-bes** [-biːz] *s. anat.* Schambein *n*.

pub·lic [ˈpʌblɪk] **I** *adj.* □ **1.** öffentlich *stattfindend* (*z.B. Verhandlung, Ver-*

P

sammlung, Versteigerung): **~ notice** öffentliche Bekanntmachung, Aufgebot *n*; ***in the ~ eye*** im Lichte der Öffentlichkeit; **2.** öffentlich, allgemein bekannt: **~ figure** Persönlichkeit *f* des öffentlichen Lebens, prominente Gestalt; ***go ~*** a) sich an die Öffentlichkeit wenden, b) ⚜ sich in e-e AG umwandeln; ***make ~*** (allgemein) bekanntmachen; **3.** a) öffentlich (*z.B. Anstalt, Bad, Dienst, Feiertag, Kredit, Sicherheit, Straße, Verkehrsmittel*), b) Staats…, staatlich (*z.B. Anleihe, Behörde, Papiere, Schuld, Stellung*), c) Volks… (*-bücherei, -gesundheit etc.*), d) Gemeinde…, Stadt…: **~ accountant** *Am.* Wirtschaftsprüfer *m*; **~-address system** öffentliche Lautsprecheranlage; **2 Assistance** *Am.* Sozialhilfe *f*; **~ borrowing** staatliche Kreditaufnahme; **~ charge** Sozialhilfeempfänger(in); **~ (limited) company** ⚜ *Brit.* Aktiengesellschaft; **~ convenience** öffentliche Bedürfnisanstalt; **~ corporation** ⚖ öffentlich-rechtliche Körperschaft; **~ economy** Volkswirtschaft(slehre) *f*; **~ enemy** Staatsfeind *m*; **~ expenditure** *s.* öffentliche Ausgaben *pl.*; **~ house** *bsd. Brit.* → **pub**; **~ information** Unterrichtung der Öffentlichkeit; **~ law** öffentliches Recht; **~ opinion** öffentliche Meinung; **~ opinion poll** öffentliche Umfrage, Meinungsbefragung *f*; **~ relations** a) Public Relations *pl.*, Öffentlichkeitsarbeit *f*, b) *attr.* Presse…, Werbe…, Public-Relations-…; **~ revenue** Staatseinkünfte *pl.*; **~ school** a) *Brit.* Public School *f*, höhere Privatschule mit Internat, b) *Am.* staatliche Schule; **~ sector spending** öffentliche Ausgaben; **~ service** a) Staatsdienst *m*, b) öffentliche Versorgung (*Gas, Wasser, Elektrizität etc.*); **~ servant** a) (Staats)Beamte(r) *m*, b) Angestellte(r) *m* im öffentlichen Dienst; **~ works** öffentliche (Bau-)Arbeiten; → **nuisance** 2, **policy**[1] 3, **prosecutor**, **utility** 3; **4.** natio'nal: **~ disaster**; **II** *s.* **5.** Öffentlichkeit *f*: ***in ~*** in der Öffentlichkeit, öffentlich; **6.** *sg. u. pl. konstr.* Öffentlichkeit *f*, *die* Leute *pl.*; *das* Publikum; Kreise *pl.*, Welt *f*: ***appear before the ~*** an die Öffentlichkeit treten; ***exclude the ~*** ⚖ die Öffentlichkeit ausschließen; **7.** *Brit.* F → **pub**; **'pub·li·can** [-kən] *s.* **1.** *Brit.* (Gast)Wirt *m*; **2.** *hist., bibl.* Zöllner *m*; **pub·li·ca·tion** [ˌpʌblɪ'keɪʃn] *s.* **1.** Bekanntmachung *f*, -gabe *f*; **2.** Her'ausgabe *f*, Veröffentlichung *f* (*von Druckwerken*); **3.** Publikati'on *f*, Veröffentlichung *f*, Verlagswerk *n*; (Druck)Schrift *f*: **monthly ~** Monatsschrift; **new ~** Neuerscheinung *f*; **'pub·li·cist** [-ɪsɪst] *s.* **1.** Publi'zist *m*, Tagesschriftsteller *m*; **2.** Völkerrechtler *m*; **pub·lic·i·ty** [pʌb'lɪsətɪ] *s.* **1.** Publizi'tät *f*, Öffentlichkeit *f* (*a.* ⚖ *des Verfahrens*): ***give s.th. ~*** et. allgemein bekanntmachen; ***seek ~*** bekannt werden wollen; **2.** Re'klame *f*, Werbung *f*, Pu'blicity *f*: **~ agent**, **~ man** Werbefachmann *m*; **~ campaign** Werbefeldzug *m*; **~ manager** Werbeleiter *m*; **'pub·li·cize** [-ɪsaɪz] *v/t.* **1.** publizieren, (öffentlich) bekanntmachen; **2.** Re'klame machen für, propagieren.

ˌpub·lic|-'pri·vate *adj.* ⚜ gemischt-wirtschaftlich; **ˌ~-'spir·it·ed** *adj.* gemeinsinnig, sozi'al gesinnt.

pub·lish ['pʌblɪʃ] *v/t.* **1.** (offizi'ell) bekanntmachen, -geben; *Aufgebot etc.* verkünd(ig)en; **2.** publizieren, veröffentlichen; **3.** *Buch etc.* verlegen, her'ausbringen: ***just ~ed*** (so)eben erschienen; ***~ed by Methuen*** im Verlag Methuen erschienen; ***~ed by the author*** im Selbstverlag; **4.** ⚖ *Beleidigendes* äußern, verbreiten; **'pub·lish·er** [-ʃə] *s.* **1.** Verleger *m*, Her'ausgeber *m*; *bsd. Am.* Zeitungsverleger *m*; **2.** *pl.* Verlag *m*, Verlagsanstalt *f*; **'pub·lish·ing** [-ʃɪŋ] **I** *s.* Her'ausgabe *f*, Verlag *m*; **II** *adj.* Verlags…: **~ business** Verlagsgeschäft *n*, -buchhandel *m*; **~ house** → **publisher** 2.

puce [pju:s] *adj.* braunrot.

puck [pʌk] *s.* **1.** Kobold *m*; **2.** *Eishokkey*: Puck *m*, Scheibe *f*.

puck·a ['pʌkə] *adj. Brit.* F **1.** echt, wirklich; **2.** erstklassig, tadellos.

puck·er ['pʌkə] **I** *v/t. oft* **~ up** **1.** runzeln, fälteln, Runzeln *od.* Falten bilden in (*dat.*); **2.** *Mund, Lippen etc.* zs.-ziehen, spitzen; *a. Stirn, Stoff* kräuseln; **II** *v/i.* **3.** sich kräuseln, sich zs.-ziehen, sich falten, Runzeln bilden; **III** *s.* **4.** Runzel *f*, Falte *f*; **5.** Bausch *m*; **6.** F Aufregung *f* (**about** über *acc.*, wegen).

pud·ding ['pʊdɪŋ] *s.* **1.** a) Pudding *m*, b) Nach-, Süßspeise *f*; → **proof** 6; **2.** *Art* 'Fleischpaˌstete *f*; **3.** *e-e Wurstsorte*: ***black ~*** Blutwurst *f*; ***white ~*** Preßsack *m*; **'~-faced** *adj.* mit e-m Vollmondgesicht.

pud·dle ['pʌdl] **I** *s.* **1.** Pfütze *f*, Lache *f*; **2.** ⚙ Lehmschlag *m*; **II** *v/t.* **3.** mit Pfützen bedecken; in Matsch verwandeln; **4.** *Wasser* trüben (*a. fig.*); **5.** *Lehm* zu Lehmschlag verarbeiten; **6.** mit Lehmschlag abdichten *od.* auskleiden; **7.** *metall.* puddeln: **~(d) steel** Puddelstahl *m*; **III** *v/i.* **8.** her'umplanschen *od.* -waten; **9.** *fig.* her'umpfuschen; **'pud·dler** [-lə] *s.* ⚙ Puddler *m* (*Arbeiter od. Gerät*).

pu·den·cy ['pju:dənsɪ] *s.* Verschämtheit *f*.

pu·den·dum [pju:'dendəm] *mst im pl.* **-da** [-də] *s.* (weibliche) Scham, Vulva *f*.

pu·dent ['pju:dənt] *adj.* verschämt.

pudg·y ['pʌdʒɪ] *adj.* dicklich.

P

pu·er·ile [ˈpjʊəraɪl] *adj.* □ pueˈril, knabenhaft, kindlich, *contp.* kindisch; **pu·er·il·i·ty** [pjʊəˈrɪlətɪ] *s.* **1.** Pueriliˈtät *f*, kindliches *od.* kindisches Wesen; **2.** Kindeˈrei *f*.

pu·er·per·al [pjuːˈɜːpərəl] *adj.* Kindbett...: **~ fever**.

puff [pʌf] **I** *s.* **1.** Hauch *m*; (leichter) Windstoß; **2.** Zug *m beim Rauchen*; Paffen *n der Pfeife etc.*; **3.** (Rauch-, Dampf)Wölkchen *n*; **4.** leichter Knall; **5.** *Bäckerei*: Windbeutel *m*; **6.** Puderquaste *f*; **7.** Puffe *f*, Bausch *m an Kleidern*; **8.** a) marktschreierische Anpreisung, aufdringliche Reˈklame, b) lobhudelnde Kriˈtik: **~ is part of the trade** Klappern gehört zum Handwerk; **II** *v/t.* **9.** blasen, pusten (**away** weg, **out** aus); **10.** auspuffen, -paffen, -stoßen; **11.** *Zigarre etc.* paffen; **12.** *oft* **~ out**, **~ up** aufblasen, (-)blähen; *fig.* aufgeblasen machen: **~ed up with pride** stolzgeschwellt; **~ed eyes** geschwollene Augen; **~ed sleeve** Puffärmel *m*; **13.** außer Atem bringen: **~ed** außer Atem; **14.** marktschreierisch anpreisen: **~ up** *Preise* hochtreiben; **III** *v/i.* **15.** paffen (**at** an *e-r Zigarre etc.*); Rauch- od. Dampfwölkchen ausstoßen; **16.** pusten, schnaufen, keuchen; **17.** *Lokomotive etc.* (daˈhin)dampfen, keuchen; **18.** **~ out** (*od.* **up**) sich (auf)blähen; **~ ad·der** *s. zo.* Puffotter *f*; **ˈ~·ball** *s.* ⚘ Bofist *m*.

puff·er [ˈpʌfə] *s.* **1.** Paffer *m*; **2.** Marktschreier *m*; **3.** Preistreiber *m*, Scheinbieter *m bei Auktionen*; **ˈpuff·er·y** [-ərɪ] *s.* Marktschreieˈrei *f*; **puff·i·ness** [ˈpʌfɪnɪs] *s.* **1.** Aufgeblähtheit *f*, Aufgeblasenheit *f* (*a. fig.*); **2.** (Auf)Gedunsenheit *f*; **3.** Schwulst *m*; **puff·ing** [ˈpʌfɪŋ] *s.* **1.** Aufbauschung *f*, Aufblähung *f*; **2.** → **puff** 8 a; **3.** Scheinbieten *n bei Auktionen*, Preistreibeˈrei *f*; **puff paste** *s.* Blätterteig *m*; **puff·y** [ˈpʌfɪ] *adj.* □ **1.** böig (*Wind*); **2.** kurzatmig, keuchend; **3.** aufgebläht, (an)geschwollen; **4.** bauschig (*Ärmel*); **5.** aufgedunsen, dick; **6.** *fig.* schwülstig.

pug¹ [pʌg] *s. a.* **~-dog** Mops *m*.

pug² [pʌg] *v/t.* **1.** *Lehm etc.* mischen u. kneten; schlagen; **2.** mit Lehmschlag *etc.* ausfüllen *od.* abdichten.

pug³ [pʌg] *s. sl.* Boxer *m*.

pu·gil·ism [ˈpjuːdʒɪlɪzəm] *s.* (Berufs-)Boxen *n*; **ˈpu·gil·ist** [-ɪst] *s.* (Berufs-)Boxer *m*.

pug·na·cious [pʌgˈneɪʃəs] *adj.* □ **1.** kampflustig, kämpferisch; **2.** streitsüchtig; **pugˈnac·i·ty** [-ˈnæsətɪ] *s.* **1.** Kampflust *f*; **2.** Streitsucht *f*.

ˈpug|-nose *s.* Stupsnase *f*; **ˈ~-nosed** *adj.* stupsnasig.

puis·ne [ˈpjuːnɪ] **I** *adj.* ⚖ rangjünger, ˈuntergeordnet: **~ judge** → II; **II** *s.* ˈUnterrichter *m*, Beisitzer *m*.

puke [pjuːk] **I** *v/t. u. v/i.* (sich) erbrechen, ‚kotzen'; **II** *s.* ‚Kotze' *f*.

puk·ka [ˈpʌkə] → **pucka**.

pul·chri·tude [ˈpʌlkrɪtjuːd] *s. bsd. Am.* (weibliche) Schönheit; **pul·chri·tu·di·nous** [ˌpʌlkrɪˈtjuːdɪnəs] *adj. Am.* schön.

pule [pjuːl] *v/i.* **1.** wimmern, winseln; **2.** piepsen.

pull [pʊl] **I** *s.* **1.** Ziehen *n*, Zerren *n*; **2.** Zug *m*, Ruck *m*: **give a strong ~** (**at**) kräftig ziehen (an *dat.*); **3.** *mot. etc.* Zug(kraft *f*) *m*, Ziehkraft *f*; **4.** Anziehungskraft *f* (*a. fig.*); **5.** *fig.* Zug-, Werbekraft *f*; **6.** Zug *m*, Schluck *m* (**at** aus); **7.** Zug(griff) *m*, -leine *f*: **bell ~** Glokkenzug; **8.** a) Bootfahrt *f*, Ruderparˈtie *f*, b) Ruderschlag *m*; **9.** (**long ~** große) Anstrengung, ‚Schlauch' *m*, *fig.* Durststrecke *f*; **10.** ermüdende Steigung; **11.** Vorteil *m* (**over**, **of** vor *dat.*, gegenˈüber); **12.** *sl.* (**with**) (heimlicher) Einfluß (auf *acc.*), Beziehungen *pl.* (zu); **13.** *typ.* Fahne *f*, (erster) Abzug; **II** *v/t.* **14.** ziehen, schleppen; **15.** zerren (an *dat.*), zupfen (an *dat.*): **~ about** umherzerren; **~ a muscle** sich e-e Muskelzerrung zuziehen; → **face** 2, **leg** *Redew.*, **string** 3, **trigger** 2; **16.** reißen: **~ apart** auseinanderreißen; **~ to pieces** a) zerreißen, in Stücke reißen, b) *fig.* (in e-r Kritik *etc.*) ‚verreißen'; **~ o.s. together** *fig.* sich zs.-reißen; **17.** *Pflanze* ausreißen; *Korken*, *Zahn* ziehen; *Blumen*, *Obst* pflücken; *Flachs* raufen; *Gans etc.* rupfen; *Leder* enthaaren; **18.** **~ one's punches** *Boxen*: verhalten schlagen, *fig.* sich zurückhalten; **not to ~ one's punches** *fig.* vom Leder ziehen, kein Blatt vor den Mund nehmen; **19.** *Pferd* zügeln; *Rennpferd* pullen; **20.** *Boot* rudern: **~ a good oar** gut rudern; → **weight** 1; **21.** *Am. Messer etc.* ziehen: **~ a pistol on** *j-n* mit der Pistole bedrohen; **22.** *typ. Fahne* abziehen; **23.** *sl. et.* ‚drehen', ‚schaukeln' (*ausführen*): **~ the job** das Ding drehen; **~ a fast one on s.o.** j-n ‚reinlegen'; **24.** *sl.* ‚schnappen' (*verhaften*); **25.** *sl.* e-e Razzia machen auf (*acc.*), *Spielhölle etc.* ausheben; **III** *v/i.* **26.** ziehen (**at** an *dat.*); **27.** zerren, reißen (**at** an *dat.*); **28.** *a.* **~ against the bit** am Zügel reißen (*Pferd*); **29.** a) e-n Zug machen, trinken (**at** aus *e-r Flasche*), b) ziehen (**at** an *e-r Pfeife etc.*); **30.** *gut etc.* ziehen (*Pfeife etc.*); **31.** sich vorwärtsarbeiten, -bewegen, -schieben: **~ into the station** 🚂 (in den Bahnhof) einfahren; **32.** rudern, pullen: **~ together** *fig.* zs.-arbeiten; **33.** (herˈan)fahren (**to the kerb** an den Bordstein); **34.** *sl.* ‚ziehen', Zugkraft haben (*Reklame*);

Zssgn mit adv.:

pull| away I *v/t.* **1.** wegziehen, -reißen; **II** *v/i.* **2.** anfahren (*Bus etc.*); **3.** sich losreißen; **4.** *a. sport* sich absetzen (von ***from***); **~ down** *v/t.* **1.** her'unterziehen, -reißen; *Gebäude* abreißen; **2.** *fig.* her'unterreißen, her'absetzen; **3.** *j-n* schwächen; *j-n* entmutigen; **~ in I** *v/t.* **1.** (her)'einziehen; **2.** *Pferd* zügeln, parieren; **II** *v/i.* **3.** anhalten, stehenbleiben; **4.** hin'einrudern; 🚂 einfahren; **~ off I** *v/t.* **1.** wegziehen, -reißen; **2.** *Schuhe etc.* ausziehen; *Hut* abnehmen (***to*** vor *dat.*); **3.** *Preis*, *Sieg* da'vontragen, erringen; **4.** F *et.* ‚schaukeln', ‚schaffen'; **II** *v/i.* **5.** sich in Bewegung setzen, abfahren; abstoßen (*Boot*); **~ on** *v/t. Kleid etc.* anziehen; **~ out I** *v/t.* **1.** her'ausziehen; ⚔ *Truppen* abziehen; **2.** ✈ *Flugzeug* hochziehen, *aus dem Sturzflug* abfangen; **3.** *fig.* in die Länge ziehen; **II** *v/i.* **4.** hin'ausrudern; abfahren (*Zug etc.*); ausscheren (*Fahrzeug*); ⚔ abziehen; *fig.* ‚aussteigen' (***of*** aus); **~ round I** *v/t. Kranken* wieder ‚hinkriegen', 'durchbringen; **II** *v/i.* wieder auf die Beine kommen, 'durchkommen, sich erholen; **~ through I** *v/t.* **1.** (hin-)'durchziehen; **2.** *fig.* a) *j-m* 'durchhelfen, b) → ***pull round*** I; **3.** *et.* erfolgreich 'durchführen; **II** *v/i.* **4.** → ***pull round*** II; sich 'durchschlagen; **~ up I** *v/t.* **1.** hochziehen (*a.* ✈); ⚓ *Flagge* hissen; **2.** *Pferd*, *Wagen* anhalten; **3.** *j-n* zu'rückhalten, *j-m* Einhalt gebieten; *j-n* zur Rede stellen; **II** *v/i.* **4.** (an)halten, vorfahren; **5.** *fig.* bremsen; **6.** *sport* sich nach vorn schieben: **~ *to*** (*od.* ***with***) *j-n* einholen.

'pull|·back *s.* **1.** Hemmnis *n*; **2.** ⚔ Rückzug *m*; **~ date** *s.* ✝ Haltbarkeitsdatum *n*.

pul·let ['pʊlɪt] *s.* Hühnchen *n*.

pul·ley ['pʊlɪ] ⚙ *s.* **1.** a) Rolle *f* (*bsd. Flaschenzug*): ***rope ~*** Seilrolle *f*; ***block and ~***, ***set of ~s*** Flaschenzug *m*, b) Flasche *f* (*Verbindung mehrerer Rollen*), c) Flaschenzug *m*; **2.** ⚓ Talje *f*; **3.** *a.* ***belt ~*** Riemenscheibe *f*; **~ block** *s.* ⚙ (Roll)Kloben *m*; **~ chain** *s.* Flaschenzugkette *f*; **~ drive** *s.* Riemenscheibenantrieb *m*.

Pull·man (car) ['pʊlmən] *pl.* **-mans** *s.* 🚂 Pullmanwagen *m*.

'pull|-off I *s.* **1.** ✈ Lösen *n* des Fallschirms (*beim Absprung*); **2.** *leichter etc.* Abzug (*Schußwaffe*); **II** *adj.* **3.** ⚙ Abzieh...(*-feder*); **'~-out I** *s.* **1.** Faltblatt *n*; **2.** (Zeitschriften)Beilage *f*; **3.** ⚔ (Truppen)Abzug *m*; **II** *adj.* **4.** ausziehbar: **~ *map*** Faltkarte *f*; **~ *seat*** Schiebesitz *m*; **'~ˌo·ver** *s.* Pull'over *m*; **~ switch** *s.* ⚡ Zugschalter *m*.

pul·lu·late ['pʌljʊleɪt] *v/i.* **1.** (her'vor-)sprossen, knospen; **2.** Knospen treiben; **3.** keimen (*Samen*); **4.** *biol.* sich (*durch Knospung*) vermehren; **5.** *fig.* wuchern, grassieren; **6.** *fig.* wimmeln.

'pull-up *s.* **1.** *Brit. mot.* Raststätte *f*; **2.** Klimmzug *m*.

pul·mo·nar·y ['pʌlmənərɪ] *adj. anat.* Lungen...; **'pul·mo·nate** [-neɪt] *zo. adj.* Lungen..., mit Lungen (ausgestattet): **~ (*mollusc*)** Lungenschnecke *f*; **pul·mon·ic** [pʌl'mɒnɪk] **I** *adj.* Lungen...; **II** *s.* Lungenheilmittel *n*.

pulp [pʌlp] **I** *s.* **1.** Fruchtfleisch *n*, -mark *n*; **2.** ⚘ Stengelmark *n*; **3.** *anat.* (Zahn-)Pulpa *f*; **4.** Brei *m*, breiige Masse: ***beat to a ~*** *fig. j-n* zu Brei schlagen; **5.** ⚙ a) Pa'pierbrei *m*, Pulpe *f*, *bsd.* Ganzzeug *n*, b) Zellstoff *m*: ***~board*** Zellstoffpappe *f*; **~ *engine*** → ***pulper*** 1; **~ *factory*** Holzschleiferei *f*; **6.** Maische *f*, Schnitzel *pl.* (*Zucker*); **7.** *Am.* a) Schund *m*, b) *a.* **~ *magazine*** *Am.* Schundblatt *n*; **II** *v/t.* **8.** in Brei verwandeln; **9.** *Papier* einstampfen; **10.** *Früchte* entfleischen; **III** *v/i.* **11.** breiig werden *od.* sein; **'pulp·er** [-pə] *s.* **1.** ⚙ (Ganzzeug)Holländer *m* (*Papier*); **2.** ⚒ (Rüben)Breimühle *f*; **'pulp·i·fy** [-pɪfaɪ] *v/t.* in Brei verwandeln; **'pulp·i·ness** [-pɪnɪs] *s.* **1.** Weichheit *f*; **2.** Fleischigkeit *f*; **3.** Matschigkeit *f*.

pul·pit ['pʊlpɪt] *s.* **1.** Kanzel *f*: ***in the ~*** auf der Kanzel; **~ *orator*** Kanzelredner *m*; **2. *the ~*** *coll.* die Geistlichkeit; **3.** *fig.* Kanzel *f*; **4.** ⚙ Bedienungsstand *m*.

pulp·y ['pʌlpɪ] *adj.* ☐ **1.** weich u. saftig; **2.** fleischig; **3.** schwammig; **4.** breiig, matschig.

pul·sate [pʌl'seɪt] *v/i.* **1.** pulsieren (*a.* ⚡), (rhythmisch) pochen *od.* schlagen; **2.** vibrieren; **3.** *fig.* pulsieren (***with*** von *Leben*, *Erregung*); **pul·sa·tile** ['pʌlsətaɪl] *adj.* ♪ Schlag...: **~ *instrument***; **pul'sat·ing** [-tɪŋ] *adj.* **1.** ⚡ pulsierend (*a. fig.*), stoßweise; **2.** *fig.* beschwingt (*Rhythmus*, *Weise*); **pul'sa·tion** [-eɪʃn] *s.* **1.** Pulsieren *n* (*a. fig.*), Pochen *n*, Schlagen *n*; **2.** Pulsschlag *m* (*a. fig.*); **3.** Vibrieren *n*.

pulse¹ [pʌls] **I** *s.* **1.** Puls(schlag) *m* (*a. fig.*): ***quick ~*** schneller Puls; ***~-rate*** ⚕ Pulszahl *f*; ***feel s.o.'s ~*** a) j-m den Puls fühlen, b) *fig.* j-m auf den Zahn fühlen, bei j-m vorfühlen; **2.** ⚡, *phys.* Im'puls *m*, (Strom)Stoß *m*; **II** *v/i.* **3.** → ***pulsate***.

pulse² [pʌls] *s.* Hülsenfrüchte *pl.*

pul·ver·i·za·tion [ˌpʌlvəraɪ'zeɪʃn] *s.* **1.** Pulverisierung *f*, (Feinst)Mahlung *f*; **2.** Zerstäubung *f von Flüssigkeiten*; **3.** *fig.* Zermalmung *f*; **pul·ver·ize** ['pʌlvəraɪz] **I** *v/t.* **1.** pulverisieren, *zu Staub* zermahlen, -stoßen, -reiben: ***~d coal*** feingemahlene Kohlen *pl.*, Kohlenstaub *m*; **2.** *Flüssigkeit* zerstäuben; **3.** *fig.* zermalmen; **II** *v/i.* **4.** (in Staub) zerfallen; **pul·ver·iz·er** ['pʌlvəraɪzə] *s.* **1.** ⚙ Zerkleinerer *m*, Pulverisiermühle *f*, Mahlanlage *f*; **2.** Zerstäuber *m*; **pul·ver·u·lent** [pʌlˈverjələnt] *adj.* **1.** (fein)pulverig; **2.** (leicht) zerbröckelnd; **3.** staubig.

pu·ma [ˈpju:mə] *s. zo.* Puma *m*.

pum·ice [ˈpʌmɪs] **I** *s. a.* ***~-stone*** Bimsstein *m*; **II** *v/t.* mit Bimsstein abreiben, (ab)bimsen.

pum·mel [ˈpʌml] → ***pommel*** II.

pump¹ [pʌmp] **I** *s.* **1.** Pumpe *f*: (***dispensing***) ***~*** *mot.* Zapfsäule *f*; ***~ priming*** a) Anlassen *n* der Pumpe, b) ⚜ Ankurbelung *f* der Wirtschaft; **2.** Pumpen(stoß *m*) *n*; **II** *v/t.* **3.** pumpen: ***~ dry*** aus-, leerpumpen; ***~ out*** auspumpen (*a. fig. erschöpfen*); ***~ up*** a) hochpumpen, b) *Reifen* aufpumpen (*a. fig.*); ***~ bullets into*** *fig. j-m* Kugeln in den Leib jagen; ***~ money into*** ⚜ Geld in *et.* hineinpumpen; **4.** *fig. j-n* ausholen, -fragen, -horchen; **III** *v/i.* **5.** pumpen (*a. fig. Herz etc.*).

pump² [pʌmp] *s.* **1.** Pumps *m* (*Halbschuh*); **2.** *Brit.* Turnschuh *m*.

ˈpump-ˌhan·dle I *s.* Pumpenschwengel *m*; **II** *v/t.* F *j-s Hand* ˈüberschwenglich schütteln.

pump·kin [ˈpʌm*p*kɪn] *s.* ⚘ (*bsd.* Garten-) Kürbis *m*.

ˈpump-room *s.* Trinkhalle *f in Kurbädern.*

pun [pʌn] **I** *s.* Wortspiel *n* (***on*** über *acc.*, mit); **II** *v/i.* Wortspiele *od.* ein Wortspiel machen, witzeln.

punch¹ [pʌn*t*ʃ] **I** *s.* **1.** (Faust)Schlag *m*: ***beat s.o. to the ~*** *Am. fig.* j-m zuvorkommen; → ***pull*** 18; **2.** Schlagkraft *f* (*a. fig.*); → ***pack*** 20; **3.** F Wucht *f*, Schmiß *m*, Schwung *m*; **II** *v/t.* **4.** (*mit der Faust*) schlagen, boxen, knuffen; **5.** (ein)hämmern auf (*acc.*): ***~ the typewriter.***

punch² [pʌn*t*ʃ] ⚙ **I** *s.* **1.** Stanzwerkzeug *n*, Lochstanze *f*, -eisen *n*, Stempel *m*, ˈDurchschlag *m*, Dorn *m*; **2.** Paˈtrize *f*; **3.** Prägestempel *m*; **4.** Lochzange *f* (*a.* 🚂 *etc.*); **5.** (Paˈpier)Locher *m*; **II** *v/t.* **6.** (aus-, loch)stanzen, durchˈschlagen, lochen; **7.** *Zahlen etc.* punzen, stempeln; **8.** *Fahrkarten etc.* lochen, knipsen: ***~ed card*** Lochkarte *f*; ***~ed tape*** Lochstreifen *m*.

punch³ [pʌn*t*ʃ] *s.* Punsch *m*.

Punch⁴ [pʌn*t*ʃ] *s.* Kasperle *n*, Hansˈwurst *m*: ***~ and Judy show*** Kasperletheater *n*; ***he was as pleased as ~*** er hat sich königlich gefreut.

punch⁵ [pʌn*t*ʃ] *s. Brit.* **1.** kurzbeiniges schweres Zugpferd; **2.** F ‚Stöpsel' *m* (*kleine dicke Person*).

ˈpunch|·ball *s. Boxen*: Punchingball *m*, (Mais)Birne *f*; ***~ card*** *s.* Lochkarte *f*; **ˌ~-ˈdrunk** *adj.* **1.** (von vielen Boxhieben) blöde (geworden); **2.** groggy.

pun·cheon¹ [ˈpʌn*t*ʃən] *s.* **1.** (Holz-, Stütz)Pfosten *m*; **2.** ⚙ → ***punch²*** 1.

pun·cheon² [ˈpʌn*t*ʃən] *s. hist.* Puncheon *n* (*Faß von 315–540 l*).

punch·er [ˈpʌn*t*ʃə] *s.* **1.** ⚙ Locheisen *n*, Locher *m*; **2.** F Schläger *m* (*a. Boxer*); **3.** *Am.* F Cowboy *m*.

punch·ing| bag [ˈpʌn*t*ʃɪŋ] *s. Boxen*: Sandsack *m*; **ˈ~-ball** *s. Boxen*: Punchingball *m*; **~ die** *s.* ⚙ ˈStanzmaˌtrize *f*.

punch| line *s. Am.* Poˈinte *f*, ˈKnalleffekt *m*; **~ press** *s.* ⚙ Lochpresse *f*; **ˈ~-up** *s.* F Schlägeˈrei *f*.

punc·til·i·o [pʌŋ*k*ˈtɪlɪəʊ] *pl.* **-i·os** *s.* **1.** Punkt *m* der Etiˈkette; Feinheit *f des Benehmens etc.*; **2.** heikler *od.* kitzliger Punkt: ***~ of hono(u)r*** Ehrenpunkt *m*; **3.** → ***punctiliousness***; **puncˈtil·i·ous** [-ɪəs] *adj.* ☐ **1.** peinlich (genau), peˈdantisch, spitzfindig; **2.** (überˈtrieben) förmlich; **puncˈtil·i·ous·ness** [-ɪəsnɪs] *s.* peˈdantische Genauigkeit, Förmlichkeit *f*.

punc·tu·al [ˈpʌŋ*k*tjʊəl] *adj.* ☐ pünktlich; **punc·tu·al·i·ty** [ˌpʌŋ*k*tjʊˈælətɪ] *s.* Pünktlichkeit *f*.

punc·tu·ate [ˈpʌŋ*k*tjʊeɪt] *v/t.* **1.** interpunktieren, Satzzeichen setzen in (*acc.*); **2.** *fig.* a) unterˈbrechen (***with*** durch, mit), b) unterˈstreichen; **punc·tu·a·tion** [ˌpʌŋ*k*tjʊˈeɪʃn] *s.* **1.** Interpunktiˈon *f*, Zeichensetzung *f*: ***close*** (***open***) ***~*** (weniger) strikte Zeichensetzung; ***~ mark*** Satzzeichen *n*; **2.** *fig.* a) Unterˈbrechung *f*, b) Unterˈstreichung *f*.

punc·ture [ˈpʌŋktʃə] **I** *v/t.* **1.** durchˈstechen, -ˈbohren; **2.** ⚕ punktieren; **II** *v/i.* **3.** ein Loch bekommen, platzen (*Reifen*); **4.** ϟ ˈdurchschlagen; **III** *s.* **5.** (Ein-) Stich *m*, Loch *n*; **6.** Reifenpanne *f*: ***~ outfit*** Flickzeug *n*; **7.** ⚕ Punkˈtur *f*; **8.** ϟ ˈDurchschlag *m*; **ˈ~·proof** *adj. mot.* pannen-, ϟ ˈdurchschlagsicher.

pun·dit [ˈpʌndɪt] *s.* **1.** Pandit *m* (*brahmanischer Gelehrter*); **2.** *humor.* a) ‚gelehrtes Haus', b) ‚Weise(r)' *m* (*Experte*).

pun·gen·cy [ˈpʌndʒənsɪ] *s.* Schärfe *f* (*a. fig.*); **ˈpun·gent** [-nt] *adj.* ☐ **1.** scharf (*im Geschmack*); **2.** stechend (*Geruch etc.*), *a. fig.* beißend, scharf; **3.** *fig.* prickelnd, piˈkant.

pu·ni·ness [ˈpju:nɪnɪs] *s.* **1.** Schwächlichkeit *f*; **2.** Kleinheit *f*.

pun·ish [ˈpʌnɪʃ] *v/t.* **1.** *j-n* (be)strafen (***for*** für, wegen); **2.** *Vergehen* bestrafen, ahnden; **3.** F *fig. Boxer etc.* übel zurichten, arg mitnehmen (*a. weitS. strapazieren*): ***~ing*** ‚mörderisch', zermürbend; **4.** F ‚reinhauen' (*ins Essen*); **ˈpun·ish·a·ble** [-ʃəbl] *adj.* ☐ strafbar; **ˈpun·ish·ment** [-mənt] *s.* **1.** Bestrafung *f* (***by*** durch); **2.** Strafe *f* (*a.* ⚖): ***for*** (*od.* ***as***) ***a ~*** als *od.* zur Strafe; **3.** F a) grobe Behandlung, b) *Boxen*: ‚Prügel' *pl.*: ***take ~*** ‚schwer einstecken' müssen;

c) Stra'paze *f*, ‚Schlauch' *m*, d) ⚙, ✝ harte Beanspruchung.

pu·ni·tive ['pju:nətɪv] *adj.* Straf…

punk [pʌŋk] **I** *s.* **1.** Zunder(holz *n*) *m*; **2.** *sl. contp.* a) ‚Flasche' *f*, b) ‚Blödmann' *m*, c) ‚Mist' *m*; **3.** ‚Punk' *m* (*Bewegung u. Anhänger*), Punker(in); **II** *adj. sl.* **4.** mise'rabel; **5.** Punk… (*a.* ♪).

pun·ster ['pʌnstə] *s.* Wortspielmacher (-in), Witzbold *m*.

punt¹ [pʌnt] **I** *s.* Punt *n*, Stakkahn *m*; **II** *v/t. Boot* staken; **III** *v/i.* punten, im Punt fahren.

punt² [pʌnt] **I** *s. Rugby etc.*: Falltritt *m*; **II** *v/t. u. v/i.* (den Ball) aus der Hand (ab)schlagen.

punt³ [pʌnt] *v/i.* **1.** *Glücksspiel*: gegen die Bank setzen; **2.** (*auf ein Pferd*) setzen, *allg.* wetten.

pu·ny ['pju:nɪ] *adj.* □ schwächlich; winzig, *a. fig.* kümmerlich.

pup [pʌp] **I** *s.* junger Hund: ***in*** **~** trächtig (*Hündin*); ***conceited*** **~** → ***puppy*** 2; ***sell s.o. a*** **~** F j-m et. andrehen, j-n ‚reinlegen'; **II** *v/t. u. v/i.* (Junge) werfen.

pu·pa ['pju:pə] *pl.* **-pae** [-pi:] *s. zo.* Puppe *f*; **'pu·pate** [-peɪt] *v/i. zo.* sich verpuppen; **pu·pa·tion** [pju:'peɪʃən] *s. zo.* Verpuppung *f*.

pu·pil¹ ['pju:pl] *s.* **1.** Schüler(in): **~** ***teacher*** Junglehrer(in); **2.** ✝ Prakti'kant(in); **3.** ⚖ Mündel *m*, *n*.

pu·pil² ['pju:pl] *s. anat.* Pu'pille *f*.

pu·pil·(l)age ['pju:pɪlɪdʒ] *s.* **1.** Schüler-, Lehrjahre *pl.*; **2.** Minderjährigkeit *f*, Unmündigkeit *f*; **'pu·pil·(l)ar** [-lə] → **'pu·pil·(l)ar·y** [-lərɪ] *adj.* **1.** ⚖ Mündel…; **2.** *anat.* Pupillen…

pup·pet ['pʌpɪt] *s. a. fig.* Mario'nette *f*, Puppe *f*: **~** ***government*** Marionettenregierung *f*; **~** ***show*** (*od.* ***play***) Puppenspiel *n*, Mario'nettenthe,ater *n*.

pup·py ['pʌpɪ] *s.* **1.** *zo.* junger Hund, Welpe *m*, *a. weitS.* Junge(s) *n*: **~** ***love*** → ***calf love***; **2.** *fig.* (junger) Schnösel, Fatzke *m*; **'pup·py·hood** [-hʊd] *s.* Jugend-, Flegeljahre *pl.*

pup tent *s.* kleines Schutzzelt.

pur [pɜ:] → ***purr***.

pur·blind ['pɜ:blaɪnd] *adj.* **1.** *fig.* kurzsichtig, dumm; **2.** a) halb blind, b) *obs.* (ganz) blind.

pur·chas·a·ble ['pɜ:tʃəsəbl] *adj.* käuflich (*a. fig.*); **pur·chase** ['pɜ:tʃəs] **I** *v/t.* **1.** kaufen, erstehen, (käuflich) erwerben; **2.** *fig.* erkaufen, erringen (***with*** mit, durch); **3.** *fig.* kaufen (*bestechen*); **4.** ⚙, ⚓ a) hochwinden; b) (mit Hebelkraft) heben *od.* bewegen; **II** *s.* **5.** (An-, Ein)Kauf *m*: ***by*** **~** durch Kauf, käuflich; ***make*** **~*s*** Einkäufe machen; **6.** 'Kauf(-ob,jekt *n*) *m*, Anschaffung *f*: **~*s*** *Bilanz*: Wareneingänge; **7.** ⚖ Erwerbung *f*; **8.** (Jahres)Ertrag *m*: ***at ten years'*** **~** zum Zehnfachen des Jahresertrages; ***his life is not worth a day's*** **~** er lebt keinen Tag mehr, er macht es nicht mehr lange; **9.** ⚙ Hebevorrichtung *f*, *bsd.* a) Flaschenzug *m*, b) ⚓ Talje *f*; **10.** Hebelkraft *f*, -wirkung *f*; **11.** (guter) Angriffs- *od.* Ansatzpunkt; **12.** *fig.* a) Machtstellung *f*, Einfluß *m*, b) Machtmittel *n*, Handhabe *f*.

pur·chase| ac·count *s.* ✝ Wareneingangskonto *n*; **~ dis·count** *s.* 'Einkaufsra,batt *m*; **~ mon·ey** *s.* Kaufsumme *f*; **~ pat·tern** *s.* Käuferverhalten *n*; **~ price** *s.* Kaufpreis *m*.

pur·chas·er ['pɜ:tʃəsə] *s.* **1.** Käufer(in); Abnehmer(in); **2.** ⚖ Erwerber *m*: ***first*** **~** Ersterwerber.

pur·chase tax *s. Brit.* Kaufsteuer *f*.

pur·chas·ing| a·gent ['pɜ:tʃəsɪŋ] *s.* ✝ Einkäufer *m*; **~ as·so·ci·a·tion** *s.* Einkaufsgenossenschaft *f*; **~ de·part·ment** *s.* Einkauf(sabteilung *f*) *m*; **~ man·ag·er** *s.* Einkaufsleiter *m*; **~ pow·er** *s.* Kaufkraft *f*.

pure [pjʊə] *adj.* □ **1.** rein: a) sauber, makellos (*a. fig. Freundschaft*, *Sprache*, *Ton etc.*), b) unschuldig, unberührt: ***a*** **~** ***girl***, c) unvermischt: **~** ***gold*** pures *od.* reines Gold, d) theo'retisch: **~** ***mathematics*** reine Mathematik, e) völlig, bloß, pur: **~** ***nonsense***; **~*ly*** *adv. fig.* rein, bloß, ausschließlich; **2.** *biol.* reinrassig; **'~bred I** *adj.* reinrassig, rasserein; **II** *s.* reinrassiges Tier.

pu·rée ['pjʊəreɪ] (*Fr.*) *s.* **1.** Pü'ree *n*; **2.** (Pü'ree)Suppe *f*.

pur·ga·tion [pɜ:'geɪʃn] *s.* **1.** *mst eccl. u. fig.* Reinigung *f*; **2.** ⚕ Darmentleerung *f*; **pur·ga·tive** ['pɜ:gətɪv] **I** *adj.* □ **1.** reinigend; **2.** ⚕ abführend, Abführ…; **II** *s.* **3.** ⚕ Abführmittel *n*; **pur·ga·to·ry** ['pɜ:gətərɪ] *s. R.C.* Fegefeuer *n* (*a. fig.*).

purge [pɜ:dʒ] **I** *v/t.* **1.** *mst fig j-n* reinigen (***of***, ***from*** von *Schuld*, *Verdacht*); **2.** *Flüssigkeit* klären, läutern; **3.** ⚕ a) *Darm* abführen, entschlacken, b) *j-m* Abführmittel geben; **4.** *Verbrechen* sühnen; **5.** *pol.* a) *Partei etc.* säubern, b) (aus der Par'tei) ausschließen, c) liquidieren (*töten*); **II** *v/i.* **6.** sich läutern; **7.** ⚕ a) abführen (*Medikament*), b) Stuhlgang haben; **III** *s.* **8.** Reinigung *f*; **9.** ⚕ a) Entleerung *f*, -schlackung *f*, b) Abführmittel *n*; **10.** *pol.* 'Säuberung(saktì,on) *f*.

pu·ri·fi·ca·tion [,pjʊərɪfɪ'keɪʃn] *s.* **1.** Reinigung *f* (*a. eccl.*); **2.** ⚙ Reinigung *f* (*a. metall.*), Klärung *f*, Abläuterung *f*; Regenerierung *f von Altöl*; **pu·ri·fi·er** ['pjʊərɪfaɪə] *s.* ⚙ Reiniger *m*, 'Reinigungsappa,rat *m*; **pu·ri·fy** ['pjʊərɪfaɪ] **I** *v/t.* **1.** reinigen (***of***, ***from*** von) (*a. fig. läutern*); **2.** ⚙ reinigen, läutern, klären; aufbereiten, *Öl* regenerieren; **II** *v/i.* **3.**

P

sich läutern.

pur·ism ['pjʊərɪzəm] *s. a. ling. u. Kunst:* Pu'rismus *m*; '**pur·ist** [-ɪst] *s.* Pu'rist *m*, *bsd.* Sprachreiniger *m*.

Pu·ri·tan ['pjʊərɪtən] **I** *s.* **1.** *hist.* (*fig. mst* ♀) Puri'taner(in); **II** *adj.* **2.** puri'tanisch; **3.** *fig.* (*mst* ♀) → ***puritanical***; **pu·ri·tan·i·cal** [ˌpjʊərɪ'tænɪkəl] *adj.* □ puritanisch, über'trieben sittenstreng; '**Pu·ri·tan·ism** [-tənɪzəm] *s.* Purita'nismus *m*.

pu·ri·ty ['pjʊərətɪ] *s.* Reinheit *f*: ♀ ***Campaign*** *fig.* Sauberkeitskampagne *f*.

purl[1] [pɜːl] **I** *v/i.* murmeln, rieseln (*Bach*); **II** *s.* Murmeln *n*.

purl[2] [pɜːl] **I** *v/t.* **1.** (um)'säumen, einfassen; **2.** (*a. v/i.*) linksstricken; **II** *s.* **3.** Gold-, Silberdrahtlitze *f*; **4.** Zäckchen (-borte *f*) *n*; **5.** Häkelkante *f*; **6.** Linksstricken *n*.

purl·er ['pɜːlə] *s.* F **1.** schwerer Sturz: ***come*** (*od.* ***take***) ***a ~*** schwer stürzen; **2.** schwerer Schlag.

pur·lieus ['pɜːljuːz] *s. pl.* Um'gebung *f*, Randbezirk(e *pl.*) *m*.

pur·loin [pɜː'lɔɪn] *v/t.* entwenden, stehlen (*a. fig.*); **pur'loin·er** [-nə] *s.* Dieb *m*; *fig.* Plagi'ator *m*.

pur·ple ['pɜːpl] **I** *adj.* **1.** purpurn, purpurrot: ♀ ***Heart*** a) ⚔ *Am.* Verwundetenabzeichen *n*, b) *Brit.* F Amphetamintablette *f*; **2.** *fig.* bril'lant (*Stil*): ***~ passage*** Glanzsstelle *f*; **3.** *Am.* lästerlich; **II** *s.* **4.** Purpur *m* (*a. fig. Herrscher-, Kardinalswürde*): ***raise to the ~*** zum Kardinal ernennen; **III** *v/i.* **5.** sich purpurn färben.

pur·port ['pɜːpət] **I** *v/t.* **1.** behaupten, vorgeben: ***~ to be*** (***do***) angeblich sein (tun), sein (tun) wollen; **2.** besagen, beinhalten, zum Inhalt haben, ausdrükken (wollen); **II** *s.* **3.** Tenor *m*, Inhalt *m*, Sinn *m*.

pur·pose ['pɜːpəs] **I** *s.* **1.** Zweck *m*, Ziel *n*; Absicht *f*, Vorsatz *m*: ***for what ~?*** zu welchem Zweck?, wozu?; ***for all practical ~s*** praktisch; ***for the ~ of*** a) um zu, zwecks, b) im Sinne *e-s Gesetzes*; ***of set ~*** ⚖ vorsätzlich; ***on ~*** absichtlich; ***to the ~*** a) zur Sache (gehörig), b) zweckdienlich; ***to no ~*** vergeblich, umsonst; ***answer*** (*od.* ***serve***) ***the ~*** dem Zweck entsprechen; ***be to little ~*** wenig Zweck haben; ***turn to good ~*** gut anwenden *od.* nützen; ***novel with a ~***, ***~-novel*** Tendenzroman *m*; **2.** *a.* ***strength of ~*** Entschlußkraft *f*; **3.** Zielbewußtheit *f*; **4.** Wirkung *f*; **II** *v/t.* **5.** vorhaben, beabsichtigen, bezwecken; '**~-built** *adj.* spezi'algefertigt, Spezial..., Zweck...

pur·pose·ful ['pɜːpəsfʊl] *adj.* □ **1.** zielbewußt, entschlossen; **2.** zweckmäßig, -voll; **3.** absichtlich; '**pur·pose·less** [-lɪs] *adj.* □ **1.** zwecklos; **2.** ziel-, planlos; '**pur·pose·ly** [-lɪ] *adv.* absichtlich, vorsätzlich; '**pur·pos·ive** [-sɪv] *adj.* **1.** zweckmäßig, -voll, -dienlich; **2.** absichtlich, bewußt, *a.* gezielt; **3.** zielstrebig.

'**pur·pose-trained** *adj.* mit Spezi'alausbildung.

purr [pɜː] **I** *v/i.* **1.** schnurren (*Katze etc.*); **2.** *fig.* surren, summen (*Motor etc.*); **3.** *fig.* vor Behagen schnurren; **II** *v/t.* **4.** *et.* summen, säuseln (*sagen*); **III** *s.* **5.** Schnurren *n*; Surren *n*.

purse [pɜːs] **I** *s.* **1.** a) Geldbeutel *m*, Börse *f*, b) (Damen)Handtasche *f*: ***a light*** (***long***) ***~*** *fig.* ein magerer (voller) Geldbeutel; ***public ~*** Staatssäckel *m*; **2.** Fonds *m*: ***common ~*** gemeinsame Kasse; **3.** Geldsammlung *f*, -geschenk *n*: ***make up a ~ for*** Geld sammeln für; **4.** *sport*: a) Siegprämie *f*, b) *Boxen*: Börse *f*; **II** *v/t.* **5.** *oft* ***~ up*** in Falten legen; *Stirn* runzeln; *Lippen* schürzen, *Mund* spitzen; '**~-proud** *adj.* geldstolz, protzig.

purs·er ['pɜːsə] *s.* **1.** ⚓ Zahl-, Provi'antmeister *m*; **2.** ✈ Purser(in).

'**purse-strings** *s. pl.*: ***hold the ~*** den Geldbeutel verwalten; ***tighten the ~*** den Daumen auf dem Beutel halten.

purs·lane ['pɜːslɪn] *s.* ⚘ Portulak(gewächs *n*) *m*.

pur·su·ance [pə'sjʊəns] *s.* Verfolgung *f*, Ausführung *f*: ***in ~ of*** a) im Verfolg (*gen.*), b) → ***pursuant***; **pur'su·ant** [-nt] *adj.* □: ***~ to*** gemäß *od.* laut *e-r Vorschrift etc.*

pur·sue [pə'sjuː] **I** *v/t.* **1.** (*a.* ⚔) verfolgen, *j-m* nachsetzen, *j-n* jagen; **2.** *fig. Zweck*, *Ziel*, *Plan* verfolgen; **3.** nach *Glück etc.* streben; *dem Vergnügen* nachgehen; **4.** *Kurs*, *Weg* einschlagen, folgen (*dat.*); **5.** *Beruf*, *Studien etc.* betreiben, nachgehen (*dat.*); **6.** *et.* weiterführen, fortsetzen, fortfahren in; **7.** *Thema etc.* weiterführen, (weiter) diskutieren; **II** *v/i.* **8.** ***~ after*** → 1; **9.** *im Sprechen etc.* fortfahren; **pur'su·er** [-juːə] *s.* **1.** Verfolger(in); **2.** ⚖ *Scot.* (An)Kläger(in).

pur·suit [pə'sjuːt] *s.* **1.** Verfolgung *f*, Jagd *f* (***of*** auf *acc.*): ***~ action*** ⚔ Verfolgungskampf *m*; ***in hot ~*** in wilder Verfolgung *od.* Jagd; **2.** *fig.* Streben *n*, Trachten *n*, Jagd *f* (***of*** nach); **3.** Verfolgung *f*, Verfolg *m e-s Plans etc.*: ***in ~ of*** im Verfolg *e-r Sache*; **4.** Beschäftigung *f*, Betätigung *f*; Ausübung *f e-s Gewerbes*, Betreiben *n von Studien etc.*; **5.** *pl.* Arbeiten *pl.*, Geschäfte *pl.*; Studien *pl.*; **~ in·ter·cep·tor** *s.* ✈ Zerstörer *m*; **~ plane** *s.* ✈ Jagdflugzeug *n*.

pur·sy[1] ['pɜːsɪ] *adj.* **1.** kurzatmig; **2.** korpu'lent; **3.** protzig.

pur·sy[2] ['pɜːsɪ] *adj.* zs.-gekniffen.

pu·ru·lence ['pjʊərʊləns] *s.* ⚕ **1.** Eitrigkeit *f*; **2.** Eiter *m*; ˈ**pu·ru·lent** [-nt] *adj.* □ ⚕ eiternd, eit(e)rig; Eiter…: *~ **matter*** Eiter *m*.

pur·vey [pəˈveɪ] **I** *v/t.* (***to***) *mst Lebensmittel* liefern (an *acc.*), (*j-n*) versorgen mit; **II** *v/i.* (***for***) liefern (an *acc.*), sorgen (für): *~ **for*** *j-n* beliefern; **purˈvey·ance** [-eɪəns] *s.* **1.** Lieferung *f*, Beschaffung *f*; **2.** (Mund)Vorrat *m*, Lebensmittel *pl.*; **purˈvey·or** [-eɪə] *s.* **1.** Lieferˈrant *m*: ***Ձ to Her Majesty*** Hoflieferant; **2.** Lebensmittelhändler *m*.

pur·view [ˈpɜːvjuː] *s.* **1.** ⚖ verfügender Teil (*e-s Gesetzes*); **2.** *bsd.* ⚖ (Anwendungs)Bereich *m e-s Gesetzes*, b) Zuständigkeit(sbereich *m*) *f*; **3.** Wirkungskreis *m*, Sphäre *f*, Gebiet *n*; **4.** Gesichtskreis *m*, Blickfeld *n* (*a. fig.*).

pus [pʌs] *s.* ⚕ Eiter *m*.

push [pʊʃ] **I** *s.* **1.** Stoß *m*, Schub *m*: ***give s.o. a ~*** a) j-m e-n Stoß versetzen, b) *mot.* j-n anschieben; ***give s.o. the ~*** *sl.* j-n ‚rausschmeißen' (*entlassen*); ***get the ~*** *sl.* ‚rausfliegen' (*entlassen werden*); **2.** ⚠, ⚙, *geol.* (horizonˈtaler) Druck, Schub *m*; **3.** Anstoß *m*, -trieb *m*; **4.** Anstrengung *f*, Bemühung *f*; **5.** *bsd.* ⚔ Vorstoß *m* (***for*** auf *acc.*); Offenˈsive *f*; **6.** *fig.* Druck *m*, Drang *m der Verhältnisse*; **7.** kritischer Augenblick: ***at a ~*** im Notfall; ***bring to the last ~*** aufs Äußerste treiben; ***when it came to the ~*** als es darauf ankam; **8.** F Schwung *m*, Enerˈgie *f*, Tatkraft *f*, Draufgängertum *n*; **9.** Protektiˈon *f*: ***get a job by ~***; **10.** F Menge *f*, Haufen *m Menschen*; **11.** *sl.* a) (excluˈsive) Clique, b) ‚Verein' *m*, ‚Bande' *f*; **II** *v/t.* **12.** stoßen, *Karren etc.* schieben: ***~ open*** aufstoßen; **13.** stecken, schieben (***into*** in *acc.*); **14.** drängen: ***~ one's way ahead*** (***through***) sich vor- (durch)drängen; **15.** *fig.* (an)treiben, drängen (***to*** zu, ***to do*** zu tun): ***~ s.o. for*** j-n bedrängen *od.* j-m zusetzen wegen; ***~ s.o. for payment*** bei j-m auf Zahlung drängen; ***~ s.th. on s.o.*** j-m et. aufdrängen; ***be ~ed for time*** in Zeitnot *od.* im Gedränge sein; ***be ~ed for money*** in Geldverlegenheit sein; **16.** *a.* ***~ ahead*** (*od.* ***forward*** *od.* ***on***) *Angelegenheit* (eˈnergisch) betreiben *od.* verfolgen, vorˈantreiben; **17.** *a.* ***~ through*** ˈdurchführen, -setzen; *Anspruch* ˈdurchdrücken; *Vorteil* ausnutzen: ***~ s.th. too far*** et. zu weit treiben; **18.** Reˈklame machen für, die Trommel rühren für; **19.** F verkaufen, mit *Rauschgift etc.* handeln; **20.** F sich *e-m Alter* nähern: ***be ~ing 70***; **III** *v/i.* **21.** stoßen, schieben; **22.** (sich) drängen; **23.** sich vorwärtsdrängen, sich vorˈankämpfen; **24.** sich tüchtig ins Zeug legen; **25.** *Billard*: schieben; ***~ a·round*** *v/t.* herˈumschubsen (*a. fig.*); ***~ off*** **I** *v/t.* **1.** *Boot* abstoßen; **2.** ✝ *Waren* abstoßen, losschlagen; **II** *v/i.* **3.** ⚓ abstoßen (***from*** von); **4.** F ‚abhauen'; **5.** ***~!*** F ‚schieß los'!; ***~ up*** *v/t.* hoch-, hinˈaufschieben, -stoßen; ✝ *Preise* hochtreiben; ***~ un·der*** *v/t.* F *j-n* ‚ˈunterbuttern'.

ˈ**push|·ball** *s.* Pushball(spiel *n*) *m*; ˈ**~-bike** *s. Brit.* F Fahrrad *n*; ˈ**~-ˌbut·ton I** *s.* ⚙ Druckknopf *m*, -taste *f*; **II** *adj.* druckknopfgesteuert, Druckknopf…: ***~ switch***; ***~ telephone*** Tastentelefon *n*; ***~ warfare*** automatische Kriegführung; ˈ**~·cart** *s.* **1.** (Hand)Karren *m*; **2.** *Am.* Einkaufswagen *m*; ˈ**~·chair** *s.* (Kinder-)Sportwagen *m*.

push·er [ˈpʊʃə] *s.* **1.** ⚙ Schieber *m* (*a. Kinderlöffel*); **2.** 🚂 ˈHilfslokomoˌtive *f*; **3.** *a.* ***~ airplane*** Flugzeug *n* mit Druckschraube; **4.** F Streber *m*; Draufgänger *m*; **5.** *sl.* ‚Pusher' *m*, ‚Dealer' *m* (*Rauschgifthändler*).

push·ful [ˈpʊʃfʊl] *adj.* □ eˈnergisch, unterˈnehmend, draufgängerisch.

push·ing [ˈpʊʃɪŋ] *adj.* □ **1.** → ***pushful***; **2.** streberisch; **3.** zudringlich.

ˈ**push|-off** *s.* F Anfang *m*, Start *m*; ˈ**~ˌo·ver** *s.* F **1.** leicht zu besiegender Gegner; **2.** Gimpel *m*: ***he is a ~ for that*** darauf fällt er prompt herein; **3.** leichte Sache, Kinderspiel *n*; ˌ**~-ˈpull** *adj.* ⚡ Gegentakt…; ***~ start*** *s. mot.* Anschieben *n*; ˌ**~-to-ˈtalk but·ton** *s.* ⚡ Sprechtaste *f*; ˈ**~-up** *s.* Liegestütz *m*.

push·y [ˈpʊʃɪ] *adj.* F aufdringlich, peneˈtrant; aggresˈsiv.

pu·sil·la·nim·i·ty [ˌpjuːsɪləˈnɪmətɪ] *s.* Kleinmütigkeit *f*, Verzagtheit *f*; **pu·sil·lan·i·mous** [ˌpjuːsɪˈlænɪməs] *adj.* □ kleinmütig, verzagt.

puss¹ [pʊs] *s.* **1.** Mieze *f*, Kätzchen *n* (*a.* F *fig. Mädchen*): ***Ձ in Boots*** *der* Gestiefelte Kater; ***~ in the corner*** Kämmerchen vermieten (*Kinderspiel*); **2.** *hunt.* Hase *m*.

puss² [pʊs] *s. sl.* ‚Fresse' *f*, Viˈsage *f*.

puss·l(e)y [ˈpʊslɪ] *s.* ⚘ *Am.* Kohlportulak *m*.

puss·y [ˈpʊsɪ] *s.* **1.** Mieze(kätzchen *n*) *f*, Kätzchen *n*; **2.** → ***tipcat***; **3.** *et.* Weiches u. Wolliges, *bsd.* ⚘ (Weiden)Kätzchen *n*; **4.** *vulg.* ‚Muschi' *f* (*Vulva*): ***have some ~*** ‚bumsen'; ˈ**~·cat 1.** → ***pussy*** 1; **2.** → ***pussy willow***; ˈ**~·foot I** *v/i.* **1.** (wie e-e Katze) schleichen; **2.** *fig.* F a) leisetreten, b) sich nicht festlegen (***on*** auf *acc.*), herˈumreden (um); **II** *pl.* **-foots** [-fʊts] *s.* **3.** Schleicher *m*; **4.** *fig.* F Leisetreter *m*; ***~ wil·low*** *s.* ⚘ Verschiedenfarbige Weide.

pus·tule [ˈpʌstjuːl] *s.* **1.** ⚕ Pustel *f*, Eiterbläschen *n*; **2.** ⚘, *zo.* Warze *f*.

put [pʊt] **I** *s.* **1.** *bsd. sport* Stoß *m*, Wurf *m*; **2.** ✝, *Börse*: Rückprämie *f*: ***~ and call*** Stellagegeschäft *n*; ***~ of more*** Nochgeschäft *n* ‚auf Geben'; **II** *adj.* **3.** F an Ort

P

u. Stelle, unbeweglich: ***stay ~*** a) sich nicht (vom Fleck) rühren, b) festbleiben (*a. fig.*); **III** *v/t.* [*irr.*] **4.** legen, stellen, setzen, *wohin* tun; befestigen (***to*** an *dat.*): ***I shall ~ the matter before him*** ich werde ihm die Sache vorlegen; ***I ~ him above his brother*** ich stelle ihn über seinen Bruder; ***~ s.th. in hand*** *fig.* et. in die Hand nehmen, anfangen; **5.** stecken (***in one's pocket*** in die Tasche, ***in prison*** ins Gefängnis); **6.** *j-n in e-e unangenehme Lage,* ☤ *et. auf den Markt, in Ordnung, thea. ein Stück auf die Bühne etc.* bringen: ***~ s.o. across a river*** j-n über e-n Fluß übersetzen; ***~ it across s.o.*** F j-n ‚reinlegen'; ***~ one's brain to it*** sich darauf konzentrieren, die Sache in Angriff nehmen; ***~ s.o. in mind of*** j-n erinnern an (*acc.*); ***~ s.th. on paper*** et. zu Papier bringen; ***~ s.o. right*** j-n berichtigen; **7.** *ein Ende, in Kraft, in Umlauf, j-n auf Diät, in Besitz, in ein gutes od. schlechtes Licht, ins Unrecht, über ein Land, sich et. in den Kopf, j-n an e-e Arbeit* setzen: ***~ one's signature to*** s-e Unterschrift darauf *od.* darunter setzen; ***~ yourself in my place*** versetze dich in m-e Lage; **8.** ***~ o.s.*** sich in *j-s Hände etc.* begeben: ***~ o.s. under s.o.'s care*** sich in j-s Obhut begeben; ***~ yourself in(to) my hands*** vertraue dich mir ganz an; **9.** ***~ out of*** aus … hin'ausstellen *etc.*; werfen *od.* verdrängen aus; außer *Betrieb od. Gefecht etc.* setzen; → ***action*** 2, 9, ***running*** 1; **10.** unter'werfen, -'ziehen (***to*** *e-r Probe etc.*; ***through*** *e-m Verhör etc.*): ***~ s.o. through it*** j-n auf Herz u. Nieren prüfen; → ***confusion*** 3, ***death*** 1, ***expense*** 2, ***shame*** 2, ***sword***, ***test*** 1; **11.** *Land* bepflanzen (***into***, ***under*** mit): ***land was ~ under potatoes***; **12.** (***to***) setzen (an *acc.*), (an)treiben *od.* zwingen (zu): ***~ s.o. to work*** j-n an die Arbeit setzen, j-n arbeiten lassen; ***~ to school*** zur Schule schicken, einschulen; ***~ to trade*** *j-n* ein Handwerk lernen lassen; ***~ s.o. to a joiner*** j-n bei e-m Schreiner in die Lehre geben; ***~ s.o. to it*** j-m zusetzen, j-n bedrängen; ***be hard ~ to it*** arg bedrängt werden; → ***flight***[1], ***pace***[1] 2; **13.** veranlassen, verlocken (***on***, ***to*** zu); **14.** *in Furcht, Wut etc.* versetzen; → ***countenance*** 2, ***ease*** 2, ***guard*** 11, ***mettle*** 2, ***temper*** 4; **15.** über'setzen (***into French*** *etc.* ins Französische *etc.*); **16.** *(un)klar etc.* ausdrükken, sagen *klug etc.* formulieren, *in Worte* fassen: ***the case was cleverly ~***; ***to ~ it mildly*** gelinde gesagt; ***how shall I ~ it?*** wie soll ich mich (*od.* es) ausdrücken; **17.** schätzen (***at*** auf *acc.*); **18.** (***to***) verwenden (für), anwenden (zu): ***~ s.th. to a good use*** et. gut verwenden; **19.** *Frage, Antrag etc.* vorlegen, stellen; *den Fall* setzen: ***I ~ it to you*** a) ich appelliere an Sie, b) ich stelle es Ihnen anheim; ***I ~ it to you that*** geben Sie zu, daß; **20.** *Geld* setzen, wetten (***on*** auf *acc.*); **21.** (***into***) *Geld* stecken (in *acc.*), anlegen (in *dat.*), investieren (in *dat.*); **22.** *Schuld* zuschieben, geben (***on*** *dat.*): ***they ~ the blame on him***; **23.** *Uhr* stellen; **24.** *bsd. sport* werfen, schleudern; *Kugel, Stein* stoßen; **25.** *Waffe* stoßen, *Kugel* schießen (***in***[***to***] in *acc.*); **IV.** *v/i.* [*irr.*] **26.** sich begeben (***to land*** an Land), fahren: ***~ to sea*** in See stechen; **27.** *Am.* münden, sich ergießen (*Fluß*) (***into*** in *e-n See etc.*); **28.** ***~ upon*** *mst pass.* a) *j-m* zusetzen, b) *j-n* ausnutzen, c) *j-n* ‚reinlegen';

Zssgn mit prp.:

→ *Beispiele unter* **put** 4 → 28;

Zssgn mit adv.:

put| a·bout I *v/t.* **1.** ⚓ wenden; **2.** *Gerücht* verbreiten; **3.** a) beunruhigen, b) quälen, c) ärgern; **II** *v/i.* **4.** ⚓ wenden; **~ a·cross** *v/t.* **1.** ⚓ 'übersetzen; **2.** *sl. et.* ‚schaukeln', erfolgreich 'durchführen, *Idee etc.* ‚verkaufen': ***put it across*** ‚es schaffen', Erfolg haben; **~ a·side** *v/t.* **1.** → ***put away*** 1 *u.* 3; **2.** *fig.* bei'seite schieben; **~ a·way I** *v/t.* **1.** weglegen, -stecken, -tun, beiseite legen; **2.** auf-, wegräumen; **3.** *Geld* zu'rücklegen, ‚auf die hohe Kante legen'; **4.** *Laster etc.* ablegen; **5.** F *Speisen* ‚verdrücken', *Getränke* ‚runterstellen'; **6.** F *j-n* ‚einsperren'; **7.** F *j-n* ‚beseitigen' (*umbringen*); **8.** *sl. et.* versetzen; **II** *v/i.* **9.** ⚓ auslaufen (***for*** nach); **~ back I** *v/t.* **1.** zu'rückschieben, -stellen, -tun; **2.** *Uhr* zu'rückstellen, *Zeiger* zu'rückdrehen; **3.** *fig.* aufhalten, hemmen; → ***clock***[1] 1; **4.** *Schüler* zu'rückversetzen; **II** *v/i.* **5.** ⚓ 'umkehren; **~ by** *v/t.* **1.** → ***put away*** 1 *u.* 3; **2.** *e-r Frage etc.* ausweichen; **3.** *fig.* bei'seite schieben, *j-n* über'gehen; **~ down** *v/t.* **1.** hin-, niederlegen, -stellen, -setzen; → ***foot*** 1; **2.** *j-n auf der Fahrt* absetzen, aussteigen lassen; **3.** *Weinkeller* anlegen; **4.** *Aufstand* niederwerfen, *a. Mißstand* unter'drücken; **5.** *j-n* demütigen, ducken; kurz abweisen; her'untersetzen; **6.** zum Schweigen bringen; **7.** a) *Preise* heruntersetzen, b) *Ausgaben* einschränken; **8.** (auf-, nieder)schreiben; **9.** (***to***) ☤ a) *j-m* anschreiben, b) auf *j-s Rechnung* setzen: ***put s.th. down to s.o.'s account***; **10.** *j-n* eintragen *od.* vormerken (***for*** für *e-e Spende etc.*): ***put o.s. down*** sich eintragen; **11.** zuschreiben (***to*** *dat.*); **12.** schätzen (***at***, ***for*** auf *acc.*); **13.** ansehen (***as***, ***for*** als); **~ forth** *v/t.* **1.** her'vor-, hin'auslegen, -stellen, -schieben; **2.** *Hand etc.* ausstrecken; **3.** *Kraft etc.* aufbieten; **4.** ⚘ *Knospen etc.* treiben; **5.**

P

veröffentlichen, *bsd. Buch* her'ausbringen; **6.** behaupten; **~ for·ward** *v/t.* **1.** vorschieben; *Uhr* vorstellen, *Zeiger* vorrücken; **2.** in den Vordergrund schieben: ***put o.s. forward*** a) sich hervortun, b) sich vordrängen; **3.** *fig.* vor'anbringen, weiterhelfen (*dat.*); **4.** *Meinung etc.* vorbringen, *et.* vorlegen, unter'breiten; *Theorie* aufstellen; **~ in I** *v/t.* **1.** her'ein-, hin'einlegen *etc.*; **2.** einschieben, -schalten: ***~ a word*** a) e-e Bemerkung einwerfen *od.* anbringen, b) ein Wort mitsprechen, c) ein Wort einlegen (***for*** für); ***~ an extra hour's work*** e-e Stunde mehr arbeiten; **3.** *Schlag etc.* anbringen; **4.** *Gesuch etc.* einreichen, *Dokument* vorlegen; *Anspruch* stellen *od.* erheben (***to***, ***for*** auf *acc.*); **5.** *j-n* anstellen, *in ein Amt* einsetzen; **6.** *Annonce* einrücken; **7.** F *Zeit* verbringen; **II** *v/i.* **8.** ⚓ einlaufen; **9.** einkehren (***at*** in *e-m Gasthaus etc.*); **10.** sich bewerben (***for*** um): ***~ for s.th.*** et. fordern *od.* verlangen; **~ in·side** *v/t.* F *j-n* ‚einlochen'; **~ off I** *v/t.* **1.** weg-, bei'seite legen, -stellen; **2.** *Kleider, bsd. fig. Zweifel etc.* ablegen; **3.** auf-, verschieben; **4.** *j-n* vertrösten, abspeisen (***with*** mit *Worten etc.*); **5.** *j-m* absagen; **6.** sich drücken vor (*dat.*); **7.** *j-n* abbringen, *j-m* abraten (***from*** von); **8.** hindern (***from*** an *dat.*); **9.** ***put s.th. off (up)on s.o.*** j-m et. ‚andrehen'; **10.** F a) *j-n* aus der Fassung *od.* aus dem Kon'zept bringen, b) j-m die Lust nehmen, *j-n* abstoßen; **II** *v/i.* **11.** ⚓ auslaufen; **~ on** *v/t.* **1.** *Kleider* anziehen; *Hut*, *Brille* aufsetzen; *Rouge* auflegen; **2.** *Fett* ansetzen; → ***weight*** 1; **3.** *Charakter*, *Gestalt* annehmen; **4.** vortäuschen, -spiegeln, (er)heucheln: → ***air***[1] 7, ***dog*** *Redew.*; ***put it on*** F a) angeben, b) übertreiben, c) ‚schwer draufschlagen' (*auf den Preis*), d) heucheln; ***put it on thick*** F dick auftragen; ***his modesty is all ~*** s-e Bescheidenheit ist nur Mache; **5.** *Summe* aufschlagen (***on*** auf *den Preis*); **6.** *Uhr* vorstellen, *Zeiger* vorrücken; **7.** an-, einschalten, *Gas etc.* aufdrehen, *Dampf* anlassen, *Tempo* beschleunigen; **8.** *Kraft, a. Arbeitskräfte*, *Sonderzug etc.* einsetzen; **9.** *Schraube*, *Bremse* anziehen; **10.** *thea. etc. Stück*, *Sendung* bringen; **11.** ***put s.o. on to*** j-m e-n Tip geben für, j-n auf *e-e Idee* bringen; **12.** *sport Tor etc.* erzielen; **~ out I** *v/t.* **1.** hin'auslegen, -stellen *etc.*; **2.** *Hand*, *Fühler* ausstrecken; *Zunge* her'ausstrecken; *Ankündigung etc.* aushängen; **3.** *sport* zum Ausscheiden zwingen, ‚aus dem Rennen werfen'; **4.** *Glied* aus-, verrenken; **5.** *Feuer*, *Licht* (aus-) löschen; **6.** a) verwirren, außer Fassung bringen, b) verstimmen, ärgern: ***be ~ about s.th.***, c) *j-m* Ungelegenheiten bereiten, *j-n* stören; **7.** *Kraft etc.* aufbieten; **8.** *Geld* ausleihen (***at interest*** auf Zinsen), investieren; **9.** *Boot* aussetzen; **10.** *Augen* ausstechen; **11.** *Arbeit*, *a. Kind*, *Tier* außer Haus geben; ✝ in Auftrag geben; → ***grass*** 3, ***nurse*** 4; **12.** *Knospen etc.* treiben; **II** *v/i.* **13.** ⚓ auslaufen: **~** (***to sea***) in See stechen; **~ o·ver I** *v/t.* **1.** *sl.* → ***put across*** 2; **2.** *e-m Film etc.* Erfolg sichern, popu'lär machen (*acc.*): ***put o.s. over*** sich durchsetzen, ‚ankommen'; **3.** ***put it over on*** *j-n* ‚reinlegen'; **II** *v/i.* **4.** ⚓ hin'überfahren; **~ through** *v/t.* **1.** 'durch-, ausführen; **2.** *teleph. j-n* verbinden (***to*** mit); **~ to** *v/t. Pferd* anspannen, *Lokomotive* vorspannen; **~ to·geth·er** *v/t.* **1.** zs.-setzen (*a. Schriftwerk*) zs.-stellen; **2.** zs.-zählen: → ***two*** 2; **3.** zs.-stecken; → ***head*** *Redew.*; **~ up I** *v/t.* **1.** hin'auflegen, -stellen; **2.** hochschieben, -ziehen; → ***back***[1] 7, ***shutter*** 1; **3.** *Hände* a) heben, b) *zum Kampf* hochnehmen; **4.** *Bild etc.* aufhängen; *Plakat* anschlagen; **5.** *Haar* aufstecken; **6.** *Schirm* aufspannen; **7.** *Zelt etc.* aufstellen, *Gebäude* errichten; **8.** F *et.* aushecken; *et.* ‚drehen', fingieren; **9.** *Gebet* em'porsenden; **10.** *Gast* (bei sich) aufnehmen, 'unterbringen; **11.** weglegen; **12.** aufbewahren; **13.** ein-, ver-, wegpacken; zs.-legen; **14.** *Schwert* einstecken; **15.** konservieren, einkochen, -machen; **16.** *Spiel etc.* zeigen; *e-n Kampf* liefern; *Widerstand* leisten; **17.** (als Kandi'daten) aufstellen; **18.** *Auktion*: an-, ausbieten: ***~ for sale*** meistbietend verkaufen; **19.** *Preis etc.* hin'aufsetzen, erhöhen; **20.** *Wild* aufjagen; **21.** *Eheaufgebot* verkünden; **22.** bezahlen; **23.** (ein)setzen (*Wette etc.*), *Geld* bereitstellen, *od.* hinter'legen; **24.** **~ to** a) *j-n* anstiften zu, b) *j-n* informieren über (*acc.*), *a. j-m* e-n Tip geben für; **II** *v/i.* **25.** absteigen, einkehren (***at*** in); **26.** (***for***) sich aufstellen lassen, kandidieren (für), sich bewerben (um); **27.** ***~ with*** sich abfinden mit, sich gefallen lassen, hinnehmen.

pu·ta·tive ['pju:tətɪv] *adj.* □ **1.** vermeintlich; **2.** mutmaßlich; **3.** ⚖ puta'tiv.

'put|·down *s.*: ***that was a ~*** damit wollte er *etc.* mich *etc.* fertigmachen; **'~·off** *s.* **1.** Ausflucht *f*; **2.** Verschiebung *f*; **'~-on I** *adj.* **1.** vorgetäuscht; **II** *s. Am. sl.* **2.** Bluff *m*; **3.** Getue *n*, ‚Mache' *f*, ‚Schau' *f*.

put-put ['pʌtpʌt] *s.* Tuckern *n* (*e-s Motors etc.*).

pu·tre·fa·cient [ˌpju:trɪ'feɪʃənt] → ***putrefactive***; **ˌpu·tre'fac·tion** [-'fækʃn] *s.* **1.** Fäulnis *f*, Verwesung *f*; **2.** Faulen *n*; **ˌpu·tre'fac·tive** [-'fæktɪv] **I** *adj.* **1.** faulig, Fäulnis...; **2.** fäulniserregend; **II** *s.*

P

3. Fäulniserreger *m*; **pu·tre·fy** ['pju:trɪfaɪ] **I** *v/i.* (ver)faulen, verwesen; **II** *v/t.* verfaulen lassen.

pu·tres·cence [pju:'tresns] *s.* (Ver-)Faulen *n*, Fäulnis *f*; **pu'tres·cent** [-nt] *adj.* **1.** (ver)faulend, verwesend; **2.** faulig, Fäulnis…

pu·trid ['pju:trɪd] *adj.* □ **1.** verfault, verwest; faulig (*Geruch*), stinkend; **2.** *fig.* verderbt, kor'rupt; **3.** *fig.* verderblich; **4.** *fig.* ekelhaft; **5.** *sl.* mise'rabel.

putsch [pʊtʃ] (*Ger.*) *s. pol.* Putsch *m*, Staatsstreich *m*.

putt [pʌt] *Golf*: **I** *v/t. u. v/i.* putten; **II** *s.* Putt *m*.

put·tee ['pʌtɪ] *s.* 'Wickelga,masche *f*.

putt·er ['pʌtə] *s. Golf*: Putter *m* (*Schläger od. Spieler*).

'putt·ing-green ['pʌtɪŋ] *s. Golf*: Putting green *n* (*Platzteil*).

put·ty ['pʌtɪ] **I** *s.* **1.** ⚙ Kitt *m*, Spachtel *m*: (***glaziers'***) ~ Glaserkitt; (***plasterers'***) ~ Kalkkitt; (***jewellers'***) ~ Zinnasche *f*; **2.** *fig.* Wachs *n*: ***he is ~ in her hand***; **II** *v/t.* **3.** *a.* ~ ***up*** (ver)kitten; ~ **knife** *s.* [*irr.*] Spachtelmesser *n*.

'put-up *adj.* F abgekartet: ***a ~ job*** e-e ‚Schiebung'.

puz·zle ['pʌzl] **I** *s.* **1.** Rätsel *n*; **2.** Puzzle-, Geduldspiel *n*; **3.** schwierige Sache, Prob'lem *n*; **4.** Verwirrung *f*, Verlegenheit *f*; **II** *v/t.* **5.** verwirren, vor ein Rätsel stellen, verdutzen; **6.** *et.* komplizieren, durchein'anderbringen; **7.** *j-m* Kopfzerbrechen machen, zu schaffen machen: ~ ***one's brains*** (*od.* ***head***) sich den Kopf zerbrechen (***over*** über *acc.*); **8.** ~ ***out*** austüfteln, -knobeln, her'ausbekommen; **III** *v/i.* **9.** verwirrt sein (***over***, ***about*** über *acc.*); **10.** sich den Kopf zerbrechen (***over*** über *acc.*); **'~-,head·ed** *adj.* wirrköpfig, kon'fus; ~ **lock** *s.* Vexier-, Buchstabenschloß *n*.

puz·zle·ment ['pʌzlmənt] *s.* Verwirrung *f*; **'puz·zler** [-lə] → ***puzzle*** 3; **'puz·zling** [-lɪŋ] *adj.* □ **1.** rätselhaft; **2.** verwirrend.

py·e·li·tis [paɪə'laɪtɪs] *s.* ⚕ Nierenbeckenentzündung *f*.

pyg·m(a)e·an [pɪg'mi:ən] → ***pygmy*** II.

pyg·my ['pɪgmɪ] **I** *s.* **1.** ♀ Pyg'mäe *m*, Pyg'mäin *f* (*Zwergmensch*); **2.** *fig.* Zwerg *m*; **II** *adj.* **3.** Pygmäen…; **4.** winzig, Zwerg…; **5.** unbedeutend.

py·ja·mas [pə'dʒɑ:məz] *s. pl.* Schlafanzug *m*, Py'jama *m*.

py·lon ['paɪlən] *s.* **1.** ⚡ (freitragender) Mast (*für Hochspannungsleitungen etc.*); **2.** ✈ Orientierungsturm *m*, *bsd.* Wendeturm *m*.

py·lo·rus [paɪ'lɔ:rəs] *pl.* **-ri** [-raɪ] *s. anat.* Py'lorus *m*, Pförtner *m*.

pyr·a·mid ['pɪrəmɪd] *s.* Pyra'mide *f* (*a.* ⚶ *u. fig.*): ~ ***of ages*** Alterspyramide *f*; **py·ram·i·dal** [pɪ'ræmɪdl] *adj.* □ **1.** Pyramiden…; **2.** pyrami'dal (*a. fig. gewaltig*), pyra'midenartig, -förmig.

pyre ['paɪə] *s.* Scheiterhaufen *m*.

py·ret·ic [paɪ'retɪk] *adj.* ⚕ fieberhaft, Fieber…; **py'rex·i·a** [-eksɪə] *s.* ⚕ Fieberzustand *m*.

py·rite ['paɪraɪt] *s. min.* Py'rit *m*, Schwefel-, Eisenkies *m*; **py·ri·tes** [paɪ'raɪti:z] *s. min.* Py'rit *m*: ***copper ~*** Kupferkies; ***iron ~*** → ***pyrite***.

pyro- [paɪərəʊ] *in Zssgn* Feuer…, Brand…, Wärme…, Glut…; **'py·ro·gen** [-rədʒən] *s.* ⚕ fiebererregender Stoff; **py·rog·e·nous** [paɪ'rɒdʒɪnəs] *adj.* **1.** a) wärmeerzeugend, b) durch Wärme erzeugt; **2.** ⚕ a) fiebererregend, b) durch Fieber verursacht; **3.** *geol.* pyro'gen; **py·rog·ra·phy** [paɪ'rɒgrəfɪ] *s.* Brandmale'rei *f*; **py·ro·ma·ni·a** [,paɪrəʊ'meɪnɪə] *s.* Pyroma'nie *f*, Brandstiftungstrieb *m*; **py·ro·ma·ni·ac** [,paɪrəʊ'meɪnɪæk] *s.* Pyro'mane *m*, Pyro'manin *f*.

py·ro·tech·nic, **py·ro·tech·ni·cal** [,paɪrəʊ'teknɪk(l)] *adj.* □ **1.** pyro'technisch; **2.** Feuerwerks…, feuerwerkartig; **3.** *fig.* bril'lant; **,py·ro'tech·nics** [-ks] *s. pl.* **1.** Pyro'technik *f*, Feuerwerke'rei *f*; **2.** *fig.* Feuerwerk *n von Witz etc.*; **,py·ro'tech·nist** [-ɪst] *s.* Pyro'techniker *m*.

Pyr·rhic vic·to·ry ['pɪrɪk] *s.* Pyrrhussieg *m*.

Py·thag·o·re·an [paɪ,θægə'rɪən] **I** *adj.* pythago'reisch; **II** *s. phls.* Pythago'reer *m*.

py·thon ['paɪθn] *s. zo.* **1.** Python(schlange *f*) *m*; **2.** *allg.* Riesenschlange *f*.

pyx [pɪks] **I** *s.* **1.** *R.C.* Pyxis *f*, Mon'stranz *f*; **2.** *Brit.* Büchse *f* mit Probemünzen; **II** *v/t.* **3.** *Münze* a) in der ***Pyx*** hinter'legen, b) auf Gewicht u. Feinheit prüfen.

Q

Q, q [kjuː] *s.* Q *n*, q *n* (*Buchstabe*).

ˈ**Q-boat** *s.* ⚓ U-Boot-Falle *f.*

quack¹ [kwæk] **I** *v/i.* **1.** quaken; **2.** *fig.* schnattern, schwatzen; **II** *s.* **3.** Quaken *n*; *fig.* Geplapper *n.*

quack² [kwæk] **I** *s.* **1.** *a.* ~ ***doctor*** Quacksalber *m*, Kurpfuscher *m*; **2.** Scharlatan *m*; Marktschreier *m*; **II** *adj.* **3.** quacksalberisch, Quacksalber…; **4.** marktschreierisch; **5.** Schwindel…; **III** *v/i. u. v/t.* **6.** quacksalbern, herˈumpfuschen (an *dat.*); **7.** marktschreierisch auftreten (*v/t.* anpreisen); ˈ**quack·er·y** [-kərɪ] *s.* **1.** Quacksalbeˈrei *f*, Kurpfuscheˈrei *f*; **2.** Scharlataneˈrie *f*; **3.** marktschreierisches Auftreten.

quad¹ [kwɒd] F → ***quadrangle***, ***quadrat***, ***quadruped***, ***quadruplet***.

quad² [kwɒd] **I** *s.* ⚡ Viererkabel *n*; **II** *v/t.* zum Vierer verseilen.

quad·ra·ble [ˈkwɒdrəbl] *adj.* ⩓ quadrierbar.

quad·ra·ge·nar·i·an [kwɒdrədʒɪˈneərɪən] **I** *adj.* a) vierzigjährig, b) in den Vierzigern; **II** *s.* Vierziger(in), Vierzigjährige(r *m*) *f.*

quad·ran·gle [ˈkwɒdræŋgl] *s.* **1.** ⩓ *u. weitS.* Viereck *n*; **2.** a) (*bsd.* Schul)Hof *m*, b) viereckiger Geˈbäudekomˌplex; **quad·ran·gu·lar** [kwɒˈdræŋgjʊlə] *adj.* □ ⩓ viereckig.

quad·rant [ˈkwɒdrənt] *s.* **1.** ⩓ Quaˈdrant *m*, Viertelkreis *m*, (ˈKreis)Segˌment *n*; **2.** ⚓, *ast.* Quaˈdrant *m.*

quad·ra·phon·ic [ˌkwɒdrəˈfɒnɪk] *adj.* ♪, *phys.* quadroˈphonisch; ˌ**quad·raˈphon·ics** [-ks] *s. pl. sg. konstr.* Quadrophoˈnie *f.*

quad·rat [ˈkwɒdrət] *s. typ.* Quaˈdrat *n*, (großer) Ausschluß: ***em*** ~ Geviert *n*; ***en*** ~ Halbgeviert *n.*

quad·rate [ˈkwɒdrət] **I** *adj.* (annähernd) quaˈdratisch, *bsd. anat.* Quadrat…; **II** *v/t.* [kwɒˈdreɪt] in Überˈeinstimmung bringen (***with***, ***to*** mit); **III** *v/i.* [kwɒˈdreɪt] überˈeinstimmen; **quad·rat·ic** [kwɒˈdrætɪk] **I** *adj.* quaˈdratisch (*Form*, ⩓ *Gleichung*): ~ ***curve*** Kurve *f* zweiter Ordnung; **II** *s.* ⩓ quaˈdratische Gleichung; **quad·ra·ture** [ˈkwɒdrətʃə] *s.* **1.** ⩓, *ast.* Quadraˈtur *f* (***of the circle*** des Kreises); **2.** ⚡ (Phasen)Verschiebung *f* um 90 Grad.

quad·ren·ni·al [kwɒˈdrenɪəl] **I** *adj.* □ **1.** vierjährig, vier Jahre dauernd; **2.** vierjährlich, alle vier Jahre stattfindend; **II** *s.* **3.** Zeitraum *m* von vier Jahren; **4.** vierter Jahrestag.

quad·ri·lat·er·al [ˌkwɒdrɪˈlætərəl] **I** *adj.* vierseitig; **II** *s.* Vierseit *n*, -eck *n.*

qua·drille [kwəˈdrɪl] *s.* Quaˈdrille *f* (*Tanz*).

quad·ril·lion [kwɒˈdrɪljən] *s.* ⩓ **1.** *Brit.* Quadrilliˈon *f*; **2.** *Am.* Billiˈarde *f.*

quad·ri·par·tite [ˌkwɒdrɪˈpɑːtaɪt] *adj.* **1.** vierteilig (*a.* ⚘); **2.** Vierer…, zwischen vier Partnern abgeschlossen *etc.*: ~ ***pact*** Viererpakt *m.*

quad·ro [ˈkwɒdrəʊ] *adj. u. adv.* ♪, *Radio*: quadro.

quadro- [kwɒdrəʊ] *in Zssgn* quadro…

ˌ**quad·roˈphon·ic** [-ˈfɒnɪk] *etc.* → ***quadraphonic*** *etc.*

quad·ru·ped [ˈkwɒdrʊped] **I** *s.* Vierfüßer *m*; **II** *adj. a.* **quad·ru·pe·dal** [ˌkwɒdrəˈpiːdl] vierfüßig; ˈ**quad·ru·ple** [-pl] **I** *adj.* **1.** *a.* ~ ***to*** (*od.* ***of***) vierfach, -fältig; viermal so groß wie; **2.** Vierer…: ~ ***machinegun*** ⚔ Vierlings-MG *n*; ~ ***measure*** ♪ Viervierteltakt *m*; ~ ***thread*** ⚙ viergängiges Gewinde; **II** *adv.* **3.** vierfach; **III** *s.* **4.** *das* Vierfache; **IV** *v/t.* **5.** vervierfachen; **6.** viermal so groß *od.* so viel sein wie; **V** *v/i.* **7.** sich vervierfachen; ˈ**quad·ru·plet** [-plɪt] *s.* **1.** Vierling *m* (*Kind*); **2.** Vierergruppe *f*; ˈ**quad·ru·plex** [-pleks] **I** *adj.* **1.** vierfach; **2.** ⚡ Quadruplex…, Vierfach…: ~ ***system*** Vierfachbetrieb *m*, Doppelgegensprechen *n*; **II** *s.* **3.** ˈQuadruplextelegraph *m*; **quad·ru·pli·cate** **I** *v/t.* [kwɒˈdruːplɪkeɪt] **1.** vervierfachen; **2.** *Dokument* vierfach ausfertigen; **II** *adj.* [kwɒˈdruːplɪkət] **3.** vierfach; **III** *s.* [-kət] **4.** vierfache Ausfertigung.

quaff [kwɑːf] **I** *v/i.* zechen; **II** *v/t.* schlürfen, in langen Zügen (aus)trinken: ~ ***off*** *Getränk* hinunterstürzen.

quag [kwæg] → ***quagmire***; ˈ**quag·gy** [-gɪ] *adj.* **1.** sumpfig; **2.** schwammig; ˈ**quag·mire** [-maɪə] *s.* Moˈrast *m*, Moor(boden *m*) *n*, Sumpf(land *n*) *m*: ***be caught in a*** ~ *fig.* in der Patsche sitzen.

quail¹ [kweɪl] *pl.* **quails**, *coll.* **quail** *s. orn.* Wachtel *f.*

quail² [kweɪl] *v/i.* **1.** verzagen; **2.** (vor Angst) zittern (***before*** vor *dat.*; ***at*** bei).

quaint [kweɪnt] *adj.* □ **1.** wunderlich, drollig, kuriˈos; **2.** malerisch, anheimelnd (*altmodisch*); **3.** seltsam, merkwürdig; ˈ**quaint·ness** [-nɪs] *s.* **1.** Wunderlichkeit *f*; Seltsamkeit *f*; **2.** anheimelndes (*bsd.* altmodisches) Aussehen.

quake [kweɪk] **I** *v/i.* zittern, beben (***with, for*** vor *dat.*); **II** *s.* Zittern *n*, (*a.* Erd)Beben *n*, Erschütterung *f*.

Quak·er [ˈkweɪkə] *s.* **1.** *eccl.* Quäker *m*: ***~(s') meeting*** *fig.* schweigsame Versammlung; **2.** *a.* ***~ gun*** ⚔ *Am.* Geˈschützatˌtrappe *f*; **3.** ♀, *a.* ***♀-bird*** *orn.* schwarzer Albatros; ˈ**Quak·er·ess** [-ərɪs] *s.* Quäkerin *f*; ˈ**Quak·er·ism** [-ərɪzəm] *s.* Quäkertum *n*.

ˈ**quak·ing-grass** [ˈkweɪkɪŋ-] *s.* ⚘ Zittergras *n*.

qual·i·fi·ca·tion [ˌkwɒlɪfɪˈkeɪʃn] *s.* **1.** Qualifikatiˈon *f*, Befähigung *f*, Eignung *f* (***for*** für, zu): ***~ test*** Eignungsprüfung *f*; ***have the necessary ~s*** den Anforderungen entsprechen; **2.** Vorbedingung *f*, (notwendige) Vorˈaussetzung (***of, for*** für); **3.** Eignungszeugnis *n*; **4.** Einschränkung *f*, Modifikatiˈon *f*: ***without any ~*** ohne jede Einschränkung; **5.** *ling.* nähere Bestimmung; **6.** ✝ ˈMindestˌaktienkapiˌtal *n* (*e-s Aufsichtsratsmitglieds*); **qual·i·fied** [ˈkwɒlɪfaɪd] *adj.* **1.** qualifiziert, geeignet, befähigt (***for*** für); **2.** berechtigt: ***~ for a post*** anstellungsberechtigt; ***~ voter*** Wahlberechtigte(r *m*) *f*; **3.** eingeschränkt, bedingt, modifiziert: ***~ acceptance*** ✝ bedingte Annahme (*e-s Wechsels*); ***~ sale*** ✝ Konditionskauf *m*; ***in a ~ sense*** mit Einschränkungen; **qual·i·fy** [ˈkwɒlɪfaɪ] **I** *v/t.* **1.** qualifizieren, befähigen, geeignet machen (***for*** für; ***for being, to be*** zu sein); **2.** berechtigen (***for*** zu); **3.** bezeichnen, charakterisieren (***as*** als); **4.** einschränken, modifizieren; **5.** abschwächen, mildern; **6.** *Getränke* verdünnen; **7.** *ling.* modifizieren, näher bestimmen; **II** *v/i.* **8.** sich qualifizieren *od.* eignen, die Eignung besitzen *od.* nachweisen, in Frage kommen (***for*** für; ***as*** als): ***~ing examination*** Eignungsprüfung *f*; ***~ing period*** Anwartschafts-, Probezeit *f*; **9.** *sport* sich qualifizieren (***for*** für): ***~ing round*** Ausscheidungsrunde *f*; **10.** die nötigen Fähigkeiten erwerben; **11.** die (juˈristischen) Vorbedingungen erfüllen, *bsd. Am.* den Eid ablegen; **qual·i·ta·tive** [ˈkwɒlɪtətɪv] *adj.* □ qualitaˈtiv (*a.* ⚗ *Analyse, a.* ⚖ *Verteilung*); **qual·i·ty** [ˈkwɒlətɪ] *s.* **1.** Eigenschaft *f* (*Person u. Sache*): (***good***) ***~*** gute Eigenschaft; ***in the ~ of*** (in der Eigenschaft) als; **2.** Art *f*, Naˈtur *f*, Beschaffenheit *f*; **3.** Fähigkeit *f*, Taˈlent *n*; **4.** *bsd.* ✝, ⚙ Qualiˈtät *f*: ***in ~*** qualitativ; **5.** ✝ (Güte)Sorte *f*, Klasse *f*; **6.** gute Qualiˈtät, Güte *f*: ***~ goods*** Qualitätswaren; ***~ of life*** Lebensqualität; **7.** a) ♪ ˈTonqualiˌtät *f*, -farbe *f*, b) *ling.* Klangfarbe *f*; **8.** *phls.* Qualiˈtät *f*; **9.** vornehmer Stand: ***person of ~*** Standesperson *f*; ***the people of ~*** die vornehme Welt.

qualm [kwɑːm] *s.* **1.** Übelkeitsgefühl *n*, Schwäche(anfall *m*) *f*; **2.** Bedenken *pl.*, Zweifel *pl.*; Skrupel *m*; ˈ**qualm·ish** [-mɪʃ] *adj.* □ **1.** (sich) übel (fühlend), unwohl; **2.** Übelkeits…: ***~ feelings***.

quan·da·ry [ˈkwɒndərɪ] *s.* Verlegenheit *f*, verzwickte Lage: ***be in a ~*** sich in e-m Dilemma befinden; nicht wissen, was man tun soll.

quan·go [kwæŋgəʊ] *s.* halbstaatliche Organisation.

quan·ta [ˈkwɒntə] *pl. von* ***quantum***.

quan·ti·fi·a·ble [ˈkwɒntɪfaɪəbl] *s.* quantitativ bestimmbar, meßbar; **quan·ti·fy** [-faɪ] *vt.* quantitativ bestimmen, messen.

quan·ti·ta·tive [ˈkwɒntɪtətɪv] *adj.* □ quantitaˈtiv (*a. ling.*), Mengen…: ***~ analysis*** ⚗ quantitative Analyse; ***~ ratio*** Mengenverhältnis *n*; **quan·ti·ty** [ˈkwɒntətɪ] *s.* **1.** Quantiˈtät *f*, (bestimmte *od.* große) Menge, Quantum *n*: ***~ of heat*** *phys.* Wärmemenge; ***a ~ of cigars*** e-e Anzahl Zigarren; ***in*** (***large***) ***quantities*** in großen Mengen; ***~ discount*** ✝ Mengenrabatt *m*; ***~ production*** Massenerzeugung *f*, Serienfertigung *f*; ***~ purchase*** Großeinkauf *m*; ***~ surveyor*** *Brit.* Bausachverständige(r) *m*; **2.** ⚖ Größe *f*: ***negligible ~*** a) unwesentliche Größe, b) *fig.* völlig unbedeutende Person *etc.*; ***numerical ~*** Zahlengröße; (***un***)***known ~*** (un)bekannte Größe (*a. fig.*); **3.** *ling.* Quantiˈtät *f*, Lautdauer *f*; (Silben)Zeitmaß *n*.

quan·ti·za·tion [ˌkwɒntɪˈzeɪʃn] *s. phys.* Quantelung *f*; **quan·tize** [ˈkwɒntaɪz] *v/t.* **1.** *phys.* quanteln; **2.** *Computer*: quantisieren.

quan·tum [ˈkwɒntəm] *pl.* **-ta** [-tə] *s.* **1.** Quantum *n*, Menge *f*; **2.** (An)Teil *m*; **3.** *phys.* Quant *n*: ***~ of radiation*** Lichtquant; ***~* me·chan·ics** *s. pl.* ˈQuantenmeˌchanik *f*; ***~* or·bit**, ***~* path** *s.* Quantenbahn *f*.

quar·an·tine [ˈkwɒrəntiːn] **I** *s.* ⚕ **1.** Quaranˈtäne *f*: ***absolute ~*** Isolierung *f*; ***~ flag*** ⚓ Quarantäneflagge *f*; ***put in ~*** → 2; **II** *v/t.* **2.** unter Quaranˈtäne stellen; **3.** *fig. pol.*, ✝ *Land* völlig isolieren.

quar·rel [ˈkwɒrəl] **I** *s.* **1.** Streit *m*, Zank *m*, Hader *m* (***with*** mit; ***between*** zwischen): ***have no ~ with*** (*od.* ***against***) keinen Grund zum Streit haben mit, nichts auszusetzen haben an (*dat.*); → ***pick*** 8; **II** *v/i.* **2.** (sich) streiten, (sich) zanken (***with*** mit; ***for*** wegen; ***about*** über *acc.*); **3.** sich entzweien; **4.** hadern (***with one's lot*** mit s-m Schicksal); **5.** et. auszusetzen haben (***with*** an *dat.*); →

Q

bread 2; ˈ**quar·rel·(l)er** [-rələ] *s.* Zänker(in), ‚Streithammel' *m*; ˈ**quar·rel·some** [-səm] *adj.* □ streitsüchtig; ˈ**quar·rel·some·ness** [-səmnɪs] *s.* Streitsucht *f.*

quar·ri·er [ˈkwɒrɪə] *s.* Steinbrecher *m.*

quar·ry¹ [ˈkwɒrɪ] *s.* **1.** *hunt.* (verfolgtes) Wild, Jagdbeute *f*; **2.** *fig.* Wild *n*, Opfer *n*, Beute *f.*

quar·ry² [ˈkwɒrɪ] **I** *s.* **1.** Steinbruch *m*; **2.** Quaderstein *m*; **3.** ˈunglasierte Kachel; **4.** *fig.* Fundgrube *f*, Quelle *f*; **II** *v/t.* **5.** *Steine* brechen, abbauen; **6.** *fig.* zs.-tragen, (mühsam) erarbeiten, ausgraben; stöbern (***for*** nach); ˈ**~·man** [-mən] *s.* [*irr.*] → ***quarrier***; ˈ**~·stone** *s.* Bruchstein *m.*

quart¹ [kwɔːt] *s.* **1.** Quart *n* (*Maß = Brit. 1,14 l, Am. 0,95 l*); **2.** *a.* ***~-pot*** Quartkrug *m.*

quart² [kɑːt] *s.* **1.** *fenc.* Quart *f*; **2.** *Kartenspiel*: Quart *f* (*Sequenz von 4 Karten gleicher Farbe*); **3.** ♪ Quart(e) *f.*

quar·tan [ˈkwɔːtn] ⚕ **I** *adj.* viertägig: ***~ fever*** → **II** *s.* Quarˈtan-, Vierˈtagefieber *n.*

quar·ter [ˈkwɔːtə] **I** *s.* **1.** Viertel *n*, vierter Teil: ***~ of a century*** Vierteljahrhundert *n*; ***for a ~ the price*** zum viertel Preis; ***not a ~ as good*** nicht annähernd so gut; **2.** *a.* ***~ of an hour*** Viertel(stunde *f*) *n*: ***a ~ to six*** (ein) Viertel vor sechs, drei Viertel sechs; **3.** *a.* ***~ of a year*** Vierteljahr *n*, Quarˈtal *n*; **4.** Viertel(pfund *n*, -zentner *m*) *n*; **5.** *bsd.* Hinter)Viertel *n e-s Schlachttieres*; Kruppe *f e-s Pferdes*; **6.** *sport* a) (Spiel)Viertel *n*, b) Viertelmeile(nlauf *m*, *a.* ***~-mile race***) *f*, c) → ***quarterback*** I; **7.** *Am.* Vierteldollar *m*, 25 Cent; **8.** Quarter *n*: a) *Handelsgewicht* (*Brit. 12,7 kg, Am. 11,34 kg*), b) *Hohlmaß* (*2,908 hl*); **9.** Himmelsrichtung *f*; **10.** Gegend *f*, Teil *m e-s Landes etc.*: ***at close ~s*** nahe aufeinander; ***come to close ~s*** handgemein werden; ***from all ~s*** von überall(her); ***in this ~*** hierzulande, in dieser Gegend; **11.** (Stadt)Viertel *n*: ***poor ~*** Armenviertel; ***residential ~*** Wohnbezirk *m*; **12.** *mst pl.* Quarˈtier *n*, ˈUnterkunft *f*, Wohnung *f*: ***have free ~s*** freie Wohnung haben; **13.** *mst pl.* ⚔ Quarˈtier *n*, (ˈTruppen)ˌUnterkunft *f*: ***be confined to ~s*** Stubenarrest haben; **14.** Stelle *f*, Seite *f*, Quelle *f*: ***higher ~s*** höhere Stellen; ***in the proper ~*** bei der zuständigen Stelle; ***from official ~s*** von amtlicher Seite; ***from a good ~*** aus guter Quelle; → ***informed*** 1; **15.** *bsd.* ⚔ Parˈdon *m*, Schonung *f*: ***find no ~*** keine Schonung finden; ***give no ~*** keinen Pardon geben; ***give fair ~*** *fig.* Nachsicht üben; **16.** ⚓ Achterschiff *n*; **17.** ⚓ Posten *m*; **18.** *her.* Quarˈtier *n*, (Wappen)Feld *n*; **19.** ⚙, ⚠ Stollenholz *n*; **II** *v/t.* **20.** *et.* vierteln; *weitS.* aufteilen, zerstückeln; **21.** *j-n* vierteilen; **22.** *Wappenschild* vieren; **23.** *j-n* beherbergen; ⚔ einquartieren, *Truppen* ˈunterbringen ([***up***]***on*** bei): ***~ed in barracks*** kaserniert; ***be ~ed at*** (*od.* ***in***) in Garnison liegen in (*dat.*); ***be ~ed*** (***up***)***on*** bei *j-m* in Quartier liegen; ***~ o.s. upon s.o.*** *fig.* sich bei j-m einquartieren; **24.** *Gegend* durchˈstöbern (*Jagdhunde*).

ˈ**quar·ter|·back I** *s. American Football*: ‚ˈAngriffsdiriˌgent' *m*; **II** *v/t.* *den Angriff* dirigieren (*a. fig.*); **~ bind·ing** *s. Buchbinderei*: Halbfranz(band *m*) *n*; **~ cir·cle** *s.* **1.** ⩚ Viertelkreis *m*; **2.** ⚙ Abrundung *f*; **~ day** *s.* Quarˈtalstag *m für fällige Zahlungen* (*in England*: *25. 3., 24. 6., 29. 9., 25. 12.*; *in USA*: *1. 1., 1. 4., 1. 7., 1. 10.*); ˈ**~·deck** *s.* ⚓ **1.** Achterdeck *n*; **2.** *coll.* Offiˈziere *pl.*; ˌ**~ˈfi·nal** *s. sport* **1.** *mst pl.* ˈViertelfiˌnale *n*; **2.** ˈViertelfiˌnalspiel *n*; ˌ**~ˈfi·nal·ist** *s. sport* Teilnehmer(in) am Viertelfinale.

quar·ter·ly [ˈkwɔːtəlɪ] **I** *adj.* **1.** Viertel…; **2.** vierteljährlich, Quartals…; **II** *adv.* **3.** in *od.* nach Vierteln; **4.** vierteljährlich, quarˈtalsweise; **III** *s.* **5.** Vierteljahresschrift *f.*

ˈ**quar·terˌmas·ter** *s.* **1.** ⚔ Quarˈtiermeister *m*; **2.** ⚓ a) Steuerer *m* (*Handelsmarine*), b) Steuermannsmaat *m* (*Kriegsmarine*); ˈ**~-ˈGen·er·al** *s.* ⚔ Geneˈralquarˌtiermeister *m.*

quar·tern [ˈkwɔːtən] *s. bsd. Brit.* **1.** Viertel *n* (*bsd. e-s Maßes od. Gewichtes*): a) Viertelpinte *f*, b) Viertel *n* e-s engl. Pfunds; **2.** *a.* ***~ loaf*** Vierˈpfundbrot *n.*

quar·ter| ses·sions *s. pl.* ⚖ **1.** *Brit. obs.* Krimiˈnalgericht *n* (*mit vierteljährlichen Sitzungen, a. Berufungsinstanz für Zivilsachen; bis 1971*); **2.** *Am.* (*in einigen Staaten*) *ein ähnliches* Gericht für Strafsachen; ˈ**~-tone** *s.* ♪ **1.** ˈVierteltoninterˌvall *n*; **2.** Viertelton *m.*

quar·tet(te) [kwɔːˈtet] *s.* **1.** ♪ Quarˈtett *n* (*a. humor. 4 Personen*); **2.** Vierergruppe *f.*

quar·tile [ˈkwɔːtaɪl] *s.* **1.** *ast.* Quadraˈtur *f*, Geviertschein *m*; **2.** *Statistik*: Quarˈtil *n*, Viertelswert *m.*

quar·to [ˈkwɔːtəʊ] *pl.* **-tos** *typ.* **I** *s.* ˈQuartforˌmat *n*; **II** *adj.* im ˈQuartforˌmat.

quartz [kwɔːts] *s. min.* Quarz *m*: ***crystallized ~*** Bergkristall *m*; ***~ clock*** Quarzuhr *f*; ***~ lamp*** a) ⚙ Quarz(glas)lampe *f*, b) ⚕ Quarzlampe *f* (*Höhensonne*).

qua·sar [ˈkweɪzɑː] *s. ast.* Quaˈsar *m.*

quash¹ [kwɒʃ] *v/t.* ⚖ **1.** *Verfügung etc.* aufheben, annullieren, verwerfen; **2.** *Klage* abweisen; **3.** *Verfahren* niederschlagen.

quash² [kwɒʃ] *v/t.* **1.** zermalmen, -stören; **2.** *fig.* unter'drücken.
qua·si ['kweɪzaɪ] *adv.* gleichsam, gewissermaßen, sozu'sagen; (*mst mit Bindestrich*) Quasi…, Schein…, …ähnlich: **~ contract** vertragsähnliches Verhältnis; **~-judicial** quasigerichtlich; **~-official** halbamtlich.
qua·ter·na·ry [kwə'tɜːnərɪ] **I** *adj.* **1.** aus vier bestehend; **2.** ♀ *geol.* Quartär…; **3.** ⚗ vierbindig, quater'när; **II** *s.* **4.** Gruppe *f* von 4 Dingen; **5.** Vier *f* (*Zahl*); **6.** *geol.* Quar'tär(peri͵ode *f*) *n.*
quat·rain ['kwɒtreɪn] *s.* Vierzeiler *m.*
quat·re·foil ['kætrəfɔɪl] *s.* **1.** △ Vierpaß *m*; **2.** ⚘ vierblättriges (Klee)Blatt.
qua·ver ['kweɪvə] **I** *v/i.* **1.** zittern; **2.** ♪ tremolieren (*weitS. a. beim Sprechen*); **II** *v/t. mst* **~ out 3.** mit über'triebenem Vi'brato singen; **4.** mit zitternder Stimme sagen, stammeln; **III** *s.* **5.** ♪ Trillern *n*, Tremolo *n*; **6.** ♪ *Brit.* Achtelnote *f*; **'qua·ver·y** [-vərɪ] *adj.* zitternd.
quay [kiː] *s.* ⚓ (**on the ~** am) Kai *m*; **quay·age** ['kiːɪdʒ] *s.* **1.** Kaigeld *n*, -gebühr *f*; **2.** Kaianlagen *pl.*
quea·si·ness ['kwiːzɪnɪs] *s.* **1.** Übelkeit *f*; **2.** ('Über)Empfindlichkeit *f*; **quea·sy** ['kwiːzɪ] *adj.* □ **1.** ('über)empfindlich (*Magen etc.*); **2.** heikel, mäkelig (*beim Essen etc.*); **3.** ekelerregend; **4.** unwohl: ***I feel ~*** mir ist übel; **5.** bedenklich.
queen [kwiːn] **I** *s.* **1.** Königin *f* (*a. fig.*): ***♀ of (the) May*** Maikönigin; ***the ~ of the watering-places*** *fig.* die Königin *od.* Perle der Badeorte; ***~'s metal*** Weißmetall *n*; ***~'s ware*** gelbes Steingut; ***♀ Anne is dead!*** *humor.* so'n Bart!; **2.** *zo.* Königin *f*: a) *a.* ***~ bee*** Bienenkönigin, b) *a.* ***~ ant*** Ameisenkönigin; **3.** *Kartenspiel*, *Schach*: Dame *f*: ***~'s pawn*** Damenbauer *m*; **4.** *sl.* a) ‚Schwule(r)' *m*, ‚Tunte' *f*, b) *Am.* ‚Prachtweib' *n*; **II** *v/i.* **5.** *mst* ***~ it*** die große Dame spielen: ***~ it over*** *j-n* von oben herab behandeln; **6.** *Schach*: in e-e Dame verwandelt werden (*Bauer*); **III** *v/t.* **7.** zur Königin machen; **8.** *Bienenstock* beweiseln; **9.** *Schach*: *Bauern* (in e-e Dame) verwandeln; **~ dow·a·ger** *s.* Königinwitwe *f*; **'~-like** → ***queenly***.
queen·ly ['kwiːnlɪ] *adj. u. adv.* wie e-e Königin, maje'stätisch.
queen moth·er *s.* Königinmutter *f.*
Queen's| Bench → ***King's Bench***; **~ Coun·sel** → ***King's Counsel***; **~ English** → ***English*** 3; **~ Speech** → ***King's Speech***.
queer [kwɪə] **I** *adj.* □ **1.** seltsam, sonderbar, wunderlich, kuri'os, ‚komisch': **~ (*in the head*)** F leicht verrückt; ***~ fellow*** komischer Kauz; **2.** F fragwürdig, ‚faul' (*Sache*): ***be in ♀ Street*** a) ‚auf dem trockenen sitzen', b) ‚in der Tinte sitzen'; **3.** unwohl, schwummerig: ***feel ~*** sich ‚komisch' fühlen; **4.** *sl.* gefälscht; **5.** *sl.* ‚schwul' (*homosexuell*); **II** *v/t.* **6.** *sl.* verpfuschen, verderben; → ***pitch²*** 1; **7.** *sl.* *j-n* in ein falsches Licht setzen (***with*** bei); **III** *s.* **8.** *sl.* ‚Blüte' *f* (*Falschgeld*); **9.** *sl.* ‚Schwule(r)' *m*, ‚Homo' *m.*
quell [kwel] *v/t. rhet.* **1.** bezwingen; **2.** *Aufstand etc., a. Gefühle* unter'drükken, ersticken.
quench [kwentʃ] *v/t.* **1.** *rhet. Flammen, Durst etc.* löschen; **2.** *fig.* a) → ***quell*** 2, b) *Hoffnung* zu'nichte machen, c) *Verlangen* stillen; **3.** ⚙ *Asche, Koks etc.* (ab)löschen; **4.** *metall.* abschrecken, härten: ***~ing and tempering*** (Stahl-)Vergütung *f*; **5.** ⚡ *Funken* löschen: ***~ed spark gap*** Löschfunkenstrecke *f*; **6.** *fig. j-m* den Mund stopfen; **'quench·er** [-tʃə] *s.* F Schluck *m*; **'quench·less** [-lɪs] *adj.* □ un(aus)löschbar.
que·nelle [kə'nel] *s.* Fleisch- *od.* Fischknödel *m.*
que·rist ['kwɪərɪst] *s.* Fragesteller(in).
quer·u·lous ['kwerʊləs] *adj.* □ quengelig, nörgelnd, verdrossen.
que·ry ['kwɪərɪ] **I** *s.* **1.** (*bsd.* zweifelnde *od.* unangenehme) Frage; ✝ Rückfrage *f*: **~** (*abbr.* ***qu.***), ***was the money ever paid?*** Frage, wurde das Geld je bezahlt?; **2.** *typ.* (anzweifelndes) Fragezeichen; **3.** *fig.* Zweifel *m*; **II** *v/t.* **4.** fragen; **5.** *j-n* (aus-, be)fragen; **6.** *et.* in Zweifel ziehen, in Frage stellen, beanstanden; **7.** *typ.* mit e-m Fragezeichen versehen.
quest [kwest] **I** *s.* **1.** Suche *f*, Streben *n*, Trachten *n* (***for***, ***of*** nach): ***knightly ~*** Ritterzug *m*; ***the ~ for the (Holy) Grail*** die Suche nach dem (Heiligen) Gral; ***in ~ of*** auf der Suche nach; **2.** Nachforschung(en *pl.*) *f*; **II** *v/i.* **3.** suchen (***for***, ***after*** nach); **4.** Wild suchen (*Jagdhund*); **III** *v/t.* **5.** suchen *od.* trachten nach.
ques·tion ['kwestʃən] **I** *s.* **1.** Frage *f* (*a. ling.*): ***beg the ~*** die Antwort auf eine Frage schuldig bleiben; ***put a ~ to s.o.*** j-m e-e Frage stellen; ***the ~ does not arise*** die Frage ist belanglos; → ***pop¹*** 10; **2.** Frage *f*, Pro'blem *n*, Thema *n*, (Streit)Punkt *m*: ***the social ~*** die soziale Frage; ***~s of the day*** Tagesfragen; ***~ of fact*** ⚖ Tatfrage; ***~ of law*** ⚖ Rechtsfrage; ***the point in ~*** die fragliche *od.* vorliegende *od.* zur Debatte stehende Sache; ***come into ~*** in Frage kommen, wichtig werden; ***there is no ~ of*** *s.th. od. ger.* es ist nicht die Rede von *et. od.* davon, daß; ***~!*** *parl.* zur Sache!; **3.** Frage *f*, Sache *f*, Angelegenheit *f*: ***only a ~ of time*** nur e-e Frage der Zeit; **4.** Frage *f*, Zweifel *m*: ***beyond (all) ~*** ohne Fra-

ge, fraglos; ***call in ~** → 8; **there is no ~ but*** (*od.* ***that***) es steht außer Frage, daß; ***out of ~*** außer Frage; ***that is out of the ~*** das kommt nicht in Frage; **5.** *pol.* Anfrage *f*: ***put to the ~*** zur Abstimmung über *e-e Sache* schreiten; **6.** ⚖ Vernehmung *f*; Unter'suchung *f*: ***put to the ~*** *hist. j-n* foltern; **II** *v/t.* **7.** *j-n* (aus-, be)fragen; ⚖ vernehmen, -hören; **8.** *et.* an-, bezweifeln, in Zweifel ziehen; **'ques·tion·a·ble** [-tʃənəbl] *adj.* □ **1.** fraglich, zweifelhaft, ungewiß; **2.** bedenklich, fragwürdig; **'ques·tion·ar·y** [-tʃənərɪ] → ***questionnaire***; **'ques·tion·er** [-tʃənə] *s.* Fragesteller(in), Frager(in); **'ques·tion·ing** [-tʃənɪŋ] **I** *adj.* □ fragend (*a. Blick, Stimme*); **II** *s.* Befragung *f*; ⚖ Vernehmung *f*.

ques·tion| mark *s.* Fragezeichen *n*; **~ mas·ter** *s.* Mode'rator *m* e-r Quizsendung.

ques·tion·naire [ˌkwestɪə'neə] (*Fr.*) *s.* Fragebogen *m*.

ques·tion time *s. parl.* Fragestunde *f*.

queue [kjuː] **I** *s.* **1.** (Haar)Zopf *m*; **2.** *bsd. Brit.* Schlange *f*, Reihe *f vor Geschäften etc.*: ***stand*** (*od.* ***wait***) ***in a ~*** Schlange stehen; → ***jump*** 25; **II** *v/i.* **3.** *mst* ***~ up*** *Brit.* Schlange stehen, sich anstellen; **'~-ˌjump·er** *s.* F j-d., der sich vordrängelt, *mot.* Ko'lonnenspringer *m*.

quib·ble ['kwɪbl] **I** *s.* **1.** Spitzfindigkeit *f*, Wortklaube'rei *f*, Ausflucht *f*; **2.** *obs.* Wortspiel *n*; **II** *v/i.* **3.** her'umreden, Ausflüchte machen; **4.** spitzfindig sein, Haarspalte'rei betreiben; **5.** witzeln; **'quib·bler** [-lə] *s.* **1.** Wortklauber(in), -verdreher(in); **2.** Krittler(in); **'quib·bling** [-lɪŋ] *adj.* □ spitzfindig, haarspalterisch, wortklauberisch.

quick [kwɪk] **I** *adj.* □ **1.** schnell, so'fortig: ***~ answer*** (***service***) prompte Antwort (Bedienung); ***~ returns*** ✝ schneller Umsatz; **2.** schnell, hurtig, geschwind, rasch: ***be ~!*** mach schnell!, beeile dich!; ***be ~ about s.th.*** sich mit et. beeilen; **3.** (geistig) gewandt, flink, aufgeweckt, schlagfertig, ‚fix'; beweglich, flink (*Geist*): ***~ wit*** Schlagfertigkeit *f*; **4.** scharf (*Auge, Ohr, Verstand*): ***a ~ ear*** ein feines Gehör; **5.** scharf (*Geruch, Geschmack, Schmerz*); **6.** voreilig, hitzig: ***a ~ temper***; **7.** *obs.* lebend (*a.* ⚘ *Hecke*), lebendig: ***~ with child*** (hoch)schwanger; **8.** *fig.* lebhaft (*a. Gefühle; a. Handel etc.*); **9.** lose, treibend (*Sand etc.*); **10.** *min.* erzhaltig, ergiebig; **11.** ✝ flüssig (*Anlagen, Aktiva*); **II** *s.* **12. *the ~*** die Lebenden *pl.*; **13.** (lebendes) Fleisch; *fig.* Mark *n*: ***to the ~*** a) (bis) ins Fleisch, b) *fig.* bis ins Mark *od.* Herz, c) durch u. durch; ***cut s.o. to the ~*** j-n tief verletzen; ***touched to the ~*** bis ins Mark getroffen; ***a Socialist to the ~*** ein Sozialist bis auf die Knochen; ***paint s.o. to the ~*** j-n malen wie er leibt u. lebt; **14.** *Am.* → ***quicksilver***; **III** *adv.* **15.** schnell, geschwind; **ˌ~-'ac·tion** *adj.* ⚙ Schnell...; **'~-break switch** *s.* ⚡ Mo'mentschalter *m*; **'~-change** *adj.* **1.** ***~ artist*** *thea.* Verwandlungskünstler(in); **2.** ⚙ Schnellwechsel...(*-futter, -getriebe etc.*); **'~-ˌdry·ing** *adj.* schnelltrocknend (*Lack*); ä'therisch (*Öl*); **'~-eared** *adj.* mit e-m feinen Gehör.

quick·en ['kwɪkən] **I** *v/t.* **1.** beschleunigen; **2.** (wieder) lebendig machen; beseelen; **3.** *Interesse etc.* an-, erregen; **4.** beleben, *j-m* neuen Auftrieb geben; **II** *v/i.* **5.** sich beschleunigen (*Puls, Schritte etc.*); **6.** (wieder) lebendig werden; **7.** gekräftigt werden; **8.** hoch'schwanger werden; **9.** sich bewegen (*Fötus*).

'quick|-eyed *adj.* scharfsichtig (*a. fig.*); **'~-ˌfire, '~-ˌfir·ing** *adj.* ⚔ Schnellfeuer...; **'~-freeze** *v/t.* einfrieren, tiefkühlen; **'~-ˌfreez·ing** *s.* Tiefkühl-, Gefrierverfahren *n*; **'~-ˌfro·zen** *adj.* tiefgekühlt.

quick·ie ['kwɪkɪ] *s.* F **1.** *et.* ‚'Hingehauenes', ‚auf die Schnelle' gemachte Sache, *z. B.* billiger, improvisierter Film; **2.** ‚kurze Sache', *z. B.* kurzer Werbefilm; **3. *have a ~*** F rasch einen ‚kippen'.

'quick|·lime *s.* ⚗ gebrannter, ungelöschter Kalk, Ätzkalk *m*; **~ march** *s.* ⚔ Eilmarsch *m*; **'~·match** *s.* ⚔, ⚒ Zündschnur *f*; **~ mo·tion** *s.* ⚙ Schnellgang *m*; **ˌ~-'mo·tion cam·er·a** *s. phot.* Zeitraffer(kamera *f*) *m*.

quick·ness ['kwɪknɪs] *s.* **1.** Schnelligkeit *f*; **2.** (geistige) Beweglichkeit *od.* Flinkheit; **3.** Hitzigkeit *f*: ***~ of temper***; **4. *~ of sight*** gutes Sehvermögen; **5.** Lebendigkeit *f*, Kraft *f*.

'quick|·sand *s. geol.* Treibsand *m*; **'~·set** *s.* **1.** heckenbildende Pflanze, *bsd.* Weißdorn *m*; **2.** Setzling *m*; **3.** *a.* ***~ hedge*** lebende Hecke; **ˌ~-'set·ting** *adj.* ⚙ schnell abbindend (*Zement etc.*); **ˌ~-'sight·ed** *adj.* scharfsichtig; **'~ˌsil·ver** *s.* Quecksilber *n* (*a. fig.*); **'~·step** *s.* **1.** ⚔ Schnellschritt *m*; **2.** ♪ Quickstep *m* (*schneller Foxtrott*); **ˌ~-'tem·pered** *adj.* hitzig, jäh; **~ time** *s.* ⚔ **1.** schnelles Marschtempo; **2.** exerziermäßiges Marschtempo: ***~ march!*** Im Gleichschritt, marsch!; **ˌ~-'wit·ted** *adj.* schlagfertig, aufgeweckt, ‚fix'.

quid[1] [kwɪd] *s.* **1.** Priem *m* (*Kautabak*); **2.** wiedergekäutes Futter.

quid[2] [kwɪd] *pl. mst* **quid** *s. Brit. sl.* Pfund *n* (Sterling).

quid·di·ty ['kwɪdətɪ] *s.* **1.** *phls.* Es'senz *f*, Wesen *n*; **2.** Feinheit *f*; **3.** Spitzfindigkeit *f*.

quid·nunc ['kwɪdnʌŋk] *s.* Neuigkeits-

Q

krämer *m*, Klatschtante *f*.
quid pro quo [ˌkwɪdprəʊˈkwəʊ] *pl*. **quid pro quos** (*Lat*.) *s*. Gegenleistung *f*, Vergütung *f*.
qui·es·cence [kwaɪˈesns] *s*. Ruhe *f*, Stille *f*; **quiˈes·cent** [-nt] *adj*. □ **1.** ruhig, bewegungslos; *fig*. ruhig, still: *~ state* Ruhezustand *m*; **2.** *ling*. stumm (*Buchstabe*).
qui·et [ˈkwaɪət] **I** *adj*. □ **1.** ruhig, still (*a. fig. Person*, *See*, *Straße etc*.); **2.** ruhig, leise, geräuschlos (*a*. ⚙): *~ running mot*. ruhiger Gang; *be ~!* sei still!; *~, please!* ich bitte um Ruhe!; *keep ~* a) sich ruhig verhalten, b) den Mund halten; **3.** bewegungslos, still; **4.** ruhig, friedlich (*a. Leben*, *Zeiten*); behaglich, beschaulich: *~ conscience* ruhiges Gewissen; *~ enjoyment* ⚖ ruhiger Besitz, ungestörter Genuß; **5.** ruhig, unauffällig (*Farbe etc*.); **6.** versteckt, geheim, leise: *keep s.th. ~* et. geheimhalten, et. für sich behalten; **7.** ✝ ruhig, still, ‚flau' (*Geschäft etc*.); **II** *s*. **8.** Ruhe *f*, Stille *f*; Frieden *m*: *on the ~* (*od. on the q.t.*) F ‚klammheimlich', stillschweigend; **III** *v/t*. **9.** beruhigen, zur Ruhe bringen; **10.** besänftigen; **11.** zum Schweigen bringen; **IV** *v/i*. **12.** *mst ~ down* ruhig *od*. still werden, sich beruhigen; **ˈqui·et·en** [-tn] → *quiet* III *u*. IV.
qui·et·ism [ˈkwaɪɪtɪzəm] *s. eccl*. Quieˈtismus *m*.
qui·et·ness [ˈkwaɪətnɪs] *s*. **1.** → *quietude*; **2.** Geräuschlosigkeit *f*; **qui·e·tude** [ˈkwaɪɪtjuːd] *s*. **1.** Stille *f*, Ruhe *f*; **2.** *fig*. Friede(n) *m*; **3.** (Gemüts)Ruhe *f*.
qui·e·tus [kwaɪˈiːtəs] *s*. **1.** Ende *n*, Tod *m*; **2.** Todesstoß *m*: *give s.o. his ~* j-m den Garaus machen; **3.** (restlose) Tilgung *e-r Schuld*; **4.** ⚖ a) *Brit*. Endquittung *f*, b) *Am*. Entlastung *f des Nachlaßverwalters*.
quill [kwɪl] **I** *s*. **1.** *a. ~-feather orn*. (Schwung-, Schwanz)Feder *f*; **2.** *a. ~ pen* Federkiel *m*; *fig*. Feder *f*; **3.** *zo*. Stachel *m* (*Igel etc*.); **4.** ♪ a) *hist*. Panflöte *f*, b) Plektrum *n*; **5.** Zahnstocher *m*; **6.** Zimtstange *f*; **7.** ⚙ Weberspule *f*; **8.** ⚙ Hohlwelle *f*; **II** *v/t*. **9.** rund fälteln, kräuseln; **10.** *Faden* aufspulen; **ˈ~ˌdriv·er** *s. contp*. Federfuchser *m*.
quilt [kwɪlt] **I** *s*. **1.** Steppdecke *f*; **2.** gesteppte (Bett)Decke; **II** *v/t*. **3.** steppen, ˈdurchnähen; **4.** wattieren, (aus)polstern; **ˈquilt·ing** [-tɪŋ] *s*. **1.** ˈDurchnähen *n*, Steppen *n*: *~ seam* Steppnaht *f*; **2.** gesteppte Arbeit; **3.** Füllung *f*, Wattierung *f*; **4.** Piˈkee *m* (*Gewebe*).
quim [kwɪm] *s*. V ‚Möse' *f*.
quince [kwɪns] *s*. ⚘ Quitte *f*.
qui·nine [*Brit*. kwɪˈniːn; *Am*. ˈkwaɪnaɪn] *s*. ⚗, *pharm*. Chiˈnin *n*.
quin·qua·ge·nar·i·an [ˌkwɪŋkwədʒɪˈneərɪən] **I** *adj*. fünfzigjährig, in den Fünfzigern; **II** *s*. Fünfzigjährige(r *m*) *f*, Fünfziger(in); **quin·quen·ni·al** [kwɪŋˈkwenɪəl] *adj*. □ fünfjährig; fünfjährlich (*wiederkehrend*).
quins [kwɪnz] *s. pl*. F Fünflinge *pl*.
quin·sy [ˈkwɪnzɪ] *s*. ⚕ (Hals)Bräune *f*, Mandelentzündung *f*.
quint *s*. **1.** [kɪnt] *Pikett*: Quinte *f*; **2.** [kwɪnt] ♪ Quint(e) *f*.
quin·tal [ˈkwɪntl] *s*. Doppelzentner *m*.
quinte [kɛ̃t; kænt] (*Fr*.) *s. fenc*. Quinte *f*.
quint·es·sence [kwɪnˈtesns] *s*. **1.** ⚗ ˈQuintessenz *f* (*a. phls. u. fig*.); **2.** *fig*. Kern *m*, Inbegriff *m*; **3.** a) Urtyp *m*, b) klassisches Beispiel, c) (höchste) Vollˈkommenheit *f*.
quin·tet(**te**) [kwɪnˈtet] *s*. **1.** ♪ Quinˈtett *n* (*a. humor. 5 Personen*); **2.** Fünfergruppe *f*.
quin·tu·ple [ˈkwɪntjʊpl] **I** *adj*. fünffach; **II** *s. das* Fünffache; **III** *v/t. u. v/i*. (sich) verfünffachen; **ˈquin·tu·plets** [-plɪts] *s. pl*. Fünflinge *pl*.
quip [kwɪp] **I** *s*. **1.** witziger Einfall, geistreiche Bemerkung, Bonˈmot *n*; **2.** (Seiten)Hieb *m*, Stich(eˈlei *f*) *m*; **II** *v/i*. **3.** witzeln, spötteln.
quire [ˈkwaɪə] *s*. **1.** *typ*. Buch *n* (*24 Bogen*); **2.** *Buchbinderei*: Lage *f*.
quirk [kwɜːk] *s*. **1.** → *quip* 1, 2; **2.** Kniff *m*, Trick *m*; **3.** Zucken *n des Mundes etc*.; **4.** Eigenart *f*, seltsame Angewohnheit: *by a ~ of fate* durch e-n verrückten Zufall, wie das Schicksal so spielt; **5.** Schnörkel *m*; **6.** ⚠ Hohlkehle *f*; **ˈquirk·y** [-kɪ] *adj*. F **1.** ‚gerissen' (*Anwalt etc*.); **2.** eigenartig, schrullig, ‚komisch'.
quis·ling [ˈkwɪzlɪŋ] *s. pol*. F Quisling *m*, Kollaboraˈteur *m*.
quit [kwɪt] **I** *v/t*. **1.** verzichten auf (*acc*.); **2.** *a. Stellung* aufgeben; *Dienst* quittieren; sich vom *Geschäft* zuˈrückziehen; **3.** F aufhören (*s.th.* mit et.; *doing* zu tun); **4.** verlassen; **5.** *Schuld* bezahlen, tilgen; **6.** *~ o.s.* sich befreien (*of* von); **7.** *poet*. vergelten (*love with hate* Liebe mit Haß); **II** *v/i*. **8.** aufhören; **9.** weggehen; **10.** ausziehen (*Mieter*): *notice to ~* Kündigung *f*; *give notice to ~* (*j-m die* Wohnung) kündigen; **III** *adj. pred*. **11.** quitt, frei: *go ~* frei ausgehen; *be ~ for* davonkommen mit; **12.** frei, los (*of* von): *~ of charges* ✝ nach Abzug der Kosten, spesenfrei; **ˈ~·claim** *s*. ⚖ **1.** Verzicht(leistung *f*) *m auf Rechte*; **2.** *~ deed* a) Grundstückskaufvertrag *m*, b) *Am*. Zessiˈonsurkunde *f* (*beide: ohne Haftung für Rechts- od. Sachmängel*).
quite [kwaɪt] *adv*. **1.** ganz, völlig: *~ another* ein ganz anderer; *~ wrong* völlig falsch; **2.** wirklich, tatsächlich, ziem-

lich: ~ ***a disappointment*** e-e ziemliche Enttäuschung; ~ ***good*** recht gut; ~ ***a few*** ziemlich viele; ~ ***a gentleman*** wirklich ein feiner Herr; **3.** F ganz, durch'aus: ~ ***nice*** ganz *od.* sehr nett; ~ ***the thing*** genau das Richtige; ~ (***so***)***!*** ganz recht!

quit rent *s.* ⚖ Miet-, Pachtzins *m.*

quits [kwɪts] *adj.* quitt (*mit j-m*): ***call it*** ~ quitt sein; ***get*** ~ ***with s.o.*** mit j-m quitt werden; → ***double*** 10.

quit·tance ['kwɪtəns] *s.* **1.** Vergeltung *f*, Entgelt *n*; **2.** Erledigung *f e-r Schuld etc.*; **3.** ☨ Quittung *f.*

quit·ter ['kwɪtə] *s. Am. u.* F **1.** Drückeberger *m*; **2.** Feigling *m.*

quiv·er[1] ['kwɪvə] **I** *v/i.* beben, zittern (***with*** vor *dat.*); **II** *s.* Beben *n*, Zittern *n*: ***in a ~ of excitement*** *fig.* zitternd vor Aufregung.

quiv·er[2] ['kwɪvə] *s.* Köcher *m*: ***have an arrow left in one's*** ~ *fig.* noch ein Eisen im Feuer haben; ***a ~ full of children*** *fig.* e-e ganze Schar Kinder.

qui vive [ˌki:'vi:v] (*Fr.*) *s.*: ***be on the*** ~ auf dem Quivive *od.* auf der Hut sein.

quix·ot·ic [kwɪk'sɒtɪk] *adj.* (□ ***~ally***) donqui'chotisch (*weltfremd, überspannt*); **quix·ot·ism** ['kwɪksətɪzəm], **quix·ot·ry** ['kwɪksətrɪ] *s.* Donquichotte'rie *f*, Narre'tei *f.*

quiz [kwɪz] **I** *v/t.* **1.** *Am. j-n* prüfen, abfragen; **2.** (aus)fragen; **3.** *bsd. Brit.* aufziehen, hänseln; **4.** (spöttisch) anstarren, fixieren; **II** *pl.* '**quiz·zes** [-zɪz] *s.* **5.** *ped. Am.* Prüfung *f*, Klassenarbeit *f*; **6.** Ausfragen *n*; **7.** *Radio, TV*: Quiz *n*: ~ ***game*** Ratespiel *n*, Quiz; ***~master*** Quizmaster *m*; ~ ***program***(***me***), ~ ***show*** Quizsendung *f*; **8.** Denksportaufgabe *f*; **9.** *obs.* Foppe'rei *f*, Ulk *m.*

quiz·zi·cal ['kwɪzɪkl] *adj.* □ **1.** seltsam, komisch; **2.** spöttisch.

quod [kwɒd] *s. sl.* ‚Kittchen' *n*: ***be in*** ~ *a.* ‚sitzen'.

quoin [kɔɪn] **I** *s.* **1.** ⚠ a) (vorspringende) Ecke, b) Eckstein *m*; **2.** *typ.* Schließkeil *m*; **II** *v/t.* **3.** *typ. Druckform* schließen; **4.** ⚙ verkeilen; **5.** ⚠ *Ecke* mit Keilsteinen versehen.

quoit [kɔɪt] *s.* **1.** Wurfring *m*; **2.** *pl. sg. konstr.* Wurfringspiel *n.*

quon·dam ['kwɒndæm] *adj.* ehemalig, früher.

Quon·set hut ['kwɒnsɪt] *s. Am.* (*Warenzeichen*) *e-e* Nissenhütte.

quo·rum ['kwɔ:rəm] *s.* **1.** beschlußfähige Anzahl *od.* Mitgliederzahl: ***be*** (*od.* ***constitute***) ***a*** ~ beschlußfähig sein; **2.** ⚖ handlungsfähige Besetzung *e-s Gerichts.*

quo·ta ['kwəʊtə] *s.* **1.** *bsd.* ☨ Quote *f*, Anteil *m*; **2.** ☨ (*Einfuhr- etc.*)Kontin'gent *n*: ~ ***goods*** kontingentierte Waren; ~ ***system*** Zuteilungssystem *n*; **3.** ⚖ Kon'kursdividende(nquote) *f*; **4.** *Am.* Einwanderungsquote *f.*

quot·a·ble ['kwəʊtəbl] *adj.* zi'tierbar.

quo·ta·tion [kwəʊ'teɪʃn] *s.* **1.** Zi'tat *n*; Anführung *f*, Her'anziehung *f* (*a.* ⚖): ***familiar ~s*** geflügelte Worte; **2.** Beleg (-stelle *f*) *m*; **3.** ☨ a) Preisangabe *f*, -ansatz *m*, b) (Börsen-, Kurs)Notierung *f*, Kurs *m*: ***final*** ~ Schlußnotierung; **4.** *typ.* Steg *m*; ~ **marks** *s. pl.* Anführungszeichen *pl.*, ‚Gänsefüßchen' *pl.*

quote [kwəʊt] **I** *v/t.* **1.** zitieren (***from*** aus), (*a. als Beweis*) anführen, *weitS. a.* Bezug nehmen auf (*acc.*), sich auf *ein Dokument etc.* berufen, *e-e Quelle, e-n Fall* her'anziehen; **2.** ☨ *Preis* aufgeben, ansetzen, berechnen; **3.** *Börse*: notieren: ***be ~d at*** (*od.* ***with***) notieren *od.* im Kurs stehen mit; **4.** *Am.* in Anführungszeichen setzen; **II** *v/i.* **5.** zitieren (***from*** aus): ***~: ...*** ich zitiere ..., Zitat...; **III** *s.* F **6.** Zi'tat *n*; **7.** *pl.* → ***quotation marks.***

quoth [kwəʊθ] *obs.* ich, er, sie, es sprach, sagte.

quo·tid·i·an [kwɒ'tɪdɪən] **I** *adj.* **1.** täglich: ~ ***fever*** → 3; **2.** all'täglich, gewöhnlich; **II** *s.* **3.** ⚕ Quotidi'anfieber *n.*

quo·tient ['kwəʊʃnt] *s.* Ꭿ Quoti'ent *m.*

R

R, r [ɑː] *s.* R *n*, r *n* (*Buchstabe*): ***the three Rs*** (*reading*, [*w*]*riting*, [*a*]*rithmetic*) (das) Lesen, Schreiben, Rechnen.

rab·bet [ˈræbɪt] ⚙ **I** *s.* **1.** a) Fuge *f*, Falz *m*, Nut *f*, b) Falzverbindung *f*; **2.** Stoßstahl *m*; **II** *v/t.* **3.** einfügen, (zs.-)fugen, falzen; **~ joint** *s.* Fuge *f*, Falzverbindung *f*; **~ plane** *s.* Falzhobel *m*.

rab·bi [ˈræbaɪ] *s.* **1.** Rabˈbiner *m*; **2.** Rabbi *m* (*Schriftgelehrter*); **rab·bin·ate** [ˈræbɪnət] *s.* **1.** Rabbiˈnat *n*; **2.** *coll.* Rabˈbiner *pl.*; **rab·bin·i·cal** [ræˈbɪnɪkl] *adj.* □ rabˈbinisch.

rab·bit [ˈræbɪt] *s.* **1.** *zo.* Kaˈninchen *n*; **2.** *zo. Am. allg.* Hase *m*; **3.** → ***Welsh rabbit***; **4.** *sport* F a) Anfänger(in), b) ‚Flasche' *f*, c) *Laufsport*: Tempomacher *m*; **~ fe·ver** *s.* Hasenpest *f*; **~ hutch** *s.* Kaˈninchenstall *m*; **~ punch** *s. Boxen*: Genickschlag *m*.

rab·ble¹ [ˈræbl] *s.* **1.** Mob *m*, Pöbelhaufen *m*; **2. the ~** der Pöbel: ***~-rousing*** aufwieglerisch, demagogisch.

rab·ble² [ˈræbl] ⚙ **I** *s.* Rührstange *f*, Kratze *f*; **II** *v/t.* ˈumrühren.

Rab·e·lai·si·an [ˌræbəˈleɪzɪən] *adj.* **1.** des Rabeˈlais; **2.** im Stil von Rabeˈlais (*grob-satirisch*, *geistvoll-frech*).

rab·id [ˈræbɪd] *adj.* □ **1.** wütend (*a. Haß etc.*), rasend (*a. fig. Hunger etc.*); **2.** rabiˈat, faˈnatisch: ***a ~ anti-Semite***; **3.** toll(wütig): ***a ~ dog***; **ˈrab·id·ness** [-nɪs] *s.* **1.** Rasen *n*, Wut *f*; **2.** (wilder) Fanaˈtismus.

ra·bies [ˈreɪbiːz] *s. vet.* Tollwut *f*.

rac·coon [rəˈkuːn] *s.* Waschbär *m*.

race¹ [reɪs] *s.* **1.** Rasse *f*: ***the white ~***; **2.** Rasse *f*: a) Rassenzugehörigkeit *f*, b) rassische Eigenart: ***differences of ~*** Rassenunterschiede; **3.** a) Geschlecht *n*, Faˈmilie *f*, b) Volk *n*; **4.** *biol.* Rasse *f*, Gattung *f*, ˈUnterart *f*; **5.** (*Menschen- etc.*)Geschlecht *n*: ***the human ~***; **6.** *fig.* Kaste *f*, Schlag *m*: ***the ~ of politicians***; **7.** Rasse *f des Weins etc.*

race² [reɪs] **I** *s.* **1.** *sport* (Wett)Rennen *n*, (Wett)Lauf *m*: ***motor ~*** Autorennen; **2.** *pl. sport* Pferderennen *n*; → ***play*** 16; **3.** *fig.* (***for***) Wettlauf *m*, Kampf *m* (um), Jagd *f* (nach): ***~ against time*** Wettlauf mit der Zeit; **4.** *ast.* Lauf *m* (*a. fig. des Lebens etc.*): ***his ~ is run*** er hat die längste Zeit gelebt; **5.** a) starke Strömung, b) Stromschnelle *f*, c) Flußbett *n*, d) Kaˈnal *m*, Gerinne *n*, e) Kaˈnalgewässer *n*; **6.** ⚙ a) Laufring *m* (*Kugellager*), (Gleit)Bahn *f*, b) *Weberei*: Schützenbahn *f*; **7.** → ***slipstream***; **II** *v/i.* **8.** an e-m Rennen teilnehmen, *bsd.* um die Wette laufen *od.* fahren (***with*** mit); laufen *etc.* (***for*** um); **9.** (daˈhin)rasen, (-)schießen, rennen; **10.** ⚙ ˈdurchdrehen (*Rad*); **III** *v/t.* **11.** um die Wette laufen *od.* fahren *etc.* mit; **12.** *Pferde* rennen *od.* laufen lassen; **13.** *Fahrzeug* rasen lassen, rasen mit; **14.** *fig.* (ˈdurch)hetzen, (-)jagen; *Gesetz* ˈdurchpeitschen; **15.** ⚙ a) *Motor* ˈdurchdrehen lassen, b) *Motor* hochjagen: ***~ up*** *Flugzeugmotor* abbremsen; **~ boat** *s.* Rennboot *n*; **ˈ~·course** *s.* (Pferde)Rennbahn *f*; **~ di·rec·tor** *s. mot.* Rennleiter *m*; **ˈ~ˌgo·er** *s.* Rennplatzbesucher(in); **ˈ~·horse** *s.* Rennpferd *n*.

ra·ceme [rəˈsiːm] *s.* ⚘ Traube *f* (*Blütenstand*).

race meet·ing *s.* (Pferde)Rennen *n*.

rac·er [ˈreɪsə] *s.* **1.** a) (Renn)Läufer(in), b) Rennfahrer(in); **2.** Rennpferd *n*; **3.** Rennrad *n*, -boot *n*, -wagen *m*.

Race Re·la·tions Board *s. Brit.* Ausschuß *m* zur Verhinderung von Rassendiskriminierung.

race| ri·ot *s.* ˈRassenkraˌwall *m*; **ˈ~·track** *s.* **1.** *mot.* Rennstrecke *f*; **2.** → ***racecourse***; **ˈ~·way** *s.* **1.** (Mühl)Gerinne *n*; **2.** ⚙ Laufring *m*.

ra·chis [ˈreɪkɪs] *pl.* **rach·i·des** [ˈreɪkɪdiːs] *s.* **1.** ⚘, *zo.* Rhachis *f*, Spindel *f*; **2.** *anat.*, *zo.* Rückgrat *n*; **ra·chi·tis** [ræˈkaɪtɪs] *s.* ⚕ Raˈchitis *f*.

ra·cial [ˈreɪʃl] *adj.* □ rassisch, Rassen…: ***~ equality*** Rassengleichheit *f*; ***~ discrimination*** Rassendiskriminierung *f*; ***~ segregation*** Rassentrennung *f*; **ˈra·cial·ism** [-ʃəlɪzəm] *s.* **1.** Rasˈsismus *m*; **2.** Rassenkult *m*; **3.** ˈRassenpoliˌtik *f*; **ˈra·cial·ist** [-ʃəlɪst] **I** *s.* Rasˈsist(in); **II** *adj.* rasˈsistisch.

rac·i·ness [ˈreɪsɪnɪs] *s.* **1.** Rassigkeit *f*, Rasse *f*; **2.** Urwüchsigkeit *f*; **3.** *das* Piˈkante, Würze *f*; **4.** Schwung *m*, ‚Schmiß' *m*.

rac·ing [ˈreɪsɪŋ] **I** *s.* **1.** Rennen *n*; **2.** (Pferde)Rennsport *m*; **II** *adj.* **3.** Renn…(*-boot*, *-wagen etc.*): ***~ circuit*** *mot.* Rennstrecke *f*; ***~ cyclist*** Radrennfahrer *m*; ***~ driver*** Rennfahrer(in); ***~ man*** Pferdesport-Liebhaber *m*; **~**

***world** die* Rennwelt.
rac·ism ['reɪsɪzəm] → ***racialism***; '**rac·ist** → ***racialist***.
rack[1] [ræk] **I** *s.* **1.** Gestell *n*, Gerüst *n*; (*Gewehr-, Kleider- etc.*)Ständer *m*; (Streck-, Stütz)Rahmen *m*; ✓ Raufe *f*, Futtergestell *n*; 🚃 Gepäcknetz *n*; (Handtuch)Halter *m*; **2.** 'Fächerre,gal *n*; **3.** *typ.* 'Setzre,gal *n*; **4.** ⚙ Zahnstange *f*: ~(***-and-pinion***) ***gear*** Zahnstangengetriebe *n*; **5.** *hist.* Folterbank *f*, (Streck)Folter *f*; *fig.* (Folter)Qualen *pl.*: ***put on the ~*** *bsd. fig. j-n* auf die Folter spannen; **II** *v/t.* **6.** (aus)recken, strecken; **7.** auf *od.* in ein Gestell *od.* Re'gal legen; **8.** *bsd. fig.* foltern, martern: ***~ one's brains*** sich den Kopf zermartern; ***~ed with pain*** schmerzgequält; ***~ing pains*** rasende Schmerzen; **9.** a) *Miete* (wucherisch) hochschrauben, b) → ***rack-rent*** 3; **10.** ***~ up*** ✓ mit Futter versehen.
rack[2] [ræk] *s.*: ***go to ~ and ruin*** *a. fig.* ka'puttgehen.
rack[3] [ræk] *s.* Paßgang *m* (*Pferd*).
rack[4] [ræk] **I** *s.* fliegendes Gewölk; **II** *v/i.* (da'hin)ziehen (*Wolken*).
rack[5] [ræk] *v/t. oft **~ off** Wein etc.* abziehen, -füllen.
rack·et[1] ['rækɪt] *s.* **1.** *sport* Ra'kett *n*, (*Tennis- etc.*)Schläger *m*: ***~ press*** Spanner *m*; **2.** *pl. oft sg. konstr.* Ra'kettspiel *n*, Wandballspiel *n*; **3.** Schneeteller *m*.
rack·et[2] ['rækɪt] **I** *s.* **1.** Krach *m*, Lärm *m*, Ra'dau *m*, Spek'takel *m*; **2.** ‚Wirbel' *m*, Aufregung *f*; **3.** a) ausgelassene Gesellschaft, rauschendes Fest, b) Vergnügungstaumel *m*, c) Trubel *m des Gesellschaftslebens*: ***go on the ~*** ‚auf die Pauke hauen'; **4.** harte (Nerven-) Probe, ‚Schlauch' *m*: ***stand the ~*** F a) die Sache durchstehen, b) die Folgen zu tragen haben, c) (alles) berappen; **5.** *sl.* a) Schwindel *m*, ‚Schiebung' *f*, b) Erpresserbande *f*, Racket *n*, c) organisierte Erpressung, d) ‚Masche' *f*, (einträgliches) Geschäft, e) *Am.* Beruf *m*, Branche *f*; **II** *v/i.* **6.** Krach machen, lärmen; **7.** *mst **~ about*** ‚(herum)sumpfen'; **rack·et·eer** [,rækə'tɪə] **I** *s.* **1.** Gangster *m*, Erpresser *m*; **2.** Schieber *m*, Geschäftemacher *m*; **II** *v/i.* **3.** dunkle Geschäfte machen; **4.** organisierte Erpressung betreiben; **rack·et·eer·ing** [,rækə'tɪərɪŋ] *s.* **1.** Gangstertum *n*, organisierte Erpressung; **2.** Geschäftemache'rei *f*; '**rack·et·y** [-tɪ] *adj.* **1.** lärmend; **2.** turbu'lent; **3.** ausgelassen, ausschweifend.
rack| rail·way *s.* Zahnradbahn *f*; '**~-rent I** *s.* **1.** Wuchermiete *f*; **2.** *Brit.* höchstmögliche Jahresmiete; **II** *v/t.* **3.** e-e Wuchermiete für *et. od.* von *j-m* verlangen; **~ wheel** *s.* Zahnrad *n*.
ra·coon → ***raccoon***.
rac·y ['reɪsɪ] *adj.* **1.** rassig (*a. fig. Auto, Stil etc.*), feurig (*Pferd, a. Musik etc.*); **2.** urtümlich, kernig: ***~ of the soil*** urwüchsig, bodenständig; **3.** *fig.* a) le'bendig, geistreich, ‚spritzig', b) schwungvoll, schmissig: ***~ melody***; **4.** pi'kant, würzig (*Geruch etc.*) (*a. fig.*); **5.** F *u. Am.* schlüpfrig, gewagt.
rad [ræd] *s. pol.* Radi'kale(r *m*) *f*.
ra·dar ['reɪdɑː] **I** *s.* **1.** Ra'dar *m, n*, Funkmeßtechnik *f*, -ortung *f*; **2.** *a.* ***~ set*** Radargerät *n*; **II** *adj.* **3.** Radar...: ***~ display*** Radarschirmbild *n*; ***~ gun*** Radarpistole *f*; ***~ scanner*** Radarsuchgerät *n*; ***~ screen*** Radarschirm *m*; ***~ scope*** Radarsichtgerät *n*; ***~ trap*** Radarfalle *f* (*der Polizei*).
rad·dle ['rædl] **I** *s.* **1.** *min.* Rötel *m*; **II** *v/t.* **2.** mit Rötel bemalen; **3.** rot anmalen.
ra·di·al ['reɪdjəl] **I** *adj.* ☐ **1.** radi'al, Radial..., Strahl(en)...; sternförmig; **2.** *anat.* Speichen...; **3.** ⚘, *zo.* radi'alsym,metrisch; **II** *s.* **4.** *anat.* → a) ***radial artery***, b) ***radial nerve***; **~ ar·ter·y** *s.* Speichenschlagader *f*; **~ drill** *s.* ⚙ Radi'albohrma,schine *f*; **~ en·gine** *s.* Sternmotor *m*; '**~-flow tur·bine** *s.* Radi'altur,bine *f*; **~ nerve** *s.* Speichennerv *m*; '**~(-ply) tire** (*Brit.* **tyre**) *s.* ⚙ Gürtelreifen *m*; **~ route** *s.* Ausfallstraße *f*.
ra·di·ance ['reɪdjəns], '**ra·di·an·cy** [-sɪ] *s.* **1.** *a. fig.* Strahlen *n*, strahlender Glanz; **2.** → ***radiation***; '**ra·di·ant** [-nt] **I** *adj.* ☐ **1.** strahlend (*a. fig.* ***with*** vor *dat.*, von): ***~ beauty***; ***~ with joy*** freudestrahlend; ***be ~ with health*** vor Gesundheit strotzen; **2.** *phys.* Strahlungs...(*-energie etc.*): ***~ heating*** ⚙ Flächenheizung *f*; **3.** strahlenförmig (angeordnet); **II** *s.* **4.** Strahl(ungs)punkt *m*; '**ra·di·ate** [-dɪeɪt] **I** *v/i.* **1.** ausstrahlen (***from*** von) (*a. fig.*); **2.** *a. fig.* strahlen, leuchten; **II** *v/t.* **3.** *Licht, Wärme etc.* ausstrahlen; **4.** *fig. Liebe etc.* ausstrahlen, -strömen: ***~ health*** vor Gesundheit strotzen; **5.** *Radio, TV*: ausstrahlen, senden; **III** *adj.* [-dɪət] **6.** radi'al, strahlig, Strahl(en)...; **ra·di·a·tion** [,reɪdɪ'eɪʃn] *s.* **1.** *phys.* (Aus)Strahlung *f* (*a. fig.*): ***~ detection team*** ⚔ Strahlenspürtrupp *m*; **2.** *a.* ***~ therapy*** ⚕ Strahlenbehandlung *f*, Bestrahlung *f*; '**ra·di·a·tor** [-dɪeɪtə] *s.* **1.** ⚙ Heizkörper *m*; Strahlkörper *m*, -ofen *m*; **2.** ⚡ 'Raumstrahlan,tenne *f*; **3.** *mot.* Kühler *m*: ***~ core*** Kühlerblock *m*; ***~ grid***, ***~ grill*** Kühlergrill *m*; ***~ mascot*** Kühlerfigur *f*.
rad·i·cal ['rædɪkl] **I** *adj.* ☐ → ***radically***; **1.** radi'kal (*pol. oft* ♀); *weitS. a.* drastisch, gründlich: ***~ cure*** Radikal-, Roßkur *f*; ***undergo a ~ change*** sich von Grund auf ändern; **2.** ursprünglich, eingewurzelt; fundamen'tal (*Fehler etc.*); grundlegend, Grund...: ***~ differ-***

R

ence; ~ ***idea***; **3.** *bsd.* ⚘, ⩚ Wurzel...: ~ ***sign*** → 8b; ~ ***plane*** ⩚ Potenzebene *f*; **4.** *ling.* Wurzel..., Stamm...: ~ ***word*** Stamm(wort *n*) *m*; **5.** ♪ Grund(ton)...; **6.** *a.* ⚗ Radikal...; **II** *s.* **7.** *pol.* (*a.* ♀) Radiˈkale(r *m*) *f*; **8.** ⩚ a) Wurzel *f*, b) Wurzelzeichen *n*; **9.** *ling.* Wurzel(buchstabe *m*) *f*; **10.** ♪ Grundton *m* (*Akkord*); **11.** ⚗ Radiˈkal *n*; **ˈrad·i·cal·ism** [-kəlɪzəm] *s.* Radikaˈlismus *m*; **ˈrad·i·cal·ize** [-kəlaɪz] *v/t.* (*v/i.* sich) radikalisieren; **ˈrad·i·cal·ly** [-kəlɪ] *adv.* **1.** radiˈkal, von Grund auf; **2.** ursprünglich.

rad·i·ces [ˈreɪdɪsiːz] *pl. von* ***radix***.

rad·i·cle [ˈrædɪkl] *s.* **1.** ⚘ a) Keimwurzel *f*, b) Würzelchen *n*; **2.** *anat.* (Gefäß-, Nerven)Wurzel *f*.

ra·di·i [ˈreɪdɪaɪ] *pl. von* ***radius***.

ra·di·o [ˈreɪdɪəʊ] **I** *pl.* **-di·os** *s.* **1.** Funk(-betrieb) *m*; **2.** Radio *n*, Rundfunk *m*: ***on the*** ~ im Rundfunk; **3.** a) Radio(gerät) *n*, Rundfunkempfänger *m*, b) Funkgerät *n*; **4.** (Radio)Sender *m*; **5.** Rundfunkgesellschaft *f*; **6.** F Funkspruch *m*; **II** *v/t.* **7.** senden, funken, *e-e Funkmeldung* ˈdurchgeben; **8.** ✱ a) e-e Röntgenaufnahme machen von, b) durchˈleuchten; **9.** ✱ mit Radium bestrahlen.

ˌra·di·o|ˈac·tive *adj.* radioakˈtiv: ~ ***waste*** radioaktiver Müll, Atom-Müll *m*; **ˌ~·acˈtiv·i·ty** *s.* Radioaktiviˈtät *f*; ~ **am·a·teur** *s.* ˈFunkamaˌteur *m*; ~ **bea·con** *s.* Funkbake *f*; ~ **beam** *s.* Funk-, Richtstrahl *m*; ~ **bear·ing** *s.* **1.** Funkpeilung *f*; **2.** Peilwinkel *m*; ~ **car** *s.* Funk(streifen)wagen *m*; **ˌ~ˈcar·bon dat·ing** *s.* Radiokarˈbonmeˌthode, C-ˈ14-Meˌthode *f*; **ˌ~ˈchem·is·try** *s.* ˈRadio-, ˈStrahlencheˌmie *f*; **ˌ~-conˈtrol I** *s.* Funksteuerung *f*; **II** *v/t.* fernsteuern; **ˌ~ˈel·e·ment** *s.* radioakˈtives Eleˈment; ~ **en·gi·neer·ing** *s.* Funktechnik *f*; ~ **fre·quen·cy** *s.* ⚡ ˈHochfreˌquenz *f*.

ra·di·o·gram [ˈreɪdɪəʊgræm] *s.* **1.** ˈFunkmeldung *f*, -teleˌgramm *n*; **2.** *Brit.* a) → ***radiograph*** I, b) Muˈsiktruhe *f*.

ra·di·o·graph [ˈreɪdɪəʊgrɑːf] ✱ **I** *s.* Radioˈgramm *n*, *bsd.* Röntgenaufnahme *f*; **II** *v/t.* ein Radioˈgramm *etc.* machen von; **ra·di·o·gra·phy** [ˌreɪdɪˈɒgrəfɪ] *s.* Röntgenograˈphie *f*.

ra·di·o·log·i·cal [ˌreɪdɪəʊˈlɒdʒɪkl] *adj.* ✱ radioˈlogisch, Röntgen...; **ra·di·ol·o·gist** [ˌreɪdɪˈɒlədʒɪst] *s.* Röntgenoˈloge *m*; **ra·di·ol·o·gy** [ˌreɪdɪˈɒlədʒɪ] *s.* Strahlen-, ˈRöntgenkunde *f*.

ra·di·o| mark·er *s.* ✈ (Anflug)Funkbake *f*; ~ **mes·sage** *s.* Funkmeldung *f*; ~ **op·er·a·tor** *s.* (✈ Bord)Funker *m*.

ra·di·o·phone [ˈreɪdɪəʊfəʊn] *s.* **1.** *phys.* Radioˈphon *n*; **2.** → ***radiotelephone***.

ˌra·di·o|ˈpho·no·graph *s. Am.* Muˈsiktruhe *f*; **ˌ~ˈpho·to·graph** *s.* Funkbild *n*; **ˌ~·phoˈtog·ra·phy** *s.* Bildfunk *m*.

ra·di·os·co·py [ˌreɪdɪˈɒskəpɪ] *s.* ✱ Röntgenoskoˈpie *f*, ˈRöntgenunterˌsuchung *f*.

ra·di·o| set *s.* → ***radio*** 3; ~ **sonde** [sɒnd] *s. meteor.* Radiosonde *f*; **ˌ~ˈtel·e·gram** *s.* ˈFunkteleˌgramm *n*; **ˌ~·teˈleg·ra·phy** *s.* drahtlose Telegraˈfie; **ˌ~ˈtel·e·phone** *s.* Funksprechgerät *n*; **ˌ~·teˈleph·o·ny** *s.* drahtlose Telefoˈnie; **ˌ~ˈther·a·py** *s.* ˈStrahlen-, ˈRöntgentheraˌpie *f*.

rad·ish [ˈrædɪʃ] *s.* **1.** *a.* ***large*** ~ Rettich *m*; **2.** *a.* ***red*** ~ Raˈdieschen *n*.

ra·di·um [ˈreɪdjəm] *s.* ⚗ Radium *n*.

ra·di·us [ˈreɪdjəs] *pl.* **-di·i** [-dɪaɪ] *od.* **-di·us·es** *s.* **1.** ⩚ Radius *m*, Halbmesser *m*: ~ ***of turn*** *mot.* Wendehalbmesser; **2.** ⚙, *anat.* Speiche *f*; **3.** ⚘ Strahl(-blüte *f*) *m*; **4.** ˈUmkreis *m*: ***within a*** ~ ***of***; **5.** *fig.* (Wirkungs-, Einfluß)Bereich *m*: ~ (***of action***) Aktionsradius *m*, *mot.* Fahrbereich *m*.

ra·dix [ˈreɪdɪks] *pl.* **rad·i·ces** [ˈreɪdɪsiːz] *s.* **1.** ⩚ Basis *f*, Grundzahl *f*; **2.** ⚘, *a. ling.* Wurzel *f*.

raf·fi·a [ˈræfɪə] *s.* Raffiabast *m*.

raff·ish [ˈræfɪʃ] *adj.* ☐ **1.** liederlich; **2.** pöbelhaft, ordiˈnär.

raf·fle [ˈræfl] **I** *s.* Tombola *f*, Verlosung *f*; **II** *v/t.* *oft* ~ ***off*** *et.* (in e-r Tombola) verlosen; **III** *v/i.* losen (***for*** um).

raft [rɑːft] **I** *s.* **1.** Floß *n*; **2.** zs.-gebundenes Holz; **3.** *Am.* Treibholz(ansammlung *f*) *n*; **4.** F Unmenge *f*, ‚Haufen' *m*, ‚Latte' *f*; **II** *v/t.* **5.** flößen, als *od.* mit dem Floß befördern; **6.** zu e-m Floß zs.-binden; **7.** mit e-m Floß befahren; **ˈraft·er** [-tə] *s.* **1.** Flößer *m*; **2.** ⚙ (Dach-)Sparren *m*; **rafts·man** [ˈrɑːftsmən] *s.* [*irr.*] Flößer *m*.

rag¹ [ræg] *s.* **1.** Fetzen *m*, Lumpen *m*, Lappen *m*: ***in*** ~***s*** a) in Fetzen (*Stoff etc.*), b) zerlumpt (*Person*); ***not a*** ~ ***of evidence*** nicht den geringsten Beweis; ***chew the*** ~ a) ‚quatschen', plaudern, b) ‚meckern'; ***cook to*** ~***s*** zerkochen; ***it's a red*** ~ ***to him*** *fig.* es ist für ihn ein rotes Tuch; → ***ragtag***; **2.** *pl. Papierherstellung*: Hadern *pl.*, Lumpen *pl.*; **3.** *humor.* ‚Fetzen' *m* (*Kleid*, *Anzug*): ***not a*** ~ ***to put on*** keinen Fetzen zum Anziehen *haben*; → ***glad*** 2; **4.** *humor.* ‚Lappen' *m* (*Geldschein*, *Taschentuch etc.*); **5.** (*contp.* Käse-, Wurst)Blatt *n* (*Zeitung*); **6.** ♪ F → ***ragtime***.

rag² [ræg] *sl.* **I** *v/t.* **1.** *j-n* ‚anschnauzen'; **2.** *j-n* ‚aufziehen'; **3.** *j-m* e-n Streich spielen; **4.** *j-n* ‚piesacken', übel mitspielen (*dat.*); **II** *v/i.* **5.** Raˈdau machen; **III** *s.* **6.** Raˈdau *m*; **7.** Ulk *m*, Jux *m*.

rag·a·muf·fin [ˈrægəˌmʌfɪn] *s.* **1.** zerlumpter Kerl; **2.** Gassenkind *n*.

ˌrag|-and-ˈbone man [-gənˈb-] *s.* Lumpensammler *m*; ~ **bag** *s.* Lumpensack *m*; *fig.* Sammelˈsurium *n*: ***out of the*** ~

R

aus der ‚Klamottenkiste'; ~ **doll** *s.* Stoffpuppe *f.*

rage [reɪdʒ] **I** *s.* **1.** Wut(anfall *m*) *f*, Zorn *m*, Rage *f*: ***be in a ~*** vor Wut schäumen, toben; ***fly into a ~*** in Wut geraten; **2.** Wüten *n*, Toben *n*, Rasen *n* (*der Elemente, der Leidenschaft etc.*); **3.** Sucht *f*, Ma'nie *f*, Gier *f* (***for*** nach): ***~ for collecting things*** Sammelwut *f*; **4.** Begeisterung *f*, Taumel *m*, Rausch *m*, Ek'stase *f*: ***it is all the ~*** es ist jetzt die große Mode, alles ist wild darauf; **II** *v/i.* **5.** (*a. fig.*) toben, rasen, wüten (***at, against*** gegen).

rag fair *s.* Trödelmarkt *m.*

rag·ged ['rægɪd] *adj.* □ **1.** zerlumpt, abgerissen (*Person, Kleidung*); **2.** zottig, struppig; **3.** zerfetzt, ausgefranst (*Wunde*); **4.** zackig, gezackt (*Glas, Stein*); **5.** holp(e)rig: ***~ rhymes***; **6.** verwildert: ***a ~ garden***; **7.** roh, unfertig, fehler-, mangelhaft; zs.-hanglos; **8.** rauh (*Stimme, Ton*).

'rag·man [-mən] *s.* [*irr.*] Lumpensammler *m.*

ra·gout ['rægu:] *s.* Ra'gout *n.*

rag| pa·per *s.* ⚙ 'Hadernpa͵pier *n*; **'~͵pick·er** *s.* Lumpensammler(in); **'~·tag** *s.* Pöbel *m*, Gesindel *n*: ***~ and bobtail*** Krethi u. Plethi *pl.*; **'~·time** *s.* ♪ Ragtime *m* (*Jazzstil*).

raid [reɪd] **I** *s.* **1.** Ein-, 'Überfall *m*; Raub-, Streifzug *m*; ⚔ 'Stoßtruppunter͵nehmen *n*; ⚓ Kaperfahrt *f*; ✈ (Luft-) Angriff *m*; **2.** (Poli'zei)͵Razzia *f*; **3.** *fig.* a) (An)Sturm *m* (***on, upon*** auf *acc.*), b) *sport* Vorstoß *m*; **II** *v/t.* **4.** e-n 'Überfall machen auf (*acc.*), über'fallen, angreifen (*a.* ✈): ***~ing party*** ⚔ Stoßtrupp *m*; **5.** stürmen, plündern; **6.** e-e Razzia machen in (*dat.*); **7.** ***~ the market*** ✝ den Markt drücken.

rail[1] [reɪl] **I** *s.* **1.** ⚙ Schiene *f*, Riegel *m*, Querstange *f*; **2.** Geländer *n*; (***main***) ~ ⚓ Reling *f*; **3.** 🚂 a) Schiene *f*, b) *pl.* Gleis *n*: ***by ~*** mit der Bahn; ***run off the ~s*** entgleisen; ***off the ~s*** *fig.* aus dem Geleise, durcheinander; **4.** *pl.* ✝ 'Eisenbahn͵aktien *pl.*; **II** *v/t.* **5.** *a.* ***~ in*** mit e-m Geländer um'geben: ***~ off*** durch ein Geländer (ab)trennen.

rail[2] [reɪl] *s. orn.* Ralle *f.*

rail[3] [reɪl] *v/i.* schimpfen, lästern, fluchen (***at, against*** über *acc.*): ***~ at*** (*od.* ***against***) über *et.* herziehen, gegen *et.* wettern.

rail| bus *s.* Schienenbus *m*; **'~·car** *s.* Triebwagen *m*; **'~·head** *s.* **1.** Kopfbahnhof *m*, ⚔ Ausladebahnhof *m*; **2.** 🚂 a) Schienenkopf *m*, b) im Bau befindliches Ende (*e-r neuen Strecke*).

rail·ing ['reɪlɪŋ] *s.* **1.** *a. pl.* Geländer *n*, Gitter *n*; **2.** ⚓ Reling *f.*

rail·ler·y ['reɪlərɪ] *s.* Necke'rei *f*, Stiche'lei *f*, (gutmütiger) Spott.

rail·road ['reɪlrəʊd] *bsd. Am.* **I** *s.* **1.** *allg.* Eisenbahn *f*; **2.** *pl.* ✝ 'Eisenbahn͵aktien *pl.*; **II** *adj.* **3.** Eisenbahn...: ***~ accident***; **II** *v/t.* **4.** mit der Eisenbahn befördern; **5.** F *Gesetzesvorlage etc.* 'durchpeitschen; **6.** F a) *j-n* ‚über'fahren', zwingen (***into doing*** et. zu tun), b) *j-n* ‚abservieren'; **'rail·road·er** [-də] *s. Am.* Eisenbahner *m.*

rail·way ['reilweɪ] **I** *s.* **1.** *bsd. Brit. allg.* Eisenbahn *f*; **2.** Lo'kalbahn *f*; **II** *adj.* **3.** Eisenbahn...: ***~ accident***; ***~ car·riage*** *s.* Per'sonenwagen *m*; ***~ guard*** *s.* Zugbegleiter *m*; ***~ guide*** *s.* Kursbuch *n*; **'~·man** [-weɪmən] *s.* [*irr.*] Eisenbahner *m.*

rai·ment ['reɪmənt] *s. poet.* Kleidung *f*, Gewand *n.*

rain [reɪn] **I** *s.* **1.** Regen *m*; *pl.* Regenfälle *pl.*, -güsse *pl.*: ***the ~s*** die Regenzeit (*in den Tropen*); ***~ or shine*** bei jedem Wetter; ***as right as ~*** F ganz richtig, in Ordnung; **II** *v/i.* **2.** *impers.* regnen; → ***pour*** 6; **3.** *fig.* regnen; niederprasseln (*Schläge*); strömen (*Tränen*); **III** *v/t.* **4.** *Tropfen etc.* (her)'niedersenden, regnen: ***it's ~ing cats and dogs*** es gießt in Strömen; **5.** *fig.* (nieder)regnen *od.* (-)hageln lassen; **'~·bow** [-bəʊ] *s.* Regenbogen *m*; ***~ check*** *s. Am.* Einlaßkarte *f* für die Neuansetzung e-r wegen Regens abgebrochenen (Sport)Veranstaltung: ***may I take a ~ on it?*** *fig.* darf ich darauf (*auf Ihr Angebot etc.*) später einmal zurückkommen?; **'~·coat** *s.* Regenmantel *m*; **'~·drop** *s.* Regentropfen *m*; **'~·fall** *s.* **1.** Regen(schauer) *m*; **2.** *meteor.* Niederschlagsmenge *f*; ***~ forest*** *s.* Regenwald *m.*

rain·i·ness ['reɪnɪnɪs] *s.* **1.** Regenneigung *f*; **2.** Regenwetter *n.*

'rain|·proof I *adj.* wasserdicht; **II** *s.* Regenmantel *m*; **'~·storm** *s.* heftiger Regenguß.

rain·y ['reɪnɪ] *adj.* □ regnerisch, verregnet; Regen...(*-wetter, -wind etc.*): ***save up for a ~ day*** *fig.* e-n Notgroschen zurücklegen.

raise [reɪz] **I** *v/t.* **1.** *oft* ***~ up*** (in die Höhe) heben, auf-, em'por-, hochheben, erheben, erhöhen; *mit Kran etc.* hochwinden, -ziehen; *Augen* erheben, aufschlagen; ⚕ *Blasen* ziehen; *Kohle* fördern; *Staub* aufwirbeln; *Vorhang* hochziehen; *Teig, Brot* treiben: ***~ one's glass to*** auf *j-n* das Glas erheben, *j-m* zutrinken; ***~ one's hat*** (***to s.o.***) den Hut ziehen (vor j-m, *a. fig.*); → ***power*** 12; **2.** aufrichten, -stellen, aufrecht stellen; **3.** errichten, erstellen, (er)bauen; **4.** *Familie* gründen; *Kinder* auf-, großziehen; **5.** a) *Pflanzen* ziehen, b) *Tiere* züchten; **6.** aufwecken: ***~ from the dead*** von den Toten erwecken; **7.** *Geister* zitieren, beschwören; **8.** *Gelächter*,

R

Sturm etc. her'vorrufen, verursachen; *Erwartungen, Verdacht, Zorn* erwekken, erregen; *Gerücht* aufkommen lassen; *Schwierigkeiten* machen; **9.** *Geist, Mut* beleben, anfeuern; **10.** aufwiegeln (***against*** gegen); *Aufruhr* anstiften, -zetteln; **11.** *Geld etc.* beschaffen; *Anleihe, Hypothek, Kredit* aufnehmen; *Steuern* erheben; *Heer* aufstellen; **12.** *Stimme, Geschrei* erheben; **13.** *An-, Einspruch* erheben, *Einwand a.* vorbringen, geltend machen, *Forderung a.* stellen; *Frage* aufwerfen; *Sache* zur Sprache bringen; **14.** (ver)stärken, vergrößern, vermehren; **15.** *Lohn, Preis, Wert etc.* erhöhen, hin'aufsetzen; *Temperatur, Wette etc.* steigern; **16.** (im Rang) erhöhen: ~ ***to the throne*** auf den Thron erheben; **17.** *Belagerung, Blockade etc., a. Verbot* aufheben; **18.** ⚓ sichten; **II** *s.* **19.** Erhöhung *f; Am.* Steigung *f* (*Straße*); **20.** *bsd. Am.* (Gehalts-, Lohn)Erhöhung *f*, Aufbesserung *f*; **raised** [-zd] *adj.* **1.** erhöht; **2.** gesteigert; **3.** ⚙ erhaben; **4.** Hefe...: ~ ***cake.***

rai·sin ['reɪzn] *s.* Ro'sine *f.*

rai·son| d'é·tat [ˌreɪzɔ̃:n'deɪ'tɑ:] (*Fr.*) *s.* 'Staatsräˌson *f*; ~ **d'ê·tre** [-'deɪtrə] (*Fr.*) *s.* Daseinsberechtigung *f*, -zweck *m.*

raj [rɑ:dʒ] *s. Brit. Ind.* Herrschaft *f.*

ra·ja(h) ['rɑ:dʒə] *s.* Radscha *m* (*indischer Fürst*).

rake¹ [reɪk] **I** *s.* **1.** Rechen *m* (*a. des Croupiers etc.*), Harke *f*; **2.** ⚙ a) Rührstange *f*, b) Kratze *f*, c) Schürhaken *m*; **II** *v/t.* **3.** (glatt-, zs.-)rechen, (-)harken; **4.** *mst* ~ ***together*** zs.-scharren (*a. fig. zs.-raffen*); **5.** durch'stöbern (*a.* ~ ***up***, ~ ***over***): ~ ***up*** *fig. alte Geschichten* aufrühren; **6.** ⚔ (mit Feuer) bestreichen, ‚beharken'; **7.** über'blicken, absuchen; **III** *v/i.* **8.** rechen, harken; **9.** *fig.* her'umstöbern, -suchen (***for*** nach).

rake² [reɪk] *s.* Lebemann *m.*

rake³ [reɪk] **I** *v/i.* **1.** Neigung haben; **2.** ⚓ a) 'überhängen (*Steven*), b) Fall haben (*Mast, Schornstein*); **II** *v/t.* **3.** (nach rückwärts) neigen; **III** *s.* **4.** Neigung(swinkel *m*) *f.*

'rake-off *s.* F (Gewinn)Anteil *m.*

rak·ish¹ ['reɪkɪʃ] *adj.* □ ausschweifend, liederlich, wüst.

rak·ish² ['reɪkɪʃ] *adj.* **1.** ⚓, *mot.* schnittig (gebaut); **2.** *fig.* flott, verwegen, keck.

ral·ly¹ ['rælɪ] **I** *v/t.* **1.** *Truppen etc.* (wieder) sammeln *od.* ordnen; **2.** vereinigen, scharen (***round, to*** um *acc.*), zs.-trommeln; **3.** aufrütteln, -muntern, in Schwung bringen; **4.** *Kräfte etc.* sammeln, zs.-raffen; **II** *v/i.* **5.** sich (wieder) sammeln; **6.** *a. fig.* sich scharen (***round, to*** um *acc.*); sich zs.-tun; sich anschließen (***to*** *dat. od.* an *acc.*); **7.** *a.* ~ ***round*** sich erholen (*a. fig. u.* ⚕), neue Kräfte sammeln; *sport etc.* sich (wieder) ‚fangen'; **8.** *Tennis etc.*: a) e-n Ballwechsel ausführen, b) sich einschlagen; **III** *s.* **9.** ⚔ Sammeln *n*; **10.** Zs.-kunft *f*, Treffen *n*, Tagung *f*, Kundgebung *f*, (Massen)Versammlung *f*; **11.** Erholung *f* (*a.* ⚕ *der Preise, des Marktes*); **12.** *Tennis*: Ballwechsel *m*; **13.** *mot.* Rallye *f*, Sternfahrt *f.*

ral·ly² ['rælɪ] *v/t.* hänseln.

ral·ly·ing ['rælɪɪŋ] *adj.* Sammel...: ~ ***cry*** Parole *f*, Schlagwort *n*; ~ ***point*** Sammelpunkt *m*, -platz *m.*

ram [ræm] **I** *s.* **1.** *zo.* (*ast.* ♈) Widder *m*; **2.** ⚔ *hist.* Sturmbock *m*; **3.** ⚙ a) Ramme *f*, b) Rammbock *m*, -bär *m*, c) Preßkolben *m*; **4.** ⚓ Rammsporn *m*; **II** *v/t.* **5.** (fest-, ein)rammen (*a.* ~ ***down*** *od.* ***in***); *weitS.* (gewaltsam) stoßen, drükken; **6.** (hin'ein)stopfen: ~ ***up*** a) vollstopfen, b) verrammeln, verstopfen; **7.** *fig.* eintrichtern, -pauken: ~ ***s.th. into s.o.*** j-m et. einbleuen; → ***throat*** 1; **8.** ⚓, ✈ *etc.* rammen; *weitS.* stoßen, schmettern, ‚knallen'.

ram·ble ['ræmbl] **I** *v/i.* **1.** um'herwandern, -streifen, bummeln; **2.** sich winden (*Fluß etc.*); **3.** ⚘ wuchern, (üppig) ranken; **4.** *fig.* (vom Thema) abschweifen; drauf'losreden; **II** *s.* **5.** (Fuß)Wanderung *f*, Streifzug *m*; Bummel *m*; **'ram·bler** [-lə] *s.* **1.** Wand(e)rer *m*, Wand(r)erin *f*; **2.** *a.* ***crimson*** ~ ⚘ Kletterrose *f*; **'ram·bling** [-lɪŋ] **I** *adj.* □ **1.** um'herwandernd, -streifend: ~ ***club*** Wanderverein *m*; **2.** ⚘ (üppig) rankend, wuchernd; **3.** weitläufig, verschachtelt (*Gebäude*); **4.** *fig.* abschweifend, weitschweifig, planlos; **II** *s.* **5.** Wandern *n*, Um'herstreifen *n.*

ram·bunc·tious [ræm'bʌŋkʃəs] *adj.* laut, lärmend, wild.

ram·ie ['ræmi:] *s.* Ra'mie(faser) *f.*

ram·i·fi·ca·tion [ˌræmɪfɪ'keɪʃn] *s.* Verzweigung *f*, -ästelung *f* (*a. fig.*); **ram·i·fy** ['ræmɪfaɪ] *v/t. u. v/i.* (sich) verzweigen (*a. fig.*).

ram·jet (en·gine) ['ræmdʒet] *s.* ⚙ Staustrahltriebwerk *n.*

ramp¹ [ræmp] **I** *s.* **1.** Rampe *f* (*a.* ⚠ *Abdachung*); **2.** (schräge) Auffahrt, (Lade)Rampe *f*; **3.** Krümmling *m* (*am Treppengeländer*); **4.** ✈ (fahrbare) Treppe; **II** *v/i.* **5.** sich (drohend) aufrichten, zum Sprung ansetzen (*Tier*); **6.** toben, wüten; **7.** ⚘ wuchern; **III** *v/t.* **8.** mit e-r Rampe versehen.

ramp² [ræmp] *s. Brit. sl.* Betrug *m.*

ram·page [ræm'peɪdʒ] **I** *v/i.* toben, wüten; **II** *s.*: ***be on the*** ~ a) (sich aus)toben, b) *fig.* grassieren, um sich greifen, wüten; **ram'pa·geous** [-dʒəs] *adj.* □ wild, wütend.

ramp·an·cy ['ræmpənsɪ] *s.* **1.** Über-

'handnehmen *n*, 'Umsichgreifen *n*, Grassieren *n*; **2.** *fig.* wilde Ausgelassenheit, Wildheit *f*; **'ramp·ant** [-nt] *adj.* □ **1.** wild, zügellos, ausgelassen; **2.** über'handnehmend: ***be ~*** → ***rampage*** II b; **3.** üppig, wuchernd (*Pflanzen*); **4.** (drohend) aufgerichtet, sprungbereit (*Tier*); **5.** *her.* steigend.

ram·part ['ræmpɑːt] *s.* ⚔ a) Brustwehr *f*, b) (Schutz)Wall *m* (*a. fig.*).

ram·rod ['ræmrɒd] *s.* ⚔ *hist.* Ladestock *m*: ***as stiff as a ~*** als hätte *er etc.* e-n Ladestock verschluckt.

ram·shack·le ['ræmˌʃækl] *adj.* baufällig, wack(e)lig; klapp(e)rig.

ran[1] [ræn] *pret. von* ***run***.

ran[2] [ræn] *s.* **1.** Docke *f* Bindfaden; **2.** ⚓ aufgehaspeltes Kabelgarn.

ranch [rɑːntʃ; *bsd. Am.* ræntʃ] **I** *s.* Ranch *f*, (*bsd.* Vieh)Farm *f*; **II** *v/i.* Viehzucht treiben; **'ranch·er** [-tʃə] *s. Am.* **1.** Rancher *m*, Viehzüchter *m*; **2.** Farmer *m*; **3.** Rancharbeiter *m*.

ran·cid ['rænsɪd] *adj.* **1.** ranzig (*Butter etc.*); **2.** *fig.* widerlich; **ran·cid·i·ty** [ræn'sɪdətɪ], **'ran·cid·ness** [-nɪs] *s.* Ranzigkeit *f*.

ran·cor *Am.* → ***rancour***.

ran·cor·ous ['ræŋkərəs] *adj.* □ erbittert, voller Groll, giftig; **ran·cour** ['ræŋkə] *s.* Groll *m*, Haß *m*.

ran·dom ['rændəm] **I** *adj.* □ ziel-, wahllos, zufällig, aufs Gerate'wohl, Zufalls…: ***~ mating*** *biol.* Zufallspaarung *f*; ***~ sample*** (*od.* ***test***) Stichprobe *f*; ***~ shot*** Schuß *m* ins Blaue; ***~ access*** *Computer*: wahlfreier *od.* direkter Zugriff; **II** *s.*: ***at ~*** aufs Geratewohl, auf gut Glück, blindlings, zufällig: ***talk at ~*** (wild) drauflosreden.

rand·y ['rændɪ] *adj.* F geil.

ra·nee [ˌrɑː'niː] *s.* Rani *f* (*indische Fürstin*).

rang [ræŋ] *pret. von* ***ring***[2].

range [reɪndʒ] **I** *s.* **1.** Reihe *f*; (*a.* Berg-)Kette *f*; **2.** (Koch-, Küchen)Herd *m*; **3.** Schießstand *m*, -platz *m*; **4.** Entfernung *f zum Ziel*, Abstand *m*: ***at a ~ of*** aus (*od.* in) e-r Entfernung von; ***at close ~*** aus der Nähe; ***find the ~*** ⚔ sich einschießen; ***take the ~*** die Entfernung schätzen; **5.** *bsd.* ⚔ Reich-, Trag-, Schußweite *f*; ⚓ Laufstrecke *f* (*Torpedo*); ✈ Flugbereich *m*: ***at close ~*** aus nächster Nähe; ***out of ~*** außer Schußweite; ***within ~ of vision*** in Sichtweite; → ***long-range***; **6.** Ausdehnung *f*, (ausgedehnte) Fläche; **7.** *fig.* Bereich *m*, Spielraum *m*, Grenzen *pl.*; (⚘, *zo.* Verbreitungs)Gebiet *n*: ***~ (of action)*** Aktionsbereich; ***~ (of activities)*** (Betätigungs)Feld *n*; ***~ of application*** Anwendungsbereich; ***~ of prices*** ⚚ Preislage *f*, -klasse *f*; ***~ of reception*** *Funk*: Empfangsbereich; ***boiling ~*** *phys.* Siedebereich; **8.** ⚚ Kollekti'on *f*, Sorti'ment *n*: ***a wide ~ (of goods)*** e-e große Auswahl, ein großes Angebot; **9.** Bereich *m*, Gebiet *n*, Raum *m*: ***~ of knowledge*** Wissensbereich; ***~ of thought*** Ideenkreis *m*; **10.** ♪ a) 'Ton-, 'Stimmˌumfang *m*, b) Ton-, Stimmlage *f*; **II** *v/t.* **11.** (in Reihen) aufstellen *od.* anordnen; **12.** einreihen, -ordnen: ***~ o.s. with*** (*od.* ***on the side of***) zu *j-m* halten; **13.** *Gebiet etc.* durch'streifen, -'wandern; **14.** längs *der Küste* fahren, entlangfahren; **15.** *Teleskop etc.* einstellen; **16.** ⚔ a) *Geschütz* richten (***on*** auf *acc.*), b) e-e Reichweite haben von, tragen; **III** *v/i.* **17.** (***with***) e-e Reihe *od.* Linie bilden (mit), in e-r Reihe *od.* Linie stehen (mit); **18.** sich erstrecken, verlaufen, reichen; **19.** *fig.* rangieren (***among*** unter), im gleichen Rang stehen (***with*** mit); zählen, gehören (***with*** zu); **20.** (um'her)streifen, (-)schweifen, wandern (*a. Auge, Blick*); **21.** ⚘, *zo.* vorkommen, verbreitet *od.* zu finden sein; **22.** schwanken, sich bewegen (***from … to …*** *od.* ***between … and …*** zwischen … und …) (*Zahlenwert, Preis etc.*); **23.** ⚔ sich einschießen (*Geschütz*).

'range-ˌfind·er *s.* ⚔, *phot.* Entfernungsmesser *m* (⚔ *a. Mann*).

rang·er ['reɪndʒə] *s.* **1.** *Am.* Ranger *m*: a) *Wächter e-s Nationalparks*, b) *mst* 2 *Angehöriger e-r Schutztruppe e-s Bundesstaates*, c) ⚔ *Angehöriger e-r Kommandotruppe*; **2.** *Brit.* Aufseher *m* e-s königlichen Forsts *od.* Parks (*Titel*); **3.** *a.* ***~ guide*** *Brit.* Ranger *f* (*Pfadfinderin über 16 Jahre*).

rank[1] [ræŋk] **I** *s.* **1.** Reihe *f*, Linie *f*; **2.** ⚔ a) Glied *n*, b) Rang *m*, Dienstgrad *m*: ***the ~s*** (Unteroffiziere und) Mannschaften; ***~ and file*** ⚔ *der* Mannschaftsstand, *pol.* die Basis (*e-r Partei*); ***in ~ and file*** in Reih und Glied; ***close the ~s*** die Reihen schließen; ***join the ~s*** ins Heer eintreten; ***rise from the ~s*** von der Pike auf dienen (*a. fig.*); **3.** (sozi'ale) Klasse, Stand *m*, Schicht *f*, Rang *m*: ***man of ~*** Mann von Stand; ***~ and fashion*** die vornehme Welt; ***of second ~*** zweitrangig; ***take ~ of*** den Vorrang haben vor (*dat.*); ***take ~ with*** mit *j-m* gleichrangig sein; **II** *v/t.* **4.** (ein-)reihen, (-)ordnen, klassifizieren; **5.** *Truppe etc.* aufstellen, formieren; **6.** *fig.* rechnen, zählen (***with***, ***among*** zu): ***I ~ him above Shaw*** ich stelle ihn über Shaw; **III** *v/i.* **7.** sich reihen *od.* ordnen; ⚔ (in geschlossener Formati'on) marschieren; **8.** e-n Rang *od.* e-e Stelle einnehmen, rangieren (***above*** über *dat.*, ***below*** unter *dat.*, ***next to*** hinter *dat.*): ***~ as*** gelten als; ***~ first*** an erster Stelle stehen; ***~ high*** e-n hohen Rang einnehmen, *a.* e-n hohen Stellenwert haben;

~ing officer *Am.* rangältester Offizier; **9.** *~ among*, *~ with* gehören *od.* zählen zu.

rank² [ræŋk] *adj.* □ **1.** a) üppig, geil wachsend (*Pflanzen*), b) verwildert (*Garten*); **2.** fruchtbar, fett (*Boden*); **3.** stinkend, ranzig; **4.** widerlich, scharf (*Geruch od. Geschmack*); **5.** kraß: *~ outsider*; *~ beginner* blutiger Anfänger; *~ nonsense* blühender Unsinn; **6.** ekelhaft, unanständig.

rank·er ['ræŋkə] *s.* ⚔ a) einfacher Sol'dat, b) aus dem Mannschaftsstand her'vorgegangener Offi'zier.

ran·kle ['ræŋkl] *v/i.* **1.** eitern, schwären (*Wunde*); **2.** *fig.* nagen, fressen, weh tun: *~ with* *j-n* wurmen, *j-m* weh tun.

ran·sack ['rænsæk] *v/t.* **1.** durch'wühlen; **2.** plündern, ausrauben.

ran·som ['rænsəm] **I** *s.* **1.** Loskauf *m*, Auslösung *f*; **2.** Lösegeld *n*: *a king's ~* e-e Riesensumme; *hold to ~* a) *j-n* gegen Lösegeld gefangenhalten, b) *fig.* *j-n* erpressen; **3.** *eccl.* Erlösung *f*; **II** *v/t.* **4.** los-, freikaufen; **5.** *eccl.* erlösen.

rant [rænt] **I** *v/i.* **1.** toben, lärmen; **2.** schwadronieren, Phrasen dreschen; **3.** *obs.* geifern (*at*, *against* über *acc.*); **II** *v/t.* **4.** pa'thetisch vortragen; **III** *s.* **5.** Wortschwall *m*; Schwulst *m*, leeres Gerede, ˌPhrasendresche'rei *f*; **'rant·er** [-tə] *s.* **1.** pa'thetischer Redner, Kanzelpauker *m*; **2.** Schwadro'neur *m*, Großsprecher *m*.

ra·nun·cu·lus [rə'nʌŋkjʊləs] *pl.* **-lus·es, -li** [-laɪ] *s.* ⚘ Ra'nunkel *f*.

rap¹ [ræp] **I** *v/t.* **1.** klopfen *od.* pochen an *od.* auf (*acc.*): *~ s.o.'s fingers*, *~ s.o. over the knuckles* *bsd. fig.* j-m auf die Finger klopfen; **2.** *Am. sl.* a) *j-m* e-e ‚Zi'garre' verpassen, b) *j-n*, *et.* scharf kritisieren, c) *j-n* ‚verdonnern', d) *j-n* ‚schnappen'; **3.** *~ out* a) durch Klopfen mitteilen (*Geist*), b) *Worte* her'auspoltern, ‚bellen'; **II** *v/i.* **4.** klopfen, pochen, schlagen (*at* an *acc.*); **III** *s.* **5.** Klopfen *n*; **6.** Schlag *m*; **7.** *Am.* F a) scharfe Kri'tik, b) ‚Zi'garre' *f*, Rüge *f*; **8.** *Am. sl.* a) Anklage *f*, b) Strafe *f*, c) Schuld *f*: *~ sheet* Strafregister *n*; *beat the ~* sich rauswinden; *take the ~* (zu e-r Strafe) ‚verdonnert' werden; **9.** *Am.* F ‚Plausch' *m*: *~ session* (Gruppen-)Diskussion *f*.

rap² [ræp] *s. fig.* Heller *m*, Deut *m*: *I don't care* (*od. give*) *a ~* (*for it*) das ist mir ganz egal; *it is not worth a ~* es ist keinen Pfifferling wert.

ra·pa·cious [rə'peɪʃəs] *adj.* □ raubgierig, Raub...(*-tier*, *-vogel*); *fig.* (hab)gierig; **ra'pa·cious·ness** [-nɪs], **ra'pac·i·ty** [-'pæsətɪ] *s.* **1.** Raubgier *f*; **2.** *fig.* Habgier *f*.

rape¹ [reɪp] **I** *s.* **1.** Vergewaltigung *f* (*a. fig.*), ⚖ Notzucht *f*: *~ and murder* Lustmord *m*; *statutory ~* *Am.* ⚖ Unzucht mit Minderjährigen; **2.** Entführung *f*, Raub *m*; **II** *v/t.* **3.** vergewaltigen; **4.** *obs.* rauben.

rape² [reɪp] *s.* ⚘ Raps *m*.

rape³ [reɪp] *s.* Trester *pl.*

rape|·oil *s.* Rüb-, Rapsöl *n*; **'~·seed** *s.* Rübsamen *m*.

rap·id ['ræpɪd] **I** *adj.* □ **1.** schnell, rasch, ra'pid(e); reißend (*Fluß*; ✝ *Absatz*); Schnell...: *~ fire* ⚔ Schnellfeuer *n*; *~ transit* *Am.* Nahschnellverkehr *m*; **2.** jäh, steil (*Hang*); **3.** *phot.* a) lichtstark (*Objektiv*), b) hochempfindlich (*Film*); **II** *s.* **4.** *pl.* Stromschnelle(n *pl.*) *f*; **ra·pid·i·ty** [rə'pɪdətɪ] *s.* Schnelligkeit *f*, (rasende) Geschwindigkeit.

ra·pi·er ['reɪpjə] *s.* *fenc.* Ra'pier *n*: *~ thrust* *fig.* sar'kastische Bemerkung.

rap·ist ['reɪpɪst] *s.* Vergewaltiger *m*: *~-killer* Lustmörder *m*.

rap·port [ræ'pɔː] *s.* (enge, per'sönliche) Beziehung: *be in* (*od. en*) *~ with* mit *j-m* in Verbindung stehen, *fig.* gut harmonieren mit.

rap·proche·ment [ræ'prɒʃmɑ̃ːŋ] (*Fr.*) *s. bsd. pol.* (Wieder)'Annäherung *f*.

rapt [ræpt] *adj.* **1.** versunken, verloren (*in* in *acc.*): *~ in thought*; **2.** hingerissen, entzückt (*with*, *by* von); **3.** verzückt (*Lächeln etc.*); gespannt (*upon* auf *acc.*) (*a. Aufmerksamkeit*).

rap·to·ri·al [ræp'tɔːrɪəl] *orn.* **I** *adj.* Raub...; **II** *s.* Raubvogel *m*.

rap·ture ['ræptʃə] *s.* **1.** Entzücken *n*, Verzückung *f*, Begeisterung *f*, Taumel *m*: *in ~s* hingerissen (*at* von); *go into ~s* in Verzückung geraten (*over* über *acc.*); *~ of the deep* ⚕ Tiefenrausch *m*; **2.** *pl.* Ausbruch *m* des Entzückens, Begeisterungstaumel *m*; **'rap·tur·ous** [-tʃərəs] *adj.* □ **1.** entzückt, hingerissen; **2.** stürmisch, begeistert (*Beifall etc.*); **3.** verzückt (*Gesicht*).

rare¹ [reə] *adj.* □ **1.** selten, rar (*a. fig. ungewöhnlich, hervorragend, köstlich*): *~ earth* ⚗ seltene Erde; *~ fun* F Mordsspaß *m*; *~ gas* Edelgas *n*; **2.** *phys.* dünn (*Luft*).

rare² [reə] *adj.* halbgar, nicht 'durchgebraten (*Fleisch*); englisch (*Steak*).

rare·bit ['reəbɪt] *s.*: *Welsh ~* überbackene Käseschnitte.

rar·ee show ['reəriː] *s.* **1.** Guckkasten *m*; **2.** Straßenzirkus *m*; **3.** *fig.* Schauspiel *n*.

rar·e·fac·tion [ˌreərɪ'fækʃn] *s. phys.* Verdünnung *f*; **rar·e·fy** ['reərɪfaɪ] **I** *v/t.* **1.** verdünnen; **2.** *fig.* verfeinern; **II** *v/i.* **3.** sich verdünnen.

rare·ness ['reənɪs] → *rarity*.

rar·ing ['reərɪŋ] *adj.*: *~ to do s.th.* F ganz wild darauf, et. zu tun.

rar·i·ty ['reərətɪ] *s.* **1.** Seltenheit *f*: a) *seltenes Vorkommen*, b) Rari'tät *f*,

Kostbarkeit *f*; **2.** Vor'trefflichkeit *f*; **3.** *phys.* Verdünnung *f*.

ras·cal ['rɑːskəl] *s.* **1.** Schuft *m*, Schurke *m*, Ha'lunke *m*; **2.** *humor.* a) Gauner *m*, b) Frechdachs *m* (*Kind*); **ras·cal·i·ty** [rɑː'skælətɪ] *s.* Schurke'rei *f*; **'ras·cal·ly** [-kəlɪ] *adj u. adv.* niederträchtig, gemein.

rash¹ [ræʃ] *adj.* □ **1.** hastig, über'eilt, -'stürzt, vorschnell: ***a ~ decision***; **2.** unbesonnen.

rash² [ræʃ] *s.* ⚕ (Haut)Ausschlag *m*.

rash·er ['ræʃə] *s.* (dünne) Scheibe Frühstücksspeck *od.* Schinken.

rash·ness ['ræʃnɪs] *s.* **1.** Hast *f*, Über'eiltheit *f*, -'stürztheit *f*; **2.** Unbesonnenheit *f*.

rasp [rɑːsp] **I** *v/t.* **1.** raspeln, feilen, schaben; **2.** *fig. Gefühle etc.* verletzen; *Ohren* beleidigen; *Nerven* reizen; **3.** krächzen(d äußern); **II** *s.* **4.** Raspel *f*, Grobfeile *f*; Reibeisen *n*.

rasp·ber·ry ['rɑːzbərɪ] *s.* **1.** ⚘ Himbeere *f*; **2.** *a.* ***~ cane*** ⚘ Himbeerstrauch *m*; **3.** ***give*** (*od.* ***blow***) ***a ~*** *fig. sl.* verächtlich schnauben.

rasp·ing ['rɑːspɪŋ] **I** *adj.* □ **1.** kratzend, krächzend (*Stimme etc.*); **II** *s.* **2.** Raspeln *n*; **3.** *pl.* Raspelspäne *pl.*

ras·ter ['ræstə] *s. opt.*, *TV* Raster *m*.

rat [ræt] **I** *s.* **1.** *zo.* Ratte *f*: ***smell a ~*** *fig.* Lunte *od.* den Braten riechen, Unrat wittern; ***like a drowned ~*** pudelnaß; ***~s!*** ‚Quatsch'!; **2.** *pol.* F 'Überläufer *m*, Abtrünnige(r *m*) *f*; **3.** F a) *allg.* Verräter *m*, b) ‚Schwein' *n*, c) Spitzel *m*, d) Streikbrecher *m*; **II** *v/i.* **4.** *pol.* F 'überlaufen, *allg.* Verrat begehen: ***~ on*** a) *j-n* verraten *od.* im Stich lassen, b) *Kumpane* ‚verpfeifen', c) *et.* widerrufen, d) aus *et.* ‚aussteigen'; **5.** Ratten fangen.

rat·a·bil·i·ty [ˌreɪtə'bɪlətɪ] *s.* **1.** (Ab-)Schätzbarkeit *f*; **2.** Verhältnismäßigkeit *f*; **3.** *bsd. Brit.* Steuerbarkeit *f*, 'Umlagepflicht *f*; **rat·a·ble** ['reɪtəbl] *adj.* □ **1.** (ab)schätzbar, abzuschätzen(d), bewertbar; **2.** anteilmäßig, proportio'nal; **3.** *bsd. Brit.* (kommu'nal)steuerpflichtig; zollpflichtig: ***~ value*** Einheitswert *m*.

ratch [rætʃ] *s.* ⚙ **1.** (gezahnte) Sperrstange; **2.** Auslösung *f* (*Uhr*).

ratch·et ['rætʃɪt] *s.* ⚙ Sperrklinke *f*; **~ wheel** *s.* ⚙ Sperrad *n*.

rate¹ [reɪt] **I** *s.* **1.** (Verhältnis)Ziffer *f*, Quote *f*, Maß(stab *m*) *n*, (*Wachstums-*, *Inflations- etc.*)Rate *f*: ***birth ~*** Geburtenziffer; ***death ~*** Sterblichkeitsziffer; ***at the ~ of*** im Verhältnis von (→ 2 *u.* 6); ***at a fearful ~*** in erschreckendem Ausmaß; **2.** (*Diskont-*, *Lohn-*, *Steuer- etc.*)Satz *m*, Kurs *m*, Ta'rif *m*: ***~ of exchange*** (Umrechnungs-, Wechsel-)Kurs; ***~ of the day*** Tageskurs; ***at the ~ of*** zum Satze von; **3.** (festgesetzter) Preis, Betrag *m*, Taxe *f*: ***at any ~*** *fig.* a) auf jeden Fall, b) wenigstens; ***at that ~*** unter diesen Umständen; **4.** (Post- *etc.*) Gebühr *f*, Porto *n*; (Gas-, Strom-)Preis *m*: ***inland ~*** Inlandporto; **5.** *Brit.* (Kommu'nal)Steuer *f*, (Gemeinde)Abgabe *f*; **6.** (rela'tive) Geschwindigkeit: ***~ of climb*** ✈ Steiggeschwindigkeit; ***~ of energy*** *phys.* Energiemenge *f* pro Zeiteinheit; ***~ of an engine*** Motorleistung *f*; ***~ plate*** ⚙ Leistungsschild *n*; ***at the ~ of*** mit e-r Geschwindigkeit von; **7.** Grad *m*, Rang *m*, Klasse *f*; **8.** ⚓ a) Klasse *f* (*Schiff*), b) Dienstgrad *m* (*Matrose*); **II** *v/t.* **9.** *et.* abschätzen, taxieren (***at*** auf *acc.*); **10.** *j-n* einschätzen, beurteilen; ⚓ *Seemann* einstufen; **11.** *Preis etc.* bemessen, ansetzen; *Kosten* veranschlagen: ***~ up*** höher versichern; **12.** *j-n* betrachten als, halten für; **13.** rechnen, zählen (***among*** zu); **14.** *Brit.* a) (zur Steuer) veranlagen, b) besteuern; **15.** *Am. sl. et.* wert sein, Anspruch haben auf (*acc.*); **III** *v/i.* **16.** angesehen werden, gelten (***as*** als): ***~ high*** (***low***) hoch (niedrig) ‚im Kurs stehen', e-n hohen Stellenwert haben; ***~ above*** (***below***) rangieren, stehen über (unter) *j-m od. e-r Sache*; ***~ with s.o.*** bei j-m e-n Stein im Brett haben; ***she*** (***it***) ***~d high with him*** sie (es) galt viel bei ihm; **17.** ***~ among*** zählen zu.

rate² [reɪt] **I** *v/t.* ausschelten (***for***, ***about*** wegen); **II** *v/i.* schimpfen (***at*** auf *acc.*).

rate·a·bil·i·ty *etc.* → ***ratability*** *etc.*

rat·ed ['reɪtɪd] *adj.* **1.** (gemeinde)steuerpflichtig; **2.** ⚙ Nenn...: ***~ power*** Nennleistung *f*.

'rateˌpay·er *s. Brit.* (Gemeinde)Steuerzahler(in).

rath·er ['rɑːðə] *adv.* **1.** ziemlich, fast, etwas: ***~ cold*** ziemlich kalt; ***I would ~ think*** ich möchte fast glauben; ***I ~ expected it*** ich habe es fast erwartet; **2.** lieber, eher (***than*** als): ***I would*** (*od.* ***had***) ***much ~ go*** ich möchte viel lieber gehen; **3.** (***or*** oder) vielmehr, eigentlich, besser gesagt; **4.** *bsd. Brit.* F (ja) freilich!, aller'dings!

rat·i·fi·ca·tion [ˌrætɪfɪ'keɪʃn] *s.* **1.** Bestätigung *f*, Genehmigung *f*; **2.** *pol.* Ratifizierung *f*; **rat·i·fy** ['rætɪfaɪ] *v/t.* **1.** bestätigen, genehmigen, gutheißen; **2.** *pol.* ratifizieren.

rat·ing¹ ['reɪtɪŋ] *s.* **1.** (Ab)Schätzung *f*, Bewertung *f*, (*a.* Leistungs)Beurteilung *f*; *ped. Am.* (Zeugnis)Note *f*; *Radio*, *TV*: Einschaltquote *f*; **2.** (Leistungs-)Stand *m*, Ni'veau *n*; **3.** *fig.* Stellenwert *m*; **4.** ⚓ a) Dienstgrad *m*, b) *Brit.* Ma'trose *m*, c) *pl. Brit.* Leute *pl.* e-s bestimmten Dienstgrades; **5.** ⚓ (Segel-)Klasse *f*; **6.** ✝ Kre'ditwürdigkeit *f*; **7.** Ta'rif *m*; **8.** *Brit.* a) (Gemeindesteuer-)

R

Veranlagung *f*, b) Steuersatz *m*; **9.** ⚙ (Nenn)Leistung *f*, Betriebsdaten *pl.*

rat·ing² ['reɪtɪŋ] *s.* heftige Schelte.

ra·tio ['reɪʃɪəʊ] *s.* **1.** ⩤ *etc.* Verhältnis *n*: *~ of distribution* Verteilungsschlüssel *m*; *be in the inverse ~* a) im umgekehrten Verhältnis stehen, b) ⩤ umgekehrt proportional sein (*to* zu); **2.** ⩤ Quoti'ent *m*; **3.** ✝ Wertverhältnis *n* zwischen Gold u. Silber; **4.** ⚙ Über'setzungsverhältnis *n* (*e-s Getriebes*).

ra·ti·oc·i·na·tion [ˌrætɪɒsɪ'neɪʃn] *s.* **1.** logisches Denken; **2.** logischer Gedankengang *od.* Schluß.

ra·tion ['ræʃn] **I** *s.* **1.** Rati'on *f*, Zuteilung *f*: *~ card* Lebensmittelkarte *f*; *off the ~* markenfrei; **2.** ⚔ (Tages)Verpflegungssatz *m*; **3.** *pl.* Lebensmittel *pl.*, Verpflegung *f*; **II** *v/t.* **4.** rationieren, (zwangs)bewirtschaften; **5.** *a. ~ out* (in Rationen) zuteilen; **6.** ⚔ verpflegen.

ra·tion·al ['ræʃənl] *adj.* □ **1.** vernünftig: a) vernunftmäßig, ratio'nal, b) vernunftbegabt, c) verständig; **2.** zweckmäßig, ratio'nal (*a.* ⩤); **ra·tion·ale** [ˌræʃə'nɑːl] *s.* **1.** 'Grundprinˌzip *n*; **2.** vernunftmäßige Erklärung.

ra·tion·al·ism ['ræʃnəlɪzəm] *s.* Rationa'lismus *m*; **'ra·tion·al·ist** [-ɪst] **I** *s.* Rationa'list *m*; **II** *adj.* → **ra·tion·al·is·tic** [ˌræʃnə'lɪstɪk] *adj.* (□ *~ally*) rationa'listisch; **ra·tion·al·i·ty** [ˌræʃə'nælətɪ] *s.* **1.** Vernünftigkeit *f*; **2.** Vernunft *f*, Denkvermögen *n*; **ra·tion·al·i·za·tion** [ˌræʃnəlaɪ'zeɪʃn] *s.* **1.** Rationalisieren *n*; **2.** ✝ Rationalisierung *f*; **'ra·tion·al·ize** [-laɪz] **I** *v/t.* **1.** ratio'nal erklären, vernunftgemäß deuten; **2.** ✝ rationalisieren; **II** *v/i.* **3.** ratio'nell verfahren; **4.** rationa'listisch denken.

ra·tion·ing ['ræʃnɪŋ] *s.* Rationierung *f*.

rat race *s.* **1.** ‚Hetzjagd' *f* (*des Lebens*); **2.** harter (Konkur'renz)Kampf; **3.** Teufelskreis *m*.

rats·bane ['rætsbeɪn] *s.* Rattengift *n*.

rat-tat [ˌræt'tæt], *a.* **rat-tat-tat** [ˌrætə'tæt] **I** *s.* Rattern *n*, Geknatter *n*; **II** *v/i.* knattern.

rat·ten ['rætn] *v/i. bsd. Brit.* (die Arbeit) sabotieren, Sabo'tage treiben.

rat·ter ['rætə] *s.* Rattenfänger *m* (*Hund od. Katze*).

rat·tle ['rætl] **I** *v/i.* **1.** rattern, klappern, rasseln, klirren: *~ at the door* an der Tür rütteln; *~ off* losrattern, davonjagen; **2.** röcheln; rasseln (*Atem*); **3.** *a. ~ away od. on* plappern; **II** *v/t.* **4.** rasseln mit *od.* an (*dat.*); an *der Tür etc.* rütteln; mit *Geschirr etc.* klappern; → *sabre* 1; **5.** *a. ~ off Rede etc.* ‚her'unterrasseln'; **6.** F *j-n* aus der Fassung bringen, verunsichern; **III** *s.* **7.** Rattern *n*, Gerassel *n*, Klappern *n*; **8.** Rassel *f*, (Kinder)Klapper *f*; **9.** Röcheln *n*; **10.** Lärm *m*, Trubel *m*; **11.** ⚘ a) *red ~* Sumpfläusekraut *n*, b) *yellow ~* Klappertopf *m*; **'~·brain** *s.* Hohl-, Wirrkopf *m*; **'~·brained** [-breɪnd] **'~-ˌpat·ed** [-ˌpeɪtɪd] *adj.* hohl-, wirrköpfig; **'~·snake** *s.* Klapperschlange *f*; **'~·trap** F **I** *s.* **1.** Klapperkasten *m* (*Fahrzeug etc.*); **2.** *mst pl.* (Trödel)Kram *m*; **II** *adj.* **3.** klapperig.

rat·tling ['rætlɪŋ] **I** *adj.* **1.** ratternd, klappernd; **2.** lebhaft; **3.** F schnell: *at a ~ pace* in rasendem Tempo; **4.** F ‚toll'; **II** *adv.* **5.** äußerst.

rat·ty ['rætɪ] *adj.* **1.** rattenverseucht; **2.** Ratten...; **3.** *sl.* gereizt, bissig.

rau·cous ['rɔːkəs] *adj.* □ rauh, heiser.

rav·age ['rævɪdʒ] **I** *s.* **1.** Verwüstung *f*, Verheerung *f*; **2.** *pl.* verheerende (Aus-) Wirkungen *pl.*: *the ~s of time* der Zahn der Zeit; **II** *v/t.* **3.** verwüsten, verheeren; plündern: *a face ~d by grief fig.* ein gramzerfurchtes Gesicht; **III** *v/i.* **4.** Verheerungen anrichten.

rave [reɪv] **I** *v/i.* **1.** a) phantasieren, irrereden, b) toben, wüten (*a. fig. Sturm etc.*), c) *fig.* wettern; **2.** schwärmen (*about, of* von); **II** *s.* **3.** Pracht *f*; **4.** F Schwärme'rei *f*: *~ review* ‚Bombenkritik' *f*; **5.** *Brit. sl.* a) Mode *f*, b) → *rave-up*.

rav·el ['rævl] **I** *v/t.* **1.** *a. ~ out* ausfasern, auftrennen; entwirren (*a. fig.*); **2.** verwirren, -wickeln (*a. fig.*); **II** *v/i.* **3.** *a. ~ out* sich auftrennen, sich ausfasern; sich entwirren (*a. fig.*); **III** *s.* **4.** Verwirrung *f*, -wicklung *f*; **5.** loser Faden.

ra·ven¹ ['reɪvn] **I** *s. orn.* Rabe *m*; **II** *adj.* (kohl)rabenschwarz.

rav·en² ['rævn] **I** *v/i.* **1.** rauben, plündern; **2.** gierig (fr)essen; **3.** Heißhunger haben; **4.** lechzen (*for* nach); **II** *v/t.* **5.** (gierig) verschlingen.

rav·en·ous ['rævənəs] *adj.* □ **1.** ausgehungert, heißhungrig (*beide a. fig.*); **2.** gierig (*for* auf *acc.*): *~ hunger* Bärenhunger *m*; **3.** gefräßig; **4.** raubgierig (*Tier*).

'rave-up *s. Brit. sl.* ‚tolle Party'.

ra·vine [rə'viːn] *s.* (Berg)Schlucht *f*, Klamm *f*; Hohlweg *m*.

rav·ing ['reɪvɪŋ] **I** *adj.* □ **1.** tobend, rasend; **2.** phantasierend, delirierend; **3.** F ‚toll', phan'tastisch: *a ~ beauty*; **II** *s.* **4.** *mst pl.* a) Rase'rei *f*, b) De'lirien *pl.*, Fieberwahn *m*.

rav·ish ['rævɪʃ] *v/t.* **1.** entzücken, hinreißen; **2.** *obs. Frau* a) vergewaltigen, schänden, b) entführen; **3.** *rhet.* rauben, entreißen; **'rav·ish·er** [-ʃə] *s. obs.* **1.** Schänder *m*; **2.** Entführer *m*; **'rav·ish·ing** [-ʃɪŋ] *adj.* □ hinreißend, entzückend.

raw [rɔː] **I** *adj.* □ **1.** roh (*a. fig. grob*); **2.** roh, ungekocht; **3.** ⚙, ✝ roh, Roh..., unbearbeitet, *a.* ungegerbt (*Leder*), ungewalkt (*Tuch*), ungesponnen (*Wolle*

R

etc.), unvermischt, unverdünnt (*Spirituosen*): ~ ***material*** Rohmaterial *n*, -stoff *m* (*a. fig.*); ~ ***silk*** Rohseide *f*; **4.** *phot.* unbelichtet; **5.** roh, noch nicht ausgewertet: ~ ***data***; **6.** *Am.* nagelneu; **7.** wund(gerieben); offen (*Wunde*); **8.** unwirtlich, rauh, naßkalt (*Wetter*, *Klima etc.*); **9.** unerfahren, ‚grün'; **10.** *sl.* gemein: ***a ~ deal*** e-e Gemeinheit; **II** *s.* **11.** wund(gerieben)e Stelle; **12.** *fig.* wunder Punkt: ***touch s.o. on the ~*** j-n an s-r empfindlichen Stelle treffen; **13.** ☤ Rohstoff *m*; **14.** ***in the ~*** a) im Naturzustand, b) nackt: ***life in the ~*** *fig.* die grausame Härte des Lebens; **'~-boned** *adj.* hager, (grob)knochig; **'~-hide** *s.* **1.** Rohhaut *f*, -leder *n*; **2.** Peitsche *f*.

raw·ness ['rɔːnɪs] *s.* **1.** Rohzustand *m*; **2.** Unerfahrenheit *f*; **3.** Wundsein *n*; **4.** Rauheit *f des Wetters*.

ray¹ [reɪ] **I** *s.* **1.** (Licht)Strahl *m*; **2.** *fig.* (*Hoffnungs- etc.*)Strahl *m*, Schimmer *m*; **3.** *phys.*, ⩓, ⚘ Strahl *m*: ~ ***treatment*** ⚕ Strahlenbehandlung *f*, Bestrahlung *f*; **II** *v/i.* **4.** Strahlen aussenden; **5.** sich strahlenförmig ausbreiten; **III** *v/t.* **6.** *a.* ~ ***out*** ausstrahlen; **7.** bestrahlen (*a. phys.*, ⚕), ⚕ F röntgen.

ray² [reɪ] *s. ichth.* Rochen *m*.

ray·on ['reɪɒn] *s.* ☤ 'Kunstseide(nproˌdukt *n*) *f*: ~ ***staple*** Zellwolle *f*.

raze [reɪz] *v/t.* **1.** *Gebäude* niederreißen; *Festung* schleifen: ~ ***s.th. to the ground*** et. dem Erdboden gleichmachen; **2.** *fig.* ausmerzen; **3.** ritzen, kratzen, streifen.

ra·zor ['reɪzə] *s.* Rasiermesser *n*: (***safety***) ~ Rasierapparat *m*; ~ ***blade*** Rasierklinge *f*; ***as sharp as a ~*** messerscharf; ***be on the ~'s edge*** auf des Messers Schneide stehen; ~ ***cut*** *s.* Messerschnitt *m* (*a. Frisur*); ~ ***strop*** *s.* Streichriemen *m*.

razz [ræz] *v/t. Am. sl.* hänseln, ‚aufziehen'.

raz·zi·a ['ræzɪə] *s. hist.* Raubzug *m*.

raz·zle-daz·zle ['ræzlˌdæzl] *s. sl.* **1.** Saufe'rei *f*: ***go on the ~*** ‚auf die Pauke hauen'; **2.** ‚Rummel' *m*; **3.** *Am. sl.* a) ‚Kuddelmuddel' *m*, *n*, b) ‚Wirbel' *m*, Tam'tam *n*.

re [riː] (*Lat.*) *prp.* **1.** ⚖ in Sachen; **2.** *bsd.* ☤ betrifft, betreffs, bezüglich.

re- *in Zssgn* **1.** [riː] wieder, noch einmal, neu: ***reprint***, ***rebirth***; **2.** [rɪ] zu'rück, wider: ***revert***, ***retract***.

're [ə] F *für* ***are***.

re·ab·sorb [ˌriːəb'sɔːb] *v/t.* resorbieren.

reach [riːtʃ] **I** *v/t.* **1.** (hin-, her)reichen, über'reichen, geben (***s.o. s.th.*** j-m et.); *j-m e-n Schlag* versetzen; **2.** (her)langen, nehmen: ~ ***s.th. down*** et. herunterlangen; **3.** *oft* ~ ***out*** (*od.* ***forth***) *Hand etc.* reichen, 'ausstrecken; **4.** reichen *od.* sich erstrecken bis an (*acc.*) *od.* zu: ***the water ~ed his knees*** das Wasser ging ihm bis an die Knie; **5.** *Zahl*, *Alter* erreichen; sich belaufen auf (*acc.*); *Auflagenzahl* erleben; **6.** erreichen, erzielen, gelangen zu: ~ ***an understanding***; ~ ***no conclusion*** zu keinem Schluß gelangen; **7.** *Ziel* erreichen, treffen; **8.** *Ort* erreichen, eintreffen in *od.* an (*dat.*): ~ ***home*** nach Hause gelangen; ~ ***s.o.'s ear*** j-m zu Ohren kommen; **9.** *j-n* erreichen (*Brief etc.*); **10.** *fig.* (ein)wirken auf (*acc.*), *durch Werbung etc.* ansprechen *od.* gewinnen *od.* erreichen, bei j-m (*geistig*) 'durchdringen; **II** *v/i.* **11.** (mit der Hand) reichen *od.* greifen *od.* langen; **12.** *a.* ~ ***out*** langen, greifen (***after***, ***for***, ***at*** nach); **13.** reichen, sich erstrecken *od.* ausdehnen (***to*** bis [zu]): ***as far as the eye can ~*** soweit das Auge reicht; **14.** sich belaufen (***to*** auf *acc.*); **III** *s.* **15.** Griff *m*: ***make a ~ for s.th.*** nach et. greifen *od.* langen; **16.** Reich-, Tragweite *f* (*Geschoß*, *Waffe*, *Stimme etc.*) (*a. fig.*): ***within ~*** erreichbar; ***within s.o.'s ~*** in j-s Reichweite, für j-n erreichbar *od.* erschwinglich, j-m zugänglich; ***above*** (*od.* ***beyond*** *od.* ***out of***) ~ unerreichbar *od.* unerschwinglich (***of*** für); ***within easy ~ of the station*** vom Bahnhof aus leicht zu erreichen; **17.** Bereich *m*, 'Umfang *m*, Ausdehnung *f*; **18.** (geistige) Fassungskraft, Hori'zont *m*; **19.** a) Ka'nalabschnitt *m* (*zwischen zwei Schleusen*), b) Flußstrecke *f*; **'reach·a·ble** [-tʃəbl] *adj.* erreichbar.

'reach-me-ˌdown F **I** *adj.* **1.** Konfektions…, von der Stange; **2.** abgelegt (*Kleider*); **II** *s.* **3.** *mst pl.* Konfekti'onsanzug *m*, Kleid *n* von der Stange, *pl.* Konfekti'onskleidung *f*; **4.** abgelegtes Kleidungsstück *n* (*das von jüngeren Geschwistern etc. weiter getragen wird*).

re·act [rɪ'ækt] **I** *v/i.* **1.** ⚗, ⚕ reagieren (***to*** auf *acc.*): ***slow to ~*** reaktionsträge; **2.** *fig.* (***to***) reagieren, antworten, eingehen (auf *acc.*), aufnehmen (et.); sich verhalten (auf *acc.*, bei): ~ ***against*** *e-r Sache* entgegenwirken *od.* widerstreben; **3.** ein-, zu'rückwirken, Rückwirkungen haben ([***up***]***on*** auf *acc.*): ~ ***on each other*** sich gegenseitig beeinflussen; **4.** ⚔ e-n Gegenschlag führen; **II** *v/t.* **5.** ⚗ zur Reakti'on bringen.

re-act [ˌriː'ækt] *v/t. thea. etc.* wieder'aufführen.

re·act·ance [rɪ'æktəns] *s.* ↯ Reak'tanz *f*, 'Blindˌwiderstand *m*.

re·ac·tion [rɪ'ækʃn] *s.* **1.** ⚗, ⚕, *phys.* Reakti'on *f*; **2.** Rückwirkung *f*, -schlag *m*, Gegen-, Einwirkung *f* (***from***, ***against*** gegen, [***up***]***on*** auf *acc.*); **3.** *fig.* (***to***) Reakti'on *f* (auf *acc.*), Verhalten *n* (bei), Stellungnahme *f* (zu); **4.** *pol.* Re-

R

akti'on *f* (*a. Bewegung*), Rückschritt (-lertum *n*) *m*; **5.** † rückläufige Bewegung, (*Kurs-*, *Preis- etc.*)Rückgang *m*; **6.** ⚔ Gegenstoß *m*, -schlag *m*; **7.** ⚙ Gegendruck *m*; **8.** ϟ Rückkopplung *f*, -wirkung *f*; **re'ac·tion·ar·y** [-ʃnərɪ] **I** *adj. bsd. pol.* reaktio'när; **II** *s. pol.* Reaktio'när(in).

re·ac·tion| drive *s.* ⚙ Rückstoßantrieb *m*; **~ time** *s. psych.* Reakti'onszeit *f*.

re'ac·ti·vate [rɪ'æktɪveɪt] *v/t.* reaktivieren; **re·ac·tive** [rɪ'æktɪv] *adj.* □ **1.** reak'tiv, rück-, gegenwirkend; **2.** empfänglich (*to* für), Reaktions...; **3.** ϟ Blind... (*-strom*, *-leistung etc.*); **re·ac·tor** [rɪ'æktə] *s.* **1.** *phys.* ('Kern)ReˌAktor *m*; **2.** ϟ Drossel(spule) *f*.

read¹ [riːd] **I** *v/t.* [*irr.*] **1.** lesen (*a. fig.*): ***~ s.th. into*** et. in *e-n Text* hineinlesen; ***~ off*** *et.* ablesen; ***~ out*** a) *et.* (laut) vorlesen, b) *Buch etc.* auslesen; ***~ over*** a) durchlesen, b) *formell* vor-, verlesen (*Notar etc.*); ***~ up*** a) sich in *et.* einlesen, b) *et.* nachlesen; ***~ s.o.'s face*** in j-s Gesicht lesen; **2.** vor-, verlesen; *Rede etc.* ablesen; **3.** *parl. Vorlage* lesen: ***was read for the third time*** *die Vorlage* wurde in dritter Lesung behandelt; **4.** *Kurzschrift etc.* lesen können; *die Uhr* kennen: ***~ music*** a) Noten lesen, b) nach Noten spielen *etc.*; **5.** *Traum etc.* deuten; → ***fortune*** 3; **6.** *et.* auslegen, auffassen, verstehen: ***do you ~ me?*** a) *Funk*: können Sie mich verstehen?, b) *fig.* haben Sie mich verstanden?; ***we can take it as ~ that*** wir können (also) davon ausgehen, daß; **7.** *Charakter etc.* durch'schauen: ***I ~ you like a book*** ich lese in dir wie in e-m Buch; **8.** ⚙ a) anzeigen (*Meßgerät*), b) *Barometerstand etc.* ablesen; **9.** *Rätsel* lösen; **II** *v/i.* [*irr.*] **10.** lesen: ***~ to s.o.*** j-m vorlesen; **11.** e-e Vorlesung *od.* e-n Vortrag halten; **12.** *bsd. Brit.* (***for***) sich vorbereiten (auf *e-e Prüfung etc.*), *et.* studieren: ***~ for the bar*** sich auf den Anwaltsberuf vorbereiten; ***~ up on*** sich in *et.* einlesen *od.* einarbeiten; **13.** sich *gut etc.* lesen lassen; **14.** *so u. so.* lauten, heißen: ***the passage ~s as follows***.

read² [red] **I** *pret. u. p.p. von* ***read¹***; **II** *adj.* **1.** gelesen: ***the most-~ book*** das meistgelesene Buch; **2.** belesen (***in*** in *dat.*); → ***well-read***.

read·a·ble ['riːdəbl] *adj.* □ lesbar: a) lesenswert, b) leserlich.

re·ad·dress [ˌriːə'dres] *v/t.* **1.** *Brief* neu adressieren; **2.** ***~ o.s.*** sich nochmals wenden (***to*** an *j-n*).

read·er ['riːdə] *s.* **1.** Leser(in); **2.** Vorleser(in); **3.** (Verlags)Lektor *m*, (Ver'lags)LekˌTorin *f*; **4.** *typ.* Kor'rektor *m*; **5.** *univ. Brit.* außerordentlicher Pro'fessor, Do'zent(in); **6.** a) *ped.* Lesebuch *n*, b) Antholo'gie *f*; **7.** *Computer*: Lesegerät *n*; **'read·er·ship** [-ʃɪp] *s.* **1.** Vorleseramt *n*; **2.** *univ. Brit.* Do'zentenstelle *f*.

read·i·ly ['redɪlɪ] *adv.* **1.** so'gleich, prompt; **2.** bereitwillig, gern; **3.** leicht, ohne weiteres; **'read·i·ness** [-ɪnɪs] *s.* **1.** Bereitschaft *f*: ***~ for war*** Kriegsbereitschaft; ***in ~*** bereit, in Bereitschaft; ***place in ~*** bereitstellen; **2.** Schnelligkeit *f*, Raschheit *f*, Promptheit *f*: ***~ of mind*** *od.* ***wit*** Geistesgegenwart *f*; **3.** Gewandtheit *f*; **4.** Bereitwilligkeit *f*: ***~ to help others*** Hilfsbereitschaft *f*.

read·ing ['riːdɪŋ] **I** *s.* **1.** Lesen *n*; *weitS.* Bücherstudium *n*; **2.** (Vor)Lesung *f*, Vortrag *m*; **3.** *parl.* Lesung *f*; **4.** Belesenheit *f*: ***a man of vast ~*** ein sehr belesener Mann; **5.** Lek'türe *f*, Lesestoff *m*: ***this book makes good ~*** dieses Buch liest sich gut; **6.** Lesart *f*, Versi'on *f*; **7.** Deutung *f*, Auslegung *f*, Auffassung *f*; **8.** ⚙ Anzeige *f*, Ablesung *f* (*Meßgerät*), (*Barometer- etc.*)Stand *m*; **II** *adj.* **9.** Lese...: ***~ lamp***; **~ desk** *s.* Lesepult *n*; **~ glass** *s.* Vergrößerungsglas *n*, Lupe *f*; **~ glas·ses** *s. pl.* Lesebrille *f*; **~ head** *s. Computer*: Lesekopf *m*; **~ mat·ter** *s.* **1.** Lesestoff *m*; **2.** redaktio'neller Teil (*e-r Zeitung*); **~ pub·lic** *s.* Leserschaft *f*, 'LeserˌPublikum *n*; **~ room** *s.* Lesezimmer *n*, -saal *m*.

re·ad·just [ˌriːə'dʒʌst] *v/t.* **1.** wieder'anpassen; ⚙ nachstellen, -richten; **2.** wieder in Ordnung bringen; † sanieren; *pol. etc.* neu orientieren; **ˌre·ad'just·ment** [-stmənt] *s.* **1.** Wieder'anpassung *f*; **2.** Neuordnung *f*; † wirtschaftliche Sanierung; **3.** ⚙ Korrek'tur *f*.

re·ad·mis·sion [ˌriːəd'mɪʃn] *s.* Wieder'zulassung *f* (***to*** zu); **ˌre·ad'mit** [-'mɪt] *v/t.* wieder zulassen.

'read|ˌ-on·ly mem·o·ry *s. Computer*: Festwertspeicher *m*; **~-out** *s. Computer*: Ausgabe *f* (*von lesbaren Worten*): ***~ pulse*** Leseimpuls *m*; **'~-through** *s. thea.* Leseprobe *f*.

read·y ['redɪ] **I** *adj.* □ → ***readily***; **1.** bereit, fertig (***for*** zu *et.*): ***~ for action*** ⚔ einsatzbereit; ***~ for sea*** ⚓ seeklar; ***~ for service*** ⚙ betriebsfertig; ***~ for take-off*** ✈ startbereit; ***~ to operate*** ⚙ betriebsbereit; ***be ~ with s.th.*** et. bereithaben *od.* -halten; ***get*** *od.* ***make ~*** (sich) bereit- *od.* fertigmachen; ***are you ~? go!*** *sport* Achtung-fertig-los!; **2.** bereit(willig), willens, geneigt (***to*** zu); **3.** schnell, rasch, prompt: ***find a ~ market*** (*od.* ***sale***) † raschen Absatz finden, gut gehen; **4.** schlagfertig, prompt (*Antwort*), geschickt (*Arbeiter etc.*), gewandt: ***a ~ pen*** e-e gewandte Feder; ***~ wit*** Schlagfertigkeit *f*; **5.** im Begriff, nahe dar'an (***to do*** zu tun); **6.** † verfügbar, greifbar (*Vermögenswerte*), bar

R

(*Geld*): ***~ cash*** *od.* ***money*** Bargeld *n*, -zahlung *f*; ***~ money business*** Bar-, Kassageschäft *n*; **7.** bequem, leicht: ***~ at*** (*od.* ***to***) ***hand*** gleich zur Hand; **II** *v/t.* **8.** bereit-, fertigmachen; **III** *s.* **9.** *mst* ***the ~*** *sl.* Bargeld *n*; **10.** ⚔ ***at the ~*** schußbereit (*a. Kamera*); **IV** *adv.* **11.** fertig: ***~-built house*** Fertighaus *n*; **12.** ***readier*** schneller; ***readiest*** am schnellsten; **ˌ~-'made** *adj.* **1.** Konfektions..., von der Stange: ***~ clothes*** Konfektion(sbekleidung *f*) *f*; ***~ shop*** Konfektionsgeschäft *n*; **2.** gebrauchsfertig, Fertig...; **3.** *fig.* schablonisiert, ‚fertig', ‚vorgekaut'; **4.** *fig.* Patent...: ***~ solution***; ***~*** **reck·on·er** *s.* 'Rechentaˌbelle *f*; **ˌ~-to-'serve** *adj.* tischfertig (*Speise*); **ˌ~-to-'wear** → ***ready-made*** 1; **ˌ~'wit·ted** *adj.* schlagfertig.

re·af·firm [ˌri:ə'fɜ:m] *v/t.* nochmals versichern *od.* beteuern.

re·af·for·est [ˌri:æ'fɒrɪst] *v/t.* wieder aufforsten.

re·a·gent [ri:'eɪdʒənt] *s.* **1.** ⚗ Re'agens *n*; **2.** *fig.* Gegenkraft *f*, -wirkung *f*; **3.** *psych.* 'Testperson *f*.

re·al [rɪəl] **I** *adj.* □ → ***really***; **1.** re'al (*a. phls.*), tatsächlich, wirklich, wahr, eigentlich: ***~ life*** das wirkliche Leben; ***the ~ thing*** *sl.* das einzig Wahre; **2.** echt (*Seide etc.*, *a. fig. Gefühle*, *Mann etc.*); **3.** ⚖ a) dinglich, b) unbeweglich: ***~ account*** ✝ Sach(wert)konto *n*; ***~ action*** dingliche Klage; ***~ assets*** unbewegliches Vermögen; ***~ estate*** *od.* ***property*** Grundeigentum *n*, Liegenschaften *pl.*, Immobilien *pl.*; ***~ stock*** ✝ Ist-Bestand *m*; ***~ time*** *Computer*: Echtzeit *f*; ***~ wage*** Reallohn *m*; **4.** *phys.*, ⚘ re'ell (*Bild*, *Zahl etc.*); **5.** ⚡ ohmsch, Wirk...: ***~ power*** Wirkleistung *f*; **II** *adv.* **6.** *bsd. Am.* F sehr, äußerst, ‚richtig': ***for ~*** echt, im Ernst; **III** *s.* **7.** ***the ~*** *phls.* das Re'ale, die Wirklichkeit; **'re·al·ism** [-lɪzəm] *s.* Rea'lismus *m* (*a. phls.*, *lit.*, *paint.*); **'re·al·ist** [-lɪst] **I** *s.* Rea'list(in); **II** *adj.* → **re·al·is·tic** [ˌrɪə'lɪstɪk] *adj.* (□ ***~ally***) rea'listisch (*a. phls.*, *lit.*, *paint.*), wirklichkeitsnah, -getreu, sachlich; **re·al·i·ty** [rɪ'ælətɪ] *s.* **1.** Reali'tät *f*, Wirklichkeit *f*: ***in ~*** in Wirklichkeit, tatsächlich; **2.** Wirklichkeits-, Na'turtreue *f*; **3.** Tatsache *f*, Faktum *n*, Gegebenheit *f*; **re·al·iz·a·ble** ['rɪəlaɪzəbl] *adj.* □ **1.** realisierbar, aus-, 'durchführbar; **2.** ✝ realisierbar, verwertbar, kapitalisierbar, verkäuflich; **re·al·i·za·tion** [ˌrɪəlaɪ'zeɪʃn] *s.* **1.** Realisierung *f*, Verwirklichung *f*, Aus-, 'Durchführung *f*; **2.** Vergegen'wärtigung *f*, Erkenntnis *f*; **3.** ✝ a) Realisierung *f*, Verwertung *f*, b) Liquidati'on *f*, Glattstellung *f*, c) Erzielung *f e-s Gewinns*: ***~ account*** Liquidationskonto *n*; **re·al·ize** ['rɪəlaɪz] *v/t.* **1.** (klar) erkennen, sich klarmachen, begreifen, erfassen: ***he ~d that*** er sah ein, daß; ihm wurde klar *od.* es kam ihm zum Bewußtsein, daß; **2.** verwirklichen, realisieren, aus-, 'durchführen; **3.** sich vergegen'wärtigen, sich (lebhaft) vorstellen; **4.** ✝ a) realisieren, verwerten, zu Geld *od.* flüssig machen, b) *Gewinn*, *Preis* erzielen; **re·al·ly** ['rɪəlɪ] *adv.* **1.** wirklich, tatsächlich, eigentlich: ***not ~*** eigentlich nicht; ***not ~!*** nicht möglich!; **2.** (*rügend*) ***~!*** ich muß schon sagen!; **3.** unbedingt: ***you ~ must come!***

realm [relm] *s.* **1.** Königreich *n*: ***Peer of the*** ♀ Mitglied *n* des Oberhauses; **2.** *fig.* Reich *n*, Sphäre *f*; **3.** Bereich *m*, (Fach-) Gebiet *n*.

re·al·tor ['rɪəltə] *s. Am.* Immo'bilienmakler *m*; **'re·al·ty** [-tɪ] *s.* Grundeigentum *n*, -besitz *m*, Liegenschaften *pl.*

ream¹ [ri:m] *s.* Ries *n* (*480 Bogen Papier*): ***printer's ~***, ***long ~*** 516 Bogen Druckpapier; ***~s and ~s of*** *fig.* zahllose, große Mengen von.

ream² [ri:m] *v/t.* ⚙ **1.** *Bohrloch etc.* erweitern; **2.** *oft* ***~ out*** a) *Bohrung* (auf-, aus)räumen, b) *Kaliber* ausbohren, c) nachbohren; **'ream·er** [-mə] *s.* **1.** ⚙ Reib-, Räumahle *f*; **2.** *Am.* Fruchtpresse *f*.

re·an·i·mate [ˌri:'ænɪmeɪt] *v/t.* **1.** 'wiederbeleben; **2.** *fig.* neu beleben.

reap [ri:p] **I** *v/t.* **1.** *Getreide etc.* schneiden, ernten; **2.** *Feld* mähen, abernten; **3.** *fig.* ernten; **II** *v/i.* **4.** mähen, ernten: ***he ~s where he has not sown*** *fig.* er erntet, wo er nicht gesät hat; **'reap·er** [-pə] *s.* **1.** Schnitter(in), Mäher(in): ***the Grim*** ♀ *fig.* der Sensenmann; **2.** 'Mähmaˌschine *f*: ***~-binder*** Mähbinder *m*.

re·ap·pear [ˌri:ə'pɪə] *v/i.* wieder erscheinen; **ˌre·ap'pear·ance** [-ərəns] *s.* 'Wiedererscheinen *n*.

re·ap·pli·ca·tion ['ri:ˌæplɪ'keɪʃn] *s.* **1.** wieder'holte Anwendung; **2.** erneutes Gesuch; **re·ap·ply** [ˌri:ə'plaɪ] **I** *v/t.* wieder *od.* wieder'holt anwenden; **II** *v/i.* (***for***) (*et.*) wiederholt beantragen, erneut e-n Antrag stellen (auf *acc.*); sich erneut bewerben (um).

re·ap·point [ˌri:ə'pɔɪnt] *v/t.* wieder ernennen *od.* einsetzen *od.* anstellen.

re·ap·prais·al [ˌri:ə'preɪzl] *s.* Neubewertung *f*, -beurteilung *f*.

rear¹ [rɪə] **I** *v/t.* **1.** *Kind* auf-, großziehen, erziehen; *Tiere* züchten; *Pflanzen* ziehen; **2.** *Leiter etc.* aufrichten, -stellen; **3.** *rhet. Gebäude* errichten; **4.** *Haupt*, *Stimme etc.* (er)heben; **II** *v/i.* **5.** *a.* ***~ up*** sich (auf)bäumen (*Pferd etc.*); **6.** *oft* ***~ up*** (auf-, hoch)ragen.

rear² [rɪə] **I** *s.* **1.** 'Hinter-, Rückseite *f*; *mot.*, ⚓ Heck *n*: ***at*** (*Am.* in) ***the ~ of*** hinter (*dat.*); **2.** 'Hintergrund *m*: ***in the ~ of*** im Hintergrund (*gen.*); **3.** ⚔

Nachhut *f*: ***bring up the ~*** *allg.* die Nachhut bilden, den Zug beschließen; ***take in the ~*** *den Feind* im Rücken fassen; **4.** F a) ,Hintern' *m*, b) *Brit.* ,Lokus' *m* (*Abort*); **II** *adj.* **5.** hinter, Hinter..., Rück... ***~ axle***: *mot.* Hinterachse *f*; ***~ echelon*** ⚔ rückwärtiger Stab; ***~ engine*** *mot.* Heckmotor *m*; **~ ad·mi·ral** *s.* ⚓ 'Konteradmi͵ral *m*; **~ drive** *s. mot.* Heckantrieb *m*; **~ end** *s.* **1.** hinter(st)er Teil, Ende *n*; **2.** F ,Hintern' *m*; **'~-guard** *s.* ⚔ Nachhut *f*: ***~ action*** Rückzugsgefecht *n* (*a. fig.*); **~ gun·ner** *s.* ✈ Heckschütze *m*; **~ lamp**, **~ light** *s. mot.* Schlußlicht *n*.

re·arm [͵riː'ɑːm] **I** *v/t.* 'wiederbewaffnen; **II** *v/i.* wieder'aufrüsten; **͵re'ar·ma·ment** [-məmənt] *s.* Wieder'aufrüstung *f*, 'Wiederbewaffnung *f*.

re·ar·range [͵riːə'reɪndʒ] *v/t.* neu-, 'umordnen, ändern; **͵re·ar'range·ment** [-mənt] *s.* **1.** 'Um-, Neuordnung *f*, Neugestaltung *f*; Änderung *f*; **2.** ⚗ 'Umlagerung *f*; **3.** ♪ 'Umschreibung *f*.

rear| sight *s.* ⚔ Kimme *f*; **'~·view mir·ror**, **'~-͵vi·sion mir·ror** *s. mot.* Rückspiegel *m*.

rear·ward ['rɪəwəd] **I** *adj.* **1.** hinter, rückwärtig; **2.** Rückwärts...; **II** *adv. a.* **'rear·wards** [-dz] nach hinten, rückwärts, zu'rück.

rea·son ['riːzn] **I** *s.* **1.** *ohne art.* Vernunft *f* (*a. phls.*), Verstand *m*, Einsicht *f*: ***Age of*** ≈ *hist. die* Aufklärung; ***bring s.o. to ~*** j-n zur Vernunft bringen; ***listen to ~*** Vernunft annehmen; ***lose one's ~*** den Verstand verlieren; ***it stands to ~*** es ist klar, es leuchtet ein (***that*** daß); ***there is ~ in what you say*** was du sagst, hat Hand u. Fuß; ***in (all) ~*** a) in Grenzen, mit Maß u. Ziel, b) mit Recht; ***do everything in ~*** sein möglichstes tun (in gewissen Grenzen); **2.** Grund *m* (***of***, ***for*** *gen. od.* für), Ursache *f* (***for*** *gen.*), Anlaß *m*: ***the ~ why*** (der Grund) weshalb; ***by ~ of*** wegen (*gen.*), infolge (*gen.*); ***for this ~*** aus diesem Grund, deshalb; ***with ~*** aus gutem Grund, mit Recht; ***have ~ to do*** Grund *od.* Anlaß haben, zu tun; ***there is no ~ to suppose*** es besteht kein Grund zu der Annahme; ***there is every ~ to believe*** alles spricht dafür (***that*** daß); ***for ~s best known to oneself*** *iro.* aus unerfindlichen Gründen; **3.** Begründung *f*, Rechtfertigung *f*: ***~ of state*** Staatsräson *f*; **II** *v/i.* **4.** logisch denken; vernünftig urteilen; **5.** schließen, folgern (***from*** aus); **6.** (***with***) vernünftig reden (mit *j-m*), (*j-m*) gut zureden, (*j-n*) zu über'zeugen suchen: ***he is not to be ~ed with*** er läßt nicht mit sich reden; **III** *v/t.* **7.** *a.* ***~ out*** durch'denken: ***~ed*** wohldurchdacht; **8.** ergründen (***why*** warum, ***what*** was); **9.** erörtern: ***~ away*** *et.* wegdisputieren; ***~ s.o. into (out of) s.th.*** j-m et. ein- (aus)reden; **10.** schließen, geltend machen (***that*** daß); **'rea·son·a·ble** [-nəbl] *adj.* □ → ***reasonably***; vernünftig: a) vernunftgemäß, b) verständig, einsichtig (*Person*), c) angemessen, annehmbar, tragbar, billig (*Forderung*), zumutbar (*Bedingung*, *Frist*, *Preis etc.*): ***~ doubt*** berechtigter Zweifel; ***~ care and diligence*** ⚖ die im Verkehr erforderliche Sorgfalt; **'rea·son·a·ble·ness** [-nəblnɪs] *s.* **1.** Vernünftigkeit *f*, Verständigkeit *f*; **2.** Annehmbarkeit *f*, Zumutbarkeit *f*, Billigkeit *f*; **'rea·son·a·bly** [-nəblɪ] *adv.* **1.** vernünftig; **2.** vernünftiger-, billigerweise; **3.** ziemlich, leidlich: ***~ good***; **'rea·son·er** [-nə] *s.* logischer Geist (*Person*); **'rea·son·ing** [-nɪŋ] **I** *s.* **1.** Denken *n*, Folgern *n*, Urteilen *n*; **2.** *a.* ***line of ~*** Gedankengang *m*; **3.** Argumentati'on *f*, Beweisführung *f*; **4.** Schluß(folgerung *f*) *m*, Schlüsse *pl.*; **5.** Argu'ment *n*, Beweis *m*; **II** *adj.* **6.** Denk..., Urteils...

re·as·sem·ble [͵riːə'sembl] *v/t.* **1.** (*v/i.* sich) wieder versammeln; **2.** ⚙ wieder zs.-bauen.

re·as·sert [͵riːə'sɜːt] *v/t.* **1.** erneut feststellen; **2.** wieder behaupten; **3.** wieder geltend machen.

re·as·sess·ment [͵riːə'sesmənt] *s.* **1.** neuerliche (Ab)Schätzung; **2.** † Neuveranlagung *f*; **3.** *fig.* Neubeurteilung *f*.

re·as·sur·ance [͵riːə'ʃʊərəns] *s.* **1.** Beruhigung *f*; **2.** nochmalige Versicherung, Bestätigung *f*; **3.** † Rückversicherung *f*; **re·as·sure** [͵riːə'ʃʊə] *v/t.* **1.** *j-n* beruhigen; **2.** *et.* nochmals versichern *od.* beteuern; **3.** † wieder versichern; **͵re·as'sur·ing** [-ərɪŋ] *adj.* □ beruhigend.

re·bap·tism [͵riː'bæptɪzəm] *s.* 'Wiedertaufe *f*; **re·bap·tize** [͵riːbæp'taɪz] *v/t.* **1.** 'wiedertaufen; **2.** 'umtaufen.

re·bate[1] ['riːbeɪt] *s.* **1.** Ra'batt *m*, (Preis-)Nachlaß *m*, Abzug *m*; **2.** Zu'rückzahlung *f*, (Rück)Vergütung *f*.

re·bate[2] ['ræbɪt] → ***rabbet***.

reb·el ['rebl] **I** *s.* Re'bell(in), Empörer(-in) (*beide a. fig.*), Aufrührer(in); **II** *adj.* re'bellisch, aufrührerisch; Rebellen...; **III** *v/i.* [rɪ'bel] rebellieren, sich empören *od.* auflehnen (***against*** gegen); **re·bel·lion** [rɪ'beljən] *s.* **1.** Rebelli'on *f*, Aufruhr *m*, Aufstand *m*, Empörung *f* (***against***, ***to*** gegen); **2.** Auflehnung *f*, offener 'Widerstand; **re'bel·lious** [rɪ'beljəs] *adj.* □ **1.** re'bellisch: a) aufrührerisch, -ständisch, b) *fig.* aufsässig, 'widerspenstig (*a. Sache*); **2.** ⚕ hartnäckig (*Krankheit*).

re·birth [͵riː'bɜːθ] *s.* 'Wiedergeburt *f* (*a. fig.*).

re·bore [͵riː'bɔː] *v/t.* ⚙ **1.** *Loch* nach-

R

bohren; **2.** *Motorzylinder* ausschleifen.

re·born [ˌriːˈbɔːn] *adj.* ˈwiedergeboren, neugeboren (*a. fig.*).

re·bound¹ I *v/i.* [rɪˈbaʊnd] **1.** zuˈrückprallen, -schnellen; **2.** *fig.* zuˈrückfallen (***upon*** auf *acc.*); **II** *s.* [ˈriːbaʊnd] **3.** Zuˈrückprallen *n*; **4.** Rückprall *m*; **5.** ˈWiderhall *m*; **6.** *fig.* Reaktiˈon *f* (***from*** auf *e-n Rückschlag etc.*): ***on the ~*** a) als Reaktion darauf, b) in e-r Krise (befindlich); ***take s.o. on*** (*od.* ***at***) ***the ~*** j-s Enttäuschung ausnutzen; **7.** *sport* Abpraller *m*.

re·bound² [ˌriːˈbaʊnd] *adj.* neugebunden (*Buch*).

re·broad·cast [ˌriːˈbrɔːdkɑːst] **I** *v/t.* [*irr.* → ***cast***] **1.** *Radio*, *TV*: *e-e Sendung* wiederˈholen; **2.** durch Reˈlais(statiˌonen) überˈtragen; **II** *v/i.* [*irr.* → ***cast***] **3.** über Reˈlais(statiˌonen) senden: ***~ing station*** Ballsender *m*; **III** *s.* **4.** Wiederˈholungssendung *f*; **5.** Reˈlaisüberˌtragung *f*, Ballsendung *f*.

re·buff [rɪˈbʌf] **I** *s.* **1.** (schroffe) Abweisung, Abfuhr *f*: ***meet with a ~*** abblitzen; **II** *v/t.* **2.** zuˈrück-, abweisen, abblitzen lassen; **3.** *Angriff* abweisen, zuˈrückschlagen.

re·build [ˌriːˈbɪld] *v/t.* [*irr.* → ***build***] **1.** wiederˈaufbauen (*a. fig.*); **2.** ˈumbauen; **3.** *fig.* wiederˈherstellen.

re·buke [rɪˈbjuːk] **I** *v/t.* **1.** *j-n* rügen, rüffeln, zuˈrechtweisen, *j-m* e-n scharfen Verweis erteilen; **2.** *et.* scharf tadeln, rügen; **II** *s.* **3.** Rüge *f*, (scharfer) Tadel, Rüffel *m*.

re·bus [ˈriːbəs] *pl.* **-bus·es** [-sɪz] *s.* Rebus *m*, *n*, Bilderrätsel *n*.

re·but [rɪˈbʌt] *bsd.* ⚖ **I** *v/t.* widerˈlegen, entkräften; **II** *v/i.* den Gegenbeweis antreten; **reˈbut·tal** [-tl] *s. bsd.* ⚖ Widerˈlegung *f*, Entkräftung *f*; **reˈbut·ter** [-tə] *s. bsd.* ⚖ Gegenbeweis *m*.

re·cal·ci·trance [rɪˈkælsɪtrəns] *s.* ˈWiderspenstigkeit *f*; **reˈcal·ci·trant** [-nt] *adj.* ˈwiderspenstig.

re·call [rɪˈkɔːl] **I** *v/t.* **1.** zuˈrückrufen, *Gesandten etc.* abberufen; ⚕ *defekte Autos etc.* (in die Werkstatt) zuˈrückrufen; **2.** sich erinnern an (*acc.*), sich ins Gedächtnis zurückrufen; **3.** *j-n* erinnern (***to*** an *acc.*): ***~ s.th. to s.o.*** (*od.* ***to s.o.'s mind***) j-m et. ins Gedächtnis zurückrufen; **4.** *poet. Gefühl* wieder wachrufen; **5.** *Versprechen etc.* zuˈrücknehmen, widerˈrufen: ***until ~ed*** bis auf Widerruf; **6.** ⚕ *Kapital*, *Kredit etc.* (auf)kündigen; **II** *s.* **7.** Zuˈrückrufung *f*; Abberufung *f e-s Gesandten etc.*; ⚙, ⚕ Rückruf *m* (*in die Werkstatt*); **8.** ˈWiderruf *m*, Zuˈrücknahme *f*: ***beyond*** (*od.* ***past***) ***~*** unwiderruflich, unabänderlich; **9.** ⚕ (Auf)Kündigung *f*, Aufruf *m*; **10.** ⚔ Siˈgnal *n* zum Sammeln; **11.** (***total*** absoˈlutes) Gedächtnis; ***~ test*** *s. ped.* Nacherzählung *f*.

re·cant [rɪˈkænt] **I** *v/t. Behauptung* (förˈmell) zuˈrücknehmen, widerˈrufen; **II** *v/i.* (öffentlich) widerˈrufen, Abbitte tun; **re·can·ta·tion** [ˌriːkænˈteɪʃn] *s.* Widerˈrufung *f*.

re·cap¹ [ˌriːˈkæp] *v/t.* ⚙ *Am. Autoreifen* runderneuern.

re·cap² [ˈriːkæp] F *für* ***recapitulate***, ***recapitulation***.

re·cap·i·tal·i·za·tion [ˈriːˌkæpɪtəlaɪˈzeɪʃn] *s.* ⚕ Neukapitalisierung *f*.

re·ca·pit·u·late [ˌriːkəˈpɪtjʊleɪt] *v/t. u. v/i.* rekapitulieren (*a. biol.*), (kurz) zs.-fassen *od.* wiederˈholen; **re·ca·pit·u·la·tion** [ˈriːkəˌpɪtjʊˈleɪʃn] *s.* ˌRekapitulatiˈon *f* (*a. biol.*), kurze Wiederˈholung *od.* Zs.-fassung.

re·cap·ture [ˌriːˈkæptʃə] **I** *v/t.* **1.** *et.* wieder (in Besitz) nehmen, ˈwiedererlangen; *j-n* wieder ergreifen; **2.** ⚔ zuˈrückerobern; **II** *s.* **3.** ˈWiedererlangung *f*, -ergreifung *f*; ⚔ Zuˈrückeroberung *f*.

re·cast [ˌriːˈkɑːst] **I** *v/t.* [*irr.* → ***cast***] **1.** ⚙ ˈumgießen; **2.** ˈumformen, neu-, ˈumgestalten; **3.** *thea. Stück*, *Rolle* ˈumbesetzen; *Rollen* neu verteilen; **4.** ˈdurchrechnen; **II** *s.* **5.** ⚙ ˈUmguß *m*; **6.** ˈUmarbeitung *f*, ˈUmgestaltung *f*; **7.** *thea.* Neu-, ˈUmbesetzung *f*.

re·cede [rɪˈsiːd] *v/i.* **1.** zuˈrücktreten, -weichen: ***receding*** fliehend (*Kinn*, *Stirn*); **2.** ent-, verschwinden; *fig. in den Hintergrund* treten; **3.** *fig.* (***from***) zurücktreten (von *e-m Amt*, *Vertrag*), (von *e-r Sache*) Abstand nehmen, (*e-e Ansicht*) aufgeben; *bsd.* ⚕ zuˈrückgehen, im Wert fallen.

re·ceipt [rɪˈsiːt] **I** *s.* **1.** Empfang *m e-s Briefes etc.*, Erhalt *m*; Annahme *f e-r Sendung*; Eingang *m von Waren*: ***on ~ of*** bei *od.* nach Empfang (*gen.*); ***be in ~ of*** im Besitz *e-r Sendung etc.* sein; **2.** Empfangsbestätigung *f*, Quittung *f*, Beleg *m*: ***~ stamp*** Quittungsstempel *m*; **3.** *pl.* ⚕ Einnahmen *pl.*, Eingänge *pl.*, eingehende Gelder *pl. od.* Waren *pl.*; **4.** *obs.* (ˈKoch)Reˌzept *n*; **II** *v/t. u. v/i.* **5.** quittieren.

re·ceiv·a·ble [rɪˈsiːvəbl] *adj.* **1.** annehmbar, zulässig (*Beweis etc.*): ***to be ~*** als gesetzliches Zahlungsmittel gelten; **2.** ⚕ ausstehend (*Forderung*, *Gelder*, *Guthaben*), debiˈtorisch (*Posten*): ***accounts ~***, ***~s*** *s. pl.* Außenstände, Forderungen; ***bills ~*** Rimessen; **re·ceive** [rɪˈsiːv] **I** *v/t.* **1.** *Brief etc.*, *a weitS. Befehl*, *Eindruck*, *Radiosendung*, *Sakramente*, *Wunde* empfangen, *a. Namen*, *Schock*, *Treffer* erhalten, bekommen; *Aufmerksamkeit* finden, auf sich ziehen; *Neuigkeit* erfahren; **2.** in Empfang nehmen, annehmen, *a. Beichte*, *Eid* entgegennehmen; *Geld etc.* einnehmen: ***~ stolen goods*** ⚖ Hehlerei trei-

R

ben; **3.** *j-n* bei sich aufnehmen, beherbergen; **4.** *Besucher, a. weitS. Schauspieler etc.* empfangen (***with applause*** mit Beifall); **5.** *j-n* aufnehmen (***into*** in *e-e Gemeinschaft*); *j-n* zulassen; **6.** *Nachricht etc.* aufnehmen, reagieren auf (*acc.*): ***how did he ~ this offer?***; **7.** *et.* erleben, erleiden, erfahren; *Beleidigung* einstecken; *Armbruch etc.* da'vontragen; **8.** ⚙ *Flüssigkeit, Schraube etc.* aufnehmen; **9.** *et.* (als gültig) anerkennen; **II** *v/i.* **10.** (Besuch) empfangen; **11.** *eccl.* das Abendmahl empfangen, *R.C.* kommunizieren; **re'ceived** [-vd] *adj.* **1.** erhalten: ***~ with thanks*** dankend erhalten; **2.** allgemein anerkannt: ***~ text*** echter *od.* authentischer Text; **3.** gültig, kor'rekt, vorschriftsmäßig; **re'ceiv·er** [-və] *s.* **1.** Empfänger(in); **2.** (Steuer-, Zoll)Einnehmer *m*; **3.** *a.* ***official ~*** ⚖ a) (gerichtlich bestellter) Zwangs- *od.* Kon'kurs- *od.* Masseverwalter, b) Liqui'dator *m*, c) Treuhänder *m*; **4.** *a.* ***~ of stolen goods*** ⚖ Hehler (-in); **5.** (Radio-, Funk)Empfänger *m*, Empfangsgerät *n*; **6.** *teleph.* Hörer *m*; **7.** ⚙ (Sammel)Becken *n*, (-)Behälter *m*; **8.** ⚗, *phys.* Rezipi'ent *m*; **re'ceiv·er·ship** [-vəʃɪp] *s.* ⚖ Zwangs-, Kon'kursverwaltung *f*, Geschäftsaufsicht *f*; **re'ceiv·ing** [-vɪŋ] *s.* **1.** Annahme *f*: ***~ hopper*** ⚙ Schüttrumpf *m*; ***~ office*** Annahmestelle *f*; ***~ order*** ⚖ Konkurseröffnungsbeschluß *m*; **2.** *Funk*: Empfang *m*: ***~ set*** → ***receiver*** 5; ***~ station*** Empfangsstation *f*; **3.** ⚖ Hehle'rei *f*.

re·cen·cy ['ri:snsɪ] *s.* Neuheit *f*.

re·cen·sion [rɪ'senʃn] *s.* **1.** Prüfung *f*, Revisi'on *f*, 'Durchsicht *f e-s Textes etc.*; **2.** revidierter Text.

re·cent ['ri:snt] *adj.* ☐ **1.** vor kurzem *od.* unlängst (geschehen *od.* entstanden *etc.*): ***the ~ events*** die jüngsten Ereignisse; **2.** neu, jung, frisch: ***of ~ date*** neueren *od.* jüngeren Datums; **3.** neu, mo'dern; **'re·cent·ly** [-lɪ] *adv.* kürzlich, vor kurzem, unlängst, neulich.

re·cep·ta·cle [rɪ'septəkl] *s.* **1.** Behälter *m*, Gefäß *n*; **2.** *a.* ***floral ~*** ⚘ Fruchtboden *m*; **3.** ϟ a) Steckdose *f*, b) Gerätbuchse *f*.

re·cep·tion [rɪ'sepʃn] *s.* **1.** Empfang *m* (*a. Funk, TV*), Annahme *f*; **2.** Zulassung *f*; **3.** Aufnahme *f* (*a. fig.*): ***meet with a favo(u)rable ~*** e-e günstige Aufnahme finden (*Buch etc.*); **4.** (offizi'eller) Empfang, *a.* Empfangsabend *m*: ***a warm (cool) ~*** ein herzlicher (kühler) Empfang; ***~ room*** Empfangszimmer *n*; **re'cep·tion·ist** [-ʃənɪst] *s.* **1.** Empfangsdame *f*; **2.** ⚕ Sprechstundenhilfe *f*.

re·cep·tive [rɪ'septɪv] *adj.* ☐ aufnahmefähig, empfänglich (***of*** für); **re·cep·tiv·i·ty** [ˌresep'tɪvətɪ] *s.* Aufnahmefähigkeit *f*, Empfänglichkeit *f*.

re·cess [rɪ'ses] **I** *s.* **1.** (zeitweilige) Unter'brechung (*a.* ⚖ *der Verhandlung*), (*Am. a.* Schul)Pause *f*, *bsd. parl.* Ferien *pl.*; **2.** Schlupfwinkel *m*, stiller Winkel; **3.** ⚠ (Wand)Aussparung *f*, Nische *f*, Al'koven *m*; **4.** ⚙ Aussparung *f*, Vertiefung *f*, Einschnitt *m*; **5.** *pl. fig. das* Innere, Tiefe(n *pl.*) *f*, geheime Winkel *pl. des Herzens etc.*; **II** *v/t.* **6.** in e-e Nische stellen, zu'rücksetzen; **7.** aussparen; ausbuchten, einsenken, vertiefen; **III** *v/i.* **8.** *Am.* e-e Pause *od.* Ferien machen, unter'brechen, sich vertagen.

re·ces·sion [rɪ'seʃn] *s.* **1.** Zu'rücktreten *n*; **2.** *eccl.* Auszug *m*; **3.** ⚠ *etc.* Vertiefung *f*; **4.** ✝ Rezessi'on *f*, (leichter) Konjunk'turrückgang: ***period of ~*** Rezessionsphase *f*; **re'ces·sion·al** [-ʃənl] **I** *adj.* **1.** *eccl.* Schluß...; **2.** *parl.* Ferien...; **3.** ✝ Rezessions...; **II** *s.* **4.** *a.* ***~ hymn*** 'Schlußchoˌral *m*.

re·charge [ˌri:'tʃɑ:dʒ] *v/t.* **1.** wieder (be-) laden; **2.** ⚔ a) von neuem angreifen, b) nachladen; **3.** ϟ *Batterie* wieder aufladen.

re·cher·ché [rə'ʃeəʃeɪ] (*Fr.*) *adj. fig.* **1.** ausgesucht, exqui'sit; **2.** *iro.* gesucht, prezi'ös.

re·chris·ten [ˌri:'krɪsn] → ***rebaptize***.

re·cid·i·vism [rɪ'sɪdɪvɪzəm] *s.* ⚖ Rückfall *m*, -fälligkeit *f*; **re'cid·i·vist** [-ɪst] *s.* Rückfällige(r *m*) *f*; **re'cid·i·vous** [-vəs] *adj.* rückfällig.

rec·i·pe ['resɪpɪ] *s.* ('Koch)Reˌzept *n*.

re·cip·i·ent [rɪ'sɪpɪənt] **I** *s.* **1.** Empfänger (-in); **II** *adj.* **2.** aufnehmend; **3.** empfänglich (***of, to*** für).

re·cip·ro·cal [rɪ'sɪprəkl] **I** *adj.* ☐ **1.** wechsel-, gegenseitig, *Vertrag, Versicherung* auf Gegenseitigkeit: ***~ service*** Gegendienst *m*; ***~ relationship*** Wechselbeziehung *f*; **2.** 'umgekehrt; **3.** ⅍, *ling., phls.* rezi'prok; **II** *s.* **4.** Gegenstück *n*; **5.** *a.* ***~ value*** ⅍ reziproker Wert, Kehrwert *m*; **re'cip·ro·cate** [-keɪt] **I** *v/t.* **1.** *Gefühle etc.* erwidern, vergelten; *Glückwünsche etc.* austauschen; **II** *v/i.* **2.** sich erkenntlich zeigen, sich revanchieren (***for*** für, ***with*** mit): ***glad to ~*** zu Gegendiensten gern bereit; **3.** in Wechselbeziehung stehen; **4.** ⚙ sich hin- u. herbewegen: ***reciprocating engine*** Kolbenmaschine *f*, -motor *m*; **re·cip·ro·ca·tion** [rɪˌsɪprə'keɪʃn] *s.* **1.** Erwiderung *f*; **2.** Erkenntlichkeit *f*; **3.** Austausch *m*; **4.** Wechselwirkung *f*; **5.** ⚙ ˌHinund'herbewegung *f*; **rec·i·proc·i·ty** [ˌresɪ'prɒsətɪ] *s.* Reziprozi'tät *f*; Gegenseitigkeit *f* (*a.* ✝ *in Verträgen etc.*): ***~ clause*** Gegenseitigkeitsklausel *f*.

re·cit·al [rɪ'saɪtl] *s.* **1.** Vortrag *m*, -lesung *f*; **2.** ♪ (Solo)Vortrag *m*, (*Orgel- etc.*)

Kon'zert *n*: ***lieder ~*** Liederabend *m*; **3.** Bericht *m*, Schilderung *f*; **4.** Aufzählung *f*; **5.** ⚖ a) *a.* ***~ of fact*** Darstellung *f* des Sachverhalts, b) Prä'ambel *f e-s Vertrags etc.*; **rec·i·ta·tion** [ˌresɪ'teɪʃn] *s.* **1.** Auf-, Hersagen *n*, Rezitieren *n*; **2.** Vortrag *m*, Rezitati'on *f*; **3.** *ped. Am.* Abfrage-, Übungsstunde *f*; **4.** Vortragsstück *n*, rezitierter Text; **rec·i·ta·tive** [ˌresɪtə'ti:v] ♪ **I** *adj.* rezita'tivartig; **II** *s.* Rezita'tiv *n*, Sprechgesang *m*; **re·cite** [rɪ'saɪt] *v/t.* **1.** (auswendig) her- *od.* aufsagen; **2.** rezitieren, vortragen, deklamieren; **3.** ⚖ a) *Sachverhalt* darstellen, b) anführen, zitieren; **re'cit·er** [-tə] *s.* **1.** Rezi'tator *m*, Rezita'torin *f*, Vortragskünstler(in); **2.** Vortragsbuch *n*.

reck·less ['reklɪs] *adj.* □ **1.** unbesorgt, unbekümmert (***of*** um); ***be ~ of*** sich nicht kümmern um; **2.** sorglos; leichtsinnig; verwegen; **3.** rücksichtslos; ⚖ (bewußt *od.* grob) fahrlässig; **'reck·less·ness** [-nɪs] *s.* **1.** Unbesorgtheit *f*, Unbekümmertheit *f* (***of*** um); **2.** Sorglosigkeit *f*, Leichtsinn *m*, Verwegenheit *f*; **3.** Rücksichtslosigkeit *f*.

reck·on ['rekən] **I** *v/t.* **1.** (be-, er)rechnen: ***~ in*** einrechnen; ***~ over*** nachrechnen; ***~ up*** a) auf-, zs.-zählen, b) *j-n* einschätzen; **2.** halten für: ***~ as*** *od.* ***for*** betrachten als; ***~ among*** *od.* ***with*** rechnen *od.* zählen zu (*od.* unter *acc.*); **3.** der Meinung sein (***that*** daß); **II** *v/i.* **4.** zählen, rechnen: ***~ with*** a) rechnen mit (*a. fig.*), b) abrechnen mit (*a. fig.*); ***he is to be ~ed with*** mit ihm muß man rechnen; ***~ without*** nicht rechnen mit; ***~ (up)on*** *fig.* rechnen *od.* zählen auf *j-n*, *j-s Hilfe etc.*; ***I ~*** schätze ich, glaube ich; → ***host²*** 2; **reck·on·er** ['reknə] *s.* **1.** Rechner(in); **2.** → ***ready reckoner***; **reck·on·ing** ['reknɪŋ] *s.* **1.** Rechnen *n*; **2.** Berechnung *f*, Kalkulati'on *f*; ⚓ Gissung *f*: ***dead ~*** gegißtes Besteck; ***be out of*** (*od.* ***out in***) ***one's ~*** sich verrechnet haben (*a. fig.*); **3.** Abrechnung *f*: ***day of ~*** a) *bsd. fig.* Tag *m* der Abrechnung, b) *eccl. der* Jüngste Tag; **4.** *obs.* Rechnung *f*, Zeche *f*.

re·claim [rɪ'kleɪm] *v/t.* **1.** *Eigentum, Rechte etc.* zu'rückfordern, her'ausverlangen, reklamieren; **2.** *Land* urbar machen, kultivieren, trockenlegen; **3.** *Tiere* zähmen; **4.** *Volk* zivilisieren; **5.** ⚙ *aus Altmaterial* gewinnen, *Altöl, Gummi etc.* regenerieren; **6.** *fig.* a) *j-n* bekehren, bessern, b) *j-n* zu'rückbringen, -führen (***from*** von, ***to*** zu); **re'claim·a·ble** [-məbl] *adj.* □ **1.** (ver)besserungsfähig; **2.** kul'turfähig (*Land*); **3.** ⚙ regenerierfähig.

rec·la·ma·tion [ˌreklə'meɪʃn] *s.* **1.** Reklamati'on *f*: a) Rückforderung *f*, b) Beschwerde *f*; **2.** *fig.* Bekehrung *f*, Besserung *f*, Heilung *f* (***from*** von); **3.** Urbarmachung *f*, Neugewinnung *f* (*von Land*); **4.** ⚙ Rückgewinnung *f*.

re·cline [rɪ'klaɪn] **I** *v/i.* **1.** sich (an-, zu'rück)lehnen: ***reclining chair*** (verstellbarer) Lehnstuhl; **2.** ruhen, liegen (***on, upon*** an, auf *dat.*); **3.** *fig.* ***~ upon*** sich stützen auf (*acc.*); **II** *v/t.* **4.** (an-, zu'rück)lehnen, legen (***on, upon*** auf *acc.*).

re·cluse [rɪ'klu:s] **I** *s.* **1.** Einsiedler(in); **II** *adj.* **2.** einsam, abgeschieden (***from*** von); **3.** einsiedlerisch.

rec·og·ni·tion [ˌrekəg'nɪʃn] *s.* **1.** ('Wieder)Erkennen *n*: ***~ vocabulary*** *ling.* passiver Wortschatz; ***beyond ~, out of ~, past (all) ~*** (bis) zur Unkenntlichkeit *verändert, verstümmelt etc.*; ***the capital has changed beyond (all) ~*** die Hauptstadt ist (überhaupt) nicht wiederzuerkennen; **2.** Erkenntnis *f*; **3.** Anerkennung *f* (*a. pol.*): ***in ~ of*** als Anerkennung für; ***win ~*** sich durchsetzen, Anerkennung finden; **rec·og·niz·a·ble** ['rekəgnaɪzəbl] *adj.* □ ('wieder-)erkennbar, kenntlich; **re·cog·ni·zance** [rɪ'kɒgnɪzəns] *s.* **1.** ⚖ schriftliche Verpflichtung; (Schuld)Anerkenntnis *n, f*: ***enter into ~s*** sich gerichtlich binden; **2.** ⚖ Sicherheitsleistung *f*, Kauti'on *f*; **re·cog·ni·zant** [rɪ'kɒgnɪzənt] *adj.*: ***be ~ of*** anerkennen; **rec·og·nize** ['rekəgnaɪz] *v/t.* **1.** ('wieder)erkennen; **2.** *j-n, e-e Regierung, Schuld etc., a. lobend* anerkennen: ***~ that*** zugeben, daß; **3.** No'tiz nehmen von; **4.** *auf der Straße* grüßen; **5.** *j-m* das Wort erteilen.

re·coil **I** *v/i.* [rɪ'kɔɪl] **1.** zu'rückprallen; zu'rückstoßen (*Gewehr etc.*); **2.** *fig.* zu'rückprallen, -schrecken, -schaudern (***at, from*** vor *dat.*); **3.** ***~ on*** *fig.* zu'rückfallen auf (*acc.*); **II** *s.* ['ri:kɔɪl] **4.** Rückprall *m*; **5.** ⚔ a) Rückstoß *m* (*Gewehr*), b) (Rohr)Rücklauf *m* (*Geschütz*); **re'coil·less** [-lɪs] *adj.* ⚔ rückstoßfrei.

rec·ol·lect [ˌrekə'lekt] *v/t.* sich erinnern (*gen.*) *od.* an (*acc.*), sich ins Gedächtnis zu'rückrufen.

re-col·lect [ˌri:kə'lekt] *v/t.* wieder sammeln (*a. fig.*): ***~ o.s.*** sich fassen.

rec·ol·lec·tion [ˌrekə'lekʃn] *s.* Erinnerung *f* (*Vermögen u. Vorgang*), Gedächtnis *n*: ***it is within my ~*** es ist mir erinnerlich; ***to the best of my ~*** soweit ich mich (daran) erinnern kann.

re·com·mence [ˌri:kə'mens] *v/t. u. v/i.* wieder beginnen.

rec·om·mend [ˌrekə'mend] *v/t.* **1.** empfehlen (***s.th. to s.o.*** j-m et.): ***~ s.o. for a post*** j-n für e-n Posten empfehlen; ***~ caution*** Vorsicht empfehlen, zu Vorsicht raten; **2.** empfehlen, anziehend machen: ***his manners ~ him***; **3.** (an-)empfehlen, anvertrauen: ***~ o.s. to s.o.***; **ˌrec·om'mend·a·ble** [-dəbl] *adj.* □ empfehlenswert; **rec·om·men·da·tion**

R

[ˌrekəmenˈdeɪʃn] *s.* **1.** Empfehlung *f* (*a. fig. Eigenschaft*), Befürwortung *f*, Vorschlag *m*: ***on the ~ of*** auf Empfehlung von; **2.** *a.* ***letter of ~*** Empfehlungsschreiben *n*; **ˌrec·omˈmend·a·to·ry** [-dətərɪ] *adj.* empfehlend, Empfehlungs…

re·com·mis·sion [ˌrɪ:kəˈmɪʃn] *v/t.* **1.** wieder anstellen *od.* beauftragen; ⚔ *Offizier* reaktivieren; **2.** ⚓ *Schiff* wieder in Dienst stellen.

re·com·mit [ˌri:kəˈmɪt] *v/t.* **1.** *parl.* (an e-n Ausschuß) zuˈrückverweisen; **2.** ⚖ a) *j-n* wieder *dem Gericht* überˈantworten, b) *j-n* wieder in *e-e* (*Straf- od. Heil-*) *Anstalt* einweisen.

re·com·pense [ˈrekəmpens] **I** *v/t.* **1.** *j-n* belohnen, entschädigen (***for*** für); **2.** *et.* vergelten, belohnen (***to s.o.*** j-m); **3.** *et.* erstatten, ersetzen, wiederˈgutmachen; **II** *s.* **4.** Belohnung *f*; *a. b.s.* Vergeltung *f*; **5.** Entschädigung *f*, Ersatz *m*.

re·com·pose [ˌri:kəmˈpəʊz] *v/t.* **1.** wieder zs.-setzen; **2.** neu (an)ordnen, ˈumgestalten, -gruppieren; **3.** *fig.* wieder beruhigen; **4.** *typ.* neu setzen.

rec·on·cil·a·ble [ˈrekənsaɪləbl] *adj.* **1.** versöhnbar; **2.** vereinbar (***with*** mit); **rec·on·cile** [ˈrekənsaɪl] *v/t.* **1.** *j-n* ver-, aussöhnen (***to***, ***with*** mit): ***~ o.s. to***, ***become ~d to*** *fig.* sich versöhnen *od.* abfinden *od.* befreunden mit *et.*, sich fügen *od.* finden in (*acc.*); **2.** *fig.* in Einklang bringen, abstimmen (***with***, ***to*** mit); **3.** *Streit* beilegen, schlichten; **rec·on·cil·i·a·tion** [ˌrekənsɪlɪˈeɪʃn] *s.* **1.** Ver-, Aussöhnung *f* (***to***, ***with*** mit); **2.** Beilegung *f*, Schlichtung *f*; **3.** Ausgleich(ung *f*) *m*, Einklang *m* (***between*** zwischen *dat.*, unter *dat.*).

rec·on·dite [rɪˈkɒndaɪt] *adj.* ☐ *fig.* tief (-gründig), abˈstrus, dunkel.

re·con·di·tion [ˌri:kənˈdɪʃn] *v/t. bsd.* ⚙ wieder inˈstandsetzen, überˈholen, erneuern.

re·con·nais·sance [rɪˈkɒnɪsəns] *s.* ⚔ a) Erkundung *f*, Aufklärung *f*, b) *a.* ***~ party*** *od.* ***patrol*** Spähtrupp *m*: ***~ car*** Spähwagen *m*; ***~ plane*** Aufklärungsflugzeug *n*, Aufklärer *m*.

rec·on·noi·ter *Am.*, **rec·on·noi·tre** *Brit.* [ˌrekəˈnɔɪtə] *v/t.* ⚔ erkunden, aufklären, auskundschaften (*a. fig.*), rekognoszieren (*a. geol.*).

re·con·quer [ˌri:ˈkɒŋkə] *v/t.* ˈwieder-, zuˈrückerobern; **ˌreˈcon·quest** [-kwest] *s.* ˈWiedereroberung *f*.

re·con·sid·er [ˌri:kənˈsɪdə] *v/t.* **1.** von neuem erwägen, nochmals überˈlegen, nachprüfen; **2.** *pol.*, ⚖ *Antrag*, *Sache* nochmals behandeln; **re·con·sid·er·a·tion** [ˈri:kənˌsɪdəˈreɪʃn] *s.* nochmalige Überˈlegung *od.* Erwägung *od.* Prüfung.

re·con·stit·u·ent [ˌri:kənˈstɪtjʊənt] **I** *s.* ⚕ ˈRoborans *n*; **II** *adj. bsd.* ⚕ wiederˈaufbauend.

re·con·sti·tute [ˌri:ˈkɒnstɪtju:t] *v/t.* **1.** wieder einsetzen; **2.** wiederˈherstellen; neu bilden; ⚔ neu aufstellen; **3.** im Wasser auflösen.

re·con·struct [ˌri:kənˈstrʌkt] *v/t.* **1.** wieder aufbauen (*a. fig.*), wieder herstellen; **2.** ˈumbauen (*a.* ⚙ *neu konstruieren*), ˈumformen, -bilden; **3.** ✝ wiederˈaufbauen, sanieren; **ˌre·con·struc·tion** [ˌri:kənˈstrʌkʃn] *s.* **1.** Wiederˈaufbau *m*, -ˈherstellung *f*; **2.** ˈUmbau *m* (*a.* ⚙ *Neukonstruktion*), ˈUmformung *f*; **3.** Rekonstruktiˈon *f* (*a. e-s Verbrechens etc.*); **4.** ✝ Sanierung *f*, Wiederˈaufbau *m*.

re·con·ver·sion [ˌri:kənˈvɜ:ʃn] *s.* (ˈRück)ˌUmwandlung *f*, ˈUmstellung *f* (*bsd.* ✝ *e-s Betriebs*, *auf Friedensproduktion etc.*); **ˌre·conˈvert** [-ˈvɜ:t] *v/t.* (wieder) ˈumstellen.

rec·ord¹ [ˈrekɔ:d] *s.* **1.** Aufzeichnung *f*, Niederschrift *f*: ***on ~*** a) (geschichtlich *etc.*) verzeichnet, schriftlich belegt, b) → 4 b, c) *fig. das beste etc.* aller Zeiten, bisher; ***off the ~*** inoffiziell, nicht für die Öffentlichkeit bestimmt; ***on the ~*** offiziell; ***matter of ~*** verbürgte Tatsache; **2.** (schriftlicher) Bericht; **3.** *a.* ⚖ Urkunde *f*, Dokuˈment *n*, ˈUnterlage *f*; **4.** ⚖ a) Protoˈkoll *n*, Niederschrift *f*, b) (Gerichts)Akte *f*, Aktenstück *n*: ***on ~*** aktenkundig; ***on the ~ of the case*** nach Aktenlage; ***go on ~*** *fig.* a) sich erklären *od.* festlegen, b) sich erweisen (***as*** als); ***place on ~*** aktenkundig machen; ***court of ~*** ordentliches Gericht; ***~ office*** Archiv *n*; (***just***) ***to put the ~ straight!*** (nur) um das mal klarzustellen!; ***just for the ~!*** (nur) um das mal festzuhalten!; **5.** Reˈgister *n*, Liste *f*, Verzeichnis *n*: ***criminal ~*** a) Strafregister, b) *weitS.* Vorstrafen *pl.*; ***have a*** (***criminal***) ***~*** vorbestraft sein; **6.** *a.* ⚙ Registrierung *f*; **7.** a) Ruf *m*, Leumund *m*, Vergangenheit *f*: ***a bad ~***, b) *gute etc.* Leistung(en *pl.*) *in der Vergangenheit*; **8.** *fig.* Urkunde *f*, Zeugnis *n*: ***be a ~ of*** *et.* bezeugen; **9.** (Schall)Platte *f*: ***~ changer*** Plattenwechsler *m*; ***~ library*** a) Plattensammlung *f*, -archiv *n*, b) Plattenverleih *m*; ***~ machine*** *Am.* Musikautomat *m*; ***~ player*** Plattenspieler *m*; **10.** *sport*, *a. weitS.* Reˈkord *m*, Best-, Höchstleistung *f*: ***~ high*** (***low***) ✝ Rekordhoch (-tief) *n*; ***~ attendance*** Zuschauerrekord *m*; ***~ performance*** *allg.* Spitzenleistung *f*; ***~ prices*** ✝ Rekordpreise; ***in ~ time*** in Rekordzeit.

re·cord² [rɪˈkɔ:d] *v/t.* **1.** schriftlich niederlegen; (*a.* ⚙) aufzeichnen, -schreiben; ⚖ beurkunden, protokollieren; zu den Akten nehmen; ✝ *etc.* eintragen, registrieren, erfassen: ***by ~ed delivery***

✉ per Einschreiben; **2.** ⚙ *Meßwerte* registrieren, verzeichnen; **3.** (*auf Tonband etc.*) aufnehmen, -zeichnen, *Sendung* mitschneiden, *a. fotografisch* festhalten; **4.** *fig.* aufzeichnen, festhalten, der Nachwelt über'liefern; **5.** *Stimme* abgeben; **re·cord·er** [rɪ'kɔːdə] *s.* **1.** Regi'strator *m*; *weitS.* Chro'nist *m*; **2.** Schrift-, Proto'kollführer(in); **3.** ⚖ *Brit. obs.* Einzelrichter *m* der ***Quarter Sessions***; **4.** ⚙ Aufnahmegerät *n*: a) Regi'strierappa,rat *m*, (Bild-, Selbst-) Schreiber *m*, b) 'Wiedergabegerät *n*; → ***tape recorder*** *etc.*; **5.** ♪ Blockflöte *f*; **re·cord·ing** [rɪ'kɔːdɪŋ] **I** *s.* **1.** *a.* ⚙ Aufzeichnung *f*, Registrierung *f*; **2.** Beurkundung *f*; Protokollierung *f*; **3.** *Radio etc.*: Aufnahme *f*, Aufzeichnung *f*, Mitschnitt *m*; **II** *adj.* **4.** Protokoll…; **5.** registrierend: **~ *chart*** Registrierpapier *n*; **~ *head*** a) ϟ Tonkopf *m* (*Tonbandgerät*), b) Schreibkopf *m* (*Computer*).

re·count¹ [rɪ'kaʊnt] *v/t.* **1.** (im einzelnen) erzählen; **2.** aufzählen.

re-count² [,riː'kaʊnt] *v/t.* nachzählen.

re·coup [rɪ'kuːp] *v/t.* **1.** 'wiedergewinnen, *Verlust etc.* wieder'einbringen; **2.** *j-n* entschädigen (***for*** für); **3.** ✝, ⚖ einbehalten.

re·course [rɪ'kɔːs] *s.* **1.** Zuflucht *f* (***to*** zu): ***have ~ to s.th.*** s-e Zuflucht zu et. nehmen; ***have ~ to foul means*** zu unredlichen Mitteln greifen; **2.** ✝, ⚖ Re'greß *m*, Re'kurs *m*: ***with*** (***without***) **~** mit (ohne) Rückgriff; ***liable to ~*** regreßpflichtig.

re·cov·er [rɪ'kʌvə] **I** *v/t.* **1.** (*a. fig. Appetit, Bewußtsein, Fassung etc.*) 'wiedererlangen, -finden; zu'rückerlangen, -gewinnen; ⚔ 'wieder-, zu'rückerobern; *Fahrzeug, Schiff* bergen: **~ *one's breath*** wieder zu Atem kommen; **~ *one's legs*** wieder auf die Beine kommen; **~ *land from the sea*** dem Meer Land abringen; **2.** *Verluste etc.* wieder'gutmachen, wieder'einbringen, ersetzen; *Zeit* wieder'aufholen; **3.** ⚖ a) *Schuld etc.* einziehen, beitreiben, b) *Urteil* erwirken (***against*** gegen): **~ *damages for*** Schadensersatz erhalten für; **4.** ⚙ *aus Altmaterial* regenerieren, 'wiedergewinnen; **5.** **~ *o.s.*** → 8 *u.* 9.: ***be ~ed from*** wiederhergestellt sein von; **6.** (er)retten, befreien (***from*** aus *dat.*); **7.** *fenc. etc.* in die Ausgangsstellung bringen; **II** *v/i.* **8.** genesen, wieder gesund werden; **9.** sich erholen (***from***, ***of*** von *e-m Schock etc.*) (*a.* ✝); **10.** wieder zu sich kommen, das Bewußtsein 'wiedererlangen; **11.** ⚖ a) Recht bekommen, b) entschädigt werden, sich schadlos halten: **~ *in one's*** (***law-***) ***suit*** s-n Prozeß gewinnen, obsiegen.

re·cov·er·a·ble [rɪ'kʌvərəbl] *adj.* **1.** 'wiedererlangbar; **2.** wieder'gutzumachen(d); **3.** ⚖ ein-, beitreibbar (*Schuld*); **4.** wieder'herstellbar; **5.** ⚙ regenerierbar; **re·cov·er·y** [rɪ'kʌvərɪ] *s.* **1.** (Zu)'Rück-, 'Wiedererlangung *f*, -gewinnung *f*; **2.** ⚖ a) Ein-, Beitreibung *f*, b) *mst* **~ *of damages*** (Erlangung *f* von) Schadenersatz *m*; **3.** ⚙ Rückgewinnung *f aus Abfallstoffen etc.*; **4.** ⚓ *etc.* Bergung *f*, Rettung *f*: **~ *vehicle*** *mot.* Bergungsfahrzeug *n*; Abschleppwagen *m*; **5.** *fig.* Rettung *f*, Bekehrung *f*; **6.** Genesung *f*, Gesundung *f*, Erholung *f* (*a.* ✝), (*gesundheitliche*) Wieder'herstellung: ***economic ~*** Konjunkturaufschwung *m*, -belebung *f*; ***be past*** (*od.* ***beyond***) **~** unheilbar krank sein, *fig.* hoffnungslos darniederliegen; **7.** *sport* a) *fenc. etc.* Zu'rückgehen *n* in die Ausgangsstellung, b) *Golf*: Bunkerschlag *m*.

rec·re·an·cy ['rekrɪənsɪ] *s.* **1.** Feigheit *f*; **2.** Abtrünnigkeit *f*; **'rec·re·ant** [-nt] **I** *adj.* ☐ **1.** feig(e); **2.** abtrünnig, treulos; **II** *s.* **3.** Feigling *m*; **4.** Abtrünnige(r *m*) *f*.

rec·re·ate ['rekrɪeɪt] **I** *v/t.* **1.** erfrischen, *j-m* Erholung *od.* Entspannung gewähren; **2.** erheitern, unter'halten; **3.** **~ *o.s.*** a) ausspannen, sich erholen, b) sich ergötzen *od.* unterhalten; **II** *v/i.* **4.** → 3.

re-cre·ate [,riːkrɪ'eɪt] *v/t.* neu *od.* wieder (er)schaffen.

rec·re·a·tion [,rekrɪ'eɪʃn] *s.* Erholung *f*, Entspannung *f*, Erfrischung *f*; Belustigung *f*, Unter'haltung *f*: **~ *area*** Erholungsgebiet *n*; **~ *centre***, *Am.* **~ *center*** Freizeitzentrum *n*; **~ *ground*** Spiel-, Sportplatz *m*; **,rec·re'a·tion·al** [-ʃənl] *adj.* Erholungs…, Entspannungs…, *Ort etc.* der Erholung; Freizeit…: **~ *value*** Freizeitwert *m*; **rec·re·a·tive** ['rekrɪeɪtɪv] *adj.* **1.** erholsam, entspannend, erfrischend; **2.** unter'haltend.

re·crim·i·nate [rɪ'krɪmɪneɪt] *v/i. u. v/t.* Gegenbeschuldigungen vorbringen (gegen); **re·crim·i·na·tion** [rɪ,krɪmɪ'neɪʃn] *s.* Gegenbeschuldigung *f*.

re·cru·desce [,riːkruː'des] *v/i.* **1.** wieder aufbrechen (*Wunde*); **2.** sich wieder verschlimmern (*Zustand*); **3.** *fig.* wieder'ausbrechen, -'aufflackern (*Übel*); **,re·cru'des·cence** [-sns] *s.* **1.** Wieder'aufbrechen *n* (*e-r Wunde etc.*); **2.** *fig.* a) Wieder'ausbrechen *n*, b) Wieder'aufleben *n*.

re·cruit [rɪ'kruːt] **I** *s.* **1.** ⚔ a) Re'krut *m*, b) *Am.* (einfacher) Sol'dat; **2.** Neuling *m* (*a. contp.*); **II** *v/t.* **3.** ⚔ rekrutieren: a) *Rekruten* ausheben, einziehen, b) anwerben, c) *Einheit* ergänzen, erneuern, d) *weitS. Leute* her'anziehen: ***be ~ed from*** sich rekrutieren aus, *fig. a.* sich zs.-setzen *od.* ergänzen aus; **4.** *j-n*, *j-s Gesundheit* wieder'herstellen; **5.** *fig.* stärken, erfrischen; **III** *v/i.* **6.** Rekruten ausheben *od.* anwerben; **7.** sich erholen; **re'cruit·al** [-tl] *s.* Erholung *f*, Wieder'herstellung *f*; **re'cruit·ing** [-tɪŋ] ⚔ **I** *s.* Rekrutierung *f*, (An)Werben *n*; **II** *adj.* Werbe...(*-büro*, *-offizier etc.*); Rekrutierungs...(*-stelle*); **re'cruit·ment** [-mənt] *s.* **1.** Verstärkung *f*, Auffrischung *f*; **2.** *bsd.* ⚔ Rekrutierung *f*; **3.** Erholung *f*.

rec·tal ['rektəl] *adj.* □ *anat.* rek'tal: **~ syringe** Klistierspritze *f*.

rec·tan·gle ['rekˌtæŋgl] *s.* Ⱥ Rechteck *n*; **rec·tan·gu·lar** [rek'tæŋgjʊlə] *adj.* □ Ⱥ **1.** rechteckig; **2.** rechtwink(e)lig.

rec·ti·fi·a·ble ['rektɪfaɪəbl] *adj.* **1.** zu berichtigen(d), korrigierbar; **2.** Ⱥ, ⚙, ⚗ rektifizierbar; **rec·ti·fi·ca·tion** [ˌrektɪfɪ'keɪʃn] *s.* **1.** Berichtigung *f*, Verbesserung *f*, Richtigstellung *f*; **2.** Ⱥ, ⚗ Rektifikati'on *f*; **3.** ϟ Gleichrichtung *f*; **4.** *phot.* Entzerrung *f*; **'rec·ti·fi·er** [-aɪə] *s.* **1.** Berichtiger *m*; **2.** ⚗ *etc.* Rektifizierer *m*; **3.** ϟ Gleichrichter *m*; **4.** *phot.* Entzerrungsgerät *n*; **rec·ti·fy** ['rektɪfaɪ] *v/t.* berichtigen, korrigieren, richtigstellen; *Mißstand etc.* beseitigen; Ⱥ, ⚗, ⚙ rektifizieren; ϟ gleichrichten.

rec·ti·lin·e·al [ˌrektɪ'lɪnɪəl] *adj.*, **ˌrec·ti'lin·e·ar** [-ɪə] *adj.* □ geradlinig; **rec·ti·tude** ['rektɪtju:d] *s.* Geradheit *f*, Rechtschaffenheit *f*.

rec·tor ['rektə] *s.* **1.** *eccl.* Pfarrer *m*; **2.** *univ.* Rektor *m*; **3.** *Scot.* ('Schul)DiˌrektOr *m*; **'rec·tor·ate** [-ərət], **'rec·tor·ship** [-ʃɪp] *s.* **1.** *ped.* Rekto'rat *n*; **2.** *eccl.* a) Pfarrstelle *f*, b) Amt *n od.* Amtszeit *f* e-s Pfarrers; **'rec·to·ry** [-tərɪ] *s.* Pfar'rei *f*, Pfarre *f*: a) Pfarrhaus *n*, b) *Brit.* Pfarrstelle *f*, c) Kirchspiel *n*.

rec·tum ['rektəm] *pl.* **-ta** [-tə] *s. anat.* Mastdarm *m*, Rektum *n*.

re·cum·ben·cy [rɪ'kʌmbənsɪ] *s.* **1.** liegende Stellung, Liegen *n*; **2.** *fig.* Ruhe *f*; **re'cum·bent** [-nt] *adj.* □ (sich zu'rück)lehnend, liegend, *a. fig.* ruhend.

re·cu·per·ate [rɪ'kju:pəreɪt] **I** *v/i.* **1.** sich erholen (*a.* ✝); **II** *v/t.* **2.** 'wiedererlangen; **3.** *Verluste etc.* wettmachen; **re·cu·per·a·tion** [rɪˌkju:pə'reɪʃn] *s.* Erholung *f* (*a. fig.*); **re'cu·per·a·tive** [-rətɪv] *adj.* **1.** stärkend, kräftigend; **2.** Erholungs...

re·cur [rɪ'kɜ:] *v/i.* **1.** 'wiederkehren, wieder'auftreten (*Ereignis*, *Erscheinung etc.*); **2.** *fig. in Gedanken, im Gespräch* zu'rückkommen (**to** auf *acc.*); **3.** *fig.* 'wiederkehren (*Gedanken*); **4.** zu'rückgreifen (**to** auf *acc.*); **5.** Ⱥ (peri'odisch) wiederkehren (*Kurve etc.*): **~ring decimal** periodische Dezimalzahl; **re·currence** [rɪ'kʌrəns] *s.* **1.** 'Wiederkehr *f*, Wieder'auftreten *n*; **2.** Zu'rückgreifen *n* (**to** auf *acc.*); **3.** *fig.* Zu'rückkommen *n* (*im Gespräch etc.*) (**to** auf *acc.*); **re·cur·rent** [rɪ'kʌrənt] *adj.* □ **1.** 'wiederkehrend (*a. Zahlungen*, *Träume*), sich wieder'holend; **2.** peri'odisch auftretend: **~ fever** ⚕ Rückfallfieber *n*; **3.** ⚘, *anat.* rückläufig (*Nerv*, *Arterie etc.*).

re·cy·cla·ble [ˌri:'saɪkləbl] *adj.* recyclingfähig; **re·cy·cle** [ˌri:'saɪkl] *v/t.* **1.** ⚙ *Abfälle* 'wiederverwerten; **~d paper** Umweltpapier *n*; **2.** ✝ *Kapital* zu'rückschleusen; **re'cy·cling** [-lɪŋ] *s.* ⚙, ✝ Re'cycling *n*: a) ⚙ 'Wiederverwertung *f*: **~ of waste material**, b) ✝ Rückschleusung *f*: **~ of funds**.

red [red] **I** *adj.* **1.** rot: **~ ant** rote Waldameise; **Ƨ Book** a) Adelskalender *m*, b) *pol.* Rotbuch *n*; **~ cabbage** Rotkohl *m*; **Ƨ Cross** Rotes Kreuz; **~ currant** Johannisbeere *f*; **~ deer** Edel-, Rothirsch *m*; **Ƨ Ensign** brit. Handelsflagge *f*; **~ hat** Kardinalshut *m*; **~ heat** Rotglut *f*; **~ herring** a) Bückling *m*, b) *fig.* Ablenkungsmanöver *n*, falsche Spur; **draw a ~ herring across the path** a) ein Ablenkungsmanöver durchführen, b) e-e falsche Spur zurücklassen; **~ lead** *min.* Mennige *f*; **~ lead ore** Rotbleierz *n*; **~ light** Warn-, Stopplicht *n*; **see the ~ light** *fig.* die Gefahr erkennen; **the lights are at ~** *mot.* die Ampel steht auf Rot; **~ tape** Amtsschimmel *m*, Bürokratismus *m*, Papierkrieg *m*; **see ~** ‚rotsehen', wild werden; → **paint** 2; **rag**[1] 1; **2.** rot(glühend); **3.** rot(haarig); **4.** rot(häutig); **5.** *oft* Ƨ *pol.* rot: a) kommu'nistisch, sozia'listisch, b) sow'jetisch: **the Ƨ Army** die Rote Armee; **II** *s.* **6.** Rot *n*; **7.** *a.* **~skin** Rothaut *f* (*Indianer*); **8.** *oft* Ƨ *pol.* Rote(r *m*) *f*; **9.** *bsd.* ✝ **be in the ~** in den roten Zahlen sein; **get out of the ~** aus den roten Zahlen herauskommen.

re·dact [rɪ'dækt] *v/t.* **1.** redigieren, her'ausgeben; **2.** *Erklärung etc.* abfassen; **re'dac·tion** [-kʃn] *s.* **1.** Redakti'on *f* (*Tätigkeit*), Her'ausgabe *f*; **2.** (Ab)Fassung *f*; **3.** Neubearbeitung *f*.

ˌred|-'blood·ed *adj. fig.* lebensprühend, vi'tal, feurig; **'~·breast** *s. orn.* Rotkehlchen *n*; **'~·cap** *s.* ‚Rotkäppchen' *n*: a) *Brit. sl.* Mili'tärpoliˌzist *m*, b) *Am.* (Bahnhofs)Gepäckträger *m*; **~ car·pet** *s.* roter Teppich: **~ treatment** ‚großer Bahnhof'.

red·den ['redn] **I** *v/t.* röten, rot färben; **II** *v/i.* rot werden: a) sich röten, b) erröten (**at** über *acc.*, **with** vor *dat.*).

red·dish ['redɪʃ] *adj.* rötlich.

red·dle ['redl] *s.* Rötel *m*.

re·dec·o·rate [ˌri:'dekəreɪt] *v/t. Zimmer etc.* renovieren, neu streichen *od.* tapezieren.

re·deem [rɪ'di:m] *v/t.* **1.** *Verpflichtung* abzahlen, -lösen, tilgen, amortisieren; **2.** zu'rückkaufen; **3.** ✝ *Staatspapier* auslosen; **4.** *Pfand* einlösen; **5.** *Gefangene etc.* los-, freikaufen; **6.** *Verspre-*

R

chen erfüllen, einlösen; **7.** *Fehler etc.* wieder'gutmachen, *Sünde* abbüßen; **8.** *schlechte Eigenschaft* aufwiegen, wettmachen, versöhnen mit: **~ing feature** a) versöhnender Zug, b) ausgleichendes Moment; **9.** *Ehre*, *Rechte* 'wiedererlangen, wieder'herstellen; **10.** (**from**) bewahren (vor *dat.*); (er)retten (von); befreien (von); **11.** *eccl.* erlösen (**from** von); **12.** *Zeitverlust* wettmachen; **re'deem·a·ble** [-məbl] *adj.* □ **1.** abzahlbar, -lösbar, tilgbar; kündbar (*Anleihe*); rückzahlbar (*Wertpapier*): **~ loan** Tilgungsdarlehen *n*; **2.** zu'rückkaufbar; **3.** ✝ auslosbar (*Staatspapier*); **4.** einlösbar (*Pfand*, *Versprechen etc.*); **5.** wieder'gutzumachen(d) (*Fehler*), abzubüßen(d) (*Sünde*); **6.** 'wiedererlangbar; **7.** *eccl.* erlösbar; **re'deem·er** [-mə] *s.* **1.** Einlöser(in) *etc.*; **2.** ♀ *eccl.* Erlöser *m*, Heiland *m*.

re·de·liv·er [ˌriːdɪ'lɪvə] *v/t.* **1.** *j-n* wieder befreien; **2.** *et.* zu'rückgeben; rückliefern.

re·demp·tion [rɪ'dempʃn] *s.* **1.** Abzahlung *f*, Ablösung *f*, Tilgung *f*, Amortisati'on *f e-r Schuld etc.*: **~ fund** *Am.* ✝ Tilgungsfonds *m*; **~ loan** ✝ Ablösungsanleihe *f*; **2.** Rückkauf *m*; **3.** Auslosung *f von Staatspapieren*; **4.** Einlösung *f e-s Pfandes* (*fig. e-s Versprechens*); **5.** Los-, Freikauf *m e-r Geisel etc.*; **6.** Wieder'gutmachung *f e-s Fehlers*; Abbüßung *f e-r Sünde*; **7.** Ausgleich *m* (**of** für), Wettmachen *n e-s Nachteils*; **8.** 'Wiedererlangung *f*, Wieder'herstellung *f e-s Rechts etc.*; **9.** *bsd. eccl.* Erlösung *f* (**from** von): **past** *od.* **beyond ~** hoffnungs- *od.* rettungslos (verloren); **re'demp·tive** [-ptɪv] *adj. eccl.* erlösend, Erlösungs…

re·de·ploy [ˌriːdɪ'plɔɪ] *v/t.* **1.** *bsd.* ⚔ 'umgrupˌpieren; **2.** ⚔, *a.* ✝ verlegen; ˌ**re·de'ploy·ment** [-mənt] *s.* **1.** 'Umgrupˌpierung *f*; (Truppen)Verschiebung *f*; **2.** Verlegung *f*.

re·de·vel·op [ˌriːdɪ'veləp] *v/t.* **1.** neu entwickeln; **2.** *phot.* nachentwickeln; **3.** *Stadtteil etc.* sanieren; ˌ**re·de'vel·op·ment** [-mənt] *s.* **1.** Neuentwicklung *f etc.*; **2.** (Stadt- *etc.*)Sanierung *f*: **~ area** Sanierungsgebiet *n*.

ˌ**red-'hand·ed** *adj.*: **catch s.o. ~** j-n auf frischer Tat ertappen.

red·hi·bi·tion [ˌredhɪ'bɪʃn] *s.* ⚖ Wandlung *f beim Kauf*; **red·hib·i·to·ry** [red'hɪbɪtərɪ] *adj.* Wandlungs…(*-klage etc.*): **~ defect** Fehler *m* der Sache beim Kauf.

ˌ**red-'hot** *adj.* **1.** rotglühend; **2.** glühend heiß; **3.** *fig.* wild, toll; **4.** hitzig, jähzornig; **5.** allerneuest, 'brandaktuˌell: **~ news**.

red·in·te·grate [re'dɪntɪgreɪt] *v/t.* **1.** wieder'herstellen; **2.** erneuern.

re·di·rect [ˌriːdɪ'rekt] *v/t.* **1.** *Brief etc.* 'umadresˌsieren; **2.** *Verkehr* 'umleiten; **3.** *fig.* e-e neue Richtung geben (*dat.*), ändern.

re·dis·count [ˌriː'dɪskaʊnt] ✝ **I** *v/t.* **1.** rediskontieren; **II** *s.* **2.** Rediskon'tierung *f*; **3.** Redis'kont *m*: **~ rate** *Am.* Rediskontsatz *m*; **4.** rediskon'tierter Wechsel.

re·dis·cov·er [ˌriːdɪ'skʌvə] *v/t.* 'wiederentdecken.

re·dis·trib·ute [ˌriːdɪ'strɪbjuːt] *v/t.* **1.** neu verteilen; **2.** wieder verteilen.

ˌ**red|-'let·ter day** *s. fig.* Freuden-, Glückstag *m*; ˌ**~-'light dis·trict** *s.* Bor'dellviertel *n*.

red·ness ['rednɪs] *s.* Röte *f*.

re·do [ˌriː'duː] *v/t.* [*irr.* → **do**] **1.** nochmals tun *od.* machen; **2.** *Haar etc.* nochmals richten *etc.*

red·o·lence ['redəʊləns] *s.* Duft *m*, Wohlgeruch *m*; '**red·o·lent** [-nt] *adj.* duftend (**of**, **with** nach): **be ~ of** *fig. et.* atmen, stark gemahnen an (*acc.*), um'wittert sein von.

re·dou·ble [ˌriː'dʌbl] **I** *v/t.* **1.** verdoppeln; **2.** *Bridge*: *j-m* Re'kontra geben; **II** *v/i.* **3.** sich verdoppeln; **4.** *Bridge*: Re'kontra geben.

re·doubt [rɪ'daʊt] *s.* ⚔ **1.** Re'doute *f*; **2.** Schanze *f*; **re'doubt·a·ble** [-təbl] *adj. rhet. od. iro.* **1.** furchtbar, schrecklich; **2.** gewaltig.

re·dound [rɪ'daʊnd] *v/i.* **1.** ausschlagen *od.* gereichen (**to** zu *j-s Ehre*, *Vorteil etc.*); **2.** zu'teil werden, erwachsen (**to** *dat.*, **from** aus); **3.** zu'rückfallen, -wirken (**upon** auf *acc.*).

re·draft [ˌriː'drɑːft] **I** *s.* **1.** neuer Entwurf; **2.** ✝ Rück-, Ri'kambiowechsel *m*; **II** *v/t.* **3.** → **redraw** I.

re·draw [ˌriː'drɔː] [*irr.* → **draw**] **I** *v/t.* neu entwerfen; **II** *v/i.* ✝ zu'rücktrasˌsieren (**on** auf *acc.*).

re·dress [rɪ'dres] **I** *s.* **1.** Abhilfe *f* (*a.* ⚖): **legal ~** Rechtshilfe *f*: **obtain ~ from s.o.** gegen j-n Regreß nehmen; **2.** Behebung *f*, Beseitigung *f e-s Übelstandes*; **3.** Wieder'gutmachung *f e-s Unrechts*, *Fehlers etc.*; **4.** Entschädigung *f* (**for** für); **II** *v/t.* **5.** *Mißstand* beheben, beseitigen, (*dat.*) abhelfen; *Unrecht* wieder'gutmachen; *Gleichgewicht etc.* wieder'herstellen; **6.** ✈ *Flugzeug* in die nor'male Fluglage zu'rückbringen.

ˌ**red|-'short** *adj. metall.* rotbrüchig; '**~·start** *s. orn.* Rotschwänzchen *n*; ˌ**~-'tape** *adj.* büro'kratisch; ˌ**~-'tap·ism** [-'teɪpɪzəm] *s.* Bürokra'tismus *m*; ˌ**~-'tap·ist** [-'teɪpɪst] *s.* Büro'krat(in), Aktenmensch *m*.

re·duce [rɪ'djuːs] **I** *v/t.* **1.** her'absetzen, vermindern, -ringern, -kleinern, reduzieren, *fig. a.* abbauen: **~d scale** verjüngter Maßstab; **on a ~d scale** in ver-

R

kleinertem Maßstab; **2.** *Preise* her'absetzen, ermäßigen: ***at ~d prices*** zu herabgesetzten Preisen; ***at a ~d fare*** zu ermäßigtem Fahrpreis; **3.** *im Rang, Wert etc.* her'absetzen, -mindern, -drücken, erniedrigen; *a.* ***~ to the ranks*** ⚔ degradieren; **4.** schwächen, erschöpfen; (*finanziell*) erschüttern: ***in ~d circumstances*** in beschränkten Verhältnissen, verarmt; **5.** (***to***) verwandeln (in *acc.*, zu), machen (zu): ***~ to pulp*** zu Brei machen; ***~d to a skeleton*** zum Skelett abgemagert; **6.** bringen (***to*** zu): ***~ to a system*** in ein System bringen; ***~ to rules*** in Regeln fassen; ***~ to writing*** schriftlich niederlegen, aufzeichnen; ***~ theories into practice*** Theorien in die Praxis umsetzen; **7.** zu'rückführen, reduzieren (***to*** auf *acc.*): ***~ to absurdity*** ad absurdum führen; **8.** zerlegen (***to*** in *acc.*); **9.** einteilen (***to*** in *acc.*); **10.** anpassen (***to*** *dat. od.* an *acc.*); **11.** 𝔄, ⚗, *biol.* reduzieren; *Gleichung* auflösen; ***~ to a common denominator*** auf e-n gemeinsamen Nenner bringen; **12.** *metall.* (aus)schmelzen (***from*** aus); **13.** zwingen, *zur Verzweiflung etc.* bringen: ***~ to obedience*** zum Gehorsam zwingen; ***he was ~d to sell*** (***-ing***) ***his house*** er war gezwungen, sein Haus zu verkaufen; ***~d to tears*** zu Tränen gerührt; **14.** unter'werfen, erobern; *Festung* zur 'Übergabe zwingen; **15.** beschränken (***to*** auf *acc.*); **16.** *Farben etc.* verdünnen; **17.** *phot.* abschwächen; **18.** ✱ einrenken, (wieder) einrichten; **II** *v/i.* **19.** (an Gewicht) abnehmen; e-e Abmagerungskur machen; **re'duc·er** [-sə] *s.* **1.** ⚗ Redukti'onsmittel *n*; **2.** *phot.* a) Abschwächer *m*, b) Entwickler *m*; **3.** ⚙ a) Redu'zierstück *n od.* -maˌschine *f*, b) → ***reducing gear***; **re'duc·i·ble** [-səbl] *adj.* **1.** reduzierbar (*a.* ✱), zu'rückführbar (***to*** auf *acc.*): ***be ~ to*** sich reduzieren *od.* zurückführen lassen auf (*acc.*); **2.** verwandelbar (***to, into*** in *acc.*); **3.** her'absetzbar.

re·duc·ing| a·gent [rɪ'dju:sɪŋ] *s.* ⚗ Redukti'onsmittel *n*; **~ di·et** *s.* Abmagerungskur *f*; **~ gear** *s.* ⚙ Unter'setzungsgetriebe *n*.

re·duc·tion [rɪ'dʌkʃn] *s.* **1.** Her'absetzung *f*, Verminderung *f*, -ringerung *f*, -kleinerung *f*, Reduzierung *f*, *fig. a.* Abbau *m*: ***~ in*** (*od.* ***of***) ***prices*** Preisherabsetzung, -ermäßigung *f*; ***~ in*** (*od.* ***of***) ***wages*** Lohnkürzung *f*; ***~ of interest*** Zinsherabsetzung; ***~ of staff*** Personalabbau *m*; **2.** (Preis)Nachlaß *m*, Abzug *m*, Ra'batt *m*; **3.** Verminderung *f*, Rückgang *m*: ***import ~*** † Einfuhrrückgang; **4.** Verwandlung *f* (***into, to*** in *acc.*): ***~ into gas*** Vergasung *f*; **5.** Zu'rückführung *f*, Reduzierung *f* (***to*** auf *acc.*); **6.** Zerlegung *f* (***to*** in *acc.*); **7.** ⚗ Redukti'on *f*; **8.** 𝔄 Redukti'on *f*, Kürzung *f*, Vereinfachung *f*; Auflösung *f von Gleichungen*; **9.** *metall.* (Aus-)Schmelzung *f*; **10.** Unter'werfung *f* (***to*** unter *acc.*); Bezwingung *f*, ⚔ Niederkämpfung *f*; **11.** *phot.* Abschwächung *f*; **12.** *biol.* Redukti'on *f*; **13.** ✱ Einrenkung *f*; **14.** Verkleinerung *f* (*e-s Bildes etc.*); **~ com·pass·es** *s. pl.* Redukti'onszirkel *m*; **~ di·vi·sion** *s. biol.* Redukti'onsteilung *f*; **~ gear** *s.* ⚙ Redukti'ons-, Unter'setzungsgetriebe *n*; **~ ra·tio** *s.* ⚙ Unter'setzungsverhältnis *n*.

re·dun·dance [rɪ'dʌndəns], **re'dun·dan·cy** [-sɪ] *s.* **1.** 'Überfluß *m*, -fülle *f*; **2.** 'Überflüssigkeit *f*, † *a.* Arbeitslosigkeit *f*: ***~ letter*** *od.* ***notice*** Entlassungsschreiben *n*; **3.** Wortfülle *f*; **4.** *ling.*, *Informatik*: Redun'danz *f*; **re'dun·dant** [-nt] *adj.* ☐ **1.** 'überreichlich, -mäßig; **2.** 'überschüssig, -zählig: ***~ workers*** freigesetzte (*entlassene*) Arbeitskräfte; ***make s.o. ~*** j-n freisetzen, -stellen; **3.** 'überflüssig; **4.** üppig; **5.** 'überfließend (***of, with*** von); **6.** über'laden (*Stil etc.*), *bsd.* weitschweifig; **7.** *ling.*, *Informatik*: redun'dant.

re·du·pli·cate [rɪ'dju:plɪkeɪt] *v/t.* **1.** verdoppeln; **2.** wieder'holen; **3.** *ling.* reduplizieren.

re·dye [ˌri:'daɪ] *v/t.* **1.** nachfärben; **2.** 'umfärben.

re·ech·o [ri:'ekəʊ] **I** *v/i.* 'widerhallen (***with*** von); **II** *v/t.* widerhallen lassen.

reed [ri:d] *s.* **1.** ⚘ Schilf *n*; (Schilf)Rohr *n*; Ried(gras) *n*: ***broken ~*** *fig.* schwankes Rohr; **2.** *pl. Brit.* (Dachdecker-)Stroh *n*; **3.** Pfeil *m*; **4.** Rohrflöte *f*; **5.** ♪ a) (Rohr)Blatt *n*: ***~ instruments, the ~s*** Rohrblattinstrumente, b) *a.* ***~-stop*** Zungenstimme *f* (*Orgel*); **6.** ⚙ Weberkamm *m*, Blatt *n*.

re·ed·it [ˌri:'edɪt] *v/t.* neu her'ausgeben; **re·e·di·tion** [ˌri:ɪ'dɪʃn] *s.* Neuausgabe *f*.

re·ed·u·cate [ˌri:'edjʊkeɪt] *v/t.* 'umschulen; **re·ed·u·ca·tion** ['ri:ˌedjʊ'keɪʃn] *s.* 'Umschulung *f*.

reed·y ['ri:dɪ] *adj.* **1.** schilfig, schilfreich; **2.** lang u. schlank; **3.** dünn, quäkend (*Stimme*).

reef[1] [ri:f] *s.* **1.** (Felsen)Riff *n*; **2.** *min.* Ader *f*, (Quarz)Gang *m*.

reef[2] [ri:f] ⚓ **I** *s.* Reff *n*; **II** *v/t. Segel* reffen.

reef·er ['ri:fə] *s.* **1.** ⚓ a) Reffer *m*, b) *sl.* 'Seekaˌdett *m*, c) Bord-, Ma'trosenjacke *f*, d) *Am. sl.* Kühlschiff *n*; **2.** *Am. sl.* a) 🚃, *mot.* Kühlwagen *m*, b) Kühlschrank *m*; **3.** *sl.* Marihu'ana-Zigaˌrette *f*.

reek [ri:k] **I** *s.* **1.** Gestank *m*, (üble) Ausdünstung, Geruch *m*; **2.** Dampf *m*, Dunst *m*, Qualm *m*; **II** *v/i.* **3.** stinken, riechen (***of, with*** nach), üble Dünste ausströmen; **4.** dampfen, rauchen

R

(***with*** von); **5.** *fig.* (***of***, ***with***) stark riechen (nach), voll sein (von); **'reek·y** [-kɪ] *adj.* **1.** dampfend, dunstend; **2.** rauchig.

reel[1] [riːl] **I** *s.* **1.** Haspel *f*, (*Garn- etc.*) Winde *f*; **2.** (*Garn-*, *Schlauch- etc.*) Rolle *f*, (*Bandmaß-*, *Farbband-*, *Film- etc.*)Spule *f*; ⚡ Kabeltrommel *f*; **3.** a) Film(streifen) *m*, b) (Film)Akt *m*; **II** *v/t.* **4.** *a.* **~ *up*** aufspulen, -wickeln, -rollen: **~ *off*** abhaspeln, -spulen, *fig.* ‚herunterrasseln': **~ *off a poem***.

reel[2] [riːl] *v/i.* **1.** sich (schnell) drehen, wirbeln: ***my head ~s*** mir schwindelt; **2.** wanken, taumeln: **~ *back*** zurücktaumeln.

reel[3] [riːl] *s.* Reel *m* (*schottischer Volkstanz*).

re-e·lect [ˌriːɪ'lekt] *v/t.* 'wiederwählen; **ˌre-e'lec·tion** [-kʃn] *s.* 'Wiederwahl *f*; **re-el·i·gi·ble** [ˌriː'elɪdʒəbl] *adj.* 'wiederwählbar.

re-em·bark [ˌriːɪm'bɑːk] *v/t.* (*v/i.* sich) wieder einschiffen.

re-e·merge [ˌriːɪ'mɜːdʒ] *v/i.* wieder'auftauchen, -'auftreten.

re-en·act [ˌriːɪ'nækt] *v/t.* **1.** wieder in Kraft setzen; **2.** *thea.* neu inszenieren; **3.** *fig.* wieder'holen; **ˌre-en'act·ment** [-mənt] *s.* **1.** ˌWiederin'kraftsetzung *f*; **2.** *thea.* Neuinszenierung *f*.

re-en·gage [ˌriːɪn'geɪdʒ] *v/t.* *j-n* wieder an- *od.* einstellen.

re-en·list [ˌriːɪn'lɪst] ⚔ *v/t. u. v/i.* (sich) weiter-, 'wiederverpflichten; (*nur v/i.*) kapitulieren: **~*ed man*** Kapitulant *m*; **ˌre-en'list·ment** [-mənt] *s.* Wieder'anwerbung *f*.

re-en·ter [ˌriː'entə] *v/t.* **1.** wieder betreten, wieder eintreten in (*acc.*); **2.** wieder eintragen (*in e-e Liste etc.*); **3.** ⚙ *Farben* auftragen; **re-en·trant** [riː'entrənt] **I** *adj.* A einspringend (*Winkel*); **II** *s.* einspringender Winkel; **re-en·try** [riː'entrɪ] *s.* Wieder'eintritt *m* (*a. Raumfahrt*: *in die Erdatmosphäre*; *a.* ⚖ *in den Besitz*).

re-es·tab·lish [ˌriːɪ'stæblɪʃ] *v/t.* **1.** wieder'herstellen; **2.** wieder'einführen, neu gründen.

reeve[1] [riːv] *s. Brit.* a) *hist.* Vogt *m*, b) Gemeindevorsteher *m*.

reeve[2] [riːv] *v/t.* ⚓ *Tauende* einscheren; *das Tau* ziehen (***around*** um).

re-ex·am·i·na·tion ['riːɪgˌzæmɪ'neɪʃn] *s.* **1.** Nachprüfung *f*, Wieder'holungsprüfung *f*; **2.** ⚖ a) nochmaliges (Zeugen-) Verhör, b) nochmalige Unter'suchung.

re-ex·change [ˌriːɪks'tʃeɪndʒ] *s.* **1.** Rücktausch *m*; **2.** ✝ Rück-, Gegenwechsel *m*; **3.** ✝ Rückwechselkosten *pl.*

re-ex·port ✝ **I** *v/t.* [ˌriːek'spɔːt] **1.** wieder'ausführen; **II** *s.* [ˌriː'ekspɔːt] **2.** Wieder'ausfuhr *f*; **3.** wieder'ausgeführte Ware.

re·fash·ion [ˌriː'fæʃn] *v/t.* 'umgestalten, -modeln.

re·fec·tion [rɪ'fekʃn] *s.* **1.** Erfrischung *f*; **2.** Imbiß *m*; **re'fec·to·ry** [-ktərɪ] *s.* **1.** *R.C.* Refek'torium *n* (*Speiseraum*); **2.** *univ.* Mensa *f*.

re·fer [rɪ'fɜː] **I** *v/t.* **1.** verweisen, hinweisen (***to*** auf *acc.*); **2.** *j-n um Auskunft, Referenzen etc.* verweisen (***to*** an *j-n*); **3.** (zur Entscheidung *etc.*) über'geben, -'weisen (***to*** an *acc.*): **~ *back to*** ⚖ *Rechtssache* zurückverweisen an *die Unterinstanz*; **~ *to drawer*** ✝ an Aussteller zurück; **4.** (***to***) zuschreiben (*dat.*), zu'rückführen (auf *acc.*); **5.** zuordnen, -weisen (***to*** *e-r Klasse etc.*); **II** *v/i.* **6.** (***to***) verweisen, hinweisen, sich beziehen, Bezug haben (auf *acc.*), betreffen (*acc.*): **~ *to s.th. briefly*** et. kurz berühren; **~*ring to my letter*** Bezug nehmend auf mein Schreiben; ***the point ~red to*** der erwähnte *od.* betreffende Punkt; **7.** sich beziehen *od.* berufen, Bezug nehmen (***to*** auf *j-n*); **8.** (***to***) sich wenden (an *acc.*), (*a. Uhr, Wörterbuch etc.*) befragen; (in *e-m Buch*) nachschlagen, -sehen; **ref·er·a·ble** [rɪ'fɜːrəbl] *adj.* **1.** (***to***) zuzuschreiben(d) (*dat.*), zu'rückführen(d) (auf *acc.*); **2.** (***to***) zu beziehen(d) (auf *acc.*), bezüglich (*gen.*); **ref·er·ee** [ˌrefə'riː] **I** *s.* **1.** ⚖, *sport* Schiedsrichter *m*, ⚖ *a.* beauftragter Richter; *Boxen*: Ringrichter *m*; **2.** *parl. etc.* Refe'rent *m*, Berichterstatter *m*; **3.** ⚖ *etc.* Sachbearbeiter(in), -verständige(r *m*) *f*; **II** *v/i. u. v/t.* **4.** als Schiedsrichter *etc.* fungieren (bei); **ref·er·ence** ['refrəns] **I** *s.* **1.** Verweis(ung *f*) *m*, Hinweis *m* (***to*** auf *acc.*): ***cross-~*** Querverweis: (***list of***) **~*s*** Quellenangabe *f*, Literaturverzeichnis *n*; ***mark of ~*** → 2 a *u.* 4; **2.** a) Verweiszeichen *n*, b) Verweisstelle *f*, c) Beleg *m*, 'Unterlage *f*; **3.** Bezugnahme *f* (***to*** auf *acc.*); *Patentrecht*: Entgegenhaltung *f*: ***in*** (*od.* ***with***) **~ *to*** bezüglich (*gen.*); ***for future ~*** zu späterer Verwendung; ***terms of ~*** Richtlinien; ***have ~ to*** sich beziehen auf (*acc.*); **4.** *a.* **~ *number*** Akten-, Geschäftszeichen *n*; **5.** (***to***) Anspielung *f* (auf *acc.*), Erwähnung *f* (*gen.*): ***make ~ to*** auf *et.* anspielen, *et.* erwähnen; **6.** (***to***) Zs.-hang *m* (mit), Beziehung *f* (zu): ***have no ~ to*** nichts zu tun haben mit; ***with ~ to him*** was ihn betrifft; **7.** Rücksicht *f* (***to*** auf *acc.*): ***without ~ to*** ohne Berücksichtigung (*gen.*); **8.** (***to***) Nachschlagen *n*, -sehen *n* (in *dat.*), Befragen *n* (*gen.*): ***book*** (*od.* ***work***) ***of ~*** Nachschlagewerk *n*; **~ *library*** Handbibliothek *f*; **9.** (***to***) Befragung *f* (*gen.*), Rückfrage *f* (bei); **10.** ⚖ Über'weisung *f e-r Sache* (***to*** an *ein Schiedsgericht etc.*); **11.** a) Refe'renz *f*, Empfehlung *f*,

R

allg. Zeugnis *n*, b) Refe'renz *f* (*Auskunftgeber*); **II** *adj.* **12.** ⚙, ✈ Bezugs…: **~ *frequency***; **~ *value***; **III** *v/t.* **13.** Verweise anbringen in *e-m Buch*; **ref·er·en·dum** [ˌrefəˈrendəm] *pl.* **-dums** *s. pol.* Volksentscheid *m*, -befragung *f*, Refe'rendum *n*.

re·fill [ˌriːˈfɪl] **I** *v/t.* wieder füllen, nachauffüllen; **II** *v/i.* sich wieder füllen; **III** *s.* [ˈriːfɪl] Nach-, Ersatzfüllung *f*; ϟ Er'satzbatteˌrie *f*; Ersatzmine *f* (*Bleistift etc.*); Einlage *f* (*Ringbuch*).

re·fine [rɪˈfaɪn] **I** *v/t.* **1.** ⚙ veredeln, raffinieren, *bsd.* a) *Eisen* frischen, b) *Metall* feinen, c) *Stahl* gar machen, d) *Glas* läutern, e) *Petroleum*, *Zucker* raffinieren; **2.** *fig.* bilden, verfeinern, kultivieren; **3.** *fig.* läutern, vergeistigen; **II** *v/i.* **4.** sich läutern; **5.** sich verfeinern *od.* kultivieren; **6.** (her'um)tüfteln ([***up***]***on*** an *dat.*); **7.** **~** (***up***)***on*** verbessern, weiterentwickeln; **re'fined** [-nd] *adj.* □ **1.** geläutert, raffiniert: **~ *sugar*** Feinzucker *m*, Raffinade *f*; **~ *steel*** Raffinierstahl *m*; **2.** *fig.* fein, gebildet, kultiviert; **3.** *fig.* raffiniert, sub'til; **4.** ('über)fein, (-)genau; **re'fine·ment** [-mənt] *s.* **1.** ⚙ Veredelung *f*, Vergütungs-, Raffinati'onsbehandlung *f*; **2.** Verfeinerung *f*; **3.** Feinheit *f der Sprache*, *e-r Konstruktion etc.*, Raffi'nesse *f* (*des Luxus etc.*); **4.** Vornehm-, Feinheit *f*, Kultiviertheit *f*, gebildetes Wesen; **5.** Klüge'lei *f*, Spitzfindigkeit *f*; **re'fin·er** [-nə] *s.* **1.** ⚙ a) (Eisen)Frischer *m*, b) Raffi'neur *m*, (Zucker)Sieder *m*, c) *metall.* Vorfrischofen *m*; **2.** Verfeinerer *m*; **3.** Klügler (-in), Haarspalter(in); **re'fin·er·y** [-nərɪ] *s.* ⚙ **1.** (*Öl-*, *Zucker- etc.*)Raffine'rie *f*; **2.** *metall.* (Eisen-, Frisch)Hütte *f*; **re'fin·ing fur·nace** [-nɪŋ] *s. metall.* Frisch-, Feinofen *m*.

re·fit [ˌriːˈfɪt] **I** *v/t.* **1.** wieder in'stand setzen, ausbessern; **2.** neu ausrüsten; **II** *v/i.* **3.** ausgebessert *od.* über'holt werden; **III** *s.* **4.** *a.* **re·fit·ment** [rɪˈfɪtmənt] Wiederin'standsetzung *f*, Ausbesserung *f*.

re·fla·tion [riːˈfleɪʃn] *s.* ✝ Reflati'on *f*.

re·flect [rɪˈflekt] **I** *v/t.* **1.** *Strahlen etc.* reflektieren, zu'rückwerfen, -strahlen: **~*ing power*** Reflexionsvermögen *n*; **2.** *Bild etc.* ('wider)spiegeln: **~*ing telescope*** Spiegelteleskop *n*; **3.** *fig.* ('wider)spiegeln, zeigen: ***be ~ed in*** sich (wider)spiegeln in (*dat.*); **~ *credit on s.o.*** j-m Ehre machen; ***our prices ~ your commission*** ✝ unsere Preise enthalten Ihre Provision; **4.** über'legen (***that*** daß, ***how*** wie); **II** *v/i.* **5.** ([***up***]***on***) nachdenken, -sinnen (über *acc.*), (*et.*) über'legen; **6.** **~** (***up***)***on*** a) sich abfällig äußern über (*acc.*), *et.* her'absetzen, b) ein schlechtes Licht werfen auf (*acc.*), *j-m* nicht gerade zur Ehre gereichen, c) *et.* ungünstig beeinflussen; **re'flec·tion** [-kʃn] *s.* **1.** *phys.* Reflexi'on *f*, Zu'rückstrahlung *f*; **2.** ('Wider)Spiegelung *f* (*a. fig.*); Re'flex *m*, 'Widerschein *m*: ***a faint ~ of*** *fig.* ein schwacher Abglanz (*gen.*); **3.** Spiegelbild *n*; **4.** *fig.* Nachwirkung *f*, Einfluß *m*; **5.** a) Über'legung *f*, Erwägung *f*, b) Betrachtung *f*, Gedanke *m* (***on*** über *acc.*): ***on ~*** nach einigem Nachdenken; **6.** abfällige Bemerkung (***on*** über *acc.*), Anwurf *m*: ***cast ~s upon*** herabsetzen, in ein schlechtes Licht setzen; **7.** *anat.* a) Zu'rückbiegung *f*, b) zu'rückgebogener Teil; **8.** *physiol.* Re'flex *m*; **re'flec·tive** [-tɪv] *adj.* □ **1.** reflektierend, zu'rückstrahlend; **2.** nachdenklich; **re'flec·tor** [-tə] *s.* **1.** Re'flektor *m*; **2.** Spiegel *m*; **3.** *mot. etc.* Rückstrahler *m*; Katzenauge *n* (*Fahrrad etc.*); **4.** Scheinwerfer *m*; **re·flex** [ˈriːfleks] **I** *s.* **1.** *physiol.* Re'flex *m*: **~ *action*** (*od.* ***movement***) Reflexbewegung *f*; **2.** ('Licht)ReˌfIex *m*, 'Widerschein *m*; *fig.* Abglanz *m*: **~ *camera*** (Spiegel)Reflexkamera *f*; **3.** Spiegelbild *n* (*a. fig.*); **II** *adj.* **4.** zu'rückgebogen; **5.** Reflex…, Rück…; **re·flex·i·ble** [rɪˈfleksəbl] *adj.* reflektierbar; **re·flex·ion** [rɪˈflekʃn] *s.* → ***reflection***; **re·flex·ive** [rɪˈfleksɪv] **I** *adj.* □ **1.** zu'rückwirkend; **2.** *ling.* refle'xiv, rückbezüglich, Reflexiv…; **II** *s.* **3.** *ling.* a) rückbezügliches Fürwort *od.* Zeitwort, b) reflexive Form.

re·float [ˌriːˈfləʊt] ⚓ **I** *v/t.* wieder flottmachen; **II** *v/i.* wieder flott werden.

re·flux [ˈriːflʌks] *s.* Zu'rückfließen *n*, Rückfluß *m* (*a.* ✝ *von Kapital*).

re·for·est [ˌriːˈfɒrɪst] *v/t. Land* aufforsten.

re·form¹ [rɪˈfɔːm] **I** *s.* **1.** *pol. etc.* Re'form *f*, Verbesserung *f*; **2.** Besserung *f*: **~ *school*** Besserungsanstalt *f*; **II** *v/t.* **3.** reformieren, verbessern; **4.** *j-n* bessern; **5.** *Mißstand etc.* beseitigen; **6.** ⚖ *Am. Urkunde* berichtigen; **III** *v/i.* **7.** sich bessern.

re·form², **re-form** [ˌriːˈfɔːm] **I** *v/t.* 'umformen, -gestalten, -bilden, neu gestalten; **II** *v/i.* sich 'umformen, sich neu gestalten.

ref·or·ma·tion¹ [ˌrefəˈmeɪʃn] *s.* **1.** Reformierung *f*, Verbesserung *f*; **2.** Besserung *f des Lebenswandels etc.*; **3.** ♀ *eccl.* Reformati'on *f*; **4.** ⚖ *Am.* Berichtigung *f e-r Urkunde*.

re·for·ma·tion², **re-for·ma·tion** [ˌriːfɔːˈmeɪʃn] *s.* 'Umbildung *f*, 'Um-, Neugestaltung *f*.

re·form·a·to·ry [rɪˈfɔːmətərɪ] **I** *adj.* **1.** Besserungs…: **~ *measures*** Besserungsmaßnahmen; **2.** Reform…; **II** *s.* **3.** Besserungsanstalt *f*; **re'formed** [-md] *adj.* **1.** verbessert, neu u. besser gestaltet; **2.** gebessert: **~ *drunkard*** ge-

R

heilter Trinker; **3.** ♀ *eccl.* reformiert; **re'form·er** [-mə] *s.* **1.** *bsd. eccl.* Refor'mator *m*; **2.** *pol.* Re'former(in); **re'form·ist** [-mɪst] *s.* **1.** *eccl.* Reformierte(r *m*) *f*; **2.** → ***reformer***.

re·fract [rɪ'frækt] *v/t. phys. Strahlen* brechen; **re'fract·ing** [-tɪŋ] *adj. phys.* lichtbrechend, Brechungs…, Refraktions…: ***~ angle*** Brechungswinkel *m*; ***~ telescope*** Refraktor *m*; **re'frac·tion** [-kʃn] *s. phys.* **1.** (*Licht-*, *Strahlen*)Brechung *f*, Refrakti'on *f*; **2.** *opt.* Brechungskraft *f*; **re'frac·tive** [-tɪv] *adj. phys.* Brechungs…, Refraktions…; **re'frac·tor** [-tə] *s. phys.* **1.** Lichtbrechungskörper *m*; **2.** Re'fraktor *m*; **re'frac·to·ri·ness** [-tərɪnɪs] *s.* **1.** 'Widerspenstigkeit *f*; **2.** 'Widerstandskraft *f*, *bsd.* a) ⚗ Strengflüssigkeit *f*, b) ⚙ Feuerfestigkeit *f*; **3.** ⚕ a) 'Widerstandsfähigkeit *f gegen Krankheiten*, b) Hartnäckigkeit *f e-r Krankheit*; **re'frac·to·ry** [-tərɪ] **I** *adj.* **1.** 'widerspenstig, aufsässig; **2.** ⚗ strengflüssig; **3.** ⚙ feuerfest: ***~ clay*** Schamotte(ton *m*) *f*; **4.** ⚕ a) 'widerstandsfähig (*Person*), b) hartnäkkig (*Krankheit*); **II** *s.* **5.** ⚙ feuerfester Baustoff.

re·frain¹ [rɪ'freɪn] *v/i.* (***from***) Abstand nehmen *od.* absehen (von), sich (*gen.*) enthalten: ***~ from doing s.th.*** et. unterlassen, es unterlassen, et. zu tun.

re·frain² [rɪ'freɪn] *s.* Re'frain *m*.

re·fran·gi·ble [rɪ'frændʒɪbl] *adj. phys.* brechbar.

re·fresh [rɪ'freʃ] **I** *v/t.* **1.** erfrischen, erquicken (*a. fig.*); **2.** *fig. sein Gedächtnis* auffrischen; *Vorrat etc.* erneuern; **II** *v/i.* **3.** sich erfrischen; **4.** frische Vorräte fassen (*Schiff etc.*); **re'fresh·er** [-ʃə] *s.* **1.** Erfrischung *f*; ‚Gläs-chen' *n* (*Trunk*); **2.** *fig.* Auffrischung *f*: ***~ course*** Auffrischungs-, Wiederholungskurs *m*; ***paint ~*** Neuglanzpolitur *f*; **3.** ⚖ 'Nachschuß (-hono,rar *n*) *m e-s Anwalts*; **re'fresh·ing** [-ʃɪŋ] *adj.* □ erfrischend (*a. fig. wohltuend*); **re'fresh·ment** [-mənt] *s.* Erfrischung *f* (*a. Getränk etc.*): ***~ room*** (Bahnhofs)Büfett *n*.

re·frig·er·ant [rɪ'frɪdʒərənt] **I** *adj.* **1.** kühlend, Kühl…; **II** *s.* **2.** ⚕ kühlendes Mittel, Kühltrank *m*; **3.** ⚙ Kühlmittel *n*; **re·frig·er·ate** [rɪ'frɪdʒəreɪt] *v/t.* ⚙ kühlen; **re'frig·er·at·ing** [-reɪtɪŋ] *adj.* ⚙ Kühl…(*-raum etc.*), Kälte…(*-maschine etc.*); **re·frig·er·a·tion** [rɪ,frɪdʒə'reɪʃn] *s.* Kühlung *f*; Kälteerzeugung *f*, -technik *f*; **re'frig·er·a·tor** [-reɪtə] *s.* ⚙ Kühlschrank *m*, -raum *m*, -anlage *f*; 'Kältema,schine *f*: ***~ van Brit.***, ***~ car Am.*** 🚃 Kühlwagen *m*; ***~ van** od.* ***lorry*** *Brit.*, ***~ truck*** *Am. mot.* Kühlwagen *m*; ***~ vessel*** ⚓ Kühlschiff *n*.

re·fu·el [,ri:'fjʊəl] *v/t. u. v/i. mot.*, ✈ (auf)tanken.

ref·uge ['refju:dʒ] **I** *s.* **1.** Zuflucht *f* (*a. fig. Ausweg*, *a. Person*, *Gott*), Schutz *m* (***from*** vor): ***seek*** (*od.* ***take***) ***~ in*** *fig.* s-e Zuflucht suchen in *od.* nehmen zu; ***house of ~*** Obdachlosenasyl *n*; **2.** Zuflucht *f*, Zufluchtsort *m*; **3.** *a.* ***~ hut*** *mount.* Schutzhütte *f*; **4.** Verkehrsinsel *f*; **II** *v/i.* **5.** Schutz suchen; **ref·u·gee** [,refjʊ'dʒi:] *s.* Flüchtling *m*: ***~ camp*** Flüchtlingslager *n*.

re·ful·gent [rɪ'fʌldʒənt] *adj.* □ glänzend, strahlend.

re·fund¹ **I** *v/t.* [ri:'fʌnd] **1.** *Geld* zu'rückzahlen, -erstatten, *Verlust*, *Auslagen* ersetzen, rückvergüten; **2.** *j-m* Rückzahlung leisten, *j-m* seine Auslagen ersetzen; **II** *s.* ['ri:fʌnd] **3.** Rückvergütung *f*.

re·fund² [,ri:'fʌnd] *v/t.* ✝ *Anleihe etc.* neu fundieren.

re·fund·ment [rɪ'fʌndmənt] *s.* Rückvergütung *f*.

re·fur·bish [,ri:'fɜ:bɪʃ] *v/t.* 'aufpo,lieren (*a. fig.*).

re·fur·nish [,ri:'fɜ:nɪʃ] *v/t.* wieder *od.* neu möblieren *od.* ausstatten.

re·fu·sal [rɪ'fju:zl] *s.* **1.** Ablehnung *f*, Zu'rückweisung *f e-s Angebots etc.*; **2.** Verweigerung *f e-r Bitte*, *des Gehorsams etc.*, *a. Reitsport*; **3.** abschlägige Antwort: ***he will take no ~*** er läßt sich nicht abweisen; **4.** Weigerung *f* (***to do s.th.*** et. zu tun); **5.** ✝ Vorkaufsrecht *n*, Vorhand *f*: ***first ~ of*** erstes Anrecht auf (*acc.*); ***give s.o. the ~ of s.th.*** j-m das Vorkaufsrecht auf e-e Sache einräumen.

re·fuse¹ [rɪ'fju:z] **I** *v/t.* **1.** *Amt*, *Antrag*, *Kandidaten etc.* ablehnen; *Angebot* ausschlagen; *et. od. j-n* zu'rückweisen; *j-n* abweisen; *j-m e-e Bitte* abschlagen; **2.** *Befehl*, *Forderung*, *Gehorsam* verweigern; *Bitte* abschlagen; **3.** *Kartenspiel*: *Farbe* verweigern; **4.** *Hindernis* verweigern, scheuen vor (*dat.*) (*Pferd*); **II** *v/i.* **5.** sich weigern, es ablehnen (***to do*** zu tun): ***he ~d to believe it*** er wollte es einfach nicht glauben; ***he ~d to be bullied*** er ließ sich nicht tyrannisieren; ***it ~d to work*** es wollte nicht funktionieren, es ‚streikte'; **6.** absagen (*Gast*); **7.** scheuen (*Pferd*).

ref·use² ['refju:s] **I** *s.* **1.** ⚙ Abfall *m*, Ausschuß *m*; **2.** (Küchen)Abfall *m*, Müll *m*; **II** *adj.* **3.** wertlos; **4.** Abfall…, Müll…

ref·u·ta·ble ['refjʊtəbl] *adj.* □ wider'legbar; **ref·u·ta·tion** [,refju:'teɪʃn] *s.* Wider'legung *f*; **re·fute** [rɪ'fju:t] *v/t.* wider'legen.

re·gain [rɪ'geɪn] *v/t.* 'wiedergewinnen; *a. Bewußtsein etc.* 'wiedererlangen: ***~ one's feet*** wieder auf die Beine kommen; ***~ the shore*** den Strand wiedergewinnen (*erreichen*).

re·gal ['ri:gl] *adj.* □ königlich (*a. fig.*

R

prächtig); Königs…

re·gale [rɪ'geɪl] **I** *v/t.* **1.** erfreuen, ergötzen; **2.** festlich bewirten: **~ *o.s. on*** sich laben an (*dat.*); **II** *v/i.* **3.** (***on***) schwelgen (in *dat.*), sich gütlich tun (an *dat.*).

re·ga·li·a [rɪ'geɪljə] *s. pl.* ('Krönungs-, 'Amts)Inˌsignien *pl.*

re·gard [rɪ'gɑːd] **I** *v/t.* **1.** ansehen; betrachten (*a. fig.* ***with*** mit *Abneigung etc.*); **2.** *fig.* **~ *as*** betrachten als, halten für: ***be ~ed as*** gelten als *od.* für; **3.** *fig.* beachten, berücksichtigen; **4.** respektieren; **5.** achten, (hoch)schätzen; **6.** betreffen, angehen: ***as ~s*** was … betrifft; **II** *s.* **7.** (*fester od. bedeutsamer*) Blick; **8.** Hinblick *m*, -sicht *f* (***to*** auf *acc.*): ***in this ~*** in dieser Hinsicht; ***in ~ to*** (*od.* ***of***), ***with ~ to*** hinsichtlich, bezüglich, was … betrifft; ***have ~ to*** a) sich beziehen auf (*acc.*), b) in Betracht ziehen; **9.** (***to***, ***for***) Rücksicht(nahme) *f* (auf *acc.*), Beachtung *f* (*gen.*): ***pay no ~ to s.th.*** sich um et. nicht kümmern; ***without ~ to*** (*od.* ***for***) ohne Rücksicht auf (*acc.*); ***have no ~ for s.o.'s feelings*** auf j-s Gefühle keine Rücksicht nehmen; **10.** (Hoch)Achtung *f* (***for*** vor *dat.*); **11.** *pl.* Grüße *pl.*, Empfehlungen *pl.*: ***with kind ~s to*** mit herzlichen Grüßen an (*acc.*); ***give him my*** (***best***) ***~s*** grüße ihn (herzlich) von mir; **re'gard·ful** [-fʊl] *adj.* □ **1.** achtsam, aufmerksam (***of*** auf *acc.*); **2.** rücksichtsvoll (***of*** gegen); **re'gard·ing** [-dɪŋ] *prp.* bezüglich, betreffs, hinsichtlich (*gen.*); **re'gard·less** [-lɪs] **I** *adj.* □ **1. ~ *of*** ungeachtet (*gen.*), ohne Rücksicht auf (*acc.*); **2.** rücksichts-, achtlos; **II** *adv.* **3.** F trotzdem, dennoch; ganz gleich, was passiert *od.* passieren würde; ohne Rücksicht auf Kosten *etc.*

re·gat·ta [rɪ'gætə] *s.* Re'gatta *f.*

re·gen·cy ['riːdʒənsɪ] *s.* **1.** Re'gentschaft *f* (*Amt, Gebiet, Periode*); **2.** ♀ *hist.* Regentschaft(szeit) *f*, *bsd.* a) Ré'gence *f* (*in Frankreich, des Herzogs Philipp von Orléans* [*1715–23*]), b) *in England* (*1811–30*), *von Georg, Prinz von Wales* (*später Georg IV.*).

re·gen·er·ate [rɪ'dʒenəreɪt] **I** *v/t. u. v/i.* **1.** (sich) regenerieren (*a. biol., phys.,* ⚙) (sich) erneuern, (sich) neu *od.* wieder bilden; (sich) wieder erzeugen: ***to be ~d*** *eccl.* wiedergeboren werden; **2.** *fig.* (sich) bessern *od.* reformieren; **3.** *fig.* (sich) neu beleben; **4.** ϟ rückkoppeln; **II** *adj.* [-rət] **5.** ge- *od.* verbessert, reformiert; 'wiedergeboren; **re·gen·er·a·tion** [rɪˌdʒenə'reɪʃn] *s.* **1.** Regenerati'on *f* (*a. biol.*), Erneuerung *f*; **2.** *eccl.* 'Wiedergeburt *f*; **3.** Besserung *f*; **4.** ϟ Rückkopplung *f*; **5.** ⚙ Regenerierung *f*, 'Wiedergewinnung *f*; **re'gen·er·a·tive** [-nərətɪv] *adj.* □ **1.** (ver)bessernd; **2.** neuschaffend; **3.** Erneuerungs…, Verjüngungs…; **4.** ϟ Rückkopplungs…

re·gent ['riːdʒənt] *s.* **1.** Re'gent(in): ***Queen*** ♀ Regentin *f*; ***Prince*** ♀ Prinzregent *m*; **2.** *univ. Am.* Mitglied *n* des 'Aufsichtskomiˌtees; **'re·gent·ship** [-ʃɪp] *s.* Re'gentschaft *f.*

reg·i·cide ['redʒɪsaɪd] *s.* **1.** Königsmörder *m*; **2.** Königsmord *m.*

re·gime, *a.* **ré·gime** [reɪ'ʒiːm] *s.* **1.** *pol.* Re'gime *n*, Regierungsform *f*; **2.** (vor-) herrschendes Sy'stem: ***matrimonial ~*** ⚖ eheliches Güterrecht; **3.** → ***regimen*** 1.

reg·i·men ['redʒɪmən] *s.* **1.** ⚕ gesunde Lebensweise, *bsd.* Di'ät *f*; **2.** Regierung *f*, Herrschaft *f*; **3.** *ling.* Rekti'on *f.*

reg·i·ment I *s.* ['redʒɪmənt] **1.** ⚔ Regi'ment *n*; **2.** *fig.* (große) Schar; **II** *v/t.* ['redʒɪment] **3.** *fig.* reglementieren, bevormunden; **4.** organisieren, syste'matisch einteilen.

reg·i·men·tal [ˌredʒɪ'mentl] *adj.* □ Regiments…: **~ *officer*** *Brit.* Truppenoffizier *m*; **reg·i·men·tals** [ˌredʒɪ'mentlz] *s. pl.* ⚔ (Regi'ments)Uniˌform *f*; **reg·i·men·ta·tion** [ˌredʒɪmen'teɪʃn] *s.* **1.** Organisierung *f*, Einteilung *f*; **2.** Reglementierung *f*, Diri'gismus *m*, Bevormundung *f.*

Re·gi·na [rɪ'dʒaɪnə] (*Lat.*) *s. Brit.* ⚖ *die* Königin; *weitS. die* Krone, *der* Staat: **~ *versus John Doe.***

re·gion ['riːdʒən] *s.* **1.** Gebiet *n* (*a. meteor.*), (*a.* ⚕ *Körper*)Gegend *f*, (*a. Höhen-, Tiefen*)Regi'on *f*, Landstrich *m*; (Verwaltungs)Bezirk *m*; **2.** *fig.* Gebiet *n*, Bereich *m*, Sphäre *f*; (*a. himmlische etc.*) Regi'on: ***in the ~ of*** von ungefähr …; **'re·gion·al** [-dʒənl] *adj.* □ regio'nal; örtlich, lo'kal (*beide a.* ⚕); Orts…; Bezirks…: **~** (***station***) *Radio*: Regio'nalsender *m*; **'re·gion·al·ism** [-dʒənəlɪzəm] *s.* **1.** Regiona'lismus *m*, Lo'kalpatriotismus *m*; **2.** Heimatkunst *f*; **3.** *ling.* nur regio'nal gebrauchter Ausdruck.

reg·is·ter ['redʒɪstə] **I** *s.* **1.** Re'gister *n* (*a. Computer*), (Eintragungs)Buch *n*, (*a.* Inhalts)Verzeichnis *n*; (*Wähler- etc.*)Liste *f*: **~ *of births, marriages, and deaths*** Personenstandsregister; **~ *of companies*** Handelsregister; (***ship's***) **~** Schiffsregister; **~ *ton*** ⚓ Registertonne *f*; **2.** ⚙ a) Registriervorrichtung *f*, Zählwerk *n*: ***cash ~*** Registrier-, Kontrollkasse *f*, b) Schieber *m*, Klappe *f*, Ven'til *n*; **3.** ♪ a) ('Orgel)Reˌgister *n*, b) Stimm-, Tonlage *f*, c) 'Stimmˌumfang *m*; **4.** *typ.* Re'gister *n*; **5.** *phot.* genaue Einstellung; **6.** → ***registrar***; **II** *v/t.* **7.** registrieren, (in ein Register *etc.*) eintragen *od.* -schreiben (lassen), anmelden (***for school*** zur Schule); *weitS.* amtlich erfassen; (*a. fig. Erfolg etc.*)

R

verzeichnen, -buchen: ~ ***a company*** e-e Firma handelsgerichtlich eintragen; **8.** ✝ *Warenzeichen* anmelden; *Artikel* gesetzlich schützen; **9.** *Postsachen* einschreiben (lassen); *Gepäck* aufgeben; **10.** ⚙ *Meßwerte* registrieren, anzeigen; **11.** *fig.* *Empfindung* zeigen, ausdrükken, registrieren; **12.** *typ.* in das Re'gister bringen; **13.** ⚔ *Geschütz* einschießen; **III** *v/i.* **14.** sich (in das Ho'telreˌgister, in die Wählerliste *etc.*) eintragen (lassen); *univ. etc.* sich einschreiben (***for*** für); **15.** sich (an)melden (***at***, ***with*** bei *der Polizei etc.*); **16.** *typ.* Re'gister halten; **17.** ⚙ a) sich decken, genau passen, b) einrasten; **18.** ♪ registrieren; **19.** ⚔ sich einschießen; **'reg·is·tered** [-əd] *adj.* **1.** eingetragen (✝ *Geschäftssitz*, *Gesellschaft*, *Warenzeichen*); **2.** ✝ gesetzlich geschützt: ~ ***design*** (*od.* ***pattern***) Gebrauchsmuster *n*; **3.** ✝ registriert, Namens...: ~ ***bonds*** Namensschuldverschreibungen; ~ ***capital*** autorisiertes (Aktien)Kapital; ~ ***share*** (*Am.* ***stock***) Namensaktie *f*; **4.** ✉ eingeschrieben, Einschreibe...(*-brief etc.*): ~***!*** Einschreiben!; **reg·is·trar** [ˌredʒɪ'strɑː] *s.* Regi'strator *m*, Archi'var(in), Urkundsbeamte(r) *m*; *Brit.* Standesbeamte(r) *m*; ⚕ *Brit.* Krankenhausarzt *m*, -ärztin *f*: ~***'s office*** a) Standesamt *n*, b) Registratur *f*; ≈***-General*** *Brit.* oberster Standesbeamter; ~ ***in bankruptcy*** ⚖ *Brit.* Konkursrichter *m*; **reg·is·tra·tion** [ˌredʒɪ'streɪʃn] *s.* **1.** (*bsd.* amtliche) Registrierung, Erfassung *f*; Eintragung *f* (*a.* ✝ *e-r Gesellschaft*, *e-s Warenzeichens*); *mot.* Zulassung *f e-s Fahrzeugs*; **2.** (*polizeiliche*, *a. Hotel-*, *Schul- etc.*) Anmeldung, Einschreibung *f*: ***compulsory*** ~ (An)Meldepflicht *f*; ~ ***fee*** Anmelde-, Einschreibgebühr *f*; ✝ Umschreibungsgebühr *f* (*Aktien*); ~ ***form*** (An)Meldeformular *n*; ~ ***office*** Meldestelle *f*, Einwohnermeldeamt *n*; **3.** Zahl *f* der Erfaßten, registrierte Zahl; **4.** ✉ Einschreibung *f*; **5.** *a.* ~ ***of luggage*** *bsd. Brit.* Gepäckaufgabe *f*: ~ ***window*** Gepäckschalter *m*; **'reg·is·try** [-trɪ] *s.* **1.** Registrierung *f* (*a. e-s Schiffs*): ~ ***fee*** *Am.* Anmelde-, Einschreibegebühr *f*; ***port of*** ~ ⚓ Registerhafen *m*; **2.** Re'gister *n*; **3.** *a.* ~ ***office*** a) Registra'tur *f*, b) Standesamt *n*, c) 'Stellenverˌmittlungsbüˌro *n*.

reg·let ['reglɪt] *s.* **1.** ⚠ Leistchen *n*; **2.** *typ.* a) Re'glette *f*, b) ('Zeilen)ˌDurchschuß *m*.

reg·nant ['regnənt] *adj.* regierend; *fig.* (vor)herrschend.

re·gress I *v/i.* [rɪ'gres] **1.** sich rückwärts bewegen; **2.** *fig.* a) sich rückläufig entwickeln, b) *biol.*, *psych.* sich zu'rückbilden *od.* -entwickeln; **II** *s.* ['riːgres] **3.** Rückwärtsbewegung *f*; **4.** rückläufige Entwicklung; **re'gres·sion** [-eʃn] *s.* **1.** → ***regress*** II; **2.** Regressi'on *f*: a) *biol.* *psych.* Rückentwicklung *f*, b) ⚲ Beziehung *f*; **re'gres·sive** [-sɪv] *adj.* □ **1.** rückläufig; **2.** rückwirkend (*Steuer etc.*, *a. ling. Akzent*); **3.** *biol.* regres'siv.

re·gret [rɪ'gret] **I** *s.* **1.** Bedauern *n* (***at*** über *acc.*): ***to my*** ~ zu m-m Bedauern, leider; **2.** Reue *f*; **3.** Schmerz *m*, Trauer *f* (***for*** um); **II** *v/t.* **4.** bedauern, bereuen: ***it is to be*** ~***ted*** es ist bedauerlich; ***I*** ~ ***to say*** ich muß leider sagen; **5.** *Vergangenes etc.*, *a. Tote* beklagen, trauern um, *j-m od. e-r Sache* nachtrauern; **re'gret·ful** [-fʊl] *adj.* □ bedauernd, reuevoll, kummervoll; **re'gret·ta·ble** [-təbl] *adj.* □ **1.** bedauerlich; **2.** bedauernswert, zu bedauern(d); **re'gret·ta·bly** [-təblɪ] *adv.* bedauerlicherweise.

re·grind [ˌriː'graɪnd] *v/t.* [*irr.* → ***grind***] ⚙ nachschleifen.

re·group [ˌriː'gruːp] *v/t.* 'um-, neugruppieren, (*a.* ✝ *Kapital*) 'umschichten; **re'group·ment** [-mənt] *s.* 'Umgrupˌpierung *f*.

reg·u·lar ['regjʊlə] **I** *adj.* □ **1.** *zeitlich* regelmäßig; 🚂 *etc.* fahrplanmäßig: ~ ***air service*** regelmäßige Flugverbindung; ~ ***business*** ✝ laufende Geschäfte; ~ ***customer*** → 14; ***at*** ~ ***intervals*** in regelmäßigen Abständen; **2.** regelmäßig (*in Form od. Anordnung*), ebenmäßig; sym'metrisch; **3.** regelmäßig, geregelt, geordnet (*Lebensweise etc.*); **4.** pünktlich, genau; **5.** regu'lär, nor'mal, gewohnt; **6.** richtig, geprüft, gelernt: ***a*** ~ ***cook***; ~ ***doctor*** approbierter Arzt; **7.** richtig, vorschriftsmäßig, formgerecht; **8.** F ‚richtig(gehend)': ~ ***rascal***; ***a*** ~ ***guy*** *Am.* ein Pfundskerl; **9.** ⚔ a) regu'lär (*Kampftruppe*), b) Berufs..., ak'tiv (*Heer*, *Soldat*); **10.** *sport*: Stamm...: ~ ***player***; ***make the*** ~ ***team*** sich e-n Stammplatz (*in der Mannschaft*) erobern; *eccl.* Ordens...; **II** *s.* **11.** Ordensgeistliche(r) *m*; **12.** ⚔ ak'tiver Sol'dat, Be'rufssolˌdat *m*; *pl.* regu'läre Truppen *pl.*; **13.** *pol. Am.* treuer Par'teianhänger; **14.** F Stammkunde *m*, -kundin *f*, -gast *m*; **reg·u·lar·i·ty** [ˌregjʊ'lærətɪ] *s.* **1.** Regelmäßigkeit *f*: a) Gleichmäßigkeit *f*, Stetigkeit *f*, b) regelmäßige Form; **2.** Ordnung *f*, Richtigkeit *f*; **'reg·u·lar·ize** [-əraɪz] *v/t.* regeln, festlegen.

reg·u·late ['regjʊleɪt] *v/t.* **1.** *Geschäft*, *Verdauung*, *Verkehr etc.* regeln; ordnen; (*a.* ✝ *Wirtschaft*) lenken; **2.** ⚖ (gesetzlich) regeln; **3.** ⚙ a) *Geschwindigkeit etc.* regulieren, regeln, b) *Gerät*, *Uhr* (ein)stellen; **4.** anpassen (***according to*** an *acc.*); **'reg·u·lat·ing** [-tɪŋ] *adj.* ⚙ Regulier..., (Ein)Stell...: ~ ***screw*** Stellschraube *f*; ~ ***switch*** Regelschalter *m*; **reg·u·la·tion** [ˌregjʊ'leɪʃn]

R

I *s.* **1.** Regelung *f*, Regulierung *f* (*a.* ⚙); ⚙ Einstellung *f*; **2.** Verfügung *f*, (Ausführungs)Verordnung *f*; *pl.* a) 'Durchführungsbestimmungen *pl.*, b) Satzung(en *pl.*) *f*, Sta'tuten *pl.*, c) (Dienst-, Betriebs)Vorschrift *f*: **~s of the works** Betriebsordnung *f*; **traffic ~s** Verkehrsvorschriften; **according to ~s** nach Vorschrift, vorschriftsmäßig; **contrary to ~s** vorschriftswidrig; **II** *adj.* **3.** vorschriftsmäßig; ⚔ *a.* Dienst…(*-mütze etc.*); **'reg·u·la·tive** [-lətɪv] *adj.* regelnd, regulierend, *a. phls.* regula'tiv; **'reg·u·la·tor** [-tə] *s.* **1.** ⚡ Regler *m*; **2.** *Uhrmacherei*: Regu'lator *m* (*a. Uhr*); **3.** ⚙ Regulier-, Stellvorrichtung *f*: **~ valve** Reglerventil *n*; **4.** ⚗ Regu'lator *m*; **'reg·u·la·to·ry** [-leɪtərɪ] *adj.* Durch-, Ausführungs…

re·gur·gi·tate [rɪ'gɜːdʒɪteɪt] **I** *v/i.* zu'rückfließen; **II** *v/t.* wieder ausströmen, -speien; *Essen* erbrechen.

re·ha·bil·i·tate [ˌriːə'bɪlɪteɪt] *v/t.* **1.** rehabilitieren: a) wieder'einsetzen (**in** in *acc.*), b) *j-s* Ruf wieder'herstellen, c) *e-n Versehrten* wieder ins Berufsleben eingliedern; **2.** *et. od. j-n* wieder'herstellen; **3.** ⚖ *Strafentlassenen* resozialisieren; **4.** *Altbauten*, ✝ *e-n Betrieb etc.* sanieren; **re·ha·bil·i·ta·tion** ['riːəˌbɪlɪ'teɪʃn] *s.* **1.** Rehabilitierung *f*: a) Wieder'einsetzung *f* (*in frühere Rechte*), b) Ehrenrettung *f*, c) *a.* **vocational ~** Wieder'eingliederung *f* ins Berufsleben: **~ centre** (*Am.* **center**) Rehabilitationszentrum *n*; **2.** Wieder'herstellung *f*; ✝ Sanierung *f*: **industrial ~** wirtschaftlicher Wiederaufbau; **3.** *a.* **social ~** ⚖ Resozialisierung *f*.

re·hash ['riːhæʃ] **I** *s.* **1.** *fig. et.* Aufgewärmtes, Wieder'holung *f*, ‚Aufguß' *m*; **2.** Wieder'aufwärmen *n*; **II** *v/t.* [ˌriː'hæʃ] **3.** *fig.* wieder'aufwärmen, 'wiederkäuen.

re·hear·ing [ˌriː'hɪərɪŋ] *s.* ⚖ erneute Verhandlung.

re·hears·al [rɪ'hɜːsl] *s.* **1.** *thea.*, ♪ *u. fig.* Probe *f*: **be in ~** einstudiert werden; **final ~** Generalprobe; **2.** Einstudierung *f*; **3.** Wieder'holung *f*; **4.** Aufsagen *n*, Vortrag *m*; **5.** *fig.* Lita'nei *f*; **re·hearse** [rɪ'hɜːs] *v/t.* **1.** *thea.*, ♪ *et.* proben (*a. v/i. u. fig.*), *Rolle etc.* einstudieren; **2.** wieder'holen; **3.** aufzählen; **4.** aufsagen, rezitieren; **5.** *fig. Möglichkeiten etc.* 'durchspielen.

reign [reɪn] **I** *s.* **1.** Regierung *f*, Regierungszeit *f*: **in** (*od.* **under**) **the ~ of** unter der Regierung (*gen.*); **2.** Herrschaft *f* (*a. fig. der Mode etc.*): **~ of law** Rechtsstaatlichkeit *f*; **♀ of terror** Schreckensherrschaft; **II** *v/i.* **3.** regieren, herrschen (**over** über *acc.*); **4.** *fig.* (vor)herrschen: **silence ~ed** es herrschte Stille.

re·im·burs·a·ble [ˌriːɪm'bɜːsəbl] *adj.* rückzahlbar; **re·im·burse** [ˌriːɪm'bɜːs] *v/t.* **1.** *j-n* entschädigen (**for** für): **~ o.s.** sich entschädigen *od.* schadlos halten; **2.** *et.* zu'rückzahlen, vergüten, *Auslagen* erstatten, *Kosten* decken; **ˌre·im'burse·ment** [-mənt] *s.* **1.** Entschädigung *f*; **2.** ('Wieder)Erstattung *f*, (Rück)Vergütung *f*, (Kosten)Deckung *f*: **~ credit** ✝ Rembourskredit *m*.

re·im·port ✝ **I** *v/t.* [ˌriːɪm'pɔːt] **1.** wieder'einführen; **II** *s.* [ˌriː'ɪmpɔːt] **2.** 'Wiedereinfuhr *f*; **3.** *pl.* wieder'eingeführte Waren *pl.*

rein [reɪn] **I** *s.* **1.** *oft pl.* Zügel *m mst pl.* (*a. fig.*): **draw ~** (an)halten, zügeln (*a. fig.*); **give a horse the ~(s)** die Zügel locker lassen; **give free ~(s) to** *s-r Phantasie* freien Lauf lassen *od.* die Zügel schießen lassen; **keep a tight ~ on** *j-n* fest an der Kandare haben; **take** (*od.* **assume**) **the ~s of government** die Zügel (der Regierung) in die Hand nehmen; **II** *v/t.* **2.** *Pferd* aufzäumen; **3.** lenken: **to ~ back** (*od.* **in**, **up**) (*a. v/i.*) a) anhalten, b) verhalten; **4.** *a.* **~ in** *fig.* zügeln, im Zaum halten.

re·in·car·na·tion [ˌriːɪnkɑː'neɪʃn] *s.* Reinkarnati'on *f*: a) (Glaube *m* an die) Seelenwanderung *f*, b) 'Wiederverkörperung *f*, -geburt *f*.

rein·deer ['reɪnˌdɪə] *pl.* **-deer** *od.* **-deers** *s. zo.* Ren(ntier) *n*.

re·in·force [ˌriːɪn'fɔːs] **I** *v/t.* **1.** verstärken (*a.* ⚙, *Gewebe etc.*, *a.* ⚔ *u. fig.* ⚙ *Beton* armieren: **~d concrete** Eisen-, Stahlbeton *m*; **2.** *fig. Gesundheit* kräftigen, *Worte* bekräftigen, *Beweis* unter'mauern; **II** *s.* **3.** ⚙ Verstärkung *f*; **ˌre·in'force·ment** [-mənt] *s.* **1.** Verstärkung *f*; Armierung *f* (*Beton*); *pl.* ⚔ Verstärkungstruppen *pl.*; **2.** *fig.* Unter'mauerung *f*, Bekräftigung *f*.

re·in·stall [ˌriːɪn'stɔːl] *v/t.* wieder'einsetzen; **ˌre·in'stal(l)·ment** [-mənt] *s.* Wieder'einsetzung *f*.

re·in·state [ˌriːɪn'steɪt] *v/t.* **1.** *j-n* wieder'einsetzen (**in** in *acc.*); **2.** *et.* (wieder) in'stand setzen; **3.** *j-n od. et.* wieder'herstellen; *Versicherung etc.* wieder'aufleben lassen; **ˌre·in'state·ment** [-mənt] *s.* **1.** Wieder'einsetzung *f*; **2.** Wieder'herstellung *f*.

re·in·sur·ance [ˌriːɪn'ʃʊərəns] *s.* ✝ Rückversicherung *f*; **re·in·sure** [ˌriːɪn'ʃʊə] *v/t.* **1.** rückversichern; **2.** nachversichern.

re·in·vest·ment [ˌriːɪn'vestmənt] *s.* ✝ Neu-, 'Wiederanlage *f*.

re·is·sue [ˌriː'ɪʃuː] **I** *v/t.* **1.** *Banknoten etc.* wieder ausgeben; **2.** *Buch* neu her'ausgeben; **II** *s.* **3.** 'Wieder-, Neuausgabe *f*: **~ patent** Abänderungspatent *n*.

re·it·er·ate [riː'ɪtəreɪt] *v/t.* (ständig) wieder'holen; **re·it·er·a·tion** [riːˌɪtə'reɪʃn]

R

s. Wieder'holung *f.*

re·ject I *v/t.* [rɪ'dʒekt] **1.** *Antrag, Kandidaten, Lieferung, Verantwortung etc.* ablehnen; *Ersuchen, Freier etc.* ab-, zu'rückweisen; *Bitte* abschlagen; *et.* verwerfen; *Nahrung* verweigern: ***be ~ed*** *pol. u. thea.* durchfallen; **2.** (als wertlos) ausscheiden; **3.** *Essen* wieder von sich geben (*Magen*); **4.** ⚕ *körperfremdes Gewebe etc.* abstoßen; **II** *s.* ['ri:dʒekt] **5.** ⚔ Ausgemusterte(r) *m*, Untaugliche(r) *m*; **6.** ✝ 'Ausschußarˌtikel *m*; **re·jec·ta·men·ta** [rɪˌdʒektə'mentə] *s. pl.* **1.** Abfälle *pl.*; **2.** Strandgut *n*; **3.** *physiol.* Exkre'mente *pl.*; **re'jec·tion** [-kʃn] *s.* **1.** Ablehnung *f*, Zu'rückweisung *f*, Verwerfung *f*; ✝, ⚙ Abnahmeverweigerung *f*; **2.** Ausscheidung *f*; **3.** *pl.* Ausschußartikel *pl.*; **4.** ⚕ Abstoßung *f*; **5.** *pl. physiol.* Exkre'mente *pl.*; **re'jec·tor** [-tə] *s. a.* **~ *circuit*** ⚡ Sperrkreis *m.*

re·joice [rɪ'dʒɔɪs] **I** *v/i.* **1.** sich freuen, froh'locken (***in***, ***at*** über *acc.*); **2.** **~ *in*** sich *e-r Sache* erfreuen; **II** *v/t.* **3.** erfreuen: ***~d at*** (*od.* ***by***) erfreut über (*acc.*); **re'joic·ing** [-sɪŋ] **I** *s.* **1.** Freude *f*, Froh'locken *n*; **2.** *oft pl.* (Freuden)Fest *n*, Lustbarkeit(en *pl.*) *f*; **II** *adj.* ☐ **3.** erfreut, froh (***in***, ***at*** über *acc.*).

re-join [ˌri:'dʒɔɪn] *v/t. u. v/i.* (sich) 'wiedervereinigen (***to***, ***with*** mit), (sich) wieder zs.-fügen.

re·join[1] [ˌri:'dʒɔɪn] *v/t.* sich wieder anschließen (*dat.*) *od.* an (*acc.*), wieder eintreten in *e-e Partei etc.*; wieder zu'rückkehren zu, *j-n* wieder treffen.

re·join[2] [rɪ'dʒɔɪn] *v/t.* **1.** erwidern; **2.** ⚖ e-e Gegenerklärung auf e-e Re'plik abgeben; **re'join·der** [-ndə] *s.* Erwiderung *f*; ⚖ Gegenerklärung *f* (*des Beklagten auf e-e Replik*).

re·ju·ve·nate [rɪ'dʒu:vɪneɪt] *v/t.* (*v/i.* sich) verjüngen; **re·ju·ve·na·tion** [rɪˌdʒu:vɪ'neɪʃn] *s.* Verjüngung *f.*

re·ju·ve·nesce [ˌri:dʒu:vɪ'nes] *v/t. u. v/i.* (sich) verjüngen (*a. biol.*); **ˌre·ju·ve'nes·cence** [-sns] *s.* (*biol.* Zell)Verjüngung *f.*

re·kindle [ˌri:'kɪndl] **I** *v/t.* **1.** wieder anzünden; **2.** *fig.* wieder entfachen, neu beleben; **II** *v/i.* **3.** sich wieder entzünden; **4.** *fig.* wieder entbrennen, wieder'aufleben.

re·lapse [rɪ'læps] **I** *v/i.* **1.** zu'rückfallen, wieder (ver)fallen (***into*** in *acc.*); **2.** rückfällig werden; ⚕ e-n Rückfall bekommen; **II** *s.* **3.** ⚕ Rückfall *m.*

re·late [rɪ'leɪt] **I** *v/t.* **1.** berichten, erzählen (***to s.o.*** j-m); **2.** in Beziehung *od.* Zs.-hang bringen, verbinden (***to***, ***with*** mit); **II** *v/i.* **3.** sich beziehen, Bezug haben (***to*** auf *acc.*): ***relating to*** in bezug auf (*acc.*), bezüglich (*gen.*); **4.** **~ *to s.o.*** a) sich j-m gegenüber verhalten, b) zu j-m e-e (*gute, innere etc.*) Beziehung haben; **re'lat·ed** [-tɪd] *adj.* verwandt (***to***, ***with*** mit) (*a. fig.*): **~ *by marriage*** verschwägert.

re·la·tion [rɪ'leɪʃn] *s.* **1.** Bericht *m*, Erzählung *f*; **2.** Beziehung *f* (*a. pol.*, ✝, ♗), (*a. Vertrags-, Vertrauens- etc.*)Verhältnis *n*; (*kausaler etc.*) Zs.-hang; Bezug *m*: ***business ~s*** Geschäftsbeziehungen; ***human ~s*** a) zwischenmenschliche Beziehungen, b) (innerbetriebliche) Kontaktpflege; ***in ~ to*** in bezug auf (*acc.*); ***be out of all ~ to*** in keinem Verhältnis stehen zu; ***bear no ~ to*** nichts zu tun haben mit; → ***public*** 3; **3.** a) Verwandte(r *m*) *f*, b) Verwandtschaft *f* (*a. fig.*): ***what ~ is he to you?*** wie ist er mit dir verwandt?; **re'la·tion·ship** [-ʃɪp] *s.* **1.** Beziehung *f*, (*a. Rechts*)Verhältnis *n* (***to*** zu); **2.** Verwandtschaft *f* (***to*** mit) (*a. coll. u. fig.*).

rel·a·tive ['relətɪv] **I** *adj.* ☐ **1.** bezüglich, sich beziehend (***to*** auf *acc.*): **~ *value*** ♗ Bezugswert *m*; **~ *to*** bezüglich, hinsichtlich (*gen.*); **2.** rela'tiv, verhältnismäßig, Verhältnis…; **3.** (***to***) abhängig (von), bedingt (durch); **4.** gegenseitig, entsprechend, jeweilig; **5.** *ling.* bezüglich, Relativ…; **6.** ♪ paral'lel (*Tonart*); **II** *s.* **7.** Verwandte(r *m*) *f*; **8.** *ling.* a) Rela'tivproˌnomen *n*, b) Rela'tivsatz *m*; **'rel·a·tive·ness** [-nɪs] *s.* Relativi'tät *f*; **'rel·a·tiv·ism** [-vɪzəm] *s. phls.* Relati'vismus *m*; **rel·a·tiv·i·ty** [ˌrelə'tɪvətɪ] *s.* **1.** Relativi'tät *f*: ***theory of ~*** *phys.* Relativitätstheorie *f*; **2.** Abhängigkeit *f* (***to*** von).

re·lax [rɪ'læks] **I** *v/t.* **1.** *Muskeln etc.*, ⚙ *Feder* entspannen; (*a. fig. Disziplin, Vorschrift etc.*) lockern: ***~ing climate*** Schonklima *n*; **2.** in *s-n Anstrengungen etc.* nachlassen; **3.** ⚕ abführend wirken; **II** *v/i.* **4.** sich entspannen (*Muskeln etc., a. Geist, Person*); ausspannen, sich erholen (*Person*); es sich bequem machen: ***~ing*** entspannend, erholsam, Erholungs…; **5.** sich lockern (*Griff, Seil etc.*) (*a. fig.*); **6.** nachlassen (***in*** in *e-r Bemühung etc.*) (*a. Sturm etc.*); **7.** milder *od.* freundlicher werden; **re·lax·a·tion** [ˌri:læk'seɪʃn] *s.* **1.** Entspannung *f* (*a. fig. Erholung*); Lockerung *f* (*a. fig.*); Erschlaffung *f*; **2.** Nachlassen *n*; **3.** Milderung *f e-r Strafe etc.*

re·lay ['ri:leɪ] **I** *s.* **1.** a) frisches Gespann, b) Pferdewechsel *m*, c) *fig.* ✝, ⚔ Ablösung(smannschaft) *f*: **~ *attack*** ⚔ rollender Angriff; ***in ~s*** ⚔ in rollendem Einsatz; **2.** *sport a.* **~ *race*** Staffel(lauf *m*, -wettbewerb *m*) *f*: **~ *team*** Staffel *f*; **3.** a) [ˌri:'leɪ] ⚡ Re'lais *n*: **~ *station*** Relais-, Zwischensender *m*, **~ *switch*** Schaltschütz *n*, b) *Radio*: Über'tragung *f*; **II** *v/t.* **4.** *allg.* weitergeben; **5.** [ˌri:'leɪ] ⚡ mit Re'lais steuern; *Radio*: (mit Re-

R

'lais) über'tragen.

re·lease [rɪ'li:s] **I** *s.* **1.** (Haft)Entlassung *f*, Freilassung *f* (***from*** aus); **2.** *fig.* Befreiung *f*, Erlösung *f* (***from*** von); **3.** Entlastung *f* (*a. e-s Treuhänders etc.*), Entbindung *f* (***from*** von *e-r Pflicht*); **4.** Freigabe *f* (*Buch, Film, Vermögen etc.*): ***first ~*** *Film*: Uraufführung *f*; (***press***) ***~*** (Presse)Verlautbarung *f*; ***~ of energy*** Freiwerden *n* von Energie; **5.** ⚖ a) Verzicht(leistung *f*, -urkunde *f*) *m*, b) ('Rechts)Über,tragung *f*, c) Quittung *f*; **6.** ⚙, *phot.* a) Auslöser *m*, b) Auslösung *f*: ***~ of bombs*** ⚔ Bombenabwurf *m*; **II** *v/t.* **7.** *Häftling* ent-, freilassen; **8.** *fig.* (***from***) a) befreien, erlösen (von), b) entbinden, -lasten (von *e-r Pflicht, Schuld etc.*); **9.** *Buch, Film, Guthaben* freigeben; **10.** ⚖ verzichten auf (*acc.*), *Recht* aufgeben *od.* über'tragen; *Hypothek* löschen; **11.** ⚗, *phys.* freisetzen; **12.** ⚙ a) auslösen (*a. phot.*); *Bomben* abwerfen; *Gas* abblasen, b) ausschalten: ***~ the clutch*** auskuppeln.

rel·e·gate ['relɪgeɪt] *v/t.* **1.** relegieren, verbannen (***out of*** aus): ***be ~d*** *sport* absteigen; **2.** verweisen (***to*** an *acc.*); **3.** (***to***) verweisen (in *acc.*), zuschreiben (*dat.*): ***~ to the sphere of legend*** in das Reich der Fabel verweisen; ***he was ~d to fourth place*** *sport* er wurde auf den vierten Platz verwiesen; **re·le·ga·tion** [ˌrelɪ'geɪʃn] *s.* **1.** Verbannung *f* (***out of*** aus); **2.** Verweisung *f* (***to*** an *acc.*); **3.** *sport* Abstieg *m*: ***in danger of ~*** in Abstiegsgefahr.

re·lent [rɪ'lent] *v/i.* weicher *od.* mitleidig werden, sich erweichen lassen; **re'lent·less** [-lɪs] *adj.* □ unbarmherzig, schonungslos, hart.

rel·e·vance ['relɪvəns], **'rel·e·van·cy** [-sɪ] *s.* Rele'vanz *f*, (*a.* Beweis)Erheblichkeit *f*; Bedeutung *f* (***to*** für); **'rel·e·vant** [-nt] *adj.* □ **1.** einschlägig, sachdienlich; anwendbar (***to*** auf *acc.*); **2.** (beweis-, rechts- *etc.*)erheblich, belangvoll, von Bedeutung (***to*** für).

re·li·a·bil·i·ty [rɪˌlaɪə'bɪlətɪ] *s.* Zuverlässigkeit *f*, ⚙ *a.* Betriebssicherheit *f*: ***~ test*** Zuverlässigkeitsprüfung *f*; **re·li·a·ble** [rɪ'laɪəbl] *adj.* □ **1.** zuverlässig (*a.* ⚙ *betriebssicher*), verläßlich; **2.** glaubwürdig; **3.** vertrauenswürdig, re'ell (*Firma etc.*); **re·li·ance** [rɪ'laɪəns] *s.* Vertrauen *n*: ***in ~ (up)on*** unter Verlaß auf (*acc.*), bauend auf; ***place ~ on*** (*od.* ***in***) Vertrauen in *j-n* setzen; **re·li·ant** [rɪ'laɪənt] *adj.* **1.** vertrauensvoll; **2.** zuversichtlich.

rel·ic ['relɪk] *s.* **1.** ('Über)Rest *m*, 'Überbleibsel *n*, Re'likt *n*: ***~s of the past*** *fig.* Zeugen der Vergangenheit; **2.** *R.C.* Re'liquie *f*.

re·lief[1] [rɪ'li:f] *s.* **1.** Erleichterung *f* (*a.* ⚕); → ***sigh*** 5; **2.** (angenehme) Unter'brechung, Abwechslung *f*, Wohltat *f* (***to*** für *das Auge etc.*); **3.** Trost *m*; **4.** Entlastung *f*; (*Steuer- etc.*)Erleichterung *f*; **5.** a) Unter'stützung *f*, Hilfe *f*, b) *Am.* Sozi'alhilfe *f*; ***~ fund*** Unterstützungsfonds *m*, -kasse *f*; ***be on ~*** Sozialhilfe beziehen; **6.** ⚖ a) Rechtshilfe *f*: ***the ~ sought*** das Klagebegehren, b) Rechtsbehelf *m*, -mittel *n*; **7.** ⚔ a) *a. allg.* Ablösung *f*, b) Entsatz *m*, Entlastung *f*, c) *in Zssgn* Entlastungs...: ***~ attack*** (***road, train***); ***~ driver*** *mot.* Beifahrer *m*.

re·lief[2] [rɪ'li:f] *s.* ▲ *etc.* Reli'ef *n*; erhabene Arbeit: ***~ map*** Relief-, Höhenkarte *f*; ***be in ~ against*** sich (scharf) abheben gegen; ***set into vivid ~*** *fig. et.* plastisch schildern; ***stand out in*** (***bold***) ***~*** deutlich hervortreten (*a. fig.*); ***throw into ~*** hervortreten lassen (*a. fig.*).

re·lieve [rɪ'li:v] *v/t.* **1.** *Schmerzen etc., a. Gewissen* erleichtern: ***~ one's feelings*** s-n Gefühlen Luft machen; ***~ s.o.'s mind*** j-n beruhigen; → ***nature*** 7; **2.** *j-n* entlasten: ***~ s.o. from*** (*od.* ***of***) j-m *et.* abnehmen, j-n von *e-r Pflicht etc.* entbinden, j-n *e-r Verantwortung etc.* entheben, j-n von *et.* befreien; ***~ s.o. of*** *humor.* j-n um *et.* ‚erleichtern', j-m *et.* stehlen; **3.** *j-n* erleichtern, beruhigen, trösten: ***I am ~d to hear*** es beruhigt mich, zu hören; **4.** ⚔ a) *Platz* entsetzen, b) *Kampftruppe* entlasten, c) *Posten, Einheit* ablösen; **5.** *Bedürftige* unter'stützen, *Armen* helfen; **6.** *Eintöniges* beleben, Abwechslung bringen in (*acc.*); **7.** her'vor-, abheben; **8.** *j-m* Recht verschaffen; *e-r Sache* abhelfen; **9.** ⚙ a) entlasten (*a.* ▲), *Feder* entspannen, b) 'hinterdrehen.

re·lie·vo [rɪ'li:vəʊ] *pl.* **-vos** *s.* Reli'efarbeit *f*.

re·li·gion [rɪ'lɪdʒən] *s.* **1.** Religi'on *f* (*a. iro.*): ***get ~*** F fromm werden; **2.** Frömmigkeit *f*; **3.** Ehrensache *f*, Herzenspflicht *f*; **4.** mo'nastisches Leben: ***enter ~*** in e-n Orden eintreten; **re'li·gion·ist** [-dʒənɪst] *s.* religi'öser Schwärmer *od.* Eiferer; **re·lig·i·os·i·ty** [rɪˌlɪdʒɪ'ɒsətɪ] *s.* **1.** Religiosi'tät *f*; **2.** Frömme'lei *f*.

re·li·gious [rɪ'lɪdʒəs] *adj.* □ **1.** Religions..., religi'ös (*Buch, Pflicht etc.*); **2.** religi'ös, fromm; **3.** Ordens...: ***~ order*** geistlicher Orden; **4.** *fig.* gewissenhaft, peinlich genau; **5.** *fig.* andächtig: ***~ silence***.

re·lin·quish [rɪ'lɪŋkwɪʃ] *v/t.* **1.** *Hoffnung, Idee, Plan etc.* aufgeben; **2.** (***to***) *Besitz, Recht* abtreten (*dat. od.* an *acc.*), preisgeben (*dat.*), über'lassen (*dat.*); **3.** *et.* loslassen, fahrenlassen; **4.** verzichten auf (*acc.*); **re'lin·quish·ment** [-mənt] *s.* **1.** Aufgabe *f*; **2.** Über'lassung *f*; **3.** Verzicht *m* (***of*** auf *acc.*).

rel·i·quar·y ['relɪkwərɪ] *s.* *R.C.* Re'li-

R

quienschrein *m*.

rel·ish ['relɪʃ] **I** *v/t.* **1.** gern essen, sich schmecken lassen; *a. fig.* (mit Behagen) genießen, Geschmack finden an (*dat.*): ***I do not much ~ the idea*** ich bin nicht gerade begeistert davon (***of doing*** zu tun); **2.** *fig.* schmackhaft machen; **II** *v/i.* **3.** schmecken *od.* (*fig.*) riechen (***of*** nach); **III** *s.* **4.** (Wohl)Geschmack *m*; **5.** *fig.* a) Kostprobe *f*, b) Beigeschmack *m* (***of*** von); **6.** a) Gewürz *n*, Würze *f* (*a. fig.*), b) Horsd'œuvre *n*, Appe'tithappen *m*; **7.** *fig.* (***for***) Geschmack *m* (an *dat.*), Sinn *m* (für): ***have no ~ for*** sich nichts machen aus; ***with*** (***great***) ***~*** mit (großem) Behagen, mit Wonne (*a. iro.*).

re·live [ˌriː'lɪv] *v/t. et.* noch einmal durch'leben *od.* erleben.

re·lo·cate [ˌriːləʊ'keɪt] **I** *v/t.* **1.** 'umsiedeln, *Betrieb, Werk*: *a.* verlegen; **2.** *Computer*: verschieben; **II** *v/i.* **3.** 'umziehen (***to*** nach).

re·luc·tance [rɪ'lʌktəns] *s.* **1.** Wider'streben *n*, Abneigung *f* (***to*** gegen, ***to do s.th.*** et. zu tun): ***with ~*** widerstrebend, ungern, zögernd; **2.** *phys.* ma'gnetischer 'Widerstand; **re'luc·tant** [-nt] *adj.* □ 'widerwillig, wider'strebend, zögernd, ungern: ***be ~ to do s.th.*** sich sträuben, et. zu tun; et. nur ungern tun.

re·ly [rɪ'laɪ] *v/i.* **1.** ***~*** (***up***)***on*** sich verlassen, vertrauen *od.* bauen *od.* zählen auf (*acc.*): ***~ on s.th.*** (***for***) auf et. angewiesen sein (hinsichtlich *gen.*), et. (ausschließlich) beziehen (von); **2.** ***~*** (***up***)***on*** sich auf *e-e Quelle etc.* stützen *od.* berufen.

re·main [rɪ'meɪn] **I** *v/i.* **1.** *allg.* bleiben; **2.** (übrig)bleiben (*a. fig.* ***to s.o.*** j-m); zu'rück-, verbleiben, noch übrig sein: ***it now ~s for me to explain*** es bleibt mir nur noch übrig, zu erklären; ***nothing ~s*** (***to us***) ***but to*** (*inf.*) es bleibt (uns) nichts anderes übrig, als zu (*inf.*); ***that ~s to be seen*** das bleibt abzuwarten; **3.** (bestehen) bleiben: ***~ in force*** in Kraft bleiben; **4.** *im Briefschluß*: verbleiben; **II** *s. pl.* **5.** *a. fig.* Reste *pl.*, 'Überreste *pl.*, -bleibsel *pl.*; **6.** *die* sterblichen Überreste *pl.*; **7.** *a.* ***literary ~s*** hinter'lassene Werke *pl.*, lite'rarischer Nachlaß; **re'main·der** [-də] **I** *s.* **1.** Rest *m* (*a.* ⅍), *das* übrige; **2.** ✝ Restbestand *m*, -betrag *m*: ***~ of a debt*** Restschuld *f*; **3.** ⚙ Rückstand *m*; **4.** *Buchhandel*: Restauflage *f*, Remit'tenden *pl.*; **5.** ⚖ a) Anwartschaft *f* (auf Grundeigentum), b) Nacherbenrecht *n*; **II** *v/t.* **6.** *Bücher* billig abgeben; **re'main·der·man** [-dəmæn] *s.* [*irr.*] ⚖ a) Anwärter *m*, b) Nacherbe *m*; **re'main·ing** [-nɪŋ] *adj.* übrig(geblieben), Rest..., verbleibend, restlich.

re·make [ˌriː'meɪk] **I** *v/t.* [*irr.* → ***make***] wieder *od.* neu machen, *Film*: *a.* neu drehen; **II** *s.* ['riːmeɪk] 'Neuverfilmung *f*, Re'make *n*.

re·mand [rɪ'mɑːnd] **I** *v/t.* ⚖ a) (in Unter'suchungshaft) zu'rückschicken, b) *Rechtssache* (an die untere In'stanz) zu'rückverweisen; **II** *s.* (Zu'rücksendung *f* in die) Unter'suchungshaft *f*: ***~ prison*** Untersuchungsgefängnis *n*; ***prisoner on ~*** Untersuchungsgefangene(r *m*) *f*; ***be brought up on ~*** aus der Untersuchungshaft vorgeführt werden; ***~ centre*** (*od.* ***home***) Unter'suchungshaftanstalt *f* für Jugendliche.

re·mark [rɪ'mɑːk] **I** *v/t.* **1.** (be)merken, beobachten; **2.** bemerken, äußern (***that*** daß); **II** *v/i.* **3.** e-e Bemerkung *od.* Bemerkungen machen, sich äußern ([***up***]***on*** über *acc.*, zu); **III** *s.* **4.** Bemerkung *f*, Äußerung *f*: ***without ~*** ohne Kommentar; ***worthy of ~*** → **re'mark·a·ble** [-kəbl] *adj.* □ bemerkenswert: a) beachtlich, b) ungewöhnlich; **re'mark·a·ble·ness** [-kəblnɪs] *s.* **1.** Ungewöhnlichkeit *f*, Merkwürdigkeit *f*; **2.** Bedeutsamkeit *f*.

re·mar·riage [ˌriː'mærɪdʒ] *s.* 'Wiederverˌheiratung *f*; ˌ**re'mar·ry** [-rɪ] *v/i.* wieder heiraten.

re·me·di·a·ble [rɪ'miːdjəbl] *adj.* □ heil-, abstellbar: ***this is ~*** dem ist abzuhelfen; **re'me·di·al** [-jəl] *adj.* □ **1.** heilend, Heil...: ***~ gymnastics*** Heilgymnastik *f*; ***~ teaching*** Förderunterricht *m* (für *Lernschwache*); **2.** abhelfend: ***~ measure*** Abhilfsmaßnahme *f*.

rem·e·dy ['remɪdɪ] **I** *s.* **1.** ⚕ (Heil-)Mittel *n*, Arz'nei *f* (***for, against*** für, gegen); **2.** *fig.* (Gegen)Mittel *n* (***for, against*** gegen); Abhilfe *f*; ⚖ Rechtsmittel *n*, -behelf *m*; **3.** *Münzwesen*: Re'medium *n*, Tole'ranz *f*; **II** *v/t.* **4.** *Mangel, Schaden* beheben; **5.** *Mißstand* abstellen, abhelfen (*dat.*), in Ordnung bringen.

re·mem·ber [rɪ'membə] **I** *v/t.* **1.** sich entsinnen (*gen.*) *od.* an (*acc.*), sich besinnen auf (*acc.*), sich erinnern an (*acc.*): ***I ~ that*** es fällt mir (gerade) ein, daß; **2.** sich merken, nicht vergessen; **3.** eingedenk sein (*gen.*), denken an (*acc.*), beherzigen, sich *et.* vor Augen halten; **4.** *j-n mit e-m Geschenk, in s-m Testament* bedenken; **5.** empfehlen, grüßen: ***~ me to him*** grüßen Sie ihn von mir; **II** *v/i.* **6.** sich erinnern *od.* entsinnen: ***not that I ~*** nicht, daß ich wüßte; **re'mem·brance** [-brəns] *s.* **1.** Erinnerung *f*, Gedächtnis *n* (***of*** an *acc.*); **2.** Gedächtnis *n*, An-, Gedenken *n*: ***in ~ of*** im Gedenken *od.* zur Erinnerung an (*acc.*); ***≈ Day*** Volkstrauertag *m* (*11. November*); **3.** Andenken *n* (*Sache*); **4.** *pl.* Grüße *pl.*, Empfehlungen

R

pl.

re·mi·gra·tion [ˌriːmaɪˈgreɪʃn] *s.* Rückwanderung *f.*

re·mil·i·ta·ri·za·tion [ˈriːˌmɪlɪtəraɪˈzeɪʃn] *s.* Remilitarisierung *f.*

re·mind [rɪˈmaɪnd] *v/t. j-n* erinnern (***of*** an *acc.*, ***that*** daß): ***that ~s me*** da(bei) fällt mir (et.) ein; ***this ~s me of home*** das erinnert mich an zu Hause; **reˈmind·er** [-də] *s.* **1.** Mahnung *f*: ***a gentle ~*** ein (zarter) Wink; **2.** Erinnerung *f* (***of*** an *acc.*); **3.** Gedächtnishilfe *f.*

rem·i·nisce [ˌremɪˈnɪs] *v/i.* in Erinnerungen schwelgen; **ˌrem·iˈnis·cence** [-sns] *s.* **1.** Erinnerung *f*; **2.** *pl.* (Lebens)Erinnerungen *pl.*, Reminisˈzenzen *pl.*; **3.** *fig.* Anklang *m*; **ˌrem·iˈnis·cent** [-snt] *adj.* □ **1.** sich erinnernd (***of*** an *acc.*), Erinnerungs…; **2.** Erinnerungen wachrufend (***of*** an *acc.*), erinnerungsträchtig; **3.** sich (gern) erinnernd, in Erinnerungen schwelgend.

re·mise[1] [rɪˈmaɪz] *s.* ⚖ Aufgabe *f e-s Anspruchs*, Rechtsverzicht *m.*

re·mise[2] [rəˈmiːz] *s.* **1.** *obs.* a) Reˈmise *f*, Wagenschuppen *m*, b) Mietkutsche *f*; **2.** *fenc.* Riˈmesse *f.*

re·miss [rɪˈmɪs] *adj.* □ (nach)lässig, säumig; lax, träge: ***be ~ in one's duties*** s-e Pflichten vernachlässigen; **reˈmis·si·ble** [-səbl] *adj.* **1.** erläßlich; **2.** verzeihlich; *R.C.* läßlich (*Sünde*); **reˈmis·sion** [-ɪʃn] *s.* **1.** Vergebung *f* (der Sünden); **2.** a) (teilweiser) Erlaß *e-r Strafe, Schuld, Gebühr etc.*, b) Nachlaß *m*, Ermäßigung *f*; **3.** Nachlassen *n der Intensität etc.*; ⚕ Remissiˈon *f*; **reˈmiss·ness** [-nɪs] *s.* (Nach)Lässigkeit *f.*

re·mit [rɪˈmɪt] **I** *v/t.* **1.** *Sünden* vergeben; **2.** *Schulden, Strafe* (ganz *od.* teilweise) erlassen; **3.** hinˈaus-, verschieben (***till, to*** bis, ***to*** auf *acc.*); **4.** a) nachlassen in *s-n Anstrengungen etc.*, b) *Zorn etc.* mäßigen, c) aufhören mit, einstellen; **5.** ✝ *Geld etc.* überˈweisen, -ˈsenden; **6.** *bsd.* ⚖ a) (*Fall etc. zur Entscheidung*) überˈtragen, b) → ***remand*** I b; **II** *v/i.* **7.** ✝ Zahlung leisten, remittieren; **reˈmit·tal** [-tl] → ***remission***; **reˈmit·tance** [-təns] *s.* **1.** (*bsd.* Geld)Sendung *f*, Überˈweisung *f*; **2.** ✝ (Geld-, Wechsel-) Sendung *f*, Überweisung *f*, Riˈmesse *f*: ***~ account*** Überweisungskonto *n*; ***make ~*** remittieren, Deckung anschaffen; **re·mit·tee** [ˌremɪˈtiː] *s.* ✝ (Zahlungs-, Überˈweisungs)Empfänger *m*; **reˈmit·tent** [-tənt] *bsd.* ⚕ **I** *adj.* (vorˈübergehend) nachlassend; remittierend (*Fieber*); **II** *s.* remittierendes Fieber; **reˈmit·ter** [-tə] *s.* **1.** ✝ Geldsender *m*, Überˈsender *m*; Remitˈtend *m*; **2.** ⚖ a) Wiederˈeinsetzung *f* (***to*** in *frühere Rechte etc.*), b) Überˈweisung *f e-s Falles.*

rem·nant [ˈremnənt] *s.* **1.** (ˈÜber)Rest *m*, ˈÜberbleibsel *n*; kläglicher Rest; *fig.* (letzter) Rest, Spur *f*; **2.** ✝ (Stoff)Rest *m*; *pl.* Reste(r) *pl.*: ***~ sale*** Resteverkauf *m.*

re·mod·el [ˌriːˈmɒdl] *v/t.* ˈumbilden, -bauen, -formen, -gestalten.

re·mon·e·ti·za·tion [riːˌmʌnɪtaɪˈzeɪʃn] *s.* ✝ Wiederinˈkurssetzung *f.*

re·mon·strance [rɪˈmɒnstrəns] *s.* (Gegen)Vorstellung *f*, Vorhaltung *f*, Einspruch *m*, Proˈtest *m*; **reˈmon·strant** [-nt] **I** *adj.* □ protestierend; **II** *s.* Einsprucherheber *m*; **re·mon·strate** [ˈremənstreɪt] **I** *v/i.* **1.** protestieren (***against*** gegen); **2.** Vorhaltungen *od.* Vorwürfe machen (***on*** über *acc.*, ***with s.o.*** j-m); **II** *v/t.* **3.** einwenden (***that*** daß).

re·morse [rɪˈmɔːs] *s.* Gewissensbisse *pl.*, Reue *f* (***at*** über *acc.*, ***for*** wegen): ***without ~*** unbarmherzig, kalt; **reˈmorse·ful** [-fʊl] *adj.* □ reumütig, reuevoll; **reˈmorse·less** [-lɪs] *adj.* □ unbarmherzig, hart(herzig).

re·mote [rɪˈməʊt] **I** *adj.* □ **1.** *räumlich u. zeitlich, a. fig.* fern, (weit) entfernt (***from*** von); *fig.* schwach, vage: ***~ antiquity*** graue Vorzeit; ***a ~ chance*** e-e winzige Chance; ***~ control*** ⚙ a) Fernsteuerung *f*, b) Fernbedienung *f*; ***~-control(led)*** ferngesteuert, -gelenkt, mit Fernbedienung; ***~ future*** ferne Zukunft; ***not the ~st idea*** keine blasse Ahnung; ***~ possibility*** vage Möglichkeit; ***~ relation*** entfernte(r) *od.* weitläufige(r) Verwandte(r); ***~ resemblance*** entfernte *od.* schwache Ähnlichkeit; **2.** abgelegen, entlegen; **3.** mittelbar, ˈindiˌrekt: ***~ damages*** ⚖ Folgeschäden; **4.** distanˈziert, unnahbar; **II** *s.* **5.** *Am. TV*: Außenübertragung *f*; **reˈmote·ness** [-nɪs] *s.* Ferne *f*, Entlegenheit *f.*

re·mount [ˌriːˈmaʊnt] **I** *v/t.* **1.** *Berg, Pferd etc.* wieder besteigen; **2.** ⚔ neue Pferde beschaffen für; **3.** ⚙ *Maschine* wieder aufstellen; **II** *v/i.* **4.** wieder aufsteigen; wieder aufsitzen (*Reiter*); **5.** *fig.* zuˈrückgehen (***to*** auf *acc.*); **III** *s.* [ˈriːmaʊnt] **6.** frisches Reitpferd; ⚔ Reˈmonte *f.*

re·mov·a·ble [rɪˈmuːvəbl] *adj.* □ **1.** absetzbar; **2.** ⚙ abnehmbar, auswechselbar; **3.** behebbar (*Übel*); **reˈmov·al** [-vl] *s.* **1.** Fort-, Wegschaffen *n*, -räumen *n*; Entfernen *n*; Abfuhr *f*, ˈAbtransˌport *m*; Beseitigung *f* (*a. fig. Behebung von Fehlern, Mißständen, e-s Gegners*); **2.** ˈUmzug *m* (***to*** in *acc.*, nach): ***~ of business*** Geschäftsverlegung *f*; ***~ man*** a) Spediteur *m*, b) Möbelpacker *m*; ***~ van*** Möbelwagen *m*; **3.** a) Absetzung *f*, Enthebung *f* (***from office*** aus dem Amt), b) (Straf)Versetzung *f*; **4.** ⚖ Verweisung *f* (***to*** an *acc.*);

re·move [rɪˈmuːv] **I** *v/t.* **1.** *allg.* (weg-)nehmen, entfernen (***from*** aus); ⚙ abnehmen, abmontieren, ausbauen; *Kleidungsstück* ablegen; *Hut* abnehmen; *Hand* zuˈrückziehen; *fig. Furcht, Zweifel etc.* nehmen: ~ ***from the agenda*** *et.* von der Tagesordnung absetzen; ~ ***o.s.*** sich entfernen (***from*** von); **2.** wegräumen, -rücken, -bringen, fortschaffen, abtransportieren; (*a. fig. j-n*) aus dem Wege räumen: ~ ***furniture*** (Wohnungs)Umzüge besorgen; ~ ***a prisoner*** e-n Gefangenen abführen (lassen); ~ ***mountains*** *fig.* Berge versetzen; ~ ***by suction*** ⚙ absaugen; ***a first cousin once ~d*** Kind e-s Vetters *od.* e-r Kusine; **3.** *Fehler, Gegner, Hindernis, Spuren etc.* beseitigen; *Flecken* entfernen; *fig. Schwierigkeiten* beheben; **4.** *wohin* bringen, schaffen, verlegen; **5.** *Beamten* absetzen, entlassen, *s-s Amtes* entheben; **II** *v/i.* **6.** (aus-, ˈum-, ver)ziehen (***to*** nach); **III** *s.* **7.** Entfernung *f*, Abstand *m*: ***at a ~*** *fig.* mit einigem Abstand; **8.** Schritt *m*, Stufe *f*, Grad *m*; **9.** *Brit.* nächster Gang (*beim Essen*); **reˈmov·er** [-və] *s.* **1.** Abbeizmittel *n*; **2.** (ˈMöbel)Spediˌteur *m*.

re·mu·ner·ate [rɪˈmjuːnəreɪt] *v/t.* **1.** *j-n* entschädigen, belohnen (***for*** für); **2.** *et.* vergüten, Entschädigung zahlen für, ersetzen; **re·mu·ner·a·tion** [rɪˌmjuːnəˈreɪʃn] *s.* **1.** Entschädigung *f*, Vergütung *f*; **2.** Belohnung *f*; **3.** Honoˈrar *n*, Lohn *m*, Entgelt *n*; **reˈmu·ner·a·tive** [-nərətɪv] *adj.* ☐ einträglich, lohnend, lukraˈtiv, vorteilhaft.

Ren·ais·sance [rəˈneɪsəns] (*Fr.*) *s.* **1.** Renaisˈsance *f*; **2.** ℒ ˈWiedergeburt *f*, -erwachen *n*.

re·nal [ˈriːnl] *adj. anat.* Nieren...

re·name [ˌriːˈneɪm] *v/t.* **1.** ˈumbenennen; **2.** neu benennen.

re·nas·cence [rɪˈnæsns] *s.* **1.** ˈWiedergeburt *f*, Erneuerung *f*; **2.** ℒ Renaisˈsance *f*; **reˈnas·cent** [-nt] *adj.* sich erneuernd, wieder auflebend, ˈwiedererwachend.

rend [rend] [*irr.*] **I** *v/t.* **1.** (zer)reißen: ~ ***from*** *j-m* entreißen; ~ ***the air*** die Luft zerreißen (*Schrei etc.*); **2.** spalten (*a. fig.*); **II** *v/i.* **3.** (zer)reißen.

ren·der [ˈrendə] *v/t.* **1.** *a.* ~ ***back*** zuˈrückgeben, -erstatten: ~ ***up*** herausgeben, *fig.* vergelten (***good for evil*** Böses mit Gutem); **2.** (*a.* ⚔ *Festung*) überˈgeben; ✝ *Rechnung* (vor)legen: ***per account ~ed*** ✝ laut (erteilter) Rechnung; ~ ***a profit*** Gewinn abwerfen; → *a.* ***account*** 6 *u.* 7; **3.** (***to s.o.*** j-m) *e-n Dienst, Hilfe etc.* leisten; *Aufmerksamkeit, Ehre, Gehorsam* erweisen; *Dank* abstatten: ***for services ~ed*** für geleistete Dienste; **4.** *Grund* angeben; **5.** ⚖ *Urteil* fällen; **6.** *berühmt, schwierig, sichtbar etc.* machen: ~ ***audible*** hörbar machen; ~ ***possible*** möglich machen, ermöglichen; **7.** *künstlerisch* ˈwiedergeben, interpretieren; **8.** *sprachlich, sinngemäß* ˈwiedergeben, überˈsetzen; **9.** ⚙ *Fett* auslassen; **10.** △ roh bewerfen; **ˈren·der·ing** [-dərɪŋ] *s.* **1.** ˈÜbergabe *f*: ~ ***of account*** ✝ Rechnungslegung *f*; **2.** *künstlerische* ˈWiedergabe, ˌInterpretaˈtiˈon *f*, Gestaltung *f*, Vortrag *m*; **3.** Überˈsetzung *f*, ˈWiedergabe *f*; **4.** △ Rohbewurf *m*.

ren·dez·vous [ˈrɒndɪvuː] *pl.* **-vous** [-vuːz] (*Fr.*) *s.* **1.** a) Rendezˈvous *n*, Verabredung *f*, Stelldichein *n*, b) Zs.-kunft *f*; **2.** Treffpunkt *m* (*a.* ⚔).

ren·di·tion [renˈdɪʃn] *s.* **1.** → ***rendering*** 2 *u.* 3; **2.** *Am.* (Urteils)Fällung *f*, (-)Verkündung *f*.

ren·e·gade [ˈrenɪgeɪd] *s.* Reneˈgat(in), Abtrünnige(r *m*) *f*, ˈÜberläufer(in).

re·nege [rɪˈniːg] **I** *v/i.* **1.** sein Wort brechen: ~ ***on*** *et.* nicht (ein)halten, *e-r Sache* untreu werden; **2.** *Kartenspiel*: nicht bedienen; **II** *v/t.* **3.** ab-, verleugnen.

re·new [rɪˈnjuː] *v/t.* **1.** *allg.* erneuern (*z.B. Bekanntschaft, Angriff, Autoreifen, Gelöbnis*): ***~ed*** erneut; **2.** *Briefwechsel etc.* wiederˈaufnehmen: ~ ***one's efforts*** sich erneut bemühen; **3.** *Jugend, Kraft* ˈwiedererlangen; *biol.* regenerieren; **4.** ✝ *Vertrag etc.* erneuern, verlängern; *Wechsel* prolongieren; **5.** ergänzen, -setzen; **6.** wiederˈholen; **reˈnew·a·ble** [-juːəbl] *adj.* **1.** erneuerbar, zu erneuern(d); **2.** ✝ erneuerungs-, verlängerungsfähig; prolongierbar (*Wechsel*); **reˈnew·al** [-juːəl] *s.* **1.** Erneuerung *f*; **2.** ✝ a) Erneuerung *f*, Verlängerung *f*, b) Prolongatiˈon *f*.

ren·i·form [ˈriːnɪfɔːm] *adj.* nierenförmig.

ren·net[1] [ˈrenɪt] *s.* 🐄, *zo.* Lab *n*.

ren·net[2] [ˈrenɪt] *s.* ⚘ *Brit.* Reˈnette *f*.

re·nounce [rɪˈnaʊns] **I** *v/t.* **1.** verzichten auf (*acc.*), *et.* aufgeben; entsagen (*dat.*); **2.** verleugnen; *dem Glauben etc.* abschwören; *Freundschaft* aufsagen; ✝ *Vertrag* kündigen; *et.* von sich weisen, ablehnen; sich von *j-m* lossagen; *j-n* verstoßen; **3.** *Kartenspiel*: *Farbe* nicht bedienen (können); **II** *v/i.* **4.** Verzicht leisten; **5.** *Kartenspiel*: nicht bedienen (können), passen.

ren·o·vate [ˈrenəʊveɪt] *v/t.* **1.** erneuern; wiederˈherstellen; **2.** renovieren; **ren·o·va·tion** [ˌrenəʊˈveɪʃn] *s.* Renovierung *f*, Erneuerung *f*; **ˈren·o·va·tor** [-tə] *s.* Erneuerer *m*.

re·nown [rɪˈnaʊn] *s. rhet.* Ruhm *m*, Ruf *m*, Berühmtheit *f*; **reˈnowned** [-nd] *adj.* berühmt, namhaft.

rent[1] [rent] **I** *s.* **1.** (Wohnungs)Miete *f*, Mietzins *m*: ***for ~*** *bsd. Am.* a) zu ver-

R

mieten, b) zu verleihen; **~-*control*(*l*)*ed*** miet(preis)gebunden; **~ *tribunal*** Mieterschiedsgericht *n*; **2.** Pacht(geld *n*, -zins *m*) *f*; **II** *v/t.* **3.** vermieten; **4.** verpachten; **5.** mieten; **6.** (ab)pachten; **7.** *Am.* a) *et.* ausleihen, b) sich *et.* leihen; **III** *v/i.* **8.** vermietet *od.* verpachtet werden (***at*** *od.* ***for*** zu).

rent² [rent] **I** *s.* Riß *m*; Spalt(e *f*) *m*; **II** *pret. u. p.p. von* ***rend***.

rent·a·ble ['rentəbl] *adj.* (ver)mietbar.

ˌrent-a-'car (serv·ice) *s. mot.* Autoverleih *m*.

ren·tal ['rentl] *s.* **1.** Miet-, Pachtbetrag *m*, -satz *m*: **~ *car*** Mietwagen *m*; **~ *library*** *Am.* Leihbücherei *f*: **~ *value*** Miet-, Pachtwert *m*; **2.** (Brutto)Mietertrag *m*; **3.** Zinsbuch *n*.

rent-boy *s.* Strichjunge *m*.

rent charge *pl.* **rents charge** *s.* Grundrente *f*; **~ con·trol** *s.* Mietbindung *f*.

rent·er ['rentə] *s. bsd. Am.* **1.** Pächter (-in), Mieter(in); **2.** Verpächter(in), -mieter(in), -leiher(in); **ˌrent-'free** *adj.* miet-, pachtfrei.

re·nun·ci·a·tion [rɪˌnʌnsɪ'eɪʃn] *s.* **1.** (***of***) Verzicht *m* (auf *acc.*), Aufgabe *f* (*gen.*); **2.** Entsagung *f*; **3.** Ablehnung *f*.

re·o·pen [ˌri:'əʊpən] **I** *v/t.* **1.** 'wiedereröffnen; **2.** wieder beginnen, wieder'aufnehmen; **II** *v/i.* **3.** sich wieder öffnen; **4.** 'wiedereröffnen (*Geschäft etc.*); **5.** wieder beginnen.

re·or·gan·i·za·tion ['ri:ˌɔ:gənaɪ'zeɪʃn] *s.* **1.** 'Umbildung *f*, Neuordnung *f*, -gestaltung *f*; **2.** ✝ Sanierung *f*; **re·or·gan·ize** [ˌri:'ɔ:gənaɪz] *v/t.* **1.** reorganisieren, neu gestalten, 'umgestalten, 'umgliedern; **2.** ✝ sanieren.

rep¹ [rep] *s.* Rips *m* (*Stoff*).

rep² [rep] *s. sl.* **1.** Wüstling *m*; **2.** *Am.* Ruf *m*.

re·pack [ˌri:'pæk] *v/t.* 'umpacken.

re·paint [ˌri:'peɪnt] *v/t.* neu (an)streichen, über'malen.

re·pair¹ [rɪ'peə] **I** *v/t.* **1.** reparieren, (wieder) in'stand setzen; ausbessern, flicken; **2.** wieder'herstellen; **3.** wieder'gutmachen; *Verlust* ersetzen; **II** *s.* **4.** Repara'tur *f*, In'standsetzung *f*, Ausbesserung *f*; *pl.* In'standsetzungsarbeit(en *pl.*) *f*: ***state of* ~** (baulicher *etc.*) Zustand; ***in good* ~** in gutem Zustand; ***in need of* ~** reparaturbedürftig; ***out of* ~** a) betriebsunfähig, b) baufällig; ***under* ~** in Reparatur; **~ *kit*, ~ *outfit*** Reparaturwerkzeug *n*, Flickzeug *n*.

re·pair² [rɪ'peə] **I** *v/i.* sich begeben (***to*** nach, zu); **II** *s.* Zufluchtsort *m*, (beliebter) Aufenthaltsort.

re·pair·a·ble [rɪ'peərəbl] *adj.* **1.** repara'turbedürftig; **2.** zu reparieren(d), reparierbar; **3.** → ***reparable***.

re'pair|·man [-mæn] *s.* [*irr.*] *bsd. Am.* Me'chaniker *m*, Autoschlosser *m*, (*Fernseh- etc.*)Techniker *m*; **~-shop** *s.* Repara'turwerkstatt *f*.

rep·a·ra·ble ['repərəbl] *adj.* □ wieder'gutzumachen(d); ersetzbar (*Verlust*);

rep·a·ra·tion [ˌrepə'reɪʃn] *s.* **1.** Wieder'gutmachung *f*: ***make* ~** Genugtuung leisten; **2.** Entschädigung *f*, Ersatz *m*; **3.** *pol.* Wieder'gutmachungsleistung *f*; *pl.* Reparati'onen *pl*.

rep·ar·tee [ˌrepɑ:'ti:] *s.* schlagfertige Antwort, Schlagfertigkeit *f*: ***quick at* ~** schlagfertig.

re·par·ti·tion [ˌri:pɑ:'tɪʃn] **I** *s.* Aufteilung *f*, (Neu)Verteilung *f*; **II** *v/t.* (neu) auf-, verteilen.

re·pass [ˌri:'pɑ:s] *v/i.* (*u. v/t.*) wieder vor'beikommen (***an*** *dat.*).

re·past [rɪ'pɑ:st] *s.* Mahl(zeit *f*) *n*.

re·pa·tri·ate [ri:'pætrɪeɪt] **I** *v/t.* repatriieren, (in die Heimat) zu'rückführen; **II** *s.* Repatriierte(r *m*) *f*, Heimkehrer (-in); **re·pa·tri·a·tion** [ˌri:pætrɪ'eɪʃn] *s.* Rückführung *f*.

re·pay [*irr.* → ***pay***] **I** *v/t.* [ri:'peɪ] **1.** *Geld etc.* zu'rückzahlen, (zu'rück)erstatten; **2.** *fig. Besuch*, *Gruß*, *Schlag etc.* erwidern; *Böses* heimzahlen, vergelten (***to s.o.*** j-m); **3.** *j-n* belohnen, (*a.* ✝) entschädigen (***for*** für); **4.** *et.* lohnen, vergelten (***with*** mit); **II** *v/i.* [ˌri:'peɪ] **5.** nochmals (be)zahlen; **re'pay·a·ble** [-'peɪəbl] *adj.* rückzahlbar; **re'pay·ment** [-mənt] *s.* **1.** Rückzahlung *f*; **2.** Erwiderung *f*; **3.** Vergeltung *f*.

re·peal [rɪ'pi:l] **I** *v/t.* **1.** *Gesetz etc.* aufheben, außer Kraft setzen; **2.** wider'rufen; **II** *s.* **3.** Aufhebung *f von Gesetzen*; **re'peal·a·ble** [-ləbl] *adj.* 'widerruflich, aufhebbar.

re·peat [rɪ'pi:t] **I** *v/t.* **1.** wieder'holen: **~ *an experience*** et. nochmals durchmachen *od.* erleben; **~ *an order*** (***for s.th.*** et.) nachbestellen; **2.** nachsprechen, wieder'holen; weitererzählen; **3.** *ped. Gedicht* aufsagen; **II** *v/i.* **4.** sich wieder'holen (*Vorgang*); **5.** repetieren (*Uhr*, *Gewehr*); **6.** aufstoßen (*Speisen*); **III** *s.* **7.** Wieder'holung *f* (*a. TV etc.*); **8.** *et.* sich Wieder'holendes (*z.B. Muster*), *bsd. Stoff*, *Tapete*: Rap'port *m*; **9.** ♪ a) Wieder'holung *f*, b) Wieder'holungszeichen *n*: **10.** ✝ *oft* **~ *order*** Nachbestellung *f*; **re'peat·ed** [-tɪd] *adj.* □ wieder'holt, mehrmalig; neuerlich; **re'peat·er** [-tə] *s.* **1.** Wieder'holende(r *m*) *f*; **2.** Repetieruhr *f*; **3.** Repetier-, Mehrladegewehr *n*; **4.** *Am. Wähler, der widerrechtlich mehrere Stimmen abgibt*; **5.** ⩲ peri'odische Dezi'malzahl *f*; **6.** ⚖ Rückfällige(r *m*) *f*; **7.** ⚓ Tochterkompaß *m*; **8.** ↯ a) (Leitungs)Verstärker *m*, b) Über'trager *m*; **re'peat·ing** [-tɪŋ] *adj.* wieder'holend: **~ *decimal*** → ***repeater*** 5; **~ *rifle*** → ***repeater*** 3; **~**

R

watch** → **repeater 2.

re·pel [rɪ'pel] *v/t.* **1.** *Angreifer* zu'rückschlagen, -treiben; **2.** *Angriff* abschlagen, abweisen, *a. Schlag* abwehren; **3.** *fig.* ab-, zu'rückweisen; **4.** *phys.* abstoßen; **5.** *fig. j-n* abstoßen, anwidern; **re'pel·lent** [-lənt] *adj.* □ **1.** ab-, zu'rückstoßend; **2.** *fig.* abstoßend.

re·pent [rɪ'pent] *v/t.* (*a. v/i.* ***of***) *et.* bereuen; **re'pent·ance** [-təns] *s.* Reue *f*; **re'pent·ant** [-tənt] *adj.* □ reuig (***of*** über *acc.*), bußfertig.

re·per·cus·sion [ˌriːpə'kʌʃn] *s.* **1.** Rückprall *m*, -stoß *m*; **2.** 'Widerhall *m*; **3.** *mst pl. fig.* Rück-, Auswirkungen *pl.* (***on*** auf *acc.*).

rep·er·toire ['repətwɑː] → ***repertory*** 1.

rep·er·to·ry ['repətərɪ] *s.* **1.** *thea.* Reper'toire *n*, Spielplan *m*: ***~ theatre*** (*Am.* ***theater***) Repertoirebühne *f*, -theater *n*; **2.** → ***repository*** 3.

rep·e·ti·tion [ˌrepɪ'tɪʃn] *s.* **1.** Wieder'holung *f*: ***~ order*** ✝ Nachbestellung *f*; ***~ work*** ⚙ Reihenfertigung *f*; **2.** *ped.* (Stück *n* zum) Aufsagen *n*; **3.** Ko'pie *f*, Nachbildung *f*; **rep·e·ti·tious** [ˌrepɪ'tɪʃəs] *adj.* □ sich ständig wieder'holend; ewig gleichbleibend; **re·pet·i·tive** [rɪ'petətɪv] *adj.* □ **1.** sich wieder'holend, wieder'holt; **2.** → ***repetitious***.

re·pine [rɪ'paɪn] *v/i.* murren, 'mißvergnügt *od.* unzufrieden sein (***at*** über *acc.*); **re'pin·ing** [-nɪŋ] *adj.* □ unzufrieden, murrend, mürrisch.

re·place [rɪ'pleɪs] *v/t.* **1.** wieder hinstellen, -legen; *teleph. Hörer* auflegen; **2.** *et. Verlorenes*, *Veraltetes* ersetzen, an die Stelle treten von; ⚙ austauschen, ersetzen, *a.* wieder einsetzen; **3.** *j-n* ersetzen *od.* ablösen *od.* vertreten, *j-s* Stelle einnehmen; **4.** *Geld* zu'rückerstatten, ersetzen; **5.** ♘ vertauschen; **re'place·a·ble** [-səbl] *adj.* ersetzbar; ⚙ auswechselbar; **re'place·ment** [-mənt] *s.* **1.** a) Ersetzung *f*, b) Ersatz *m*: ***~ engine*** ⚙ Austauschmotor *m*; ***~ part*** Ersatzteil *n*; **2.** ⚔ a) Ersatzmann *m*, b) Ersatz *m*, Auffüllung *f*: ***~ unit*** Ersatztruppenteil *m*; **3.** *med.* Pro'these *f*: ***~ surgery*** Ersatzteilchirurgie *f*.

re·plant [ˌriː'plɑːnt] *v/t.* **1.** 'umpflanzen; **2.** neu pflanzen.

re·play ['riːpleɪ] *s. sport* **1.** Wieder'holungsspiel *n*; **2.** *TV*: Wieder'holung *f e-r Spielszene*.

re·plen·ish [rɪ'plenɪʃ] *v/t.* (wieder) auffüllen, ergänzen; **re'plen·ish·ment** [-mənt] *s.* **1.** Auffüllung *f*, Ersatz *m*; **2.** Ergänzung *f*.

re·plete [rɪ'pliːt] *adj.* **1.** (***with***) (zum Platzen) voll (von), angefüllt (von); **2.** reichlich versehen (***with*** mit); **re'ple·tion** [-iːʃn] *s.* ('Über)Fülle *f*: ***full to ~*** bis zum Rande voll.

re·plev·in [rɪ'plevɪn] *s.* ⚖ **1.** (Klage *f* auf) Her'ausgabe *f* gegen Sicherheitsleistung; **2.** einstweilige Verfügung (auf Herausgabe).

rep·li·ca ['replɪkə] *s.* **1.** *paint.* Re'plik *f*, Origi'nalkoˌpie *f*; **2.** Ko'pie *f*; **3.** *fig.* Ebenbild *n*.

rep·li·ca·tion [ˌreplɪ'keɪʃn] *s.* **1.** Erwiderung *f*; **2.** Echo *n*; **3.** ⚖ Re'plik *f*; **4.** Reprodukti'on *f*, Ko'pie *f*.

re·ply [rɪ'plaɪ] **I** *v/i.* **1.** antworten, erwidern (***to s.th.*** auf et., ***to s.o.*** j-m) (*a. fig.*); **2.** ⚖ replizieren; **II** *s.* **3.** Antwort *f*, Erwiderung *f*: ***in ~ to*** (als Antwort) auf; ***in ~ to your letter*** in Beantwortung Ihres Schreibens; ***~-paid telegram*** Telegramm *n* mit bezahlter Rückantwort; ***~*** (***postal***) ***card*** Postkarte *f* mit Rückantwort; ***~ postage*** Rückporto *n*; (***there is***) ***no ~*** *teleph.* der Teilnehmer meldet sich nicht; **4.** *Funk*: Rückmeldung *f*; **5.** ⚖ Re'plik *f*.

re·port [rɪ'pɔːt] **I** *s.* **1.** *allg.* Bericht *m* (***on*** über *acc.*); ✝ (Geschäfts-, Sitzungs-, Verhandlungs)Bericht *m*: ***month under ~*** Berichtsmonat *m*; ***~ stage*** *parl.* Erörterungsstadium *n e-r Vorlage*; **2.** Gutachten *n*, Refe'rat *n*; **3.** ⚔ Meldung *f*; **4.** ⚖ Anzeige *f*; **5.** Nachricht *f*, (Presse)Bericht *m*, (-)Meldung *f*; **6.** (Schul)Zeugnis *n*; **7.** Gerücht *n*; **8.** Ruf *m*, Leumund *m*; **9.** Knall *m*; **II** *v/t.* **10.** berichten (***to s.o.*** j-m); Bericht erstatten, berichten über (*acc.*); erzählen: ***it is ~ed that*** es heißt, daß; ***he is ~ed as saying*** er soll gesagt haben; ***~ed speech*** *ling.* indirekte Rede; **11.** *Vorkommnis*, *Schaden etc.* melden; **12.** *j-n* (***o.s.*** sich) melden; anzeigen (***to*** bei, ***for*** wegen); **13.** *parl. Gesetzesvorlage* (wieder) vorlegen (*Ausschuß*); **III** *v/i.* **14.** (e-n) Bericht geben *od.* erstatten, berichten (***on***, ***of*** über *acc.*); **15.** als Berichterstatter(in) arbeiten (***for*** für *e-e Zeitung*); **16.** (***to***) sich melden (bei); sich stellen (*dat.*): ***~ for duty*** sich zum Dienst melden; **17.** ***~ to*** *Am. j-m* unter'stellt sein; **re'port·a·ble** [-təbl] *adj.* **1.** ⚕ meldepflichtig (*Krankheit*); **2.** steuerpflichtig (*Einkommen*); **re'port·ed·ly** [-tɪdlɪ] *adv.* wie verlautet; **re'port·er** [-tə] *s.* **1.** Re'porter(in), (Presse)Berichterstatter(in); **2.** Berichterstatter (-in), Refe'rent(in); **3.** Proto'kollführer(in).

re·pose [rɪ'pəʊz] **I** *s.* **1.** Ruhe *f* (*a. fig.*); Erholung *f* (***from*** von): ***in ~*** in Ruhe, untätig (*a. Vulkan*); **2.** *fig.* Gelassenheit *f*, (Gemüts)Ruhe *f*; **II** *v/i.* **3.** ruhen (*a. Toter*); (sich) ausruhen, schlafen; **4.** ***~ on*** a) liegen *od.* ruhen auf (*dat.*), b) *fig.* beruhen auf (*dat.*), c) verweilen bei (*Gedanken*); **5.** ***~ in*** *fig.* vertrauen auf (*acc.*); **III** *v/t.* **6.** *j-m* Ruhe gewähren, *j-n* (sich aus)ruhen lassen: ***~ o.s.*** sich zur Ruhe legen; **7.** ***~ on*** legen *od.* bet-

R

ten auf (*acc.*); **8. ~ *in*** *fig. Vertrauen, Hoffnung* setzen auf (*acc.*); **re·pos·i·to·ry** [rɪˈpɒzɪtərɪ] *s.* **1.** Behältnis *n*, Gefäß *n* (*a. fig.*); **2.** Verwahrungsort *m*; ✝ (Waren)Lager *n*, Niederlage *f*; **3.** *fig.* Fundgrube *f*, Quelle *f*; **4.** Vertraute(r *m*) *f*.

re·pos·sess [ˌriːpəˈzes] *v/t.* **1.** wieder in Besitz nehmen; **2. ~ *of*** *j-n* wieder in den Besitz *e-r Sache* setzen.

rep·re·hend [ˌreprɪˈhend] *v/t.* tadeln, rügen; **ˌrep·reˈhen·si·ble** [-nsəbl] *adj.* □ tadelnswert, sträflich; **ˌrep·reˈhen·sion** [-nʃn] *s.* Tadel *m*, Rüge *f*, Verweis *m*.

rep·re·sent [ˌreprɪˈzent] *v/t.* **1.** *j-n od. j-s Sache* vertreten: ***be ~ed at*** bei *e-r Sache* vertreten sein; **2.** (bildlich, graphisch) dar-, vorstellen, abbilden; **3.** *thea.* a) *Rolle* darstellen, verkörpern, b) *Stück* aufführen; **4.** *fig.* (*symbolisch*) darstellen, verkörpern, bedeuten, repräsentieren; *e-r Sache* entsprechen; **5.** darlegen, -stellen, schildern, vor Augen führen (***to*** *dat.*): **~ *to o.s.*** sich *et.* vorstellen; **6.** hin-, darstellen (***as*** *od.* ***to be*** als); behaupten, vorbringen: **~ *that*** behaupten, daß; es so hinstellen, als ob; **~ *to s.o. that*** j-m vorhalten, daß; **rep·re·sen·ta·tion** [ˌreprɪzenˈteɪʃn] *s.* **1.** ⚖, ✝, *pol.* Vertretung *f*; → ***proportional*** 1; **2.** (*bildliche, graphische*) Darstellung, Bild *n*; **3.** *thea.* a) Darstellung *f e-r Rolle*, b) Aufführung *f e-s Stückes*; **4.** Schilderung *f*, Darstellung *f des Sachverhalts*: ***false ~s*** ⚖ falsche Angaben; **5.** Vorhaltung *f*: ***make ~s to*** bei *j-m* vorstellig werden, Vorstellungen erheben bei; **6.** ⚖ a) Anzeige *f* von Geˈfahrˌumständen (*Versicherung*), b) Rechtsnachfolge *f* (*bsd. Erbrecht*); **7.** *phls.* Vorstellung *f*, Begriff *m*; **ˌrep·reˈsent·a·tive** [-tətɪv] **I** *s.* **1.** Vertreter (-in); Stellvertreter(in), Beauftragte(r *m*) *f*, Repräsenˈtant(in): ***authorized ~*** Bevollmächtigte(r *m*) *f*; (***commercial***) **~** Handelsvertreter(in); **2.** *parl.* (Volks-) Vertreter(in), Abgeordnete(r *m*) *f*: ***House of* ℛ*s*** *Am.* Repräsentantenhaus *n*; **3.** *fig.* typischer Vertreter, Musterbeispiel *n* (***of*** *gen.*); **II** *adj.* □ **4.** (***of***) vertretend (*acc.*), stellvertretend (für): ***in a ~ capacity*** als Vertreter(in); **5.** *pol.* repräsentaˈtiv: **~ *government*** parlamentarische Regierung; **6.** darstellend (***of*** *acc.*): **~ *arts***; **7.** (***of***) *fig.* verkörpernd (*acc.*), symˈbolisch (für); **8.** typisch, kennzeichnend (***of*** für); *Statistik etc.*: repräsentaˈtiv (*Auswahl, Querschnitt*): **~ *sample*** ✝ Durchschnittsmuster *n*; **9.** ♀, *zo.* entsprechend (***of*** *dat.*).

re·press [rɪˈpres] *v/t.* **1.** *Gefühle, Tränen etc.* unterˈdrücken; **2.** *psych.* verdrängen; **reˈpres·sion** [-eʃn] *s.* **1.** Unterˈdrückung *f*; **2.** *psych.* Verdrängung *f*; **reˈpres·sive** [-sɪv] *adj.* □ **1.** represˈsiv, unterˈdrückend; **2.** hemmend, Hemmungs…

re·prieve [rɪˈpriːv] **I** *s.* **1.** ⚖ a) Begnadigung *f*, b) (Straf-, Vollˈstreckungs)Aufschub *m*; **2.** *fig.* (Gnaden)Frist *f*, Atempause *f*; **II** *v/t.* **3.** ⚖ *j-s* ˈUrteilsvollˌstreckung aussetzen, (*a. fig.*) *j-m* e-e Gnadenfrist gewähren; **4.** *j-n* begnadigen; **5.** *fig. j-m* e-e Atempause gönnen.

rep·ri·mand [ˈreprɪmɑːnd] **I** *s.* Verweis *m*, Rüge *f*, Maßregelung *f*; **II** *v/t. j-m* e-n Verweis erteilen, *j-n* rügen *od.* maßregeln.

re·print [ˌriːˈprɪnt] **I** *v/t.* neu drucken, nachdrucken, neu auflegen; **II** *s.* [ˈriːprɪnt] Nach-, Neudruck *m*, Reˈprint *m*, Neuauflage *f*.

re·pris·al [rɪˈpraɪzl] *s.* Represˈsalie *f*, Vergeltungsmaßnahme *f*: ***make ~s*** (***up***)***on*** Repressalien ergreifen gegen.

re·pro [ˈreprəʊ] *s.* F **1.** *typ.* ‚Repro' *f*, Reproduktiˈon(svorlage) *f*; **2.** → ***reproduction*** 8.

re·proach [rɪˈprəʊtʃ] **I** *s.* **1.** Vorwurf *m*, Tadel *m*: ***without fear or ~*** ohne Furcht u. Tadel; ***heap ~es on*** *j-n* mit Vorwürfen überschütten; **2.** *fig.* Schande *f* (***to*** für): ***bring ~*** (***up***)***on*** *j-m* Schande machen; **II** *v/t.* **3.** vorwerfen, -halten, zum Vorwurf machen (***s.o. with s.th.*** j-m et.); **4.** *j-m* Vorwürfe machen, *j-n* tadeln (***for*** wegen); **5.** *et.* tadeln; **6.** *fig.* ein Vorwurf sein für, *et.* mit Schande bedecken; **reˈproach·ful** [-fʊl] *adj.* □ vorwurfsvoll, tadelnd.

rep·ro·bate [ˈreprəʊbeɪt] **I** *adj.* **1.** ruchlos, lasterhaft; **2.** *eccl.* verdammt; **II** *s.* **3.** a) verkommenes Subˈjekt, b) Schurke *m*, c) Taugenichts *m*; **4.** (*von Gott*) Verworfene(r *m*) *f*; Verdammte(r *m*) *f*; **III** *v/t.* **5.** mißˈbilligen, verurteilen, verwerfen; verdammen (*Gott*); **rep·ro·ba·tion** [ˌreprəʊˈbeɪʃn] *s.* ˈMißbilligung *f*, Verurteilung *f*.

re·pro·cess [ˌriːˈprəʊses] *v/t.* ⚙ wiederˈaufbereiten: ***~ing plant*** Wiederaufbereitungsanlage *f* (*für Kernbrennstoffe*).

re·pro·duce [ˌriːprəˈdjuːs] **I** *v/t.* **1.** *biol. u. fig.* (ˈwieder)erzeugen, (wieder) herˈvorbringen; (***o.s.*** sich) fortpflanzen; **2.** *biol. Glied* regenerieren, neu bilden; **3.** *Bild etc.* reproduzieren; (*a.* ⚙) nachbilden, kopieren; *typ.* ab-, nachdrucken, vervielfältigen; **4.** *Stimme etc.* reproduzieren, ˈwiedergeben; **5.** *Buch, Schauspiel* neu herˈausbringen; **6.** *et.* wiederˈholen; **II** *v/i.* **7.** sich fortpflanzen *od.* vermehren; **ˌre·proˈduc·er** [-sə] *s.* **1.** ϟ a) ˈTonˌwiedergabegerät *n*, b) Tonabnehmer *m*; **2.** *Computer*: (Loch)Kartendoppler *m*; **ˌre·proˈduc·i·ble** [-səbl] *adj.* reproduzierbar; **ˌre·proˈduc·tion** [-ˈdʌkʃn] *s.* **1.** *allg.* ˈWiedererzeugung *f*; **2.** *biol.* Fortpflanzung *f*; **3.** *typ., phot.*

R

Reprodukti'on *f* (*a. psych. früherer Erlebnisse*); **4.** *typ.* Nachdruck *m*, Vervielfältigung *f*; **5.** ⚙ Nachbildung *f*; **6.** ♪, ϟ *etc.* 'Wiedergabe *f*; **7.** *ped.* Nacherzählung *f*; **8.** Reproduktion *f*: a) Nachbildung *f*, b) *paint.* Ko'pie *f*; **ˌre·pro'duc·tive** [-'dʌktɪv] *adj.* □ **1.** sich vermehrend, fruchtbar; **2.** *biol.* Fortpflanzungs...: **~ organs**; **3.** *psych.* reproduk'tiv, nachschöpferisch.

re·proof [rɪ'pru:f] *s.* Tadel *m*, Rüge *f*, Verweis *m*.

re·prov·al [rɪ'pru:vl] → **reproof**; **re·prove** [rɪ'pru:v] *v/t.* *j-n* tadeln, rügen; *et.* miß'billigen; **re'prov·ing·ly** [-vɪŋlɪ] *adv.* tadelnd *etc.*

reps [reps] → **rep**[1].

rep·tant ['reptənt] *adj.* ♀, *zo.* kriechend; **'rep·tile** [-taɪl] **I** *s.* **1.** *zo.* Rep'til *n*, Kriechtier *n*; **2.** *fig.* a) Kriecher(in), b) ‚falsche Schlange'; **II** *adj.* **3.** kriechend, Kriech...; **4.** *fig.* a) kriecherisch, b) gemein, niederträchtig, **rep·til·i·an** [rep'tɪlɪən] **I** *adj.* **1.** *zo.* Reptilien..., Kriechtier..., rep'tilisch; **2.** → **reptile** 4 b; **II** *s.* **3.** → **reptile** 1 *u.* 2.

re·pub·lic [rɪ'pʌblɪk] *s. pol.* Repu'blik *f*: **the ~ of letters** *fig.* die Gelehrtenwelt, die literarische Welt; **re'pub·li·can** [-kən] (*USA pol.* 2) **I** *adj.* republi'kanisch; **II** *s.* Republi'kaner(in); **re'pub·li·can·ism** [-kənɪzəm] *s.* **1.** republi'kanische Staatsform; **2.** republi'kanische Gesinnung.

re·pub·li·ca·tion ['ri:ˌpʌblɪ'keɪʃn] *s.* **1.** 'Wiederveröffentlichung *f*; **2.** Neuauflage *f* (*a. Erzeugnis*); **re·pub·lish** [ˌri:'pʌblɪʃ] *v/t.* neu veröffentlichen.

re·pu·di·ate [rɪ'pju:dɪeɪt] **I** *v/t.* **1.** *Autorität, Schuld etc.* nicht anerkennen; *Vertrag* für unverbindlich erklären; **2.** *als unberechtigt* zu'rückweisen, verwerfen; **3.** *et.* ablehnen, nicht glauben; **4.** *Sohn etc.* verstoßen; **II** *v/i.* **5.** Staatsschulden nicht anerkennen; **re·pu·di·a·tion** [rɪˌpju:dɪ'eɪʃn] *s.* **1.** Nichtanerkennung *f* (*bsd. e-r Staatsschuld*); **2.** Ablehnung *f*, Zu'rückweisung *f*, Verwerfung *f*; **3.** Verstoßung *f*.

re·pug·nance [rɪ'pʌgnəns] *s.* **1.** 'Widerwille *m*, Abneigung *f* (**to**, **against** gegen); **2.** Unvereinbarkeit *f*, (innerer) 'Widerspruch (**of** *gen. od.* von, **to**, **with** mit); **re'pug·nant** [-nt] *adj.* **1.** widerlich, zu'wider(laufend), 'widerwärtig (**to** *dat.*); **2.** unvereinbar (**to**, **with** mit); **3.** wider'strebend.

re·pulse [rɪ'pʌls] **I** *v/t.* **1.** *Feind* zu'rückschlagen, -werfen; *Angriff* abschlagen, -weisen; **2.** *fig. j-n* abweisen; *Bitte* abschlagen; **II** *s.* **3.** Zurückschlagen *n*, Abwehr *f*; **4.** *fig.* Zu'rückweisung *f*, Absage *f*: **meet with a ~** abgewiesen werden (*a. fig.*); **5.** *phys.* Rückstoß *m*; **re'pul·sion** [-lʃn] *s.* **1.** *phys.* Abstoßung *f*, Repulsi'on *f*: **~ motor** ϟ Repulsionsmotor *m*; **2.** *fig.* Abscheu *m*, *f*; **re'pul·sive** [-sɪv] *adj.* □ *fig.* abstoßend (*a. phys.*), 'widerwärtig; **re'pul·sive·ness** [-sɪvnɪs] *s.* 'Widerwärtigkeit *f*.

re·pur·chase [ˌri:'pɜ:tʃəs] **I** *v/t.* 'wieder-, zu'rückkaufen; **II** *s.* ✝ Rückkauf *m*.

rep·u·ta·ble ['repjʊtəbl] *adj.* □ **1.** achtbar, geachtet, angesehen, ehrbar; **2.** anständig; **rep·u·ta·tion** [ˌrepjʊ'teɪʃn] *s.* **1.** (guter) Ruf, Name *m*: **a man of ~** ein Mann von Ruf *od.* Namen; **2.** Ruf *m*: **good** (**bad**) **~**; **have the ~ of being** im Ruf stehen, *et.* zu sein; **have a ~ for** bekannt sein für *od.* wegen.

re·pute [rɪ'pju:t] **I** *s.* **1.** Ruf *m*, Leumund *m*: **by ~** dem Rufe nach, wie es heißt; **of ill ~** von schlechtem Ruf, übelbeleumdet; **house of ill ~** Bordell *n*; **2.** → **reputation** 1: **be held in high ~** hohes Ansehen genießen; **II** *v/t.* **3.** halten für: **be ~d** (**to be**) gelten als; **be well** (**ill**) **~d** in gutem (üblem) Rufe stehen; **re'put·ed** [-tɪd] *adj.* □ **1.** angeblich; **2.** ungeeicht, landesüblich (*Maß*); **3.** bekannt, berühmt; **re'put·ed·ly** [-tɪdlɪ] *adv.* angeblich, dem Vernehmen nach.

re·quest [rɪ'kwest] **I** *s.* **1.** Bitte *f*, Wunsch *m*; (*a. formelles*) Ersuchen, Gesuch *n*, Antrag *m*; (*Zahlungs- etc.*) Aufforderung *f*: **at** (*od.* **by**) (**s.o.'s**) **~** auf (j-s) Ansuchen *od.* Bitte hin, auf (j-s) Veranlassung; **by ~** auf Wunsch; **no flowers by ~** Blumenspenden dankend verbeten; **~ denied!** *a. iro.* (Antrag) abgelehnt!; (**musical**) **~ program**(**me**) Wunschkonzert *n*; **~ stop** 🚌 *etc.* Bedarfshaltestelle *f*; **2.** Nachfrage *f* (*a.* ✝): **to be in** (**great**) **~** (sehr) gefragt *od.* begehrt sein; **II** *v/t.* **3.** bitten *od.* ersuchen um: **~ s.th. from s.o.** j-n um et. ersuchen; **it is ~ed** es wird gebeten; **4.** *j-n* (höflich) bitten, *j-n* (*a. amtlich*) ersuchen (**to do** zu tun).

re·qui·em ['rekwɪem] *s.* Requiem *n* (*a.* ♪), Seelen-, Totenmesse *f*.

re·quire [rɪ'kwaɪə] **I** *v/t.* **1.** erfordern (*Sache*): **be ~d** erforderlich sein; **if ~d** erforderlichenfalls, wenn nötig; **2.** brauchen, nötig haben, *e-r Sache* bedürfen: **a task which ~s to be done** e-e Aufgabe, die noch erledigt werden muß; **3.** verlangen, fordern (**of s.o.** von j-m): **~** (**of**) **s.o. to do s.th.** j-n auffordern, et. zu tun; von j-m verlangen, daß er et. tue; **~d subject** *ped. Am.* Pflichtfach *n*; **4.** *Brit.* wünschen; **II** *v/i.* **5.** (es) verlangen; **re'quire·ment** [-mənt] *s.* **1.** (*fig.* An)Forderung *f*; *fig.* Bedingung *f*, Vor'aussetzung *f*: **meet the ~s** den Anforderungen entsprechen; **2.** Erfordernis *n*, Bedürfnis *n*; *mst pl.* Bedarf *m*: **~s of raw materials** Rohstoffbedarf *m*.

R

req·ui·site [ˈrekwɪzɪt] **I** *adj.* **1.** erforderlich, notwendig (***for***, ***to*** für); **II** *s.* **2.** Erfordernis *n*, Vorˈaussetzung *f* (***for*** für); **3.** (Beˈdarfs-, Geˈbrauchs)Arˌtikel *m*: ***office ~s*** Büroartikel; **req·ui·si·tion** [ˌrekwɪˈzɪʃn] **I** *s.* **1.** Anforderung *f* (***for*** an *dat.*): ***~ number*** Bestellnummer *f*; **2.** (amtliche) Aufforderung; *Völkerrecht*: Ersuchen *n*; **3.** ⚔ Requisitiˈon *f*, Beschlagnahme *f*; Inˈanspruchnahme *f*; **4.** Einsatz *m*, Beanspruchung *f*; **5.** Erfordernis *n*; **II** *v/t.* **6.** verlangen; **7.** in Anspruch nehmen; ⚔ requirieren.

re·quit·al [rɪˈkwaɪtl] *s.* **1.** Belohnung *f* (***for*** für); **2.** Vergeltung *f* (***of*** für); **3.** Vergütung *f* (***for*** für); **re·quite** [rɪˈkwaɪt] *v/t.* **1.** belohnen: ***~ s.o.*** (***for s.th.***); **2.** vergelten.

re·read [ˌriːˈriːd] *v/t.* [*irr.* → ***read***] nochmals (ˈdurch)lesen.

re·route [ˌriːˈruːt] *v/t.* ˈumleiten.

re·run [ˌriːˈrʌn] **I** *v/t.* [*irr.*] *thea. Film*: wieder aufführen; *Radio*, *TV*, *a. Computer*: *Programm* wiederˈholen; **II** *s.* [ˈriːrʌn] ˈWiederaufführung *f*; Wiederˈholung *f*; *Computer*: Wiederholungslauf *m*.

res [riːz] *pl.* **res** (*Lat.*) *s.* ⚖ Sache *f*: ***~ judicata*** rechtskräftig entschiedene Sache, *weitS.* (materielle) Rechtskraft; ***~ gestae*** (beweiserhebliche) Tatsachen, Tatbestand *m*.

re·sale [ˈriːseɪl] *s.* ˈWieder-, Weiterverkauf *m*: ***~ price maintenance*** Preisbindung *f* der zweiten Hand.

re·scind [rɪˈsɪnd] *v/t. Gesetz*, *Urteil etc.* aufheben, für nichtig erklären; *Kauf etc.* rückgängig machen; von *e-m Vertrag* zuˈrücktreten; **reˈscis·sion** [-ɪʒn] *s.* **1.** Aufhebung *f e-s Urteils etc.*; **2.** Rücktritt *m vom Vertrag.*

res·cue [ˈreskjuː] **I** *v/t.* **1.** (***from***) retten (aus), (*bsd.* ⚖ gewaltsam) befreien (von); (*bsd. et.*) bergen: ***~ from oblivion*** der Vergessenheit entreißen; **2.** (gewaltsam) zuˈrückholen; **II** *s.* **3.** Rettung *f* (*a. fig.*); Bergung *f*: ***come to s.o.'s ~*** j-m zu Hilfe kommen; **4.** (gewaltsame) Befreiung; **III** *adj.* **5.** Rettungs…: ***~ operation*** *a. fig.* Rettungsaktion *f*; ***~ party*** Rettungs-, Bergungsmannschaft *f*; ***~ vessel*** ⚓ Bergungsfahrzeug *f*; **ˈres·cu·er** [-jʊə] *s.* Befreier(in), Retter(in).

re·search [rɪˈsɜːtʃ] **I** *s.* **1.** Forschung(sarbeit) *f*, (wissenschaftliche) Unterˈsuchung (***on*** über *acc.*, auf dem Gebiet *gen.*); **2.** (genaue) Unterˈsuchung, (Nach)Forschung *f* (***after***, ***for*** nach); **II** *v/i.* **3.** forschen, Forschungen anstellen, wissenschaftlich arbeiten (***on*** über *acc.*): ***~ into*** → 4; **III** *v/t.* **4.** erforschen, unterˈsuchen; **IV** *adj.* **5.** Forschungs…: **reˈsearch·er** [-tʃə] *s.* Forscher(in).

re·seat [ˌriːˈsiːt] *v/t.* **1.** *Saal etc.* neu bestuhlen; **2.** *j-n* ˈumsetzen; **3.** ***~ o.s.*** sich wieder setzen; **4.** ⚙ *Ventile* nachschleifen.

re·sect [riːˈsekt] *v/t.* ✂ herˈausschneiden; **reˈsec·tion** [-kʃn] *s.* ✂ Resektiˈon *f*.

re·se·da [ˈresɪdə] *s.* **1.** ⚘ Reˈseda *f*; **2.** Reˈsedagrün *n*.

re·sell [ˌriːˈsel] *v/t.* [*irr.* → ***sell***] wieder verkaufen, weiterverkaufen; **ˌreˈsell·er** [-lə] *s.* ˈWiederverkäufer *m*.

re·sem·blance [rɪˈzembləns] *s.* Ähnlichkeit *f* (***to*** mit, ***between*** zwischen): ***bear*** (*od.* ***have***) ***~ to*** → **re·sem·ble** [rɪˈzembl] *v/t.* (*dat.*) ähnlich sein *od.* sehen, gleichen, ähneln.

re·sent [rɪˈzent] *v/t.* übelnehmen, verübeln, sich ärgern über (*acc.*); **reˈsent·ful** [-fʊl] *adj.* □ **1.** (***against***, ***of***) aufgebracht (gegen), ärgerlich *od.* voller Groll (auf *acc.*); **2.** übelnehmerisch, reizbar; **reˈsent·ment** [-mənt] *s.* **1.** Ressentiˈment *n*, Groll *m* (***against***, ***at*** gegen); **2.** Verstimmung *f*, Unmut *m*, Unwille *m*.

res·er·va·tion [ˌrezəˈveɪʃn] *s.* **1.** Vorbehalt *m*; ⚖ *a.* Vorbehaltsrecht *n od.* -klausel *f*: ***without ~*** ohne Vorbehalt; → ***mental*** 1; **2.** *oft pl. Am.* Vorbestellung *f*, Reservierung *f von Zimmern etc.*; **3.** *Am.* Reserˈvat *n*: a) Naˈturschutzgebiet *n*, b) Indiˈanerreservatiˌon *f*.

re·serve [rɪˈzɜːv] **I** *s.* **1.** *allg.* Reˈserve *f* (*a. fig.*), Vorrat *m*: ***in ~*** in Reserve, vorrätig; ***~ seat*** Notsitz *m*; **2.** ✝ Reserve *f*, Rücklage *f*, -stellung *f*: ***~ account*** Rückstellungskonto *n*: ***~ currency*** Leitwährung *f*; **3.** ⚔ a) Reˈserve *f*: ***~ officer*** Reserveoffizier *m*; b) *pl. taktische* Reˈserven *pl.*; **4.** *sport* Ersatz (-mann) *m*, Reˈservespieler *m*; **5.** Reserˈvat *n*, Schutzgebiet *n*: ***~ game*** geschützter Wildbestand; **6.** Vorbehalt *m* (*a.* ⚖): ***without ~*** vorbehalt-, rückhaltlos; ***with certain ~s*** mit gewissen Einschränkungen; ***~ price*** ✝ Mindestgebot *n* (*bei Versteigerungen*); **7.** *fig.* Zuˈrückhaltung *f*, Reˈserve *f*, zuˈrückhaltendes Wesen: ***receive s.th. with ~*** *e-e Nachricht etc.* mit Zurückhaltung aufnehmen; **II** *v/t.* **8.** (sich) aufsparen *od.* -bewahren, (zuˈrück)behalten, in Reˈserve halten; ⚔ *j-n* zuˈrückstellen; **9.** (sich) zuˈrückhalten mit, warten mit, *et.* verschieben: ***~ judg(e)ment*** ⚖ die Urteilsverkündung aussetzen; **10.** reservieren (lassen), vorbestellen, vormerken (***to***, ***for*** für); **11.** *bsd.* ⚖ a) vorbehalten (***to s.o.*** j-m), b) sich vorbehalten: ***~ the right to do*** (*od.* ***of doing***) ***s.th.*** sich das Recht vorbehalten, et. zu tun; ***all rights ~d*** alle Rechte vorbehalten; **reˈserved** [-vd] *adj.* □ *fig.* zuˈrückhaltend, reserviert; **reˈserv·ist**

R

[-vɪst] *s.* ⚔ Reserˈvist *m.*

res·er·voir [ˈrezəvwɑː] *s.* **1.** Behälter *m* für Wasser *etc.*; Speicher *m*; **2.** (ˈWasser)Reserˌvoir *n*: a) Wasserturm *m*, b) Sammel-, Staubecken *n*, Basˈsin *n*; **3.** *fig.* Reserˈvoir *n* (***of*** an *dat.*).

re·set [ˌriːˈset] *v/t.* [*irr.* → ***set***] **1.** *Edelstein* neu fassen; **2.** *Messer* neu abziehen; **3.** *typ.* neu setzen; **4.** ⚙ nachrichten, -stellen; *Computer*: rücksetzen, nullstellen.

re·set·tle [ˌriːˈsetl] **I** *v/t.* **1.** *Land* wieder besiedeln; **2.** *j-n* wieder ansiedeln, ˈumsiedeln; **3.** wieder in Ordnung bringen; **II** *v/i.* **4.** sich wieder ansiedeln; **5.** *fig.* sich wieder setzen *od.* legen *od.* beruhigen; **ˌreˈset·tle·ment** [-mənt] *s.* **1.** ˈWiederansiedlung *f*, ˈUmsiedlung *f*; **2.** Neuordnung *f*.

re·shape [ˌriːˈʃeɪp] *v/t.* neu formen, ˈumgestalten.

re·ship [ˌriːˈʃɪp] *v/t.* **1.** *Güter* wieder verschiffen; **2.** ˈumladen; **ˌreˈship·ment** [-mənt] *s.* **1.** ˈWiederverladung *f*; **2.** Rückladung *f*, -fracht *f*.

re·shuf·fle [ˌriːˈʃʌfl] **I** *v/t.* **1.** *Spielkarten* neu mischen; **2.** *bsd. pol.* ˈumgruppieren, -bilden; **II** *s.* **3.** *pol.* ˈUmbildung *f*, ˈUmgruppierung *f*.

re·side [rɪˈzaɪd] *v/i.* **1.** wohnen, ansässig sein, s-n (ständigen) Wohnsitz haben (***in***, ***at*** in *dat.*); **2.** *fig.* (***in***) a) wohnen (in *dat.*), b) innewohnen (*dat.*), c) zustehen (*dat.*), liegen, ruhen (bei *j-m*).

res·i·dence [ˈrezɪdəns] *s.* **1.** Wohnsitz *m*, -ort *m*; Sitz *m e-r Behörde etc.*: ***take up one's ~*** s-n Wohnsitz nehmen *od.* aufschlagen, sich niederlassen; **2.** Aufenthalt *m*: ***~ permit*** Aufenthaltsgenehmigung *f*; ***place of ~*** Wohn-, Aufenthaltsort *m*; **3.** (herrschaftliches) Wohnhaus; **4.** Wohnung *f*: ***official ~*** Dienstwohnung *f*; **5.** Wohnen *n*; **6.** Ortsansässigkeit *f*: ***~ is required*** es besteht Residenzpflicht; ***be in ~*** am Amtsort ansässig sein; **ˈres·i·dent** [-nt] **I** *adj.* **1.** (orts-) ansässig, (ständig) wohnhaft; **2.** im (*Schul- od. Kranken- etc.*)Haus wohnend: ***~ physician***; **3.** *fig.* innewohnend (***in*** *dat.*); **4.** *zo.* seßhaft: ***~ birds*** Standvögel; **5.** *Computer* resident; **II** *s.* **6.** Ortsansässige(r *m*) *f*, Einwohner(in); *mot.* Anlieger *m*; **7.** ⚕ *Am.* Assisˈtenzarzt *m*, -ärztin *f*; *pol. a.* ***minister-~*** Miˈnisterresiˌdent *m* (*Gesandter*); **res·i·den·tial** [ˌrezɪˈdenʃl] *adj.* **1.** a) Wohn…: ***~ allowance*** Ortszulage *f*; ***~ area*** (*a.* vornehme) Wohngegend; ***~ university*** Internatsuniversität *f*, b) herrschaftlich; **2.** Wohnsitz…

re·sid·u·al [rɪˈzɪdjʊəl] **I** *adj.* **1.** ⅍ zuˈrückbleibend, übrig; **2.** übrig(geblieben), Rest… (*a. phys. etc.*): ***~ product*** ⚗, ⚙ Nebenprodukt *n*; ***~ soil*** *geol.* Eluvialboden *m*; **3.** *phys.* remaˈnent: ***~ magnetism***; **II** *s.* **4.** Rückstand *m*, Rest *m*; **5.** ⅍ Rest(wert) *m*, Diffeˈrenz *f*; **reˈsid·u·ar·y** [-ərɪ] *adj.* restlich, übrig(geblieben): ***~ estate*** ⚖ Reinnachlaß *m*; ***~ legatee*** Nachvermächtnisnehmer(in); **res·i·due** [ˈrezɪdjuː] *s.* **1.** Rest *m* (*a.* ⅍, ✝); **2.** ⚗ Rückstand *m*; **3.** ⚖ reiner (Erb)Nachlaß; **reˈsid·u·um** [-jʊəm] *pl.* **-u·a** [-jʊə] (*Lat.*) *s.* **1.** *bsd.* ⚗ Rückstand *m*, (*a.* ⅍) Reˈsiduum *n*; **2.** *fig.* Bodensatz *m*, Hefe *f e-s Volkes etc.*

re·sign [rɪˈzaɪn] **I** *v/t.* **1.** *Besitz*, *Hoffnung etc.* aufgeben; verzichten auf (*acc.*); *Amt* niederlegen; **2.** überˈlassen (***to*** *dat.*); **3.** ***~ o.s.*** sich anvertrauen *od.* überlassen (***to*** *dat.*); **4.** ***~ o.s.*** (***to***) sich ergeben (in *acc.*), sich abfinden *od.* versöhnen (mit *s-m Schicksal etc.*); **II** *v/i.* **5.** (***to*** in *acc.*) sich ergeben, sich fügen; **6.** (***from***) a) zuˈrücktreten (von *e-m Amt*), abdanken, b) austreten (aus); **res·ig·na·tion** [ˌrezɪgˈneɪʃn] *s.* **1.** Aufgabe *f*, Verzicht *m*; **2.** Rücktritt(sgesuch *n*) *m*, Amtsniederlegung *f*, Abdankung *f*: ***send in*** (*od.* ***tender***) ***one's ~*** s-n Rücktritt einreichen; **3.** Ergebung *f* (***to*** in *acc.*); **reˈsigned** [-nd] *adj.* □ ergeben: ***he is ~ to his fate*** er hat sich mit s-m Schicksal abgefunden.

re·sil·i·ence [rɪˈzɪlɪəns] *s.* Elastiziˈtät *f*: a) *phys.* Prallkraft *f*, b) *fig.* Spannkraft *f*; **reˈsil·i·ent** [-nt] *adj.* eˈlastisch: a) federnd, b) *fig.* spannkräftig, unverwüstlich.

res·in [ˈrezɪn] **I** *s.* **1.** Harz *n*; **2.** → ***rosin*** I; **II** *v/t.* **3.** harzen, mit Harz behandeln; **ˈres·in·ous** [-nəs] *adj.* harzig, Harz…

re·sist [rɪˈzɪst] **I** *v/t.* **1.** widerˈstehen (*dat.*): ***I cannot ~ doing it*** ich muß es einfach tun; **2.** ˈWiderstand leisten (*dat. od.* gegen), sich widerˈsetzen (*dat.*), sich sträuben gegen: ***~ing a public officer in the excecution of his duty*** ⚖ Widerstand *m* gegen die Staatsgewalt; **II** *v/i.* **3.** ˈWiderstand leisten, sich widerˈsetzen; **III** *s.* **4.** ⚙ Deckmittel *n*, Schutzlack *m*; **reˈsist·ance** [-təns] *s.* **1.** Widerstand *m* (***to*** gegen): ***air ~*** *phys.* Luftwiderstand; ***~ movement*** *pol.* Widerstandsbewegung *f*; ***offer ~*** Widerstand leisten (***to*** *dat.*); ***take the line of least ~*** den Weg des geringsten Widerstandes einschlagen; **2.** ˈWiderstandskraft *f* (*a.* ⚕); ⚙ (*Hitze-*, *Kälte- etc.*)Beständigkeit *f*, (*Biegungs-*, *Säure-*, *Stoß- etc.*)Festigkeit *f*: ***~ to wear*** Verschleißfestigkeit *f*; **3.** ⚡ Widerstand *m*; **reˈsist·ant** [-tənt] *adj.* **1.** widerˈstehend, -ˈstrebend; **2.** ⚙ ˈwiderstandsfähig (***to*** gegen), beständig; **re·sis·tiv·i·ty** [rɪzɪˈstɪvətɪ] *s.* ⚡ speˈzifischer Widerstand; **reˈsis·tor** [-tə] *s.* ⚡ Widerstand *m* (*Bauteil*).

re·sit I *s.* [ˈriːsɪt] *ped.* Wiederˈholungs-

R

prüfung *f*; **II** *v/t.* [ˌriːˈsɪt] [*irr.* → ***sit***] *Prüfung* wiederˈholen; **III** *v/i.* [ˌriːˈsɪt] [*irr.* → ***sit***] die Prüfung wiederˈholen.

re·sole [ˌriːˈsəʊl] *v/t.* neu besohlen.

res·o·lu·ble [rɪˈzɒljʊbl] *adj.* **1.** ⚗ auflösbar; **2.** *fig.* lösbar.

res·o·lute [ˈrezəluːt] *adj.* □ entschieden, entschlossen, resoˈlut; **ˈres·o·lute·ness** [-nɪs] *s.* Entschlossenheit *f*; resoˈlute Art.

res·o·lu·tion [ˌrezəˈluːʃn] *s.* **1.** Entschlossenheit *f*, Entschiedenheit *f*; **2.** Entschluß *m*: ***good ~s*** gute Vorsätze; **3.** ⚖, *parl.* Beschluß(fassung *f*) *m*, Entschließung *f*, Resolutiˈon *f*; **4.** ⚗, ⚕, ♪, *phys.*, *opt.* (*a. Metrik*) Auflösung *f* (***into*** in *acc.*); **5.** ⚙ Rasterung *f* (*Bild*); **6.** ⚕ a) Lösung *f e-r Entzündung etc.*, b) Zerteilung *f e-s Tumors*; **7.** *fig.* Lösung *f e-r Frage*; Behebung *f von Zweifeln*.

re·solv·a·ble [rɪˈzɒlvəbl] *adj.* (auf)lösbar (***into*** in *acc.*); **reˈsolve** [rɪˈzɒlv] **I** *v/t.* **1.** *a. opt.*, ⚗, ♪, ⚕ auflösen (***into*** in *acc.*): ***be ~d into*** sich auflösen in (*acc.*); ***~d into dust*** in Staub verwandelt; ***resolving power*** *opt.*, *phot.* Auflösungsvermögen *n*; → ***committee***; **2.** analysieren; **3.** *fig.* zuˈrückführen (***into***, ***to*** auf *acc.*); **4.** *fig. Frage etc.* lösen; **5.** *fig. Bedenken*, *Zweifel* zerstreuen; **6.** a) beschließen, sich entschließen (***to do*** *et.* zu tun), b) entscheiden; **II** *v/i.* **7.** sich auflösen (***into*** in *acc.*, ***to*** zu); **8.** (***on***, ***upon s.th.***) (et.) beschließen, sich entschließen (zu et.); **III** *s.* **9.** Entschluß *m*, Vorsatz *m*; **10.** *Am.* → ***resolution*** 3; **11.** *rhet.* Entschlossenheit *f*; **reˈsolved** [-vd] *p.p. u. adj.* □ (fest) entschlossen.

res·o·nance [ˈrezənəns] *s.* Resoˈnanz *f* (*a.* ♪, ⚕, *phys.*), Nach-, ˈWiderhall *m*, Mitschwingen *n*: ***~ box*** Resonanzkasten *m*; **ˈres·o·nant** [-nt] *adj.* □ **1.** ˈwider-, nachhallend (***with*** von); **2.** volltönend (*Stimme*); **3.** *phys.* mitschwingend, Resonanz…; **ˈres·o·na·tor** [-neɪtə] *s.* **1.** *phys.* Resoˈnator *m*; **2.** ⚡ Resoˈnanzkreis *m*.

re·sorb [rɪˈsɔːb] *v/t.* (wieder) aufsaugen, resorbieren; **reˈsorb·ence** [-bəns], **reˈsorp·tion** [-ɔːpʃn] *s.* Resorptiˈon *f*.

re·sort [rɪˈzɔːt] **I** *s.* **1.** Zuflucht *f* (***to*** zu); Mittel *n*: ***in the*** (*od.* ***as a***) ***last ~*** als letzter Ausweg, ‚wenn alle Stricke reißen'; ***have ~ to*** → 5; ***without ~ to force*** ohne Gewaltanwendung; **2.** Besuch *m*, Zustrom *m*: ***place of ~*** (beliebter) Treffpunkt; **3.** (Aufenthalts-, Erholungs)Ort *m*: ***health ~*** Kurort; ***summer ~*** Sommerurlaubsort; **II** *v/i.* **4.** ***~ to*** a) sich begeben zu *od.* nach, b) *Ort* oft besuchen; **5.** ***~ to*** s-e Zuflucht nehmen zu, zuˈrückgreifen auf (*acc.*), greifen zu, Gebrauch machen von.

re·sound [rɪˈzaʊnd] **I** *v/i.* **1.** ˈwiderhallen (***with***, ***to*** von): ***~ing*** schallend; **2.** erschallen, ertönen (*Klang*); **II** *v/t.* **3.** ˈwiderhallen lassen.

re·source [rɪˈsɔːs] *s.* **1.** (Hilfs)Quelle *f*, (-)Mittel *n*; **2.** *pl.* a) Mittel *pl.*, Reichtümer *pl. e-s Landes*: ***natural ~s*** Bodenschätze, b) Geldmittel *pl.*, c) ⚖ *Am.* Akˈtiva *pl.*; **3.** → ***resort*** 1; **4.** Findig-, Wendigkeit *f*; Taˈlent *n*: ***he is full of ~*** er weiß sich immer zu helfen; **5.** Entspannung *f*, Unterˈhaltung *f*; **reˈsource·ful** [-fʊl] *adj.* □ **1.** reich an Hilfsquellen; **2.** findig, wendig, einfallsreich.

re·spect [rɪˈspekt] **I** *s.* **1.** Rücksicht *f* (***to***, ***of*** auf *acc.*): ***without ~ to persons*** ohne Ansehen der Person; **2.** Hinsicht *f*, Beziehung *f*: ***in every*** (***some***) ***~*** in jeder (gewisser) Hinsicht; ***in ~ of*** (*od.* ***to***), ***with ~ to*** (*od.* ***of***) hinsichtlich (*gen.*), bezüglich (*gen.*), in Anbetracht (*gen.*); ***have ~ to*** sich beziehen auf (*acc.*); **3.** (Hoch)Achtung *f*, Ehrerbietung *f*, Reˈspekt *m* (***for*** vor *dat.*); **4.** ***one's ~s*** *pl.* s-e Empfehlungen *pl. od.* Grüße *pl.* (***to*** an *acc.*): ***give him my ~s*** grüßen Sie ihn von mir; ***pay one's ~s to*** a) *j-n* bestens grüßen, b) *j-m* s-e Aufwartung machen; **II** *v/t.* **5.** sich beziehen auf (*acc.*), betreffen; **6.** (hoch)achten, ehren; **7.** *Gefühle*, *Gesetze etc.* respektieren, (be)achten; ***~ o.s.*** etwas auf sich halten; **re·spect·a·bil·i·ty** [rɪˌspektəˈbɪlətɪ] *s.* **1.** Ehrbarkeit *f*, Achtbarkeit *f*; **2.** Ansehen *n*; ⚖ Solidiˈtät *f*; **3.** a) *pl.* Reˈspektsperˌsonen *pl.*, Honoratiˈoren *pl.*, b) Reˈspektsperˌson *f*; **4.** *pl.* Anstandsregeln *pl.*; **reˈspect·a·ble** [-təbl] *adj.* □ **1.** ansehnlich, (recht) beachtlich; **2.** acht-, ehrbar; anständig, soˈlide; **3.** angesehen, geachtet; **4.** korˈrekt, konventioˈnell; **reˈspect·er** [-tə] *s.*: ***be no ~ of persons*** ohne Ansehen der Person handeln; **reˈspect·ful** [-fʊl] *adj.* □ reˈspektvoll (*a. iro. Entfernung*), ehrerbietig, höflich: ***Yours ~ly*** mit vorzüglicher Hochachtung (*Briefschluß*); **reˈspect·ing** [-tɪŋ] *prp.* bezüglich (*gen.*), hinsichtlich (*gen.*), über (*acc.*); **reˈspec·tive** [-tɪv] *adj.* □ jeweilig (*jedem einzeln zukommend*), verschieden: ***to our ~ places*** *wir gingen* jeder an s-n Platz; **reˈspec·tive·ly** [-tɪvlɪ] *adv.* a) beziehungsweise, b) in dieser Reihenfolge.

res·pi·ra·tion [ˌrespəˈreɪʃn] *s.* Atmung *f*, Atmen *n*, Atemholen *n*: ***artificial ~*** künstliche Beatmung; **res·pi·ra·tor** [ˈrespəreɪtə] *s.* **1.** *Brit.* Gasmaske *f*; **2.** Atemfilter *m*; **3.** ⚕ Atemgerät *n*, ˈSauerstoffappaˌrat *m*; **re·spir·a·to·ry** [rɪˈspaɪərətərɪ] *adj. anat.* Atmungs…

re·spire [rɪˈspaɪə] **I** *v/i.* **1.** atmen; **2.** *fig.* aufatmen; **II** *v/t.* **3.** (ein)atmen; *poet.* atmen.

R

res·pite ['respaɪt] **I** *s.* **1.** Frist *f*, (Zahlungs)Aufschub *m*, Stundung *f*; **2.** ⚖ a) Aussetzung *f* des Voll'zugs (*der Todesstrafe*), b) Strafaufschub *m*; **3.** *fig.* (Atem-, Ruhe)Pause *f*; **II** *v/t.* **4.** auf-, verschieben; **5.** *j-m* Aufschub gewähren, e-e Frist einräumen; **6.** ⚖ die Voll'streckung des Urteils an *j-m* aufschieben; **7.** Erleichterung von *Schmerz etc.* verschaffen.

re·splend·ence [rɪ'splendəns], **re'splend·en·cy** [-sɪ] *s.* Glanz *m* (*a. fig. Pracht*); **re'splend·ent** [-nt] *adj.* □ glänzend, strahlend, prangend.

re·spond [rɪ'spɒnd] *v/i.* **1.** (***to***) antworten (auf *acc.*) (*a. eccl.*), *Brief etc.* beantworten; **2.** *fig.* antworten, er'widern (***with*** mit); **3.** *fig.* (***to***) reagieren *od.* ansprechen (auf *acc.*), empfänglich sein (für), eingehen auf (*acc.*): ***~ to a call*** e-m Rufe folgen; **4.** ⚙ ansprechen (*Motor*), gehorchen; **re'spond·ent** [-dənt] **I** *adj.* **1.** ***~ to*** reagierend auf (*acc.*), empfänglich für; **2.** ⚖ beklagt; **II** *s.* **3.** ⚖ a) (Scheidungs)Beklagte(r *m*) *f*, b) Berufungsbeklagte(r *m*) *f*.

re·sponse [rɪ'spɒns] *s.* **1.** Antwort *f*, Erwiderung *f*: ***in ~ to*** als Antwort auf (*acc.*), in Erwiderung (*gen.*); **2.** *fig.* a) Reakti'on *f* (*a. biol.*, *psych.*), Antwort *f*, b) 'Widerhall *m* (*alle*: ***to*** auf *acc.*): ***meet with a good ~*** Widerhall *od.* e-e gute Aufnahme finden; **3.** *eccl.* Antwort(strophe) *f*; **4.** ⚙ Ansprechen *n* (*des Motors etc.*).

re·spon·si·bil·i·ty [rɪˌspɒnsə'bɪlətɪ] *s.* **1.** Verantwortlichkeit *f*; **2.** Verantwortung *f* (***for***, ***of*** für): ***on one's own ~*** auf eigene Verantwortung; **3.** ⚖ a) Zurechnungsfähigkeit *f*, b) Haftbarkeit *f*; **4.** Vertrauenswürdigkeit *f*; † Zahlungsfähigkeit *f*; **5.** *oft pl.* Verbindlichkeit *f*, Verpflichtung *f*; **re·spon·si·ble** [rɪ'spɒnsəbl] *adj.* □ **1.** verantwortlich (***to*** *dat.*, ***for*** für): ***~ partner*** † persönlich haftender Gesellschafter; **2.** ⚖ a) zurechnungsfähig, b) geschäftsfähig, c) haftbar; **3.** verantwortungsbewußt, zuverlässig; † so'lide, zahlungsfähig; **4.** verantwortungsvoll, verantwortlich (*Stellung*): ***used to ~ work*** an selbständiges Arbeiten gewöhnt; **5.** (***for***) a) schuld (an *dat.*), verantwortlich (für), b) die Ursache (*gen. od.* von); **re·spon·sive** [rɪ'spɒnsɪv] *adj.* □ **1.** Antwort..., antwortend (***to*** auf *acc.*); **2.** (***to***) (leicht) reagierend (auf *acc.*), ansprechbar; *weitS.* empfänglich *od.* zugänglich *od.* aufgeschlossen (für): ***be ~ to*** a) ansprechen *od.* reagieren auf (*acc.*), b) eingehen auf (*j-n*), (*e-m Bedürfnis etc.*) entgegenkommen; **3.** ⚙ e'lastisch (*Motor*).

rest¹ [rest] **I** *s.* **1.** (*a.* Nacht)Ruhe *f*, Rast *f*; *fig.* a) Ruhe *f* (*Frieden*, *Untätigkeit*), b) Ruhepause *f*, Erholung *f*, c) ewige *od.* letzte Ruhe (*Tod*); *phys.* Ruhe(lage *f*): ***at ~*** in Ruhe, ruhig; ***be at ~*** a) ruhen (*Toter*), b) beruhigt sein, c) ⚙ sich in Ruhelage befinden; ***give a ~ to*** a) *Maschine etc.* ruhen lassen, b) F *et.* auf sich beruhen lassen; ***have a good night's ~*** gut schlafen; ***lay to ~*** zur letzten Ruhe betten; ***set s.o.'s mind at ~*** j-n beruhigen; ***set a matter at ~*** e-e Sache (endgültig) entscheiden *od.* erledigen; ***take a ~*** sich ausruhen; **2.** Ruheplatz *m* (*a. Grab*), Raststätte *f*; Aufenthalt *m*; Herberge *f*, Heim *n*; **3.** ⚙ a) Auflage *f*, Stütze *f*, (Arm)Lehne *f*, (Fuß)Raste *f*, *teleph.* Gabel *f*, b) Sup'port *m e-r Drehbank*, c) ⚔ (Gewehr)Auflage *f*; **4.** ♪ Pause *f*; **5.** *Metrik*: Zä'sur *f*; **II** *v/i.* **6.** ruhen, schlafen (*a. Toter*); **7.** (sich aus-) ruhen, rasten, e-e (Ruhe)Pause einlegen: ***let a matter ~*** *fig.* e-e Sache auf sich beruhen lassen; ***the matter cannot ~ there*** damit kann es nicht sein Bewenden haben; **8.** sich stützen: ***~ against*** sich stützen *od.* lehnen gegen, ⚙ anliegen an (*acc.*); ***~ (up)on*** a) ruhen auf (*dat.*) (*a. Last*, *Blick*, *Schatten etc.*), b) *fig.* beruhen auf (*dat.*), sich stützen auf (*acc.*), c) *fig.* sich verlassen auf (*acc.*); **9.** ***~ with*** bei *j-m* liegen (*Entscheidung*, *Schuld*), in *j-s* Händen liegen, von *j-m* abhängen, *j-m* über'lassen bleiben; **10.** ⚖ *Am.* → 16; **III** *v/t.* **11.** (aus)ruhen lassen, *j-m* Ruhe gönnen: ***~ o.s.*** sich ausruhen; ***God ~ his soul*** Gott hab' ihn selig; **12.** *Augen*, *Stimme* schonen; **13.** legen, lagern (***on*** auf *acc.*); **14.** *Am.* F *Hut etc.* ablegen; **15.** ***~ one's case*** ⚖ *Am.* den Beweisvortrag abschließen.

rest² [rest] **I** *s.* **1.** Rest *m*; (*das*) übrige, (*die*) übrigen: ***and all the ~ of it*** und alles übrige; ***the ~ of us*** wir übrigen; ***for the ~*** im übrigen; **2.** † *Brit.* Re'serveˌfonds *m*; **3.** † *Brit.* a) Bilanzierung *f*, b) Restsaldo *m*; **II** *v/i.* **4.** *in e-m Zustand* bleiben, weiterhin sein: ***~ assured that*** seien Sie versichert *od.* verlassen Sie sich darauf, daß; **5.** ***~ with*** → ***rest¹*** 9.

re·state [ˌriː'steɪt] *v/t.* neu (u. besser) formulieren; ˌ**re'state·ment** [-mənt] *s.* neue Darstellung *od.* Formulierung.

res·tau·rant ['restərɔ̃ːŋ] (*Fr.*) *s.* Restau'rant *n*, Gaststätte *f*: ***~ car*** Speisewagen *m*.

rest| cure ⚕ Liegekur *f*; **~ home** *s.* Alten- *od.* Pflegeheim *n*.

rest·ed ['restɪd] *p.p. u. adj.* ausgeruht, erholt; **rest·ful** ['restfʊl] *adj.* □ **1.** ruhig, friedlich; **2.** erholsam, gemütlich; **3.** bequem, angenehm.

rest house *s.* Rasthaus *n*.

rest·ing place ['restɪŋ] *s.* **1.** Ruheplatz *m*; **2.** (letzte) Ruhestätte, Grab *n*.

R

res·ti·tu·tion [ˌrestɪˈtjuːʃn] *s.* **1.** Restituˈtiˈon *f*: a) (Zu)ˈRückerstattung *f*, b) Entschädigung *f*, c) Wiederˈgutmachung *f*, d) Wiederˈherstellung *f von Rechten etc.*: ***make ~*** Ersatz leisten (***of*** für); **2.** *phys.* (eˈlastische) Rückstellung; **3.** *phot.* Entzerrung *f*.

res·tive [ˈrestɪv] *adj.* □ **1.** unruhig, nerˈvös; **2.** störrisch, ˈwiderspenstig, bokkig (*a. Pferd*); ˈ**res·tive·ness** [-nɪs] *s.* **1.** Unruhe *f*, Ungeduld *f*; **2.** ˈWiderspenstigkeit *f*.

rest·less [ˈrestlɪs] *adj.* □ **1.** ruhe-, rastlos; **2.** unruhig; **3.** schlaflos (*Nacht*); ˈ**rest·less·ness** [-nɪs] *s.* **1.** Ruhe-, Rastlosigkeit *f*; **2.** (nerˈvöse) Unruhe, Unrast *f*.

re·stock [ˌriːˈstɒk] **I** *v/t.* **1.** ♆ a) *Lager* wieder auffüllen, b) *Ware* wieder auf Lager nehmen; **2.** *Gewässer* wieder mit Fischen besetzen; **II** *v/i.* **3.** neuen Vorrat einlagern.

res·to·ra·tion [ˌrestəˈreɪʃn] *s.* **1.** Wiederˈherstellung *f* (*e-s Zustandes*, *der Gesundheit etc.*); **2.** Restaurierung *f e-s Kunstwerks etc.*; **3.** Rückerstattung *f*, -gabe *f*; **4.** Wiederˈeinsetzung *f* (***to*** in *ein Amt*); **5.** ***the*** 2 *hist.* die Restaurattiˈon; **re·stor·a·tive** [rɪˈstɒrətɪv] ⚕ **I** *adj.* □ **1.** stärkend; **II** *s.* **2.** Stärkungsmittel *n*; **3.** ˈWiederbelebungsmittel *n*.

re·store [rɪˈstɔː] *v/t.* **1.** *Einrichtung*, *Gesundheit*, *Ordnung etc.* wiederˈherstellen; **2.** a) *Kunstwerk etc.* restaurieren, b) ⚙ inˈstand setzen; **3.** *j-n* wiederˈeinsetzen (***to*** in *acc.*); **4.** zuˈrückerstatten, -bringen, -geben: ***~ s.th. to its place*** et. an s-n Platz zurückstellen; ***~ the receiver*** *teleph.* den Hörer auflegen *od.* einhängen; ***~ s.o.*** (***to health***) j-n gesund machen *od.* wiederherstellen; ***~ s.o. to liberty*** j-m die Freiheit wiedergeben; ***~ s.o. to life*** j-n ins Leben zurückrufen; ***~ a king*** (***to the throne***) e-n König wieder auf den Thron setzen; **reˈstor·er** [-ɔːrə] *s.* **1.** Wiederˈhersteller (-in); **2.** Restauˈrator *m*, Restauraˈtorin *f*; **3.** Haarwuchsmittel *n*.

re·strain [rɪˈstreɪn] *v/t.* **1.** zuˈrückhalten: ***~ s.o. from doing s.th.*** j-n davon abhalten, et. zu tun; ***~ing order*** ⚖ Unterlassungsurteil *n*; **2.** a) in Schranken halten, Einhalt gebieten (*dat.*), b) *Pferd* im Zaum halten, zügeln (*a. fig.*); **3.** *Gefühl* unterˈdrücken, bezähmen; **4.** a) einsperren, -schließen, b) *Geisteskranken* in e-r Anstalt ˈunterbringen; **5.** *Macht etc.* be-, einschränken; **6.** ♆ *Produktion etc.* drosseln; **reˈstrained** [-nd] *adj.* □ **1.** zuˈrückhaltend, beherrscht, maßvoll; **2.** verhalten, gedämpft; **reˈstraint** [-nt] *s.* **1.** Einschränkung *f*, Beschränkung(en *pl.*) *f*; Hemmnis *n*, Zwang *m*: ***~ of*** (*od.* ***upon***) ***liberty*** Beschränkung der Freiheit; ***~ of trade*** a) Beschränkung des Handels, b) Einschränkung des freien Wettbewerbs, Konkurrenzverbot *n*; ***~ clause*** Konkurrenzklausel *f*; ***call for ~*** Maßhalteappell *m*; ***without ~*** frei, ungehemmt, offen; **2.** ⚖ Freiheitsbeschränkung *f*, Haft *f*: ***place s.o. under ~*** j-n in Gewahrsam nehmen; **3.** a) Zuˈrückhaltung *f*, Beherrschtheit *f*, b) (künstlerische) Zucht.

re·strict [rɪˈstrɪkt] *v/t.* a) einschränken, b) beschränken (***to*** auf *acc.*): ***be ~ed to doing*** sich darauf beschränken müssen, *et.* zu tun; **reˈstrict·ed** [-tɪd] *adj.* □ eingeschränkt, beschränkt, begrenzt: ***~!*** nur für den Dienstgebrauch!; ***~ area*** Sperrgebiet *n*; ***~ district*** Gebiet *n* mit bestimmten Baubeschränkungen; **reˈstric·tion** [-kʃn] *s.* **1.** Ein-, Beschränkung *f* (***of***, ***on*** *gen.*): ***~s on imports*** Einfuhrbeschränkungen; ***~s of space*** räumliche Beschränktheit; ***without ~s*** uneingeschränkt; **2.** Vorbehalt *m*; **reˈstric·tive** [-tɪv] **I** *adj.* □ be-, einschränkend (***of*** *acc.*): ***~ clause*** a) *ling.* einschränkender Relativsatz, b) ♆ einschränkende Bestimmung; ***~ practices*** wettbewerbsbeschränkende Praktiken; **II** *s. ling.* Einschränkung *f*.

rest room *s. Am.* Toiˈlette *f* (*Hotel etc.*).

re·struc·ture [ˌriːˈstrʌktʃə] *v/t.* ˈumstrukturieren.

re·sult [rɪˈzʌlt] **I** *s.* **1.** *a.* ⚗ Ergebnis *n*, Resulˈtat *n*; (*a.* guter) Erfolg: ***without ~*** ergebnislos; **2.** Folge *f*, Aus-, Nachwirkung *f*: ***as a ~*** a) die Folge war, daß, b) folglich; ***get ~s*** Erfolge erzielen, et. erreichen; **II** *v/i.* **3.** sich ergeben, resultieren (***from*** aus): ***~ in*** hinauslaufen auf (*acc.*), zur Folge haben (*acc.*), enden mit (*dat.*); **reˈsult·ant** [-tənt] **I** *adj.* **1.** sich ergebend, (dabei *od.* daraus) entstehend, resultierend (***from*** aus); **II** *s.* **2.** *phys.*, ⚗ Resulˈtante *f*; **3.** (End)Ergebnis *n*.

re·sume [rɪˈzjuːm] **I** *v/t.* **1.** *Tätigkeit etc.* wiederˈaufnehmen, wieder anfangen; fortsetzen: ***he ~d painting*** er begann wieder zu malen, er malte wieder; **2.** ˈwiedererlangen; *Platz* wieder einnehmen; *Amt*, *Kommando* wieder überˈnehmen; *Namen* wieder annehmen; **3.** resümieren, zs.-fassen; **II** *v/i.* **4.** s-e Tätigkeit wiederˈaufnehmen; **5.** *in s-r Rede* fortfahren; **6.** wieder beginnen.

ré·su·mé [ˈrezjuːmeɪ] (*Fr.*) *s.* **1.** Resüˈmee *n*, Zs.-fassung *f*; **2.** *bsd. Am.* Lebenslauf *m*.

re·sump·tion [rɪˈzʌmpʃn] *s.* **1.** a) Zuˈrücknahme *f*, b) ♆ Liˈzenzentzug *m*; **2.** Wiederˈaufnahme *f e-r Tätigkeit*, *von Zahlungen etc.*

re·sur·gence [rɪˈsɜːdʒəns] *s.* Wiederemˈporkommen *n*, Wiederˈaufleben *n*, -ˈaufstieg *m*, ˈWiedererweckung *f*; **re-**

ˈ**sur·gent** [-nt] *adj.* wiederˈauflebend, ˈwiedererwachend.
res·ur·rect [ˌrezəˈrekt] *v/t.* **1.** F wieder zum Leben erwecken; **2.** *fig. Sitte* wiederˈaufleben lassen; **3.** *Leiche* ausgraben; ˌ**res·urˈrec·tion** [-kʃn] *s.* **1.** (*eccl.* 2) Auferstehung *f*; **2.** *fig.* Wiederˈaufleben *n*, ˈWiedererwachen *n*; **3.** Leichenraub *m*.
re·sus·ci·tate [rɪˈsʌsɪteɪt] **I** *v/t.* **1.** ˈwiederbeleben; **2.** *fig.* ˈwiedererwecken, wiederˈaufleben lassen; **II** *v/i.* **3.** das Bewußtsein ˈwiedererlangen; **4.** wiederˈaufleben; **re·sus·ci·ta·tion** [rɪˌsʌsɪˈteɪʃn] *s.* **1.** ˈWiederbelebung *f* (*a. fig. Erneuerung*); **2.** Auferstehung *f*.
ret [ret] **I** *v/t. Flachs etc.* rösten, rötten; **II** *v/i.* verfaulen (*Heu*).
re·tail [ˈriːteɪl] **I** *s.* Einzel-, Kleinhandel *m*, Kleinverkauf *m*, Deˈtailgeschäft *n*: ***by*** (*Am.* ***at***) ~ → III; **II** *adj.* Einzel-, Kleinhandels...: ~ ***bookseller*** Sortimentsbuchhändler *m*; ~ ***dealer*** Einzelhändler *m*; ~ ***price*** Einzelhandels-, Ladenpreis *m*; ~ ***price maintenance*** Preisbindung *f*; ~ ***trade*** → I; **III** *adv.* im Einzelhandel, einzeln, en deˈtail: ***sell*** ~; **IV** *v/t.* [riːˈteɪl] a) *Waren* im kleinen *od.* en deˈtail verkaufen, b) *Klatsch* weitergeben, (haarklein) weitererzählen; **V** *v/i.* [riːˈteɪl] im Einzelhandel verkauft werden (***at*** zu *6 Dollar etc.*); **re·tail·er** [riːˈteɪlə] *s.* **1.** ✝ Einzel-, Kleinhändler (-in); **2.** Erzähler(in), Verbreiter(in) *von Klatsch etc.*
re·tain [rɪˈteɪn] *v/t.* **1.** zuˈrück(be)halten, einbehalten; **2.** *Eigenschaft, Posten etc., a. im Gedächtnis* behalten; *a. Geduld etc.* bewahren; **3.** *Brauch* beibehalten; **4.** *j-n* in s-n Diensten halten: ~ ***a lawyer*** e-n Anwalt nehmen; ~***ing fee*** → ***retainer*** 2 a; **5.** ⚙ halten, sichern, stützen; *Wasser* stauen: ~***ing nut*** Befestigungsmutter *f*; ~***ing ring*** Sprengring *m*; ~***ing wall*** Stütz-, Staumauer *f*; **reˈtain·er** [-nə] *s.* **1.** *hist.* Gefolgsmann *m*: ***old*** ~ F altes Faktotum; **2.** ⚖ a) Verpflichtung *f* e-s Anwalts, b) Honoˈrarvorschuß *m*: ***general*** ~ Pauschalhonorar *n*, c) Proˈzeßvollmacht *f*; **3.** ⚙ a) Befestigungsteil *n*, b) Käfig *m e-s Kugellagers*.
re·take [ˌriːˈteɪk] **I** *v/t.* [*irr.* → ***take***] **1.** wieder (an-, ein-, zuˈrück)nehmen; **2.** ⚔ wiederˈeinnehmen; **3.** *Film: Szene etc.* wiederˈholen, nochmals (ab)drehen; **II** *s.* [ˈriːteɪk] **4.** *Film:* Reˈtake *n*, Wiederˈholung *f*.
re·tal·i·ate [rɪˈtælɪeɪt] **I** *v/i.* Vergeltung üben, sich rächen (***upon s.o.*** an j-m); **II** *v/t.* vergelten, sich rächen für, heimzahlen; **re·tal·i·a·tion** [rɪˌtælɪˈeɪʃn] *s.* Vergeltung *f*: ***in*** ~ als Vergeltung(smaßnahme); **reˈtal·i·a·to·ry** [-ɪətərɪ] *adj.* Vergeltungs...: ~ ***duty*** ✝ Kampfzoll *m*.
re·tard [rɪˈtɑːd] *v/t.* **1.** verzögern, -langsamen, aufhalten; **2.** *phys.* retardieren, verzögern; *Elektronen* bremsen: ***be*** ~***ed*** nacheilen; **3.** *biol.* retardieren; **4.** *psych. j-s.* Entwicklung hemmen: ~***ed child*** zurückgebliebenes Kind; ***mentally*** ~***ed*** geistig zurückgeblieben; **5.** *mot. Zündung* nachstellen: ~***ed ignition*** a) Spätzündung *f*, b) verzögerte Zündung; **re·tar·da·tion** [ˌriːtɑːˈdeɪʃn] *s.* **1.** Verzögerung *f* (*a. phys.*), -langsamung *f*, -spätung *f*; Aufschub *m*; **2.** ⚡, *phys., biol.* Retardatiˈon *f*; *phys.* (*Elektronen-*) Bremsung *f*; **3.** *psych.* a) Entwicklungshemmung *f*, b) ˈUnterentwickeltheit *f*; **4.** ♪ a) Verlangsamung *f*, b) aufwärtsgehender Vorhalt.
retch [retʃ] *v/i.* würgen (*beim Erbrechen*).
re·tell [ˌriːˈtel] *v/t.* [*irr.* → ***tell***] **1.** nochmals erzählen *od.* sagen, wiederˈholen; **2.** *ped.* nacherzählen.
re·ten·tion [rɪˈtenʃn] *s.* **1.** Zuˈrückhalten *n*; **2.** Einbehaltung *f*; **3.** Beibehaltung *f* (*a. von Bräuchen etc.*), Bewahrung *f*; **4.** ⚕ Verhalten *n*; **5.** Festhalten *n*, Halt *m*: ~ ***pin*** ⚙ Arretierstift *m*; **6.** Merken *n*, Merkfähigkeit *f*; **reˈten·tive** [-ntɪv] *adj.* □ **1.** (zuˈrück)haltend (***of*** *acc.*); **2.** erhaltend, bewahrend; gut (*Gedächtnis*); **3.** Wasser speichernd.
re·think [ˌriːˈθɪŋk] *v/t.* [*irr.* → ***think***] *et.* nochmals überˈdenken; ˌ**reˈthink·ing** [-kɪŋ] *s.* ˈUmdenken *n*.
ret·i·cence [ˈretɪsəns] *s.* **1.** Verschwiegenheit *f*, Schweigsamkeit *f*; **2.** Zuˈrückhaltung *f*; ˈ**ret·i·cent** [-nt] *adj.* □ verschwiegen (***about, on*** über *acc.*), schweigsam; zuˈrückhaltend.
ret·i·cle [ˈretɪkl] *s. opt.* Fadenkreuz *n*.
re·tic·u·lar [rɪˈtɪkjʊlə] *adj.* □ netzartig, -förmig, Netz...; **reˈtic·u·late I** *adj.* □ [-lət] netzartig, -förmig; **II** *v/t.* [-leɪt] netzförmig mustern *od.* bedecken; **III** *v/i.* [-leɪt] sich verästeln; **reˈtic·u·lat·ed** [-leɪtɪd] *adj.* netzförmig, maschig, Netz...: ~ ***glass*** Filigranglas *n*; **re·tic·u·la·tion** [rɪˌtɪkjʊˈleɪʃn] *s.* Netzwerk *n*; **ret·i·cule** [ˈretɪkjuːl] *s.* **1.** → ***reticle***; **2.** Damentasche *f*; Arbeitsbeutel *m*; **re·ti·form** [ˈriːtɪfɔːm] *adj.* netz-, gitterförmig.
ret·i·na [ˈretɪnə] *s. anat.* Retina *f*, Netzhaut *f*.
ret·i·nue [ˈretɪnjuː] *s.* Gefolge *n*.
re·tire [rɪˈtaɪə] **I** *v/i.* **1.** *allg.* sich zuˈrückziehen (*a.* ⚔): ~ (***from business***) *a.* sich zur Ruhe setzen; ~ ***into o.s.*** sich verschließen; ~ (***to rest***) sich zur Ruhe begeben, schlafen gehen; **2.** ab-, zuˈrücktreten; in den Ruhestand treten, in Pensiˈon *od.* Rente gehen, s-n Abschied nehmen (*Beamter*); **3.** *fig.* zuˈrücktreten (*Hintergrund, Ufer etc.*); **II** *v/t.* **4.** zuˈrückziehen (*a.* ⚔); **5.** ✝ *No-*

R

ten aus dem Verkehr ziehen; *Wechsel* einlösen; **6.** *bsd.* ⚔ verabschieden, pensionieren; → ***retired*** 1; **re'tired** [-əd] *p.p. u. adj.* ☐ **1.** pensioniert, im Ruhestand (lebend): **~ *general*** General a.D. *od.* außer Dienst; **~ *pay*** Ruhegeld *n*, Pension *f*; ***be placed on the ~ list*** ⚔ den Abschied erhalten; **2.** im Ruhestand (lebend); **3.** zu'rückgezogen (*Leben*); **4.** abgelegen, einsam (*Ort*): **re'tire·ment** [-mənt] *s.* **1.** (Sich)Zu'rückziehen *n*; **2.** Aus-, Rücktritt *m*, Ausscheiden *n*; **3.** Ruhestand *m*: ***early ~*** vorzeitiger Ruhestand; **~ *pension*** (Alters)Rente *f*, Ruhegeld *n*; **~ *pensioner*** (Alters)Rentner(in), Ruhegeldempfänger(in); ***go into ~*** sich ins Privatleben zurückziehen; **4.** *j-s* Zu'rückgezogenheit *f*; **5.** a) Abgeschiedenheit *f*, b) abgelegener Ort, Zuflucht *f*; **6.** ⚔ (planmäßige) Absetzbewegung, Rückzug *m*; **7.** † Einziehung *f*; **re'tir·ing** [-ərɪŋ] *adj.* ☐ **1.** Ruhestands...: **~ *age*** Renten-, Pensionsalter *n*; **~ *pension*** Ruhegeld *n*; **2.** *fig.* zu'rückhaltend, bescheiden; **3.** unauffällig, de'zent (*Farbe etc.*); **4.** **~ *room*** a) Privatzimmer *n*, b) Toilette *f*.

re·tool [ˌriː'tuːl] *v/t.* *Fabrik* mit neuen Ma'schinen ausrüsten.

re·tort[1] [rɪ'tɔːt] **I** *s.* **1.** (scharfe *od.* treffende) Entgegnung, (schlagfertige) Antwort; Erwiderung *f*; **II** *v/t.* **2.** (darauf) erwidern; **3.** *Beleidigung etc.* zu'rückgeben (***on s.o.*** j-m); **III** *v/i.* **4.** (scharf *od.* treffend) erwidern, entgegnen.

re·tort[2] [rɪ'tɔːt] *s.* ⚗, ⚙ Re'torte *f*.

re·tor·tion [rɪ'tɔːʃn] *s.* **1.** (Sich)'Umwenden *n*, Zu'rückströmen *n*, -biegen *n*, -beugen *n*; **2.** *Völkerrecht*: Retorsi'on *f* (*Vergeltungsmaßnahme*).

re·touch [ˌriː'tʌtʃ] **I** *v/t.* *et.* über'arbeiten; *phot.* retuschieren; **II** *s.* Re'tusche *f*.

re·trace [rɪ'treɪs] **I** *v/t.* (*a. fig.* *Stammbaum etc.*) zu'rückverfolgen; *fig.* zu'rückführen (***to*** auf *acc.*): **~ *one's steps*** a) (denselben Weg) zurückgehen, b) *fig.* die Sache ungeschehen machen; **II** *s.* ⚡ Rücklauf *m*.

re·tract [rɪ'trækt] **I** *v/t.* **1.** *Behauptung* zu'rücknehmen, (*a.* ⚖ *Aussage*) wider'rufen; **2.** *Haut, Zunge etc.*, *a.* ⚖ *Anklage* zu'rückziehen; **3.** *zo.* *Klauen etc.*, *a.* ✈ *Fahrgestell* einziehen; **II** *v/i.* **4.** sich zurückziehen; **5.** widerrufen, es zurücknehmen; **6.** zu'rücktreten (***from*** von *e-m Entschluß, e-m Vertrag etc.*); **re'tract·a·ble** [-təbl] *adj.* **1.** einziehbar: **~ *landing gear*** ✈ einziehbares Fahrgestell; **2.** zu'rückziehbar; **3.** zu'rücknehmbar, zu wider'rufen(d); **re·trac·ta·tion** [ˌriːtræk'teɪʃn] → ***retraction*** 1; **re'trac·tile** [-taɪl] *adj.* **1.** einziehbar; **2.** *a.* *anat.* zu'rückziehbar; **re'trac·tion** [-kʃn] *s.* **1.** Zu'rücknahme *f*, 'Widerruf *m*; **2.** Zu'rück-, Einziehen *n*; **3.** ⚕, *zo.* Retrakti'on *f*; **re'trac·tor** [-tə] *s.* **1.** *anat.* Retrakti'onsmuskel *m*; **2.** ⚕ Re'traktor *m*, Wundhaken *m*.

re·train [ˌriː'treɪn] *v/t.* *j-n* 'umschulen; ˌ**re'train·ing** [-nɪŋ] *s.* *a.* ***occupational ~*** 'Umschulung *f*.

re·trans·late [ˌriːtræns'leɪt] *v/t.* (zu-)'rücküberˌsetzen; ˌ**re·trans'la·tion** [-eɪʃn] *s.* 'Rücküberˌsetzung *f*.

re·tread [ˌriː'tred] **I** *v/t.* ⚙ *Reifen* runderneuern; **II** ['riːtred] *s.* runderneuerter Reifen.

re·treat [rɪ'triːt] **I** *s.* **1.** *bsd.* ⚔ Rückzug *m*: ***beat a ~*** *fig.* das Feld räumen, klein beigeben; ***sound the*** (*od.* ***a***) **~** zum Rückzug blasen; ***there was no ~*** es gab kein Zurück; **2.** Zufluchtsort *m*, Schlupfwinkel *m*; **3.** Anstalt *f für Geisteskranke etc.*; **4.** Zu'rückgezogenheit *f*, Abgeschiedenheit *f*; **5.** ⚔ Zapfenstreich *m*; **II** *v/i.* **6.** *a.* ⚔ sich zu'rückziehen; **7.** zu'rücktreten, -weichen (*z.B. Meer*): **~*ing chin*** fliehendes Kinn; **III** *v/t.* **8.** *bsd.* *Schachfigur* zu'rückziehen.

re·treat [ˌriː'triːt] *v/t.* *allg.* erneut behandeln.

re·trench [rɪ'trentʃ] **I** *v/t.* **1.** *Ausgaben etc.* einschränken, *a.* *Personal* abbauen; **2.** beschneiden, kürzen; **3.** a) *Textstelle* streichen, b) *Buch* zs.-streichen; **4.** *Festungswerk* mit inneren Verschanzungen versehen; **II** *v/i.* **5.** sich einschränken, Sparmaßnahmen 'durchführen, sparen; **re'trench·ment** [-mənt] *s.* **1.** Einschränkung *f*, (*Kosten-, Personal-*) Abbau *m*; Sparmaßnahme *f*; (Gehalts-) Kürzung *f*; **2.** Streichung *f*, Kürzung *f*; **3.** ⚔ Verschanzung *f*, innere Verteidigungsstellung.

re·tri·al [ˌriː'traɪəl] *s.* **1.** nochmalige Prüfung; **2.** ⚖ Wieder'aufnahmeverfahren *n*.

ret·ri·bu·tion [ˌretrɪ'bjuːʃn] *s.* Vergeltung *f*, Strafe *f*; **re·trib·u·tive** [rɪ'trɪbjʊtɪv] *adj.* ☐ vergeltend, Vergeltungs...

re·triev·a·ble [rɪ'triːvəbl] *adj.* ☐ **1.** 'wiederzugewinnen(d); **2.** wieder'gutzumachen(d), wettzumachen(d); **re'trieve** [rɪ'triːv] **I** *v/t.* **1.** *hunt.* apportieren; **2.** 'wiederfinden, -bekommen; **3.** (sich *et.*) zu'rückholen; **4.** *et.* her'ausholen, -fischen (***from*** aus); **5.** *fig.* 'wiedergewinnen, -erlangen; *Fehler* wieder'gutmachen; *Verlust* wettmachen; **6.** *j-n* retten (***from*** aus); **7.** *et.* der Vergessenheit entreißen; **II** *s.* **8.** ***beyond*** (*od.* ***past***) **~** unwiederbringlich dahin; **re'triev·er** [-və] *s.* *hunt.* Re'triever *m*, *allg.* Apportierhund *m*.

retro- [retrəʊ] *in Zssgn* zurück..., rück

(-wärts)..., Rück...; entgegengesetzt; hinter...; ˌ**ret·ro'ac·tive** *adj.* □ **1.** ⚖ rückwirkend; **2.** zu'rückwirkend; ˌ**ret·ro'ces·sion** *s.* **1.** a) *a.* ⚕ Zu'rückgehen *n*, b) ⚕ Nach'innenschlagen *n*; **2.** ⚖ 'Wieder-, Rückabtretung *f*; ˌ**ret·ro·gra'da·tion** *s.* **1.** → ***retrogression*** 1; **2.** Zu'rückgehen *n*; **3.** *fig.* Rück-, Niedergang *m*; **ret·ro·grade** ['retrəʊgreɪd] **I** *adj.* **1.** ⚕, ♪, *ast.*, *zo.* rückläufig; **2.** *fig.* rückgängig, -läufig, Rückwärts..., rückschrittlich; **II** *v/i.* **3.** a) rückläufig sein, b) zu'rückgehen; **4.** rückwärts gehen; **5.** *bsd. biol.* entarten.

ret·ro·gres·sion [ˌretrəʊ'greʃn] *s.* **1.** *ast.* rückläufige Bewegung; **2.** *bsd. biol.* Rückentwicklung *f*; **3.** *fig.* Rückgang *m*, -schritt *m*; ˌ**ret·ro'gres·sive** [-esɪv] *adj.* □ **1.** *bsd. biol.* rückschreitend: **~ *metamorphosis*** *biol.* Rückbildung *f*; **2.** *fig.* rückschrittlich; **3.** *fig.* nieder-, zu'rückgehend; **ret·ro·rock·et** ['retrəʊˌrɒkɪt] *s.* 'Bremsraˌkete *f*; **ret·ro·spect** ['retrəʊspekt] *s.* Rückblick *m*, -schau *f* (***of***, ***on*** auf *acc.*): ***in*** (***the***) **~** rückschauend, im Rückblick; **ret·ro·spec·tion** [ˌretrəʊ'spekʃn] *s.* Erinnerung *f*; Zu'rückblicken *n*; **ret·ro·spec·tive** [ˌretrəʊ'spektɪv] *adj.* □ **1.** zu'rückblickend; **2.** nach rückwärts *od.* hinten (gerichtet); **3.** ⚖ rückwirkend.

ret·rous·sé [rə'tru:seɪ] (*Fr.*) *adj.* nach oben gebogen: **~ *nose*** Stupsnase *f*.

re·try [ˌri:'traɪ] *v/t.* ⚖ a) *Prozeß* wieder'aufnehmen, b) neu verhandeln gegen *j-n*.

re·turn [rɪ'tɜ:n] **I** *v/i.* **1.** zu'rückkehren, -kommen (***to*** zu); 'wiederkehren (*a. fig.*); *fig.* wieder auftreten (*Krankheit etc.*): **~ *to*** *fig.* a) auf *ein Thema* zurückkommen, b) zu *e-m Vorhaben* zurückkommen, c) in *e-e Gewohnheit etc.* zurückfallen, d) in *e-n Zustand* zurückkehren; **~ *to dust*** zu Staub werden; **~ *to health*** wieder gesund werden; **2.** zu'rückfallen (*Besitz*) (***to*** an *acc.*); **3.** erwidern, antworten; **II** *v/t.* **4.** *Gruß etc.*, *a. Besuch*, ⚔ *Feuer*, *Liebe*, *Schlag etc.* erwidern: **~ *thanks*** danken; **5.** zu'rückgeben, *Geld a.* zu'rückzahlen, -erstatten; **6.** zu'rückschicken, -senden: **~*ed empties*** ✝ zurückgesandtes Leergut; **~*ed letter*** unzustellbarer Brief; **7.** (an s-n Platz) zu'rückstellen, -tun; **8.** (ein-) bringen, *Gewinn* abwerfen, *Zinsen* tragen; **9.** *Bericht* erstatten; ⚖ a) Voll'zugsbericht erstatten über (*acc.*), b) *Gerichtsbefehl* mit Vollzugsbericht rückvorlegen; **10.** ⚖ Schuldspruch fällen *od.* aussprechen: ***be ~ed guilty*** schuldig gesprochen werden; **11.** *Votum* abgeben; **12.** amtlich erklären für *od.* als, *j-n arbeitsunfähig etc.* schreiben; **13.** *Einkommen* zur Steuerveranlagung erklären, angeben (***at*** mit); **14.** *amtliche Liste etc.* vorlegen *od.* veröffentlichen; **15.** *parl. Brit. Wahlergebnis* melden; **16.** *parl. Brit.* als Abgeordneten wählen (***to Parliament*** ins Parlament); **17.** *sport Ball* zu'rückschlagen; **18.** *Echo*, *Strahlen* zu'rückwerfen; **19.** ⚙ zu'rückführen, -leiten; **III** *s.* **20.** Rückkehr *f*, -kunft *f*; 'Wiederkehr *f* (*a. fig.*): **~ *of health*** Genesung *f*; ***by ~ of post*** *Brit.*, ***by ~ mail*** *Am.* postwendend, umgehend; ***many happy ~s of the day!*** herzlichen Glückwunsch zum Geburtstag!; ***on my ~*** bei m-r Rückkehr; **21.** Wieder'auftreten *n* (*Krankheit etc.*): **~ *of influenza*** Gripperückfall *m*; **~ *of cold weather*** Kälterückfall *m*; **22.** 🚂 Rückfahrkarte *f*; **23.** Rück-, Her'ausgabe *f*: ***on sale or ~*** ✝ in Kommission; **24.** *oft pl.* ✝ Rücksendung *f* (*a. Ware*): **~*s*** a) Rückgut, b) *Buchhandel*: *a.* **~ *copies*** Remittenden; **25.** ✝ Rückzahlung *f*, (-)Erstattung *f*; *Versicherung*: **~** (***of premium***) Ri'storno *n*; **26.** Entgelt *n*, Gegenleistung *f*, Entschädigung *f*: ***in ~*** dafür, dagegen; ***in ~ for*** (als Gegenleistung) für; ***without ~*** unentgeltlich; **27.** *oft pl.* ✝ a) (*Kapital- etc.*)'Umsatz *m*: ***quick ~s*** schneller Umsatz, b) Ertrag *m*, Einnahme *f*, Verzinsung *f*, Gewinn *m*: ***yield*** (*od.* ***bring***) ***a ~*** Nutzen abwerfen, sich rentieren; **28.** Erwiderung *f* (*a. fig. e-s Grußes etc.*): **~ *of affection*** Gegenliebe *f*; **29.** (amtlicher) Bericht, (sta'tistischer) Ausweis, Aufstellung *f*; *pol. Brit.* Wahlbericht *m*, -ergebnis *n*: ***annual ~*** Jahresbericht *m*, -ausweis *m*; ***bank ~*** Bankausweis *m*; ***official ~s*** amtliche Ziffern; **30.** Steuererklärung *f*; **31.** ⚖ a) Rückvorlage *f* (*e-s Vollstreckungsbefehls etc.*) (mit Voll'zugsbericht), b) Voll'zugsbericht *m* (*des Gerichtsvollziehers etc.*); **32.** *a.* **~ *day*** ⚖ Ver'handlungsterˌmin *m*; **33.** ⚙ a) Rückführung *f*, -leitung *f*, b) Rücklauf *m*, c) ⚡ Rückleitung *f*; **34.** Biegung *f*, Krümmung *f*; **35.** ⚠ a) 'Wiederkehr *f*, b) vorspringender *od.* zu'rückgesetzter Teil, c) (Seiten)Flügel *m*; **36.** *Tennis*: Re'turn *m*, Rückschlag *m* (*a. Ball*); **37.** *sport a.* **~ *match*** Rückspiel *n*; **38.** (leichter) Feinschnitt (*Tabak*); **IV** *adj.* **39.** Rück...(*-porto*, *-reise*, *-spiel etc.*): **~ *cable*** ⚡ Rückleitung *f*; **~ *cargo*** Rückfracht *f*, -ladung *f*; **~ *current*** ⚡ Rück-, Erdstrom *m*; **~ *ticket*** a) Rückfahrkarte *f*, b) ✈ Rückflugkarte *f*; **~ *valve*** ⚙ Rückschlagventil *n*; **~ *visit*** Gegenbesuch *m*; **~ *wire*** ⚡ Nulleiter *m*; **re'turn·a·ble** [-nəbl] *adj.* **1.** zu'rückzugeben(d); einzusenden(d): **~ *bottle*** Mehrwegflasche *f*; **2.** ✝ rückzahlbar.

re·turn·ing of·fi·cer [rɪ'tɜ:nɪŋ] *s. pol. Brit.* 'Wahlkommisˌsar *m*.

re·u·ni·fi·ca·tion [ˌri:ju:nɪfɪ'keɪʃn] *s.*

R

pol. 'Wiedervereinigung *f*.
re·un·ion [ˌriː'juːnjən] *s.* **1.** 'Wiedervereinigung *f*; *fig.* Versöhnung *f*; **2.** (*Familien-, Klassen- etc.*)Treffen *n*, Zs.-kunft *f*.
re·u·nite [ˌriːjuː'naɪt] **I** *v/t.* 'wiedervereinigen; **II** *v/i.* sich wieder vereinigen.
rev [rev] *mot.* F **I** *s.* Umdrehung *f*: ***~s per minute*** Dreh-, Tourenzahl *f*; **II** *v/t. mst* ***~ up*** auf Touren bringen; **III** *v/i.* laufen, auf Touren sein (*Motor*): ***~ up*** a) auf Touren kommen, b) den Motor ‚hochjagen' *od.* auf Touren bringen.
re·vac·ci·nate [ˌriː'væksɪneɪt] *v/t.* ⚕ 'wieder-, nachimpfen.
re·val·or·i·za·tion ['riːˌvælərаɪ'zeɪʃn] *s.* † Aufwertung *f*; **re·val·or·ize** [ˌriː'væləraɪz] *v/t.* aufwerten.
re·val·u·ate [ˌriː'væljʊeɪt] *v/t.* † **1.** neu bewerten; **2.** aufwerten; **re·val·u·a·tion** ['riːˌvæljʊ'eɪʃn] *s.* **1.** Neubewertung *f*; **2.** Aufwertung *f*.
re·val·ue [ˌriː'væljuː] → ***revaluate***.
re·vamp [ˌriː'væmp] *v/t.* F ‚aufpolieren'.
re·vanch·ist [rɪ'væntʃɪst] **I** *adj.* revan'chistisch; **II** *s.* Revan'chist *m*.
re·veal [rɪ'viːl] **I** *v/t.* (***to***) **1.** *eccl.*, *a. fig.* offenbaren (*dat.*); **2.** enthüllen, zeigen (*dat.*) (*a. fig. erkennen lassen*), sehen lassen; **3.** *fig. Geheimnis etc.* enthüllen, verraten, aufdecken (*dat.*); **II** *s.* **4.** ⚙ a) innere Laibung (*Tür etc.*), b) Fensterrahmen *m* (*Auto*); **re'veal·ing** [-lɪŋ] *adj.* **1.** enthüllend, aufschlußreich; **2.** ‚offenherzig' (*Kleid*).
re·veil·le [rɪ'vælɪ] *s.* ⚔ (Si'gnal *n* zum) Wecken *n*.
rev·el ['revl] **I** *v/i.* **1.** (lärmend) feiern, ausgelassen sein; **2.** (***in***) *fig.* a) schwelgen (in *dat.*), *et.* in vollen Zügen genießen, b) sich weiden *od.* ergötzen (***in*** an *dat.*); **II** *s.* **3.** *oft pl.* → ***revelry***.
rev·e·la·tion [ˌrevə'leɪʃn] *s.* **1.** Enthüllung *f*, Offen'barung *f*: ***it was a ~ to me*** es fiel mir wie Schuppen von den Augen; ***what a ~!*** welch überraschende Entdeckung!, ach so ist das!; **2.** (göttliche) Offenbarung: ***the* ℒ *(of St. John)*** *bibl.* die (Geheime) Offenbarung (des Johannes); **3.** F ‚Offenbarung' *f* (*et. Ausgezeichnetes*).
rev·el·(l)er ['revlə] *s.* **1.** Feiernde(r *m*) *f*; **2.** Zecher *m*; **3.** Nachtschwärmer *m*; **'rev·el·ry** [-lrɪ] *s.* lärmende Festlichkeit, Rummel *m*, Trubel *m*.
re·venge [rɪ'vendʒ] **I** *v/t.* **1.** *et.*, *a. j-n* rächen ([***up***]***on*** an *dat.*): ***~ o.s. for s.th.*** sich für et. rächen; ***be ~d*** a) gerächt sein *od.* werden, b) sich rächen; **2.** sich rächen für, vergelten (***upon***, ***on*** an *dat.*); **II** *s.* **3.** Rache *f*: ***take one's ~*** Rache nehmen, sich rächen; ***in ~ for it*** dafür; **4.** Re'vanche *f* (*beim Spiel*): ***have one's ~*** sich revanchieren; **5.** Rachsucht *f*, -gier *f*; **re'venge·ful** [-fʊl] *adj.* □ rachsüchtig; **re'venge·ful·ness** [-fʊlnɪs] → ***revenge*** 5.
rev·e·nue ['revənjuː] *s.* **1.** *a.* ***public ~*** öffentliche Einnahmen *pl.*, Staatseinkünfte *pl.*; **2.** a) Fi'nanzverwaltung *f*, b) Fiskus *m*: ***defraud the ~*** Steuern hinterziehen; ***~ board*** → ***revenue office***; **3.** *pl.* Einnahmen *pl.*, Einkünfte *pl.*; **4.** Ertrag *m*, Nutzung *f*; **5.** Einkommensquelle *f*; **~ cut·ter** *s.* ⚓ Zollkutter *m*; **~ of·fice** *s.* Fi'nanzamt *n*; **~ of·fi·cer** *s.* Zollbeamte(r) *m*; Fi'nanzbeamte(r) *m*; **~ stamp** *s.* † Bande'role *f*, Steuermarke *f*.
re·ver·ber·ate [rɪ'vɜːbəreɪt] *phys.* **I** *v/i.* **1.** zu'rückstrahlen; **2.** (nach-, 'wider-) hallen; **II** *v/t.* **3.** *Strahlen*, *Hitze*, *Klang* zu'rückwerfen; von *e-m Klange* widerhallen; **re·ver·ber·a·tion** [rɪˌvɜːbə'reɪʃn] *s.* **1.** Zu'rückwerfen *n*, -strahlen *n*; **2.** 'Widerhall(en *n*) *m*; Nachhall *m*; **re'ver·ber·a·tor** [-tə] *s.* ⚙ **1.** Re'flektor *m*; **2.** Scheinwerfer *m*.
re·vere [rɪ'vɪə] *v/t.* (ver)ehren.
rev·er·ence ['revərəns] **I** *s.* **1.** Verehrung *f* (***for*** für *od. gen.*); **2.** Ehrfurcht *f* (***for*** vor *dat.*); **3.** Ehrerbietung *f*; **4.** Reve'renz *f* (*Verbeugung od. Knicks*); **5.** *dial. od. humor.* ***Your*** (***His***) ***~*** Euer (Seine) Ehrwürden; **II** *v/t.* **6.** (ver)ehren; **'rev·er·end** [-nd] **I** *adj.* **1.** ehrwürdig; **2.** ℒ *eccl.* hochwürdig (*Geistlicher*): ***Very* ℒ** (*im Titel e-s Dekans*); ***Right* ℒ** (*Bischof*); ***Most* ℒ** (*Erzbischof*): ***ℒ Mother*** Mutter Oberin *f*; **II** *s.* **3.** Geistliche(r) *m*; **'rev·er·ent** [-nt] *adj.* □, **rev·er·en·tial** [ˌrevə'renʃl] *adj.* □ ehrerbietig, ehrfurchtsvoll.
rev·er·ie ['revərɪ] *s.* Träume'rei *f* (*a.* ♪): ***be lost in*** (***a***) ***~*** in Träumen versunken sein.
re·ver·sal [rɪ'vɜːsl] *s.* **1.** 'Umkehr(ung) *f*; 'Umschwung *m*, -schlagen *n*: ***~ of opinion*** Meinungsumschwung; ***~ process*** *phot.* Umkehrentwicklung *f*; **2.** ⚖ (Urteils)Aufhebung *f*, 'Umstoßung *f*; **3.** ⚙ 'Umsteuerung *f*; **4.** ⚡ ('Strom)ˌUmkehr *f*; **5.** † Stornierung *f*; **re'verse** [rɪ'vɜːs] **I** *s.* **1.** Gegenteil *n*, *das* 'Umgekehrte; **2.** Rückschlag *m*: ***~ of fortune*** Schicksalsschlag *m*; **3.** ⚔ Niederlage *f*, Schlappe *f*; **4.** Rückseite *f*, *bsd. fig.* Kehrseite *f*: ***~ of a coin*** Rückseite *od.* Revers *m* e-r Münze; ***~ of the medal*** *fig.* Kehrseite der Medaille; ***on the ~*** umstehend; ***take in ~*** ⚔ im Rücken packen; **5.** *mot.* Rückwärtsgang *m*; **6.** ⚙ 'Umsteuerung *f*; **II** *adj.* □ **7.** 'umgekehrt, verkehrt, entgegengesetzt (***to*** *dat.*): ***~-charge call*** *teleph.* R-Gespräch *n*; ***~ current*** ⚡ Gegenstrom *m*; ***~ flying*** ✈ Rückenflug *m*; ***~ order*** umgekehrte Reihenfolge; ***~ side*** a) Rückseite *f*, b) linke (*Stoff*)Seite; **8.** rückläufig, rückwärts...: ***~ gear*** → 5; **III** *v/t.* **9.** 'umkeh-

R

ren (*a.* ⊕, ⚡), ˈumdrehen; *fig. Politik* (ganz) ˈumstellen; *Meinung* völlig ändern: ***~ the charge(s)*** *teleph.* ein R-Gespräch führen; ***~ the order of things*** die Weltordnung auf den Kopf stellen; **10.** ⚖ *Urteil* aufheben, ˈumstoßen; **11.** ☤ stornieren; **12.** ⚙ im Rückwärtsgang *od.* rückwärts fahren *od.* laufen (lassen); **13.** ⚡ a) ˈumpolen, b) ˈumsteuern; **IV** *v/i.* **14.** rückwärts fahren; **15.** *beim Walzer* ˈlinksherˌum tanzen; **reˈvers·i·ble** [-səbl] *adj.* **1.** *a.* ⊕, ⚗, *phys.* ˈumkehrbar; **2.** doppelseitig, wendbar (*Stoff*, *Mantel*); **3.** ⚙ ˈumsteuerbar; **4.** ⚖ ˈumstoßbar; **reˈvers·ing** [-sɪŋ] *adj.* ⚙, *phys.* Umkehr…, Umsteuerungs…: ***~ gear*** a) Umsteuerung *f*, b) Wendegetriebe *n*, c) Rückwärtsgang *m*; ***~ pole*** ⚡ Wendepol *m*; ***~ switch*** ⚡ Wendeschalter *m*; **reˈver·sion** [-ɜːʃn] *s.* **1.** *a.* ⊕ ˈUmkehrung *f*; **2.** ⚖ a) Heim-, Rückfall *m*, b) *a.* ***right of ~*** Heimfallsrecht *n*; **3.** ⚖ a) Anwartschaft *f* (***of*** auf *acc.*), b) Anwartschaftsrente *f*; **4.** *biol.* a) Rückartung *f*, b) Ataˈvismus *m*; **5.** ⚡ ˈUmpolung *f*; **reˈver·sion·ar·y** [-ɜːʃnərɪ] *adj.* **1.** ⚖ anwartschaftlich, Anwartschafts…: ***~ annuity*** Rente *f* auf den Überlebensfall; ***~ heir*** Nacherbe *m*; **2.** *biol.* ataˈvistisch; **reˈver·sion·er** [-ɜːʃnə] *s.* ⚖ **1.** Anwartschaftsberechtigte(r *m*) *f*, Anwärter(in); **2.** Nacherbe *m*, -erbin *f*; **re·vert** [rɪˈvɜːt] **I** *v/i.* **1.** zuˈrückkehren (***to*** zu *s-m Glauben etc.*); **2.** zuˈrückkommen (***to*** auf *e-n Brief*, *ein Thema etc.*); **3.** wieder zuˈrückfallen (***to*** in *acc.*): ***~ to barbarism***; **4.** ⚖ zuˈrück-, heimfallen (***to s.o.*** an j-n); **5.** *biol.* zuˈrückschlagen (***to*** zu); **II** *v/t.* **6.** *Blick* (zuˈrück)wenden; **reˈvert·i·ble** [-ɜːtəbl] *adj.* ⚖ heimfällig (*Besitz*).

re·vet·ment [rɪˈvetmənt] *s.* **1.** ⚙ Verkleidung *f*, Futtermauer *f* (*Ufer etc.*); **2.** ⚔ Splitterschutzwand *f*.

re·view [rɪˈvjuː] **I** *s.* **1.** ˈNachprüfung *f*, (Über)ˈPrüfung *f*, Revisiˈon *f*: ***court of ~*** ⚖ Rechtsmittelgericht *n*; ***be under ~*** überprüft werden; **2.** (Buch)Besprechung *f*, Rezensiˈon *f*, Kriˈtik *f*: ***~ copy*** Rezensionsexemplar *n*; **3.** Rundschau *f*, kritische Zeitschrift; **4.** ⚔ Paˈrade *f*, Truppenschau *f*: ***naval ~*** Flottenparade; ***pass in ~*** a) mustern, b) (vorbei-) defilieren (lassen), c) → **5.** Rückblick *m*, -schau *f* (***of*** auf *acc.*): ***pass in ~*** a) Rückschau halten über (*acc.*), b) *im Geiste* Revue passieren lassen; **6.** Bericht *m*, ˈÜbersicht *f*, -blick *m* (***of*** über *acc.*): ***market ~*** ☤ Markt-, Börsenbericht; ***month under ~*** Berichtsmonat *m*; **7.** ˈDurchsicht *f*; **8.** → ***revue***; **II** *v/t.* **9.** nachprüfen, (über)ˈprüfen, e-r Revisiˈon unterˈziehen; **10.** ⚔ besichtigen, inspizieren; **11.** *fig.* zuˈrückblicken auf (*acc.*); **12.** überˈblicken, -ˈschauen: ***~ the situation***; **13.** e-n ˈÜberblick geben über (*acc.*); **14.** *Buch* besprechen, rezensieren; **III** *v/i.* **15.** (Buch)Besprechungen schreiben; **reˈview·er** [-juːə] *s.* Kritiker(in), Rezenˈsent(in): ***~'s copy*** Rezensionsexemplar *n*.

re·vile [rɪˈvaɪl] *v/t. u. v/i.*: ***~ (at*** *od.* ***against) s.th.*** et. schmähen *od.* verunglimpfen; **reˈvile·ment** [-mənt] *s.* Schmähung *f*, Verunglimpfung *f*.

re·vis·al [rɪˈvaɪzl] *s.* **1.** (Nach)Prüfung *f*; **2.** (nochmalige) ˈDurchsicht; **3.** *typ.* zweite Korrekˈtur; **re·vise** [rɪˈvaɪz] **I** *v/t.* **1.** revidieren: a) *typ.* in zweiter Korrektur lesen, b) *Buch* überˈarbeiten: ***~d edition*** verbesserte Auflage, c) *fig. Ansicht* ändern; **2.** überˈprüfen, (wieder)ˈdurchsehen; **II** *s.* **3.** *a.* ***~ proof*** *typ.* Revisiˈonsbogen *m*, Korrekˈturabzug *m*; **4.** → ***revision***; **reˈvis·er** [-zə] *s.* **1.** *typ.* Korˈrektor *m*; **2.** Bearbeiter *m*; **re·vi·sion** [rɪˈvɪʒn] *s.* **1.** Revisiˈon *f*: a) ˈDurchsicht *f*, b) Überˈarbeitung *f*, c) Korrekˈtur *f*; **2.** verbesserte Ausgabe *od.* Auflage.

re·vis·it [ˌriːˈvɪzɪt] *v/t.* nochmals *od.* wieder besuchen: ***London ~ed*** Wiedersehen *n* mit London.

re·vi·tal·ize [ˌriːˈvaɪtəlaɪz] *v/t.* neu beleben, ˈwiederbeleben.

re·viv·al [rɪˈvaɪvl] *s.* **1.** ˈWiederbelebung *f* (*a.* ☤; *a.* ⚖ *von Rechten*): ***~ of architecture*** Neugotik *f*; ***2 of Learning*** *hist.* Renaissance *f*; **2.** Wiederˈaufleben *n*, -ˈaufblühen *n*, Erneuerung *f*; **3.** *eccl.* a) Erweckung *f*, b) *a.* ***~ meeting*** Erwekkungsversammlung *f*; **4.** Wiederˈaufgreifen *n e-s veralteten Worts etc.*; *thea.* Wiederˈaufnahme *f e-s vergessenen Stücks*; **reˈviv·al·ism** [-vəlɪzəm] *s. bsd. U.S.A.* a) (religiˈöse) Erweckungsbewegung, ˌEvangelisatiˈon *f*, b) Erwekkungseifer *m*; **re·vive** [rɪˈvaɪv] **I** *v/t.* **1.** ˈwiederbeleben (*a. fig.*); **2.** *Anspruch*, *Gefühl*, *Hoffnung*, *Streit etc.* wiederˈaufleben lassen; *Gefühle* ˈwiedererwecken; *Brauch*, *Gesetz* wiederˈeinführen; *Vertrag* erneuern; *Gerechtigkeit*, *Ruf* wiederˈherstellen; *Thema* wiederˈaufgreifen; **3.** *thea. Stück* wieder auf die Bühne bringen; **4.** ⚙ *Metall* frischen; **II** *v/i.* **5.** wieder (zum Leben) erwachen; **6.** das Bewußtsein ˈwiedererlangen; **7.** *fig.* wiederˈaufleben (*a. Rechte*); ˈwiedererwachen (*Haß etc.*); wiederˈaufblühen; ☤ sich erholen; **8.** wiederˈauftreten; wiederˈaufkommen (*Brauch etc.*); **reˈviv·er** [-və] *s.* **1.** ⚙ Auffrischungs-, Regenerierungsmittel *n*; **2.** *sl.* (*alkoholische*) Stärkung; **re·viv·i·fy** [riːˈvɪvɪfaɪ] *v/t.* **1.** ˈwiederbeleben; **2.** *fig.* wiederˈaufleben lassen, neu beleben.

rev·o·ca·ble [ˈrevəkəbl] *adj.* □ ˈwider-

R

ruflich; **rev·o·ca·tion** [ˌrevəˈkeɪʃn] *s.* ⚖ ˈWiderruf *m*, Aufhebung *f*; (*Lizenz-etc.*)Entzug *m*.

re·voke [rɪˈvəʊk] **I** *v/t.* widerˈrufen, aufheben, rückgängig machen; **II** *v/i. Kartenspiel*: nicht Farbe bekennen, nicht bedienen.

re·volt [rɪˈvəʊlt] **I** *s.* **1.** Reˈvolte *f*, Aufruhr *m*, Aufstand *m*; **II** *v/i.* **2.** a) (*a. fig.*) revoltieren, sich emˈpören, sich auflehnen (***against*** gegen), b) abfallen (***from*** von); **3.** *fig.* ˈWiderwillen empfinden (***at*** über *acc.*), sich sträuben *od.* empören (***against***, ***at***, ***from*** gegen); **III** *v/t.* **4.** *fig.* empören, mit Abscheu erfüllen, abstoßen; **reˈvolt·ing** [-tɪŋ] *adj.* □ emˈpörend, abstoßend, widerlich.

rev·o·lu·tion [ˌrevəˈluːʃn] *s.* **1.** ˈUmwälzung *f*, Umˈdrehung *f*, Rotatiˈon *f*: ***~s per minute*** ⚙ Umdrehungen pro Minute, Dreh-, Tourenzahl *f*; ***~ counter*** Drehzahlmesser *m*, Tourenzähler *m*; **2.** *ast.* a) Kreislauf *m* (*a. fig.*), b) Umˈdrehung *f*, c) ˈUmlauf(zeit *f*) *m*; **3.** *fig.* Revolutiˈon *f*: a) ˈUmwälzung *f*, ˈUmschwung *m*, b) *pol.* ˈUmsturz *m*; **ˌrev·oˈlu·tion·ar·y** [-ʃnərɪ] **I** *adj.* revolutioˈnär: a) *pol.* Revolutions..., Umsturz..., b) *fig.* ˈumwälzend, eˈpochemachend; **II** *s. a.* **ˌrev·oˈlu·tion·ist** [-ʃnɪst] Revolutioˈnär(in) (*a. fig.*); **ˌrev·oˈlu·tion·ize** [-ʃnaɪz] *v/t.* **1.** aufwiegeln, in Aufruhr bringen; **2.** *Staat* revolutionieren (*a. fig. von Grund auf umgestalten*).

re·volve [rɪˈvɒlv] **I** *v/i.* **1.** *bsd.* ⩓, ⚙, *phys.* sich drehen, kreisen, rotieren (***on***, ***about*** um *e-e Achse*, ***round*** um *e-n Mittelpunkt*); **2.** e-n Kreislauf bilden, daˈhinrollen (*Jahre etc.*); **II** *v/t.* **3.** drehen, rotieren lassen; **4.** *fig.* (hin u. her) überˈlegen, *Gedanken*, *Problem* wälzen; **reˈvolv·er** [-və] *s.* Reˈvolver *m*; **reˈvolv·ing** [-vɪŋ] *adj.* a) sich drehend, kreisend, drehbar (***about***, ***round*** um), b) Dreh...(*-bleistift*, *-brücke*, *-bühne*, *-tür etc.*): ***~ credit*** ✝ Revolving-Kredit *m*; ***~ shutter*** Rolladen *m*.

re·vue [rɪˈvjuː] *s. thea.* **1.** Reˈvue *f*; **2.** (zeitkritisches) Kabaˈrett, saˈtirische Kabaˈrettvorführung.

re·vul·sion [rɪˈvʌlʃn] *s.* **1.** ⚕ Ableitung *f*; **2.** *fig.* ˈUmschwung *m*; **3.** *fig.* Abscheu *m* (***against*** vor *dat.*); **reˈvul·sive** [-lsɪv] *adj. u. s.* ableitend(es Mittel).

re·ward [rɪˈwɔːd] **I** *s.* **1.** Entgelt *n*; Belohnung *f*, *a.* Finderlohn *m*; **2.** Vergeltung *f*, (gerechter) Lohn; **II** *v/t.* **3.** *j-n od. et.* belohnen (*a. fig.*); *fig. j-m* vergelten (***for s.th.*** et.); *j-n od. et.* bestrafen; **reˈward·ing** [-dɪŋ] *adj.* □ lohnend (*a. fig.*); *fig. a.* dankbar (*Aufgabe*).

re·wind [ˌriːˈwaɪnd] **I** *v/t. Film*, *Tonband etc.* (zuˈ)rückspulen, ˈumspulen; *Garn etc.* wiederˈaufspulen; *Uhr* wieder aufziehen; **II** *s.* Rückspulung *f etc.*; Rücklauf *m* (*am Tonbandgerät etc.*): ***~ button*** Rücklauftaste *f*.

re·word [ˌriːˈwɜːd] *v/t.* neu *od.* anders formulieren.

re·write [ˌriːˈraɪt] **I** *v/t. u. v/i.* [*irr.* → ***write***] **1.** nochmals *od.* neu schreiben; **2.** ˈumschreiben; *Am. Pressebericht* redigieren, überˈarbeiten; **II** *s.* **3.** *Am.* redigierter Bericht: ***~ man*** Überarbeiter *m*.

Rex [reks] (*Lat.*) *s.* ⚖ *Brit. der* König.

rhap·sod·ic, **rhap·sod·i·cal** [ræpˈsɒdɪk(l)] *adj.* □ **1.** rhapˈsodisch; **2.** *fig.* begeistert, ˈüberschwenglich, ekˈstatisch; **rhap·so·dist** [ˈræpsədɪst] *s.* **1.** Rhapˈsode *m*; **2.** *fig.* begeisterter Schwärmer; **rhap·so·dize** [ˈræpsədaɪz] *v/i. fig.* schwärmen (***about***, ***on*** von); **rhap·so·dy** [ˈræpsədɪ] *s.* **1.** Rhapsoˈdie *f* (*a.* ♪); **2.** *fig.* (Wort)Schwall *m*, Schwärmeˈrei *f*: ***go into rhapsodies over*** in Ekstase geraten über (*acc.*).

rhe·o·stat [ˈrɪəʊstæt] *s.* ⚡ Rheoˈstat *m*, ˈRegelˌwiderstand *m*.

rhet·o·ric [ˈretərɪk] *s.* **1.** Rheˈtorik *f*, Redekunst *f*; **2.** *fig. contp.* schöne Reden *pl.*, (leere) Phrasen *pl.*, Schwulst *m*; **rhe·tor·i·cal** [rɪˈtɒrɪkl] *adj.* □ **1.** rheˈtorisch, Redner...: ***~ question*** rhetorische Frage; **2.** *contp.* schönrednerisch, phrasenhaft, schwülstig; **rhet·o·ri·cian** [ˌretəˈrɪʃn] *s.* **1.** guter Redner, Redekünstler *m*; **2.** *contp.* Schönredner *m*, Phrasendrescher *m*.

rheu·mat·ic [ruːˈmætɪk] ⚕ **I** *adj.* (□ ***~ally***) **1.** rheuˈmatisch: ***~ fever*** Gelenkrheumatismus *m*; **II** *s.* **2.** Rheuˈmatiker(in); **3.** *pl.* F Rheuma *n*; **rheu·ma·tism** [ˈruːmətɪzəm] *s.* Rheumaˈtismus *m*, Rheuma *n*: ***articular ~*** Gelenkrheumatismus.

Rhine·land·er [ˈraɪnlændə] *s.* Rheinländer(in).

rhine·stone [ˈraɪnstəʊn] *s. min.* Rheinkiesel *m* (*Bergkristall*).

rhi·no[1] [ˈraɪnəʊ] *s. sl.* ‚Kies' *m* (*Geld*).

rhi·no[2] [ˈraɪnəʊ] *pl.* **-nos** *s.* F, **rhi·noc·er·os** [raɪˈnɒsərəs] *pl.* **-os·es**, *coll.* **-os** *s. zo.* Rhiˈnozeros *n*, Nashorn *n*.

rhi·zoph·a·gous [raɪˈzɒfəgəs] *adj. zo.* wurzelfressend.

Rho·de·si·an [rəʊˈdiːzjən] **I** *adj.* rhoˈdesisch; **II** *s.* Rhoˈdesier(in).

rho·do·cyte [ˈrəʊdəsaɪt] *s. physiol.* rotes Blutkörperchen.

rho·do·den·dron [ˌrəʊdəˈdendrən] *s.* ⚘ Rhodoˈdendron *n*, *m*.

rhomb [rɒm] → ***rhombus***; **rhom·bic** [ˈrɒmbɪk] *adj.* rhombisch, rautenförmig; **rhom·bo·he·dron** [ˌrɒmbəˈhedrən] *pl.* **-he·dra** [-drə], **-he·drons** *s.* ⩓ Rhomboˈeder *n*; **rhom·boid** [ˈrɒmbɔɪd] **I** *s.* **1.** ⩓ Rhomboˈid *n*, Paralleloˈgramm *n*; **II** *adj.* **2.** rautenförmig;

R

3. → ***rhomboidal***; **rhom·boi·dal** [rɒmˈbɔɪdl] *adj.* ⩚ rhomboˈidförmig, rhomboˈidisch; **rhom·bus** [ˈrɒmbəs] *pl.* **-bus·es**, **-bi** [-baɪ] *s.* ⩚ Rhombus *m*, Raute *f*.

rhu·barb [ˈruːbɑːb] *s.* **1.** ⚘ Rhaˈbarber *m*; **2.** *Am. sl.* ‚Krach' *m*.

rhumb [rʌm] *s.* **1.** Kompaßstrich *m*; **2.** *a.* ***~-line*** a) ⩚ loxoˈdromische Linie, b) ⚓ Dwarslinie *f*.

rhyme [raɪm] **I** *s.* **1.** Reim *m* (***to*** auf *acc.*): ***without ~ or reason*** ohne Sinn und Zweck; **2.** *sg. od. pl.* a) Vers *m*, b) Reim *m*, Gedicht *n*, Lied *n*; **II** *v/i.* **3.** reimen, Verse machen; **4.** sich reimen (***with*** mit, ***to*** auf *acc.*); **III** *v/t.* **5.** reimen, in Reime bringen; **6.** *Wort* reimen lassen (***with*** auf *acc.*); ˈ**rhyme·less** [-lɪs] *adj.* reimlos; ˈ**rhym·er** [-mə], ˈ**rhyme·ster** [-stə] *s.* Verseschmied *m*; **rhym·ing dic·tion·ar·y** [ˈraɪmɪŋ] *s.* Reimwörterbuch *n*.

rhythm [ˈrɪðəm] *s.* **1.** ♪ Rhythmus *m* (*a. Metrik u. fig.*); Takt *m*: ***three-four ~***; ***dance ~s*** Tanzrhythmen, beschwingte Weisen; ***~ method*** Knaus-Ogino-Methode *f* (*Empfängnisverhütung*); **2.** Versmaß *n*; **3.** ⚕ Pulsschlag *m*; **rhyth·mic**, **rhyth·mi·cal** [ˈrɪðmɪk(l)] *adj.* □ rhythmisch: a) taktmäßig, b) *fig.* regelmäßig (ˈwiederkehrend); **rhyth·mics** [ˈrɪðmɪks] *s. pl. sg. konstr.* ♪ Rhythmik *f* (*a. Metrik*).

ri·al·to [rɪˈæltəʊ] *s.* **1.** *Am.* Theˈaterviertel *n*; **2.** Börse *f*, Markt *m*.

rib [rɪb] **I** *s.* **1.** *anat.* Rippe *f*: ***~ cage*** Brustkorb *m*; **2.** *Küche*: a) *a.* ***~ roast*** Rippenstück *n*, b) Rippe(n)speer *m*; **3.** *humor.* ‚Ehehälfte' *f*; **4.** ⚘ (Blatt)Rippe *f*, (-)Ader *f*; **5.** ⚙ Stab *m*, Stange *f*, (*a. Heiz-, Kühl- etc.*)Rippe *f*; **6.** ⚠ (*Gewölbe- etc.*)Rippe *f*, Strebe *f*; **7.** ⚓ a) (Schiffs)Rippe *f*, Spant *n*, b) Spiere *f*; **8.** ♪ Zarge *f*; **9.** (*Stoff*)Rippe *f*: ***~ stitch*** *Stricken*: linke Masche; **II** *v/t.* **10.** mit Rippen versehen; **11.** *Stoff etc.* rippen; **12.** *sl.* ‚aufziehen', hänseln.

rib·ald [ˈrɪbəld] **I** *adj.* **1.** lästerlich, frech; **2.** zotig, ‚saftig', obˈszön; **II** *s.* **3.** Spötter(in), Lästermaul *n*; **4.** Zotenreißer *m*; ˈ**rib·ald·ry** [-drɪ] *s.* Zoten(reißeˈrei *f*) *pl.*, ‚saftige' Späße *pl*.

rib·and [ˈrɪbənd] *s.* (Zier)Band *n*.

ribbed [rɪbd] *adj.* gerippt, geriffelt, Rippen…: ***~ cooler*** ⚙ Rippenkühler *m*; ***~ glass*** Riffelglas *n*.

rib·bon [ˈrɪbən] *s.* **1.** Band *n*, Borte *f*; **2.** Ordensband *n*; **3.** (schmaler) Streifen; **4.** Fetzen *m*: ***tear to ~s*** in Fetzen reißen; **5.** Farbband *n* (*Schreibmaschine*); **6.** ⚙ a) (Meˈtall)Band *n*, (-)Streifen *m*, b) (Holz)Leiste *f*: ***~ cartridge*** Farbbandkassette *f*; ***~ microphone*** Bändchenmikrophon *n*; ***~ saw*** Bandsäge *f*; **7.** *pl.* Zügel *pl.*; ***~*** **build·ing**, ***~*** **de·vel·op·ment** *s. Brit.* Stadtrandsiedlung *f* entlang e-r Ausfallstraße.

rib·bon·ed [ˈrɪbənd] *adj.* **1.** bebändert; **2.** gestreift.

ri·bo·fla·vin [raɪbəʊˈfleɪvɪn] *s.* ⚕ Riboflaˈvin *n* (*Vitamin* B_2).

ri·bo·nu·cle·ic ac·id [ˌraɪbəʊˈnjuːklɪɪk] *s.* Ribonukleinsäure *f*.

rice [raɪs] *s.* ⚘ Reis *m*; ***~*** **flour** *s.* Reismehl *n*; ***~*** **pad·dy** *s.* Reisfeld *n*; ***~*** **pa·per** *s.* ˈReispaˌpier *n*; ***~*** **pud·ding** *s.* Milchreis *m*.

ric·er [ˈraɪsə] *s. Am.* Karˈtoffelpresse *f*.

rich [rɪtʃ] **I** *adj* (□ → ***richly***) **1.** reich (***in*** an *dat.*) (*a. fig.*), wohlhabend: ***~ in cattle*** viehreich; ***~ in hydrogen*** wasserstoffreich; ***~ in ideas*** ideenreich; **2.** schwer (*Stoff*), prächtig, kostbar (*Seide, Schmuck etc.*); **3.** reich(lich), reichhaltig, ergiebig (*Ernte etc.*); **4.** fruchtbar, fett (*Boden*); **5.** a) *geol.* (erz)reich, fündig (*Lagerstätte*), b) *min.* reich, fett (*Erz*): ***strike it ~*** *min.* a) auf Öl *etc.* stoßen, b) *fig.* arrivieren, zu Geld kommen, c) *fig.* das große Los ziehen, e-n Volltreffer landen; **6.** ⚗ schwer; *mot.* fett, gasreich (*Luftgemisch*); **7.** schwer, fett (*Speise*); **8.** schwer, kräftig (*Wein, Duft etc.*); **9.** satt, voll (*Farbton*); **10.** voll, satt (*Ton*); voll(tönend), klangvoll (*Stimme*); **11.** inhalt(s)reich; **12.** F ‚köstlich', ‚großartig'; **II** *s.* **13.** *coll.* ***the ~*** die Reichen *pl.*; **rich·es** [ˈrɪtʃɪz] *s. pl.* Reichtum *m*, -tümer *pl.*; ˈ**rich·ly** [-lɪ] *adv.* reichlich, in reichem Maße; ˈ**rich·ness** [-nɪs] *s.* **1.** Reichtum *m*, Reichhaltigkeit *f*, Fülle *f*; **2.** Pracht *f*; **3.** Ergiebigkeit *f*; **4.** Nahrhaftigkeit *f*; **5.** (Voll)Gehalt *m*, Schwere *f* (*Wein etc.*); **6.** Sattheit *f* (*Farbton*); **7.** Klangfülle *f*.

rick[1] [rɪk] ✓ *bsd. Brit.* **I** *s.* (Getreide-, Heu)Schober *m*; **II** *v/t.* schobern.

rick[2] [rɪk] *v/t. bsd. Brit.* verrenken.

rick·ets [ˈrɪkɪts] *s. sg. od. pl. konstr.* ⚕ Raˈchitis *f*; ˈ**rick·et·y** [-tɪ] *adj.* **1.** ⚕ raˈchitisch; **2.** gebrechlich (*Person*), wack(e)lig (*a. Möbel u. fig.*), klapp(e)rig (*Auto etc.*).

ric·o·chet [ˈrɪkəʃeɪ] **I** *s.* **1.** Abprallen *n*; **2.** ⚔ a) Rikoschettieren *n*, b) *a.* ***~ shot*** Abpraller *m*, Querschläger *m*; **II** *v/i.* **3.** abprallen.

rid [rɪd] *v/t.* [*irr.*] befreien, frei machen (***of*** von): ***get ~ of*** *j-n od. et.* loswerden; ***be ~ of*** *j-n od. et.* los sein; **rid·dance** [ˈrɪdəns] *s.* Befreiung *f*, Erlösung *f*: (***he is a***) ***good ~!*** man ist froh, daß man ihn (wieder) los ist!, den wären wir los!

rid·den [ˈrɪdn] **I** *p.p. von* ***ride***; **II** *adj. in Zssgn.* bedrückt, geplagt, gepeinigt von: ***fever-~***; ***pest-~*** von der Pest heimgesucht.

rid·dle[1] [ˈrɪdl] **I** *s.* **1.** Rätsel *n* (*a. fig.*): ***speak in ~s*** → 4; **II** *v/t.* **2.** enträtseln: ***~ me*** rate mal; **3.** *fig. j-n* vor ein Rätsel stellen; **III** *v/i.* **4.** *fig.* in Rätseln sprechen.

rid·dle² ['rɪdl] **I** *s.* **1.** Schüttelsieb *n*; **II** *v/t.* **2.** ('durch-, aus)sieben; **3.** *fig.* durch'sieben, durch'löchern: ***~ s.o. with bullets***; **4.** *fig. Argument etc.* zerpflücken; **5.** *fig.* mit Fragen bestürmen.

ride [raɪd] **I** *s.* **1.** a) Ritt *m*, b) Fahrt *f* (*bsd. auf e-m [Motor]Rad od. in e-m öffentlichen Verkehrsmittel*): ***go for a ~***, ***take a ~*** a) ausreiten, b) ausfahren; ***give s.o. a. ~*** j-n reiten *od.* fahren lassen, j-n *im Auto etc.* mitnehmen; ***take s.o. for a ~*** F a) j-n (im Auto entführen und) umbringen, b) j-n ‚reinlegen' (*betrügen*), c) j-n ‚auf den Arm nehmen' (*hänseln*); **2.** Reitweg *m*, Schneise *f*; **II** *v/i.* [*irr.*] **3.** reiten (*a. fig. rittlings sitzen*): ***~ out*** F ausreiten; ***~ for*** zustreben (*dat.*), entgegeneilen (*dat.*); ***~ for a fall*** halsbrecherisch reiten, *fig.* in sein Verderben rennen; ***~ up*** hochrutschen (*Kragen etc.*); ***let it ~!*** F laß die Karre laufen!; ***he let the remark ~*** er ließ die Bemerkung hingehen; ***Nixon ~s again!*** *iro.* N. ist wieder da!; **4.** fahren: ***~ on a bicycle*** radfahren; ***~ in a train*** mit e-m Zug fahren; **5.** sich (fort)bewegen, da'hinziehen (*a. Mond, Wolken etc.*); **6.** (auf dem Wasser) treiben, schwimmen; *fig.* schweben: ***~ at anchor*** ⚓ vor Anker liegen; ***~ on the waves of popularity*** *fig.* von der Woge der Volksgunst getragen werden; ***~ on the wind*** sich vom Wind tragen lassen (*Vogel*); ***be riding on air*** *fig.* selig sein (*vor Glück*); **7.** *fig.* ruhen, liegen, sich drehen (***on*** auf *dat.*); **8.** sich über'lagern (*z.B.* ⚕ *Knochenfragmente*); ⚓ unklar laufen (*Tau*); **9.** ⚙ fahren, laufen, gleiten; **10.** zum Reiten *gut etc.* geeignet sein (*Boden*); **11.** im Reitdreß wiegen; **III** *v/t.* [*irr.*] **12.** reiten: ***~ at*** *sein Pferd* lenken nach *od.* auf (*acc.*); ***~ to death*** zu Tode reiten (*a. fig. Theorie, Witz etc.*); ***~ a race*** an e-m Rennen teilnehmen; **13.** reiten *od.* rittlings sitzen (lassen) auf (*dat.*); *j-n auf den Schultern* tragen; **14.** *Motorrad etc.* fahren, lenken: ***~ over*** a) *j-n* überfahren, b) → 17; c) über *e-e Sache* rücksichtslos hinweggehen; **15.** *fig.* reiten *od.* schwimmen *od.* schweben auf (*dat.*): ***~ the waves*** auf den Wellen reiten; **16.** aufliegen *od.* ruhen auf (*dat.*); **17.** tyrannisieren, beherrschen; *weitS.* heimsuchen, plagen, quälen; *j-m* bös zusetzen (*a. mit Kritik*); *Am.* F *j-n* reizen, hänseln: ***the devil ~s him*** ihn reitet der Teufel; → ***ridden*** II; **18.** *Land* durch'reiten; **~ down** *v/t.* **1.** über'holen; **2.** a) niederreiten, b) über'fahren; **~ out** *v/t. Sturm etc.* (gut) über'stehen (*a. fig.*).

rid·er ['raɪdə] *s.* **1.** Reiter(in); **2.** (Mit-)Fahrer(in); **3.** ⚙ a) Oberteil *n*, b) Laufgewicht *n* (*Waage*); **4.** △ Strebe *f*; **5.** ⚓ Binnenspant *n*; **6.** ⚖ a) Zusatz (-klausel *f*) *m*, b) Beiblatt *n*, c) ('Wechsel)Al,longe *f*, d) zusätzliche Empfehlung; **7.** & Zusatzaufgabe *f*; **8.** ⚒ Salband *n*.

ridge [rɪdʒ] **I** *s.* **1.** a) (Gebirgs)Kamm *m*, Grat *m*, Kammlinie *f*, b) Berg-, Hügelkette *f*, c) Wasserscheide *f*; **2.** Kamm *m e-r Welle*; **3.** Rücken *m der Nase, e-s Tiers*; **4.** △ (Dach)First *m*; **5.** ✓ a) (Furchen)Rain *m*, b) erhöhtes Mistbeet; **6.** ⚙ Wulst *m*; **7.** *meteor.* Hochdruckgürtel *m*; **II** *v/t. u. v/i.* **8.** (sich) furchen; **~ pole** *s.* **1.** △ Firstbalken *m*; **2.** Firststange *f* (*Zelt*); **~ tent** *s.* Hauszelt *n*; **~ tile** *s.* △ Firstziegel *m*; **'~·way** *s.* Kammlinien-, Gratweg *m*.

rid·i·cule ['rɪdɪkju:l] **I** *s.* Spott *m*: ***hold up to ~*** → II; ***turn (in)to ~*** *et.* ins Lächerliche ziehen; **II** *v/t.* lächerlich machen, verspotten; **ri·dic·u·lous** [rɪ'dɪkjʊləs] *adj.* □ lächerlich; **ri·dic·u·lous·ness** [rɪ'dɪkjʊləsnɪs] *s.* Lächerlichkeit *f*.

rid·ing ['raɪdɪŋ] **I** *s.* **1.** Reiten *n*; Reitsport *m*; **2.** Fahren *n*; **3.** Reitweg *m*; **4.** *Brit.* Verwaltungsbezirk *m*; **II** *adj.* **5.** Reit...: ***~ horse*** (***school***, ***whip*** *etc.*); ***~ breeches*** *pl.* Reithose *f*; ***~ habit*** Reitkleid *n*.

rife [raɪf] *adj. pred.* **1.** weit verbreitet, häufig: ***be ~*** (vor)herrschen, grassieren; ***grow*** (*od.* ***wax***) ***~*** überhandnehmen; **2.** (***with***) voll (von), angefüllt (mit).

rif·fle ['rɪfl] **I** *s.* **1.** ⚙ Rille *f*, Riefelung *f*; **2.** *Am.* a) seichter Abschnitt (*Fluß*), b) Stromschnelle *f*; **3.** Stechen *n* (*Mischen von Spielkarten*); **II** *v/t.* **4.** ⚙ riffeln; **5.** *Spielkarten* stechen (*mischen*); **6.** 'durchblättern; *Zettel etc.* durchein'anderbringen.

riff-raff ['rɪfræf] *s.* Pöbel *m*, Gesindel *n*, Pack *n*.

ri·fle¹ ['raɪfl] **I** *s.* **1.** Gewehr *n* (*mit gezogenem Lauf*), Büchse *f*; **2.** *pl.* ⚔ Schützen *pl.*; **II** *v/t.* **3.** *Gewehrlauf* ziehen.

ri·fle² ['raɪfl] *v/t.* (aus)plündern, *Haus a.* durch'wühlen.

ri·fle| corps *s.* Schützenkorps *n*; **~ grenade** *s.* Ge'wehrgranate *f*; **'~·man** [-mən] *s.* [*irr.*] ⚔ Schütze *m*, Jäger *m*; **~ pit** *s.* ⚔ Schützenloch *n*; **~ prac·tice** *s.* ⚔ Schießübung *f*; **~ range** *s.* **1.** Schießstand *m*; **2.** Schußweite *f*; **~ shot** *s.* **1.** Gewehrschuß *m*; **2.** Schußweite *f*.

ri·fling ['raɪflɪŋ] *s.* **1.** Ziehen *n e-s Gewehrlaufs etc.*; **2.** Züge *pl.*

rift [rɪft] **I** *s.* **1.** Spalte *f*, Spalt *m*, Ritze *f*; **2.** Sprung *m*, Riß *m*: ***a little ~ within the lute*** *fig.* der Anfang vom Ende; **II** *v/t.* **3.** (zer)spalten; **~ saw** *s.* ⚙ Gattersäge *f*; **~ val·ley** *s. geol.* Senkungsgraben *m*.

R

rig[1] [rɪg] **I** *s.* **1.** ⚓ Takelung *f*, Take'lage *f*; ✈ (Auf)Rüstung *f*; **2.** Ausrüstung *f*; Vorrichtung *f*; **3.** F *fig.* Aufmachung *f* (*Kleidung*): ***in full ~*** in voller Montur; **4.** *Am.* a) Fuhrwerk *n*, b) Sattelschlepper *m*; **5.** Bohranlage *f*; **II** *v/t.* **6.** ⚓ a) *Schiff* auftakeln, b) *Segel* anschlagen; **7.** ✈ (auf)rüsten, montieren; **8.** ***~ out***, ***~ up*** a) ⚓ *etc.* ausrüsten, -statten, b) F *fig. j-n* ‚auftakeln', ausstaffieren; **9.** *oft* ***~ up*** (behelfsmäßig) zs.-bauen, zs.-basteln.

rig[2] [rɪg] **I** *v/t.* ✝ *Markt etc.*, *pol. Wahl* manipulieren; **II** *s.* ('Schwindel)Maˌnöver *n*, Schiebung *f*.

rig·ger ['rɪgə] *s.* **1.** ⚓ Takler *m*; **2.** ✈ Mon'teur *m*, ('Rüst)Meˌchaniker *m*; **3.** ⚡ Kabelleger *m*; **4.** ⚠ Schutzgerüst *n*; **5.** ⚙ Schnur-, Riemenscheibe *f*; **6.** ✝ Kurstreiber *m*.

rig·ging ['rɪgɪŋ] *s.* **1.** ⚓ Take'lage *f*, Takelwerk *n*: ***running*** (***standing***) ***~*** laufendes (stehendes) Gut; **2.** ✈ Verspannung *f*; **3.** → ***rig***[2] II; ***~ loft*** *s. thea.* Schnürboden *m*.

right [raɪt] **I** *adj.* □ → ***rightly***; **1.** richtig, recht, angemessen: ***it is only ~*** es ist nicht mehr als recht und billig; ***he is ~ to do so*** er tut recht daran (, so zu handeln); ***the ~ thing*** das Richtige; ***say the ~ thing*** das rechte Wort finden; **2.** richtig: a) kor'rekt, b) wahr(heitsgemäß): ***the solution is ~*** die Lösung stimmt *od.* ist richtig; ***is your watch ~?*** geht Ihre Uhr richtig?; ***be ~*** recht haben; ***get s.th. ~*** et. klarlegen, et. in Ordnung bringen; ***~?*** F klar?; ***all ~!*** a) alles in Ordnung, b) ganz recht!, c) abgemacht!, in Ordnung!, gut!, (na) schön! (→ *a.* 4); ***~ you are!*** F richtig!, jawohl!; ***that's ~!*** ganz recht!, stimmt!; **3.** richtig, geeignet: ***he is the ~ man*** er ist der Richtige; ***he is all ~*** F er ist in Ordnung (→ *a.* 4); ***the ~ man in the ~ place*** der rechte Mann am rechten Platz; **4.** gesund, wohl: ***he is all ~*** a) es geht ihm gut, er fühlt sich wohl, b) ihm ist nichts passiert; ***out of one's ~ mind***, ***not ~ in one's*** (*od.* ***the***) ***head*** F nicht ganz bei Trost; ***in one's ~ mind*** bei klarem Verstand; **5.** richtig, in Ordnung: ***come ~*** in Ordnung kommen; ***put*** (*od.* ***set***) ***~*** a) in Ordnung bringen, b) *j-n* (über e-n Irrtum) aufklären, c) *Irrtum* richtigstellen, d) *j-n* gesund machen; ***put o.s. ~ with s.o.*** a) sich vor j-m rechtfertigen, b) sich mit j-m gut stellen; **6.** recht, Rechts… (*a. pol.*): ***~ arm*** (*od.* ***hand***) *fig.* rechte Hand; ***~ side*** rechte Seite, Oberseite *f* (*a. Münze*, *Stoff etc.*); ***on*** (*od.* ***to***) ***the ~ side*** rechts, rechter Hand; ***on the ~ side of 40*** noch nicht 40 (Jahre alt); ***~ turn*** Rechtswendung *f* (um 90 Grad); ***~ wing*** a) *sport u. pol.* rechter Flügel, b) *sport* Rechtsaußen *m* (*Spieler*); **7.** ⩘ a) recht(*er Winkel*), b) rechtwink(e)lig (*Dreieck*), c) gerade (*Linie*), d) senkrecht (*Figur*): ***at ~ angles*** rechtwink(e)lig; **8.** *obs.* rechtmäßig (*Erbe*); echt (*Kognak etc.*); **II** *adv.* **9.** richtig, recht: ***act*** (*od.* ***do***) ***~***; ***guess ~*** richtig (er)raten; **10.** recht, richtig, gut: ***nothing goes ~ with me*** (bei) mir geht alles schief; ***turn out ~*** gut ausgehen; → 5; **11.** rechts (***from*** von); nach rechts; auf der rechten Seite: ***~ and left*** a) rechts und links, b) *fig. a.* ***~, left and centre*** (*Am.* ***center***) überall, von *od.* auf *od.* nach allen Seiten; ***~ about face!*** ⚔ (ganze Abteilung,) kehrt!; **12.** gerade(-wegs), (schnur)stracks, so'fort: ***~ ahead***, ***~ on*** geradeaus; ***~ away*** (*od.* ***off***) *bsd. Am.* sofort, gleich; ***~ now*** *Am.* jetzt (gleich); **13.** völlig, ganz (und gar), di'rekt: ***rotten ~ through*** durch und durch faul; **14.** genau, gerade: ***~ in the middle***; **15.** F ‚richtig', ‚ordentlich': ***I was ~ glad***; ***he's a big shot all ~*** (***but***) er ist schon ein ‚großes Tier' (, aber); **16.** *obs.* recht, sehr: ***know ~ well*** sehr wohl wissen; **17.** ♀ *in Titeln*: hoch, sehr: ***~ Hono***(***u***)***rable*** Sehr Ehrenwert; → ***reverend*** 2; **III** *s.* **18.** Recht *n*: ***of*** (*od.* ***by***) ***~s*** von Rechts wegen, rechtmäßig, eigentlich; ***in the ~*** im Recht; ***~ and wrong*** Recht und Unrecht; ***do s.o. ~*** j-m Gerechtigkeit widerfahren lassen; ***give s.o. his ~s*** j-m sein Recht geben *od.* lassen; **19.** ⚖ (subjek'tives) Recht, Anrecht *n*, (Rechts)Anspruch *m* (***to*** auf *acc.*); Berechtigung *f*: ***~s and duties*** Rechte und Pflichten; ***~ of inheritance*** Erbschaftsanspruch; ***~ of possession*** Eigentumsrecht; ***~ of sale*** Verkaufsrecht; ***~ of way*** → ***right-of-way***; ***industrial ~s*** gewerbliche Schutzrechte; ***by ~ of*** kraft (*gen.*), auf Grund (*gen.*); ***in ~ of his wife*** a) im Namen s-r Frau, b) von seiten s-r Frau; ***in one's own ~*** aus eigenem Recht; ***be within one's ~s*** das Recht auf s-r Seite haben; **20.** *das* Rechte *od.* Richtige: ***do the ~***; **21.** *pl.* (richtige) Ordnung: ***bring*** (*od.* ***put*** *od.* ***set***) ***s.th. to ~s*** et. (wieder) in Ordnung bringen; **22.** wahrer Sachverhalt: ***know the ~s of a case***; **23.** *die* Rechte, rechte Seite (*a. Stoff*): ***on*** (*od.* ***to***) ***the ~*** rechts, zur Rechten; ***on the ~ of*** rechts von; ***keep to the ~*** sich rechts halten, *mot.* rechts fahren; ***turn to the ~*** (sich) nach rechts wenden; **24.** rechte Hand, Rechte *f*; **25.** *Boxen*: Rechte *f* (*Faust od. Schlag*); **26.** ♀ *pol.* a) rechter Flügel, b) 'Rechtsparˌtei *f*; **IV** *v/t.* **27.** (⚓ auf)richten, ins Gleichgewicht bringen; ✈ *Maschine* abfangen; **28.** *Fehler*, *Irrtum* berichtigen: ***~ itself*** a) sich wieder ausgleichen, b) (wieder) in Ordnung

R

kommen; **29.** *Unrecht etc.* wieder'gutmachen, in Ordnung bringen; **30.** *Zimmer etc.* in Ordnung bringen; **31.** *j-m* zu s-m Recht verhelfen: ~ ***o.s.*** sich rehabilitieren; **V** *v/i.* **32.** sich wieder aufrichten.

'right|·a·bout *s. a.* ~ ***face*** (*od.* ***turn***) Kehrtwendung *f* (*a. fig.*): ***send s.o. to the*** ~ j-m ‚heimleuchten'; **'~-ˌan·gled** → ***right*** 7 b; **'~·down** *adj. u. adv.* ‚regelrecht', ausgesprochen.

right·eous ['raɪtʃəs] **I** *adj.* □ gerecht (*a. Sache, Zorn*), rechtschaffen; **II** *s. coll.* ***the*** ~ die Gerechten *pl.*; **'right·eous·ness** [-nɪs] *s.* Rechtschaffenheit *f.*

'right|·ful [-fʊl] *adj.* □ rechtmäßig; **'~-hand** *adj.* **1.** recht: ~ ***bend*** Rechtskurve *f*; ~ ***man*** a) ⚔ rechter Nebenmann, b) *fig.* rechte Hand; **2.** rechtshändig: ~ ***blow*** *Boxen*: Rechte *f*; **3.** ⚙ Rechts…; rechtsgängig (*Schraube*); rechtsläufig (*Motor*): ~ ***drive*** Rechtssteuerung *f*; ~ ***thread*** Rechtsgewinde *n*; **ˌ~-'hand·ed** *adj.* **1.** rechtshändig: ~ ***person*** Rechtshänder(in); **2.** → ***right-hand*** 3; **ˌ~-'hand·er** [-'hændə] *s.* F **1.** Rechtshänder(in); **2.** *Boxen*: Rechte *f* (*Schlag*).

right·ist ['raɪtɪst] **I** *adj. pol.* 'rechtsgerichtet, -stehend; **II** *s.* 'Rechtsparˌteiler *m*, Rechte(r *m*) *f.*

right·ly ['raɪtlɪ] *adv.* **1.** richtig; **2.** mit Recht; **3.** F (*nicht*) genau.

ˌright-'mind·ed *adj.* rechtschaffen.

right·ness ['raɪtnɪs] *s.* **1.** Richtigkeit *f*; **2.** Rechtmäßigkeit *f*; **3.** Geradheit *f* (*Linie*).

right·o [ˌraɪt'əʊ] *int. Brit.* F gut!, schön!, in Ordnung!

ˌright|-of-'way *pl.* **ˌrights-of-'way** *s.* **1.** *Verkehr*: a) Vorfahrt(srecht *n*) *f*, b) Vorrang *m* (*e-r Straße, a. fig.*): ***yield the*** ~ (die) Vorfahrt gewähren (***to*** *dat.*); **2.** Wegerecht *n*; **3.** öffentlicher Weg; **4.** *Am.* zu öffentlichen Zwecken beanspruchtes (*z.B.* Bahn)Gelände; **ˌ~-'wing** *adj. pol.* Rechts…, dem rechten Flügel angehörend, rechtsstehend; **ˌ~'wing·er** *s.* **1.** → ***rightist*** II; **2.** *sport* Rechtsaußen *m.*

right·oh → ***righto.***

rig·id ['rɪdʒɪd] *adj.* □ **1.** starr, steif; **2.** ⚙ a) starr, unbeweglich, b) (stand-, form-) fest, sta'bil: ~ ***airship*** Starrluftschiff *n*; **3.** *fig.* a) streng (*Disziplin, Glaube, Sparsamkeit etc.*), b) starr (*Politik*, ✝ *Preise etc.*), c) streng, hart, unbeugsam (*Person*); **ri·gid·i·ty** [rɪ'dʒɪdətɪ] *s.* **1.** Starr-, Steifheit *f* (*a. fig.*), Starre *f*; **2.** ⚙ a) Starrheit *f*, Unbeweglichkeit *f*, b) (Stand-, Form)Festigkeit *f*, Stabili'tät *f*; **3.** *fig.* Strenge *f*, Härte *f*, Unnachgiebigkeit *f.*

rig·ma·role ['rɪgmərəʊl] *s.* **1.** Geschwätz *n*: ***tell a long*** ~ lang u. breit erzählen; **2.** *iro.* Brim'borium *n.*

rig·or¹ ['rɪgə] *Am.* → ***rigour.***

rig·or² ['rɪgə] *s.* ⚕ **1.** Schüttel-, Fieberfrost *m*; **2.** Starre *f*; → **ri·gor mor·tis** ['raɪgɔː 'mɔːtɪs] *s.* ⚕ Leichenstarre *f.*

rig·or·ous ['rɪgərəs] *adj.* □ **1.** streng, hart, rigo'ros: ~ ***measures***; **2.** streng (*Winter*); rauh (*Klima etc.*); **3.** (peinlich) genau, strikt, ex'akt.

rig·our ['rɪgə] *s.* **1.** Strenge *f*, Härte *f* (*a. des Winters*); Rauheit *f* (*Klima*): ~***s of the weather*** Unbilden der Witterung; **2.** Ex'aktheit *f*, Schärfe *f.*

rile [raɪl] *v/t.* F ärgern: ***be*** ~***d at*** aufgebracht sein über (*acc.*).

rill [rɪl] *s.* Bächlein *n*, Rinnsal *n.*

rim [rɪm] **I** *s.* **1.** *allg.* Rand *m*; **2.** ⚙ a) Felge *f*, b) (Rad)Kranz *m*: ~ ***brake*** Felgenbremse *f*; **3.** (Brillen)Rand *m*, Fassung *f*; **II** *v/t.* **4.** mit e-m Rand versehen; einfassen; **5.** ⚙ *Rad* befelgen.

rime [raɪm] *s. poet.* (Rauh)Reif *m.*

rim·less ['rɪmlɪs] *adj.* randlos.

rim·y ['raɪmɪ] *adj.* bereift, voll Reif.

rind [raɪnd] *s.* **1.** ⚘ (Baum)Rinde *f*, Borke *f*; **2.** (Brot-, Käse)Rinde *f*, Kruste *f*; **3.** (Speck)Schwarte *f*; **4.** (Obst-, Gemüse)Schale *f*; **5.** *fig.* Schale *f*, *das* Äußere.

ring¹ [rɪŋ] **I** *s.* **1.** *allg.* Ring *m* (*a.* ⚘, ⚗): ***form a*** ~ *fig.* e-n Kreis bilden (*Personen*); **2.** ⚙ Öse *f*; **3.** *ast.* Hof *m*; **4.** (Zirkus)Ring *m*, Ma'nege *f*; **5.** (Box-) Ring *m*, *weitS.* (*das*) (Berufs)Boxen: ***be in the*** ~ ***for*** *fig.* kämpfen um; **6.** *Rennsport*: a) Buchmacherstand *m*, b) *coll. die* Buchmacher *pl.*; **7.** ✝ Ring *m*, Kar'tell *n*; **8.** (*Verbrecher-, Spionage- etc.*)Ring *m*, Organisati'on *f*; *weitS.* Clique *f*; **II** *v/t.* **9.** beringen; *e-m Tier* e-n Ring durch die Nase ziehen; **10.** ⚒ *Baum* ringeln; **11.** in Ringe schneiden: ~ ***onions***; **12.** *mst* ~ ***in*** (*od.* ***round*** *od.* ***about***) um'ringen, -'kreisen, einschließen; *Vieh* um'reiten, zs.-treiben.

ring² [rɪŋ] **I** *s.* **1.** a) Glockenklang *m*, -läuten *n*, b) Glockenspiel *n*, Läutwerk *n* (*Kirche*); **2.** Läut-, Rufzeichen *n*, Klingeln *n*; **3.** *teleph.* Anruf *m*: ***give me a*** ~ rufe mich an; **4.** Klang *m*, Schall *m*: ***the*** ~ ***of truth*** der Klang der Wahrheit, der echte Klang; **II** *v/i.* [*irr.*] **5.** läuten (*Glocke*), klingeln (*Glöckchen*): ~ ***at the door*** klingeln; ~ ***for*** nach *j-m* klingeln; ~ ***off*** *teleph.* (den Hörer) auflegen; **6.** klingen (*Münze, Stimme, Ohr etc.*): ~ ***true*** wahr klingen; **7.** *oft* ~ ***out*** erklingen, -schallen (***with*** von), ertönen (*a. Schuß*): ~ ***again*** widerhallen; **III** *v/t.* [*irr.*] **8.** *Glocke* läuten: ~ ***the bell*** a) klingeln, läuten, b) *fig.* → ***bell¹*** 1; ~ ***down*** (***up***) ***the curtain*** *thea.* den Vorhang nieder- (hoch)gehen lassen; ~ ***in the new year*** das neue Jahr einläuten; ~ ***s.o. up*** *teleph. bsd. Brit.* j-n *od.* bei j-m anrufen; **9.** erklingen

R

lassen; *fig. j-s Lob* erschallen lassen.

'ring|-a,round-a-'ros·y *s.* ,Ringelreihen' *n* (*Kinderspiel*); **~ bind·er** *s.* Ringbuch *n*; **~ com·pound** *s.* ⚗ Ringverbindung *f*; **'~-dove** *s. orn.* **1.** Ringeltaube *f*; **2.** Lachtaube *f*.

ringed [rɪŋd] *adj.* **1.** beringt (*Hand etc.*); *fig.* verheiratet; **2.** *zo.* Ringel...

ring·er ['rɪŋə] *s.* **1.** Glöckner *m*; **2.** *Am. sl.* a) *Pferderennen*: ,Ringer' *m vertauschtes Pferd*, b) *fig. a.* ***dead ~*** Doppelgänger(in), (genaues) Ebenbild, ,Zwilling' *m* (***for*** von).

ring·ing ['rɪŋɪŋ] **I** *s.* **1.** (Glocken)Läuten *n*; **2.** Klinge(l)n *n*: ***he has a ~ in his ears*** ihm klingen die Ohren; **II** *adj.* ☐ **3.** klinge(l)nd, schallend: ***~ cheers*** brausende Hochrufe; ***~ laugh*** schallendes Gelächter.

'ring,lead·er *s.* Rädelsführer *m*.

ring·let ['rɪŋlɪt] *s.* **1.** Ringlein *n*; **2.** (Ringel)Löckchen *n*.

'ring|,mas·ter *s.* 'Zirkusdi,rektor *m*; **'~-road** *s. mot. bsd. Brit.* Ring-, Um'gehungsstraße *f*; **'~-side** *s.*: ***at the ~*** *Boxen*: am Ring; ***~ seat*** Ringplatz *m*, *weitS.* guter Platz; ***have a ~ seat*** *fig.* die Sache aus nächster Nähe verfolgen (können); **~ snake** *s. zo.* Ringelnatter *f*.

ring·ster ['rɪŋstə] *s. Am.* F *bsd. pol.* Mitglied *n* e-s Ringes *od.* e-r Clique.

'ring|-wall *s.* Ringmauer *f*; **'~-worm** *s.* ⚕ Ringelflechte *f*.

rink [rɪŋk] *s.* **1.** a) (*bsd.* Kunst)Eisbahn *f*, b) Rollschuhbahn *f*; **2.** a) *Bowls*: Spielfeld *n*, b) *Curling*: Rink *m*, Bahn *f*.

rinse [rɪns] **I** *v/t.* **1.** *oft* ***~ out*** (ab-, aus-, nach)spülen; **2.** *Haare* tönen; **II** *s.* **3.** Spülung *f*: ***give s.th. a good ~*** et. gut (ab- *od.* aus)spülen; **4.** Spülmittel *n*; **5.** Tönung *f* (*Haar*); **'rins·ing** [-sɪŋ] *s.* **1.** (Aus)Spülen *n*, Spülung *f*; **2.** *mst pl.* Spülwasser *n*.

ri·ot ['raɪət] **I** *s.* **1.** *bsd.* ⚖ Aufruhr *m*, Zs.-rottung *f*: ***℞ Act*** *hist. Brit.* Aufruhrakte *f*; ***read the ℞ Act to*** *fig. humor. j-n* (ernstlich) warnen, *j-m* die Leviten lesen; ***~ call*** *Am.* Hilfeersuchen *n* (der Polizei bei Aufruhr *etc.*); ***~ gun*** Straßenkampfwaffe *f*; ***~ squad***, ***~ police*** Überfallkommando *n*; ***~ stick*** Schlagstock *m*; **2.** Tu'mult *m*, Aufruhr *m*, (*a. fig. der Gefühle*), Kra'wall *m* (*a.* = Lärm *m*); **3.** *fig.* Ausschweifung *f*, 'Orgie *f* (*a. weitS. in Farben etc.*): ***run ~*** a) (sich aus)toben, b) durchgehen (*Phantasie etc.*), c) *hunt.* e-e falsche Fährte verfolgen (*Hund*), d) ⚘ wuchern; ***he (it) is a ~*** F er (es) ist einfach ,toll' *od.* ,zum Schreien' (komisch); **II** *v/i.* **4.** a) an e-m Aufruhr teilnehmen, b) e-n Aufruhr anzetteln; **5.** randalieren, toben; **6.** *a. fig.* schwelgen (***in*** in *dat.*); **'ri·ot·er** [-tə] *s.* Aufrührer *m*; Randalierer *m*, Kra'wallmacher *m*; **'ri·ot·ous** [-təs] *adj.* ☐ **1.** aufrührerisch: ***~ assembly*** ⚖ Zs.-rottung *f*; **2.** tumultu'arisch, tobend; **3.** ausgelassen, wild (*a. Farbe etc.*); **4.** zügellos, toll.

rip [rɪp] **I** *v/t.* **1.** (zer)reißen, (-)schlitzen; *Naht etc.* (auf-, zer)trennen: ***~ off*** los-, wegreißen, *fig. sl.* ***sich*** *et.* ,unter den Nagel reißen'; *Bank etc.* ausrauben; *j-n* ,ausnehmen', neppen; ***~ up*** (*od.* ***open***) aufreißen, -schlitzen, -trennen; **II** *v/i.* **2.** reißen, (auf)platzen; **3.** F sausen: ***let her ~!*** gib Gas!; ***~ into*** *fig.* auf *j-n* losgehen; **4.** ***~ out with*** *Fluch etc.* ausstoßen; **III** *s.* **5.** Schlitz *m*, Riß *m*.

ri·par·i·an [raɪ'peərɪən] **I** *adj.* **1.** Ufer...: ***~ owner*** → 3; **II** *s.* **2.** Uferbewohner (-in); **3.** ⚖ Uferanlieger *m*.

'rip·cord *s.* ✈ Reißleine *f*.

ripe [raɪp] *adj.* ☐ **1.** reif (*Obst*, *Ernte etc.*); ausgereift (*Käse*, *Wein*); schlachtreif (*Tier*); *hunt.* abschußreif; ⚕ operati'onsreif (*Abszeß etc.*): ***~ beauty*** *fig.* reife Schönheit; **2.** *körperlich*, *geistig* reif, voll entwickelt; **3.** *fig.* reif, gereift, (*Alter*, *Urteil etc.*); voll'endet (*Künstler etc.*); ausgereift (*Plan etc.*); **4.** (*zeitlich*) reif (***for*** für); **5.** reif, bereit, fertig (***for*** für); **6.** F deftig (*Witz etc.*); **'rip·en** [-pən] **I** *v/i.* **1.** *a. fig.* reifen, reif werden; **2.** sich (voll) entwickeln, her'anreifen (***into*** zu); **II** *v/t.* **3.** reifen lassen; **'ripe·ness** [-nɪs] *s.* Reife *f* (*a. fig.*).

'rip-off *s. sl.* **1.** a) Diebstahl *m*, b) Raub *m*; **2.** ,Nepp' *m*, *allg.* ,Beschiß' *m*.

ri·poste [rɪ'pɒst] **I** *s.* **1.** *fenc.* Ri'poste *f*, Nachstoß *m*; **2.** *fig.* a) schlagfertige Erwiderung, b) scharfe Antwort; **II** *v/i.* **3.** *fenc.* ripostieren; Gegenstoß machen (*a. fig.*); **4.** *fig.* (schlagfertig *od.* hart) kontern.

rip·per ['rɪpə] *s.* **1.** ⚙ a) Trennmesser *n*, b) 'Trennma,schine *f*, c) → ***rip saw***; **2.** *sl.* a) 'Prachtexem,plar *n*, b) Prachtkerl *m*; **3.** *blutrünstiger Mörder*; **rip·ping** ['rɪpɪŋ] *obs. Brit. sl. adj.* ☐ prächtig, ,prima', ,toll'.

rip·ple[1] ['rɪpl] **I** *s.* **1.** kleine Welle(n *pl.*), Kräuselung *f* (*Wasser*, *Sand etc.*): ***~ of laughter*** *fig.* leises Lachen; ***cause a ~*** *fig.* ein kleines Aufsehen erregen; **2.** Rieseln *n*, (Da'hin)Plätschern *n* (*a. fig. Gespräch*); **3.** *fig.* Spiel(en) *n* (*der Muskeln etc.*); **II** *v/i.* **4.** kleine Wellen schlagen, sich kräuseln; **5.** rieseln, (da'hin-) plätschern (*a. fig. Gespräch*); **6.** *fig.* spielen (*Muskeln etc.*); **III** *v/t.* **7.** *Wasser etc.* leicht bewegen, kräuseln.

rip·ple[2] ['rɪpl] ⚙ **I** *s.* Riffelkamm *m*; **II** *v/t. Flachs* riffeln.

'rip·ple| cloth *s.* Zibe'line *f* (*Wollstoff*); **~ cur·rent** *s.* ⚡ Brummstrom *m*; **~ finish** *s.* ⚙ Kräusellack *m*.

,rip|-'roar·ing *adj.* F ,toll'; **~ saw** *s.* ⚙ Spaltsäge *f*; **'~,snort·er** [-,snɔːtə] *s. sl.*

R

a) ‚tolle Sache', b) ‚toller Kerl'; **'~-'snort·ing** [-'snɔːtɪŋ] *adj. sl.* ‚toll'.

rise [raɪz] **I** *v/i.* [*irr.*] **1.** sich erheben, *vom Bett, Tisch etc.* aufstehen: **~** (***from the dead***) *eccl.* (von den Toten) auferstehen; **2.** a) aufbrechen, b) die Sitzung schließen, sich vertagen; **3.** auf-, em'por-, hochsteigen (*Vogel, Rauch etc.*; *a. Geruch*; *a. fig. Gedanke, Zorn etc.*): ***the curtain ~s*** *thea.* der Vorhang geht auf; ***my hair ~s*** die Haare stehen mir zu Berge; ***her colo***(***u***)***r rose*** die Röte stieg ihr ins Gesicht; ***land ~s to view*** Land kommt in Sicht; ***spirits rose*** die Stimmung hob sich; ***the word rose to her lips*** das Wort kam ihr auf die Lippen; **4.** steigen, sich bäumen (*Pferd*): **~ *to a fence*** zum Sprung über ein Hindernis ansetzen; **5.** sich erheben, em'porragen (*Berg etc.*); **6.** aufgehen (*Sonne etc.*; *a. Saat, Teig*); **7.** (an)steigen (*Gelände etc.*; *a. Wasser*; *a. Temperatur etc.*); **8.** (an)steigen, anziehen (*Preise etc.*); **9.** ⚕ sich bilden (*Blasen*); **10.** sich erheben, aufkommen (*Sturm*); **11.** sich erheben *od.* em'pören, revoltieren: **~ *in arms*** zu den Waffen greifen; ***my stomach ~s against*** (*od.* ***at***) ***it*** mein Magen sträubt sich dagegen, (*a. fig.*) es ekelt mich an; **12.** *beruflich od. gesellschaftlich* aufsteigen: **~ *in the world*** vorwärtskommen, es zu et. bringen; **13.** *fig.* sich erheben: a) erhaben sein (***above*** über *acc.*), b) sich em'porschwingen (*Geist*); → ***occasion*** 3; **14.** ♪ (an)steigen, anschwellen; **II** *v/t.* [*irr.*] **15.** aufsteigen lassen; *Fisch* an die Oberfläche locken; **16.** *Schiff* sichten; **III** *s.* **17.** (Auf)Steigen *n*, Aufstieg *m*; **18.** *ast.* Aufgang *m*; **19.** Auferstehung *f von den Toten*; **20.** Steigen *n* (*Fisch*), Schnappen *n* nach dem Köder: ***get*** (*od.* ***take***) ***a ~ out of s.o.*** *sl.* j-n ‚auf die Palme bringen'; **21.** *fig.* Aufstieg *m* (*Person, Nation etc.*): ***a young man on the ~*** ein aufstrebender junger Mann; **22.** (An)Steigen *n*, Erhöhung *f* (*Flut, Temperatur etc.*; ✝ *Preise etc.*); *Börse*: Aufschwung *m*, Hausse *f*; *bsd. Brit.* Aufbesserung *f*, Lohn-, Gehaltserhöhung *f*: ***buy for a ~*** auf Hausse spekulieren; ***on the ~*** im Steigen (begriffen) (*Preise*); **23.** Zuwachs *m*, -nahme *f*: **~ *in population*** Bevölkerungszuwachs; **24.** Ursprung *m* (*a. fig. Entstehung*): ***take*** (*od.* ***have***) ***its ~*** entspringen, entstehen; **25.** Anlaß *m*: ***give ~ to*** verursachen, hervorrufen, erregen; **26.** a) Steigung *f* (*Gelände*), b) Anhöhe *f*, Erhebung *f*; **27.** Höhe *f*; ⚠ Pfeilhöhe *f* (*Bogen*); **ris·en** ['rɪzn] *p.p. von* ***rise***; **'ris·er** [-zə] *s.* **1.** ***early ~*** Frühaufsteher (-in); ***late ~*** Langschläfer(in); **2.** Steigung *f e-r Treppenstufe*; **3.** a) ⚙ Steigrohr *n*, b) ⚡ Steigleitung *f*, c) *Gießerei*: Steiger *m*.

ris·i·bil·i·ty [ˌrɪzɪ'bɪlətɪ] *s.* **1.** *a. pl.* Lachlust *f*; **2.** Gelächter *n*; **ris·i·ble** ['rɪzɪbl] *adj.* **1.** lachlustig; **2.** Lach…: **~ *muscles***; **3.** lachhaft.

ris·ing ['raɪzɪŋ] **I** *adj.* **1.** (an)steigend (*a. fig.*): **~ *ground*** (Boden)Erhebung *f*, Anhöhe *f*; **~ *gust*** Steigbö *f*; **~ *main*** a) ⚙ Steigrohr *n*, b) ⚡ Steigleitung *f*; **~ *rhythm*** *Metrik*: steigender Rhythmus; **2.** her'anwachsend, kommend (*Generation*); **3.** aufstrebend: ***a ~ lawyer***; **II** *prp.* **4.** *Am.* F **~ *of*** a) (etwas) mehr als, b) genau; **III** *s.* **5.** Aufstehen *n*; **6.** (An-)Steigen *n* (*a. fig. Preise, Temperatur etc.*); **7.** Steigung *f*, Anhöhe *f*; **8.** *ast.* Aufgehen *n*; **9.** Aufstand *m*, Erhebung *f*; **10.** Steigerung *f*, Zunahme *f*; **11.** Aufbruch *m e-r Versammlung*; **12.** ⚕ a) Geschwulst *f*, b) Pustel *f*.

risk [rɪsk] **I** *s.* **1.** Wagnis *n*, Gefahr *f*, Risiko *n*: ***at one's own ~*** auf eigene Gefahr; ***at the ~ of one's life*** unter Lebensgefahr; ***at the ~ of*** (*ger.*) auf die Gefahr hin, zu (*inf.*); ***be at ~*** gefährdet sein, auf dem Spiel stehen; ***put at ~*** gefährden; ***run the ~ of doing s.th.*** Gefahr laufen, et. zu tun; ***run*** (*od.* ***take***) ***a ~*** ein Risiko eingehen; **2.** ✝ a) Risiko *n*, Gefahr *f*, b) versichertes Wagnis (*Ware od. Person*): **~ *capital*** Risikokapital *n*; **~ *spreading*** Risikostreuung *f*; ***security ~*** *pol.* Sicherheitsrisiko; **II** *v/t.* **3.** riskieren, wagen, aufs Spiel setzen: **~ *one's life***; **4.** *Verlust, Verletzung etc.* riskieren; **'risk·y** [-kɪ] *adj.* □ **1.** ris'kant, gewagt, gefährlich; **2.** → ***risqué***.

ris·qué ['riːskeɪ] *adj.* gewagt, schlüpfrig: ***a ~ story***.

ris·sole ['rɪsəʊl] (*Fr.*) *s. Küche*: Briso'lett *n*.

rite [raɪt] *s.* **1.** *bsd. eccl.*: Ritus *m*, Zeremo'nie *f*, feierliche Handlung: ***funeral ~s*** Totenfeier *f*, Leichenbegängnis *n*; ***last ~s*** Sterbesakramente; **2.** *oft* ♀ *eccl.* Ritus *m*: a) Religi'onsform *f*, b) Litur'gie *f*; **3.** Gepflogenheit *f*, Brauch *m*.

rit·u·al ['rɪtʃʊəl] **I** *s.* **1.** *eccl. etc., a. fig.* Ritu'al *n*; **2.** *eccl.* Ritu'albuch *n*; **II** *adj.* □ **3.** ritu'al, Ritual…: **~ *murder*** Ritualmord *m*; **4.** ritu'ell, feierlich: **~ *dance***.

ritz·y ['rɪtsɪ] *adj. sl.* **1.** ‚stinkvornehm', ‚feu'dal'; **2.** angeberisch.

ri·val ['raɪvl] **I** *s.* **1.** Ri'vale *m*, Ri'valin *f*, Nebenbuhler(in), Konkur'rent(in): ***without a ~*** *fig.* ohnegleichen, unerreicht; **II** *adj.* **2.** rivalisierend, wetteifernd: **~ *firm*** ✝ Konkurrenzfirma *f*; **III** *v/t.* **3.** rivalisieren *od.* wetteifern *od.* konkurrieren mit, *j-m* den Rang streitig machen; **4.** *fig.* es aufnehmen mit; gleichkommen (*dat.*); **'ri·val·ry** [-rɪ] *s.* **1.** Rivali'tät *f*, Nebenbuhlerschaft *f*; **2.**

R

Wettstreit *m*, -eifer *m*, Konkur'renz *f*: ***enter into ~ with s.o.*** j-m Konkurrenz machen.

rive [raɪv] **I** *v/t.* [*irr.*] **1.** (zer)spalten; **2.** *poet.* zerreißen; **II** *v/i.* [*irr.*] **3.** sich spalten; *fig.* brechen (*Herz*); **riv·en** ['rɪvən] *p.p. von* ***rive***.

riv·er ['rɪvə] *s.* **1.** Fluß *m*, Strom *m*: ***~ police*** Wasserschutzpolizei *f*; ***the ~ Thames*** die Themse; ***Hudson ~*** der Hudson; ***down the ~*** stromab(wärts); ***sell s.o. down the ~*** F j-n ‚verkaufen'; ***up the ~*** a) stromauf(wärts), b) *Am.* F in den *od.* im ‚Knast'; **2.** *fig.* Strom *m*, Flut *f*.

riv·er·ain ['rɪvəreɪn] **I** *adj.* Ufer…, Fluß…; **II** *s.* Ufer- *od.* Flußbewohner(in).

riv·er| ba·sin *s. geol.* Einzugsgebiet *n*; '**~·bed** *s.* Flußbett *n*; **~ dam** *s.* Staudamm *m*, Talsperre *f*; '**~·front** *s.* (Fluß-) Hafenviertel *n*; '**~·head** *s.* (Fluß)Quelle *f*, Quellfluß *m*; **~ horse** *s. zo.* Flußpferd *n*.

riv·er·ine ['rɪvəraɪn] *adj.* am Fluß (gelegen *od.* wohnend); Fluß…

riv·er| po·lice *s.* 'Wasserschutzpoli,zei *f*; '**~·side I** *s.* Flußufer *n*; **II** *adj.* am Ufer (gelegen), Ufer…

riv·et ['rɪvɪt] **I** *s.* ⚙ **1.** Niete *f*, Niet *m*: ***~ joint*** Nietverbindung *f*; **II** *v/t.* **2.** ⚙ (ver)nieten; **3.** befestigen (***to*** an *acc.*); **4.** *fig.* a) *Blick*, *Aufmerksamkeit* heften, richten (***on*** auf *acc.*), b) *Aufmerksamkeit*, *a. j-n* fesseln: ***stand ~ed to the spot*** wie angewurzelt stehenbleiben; '**riv·et·ing** [-tɪŋ] *s.* ⚙ **1.** Nietnaht *f*; **2.** (Ver)Nieten *n*: ***~ hammer*** Niethammer *m*.

riv·u·let ['rɪvjʊlɪt] *s.* Flüßchen *n*.

roach[1] [rəʊtʃ] *s. ichth.* Plötze *f*, Rotauge *n*: ***sound as a ~*** kerngesund.

roach[2] [rəʊtʃ] *s.* ⚓ Gilling *f*.

roach[3] [rəʊtʃ] → ***cockroach***.

road [rəʊd] **I** *s.* **1.** a) (Land)Straße *f*, b) Weg *m* (*a. fig.*), c) Strecke *f*, d) Fahrbahn *f*: ***by ~*** a) auf dem Straßenweg, b) per Achse, mit dem Fahrzeug; ***on the ~*** a) auf der Straße, b) auf Reisen, unterwegs, c) *thea.* auf Tournee; ***hold the ~ well*** *mot.* e-e gute Straßenlage haben; ***take*** (*sl.* ***hit***) ***the ~*** aufbrechen; ***rule of the ~*** Straßenverkehrsordnung *f*; ***the ~ to success*** *fig.* der Weg zum Erfolg; ***be in s.o.'s ~*** *fig.* j-m im Wege stehen; ***~ up!*** Straßenarbeiten!; **2.** *mst pl.* ⚓ Reede *f*; **3.** 🚂 *Am.* Bahn(strecke) *f*; **4.** ⚒ Förderstrecke *f*; **II** *adj.* **5.** Straßen…, Weg…: ***~ conditions*** Straßenzustand *m*; ***~ haulage*** Güterkraftverkehr *m*; ***~ junction*** Straßenknotenpunkt *m*, -einmündung *f*; ***~ sign*** Straßenschild *n*, Wegweiser *m*.

road·a·bil·i·ty [,rəʊdə'bɪlətɪ] *s. mot.* Fahreigenschaften *pl.*; *engS.* Straßenlage *f*.

road| ac·ci·dent *s.* Verkehrsunfall *m*; '**~·bed** *s.* a) 🚂 Bahnkörper *m*, b) Straßenbettung *f*; '**~·block** *s.* **1.** Straßensperre *f*; **2.** Verkehrshindernis *n*; **3.** *fig.* Hindernis *n*; '**~·book** *s.* Reisehandbuch *n*; **~ haul·age** *s.* Güterkraftverkehr *m*; **~ hog** *s.* Verkehrsrowdy *m* (*rücksichtsloser Fahrer*); '**~,hold·ing** *s. mot.* Straßenlage *f*; **~ hole** *s.* Schlagloch *n*; **~ house** *s.* Rasthaus *n*; '**~·man** [-mən] *s.* [*irr.*] **1.** Straßenarbeiter *m*; **2.** Straßenhändler *m*; **~ man·a·ger** *s.* Roadmanager *m* (*e-r Rockgruppe*); **~ map** *s.* Straßen-, Autokarte *f*; **~ met·al** *s.* Straßenbeschotterung *f*, -schotter *m*; **~ roll·er** *s.* ⚙ Straßenwalze *f*; **~ sense** *s. mot.* Fahrverstand *m*; '**~·side I** *s.* (***by the ~*** am) Straßenrand *m*; **II** *adj.* an der Landstraße (gelegen): ***~ inn***; '**~·stead** *s.* ⚓ Reede *f*.

road·ster ['rəʊdstə] *s.* **1.** *Am.* Roadster *m*, (offener) Sportzweisitzer; **2.** *sport* (starkes) Tourenrad.

road| tank·er *s. mot.* Tankwagen *m*; '**~-test** *mot.* **I** *s.* Probefahrt *f*; **II** *v/t. ein Auto* probefahren; **~ us·er** *s.* Verkehrsteilnehmer(in); '**~·way** *s.* Fahrdamm *m*, -bahn *f*; '**~·work** *s. sport* Lauftraining *n*; **~ works** *s. pl.* Straßenarbeiten *pl.*, Baustelle *f auf e-r Straße*; '**~,wor·thi·ness** *s. mot.* Verkehrssicherheit *f* (*Auto*); '**~,wor·thy** *adj. mot.* verkehrssicher (*Auto*).

roam [rəʊm] **I** *v/i. a.* ***~ about*** (um'her-) streifen, (-)wandern; **II** *v/t.* durch'streifen (*a. fig. Blick etc.*); **III** *s.* Wandern *n*, Um'herstreifen *n*.

roan [rəʊn] **I** *adj.* **1.** rötlichgrau; **2.** gefleckt; **II** *s.* **3.** Rotgrau *n*; **4.** *zo.* a) Rotschimmel *m*, b) rotgraue Kuh; **5.** Schafleder *n*.

roar [rɔː] **I** *v/i.* **1.** brüllen: ***~ at*** a) *j-n* anbrüllen, b) über *et.* schallend lachen; ***~ with*** vor *Schmerz*, *Lachen etc.* brüllen; **2.** *fig.* tosen, toben, brausen (*Wind*, *Meer*); krachen, (g)rollen (*Donner*); (er)dröhnen, donnern (*Geschütz*, *Motor etc.*); brausen, donnern (*Fahrzeug*); **3.** *vet.* keuchen (*Pferd*); **II** *v/t.* **4.** *et.* brüllen: ***~ out*** *Freude*, *Schmerz etc.* hinausbrüllen; ***~ s.o. down*** j-n niederschreien; **III** *s.* **5.** Brüllen *n*, Gebrüll *n* (*a. fig.*): ***set the table in a ~*** (***of laughter***) bei der Gesellschaft schallendes Gelächter hervorrufen; **6.** *fig.* Tosen *n*, Toben *n*, Brausen *n* (*Wind*, *Meer*); Krachen *n*, Rollen *n* (*Donner*); Donner *m* (*Geschütze*); Dröhnen *n*, Lärm *m* (*Motor*, *Maschinen etc.*); Getöse *n*; '**roar·ing** [-rɪŋ] **I** *adj.* ☐ **1.** brüllend (*a. fig.* ***with*** vor *dat.*); **2.** lärmend, laut; **3.** tosend (*etc.* → ***roar*** 2); **4.** brausend, stürmisch (*Nacht*, *Fest*); **5.** a) großartig, ‚phan'ta-

R

stisch‘: ***a ~ business*** (*od.* ***trade***) ein schwunghafter Handel, ein ‚Bombengeschäft‘; ***in ~ health*** vor Gesundheit strotzend, b) ‚wild‘, ‚fa'natisch‘: ***a ~ Christian***; **II** *s.* **6.** → ***roar*** 5 *u.* 6; **7.** *vet.* Keuchen *n* (*Pferd*).

roast [rəʊst] **I** *v/t.* **1.** *Fleisch etc.* braten, rösten; schmoren: ***be ~ed alive*** a) bei lebendigem Leibe verbrannt werden *od.* verbrennen, b) *fig.* vor Hitze fast umkommen; **2.** *Kaffee etc.* rösten; **3.** *metall.* rösten, abschwelen; **4.** F a) ‚durch den Kakao ziehen‘, b) ‚verreißen‘ (*kritisieren*); **II** *v/i.* **5.** rösten, braten; schmoren (*a. fig. in der Sonne etc.*): ***I am simply ~ing*** *fig.* mir ist wahnsinnig heiß; **III** *s.* **6.** Braten *m*; → ***rule*** 13; **IV** *adj.* **7.** geröstet, gebraten, Röst...: ***~ beef*** Rinderbraten *m*; ***~ meat*** Braten *m*; ***~ pork*** Schweinebraten *m*; **'roast·er** [-tə] *s.* **1.** Röster *m*, 'Röstappa,rat *m*; **2.** *metall.* Röstofen *m*; **3.** Spanferkel *n*, Brathähnchen *n etc.*; **'roast·ing** [-tɪŋ] *s.*: ***give s.o. a. ~*** F → ***roast*** 4.

rob [rɒb] *v/t.* **1.** a) *et.* rauben, stehlen, b) *Haus etc.* ausrauben, (-)plündern, c) *fig.* berauben (***of*** *gen.*); **2.** *j-n* berauben: ***~ s.o. of*** a) j-n *e-r Sache* berauben (*a. fig.*), b) *fig.* j-n um *et.* bringen, j-m *et.* nehmen; **rob·ber** ['rɔbə] *s.* Räuber *m*; **rob·ber·y** ['rɒbərɪ] *s.* **1.** *a.* ⚖ Raub *m* (***from*** an *dat.*); 'Raub,überfall *m*; **2.** *fig.* ‚Diebstahl‘ *m*, ‚Beschiß‘ *m*.

robe [rəʊb] **I** *s.* **1.** (Amts)Robe *f*, Ta'lar *m* (*Geistlicher, Richter etc.*): ***~s*** Amtstracht *f*; ***state ~*** Staatskleid *n*; (***the gentlemen of***) ***the*** (***long***) ***~*** *fig.* die Juristen; **2.** Robe *f*: a) wallendes Gewand, b) Festkleid *n*, c) Abendkleid *n*, d) ⚜ *einteiliges Damenkleid*, e) Bademantel *m*; **3.** *bsd.* Taufkleid *n* (*Säugling*); **II** *v/t.* **4.** *j-n* (feierlich an)kleiden, *j-m* die Robe anlegen; **5.** *fig.* (ein)hüllen; **III** *v/i.* **6.** die Robe anlegen.

rob·in ['rɒbɪn] *s.* **1.** *a.* ***~ red-breast*** *orn.* a) Rotkehlchen *n*, b) amer. Wanderdrossel *f*; **2.** → ***round robin***.

rob·o·rant ['rɒbərənt] ⚕ **I** *adj.* stärkend; **II** *s.* Stärkungsmittel *n*, Roborans *n*.

ro·bot ['rəʊbɒt] **I** *s.* **1.** Roboter *m* (*a. fig.*), ⚙ *a.* Auto'mat *m*; **2.** *a.* ***~ bomb*** ⚔ V-Geschoß *n*; **II** *adj.* **3.** auto'matisch: ***~ pilot*** ✈ Selbststeuergerät *n*.

ro·bot·ics [rəʊ'bɒtɪks] *s.* Robotertechnik *f*.

ro·bust [rəʊ'bʌst] *adj.* □ **1.** ro'bust: a) kräftig, stark (*Gesundheit, Körper, Person etc.*), b) kernig, gerade (*Geist*), c) derb (*Humor*); **2.** ⚙ sta'bil, 'widerstandsfähig; **3.** hart, schwer (*Arbeit etc.*); **ro'bust·ness** [-nɪs] *s.* Ro'bustheit *f*.

roc [rɒk] *s. myth.* (Vogel *m*) Rock *m*.

rock[1] [rɒk] *s.* **1.** Fels *m* (*a. fig.*), Felsen *m*; *coll.* Felsen *pl.*, (Fels)Gestein *n*: ***the ~*** *geogr.* Gibraltar; ***volcanic ~*** *geol.* vulkanisches Gestein; (***as***) ***firm as a ~*** *fig.* wie ein Fels, zuverlässig; **2.** Klippe *f* (*a. fig.*): ***on the ~s*** a) F ‚pleite‘, in Geldnot, b) F ‚kaputt‘, in die Brüche gegangen (*Ehe etc.*), c) on the rocks, mit Eiswürfeln (*Getränk*); ***see ~s ahead*** mit Schwierigkeiten rechnen; **3.** *Am.* Stein *m*: ***throw ~s at s.o.***; **4.** Pfefferminzstange *f*; **5.** *sl.* Stein, *bsd.* Diamant *m*, *pl.* ‚Klunkern‘ *pl.*; **6.** *Am. sl.* a) Geldstück *n*, *bsd.* Dollar *m*, b) *pl.* ‚Kies‘ *m* (*Geld*); **7.** *pl.* V ‚Eier‘ *pl.* (*Hoden*).

rock[2] [rɒk] **I** *v/t.* **1.** wiegen, schaukeln; *Kind* (in den Schlaf) wiegen: ***~ in security*** *fig.* *j-n* in Sicherheit wiegen; **2.** ins Wanken bringen, erschüttern: ***~ the boat*** *fig.* die Sache gefährden; **3.** *Sieb, Sand etc.* rütteln; **II** *v/i.* **4.** (sich) schaukeln, sich wiegen; **5.** (sch)wanken, wackeln, taumeln (*a. fig.*); **6.** ♪ a) Rock 'n' Roll tanzen, b) ‚rocken‘ (*spielen*); **III** *s.* **7.** → ***rock 'n' roll***.

rock| and roll [,rɒkən'rəʊl] → ***rock 'n' roll***; **~ bed** Felsengrund *m*; **~ bot·tom** *s. fig.* Tief-, Nullpunkt *m*: ***get down to ~*** der Sache auf den Grund gehen; ***his supplies touched ~*** s-e Vorräte waren erschöpft; **,~-'bot·tom** *adj.* F allerniedrigst, äußerst (*Preis etc.*); **'~-bound** *adj.* von Felsen um'schlossen; **~ cake** *s.* hartgebackenes Plätzchen; **~ can·dy** → ***rock***[1] 4; **~ climb·ing** *s.* Felsenklettern *n*; **~ cork** *s. min.* 'Bergas,best *m*, -kork *m*; **~ crys·tal** *s. min.* 'Bergkri,stall *m*; **~ de·bris** *geol.* Felsgeröll *n*; **~ draw·ings** *s. pl.* Felszeichnungen *pl.*; **~ drill** *s.* ⚙ Steinbohrer *m*.

rock·er ['rɒkə] *s.* **1.** Kufe *f* (*Wiege etc.*): ***off one's ~*** *sl.* ‚übergeschnappt‘, verrückt; **2.** a) Schaukelpferd *n*, b) *Am.* Schaukelstuhl *m*; **3.** ⚙ a) Wippe *f*, b) Wiegemesser *n*, c) Schwing-, Kipphebel *m*; **4.** Schwingtrog *m* (*zur Goldwäsche*); **5.** *Eislauf*: a) Holländer(schlittschuh) *m*, b) Kehre *f*; **6.** *pl. Brit.* Rokker *pl.*, ‚Lederjacken‘ *pl.* (*Jugendliche*); **~ arm** *s.* ⚙ Kipphebel *m*; **~ switch** *s.* ⚡ Wippschalter *m*.

rock·er·y ['rɒkərɪ] *s.* Steingarten *m*.

rock·et[1] ['rɒkɪt] **I** *s.* **1.** *allg.* Ra'kete *f*; **2.** *fig.* F ‚Zi'garre‘ *f*, Anpfiff *m*; **II** *adj.* **3.** Raketen...: ***~ bomb***; ***~ aircraft***, ***~-driven airplane*** Raketenflugzeug *n*; ***~-assisted take-off*** ✈ Raketenstart *m*; **III** *v/i.* **4.** (wie e-e Ra'kete) hochschießen; **5.** ⚜ hochschnellen (*Preise*); **6.** *fig.* e-n ko'metenhaften Aufstieg nehmen; **IV** *v/t.* **7.** ⚔ mit Raketen beschießen; **8.** mit e-r Ra'kete *in den Weltraum etc.* befördern.

rock·et[2] ['rɒkɪt] *s.* ⚘ **1.** 'Nachtvi,ole *f*; **2.** Rauke *f*; **3.** → ***~ salad***; **4.** *a.* ***~ cress***

R

(echtes) Barbarakraut.
rock·et·eer [ˌrɒkɪˈtɪə] *s.* ⚔ **1.** Ra'ketenkanoˌnier *m od.* -piˌlot *m*; **2.** Ra'ketenforscher *m*, -fachmann *m*.
rock·et| jet *s.* Ra'ketentriebwerk *n*; **~ launch·er** *s.* ⚔ Ra'ketenwerfer *m*; **'~-ˌlaunch·ing site** *s.* ⚔ Ra'ketenabschußbasis *f*; **'~-ˌpow·ered** *adj.* mit Ra'ketenantrieb; **~ pro·jec·tor** *s.* ⚔ (Ra'keten)Werfer *m*.
rock·et·ry ['rɒkɪtrɪ] *s.* **1.** Ra'ketentechnik *f od.* -forschung *f*; **2.** *coll.* Ra'keten *pl.*
rock·et sal·ad *s.* ⚘ Senfkohl *m*.
rock| flour *s. min.* Bergmehl *n*; **~ garden** *s.* Steingarten *m*.
rock·i·ness ['rɒkɪnɪs] *s.* felsige *od.* steinige Beschaffenheit.
rock·ing| chair ['rɒkɪŋ] *s.* Schaukelstuhl *m*; **~ horse** *s.* Schaukelpferd *n*; **~ le·ver** *s.* Schwinghebel *m*.
rock| leath·er → ***rock cork***; **~ 'n' roll** [ˌrɒkən'rəʊl] *s.* Rock 'n' Roll *m* (*Musik u. Tanz*); **~ oil** *s.* Stein-, Erdöl *n*, Pe'troleum *n*; **~ plant** *s.* ⚘ Felsen-, Alpen-, Steingartenpflanze *f*; **'~·rose** *s.* ⚘ Cistrose *f*; **~ salt** *s.* ⚒ Steinsalz *n*; **'~·slide** *s.* Steinschlag *m*, Felssturz *m*; **'~·wood** *s. min.* 'Holzasˌbest *m*; **'~·work** *s.* **1.** Gesteinsmasse *f*; **2.** a) Steingarten *m*, b) Grottenwerk *n*; **3.** ⚠ Quaderwerk *n*.
rock·y¹ ['rɒkɪ] *adj.* **1.** felsig; **2.** steinhart (*a. fig.*).
rock·y² ['rɒkɪ] *adj.* □ F wack(e)lig (*a. fig.*), wankend.
ro·co·co [rəʊ'kəʊkəʊ] **I** *s.* **1.** Rokoko *n*; **II** *adj.* **2.** Rokoko...; **3.** verschnörkelt, über'laden.
rod [rɒd] *s.* **1.** Rute *f*, Gerte *f*; *a. fig. bibl.* Reis *n*; **2.** (Zucht)Rute *f* (*a. fig.*): ***have a ~ in pickle for s.o.*** mit j-m noch ein Hühnchen zu rupfen haben; ***kiss the ~*** sich unter die Rute beugen; ***make a ~ for one's own back*** *fig.* sich die Rute selber flechten; ***spare the ~ and spoil the child*** wer die Rute spart, verzieht das Kind; **3.** a) Zepter *n*, b) Amtsstab *m*, c) *fig.* Amtsgewalt *f*, d) *fig.* Knute *f*, Tyran'nei *f*; → ***Black Rod***; **4.** (Holz)Stab *m*, Stock *m*; **5.** ⚙ (Rund-)Stab *m*, (Treib-, Verbindungs- *etc.*) Stange *f*: **~ *aerial*** ϟ Stabantenne *f*; *Kernkraft*: Brennstab *m*; **6.** a) Angelrute *f*, b) Angler *m*; **7.** Meßlatte *f*, -stab *m*; **8.** a) Rute *f* (*Längenmaß*), b) Qua'dratrute *f* (*Flächenmaß*); **9.** *Am. sl.* ,Ka'none' *f* (*Pistole*); **10.** *anat.* Stäbchen *n* (*Netzhaut*); **11.** *biol.* 'Stäbchenbakˌterie *f*; **12.** *Am. sl.* → ***hot rod***.
rode [rəʊd] *pret. von* ***ride***.
ro·dent ['rəʊdənt] **I** *adj.* **1.** *zo.* nagend; Nage...: **~ *teeth***; **2.** ⚕ fressend (*Geschwür*); **II** *s.* **3.** Nagetier *n*.
ro·de·o [rəʊ'deɪəʊ] *pl.* **-s** *s. Am.* Ro'deo *m*, *n*: a) Zs.-treiben *n* von Vieh, b) *Sammelplatz für diesen Zweck*, c) 'Cowboy-Turˌnier *n*, Wildwest-Vorführung *f*, d) 'Motorrad-, 'Autoroˌdeo *m*, *n*.
roe¹ [rəʊ] *s. zo.* **1.** *a.* ***hard ~*** Rogen *m*, Fischlaich *m*: **~ *corn*** Fischei *n*; **2.** *a.* ***soft ~*** Milch *f*; **3.** Eier *pl.* (*vom Hummer etc.*).
roe² [rəʊ] *pl.* **roes**, *coll.* **roe** *s. zo.* **1.** Reh *n*; **2.** a) Ricke *f* (*weibliches Reh*), b) Hirschkuh *f*; **'~·buck** *s.* Rehbock *m*; **'~·deer** *s.* Reh *n*.
roent·gen → ***röntgen***.
ro·ga·tion [rəʊ'geɪʃn] *s. eccl.* a) (Für-)Bitte *f*, ('Bitt)Litaˌnei *f*, b) *mst pl.* Bittgang *m*: ***♀ Sunday*** Sonntag *m* Rogate; ***♀ week*** Himmelfahrts-, Bittwoche *f*;
rog·a·to·ry ['rɒgətərɪ] *adj.* ⚖ Untersuchungs...: **~ *commission***; ***letters ~*** Amtshilfeersuchen *n*.
rog·er ['rɒdʒə] **1.** *int. Funk*: Roger!, Verstanden!; **2.** F in Ordnung!
rogue [rəʊg] *s.* **1.** Schurke *m*, Gauner *m*: ***~s' gallery*** Verbrecheralbum *n*; **2.** *humor.* Schelm *m*, Schlingel *m*, Spitzbube *m*; **3.** ⚘ a) aus der Art schlagende Pflanze, b) 'Mißbildung *f*; **4.** *zo. a.* ***~ elephant***, ***~ buffalo*** *etc.* bösartiger Einzelgänger; **5.** *Pferderennen*: a) bockendes Pferd, b) Ausreißer *m* (*Pferd*); **'ro·guer·y** [-gərɪ] *s.* **1.** Schurke'rei *f*, Gaune'rei *f*; **2.** Spitzbübe'rei *f*; **'ro·guish** [-gɪʃ] *adj.* □ **1.** schurkisch; **2.** schelmisch, schalkhaft, spitzbübisch.
roist·er ['rɔɪstə] *v/i.* **1.** kra'keelen; **2.** aufschneiden, prahlen; **'roist·er·er** [-tərə] *s.* **1.** Kra'keeler *m*; **2.** Großmaul *n*.
role, rôle [rəʊl] (*Fr.*) *s. thea. u. fig.* Rolle *f*: ***play a ~*** e-e Rolle spielen.
roll [rəʊl] **I** *s.* **1.** (*Haar-, Kragen-, Papier- etc.*)Rolle *f*; **2.** a) *hist.* Schriftrolle *f*, Perga'ment *n*, b) Urkunde *f*, c) (*bsd.* Namens)Liste *f*, Verzeichnis *n*, d) ⚖ Anwaltsliste *f*: **~ *of hono(u)r*** Ehrenliste, -tafel *f* (*bsd. der Gefallenen*); ***the ♀s*** Staatsarchiv *n* (*Gebäude in London*); ***call the ~*** die (Namens- *od.* Anwesenheits)Liste verlesen, Appell abhalten; ***strike s.o. off the ~*** j-n von der Anwaltsliste streichen; → ***master*** 13; **3.** ⚠ a) *a.* ***~-mo(u)lding*** Rundleiste *f*, Wulst *m*, b) *antiq.* Vo'lute *f*; **4.** ⚙ Rolle *f*, Walze *f*; **5.** Brötchen *n*, Semmel *f*; **6.** (*bsd.* 'Fleisch)Rouˌlade *f*; **7.** *sport* Rolle *f* (*a.* ✈ *Kunstflug*); **8.** ⚓ Rollen *n*, Schlingern *n* (*Schiff*); **9.** wiegender Gang, Seemannsgang *m*; **10.** Fließen *n*, Fluß *m* (*des Wassers*; *a. fig. der Rede, von Versen etc.*); **11.** (*Orgel- etc.*)Brausen *n*; (*Donner*)Rollen *n*; (*Trommel-*)Wirbel *m*; Dröhnen *n* (*Stimme etc.*); Rollen *n*, Trillern *n* (*Vogel*); **12.** *Am. sl.* a) Geldscheinbündel *n*, b) *fig.* (*e-e* Masse) Geld *n*; **II** *v/i.* **13.** rollen (*Ball*

R

etc.): ***start ~ing*** ins Rollen kommen; **14.** rollen, fahren (*Fahrzeug*); **15.** *a.* ***~ along*** sich (da'hin)wälzen, da'hinströmen (*Fluten*) (*a. fig.*); **16.** da'hinziehen (*Gestirn*, *Wolken*); **17.** sich wälzen: ***be ~ing in money*** F im Geld schwimmen; **18.** *sport*, *a.* ✈ e-e Rolle machen; **19.** ⚓ schlingern; **20.** wiegend gehen: ***~ing gait*** → 9; **21.** (g)rollen (*Donner*); brausen (*Orgel*); dröhnen (*Stimme*); wirbeln (*Trommel*); trillern (*Vogel*); **22.** a) ⚙ sich walzen lassen, b) *typ.* sich verteilen (*Druckfarbe*); **III** *v/t.* **23.** *Faß*, *Rad etc.*, *a.* *Augen* rollen; (her'um)wälzen, (-)drehen: ***~ a problem round in one's mind*** *fig.* ein Problem wälzen; *Film*: ***~ film!***, ***~ it*** *Am.* Kamera an!; **24.** *Wagen etc.* rollen, fahren, schieben; **25.** *Wassermassen* wälzen (*Fluß*); **26.** (zs.-, auf-, ein)rollen, (-)wickeln; **27.** *Teig* (aus)rollen; *Zigarette* drehen; *Schneeball etc.* formen: ***~ed ham*** Rollschinken *m*; **28.** ⚙ *Metalle* walzen, strecken; *Rasen*, *Straße* walzen: ***~ed glass*** gezogenes Glas; ***~ed gold*** Walzgold *n*, Golddublee *n*; ***~ed iron*** (*od.* ***products***) Walzeisen *n*; ***~ on*** *et.* aufwalzen; **29.** *typ.* a) *Papier* ka'landern, glätten, b) *Druckfarbe* auftragen; **30.** rollen(d sprechen): ***~ one's r's***; ***~ed r*** Zungen-R *n*; **31.** *Trommel* wirbeln; **32.** ⚓ *Schiff* zum Rollen bringen; **33.** *Körper etc. beim Gehen* wiegen; **34.** *Am. sl.* *Betrunkenen etc.* ausplündern;

Zssgn mit adv.:

roll| back *v/t. fig.* her'unterschrauben, reduzieren; **~ in** *v/i.* **1.** *fig.* her'einströmen, eintreffen (*Angebote*, *Geld etc.*); **2.** F schlafen gehen; **~ out** *v/t.* **1.** *metall.* auswalzen, strecken; **2.** *Teig* ausrollen; **3.** a) *Lied etc.* (hin'aus)schmettern, b) *Verse* deklamieren; **~ o·ver** *v/t.* (*v/i.* sich) he'rumwälzen, -drehen; **~ up I** *v/i.* **1.** (her)'anrollen, (-)'anfahren; F vorfahren; **2.** F ‚aufkreuzen', auftauchen; **3.** sich zs.-rollen; **4.** *fig.* sich ansammeln *od.* (-)häufen; **II** *v/t.* **5.** her'anfahren; **6.** aufrollen, -wickeln; **7.** ⚔ *gegnerische Front* aufrollen; **8.** *sl.* ansammeln: ***~ a fortune***.

'roll|·back *s. Am.* **1.** ⚔ Zu'rückwerfen *n* (*des Feinds*); **2.** ✝ Zu'rückschrauben *n* (*der Preise*); **'~·bar** *s. mot.* 'Überrollbügel *m*; **~ call** *s.* **1.** Namensaufruf *m*: ***~ (vote)*** *pol.* namentliche Abstimmung; **2.** ⚔ 'Anwesenheitsap͵pell *m*.

roll·er ['rəʊlə] *s.* **1.** ⚙ a) Walzwerkarbeiter *m*, b) Fördermann *m*; **2.** (Stoff-, Garn- *etc.*)Rolle *f*; **3.** ⚙ a) (Gleit-, Lauf-, Führungs)Rolle *f*, b) (Gleit)Rolle *f*, Rädchen *n* (*unter Möbeln*, *an Rollschuhen etc.*); **4.** a) Walze *f*, b) Zy'linder *m*, Trommel *f*; **5.** *typ.* Druckwalze *f*; **6.** Rollstab *m* (*Landkarte etc.*); **7.** ⚓ Roller *m*, Sturzwelle *f*; **8.** *orn.* a) Flug-, Tümmlertaube *f*, b) *e-e* Racke: ***common ~*** Blauracke, c) Harzer Roller *m*; **~ band·age** *s.* ⚕ Rollbinde *f*; **~ bear·ing** *s.* ⚙ Rollen-, Wälzlager *n*; **~ clutch** *s.* ⚙ Rollen-, Freilaufkupplung *f*; **~ coast·er** *s.* Achterbahn(wagen *m*) *f*; **'~-mill** *s.* ⚙ **1.** Mahl-, Quetschwerk *n*; **2.** → ***rolling mill***; **'~-skate I** *s.* Rollschuh *m*; **II** *v/i.* rollschuhlaufen; **~ skat·ing** *s.* Rollschuhlaufen *n*; **~ tow·el** *s.* Rollhandtuch *n*.

roll| film *s. phot.* Rollfilm *m*; **'~-front cab·i·net** *s.* Rollschrank *m*.

rol·lick ['rɒlɪk] *v/i.* **1.** a) ausgelassen *od.* 'übermütig sein, b) her'umtollen; **2.** das Leben genießen; **'rol·lick·ing** [-kɪŋ] *adj.* ausgelassen, 'übermütig.

roll·ing ['rəʊlɪŋ] **I** *s.* **1.** Rollen *n*; **2.** Da'hinfließen *n* (*Wasser etc.*); **3.** Rollen *n* (*Donner*); Brausen *n* (*Wasser*); **4.** *metall.* Walzen *n*, Strecken *n*; **5.** ⚓ Schlingern *n*; **II** *adj.* **6.** rollend *etc.*; → ***roll*** II; **~ bar·rage** *s.* ⚔ Feuerwalze *f*; **~ cap·i·tal** *s.* ✝ Be'triebskapi͵tal *n*; **~ chair** *s.* ⚕ Rollstuhl *m*; **~ kitch·en** *s.* ⚔ Feldküche *f*; **~ mill** *s.* ⚙ **1.** Walzwerk *n*, Hütte *f*; **2.** 'Walzma͵schine *f*; **3.** Walz(en)straße *f*; **~ pin** *s.* Nudel-, Wellholz *n*; **~ press** *s.* ⚙ **1.** Walzen-, Rotati'onspresse *f*; **2.** *Papierfabrikation*: Sati'nierma͵schine *f*; **~ stock** *s.* 🚂 rollendes Materi'al, Betriebsmittel *pl.*; **~ stone** *s.* *fig.* Zugvogel *m*: ***a ~ gathers no moss*** wer rastet, der rostet; **~ ti·tle** *s.* *Film*: Rolltitel *m*.

roll| lathe *s.* ⚙ Walzendrehbank *f*; **'~·mop** *s.* Rollmops *m*; **'~·neck** *s.* 'Rollkragen(pul͵lover) *m*; **'~-on** *s.* **1.** E'lastikschlüpfer *m*; **2.** Deorollstift *m*; **'~-top desk** *s.* Rollpult *n*; **~ train** *s.* *metall.* Walzenstrecke *f*.

ro·ly-po·ly [͵rəʊlɪ'pəʊlɪ] **I** *s.* **1.** *a.* ***~ pudding*** *Art* Pudding *m*; **2.** Pummelchen *n* (*Person*); **II** *adj.* **3.** mollig, pummelig.

Ro·ma·ic [rəʊ'meɪɪk] **I** *adj.* ro'maisch, neugriechisch; **II** *s.* *ling.* Neugriechisch *n*.

Ro·man ['rəʊmən] **I** *adj.* **1.** römisch: ***~ arch*** ⚠ romanischer Bogen; ***~ candle*** Leuchtkugel *f* (*Feuerwerk*); ***~ holiday*** *fig.* a) blutrünstiges Vergnügen, b) Vergnügen *n* auf Kosten anderer, c) Riesenskandal *m*; ***~ law*** römisches Recht; ***~ nose*** Römer-, Adlernase *f*; ***~ numeral*** römische Ziffer; **2.** (römisch-)ka'tholisch; **3.** *mst* ♀ *typ.* Antiqua…; **II** *s.* **4.** Römer(in); **5.** *mst* ♀ *typ.* An'tiqua *f*; **6.** *eccl.* Katho'lik(in); **7.** *pl. bibl.* (Brief *m* des Paulus an die) Römer *pl.*

ro·man à clef [rəʊ͵mɑːnɑː'kleɪ] (*Fr.*) *s.* 'Schlüsselro͵man *m*.

Ro·man Cath·o·lic *eccl.* **I** *adj.* (römisch-)ka'tholisch; **II** *s.* Katho'lik(in); **~ Church** *s.* Römische *od.* (Römisch-)Ka'tholische Kirche.

R

ro·mance¹ [rəʊ'mæns] **I** *s.* **1.** *hist.* ('Ritter-, 'Vers)Ro,man *m*; **2.** Ro'manze *f*: a) (ro'mantischer) 'Liebes-, 'Abenteuerro,man, b) *fig.* 'Liebesaf,färe *f*, c) ♪ *Lied od. lyrisches Instrumentalstück*; **3.** *fig.* Märchen *n*, Phantaste'rei *f*; **4.** *fig.* Ro'mantik *f*: a) Zauber *m*, b) ro'mantische I'deen *pl.*; **II** *v/i.* **5.** (Ro'manzen) dichten; **6.** *fig.* a) fabulieren, ‚Ro'mane erzählen', b) ins Schwärmen geraten.

Ro·mance² [rəʊ'mæns] *bsd. ling.* **I** *adj.* ro'manisch: **~ peoples** Romanen; **~ philologist** Romanist(in); **II** *s.* a) Ro'manisch *n*, b) *a.* **the ~ languages** die romanischen Sprachen *pl.*

ro·manc·er [rəʊ'mænsə] *s.* **1.** Ro'manzendichter(in); Verfasser(in) e-s ('Vers-) Ro,mans; **2.** a) Phan'tast(in), b) Aufschneider(in).

Rom·a·nes ['rɒmənes] *s.* Zi'geunersprache *f*.

Ro·man·esque [,rəʊmə'nesk] **I** *adj.* **1.** ⚠, *ling.* ro'manisch; **2.** *ling.* proven'zalisch; **3.** ♀ *fig.* ro'mantisch; **II** *s.* **4.** *a.* **~ style** romanischer (Bau)Stil; *das* Ro'manische; **5.** → **Romance²** II.

ro·man-fleuve [rəʊ,mɑ̃:ŋ'flɜ:v] (*Fr.*) *s.* Fa'milienro,man *m*.

Ro·man·ic [rəʊ'mænɪk] *adj.* **1.** → **Romance²** I; **2.** römisch (*Kulturform*).

Ro·man·ism ['rəʊmənɪzəm] *s.* **1.** a) Roma'nismus *m*, römisch-ka'tholische Einstellung, b) Poli'tik *f od.* Gebräuche *pl.* der römischen Kirche; **2.** *hist.* das Römertum; **'Ro·man·ist** [-ɪst] *s.* **1.** *ling.*, ⚖ Roma'nist(in); **2.** ('Römisch-) Ka,tholische(r *m*) *f*.

ro·man·tic [rəʊ'mæntɪk] **I** *adj.* (□ **~ally**) **1.** *allg.* ro'mantisch: a) Kunst *etc.*: *die Romantik betreffend*: **the ~ movement** die Romantik, b) ro'manhaft, phan'tastisch (*a. iro.*): **a ~ tale**, c) ro'mantisch veranlagt: **a ~ girl**, d) malerisch: **a ~ town**, e) gefühlvoll: **a ~ scene**; **II** *s.* **2.** Ro'mantiker(in) (*a. fig.*); **3.** *das* Ro'mantische; **4.** *pl.* romantische I'deen *pl. od.* Gefühle *pl.*; **ro'man·ti·cism** [-ɪsɪzəm] *s.* **1.** *Kunst*: Ro'mantik *f*; **2.** (Sinn *m* für) Romantik *f*; **ro'man·ti·cist** [-ɪsɪst] *s.* *Kunst*: Ro'mantiker(in); **ro'man·ti·cize** [-ɪsaɪz] **I** *v/t.* **1.** romantisieren; **2.** in ro'mantischem Licht sehen; **II** *v/i.* **3.** *fig.* schwärmen.

Rom·a·ny ['rɒmənɪ] *s.* **1.** Zi'geuner(in); **2.** *coll. die* Zigeuner *pl.*; **3.** Romani *n*, Zi'geunersprache *f*.

Rome [rəʊm] *npr.* Rom *n* (*a. fig. hist. das Römerreich*; *eccl. die Katholische Kirche*): **~ was not built in a day** Rom ist nicht an einem Tag erbaut worden; **do in ~ as the Romans do!** man sollte sich immer s-r Umgebung anpassen!

romp [rɒmp] **I** *v/i.* **1.** um'hertollen, sich balgen, toben: **~ through** *fig.* spielend durchkommen; **2.** ‚rasen', flitzen: **~ away** davonziehen (*Rennpferd etc.*); **II** *s.* **3.** *obs.* Wildfang *m*, Range *f*; **4.** Tollen *n*, Balge'rei *f*; **5.** F *sport* leichter Sieg; **6.** F ‚(wilde) Schmuse'rei'; **'romp·ers** [-pəz] *s. pl.* Spielanzug *m* (*für Kinder*); **'romp·y** [-pɪ] *adj.* ausgelassen, wild.

ron·deau ['rɒndəʊ] *pl.* **-deaus** [-dəʊz] *s.* *Metrik*: Ron'deau *n*, Ringelgedicht *n*; **ron·del** ['rɒndl] *s.* vierzehnzeiliges Rondeau.

ron·do ['rɒndəʊ] *s.* ♪ Rondo *n*.

rönt·gen ['rɒntjən] **I** *s. phys.* Röntgen *n* (*Maßeinheit*); **II** *adj. mst* ♀ Röntgen...: **~ rays**; **III** *v/t.* → **'rönt·gen·ize** [-tgənaɪz] *v/t.* röntgen; **rönt·gen·o·gram** [rɒnt'genəgræm] *s.* Röntgenaufnahme *f*; **rönt·gen·og·ra·phy** [,rɒntgə'nɒgrəfɪ] *s.* 'Röntgenphotogra,phie *f* (*Verfahren*); **rönt·gen·ol·o·gist** [,rɒntgə'nɒlədʒɪst] *s.* Röntgeno'loge *f*; **rönt·gen·os·co·py** [,rɒntgə'nɒskəpɪ] *s.* 'Röntgendurch,leuchtung *f*, -unter,suchung *f*; **rönt·gen·o·ther·a·py** [,rɒntgənə'θerəpɪ] *s.* 'Röntgenthera,pie *f*.

rood [ru:d] **I** *s.* **1.** *eccl.* Kruzi'fix *n*; **2.** Viertelacre *m* (*Flächenmaß*); **3.** Rute *f* (*Längenmaß*); **II** *adj.* **4.** ⚠ Lettner...: **~ altar**; **~ loft** Chorbühne *f*; **~ screen** Lettner *m*.

roof [ru:f] **I** *s.* **1.** ⚠ (Haus)Dach *n*: **under my ~** *fig.* unter m-m Dach, in m-m Haus; **raise the ~** F Krach schlagen; **2.** *mot.* Verdeck *n*; **3.** *fig.* (*Blätter-, Zelt- etc.*)Dach *n*, (*Himmels*)Gewölbe *n*, (-)Zelt *n*: **~ of the mouth** *anat.* Gaumen(dach *n*) *m*; **the ~ of the world** das Dach der Welt; **4.** ⚒ Hangende(s) *n*; **II** *v/t.* **5.** bedachen: **~ in** *Haus* (ein)dekken; **~ over** überdachen: **~ed-in** überdacht, umbaut; **'roof·age** [-fɪdʒ] → **roofing** 2; **'roof·er** [-fə] *s.* Dachdecker *m*; **roof gar·den** *s.* **1.** Dachgarten *m*; **2.** *Am.* 'Dachrestau,rant *n*; **'roof·ing** [-fɪŋ] **I** *s.* **1.** Bedachen *n*, Dachdeckerarbeit *f*; **2.** a) 'Deckmateri,alien *pl.*, b) Dachwerk *n*; **II** *adj.* **3.** Dach...: **~ felt** Dachpappe *f*; **'roof·less** [-lɪs] *adj.* **1.** ohne Dach, unbedeckt; **2.** *fig.* obdachlos; **roof rack** *s. mot.* Dachgepäckträger *m*; **roof tree** *s.* **1.** ⚠ Firstbalken *m*; **2.** *fig.* Dach *n*.

rook¹ [rʊk] **I** *s.* **1.** *orn.* Saatkrähe *f*; **2.** *fig.* Gauner *m*, Bauernfänger *m*; **II** *v/t.* **3.** *j-n* betrügen.

rook² [rʊk] *s.* *Schachspiel*: Turm *m*.

rook·er·y ['rʊkərɪ] *s.* **1.** a) Krähenhorst *m*, b) 'Krähenkolo,nie *f*; **2.** *orn.*, *zo.* Brutplatz *m*; **3.** *fig.* a) 'Elendsquar,tier *n*, -viertel *n*, b) 'Mietska,serne *f*.

rook·ie ['rʊkɪ] *s. sl.* **1.** ⚔ Re'krut *m*; **2.** Neuling *m*, Anfänger(in).

room [ru:m] **I** *s.* **1.** Raum *m*, Platz *m*: **make ~ (for)** *a. fig.* Platz machen (*dat.*); **no ~ to swing a cat (in)** sehr

R

wenig Platz; ***in the ~ of*** an Stelle von (*od. gen.*); **2.** Raum *m*, Zimmer *n*, Stube *f*: ***next ~*** Nebenzimmer; ***~ heating*** Raumheizung *f*; ***~ temperature*** (*a. normale*) Raum-, Zimmertemperatur *f*; **3.** *pl. Brit.* Wohnung *f*; **4.** *fig.* (Spiel-) Raum *m*; Gelegenheit *f*, Anlaß *m*: ***~ for complaint*** Anlaß zur Klage; ***there is no ~ for hope*** es besteht keinerlei Hoffnung; ***there is ~ for improvement*** es ließe sich noch manches besser machen; **II** *v/i.* **5.** *bsd. Am.* wohnen, logieren (***at*** in *dat.*, ***with*** bei): ***~ together*** zs.-wohnen; **-roomed** [ruːmd] *adj. in Zssgn.* ...zimmerig; **room·er** [ˈruːmə] *s. bsd. Am.* ˈUntermieter(in); **ˈroom·ful** [-fʊl] *pl.* **-fuls** *s.*: ***a ~ of people*** ein Zimmer voll(er) Leute; **room·i·ness** [ˈruːmɪnɪs] *s.* Geräumigkeit *f*.

room·ing| house [ˈruːmɪŋ] *s. Am.* Fremdenheim *n*, Pensiˈon *f*; **ˌ~-ˈin** *n* ⚕ Rooming-ˈin *n* (*gemeinsame Unterbringung von Mutter und Kind*).

ˈroom·mate *s.* ˈStubenkameˌrad(in).

room·y [ˈruːmɪ] *adj.* □ geräumig.

roost [ruːst] **I** *s.* a) Schlafplatz *m*, -sitz *m* (*Vogel*), b) Hühnerstange *f od.* -stall *m*: ***at ~*** auf der Stange; ***come home to ~*** *fig.* auf den Urheber zurückfallen; → ***rule*** 13; **II** *v/i. orn.* a) auf der Stange sitzen, b) sich (zum Schlafen) niederhocken; **ˈroost·er** [-tə] *s. bsd. Am.* (Haus)Hahn *m*.

root¹ [ruːt] **I** *s.* **1.** ⚘ Wurzel *f* (*a. weitS. Wurzelgemüse, Knolle, Zwiebel*): ***~ and branch*** *fig.* mit Stumpf u. Stiel; ***pull out by the ~*** mit der Wurzel herausreißen (*a. fig. ausrotten*); ***put down ~s*** *fig.* Wurzel schlagen, seßhaft werden; ***strike at the ~ of*** *fig. et.* an der Wurzel treffen; ***strike*** (*od.* ***take***) ***~*** Wurzel schlagen (*a. fig.*); ***~s of a mountain*** *der* Fuß e-s Berges; **2.** *anat.* (*Haar-, Nagel-, Zahn-, Zungen- etc.*) Wurzel *f*; **3.** ⩕ a) Wurzel *f*, b) eingesetzter *od.* gesuchter Wert (*Gleichung*): ***~ extraction*** Wurzelziehen *n*; **4.** *ling.* Wurzel(wort *n*) *f*, Stammwort *n*; **5.** ♪ Grundton *m*; **6.** *fig.* a) Quelle *f*, Ursache *f*, Wurzel *f*: ***~ of all evil*** Wurzel alles Bösen; ***get at the ~ of*** *e-r Sache* auf den Grund gehen; ***have its ~ in***, ***take its ~ from*** → 8, b) *pl.* Wurzeln *pl.*, Ursprung *m*, c) Kern *m*, Wesen *n*, Gehalt *m*: ***~ of the matter*** Kern der Sache; ***~ idea*** Grundgedanke *m*; **II** *v/i.* **7.** Wurzel fassen *od.* schlagen, (ein)wurzeln (*a. fig.*): ***deeply ~ed*** *fig.* tief verwurzelt; ***stand ~ed to the ground*** wie angewurzelt dastehen; **8.** ***~ in*** beruhen auf (*dat.*), s-n Grund *od.* Ursprung haben in (*dat.*); **III** *v/t.* **9.** tief einpflanzen, einwurzeln lassen: ***fear ~ed him to the ground*** *fig.* er stand vor Furcht wie angewurzelt; **10.** ***~ up***, ***~ out***, ***~ away*** a) ausreißen, b) *fig.* ausrotten, vertilgen.

root² [ruːt] **I** *v/i.* **1.** wühlen (***for*** nach) (*Schwein*); **2.** ***~ about*** *fig.* herˈumwühlen; **II** *v/t.* **3.** *Boden* auf-, ˈumwühlen; **4.** ***~ out***, ***~ up*** *a. fig.* ausgraben, aufstöbern.

root³ [ruːt] *v/i.* ***~ for*** *Am. sl.* a) *sport j-n* anfeuern, b) *fig.* Stimmung machen für *j-n od. et.*

ˌroot-and-ˈbranch *adj.* radiˈkal, restlos.

root·ed [ˈruːtɪd] *adj.* □ (fest) eingewurzelt (*a. fig.*); **ˈroot·ed·ly** [-lɪ] *adv.* von Grund auf, zuˈtiefst; **ˈroot·ed·ness** [-nɪs] *s.* Verwurzelung *f*, Eingewurzeltsein *n*.

root·er [ˈruːtə] *s. sport Am.* F begeisterter Anhänger, ‚Faˈnatiker' *m*.

root·less [ˈruːtlɪs] *adj.* wurzellos (*a. fig.*); **root·let** [ˈruːtlɪt] *s.* ⚘ Wurzelfaser *f*.

ˌroot|-mean-ˈsquare *s.* ⩕ quaˈdratischer Mittelwert; **ˈ~-stock** *s.* **1.** ⚘ Wurzelstock *m*; **2.** *fig.* Wurzel *f*; **~ treatment** *s.* ⚕ (Zahn)Wurzelbehandlung *f*.

rope [rəʊp] **I** *s.* **1.** Seil *n*, Tau *n*; Strick *m*, Strang *m* (*beide a. zum Erhängen*); ⚓ (Tau)Ende *n*: ***the ~*** *fig.* der Strick (*Tod durch den Strang*); ***be at the end of one's ~*** mit s-m Latein am Ende sein; ***know the ~s*** sich auskennen, ‚den Bogen raushaben'; ***learn the ~s*** sich einarbeiten; ***show s.o. the ~s*** j-m die Kniffe beibringen; **2.** *mount.* (Kletter)Seil *n*: ***on the ~*** angeseilt; ***~*** (***team***) Seilschaft *f*; **3.** (Arˈtisten)Seil *n*: ***on the high ~s*** *fig.* a) hochgestimmt, b) hochmütig; **4.** *Am.* Lasso *n*, *m*; **5.** *pl. Boxen*: (Ring)Seile *pl.*: ***be on the ~s*** a) (angeschlagen) in den Seilen hängen, b) *fig.* am Ende *od.* ‚fertig' sein; ***have s.o. on the ~s*** *sl.* j-n ‚zur Schnecke' gemacht haben; **6.** *fig.* Strang *m Tabak etc.*; Bund *n Zwiebeln etc.*; Schnur *f Perlen etc.*: ***~ of sand*** *fig.* Illusion *f*; **7.** Faden *m* (*Flüssigkeit*); **8.** *fig.* Spielraum *m*, Handlungsfreiheit *f*: ***give s.o.*** (***plenty of***) ***~***; **II** *v/t.* **9.** (mit e-m Seil) zs.-binden; festbinden; **10.** *mst* ***~ in*** (*od.* ***off*** *od.* ***out***) *Platz* (durch ein Seil) absperren *od.* abgrenzen; **11.** *mount.* anseilen: ***~ down*** (***up***) *j-n* ab- (auf)seilen; **12.** *Am.* mit dem Lasso einfangen: ***~ in*** *sl. Wähler*, *Kunden etc.* fangen, *j-n* ‚an Land ziehen', sich *ein Mädchen etc.* ‚anlachen'; **III** *v/i.* **13.** Fäden ziehen (*Flüssigkeit*); **14.** *a.* ***~ up*** *mount.* sich anseilen: ***~ down*** sich abseilen; **~ dancer** *s.* Seiltänzer(in); **~ lad·der** *s.* **1.** Strickleiter *f*; **2.** ⚓ Seefallreep *n*; **~ mo(u)ld·ing** *s.* ⚠ Seilleiste *f*; **~ quoit** *s.* ⚓, *sport* Seilring *m*; **~ rail·way** → ***ropeway***.

rop·er·y [ˈrəʊpərɪ] *s.* Seileˈrei *f*.

ˈrope's-end ⚓ **I** *s.* Tauende *n*; **II** *v/t.* mit

R

dem Tauende prügeln.
rope| tow *s. Skisport*: Schlepplift *m*; **'~·walk** *s.* Seiler-, Reeperbahn *f*; **'~ˌwalk·er** *s.* Seiltänzer(in); **'~·way** *s.* (Seil)Schwebebahn *f*; **'~·yard** *s.* Seile'rei *f*; **~ yarn** *s.* **1.** ⚙ Kabelgarn *n*; **2.** *fig.* Baga'telle *f*.
rop·i·ness ['rəʊpɪnɪs] *s.* Dickflüssigkeit *f*, Klebrigkeit *f*; **'rop·y** [-pɪ] *adj.* □ **1.** klebrig, zäh, fadenziehend: **~ *sirup***; **2.** kahmig: **~ *wine***; **3.** F ‚mies'.
ror·qual ['rɔːkwəl] *s. zo.* Finnwal *m*.
ro·sace ['rəʊzeɪs] (*Fr.*) *s.* ⚠ **1.** Ro'sette *f*; **2.** → ***rose window***.
ro·sa·ceous [rəʊ'zeɪʃəs] *adj.* **1.** ⚘ a) zu den Rosa'zeen gehörig, b) rosenblütig; **2.** Rosen…
ro·sar·i·an [rəʊ'zeərɪən] *s.* **1.** Rosenzüchter *m*; **2.** *R.C.* Mitglied *n* einer Rosenkranzbruderschaft.
ro·sa·ry ['rəʊzərɪ] *s.* **1.** *R.C.* Rosenkranz *m*: ***say the* ~** den Rosenkranz beten; **2.** Rosengarten *m*, -beet *n*.
rose¹ [rəʊz] **I** *s.* **1.** ⚘ Rose *f*: **~ *of Jericho*** Jerichorose; **~ *of May*** Weiße Narzisse; **~ *of Sharon*** a) *bibl.* Sharon-Tulpe *f*, b) Großblumiges Johanniskraut; ***the* ~ *of*** *fig.* die Rose (*das schönste Mädchen*) von; ***gather* (*life's*) ~s** sein Leben genießen; ***on a bed of* ~s** *fig.* auf Rosen gebettet; ***it is no bed of* ~s** es ist kein Honiglecken; ***it is not all* ~s** es ist nicht so rosig, wie es aussieht; ***under the* ~** im Vertrauen; **2.** → ***rose colo(u)r***; **3.** *her. hist.* Rose *f*: ***Red* ~** Rote Rose (*Haus Lancaster*); ***White* ~** Weiße Rose (*Haus York*); ***Wars of the* ~s** Rosenkriege; **4.** ⚠ Ro'sette *f* (*a. Putz*; *a. Edelstein*[*schliff*]); **5.** Brause *f* (*Gießkanne etc.*); **6.** *phys.* 'Kreisˌskala *f*; **7.** ⚓ *etc.* Windrose *f*; **8.** ✱ Wundrose *f*; **II** *adj.* **9.** Rosen…; **10.** rosenfarbig.
rose² [rəʊz] *pret. von* ***rise***.
ro·se·ate ['rəʊzɪət] *adj.* □ → ***rosecolo(u)red***.
rose| bit *s.* ⚙ Senkfräser *m*; **'~·bud** *s.* ⚘ Rosenknospe *f* (*a. fig. Mädchen*); **'~-bush** *s.* Rosenstrauch *m*; **~ col·o(u)r** *s.* Rosa-, Rosenrot *n*: ***life is not all* ~** *fig.* das Leben besteht nicht nur aus Annehmlichkeiten; **'~-ˌcol·o(u)red** *adj.* **1.** rosa-, rosenfarbig, rosenrot; **2.** *fig.* rosig, opti'mistisch: ***see things through* ~ *spectacles*** die Dinge durch e-e rosa (-rote) Brille sehen; **'~·hip** *s.* ⚘ Hagebutte *f*.
rose·mar·y ['rəʊzmərɪ] *s.* ⚘ Rosmarin *m*.
ro·se·o·la [rəʊ'ziːələ] *s.* ✱ **1.** Rose'ole *f* (*Ausschlag*); **2.** → ***German measles***.
ˌrose|-'pink I *s.* ⚙ Rosenlack *m*, roter Farbstoff; **II** *adj.* rosa, rosenrot (*a. fig.*); **~ rash** → ***roseola*** 1; **ˌ~-'red** *adj.* rosenrot.
ro·ser·y → ***rosary*** 2.
rose tree *s.* Rosenstock *m*.
ro·sette [rəʊ'zet] *s.* Ro'sette *f* (*a.* ⚠); **ro'set·ted** [-tɪd] *adj.* **1.** mit Rosetten geschmückt; **2.** ro'settenförmig.
'rose|-ˌwa·ter I *s.* **1.** Rosenwasser *n*; **2.** *fig.* a) Schmeiche'leien *pl.*, b) Gefühlsduse'lei *f*; **II** *adj.* **3.** *fig.* a) ('über)fein, (-)zart, b) affek'tiert, c) sentimen'tal; **~ win·dow** *s.* ⚠ ('Fenster)Roˌsette *f*, (-)Rose *f*; **'~·wood** *s.* Rosenholz *n*.
ros·in ['rɒzɪn] **I** *s.* ⚗ (Terpen'tin)Harz *n*, *bsd.* Kolo'phonium *n*, Geigenharz *n*; **II** *v/t.* mit Kolo'phonium einreiben.
ros·i·ness ['rəʊzɪnɪs] *s.* Rosigkeit *f*, rosiges Aussehen.
ros·ter ['rəʊstə] *s.* ⚔ **1.** (Dienst-, Namens)Liste *f*; **2.** Dienstplan *m*.
ros·tral ['rɒstrəl] *adj.* (schiffs)schnabelförmig; **'ros·trate(d)** [-reɪt(ɪd)] *adj.* **1.** ⚘, *zo.* geschnäbelt; **2.** → ***rostral***.
ros·trum ['rɒstrəm] *pl.* **-tra** [-trə] *s.* **1.** a) Rednerbühne *f*, Podium *n*, b) Kanzel *f*, c) *fig.* Plattform *f*; **2.** ⚓ *hist.* Schiffsschnabel *m*; **3.** ⚘, *zo.* Schnabel *m*; **4.** *zo.* a) Kopfspitze *f*, b) Rüssel *m* (*Insekt*).
ros·y ['rəʊzɪ] *adj.* □ **1.** rosenrot, -farbig; **~ *red*** Rosenrot *n*; **2.** rosig, blühend (*Wangen etc.*); **3.** *fig.* rosig.
rot [rɒt] **I** *v/i.* **1.** (ver)faulen, (-)modern (*a. fig. im Gefängnis*); verrotten, verwesen; *geol.* verwittern; **2.** *fig.* verkommen, verrotten; **3.** *Brit. sl.* ‚quatschen', Unsinn reden; **II** *v/t.* **4.** faulen lassen; **5.** *bsd. Flachs* rotten; **6.** *Brit. sl. Plan etc.* vermurksen; **7.** *Brit. sl.* j-n ‚anpflaumen' (*hänseln*); **III** *s.* **8.** a) Fäulnis *f*, Verwesung *f*, b) Fäule *f*, c) *et.* Verfaultes; → ***dry-rot***; **9.** ⚘, *zo.* a) Fäule *f*, b) *vet.* Leberfäule *f* (*Schaf*); **10.** *Brit. sl.*, *a. int.* ‚Quatsch' *m*, Blödsinn *m*.
ro·ta ['rəʊtə] *s.* **1.** → ***roster***; **2.** *Brit.* a) 'Dienstˌturnus *m*, b) *a.* **~ *system*** Turnusplan *m*; **3.** *mst* ~ *R.C.* Rota *f* (*oberster Gerichtshof der römisch-katholischen Kirche*).
Ro·tar·i·an [rəʊ'teərɪən] **I** *s.* Ro'tarier *m*; **II** *adj.* Rotary…, Rotarier…
ro·ta·ry ['rəʊtərɪ] **I** *adj.* **1.** rotierend, kreisend, sich drehend, 'umlaufend; Rotations…, Dreh…: **~ *crane*** Dreh-, Schwenkkran *m*; **~ *file*** Drehkartei *f*; **~ *pump*** Umlaufpumpe *f*; **~ *switch*** ϟ Drehschalter *m*; **~ *traffic*** Kreisverkehr *m*; **II** *s.* **2.** ⚙ *durch Rotation arbeitende Maschine*, *bsd.* a) → ***rotary engine***, b) → ***rotary machine***, c) → ***rotary press***; **3.** ~ → **~ Club** *s.* Rotary-Club *m*; **~ cur·rent** *s.* ϟ Drehstrom *m*; **~ en·gine** *s.* Drehkolbenmotor *m*; **~ hoe** *s.* ⚒ Hackfräse *f*; **~ In·ter·na·tion·al** *s.* Weltvereinigung *f* der Rotary-Clubs; **~ ma·chine** *s. typ.* Rotati'onsmaˌschine *f*; **~ pis·ton en·gine** *s.* → ***rotary engine***; **~ press** *s. typ.* Rotati'ons-

R

(druck)presse *f*.

ro·tate[1] [rəʊteɪt] **I** *v/i*. **1.** rotieren, kreisen, sich drehen; **2.** der Reihe nach *od*. turnusmäßig wechseln: **~ *in office***; **II** *v/t*. **3.** rotieren *od*. (um)ˈkreisen lassen; **4.** *Personal* turnusmäßig *etc*. auswechseln; **5.** ✓ *Frucht* wechseln: **~ *crops*** im Fruchtwechsel anbauen.

ro·tate[2] [ˈrəʊteɪt] *adj*. ⚘, *zo*. radförmig.

ro·ta·tion [rəʊˈteɪʃn] *s*. **1.** ⚙, *phys*. Rotatiˈon *f*, (Achsen-, ˈUm)Drehung *f*, ˈUm-, Kreislauf *m*, Drehbewegung *f*: **~ *of the earth*** (tägliche) Erdumdrehung (*um die eigene Achse*); **2.** Wechsel *m*, Abwechslung *f*: ***in*** (*od*. ***by***) **~** der Reihe nach, abwechselnd, im Turnus; **~ *in office*** turnusmäßiger Wechsel im Amt; **~ *of crops*** ✓ Fruchtwechsel, -folge *f*; **ro·ta·tive** [ˈrəʊtətɪv] *adj*. **1.** → ***rotary*** 1; **2.** abwechselnd, regelmäßig ˈwiederkehrend; **ro·ta·to·ry** [ˈrəʊtətərɪ] *adj*. **1.** → ***rotary*** 1; **2.** *fig*. abwechselnd *od*. turnusmäßig (aufeinˈanderfolgend): **~ *assemblies***; **3. ~ *muscle*** *anat*. Dreh-, Rollmuskel *m*.

rote [rəʊt] *s*.: ***by ~*** *fig*. a) (rein) mechanisch, b) auswendig.

ˈrot·gut *s*. *sl*. Fusel *m*.

ro·ti·fer [ˈrəʊtɪfə] *s*. *zo*. Rädertier(chen) *n*; **Ro·tif·er·a** [rəʊˈtɪfərə] *s*. *pl*. *zo*. Rädertiere *pl*.

ro·to·gra·vure [ˌrəʊtəʊgrəˈvjʊə] *s*. *typ*. **1.** Kupfer(tief)druck *m*; **2.** → ***roto section***.

ro·tor [ˈrəʊtə] *s*. **1.** ✈ Rotor *m*, Drehflügel *m*; **2.** ⚡ Rotor *m*, Anker *m*; **3.** ⚙ Rotor *m* (*Drehteil e-r Maschine*); **4.** ⚓ (Flettner)Rotor *m*.

ro·to sec·tion [ˈrəʊtəʊ] *s*. Kupfertiefdruckbeilage *f e-r Zeitung*.

rot·ten [ˈrɒtn] *adj*. □ **1.** faul, verfault: **~ *to the core*** a) kernfaul, b) *fig*. durch u. durch korrupt; **2.** morsch, mürbe; **3.** brandig, stockig (*Holz*); **4.** ✗ faul(ig) (*Zahn*); **5.** *fig*. a) verderbt, korˈrupt, b) niederträchtig, gemein; **6.** *sl*. (ˌˈhunds-) miseˌrabel‘: **~ *luck*** Saupech *n*; **~ *weather*** Sauwetter *n*; **ˈrot·ten·ness** [-nɪs] *s*. **1.** Fäule *f*, Fäulnis *f*; **2.** *fig*. Verderbtheit *f*, Korˈruptheit *f*; **rot·ter** [ˈrɒtə] *s*. *Brit*. *sl*. Schweinehund *m*, ‚Scheißkerl‘ *m*.

ro·tund [rəʊˈtʌnd] *adj*. □ **1.** *obs*. rund, kreisförmig; **2.** rundlich (*Mensch*); **3.** *fig*. a) voll(tönend) (*Stimme*), b) hochtrabend, blumig, pomˈpös (*Ausdruck*); **4.** *fig*. ausgewogen (*Stil*); **roˈtun·da** [-də] *s*. ⚠ Rundbau *m*; **roˈtun·date** [-deɪt] *adj*. *bsd*. ⚘ abgerundet; **roˈtun·di·ty** [-dətɪ] *s*. **1.** Rundheit *f*; **2.** Rundlichkeit *f*; **3.** Rundung *f*; **4.** *fig*. Ausgewogenheit *f* (*des Stils etc*.).

rou·ble [ˈruːbl] *s*. Rubel *m* (*russische Währung*).

rou·é [ˈruːeɪ] (*Fr*.) *s*. *obs*. Rouˈé *m*, Lebemann *m*.

rouge [ruːʒ] **I** *s*. Rouge *n*, (rote) Schminke; ⚙ Polierrot *n*; **II** *adj*. *her*. rot; **III** *v/i*. Rouge auflegen, sich schminken; **IV** *v/t*. (rot) schminken.

rough [rʌf] **I** *adj*. □ → ***roughly***; **1.** rauh (*Oberfläche, a. Haut, Tuch etc*.; *a. Stimme*); **2.** rauh, struppig (*Fell, Haar*); **3.** holp(e)rig, uneben (*Gelände, Weg*); **4.** rauh, unwirtlich, zerklüftet (*Landschaft*); **5.** rauh (*Wind etc*.); stürmisch (*See, Überfahrt, Wetter*): **~ *sea*** ⚓ grobe See; **6.** grob, roh (*Mensch, Manieren etc*.); rauhbeinig, ungehobelt (*Person*); heftig (*Temperament etc*.): **~ *play*** rohes *od*. hartes Spiel; **~ *stuff*** F Gewalttätigkeit(en *pl*.) *f*; **7.** rauh, barsch, schroff (*Person od. Redeweise*): **~ *words***; ***have a ~ tongue*** e-e rauhe Sprache sprechen; **8.** F rauh (*Behandlung, Empfang etc*.), hart (*Leben, Tag etc*.), garstig, böse: ***it was ~*** es war e-e böse Sache; ***I had a ~ time*** es ist mir ziemlich ‚mies‘ ergangen; ***that's ~ luck for him*** da hat er aber Pech (gehabt); **9.** roh, grob: a) ohne Feinheit, b) unbearbeitet, im Rohzustand: **~ *cloth*** ungewalktes Tuch; **~ *food*** grobe Kost; **~ *rice*** unpolierter Reis; **~ *style*** grober *od*. ungeschliffener Stil; **~ *stone*** a) unbehauener Stein, b) ungeschliffener (Edel-) Stein; → ***diamond*** 1, ***rough-and-ready***; **10.** ⚙ Grob…: **~ *carpenter*** Grobtischler *m*; **~ *file*** Schruppfeile *f*; **11.** unfertig, Roh…: **~ *copy*** Konzept *n*; **~ *draft*** (*od*. ***sketch***) Faustskizze *f*, Rohentwurf *m*; ***in a ~ state*** im Rohzustand; **12.** *fig*. grob: a) annähernd (richtig), ungefähr, b) flüchtig, im ˈÜberschlag: **~ *analysis*** Rohanalyse *f*; **~ *calculation*** Überschlag *m*; **~ *size*** ⚙ Rohmaß *n*; **13.** *typ*. noch nicht beschnitten (*Buchrand*); **14.** herb, sauer (*bsd. Wein*); **15.** stark (wirkend) (*Arznei*); **16.** *Brit*. *sl*. schlecht, ungenießbar (*Fisch*); **II** *adv*. **17.** rauh, hart, roh: ***play ~***; ***cut up ~*** ‚massiv‘ werden; **18.** grob, flüchtig; **III** *s*. **19.** Rauheit *f*, *das* Rauhe: ***over ~ and smooth*** über Stock und Stein; ***take the ~ with the smooth*** *fig*. das Leben nehmen, wie es ist; → ***rough-and-tumble*** II; **20.** *bsd*. *Brit*. ‚Schläger‘ *m*, Rowdy *m*, Rohling *m*; **21.** Rohzustand *m*: ***from the ~*** aus dem Rohen *arbeiten*; ***in the ~*** im Groben, im Rohzustand; ***take s.o. in the ~*** j-n nehmen, wie er ist; **22.** a) holperiger Boden, b) *Golf*: Rough *n*; **23.** Stollen *m* (*am Pferdehufeisen*); **IV** *v/t*. **24.** an-, aufrauhen; **25.** *j-n* mißˈhandeln, übel zurichten; **26.** *mst* **~ *out*** *Material* roh *od*. grob bearbeiten, vorbearbeiten; *metall*. vorwalzen; *Linse, Edelstein* grob schleifen; **27.** *Pferd* zureiten; **28.** *Pferd*(*ehuf*) mit Stollen versehen; **29. ~**

in, ***~ out*** entwerfen, flüchtig skizzieren; **30.** ***~ up*** *Haare etc.* gegen den Strich streichen: ***~ the wrong way*** *fig. j-n* reizen *od.* verstimmen; **31.** *sport Gegner* hart ‚nehmen'; **V** *v/i.* **32.** rauh werden; **33.** *sport* (über'trieben) hart spielen; **34.** ***~ it*** F primi'tiv *od.* anspruchslos leben, ein spar'tanisches Leben führen.

rough·age ['rʌfɪdʒ] *s.* a) ✓ Rauhfutter *n*, b) grobe Nahrung, c) *biol.* Ballaststoffe *pl.*

ˌ**rough|-and-'read·y** *adj.* **1.** grob (gearbeitet), Not…, Behelfs…: ***~ rule*** Faustregel *f*; **2.** rauh *od.* grob, aber zuverlässig (*Person*); **3.** schludrig: ***a ~ worker***; ˌ**~-and-'tum·ble I** *adj.* **1.** wild, heftig, verworren: ***a ~ fight***; **II** *s.* **2.** wildes Handgemenge, wüste Keile'rei; **3.** *fig.* Wirren *pl. des Krieges, des Lebens etc.*; '**~·cast I** *s.* **1.** *fig.* roher Entwurf; **2.** ⚠ Rohputz *m*, Berapp *m*; **II** *adj.* **3.** im Entwurf, unfertig; **4.** roh verputzt, angeworfen; **III** *v/t.* [*irr.* → ***cast***] **5.** im Entwurf anfertigen, roh entwerfen; **6.** ⚠ berappen, (*mit Rohputz*) anwerfen; '**~·dry** *v/t. Wäsche* (nur) trocknen (*ohne sie zu bügeln od. mangeln*).

rough·en ['rʌfən] **I** *v/i.* rauh(er) werden; **II** *v/t. a.* ***~ up*** an-, aufrauhen, rauh machen.

ˌ**rough|-'grind** *v/t.* [*irr.* → ***grind***] **1.** ⚙ vorschleifen; **2.** *Korn* schroten; ˌ**~-'han·dle** *v/t.* grob *od.* bru'tal behandeln; ˌ**~-'hew** *v/t.* [*irr.* → ***hew***] **1.** *Holz, Stein etc.* roh behauen, grob bearbeiten; **2.** *fig.* in groben Zügen entwerfen; ˌ**~-'hewn** *adj.* **1.** ⚙ roh behauen; **2.** *fig.* in groben Zügen entworfen *od.* gestaltet; **3.** *fig.* grobschlächtig, ungehobelt; '**~·house** *sl.* **I** *s.* a) Ra'dau *m*, b) wüste Keile'rei; **II** *v/t.* → ***rough*** 25; **III** *v/i.* Ra'dau machen, toben.

rough·ly ['rʌflɪ] *adv.* **1.** rauh, roh, grob; **2.** a) grob, ungefähr, annähernd: ***~ speaking*** etwa, ungefähr, b) ganz allgemein (gesagt).

ˌ**rough|-ma'chine** *v/t.* ⚙ grob bearbeiten; '**~·neck** *s. Am. sl.* **1.** Rauhbein *n*, Grobian *m*; **2.** Rowdy *m*.

rough·ness ['rʌfnɪs] *s.* **1.** Rauheit *f*, Unebenheit *f*; **2.** ⚙ rauhe Stelle; **3.** *fig.* Roheit *f*, Grobheit *f*, Ungeschliffenheit *f*; **4.** Wildheit *f*, Heftigkeit *f*; **5.** Herbheit *f* (*Wein*).

ˌ**rough|-'plane** *v/t.* ⚙ vorhobeln; '**~·rider** *s.* **1.** Zureiter *m*; **2.** verwegener Reiter; **3.** *Am.* ⚔ *hist.* a) 'irreguˌlärer Kavalle'rist, b) ♀ *Angehöriger e-s im spanisch-amer. Krieg aufgestellten Kavallerie-Freiwilligenregiments*; '**~·shod** *adj.* scharf beschlagen (*Pferd*): ***ride ~ over*** *fig.* a) *j-n* rücksichtslos behandeln, *j-n* schikanieren, b) rücksichtslos über *et.* hinweggehen.

rou·lade [ru:'lɑ:d] (*Fr.*) *s.* **1.** ♪ Rou'lade *f*, Pas'sage *f*; **2.** *Küche*: Rou'lade *f*.

rou·lette [ru:'let] *s.* **1.** Rou'lett *n* (*Glücksspiel*); **2.** ⚙ Rollrädchen *n*.

Rou·ma·ni·an → ***Rumanian***.

round [raʊnd] **I** *adj.* □ → ***roundly***; **1.** *allg.* rund: a) kugelrund, b) kreisrund, c) zy'lindrisch, d) abgerundet, e) bogenförmig, f) e-n Kreis beschreibend (*Bewegung*, *Linie etc.*), g) rundlich, dick (*Arme*, *Wangen etc.*): → ***round angle*** (***hand***, ***robin*** *etc.*); **2.** *ling.* gerundet (*Vokal*); **3.** weich, vollmundig (*Wein*); **4.** ⅍ ganz (*ohne Bruch*): ***in ~ numbers*** a) in ganzen Zahlen, b) auf- *od.* abgerundet; **5.** *fig.* rund, voll: ***a ~ dozen***; **6.** rund, annähernd (richtig); **7.** rund, beträchtlich (*Summe*); **8.** (ab)gerundet, flüssig (*Stil*); **9.** voll(tönend) (*Stimme*); **10.** flott, scharf: ***at a ~ pace***; **11.** offen, unverblümt: ***a ~ answer***; ***~ lie*** freche Lüge; **12.** kräftig, derb, ‚saftig': ***in ~ terms*** in unmißverständlichen Ausdrücken; **II** *s.* **13.** Rund *n*, Kreis *m*, Ring *m*; **14.** Rund(-teil *n*, -bau *m*) *n*, *et.* Rundes; **15.** a) (runde) Stange, b) ⚙ Rundstab *m*, c) (Leiter)Sprosse *f*; **16.** Rundung *f*: ***out of ~*** ⚙ unrund; ***worked on the ~*** über e-n Leisten gearbeitet (*Schuh*); **17.** *Kunst*: Rundplastik *f*: ***in the ~*** a) plastisch, b) *fig.* vollkommen; **18.** *a.* ***~ of beef*** Rindskeule *f*; **19.** *Brit.* Scheibe *f*, Schnitte *f* (*Brot etc.*); **20.** Kreislauf *m*, Runde *f*: ***the ~ of the seasons***; ***the daily ~*** der tägliche Trott; **21.** a) (Dienst)Runde *f*, Rundgang *m* (*Briefträger*, *Polizist etc.*), b) ⚔ Streife *f*: ***make the ~ of*** e-n Rundgang machen um; **22.** a) (Inspekti'ons)Rundgang *m*, -fahrt *f*, b) Rundreise *f*, Tour *f*; **23.** *fig.* Reihe *f*, Folge *f von Besuchen*, *Pflichten etc.*: ***a ~ of pleasures***; **24.** a) *Boxen*, *Golf etc.*: Runde *f*, b) (Verhandlungs- *etc.*)Runde *f*: ***first ~ to him!*** die erste Runde geht an ihn!, *fig. humor. a.* eins zu null für ihn!; **25.** Runde *f*, Lage *f* (*Bier etc.*): ***stand a ~*** (***of drinks***) ‚e-n ausgeben' (*für alle*); **26.** Runde *f*, Kreis *m* (*Personen*): ***go*** (*od.* ***make***) ***the ~*** (***of***) die Runde machen, kursieren (bei, in *dat.*) (*Gerücht*, *Witz etc.*); **27.** a) ⚔ Salve *f*, b) Schuß *m*: ***20 ~s*** (***of cartridge***) 20 Schuß (Patronen); **28.** *fig.* Lach-, Beifallssalve *f*: ***~ after ~ of applause*** nicht enden wollender Beifall; **29.** ♪ a) Rundgesang *m*, Kanon *m*, b) Rundtanz *m*, Reigen *m*; **III** *adv.* **30.** *a.* ***~ about*** rund-, rings(her)'um; **31.** rund(her)'um, im ganzen 'Umkreis, auf *od.* von allen Seiten: ***all ~*** a) ringsum, überall, b) *fig.* durch die Bank, auf der ganzen Linie; ***for a mile ~*** im Umkreis von e-r Meile; **32.** rundherum, im Kreise: ***~ and ~*** immer rundherum; ***hand s.th. ~*** et. herumreichen; ***look ~*** um

R

sich blicken; ***turn ~*** (sich) umdrehen; ***the wheels go ~*** die Räder drehen sich; **33.** außen her'um: ***a long way ~*** ein weiter Umweg; **34.** *zeitlich*: her'an: ***comes ~ again*** *der Sommer etc.* kehrt wieder; **35.** e-e Zeit lang: ***all the year ~*** das ganze Jahr lang *od.* hindurch; ***the clock ~*** volle 24 Stunden; **36.** a) hin'über, b) her'über: ***ask s.o. ~*** j-n zu sich bitten; ***order one's car ~*** (den Wagen) vorfahren lassen; **IV** *prp.* **37.** (rund) um: ***a tour ~ the world***; **38.** um (... her'um): ***sail ~ the Cape***; ***just ~ the corner*** gleich um die Ecke; **39.** in *od.* auf (*dat.*) ... herum: ***~ all the shops*** in allen Läden herum; **40.** um (... herum), im 'Umkreis von (*od. gen.*); **41.** um (... herum): ***write a book ~ a story***; ***argue ~ and ~ a subject*** um ein Thema herumreden; **42.** *zeitlich*: durch, während (*gen.*); **V** *v/t.* **43.** rund machen, (*a. fig.* ab)runden: ***~ed edge*** abgerundete Kante; ***~ed number*** auf- *od.* abgerundete Zahl; ***~ed teaspoon*** gehäufter Teelöffel; ***~ed vowel*** *ling.* gerundeter Vokal; **44.** um'kreisen; **45.** um'geben, -'schließen; **46.** *Ecke, Landspitze etc.* um'fahren, -'segeln, her'umfahren *od.* biegen um; **47.** *mot. Kurve* ausfahren; **VI** *v/i.* **48.** rund werden, sich runden; **49.** *fig.* sich abrunden, voll'kommen werden; **50.** ⚓ drehen, wenden; **51.** ***~ on*** F a) *j-n* ‚anfahren', b) über *j-n* herfallen;

Zssgn mit adv.:

round| off *v/t.* **1.** abrunden (*a. fig.*); **2.** *Fest, Rede etc.* beschließen, krönen; **3.** *Zahlen* auf *od.* abrunden; **4.** *Schiff* wenden; **~ out I** *v/t.* **1.** (*v/i.* sich) runden *od.* ausfüllen; **2.** *fig.* abrunden; **II** *v/i.* **3.** rundlich werden (*Person*); **~ to** *v/i.* ⚓ beidrehen; **~ up** *v/t.* **1.** *Vieh* zs.-treiben; **2.** F a) *Verbrecherbande* ausheben, b) *Leute etc.* zs.-trommeln, *a. et.* auftreiben, c) zs.-klauben; **3.** *Zahl etc.* aufrunden.

'round·a·bout I *adj.* **1.** 'umständlich, weitschweifig (*Erklärung etc.*): ***~ way*** Umweg *m*; **2.** rundlich (*Person*); **II** *s.* **3.** 'Umweg *m*; **4.** *fig.* 'Umschweife *pl.*; **5.** *bsd. Brit.* Karus'sell *n*; → ***swing*** 24; **6.** *Brit.* Kreisverkehr *m*.

round| an·gle *s.* ⩓ Vollwinkel *m*; **~ arch** *s.* ⚠ (ro'manischer) Rundbogen; **~ dance** *s.* Rundtanz *m*; Dreher *m*.

roun·del ['raʊndl] *s.* **1.** kleine runde Scheibe; **2.** Medail'lon *n* (*a. her.*), runde Schmuckplatte; **3.** ⚠ a) rundes Feld *od.* Fenster, b) runde Nische; **4.** *Metrik*: → ***rondel***.

roun·de·lay ['raʊndɪleɪ] *s.* **1.** ♪ Re'frainliedchen *n*, Rundgesang *m*; **2.** Rundtanz *m*; **3.** (Vogel)Lied *n*.

round·er ['raʊndə] *s.* **1.** *Brit. sport* a) *pl. sg. konstr.* Rounders *n*, Rundball *m* (*Art Baseball*), b) ganzer 'Umlauf; **2.** *Am. sl.* a) liederlicher Kerl, b) Säufer *m*.

'round|-eyed *adj.* mit großen Augen, staunend; **~ hand** *s.* Rundschrift *f*; **'~·head** *s.* **1.** ♀ *hist.* Rundkopf *m* (*Puritaner*); **2.** Rundkopf *m* (*Person*; *a.* ⚙): ***~ screw*** Rundkopfschraube *f*; **'~·house** *s.* **1.** 🚂 Lokomo'tivschuppen *m*; **2.** ⚓ *hist.* Achterhütte *f*; **3.** *hist.* Turm *m*, Gefängnis *n*; **4.** *Am. sl.* (wilder) Schwinger (*Schlag*).

round·ing ['raʊndɪŋ] *s.* Rundung *f* (*a. ling.*): ***~-off*** Abrundung *f*; **'round·ish** [-ɪʃ] *adj.* rundlich; **'round·ly** [-dlɪ] *adv.* **1.** rund, ungefähr; **2.** rundweg, rundher'aus; **3.** gründlich, gehörig; **'round·ness** [-dnɪs] *s.* **1.** Rundheit *f* (*a. fig.*); Rundung *f*; **2.** *fig.* Unverblümtheit *f*; **'round·nose(d)** *adj.* ⚙ Rund...: ***~ pliers*** Rundzange *f*; **round rob·in** *s.* **1.** Petiti'on *f*, Denkschrift *f* (*bsd. mit im Kreis herum geschriebenen Unterschriften*); **2.** *sport Am. Turnier, bei dem jeder gegen jeden antritt*; **round shot** *s.* ⚔ *hist.* Ka'nonenkugel *f*.

rounds·man ['raʊndzmən] *s.* [*irr.*] *Brit.* Austräger *m*, Laufbursche *m*: ***milk ~*** Milchmann *m*.

round| steak *s. aus der Keule geschnittenes Beefsteak*; **~ ta·ble** *s.* **1.** a) runder Tisch, b) Tafelrunde *f*: ***the ♀*** die Tafelrunde (des König Artus); **2.** ***round-table conference*** Konfe'renz *f* am runden Tisch, 'Round-table-Konfe,renz *f*; **'~-the-clock** *adj.* 24stündig, rund um die Uhr; **'~·top** *s.* ⚓ Krähennest *n*; **~ tow·el** *s.* Rollhandtuch *n*; **~ trip** *s. Am.* 'Hin- u. 'Rückfahrt *f od.* -flug *m*; **,~-'trip** *adj.*: ***~ ticket*** *Am.* a) Rückfahrkarte *f*, b) ✈ Rückflugticket *n*; **~ turn** *s.* ⚓ Rundtörn *m* (*Knoten*): ***bring up with a ~*** *j-n* jäh unterbrechen; **'~·up** *s.* **1.** Zs.-treiben *n von Vieh*; **2.** *fig.* a) Zs.-treiben *n*, Sammeln *n*, b) Razzia *f*, Aushebung *f* von Verbrechern, c) Zs.-fassung *f*, 'Übersicht *f*: ***football ~***; ***~ of the news*** Nachrichtenüberblick *m*; **'~·worm** *s. zo.*, ⚕ Spulwurm *m*.

roup [ru:p] *s. vet.* a) Darre *f der Hühner*, b) Pips *m*.

rouse [raʊz] **I** *v/t.* **1.** *oft* ***~ up*** wachrütteln, (auf)wecken (***from*** aus); **2.** *Wild etc.* aufjagen; **3.** *fig. j-n* auf-, wachrütteln, ermuntern: ***~ o.s.*** sich aufraffen; **4.** *fig. j-n* in Wut bringen, aufbringen, reizen; **5.** *fig. Gefühle etc.* erwecken, wachrufen, *Haß* entflammen, *Zorn* erregen; **6.** ⚙ *Bier etc.* ('um)rühren; **II** *v/i.* **7.** *mst* ***~ up*** aufwachen (*a. fig.*); **8.** aufschrecken; **III** *s.* **9.** ⚔ *Brit.* Wecken *n*; **'rous·er** [-zə] *s.* F **1.** Sensati'on *f*; **2.** faustdicke Lüge, Schwindel *m*; **'rous·ing** [-zɪŋ] *adj.* □ **1.** *fig.* aufrüttelnd, zündend, mitreißend (*Ansprache*, *Lied etc.*); **2.** brausend, stürmisch (*Beifall etc.*); **3.** aufregend, spannend; **4.** F ‚toll'.

roust·a·bout ['raʊstəbaʊt] *s.* **1.** *Am.* a) Werft-, Hafenarbeiter *m*, b) *oft contp.* Gelegenheitsarbeiter *m*; **2.** Handlanger *m*, Hilfsarbeiter *m*.

rout[1] [raʊt] **I** *s.* **1.** Rotte *f*, wilder Haufen; **2.** ⚖ Zs.-rottung *f*, Auflauf *m*; **3.** *bsd.* ⚔ a) wilde Flucht, b) Schlappe *f*, Niederlage *f*: ***put to ~*** → 5; **4.** *obs.* (große) Abendgesellschaft; **II** *v/t.* **5.** ⚔ in die Flucht *od.* vernichtend schlagen.

rout[2] [raʊt] *v/t.* **1.** → ***root***[2] II; **2.** ***~ out, ~ up*** *j-n aus dem Bett od. e-m Versteck etc.* (her'aus)treiben, (-)jagen; **3.** vertreiben; **4.** ⚙ ausfräsen (*a. typ.*), ausschweifen.

route [ru:t; ⚔ *a.* raʊt] **I** *s.* **1.** (Reise-, Fahrt)Route *f*, (-)Weg *m*: ***en ~*** (*Fr.*) unterwegs; **2.** (Bahn-, Bus-, Flug-) Strecke *f*, Route *f*; (Verkehrs)Linie *f*; ⚓ Schiffahrtsweg *m*; (Fern)Straße *f*; **3.** ⚡ Leit(ungs)weg *m*; **4.** ⚔ a) Marschroute *f*, b) *Brit.* Marschbefehl *m*: ***~ march*** *Brit.* Übungsmarsch *m*, *Am.* Marsch *m* mit Marscherleichterungen; ***~ step, march!*** ohne Tritt(, marsch)!; **5.** ✝ *Am.* Versand(art *f*) *m*; **II** *v/t.* **6.** *Truppen* in Marsch setzen; *Transportgüter etc.* befördern, *a. weitS.* leiten (***via*** über *acc.*); **7.** die Route (*od.* ⚙ den Arbeitsgang) festlegen von (*od. gen.*); **8.** *Anträge etc.* (auf dem Dienstweg) weiterleiten; **9.** a) ⚡ legen, führen: ***~ lines***, b) *tel.* leiten.

rou·tine [ru:'ti:n] **I** *s.* **1.** a) (Ge'schäfts-, 'Amts- *etc.*)Rou,tine *f*, übliche *od.* gleichbleibende Proze'dur, gewohnter Gang, b) me'chanische Arbeit, (ewiges) Einerlei, c) Rou'tinesache *f*, d) *contp.* Scha'blone *f*, e) *contp.* (alter) Trott; **2.** *Am.* a) (Zirkus- *etc.*)Nummer *f*, b) *contp.* ‚Platte' *f*, Geschwätz *n*; **3.** *Computer etc.*: Rou'tine *f*, (Unter)Pro'gramm *n*; **II** *adj.* **4.** a) all'täglich, immer gleichbleibend, üblich, b) laufend, regel-, rou'tinemäßig: ***~ check***; **5.** *contp.* me'chanisch, scha'blonenhaft; **rou'tine·ly** [-lɪ] *adv.* **1.** rou'tinemäßig; **2.** *contp.* mechanisch; **rou'tin·ist** [-nɪst] *s.* Gewohnheitsmensch *m*; **rou'tin·ize** [-naɪz] *v/t.* **1.** e-r Rou'tine *etc.* unter'werfen; **2.** *et.* zur Routine machen.

roux [ru:] *s. pl.* **roux** [ru:z] Mehlschwitze *f*, Einbrenne *f*.

rove[1] [rəʊv] **I** *v/i. a.* ***~ about*** um'herstreifen, -schweifen, -wandern (*a. fig. Augen etc.*); **II** *v/t.* durch'streifen; **III** *s.* (Um'her)Wandern *n*; Wanderschaft *f*.

rove[2] [rəʊv] **I** *v/t.* **1.** ⚙ vorspinnen; **2.** *Wolle etc.* ausfasern; *Gestricktes* auftrennen, aufräufeln; **II** *s.* **3.** Vorgespinst *n*; **4.** (*Woll- etc.*)Strähne *f*.

rov·er[1] ['rəʊvə] *s.* ⚙ 'Vorspinnma,schine *f*.

rov·er[2] ['rəʊvə] *s.* **1.** Wanderer *m*; **2.** Pi'rat(enschiff *n*) *m*; **3.** Wandertier *n*; **4.** *obs. Brit. Pfadfinder über 17.*

rov·ing ['rəʊvɪŋ] *adj.* **1.** um'herziehend, -streifend; **2.** *fig.* ausschweifend: ***~ fancy***; ***have a ~ eye*** gern ein Auge riskieren; **3.** *fig.* ‚fliegend': ***~ reporter***; ***~ force*** (Polizei)Einsatztruppe *f*.

row[1] [rəʊ] *s.* **1.** *allg.* (*a. Häuser-*, *Sitz-*) Reihe *f*: ***in ~s*** in Reihen, reihenweise; ***a hard ~ to hoe*** *fig.* e-e schwierige Sache; **2.** Straße *f*: ***Rochester*** ♀; **3.** ⚠ Baufluchtlinie *f*.

row[2] [rəʊ] **I** *v/i.* **1.** rudern; **II** *v/t.* **2.** *Boot*, *a. Rennen*, *a. j-n* rudern: ***~ down*** *j-n* (*beim Rudern*) überholen; **3.** rudern gegen, mit *j-m* (wett)rudern; **III** *s.* **4.** Rudern *n*; 'Ruderpar,tie *f*: ***go for a ~*** rudern gehen.

row[3] [raʊ] F **I** *s.* Krach *m*: a) Kra'wall *m*, Spek'takel *m*, b) Streit *m*, c) Schläge'rei *f*: ***get into a ~*** a) ‚eins aufs Dach bekommen', b) Krach bekommen (***with*** mit); ***have a ~ with*** Krach haben mit; ***kick up a ~*** Krach schlagen; ***what's the ~?*** was ist denn los?; **II** *v/t. j-n* ‚zs.-stauchen'; **III** *v/i.* randalieren.

row·an ['raʊən] *s.* ⚘ Eberesche *f*; '**~,ber·ry** *s.* Vogelbeere *f*.

row·di·ness ['raʊdɪnɪs] *s.* Pöbelhaftigkeit *f*, rüpelhaftes Benehmen *od.* Wesen; **row·dy** ['raʊdɪ] **I** *s.* 'Rowdy *m*, Ra'bauke *m*, Schläger *m*; **II** *adj.* rüpel-, rowdyhaft, gewalttätig; '**row·dy·ism** [-ɪɪzəm] *s.* **1.** Rowdytum *n*, rüpelhaftes Benehmen; **2.** Gewalttätigkeit *f*, Rüpe'lei *f*.

row·el ['raʊəl] **I** *s.* Spornrädchen *n*; **II** *v/t. e-m Pferd* die Sporen geben.

row·en ['raʊən] *s.* ✓ Grummet *n*.

row·ing ['rəʊɪŋ] **I** *s.* Rudern *n*, Rudersport *m*; **II** *adj.* Ruder...: ***~ boat***; ***~ machine*** Ruderapparat *m*.

row·lock ['rɒlək] *s.* ⚓ Dolle *f*.

roy·al ['rɔɪəl] **I** *adj.* ☐ **1.** königlich, Königs...: ***His*** ♀ ***Highness*** S-e Königliche Hoheit; ***~ prince*** Prinz *m* von königlichem Geblüt; → ***princess*** 1; ♀ ***Academy*** Königliche Akademie der Künste (*Großbritanniens*); ***~ blue*** Königsblau *n*; ♀ ***Exchange*** *die* Londoner Börse (*Gebäude*); ***~ flush*** *Poker*: Royal Flush *m*; ♀ ***Navy*** (Königlich-Brit.) Marine *f*; ***~ paper*** → 6; ***~ road*** *fig.* leichter *od.* bequemer Weg (***to*** zu); ***~ speech*** Thronrede *f*; **2.** fürstlich (*a. fig.*): ***the ~ and ancient game*** das Golfspiel; **3.** *fig.* (*a.* F) prächtig, großartig: ***in ~ spirits*** F in glänzender Stimmung; ***~ stag*** *hunt.* Kapitalhirsch *m*; ***~ tiger*** *zo.* Königstiger *m*; **4.** edel (*a. Gas*); **II** *s.* **5.** F Mitglied *n* des Königshauses; **6.** Roy'alpa,pier *n* (*Format*); **7.** *a.* ***~ sail*** ⚓ Ober-

(bram)segel *n*; **roy·al·ist** ['rɔɪəlɪst] **I** *s.* Roya'list(in), Königstreue(r *m*) *f*; **II** *adj.* königstreu; **'roy·al·ty** [-ltɪ] *s.* **1.** Königtum *n*: a) Königswürde *f*, b) Königreich *n*: ***insignia of ~*** Kroninsignien *pl.*; **2.** königliche Abkunft; **3.** a) fürstliche Per'sönlichkeit, b) *pl.* Fürstlichkeiten *pl.*, c) Königshaus *n*; **4.** Krongut *n*; **5.** Re'gal *n*, königliches Privi'leg; **6.** Abgabe *f* an die Krone, Pachtgeld *n*: ***mining ~*** Bergwerksabgabe *f*; **7.** mon'archische Regierung; **8.** ⚖ (Au'toren- *etc.*)Tanti'eme *f*, Gewinnanteil *m*; **9.** ⚖ a) Li'zenz *f*, b) Li'zenzgebühr *f*: ***~ fees*** Pa'tentgebühren; ***subject to payment of royalties*** lizenzpflichtig.

roz·zer ['rɒzə] *s. Br. sl.* Bulle *m* (*Polizist*).

rub [rʌb] **I** *s.* **1.** (Ab)Reiben *n*, Polieren *n*: ***give it a ~*** reibe es (doch einmal); ***have a ~ with a towel*** sich (mit dem Handtuch) abreiben *od.* abtrocknen; **2.** *fig.* Schwierigkeit *f*, Haken *m*: ***there's the ~!*** F da liegt der Hase im Pfeffer!; ***there's a ~ in it*** F die Sache hat e-n Haken; **3.** Unannehmlichkeit *f*; **4.** *fig.* Stiche'lei *f*; **5.** rauhe *od.* aufgeriebene Stelle; **6.** Unebenheit *f*; **II** *v/t.* **7.** reiben: ***~ one's hands*** sich die Hände reiben (*mst fig.*); ***~ shoulders with*** *fig.* verkehren mit, (*dat.*) nahe stehen; ***~ it in, ~ s.o.'s nose in it*** es j-m ‚unter die Nase reiben'; → ***rub up***; **8.** reiben, (reibend) streichen; massieren; **9.** einreiben (***with*** mit *e-r Salbe etc.*); **10.** streifen, reiben an (*dat.*); (wund) scheuern; **11.** a) scheuern, schaben, b) *Tafel etc.* abwischen, c) polieren, d) wichsen, bohnern, e) abreiben, frottieren; **12.** ⚙ (ab)schleifen, (ab)feilen: ***~ with emery*** (***pumice***) abschmirgeln (abbimsen); **13.** *typ.* abklatschen; **III** *v/i.* **14.** reiben, streifen (***against*** *od.* [***up***]***on*** an *dat.*, gegen); **15.** *fig.* sich schlagen (***through*** durch);

Zssgn mit adv.:

rub| a·long *v/i.* **1.** sich (mühsam) 'durchschlagen; **2.** (gut) auskommen (***with*** mit *j-m*); **~ down** *v/t.* **1.** abreiben, frottieren; *Pferd* striegeln; **2.** her'unter-, wegreiben; **~ in** *v/t.* **1.** *a. Zeichnung* einreiben; **2.** *sl.* ‚her'umreiten' auf (*dat.*); → ***rub*** 7; **~ off I** *v/t.* **1.** ab-, wegreiben; abschleifen; **II** *v/i.* **2.** abgehen (*Lack etc.*); **3.** *fig.* sich abnützen; **4.** *fig.* F abfärben (***onto*** auf *acc.*); **~ out I** *v/t.* **1.** ausradieren; **2.** wegwischen, -reiben; **3.** *Am. sl.* ‚'umlegen' (*töten*); **II** *v/i.* **4.** weggehen (*Fleck etc.*); **~ up** *v/t.* **1.** (auf)polieren; **2.** *fig.* a) *Kenntnisse etc.* auffrischen, b) *Gedächtnis etc.* stärken; **3.** *fig.* F ***rub s.o. up the right way*** j-n richtig behandeln; ***rub s.o. up the wrong way*** j-n ‚verschnupfen' *od.* verstimmen; ***it rubs me up the wrong way*** es geht mir gegen den Strich; **4.** *Farben etc.* verreiben.

rub-a-dub ['rʌbədʌb] *s.* Ta'ramtamtam *n*, Trommelwirbel *m*.

rub·ber¹ ['rʌbə] **I** *s.* **1.** Gummi *n*, *m*, (Na'tur)Kautschuk *m*; **2.** (Radier-)Gummi *m*; **3.** *a.* ***~ band*** Gummiring *m*, -band *n*; **4.** ***~ tyre*** (*od. bsd. Am.* ***tire***) Gummireifen *m*; **5.** *pl.* a) *Am.* ('Gummi)'Überschuhe *pl.*, b) *Brit.* Turnschuhe *pl.*; **6.** *sl.* ‚Gummi' *m*, ‚Pa'riser' *m* (*Kondom*); **7.** Reiber *m*, Polierer *m*; **8.** Mas'seur(in), Mas'seuse *f*; **9.** Reibzeug *n*; **10.** a) Frottier(hand)tuch *n*, -handschuh *m*, b) Wischtuch *n*, c) Polierkissen *n*, d) *Brit.* Geschirrtuch *n*; **11.** Reibfläche *f*; **12.** ⚙ a) Schleifstein *m*, b) Putzfeile *f*; **13.** *typ.* Farbläufer *m*; **14.** 'Schmirgelpa'pier *n*; 'Glaspa'pier *n*; **15.** (weicher) Formziegel; **16.** F *Eishockey*: Puck *m*, Scheibe *f*; **17.** *Baseball*: Platte *f*; **II** *v/t.* **18.** → ***rubberize***; **III** *v/i.* **19.** → ***rubberneck*** 4, 5; **IV** *adj.* **20.** Gummi...: ***~ solution*** Gummilösung *f*.

rub·ber² ['rʌbə] *s. Kartenspiel*: Robber *m*.

rub·ber| boat *s.* Gummi-, Schlauchboot *n*; **~ ce·ment** *s.* ⚙ Gummilösung *f*; **~ check** *s. Am.*, **~ cheque** *s. Brit.* F geplatzter Scheck; **~ coat·ing** *s.* Gummierung *f*; **~ din·ghi** *s.* Schlauchboot *n*.

rub·ber·ize ['rʌbəraɪz] *v/t.* ⚙ mit Gummi imprägnieren, gummieren.

'rub·ber|·neck *Am.* F **I** *s.* **1.** Gaffer(in), Neugierige(r *m*) *f*; **2.** Tou'rist(in); **II** *adj.* **3.** neugierig, schaulustig; **III** *v/i.* **4.** neugierig gaffen, ‚sich den Hals verrenken'; **5.** die Sehenswürdigkeiten (*e-r Stadt etc.*) ansehen; **IV** *v/t.* **6.** neugierig betrachten; **~ plant** *s.* ⚘ Kautschukpflanze *f*, *bsd.* Gummibaum *m*; **~ stamp** *s.* **1.** Gummistempel *m*; **2.** F a) sturer Beamter, b) bloßes Werkzeug, c) Nachbeter *m*; **3.** *bsd. Am.* F (abgedroschene) Phrase; **'~-'stamp** *v/t.* **1.** abstempeln; **2.** F (rou'tinemäßig) genehmigen; **~ tree** *s.* ⚘ a) Gummibaum *m*, b) Kautschukbaum *m*.

rub·bing ['rʌbɪŋ] *s.* **1.** a) *phys.* Reibung *f*, b) ⚙ Abrieb *m*; **2.** *typ.* Reiberdruck *m*; **~ cloth** *s.* Frottier-, Wisch-, Scheuertuch *n*; **~ con·tact** *s.* ϟ 'Reibe-, 'Schleifkon'takt *m*; **'~·stone** *s.* Schleif-, Wetzstein *m*; **~ var·nish** *s.* ⚙ Schleiflack *m*.

rub·bish ['rʌbɪʃ] **I** *s.* **1.** Abfall *m*, Kehricht *m*, Müll *m*: ***~ bin*** Abfalleimer *m*; ***~ chute*** Müllschlucker *m*; **2.** (Gesteins-)Schutt *m* (*a. geol.*); **3.** F Schund *m*, Plunder *m*; **4.** F *a. int.* Blödsinn *m*, Quatsch *m*; **5.** ⚒ a) *über Tage*: Abraum *m*, b) *unter Tage*: taubes Gestein; **'rub·bish·y** [-ʃɪ] *adj.* **1.** schuttbedeckt; **2.** F Schund..., wertlos.

rub·ble ['rʌbl] *s.* **1.** Bruchstein(e *pl.*) *m*, Schotter *m*; **2.** *geol.* (Stein)Schutt *m*, Geröll *n*, Geschiebe *n*; **3.** (rohes) Bruchsteinmauerwerk; **4.** loses Packeis; **~ ma·son·ry** → ***rubble*** 3; **'~-stone** *s.* Bruchstein *m*; **'~-work** → ***rubble*** 3.

'rub·down *s.* Abreibung *f*: ***have a ~*** sich trockenreiben *od.* frottieren.

rube [ru:b] *s. Am. sl.* ‚Lackel' *m*.

ru·be·fa·cient [ˌru:bɪ'feɪʃjənt] ⚕ **I** *adj.* (*bsd.* haut)rötend; **II** *s.* (*bsd.* haut)rötendes Mittel; ˌ**ru·be'fac·tion** [-'fækʃn] *s.* ⚕ Hautröte *f*, -rötung *f*.

ru·bi·cund ['ru:bɪkənd] *adj.* rötlich, rot, rosig (*Person*).

ru·bric ['ru:brɪk] **I** *s.* **1.** *typ.* Ru'brik *f* ([*roter*] *Titelkopf od. Buchstabe*; *Abschnitt*); **2.** *eccl.* Rubrik *f*, li'turgische Anweisung; **II** *adj.* **3.** rot (gedruckt *etc.*), rubriziert; **'ru·bri·cate** [-keɪt] *v/t.* **1.** rot bezeichnen; **2.** rubrizieren.

'rub·stone *s.* Schleifstein *m*.

ru·by ['ru:bɪ] **I** *s.* **1.** *a.* ***true ~, Oriental ~*** *min.* Ru'bin *m*; **2.** (Ru'bin)Rot *n*; **3.** *fig.* Rotwein *m*; **4.** *fig.* roter (Haut)Pikkel; **5.** *Uhrmacherei*: Stein *m*; **6.** *typ.* Pa'riser Schrift *f*, Fünfein'halbpunktschrift *f*; **II** *adj.* **7.** (kar'min-, ru'bin)rot.

ruche [ru:ʃ] *s.* Rüsche *f*; **ruched** [-ʃt] *adj.* mit Rüschen besetzt; **'ruch·ing** [-ʃɪŋ] *s.* **1.** *coll.* Rüschen(besatz *m*) *pl.*; **2.** Rüschenstoff *m*.

ruck¹ [rʌk] *s.* **1.** *sport das* (Haupt)Feld; **2.** ***the*** (***common***) **~** *fig.* die breite Masse: ***rise out of the ~*** *fig.* sich über den Durchschnitt erheben.

ruck² [rʌk] **I** *s.* Falte *f*; **II** *v/t. oft* **~ *up*** hochschieben, zerknüllen, -knittern; **III** *v/i. oft* **~ *up*** Falten werfen, hochrutschen.

ruck·sack ['rʌksæk] (*Ger.*) *s.* Rucksack *m*.

ruck·us ['rʌkəs] → ***ruction***.

ruc·tion ['rʌkʃn] *s. oft pl.* F a) Tohuwa'bohu *n*, b) Krach *m*, Kra'wall *m*, c) Schläge'rei *f*.

rud·der ['rʌdə] *s.* **1.** ⚓ (Steuer)Ruder *n*, Steuer *n*; **2.** ✈ Seitenruder *n*, -steuer *n*: **~ *controls*** Seitensteuerung *f*; **3.** *fig.* Richtschnur *f*; **4.** *Brauerei*: Rührkelle *f*; **'rud·der·less** [-lɪs] *adj.* **1.** ohne Ruder; **2.** *fig.* führer-, steuerlos.

rud·di·ness ['rʌdɪnɪs] *s.* Röte *f*; **rud·dy** ['rʌdɪ] *adj.* □ **1.** rot, rötlich, gerötet; gesund (*Gesichtsfarbe*); **2.** *Brit. sl.* verflixt.

rude [ru:d] *adj.* □ **1.** grob, unverschämt; rüde, ungehobelt; **2.** roh, unsanft (*a. fig. Erwachen*); **3.** wild, heftig (*Kampf*, *Leidenschaft*); rauh (*Klima etc.*); hart (*Los*, *Zeit etc.*); **4.** wild (*Landschaft*); holp(e)rig (*Weg*); **5.** wirr (*Masse etc.*): **~ *chaos*** chaotischer Urzustand; **6.** *allg.* primi'tiv: a) unzivilisiert, b) ungebildet, c) kunstlos, d) behelfsmäßig; **7.** ro'bust, unverwüstlich (*Gesundheit*): ***be in ~ health*** vor Gesundheit strotzen; **8.** roh, unverarbeitet (*Stoff*); **9.** plump, ungeschickt; **10.** a) ungefähr, b) flüchtig, grob: **~ *sketch***; ***a ~ observer*** ein oberflächlicher Beobachter; **'rude·ness** [-nɪs] *s.* **1.** Grobheit *f*; **2.** Roheit *f*; **3.** Heftigkeit *f*; **4.** Wild-, Rauheit *f*; **5.** Primitivi'tät *f*; **6.** Unebenheit *f*.

ru·di·ment ['ru:dɪmənt] *s.* **1.** Rudi'ment *n* (*a. biol. rudimentäres Organ*), Ansatz *m*; **2.** *pl.* Anfangsgründe *pl.*, Grundlagen *pl.*, Rudi'mente *pl.*; **ru·di·men·tal** [ˌru:dɪ'mentl], **ru·di·men·ta·ry** [ˌru:dɪ'mentərɪ] *adj.* □ **1.** elemen'tar, Anfangs...; **2.** rudimen'tär (*a. biol.*).

rue¹ [ru:] *s.* ⚘ Gartenraute *f*.

rue² [ru:] *v/t.* bereuen, bedauern; *Ereignis* verwünschen: ***he will live to ~ it*** er wird es noch bereuen; **'rue·ful** [-fʊl] *adj.* □ **1.** kläglich, jämmerlich: ***the Knight of the ~ Countenance*** der Ritter von der traurigen Gestalt (*Don Quichotte*); **2.** wehmütig; **3.** reumütig; **'rue·ful·ness** [-fʊlnɪs] *s.* **1.** Gram *m*, Traurigkeit *f*; **2.** Jammer *m*.

ruff¹ [rʌf] *s.* **1.** Halskrause *f* (*a. zo.*, *orn.*); **2.** (Pa'pier)Krause *f* (*Topf etc.*); **3.** Rüsche *f*; **4.** *orn.* a) Kampfläufer *m*, b) Haustaube *f* mit Halskrause.

ruff² [rʌf] **I** *s. Kartenspiel*: Trumpfen *n*; **II** *v/t. u. v/i.* mit Trumpf stechen.

ruff(e)³ [rʌf] *s. ichth.* Kaulbarsch *m*.

ruf·fi·an ['rʌfjən] *s.* **1.** Rüpel *m*; **2.** Raufbold *m*; **'ruf·fi·an·ism** [-nɪzəm] *s.* Roheit *f*, Brutali'tät *f*; **'ruf·fi·an·ly** [-lɪ] *adj.* **1.** roh, bru'tal; **2.** wild.

ruf·fle ['rʌfl] **I** *v/t.* **1.** *Wasser etc.*, *a. Tuch* kräuseln; *Stirn* kraus ziehen; **2.** *Federn*, *Haare* sträuben: **~ *one's feathers*** sich aufplustern (*a. fig.*); **3.** *Papier* zerknittern; **4.** durchein'anderbringen, -werfen; **5.** *fig. j-n* aus der Fassung bringen; *j-n* (ver)ärgern: **~ *s.o.'s temper*** j-n verstimmen; **II** *v/i.* **6.** sich kräuseln; **7.** zerknüllt *od.* zerzaust werden; **8.** *fig.* die Ruhe verlieren; **9.** *fig.* sich aufspielen, anmaßend auftreten; **III** *s.* **10.** Kräuseln *n*; **11.** Rüsche *f*, Krause *f*; **12.** *orn.* Halskrause *f*; **13.** *fig.* Aufregung *f*, Störung *f*: ***without ~ or excitement*** in aller Ruhe.

ru·fous ['ru:fəs] *adj.* rotbraun.

rug [rʌg] *s.* **1.** (kleiner) Teppich, (Bett-, Ka'min)Vorleger *m*, Brücke *f*: ***pull the ~ from under s.o.*** *fig.* j-m den Boden unter den Füßen wegziehen; **2.** *bsd. Brit.* dicke wollene (Reise- *etc.*)Decke.

rug·by (**foot·ball**) ['rʌgbɪ] *s. sport* Rugby *n*.

rug·ged ['rʌgɪd] *adj.* □ **1.** zerklüftet, wild (*Landschaft etc.*), zackig, schroff (*Fels etc.*), felsig; **2.** durch'furcht (*Ge-*

sicht etc.), uneben (*Boden etc.*), holperig (*Weg etc.*), knorrig (*Gestalt*); **3.** rauh (*Rinde*, *Tuch*, *a. fig. Manieren*, *Sport etc.*): ***life is ~*** das Leben ist hart; ***~ individualism*** krasser Individualismus; **4.** ruppig, grob; **5.** *bsd. Am. a.* ⚙ ro'bust, stark, sta'bil; **'rug·ged·ness** [-nɪs] *s.* **1.** Rauheit *f*; **2.** Grobheit *f*; **3.** *Am.* Ro'bustheit *f*.

rug·ger ['rʌgə] *Brit.* F *für* ***Rugby***.

ru·in ['rʊɪn] **I** *s.* **1.** Ru'ine *f* (*a. fig. Person etc.*); *pl.* Ruine(n *pl.*) *f*, Trümmer *pl.*: ***lay in ~s*** in Schutt u. Asche legen; ***lie in ~s*** in Trümmern liegen; **2.** Verfall *m*: ***go to ~*** verfallen; **3.** Ru'in *m*, 'Untergang *m*, Zs.-bruch *m*, Verderben *n*: ***bring to ~*** → 5; ***the ~ of my hopes*** (***plans***) das Ende m-r Hoffnungen (Pläne); ***it will be the ~ of him*** es wird sein Untergang sein; **II** *v/t.* **4.** vernichten, zerstören; **5.** *j-n*, *a. Sache*, *Gesundheit etc.* ruinieren, zu'grunde richten; *Hoffnungen*, *Pläne* zu'nichte machen; *Augen*, *Aussichten etc.* verderben; *Sprache* verhunzen; **6.** *Mädchen* verführen; **ru·in·a·tion** [rʊɪ'neɪʃn] *s.* **1.** Zerstörung *f*, Verwüstung *f*; **2.** F *j-s* Ru'in *m*, Verderben *n*, 'Untergang *m*; **'ru·in·ous** [-nəs] *adj.* □ **1.** verfallen(d), baufällig, ru'inenhaft; **2.** verderblich, mörderisch, ruinierend, rui'nös: ***a ~ price*** a) ruinöser *od.* enormer Preis, b) Schleuderpreis *m*; **'ru·in·ous·ness** [-nəsnɪs] *s.* **1.** Baufälligkeit *f*; **2.** Verderblichkeit *f*.

rule [ru:l] **I** *s.* **1.** Regel *f*, Nor'malfall *m*: ***as a ~*** in der Regel; ***as is the ~*** wie es allgemein üblich ist; ***become the ~*** zur Regel werden; ***make it a ~ to*** (*inf.*) es sich zur Regel machen, zu (*inf.*); ***by all the ~s*** eigentlich; → ***exception*** 1; **2.** Regel *f*, Richtschnur *f*, Grundsatz *m*; *sport etc.* Spielregel *f* (*a. fig.*): ***against the ~s*** regelwidrig; ***~s of action*** (*od.* ***conduct***) Verhaltensmaßregeln, Richtlinien; ***~ of thumb*** Faustregel, praktische Erfahrung; ***by ~ of thumb*** über den Daumen gepeilt; ***serve as a ~*** als Richtschnur *od.* Maßstab dienen; **3.** ⚖ a) Vorschrift *f*, (gesetzliche) Bestimmung, Norm *f*, b) gerichtliche Entscheidung, c) Rechtsgrundsatz *m*: ***~s of the air*** Luftverkehrsregeln; ***work to ~*** Dienst nach Vorschrift tun (*als Streikmittel*); → ***road*** 1; **4.** *pl.* (Geschäfts-, Gerichts- *etc.*)Ordnung *f*: (***standing***) ***~s of court*** ⚖ Prozeßordnung; ***~s of procedure*** a) Verfahrensordnung, b) Geschäftsordnung; **5.** *a.* ***standing ~*** Satzung *f*: ***against the ~s*** satzungswidrig; ***the ~s*** (***and by-laws***) die Satzungen, die Statuten; **6.** *eccl.* Ordensregel *f*; **7.** ✝ U'sance *f*, Handelsbrauch *m*; **8.** ⅍ Regel *f*, Rechnungsart *f*: ***~ of proportion***, ***~ of three*** Regeldetri *f*, Dreisatz *m*; **9.** Herrschaft *f*, Regierung *f*: ***during*** (***under***) ***the ~ of*** während (unter) der Regierung (*gen.*); ***~ of law*** Rechtsstaatlichkeit *f*; **10.** a) Line'al *n*, b) *a.* ***folding ~*** Zollstock *m*; **11.** a) Richtmaß *n*, b) Winkel(eisen *n*, -maß *n*) *m*; **12.** *typ.* a) (Messing)Linie *f*: ***~ case*** Linienkasten *m*, b) Ko'lumnenmaß *n* (*Satzspiegel*), c) *Brit.* Strich *m*: ***em ~*** Gedankenstrich; ***en ~*** Halbgeviert *n*; **II** *v/t.* **13.** *a.* ***~ over*** *Land*, *Gefühl etc.* beherrschen, herrschen über (*acc.*), regieren: ***~ the roast*** (*od.* ***roost***) *fig.* das Regiment führen, Herr im Haus sein; **14.** lenken, leiten: ***be ~d by*** sich leiten lassen von; **15.** *bsd.* ⚖ anordnen, verfügen, entscheiden: ***~ out*** a) *j-n od. et.* ausschließen (*a. sport*), b) *et.* ablehnen; ***~ s.o. out of order*** *parl.* j-m das Wort entziehen; ***~ s.th. out of order*** et. nicht zulassen; **16.** a) *Papier* linieren, b) *Linie* ziehen: ***~ s.th. out*** et. durchstreichen; ***~d paper*** liniertes Papier; **III** *v/i.* **17.** herrschen *od.* regieren (***over*** über *acc.*); **18.** entscheiden (***that*** daß); **19.** ✝ *hoch etc.* stehen, liegen, notieren (*Preise*): ***~ high*** (***low***); weiterhin hoch notieren; **20.** vorherrschen; **21.** gelten, in Kraft sein (*Recht etc.*); **'rul·er** [-lə] *s.* **1.** Herrscher(in); **2.** Line'al *n*; ⚙ Richtscheit *n*; **3.** ⚙ Li'niermaˌschine *f*; **'rul·ing** [-lɪŋ] **I** *s.* **1.** ⚖ (gerichtliche) Entscheidung; Verfügung *f*; **2.** Linie(n *pl.*) *f*; **3.** Herrschaft *f*; **II** *adj.* **4.** herrschend; *fig.* (vor-) herrschend; **5.** maßgebend, grundlegend: ***~ case***; **6.** ✝ bestehend, laufend: ***~ price*** Tagespreis *m*.

rum[1] [rʌm] *s.* Rum *m*, *Am. a.* Alkohol *m*.

rum[2] [rʌm] *adj.* □ *bsd. Brit. sl.* **1.** ‚komisch' (*eigenartig*): ***~ customer*** komischer Kauz; ***~ go*** dumme Geschichte; ***~ start*** (tolle) Überraschung; **2.** ulkig, drollig.

Ru·ma·ni·an [ru:'meɪnjən] **I** *adj.* **1.** ru'mänisch; **II** *s.* **2.** Ru'mäne *m*, Ru'mänin *f*; **3.** *ling.* Ru'mänisch *n*.

rum·ba ['rʌmbə] *s.* Rumba *m*, *f*.

rum·ble[1] ['rʌmbl] **I** *v/i.* **1.** poltern (*a. Stimme*); rattern (*Gefährt*, *Zug etc.*), rumpeln, rollen (*Donner*), knurren (*Magen*); **II** *v/t.* **2.** *a.* ***~ out*** *Worte* her'auspoltern, *Lied* grölen; **III** *s.* **3.** Gepolter *n*, Rattern *n*, Rumpeln *n*, Rollen *n* (*Donner*); **4.** ⚙ Poliertrommel *f*; **5.** a) Bedientensitz *m*, b) Gepäckraum *m*, c) → ***rumble seat***; **6.** *Am.* (Straßen-) Schlacht *f* (*zwischen jugendlichen Banden*).

rum·ble[2] ['rʌmbl] *v/t. sl.* **1.** *j-n* durch'schauen; **2.** *et.* ‚spitzkriegen'; **3.** *Am.* *j-n* argwöhnisch machen.

rum·ble seat *s. Am. mot.* Not-, Klappsitz *m*.

rum·bus·tious [rʌm'bʌstɪəs] *adj.* F **1.**

R

laut, lärmend; **2.** wild, ausgelassen.
ru·men ['ru:men] *pl.* **-mi·na** [-mɪnə] *s. zo.* Pansen *m*; **'ru·mi·nant** [-mɪnənt] **I** *adj.* □ **1.** *zo.* 'wiederkäuend; **2.** *fig.* grübelnd; **II** *s.* **3.** *zo.* 'Wiederkäuer *m*; **'ru·mi·nate** [-mɪneɪt] **I** *v/i.* **1.** 'wiederkäuen; **2.** *fig.* grübeln (***about***, ***over*** über *acc.*); **II** *v/t.* **3.** *fig.* grübeln über (*acc.*, *dat.*); **ru·mi·na·tion** [ˌru:mɪ'neɪʃn] *s.* **1.** 'Wiederkäuen *n*; **2.** *fig.* Grübeln *n*; **'ru·mi·na·tive** [-mɪnətɪv] *adj.* □ nachdenklich, grüblerisch.
rum·mage ['rʌmɪdʒ] **I** *v/t.* **1.** durch'stöbern, -'wühlen, wühlen in (*dat.*); **2.** *a.* **~ *out***, **~ *up*** aus-, her'vorkramen; **II** *v/i.* **3.** *a.* **~ *about*** (her'um)stöbern *od.* (-)wühlen (***in*** in *dat.*); **III** *s.* **4.** *mst* **~ *goods*** Ramsch *m*, Ausschuß *m*, Restwaren *pl.*; **~ *sale*** *s.* **1.** Ramschverkauf *m*; **2.** 'Wohltätigkeitsbaˌzar *m*.
rum·mer ['rʌmə] *s.* Römer *m*, ('Wein-) Poˌkal *m*.
rum·my[1] ['rʌmɪ] *s.* Rommé *n* (*Kartenspiel*).
rum·my[2] ['rʌmɪ] *adj.* □ → ***rum***[2] 1 *u.* 2.
ru·mo(u)r ['ru:mə] **I** *s.* a) Gerücht *n*, b) Gerede *n*: **~ *has it***, ***the* ~ *runs*** es geht das Gerücht; **II** *v/t.* (als Gerücht) verbreiten (*mst pass.*): ***it is* ~*ed that*** man sagt *od.* es geht das Gerücht, daß; ***he is* ~*ed to be*** man munkelt *od.* es heißt, er sei.
rump [rʌmp] *s.* **1.** *zo.* Steiß *m*, 'Hinterteil *n* (*a. des Menschen*); *orn.* Bürzel *m*; **~ *steak*** *Küche*: Rumpsteak *n*; **2.** *fig.* Rumpf *m*, kümmerlicher Rest: ***the* ~ (*Parliament*)** *hist.* das Rumpfparlament.
rum·pie ['rʌmpɪ] *s.* Aufsteiger *m*, der auf dem Lande wohnt (= ***rural upwardly-mobile professional***).
rum·ple ['rʌmpl] *v/t.* **1.** zerknittern, -knüllen; **2.** *Haar etc.* zerwühlen.
rum·pus ['rʌmpəs] *s.* F **1.** Krach *m*, Kra'wall *m*; **2.** Trubel *m*; **3.** Streit *m*, ‚Krach' *m*; **~ *room*** *s. Am.* Hobby- *od.* Partyraum *m*.
'rum-ˌrun·ner *s. Am.* Alkoholschmuggler *m*.
run [rʌn] **I** *s.* **1.** Laufen *n*, Rennen *n*; **2.** Lauf *m* (*a. sport u. fig.*); Lauf-, ⚔ Sturmschritt *m*: ***at the* ~** im Lauf (-schritt), im Dauerlauf; ***in the long* ~** *fig.* auf die Dauer, am Ende, schließlich; ***in the short* ~** fürs nächste; ***on the* ~** a) auf der Flucht, b) (immer) auf den Beinen (*tätig*); ***be in the* ~** *bsd. Am. pol. bei e-r Wahl* in Frage kommen *od.* im Rennen liegen, kandidieren; ***come down with a* ~** schnell *od.* plötzlich fallen (*a. Barometer*, *Preis*); ***go for*** (*od.* ***take***) ***a* ~** e-n Lauf machen; ***have a* ~ *for one's money*** sich abhetzen müssen; ***have s.o. on the* ~** j-n herumjagen, -hetzen; **3.** a) Anlauf *m*: ***take a* ~** (e-n) Anlauf nehmen, b) *Baseball*, *Kricket*: erfolgreicher Lauf; **4.** *Reiten*: schneller Ga'lopp; **5.** ⚓, *mot.* Fahrt *f*; **6.** *oft* ***short* ~** Spazierfahrt *f*; **7.** Abstecher *m*, kleine Reise (***to*** nach); **8.** ✈ (Bomben)Zielanflug *m*; **9.** ♪ Lauf *m*; **10.** Zulauf *m*, ✝ Ansturm *m*, Run *m* (***on*** auf *e-e Bank etc.*); ✝ stürmische Nachfrage (***on*** nach *e-r Ware*); **11.** *fig.* Lauf *m*, (Fort)Gang *m*: ***the* ~ *of events***; **12.** *fig.* Verlauf *m*: ***the* ~ *of the hills***; **13.** *fig.* a) Ten'denz *f*, b) Mode *f*; **14.** Folge *f*, (*sport* Erfolgs-, Treffer)Serie *f*: ***a* ~ *of bad*** (***good***) ***luck*** e-e Pechsträhne (e-e Glückssträhne); **15.** *Am.* kleiner Wasserlauf; **16.** *bsd. Am.* Laufmasche *f*; **17.** (Bob-, Rodel)Bahn *f*; **18.** ✈ Rollstrecke *f*; **19.** a) (Vieh-) Trift *f*, Weide *f*, b) (Hühner)Hof *m*, Auslauf *m*; **20.** ⚙ a) Bahn *f*, b) Laufschiene *f*, c) Rinne *f*; **21.** Mühl-, Mahlgang *m*; **22.** ⚙ a) Herstellungsgröße *f*, (Rohr- *etc.*)Länge *f*, b) (Betriebs)Leistung *f*, Ausstoß *m*, c) Gang *m*, 'Arbeitsperiˌode *f*, d) 'Durchlauf *m* (*von Beschickungsgut*), e) Charge *f*, Menge *f*, f) Bedienung *f*; **23.** Auflage *f* (*Zeitung*); **24.** *Kartenspiel*: Se'quenz *f*; **25.** (Amts-, Gültigkeits-, Zeit)Dauer *f*: **~ *of office***; **26.** *thea.*, *Film*: Laufzeit *f*: ***have a* ~ *of 20 nights*** 20mal nacheinander gegeben werden; **27.** a) Art *f*, Schlag *m*; Sorte *f* (*a.* ✝), b) *mst* ***common*** (*od.* ***general*** *od.* ***ordinary***) **~** 'Durchschnitt *m*, *die* große Masse: **~ *of the mill*** Durchschnitt *m*; **28.** Herde *f*; **29.** Schwarm *m* (*Fische*); **30.** ⚓ (Achter)Piek *f*; **31.** (***of***) a) freie Benutzung (*gen.*), b) freier Zutritt (zu); **II** *v/i.* [*irr.*] **32.** laufen, rennen; eilen, stürzen; **33.** da'vonlaufen, Reiß'aus nehmen; **34.** *sport* a) (um die Wette) laufen, b) (an e-m Lauf *od.* Rennen) teilnehmen, laufen, c) als *Zweiter etc.* einlaufen: ***also ran*** ferner liefen; **35.** *fig.* laufen (*Blick*, *Feuer*, *Finger*, *Schauer etc.*): ***his eyes ran over …*** sein Blick überflog …; ***the tune keeps* ~*ning through my head*** die Melodie geht mir nicht aus dem Kopf; **36.** *pol.* kandidieren (***for*** für); **37.** ⚓ *etc.* fahren; (*in den Hafen*) einlaufen: **~ *before the wind*** vor dem Wind segeln; **38.** wandern (*Fische*); **39.** 🚂 *etc.* verkehren, *auf e-r Strecke* fahren, gehen; **40.** fließen, strömen (*beide a. fig. Blut in den Adern*, *Tränen*, *a. Verse*): ***it* ~*s in the blood*** (***family***) es liegt im Blut (in der Familie); **41.** lauten (*Schriftstück*); **42.** gehen (*Melodie*); **43.** verfließen, -streichen (*Zeit etc.*); **44.** dauern: ***three days* ~*ning*** drei Tage hintereinander; **45.** laufen, gegeben werden (*Theaterstück etc.*); **46.** verlaufen (*Straße etc.*, *a. Vorgang*), sich erstrecken; führen, gehen (*Weg etc.*):

R

my taste (***talent***) ***does not ~ that way*** dafür habe ich keinen Sinn (keine Begabung); **47.** ⚙ laufen, gleiten (*Seil etc.*); **48.** ⚙ laufen: a) in Gang sein, arbeiten, b) gehen (*Uhr etc.*), funktionieren; **49.** in Betrieb sein (*Fabrik*, *Hotel etc.*); **50.** aus-, zerlaufen (*Farbe*); **51.** tropfen, strömen, triefen (***with*** vor *dat.*) (*Gesicht etc.*); laufen (*Nase*, *Augen*); ˈübergehen (*Augen*): ***~ with tears*** in Tränen schwimmen; **52.** rinnen, laufen (*Gefäß*); **53.** schmelzen (*Metall*); tauen (*Eis*); **54.** ⚕ eitern, laufen; **55.** fluten, wogen: ***a heavy sea was ~ning*** es ging e-e schwere See; **56.** *Am.* a) laufen, fallen (*Masche*), b) Laufmaschen bekommen (*Strumpf*); **57.** ⚖ laufen, gelten, in Kraft sein *od.* bleiben: ***the period ~s*** die Frist läuft; **58.** ✝ sich stellen (*Preis*, *Ware*); **59.** *mit adj.*: werden, sein: ***~ dry*** a) versiegen, b) keine Milch mehr geben, c) erschöpft sein, d) sich ausgeschrieben haben (*Schriftsteller*); → 80; ***~ low*** (*od.* ***short***) zur Neige gehen, knapp werden; → ***high*** 22, ***riot*** 3, ***wild*** 2; **60.** *im Durchschnitt* sein, *klein etc.* ausfallen (*Früchte etc.*); **III** *v/t.* [*irr.*] **61.** *Weg etc.* laufen; *Strecke* durchˈlaufen, zuˈrücklegen; *Weg* einschlagen; **62.** fahren (*a.* ⚓); *Strecke* be-, durchˈfahren: ***~ a car against a tree*** mit e-m Wagen gegen e-n Baum fahren; **63.** *Rennen* austragen, laufen, *Wettlauf* machen; **64.** um die Wette laufen mit: ***~ s.o. close*** dicht an j-n herankommen (*a. fig.*); **65.** *Pferd* treiben; **66.** *hunt.* hetzen, *a. Spur* verfolgen (*a. fig.*); **67.** *Botschaften* überˈbringen; *Botengänge od. Besorgungen* machen: ***~ errands***; **68.** *Blokkade* brechen; **69.** a) *Pferd etc.* laufen lassen, b) *pol. j-n* als Kandiˈdaten aufstellen (***for*** für); **70.** a) *Vieh* treiben, b) weiden lassen; **71.** 🚂, ⚓ *etc.* fahren *od.* verkehren lassen; **72.** *Am. Annonce* veröffentlichen; **73.** transportieren; **74.** *Schnaps etc.* schmuggeln; **75.** *Augen*, *Finger etc.* gleiten lassen: ***~ one's hand through one's hair*** (sich) mit den Fingern durchs Haar fahren; **76.** *Film* laufen lassen; **77.** ⚙ *Maschine etc.* laufen lassen, bedienen; **78.** *Betrieb etc.* führen, leiten, verwalten; *Geschäft etc.* betreiben; *Zeitung* herˈausgeben; **79.** hinˈeingeraten (lassen) in (*acc.*): ***~ debts*** Schulden machen; ***~ a firm into debt*** e-e Firma in Schulden stürzen; ***~ the danger of*** (*ger.*) Gefahr laufen zu (*inf.*); → ***risk*** 1; **80.** ausströmen, fließen lassen; *Wasser etc.* führen (*Leitung*): ***~ dry*** leerlaufen lassen; → 59; **81.** *Gold etc.* (mit sich) führen (*Fluß*); **82.** *Metall* schmelzen; **83.** *Blei*, *Kugel* gießen; **84.** *Fieber*, *Temperatur* haben; **85.** stoßen, stechen, stecken; **86.** *Graben*, *Linie*, *Schnur etc.* ziehen; *Straße etc.* anlegen; *Brücke* schlagen; *Leitung* legen; **87.** leicht (ver)nähen, heften; **88.** *j-n* belangen (***for*** wegen);

Zssgn mit prp.:

run| a·cross *v/i. j-n* zufällig treffen, stoßen auf (*acc.*); **~ aft·er** *v/i.* hinter ... (*dat.*) herlaufen *od.* sein, nachlaufen (*dat.*) (*alle a. fig.*); **~ a·gainst I** *v/i.* **1.** zs.-stoßen mit, laufen *od.* rennen *od.* fahren gegen; **2.** *pol.* kandidieren gegen; **II** *v/t.* **3.** *et.* stoßen gegen: ***run one's head against*** mit dem Kopf gegen *die Wand etc.* stoßen; **~ at** *v/i.* losstürzen auf (*acc.*); **~ for** *v/i.* **1.** auf ... (*acc.*) zulaufen *od.* -rennen; laufen nach; **2.** ***~ it*** Reißˈaus nehmen; **3.** *fig.* sich bemühen *od.* bewerben um; *pol.* → ***run*** 36; **~ in·to I** *v/i.* **1.** (hinˈein)laufen *od.* (-)rennen in (*acc.*); **2.** ⚓ in *den Hafen* einlaufen; **3.** → ***run against*** 1; **4.** → ***run across***; **5.** geraten *od.* sich stürzen in (*acc.*): ***~ debt***; **6.** werden *od.* sich entwickeln zu; **7.** sich belaufen auf (*acc.*): ***~ four editions*** vier Auflagen erleben; ***~ money*** ins Geld laufen; **II** *v/t.* **8.** *Messer etc.* stoßen *od.* rennen in (*acc.*); **~ off** *v/i.* herˈunterfahren *od.* -laufen von: ***~ the rails*** entgleisen; **~ on** *v/i.* **1.** sich drehen um, betreffen; **2.** sich beschäftigen mit; **3.** losfahren auf (*acc.*); **4.** → ***run across***; **5.** mit *e-m Treibstoff* fahren, (an)getrieben werden von; **~ o·ver** *v/i.* **1.** laufen *od.* gleiten über (*acc.*); **2.** überˈfahren; **3.** ˈdurchgehen, -lesen, überˈfliegen; **~ through** *v/i.* **1.** → ***run over*** 3; **2.** kurz erzählen, streifen; **3.** ˈdurchmachen, erleben; **4.** sich hinˈdurchziehen durch; **5.** *Vermögen* ˈdurchbringen; **~ to** *v/i.* **1.** sich belaufen auf (*acc.*); **2.** (aus)reichen für (*Geldmittel*); **3.** sich entwickeln zu, neigen zu; **4.** F sich *et.* leisten; **5.** allzusehr *Blätter etc.* treiben (*Pflanze*); → ***fat*** 5, ***seed*** 1; **~ up·on** → ***run on***; **~ with** *v/i.* überˈeinstimmen mit;

Zssgn mit adv.:

run| a·way *v/i.* **1.** daˈvonlaufen (***from*** von *od. dat.*): ***~ from a subject*** von einem Thema abschweifen; **2.** ˈdurchgehen (*Pferd etc.*): ***~ with*** a) durchgehen mit *j-m* (*a. Phantasie*, *Temperament*); ***don't ~ with the idea that*** glauben Sie bloß nicht, daß, b) *et.* ‚mitgehen lassen', c) *viel Geld* kosten *od.* verschlingen, d) *sport Satz etc.* klar gewinnen; **~ down I** *v/i.* **1.** hinˈunterlaufen (*a. Träne etc.*); **2.** ablaufen (*Uhr*); **3.** *fig.* herˈunterkommen; **II** *v/t.* **4.** überˈfahren; **5.** ⚓ in den Grund bohren; **6.** *j-n* einholen; **7.** *Wild*, *Verbrecher* zur Strecke bringen; **8.** aufstöbern, ausfindig machen; **9.** erschöpfen, *Batterie a.* zu stark entladen: ***be ~ fig.*** erschöpft *od.* ab(gearbeitet, -gespannt) sein; **10.** *Betrieb etc.* her'unterwirtschaften; **~ in I** *v/i.* **1.** hin'ein, her'einlaufen; **2. ~ *with*** *fig.* über'einstimmen mit; **II** *v/t.* **3.** hin'einlaufen lassen; **4.** einfügen (*a. typ.*); **5.** F *Verbrecher* ‚einlochen'; **6.** ⚙ *Maschine* (sich) einlaufen lassen, *Auto etc.* einfahren; **~ off I** *v/i.* **1.** → ***run away***; **2.** ablaufen, -fließen; **II** *v/t.* **3.** *et.* schnell erledigen; *Gedicht etc.* her'unterrasseln; **4.** *typ.* abdrucken, -ziehen; **5.** *Rennen etc.* a) austragen, b) zur Entscheidung bringen; **~ on** *v/i.* **1.** weiterlaufen; **2.** *fig.* fortlaufen, fortgesetzt werden (***to*** bis); **3.** a) (unaufhörlich) reden, fortplappern, b) *in der Rede* fortfahren; **4.** anwachsen (***into*** zu); **5.** *typ.* (ohne Absatz) fortlaufen; **~ out I** *v/i.* **1.** hin'aus-, her'auslaufen; **2.** her'ausfließen, -laufen; **3.** (aus)laufen (*Gefäß*); **4.** *fig.* ablaufen, zu Ende gehen; **5.** ausgehen, knapp werden (*Vorrat*): ***I have ~ of tobacco*** ich habe keinen Tabak mehr; **6.** her'ausragen; sich erstrecken; **II** *v/t.* **7.** hin'ausjagen, -treiben; **8.** erschöpfen: ***run o.s. out*** bis zur Erschöpfung laufen; ***be ~*** a) *vom Laufen* ausgepumpt sein, b) ausverkauft sein; **~ o·ver I** *v/i.* **1.** hin'überlaufen; **2.** 'überlaufen, -fließen; **II** *v/t.* **3.** über'fahren; **~ through** *v/t.* **1.** durch'bohren, -'stoßen; **2.** *Wort* 'durchstreichen; **3.** *Zug* 'durchfahren lassen; **~ up I** *v/i.* **1.** hin'auflaufen, -fahren; **2.** zulaufen (***to*** auf *acc.*); **3.** schnell anwachsen, hochschießen; **4.** einlaufen, -gehen (*Kleider*); **II** *v/t.* **5.** *Vermögen etc.* anwachsen lassen; **6.** *Rechnung* auflaufen lassen; **7.** *Angebot, Preis* in die Höhe treiben; **8.** *Flagge* hissen; **9.** schnell zs.-zählen; **10.** *Haus etc.* schnell hochziehen; **11.** *Kleid etc.* ‚zs.-hauen' (*schnell nähen*).

'run|·a·bout *s.* **1.** Her'umtreiber(in); **2.** *a.* **~ *car*** *mot.* Kleinwagen *m*, Stadtauto *n*; **3.** leichtes Motorboot; **'~-a·round** *s. Am.* F: ***give s.o. the ~*** a) j-n von Pontius zu Pilatus schicken, b) j-n hinhalten, c) *j-n* ‚an der Nase herumführen'; **'~·a·way I** *s.* **1.** Ausreißer(in), 'Durchgänger *m* (*a. Pferd*); **2.** 'Durchgehen *n e-s Atomreaktors*; **II** *adj.* **3.** 'durchgebrannt, flüchtig (*Häftling etc.*): **~ *car*** Wagen, der sich selbständig gemacht hat; **~ *inflation*** ♰ galoppierende Inflation; **~ *match*** Heirat *f* e-s durchgebrannten Liebespaares; **~ *victory*** *sport* Kantersieg *m*; **'~-down I** *adj.* **1.** erschöpft (*a.* ↯ *Batterie*), abgespannt, ‚erledigt'; **2.** heruntergekommen, baufällig; **3.** abgelaufen (*Uhr*); **II** ['rʌndaʊn] *s.* **4.** F (ausführlicher) Bericht.

rune [ru:n] *s.* Rune *f.*

rung¹ [rʌŋ] *p.p. von* ***ring²***.

rung² [rʌŋ] *s.* **1.** (*bsd.* Leiter)Sprosse *f*; **2.** *fig.* Stufe *f*, Sprosse *f*; **3.** (Rad)Speiche *f*; **4.** Runge *f.*

ru·nic ['ru:nɪk] **I** *adj.* **1.** runisch; Runen…; **II** *s.* **2.** Runeninschrift *f*; **3.** *typ.* Runenschrift *f.*

'run-in *s.* **1.** *sport Brit.* Einlauf *m*; **2.** *typ.* Einschiebung *f*; **3.** ⚙ a) Einfahren *n* (*Auto etc.*), b) Einlaufen *n* (*Maschine*); **4.** *Am.* F ‚Krach' *m*, Zs.-stoß *m* (*Streit*); **~ groove** *s.* Einlaufrille *f* (*Schallplatte*).

run·let ['rʌnlɪt] *s.* Bach *m.*

run·nel ['rʌnl] *s.* **1.** Rinnsal *n*; **2.** Rinne *f*, Rinnstein *m.*

run·ner ['rʌnə] *s.* **1.** (*a.* Wett)Läufer (-in); **2.** Rennpferd *n*; **3.** a) Bote *m*, b) Laufbursche *m*, c) ⚔ Melder *m*; **4.** ♰ *Am.* a) Unter'nehmer *m*, b) F Vertreter *m*, c) F ‚Renner' *m*, Verkaufsschlager *m*; **5.** *mst in Zssgn* Schmuggler *m*; **6.** Läufer *m* (*Teppich*); **7.** (*Schlitten- etc.*) Kufe *f*; **8.** ⚙ a) Laufschiene *f*, b) Seilring *m*, c) (*Turbinen- etc.*) Laufrad *n*, d) (Gleit-, Lauf)Rolle *f*, e) Rollwalze *f*; **9.** *typ.* Zeilenzähler *m*; **10.** ⸙ Drillschar *f*; **11.** ⚓ Drehreep *n*; **12.** ♀ a) Ausläufer *m*, b) Kletterpflanze *f*, c) Stangenbohne *f*; **13.** *orn.* Ralle *f*; **14.** *ichth.* Goldstöcker *m*; **ˌ~-'up** *s.* (***to*** hinter *dat.*) Zweite(r *m*) *f*, *sport a.* Vizemeister(in).

run·ning ['rʌnɪŋ] **I** *s.* **1.** Laufen *n*, Lauf *m* (*a.* ⚙): ***be still in the ~*** noch gut im Rennen liegen (*a. fig.* ***for*** um); ***be out of the ~*** aus dem Rennen sein (*a. fig.* ***for*** um); ***make the ~*** a) das Tempo machen, b) das Tempo angeben; ***put s.o. out of the ~*** j-n aus dem Rennen werfen (*a. fig.*); ***take (up) the ~*** sich an die Spitze setzen (*a. fig.*); **2.** Schmuggel *m*; **3.** Leitung *f*, Aufsicht *f*; Bedienung *f*, Über'wachung *f e-r Maschine*; **4.** Durch'brechen *n e-r Blockade*; **II** *adj.* **5.** laufend (*a.* ⚙): **~ *fight*** ⚔ a) Rückzugsgefecht *n*, b) laufendes Gefecht (*a. fig.*); **~ *gear*** ⚙ Laufwerk *n*; **~ *glance*** *fig.* flüchtiger Blick; **~ *jump*** Sprung *m* mit Anlauf; **~ *knot*** laufender Knoten; **~ *mate*** *pol. Am.* 'Vizepräsiˌdentschaftsbewerber(in); **~ *shot*** *Film*: Fahraufnahme *f*; **~ *speed*** Fahr- *od.* Umlaufgeschwindigkeit *f*; **~ *start*** *sport* fliegender Start; ***in ~ order*** ⚙ betriebsfähig; **6.** *fig.* laufend (*ständig*), fortlaufend: **~ *account*** ♰ a) laufende Rechnung, b) Kontokorrent *n*; **~ *commentary*** a) laufender Kommentar, b) (Funk)Reportage *f*; **~ *debts*** laufende Schulden; **~ *hand*** Schreibschrift *f*; **~ *head(line)***, **~ *title*** Kolumnentitel *m*; **~ *pattern*** fortlaufendes Muster; **~ *text*** fortlaufender Text; **7.** fließend (*Wasser*); **8.** ⚕ laufend, eiternd (*Wunde*); **9.** aufein'anderfolgend: ***five times (for three days) ~*** fünfmal (drei Tage) hintereinander; **~ *fire*** ⚔ Lauffeuer *n*; **10.** line'ar gemessen: ***per ~ metre*** pro laufenden Meter; **11.** ⚘ a) rankend, b) kriechend; **12.** ♪ laufend: ***~ passages*** Läufe; **~ board** *s. mot.*, 🚂 *etc.* Tritt-, Laufbrett *n*; **ˌ~-ˈin test** *s.* ⚙ Probelauf *m*.

ˈrun|-off *s. sport* Entscheidungslauf *m*, -rennen *n*; **ˈ~-off vote** *s. pol.* Stichwahl *f*; **ˌ~-of-the-ˈmill** *adj.* Durchschnitts…, mittelmäßig; **ˈ~-proof** *adj.* maschenfest; **ˈ~-on** *typ.* **I** *adj.* angehängt, fortlaufend gesetzt; **II** *s.* angehängtes Wort.

runs [rʌnz] *s. pl.* F *bsd. Brit.* Durchfall *m*, ‚Scheißerei' *f*.

runt [rʌnt] *s.* **1.** *zo.* Zwergrind *n*, -ochse *m*; **2.** *fig.* (*contp.* lächerlicher) Zwerg; **3.** *orn. große kräftige Haustaubenrasse.*

ˈrun|·through *s.* **1.** a) Überfliegen *n* (*e-s Briefs etc.*), b) kurze Zs.-fassung; **2.** *thea.* schnelle Probe; **ˈ~-up** *s.* **1.** *sport.* Anlauf *m*: ***in the ~ to*** *fig.* im Vorfeld *der Wahlen etc.*; **2.** ⚔ (Ziel)Anflug *m*; **3.** ✈ kurzer Probelauf *der Motoren*; **ˈ~·way** *s.* **1.** ✈ Start-, Lande-, Rollbahn *f*; **2.** *sport* Anlaufbahn *f*; **3.** *hunt.* Wildpfad *m*, (-)Wechsel *m*: ***~ watching*** Ansitzjagd *f*; **4.** *bsd. Am.* Laufsteg *m*.

ru·pee [ruːˈpiː] *s.* Rupie *f* (*Geld*).

rup·ture [ˈrʌptʃə] **I** *s.* **1.** Bruch *m* (*a.* ⚕ *u. fig.*), (*a.* ⚕ *Muskel- etc.*)Riß *m*: ***diplomatic ~*** Abbruch *m* der diplomatischen Beziehungen; ***~ support*** ⚕ Bruchband *n*; **2.** Brechen *n* (*a.* ⚙): ***~ limit*** ⚙ Bruchgrenze *f*; **II** *v/t.* **3.** brechen (*a. fig.*), zersprengen, -reißen (*a.* ⚕): ***~ o.s.*** → 6; **4.** *fig.* abbrechen, trennen; **III** *v/i.* **5.** zerspringen, (-)reißen; **6.** ⚕ sich e-n Bruch heben.

ru·ral [ˈrʊərəl] *adj.* ☐ **1.** ländlich, Land…; **2.** landwirtschaftlich; **ˈru·ral·ize** [-rəlaɪz] **I** *v/t.* **1.** e-n ländlichen Chaˈrakter geben; **2.** auf das Landleben ˈumstellen; **II** *v/i.* **3.** auf dem Lande leben; **4.** sich auf das Landleben umstellen; **5.** ländlich werden, verbauern.

Ru·ri·ta·ni·an [ˌrʊərɪˈteɪnjən] *adj. fig.* abenteuerlich.

ruse [ruːz] *s.* List *f*, Trick *m*.

rush¹ [rʌʃ] *s.* ⚘ Binse *f*; *coll.* Binsen *pl.*: ***not worth a ~*** *fig.* keinen Pfifferling wert.

rush² [rʌʃ] **I** *v/i.* **1.** rasen, stürzen, (daˈhin)jagen, stürmen, (heˈrum)hetzen: ***~ at s.o.*** auf j-n losstürzen; ***~ in*** hereinstürzen, -stürmen; ***~ into extremes*** *fig.* ins Extrem verfallen: ***~ through*** a) hasten durch, b) *et.* hastig erledigen *etc.*; ***an idea ~ed into my mind*** ein Gedanke schoß mir durch den Kopf; ***blood ~ed to her face*** das Blut schoß ihr ins Gesicht; **2.** (daˈhin)brausen (*Wind*); **3.** *fig.* sich (*vorschnell*) stürzen (***into*** in *od.* auf *acc.*); → ***conclusion*** 3, ***print*** 13; **II** *v/t.* **4.** (an)treiben, drängen, hetzen, jagen: ***I refuse to be ~ed*** ich lasse mich nicht drängen; ***~ up prices*** *Am.* die Preise in die Höhe treiben; ***be ~ed for time*** F unter Zeitdruck stehen; **5.** schnell *od.* auf dem schnellsten Wege *wohin* bringen *od.* schaffen: ***~ s.o. to the hospital***; **6.** schnell erledigen, *Arbeit etc.* herˈunterhasten, hinhauen: ***~ a bill*** (***through***) e-e Gesetzesvorlage durchpeitschen; **7.** überˈstürzen, -ˈeilen; **8.** losstürmen auf (*acc.*), angreifen; **9.** im Sturm nehmen (*a. fig.*), stürmen (*a. fig.*): ***~ s.o. off his feet*** j-n in Trab halten; **10.** über *ein Hindernis* hinˈwegsetzen; **11.** *Am. sl.* mit Aufmerksamkeiten überˈhäufen, umˈwerben; **12.** *Brit. sl.* ‚neppen', ‚bescheißen' (***£5*** um 5 Pfund); **III** *s.* **13.** Vorwärtsstürmen *n*, Daˈhinschießen *n*; Brausen *n* (*Wind*): ***on the ~*** F in aller Eile; ***with a ~*** plötzlich; **14.** ⚔ a) Sturm *m*, b) Sprung *m*: ***by ~es*** sprungweise; **15.** *American Football*: Vorstoß *m*, ˈDurchbruch *m*; **16.** *fig.* a) (An)Sturm *m* (***for*** auf *acc.*), b) (Massen)Andrang *m*, c) *a.* ✝ stürmische Nachfrage (***on*** *od.* ***for*** nach): ***make a ~ for*** losstürzen auf (*acc.*); **17.** ⚕ a) (Blut)Andrang *m*, b) (Adrenaˈlin- *etc.*)Stoß *m*; **18.** *fig.* plötzlicher Ausbruch (*von Tränen etc.*); plötzliche Anwandlung, Anfall *m*: ***~ of pity***; **19.** a) Drang *m der Geschäfte*, ‚Hetze' *f*, b) Hochbetrieb *m*, -druck *m*, c) Überˈhäufung *f* (***of*** mit *Arbeit*); **~ hour** *s.* Hauptverkehrs-, Stoßzeit *f*; **ˈ~-ˌhour** *adj.* Hauptverkehrs…, Stoß…: ***~ traffic*** Stoßverkehr *m*; **~ job** *s.* eilige Arbeit, dringende Sache; **~ or·der** *s.* ✝ Eilauftrag *m*.

rusk [rʌsk] *s.* **1.** Zwieback *m*; **2.** Sandkuchengebäck *n*.

rus·set [ˈrʌsɪt] **I** *adj.* **1.** a) rostbraun, b) rotgelb, -grau; **2.** *obs.* grob; **II** *s.* **3.** a) Rostbraun *n*, b) Rotgelb *n*, -grau *n*; **4.** grobes handgewebtes Tuch; **5.** Boskop *m* (*rötlicher Winterapfel*).

Rus·sia leath·er [ˈrʌʃə] *s.* Juchten(leder) *n*; **ˈRus·sian** [-ʃn] **I** *s.* **1.** Russe *m*, Russin *f*; **2.** *ling.* Russisch *n*; **II** *adj.* **3.** russisch; **ˈRus·sian·ize** [-ʃənaɪz] *v/t.* russifizieren.

Russo- [rʌsəʊ] *in Zssgn* a) russisch, b) russisch-…

rust [rʌst] **I** *s.* **1.** Rost *m* (*a. fig.*): ***gather ~*** Rost ansetzen; **2.** Rost- *od.* Moderfleck *m*; **3.** ⚘ a) Rost *m*, Brand *m*, b) *a.* ***~-fungus*** Rostpilz *m*; **II** *v/i.* **4.** (ver-) rosten, einrosten (*a. fig.*), rostig werden; **5.** moderfleckig werden; **III** *v/t.* **6.** rostig machen; **7.** *fig.* einrosten lassen.

rus·tic [ˈrʌstɪk] **I** *adj.* ☐ (***~ally***) **1.** ländlich, rustiˈkal, Land…, Bauern…; **2.** simpel, schlicht, anspruchslos; **3.** grob, ungehobelt, bäurisch; **4.** rustiˈkal, roh (gearbeitet): ***~ furniture***; **5.** ⚠ a) Ru-

R

stika..., b) mit Bossenwerk verziert; **6.** *typ*. unregelmäßig geformt; **II** *s*. **7.** (einfacher) Bauer, Landmann *m*; **8.** *fig*. Bauer *m*; **'rus·ti·cate** [-keɪt] **I** *v/i*. **1.** auf dem Lande leben; **2.** a) ein ländliches Leben führen, b) verbauern; **II** *v/t*. **3.** aufs Land senden; **4.** *Brit. univ*. relegieren, (zeitweilig) von der Universi'tät verweisen; **5.** ⚠ mit Bossenwerk verzieren; **rus·ti·ca·tion** [ˌrʌstɪ'keɪʃn] *s*. **1.** Landaufenthalt *m*; **2.** Verbauerung *f*; **3.** *Brit. univ*. (zeitweise) Relegati'on; **rus·tic·i·ty** [rʌ'stɪsətɪ] *s*. **1.** ländlicher Cha'rakter; **2.** grobe *od*. bäurische Art; **3.** (ländliche) Einfachheit.

rus·tic| ware *s*. hellbraune Terra'kotta; **~ work** *s*. **1.** ⚠ Bossenwerk *n*, Rustika *f*; **2.** *roh gezimmerte Möbel etc*.

rust·i·ness ['rʌstɪnɪs] *s*. **1.** Rostigkeit *f*; **2.** *fig*. Eingerostetsein *n*.

rus·tle ['rʌsl] **I** *v/i*. **1.** rascheln (*Blätter etc*.), rauschen, knistern (*Seide etc*.); **2.** *Am. sl*. ‚rangehen', (e'nergisch) zupakken; **II** *v/t*. **3.** rascheln mit (*od*. in *dat*.), rascheln machen; **4.** *Am. sl. Vieh* stehlen; **5.** **~ up** F a) *et*. ‚organisieren', auftreiben, b) *Essen* ‚zaubern'; **III** *s*. **6.** Rauschen *n*, Rascheln *n*, Knistern *n*; **'rus·tler** [-lə] *s*. *Am. sl*. **1.** Viehdieb *m*; **2.** Mordsanstrengung *f*.

rust·less ['rʌstlɪs] *adj*. rostfrei, nicht rostend: **~ *steel***.

rust·y ['rʌstɪ] *adj*. □ **1.** rostig, verrostet; **2.** *fig*. eingerostet (*Kenntnisse etc*.); **3.** rostfarben; **4.** ⚘ vom Rost(pilz) befallen; **5.** schäbig (*Kleidung*); **6.** rauh (*Stimme*).

rut¹ [rʌt] **I** *s*. **1.** (Wagen-, Rad)Spur *f*, Furche *f*; **2.** *fig*. altes Geleise, alter Trott: ***be in a ~*** sich in ausgefahrenem Gleis bewegen; ***get into a ~*** in e-n (immer gleichen) Trott verfallen; **II** *v/t*. **3.** furchen.

rut² [rʌt] *zo*. **I** *s*. **1.** a) Brunst *f*, b) Brunft *f* (*Hirsch*); **2.** Brunst-, Brunftzeit *f*; **II** *v/i*. **3.** brunften, brunsten.

ru·ta·ba·ga [ˌruːtə'beɪgə] *s*. ⚘ *Am*. Gelbe Kohlrübe.

Ruth¹ [ruːθ], *a*. **book of ~** *s*. *bibl*. (das Buch) Ruth *f*.

ruth² [ruːθ] *s*. *obs*. Mitleid *n*.

ruth·less ['ruːθlɪs] *adj*. □ **1.** unbarmherzig, mitleidlos; **2.** rücksichts-, skrupellos; **'ruth·less·ness** [-nɪs] *s*. **1.** Unbarmherzigkeit *f*; **2.** Rücksichts-, Skrupellosigkeit *f*.

rut·ting ['rʌtɪŋ] *zo*. **I** *s*. Brunst *f*; **II** *adj*. Brunst..., Brunft...: **~ *time***; **rut·tish** ['rʌtɪʃ] *adj*. *zo*. brunftig, brünstig.

rut·ty ['rʌtɪ] *adj*. durch'furcht, ausgefahren (*Weg*).

rye [raɪ] *s*. **1.** ⚘ Roggen *m*; **2.** *a*. **~-*whisky*** Roggenwhisky *m*.

S

S, s [es] *s.* S *n*, s *n* (*Buchstabe*).

's [z] **1.** F *für* ***is***: ***he's here***; **2.** F *für* ***has***: ***she's just come***; **3.** [s] F *für* ***us***: ***let's go***; **4.** [s] F *für* ***does***: ***what's he think about it?***

Sab·bath ['sæbəθ] *s.* Sabbat *m*; *weitS.* ♀ Sonn-, Ruhetag *m*: ***break*** (***keep***) ***the ~*** den Sabbat entheiligen (heiligen); ***witches' ~*** Hexensabbat; **'~ˌbreak·er** *s.* Sabbatschänder(in).

Sab·bat·ic [sə'bætɪk] *adj.* (□ ***~ally***) → ***sabbatical*** I; **sab'bat·i·cal** [-kl] **I** *adj.* □ ♀ Sabbat…; **II** *s. a.* ***~ year*** a) Sabbatjahr *n*, b) *univ.* Ferienjahr *n e-s Professors.*

sa·ber ['seɪbə] *Am.* → ***sabre***.

sa·ble ['seɪbl] **I** *s.* **1.** *zo.* a) Zobel *m*, b) (*bsd.* Fichten)Marder *m*; **2.** Zobelfell *n*, -pelz *m*; **3.** *her.* Schwarz *n*; **4.** *mst pl. poet.* Trauer(kleidung) *f*; **II** *adj.* **5.** Zobel…; **6.** *her.* schwarz; **7.** *poet.* schwarz, finster.

sa·bot ['sæbəʊ] *s.* **1.** Holzschuh *m*; **2.** ⚔ Geschoß-, Führungsring *m*.

sab·o·tage ['sæbətɑːʒ] **I** *s.* Sabo'tage *f*; **II** *v/t.* sabotieren; **III** *v/i.* Sabo'tage treiben; **sa·bo·teur** [ˌsæbə'tɜː] (*Fr.*) *s.* Sabo'teur *m*.

sa·bre ['seɪbə] **I** *s.* **1.** Säbel *m*: ***rattle the ~*** *fig.* mit dem Säbel rasseln; **2.** ⚔ *hist.* Kavalle'rist *m*; **II** *v/t.* **3.** niedersäbeln; **~ rat·tling** *s. fig.* Säbelrasseln *n*.

sab·u·lous ['sæbjʊləs] *adj.* sandig, Sand…: ***~ urine*** ⚕ Harngrieß *m*.

sac [sæk] *s.* **1.** ♀, *anat.*, *zo.* Sack *m*, Beutel *m*; **2.** ⚙ (Tinten)Sack *m* (*Füllhalter*).

sac·cha·rate ['sækəreɪt] *s.* ⚗ Saccha'rat *n*; **sac·char·ic** [sə'kærɪk] *adj.* ⚗ Zucker…: ***~ acid***; **sac·cha·rif·er·ous** [ˌsækə'rɪfərəs] *adj.* ⚗ zuckerhaltig *od.* -erzeugend; **sac·char·i·fy** [sə'kærɪfaɪ] *v/t.* **1.** verzuckern, saccharifizieren; **2.** süßen; **sac·cha·rim·e·ter** [ˌsækə'rɪmɪtə] *s.* Zuckermesser *m*, Sacchari'meter *n*.

sac·cha·rin(e) ['sækərɪn] *s.* ⚗ Saccha'rin *n*; **'sac·cha·rine** [-raɪn] *adj.* **1.** Zucker…, Süßstoff…: **2.** *fig.* süßlich: ***a ~ smile***; **'sac·cha·roid** [-rɔɪd] *adj.* ⚗, *min.* zuckerartig, körnig; **sac·cha·rom·e·ter** [ˌsækə'rɒmɪtə] → ***saccharimeter***; **'sac·cha·rose** [-rəʊs] *s.* ⚗ Rohrzucker *m*, Saccha'rose *f*.

sac·cule ['sækjuːl] *s. bsd. anat.* Säckchen *n*.

sac·er·do·tal [ˌsæsə'dəʊtl] *adj.* □ priesterlich, Priester…; **ˌsac·er'do·tal·ism** [-təlɪzəm] *s.* **1.** Priestertum *n*; **2.** *contp.* Pfaffentum *n*.

sa·chem ['seɪtʃəm] *s.* **1.** Indi'anerhäuptling *m*; **2.** *Am. humor.* ‚großes Tier', *bsd. pol.* ‚Par'teiboß' *m*.

sa·chet ['sæʃeɪ] *s.* **1.** Säckchen *n*, Tütchen *n*; **2.** Duftkissen *n*.

sack¹ [sæk] **I** *s.* **1.** Sack *m*; **2.** F ‚Laufpaß' *m*: ***get the ~*** a) ‚fliegen', ‚an die Luft gesetzt (*entlassen*) werden', b) *von e-m Mädchen* den Laufpaß bekommen; ***give s.o. the ~*** → 7; **3.** *Am.* a) (Verpackungs)Beutel *m*, Tüte *f*, b) Beutel (-inhalt) *m*; **4.** a) 'Umhang *m*, b) (kurzer) loser Mantel, c) → ***sack coat***, ***sack dress***; **5.** *sl.* ‚Falle' *f*, ‚Klappe' *f* (*Bett*): ***hit the ~*** sich ‚hinhauen'; **II** *v/t.* **6.** einsacken, in Säcke *od.* Beutel abfüllen; **7.** F a) *j-n* ‚rausschmeißen' (*entlassen*), b) *e-m Liebhaber* den Laufpaß geben.

sack² [sæk] **I** *s.* Plünderung *f*: ***put to ~*** → **II** *v/t. Stadt etc.* (aus)plündern.

sack³ [sæk] *s.* heller Südwein.

'sack|·but [-bʌt] *s.* ♪ **1.** *hist.* 'Zugpoˌsaune *f*; **2.** *bibl.* Harfe *f*; **'~·cloth** *s.* Sackleinen *n*: ***in ~ and ashes*** *fig.* in Sack u. Asche *Buße tun od. trauern*; **~ coat** *s.* *Am.* Sakko *m, n*; **~ dress** *s.* Sackkleid *n*; **'~·ful** [-fʊl] *pl.* **-fuls** *s.* Sack(voll) *m*; **~ race** *s.* Sackhüpfen *n*.

sa·cral ['seɪkrəl] **I** *adj.* **1.** *eccl.* sa'kral, Sakral…; **2.** *anat.* Sakral…, Kreuz(bein)…; **II** *s.* **3.** Sa'kralwirbel *m*; **4.** Sa'kralnerv *m*.

sac·ra·ment ['sækrəmənt] *s.* **1.** *eccl.* Sakra'ment *n*: ***the*** (***Blessed*** *od.* ***Holy***) ***~*** a) das (heilige) Abendmahl, b) *R.C.* die heilige Kommunion; ***the last ~s*** die Sterbesakramente; **2.** Sym'bol *n* (***of*** für); **3.** My'sterium *n*; **4.** feierlicher Eid; **sac·ra·men·tal** [ˌsækrə'mentl] **I** *adj.* □ sakramen'tal, Sakraments…; *fig.* heilig, weihevoll; **II** *s. R.C.* heiliger *od.* sakramen'taler Ritus *od.* Gegenstand; *pl.* Sakramen'talien *pl.*

sa·cred ['seɪkrɪd] *adj.* □ **1.** *eccl. u. fig.* heilig (*a. Andenken*, *Pflicht*, *Recht etc.*), geheiligt, geweiht (***to*** *dat.*): ***~ cow*** *fig.* ‚heilige Kuh'; **2.** geistlich, kirchlich, Kirchen… (*Dichtung*, *Musik*); **'sa·cred·ness** [-nɪs] *s.* Heiligkeit *f*.

sac·ri·fice ['sækrıfaıs] **I** *s.* **1.** *eccl. u. fig.* a) Opfer *n* (*Handlung u. Sache*), b) *fig.* Aufopferung *f*; Verzicht *m* (***of*** auf *acc.*): **~ *of the Mass*** Meßopfer *n*; ***the great*** (*od.* ***last***) **~** das höchste Opfer, *bsd.* der Heldentod; ***make a ~ of*** *et.* opfern; ***make ~s*** → 6; ***at some ~ of accuracy*** unter einigem Verzicht auf Genauigkeit; **2.** ✝ Verlust *m*: ***sell at a ~*** → 4; **II** *v/t.* **3.** *eccl. u. fig.*, *a. Schach*: opfern (***to*** *dat.*): **~ *one's life***; **4.** ✝ mit Verlust verkaufen; **III** *v/i.* **5.** *eccl.* opfern; **6.** *fig.* Opfer bringen; **sac·ri·fi·cial** [ˌsækrı'fıʃl] *adj.* □ **1.** *eccl.* Opfer...; **2.** aufopferungsvoll.

sac·ri·lege ['sækrılıdʒ] *s.* Sakri'leg *n*: a) Kirchenschändung *f*, -raub *m*, b) Entweihung *f*, c) *allg.* Frevel *m*; **sac·ri·le·gious** [ˌsækrı'lıdʒəs] *adj.* □ sakri'legisch, *allg.* frevlerisch.

sa·crist ['seıkrıst], **sac·ris·tan** ['sækrıstən] *s. eccl.* Sakri'stan *m*, Mesner *m*, Küster *m*; **sac·ris·ty** ['sækrıstı] *s. eccl.* Sakri'stei *f*.

sac·ro·sanct ['sækrəʊsæŋkt] *adj.* (*a. iro.*) sakro'sankt, hochheilig.

sa·crum ['seıkrəm] *s. anat.* Kreuzbein *n*, Sakrum *n*.

sad [sæd] *adj.* □ → ***sadly***; **1.** (***at***) traurig (über *acc.*), bekümmert, niedergeschlagen (wegen); melan'cholisch: ***a ~der and a wiser man*** j-d, der durch Schaden klug geworden ist; **2.** traurig (*Pflicht*), tragisch (*Unfall etc.*): **~ *to say*** bedauerlicherweise; **3.** schlimm, arg (*Zustand*); **4.** *contp.* elend, mise'rabel, jämmerlich, F arg, ‚furchtbar': ***a ~ dog*** ein mieser Kerl; **5.** dunkel, matt (*Farbe*); **6.** teigig, klitschig: **~ *bread***; **sadden** ['sædn] **I** *v/t.* traurig machen, betrüben; **II** *v/i.* traurig werden (***at*** über *acc.*).

sad·dle ['sædl] **I** *s.* **1.** (*Pferde-*, *Fahrrad-etc.*)Sattel *m*: ***in the ~*** im Sattel, *fig.* fest im Sattel, im Amt, an der Macht; ***put the ~ on the wrong*** (***right***) ***horse*** *fig.* die Schuld dem Falschen (Richtigen) geben *od.* zuschreiben; **2.** a) (*Pferde*)Rücken *m*, b) Rücken(stück *n*) *m* (*Schlachtvieh etc.*): **~ *of mutton*** Hammelrücken; **3.** (Berg)Sattel *m*; **4.** Buchrücken *m*; **5.** ⚙ a) Querholz *n*, b) Bettschlitten *m*, Sup'port *m* (*Werkzeugmaschine*), c) Lager *n*, d) Türschwelle *f*; **II** *v/t.* **6.** *Pferd* satteln; **7.** *bsd. fig.* a) belasten, b) *Aufgabe etc.* aufbürden, -halsen (***on***, ***upon*** *dat.*), c) *et.* zur Last legen (***on***, ***upon*** *dat.*); '**~·back** *s.* **1.** Bergsattel *m*; **2.** ⚠ Satteldach *n*; **3.** *zo. Tier mit sattelförmiger Rückenzeichnung*, *bsd.* a) Nebelkrähe *f*, b) männliche Sattelrobbe; **4.** hohlrückiges Pferd; '**~·backed** *adj.* **1.** hohlrückig (*Pferd etc.*); **2.** sattelförmig; '**~·bag** *s.* Satteltasche *f*; **~ blan·ket** *s.* Woilach *m*; **~ horse** *s.* Reitpferd *n*; '**~·nose** *s.* Sattelnase *f*.

sad·dler·y ['sædlərı] *s.* **1.** Sattle'rei *f*; **2.** Sattelzeug *n*.

sad·ism ['seıdızəm] *s. psych.* Sa'dismus *m*; '**sad·ist** [-ıst] **I** *s.* Sa'dist(in); **II** *adj.* → **sa·dis·tic** [sə'dıstık] *adj.* (□ ***~ally***) sa'distisch.

sad·ly ['sædlı] *adv.* **1.** traurig, betrübt; **2.** *a.* **~ *enough*** unglücklicherweise, leider; **3.** erbärmlich, arg, schmählich *vernachlässigt etc.*

sad·ness ['sædnıs] *s.* Traurigkeit *f*.

sa·fa·ri [sə'fɑːrı] *s.* (***on ~*** auf) Sa'fari *f*.

safe [seıf] **I** *adj.* □ **1.** sicher (***from*** vor *dat.*): ***we are ~ now*** jetzt sind wir in Sicherheit; ***keep s.th. ~*** et. sicher aufbewahren; ***better to be ~ than sorry!*** ‚Vorsicht ist die Mutter der Porzellankiste!'; **2.** sicher, unversehrt, heil; außer Gefahr (*a. Patient*): **~ *and sound*** heil u. gesund *ankommen etc.*; **3.** sicher, ungefährlich: **~ *period*** ⚕ unfruchtbare Tage *pl.* (*der Frau*); **~** (***to operate***) ⚙ betriebssicher; **~ *stress*** ⚙ zulässige Beanspruchung; ***the rope is ~*** das Seil hält; ***is it ~ to go there?*** ist es ungefährlich, da hinzugehen?; ***in ~ custody*** → 7; ***as ~ as houses*** F absolut sicher; ***it is ~ to say*** man kann (ruhig) sagen; ***to be on the ~ side*** um ganz sicher zu gehen; → ***play*** 9; **4.** vorsichtig (*Fahrer*, *Schätzung etc.*); **5.** sicher, zuverlässig: ***a ~ leader***, ***a ~ method***; **6.** sicher, wahrscheinlich: ***a ~ winner***, ***he is ~ to be there*** er wird sicher *od.* bestimmt da sein; **7.** in sicherem Gewahrsam (*a. Verbrecher*); **II** *s.* **8.** Safe *m*, Tre'sor *m*, Geldschrank *m*; **9.** → ***meat-safe***; '**~ˌblow·er**, '**~ˌcrack·er** *s.* F Geldschrankknacker *m*; **~ con·duct** *s.* **1.** Geleitbrief *m*; **2.** freies *od.* sicheres Geleit; **~ de·pos·it** *s.* Stahlkammer *f*, Tre'sor(raum) *m*; '**~-deˌpos·it box** *s.* Tre'sor(fach *n*) *m*, Safe *m*; '**~·guard I** *s.* Sicherung *f*: a) Schutz (***against*** gegen, vor *dat.*), Vorsichtsmaßnahme *f* (gegen), b) Sicherheitsklausel *f*, c) ⚙ Schutzvorrichtung *f*; **II** *v/t.* sichern, schützen; *Interessen* wahrnehmen: ***~ing duty*** Schutzzoll *m*; **~ keep·ing** *s.* sichere Verwahrung, Gewahrsam *m*.

safe·ness ['seıfnıs] → ***safety*** 1–3.

safe·ty ['seıftı] *s.* **1.** Sicherheit *f*: ***be in ~***; ***jump to ~*** sich durch e-n Sprung retten; **2.** Sicherheit *f*, Gefahrlosigkeit *f*: **~** (***of operation***) ⚙ Betriebssicherheit; **~ *glass*** Sicherheitsglas *n*; **~ *measure*** Sicherheitsmaßnahme *f*, -vorkehrung *f*; **~ *in flight*** ✈ Flugsicherheit; **~ *on the road*** Verkehrssicherheit; ***there is ~ in numbers*** zu mehreren ist man sicherer; **~ *first!*** Sicherheit über alles!; **~ *first scheme*** Unfallverhütungsprogramm

S

n; ***play for ~*** sichergehen (wollen), Risiken vermeiden; **3.** Sicherheit *f*, Zuverlässigkeit *f*, Verläßlichkeit *f* (*Mechanismus*, *Verfahren etc.*); **4.** *a.* ***~ device*** ⚙ Sicherung *f*, Schutz-, Sicherheitsvorrichtung *f*; **5.** Sicherung(sflügel *m*) *f* (*Gewehr etc.*): ***at ~*** gesichert; **~ belt** *s.* **1.** Rettungsgürtel *m*; **2.** ✈, *mot.* Sicherheitsgurt *m*; **~ bolt** *s.* ⚙, ⚔ Sicherheitsbolzen *m*; **~ buoy** *s.* Rettungsboje *f*; **~ catch** *s.* **1.** ⚙ Sicherung *f* (*Lift etc.*); **2.** Sicherungsflügel *m* (*Gewehr etc.*): ***release the ~*** entsichern; **~ curtain** *s. thea.* eiserner Vorhang; **~ fuse** *s.* **1.** ⚙ Sicherheitszünder *m*, -zündschnur *f*; **2.** ⚡ a) (Schmelz)Sicherung *f*, b) Sicherheitsausschalter *m*; **~ is·land** *s.* Verkehrsinsel *f*; **~ lamp** *s.* ⚒ Grubenlampe *f*; **~ lock** *s.* **1.** Sicherheitsschloß *n*; **2.** Sicherung *f* (*Gewehr*, *Mine etc.*); **~ match** *s.* Sicherheitszündholz *n*; **~ net** *s. Zirkus etc.* (*a. fig. soziales*) Netz; **~ pin** *s.* Sicherheitsnadel *f*; **~ razor** *s.* Ra'sierappa,rat *m*; **~ rules** *pl.* ⚙ Sicherheits-, Unfallverhütungsvorschriften *pl.*; **~ sheet** *s.* Sprungtuch *n* (*Feuerwehr*); **~ valve** *s.* **1.** ⚙ 'Überdruck-, 'Sicherheitsven,til *n*; **2.** *fig.* Ven'til *n*: ***sit on the ~*** Unterdrückungspolitik treiben; **~ zone** *s.* Verkehrsinsel *f*.

saf·fi·an ['sæfjən] *s.* Saffian(leder *n*) *m*.

saf·flow·er ['sæflaʊə] *s.* **1.** ⚘ Sa'flor *m*, Färberdistel *f*; **2.** getrocknete Sa'florblüten *pl.*: ***~ oil*** Safloröl *n*.

saf·fron ['sæfrən] *s.* **1.** ⚘ echter Safran; **2.** *pharm.*, *Küche*: Safran *m*; **3.** Safrangelb *n*.

sag [sæg] **I** *v/i.* **1.** sich senken, ab-, 'durchsacken; *bsd.* ⚙ 'durchhängen; **2.** (he'rab)hängen (*a. Unterkiefer etc.*): ***~ging shoulders*** hängende *od.* abfallende Schultern; **3.** schief hängen (*Rocksaum etc.*); **4.** *fig.* sinken, nachlassen, abfallen; ✝ nachgeben (*Markt*, *Preise*): ***~ging spirits*** sinkender Mut; **5.** ⚓ (*mst* ***~ to leeward*** nach Lee) (ab-)treiben; **II** *s.* **6.** 'Durch-, Absacken *n*; **7.** Senkung *f*; ⚙ 'Durchhang *m*; **8.** ✝ (Preis)Abschwächung *f*.

sa·ga ['sɑːgə] *s.* **1.** Saga *f* (*Heldenerzählung*); **2.** Sage *f*, Erzählung *f*; **3.** *a.* ***~ novel*** Fa'milienro,man *m*.

sa·ga·cious [sə'geɪʃəs] *adj.* ☐ scharfsinnig, klug (*a. Tier*); **sa·gac·i·ty** [sə'gæsɪtɪ] *s.* Scharfsinn *m*.

sage[1] [seɪdʒ] **I** *s.* Weise(r) *m*; **II** *adj.* ☐ weise, klug, verständig.

sage[2] [seɪdʒ] *s.* ⚘ Salbei *m*, *f*: ***~ tea***.

Sag·it·ta·ri·us [,sædʒɪ'teərɪəs] *s. ast.* Schütze *m*.

sa·go ['seɪgəʊ] *s.* Sago *m*.

said [sed; səd] **I** *pret. u. p.p. von* ***say***: ***he is ~ to have been ill*** er soll krank gewesen sein; es heißt, er sei krank gewesen; **II** *adj. bsd.* ⚖ vorerwähnt, besagt.

sail [seɪl] **I** *s.* **1.** ⚓ a) Segel *n*, b) *coll.* Segel(werk *n*) *pl.*: ***make ~*** a) die Segel (bei)setzen, b) mehr Segel beisetzen, c) *a.* ***set ~*** unter Segel gehen, auslaufen (***for*** nach); ***take in ~*** a) Segel einholen, b) *fig.* zurückstecken; ***under ~*** unter Segel, auf der Fahrt; ***under full ~*** mit vollen Segeln; → ***trim*** 9; **2.** ⚓ (Segel-)Schiff(e *pl.*) *n*: ***a fleet of 20 ~***; ***~ ho!*** Schiff ho! (*in Sicht*); **3.** ⚓ Fahrt *f*: ***have a ~*** segeln gehen; **4.** ⚙ a) Segel *n e-s Windmühlenflügels*, b) Flügel *m e-r Windmühle*; **II** *v/i.* **5.** a) *allg.* mit e-m Schiff *od.* zu Schiff fahren *od.* reisen, b) fahren (*Schiff*), c) *bsd. sport* segeln; → ***wind***[1] 1; **6.** ⚓ a) auslaufen (*Schiff*), b) abfahren, -segeln (***for*** *od.* ***to*** nach): ***ready to ~*** seeklar; **7.** a) ✈ fliegen, b) *a.* ***~ along*** *fig.* da'hinschweben, (-)segeln (*Wolke*, *Vogel*); **8.** *fig.* (*bsd. stolz*) schweben, ‚rauschen', schreiten; **9.** ***~ in*** F ‚sich ranmachen', zupacken; **10.** ***~ into*** F a) *j-n od. et.* attackieren, 'herfallen über (*acc.*), b) ‚rangehen' an (*acc.*), *et.* tüchtig anpacken; **III** *v/t.* **11.** durch'segeln, befahren; **12.** *Segelboot* segeln, *allg. Schiff* steuern; **13.** *poet.* durch *die Luft* schweben; **'~·boat** → ***sailing boat***.

sail·er ['seɪlə] *s.* ⚓ Segler *m* (*Schiff*).

sail·ing ['seɪlɪŋ] **I** *s.* **1.** ⚓ (Segel-)Schiffahrt *f*, Navigati'on *f*: ***plain*** (*od.* ***smooth***) ***~*** *fig.* ‚klare Sache'; ***from now on it is all plain ~*** von jetzt an geht alles glatt (über die Bühne); **2.** Segelsport *m*, Segeln *n*; **3.** Abfahrt *f* (***for*** nach); **II** *adj.* **4.** Segel...; **~ boat** *s.* Segelboot *n*; **~ mas·ter** *s.* Navi'gator *m e-r Jacht*; **~ or·ders** *s. pl.* ⚓ **1.** Fahrtauftrag *m*; **2.** Befehl *m* zum Auslaufen; **~ ship**, **~ ves·sel** *s.* ⚓ Segelschiff *n*.

sail loft *s.* ⚓ Segelmacherwerkstatt *f* (*an Bord*).

sail·or ['seɪlə] *s.* **1.** Ma'trose *m*, Seemann *m*: ***~ hat*** Matrosenhut *m*; ***~s' home*** Seemannsheim *n*; ***~'s knot*** Schifferknoten *m*; **2.** *von Seereisenden*: ***be a good ~*** seefest sein; ***be a bad ~*** leicht seekrank werden; **3.** Ma'trosenanzug *m od.* -hut *m für Kinder*; **'sail·or·ly** [-lɪ] *adj.* seemännisch.

'sail·plane I *s.* Segelflugzeug *n*; **II** *v/i.* segelfliegen.

saint [seɪnt] **I** *s.* (*vor Eigennamen* ♀, *abbr.* ***St*** *od.* ***S*** [snt]) *eccl.* (*a. fig.*, *iro. a.* ***~ on wheels***) Heilige(r *m*) *f*: ***St Bernard*** (***dog***) Bernhardiner *m* (*Hund*); ***St Anthony's fire*** ⚕ *die* Wundrose; ***St Elmo's fire*** *meteor. das* Elmsfeuer; (***the Court of***) ***St James***(***'s***) der brit. Hof; ***St-John's-wort*** ⚘ *das* Johanniskraut; ***St Monday*** *Brit.* F ‚blauer Montag'; ***St Martin's summer*** Altweibersommer *m*; ***St Paul's*** *die* Paulskathedrale (*in London*); ***St Peter's*** *die* Peterskirche (*in Rom*); ***St Valentine's day*** *der* Valentinstag; ***St Vitus's dance*** ⚕ *der* Veitstanz; **II** *v/t.* heiligsprechen; **III** *v/i. mst* **~ *it*** a) wie ein Heiliger leben, b) den Heiligen spielen; **'saint·ed** [-tɪd] *p.p. u. adj.* **1.** *eccl.* heilig(gesprochen); **2.** heilig, fromm; **3.** anbetungswürdig; **4.** geheiligt, geweiht (*Ort*); **5.** selig (*Verstorbener*); **'saint·hood** [-hʊd] *s.* (Stand *m* der) Heiligkeit *f*.

'saint·like → ***saintly***.

saint·li·ness ['seɪntlɪnɪs] *s.* Heiligkeit *f* (*a. iro.*); **saint·ly** ['seɪntlɪ] *adj.* **1.** heilig; **2.** fromm; **3.** heiligmäßig (*Leben*).

saith [seθ] *obs. od. poet. 3. sg. pres. von* ***say***.

sake [seɪk] *s.*: ***for the ~ of*** um ... (*gen.*) willen, *j-m* zuliebe; wegen (*gen.*), halber (*gen.*): ***for heaven's ~*** um Himmels willen; ***for his ~*** ihm zuliebe, seinetwegen; ***for my own ~ as well as yours*** um meinetwillen ebenso wie um deinetwillen; ***for peace(') ~*** um des lieben Friedens willen; ***for old times' ~, for old ~'s ~*** eingedenk alter Zeiten.

sal [sæl] *s.* ⚗, *pharm.* Salz *n*: **~ *ammoniac*** Salmiak(salz) *n*.

sa·laam [sə'lɑːm] **I** *s.* Selam *m* (*orientalischer Gruß*); **II** *v/t. u. v/i.* mit e-m Selam *od.* e-r tiefen Verbeugung (be-)grüßen.

sal·a·bil·i·ty [ˌseɪlə'bɪlətɪ] *s.* † Verkäuflichkeit *f*, Marktfähigkeit *f*; **sal·a·ble** ['seɪləbl] *adj.* □ † **1.** verkäuflich; **2.** marktfähig, gangbar.

sa·la·cious [sə'leɪʃəs] *adj.* □ **1.** geil, lüstern; **2.** ob'szön, zotig; **sa'la·cious·ness** [-nɪs], **sa·lac·i·ty** [sə'læsətɪ] *s.* **1.** Geilheit *f*, Wollust *f*; **2.** Obszöni'tät *f*.

sal·ad ['sæləd] *s.* **1.** Sa'lat *m* (*a. fig. Durcheinander*); **2.** ⚘ Sa'lat(gewächs *n*, -pflanze *f*) *m*; **~ days** *s. pl.*: ***in my ~*** in m-n wilden Jugendtagen; **~ dress·ing** *s.* Sa'latsoße *f*; **~ oil** *s.* Sa'latöl *n*.

sal·a·man·der ['sæləˌmændə] *s.* **1.** *zo.* Sala'mander *m*; **2.** Sala'mander *m* (*Feuergeist*); **3.** *j-d der große Hitze ertragen kann*; **4.** a) rotglühendes (Schür)Eisen (*zum Anzünden*), b) *glühende Eisenschaufel, die über Gebäck gehalten wird, um es zu bräunen*; **5.** *metall.* Ofensau *f*.

sa·la·mi [sə'lɑːmɪ] *s.* Sa'lami *f*; **~ tac·tics** *s. pl. pol.* Sa'lamitaktik *f*.

sa·lar·i·at [sə'leərɪæt] *s.* (Klasse *f* der) Gehaltsempfänger *pl*.

sal·a·ried ['sælərɪd] *adj.* **1.** (fest)bezahlt, festangestellt: **~ *employee*** Gehaltsempfänger(in), Angestellte(r *m*) *f*; **2.** bezahlt (*Stellung*); **sal·a·ry** ['sælərɪ] **I** *s.* Gehalt *n*, Besoldung *f*; **II** *v/t.* (mit e-m Gehalt) bezahlen, *j-m* ein Gehalt zahlen.

sale [seɪl] *s.* **1.** Verkauf *m*, -äußerung *f*: ***by private ~*** unter der Hand; ***for ~*** zu verkaufen; ***not for ~*** unverkäuflich; ***be on ~*** angeboten *od.* verkauft werden; ***forced ~*** Zwangsverkauf *m*; ***~ of work*** Basar *m*; **2.** † Verkauf *m*, Vertrieb *m*; → ***return*** 23; **3.** † Ab-, 'Umsatz *m*, Verkaufsziffer *f*: ***slow ~*** schleppender Absatz; ***meet with a ready ~*** schnellen Absatz finden, gut ‚gehen'; **4.** (öffentliche) Versteigerung, Aukti'on *f*: ***put up for ~*** versteigern, meistbietend verkaufen; **5.** † *a. pl.* (Sai'son)Schlußverkauf *m*; **sale·a·bil·i·ty** *etc. bsd. Brit.* → ***salability*** *etc.*; **'sale·room** → ***salesroom***.

sales| ac·count [seɪlz] *s.* † Verkaufskonto *n*; **~ a·gent** *s.* (Handels)Vertreter *m*; **~ ap·peal** *s.* Zugkraft *f e-r Ware*; **'~·clerk** *s.* † *Am.* (Laden)Verkäufer (-in); **~ de·part·ment** *s.* † Verkauf(sabteilung *f*) *m*; **~ drive** *s.* † Ver'kaufskamˌpagne *f*; **~ en·gi·neer** *s.* † Ver'kaufsingeniˌeur *m*; **~ fi·nance com·pa·ny** *s. Am.* **1.** Absatzfinanzierungsgesellschaft *f*; **2.** 'Teilzahlungskreˌditinstiˌtut *n*; **'~·girl** *s.* (Laden)Verkäuferin *f*; **'~ˌla·dy** *Am.* → ***saleswoman***; **'~·man** [-mən] *s.* [*irr.*] **1.** † a) Verkäufer *m*, b) *Am.* (Handlungs)Reisende(r) *m*, (Handels)Vertreter *m*; **2.** *fig. Am.* Reisende(r) *m* (***of*** in *dat.*); **~ man·ag·er** *s.* † Verkaufsleiter *m*.

sales·man·ship ['seɪlzmənʃɪp] *s.* **1.** a) Verkaufstechnik, b) † Verkaufsgewandtheit *f*, Geschäftstüchtigkeit *f*; **2.** *fig.* Über'zeugungskunst *f*, wirkungsvolle Art, e-e Idee *etc.* zu ‚verkaufen' *od.* ‚an den Mann zu bringen'.

sales| pro·mo·tion *s.* † Verkaufsförderung *f*; **~ re·sist·ance** *s.* † Kaufabneigung *f*, 'Widerstand *m* (des potenti'ellen Kunden); **'~·room** [-rʊm] *s.* Ver'kaufs-, *bsd.* Aukti'onsraum *m*, -loˌkal *n*; **~ slip** *s. Am.* Kassenbeleg *m*; **~ talk** *s.* **1.** † Verkaufsgespräch *n*; **2.** anpreisende Worte *pl.*; **~ tax** *s.* † 'Umsatzsteuer *f*; **'~ˌwom·an** *s.* [*irr.*] † **1.** Verkäuferin *f*; **2.** *Am.* (Handels)Vertreterin *f*.

Sal·ic[1] ['sælɪk] *adj. hist.* salisch: **~ *law*** Salisches Gesetz.

sal·ic[2] ['sælɪc] *adj. min.* salisch.

sal·i·cyl·ic [ˌsælɪ'sɪlɪk] *adj.* Salizyl...

sa·li·ence ['seɪljəns], **'sa·li·en·cy** [-sɪ] *s.* **1.** Her'vorspringen *n*, Her'ausragen *n*; **2.** vorspringende Stelle, Vorsprung *m*: ***give ~ to*** *fig. e-e Sache* herausstellen; **'sa·li·ent** [-nt] **I** *adj.* **1.** (her)'vorspringend, her'ausragend: **~ *angle*** ausspringender Winkel; **~ *point*** *fig.* springender Punkt; **2.** *fig.* her'vorstechend, ins Auge springend; **3.** *her. u. humor.* springend; **4.** *poet.* (her'vor)sprudelnd; **II** *s.* **5.** ⚔ Frontausbuchtung *f*.

sa·lif·er·ous [sə'lɪfərəs] *adj.* **1.** salzbildend; **2.** *bsd. geol.* salzhaltig.

S

sa·line I *adj.* ['seɪlaɪn] **1.** salzig, salzhaltig, Salz...; **2.** *pharm.* sa'linisch; **II** *s.* [sə'laɪn] **3.** Salzsee *m od.* -sumpf *m od.* -quelle *f*; **4.** Sa'line *f*, Salzwerk *n*; **5.** ⚗ a) *pl.* Salze *pl.*, b) Salzlösung *f*; **6.** *pharm.* sa'linisches Mittel; **sa·lin·i·ty** [sə'lɪnətɪ] *s.* **1.** Salzigkeit *f*; **2.** Salzhaltigkeit *f*, Salzgehalt *m*.

sa·li·va [sə'laɪvə] *s.* Speichel(flüssigkeit *f*) *m*; **sal·i·var·y** ['sælɪvərɪ] *adj.* Speichel...; **sal·i·vate** ['sælɪveɪt] **I** *v/t.* **1.** (vermehrten) Speichelfluß her'vorrufen bei *j-m*; **II** *v/i.* **2.** Speichelfluß haben; **3.** Speichel absondern; **sal·i·va·tion** [ˌsælɪ'veɪʃn] *s.* **1.** Speichelabsonderung *f*; **2.** (vermehrter) Speichelfluß.

sal·low¹ ['sæləʊ] *s.* ⚘ (*bsd.* Sal)Weide *f*.

sal·low² ['sæləʊ] *adj.* bläßlich, fahl.

sal·ly ['sælɪ] **I** *s.* **1.** ⚔ Ausfall *m*: ~ ***port*** *hist.* Ausfallstor *n*; **2.** *fig.* geistreicher Ausspruch *od.* Einfall, Geistesblitz *m*, *a.* (Seiten)Hieb *m*; **3.** (Zornes)Ausbruch *m*; **II** *v/i.* **4.** *oft* ~ ***out*** ⚔ e-n Ausfall machen, her'vorbrechen; **5.** *mst* ~ ***forth*** (*od.* ***out***) sich aufmachen, aufbrechen.

Sal·ly Lunn [ˌsælɪ'lʌn] *s. leichter Teekuchen.*

sal·ma·gun·di [ˌsælmə'gʌndɪ] *s.* **1.** bunter Teller (*Salat, kalter Braten etc.*); **2.** *fig.* Mischmasch *m*.

salm·on ['sæmən] *pl.* **-mons**, *coll.* **-mon I** *s.* **1.** *ichth.* Lachs *m*, Salm *m*: ~ ***ladder*** (*od.* ***leap, pass***) Lachsleiter *f*; ~ ***peal***, ~ ***peel*** junger Lachs; ~ ***trout*** Lachsforelle *f*; **2.** *a.* ~ ***colo(u)r***, ~ ***pink*** Lachs(farbe *f*) *n*; **II** *adj.* **3.** *a.* **~*-colo(u)red***, **~*-pink*** lachsfarben, -rot.

sal·mo·nel·la [ˌsælmə'nelə] *pl.* **-lae** [-liː] *s. biol.* Salmo'nelle *f*.

sa·lon ['sælɔ̃ːŋ] (*Fr.*) *s.* Sa'lon *m* (*a. Ausstellungsraum, vornehmes Geschäft*; *a. fig. schöngeistiger Treffpunkt*).

sa·loon [sə'luːn] *s.* **1.** Sa'lon *m* (*bsd. in Hotels etc.*), (Gesellschafts)Saal *m*: ***billiard*** ~ *Brit.* Billiardzimmer *n*; ***shaving*** ~ Rasiersalon; **2.** a) ✈ Sa'lon *m* (*Aufenthaltsraum*), b) ⚓ *a.* ~ ***cabin*** Ka'bine *f* erster Klasse, c) → ***saloon car***, d) → ***saloon bar***: ***sleeping*** ~ 🚃 (Luxus-) Schlafwagen *m*; **3.** *Am.* Kneipe *f*; **4.** *obs.* Sa'lon *m*, Empfangszimmer *n*; ~ **bar** *s. Brit. vornehmerer Teil e-s Lokals*; ~ **car** *s.* **1.** *mot. Brit.* a) Limou'sine *f*, b) *sport* Tourenwagen *m*; **2.** → ~ **car·riage** *s.* 🚃 Sa'lonwagen *m*; ~ **deck** *s.* ⚓ Sa'londeck *n*; ~ **pis·tol** *s. Brit.* 'Übungspiˌstole *f*.

salt [sɔːlt] **I** *s.* **1.** (Koch)Salz *n*: ***eat s.o.'s*** ~ *fig.* a) j-s Gast sein, b) von j-m abhängen; ***with a grain of*** ~ *fig.* mit Vorbehalt, cum grano salis; ***not to be worth one's*** ~ keinen Schuß Pulver wert sein; ***the*** ~ ***of the earth*** *bibl. u. fig.* das Salz der Erde; **2.** Salz(fäßchen) *n*: ***above*** (***below***) ***the*** ~ am oberen (unteren) Ende der Tafel; **3.** ⚗ Salz *n*; **4.** *oft pl. pharm.* a) (*bsd.* Abführ)Salz *n*, b) *mst* ***smelling*** **~*s*** Riechsalz, c) F → ***Epsom salt***; **5.** *fig.* Würze *f*, Salz *n*; **6.** *fig.* Witz *m*, E'sprit *m*; **7.** *bsd.* ***old*** ~ F alter Seebär; **II** *v/t.* **8.** salzen, würzen (*beide a. fig.*); **9.** (ein)salzen, *bsd.* pökeln: **~*ed meat*** Pökel-, Salzfleisch *n*; **10.** ✝ F a) *Bücher etc.* ‚frisieren', b) *Bohrloch etc.* (betrügerisch) ‚anreichern'; **11.** *fig.* durch'setzen mit; **12.** ~ ***away*** (*od.* ***down***) a) einsalzen, -pökeln, b) F *Geld etc.* ‚auf die hohe Kante legen'; **III** *adj.* **13.** salzig, Salz...: ~ ***spring*** Salzquelle *f*; **14.** ⚘ halo'phil, Salz...; **15.** → ***salted*** 1.

sal·tant ['sæltənt] *adj. her.* springend; **sal·ta·tion** [sæl'teɪʃn] *s.* **1.** Springen *n*; **2.** Sprung *m*; **3.** plötzlicher 'Umschwung; **4.** *biol.* Erbsprung *m*; **'sal·ta·to·ry** [-ətərɪ] *adj.* **1.** springend; **2.** Spring..., Sprung...; **3.** Tanz...; **4.** *fig.* sprunghaft.

'saltˌcel·lar *s.* **1.** Salzfäßchen *n*; **2.** *Brit.* F ‚Salzfäßchen' *n* (*Vertiefung über dem Schlüsselbein*).

salt·ed ['sɔːltɪd] *adj.* **1.** gesalzen; **2.** (ein-) gesalzen, gepökelt: ~ ***herring*** Salzhering *m*; **3.** *sl.* routi'niert, ausgekocht, erfahren; **'salt·ern** [-tən] *s.* ⚙ **1.** Sa'line *f*; **2.** Salzgarten *m* (*Bassins*).

'salt-free *adj.* salzlos.

salt·i·ness ['sɔːltɪnɪs] *s.* Salzigkeit *f*.

salt| lick *s.* Salzlecke *f* (*für Wild*); ~ **marsh** *s.* **1.** Salzsumpf *m*; **2.** Butenmarsch *f*; ~ **mine** *s.* Salzbergwerk *n*.

salt·ness ['sɔːltnɪs] *s.* Salzigkeit *f*.

'salt·pan *s.* **1.** ⚙ Salzsiedepfanne *f*; **2.** (*geol.* na'türliches) Ver'dunstungsbasˌsin.

salt·pe·ter *Am.*, **salt·pe·tre** *Brit.* ['sɔːltˌpiːtə] *s.* ⚗ Sal'peter *m*.

salt| pit *s.* Salzgrube *f*; **'~ˌwa·ter** *adj.* Salzwasser...; **'~-works** *s. pl. oft sg. konstr.* Sa'line *f*.

salt·y ['sɔːltɪ] *adj.* **1.** salzig; **2.** *fig.* gesalzen, gepfeffert: ~ ***remarks***.

sa·lu·bri·ous [sə'luːbrɪəs] *adj.* ☐ heilsam, gesund, zuträglich, bekömmlich; **sa'lu·bri·ty** [-rətɪ] *s.* Heilsamkeit *f*, Zuträglichkeit *f*.

sal·u·tar·i·ness ['sæljʊtərɪnɪs] → ***salubrity***; **sal·u·tar·y** ['sæljʊtərɪ] *adj.* heilsam, gesund (*a. fig.*).

sal·u·ta·tion [ˌsæljuː'teɪʃn] *s.* **1.** Begrüßung *f*, Gruß *m*: ***in*** ~ zum Gruß; **2.** Anrede *f* (*im Brief*); **sa·lu·ta·to·ry** [sə'luːtətərɪ] *adj.* Begrüßungs...: ~ (***oration***) *bsd. ped. Am.* Begrüßungsrede *f*; **sa·lute** [sə'luːt] **I** *v/t.* **1.** grüßen, begrüßen (*durch e-e Geste etc.*); *weitS.* empfangen, *j-m* begegnen; ~ ***with a smile***; **2.** (*dem Auge, dem Ohr*) begegnen, *j-n* begrüßen (*Anblick, Geräusch* *etc.*); **3.** ⚔, ⚓ salutieren vor (*dat.*), grüßen; **4.** *fig.* grüßen, ehren, feiern; **II** *v/i.* **5.** grüßen (***to*** *acc.*); **6.** ⚔ (***to***) salutieren (vor *dat.*), grüßen (*acc.*); **7.** Sa'lut schießen; **III** *s.* **8.** Gruß *m* (*a. fenc.*), Begrüßung *f*; **9.** ⚔, ⚓ a) Gruß *m*, Ehrenbezeigung *f*, b) Sa'lut *m* (***of six guns*** von 6 Schuß): ***~ of colo(u)rs*** ⚓ Flaggensalut; ***stand at the ~*** salutieren; ***take the ~*** a) den Gruß erwidern, b) die Parade abnehmen, c) die Front (der Ehrenkompanie) abschreiten; **10.** *obs.* (Begrüßungs)Kuß *m*; **11.** *Am.* Frosch *m* (*Feuerwerk*).

sal·vage ['sælvɪdʒ] **I** *s.* **1.** a) Bergung *f*, Rettung *f* (*Schiff, Ladung etc.*), b) Bergungsgut *n*, c) *a.* ***~ money*** Bergegeld *n*: ***~ vessel*** Bergungs-, *a.* Hebeschiff *n*, d) *Versicherung*: Wert *m* der geretteten Güter; **2.** *a.* ***~ work*** Aufräumungsarbeiten *pl.*; **3.** ⚙ a) verwertbares 'Altmateri,al, b) 'Wiederverwertung *f*: ***~ value*** Schrottwert *m*; **4.** *fig.* (Er-)Rettung *f* (***from*** aus); **II** *v/t.* **5.** bergen, retten (*a.* ✝ *u. fig.*); **6.** *Schrott etc.* verwerten.

sal·va·tion [sæl'veɪʃn] *s.* **1.** (Er)Rettung *f*; **2.** a) Heil *n*, Rettung *f*, b) Retter *m*; **3.** *eccl.* a) (Seelen)Heil *n*, b) Erlösung *f*: ***♀ Army*** Heilsarmee *f*; **sal'va·tion·ist** [-nɪst] *s. eccl.* Mitglied *n* der 'Heilsar,mee.

salve¹ [sælv] **I** *s.* **1.** (Heil)Salbe *f*; **2.** *fig.* Balsam *m*, Pflaster *n*, Trost *m*; **3.** *fig.* Beruhigungsmittel *n fürs Gewissen etc.*; **II** *v/t.* **4.** (ein)salben; **5.** *fig. Gewissen etc.* beschwichtigen; **6.** *fig. Mangel* beschönigen; **7.** *Schaden, Zweifel etc.* beheben.

salve² [sælv] → ***salvage*** 5.

sal·ver ['sælvə] *s.* Ta'blett *n*.

sal·vo¹ ['sælvəʊ] *pl.* **-vos, -voes** *s.* **1.** ⚔ a) Salve *f*, Lage *f*, b) *a.* ***~ bombing*** ✈ Schüttwurf *m*; ***~ fire*** a) ⚔ Laufsalve, b) ⚓ Salvenfeuer; **2.** *fig.* (*Beifalls*)Salve *f*.

sal·vo² ['sælvəʊ] *pl.* **-vos** *s.* **1.** Ausrede *f*; **2.** *bsd.* ⚖ Vorbehalt(sklausel *f*) *m*.

sal·vor ['sælvə] *s.* ⚓ **1.** Berger *m*; **2.** Bergungsschiff *n*.

Sa·mar·i·tan [sə'mærɪtən] **I** *s.* Samari'taner(in), Sama'riter(in): ***good ~*** *bibl. u. fig.* barmherziger Samariter; **II** *adj.* sama'ritisch; *fig.* barmherzig.

same [seɪm] **I** *adj.* **1.** selb, gleich, nämlich: ***at the ~ price as*** zu demselben Preis wie; ***it comes to the ~ thing*** es läuft auf dasselbe hinaus; ***the very*** (*od.* ***just the*** *od.* ***exactly the***) ***~ thing*** genau dasselbe; ***one and the ~ thing*** ein u. dasselbe; ***he is no longer the ~ man*** er ist nicht mehr der gleiche *od.* der alte; → ***time*** 4; **2.** *ohne Artikel fig.* eintönig; **II** *pron.* **3.** der-, die-, dasselbe, der *od.* die *od.* das gleiche: ***it is much the ~*** es ist (so) ziemlich das gleiche; ***~ here*** F so geht es mir auch, ‚ganz meinerseits'; ***it is all the ~ to me*** es ist mir ganz gleich *od.* einerlei; **4.** ***the ~*** a) *a.* ⚖ der- *od.* dieselbe, die besagte Person, b) ⚖ der- *od.* dieselbe, die erwähnte Person, *a. eccl.* er, sie, es, dieser, diese, dies(es); **5.** *ohne Artikel* ✝ *od.* F der- *od.* die- *od.* dasselbe: ***£5 for alterations to ~***; **III** *adv.* **6.** ***the ~*** in derselben Weise, genau so, ebenso (***as*** wie): ***all the ~*** gleichviel, trotzdem; ***just the ~*** F a) genau so, b) trotzdem; (***the***) ***~ to you!*** (*danke*,) gleichfalls!; **'same·ness** [-nɪs] *s.* **1.** Gleichheit *f*, Identi'tät *f*; **2.** Einförmigkeit *f*, -tönigkeit *f*.

sam·let ['sæmlɪt] *s.* junger Lachs.

sam·pan ['sæmpæn] *s.* Sampan *m* (*chinesisches [Haus]Boot*).

sam·ple ['sɑ:mpl] **I** *s.* **1.** ✝ a) (Waren-, Quali'täts)Probe *f*, (Stück-, Typen-) Muster *n*, b) Probepackung *f*, c) (Ausstellungs)Muster *n*, d) Stichprobe(nmuster *n*) *f*: ***by ~ post*** (als) Muster ohne Wert; ***up to ~*** dem Muster entsprechend; ***~s only*** Muster ohne Wert; **2.** *Statistik*: Sample *n*, Stichprobe *f*; **3.** *fig.* Probe *f*: ***a ~ of his courage***; ***that's a ~ of her behavio(u)r*** das ist typisch für sie; **II** *v/t.* **4.** probieren, e-e Probe nehmen von, *bsd. Küche*: kosten; **5.** e-e Stichprobe machen bei; **6.** e-e Probe zeigen von; ✝ *et.* bemustern; **7.** als Muster dienen für; **8.** *Computer*: a) abfragen, b) abtasten; **III** *v/i.* **9.** ***~ out*** ausfallen; **IV** *adj.* **10.** Muster...(*-buch, -karte, -koffer etc.*), Probe...; **'sam·pler** [-lə] *s.* **1.** Probierer(in), Prüfer *m*; **2.** *Stickerei*: Sticktuch *n*; **3.** *TV* Farbschalter *m*; **4.** *Computer*: Abtaster *m*; **'sam·pling** [-lɪŋ] *s.* **1.** ✝ a) 'Musterkollekti,on *f*, b) Bemusterung *f*; **2.** Stichprobenerhebung *f*.

Sam·son ['sæmsn] *s. fig.* Samson *m*, Herkules *m*.

Sam·u·el ['sæmjʊəl] *npr. u. s. bibl.* (das Buch) Samuel *m*.

san·a·tive ['sænətɪv] *adj.* heilend, heilsam, -kräftig; **san·a·to·ri·um** [,sænə'tɔ:rɪəm] *pl.* **-ri·ums, -ri·a** [-rɪə] *s.* ⚕ **1.** Sana'torium *n*, *bsd.* a) Lungenheilstätte *f*, b) Erholungsheim *n*; **2.** (*bsd.* Höhen-) Luftkurort *m*; **3.** *Brit.* (Inter'nats-) Krankenzimmer *n*; **'san·a·to·ry** [-tərɪ] → ***sanative***.

sanc·ti·fi·ca·tion [,sæŋktɪfɪ'keɪʃn] *s. eccl.* **1.** Heilig(mach)ung *f*; **2.** Weihung *f*, Heiligung *f*; **sanc·ti·fied** ['sæŋktɪfaɪd] *adj.* **1.** geheiligt, geweiht; **2.** heilig u. unverletzlich; **3.** → ***sanctimonious***; **sanc·ti·fy** ['sæŋktɪfaɪ] *v/t.* heiligen: a) weihen, b) (von Sünden) reinigen, c) *fig.* rechtfertigen: ***the end sanctifies the means*** der Zweck heiligt die Mittel.

sanc·ti·mo·ni·ous [,sæŋktɪ'məʊnjəs]

S

adj. □ frömmelnd, scheinheilig; ˌ**sanc·ti'mo·ni·ous·ness** [-nɪs], **sanc·ti·mo·ny** ['sæŋktɪmənɪ] *s.* Scheinheiligkeit *f*, Frömme'lei *f*.

sanc·tion ['sæŋkʃn] **I** *s.* **1.** Sankti'on *f*, (nachträgliche) Billigung *od.* Zustimmung: ***give one's ~ to*** → 3 a; **2.** ⚖ a) Sanktionierung *f e-s Gesetzes etc.*, b) *pol.* Sankti'on *f*, Zwangsmittel *n*, c) *gesetzliche* Strafe, d) *hist.* De'kret *n*; **II** *v/t.* **3.** sanktionieren: a) billigen, gutheißen, b) dulden, c) *Eid etc.* bindend machen, d) Gesetzeskraft verleihen (*dat.*).

sanc·ti·ty ['sæŋktətɪ] *s.* **1.** Heiligkeit *f* (*a. fig. Unverletzlichkeit*); **2.** *pl.* heilige Ide'ale *pl. od.* Gefühle *pl.*

sanc·tu·ar·y ['sæŋktjʊərɪ] *s.* **1.** Heiligtum *n* (*a. fig.*); **2.** *eccl.* Heiligtum *n*, heilige Stätte; *bsd. bibl.* Aller'heiligste(s) *n*; **3.** Frei- (*fig. a.* Zufluchts)stätte *f*, A'syl *n*: (***rights of***) ~ Asylrecht *n*; ***break the ~*** das Asylrecht verletzen; **4.** *hunt.* a) Schonzeit *f*, b) Schutzgebiet *n*.

sanc·tum ['sæŋktəm] *s.* Heiligtum *n*: a) heilige Stätte, b) *fig.* Pri'vat-, Studierzimmer *n*, c) innerste Sphäre; ~ **sanc·to·rum** [sæŋk'tɔ:rəm] *s. eccl.*, *a. humor. das* Aller'heiligste.

sand [sænd] **I** *s.* **1.** Sand *m*: ***built on ~*** *fig.* auf Sand gebaut; ***rope of ~*** *fig.* trügerische Sicherheit; **2.** *oft pl.* a) Sandbank *f*, b) Sand(fläche *f*, -wüste *f*) *m*: ***plough the ~(s)*** *fig.* s-e Zeit verschwenden; **3.** *mst pl.* Sand(körner *pl.*) *m*: ***his ~s are running out*** s-e Tage sind gezählt; **4.** *Am. sl.* ‚Mumm' *m*; **II** *v/t.* **5.** mit Sand bestreuen; **6.** (ab-)schmirgeln.

san·dal[1] ['sændl] *s.* San'dale *f*.

san·dal[2] ['sændl], '**~·wood** *s.* **1.** (rotes) Sandelholz; **2.** Sandelbaum *m*.

'**sand|·bag** [-ndb-] **I** *s.* **1.** Sandsack *m*; **II** *v/t.* **2.** *bsd.* ⚔ mit Sandsäcken befestigen; **3.** mit e-m Sandsack niederschlagen; '**~·bank** [-ndb-] *s.* Sandbank *f*; '**~·blast** [-ndb-] ⚙ **I** *s.* Sandstrahl(gebläse *n*) *m*; **II** *v/t.* sandstrahlen; '**~·box** [-ndb-] *s.* **1.** *hist.* Streusandbüchse *f*; **2.** *Gießerei*: Sandform *f*; **3.** Sandkasten *m*; '**~·boy** [-ndb-] *s.*: (***as***) ***happy as a ~*** kreuzfidel; **~ drift** *s. geol.* Flugsand *m*.

sand·er ['sændə] *s.* ⚙ **1.** Sandstrahlgebläse *n*; **2.** 'Sandpaˌpierˌschleifmaˌschine *f*.

'**sand|·fly** *s.* a) Sandfliege *f*, b) Gnitze *f*, c) Kriebelmücke *f*; '**~·glass** *s.* Sanduhr *f*, Stundenglas *n*; '**~·grouse** *s. orn.* Flughuhn *n*; '**~·lot** *s. Am.* Sandplatz *m* (*Behelfsspielplatz für Baseball etc.*); '**~·man** [-ndmæn] *s.* [*irr.*] Sandmann *m*, -männchen *n*; '**~-ˌmar·tin** [-ndˌm-] *s. orn.* Uferschwalbe *f*; '**~ˌpa·per** [-ndˌp-] **I** *s.* 'Sandpaˌpier *n*; **II** *v/t.* (ab)schmirgeln; '**~ˌpip·er** [-ndˌp-] *s. orn.* Flußuferläufer *m*; '**~·pit** [-ndp-] *s.* **1.** Sandgrube *f*; **2.** Sandkasten *m*; **~ shoes** *s. pl.* Strandschuhe *pl.*; **~ spout** *s.* Sandhose *f*; '**~·stone** [-nds-] *s. geol.* Sandstein *m*; '**~·storm** [-nds-] *s.* Sandsturm *m*; **~ table** *s.* ⚔ Sandkasten *m*; **~ trap** *s. Golf*: Sandhindernis *n*.

sand·wich ['sænwɪdʒ] **I** *s.* Sandwich *n* (*belegtes Doppelbrot*): ***open ~*** belegtes Brot; ***sit ~*** *fig.* eingezwängt sitzen; **II** *v/t. a.* ***~ in*** *fig.* einlegen, schieben; einklemmen, -zwängen; *sport Gegner* ‚in die Zange nehmen'; **~ cake** *s.* Schichttorte *f*; **~ course** *s. ped. Kurs, bei dem sich theoretische u. praktische Ausbildung abwechseln*; **~ man** [-mæn] *s.* [*irr.*] Sandwichman *m*, Pla'katträger *m*.

sand·y[1] ['sændɪ] *adj.* **1.** sandig, Sand…: ***~ desert*** Sandwüste *f*; **2.** *fig.* sandfarben; rotblond (*Haare*); **3.** sandartig; **4.** *fig.* a) unsicher, b) *Am. sl.* frech.

Sand·y[2] ['sændɪ] *s.* **1.** *bsd. Scot. Kurzform für* **Alexander**; **2.** (*Spitzname für*) Schotte *m*.

sand yacht *s.* Strandsegler *m*.

sane [seɪn] *adj.* □ **1.** geistig gesund *od.* nor'mal; **2.** vernünftig, gescheit.

San·for·ize ['sænfəraɪz] *v/t.* sanforisieren (*Gewebe schrumpffest machen*).

sang [sæŋ] *pret. u. p.p. von* **sing**.

sang·froid [ˌsɑ̃:ŋ'frwɑ:] (*Fr.*) *s.* Kaltblütigkeit *f*.

San·grail [sæŋ'greɪl], **San·gre·al** ['sæŋgrɪəl] *s.* der Heilige Gral.

san·gui·nar·y ['sæŋgwɪnərɪ] *adj.* □ **1.** blutig, mörderisch (*Kampf etc.*); **2.** blutdürstig, grausam: ***a ~ person***; ***~ laws***; **3.** blutig, Blut…; **4.** *Brit.* unflätig; **san·guine** ['sæŋgwɪn] **I** *adj.* □ **1.** heiter, lebhaft, leichtblütig; **2.** 'voll-, heißblütig, hitzig; **3.** zuversichtlich (*a. Bericht, Hoffnung etc.*): ***be ~ of success*** zuversichtlich auf Erfolg rechnen; **4.** rot, blühend, von gesunder Gesichtsfarbe; **5.** ⚕ *hist.* sangu'inisch; **6.** (blut-)rot; **II** *s.* **7.** Rötelstift *m*; **8.** Rötelzeichnung *f*; **san·guin·e·ous** [sæŋ'gwɪnɪəs] *adj.* → ***sanguine*** I.

sa·ni·es ['seɪnɪi:z] *s.* ⚕ pu'trider Eiter, Jauche *f*.

san·i·tar·i·an [ˌsænɪ'teərɪən] **I** *adj.* **1.** → ***sanitary*** 1; **II** *s.* **2.** Hygi'eniker *m*; **3.** Ge'sundheitsaˌpostel *m*; ˌ**san·i'tar·i·um** [-rɪəm] *pl.* **-i·ums**, **-i·a** [-ɪə] *s. bsd. Am. für* ***sanatorium***; **san·i·tar·y** ['sænɪtərɪ] **I** *adj.* □ **1.** hygi'enisch, Gesundheits…, (*a.* ⚙) sani'tär: ***~ towel*** (*Am.* ***napkin***) Damenbinde *f*; **2.** hygi'enisch (einwandfrei), gesund; **II** *s.* **3.** *Am.* öffentliche Bedürfnisanstalt; ˌ**san·i'ta·tion** [-'teɪʃn] *s.* **1.** sani'täre Einrichtungen *pl.* (*in Gebäuden*); **2.** Gesundheitspflege *f*, -wesen *n*, Hygi'ene *f*.

san·i·tize ['sænɪtaɪz] *v/t.* **1.** → ***sterilize*** a; **2.** *fig. Image etc.* ‚aufpolieren'.

san·i·ty ['sænətɪ] *s.* **1.** geistige Gesundheit; *bsd.* ⚖ Zurechnungsfähigkeit *f*; **2.** gesunder Verstand.

sank [sæŋk] *pret. von* ***sink***.

san·se·rif [ˌsæn'serɪf] *s. typ.* Gro'tesk *f*.

San·skrit ['sænskrɪt] *s.* Sanskrit *n*.

San·ta Claus [ˌsæntə'klɔːz] *npr.* der Nikolaus, der Weihnachtsmann.

sap¹ [sæp] **I** *s.* **1.** ♀ Saft *m*; **2.** *fig.* (Lebens)Saft *m*, (-)Kraft *f*, Mark *n*; **3.** *a.* **~-wood** Splint(holz *n*) *m*; **II** *v/t.* **4.** entsaften.

sap² [sæp] **I** *s.* **1.** ⚔ Sappe *f*, Grabenkopf *m*; **II** *v/t.* **2.** (*a. fig. Gesundheit etc.*) unter'graben, -mi'nieren; **3.** *Kräfte etc.* erschöpfen, schwächen.

sap³ [sæp] *s.* F Trottel *m*.

sap⁴ [sæp] *Am. sl.* **I** *s.* Totschläger *m* (*Waffe*); **II** *v/t. j-n* (mit e-m Totschläger) bewußtlos schlagen.

'sap·head *s.* **1.** ⚔ Sappenkopf *m*; **2.** F Trottel *m*.

sap·id ['sæpɪd] *adj.* **1.** e-n Geschmack habend; **2.** schmackhaft; **3.** *fig.* interes'sant; **sa·pid·i·ty** [sə'pɪdətɪ] *s.* Schmackhaftigkeit *f*.

sa·pi·ence ['seɪpjəns] *s. mst iro.* Weisheit *f*; **'sa·pi·ent** [-nt] *adj.* □ *mst iro.* weise.

sap·less ['sæplɪs] *adj.* saftlos (*a. fig. kraftlos*).

sap·ling ['sæplɪŋ] *s.* **1.** junger Baum, Schößling *m*; **2.** *fig.* Grünschnabel *m*, Jüngling *m*.

sap·o·na·ceous [ˌsæpəʊ'neɪʃəs] *adj.* **1.** seifenartig, seifig; **2.** *fig.* glatt.

sa·pon·i·fi·ca·tion [səˌpɒnɪfɪ'keɪʃn] *s.* ⚗ Verseifung *f*; **sa·pon·i·fy** [sə'pɒnɪfaɪ] *v/t. u. v/i.* verseifen.

sap·per ['sæpə] *s.* ⚔ Pio'nier *m*, Sap'peur *m*.

Sap·phic ['sæfɪk] **I** *adj.* **1.** sapphisch; **2.** ♀ lesbisch; **II** *s.* **3.** sapphischer Vers.

sap·phire ['sæfaɪə] **I** *s.* **1.** *min.* Saphir *m* (*a. am Plattenspieler*); **2.** *a.* **~ blue** Saphirblau *n*; **3.** *orn.* Saphirkolibri *m*; **II** *adj.* **4.** saphirblau; **5.** Saphir…

sap·py ['sæpɪ] *adj.* **1.** saftig; **2.** *fig.* kraftvoll, markig; **3.** *sl.* blöd, doof.

Sar·a·cen ['særəsn] **I** *s.* Sara'zene *m*, Sara'zenin *f*; **II** *adj.* sara'zenisch.

sar·casm ['sɑːkæzəm] *s.* Sar'kasmus *m*: a) beißender Spott, b) sar'kastische Bemerkung; **sar·cas·tic** [sɑː'kæstɪk] *adj.* (□ ***~ally***) sarkastisch.

sar·co·ma [sɑː'kəʊmə] *pl.* **-ma·ta** [-mətə] *s.* ⚕ Sar'kom *n* (*Geschwulst*); **sar'coph·a·gous** [-'kɒfəgəs] *adj. zo.* fleischfressend; **sar'coph·a·gus** [-'kɒfəgəs] *pl.* **-gi** [-gaɪ] *s.* Sarko'phag *m* (*Steinsarg*).

sard [sɑːd] *s. min.* Sard(er) *m*.

sar·dine¹ [sɑː'diːn] *pl.* **sar·dines** *od. coll.* **sar·dine** *s. ichth.* Sar'dine *f*: ***packed like ~s*** zs.-gepfercht wie die Heringe.

sar·dine² ['sɑːdaɪn] → ***sard***.

sar·don·ic [sɑː'dɒnɪk] *adj.* (□ ***~ally***) ⚕ *u. fig.* sar'donisch.

sa·ri ['sɑːrɪ] *s.* Sari *m*.

sark [sɑːk] *s. Scot. od. dial.* Hemd *n*.

sark·y ['sɑːkɪ] F *für* ***sarcastic***.

sa·rong [sə'rɒŋ] *s.* Sarong *m*.

sar·sen ['sɑːsn] *s. geol.* großer Sandsteinblock.

sar·to·ri·al [sɑː'tɔːrɪəl] *adj.* □ **1.** Schneider…; **2.** Kleidung(s)…: **~ *elegance*** Eleganz der Kleidung; **sar'to·ri·us** [-rɪəs] *s. anat.* Schneidermuskel *m*.

sash¹ [sæʃ] *s.* Schärpe *f*.

sash² [sæʃ] *s.* **1.** (schiebbarer) Fensterrahmen; **2.** schiebbarer Teil *e-s Schiebefensters*; **~ saw** *s.* ⚙ Schlitzsäge *f*; **~ win·dow** *s.* Schiebe-, Fallfenster *n*.

Sas·se·nach ['sæsənæk] *Scot. u. Irish* **I** *s.* ‚Sachse' *m*, Engländer *m*; **II** *adj.* englisch.

sat [sæt] *pret. u. p.p. von* ***sit***.

Sa·tan ['seɪtən] *s.* Satan *m*, Teufel *m* (*fig.* ♀); **sa·tan·ic** [sə'tænɪk] *adj.* (□ ***~ally***) sa'tanisch, teuflisch.

satch·el ['sætʃəl] *s.* Schultasche *f*, -mappe *f*, *bsd.* Schulranzen *m*.

sate¹ [seɪt] *v/t.* über'sättigen: ***be ~d with*** übersättigt sein von.

sate² [sæt; seɪt] *obs. für* ***sat***.

sa·teen [sæ'tiːn] *s.* ('Baum)Wollsaˌtin *m*.

sat·el·lite ['sætəlaɪt] *s.* **1.** *ast.* a) Satel'lit *m*, Tra'bant *m*, b) (*künstlicher*) ('Erd-)Satelˌlit *m*: **~ *picture*** Satellitenbild *n*; **~ *transmission TV etc.*** Satellitenübertragung *f*; **2.** Tra'bant *m*, Anhänger *m*; **3.** *fig.* a) *a.* **~ *state*** *od.* ***nation*** *pol.* Satel'lit(enstaat) *m*, b) *a.* **~ *town*** Tra'bantenstadt *f*, c) *a.* **~ *airfield*** Ausweichflugplatz *m*, d) ✝ Zweigfirma *f*.

sa·ti·ate ['seɪʃɪeɪt] *v/t.* **1.** über'sättigen; **2.** vollauf sättigen *od.* befriedigen; **sa·ti·a·tion** [ˌseɪʃɪ'eɪʃn] *s.* (Über)'Sättigung *f*; **sa·ti·e·ty** [sə'taɪətɪ] *s.* **1.** (***of***) Übersättigung *f* (mit), 'Überdruß *m* (an *dat.*): ***to ~*** bis zum Überdruß; **2.** Sattheit *f*.

sat·in ['sætɪn] **I** *s.* ⚙ **1.** Sa'tin *m*, Atlas *m* (*Stoff*); **2.** *a.* ***white ~*** *sl.* Gin *m*; **II** *adj.* **3.** Satin…; **4.** a) seidenglatt, b) glänzend; **III** *v/t.* **5.** ⚙ satinieren, glätten; **sat·i·net(te)** [ˌsætɪ'net] *s.* Halbatlas *m*.

'sat·in|-ˌfin·ished *adj.* ⚙ mattiert; **~ pap·er** *s.* satiniertes Pa'pier, 'Atlaspaˌpier *n*.

sat·in·y ['sætɪnɪ] *adj.* seidig.

sat·ire ['sætaɪə] *s.* **1.** Sa'tire *f*, *bsd.* a) Spottgedicht *n*, -schrift *f* ([***up***]***on*** auf *acc.*), b) sa'tirische Litera'tur, c) Spott *m*; **2.** *fig.* Hohn *m* ([***up***]***on*** auf *acc.*); **sa·tir·ic, sa·tir·i·cal** [sə'tɪrɪk(l)] *adj.* □ sa'tirisch; **sat·i·rist** ['sætərɪst] *s.* Sa'tiriker(in); **sat·i·rize** ['sætəraɪz] *v/t.* verspotten, e-e Sa'tire machen auf (*acc.*).

S

sat·is·fac·tion [ˌsætɪsˈfækʃn] *s.* **1.** Befriedigung *f*, Zuˈfriedenstellung *f*: ***find ~ in*** Befriedigung finden in (*dat.*); ***give ~*** befriedigen; **2.** (***at, with***) Zufriedenheit *f* (mit), Befriedigung *f*, Genugtuung *f* (über *acc.*): ***to the ~ of all*** zur Zufriedenheit aller; **3.** *eccl.* Sühne *f*; **4.** Satisfaktiˈon *f*, Genugtuung *f* (*Duell etc.*); **5.** ⚖, ✝ Befriedigung *f e-s Anspruchs*; Erfüllung *f e-r Verpflichtung*; (Be)Zahlung *f e-r Schuld*; **6.** Gewißheit *f*: ***show to the court's ~*** ⚖ einwandfrei glaubhaft machen; ˌ**sat·isˈfac·to·ri·ness** [-ktərɪnɪs] *s. das* Befriedigende; ˌ**sat·isˈfac·to·ry** [-ktərɪ] *adj.* □ **1.** befriedigend, zuˈfriedenstellend; **2.** *eccl.* sühnend; **sat·is·fy** [ˈsætɪsfaɪ] **I** *v/t.* **1.** befriedigen, zuˈfriedenstellen, genügen (*dat.*): ***be satisfied with s.th.*** mit et. zufrieden sein; **2.** a) *j-n* sättigen, b) *Hunger etc., a. Neugier* stillen, c) *fig. Wunsch* erfüllen, *Bedürfnis, a. Trieb* befriedigen; **3.** ✝ *Anspruch* befriedigen; *Schuld* begleichen, tilgen; *e-r Verpflichtung* nachkommen; *Bedingungen*, ⚖ *a. Urteil* erfüllen; **4.** a) *j-n* entschädigen, b) *Gläubiger* befriedigen; **5.** *den Anforderungen* entsprechen, genügen; **6.** ⅍ *Bedingung, Gleichung* erfüllen; **7.** *j-n* überˈzeugen (***of*** von): ***~ o.s. that*** sich überzeugen *od.* vergewissern, daß; ***I am satisfied that*** ich bin davon (*od.* habe mich) überzeugt, daß; **II** *v/i.* **8.** befriedigen; **sat·is·fy·ing** [ˈsætɪsfaɪɪŋ] *adj.* □ **1.** befriedigend, zuˈfriedenstellend; **2.** sättigend.

sa·trap [ˈsætrəp] *s. hist.* Saˈtrap *m* (*a. fig.*), Statthalter *m*.

sat·u·rant [ˈsætʃərənt] **I** *adj.* **1.** *bsd.* ⚗ sättigend; **II** *s.* **2.** neutralisierender Stoff; **3.** ⚕ Mittel *n* gegen Magensäure; **sat·u·rate** [ˈsætʃəreɪt] *v/t.* **1.** ⚗ *u. fig.* sättigen, saturieren (*a.* ✝ *Markt*); **2.** (durch)ˈtränken, durchˈsetzen: ***be ~d with*** *fig.* erfüllt *od.* durchdrungen sein von; **3.** ⚔ mit Bombenteppichen belegen; **sat·u·rat·ed** [ˈsætʃəreɪtɪd] *adj.* **1.** durchˈtränkt, -ˈsetzt; **2.** tropfnaß; **3.** satt (*Farbe*); **4.** ⚗ a) *a. fig.* saturiert, gesättigt, b) reaktiˈonsträge.

sat·u·ra·tion [ˌsætʃəˈreɪʃn] *s.* **1.** *bsd.* ⚗, *phys. u. fig.* Sättigung *f*, Saturierung *f*; **2.** (Durch)ˈTränkung *f*, Durchˈsetzung *f*; **3.** Sattheit *f* (*Farbe*); **~ bomb·ing** *s.* ⚔ Bombenteppich(e *pl.*) *m*; **~ point** *s.* ⚗ Sättigungspunkt *m*.

Sat·ur·day [ˈsætədɪ] *s.* Sonnabend *m*, Samstag *m*: ***on ~*** am Sonnabend *od.* Samstag; ***on ~s*** sonnabends, samstags.

Sat·urn [ˈsætən] *s.* **1.** *antiq.* Saˈturn(us) *m* (*Gott*); **2.** *ast.* Saˈturn *m* (*Planet*); **3.** ⚗ *hist.* Blei *n*; **4.** *her.* Schwarz *n*; **Sat·ur·na·li·a** [ˌsætəˈneɪljə] *s. pl. antiq.* Saturˈnalien *pl.*; **Sat·ur·na·li·an** [ˌsætəˈneɪljən] *adj.* **1.** *antiq.* saturˈnalisch; **2.** ♀ *fig.* orgiˈastisch; **Sa·tur·ni·an** [sæˈtɜːnjən] *adj.* **1.** *ast.* Saturn…; **2.** *myth, a. fig. poet.* saˈturnisch: **~ age** *fig.* goldenes Zeitalter; ˈ**sat·ur·nine** [-naɪn] *adj.* □ **1.** düster, finster (*Person, Gesicht etc.*); **2.** ♀ im Zeichen des Saˈturn geboren; **3.** *min.* Blei…

sat·yr [ˈsætə] *s.* **1.** *oft* ♀ *myth.* Satyr *m* (*Waldgott*); **2.** *fig.* Satyr *m* (*geiler Mensch*); **3.** ⚕ Satyroˈmane *m*; **sat·y·ri·a·sis** [ˌsætəˈraɪəsɪs] *s.* ⚕ Satyˈriasis *f*; **sa·tyr·ic** [səˈtɪrɪk] *adj.* Satyr…, satyrhaft.

sauce [sɔːs] **I** *s.* **1.** Sauce *f*, Soße *f*, Tunke *f*: ***hunger is the best ~*** Hunger ist der beste Koch; ***what is ~ for the goose is ~ for the gander*** was dem einen recht ist, ist dem andern billig; **2.** *fig.* Würze *f*; **3.** *Am.* Komˈpott *n*; **4.** F Frechheit *f*; **5.** ⚙ a) Beize *f*, b) (Tabak-) Brühe *f*; **II** *v/t.* **6.** mit Soße würzen; **7.** *fig.* würzen; **8.** F frech sein zu; ˈ**~·boat** *s.* Saucière *f*, Soßenschüssel *f*; ˈ**~·dish** *s. Am.* Komˈpottschüssel *f*, -schale *f*; ˈ**~·pan** [-pən] *s.* Kochtopf *m*, Kasseˈrolle *f*.

sau·cer [ˈsɔːsə] *s.* ˈUntertasse *f*; → ***flying saucer***; **~ eye** [-əraɪ] *s.* Glotz-, Kullerauge *n*; ˈ**~-eyed** [-əraɪd] *adj.* glotzäugig.

sau·ci·ness [ˈsɔːsɪnɪs] *s.* **1.** Frechheit *f*; **2.** Keßheit *f*; **sau·cy** [ˈsɔːsɪ] *adj.* □ **1.** frech, unverschämt; **2.** F keß, flott, fesch: ***a ~ hat***.

sau·na [ˈsɔːnə] *s.* Sauna *f*.

saun·ter [ˈsɔːntə] **I** *v/i.* schlendern: ***~ about*** umˈherschlendern, (-)bummeln; **II** *s.* (Umˈher)Schlendern *n*, Bummel *m*.

sau·ri·an [ˈsɔːrɪən] *zo.* **I** *s.* Saurier *m*; **II** *adj.* Saurier…, Echsen…

sau·sage [ˈsɒsɪdʒ] *s.* **1.** Wurst *f*; **2.** *a.* ***~ balloon*** ⚔ F ˈFesselbalˌlon *m*; **3.** *sl.* Deutsche(r *m*) *f*; **~ dog** *s. Brit.* F Dakkel *m*; **~ meat** *s.* Wurstmasse *f*, Brät *n*.

sau·té [ˈsəʊteɪ] (*Fr.*) **I** *adj. Küche*: sauˈté, sautiert; **II** *s.* Sauˈté *n*.

sav·age [ˈsævɪdʒ] **I** *adj.* □ **1.** *allg.* wild: a) primiˈtiv (*Volk etc.*), b) ungezähmt (*Tier*), c) bruˈtal, grausam, d) F wütend, e) wüst (*Landschaft*); **II** *s.* **2.** Wilde(r *m*) *f*; **3.** Rohling *m*; **4.** bösartiges Tier, *bsd.* bissiges Pferd; **III** *v/t.* **5.** *j-n* übel zurichten, *a. fig. j-m* übel mitspielen; **6.** *j-n* anfallen, beißen (*Pferd etc.*); ˈ**sav·age·ness** [-nɪs] *s.* **1.** Wildheit *f*, Roheit *f*, Grausamkeit *f*; **2.** Wut *f*, Bissigkeit *f*; ˈ**sav·age·ry** [-dʒərɪ] *s.* **1.** Unzivilisiertheit *f*, Wildheit *f*; **2.** Roheit *f*, Grausamkeit *f*.

sa·van·na(h) [səˈvænə] *s. geogr.* Saˈvanne *f*.

sa·vant [ˈsævənt] *s.* großer Gelehrter.

save[1] [seɪv] **I** *v/t.* **1.** (er)retten (***from*** von, vor *dat.*): ***~ s.o.'s life*** j-m das Leben retten; **2.** ⚓ bergen; **3.** bewahren, schützen (***from*** vor *dat.*): ***God ~ the Queen*** Gott erhalte die Königin; ***~ the situation*** die Situation retten; → ***appearance*** 3, ***face*** 4, ***harmless*** 2; **4.** *Geld etc.* sparen, einsparen: ***~ time*** Zeit gewinnen *od.* sparen; **5.** (auf)sparen, aufheben, -bewahren: ***~ it!*** *sl.* ‚geschenkt'!, halt's Maul!; → ***breath*** 1; **6.** *a. Augen* schonen; schonend *od.* sparsam 'umgehen mit; **7.** *j-m e-e Mühe etc.* ersparen: ***it ~d me the trouble of going there***; **8.** *eccl.* (***from***) retten (aus), erlösen (von); **9.** *Brit.* ausnehmen: ***~ the mark!*** verzeihen Sie die Bemerkung!; ***~ your presence*** (*od.* ***reverence***) mit Verlaub; **10.** *a.* ***~ up*** aufsparen; **11.** *sport:* a) *Schuß* halten, b) *Tor* verhindern; **II** *v/i.* **12.** sparen; **13.** *sport* ‚retten', halten; **III** *s.* **14.** *sport* Pa'rade *f* (*Tormann*).

save² [seɪv] *prp. u. cj.* außer (*dat.*), mit Ausnahme von (*od. gen.*), ausgenommen (*nom.*), abgesehen von: ***~ for*** bis auf (*acc.*); ***~ that*** abgesehen davon, daß; nur, daß.

sav·e·loy [ˌsævə'lɔɪ] *s.* Zerve'latwurst *f.*

sav·er ['seɪvə] *s.* **1.** Retter(in); **2.** Sparer (-in); **3.** sparsames Gerät *etc.*

sav·ing ['seɪvɪŋ] **I** *adj.* ☐ **1.** sparsam (***of*** mit); **2.** ...sparend: ***time-~***; **3.** rettend: ***~ grace*** *eccl.* seligmachende Gnade; ***~ humo(u)r*** befreiender Humor; **4.** ⚖ Vorbehalts...: ***~ clause***; **II** *s.* **5.** (Er-) Rettung *f*; **6.** a) Sparen *n*, b) Ersparnis *f*, Einsparung *f*: ***~ of time*** Zeitersparnis; **7.** *pl.* Ersparnis(se *pl.*) *f*, Spargeld (-er *pl.*) *n*; **8.** ⚖ Vorbehalt *m*; **III** *prp. u. cj.* **9.** außer (*dat.*), ausgenommen: ***~ your presence*** (*od.* ***reverence***) mit Verlaub.

sav·ings| ac·count ['seɪvɪŋz] *s.* Sparkonto *n*; ***~ bank*** *s.* Sparkasse *f*: ***~ (deposit) book*** Spar(kassen)buch *n*; ***~ de·pos·it*** *s.* Spareinlage *f.*

sav·io(u)r ['seɪvjə] *s.* (Er)Retter *m*, Erlöser *m*: ***the* ♀** *eccl.* der Heiland *od.* Erlöser.

sa·voir| faire [ˌsævwɑː'feə] (*Fr.*) *s.* Gewandtheit *f*, Takt(gefühl *n*) *m*, Savoir-'faire *n*; ***~ vi·vre*** [-'viːvr] (*Fr.*) *s.* feine Lebensart, Savoir-'vivre *n.*

sa·vor·y ['seɪvərɪ] *s.* ⚘ Bohnenkraut *n*, Kölle *f.*

sa·vo(u)r ['seɪvə] **I** *s.* **1.** (Wohl)Geschmack *m*; **2.** *bsd. fig.* Würze *f*, Reiz *m*; **3.** *fig.* Beigeschmack *m*, Anstrich *m*; **II** *v/t.* **4.** *bsd. fig.* genießen, auskosten; **5.** *bsd. fig.* würzen; **6.** *fig.* e-n Beigeschmack *od.* Anstrich haben von, riechen nach; **III** *v/i.* **7.** ***~ of*** a) *a. fig.* schmecken *od.* riechen nach, b) → 6; **'sa·vo(u)r·i·ness** [-vərɪnɪs] *s.* Wohlgeschmack *m*, -geruch *m*, Schmackhaftigkeit *f*; **'sa·vo(u)r·less** [-lɪs] *adj.* geschmack-, geruchlos, fade; **'sa·vo(u)r·y** [-vərɪ] **I** *adj.* ☐ **1.** wohlschmeckend, -riechend, schmackhaft; **2.** *a. fig.* appe'titlich, angenehm; **3.** würzig, pi'kant (*a. fig.*); **II** *s.* **4.** *Brit.* pi'kante Vor- *od.* Nachspeise.

sa·voy [sə'vɔɪ] *s.* Wirsing(kohl) *m.*

sav·vy ['sævɪ] *sl.* **I** *v/t.* ‚kapieren', verstehen; **II** *s.* ‚Köpfchen' *n*, ‚'Durchblick' *m*, Verstand *m.*

saw¹ [sɔː] *pret. von* ***see¹***.

saw² [sɔː] *s.* Sprichwort *n.*

saw³ [sɔː] **I** *s.* **1.** ⚙ Säge *f*: ***singing*** (*od.* ***musical***) ***~*** ♪ singende Säge; **II** *v/t.* **2.** [*irr.*] sägen: ***~ down*** *Baum* umsägen; ***~ off*** absägen; ***~ out*** *Bretter* zuschneiden; ***~ up*** zersägen; ***~ the air*** (***with one's hands***) (mit den Händen) herumfuchteln; **III** *v/i.* [*irr.*] **3.** sägen; **4.** (auf der Geige) ‚kratzen'.

'saw|·bones *s. pl. sg. konstr. sl.* a) ‚Bauchaufschneider' *m* (*Chirurg*), b) ‚Medi'zinmann' *m* (*Arzt*); **'~·buck** *s. Am.* **1.** Sägebock *m*; **2.** *sl.* 10-Dollar-Note *f*; **'~·dust** *s.* Sägemehl *n*: ***let the ~ out of*** *fig.* die Hohlheit zeigen von; **'~·fish** *s. ichth.* Sägefisch *m*; **'~·fly** *s. zo.* Blattwespe *f*; ***~ frame***, ***~ gate*** *s.* ⚙ Sägegatter *n*; **'~·horse** *s.* Sägebock *m*; **'~·mill** *s.* Sägewerk *n*, -mühle *f.*

sawn [sɔːn] *p.p. von* ***saw³***.

Saw·ney ['sɔːnɪ] *s.* F **1.** (*Spitzname für*) Schotte *m*; **2.** ♀ Trottel *m.*

saw| set *s.* ⚙ Schränkeisen *n*; **'~·tooth I** *s.* **1.** Sägezahn *m*; **II** *adj.* **2.** Sägezahn...: ***~ roof*** Säge-, Scheddach *n*; **3.** ⚡ Sägezahn..., Kipp...(*-spannung etc.*); **'~·wort** *s.* ⚘ Färberdistel *f.*

saw·yer ['sɔːjə] *s.* Säger *m.*

Saxe [sæks] *s.* Sächsischblau *n.*

sax·horn ['sækshɔːn] *s.* ♪ Saxhorn *n.*

sax·i·frage ['sæksɪfrɪdʒ] *s.* ⚘ Steinbrech *m.*

Sax·on ['sæksn] **I** *s.* **1.** Sachse *m*, Sächsin *f*; **2.** *hist.* (Angel)Sachse *m*, (Angel-) Sächsin *f*; **3.** *ling.* Sächsisch *n*; **II** *adj.* **4.** sächsisch; **5.** (alt-, angel)sächsisch, *ling. oft* ger'manisch: ***~ genitive*** sächsischer Genitiv; ***~ blue*** → ***Saxe***; **'Sax·o·ny** [-nɪ] *s.* **1.** *geogr.* Sachsen *n*; **2.** ♀ feiner, glänzender Wollstoff.

sax·o·phone ['sæksəfəʊn] *s.* ♪ Saxo'phon *n*; **sax·o·phon·ist** [sæk'sɒfənɪst] *s.* Saxopho'nist(in).

say [seɪ] **I** *v/t.* [*irr.*] **1.** *et.* sagen, sprechen; **2.** sagen, äußern, berichten: ***he has nothing to ~ for himself*** a) er ist sehr zurückhaltend, b) *contp.* mit ihm ist nicht viel los; ***have you nothing to ~ for yourself?*** hast du nichts zu deiner Rechtfertigung zu sagen?; ***to ~ nothing of*** ganz zu schweigen von, geschweige; ***the Bible ~s*** die Bibel sagt, in der Bibel heißt es; ***people*** (*od.* ***they***) ***~ he is ill***, ***he is said to be ill*** man sagt *od.* es

S

heißt, er sei krank, er soll krank sein; **3.** sagen, behaupten, versprechen: ***you said you would come***; → ***soon*** 2; **4.** a) *a.* **~ *over*** *Gedicht etc.* auf-, hersagen, b) *Gebet* sprechen, c) *R.C. Messe* lesen; **5.** (be)sagen, bedeuten: ***that is to ~*** das heißt; ***$500, ~, five hundred dollars*** $500, in Worten: fünfhundert Dollar; ***that is ~ing a great deal*** das will viel heißen; **6.** annehmen: (***let us***) ***~ it happens*** angenommen, es passiert; ***a sum of, ~, $20*** e-e Summe von, sagen wir (mal), *od.* von etwa $20; ***I should ~*** ich dächte, ich würde sagen; **II** *v/i.* [*irr.*] **7.** sagen, meinen: ***you may well ~ so!*** das kann man wohl sagen!; ***it is hard to ~*** es ist schwer zu sagen; ***what do you ~*** (*od.* ***what ~ you***) ***to ...?*** was hältst du von ...?, wie wäre es mit ...?; ***you don't ~*** (***so***)***!*** was Sie nicht sagen!, nicht möglich!; ***it ~s*** es lautet (*Schreiben etc.*); ***it ~s here*** hier steht (*geschrieben*), hier heißt es; **8. *I ~!*** *int.* a) hör(en Sie) mal!, sag(en Sie) mal!, b) *erstaunt od. beifällig*: Donnerwetter!; **III** *s.* **9.** ***have one's ~*** (***to*** *od.* ***on***) s-e Meinung äußern (über *acc. od.* zu); **10.** Mitspracherecht *n*: ***have a*** (***no***) ***~ in*** et. (nichts) zu sagen haben bei; ***it is my ~ now!*** jetzt rede ich!; **11.** *a.* ***final ~*** endgültige Entscheidung: ***who has the ~ in this matter?*** wer hat in dieser Sache zu entscheiden *od.* das letzte Wort zu reden?

say·est [ˈseɪɪst] *obs. 2. sg. pres. von* ***say***: ***thou ~*** du sagst.

say·ing [ˈseɪɪŋ] *s.* **1.** Reden *n*: ***it goes without ~*** es ist selbstverständlich; ***there is no ~*** man kann nicht sagen *od.* wissen (*ob, wann etc.*); **2.** Ausspruch *m*; **3.** Sprichwort *n*, Redensart *f*: ***as the ~ goes*** (*od.* ***is***) wie es (im Sprichwort) heißt, wie man sagt.

says [sez; səz] *3. sg. pres. von* ***say***: ***he ~*** er sagt.

ˈ**say-so** *s.* F **1.** (bloße) Behauptung; **2.** → ***say*** 11.

scab [skæb] **I** *s.* **1.** ⚕ a) Grind *m*, (Wund)Schorf *m*, b) Krätze *f*; **2.** *vet.* Räude *f*; **3.** ⚘ Schorf *m*; **4.** *sl.* Haˈlunke *m*; **5.** *sl.* a) Streikbrecher(in), b) Nichtgewerkschaftler *m*: ***~ work*** Schwarzarbeit *f*; *a.* Arbeit unter Tariflohn; **6.** ⚙ Gußfehler *m*; **II** *v/i.* **7.** verschorfen, sich verkrusten; **8.** *a.* ***~ it*** *sl.* als Streikbrecher *od.* unter Taˈriflohn arbeiten.

scab·bard [ˈskæbəd] *s.* (Schwert- *etc.*) Scheide *f*.

scabbed [skæbd] *adj.* **1.** → ***scabby***; **2.** ⚘ schorfig.

scab·by [ˈskæbɪ] *adj.* □ **1.** ⚕ schorfig, grindig; **2.** *vet.* räudig; **3.** F schäbig, schuftig.

sca·bi·es [ˈskeɪbɪiːz] → ***scab*** 1 b *u.* 2.

sca·bi·ous¹ [ˈskeɪbjəs] *adj.* **1.** ⚕ skabiˈös, krätzig; **2.** *vet.* räudig.

sca·bi·ous² [ˈskeɪbjəs] *s.* ⚘ Skabiˈose *f*.

sca·brous [ˈskeɪbrəs] *adj.* **1.** rauh, schuppig (*Pflanze etc.*); **2.** heikel, kniff(e)lig: ***a ~ question***; **3.** *fig.* schlüpfrig, anstößig.

scaf·fold [ˈskæfəld] **I** *s.* **1.** (Bau-, Arbeits)Gerüst *n*; **2.** Blutgerüst *n*, (*a.* Tod *m* auf dem) Schaˈfott *n*; **3.** (ˈRedner-, ˈZuschauer)Triˌbüne *f*; **4.** *anat.* a) Knochengerüst *n*, b) Stützgewebe *n*; **5.** ⚙ Ansatz *m* (*im Hochofen*); **II** *v/t.* **6.** ein Gerüst anbringen an (*dat.*); **7.** auf e-m Gestell aufbauen; ˈ**scaf·fold·ing** [-dɪŋ] *s.* **1.** (Bau)Gerüst *n*; **2.** Geˈrüstmateriˌal *n*; **3.** Errichtung *f* des Gerüsts.

scal·a·ble [ˈskeɪləbl] *adj.* ersteigbar.

scal·age [ˈskeɪlɪdʒ] *s.* **1.** ✝ *Am.* Schwundgeld *n*; **2.** Holzmaß *n*.

sca·lar [ˈskeɪlə] ⩚ **I** *adj.* skaˈlar, ungerichtet; **II** *s.* Skaˈlar *m*.

scal·a·wag [ˈskæləwæg] *s.* **1.** Kümmerling *m* (*Tier*); **2.** F Lump *m*.

scald¹ [skɔːld] *s.* Skalde *m* (*nordischer Sänger*).

scald² [skɔːld] **I** *v/t.* **1.** verbrühen; **2.** *Milch etc.* abkochen: ***~ing hot*** a) kochendheiß, b) glühendheiß (*Tag etc.*); ***~ing tears*** *fig.* heiße Tränen; **3.** *Obst etc.* dünsten; **4.** *Geflügel, Schwein etc.* abbrühen; **5.** *a.* ***~ out*** *Gefäß, Instrumente* auskochen; **II** *s.* **6.** Verbrühung *f*.

scale¹ [skeɪl] **I** *s.* **1.** *zo.* Schuppe *f*; *coll.* Schuppen *pl.*; **2.** ⚕ Schuppe *f*: ***come off in ~s*** → 11; ***the ~s fell from my eyes*** es fiel mir wie Schuppen von den Augen; **3.** a) ⚘ Schuppenblatt *n*, b) (*Erbsen- etc.*)Hülse *f*, Schale *f*; **4.** (*Messer*)Schale *f*; **5.** Ablagerung *f*, *bsd.* a) Kesselstein *m*, b) ⚕ Zahnstein *m*; **6.** *a. pl. metall.* Zunder *m*: ***iron ~*** Hammerschlag *m*, Glühspan *m*; **II** *v/t.* **7.** *a.* ***~ off*** *Fisch* (ab)schuppen; *Schicht etc.* ablösen, -schälen, -häuten; **8.** a) abklopfen, den Kesselstein entfernen aus, b) *Zähne* vom Zahnstein befreien; **9.** e-e Kruste *od.* Kesselstein ansetzen in (*dat.*) *od.* an (*dat.*); **10.** *metall.* zunderfrei machen, ausglühen; **III** *v/i.* **11.** *a.* ***~ off*** sich abschuppen *od.* -lösen, abblättern; **12.** Kessel- *od.* Zahnstein ansetzen.

scale² [skeɪl] **I** *s.* **1.** Waagschale *f* (*a. fig.*): ***hold the ~s even*** *fig.* gerecht urteilen; ***throw into the ~*** *fig. Argument, Schwert etc.* in die Waagschale werfen; ***turn*** (*od.* ***tip***) ***the ~***(***s***) *fig.* den Ausschlag geben; ***turn the ~ at 55 lbs*** 55 Pfund wiegen; → ***weight*** 4; **2.** *mst pl.* Waage *f*: ***a pair of ~s*** eine Waage; ***go to ~*** *sport* gewogen werden (*Jockey, Boxer*); ***go to ~ at 90 lbs*** 90 Pfund auf die Waage bringen; **3.** ***2s*** *pl. ast.* Waage *f*; **II** *v/t.* **4.** wiegen; **5.** F (ab-, aus-) wiegen; **III** *v/i.* **6.** ***~ in*** (***out***) vor (nach) dem Rennen gewogen werden (*Jok-*

S

key).

scale³ [skeɪl] **I** *s.* **1.** ⚙, *phys.* Skala *f*: **~ *division*** Gradeinteilung *f*; **~ *disk*** Skalenscheibe *f*; **~ *line*** Teilstrich *m*; **2.** a) Stufenleiter *f*, Staffelung *f*, b) Skala *f*, Ta'rif *m*: **~ *of fees*** Gebührenordnung *f*; **~ *of wages*** Lohnskala, -tabelle *f*; **3.** Stufe *f* (*auf e-r Skala*, *Tabelle etc.*; *a. fig.*): ***social* ~** Gesellschaftsstufe; **4.** ⩘, ⚙ a) Maßstab(angabe *f*) *m*, b) loga'rithmischer Rechenstab: ***in*** (*od.* ***to***) **~** maßstab(s)gerecht: ***drawn to a ~ of 1:5*** im Maßstab 1:5 gezeichnet; **~ *model*** maßstab(s)getreues Modell; **5.** *fig.* Maßstab *m*, 'Umfang *m*: ***on a large ~*** in großem Umfang, im großen; **6.** ⩘ (nu'merische) Zahlenreihe: ***decimal ~*** Dezimalreihe *f*; **7.** ♪ a) Tonleiter *f*, b) 'Ton͵umfang *m* (*Instrument*): ***learn one's ~s*** Tonleitern üben; **8.** *Am. Börse*: ***on a ~*** zu verschiedenen Kurswerten (*Wertpapiere*); **9.** *fig.* Leiter *f*: ***a ~ to success***; **II** *v/t.* **10.** erklimmen, erklettern (*a. fig.*); **11.** maßstab(s)getreu zeichnen: **~ *down*** (***up***) maßstäblich verkleinern (vergrößern); **12.** einstufen: **~ *down*** *Löhne* herunterschrauben, drücken; **~ *up*** *Preise etc.* hochschrauben; **III** *v/i.* **13.** *auf e-r Skala od. fig.* klettern, steigen: **~ *down*** fallen.

scale| ar·mo(u)r *s.* Schuppenpanzer *m*; **~ beam** *s.* Waagebalken *m*; **~ buy·ing** *s.* ✝ (spekula'tiver) Aufkauf von 'Wertpa͵pieren.

scaled [skeɪld] *adj.* **1.** *zo.* schuppig, Schuppen...; **2.** abgeschuppt: **~ *herring***; **3.** mit e-r Skala (versehen).

'scale-down *s.* maßstab(s)gerechte Verkleinerung.

scale·less ['skeɪllɪs] *adj.* schuppenlos.

sca·lene ['skeɪli:n] ⩘ **I** *adj.* ungleichseitig (*Figur*), schief (*Körper*); **II** *s.* schiefwinkliges Dreieck.

scal·ing ['skeɪlɪŋ] *s.* **1.** (Ab)Schuppen *n*; **2.** Kesselstein- *od.* Zahnsteinentfernung *f*; **3.** Erklettern *n*, Aufstieg *m* (*a. fig.*); **4.** ✝ (spekula'tiver) Auf- u. Verkauf *m* von 'Wertpa͵pieren.

scall [skɔ:l] *s.* ⚕ (Kopf)Grind *m*.

scal·la·wag → ***scalawag***.

scal·lion ['skæljən] *s.* ⚘ Scha'lotte *f*.

scal·lop ['skɒləp] **I** *s.* **1.** *zo.* Kammuschel *f*; **2.** *a.* **~ *shell*** Muschelschale *f* (*a. aus Porzellan zum Servieren von Speisen*); **3.** *Näherei*: Lan'gette *f*; **II** *v/t.* **4.** ⚙ ausbogen, bogenförmig verzieren; **5.** *Näherei*: langettieren; **6.** *Speisen* in der (Muschel)Schale über'backen.

scalp [skælp] **I** *s.* **1.** *anat.* Kopfhaut *f*; **2.** Skalp *m* (*abgezogene Kopfhaut als Siegeszeichen*): ***be out for ~s*** sich auf dem Kriegspfad befinden, *fig.* kampf-, angriffslustig sein; **3.** *fig.* ('Sieges)Tro͵phäe *f*; **II** *v/t.* **4.** skalpieren; **5.** ✝ *Am.* F *Wertpapiere* mit kleinem Pro'fit weiterverkaufen; **6.** *Am. sl. Eintrittskarten* auf dem schwarzen Markt verkaufen.

scal·pel ['skælpəl] *s.* ⚕ Skal'pell *n*.

scal·y ['skeɪlɪ] *adj.* **1.** schuppig, geschuppt; **2.** Schuppen...; **3.** schuppenförmig; **4.** sich abschuppend, schilferig.

scamp [skæmp] **I** *s.* Ha'lunke *m*; *humor. a.* Spitzbube *m*; **II** *v/t.* *Arbeit etc.* schlud(e)rig ausführen, hinschlampen.

scam·per ['skæmpə] **I** *v/i.* **1.** *a.* **~ *about*** (he'rum)tollen, her'umhüpfen; **2.** hasten: **~ *away*** (*od.* ***off***) sich davonmachen; **II** *s.* **3.** (He'rum)Tollen *n*.

scan [skæn] **I** *v/t.* **1.** genau *od.* kritisch prüfen, forschend *od.* scharf ansehen; **2.** *Horizont etc.* absuchen; **3.** über'fliegen: **~ *the headlines***; **4.** *Vers* skandieren; **5.** ⚡ *Computer*, *Radar*, *TV*: abtasten; **II** *v/i.* **6.** *Metrik*: a) skan'dieren, b) sich *gut etc.* skandieren (lassen).

scan·dal ['skændl] *s.* **1.** Skan'dal *m*: a) skanda'löses Ereignis, b) (öffentliches) Ärgernis: ***cause ~*** Anstoß erregen, c) Schande *f*, Schmach *f* (***to*** für); **2.** Verleumdung *f*, (böswilliger) Klatsch: ***talk ~*** klatschen; **~ *sheet*** Skandal-, Revolverblatt *n*; **3.** ⚖ üble Nachrede (*im Prozeß*); **4.** ‚unmöglicher' Mensch.

scan·dal·ize¹ ['skændəlaɪz] *v/t.* Anstoß erregen bei (*dat.*), *j-n* schockieren: ***be ~d at*** Anstoß nehmen an (*dat.*), empört sein über (*acc.*).

scan·dal·ize² ['skændəlaɪz] *v/t.* ⚓ *Segel* verkleinern, ohne zu reffen.

'scan·dal͵mon·ger *s.* Lästermaul *n*, Klatschbase *f*.

scan·dal·ous ['skændələs] *adj.* □ **1.** skanda'lös, anstößig, schockierend; **2.** schändlich, schimpflich; **3.** verleumderisch, Schmäh...: **~ *stories***; **4.** klatschsüchtig (*Person*).

Scan·di·na·vi·an [͵skændɪ'neɪvjən] **I** *adj.* **1.** skandi'navisch; **II** *s.* **2.** Skandi'navier(in); **3.** *ling.* a) Skandi'navisch *n*, b) Altnordisch *n*.

scan·ner ['skænə] *s.* **1.** *Computer*, *Radar*: Abtaster *m*; **2.** → ***scanning disk***.

scan·ning ['skænɪŋ] *s. allg.* Abtastung *f*; **~ disk** *s. TV* Abtastscheibe *f*; **~ lines** *s. pl. TV* Rasterlinien *pl*.

scan·sion ['skænʃn] *s. Metrik*: Skandierung *f*, Skansi'on *f*.

Scan·so·res [skæn'sɔ:ri:z] *s. pl. orn.* Klettervögel *pl.*; **scan'so·ri·al** [-rɪəl] *adj. orn.* **1.** Kletter...; **2.** zu den Klettervögeln gehörig.

scant [skænt] *adj.* knapp (***of*** an *dat.*), spärlich, dürftig, gering: ***a ~ 2 hours*** knapp 2 Stunden; **'scan·ties** [-tɪz] *s. pl.* Damenslip *m*; **'scant·i·ness** [-tɪnɪs], **'scant·ness** [-nɪs] *s.* **1.** Knappheit *f*, Kargheit *f*; **2.** Unzulänglichkeit *f*; **'scant·y** [-tɪ] *adj.* □ **1.** → ***scant***; **2.** unzureichend; **3.** eng, beengt (*Raum etc.*).

S

scape [skeɪp] *s.* **1.** ⚘, *zo.* Schaft *m*; **2.** △ (Säulen)Schaft *m.*
ˈ**scape·goat** *s. fig.* Sündenbock *m.*
ˈ**scape·grace** *s.* Taugenichts *m.*
scaph·oid [ˈskæfɔɪd] *anat.* **I** *adj.* scaphoˈid, Kahn...; **II** *s. a.* **~ *bone*** Kahnbein *n.*
scap·u·la [ˈskæpjʊlə] *pl.* **-lae** [-liː] *s. anat.* Schulterblatt *n*; ˈ**scap·u·lar** [-lə] **I** *adj.* **1.** *anat.* Schulter(blatt)...; **II** *s.* **2.** → ***scapulary***; **3.** ⚕ Schulterbinde *f*; ˈ**scap·u·lar·y** [-lərɪ] *s. eccl.* Skapuˈlier *n.*
scar¹ [skɑː] **I** *s.* **1.** Narbe *f* (*a.* ⚘; *a. fig. u. psych.*); **2.** Schramme *f*, Kratzer *m*; **3.** *fig.* (Schand)Fleck *m*, Makel *m*; **II** *v/t.* **4.** e-e Narbe *od.* Narben hinterˈlassen auf (*dat.*); **5.** *fig.* bei *j-m* ein Trauma hinterˈlassen; **6.** *fig.* entstellen, verunstalten; **III** *v/i.* **7.** *a.* **~ *over*** vernarben (*a. fig.*).
scar² [skɑː] *s. Brit.* Klippe *f*, steiler (Felsen)Abhang.
scar·ab [ˈskærəb] *s.* **1.** *zo.* Skaraˈbäus *m* (*a. Schmuck etc.*); **2.** *zo.* Mistkäfer *m.*
scarce [skeəs] **I** *adj.* □ **1.** knapp, spärlich: **~ *commodities*** ✝ Mangelwaren; **2.** selten, rar: ***make o.s. ~*** F a) sich rar machen, b) ‚sich dünnmachen'; **II** *adv.* **3.** *obs.* → ˈ**scarce·ly** [-lɪ] *adv.* **1.** kaum, gerade erst: **~ *anything*** kaum etwas, fast nichts; **~ *... when*** kaum ... als; **2.** wohl nicht, kaum, schwerlich; ˈ**scarce·ness** [-nɪs], ˈ**scar·ci·ty** [-sətɪ] *s.* **1.** a) Knappheit *f*, Mangel *m* (***of*** an *dat.*), b) Verknappung *f*; **2.** (Hungers)Not *f*; **3.** Seltenheit *f*: **~ *value*** Seltenheitswert *m.*
scare [skeə] **I** *v/t.* **1.** erschrecken, *j-m* e-n Schrecken einjagen, ängstigen: ***be ~d of s.th.*** sich vor et. fürchten; **2.** *a.* **~ *away*** verscheuchen, -jagen; **3.** **~ *up*** a) *Wild etc.* aufscheuchen, b) F *Geld etc.* auftreiben, *et.* ‚organisieren'; **II** *v/i.* **4.** erschrecken: ***he does not ~ easily*** er läßt sich nicht leicht ins Bockshorn jagen; **III** *s.* **5.** Schreck(en) *m*, Panik *f*: **~ *buying*** Angstkäufe *pl.*; **~ *news*** Schreckensnachricht(en *pl.*) *f*; **6.** blinder Aˈlarm; ˈ**~·crow** *s.* **1.** Vogelscheuche *f* (*a. fig. Person*); **2.** *fig.* Schreckgespenst *n*; ˈ**~ˌhead(·ing)** *s.* (riesige) Sensatiˈonsschlagzeile; ˈ**~ˌmon·ger** *s.* Panikmacher(in); ˈ**~ˌmon·ger·ing** *s.* Panikmache *f.*
scared·y-cat [ˈskeə(r)dɪkæt] *s.* Angsthase *m.*
scarf¹ [skɑːf] *pl.* **scarfs**, **scarves** [-vz] *s.* **1.** Hals-, Kopf-, Schultertuch *n*, Schal *m*; **2.** (breite) Kraˈwatte (*für Herren*); **3.** ⚔ Schärpe *f*; **4.** *eccl.* Seidenstola *f*; **5.** Tischläufer *m.*
scarf² [skɑːf] **I** *s.* **1.** ⚙ Laschung *f*, Blatt *n* (*Hölzer*); ⚓ Lasch *m*; **2.** ⚙ → ***scarf joint***; **II** *v/t.* **3.** ⚙ zs.-blatten; ⚓ (ver)laschen; **4.** *e-n Wal* aufschneiden.
scarf| joint *s.* ⚙ Blattfuge *f*, Verlaschung *f*; ˈ**~·pin** *s.* Kraˈwattennadel *f*; ˈ**~·skin** *s. anat.* Oberhaut *f.*
scar·i·fi·ca·tion [ˌskeərɪfɪˈkeɪʃn] *s.* ⚕ Hautritzung *f*; **scar·i·fi·ca·tor** [ˈskeərɪfɪkeɪtə], **scar·i·fi·er** [ˈskeərɪfaɪə] *s.* **1.** ⚕ Stichelmesser *n*; **2.** ✓ Messeregge *f*; **3.** ⚙ Straßenaufreißer *m*; **scar·i·fy** [ˈskeərɪfaɪ] *v/t.* **1.** *Haut* ritzen, ⚕ skarifizieren; **2.** ✓ a) *Boden* auflockern, b) *Samen* anritzen; **3.** *fig.* a) *Gefühle etc.* verletzen, b) scharf kritisieren.
scar·la·ti·na [ˌskɑːləˈtiːnə] *s.* ⚕ Scharlach(fieber *n*) *m.*
scar·let [ˈskɑːlət] **I** *s.* **1.** Scharlach(rot *n*) *m*; **2.** Scharlach(tuch *n*, -gewand *n*) *m*; **II** *adj.* **3.** scharlachrot: ***flush*** (*od.* ***turn***) **~** dunkelrot werden; **4.** *fig.* unzüchtig; **~ *fe·ver*** *s.* ⚕ Scharlach(fieber *n*) *m*; **~ *hat*** *s.* **1.** Kardiˈnalshut *m*; **2.** *fig.* Kardiˈnalswürde *f*; **~ *run·ner*** *s.* ⚘ Scharlach-, Feuerbohne *f*; **≗ *Wom·an*** *s.* **1.** *bibl. die* (scharlachrot gekleidete) Hure; **2.** *fig. contp.* (*das* heidnische *od.* päpstliche) Rom.
scarp [skɑːp] **I** *s.* **1.** steile Böschung; **2.** ⚔ Esˈkarpe *f*; **II** *v/t.* **3.** abböschen, abdachen; **scarped** [-pt] *adj.* steil, abschüssig.
scarred [skɑːd] *adj.* narbig.
scarves [skɑːvz] *pl. von* ***scarf¹***.
scar·y [ˈskeərɪ] *adj.* F **1.** a) grus(e)lig, schaurig, b) unheimlich; **2.** schreckhaft, ängstlich.
scat¹ [skæt] F **I** *int.* **1.** ‚hau ab'!; **2.** Tempo!; **II** *v/i.* **3.** ‚verduften'; **4.** flitzen.
scat² [skæt] *s. Jazz*: Scat *m* (*Singen zs.-hangloser Silben*).
scathe [skeɪð] **I** *v/t.* **1.** *poet.* versengen; **2.** *obs. od. Scot.* verletzen; **3.** *fig.* vernichtend kritisieren; **II** *s.* **4.** Schaden *m*: ***without ~***; **5.** Beleidigung *f*; ˈ**scathe·less** [-lɪs] *adj.* unversehrt; ˈ**scath·ing** [-ðɪŋ] *adj.* □ *fig.* **1.** vernichtend, ätzend (*Kritik etc.*); **2.** verletzend.
sca·tol·o·gy [skəˈtɒlədʒɪ] *s.* **1.** ⚕ Skatoloˈgie *f*, Kotstudium *n*; **2.** *fig.* Beschäftigung *f* mit dem Obˈszönen (in der Literaˈtur).
scat·ter [ˈskætə] **I** *v/t.* **1.** *a.* **~ *about*** (aus-, umˈher-, ver)streuen; **2.** verbreiten, -teilen; **3.** bestreuen (***with*** mit); **4.** *Menge etc.* zerstreuen, *a. Vögel etc.* auseinˈanderscheuchen: ***be ~ed to the four winds*** in alle Winde zerstreut werden *od.* sein; **5.** *Geld* verschleudern, verzetteln: **~ *one's strength*** *fig.* sich verzetteln; **6.** *phys. Licht etc.* zerstreuen; **II** *v/i.* **7.** sich zerstreuen (*Menge*), auseinˈanderstieben (*a. Vögel etc.*), sich zerteilen (*Nebel*); **8.** a) sich verbreiten (***over*** über *acc.*), b) verstreut sein; **III** *s.* **9.** *allg., a. phys. etc.* Streuung *f*; ˈ**~-brain** *s.* Wirrkopf *m*; ˈ**~·brained** *adj.* wirr, konˈfus.

scat·tered ['skætəd] *adj.* **1.** ver-, zerstreut (liegend *od.* vorkommend *etc.*); **2.** vereinzelt (auftretend): *~ rain showers*; **3.** *fig.* wirr; **4.** *phys.* dif'fus, Streu…

'scat·ter|·gun *s. Am.* Schrotflinte *f*; *~ rug* *s. Am.* Brücke *f* (*Teppich*).

scaur [skɔː] *bsd. Scot. für* ***scar²***.

scav·enge ['skævɪndʒ] **I** *v/t.* **1.** *Straßen etc.* reinigen, säubern; **2.** *mot. Zylinder von Gasen* reinigen, spülen: *~ stroke* Spültakt *m*, Auspuffhub *m*; **3.** *Am.* a) *Abfälle etc.* auflesen, b) *et.* auftreiben, c) *et.* durch'stöbern (*for* nach); **II** *v/i.* **4.** *~ for* (her'um)suchen nach; **'scav·en·ger** [-dʒə] *s.* **1.** Straßenkehrer *m*; **2.** Müllmann *m*; **3.** a) Trödler *m*, b) Lumpensammler *m*; **4.** ⚗ Reinigungsmittel *n*; **5.** *zo.* Aasfresser *m*: *~ beetle* aasfressender Käfer.

sce·nar·i·o [sɪ'nɑːrɪəʊ] *pl.* **-ri·os** *s.* **1.** a) *thea.* Sze'nar(io) *n*, b) *Film*: Drehbuch *n*; **2.** *fig.* Sze'nario *n*, Plan *m*; **sce·na·rist** ['siːnərɪst] *s.* Drehbuchautor *m*.

scene [siːn] *s.* **1.** *thea., Film, TV*: a) Szene *f*, Auftritt *m*, b) Ort *m* der Handlung, Schauplatz *m* (*a. Roman etc.*); → *lay* 6, c) Ku'lisse *f*, d) → *scenery* b: *behind the ~s* hinter den Kulissen (*a. fig.*); *change of ~* Szenenwechsel *m*, *fig.* ‚Tapetenwechsel' *m*; **2.** Szene *f*, Epi'sode *f* (*Roman etc.*); **3.** 'Hintergrund *m e-r Erzählung etc.*; **4.** *fig.* Szene *f*, Schauplatz *m*: *~ of accident* (*crime*) Unfallort *m* (Tatort *m*); **5.** Szene *f*, Anblick *m*; *paint.* (Landschafts-) Bild *n*: *~ of destruction fig.* Bild der Zerstörung; **6.** Szene *f*: a) Vorgang *m*, b) (heftiger) Auftritt: *make* (*s.o.*) *a. ~* (j-m) e-e Szene machen; **7.** *fig.* (Welt-) Bühne *f*: *quit the ~* von der Bühne abtreten, sterben; **8.** *sl.* (Drogen-, Pop- *etc.*)Szene *f*: *that's not my ~ fig.* das ist nicht mein Fall; *~ dock* *s. thea.* Requi'sitenraum *m*; *~ paint·er* *s.* Bühnenmaler(in).

scen·er·y ['siːnərɪ] *s.* Szene'rie *f*: a) Landschaft *f*, Gegend *f*, b) *thea.* Bühnenbild *n*, -ausstattung *f*.

'scene,shift·er *s. thea.* Bühnenarbeiter *m*, Ku'lissenschieber *m*.

sce·nic ['siːnɪk] **I** *adj.* (□ *~ally*) **1.** landschaftlich, Landschafts…; **2.** (landschaftlich) schön, malerisch: *~ railway* (in e-r künstlichen Landschaft angelegte) Liliputbahn; *~ road* landschaftlich schöne Strecke (*Hinweis auf Autokarte*); **3.** *thea.* a) szenisch, Bühnen…: *~ designer* Bühnenbildner(in), b) dra'matisch (*a. Gemälde etc.*), c) Ausstattungs…; **II** *s.* **4.** Na'turfilm *m*.

sce·no·graph·ic, **sce·no·graph·i·cal** [ˌsiːnə'græfɪk(l)] *adj.* □ szeno'graphisch, perspek'tivisch.

scent [sent] **I** *s.* **1.** (*bsd.* Wohl)Geruch *m*, Duft *m*; **2.** Par'füm *n*; **3.** *hunt.* a) Witterung *f*, b) Spur *f*, Fährte *f* (*a. fig.*): *blazing ~* warme Fährte; *on the* (*wrong*) *~* auf der (falschen) Fährte; *put on the ~* auf die Fährte setzen; *put* (*od. throw*) *off the ~* von der (richtigen) Spur ablenken; **4.** a) Geruchssinn *m*, b) *zo. u. fig.* Spürsinn *m*, *gute etc.* Nase: *have a ~ for s.th. fig.* e-e Nase für et. haben; **II** *v/t.* **5.** *et.* riechen; **6.** *a. ~ out hunt. u. fig.* wittern, (auf)spüren; **7.** mit Wohlgeruch erfüllen; **8.** parfümieren; **scent bag** *s.* **1.** *zo.* Duftdrüse *f*; **2.** *Fuchsjagd*: künstliche Schleppe; **3.** Duftkissen *n*; **scent bot·tle** *s.* Par'fümfläschchen *n*; **'scent·ed** [-tɪd] *adj.* **1.** duftend; **2.** parfümiert; **scent gland** *s. zo.* Duft-, Moschusdrüse *f*; **'scent·less** [-lɪs] *adj.* **1.** geruchlos; **2.** *hunt.* ohne Witterung (*Boden*).

scep·sis ['skepsɪs] *s.* **1.** Skepsis *f*; **2.** *phls.* Skepti'zismus *m*.

scep·ter ['septə] *etc. Am.* → *sceptre etc.*

scep·tic ['skeptɪk] *s.* **1.** (*phls. mst* ♀) Skeptiker(in); **2.** *eccl.* Zweifler(in), *allg.* Ungläubige(r *m*) *f*, Athe'ist(in); **'scep·ti·cal** [-kl] *adj.* □ skeptisch (*a. phls.*), mißtrauisch, ungläubig: *be ~ about* (*od. of*) *s.th.* e-r Sache skeptisch gegenüberstehen, et. bezweifeln, an et. zweifeln; **'scep·ti·cism** [-ɪsɪzəm] → *scepsis*.

scep·tre ['septə] *s.* Zepter *n*: *wield the ~* das Zepter führen, herrschen; **'scep·tered** [-əd] *adj.* **1.** zeptertragend, herrschend (*a. fig.*); **2.** *fig.* königlich.

sched·ule [*Brit.* 'ʃedjuːl; *Am.* 'skedʒʊl] **I** *s.* **1.** Liste *f*, Ta'belle *f*, Aufstellung *f*, Verzeichnis *n*; **2.** *bsd.* ⚖ Anhang *m*; **3.** *bsd. Am.* a) (Arbeits-, Lehr-, Stunden-) Plan *m*, b) Fahrplan *m*: *be behind ~* Verspätung haben, *weitS.* im Verzug sein; *on ~* (fahr)planmäßig, pünktlich; **4.** Formblatt *n*, Vordruck *m*, Formu'lar *n*; **5.** Einkommensteuerklasse *f*; **II** *v/t.* **6.** *et.* in e-r Liste *etc. od.* tabel'larisch zs.-stellen; **7.** (in e-e Liste *etc.*) eintragen, -fügen: *~d departure* (fahr)planmäßige Abfahrt; *~d flight* ✈ Linienflug *m*; *the train is ~d to leave at 6* der Zug fährt fahrplanmäßig um 6; **8.** *bsd.* ⚖ (als Anhang) beifügen (*to dat.*); **9.** a) festlegen, b) planen.

sche·mat·ic [skɪ'mætɪk] *adj.* (□ *~ally*) sche'matisch; **sche·ma·tize** ['skiːmətaɪz] *v/t. u. v/i.* schematisieren.

scheme [skiːm] **I** *s.* **1.** Schema *n*, Sy'stem *n*, Anlage *f*: *~ of colo(u)r* Farbenzusammenstellung *f*, -skala *f*; *~ of philosophy* philosophisches System; **2.** a) Schema *n*, Aufstellung *f*, Ta'belle *f*, b) 'Übersicht *f*, c) sche'matische Darstellung; **3.** Plan *m*, Pro'jekt *n*, Pro'gramm *n*: *irrigation ~*; **4.** (dunkler)

S

Plan, In'trige *f*, Kom'plott *n*; **II** *v/t*. **5.** *a*. ~ ***out*** planen, entwerfen; **6.** *Böses* planen, aushecken; **7.** in ein Schema *od*. Sy'stem bringen; **III** *v/i*. **8.** Pläne schmieden, *bsd*. *b.s.* Ränke schmieden, intrigieren; '**schem·er** [-mə] *s*. **1.** Plänemacher *m*; **2.** Ränkeschmied *m*, Intri'gant *m*; '**schem·ing** [-mɪŋ] *adj*. □ ränkevoll, intri'gant.

scher·zan·do [skeət'sændəʊ] (*Ital.*) *adv*. ♪ scher'zando, heiter; **scher·zo** ['skeətsəʊ] *s*. ♪ Scherzo *n*.

schism ['sɪzəm] *s*. **1.** *eccl*. a) Schisma *n*, Kirchenspaltung *f*, b) Lossagung *f*; **2.** *fig*. Spaltung *f*, Riß *m*; **schis·mat·ic** [sɪz'mætɪk] *bsd*. *eccl*. **I** *adj*. (□ ~***ally***) schis'matisch, abtrünnig; **II** *s*. Schis'matiker *m*, Abtrünnige(r) *m*; **schis'mat·i·cal** [sɪz'mætɪkl] *adj*. □ → ***schismatic*** I.

schist [ʃɪst] *s*. *geol*. Schiefer *m*.

schiz·oid ['skɪtsɔɪd] *psych*. **I** *adj*. schizo'id; **II** *s*. Schizo'ide(r *m*) *f*.

schiz·o·my·cete [ˌskɪtsəʊmaɪ'si:t] *s*. ⚘ Spaltpilz *m*, Schizomy'zet *m*.

schiz·o·phrene ['skɪtsəʊfri:n] *s*. *psych*. Schizo'phrene(r *m*) *f*; **schiz·o·phre·ni·a** [ˌskɪtsəʊ'fri:njə] *s*. *psych*. Schizophre'nie *f*; **schiz·o·phren·ic** [ˌskɪtsəʊ'frenɪk] *psych*. **I** *s*. Schizophrene(r *m*) *f*; **II** *adj*. schizo'phren.

schle·miel, **schle·mihl** [ʃle'mi:l] *s*. *Am*. *sl*. **1.** Pechvogel *m*; **2.** Tolpatsch *m*.

schlep(p) [ʃlep] *Am*. *sl*. **I** *v/t*. (*v/i*. sich) schleppen; **II** *s*. → '**schlep·per** [-pə] *s*. *Am*. *sl*. ‚Blödmann' *m*.

schmaltz [ʃmɔ:lts] (*Ger.*) *s*. *sl*. **1.** ‚Schmalz' *m* (*a*. *Musik*); **2.** Kitsch *m*; '**schmaltz·y** [-tsɪ] *adj*. ‚schmalzig', sentimen'tal.

schnap(p)s [ʃnæps] (*Ger.*) *s*. Schnaps *m*.

schnit·zel ['ʃnɪtsəl] (*Ger.*) *s*. *Küche*: Wiener Schnitzel *n*.

schnor·kel ['ʃnɔ:kəl] → ***snorkel***.

schol·ar ['skɒlə] *s*. **1.** a) Gelehrte(r) *m*, *bsd*. Geisteswissenschaftler *m*, b) Gebildete(r) *m*; **2.** Studierende(r *m*) *f*: ***he is an apt*** ~ er lernt gut; ***he is a good French*** ~ er ist im Französischen gut beschlagen; ***he is not much of a*** ~ F mit s-r Bildung ist es nicht weit her; **3.** *ped*. *univ*. Stipendi'at *m*; **4.** *obs*. *od*. *poet*. Schüler(in), Jünger(in); '**schol·ar·ly** [-lɪ] *adj*. *u*. *adv*. **1.** gelehrt; **2.** gelehrtenhaft; '**schol·ar·ship** [-ʃɪp] *s*. **1.** Gelehrsamkeit *f*: ***classical*** ~ humanistische Bildung; **2.** *ped*. Sti'pendium *n*.

scho·las·tic [skə'læstɪk] **I** *adj*. (□ ~***ally***) **1.** aka'demisch (*Bildung etc.*); **2.** schulisch, Schul…, Schüler…; **3.** erzieherisch: ~ ***profession*** Lehr(er)beruf *m*; **4.** *phls*. scho'lastisch (*a*. *fig*. *contp*. *spitzfindig*, *pedantisch*); **II** *s*. **5.** *phls*. Scho'lastiker *m*; **6.** *fig*. Schulmeister *m*, Pe'dant *m*; **scho'las·ti·cism** [-ɪsɪzəm] *s*. **1.** *a*. ♀ Scho'lastik *f*; **2.** *fig*. Pedante'rie *f*.

school[1] [sku:l] **I** *s*. **1.** Schule *f* (*Anstalt*): ***at*** ~ auf der Schule; → ***high school*** *etc.*; → 4; **2.** (Schul)Stufe *f*: ***lower*** ~ Unterstufe; ***senior*** (*od*. ***upper***) ~ Oberstufe; **3.** Lehrgang *m*, Kurs(us) *m*; **4.** *mst ohne art*. ('Schul)ˌUnterricht *m*, Schule *f*: ***at*** (*od*. ***in***) ~ in der Schule, im Unterricht; ***go to*** ~ zur Schule gehen; ***put to*** ~ einschulen; → ***tale*** 5; **5.** Schule *f*, Schulhaus *n*, -gebäude *n*; **6.** *univ*. a) Fakul'tät *f*: ***the law*** ~ die juristische Fakultät, b) Fachbereich *m*, (selbständige) Abteilung innerhalb e-r Fakul'tät; **7.** *Am*. Hochschule *f*; **8.** *pl*. 'Schlußexˌamen *n* (*für den Grad e-s* ***Bachelor of Arts***; *Oxford*); **9.** *fig*. *harte etc*. Schule, Lehre *f*: ***a severe*** ~; **10.** *phls*., *paint*. *etc*. Schule *f* (*Richtung u. Anhängerschaft*): ~ ***of thought*** (geistige) Richtung; ***the Hegelian*** ~ *phls*. die hegelianische Schule *od*. Richtung, die Hegelianer *pl*.; ***a gentleman of the old*** ~ ein Kavalier der alten Schule; **11.** ♪ Schule *f*: a) Lehrbuch *n*, b) Lehre *f*, Sy'stem *n*; **II** *v/t*. **12.** einschulen; **13.** schulen, unter'richten, ausbilden, trainieren; **14.** *Temperament*, *Zunge etc*. zügeln; **15.** ~ ***o.s.*** (***to***) sich erziehen (zu), sich üben (in *dat.*); ~ ***o.s. to do s.th.*** lernen *od*. sich daran gewöhnen et. zu tun; **16.** *Pferd* dressieren; **17.** *obs*. tadeln.

school[2] [sku:l] *s*. *ichth*. Schwarm *m* (*a*. *fig.*), Schule *f*, Zug *m* (*Wale etc.*).

school| **age** *s*. schulpflichtiges Alter; '~**-age** *adj*. schulpflichtig; '~**·board** *s*. (lo'kale) Schulbehörde; '~**·boy** *s*. Schüler *m*, Schuljunge *m*; '~**·bus** *s*. Schulbus *m*; ~ **days** *pl*. (alte) Schulzeit; '~ˌ**fel·low** → ***schoolmate***; '~**·girl** *s*. Schülerin *f*, Schulmädchen *n*; '~ˌ**girl·ish** *adj*. schulmädchenhaft; '~**·house** **1.** (*bsd*. Dorf-) Schulhaus *n*; **2.** *Brit*. (Wohn)Haus *n* des Schulleiters.

school·ing ['sku:lɪŋ] *s*. **1.** ('Schul)ˌUnterricht *m*; **2.** Schulung *f*, Ausbildung *f*; **3.** Schulgeld *n*; **4.** *sport* Schulreiten *n*; **5.** *obs*. Verweis *m*.

school| **leav·er** ['li:və] *s*. Schulabgänger (-in); ~ **leav·ing cer·tif·i·cate** *s*. Abgangszeugnis *n*; '~**·ma'am** [-mæm] *s*. *Am*. *für* ***schoolmarm***; '~**·man** [-mən] *s*. [*irr.*] **1.** Päda'goge *m*; **2.** *hist*. Scho'lastiker *m*; '~**·marm** [-mɑ:m] F **1.** Lehrerin *f*; **2.** *fig*. *contp*. Schulmeisterin *f*; '~ˌ**mas·ter** *s*. **1.** Schulleiter *m*; **2.** Lehrer *m*; **3.** *fig*. *contp*. Schulmeister *m*; '~ˌ**mas·ter·ly** *adj*. schulmeisterlich; '~**·mate** *s*. 'Schulkameˌrad(in); '~ˌ**mis·tress** *s*. **1.** Schulleiterin *f*; **2.** Lehrerin *f*; **~ re·port** *s.* Schulzeugnis *n*; **'~·room** [-rʊm] *s.* Klassenzimmer *n*; **~ ship** *s.* ⚓ Schulschiff *n*; **~ tie** *s.*: ***old ~*** *Brit.* a) Krawatte *f* mit den Farben e-r ***Public School***, b) *Spitzname für e-n ehemaligen Schüler e-r* ***Public School***, c) sentimentale Bindung an die alte Schule, d) *der* Einfluß der ***Public Schools*** auf das öffentliche Leben in England, e) *contp.* Cliquenwirtschaft *f* unter ehemaligen Schülern e-r ***Public School***, f) *contp.* arrogantes Gehabe solcher Schüler; **~ u·ni·form** *s.* (einheitliche) Schulkleidung; **'~·work** *s.* (in der Schule zu erledigende) Aufgaben *pl.*; **'~·yard** *s. Am.* Schulhof *m.*

schoon·er ['sku:nə] *s.* **1.** ⚓ Schoner *m*; **2.** *bsd. Am.* → ***prairie schooner***; **3.** großes Bierglas.

schorl [ʃɔ:l] *s. min.* Schörl *m*, (schwarzer) Turma'lin.

schot·tische [ʃɒ'ti:ʃ] *s.* ♪ Schottische(r) *m* (*a. Tanz*).

schuss [ʃʊs] (*Ger.*) *Skisport*: **I** *s.* Schuß (-fahrt *f*) *m*; **II** *v/i.* Schuß fahren.

schwa [ʃwɑ:] *s. ling.* Schwa *n*: a) *kurzer Vokal von unbestimmter Klangfarbe*, b) *das phonetische Symbol* ə.

sci·a·gram ['skaɪəgræm], **'sci·a·graph** [-grɑ:f] *s.* ⚕ Röntgenbild *n*; **sci·ag·ra·phy** [skaɪ'ægrəfɪ] *s.* **1.** ⚕ Herstellung *f* von Röntgenaufnahmen; **2.** Schattenmale'rei *f*, Schattenriß *m.*

sci·at·ic [saɪ'ætɪk] *adj.* ⚕ **1.** Ischias…; **2.** an Ischias leidend; **sci'at·i·ca** [-kə] *s.* ⚕ Ischias *f.*

sci·ence ['saɪəns] *s.* **1.** Wissenschaft *f*: ***man of ~*** Wissenschaftler *m*; ***~ park*** Technologiezentrum *n*; **2.** *a.* ***natural ~*** *coll. die* Na'turwissenschaft(en *pl.*); **3.** *fig.* Lehre *f*, Kunde *f*: ***~ of gardening*** Gartenbaukunst *f*; **4.** *phls.*, *eccl.* Erkenntnis *f* (***of*** von); **5.** Kunst (-fertigkeit) *f*, (gute) Technik (*a. sport*); **6.** ♎ → ***Christian Science***; **~ fic·tion** *s.* 'Science-'fiction *f.*

sci·en·ter [saɪ'entə] (*Lat.*) ⚖ *adv.* wissentlich.

sci·en·tif·ic [ˌsaɪən'tɪfɪk] *adj.* (□ ***~ally***) **1.** (*engS.* na'tur)wissenschaftlich; **2.** wissenschaftlich, ex'akt, syste'matisch; **3.** *fig. sport etc.* kunstgerecht; **sci·en·tist** ['saɪəntɪst] *s.* (Na'tur)Wissenschaftler *m.*

sci·fi [ˌsaɪ'faɪ] F *für* ***science fiction.***

scil·i·cet ['saɪlɪset] *adv.* (*abbr.* ***scil.*** *od.* ***sc.***) nämlich, d. h. (das heißt).

scim·i·tar, **scim·i·ter** ['sɪmɪtə] *s.* (orien'talischer) Krummsäbel.

scin·til·la [sɪn'tɪlə] *s. bsd. fig.* Fünkchen *n*: ***not a ~ of truth***; **scin·til·lant** ['sɪntɪlənt] *adj.* funkelnd, schillernd; **scin·til·late** ['sɪntɪleɪt] **I** *v/i.* **1.** Funken sprühen; **2.** funkeln (*a. fig. Augen*), sprühen (*a. fig. Geist, Witz*); **II** *v/t.* **3.** *Funken, fig. Geistesblitze* (ver)sprühen; **scin·til·la·tion** [ˌsɪntɪ'leɪʃn] *s.* **1.** Funkensprühen *n*, Funkeln *n*; **2.** Schillern *n*; **3.** *fig.* Geistesblitz *m.*

sci·o·lism ['saɪəʊlɪzəm] *s.* Halbwissen *n*; **'sci·o·list** [-lɪst] *s.* Halbgebildete(r) *m*, -wisser *m.*

sci·on ['saɪən] *s.* **1.** ⚘ Ableger *m*, Steckling *m*, (Pfropf)Reis *n*; **2.** *fig.* Sproß *m*, Sprößling *m.*

scir·rhous ['sɪrəs] *adj.* ⚕ szir'rhös, hart geschwollen; **'scir·rhus** [-rəs] *pl.* **-rhus·es** *s.* ⚕ Szirrhus *m*, harte Krebsgeschwulst.

scis·sor ['sɪzə] *v/t.* **1.** (*mit der Schere*) (zer-, zu-, aus)schneiden; **2.** scherenartig bewegen *etc.*; **~ kick** *s. Fußball*, *Schwimmen*: Scherenschlag *m.*

scis·sors ['sɪzəz] *s. pl.* **1.** *a.* ***pair of ~*** Schere *f*; **2.** *sg. konstr. sport* (*Hochsprung*: *a.* ***~ jump***, *Ringen*: *a.* ***~ hold***) Schere *f.*

scis·sure ['sɪʒə] *s. bsd.* ⚕ Fis'sur *f*, Riß *m.*

scle·ra ['sklɪərə] *s. anat.* Sklera *f*, Lederhaut *f* des Auges.

scle·ro·ma [ˌsklɪə'rəʊmə] *pl.* **-ma·ta** [-mətə] *s.* ⚕ Skle'rom *n*, Verhärtung *f*; **ˌscle'ro·sis** [-'rəʊsɪs] *pl.* **-ro·ses** [-si:z] *s.* **1.** ⚕ Skle'rose *f*, Verhärtung *f* (*des Zellgewebes*); **2.** ⚘ Verhärtung *f* (*der Zellwand*); **scle'rot·ic** [-'rɒtɪk] **I** *adj.* ⚕, *anat.* skle'rotisch; *fig.* verkalkt; **II** *s. anat.* → ***sclera***; **scle·rous** ['sklɪərəs] *adj.* ⚕ skle'rös, verhärtet.

scoff [skɒf] **I** *s.* **1.** Spott *m*, Hohn *m*; **2.** Zielscheibe *f* des Spotts; **II** *v/i.* **3.** spotten (***at*** über *acc.*); **'scoff·er** [-fə] *s.* Spötter(in).

scold [skəʊld] **I** *v/t.* *j-n* (aus)schelten, auszanken; **II** *s.* zänkisches Weib, (Haus)Drachen *m*; **'scold·ing** [-dɪŋ] *s.* **1.** Schelten *n*; **2.** Schelte *f*: ***get a*** (***good***) ***~*** (tüchtig) ausgeschimpft werden.

scol·lop ['skɒləp] → ***scallop.***

sconce¹ [skɒns] *s.* **1.** (Wand-, Kla'vier-) Leuchter *m*; **2.** Kerzenhalter *m.*

sconce² [skɒns] *s.* ⚔ Schanze *f.*

sconce³ [skɒns] *univ.* **I** *v/t. zu e-r Strafe* verdonnern; **II** *s.* Strafe *f.*

sconce⁴ [skɒns] *s. sl.* ‚Birne' *f*, Schädel *m.*

scone [skɒn] *s.* weiches Teegebäck.

scoop [sku:p] **I** *s.* **1.** a) Schöpfkelle *f*, (*a.* Wasser)Schöpfer *m*, b) (*a. Zucker- etc.*) Schaufel *f*, Schippe *f*, c) ⚙ Baggereimer *m*, -löffel *m*; **2.** *Äpfel-*, *Käse*-Stecher *m*; **3.** ⚕ Spatel *m*; **4.** (Aus)Schöpfen *n*; **5.** Schub *m*: ***in one ~*** mit 'einem Schub; **6.** *sport* Schlenzer *m*; **7.** *sl.* a) ‚Schnitt' *m*, (großer) Fang, b) *Zeitung*: sensatio'nelle Erstmeldung, Exklu'sivbericht *m*, ‚Knüller' *m*; **II** *v/t.* **8.** schöpfen, schaufeln: ***~ out water*** Wasser ausschöpfen;

S

~ up (auf)schaufeln, *fig. Geld* scheffeln; **9.** *mst ~ out Loch* (aus-) graben; **10.** *oft ~ in sl. Gewinn* einstekken, *Geld* scheffeln; **11.** *sl. Konkurrenzzeitung* durch e-e Erstmeldung ausstechen, *j-m* zu'vorkommen (*on* bei, mit).

scoot [sku:t] F *v/t.* **1.** rasen, flitzen; **2.** ‚abhauen'; **'scoot·er** [-tə] *s.* **1.** (Kinder-, *a.* Motor)Roller *m*; **2.** *sport Am.* Eisjacht *f.*

scope [skəʊp] *s.* **1.** Bereich *m*, Gebiet *n*; ⚖ Anwendungsbereich *m*; Reichweite *f*: *within the ~ of* im Rahmen (*gen.*); *come within the ~ of* unter *ein Gesetz etc.* fallen; *an undertaking of wide ~* ein großangelegtes Unternehmen; **2.** Ausmaß *n*, 'Umfang *m*: *~ of authority* ⚖ Vollmachtsumfang; **3.** (Spiel)Raum *m*, Bewegungsfreiheit *f*: *give one's fancy full ~* s-r Phantasie freien Lauf lassen; *have free ~* freie Hand haben (*for* bei); **4.** (geistiger) Hori'zont, Gesichtskreis *m*.

scor·bu·tic [skɔ:'bju:tɪk] ⚕ **I** *adj.* (□ *~ally*) **1.** skor'butisch, Skorbut…; **II** *s.* **2.** Skor'butkranke(r *m*) *f*.

scorch [skɔ:tʃ] **I** *v/t.* **1.** versengen, -brennen: *~ed earth* ⚔ verbrannte Erde; **2.** (aus)dörren; **3.** ⚡ verschmoren; **4.** *fig.* (durch scharfe Kritik *od.* beißenden Spott) verletzen; **II** *v/i.* **5.** versengt werden; **6.** ausdörren; **7.** F *mot. etc.* rasen; **'scorch·er** [-tʃə] *s.* **1.** F et. sehr Heißes, *bsd.* glühendheißer Tag; **2.** *sl.* ‚Ding' *n*: a) beißende Bemerkung, b) scharfe Kritik, c) böser Brief, d) ‚tolle' Sache; **3.** F *mot.* ‚Raser' *m*; **4.** *sport sl.* a) ‚Bombenschuß' *m*, b) knallharter Schlag; **'scorch·ing** [-tʃɪŋ] *adj.* □ **1.** sengend, brennend (heiß); **2.** vernichtend (*Kritik etc.*).

score [skɔ:] **I** *s.* **1.** Kerbe *f*, Rille *f*; **2.** (Markierungs)Linie *f*; *sport* Start-, Ziellinie *f*: *get off at full ~* a) losrasen, b) *fig.* außer sich geraten; **3.** Zeche *f*, Rechnung *f*: *run up a ~* Schulden machen; *settle old ~s fig.* e-e alte Rechnung begleichen; *on the ~ of fig.* auf Grund von, wegen; *on that ~* in dieser Hinsicht; *on what ~?* aus welchem Grund?; **4.** *bsd. sport* a) (Spiel)Stand *m*, b) *erzielte* Punkt- *od.* Trefferzahl, (Spiel)Ergebnis *n*, (Be)Wertung *f*, c) Punktliste *f*: *know the ~* F Bescheid wissen; *make a ~ off s.o.* F *fig.* j-m ‚eins auswischen'; *what is the ~?* a) wie steht das Spiel?, b) *fig. Am.* wie ist die Lage?; *~ one for me! humor.* eins zu null für mich!; **5.** (Satz *m* von) 20, 20 Stück: *four ~ and seven years* 87 Jahre; **6.** *pl.* große (An)Zahl *f*, Menge *f*: *~s of times fig.* hundert-, x-mal; **7.** ♪ Parti'tur *f*; **II** *v/t.* **8.** einkerben; **9.** markieren: *~ out* aus-, durchstreichen; **10.** *oft ~ up Schulden*, *Zechen* anschreiben, -rechnen: *~* (*up*) *s.th. against* (*od. to*) *s.o. fig.* j-m et. ankreiden; **11.** *ped. psych. j-s Leistung etc.* bewerten; **12.** *sport* a) *Punkte*, *Treffer* erzielen, sammeln, *Tore* schießen, *fig. Erfolge*, *Sieg* verzeichnen, erringen, b) *Punkte*, *Spielstand etc.* aufschreiben: *~ a hit* a) e-n Treffer erzielen, b) *fig.* e-n Bombenerfolg haben; *~ s.o. off* F *fig.* j-m ‚eins auswischen'; **13.** *sport* zählen: *a try ~s 6 points*; **14.** ♪ a) in Parti'tur setzen, b) instrumentieren; **15.** *Am. fig.* scharf kritisieren *od.* angreifen; **III** *v/i.* **16.** *sport* a) e-n Punkt *od.* Treffer erzielen, Punkte sammeln, b) die Punkte zählen *od.* aufschreiben; **17.** F Erfolg *od.* Glück haben, e-n Vorteil erzielen: *~ over j-n, et.* übertreffen; **18.** zählen, gezählt werden: *that ~s for us*; **'~-board** *s.* Anzeigetafel *f im Stadion etc.*; **'~-card** *s. sport* **1.** Spielberichtsbogen *m*; **2.** *Boxen etc.*: Punktzettel *m*; *Golf*: Zählkarte *f*.

score·less ['skɔ:lɪs] *adj. sport* torlos.

scor·er ['skɔ:rə] *s. sport* a) Schreiber *m*, b) Torschütze *m*.

sco·ri·a ['skɔ:rɪə] *pl.* **-ri·ae** [-rɪi:] *s.* (⚙ Me'tall-, *geol.* Gesteins)Schlacke *f*; **sco·ri·a·ceous** [ˌskɔ:rɪ'eɪʃəs] *adj.* schlackig; **'sco·ri·fy** [-ɪfaɪ] *v/t.* verschlacken.

scorn [skɔ:n] **I** *s.* **1.** Verachtung *f*: *think ~ of* verachten; **2.** Spott *m*, Hohn *m*: *laugh to ~* verlachen; **3.** Zielscheibe *f* des Spottes, *das* Gespött (*der Leute etc.*); **II** *v/t.* **4.** verachten: a) geringschätzen, b) verschmähen; **'scorn·ful** [-fʊl] *adj.* □ **1.** verächtlich; **2.** spöttisch.

Scor·pi·o ['skɔ:pɪəʊ] *s. ast.* Skorpi'on *m*; **'scor·pi·on** [-pjən] *s. zo.* Skorpi'on *m*.

Scot[1] [skɒt] *s.* Schotte *m*, Schottin *f*.

scot[2] [skɒt] *s.* **1.** (Zahlungs)Beitrag *m*: *pay* (*for*) *one's ~s* s-n Beitrag leisten; **2.** *a. ~ and lot hist.* Gemeindeabgabe *f*: *pay ~ and lot fig.* alles auf Heller u. Pfennig bezahlen.

Scotch[1] [skɒtʃ] **I** *adj.* **1.** schottisch (*bsd. Whisky etc.*): *~ broth dicke Rindfleischsuppe mit Gemüse u. Graupen*; *~ mist* dichter, nasser Nebel; *~ tape* durchsichtiger Klebestreifen; *~ terrier* Scotchterrier *m*; *~ woodcock heißer Toast mit Anchovispaste u. Rührei*; **II** *s.* **2.** Scotch *m*, schottischer Whisky; **3.** *the ~ coll.* die Schotten *pl.*; **4.** *ling.* Schottisch *n*.

scotch[2] [skɒtʃ] **I** *v/t.* **1.** (leicht) verwunden, schrammen; **2.** *fig. et.* im Keim ersticken: *~ s.o.'s plans* j-m e-n Strich durch die Rechnung machen; **3.** *Rad etc. mit e-m Bremsklotz* blockieren; **II** *s.* **4.** (Ein)Schnitt *m*, Kerbe *f*; **5.** ⚙ Bremsklotz *m*, Hemmschuh *m* (*a. fig.*).

S

'Scotch·man [-mən] *s.* [*irr.*] → ***Scotsman.***

ˌscot-'free [ˌskɒt-] *adj.*: ***go*** (*od.* ***get off***) *~ fig.* ungeschoren davonkommen.

Scot·land Yard ['skɒtlənd] *s.* Scotland Yard *m* (*die Londoner Kriminalpolizei*).

Scots [skɒts] **I** *s. ling.* Schottisch *n*; **II** *adj.* schottisch: ***~ law***; **'~·man** [-mən] *s.* [*irr.*] *bsd. Scot.* Schotte *m*; **'~ˌwom·an** *s.* [*irr.*] *bsd. Scot.* Schottin *f*.

Scot·ti·cism ['skɒtɪsɪzəm] *s.* schottische (Sprach)Eigenheit.

Scot·tish ['skɒtɪʃ] *adj.* schottisch.

scoun·drel ['skaʊndrəl] *s.* Schurke *m*, Schuft *m*, Ha'lunke *m*; **'scoun·drel·ly** [-rəlɪ] *adj.* schurkisch, niederträchtig, gemein.

scour[1] ['skaʊə] *v/t.* **1.** scheuern, schrubben; *Messer etc.* polieren; **2.** *Kleider etc.* säubern, reinigen; **3.** *Kanal etc.* schlämmen, *Rohr etc.* (aus)spülen; **4.** *Pferd etc.* putzen, striegeln; **5.** ⚙ *Wolle* waschen: ***~ing mill*** Wollwäscherei *f*; **6.** *Darm* entschlacken; **7.** *a.* ***~ away***, ***~ off*** *Flecken etc.* entfernen, *Schmutz* abreiben.

scour[2] ['skaʊə] **I** *v/i.* **1.** *a.* ***~ about*** (um'her)rennen, (-)jagen; **2.** (suchend) um'herstreifen; **II** *v/t.* **3.** durch'suchen, -'stöbern, *Gegend a.* -'kämmen, *Stadt a.* ‚abklappern' (***for*** nach).

scourge [skɜːdʒ] **I** *s.* **1.** Geißel *f*: a) Peitsche *f*, b) *fig.* Plage *f*; **II** *v/t.* **2.** geißeln, (aus)peitschen; **3.** *fig.* a) *durch Kritik etc.* geißeln, b) züchtigen, c) quälen, peinigen.

scouse[1] [skaʊs] *s.* Labskaus *n*.

scouse[2] [skaʊs] *s. Brit.* F *s.* **1.** Liverpooler(in); **2.** Liverpooler Jar'gon *m*.

scout [skaʊt] **I** *s.* **1.** Kundschafter *m*, Späher *m*; **2.** ⚔ a) Erkundungsfahrzeug *n*: ***~ car*** Spähwagen *m*, b) ⚓ *a.* ***~ vessel*** Aufklärungsfahrzeug *n*, c) ✈ *a.* ***~ (air)plane*** Aufklärer *m*; **3.** Kundschaften *n*; ⚔ Erkundung *f*: ***on the ~*** auf Erkundung; **4.** Pfadfinder *m*, *Am.* Pfadfinderin *f*; **5.** ***a good ~*** F ein feiner Kerl; **6.** *univ. Brit.* Hausdiener *m* e-s College (*Oxford*); **7.** *mot. Brit.* Straßenwachtfahrer *m* (*Automobilklub*); **8.** a) *sport* ‚Späher' *m*, Beobachter *m* (*gegnerischer Mannschaften*), b) *a.* ***talent ~*** Ta'lentsucher *m*; **II** *v/i.* **9.** auf Erkundung sein: ***~ about*** (*od.* ***around***) sich umsehen (***for*** nach); ***~ing party*** ⚔ Spähtrupp *m*; **III** *v/t.* **10.** auskundschaften, erkunden; **'~ˌmas·ter** *s.* Führer *m* (e-r Pfadfindergruppe).

scow [skaʊ] *s.* ⚓ (See)Leichter *m*.

scowl [skaʊl] **I** *v/i.* finster blicken: ***~ at*** finster anblicken; **II** *s.* finsterer Blick *od.* (Gesichts)Ausdruck; **'scowl·ing** [-lɪŋ] *adj.* ☐ finster.

scrab·ble ['skræbl] **I** *v/i.* **1.** kratzen, scharren: ***~ about*** *bsd. fig.* (herum)suchen (***for*** nach); **2.** *fig.* sich (ab)plagen (***for*** für, um); **3.** krabbeln; **4.** kritzeln; **II** *v/t.* **5.** scharren nach; **6.** bekritzeln.

scrag [skræg] **I** *s.* **1.** *fig.* ‚Gerippe' *n* (*dürrer Mensch etc.*); **2.** *mst* ***~ end*** (***of mutton***) (Hammel)Hals *m*; **3.** F ‚Kragen' *m*, Hals *m*; **II** *v/t.* **4.** *sl.* a) *j-n* ‚abmurksen', *j-m* den Hals 'umdrehen, b) *j-n* aufhängen; **'scrag·gi·ness** [-gɪnɪs] *s.* Magerkeit *f*; **'scrag·gy** [-gɪ] *adj.* ☐ **1.** dürr, hager, knorrig; **2.** zerklüftet, rauh.

scram [skræm] *v/i. sl.* ‚abhauen', verduften: ***~!*** hau ab!, raus!

scram·ble ['scræmbl] **I** *v/i.* **1.** krabbeln, klettern: ***~ to one's feet*** sich aufrappeln; **2.** *a. fig.* sich raufen *od.* balgen (***for*** um): ***~ for a living*** sich (um s-n Lebensunterhalt) ‚abstrampeln'; **II** *v/t.* **3.** *oft* ***~ up***, ***~ together*** zs.-scharren, -raffen; **4.** ⚡ *Funkspruch etc.* zerhakken; **5.** *Eier* verrühren: ***~d eggs*** Rührei *n*; **6.** *Karten etc.* durchein'anderwerfen; *Flugplan etc.* durchein'anderbringen; **III** *s.* **7.** Krabbe'lei *f*, Klette'rei *f*; **8.** *a. fig.* (***for***) Balge'rei *f* (um), Jagd *f* (nach *Geld etc.*); **9.** *Brit.* Moto-'Cross-Rennen *n*; **10.** ✈ a) A'larmstart *m*, b) Luftkampf *m*; **'scram·bler** [-lə] *s. tel.* Zerhacker *m*.

scrap[1] [skræp] **I** *s.* **1.** Stück(chen) *n*, Brocken *m*, Fetzen *m*, Schnitzel *n*, *m*: ***a ~ of paper*** ein Fetzen Papier (*a. fig.*); ***not a ~*** kein bißchen; **2.** *pl.* Abfall *m*, (*bsd.* Speise)Reste *pl.*; **3.** (Zeitungs-)Ausschnitt *m*; ausgeschnittenes Bild *etc. zum Einkleben*; **4.** *mst pl. fig.* Bruchstück *n*, (Gesprächs- *etc.*)Fetzen *m*: ***~s of conversation***; **5.** *mst pl.* (Fett)Grieben *pl.*; **6.** ⚙ a) Schrott *m*, b) Ausschuß *m*, c) Abfall *m*: ***~ value*** Schrottwert *m*; **II** *v/t.* **7.** (als unbrauchbar) ausrangieren; **8.** *fig.* zum alten Eisen *od.* über Bord werfen: ***~ methods***; **9.** ⚙ verschrotten.

scrap[2] [skræp] *sl.* **I** *s.* **1.** Streit *m*, Ausein'andersetzung *f*; **2.** Keile'rei *f*, Prüge'lei *f*; **3.** (Box)Kampf *m*; **II** *v/i.* **4.** streiten; **5.** sich prügeln; kämpfen (***with*** mit).

'scrap·book *s.* Sammelalbum *n*, Einklebebuch *n*.

scrape [skreɪp] **I** *s.* **1.** Kratzen *n*, Scharren *n*; **2.** Kratzer *m*, Schramme *f*; **3.** *fig. obs.* Kratzfuß *m*; **4.** *fig.* ‚Klemme' *f*: ***be in a ~*** in der Klemme sein *od.* sitzen; **5.** ***bread and ~*** F dünngeschmiertes Butterbrot; **II** *v/t.* **6.** kratzen, schaben: ***~ off*** ab-, wegkratzen; ***~ together*** (*od.* ***up***) *a. fig. Geld etc.* zs.-kratzen; ***~ (an) acquaintance with*** a) oberflächlich bekannt werden mit, b) *contp.* sich bei *j-m* anbiedern; ***~ a living*** → 11; **7.** kratzen *od.* scharren mit *den Füßen etc.*; **III**

S

v/i. **8.** kratzen, schaben, scharren; **9.** scheuern, sich reiben (***against*** an *dat.*); **10.** kratzen (***on*** auf *e-r Geige etc.*); **11.** *mst* **~ *along*** *fig.* sich (mühsam) 'durchschlagen: **~ *through*** (***an examination***) mit Ach u. Krach durchkommen (durch e-e Prüfung); '**scrap·er** [-pə] *s.* **1.** Fußabstreifer *m*; **2.** ⚙ a) Schaber *m*, Kratzer *m*, Streichmesser *n*, b) ⚠ *etc.* Schrapper *m*, c) Planierpflug *m*.

scrap heap *s.* Abfall-, Schrotthaufen *m*: ***fit only for the ~*** völlig wertlos; ***throw on the ~*** *fig. a. j-n* zum alten Eisen werfen.

scrap·ing ['skreɪpɪŋ] *s.* **1.** Kratzen *n etc.*; **2.** *pl.* (Ab)Schabsel *pl.*, Späne *pl.*; **3.** *pl. fig. contp.* Abschaum *m*.

scrap| i·ron *s.*, **~ met·al** *s.* ⚙ (Eisen-) Schrott *m*, Alteisen *n*.

scrap·per ['skræpə] *s. sl.* Raufbold *m*.

scrap·py[1] ['skræpɪ] *adj.* □ *sl.* rauflustig.

scrap·py[2] ['skræpɪ] *adj.* □ **1.** aus (Speise)Resten (hergestellt): **~ *dinner*; 2.** bruchstückhaft; **3.** zs.-gestoppelt.

'**scrap·yard** *s.* Schrottplatz *m*.

scratch [skrætʃ] **I** *s.* **1.** Kratzer *m*, Schramme *f* (*beide a. fig. leichte Verwundung*), Riß *m*; **2.** Kratzen *n* (*a. Geräusch*): ***by the ~ of a pen*** mit 'einem Federstrich; **3.** *sport* a) Startlinie *f*, b) nor'male Startbedingungen *pl.*: ***come up to*** (***the***) **~** a) sich stellen, s-n Mann stehen, b) den Erwartungen entsprechen; ***keep s.o. up to*** (***the***) **~** j-n bei der Stange halten; ***start from ~*** a) ohne Vorgabe starten, b) *fig.* ganz von vorne anfangen; ***up to ~*** auf der Höhe, in Form; **4.** *pl. mst sg. konstr. vet.* Mauke *f*; **II** *adj.* **5.** Konzept..., Schmier...: **~ *paper*, ~ *pad*** a) Notizblock *m*, b) *Computer*: Notizblockspeicher *m*; **6.** *sport* a) ohne Vorgabe: **~ *race***, b) zs.-gewürfelt: **~ *team***; **III** *v/t.* **7.** (zer)kratzen: **~ *the surface of*** *fig. et.* (nur) oberflächlich behandeln; **8.** kratzen; *Tier* kraulen: **~ *one's head*** sich (*aus Verlegenheit etc.*) den Kopf kratzen; **~ *together*** (*od.* ***up***) *bsd. fig.* zs.-kratzen, -scharren; **9.** kritzeln; **10.** *a.* **~ *out*, ~ *through*** aus-, 'durchstreichen; **11.** *sport Pferd etc.* vom Rennen, *a. Nennung* zu'rückziehen; **12.** *pol. Kandidaten* streichen; **IV** *v/i.* **13.** kratzen (*a. Schreibfeder etc.*); **14.** sich kratzen *od.* scheuern; **15.** scharren (***for*** nach); **16. ~ *along*, ~ *through*** → ***scrape*** 11; **17.** *sport* s-e Meldung zu'rückziehen, ausscheiden; '**scratch·y** [-tʃɪ] *adj.* □ **1.** kratzend; **2.** zerkratzt; **3.** kritzelig; **4.** *sport* a) → ***scratch*** 6, b) unausgeglichen; **5.** *vet.* an Mauke erkrankt.

scrawl [skrɔːl] **I** *v/t.* kritzeln, hinschmieren; **II** *v/i.* kritzeln; **III** *s.* Gekritzel *n*; Geschreibsel *n*.

scray [skreɪ] *s. Brit.* Seeschwalbe *f*.

S

scream [skriːm] **I** *s.* **1.** (gellender) Schrei; **2.** Gekreisch(e) *n*: **~*s of laughter*** brüllendes Gelächter; ***he*** (***it***) ***was a*** (***perfect***) **~** *sl.* er (es) war zum Schreien (komisch); **3.** Heulen *n* (*Sirene etc.*); **II** *v/i.* **4.** schreien (*a. fig. Farben etc.*), gellen; kreischen: **~ *out*** aufschreien; **~ *with laughter*** vor Lachen brüllen; **5.** heulen (*Wind etc.*), schrill pfeifen; **III** *v/t.* **6.** *oft* **~ *out*** (her'aus)schreien; '**scream·er** [-mə] *s.* **1.** Schreiende(r *m*) *f*; **2.** *sl.* a) ‚tolle Sache', b) *bsd. Am.* F Riesenschlagzeile *f*; '**scream·ing** [-mɪŋ] *adj.* □ **1.** schrill, gellend; **2.** *fig.* schreiend, grell: **~ *colo(u)rs*; 3.** F a) ‚toll', großartig, b) *a.* **~*ly funny*** zum Schreien (komisch).

scree [skriː] *s. geol. Brit.* **1.** Geröll *n*; **2.** Geröllhalde *f*.

screech [skriːtʃ] **I** *v/i.* (gellend) schreien; kreischen (*a. weitS. Bremsen etc.*); **II** *v/t. et.* kreischen; **III** *s.* ('durchdringender) Schrei; **~ owl** *s. orn.* schreiende Eule.

screed [skriːd] *s.* **1.** lange Liste; **2.** langatmige Rede *etc.*, Ti'rade *f*.

screen [skriːn] **I** *s.* **1.** (Schutz)Schirm *m*, (-)Wand *f*; **2.** ⚠ a) Zwischenwand *f*, b) *eccl.* Lettner *m*; **3.** a) (Film)Leinwand *f*, b) *coll.* ***the ~*** der Film, das Kino: **~ *star*** Filmstar *m*; ***on the ~*** im Film; **4.** a) *TV*, *Radar*, *Computer*: Bildschirm *m*, b) ⚕ Röntgenschirm *m*: **~ *flicker*** Bildschirmflimmern *n*; **5.** Drahtgitter *n*, -netz *n*; **6.** Fliegenfenster *n*; **7.** ⚙ Gittersieb *n für Sand etc.*; **8.** ⚔ a) *taktische* Abschirmung, (⚓ Geleit-) Schutz *m*, b) (Rauch-, Schützen-) Schleier *m*, Nebelwand *f*, c) Tarnung *f*; **9.** *fig.* a) Schutz *m*, Schirm *m*, b) Tarnung *f*, Maske *f*; **10.** *phys.* a) *a.* ***optical ~*** Filter *m*, Blende *f*, b) *a.* ***electric ~*** Abschirmung *f*, c) *a.* ***ground ~*** Erdungsebene *f*; **11.** *phot.*, *typ.* Raster (-platte *f*) *m*; **12.** *mot.* Windschutzscheibe *f*; **II** *v/t.* **13.** *a.* **~ *off*** abschirmen, verdecken; *Licht* abblenden; **14.** (be-) schirmen (***from*** vor *dat.*); **15.** *fig. j-n* decken; **16.** ⚔ a) tarnen (*a. fig.*), b) einnebeln; **17.** ⚙ *Sand etc.* ('durch)sieben: **~*ed coal*** Würfelkohle *f*; **18.** *phot. Bild* projizieren; **19.** *Film*: a) verfilmen, b) für den Film bearbeiten; **20.** *fig. Personen* (aus)sieben, (über)'prüfen; **III** *v/i.* **21.** sich (ver)filmen lassen; sich für den Film eignen (*a. Person*); **~ grid** *s.* ⚡ Schirmgitter *n*; '**~·land** [-lənd] *s. Am.* Filmwelt *f*; '**~·play** *s. Film*: Drehbuch *n*; '**~·print I** *s.* Siebdruck *m*; **II** *v/t.* im Siebdruckverfahren herstellen; **~ test** *s. Film*: Probeaufnahme *f*; '**~-test** *v/t. Film*: Probeaufnahmen machen von; **~ wash·er** *s. mot.* Scheibenwaschanlage *f*; **~ wire** *s.* ⚙ Maschendraht *m*.

screw [skru:] **I** *s.* **1.** ⚙ Schraube *f* (*ohne Mutter*): ***there is a ~ loose*** (***somewhere***) *fig.* da stimmt et. nicht; ***he has a ~ loose*** F bei ihm ist e-e Schraube locker; **2.** ⚙ Spindel *f* (*Presse*); **3.** (Flugzeug-, Schiffs)Schraube *f*; **4.** ⚓ Schraubendampfer *m*; **5.** F *fig.* Druck *m*: ***apply the ~ to, put the ~(s) on*** *j-n* unter Druck setzen; ***give another turn to the ~*** *a. fig.* die Schraube anziehen; **6.** *Brit.* Tütchen *n Tabak etc.*; **7.** *bsd. sport* Ef'fet *m*; **8.** *Brit.* Geizhals *m*; **9.** *Brit.* alter Klepper (*Pferd*); **10.** *Brit. sl.* Lohn *m*, Gehalt *n*; **11.** Korkenzieher *m*; **12.** *sl.* Gefängniswärter *m*; **13.** V ‚Nummer' *f*: ***have a ~*** ‚bumsen'; ***be a good ~*** gut ‚bumsen'; **II** *v/t.* **14.** schrauben: ***~ down*** ein-, festschrauben; ***~ on*** an-, aufschrauben; ***~ up*** a) zuschrauben, b) *Papier* zerknüllen; ***his head is ~ed on the right way*** F er ist nicht auf den Kopf gefallen; **15.** *fig. Augen, Körper etc.* (ver)drehen; *Mund etc.* verziehen; **16.** ***~ down*** (***up***) ✝ *Preise* her'unter- (hoch)schrauben; ***~ s.th. out of*** et. aus *j-m* herauspressen; ***~ up one's courage*** Mut fassen; **17.** *sport dem Ball* Ef'fet geben; **18.** F *j-n* ‚reinlegen'; **19.** ***~ up*** F ‚vermasseln'; **20.** V ‚bumsen', ‚vögeln': ***~ you!, get ~ed*** *bsd. Am.* geh zum Teufel!; **III** *v/i.* **21.** sich (ein)schrauben lassen; **22.** knausern; **23.** V ‚bumsen', ‚vögeln'; **24.** ***~ around*** *Am. sl.* sich he'rumtreiben.

'**screw|·ball** *Am.* **I** *s.* **1.** *Baseball*: Ef'fetball *m*; **2.** *sl.* ‚Spinner' *m*; **II** *adj.* **3.** *sl.* verrückt; **~ bolt** *s.* ⚙ Schraubenbolzen *m*; **~ cap** *s.* **1.** Schraubdeckel *m*, Verschlußkappe *f*; **2.** 'Überwurfmutter *f*; **~ con·vey·er** *s.* Förderschnecke *f*; **~ die** *s.* Gewindeschneideeisen *n*; '**~ˌdriv·er** *s.* Schraubenzieher *m*.

screw·ed [skru:d] *adj.* **1.** verschraubt; **2.** mit Gewinde; **3.** verdreht, gewunden; **4.** F ‚besoffen'.

screw| gear(·ing) *s.* ⚙ **1.** Schneckenrad *n*; **2.** Schneckengetriebe *n*; **~ jack** *s.* **1.** Hebespindel *f*; **2.** Wagenheber *m*; **~ nut** *s.* Mutterschraube *f*; **~ press** *s.* Spindel- *od.* Schraubenpresse *f*; **~ steam·er** → ***screw*** 4; **~ tap** *s.* ⚙ Gewindebohrer *m*; **~ top** *s.* Schraubverschluß *m*; **~ wrench** *s.* ⚙ Schraubenschlüssel *m*.

screw·y ['skru:ɪ] *adj.* **1.** schraubenartig; **2.** F ‚beschwipst'; **3.** *Am. sl.* verrückt; **4.** knickerig.

scrib·ble ['skrɪbl] **I** *v/t.* **1.** *a.* ***~ down*** (hin)kritzeln, (-)schmieren: ***~ over*** bekritzeln; **2.** ⚙ *Wolle* krempeln; **II** *v/i.* **3.** kritzeln; **III** *s.* **4.** Gekritzel *n*, Geschreibsel *n*; '**scrib·bler** [-lə] *s.* **1.** Kritzler *m*, Schmierer *m*; **2.** Schreiberling *m*; **3.** ⚙ 'Krempelmaˌschine *f*.

scrib·bling| block, **~ pad** ['skrɪblɪŋ] *s.* *Brit.* Schmier-, No'tizblock *m*.

scribe [skraɪb] **I** *s.* **1.** Schreiber *m* (*a. hist.*), Ko'pist *m*; **2.** *bibl.* Schriftgelehrte(r) *m*; **3.** *humor.* a) Schriftsteller *m*, b) Journa'list *m*; **4.** ⚙ *a.* ***~ awl*** Reißnadel *f*; **II** *v/t.* **5.** ⚙ anreißen; '**scrib·er** [-bə] → ***scribe*** 4.

scrim [skrɪm] *s.* leichter Leinen- *od.* Baumwollstoff.

scrim·mage ['skrɪmɪdʒ] *s.* **1.** Handgemenge *n*, Getümmel *n*; **2.** a) *American Football*: Scrimmage *n* (*Rückpaß*), b) *Rugby*: Gedränge *n*.

scrimp [skrɪmp] **I** *v/t.* **1.** knausern mit, knapp bemessen; **2.** *j-n* knapp halten (***for*** mit); **II** *v/i.* **3.** *a.* ***~ and save*** knausern (***on*** mit); **III** *adj.* **4.** → '**scrimp·y** [-pɪ] knapp, eng.

'**scrim·shank** *v/i. bsd.* ⚔ *Brit. sl.* sich drücken.

scrip[1] [skrɪp] *s. hist.* (Pilger-, Schäfer-) Tasche *f*, Ränzel *n*.

scrip[2] [skrɪp] *s.* **1.** ✝ a) Berechtigungsschein *m*, b) Scrip *m*, Interimsschein *m*, -aktie *f*, *coll. die* Scrips *pl. etc.*; **2.** *a.* ***~ money*** a) Er'satzpaˌpiergeldwährung *f*, b) ⚔ Besatzungsgeld *n*.

script [skrɪpt] *s.* **1.** Handschrift *f*; **2.** Schrift(art) *f*: ***phonetic ~*** Lautschrift; **3.** *typ.* (Schreib)Schrift *f*; **4.** a) Text *m*, b) *thea. etc.* Manu'skript *n*, c) *Film*: Drehbuch *n*; **5.** ⚖ Urschrift *f*; **6.** *ped. Brit.* (schriftliche) Prüfungsarbeit; **~ ed·i·tor** *s. Film, thea., TV*: Drama'turg *m*; **~ girl** *s. Film*: Scriptgirl *n* (*Ateliersekretärin*).

scrip·tur·al ['skrɪptʃərəl] *adj.* **1.** Schrift...; **2.** *a.* ♀ biblisch, der Heiligen Schrift; **scrip·ture** ['skrɪptʃə] *s.* **1.** ♀, *mst* ***the ♀s*** *die* Heilige Schrift, *die* Bibel; **2.** *obs.* ♀ Bibelstelle *f*; **3.** heilige (nichtchristliche) Schrift: ***Buddhist ~***; **4.** *a.* ***~ class*** (*od.* ***lesson***) *ped.* Religi'onsstunde *f*.

'**scriptˌwrit·er** *s.* **1.** *Film, TV*: Drehbuchautor(in); **2.** *Radio*: Hörspielautor(in).

scrive·ner ['skrɪvnə] *s. hist.* **1.** (öffentlicher) Schreiber; **2.** No'tar *m*.

scrof·u·la ['skrɒfjʊlə] *s.* ⚕ Skrofu'lose *f*; '**scrof·u·lous** [-ləs] *adj.* □ ⚕ skrofu'lös.

scroll [skrəʊl] *s.* **1.** Schriftrolle *f*; **2.** a) △ Vo'lute *f*, b) ♪ Schnecke *f*, c) Schnörkel *m* (*Schrift*); **3.** Liste *f*, Verzeichnis *n*; **4.** ⚙ Triebkranz *m*; **~ chuck** *s.* ⚙ Univer'salspannfutter *n*; **~ gear** *s.* ⚙ Schneckenrad *n*; **~ saw** *s.* ⚙ Laubsäge *f*; '**~·work** *s.* **1.** Schneckenverzierung *f*; **2.** Laubsägearbeit *f*.

scro·tum ['skrəʊtəm] *pl.* **-ta** [-tə] *s. anat.* Hodensack *m*, Skrotum *n*.

scrounge [skraʊndʒ] F **I** *v/t.* **1.** ‚organisieren': a) ‚klauen', b) beschaffen; **2.** schnorren; **II** *v/i.* **3.** ‚klauen'; **4.** schnor-

S

ren, nassauern; '**scroung·er** [-*d*ʒə] *s.* F **1.** Dieb *m*; **2.** Schnorrer *m*, Nassauer *m*.

scrub[1] [skrʌb] **I** *v/t.* **1.** schrubben, scheuern; **2.** ⚙ *Gas* reinigen; **3.** F *fig.* streichen, ausfallen lassen; **II** *v/i.* **4.** schrubben, scheuern; **III** *s.* **5.** Schrubben *n*: ***that wants a good ~*** das muß tüchtig gescheuert werden; **6.** *sport* a) Re'servespieler *m*, b) *a.* ***~ team*** zweite Mannschaft *od.* ‚Garni'tur', c) *a.* ***~ game*** Spiel *n* der Re'servemannschaften.

scrub[2] [skrʌb] *s.* **1.** Gestrüpp *n*, Buschwerk *n*; **2.** Busch *m* (*Gebiet*); **3.** a) verkümmerter Baum, b) Tier *n* minderwertiger Abstammung, c) Knirps *m*, d) *fig. contp.* ‚Null' *f* (*Person*).

'**scrub(·bing) brush** ['skrʌbɪŋ] *s.* Scheuerbürste *f*.

scrub·by ['skrʌbɪ] *adj.* **1.** verkümmert, -krüppelt; **2.** gestrüppreich; **3.** armselig, schäbig; **4.** stopp(e)lig.

scruff [skrʌf], **~ of the neck** *s.* Genick *n*: ***take s.o. by the ~ of the neck*** j-n beim Kragen packen.

scruff·y ['skrʌfɪ] *adj.* F schmudd(e)lig, dreckig.

scrum·mage ['skrʌmɪdʒ] → ***scrimmage***.

scrump·tious ['skrʌm*p*ʃəs] *adj.* F ‚toll', ‚prima'.

scrunch [skrʌn*t*ʃ] **I** *v/t.* **1.** knirschend (zer)kauen; **2.** zermalmen; **II** *v/i.* **3.** knirschen; **4.** knirschend kauen; **III** *s.* **5.** Knirschen *n*.

scru·ple ['skru:pl] **I** *s.* **1.** Skrupel *m*, Zweifel *m*, Bedenken *n* (*alle mst pl.*): ***have ~s about doing*** Bedenken haben, *et.* zu tun; ***without ~*** skrupellos; **2.** *pharm.* Skrupel *n* (*= 20 Gran od. 1,296 Gramm*); **II** *v/i.* **3.** Skrupel *od.* Bedenken haben; '**scru·pu·lous** [-pjʊləs] *adj.* □ **1.** voller Skrupel *od.* Bedenken, (allzu) bedenklich (***about*** in *dat.*); **2.** ('über)gewissenhaft, peinlich (genau); **3.** ängstlich, vorsichtig.

scru·ti·neer [ˌskru:tɪ'nɪə] *s. pol.* Wahlprüfer *m*; **scru·ti·nize** ['skru:tɪnaɪz] *v/t.* **1.** (genau) prüfen, unter'suchen; **2.** genau ansehen, studieren; **scru·ti·ny** ['skru:tɪnɪ] *s.* **1.** (genaue) Unter'suchung, *pol.* Wahlprüfung *f*; **2.** prüfender *od.* forschender Blick.

scu·ba ['sku:bə] *s.* (Schwimm)Tauchgerät *n*: ***~ diving*** Sporttauchen *n*.

scud [skʌd] **I** *v/i.* **1.** eilen, jagen; **2.** ⚓ lenzen; **II** *s.* **3.** (Da'hin)Jagen *n*; **4.** (tieftreibende) Wolkenfetzen *pl.*; **5.** (Wind)Bö *f*.

scuff [skʌf] **I** *v/i.* **1.** schlurfen(d gehen); **2.** ab-, aufscharren; **II** *v/t.* **3.** *bsd. Am.* abstoßen, abnutzen; **4.** boxen.

scuf·fle ['skʌfl] **I** *v/i.* **1.** sich balgen, raufen; **2.** → ***scuff*** 1; **II** *s.* **3.** Balge'rei *f*, Raufe'rei *f*, Handgemenge *n*; **4.** Schlurfen *n*.

scull [skʌl] ⚓ **I** *s.* **1.** Heck-, Wriggriemen *m*; **2.** Skullboot *n*; **II** *v/i. u. v/t.* **3.** wriggen; **4.** skullen; '**scul·ler** [-lə] *s.* **1.** Skuller *m* (*Ruderer*); **2.** → ***scull*** 2.

scul·ler·y ['skʌlərɪ] *s. Brit.* Spülküche *f*: ***~-maid*** Spül-, Küchenmädchen *n*; '**scul·lion** [-ljən] *s. hist. Brit.* Küchenjunge *m*.

sculp(t) [skʌlp(t)] F *für* ***sculpture*** II *u.* III.

sculp·tor ['skʌlptə] *s.* Bildhauer *m*; '**sculp·tress** [-trɪs] *s.* Bildhauerin *f*; '**sculp·tur·al** [-tʃərəl] *adj.* □ bildhauerisch, Skulptur...; '**sculp·ture** [-tʃə] **I** *s.* Plastik *f*: a) Bildhauerkunst *f*, b) Skulp'tur *f*, Bildhauerwerk *n*; **II** *v/t.* formen, (her'aus)meißeln *od.* (-)schnitzen; **III** *v/i.* bildhauern.

scum [skʌm] **I** *s.* (⚙ *u. fig.* Ab)Schaum *m*: ***the ~ of the earth*** *fig.* der Abschaum der Menschheit; **II** *v/t. u. v/i.* abschäumen.

scum·ble ['skʌmbl] *paint.* **I** *v/t.* **1.** *Farben, Umrisse* vertreiben, dämpfen; **II** *s.* **2.** Gedämpftheit *f*; **3.** La'sur *f*.

scum·my ['skʌmɪ] *adj.* **1.** schaumig; **2.** *fig.* gemein, ‚fies'.

scup·per ['skʌpə] **I** *s.* **1.** ⚓ Speigatt *n*; **II** *v/t.* ⚔ *Brit. sl.* **2.** niedermetzeln; **3.** *Schiff* versenken; **4.** *fig.* ka'puttmachen.

scurf [skɜ:f] *s.* **1.** ⚕ a) Schorf *m*, Grind *m*, b) *bsd. Brit.* (Kopf)Schuppen *pl.*; **2.** abblätternde Kruste; '**scurf·y** [-fɪ] *adj.* schorfig, grindig; schuppig.

scur·ril·i·ty [skʌ'rɪlətɪ] *s.* **1.** zotige Scherzhaftigkeit; **2.** Zotigkeit *f*; **3.** Zote *f*; **scur·ril·ous** ['skʌrɪləs] *adj.* □ **1.** ordi'när-scherzhaft, ‚frech'; **2.** unflätig, zotig.

scur·ry ['skʌrɪ] **I** *v/i.* **1.** huschen, hasten; **II** *s.* **2.** Hasten *n*; Getrippel *n*; **3.** *sport* a) Sprint *m*, b) *Pferdesport*: Fliegerrennen *n*; **4.** Schneetreiben *n*.

scur·vy ['skɜ:vɪ] **I** *s.* ⚕ Skor'but *m*; **II** *adj.* (hunds)gemein, ‚fies'.

scut [skʌt] *s.* **1.** *hunt.* Blume *f*, kurzer Schwanz (*Hase*), Wedel *m* (*Rotwild*); **2.** Stutzschwanz *m*.

scu·tage ['skju:tɪdʒ] *s.* ⚔ *hist.* Schildpfennig *m*, Rittersteuer *f*.

scutch [skʌtʃ] ⚙ **I** *v/t.* **1.** *Flachs* schwingen; **2.** *Baumwolle od. Seidenfäden* (durch Schlagen) entwirren; **II** *s.* **3.** (Flachs)Schwingmesser *n*, ('Flachs-)ˌSchwingmaˌschine *f*.

scutch·eon ['skʌtʃən] *s.* **1.** → ***escutcheon***; **2.** → ***scute***.

scute [skju:t] *s. zo.* Schuppe *f*.

scu·tel·late(d) ['skju:təleɪt(ɪd)] *adj. zo.* schuppig; **scu'tel·lum** [skju:'teləm] *pl.* **-la** [-lə] *s.* ♀, *zo.* Schildchen *n*.

scut·tle[1] ['skʌtl] *s.* **1.** Kohlenkasten *m*, -eimer *m*; **2.** (flacher) Korb.

S

scut·tle² ['skʌtl] **I** *v/i.* **1.** hasten, flitzen; **2.** *~ out of* ⚔ *u. fig.* sich hastig zu'rückziehen aus *od.* von; **II** *s.* **3.** hastiger Rückzug.

scut·tle³ ['skʌtl] **I** *s.* **1.** (Dach-, Boden-) Luke *f*; **2.** ⚓ (Spring)Luke *f*; **3.** *mot.* Stirnwand *f*, Spritzbrett *n*; **II** *v/t.* **4.** ⚓ a) *Schiff* anbohren *od.* die 'Bodenven,tile öffnen, b) (selbst) versenken; **'~·butt** *s.* **1.** ⚓ Trinkwassertonne *f od.* -anlage *f*; **2.** *Am.* F Gerücht *n*.

scythe [saɪð] **I** *s.* **1.** Sense *f*; **II** *v/t.* **2.** (ab)mähen; **3.** *~ down Fußball*: ‚umsäbeln'.

sea [si:] *s.* **1.** a) See *f*, Meer *n* (*a. fig.*), b) Ozean *m*, Weltmeer *n*: ***at ~*** auf *od.* zur See; *mst* ***all at ~*** *fig.* ratlos, im dunkeln tappend; ***beyond the ~, over ~(s)*** nach *od.* in Übersee; ***by ~*** auf dem Seeweg; ***on the ~*** a) auf *od.* zur See, b) an der See *od.* Küste (gelegen); ***follow the ~*** zur See fahren; ***put (out) to ~*** in See stechen; ***the four ~s*** die vier (*Großbritannien umgebenden*) Meere; ***the high ~s*** die hohe See, die Hochsee; **2.** ⚓ See(gang *m*) *f*: ***heavy ~; long (short) ~*** lange (kurze) See; **3.** ⚓ See *f*, hohe Welle; → ***ship*** 7; **~ an·chor** *s.* **1.** ⚓ Treibanker *m*; **2.** ✈ Wasseranker *m*; **~ bear** *s. zo.* **1.** Eisbär *m*; **2.** Seebär *m*; **'~·board I** *s.* (See)Küste *f*; **II** *adj.* Küsten…; **'~-born** *adj.* **1.** aus dem Meer stammend; **2.** *poet.* meergeboren; **'~·borne** *adj.* auf dem Seewege befördert, See…: ***~ goods*** Seehandelsgüter; ***~ invasion*** ⚔ Landungsunternehmen *n* von See aus; ***~ trade*** Seehandel *m*; **~ calf** → ***sea dog*** 1a; **~ cap·tain** *s.* ('Schiffs)Kapi,tän *m*; **~ cock** *s.* ⚓ 'Bordven,til *n*; **~ cow** *s. zo.* **1.** Seekuh *f*, Si'rene *f*; **2.** Walroß *n*; **~ dog** *s.* **1.** *zo.* a) Gemeiner Seehund, Meerkalb *n*, b) → ***dogfish***; **2.** *fig.* ⚓ (alter) Seebär; **'~·drome** [-drəʊm] *s.* ✈ Wasserflughafen *m*; **~ el·e·phant** *s. zo.* 'See-Ele,fant *m*; **'~,far·er** [-,feərə] *s.* Seefahrer *m*, -mann *m*; **'~,far·ing** [-,feərɪŋ] **I** *adj.* seefahrend: ***~ man*** Seemann *m*; ***~ nation*** Seefahrernation *f*; **II** *s.* Seefahrt *f*; **~ farm·ing** *s.* 'Aquakul,tur *f*; **'~·food** *s.* Meeresfrüchte *pl.*; **'~-fowl** *s.* Seevogel *m*; **~ front** *s.* Seeseite *f* (*e-r Stadt etc.*); **~ ga(u)ge** *s.* ⚓ **1.** Tiefgang *m*; **2.** Lotstock *m*; **'~·girt** *adj. poet.* 'meerum,schlungen; **~ god** *s.* Meeresgott *m*; **'~,go·ing** *adj.* ⚓ seetüchtig, Hochsee…; **~ green** *s.* Meergrün *n*; **~ gull** *s. orn.* Seemöwe *f*; **~ hog** *s. zo.* Schweinswal *m*, *bsd.* Meerschwein *n*; **~ horse** *s.* **1.** *zo.* a) Seepferdchen *n*, b) Walroß *n*; **2.** *myth.* Seepferd *n*; **3.** große Welle.

seal¹ [si:l] **I** *s.* **1.** *pl.* **seals**, *bsd. coll.* **seal** *zo.* Robbe *f*, *engS.* Seehund *m*; **2.** → ***sealskin***; **II** *v/i.* **3.** auf Robbenjagd gehen.

seal² [si:l] **I** *s.* **1.** Siegel *n*: ***set one's ~ to*** sein Siegel auf *et.* drücken, *bsd. fig. et.* besiegeln (*bekräftigen*); ***under the ~ of secrecy*** *fig.* unter dem Siegel der Verschwiegenheit; **2.** Siegel(prägung *f*) *n*; **3.** Siegel(stempel *m*) *n*, Petschaft *n*; → ***Great Seal***; **4.** ⚖ *etc.* Siegel *n*, Verschluß *m*; *Zollverkehr etc.*: Plombe *f*: ***under ~*** unter Verschluß; **5.** ⚙ a) (wasser-, luftdichter) Verschluß, b) (Ab-) Dichtung *f*, c) Versiegelung *f* (*Kunststoff etc.*); **6.** *fig.* Siegel *n*, Besiegelung *f*, Bekräftigung *f*; **7.** Zeichen *n*, Garan'tie *f*; **8.** *fig.* Stempel *m*, Zeichen *n des Todes etc.*; **II** *v/t.* **9.** *Urkunde* siegeln; **10.** *Rechtsgeschäft etc.* besiegeln (*bekräftigen*); **11.** *fig.* besiegeln: ***his fate is ~ed***; **12.** *fig.* zeichnen, s-n Stempel aufdrücken (*dat.*); **13.** versiegeln: ***~ed offer*** † versiegeltes Angebot; ***under ~ed orders*** † mit versiegelter Order; **14.** *Verschluß etc.* plombieren; **15.** *oft ~ up* her'metisch (*od.* ⚙ wasser-, vakuumdicht) abschließen *od.* abdichten, *Holz, Kunststoff etc.* versiegeln, ⚙ *a.* einzementieren, zuschmelzen, *mit Klebestreifen etc.* verschließen: ***it is a ~ed book to me*** *fig.* es ist mir ein Buch mit sieben Siegeln; ***~ a letter*** e-n Brief zukleben; **16.** ***~ off*** *fig.* a) ⚔ *etc.* abriegeln, b) dichtmachen: ***~ off the border***.

sea lane *s.* See-, Schiffahrtsweg *m*.

seal·ant ['si:lənt] *s.* ⚙ Dichtungsmittel *n*.

sea| law·yer *s.* ⚓ F Queru'lant *m*; **'~-legs** *s. pl.*: ***get** od.* ***find one's ~*** ⚓ seefest werden.

seal·er¹ ['si:lə] *s.* ⚓ Robbenfänger *m* (*Mann od. Schiff*).

seal·er² ['si:lə] *s.* ⚙ a) Versiegler *m*, b) Verschließvorrichtung *f*, c) Versiegelungsmasse *f*.

'seal·er·y [-ərɪ] *s.* **1.** Robbenfang *m*; **2.** Robbenfangplatz *m*.

sea lev·el *s.* Meeresspiegel *m*, -höhe *f*: ***corrected to ~*** auf Meereshöhe umgerechnet.

'seal-,fish·er·y → ***sealery*** 1.

seal·ing ['si:lɪŋ] *s.* **1.** (Be)Siegeln *n*; **2.** Versiegeln *n*, ⚙ *a.* (Ab)Dichtung *f*: ***~ (compound)*** Dichtungsmasse *f*; ***~ machine*** → ***sealer²*** b; ***~ ring*** Dichtungsring *m*; **~ wax** *s.* Siegellack *m*.

sea| li·on *s. zo.* Seelöwe *m*; **♀ Lord** *s.* ⚓ *Brit.* Seelord *m* (*Amtsleiter in der brit. Admiralität*).

'seal|-,rook·er·y *s. zo.* Brutplatz *m* von Robben; **'~·skin** *s.* **1.** Seal(skin) *m*, *n*, Seehundsfell *n*; **2.** Sealmantel *m*, -cape *n*.

seam [si:m] **I** *s.* **1.** Saum *m*, Naht *f* (*a.* ⚕): ***burst at the ~s*** aus den Nähten platzen (*a. fig.*); **2.** ⚙ a) (Guß-, Schweiß)Naht *f*: ***~ welding*** Nahtschweißen *n*, b) *bsd.* ⚓ Fuge *f*, c)

S

Sprung *m*, d) Falz *m*; **3.** Runzel *f*; **4.** Narbe *f*; **5.** *geol.* (Nutz)Schicht *f*, Flöz *n*; **II** *v/t.* **6.** *a.* ~ ***up***, ~ ***together*** zs.-nähen; **7.** säumen; **8.** *bsd. fig.* (durch-)ˈfurchen; **9.** (zer)schrammen; **10.** ⚙ durch e-e (Guß- *od.* Schweiß)Naht verbinden.

sea·man [ˈsi:mən] *s.* [*irr.*] ⚓ **1.** Seemann *m*, Maˈtrose *m*; **2.** ⚔ *Am.* (Maˈrine)Obergefreite(r) *m*: ~ ***recruit*** Matrose; ˈ**sea·man·like** *adj. u. adv.* seemännisch; ˈ**sea·man·ship** [-ʃɪp] *s.* Seemannschaft *f*.

sea| mark *s.* Seezeichen *n*; ~ **mew** *s. orn.* Sturmmöwe *f*; ~ **mile** *s.* Seemeile *f*; ~ **mine** *s.* ⚔ Seemine *f*.

seam·less [ˈsi:mlɪs] *adj.* ☐ **1.** naht-, saumlos: ~***-drawn tube*** ⚙ nahtlos gezogene Röhre; **2.** fugenlos.

sea mon·ster *s.* Meeresungeheuer *n*.

seam·stress [ˈsemstrɪs] *s.* Näherin *f*.

sea mud *s.* Seeschlamm *m*, Schlick *m*.

seam·y [ˈsi:mɪ] *adj.* gesäumt: ***the*** ~ ***side*** a) die linke Seite, b) *fig.* die Kehr- *od.* Schattenseite.

se·ance, **sé·ance** [ˈseɪɑ̃:ns] (*Fr.*) *s.* Séˈance *f*, (spiriˈtistische) Sitzung.

ˈ**sea|·piece** *s. paint.* Seestück *n*; ˈ~**·plane** *s.* See-, Wasserflugzeug *n*; ˈ~**·port** *s.* Seehafen *m*, Hafenstadt *f*; ~ **pow·er** *s.* Seemacht *f*; ˈ~**·quake** *s.* Seebeben *n*.

sear[1] [sɪə] **I** *v/t.* **1.** versengen; **2.** ⚕ (aus-)brennen; **3.** *Fleisch* anbraten; **4.** *bsd. fig.* brandmarken; **5.** *fig.* abstumpfen: ***a*** ~***ed conscience***; **6.** verdorren lassen; **II** *v/i.* **7.** verdorren; **III** *adj.* **8.** *poet.* verdorrt, -welkt: ***the*** ~ ***and yellow leaf*** *fig.* der Herbst des Lebens.

sear[2] [sɪə] *s.* ⚔ Abzugsstollen *m* (*Gewehr*).

search [sɜ:tʃ] **I** *v/t.* **1.** durchˈsuchen, -ˈstöbern (***for*** nach); **2.** ⚖ *Person, Haus etc.* durchˈsuchen, visitieren; **3.** unterˈsuchen; **4.** *fig. Gewissen etc.* erforschen, prüfen; **5.** *mst* ~ ***out*** auskundschaften, ausfindig machen; **6.** durchˈdringen (*Wind, Geschosse etc.*); **7.** ⚔ mit Tiefenfeuer belegen *od.* bestreichen; **8.** *sl.* ~ ***me!*** keine Ahnung!; **II** *v/i.* **9.** (***for***) suchen, forschen (nach); ⚖ fahnden (nach): ~ ***into*** ergründen, untersuchen; **10.** ~ ***after*** streben nach; **III** *s.* **11.** Suchen *n*, Forschen *n* (***for***, ***of*** nach): ***in*** ~ ***of*** auf der Suche nach; ***go in*** ~ ***of*** auf die Suche gehen nach; **12.** ⚖ a) Fahndung *f*, b) Haussuchung *f*, c) (ˈLeibes)Visitatiˌon *f*, d) Einsichtnahme *f in öffentliche Bücher*, e) Überprüfung *f*, *Patentwesen*: Reˈcherche *f*: ***right of*** (***visit and***) ~ ⚓ Recht *n* auf Durchsuchung neutraler Schiffe; ˈ**search·er** [-tʃə] *s.* **1.** Sucher *m*, (Er)Forscher *m*; **2.** (*Zoll- etc.*)Prüfer *m*; **3.** ⚕ Sonde *f*; ˈ**search·ing** [-tʃɪŋ] *adj.* ☐ **1.** gründlich, eingehend, tiefschürfend; **2.** forschend (*Blick*); durchˈdringend (*Wind etc.*): ~ ***fire*** ⚔ Tiefen-, Streufeuer *n*.

ˈ**search|·light** *s.* (Such)Scheinwerfer *m*; ~ **par·ty** *s.* Suchtrupp *m*; ~ **ra·dar** *s.* ⚔ Raˈdar-Suchgerät *n*; ~ **war·rant** *s.* ⚖ Haussuchungsbefehl *m*.

ˈ**sea|-ˌres·cue** *adj.* Seenot…; ~ **risk** *s.* ⚖ Seegefahr *f*; ~ **room** *s.* ⚓ Seeräumte *f*; ~ **route** *s.* See-, Schiffahrtsweg *m*; ˈ~**·scape** *s.* **1.** *paint.* Seestück *n*; **2.** (Aus)Blick *m* auf das Meer; ~ **ser·pent** *s. zo. u. myth.* Seeschlange *f*; ˈ~**·shore** *s.* Seeküste *f*; ˈ~**·sick** *adj.* seekrank; ˈ~**·sick·ness** *s.* Seekrankheit *f*; ˈ~**·side** **I** *s.* See-, Meeresküste *f*: ***go to the*** ~ an die See fahren; **II** *adj.* an der See gelegen, See…: ~ ***place***, ~ ***resort*** Seebad *n*.

sea·son [ˈsi:zn] **I** *s.* **1.** (Jahres)Zeit *f*; **2.** a) (Reife- *etc.*)Zeit *f*, rechte Zeit (*für et.*), b) *hunt.* (*Paarungs- etc.*)Zeit *f*: ***in*** ~ a) (gerade) reif, (günstig auf dem Markt) zu haben (*Frucht*), b) zur rechten Zeit, c) *hunt.* jagdbar, d) brünstig (*Tier*); ***out of*** ~ a) nicht (auf dem Markt) zu haben, b) *fig.* unpassend; ***in and out of*** ~ jederzeit; ***cherries are now in*** ~ jetzt ist Kirschenzeit; ***a word in*** ~ ein Rat zur rechten Zeit; ***for a*** ~ e-e Zeitlang; → ***close season***; **3.** ✝ Saiˈson *f*, Haupt(betriebs-, -geschäfts)zeit *f*: ***dull*** (*od.* ***slack***) ~ stille Saison, tote Jahreszeit; ***height of the*** ~ Hochsaison; **4.** (*Veranstaltungs*)Saiˈson *f*: ***theatrical*** ~ Theatersaison, Spielzeit *f*; **5.** (*Bade-, Kur- etc.*)Saiˈson *f*: ***holiday*** ~ Ferienzeit *f*; **6.** Festzeit *f*; → ***compliment*** 3; **7.** F → ***season ticket***; **II** *v/t.* **8.** *Speisen* würzen (*a. fig.*): ~***ed with wit*** geistreich; **9.** *Tabak etc.* (aus)reifen lassen: ~***ed wine*** abgelagerter *od.* ausgereifter Wein; **10.** *Holz* ablagern; **11.** *Pfeife* einrauchen; **12.** gewöhnen (***to*** an *acc.*), abhärten: ***be*** ~***ed to*** an *ein Klima etc.* gewöhnt sein; ~***ed soldiers*** fronterfahrene Soldaten; ~***ed by battle*** kampfgewohnt; **13.** *obs.* mildern; **III** *v/i.* **14.** reifen; **15.** ablagern (*Holz*); ˈ**sea·son·a·ble** [-nəbl] *adj.* ☐ **1.** rechtzeitig; **2.** jahreszeitlich; **3.** zeitgemäß; **4.** passend, angebracht, opporˈtun, günstig; ˈ**sea·son·al** [-zənl] *adj.* ☐ **1.** jahreszeitlich; **2.** saiˈsonbedingt, -gemäß: ~ ***closing-out sale*** ✝ Saisonschlußverkauf *m*; ~ ***trade*** Saisongewerbe *n*; ~ ***work***(***er***) Saisonarbeit(er *m*) *f*; **sea·son·al·ly** [-nəlɪ] *adv.*: ~ ***adjusted*** saisonbereinigt; ˈ**sea·son·ing** [-nɪŋ] *s.* **1.** Würze *f* (*a. fig.*), Gewürz *n*; **2.** Reifen *n etc.*; **sea·son tick·et** *s.* **1.** 🚂 *etc. Brit.* Dauer-, Zeitkarte *f*; **2.** *thea. etc.* Abonneˈment(skarte *f*) *n*.

seat [si:t] **I** *s.* **1.** Sitz(gelegenheit *f*, -platz *m*) *m*; Stuhl *m*, Sessel *m*, Bank *f*;

S

2. (*Stuhl- etc.*)Sitz *m*; **3.** Platz *m bei Tisch etc.*: ***take a ~*** Platz nehmen; ***take one's ~*** s-n Platz einnehmen; ***take your ~s!*** 🚆 einsteigen!; **4.** *thea. etc.* Platz *m*, Sitz *m*: ***book a ~*** e-e (*Theater-etc.*)Karte kaufen; **5.** (Präsi'denten-*etc.*) Sitz *m* (*a. fig. Amt*); **6.** (Amts-, Regierungs-, ⚚ Geschäfts)Sitz *m*; **7.** *parl. etc.* Sitz *m* (*a. Mitgliedschaft*), *parl. a.* Man'dat *n*: ***a ~ in parliament***; ***have ~ and vote*** Sitz u. Stimme haben; **8.** Wohn-, Fa'milien-, Landsitz *m*; **9.** *fig.* Sitz *m*: a) Stätte *f*, (Schau)Platz *m*: ***~ of war*** Kriegsschauplatz, b) ⚕ Herd *m e-r Krankheit* (*a. fig.*); **10.** Gesäß *n*, Sitzfläche *f*; Hosenboden *m*; **11.** *Reitsport etc.*: Sitz *m* (*Haltung*); **12.** ⚙ Auflager *n*, Funda'ment *n*; **II** *v/t.* **13.** *j-n wohin* setzen, *j-m* e-n Sitz anweisen: ***~ o.s.*** sich setzen; ***be ~ed*** sitzen; **14.** Sitzplätze bieten für: ***the hall ~s 600 persons***; **15.** *Raum* bestuhlen, mit Sitzplätzen versehen; **16.** *Stuhl* mit e-m (neuen) Sitz versehen; **17.** ⚙ a) auflegen, lagern (***on*** auf *dat.*), b) einpassen, *Ventil* einschleifen; **18.** *pass.* sitzen, s-n Sitz haben, liegen (***in*** in *dat.*); **seat belt** *s.* ✈, *mot.* Sicherheitsgurt *m*; **'seat·ed** [-tɪd] *adj.* **1.** sitzend: ***be ~*** → ***seat*** 18; ***be ~!*** nehmen Sie Platz!; ***remain ~*** sitzen bleiben, Platz behalten; **2.** *in Zssgn* ...sitzig: ***two-~***; **'seat·er** [-tə] *s. in Zssgn* ...sitzer *m*: ***two-~***; **'seat·ing** [-tɪŋ] **I** *s.* **1.** a) Anweisen *n* von Sitzplätzen, b) Platznehmen *n*; **2.** Sitzgelegenheit(en *pl.*) *f*, Bestuhlung *f*; **II** *adj.* **3.** Sitz...: ***~ accommodation*** Sitzgelegenheiten; **seat mile** *s.* ⚓ Passa'giermeile *f*.

sea| trout *s.* 'Meer-, 'Lachsfo,relle *f*; **~ ur·chin** *s. zo.* Seeigel *m*; **'~·wall** *s.* Deich *m*; (Hafen)Damm *m*.

sea·ward ['si:wəd] **I** *adj. u. adv.* seewärts; **II** *s.* Seeseite *f*; **'sea·wards** [-dz] *adv.* seewärts.

sea| wa·ter *s.* See-, Meerwasser *n*; **'~·way** *s.* **1.** ⚓ Fahrt *f*; **2.** Seeweg *m*; **3.** Seegang *m*; **'~·weed** *s.* **1.** (See)Tang *m*, Alge *f*; **2.** *allg.* Meerespflanze(n *pl.*) *f*; **'~,wor·thy** *adj.* seetüchtig.

se·ba·ceous [sɪ'beɪʃəs] *adj. physiol.* Talg...

sec [sek] (*Fr.*) *adj.* sec, trocken (*Wein*).

se·cant ['si:kənt] **I** *s.* ⩓ a) Se'kante *f*, b) Schnittlinie *f*; **II** *adj.* schneidend.

sec·a·teur ['sekətɜ:] (*Fr.*) *s. mst* (***a pair of***) ***~s*** *pl.* (e-e) Baumschere.

se·cede [sɪ'si:d] *v/i. bsd. eccl., pol.* sich trennen *od.* lossagen, abfallen (***from*** von); **se'ced·er** [-də] *s.* Abtrünnige(r *m*) *f*, Separa'tist *m*.

se·ces·sion [sɪ'seʃn] *s.* **1.** Sezessi'on *f* (*USA hist. oft* ♎), (Ab-, *eccl.* Kirchen-) Spaltung *f*, Abfall *m*, Lossagung *f*; **2.** 'Übertritt *m* (***to*** zu); **se'ces·sion·al** [-ʃənl] *adj.* Sonderbunds..., Abfall..., Sezessions...; **se'ces·sion·ist** [-nɪst] *s.* Abtrünnige(r *m*) *f*, Sonderbündler *m*, Sezessio'nist *m* (*Am. hist. oft* ♎).

se·clude [sɪ'klu:d] *v/t.* (***o.s.*** sich) abschließen, absondern (***from*** von); **se'clud·ed** [-dɪd] *adj.* ☐ einsam, abgeschieden: a) zu'rückgezogen (*Lebensweise*), b) abgelegen (*Ort*); **se'clu·sion** [-u:ʒn] *s.* **1.** Abschließung *f*; **2.** Zu'rückgezogenheit *f*, Abgeschiedenheit *f*: ***live in ~*** zurückgezogen leben.

sec·ond ['sekənd] **I** *adj.* ☐ → ***secondly***; **1.** zweit; nächst: ***~ Advent*** (*od.* ***Coming***) *eccl.* 'Wiederkunft *f* (Christi); ***~ ballot*** Stichwahl *f*; ***~ Chamber*** *parl.* Oberhaus *n*; ***~ floor*** a) *Brit.* zweiter Stock, b) *Am.* erster Stock (*über dem Erdgeschoß*); ***~ in height*** zweithöchst; ***at ~ hand*** aus zweiter Hand; ***in the ~ place*** zweitens; ***it has become ~ nature with him*** es ist ihm zur zweiten Natur geworden *od.* in Fleisch u. Blut übergegangen; → ***self*** 1, ***sight*** 1, ***thought*** 3, ***wind***[1] 6; **2.** (***to***) 'untergeordnet (*dat.*), geringer (als): ***~ cabin*** ⚓ Kabine *f* zweiter Klasse; ***~ cousin*** Vetter *m* zweiten Grades; ***~ lieutenant*** ⚔ Leutnant *m*; ***come ~*** *fig.* an zweiter Stelle kommen; ***~ to none*** unerreicht; ***he is ~ to none*** er ist unübertroffen; → ***fiddle*** 1; **II** *s.* **3.** *der* (*die, das*) Zweite: ***~ in command*** ⚔ a) stellvertretender Kommandeur, b) ⚓ erster Offizier; **4.** *sport* Zweite(r *m*) *f*, zweiter Sieger: ***run ~*** den zweiten Platz belegen; ***be a good ~*** nur knapp geschlagen werden; **5.** *univ.* → ***second class*** 2; **6.** F 🚆 *etc.* zweite Klasse; **7.** *Duell, Boxen*: Sekun'dant *m*; *fig.* Beistand *m*; **8.** Se'kunde *f*; *weitS. a.* Augenblick *m*, Mo'ment *m*; **9.** ♪ a) Se'kunde *f*, b) Begleitstimme *f*; **10.** *pl.* ⚚ Ware(n *pl.*) *f* zweiter Quali'tät *od.* Wahl; **11.** ***~ of exchange*** ⚚ Se'kundawechsel *m*; **III** *v/t.* **12.** sekundieren (*dat.*) (*a. fig.*); **13.** *fig.* unter'stützen (*a. parl.*), beistehen (*dat.*); **14.** [sɪ'kɒnd] ⚔ *Brit. Offizier* abstellen, abkommandieren.

sec·ond·ar·i·ness ['sekəndərɪnɪs] *s. das* Sekun'däre, Zweitrangigkeit *f*; **sec·ond·ar·y** ['sekəndərɪ] **I** *adj.* ☐ **1.** sekun'där, zweitrangig, 'untergeordnet, nebensächlich: ***of ~ importance***; **2.** ⚡, ⚗, *biol., geol., phys.* sekun'där, Sekundär...: ***~ electron***; **3.** Neben...: ***~ colo(u)r***, ***~ effect***; **4.** Neben..., Hilfs...: ***~ line*** 🚆 Nebenbahn; **5.** *ling.* a) sekun'där, abgeleitet, b) Neben...: ***~ accent*** Nebenakzent *m*; ***~ derivative*** Sekundärableitung *f*; ***~ tense*** Nebentempus *n*; **6.** *ped.* Oberschul...: ***~ education*** höhere Schulbildung; ***~ school*** höhere Schule; **II** *s.* **7.** 'Untergeordnete(r *m*) *f*, Stellvertreter(in); **8.** ⚡ a) Sekun'där-

(strom)kreis *m*, b) Sekun'därwicklung *f*; **9.** *ast. a.* ~ ***planet*** Satel'lit *m*; **10.** *orn.* Nebenfeder *f*.

'sec·ond|-best *adj.* zweitbest: ***come off*** ~ *fig.* den kürzeren ziehen; ~ **class** *s.* **1.** 🚃 *etc.* zweite Klasse; **2.** *univ. Brit.* *akademischer Grad zweiter Klasse*; **ˌ~-'class** [-nd'k-] *adj.* **1.** zweitklassig, -rangig; **2.** 🚃 *etc. Wagen etc.* zweiter Klasse: ~ ***mail*** a) *Am.* Zeitungspost *f*, b) *Brit.* gewöhnliche Inlandspost; **ˌ~-de'gree** *adv.* **1.** zweiten Grades: ~ ***burns***; **2.** ~ ***murder*** ⚖ Totschlag *m*; **ˌ~'guess** *v/t. Am.* **1.** im nachhinein kritisieren; **2.** a) durch'schauen, b) vor'hersehen; **'~·hand I** *adj.* **1.** über'nommen, *a. Wissen etc.* aus zweiter Hand; **2.** 'indiˌrekt; **3.** gebraucht, alt; anti'quarisch (*Bücher*): ~ ***bookshop*** Antiquariat *n*; ~ ***car*** Gebrauchtwagen *m*; ~ ***dealer*** Altwarenhändler *m*; **II** *adv.* **4.** gebraucht: ***buy s.th.*** ~; ~ **hand** *s.* Se'kundenzeiger *m*.

sec·ond·ly ['sekəndlı] *adv.* zweitens.

se·cond·ment [sı'kɒndmənt] *s. Brit.* **1.** ⚔ Abkommandierung *f*; **2.** Versetzung *f*.

ˌsec·ond|-'rate *adj.* zweitrangig, -klassig, mittelmäßig; **ˌ~-'rat·er** *s.* mittelmäßige Per'son *od.* Sache.

se·cre·cy ['si:krəsı] *s.* **1.** Verborgenheit *f*; **2.** Heimlichkeit *f*: ***in all*** ~, ***with absolute*** ~ ganz im geheimen, insgeheim; **3.** Verschwiegenheit *f*; Geheimhaltung(spflicht) *f*; (*Wahl- etc.*)Geheimnis *n*: ***official*** ~ Amtsverschwiegenheit *f*; ***professional*** ~ Berufsgeheimnis *n*, Schweigepflicht *f*; → ***swear*** 6; **se·cret** ['si:krıt] **I** *adj.* ☐ **1.** geheim, heimlich, Geheim...(*-dienst*, *-diplomatie*, *-tür etc.*): ~ ***ballot*** geheime Wahl; → ***keep*** 13; **2.** a) verschwiegen, b) verstohlen (*Person*); **3.** verschwiegen (*Ort*); **4.** unerforschlich, verborgen; **II** *s.* **5.** Geheimnis *n* (***from*** vor *dat.*): ***the*** ~ ***of success*** *fig.* das Geheimnis des Erfolgs, der Schlüssel zum Erfolg; ***in*** ~ a) heimlich, im geheimen, b) im Vertrauen; ***be in the*** ~ (in das Geheimnis) eingeweiht sein; ***let s.o. into the*** ~ j-n (in das Geheimnis) einweihen; ***make no*** ~ ***of*** kein Geheimnis *od.* Hehl aus *et.* machen.

se·cre·taire [ˌsekrə'teə] (*Fr.*) *s.* Sekre'tär *m*, Schreibschrank *m*.

se·cre·tar·i·al [ˌsekrə'teərıəl] *adj.* **1.** Sekretärs...: ~ ***help*** Schreibkraft *f*; **2.** Schreib..., Büro...; **ˌsec·re'tar·i·at(e)** [-ıət] *s.* Sekretari'at *n*.

sec·re·tar·y ['sekrətrı] *s.* **1.** Sekre'tär (-in): ~ ***of embassy*** Botschaftsrat *m*; **2.** Schriftführer *m*; ✝ a) Geschäftsführer *m*, b) Syndikus *m*; **3.** *pol. Brit.* a) ~ (***of state***) Mi'nister *m*, b) 'Staatssekreˌtär *m*: ~ ***of State for Foreign Affairs***, ***Foreign*** ~ Außenminister *m*; ~ ***of State for Home Affairs***, ***Home*** ~ Innenminister; **4.** *pol. Am.* Mi'nister *m*: ~ ***of Defense*** Verteidigungsminister; ~ ***of State*** a) Außenminister, b) Staatssekretär *m e-s Bundesstaats*; **5.** → ***secretaire***; ~ **bird** *s. orn.* Sekre'tär *m*; **ˌ~-'gen·er·al** *pl.* **ˌsec·re·tar·ies-'gen·er·al** *s.* Gene'ralsekreˌtär *m*.

sec·re·tar·y·ship ['sekrətrıʃıp] *s.* **1.** Posten *m od.* Amt *n* e-s Sekre'tärs *etc.*; **2.** Mi'nisteramt *n*.

se·crete [sı'kri:t] *v/t.* **1.** *physiol.* absondern, abscheiden; **2.** verbergen (***from*** vor *dat.*); ⚖ *Vermögensstücke* bei'seite schaffen; **se'cre·tion** [-i:ʃn] *s.* **1.** *physiol.* a) Sekreti'on *f*, Absonderung *f*, b) Se'kret *n*; **2.** Verheimlichung *f*; **se'cre·tive** [-tıv] *adj.* ☐ heimlich, verschlossen, geheimnistuerisch: ***be*** ~ ***about*** mit *et.* geheim tun; **se'cre·tive·ness** [-tıvnıs] *s.* Heimlichtue'rei *f*; Verschwiegenheit *f*.

'se·cretˌmon·ger *s.* Geheimniskrämer(in).

se·cre·to·ry [sı'kri:tərı] *physiol.* **I** *adj.* sekre'torisch, Sekretions...; **II** *s.* sekretorische Drüse.

sect [sekt] *s.* **1.** Sekte *f*; **2.** Religi'onsgemeinschaft *f*.

sec·tar·i·an [sek'teərıən] **I** *adj.* **1.** sek'tiererisch; **2.** Konfessions...; **II** *s.* **3.** Anhänger(in) e-r Sekte; **4.** Sek'tierer (-in); **sec'tar·i·an·ism** [-nızəm] *s.* Sek'tierertum *n*.

sec·tion ['sekʃn] **I** *s.* **1.** a) Durch'schneidung *f*, b) (*a. mikroskopischer*) Schnitt, c) ⚕ Sekti'on *f*, Schnitt *m*; **2.** Ab-, Ausschnitt *m*, Teil *m* (*a. der Bevölkerung etc.*); **3.** Abschnitt *m*, Absatz *m* (*Buch etc.*); ⚖ (*Gesetzes- etc.*)Para'graph *m*; **4.** *a.* ~ ***mark*** Para'graph(enzeichen *n*) *m*; **5.** ⚙ Teil *m*, *n*; **6.** ⩚, ⚙ Schnitt(bild *n*) *m*, Querschnitt *m*, Pro'fil *n*: ***horizontal*** ~ Horizontalschnitt *m*; **7.** 🚃 *Am.* a) Streckenabschnitt *m*, b) Ab'teil *n e-s Schlafwagens*; **8.** *Am.* Bezirk *m*; **9.** *Am.* 'Landparˌzelle *f* von e-r Qua'dratmeile; **10.** ⚘, *zo.* 'Untergruppe *f*; **11.** Ab'teilung *f*, Refe'rat *n* (*Verwaltung*); **12.** ⚔ a) *Brit.* Gruppe *f*, b) *Am.* Halbzug *m*, c) ✈ Halbstaffel *f*, d) Stabsabteilung *f*; **II** *v/t.* **13.** (ab-, ein-) teilen, unter'teilen; **14.** e-n Schnitt machen von; **'sec·tion·al** [-ʃənl] *adj.* ☐ **1.** Schnitt...(*-fläche*, *-zeichnung etc.*); **2.** Teil...(*-ansicht*, *-streik etc.*); **3.** zs.-setzbar, montierbar: ~ ***furniture*** Anbaumöbel *pl.*; **4.** ⚙ Profil..., Form... (*-draht*, *-stahl*); **5.** regio'nal, *contp.* partikula'ristisch: ~ ***pride*** Lokalpatriotismus *m*; **'sec·tion·al·ism** [-nəlızəm] *s.* Partikula'rismus *m*.

sec·tor ['sektə] *s.* **1.** ⩚ (Kreis- *od.* Kugel)Sektor *m*; **2.** ⩚, *ast.* Sektor *m* (*a.*

S

fig. Bereich); **3.** ⚔ Sektor *m*, Frontabschnitt *m*.

sec·u·lar ['sekjʊlə] **I** *adj.* □ **1.** weltlich: a) diesseitig, b) pro'fan: **~ *music***, c) nicht kirchlich (*Erziehung etc.*): **~ *arm*** weltliche Gerichtsbarkeit; **2.** 'freireligi,ös, -denkerisch; **3.** *eccl.* weltgeistlich, Säkular...: **~ *clergy*** Weltgeistlichkeit *f*; **4.** säku'lar: a) hundertjährlich, b) hundertjährig, c) säku'lar; **5.** jahr'hundertelang; **6.** *ast., phys.* säku'lar; **II** *s.* **7.** *R.C.* Weltgeistliche(r) *m*; '**sec·u·lar·ism** [-ərɪzəm] *s.* **1.** Säkula'rismus *m* (*a. phls.*), Weltlichkeit *f*; **2.** Antiklerika'lismus *m*; **sec·u·lar·i·ty** [ˌsekjʊ'lærətɪ] *s.* **1.** Weltlichkeit *f*; **2.** *pl.* weltliche Dinge *pl.*; **sec·u·lar·i·za·tion** [ˌsekjʊləraɪ'zeɪʃn] *s.* **1.** *eccl.* Säkularisierung *f*; **2.** Verweltlichung *f*; '**sec·u·lar·ize** [-əraɪz] *v/t.* **1.** kirchlichem Einfluß entziehen; **2.** *kirchlichen Besitz, a. Ordensgeistliche* säkularisieren; **3.** verweltlichen; *Sonntag etc.* entheiligen; **4.** mit freidenkerischen I'deen durch'dringen.

sec·un·dine ['sekəndɪn] *s.* **1.** *mst pl.* ⚕ Nachgeburt *f*; **2.** ♀ inneres Integu'ment der Samenanlage.

se·cure [sɪ'kjʊə] **I** *adj.* □ **1.** sicher: a) geschützt (***from*** vor *dat.*), b) fest (*Grundlage etc.*), c) gesichert (*Existenz*), d) gewiß (*Hoffnung, Sieg etc.*); **2.** ruhig, sorglos: ***a ~ life***; **II** *v/t.* **3.** sichern, schützen (***from, against*** vor *dat.*); **4.** sichern, garantieren (***s.th. to s.o.*** *od.* ***s.o. s.th.*** j-m et.); **5.** sich *et.* sichern *od.* beschaffen; erreichen, erlangen; *Patent, Urteil etc.* erwirken; **6.** ⚙ *etc.* sichern, befestigen; *Türe etc.* (fest) (ver)schließen: **~ *by bolts*** festschrauben; **7.** *Wertsachen* sicherstellen; **8.** *Verbrecher* festnehmen; **9.** *bsd.* ✝ sicherstellen: a) *et.* sichern (***on, by*** durch *Hypothek etc.*), b) *j-m* Sicherheit bieten: **~ *a creditor***; **10.** ⚕ *Ader* abbinden.

se·cu·ri·ty [sɪ'kjʊərətɪ] *s.* **1.** Sicherheit *f* (*Zustand od. Schutz*) (***against, from*** vor *dat.*, gegen): ♀ Sicherheit(sabteilung) *f*; ✝ *a.* Werkspolizei *f*; ♀ ***Council*** *pol.* Sicherheitsrat *m*; **~ *check*** Sicherheitsüberprüfung *f*; **~ *clearance*** Unbedenklichkeitsbescheinigung *f*; ♀ ***Force*** Friedenstruppe *f*; → ***risk*** 2; **2.** (innere) Sicherheit, Sorglosigkeit *f*; **3.** Gewißheit *f*; **4.** ⚖, ✝ a) Bürge *m*, b) Sicherheit *f*, Bürgschaft *f*, Kauti'on *f*: **~ *bond*** Bürgschaftswechsel *m*; ***give*** (*od.* ***put up, stand***) **~** Bürgschaft leisten, Kaution stellen; **5.** ✝ a) Schuldverschreibung *f*, b) Aktie *f*, c) *pl.* 'Wertpaˌpiere *pl.*: **~ *market*** Effektenmarkt *m*; ***public securities*** Staatspapiere.

se·dan [sɪ'dæn] *s.* **1.** *mot.* Limou'sine *f*; **2.** *a.* **~ *chair*** Sänfte *f*.

se·date [sɪ'deɪt] *adj.* □ **1.** ruhig, gelassen; **2.** gesetzt, ernst; **se'date·ness** [-nɪs] *s.* **1.** Gelassenheit *f*; **2.** Gesetztheit *f*; **se'da·tion** [-eɪʃn] *s.*: ***be under ~*** ⚕ unter dem Einfluß von Beruhigungsmitteln stehen.

sed·a·tive ['sedətɪv] *bsd.* ⚕ **I** *adj.* beruhigend; **II** *s.* Beruhigungsmittel *n*.

sed·en·tar·i·ness ['sedntərɪnɪs] *s.* **1.** sitzende Lebensweise; **2.** Seßhaftigkeit *f*; **sed·en·tar·y** ['sedntərɪ] *adj.* □ **1.** sitzend (*Beschäftigung, Statue etc.*): **~ *life*** sitzende Lebensweise; **2.** seßhaft: **~ *birds*** Standvögel.

sedge [sedʒ] *s.* ♀ **1.** Segge *f*; **2.** *allg.* Riedgras *n*.

sed·i·ment ['sedɪmənt] *s.* Sedi'ment *n*: a) (Boden)Satz *m*, Niederschlag *m*, b) *geol.* Schichtgestein *n*; **sed·i·men·ta·ry** [ˌsedɪ'mentərɪ] *adj.* sedimen'tär, Sediment...; **sed·i·men·ta·tion** [ˌsedɪmen'teɪʃn] *s.* **1.** Sedimentati'on *f*: a) Ablagerung *f*, b) *geol.* Schichtenbildung *f*; **2.** *a.* ***blood ~*** ⚕ Blutsenkung *f*: **~ *rate*** Senkungsgeschwindigkeit *f*.

se·di·tion [sɪ'dɪʃn] *s.* **1.** Aufwiegelung *f*, *a.* ⚖ Volksverhetzung *f*; **2.** Aufruhr *m*; **se'di·tious** [-ʃəs] *adj.* □ aufrührerisch, 'umstürzlerisch, staatsgefährdend.

se·duce [sɪ'dju:s] *v/t.* **1.** *Frau etc.* verführen (*a. fig. verleiten*; ***into, to*** zu; ***into doing s.th.*** dazu, et. zu tun); **2. ~ *from*** *j-n* von *s-r Pflicht etc.* abbringen; **se'duc·er** [-sə] *s.* Verführer *m*; **se·duc·tion** [sɪ'dʌkʃn] *s.* **1.** (*a. sexuelle*) Verführung; Verlockung *f*; **2.** *fig.* Versuchung *f*, verführerischer Zauber; **se·duc·tive** [sɪ'dʌktɪv] *adj.* □ verführerisch (*a. fig.*).

se·du·li·ty [sɪ'dju:lətɪ] *s.* Emsigkeit *f*, (emsiger) Fleiß; **sed·u·lous** ['sedjʊləs] *adj.* □ emsig, fleißig.

see[1] [si:] **I** *v/t.* [*irr.*] **1.** sehen: **~ *page 15*** siehe Seite 15; ***I ~ him come*** (*od.* ***coming***) ich sehe ihn kommen; ***I cannot ~ myself doing it*** *fig.* ich kann mir nicht vorstellen, daß ich es tue; ***I ~ things otherwise*** *fig.* ich sehe *od.* betrachte die Dinge anders; **~ *o.s. obliged to*** *fig.* sich gezwungen sehen zu; **2.** (ab)sehen, erkennen: **~ *danger ahead***; **3.** ersehen, entnehmen (***from*** aus *der Zeitung etc.*); **4.** (ein)sehen, verstehen: ***as I ~ it*** wie ich es sehe, in m-n Augen; ***I do not ~ the use of it*** ich weiß nicht, wozu es gut sein soll; → ***joke*** 2; **5.** (sich) ansehen, besuchen: **~ *a play***; **6.** a) *j-n* besuchen: ***go*** (***come***) ***to ~ s.o.*** j-n besuchen (gehen *od.* kommen), b) *Anwalt etc.* aufsuchen, konsultieren (***about*** wegen), *j-n* sprechen (***on business*** geschäftlich); **7.** *j-n* empfangen: ***he refused to ~ me***; **8.** nachsehen, her'ausfinden; **9.** dafür sorgen (daß): **~ (*to it*) *that it is done!*** sorge dafür *od.* sieh zu, daß es geschieht!; ~ ***justice done to s.o.*** dafür sorgen, daß j-m Gerechtigkeit widerfährt; **10.** sehen, erleben: ***live to*** ~ erleben; ~ ***action*** ⚔ im Einsatz sein, Kämpfe mitmachen; ***he has seen better days*** er hat (schon) bessere Tage gesehen; **11.** *j-n* begleiten, geleiten, bringen (***to the station*** zum Bahnhof); → ***see off***, ***see out***; **II** *v/i.* [*irr.*] **12.** sehen; → ***fit***[1] 3; **13.** verstehen, einsehen: ***I*** ~***!*** (ich) verstehe!, aha!, ach so!; (***you***) ~ wissen Sie, weißt du; (***you***) ~***?*** F verstehst du?; **14.** nachsehen; **15.** sehen, sich über'legen: ***let me*** ~***!*** warte mal!, laß mich überlegen!; ***we'll*** ~ wir werden sehen, mal abwarten.

Zssgn mit prp.:

see| a·bout *v/i.* **1.** sich kümmern um; **2.** F sich *et.* überlegen; ~ **aft·er** *v/i.* sehen nach, sich kümmern um; ~ **in·to** *v/i.* e-r Sache auf den Grund gehen; ~ **o·ver** *v/i.* sich ansehen; ~ **through I** *v/i. j-n od. et.* durch'schauen; **II** *v/t. j-m* über *et.* hin'weghelfen; ~ **to** *v/i.* sich kümmern um; → ***see***[1] 9.

Zssgn mit adv.:

see| off *v/t. j-n* fortbegleiten, verabschieden; ~ **out** *v/t.* **1.** *j-n* hin'ausbegleiten; **2.** F *et.* bis zum Ende ansehen *od.* mitmachen; ~ **through I** *v/t.* **1.** *j-m* 'durchhelfen (***with*** in *e-r Sache*); **2.** *et.* (bis zum Ende) 'durchhalten *od.* -fechten; **II** *v/i.* **3.** F durchhalten.

see[2] [si:] *s. eccl.* **1.** (Erz)Bischofssitz *m*; → ***Holy See***; **2.** (Erz)Bistum *n*.

seed [si:d] **I** *s.* **1.** ⚘ a) Same *m*, b) (Obst-)Kern *m*, c) *coll.* Samen *pl.*, d) ⚒ Saat (-gut *n*) *f*: ***go*** (*od.* ***run***) ***to*** ~ in Samen schießen, *fig.* herunterkommen; **2.** *zo.* a) Ei *n od.* Eier *pl.* (*des Hummers etc.*), b) Austernbrut *f*; **3.** *physiol.* Samen *m*; *fig.* Nachkommenschaft *f*: ***the*** ~ ***of Abraham*** *bibl.* der Same Abrahams; **4.** *pl. fig.* Saat *f*, Keim *m*: ***sow the*** ~***s of discord*** (die Saat der) Zwietracht säen; **II** *v/t.* **5.** entsamen; *Obst* entkernen; **6.** *Acker* besäen; **7.** *sport Spieler* setzen; **III** *v/i.* **8.** ⚘ a) Samen tragen, b) in Samen schießen, c) sich aussäen; '~**·bed** *s.* Treibbeet *n*; *fig.* Pflanz-, *contp.* Brutstätte *f*; '~**·cake** *s.* Kümmelkuchen *m*; '~**·case** *s.* ⚘ Samenkapsel *f*; ~ **corn** *s.* **1.** Saatkorn *n*; **2.** *Am.* Saatmais *m*; ~ **drill** → ***seeder*** 1.

seed·er ['si:də] *s.* **1.** ⚒ 'Sämaˌschine *f*; **2.** (Frucht)Entkerner *m*.

seed·i·ness ['si:dɪnɪs] *s.* F **1.** Schäbigkeit *f*, Abgerissenheit *f*; verwahrloster Zustand; **2.** ‚Flauheit' *f des Befindens*.

seed leaf *s.* [*irr.*] ⚘ Keimblatt *n*.

seed·less ['si:dlɪs] *adj.* kernlos; '**seed·ling** [-lɪŋ] *s.* ⚘ Sämling *m*.

seed| oys·ter *s. zo.* **1.** Saatauster *f*; **2.** *pl.* Austernlaich *m*; ~ **pearl** *s.* Staubperle *f*; ~ **plot** *s.* → ***seedbed***; ~ **po·ta·to** *s.* 'Saatkarˌtoffel *f*.

seed·y ['si:dɪ] *adj.* **1.** ⚘ samentragend, -reich; **2.** F schäbig: a) fadenscheinig, b) her'untergekommen (*Person*); **3.** F ‚flau', ‚mies' (*Befinden*): ***look*** ~ elend aussehen.

see·ing ['si:ɪŋ] **I** *s.* Sehen *n*: ***worth*** ~ sehenswert; **II** *cj. a.* ~ ***that*** da doch; in Anbetracht dessen, daß; **III** *prp.* angesichts (*gen.*), in Anbetracht (*gen.*); '~**-eye dog** *s. Am.* Blindenhund *m*.

seek [si:k] **I** *v/t.* [*irr.*] **1.** suchen; **2.** *Bett, Schatten, j-n* aufsuchen; **3.** (***of***) *Rat, Hilfe etc.* suchen (bei), erbitten (von); **4.** begehren, erstreben, nach *Ruhm etc.* trachten; ⚖ *etc.* beantragen, begehren: ~ ***divorce***; → ***life*** *Redew.*; **5.** (ver)suchen, trachten (*et. zu tun*); **6.** zu ergründen suchen; **7.** ***be to*** ~ *obs.* (noch) fehlen, zu wünschen übrig lassen; **8.** *a.* ~ ***out*** her'ausfinden, aufspüren, *fig.* aufs Korn nehmen; **II** *v/i.* [*irr.*] **9.** suchen, fragen, forschen (***for, after*** nach): ~ ***after*** *a.* begehren; '**seek·er** [-kə] *s.* **1.** Sucher(in): ~ ***after truth*** Wahrheitssucher; **2.** ⚕ Sonde *f*.

seem [si:m] *v/i.* **1.** (zu sein) scheinen, anscheinend sein, erscheinen: ***it*** ~***s impossible to me*** es (er)scheint mir unmöglich; **2.** *mit inf.* scheinen: ***you*** ~ ***to believe it*** du scheinst es zu glauben; ***apples*** ~ ***not to grow here*** Äpfel wachsen hier anscheinend nicht; ***I*** ~ ***to hear voices*** mir ist, als hörte ich Stimmen; **3.** *impers.* ***it*** ~***s that*** es scheint, daß; anscheinend; ***it*** ~***s as if*** (*od.* ***though***) es sieht so aus *od.* es scheint so als ob; ***it*** ~***s to me that it will rain*** mir scheint, es wird regnen; ***it should*** (*od.* ***would***) ~ ***that*** man sollte glauben, daß; ***I can't*** ~ ***to open this door*** ich bringe diese Tür einfach nicht auf; '**seem·ing** [-mɪŋ] *adj.* □ **1.** scheinbar: ***a*** ~ ***friend***; **2.** anscheinend; '**seem·li·ness** [-lɪnɪs] *s.* Anstand *m*, Schicklichkeit *f*; '**seem·ly** [-lɪ] *adj. u. adv.* geziemend, schicklich.

seen [si:n] *p.p. von* ***see***[1].

seep [si:p] *v/i.* ('durch)sickern (*a. fig.*), tropfen, lecken: ~ ***away*** versickern; ~ ***in*** *a. fig.* einsickern, -dringen; '**seep·age** [-pɪdʒ] *s.* **1.** ('Durch-, Ver)Sickern *n*; **2.** 'Durchgesickertes *n*; **3.** Leck *n*.

se·er ['si:ə] *s.* Seher(in).

seer·suck·er ['sɪəˌsʌkə] *s.* leichtes, kreppartiges Leinen.

see·saw ['si:sɔ] **I** *s.* **1.** Wippen *n*, Schaukeln *n*; **2.** Wippe *f*, Wippschaukel *f*; **3.** *fig.* (ständiges) Auf u. Ab *od.* Hin u. Her; **II** *adj.* **4.** schaukelnd, (*a. fig.*) Schaukel…(*-bewegung, -politik*); **III** *v/i.* **5.** wippen, schaukeln; **6.** sich auf u. ab *od.* hin u. her bewegen; **7.** *fig.* (hin u. her) schwanken.

seethe [si:ð] *v/i.* **1.** kochen, sieden, wal-

S

len (*alle a. fig.* ***with*** vor *dat.*); **2.** *fig.* brodeln, gären (***with*** vor *dat.*): ***seething with rage*** vor Wut kochend; **3.** wimmeln (***with*** von).

'see-through *adj.* **1.** 'durchsichtig: ***~ blouse***; **2.** Klarsicht...: ***~ package***.

seg·ment ['segmənt] **I** *s.* **1.** Abschnitt *m*, Teil *m, n*; **2.** *bsd.* ⩚ (*Kreis- etc.*) Seg'ment *n*; **3.** *biol.* a) *allg.* Glied *n*, Seg'ment *n*, b) 'Körperseg,ment *n*, Ring *m* (*Wurm etc.*); **II** *v/t.* [seg'ment] **4.** (*v/i.* sich) in Segmente teilen; **seg·men·tal** [seg'mentl] *adj.* □, **'seg·men·tar·y** [-tərı] *adj.* segmen'tär; **seg·men·ta·tion** [ˌsegmən'teıʃn] *s.* **1.** Segmentati'on *f*; **2.** *biol.* Zellteilung *f*, (Ei)Furchung *f*.

seg·ment| gear *s.* Seg'ment(zahnrad)-getriebe *n*; **~ saw** *s.* **1.** Baumsäge *f*; **2.** Bogenschnittsäge *f*.

seg·re·gate ['segrıgeıt] **I** *v/t.* **1.** trennen (*a. nach Rassen etc.*), absondern; **2.** ⚙ ausseigern, -scheiden; **II** *v/i.* **3.** sich absondern *od.* abspalten (*a. fig.*); ⚗ sich abscheiden; **4.** *biol.* mendeln; **III** *adj.* [-gıt] **5.** abgesondert, isoliert; **seg·re·ga·tion** [ˌsegrı'geıʃn] *s.* **1.** Absonderung *f*, -trennung *f*; **2.** Rassentrennung *f*; **3.** ⚗ Ausscheidung *f*; **4.** abgespaltener Teil; **seg·re·ga·tion·ist** [ˌsegrı'geıʃnıst] **I** *s.* Verfechter(in) der Rassentrennung; **II** *adj.* die Rassentrennung befürwortend; **'seg·re·ga·tive** [-gətıv] *adj.* sich absondernd, Trennungs...

sei·gneur [se'njɜ:], **sei·gnor** ['seınjə] *s.* **1.** *hist.* Lehns-, Feu'dalherr *m*; **2.** Herr *m*; **seign·ior·age** ['seınjərıdʒ] *s.* **1.** Re'gal *n*, Vorrecht *n*; **2.** a) *königliche* Münzgebühr, b) Schlagschatz *m*; **sei'gno·ri·al** [-'njɔ:rıəl] *adj.* feu'dalherrschaftlich; **seign·ior·y** ['seınjərı] *s.* **1.** Feu'dalrechte *pl.*; **2.** (feu'dal)herrschaftliche Do'mäne.

seine [seın] *s.* ⚓ Schlagnetz *n*.

seise [si:z] → ***seize*** 4; **'sei·sin** [-zın] → ***seizin***.

seis·mic ['saızmık] *adj.* seismisch.

seis·mo·graph ['saızməgrɑ:f] *s.* Seismo'graph *m*, Erdbebenmeßgerät *n*; **seis·mol·o·gist** [saız'mɒlədʒıst] *s.* Seismo'loge *m*; **seis·mol·o·gy** [saız'mɒlədʒı] *s.* Erdbebenkunde *f*, Seismik *f*; **seis·mom·e·ter** [saız'mɒmıtə] *s.* Seismo'meter *n*; **'seis·mo·scope** [-əskəʊp] *s.* Seismo'skop *n*.

seiz·a·ble ['si:zəbl] *adj.* **1.** (er)greifbar; **2.** ⚖ pfändbar; **seize** [si:z] **I** *v/t.* **1.** *et. od. j-n* (er)greifen, packen, fassen (*alle a. fig. Panik etc.*): ***~d with*** ⚕ von *e-r Krankheit* befallen; ***~d with apoplexy*** ⚕ vom Schlag getroffen; **2.** ⚔ (ein-)nehmen, erobern; **3.** sich *e-r Sache* bemächtigen, *Macht etc.* an sich reißen; **4.** ⚖ *j-n* in den Besitz setzen (***of*** von *od. gen.*): ***be ~d with, stand ~d of*** im Besitz *e-r Sache* sein; **5.** *j-n* ergreifen, festnehmen; **6.** beschlagnahmen; **7.** *Gelegenheit* ergreifen, wahrnehmen; **8.** *geistig* erfassen, begreifen; **9.** ⚓ (bei)zeisen, zurren; **II** *v/i.* **10.** **~ (*up*)*on*** *Gelegenheit* ergreifen, *Idee* (begierig) aufgreifen, *a.* einhaken bei; **11.** *oft* ***~ up*** ⚙ sich festfressen; **'sei·zin** [-zın] *s.* ⚖ *Am.* (Grund)Besitz *m*, verbunden mit Eigentumsvermutung; **'seiz·ings** [-zıŋz] *s. pl.* ⚓ Zurrtau *n*; **sei·zure** ['si:ʒə] *s.* **1.** Ergreifung *f*; **2.** Inbesitznahme *f*; **3.** ⚖ a) Beschlagnahme *f*, b) Festnahme *f*; **4.** ⚕ Anfall *m*.

sel·dom ['seldəm] *adv.* selten.

se·lect [sı'lekt] **I** *v/t.* **1.** auswählen, -lesen; **II** *adj.* **2.** ausgewählt: ***~ committee*** *parl. Brit.* Sonderausschuß *m*; **3.** erlesen (*Buch, Geist, Speise etc.*); exklu'siv (*Gesellschaft etc.*); **4.** wählerisch; **se·lect·ee** [sıˌlek'ti:] *s.* ⚔ *Am.* Einberufene(r) *m*; **se'lec·tion** [-kʃn] *s.* **1.** Wahl *f*; **2.** Auswahl *f*, -lese *f*; **3.** *biol.* Zuchtwahl *f*: ***natural ~*** natürliche Auslese; **4.** Auswahl *f* (***of*** an *dat.*); **se'lec·tive** [-tıv] *adj.* □ **1.** auswählend, Auswahl...: ***~ service*** ⚔ *Am.* a) Wehrpflicht *f*, -dienst *m*, b) Einberufung; ***~ strike*** punktueller Streik, Schwerpunktstreik *m*; **2.** ⚡ trennscharf, selek'tiv: ***~ circuit*** Trennkreis *m*; **se·lec·tiv·i·ty** [ˌsılek'tıvətı] *s. Radio, TV*: Trennschärfe *f*; **se'lect·man** [-mən] *s.* [*irr.*] *Am.* Stadtrat *m*; **se'lec·tor** [-tə] *s.* **1.** Auswählende(r *m*) *f*; **2.** Sortierer(in); **3.** ⚙ a) *a.* ⚡ Wähler *m*, b) Schaltgriff *m*, c) *mot.* Gangwähler *m*, d) *Computer*: Se'lektor *m*.

se·le·nic [sı'lenık] *adj.* ⚗ se'lensauer, Selen...; **se·le·ni·um** [sı'li:njəm] *s.* ⚗ Se'len *n*.

sel·e·nog·ra·phy [ˌselı'nɒgrəfı] *s.* Mondbeschreibung *f*; **ˌsel·e'nol·o·gy** [-ɒlədʒı] *s.* Selenolo'gie *f*, Mondkunde *f*.

self [self] **I** *pl.* **selves** [selvz] *s.* **1.** Selbst *n*, Ich *n*: ***my better*** (***second***) ***~*** mein besseres Selbst (mein zweites Ich); ***my humble*** (*od.* ***poor***) ***~*** meine Wenigkeit; ***the study of the ~*** *phls.* das Studium des Ich; → ***former***[2] 1; **2.** Selbstsucht *f*, das eigene *od.* liebe Ich; **3.** *biol.* a) Tier *n od.* Pflanze *f* von einheitlicher Färbung, b) auto'games Lebewesen; **II** *adj.* **4.** einheitlich, *bsd.* ⚘ einfarbig; **III** *pron.* **5.** ✝ *od.* F → ***myself*** *etc.*

ˌself|-a'ban·don·ment *s.* (Selbst)Aufopferung *f*, (bedingungslose) Hingabe; **ˌ~-a'base·ment** *s.* Selbsterniedrigung *f*; **ˌ~-ab'sorbed** *adj.* **1.** mit sich selbst beschäftigt; **2.** ego'zentrisch; **ˌ~-a'buse** *s.* Selbstbefleckung *f*; **ˌ~-'act·ing** *adj.* ⚙ selbsttätig; **ˌ~-ad'he·sive** *adj.* selbstklebend; **ˌ~-ad'just·ing** *adj.* ⚙ selbstregelnd, -einstellend; **ˌ~-ap'point·ed**

adj. selbsternannt; ˌ**~-as'ser·tion** *s.* **1.** Geltendmachung *f* s-r Rechte, s-s Willens, s-r Meinung *etc.*; **2.** anmaßendes Auftreten; ˌ**~-as'sert·ive** *adj.* **1.** anmaßend, über'heblich; **2.** *~ person* j-d, der sich 'durchzusetzen weiß; ˌ**~-as'sur·ance** *s.* Selbstsicherheit *f*, -bewußtsein *n*; ˌ**~-as'sured** *adj.* selbstbewußt; ˌ**~-'ca·ter·ing** *adj.* für Selbstversorger, mit Selbstverpflegung; ˌ**~-'cent(e)red** *adj.* ichbezogen, ego'zentrisch; ˌ**~-'col·o(u)red** *adj.* **1.** einfarbig; **2.** na'turfarben; ˌ**~-com'mand** *s.* Selbstbeherrschung *f*; ˌ**~-com'pla·cent** *adj.* selbstgefällig, -zufrieden; ˌ**~-con'ceit** *s.* Eigendünkel *m*; ˌ**~-con'fessed** *adj.* selbsterklärt: *a ~ racist* j-d, der zugibt, Rassist zu sein; ˌ**~-'con·fi·dence** *s.* Selbstvertrauen *n*, -bewußtsein *n*; ˌ**~-'con·scious** *adj.* befangen, gehemmt; ˌ**~-'con·scious·ness** *s.* Befangenheit *f*; ˌ**~-con'tained** *adj.* **1.** *a.* ⚙ (in sich) geschlossen, unabhängig, selbständig: *~ country* Selbstversorgerland *n*; *~ flat* abgeschlossene Wohnung; *~ house* Einfamilienhaus *n*; **2.** reserviert, zu'rückhaltend (*Charakter*, *Person*); **3.** selbstbeherrscht; 'ˌ**~-ˌcon·tra'dic·tion** *s.* innerer 'Widerspruch; 'ˌ**~-ˌcon·tra'dic·to·ry** *adj.* 'widersprüchlich; ˌ**~-con'trol** *s.* Selbstbeherrschung *f*; ˌ**~-de'ceit**, ˌ**~-de'cep·tion** *s.* Selbsttäuschung *f*, -betrug *m*; ˌ**~-de'feat·ing** *adj.* genau das Gegenteil bewirkend, sinn- und zwecklos; ˌ**~-de'fence** *Brit.*, ˌ**~-de'fense** *Am. s.* **1.** Selbstverteidigung *f*; **2.** ⚖ Notwehr *f*; ˌ**~-de'ni·al** *s.* Selbstverleugnung *f*; ˌ**~-de'ny·ing** *adj.* selbstverleugnend; ˌ**~-de'spair** *s.* Verzweiflung *f* an sich selbst; ˌ**~-de'struc·tion** *s.* **1.** Selbstzerstörung *f*; **2.** Selbstvernichtung *f*, -mord *m*; 'ˌ**~-deˌter·mi'na·tion** *s.* **1.** *pol. etc.* Selbstbestimmung *f*; **2.** *phls.* freier Wille; ˌ**~-de'vo·tion** → *self-abandonment*; ˌ**~-dis'trust** *s.* Mangel *m* an Selbstvertrauen; ˌ**~-'doubt** *s.* Selbstzweifel *pl.*; ˌ**~-'ed·u·cat·ed** → *self-taught* 1; ˌ**~-em'ployed** *adj.* ✝ selbständig (*Handwerker etc.*); ˌ**~-es'teem** *s.* **1.** Selbstachtung *f*; **2.** Eigendünkel *m*; ˌ**~-'ev·i·dent** *adj.* □ selbstverständlich; ˌ**~-ex'plan·a·to·ry** *adj.* ohne Erläuterung verständlich, für sich (selbst) sprechend; ˌ**~-ex'pres·sion** *s.* Ausdruck *m* der eigenen Per'sönlichkeit; ˌ**~-'feed·ing** *adj.* ⚙ auto'matisch (*Material od. Brennstoff*) zuführend; ˌ**~-for'get·ful** *adj.* □ selbstvergessen, -los; ˌ**~-ful'fil(l)·ment** *s.* Selbstverwirklichung *f*; ˌ**~-'gov·ern·ing** *adj. pol.* 'selbstverwaltet, auto'nom, unabhängig; ˌ**~-'gov·ern·ment** *s. pol.* Selbstverwaltung *f*, -regierung *f*, Autono'mie *f*; ˌ**~-'help** *s.* Selbsthilfe *f*: *~ group*; ˌ**~-ig'ni·tion** *s.* *mot.* Selbstzündung *f*; ˌ**~-'im·age** *s. psych.* Selbstverständnis *n*; ˌ**~-im'por·tance** *s.* 'Selbstüberˌhebung *f*, Wichtigtue'rei *f*; ˌ**~-im'por·tant** *adj.* über'heblich, wichtigtuerisch; ˌ**~-in'duced** *adj.* **1.** ⚡ selbstinduziert; **2.** selbstverursacht; ˌ**~-in'dul·gence** *s.* **1.** Sich'gehenlassen *n*; **2.** Zügellosigkeit *f*, Maßlosigkeit *f*; ˌ**~-in'dul·gent** *adj.* **1.** schwach, nachgiebig gegen sich selbst; **2.** zügellos; ˌ**~-in'flict·ed** *adj.* selbstzugefügt: *~ wounds* ⚔ Selbstverstümmelung *f*; ˌ**~-in'struc·tion** *s.* 'Selbstˌunterricht *m*; ˌ**~-in'struc·tion·al** *adj.* Selbstlehr..., Selbstunterrichts...: *~ manual*; ˌ**~-'in·ter·est** *s.* Eigennutz *m*, eigenes Inter'esse.

self·ish ['selfɪʃ] *adj.* □ selbstsüchtig, ego'istisch, eigennützig; '**self·ish·ness** [-nɪs] *s.* Selbstsucht *f*, Ego'ismus *m*.

ˌ**self|-'knowl·edge** *s.* Selbst(er)kenntnis *f*; 'ˌ**~-ˌlac·er'a·tion** *s.* Selbstzerfleischung *f*.

self·less ['selflɪs] *adj.* selbstlos; '**self·less·ness** [-nɪs] *s.* Selbstlosigkeit *f*.

ˌ**self|-'load·ing** *adj.* Selbstlade...; ˌ**~-'love** *s.* Eigenliebe *f*; ˌ**~-'lu·bri·cat·ing** *adj.* ⚙ selbstschmierend; ˌ**~-'made** *adj.* selbstgemacht: *~ man* j-d, der durch eigene Kraft hochgekommen ist, Selfmademan *m*; ˌ**~-neg'lect** *s.* **1.** Selbstlosigkeit *f*; **2.** Vernachlässigung *f* s-s Äußeren; ˌ**~-o'pin·ion·at·ed** *adj.* **1.** eingebildet; **2.** rechthaberisch; ˌ**~-'pit·y** *s.* Selbstmitleid *n*; ˌ**~-'por·trait** *s.* 'Selbstporˌträt *n*, -bildnis *n*; ˌ**~-pos'ses·sion** *s.* Selbstbeherrschung *f*; ˌ**~-'praise** *s.* Eigenlob *n*; 'ˌ**~-ˌpres·er'va·tion** *s.* Selbsterhaltung *f*: *instinct of ~* Selbsterhaltungstrieb *m*; ˌ**~-pro'pelled** *adj.* ⚙ Selbstfahr..., mit Eigenantrieb; 'ˌ**~-ˌre·al·i'za·tion** *s.* Selbstverwirklichung *f*; ˌ**~-re'cord·ing** *adj.* ⚙ selbstschreibend; ˌ**~-re'gard** *s.* **1.** Eigennutz *m*; **2.** Selbstachtung *f*; ˌ**~-re'li·ance** *s.* Selbstvertrauen *n*, -sicherheit *f*; ˌ**~-re'li·ant** *adj.* selbstbewußt, -sicher; ˌ**~-re'proach** *s.* Selbstvorwurf *m*; ˌ**~-re'spect** *s.* Selbstachtung *f*; ˌ**~-re'spect·ing** *adj.*: *every ~ craftsman* jeder Handwerker, der etwas auf sich hält; ˌ**~-re'straint** *s.* Selbstbeherrschung *f*; ˌ**~-'right·eous** *adj.* selbstgerecht; ˌ**~-'sac·ri·fice** *s.* Selbstaufopferung *f*; ˌ**~-'sac·ri·fic·ing** *adj.* aufopferungsvoll; '**~·same** *adj.* ebenderselbe, -dieselbe, -dasselbe; ˌ**~-'sat·is·fied** *adj.* selbstzufrieden; ˌ**~-'seal·ing** *adj.* **1.** ⚙ selbstdichtend; **2.** selbstklebend (*bsd. Briefumschlag*); **3.** schußsicher; ˌ**~-'seek·er** *s.* Ego'ist(in); ˌ**~-'serv·ice I** *adj.* Selbstbedienungs...: *~ shop*; **II** *s.* Selbstbedienung *f*; ˌ**~-'start·er** *s. mot.* (Selbst-)Anlasser *m*; ˌ**~-'styled** *adj. iron.* von eigenen Gnaden; ˌ**~-suf'fi·cien·cy** *s.*

S

1. Unabhängigkeit *f* (von fremder Hilfe); **2.** ✝ Autar'kie *f*; **3.** Eigendünkel *m*; ˌ**~-suf'fi·cient** *adj.* **1.** unabhängig, Selbstversorger..., ✝ *a.* au'tark; **2.** dünkelhaft; ˌ**~-sug'ges·tion** *s. psych.* ˌAutosuggesti'on *f*; ˌ**~-sup'pli·er** *s.* Selbstversorger *m*; ˌ**~-sup'port·ing** *adj.* **1.** → ***self-sufficient*** 1; **2.** ⚙ freitragend (*Brücke etc.*); ˌ**~-'taught** *adj.* **1.** autodi'daktisch: ***~ person*** Autodidakt *m*; **2.** selbsterlernt; ˌ**~-'tim·er** *s. phot.* Selbstauslöser *m*; ˌ**~-'will** *s.* Eigensinn *m*; ˌ**~-'willed** *adj.* eigensinnig; ˌ**~-'wind·ing** *adj.* auto'matisch (*Uhr*).

sell [sel] **I** *s.* **1.** F a) Reinfall *m*, b) Schwindel *m*; **2.** ✝ F (***hard ~*** aggres'sive) Ver'kaufsmeˌthode; → ***soft*** 1; **II** *v/t.* [*irr.*] **3.** verkaufen, -äußern (***to*** an *acc.*), ✝ *a. Ware* absetzen; → ***life*** *Redew.*; **4.** ✝ *Waren* führen, handeln mit, vertreiben; **5.** *fig.* verkaufen, e-n guten Absatz sichern (*dat.*): ***his name will ~ the book***; **6.** *fig.* ‚verkaufen', verraten; **7.** *sl.* ‚anschmieren'; **8.** F *j-m et.* ‚verkaufen', aufschwatzen, schmackhaft machen: ***~ s.o. on*** j-m *et.* andrehen, j-n zu *et.* überreden; ***be sold on*** *fig.* von *et.* überzeugt *od.* begeistert sein; **III** *v/i.* [*irr.*] **9.** verkaufen; **10.** verkauft werden (***at*** für); **11.** sich *gut etc.* verkaufen, *gut etc.* gehen, ‚ziehen'; **~ off** *v/t.* ausverkaufen, *Lager* räumen; **~ out** *v/t.* **1.** → ***sell off***: ***be sold out*** ausverkauft sein; **2.** *Wertpapiere* realisieren; **3.** *fig.* → ***sell*** 6; **~ up** *v/t.* **1.** (*v/i.* sein) *Geschäft etc.* verkaufen; **2.** ***~ s.o. up*** j-n auspfänden.

sell·er ['selə] *s.* **1.** Verkäufer(in); Händler(in): ***~s' market*** ✝ Verkäufermarkt *m*; ***~'s option*** Verkaufsoption *f*, *Börse*: Rückprämie(ngeschäft *n*) *f*; **2.** ***good ~*** ✝ gutgehende Ware, zugkräftiger Ar'tikel.

sell·ing ['selɪŋ] **I** *adj.* **1.** Verkaufs..., Absatz..., Vertriebs...: ***~ area*** *od.* ***space*** Verkaufsfläche *f*; **II** *s.* **2.** Verkauf *m*; **3.** → ***sell*** 2.

'**sell·out** *s.* **1.** Ausverkauf *m* (*a. fig. pol.*); **2.** ausverkaufte Veranstaltung, volles Haus; **3.** *fig.* Verrat *m*.

Selt·zer (wa·ter) ['seltsə] *s.* Selters (-wasser) *n*.

sel·vage ['selvɪdʒ] *s. Weberei*: Salband *n*.

selves [selvz] *pl. von* ***self***.

se·man·tic [sɪ'mæntɪk] *adj. ling.* se'mantisch; **se'man·tics** [-ks] *s. pl. mst sg. konstr.* Se'mantik *f*, (Wort)Bedeutungslehre *f*.

sem·a·phore ['seməfɔ:] **I** *s.* **1.** ⚙ Sema'phor *m*: a) 🚂 ('Flügel)Siˌgnalmast *m*, b) optischer Tele'graph; **2.** ⚔, ⚓ (Flaggen)Winken *n*: ***~ message*** Winkspruch *m*; **II** *v/t. u. v/i.* **3.** signalisieren.

sem·blance ['sembləns] *s.* **1.** (äußere) Gestalt, Erscheinung *f*: ***in the ~ of*** in Gestalt (*gen.*); **2.** Ähnlichkeit *f* (***to*** mit); **3.** (An)Schein *m*: ***the ~ of honesty***; ***under the ~ of*** unter dem Deckmantel (*gen.*).

se·mei·ol·o·gy [ˌsemɪ'ɒlədʒɪ] *s.*, ˌ**se·mei'ot·ics** [-'ɒtɪks] *s. pl. sg. konstr.* Semi'otik *f*: a) *Lehre von den Zeichen*, b) ⚕ Symptomatolo'gie *f*.

se·men ['si:men] *s. physiol.* Samen *m* (*a.* ⚘), Sperma *n*, Samenflüssigkeit *f*.

se·mes·ter [sɪ'mestə] *s. univ. bsd. Am.* Se'mester *n*, Halbjahr *n*.

sem·i ['semɪ] *s.* F *für* a) ***semidetached*** II, b) ***semifinal*** I, c) *Am.* ***semitrailer***.

semi- [semɪ] *in Zssgn* halb..., Halb...; ˌ**~-'an·nu·al** *adj.* □ halbjährlich; '**~ˌau·to'mat·ic** *adj.* (□ ***~ally***) 'halbautoˌmatisch; ˌ**~'bold** *adj. u. s. typ.* halbfett(e Schrift); '**~·breve** *s.* ♪ ganze Note: ***~ rest*** ganze Pause; '**~ˌcir·cle** *s.* **1.** Halbkreis *m*; **2.** ⩓ Winkelmesser *m*; ˌ**~'cir·cu·lar** *adj.* halbkreisförmig; ˌ**~'co·lon** *s.* Semi'kolon *n*, Strichpunkt *m*; ˌ**~·con'duc·tor** *s.* ⚡ Halbleiter *m*; ˌ**~'con·scious** *adj.* nicht bei vollem Bewußtsein; ˌ**~·de'tached I** *adj.*: ***~ house*** → **II** *s.* Doppelhaushälfte *f*; ˌ**~'fi·nal** *sport* **I** *s.* **1.** 'Semi-, 'Halbfiˌnale *n*, Vorschlußrunde *f*; **2.** 'Halbfiˌnalspiel *n*; **II** *adj.* **3.** Halbfinal...; ˌ**~'fi·nal·ist** *s. sport* 'Halbfinaˌlist(in); ˌ**~'fin·ished** *adj.* ⚙ halbfertig: ***~ product*** Halbfabrikat *n*; ˌ**~'flu·id**, ˌ**~'liq·uid** *adj.* halb-, zähflüssig; '**~ˌman·u'fac·tured** → ***semifinished***; ˌ**~'month·ly I** *adj. u. adv.* halbmonatlich; **II** *s.* Halbmonatsschrift *f*.

sem·i·nal ['semɪnl] *adj.* □ **1.** ⚘, *physiol.* Samen...: ***~ duct*** Samengang *m*, -leiter *m*; ***~ fluid*** Samenflüssigkeit *f*, Sperma *n*; ***~ leaf*** ⚘ Keimblatt *n*; ***~ power*** Zeugungsfähigkeit *f*; **2.** *fig.* a) zukunftsträchtig, fruchtbar, b) folgenreich; **3.** noch unentwickelt: ***in the ~ state*** im Entwicklungsstadium.

sem·i·nar ['semɪnɑ:] *s. univ.* Semi'nar *n*.

sem·i·nar·y ['semɪnərɪ] *s.* **1.** (*eccl.* 'Priester)Semiˌnar *n*, Bildungsanstalt *f*; **2.** *fig.* Schule *f*, Pflanzstätte *f*, *contp.* Brutstätte *f*.

sem·i·na·tion [ˌsemɪ'neɪʃn] *s.* (Aus)Säen *n*.

ˌ**sem·i·of'fi·cial** *adj.* □ halbamtlich, offizi'ös.

se·mi·ol·o·gy [ˌsemɪ'ɒlədʒɪ] *s.*, ˌ**se·mi'ot·ics** [-'ɒtɪks] *s. pl. sg. konstr.* → ***semeiology***.

'**sem·i**|ˌ**pre·cious** *adj.* halbedel: ***~ stone*** Halbedelstein *m*; ˌ**~·pro'fes·sion·al I** *adj.* 'halbprofessioˌnell; **II** *s. sport* ‚Halbprofi' *m*; '**~ˌqua·ver** *s.* ♪ Sechzehntel(note *f*) *n*: ***~ rest*** Sechzehntelpause *f*; ˌ**~'rig·id** *adj.* halbstarr (*Luftschiff*); ˌ**~'skilled** *adj.* angelernt (*Arbeiter*).

Sem·ite ['si:maɪt] **I** *s.* Se'mit(in); **II** *adj.*

se'mitisch; **Se·mit·ic** [sɪ'mɪtɪk] I *adj.* se'mitisch; II *s. ling.* Se'mitisch *n.*

'sem·i|·steel *s.* ⚙ Halb-, *Am.* Puddelstahl *m*; **'~·tone** *s.* ♪ Halbton *m*; **'~ˌtrail·er** *s. mot.* Sattelschlepper(anhänger) *m*; **'~ˌvow·el** *s. ling.* 'Halbvoˌkal *m*; **ˌ~'week·ly** I *adj. u. adv.* halbwöchentlich; II *s.* halbwöchentlich erscheinende Veröffentlichung.

sem·o·li·na [ˌsemə'li:nə] *s.* Grieß(mehl *n*) *m.*

sem·pi·ter·nal [ˌsempɪ'tɜ:nl] *adj. rhet.* immerwährend, ewig.

semp·stress ['sempstrɪs] → ***seamstress***.

sen·ate ['senɪt] *s.* **1.** Se'nat *m* (*a. univ.*); **2.** ♀ *parl. Am.* Se'nat *m* (*Oberhaus*); **sen·a·tor** ['senətə] *s.* Se'nator *m*; **sen·a·to·ri·al** [ˌsenə'tɔ:rɪəl] *adj.* ☐ **1.** sena'torisch, Senats…; **2.** *Am.* zur Wahl von Sena'toren berechtigt.

send [send] [*irr.*] I *v/t.* **1.** *j-n, Brief, Hilfe etc.* senden, schicken (*to dat.*): ***~ s.o. to bed*** (***to a school, to prison***) j-n ins Bett (auf e-e Schule, ins Gefängnis) schicken; → ***word*** 6; **2.** *Ball, Kugel etc. wohin* senden, schießen, jagen; **3.** *mit adj. od. pres.p.* machen: ***~ s.o. mad***; ***~ s.o. flying*** a) j-n verjagen, b) j-n hinschleudern; ***~ s.o. reeling*** j-n taumeln machen *od.* lassen; **4.** *sl. Zuhörer etc.* in Ek'stase versetzen, 'hinreißen; II *v/i.* **5.** ***~ for*** a) nach *j-m* schicken, *j-n* kommen lassen, *j-n* holen *od.* rufen (lassen), b) (sich) *et.* kommen lassen, bestellen; **6.** ⚡, *Radio etc.*: senden;

Zssgn mit adv.:

send| a·way I *v/t.* **1.** weg-, fortschicken; **2.** *Brief etc.* absenden; II *v/i.* **3.** ***~ for*** (***to s.o.***) sich (von j-m) *et.* kommen lassen; **~ down** *v/t.* **1.** *fig. Preise, Temperatur* (her'ab)drücken; **2.** *univ.* relegieren; **3.** F *j-n* einsperren; **~ forth** *v/t.* **1.** *j-n, et., a. Licht* aussenden; *Wärme etc.* ausstrahlen; **2.** *Laut etc.* von sich geben; **3.** her'vorbringen; **4.** *fig.* veröffentlichen, verbreiten; **~ in** *v/t.* **1.** einsenden, -schicken, -reichen; → ***name*** *Redew.*; **2.** *sport Ersatzmann* aufs Feld schicken; **~ off** *v/t.* **1.** → ***send away*** I; **2.** *j-n* (herzlich) verabschieden; **3.** *sport* vom Platz stellen; **~ on** *v/t.* vor'aus-, nachschicken; **~ out** → ***send forth***; **~ up** *v/t.* **1.** *j-n, a. Ball etc.* hin'aufsenden; **2.** *Schrei* ausstoßen; **3.** *fig. Preise, Fieber* in die Höhe treiben; **4.** *Brit.* F ‚durch den Ka'kao' ziehen, parodieren; **5.** F ‚einlochen'.

send·er ['sendə] *s.* **1.** Absender(in); **2.** (Über)'Sender(in); **3.** *tel.* Geber *m* (*Sendegerät*).

'send|·off *s.* F **1.** Abschied *m*, Abschiedsfeier *f*, Geleit(e) *n*; **2.** gute Wünsche *pl.* zum Anfang; **3.** *sport u. fig.* Start *m*; **'~-up** *s. Brit.* F Verulkung *f*, Paro'die *f.*

se·nes·cence [sɪ'nesns] *s.* Altern *n*; **se'nes·cent** [-nt] *adj.* **1.** alternd; **2.** Alters…

sen·es·chal ['senɪʃl] *s. hist.* Seneschall *m*, Major'domus *m.*

se·nile ['si:naɪl] *adj.* **1.** se'nil: a) greisenhaft, b) ‚verkalkt', kindisch; **2.** Alters…: ***~ decay*** Altersabbau *m*; ***~ speckle*** ⚕ Altersfleck *m*; **se·nil·i·ty** [sɪ'nɪlətɪ] *s.* Senili'tät *f.*

sen·ior ['si:njə] I *adj.* **1.** (*nachgestellt, abbr. in England* **sen.**, *in USA* **Sr.**) senior: ***Mr. John Smith sen.*** (***Sr.***) Herr John Smith sen.; **2.** älter (***to*** als): ***~ citizen*** älterer Mitbürger, Rentner(in); ***~ citizens*** Senioren *pl.*; ***~ partner*** ✝ Seniorchef *m*, Hauptteilhaber; **3.** rang-, dienstälter, ranghöher, Ober…: ***a ~ man*** *Brit.* ein höheres Semester (*Student*); ***~ officer*** a) höherer Offizier, *mein etc.* Vorgesetzter, b) Rangälteste(r); ***~ service*** *Brit. die* Kriegsmarine; **4.** *ped.* Ober…: ***~ classes*** Oberklassen; **5.** *Am.* im letzten Schuljahr (stehend): ***the ~ class*** die oberste Klasse; ***~ high*** (***school***) *Am. die obersten Klassen der High-School*; ***~ college*** *College, an dem das 3. und 4. Jahr eines Studiums absolviert wird*; II *s.* **6.** Ältere(r *m*) *f*; Älteste(r *m*) *f*: ***he is my ~ by four years, he is four years my ~*** er ist vier Jahre älter als ich; **7.** Rang-, Dienstälteste(r *m*) *f*; **8.** Vorgesetzte(r *m*) *f*; **9.** *Am.* Stu'dent *m od.* Schüler *m* im letzten Studienjahr.

sen·ior·i·ty [ˌsi:nɪ'ɒrətɪ] *s.* **1.** höheres Alter; **2.** höheres Dienstalter: ***by ~*** *Beförderung* nach dem Dienstalter.

sen·na ['senə] *s. pharm.* Sennesblätter *pl.*

sen·sate ['senseɪt] *adj.* sinnlich (wahrgenommen).

sen·sa·tion [sen'seɪʃn] *s.* **1.** (Sinnes-) Wahrnehmung *f*, (-)Empfindung *f*; **2.** Gefühl *n*: ***pleasant ~***; ***~ of thirst*** Durstgefühl *n*; **3.** Empfindungsvermögen *n*; **4.** Sensati'on *f* (*a. Ereignis*), (großer) Eindruck, Aufsehen *n*: ***make*** (*od.* ***create***) ***a ~*** großes Aufsehen erregen; **sen'sa·tion·al** [-ʃənl] *adj.* ☐ **1.** sensatio'nell, Sensations…; **2.** sinnlich, Sinnes…; **3.** *phls.* sensua'listisch; **sen'sa·tion·al·ism** [-ʃnəlɪzəm] *s.* **1.** Sensati'onsgier *f*, -lust *f*; **2.** ‚Sensati'onsmache' *f*; **3.** *phls.* Sensua'lismus *m.*

sense [sens] I *s.* **1.** Sinn *m*, 'Sinnesorˌgan n: ***the five ~s*** die fünf Sinne; ***~ of smell*** (***touch***) Geruchs- (Tast)sinn; ***~ organ*** Sinnesorgan *n*; → ***sixth*** 1; **2.** *pl.* Sinne *pl.*, (klarer) Verstand: ***in*** (***out of***) ***one's ~s*** bei (von) Sinnen; ***in one's right ~s*** bei Verstand; ***lose one's ~s*** den Verstand verlieren; ***bring s.o. to his ~s*** j-n zur Besinnung bringen; **3.** *fig.* Vernunft *f*, Verstand *m*: ***a man of***

S

~ ein vernünftiger *od.* kluger Mensch; ***common*** (*od.* ***good***) ~ gesunder Menschenverstand; ***have the ~ to do s.th.*** so klug sein, et. zu tun; ***knock some ~ into s.o.*** j-m den Kopf zurechtsetzen; **4.** Sinne *pl.*, Empfindungsvermögen *n*; **5.** Gefühl *n*, Empfindung *f* (***of*** für): ***~ of pain*** Schmerzgefühl, -empfindung; ***~ of security*** Gefühl der Sicherheit; **6.** Sinn *m*, Gefühl *n* (***of*** für): ***~ of beauty*** Schönheitssinn; ***~ of duty*** Pflichtgefühl; ***~ of humo(u)r*** (Sinn für) Humor *m*; ***~ of justice*** Gerechtigkeitssinn; ***~ of locality*** Ortssinn; ***~ of purpose*** Zielstrebigkeit *f*; **7.** Sinn *m*, Bedeutung *f* (*e-s Wortes etc.*): ***in a ~*** gewissermaßen; **8.** Sinn *m* (*et. Vernünftiges*): ***what is the ~ of doing this?*** was hat es für e-n Sinn, das zu tun?; ***talk ~*** vernünftig reden; ***it does not make ~*** es hat keinen Sinn; **9.** (allgemeine) Ansicht, Meinung *f*: ***take the ~ of*** die Meinung (*gen.*) einholen; **10.** ⚘ Richtung *f*: ***~ of rotation*** Drehsinn *m*; **II** *v/t.* **11.** fühlen, spüren, ahnen; **12.** *Am.* F ‚kapieren', begreifen; **13.** *Computer*: a) abtasten, ⚡ *a.* (ab)fühlen, b) abfragen; **ˈsense·less** [-lɪs] *adj.* □ **1.** a) besinnungslos, b) gefühllos; **2.** unvernünftig, dumm, verrückt (*Mensch*); **3.** sinnlos, unsinnig (*Sache*); **ˈsense·less·ness** [-lɪsnɪs] *s.* **1.** Unempfindlichkeit *f*; **2.** Bewußtlosigkeit *f*; **3.** Unvernunft *f*; **4.** Sinnlosigkeit *f*.

sen·si·bil·i·ty [ˌsensɪˈbɪlətɪ] *s.* **1.** Sensibiliˈtät *f*, Empfindungsvermögen *n*; **2.** *phys. etc.* Empfindlichkeit *f*: ***~ to light*** Lichtempfindlichkeit; **3.** *fig.* Empfänglichkeit *f* (***to*** für); **4.** Sensibiliˈtät *f*, Empfindsamkeit *f*; **5.** *a. pl.* Fein-, Zartgefühl *n*; **sen·si·ble** [ˈsensəbl] *adj.* □ **1.** vernünftig (*Person*, *Sache*); **2.** fühl-, spürbar; **3.** merklich, wahrnehmbar; **4.** bei Bewußtsein; **5.** bewußt (***of*** *gen.*): ***be ~ of*** a) sich *e-r Sache* bewußt sein, b) *et.* empfinden; **sen·si·ble·ness** [ˈsensəblnɪs] *s.* Vernünftigkeit *f*, Klugheit *f*.

sens·ing| el·e·ment [ˈsensɪŋ] *s.* ⚙ (Meß)Fühler *m*; **~ head** *s. Computer*: Abtastkopf *m*.

sen·si·tive [ˈsensɪtɪv] **I** *adj.* □ **1.** fühlend (*Kreatur etc.*); **2.** Empfindungs...: ***~ nerves***; **3.** sensiˈtiv, (ˈüber)empfindlich (***to*** gegen): ***be ~ to*** empfindlich reagieren auf (*acc.*); **4.** senˈsibel, feinfühlig, empfindsam; **5.** *phys. etc.* (*phot.* licht-) empfindlich: ***~ to heat*** wärmeempfindlich; ***~ plant*** ⚘ Sinnpflanze *f*; ***~ spot*** *fig.* empfindliche Stelle, neuralgischer Punkt; ***~ subject*** *fig.* heikles Thema; **6.** schwankend (*a.* ☤ *Markt*); **7.** ⚔ gefährdet; **II** *s.* **8.** sensiˈtiver Mensch; **ˈsen·si·tive·ness** [-nɪs], **sen·si·tiv·i·ty** [ˌsensɪˈtɪvətɪ] *s.* **1.** → ***sensibility*** 1 *u.* 2: ***~ group*** *psych.* Trainingsgruppe *f*; ***~ training*** *psych.* Sensitivitätstraining *n*; **2.** Sensitiviˈtät *f*, Feingefühl *n*.

sen·si·tize [ˈsensɪtaɪz] *v/t.* sensibilisieren, (*phot.* licht)empfindlich machen.

sen·sor [ˈsensə] *s.* ⚡, ⚙ Sensor *m*.

sen·so·ri·al [senˈsɔːrɪəl] → ***sensory***; **senˈso·ri·um** [-əm] *pl.* **-ri·a** [-rɪə] *s. anat.*, *psych.* **1.** Senˈsorium *n*, ˈSinnesappaˌrat *m*; **2.** Sitz *m* des Empfindungsvermögens, Bewußtsein *n*; **sen·so·ry** [ˈsensərɪ] *adj.* senˈsorisch, Sinnes...: ***~ perception***.

sen·su·al [ˈsensjʊəl] *adj.* □ **1.** sinnlich: a) Sinnes..., b) wollüstig, *bsd. bibl.* fleischlich; **2.** *phls.* sensuaˈlistisch; **ˈsen·su·al·ism** [-lɪzəm] *s.* **1.** Sinnlichkeit *f*, Lüsternheit *f*; **2.** *phls.* Sensuaˈlismus *m*; **ˈsen·su·al·ist** [-lɪst] *s.* **1.** sinnlicher Mensch; **2.** *phls.* Sensuaˈlist *m*; **sen·su·al·i·ty** [ˌsensjʊˈælətɪ] *s.* Sinnlichkeit *f*; **ˈsen·su·al·ize** [-laɪz] *v/t.* **1.** sinnlich machen; **2.** versinnlichen.

sen·su·ous [ˈsensjʊəs] *adj.* □ sinnlich: a) Sinnes..., b) sinnenfroh; **ˈsen·su·ous·ness** [-nɪs] *s.* Sinnlichkeit *f*.

sent [sent] *pret. u. p.p. von* ***send***.

sen·tence [ˈsentəns] **I** *s.* **1.** *ling.* Satz (-verbindung *f*) *m*: ***complex ~*** Satzgefüge *n*; ***~ stress*** Satzbetonung *f*; **2.** ⚖ a) (*bsd.* Straf)Urteil *n*: ***pass ~ (up)on*** das (*fig.* ein) Urteil fällen über (*acc.*), verurteilen (*a. fig.*), b) Strafe *f*: ***under ~ of death*** zum Tode verurteilt; ***serve a ~ of imprisonment*** e-e Freiheitsstrafe verbüßen; **3.** *obs.* Senˈtenz *f*, Sinnspruch *m*; **II** *v/t.* **4.** ⚖ *u. fig.* verurteilen (***to*** zu).

sen·ten·tious [senˈtenʃəs] *adj.* □ **1.** sententiˈös, präˈgnant, kernig; **2.** spruchreich, lehrhaft; *contp.* aufgeblasen, salbungsvoll; **senˈten·tious·ness** [-nɪs] *s.* **1.** Präˈgnanz *f*; **2.** Spruchreichtum *m*, Lehrhaftigkeit *f*; **3.** Großsprecheˈrei *f*.

sen·ti·ence [ˈsenʃəns] *s.* **1.** Empfindungsvermögen *n*; **2.** Empfindung *f*; **ˈsen·tient** [-nt] *adj.* □ **1.** empfindungsfähig; **2.** fühlend.

sen·ti·ment [ˈsentɪmənt] *s.* **1.** Empfindung *f*, (Gefühls)Regung *f*, Gefühl *n* (***towards*** *j-m* gegenüber); **2.** *pl.* Gedanken *pl.*, Meinung *f*, (Geistes)Haltung *f*: ***noble ~s*** edle Gesinnung; ***them's my ~s*** *humor.* (so) denke ich; **3.** (Fein)Gefühl *n*, Innigkeit *f* (*a. Kunst*); **4.** *contp.* Sentimentaliˈtät *f*.

sen·ti·men·tal [ˌsentɪˈmentl] *adj.* □ **1.** sentimenˈtal: a) gefühlvoll, empfindsam, b) *contp.* rührselig; **2.** gefühlsmäßig, Gefühls..., emotioˈnal: ***~ value*** ☤ Liebhaberwert *m*; **ˌsen·tiˈmen·tal·ism** [-təlɪzəm] **1.** Empfindsamkeit *f*; **2.** → ***sentimentality***; **ˌsen·tiˈmen·tal·ist** [-təlɪst] *s.* Gefühlsmensch *m*; **sen·ti·men·tal·i·ty** [ˌsentɪmenˈtælətɪ] *s. contp.*

Sentimentali'tät *f*, Rührseligkeit *f*, Gefühlsduse'lei *f*; ˌ**sen·ti'men·tal·ize** [-təlaɪz] **I** *v/t.* sentimen'tal gestalten; **II** *v/i.* (***about***, ***over***) in Gefühlen schwelgen (bei), sentimen'tal werden (bei, über *dat.*).

sen·ti·nel ['sentɪnl] *s.* **1.** Wächter *m*: ***stand ~ over*** bewachen; **2.** ⚔ → ***sentry*** 1; **3.** *Computer*: 'Trennsymˌbol *n*.

sen·try ['sentrɪ] ⚔ *s.* **1.** (Wach)Posten *m*, Wache *f*; **2.** Wache *f*, Wachdienst *m*; '**~-box** *s.* Wachhäus-chen *n*; '**~-go** *s.* Wachdienst *m*.

se·pal ['sepəl] *s.* ⚘ Kelchblatt *n*.

sep·a·ra·ble ['sepərəbl] *adj.* ☐ (ab-)trennbar; '**sep·a·rate** ['sepəreɪt] **I** *v/t.* **1.** trennen (***from*** von): a) *Freunde, a. Kämpfende etc.* ausein'anderbringen, ⚖ (ehelich) trennen, b) abtrennen, -schneiden, c) (ab)sondern, (aus)scheiden, d) ausein'anderhalten, unter'scheiden zwischen; **2.** (auf-, zer)teilen (***into*** in *acc.*); **3.** ⚗, ⚙ a) scheiden, (ab)spalten, b) sortieren, c) aufbereiten; **4.** *Milch* zentrifugieren; **5.** ⚔ *Am.* entlassen; **II** *v/i.* **6.** sich (⚖ ehelich) trennen (***from*** von), ausein'andergehen; **7.** ⚗, ⚙ sich absondern; **III** *adj.* ['seprət] ☐ **8.** getrennt, besonder, sepa'rat, Separat…, Sonder…: ***~ account*** ✝ Sonderkonto *n*; ***~ estate*** ⚖ eingebrachtes Sondergut (*der Ehefrau*); **9.** einzeln, gesondert, getrennt, Einzel…: ***~ questions*** gesondert zu behandelnde Fragen; **10.** einzeln, isoliert; **IV** *s.* ['seprət] **11.** *typ.* Sonder(ab)druck *m*; **sep·a·rate·ness** ['seprətnɪs] *s.* **1.** Getrenntheit *f*; **2.** Besonderheit *f*; **3.** Abgeschiedenheit *f*, Isoliertheit *f*; **sep·a·ra·tion** [ˌsepə'reɪʃn] *s.* **1.** (⚖ eheliche) Trennung, Absonderung *f*: ***judicial ~*** (gerichtliche) Aufhebung der ehelichen Gemeinschaft; ***~ of powers*** *pol.* Gewaltenteilung *f*; ***~ allowance*** Trennungszulage *f*; **2.** ⚙, ⚗ a) Abscheidung *f*, -spaltung *f*, b) Scheidung *f*, Klassierung *f von Erzen*; **3.** ⚔ *Am.* Entlassung *f*; '**sep·a·ra·tism** [-ətɪzəm] *s.* Separa'tismus *m*; '**sep·a·ra·tist** [-ətɪst] **I** *s.* **1.** Separa'tist(in); **2.** *eccl.* Sektierer (-in); **II** *adj.* **3.** separa'tistisch; '**sep·a·ra·tive** [-ətɪv] *adj.* trennend, Trennungs…; **sep·a·ra·tor** ['sepəreɪtə] *s.* **1.** ⚙ a) (Ab)Scheider *m*, b) (*bsd.* 'Milch-)Zentriˌfuge *f*; **2.** *a.* ***~ stage*** ⚡ Trennstufe *f*; **3.** *bsd.* ⚕ Spreizvorrichtung *f*.

Se·phar·dim [se'fɑːdɪm] (*Hebrew*) *s. pl.* Se'phardim *pl.*

se·pi·a ['siːpjə] *s.* **1.** *zo.* Sepia *f*, (Gemeiner) Tintenfisch *m*; **2.** Sepia *f* (*Sekret od. Farbstoff*); **3.** *paint.* a) Sepia *f* (*Farbe*), b) Sepiazeichnung *f*; **4.** *phot.* Sepiadruck *m*.

sep·sis ['sepsɪs] *s.* ⚕ Sepsis *f*.

sept- [sept] *in Zssgn* sieben…

sep·ta ['septə] *pl. von* ***septum***.

sep·tan·gle ['septæŋgl] *s.* ⟁ Siebeneck *n*.

Sep·tem·ber [sep'tembə] *s.* Sep'tember *m*: ***in ~*** im September.

sep·te·mi·a [sep'tiːmɪə] → ***septic(a)emia***.

sep·te·nar·y [sep'tiːnərɪ] **I** *adj.* **1.** aus sieben bestehend, Sieben…; **2.** → ***septennial***; **II** *s.* **3.** Satz *m* von sieben Dingen; **4.** Sieben *f*.

sep·ten·ni·al [sep'tenjəl] *adj.* ☐ **1.** siebenjährlich; **2.** siebenjährig.

sep·tet(te) [sep'tet] *s.* ♪ Sep'tett *n*.

sep·tic ['septɪc] **I** *adj.* (☐ ***~ally***) ⚕ septisch: ***~ sore throat*** septische Angina; **II** *s.* Fäulniserreger *m*.

sep·ti·c(a)e·mi·a [ˌseptɪ'siːmɪə] *s.* ⚕ Blutvergiftung *f*, Sepsis *f*.

sep·tu·a·ge·nar·i·an [ˌseptjʊədʒɪ'neərɪən] **I** *s.* Siebzigjährige(r *m*) *f*, Siebziger(in); **II** *adj.* a) siebzigjährig, b) in den Siebzigern; **Sep·tu·a·ges·i·ma (Sun·day)** [ˌseptjʊə'dʒesɪmə] *s.* Septua'gesima *f* (*9. Sonntag vor Ostern*).

sep·tum ['septəm] *pl.* **-ta** [-tə] *s.* ⚘, *anat.*, *zo.* (Scheide)Wand *f*, Septum *n*.

sep·tu·ple ['septjʊpl] **I** *adj.* siebenfach; **II** *s. das* Siebenfache; **III** *v/t.* (*v/i.* sich) versiebenfachen.

sep·tu·plet ['septjʊplɪt] *s.* **1.** Siebenergruppe *f*; **2.** *mst pl.* Siebenling *m* (*Kind*).

sep·ul·cher *Am.* → ***sepulchre***; **se·pul·chral** [sɪ'pʌlkrəl] *adj.* ☐ **1.** Grab…, Begräbnis…; **2.** *fig.* düster, Grabes… (*-stimme etc.*); **sep·ul·chre** ['sepəlkə] *s.* **1.** Grab(stätte *f*, -mal *n*) *n*; **2.** *a.* ***Easter ~*** *R.C.* Ostergrab *n* (*Schrein*).

sep·ul·ture ['sepəltʃə] *s.* (Toten)Bestattung *f*.

se·quel ['siːkwəl] *s.* **1.** (Aufein'ander-)Folge *f*: ***in the ~*** in der Folge; **2.** Folge(-erscheinung) *f*, (Aus)Wirkung *f*, Konse'quenz *f*; (*gerichtliches etc.*) Nachspiel; **3.** (Ro'man- *etc.*)Fortsetzung *f*, (*a.* Hörspiel- *etc.*)Folge *f*.

se·quence ['siːkwəns] *s.* **1.** (Aufein'ander)Folge *f*: ***~ of operations*** ⚙ Arbeitsablauf *m*; ***~ of tenses*** *ling.* Zeitenfolge; **2.** (Reihen)Folge *f*: ***in ~*** der Reihe nach; **3.** Folge *f*, Reihe *f*, Serie *f*; **4.** → ***sequel*** 2; **5.** ♪, *eccl.*, *a. Kartenspiel*: Se'quenz *f*; **6.** *Film*: Szene *f*; **7.** Folgerichtigkeit *f*; **8.** *fig.* Vorgang *m*; '**sequent** [-nt] **I** *adj.* **1.** (aufein'ander)folgend; **2.** (logisch) folgend; **II** *s.* **3.** (*zeitliche od. logische*) Folge; **se·quen·tial** [sɪ'kwenʃl] *adj.* ☐ **1.** (*regelmäßig*) (aufein'ander)folgend; **2.** folgend (***to*** auf *acc.*); **3.** folgerichtig, konse'quent.

se·ques·ter [sɪ'kwestə] *v/t.* **1.** (***o.s.*** sich) absondern (***from*** von); **2.** ⚖ → ***sequestrate***; **se'ques·tered** [-əd] *adj.* einsam, weltabgeschieden; zu'rückgezogen; **se'ques·trate** [-treɪt] *v/t.* ⚖ beschlagnahmen: a) unter Treuhänderschaft stellen, b) konfiszieren; **se·ques·tra·tion** [ˌsi:kwe'streɪʃn] *s.* **1.** Absonderung *f*; Ausschluß *m* (*from* von, *eccl.* aus *der Kirche*); **2.** ⚖ Beschlagnahme *f*: a) Zwangsverwaltung *f*, b) Einziehung *f*; **3.** Zu'rückgezogenheit *f*.

se·quin ['si:kwɪn] *s.* **1.** *hist.* Ze'chine *f* (*Goldmünze*); **2.** Ziermünze *f*; **3.** Pail'lette *f*.

se·quoi·a [sɪ'kwɔɪə] *s.* ♀ Mammutbaum *m*.

se·ra·glio [se'rɑ:lɪəʊ] *s.* Se'rail *n*.

se·rai [se'raɪ] *s.* Karawanse'rei *f*.

ser·aph ['serəf] *pl.* **'ser·aphs, 'ser·a·phim** [-fɪm] *s.* Seraph *m* (*Engel*); **se·raph·ic** [se'ræfɪk] *adj.* (□ **~ally**) se'raphisch, engelhaft, verzückt.

Serb [sɜ:b], **'Ser·bian** [-bjən] **I** *s.* **1.** Serbe *m*, Serbin *f*; **2.** *ling.* Serbisch *n*; **II** *adj.* **3.** serbisch.

sere [sɪə] → ***sear***¹ 7.

ser·e·nade [ˌserə'neɪd] ♪ **I** *s.* **1.** Sere'nade *f*, Ständchen *n*, 'Nachtmuˌsik *f*; **2.** Sere'nade *f* (*vokale od. instrumentale Abendmusik*); **II** *v/i. u. v/t.* **3.** (*j-m*) ein Ständchen bringen; **ˌser·e'nad·er** [-də] *s.* j-d, der ein Ständchen bringt.

se·rene [sɪ'ri:n] *adj.* □ **1.** heiter, klar (*Himmel, Wetter etc.*), ruhig (*See*), friedlich (*Natur etc.*): ***all ~*** *sl.* ‚alles in Butter'; **2.** heiter, gelassen (*Person, Gemüt etc.*); **3.** ♀ durch'lauchtig: ***His ♀ Highness*** Seine Durchlaucht; **se·ren·i·ty** [sɪ'renətɪ] *s.* **1.** Heiterkeit *f*, Klarheit *f*; **2.** Gelassenheit *f*, heitere (Gemüts)Ruhe; **3.** (***Your***) ♀ (Eure) 'Durchlaucht *f* (*Titel*).

serf [sɜ:f] *s.* **1.** *hist.* Leibeigene(r *m*) *f*; **2.** *obs. od. fig.* Sklave *m*; **'serf·age** [-fɪdʒ], **'serf·dom** [-dəm] *s.* **1.** Leibeigenschaft *f*; **2.** *obs. od. fig.* Sklave'rei *f*.

serge [sɜ:dʒ] *s.* Serge *f* (*Stoff*).

ser·geant ['sɑ:dʒənt] *s.* **1.** ⚔ Feldwebel *m*; *Artillerie, Kavallerie*: Wachtmeister *m*: ***~ first class*** *Am.* Oberfeldwebel; ***first ~*** Hauptfeldwebel; **2.** (Poli'zei-) Wachtmeister *m*; **3.** → ***serjeant***; **~ ma·jor** *s.* ⚔ Hauptfeldwebel *m*.

se·ri·al ['sɪərɪəl] **I** *s.* **1.** in Fortsetzungen *od.* in regelmäßiger Folge erscheinende Veröffentlichung, *bsd.* 'Fortsetzungsroˌman *m*; **2.** (Veröffentlichungs)Reihe *f*; Lieferungswerk *n*; peri'odische Zeitschrift; **3.** a) Sendereihe *f*, b) (Hörspiel-, Fernseh)Folge *f*, Serie *f*; **II** *adj.* □ **4.** Serien…, Fortsetzungs…: ***~ story***; ***~ rights*** Copyright *n* e-s Fortsetzungsromans; **5.** serienmäßig, Serien…, Reihen…: ***~ manufacture***; ***~ number*** a) laufende Nummer, b) Fabrikationsnummer *f*; ***~ photograph*** Reihenbild *n*; ***~ processing*** *Computer* serielle Verarbeitung; **6.** ♪ Zwölfton…;

'se·ri·al·ize [-laɪz] *v/t.* **1.** peri'odisch *od.* in Fortsetzungen veröffentlichen; **2.** reihenweise anordnen; **se·ri·a·tim** [ˌsɪərɪ'eɪtɪm] (*Lat.*) *adv.* der Reihe nach.

se·ri·ceous [sɪ'rɪʃəs] *adj.* **1.** Seiden…; **2.** seidig; **3.** ♀, *zo.* seidenhaarig; **ser·i·cul·ture** ['serɪˌkʌltʃə] *s.* Seidenraupenzucht *f*.

se·ries ['sɪəri:z] *pl.* **-ries** *s.* **1.** Serie *f*, Folge *f*, Kette *f*, Reihe *f*: ***in ~*** der Reihe nach (→ 3 *u.* 9); **2.** (Ar'tikel-, Buch- *etc.*)Serie *f*, Reihe *f*, Folge *f*; **3.** ⚙ Serie *f*, Baureihe *f*: ***~ production*** Reihen-, Serienbau *m*; ***in ~*** serienmäßig; **4.** (*Briefmarken- etc.*)Serie *f*; **5.** ⚗ Reihe *f*; **6.** ⚗ homo'loge Reihe; **7.** *geol.* Schichtfolge *f*; **8.** *zo.* Ab'teilung *f*; **9.** *a.* ***~ connection*** ⚡ Serien-, Reihenschaltung *f*: ***~ motor*** Reihen(schluß)motor *m*; ***connect in ~*** hintereinanderschalten.

ser·if ['serɪf] *s. typ.* Se'rife *f*.

ser·in ['serɪn] *s. orn.* wilder Ka'narienvogel.

se·ri·o-com·ic [ˌsɪərɪəʊ'kɒmɪk] *adj.* (□ **~ally**) ernst-komisch.

se·ri·ous ['sɪərɪəs] *adj.* □ **1.** ernst(haft): a) feierlich, b) von ernstem Cha'rakter, seri'ös, c) schwerwiegend, bedeutend: ***~ dress*** seriöse Kleidung; ***~ music*** ernste Musik; ***~ problem*** ernstes Problem; ***~ artist*** ernsthafter Künstler; **2.** ernstlich, bedenklich, gefährlich: ***~ illness***; ***~ rival*** ernstzunehmender Rivale; **3.** ernst(haft, -lich), ernstgemeint (*Angebot etc.*): ***are you ~?*** meinst du das im Ernst?; **'se·ri·ous·ly** [-lɪ] *adv.* ernst (-lich); im Ernst: ***~ ill*** ernstlich krank; ***~ wounded*** schwerverwundet; ***now, ~!*** im Ernst!; **'se·ri·ous·ness** [-nɪs] *s.* **1.** Ernst *m*, Ernsthaftigkeit *f*; **2.** Wichtigkeit *f*, Bedeutung *f*.

ser·jeant ['sɑ:dʒənt] *s.* ⚖ **1.** Gerichtsdiener *m*; **2.** ***Common*** ♀ Stadtsyndikus *m* (*London*); **3.** *a.* ***~ at law*** höherer Barrister (des Gemeinen Rechts); ***~ at arms*** *s. parl.* Ordnungsbeamte(r) *m*.

ser·mon ['sɜ:mən] *s.* **1.** Predigt *f*: ***♀ on the Mount*** *bibl.* Bergpredigt; **2.** *iro.* (Mo'ral-, Straf)Predigt *f*; **'ser·mon·ize** [-naɪz] **I** *v/i.* (*a. iro.*) predigen; **II** *v/t.* *j-m* e-e (Mo'ral)Predigt halten.

se·rol·o·gist [ˌsɪə'rɒlədʒɪst] *s.* ⚕ Sero'loge *m*; **se'rol·o·gy** [-dʒɪ] *s.* Serolo'gie *f*, Serumkunde *f*; **se'ros·i·ty** [-ɒsətɪ] *s.* ⚕ **1.** se'röser Zustand; **2.** se'röse Flüssigkeit; **se·rous** ['sɪərəs] *adj.* ⚕ se'rös.

ser·pent ['sɜ:pənt] *s.* **1.** (*bsd. große*) Schlange; **2.** *fig.* (Gift)Schlange *f* (*Person*); **3.** ♀ *ast.* Schlange *f*; **'ser·pen·tine** [-taɪn] **I** *adj.* **1.** schlangenförmig, Schlangen…; **2.** sich schlängelnd *od.* windend, geschlängelt, Serpentinen…: ***~ road***; **3.** *fig.* falsch, tückisch; **II** *s.* **4.**

S

geol. Serpen'tin *m*; **5.** *Eislauf*: Schlangenbogen *m*; **6.** ≈ *Teich im Hyde Park.*

ser·pi·go [sɜːˈpaɪgəʊ] *s.* ⚕ fressende Flechte.

ser·rate [ˈserɪt], **ser·rat·ed** [seˈreɪtɪd] *adj.* (sägeförmig) gezackt; ˌ**ser·rate-ˈden·tate** *adj.* ⚘ gesägt-gezähnt.

ser·ra·tion [seˈreɪʃn] *s.* (sägeförmige) Auszackung.

ser·ried [ˈserɪd] *adj.* dichtgeschlossen (*Reihen*).

se·rum [ˈsɪərəm] *s.* **1.** *physiol.* (Blut-) Serum *n*; **2.** ⚕ (Heil-, Schutz)Serum *n*.

ser·val [ˈsɜːvəl] *s. zo.* Serval *m*.

serv·ant [ˈsɜːvənt] *s.* **1.** Diener *m* (*a. fig. Gottes, der Kunst etc.*); (***domestic***) ~ Dienstbote *m*, -mädchen *n*, Hausangestellte(r *m*) *f*; **~s' hall** Gesindestube *f*; ***your obedient*** ~ hochachtungsvoll (*Amtsstil*); **2.** *bsd.* ***public*** ~ Beamte(r) *m*, Angestellte(r) *m* (*im öffentlichen Dienst*); → ***civil*** 2; **3.** ⚖ (Handlungs-) Gehilfe *m*, Angestellte(r) *m* (*Ggs.* ***master*** 5 b); ~ **girl**, ~ **maid** *s.* Dienstmädchen *n*.

serve [sɜːv] **I** *v/t.* **1.** *j-m, a. Gott, s-m Land etc.* dienen; arbeiten für, im Dienst stehen bei; **2.** *j-m* dienlich sein, helfen (*a. Sache*); **3.** *Dienstzeit* (*a.* ⚔) ableisten; *Lehre* ˈdurchmachen; ⚖ *Strafe* absitzen, verbüßen; **4.** a) *Amt* ausüben, innehaben, b) Dienst tun in (*dat.*), *Gebiet, Personenkreis* betreuen, versorgen; **5.** *e-m Zweck* dienen *od.* entsprechen, *e-n Zweck* erfüllen, *e-r Sache* nützen: ***it ~s no purpose*** es hat keinen Zweck; **6.** genügen (*dat.*), ausreichen für: ***enough to ~ us a month***; **7.** *j-m bei Tisch* aufwarten; *j-n*, ☤ *Kunden* bedienen; **8.** *a.* ~ ***up*** *Essen etc.* servieren, auftragen, reichen: ***dinner is ~d!*** es ist serviert *od.* angerichtet!; ~ ***up*** F *fig.* ‚auftischen'; **9.** ⚔ *Geschütz* bedienen; **10.** versorgen (***with*** mit): ~ ***the town with gas***; **11.** *oft* ~ ***out*** aus-, verteilen; **12.** *mst* F a) *j-n schändlich etc.* behandeln, b) *j-m et.* zufügen: ~ ***s.o. a trick*** j-m e-n Streich spielen; ~ ***s.o. out*** es j-m heimzahlen; (***it***) ***~s him right*** (das) geschieht ihm recht; **13.** *Verlangen* befriedigen, frönen (*dat.*); **14.** *Stute etc.* decken; **15.** ⚖ *Vorladung etc.* zustellen (*dat.*): ~ ***s.o. a writ***, ~ ***a writ on s.o.***; **16.** ⚙ um'wickeln; **17.** ⚓ *Tau* bekleiden; **II** *v/i.* **18.** dienen, Dienst tun (*beide a.* ⚔); in Dienst stehen, angestellt sein (***with*** bei); **19.** servieren, bedienen: ~ ***at table***; **20.** fungieren, amtieren (***as*** als): ~ ***on a committee*** in e-m Ausschuß tätig sein; **21.** dienen, nützen: ***it ~s to*** *inf.* es dient dazu, zu *inf.*; ***it ~s to show his cleverness*** daran kann man s-e Klugheit erkennen; **22.** dienen (***as***, ***for*** als): ***a blanket ~d as a curtain***; **23.** genügen, den Zweck erfüllen; **24.** günstig sein, passen: ***as occasion ~s*** bei passender Gelegenheit; ***the tide ~s*** ⚓ der Wasserstand ist (*zum Auslaufen etc.*) günstig; **25.** *sport* a) *Tennis etc.*: aufschlagen, b) *Volleyball*: aufgeben: ***X to ~!*** Aufschlag X; **26.** *R.C.* ministrieren; **III** *s.* **27.** → ***service*** 20; ˈ**serv·er** [-və] *s.* **1.** *R.C.* Mini'strant *m*; **2.** a) *Tennis*: Aufschläger *m*, b) *Volleyball*: Aufgeber *m*; **3.** a) Tab'lett *n*, b) Warmhalteplatte *f*, c) Serviertischchen *n od.* -wagen *m*, d) Tortenheber *m*.

serv·ice¹ [ˈsɜːvɪs] *s.* ⚘ **1.** Spierbaum *m*; **2.** *a.* ***wild*** ~(***tree***) Elsbeerbaum *m*.

serv·ice² [ˈsɜːvɪs] **I** *s.* **1.** Dienst *m*, Stellung *f* (*bsd. v. Hausangestellten*): ***be in*** ~ in Stellung sein; ***take s.o. into*** ~ j-n einstellen; **2.** a) Dienstleistung *f* (*a.* ☤, ⚖), Dienst *m* (***to*** an *dat.*), b) (guter) Dienst, Gefälligkeit *f*: ***do*** (*od.* ***render***) ***s.o. a*** ~ j-m e-n Dienst erweisen; ***at your*** ~ zu Ihren Diensten; ***be*** (***place***) ***at s.o.'s*** ~ j-m zur Verfügung stehen (stellen); **3.** ☤ Bedienung *f*: ***prompt*** ~; **4.** Nutzen *m*: ***be of*** ~ ***to*** *j-m* nützen; **5.** (*Nacht-, Nachrichten-, Presse-, Telefon- etc.*)Dienst *m*; **6.** a) Versorgungsdienst *m*, b) Versorgungsbetrieb *m*: ***water*** ~ Wasserversorgung *f*; **7.** Funkti'on *f*, Amt *n* (*e-s Beamten*); **8.** (öffentlicher) Dienst, Staatsdienst *m*: ***diplomatic*** ~; ***on Her Majesty's*** ≈ *Brit.* 📯 Dienstsache *f*; **9.** 🚆 *etc.* Verkehr *m*, Betrieb *m*: ***twenty-minute*** ~ Zwanzig-Minuten-Takt *m*; **10.** ⚙ Betrieb *m*: ***in*** (***out of***) ~ in (außer) Betrieb; ~ ***conditions*** Betriebsbeanspruchung *f*; ~ ***life*** Lebensdauer *f*; **11.** ⚙ Wartung *f*, Kundendienst *m*, Service *m*; **12.** ⚔ a) (Wehr-) Dienst *m*, b) Waffengattung *f*, c) *pl.* Streitkräfte *pl.*, d) *Brit.* Ma'rine *f*: ***be on active*** ~ aktiv dienen; ~ ***pistol*** Dienstpistole *f*; **13.** ⚔ *Am.* (technische) Versorgungstruppe; **14.** ⚔ Bedienung *f* (*Geschütz*); **15.** *mst pl.* Hilfsdienst *m*: ***medical*** ~(***s***); **16.** *eccl.* a) *a.* ***divine*** ~ Gottesdienst *m*, b) Litur'gie *f*; **17.** Ser'vice *n*, Tafelgerät *n*; **18.** ⚖ Zustellung *f*; **19.** ⚓ Bekleidung *f* (*Tau*); **20.** *sport* a) *Tennis etc.*: Aufschlag, b) *Volleyball*: Aufgabe *f*; **II** *v/t.* **21.** ⚙ a) warten, pflegen, b) über'holen; **22.** ☤ *bsd. Am.* Kundendienst verrichten für *od.* bei; **23.** *zo. Stute* decken; ˈ**serv·ice·a·ble** [-səbl] *adj.* □ **1.** brauch-, verwendbar, nützlich; betriebs-, leistungsfähig; **2.** zweckdienlich; **3.** haltbar, strapazierfähig.

serv·ice| a·re·a *s.* **1.** *Radio, TV*: Sendebereich *m*; **2.** *Brit.* (Autobahn)Raststätte *f* (mit Tankstelle); ~ **book** *s. eccl.* Gebet-, Gesangbuch *n*; ~ **box** *s.* ϟ Anschlußkasten *m*; ~ **brake** *s. mot.* Betriebsbremse *f*; ~ **charge** *s.* **1.** *econ.*

Bedienungszuschlag *m*; **2.** ✝ Bearbeitungsgebühr *f*; ~ **com·pa·ny** *s.* Dienstleistungsbetrieb *m*; ~ **court** *s. Tennis etc.*: Aufschlagfeld *n*; ~ **dress** → ***service uniform***; ~ **en·gi·neer** *s.* Kundendiensttechniker *m*; ~ **flat** *s. Brit.* E'tagenwohnung *f* mit Bedienung; ~ **hatch** *s. Brit.* 'Durchreiche *f* (*für Speisen*); ~ **in·dus·try** *s.* **1.** *mst pl.* Dienstleistungsbetriebe *pl.*, -gewerbe *n*; **2.** 'Zulieferindusˌtrie *f*; ~ **life** *s.* ⚙ Lebensdauer *f*; ~ **line** *s. Tennis etc.*: Aufschlaglinie *f*; '~·**man** [-mən] *s.* [*irr.*] **1.** Sol'dat *m*, Mili'tärangehörige(r) *m*; **2.** ⚙ a) 'Kundendienstmeˌchaniker *m*, b) 'Wartungsmonˌteur *m*; ~ **mod·ule** *s.* Versorgungsteil *m e-s Raumschiffs*; ~ **so·ci·e·ty** *s.* Dienstleistungsgesellschaft *f*; ~ **sta·tion** *s.* **1.** Kundendienst- *od.* Repara'turwerkstatt *f*; **2.** (Groß)Tankstelle *f*; ~ **trade** *s.* Dienstleistungsgewerbe *n*; ~ **u·ni·form** *s.* ⚔ Dienstanzug *m*.

ser·vi·ette [sɜːvɪ'et] *s.* Servi'ette *f*.

ser·vile ['sɜːvaɪl] *adj.* □ **1.** ser'vil, unter'würfig, kriecherisch; **2.** *fig.* sklavisch (*Gehorsam*, *Genauigkeit etc.*); **ser·vil·i·ty** [sɜː'vɪlətɪ] *s.* Unter'würfigkeit *f*; Krieche'rei *f*.

serv·ing ['sɜːvɪŋ] *s.* Porti'on *f*.

ser·vi·tor ['sɜːvɪtə] *s.* **1.** *obs.* Diener(in) (*a. fig.*); **2.** *obs. od. poet.* Gefolgsmann *m*; **3.** *univ. hist.* Stipendi'at *m*.

ser·vi·tude ['sɜːvɪtjuːd] *s.* **1.** Sklave'rei *f*, Knechtschaft *f* (*a. fig.*); **2.** ⚖ Zwangsarbeit *f*: ***penal*** ~ Zuchthausstrafe *f*; **3.** ⚖ Servi'tut *n*, Nutzungsrecht *n*.

'**ser·vo|-asˌsist·ed** ['sɜːvəʊ-] *adj.* ⚙ Servo...; ~ **brake** *s.* Servobremse *f*; ~ **steer·ing** *s.* Servolenkung *f*.

ses·a·me ['sesəmɪ] *s.* **1.** ⚘ Indischer Sesam; **2.** → ***open sesame***.

ses·a·moid ['sesəmɔɪd] *adj. anat.* Sesam...: ~ ***bones*** Sesamknöchelchen.

sesqui- [seskwɪ] *in Zssgn* 'andert'halb; ˌ~'**al·ter** [-'æltə], ˌ~'**al·ter·al** [-'æltərəl] *adj.* im Verhältnis 3:2 *od.* 1:1½ stehend; ˌ~·**cen'ten·ni·al I** *adj.* 150jährig; **II** *s.* 150-Jahr-Feier *f*; ˌ~·**pe'da·li·an** [-pɪ'deɪljən] *adj.* **1.** 'andert'halb Fuß lang; **2.** *fig. humor.* sehr lang, mon'strös: ~ ***word***; **3.** *fig.* schwülstig; '~·**plane** [-pleɪn] *s.* ✈ Anderthalbdekker *m*.

ses·sile ['sesɪl] *adj.* **1.** ⚘ stiellos; **2.** *zo.* ungestielt.

ses·sion ['seʃn] *s.* **1.** *parl.* ⚖ a) Sitzung *f*, b) 'Sitzungsperiˌode *f*: ***be in*** ~ e-e Sitzung abhalten, tagen; **2.** (*einzelne*) Sitzung (*a.* ⚕ *psych.*), Konfe'renz *f*; **3.** ℒ***s*** *pl.* → ***magistrates' court***, ***Quarter Sessions***; **4.** a) ***Court of*** ℒ *oberstes schottisches Zivilgericht*, b) ***Court of*** ℒ***s*** *Am.* (*einzelstaatliches*) *Gericht für Strafsachen*; **5.** *univ.* a) *Brit.* aka'demisches Jahr, b) *Am.* ('Studien)Seˌmester *n*; '**ses·sion·al** [-ʃənl] *adj.* □ **1.** Sitzungs...; **2.** *univ. Brit.* Jahres...: ~ ***course***.

ses·tet [ses'tet] *s.* **1.** ♪ Sex'tett *n*; **2.** *Metrik*: sechszeilige Strophe.

set [set] **I** *s.* **1.** Satz *m Briefmarken*, *Dokumente*, *Werkzeuge etc.*; (*Möbel-*, *Toiletten- etc.*)Garni'tur *f*; (*Speise- etc.*) Ser'vice *n*, Besteck *n*; (*Farben- etc.*) Sorti'ment *n*; **2.** ✝ Kollekti'on *f*; **3.** Sammlung *f*: ***a*** ~ ***of Shakespeare's works***; **4.** (Schriften)Reihe *f*, (Ar'tikel-) Serie *f*; **5.** ⚙ (Ma'schinen)Anlage *f*; **6.** (Häuser)Gruppe *f*; **7.** (Zimmer)Flucht *f*; **8.** ⚙ a) (Ma'schinen)Satz *m*, (-)Anlage *f*, Aggre'gat *n*, b) (*Radio- etc.*)Gerät *n*, Appa'rat *m*; **9.** a) *thea.* Bühnenausstattung *f*, b) *Film*: Szenenaufbau *m*; **10.** *Tennis etc.*: Satz *m*; **11.** A a) Zahlenreihe *f*, b) Menge *f*; **12.** ~ ***of teeth*** Gebiß *n*; **13.** (Per'sonen)Kreis *m*: a) Gesellschaft(sschicht) *f*, *vornehme*, *literarische etc.* Welt, b) *contp.* Klüngel *m*, Clique *f*: ***the chic*** ~ die ‚Schickeria'; ***the fast*** ~ die Lebewelt; **14.** Sitz *m*, Schnitt *m von Kleidern*; **15.** Haltung *f*; **16.** Richtung *f*, (Ver)Lauf *m e-r Strömung etc.*; **17.** Neigung *f*, Ten'denz *f*; **18.** *poet.* 'Untergang *m der Sonne etc.*: ***the*** ~ ***of the day*** das Tagesende; **19.** ⚙ → ***setting*** 10; **20.** *hunt.* Vorstehen *n des Hundes*: ***make a dead*** ~ ***at*** *fig.* a) über *j-n* herfallen, b) es auf *e-n Mann* abgesehen haben (*Frau*); **21.** *hunt.* (*Dachs- etc.*)Bau *m*; **22.** ⚘ Setzling *m*, Ableger *m*; **II** *adj.* **23.** starr (*Gesicht*, *Lächeln*); **24.** fest (*Meinung*); **25.** festgesetzt: ***at the*** ~ ***day***; **26.** vorgeschrieben, festgelegt: ~ ***rules***; ~ ***books*** *od.* ***reading*** Pflichtlektüre *f*; **27.** for'mell, konventio'nell: ~ ***party***; **28.** 'wohlüberˌlegt, einstudiert: ~ ***speech***; **29.** a) bereit, b) fest entschlossen (***on doing*** zu tun); **30.** zs.-gebissen (*Zähne*); **31.** eingefaßt (*Edelstein*); **32.** ~ ***piece*** *paint. etc.* Gruppenbild *n*; **33.** ~ ***fair*** beständig (*Barometer*); **34.** *in Zssgn* ...gebaut; **III** *v/t.* [*irr.*] **35.** setzen, stellen, legen: ~ ***the glass to one's lips*** das Glas an die Lippen setzen; ~ ***a match to*** ein Streichholz halten an (*acc.*), *et.* in Brand stecken; → ***hand*** 7, ***sail*** 1 *etc.*; **36.** (ein-, her)richten, (an)ordnen, zu'rechtmachen; *thea. Bühne* aufbauen; *Tisch* decken; ⚙ *etc.* (ein)stellen, (-)richten, regulieren; *Uhr*, *Wecker* stellen; ⚙ *Säge* schränken; *hunt. Falle* (auf-) stellen; ⚕ *Bruch*, *Knochen* (ein)richten; *Messer* abziehen; *Haar* legen; **37.** ♪ a) vertonen, b) arrangieren; **38.** *typ.* absetzen; **39.** ⚒ a) *a.* ~ ***out*** *Setzlinge* (aus)pflanzen, b) *Boden* bepflanzen; **40.** a) *Bruthenne* setzen, b) *Eier* 'unterlegen; **41.** a) *Edelstein* fassen, b) *mit*

S

Edelsteinen etc. besetzen; **42.** *Wache* (auf)stellen; **43.** *Aufgabe*, *Frage* stellen; **44.** *j-n* anweisen (***to do s.th.*** et. zu tun), *j-n* an (*e-e Sache*) setzen: ~ ***o.s. to do s.th.*** sich daran machen, et. zu tun; **45.** vorschreiben; **46.** *Zeitpunkt* festlegen; **47.** *Hund etc.* hetzen (***on*** auf *j-n*): ~ ***spies on*** *j-n* bespitzeln lassen; **48.** (veran)lassen (***doing*** zu tun): ~ ***going*** in Gang setzen; ~ ***s.o. laughing*** j-n zum Lachen bringen; ~ ***s.o. thinking*** j-m zu denken geben; **49.** *in e-n Zustand* versetzen; → ***ease*** 2; **50.** *Flüssiges* fest werden lassen; *Milch* gerinnen lassen; **51.** *Zähne* zs.-beißen; **52.** *Wert* bemessen, festsetzen; **53.** *Preis* aussetzen (***on*** auf *acc.*); **54.** *Geld*, *Leben* riskieren; **55.** *Hoffnung*, *Vertrauen* setzen (***on*** auf *acc.*; ***in*** in *acc.*); **56.** *Grenzen*, *Schranken etc.* setzen (***to*** *dat.*); **IV** *v/i.* [*irr.*] **57.** ˈuntergehen (*Sonne etc.*); **58.** a) auswachsen (*Körper*), b) ausreifen (*Charakter*); **59.** fest werden (*Flüssiges*); abbinden (*Zement etc.*); erstarren (*a. Gesicht*, *Muskel*); gerinnen (*Milch*); ⚕ sich einrenken; **60.** sitzen (*Kleidung*); **61.** fließen, laufen (*Flut etc.*); wehen, kommen (***from*** aus, von) (*Wind*) *fig.* sich neigen *od.* richten (***against*** gegen); **62.** ⚘ Frucht ansetzen (*Blüte*, *Baum*); **63.** *hunt.* (vor)stehen (*Hund*);

Zssgn mit prp.:

set| a·bout *v/i.* **1.** sich an *et.* machen, *et.* in Angriff nehmen; **2.** F über *j-n* herfallen; ~ **a·gainst** *v/t.* **1.** entgegen- *od.* gegenˈüberstellen (*dat.*): ***set o.s.*** (*od.* ***one's face***) ***against*** sich *e-r Sache* widersetzen; **2.** *j-n* aufhetzen gegen; ~ **(up·)on** *v/i.* herfallen über *j-n*.

Zssgn mit adv.:

set| a·part *v/t.* **1.** *Geld etc.* beiˈseite legen; **2.** ***set s.o. apart*** (***from***) j-n unterˈscheiden (von); ~ **a·side** *v/t.* **1.** a) beiˈseite legen, b) → ***set apart*** 1; **2.** *Plan etc.* fallenlassen; **3.** außer acht lassen, ausklammern; **4.** verwerfen, *bsd.* ⚖ aufheben; ~ **back I** *v/t.* **1.** *Uhr* zuˈrückstellen; **2.** *Haus etc.* zuˈrücksetzen; **3.** *fig. j-n*, *et.* zuˈrückwerfen; **4.** *j-n* ärmer machen (um); **II** *v/i.* **5.** zuˈrückfließen (*Flut etc.*); ~ **by** *v/t.* *Geld etc.* zuˈrücklegen, sparen; ~ **down** *v/t.* **1.** *Last*, *a. Fahrgast*, *a. das Flugzeug* absetzen; **2.** (schriftlich) niederlegen, aufzeichnen; **3.** *j-m* e-n ‚Dämpfer' aufsetzen; **4.** ~ ***as*** *j-n* abtun *od.* betrachten als; **5.** *et.* zuschreiben (***to*** *dat.*); **6.** *et.* festlegen, -setzen; ~ **forth I** *v/t.* **1.** bekanntmachen; **2.** → ***set out*** 1; **3.** zur Schau stellen; **II** *v/i.* **4.** aufbrechen: ~ ***on a journey*** e-e Reise antreten; **5.** *fig.* ausgehen (***from*** von); ~ **for·ward I** *v/t.* **1.** *Uhr* vorstellen; **2.** a) *et.* vorˈantreiben, b) *j-n od. et.* weiterbringen; **3.** vorbringen, darlegen; **II** *v/i.* **4.** sich auf den Weg machen; ~ **in** *v/i.* einsetzen (*beginnen*); ~ **off I** *v/t.* **1.** herˈvortreten lassen, abheben (***from*** von); **2.** herˈvorheben; **3.** a) *Rakete* abschießen, b) *Sprengladung* zur Exploˈsiˈon bringen, c) *Feuerwerk* abbrennen; **4.** *Alarm etc.* auslösen (*a. Streik etc.*), führen zu; **5.** ✝ auf-, anrechnen (***against*** gegen); **6.** ⚖ als Ausgleich nehmen (***against*** für); **7.** *Verlust etc.* ausgleichen; **II** *v/i.* **8.** → ***set forth*** 4; **9.** *fig.* anfangen; ~ **on** *v/t.* **1.** a) *j-n* drängen (***to do*** zu tun), b) *j-n* aufhetzen (***to*** zu); **2.** *Hund etc.* hetzen (***to*** auf *acc.*); ~ **out I** *v/t.* **1.** (ausführlich) darlegen, aufzeigen; **2.** anordnen, arrangieren; **II** *v/i.* **3.** aufbrechen, sich aufmachen, sich auf den Weg machen (***for*** nach); **4.** sich vornehmen, daˈrangehen (***to do*** *et.* zu tun); ~ **to** *v/i.* **1.** sich darˈanmachen, sich ‚daˈhinterklemmen', ‚loslegen'; **2.** aufeinˈander losgehen; ~ **up I** *v/t.* **1.** errichten: ~ ***a monument***; **2.** ⚙ *Maschine etc.* aufstellen, montieren; **3.** *Geschäft etc.* gründen; *Regierung* bilden, einsetzen; **4.** *j-m* zu e-m (guten) Start verhelfen, *j-n* etablieren: ~ ***s.o. up in business***; ~ ***o.s. up*** (***as***) → 15; **5.** *Behauptung etc.*, *a. Rekord* aufstellen; ⚖ *Anspruch* geltend machen, *a. Verteidigung* vorbringen; **6.** *Kandidaten* aufstellen; **7.** *j-n* erhöhen (***over*** über *acc.*), *a. j-n* auf den Thron setzen; **8.** *Stimme*, *Geschrei* erheben; **9.** *a. Krankheit* verursachen; **10.** a) *j-n* kräftigen, b) *gesundheitlich* wiederˈherstellen; **11.** *j-m* (finanziˈell) ‚auf die Beine helfen'; **12.** *j-n* versehen, -sorgen (***with*** mit); **13.** F a) *j-m* e-e Falle stellen, b) *j-m* et. ‚anhängen'; **14.** *typ.* (ab-)setzen: ~ ***in type***; **II** *v/i.* **15.** sich niederlassen *od.* etablieren (***as*** als): ~ ***for o.s.*** sich selbständig machen; **16.** ~ ***for*** sich ausgeben für *od.* als, sich aufspielen als.

se·ta·ceous [sɪˈteɪʃəs] *adj.* borstig.

ˈset|·aˌside *s.* **1.** *Am.* Rücklage *f*; **2.** *EU* Flächenstillegung *f*; **ˈ~·back** *s.* **1.** *fig.* a) Rückschlag *m*, b) ‚Schlappe' *f*; **2.** △ a) Rücksprung *m e-r Wand*, b) zuˈrückgesetzte Fasˈsade; **ˈ~·down** *s.* **1.** Dämpfer *m*; **2.** Rüffel *m*; **ˈ~·off** *s.* **1.** Konˈtrast *m*; **2.** ⚖ a) Gegenforderung *f*, b) Ausgleich *m* (*a. fig*; ***against*** für); **3.** ✝ Aufrechnung *f*; **ˈ~·out** *s.* **1.** a) Aufbruch *m*, b) Anfang *m*; **2.** Aufmachung *f*; **3.** F a) Vorführung *f*, b) Party *f*; ~ **piece** *s.* **1.** *Kunst*: formvollendetes Werk; **2.** ⚔ sorgfältig geplante Operaˈtiˈon; **3.** → ***set*** 32; ~ **point** *s.* **1.** *Tennis etc.*: Satzball *m*; **2.** ⚙ Sollwert *m*; **ˈ~·screw** *s.* ⚙ Stellschraube *f*; ~ **square** *s.* Winkel *m*, Zeichendreieck *n*.

sett [set] *s.* Pflasterstein *m*.

S

set·tee [se'ti:] *s.* **1.** Sitz-, Polsterbank *f*; **2.** kleineres Sofa: **~ *bed*** Bettcouch *f*.
set·ter ['setə] *s.* **1.** *allg.* Setzer(in), Einrichter(in); **2.** *typ.* (Schrift)Setzer *m*; **3.** Setter *m* (*Vorstehhund*); **4.** (Poli'zei-)Spitzel *m*; **,~-'on** [-ər'ɒn] *pl.* **,~s-'on** *s.* Aufhetzer(in).
set the·o·ry *s.* ⩚ Mengenlehre *f*.
set·ting ['setɪŋ] *s.* **1.** (*typ.* Schrift)Setzen *n*; Einrichten *n*; (Ein)Fassen *n* (*Edelstein*); **2.** Schärfen *n* (*Messer*); **3.** (*Gold- etc.*)Fassung *f*; **4.** Lage *f*, 'Hintergrund *m* (*a. fig. Rahmen*); **5.** Schauplatz *m*, 'Hintergrund *m e-s Romans etc.*; **6.** *thea.* szenischer 'Hintergrund, Bühnenbild *n*; *a. Film*: Ausstattung *f*; **7.** ♪ a) Vertonung *f*, b) Satz *m*; **8.** (*Sonnen- etc.*)'Untergang *m*; **9.** ⚙ Einstellung *f*; **10.** ⚙ Hartwerden *n*, Abbinden *n von Zement etc.*: **~ *point*** Stockpunkt *m*; **11.** ⚙ Schränkung *f* (*Säge*); **12.** Gedeck *n*; **~ lo·tion** *s.* (Haar)Festiger *m*; **'~-rule** *s. typ.* Setzlinie *f*; **'~-stick** *s. typ.* Winkelhaken *m*; **'~-up** *s.* **1.** *bsd.* ⚙ Einrichtung *f*, Aufstellung *f*; **2. ~ *exercises*** *Am.* Gymnastik *f*, Freiübungen *pl.*
set·tle ['setl] **I** *v/i.* **1.** sich niederlassen *od.* setzen (*a. Vogel etc.*); **2.** a) sich ansiedeln, b) **~ *in*** sich *in e-r Wohnung etc.* einrichten, c) **~ *in*** sich einleben *od.* eingewöhnen; **3.** a) *a.* **~ *down*** sich *in e-m Ort* niederlassen, b) sich (häuslich) niederlassen, c) *a.* ***marry and ~ down*** e-n Hausstand gründen, d) seßhaft werden, zur Ruhe kommen, sich einleben; **4. ~ *down to*** sich widmen (*dat.*), sich an *e-e Arbeit etc.* machen; **5.** sich legen *od.* beruhigen (*Wut etc.*); **6. ~ *on*** sich zuwenden (*dat.*), fallen auf (*acc.*) (*Zuneigung etc.*); **7.** ⚕ sich festsetzen (***on***, ***in*** in *dat.*), sich legen (***on*** auf *acc.*) (*Krankheit*); **8.** beständig werden (*Wetter*): ***it ~d in for rain*** es regnete sich ein; ***it is settling for a frost*** es wird Frost geben; ***the wind has ~d in the west*** der Wind steht im Westen; **9.** sich senken (*Mauern etc.*); **10.** langsam absacken (*Schiff*); **11.** sich klären (*Flüssigkeit*); **12.** sich setzen (*Trübstoff*); **13.** sich legen (*Staub*); **14.** (***upon***) sich entscheiden (für), sich entschließen (zu); **15. ~ *for*** sich begnügen *od.* abfinden mit; **16.** e-e Vereinbarung treffen; **17.** a) **~ *up*** zahlen *od.* abrechnen (***with*** mit), b) **~ *with*** e-n Vergleich schließen mit, *Gläubiger* abfinden; **II** *v/t.* **18.** *Füße, Hut etc.* (fest) setzen (***on*** auf *acc.*): **~ *o.s.*** sich niederlassen; **~ *o.s. to*** sich an *e-e Arbeit etc.* machen, sich anschikken zu; **19.** a) *Menschen* ansiedeln, b) *Land* besiedeln; **20.** *j-n beruflich, häuslich etc.* etablieren, 'unterbringen; *Kind etc.* versorgen, ausstatten, *a.* verheiraten; **21.** a) *Flüssigkeit* ablagern lassen, klären, b) *Trübstoff* sich setzen lassen; **22.** *Boden etc., a. fig. Glauben, Ordnung etc.* festigen; **23.** *Institutionen* gründen, aufbauen (***on*** auf *dat.*); **24.** *Zimmer etc.* in Ordnung bringen; **25.** *Frage etc.* klären, regeln, erledigen: ***that ~s it*** a) damit ist der Fall erledigt, b) *iro.* jetzt ist es endgültig aus; **26.** *Streit* schlichten, beilegen; *strittigen Punkt* beseitigen; **27.** *Nachlaß* regeln, *s-e Angelegenheiten* in Ordnung bringen: **~ *one's affairs***; **28.** ([***up***]***on***) *Besitz* über'schreiben, -'tragen (auf *acc.*), *letztwillig* vermachen (*dat.*), *Legat, Rente* aussetzen (für); **29.** bestimmen, festlegen, -setzen; **30.** vereinbaren, sich einigen auf (*acc.*); **31.** *a.* **~ *up*** ✝ erledigen, in Ordnung bringen: a) *Rechnung* begleichen, b) *Konto* ausgleichen, c) *Anspruch* befriedigen, d) *Geschäft* abwickeln; → ***account*** 5; **32.** ⚖ *Prozeß* durch Vergleich beilegen; **33.** *Magen, Nerven* beruhigen; **34.** *j-n* ‚fertigmachen', zum Schweigen bringen (F *a. töten*); **III** *s.* **35.** Sitzbank *f* (mit hoher Lehne); **'set·tled** [-ld] *adj.* **1.** fest, bestimmt; entschieden; feststehend (*Tatsache*); **2.** fest begründet (*Ordnung*); **3.** fest, ständig (*Wohnsitz, Gewohnheit*); **4.** beständig (*Wetter*); **5.** ruhig, gesetzt (*Person, Leben*).
set·tle·ment ['setlmənt] *s.* **1.** Ansied(e)lung *f*; **2.** Besied(e)lung *f e-s Landes*; **3.** Siedlung *f*, Niederlassung *f*; **4.** 'Unterbringung *f*, Versorgung *f* (*Person*); **5.** Regelung *f*, Klärung *f*, Erledigung *f e-r Frage etc.*; **6.** Schlichtung *f*, Beilegung *f e-s Streits*; **7.** Festsetzung *f*; **8.** (endgültige) Entscheidung; **9.** Über'einkommen *n*, Abmachung *f*; **10.** ✝ a) Begleichung *f von Rechnungen*, b) Ausgleich(ung *f*) *m von Konten*, c) *Börse*: Abrechnung *f*, d) Abwicklung *f e-s Geschäfts*, e) Vergleich *m*, Abfindung *f*: **~ *day*** Abrechnungstag *m*; ***day of ~*** *fig.* Tag *m* der Abrechnung; ***in ~ of all claims*** zum Ausgleich aller Forderungen; **11.** ⚖ a) (*Eigentums*)Über'tragung *f*, b) Vermächtnis *n*, c) Aussetzung *f e-r Rente etc.*, d) Schenkung *f*, Stiftung *f*; **12.** ⚖ Ehevertrag *m*; **13.** a) ständiger Wohnsitz, b) Heimatberechtigung *f*; **14.** sozi'ales Hilfswerk.
set·tler ['setlə] *s.* **1.** (An)Siedler(in), Kolo'nist(in); **2.** F a) entscheidender Schlag, b) *fig.* vernichtendes Argu'ment, c) Abfuhr *f*; **'set·tling** [-lɪŋ] *s.* **1.** Festsetzen *n etc.*; → ***settle***; **2.** ⚙ Ablagerung *f*; **3.** *pl.* (Boden)Satz *m*; **4.** ✝ Abrechnung *f*: **~ *day*** Abrechnungstag *m*; **'set·tlor** [-lə] *s.* ⚖ Verfügende(r *m*) *f*.
set-to [,set'tu:] *pl.* **-tos** *s.* F **1.** Schläge'rei *f*; **2.** (kurzer) heftiger Kampf; **3.** heftiger Wortwechsel.

S

set-up ['setʌp] *s.* **1.** Aufbau *m*; **2.** Anordnung *f* (*a.* ⚙); **3.** ⚙ Mon'tage *f*: **~ costs** Rüstkosten *pl.*; **~ time** Rüstzeit *f*; **4.** *Film*, *TV*: a) (Kamera)Einstellung *f*, b) Bauten *pl.*; **5.** *Am.* Konstituti'on *f*; **6.** *Am.* F a) Situati'on *f*, b) Pro'jekt *n*; **7.** *Am.* F ‚Laden' *m* (*Firma etc.*), ‚Bude' *f* (*Wohnung etc.*); **8.** *Am.* F a) Schiebung *f*, b) Gimpel *m*, leichtes Opfer.

sev·en ['sevn] **I** *adj.* sieben: **~-league boots** Siebenmeilenstiefel; **the** ♀ **Years' War** der Siebenjährige Krieg; **II** *s.* Sieben *f* (*Zahl*, *Spielkarte etc.*); '**~·fold** *adj. u. adv.* siebenfach.

sev·en·teen ['sevnti:n] **I** *adj.* siebzehn; **II** *s.* Siebzehn *f*: **sweet ~** ‚göttliche Siebzehn' (*Mädchenalter*); ˌ**sev·en'teenth** [-nθ] **I** *adj.* **1.** siebzehnt; **II** *s.* **2.** *der* (*die*, *das*) Siebzehnte; **3.** Siebzehntel *n*.

sev·enth ['sevnθ] **I** *adj.* **1.** siebent; **II** *s.* **2.** *der* (*die*, *das*) Sieb(en)te: **the ~ of May** der 7. Mai; **3.** Sieb(en)tel *n*; **4.** ♪ Sep'time *f*; '**sev·enth·ly** [-lɪ] *adv.* sieb(en)tens.

sev·en·ti·eth ['sevntɪɪθ] **I** *adj.* **1.** siebzigst; **II** *s.* **2.** *der* (*die*, *das*) Siebzigste; **3.** Siebzigstel *n*; **sev·en·ty** ['sevntɪ] **I** *adj.* siebzig; **II** *s.* Siebzig *f*: **the seventies** a) die siebziger Jahre (*e-s Jahrhunderts*), b) die Siebziger(jahre) (*Alter*).

sev·er ['sevə] **I** *v/t.* **1.** (ab)trennen (**from** von); **2.** ('durch)trennen; **3.** *fig. Freundschaft etc.* lösen, *Beziehungen* abbrechen; **4.** **~ o.s.** (**from**) sich trennen *od.* lösen (von), (aus *der Kirche etc.*) austreten; **5.** (vonein'ander) trennen; **6.** ⚖ *Besitz etc.* teilen; **II** *v/i.* **7.** (zer)reißen; **8.** sich trennen (**from** von); **9.** sich (vonein'ander) trennen;

sev·er·al ['sevrəl] **I** *adj.* □ **1.** mehrere: **~ people**; **2.** verschieden, getrennt: **three ~ occasions**; **3.** einzeln, verschieden: **the ~ reasons**; **4.** besonder, eigen: **we went our ~ ways** wir gingen jeder seinen (eigenen) Weg; → **joint** 6; **II** *s.* **5.** mehrere *pl.*: **~ of you**; **sev·er·al·ly** ['sevrəlɪ] *adv.* **1.** einzeln, getrennt; **2.** beziehungsweise; '**sev·er·ance** [-ərəns] *s.* **1.** (Ab)Trennung *f*; **2.** Lösung *f e-r Freundschaft etc.*, Abbruch *m von Beziehungen*: **~ pay** ✝ Entlassungsabfindung *f*.

se·vere [sɪ'vɪə] *adj.* □ **1.** streng: a) hart, scharf (*Kritik*, *Richter*, *Strafe etc.*), b) ernst(haft) (*Miene*, *Person*), c) rauh (*Wetter*), hart (*Winter*), d) herb (*Schönheit*, *Stil*), schmucklos, e) ex'akt, strikt; **2.** schwer, schlimm (*Krankheit*, *Verlust etc.*); **3.** heftig (*Schmerz*, *Sturm etc.*); **4.** scharf (*Bemerkung*); **se'vere·ly** [-lɪ] *adv.* **1.** streng, strikt; **2.** schwer, ernstlich: **~ ill**; **se·ver·i·ty** [sɪ'verətɪ] *s.* **1.** *allg.* Strenge *f*: a) Schärfe *f*, Härte *f*, b) Rauheit *f* (*des Wetters etc.*), c) Ernst *m*, d) (herbe) Schlichtheit *f* (*Stil*), e) Ex'aktheit *f*; **2.** Heftigkeit *f*.

sew [səʊ] *v/t.* [*irr.*] **1.** nähen (*a. v/i.*): **~ on** annähen; **~ up** zu-, vernähen (→ 3); **2.** *Bücher* heften, broschieren; **3.** **~ up** F a) *Brit. j-n* ‚restlos fertigmachen', b) *Am.* sich *et. od. j-n* sichern, c) *et.* ‚per'fekt machen': **~ up a deal**.

sew·age ['sju:ɪdʒ] *s.* **1.** Abwasser *n*: **~ farm** Rieselfeld *n*; **~ sludge** Klärschlamm *m*; **~ system** Kanalisation *f*; **~ works** Kläranlage *f*; **2.** → **sewerage**;

sew·er ['sjʊə] **I** *s.* **1.** 'Abwasserkaˌnal *m*, Klo'ake *f*: **~ gas** Faulschlammgas *n*; **~ pipe** Abzugrohr *n*; **~ rat** *zo.* Wanderratte *f*; **2.** Gosse *f*; **II** *v/t.* **3.** kanalisieren; **sew·er·age** ['sjʊərɪdʒ] *s.* **1.** Kanalisati'on *f* (*System u. Vorgang*); **2.** → **sewage** 1.

sew·in ['sju:ɪn] *s.* 'Lachsfoˌrelle *f*.

sew·ing ['səʊɪŋ] *s.* Näharbeit *f*; **~ machine** *s.* 'Nähmaˌschine *f*.

sex [seks] **I** *s.* **1.** *biol.* Geschlecht *n*; **2.** (*männliches od. weibliches*) Geschlecht (*als Gruppe*): **the ~** *humor.* die Frauen; **the gentle** (*od.* **weaker** *od.* **softer**) **~** das zarte *od.* schwache Geschlecht; **of both ~es** beiderlei Geschlechts; **3.** a) Geschlechtstrieb *m*, b) e'rotische Anziehungskraft, 'Sex(-Apˌpeal) *m*, c) Sexu'al-, Geschlechtsleben *n*, d) Sex(uali'tät *f*) *m*, e) Geschlechtsteil(e *pl.*) *n*, f) (Geschlechts)Verkehr *m*, ‚Sex' *m*: **have ~ with** mit *j-m* schlafen; **II** *v/t.* **4.** das Geschlecht bestimmen von; **5.** **~ up** F a) *Film etc.* ‚sexy' gestalten, b) *j-n* ‚scharf machen'; **III** *adj.* **6.** a) Sexual...: **~ crime** (**education**, **hygiene** *etc.*); **~ appeal** → 3b; **~ life** → 3c; **~ object** Lustobjekt *n*, b) Geschlechts...: **~ act** (**hormone**, **organ**, *etc.*), c) Sex...: **~ film** (**magazine**, *etc.*).

sex- [seks] *in Zssgn* sechs.

sex·a·ge·nar·i·an [ˌseksədʒɪ'neərɪən] **I** *adj.* a) sechzigjährig, b) in den Sechzigern; **II** *s.* Sechzigjährige(r *m*) *f*; Sechziger(in).

sex·ag·e·nar·y [sek'sædʒənərɪ] **I** *adj.* **1.** sechzigteilig; **2.** → **sexagenarian** I; **II** *s.* **3.** → **sexagenarian** II.

Sex·a·ges·i·ma (**Sun·day**) [ˌseksə'dʒesɪmə] *s.* Sonntag *m* Sexa'gesima (*8. Sonntag vor Ostern*); ˌ**sex·a'ges·i·mal** [-məl] **A** **I** *adj.* Sexagesimal...; **II** *s.* Sexagesi'malbruch *m*.

sex·an·gu·lar [sek'sæŋgjʊlə] *adj.* □ sechseckig.

sex·cen·te·nar·y [ˌsekssen'ti:nərɪ] **I** *adj.* sechshundertjährig; **II** *s.* Sechshundert'jahrfeier *f*.

sex·en·ni·al [sek'senɪəl] *adj.* □ **1.** sechsjährig; **2.** sechsjährlich.

sex·i·ness ['seksɪnɪs] *s.* F *für* **sex** 3b.

sex·ism ['seksɪzəm] *s.* Se'xismus *m*;

ˈ**sex·ist** [-ɪst] **I** *adj.* seˈxistisch; **II** *s.* Seˈxist *m*.
sex·less [ˈsekslɪs] *adj. biol.* geschlechtslos (*a. fig.*), aˈgamisch.
sex·ol·o·gy [sekˈsɒlədʒɪ] *s. biol.* Sexuˈalwissenschaft *f*.
sex·par·tite [seksˈpɑːtaɪt] *adj.* sechsteilig.
ˈ**sex·pot** *s. sl.* a) ‚Sexbombe' *f*, b) ‚Sexbolzen' *m*.
sex·tain [ˈsekstem] *s. Metrik:* sechszeilige Strophe.
sex·tant [ˈsekstənt] *s.* **1.** ⚓, *ast.* Sexˈtant *m*; **2.** ⩓ Kreissechstel *n*.
sex·tet(te) [seksˈtet] *s.* ♪ Sexˈtett *n*.
sex·to [ˈsekstəʊ] *pl.* **-tos** *s. typ.* ˈSexto (-forˌmat) *n*; **sex·to·dec·i·mo** [ˌsekstəʊˈdesɪməʊ] *pl.* **-mos** *s.* **1.** Seˈdez(forˌmat) *n*; **2.** Seˈdezband *m*.
sex·ton [ˈsekstən] *s.* Küster *m* (u. Totengräber *m*); ~ **bee·tle** *s. zo.* Totengräber *m* (*Käfer*).
sex·tu·ple [ˈsekstjʊpl] **I** *adj.* sechsfach; **II** *s. das* Sechsfache; **III** *v/t. u. v/i.* (sich) versechsfachen.
sex·u·al [ˈseksjʊəl] *adj.* □ sexuˈell, geschlechtlich, Geschlechts..., Sexual...: ~ ***harassment*** sexuelle Belästigung; ~ ***intercourse*** Geschlechtsverkehr *m*; **sex·u·al·i·ty** [ˌseksjʊˈælətɪ] *s.* **1.** Sexualiˈtät *f*; **2.** Sexuˈal-, Geschlechtsleben *n*; ˈ**sex·y** [-sɪ] *adj.* ‚sexy', ‚scharf'.
shab·bi·ness [ˈʃæbɪnɪs] *s.* Schäbigkeit *f* (*a. fig.*).
shab·by [ˈʃæbɪ] *adj.* □ *allg.* schäbig: a) fadenscheinig (*Kleider*), b) abgenutzt (*Sache*), c) ärmlich, herˈuntergekommen (*Person, Haus, Gegend etc.*), d) niederträchtig, e) geizig; ˌ**~-genˈteel** *adj.* vornehm, aber arm: ***the*** ~ die verarmten Vornehmen.
shab·rack [ˈʃæbræk] *s.* ⚔ Schaˈbracke *f*, Satteldecke *f*.
shack [ʃæk] **I** *s.* Hütte *f*, Baˈracke *f* (*a. contp.*); **II** *v/i.* ~ ***up*** *sl.* zs.-leben (***with*** mit).
shack·le [ˈʃækl] **I** *s.* **1.** *pl.* Fesseln *pl.*, Ketten *pl.* (*a. fig.*); **2.** ⚙ Gelenkstück *n e-r Kette*; Bügel *m*, Lasche *f*; ⚓ (Anker-) Schäkel *m*; ⚡ Schäkel *m*; **II** *v/t.* **3.** fesseln (*a. fig. hemmen*); **4.** ⚓, ⚙ laschen.
ˈ**shack·town** *s. Am.* → ***shantytown***.
shad [ʃæd] *pl.* **shads**, *coll.* **shad** *s. ichth.* Alse *f*.
shade [ʃeɪd] **I** *s.* **1.** Schatten *m* (*a. paint. u. fig.*): ***put*** (*od.* ***throw***) ***into the*** ~ *fig.* in den Schatten stellen; (***the***) ~***s of Goethe!*** *iro.* (das) erinnert doch sehr an Goethe!; **2.** schattiges Plätzchen; **3.** *myth.* a) Schatten *m* (*Seele*), b) *pl.* Schatten(reich *n*) *pl.*; **4.** a) Farbton *m*, Schattierung *f* (*a. fig.*), b) dunkle Tönung; **5.** *fig.* Spur *f*, ‚Iˈdee' *f*: ***a*** ~ ***better*** ein kleines bißchen besser; **6.** (*Schutz-, Lampen-, Sonnen- etc.*)Schirm *m*; **7.** *Am.* Rouˈleau *n*; **8.** *pl.* F Sonnenbrille *f*; **II** *v/t.* **9.** beschatten, verdunkeln (*a. fig.*); **10.** *Augen etc.* abschirmen, schützen (***from*** gegen); **11.** *paint.* a) schattieren, b) schraffieren, c) dunkel tönen; **12.** *a.* ~ ***off*** a) *fig.* abstufen, b) ✝ *Preise* nach u. nach senken, c) *a.* ~ ***away*** allˈmählich übergehen lassen (***into*** in *acc.*), d) *a.* ~ ***away*** allˈmählich verschwinden lassen; **III** *v/i.* **13.** *a.* ~ ***off*** (*od.* ***away***) a) allˈmählich ˈübergehen (***into*** in *acc.*), b) nach u. nach verschwinden; ˈ**shade·less** [-lɪs] *adj.* schattenlos; ˈ**shad·i·ness** [-dɪnɪs] *s.* **1.** Schattigkeit *f*; **2.** *fig.* Anrüchigkeit *f*; ˈ**shad·ing** [-dɪŋ] *s. paint. u. fig.* Schattierung *f*.
shad·ow [ˈʃædəʊ] **I** *s.* **1.** Schatten *m* (*a. paint. u. fig.*); Schattenbild *n*: ***live in the*** ~ im Verborgenen leben; ***worn to a*** ~ zum Skelett abgemagert; ***he is but the*** ~ ***of his former self*** er ist nur noch ein Schatten s-r selbst; ***coming events cast their*** ~***s before*** kommende Ereignisse werfen ihre Schatten voraus; ***may your*** ~ ***never grow less*** *fig.* möge es dir immer gut gehen; **2.** Schemen *m*, Phanˈtom *n*: ***catch*** (*od.* ***grasp***) ***at*** ~***s*** Phantomen nachjagen; **3.** *fig.* Spur *f*, Kleinigkeit *f*: ***without a*** ~ ***of doubt*** ohne den leisesten Zweifel; **4.** *fig.* Schatten *m*, Trübung *f* (*e-r Freundschaft etc.*); **5.** *fig.* Schatten *m* (*Begleiter od. Verfolger*); **II** *v/t.* **6.** e-n Schatten werfen auf (*acc.*), verdunkeln (*beide a. fig.*); **7.** *j-n* beschatten, verfolgen; **8.** *mst* ~ ***forth*** (*od.* ***out***) a) dunkel andeuten, b) versinnbildlichen; ˈ**~ˌbox·ing** *s. sport* Schattenboxen *n*, *fig. a.* Spiegelfechteˈrei *f*; ~ **cab·i·net** *s. pol.* ˈSchattenkabiˌnett *n*; ~ **fac·to·ry** *s.* Schatten-, Ausweichbetrieb *m*.
shad·ow·less [ˈʃædəʊlɪs] *adj.* schattenlos; ˈ**shad·ow·y** [-əʊɪ] *adj.* **1.** schattig: a) dämmerig, düster, b) schattenspendend; **2.** *fig.* schattenhaft, vage; **3.** *fig.* unwirklich.
shad·y [ˈʃeɪdɪ] *adj.* □ **1.** → ***shadowy*** 1 *u.* 2: ***on the*** ~ ***side of forty*** *fig.* über die Vierzig hinaus; **2.** F anrüchig, zwielichtig, fragwürdig.
shaft [ʃɑːft] *s.* **1.** (*Pfeil- etc.*)Schaft *m*; **2.** *poet.* Pfeil *m* (*a. fig. des Spottes*), Speer *m*; **3.** (Licht)Strahl *m*; **4.** ⚘ Stamm *m*; **5.** a) Stiel *m* (*Werkzeug etc.*), b) Deichsel(arm *m*) *f*, c) Welle *f*, Spindel *f*; **6.** (Fahnen)Stange *f*; **7.** Säulenschaft *m*, *a.* Säule *f*; **8.** (*Aufzugs-, Bergwerks- etc.*)Schacht *m*; → ***sink*** 17.
shag [ʃæg] **I** *s.* **1.** Zotte(l) *f*; zottiges Haar; **2.** a) (lange, grobe) Noppe, b) Plüsch(stoff) *m*; **3.** Shag(tabak) *m*; **4.** *orn.* Krähenscharbe *f*; **II** *v/t.* **5.** zottig machen, aufrauhen; **III** *v/i.* **6.** *sl.* ‚bumsen'; **shag·gy** [ˈʃægɪ] *adj.* □ **1.** zottig,

struppig; rauhhaarig: ***~-dog story*** a) surrealistischer Witz, b) kalauerhafte Geschichte; **2.** verwildert, verwahrlost; **3.** *fig.* verschroben.

sha·green [ʃæ'gri:n] *s.* Cha'grin *n*, Körnerleder *n*.

shah [ʃɑ:] *s.* Schah *m*.

shake [ʃeɪk] **I** *s.* **1.** Schütteln *n*, Rütteln *n*: ***~ of the hand*** Händeschütteln; ***~ of the head*** Kopfschütteln; ***give s.th. a good ~*** et. tüchtig schütteln; ***give s.o. the ~*** *Am. sl.* j-n ‚abwimmeln'; ***in two ~s*** (***of a lamb's tail***) F im Nu; **2.** (*a.* seelische) Erschütterung; (*Wind- etc.*) Stoß *m*; *Am.* F Erdstoß *m*: ***he*** (***it***) ***is no great ~s*** F mit ihm (damit) ist nicht viel los; **3.** Beben *n*: ***the ~s*** ‚Tatterich' *m*; ***all of a ~*** am ganzen Leibe zitternd; **4.** (Milch- *etc.*)Shake *m*; **5.** ♪ Triller *m*; **6.** Riß *m*, Spalt *m*; **II** *v/i.* [*irr.*] **7.** (sch)wanken; **8.** zittern, beben (*a. Stimme*) (***with*** vor *Furcht etc.*); **9.** ♪ trillern; **III** *v/t.* [*irr.*] **10.** schütteln: ***~ one's head*** den Kopf schütteln; ***~ one's finger at s.o.*** j-m mit dem Finger drohen; ***be shaken before taken!*** vor Gebrauch schütteln!; → ***hand*** *Redew.*, ***side*** 4; **11.** (*a. fig. Entschluß, Gegner, Glauben, Zeugenaussage*) erschüttern; **12.** a) *j-n* (seelisch) erschüttern, b) *j-n* aufrütteln; **13.** rütteln an (*dat.*) (*a. fig.*); **14.** ♪ *Ton* trillern;

Zssgn mit adv. :

shake| down I *v/t.* **1.** *Obst etc.* her'unterschütteln; **2.** *Stroh etc.* (zu e-m Nachtlager) ausbreiten; **3.** *Gefäßinhalt* zu'rechtschütteln; **4.** *Am. sl.* a) *j-n* ausplündern (*a. fig.*), b) erpressen, c) ‚filzen', durch'suchen; **5.** *bsd. Am.* F *Schiff, Flugzeug* testen; **II** *v/i.* **6.** sich setzen (*Masse*); **7.** a) sich ein (Nacht-) Lager zu'rechtmachen, b) ‚sich hinhauen'; **8.** *Am.* F a) sich vor'übergehend niederlassen (*an e-m Ort*), b) sich einleben, -gewöhnen, c) sich ‚einpendeln' (*Sache*), d) sich beschränken (***to*** auf *acc.*); **~ off** *v/t.* **1.** *Staub etc., a. fig. Joch, a. Verfolger etc.* abschütteln; **2.** *fig. j-n od. et.* loswerden; **~ out** *v/t.* **1.** ausschütteln; **2.** *Fahne etc.* ausbreiten; **~ up** *v/t.* **1.** *Bett, Kissen* aufschütteln; **2.** *et.* zs.-, 'umschütteln, mischen; **3.** *fig.* a) *j-n* aufrütteln, b) *j-n* arg mitnehmen; **4.** *Betrieb etc.* 'umkrempeln.

'shake|·down *s.* **1.** (Not)Lager *n*; **2.** *Am. sl.* a) Ausplünderung *f*, b) Erpressung *f*, c) Durch'suchung *f*; **3.** *bsd. Am.* F Testfahrt *f*, -flug *m*; **,~-'hands** *s.* Händedruck *m*.

shak·en ['ʃeɪkən] **I** *p.p. von* ***shake***; **II** *adj.* **1.** erschüttert, (sch)wankend (*a. fig.*): (***badly***) ***~*** arg mitgenommen; **2.** → ***shaky*** 5.

'shake-out *s.* ✝ Gesundschrumpfung *f*; Personalabbau *m*.

shak·er ['ʃeɪkə] *s.* **1.** Mixbecher *m*, (Cocktail- *etc.*)Shaker *m*; **2.** ♀ *eccl.* Zitterer *m* (*Sektierer*).

Shake·spear·i·an [ʃeɪk'spɪərɪən] **I** *adj.* shakespearisch; **II** *s.* Shakespeareforscher(in).

'shake-up *s.* **1.** F Aufrütt(e)lung *f*; **2.** drastische (*bsd.* perso'nelle) Veränderungen *pl.*, 'Umkrempelung *f*, -gruppierung *f*.

shak·i·ness ['ʃeɪkɪnɪs] *s.* Wack(e)ligkeit *f* (*a. fig.*).

shak·ing ['ʃeɪkɪŋ] **I** *s.* **1.** Schütteln *n*; Erschütterung *f*; **II** *adj.* **2.** Schüttel...; → ***palsy*** 1; **3.** zitternd; **4.** wackelnd.

shak·y ['ʃeɪkɪ] *adj.* ☐ **1.** wack(e)lig (*a. fig. Person, Gesundheit, Kredit, Kenntnisse*): ***in rather ~ English*** in ziemlich holprigem Englisch; **2.** zitt(e)rig, bebend: ***~ hands***; ***~ voice***; **3.** *fig.* (sch)wankend; **4.** *fig.* unsicher, zweifelhaft; **5.** (kern)rissig (*Holz*).

shale [ʃeɪl] *s. geol.* Schiefer(ton) *m*: ***~ oil*** Schieferöl *n*.

shall [ʃæl; ʃəl] *v/aux.* [*irr.*] **1.** *Futur: ich* werde, *wir* werden; **2.** *Befehl, Pflicht: ich, er, sie, es* soll, *du* sollst, *ihr* sollt, *wir, Sie, sie* sollen: ***~ I come?***; **3.** ⚖ *Mußbestimmung* (*im Deutschen durch Indikativ wiederzugeben*): ***any person ~ be liable*** jede Person ist verpflichtet ...; **4.** → ***should*** 1.

shal·lop ['ʃæləp] *s.* ⚓ Scha'luppe *f*.

shal·low ['ʃæləʊ] **I** *adj.* ☐ seicht, flach (*beide a. fig. oberflächlich*); **II** *s.* (*a. pl.*) seichte Stelle, Untiefe *f*; **III** *v/t. u. v/i.* (sich) verflachen; **'shal·low·ness** [-nɪs] *s.* Seichtheit *f* (*a. fig.*).

shalt [ʃælt; ʃəlt] *obs. 2. sg. pres. von* ***shall***: ***thou ~*** du sollst.

sham [ʃæm] **I** *s.* **1.** (Vor)Täuschung *f*, (Be)Trug *m*, Heuche'lei *f*; **2.** Schwindler(in), Scharlatan *m*; **3.** Heuchler(in); **II** *adj.* **4.** vorgetäuscht, fingiert, Schein...: ***~ battle*** Scheingefecht *n*; **5.** unecht, falsch: ***~ diamond***; ***~ piety***; **III** *v/t.* **6.** vortäuschen, -spiegeln, fingieren, simulieren; **IV** *v/i.* **7.** sich (ver)stellen, heucheln: ***~ ill*** simulieren, krank spielen.

sha·man ['ʃæmən] *s.* Scha'mane *m*.

sham·a·teur ['ʃæmətə] *s.* F *sport* 'Scheinama,teur *m*.

sham·ble ['ʃæmbl] **I** *v/i.* watscheln; **II** *s.* watschelnder Gang.

sham·bles ['ʃæmblz] *s. pl. sg. konstr.* **1.** a) Schlachthaus *n*, b) Fleischbank *f*; **2.** *fig.* a) Schlachtfeld *n* (*a. iro. wüstes Durcheinander*), b) Trümmerfeld *n*, Bild *n* der Verwüstung, c) Scherbenhaufen *m*: ***his marriage was a ~***.

shame [ʃeɪm] **I** *s.* **1.** Scham(gefühl *n*) *f*: ***for ~!*** pfui, schäm dich!; ***feel ~ at*** sich über *et.* schämen; **2.** Schande *f*, Schmach *f*: ***be a ~ to*** → 5; ***~ on you!***

S

schäm dich!, pfui!; ***put s.o. to ~*** a) Schande über j-n bringen, b) j-n beschämen (*übertreffen*); ***to cry ~ upon s.o.*** pfui über j-n rufen; **3.** F Schande *f* (*Gemeinheit*): ***what a ~!*** a) es ist e-e Schande!, b) es ist ein Jammer!; **II** *v/t.* **4.** *j-n* beschämen, mit Scham erfüllen: ***~ s.o. into doing s.th.*** j-n so beschämen, daß er et. tut; **5.** *j-m* Schande machen; **6.** Schande bringen über (*acc.*); **'~-faced** [-feɪst] *adj.* □ **1.** verschämt, schamhaft; **2.** schüchtern; **3.** schamrot.

shame·ful ['ʃeɪmfʊl] *adj.* □ **1.** schmachvoll, schändlich; **2.** schimpflich; **3.** unanständig, anstößig; **'shame·ful·ness** [-nɪs] *s.* **1.** Schändlichkeit *f*; **2.** Anstößigkeit *f*; **'shame·less** [-lɪs] *adj.* □ schamlos (*a. fig. unverschämt*); **'shame·less·ness** [-lɪsnɪs] *s.* Schamlosigkeit *f* (*a. fig. Unverschämtheit*).

sham·mer ['ʃæmə] *s.* **1.** Schwindler(in); **2.** Heuchler(in); **3.** Simu'lant(in).

sham·my (**leath·er**) ['ʃæmɪ] *s.* Sämisch-, Wildleder *n.*

sham·poo [ʃæm'pu:] **I** *v/t.* **1.** *Kopf, Haare* schamponieren, waschen; **2.** *j-m* den Kopf *od.* das Haar waschen; **II** *s.* **3.** Haar-, Kopfwäsche *f*: ***~ and set*** Waschen u. Legen *n*; **4.** Sham'poo *n*, Schampon *n* (*Haarwaschmittel*).

sham·rock ['ʃæmrɒk] *s.* **1.** ⚘ Weißer Feldklee; **2.** Shamrock *m* (*Kleeblatt als Wahrzeichen Irlands*).

sham·us ['ʃeɪməs] *s. Am. sl.* **1.** ‚Schnüffler' *m* (*Detektiv*); **2.** ‚Bulle' *m* (*Polizist*).

shan·dy ['ʃændɪ] *s. Mischgetränk aus Bier u. Limonade.*

shang·hai [ʃæŋ'haɪ] *v/t.* F **1.** ⚓ schang'haien (*gewaltsam anheuern*); **2.** *fig. j-n* zwingen (***into doing*** *et.* zu tun).

shank [ʃæŋk] *s.* **1.** a) 'Unterschenkel *m*, Schienbein *n*, b) F Bein *n*, c) Hachse *f* (*vom Schlachttier*): ***go on ♀'s pony*** (*od.* ***mare***) auf Schusters Rappen reiten; **2.** (Anker-, Bolzen-, Säulen- *etc.*) Schaft *m*; **3.** (Schuh)Gelenk *n*; **4.** *typ.* (Schrift)Kegel *m*; **5.** ⚘ Stiel *m*; **shanked** [-kt] *adj.* **1.** ...schenk(e)lig; **2.** gestielt.

shan't [ʃɑ:nt] F *für* ***shall not.***

shan·ty¹ ['ʃæntɪ] *s.* Shanty *n*, Seemannslied *n.*

shan·ty² ['ʃæntɪ] *s.* Hütte *f*, Ba'racke *f*; **'~·town** *s.* Barackensiedlung *f*, -stadt *f.*

shape [ʃeɪp] **I** *s.* **1.** Gestalt *f*, Form *f* (*a. fig.*): ***in the ~ of*** in Form *e-s Briefes etc.*; ***in human ~*** in Menschengestalt; ***put*** *od.* ***get into ~*** formen, gestalten, *s-e Gedanken* ordnen; ***in no ~*** in keiner Weise; **2.** Fi'gur *f*, Gestalt *f*; **3.** feste Form, Gestalt *f*: ***take ~*** Gestalt annehmen (*a. fig.*); → ***lick*** 1; **4.** *körperliche od. geistige* Verfassung, Form *f*: ***be in*** (***good***) ***~*** in (guter) Form sein; **5.** ⚙ a) Form *f*, Fas'son *f*, Mo'dell *n*, b) Formteil *n*; **6.** *Küche*: a) (Pudding- *etc.*)Form *f*, b) Stürzpudding *m*; **II** *v/t.* **7.** gestalten, formen, bilden (*alle a. fig.*), *Charakter a.* prägen; **8.** anpassen (***to*** *dat.*); **9.** planen, entwerfen: ***~ the course for*** ⚓ *u. fig.* den Kurs setzen auf (*acc.*); **10.** ⚙ formen; **III** *v/i.* **11.** Gestalt *od.* Form annehmen, sich formen; **12.** sich entwickeln, sich gestalten: ***~*** (***up***) ***well*** sich ‚machen' *od.* gut anlassen, vielversprechend sein; ***~ up*** F e-e endgültige Form annehmen, sich (gut) entwickeln; **13.** ***~ up to*** a) Boxstellung einnehmen gegen, b) *fig. j-n* herausfordern; **shaped** [-pt] *adj.* geformt, ...gestaltet, ...förmig; **'shape·less** [-lɪs] *adj.* □ **1.** form-, gestaltlos; **2.** unförmig; **'shape·less·ness** [-lɪsnɪs] *s.* **1.** Fom-, Gestaltlosigkeit *f*; **2.** Unförmigkeit *f*; **'shape·li·ness** [-lɪnɪs] *s.* Wohlgestalt *f*, schöne Form; **'shape·ly** [-lɪ] *adj.* wohlgeformt, schön, hübsch; **'shap·er** [-pə] *s.* **1.** Former(in), Gestalter(in); **2.** ⚙ a) 'Waagrecht-'Stoßmaˌschine *f*, b) Schnellhobler *m.*

shard [ʃɑ:d] *s.* **1.** (Ton)Scherbe *f*; **2.** *zo.* (harte) Flügeldecke (*Insekt*).

share¹ [ʃeə] *s.* (Pflug)Schar *f.*

share² [ʃeə] **I** *s.* **1.** (An)Teil *m* (*a. fig.*): ***fall to s.o.'s ~*** j-m zufallen; ***go ~s with*** mit *j-m* teilen (***in s.th.*** et.); ***~ and ~ alike*** zu gleichen Teilen; **2.** (An)Teil *m*, Beitrag *m*; Kontin'gent *n*: ***do one's ~*** sein(en) Teil leisten; ***take a ~ in*** sich beteiligen an (*dat.*); ***have*** (*od.* ***take***) ***a large ~ in*** e-n großen Anteil haben an (*dat.*); **3.** ✝ Beteiligung *f*; Geschäftsanteil *m*; Kapi'taleinlage *f*: ***~ in a ship*** Schiffspart *m*; **4.** ✝ a) Gewinnanteil *m*, b) Aktie *f*, c) ⚒ Kux *m*: ***hold ~s in*** Aktionär in *e-r Gesellschaft* sein; **II** *v/t.* **5.** (*a. fig. sein Bett, e-e Ansicht, den Ruhm etc.*) teilen (***with*** mit); **6.** *mst* ***~ out*** aus-, verteilen; **7.** teilnehmen, -haben an (*dat.*); sich an *den Kosten etc.* beteiligen; **III** *v/i.* **8.** ***~ in*** → 7; **9.** sich teilen (***in*** in *acc.*); ***~ cer·tif·i·cate*** *s.* ✝ *Brit.* 'Aktienzertifiˌkat *n*; **'~ˌcrop·per** *s. Am. kleiner* Farmpächter (*der s-e Pacht mit e-m Teil der Ernte entrichtet*); ***~ de·nom·i·na·tion*** *s.* Aktienstückelung *f*; **'~ˌhold·er** *s.* ✝ *Brit.* Aktio'när(in); ***~ list*** *s.* ✝ *Brit.* (Aktien)Kurszettel *m*; ***~ mark·et*** *s.* ✝ *Brit.* Aktienmarkt *m*; **'~·out** [-əraʊt] *s.* Aus-, Verteilung *f.*

shark [ʃɑ:k] *s.* **1.** *ichth.* Hai(fisch) *m*; **2.** *fig.* Gauner *m*, Betrüger *m*; **3.** *fig.* Schma'rotzer *m*; **4.** *Am. sl.* ‚Ka'none' *f* (*Könner*).

sharp [ʃɑ:p] **I** *adj.* □ **1.** scharf (*Messer etc., a. Gesichtszüge, Kurve etc.*); **2.** spitz (*Giebel etc.*); **3.** steil; **4.** *fig. allg.* scharf: a) deutlich (*Gegensatz, Umrisse*

S

etc.), b) herb (*Geschmack*), c) schneidend (*Befehl*, *Stimme*), schrill (*Schrei*, *Ton*), d) heftig (*Schmerz etc.*), schneidend (*a. Frost*, *Wind*), e) hart (*Antwort*, *Kritik*), spitz (*Bemerkung*, *Zunge*), f) schnell (*Tempo*, *Spiel etc.*): ***~'s the word*** F mach fix!; **5.** scharf, wachsam (*Auge*, *Ohr*); angespannt (*Aufmerksamkeit*); **6.** scharfsinnig, gescheit, aufgeweckt, ‚auf Draht': ***~ at figures*** gut im Rechnen; **7.** gerissen, raffiniert: ***~ practice*** Gaunerei *f*; **8.** F ele'gant, schick; **9.** ♪ a) (zu) hoch, b) (*durch Kreuz* um e-n Halbton) erhöht, c) Kreuz...: ***C ~*** Cis *n*; **10.** *ling.* stimmlos (*Konsonant*); **II** *adv.* **11.** scharf; **12.** plötzlich; **13.** pünktlich, genau: ***at 3 o'clock ~*** Punkt 3 Uhr, genau um 3 Uhr; **14.** schnell: ***look ~*** mach schnell!; **15.** ♪ zu hoch; **III** *v/i. u. v/t.* **16.** ♪ zu hoch singen *od.* spielen; **17.** betrügen; **IV** *s.* **18.** *pl.* lange Nähnadeln *pl.*; **19.** *pl.* ⚘ *Brit.* grobes Kleienmehl; **20.** ♪ a) Kreuz *n*, b) Erhöhung *f*, Halbton *m*, c) nächsthöhere Taste; **21.** F → ***sharper***; **ˌ~-'cut** *adj.* **1.** scharf (geschnitten); **2.** festum'rissen, deutlich; **ˌ~-'edged** *adj.* scharfkantig.

sharp·en ['ʃɑːpən] **I** *v/t.* **1.** *Messer etc.* schärfen, schleifen, wetzen; *Bleistift etc.* (an)spitzen; **2.** *fig. j-n* ermuntern *od.* anspornen; *Sinn*, *Verstand* schärfen; *Appetit* anregen; **3.** *Rede etc.* verschärfen; *s-r Stimme etc.* e-n scharfen Klang geben; **II** *v/i.* **4.** scharf *od.* schärfer werden, sich verschärfen (*a. fig.*); **'sharp·en·er** [-pnə] *s.* (*Bleistift- etc.*) Spitzer *m*.

sharp·er ['ʃɑːpə] *s.* **1.** Gauner *m*, Betrüger *m*; **2.** Falschspieler *m*.

ˌsharp-'eyed → ***sharp-sighted***.

sharp·ness ['ʃɑːpnɪs] *s.* **1.** Schärfe *f*, Spitzigkeit *f*; **2.** *fig.* Schärfe *f* (*Herbheit*, *Strenge*, *Heftigkeit*); **3.** (Geistes)Schärfe *f*, Scharfsinn *m*; Gerissenheit *f*; **4.** (*phot.* Rand)Schärfe *f*, Deutlichkeit *f*.

ˌsharp|-'set *adj.* **1.** (heiß)hungrig; **2.** *fig.* scharf, erpicht (***on*** auf *acc.*); **'~-ˌshoot·er** *s.* Scharfschütze *m*; **ˌ~-'sight·ed** *adj.* **1.** scharfsichtig; **2.** *fig.* scharfsinnig; **ˌ~-'tongued** *adj. fig.* scharfzüngig (*Person*); **ˌ~-'wit·ted** *adj.* scharfsinnig.

shat·ter ['ʃætə] **I** *v/t.* **1.** zerschmettern, -schlagen, -trümmern (*alle a. fig.*); *fig. Hoffnungen* zerstören; **2.** *Gesundheit*, *Nerven* zerrütten: ***I was*** (***absolutely***) ***~ed*** F ich war ‚am Boden zerstört'; **II** *v/i.* **3.** in Stücke brechen, zerspringen; **'shat·ter·ing** [-ərɪŋ] *adj.* ☐ **1.** vernichtend (*a. fig.*); **2.** *fig.* a) 'umwerfend, e'norm, b) entsetzlich, verheerend; **'shat·ter-proof** *adj.* ⚙ a) bruchsicher, b) splitterfrei, -sicher (*Glas*).

shave [ʃeɪv] **I** *v/t.* **1.** (***o.s.*** sich) rasieren: ***~*** (***off***) *Bart* abrasieren; ***get ~d*** rasiert werden; **2.** *Rasen etc.* (kurz) scheren; *Holz* (ab)schälen *od.* glatthobeln; *Häute* abschaben; **3.** streifen, *a.* knapp vor'beikommen an (*dat.*); **II** *v/i.* **4.** sich rasieren; **5.** ***~ through*** F (gerade noch) ‚'durchrutschen' (*in e-r Prüfung*); **III** *s.* **6.** Ra'sur *f*, Rasieren *n*: ***have*** (*od.* ***get***) ***a ~*** sich rasieren (lassen); ***have a close*** (*od.* ***narrow***) ***~*** F *fig.* mit knapper Not davonkommen; ***that was a close ~*** F ‚das hätte ins Auge gehen können'; ***by a ~*** F um ein Haar; **7.** (Ab)Schabsel *n*, Span *m*; **8.** ⚙ Schabeisen *n*; **9.** *obs.* F Schwindel *m*, Betrug *m*; **'shave·ling** [-lɪŋ] *s. obs. contp.* **1.** Pfaffe *m*; **2.** Mönch *m*; **'shav·en** [-vn] *adj.* **1.** (***clean-~*** glatt)rasiert; **2.** (kahl)geschoren (*Kopf*); **'shav·er** [-və] *s.* **1.** Bar'bier *m*; **2.** Ra'sierappaˌrat *m*; **3.** *mst* ***young ~*** F Grünschnabel *m*.

Sha·vi·an ['ʃeɪvjən] *adj.* Shawsch, für G. B. Shaw charakte'ristisch: ***~ humo(u)r*** Shawscher Humor.

shav·ing ['ʃeɪvɪŋ] *s.* **1.** Rasieren *n*: ***~ brush*** (***cream***, ***mirror***) Rasierpinsel *m* (-creme *f*, -spiegel *m*); ***~ head*** Scherkopf *m*; ***~ soap***, ***~ stick*** Rasierseife *f*; **2.** *mst pl.* Schnitzel *m*, *n*, (Hobel)Span *m*.

shawl [ʃɔːl] *s.* **1.** 'Umhängetuch *n*; **2.** Kopftuch *n*.

shawm [ʃɔːm] *s.* ♪ Schal'mei *f*.

she [ʃiː; ʃɪ] **I** *pron.* **1.** a) sie (*3. sg. für alle weiblichen Lebewesen*), b) (*beim Mond*) er, (*bei Ländern*) es, (*bei Schiffen mit Namen*) sie, (*bei Schiffen ohne Namen*) es, (*bei Motoren u. Maschinen, wenn personifiziert*) er, es; **2.** sie, die (-jenige); **II** *s.* **3.** Sie *f*: a) Mädchen *n*, Frau *f*, b) Weibchen *n* (*Tier*); **III** *adj. in Zssgn* **4.** weiblich: ***~-bear*** Bärin *f*; ***~-dog*** Hündin *f*; **5.** *contp.* Weibs...: ***~-devil*** Weibsteufel *m*.

sheaf [ʃiːf] **I** *pl.* **-ves** [-vz] *s.* **1.** ⚘ Garbe *f*; **2.** (*Papier-*, *Pfeil-*, *phys. Strahlen-*) Bündel *n*: ***~ of fire*** ⚔ Feuer-, Geschoßgarbe *f*; **II** *v/t.* **3.** → ***sheave***[1].

shear [ʃɪə] **I** *v/t.* [*irr.*] **1.** scheren: ***~ sheep***; **2.** *a.* ***~ off*** (ab)scheren, abschneiden; **3.** *fig.* berauben; → ***shorn***; **4.** *fig. j-n* ‚schröpfen'; **5.** *poet. mit dem Schwert* (ab)hauen; **II** *v/i.* [*irr.*] **6.** ⚘ sicheln, mähen; **III** *s.* **7.** *pl.* große Schere; ⚙ Me'tall-, Blechschere *f*; **8.** → ***shearing force***, ***shearing stress***; **'shear·er** [-ərə] *s.* **1.** (Schaf)Scherer *m*; **2.** Schnitter *m*.

shear·ing ['ʃɪərɪŋ] *s.* **1.** Schur *f* (*Schafescheren od. Schurertrag*); **2.** *phys.* (Ab-)Scherung *f*; **3.** *Scot. od. dial.* Mähen *n*, Mahd *f*; ***~ force*** *s. phys.* Scher-, Schubkraft *f*; ***~ strength*** *s. phys.* Scherfestigkeit *f*; ***~ stress*** *s. phys.* Scherbeanspruchung *f*.

S

shear·ling ['ʃɪəlɪŋ] *s.* erst 'einmal geschorenes Schaf.

shear| pin *s.* ⚙ Scherbolzen *m*; ~ **stress** → ***shearing stress***; '~ˌ**wa·ter** *s. orn.* Sturmtaucher *m*.

sheath [ʃi:θ] *s.* **1.** (*Schwert- etc.*)Scheide *f*; **2.** Futte'ral *n*, Hülle *f*; **3.** ⚘, *zo.* Scheide *f*; **4.** *zo.* Flügeldecke *f* (*Käfer*); **5.** Kon'dom *n*, *m*; **6.** Futte'ralkleid *n*;

sheathe [ʃi:ð] *v/t.* **1.** *das Schwert* in die Scheide stecken; **2.** in e-e Hülle *od.* ein Futte'ral stecken; **3.** *bsd.* ⚙ um'hüllen, -'manteln, über'ziehen; *Kabel* armieren; **sheath·ing** ['ʃi:ðɪŋ] *s.* ⚙ Verschalung *f*, -kleidung *f*; Beschlag *m*; 'Überzug *m*, Mantel *m*; (Kabel)Bewehrung *f*.

sheave¹ [ʃi:v] *v/t.* ✐ in Garben binden.

sheave² [ʃi:v] *s.* ⚙ Scheibe *f*, Rolle *f*.

sheaves [ʃi:vz] **1.** *pl. von* ***sheaf***; **2.** *pl. von* ***sheave²***.

she·bang [ʃə'bæŋ] *s. Am. sl.* **1.** ‚Bude' *f*, ‚Laden' *m*; **2. *the whole ~*** der ganze Plunder *od.* Kram.

shed¹ [ʃed] *s.* **1.** Schuppen *m*; **2.** Stall *m*; **3.** ✈ *kleine* Flugzeughalle; **4.** Hütte *f*.

shed² [ʃed] *v/t.* [*irr.*] F **1.** verschütten, *a. Blut, Tränen* vergießen; **2.** ausstrahlen, -strömen, *Duft, Licht, Frieden etc.* verbreiten; → ***light*** 1; **3.** *Wasser* abstoßen (*Stoff*); **4.** *biol. Laub, Federn etc.* abwerfen, *Hörner* abstoßen, *Zähne* verlieren: ***~ one's skin*** sich häuten; **5.** *Winterkleider etc., a. fig. Gewohnheit, a. iro. Freunde* ablegen.

she'd [ʃi:d] F *für* a) ***she would***, b) ***she had***.

sheen [ʃi:n] *s.* Glanz *m* (*bsd. von Stoffen*), Schimmer *m*.

sheen·y¹ ['ʃi:nɪ] *adj.* glänzend.

sheen·y² ['ʃi:nɪ] *s. sl.* ‚Itzig' *m* (*Jude*).

sheep [ʃi:p] *pl. coll.* **sheep** *s.* **1.** *zo.* Schaf *n*: ***cast ~'s eyes at s.o.*** j-m schmachtende Blicke zuwerfen; ***separate the ~ and the goats*** *bibl.* die Schafe von den Böcken trennen; ***you might as well be hanged for a ~ as (for) a lamb!*** wenn schon, denn schon!; → ***black sheep***; **2.** *fig. contp.* Schaf *n* (*Person*); **3.** *pl. fig.* Schäflein *pl.*, Herde *f* (*Gemeinde e-s Pfarrers etc.*); **4.** Schafleder *n*; '**~-dip** *s.* Desinfekti'onsbad *n* für Schafe; '**~·dog** *s.* Schäferhund *m*; '**~·farm** *s. Brit.* Schaf(zucht)farm *f*; '~ˌ**farm·ing** *s. Brit.* Schafzucht *f*; '**~-fold** *s.* Schafhürde *f*.

sheep·ish ['ʃi:pɪʃ] *adj.* ☐ **1.** schüchtern; **2.** einfältig, blöd(e); **3.** verlegen, ‚belämmert'.

'**sheep|·man** [-mən] *s.* [*irr.*] *Am.* Schafzüchter *m*; '**~·pen** → ***sheepfold***; **~ run** → ***sheepwalk***; '~ˌ**shear·ing** *s.* Schafschur *f*; '**~·skin** *s.* **1.** Schaffell *n*; **2.** (*a.* Perga'ment *n* aus) Schafleder *n*; **3.** F a) Urkunde *f*, b) Di'plom *n*; '**~·walk** *s.* Schafweide *f*.

sheer¹ [ʃɪə] **I** *adj.* ☐ **1.** bloß, rein, pur, nichts als: ***~ nonsense***; ***by ~ force*** mit bloßer *od.* nackter Gewalt; **2.** völlig, glatt: ***~ impossibility***; **3.** rein, unvermischt, pur: ***~ ale***; **4.** steil, jäh; **5.** hauchdünn (*Textilien*); **II** *adv.* **6.** völlig; **7.** senkrecht; **8.** di'rekt.

sheer² [ʃɪə] **I** *s.* **1.** ⚓ a) Ausscheren *n*, b) Sprung *m* (*Deckerhöhung*); **II** *v/i.* **2.** ⚓ abscheren, (ab)gieren (*Schiff*); **3.** *fig. a.* ***~ away (from)*** a) abweichen (von), b) sich losmachen (von); **~ off** *v/i.* **1.** → ***sheer²*** 2; **2.** abhauen; **3. *~ from*** aus dem Wege gehen (*dat.*).

sheet [ʃi:t] **I** *s.* **1.** Bettuch *n*, (Bett)Laken *n*; Leintuch *n*: ***stand in a white ~*** reumütig s-e Sünden bekennen; ***(as) white as a ~*** *fig.* kreidebleich; **2.** (*typ.* Druck)Bogen *m*, Blatt *n* (*Papier*): ***a blank ~*** *fig.* ein unbeschriebenes Blatt; ***a clean ~*** *fig.* e-e reine Weste; ***in (the) ~s*** (noch) nicht gebunden, ungefalzt (*Buch*); **3.** Bogen *m* (*von Briefmarken*); **4.** a) Blatt *n*, Zeitung *f*, b) (Flug-) Schrift *f*; **5.** ⚙ (dünne) (*Blech-, Glas- etc.*)Platte *f*; **6.** *metall.* (Fein)Blech *n*; **7.** weite Fläche (*von Wasser etc.*); (wogende) Masse; (*Feuer-, Regen*)Wand *f*; *geol.* Schicht *f*: ***rain came down in ~s*** es regnete in Strömen; **8.** ⚓ Schot(e) *f*, Segelleine *f*: ***have three ~s in the wind*** *sl.* ‚sternhagelvoll' sein; **9.** ⚓ Vorder- (*u.* Achter)Teil *m*, *n* (*Boot*); **II** *v/t.* **10.** *Bett* beziehen; **11.** (in Laken) (ein)hüllen; **12.** ⚙ mit Blech verkleiden; **13.** *a.* ***~ home*** *Segel* anholen; **~ an·chor** *s.* ⚓ Notanker *m* (*a. fig.*); **~ cop·per** *s.* Kupferblech *n*; **~ glass** *s.* Tafelglas *n*.

sheet·ing ['ʃi:tɪŋ] *s.* **1.** Bettuchstoff *m*; **2.** Blechverkleidung *f*.

sheet| i·ron *s.* Eisenblech *n*; **~ light·ning** *s.* **1.** Wetterleuchten *n*; **2.** Flächenblitz *m*; **~ met·al** *s.* (Me'tall)Blech *n*; **~ mu·sic** *s.* Noten(blätter) *pl.*; **~ steel** *s.* Stahlblech *n*.

sheik(h) [ʃeɪk] *s.* **1.** Scheich *m*; **2.** *fig.* F a) ‚Scheich' *m* (*Freund*), b) *Am.* ‚Schwarm' *m* (*Person*); '**sheik(h)·dom** [-dəm] *s.* Scheichtum *n*.

shek·el ['ʃekl] *s.* **1.** a) S(ch)ekel *m* (*hebräische Gewichts- u. Münzeinheit*), b) Schekel *m* (*Münzeinheit in Israel*); **2.** *pl.* F ‚Zaster' *m* (*Geld*).

shel·drake ['ʃeldreɪk] *s. orn.* Brandente *f*.

shelf [ʃelf] *pl.* **shelves** [-vz] *s.* **1.** (Bücher-, Wand-, Schrank)Brett *n*; ('Bücher-, 'Waren- *etc.*)Reˌgal *n*, Bord *n*, Fach *n*, Sims *m*: ***be put (od. laid) on the ~*** *fig.* a) ausrangiert werden (*a. Beamter etc.*), b) auf die lange Bank geschoben werden; ***get on the ~*** ‚sitzenbleiben' (*Mädchen*); **2.** Riff *n*, Felsplatte *f*; **3.** ⚓ a) Schelf *m*, *n*, Küstensockel *m*, b) Sandbank *f*; **4.** *geol.* Festlandssockel *m*, Schelf *m*, *n*; **~ fil·ler** *s.* Regalauffüller *m*; **~ life** *s.* ✝ Lagerfähigkeit *f*; **'~ˌwarm·er** *s.* ‚Ladenhüter' *m*.

shell [ʃel] **I** *s.* **1.** *allg.* Schale *f*; **2.** *zo.* a) Muschelschale *f*, b) Schneckenhaus *n*, c) Flügeldecke *f* (*Käfer*), d) Rückenschild *m* (*Schildkröte*): ***come out of one's ~*** *fig.* aus sich herausgehen; ***retire into one's ~*** *fig.* sich in sein Schneckenhaus zurückziehen; **3.** (Eier-)Schale *f*: ***in the ~*** a) (noch) unausgebrütet, b) *fig.* noch in der Entwicklung; **4.** a) Muschel *f*, b) Perlmutt *n*, c) Schildpatt *n*; **5.** (Nuß- *etc.*)Schale *f*, Hülse *f*; **6.** ⚓, ✈ Schale *f*, Außenhaut *f*; (Schiffs)Rumpf *m*; **7.** Gerippe *n*, Gerüst *n* (*a. fig.*), ⚠ *a.* Rohbau *m*; **8.** ⚙ Kapsel *f*, (*Scheinwerfer- etc.*)Gehäuse *n*; **9.** ⚔ a) Gra'nate *f*, b) Hülse *f*, c) *Am.* Pa'trone *f*; **10.** ('Feuerwerks)Raˌkete *f*; **11.** *Küche*: (Pa'steten)Hülle *f*; **12.** *phys.* (Elek'tronen)Schale *f*; **13.** *sport* (leichtes) Renn(ruder)boot; **14.** (*Degen- etc.*)Korb *m*; **15.** *fig. das* (bloße) Äußere; **16.** *ped. Brit.* Mittelstufe *f*; **II** *v/t.* **17.** schälen; *Erbsen etc.* enthülsen; *Nüsse* knacken; *Körner* von der Ähre *od.* vom Kolben entfernen; **18.** ⚔ (mit Gra'naten) beschießen; **~ out** *v/t. u. v/i. sl.* ‚blechen' (*bezahlen*).

shel·lac [ʃə'læk] **I** *s.* **1.** ⚗ Schellack *m*; **II** *v/t. pret. u. p.p.* **shel'lacked** [-kt] **2.** mit Schellack behandeln; **3.** *fig. Am. sl. j-n* ‚vermöbeln'.

'shellˌcra·ter *s.* ⚔ Gra'nattrichter *m*.

shelled [ʃeld] *adj.* ...schalig.

shell| egg *s.* Frischei *n*; **'~·fish** *s. zo.* Schalentier *n*; **~ game** *s. Am.* Falschspielertrick *m* (*a. fig.*).

shell·ing ['ʃelɪŋ] *s.* ⚔ Beschuß *m*, (Artille'rie)Feuer *n*.

shell shock *s.* ⚔ 'Kriegsneuˌrose *f*.

shel·ter ['ʃeltə] **I** *s.* **1.** Schutzhütte *f*, -dach *n*; Schuppen *m*; **2.** Obdach *n*, Herberge *f*; **3.** Zuflucht *f*; **4.** Schutz *m*: ***take*** (*od.* ***seek***) **~** Schutz suchen (***with*** bei, ***from*** vor *dat.*); **5.** ⚔ a) Bunker *m*, 'Unterstand *m*, b) Deckung *f*; **II** *v/t.* **6.** (be)schützen, beschirmen (***from*** vor): ***a ~ed life*** ein behütetes Leben; **7.** schützen, bedecken, über'dachen; **8.** *j-m* Schutz *od.* Zuflucht gewähren: **~ o.s.** *fig.* sich verstecken (***behind*** hinter *j-m etc.*); ***~ed trade*** ✝ *Brit.* (*durch Zölle*) geschützter Handelszweig; ***~ed workshop*** beschützende Werkstatt; **9.** *j-n* beherbergen; **III** *v/i.* **10.** Schutz suchen; sich 'unterstellen; **~ half** *s.* ⚔ *Am.* Zeltbahn *f*.

shelve¹ [ʃelv] *v/t.* **1.** *Bücher* (in ein Re'gal) einstellen, auf ein (Bücher)Brett stellen; **2.** *fig.* a) *et.* zu den Akten legen, bei'seite legen, b) *j-n* ausrangieren; **3.** aufschieben; **4.** mit Fächern *od.* Re'galen versehen.

shelve² [ʃelv] *v/i.* (sanft) abfallen.

shelves [ʃelvz] *pl. von* ***shelf***.

shelv·ing¹ ['ʃelvɪŋ] *s.* (Bretter *pl.* für) Fächer *pl. od.* Re'gale *pl.*

shelv·ing² ['ʃelvɪŋ] *adj.* schräg, abfallend.

she·nan·i·gan [ʃɪ'nænɪgən] *s. mst pl.* F **1.** ‚Mumpitz' *m*, ‚fauler Zauber'; **2.** Trick *m*; **3.** ‚Blödsinn' *m*, Streich *m*.

shep·herd ['ʃepəd] **I** *s.* **1.** (Schaf)Hirt *m*, Schäfer *m*; **2.** *fig. eccl.* (Seelen)Hirt *m* (*Geistlicher*): ***the*** (***good***) **♀** *bibl.* der Gute Hirte (*Christus*); **II** *v/t.* **3.** *Schafe etc.* hüten; **4.** *fig. Menschenmenge etc.* treiben, führen, ‚bugsieren'; **'shep·herd·ess** [-dɪs] *s.* (Schaf)Hirtin *f*, Schäferin *f*.

shep·herd's| crook *s.* Hirtenstab *m*; **~ dog** *s.* Schäferhund *m*; **~ pie** *s.* Auflauf *m* aus Hackfleisch u. Kar'toffelbrei; **ˌ~-'purse** *s.* ⚘ Hirtentäschel *n*.

sher·bet ['ʃɜːbət] *s.* **1.** Sor'bett *n*, *m* (*Frucht-, Eisgetränk*); **2.** *bsd. Am.* Fruchteis *n*; **3.** *a.* **~ *powder*** Brausepulver *n*.

sherd [ʃɜːd] → ***shard***.

sher·iff ['ʃerɪf] *s.* ⚖ Sheriff *m*: a) *in England, Wales u. Irland der höchste Verwaltungsbeamte e-r Grafschaft*, b) *in den USA der gewählte höchste Exekutivbeamte e-s Verwaltungsbezirkes*, c) *in Schottland e-e Art Amtsrichter.*

sher·ry ['ʃerɪ] *s.* Sherry *m*.

she's [ʃiːz; ʃɪz] F *für* a) ***she is***, b) ***she has***.

shew [ʃəʊ] *obs. für* ***show***.

shib·bo·leth ['ʃɪbəleθ] *s. fig.* **1.** Schib'boleth *n*, Erkennungszeichen *n*, -wort *n*; **2.** Kastenbrauch *m*; **3.** Plati'tüde *f*.

shield [ʃiːld] **I** *s.* **1.** Schild *m*; **2.** Schutzschild *m*, -schirm *m*; **3.** *fig.* a) Schutz *m*, Schirm *m*, b) (Be)Schützer(in); **4.** ⚡, ⚙ (Ab)Schirmung *f*; **5.** Arm-, Schweißblatt *n*; **6.** *zo.* (Rücken)Schild *m*, Panzer *m* (*Insekt etc.*); **7.** *her.* (Wappen-)Schild *m*; **II** *v/t.* **8.** (be)schützen, (be-)schirmen (***from*** vor *dat.*); **9.** *bsd. b.s. j-n* decken; **10.** ⚡, ⚙ (ab)schirmen; **'~-ˌbear·er** *s.* Schildknappe *m*; **~ fern** *s.* ⚘ Schildfarn *m*; **~ forc·es** *s. pl.* ⚔ Schildstreitkräfte *pl.*

shiel·ing ['ʃiːlɪŋ] *s. Scot.* **1.** (Vieh)Weide *f*; **2.** Hütte *f*.

shift [ʃɪft] **I** *v/i.* **1.** den Platz *od.* die Lage wechseln, sich bewegen; **2.** sich verlagern (*a.* ⚖ *Beweislast*), sich verwandeln (*a. Szene*), sich verschieben (*a. ling.*), wechseln; **3.** ⚓ 'überschießen, sich verlagern (*Ballast, Ladung*); **4.** die Wohnung wechseln; **5.** 'umspringen (*Wind*); **6.** *mot.* schalten: **~ *up*** (***down***) hinaufschalten (herunterschalten); **7.** *Kugelstoßen*: angleiten; **8.** **~ *for o.s.*** a) auf sich selbst gestellt sein, b) sich selbst (weiter)helfen, sich durchschlagen; **9.** Ausflüchte machen; **10.** *mst* **~ *away*** F sich da'vonmachen; **II** *v/t.* **11.** (aus-, 'um)wechseln, (aus)tauschen; → ***ground*** 2; **12.** (*a. fig.*) verschieben, -lagern, (*a. Schauplatz*, ⚔ *das Feuer*) verlegen; *Betrieb* 'umstellen (***to*** auf *acc.*); *thea. Kulissen* schieben; **13.** ⚙ schalten, ausrücken, verstellen, *Hebel* 'umlegen: **~ *gears*** *mot.* schalten; **14.** ⚓ a) *Schiff* verholen, b) *Ladung* 'umstauen; **15.** *Kleidung* wechseln; **16.** *Schuld, Verantwortung* (ab)schieben, abwälzen (**[*up*]*on*** auf *acc.*); **17.** *j-n* loswerden; **18.** *Am.* F a) *Essen etc.* ‚wegputzen', b) *Schnaps etc.* ‚kippen'; **III** *s.* **19.** Verschiebung *f*, -änderung *f*, -lagerung *f*, Wechsel *m*; **20.** ⚒ (Arbeits)Schicht *f* (*Arbeiter od. Arbeitszeit*); **21.** Ausweg *m*, Hilfsmittel *n*, Notbehelf *m*: ***make*** (***a***) **~** a) sich durchschlagen, b) es fertigbringen, es möglich machen (***to do*** zu tun), c) sich behelfen (***with*** mit, ***without*** ohne); **22.** Kniff *m*, List *f*, Ausflucht *f*; **23.** **~ *of crop*** 🌱 *Brit.* Fruchtwechsel *m*; **24.** *geol.* Verwerfung *f*; **25.** ♪ a) Lagenwechsel *m* (*Streichinstrumente*), b) Zugwechsel *m* (*Posaune*), c) Verschiebung *f* (*Klavierpedal etc.*); **26.** *ling.* Lautverschiebung *f*; **27.** *Kugelstoßen*: Angleiten *n*; **28.** *obs.* ('Unter-)Hemd *n der Frau*; '**shift·er** [-tə] *s.* **1.** *thea.* Ku'lissenschieber *m*; **2.** *fig.* schlauer Fuchs; **3.** ⚙ a) Schalter *m*, b) Ausrückvorrichtung *f*; '**shift·i·ness** [-tɪnɪs] *s.* **1.** Gewandtheit *f*; **2.** Verschlagenheit *f*; **3.** Unzuverlässigkeit *f*; '**shift·ing** [-tɪŋ] *adj.* sich verschiebend, veränderlich: **~ *sand*** Treib-, Flugsand *m*.

shift key *s.* 'Umschalter *m* (*Schreibmaschine*).

shift·less ['ʃɪftlɪs] *adj.* □ **1.** hilflos (*a. fig. unfähig*); **2.** unbeholfen, einfallslos; **3.** träge, faul.

shift| work *s.* **1.** Schichtarbeit *f*; **2.** *ped.* 'Schicht,unterricht *m*; **~ work·er** *s.* Schichtarbeiter(in).

shift·y ['ʃɪftɪ] *adj.* □ **1.** a) wendig, b) schlau, gerissen, c) verschlagen, falsch; **2.** *fig.* unstet.

shil·ling ['ʃɪlɪŋ] *s. Brit. obs.* Schilling *m*: ***a ~ in the pound*** 5 Prozent; ***pay twenty ~s in the pound*** s-e Schulden *etc.* auf Heller u. Pfennig bezahlen; ***cut s.o. off with a ~*** j-n enterben; **~ shock·er** *s.* 'Schundro,man *m*.

shil·ly-shal·ly ['ʃɪlɪ,ʃælɪ] **I** *v/i.* zögern, schwanken; **II** *s.* Schwanken *n*, Zögern *n*; **III** *adj. u. adv.* zögernd, schwankend.

shim [ʃɪm] ⚙ *s.* Keil *m*, Klemmstück *n*, Ausgleichsscheibe *f*.

shim·mer ['ʃɪmə] **I** *v/i.* schimmern; **II** *s.* Schimmer *m*; '**shim·mer·y** [-ərɪ] *adj.* schimmernd.

shim·my ['ʃɪmɪ] **I** *s.* **1.** Shimmy *m* (*Tanz*); **2.** ⚙ Flattern *n* (*der Vorderräder*); **3.** F (Damen)Hemd *n*; **II** *v/i.* **4.** Shimmy tanzen; **5.** ⚙ flattern (*Vorderräder*).

shin [ʃɪn] **I** *s.* **1.** Schienbein *n*; **2.** **~ *of beef*** Rinderhachse *f*; **II** *v/i.* **3.** **~ *up*** *e-n Baum etc.* hin'aufklettern; **4.** *Am.* rennen; **III** *v/t.* **5.** *j-n* ans Schienbein treten; **6.** **~ *o.s.*** sich das Schienbein verletzen; '**~·bone** *s.* Schienbein(knochen *m*) *n*.

shin·dig ['ʃɪndɪg] *s.* **1.** *sl.* ‚Schwof' *m*, Tanz(veranstaltung *f*) *m*; *weitS.* (‚wilde') Party; **2.** → ***shindy***.

shin·dy ['ʃɪndɪ] *s.* F Krach *m*, Ra'dau *m*.

shine [ʃaɪn] **I** *v/i.* [*irr.*] **1.** scheinen; leuchten, strahlen (*a. Augen etc.*; ***with joy*** vor Freude): **~ *out*** hervorleuchten, *fig.* herausragen; **~ (*up*)*on*** *et.* beleuchten; **~ *up to*** *Am. sl.* sich bei *j-m* anbiedern; **2.** glänzen (*a. fig. sich hervortun* ***as*** als, ***at*** in *dat.*); **II** *v/t.* [*irr.*] **3.** F *Schuhe etc.* polieren; **III** *s.* **4.** (*Sonnen- etc.*)Schein *m*; → ***rain*** 1; **5.** Glanz *m*: ***take the ~ out of*** a) *e-r Sache* den Glanz nehmen, b) *et. od. j-n* in den Schatten stellen; **6.** Glanz *m* (*bsd. auf Schuhen*): ***have a ~?*** Schuhputzen gefällig?; **7.** ***kick up a ~*** F Radau machen; **8.** ***take a ~ to s.o.*** F j-n ins Herz schließen; '**shin·er** [-nə] *s.* **1.** glänzender Gegenstand; **2.** *sl.* a) Goldmünze *f* (*bsd. Sovereign*), b) Dia'mant *m*, c) *pl.* ‚Kies' *m* (*Geld*); **3.** *sl.* ‚Veilchen' *n*, blau(geschlagen)es Auge.

shin·gle[1] ['ʃɪŋgl] **I** *s.* **1.** (Dach)Schindel *f*; **2.** Herrenschnitt *m* (*Damenfrisur*); **3.** *Am.* F (Firmen)Schild *n*: ***hang out one's ~*** sich (als Arzt *etc.*) etablieren, ‚s-n eigenen Laden aufmachen'; **II** *v/t.* **4.** mit Schindeln decken; **5.** *Haar* (sehr) kurz schneiden: **~*d hair*** → 2.

shin·gle[2] ['ʃɪŋgl] *s. Brit.* **1.** grober Strandkies(el) *m*; **2.** Kiesstrand *m*.

shin·gle[3] ['ʃɪŋgl] *v/t. metall.* zängen.

shin·gles ['ʃɪŋglz] *s. pl. sg. konstr.* ⚕ Gürtelrose *f*.

shin·gly ['ʃɪŋglɪ] *adj.* kies(el)ig.

shin·ing ['ʃaɪnɪŋ] *adj.* □ leuchtend (*a. fig. Beispiel*), strahlend; glänzend (*a. fig.*): ***a ~ light*** e-e Leuchte (*Person*).

shin·ny ['ʃɪnɪ] *v/i. Am.* F klettern.

shin·y ['ʃaɪnɪ] *adj. allg.* glänzend: a) leuchtend (*a. fig.*), funkelnd (*a. Auto etc.*), b) strahlend (*Tag etc.*), c) blank (-geputzt), d) abgetragen: ***a ~ jacket***.

ship [ʃɪp] **I** *s.* **1.** ⚓ *allg.* Schiff *n*: **~*'s articles*** → ***shipping articles***; **~*'s company*** Besatzung *f*; **~*'s husband*** Mitreeder *m*; **~*'s papers*** Schiffspapiere; **~ *of the desert*** *fig.* Wüstenschiff (*Kamel*); ***take ~*** sich einschiffen (***for*** nach); ***about ~!*** klar zum Wenden!;

when my ~ comes home *fig.* wenn ich mein Glück mache; **2.** ⚓ Vollschiff *n* (*Segelschiff*); **3.** Boot *n*; **4.** *Am.* a) Luftschiff *n*, b) Flugzeug *n*, c) Raumschiff *n*; **II** *v/t.* **5.** an Bord bringen *od.* (*a. Passagiere*) nehmen, verladen; **6.** ⚓ verschiffen, transportieren; **7.** ✝ a) verladen, b) versenden, -frachten, (aus-) liefern (*a. zu Lande*), c) *Ware zur Verladung* abladen, d) ⚓ *Ladung* über'nehmen: ***~ a sea*** e-e See (*Sturzwelle*) übernehmen; **8.** ⚓ *Ruder* einlegen, *Mast* einsetzen: ***~ the oars*** die Riemen einlegen; **9.** ⚓ *Matrosen* (an)heuern; **10.** F *a.* ***~ off*** fortschicken; **III** *v/i.* **11.** sich einschiffen; **12.** sich anheuern lassen; **~ bis·cuit** *s.* Schiffszwieback *m*; **'~·board** *s.*: ***on ~*** an Bord; **'~·borne air·craft** *s.* ✈ Bordflugzeug *n*; **'~ˌbuild·er** *s.* ⚓ 'Schiffsarchiˌtekt *m*, -bauer *m*; **'~ˌbuild·ing** *s.* ⚓ Schiff(s)bau *m*; **~ ca·nal** *s.* ⚓ 'Seekaˌnal *m*; **~ chan·dler** *s.* Schiffsausrüster *m*; **'~·load** *s.* (volle) Schiffsladung (*als Maß*); **'~ˌmas·ter** *s.* ⚓ ('Handels)Kapiˌtän *m*.

ship·ment ['ʃɪpmənt] *s.* **1.** ⚓ a) Verladung *f*, b) Verschiffung *f*, 'Seetransˌport *m*, c) (Schiffs)Ladung *f*; **2.** ✝ (*a. zu Lande*) a) Versand *m*, b) (Waren)Sendung *f*, Lieferung *f*.

'shipˌown·er *s.* Reeder *m*.

ship·per ['ʃɪpə] *s.* ✝ **1.** Verschiffer *m*, Ablader *m*; **2.** Spedi'teur *m*.

ship·ping ['ʃɪpɪŋ] *s.* **1.** Verschiffung *f*; **2.** ✝ a) Abladung *f* (*Anbordnahme*), b) Verfrachtung *f*, Versand *m* (*a. zu Lande etc.*); **3.** ⚓ *coll.* Schiffsbestand *m* (*e-s Landes etc.*); **~ a·gent** *s.* **1.** 'Schiffsaˌgent *m*; **2.** Schiffsmakler *m*; **~ ar·ti·cles** *s. pl.* ⚓ 'Schiffsarˌtikel *pl.*, Heuervertrag *m*; **~ bill** *s. Brit.* Mani'fest *n*; **~ clerk** *s.* ✝ Leiter *m* der Versandabteilung; **~ com·pa·ny** *s.* ⚓ Reede'rei *f*; **~ fore·cast** *s.* Seewetterbericht *m*.

'ship|·shape *pred. adj. u. adv.* in tadelloser Ordnung, blitzblank; **ˌ~-to-'ship** *adj.* Bord-Bord-…; **ˌ~-to-'shore** *adj.* Bord-Land-…; **'~·way** *s.* Stapel *m*, Helling *f*; **'~·wreck I** *s.* **1.** ⚓ Wrack *n*; **2.** Schiffbruch *m*, *fig. a.* Scheitern *n von Plänen etc.*: ***make ~ of*** → 4; **II** *v/t.* **3.** scheitern lassen: ***be ~ed*** schiffbrüchig werden *od.* sein; **4.** *fig.* zum Scheitern bringen, vernichten; **III** *v/i.* **5.** Schiffbruch erleiden, scheitern (*beide a. fig.*); **'~·wright** *s.* **1.** → ***shipbuilder***; **2.** Schiffszimmermann *m*; **'~·yard** *s.* (Schiffs)Werft *f*.

shir [ʃɜː] → ***shirr***.

shire ['ʃaɪə] *s.* **1.** brit. Grafschaft *f*; **2.** au'stralischer Landkreis; **3.** *a.* ***~ horse*** *ein schweres Zugpferd*.

shirk [ʃɜːk] **I** *v/t.* sich drücken vor (*dat.*); **II** *v/i.* sich drücken (***from*** vor *dat.*); **'shirk·er** [-kə] *s.* Drückeberger *m*.

shirr [ʃɜː] **I** *s.* e'lastisches Gewebe, eingewebte Gummischnur, Zugband *n*; **II** *v/t. Gewebe* kräuseln; **shirred** [ʃɜːd] *adj.* e'lastisch, gekräuselt.

shirt [ʃɜːt] *s.* **1.** (Herren-, Ober-, *a.* 'Unter-, Nacht)Hemd *n*: ***get s.o.'s ~ out*** j-n ‚auf die Palme bringen'; ***give away the ~ off one's back*** sein letztes Hemd *für j-n* hergeben; ***keep one's ~ on*** *sl.* sich nicht aufregen; ***lose one's ~*** ‚sein letztes Hemd verlieren'; ***put one's ~ on*** *sl.* alles auf *ein Pferd etc.* setzen; **2.** *a.* ***~ blouse*** Hemdbluse *f*; **~ front** *s.* Hemdbrust *f*.

shirt·ing ['ʃɜːtɪŋ] *s.* Hemdenstoff *m*.

'shirt-sleeve I *s.* Hemdsärmel *m*: ***in one's ~s*** in Hemdsärmeln; **II** *adj. fig.* ‚hemdsärmelig', ungezwungen, le'ger: ***~ diplomacy*** offene Diplomatie.

shirt·y ['ʃɜːtɪ] *adj. sl.* unverschämt, ungehobelt.

shit [ʃɪt] V **I** *s.* **1.** Scheiße *f*: ***have a ~*** scheißen; **2.** *fig.* ‚Scheiße' *f*, ‚Scheiß (-dreck)' *m*; **3.** *fig.* Arschloch *n*; **4.** *pl.* ‚Scheiße'rei' *f*; **5.** *sl.* ‚Shit' *n* (*Haschisch*); **II** *v/i.* [*irr.*] **6.** scheißen: ***~ on*** a) auf *j-n od. et.* scheißen, b) *fig. j-n* ‚verpfeifen'; **III** *v/t.* **7.** vollscheißen, scheißen in (*acc.*); **shit·ty** ['ʃɪtɪ] *adj.* ‚beschissen'.

shiv·er[1] ['ʃɪvə] **I** *s.* **1.** Splitter *m*, (Bruch-) Stück *n*, Scherbe *f*; **2.** *min.* Dachschiefer *m*; **II** *v/t.* **3.** zersplittern, zerschmettern; **III** *v/i.* **4.** (zer)splittern.

shiv·er[2] ['ʃɪvə] **I** *v/i.* **1.** (***with*** vor *dat.*) zittern, (er)schauern, frösteln; **2.** flattern (*Segel*); **II** *s.* **3.** Schauer *m*, Zittern *n*, Frösteln *n*: ***the ~s*** a) ⚕ der Schüttelfrost, b) F *fig.* das kalte Grausen; **'shiv·er·ing** [-vərɪŋ] *s.* Schauer(n *n*) *m*: ***~ fit*** Schüttelfrost *m*; **'shiv·er·y** [-ərɪ] *adj.* **1.** fröstelnd; **2.** fiebrig.

shoal[1] [ʃəʊl] **I** *s.* Schwarm *m*, Zug *m von Fischen*; *fig.* Unmenge *f*, Masse *f*; **II** *v/i.* in Schwärmen auftreten.

shoal[2] [ʃəʊl] **I** *s.* **1.** Untiefe *f*, seichte Stelle; Sandbank *f*; **2.** *fig.* Klippe *f*; **II** *adj.* **3.** seicht; **III** *v/i.* **4.** seicht(er) werden; **'shoal·y** [-lɪ] *adj.* seicht.

shock[1] [ʃɒk] **I** *s.* **1.** Stoß *m*, Erschütterung *f* (*a. fig. des Vertrauens etc.*); **2.** Zs.-stoß *m*, Zs.-prall *m*, Anprall *m*; **3.** ⚕ (Nerven)Schock *m*, Schreck *m*, (plötzlicher) Schlag (***to*** für), *seelische* Erschütterung (***to*** *gen.*): ***be in*** (***a state of***) ***~*** e-n Schock haben; ***get the ~ of one's life*** a) zu Tode erschrecken, b) sein blaues Wunder erleben; ***with a ~*** mit Schrecken; **4.** Schock *m*, Ärgernis *n* (***to*** für); **5.** ⚡ Schlag *m*, (*a.* ⚕ E'lektro-) Schock *m*; **II** *v/t.* **6.** erschüttern, erbeben lassen; **7.** *fig.* schockieren, em'pören: ***~ed*** empört *od.* entrüstet (***at*** über *acc.*, ***by*** durch); **8.** *fig. j-m* e-n Schock versetzen, *j-n* erschüttern: ***I was ~ed to***

S

hear zu m-m Entsetzen hörte ich; **9.** *j-m* e-n e'lektrischen Schlag versetzen; *j-n* schocken.

shock² [ʃɒk] **I** *s.* Mandel *f*, Hocke *f*; **II** *v/t.* in Mandeln aufstellen.

shock³ [ʃɒk] **I** *s.* (*~ **of hair*** Haar)Schopf *m*; **II** *adj.* zottig: *~ **head*** Strubbelkopf *m*.

shock| ab·sorb·er *s.* ⚙ **1.** Stoßdämpfer *m*; **2.** 'Schwingmeˌtall *n*; *~* **ab·sorp·tion** *s.* ⚙ Stoßdämpfung *f*.

shock·er ['ʃɒkə] *s.* **1.** *allg.* ,Schocker' *m*; **2.** Elektri'sierappaˌrat *m*.

'shock-ˌhead·ed *adj.* strubb(e)lig: *~* ***Peter*** (der) Struwwelpeter.

shock·ing ['ʃɒkɪŋ] **I** *adj.* ☐ **1.** schockierend, em'pörend, unerhört, anstößig; **2.** entsetzlich, haarsträubend; **3.** F scheußlich, schrecklich, mise'rabel; **II** *adv.* F **4.** schrecklich, unheimlich (*groß etc.*).

'shock|·proof *adj.* ⚙ stoß-, erschütterungsfest; *~* **tac·tics** *s. pl. sg. konstr.* ⚔ 'Durchbruchs-, Stoßtaktik *f*; *~* **ther·a·py**, *~* **treat·ment** *s.* 'Schocktheraˌpie *f*, -behandlung *f*; *~* **troops** *s. pl.* ⚔ Stoßtruppen *pl.*; *~* **wave** *s.* Druckwelle *f*; *fig.* Erschütterung *f*, Schock *m*; *~* **work·er** *s. DDR etc.*: Stoßarbeiter *m*.

shod [ʃɒd] **I** *pret. u. p.p. von* ***shoe***; **II** *adj.* **1.** beschuht; **2.** beschlagen (*Pferd, Stock etc.*); **3.** bereift.

shod·dy ['ʃɒdɪ] **I** *s.* **1.** Shoddy *n*, (langfaserige) Reißwolle; **2.** Shoddytuch *n*; **3.** *fig.* Schund *m*, Kitsch *m*; **4.** *fig.* Protzentum *n*; **II** *adj.* **5.** Shoddy...; **6.** *fig.* a) unecht, falsch: *~* ***aristocracy*** Talmiaristokratie *f*, b) kitschig, Schund...: *~* ***literature***, c) protzig.

shoe [ʃu:] **I** *s.* **1.** (*bsd. Brit.* Halb)Schuh *m*: ***dead men's ~s*** *fig.* ungeduldig erwartetes Erbe; ***be in s.o.'s ~s*** *fig.* in j-s Haut stecken; ***know where the ~ pinches*** *fig.* wissen, wo der Schuh drückt; ***shake in one's ~s*** *fig.* vor Angst schlottern; ***step into s.o.'s ~s*** j-s Stelle einnehmen; ***that is another pair of ~s*** *fig.* das sind zwei Paar Stiefel; ***now the ~ is on the other foot*** F jetzt will er *etc.* (plötzlich) nichts mehr davon wissen; **2.** Hufeisen *n*; **3.** ⚙ Schuh *m*, (Schutz)Beschlag *m*; **4.** ⚙ a) Bremsschuh *m*, -klotz *m*, b) Bremsbacke *f*; **5.** ⚙ (Reifen)Decke *f*; **6.** ↯ Gleitschuh *m*; **II** *v/t.* [*irr.*] **7.** a) beschuhen, b) *Pferd, a. Stock* beschlagen; **'~·black** *s.* Schuhputzer *m*; **'~·horn** *s.* Schuhlöffel *m*; **'~·lace** *s.* Schnürsenkel *m*; **'~ˌmak·er** *s.* Schuhmacher *m*: ***~'s thread*** Pechdraht *m*; **'~·shine** *s. Am.* Schuhputzen *n*: *~* ***boy*** Schuhputzer *m*; **'~·string I** *s.* → ***shoelace***: ***on a ~*** F mit ein paar Groschen, praktisch mit nichts *anfangen etc.*; **II** *adj.* F a) fi'nanzschwach, b) ,klein', c) armselig.

shone [ʃɒn] *pret. u. p.p. von* ***shine***.

shoo [ʃu:] **I** *int.* **1.** husch!, sch!, fort!; **II** *v/t.* **2.** *a. ~* ***away*** *Vögel etc.* verscheuchen; **3.** *Am.* F *j-n* ,scheuchen'; **III** *v/i.* **4.** husch! *od.* sch! rufen.

shook¹ [ʃʊk] *bsd. Am. s.* **1.** Bündel *n* Faßdauben; **2.** Pack *m* Kistenbretter; **3.** → ***shock²*** I.

shook² [ʃʊk] *pret. von* ***shake***.

shoot [ʃu:t] **I** *s.* **1.** a) (*a.* Wett)Schießen *n*, b) Schuß *m*; **2.** *hunt.* a) Jagd *f*, b) 'Jagd(reˌvier *n*) *f*, c) Jagdgesellschaft *f*, d) *Am.* Strecke *f*; **3.** *Am.* Ra'ketenabschuß *m*; **4.** *phot.* (Film)Aufnahme *f*; **5.** (Holz- *etc.*)Rutsche *f*, Rutschbahn *f*; **6.** Stromschnelle *f*; **7.** ⚘ Schößling *m*, Trieb *m*; **II** *v/t.* [*irr.*] **8.** *Pfeil, Kugel etc.* (ab)schießen, (-)feuern: *~* ***questions at s.o.*** j-n mit Fragen bombardieren; → ***shoot off*** I; **9.** a) *Wild* schießen, erlegen, b) *a. j-n* anschießen, c) *a. ~* ***dead*** *j-n* erschießen (***for*** wegen); **10.** *hunt.* in *e-m Revier* jagen; **11.** *sport Ball, Tor* schießen; **12.** ⚓ *Sonne etc.* schießen (*Höhe messen*); → ***moon*** 1; **13.** *fig. Strahl etc.* schießen, senden: *~* ***a glance at*** e-n schnellen Blick werfen auf (*acc.*); **14.** a) *Film, Szene* drehen, b) ,schießen', aufnehmen, fotografieren; **15.** *fig.* stoßen, schleudern, werfen; **16.** *fig.* unter *e-r Brücke etc.* hin'durchschießen, über *e-e Stromschnelle etc.* hin'wegschießen; **17.** *Riegel* vorschieben; **18.** *mit Fäden* durch'schießen, -'wirken; **19.** *a. ~* ***forth*** ⚘ *Knospen etc.* treiben; **20.** *Müll, Karren etc.* abladen, auskippen; **21.** *Faß* schroten; **22.** (ein)spritzen; → ***shoot up*** 2; **III** *v/i.* [*irr.*] **23.** *a. sport* schießen, feuern (***at*** nach, auf *acc.*): ***~!*** *Am. sl.* schieß los! (*sprich!*); **24.** *hunt.* jagen, schießen: ***go ~ing*** auf die Jagd gehen; **25.** *fig.* (da'hin-, vor'bei- *etc.*)schießen, (-)jagen, (-)rasen: *~* ***ahead*** nach vorn schießen, voranstürmen; *~* ***ahead of*** vorbeischießen an (*dat.*), überholen; **26.** stechen (*Schmerz, Glied*); **27.** *a. ~* ***forth*** ⚘ sprossen, keimen; **28.** a) filmen, b) fotografieren; **29.** ⚓ 'überschießen (*Ballast*);

Zssgn mit adv.:

shoot| down *v/t.* **1.** *j-n* niederschießen; **2.** *Flugzeug etc.* abschießen; **3.** F ,abschmettern'; *~* **off I** *v/t. Waffe* abschießen: *~* ***one's mouth*** a) ,blöd daherreden', b) ,quatschen', ,(weiter-) tratschen'; **II** *v/i.* stechen (*bei gleicher Trefferzahl*); *~* **out I** *v/t.* **1.** *Auge etc.* ausschießen; **2.** ***shoot it out*** die Sache mit ,blauen Bohnen' entscheiden; **3.** her'ausschleudern, hin'auswerfen; **4.** *Faust, Fuß* vorschnellen (lassen); *Zunge* her'ausstrecken; **5.** her'ausragen lassen; **II** *v/i.* **6.** ⚘ her'vorsprießen; **7.**

vor-, her'ausschnellen; ~ **up I** *v/t.* **1.** *sl.* zs.-schießen; **2.** *sl. Heroin etc.* ‚drükken'; **II** *v/i.* **3.** in die Höhe schießen, rasch wachsen (*Pflanze*, *Kind*); **4.** em'porschnellen (*a.* ✝ *Preise*); **5.** (jäh) aufragen (*Klippe etc.*).

shoot·er ['ʃuːtə] *s.* **1.** Schütze *m*, Schützin *f*; **2.** F ‚Schießeisen' *n*.

shoot·ing ['ʃuːtɪŋ] **I** *s.* **1.** a) Schießen *n*, b) Schieße'rei *f*; **2.** Erschießen *n*; **3.** *fig.* Stechen *n* (*Schmerz*); **4.** *hunt.* a) Jagd *f*, b) Jagdrecht *n*, c) 'Jagdreˌvier *n*; **5.** Aufnahme(n *pl.*) *f zu e-m Film*, Dreharbeiten *pl.*; **II** *adj.* **6.** schießend, Schieß...; **7.** *fig.* stechend (*Schmerz*); **8.** Jagd...; ~ **box** *s.* Jagdhütte *f*; ~ **gal·ler·y** *s.* **1.** ⚔, *sport* Schießstand *m*; **2.** Schießbude *f*; ~ **i·ron** *s. sl.* ‚Schießeisen' *n*; ~ **li·cense** *s.* Jagdschein *m*; ~ **match** *s.* Preis-, Wettschießen *n*: ***the whole ~*** F der ganze ‚Kram'; ~ **range** *s.* Schießstand *m*; ~ **star** *s. ast.* Sternschnuppe *f*; ~ **war** *s.* heißer Krieg, Schießkrieg *m*.

shop [ʃɒp] **I** *s.* **1.** (Kauf)Laden *m*, Geschäft *n*: ***set up ~*** ein Geschäft eröffnen; ***shut up ~*** das Geschäft schließen, den Laden dichtmachen (*a. für immer*); ***come to the wrong ~*** F an die falsche Adresse geraten; ***all over the ~*** *sl.* a) überall verstreut, b) in alle Himmelsrichtungen; **2.** ⚙ Werkstatt *f*; **3.** a) Betrieb *m*, Fa'brik *f*, b) Ab'teilung *f in e-r Fabrik*: ***talk ~*** fachsimpeln; ***sink the ~*** F a) nicht vom Geschäft reden, b) s-n Beruf verheimlichen; → ***closed shop***, ***open shop***; **4.** *bsd. Brit. sl.* a) ‚Laden' *m* (*Institut etc.*), ‚Penne' *f* (*Schule*), ‚Uni' *f* (*Universität*), b) ‚Kittchen' *n* (*Gefängnis*); **II** *v/i.* **5.** einkaufen, Einkäufe machen: ***go ~ping***; ***~ around*** F a) *vor dem Einkauf* die Preise vergleichen, b) *fig.* sich umsehen (***for*** nach); **III** *v/t.* **6.** *bsd. Brit. sl.* a) *j-n* ‚verpfeifen', b) *j-n* ‚ins Kittchen bringen'; ~ **as·sist·ant** *s. Brit.* Verkäufer(in); ~ **com·mit·tee** *s.* ✝ *Am.* Betriebsrat *m*; '~ˌ**fit·ter** *s.* Ladeneinrichter *m*, -ausstatter *m*; ~ **floor** *s.* **1.** Produkti'onsstätte *f*; **2.** Arbeiter *pl.*, Belegschaft *f*; '~**·girl** *s.* Ladenmädchen *n*; '~ˌ**keep·er** *s.* Ladenbesitzer(in): ***nation of ~s*** *fig. contp.* Krämervolk *n*; '~ˌ**keep·ing** *s.* **1.** Kleinhandel *m*; **2.** Betrieb *m e-s* (Laden)Geschäfts; '~ˌ**lift·er** *s.* Ladendieb(in); '~ˌ**lift·ing** *s.* Ladendiebstahl *m*.

shop·per ['ʃɒpə] *s.* (Ein)Käufer(in);

shop·ping ['ʃɒpɪŋ] *s.* **1.** Einkauf *m*, Einkaufen *n* (*in Läden*): ***~ centre*** *Brit.*, ***~ center*** *Am.* Einkaufszentrum *n*; ***~ list*** Einkaufsliste *f*; ***do one's ~*** (seine) Einkäufe machen; **2.** Einkäufe *pl.* (*Ware*).

ˌ**shop**|-'**soiled** *adj.* **1.** ✝ angestaubt, beschädigt; **2.** *fig.* abgenutzt; ~ **stew·ard** *s.* ✝ (gewerkschaftlicher) Vertrauensmann; '~**·talk** *s.* Fachsimpe'lei *f*; '~ˌ**walk·er** *s. Brit.* (aufsichtführender) Ab'teilungsleiter (*im Kaufhaus*); ˌ~'**win·dow** *s.* Schaufenster *n*, Auslage *f*: ***put all one's goods in the ~*** *fig.* ‚ganz auf Wirkung machen'; '~**·worn** → ***shop-soiled***.

shore[1] [ʃɔː] **I** *s.* **1.** Stütz-, Strebebalken *m*, Strebe *f*; **2.** ⚓ Schore *f* (*Spreizholz*); **II** *v/t.* **3.** *mst* ~ ***up*** a) abstützen, b) *fig.* (unter)'stützen.

shore[2] [ʃɔː] **I** *s.* **1.** Küste *f*, Strand *m*, Ufer *n*, Gestade *n*: ***my native ~*** *fig.* mein Heimatland; **2.** ⚓ Land *n*: ***on ~*** an(s) Land; ***in ~*** in Küstennähe; **II** *adj.* **3.** Küsten..., Strand..., Land...: ***~ battery*** ⚔ Küstenbatterie *f*; ***~ leave*** ⚓ Landurlaub *m*; '**shore·less** [-lɪs] *adj.* ohne Ufer, uferlos (*a. poet. fig.*); '**shore·ward** [-wəd] **I** *adj.* küstenwärts gelegen *od.* gerichtet *etc.*; **II** *adv. a.* ***~s*** küstenwärts, (nach) der Küste zu.

shorn [ʃɔːn] *p.p. von* ***shear***: ***~ of*** *fig. e-r Sache* beraubt.

short [ʃɔːt] **I** *adj.* □ → ***shortly***; **1.** *räumlich u. zeitlich* kurz: ***a ~ life***; ***a ~ memory***; ***a ~ street***; ***a ~ time ago*** vor kurzer Zeit, vor kurzem; ***~ sight*** Kurzsichtigkeit *f* (*a. fig.*); ***get the ~ end of the stick*** *Am.* F schlecht wegkommen (*bei e-r Sache*); ***have by the ~ hairs*** *Am.* F *j-n od. et.* ‚in der Tasche' haben; **2.** kurz, gedrungen, klein; **3.** zu kurz (***for*** für): ***fall*** (*od.* ***come***) ***~ of*** *fig. et.* nicht erreichen, *den Erwartungen etc.* nicht entsprechen, hinter (*dat.*) zurückbleiben; **4.** *fig.* kurz, knapp: ***a ~ speech***; ***be ~ for*** die Kurzform sein von; **5.** kurz angebunden, barsch (***with*** gegen); **6.** knapp, unzureichend: ***~ rations***; ***~ weight*** Fehlgewicht *n*; ***run ~*** knapp werden; **7.** knapp (***of*** an *dat.*): ***~ of breath*** kurzatmig; ***~ of cash*** knapp bei Kasse; ***they ran ~ of bread*** das Brot ging ihnen aus; **8.** knapp, nicht ganz: ***a ~ hour*** (***mile***); **9.** geringer, weniger (***of*** als): ***nothing ~ of*** nichts weniger als, geradezu (→ *a.* 17); **10.** mürbe (*Gebäck etc.*): ***~ pastry*** Mürbeteig *m*; **11.** *metall.* brüchig; **12.** *bsd.* ✝ kurzfristig, *Wechsel etc.* auf kurze Sicht: ***at ~ date*** kurzfristig; ***at ~ notice*** a) kurzfristig (kündbar), b) schnell, prompt; **13.** ✝ *Börse*: a) Baisse..., b) ungedeckt, dekkungslos: ***sell ~***; **14.** a) klein, in e-m Gläs-chen serviert, b) stark (*Getränk*); **II** *adv.* **15.** kurz(erhand), plötzlich, ab'rupt: ***cut s.o. ~***, ***take s.o. up ~*** j-n (jäh) unterbrechen; ***be taken ~*** F ‚dringend (austreten) müssen'; ***stop ~*** plötzlich innehalten (→ *a.* 17); **16.** zu kurz; **17.** ***~ of*** a) knapp *od.* kurz vor (*dat.*), b) *fig.* abgesehen von, außer (*dat.*): ***anything ~ of murder***; ***~ of lying*** ehe ich

S

lüge; ***stop ~ of*** zurückschrecken vor (*dat.*); **III** *s.* **18.** *et.* Kurzes, *z.B.* Kurzfilm *m*; **19.** ***in ~*** kurzum; ***called Bill for ~*** kurz *od.* der Kürze halber Bill genannt; **20.** ⚡ F ‚Kurze(r)' *m* (*Kurzschluß*); **21.** ✝ a) 'Baissespeku,lant *m*, b) *pl.* ohne Deckung verkaufte 'Wertpa,piere *pl. od.* Waren *pl.*; **22.** *ling.* a) kurzer Vo'kal, b) kurze Silbe; **23.** *pl.* a) Shorts *pl.*, kurze Hose, b) *Am.* kurze 'Unterhose; **IV** *v/t.* **24.** F → ***short-circuit*** 1, 2; **'short·age** [-tɪdʒ] *s.* **1.** Knappheit *f*, Mangel *m* (***of*** an *dat.*); **2.** Fehlbetrag *m*, Defizit *n*.

'short|·bread, **'~·cake** *s.* Mürbe-, Teekuchen *m*; **,~'change** *v/t.* F *j-m* zu'wenig (Wechselgeld) her'ausgeben; *fig. j-n* ‚übers Ohr hauen'; **~ cir·cuit** *s.* ⚡ Kurzschluß *m*; **,~-'cir·cuit** *v/t.* **1.** ⚡ e-n Kurzschluß verursachen in (*dat.*); **2.** ⚡ kurzschließen; **3.** *fig.* F a) *et.* ‚torpedieren', b) *et.* um'gehen; **,~'com·ing** *s.* **1.** Unzulänglichkeit *f*; **2.** Fehler *m*, Mangel *m*; **3.** Pflichtversäumnis *n*; **4.** Fehlbetrag *m*; **~ cut** *s.* Abkürzung *f* (*Weg*); *fig.* abgekürztes Verfahren: ***take a ~*** (den Weg) abkürzen; **,~'dat·ed** *adj.* ✝ kurzfristig: **~ *bond*;** **,~'dis·tance** *adj.* Nah...

short·en ['ʃɔːtn] **I** *v/t.* **1.** (ab-, ver)kürzen, kürzer machen; *Bäume etc.* stutzen; *fig.* vermindern; **2.** ⚓ *Segel* reffen; **3.** *Teig* mürbe machen; **II** *v/i.* **4.** kürzer werden; **5.** fallen (*Preise*); **'short·en·ing** [-nɪŋ] *s.* **1.** (Ab-, Ver)Kürzung *f*; **2.** (Ver)Minderung *f*; **3.** Backfett *n*.

'short|·fall *s.* Fehlbetrag *m*; **'~·hand I** *s.* **1.** Kurzschrift *f*; **II** *adj.* **2.** in Kurzschrift (geschrieben), stenographiert; **3.** Kurzschrift...: **~ *typist*** Stenotypistin *f*; **~ *writer*** Stenograph(in); **,~-'hand·ed** *adj.* knapp an Arbeitskräften; **~ haul** *s.* Nahverkehr *m*; **'~·horn** *s. zo.* Shorthorn *n*, Kurzhornrind *n*.

short·ie ['ʃɔːtɪ] → ***shorty***.

short·ish ['ʃɔːtɪʃ] *adj.* etwas *od.* ziemlich kurz (geraten).

short| list *s.*: ***be on the ~*** in der engeren Wahl sein; **'~-list** *v/t. j-n* in die engere Wahl ziehen; **,~'lived** [-'lɪvd] *adj.* kurzlebig, *fig. a.* von kurzer Dauer.

short·ly ['ʃɔːtlɪ] *adv.* **1.** in Kürze, bald: **~ *after*** kurz (da)nach; **2.** in kurzen Worten; **3.** kurz (angebunden), schroff; **short·ness** ['ʃɔːtnɪs] *s.* **1.** Kürze *f*; **2.** Schroffheit *f*; **3.** Knappheit *f*, Mangel *m* (***of*** an *dat.*): **~ *of breath*** Kurzatmigkeit *f*; **4.** Mürbe *f* (*Gebäck etc.*).

'short|-range *adj.* **1.** Kurzstrecken..., Nah..., ⚔ *a.* Nahkampf...; **2.** *fig.* kurzfristig; **~ rib** *s. anat.* falsche Rippe; **~ sale** *s.* ✝ Leerverkauf *m*; **,~-'sight·ed** [-'saɪtɪd] *adj.* □ kurzsichtig (*a. fig.*); **,~-'sight·ed·ness** [-'saɪtɪdnɪs] *s.* Kurzsichtigkeit *f* (*a. fig.*); **,~-'spo·ken** *adj.* kurz angebunden, schroff; **~ sto·ry** *s.* Kurzgeschichte *f*; **~ tem·per** *s.* Reizbarkeit *f*, Heftigkeit *f*; **,~-'tem·pered** *adj.* reizbar, aufbrausend; **'~-term** *adj. bsd.* ✝ kurzfristig: **~ *credit*;** **~ time** *s.* ✝ Kurzarbeit *f*: ***work*** (*od.* ***be on***) **~** kurzarbeiten; **~ ton** *s. bsd. Am.* Tonne *f* (*2000 lbs.*); **~ wave** *s.* ⚡ Kurzwelle *f*; **,~-'wave** *adj.* ⚡ **1.** kurzwellig; **2.** Kurzwellen...; **~ wind** *s.* Kurzatmigkeit *f* (*a. fig.*); **,~-'wind·ed** *adj.* kurzatmig (*a. fig.*).

short·y ['ʃɔːtɪ] *s.* F **1.** ‚Knirps' *m*; **2.** a) kleines Ding, b) kurze Sache.

shot¹ [ʃɒt] **I** *pret. u. p.p. von* ***shoot***; **II** *adj.* **1.** *a.* **~ *through*** durch'schossen, gesprenkelt (*Seide etc.*); **2.** changierend, schillernd (*Stoff, Farbe*); **3.** *sl.* ‚ka'putt', erschöpft.

shot² [ʃɒt] *s.* **1.** Schuß *m* (*a. Knall*): ***a long ~*** *fig.* ein kühner Versuch; ***by a long ~*** *sl.* weitaus; ***not by a long ~*** längst nicht, kein bißchen; ***call the ~s*** *fig.* ‚am Drücker sein', das Sagen haben; ***like a ~*** F wie der Blitz, sofort; ***take a ~ at*** schießen auf (*acc.*); **2.** Schußweite *f*: ***out of ~*** außer Schußweite; **3.** *a.* ***small ~*** a) Schrotkugel *f*, -korn *n*, b) *coll.* Schrot(kugeln *pl.*) *m*; **4.** (Ka'nonen)Kugel *f*, Geschoß *n*: ***a ~ in the locker*** F Geld in der Tasche; **5.** *guter etc.* Schütze: ***big ~*** F ‚großes *od.* hohes Tier'; **6.** *sport* Schuß *m*, Wurf *m*, Stoß *m*, Schlag *m*; **7.** *sport* Kugel *f*: → ***shot put***; **8.** a) (Film)Aufnahme *f*, (-)Szene *f*, b) *phot.* F Aufnahme *f*, Schnappschuß *m*; **9.** *fig.* Versuch *m*: ***at the third ~*** beim dritten Versuch; ***have a ~ at*** es (einmal) mit *et.* versuchen; **10.** *fig.* (Seiten)Hieb *m*; **11.** ⚕ Spritze *f* (*Injektion*): **~ *in the arm*** F *fig.* ‚Spritze' *f* (*bsd.* ✝ *finanzielle Hilfe*); **12.** F Schuß *m Rum etc.*; ‚Gläs-chen' *n Schnaps*: ***stand ~*** die Zeche (für alle) bezahlen; **13.** ⚙ a) Sprengladung *f*, b) Sprengung *f*; **14.** *Am. sl.* Chance *f*; **'~·gun** *s.* Schrotflinte *f*: **~ *wedding*** F ‚Mußheirat' *f*; **~ put** *s. sport* a) Kugelstoßen *n*, b) Stoß *m*; **'~-,put·ter** *s. sport* Kugelstoßer(in).

shot·ten ['ʃɒtn] *adj. ichth.* gelaicht habend: **~ *herring*** Laichhering *m*.

shot weld·ing *s.* ⚙ Schußschweißen *n*.

should [ʃʊd; ʃəd] **1.** *pret. von* ***shall***, *a. konditional futurisch*: *ich, er, sie, es* sollte, *du* solltest, *wir, Ihr, Sie, sie* sollten: ***I ~ have gone*** ich hätte gehen sollen; ***if he ~ come*** falls er kommen sollte; **~ *it prove false*** sollte es sich als falsch erweisen; **2.** *konditional*: *ich* würde, *wir* würden: ***I ~ go if ...***; ***I ~ not have come if*** ich wäre nicht gekommen, wenn; ***I ~ like to*** ich würde *od.* möchte gern; **3.** *nach Ausdrücken des Erstaunens*: ***it is incredible that he ~***

S

have failed es ist unglaublich, daß er versagt hat.

shoul·der ['ʃəʊldə] **I** *s.* **1.** Schulter *f*, Achsel *f*: ***~ to ~*** *bsd. fig.* Schulter an Schulter; ***put one's ~ to the wheel*** *fig.* sich tüchtig ins Zeug legen; (***straight***) ***from the ~*** *fig.* unverblümt, geradeheraus; ***give s.o. the cold ~*** *fig.* j-m die kalte Schulter zeigen; → ***rub*** 7; ***he has broad ~s*** *fig.* er hat e-n breiten Rükken; **2.** Bug *m*, Schulterstück *n* (*von Tieren*): ***~ of mutton*** Hammelkeule *f*; **3.** *fig.* Schulter *f*, Vorsprung *m*; **4.** *a.* ***hard ~*** a) Ban'kett *n*, Seitenstreifen *m*, b) *mot.* Standspur *f*; **5.** ✈ 'Übergangsstreifen *m* (*Flugplatz*); **II** *v/t.* **6.** (mit der Schulter) stoßen *od.* drängen: ***~ one's way through the crowd*** sich e-n Weg durch die Menge bahnen; **7.** *et.* schultern, auf die Schulter nehmen; ⚔ *Gewehr* 'übernehmen; *Aufgabe, Verantwortung etc.* auf sich nehmen; **~ bag** *s.* 'Umhängetasche *f*; **~ belt** *s.* **1.** ⚔ Schulterriemen *m*; **2.** *mot.* Schultergurt *m*; **~ blade** *s. anat.* Schulterblatt *n*; **~ strap** *s.* **1.** Träger *m* (*bsd. an Damenunterwäsche*); **2.** ⚔ Schulterstück *n*.

should·n't ['ʃʊdnt] F *für* ***should not***.

shout [ʃaʊt] **I** *v/i.* **1.** (laut) rufen, schreien (***for*** nach): ***~ to s.o.*** j-m zurufen; **2.** schreien, brüllen (***with*** vor *Schmerz, Lachen*): ***~ at s.o.*** j-n anschreien; **3.** jauchzen (***for, with*** vor *dat.*); **II** *v/t.* **4.** (laut) rufen, schreien: ***~ disapproval*** laut sein Mißfallen äußern; ***~ s.o. down*** j-n niederbrüllen; ***~ out*** a) herausschreien, b) *Namen etc.* ausrufen; **III** *s.* **5.** Schrei *m*, Ruf *m*; **6.** Geschrei *n*, Gebrüll *n*: ***a ~ of laughter*** brüllendes Lachen; **7.** ***my ~!*** F jetzt bin ich dran! (*zum Stiften von Getränken*); **'shout·ing** [-tɪŋ] *s.* Schreien *n*, Geschrei *n*: ***all is over but*** *od.* ***bar the ~*** es ist so gut wie gelaufen.

shove [ʃʌv] **I** *v/t.* **1.** *beiseite etc.* schieben, stoßen: ***~ s.o. around*** *bsd. fig.* F j-n ,herumschubsen'; **2.** (achtlos *od.* rasch) *wohin* schieben, stecken; **II** *v/i.* **3.** schieben, stoßen; **4.** (sich) dränge(l)n; **5.** ***~ off*** a) vom Ufer abstoßen, b) *sl.* ,abschieben', sich da'vonmachen; **III** *s.* **6.** Stoß *m*, Schubs *m*.

shov·el ['ʃʌvl] **I** *s.* **1.** Schaufel *f*; **2.** ⚙ a) Löffel *m* (*e-s Löffelbaggers*), b) Löffelbagger *m*; **II** *v/t.* **3.** schaufeln: ***~ up*** (*od.* ***in***) ***money*** Geld scheffeln; **'shov·el·ful** [-fʊl] *pl.* **-fuls** *s. e-e* Schaufel(voll).

show [ʃəʊ] **I** *s.* **1.** (Her)Zeigen *n*: ***vote by ~ of hands*** durch Handzeichen wählen; **2.** Schau *f*, Zur'schaustellung *f*: ***a ~ of force*** *fig.* e-e Demonstration der Macht; **3.** *künstlerische etc.* Darbietung, Vorführung *f*, -stellung *f*, Show *f*: ***put on a ~*** F *fig.* ,e-e Schau abziehen'; ***steal s.o. the ~*** F *fig.* j-m ,die Schau stehlen'; **4.** F (The'ater-, Film)Vorstellung *f*; **5.** Schau *f*, Ausstellung *f*: ***flower ~***; ***on ~*** ausgestellt, zu besichtigen(d); **6.** *prunkvoller* 'Umzug; **7.** Schaubude *f auf Jahrmärkten*; **8.** Anblick *m*: ***make a sorry ~*** e-n traurigen Eindruck hinterlassen; ***make a good ~*** (e-e) ,gute Figur' machen; **9.** F *gute etc.* Leistung: ***good ~!*** gut gemacht!, bravo!; **10.** Protze'rei *f*, Angebe'rei *f*: ***for ~*** um Eindruck zu machen, (nur) fürs Auge; ***be fond of ~*** gern großtun; ***make a ~ of*** mit *et.* protzen (→ *a.* 11); **11.** (leerer) Schein: ***in outward ~*** nach außen hin; ***make a ~ of rage*** sich wütend stellen; **12.** Spur *f*: ***no ~ of*** keine Spur von; **13.** F Chance *f*: ***give s.o. a ~***; **14.** F ,Laden' *m*, ,Kiste' *f*, ,Kram' *m*: ***run the ~*** *sl.* ,den Laden schmeißen'; ***give the*** (***whole***) ***~ away*** F den ganzen Schwindel verraten; ***a dull*** (***poor***) ***~*** e-e langweilige (armselige) Sache; **II** *v/t.* [*irr.*] **15.** zeigen (***s.o. s.th., s.th. to s.o.*** j-m et.), sehen lassen, *Fahrkarten etc. a.* vorzeigen, -weisen: ***~ o.s.*** *od.* ***one's face*** sich zeigen *od.* blicken lassen, *fig.* sich *grausam etc.* zeigen, sich erweisen als; ***~ s.o. the door*** j-m die Tür weisen; ***we had nothing to ~ for it*** wir hatten nichts vorzuweisen; **16.** ausstellen, (auf e-r Ausstellung) zeigen; **17.** *thea. etc.* zeigen, vorführen; **18.** *j-n ins Zimmer etc.* geleiten, führen: ***~ s.o. over the house*** j-n durch das Haus führen; **19.** *Absicht etc.* (auf)zeigen, kundtun, darlegen; **20.** zeigen, beweisen, nachweisen; ⚖ *a.* glaubhaft machen: ***~ proof*** den Beweis erbringen; ***that goes to ~ that*** das zeigt *od.* beweist, daß; **21.** zeigen, erkennen lassen, verraten: ***~ bad taste***; **22.** *Gunst etc.* erweisen; **23.** *j-m* zeigen *od.* erklären (*wie et. gemacht wird*): ***~ s.o. how to write*** j-m das Schreiben beibringen; **III** *v/i.* [*irr.*] **24.** sich zeigen, sichtbar werden *od.* sein: ***it ~s*** man sieht es; **25.** F sich *in Gesellschaft* zeigen, erscheinen;

Zssgn mit adv.:

show| forth *v/t.* darlegen, kundtun; **~ in** *v/t. j-n* her'einführen; **~ off I** *v/t.* **1.** protzen mit; **2.** *a.* ***~ to advantage*** vorteilhaft zur Geltung bringen; **II** *v/i.* **3.** angeben; **~ out** *v/t.* hin'ausgeleiten, -bringen; **~ up I** *v/t.* **1.** her'auf-, hin'aufführen; **2.** F a) *j-n* bloßstellen, entlarven, b) *et.* aufdecken; **II** *v/i.* **3.** F ,aufkreuzen', -tauchen, erscheinen; **4.** sich abheben (***against*** gegen).

show| biz F → ***show business***; **'~·boat** *s.* The'aterschiff *n*; **~ busi·ness** *s.* Showbusineß *n*, Show-, Schaugeschäft *n*; **~ card** *s.* ✝ **1.** Musterkarte *f*; **2.** 'Werbepla͵kat *n* (*im Schaufenster*); **'~·case** *s.* Schaukasten *m*; **'~·down** *s.* **1.** Aufdecken *n* der Karten (*a. fig.*); **2.**

S

entscheidende Kraftprobe, endgültige Ausein'andersetzung, ‚Showdown' *m*.

show·er ['ʃaʊə] **I** *s.* **1.** (*Regen-*, *Hagel- etc.*)Schauer *m*; **2.** Guß *m*; **3.** *fig.* a) (*Funken-*, *Kugel- etc.*)Regen *m*, (*Geschoß-*, *Stein*)Hagel *m*, b) Schwall *m*, Unmenge *f*; **4.** *Am.* a) Brautgeschenke *pl.*, b) *a.* ~ ***party*** Party *f* zur Über'reichung der Brautgeschenke; **5.** → ***shower bath***; **II** *v/t.* **6.** über'schütten, begießen: ~ ***gifts*** *etc.* ***upon s.o.*** j-n mit Geschenken *etc.* überhäufen; **7.** *j-n* duschen; **8.** niederprasseln lassen; **III** *v/i.* **9.** (~ ***down*** nieder)prasseln; **10.** (sich) duschen; **show·er bath** *s.* **1.** Dusche *f*: a) Brausebad *n*, b) Brause *f* (*Vorrichtung*); **2.** Duschraum *m*; **show·er·y** ['ʃaʊərɪ] *adj.* **1.** mit einzelnen (Regen-) Schauern; **2.** schauerartig.

show flat *s.* Musterwohnung *f*.

show| girl *s.* Re'vuegirl *n*; ~ **glass** → ***showcase***.

show·i·ness ['ʃəʊɪnɪs] *s.* **1.** Prunkhaftigkeit *f*, Gepränge *n*; **2.** Protzigkeit *f*, Auffälligkeit *f*; **3.** pom'pöses Auftreten.

show·ing ['ʃəʊɪŋ] *s.* **1.** Zur'schaustellung *f*; **2.** Ausstellung *f*; **3.** Vorführung *f* (*e-s Films etc.*); **4.** Darlegung *f*, Erklärung *f*; Beweis(e *pl.*) *m*: ***on*** (*od.* ***by***) ***your own*** ~ nach Ihrer eigenen Darstellung; ***upon proper*** ~ ⚖ nach erfolgter Glaubhaftmachung; **5.** *gute etc.* Leistung; **6.** Stand *m* der Dinge: ***on present*** ~ so wie es derzeit aussieht; ˌ~-'**off** *s.* Angebe'rei *f*.

show| jump·er *s. sport* **1.** Springreiter (-in); **2.** Springpferd *n*; ~ **jump·ing** *s.* Springreiten *n*.

'**show·man** [-mən] *s.* [*irr.*] **1.** Schausteller *m*; **2.** ‚Showman' *m*: a) *j-d der im Showgeschäft tätig ist*, b) *fig.* geschickter Propagan'dist, wirkungsvoller Redner *etc.*, j-d, der sich gut ‚zu verkaufen' versteht, *contp.* ‚Schauspieler' *m*; '**show·man·ship** [-ʃɪp] *s.* ‚Showmanship' *f*: a) ef'fektvolle Darbietung, b) *die* Kunst, sich in Szene zu setzen, Publikumswirksamkeit *f*.

shown [ʃəʊn] *p.p. von* ***show***.

'**show|-off** *s.* F **1.** ‚Angabe' *f*, Protze'rei *f*; **2.** ‚Angeber(in)' *m*; '~**·piece** *s.* Schau-, Pa'radestück *n*; '~**·place** *s.* Ort *m* mit vielen Sehenswürdigkeiten; '~**·room** *s.* **1.** Ausstellungsraum *m*; **2.** Vorführungssaal *m*; ~ **tri·al** *s.* ⚖ 'Schaupro,zeß *m*; ~ **win·dow** *s.* Schaufenster *n*.

show·y ['ʃəʊɪ] *adj.* □ **1.** a) prächtig, b) protzig; **2.** auffällig, grell.

shrank [ʃræŋk] *pret. von* ***shrink***.

shrap·nel ['ʃræpnl] *s.* ⚔ **1.** Schrap'nell *n*; **2.** Schrap'nelladung *f*.

shred [ʃred] **I** *s.* **1.** Fetzen *m* (*a. fig.*), Lappen *m*: ***in*** ~***s*** in Fetzen; ***tear to*** ~***s*** a) → 4, b) *fig. Argument etc.* zerpflükken, -reißen; **2.** Schnitzel *m*, *n*; **3.** *fig.* Spur *f*, A'tom *n*: ***not a*** ~ ***of doubt*** nicht der leiseste Zweifel; **II** *v/t.* [*irr.*] **4.** zerfetzen, in Fetzen reißen; **5.** in Streifen schneiden, *Küche*: *a.* schnetzeln; **III** *v/i.* [*irr.*] **6.** zerreißen, in Fetzen gehen; '**shred·der** [-də] *s.* **1.** ⚙ Reißwolf *m*; **2.** *Küche*: a) 'Schnitzelmaˌschine *f*, -einsatz *m*, b) Reibeisen *n*.

shrew[1] [ʃru:] *s.* Xan'thippe *f*, zänkisches Weib.

shrew[2] [ʃru:] *s. zo.* Spitzmaus *f*.

shrewd [ʃru:d] *adj.* □ **1.** schlau, gerieben; **2.** scharfsinnig, klug, gescheit: ***this was a*** ~ ***guess*** das war gut geraten; **3.** *obs.* scharf; '**shrewd·ness** [-nɪs] *s.* **1.** Schlauheit *f*; **2.** Scharfsinn *m*, Klugheit *f*.

shrew·ish ['ʃru:ɪʃ] *adj.* □ zänkisch.

shriek [ʃri:k] **I** *s.* **1.** schriller *od.* spitzer Schrei; **2.** Kreischen *n* (*a. von Bremsen etc.*): ~***s of laughter*** kreischendes Lachen; **II** *v/i.* **3.** schreien, schrille Schreie ausstoßen; **4.** (gellend) aufschreien (***with*** vor *Schmerz etc.*): ~ ***with laughter*** kreischen vor Lachen; **5.** schrill klingen; kreischen (*Bremsen etc.*); **III** *v/t.* **6.** ~ ***out*** *et.* kreischen *od.* gellend schreien.

shriev·al·ty ['ʃri:vltɪ] *s.* Amt *n* des Sheriffs.

shrift [ʃrɪft] *s.* **1.** *obs. eccl.* Beichte *f* (u. Absoluti'on *f*); **2.** ***give s.o. short*** ~ *fig.* mit j-m kurzen Prozeß machen, j-n kurz abfertigen.

shrike [ʃraɪk] *s. orn.* Würger *m*.

shrill [ʃrɪl] **I** *adj.* □ **1.** schrill, gellend; **2.** *fig.* grell (*Farbe etc.*); **3.** *fig.* heftig; **II** *v/t.* **4.** *et.* kreischen *od.* gellend schreien; **III** *v/i.* **5.** schrillen; '**shrill·ness** [-nɪs] *s.* schriller Klang.

shrimp [ʃrɪmp] **I** *s.* **1.** *pl. coll.* **shrimp** *zo.* Gar'nele *f*; **2.** *fig. contp.* Knirps *m*, ‚Gartenzwerg' *m*; **II** *v/i.* **3.** Gar'nelen fangen.

shrine [ʃraɪn] *s.* **1.** *eccl.* a) (Re'liquien-) Schrein *m*, b) Heiligengrab *n*, c) Al'tar *m*; **2.** *fig.* Heiligtum *n*.

shrink [ʃrɪŋk] **I** *v/i.* [*irr.*] **1.** sich zs.-ziehen, (zs.-, ein)schrumpfen; **2.** einlaufen, -gehen (*Stoff*); **3.** abnehmen, schwinden; **4.** *fig.* zu'rückweichen (***from*** vor *dat.*): ~ ***from doing s.th.*** et. höchst widerwillig tun; **5.** *a.* ~ ***back*** zu'rückschrecken, -schaudern, -beben (***from***, ***at*** vor *dat.*); **6.** sich scheuen *od.* fürchten (***from*** vor *dat.*); **7.** ~ ***away*** sich da'vonschleichen; **II** *v/t.* [*irr.*] **8.** (ein-, zs.-)schrumpfen lassen; **9.** *Stoffe* einlaufen lassen, krump(f)en; **10.** *fig.* zum Schwinden bringen; **11.** ~ ***on*** ⚙ aufschrumpfen: ~ ***fit*** Schrumpfsitz *m*; **III** *s.* **12.** *sl.* Psychi'ater *m*; '**shrink·age** [-kɪdʒ] *s.* **1.** (Zs.-, Ein)Schrumpfen *n*;

2. Schrumpfung *f*; **3.** Verminderung *f*; Schwund *m* (*a.* ⚕, ⚙); **4.** Einlaufen *n* (*Textilien*); ˈ**shrink·ing** [-kɪŋ] *adj.* □ **1.** schrumpfend; **2.** abnehmend; **3.** ˈwiderwillig; **4.** scheu; ˈ**shrink·proof** *adj.* nicht einlaufend (*Gewebe*); ˈ**shrink-wrap** *v/t. Bücher etc.* einschweißen.

shriv·el [ˈʃrɪvl] **I** *v/t.* **1.** *a.* **~ up** (ein-, zs.-)schrumpfen lassen; **2.** (ver)welken lassen, ausdörren; **3.** runzeln; **II** *v/i.* **4.** *oft* **~ up** (zs.-, ein)schrumpfen, schrumpeln; **5.** runz(e)lig werden; **6.** (ver)welken; **7.** *fig.* verkümmern.

shroud [ʃraʊd] **I** *s.* **1.** Leichentuch *n*, Totenhemd *n*; **2.** *fig.* Hülle *f*, Schleier *m*; **3.** *pl.* ⚓ Wanten *pl.*; **4.** *a.* **~ line** Fangleine *f* (*am Fallschirm*); **II** *v/t.* **5.** in ein Leichentuch (ein)hüllen; **6.** *fig.* *in Nebel*, *Geheimnis* hüllen; **7.** *fig.* *et.* verschleiern.

Shrove| **Mon·day** [ʃrəʊv] *s.* Rosenˈmontag *m*; ˈ**~·tide** *s.* Faschings-, Fastnachtszeit *f*; **~ Tues·day** *s.* Faschings-, Fastnachtsˈdienstag *m*.

shrub[1] [ʃrʌb] *s.* Strauch *m*, Busch *m*.

shrub[2] [ʃrʌb] *s.* *Art* Punsch *m*.

shrub·ber·y [ˈʃrʌbərɪ] *s.* ⚘ Strauchwerk *n*, Sträucher *pl.*, Gebüsch *n*; ˈ**shrub·by** [-bɪ] *adj.* ⚘ strauchig, buschig, Strauch…, Busch…

shrug [ʃrʌg] **I** *v/t.* **1.** *die Achseln* zucken: ***she ~ged her shoulders***; **2.** **~ *s.th. off*** *fig.* et. mit e-m Achselzucken abtun; **II** *v/i.* **3.** die Achseln zucken; **III** *s.* **4.** *a.* **~ *of the shoulders*** Achselzucken *n*.

shrunk [ʃrʌŋk] **I** *p.p. von* ***shrink***; **II** *adj.* **1.** (ein-, zs.-)geschrumpft; **2.** eingelaufen, dekatiert (*Stoff*); ˈ**shrunk·en** [-kən] **I** → ***shrunk*** 1; **II** *adj.* abgemagert, -gezehrt; eingefallen (*Wangen*).

shuck [ʃʌk] *bsd. Am.* **I** *s.* **1.** Hülse *f*, Schote *f* (*von Bohnen etc.*); **2.** grüne Schale (*von Nüssen etc.*), *a.* Austernschale *f*; **3. *I don't care ~s!*** F das ist mir völlig ‚schnurz'!; ***~s!*** F Quatsch!; **II** *v/t.* **4.** enthülsen, -schoten; schälen.

shud·der [ˈʃʌdə] **I** *v/i.* schaudern, (er-)zittern (***at*** bei, ***with*** vor *dat.*): ***I ~ at the thought***, ***I ~ to think of it*** es schaudert mich bei dem Gedanken; **II** *s.* Schauder(n *n*) *m*.

shuf·fle [ˈʃʌfl] **I** *s.* **1.** Schlurfen *n*, schlurfender Gang; **2.** *Tanz*: a) Schleifschritt *m*, b) Schleifer *m* (*Tanz*); **3.** (Karten-)Mischen *n*; **4.** Ausflucht *f*; Trick *m*; **II** *v/i.* **5.** schlurfen; (mit den Füßen) scharren: **~ *through s.th.*** *fig.* et. flüchtig erledigen; **6.** *fig.* a) Ausflüchte machen, sich herˈauszureden suchen, b) sich herˈauswinden (***out of*** aus); **7.** (die Karten) mischen; **III** *v/t.* **8.** hin- u. herschieben, *fig. a.* ‚jonglieren' mit: **~ *one's feet*** → 5; **9.** schmuggeln: **~ *away*** wegpraktizieren; **10.** **~ *off*** a) *Kleider* abstreifen, b) *fig.* abschütteln, sich befreien von, sich *e-r Verpflichtung* entziehen, *Schuld etc.* abwälzen (***on***[***to***] auf *acc.*); **11.** **~ *on*** *Kleider* mühsam anziehen; **12.** *Karten* mischen: **~ *together*** *et.* zs.-werfen, -raffen; ˈ**shuf·fle·board** *s.* a) Beilkespiel *n*, b) ⚓ *ein ähnliches Bordspiel*; ˈ**shuf·fler** [-lə] *s.* **1.** Schlurfende(r *m*) *f*; **2.** Ausflüchtemacher *m*; Schwindler(in); ˈ**shuf·fling** [-lɪŋ] *adj.* □ **1.** schlurfend, schleppend; **2.** unaufrichtig, unredlich; **3.** ausweichend: ***a ~ answer***.

shun [ʃʌn] *v/t.* (ver)meiden, ausweichen (*dat.*), sich fernhalten von.

shunt [ʃʌnt] **I** *v/t.* **1.** beiˈseite schieben; **2.** 🚂 *Zug etc.* rangieren, auf ein anderes Gleis fahren; **3.** ⚡ nebenschließen, shunten; **4.** *fig. et.* aufschieben; **5.** *fig. j-n* beiseite schieben, *j-n* kaltstellen; **6.** abzweigen; **II** *v/i.* **7.** 🚂 rangieren; **8.** *fig. von e-m Thema*, *Vorhaben etc.* abkommen, -springen; **III** *s.* **9.** 🚂 a) Rangieren *n*, b) Weiche *f*; **10.** ⚡ a) Nebenschluß *m*, b) ˈNebenˌwiderstand *m*; ˈ**shunt·er** [-tə] *s.* 🚂 a) Weichensteller *m*, b) Rangierer *m*; ˈ**shunt·ing** [-tɪŋ] 🚂 **I** *s.* Rangieren *n*; Weichenstellen *n*; **II** *adj.* Rangier…, Verschiebe…: **~ *engine***.

shush [ʃʌʃ] **I** *int.* sch!, pst!; **II** *v/i.* ‚sch' *od.* ‚pst' machen; **III** *v/t.* *j-n* zum Schweigen bringen.

shut [ʃʌt] **I** *v/t.* [*irr.*] **1.** (ver)schließen, zumachen: **~ *one's mind*** (*od.* ***heart***) ***to s.th.*** *fig.* sich gegen et. verschließen; → *Verbindungen mit anderen Substantiven*; **2.** einschließen, -sperren (***into***, ***in*** in *dat.*, *acc.*); **3.** ausschließen, -sperren (***out of*** aus); **4.** *Finger etc.* (ein)klemmen; **5.** *Taschenmesser*, *Buch etc.* schließen, zs.-, zuklappen; **II** *v/i.* [*irr.*] **6.** sich schließen, zugehen; **7.** schließen (*Fenster etc.*); **III** *p.p. u. adj.* **8.** ge-, verschlossen, zu: ***the shops are ~*** die Geschäfte sind geschlossen *od.* zu;

Zssgn mit adv.:

shut| **down I** *v/t.* **1.** *Fenster etc.* schließen; **2.** *Fabrik etc.* schließen, stillegen; **II** *v/i.* **3.** die Arbeit *od.* den Betrieb einstellen, ‚zumachen'; **4.** **~ (*up*)*on*** F ein Ende machen mit; **~ in** *v/t.* **1.** einschließen (*a. fig.*); **2.** *Aussicht* versperren; **~ off** *v/t.* **1.** *Wasser*, *Motor etc.* abstellen; **2.** abschließen (***from*** von); **~ out** *v/t.* **1.** *j-n*, *a. Licht*, *Luft etc.* ausschließen, -sperren; **2.** *Landschaft* den Blicken entziehen; **3.** *sport Am. Gegner* (ohne Gegentor *etc.*) besiegen; **~ to I** *v/t.* → ***shut*** 1; **II** *v/i.* → ***shut*** 6; **~ up I** *v/t.* **1.** *Haus etc.* (fest) verschließen, -riegeln; → ***shop*** 1; **2.** *j-n* einsperren, -schließen; **3.** F *j-m* den Mund stopfen; **II** *v/i.* **4.** F die ‚Klappe' halten: ***~!*** halt's Maul!

ˈ**shut**|**·down** *s.* **1.** Arbeitsniederlegung

S

f; **2.** Schließung *f*, (Betriebs)Stillegung *f*; **3.** *Radio*, *TV*: Sendeschluß *m*; **'~·eye** *s.*: ***catch some ~*** *sl.* ein Schläfchen machen; **'~·off** *s.* **1.** ⚙ Abstell-, Absperrvorrichtung *f*; **2.** *hunt.* Schonzeit *f*; **'~·out** *s.* **1.** Ausschließung *f*; **2.** *sport* Zu-'Null-Niederlage *f od.* -Sieg *m*.

shut·ter ['ʃʌtə] **I** *s.* **1.** Fensterladen *m*, Rolladen *m*: ***put up the ~s*** *fig.* das Geschäft (*am Abend od. für immer*) schließen; **2.** Klappe *f*; Verschluß *m* (*a. phot.*); **3.** ⚠ Schalung *f*; **4.** *Wasserbau*: Schütz(e *f*) *n*; **5.** ♪ Jalou'sie *f* (*Orgel*); **II** *v/t.* **6.** mit Fensterläden versehen *od.* verschließen; **'~·bug** *s.* F ‚Fotonarr' *m*; **~ speed** *s. phot.* Belichtung(szeit) *f*.

shut·tle ['ʃʌtl] **I** *s.* **1.** ⚙ a) Weberschiff(-chen) *n*, (Web)Schütze(n) *m*, b) Schiffchen *n* (*Nähmaschine*); **2.** Schütz(-entor) *n* (*Schleuse*); **3.** Pendelroute *f*; → *a.* ***shuttle service***, ***shuttle train***; **4.** (Raum)Fähre *f*; **II** *v/t.* **5.** (schnell) hin- u. herbewegen *od.* -befördern; **III** *v/i.* **6.** sich (schnell) hin- u. herbewegen; **7.** 🚂 *etc.* pendeln (***between*** zwischen); **'~·cock I** *s. sport* Federball(spiel *n*) *m*; **II** *v/t. fig.* 'hin- u. 'herjagen; **~ di·plo·ma·cy** *s.* 'Reisediploma,tie *f*; **~ race** *s. sport* Pendelstaffel(lauf *m*) *f*; **~ ser·vice** *s.* Pendelverkehr *m*; **~ train** *s.* Pendel-, Vorortzug *m*.

shy[1] [ʃaɪ] **I** *adj.* ☐ **1.** scheu (*Tier*); **2.** scheu, schüchtern; **3.** zu'rückhaltend: ***be*** (*od.* ***fight***) ***~ of s.o.*** j-m aus dem Weg gehen; **4.** argwöhnisch; **5.** zaghaft: ***be ~ of doing s.th.*** Hemmungen haben, et. zu tun; **6.** *sl.* knapp (***of*** an *dat.*); **7.** ***I'm ~ of one dollar*** *sl.* mir fehlt (noch) ein Dollar; **II** *v/i.* **8.** scheuen (*Pferd etc.*); **9.** *fig.* zu'rückscheuen, -schrecken (***at*** vor *dat.*); **III** *s.* **10.** Scheuen *n* (*Pferd etc.*).

shy[2] [ʃaɪ] **I** *v/t. u. v/i.* **1.** werfen; **II** *s.* **2.** Wurf *m*; **3.** *fig.* Hieb *m*, Stiche'lei *f*; **4.** ***have a ~ at*** (***doing***) ***s.th.*** F es (mal) mit et. versuchen.

shy·ness ['ʃaɪnɪs] *s.* **1.** Scheu *f*; **2.** Schüchternheit *f*; **3.** Zu'rückhaltung *f*; **4.** 'Mißtrauen *n*.

shy·ster ['ʃaɪstə] *s. Am. sl.* **1.** 'Winkeladvo,kat *m*; **2.** *fig.* Gauner *m*.

Si·a·mese [,saɪə'mi:z] **I** *adj.* **1.** sia'mesisch; **II** *pl.* **,Si·a'mese** *s.* **2.** Sia'mese *m*, Sia'mesin *f*; **3.** *ling.* Sia'mesisch *n*; **~ cat** *s. zo.* Siamkatze *f*; **~ twins** *s. pl.* Sia'mesische Zwillinge *pl.* (*a. fig.*).

Si·be·ri·an [saɪ'bɪərɪən] **I** *adj.* si'birisch; **II** *s.* Si'birier(in).

sib·i·lance ['sɪbɪləns] *s.* **1.** Zischen *n*; **2.** *ling.* Zischlaut *m*; **'sib·i·lant** [-nt] **I** *adj.* **1.** zischend; **2.** *ling.* Zisch...: ***~ sound***; **II** *s.* **3.** *ling.* Zischlaut *m*; **'sib·i·late** [-leɪt] *v/t. u. v/i.* zischen; **sib·i·la·tion** [,sɪbɪ'leɪʃn] *s.* **1.** Zischen *n*; **2.** *ling.* Zischlaut *m*.

sib·ling ['sɪblɪŋ] *s. biol.* Bruder *m*, Schwester *f*; *pl.* Geschwister *pl.*

sib·yl ['sɪbɪl] *s.* **1.** *myth.* Si'bylle *f*; **2.** *fig.* a) Seherin *f*, b) Hexe *f*; **sib·yl·line** [sɪ'bɪlaɪn] *adj.* **1.** sibyl'linisch; **2.** pro'phetisch; geheimnisvoll, dunkel.

sic·ca·tive ['sɪkətɪv] **I** *adj.* trocknend; **II** *s.* Trockenmittel *n*.

Si·cil·ian [sɪ'sɪljən] **I** *adj.* si'zilisch, sizili'anisch; **II** *s.* Si'zilier(in), Sizili'aner(in).

sick[1] [sɪk] **I** *adj.* **1.** (*Brit. nur attr.*) krank (***of*** an *dat.*): ***fall ~*** krank werden, erkranken; ***go ~*** *bsd.* ⚔ sich krank melden; **2.** Brechreiz verspürend: ***be ~*** sich erbrechen *od.* übergeben; ***I feel ~*** mir ist schlecht *od.* übel; ***she turned ~*** ihr wurde übel, sie mußte (sich er)brechen; ***it makes me ~*** mir wird übel davon, *fig. a.* es widert *od.* ekelt mich an; **3.** *fig.* krank (***of*** vor *dat.*; ***for*** nach); **4.** *fig.* enttäuscht, ärgerlich (***with*** über *j-n*; ***at*** über *et.*): ***~ at heart*** a) todunglücklich, b) angsterfüllt; **5.** F *fig.* (***of***) 'überdrüssig (*gen.*), angewidert (von): ***I am ~*** (***and tired***) ***of it*** ich habe es satt, es hängt mir zum Hals heraus; **6.** fahl (*Farbe*, *Licht*); **7.** F matt (*Lächeln*); **8.** schlecht (*Nahrungsmittel*, *Luft*); trüb (*Wein*); **9.** F grausig, ma'kaber: ***~ jokes***; ***~ humo(u)r*** ‚schwarzer' Humor; **II** *s.* **10.** ***the ~*** *pl.* die Kranken *pl.*

sick[2] [sɪk] *v/t. Hund*, *Polizei etc.* hetzen (***on*** auf *acc.*): ***~ him!*** faß!

sick| bay *s.* ⚓ ('Schiffs)Laza,rett *n*; **'~·bed** *s.* Krankenbett *n*; **~ ben·e·fit** *s. Brit.* Krankengeld *n*; **~ call** *s.* ⚔ Re'vierstunde *f*: ***go on ~*** sich krank melden; **~ cer·tif·i·cate** *s.* 'Krankheitsat,test *n*.

sick·en ['sɪkn] **I** *v/i.* **1.** erkranken, krank werden: ***be ~ing for*** *e-e Krankheit* ‚ausbrüten'; **2.** kränkeln; **3.** sich ekeln (***at*** vor *dat.*); **4.** 'überdrüssig *od.* müde sein *od.* werden (***of*** *gen.*): ***be ~ed with*** *e-r Sache* überdrüssig sein; **II** *v/t.* **5.** *j-m* Übelkeit verursachen, *j-n* zum Erbrechen reizen; **6.** anekeln, anwidern; **'sick·en·er** [-nə] *s. fig.* Brechmittel *n*; **'sick·en·ing** [-nɪŋ] *adj.* ☐ **1.** Übelkeit erregend: ***this is ~*** dabei kann einem (ja) übel werden; **2.** *fig.* ekelhaft, widerlich.

sick| head·ache *s.* **1.** Kopfschmerz(en *pl.*) *m* mit Übelkeit; **2.** Mi'gräne *f*; **~ in·sur·ance** *s.* Krankenversicherung *f*, -kasse *f*.

sick·ish ['sɪkɪʃ] *adj.* ☐ **1.** kränklich, unpäßlich, unwohl; **2.** → ***sickening***.

sick·le ['sɪkl] *s.* ⚒ *u. fig.* Sichel *f*.

sick leave *s.* Fehlen *n* wegen Krankheit: ***be on ~*** wegen Krankheit fehlen; ***request ~*** sich krank melden.

sick·li·ness ['sɪklɪnɪs] *s.* **1.** Kränklichkeit *f*; **2.** kränkliches Aussehen; **3.** Un-

S

zuträglichkeit *f*.

sick list *s.* ⚓, ⚔ Krankenliste *f*: ***be on the ~*** krank (gemeldet) sein.

sick·ly ['sɪklɪ] *adj. u. adv.* **1.** kränklich, schwächlich; **2.** kränklich, blaß (*Aussehen etc.*); matt (*Lächeln*); **3.** ungesund (*Gebiet, Klima*); **4.** 'widerwärtig (*Geruch etc.*); **5.** *fig.* wehleidig, süßlich: ***~ sentimentality***.

sick·ness ['sɪknɪs] *s.* **1.** Krankheit *f*: ***~ insurance*** → ***sick insurance***; **2.** Übelkeit *f*, Erbrechen *n*.

sick| nurse *s.* Krankenschwester *f*; **~ pay** *s.* Krankengeld *n*; **~ re·port** *s.* ⚔ **1.** Krankenbericht *m*, -liste *f*; **2.** Krankmeldung *f*; '**~·room** *s.* Krankenzimmer *n*, -stube *f*.

side [saɪd] **I** *s.* **1.** *allg.* Seite *f*: ***~ by ~*** Seite an Seite (***with*** mit); ***at*** (*od.* ***by***) ***the ~ of*** an der Seite von (*od. gen.*); ***by the ~ of*** *fig.* neben (*dat.*), verglichen mit; ***stand by s.o.'s ~*** *fig.* j-m zur Seite stehen; ***on all ~s*** überall; ***on the ~*** *sl.* nebenbei *verdienen etc.*; ***on the ~ of*** a) auf der Seite von, b) seitens (*gen.*); ***on this*** (***the other***) ***~ of*** diesseits (jenseits) (*gen.*); ***this ~ up!*** Vorsicht, nicht stürzen!; ***be on the small ~*** ziemlich klein sein; ***keep on the right ~ of*** sich mit *j-m* gut stellen; ***put on one ~*** *Frage etc.* zurückstellen, ausklammern; → ***dark*** 5, ***right*** 6, ***sunny***, ***wrong*** 2; **2.** ⩚ Seite *f* (*a. Gleichung*); Seitenlinie *f*, -fläche *f*; **3.** (Seiten)Rand *m*; **4.** (Körper)Seite *f*: ***shake*** (*od.* ***split***) ***one's ~s with laughter*** sich schütteln vor Lachen; **5.** (Speck-, Hammel- *etc.*)Seite *f*; **6.** Seite *f*: a) Hang *m*, Flanke *f*, *a.* Wand *f e-s Berges*, b) Ufer(seite *f*) *n*; **7.** Seite *f*, (Abstammungs)Linie *f*: ***on one's father's ~, on the paternal ~*** väterlicherseits; **8.** *fig.* Seite *f*, (Cha'rakter)Zug *m*; **9.** Seite *f*: a) Par'tei *f* (*a.* ⚖ *u. sport*), b) *sport* Spielfeld(hälfte *f*) *n*: ***be on s.o.'s ~*** auf j-s Seite stehen; ***change ~s*** a) ins andere Lager überwechseln, b) *sport* die Seiten wechseln; ***take ~s*** → 16; ***win s.o. over to one's ~*** j-n auf s-e Seite ziehen; **10.** *sport Brit.* Mannschaft *f*; **11.** *ped. Brit.* Ab'teilung *f*: ***classical ~*** humanistische Abteilung; **12.** *Billiard*: Ef'fet *n*; **13.** ***put on ~*** *sl.* ‚angeben'; **II** *adj.* **14.** seitlich (liegend, stehend *etc.*), Seiten...; **15.** Seiten..., Neben...: ***~ door***; **III** *v/i.* **16.** (***with***) Par'tei ergreifen (*gen. od.* für), es halten (mit); **~ aisle** *s.* △ Seitenschiff *n* (*Kirche*); **~ arms** *s. pl.* ⚔ Seitenwaffen *pl.*; **~ band** *s.* ↯, *Radio*: 'Seiten(fre,quenz)band *n*; '**~·board** *s.* **1.** Anrichtetisch *m*; **2.** Sideboard *n*: a) Bü'fett *n*, b) Anrichte *f*; **3.** *pl.* → '**~·burns** *s. pl.* Kote'letten *pl.* (*Backenbart*); '**~·car** *s.* **1.** Beiwagen *m*: ***~ motorcycle*** Seitenwagenmaschine *f*; **2.** → ***jaunting-car***; **3.** *ein Cocktail*.

sid·ed ['saɪdɪd] *adj. in Zssgn* ...seitig: ***four-~***.

side| dish *s.* **1.** Zwischengang *m*; **2.** Beilage *f*; **~ ef·fect** *s.* Nebenwirkung *f*; **~ face** *s.* Pro'fil *n*; **~ glance** *s.* Seitenblick *m* (*a. fig.*); **~ is·sue** *s.* Nebenfrage *f*, -sache *f*, 'Randpro,blem *n*; '**~·kick** *s. Am. sl.* Kum'pan *m*, Kumpel *m*, ‚Spezi' *m*; '**~·light** *s.* **1.** Seitenleuchte *f*; ⚓ Seitenlampe *f*; ✈ Positi'onslicht *n*; *mot.* Begrenzungslicht *n*; **2.** Seitenfenster *n*; **3.** *fig.* Streiflicht *n*: ***~s*** interessante Aufschlüsse (***on*** über *acc.*); '**~·line** *s.* **1.** Seitenlinie *f* (*a. sport*): ***on the ~s*** am Spielfeldrand; ***keep on the ~s*** *fig.* sich im Hintergrund halten; **2.** 🚂 Nebenstrecke *f*; **3.** Nebenbeschäftigung *f*, -verdienst *m*; **4.** ✝ a) Nebenzweig *m e-s Gewerbes*, b) 'Nebenar,tikel *m*; '**~·long** *adj. u. adv.* seitlich, seitwärts, schräg: ***~ glance*** Seitenblick *m*.

si·de·re·al [saɪ'dɪərɪəl] *adj. ast.* si'derisch, Stern(en)...: ***~ day*** Sterntag *m*.

sid·er·ite ['saɪdəraɪt] *s.* ⚒, *min.* **1.** Side'rit *m*; **2.** Mete'orgestein *n*.

'**side|,sad·dle** *s.* Damensattel *m*; '**~·show** *s.* **1.** a) Nebenvorstellung *f*, -ausstellung *f*, b) kleine Schaubude; **2.** *fig.* a) Nebensache *f*, b) Epi'sode *f* (am Rande); '**~·slip** *v/i.* **1.** seitwärts rutschen; **2.** ✈ seitlich abrutschen; **3.** *mot.* (seitlich) ausbrechen.

sides·man ['saɪdzmən] *s.* [*irr.*] Kirchenrat *m*.

'**side|,split·ting** *adj.* zwerchfellerschütternd; '**~·step I** *s.* **1.** Seit(en)schritt *m*; **II** *v/t.* **2.** *Boxen*: *e-m Schlag* (durch Seitschritt) ausweichen; **3.** ausweichen (*dat.*) (*a. fig.*): ***~ a decision***; **III** *v/i.* **4.** e-n Seit(en)schritt machen; **5.** ausweichen (*a. fig.*); '**~·stroke** *s.* Seitenschwimmen *n*; '**~·swipe I** *v/t. Am.* F **1.** *j-m* e-n ‚Wischer' verpassen; **2.** *mot. Fahrzeug* streifen, *a.* seitlich abdrängen (*beim Überholen*); **II** *s.* **3.** ‚Wischer' *m* (*Streifschlag*); **4.** *fig.* Seitenhieb *m*; '**~·track I** *s.* **1.** → ***siding*** 1; **II** *v/t.* **2.** 🚂 *Waggon* auf ein Nebengleis schieben; **3.** *fig.* a) *et.* aufschieben, abbiegen, b) *j-n* ablenken (*a. v/i.*), c) *j-n* kaltstellen; **~ view** *s.* Seitenansicht *f*; '**~·walk** *s. bsd. Am.* Bürgersteig *m*: ***~ artist*** Pflastermaler *m*; ***~ superintendent*** *humor.* (besserwisserischer) Zuschauer *bei Bauarbeiten*.

side·ward ['saɪdwəd] **I** *adj.* seitlich; **II** *adv.* seitwärts; '**side·wards** [-dz] → ***sideward*** II; '**side·ways** → ***sideward***.

side| whis·kers *pl.* → ***sideburns***; '**~,wind·er** [-,waɪndə] *s. Am. sl.* **1.** (harter) Haken (*Schlag*); **2.** *Art* Klapperschlange *f*.

side·wise ['saɪdwaɪz] → ***sideward***.

sid·ing ['saɪdɪŋ] *s.* **1.** 🚂 Neben-, An-

S

schluß-, Rangiergleis *n*; **2.** *fig.* Par'teinahme *f*.

si·dle ['saɪdl] *v/i.* sich schlängeln: **~ away** sich davonschleichen; **~ up to** sich an *j-n* heranmachen.

siege [si:dʒ] *s.* **1.** ⚔ Belagerung *f*: **state of ~** Belagerungszustand *m*; **lay ~ to** a) *Stadt etc.* belagern, b) *fig. j-n* bestürmen; **2.** *fig.* a) heftiges Zusetzen, Bestürmen *n*, b) Zermürbung *f*; **3.** ⚙ a) Werktisch *m*, b) Glasschmelzofenbank *f*.

si·es·ta [sɪ'estə] *s.* Si'esta *f*, Mittagsruhe *f*, -schlaf *m*.

sieve [sɪv] **I** *s.* **1.** Sieb *n*: **have a memory like a ~** ein Gedächtnis wie ein Sieb haben; **2.** *fig.* Klatschmaul *n*; **3.** Weidenkorb *m* (*a. Maß*); **II** *v/t. u. v/i.* **4.** ('durch-, aus)sieben.

sift [sɪft] **I** *v/t.* **1.** ('durch)sieben: **~ out** a) aussieben, b) erforschen, ausfindig machen; **2.** *Zucker etc.* streuen; **3.** *fig.* sichten, sorgfältig (über)'prüfen; **II** *v/i.* **4.** 'durchrieseln, -dringen (*a. Licht etc.*); **'sift·er** [-tə] *s.* Sieb(vorrichtung *f*) *n*; **'sift·ing** [-tɪŋ] *s.* **1.** ('Durch)Sieben *n*; **2.** Sichten *n*, (sorgfältige) Unter'suchung; **3.** *pl.* a) *das* 'Durchgesiebte, b) Siebabfälle *pl.*

sigh [saɪ] **I** *v/i.* **1.** (auf)seufzen; tief (auf-)atmen; **2.** schmachten, seufzen (**for** nach): **~ed-for** heißbegehrt; **3.** *fig.* seufzen, ächzen (*Wind*); **II** *v/t.* **4.** *oft* **~ out** seufzen(d äußern); **III** *s.* **5.** Seufzer *m*: **a ~ of relief** ein Seufzer der Erleichterung, ein erleichtertes Aufatmen.

sight [saɪt] **I** *s.* **1.** Sehvermögen *n*, -kraft *f*, Auge(nlicht) *n*: **good ~** gute Augen; **long** (**near**) **~** Weit- (Kurz)Sichtigkeit *f*; **second ~** Zweites Gesicht; **lose one's ~** das Augenlicht verlieren, erblinden; **2.** *fig.* Auge *n*: **in my ~** in m-n Augen; **in the ~ of God** vor Gott; **find favo(u)r in s.o.'s ~** Gnade vor j-s Augen finden; **3.** (An)Blick *m*, Sicht *f*: **at** (*od.* **on**) **~** beim ersten Anblick, auf Anhieb; sofort (*er*)*schießen etc.*; **at ~** vom Blatt *singen*, *spielen*, *übersetzen*; **at first ~** auf den ersten Blick; **by ~** vom Sehen *kennen*; **catch** (*od.* **get**) **~ of** zu Gesicht bekommen, erblicken; **lose ~ of** a) aus den Augen verlieren (*a. fig.*), b) *et.* übersehen; **4.** Sicht(weite) *f*: (**with**)**in ~** a) in Sicht(weite), b) *fig.* in Sicht; **within ~ of** kurz vor *dem Sieg etc.*; **out of ~** außer Sicht; **out of ~, out of mind** aus den Augen, aus dem Sinn; (**get**) **out of my ~!** geh mir aus den Augen!; **come in ~** in Sicht kommen; **put out of ~** wegtun; **5.** ✝ Sicht *f*: **payable at ~** bei Sicht fällig; **30 days** (**after**) **~** 30 Tage (nach) Sicht; **~ unseen** unbesehen *kaufen*; **~ bill** (*od.* **draft**) Sichtwechsel *m*, -tratte *f*; **6.** Anblick *m*: **a sorry ~**; **a ~ for sore eyes** ein erfreulicher Anblick, eine Augenweide; **be** (*od.* **look**) **a ~** F gräßlich *od.* ‚verboten' aussehen; **I did look a ~!** F ich sah vielleicht aus!; **what a ~ you are!** F wie siehst denn du aus!; → **god** 1; **7.** Sehenswürdigkeit *f*: **the ~s of a town**; **8.** F Menge *f*, Masse *f Geld etc.*: **a long ~ better** zehnmal besser; **not by a long ~** bei weitem nicht; **9.** ⚔ *etc.* Visier *n*; Zielvorrichtung *f*: **take ~** (an-)visieren, zielen; **have in one's ~s** im Visier haben (*a. fig.*); **lower one's ~s** *fig.* zurückstecken; **raise one's ~s** höhere Ziele anstreben; **10.** *Am. sl.* Aussicht *f*, Chance *f*; **II** *v/t.* **11.** sichten, zu Gesicht bekommen; **12.** ⚔ a) anvisieren (*a.* ⚓, *ast.*), b) *Geschütz* richten; **13.** ✝ *Wechsel* präsentieren; **'sight·ed** [-tɪd] *adj. in Zssgn* ...sichtig; **'sight·ing** [-tɪŋ] *adj.* ⚔ Ziel..., Visier...: **~ mechanism** Zieleinrichtung *f*, -gerät *n*; **~ shot** Anschuß *m* (*Probeschuß*); **~ telescope** Zielfernrohr *n*; **'sight·less** [-lɪs] *adj.* □ blind; **'sight·li·ness** [-lɪnɪs] *s.* Ansehnlichkeit *f*, Stattlichkeit *f*; **'sight·ly** [-lɪ] *adj.* gutaussehend, stattlich.

'sight|-read *v/t. u. v/i.* [*irr.* → **read**] **1.** ♪ vom Blatt singen *od.* spielen; **2.** *ling.* vom Blatt über'setzen; **'~ˌsee·ing I** *s.* Besichtigung *f* von Sehenswürdigkeiten; **II** *adj.* Besichtigungs...: **~ bus** Rundfahrtautobus *m*; **~ tour** Stadtrundfahrt *f*, Besichtigungstour *f*; **'~ˌse·er** [-ˌsi:ə] *s.* Tou'rist(in).

sign [saɪn] **I** *s.* **1.** (*a.* Schrift)Zeichen *n*, Sym'bol *n* (*a. fig.*): **~ (of the cross)** *eccl.* Kreuzzeichen; **in ~ of** *fig.* zum Zeichen (*gen.*); **2.** ⚕, ♪ (Vor)Zeichen *n*; **3.** Zeichen *n*, Wink *m*: **give s.o. a ~, make a ~ to s.o.** j-m ein Zeichen geben; **4.** (An)Zeichen *n*, Sym'ptom *n* (*a.* ⚕): **no ~ of life** kein Lebenszeichen; **the ~s of the times** die Zeichen der Zeit; **make no ~** sich nicht rühren; **5.** Kennzeichen *n*; **6.** *ast.* (Tierkreis)Zeichen *n*; **7.** (Aushänge-, Wirtshaus-)Schild *n*: **at the ~ of** im Wirtshaus zum *Hirsch etc.*; **8.** (Wunder)Zeichen *n*: **~s and wonders** Zeichen u. Wunder; **9.** *hunt. etc.* Spur *f*; **II** *v/t.* **10.** unter'zeichnen, -'schreiben, (*a. typ. u. paint.*) signieren; **11.** mit *s-m Namen* unter'zeichnen: **~ one's name** unterschreiben; **12. ~ away** *Vermögen etc.* über'tragen, -'schreiben; **13. ~ on** (*od.* **up**) (vertraglich) verpflichten, anstellen, -mustern, ⚓ anheuern; **14.** *eccl.* das Kreuzzeichen machen über (*acc. od. dat.*); *Täufling* segnen; **15.** *j-m* bedeuten (**to do** zu tun), *j-m et.* (durch Gebärden) zu verstehen geben: **~ one's assent**; **III** *v/i.* **16.** unter'zeichnen, -'schreiben: **~ in** a) sich eintragen, b) *bei Arbeitsbeginn* einstempeln; **~ out** a)

S

sich austragen, b) ausstempeln; **17.** *~ on (off) Radio, TV*: sein Pro'gramm beginnen (beenden); *~ off fig.* F *a.* Schluß machen; *~ on (od. up)* a) sich (vertraglich) verpflichten (*for* zu), e-e Arbeit annehmen, b) ⚓ anheuern, ⚔ sich verpflichten (*for* auf *3 Jahre etc.*).

sig·nal ['sɪgnl] **I** *s.* **1.** *a.* ⚔ *etc.* Si'gnal *n*, (*a.* verabredetes) Zeichen: *~ of distress* Notzeichen *n*; **2.** (Funk)Spruch *m*: *the* **~s** *Brit.* Fernmeldetruppe *f*; **3.** *fig.* Si'gnal *n*, (*auslösendes*) Zeichen (*for* für, zu); **4.** *Kartenspiel*: Si'gnal *n*; **II** *adj.* ☐ **5.** Signal...: *~ beacon*; **~** *Corps Am.* Fernmeldetruppe *f*; *~ communications* ⚔ Fernmeldewesen *n*; **6.** *fig.* beachtlich, außerordentlich; **III** *v/t.* **7.** *j-m* Zeichen geben, winken; **8.** *Nachricht* signalisieren (*a. fig.*); *et.* melden; **IV** *v/i.* **9.** signalisieren; **~ book** *s.* ⚓ Si'gnalbuch *n*; **~ box** *s.* 🚂 Stellwerk *n*; **~ check** *s.* Sprechprobe *f* (*Mikrophon*); **~ code** *s.* Zeichenschlüssel *m*.

sig·nal·er *Am.* → *signaller*.

sig·nal·ize ['sɪgnəlaɪz] *v/t.* **1.** aus-, kennzeichnen: *~ o.s. by* sich hervortun durch; **2.** her'vorheben; **3.** *a. fig.* ankündigen, signalisieren.

sig·nal·ler ['sɪgnələ] *s.* Si'gnalgeber *m*, *bsd.* a) ⚔ Blinker *m*, Melder *m*, b) ⚓ Si'gnalgast *m*.

'**sig·nal|·man** [-mən] *s.* [*irr.*] **1.** 🚂 Stellwärter *m*; **2.** ⚓ Si'gnalgast *m*; **~ of·fi·cer** *s.* ⚔ *Am.* **1.** 'Fernmeldeoffiˌzier *m*; **2.** Leiter *m* des Fernmeldedienstes; **~ rock·et** *s.* ⚔ Leuchtkugel *f*; **~ tow·er** *s.* **1.** ⚙ Si'gnalturm *m*; **2.** 🚂 *Am.* Stellwerk *n*.

sig·na·ry ['sɪgnərɪ] *s.* ('Schrift)Zeichensyˌstem *n*.

sig·na·to·ry ['sɪgnətərɪ] **I** *adj.* **1.** unter'zeichnend, vertragschließend, Signatar...: *~ powers* → 3c; **2.** † Zeichnungs...: *~ power* Unterschriftsvollmacht *f*; **II** *s.* **3.** a) ('Mit)Unterˌzeichner (-in), b) *pol.* Signa'tar *m* (*Unterzeichnerstaat*), c) *pl. pol.* Signa'tarmächte *pl.* (*to a treaty* e-s Vertrags).

sig·na·ture ['sɪgnɪtʃə] *s.* **1.** 'Unterschrift(sleistung) *f*, Namenszug *m*; **2.** Signa'tur *f* (*e-s Buchs etc., a. pharm. Aufschrift*); **3.** ♪ Signa'tur *f*, Vorzeichnung *f*; **4.** *a. ~ tune Radio*: 'Kennmeloˌdie *f*; **5.** *typ.* a) *a. ~ mark* Signa'tur *f*, Bogenzeichen *n*, b) signierter Druckbogen.

'**sign·board** *s.* (*bsd.* Firmen-, Aushänge)Schild *n*.

sign·er ['saɪnə] *s.* Unter'zeichner(in).

sig·net ['sɪgnɪt] *s.* Siegel *n*, Petschaft *n*: *privy ~* Privatsiegel des Königs; **~ ring** *s.* Siegelring *m*.

sig·nif·i·cance [sɪg'nɪfɪkəns], *a.* **sig'nif·i·can·cy** [-sɪ] *s.* **1.** Bedeutung *f*, (tiefere) Sinn; **2.** Bedeutung *f*, Wichtigkeit *f*: *of no ~* nicht von Belang; **sig'nif·i·cant** [-nt] *adj.* ☐ **1.** bedeutsam, wichtig, von Bedeutung; **2.** merklich; **3.** bezeichnend (*of* für); **4.** *fig.* vielsagend: *a ~ gesture*; **5.** ⚖ geltend; **sig·ni·fi·ca·tion** [ˌsɪgnɪfɪ'keɪʃn] *s.* **1.** (*bestimmte*) Bedeutung, Sinn *m*; **2.** Bezeichnung *f*, Bekundung *f*; **sig'nif·i·ca·tive** [-ətɪv] *adj.* ☐ **1.** Bedeutungs..., bedeutsam; **2.** bezeichnend, kennzeichnend (*of* für).

sig·ni·fy ['sɪgnɪfaɪ] **I** *v/t.* **1.** an-, bedeuten, kundtun, zu verstehen geben; **2.** bedeuten, ankündigen; **3.** bedeuten; **II** *v/i.* **4.** F wichtig sein: *it does not ~* es hat nichts auf sich.

sign| lan·guage *s.* Zeichen-, *bsd.* Fingersprache *f*; **~ man·u·al** *s.* **1.** (eigenhändige) 'Unterschrift; **2.** Handzeichen *n*; **~ paint·er** *s.* Schilder-, Pla'katmaler *m*; '**~·post I** *s.* **1.** Wegweiser *m*; **2.** (Straßen)Schild *n*, (Verkehrs)Zeichen *n*; **II** *v/t.* **3.** *Straße etc.* aus-, beschildern.

si·lage ['saɪlɪdʒ] 🌾 **I** *s.* Silofutter *n*; **II** *v/t. Gärfutter* silieren.

si·lence ['saɪləns] **I** *s.* **1.** (Still)Schweigen *n* (*a. fig.*), Ruhe *f*, Stille *f*: *keep ~* a) schweigen, still sein, b) Stillschweigen wahren (*on* über *acc.*); *in ~* (still-)schweigend; *~ gives consent* wer schweigt, scheint zuzustimmen; *~ is golden* Schweigen ist Gold; *~!* Ruhe!; → *pass over* 4; **2.** Schweigsamkeit *f*; **3.** Verschwiegenheit *f*; **4.** Vergessenheit *f*; **5.** *a.* ⚙ Geräuschlosigkeit *f*; **II** *v/t.* **6.** zum Schweigen bringen (*a.* ⚔ *u. fig.*); '**si·lenc·er** [-sə] *s.* **1.** ⚔, ⚙ Schalldämpfer *m*; **2.** *mot.* Auspufftopf *m*; '**si·lent** [-nt] *adj.* ☐ **1.** still, ruhig, schweigsam: *be ~* (sich aus)schweigen (*on* über *acc.*) (*a. fig.*); **2.** still (*Gebet etc.*), stumm (*Schmerz etc.*; *a. ling. Buchstabe*): *~ film* Stummfilm *m*; *~ partner* † stiller Teilhaber (mit unbeschränkter Haftung); **3.** *fig.* stillschweigend: *~ consent*; *~ majority die* schweigende Mehrheit; **4.** *a.* ⚙ geräuschlos, leise.

Si·le·sian [saɪ'li:zjən] **I** *adj.* schlesisch; **II** *s.* Schlesier(in).

sil·hou·ette [ˌsɪlu:'et] **I** *s.* **1.** Silhou'ette *f*: a) Schattenbild *n*, -riß *m*, b) 'Umriß *m* (*a. fig.*): *~ (target)* ⚔ Kopfscheibe *f*; *stand out in ~ against* → 4; **2.** Scherenschnitt *m*; **II** *v/t.* **3.** silhouettieren; **4.** *be ~d* sich abheben (*against* gegen).

sil·i·ca ['sɪlɪkə] *s.* ⚗ **1.** Kieselerde *f*; **2.** Quarz(glas *n*) *m*; '**sil·i·cate** [-kɪt] *s.* ⚗ Sili'kat *n*; '**sil·i·cat·ed** [-keɪtɪd] *adj.* siliziert; **si·li·ceous** [sɪ'lɪʃəs] *adj.* kiesel(erde-, -säure)haltig, -artig, Kiesel...; **si'lic·ic** [sɪ'lɪsɪk] *adj.* Kiesel(erde)...; **si·lic·i·fy** [sɪ'lɪsɪfaɪ] *v/t. u. v/i.* verkieseln; **si·li·cious** → *siliceous*; '**sil·i·con** [-kən] *s.* ⚗ Si'lizium *n*; **sil·i·co·sis** [ˌsɪlɪ'kəʊsɪs] *s.* ⚕ Sili'kose *f*, Staublunge

S

f.

silk [sılk] **I** *s.* **1.** Seide *f*: a) Seidenfaser *f*, b) Seidenfaden *m*, c) Seidenstoff *m*, -gewebe *n*; **2.** Seide(nkleid *n*) *f*: ***in ~s and satins*** in Samt u. Seide; **3.** ⚖ *Brit.* a) → ***silk gown***, b) F Kronanwalt *m*: ***take ~*** Kronanwalt werden; **4.** *fig.* Seide *f*, *zo. bsd.* Spinnfäden *pl.*; **5.** Seidenglanz *m* (*von Edelsteinen*); **II** *adj.* **6.** seiden, Seiden...: ***make a ~ purse out of a sow's ear*** *fig.* aus e-m Kieselstein e-n Diamanten schleifen; ***~ culture*** Seidenraupenzucht *f*; **'silk·en** [-kən] *adj.* **1.** *poet.* seiden, Seiden...; **2.** → ***silky*** 1 *u.* 2.

silk| gown *s. Brit.* 'Seidenta͵lar *m* (*e-s* ***King's*** *od.* ***Queen's Counsel***); **~ hat** *s.* Zy'linder(hut) *m.*

silk·i·ness ['sılkınıs] *s.* **1.** *das* Seidige, seidenartige Weichheit; **2.** *fig.* Sanftheit *f.*

silk| moth *s. zo.* Seidenspinner *m*; **'~-screen print·ing** *s. typ.* Seidensiebdruck *m*; **~ stock·ing** *s.* **1.** Seidenstrumpf *m*; **2.** *fig. Am.* ele'gante *od.* vornehme Per'son; **'~·worm** *s. zo.* Seidenraupe *f.*

silk·y ['sılkı] *adj.* ☐ **1.** seidig (glänzend), seidenweich: ***~ hair***; **2.** *fig.* sanft, einschmeichelnd, zärtlich (*Person, Stimme etc.*), *contp.* ölig, (aal)glatt; **3.** lieblich (*Wein*).

sill [sıl] *s.* **1.** (Tür)Schwelle *f*; **2.** Fensterbrett *n*; **3.** ⚙ Schwellbalken *m*; **4.** *geol.* Lagergang *m.*

sil·la·bub ['sıləbʌb] *s. Getränk aus Wein, Sahne u. Gewürzen.*

sil·li·ness ['sılınıs] *s.* **1.** Dummheit *f*, Albernheit *f*; **2.** Verrücktheit *f.*

sil·ly ['sılı] **I** *adj.* ☐ **1.** dumm, albern, blöd(e), verrückt (*Person u. Sache*); **2.** dumm, unklug (*Handlungsweise*); **3.** benommen, betäubt; **II** *s.* **4.** Dummkopf *m*, Dummerchen *n*; **~ sea·son** *s.* ‚Saure'gurkenzeit' *f.*

si·lo ['saıləʊ] **I** *pl.* **-los** *s.* **1.** ✓, ⚙ Silo *m*; **2.** ⚔ 'unterirdische Ra'ketenabschußrampe; **II** *v/t.* **3.** ✓ *Futter* a) in e-m Silo aufbewahren, b) einmieten.

silt [sılt] **I** *s.* Treibsand *m*, Schlamm *m*, Schlick *m*; **II** *v/i. u. v/t. mst* ***~ up*** verschlammen.

sil·van ['sılvən] → ***sylvan***.

sil·ver ['sılvə] **I** *s.* **1.** ⚗, *min.* Silber *n*; **2.** a) Silber(geld) *n*, b) *allg.* Geld *n*; **3.** Silber(geschirr *n*, -zeug *n*) *n*; **4.** Silber (-farbe *f*, -glanz *m*) *n*; **5.** *phot.* 'Silbersalz *n*, -ni͵trat *n*; **II** *adj.* **6.** silbern, Silber...: ***~ paper*** *phot.* Silberpapier *n*; **7.** silb(e)rig, silberglänzend; **8.** *fig.* silberhell (*Stimme etc.*); **III** *v/t.* **9.** versilbern; *Spiegel* belegen; **10.** silbern färben; **IV** *v/i.* **11.** silberweiß werden (*Haar etc.*); **~ fir** *s.* ♀ Edel-, Weißtanne *f*; **~ foil** *s.* **1.** Silberfolie *f*; **2.** 'Silberpa͵pier *n*; **~ fox** *s. zo.* Silberfuchs *m*; **~ gilt** *s.* vergoldetes Silber; **~ glance** *s.* Schwefelsilber *n*; **͵~-'gray** *bsd. Am.*, **͵~-'grey** *adj.* silbergrau; **~ leaf** *s.* ⚙ Blattsilber *n*; **~ lin·ing** *s. fig.* Silberstreifen *m* am Hori'zont, Lichtblick *m*: ***every cloud has its ~*** jedes Unglück hat auch sein Gutes; **~ med·al** *s.* 'Silberme͵daille *f*; **~ med·al·(l)ist** *s.* 'Silberme͵daillengewinner(in); **~ ni·trate** *s.* ⚗, *phot.* 'Silberni͵trat *n*; *bsd.* ⚕ Höllenstein *m*; **~ plate** *s.* **1.** Silberauflage *f*; **2.** Silber(geschirr *n*, -zeug *n*) *n*, Tafelsilber *n*; **'~-plate** *v/t.* versilbern; **~ point** *s. paint.* Silberstiftzeichnung *f*; **~ screen** *s.* **1.** (Film)Leinwand *f*; **2.** *coll. der* Film; **'~-side** *s.* bester Teil der Rindskeule; **'~·smith** *s.* Silberschmied *m*; **~ spoon** *s.* Silberlöffel *m*: ***be born with a ~ in one's mouth*** *fig.* ein Glückskind *od.* das Kind reicher Eltern sein; **͵~-'tongued** *adj.* redegewandt; **'~·ware** → ***silver plate*** 2; **~ wed·ding** *s.* silberne Hochzeit.

sil·ver·y ['sılvərı] → ***silver*** 7 *u.* 8.

sil·vi·cul·ture ['sılvıkʌltʃə] *s.* Waldbau *m*, 'Forstkul͵tur *f.*

sim·i·an ['sımıən] **I** *adj. zo.* affenartig, Affen...; **II** *s.* (*bsd.* Menschen)Affe *m.*

sim·i·lar ['sımılə] **I** *adj.* ☐ → ***similarly***; **1.** ähnlich (*a.* ⩘), (annähernd) gleich (***to*** *dat.*); **2.** gleichartig, entsprechend; **3.** *phys.*, ⚡ gleichnamig; **II** *s.* **4.** *das* Ähnliche *od.* Gleichartige; **5.** *pl.* ähnliche *od.* gleichartige Dinge *pl.*; **sim·i·lar·i·ty** [͵sımı'lærətı] *s.* **1.** Ähnlichkeit *f* (***to*** mit), Gleichartigkeit *f*; **2.** *pl.* Ähnlichkeiten *pl.*; **'sim·i·lar·ly** [-lı] *adv.* ähnlich, entsprechend.

sim·i·le ['sımılı] *s.* Gleichnis *n*, Vergleich *m*; **si·mil·i·tude** [sı'mılıtju:d] *s.* **1.** Ähnlichkeit *f* (*a.* ⩘); **2.** Gleichnis *n*; **3.** (Eben)Bild *n.*

sim·mer ['sımə] **I** *v/i.* **1.** sieden, wallen, brodeln; **2.** *fig.* kochen (***with*** vor *dat.*), gären (*Gefühl, Aufstand*): ***~ down*** sich ‚abregen' *od.* beruhigen; **II** *v/t.* **3.** zum Brodeln *od.* Wallen bringen; **III** *s.* **4.** ***keep at a*** (*od.* ***on the***) **~** sieden lassen.

Si·mon ['saımən] *npr.* Simon *m*: ***Simple ~*** *fig.* F Einfaltspinsel *m.*

si·mo·ny ['saımənı] *s.* Simo'nie *f*, Ämterkauf *m.*

simp [sımp] *s. Am. sl.* Simpel *m.*

sim·per ['sımpə] **I** *v/i.* albern *od.* geziert lächeln; **II** *s.* einfältiges *od.* geziertes Lächeln.

sim·ple ['sımpl] **I** *adj.* ☐ → ***simply***; **1.** *allg.* einfach: a) simpel, leicht: ***a ~ explanation***; ***a ~ task***, b) schlicht (*Person, Lebensweise, Stil etc.*): ***~ beauty***, c) unkompliziert: ***a ~ design***; ***~ fracture*** ⚕ einfacher (Knochen)Bruch, d) nicht zs.-gesetzt, unzerlegbar: ***~ equation*** ⩘ einfache Gleichung; ***~ fraction***

S

♆ einfacher *od.* gemeiner Bruch; **~ *fruit*** ⚘ einfache Frucht; **~ *interest*** ⚚ Kapitalzinsen *pl.*; **~ *larceny*** einfacher Diebstahl; **~ *sentence*** *ling.* einfacher Satz, e) niedrig: ***of ~ birth***; **2.** ♪ einfach; **3.** a) einfältig, simpel, b) na'iv, leichtgläubig; **4.** gering(fügig): **~ *efforts***; **5.** rein, glatt: **~ *madness***; **II** *s.* **6.** *pharm.* Heilkraut *n*, -pflanze *f*; **ˌ~-ˈheart·ed, ˌ~-ˈmind·ed** *adj.* **1.** schlicht, einfach; **2.** → ***simple*** 3; **ˌ~-ˈmind·ed·ness** *s.* **1.** Schlichtheit *f*; **2.** Einfalt *f*; **3.** Arglosigkeit *f*.

sim·ple·ton [ˈsɪmpltən] *s.* Einfaltspinsel *m.*

sim·plex [ˈsɪmpleks] **I** *adj.* **1.** ⚙, ⚡ Simplex...; **II** *s.* **2.** *ling.* Simplex *n*; **3.** ⚡, *teleph. etc.* Simplex-, Einfachbetrieb *m*.

sim·plic·i·ty [sɪmˈplɪsətɪ] *s.* **1.** Einfachheit *f*; **2.** Einfalt *f*.

sim·pli·fi·ca·tion [ˌsɪmplɪfɪˈkeɪʃn] *s.* Vereinfachung *f*; **sim·pli·fi·ca·tive** [ˈsɪmplɪfɪkətɪv] *adj.* vereinfachend; **sim·pli·fy** [ˈsɪmplɪfaɪ] *v/t.* **1.** vereinfachen (*a. erleichtern*, *a. als einfach hinstellen*); **2.** ⚙, ⚚ *Am.* normieren.

sim·plis·tic [sɪmˈplɪstɪk] *adj.* (zu) stark vereinfachend.

sim·ply [ˈsɪmplɪ] *adv.* **1.** einfach (*etc.* → ***simple***); **2.** bloß, nur; **3.** F einfach (*großartig etc.*).

sim·u·la·crum [ˌsɪmjʊˈleɪkrəm] *pl.* **-cra** [-krə] *s.* **1.** (Ab)Bild *n*; **2.** Scheinbild *n*, Abklatsch *m*; **3.** leerer Schein.

sim·u·lant [ˈsɪmjʊlənt] *adj.* *bsd. biol.* ähnlich (***of*** *dat.*); **sim·u·late** [ˈsɪmjʊleɪt] *v/t.* **1.** vortäuschen, (-)heucheln, *bsd. Krankheit* simulieren: ***~d account*** ⚚ fingierte Rechnung; **2.** *j-n od. et.* nachahmen; **3.** sich tarnen als; **4.** ähneln (*dat.*); **5.** *ling.* sich angleichen an (*acc.*); **6.** ⚙ simulieren; **sim·u·la·tion** [ˌsɪmjʊˈleɪʃn] *s.* **1.** Vorspiegelung *f*, -täuschung *f*; **2.** Heucheˈlei *f*, Verstellung *f*; **3.** Nachahmung *f*; **4.** Simulieren *n*, Krankspielen *n*; **5.** ⚙ Simulierung *f*; **sim·u·la·tor** [ˈsɪmjʊleɪtə] *s.* **1.** Heuchler(in); **2.** Simuˈlant(in); **3.** ⚙ *allg.* Simuˈlator *m*.

si·mul·ta·ne·i·ty [ˌsɪməltəˈnɪətɪ] *s.* Gleichzeitigkeit *f*; **si·mul·ta·ne·ous** [ˌsɪməlˈteɪnjəs] *adj.* ☐ gleichzeitig, simulˈtan (***with*** mit): **~ *translation*** Simultandolmetschen *n*.

sin [sɪn] **I** *s.* **1.** *eccl.* Sünde *f*: ***cardinal ~*** Hauptsünde; ***deadly*** (*od.* ***mortal***) **~** Todsünde; ***original ~*** Erbsünde; ***like ~*** F wie der Teufel; ***live in ~*** *obs. od. humor.* in Sünde leben; **2.** *fig.* (***against***) Sünde *f* (*Verstoß*) (gegen), Versündigung *f* (an *dat.*); **II** *v/i.* **3.** sündigen; **4.** *fig.* (***against***) sündigen, verstoßen (gegen *et.*), sich versündigen (an *j-m*).

sin·a·pism [ˈsɪnəpɪzəm] *s.* ⚕ Senfpflaster *n.*

since [sɪns] **I** *adv.* **1.** seitˈdem, -ˈher: ***ever ~*** seit der Zeit, seitdem: ***long ~*** seit langem, schon lange; ***how long ~?*** seit wie langer Zeit?; ***a short time ~*** vor kurzem; **2.** inˈzwischen, mittlerˈweile; **II** *prp.* **3.** seit: **~ *1945***; **~ *Friday***; **~ *seeing you*** seitdem ich dich sah; **III** *cj.* **4.** seit(dem): ***how long is it ~ it happened?*** wie lange ist es her, daß das geschah?; **5.** da (ja), weil.

sin·cere [sɪnˈsɪə] *adj.* ☐ **1.** aufrichtig, ehrlich, offen: ***a ~ friend*** ein wahrer Freund; **2.** aufrichtig, echt (*Gefühl etc.*); **3.** rein, lauter; **sinˈcere·ly** [-lɪ] *adv.* aufrichtig: ***Yours ~*** Mit freundlichen Grüßen (*Briefschluß*); **sinˈcere·ness** [-nɪs], **sin·cer·i·ty** [sɪnˈserətɪ] *s.* **1.** Aufrichtigkeit *f*; **2.** Lauterkeit *f*, Echtheit *f*.

sin·ci·put [ˈsɪnsɪpʌt] *s.* *anat.* Schädeldach *n*, *bsd.* Vorderhaupt *n*.

sine[1] [saɪn] *s.* ♆ Sinus *m*: **~ *of angle*** Winkelsinus; **~ *curve*** Sinuskurve *f*; **~ *wave*** *phys.* Sinuswelle *f*.

si·ne[2] [ˈsaɪnɪ] (*Lat.*) *prp.* ohne.

si·ne·cure [ˈsaɪnɪkjʊə] *s.* Sineˈkure *f*: a) *eccl. hist.* Pfründe *f* ohne Seelsorge, b) einträglicher Ruheposten.

si·ne di·e [ˌsaɪnɪˈdaɪiː] (*Lat.*) *adv.* ⚖ auf unbestimmte Zeit; **si·ne qua non** [ˌsaɪnɪkweɪˈnɒn] (*Lat.*) *s.* unerläßliche Bedingung, Conˈditio *f* sine qua non.

sin·ew [ˈsɪnjuː] *s.* **1.** *anat.* Sehne *f*, Flechse *f*; **2.** *pl.* Muskeln *pl.*, (Muskel-) Kraft *f*: ***the ~s of war*** *fig.* das Geld *od.* die Mittel (zur Kriegführung *etc.*); **ˈsin·ewed** [-juːd] → ***sinewy***; **ˈsin·ew·less** [-lɪs] *adj.* *fig.* kraftlos, schwach; **ˈsin·ew·y** [-juːɪ] *adj.* **1.** sehnig; **2.** zäh (*Fleisch*); **3.** *fig.* a) stark, zäh, b) kräftig, kraftvoll (*a. Stil*).

sin·ful [ˈsɪnfʊl] *adj.* ☐ sündig, sündhaft.

sing [sɪŋ] **I** *v/i.* [*irr.*] **1.** singen (*a. fig. dichten*): **~ *of*** → 9; **~ *to s.o.*** j-m vorsingen; **~ *small*** *fig.* F kleinlaut werden, klein beigeben; **2.** summen (*Biene*, *Wasserkessel etc.*); **3.** krähen (*Hahn*); **4.** *fig.* pfeifen, sausen (*Geschoß*); heulen (*Wind*); **5.** **~ *out*** F (laut) rufen, schreien; **6.** *a.* **~ *out*** *sl.* gestehen, alle(s) verraten, ‚singen' (*Verbrecher*); **7.** sich *gut etc.* singen lassen; **II** *v/t.* [*irr.*] **8.** *Lied* singen: **~ *a child to sleep*** ein Kind in den Schlaf singen; **~ *out*** ausrufen, schreien; **9.** *poet.* (be)singen; **III** *s.* **10.** *Am.* F (Gemeinschafts)Singen *n*.

singe [sɪndʒ] **I** *v/t.* **1.** ver-, ansengen; → ***wing*** 1; **2.** *Geflügel*, *Schwein* sengen; **3.** *a.* **~ *off*** *Borsten etc.* absengen; **4.** *Haar* sengen (*Friseur*); **II** *v/i.* **5.** versengen; **III** *s.* **6.** Versengung *f*; **7.** versengte Stelle.

sing·er [ˈsɪŋə] *s.* **1.** Sänger(in); **2.** *poet.* Sänger *m* (*Dichter*).

S

sing·ing ['sɪŋɪŋ] **I** *adj.* **1.** singend *etc.*; **2.** Sing…, Gesangs…: **~ *lesson***; **II** *s.* **3.** Singen *n*, Gesang *m*; **4.** *fig.* Klingen *n*, Summen *n*, Pfeifen *n*, Sausen *n*: ***a ~ in the ears*** (ein) Ohrensausen; **~ bird** *s.* Singvogel *m*; **~ voice** *s.* Singstimme *f*.

sin·gle ['sɪŋgl] **I** *adj.* □ → ***singly***; **1.** einzig: ***not a ~ one*** kein *od.* nicht ein einziger; **2.** einzeln, einfach, Einzel…, Ein(fach)…: ***~-decker*** ✈ Eindecker *m* (*a. Bus*); ***~-stage*** einstufig; (***bookkeeping by***) ***~ entry*** ⚕ einfache Buchführung; ***~(-trip) ticket*** → 10; **3.** einzeln, al'lein, Einzel…: ***~ bed*** Einzelbett *n*; ***~ bill*** ⚕ Solawechsel *m*; ***~ combat*** ⚔ Einzel-, Zweikampf *m*; ***~ game*** *sport* Einzel(spiel) *n*; ***~ house*** Einfamilienhaus *n*; **4.** a) allein, einsam, für sich (lebend), b) al'leinstehend, ledig, unverheiratet; → *a.* 14; **5.** einmalig: ***~ payment***; **6.** ⚘ einfach; **7.** *fig.* ungeteilt, einzig: ***~ purpose***; ***have a ~ eye for*** nur Sinn haben für, nur denken an (*acc.*); ***with a ~ voice*** wie aus 'einem Munde; **8.** *fig.* aufrichtig: ***~ mind***; **II** *s.* **9.** *der* (*die, das*) Einzelne *od.* Einzige; Einzelstück *n*; **10.** *Brit.* a) 🚂 einfache Fahrkarte, b) ✈ einfaches (Flug)Ticket *n*; **11.** *pl. sg. konstr. sport* Einzel *n*: ***play a ~s***; ***men's ~s*** Herreneinzel; **12.** Single *f* (*Schallplatte*); **13.** Einbettzimmer *n*; **14.** Single *m*, al'leinstehende Per'son; **III** *v/t.* **15.** ***~ out*** a) auslesen, -suchen, -wählen (***from*** aus), b) bestimmen (***for*** für *e-n Zweck*), c) her'ausheben; **ˌ~-'act·ing** *adj.* ⚙ einfach wirkend; **ˌ~-'breast·ed** *adj.*: ***~ suit*** Einreiher *m*; **ˌ~-'en·gined** *adj.* 'einmoˌtorig (*Flugzeug*); **ˌ~-'eyed** → ***single-minded***; **ˌ~-'hand·ed** *adj. u. adv.* **1.** einhändig; mit 'einer Hand; **2.** *fig.* eigenhändig, al'lein, ohne (fremde) Hilfe; auf eigene Faust; **ˌ~-'heart·ed** *adj.* □ → ***single-minded***; **ˌ~-'line** *adj.* 🚂 eingleisig; **ˌ~-'mind·ed** *adj.* **1.** aufrichtig, redlich; **2.** zielbewußt, -strebig.

sin·gle·ness ['sɪŋglnɪs] *s.* **1.** Einmaligkeit *f*; **2.** Ehelosigkeit *f*; **3.** *a.* ***~ of purpose*** Zielstrebigkeit *f*; **4.** *fig.* Aufrichtigkeit *f*.

ˌsin·gle|-'phase *adj.* ⚡ einphasig, Einphasen…; **ˌ~-'seat·er** *bsd.* ✈ **I** *s.* Einsitzer *m*; **II** *adj.* Einsitzer…, einsitzig; **'~·stick** *s. sport* 'Stockraˌpier(fechten) *n*.

sin·glet ['sɪŋglɪt] *s.* ärmelloses 'Unter- *od.* Tri'kothemd *n*.

sin·gle·ton ['sɪŋgltən] *s.* **1.** *Kartenspiel*: Singleton *m* (*einzige Karte e-r Farbe*); **2.** einziges Kind; **3.** Indi'viduum *n*; **4.** Einzelgegenstand *m*.

ˌsin·gle-'track *adj.* **1.** einspurig (*Straße*); **2.** 🚂 eingleisig (*a. fig.* F *einseitig*).

sin·gly ['sɪŋglɪ] *adv.* **1.** einzeln, al'lein; **2.** → ***single-handed*** 2.

'sing·song I *s.* **1.** Singsang *m*; **2.** *Brit.* Gemeinschaftssingen *n*; **II** *adj.* **3.** eintönig; **III** *v/t. u. v/i.* **4.** eintönig sprechen *od.* singen.

sin·gu·lar ['sɪŋgjʊlə] **I** *adj.* □ **1.** *ling.* singu'larisch: ***~ number*** → 6; **2.** ⚗, *phls.* singu'lär; **3.** *bsd.* ⚖ einzeln: ***all and ~*** jeder (jede, jedes) einzelne; **4.** *fig.* einzigartig, außer-, ungewöhnlich, einmalig; **5.** *fig.* eigentümlich, seltsam; **II** *s.* **6.** *ling.* Singular *m*, Einzahl *f*; **sin·gu·lar·i·ty** [ˌsɪŋgjʊ'lærətɪ] *s.* **1.** Eigentümlichkeit *f*, Seltsamkeit *f*; **2.** Einzigartigkeit *f*; **'sin·gu·lar·ize** [-əraɪz] *v/t.* **1.** her'ausstellen; **2.** *ling.* in die Einzahl setzen.

sin·is·ter ['sɪnɪstə] *adj.* □ **1.** böse, drohend, unheilvoll, schlimm; **2.** finster, unheimlich; **3.** *her.* link.

sink [sɪŋk] **I** *v/i.* [*irr.*] **1.** sinken, 'untergehen (*Schiff, Gestirn etc.*); **2.** (her'ab-, nieder)sinken (*Arm, Kopf, Person etc.*): ***~ into a chair***; ***~ into the grave*** ins Grab sinken; **3.** *im Wasser, Schnee etc.* versinken, ein-, 'untersinken: ***~ or swim*** *fig.* egal, was passiert; **4.** sich senken: a) her'absinken (*Dunkelheit, Wolken etc.*), b) abfallen (*Gelände*), c) einsinken (*Haus, Grund*), d) sinken (*Preise, Wasserspiegel, Zahl etc.*); **5.** 'umsinken; **6.** ***~ under*** erliegen (*dat.*); **7.** (***into***) a) (ein)dringen, (ein)sickern (in *acc.*), b) *fig.* (in *j-s Geist*) eindringen, sich einprägen (*dat.*): ***he allowed his words to ~ in*** er ließ s-e Worte wirken; **8.** ***~ into*** in *Ohnmacht* fallen *od.* sinken, in *Schlaf, Schweigen etc.* versinken; **9.** nachlassen, schwächer werden; **10.** sich dem Ende nähern (*Kranker*): ***he is ~ing fast*** er verfällt zusehends; **11.** *im Wert, in j-s Achtung etc.* sinken; **12.** *b.s.* (ver)sinken (***into*** in *acc.*), *in Armut, Vergessenheit* geraten, *dem Laster etc.* verfallen; **13.** sich senken (*Blick, Stimme*); **14.** sinken (*Mut*): ***his heart sank*** ihn verließ der Mut; **II** *v/t.* [*irr.*] **15.** *Schiff etc.* versenken; **16.** *bsd. in den Boden* ver-, einsenken; **17.** *Grube etc.* ausheben; *Brunnen, Loch* bohren: ***~ a shaft*** ⚒ e-n Schacht abteufen; **18.** ⚙ a) einlassen, -betten, b) eingravieren, c) *Stempel* schneiden; **19.** *Wasserspiegel etc., a. Preis, Wert* senken; **20.** *Blick, Kopf, Stimme* senken; **21.** *fig. Niveau, Stand* her'abdrücken; **22.** zu'grunde richten: ***we are sunk*** *sl.* wir sind ‚erledigt'; **23.** *Tatsache* unter'drücken, vertuschen; **24.** *et.* ignorieren; *Streit* beilegen; *Ansprüche, Namen etc.* aufgeben; **25.** a) ⚕ *Kapital* fest (*bsd.* ungünstig) anlegen, ‚stecken' (***into*** in *acc.*), b) (*bsd.* durch 'Fehlinvestiˌon) verlieren; **26.** ⚕ *Schuld* tilgen; **III** *s.* **27.** Ausguß(becken *n*, -loch *n*) *m*, Spülstein *m* (*Küche*); **28.** a) Abfluß *m*

S

(*Rohr*), b) Senkgrube *f*, c) *fig.* Pfuhl *m*: ~ ***of iniquity*** *fig.* Sündenpfuhl, Lasterhöhle *f*; **29.** *thea.* Versenkung *f*; **'sink·a·ble** [-kəbl] *adj.* zu versenken(d), versenkbar (*bsd. Schiff*); **'sink·er** [-kə] *s.* **1.** ⚒ Abteufer *m*; **2.** ⚙ Stempelschneider *m*; **3.** *Weberei*: Pla'tine *f*; **4.** ⚓ a) Senkblei *n* (*Lot*), b) Senkgewicht *n* (*Angelleine, Fischnetz*); **5.** *Am. sl.* Krapfen *m*; **'sink·ing** [-kɪŋ] **I** *s.* **1.** (Ver)Sinken *n*; **2.** Versenken *n*; **3.** ⚕ a) Schwächegefühl *n*, b) Senkung *f e-s Organs*; **4.** ✝ Tilgung *f*; **II** *adj.* **5.** sinkend (*a. Mut etc.*): ***a ~ feeling*** Beklommenheit *f*, flaues Gefühl (im Magen); **6.** ✝ Tilgungs...: ~ ***fund*** Amortisationsfonds *m*.

sin·less ['sɪnlɪs] *adj.* □ sünd(en)los, unschuldig, schuldlos.

sin·ner ['sɪnə] *s. eccl.* Sünder(in) (*a. fig. Übeltäter; a. humor. Halunke*).

Sinn Fein [ˌʃɪn'feɪn] *s. pol.* Sinn Fein *m* (*nationalistische Bewegung u. Partei in Irland*).

Sino- [sɪnəʊ] *in Zssgn* chi'nesisch, Chinesen..., China...; **si·nol·o·gy** [sɪ'nɒlədʒɪ] *s.* Sinolo'gie *f* (*Erforschung der chinesischen Sprache, Kultur etc.*).

sin·ter ['sɪntə] **I** *s. geol. u. metall.* Sinter *m*; **II** *v/t. Erz* sintern.

sin·u·ate ['sɪnjʊət] *adj.* □ ⚘ gebuchtet (*Blatt*); **sin·u·os·i·ty** [ˌsɪnjʊ'ɒsətɪ] *s.* **1.** Biegung *f*, Krümmung *f*; **2.** Gewundenheit *f* (*a. fig.*); **'sin·u·ous** [-jʊəs] *adj.* □ **1.** gewunden, sich schlängelnd: ~ ***line*** Wellen-, Schlangenlinie *f*; **2.** ⩚ sinusförmig gekrümmt; **3.** *fig.* a) verwickelt, b) winkelzügig; **4.** geschmeidig.

si·nus ['saɪnəs] *s.* **1.** Krümmung *f*, Kurve *f*; **2.** Ausbuchtung *f* (*a.* ⚘, ⚕); **3.** *anat.* Sinus *m*, (Knochen-, Neben)Höhle *f*; **4.** ⚕ Fistelgang *m*; **si·nus·i·tis** [ˌsaɪnə'saɪtɪs] *s.* ⚕ Sinu'sitis *f*, Nebenhöhlenentzündung *f*: ***frontal*** ~ Stirnhöhlenkatarrh *m*; **si·nus·oi·dal** [ˌsaɪnə'sɔɪdl] *adj.* ⩚, ⚡, *phys.* sinusförmig: ~ ***wave*** Sinuswelle *f*.

Sioux [suː] *pl.* **Sioux** [suː; suːz] *s.* **1.** 'Sioux(indiˌaner[in]) *m, f*; **2.** *pl. die* 'Sioux(indiˌaner) *pl.*

sip [sɪp] **I** *v/t.* **1.** nippen an (*acc.*) *od.* von, schlürfen (*a. fig.*); **II** *v/i.* **2.** (***of***) nippen (an *dat. od.* von), schlückchenweise trinken (von); **III** *s.* **3.** Nippen *n*; **4.** Schlückchen *n*.

si·phon ['saɪfn] **I** *s.* **1.** (Saug)Heber *m*; Siphon *m*; **2.** *a.* ~ ***bottle*** Siphonflasche *f*; **3.** *zo.* Sipho *m*; **II** *v/t.* **4.** ~ ***out*** (*a.* ⚕ *Magen*) aushebe(r)n; **5.** ~ ***off*** a) absaugen, b) *fig.* abziehen, *Gewinne etc.* abschöpfen; **6.** *fig.* (weiter)leiten; **III** *v/i.* **7.** ablaufen.

sip·pet ['sɪpɪt] *s.* **1.** (Brot-, Toast)Brokken *m* (*zum Eintunken*); **2.** geröstete Brotschnitte.

sir [sɜː] *s.* **1.** (mein) Herr! (*respektvolle Anrede*): ***yes, ~!*** ja(wohl)!; ≈(***s***) *Anrede in* (*Leser*)*Briefen* (*unübersetzt*); ***Dear ≈s*** Sehr geehrte Herren! (*Anrede in Briefen*); ***my dear ~!*** *iro.* mein Verehrtester!; **2.** ≈ *Brit.* Sir *m* (*Titel e-s* ***baronet*** *od.* ***knight***); **3.** *Brit. Anrede für den* ***Speaker*** *im Unterhaus.*

sire ['saɪə] **I** *s.* **1.** *poet.* a) Vater *m*, Erzeuger *m*, b) Vorfahr *m*; **2.** *zo.* Vater (-tier *n*) *m*, *bsd.* Zuchthengst *m*; **3.** ≈*!* Sire!, Eure Maje'stät!; **II** *v/t.* **4.** zeugen: ***be ~d by*** abstammen von (*bsd. Zuchtpferd*).

si·ren ['saɪərən] *s.* **1.** *myth.* Si'rene *f* (*a. fig. verführerische Frau, bezaubernde Sängerin*); **2.** ⚙ Si'rene *f*; **3.** *zo.* a) Armmolch *m*, b) → **si·re·ni·an** [saɪ'rɪnjən] *s. zo.* Seekuh *f*, Si'rene *f*.

sir·loin ['sɜːlɔɪn] *s.* Lendenstück *n*.

si·roc·co [sɪ'rɒkəʊ] *pl.* **-cos** *s.* Schi'rokko *m* (*Wind*).

sir·up ['sɪrəp] → ***syrup***.

sis [sɪs] *s.* F Schwester *f*.

si·sal (hemp) ['saɪsl] *s.* ⚘ Sisal(hanf) *m*.

sis·sy ['sɪsɪ] *s.* F **1.** Weichling *m*, ‚Heulsuse' *f*; **2.** ‚Waschlappen' *m*, Feigling *m*.

sis·ter ['sɪstə] **I** *s.* **1.** Schwester *f* (*a. fig. Genossin*): ***the three ≈s*** *myth.* die drei Schicksalsschwestern; ***Hey, ~!*** *Am. sl.* He, Kleine!; **2.** *fig.* Schwester *f* (*Gleichartiges*); **3.** *eccl.* (Ordens)Schwester *f*: ***≈s of Mercy*** Barmherzige Schwestern; **4.** ⚕ *bsd. Brit.* a) Oberschwester *f*, b) (Kranken)Schwester *f*; **5.** *a.* ~ ***company*** ✝ Schwester(gesellschaft) *f*; **II** *adj.* **6.** Schwester... (*a. fig.*); **'sis·ter·hood** [-hʊd] *s.* **1.** schwesterliches Verhältnis; **2.** *eccl.* Schwesternschaft *f*; **'sis·ter-in-law** [-ərɪn-] *pl.* **'sis·ters-in-law** *s.* Schwägerin *f*; **'sis·ter·ly** [-lɪ] *adj.* schwesterlich.

Sis·tine ['sɪstaɪn] *adj.* six'tinisch: ~ ***Chapel***; ~ ***Madonna***.

Sis·y·phe·an [ˌsɪsɪ'fiːən] *adj.*: ~ ***task*** (*od.* ***labo[u]r***) Sisyphusarbeit *f*.

sit [sɪt] [*irr.*] **I** *v/i.* **1.** sitzen; **2.** sich setzen; **3.** (***to*** *j-m*) (Por'trät *od.* Mo'dell) sitzen; **4.** sitzen, brüten (*Henne*); **5.** sitzen (*Sache, a. Wind*); **6.** Sitzung (ab-) halten, tagen; **7.** (***on***) beraten (über *acc.*), (*e-n Fall etc.*) unter'suchen; **8.** sitzen, e-n Sitz (inne)haben (***in Parliament*** im Parlament): ~ ***on a committee*** e-m Ausschuß angehören; ~ ***on the bench*** Richter sein; ~ ***on a jury*** Geschworener sein; **9.** (***on***) sitzen, passen (*dat.*) (*Kleidung*); *fig.* (*j-m*) *gut etc.* zu Gesicht stehen; **II** *v/t.* **10.** ~ ***o.s.*** sich setzen; **11.** sitzen auf (*dat.*): ~ ***a horse well*** gut zu Pferde sitzen;

Zssgn mit adv.:

sit| back *v/i.* **1.** sich zu'rücklehnen; **2.** *fig.* die Hände in den Schoß legen; ~ **by**

S

v/i. untätig zusehen; **~ down I** *v/i.* **1.** sich (hin)setzen, sich niederlassen, Platz nehmen: **~ *to work*** sich an die Arbeit machen; **2. ~ *under*** *e-e Beleidigung etc.* hinnehmen; **3.** ✈ aufsetzen; **II** *v/t.* **4.** *j-n* (hin)setzen; **~ in** *v/i.* F **1.** babysitten; **2.** F mitmachen (***at, on*** bei); **3. ~ *for*** für *j-n* einspringen; **4.** a) ein Sit-'in veranstalten, b) an e-m Sit-'in teilnehmen; **~ out I** *v/t.* **1.** *e-r Vorstellung etc.* bis zu Ende beiwohnen; **2.** länger bleiben *od.* aushalten als; **3.** *Spiel, Tanz* auslassen; **II** *v/i.* **4.** aussetzen, nicht mitmachen (*bei e-m Spiel etc.*); **5.** im Freien sitzen; **~ up** *v/i.* **1.** aufrecht sitzen; **2.** sich aufsetzen: **~ (*and beg*)** ‚schönmachen' (*Hund*); ***make s.o. ~*** a) j-n aufrütteln, b) j-n aufhorchen lassen; **~ (*and take notice*)** F aufhorchen; **3.** sich *im Bett etc.* aufrichten; **4.** aufsitzen, -bleiben; wachen (***with*** bei *e-m Kranken*);

Zssgn mit prp.:

sit| for *v/i.* **1.** *e-e Prüfung* machen; **2.** *parl.* *e-n Wahlkreis* vertreten; **3. ~ *one's portrait*** sich porträtieren lassen; **~ on** → ***sit*** 7, 8, 9, ***sit upon***; **~ through** → ***sit out*** 1 (*Zssgn mit adv.*); **~ un·der** *v/i.* **1.** *eccl.* zu *j-s* Gemeinde gehören; **2.** *j-s* Schüler sein; **~ up·on** *v/i.* **1.** lasten auf *j-m*; im *Magen* liegen; **2.** *sl.* *j-m* ‚aufs Dach steigen'; **3.** F *Nachricht etc.* zu'rückhalten; auf *e-m Antrag* ‚sitzen'.

sit|·com ['sɪtkɒm] *s. thea.* F Situati'onsko͵mödie *f*; **'~-down** *s.* **1.** Verschnaufpause *f*; **2.** a) *a.* **~ *strike*** ⚒ Sitzstreik *m*, b) 'Sitzdemonstrati͵on *f*.

site [saɪt] **I** *s.* **1.** Lage *f* (*e-s Gebäudes, e-r Stadt etc.*): **~ *plan*** Lageplan *m*; **2.** Stelle *f* (*a.* ⚕), Örtlichkeit *f*; **3.** Bauplatz *m*, Grundstück *n*; **4.** ⚒ a) (Ausstellungs)Gelände *n*, b) Sitz *m* (*e-r Industrie*); **5.** Stätte *f*, Schauplatz *m*; **II** *v/t.* **6.** plazieren, legen, 'unterbringen: ***well-~d*** gutgelegen, in guter Lage (*Haus*).

'sit-in *s.* Sit-'in *n*.

sit·ter ['sɪtə] *s.* **1.** Sitzende(r *m*) *f*; **2.** a) Glucke *f*: ***a good ~*** e-e gute Brüterin, b) brütender Vogel; **3.** *paint.* Mo'dell *n*; **4.** *a.* ***~-in*** Babysitter *m*; **5.** *sl.* a) *hunt.* leichter Schuß, b) *fig.* leichte Beute, c) ‚todsichere Sache'.

sit·ting ['sɪtɪŋ] **I** *s.* **1.** Sitzen *n*; **2.** *bsd.* ⚖, *parl.* Sitzung *f*, Tagung *f*; **3.** *paint., phot. etc.* Sitzung *f*: ***at a ~*** *fig.* in 'einem Zug; **4.** a) Brutzeit *f*, b) Gelege *n*; **5.** *eccl., thea.* Sitz(platz) *m*; **II** *adj.* **6.** sitzend, Sitz...: **~ *duck*** *fig.* leichtes Opfer; **7.** brütend; **~ room** *s.* **1.** Platz *m* zum Sitzen; **2.** Wohnzimmer *n*.

sit·u·ate ['sɪtjʊeɪt] **I** *v/t.* **1.** aufstellen, *e-r Sache* e-n Platz geben, den Platz festlegen (*gen.*); **2.** in e-e Lage bringen; **II** *adj.* **3.** ⚖ *od. obs.* → ***situated*** 1; **'sit·u·at·ed** [-tɪd] *adj.* **1.** gelegen: ***be ~*** liegen *od.* sein (*Haus etc.*); **2.** in e-r *schwierigen etc.* Lage: ***thus ~*** in dieser Lage; ***well ~*** gutsituiert, wohlhabend.

sit·u·a·tion [͵sɪtjʊ'eɪʃn] *s.* **1.** Lage *f e-s Hauses etc.*; **2.** Situati'on *f*: a) Lage *f*, Zustand *m*, b) Sachlage *f*, 'Umstände *pl.*: ***difficult ~***; **3.** *thea.* dra'matische Situati'on, Höhepunkt *m*: **~ *comedy*** Situationskomödie *f*; **4.** Stellung *f*, Stelle *f*, Posten *m*: ***~s offered*** Stellenangebote; ***~s wanted*** Stellengesuche.

si·tus ['saɪtəs] (*Lat.*) *s.* **1.** ⚕ Situs *m*, Lage *f* (*e-s Organs*); **2.** Sitz *m*, Lage *f*: ***in situ*** an Ort u. Stelle.

six [sɪks] **I** *adj.* **1.** sechs: ***it is ~ of one and half a dozen of the other*** *fig.* das ist gehupft wie gesprungen; **2.** *in Zssgn* sechs...: ***~-cylinder(ed)*** sechszylindrig, Sechszylinder... (*Motor*); **II** *s.* **3.** Sechs *f* (*Zahl, Spielkarte etc.*): ***at ~es and sevens*** a) ganz durcheinander, b) uneins; **4.** *Kricket*: *a.* **six·er** ['sɪksə] *s.* F Sechserschlag *m*; **'six·fold** [-fəʊld] *adj. u. adv.* sechsfach.

͵six|-'foot·er *s.* F sechs Fuß langer *od.* ‚baumlanger' Mensch; **'~·pence** *s. Brit. obs.* Sixpencestück *n*, ½ Schilling *m*: ***it does not matter (a) ~*** das ist ganz egal; **͵~-'shoot·er** *s.* F sechsschüssiger Re'volver.

six·teen [͵sɪks'tiːn] **I** *s.* Sechzehn *f*; **II** *adj.* sechzehn; **͵six'teenth** [-nθ] **I** *adj.* **1.** sechzehnt; **2.** sechzehntel; **II** *s.* **3.** *der* (*die, das*) Sechzehnte; **4.** Sechzehntel *n*; **5.** *a.* **~ *note*** ♪ Sechzehntel(note *f*) *n*.

sixth [sɪksθ] **I** *adj.* **1.** sechst: **~ *sense*** *fig.* sechster Sinn; **II** *s.* **2.** *der* (*die, das*) Sechste; **3.** Sechstel *n*; **4.** ♪ Sext *f*; **5.** *a.* **~ *form*** *ped. Brit.* Abschlußklasse *f*; **'sixth·ly** [-lɪ] *adv.* sechstens.

six·ti·eth ['sɪkstɪɪθ] **I** *adj.* **1.** sechzigst; **2.** sechzigstel; **II** *s.* **3.** *der* (*die, das*) Sechzigste; **4.** Sechzigstel *n*.

Six·tine ['sɪkstaɪn] → ***Sistine***.

six·ty ['sɪkstɪ] **I** *adj.* **1.** sechzig; **II** *s.* **2.** Sechzig *f*; **3.** *pl.* a) *die* sechziger Jahre *pl.* (*e-s Jahrhunderts*), b) *die* Sechziger(-jahre) *pl.* (*Alter*).

'six-͵wheel·er *s. mot.* Dreiachser *m*.

siz·a·ble ['saɪzəbl] *adj.* (ziemlich) groß, ansehnlich, beträchtlich.

siz·ar ['saɪzə] *s. univ.* Stipendi'at *m* (*in Cambridge od. Dublin*).

size[1] [saɪz] **I** *s.* **1.** Größe *f*, Maß *n*, For'mat *n*, 'Umfang *m*: ***all of a ~*** (alle) gleich groß; ***of all ~s*** in allen Größen; ***the ~ of*** so groß wie; ***that's about the ~ of it*** F (genau) so ist es; ***cut s.o. down to ~*** *fig.* j-n in die Schranken verweisen; **2.** (Schuh-, Kleider- *etc.*) Größe *f*, Nummer *f*: ***two ~s too big*** zwei Nummern zu groß; ***what ~ do you***

S

take? welche Größe haben Sie?; **3.** *fig.* a) Größe *f*, Ausmaß *n*, b) *geistiges etc.* For'mat *e-r Person*; **II** *v/t.* **4.** nach Größen ordnen; **5.** ~ ***up*** F ab-, einschätzen, taxieren (*alle a. fig.*); **III** *v/i.* **6.** ~ ***up*** F gleichkommen (***to***, ***with*** *dat.*).

size[2] [saɪz] **I** *s.* **1.** (*paint.* Grundier)Leim *m*, Kleister *m*; **2.** a) *Weberei*: Appre'tur *f*, b) *Hutmacherei*: Steife *f*; **II** *v/t.* **3.** leimen; **4.** *paint.* grundieren; **5.** *Stoff* appretieren; **6.** *Hutfilz* steifen.

-size [saɪz] → ***-sized***.

size·a·ble ['saɪzəbl] → ***sizable***.

-sized [saɪzd] *adj. in Zssgn* ...groß, von *od.* in ... Größe.

siz·er[1] ['saɪzə] *s.* **1.** Sortierer(in); **2.** ⚙ a) ('Größen)Sor,tierma,schine *f*, b) ('Holz),Zuschneidema,schine *f*.

siz·er[2] ['saɪzə] *s.* ⚙ **1.** Leimer *m*; **2.** *Textilindustrie*: Schlichter *m*.

siz·zle ['sɪzl] **I** *v/i.* zischen; *Radio etc.*: knistern; **II** *s.* Zischen *n*; '**siz·zling** [-lɪŋ] *adj.* **1.** zischend, brutzelnd; **2.** glühend heiß.

skald [skɔ:ld] → ***scald***[1].

skat [skæt] *s.* Skat(spiel *n*) *m*.

skate[1] [skeɪt] *pl.* **skates**, *bsd. coll.* **skate** *s. ichth.* (Glatt)Rochen *m*.

skate[2] [skeɪt] **I** *s.* **1.** a) Schlittschuh *m*, b) Kufe *f*; **2.** Rollschuh *m*; **II** *v/i.* **3.** Schlittschuh *od.* Rollschuh laufen: ~ ***over*** *fig. Schwierigkeiten etc.* überspielen; → ***ice*** 1; '**skate·board** *s.* Skateboard *n*; '**skat·er** [-tə] *s.* **1.** Schlittschuh-, Eisläufer(in); **2.** Rollschuhläufer(in); **skate sail·ing** *s.* Eissegeln *n*.

skat·ing ['skeɪtɪŋ] *s.* **1.** Schlittschuhlauf(en *n*) *m*, Eislauf(en *n*) *m*; **2.** Rollschuhlauf((en *n*) *m*; ~ **rink** *s.* **1.** Eisbahn *f*; **2.** Rollschuhbahn *f*.

ske·dad·dle [skɪ'dædl] F **I** *v/i.* ‚türmen', ‚abhauen'; **II** *s.* ‚Türmen' *n*.

skeet (**shoot·ing**) [ski:t] *s. sport* Skeetschießen *n*.

skein [skeɪn] *s.* **1.** Strang *m*, Docke *f* (*Wolle etc.*); **2.** Skein *n*, Warp *n* (*Baumwollmaß*); **3.** Kette *f*, Schwarm *m* (*Wildenten etc.*); **4.** *fig.* Gewirr *n*.

skel·e·tal ['skelɪtl] *adj.* **1.** ⚕ Skelett...; **2.** ske'lettartig; **skel·e·tol·o·gy** [,skelɪ'tɒlədʒɪ] *s.* Knochenlehre *f*.

skel·e·ton ['skelɪtn] **I** *s.* **1.** Ske'lett *n*, Knochengerüst *n*, Gerippe *n* (*alle a. fig.*): ~ ***in the cupboard*** (*Am.* ***closet***), ***family*** ~ *fig.* dunkler Punkt, (düsteres) Familiengeheimnis; ~ ***at the feast*** Gespenst *n* der Vergangenheit; **2.** ♀ Rippenwerk *n* (*Blatt*); **3.** ⚠, ⚙ (*Stahl-etc.*)Ske'lett *n*, (*a. Schiffs-*, *Flugzeug-*) Gerippe *n*; (*a. Schirm*)Gestell *n*; **4.** *fig.* a) Entwurf *m*, Rohbau *m*, b) Rahmen *m*; **5.** a) 'Stamm(perso,nal *n*) *m*, b) ⚔ Kader *m*, Stammtruppe *f*; **6.** *sport* Skeleton *m* (*Schlitten*); **II** *adj.* **7.** Skelett...: ~ ***construction*** ⚠ Skelettbauweise *f*; ~***-face type*** *typ.* Skelettschrift *f*; **8.** ✝, ⚖ Rahmen...: ~ ***agreement***; ~ ***law***; ~ ***bill*** Wechselblankett *n*; ~ ***wage agreement*** Manteltarif(vertrag) *m*; **9.** ⚔ Stamm...: ~ ***crew*** Stamm-, Restmannschaft *f*, *weitS.* Notbelegschaft *f*; '**skel·e·ton·ize** [-tənaɪz] *v/t.* **1.** skelettieren; **2.** *fig.* skizzieren, in großen 'Umrissen darstellen; **3.** *fig.* zahlenmäßig reduzieren.

skel·e·ton| key *s.* Dietrich *m*, Nachschlüssel *m*; ~ **ser·vice** *s.* Bereitschaftsdienst *m*.

skep [skep] *s.* **1.** (Weiden)Korb *m*; **2.** Bienenkorb *m*.

skep·tic ['skeptɪk] *etc. Am.* → ***sceptic*** *etc.*

sker·ry ['skerɪ] *s. bsd. Scot.* kleine Felseninsel.

sketch [sketʃ] **I** *s.* **1.** *paint. etc.* Skizze *f*, Studie *f*: ~ ***block***; **2.** Grundriß *m*, Schema *n*, Entwurf *m*; **3.** *fig.* (*a. literarische*) Skizze; **4.** *thea.* Sketch *m*; **II** *v/t.* **5.** *oft* ~ ***in*** (*od.* ***out***) skizzieren; **6.** *fig.* skizzieren, in großen Zügen darstellen; **III** *v/i.* **7.** e-e Skizze *od.* Skizzen machen; '**sketch·i·ness** [-tʃɪnɪs] *s.* Skizzenhaftigkeit *f*, *fig. a.* Oberflächlichkeit *f*; '**sketch·y** [-tʃɪ] *adj.* □ **1.** skizzenhaft, flüchtig; **2.** *fig.* a) oberflächlich, b) unzureichend: ***a*** ~ ***meal***; **3.** *fig.* unklar, vage.

skew [skju:] **I** *adj.* **1.** schief, schräg: ~ ***bridge***; **2.** abschüssig; **3.** 𝔄 'asym,metrisch; **II** *s.* **4.** Schiefe *f*; **5.** 𝔄 Asymme'trie *f*; **6.** ⚠ a) schräger Kopf (*Strebepfeiler*), b) 'Untersatzstein *m*; '~**·back** *s.* ⚠ schräges 'Widerlager; '~**·bald I** *adj.* scheckig (*bsd. Pferd*); **II** *s.* Schecke *m*.

skewed [skju:d] *adj.* schief, abgeschrägt, verdreht; **skew·er** ['skju:ə] **I** *s.* **1.** Fleischspieß *m*; **2.** *humor.* Schwert *n*, Dolch *m*; **II** *v/t.* **3.** *Fleisch* spießen, *Wurst* speilen; **4.** *fig.* aufspießen.

'**skew|-eyed** *adj. Brit.* schielend; ~ **gear·ing** *s.* ⚙ Stirnradgetriebe *n*.

ski [ski:] **I** *pl.* **ski**, **skis** *s.* **1.** *sport* Ski *m*; **2.** ✈ (Schnee)Kufe *f*; **II** *v/i. pret. u. p.p. Brit.* **ski'd**, *Am.* **skied 3.** *sport* Ski laufen *od.* fahren; '~**·bob** *s.* Skibob *m*.

skid [skɪd] **I** *s.* **1.** Stützbalken *m*; **2.** Ladebalken *m*, (Lasten)Rolle *f*: ***put the*** ~***s under*** *od.* ***on s.o.*** *fig.* F j-n ‚fertigmachen' *od.* ‚abschießen'; ***he is on the*** ~***s*** *sl.* mit ihm geht's abwärts; **3.** Hemmschuh *m*, Bremsklotz *m*; **4.** ✈ (Gleit)Kufe *f*, Sporn(rad *n*) *m*; **5.** *a. mot.* Rutschen *n*, Schleudern *n*: ***go into a*** ~ ins Schleudern geraten (*a. fig.* F); ~ ***chain*** Schneekette *f*; ~ ***mark*** Bremsspur *f*; **II** *v/t.* **6.** *Rad* bremsen, hemmen; **III** *v/i.* **7.** *a. mot. etc.* a) rutschen, b) schleudern; '~**·lid** *s. sl.* Sturzhelm *m*; '~**·proof** *adj.* rutschfest; ~ **row** [rəʊ] *s.*

Am. F a) billiges Vergnügungsviertel, b) ‚Pennergegend' *f*.

ski·er ['ski:ə] *s. sport* Skiläufer(in), -fahrer(in).

skies [skaɪz] *pl. von* ***sky***.

skiff [skɪf] *s.* Skiff *n* (*Ruderboot*).

ski·ing ['ski:ɪŋ] *s.* Skilaufen *n*, -fahren *n*, -sport *m*.

ski|-jor·ing ['ski:ˌdʒɔ:rɪŋ] *s. sport* Ski(k)jöring *n*; **~ jump** *s.* **1.** Skisprung *m*; **2.** Sprungschanze *f*; **~ jump·ing** *s.* Skispringen *n*, Sprunglauf *m*.

skil·ful ['skɪlfʊl] *adj.* □ geschickt: a) gewandt, b) kunstgerecht (*Arbeit, Operation etc.*), c) geübt, (sach)kundig (***at, in*** in *dat.*): ***be ~ at*** sich verstehen auf (*acc.*); **'skil·ful·ness** [-nɪs] → ***skill***.

skill [skɪl] *s.* **1.** Geschick(lichkeit *f*) *n*: a) (Kunst)Fertigkeit *f*, Können *n*, b) Gewandtheit *f*; **2.** (Fach-, Sach)Kenntnis *f* (***at, in*** in *dat.*); **skilled** [-ld] *adj.* **1.** geschickt, gewandt, erfahren (***in*** in *dat.*); **2.** Fach...: ***~ labo(u)r*** Facharbeiter *pl.*; ***~ trades*** Fachberufe; ***~ workman*** gelernter Arbeiter, Facharbeiter *m*.

skil·let ['skɪlɪt] *s.* **1.** a) Tiegel *m*, b) Kasse'rolle *f*; **2.** *Am.* Bratpfanne *f*.

skill·ful(·ness) *Am.* → ***skilful(ness)***.

skil·ly ['skɪlɪ] *s. Brit.* dünne Hafergrütze.

skim [skɪm] **I** *v/t.* **1.** (*a. fig.* † *Gewinne*) abschöpfen: ***~ the cream off*** den Rahm abschöpfen (*oft fig.*); **2.** abschäumen; **3.** *Milch* entrahmen: ***~med milk*** → ***skim milk***; **4.** *fig.* (hin)gleiten über (*acc.*); **5.** *fig. Buch etc.* über'fliegen, flüchtig lesen; **II** *v/i.* **6.** gleiten, streichen (***over*** über *acc.*, ***along*** entlang); **7.** ***~ over*** → 5; **'skim·mer** [-mə] *s.* **1.** Schaum-, Rahmkelle *f*; **2.** ⚙ Abstreicheisen *n*; **3.** ⚓ *Brit.* leichtes Rennboot; **skim milk** *s.* entrahmte Milch, Magermilch *f*; **'skim·ming** [-mɪŋ] *s.* **1.** *mst pl. das* Abgeschöpfte; **2.** *pl.* Schaum *m* (*auf Kochgut etc.*); **3.** *pl.* ⚙ Schlacken *pl.*; **4.** Abschöpfen *n*, -schäumen *n*: ***~ of excess profit*** † Gewinnabschöpfung *f*.

skimp [skɪmp] *etc.* → ***scrimp*** *etc.*

skin [skɪn] **I** *s.* **1.** Haut *f* (*a. biol.*): ***dark (fair) ~*** dunkle (helle) Haut(farbe); ***he is mere ~ and bone*** er ist nur noch Haut u. Knochen; ***be in s.o.'s ~*** *fig.* in j-s Haut stecken; ***get under s.o.'s ~*** F a) j-m ‚unter die Haut' gehen, b) j-n ärgern; ***have a thick (thin) ~*** dickfellig (zartbesaitet) sein; ***save one's ~*** mit heiler Haut davonkommen; ***by the ~ of one's teeth*** mit knapper Not; ***that's no ~ off my nose*** F das ‚juckt' mich nicht; → ***jump*** 12; **2.** Fell *n*, Pelz *m*, Balg *m* (*von Tieren*); **3.** (*Obst- etc.*) Schale *f*, Haut *f*, Hülse *f*, Rinde *f*; **4.** ⚙ *etc.* dünne Schicht, Haut *f* (*auf der Milch etc.*); **5.** Oberfläche *f*, *bsd.* a) ⚓ Außenhaut *f*, b) ✈ Bespannung *f*, c) (*Ballon*)Hülle *f*; **6.** (*Wein- etc.*) Schlauch *m*; **7.** *sl.* Klepper *m* (*Pferd*); **II** *v/t.* **8.** enthäuten, (ab)häuten, schälen: ***keep one's eyes ~ned*** F die Augen offenhalten; **9.** *a.* ***~ out*** *Tier* abbalgen, -ziehen; **10.** *Knie etc.* aufschürfen; **11.** *sl. j-m* das Fell über die Ohren ziehen, *j-n* ‚rupfen' (*beim Spiel etc.*); **12.** F *Strumpf etc.* abstreifen; **III** *v/i.* **13.** ***~ over*** (zu)heilen (*Wunde*); **14.** ***~ out*** *Am. sl.* ‚abhauen'; **ˌ~-'deep** *adj. u. adv.* (nur) oberflächlich; **~ dis·ease** *s.* Hautkrankheit *f*; **~ div·ing** *s.* Sporttauchen *n*; **'~·flicks** *s.* F Sexfilm *m*; **'~·flint** *s.* Knicker *m*, Geizhals *m*; **~ food** *s.* Nährcreme *f*; **~ fric·tion** *s. phys.* Oberflächenreibung *f*; **~ game** *s.* F Schwindel *m*, Bauernfänge'rei *f*; **~ graft** *s.* ⚕ 'Hauttransplanˌtat *n*; **'~-ˌgraft·ing** *s.* ⚕ 'Hauttransplantatiˌon *f*.

skinned [skɪnd] *adj.* **1.** häutig; **2.** ent-, gehäutet; **3.** *in Zssgn* ...häutig, ...fellig; **'skin·ner** [-nə] *s.* **1.** Pelzhändler *m*, Kürschner *m*; **2.** Abdecker *m*; **'skin·ny** [-nɪ] *adj.* **1.** häutig; **2.** mager, abgemagert, dünn; **3.** *fig.* knauserig.

ˌskin|'tight *adj.* hauteng (*Kleidung*); **~ wool** *s.* Schlachtwolle *f*.

skip¹ [skɪp] **I** *v/i.* **1.** hüpfen, hopsen, springen; **2.** seilhüpfen; **3.** *fig.* Sprünge machen, *von e-m Thema zum andern* springen; *ped. Am.* e-e Klasse über'springen; Seiten über'schlagen (*in e-m Buch*): ***~ off*** abschweifen; ***~ over*** *et.* übergehen; **4.** aussetzen, e-n Sprung tun (*Herz etc.*, *a.* ⚙); **5.** *oft* ***~ out*** F ‚abhauen'; ***~ (over) to*** e-n Abstecher nach *e-m Ort* machen; **II** *v/t.* **6.** springen über (*acc.*): ***~ (a) rope*** seilhüpfen; **7.** *fig.* (*ped. Am. a. e-e Klasse*) über'springen, auslassen, *Buchseite* über'schlagen: ***~ it!*** ‚geschenkt'!; **8.** F a) verschwinden aus *e-r Stadt etc.*, b) sich vor *e-r Verabredung etc.* drücken, *Schule etc.* schwänzen; **9.** F ***~ it*** ‚abhauen'; **III** *s.* **10.** Hopser *m*; *Tanzen*: Hüpfschritt *m*.

skip² [skɪp] → ***skipper*** 2.

skip³ [skɪp] *s.* (Stu'denten)Diener *m*.

skip⁴ [skɪp] *s.* ⚙ Förderkorb *m*.

'skip·jack *s.* **1.** *coll. pl. ichth.* a) *ein* Thunfisch *m*, b) Blaufisch *m*; **2.** *zo.* Springkäfer *m*; **3.** Stehaufmännchen *n* (*Spielzeug*).

ski plane *s.* Flugzeug *n* mit Schneekufen.

skip·per ['skɪpə] *s.* **1.** ⚓, ✈ Kapi'tän *m*, ⚓ *a.* Schiffer *m*; **2.** *sport* a) 'Mannschaftskapiˌtän *m*, b) *Am.* Manager *m od.* Trainer *m*.

skip·ping ['skɪpɪŋ] *s.* Hüpfen *n*, (*bsd.* Seil)Springen *n*; **~ rope** *s.* Springseil *n*.

skirl [skɜ:l] *dial.* **I** *v/i.* **1.** pfeifen (*bsd. Dudelsack*); **2.** Dudelsack spielen; **II** *s.*

3. Pfeifen *n* (*des Dudelsacks*).

skir·mish ['skɜ:mɪʃ] **I** *s.* ⚔ *u. fig.* Geplänkel *n*: ~ ***line*** Schützenlinie *f*; **II** *v/i.* plänkeln; '**skir·mish·er** [-ʃə] *s.* ⚔ Plänkler *m* (*a. fig.*).

skirt [skɜ:t] **I** *s.* **1.** (Frauen)Rock *m*; **2.** *sl.* ,Weibsbild' *n*, ,Schürze' *f*; **3.** (Rock-, Hemd-, *etc.*)Schoß *m*; **4.** Saum *m*, Rand *m* (*fig. oft pl.*); **5.** *pl.* Außenbezirk *m*, Randgebiet *n*; **6.** Kutteln *pl.*: ~ ***of beef***; **II** *v/t.* **7.** a) (um)'säumen, b) sich entlangziehen an (*dat.*); **8.** entlang- *od.* her'umgehen *od.* -fahren um; **9.** *fig.* um'gehen; **III** *v/i.* **10.** ~ ***along*** am Rande entlanggehen *od.* -fahren, sich entlangziehen; '**skirt·ed** [-tɪd] *adj.* **1.** e-n Rock tragend; **2.** *in Zssgn* a) mit e-m *langen etc.* Rock: ***long-~***, b) *fig.* eingesäumt; '**skirt·ing** [-tɪŋ] *s.* **1.** Rand *m*, Saum *m*; **2.** Rockstoff *m*; **3.** *mst* ~ ***board*** ⚠ (*bsd.* Fuß-, Scheuer)Leiste *f*.

'**ski-run** *s.* Skipiste *f*.

skit [skɪt] *s.* **1.** Stiche'lei *f*, Seitenhieb *m*; **2.** Paro'die *f*, Sa'tire *f* (***on*** über, auf *acc.*).

ski tow *s.* Schlepplift *m*.

skit·ter ['skɪtə] *v/i.* **1.** jagen, rennen; **2.** rutschen; **3.** hopsen; **4.** den Angelhaken an der Wasseroberfläche hinziehen.

skit·tish ['skɪtɪʃ] *adj.* □ **1.** ungebärdig, scheu (*Pferd*); **2.** ner'vös, ängstlich; **3.** *fig.* a) lebhaft, wild, b) (kindisch) ausgelassen (*bsd. Frau*), c) fri'vol, d) sprunghaft, kaprizi'ös.

skit·tle ['skɪtl] **I** *s.* **1.** *bsd. Brit.* Kegel *m*; **2.** *pl. sg. konstr.* Kegeln *n*, Kegelspiel *n*: ***play*** (***at***) ***~s*** kegeln; **II** *int.* **3.** ***~s!*** F Quatsch!, Unsinn!; **III** *v/t.* **4.** ~ ***out*** *Kricket: Schläger od. Mannschaft* (rasch) ,erledigen'; ~ **al·ley** *s.* Kegelbahn *f*.

skive[1] [skaɪv] **I** *v/t.* **1.** *Leder, Fell* spalten; **2.** *Edelstein* abschleifen; **II** *s.* **3.** Dia'mantenschleifscheibe *f*.

skive[2] [skaɪv] *Brit. sl.* **I** *v/t.* ,sich drükken' vor (*dat.*); **II** *v/i. a.* ~ ***off*** sich drücken.

skiv·vy ['skɪvɪ] *s. Brit. contp.* Dienstmagd *f*.

sku·a ['skju:ə] *s. orn.* (***great*** ~ Riesen-) Raubmöwe *f*.

skul·dug·ger·y [skʌl'dʌgərɪ] *s.* F Gaune'rei *f*, Schwindel *m*.

skulk [skʌlk] *v/i.* **1.** lauern; **2.** (um'her-) schleichen: ~ ***after s.o.*** j-m nachschleichen; **3.** *fig.* sich drücken; '**skulk·er** [-kə] *s.* **1.** Schleicher(in); **2.** Drückeberger(in).

skull [skʌl] *s.* **1.** *anat.* Schädel *m*, Hirnschale *f*: ***fractured*** ~ ⚕ Schädelbruch *m*; **2.** Totenschädel *m*: ~ ***and crossbones*** a) Totenkopf *m* (*Giftzeichen etc.*), b) *hist.* Totenkopf-, Piratenflagge *f*; **3.** *fig.* Schädel *m* (*Verstand*): ***have a thick*** ~ ein Brett vor dem Kopf haben; '**~·cap** *s.* **1.** *anat.* Schädeldach *n*; **2.** Käppchen *n*.

skunk [skʌŋk] **I** *s.* **1.** *zo.* Skunk *m*, Stinktier *n*; **2.** Skunk(s)pelz *m*; **3.** *fig. sl.* ,Scheißkerl' *m*, ,Schwein' *n*; **II** *v/t.* **4.** *Am.* F a) ,vermöbeln' (*a. sport*), b) ,bescheißen'.

sky [skaɪ] **I** *s.* **1.** *oft pl.* (*Wolken*)Himmel *m*: ***in the*** ~ am Himmel; ***out of a clear*** ~ *bsd. fig.* aus heiterem Himmel; **2.** *oft pl.* Himmel *m* (*a. fig.*), Himmelszelt *n*: ***under the open*** ~ unter freiem Himmel; ***praise to the skies*** *fig.* in den Himmel heben; ***the*** ~ ***is the limit*** F nach oben sind keine Grenzen gesetzt; **3.** a) Klima *n*, b) Himmelsstrich *m*, Gegend *f*, c) ⚔, ✈ Luftraum *m*; **II** *v/t.* **4.** *Ball etc.* hoch in die Luft schlagen *od.* werfen; **5.** F *Bild* (zu) hoch aufhängen (*in e-r Ausstellung*); ~ **ad·ver·tis·ing** *s.* ✝ Luftwerbung *f*; ,**~-'blue** *adj.* himmelblau; '**~·coach** *s.* ✈ *Am. Passagierflugzeug ohne Service*; '**~,div·er** *s. sport* Fallschirmspringer(in); '**~,div·ing** *s. sport* Fallschirmspringen *n*; ,**~-'high** *adj. u. adv.* himmelhoch (*a. fig.*): ***blow*** ~ a) sprengen, b) *fig. Theorie etc.* über den Haufen werfen; '**~·jack I** *v/t. Flugzeug* entführen; **II** *s.* Flugzeugentführung *f*; '**~,jack·er** *s.* Flugzeugentführer (-in); '**~,jack·ing** *s.* → ***skyjack*** II; '**~·lab** *s.* 'Raumla,bor *n*; '**~·lark I** *s.* **1.** *orn.* (Feld)Lerche *f*; **2.** Spaß *m*, Ulk *m*; **II** *v/i.* **3.** he'rumtollen, ,Blödsinn' treiben; um'hertollen; '**~·light** *s.* Oberlicht *n*, Dachfenster *n*; '**~·line** *s.* Hori'zont (-linie *f*) *m*, (*Stadt- etc.*)Silhou'ette *f*; '**~,lin·er** → ***airliner***; ~ **mar·shal** *s. Am. Bundespolizist, der zur Verhinderung von Flugzeugentführungen eingesetzt wird*; ~ **pi·lot** *s. sl.* ,Schwarzrock' *m* (*Geistlicher*); '**~,rock·et I** *s. Feuerwerk*: Ra'kete *f*; **II** *v/i.* in die Höhe schießen (*Preise etc.*), sprunghaft ansteigen; **III** *v/t.* sprunghaft ansteigen lassen; '**~·scape** [-skeɪp] *s. paint.* Wolkenlandschaft *f* (*Bild*); '**~,scrap·er** *s.* Wolkenkratzer *m*; ~ **sign** *s.* ✝ 'Leuchtre,klame *f* (*auf Häusern etc.*).

sky·ward ['skaɪwəd] **I** *adv.* himmel'an, -wärts; **II** *adj.* himmelwärts gerichtet; '**sky·wards** [-dz] → ***skyward*** I.

'**sky|·way** *s. bsd. Am.* **1.** ✈ Luftroute *f*; **2.** Hochstraße *f*; '**~,writ·er** *s.* Himmelsschreiber *m*; '**~,writ·ing** *s.* Himmelsschrift *f*.

slab [slæb] **I** *s.* **1.** (Me'tall-, Stein-, Holz- *etc.*)Platte *f*, Tafel *f*, Fliese *f*: ***on the*** ~ F a) auf dem Operationstisch, b) im Leichenschauhaus; **2.** (dicke) Scheibe (*Brot, Fleisch etc.*); **3.** ⚙ Schwarten-, Schalbrett *n*; **4.** *metall.* Bramme *f* (*Roheisenblock*); **5.** *Am. sl. Baseball*: Schlagmal *n*; **6.** (*westliche USA*) Be-

S

ˈtonstraße *f*; **II** *v/t.* **7.** ⚙ a) *Stamm* abschwarten, b) in Platten *od.* Bretter zersägen.

slack[1] [slæk] **I** *adj.* ☐ **1.** schlaff, locker, lose (*alle a. fig.*): ***keep a ~ rein*** (*od.* ***hand***) die Zügel locker lassen (*a. fig.*); **2.** a) langsam, träge (*Strömung etc.*), b) flau (*Brise*); **3.** ✝ flau, lustlos; → ***season*** 3; **4.** (nach)lässig, lasch, schlaff: ***be ~ in one's duties*** s-e Pflichten vernachlässigen; ***~ performance*** schlappe Leistung; **5.** *ling.* locker: ***~ vowel*** offener Vokal; **II** *s.* **6.** ⚓ Lose *n* (*loses Tauende*); **7.** ⚙ Spiel *n*: ***take up the ~*** Druckpunkt nehmen (*beim Schießen*); **8.** ⚓ Stillwasser *n*; **9.** Flaute *f* (*a.* ✝); **10.** F (Ruhe)Pause *f*; **11.** *pl.* Freizeithose *f*; **III** *v/t.* **12.** *a.* ***~ off*** → ***slacken*** 1; **13.** *a.* ***~ up*** → ***slacken*** 2 u. 3; **14.** → ***slake*** 2; **IV** *v/i.* **15.** → ***slacken*** 5; **16.** *oft* ***~ off*** a) nachlassen, b) F trödeln; **17.** ***~ up*** langsamer werden *od.* fahren.

slack[2] [slæk] *s.* ⚒ Kohlengrus *m.*

slack·en [ˈslækən] **I** *v/t.* **1.** *Seil, Muskel etc.* lockern, locker machen, entspannen; **2.** lösen; ⚓ *Segel* lose machen; (*Tau*)*Ende* fieren; **3.** *Tempo* verlangsamen, herˈabsetzen; **4.** nachlassen *od.* nachlässig werden in (*dat.*); **II** *v/i.* **5.** sich lockern, schlaff werden; **6.** *fig.* erlahmen, nachlassen, nachlässig werden; **7.** langsamer werden; **8.** ✝ stocken; **ˈslack·er** [-kə] *s.* Bummeˈlant *m*, Faulpelz *m*; **ˈslack·ness** [-knɪs] *s.* **1.** Schlaffheit *f*, Lockerheit *f*; **2.** Flaute *f*, Stille *f* (*a. fig.*); **3.** ✝ Flaute *f*, (Geschäfts)Stockung *f*; Unlust *f*; **4.** *fig.* Schlaffheit *f*, (Nach)Lässigkeit *f*, Trägheit *f*; **5.** ⚙ Spiel *n*, toter Gang.

slack| suit *s. Am.* Freizeitanzug *m*; **~ wa·ter** → ***slack***[1] 8.

slag [slæg] **I** *s.* **1.** ⚙ (*geol.* vulˈkanische) Schlacke: ***~ concrete*** Schlackenbeton *m*; **2.** *Brit. sl.* Schlampe *f*; **II** *v/t. u. v/i.* **3.** verschlacken; **ˈslag·gy** [-gɪ] *adj.* schlackig.

slain [sleɪn] *p.p. von* ***slay***.

slake [sleɪk] *v/t.* **1.** *Durst, a. fig. Begierde etc.* stillen; **2.** ⚙ *Kalk* löschen: ***~d lime*** ⚗ Löschkalk *m*.

sla·lom [ˈslɑːləm] *s. sport* Slalom *m*, Torlauf *m*.

slam[1] [slæm] **I** *v/t.* **1.** *a.* ***~ to*** *Tür, Deckel* zuschlagen, zuknallen; **2.** *et. auf den Tisch etc.* knallen: ***~ down*** *et.* hinknallen; **3.** *j-n* schlagen; **4.** *sl. sport* ‚überˈfahren' (*besiegen*); **5.** F *j-n od. et.* ‚in die Pfanne hauen'; **II** *v/i.* **6.** *a.* ***~ to*** zuschlagen (*Tür*); **III** *s.* **7.** Knall *m*; **IV** *adv.* **8.** *a. int.* bums(!), peng(!).

slam[2] [slæm] *s. Kartenspiel*: Schlemm *m*: ***grand ~*** Groß-Schlemm.

slan·der [ˈslɑːndə] **I** *s.* **1.** ⚖ *mündliche* Verleumdung, üble Nachrede; **2.** *allg.* Verleumdung *f*, Klatsch *m*; **II** *v/t.* **3.** verleumden; **ˈslan·der·er** [-dərə] *s.* Verleumder(in); **ˈslan·der·ous** [-dərəs] *adj.* ☐ verleumderisch.

slang [slæŋ] **I** *s.* Slang *m*, Jarˈgon *m*: a) Sonder-, Berufssprache *f*: ***schoolboy ~*** Schülersprache; ***thieves' ~*** Gaunersprache, *das* Rotwelsch, b) saˈloppe ˈUmgangssprache; **II** *v/t. j-n* (wüst) beschimpfen: ***~ing match*** wüste gegenseitige Beschimpfungen *pl.*; **ˈslang·y** [-ɪ] *adj.* saˈlopp, Slang…

slant [slɑːnt] **I** *s.* **1.** Schräge *f*, schräge Fläche *od.* Richtung *od.* Linie: ***on the*** (*od.* ***on a***) ***~*** schräg, schief; **2.** Abhang *m*; **3.** *fig.* a) Tenˈdenz *f*, ‚Färbung' *f*, b) Einstellung *f*, Gesichtspunkt *m*: ***take a ~ at*** *Am.* F e-n (Seiten)Blick werfen auf (*acc.*); **II** *adj.* ☐ **4.** schräg; **III** *v/i.* **5.** schräg liegen; sich neigen, kippen; **6.** *fig.* tendieren (***towards*** zu *et.* hin); **IV** *v/t.* **7.** schräg legen, kippen, e-e schräge Richtung geben (*dat.*): ***~ed*** schräg; **8.** *fig.* e-e Tenˈdenz geben, ‚färben'; **ˈ~-eye** *s.* Schlitzauge *n* (*Asiate etc.*); **ˈslant-eyed** *adj.* schlitzäugig; **ˈslant·ing** [-tɪŋ] *adj.* ☐ schräg; **ˈslant·wise** *adj. u. adv.* schräg, schief.

slap [slæp] **I** *s.* **1.** Schlag *m*, Klaps *m*: ***give s.o. a ~ on the back*** j-m anerkennend auf den Rücken klopfen; ***a ~ in the face*** e-e Ohrfeige, ein Schlag ins Gesicht (*a. fig.*); ***have a*** (***bit of***) ***~ and tickle*** F ‚knutschen'; **II** *v/t.* **2.** schlagen, e-n Klaps geben (*dat.*): ***~ s.o.'s face*** j-n ohrfeigen; **3.** → ***slam***[1] 2; **4.** scharf tadeln; **5.** ***~ on*** F a) *et.* draufklatschen, b) *Zuschlag etc.* ‚draufhauen'; **III** *v/i.* **6.** schlagen, klatschen (*a. Regen etc.*); **IV** *adv.* **7.** F genau, bums, ‚zack': ***I ran ~ into him***; **ˌ~-ˈbang** *adv.* **1.** → ***slap*** 7; **2.** Knall u. Fall; **ˈ~·dash I** *adv.* **1.** blindlings, Hals über Kopf; **2.** hopplaˈhopp, ‚auf die Schnelle'; **3.** aufs Gerateˈwohl; **II** *adj.* **4.** heftig, ungestüm; **5.** schlampig, schlud(e)rig: ***~ work***; **ˈ~ˌhap·py** *adj.* unbekümmert; **ˈ~·jack** *s. Am.* **1.** Pfannkuchen *m*; **2.** *ein Kinderkartenspiel*; **ˈ~·stick I** *s.* **1.** (Narren)Pritsche *f*; **2.** *thea.* a) Slapstick *m*, Klaˈmauk *m*, b) ˈSlapstickkoˌmödie *f*; **II** *adj.* **3.** Slapstick…, Klamauk…: ***~ comedy*** → 2 b; **ˈ~-up** *adj. sl.* ‚todschick', prima, ‚toll'.

slash [slæʃ] **I** *v/t.* **1.** (auf)schlitzen; zerfetzen; **2.** *Kleid etc.* schlitzen: ***~ed sleeve*** Schlitzärmel *m*; **3.** a) peitschen, b) *Peitsche* knallen lassen; **4.** *Ball etc.* ‚dreschen'; **5.** *fig.* geißeln, scharf kritisieren; **6.** *fig.* drastisch kürzen *od.* herˈabsetzen, zs.-streichen; **II** *v/i.* **7.** hauen (***at*** nach): ***~ out*** um sich hauen (*a. fig.*); **III** *s.* **8.** Hieb *m*, Streich *m*; **9.** Schnitt (-wunde *f*) *m*; **10.** Schlitz *m*; **11.** Holzschlag *m*; **12.** a) drastische Kürzung, b) drastischer Preisnachlaß; **ˈslash·ing** [-ʃɪŋ] **I** *s.* **1.** ⚔ Verhau *m*; **II** *adj.* **2.**

S

schneidend, schlitzend: **~ weapon** ⚔ Hiebwaffe *f*; **3.** *fig.* vernichtend, beißend (*Kritik etc.*); **4.** F ‚toll'.

slat [slæt] *s.* **1.** Leiste *f*, (*a.* Jalou'sie-) Stab *m*; **2.** *pl. sl.* a) Rippen *pl.*, b) ‚Arschbacken' *pl.*

slate¹ [sleɪt] **I** *s.* **1.** *geol.* Schiefer *m*; **2.** (Dach)Schiefer *m*, Schieferplatte *f*; **3.** Schiefertafel *f* (*zum Schreiben*): ***have a clean ~*** *fig.* e-e reine Weste haben; ***clean the ~*** *fig.* reinen Tisch machen; → ***wipe off*** 2; **4.** *Film*: Klappe *f*; **5.** *pol. etc. Am.* Kandi'datenliste *f*; **6.** Schiefergrau *n* (*Farbe*); **II** *v/t.* **7.** *Dach* mit Schiefer decken; **8.** *Am.* a) *Kandidaten* (vorläufig) aufstellen, vorschlagen: ***be ~d for*** für *e-n Posten* vorgesehen sein, b) *zeitlich* ansetzen; **III** *adj.* **9.** schieferartig, -farbig; Schiefer...

slate² [sleɪt] *v/t. sl.* **1.** ‚vermöbeln'; **2.** *fig.* a) *et.* ‚verreißen' (*kritisieren*), b) *j-n* abkanzeln.

ˌslate|-'blue *adj.* schieferblau; **'~-club** *s. Brit.* Sparverein *m*; **ˌ~-'gray, ˌ~-'grey** *adj.* schiefergrau; **~ pen·cil** *s.* Griffel *m*.

slath·er ['slæðə] *Am.* F **I** *v/t.* **1.** dick schmieren *od.* auftragen; **2.** verschwenden; **II** *s.* **3.** *mst pl.* große Menge.

slat·ing ['sleɪtɪŋ] *s. sl.* **1.** ‚Verriß' *m*, beißende Kri'tik; **2.** Standpauke *f*.

slat·tern ['slætɜːn] *s.* **1.** Schlampe *f*; **2.** *Am.* ‚Nutte' *f*; **'slat·tern·ly** [-lɪ] *adj. u. adv.* schlampig, schmudd(e)lig.

slat·y ['sleɪtɪ] *adj.* schief(e)rig.

slaugh·ter ['slɔːtə] **I** *s.* **1.** Schlachten *n*; **2.** *fig.* a) Abschlachten *n*, Niedermetzeln *n*, b) Gemetzel *n*, Blutbad *n*; → ***innocent*** 7; **II** *v/t.* **3.** *Vieh* schlachten; **4.** *fig.* a) (ab)schlachten, niedermetzeln, b) F *j-n* ‚auseinandernehmen' (*a. sport*); **'slaugh·ter·er** [-ərə] *s.* Schlächter *m*; **'slaugh·ter·house** *s.* **1.** Schlachthaus *n*; **2.** *fig.* Schlachtbank *f*.

Slav [slɑːv] **I** *s.* Slawe *m*, Slawin *f*; **II** *adj.* slawisch, Slawen...

slave [sleɪv] **I** *s.* **1.** Sklave *m*, Sklavin *f*; **2.** *fig.* Sklave *m*, Arbeitstier *n*, Kuli *m*: ***work like a ~*** → 4; **3.** *fig.* Sklave *m* (***to, of*** *gen.*): ***a ~ to one's passions***; ***a ~ to drink*** alkoholsüchtig; **II** *v/i.* **4.** schuften, wie ein Kuli arbeiten; **~ driv·er** *s.* **1.** Sklavenaufseher *m*; **2.** *fig.* Leuteschinder *m*.

slav·er¹ ['sleɪvə] *s.* **1.** Sklavenschiff *n*; **2.** Sklavenhändler *m*.

slav·er² ['slævə] **I** *v/i.* **1.** geifern, sabbern (*a. fig.*): **~ *for*** *fig.* lechzen nach; **2.** *fig.* katzbuckeln; **II** *v/t.* **3.** *obs.* besabbern; **III** *s.* **4.** Geifer *m*.

slav·er·y ['sleɪvərɪ] *s.* **1.** Sklave'rei *f* (*a. fig.*): **~ *to*** *fig.* sklavische Abhängigkeit von; **2.** Sklavenarbeit *f*; *fig.* Placke'rei *f*, Schinde'rei *f*.

slave| ship *s.* Sklavenschiff *n*; **~ trade** *s.* Sklavenhandel *m*; **~ trad·er** *s.* Sklavenhändler *m*.

slav·ey ['sleɪvɪ] *s. Brit.* F ‚dienstbarer Geist'.

Slav·ic ['slɑːvɪk] **I** *adj.* slawisch; **II** *s. ling.* Slawisch *n*.

slav·ish ['sleɪvɪʃ] *adj.* **1.** □ sklavisch, Sklaven...; **2.** *fig.* knechtisch, kriecherisch, unter'würfig; **3.** *fig.* sklavisch: **~ *imitation***; **'slav·ish·ness** [-nɪs] *s. das* Sklavische, sklavische Gesinnung.

slaw [slɔː] *s. Am.* 'Krautsaˌlat *m*.

slay [sleɪ] [*irr.*] **I** *v/t.* töten, erschlagen, ermorden; **II** *v/i.* morden; **slay·er** ['sleɪə] *s.* Mörder(in).

sleaze [sliːz] *s.* F a) Kungelei *f*, b) Unmoral *f*.

slea·zy ['sliːzɪ] *adj.* **1.** dünn (*a. fig.*), verschlissen (*Gewebe*); **2.** → ***shabby***.

sled [sled] → ***sledge¹*** 1; **'sled·ding** [-dɪŋ] *s. bsd. Am.* 'Schlittenfahren *n*, -transˌport *m*: ***hard*** (***smooth***) **~** *fig.* schweres (glattes) Vorankommen.

sledge¹ [sledʒ] **I** *s.* **1.** a) *a.* ⚙ Schlitten *m*, b) (Rodel)Schlitten *m*; **2.** *bsd. Brit.* (leichterer) Pferdeschlitten; **II** *v/t.* **3.** mit e-m Schlitten befördern *od.* fahren; **III** *v/i.* **4.** Schlitten fahren, rodeln.

sledge² [sledʒ] ⚙ *s.* **1.** Vorschlag-, Schmiedehammer *m*; **2.** schwerer Treibfäustel; **3.** ⚒ Schlägel *m*; **'~ˌham·mer I** *s.* → ***sledge²*** 1; **II** *adj. fig.* a) Holzhammer...(*-argumente etc.*), b) wuchtig, vernichtend (*Schlag*), c) ungeschlacht (*Stil*).

sleek [sliːk] **I** *adj.* □ **1.** glatt, glänzend (*Haar*); **2.** geschmeidig, glatt (*Körper; a. fig. Wesen*); **3.** *fig.* a) gepflegt, ele'gant, schick, b) schnittig (*Form*); **4.** *fig. b.s.* aalglatt, ölig; **II** *v/t.* **5.** *a.* ⚙ glätten; *Haar* glatt kämmen *od.* bürsten; ⚙ *Leder* schlichten; **'sleek·ness** [-nɪs] *s.* Glätte *f*, Geschmeidigkeit *f* (*a. fig.*).

sleep [sliːp] **I** *v/i.* [*irr.*] **1.** schlafen, ruhen (*beide a. fig. Dorf, Streit, Toter etc.*): **~ *late*** lange schlafen; **~ *like a log*** (*od.* ***top*** *od.* ***dormouse***) schlafen wie ein Murmeltier; **~ *[up]on*** (*od.* ***over***) ***s.th.*** *fig.* et. überschlafen; **2.** schlafen, über'nachten: **~ *in*** (***out***) im (außer) Haus schlafen; **3.** stehen (*Kreisel*); **4.** **~ *with*** mit *j-m* schlafen; **~ *around*** mit vielen Männern ins Bett gehen; **II** *v/t.* [*irr.*] **5.** schlafen: **~ *the ~ of the just*** den Schlaf des Gerechten schlafen; **6.** **~ *away*** *Zeit* verschlafen; **7.** **~ *off*** *Kopfweh etc.* ausschlafen: **~ *it off*** s-n Rausch *etc.* ausschlafen; **8.** Schlafgelegenheit bieten für; *j-n* 'unterbringen; **III** *s.* **9.** Schlaf *m*, Ruhe *f* (*a. fig.*): ***in one's ~*** im Schlaf; ***the last ~*** *fig.* die letzte Ruhe, der Tod(esschlaf); ***get some ~*** ein wenig schlafen; ***go to ~*** a) schlafen gehen, b) einschlafen (*a. fig. sterben*); ***put to ~***

allg., *a.* ⚕ einschläfern; **10.** *zo.* (Winter)Schlaf *m*; **11.** ⚘ Schlafbewegung *f*; **'sleep·er** [-pə] *s.* **1.** Schläfer(in): ***be a light*** (***sound***) ~ e-n leichten (festen) Schlaf haben; **2.** 🚃 a) Schlafwagen *m*, b) *Brit.* Schwelle *f*; **3.** *Am.* Lastwagen *m* mit Schlafkoje; **4.** *Am.* a) ('Kinder-)Py,jama *m*, b) (Baby)Schlafsack *m*; **5.** *Am.* F über'raschender Erfolg; **6.** ✝ *Am.* Ladenhüter *m*; **'sleep-in** *s.* Sleep-in *n*, 'Schlafdemonstrati,on *f*; **'sleep·i·ness** [-pɪnɪs] *s.* **1.** Schläfrigkeit *f*; **2.** *a. fig.* Verschlafenheit *f*.

sleep·ing ['sli:pɪŋ] *adj.* **1.** schlafend; **2.** Schlaf...: ~ ***accommodation*** Schlafgelegenheit *f*; ~ **bag** *s.* Schlafsack *m*; ♀ **Beau·ty** *s.* Dorn'rös-chen *n*; ~ **car** *s.* 🚃 Schlafwagen *m*; ~ **draught** *s.* Schlaftrunk *m*, -mittel *n*; ~ **part·ner** *s.* ✝ *Brit.* stiller Teilhaber (mit unbeschränkter Haftung); ~ **sick·ness** *s.* ⚕ Schlafkrankheit *f*; ~ **suit** *s.* → ***sleeper*** 4 a; ~ **tab·let** *s.* ⚕ 'Schlafta,blette *f*.

sleep·less ['sli:plɪs] *adj.* □ **1.** schlaflos; **2.** *fig.* a) rast-, ruhelos, b) wachsam; **'sleep·less·ness** [-nɪs] *s.* **1.** Schlaflosigkeit *f*; **2.** *fig.* Rast-, Ruhelosigkeit *f*; **3.** Wachsamkeit *f*.

'sleep|,walk·er *s.* Nachtwandler(in); **'~,walk·ing I** *s.* Nacht-, Schlafwandeln *n*; **II** *adj.* schlafwandelnd; nachtwandlerisch.

sleep·y ['sli:pɪ] *adj.* □ **1.** schläfrig, müde; **2.** *fig.* schläfrig, schlafmützig, träge; **3.** *fig.* verschlafen, verträumt (*Dorf etc.*); **4.** teigig (*Obst*); **'~·head** *s. fig.* Schlafmütze *f*.

sleet [sli:t] *meteor.* **I** *s.* **1.** Graupel(n *pl.*) *f*, Schloße(n *pl.*) *f*; **2.** a) *Brit.* Schneeregen *m*, b) *Am.* Graupelschauer *m*; **3.** F 'Eis,überzug *m auf Bäumen etc.*; **II** *v/i.* **4.** graupeln; **'sleet·y** [-tɪ] *adj.* graupelig.

sleeve [sli:v] *s.* **1.** Ärmel *m*: ***have s.th. up*** (*od.* ***in***) ***one's*** ~ a) et. auf Lager *od.* in petto haben, b) et. im Schild führen; ***laugh in one's*** ~ sich ins Fäustchen lachen; ***roll up one's*** **~*s*** die Ärmel hochkrempeln (*a. fig.*); **2.** ⚙ Muffe *f*, Buchse *f*, Man'schette *f*; **3.** (Schutz-)Hülle *f*; **sleeved** [-vd] *adj.* **1.** mit Ärmeln; **2.** *in Zssgn* ...ärmelig; **'sleeve·less** [-lɪs] *adj.* ärmellos.

sleeve| link *s.* Man'schettenknopf *m*; ~ **tar·get** *s.* ⚔ Schleppsack *m*; ~ **valve** *s.* ⚙ 'Muffenven,til *n*.

sleigh [sleɪ] **I** *s.* (Pferde- *od.* Last)Schlitten *m*; **II** *v/i.* (im) Schlitten fahren; ~ **bell** *s.* Schlittenschelle *f*.

sleight [slaɪt] *s.* **1.** Geschicklichkeit *f*; **2.** Trick *m*; **,~-of-'hand** *s.* **1.** (Taschenspieler)Kunststück *n*, (-)Trick *m* (*a. fig.*); **2.** (Finger)Fertigkeit *f*.

slen·der ['slendə] *adj.* □ **1.** schlank; **2.** schmal, schmächtig; **3.** *fig.* a) schmal, dürftig: ~ ***income***, b) gering, schwach: ***a*** ~ ***hope***; **4.** mager, karg (*Essen*); **'slen·der·ize** [-əraɪz] *v/t. u. v/i.* schlank (-er) machen *od.* werden; **'slen·der·ness** [-nɪs] *s.* **1.** Schlankheit *f*, Schmalheit *f*; **2.** *fig.* Dürftigkeit *f*; **3.** Kargheit *f* (*des Essens*).

slept [slept] *pret. u. p.p. von* ***sleep***.

sleuth [slu:θ] **I** *s. a.* **~*hound*** Spürhund *m* (*a. fig. Detektiv*); **II** *v/i.* ‚(he'rum-)schnüffeln'; **III** *v/t. j-s* Spur verfolgen.

slew¹ [slu:] *pret. von* ***slay***.

slew² [slu:] *s. Am. od. Canad.* Sumpf (-land *n*, -stelle *f*) *m*.

slew³ [slu:] **I** *v/t. a.* ~ ***round*** her'umdrehen, (-)schwenken; **II** *v/i.* sich her'umdrehen.

slew⁴ [slu:] *s. Am.* F (große) Menge, Haufe(n) *m*: ***a*** ~ ***of people***.

slice [slaɪs] **I** *s.* **1.** Scheibe *f*, Schnitte *f*, Stück *n*: ***a*** ~ ***of bread***; **2.** *fig.* Stück *n Land etc.*; (An)Teil *m*: ***a*** ~ ***of the profits*** ein Anteil am Gewinn; ***a*** ~ ***of luck*** *fig.* e-e Portion Glück; **3.** (*bsd.* Fisch-)Kelle *f*; **4.** ⚙ Spa(ch)tel *m*; **5.** *Golf*, *Tennis*: Slice *m* (*Schlag u. Ball*); **II** *v/t.* **6.** in Scheiben schneiden, aufschneiden: ~ ***off*** *Stück* abschneiden; **7.** *a. Luft*, *Wellen* durch'schneiden; **8.** *fig.* aufteilen; **9.** *Golf*, *Tennis*: *den Ball* slicen; **III** *v/i.* **10.** Scheiben schneiden; **11.** *Golf*, *Tennis*: slicen; **'slic·er** [-sə] *s.* (*Brot-*, *Gemüse- etc.*)'Schneidema,schine *f*; (*Gurken-*, *Kraut- etc.*)Hobel *m*.

slick [slɪk] F **I** *adj.* □ **1.** glatt, glitschig; **2.** *Am.* Hochglanz...; → *a.* 8; **3.** F a) geschickt, raffiniert, b) ‚schick', ‚flott'; **II** *adv.* **4.** geschickt; **5.** flugs; **6.** genau, ‚peng': ~ ***in the eye***; **III** *v/t.* **7.** glätten; **8.** ‚auf Hochglanz bringen'; **IV** *s.* **9.** Ölfläche *f*; **10.** F *a.* ~ ***paper*** *Am.* F ele'gante Zeitschrift; **'slick·er** [-kə] *s. Am.* **1.** Regenmantel *m*; **2.** F a) raffinierter Kerl, Schwindler *m*, b) ‚Großstadtpinkel' *m*.

slid [slɪd] *pret. u. p.p. von* ***slide***.

slide [slaɪd] **I** *v/i.* [*irr.*] **1.** gleiten (*a. Riegel etc.*): ~ ***down*** hinunterrutschen, -gleiten; ~ ***from*** entgleiten (*dat.*); ***let things*** ~ *fig.* die Dinge laufen lassen; **2.** *auf Eis* schlittern; **3.** (aus)rutschen; **4.** ~ ***over*** *fig.* leicht über *ein Thema* hin'weggehen; **5.** ~ ***into*** *fig.* in *et.* hin'einschlittern; **II** *v/t.* [*irr.*] **6.** *Gegenstand*, *s-e Hände etc. wohin* gleiten lassen, schieben: ~ ***in*** *fig. Wort* einfließen lassen; **III** *s.* **7.** Gleiten *n*; **8.** Schlittern *n auf Eis*; **9.** a) Schlitterbahn *f*, b) Rodelbahn *f*, c) (*a.* Wasser)Rutschbahn *f*; **10.** *geol.* Erd-, Fels-, Schneerutsch *m*; **11.** ⚙ a) Rutsche *f*, b) Schieber *m*, c) Schlitten *m* (*Drehbank etc.*), Führung *f*; **12.** ♪ Zug *m*; **13.** Spange *f*; **14.** *phot.* Dia(posi'tiv) *n*: ~ ***lecture*** Lichtbildervortrag *m*; **15.** *Mikroskop*: Ob'jektträger *m*; **16.**

(*Haar- etc.*)Spange *f*; **~ cal·i·per** *s.* ⚙ Schieb-, Schublehre *f*; **~ rest** *s.* ⚙ Sup'port *m*; **~ rule** *s.* ⚙ Rechenschieber *m*; **~ valve** *s.* ⚙ 'Schieber(venˌtil *n*) *m*.

slid·ing ['slaɪdɪŋ] *adj.* □ **1.** gleitend; **2.** Schiebe...: **~ *door*; ~ *fit*** *s.* ⚙ Gleitsitz *m*; **~ *roof*** *s. mot.* Schiebedach *n*; **~ *rule*** → ***slide rule***; **~ *scale*** *s.* ✝ **1.** gleitende (Lohn- *od.* Preis)Skala; **2.** 'Staffeltaˌrif *m*; **~ *seat*** *s. Rudern*: Gleit-, Rollsitz *m*; **~ *ta·ble*** *s.* Ausziehtisch *m*; **~ *time*** *s.* ✝ *Am.* Gleitzeit *f*.

slight [slaɪt] **I** *adj.* □ → ***slightly***; **1.** schmächtig, dünn; **2.** schwach (*Konstruktion*); **3.** leicht, schwach (*Geruch etc.*); **4.** leicht, gering(fügig), unbedeutend: ***a ~ increase***; ***not the ~est doubt*** nicht der geringste Zweifel; **5.** schwach, gering (*Intelligenz etc.*); **6.** flüchtig, oberflächlich (*Bekanntschaft etc.*); **II** *v/t.* **7.** *j-n* kränken; **8.** *et.* auf die leichte Schulter nehmen; **III** *s.* **9.** Kränkung *f*; '**slight·ing** [-tɪŋ] *adj.* □ abschätzig, kränkend; '**slight·ly** [-lɪ] *adv.* leicht, schwach, etwas, ein bißchen; '**slight·ness** [-nɪs] *s.* **1.** Geringfügigkeit *f*; **2.** Schmächtigkeit *f*; **3.** Schwäche *f*.

sli·ly ['slaɪlɪ] *adv. von* ***sly***.

slim [slɪm] **I** *adj.* □ **1.** schlank, dünn; **2.** *fig.* gering, dürftig, schwach: ***a ~ chance***; **3.** schlau, gerieben; **II** *v/t.* **4.** schlank(er) machen; **5.** **~ *down*** F *fig.* ‚abspecken', *a.* gesundschrumpfen; **III** *v/i.* **6.** schlank(er) werden; **7.** e-e Schlankheitskur machen; '**slim·down** *s. fig.* ‚Schlankheitskur' *f*, Gesundschrumpfung *f*.

slime [slaɪm] **I** *s.* **1.** *bsd.* ⚘, *zo.* Schleim *m*; **2.** Schlamm *m*; *fig.* Schmutz *m*; **II** *v/t.* **3.** mit Schlamm *od.* Schleim über'ziehen *od.* bedecken; '**slim·i·ness** [-mɪnɪs] *s.* **1.** Schleimigkeit *f*, *das* Schleimige; **2.** Schlammigkeit *f*.

'**slim·line** *v/t.* (*v/i.* sich) gesundschrumpfen.

slim·ming ['slɪmɪŋ] **I** *s.* Abnehmen *n*; Schlankheitskur *f*; **II** *adj.* Schlankheits...: **~ *cure***; **~ *diet***; '**slim·ness** [-mnɪs] *s.* **1.** Schlankheit *f*; **2.** *fig.* Dürftigkeit *f*.

slim·y ['slaɪmɪ] *adj.* □ **1.** schleimig, glitschig; **2.** schlammig; **3.** *fig.* a) ‚schleimig', kriecherisch, b) schmierig, schmutzig, c) widerlich, ‚fies'.

sling¹ [slɪŋ] **I** *s.* **1.** Schleuder *f*; **2.** (Schleuder)Wurf *m*; **II** *v/t.* [*irr.*] **3.** schleudern: **~ *ink*** F schriftstellern.

sling² [slɪŋ] **I** *s.* **1.** Schlinge *f zum Heben von Lasten*; **2.** ⚕ (Arm)Schlinge *f*, Binde *f*; **3.** Tragriemen *m*; **4.** *mst pl.* ⚓ Stropp *m*, Tauschlinge *f*; **II** *v/t.* [*irr.*] **5.** a) e-e Schlinge legen um *e-e Last*, b) *Last* hochziehen; **6.** aufhängen: ***be slung from*** hängen *od.* baumeln von; **7.** ⚔ *Gewehr* 'umhängen; **8.** ⚕ *Arm* in die Schlinge legen.

sling³ [slɪŋ] *s. Art* Punsch *m*.

'**sling·shot** *s.* **1.** (Stein)Schleuder *f*; **2.** *Am.* Kata'pult *n*, *m*.

slink [slɪŋk] **I** *v/i.* [*irr.*] **1.** schleichen, sich *wohin* stehlen: **~ *off*** wegschleichen, sich fortstehlen; **2.** *zo.* fehlgebären, *bsd.* verkalben (*Kuh*); **II** *v/t.* [*irr.*] **3.** *Junges* vor der Zeit werfen, zu früh zur Welt bringen; '**slink·y** [-kɪ] *adj.* **1.** aufreizend; **2.** geschmeidig; **3.** hauteng (*Kleid*).

slip [slɪp] **I** *s.* **1.** (Aus)Gleiten *n*, (-)Rutschen *n*; Fehltritt *m* (*a. fig.*); **2.** *fig.* (Flüchtigkeits)Fehler *m*, Schnitzer *m*, Lapsus *m*: **~ *of the pen*** Schreibfehler *m*; **~ *of the tongue*** ‚Versprecher' *m*; ***it was a ~ of the tongue*** ich habe mich (er hat sich *etc.*) versprochen; **3.** *fig.* ‚Panne' *f*: a) Mißgeschick *n*, b) Fehler *m*, Fehlleistung *f*; **4.** 'Unterkleid *n*, -rock *m*; **5.** (Kissen)Bezug *m*; **6.** (Hunde)Leine *f*, Koppel *f*: ***give s.o. the ~*** *fig.* j-m entwischen; **7.** ⚓ (Schlipp)Helling *f*; **8.** ⚙ Schlupf *m* (*Nachbleiben der Drehzahl*); **9.** *geol.* Erdrutsch *m*; **10.** ⚘ Pfropfreis *n*, Setzling *m*; **11.** *fig.* Sprößling *m*; **12.** Streifen *m*, Stück *n Holz od. Papier*, Zettel *m*: ***a ~ of a boy*** *fig.* ein schmächtiges Bürschchen; ***a ~ of a room*** ein winziges Zimmer; **13.** (Kon'troll- *etc.*)Abschnitt *m*; **14.** *typ.* Fahne *f*; **15.** *Kricket*: Eckmann *m*; **II** *v/i.* **16.** gleiten, rutschen: **~ *from*** *der Hand*, *a. dem Gedächtnis* entgleiten; **17.** sich (hoch- *etc.*)schieben, (ver)rutschen; **18.** sich lösen (*Knoten*); **19.** *wohin* schlüpfen: **~ *away*** a) *a.* **~ *off*** entschlüpfen, -wischen, sich davonstehlen, b) *a.* **~ *by*** verstreichen (*Tage*, *Zeit*); **~ *in*** sich einschleichen (*a. fig. Fehler etc.*), hineinschlüpfen; **~ *into*** in *ein Kleid*, *Zimmer etc.* schlüpfen *od.* gleiten; ***let an opportunity ~*** sich e-e Gelegenheit entgehen lassen; **20.** *a.* F **~ *up*** e-n Fehler machen, sich vertun: ***he is ~ping*** F er läßt nach; **III** *v/t.* **21.** *Gegenstand*, *s-e Hand etc. wohin* gleiten lassen, (*bsd.* heimlich) *wohin* stecken *od.* schieben: **~ *s.o. s.th.*** j-m et. zustecken; **~ *in*** a) *et.* hineingleiten lassen, b) *Bemerkung* einfließen lassen; **22.** *Ring*, *Kleid etc.* 'über- *od.* abstreifen: **~ *on*** (***off***); **23.** *j-m* entwischen; **24.** *j-s Aufmerksamkeit* entgehen: ***have ~ped s.o.'s memory*** (*od.* ***mind***) j-m entfallen sein; **25.** *et.* fahrenlassen; **26.** a) *Hundehalsband*, *a. Fessel etc.* abstreifen, b) *Hund etc.* loslassen; **27.** *Knoten* lösen; **28.** → ***slink*** 3; '**~·case** *s.* **1.** ('Bücher)Kasˌsette *f*; **2.** → '**~ˌcov·er** *s.* Schutzhülle *f* (*für Bücher*); Schonbezug *m* (*für Möbel*); '**~·knot** *s.* Laufknoten *m*; '**~-on I** *s.*

S

Kleidungsstück *n* zum 'Überstreifen, *bsd.* a) Slipon *m* (*Mantel*), b) Pull'over *m*, c) Slipper *m*; **II** *adj.* a) Umhänge..., Überzieh..., b) ⚙ Aufsteck...

slip·per ['slɪpə] **I** *s.* **1.** a) Pan'toffel *m*, b) Slipper *m* (*leichter Haus- od. Straßenschuh*); **2.** ⚙ Hemmschuh *m*; **II** *v/t.* **3.** mit e-m Pantoffel schlagen.

slip·per·i·ness ['slɪpərɪnɪs] *s.* **1.** Schlüpfrigkeit *f*; **2.** *fig.* Gerissenheit *f*; **slip·per·y** ['slɪpərɪ] *adj.* □ **1.** schlüpfrig, glatt, glitschig; **2.** *fig.* gerissen (*Person*); **3.** *fig.* zweifelhaft, unsicher; **4.** *fig.* heikel (*Thema*); **slip·py** ['slɪpɪ] *adj.* F **1.** → ***slippery*** 1; **2.** fix, flink: ***look ~!*** mach fix!

slip| ring *s.* ⚡ Schleifring *m*; **~ road** *s. Brit.* (Autobahn)Zubringerstraße *f*; '**~·shod** *adj.* schlampig, schludrig; '**~·slop** *s.* F labberiges Zeug (*Getränk*; *a. fig. leeres Gewäsch*); **~ sole** *s.* Einlegesohle *f*; '**~·stick** *s. Am.* Rechenschieber *m*; '**~·stream** *s.* **1.** ✈ Luftschraubenstrahl *m*; **2.** *sport* Windschatten *m*; '**~-up** *s.* → ***slip*** 2, 3; '**~·way** *s.* ⚓ Helling *f*.

slit [slɪt] **I** *v/t.* [*irr.*] **1.** aufschlitzen, -schneiden; **2.** zerschlitzen; **3.** spalten; **4.** ritzen; **II** *v/i.* [*irr.*] **5.** reißen, schlitzen, e-n Riß bekommen; **III** *s.* **6.** Schlitz *m*; '**~-eyed** *adj.* schlitzäugig.

slith·er ['slɪðə] *v/i.* **1.** schlittern, rutschen, gleiten; **2.** (schlangenartig) gleiten; '**slith·er·y** [-ðərɪ] *adj.* schlüpfrig.

sliv·er ['slɪvə] **I** *s.* **1.** Splitter *m*, Span *m*; **2.** *Spinnerei:* a) Kammzug *m*, b) Florband *n*; **II** *v/t.* **3.** *Span etc.* abspalten; **4.** zersplittern; **III** *v/i.* **5.** zersplittern.

slob [slɒb] *s.* **1.** *bsd. Ir.* Schlamm *m*; **2.** *sl.* a) ‚fieser Typ', b) ordi'närer Kerl, c) ‚Blödmann' *m*.

slob·ber ['slɒbə] **I** *v/i.* **1.** geifern, sabbern; **2.** ***~ over*** *fig.* kindisch schwärmen von; **II** *v/t.* **3.** begeifern, -sabbern; **4.** *j-n* abküssen; **III** *s.* **5.** Geifer *m*; **6.** *fig.* sentimen'tales Gewäsch; '**slob·ber·y** [-ərɪ] *adj.* **1.** sabbernd; **2.** besabbert; **3.** *fig.* gefühlsduselig; **4.** schlampig.

sloe [sləʊ] *s.* ⚘ **1.** Schlehe *f*; **2.** *a.* ***~ bush***, ***~ tree*** Schleh-, Schwarzdorn *m*; '**~·worm** → ***slowworm***.

slog [slɒg] F **I** *v/t.* **1.** hart schlagen; **2.** (ver)prügeln; **II** *v/i.* **3.** ***~ on***, ***~ away*** a) sich da'hinschleppen, b) sich ‚'durchbeißen'; **4.** *a.* ***~ away*** sich plagen, schuften; **III** *s.* **5.** harter Schlag; **6.** *fig.* Schinde'rei *f*: ***a long ~*** e-e ‚Durststrecke'.

slo·gan ['sləʊgən] *s.* **1.** *Scot.* Schlachtruf *m*; **2.** Slogan *m*: a) Schlagwort *n*, b) ✝ Werbespruch *m*.

slog·ger ['slɒgə] *s.* **1.** *sport* harter Schläger; **2.** *fig.* ‚Arbeitstier' *n*.

sloop [slu:p] *s.* ⚓ Scha'luppe *f*.

slop[1] [slɒp] **I** *s.* **1.** Pfütze *f*; **2.** *pl.* a) Spülwasser *n*, b) Schmutzwasser *n*; **3.** Schweinetrank *m*; **4.** *pl.* a) Krankensüppchen *n*, b) ‚labberiges Zeug', ‚Spülwasser' *n*; **5.** F rührseliges Zeug; **II** *v/t.* **6.** (ver)schütten; **7.** *a.* ***~ up*** geräuschvoll essen *od.* trinken; **III** *v/i.* **8.** ***~ over*** 'überschwappen; **9.** ***~ over*** F kindisch schwärmen; **10.** patschen, waten; **11.** *a.* ***~ around*** ‚her'umhängen, -schlurfen'.

slop[2] [slɒp] *s.* **1.** Kittel *m*, lose Jacke; **2.** *pl.* (billige) Konfekti'onskleider *pl.*; **3.** ⚓ ‚Kla'motten' *pl.* (*Kleidung u. Bettzeug*).

slop ba·sin *s.* Schale *f* für Tee- *od.* Kaffeereste.

slope [sləʊp] **I** *s.* **1.** (Ab)Hang *m*; **2.** Böschung *f*; **3.** a) Neigung *f*, Gefälle *n*, b) Schräge *f*, geneigte Ebene: ***on the ~*** schräg, abfallend; **4.** *geol.* Senke *f*; **5.** ***at the ~*** ⚔ mit Gewehr über; **II** *v/i.* **6.** sich neigen; (schräg) abfallen; **III** *v/t.* **7.** neigen, senken; **8.** abschrägen (*a.* ⚙); **9.** schräg legen; **10.** (ab)böschen; **11.** ⚔ *Gewehr* 'übernehmen; **12.** F a) *a.* ***~ off*** ‚abhauen', b) ***~ around*** her'umschlendern; '**slop·ing** [-pɪŋ] *adj.* □ schräg, abfallend; ansteigend.

'**slop-pail** *s.* Toi'letteneimer *m*.

slop·pi·ness ['slɒpɪnɪs] *s.* **1.** Matschigkeit *f*; **2.** Matsch *m*; **3.** Schlampigkeit *f*; **4.** F Rührseligkeit *f*; **slop·py** ['slɒpɪ] *adj.* □ **1.** matschig (*Boden etc.*); **2.** naß, bespritzt (*Tisch etc.*); **3.** *fig.* labberig (*Speisen*); **4.** schlampig, nachlässig (*Arbeit etc.*), sa'lopp (*Sprache*); **5.** rührselig.

'**slop·shop** *s. Laden mit billiger Konfektionsware.*

slosh [slɒʃ] **I** *s.* **1.** → ***slush*** 1 *u.* 2; **II** *v/i.* **2.** im (Schmutz)Wasser her'umpatschen; **3.** schwappen; **III** *v/t.* **4.** bespritzen: ***~ on*** *Farbe etc.* a) draufklatschen, b) klatschen auf (*acc.*); **5.** *Bier im Glas etc.* schwenken; **6.** *a.* ***~ down*** F *Bier etc.* ‚hin'unterschütten'; '**sloshed** [-ʃt] *adj. sl.* ‚besoffen'.

slot[1] [slɒt] **I** *s.* **1.** Schlitz(einwurf) *m*; Spalte *f*; **2.** ⚙ Nut *f*: ***~ and key*** Nut u. Feder (*Metall*); **3.** F (freie) Stelle, Platz *m*: ***find a ~ for*** (***in***) → 5; **II** *v/t.* **4.** ⚙ nuten, schlitzen: ***~ting-machine*** Nutenstoßmaschine *f*; **5.** F *j-n od. et.* 'unterbringen (***into*** in *dat.*); **III** *v/i.* **6.** ***~ into*** F *a. fig.* (hin'ein)passen in (*acc.*).

slot[2] [slɒt] *s. hunt.* Spur *f*.

sloth [sləʊθ] *s.* **1.** Faulheit *f*; **2.** *zo.* Faultier *n*; '**sloth·ful** [-fʊl] *adj.* □ faul, träge.

slot ma·chine *s.* ('Waren-, 'Spiel)Automat *m*.

slouch [slaʊtʃ] **I** *s.* **1.** krumme, nachlässige Haltung; **2.** latschiger Gang; **3.** a) her'abhängende Hutkrempe, b) → ***slouch hat***; **4.** F ‚Flasche' *f*, ‚Niete' *f*

(*Nichtskönner*): ***he is no ~*** ‚er ist auf Draht'; ***the show is no ~*** das Stück ist nicht ohne; **II** *v/i.* **5.** krumm dasitzen *od.* -stehen; **6.** *a.* ***~ along*** latschen, latschig gehen; **7.** her'abhängen (*Krempe*); **III** *v/t.* **8.** *Schultern* hängen lassen; **9.** *Krempe* her'unterbiegen; **slouch hat** *s.* Schlapphut *m*; **'slouch·ing** [-tʃɪŋ] *adj.* □, **'slouch·y** [-tʃɪ] *adj.* **1.** krumm (*Haltung*); latschig (*Gang, Haltung, Person*); **2.** her'abhängend (*Krempe*); **3.** lax, faul.

slough¹ [slaʊ] *s.* **1.** Sumpf-, Schmutzloch *n*; **2.** Mo'rast *m* (*a. fig.*): ***2 of Despond*** Sumpf *m* der Verzweiflung.

slough² [slʌf] **I** *s.* **1.** abgestreifte Haut (*bsd. Schlange*); **2.** ⚕ Schorf *m*; **II** *v/i.* **3.** *oft* ***~ away*** (*od.* ***off***) sich häuten; **4.** sich ablösen (*Schorf etc.*); **III** *v/t.* **5.** *a.* ***~ off*** *Haut etc.* abstreifen, -werfen; *fig. Gewohnheit etc.* ablegen; **'slough·y** [-fɪ] *adj.* ⚕ schorfig.

slov·en ['slʌvn] *s.* a) Schlamper *m*, b) Schlampe *f*; **'slov·en·ly** [-lɪ] *adj. u. adv.* schlampig, schlud(e)rig.

slow [sləʊ] **I** *adj.* □ **1.** *allg.* langsam: ***~ and sure*** langsam, aber sicher; ***~ train*** 🚂 Personenzug *m*; ***be ~ in arriving*** lange ausbleiben, auf sich warten lassen; ***be ~ to write*** sich mit dem Schreiben Zeit lassen; ***be ~ to take offence*** nicht leicht et. übelnehmen; ***not to be ~ to do s.th.*** et. prompt tun, nicht lange mit et. fackeln; ***the clock is 20 minutes ~*** die Uhr geht 20 Minuten nach; **2.** all'mählich, langsam: ***~ growth***; **3.** säumig (*a. Zahler*); unpünktlich; **4.** schwach (*Feuer*); **5.** schleichend (*Fieber, Gift*); **6.** ✝ schleppend, schlecht (*Geschäft*); **7.** schwerfällig, schwer von Begriff, begriffsstutzig: ***be ~ in learning s.th.*** et. nur schwer lernen; ***be ~ of speech*** e-e schwere Zunge haben; **8.** langweilig, fad(e), ‚müde'; **9.** langsam (*Rennbahn*); schwer (*Boden*); **10.** *mot.* Leerlauf...; **II** *adv.* **11.** langsam: ***go ~*** *fig.* a) ‚langsam treten', b) ✝ e-n Bummelstreik machen; **III** *v/t.* **12.** *mst* ***~ down*** (*od.* ***off, up***) a) *Geschwindigkeit* verlangsamen, verringern, b) *et.* verzögern; **IV** *v/i.* **13.** ***~ down*** *od.* ***up*** sich verlangsamen, langsamer werden, *fig.* ‚langsamer tun'; **'~-ˌburn·ing stove** *s.* Dauerbrandofen *m*; **'~·coach** *s. contp.* ‚Schlafmütze' *f*; **'~·down** *s.* **1.** Verlangsamung *f*; **2.** *Am.* Bummelstreik *m*; **~ lane** *s. mot.* Kriechspur *f*; **~ march** *s.* ♪ Trauermarsch *m*; **~ match** *s.* ⚔ Zündschnur *f*, Lunte *f*; **~ mo·tion** *s.* Zeitlupentempo *n*; **ˌ~-'mo·tion** *adj.* Zeitlupen...: ***~ picture*** Zeitlupe(naufnahme) *f*.

slow·ness ['sləʊnɪs] *s.* **1.** Langsamkeit *f*; **2.** Schwerfälligkeit *f*, Begriffsstutzigkeit *f*; **3.** Langweiligkeit *f*, ‚Lahmheit' *f*.

'slow|·poke *Am.* F Langweiler *m*; **ˌ~'speed** *adj.* ⚙ langsam(laufend); **~ train** *s.* Bummel-, Per'sonenzug *m*; **ˌ~-'wit·ted** → ***slow*** 7; **'~·worm** *s. zo.* Blindschleiche *f*.

sloyd [slɔɪd] *s. ped.* 'Werkˌunterricht *m* (*bsd. Schnitzen*).

sludge [slʌdʒ] *s.* **1.** Schlamm *m*, (*a.* Schnee)Matsch *m*; **2.** ⚙ Schlamm *m*, Bodensatz *m*; **3.** Klärschlamm *m*; **4.** Treibeis *n*; **'sludg·y** [-dʒɪ] *adj.* schlammig, matschig.

slue [slu:] → ***slew³*** *u.* ***slew⁴***.

slug¹ [slʌg] **I** *s. zo.* **1.** (Weg)Schnecke *f*; **2.** F Faulpelz *m*; **II** *v/i.* **3.** faulenzen.

slug² [slʌg] *s.* **1.** Stück *n* 'Rohmeˌtall; **2.** a) *hist.* Mus'ketenkugel *f*, b) grobes Schrot, c) (Luftgewehr-, *Am.* Pi'stolen-) Kugel *f*; **3.** *Am.* a) falsche Münze, b) Gläs-chen *n Schnaps etc.*; **4.** *typ.* a) Re'glette *f*, b) 'Setzmaˌschinenzeile *f*, c) Zeilenguß *m*; **5.** *phys.* Masseneinheit *f*.

slug³ [slʌg] **I** *bsd. Am.* harter Schlag; **II** *v/t. j-m* ‚ein Ding verpassen'.

slug·a·bed ['slʌgəbed] *s.* Langschläfer(in).

slug·gard ['slʌgəd] **I** *s.* Faulpelz *m*; **II** *adj.* □ faul.

slug·ger ['slʌgə] *s. Am.* F *Baseball, Boxen*: harter Schläger.

slug·gish ['slʌgɪʃ] *adj.* □ **1.** träge (*a.* ⚕ *Organ*), langsam, schwerfällig; **2.** ✝ *etc.* schleppend; **3.** träge fließend (*Fluß etc.*); **'slug·gish·ness** [-nɪs] *s.* Trägheit *f*, Langsamkeit *f*, Schwerfälligkeit *f*.

sluice [slu:s] **I** *s.* ⚙ **1.** Schleuse *f* (*a. fig.*); **2.** Stauwasser *n*; **3.** 'Schleusenkaˌnal *m*; **4.** *min.* (Erz-, Gold)Waschrinne *f*; **II** *v/t.* **5.** *Wasser* ablassen; **6.** *min. Erz etc.* waschen; **7.** (aus)spülen; **III** *v/i.* **8.** (aus)strömen; **~ gate** *s.* Schleusentor *n*; **'~·way** → ***sluice*** 3.

slum [slʌm] **I** *s.* **1.** schmutzige Gasse; **2.** *mst pl.* Slums *pl.*, Elendsviertel *n*; **II** *v/i.* **3.** *mst* ***go ~ming*** die Slums aufsuchen (*bsd. aus Neugierde*); **4.** in primi'tiven Verhältnissen leben; **III** *v/t.* **5.** ***~ it*** → 4.

slum·ber ['slʌmbə] **I** *v/i.* **1.** *bsd. poet.* schlummern (*a. fig.*); **2.** da'hindösen; **II** *v/t.* **3.** ***~ away*** *Zeit* verschlafen; **III** *s. mst pl.* **4.** (*fig.* tiefer) Schlummer; **'slum·ber·ous** [-bərəs] *adj.* □ **1.** schläfrig; **2.** einschläfernd.

slump [slʌmp] **I** *v/i.* **1.** (hin'ein)plumpsen; **2.** *mst* ***~ down*** (in sich) zs.-sacken (*Person*); **3.** ✝ stürzen (*Preise*); **4.** völlig versagen; **II** *s.* **5.** ✝ a) (Börsen-, Preis)Sturz *m*, Baisse *f*, b) starker Konjunk'turrückgang, Wirtschaftskrise *f*; **6.** *allg.* plötzlicher Rückgang.

slung [slʌŋ] *pret. u. p.p. von* ***sling***.

slung shot *s. Am.* Schleudergeschoß *n*.

slunk [slʌŋk] *pret. u. p.p. von* ***slink***.

slur¹ [slɜ:] **I** *v/t.* **1.** verunglimpfen, verleumden; **II** *s.* **2.** Makel *m* (Schand-)

S

Fleck *m*: ***put*** *od.* ***cast a ~*** (***up***)***on*** a) → 1, b) *j-s Ruf etc.* schädigen; **3.** Verunglimpfung *f*.

slur² [slɜː] **I** *v/t.* **1.** a) undeutlich schreiben, b) *typ.* schmitzen, verwischen; **2.** undeutlich aussprechen; *Silbe etc.* verschleifen, -schlucken; **3.** ♪ a) *Töne* binden, b) *Noten* mit Bindebogen bezeichnen; **4.** *oft* ***~ over*** (leicht) über *ein Thema* hin'weggehen; **II** *v/i.* **5.** undeutlich schreiben *od.* sprechen; **6.** ♪ le'gato singen *od.* spielen; **III** *s.* **7.** Undeutlichkeit *f*, ‚Genuschel' *n*; **8.** ♪ a) Bindung *f*, b) Bindebogen *m*; **9.** *typ.* Schmitz *m*.

slurp [slɜːp] *v/t. u. v/i.* schlürfen.

slush [slʌʃ] **I** *s.* **1.** Schneematsch *m*; **2.** Schlamm *m*, Matsch *m*; **3.** ⚙ Schmiere *f*, Rostschutzmittel *n*; **4.** ⚙ Pa'pierbrei *m*; **5.** *fig.* Gefühlsduse'lei *f*; **6.** *fig.* Kitsch *m*, Schund *m*; **II** *v/t.* **7.** bespritzen; **8.** ⚙ schmieren; **III** *v/i.* **9.** → ***slosh*** 2 *u.* 3; **slush fund** *s. pol. Am.* Schmiergelderfonds *m*; **'slush·y** [-ʃɪ] *adj.* **1.** matschig, schlammig; **2.** rührselig, kitschig.

slut [slʌt] *s.* **1.** Schlampe *f*; **2.** Hure *f*, ‚Nutte' *f*; **3.** *humor.* ‚kleines Luder' (*Mädchen*); **4.** *Am.* Hündin *f*; **'slut·tish** [-tɪʃ] *adj.* ☐ schlampig, liederlich.

sly [slaɪ] *adj.* ☐ **1.** schlau, verschlagen, listig; **2.** verstohlen, heimlich, 'hinterhältig: ***a ~ dog*** ein ganz Schlauer; ***on the ~*** ‚klammheimlich'; **3.** durch'trieben, pfiffig; **'sly·boots** *s. humor.* Pfiffikus *m*, Schlauberger *m*; **'sly·ness** [-nɪs] *s.* Schlauheit *f etc.*

smack¹ [smæk] **I** *s.* **1.** (Bei)Geschmack *m* (***of*** von); **2.** Prise *f Salz etc.*; **3.** *fig.* Beigeschmack *m*, Anflug *m* (***of*** von); **II** *v/i.* **4.** schmecken (***of*** nach); **5.** *fig.* schmecken *od.* riechen (***of*** nach).

smack² [smæk] **I** *s.* **1.** Klatsch *m*, Klaps *m*: ***a ~ in the eye*** *fig.* a) ein Schlag ins Gesicht, b) ein Schlag ins Kontor; **2.** Schmatzen *n*; **3.** (*Peitschen- etc.*)Knall *m*; **4.** Schmatz *m* (*Kuß*); **II** *v/t.* **5.** *et.* schmatzend genießen; **6.** ***~ one's lips*** a) (mit den Lippen) schmatzen, b) sich die Lippen lecken; **7.** *Hände etc.* zs.-schlagen; **8.** mit *der Peitsche* knallen; **9.** *j-m* e-n Klaps geben; **10.** *et.* hinklatschen; **III** *v/i.* **11.** schmatzen; **12.** knallen (*Peitsche etc.*); **13.** (hin)klatschen (***on*** auf *acc.*); **IV** *adv. u. int.* **14.** F a) klatsch(!), platsch(!), b) ‚zack', di'rekt: ***run ~ into s.th.***

smack³ [smæk] *s.* ⚓ Schmack(e) *f*.

smack·er ['smækə] *s.* **1.** F Schmatz *m* (*Kuß*); **2.** *sl.* a) *Brit.* Pfund *n*, b) *Am.* Dollar *m*; **'smack·ing** [-kɪŋ] *s.* Tracht *f* Prügel.

small [smɔːl] **I** *adj.* **1.** *allg.* klein; **2.** klein, schmächtig; **3.** klein, gering (*Anzahl, Ausdehnung, Grad etc.*): ***they came in ~ numbers*** es kamen nur wenige; **4.** klein, armselig, dürftig; **5.** wenig: ***~ blame to him*** das macht ihm kaum Schande; ***~ wonder*** kein Wunder; ***have ~ cause for*** kaum Anlaß zu *Dankbarkeit etc.* haben; **6.** klein, mit wenig Besitz: ***~ farmer*** Kleinbauer *m*; **7.** klein, (sozi'al) niedrig: ***~ people*** kleine Leute; **8.** klein, unbedeutend: ***a ~ man***; ***a ~ poet***; **9.** trivi'al, klein: ***the ~ worries*** die kleinen Sorgen: ***a ~ matter*** e-e Kleinigkeit; **10.** klein, bescheiden: ***a ~ beginning***; ***in a ~ way*** a) bescheiden *leben etc.*, b) im Kleinen handeln *etc.*; **11.** *contp.* kleinlich; **12.** *b.s.* niedrig (*Gesinnung etc.*): ***feel ~*** sich schämen; ***make s.o. feel ~*** j-n beschämen; **13.** dünn (*Bier*); **14.** schwach (*Stimme, Puls*); **II** *s.* **15.** schmal(st)er *od.* verjüngter Teil: ***~ of the back*** *anat.* das Kreuz; **16.** *pl. Brit.* F 'Unterwäsche *f*, Taschentücher *pl. etc.*; **~ arms** *s. pl.* ⚔ Hand(feuer)waffen *pl.*; **~ beer** *s.* **1.** *obs.* Dünnbier *n*; **2.** *bsd. Brit.* F a) Lap'palie *f*, b) ‚Null' *f*, unbedeutende Per'son: ***think no ~ of o.s.*** F e-e hohe Meinung von sich haben; **~ cap·i·tals** *s. pl. typ.* Kapi'tälchen *pl.*; **~ change** *s.* **1.** Kleingeld *n*; **2.** → ***small beer*** 2; **'~·clothes** *s.* **1.** *pl. hist.* Kniehosen *pl.*; **2.** 'Unterwäsche *f*; **3.** Kinderkleidung *f*; **~ coal** *s.* Feinkohle *f*, Grus *m*; **~ fry** *s.* **1.** junge, kleine Fische *pl.*; **2.** ‚junges Gemüse', *die* Kleinen *pl.*; **3.** → ***small beer*** 2; **'~ˌhold·er** *s. Brit.* Kleinbauer *m*; **'~ˌhold·ing** *s. Brit.* Kleinlandbesitz *m*; **~ hours** *s. pl. die* frühen Morgenstunden *pl.*

small·ish ['smɔːlɪʃ] *adj.* ziemlich klein.

small| let·ter *s.* Kleinbuchstabe *m*; **ˌ~-'mind·ed** *adj.* engstirnig, kleinlich, ‚kleinkariert'.

small·ness ['smɔːlnɪs] *s.* **1.** Kleinheit *f*; **2.** geringe Anzahl; **3.** Geringfügigkeit *f*; **4.** Kleinlichkeit *f*; **5.** niedrige Gesinnung.

small| pi·ca *s. typ.* kleine Cicero (-schrift); **'~·pox** [-pɒks] *s.* ⚕ Pocken *pl.*, Blattern *pl.*; **~ print** *s. das* Kleingedruckte *e-s Vertrags*; **~ shot** *s.* Schrot *m, n*; **'~·sword** *s. fenc.* Flo'rett *n*; **~ talk** *s.* oberflächliche Konversati'on, Geplauder *n*: ***he has no ~*** er kann nicht (unverbindlich) plaudern; **'~·time** *adj. Am. sl.* unbedeutend, klein, ‚Schmalspur...'; **'~·ware** *s.* Kurzwaren *pl.*

smalt [smɔːlt] *s.* **1.** ⚗ S(ch)malte *f*, Kobaltblau *n*; **2.** Kobaltglas *n*.

smar·agd ['smærægd] *s. min.* Sma'ragd *m*.

smarm-ball ['smɑːm-] *s.* F Schleimer *m*.

smarm·y ['smɑːmɪ] *adj.* ☐ *Brit.* F **1.** ölig; **2.** kriecherisch; **3.** kitschig.

smart [smɑːt] **I** *adj.* ☐ **1.** klug, gescheit, intelli'gent, pa'tent; **2.** geschickt, gewandt; **3.** geschäftstüchtig; **4.** *b.s.* gerissen, raffiniert; **5.** witzig, geistreich; **6.** *contp.* ‚superklug', ‚klugscheißerisch'; **7.** flink, fix; **8.** schmuck, gepflegt; **9.** a) ele'gant, fesch, schick, b) modisch (*Person*, *Kleidung*, *Wort etc.*): ***the ~ set*** die elegante Welt, die ‚Schickeria'; **10.** forsch, schneidig: ***~ pace***; ***salute ~ly*** zackig grüßen; **11.** hart, empfindlich (*Schlag*, *Strafe*); **12.** scharf (*Schmerz*, *Kritik etc.*); **13.** F beträchtlich; **II** *v/i.* **14.** schmerzen, brennen; **15.** leiden (***from***, ***under*** unter *dat.*): ***he ~ed under the insult*** die Kränkung nagte an s-m Herzen; **III** *s.* **16.** Schmerz *m*; **smart al·eck** ['ælɪk] *s.* F ‚Klugscheißer' *m*; **'smart-ˌal·eck·y** [-kɪ] → ***smart*** 6; **'smart·en** [-tn] **I** *v/t.* **1.** *a.* ***~ up*** her'ausputzen; **2.** *fig. j-n* ‚auf Zack' bringen; **II** *v/i. mst* ***~ up*** **3.** sich schönmachen, sich ‚in Schale werfen'; **4.** *fig.* aufwachen; **'smart-ˌmon·ey** *s.* Schmerzensgeld *n*; **'smart·ness** [-nɪs] *s.* **1.** Klugheit *f*, Gescheitheit *f*; **2.** Gewandtheit *f*; **3.** *b.s.* Gerissenheit *f*; **4.** flotte Ele'ganz, Schick *m*; **5.** Forschheit *f*; **6.** Schärfe *f*, Heftigkeit *f*; **'smart·y** [-tɪ] → ***smart aleck***.

smash [smæʃ] **I** *v/t.* **1.** *oft* ***~ up*** zertrümmern, -schmettern, -schlagen: ***~ in*** einschlagen; **2.** *j-n* (zs.-)schlagen; *Feind* vernichtend schlagen; *fig. Argument* restlos wider'legen, *Gegner* ‚fertigmachen'; **3.** *j-n* (finanzi'ell) ruinieren; **4.** *Faust*, *Stein etc. wohin* schmettern; **5.** *Tennis*: *Ball* schmettern; **II** *v/i.* **6.** zersplittern, in Stücke springen; **7.** krachen, knallen (***against*** gegen, ***through*** durch); **8.** zs.-stoßen, -krachen (*Autos etc.*); ✈ Bruch machen; **9.** a) *oft* ***~ up*** ‚zs.-krachen', bank'rott gehen, b) zu'schanden werden, c) (gesundheitlich) ka'puttgehen; **III** *adv.* (*a. int.*) **10.** krachend, krach(!); **IV** *s.* **11.** Zerkrachen *n*; **12.** Krach *m*; **13.** (*a.* finanzi'eller) Zs.-bruch, Ru'in *m*: ***go ~*** a) völlig zs.-brechen, ‚kaputtgehen', b) → 9; **14.** F voller Erfolg; **15.** *Tennis*: Schmetterball *m*; **16.** *kaltes Branntwein-Mischgetränk*; **ˌsmash-and-'grab raid** [-ʃn'g-] *s.* Schaufenstereinbruch *m*; **smashed** [-ʃt] *adj. sl.* **1.** ‚blau', besoffen; **2.** ‚high' (*unter Drogeneinfluß*); **'smasher** [-ʃə] *s. sl.* **1.** schwerer Schlag (*a. fig.*); **2.** vernichtendes Argu'ment; **3.** ‚Wucht' *f*: a) ‚tolle Sache', b) ‚tolle Person': ***a ~*** (***of a girl***) ein tolles Mädchen; **smash hit** *s.* F Schlager *m*, Bombenerfolg *m*; **'smash·ing** [-ʃɪŋ] *adj.* **1.** F ‚toll', sagenhaft; **2.** vernichtend (*Schlag*, *Niederlage*); **'smash-up** *s.* **1.** völliger Zs.-bruch; **2.** Bank'rott *m*; **3.** *mot. etc.* Zs.-stoß *m*; **4.** ✈ Bruch(landung *f*) *m*.

smat·ter·er ['smætərə] *s.* Stümper *m*, Halbwisser *m*; Dilet'tant *m*; **'smat·ter·ing** [-tərɪŋ] *s.* oberflächliche Kenntnis: ***he has a ~ of French*** er kann ein bißchen Französisch.

smear [smɪə] **I** *v/t.* **1.** *Fett etc.* schmieren (***on*** auf *acc.*); **2.** *et.* beschmieren, bestreichen (***with*** mit); **3.** (ein)schmieren; **4.** *Schrift* verschmieren; **5.** beschmieren, besudeln; **6.** *fig.* a) *j-s Ruf etc.* besudeln, b) *j-n* verleumden, ‚durch den Dreck ziehen'; **7.** *sport Am.* F ‚über'fahren'; **II** *v/i.* **8.** schmieren; **9.** sich verwischen; **III** *s.* **10.** Schmiere *f*; **11.** (Fett-, Schmutz)Fleck *m*; **12.** *fig.* Besudelung *f*; **13.** ⚕ Abstrich *m*; **~ cam·paign** *s. pol.* Ver'leumdungskamˌpagne *f*; **'~-case** *s. Am.* Quark *m*; **~ sheet** *s.* Skan'dalblatt *n*; **~ test** *s.* ⚕ Abstrich *m*.

smear·y ['smɪərɪ] *adj.* □ **1.** schmierig; **2.** verschmiert.

smell [smel] **I** *v/t.* [*irr.*] **1.** *et.* riechen; **2.** *et.* beriechen, riechen an (*dat.*); **3.** *fig. Verrat etc.* wittern; → ***rat*** 1; **4.** *fig.* sich *et.* genauer besehen; **5.** ***~ out*** *hunt.* aufspüren (*a. fig. entdecken*, *ausschnüffeln*); **II** *v/i.* [*irr.*] **6.** riechen (***at*** an *dat.*): ***~ about*** (*od.* ***round***) *fig.* herumschnüffeln; **7.** *gut etc.* riechen: ***his breath ~s*** er riecht aus dem Mund; **8.** ***~ of*** riechen nach (*a. fig.*); **III** *s.* **9.** Geruch(ssinn) *m*; **10.** Geruch *m*: a) Duft *m*, b) Gestank *m*; **11.** *fig.* Anflug *m*, -strich *m* (***of*** von); **12.** ***take a ~ at s.th.*** et. beriechen (*a. fig.*); **'smell·er** [-lə] *s. sl.* **1.** ‚Riechkolben' *m* (*Nase*); **2.** Schlag *m* auf die Nase; Sturz *m*; **'smell·y** [-lɪ] *adj.* F übelriechend, muffig: ***~ feet*** Schweißfüße.

smelt[1] [smelt] *pl.* **smelts** *coll. a.* **smelt** *s. ichth.* Stint *m*.

smelt[2] [smelt] *v/t.* **1.** *Erz* (ein)schmelzen, verhütten; **2.** *Kupfer etc.* ausschmelzen.

smelt[3] [smelt] *pret. u. p.p. von* ***smell***.

smelt·er ['smeltə] *s.* Schmelzer *m*; **'smelt·er·y** [-ərɪ] *s.* Schmelzhütte *f*; **'smelt·ing** [-tɪŋ] *s.* ⚙ Verhüttung *f*: ***~ furnace*** Schmelzofen *m*.

smile [smaɪl] **I** *v/i.* **1.** lächeln (*a. fig. Sonne etc.*): ***~ at*** a) *j-m* zulächeln, b) *et.* belächeln, lächeln über (*acc.*); ***come up smiling*** *fig.* die Sache leicht überstehen; **2.** ***~*** (***up***)***on*** *fig. j-m* lächeln, hold sein: ***fortune ~d on him***; **II** *v/t.* **3.** ***~ away*** *Tränen etc.* hin'weglächeln; **4.** ***~ approval*** (***consent***) beifällig (zustimmend) lächeln; **III** *s.* **5.** Lächeln *n*: ***be all ~s*** (über das ganze Gesicht) strahlen; **6.** *mst pl.* Gunst *f*; **'smil·ing** [-lɪŋ] *adj.* □ **1.** lächelnd (*a. fig. heiter*); **2.** *fig.* huldvoll.

smirch [smɜːtʃ] **I** *v/t.* besudeln (*a. fig.*); **II** *s.* Schmutzfleck *m*; *fig.* Schandfleck *m*.

smirk [smɜːk] **I** *v/i.* affektiert *od.* blöd

lächeln, grinsen; **II** *s.* einfältiges Lächeln, Grinsen *n.*

smite [smaɪt] [*irr.*] **I** *v/t.* **1.** *bibl., rhet., a. humor.* schlagen (*a. erschlagen, heimsuchen*): ***smitten with the plague*** von der Pest befallen; **2.** *j-n* quälen, peinigen (*Gewissen*); **3.** *fig.* packen: ***smitten with*** von *Begierde etc.* gepackt; **4.** *fig.* hinreißen: ***he was smitten with*** (*od.* ***by***) ***her charms*** er war hingerissen von ihrem Charme; ***be smitten by*** (sinnlos) verliebt sein in (*acc.*); **II** *v/i.* **5.** ***~ upon*** *bsd. fig.* an *das Ohr etc.* schlagen.

smith [smɪθ] *s.* Schmied *m.*

smith·er·eens [ˌsmɪðəˈriːnz] *s. pl.* F Fetzen *pl.*, Splitter *pl.*: ***smash to ~*** in (tausend) Stücke schlagen.

smith·er·y [ˈsmɪðərɪ] *s.* **1.** Schmiedearbeit *f*; **2.** Schmiedekunst *f.*

smith·y [ˈsmɪðɪ] *s.* Schmiede *f.*

smit·ten [ˈsmɪtn] **I** *p.p. von* ***smite***; **II** *adj.* **1.** betroffen, befallen; **2.** (***by***) hingerissen (von), ‚verknallt', verliebt (in *acc.*); → ***smite*** 4.

smock [smɒk] **I** *s.* **1.** (Arbeits)Kittel *m*: ***~ frock*** *Art* Fuhrmannskittel *m*; **2.** Kinderkittel *m*; **II** *v/t.* **3.** *Bluse etc.* smoken, mit Smokarbeit verzieren; **ˈsmock·ing** [-kɪŋ] *s.* Smokarbeit *f* (*Vorgang u. Verzierung*).

smog [smɒg] *s.* (*aus* ***smoke*** *u.* ***fog***) Smog *m*, Dunstglocke *f*; **ˈ~·bound** *adj.* von Smog eingehüllt.

smok·a·ble [ˈsməʊkəbl] *adj.* rauchbar;

smoke [sməʊk] **I** *s.* **1.** Rauch *m* (*a.* ⚗, *phys.*): ***like ~*** *sl.* wie der Teufel; ***no ~ without a fire*** *fig.* irgend etwas ist immer dran (*an e-m Gerücht*); **2.** Qualm *m*, Dunst *m*: ***end*** (*od.* ***go up***) ***in ~*** *fig.* in nichts zerrinnen, zu Wasser werden; **3.** ⚔ (Tarn)Nebel *m*; **4.** Rauchen *n e-r Zigarre etc.*: ***have a ~*** ‚eine' rauchen; **5.** F ‚Glimmstengel' *m*, Ziˈgarre *f*, Zigaˈrette *f*; **6.** *sl.* a) ‚Hasch' *n*, b) Marihuˈana *n*; **II** *v/i.* **7.** rauchen, qualmen (*Schornstein, Ofen etc.*); **8.** dampfen (*a. Pferd*); **9.** rauchen: ***do you ~?***; **III** *v/t.* **10.** *Pfeife etc.* rauchen; **11.** ***~ out*** a) ausräuchern (*a. fig.*), b) *fig.* ans Licht bringen; **12.** *Fisch etc.* räuchern; **13.** *Glas etc.* schwärzen; **~ ball**, **~ bomb** *s.* Nebel-, Rauchbombe *f*; **~ con·sum·er** *s.* Rauchverzehrer *m*; **ˈ~-dried** *adj.* geräuchert; **~ hel·met** *s.* Rauchmaske *f* (*Feuerwehr*).

smoke·less [ˈsməʊklɪs] *adj.* □ *a.* ⚔ rauchlos.

smok·er [ˈsməʊkə] *s.* **1.** Raucher(in): ***~'s cough*** Raucherhusten *m*; ***~'s heart*** ⚕ Nikotinherz *n*; **2.** 🚂 Raucher(abteil *n*) *m*.

smoke| room [rʊm] *s.* Herren-, Rauchzimmer *n*; **~ screen** *s.* ⚔ Rauch-, Nebelvorhang *m*; *fig.* Tarnung *f*, Nebel *m*; **ˈ~·stack** *s.* ⚓, 🚂, ⚙ Schornstein *m*.

smok·ing [ˈsməʊkɪŋ] **I** *s.* **1.** Rauchen *n*; **II** *adj.* **2.** Rauch…; **3.** Raucher…; **~ car**, **~ com·part·ment** *s.* 🚂 ˈRaucherabˌteil *n*.

smok·y [ˈsməʊkɪ] *adj.* □ **1.** qualmend; **2.** dunstig, verräuchert; **3.** rauchig (*a. Stimme*); rauchgrau.

smol·der [ˈsməʊldə] *Am.* → ***smoulder***.

smooch [smuːtʃ] *v/i. sl.* **1.** schmusen, knutschen; **2.** *Brit.* engumˈschlungen tanzen.

smooth [smuːð] **I** *adj.* □ **1.** *allg.* glatt; **2.** glatt, ruhig (*See*): ***I am in ~ water now*** *fig.* jetzt habe ich es geschafft; **3.** ⚙ ruhig (*Gang*); *mot. a.* zügig (*Fahren, Schalten*); ✈ glatt (*Landung*); **4.** *fig.* glatt, reibungslos: ***make things ~ for*** *j-m* den Weg ebnen; **5.** fließend, geschliffen (*Rede etc.*); schwungvoll (*Melodie, Stil*); **6.** *fig.* sanft, weich (*Stimme, Ton*); **7.** glatt, gewandt (*Manieren, Person*); *b.s.* aalglatt: ***a ~ tongue*** e-e glatte Zunge; **8.** *Am. sl.* a) fesch, schick, b) ‚sauber', prima; **9.** geschmeidig, nicht klumpig (*Teig etc.*); **10.** lieblich (*Wein*); **II** *adv.* **11.** glatt, ruhig: ***things have gone ~ with me*** bei mir ging alles glatt; **III** *v/t.* **12.** glätten (*a. fig.*): ***~ the way for*** *fig. j-m od. e-r Sache* den Weg ebnen; **13.** besänftigen; **IV** *v/i.* **14.** → ***smooth down*** 1;

Zssgn mit adv.:

smooth| a·way *v/t. Schwierigkeiten etc.* wegräumen, ‚ausbügeln'; **~ down I** *v/i.* **1.** sich glätten *od.* beruhigen (*Meer etc.*) (*a. fig.*); **II** *v/t.* **2.** glattstreichen, glätten; **3.** *fig.* besänftigen; **4.** *Streit* schlichten; **~ out** *v/t.* **1.** *Falte* ausplätten (***from*** aus); **2.** → ***smooth away***; **~ o·ver** *v/t.* **1.** *Fehler etc.* bemänteln; **2.** *Streit* schlichten.

ˈsmooth|·bore *adj. u. s.* (Gewehr *n*) mit glattem Lauf; **ˈ~-faced** *adj.* **1.** a) bartlos, b) glattrasiert; **2.** *fig.* glatt, schmeichlerisch; **~ file** *s.* ⚙ Schlichtfeile *f*.

smooth·ie [ˈsmuːðɪ] *s.* F **1.** ‚dufter Typ'; **2.** aalglatter Bursche.

smooth·ing| i·ron [ˈsmuːðɪŋ] *s.* Plätt-, Bügeleisen *n*; **~ plane** *s.* ⚙ Schlichthobel *m*.

smooth·ness [ˈsmuːðnɪs] *s.* **1.** Glätte *f* (*a. fig.*); **2.** Reibungslosigkeit *f* (*a. fig.*); **3.** *fig.* glatter Fluß, Eleˈganz *f e-r Rede etc.*; **4.** Glätte *f*, Gewandtheit *f*; **5.** Sanftheit *f*.

ˈsmooth-tongued *adj.* glattzüngig, schmeichlerisch, aalglatt.

smote [sməʊt] *pret. von* ***smite***.

smoth·er [ˈsmʌðə] **I** *v/t.* **1.** *j-n, a. Feuer, Rebellion, Ton* ersticken; **2.** *bsd. fig.* überˈhäufen (***with*** mit *Arbeit etc.*): ***~ s.o. with kisses*** j-n abküssen; **3.** ***~ in*** (*od.* ***with***) völlig bedecken mit, einhül-

S

len in (*dat.*), begraben unter (*Blumen, Decken etc.*); **4.** *oft* ~ ***up*** *Gähnen, Wut etc., a. Geheimnis etc.* unter'drücken, *Skandal* vertuschen; **II** *v/i.* **5.** ersticken; **6.** *sport* F ‚über'fahren'; **III** *s.* **7.** dicker Qualm; **8.** Dampf-, Dunst-, Staubwolke *f*; **9.** (erdrückende) Masse.

smoul·der ['sməʊldə] **I** *v/i.* **1.** glimmen, schwelen (*a. fig. Feindschaft, Rebellion etc.*); **2.** glühen (*a. fig. Augen*); **II** *s.* **3.** schwelendes Feuer.

smudge [smʌdʒ] **I** *s.* **1.** Schmutzfleck *m*, Klecks *m*; **2.** qualmendes Feuer (*gegen Mücken, Frost etc.*); **II** *v/t.* **3.** beschmutzen; **4.** be-, verschmieren, 'vollklecksen; **5.** *fig. Ruf etc.* besudeln; **III** *v/i.* **6.** schmieren (*Tinte, Papier etc.*); **7.** schmutzig werden; '**smudg·y** [-dʒɪ] *adj.* □ verschmiert, schmierig, schmutzig.

smug [smʌg] *adj.* □ **1.** *obs.* schmuck; **2.** geschniegelt u. gebügelt; **3.** selbstgefällig, blasiert.

smug·gle ['smʌgl] **I** *v/t. Waren, a. weitS. Brief, j-n etc.* schmuggeln: ~ ***in*** einschmuggeln; **II** *v/i.* schmuggeln; '**smug·gler** [-lə] *s.* **1.** Schmuggler *m*; **2.** Schmuggelschiff *n*; '**smug·gling** [-lɪŋ] *s.* Schmuggel *m*.

smut [smʌt] **I** *s.* **1.** Ruß-, Schmutzflocke *f od.* -fleck *m*; **2.** *fig.* Zote(n *pl.*) *f*, Schmutz *m*, Schweine'rei(en *pl.*) *f*: ***talk*** ~ Zoten reißen, ‚schweinigeln'; **3.** ⚘ (*bsd.* Getreide)Brand *m*; **II** *v/t.* **4.** beschmutzen; **5.** ⚘ brandig machen.

smutch [smʌtʃ] **I** *v/t.* beschmutzen; **II** *s.* schwarzer Fleck.

smut·ty ['smʌtɪ] *adj.* □ **1.** schmutzig, rußig; **2.** *fig.* zotig, ob'szön: ~ ***joke*** Zote *f*; **3.** ⚘ brandig.

snack [snæk] *s.* **1.** a) Imbiß *m*, b) Happen *m*, Bissen *m*; **2.** Anteil *m*: ***go*** **~*s*** teilen; ~ **bar** *s.* Imbißstube *f*.

snaf·fle ['snæfl] **I** *s.* **1.** *a.* ~ ***bit*** Trense(ngebiß *n*) *f*; **II** *v/t.* **2.** *e-m Pferd* die Trense anlegen; **3.** mit der Trense lenken; **4.** *Brit. sl.* ‚klauen'.

sna·fu [snæ'fu:] *Am. sl.* **I** *adj.* in heillosem Durchein'ander, ‚beschissen'; **II** *s.* ‚beschissene Lage'; **III** *v/t.* ‚versauen'.

snag [snæg] **I** *s.* **1.** Aststumpf *m*; **2.** Baumstumpf *m* (*in Flüssen*); *fig.* ‚Haken' *m*: ***strike a*** ~ auf Schwierigkeiten stoßen; **3.** a) Zahnstumpf *m*, b) *Am.* Raffzahn *m*; **II** *v/t.* **4.** *Boot* gegen e-n Stumpf fahren lassen; **5.** *Fluß* von Baumstümpfen befreien; **snagged** [-gd], '**snag·gy** [-gɪ] *adj.* **1.** ästig, knorrig; **2.** voller Baumstümpfe (*Fluß*).

snail [sneɪl] *s.* **1.** *zo.* Schnecke *f* (*a. fig. lahmer Kerl*): ***at a*** **~*'s pace*** im Schneckentempo; **2.** → ***snail wheel***; ~ **shell** *s.* Schneckenhaus *n*; ~ **wheel** *s.* Schnecke(nrad *n*) *f* (*Uhr*).

snake [sneɪk] **I** *s.* **1.** Schlange *f* (*a. fig.*): ~ ***in the grass*** a) verborgene Gefahr, b) (falsche) Schlange; ***see*** **~*s*** F weiße Mäuse sehen; **2.** ✝ Währungsschlange *f*; **II** *v/i.* **3.** sich schlängeln (*a. Weg*); **snake charm·er** *s.* Schlangenbeschwörer *m*; **snake pit** *s.* **1.** Schlangengrube *f*; **2.** Irrenanstalt *f*; **3.** *fig.* Hölle *f*; '**snake·skin** *s.* **1.** Schlangenhaut *f*; **2.** Schlangenleder *n*; **snak·y** ['sneɪkɪ] *adj.* □ **1.** Schlangen...; **2.** schlangenartig, gewunden; **3.** *fig.* 'hinterhältig.

snap [snæp] **I** *s.* **1.** Schnappen *n*, Biß *m*; **2.** Knacken *n*, Knacks *m*, Klicken *n*; **3.** (*Peitschen- etc.*)Knall *m*; **4.** Reißen *n*; **5.** Schnappschloß *n*, Schnapper *m*; **6.** *phot.* Schnappschuß *m*; **7.** *etwa*: Schnipp-Schnapp *n* (*Kartenspiel*); **8.** *fig.* Schwung *m*, Schmiß *m*; **9.** kurze Zeit: ***in a*** ~ im Nu; ***cold*** ~ Kältewelle *f*; **10.** (knuspriges) Plätzchen; **11.** *Am.* F Kleinigkeit *f*, ‚Kinderspiel' *n*; **II** *adj.* **12.** Schnapp...; **13.** spontan, Schnell...: ~ ***decision*** rasche Entscheidung; ~ ***judgement*** (vor)schnelles Urteil; ~ ***vote*** Blitzabstimmung *f*; **III** *adv. u. int.* **14.** knack(s)(!), krach(!), schnapp(!); **IV** *v/i.* **15.** schnappen (***at*** nach *a. fig. e-m Angebot etc.*), zuschnappen: ~ ***at the chance*** zugreifen, die Gelegenheit beim Schopfe fassen; ~ ***at s.o.*** j-n anschnauzen; **16.** *a.* ~ ***to*** zuschnappen, zuknallen (*Schloß, Tür*); **17.** knacken, klicken; **18.** knallen (*Peitsche etc.*); **19.** (zer)springen, (-)reißen, entzweigehen: ***there something*** **~*ped in me*** da ‚drehte ich durch'; **20.** schnellen: ~ ***to attention*** ⚔ ‚Männchen bauen'; ~ ***to it!*** F mach Tempo!; ~ ***out of it!*** F komm, komm!, laß das (sein)!; **V** *v/t.* **21.** (er)schnappen; beißen: ~ ***off*** abbeißen; ~ ***s.o.'s head*** (*od.* ***nose***) ***off*** → ***snap up*** 4; **22.** (zu)schnappen lassen; **23.** *phot.* knipsen; **24.** zerknicken, -knacken, -brechen, -reißen: ~ ***off*** abbrechen; **25.** mit *der Peitsche* knallen; mit *den Fingern* schnalzen: ~ ***one's fingers at*** *fig.* auslachen, verhöhnen; **26.** *a.* ~ ***out*** *Wort* her'vorstoßen, bellen; ~ **up** *v/t.* **1.** auf-, wegschnappen; **2.** (gierig) an sich reißen, *Angebot* schnell annehmen: ***snap it up!*** F mach fix!; **3.** *Häuser etc.* aufkaufen; **4.** a) *j-n* anschnauzen, b) *j-m* das Wort abschneiden.

snap| **catch** *s.* ⚙ Schnapper *m*; '~,**drag·on** *s.* **1.** ⚘ Löwenmaul *n*; **2.** Ro'sinenfischen *n aus brennendem Branntwein* (*Spiel*); ~ **fas·ten·er** *s.* Druckknopf *m*; ~ **hook** *s.* Kara'binerhaken *m*; ~ **lock** *s.* Schnappschloß *n*.

snap·pish ['snæpɪʃ] *adj.* □ **1.** bissig (*Hund, a. Person*); **2.** schnippisch.

snap·py ['snæpɪ] *adj.* □ **1.** → ***snappish***; **2.** F a) schnell, fix, b) ‚zackig', forsch, c) schwungvoll, schmissig, d) schick: ***make it*** **~*!***, ***look*** **~*!*** mach mal fix!

snap| shot *s.* ⚔ Schnellschuß *m*; '**~·shot** *phot.* **I** *s.* Schnappschuß *m*; **II** *v/t.* e-n Schnappschuß machen von, *et.* knipsen.

snare [sneə] **I** *s.* **1.** Schlinge (*a.* ⚕), Fallstrick *m*, *fig. a.* Fußangel *f*: ***set a ~ for s.o.*** j-m e-e Falle stellen; **2.** ♪ Schnarrsaite *f*; **II** *v/t.* **3.** mit e-r Schlinge fangen; **4.** *fig.* um'stricken, fangen, *j-m* e-e Falle stellen; **5.** sich *et.* ‚angeln' *od.* unter den Nagel reißen; **~ drum** *s.* ♪ kleine Trommel, Schnarrtrommel *f*.

snarl¹ [snɑːl] *bsd. Am.* **I** *s.* **1.** Knoten *m*, ‚Fitz' *m*; **2.** *fig.* wirres Durchein'ander, Gewirr *n*, *a.* Verwicklung *f*: (***traffic***) **~** Verkehrschaos *n*; **II** *v/t.* **3.** *a.* **~ *up*** verwirren, durchein'anderbringen; **III** *v/i.* **4.** *a.* **~ *up*** sich verwirren; (völlig) durchein'andergeraten.

snarl² [snɑːl] **I** *v/i.* wütend knurren, die Zähne fletschen (*Hund*, *a. Person*): **~ *at*** *j-n* anfauchen; **II** *v/t. et.* knurren, wütend her'vorstoßen; **III** *s.* Knurren *n*, Zähnefletschen *n*.

'**snarl-up** *s.* F → ***snarl¹*** 2.

snatch [snætʃ] **I** *v/t.* **1.** *et.* schnappen, packen, (er)haschen, fangen: **~ *up*** aufraffen; **2.** *fig. Gelegenheit etc.* ergreifen; *et.*, *a. Schlaf* ergattern: **~ *a hurried meal*** rasch et. zu sich nehmen; **3.** *et.* an sich reißen; *a. Kuß* rauben; **4.** **~** (***away***) ***from*** *j-m et.*, *a. j-n dem Meer, dem Tod, durch den Tod* entreißen: ***he was ~ed away from us*** er wurde uns *durch e-n frühen Tod etc.* entrissen; **5.** **~ *off*** weg-, her'unterreißen; **6.** *Am. sl. Kind* rauben; **7.** *Gewichtheben*: reißen; **II** *v/i.* **8.** **~ *at*** schnappen *od.* greifen *od.* haschen nach: **~ *at the offer*** *fig.* mit beiden Händen zugreifen; **III** *s.* **9.** Schnappen *n*, schneller Griff: ***make a ~ at*** → 8; **10.** *fig.* (kurzer) Augenblick: ***~es of sleep***; **11.** *pl.* Bruchstücke *pl.*, ‚Brokken' *pl.*, Aufgeschnappte(s) *n*: ***~es of conversation*** Gesprächsfetzen *pl.*; ***by*** (*od.* ***in***) ***~es*** a) hastig, ruckweise, b) ab und zu; **12.** *Am.* V a) ‚Möse' *f*, b) ‚Nummer' *f* (*Koitus*); '**snatch·y** [-tʃɪ] *adj.* □ abgehackt, ruckweise, spo'radisch.

snaz·zy ['snæzɪ] *adj.* F ‚todschick'.

sneak [sniːk] **I** *v/i.* **1.** (sich *wohin*) schleichen: **~ *about*** herumschleichen, -schnüffeln; **~ *out of*** *fig.* sich von *et.* drücken, sich aus *e-r Sache* herauswinden; **2.** *ped. Brit. sl.* ‚petzen': **~ *on s.o.*** j-n verpetzen; **II** *v/t.* **3.** *et.* (heimlich) *wohin* schmuggeln; **4.** *sl.* ‚sti'bitzen'; **III** *s.* **5.** *contp.* ‚Leisetreter' *m*, Kriecher *m*; **6.** *Brit.* F ‚Petze' *f*; **~ *at·tack*** *s.* ⚔ Über'raschungsangriff *m*.

sneak·ers ['sniːkəz] *s. pl. bsd. Am.* leichte Turnschuhe *pl.*; '**sneak·ing** [-kɪŋ] *adj.* □ **1.** verstohlen; **2.** 'hinterlistig, gemein; **3.** *fig.* heimlich, leise (*Verdacht etc.*).

sneak| pre·view *s. Am.* F *inoffizielle erste Vorführung e-s neuen Films*; **~ thief** *s.* Einsteig- *od.* Gelegenheitsdieb *m*.

sneak·y ['sniːkɪ] → ***sneaking***.

sneer [snɪə] **I** *v/i.* **1.** höhnisch grinsen, ‚feixen' (***at*** über *acc.*); **2.** spötteln (***at*** über *acc.*); **II** *v/t.* **3.** *et.* höhnen(d äußern); **III** *s.* **4.** Hohnlächeln *n*; **5.** Hohn *m*, Spott *m*, höhnische Bemerkung; '**sneer·er** [-ərə] *s.* Spötter *m*, ‚Feixer' *m*; '**sneer·ing** [-ərɪŋ] *adj.* □ höhnisch, spöttisch, ‚feixend'.

sneeze [sniːz] **I** *v/i.* niesen: ***not to be ~d at*** F nicht zu verachten; **II** *s.* Niesen *n*; '**~·wort** *s.* ⚘ Sumpfgarbe *f*.

snick [snɪk] **I** *v/t.* (ein)kerben; **II** *s.* Kerbe *f*.

snick·er ['snɪkə] **I** *v/i.* **1.** kichern; **2.** wiehern; **II** *v/t.* **3.** F *et.* kichern; **III** *s.* **4.** Kichern *n*; ˌ**~'snee** [-'sniː] *s. humor.* ‚Dolch' *m* (*Messer*).

snide [snaɪd] *adj.* abfällig, höhnisch.

sniff [snɪf] **I** *v/i.* **1.** schniefen; **2.** schnüffeln (***at*** an *dat.*); **3.** *fig.* die Nase rümpfen (***at*** über *acc.*); **II** *v/t.* **4.** *a.* **~ *in*** (*od.* ***up***) durch die Nase einziehen; **5.** schnuppern an (*dat.*); **6.** riechen (*a. fig. wittern*); **III** *s.* **7.** Schnüffeln *n*; **8.** kurzer Atemzug; **9.** Naserümpfen *n*.

snif·fle ['snɪfl] *Am.* **I** *v/i.* **1.** schniefen; **2.** greinen, heulen; **II** *s.* **3.** Schnüffeln *n*; **4.** ***the ~s*** *pl.* F Schnupfen *m*.

sniff·y ['snɪfɪ] *adj.* □ F **1.** naserümpfend, hochnäsig, verächtlich; **2.** muffig.

snif·ter ['snɪftə] *s.* **1.** Schnäps-chen *n*, ‚Gläs-chen' *n*; **2.** *Am.* Kognakschwenker *m*.

snift·ing valve ['snɪftɪŋ] *s.* ⚙ 'Schnüffelvenˌtil *n*.

snig·ger ['snɪgə] → ***snicker***.

snip [snɪp] **I** *v/t.* **1.** schnippeln, schnipseln, schneiden; **2.** *Fahrkarte* knipsen; **II** *s.* **3.** Schnitt *m*; **4.** Schnippel *m*, Schnipsel *m*, *n*; **5.** *sl.* a) todsichere Sache, b) günstige (Kauf)Gelegenheit: ***it's a ~!***; **6.** *Am.* F (frecher) Knirps.

snipe [snaɪp] **I** *s.* **1.** *orn.* Schnepfe *f*; **II** *v/i.* **2.** *hunt.* Schnepfen jagen *od.* schießen; **3.** ⚔ aus dem 'Hinterhalt schießen (***at*** auf *acc.*); **III** *v/t.* **4.** ⚔ abschießen, ‚wegputzen'; '**snip·er** [-pə] *s.* **1.** ⚔ Scharf-, Heckenschütze *m*: ***~scope*** ⚔ 'Infrarotviˌsier *n*; **2.** Todesschütze *m*, Killer *m*.

snip·pet ['snɪpɪt] *s.* **1.** (Pa'pier)Schnipsel *m*, *n*; **2.** *pl. fig.* Bruchstücke *pl.*, ‚Brokken' *pl.*

snitch [snɪtʃ] *sl.* **I** *v/t.* ‚klauen', sti'bitzen; **II** *v/i.* **~ *on*** *j-n* ‚verpfeifen'.

sniv·el ['snɪvl] **I** *v/i.* **1.** schniefen; **2.** greinen, plärren; **3.** wehleidig tun; **II** *v/t.* **4.** *et.* (her'aus)schluchzen; **III** *s.* **5.** Greinen *n*, Plärren *n*; **6.** wehleidiges Getue;

ˈ**sniv·el·(l)er** [-lə] *s.* ‚Heulsuse' *f*; ˈ**sniv·el·(l)ing** [-lɪŋ] **I** *adj.* **1.** triefnasig; **2.** wehleidig; **II** *s.* **3.** → ***snivel*** 5 *u.* 6.

snob [snɒb] *s.* Snob *m*: ~ ***appeal*** Snob-Appeal *m*; ˈ**snob·ber·y** [-bərɪ] *s.* Snoˈbismus *m*; ˈ**snob·bish** [-bɪʃ] *adj.* □ snoˈbistisch, versnobt.

snog [snɒg] *v/i.* F knutschen.

snook [snuːk] *s.*: ***cock a*** ~ ***at*** *j-m* e-e lange Nase machen, *fig. j-n* auslachen.

snook·er [ˈsnuːkə] *s. a.* ~ ***pool*** *Billard*: Snooker Pool *m*; ˈ**snook·ered** [-əd] *adj.* F ‚toˈtal erledigt'.

snoop [snuːp] *bsd. Am.* F **I** *v/i.* **1.** *a.* ~ ***around*** herˈumschnüffeln; **II** *s.* **2.** Schnüffeˈlei *f*; **3.** → ˈ**snoop·er** [-pə] ‚Schnüffler' *m*; ˈ**snoop·y** [-pɪ] *adj.* F schnüffelnd, neugierig.

snoot [snuːt] *s. Am.* F **1.** ‚Schnauze' *f* (*Nase, Gesicht*); **2.** Griˈmasse *f*, ‚Schnute' *f*; ˈ**snoot·y** [-tɪ] *adj. Am.* F ‚großkotzig', hochnäsig, patzig.

snooze [snuːz] **I** *v/i.* **1.** ein Nickerchen machen; **2.** dösen; **II** *v/t.* **3.** ~ ***away*** *Zeit* vertrödeln; **III** *s.* **4.** Nickerchen *n*: ***have a*** ~ → 1.

snore [snɔː] **I** *v/i.* schnarchen; **II** *s.* Schnarchen *n*; **snor·er** [ˈsnɔːrə] *s.* Schnarcher *m*.

snor·kel [ˈsnɔːkl] **I** *s.* ⚓, ⚔ *etc.* Schnorchel *m*; **II** *v/i.* schnorcheln.

snort [snɔːt] **I** *v/i.* (*a.* wütend *od.* verächtlich) schnauben; prusten; **II** *v/t. a.* ~ ***out*** *Worte* (wütend) schnauben; **III** *s.* Schnauben *n*; Prusten *n*; ˈ**snort·er** [-tə] *s.* F **1.** heftiger Sturm; **2.** Mordsding *n*; **3.** Mordskerl *m*.

snot [snɒt] *s.* **1.** Rotz *m*; **2.** ‚Schwein' *n*; ˈ**snot·ty** [-tɪ] *adj.* □ **1.** V rotzig, Rotz...; **2.** F ‚dreckig', gemein; **3.** *Am. sl.* patzig.

snout [snaʊt] *s.* **1.** *zo.* Schnauze *f* (*a.* F *fig. Nase, Gesicht*); **2.** ‚Schnauze' *f*, Vorderteil *n* (*Auto etc.*); **3.** ⚙ Schnabel *m*, Tülle *f*.

snow [snəʊ] **I** *s.* **1.** Schnee *m* (*a.* ⚗ *u. Küche*; *a. TV*); **2.** Schneefall *m*; **3.** *pl.* Schneemassen *pl.*; **4.** *sl.* ‚Snow' *m*, ‚Schnee' *m* (*Kokain, Heroin*); **II** *v/i.* **5.** schneien: ~ ***in*** hereinschneien (*a. fig.*); ~***ed in*** (*od.* ***up***, ***under***) eingeschneit; ***be*** ~***ed under*** *fig.* a) *mit Arbeit etc.* überhäuft sein, *von Sorgen etc.* erdrückt werden, b) *pol. Am. in e-r Wahl* vernichtend geschlagen werden; **6.** *fig.* regnen, hageln; **III** *v/t.* **7.** herˈunterrieseln lassen; ˈ~**·ball I** *s.* **1.** Schneeball *m* (*a.* ⚘): ~ ***fight*** Schneeballschlacht *f*; **2.** *fig.* Laˈwine *f*: ~ ***system*** Schneeballsystem *n*; **3.** *Getränk aus Eierlikör u. Zitronenlimonade*; **II** *v/t.* **4.** Schneebälle werfen auf; **III** *v/i.* **5.** sich mit Schneebällen bewerfen; **6.** *fig.* laˈwinenartig anwachsen; ˈ~**·bank** *s.* Schneewehe *f*; ˈ~**·bird** *s.* **1.** → ***snow bunting***; **2.** *sl.* ‚Kokser' *m*, Kokaˈinschnupfer *m*; ˈ~**-blind** *adj.* schneeblind; ˈ~**·bound** *adj.* eingeschneit, durch Schnee(massen) abgeschnitten; ~ **bun·ny** *s.* F ‚Skihaserl' *n*; ~ **bun·ting** *s. orn.* Schneeammer *f*; ˈ~**·cap** *s. orn. ein* Kolibri *m*; ˈ~**-capped** *adj.* schneebedeckt; ˈ~**·drift** *s.* Schneewehe *f*; ˈ~**·drop** *s.* ⚘ Schneeglöckchen *n*; ˈ~**·fall** *s.* Schneefall *m*, -menge *f*; ˈ~**·field** *s.* Schneefeld *n*; ˈ~**·flake** *s.* Schneeflocke *f*; ~ **gog·gles** *s. pl.* Schneebrille *f*; ~ **line** *s.* Schneegrenze *f*; ˈ~**·man** *s.* [*irr.*] Schneemann *m*: ***Abominable*** ♀ Schneemensch *m*, *der* Jeti; ˈ~**·moˌbile** [-məʊˌbiːl] *s.* Motorschlitten *m*; ˈ~**·plough**, *Am.* ˈ~**·plow** *s.* Schneepflug *m* (*a. beim Skifahren*); ˈ~**·shoe I** *s.* Schneeschuh *m*; **II** *v/i.* auf Schneeschuhen gehen; ˈ~**·slide**, ˈ~**·slip** *s.* Schneerutsch *m*; ˈ~**·storm** *s.* Schneesturm *m*; ~ **tire** (*Brit.* **tyre**) *s. mot.* Winterreifen *m*; ˌ~**-ˈwhite** *adj.* schneeweiß; ♀ **White** *npr.* Schneeˈwittchen *n*.

snow·y [ˈsnəʊɪ] *adj.* □ **1.** schneeig, Schnee...: ~ ***weather***; **2.** schneebedeckt, Schnee...; **3.** schneeweiß.

snub[1] [snʌb] **I** *v/t.* **1.** *j-n* brüskieren, vor den Kopf stoßen; **2.** *j-n* kurz abfertigen; **3.** *j-m* über den Mund fahren; **II** *s.* **4.** Brüskierung *f*.

snub[2] [snʌb] *adj.* stumpf: ~ ***nose*** Stupsnase *f*; ˈ~**-nosed** *adj.* stupsnasig.

snuff[1] [snʌf] **I** *v/t.* **1.** *a.* ~ ***up*** durch die Nase einziehen; **2.** beschnüffeln; **II** *v/i.* **3.** schnüffeln (***at*** an *dat.*); **4.** (Schnupftabak) schnupfen; **III** *s.* **5.** Atemzug *m*, Einziehen *n*; **6.** Schnupftabak *m*, Prise *f*: ***take*** ~ schnupfen; ***be up to*** ~ F a) ‚schwer auf Draht sein', b) (toll) in Form sein; ***give s.o.*** ~ F j-m ‚Saures geben'.

snuff[2] [snʌf] **I** *s.* **1.** Schnuppe *f e-r Kerze*; **II** *v/t.* **2.** *Kerze* putzen; **3.** ~ ***out*** auslöschen (*a. fig.*); *fig.* ersticken, vernichten; **4.** ~ ***it*** *Brit.* F ‚abkratzen' (*sterben*).

ˈ**snuff|·box** *s.* Schnupftabaksdose *f*; ˈ~**-ˌcol·o(u)red** *adj.* gelbbraun, tabakfarben.

snuf·fle [ˈsnʌfl] **I** *v/i.* **1.** schnüffeln, schnuppern; **2.** schniefen; **3.** näseln; **II** *v/t.* **4.** *mst* ~ ***out*** *et.* näseln; **III** *s.* **5.** Schnüffeln *n*; **6.** Näseln; **7.** ***the*** ~***s*** *pl.* Schnupfen *m*.

ˈ**snuff|-ˌtak·er** *s.* Schnupfer(in); ˈ~**-ˌtak·ing** *s.* (Tabak)Schnupfen *n*.

snug [snʌg] **I** *adj.* □ **1.** gemütlich, behaglich, traulich; **2.** geborgen, gut versorgt: ***as*** ~ ***as a bug in a rug*** F wie die Made im Speck; **3.** angenehm; **4.** auskömmlich, ‚hübsch' (*Einkommen etc.*); **5.** komˈpakt; **6.** ordentlich; **7.** eng anliegend (*Kleid*): ~ ***fit*** a) guter Sitz, b) ⚙ Paßsitz *m*; **8.** ⚓ schmuck, seetüchtig

S

(*Schiff*); **9.** verborgen: ***keep s.th. ~*** et. geheimhalten; ***lie ~*** sich verborgen halten; **II** *v/i.* **10.** → ***snuggle*** I; **III** *v/t.* **11.** *oft* ***~ down*** gemütlich *od.* bequem machen; **12.** *mst* ***~ down*** ⚓ *Schiff* auf Sturm vorbereiten; **'snug·ger·y** [-gərɪ] *s.* **1.** behagliche Bude, warmes Nest (*Zimmer etc.*); **2.** kleines Nebenzimmer; **'snug·gle** [-gl] **I** *v/i.* sich schmiegen *od.* kuscheln ([***up***] ***in*** in *e-e Decke*, ***up to*** an *acc.*): ***~ down*** (***in bed***) sich ins Bett kuscheln; **II** *v/t.* an sich schmiegen, (lieb)'kosen.

so [səʊ] **I** *adv.* **1.** (*mst vor adj. u. adv.*) so, dermaßen: ***I was ~ surprised***; ***not ~ ... as*** nicht so ... wie; ***~ great a man*** ein so großer Mann; → ***far*** 3, ***much*** *Redew.*; **2.** (*mst exklamatorisch*) (ja) so, 'überaus: ***I am ~ glad!***; **3.** so, in dieser Weise: ***and ~ on*** (*od.* ***forth***) und so weiter; ***is that ~?*** wirklich?; ***~ as to*** so daß, um zu; ***~ that*** so daß; ***or ~*** etwa, oder so; ***~ saying*** mit *od.* bei diesen Worten; → ***if*** 1; **4.** (*als Ersatz für ein Prädikativum od. e-n Satz*) a) es, das: ***I hope ~*** ich hoffe (es); ***I have never said ~*** das habe ich nie behauptet, b) auch: ***you are tired, ~ am I*** du bist müde, ich (bin es) auch, c) allerdings, ja: ***are you tired? ~ I am*** bist du müde? ja *od.* allerdings; ***I am stupid! ~ you are*** ich bin dumm! allerdings (das bist du); ***~ what?*** F na und?; **5.** so ... daß: ***it was ~ hot I took my coat off***; **II** *cj.* **6.** daher, folglich, also, und so: ***it was necessary ~ we did it*** es war nötig, und so taten wir es (denn); ***~ you came after all!*** du bist also doch (noch) gekommen!

soak [səʊk] **I** *v/i.* **1.** sich vollsaugen, durch'tränkt werden: ***~ing wet*** tropfnaß; **2.** ('durch)sickern; **3.** *fig.* langsam *ins Bewußtsein* einsickern *od.* -dringen; **4.** *sl.* ‚saufen'; **II** *v/t.* **5.** *et.* einweichen; **6.** durch'tränken, -'nässen, -'feuchten; ⚙ *a.* imprägnieren (***in*** mit); **7.** ***~ o.s. in*** *fig.* sich ganz versenken in; **8.** ***~ in*** einsaugen: ***~ up*** a) aufsaugen, b) *fig. Wissen etc.* in sich aufnehmen; **9.** *sl. et.* ‚saufen'; **10.** *sl. j-n* ‚schröpfen'; **11.** *sl. j-n* verdreschen; **III** *s.* **12.** Einweichen *n*, Durch'tränken *n*; ⚙ Imprägnieren *n*; **13.** *sl.* a) Säufer *m*, b) Saufe'rei *f*; **14.** F Regenguß *m*, ‚Dusche' *f*; **'soak·age** [-kɪdʒ] *s.* **1.** 'Durchsickern *n*; **2.** 'durchgesickerte Flüssigkeit, Sickerwasser *n*; **'soak·er** [-kə] → ***soak*** 14.

'so-and-so ['səʊənsəʊ] *pl.* **-sos** *s.* **1.** (Herr *etc.*) Soundso: ***Mr. ~***; **2.** F ‚(blöder) Hund'.

soap [səʊp] **I** *s.* Seife *f* (*a.* ⚗): ***no ~!*** *Am.* F nichts zu machen!; **II** *v/t. a.* ***~ down*** a) (ein-, ab)seifen, b) → ***soft-soap***; **'~·box I** *s.* **1.** 'Seifenkiste *f*, -kar'ton *m*; **2.** ‚Seifenkiste' *f* (*improvisierte Rednerbühne od. Fahrzeug*); **II** *adj.* **3.** Seifenkisten...: ***~ derby*** Seifenkistenrennen *n*; ***~ orator*** Straßenredner *m*; **~ bub·ble** *s.* Seifenblase *f* (*a. fig.*); **~ dish** *s.* Seifenschale *f*; **~ op·er·a** *s. Radio, TV*: ‚Seifenoper' *f* (*rührselige Serie*); **'~·stone** *s. min.* Seifen-, Speckstein *m*; **'~·suds** *s. pl.* Seifenlauge *f*, -wasser *n*; **'~·works** *s. pl. oft sg. konstr.* Seifensiede'rei *f*.

soap·y ['səʊpɪ] *adj.* □ **1.** seifig, Seifen...; **2.** *fig.* ölig, schmeichlerisch.

soar [sɔː] *v/i.* **1.** (hoch) aufsteigen, sich erheben (*Vogel, Berge etc.*); **2.** in großer Höhe schweben; **3.** ✈ segelfliegen, segeln; **4.** *fig.* sich em'porschwingen (*Geist*): ***~ing thoughts*** hochfliegende Gedanken; **5.** † in die Höhe schnellen (*Preise*); **soar·ing** ['sɔːrɪŋ] **I** *adj.* □ **1.** hochfliegend (*a. fig.*); **2.** *fig.* em'porstrebend; **II** *s.* **3.** ✈ Segeln *n*.

sob [sɒb] **I** *v/i.* schluchzen; **II** *v/t. a* ***~ out*** *Worte* (her'aus)schluchzen; **III** *s.* Schluchzen *n*; schluchzender Laut: ***~ sister*** *sl.* a) Briefkastenonkel *m*, -tante *f* (*Frauenzeitschrift*), b) Verfasser(in) rührseliger Romane *etc.*; ***~ stuff*** *sl.* rührseliges Zeug, Schnulze(n *pl.*) *f*.

so·ber ['səʊbə] **I** *adj.* □ **1.** nüchtern: a) nicht betrunken, b) *fig.* sachlich: ***~ facts*** nüchterne Tatsachen; ***in ~ fact*** nüchtern betrachtet, c) unauffällig, gedeckt (*Farbe etc.*); **2.** mäßig; **II** *v/t.* **3.** *oft* ***~ up*** ernüchtern; **III** *v/i.* **4.** *oft* ***~ down*** *od.* ***up*** a) (wieder) nüchtern werden, b) *fig.* vernünftig werden; **ˌ~-'mind·ed** *adj.* besonnen, nüchtern; **'~·sides** *s.* fader Kerl, ‚Trauerkloß' *m*, Spießer *m*.

so·bri·e·ty [səʊ'braɪətɪ] *s.* **1.** Nüchternheit *f* (*a. fig.*); **2.** Mäßigkeit *f*; **3.** Ernst (-haftigkeit *f*) *m*.

so·bri·quet ['səʊbrɪkeɪ] (*Fr.*) *s.* Spitzname *m*.

soc·age ['sɒkɪdʒ] *s.* ⚖ *hist.* **1.** Lehensleistung *f* (*ohne Ritter- u. Heeresdienst*); **2.** Frongut *n*.

ˌso-'called [ˌsəʊ-] *adj.* sogenannt (*a. angeblich*).

socc·age ['sɒkɪdʒ] → ***socage***.

soc·cer ['sɒkə] **I** *s. sport* Fußball *m* (*Spiel*); **II** *adj.* Fußball...: ***~ team***; ***~ ball*** Fußball *m*.

so·cia·bil·i·ty [ˌsəʊʃə'bɪlətɪ] *s.* Geselligkeit *f*, 'Umgänglichkeit *f*; **so·cia·ble** ['səʊʃəbl] **I** *adj.* □ **1.** gesellig (*a. zo. etc.*), 'umgänglich, freundlich; **2.** gesellig, gemütlich, ungezwungen: ***~ evening***; **II** *s.* **3.** Kremser *m* (*Kutschwagen*); **4.** Zweisitzer *m* (*Dreirad etc.*); **5.** Plaudersofa *n*; **6.** *bsd. Am.* → ***social*** 7.

so·cial ['səʊʃl] **I** *adj.* □ **1.** *zo. etc.* gesellig; **2.** gesellschaftlich, Gesellschafts..., sozi'al, Sozial...: ***~ action*** Bürgerinitiative *f*; ***~ climber*** *contp.* gesellschaftli-

S

cher ‚Aufsteiger'; ~ ***contract*** *hist.* Gesellschaftsvertrag *m*; ~ ***criticism*** Sozialkritik *f*; ~ ***engineering*** angewandte Sozialwissenschaft; ~ ***evil*** *die* Prostitution; ~ ***order*** Gesellschaftsordnung *f*; ~ ***rank*** gesellschaftlicher Rang, soziale Stellung; ~ ***register*** Prominentenliste *f*; ~ ***science*** Sozialwissenschaft *f*; **3.** sozi'al, Sozial...: ~ ***insurance*** Sozialversicherung *f*; ~ ***insurance contribution*** Sozialversicherungsbeitrag *m*; ~ ***policy*** Sozialpolitik *f*; ~ ***security*** a) soziale Sicherheit, b) Sozialversicherung *f*, c) Sozialhilfe *f*; ***be on ~ security*** Sozialhilfe beziehen; ~ ***services*** a) Sozialeinrichtungen, b) staatliche Sozialleistungen; ~ ***spending*** Sozialausgaben *pl.*; ~ ***studies*** Gemeinschaftskunde *f*; ~ ***work*** Sozialarbeit *f*; ~ ***worker*** Sozialarbeiter(in); **4.** *pol.* Sozial...: ≈ ***Democrat*** Sozialdemokrat(in); **5.** gesellschaftlich, gesellig: ~ ***activities*** gesellschaftliche Veranstaltungen; **6.** → ***sociable*** 1; **II** *s.* **7.** geselliges Bei'sammensein; **'so·cial·ism** [-ʃəlɪzəm] *s. pol.* Sozia'lismus *m*; **'so·cial·ist** [-ʃəlɪst] **I** *s.* Sozia'list(in); **II** *adj. a.* **so·cial·is·tic** [ˌsəʊʃə'lɪstɪk] *adj.* (□ ***~ally***) sozia'listisch; **'so·cial·ite** [-ʃəlaɪt] *s. Am.* F Angehörige(r *m*) *f* der oberen Zehn'tausend, Promi'nente(r *m*) *f*.

so·cial·i·za·tion [ˌsəʊʃəlaɪ'zeɪʃn] *s. pol.*, ☤ Sozialisierung *f*; **so·cial·ize** ['səʊʃəlaɪz] *v/t. pol.*, ☤ sozialisieren, verstaatlichen, vergesellschaften.

so·ci·e·ty [sə'saɪətɪ] *s. allg.* Gesellschaft *f*: a) Gemeinschaft *f*: ***human ~***, b) Kul'turkreis *m*, c) (*die* große *od.* ele'gante) Welt: ~ ***lady*** Dame *f* der großen Gesellschaft; ***not fit for good ~*** nicht salon- *od.* gesellschaftsfähig, d) (gesellschaftlicher) 'Umgang, e) Anwesenheit *f*, f) Verein(igung *f*) *m*: ≈ ***of Friends*** Gesellschaft der Freunde (*die Quäker*); ≈ ***of Jesus*** Gesellschaft Jesu.

socio- [səʊsjəʊ] *in Zssgn* a) Sozial..., b) sozio'logisch: ***~biology*** Soziobiologie *f*; ***~critical*** sozialkritisch; ***~political*** sozialpolitisch; ***~psychology*** Sozialpsychologie *f*.

so·ci·og·e·ny [ˌsəʊsɪ'ɒdʒənɪ] *s.* Wissenschaft *f* vom Ursprung der menschlichen Gesellschaft; **so·ci·o·gram** ['səʊsjəgræm] *s.* Sozio'gramm *n*; **so·ci·o·log·ic**, **so·ci·o·log·i·cal** [ˌsəʊsjə'lɒdʒɪk(l)] *adj.* □ sozio'logisch; **so·ci·ol·o·gist** [ˌsəʊsɪ'ɒlədʒɪst] *s.* Sozio'loge *m*; **so·ci·ol·o·gy** [ˌsəʊsɪ'ɒlədʒɪ] *s.* Soziolo'gie *f*.

sock¹ [sɒk] *s.* **1.** Socke *f*: ***pull up one's ~s*** *Brit.* F ‚sich am Riemen reißen', sich anstrengen; ***put a ~ in it!*** *Brit. sl.* hör auf!, halt's Maul!; **2.** *Brit.* Einlegesohle *f*.

sock² [sɒk] *sl.* **I** *v/t. j-m* ‚eine knallen *od.* reinhauen': ~ ***it to s.o.*** j-m ‚Bescheid stoßen', j-m ‚Saures geben'; **II** *s.* (Faust)Schlag *m*; **III** *adj. Am.* ‚toll'.

sock·et ['sɒkɪt] *s.* **1.** *anat.* a) (Augen-, Zahn)Höhle *f*, b) (Gelenk)Pfanne *f*; **2.** ⚙ Muffe *f*, Rohransatz *m*; **3.** ⚡ a) Steckdose *f*, b) Fassung *f*, c) Sockel *m* (*für Röhren etc.*), d) Anschluß *m*; ~ **joint** *s.* ⚙, *anat.* Kugelgelenk *n*; ~ **wrench** *s.* ⚙ Steckschlüssel *m*.

so·cle ['sɒkl] *s.* △ Sockel *m*.

sod¹ [sɒd] **I** *s.* **1.** Grasnarbe *f*: ***under the ~*** unterm Rasen (*tot*); **2.** Rasenstück *n*; **II** *v/t.* **3.** mit Rasen bedecken.

sod² [sɒd] *sl.* **I** *s.* **1.** ‚Heini' *m*, Blödmann *m*; **2.** Kerl *m*: ***the poor ~***; **II** *v/t.* **3.** ***~ it!*** ‚Mist!'

so·da ['səʊdə] *s.* ⚗ **1.** Soda *f*, *n*, kohlensaures Natrium: (***bicarbonate of***) ***~*** → ***sodium bicarbonate***; **2.** → ***sodium hydroxide***; **3.** 'Natriumoˌxyd *n*; **4.** Soda(wasser *n*) *f*, *n*: ***whisky and ~***; **5.** → ***soda water*** 2; ~ **foun·tain** *s.* **1.** Siphon *m*; **2.** *Am.* Erfrischungshalle *f*, Eisbar *f*; ~ **jerk**(**·er**) *s. Am.* F Verkäufer *m* in e-r Erfrischungshalle *od.* Eisbar; ~ **lye** *s.* Natronlauge *f*; ~ **pop** *s. Am.* ‚Limo' *f*; ~ **wa·ter** *s.* **1.** Sodawasser *n*; **2.** Selters (-wasser) *n*, Sprudel *m*.

sod·den ['sɒdn] *adj.* **1.** durch'weicht, -'näßt; **2.** teigig, klitschig (*Brot etc.*); **3.** *fig.* a) ‚voll', ‚besoffen', b) blöd(e) (*vom Trinken*); **4.** aufgedunsen; **5.** *sl.* a) ‚blöd', ‚doof', b) fad.

so·di·um ['səʊdjəm] *s.* ⚗ Natrium *n*; ~ **bi·car·bon·ate** *s.* 'Natriumbikarboˌnat *n*, doppeltkohlensaures Natrium; ~ **car·bon·ate** *s.* Soda *f*, *n*, 'Natriumkarboˌnat *n*; ~ **chlor·ide** *s.* 'Natriumchloˌrid *n*, Kochsalz *n*; ~ **hy·drox·ide** *s.* 'Natriumhydroˌxyd *n*, Ätznatron *n*; ~ **ni·trate** *s.* 'Natriumniˌtrat *n*.

sod·o·my ['sɒdəmɪ] *s.* **1.** Sodo'mie *f*; **2.** *allg.* 'widernaˌtürliche Unzucht.

so·ev·er [səʊ'evə] *adv.* (*mst in Zssgn wer etc.*) auch immer.

so·fa ['səʊfə] *s.* Sofa *n*; ~ **bed** *s.* Bettcouch *f*.

sof·fit ['sɒfɪt] *s.* △ Laibung *f*.

soft [sɒft] **I** *adj.* □ **1.** *allg.* weich (*a. fig. Person, Charakter etc.*): ***as ~ as silk*** seidenweich; ~ ***currency*** ☤ weiche Währung; ~ ***prices*** ☤ nachgiebige Preise; ~ ***sell*** ☤ weiche Verkaufstaktik; **2.** ⚙ weich, *bsd.* a) ungehärtet (*Eisen*), b) schmiedbar (*Metall*), c) enthärtet (*Wasser*): ~ ***coal*** ⚒ Weichkohle *f*; ~ ***solder*** Weichlot *n*; **3.** *fig.* weich, sanft (*Augen, Worte etc.*); → ***spot*** 5; **4.** mild, sanft (*Klima, Regen, Schlaf, Wind, a. Strafe etc.*): ***be ~ with*** sanft umgehen mit *j-m*; **5.** leise, sacht (*Bewegung, Geräusch, Rede*); **6.** sanft, gedämpft (*Licht, Farbe, Musik*); **7.** schwach, verschwommen: ~ ***outlines***; ~ ***negative*** *phot.* weiches Negativ; **8.** mild, lieblich (*Wein*); **9.** *Brit.* schwül, feucht, regnerisch; **10.** höflich, ruhig, gewinnend; **11.** zart, zärtlich, verliebt: *~ **nothings*** zärtliche Worte; → ***sex*** 2; **12.** schlaff (*Muskeln*); **13.** *fig.* verweichlicht, schlapp; **14.** angenehm, leicht, ‚gemütlich': *~ **job***; ***a ~ thing*** e-e ruhige Sache, e-e ‚Masche' (*einträgliches Geschäft*); **15.** *a.* ***~ in the head*** F ‚leicht bescheuert', ‚doof'; **16.** a) alkoholfrei: ***~ drinks***, b) weich: ***~ drug*** Soft drug *f*, weiche Droge; **II** *adv.* **17.** sanft, leise; **III** *s.* **18.** F Trottel *m*; **'~·ball** *s. Am. sport Form des Baseball mit weicherem Ball u. kleinerem Feld*; **'~-boiled** *adj.* **1.** weich(gekocht) (*Ei*); **2.** F weichherzig; **'~-ˌcen·tred** *adj. Brit.* mit Cremefüllung.

sof·ten ['sɒfn] **I** *v/t.* **1.** weich machen; ⚙ *Wasser* enthärten; **2.** *Ton*, *Farbe* dämpfen; **3.** *a.* ***~ up*** ⚔ a) *Gegner* zermürben, b) *Festung etc.* sturmreif schießen; **4.** *fig.* mildern; *j-n* erweichen; *j-s Herz* rühren; *contp. j-n* ‚kleinkriegen'; **5.** *fig.* verweichlichen; **II** *v/i.* **6.** weich(er) werden, sich erweichen; **'sof·ten·er** [-nə] *s.* ⚙ **1.** Enthärtungsmittel *n*; **2.** Weichmacher *m* (*bei Kunststoff, Öl etc.*); **'sof·ten·ing** [-nɪŋ] *s.* **1.** Erweichen *n*: ***~ of the brain*** ⚕ Gehirnerweichung *f*; ***~ point*** ⚙ Erweichungspunkt *m*; **2.** *fig.* Besänftigung *f*.

soft| goods *s. pl.* Tex'tilien *pl.*; **~ hail** *s.* Eisregen *m*; **'~·head** *s.* Schwachkopf *m*; **ˌ~'heart·ed** *adj.* weichherzig; **ˌ~'land** *v/t. u. v/i.* weich landen.

soft·ness ['sɒftnɪs] *s.* **1.** Weichheit *f*; **2.** Sanftheit *f*; **3.** Milde *f*; **4.** Zartheit *f*; **5.** *contp.* Weichlichkeit *f*.

soft| ped·al *s.* ♪ (Pi'ano)Peˌdal *n*; **ˌ~'ped·al** *v/t.* **1.** (*a. v/i.*) mit dem Pi'anoˌdal spielen; **2.** F *et.* ‚her'unterspielen'; **~ sci·ence** *s. Ggs. exakte Wissenschaft, z.B. Soziologie, Psychologie etc.*; **~ soap** *s.* **1.** Schmierseife *f*; **2.** *sl.* ‚Schmus' *m*, Schmeiche'lei(en *pl.*) *f*; **ˌ~'soap** *v/t. sl. j-m* ‚um den Bart gehen', *j-m* Honig ums Maul schmieren; **ˌ~'sol·der** *v/t.* ⚙ weichlöten; **'~-ˌspo·ken** *adj.* **1.** leise sprechend; **2.** *fig.* gewinnend, freundlich; **'~·ware** *s. Computer*: Software *f*; ***~ provider*** Softwareanbieter *m*; **'~·wood** *s.* **1.** Weichholz *n*; **2.** Nadelbaumholz *n*; **3.** Baum *m* mit weichem Holz.

soft·y ['sɒftɪ] *s.* F **1.** ‚Softie' *m*; **2.** ‚Schlappschwanz' *m*.

sog·gy ['sɒgɪ] *adj.* **1.** feucht, sumpfig (*Land*); **2.** durch'näßt, -'weicht; **3.** klitschig (*Brot etc.*); **4.** F ‚doof'.

soi-di·sant [ˌswɑːdiː'zɑ̃ːŋ] (*Fr.*) *adj.* angeblich, sogenannt.

soil [sɔɪl] **I** *v/t.* **1.** a) schmutzig machen, verunreinigen, b) *bsd. fig.* besudeln, beflecken, beschmutzen; **II** *v/i.* **2.** schmutzig werden, *leicht etc.* schmutzen; **III** *s.* **3.** Verschmutzung *f*; **4.** Schmutzfleck *m*; **5.** Schmutz *m*; **6.** Dung *m*.

soil² [sɔɪl] *s.* **1.** (Erd)Boden *m*, Erde *f*, (Acker)Krume *f*, Grund *m*; **2.** *fig.* (Heimat)Erde *f*, Land *n*: ***on British ~*** auf britischem Boden; ***one's native ~*** die heimatliche Erde.

soil³ [sɔɪl] *v/t.* ↗ mit Grünfutter füttern; **'soil·age** [-lɪdʒ] *s.* ↗ Grünfutter *n*.

soil pipe *s.* ⚙ Abflußrohr *n*.

soi·rée ['swɑːreɪ] (*Fr.*) *s.* Soi'ree *f*, Abendgesellschaft *f*.

so·journ ['sɒdʒɜːn] **I** *v/i.* sich (vor'übergehend) aufhalten, (ver)weilen (***in*** in *od.* an *dat.*, ***with*** bei); **II** *s.* (vor'übergehender) Aufenthalt; **'so·journ·er** [-nə] *s.* Gast *m*, Besucher(in).

soke [səʊk] *s.* ⚖ *hist. Brit.* Gerichtsbarkeit(sbezirk *m*) *f*.

sol·ace ['sɒləs] **I** *s.* Trost *m*: ***she found ~ in religion***; **II** *v/t.* trösten.

so·la·num [səʊ'leɪnəm] *s.* ⚘ Nachtschatten *m*.

so·lar ['səʊlə] *adj.* **1.** *ast.* Sonnen…(*-system, -tag, -zeit etc.*), Solar…: ***~ eclipse*** Sonnenfinsternis *f*; ***~ plexus*** *anat.* Solarplexus *m*, F Magengrube *f*; **2.** ⚙ a) Sonnen…: ***~ cell*** (***energy*** *etc.*); ***~ collector*** *od.* ***panel*** Sonnenkollektor *m*, b) durch 'Sonnenenerˌgie angetrieben: ***~ power station*** Sonnen-, Solarkraftwerk *n*.

so·lar·i·um [səʊ'leərɪəm] *pl.* **-i·a** [-ɪə], **-i·ums** *s. allg.* So'larium *n*, ⚕ *a.* Sonnenliegehalle *f*.

so·lar·ize ['səʊləraɪz] *v/t.* **1.** ⚕ *j-n* mit Lichtbädern behandeln; **2.** ⚙ *Haus* auf 'Sonnenenerˌgie 'umstellen; **3.** *phot.* solarisieren (*a. v/i.*).

sold [səʊld] *pret. u. p.p. von* ***sell***.

sol·der ['sɒldə] **I** *s.* **1.** ⚙ Lot *n*, 'Lötmeˌtall *n*; **II** *v/t.* **2.** (ver)löten: ***~ed joint*** Lötstelle *f*; ***~ing iron*** Lötkolben *m*; **3.** *fig.* zs.-schweißen; **III** *v/i.* **4.** löten.

sol·dier ['səʊldʒə] **I** *s.* **1.** Sol'dat *m* (*a. engS. Feldherr*): ***~ of Christ*** Streiter *m* Christi; ***~ of fortune*** Glücksritter *m*; ***old ~*** a) F ‚alter Hase', b) *sl.* leere Flasche; **2.** ⚔ (einfacher) Sol'dat, Schütze *m*, Mann *m*; **3.** *fig.* Kämpfer *m*; **4.** *zo.* Krieger *m*, Sol'dat *m* (*bei Ameisen etc.*); **II** *v/i.* **5.** (als Sol'dat) dienen: ***go ~ing*** Soldat werden; **6.** ***~ on*** *fig.* (unbeirrt) weitermachen; **'sol·dier·ly** [-lɪ] *adj.* **1.** sol'datisch; **2.** Soldaten…; **'sol·dier·y** [-ərɪ] *s.* **1.** Mili'tär *n*; **2.** Sol'daten *pl.*, *contp.* Solda'teska *f*.

sole¹ [səʊl] **I** *s.* **1.** (Fuß- *od.* Schuh)Sohle *f*: ***~ leather*** Sohlleder *n*; **2.** Bodenfläche *f*, Sohle *f*; **II** *v/t.* **3.** besohlen.

sole² [səʊl] *adj.* □ → ***solely***; **1.** einzig, al'leinig, Allein…: ***~ agency*** Alleinvertretung *f*; ***~ bill*** ✝ Solawechsel *m*; ***~***

heir Allein-, Universalerbe *m*; **2.** ⚖ unverheiratet.

sole³ [səʊl] *pl.* **soles**, *coll.* **sole** *s. ichth.* Seezunge *f.*

sol·e·cism [ˈsɒlɪsɪzəm] *s.* Schnitzer *m*, Verstoß *m*, ‚Sünde' *f*: a) *ling.* Sprachsünde, b) Fauxˈpas *m*; **sol·e·cis·tic** [ˌsɒlɪˈsɪstɪk] *adj.* **1.** *ling.* ˈunkorˌrekt; **2.** ungehörig.

sole·ly [ˈsəʊllɪ] *adv.* (einzig u.) alˈlein, ausschließlich, nur.

sol·emn [ˈsɒləm] *adj.* ☐ **1.** *allg.* feierlich, ernst, soˈlenn; **2.** feierlich (*Eid etc.*); ⚖ forˈmell (*Vertrag*); **3.** gewichtig, ernst: ***a ~ warning***; **4.** hehr, erhaben: ***~ building***; **5.** düster; **so·lem·ni·ty** [səˈlemnətɪ] *s.* **1.** Feierlichkeit *f*, (feierlicher *od.* würdevoller) Ernst; **2.** *oft pl.* feierliches Zeremoniˈell; **3.** *bsd. eccl.* Festlich-, Feierlichkeit *f*; **ˈsol·em·nize** [-mnaɪz] *v/t.* **1.** feierlich begehen; **2.** *Trauung* (feierlich) vollˈziehen.

so·le·noid [ˈsəʊlənɔɪd] *s.* ⚡, ⚙ Solenoˈid *n*, Zyˈlinderspule *f*: ***~ brake*** Solenoidbremse *f.*

sol-fa [ˌsɒlˈfɑː] ♪ **I** *s.* **1.** *a.* ***~ syllables*** Solmisatiˈonssilben *pl.*; **2.** Tonleiter *f*; **3.** Solmisatiˈon(sübung) *f*; **II** *v/t.* **4.** auf Solmisatiˈonssilben singen; **III** *v/i.* **5.** solmisieren.

so·lic·it [səˈlɪsɪt] **I** *v/t.* **1.** (dringend) bitten, angehen (***s.o.*** j-n; ***s.th.*** um et.; ***s.o. for s.th.*** *od.* ***s.th. of s.o.*** j-n um et.); **2.** sich um *ein Amt etc.* bemühen; ⚕ um *Aufträge*, *Kundschaft* werben; **3.** *j-n* ansprechen (*Prostituierte*); **4.** ⚖ anstiften; **II** *v/i.* **5.** dringend bitten (***for*** um); **6.** ⚕ Aufträge sammeln; **7.** sich anbieten (*Prostituierte*); **so·lic·i·ta·tion** [səˌlɪsɪˈteɪʃn] *s.* **1.** dringende Bitte; **2.** ⚕ (Auftrags-, Kunden)Werbung *f*; **3.** Ansprechen *n* (*durch Prostituierte*); **4.** ⚖ Anstiftung *f* (***of*** zu).

so·lic·i·tor [səˈlɪsɪtə] *s.* **1.** ⚖ *Brit.* Soˈlicitor *m*, Anwalt *m* (*der nur vor niederen Gerichten plädieren darf*); **2.** *Am.* ˈRechtsrefeˌrent *m e-r Stadt etc.*; **3.** *Am.* ⚕ Aˈgent *m*, Werber *m*; **~ gen·er·al** *pl.* **so·lic·i·tors gen·er·al** *s.* **1.** ⚖ zweiter Kronanwalt (*in England*); **2.** *USA* a) stellvertretender Juˈstizmiˌnister, b) oberster Juˈstizbeamter (*in einigen Staaten*).

so·lic·it·ous [səˈlɪsɪtəs] *adj.* ☐ **1.** besorgt (***about*** um, ***for*** um, wegen); **2.** fürsorglich; **3.** (***of***) eifrig bedacht (auf *acc.*), begierig (nach); **4.** bestrebt *od.* eifrig bemüht (***to do*** zu tun); **soˈlic·i·tude** [-tjuːd] *s.* **1.** Besorgtheit *f*, Sorge *f*; **2.** (überˈtriebener) Eifer; **3.** *pl.* Sorgen *pl.*

sol·id [ˈsɒlɪd] **I** *adj.* ☐ **1.** *allg.* fest (*Eis*, *Kraftstoff*, *Speise*, *Wand etc.*): ***~ body*** Festkörper *m*; ***~ lubricant*** ⚙ Starrschmiere *f*; ***~ state*** *phys.* fester (Aggregat)Zustand; ***~ waste*** Festmüll *m*; ***on ~ ground*** auf festem Boden (*a. fig.*); **2.** kräftig, staˈbil, derb, fest: ***~ build*** kräftiger Körperbau; ***~ leather*** Kernleder *n*; ***a ~ meal*** ein kräftiges Essen; ***a ~ blow*** ein harter Schlag; **3.** masˈsiv (*Ggs. hohl*), Voll…(*-gummi*, *-reifen*); **4.** masˈsiv, gediegen: ***~ gold***; **5.** *fig.* soˈlid(e), gründlich: ***~ learning***; **6.** *fig.* gewichtig, triftig (*Grund etc.*), stichhaltig, handfest (*Argument etc.*); **7.** soˈlid(e), gediegen, zuverlässig (*Person*); **8.** ⚕ soˈlid(e), gutfundiert; **9.** a) soliˈdarisch, b) einmütig, geschlossen (***for*** für *j-n od. et.*): ***be ~ for s.o.***; ***be ~ly behind s.o.*** geschlossen hinter j-m stehen; ***a ~ vote*** e-e einstimmige Wahl; **10.** ***be ~*** (***with s.o.***) *Am.* F (mit j-m) auf gutem Fuß stehen; **11.** *Am. sl.* ‚prima', erstklassig; **12.** ⩚ a) körperlich, räumlich, b) Kubik…, Raum…: ***~ capacity***; ***~ geometry*** Stereometrie *f*; ***~ measure*** Raummaß *n*; **13.** geschlossen: ***a ~ row of buildings***; **14.** F voll, ‚geschlagen': ***a ~ hour***; **15.** F toˈtal: ***booked ~*** total ausgebucht; **II** *s.* **16.** ⩚ Körper *m*; **17.** *phys.* Festkörper *m*; **18.** *pl.* feste Bestandteile *pl.*: ***the ~s of milk***.

sol·i·dar·i·ty [ˌsɒlɪˈdærətɪ] *s.* Solidariˈtät *f*, Zs.-halt *m*, Zs.-gehörigkeitsgefühl *n*; **sol·i·dar·y** [ˈsɒlɪdərɪ] *adj.* soliˈdarisch.

ˈsol·id|-drawn *adj.* ⚙ gezogen: ***~ axle***; ***~ tube*** nahtlos gezogenes Rohr; **ˈ~-hoofed** *adj. zo.* einhufig.

so·lid·i·fi·ca·tion [səˌlɪdɪfɪˈkeɪʃn] *s. phys. etc.* Erstarrung *f*, Festwerden *n*; **so·lid·i·fy** [səˈlɪdɪfaɪ] **I** *v/t.* **1.** fest werden lassen; **2.** verdichten; **3.** *fig. Partei* festigen, konsolidieren; **II** *v/i.* **4.** fest werden, erstarren.

so·lid·i·ty [səˈlɪdətɪ] *s.* **1.** Festigkeit *f* (*a. fig.*); komˈpakte *od.* masˈsive Strukˈtur; Dichtigkeit *f*; **2.** *fig.* Gediegenheit *f*, Zuverlässigkeit *f*, Solidiˈtät *f*; ⚕ Kreˈditfähigkeit *f.*

ˈsol·id-state chem·is·try *s.* ˈFestkörperchemie *f.*

sol·id·un·gu·late [ˌsɒlɪdˈʌŋgjʊleɪt] *adj. zo.* einhufig.

so·lil·o·quize [səˈlɪləkwaɪz] **I** *v/i.* Selbstgespräche führen, *bsd. thea.* monologisieren; **II** *v/t. et.* zu sich selbst sagen; **soˈlil·o·quy** [-kwɪ] *s.* Selbstgespräch *n*, *bsd. thea.* Monoˈlog *m.*

sol·i·ped [ˈsɒlɪped] *zo.* **I** *s.* Einhufer *m*; **II** *adj.* einhufig.

sol·i·taire [ˈsɒlɪteə] *s.* **1.** Soliˈtär(spiel) *n*; **2.** Paˈtience *f*; **3.** Soliˈtär *m* (*einzeln gefaßter Edelstein*).

sol·i·tar·y [ˈsɒlɪtərɪ] *adj.* ☐ **1.** einsam (*Leben*, *Spaziergang etc.*); → ***confinement*** 2; **2.** einsam, abgelegen (*Ort*); **3.** einsam, einzeln (*Baum*, *Reiter etc.*); **4.** ⚘, *zo.* soliˈtär; **5.** *fig.* einzig: ***~ exception***; **ˈsol·i·tude** [-tjuːd] *s.* **1.** Einsamkeit *f*; **2.** (Ein)Öde *f.*

S

sol·mi·za·tion [ˌsɒlmɪ'zeɪʃn]*s.* ♪ a) Solmisati'on *f*, b) Solmisati'onsübung *f*.
so·lo ['səʊləʊ] *pl.* **-los I** *s.* **1.** *bsd.* ♪ Solo(gesang *m*, -spiel *n*, -tanz *m etc.*) *n*; **2.** *Kartenspiele*: Solo *n*; **3.** ✈ Al'leinflug *m*; **II** *adj.* **4.** *bsd.* ♪ Solo...; **5.** Allein...: **~ *flight*** → 3; **~ *run*** *sport* Alleingang *m*; **III** *adv.* **6.** al'lein, ‚solo': ***fly* ~** e-n Alleinflug machen; **'so·lo·ist** [-əʊɪst] *s.* So'list(in).
sol·stice ['sɒlstɪs] *s. ast.* Sonnenwende *f*: ***summer* ~**; **sol·sti·tial** [sɒl'stɪʃl] *adj.* Sonnenwende...: **~ *point*** Umkehrpunkt *m*.
sol·u·bil·i·ty [ˌsɒljʊ'bɪlətɪ] *s.* **1.** ⚗ Löslichkeit *f*; **2.** *fig.* Lösbarkeit *f*; **sol·u·ble** ['sɒljʊbl] *adj.* **1.** ⚗ löslich; **2.** *fig.* (auf-) lösbar.
so·lu·tion [sə'luːʃn] *s.* **1.** ⚗ a) Auflösung *f*, b) Lösung *f*: ***aqueous* ~** wässerige Lösung; (***rubber***) **~** Gummilösung *f*; **2.** ⅍ *etc.* (Auf)Lösung *f*; **3.** *fig.* Lösung *f* (*e-s Problems etc.*); (Er)Klärung *f*.
solv·a·ble ['sɒlvəbl] → ***soluble***.
solve [sɒlv] *v/t.* **1.** *Aufgabe, Problem* lösen; **2.** lösen, (er)klären: **~ *a mystery***; **~ *a crime*** ein Verbrechen aufklären; **'sol·ven·cy** [-vənsɪ] *s.* ✝ Zahlungsfähigkeit *f*; **'sol·vent** [-vənt] **I** *adj.* **1.** ⚗ (auf)lösend; **2.** *fig.* zersetzend; **3.** *fig.* erlösend: ***the* ~ *power of laughter***; **4.** ✝ zahlungsfähig, sol'vent, li'quid; **II** *s.* **5.** ⚗ Lösungsmittel *n*; **6.** *fig.* zersetzendes Ele'ment; **sol·vent-based** *adj.* lösungsmittelhaltig; **sol·vent-free** *adj.* lösungsmittelfrei.
so·mat·ic [səʊ'mætɪk] *adj. biol.*, ⚕ **1.** körperlich, physisch; **2.** so'matisch: **~ *cell*** Somazelle *f*.
so·ma·tol·o·gy [ˌsəʊmə'tɒlədʒɪ] *s.* ⚕ Somatolo'gie *f*, Körperlehre *f*; **so·ma·to·psy·chic** [ˌsəʊmətəʊ'saɪkɪk] *adj.* ⚕, *psych.* psychoso'matisch.
som·ber *Am.*, **som·bre** *Brit.* ['sɒmbə] *adj.* □ **1.** düster, trübe (*a. fig.*); **2.** dunkel(farbig); **3.** *fig.* melan'cholisch; **'som·ber·ness** *Am.*, **'som·bre·ness** *Brit.* [-nɪs] *s.* **1.** Düsterkeit *f*, Trübheit *f* (*a. fig.*); **2.** *fig.* Trübsinnigkeit *f*.
some [sʌm; səm] **I** *adj.* **1.** (*vor Substantiven*) (irgend)ein: **~ *day*** eines Tages; **~ *day* (*or other*)**, **~ *time*** irgendwann (einmal), mal; **2.** (*vor pl.*) einige, ein paar: **~ *few*** einige wenige; **3.** manche; **4.** ziemlich (viel), beträchtlich, e-e ganze Menge; **5.** gewiß: ***to* ~ *extent*** in gewissem Grade, einigermaßen; **6.** etwas, ein (klein) wenig: **~ *bread*** (etwas) Brot; ***take* ~ *more!*** nimm noch etwas!; **7.** ungefähr, gegen: ***a village of* ~ *60 houses*** ein Dorf von etwa 60 Häusern; **8.** *sl.* beachtlich, ‚ganz hübsch': **~ *race!*** das war vielleicht ein Rennen!; **~ *teacher!*** *contp.* ein ‚schöner' Lehrer (ist das)!; **II** *adv.* **9.** *bsd. Am.* etwas, ziemlich; **10.** F ‚e'norm', ‚toll'; **III** *pron.* **11.** (irgend)ein: **~ *of these days*** dieser Tage, demnächst; **12.** etwas: **~ *of it*** etwas davon; **~ *of these people*** einige dieser Leute; **13.** welche: ***will you have* ~?**; **14.** *Am. sl.* dar'über hin'aus, noch mehr; **15.** ***some ... some*** die einen ... die anderen.
some|·bod·y ['sʌmbədɪ] **I** *pron.* jemand, (irgend)einer; **II** *s.* e-e bedeutende Per'sönlichkeit: ***he thinks he is* ~** er bildet sich ein, er sei jemand; **'~·how** *adv. oft* **~ *or other*** **1.** irgend'wie, auf irgendeine Weise; **2.** aus irgendeinem Grund(e), ‚irgendwie': **~ (*or other*) *I don't trust him***; **'~·one I** *pron.* jemand, (irgend)einer: **~ *or other*** irgendeiner; **II** *s.* → ***somebody*** II; **'~·place** *adv. Am.* irgendwo('hin).
som·er·sault ['sʌməsɔːlt] **I** *s.* a) Salto *m*, b) Purzelbaum *m* (*a. fig.*): ***turn* *od.* *do a* ~** → **II** *v/i.* e-n Salto machen *od.* e-n Purzelbaum schlagen.
Som·er·set House ['sʌməsɪt] *s. Verwaltungsgebäude in London mit Personenstandsregister, Notariats- u. Inlandssteuerbehörden etc.*
'some|·thing ['sʌm-] **I** *s.* **1.** (irgend) etwas, was: **~ *or other*** irgend etwas; ***a certain* ~** ein gewisses Etwas; **2.** **~ *of*** so etwas wie: ***he is* ~ *of a mechanic***; **3.** ***or* ~** oder so (etwas Ähnliches); **II** *adv.* **4.** **~ *like*** a) so etwas wie, so ungefähr, b) F wirklich, mal: ***that's* ~ *like a pudding!***; ***that's* ~ *like!*** das lasse ich mir gefallen!; **'~·time I** *adv.* **1.** irgend (-wann) einmal (*bsd. in der Zukunft*): ***write* ~!** schreib (ein)mal!; **2.** früher, ehemals; **II** *adj.* **3.** ehemalig, weiland (*Professor etc.*); **'~·times** *adv.* manchmal, hie und da, gelegentlich, zu'weilen; **'~·what** *adv. u. s.* etwas, ein wenig, ein bißchen: ***she was* ~ *puzzled***; **~ *of a shock*** ein ziemlicher Schock; **'~·where** *adv.* **1.** irgend'wo; **2.** irgend-wo'hin: **~ *else*** sonstwohin, woandershin; **3.** **~ *about*** so etwa, um ... her'um.
som·nam·bu·late [sɒm'næmbjʊleɪt] *v/i.* schlaf-, nachtwandeln; **som'nam·bu·lism** [-lɪzəm] *s.* Schlaf-, Nachtwandeln *n*; **som'nam·bu·list** [-lɪst] *s.* Schlaf-, Nachtwandler(in); **som·nam·bu·lis·tic** [sɒmˌnæmbjʊ'lɪstɪk] *adj.* schlaf-, nachtwandlerisch.
som·nif·er·ous [sɒm'nɪfərəs] *adj.* einschläfernd.
som·no·lence ['sɒmnələns] *s.* **1.** Schläfrigkeit *f*; **2.** ⚕ Schlafsucht *f*; **'som·no·lent** [-nt] *adj.* □ **1.** schläfrig; **2.** einschläfernd.
son [sʌn] *s.* **1.** Sohn *m*: **~ *and heir*** Stammhalter *m*; **~ *of God*** (*od.* ***man***), ***the*** ♀ *eccl.* Gottes-, Menschensohn (*Christus*); **2.** *fig.* Sohn *m*, Abkomme

m: **~ *of a bitch*** *Am. sl.* a) ‚Scheißkerl' *m*, b) ‚Scheißding' *n*; **~ *of a gun*** *Am. sl.* a) ‚toller Hecht', b) ‚(alter) Gauner'; **3.** *fig. pl. coll.* Schüler *pl.*, Jünger *pl.*; Söhne *pl.* (*e-s Volks*, *e-r Gemeinschaft etc.*); **4.** → ***sonny***.

so·nance ['səʊnəns] *s.* **1.** Stimmhaftigkeit *f*; **2.** Laut *m*; '**so·nant** [-nt] *ling.* **I** *adj.* stimmhaft; **II** *s.* a) So'nant *m*, b) stimmhafter Laut.

so·nar ['səʊnɑ:] *s.* ⚓ Sonar *n*, S-Gerät *n* (*aus* ***sound navigation and ranging***).

so·na·ta [sə'nɑ:tə] *s.* ♪ So'nate *f*; **so·na·ti·na** [ˌsɒnə'ti:nə] *s.* ♪ Sona'tine *f*.

song [sɒŋ] *s.* **1.** ♪ Lied *n*, Gesang *m*: **~ (*and dance*)** F *fig.* Getue *n*, ‚The'ater' *n* (***about*** wegen); ***for a ~*** *fig.* für ein Butterbrot; **2.** Song *m*; **3.** *poet.* a) Lied *n*, Gedicht *n*, b) Dichtung *f*: **2 *of Solomon***, **2 *of Songs*** *bibl. das* Hohelied (Salomonis); **2 *of the Three Children*** *bibl. der* Gesang der drei Männer *od.* Jünglinge im Feuerofen; **4.** Singen *n*, Gesang *m*: ***break*** (*od.* ***burst***) ***into ~*** zu singen anfangen; '**~·bird** *s.* **1.** Singvogel *m*; **2.** ‚Nachtigall' *f* (*Sängerin*); '**~·book** *s.* Liederbuch *n*.

song·ster ['sɒŋstə] *s.* **1.** ♪ Sänger *m*; **2.** Singvogel *m*; **3.** *Am.* (*bsd.* volkstümliches) Liederbuch; '**song·stress** [-trɪs] *s.* Sängerin *f*.

'**song-thrush** *s. orn.* Singdrossel *f*.

son·ic ['sɒnɪk] *adj.* ⚙ Schall...; **~ bang** → ***sonic boom***; **~ bar·ri·er** → ***sound barrier***; **~ boom** *s.* ✈ Düsen-, 'Überschallknall *m*; **~ depth find·er** *s.* ⚓ Echolot *n*.

'**son-in-law** *pl.* '**sons-in-law** *s.* Schwiegersohn *m*.

son·net ['sɒnɪt] *s.* So'nett *n*.

son·ny ['sʌnɪ] *s.* Junge *m*, Kleiner *m* (*Anrede*).

son·o·buoy ['səʊnəbɔɪ] *s.* ⚓ Schallboje *f*.

so·nom·e·ter [səʊ'nɒmɪtə] *s.* Schallmesser *m*.

so·nor·i·ty [sə'nɒrətɪ] *s.* **1.** Klangfülle *f*, (Wohl)Klang *m*; **2.** *ling.* (Ton)Stärke *f* (*e-s Lauts*); **so·no·rous** [sə'nɔ:rəs] *adj.* □ **1.** tönend, reso'nant (*Holz etc.*); **2.** volltönend (*a. ling.*), klangvoll, so'nor (*Stimme*, *Sprache*); **3.** *phys.* Schall..., Klang...

son·sy ['sɒnsɪ] *adj. Scot.* **1.** drall (*Mädchen*); **2.** gutmütig.

soon [su:n] *adv.* **1.** bald, unverzüglich; **2.** (sehr) bald, (sehr) schnell: ***no ~er ... than*** kaum ... als; ***no ~er said than done*** gesagt, getan; **3.** bald, früh: ***as ~ as*** sobald als *od.* wie; ***~er or later*** früher oder später; ***the ~er the better*** je früher desto besser; **4.** gern: (***just***) ***as ~*** ebenso gern; ***I would ~er ... than*** ich möchte lieber ... als; '**soon·er** [-nə] *comp. adv.* **1.** früher, eher; **2.** schneller; **3.** lieber; → ***soon*** 2, 3, 4; '**soon·est** [-nɪst] *sup. adv.* frühestens.

soot [sʊt] **I** *s.* Ruß *m*; **II** *v/t.* mit Ruß bedecken, be-, verrußen.

sooth [su:θ] *s. Brit. obs.*: ***in ~***, ***~ to say*** fürwahr, wahrlich.

soothe [su:ð] *v/t.* **1.** besänftigen, beruhigen, beschwichtigen; **2.** *Schmerz etc.* mildern, lindern; '**sooth·ing** [-ðɪŋ] *adj.* □ **1.** besänftigend; **2.** lindernd; **3.** wohltuend, sanft: **~ *light***; **~ *music***.

sooth·say·er ['su:θˌseɪə] *s.* Wahrsager(in).

soot·y ['sʊtɪ] *adj.* □ **1.** rußig; **2.** geschwärzt; **3.** schwarz.

sop [sɒp] **I** *s.* **1.** eingetunkter Bissen (*Brot etc.*); **2.** *fig.* Beschwichtigungsmittel *n*, ‚Schmiergeld' *n*, ‚Brocken' *m*; → ***Cerberus***; **3.** *fig.* Weichling *m*; **II** *v/t.* **4.** *Brot etc.* eintunken; **5.** durch'nässen, -'weichen; **6. ~ *up*** *Wasser* aufwischen.

soph [sɒf] F *für* ***sophomore***.

soph·ism ['sɒfɪzəm] *s.* **1.** So'phismus *m*, Spitzfindigkeit *f*, 'Scheinarguˌment *n*; **2.** Trugschluß *m*; '**Soph·ist** [-ɪst] *s. phls.* So'phist *m* (*a. fig. spitzfindiger Mensch*); '**soph·ist·er** [-ɪstə] *s. univ. hist. Student im 2. od. 3. Jahr* (*in Cambridge*, *Dublin*).

so·phis·tic, **so·phis·ti·cal** [sə'fɪstɪk(l)] *adj.* □ so'phistisch; **so'phis·ti·cate** [-keɪt] **I** *v/t.* **1.** verfälschen; **2.** *j-n* verbilden; **3.** *j-n* verfeinern; **II** *v/i.* **4.** So'phismen gebrauchen; **III** *s.* **5.** weltkluge (*etc.*) Per'son (→ ***sophisticated*** 1 *u.* 2); **so'phis·ti·cat·ed** [-keɪtɪd] *adj.* **1.** weltklug, intellektu'ell, (geistig) anspruchsvoll; **2.** *contp.* blasiert, ‚auf mo'dern *od.* intellektuell machend', ‚hochgestochen'; **3.** verfeinert, kultiviert, raffiniert (*Stil etc.*); hochentwickelt (*a.* ⚙ *Maschinen*); **4.** anspruchsvoll, exqui'sit (*Roman etc.*); **5.** unecht, verfälscht; **so·phis·ti·ca·tion** [səˌfɪstɪ'keɪʃn] *s.* **1.** Intellektua'lismus *m*, Kultiviertheit *f*; **2.** Blasiertheit *f*, hochgestochene Art; **3.** *das* (geistig) Anspruchsvolle; **4.** ⚙ Ausgereiftheit, (technisches) Raffine'ment; **5.** (Ver)Fälschung *f*; **6.** → ***sophistry***; **soph·ist·ry** ['sɒfɪstrɪ] *s.* **1.** Spitzfindigkeit *f*, Sophiste'rei *f*; **2.** So'phismus *m*, Trugschluß *m*.

soph·o·more ['sɒfəmɔ:] *s. ped. Am.* 'College-Stuˌdent(in) *od.* Schüler(in) e-r ***High School*** im 2. Jahr.

so·po·rif·ic [ˌsɒpə'rɪfɪk] **I** *adj.* einschläfernd, schlaffördernd; **II** *s. bsd. pharm.* Schlafmittel *n*.

sop·ping ['sɒpɪŋ] *adj. a.* **~ *wet*** patschnaß, triefend (naß); '**sop·py** [-pɪ] *adj.* □ **1.** durch'weicht (*Boden etc.*); **2.** regnerisch; **3.** F saftlos, fad(e); **4.** F rührselig, ‚schmalzig'; **5.** F ‚verknallt' (***on s.o.*** in j-n).

S

so·pran·o [sə'prɑːnəʊ] *pl.* **-nos I** *s.* **1.** So'pran *m* (*Singstimme*); **2.** So'pranstimme *f*, -parˌtie *f* (*e-r Komposition*); **3.** Sopra'nist(in); **II** *adj.* **4.** Sopran…
sorb [sɔːb] *s.* ⚘ **1.** Eberesche *f*; **2.** *a.* ~ ***apple*** Elsbeere *f*.
sor·be·fa·cient [ˌsɔːbɪ'feɪʃənt] **I** *adj.* absorbierend, absorpti'onsfördernd; **II** *s.* ⚕ Ab'sorbens *n*.
sor·bet ['sɔːbɪt] *s.* Fruchteis *n*.
sor·cer·er ['sɔːsərə] *s.* Zauberer *m*; **'sor·cer·ess** [-rɪs] *s.* Zauberin *f*, Hexe *f*; **'sor·cer·ous** [-rəs] *adj.* Zauber…, Hexen…; **'sor·cer·y** [-rɪ] *s.* Zaube'rei *f*, Hexe'rei *f*.
sor·did ['sɔːdɪd] *adj.* □ *bsd. fig.* schmutzig, schäbig; **'sor·did·ness** [-nɪs] *s.* Schmutzigkeit *f* (*a. fig.*).
sor·dine ['sɔːdiːn], **sor·di·no** [sɔː'diːnəʊ] *pl.* **-ni** [-niː] ♪ Dämpfer *m*, Sor'dine *f*.
sore [sɔː] **I** *adj.* □ → ***sorely***; **1.** weh(e), wund: ~ ***feet***; ~ ***heart*** *fig.* wundes Herz, Leid *n*; ***like a bear with a ~ head*** *fig.* brummig, bärbeißig; → ***spot*** 5; **2.** entzündet, schlimm, ‚böse': ~ ***finger***; ~ ***throat*** Halsentzündung *f*; → ***sight*** 6; **3.** *fig.* schlimm, arg: ~ ***calamity***; **4.** F verärgert, beleidigt, böse (***about*** über *acc.*, wegen); **5.** heikel (*Thema*); **II** *s.* **6.** Wunde *f*, wunde Stelle, Entzündung *f*: ***an open ~*** a) e-e offene Wunde (*a. fig.*), b) *fig.* ein altes Übel, ein ständiges Ärgernis; **III** *adv.* **7.** → ***sorely*** 1; **'sore·head** *s. Am.* F mürrischer Mensch; **'sore·ly** [-lɪ] *adv.* **1.** arg, ‚bös': a) sehr, bitter, b) schlimm; **2.** dringend; **3.** bitterlich *weinen etc.*
so·ror·i·ty [sə'rɒrətɪ] *s.* **1.** *Am.* Verbindung *f* von Stu'dentinnen; **2.** *eccl.* Schwesternschaft *f*.
sorp·tion ['sɔːpʃn] *s.* ⚗, *phys.* (Ab-)Sorpti'on *f*.
sor·rel¹ ['sɒrəl] **I** *s.* **1.** Rotbraun *n*; **2.** (Rot)Fuchs *m* (*Pferd*); **II** *adj.* **3.** rotbraun.
sor·rel² ['sɒrəl] *s.* ⚘ **1.** Sauerampfer *m*; **2.** Sauerklee *m*.
sor·row ['sɒrəʊ] **I** *s.* **1.** Kummer *m*, Leid *n*, Gram *m* (***at*** über *acc.*, ***for*** um): ***to my ~*** zu m-m Kummer *od.* Leidwesen; **2.** Leid *n*, Unglück *n*; *pl.* Leid(en *pl.*) *n*; **3.** Reue *f* (***for*** über *acc.*); **4.** *bsd. iro.* Bedauern *n*: ***without much ~***; **5.** Klage *f*, Jammer *m*; **II** *v/i.* **6.** sich grämen *od.* härmen (***at***, ***over***, ***for*** über *acc.*, wegen, um); **7.** klagen, trauern (***after***, ***for*** um, über *acc.*); **sor·row·ful** ['sɒrəʊfʊl] *adj.* □ **1.** sorgen-, kummervoll, bekümmert; **2.** klagend, traurig: ***a ~ song***; **3.** traurig, beklagenswert: ***a ~ accident***.
sor·ry ['sɒrɪ] *adj.* □ **1.** betrübt: ***I am*** (*od.* ***feel***) ***~ for him*** er tut mir leid; ***be ~ for o.s.*** sich selbst bedauern; (***I am***) (***so***) ***~!*** (es) tut mir (sehr) leid!, (ich) bedaure!, Verzeihung!; ***we are ~ to say*** wir müssen leider sagen; **2.** reuevoll: ***be ~ about*** *et.* bereuen *od.* bedauern; **3.** *contp.* traurig, erbärmlich (*Anblick*, *Zustand etc.*): ***a ~ excuse*** ‚e-e faule Ausrede'.
sort [sɔːt] **I** *s.* **1.** Sorte *f*, Art *f*, Klasse *f*, Gattung *f*; ✝ *a.* Marke *f*, Quali'tät *f*: ***all ~s of people*** allerhand *od.* alle möglichen Leute; ***all ~s of things*** alles mögliche; **2.** Art *f*: ***after a ~*** gewissermaßen; ***nothing of the ~*** nichts dergleichen; ***something of the ~*** so etwas, et. Derartiges; ***he is not my ~*** er ist nicht mein Fall *od.* Typ; ***he is not the ~ of man who ...*** er ist nicht der Mann, der *so et. tut*; ***what ~ of a ...?*** was für ein …?; ***he is a good ~*** er ist ein guter *od.* anständiger Kerl; (***a***) ***~ of a peace*** so etwas wie ein Frieden; ***I ~ of expected it*** F ich habe es irgendwie *od.* halb erwartet; ***he ~ of hinted*** F er machte so eine *od.* e-e vage Andeutung; **3.** ***of a ~***, ***of ~s*** *contp.* so was wie: ***a politician of ~s***; **4.** ***out of ~s*** a) unwohl, nicht auf der Höhe, b) verstimmt; → 5; **5.** *typ.* 'Schriftgarniˌtur *f*: ***out of ~*** ausgegangen; **II** *v/t.* **6.** sortieren, (ein)ordnen, sichten; **7.** sondern, trennen (***from*** von); **8.** *oft* ***~ out*** auslesen, -suchen, -sortieren; **9.** ***~ s.th. out*** *fig.* a) et. ‚auseinanderklauben', sich Klarheit verschaffen über et., b) e-e Lösung finden für et.; ***~ itself out*** sich von selbst erledigen; **10.** ***~ s.o. out*** F a) j-m den Kopf zurechtsetzen, b) j-n ‚zur Schnecke machen'; ***~ o.s. out*** zur Ruhe kommen, mit sich ins reine kommen; **11.** *a.* ***~ together*** zs.-stellen, -tun (***with*** mit); **'sort·er** [-tə] *s.* Sortierer(in).
sor·tie ['sɔːtiː] **I** *s.* ⚔ a) Ausfall *m*, b) ✈ (Einzel)Einsatz *m*, Feindflug *m*; **II** *v/i.* ⚔ a) e-n Ausfall machen, b) ✈ e-n Einsatz fliegen, c) ⚓ auslaufen.
sor·ti·lege ['sɔːtɪlɪdʒ] *s.* Wahrsagen *n* (aus Losen).
so-so, **so so** ['səʊsəʊ] *adj. u. adv.* F so la'la (*leidlich*, *mäßig*).
sot [sɒt] **I** *s.* Säufer *m*; **II** *v/i.* (sich be-)saufen; **sot·tish** ['sɒtɪʃ] *adj.* □ **1.** ‚versoffen'; **2.** ‚besoffen'; **3.** ‚blöd' (*albern*).
sot·to vo·ce [ˌsɒtəʊ'vəʊtʃɪ] (*Ital.*) *adv.* ♪ *u. fig.* leise, gedämpft.
sou·brette [suː'bret] (*Fr.*) *s. thea.* Sou'brette *f*.
sou·bri·quet ['suːbrɪkeɪ] → ***sobriquet***.
souf·fle ['suːfl] *s.* ⚕ Geräusch *n*.
souf·flé ['suːfleɪ] (*Fr.*) *s.* Auflauf *m*, Souf'flé *n*.
sough [saʊ] **I** *s.* Rauschen *n* (*des Windes*); **II** *v/i.* rauschen.
sought [sɔːt] *pret. u. p.p. von* ***seek***.
soul [səʊl] *s.* **1.** *eccl.*, *phls.* Seele *f*: ***upon***

my ~! ganz bestimmt!; **2.** Seele *f*, Herz *n*, *das* Innere: ***he has a ~ above mere money-grubbing*** er hat auch noch Sinn für andere Dinge als Geldraffen; **3.** *fig.* Seele *f* (*Triebfeder*): ***he was the ~ of the enterprise***; **4.** *fig.* Geist *m* (*Person*): ***the greatest ~s of the past***; **5.** Seele *f*, Mensch *m*: ***the ship went down with 300 ~s***; ***a good ~*** e-e gute Seele, e-e Seele von e-m Menschen; ***poor ~*** armer Kerl; ***not a ~*** keine Menschenseele, niemand; **6.** Inbegriff *m*, *ein* Muster (***of*** an *dat.*): ***the ~ of generosity*** *er ist* die Großzügigkeit selbst; **7.** Inbrunst *f*, Kraft *f*, *künstlerischer* Ausdruck; **8.** *a.* ***~ music*** ♪ Soul *m*; **9.** ***~ brother***, ***~ sister*** *Am.* Schwarze(r *m*) *f*; **'soul-deˌstroy·ing** *adj.* geisttötend (*Arbeit etc.*); **'soul·ful** [-fʊl] *adj.* □ seelenvoll (*a. fig. u. iro.*); **'soul·less** [-lɪs] *adj.* □ seelenlos (*a. fig. gefühllos*, *egoistisch*, *ausdruckslos*); **'soul-ˌstir·ring** *adj.* ergreifend.

sound[1] [saʊnd] **I** *adj.* □ **1.** gesund: ***as ~ as a bell*** kerngesund; ***~ in mind and body*** körperlich u. geistig gesund; ***of ~ mind*** ⚖ voll zurechnungs- *od.* handlungsfähig; **2.** fehlerfrei (*Holz etc.*), tadellos, in'takt: ***~ fruit*** unverdorbenes Obst; **3.** gesund, fest (*Schlaf*); **4.** † gesund, so'lide (*Firma*, *Währung*); sicher (*Kredit*); **5.** gesund, vernünftig (*Urteil etc.*); gut, brauchbar (*Rat*, *Vorschlag*); kor'rekt, folgerichtig (*Denken etc.*); ⚖ begründet, gültig; **6.** zuverlässig (*Freund etc.*); **7.** gut, tüchtig (*Denker*, *Schläfer*, *Stratege etc.*); **8.** tüchtig, kräftig, gehörig: ***a ~ slap*** e-e saftige Ohrfeige; **II** *adv.* **9.** fest, tief *schlafen*.

sound[2] [saʊnd] *s.* **1.** Sund *m*, Meerenge *f*; **2.** *ichth.* Fischblase *f*.

sound[3] [saʊnd] **I** *v/t.* **1.** ⚓ (aus)loten, peilen; **2.** *Meeresboden etc.* erforschen (*a. fig.*); **3.** ⚕ a) sondieren, b) → ***sound***[4] 14; **4.** *fig.* a) sondieren, erkunden, b) *j-n* ausholen, *j-m* auf den Zahn fühlen; **II** *v/i.* **5.** ⚓ loten; **6.** (weg)tauchen (*Wal*); **7.** *fig.* sondieren; **III** *s.* **8.** ⚕ Sonde *f*.

sound[4] [saʊnd] **I** *s.* **1.** Schall *m*, Laut *m*, Ton *m*: ***~ amplifier*** Lautverstärker *m*; ***faster than ~*** mit Überschallgeschwindigkeit; ***~ and fury*** *fig.* a) Schall und Rauch, b) hohles Getöse; ♀ ***Peter Brown*** *Film*, *TV*: Ton: Peter Brown; ***within ~*** in Hörweite; **2.** Geräusch *n*, Laut *m*: ***without a ~*** geräusch-, lautlos; **3.** Ton *m*, Klang *m*, *a. fig.* Tenor *m* (*e-s Briefes*, *e-r Rede etc.*); **4.** ♪ Klang *m*, *Jazz etc.*: Sound *m*; **5.** *ling.* Laut *m*; **II** *v/i.* **6.** (er)schallen, (-)tönen, (-)klingen; **7.** (*a. fig. gut*, *unwahrscheinlich etc.*) klingen; **8.** ***~ off*** F ‚tönen' (***about***, ***on*** von): ***~ off against*** ‚herziehen' über (*acc.*); **9.** ***~ in*** ⚖ auf *Schadenersatz etc.* gehen *od.* lauten (*Klage*); **III** *v/t.* **10.** *Trompete etc.* erschallen *od.* ertönen *od.* erklingen lassen: ***~ s.o.'s praises*** *fig.* j-s Lob singen; **11.** *durch ein Signal* verkünden; → ***alarm*** 1; ***retreat*** 1; **12.** äußern, von sich geben: ***~ a note of fear***; **13.** *ling.* aussprechen; **14.** ⚕ abhorchen, -klopfen; **~ bar·rier** *s.* ✈, *phys.* Schallgrenze *f*, -mauer *f*; **~ board** *s.* ♪ Reso'nanzboden *m*, Schallbrett *n*; **~ box** *s.* **1.** ♪ Reso'nanzkasten *m*; **2.** *Film etc.*: 'Tonkaˌbine *f*; **~ broad·cast·ing** *s.* Hörfunk *m*; **~ ef·fects** *s. pl. Film*, *TV*: 'Tonefˌfekte *pl.*, Geräusche *pl.*; **~ en·gi·neer** *s. Film*: Tonmeister *m*.

sound·er ['saʊndə] *s.* **1.** ⚓ a) Lot *n*, b) ⚔ Lotgast *m*; **2.** *tel.* Klopfer *m*.

sound film *s.* Tonfilm *m*.

sound·ing[1] ['saʊndɪŋ] *adj.* □ **1.** tönend, schallend; **2.** wohlklingend; **3.** *contp.* lautstark, bom'bastisch.

sound·ing[2] ['saʊndɪŋ] *s.* **1.** Loten *n*; **2.** *pl.* (ausgelotete *od.* auslotbare) Wassertiefe: ***take a ~*** loten, *fig.* sondieren.

sound·ing| bal·loon *s.* Ver'suchsbalˌlon *m*, Bal'lonsonde *f*; **~ board** *s.* ♪ **1.** → ***sound board***; **2.** Schallmuschel *f* (*für Orchester etc. im Freien*); **3.** Schalldämpfungsbrett *n*; **4.** *fig.* Podium *n*.

sound·less ['saʊndlɪs] *adj.* □ laut-, geräuschlos.

sound mix·er *s. Film etc.*: Tonmeister *m*.

sound·ness ['saʊndnɪs] **1.** Gesundheit *f* (*a. fig.*); **2.** Vernünftigkeit *f*; **3.** Brauchbarkeit *f*; **4.** Folgerichtigkeit *f*; **5.** Zuverlässigkeit *f*; **6.** Tüchtigkeit *f*; **7.** ⚖ Rechtmäßigkeit *f*, Gültigkeit *f*.

'sound|-on-film *s.* Tonfilm *m*; **'~·proof** [-nd̮p-] **I** *adj.* schalldicht; **II** *v/t.* schalldicht machen, isolieren; **'~ˌproof·ing** [-nd̮p-] *s.* ⚙ Schalldämpfung *f*, Schallisolierung *f*; **~ rang·ing I** *s.* ⚔ Schallmessen *n*; **II** *adj.* Schallmeß…; **~ re·cord·er** *s.* Tonaufnahmegerät *n*; **~ shift** *s. ling.* Lautverschiebung *f*; **~ track** *s. Film*: Tonstreifen *m*, -spur *f*; **~ truck** *s. Am.* Lautsprecherwagen *m*; **~ wave** *s. phys.* Schallwelle *f*.

soup [su:p] **I** *s.* **1.** Suppe *f*, Brühe *f*: ***be in the ~*** F ‚in der Tinte sitzen'; ***from ~ to nuts*** F von A bis Z; **2.** *fig.* dicker Nebel, ‚Waschküche' *f*; **3.** *phot.* F Entwickler *m*; **4.** *mot. sl.* P'S *f*; **II** *v/t.* **5.** *Am. sl.* ***~ up*** a) *Motor* ‚frisieren', b) *fig. et.* ‚aufmöbeln', c) *fig.* Dampf hinter *e-e Sache* machen.

soup·çon ['su:psɔ̃:ŋ] *s.* Spur *f* (***of*** *Knoblauch*, *a. Ironie etc.*).

soup| kitch·en *s.* **1.** Armenküche *f*; **2.** ⚔ Feldküche *f*; **'~·mix** *s.* 'Suppenpräpaˌrat *n*.

sour ['saʊə] **I** *adj.* □ **1.** sauer (*a. Geruch*, *Milch*); herb, bitter: ***~ grapes*** *fig.*

S

saure Trauben; ***turn*** *od.* ***go ~*** → 8 *u.* 9; **2.** *fig.* sauer (*Gesicht etc.*); **3.** *fig.* sauertöpfisch, mürrisch, bitter; **4.** naßkalt (*Wetter*); **5.** ⚘ sauer (*kalkarm, naß*) (*Boden*); **II** *s.* **6.** Säure *f*; **7.** *fig.* Bitternis *f*: ***take the sweet with the ~*** das Leben nehmen, wie es (eben) ist; **III** *v/i.* **8.** sauer werden; **9.** *fig.* a) verbittert *od.* ‚sauer' werden, b) die Lust verlieren (***on*** an *dat.*), c) ‚mies' werden, d) ‚ka'puttgehen'; **IV** *v/t.* **10.** sauer machen, säuern; **11.** *fig.* verbittern.

source [sɔːs] *s.* **1.** Quelle *f*, *poet.* Quell *m*; **2.** Quellfluß *m*; **3.** *poet.* Strom *m*; **4.** *fig.* (*Licht-, Strom- etc.*)Quelle *f*: ***~ impedance*** ⚡ Quellwiderstand *m*; ***~ material*** Ausgangsstoff *m* (→ *a.* 6); **5.** *fig.* Quelle *f*, Ursprung *m*: ***~ of information*** Nachrichtenquelle *f*; ***from a reliable ~*** aus zuverlässiger Quelle; ***have its ~ in*** s-n Ursprung haben in (*dat.*); ***take its ~ from*** entspringen (*dat.*); **6.** *fig. literarische* Quelle: ***~ material*** Quellenmaterial *n*; **7.** ✝ (*Einnahme-, Kapital- etc.*)Quelle *f*: ***~ of supply*** Bezugsquelle; ***levy a tax at the ~*** e-e Steuer an der Quelle erheben; ***~ lan·guage*** *s. ling.* Ausgangssprache *f* (*Übersetzung etc.*).

sour| cream *s. Brit.* Sauerrahm *m*; **'~·dough** *s. Am.* **1.** Sauerteig *m*; **2.** A'laska-Schürfer *m*.

sour·ing ['saʊərɪŋ] *s.* ⚗ Säuerung *f*; **'sour·ish** [-ərɪʃ] *adj.* säuerlich, angesäuert; **'sour·ness** [-ənɪs] *s.* **1.** Herbheit *f*; **2.** Säure *f* (*als Eigenschaft*); **3.** *fig.* Bitterkeit *f*.

'sour·puss *s.* F ‚Sauertopf' *m*.

souse [saʊs] **I** *s.* **1.** Pökelfleisch *n*; **2.** Pökelbrühe *f*, Lake *f*; **3.** Eintauchen *n*; **4.** Sturz *m* ins Wasser; **5.** ‚Dusche' *f*, (Regen)Guß *m*; **6.** *sl.* a) Saufe'rei *f*, b) *Am.* Säufer *m*, c) *Am.* ‚Suff' *m*; **II** *v/t.* **7.** eintauchen; **8.** durch'tränken, einweichen; **9.** *Wasser etc.* ausgießen (***over*** über *acc.*); **10.** (ein)pökeln; **11.** ***~d*** *sl.* ‚voll', besoffen.

sou·tane [suː'tɑːn] *s. R.C.* Sou'tane *f*.

sou·ten·eur [ˌsuːtə'nɜː] (*Fr.*) *s.* Zuhälter *m*.

south [saʊθ] **I** *s.* **1.** Süden *m*: ***in the ~ of*** im Süden von; ***to the ~ of*** → 6; **2.** *a.* ♀ Süden *m* (*Landesteil*): ***from the ♀*** aus dem Süden (*Person, Wind*); ***the ♀*** der Süden, die Südstaaten (*der USA*); **3.** *poet.* Südwind *m*; **II** *adj.* **4.** südlich, Süd...: ***♀ Pole*** Südpol *m*; ***♀ Sea*** Südsee *f*; **III** *adv.* **5.** nach Süden, südwärts; **6.** ***~ of*** südlich von; **7.** aus dem Süden (*Wind*); ♀ **Af·ri·can I** *adj.* 'südafri'kanisch; **II** *s.* 'Südafri'kaner(in): ***~ Dutch*** Afrikaander(in); **~ by east** *s.* Südsüd'ost *m*; **~·east** [ˌsaʊθ'iːst, ⚓ saʊ'iːst] **I** *s.* Süd'osten *m*; **II** *adj.* süd'östlich, Südost...; **III** *adv.* süd'östlich; nach Süd'osten.

south|·east·er [ˌsaʊθ'iːstə] *s.* Süd'ostwind *m*, -'oststurm *m*; **ˌ~-'east·er·ly** [-lɪ] **I** *adj.* → ***southeast*** II; **II** *adv.* von *od.* nach Süd'osten; **ˌ~-'east·ern** [-ən] → ***southeast*** II; **ˌ~-'east·ward** [-swəd] **I** *adj. u. adv.* nach Süd'osten, süd'östlich; **II** *s.* süd'östliche Richtung; **ˌ~-'east·wards** [-swədz] *adv.* nach Süd'osten.

south·er·ly ['sʌðəlɪ] **I** *adj.* südlich, Süd...; **II** *adv.* von *od.* nach Süden.

south·ern ['sʌðən] **I** *adj.* **1.** südlich, Süd...: ***♀ Cross*** *ast. das* Kreuz des Südens; ***~ lights*** *ast. das* Südlicht; **2.** ♀ südstaatlich, ... der Südstaaten (*der USA*); **II** *s.* **3.** → ***southerner***; **'south·ern·er** [-nə] *s.* **1.** Bewohner(in) des Südens (*e-s Landes*); **2.** ♀ Südstaatler(in) (*in den USA*); **'south·ern·ly** [-lɪ] → ***southerly***; **'south·ern·most** *adj.* südlichst.

south·ing ['saʊθɪŋ] *s.* **1.** ⚓ a) Südrichtung *f*, südliche Fahrt, b) 'Breitenˌunterschied *m* bei südlicher Fahrt; **2.** *ast.* a) Kulminati'on *f* (*des Mondes etc.*), b) südliche Deklinati'on (*e-s Gestirns*).

'south|·most *adj.* südlichst; **'~·paw** *sport* **I** *adj.* linkshändig; **II** *s.* Linkshänder *m*; *Boxen*: Rechtsausleger *m*; **ˌ~-south'east** [⚓ ˌsaʊsaʊ'iːst] **I** *adj.* südsüd'östlich, Südsüdost...; **II** *adv.* nach *od.* aus Südsüd'osten; **III** *s.* Südsüd'osten *m*; **'~·ward** [-wəd] *adj. u. adv.* nach Süden, südwärts.

south|-west [ˌsaʊθ'west; ⚓ saʊ'west] **I** *adj.* süd'westlich, Südwest...; **II** *adv.* nach *od.* aus Süd'westen; **III** *s.* Süd'westen *m*; **ˌ~'west·er** [-tə] *s.* **1.** Süd'westwind *m*; **2.** → ***sou'wester*** 1; **ˌ~'west·er·ly** [-təlɪ] *adj.* nach *od.* aus Süd'westen; **ˌ~'west·ern** [-tən] *adj.* süd'westlich, Südwest...; **ˌ~-'west·ward** [-wəd] *adj. u. adv.* nach Süd'westen.

sou·ve·nir [ˌsuːvə'nɪə] *s.* Andenken *n*, Souve'nir *n*: ***~ shop***.

sou'·west·er [saʊ'westə] *s.* **1.** Süd'wester *m* (*wasserdichter Hut*); **2.** → ***southwester*** 1.

sov·er·eign ['sɒvrɪn] **I** *s.* **1.** Souve'rän *m*, Mon'arch(in); **2.** *die* Macht im Staate (*Person od. Gruppe*); **3.** souve'räner Staat; **4.** ✝ *Brit.* Sovereign *m* (*alte 20-Schilling-Münze aus Gold*); **II** *adj.* **5.** höchst, oberst; **6.** 'unumˌschränkt, souve'rän, königlich: ***~ power***; **7.** souve'rän (*Staat*); **8.** äußerst, größt: ***~ contempt*** tiefste Verachtung; **9.** 'unüberˌtrefflich; **'sov·er·eign·ty** [-rəntɪ] *s.* **1.** höchste (Staats)Gewalt; **2.** Landeshoheit *f*, Souveräni'tät *f*; **3.** Oberherrschaft *f*.

so·vi·et ['səʊvɪət] **I** *s. oft* ♀ **1.** So'wjet *m*: ***Supreme ♀*** Oberster Sowjet; **2.** ♀ So'wjetsyˌstem *n*; **3.** *pl. die* So'wjets; **II** *adj.* **4.** ♀ so'wjetisch, Sowjet...; **'so·vi-**

S

et·ize [-taɪz] *v/t.* sowjetisieren.

sow[1] [saʊ] *s.* **1.** Sau *f*, (Mutter)Schwein *n*: ***get the wrong ~ by the ear*** a) den Falschen erwischen, b) sich gewaltig irren; **2.** *metall.* a) (Ofen)Sau *f*, b) Massel *f* (*Barren*).

sow[2] [səʊ] [*irr.*] **I** *v/t.* **1.** säen; **2.** *Land* besäen; **3.** *fig.* säen, ausstreuen; → ***seed*** 4, ***wind***[1] 1; **4.** *et.* verstreuen; **II** *v/i.* **5.** säen.

sown [səʊn] *p.p. von* ***sow***[2].

soy [sɔɪ] *s.* **1.** Sojabohnenöl *n*; **2.** → **ˈso·ya** (**bean**) [ˈsɔɪə], **ˈsoy·bean** *s.* Sojabohne *f*.

soz·zled [ˈsɒzld] *adj. Brit. sl.* ‚blau'.

spa [spɑː] *s.* a) Mineˈralquelle *f*, b) Badekurort *m*, Bad *n*.

space [speɪs] **I** *s.* **1.** Raum *m* (*Ggs. Zeit*): ***disappear into ~*** ins Nichts verschwinden; ***look into ~*** ins Leere starren; **2.** Raum *m*, Platz *m*: ***require much ~***; ***for ~ reasons*** aus Platzgründen; **3.** (Welt)Raum *m*; **4.** (Zwischen-)Raum *m*, Stelle *f*, Lücke *f*; **5.** Zwischenraum *m*, Abstand *m*; **6.** Zeitraum *m*: ***a ~ of three hours***; ***after a ~*** nach e-r Weile; ***for a ~*** e-e Zeitlang; **7.** *typ.* Spatium *n*, Ausschlußstück *n*; **8.** *tel.* Abstand *m*, Pause *f*; **9.** *Am.* a) Raum *m* für Reˈklame (*Zeitung*), b) *Radio*, *TV*: (Werbe)Zeit *f*; **II** *v/t.* **10.** räumlich *od.* zeitlich einteilen: ***~d out over 10 years*** auf 10 Jahre verteilt; **11.** in Zwischenräumen anordnen; **12.** *mst* ***~ out*** *typ.* a) ausschließen, b) gesperrt setzen, sperren: ***~d type*** Sperrdruck *m*; **13.** gesperrt schreiben (*auf der Schreibmaschine*); **~ age** *s.* Weltraumzeitalter *n*; **~ bar** *s.* Leertaste *f*; **ˈ~·borne** *adj.* **1.** Weltraum...: ***~ satellite***; **2.** über Satelˈlit, Satelliten...: ***~ television***; **~ capsule** *s.* Raumkapsel *f*; **ˈ~·craft** *s.* Raumfahrzeug *n*, -schiff *n*; **~ flight** *s.* Raumflug *m*; **~ heat·er** *s.* Raumerhitzer *m*, -strahler *m*; **ˈ~·lab** *s.* ˈRaumlaˌbor *n*; **ˈ~·man** *s.* [*irr.*] **1.** Raumfahrer *m*, Astroˈnaut *m*; **2.** Außerirdische(r) *m*; **~ med·i·cine** *s.* ⚕ ˈRaumfahrtmediˌzin *f*; **~ probe** *s.* Raumsonde *f*.

spac·er [ˈspeɪsə] *s.* ⚙ **1.** Diˈstanzstück *n*; **2.** → ***space bar***.

space| race *s.* Wettlauf *m* um die Eroberung des Weltraums; **~ re·search** *s.* (Welt)Raumforschung *f*; **ˈ~-ˌsav·ing** *adj.* raumsparend; **ˈ~·ship** *s.* Raumschiff *n*; **~ shut·tle** *s.* Raumfähre *f*; **~ sta·tion** *s.* ˈRaumstatiˌon *f*; **ˈ~·suit** *s.* Raumanzug *m*; **ˌ~-ˈtime I** *s.* ⚗, *phls.* Zeit-Raum *m*; **II** *adj.* Raum-Zeit-...; **~ trav·el** *s.* (Welt)Raumfahrt *f*; **ˈ~·walk** *s.* Weltraumspaziergang *m*; **ˈ~ˌwom·an** *s.* [*irr.*] **1.** Raumfahrerin *f*, Astroˈnautin *f*; **2.** Außerirdische *f*; **~ writ·er** *s.* (Zeitungs- *etc.*)Schreiber, der nach dem ˈUmfang s-s Beitrags bezahlt wird.

spa·cious [ˈspeɪʃəs] *adj.* ☐ **1.** geräumig, weit, ausgedehnt; **2.** *fig.* weit, ˈumfangreich, umˈfassend; **ˈspa·cious·ness** [-nɪs] *s.* **1.** Geräumigkeit *f*; **2.** *fig.* Weite *f*, ˈUmfang *m*, Ausmaß *n*.

spade[1] [speɪd] **I** *s.* **1.** Spaten *m*: ***call a ~ a ~*** *fig.* das Kind beim (rechten) Namen nennen; ***dig the first ~*** den ersten Spatenstich tun; **2.** ⚔ Laˈfettensporn *m*; **II** *v/t.* **3.** ˈumgraben, mit e-m Spaten bearbeiten; **III** *v/i.* **4.** graben.

spade[2] [speɪd] *s.* **1.** Pik(karte *f*) *n*, Schippe *f* (*französisches Blatt*), Grün *n* (*deutsches Blatt*): ***seven of ~s*** Piksieben *f*; ***in ~s*** *Am.* F mit Zins u. Zinseszinsen; **2.** *mst pl.* Pik(farbe *f*) *n*.

spade·ful [ˈspeɪdfʊl] *pl.* **-fuls** *s. ein* Spaten(voll) *m*.

ˈspade·work *s. fig.* (mühevolle) Vorarbeit, Kleinarbeit *f*.

spa·dix [ˈspeɪdɪks] *pl.* **spa·di·ces** [speɪˈdaɪsiːs] *s.* ⚘ (Blüten)Kolben *m*.

spa·do [ˈspeɪdəʊ] *pl.* **spa·do·nes** [spɑːˈdəʊniːz] (*Lat.*) *s.* **1.** Kaˈstrat *m*; **2.** kastriertes Tier.

spa·ghet·ti [spəˈgetɪ] (*Ital.*) *s.* **1.** Spaˈghetti *pl.*; **2.** *sl.* ˈFilmsaˌlat *m*.

spake [speɪk] *obs. pret. von* ***speak***.

spall [spɔːl] **I** *s.* (Stein-, Erz)Splitter *m*; **II** *v/t.* ⚙ *Erz* zerstückeln; **III** *v/i.* zerbröckeln, absplittern.

span [spæn] **I** *s.* **1.** Spanne *f*: a) *gespreizte Hand*, b) *engl. Maß = 9 inches*; **2.** ⚠ a) Spannweite *f* (*Brückenbogen*), b) Stützweite *f* (*e-r Brücke*), c) (einzelner) Brückenbogen; **3.** ✈ Spannweite *f*; **4.** ⚓ Spann *n*, *m* (*Haltetau*, *-kette*); **5.** *fig.* Spanne *f*, ˈUmfang *m*; **6.** *fig.* (kurze) Zeitspanne; **7.** Lebensspanne *f*, -zeit *f*; **8.** ⚕, *psych.* (*Gedächtnis-*, *Seh- etc.*) Spanne *f*; **9.** Gewächshaus *n*; **10.** *Am.* Gespann *n*; **II** *v/t.* **11.** abmessen; **12.** umˈspannen (*a. fig.*); **13.** sich erstrekken über (*acc.*) (*a. fig.*), überˈspannen; **14.** *Fluß* überˈbrücken; **15.** *fig.* überspannen, bedecken.

span·drel [ˈspændrəl] *s.* **1.** ⚠ Spanˈdrille *f*, (Gewölbe-, Bogen)Zwickel *m*; **2.** ⚙ Hohlkehle *f*.

span·gle [ˈspæŋgl] **I** *s.* **1.** Flitter(plättchen *n*) *m*, Pailˈlette *f*; **2.** ⚘ Gallapfel *m*; **II** *v/t.* **3.** mit Flitter besetzen; **4.** *fig.* schmücken, überˈsäen (***with*** mit): ***the ~d heavens*** der gestirnte Himmel.

Span·iard [ˈspænjəd] *s.* Spanier(in).

span·iel [ˈspænjəl] *s. zo.* Spaniel *m*, Wachtelhund *m*: ***a*** (***tame***) ***~*** *fig.* ein Kriecher.

Span·ish [ˈspænɪʃ] **I** *adj.* **1.** spanisch; **II** *s.* **2.** *coll. die* Spanier; **3.** *ling.* Spanisch *n*; **~ A·mer·i·can I** *adj.* laˈteinameriˌkanisch; **II** *s.* Laˈteinameriˌkaner(in); **~ chest·nut** *s.* ⚘ ˈEßkaˌstanie *f*; **~ pa·pri·ka** *s.* ⚘ Spanischer Pfeffer, Paprika *m*.

spank [spæŋk] F **I** *v/t.* **1.** verhauen, *j-m* ‚den Hintern versohlen'; **2.** *Pferde etc.* antreiben; **II** *v/i.* **3.** ~ ***along*** da'hinflitzen; **III** *s.* **4.** Schlag *m*, Klaps *m*; **'spank·er** [-kə] *s.* **1.** F Renner *m* (*Pferd*); **2.** ⚓ Be'san *m*; **3.** *sl.* a) Prachtkerl *m*, b) 'Prachtexem,plar *n*; **'spank·ing** [-kɪŋ] F **I** *adj.* □ **1.** schnell, tüchtig; **2.** scharf, stark: ~ ***breeze*** steife Brise; **3.** prächtig, ‚toll'; **II** *adv.* **4.** prächtig; **III** *s.* **5.** ‚Haue' *f*, Schläge *pl.*

span·ner ['spænə] *s.* ⚙ Schraubenschlüssel *m*: ***throw a*** ~ ***in*** (***to***) ***the works*** F ‚querschießen'.

spar¹ [spɑ:] *s. min.* Spat *m.*

spar² [spɑ:] *s.* **1.** ⚓ Rundholz *n*, Spiere *f*; **2.** ✈ Holm *m.*

spar³ [spɑ:] **I** *v/i.* **1.** *Boxen*: sparren: ~ ***for time*** *fig.* Zeit schinden; **2.** (mit Sporen) kämpfen (*Hähne*); **3.** sich streiten (***with*** mit), sich in den Haaren liegen; **II** *s.* **4.** *Boxen*: Sparringskampf *m*; **5.** Hahnenkampf *m*; **6.** (Wort)Geplänkel *n.*

spare [speə] **I** *v/t.* **1.** *j-n od. et.* verschonen; *Gegner*, *j-s Gefühle*, *j-s Leben etc.* schonen: ***if we are*** ~***d*** wenn wir verschont *od.* am Leben bleiben; ~ ***his blushes!*** bring ihn doch nicht in Verlegenheit!; **2.** sparsam 'umgehen mit, schonen; kargen mit: ~ ***neither trouble nor expense*** weder Mühe noch Kosten scheuen; (***not to***) ~ ***o.s.*** sich (nicht) schonen; **3.** *j-m et.* ersparen, *j-n* verschonen mit; **4.** entbehren: ***we cannot*** ~ ***him just now***; **5.** *et.* erübrigen, übrig haben: ***can you*** ~ ***me a cigarette*** (***a moment***)***?*** hast du e-e Zigarette (e-n Augenblick Zeit) für mich (übrig)?; ***no time to*** ~ keine Zeit (zu verlieren); → ***enough*** II; **II** *v/i.* **6.** sparen; **7.** Gnade walten lassen; **III** *adj.* □ **8.** Ersatz…, Reserve…: ~ ***part*** → 14; ~ ***tyre*** (*od.* ***tire***) a) Ersatzreifen *m*, b) *humor.* ‚Rettungsring' *m* (*Fettwulst*); **9.** 'überflüssig, übrig: ~ ***hours*** (*od.* ***time***) Freizeit *f*, Mußestunden *pl.*; ~ ***moment*** freier Augenblick; ~ ***room*** Gästezimmer *n*; ~ ***money*** übriges Geld; **10.** sparsam, kärglich; **11.** → ***sparing*** 2; **12.** sparsam (*Person*); **13.** hager, dürr (*Person*); **IV** *s.* **14.** ⚙ Ersatzteil *n*; **15.** *Bowling*: Spare *m*; **'spare·ness** [-nɪs] *s.* **1.** Magerkeit *f*; **2.** Kärglichkeit *f.*

'spare|-part sur·ger·y *s.* ⚕ Er'satzteilchirur,gie *f*; '~**·rib** *s.* Rippe(n)speer *m.*

spar·ing ['speərɪŋ] *adj.* □ **1.** sparsam (***in***, ***of*** mit), karg; mäßig: ***be*** ~ ***of*** sparsam umgehen mit, mit *et.*, *a. Lob* kargen; **2.** spärlich, dürftig, knapp, gering; **'spar·ing·ness** [-nɪs] *s.* **1.** Sparsamkeit *f*; **2.** Spärlichkeit *f*, Dürftigkeit *f.*

spark¹ [spɑ:k] **I** *s.* **1.** Funke(n) *m* (*a. fig.*): ***the vital*** ~ der Lebensfunke; ***strike*** ~***s out of s.o.*** j-n in Fahrt bringen; **2.** *fig.* Funke(n) *m*, Spur *f* (***of*** von *Intelligenz*, *Leben etc.*); **3.** ⚡ a) (e'lektrischer) Funke, b) Entladung *f*, c) (Licht-) Bogen *m*; **4.** *mot.* (Zünd)Funke *m*: ***advance*** (***retard***) ***the*** ~ die Zündung vor-(zurück)stellen; **5.** → ***sparks***; **II** *v/i.* **6.** Funken sprühen, funke(l)n; **7.** ⚙ zünden; **III** *v/t.* **8.** *fig. j-n* befeuern; **9.** *fig. et.* auslösen.

spark² [spɑ:k] **I** *s.* **1.** flotter Kerl; **2.** ***bright*** ~ *Brit. iro.* ‚Intelli'genzbolzen' *m*; **II** *v/t.* **3.** *j-m* den Hof machen.

spark| ad·vance *s. mot.* Vor-, Frühzündung *f*; ~ **ar·rest·er** *s.* ⚡ Funkenlöscher *m*; ~ **dis·charge** *s.* ⚡ Funkenentladung *f*; ~ **gap** *s.* ⚡ (Meß)Funkenstrecke *f.*

spark·ing plug ['spɑ:kɪŋ] *s. mot.* Zündkerze *f.*

spar·kle ['spɑ:kl] **I** *v/i.* **1.** funkeln (*a. fig. Augen etc.*; ***with*** vor *Zorn etc.*); **2.** *fig.* a) funkeln, sprühen (*Geist*, *Witz*), b) brillieren, glänzen (*Person*): ***his conversation*** ~***d with wit*** s-e Unterhaltung sprühte vor Witz; **3.** Funken sprühen; **4.** perlen (*Wein*); **II** *v/t.* **5.** *Licht* sprühen; **III** *s.* **6.** Funkeln *n*, Glanz *m*; **7.** Funke(n) *m*; **8.** *fig.* Bril'lanz *f*; **'spar·kler** [-lə] *s.* **1.** *sl.* Dia'mant *m*; **2.** Wunderkerze *f* (*Feuerwerk*); **'spark·let** [-lɪt] *s.* **1.** Fünkchen *n* (*a. fig.*); **2.** Kohlen'dioxydkapsel *f* (*für Siphonflaschen*); **'spar·kling** [-lɪŋ] *adj.* □ **1.** funkelnd, sprühend (*beide a. fig. Witz etc.*); **2.** *fig.* geistsprühend (*Person*); **3.** schäumend, moussierend: ~ ***wine*** Schaumwein *m*, Sekt *m.*

'spark|,o·ver *s.* ⚡ ('Funken),Überschlag *m*; ~ **plug** *s.* **1.** *mot.* Zündkerze *f*; **2.** F ‚Motor' *m*, treibende Kraft.

sparks [spɑ:ks] *s.* F **1.** ⚓ Funker *m*; **2.** E'lektriker *m.*

spar·ring ['spɑ:rɪŋ] *s.* **1.** *Boxen*: Sparring *n*: ~ ***partner*** Sparringspartner *m*; **2.** *fig.* Wortgefecht *n.*

spar·row ['spærəʊ] *s. orn.* Spatz *m*, Sperling *m*; '~**·grass** *s.* F Spargel *m*; ~ **hawk** *s. orn.* Sperber *m.*

sparse [spɑ:s] *adj.* □ spärlich, dünn(gesät); **'sparse·ness** [-nɪs], **'spar·si·ty** [-sətɪ] *s.* Spärlichkeit *f.*

Spar·tan ['spɑ:tən] **I** *adj. antiq. u. fig.* spar'tanisch; **II** *s.* Spar'taner(in).

spasm ['spæzəm] *s.* **1.** ⚕ Krampf *m*, Spasmus *m*, Zuckung *f*; **2.** *a. fig.* Anfall *m*; **spas·mod·ic** [spæz'mɒdɪk] *adj.* (□ ~***ally***) **1.** ⚕ krampfhaft, -artig, spas'modisch; **2.** *fig.* sprunghaft, vereinzelt; **spas·tic** ['spæstɪk] ⚕ **I** *adj.* (□ ~***ally***) spastisch, Krampf…; **II** *s.* Spastiker(in).

spat¹ [spæt] *zo.* **I** *s.* **1.** Muschel-, Austernlaich *m*; **2.** a) *coll.* junge Schaltiere *pl.*, b) junge Auster; **II** *v/i.* **3.** laichen (*bsd. Muscheln*).

S

spat² [spæt] *s.* Ga'masche *f.*
spat³ [spæt] F **I** *s.* **1.** Klaps *m*; **2.** *Am.* Kabbe'lei *f*; **II** *v/i.* **3.** *Am.* sich kabbeln.
spat⁴ [spæt] *pret. u. p.p. von* ***spit.***
spatch·cock ['spætʃkɒk] **I** *s.* sofort nach dem Schlachten gegrilltes Huhn *etc.*; **II** *v/t.* F *Worte etc.* einflicken.
spate [speɪt] *s.* **1.** Über'schwemmung *f*, Hochwasser *n*; **2.** *fig.* Flut *f*, (Wort-) Schwall *m.*
spathe [speɪð] *s.* ⚘ Blütenscheide *f.*
spa·tial ['speɪʃl] *adj.* □ räumlich, Raum…
spat·ter ['spætə] **I** *v/t.* **1.** bespritzen (***with*** mit); **2.** (ver)spritzen; **3.** *fig. j-s Namen* besudeln, *j-n* ‚mit Dreck bewerfen'; **II** *v/i.* **4.** spritzen; **5.** prasseln, klatschen; **III** *s.* **6.** Spritzen *n*; **7.** Klatschen *n*, Prasseln *n*; **8.** Spritzer *m*, Spritzfleck *m*; '**~·dash** → ***spat²***.
spat·u·la ['spætjʊlə] *s.* ⚙, ⚕ Spatel *m*, Spachtel *m*, *f*; '**spat·u·late** [-lɪt] *adj.* spatelförmig.
spav·in ['spævɪn] *s. vet.* Spat *m*; '**spav·ined** [-nd] *adj.* spatig, lahm.
spawn [spɔːn] **I** *s.* **1.** *ichth.* Laich *m*; **2.** ⚘ My'zel(fäden *pl.*) *n*; **3.** *fig. contp.* Brut *f*; **II** *v/i.* **4.** *ichth.* laichen; **5.** *fig. contp.* a) sich wie Ka'ninchen vermehren, b) wie Pilze aus dem Boden schießen; **III** *v/t.* **6.** *ichth. Laich* ablegen; **7.** *fig. contp. Kinder* massenweise in die Welt setzen; **8.** *fig.* ausbrüten, her'vorbringen; '**spawn·er** [-nə] *s. ichth.* Rogener *m*, Fischweibchen *n* zur Laichzeit; '**spawn·ing** [-nɪŋ] **I** *s.* **1.** Laichen *n*; **II** *adj.* **2.** Laich…; **3.** *fig.* sich stark vermehrend.
spay [speɪ] *v/t. vet.* die Eierstöcke (*gen.*) entfernen, kastrieren.
speak [spiːk] [*irr.*] **I** *v/i.* **1.** reden, sprechen (***to*** mit, zu, ***about***, ***of***, ***on*** über *acc.*): ***spoken*** *thea.* gesprochen (*Regieanweisung*); ***so to ~*** sozusagen; ***the portrait ~s*** *fig.* das Bild ist sprechend ähnlich; → ***speak of*** *u.* ***to***, ***speaking*** I; **2.** (öffentlich) sprechen *od.* reden; **3.** *fig.* ertönen (*Trompete etc.*); **4.** ⚓ signalisieren; **II** *v/t.* **5.** sprechen, sagen; **6.** *Gedanken*, *s-e Meinung etc.* aussprechen, äußern, *die Wahrheit etc.* sagen; **7.** verkünden (*Trompete etc.*); **8.** *Sprache* sprechen (können): ***he ~s French*** er spricht Französisch; **9.** *fig. Eigenschaft etc.* verraten; **10.** ⚓ *Schiff* ansprechen;
Zssgn mit prp.:
speak| for *v/i.* **1.** sprechen *od.* eintreten für: ***that speaks well for him*** das spricht für ihn; ***~ o.s.*** a) selbst sprechen, b) s-e eigene Meinung äußern; ***that speaks for itself*** das spricht für sich selbst; **2.** zeugen von; **~ of** *v/i.* **1.** sprechen von *od.* über (*acc.*): ***nothing to ~*** nicht der Rede wert; ***not to ~*** ganz zu schweigen von; **2.** *et.* verraten, zeugen von; **~ to** *v/i.* **1.** *j-n* ansprechen; mit *j-m* reden (*a. mahnend etc.*); **2.** *et.* bestätigen, bezeugen; **3.** zu sprechen kommen auf (*acc.*);
Zssgn mit adv.:
speak| out I *v/i.* → ***speak up*** 1 *u.* 2; **II** *v/t.* aussprechen; **~ up** *v/i.* **1.** laut u. deutlich sprechen: ***~!*** (sprich) lauter!; **2.** kein Blatt vor den Mund nehmen, frei her'aussprechen: ***~!*** heraus mit der Sprache!; **3.** sich einsetzen (***for*** für).
'**speak,eas·y** *pl.* **-,eas·ies** *s. Am. sl.* Flüsterkneipe *f* (*ohne Konzession*).
speak·er ['spiːkə] *s.* **1.** Sprecher(in), Redner(in); **2.** ♀ *parl.* Sprecher *m*, Präsi'dent *m*: ***the ♀ of the House of Commons***; ***Mr ♀!*** Herr Vorsitzender!; **3.** ⚡ Lautsprecher *m.*
speak·ing ['spiːkɪŋ] **I** *adj.* □ **1.** sprechend (*a. fig. Ähnlichkeit*): ***~!*** *teleph.* am Apparat!; ***Brown ~!*** *teleph.* (hier) Brown!; ***have a ~ knowledge of*** *e-e Sprache* (*nur*) sprechen können; ***~ acquaintance*** flüchtige(r) Bekannte(r); → ***term*** 9; **2.** Sprech…, Sprach…: ***a ~ voice*** e-e (gute) Sprechstimme; **II** *s.* **3.** Sprechen *n*, Reden *n*; **III** (*adverbial*) **4.** ***generally ~*** allgemein; ***legally ~*** vom rechtlichen Standpunkt aus (gesehen); ***strictly ~*** strenggenommen; **~ clock** *s. teleph.* Zeitansage *f*; **~ trum·pet** *s.* Sprachrohr *n*; **~ tube** *s.* **1.** Sprechverbindung *f* zwischen zwei Räumen *etc.*; **2.** Sprachrohr *n.*
spear [spɪə] **I** *s.* **1.** (Wurf)Speer *m*, Lanze *f*; Spieß *m*: ***~ side*** männliche Linie *e-r Familie*; **2.** *poet.* Speerträger *m*; **3.** ⚘ Halm *m*, Sproß *m*; **II** *v/t.* **4.** durch'bohren, aufspießen; **III** *v/i.* **5.** ⚘ (auf-) sprießen; **~ gun** *s.* Har'punenbüchse *f*; '**~·head I** *s.* **1.** Lanzenspitze *f*; **2.** ⚔ a) Angriffsspitze *f*, b) Stoßkeil *m*; **3.** *fig.* a) Anführer *m*, Vorkämpfer *m*, b) Spitze *f*; **II** *v/t.* **4.** *fig.* an der Spitze (*gen.*) stehen, die Spitze (*gen.*) bilden; '**~·mint** *s.* ⚘ Grüne Minze.
spec [spek] *s.* F Spekulati'on *f*: ***on ~*** auf ‚Verdacht', auf gut Glück.
spe·cial ['speʃl] **I** *adj.* □ → ***specially***; **1.** spezi'ell: a) (ganz) besonder: ***a ~ occasion***; ***his ~ charm***; ***my ~ friend***; ***on ~ days*** an bestimmten Tagen, b) spezialisiert, Spezial…, Fach…: ***~ knowledge*** Fachkenntnis(se *pl.*) *f*; **2.** Sonder…(*-erlaubnis*, *-fall*, *-schule*, *-steuer*, *-zug etc.*), Extra…, Ausnahme…: ***~ area*** *Brit.* Notstandsgebiet *n*; ***♀ Branch*** *Brit.* Staatssicherheitspolizei *f*; ***~ constable*** → 3a; ***~ correspondent*** → 3b; ***~ delivery*** ✉ *Am.* Eilzustellung *f*, ‚durch Eilboten'; ***~ edition*** → 3c; ***~ levy*** EU Sonderabschöpfung *f*; ***~ offer*** ✝ Sonderangebot *n*; **II** *s.* **3.** a) 'Hilfspoli,zist *m*, b) Sonderberichterstatter *m*,

S

c) Sonderausgabe *f*, d) Sonderzug *m*, e) Sonderprüfung *f*, f) ⚕ *Am.* Sonderangebot *n*, g) *Radio*, *TV*: Sondersendung *f*, h) *Am.* Tagesgericht (*im Restaurant*); **'spe·cial·ist** [-ʃəlɪst] **I** *s.* **1.** Spezia'list *m*: a) Fachmann *m*, b) ⚕ Facharzt *m* (**in** für); **2.** *Am. Börse*: Jobber *m* (*der sich auf e-e bestimmte Kategorie von Wertpapieren beschränkt*); **II** *adj.* **3.** → **spe·cial·ist·ic** [ˌspeʃə'lɪstɪk] *adj.* spezialisiert, Fach…, Spezial…; **spe·ci·al·i·ty** [ˌspeʃɪ'ælətɪ] *s. bsd. Brit.* **1.** Besonderheit *f*; **2.** besonderes Merkmal; **3.** Spezi'alfach *n*, -gebiet *n*; **4.** Speziali'tät *f* (*a.* ⚕); **5.** ⚕ a) Spezi'alarˌtikel *m*, b) Neuheit *f*; **spe·cial·i·za·tion** [ˌspeʃəlaɪ'zeɪʃn] *s.* Spezialisierung *f*; **'spe·cial·ize** [-ʃəlaɪz] **I** *v/i.* **1.** sich spezialisieren (**in** auf *acc.*); **II** *v/t.* **2.** spezialisieren: **~d** spezialisiert, Spezial…, Fach…; **3.** näher bezeichnen; **4.** *biol.* Organe besonders entwickeln; **'spe·cial·ly** [-ʃəlɪ] *adv.* **1.** besonders, im besonderen; **2.** eigens, extra, ausdrücklich; **'spe·cial·ty** [-tɪ] *s.* **1.** *bsd. Am.* → ***speciality***; **2.** ⚖ a) besiegelte Urkunde, b) formgebundener Vertrag.

spe·cie ['spi:ʃɪ] *s.* **1.** Hartgeld *n*, Münze *f*; **2.** Bargeld *n*: **~ *payments*** Barzahlung *f*; ***in*** **~** a) in bar, b) in natura, c) *fig.* in gleicher Münze.

spe·cies ['spi:ʃi:z] *s. sg. u. pl.* **1.** *allg.* Art *f*, Sorte *f*; **2.** *biol.* Art *f*, Spezies *f*: ***our*** (*od.* ***the***) **~** die Menschheit; **3.** *Logik*: Art *f*, Klasse *f*; **4.** *eccl.* (sichtbare) Gestalt (von Brot u. Wein).

spe·cif·ic [spɪ'sɪfɪk] **I** *adj.* (□ **~*ally***) **1.** spe'zifisch, spezi'ell, bestimmt; **2.** eigen(tümlich); **3.** typisch, kennzeichnend, besonder; **4.** wesentlich; **5.** genau, defini'tiv, prä'zis(e), kon'kret: ***a* ~ *statement***; **6.** *biol.* Art…: **~ *name***; **7.** ⚕ spe'zifisch (*Heilmittel*, *Krankheit*); **8.** *phys.* spe'zifisch: **~ *gravity*** spezifisches Gewicht, *die* Wichte; **II** *s.* **9.** ⚕ Spe'zifikum *n*.

spec·i·fi·ca·tion [ˌspesɪfɪ'keɪʃn] *s.* **1.** Spezifizierung *f*; **2.** genaue Aufzählung, Einzelaufstellung *f*; **3.** *mst pl.* Einzelangaben *pl.*, -vorschriften *pl.*, *bsd.* a) ⚠ Baubeschrieb *m*, b) ⚙ (technische) Beschreibung; **4.** ⚖ Pa'tentbeschreibung *f*, -schrift *f*; **5.** ⚖ Spezifikati'on *f* (*Eigentumserwerb durch Verarbeitung*); **spec·i·fy** ['spesɪfaɪ] **I** *v/t.* **1.** (einzeln) angeben *od.* aufführen, (be)nennen, spezifizieren; **2.** bestimmen, (im einzelnen) festsetzen; **3.** in e-r Aufstellung besonders anführen; **II** *v/i.* **4.** genaue Angaben machen.

spec·i·men ['spesɪmɪn] *s.* **1.** Exem'plar *n*: ***a fine* ~**; **2.** Muster *n* (*a. typ.*), Probe(stück *n*) *f*, ⚙ Prüfstück *n*: **~ *of s.o.'s handwriting*** Handschriftenprobe; **3.** *fig.* Probe *f*, Beispiel *n* (***of*** *gen.*); **4.** *fig. contp.* a) ‚Exem'plar' *n*, ‚Muster' *n* (***of*** an), b) ‚Type' *f*, komischer Kauz; **~ *cop·y*** *s.* 'Probeexemˌplar *n*; **~ *sig·na·ture*** *s.* 'Unterschriftsprobe *f*.

spe·cious ['spi:ʃəs] *adj.* □ *äußerlich* blendend, bestechend, trügerisch, Schein…(*Argument etc.*): **~ *prosperity*** scheinbarer Wohlstand; **'spe·cious·ness** [-nɪs] *s.* **1.** *das* Bestechende; **2.** trügerischer Schein.

speck [spek] **I** *s.* **1.** Fleck(en) *m*, Fleckchen *n*; **2.** Stückchen *n*, *das* bißchen: ***a* ~ *of dust*** ein Stäubchen; **3.** faule Stelle (*im Obst*); **4.** *fig.* Pünktchen *n*; **II** *v/t.* **5.** sprenkeln; **'speck·le** [-kl] **I** *s.* Fleck (-en) *m*, Sprenkel *m*, Tupfen *m*, Punkt *m*; **II** *v/t.* → ***speck*** 5; **'speck·led** [-ld] *adj.* **1.** gefleckt, gesprenkelt, getüpfelt; **2.** (bunt)scheckig; **'speck·less** [-lɪs] *adj.* □ fleckenlos, sauber, rein (*a. fig.*).

specs [speks] *s. pl.* F Brille *f*.

spec·ta·cle ['spektəkl] *s.* **1.** Schauspiel *n* (*a. fig.*); **2.** Schaustück *n*: ***make a* ~ *of o.s.*** sich zur Schau stellen, (unangenehm) auffallen; **3.** *trauriger etc.* Anblick; **4.** *pl. a.* ***a pair of* ~*s*** e-e Brille; **'spec·ta·cled** [-ld] *adj.* **1.** bebrillt; **2.** *zo.* Brillen…(*-bär etc.*): **~ *cobra*** Brillenschlange *f*; **spec·tac·u·lar** [spek'tækjʊlə] **I** *adj.* □ **1.** Schau…, schauspielartig; **2.** spektaku'lär, aufsehenerregend, sensatio'nell; **II** *s.* **3.** *Am.* große (Fernseh)Schau, 'Galareˌvue *f*; **spec·ta·tor** [spek'teɪtə] *s.* Zuschauer(in): **~ *sport*** Zuschauersport *m*.

spec·ter ['spektə] *Am.* → ***spectre***.

spec·tra ['spektrə] *pl. von* ***spectrum***; **'spec·tral** [-trəl] *adj.* □ **1.** geisterhaft, gespenstisch; **2.** *phys.* Spektral…: **~ *colo(u)r*** Spektral-, Regenbogenfarbe *f*; **'spec·tre** [-tə] *s.* **1.** Geist *m*, Gespenst *n*; **2.** *fig.* a) (Schreck)Gespenst *n*, b) *fig.* Hirngespinst *n*.

spec·tro·gram ['spektrəʊgræm] *s. phys.* Spektro'gramm *n*; **'spec·tro·graph** [-grɑ:f] *s. phys.* **1.** Spektro'graph *m*; **2.** Spektro'gramm *n*; **spec·tro·scope** ['spektrəskəʊp] *s. phys.* Spektro'skop *n*.

spec·trum ['spektrəm] *pl.* **-tra** [-trə] *s.* **1.** *phys.* Spektrum *n*: **~ *analysis*** Spektralanalyse *f*; **2.** *a.* ***radio* ~** ϟ (Fre'quenz)Spektrum *n*; **3.** *a.* ***ocular* ~** *opt.* Nachbild *n*; **4.** *fig.* Spektrum *n*, Skala *f*: ***all across the* ~** auf der ganzen Linie.

spec·u·la ['spekjʊlə] *pl. von* ***speculum***; **'spec·u·lar** [-lə] *adj.* **1.** spiegelnd, Spiegel…: **~ *iron*** *min.* Eisenglanz *m*; **2.** ⚕ Spekulum…

spec·u·late ['spekjʊleɪt] *v/i.* **1.** nachsinnen, -denken, theoretisieren, Vermutungen anstellen, ‚spekulieren' (***on***, ***upon***, ***about*** über *acc.*); **2.** ⚕ spekulieren (***for***, ***on*** auf *Baisse etc.*, ***in*** in *Kupfer etc.*); **spec·u·la·tion** [ˌspekjʊ'leɪʃn] *s.*

S

1. Nachdenken *n*, Grübeln *n*; **2.** Betrachtung *f*, Theo'rie *f*, Spekulati'on *f* (*a. phls.*); **3.** Vermutung *f*, Mutmaßung *f*, Rätselraten *n*, Spekulati'on *f*: ***mere ~***; **4.** ✝ Spekulati'on *f*; **'spec·u·la·tive** [-lətɪv] *adj.* □ **1.** *phls.* spekula'tiv; **2.** theo'retisch; **3.** nachdenkend, grüblerisch; **4.** forschend, abwägend (*Blick etc.*); **5.** ✝ spekula'tiv, Spekulations...; **'spec·u·la·tor** [-leɪtə] *s.* ✝ Speku'lant *m.*

spec·u·lum ['spekjʊləm] *pl.* **-la** [-lə] *s.* **1.** (Me'tall)Spiegel *m* (*bsd. für Teleskope*); **2.** ⚕ Spekulum *n*, Spiegel *m.*

sped [sped] *pret. u. p.p. von* ***speed.***

speech [spi:tʃ] **I** *s.* **1.** Sprache *f*, Sprechvermögen *n*: ***recover one's ~*** die Sprache wiedergewinnen; **2.** Reden *n*, Sprechen *n*: ***freedom of ~*** Redefreiheit *f*; **3.** Rede *f*, Äußerung *f*: ***direct one's ~ to*** das Wort an *j-n* richten; **4.** Gespräch *n*: ***have ~ with*** mit *j-m* reden; **5.** Rede *f*, Ansprache *f*, Vortrag *m*; ⚖ Plädoy'er *n*; **6.** a) (Landes)Sprache *f*, b) Dia'lekt *m*: ***in common ~*** in der Umgangssprache, landläufig; **7.** Sprech-, Ausdrucksweise *f*, Sprache *f* (*e-r Person*); **8.** ♪ Klang *m e-r Orgel etc.*; **II** *adj.* **9.** Sprach..., Sprech...: ***~ area*** *ling.* Sprachraum *m*; ***~ centre*** (*Am.* ***center***) *anat.* Sprechzentrum *n*; ***~ clinic*** ⚕ Sprachklinik *f*; ***~ day*** *ped.* (Jahres-) Schlußfeier *f*; ***~ defect*** Sprachfehler *m*; ***~ island*** Sprachinsel *f*; ***~ map*** Sprachenkarte *f*; ***~ record*** Sprechplatte *f*; ***~ therapist*** Logopäde *m*; ***~ therapy*** Logopädie *f.*

speech·i·fi·ca·tion [ˌspi:tʃɪfɪ'keɪʃn] *s. contp.* Redenschwingen *n*; **speech·i·fi·er** ['spi:tʃɪfaɪə] *s.* Viel-, Volksredner *m*; **speech·i·fy** ['spi:tʃɪfaɪ] *v/i.* Reden schwingen.

speech·less ['spi:tʃlɪs] *adj.* □ **1.** *fig.* sprachlos (***with*** vor *Empörung etc.*): ***that left him ~*** das verschlug ihm die Sprache; **2.** stumm, wortkarg; **3.** *fig.* unsäglich: ***~ grief***; **'speech·less·ness** [-nɪs] *s.* Sprachlosigkeit *f.*

speed [spi:d] **I** *s.* **1.** Geschwindigkeit *f*, Schnelligkeit *f*, Eile *f*, Tempo *n*: ***at a ~ of*** mit e-r Geschwindigkeit von; ***at full ~*** mit Höchstgeschwindigkeit; ***at the ~ of light*** mit Lichtgeschwindigkeit; ***full ~ ahead*** ⚓ volle Kraft voraus; ***that's not my ~!*** *sl.* das ist nicht mein Fall!; **2.** ⚙ a) Drehzahl *f*, b) *mot. etc.* Gang *m*: ***three-~ bicycle*** Fahrrad mit Dreigangschaltung; **3.** *phot.* a) Lichtempfindlichkeit *f*, b) Verschlußgeschwindigkeit *f*; **4.** *obs.*: ***good ~!*** viel Erfolg!, viel Glück!; **5.** *sl.* ‚Speed' *m* (*Aufputschmittel*); **II** *adj.* **6.** Schnell..., Geschwindigkeits...; **III** *v/t.* [*irr.*] **7.** *Gast* (rasch) verabschieden, *j-m* Lebe'wohl sagen; **8.** *j-m* beistehen: ***God ~ you!*** Gott sei mit dir!; **9.** rasch befördern; **10.** *Lauf etc.* beschleunigen; **11.** *mst* ***~ up*** (*pret. u. p.p.* ***speeded***) *Maschine* beschleunigen, *fig. Sache* vo'rantreiben; *Produktion* erhöhen; **IV** *v/i.* [*irr.*] **12.** (da'hin-) eilen, rasen; **13.** *mot.* (zu) schnell fahren; → ***speeding***; **14.** ***~ up*** (*pret. u. p.p.* ***speeded***) die Geschwindigkeit erhöhen; **15.** *obs.* gedeihen, Glück haben; **'~·boat** *s.* **1.** ⚓ Schnellboot *n*; **2.** *sport* Rennboot *n*; **~ cop** *s.* F motorisierter Ver'kehrspoliˌzist; **~ count·er** *s.* ⚙ Drehzahlmesser *m*, Tourenzähler *m.*

speed·er ['spi:də] *s.* **1.** ⚙ Geschwindigkeitsregler *m*; **2.** *mot.* ‚Raser' *m.*

speed in·di·ca·tor *s.* **1.** → ***speedometer***; **2.** → ***speed counter.***

speed·i·ness ['spi:dɪnɪs] *s.* Schnelligkeit *f*, Zügigkeit *f.*

speed·ing ['spi:dɪŋ] *s. mot.* zu schnelles Fahren, Ge'schwindigkeitsüberˌtretung *f*: ***no ~!*** Schnellfahren verboten!

speed| lathe *s.* ⚙ Schnelldrehbank *f*; **~ lim·it** *s. mot.* Geschwindigkeitsbegrenzung *f*, Tempolimit *n*; **~ mer·chant** *s. mot. Brit. sl.* ‚Raser' *m.*

speed·o ['spi:dəʊ] *s. mot.* F ‚Tacho' *m.*

speed·om·e·ter [spɪ'dɒmɪtə] *s. mot.* Tacho'meter *m, n.*

'speed|-ˌread·ing *s.* 'Schnelleseme,thode *f*; **~ skat·er** *s. sport* Eisschnelläufer(in); **~ skat·ing** *s.* Eisschnellauf *m.*

speed·ster ['spi:dstə] *s.* **1.** → ***speeder*** 2; **2.** ‚Flitzer' *m* (*Sportwagen*).

speed| trap *s.* Ra'darfalle *f*; **'~-up** *s.* **1.** Beschleunigung *f*; **2.** Produkti'onserhöhung *f*; **'~·way** *s.* **1.** *sport* a) Speedwayrennen *pl.*, b) *a.* ***~ track*** Speedwaybahn *f*; **2.** *Am.* a) Schnellstraße *f*, b) Autorennstrecke *f.*

speed·well ['spi:dwel] *s.* ♀ Ehrenpreis *n, m.*

speed·y ['spi:dɪ] *adj.* □ schnell, zügig, rasch, prompt: ***wish s.o. a ~ recovery*** j-m gute Besserung wünschen.

speiss [spaɪs] *s.* ⚒, *metall.* Speise *f.*

spe·le·ol·o·gist [ˌspelɪ'ɒlədʒɪst] *s.* Höhlenforscher *m*; **ˌspe·le'ol·o·gy** [-dʒɪ] *s.* Speläolo'gie *f*, Höhlenforschung *f.*

spell¹ [spel] **I** *v/t.* [*a. irr.*] **1.** buchstabieren: ***~ backward*** a) rückwärts buchstabieren, b) *fig.* völlig verdrehen; **2.** (ortho'graphisch richtig) schreiben; **3.** *Wort* bilden, ergeben: ***l-e-d ~s led***; **4.** *fig.* bedeuten: ***it ~s trouble***; **5.** ***~ out*** (*od.* ***over***) (mühsam) entziffern; **6.** *oft* ***~ out*** *fig.* a) darlegen, b) (***for s.o.*** j-m) *et.* ‚ausein'anderklauben'; **II** *v/i.* [*a. irr.*] **7.** (richtig) schreiben; **8.** geschrieben werden, sich schreiben.

spell² [spel] **I** *s.* **1.** Arbeit(szeit) *f*: ***have a ~ at*** sich e-e Zeitlang mit *et.* beschäftigen; **2.** (Arbeits)Schicht *f*: ***give s.o. a ~*** → 7; **3.** *Am.* (*Husten- etc.*)Anfall *m*, (ner'vöser) Zustand; **4.** a) Zeit(ab-

S

schnitt *m*) *f*, b) *ein* Weilchen *n*: ***for a ~***; **5.** *Am.* F Katzensprung *m* (*kurze Strecke*); **6.** *meteor.* Peri'ode *f*: ***a ~ of fine weather*** e-e Schönwetterperiode; ***hot ~*** Hitzewelle *f*; **II** *v/t.* **7.** *Am. j-n* (bei der Arbeit) ablösen.

spell[3] [spel] **I** *s.* **1.** Zauber(wort *n*) *m*; **2.** *fig.* Zauber *m*, Bann *m*, Faszinati'on *f*: ***be under a ~*** a) verzaubert sein, b) *fig.* gebannt *od.* fasziniert sein; ***break the ~*** den Zauberbann (*fig.* das Eis) brechen; ***cast a ~ on*** → 3; **II** *v/t.* **3.** *j-n* a) verzaubern, b) *fig.* bezaubern, fesseln, faszinieren; **'~·bind** *v/t.* [*irr.* → ***bind***] → ***spell***[3] 3; **'~,bind·er** *s.* faszinierender Redner, fesselnder Ro'man *etc.*; **'~·bound** *adj. u. adv.* (wie) gebannt, fasziniert.

spell·er ['spelə] *s.* **1.** ***he is a good ~*** er ist in der Orthographie gut beschlagen; **2.** Fibel *f*; **'spell·ing** [-lɪŋ] *s.* **1.** Buchstabieren *n*; **2.** Rechtschreibung *f*, Orthogra'phie *f*: ***~ bee*** Rechtschreibewettbewerb *m*; ***~ checker*** *Computer* Rechtschreibhilfeprogramm *n*.

spelt[1] [spelt] *s.* ⚘ Spelz *m*, Dinkel *m*.

spelt[2] [spelt] *pret. u. p.p. von* ***spell***[1].

spel·ter ['speltə] *s.* **1.** ⚒ (Handels-, Roh)Zink *n*; **2.** *a.* ***~ solder*** ⚙ Messingschlaglot *n*.

spe·lunk [spɪ'lʌŋk] *v/i. Am.* Höhlen erforschen (*als Hobby*).

spen·cer[1] ['spensə] *s. hist. u. Damenmode*: Spenzer *m* (*kurze Überjacke*).

spen·cer[2] ['spensə] *s.* ⚓ *hist.* Gaffelsegel *n*.

spend [spend] [*irr.*] **I** *v/t.* **1.** verbrauchen, aufwenden, ausgeben (***on*** für): ***~ money***; → ***penny*** 1; **2.** *Geld, Zeit etc.* verwenden, anlegen (***on*** für): ***~ time on s.th.*** Zeit für et. verwenden; **3.** verschwenden, -geuden, 'durchbringen; **4.** *Zeit* zu-, verbringen; **5.** (***o.s.*** sich) erschöpfen, verausgaben: ***the storm is spent*** der Sturm hat sich gelegt *od.* ausgetobt; **II** *v/i.* **6.** Geld ausgeben, Ausgaben machen; **7.** laichen (*Fische*).

spend·ing ['spendɪŋ] *s.* **1.** (*das*) Geldausgeben; **2.** Ausgabe(n *pl.*) *f*; **~ mon·ey** *s.* Taschengeld *n*; **~ pow·er** *s.* Kaufkraft *f*.

spend·thrift ['spendθrɪft] **I** *s.* Verschwender(in); **II** *adj.* verschwenderisch.

Spen·se·ri·an [spen'sɪərɪən] *adj.* (Edmund) Spenser betreffend: ***~ stanza*** Spenserstanze *f*.

spent [spent] **I** *pret. u. p.p. von* ***spend***; **II** *adj.* **1.** matt, verausgabt, erschöpft, entkräftet: ***~ bullet*** matte Kugel; ***~ liquor*** ⚙ Ablauge *f*; **2.** verbraucht; **3.** *zo.* (*von Eiern od. Samen*) entleert (*Insekten, Fische*): ***~ herring*** Hering *m* nach dem Laichen.

sperm[1] [spɜːm] *s. physiol.* **1.** Sperma *n*, Samenflüssigkeit *f*; **2.** Samenzelle *f*.

sperm[2] [spɜːm] *s.* **1.** Walrat *m*, *n*; **2.** → ***sperm whale***; **3.** → ***sperm oil***.

sper·ma·ce·ti [ˌspɜːmə'setɪ] *s.* Walrat *m*, *n*.

sper·ma·ry ['spɜːmərɪ] *s. physiol.* Keimdrüse *f*; **sper·mat·ic** [spɜː'mætɪk] *adj. physiol.* sper'matisch, Samen…: ***~ cord*** Samenstrang *m*; ***~ filament*** Samenfaden *m*; ***~ fluid*** → ***sperm***[1] 1.

sper·ma·to·blast ['spɜːmətəʊblæst] *s. biol.* Ursamenzelle *f*; **ˌsper·ma·to'gen·e·sis** [-əʊ'dʒenɪsɪs] *s. biol.* Samenbildung *f*; **ˌsper·ma·to'zo·on** [-əʊ'zəʊɒn] *pl.* **-'zo·a** [-'zəʊə] *s. biol.* Spermato'zoon *n*, Spermium *n*.

spermo- [spɜːməʊ] *in Zssgn* Samen…

sperm oil *s.* Walratöl *n*.

sper·mo·log·i·cal [ˌspɜːmə'lɒdʒɪkl] *adj.* **1.** ⚕ spermato'logisch; **2.** ⚘ samenkundlich.

sperm whale *s. zo.* Pottwal *m*.

spew [spjuː] **I** *v/i.* sich erbrechen, ‚spukken', ‚speien'; **II** *v/t.* (er)brechen: ***~ forth*** (*od.* ***out***, ***up***) (aus)speien, (-)spucken, (-)werfen; **III** *s. das* Erbrochene.

sphac·e·la·tion [ˌsfæsɪ'leɪʃn] *s.* ⚕ Brandbildung *f*; **sphac·e·lous** ['sfæsɪləs] *adj.* ⚕ gangrä'nös, ne'krotisch.

sphaero- [sfɪərəʊ] *in Zssgn* Kugel…, Sphaero…

sphe·nog·ra·phy [sfɪ'nɒgrəfɪ] *s.* Keilschriftkunde *f*; **sphe·noid** ['sfiːnɔɪd] **I** *adj.* **1.** keilförmig; **2.** *anat.* Keilbein…; **II** *s.* **3.** *min.* Spheno'id *n* (*Kristallform*).

sphere [sfɪə] *s.* **1.** Kugel *f* (*a.* ⩘; *a. sport Ball*), kugelförmiger Körper; Erd-, Himmelskugel *f*; Himmelskörper *m*: ***doctrine of the ~*** ⩘ Sphärik *f*; **2.** *antiq. ast.* Sphäre *f*: ***music of the ~s*** Sphärenmusik *f*; **3.** *poet.* Himmel *m*, Sphäre *f*; **4.** *fig.* (*Einfluß-, Interessen- etc.*)Sphäre *f*, Gebiet *n*, Bereich *m*, Kreis *m*: ***~ of influence***; ***~*** (***of activity***) Wirkungskreis; **5.** Mili'eu *n*, (gesellschaftliche) Um'gebung; **spher·ic** ['sferɪk] **I** *adj.* **1.** *poet.* himmlisch; **2.** kugelförmig; **3.** sphärisch; **II** *s. pl.* **4.** → ***spherics***[1]; **spher·i·cal** ['sferɪkl] *adj.* □ **1.** kugelförmig; **2.** ⩘ Kugel…(*-ausschnitt, -vieleck etc.*), sphärisch: ***~ astronomy***; ***~ trigonometry***; **sphe·ric·i·ty** [sfɪ'rɪsətɪ] *s.* Kugelgestalt *f*, sphärische Gestalt.

spher·ics[1] ['sferɪks] *s. pl. sg. konstr.* ⩘ Sphärik *f*, Kugellehre *f*.

spher·ics[2] ['sferɪks] *s. pl. sg. konstr.* Wetterbeobachtung *f* mit elek'tronischen Geräten.

sphero- → ***sphaero-***.

sphe·roid ['sfɪərɔɪd] **I** *s.* ⩘ Sphäro'id *n*; **II** *adj.* → **sphe·roi·dal** [ˌsfɪə'rɔɪdl] *adj.* □ sphäro'idisch, kugelig; **sphe·roi·dic**, **sphe·roi·di·cal** [ˌsfɪə'rɔɪdɪk(l)] *adj.* □ → ***spheroidal***.

spher·ule ['sferju:l] *s.* Kügelchen *n.*
sphinc·ter ['sfɪŋktə] *s. a.* **~ muscle** *anat.* Schließmuskel *m.*
sphinx [sfɪŋks] *pl.* **'sphinx·es** *s.* **1.** *mst* ♀ *myth. u.* ⚠ Sphinx *f* (*a. fig. rätselhafter Mensch*); **2.** a) *a.* **~ moth** Sphinx *f* (*Nachtfalter*), b) *a.* **~ baboon** Sphinxpavian *m*; **'~-like** *adj.* sphinxartig (*a. fig. rätselhaft*).
spi·ca ['spaɪkə] *pl.* **-cae** [-si:] *s.* **1.** ⚘ Ähre *f*; **2.** ⚕ Kornährenverband *m*; **'spi·cate** [-keɪt] *adj.* ⚘ a) ährentragend (*Pflanze*), b) ährenförmig (angeordnet) (*Blüte*).
spice [spaɪs] **I** *s.* **1.** a) Gewürz *n*, Würze *f*, b) *coll.* Gewürze *pl.*; **2.** *fig.* Würze *f*; **3.** *fig.* Beigeschmack *m*, Anflug *m*; **II** *v/t.* **4.** würzen (*a. fig.*); **spiced** [-st] → ***spicy*** 1 *u.* 2; **'spic·er·y** [-sərɪ] *s. coll.* Gewürze *pl.*; **'spic·i·ness** [-sɪnɪs] *s. fig. das* Würzige, *das* Pi'kante.
spick-and-span [ˌspɪkən'spæn] *adj.* **1.** funkelnagelneu; **2.** a) blitzsauber, b) ‚wie aus dem Ei gepellt' (*Person*).
spic·u·lar ['spaɪkjʊlə] *adj.* **1.** *zo.* nadelförmig; **2.** ⚘ ährchenförmig; **spic·ule** ['spaɪkju:l] *s.* **1.** (Eis- *etc.*)Nadel *f*; **2.** *zo.* nadelartiger Fortsatz, *bsd.* Ske'lettnadel *f* (*e-s Schwammes etc.*); **3.** ⚘ Ährchen *n.*
spic·y ['spaɪsɪ] *adj.* □ **1.** gewürzt; **2.** würzig, aro'matisch (*Duft etc.*); **3.** Gewürz…; **4.** *fig.* a) gewürzt, witzig, b) pi'kant, gepfeffert, schlüpfrig; **5.** *sl.* a) ‚gewieft', geschickt, b) schick.
spi·der ['spaɪdə] *s.* **1.** *zo.* Spinne *f*; **2.** ⚙ a) Armkreuz *n*, b) Drehkreuz *n*, c) Armstern *m* (*Rad*); **3.** ⚡ Ständerkörper *m*; **4.** *Am.* Dreifuß *m* (*Untersatz*); **~ catch·er** *s. orn.* **1.** Spinnenfresser *m*; **2.** Mauerspecht *m*; **~ line** *s. mst pl.* ⚙, *opt.* Faden(kreuz *n*) *m*, Ableselinie *f*; **~ web**, *a.* **~'s web** *s.* Spinn(en)gewebe *n* (*a. fig.*).
spi·der·y ['spaɪdərɪ] *adj.* **1.** spinnenartig; **2.** spinnwebartig; **3.** voll von Spinnen.
spiel [spi:l] *s. Am. sl.* **1.** Werbesprüche *pl.*; **2.** ‚Platte' *f*, Gequassel *n.*
spiff·ing ['spɪfɪŋ] *adj. sl.* ‚toll', ‚(tod-) schick'.
spif·(f)li·cate ['spɪflɪkeɪt] *v/t. sl.* ‚es *j-m* besorgen'.
spig·ot ['spɪgət] *s.* ⚙ **1.** (Faß)Zapfen *m*; **2.** Zapfen *m* (*e-s Hahns*); **3.** (Faß-, Leitungs)Hahn *m*; **4.** Muffenverbindung *f* (*bei Röhren*).
spike¹ [spaɪk] *s.* ⚘ **1.** (Gras-, Korn)Ähre *f*; **2.** (Blüten)Ähre *f.*
spike² [spaɪk] **I** *s.* **1.** Stift *m*, Spitze *f*, Dorn *m*, Stachel *m*; **2.** ⚙ (Haken-, Schienen)Nagel *m*, Bolzen *m*; **3.** (Zaun)Eisenspitze *f*; **4.** a) *mst pl.* Spike *m* (*am Rennschuh etc.*), b) *pl. mot.* Spikes *pl.* (*am Reifen*); **5.** *hunt.* Spieß *m* (*e-s Junghirsches*); **6.** *ichth.* junge Ma'krele; **II** *v/t.* **7.** festnageln; **8.** mit (Eisen)Spitzen versehen; **9.** aufspießen; **10.** *sport* mit den Spikes verletzen; **11.** ⚔ *Geschütz* vernageln: **~ s.o.'s guns** *fig.* j-m e-n Strich durch die Rechnung machen; **12.** a) e-n Schuß Alkohol geben in *ein Getränk*, b) *fig.* ‚pfeffern'.
spiked¹ [spaɪkt] *adj.* ⚘ ährentragend.
spiked² [spaɪkt] *adj.* **1.** mit Nägeln *od.* (Eisen)Spitzen (versehen): **~ shoes**; **~ helmet** Pickelhaube *f*; **2.** mit ‚Schuß' (*Getränk*).
spike·nard ['spaɪknɑ:d] *s.* **1.** La'vendelöl *n*; **2.** ⚘ Indische Narde; **3.** ⚘ Traubige A'ralie.
spike oil → ***spikenard*** 1.
spik·y ['spaɪkɪ] *adj.* **1.** spitz, dornenartig, stachelig; **2.** *Brit.* F a) eigensinnig, b) empfindlich.
spile [spaɪl] **I** *s.* **1.** (Faß)Zapfen *m*, Spund *m*; **2.** Pflock *m*, Pfahl *m*; **II** *v/t.* **3.** verspunden; **4.** anzapfen; **'~·hole** *s.* Spundloch *n.*
spill¹ [spɪl] *s.* **1.** (Holz)Splitter *m*; **2.** Fidibus *m.*
spill² [spɪl] **I** *v/t.* [*irr.*] **1.** aus-, verschütten, 'überlaufen lassen; **2.** *Blut* vergießen; **3.** um'her-, verstreuen; **4.** ⚓ *Segel* killen lassen; **5.** a) *Reiter* abwerfen, b) *j-n* schleudern; **6.** *sl.* ausplaudern, verraten; → ***bean*** 1; **II** *v/i.* [*irr.*] **7.** 'überlaufen, verschüttet werden; **8.** *a.* **~ over** sich ergießen (*a. fig.*); **9.** **~ over with** *fig.* wimmeln von; **10.** *sl.* ‚auspacken', ‚singen'; **III** *s.* **11.** F Sturz *m* (*vom Pferd etc.*); **12.** ✝ Preissturz *m.*
spil·li·kin ['spɪlɪkɪn] *s.* **1.** (*bsd.* Mi'kado-) Stäbchen *n*; **2.** *pl. sg. konstr.* Mi'kado *n.*
'spill·way *s.* ⚙ 'Überlauf(rinne *f*) *m*, 'Abflußkaˌnal *m.*
spilt [spɪlt] *pret. u. p.p. von* ***spill²***; → ***milk*** 1.
spin [spɪn] **I** *v/t.* [*irr.*] **1.** *Wolle*, *Flachs etc.* (zu Fäden) spinnen; **2.** *Fäden*, *Garn* spinnen; **3.** schnell drehen, (her-'um)wirbeln; *Kreisel* treiben; ✈ *Flugzeug* trudeln lassen; *Münze* hochwerfen; *Wäsche* schleudern; *Schallplatte* ‚laufen lassen'; **4.** a) sich *et.* ausdenken, *Pläne* aushecken, b) erzählen; → ***yarn*** 3; **5.** **~ out** in die Länge ziehen, *Geschichte* ausspinnen, *a. Suppe etc.* ‚strecken'; **6.** *sport Ball* mit Ef'fet schlagen; **7.** *sl. Kandidaten* ‚'durchrasseln' lassen; **II** *v/i.* [*irr.*] **8.** spinnen; **9.** *a.* **~ round** sich (im Kreis um die eigene Achse) drehen, her'umwirbeln: **send s.o. ~ning** j-n hinschleudern; **my head ~s** mir dreht sich alles; **10.** **~ along** da'hinsausen (*fahren*); **11.** ✈ trudeln; **12.** *mot.* 'durchdrehen (*Räder*); **13.** *sl.* ‚durchrasseln' (*Prüfungskandidat*); **III** *s.* **14.** *das* Her'umwirbeln; **15.** schnelle

Drehung, Drall *m*; **16.** *phys.* Spin *m*, Drall *m* (*des Elektrons*); **17.** ***go for a ~*** F e-e Spritztour machen; **18.** ✈ a) (Ab)Trudeln *n*, b) 'Sturzspi,rale *f*; **19.** *sport* Ef'fet *m*.

spin·ach ['spɪnɪdʒ] *s.* **1.** ⚘ Spi'nat *m*; **2.** *Am. sl.* ‚Mist' *m*.

spi·nal ['spaɪnl] *adj. anat.* spi'nal, Rückgrat…, Rückenmarks…; **~ col·umn** *s.* Wirbelsäule *f*, Rückgrat *n*; **~ cord**, **~ mar·row** *s.* Rückenmark *n*; **~ nerve** *s.* Spi'nalnerv *m*.

spin·dle ['spɪndl] **I** *s.* **1.** ⚙ a) (Hand-, *a.* Drehbank)Spindel *f*, b) Welle *f*, Achszapfen *m*, c) Triebstock *m*, d) Hydro'meter *n*; **2.** *ein Garnmaß*; **3.** *biol.* Kernspindel *f*; **4.** ⚘ Spindel *f*; **II** *v/i.* **5.** (auf)schießen (*Pflanze*); **6.** in die Höhe schießen (*Person*); **'~-legged** *adj.* storchbeinig; **'~·legs**, **'~·shanks** *s. pl.* **1.** ‚Storchbeine' *pl.*; **2.** *sg. konstr.* ‚Storchbein' *n* (*Person*).

spin·dling ['spɪndlɪŋ], **'spin·dly** [-lɪ] *adj.* lang u. dünn, spindeldürr.

,spin|-'dry *v/t.* *Wäsche* schleudern; **,~-'dry·er**, *a.* **,~-'dri·er** *s.* Wäscheschleuder *f*.

spine [spaɪn] *s.* **1.** ⚘, *zo.* Stachel *m*; **2.** *anat.* Rückgrat *n* (*a. fig. fester Charakter*), Wirbelsäule *f*; **3.** (Gebirgs)Grat *m*; **4.** Buchrücken *m*; **spined** [-nd] *adj.* **1.** *bot.*, *zo.* stachelig, Stachel…; **2.** Rückgrat…, Wirbel…; **'spine·less** [-lɪs] *adj.* **1.** stachellos; **2.** rückgratlos (*a. fig.*).

spin·et [spɪ'net] *s.* ♪ Spi'nett *n*.

spin·na·ker ['spɪnəkə] *s.* ⚓ Spinnaker *m* (*großes Dreiecksegel*).

spin·ner ['spɪnə] *s.* **1.** *poet. od. dial.* Spinne *f*; **2.** Spinner(in); **3.** ⚙ 'Spinnma,schine *f*; **4.** Kreisel *m*; **5.** (Polier-) Scheibe *f*; **6.** → **'spin·ner·et** [-əret] *s. zo.* Spinndrüse *f*.

spin·ney ['spɪnɪ] *pl.* **-neys** *s. Brit.* Dikkicht *n*.

spin·ning| jen·ny ['spɪnɪŋ] *s.* 'Feinspinnma,schine *f*; **~ mill** *s.* Spinne'rei *f*; **~ wheel** *s.* Spinnrad *n*.

'spin-off *s.* ⚙ 'Nebenpro,dukt *n* (*a. fig.*).

spi·nose ['spaɪnəʊs], **'spi·nous** [-nəs] *adj.* stach(e)lig.

spin·ster ['spɪnstə] *s.* **1.** älteres Fräulein, alte Jungfer; **2.** *Brit.* ⚖ a) unverheiratete Frau, b) *nach dem Namen*: ledig: **~ *aunt*** unverheiratete Tante; **'spin·ster·hood** [-hʊd] *s.* **1.** Alt'jüngferlichkeit *f*; **2.** Alt'jungfernstand *m*; **3.** lediger Stand; **'spin·ster·ish** [-ərɪʃ], **'spin·ster·ly** [-lɪ] *adj.* alt'jüngferlich.

spin·y ['spaɪnɪ] *adj.* **1.** ⚘, *zo.* stach(e)lig; **2.** *fig.* heikel (*Thema etc.*).

spi·ra·cle ['spaɪərəkl] *s.* **1.** Atem-, Luftloch *n*, *bsd. zo.* Tra'chee *f*; **2.** *zo.* Spritzloch *n* (*bei Walen etc.*).

spi·ral ['spaɪərəl] **I** *adj.* □ **1.** gewunden, schrauben-, schneckenförmig, spi'ral, Spiral…: **~ *balance*** ⚙ (Spiral)Federwaage *f*; **~ *staircase*** Wendeltreppe *f*; **2.** ⩗ spi'ralig, Spiral…; **II** *s.* **3.** ⩗ *etc.* Spi'rale *f*; **4.** Windung *f e-r Spirale*; **5.** ⚙ a) *a.* **~ *conveyer*** Förderschnecke *f*, b) *a.* **~ *spring*** Spi'ralfeder *f*; **6.** ⚡ a) Spule *f*, b) Wendel *f* (*Glühlampe*); **7.** *a.* **~ *nebula*** *ast.* Spi'ralnebel *m*; **8.** ✈ Spi'ralflug *m*, Spi'rale *f*; **9.** ♆ (*Preis-*, *Lohn- etc.*)Spi'rale *f*: ***wage-price ~*** Lohn-Preis-Spirale; **III** *v/t.* **10.** spi'ralig machen; **11.** **~ *up*** (***down***) *Preise etc.* hin'auf- (her'unter)schrauben; **IV** *v/i.* **12.** sich spi'ralförmig nach oben *od.* unten bewegen, *a.* ✈, ♆ sich hoch- *od.* niederschrauben.

spi·rant ['spaɪərənt] *ling.* **I** *s.* Spirans *f*, Reibelaut *m*; **II** *adj.* spi'rantisch.

spire¹ ['spaɪə] *s.* **1.** → ***spiral*** 4; **2.** Spi'rale *f*; **3.** *zo.* Gewinde *n*.

spire² ['spaɪə] **I** *s.* **1.** (*Dach-*, *Turm-*, *a. Baum-*, *Berg- etc.*)Spitze *f*; **2.** Spitzturm *m*; **3.** Kirchturm(spitze *f*) *m*; **4.** spitz zulaufender Körper *od.* Teil, *z. B.* (Blüten)Ähre *f*, Grashalm *m*, (Geweih)Gabel *f*; **II** *v/i. u. v/t.* **5.** spitz zulaufen (lassen).

spired¹ ['spaɪəd] *adj.* spi'ralförmig.

spired² ['spaɪəd] *adj.* **1.** spitz (zulaufend); **2.** spitztürmig.

spir·it ['spɪrɪt] **I** *s.* **1.** *allg.* Geist *m*: a) Odem *m*, Lebenshauch *m*, b) innere Vorstellung: ***in*** (***the***) **~** im Geiste, c) Seele *f* (*a. e-s Toten*), d) Gespenst *n*, e) Gesinnung *f*, (*Gemein- etc.*)Sinn *m*, f) Cha'rakter *m*, g) Sinn *m*: ***the ~ of the law***; → ***enter into*** 4; **2.** Stimmung *f*, Gemütsverfassung *f*, *pl. a.* Lebensgeister *pl.*: ***in high*** (***low***) **~*s*** gehobener (in gedrückter) Stimmung; **3.** Feuer *n*, Schwung *m*, E'lan *m*; Ener'gie *f*, Mut *m*; **4.** (Mann *m* von) Geist *m*, Kopf *m*, Ge'nie *n*; **5.** Seele *f e-s Unternehmens*; **6.** (Zeit)Geist *m*: **~ *of the age***; **7.** ⚗ Destil'lat *n*, Geist *m*, Spiritus *m*: **~(*s*) *of hartshorn*** Hirschhornspiritus, -geist; **~(*s*) *of turpentine*** Terpentinöl *n*; **~(*s*) *of wine*** Weingeist; **8.** *pl.* alko'holische *od.* geistige Getränke *pl.*, Spiritu'osen *pl.*; **9.** *a. pl.* ⚗ *Am.* Alkohol *m*; **II** *v/t.* **10.** *a.* **~ *up*** aufmuntern, anstacheln; **11.** **~ *away***, **~ *off*** wegschaffen, -zaubern, verschwinden lassen; **'spir·it·ed** [-tɪd] *adj.* □ **1.** le'bendig, lebhaft, schwungvoll, tempera'mentvoll; **2.** e'nergisch, beherzt; **3.** feurig (*Pferd etc.*); **4.** (geist)sprühend, le'bendig (*Rede*, *Buch etc.*).

-spir·it·ed [spɪrɪtɪd] *adj. in Zssgn* **1.** …gesinnt: → ***public-~***; **2.** …gestimmt: → ***low-~***.

spir·it·ed·ness ['spɪrɪtɪdnɪs] *s.* **1.** Lebhaftigkeit *f*, Le'bendigkeit *f*; **2.** Ener'gie *f*, Beherztheit *f*; **3.** *in Zssgn*: ***low-~*** Niedergeschlagenheit *f*; ***public-~*** Gemein-

S

sinn *m.*

spir·it·ism ['spɪrɪtɪzəm] *s.* Spiri'tismus *m*; **'spir·it·ist** [-ɪst] *s.* Spiri'tist(in); **spir·it·is·tic** [ˌspɪrɪ'tɪstɪk] *adj.* (□ ***~al-ly***) spiri'tistisch.

spir·it·less ['spɪrɪtlɪs] *adj.* □ **1.** geistlos; **2.** leb-, lust-, schwunglos, schlapp; **3.** niedergeschlagen, mutlos; **'spir·it·less·ness** [-nɪs] *s.* **1.** Geistlosigkeit *f*; **2.** Lust-, Schwunglosigkeit *f*; **3.** Kleinmut *m.*

spir·it| lev·el *s.* ⚙ Nivellier-, Wasserwaage *f*; **~ rap·ping** *s.* Geisterklopfen *n.*

spir·it·u·al ['spɪrɪtjʊəl] **I** *adj.* □ **1.** geistig, unkörperlich; **2.** geistig, innerlich, seelisch: ***~ life*** Seelenleben *n*; **3.** vergeistigt (*Person, Gesicht etc.*); **4.** göttlich (inspiriert); **5.** a) religi'ös, b) kirchlich, c) geistlich (*Gericht, Lied etc.*); **6.** geistig, intellektu'ell; **7.** geistreich, -voll; **II** *s.* **8.** ♪ (Neger)Spiritual *n*; **'spir·it·u·al·ism** [-lɪzəm] *s.* **1.** Geisterglaube *m*, Spiri'tismus *m*; **2.** *phls.* a) Spiritua'lismus *m*, b) meta'physischer Idea'lismus; **3.** *das* Geistige; **'spir·it·u·al·ist** [-lɪst] *s.* **1.** Spiritua'list *m*, Idea'list *m*; **2.** Spiri'tist *m*; **spir·it·u·al·i·ty** [ˌspɪrɪtjʊ'ælətɪ] *s.* **1.** *das* Geistige; **2.** *das* Geistliche; **3.** Unkörperlichkeit *f*, geistige Na'tur; **4.** *oft pl. hist.* geistliche Rechte *pl. od.* Einkünfte *pl.*; **'spir·it·u·al·ize** [-laɪz] *v/t.* **1.** vergeistigen; **2.** im über'tragenen Sinne deuten.

spir·it·u·ous ['spɪrɪtjʊəs] *adj.* **1.** alko'holisch: ***~ liquors*** Spirituosen; **2.** destilliert.

spir·y[1] ['spaɪərɪ] → ***spired***[1].

spir·y[2] ['spaɪərɪ] *adj.* **1.** spitz zulaufend; **2.** vieltürmig.

spit[1] [spɪt] **I** *v/i.* [*irr.*] **1.** spucken: ***~ on*** *fig.* auf *et.* spucken; ***~ on*** (*od.* ***at***) ***s.o.*** j-n anspucken; ***~ s.o. in the eye*** j-m ins Gesicht spucken (*a. fig.*); **2.** spritzen, klecksen (*Federhalter*); **3.** sprühen (*Regen*); **4.** fauchen, zischen (*Katze etc.*): ***~ at s.o.*** j-n anfauchen; **5.** (her'aus)sprudeln, (-)spritzen (*kochendes Wasser etc.*); **II** *v/t.* [*irr.*] **6.** *a.* ***~ out*** (aus)spukken; **7.** *Feuer etc.* speien; **8.** *a.* ***~ out*** *fig. Worte* (heftig) her'vorstoßen, zischen: ***~ it out!*** F nun sag's schon!; **III** *s.* **9.** Spucke *f*, Speichel *m*: ***~ and polish*** ⚓, ⚔ *sl.* a) Putz- u. Flickstunde *f*, b) peinliche Sauberkeit, c) Leuteschinderei *f*; ***~-and-polish*** F *attr.* ‚wie aus dem Ei gepellt'; **10.** Fauchen *n* (*e-r Katze*); **11.** Sprühregen *m*; **12.** F Eben-, Abbild *n*: ***she is the ~*** (***and image***) ***of her mother*** sie ist ihrer Mutter wie aus dem Gesicht geschnitten.

spit[2] [spɪt] **I** *s.* **1.** (Brat)Spieß *m*; **2.** *geogr.* Landzunge *f*; **3.** spitz zulaufende Sandbank; **II** *v/t.* **4.** an e-n Bratspieß stecken; **5.** aufspießen.

spit[3] [spɪt] *s.* Spatenstich *m.*

spite [spaɪt] **I** *s.* **1.** Boshaftigkeit *f*, Gehässigkeit *f*: ***from pure*** (*od.* ***in*** *od.* ***out of***) ***~*** aus reiner Bosheit; **2.** Groll *m*: ***have a ~ against*** *j-m* grollen; ***~ vote*** *pol.* Protest-, Trotzwahl *f*; **3.** (***in***) ***~ of*** trotz, ungeachtet (*gen.*): ***in ~ of that*** dessenungeachtet; ***in ~ of o.s.*** unwillkürlich; **II** *v/t.* **4.** *j-m* ‚eins auswischen'; → ***nose*** *Redew.*; **'spite·ful** [-fʊl] *adj.* □ boshaft, gehässig; **'spite·ful·ness** [-fʊlnɪs] → ***spite*** 1.

'spit,fire *s.* **1.** Feuer-, Hitzkopf *m*, *bsd.* ‚Drachen' *m* (*Frau*); **2.** feuerspeiender Vul'kan.

spit·tle ['spɪtl] *s.* Spucke *f*, Speichel *m.*

spit·toon [spɪ'tu:n] *s.* Spucknapf *m.*

spitz (**dog**) [spɪts] *s. zo.* Spitz *m* (*Hund*).

spiv [spɪv] *s. Brit. sl.* Schieber *m*, Schwarzhändler *m.*

splanch·nic ['splæŋknɪk] *adj. anat.* Eingeweide…

splash [splæʃ] **I** *v/t.* **1.** (mit Wasser *od.* Schmutz *etc.*) bespritzen; **2.** *Wasser etc.* spritzen, gießen, *Farbe etc.* klatschen (***on, over*** über *acc. od.* auf *acc.*); **3.** *s-n Weg* patschend bahnen; **4.** *Plakate* anbringen; **5.** F *in der Zeitung* in großer Aufmachung bringen; **II** *v/i.* **6.** spritzen; **7.** platschen: a) planschen, b) klatschen (*Regen etc.*), c) plumpsen: ***~ down*** wassern (*Raumkapsel*); **III** *adv. u. int.* **8.** p(l)atsch(!), klatsch(!); **IV** *s.* **9.** a) Spritzen *n*, b) Platschen *n*, Klatschen *n*, c) Schwapp *m*, Guß *m*; **10.** Spritzer *m*, (Spritz)Fleck *m*; **11.** (Farb-, Licht)Fleck *m*; **12.** F a) Aufsehen *n*, Sensati'on *f*, b) große Aufmachung, c) großer Aufwand: ***get a ~*** groß herausgestellt werden; ***make a ~*** Aufsehen erregen, Furore machen; **13.** *Brit.* F Schuß *m* (Soda)Wasser (*zum Whisky etc.*); **'~·board** *s.* ⚙ Schutzblech *n*; **'~·down** *s.* Wasserung *f*, Eintauchen *n* (*e-r Raumkapsel*).

splash·er ['splæʃə] *s.* **1.** Schutzblech *n*; **2.** Wandschoner *m.*

splash| guard *s.* ⚙ Spritzschutz *m*; **'~·proof** *adj.* ⚙ spritzwassergeschützt.

splash·y ['splæʃɪ] *adj.* **1.** spritzend; **2.** klatschend, platschend; **3.** bespritzt, beschmutzt; **4.** matschig; **5.** F sensatio'nell, ‚toll'.

splat·ter ['splætə] → ***splash*** 1, 2, 6, 7.

splay [spleɪ] **I** *v/t.* **1.** ausbreiten, -dehnen; **2.** ⚠ ausschrägen; **3.** (ab)schrägen; **4.** *bsd. vet. Schulterknochen* ausrenken (*bei Pferden*); **II** *v/i.* **5.** ausgeschrägt sein; **III** *adj.* **6.** breit u. flach; **7.** gespreizt, auswärts gebogen (*Fuß*); **8.** schief, schräg; **9.** *fig.* linkisch; **IV** *s.* **10.** ⚠ Ausschrägung *f*; **splayed** [-eɪd] → ***splay*** 7.

'splay|·foot I *s.* ✱ Spreiz-, Plattfuß *m*; **II**

adj. a. ˌ**~ˈfoot·ed** spreiz- *od.* plattfüßig.

spleen [spliːn] *s.* **1.** *anat.* Milz *f*; **2.** *fig.* schlechte Laune; **3.** *obs.* Hypochonˈdrie *f*, Melanchoˈlie *f*; **4.** *obs.* Spleen *m*, ‚Tick' *m*; ˈ**spleen·ful** [-fʊl], ˈ**spleen·ish** [-nɪʃ] *adj.* □ **1.** mürrisch, übelgelaunt; **2.** hypoˈchondrisch.

splen·dent [ˈsplendənt] *adj. min. u. fig.* glänzend, leuchtend.

splen·did [ˈsplendɪd] *adj.* □ **1.** *alle a.* F glänzend, großartig, herrlich, prächtig: ~ ***isolation*** *pol. hist.* Splendid isolation *f*; **2.** glorreich; **3.** wunderbar, herˈvorragend: ~ ***talents***; ˈ**splen·did·ness** [-nɪs] *s.* **1.** Glanz *m*, Pracht *f*; **2.** Großartigkeit *f*.

splen·dif·er·ous [splenˈdɪfərəs] *adj.* F *od. humor.* herrlich, prächtig.

splen·do(u)r [ˈsplendə] *s.* **1.** heller Glanz; **2.** Pracht *f*; **3.** Großartigkeit *f*, Brilˈlanz *f*, Größe *f*.

sple·net·ic [splɪˈnetɪk] **I** *adj.* (□ ***~ally***) **1.** ⚕ Milz...; **2.** milzkrank; **3.** → ***spleenish***; **II** *s.* **4.** ⚕ Milzkranke(r *m*) *f*; **5.** Hypoˈchonder *m*.

splen·ic [ˈsplenɪk] *adj.* ⚕ Milz...: ~ ***fever*** Milzbrand *m*.

splice [splaɪs] **I** *v/t.* **1.** spleißen, zs.-splissen; **2.** (ein)falzen; **3.** verbinden, zs.-fügen, *bsd. Filmstreifen, Tonband* (zs.-)kleben; **4.** F verheiraten: ***get ~d*** getraut werden; **II** *s.* **5.** ⚓ Spleiß *m*, Splissung *f*; **6.** ⚙ (Ein)Falzung *f*; **7.** Klebestelle *f* (*an Filmen etc.*).

spline [splaɪn] *s.* **1.** längliches, dünnes Stück Holz *od.* Meˈtall; **2.** *Art* ˈKurvenlineˌal *n*; **3.** ⚙ a) Keil *m*, Splint *m*, b) (Längs)Nut *f*.

splint [splɪnt] **I** *s.* **1.** ⚕ Schiene *f*: ***in ~s*** geschient; **2.** ⚙ Span *m*; **3.** → ***splint bone*** 1; **4.** *vet.* a) → ***splint bone*** 2, b) Knochenauswuchs *m*, Tumor *m* (*Pferdefuß*); **5.** *a.* ~ ***coal*** Schieferkohle *f*; **II** *v/t.* **6.** ⚕ schienen; ~ **bone** *s.* **1.** *anat.* Wadenbein *n*; **2.** *vet. Knochen des Pferdefußes hinter dem Schienbein.*

splin·ter [ˈsplɪntə] **I** *s.* **1.** (*a. Bomben-, Knochen- etc.*)Splitter *m*, Span *m*: ***go*** (***in***)***to ~s*** → 4; **2.** *fig.* Splitter *m*, Bruchstück *n*; **II** *v/t.* **3.** zersplittern (*a. fig.*); **III** *v/i.* **4.** zersplittern (*a. fig.*): ~ ***off*** (*fig.* sich) absplittern; ~ **group** *s.* Splittergruppe *f*; ~ **par·ty** *s. pol.* ˈSplitterparˌtei *f*; ˈ**~·proof** *adj.* splittersicher.

splin·ter·y [ˈsplɪntərɪ] *adj.* **1.** *bsd. min.* splitterig, schieferig; **2.** leicht splitternd; **3.** Splitter...

split [splɪt] **I** *v/t.* [*irr.*] **1.** (zer)spalten, zerteilen, schlitzen; *Holz, fig. Haare* spalten; **2.** zerreißen; → ***side*** 4; **3.** *fig.* zerstören; **4.** *Gewinn, Flasche Wein etc.* (untereinˈander) teilen, sich in *et.* teilen; ✝ *Aktien* splitten: ~ ***the difference*** a) ✝ sich in die Differenz teilen, b) sich auf halbem Wege entgegenkommen *od.* einigen; → ***ticket*** 7; **5.** trennen, entzweien, *Partei etc.* spalten; **6.** *sl. Plan etc.* verraten; **7.** *Am.* F *Whisky etc.* ‚spritzen' (*mit Wasser verdünnen*); **8.** ⚗, *phys. Atome etc.* (auf)spalten: ~ ***off*** abspalten; **II** *v/i.* [*irr.*] **9.** sich aufspalten, reißen; platzen, bersten, zerspringen: ***my head is ~ing*** *fig.* ich habe rasende Kopfschmerzen; **10.** zerschellen (*Schiff*); **11.** sich spalten (***into*** in *acc.*): ~ ***off*** sich abspalten; **12.** sich entzweien *od.* trennen (***over*** wegen *e-r Sache*); **13.** sich teilen (***on*** in *acc.*); **14.** ~ ***on*** *j-n* ‚verpfeifen'; **15.** a) F sich schütteln vor Lachen, b) *sl.* ‚abhauen'; **16.** *pol. Am.* panaschieren; **III** *s.* **17.** Spalt *m*, Riß *m*, Sprung *m*; **18.** *fig.* Spaltung *f*, Zersplitterung *f* (*e-r Partei etc.*); **19.** *fig.* Entzweiung *f*, Bruch *m*; **20.** *pol.* Splittergruppe *f*; **21.** ⚙ Schicht *f von Spaltleder*; **22.** (*bsd.* Baˈnanen)Split *m*; **23.** F a) halbe Flasche (*Mineralwasser etc.*), b) halbgefülltes (Schnaps- *etc.*) Glas; **24.** *pl.* a) *Akrobatik*: Spaˈgat *m*: ***do the ~s*** e-n Spagat machen, b) *sport* Grätsche *f*; **25.** *sl.* Spitzel *m*; **IV** *adj.* **26.** zer-, gespalten, Spalt...: ~ ***infinitive*** *ling.* gespaltener Infinitiv; ***~-level house*** Halbgeschoßhaus *n*; ~ ***peas***(***e***) getrocknete halbe Erbsen (*für Püree etc.*); ~ ***personality*** *psych.* gespaltene Persönlichkeit; ~ ***second*** Bruchteil *m* e-r Sekunde; ***~-second watch*** *sport* Stoppuhr *f*; ~ ***ticket*** *Am.* Wahlzettel *m* mit Stimmen für Kandidaten mehrerer Parteien; ˈ**split·ting** [-tɪŋ] **I** *adj.* **1.** (*ohren- etc.*)zerreißend; **2.** rasend, heftig (*Kopfschmerzen*); **3.** blitzschnell; **4.** zwerchfellerschütternd: ***a ~ farce***; **II** *s.* **5.** Spaltung *f*; **6.** ✝ Splitting *n*: a) Aktienteilung *f*, b) *Besteuerung e-s Ehepartners zur Hälfte des gemeinsamen Einkommens*; ˈ**split-up** *s.* **1.** → ***split*** 17–19; **2.** ✝ (Aktien)Split *m*.

splodge [splɒdʒ], **splotch** [splɒtʃ] **I** *s.* Fleck *m*, Klecks *m*; **II** *v/t.* beklecksen; **splotch·y** [ˈsplɒtʃɪ] *adj.* fleckig, schmutzig.

splurge [splɜːdʒ] F **I** *s.* **1.** ‚Angabe' *f*, protziges Getue; **2.** verschwenderischer Aufwand; **II** *v/i.* **3.** protzen, angeben; **4.** prassen.

splut·ter [ˈsplʌtə] **I** *v/i.* **1.** stottern; **2.** ‚stottern', ‚kotzen' (*Motor*); **3.** zischen (*Braten etc.*); **4.** klecksen (*Schreibfeder*); **5.** spritzen, platschen (*Wasser etc.*); **II** *v/t.* **6.** *Worte* herˈaussprudeln, -stottern; **7.** verspritzen; **8.** bespritzen; **9.** *j-n* (*beim Sprechen*) bespucken; **III** *s.* **10.** Geplapper *m*; **11.** Spritzen *n*; Sprudeln *n*; Zischen *n*.

spoil [spɔɪl] **I** *v/t.* [*irr.*] **1.** *et., a. Appetit, Spaß* verderben, ruinieren, vernichten; *Plan* vereiteln; **2.** *Charakter etc.* verderben, *Kind* verziehen, -wöhnen: ***a ~ed***

brat ein verzogener Fratz; **3.** (*pret. u. p.p. nur* ***~ed***) berauben, entblößen (***of*** *gen.*); **4.** (*pret. u. p.p. nur* ***~ed***) *obs.* (aus)plündern; **II** *v/i.* [*irr.*] **5.** verderben, ‚ka'puttgehen', schlecht werden (*Obst etc.*); **6.** ***be ~ing for*** brennen auf (*acc.*); ***~ing for a fight*** streitlustig; **III** *s.* **7.** *mst pl.* (Sieges)Beute *f*, Raub *m*; **8.** Beute(stück *n*) *f*; **9.** *mst pl. bsd. Am.* a) Ausbeute *f*, b) *pol.* Gewinn *m*, Einkünfte *pl.* (*e-r Partei nach dem Wahlsieg*); **10.** Errungenschaft *f*, Gewinn *m*; **11.** *pl.* 'Überreste *pl.*, -bleibsel *pl.* (*von Mahlzeiten*); **'spoil·age** [-lɪdʒ] *s.* **1.** *typ.* Makula'tur *f*; **2.** ✝ Verderb *m von Waren*; **'spoil·er** [-lə] *s.* **1.** *mot.* Spoiler *m*; **2.** ✈ Störklappe *f*.

spoils·man ['spɔɪlzmən] *s.* [*irr.*] *pol. Am.* j-d, der nach der ‚Futterkrippe' strebt.

'spoil·sport *s.* Spielverderber(in).

spoils sys·tem *s. pol. Am.* 'Futterkrippensyˌstem *n*.

spoilt [spɔɪlt] *pret. u. p.p. von* ***spoil***.

spoke¹ [spəʊk] **I** *s.* **1.** (Rad)Speiche *f*; **2.** (Leiter)Sprosse *f*; **3.** ⚓ Spake *f* (*des Steuerrads*); **4.** Bremsvorrichtung *f*: ***put a ~ in s.o.'s wheel*** *fig.* j-m e-n Knüppel zwischen die Beine werfen; **II** *v/t.* **5.** *Rad* a) verspeichen, b) (ab)bremsen.

spoke² [spəʊk] *pret. u. obs. p.p. von* ***speak***.

spoke bone *s. anat.* Speiche *f*.

spo·ken ['spəʊkən] **I** *p.p. von* ***speak***; **II** *adj.* **1.** gesprochen, mündlich: ***~ English*** gesprochenes Englisch; **2.** *in Zssgn* …sprechend.

spokes·man ['spəʊksmən] *s.* [*irr.*] Wortführer *m*, Sprecher *m*: ***government ~*** *pol.* Regierungssprecher.

spo·li·ate ['spəʊlɪeɪt] *v/t. u. v/i.* plündern; **spo·li·a·tion** [ˌspəʊlɪ'eɪʃn] *s.* **1.** Plünderung *f*, Beraubung *f*; **2.** ⚓, ⚔ *kriegsrechtliche Plünderung neutraler Schiffe*; **3.** ⚖ unberechtigte Änderung *e-s Dokuments*.

spon·da·ic [spɒn'deɪɪk] *adj. Metrik*: spon'deisch; **spon·dee** ['spɒndiː] *s.* Spon'deus *m*.

spon·dyl(e) ['spɒndɪl] *s. anat., zo.* Wirbelknochen *m*.

sponge [spʌndʒ] **I** *s.* **1.** *zo. u. weitS.* Schwamm *m*: ***pass the ~ over*** *fig.* aus dem Gedächtnis löschen, vergessen; ***throw up the ~*** *Boxen*: das Handtuch werfen (*a. fig. sich geschlagen geben*); **2.** ⚔ Wischer *m*; **3.** *fig.* Schma'rotzer *m*, ‚Nassauer' *m* (*Person*); **4.** *Küche*: a) aufgegangener Teig, b) *lockerer, gekochter Pudding*; **II** *v/t.* **5.** *a.* ***~ down*** (mit e-m Schwamm) reinigen, abwaschen: ***~ off***, ***~ away*** weg-, abwischen; ***~ out*** auslöschen (*a. fig.*); **6.** ***~ up*** *Wasser etc.* (mit e-m Schwamm) aufsaugen, -nehmen; **7.** (kostenlos) ergattern, ‚schnorren'; **III** *v/i.* **8.** Schwämme sammeln; **9.** F schma'rotzen, ‚nassauern': ***~ on s.o.*** auf j-s Kosten leben; ***~ bag*** *s.* Kul'turbeutel *m*; ***~ cake*** *s.* Bis'kuitkuchen *m*; ***~ cloth*** *s.* ✝ *Art* Frot'tee *n*; **'~-down** *s.* Abreibung *f* (mit e-m Schwamm).

spong·er ['spʌndʒə] *s.* **1.** ⚙ Dekatierer *m*; **2.** ⚙ Deka'tiermaˌschine *f*; **3.** Schwammtaucher *m*; **4.** → ***sponge*** 3.

sponge rub·ber *s.* Schaumgummi *m*.

spon·gi·ness ['spʌndʒɪnɪs] *s.* Schwammigkeit *f*; **spon·gy** ['spʌndʒɪ] *adj.* **1.** schwammig, po'rös, Schwamm…; **2.** *metall.* locker, porös; **3.** sumpfig, matschig.

spon·sal ['spɒnsəl] *adj.* Hochzeits…

spon·sion ['spɒnʃn] *s.* **1.** ('Übernahme *f* e-r) Bürgschaft *f*; **2.** ⚖, *pol.* (*von e-m nicht bsd. bevollmächtigten Vertreter*) *für e-n Staat übernommene Verpflichtung*.

spon·sor ['spɒnsə] **I** *s.* **1.** Bürge *m*, Bürgin *f*; **2.** (Tauf)Pate *m*, (-)Patin *f*: ***stand ~ to*** (*od.* ***for***) Pate stehen bei; **3.** Förderer *m*, Gönner(in); **4.** Schirmherr(in); **5.** Sponsor *m*, Geldgeber *m*; **II** *v/t.* **6.** bürgen für; **7.** fördern; **8.** die Schirmherrschaft (*gen.*) über'nehmen; **9.** *Radio, TV, sport etc.* sponsern, (als Sponsor) finanzieren; **spon·so·ri·al** [spɒn'sɔːrɪəl] *adj.* Paten…; **'spon·sor·ship** [-ʃɪp] *s.* **1.** Bürgschaft *f*; **2.** Gönnerschaft *f*, Schirmherrschaft *f*; **3.** Patenschaft *f*; **4.** *bsd. sport* finanzielle Förderung, Sponsoring *n*.

spon·ta·ne·i·ty [ˌspɒntə'neɪətɪ] *s.* **1.** Spontanei'tät *f*, Freiwilligkeit *f*, eigener *od.* freier Antrieb; **2.** *das* Impul'sive, impul'sives *od.* spon'tanes Handeln; **3.** Ungezwungenheit *f*, Na'türlichkeit *f*; **spon·ta·ne·ous** [spɒn'teɪnjəs] □ *adj.* **1.** spon'tan: a) plötzlich, impul'siv, b) freiwillig, von innen her'aus (erfolgend), c) ungekünstelt, ungezwungen (*Stil etc.*); **2.** auto'matisch, 'unwillˌkürlich; **3.** ⚘ wildwachsend; **4.** selbsttätig, von selbst (entstanden): ***~ combustion*** *phys.* Selbstverbrennung *f*; ***~ generation*** *biol.* Urzeugung *f*; ***~ ignition*** ⚙ Selbstentzündung *f*; **spon·ta·ne·ous·ness** [spɒn'teɪnjəsnɪs] → ***spontaneity***.

spoof [spuːf] F **I** *s.* **1.** Humbug *m*, Schwindel *m*; **2.** Ulk *m*; **II** *v/t.* **3.** beschwindeln; **4.** verulken.

spook [spuːk] **I** *s.* F **1.** Spuk *m*, Gespenst *n*; **2.** *Am. sl.* Ghostwriter *m*; **II** *v/i.* **3.** (her'um)geistern, spuken; **'spook·ish** [-kɪʃ], **'spook·y** [-kɪ] *adj.* **1.** gespenstisch, spukhaft, schaurig; **2.** *Am.* schreckhaft.

spool [spuːl] **I** *s.* Rolle *f*, Spule *f*, Haspel *f*; **II** *v/t.* (auf)spulen.

spoon [spuːn] **I** *s.* **1.** Löffel *m*; **2.** ⚓ Löffelruder(blatt) *n*; **3.** ⚓, ⚔ Führungsschaufel *f* (*Torpedorohr*); **4.** → ***spoon bait***; **5.** *sport* Spoon *m* (*Golfschläger*); **6.** F Einfaltspinsel *m*; **II** *v/t.* **7.** *mst* **~ *up***, **~ *out*** auslöffeln: **~ *out*** *a.* (löffelweise) austeilen; **8.** *sport* *Ball* schlenzen; **III** *v/i.* **9.** mit e-m Blinker angeln; **10.** *sl. obs.* ,schmusen'; **~ bait** *s. Angeln*: Blinker *m*; **'~·bill** *s. orn.* **1.** Löffelreiher *m*; **2.** Löffelente *f*.

spoon·er·ism ['spu:nərɪzəm] *s.* (*un*)*beabsichtigtes Vertauschen von Buchstaben od. Silben* (*z. B.* ***queer old dean*** *statt* ***dear old queen***).

'spoon|·feed *v/t.* [*irr.* → ***feed***] **1.** mit dem Löffel füttern; **2.** *fig.* *j-n* auf-, hochpäppeln, *a.* verwöhnen; **3. ~ *s.th. to s.o.*** *fig.* a) j-m et. ,vorkauen', b) j-m et. eintrichtern; **4. ~ *s.o.*** *fig.* j-n (geistig) bevormunden; **'~·ful** [-fʊl] *pl.* **-fuls** *s. ein* Löffel(voll) *m*; **~ meat** *s.* (Kinder-, Kranken)Brei *m*, ,Papp' *m*.

spoor [spʊə] *hunt.* **I** *s.* Spur *f*, Fährte *f*; **II** *v/t.* aufspüren; **III** *v/i.* e-e Spur verfolgen.

spo·rad·ic [spə'rædɪk] *adj.* (□ **~*ally***) spo'radisch, vereinzelt (auftretend).

spore [spɔ:] *s.* **1.** *biol.* Spore *f*, Keimkorn *n*; **2.** *fig.* Keim(zelle *f*) *m*.

spo·rif·er·ous [spɔ:'rɪfərəs] *adj.* sporentragend, -bildend.

spo·ro·zo·a [ˌspɔ:rə'zəʊə] *s. pl. zo.* Sporentierchen *pl.*, Sporo'zoen *pl.*

spor·ran ['spɒrən] *s.* beschlagene Felltasche (*Schottentracht*).

sport [spɔ:t] **I** *s.* **1.** *oft pl.* Sport *m*: ***go in for ~s*** Sport treiben; **2.** 'Sport(art *f*, -disziˌplin *f*) *m*, *engS.* Jagd-, Angelsport *m*; **3.** Kurzweil *f*, Zeitvertreib *m*; **4.** Spaß *m*, Scherz *m*: ***in ~*** im Spaß, zum Scherz; ***make ~ of*** sich lustig machen über (*acc.*); **5.** Zielscheibe *f* des Spottes; **6.** *fig.* Spielball *m* (*des Schicksals, der Wellen etc.*); **7.** feiner *od.* anständiger Kerl: ***be a*** (***good***) **~** a) sei kein Spielverderber, b) sei ein guter Kerl, nimm es nicht übel; **8.** *Am.* F a) Sportbegeisterte(r *m*) *f*, *bsd.* Spieler *m*, b) Genießer *m*; **9.** *biol.* Spiel-, Abart *f*; **II** *adj.* **10.** sportlich, Sport...; **III** *v/i.* **11.** sich belustigen; **12.** sich tummeln, her'umtollen; **13.** sich lustig machen (***at, over, upon*** über *acc.*); **IV** *v/t.* **14.** stolz (zur Schau) tragen, protzen mit; **'sport·ing** [-tɪŋ] *adj.* □ **1.** a) Sport...: **~ *editor***, b) Jagd...: **~ *gun***; **2.** sportlich (*a. fig. fair, anständig*): ***a ~ chance*** e-e faire Chance; **3.** unter'nehmungslustig, mutig; **'spor·tive** [-tɪv] *adj.* □ **1.** a) mutwillig, b) verspielt; **2.** spaßhaft.

sports [spɔ:ts] *adj.* Sport...: **~ *car*** Sportwagen *m*; **~ *coat***, **~ *jacket*** Sportsakko *m*, *n*; **'~·cast** *s. Radio, TV*: *Am.* Sportsendung *f*; **'~ˌcast·er** *s. Am.* 'Sportreˌporter *m*; **'~·man** [-mən] *s.* [*irr.*] **1.** Sportsmann *m*, Sportler *m*; **2.** *fig.* fairer, anständiger Kerl; **'~·man·like** [-mənlaɪk] *adj.* sportlich, fair; **'~·man·ship** [-mənʃɪp] *s.* sportliches Benehmen, Fairneß *f*; **'~·wear** *s.* Sport- *od.* Freizeitkleidung *f*; **'~ˌwom·an** *s.* [*irr.*] Sportlerin *f*.

sport·y ['spɔ:tɪ] *adj.* F **1.** angeberisch, auffallend; **2.** sportlich: a) sporttreibend, b) fair, c) schick.

spor·ule ['spɒrju:l] *s. biol.* (kleine) Spore.

spot [spɒt] **I** *s.* **1.** (Schmutz-, Rost- *etc.*) Fleck(en) *m*; **2.** *fig.* Schandfleck *m*, Makel *m*; **3.** (Farb)Fleck *m*, Tupfen *m* (*a. zo.*); **4.** ⚕ a) Leberfleck *m*, Hautmal *n*, b) Pustel *f*, Pickel *m*; **5.** Stelle *f*, Ort *m*, Platz *m*: ***on the ~*** a) zur Stelle, da, b) an Ort u. Stelle, ,vor Ort', c) auf der Stelle, sofort, d) ,auf Draht', e) *sl.* in der ,Tinte' *od.* Klemme; ***put on the ~*** F a) *j-n* in Verlegenheit bringen, b) *j-n* ,umlegen' (*töten*); ***on the ~ of four*** Punkt 4 Uhr; ***in ~s*** stellenweise; ***soft ~*** *fig.* Schwäche (***for*** für); ***sore*** (*od.* ***tender***) **~** *fig.* wunder Punkt, empfindliche Stelle; **6.** Fleckchen *n*, Stückchen *n* (*Erde*); **7.** *bsd. Brit.* F a) Bissen *m*, Häppchen *n* (*Essen*), b) Tropfen *m*, Schluck *m* (*Whisky etc.*); **8.** *Billard*: Point *m*; **9.** *Am.* Auge *n* (*Würfel etc.*); **10.** *pl.* ✝ Lokowaren *pl.*; **11.** ✝, *Radio, TV*: (Werbe)Spot *m*; **12.** *Am.* F Nachtklub *m*; **13.** → ***spotlight*** I; **II** *adj.* **14.** ✝ a) so'fort lieferbar, b) so'fort zahlbar (*bei Lieferung*), c) bar, Bar...: **~ *business*** Lokogeschäft *n*; **~ *goods*** → 10; → ***spot cash***; **III** *v/t.* **15.** beflecken (*a. fig.*); **16.** tüpfeln, sprenkeln; **17.** F entdecken, erspähen, her'ausfinden; **18.** placieren: **~ *a billiard ball***; **19.** ⚔, ✈ (genau) ausmachen; **IV** *v/i.* **20** e-n Fleck *od.* Flecke machen; **21.** flecken, fleckig werden.

spot| an·nounce·ment → ***spot*** 11; **~ ball** *s. Billard*: auf dem Point stehender Ball; **~ cash** *s.* ✝ Barzahlung *f*, so'fortige Kasse; **~ check** *s.* Stichprobe *f*; **'~-check** *v/t.* stichprobenweise über'prüfen.

spot·less ['spɒtlɪs] *adj.* □ fleckenlos (*a. fig.*); **'spot·less·ness** [-nɪs] *s.* Flecken-, Makellosigkeit *f* (*a. fig.*).

'spot|·light **I** *s.* **1.** *thea.* (Punkt)Scheinwerfer(licht *n*) *m*; **2.** *fig.* Rampenlicht *n* (der Öffentlichkeit): ***in the ~*** im Brennpunkt des Interesses; **3.** *mot.* Suchscheinwerfer *m*; **II** *v/t.* **4.** anstrahlen; **5.** *fig.* die Aufmerksamkeit lenken auf (*acc.*); **~ news** *s. pl.* Kurznachrichten *pl.*; **ˌ~-'on** *adj. Brit.* F haargenau; **~ price** *s.* ✝ Kassapreis *m*; **~ re·mov·er** *s.* Fleckentferner *m*.

spot·ted ['spɒtɪd] *adj.* **1.** fleckig, gefleckt, getüpfelt, gesprenkelt; **2.** *fig.* besudelt, befleckt; **3.** ⚕ Fleck...: **~**

fever a) Fleckfieber *n*, b) Genickstarre *f*; ˈ**spot·ter** [-tə] *s*. **1.** *Am.* F Detekˈtiv *m*; **2.** ⚔ a) (Luft)Aufklärer *m*, Artilleˈriebeobachter *m*, b) *Luftschutz*: Flugmelder *m*.

spot test → ***spot check***.

spot·ty [ˈspɒtɪ] *adj.* □ **1.** → ***spotted*** 1; **2.** uneinheitlich; **3.** pickelig.

ˈ**spot-weld** *v/t.* ⚙ punktschweißen.

spous·al [ˈspaʊzl] **I** *adj.* **1.** a) Hochzeits…, b) ehelich; **II** *s*. **2.** *mst pl.* Hochzeit *f*; **3.** *obs.* Ehe(stand *m*) *f*;

spouse [spaʊz] *s*. (*a.* ⚖ Ehe)Gatte *m*, Gattin *f*, Gemahl(in).

spout [spaʊt] **I** *v/t.* **1.** *Wasser etc.* (aus-) speien, (herˈaus)spritzen; **2.** a) *Gedicht etc.* deklamieren, b) ‚herˈunterrasseln', c) *Fragen etc.* herˈaussprudeln; **3.** *sl.* versetzen, -pfänden; **II** *v/i.* **4.** Wasser speien, spritzen (*a. Wal*); **5.** herˈvorsprudeln, herˈausschießen, -spritzen (*Blut, Wasser etc.*); **6.** a) deklamieren, b) *contp.* salˈbadern; **III** *s*. **7.** Tülle *f*, Schnauze *f e-r Kanne*; **8.** Abfluß-, Speirohr *n*; **9.** (kräftiger) Wasserstrahl; **10.** *zo.* a) Fonˈtäne *f* (*e-s Wals*); b) → ***spout hole***; **11.** ***up the ~*** *fig.* F a) versetzt, verpfändet, b) ‚im Eimer', futsch, c) ‚in Schwulitäten' (*Person*); ***she's up the ~*** bei ihr ist was ‚unterwegs'; ˈ**spout·er** [-tə] *s*. **1.** (spritzender) Wal; **2.** Ölquelle *f*; **3.** ‚Redenschwinger' *m*.

spout hole *s. zo.* Spritzloch *m* (*Wal*).

sprag[1] [spræg] *s*. **1.** Bremsklotz *m*; **2.** ⚙ Spreizholz *n*.

sprag[2] [spræg] *s. ichth.* Dorsch *m*.

sprain [spreɪn] **I** *v/t.* verstauchen; **II** *s*. ⚕ Verstauchung *f*.

sprang [spræŋ] *pret. von* ***spring***.

sprat [spræt] *s. ichth.* Sprotte *f*: ***throw a ~ to catch a whale*** (*od.* ***mackerel***) *fig.* mit der Wurst nach der Speckseite werfen.

sprawl [sprɔːl] **I** *v/i.* **1.** ausgestreckt daliegen: ***send s.o. ~ing*** j-n zu Boden strecken; **2.** sich spreizen; **3.** sich (hin-) rekeln *od.* (-)lümmeln; **4.** sich ausbreiten: ***~ing town***; ***~ ing hand*** ausladende Handschrift; **5.** ⚘ wuchern; **II** *v/t.* **6.** *mst* ***~ out*** ausstrecken, -spreizen; **III** *s*. **7.** Rekeln *n*, Sichˈbreitmachen *n*; **8.** Ausbreitung *f des Stadtgebiets etc.*: ***urban ~***.

spray[1] [spreɪ] *s*. **1.** Zweig(chen *n*) *m*, Reis *n*; **2.** *coll.* a) Gezweig *n*, b) Reisig *n*; **3.** Zweigverzierung *f*.

spray[2] [spreɪ] **I** *s*. **1.** Gischt *m*, *f*, Schaum *m*; Sprühnebel *m*, -regen *m*, -wasser *n*; **2.** ⚙, *pharm.* a) Spray *m*, *n*, b) Zerstäuber *m*, Sprüh-, Spraydose *f*; **II** *v/t.* **3.** zerstäuben, (ver)sprühen; *vom Flugzeug* abregnen; **4.** *a.* ***~ on*** ⚙ aufsprühen, -spritzen; **5.** *et.* besprühen, -spritzen, *Haar* sprayen; *mot. etc.* spritzlackieren; ˈ**spray·er** [-eɪə] → ***spray***[2] 2b.

spray| gun *s*. ⚙ ˈSpritzpiˌstole *f*; **~ noz·zle** *s*. **1.** (Gießkannen)Brause *f*; **2.** Brause *f*; **3.** *mot.* Spritzdüse *f*; ˈ**~-paint** *v/t. Parolen etc.* sprühen (***on*** auf *acc.*).

spread [spred] **I** *v/t.* [*irr.*] **1.** *oft* ***~ out*** *Hände, Flügel, Teppich etc.* ausbreiten, *Arme etc. a.* ausstrecken: ***~ the table*** den Tisch decken; ***the peacock ~s its tail*** der Pfau schlägt ein Rad; **2.** *oft* ***~ out*** ausdehnen; *Beine etc.* spreizen (*a.* ⚙); **3.** bedecken, überˈziehen, -ˈsäen (***with*** mit); **4.** *Heu etc.* ausbreiten; **5.** *Butter etc.* aufstreichen, *Farbe, Mörtel etc.* auftragen; **6.** *Brot* streichen, schmieren; **7.** breitschlagen; **8.** *Krankheit, Geruch etc., a. Furcht* verbreiten; **9.** *a.* ***~ abroad*** *Gerücht, Nachricht* verbreiten, aussprengen, -streuen; **10.** *zeitlich* verteilen; **11.** ***~ o.s.*** *sl.* a) sich *als Gastgeber etc.* mächtig anstrengen, b) ‚angeben'; **II** *v/i.* [*irr.*] **12.** *a.* ***~ out*** sich ausbreiten *od.* verteilen; **13.** sich ausbreiten (*Fahne etc.*; *a. Lächeln etc.*); sich spreizen (*Beine etc.*); **14.** sich *vor den Augen* ausbreiten *od.* -dehnen, sich erstrecken (*Landschaft*); **15.** ⚙ sich strecken *od.* dehnen (lassen) (*Werkstoff*); **16.** sich streichen *od.* auftragen lassen (*Butter, Farbe*); **17.** sich ver- *od.* ausbreiten (*Geruch, Pflanze, Krankheit, Gerücht etc.*), ˈübergreifen (***to*** auf *acc.*) (*Feuer, Epidemie etc.*); **III** *s*. **18.** Ausbreitung *f*, -dehnung *f*; **19.** Aus-, Verbreitung *f* (*e-r Krankheit, von Wissen etc.*); **20.** Ausdehnung *f*, Weite *f*, ˈUmfang *m*; **21.** (weite) Fläche; **22.** *orn.*, ✈ (Flügel)Spanne *f*; **23.** ⚔, *phys.*, *a. Ballistik*: Streuung *f*; **24.** (Zwischen)Raum *m*, Abstand *m*, Lücke *f* (*a. fig.*); (*a.* Zeit)Spanne *f*; **25.** Dehnweite *f*; **26.** Körperfülle *f*; **27.** (Bett- *etc.*)Decke *f*; **28.** Brotaufstrich *m*; **29.** F fürstliches Mahl; **30.** *typ.* Doppelseite *f*; **31.** ☤ Stelˈlagegeschäft *n*; **32.** ☤ *Am.* Marge *f*, (Verdienst-) Spanne *f*, Differˈenz *f*; **IV** *adj.* **33.** verbreitet; ausgebreitet; **34.** gespreizt; **35.** Streich…: ***~ cheese***.

spread| ea·gle *s*. **1.** *her.* Adler *m*; **2.** *Am.* F Chauviˈnismus *m*; **3.** *Eiskunstlauf*: Mond *m*; ˌ**~-ˈea·gle I** *adj.* **1.** F angeberisch, bomˈbastisch; **2.** F chauviˈnistisch; **II** *v/t.* **3.** ausbreiten, spreizen; **~ sheet** *s*. elektronisches Arbeitsblatt, Spreadsheet *n*.

spread·er [ˈspredə] *s*. Streu- *od.* Spritzgerät *n*, *bsd.* a) (ˈDünger)StreumaˌschiＮe *f*, b) Abstandsstütze *f*, c) Zerstäuber *m*, d) Spritzdüse *f*, e) Buttermesser *n*.

spree [spriː] F *s*. (*Kauf- etc.*)Orgie *f*: ***go on a ~*** a) ‚einen draufmachen', b) e-e ‚Sauftour' machen; ***go on a buying*** (*od.* ***shopping, spending***) ***~*** wie verrückt einkaufen.

sprig [sprɪg] **I** *s.* **1.** Zweigchen *n*, Schößling *m*, Reis *n*; **2.** F Sprößling *m*, ‚Ableger' *m*; **3.** Bürschchen *n*; **4.** → ***spray***[1] 3; **5.** ⚙ Zwecke *f*, Stift *m*; **II** *v/t.* **6.** mit e-m Zweigmuster verzieren; **7.** anheften.

spright·li·ness ['spraɪtlɪnɪs] *s.* Lebhaftigkeit *f*, Munterkeit *f*; **spright·ly** ['spraɪtlɪ] *adj. u. adv.* lebhaft, munter, ‚spritzig'.

spring [sprɪŋ] **I** *v/i.* [*irr.*] **1.** springen: ***~ at*** (*od.* [***up***]***on***) auf *j-n* losspringen, *j-n* anfallen; **2.** aufspringen; **3.** springen, schnellen, hüpfen: ***~ open*** aufspringen (*Tür*); ***the trap sprang*** die Falle schnappte zu; **4.** *oft* ***~ forth*** (*od.* ***out***) a) her'ausschießen, (-)sprudeln (*Wasser, Blut etc.*), b) (her'aus)sprühen, springen (*Funken etc.*); **5.** (***from***) entspringen (*dat.*): a) quellen (aus), b) *fig.* herkommen, abstammen (von): ***be sprung from*** entstanden sein aus; **6.** *mst* ***~ up*** a) aufkommen (*Wind*), b) *fig.* plötzlich entstehen *od.* aufkommen (*Ideen, Industrie etc.*): ***~ into existence***; ***~ into fame*** plötzlich berühmt werden; **7.** aufschießen (*Pflanzen etc.*); **8.** (hoch) aufragen; **9.** auffliegen (*Rebhühner etc.*); **10.** ⚙ a) sich werfen, b) springen, platzen (*Holz*); **11.** ⚔ explodieren (*Mine*); **II** *v/t.* [*irr.*] **12.** *Falle* zuschnappen lassen, *et.* zu'rückschnellen lassen; **13.** *Riß etc.*, ⚓ *Leck* bekommen; **14.** explodieren lassen; → ***mine***[2] 8; **15.** mit *e-r Neuigkeit etc.* ‚her'ausplatzen': ***~ s.th. on s.o.*** j-m et. plötzlich eröffnen; **16.** ⚠ *Bogen* wölben; **17.** ⚙ (ab)federn; **18.** *Brit.* F *Geld etc.* springen lassen; **19.** *Brit.* F *j-n* erleichtern (***for*** um *Geld etc.*); **20.** *sl.* *j-n* ‚rausholen' (*befreien*); **III** *s.* **21.** Sprung *m*, Satz *m*; **22.** Frühling *m*, Lenz *m* (*beide a. fig.*); **23.** Elastizi'tät *f*, Sprung-, Schnellkraft *f*; **24.** *fig.* (geistige) Spannkraft; **25.** Sprung *m*, Riß *m* *im Holz etc.*; Krümmung *f e-s Bretts*; **26.** (*a. Mineral-, Öl*)Quelle *f*, Brunnen *m*: ***hot ~s*** heiße Quellen; **27.** *fig.* Quelle *f*, Ursprung *m*; **28.** *fig.* Triebfeder *f*, Beweggrund *m*; **29.** ⚠ a) (Bogen)Wölbung *f*, b) Gewölbeanfang *m*; **30.** ⚙ (*bsd.* Sprung)Feder *f*; Federung *f*; **IV** *adj.* **31.** Sprung…, Schwung…; **32.** Feder…; **33.** Frühlings…; **~ bal·ance** *s.* ⚙ Federwaage *f*; **~ bed** *s.* 'Sprungfederma͵tratze *f*; '**~·board** *s. sport* Sprungbrett *n* (*a. fig.*): ***~ diving*** Kunstspringen *n*; '**~·bok** [-bɒk] *pl.* **-boks**, *bsd. coll.* **-bok** *s. zo.* Springbock *m*; **~ bows** [bəʊz] *s. pl.* ⚙ Federzirkel *m*; **~ chick·en** *s.* Brathühnchen *n*: ***she is no ~*** *fig.* F a) sie ist nicht mehr die jüngste, b) sie ist nicht von gestern; ͵**~-'clean·ing** *s.* Frühjahrsputz *m*.

springe [sprɪndʒ] **I** *s.* **1.** *hunt.* Schlinge *f*; **2.** *fig.* Falle *f*; **II** *v/t.* **3.** *Tier* mit e-r Schlinge fangen.

spring·er ['sprɪŋə] *s.* **1.** *a.* ***~ spaniel*** *hunt.* Springerspaniel *m*; **2.** ⚠ (Bogen-)Kämpfer *m*.

spring| fe·ver *s.* **1.** Frühjahrsmüdigkeit *f*; **2.** (*rastlose*) Frühlingsgefühle *pl.*; **~ gun** *s.* Selbstschuß *m*.

spring·i·ness ['sprɪŋɪnɪs] → ***spring*** 23.

spring·ing ['sprɪŋɪŋ] *s.* **1.** ⚙ Federung *f*; **2.** ⚠ Kämpferlinie *f*.

spring| leaf *s.* ⚙ Federblatt *n*; **~ lock** *s.* ⚙ Schnappschloß *n*; **~ mat·tress** → ***spring bed***; **~ sus·pen·sion** *s.* ⚙ federnde Aufhängung, Federung *f*; '**~·tide** → ***spring*** 22; **~ tide** *s.* ⚓ Springflut *f*; *fig.* Flut *f*, Über'schwemmung *f*; '**~·time** → ***spring*** 22; **~ wheat** *s.* 🌾 Sommerweizen *m*.

spring·y ['sprɪŋɪ] *adj.* ☐ **1.** federnd, e'lastisch; **2.** *fig.* schwungvoll.

sprin·kle ['sprɪŋkl] **I** *v/t.* **1.** *Wasser etc.* sprenkeln, (ver)sprengen (***on*** auf *acc.*); **2.** *Salz, Pulver etc.* sprenkeln, streuen; **3.** (ver-, zer)streuen, verteilen; **4.** *et.* besprenkeln, besprengen, bestreuen, (be)netzen (***with*** mit); **5.** *Stoff etc.* sprenkeln; **II** *v/i.* **6.** sprenkeln; **7.** (nieder)sprühen; **III** *s.* **8.** Sprühregen *m*; **9.** leichter Schneefall; **10.** Prise *f Salz etc.*; **11.** → ***sprinkling*** 2; '**sprin·kler** [-lə] *s.* **1.** a) 'Spreng-, Be'rieselungsappa͵rat *m*: ***~ system*** Sprinkler-, Beregnungsanlage *f*, b) Sprinkler *m*, Rasensprenger *m*, c) Brause *f*, Gießkannenkopf *m*, d) Sprinkler *m* (*e-r Feuerlöschanlage*), e) Sprengwagen *m*, f) Streuer *m*, Streudose *f*; **2.** *R.C.* Weihwasserwedel *m*; '**sprin·kling** [-lɪŋ] *s.* **1.** → ***sprinkle*** 8–10; **2.** *a.* ***~ of*** *fig.* ein bißchen, etwas, e-e Spur, ein paar *Leute etc.*, ein wenig *Salz etc.*

sprint [sprɪnt] **I** *v/i.* **1.** rennen; **2.** *sport* sprinten (*Läufer*), *allg.* spurten; **II** *s.* **3.** *sport* a) Sprint *m*, Kurzstreckenlauf *m*, b) *allg.* Spurt *m* (*a. fig.*); c) *Pferde-, Radsport*: Fliegerrennen *n*; '**sprint·er** [-tə] *s. sport* **1.** Sprinter(in), *a. allg.* Spurter(in); **2.** *Radsport*: Flieger *m*.

sprit [sprɪt] *s.* ⚓ Spriet *n*.

sprite [spraɪt] *s.* **1.** Elfe *f*, Fee *f*; Kobold *m*; **2.** Geist *m*, Schemen *n*.

sprit·sail ['sprɪtsl] *s.* ⚓ Sprietsegel *n*.

sprock·et ['sprɒkɪt] *s.* ⚙ **1.** Zahn *m* e-s (Ketten)Rades; **2.** *a.* ***~ wheel*** (Ketten-)Zahnrad *n*, Kettenrad *n*; **3.** 'Filmtrans͵porttrommel *f*.

sprout [spraʊt] **I** *v/i.* **1.** *a.* ***~ up*** sprießen, (auf)schießen, aufgehen; **2.** keimen; **3.** schnell wachsen, sich schnell entwikkeln; in die Höhe schießen (*Person*); wie Pilze aus dem Boden schießen (*Gebäude etc.*); **II** *v/t.* **4.** (her'vor)treiben, wachsen *od.* keimen lassen, entwik-

S

keln; **III** *s.* **5.** Sproß *m*, Sprößling *m* (*a. fig.*), Schößling *m*; **6.** *pl.* → ***Brussels sprouts***.

spruce¹ [spru:s] *s.* ⚘ **1.** *a.* **~ *fir*** Fichte *f*, Rottanne *f*; **2.** Fichte(nholz *n*) *f*.

spruce² [spru:s] **I** *adj.* □ **1.** schmuck, (blitz)sauber, a'drett; **2.** geschniegelt; **II** *v/t.* **3.** *oft* **~ *up*** *j-n* feinmachen, (her'aus)putzen: **~ *o.s. up*** → 4; **III** *v/i.* **4.** *oft* **~ *up*** sich feinmachen, sich ‚in Schale werfen'; **'spruce·ness** [-nɪs] *s.* A'drettheit *f*; *contp.* Affigkeit *f*.

sprung [sprʌŋ] **I** *pret. u. p.p. von* ***spring***; **II** *adj.* **1.** ⚙ gefedert; **2.** rissig (*Holz*).

spry [spraɪ] *adj.* **1.** flink, hurtig; **2.** lebhaft, munter.

spud [spʌd] **I** *s.* **1.** ⚒ a) Jätmesser *n*, Reutspaten *m*, b) Stoßeisen *n*; **2.** Spachtel *m*, *f*; **3.** F Kar'toffel *f*; **II** *v/t.* **4.** *mst* **~ *up***, **~ *out*** ausgraben, -jäten; **5.** *Ölquelle* anbohren.

spue [spju:] → ***spew***.

spume [spju:m] *s.* Schaum *m*, Gischt *m*, *f*; **'spu·mous** [-məs], **'spu·my** [-mɪ] *adj.* schäumend.

spun [spʌn] **I** *pret. u. p.p. von* ***spin***; **II** *adj.* gesponnen: **~ *glass*** Glasgespinst *n*; **~ *gold*** Goldgespinst *n*; **~ *silk*** Schappseide *f*.

spunk [spʌŋk] *s.* **1.** Zunderholz *n*; **2.** Zunder *m*, Lunte *f*; **3.** F a) Feuer *n*, Schwung *m*, b) ‚Mumm' *m*, Mut *m*; **'spunk·y** [-kɪ] *adj.* **1.** schwungvoll; **2.** mutig, draufgängerisch; **3.** *Am.* reizbar.

spur [spɜ:] **I** *s.* **1.** (Reit)Sporn *m*: **~*s*** Sporen *pl.*; ***put*** (*od.* ***set***) **~*s to*** → 8; ***win one's ~s*** *fig.* sich die Sporen verdienen; **2.** *fig.* Ansporn *m*, -reiz *m*: ***on the ~ of the moment*** der Eingebung des Augenblicks folgend, ohne Überlegung, spontan; **3.** ⚘ a) Dorn *m*, Stachel *m* (*kurzer Zweig etc.*), b) Sporn *m* (*Nektarbehälter*); **4.** *zo.* Sporn *m*, Stachel *m* (*des Hahns*); **5.** *geogr.* Ausläufer *m*, (Gebirgs)Vorsprung *m*; **6.** △ a) Strebe *f*, Stütze *f*, b) Strebebalken *m*, c) (Mauer)Vorsprung *m*; **7.** ⚔ *hist.* Außen-, Vorwerk *n*; **II** *v/t.* **8.** *Pferd* spornen, die Sporen geben (*dat.*); **9.** *oft* **~ *on*** *fig.* *j-n* anspornen, -stacheln: **~ *s.o. into action***; **10.** mit Sporen versehen, Sporen (an)schnallen an (*acc.*); **III** *v/i.* **11.** (das Pferd) spornen; **12.** a) sprengen, eilen, b) *fig.* (vorwärts)drängen.

spurge [spɜ:dʒ] *s.* ⚘ Wolfsmilch *f*.

spur| gear *s.* ⚙ **1.** Geradstirnrad *n*; **2.** → **~ *gear·ing*** *s.* Geradstirnradgetriebe *n*.

spu·ri·ous ['spjʊərɪəs] *adj.* □ **1.** falsch, unecht, Pseudo…, *a.* ⚘, *zo.* Schein…: **~ *fruit***; **2.** nachgemacht, gefälscht; **3.** unehelich; **'spu·ri·ous·ness** [-nɪs] *s.* Unechtheit *f*.

spurn [spɜ:n] *v/t.* **1.** *obs.* mit dem Fuß (weg)stoßen; **2.** verschmähen, verächtlich zu'rückweisen, *j-n a.* abweisen.

spurred [spɜ:d] *adj.* gespornt; *a.* ⚘, *zo.* sporentragend.

spurt¹ [spɜ:t] **I** *s.* **1.** *sport* (*a.* Zwischen-)Spurt *m*; **2.** plötzliche Aktivi'tät, ruckartige Anstrengung; **3.** † plötzliches Anziehen (*von Preisen etc.*); **II** *v/i.* **4.** *sport* spurten; **5.** plötzlich ak'tiv werden.

spurt² [spɜ:t] **I** *v/t. u. v/i.* (her'aus)spritzen; **II** *s.* (*Wasser- etc.*)Strahl *m*.

spur| track *s.* 🚂 Neben-, Seitengleis *n*; **~ *wheel*** → ***spur gear*** 1.

sput·ter ['spʌtə] → ***splutter***.

spu·tum ['spju:təm] *pl.* **-ta** [-tə] *s.* ⚕ Sputum *n*, Auswurf *m*.

spy [spaɪ] **I** *v/t.* **1.** *a.* **~ *out*** ausspionieren, -spähen, -kundschaften: **~ *out*** *a.* herausfinden; **~ *the land*** *fig.* ‚die Lage peilen'; **2.** erspähen, entdecken; **II** *v/i.* **3.** ⚔ *etc.* spionieren, Spio'nage treiben: **~ (*up*)*on*** *j-m* nachspionieren, *j-n* bespitzeln, *Gespräch etc.* abhören; **4.** her'umspionieren; **III** *s.* **5.** Späher(in), Kundschafter(in); **6.** ⚔, *pol.* Spi'on(in) (*a. fig. Spitzel*); **'~·glass** *s.* Fernglas *n*; **'~·hole** *s.* Guckloch *n*; **~ *ring*** *s.* Spio'nagering *m*; **~ *sat·el·lite*** *s.* ⚔ ‚'Himmelsspi͵on' *m*.

squab·ble ['skwɒbl] **I** *v/i.* sich zanken *od.* kabbeln; **II** *v/t.* *typ.* verquirlen; **III** *s.* Zank *m*, Kabbe'lei *f*; **'squab·bler** [-lə] *s.* ‚Streithammel' *m*.

squab·by ['skwɒbɪ] *adj.* unter'setzt, feist, plump.

squad [skwɒd] *s.* **1.** ⚔ Gruppe *f*, Korpo'ralschaft *f*: ***awkward ~*** a) ‚patschnasse' Re'kruten, b) *fig.* ‚Flaschenverein' *m*; **2.** (Arbeits- *etc.*)Trupp *m*; **3.** *Polizei*: a) ('Überfall- *etc.*)Kom͵mando *n*, b) ('Raub- *etc.*)Dezer͵nat *n*; → ***murder squad*** *etc.*; **~ *car*** *Am.* (Funk)Streifenwagen *m*; **4.** *sport* Riege *f*, Kader *m*.

squad·ron ['skwɒdrən] *s.* **1.** ⚔ a) ('Reiter)Schwa͵dron *f*, b) ('Panzer)Batail͵lon *n*; **2.** ⚓, ⚔ (Flotten)Geschwader *n*; **3.** ✈ Staffel *f*; **4.** *allg.* Gruppe *f*, Ab'teilung *f*, Mannschaft *f*; **~ *lead·er*** *s.* ('Flieger)Ma͵jor *m*.

squail [skweɪl] *s.* **1.** *pl. sg. konstr.* Flohhüpfen *n*; **2.** Spielplättchen *n*.

squal·id ['skwɒlɪd] *adj.* □ schmutzig, verkommen (*beide a. fig.*), verwahrlost; **squa·lid·i·ty** [skwɒ'lɪdətɪ], **'squal·id·ness** [-nɪs] *s.* Schmutz *m*, Verkommenheit *f* (*beide a. fig.*), Verwahrlosung *f*.

squall¹ [skwɔ:l] **I** *s.* **1.** *meteor.* Bö *f*, heftiger Windstoß: ***white ~*** Sturmbö aus heiterem Himmel; **2.** F ‚Sturm' *m*, ‚Gewitter' *n*: ***look out for ~s*** die Augen offen halten, auf der Hut sein; **II** *v/i.* **3.** stürmen.

squall² [skwɔːl] **I** *v/i.* kreischen, schreien (*a. Kind*); **II** *v/t. oft* **~ out** *et.* kreischen; **III** *s.* schriller Schrei: **~s** Geschrei *n*; **'squall·er** [-lə] *s.* Schreihals *m*.

squall·y ['skwɔːlɪ] *adj.* böig, stürmisch (*a.* F *fig.*).

squal·or ['skwɒlə] → ***squalidity***.

squa·ma ['skweɪmə] *pl.* **-mae** [-miː] *s.* ⚘, *anat.*, *zo.* Schuppe *f*, schuppenartige Or'ganbildung; **'squa·mate** [-meɪt], **'squa·mous** [-məs] *adj.* schuppig.

squan·der ['skwɒndə] *v/t. oft* ***~ away*** *Geld, Zeit etc.* verschwenden, -geuden: ***~ o.s.*** *od.* ***one's energies*** sich verzetteln *od.* ‚verplempern'; **'squan·der·er** [-dərə] *s.* Verschwender(in); **'squan·der·ing** [-dərɪŋ] **I** *adj.* □ verschwenderisch; **II** *s.* Verschwendung *f*, -geudung *f*.

squan·der·ma·ni·a [ˌskwɒndə'meɪnjə] *s.* Verschwendungssucht *f*.

square [skweə] **I** *s.* **1.** ⩲ Qua'drat *n* (*Figur*); **2.** Qua'drat *n*, Viereck *n*, qua'dratisches Stück (*Glas, Stoff etc.*), Karo *n*; **3.** Feld *n* (*Schachbrett etc.*): ***be back to ~ one*** *fig.* wieder da sein, wo man angefangen hat; **4.** Häuserblock *m*; **5.** (öffentlicher) Platz; **6.** ⚙ a) Winkel(maß *n*) *m*, b) *bsd. Zimmerei*: Geviert *n*: ***on the ~*** a) rechtwink(e)lig, b) F ehrlich, anständig, in Ordnung; ***out of ~*** a) nicht rechtwink(e)lig, b) *fig.* nicht in Ordnung; **7.** ⩲ Qua'drat(zahl *f*) *n*: ***in the ~*** im Quadrat; **8.** ⚔ *hist.* Kar'ree *n*; **9.** ('Wort-, 'Zahlen)Quaˌdrat *n*; **10.** ⚠ Säulenplatte *f*; **11.** *sl.* Spießer *m*; **II** *v/t.* **12.** rechtwink(e)lig *od.* qua'dratisch machen; **13.** *a.* ***~ off*** in Qua'drate einteilen, *Papier etc.* karieren: ***~d paper*** Millimeterpapier *n*; **14.** auf s-e Abweichung vom rechten Winkel prüfen; **15.** ⩲ a) den Flächeninhalt berechnen von (*od. gen.*), b) *Zahl* quadrieren, ins Qua'drat erheben, c) *Figur* quadrieren; → ***circle*** 1; **16.** ⚙ vierkantig behauen; **17.** *Schultern* straffen; **18.** *fig.* in Einklang bringen (***with*** mit), anpassen (***to*** an *acc.*); **19.** (*a.* ✝ *Konten*) ausgleichen; → ***account*** 5; **20.** *Schuld* begleichen; **21.** *Gläubiger* befriedigen; **22.** *sl. j-n* ‚schmieren', bestechen; **23.** *sport Kampf* unentschieden beenden; **III** *v/i.* **24.** ***~ up*** (*Am. a.* ***off***) in Boxerstellung *od.* in Auslage gehen: ***~ up to*** sich vor *j-m* aufpflanzen, *fig. Problem* anpacken; **25.** (***with***) über'einstimmen (mit), passen (zu); **26.** ***~ up*** ✝ *u. fig.* abrechnen (***with*** mit); **IV** *adj.* □ **27.** ⩲ qua'dratisch, Quadrat...(*-meile, -wurzel, -zahl etc.*); **28.** im Qua'drat: ***2 feet ~***; **29.** rechtwink(e)lig, im rechten Winkel (stehend) (***to*** zu); **30.** (vier)eckig; **31.** ⚙ Vierkant...; **32.** gerade, gleichmäßig; **33.** breit(schulterig), stämmig, vierschrötig; **34.** *fig.* in Einklang (stehend) (***with*** mit), stimmend, in Ordnung: ***get things ~*** die Sache in Ordnung bringen; **35.** ✝ abgeglichen (*Konten*): ***get ~ with*** mit *j-m* quitt werden (*a. fig.*); **36.** F a) re'ell, anständig, b) offen, ehrlich: ***~ deal*** a) reeller Handel, b) anständige Behandlung; **37.** klar, deutlich: ***a ~ refusal***; **38.** F ordentlich, reichlich: ***a ~ meal***; **39.** *sl.* ‚spießig'; **40.** zu viert: ***~ game***; **V** *adv.* **41.** qua'dratisch, viereckig; rechtwink(e)lig; **42.** F anständig, ehrlich; **43.** *Am.* di'rekt, gerade; **ˌ~-'built** → ***square*** 33; **~ dance** *s. Am.* Square dance *m*; **'~·head** *s. contp.* ‚Qua'dratschädel' *m* (*Skandinavier od. Deutscher in U.S.A. od. Kanada*); **~ meas·ure** *s.* Flächenmaß *n*.

square·ness ['skweənɪs] *s.* **1.** *das* Qua'dratische *od.* Viereckige; **2.** Vierschrötigkeit *f*; **3.** F Ehrlichkeit *f*; **4.** *sl.* ‚Spießigkeit' *f*.

ˌsquare|-'rigged *adj.* ⚓ mit Rahen getakelt; **'~-ˌrig·ger** *s.* ⚓ Rahsegler *m*; **~ root** *s.* ⩲ (Qua'drat)Wurzel *f*; **~ sail** *s.* ⚓ Rahsegel *n*; **~ shoot·er** *s. Am.* F ehrlicher *od.* anständiger Kerl; **ˌ~-'shoul·dered** *adj.* breitschultrig; **ˌ~-'toed** *adj. fig.* a) altmodisch, b) steif.

squash [skwɒʃ] **I** *v/t.* **1.** (zu Brei) zerquetschen, zs.-drücken; breitschlagen; **2.** *fig. Aufruhr etc.* niederschlagen, im Keim ersticken; **3.** F *j-n* ‚fertigmachen'; **II** *v/i.* **4.** zerquetscht werden; **5.** glucksen (*Schuhe im Morast etc.*); **III** *s.* **6.** Matsch *m*, Brei *m*; **7.** Gedränge *n*; **8.** ⚘ Kürbis *m*; **9.** (Zi'tronen- *etc.*)Saft *m*; **10.** Glucksen *n*, Platsch(en *n*) *m*; **11.** *sport* a) *a.* ***~ tennis*** Squash *n*, b) *a.* ***~ rackets*** *ein dem Squash ähnliches Spiel*; **'squash·y** [-ʃɪ] *adj.* □ **1.** weich, breiig; **2.** matschig (*Boden*).

squat [skwɒt] **I** *v/t.* **1.** hocken, kauern: ***~ down*** sich hinhocken; **2.** sich ducken (*Tier*); **3.** F ‚hocken' (*sitzen*); **4.** sich ohne Rechtstitel ansiedeln; **II** *v/t.* **5.** *leerstehendes Haus* besetzen; **III** *adj.* **6.** unter'setzt, vierschrötig (*Person*); **7.** flach, platt; **IV** *s.* **8.** Hockstellung *f*, Hocke *f* (*a. sport*); **9.** Sitz *m*, Platz *m*; **'squat·ter** [-tə] *s.* **1.** Hockende(r *m*) *f*; **2.** Hausbesetzer *m*; **3.** Squatter *m*, Ansiedler *m* ohne Rechtstitel; **4.** Siedler *m* auf regierungseigenem Land; **5.** *Austral.* Schafzüchter *m*.

squaw [skwɔː] *s.* **1.** Squaw *f*, Indi'anerfrau *f*; **2.** *Am.* F (Ehe)Frau *f*.

squawk [skwɔːk] **I** *v/i.* **1.** *bsd. orn.* kreischen; **2.** *fig.* F zetern, aufbegehren; **II** *s.* **3.** *bsd. orn.* Kreischen *n*; **4.** F Gezeter *n*.

squeak [skwiːk] **I** *v/i.* **1.** quiek(s)en, piep(s)en; **2.** quietschen (*Bremsen, Türangel etc.*); **3.** *sl.* → ***squeal*** 5; **II** *v/t.* **4.** *et.* quiek(s)en; **III** *s.* **5.** Gequiek(s)e

S

n, Piep(s)en *n*; **7.** *have a narrow* (*od.* *close*) ~ F mit knapper Not davonkommen; **'squeak·y** [-kɪ] *adj.* □ **1.** quiek(s)end; **2.** quietschend.

squeal [skwi:l] **I** *v/i.* **1.** kreischen, (auf-) schreien; **2.** quietschen (*Bremsen etc.*); **3.** quieken, piepsen; **4.** F zetern, schimpfen (*about*, *against* gegen); **5.** *sl.* ‚pfeifen', ‚singen' (*verraten*): ~ *on s.o.* j-n verpetzen *od.* ‚verpfeifen' (*to* bei); **II** *v/t.* **6.** *et.* schreien, kreischen; **III** *s.* **7.** schriller Schrei; **8.** Kreischen *n*, Quieken *n*; **9.** F *fig.* Aufschrei *m*; **'squeal·er** [-lə] *s.* **1.** Schreier *m*; **2.** Täubchen *n*, *allg.* junger Vogel; **3.** *sl.* Verräter *m*.

squeam·ish ['skwi:mɪʃ] *adj.* □ **1.** ('über)empfindlich, zimperlich; **2.** a) heikel (*im Essen*), b) (leicht) Ekel empfindend; **3.** 'übergewissenhaft, pe'nibel; **'squeam·ish·ness** [-nɪs] **1.** 'Überempfindlichkeit *f*, Zimperlichkeit *f*; **2.** 'Übergewissenhaftigkeit *f*; **3.** a) heikle Art, b) Ekel *m*, Übelkeit *f*.

squee·gee [ˌskwi:'dʒi:] *s.* **1.** Gummischrubber *m*; **2.** *phot. etc.* (Gummi-) Quetschwalze *f*.

squeez·a·ble ['skwi:zəbl] *adj.* **1.** zs.-drückbar; **2.** *fig.* gefügig; **'squeeze** [skwi:z] **I** *v/t.* **1.** (zs.-)drücken; **2.** a) *Frucht* auspressen, -quetschen, *Schwamm* ausdrücken, b) F *j-n* ‚ausnehmen', ‚schröpfen'; **3.** *oft* ~ *out Saft etc.* (her)'auspressen, -quetschen (*from* aus): ~ *a tear fig.* e-e Träne zerdrükken, ein paar Krokodilstränen weinen; **4.** drücken, quetschen, zwängen (*into* in *acc.*); eng (zs.-)packen: ~ *o.s.* (*od.* *one's way*) *into* (*through*) sich hinein- (hindurch)zwängen; **5.** F fest *od.* innig an sich drücken; **6.** F a) unter Druck setzen, erpressen, b) *Geld etc.* her'auspressen, *Vorteil etc.* her'ausschinden (*out of* aus); **7.** e-n Abdruck machen von (*e-r Münze etc.*); **II** *v/i.* **8.** quetschen, drücken, pressen; **9.** sich zwängen: ~ *through* (*in*) sich durch- (hinein)zwängen; **III** *s.* **10.** Druck *m*, Pressen *n*, Quetschen *n*; **11.** Händedruck *m*; **12.** (innige) Um'armung; **13.** Gedränge *n*; **14.** F a) Klemme *f*, *bsd.* Geldverlegenheit *f*, b) ‚Druck' *m*, Erpressung *f*: *put the* ~ *on s.o.* j-n unter Druck setzen; **15.** ☤ wirtschaftlicher Engpaß, (*a.* Geld)Knappheit *f*; **16.** (*bsd.* Wachs)Abdruck *m*; **squeeze bot·tle** *s.* (Plastik)Spritzflasche *f*; **squeeze box** *s.* ♪ F ‚'Quetschkomˌmode' *f*; **'squeez·er** [-zə] *s.* **1.** (Frucht-) Presse *f*; **2.** ⚙ a) ('Aus)Preßmaˌschine *f*, b) Quetschwerk *n*, c) 'PreßformmaˌSchine *f*.

squelch [skweltʃ] **I** *v/t.* **1.** zermalmen; **2.** *fig.* F *j-n* ‚kurz fertigmachen', *j-m* den Mund stopfen, *Kritik etc.* abwürgen; **II** *v/i.* **3.** p(l)atschen; **4.** glucksen (*nasser Schuh etc.*); **III** *s.* **5.** Matsch *m*; **6.** P(l)atschen *n*, Glucksen *n*; **7.** → **'squelch·er** [-tʃə] *s.* F **1.** vernichtender Schlag; **2.** vernichtende Antwort.

squib [skwɪb] *s.* **1.** a) Frosch *m*, (Feuerwerks)Schwärmer *m*, b) *Brit. allg.* (Hand)Feuerwerkskörper *m*: *damp* ~ *fig.* ‚Flop' *m*, Schlag *m* ins Wasser; **2.** ⚒, *a.* ⚔ *hist.* Zündladung *f*; **3.** Spottgedicht *n*, Sa'tire *f*.

squid [skwɪd] *pl.* **squids**, *bsd. coll.* **squid** *s.* **1.** *zo. ein* zehnarmiger Tintenfisch; **2.** *künstlicher Köder in Tintenfischform.*

squif·fy ['skwɪfɪ] *adj. sl.* beschwipst.

squig·gle ['skwɪgl] **I** *s.* **1.** Schnörkel *m*; **II** *v/i.* **2.** kritzeln; **3.** sich winden.

squill [skwɪl] *s.* **1.** ⚘ a) Meerzwiebel *f*, b) Blaustern *m*; **2.** *zo.* Heuschreckenkrebs *m*.

squint [skwɪnt] **I** *v/i.* **1.** schielen (*a. weitS.*); **2.** ~ *at* a) schielen nach, b) e-n Blick werfen auf (*acc.*), c) scheel *od.* argwöhnisch blicken auf (*acc.*); **3.** blinzeln, zwinkern; **II** *v/t.* **4.** *Augen* a) verdrehen, b) zs.-kneifen; **III** *s.* **5.** Schielen *n* (*a. fig.*): *have a* ~ schielen; **6.** F (rascher *od.* verstohlener) Blick: *have a* ~ *at* → 2b; **IV** *adj.* **7.** schielend; **8.** schief, schräg; **'~-eyed** *adj.* **1.** schielend; **2.** *fig.* scheel, böse.

squir·arch·y ['skwaɪərɑ:kɪ] *s.* → *squirearchy*.

squire ['skwaɪə] **I** *s.* **1.** *englischer* Landjunker, *a.* Gutsherr *m*, Großgrundbesitzer *m*; **2.** *bsd.* F (*a. Am.*) a) (Friedens)Richter *m*, b) *andere Person mit lokaler Obrigkeitswürde*; **3.** *hist.* Edelknabe *m*, (Schild)Knappe *m*; **4.** Kava'lier *m*: a) Begleiter *m* (*e-r Dame*), b) Ga'lan *m*: ~ *of dames* Frauenheld *m*; **II** *v/t. u. v/i.* **5.** *obs.* a) (e-e Dame) begleiten, b) (e-r Dame) Ritterdienste leisten *od.* den Hof machen; **'squire·arch·y** [-ərɑ:kɪ] *s.* Junkertum *n*: a) *coll. die* (Land)Junker *pl.*, b) (Land-) Junkerherrschaft *f*; **'squire·ling** [-əlɪŋ] *s. contp.* Krautjunker *m*.

squirm [skwɜ:m] **I** *v/i.* **1.** sich krümmen, sich winden (*a. fig.* *with* vor *Scham etc.*): ~ *out of* a) sich (mühsam) aus *e-m Kleid* ‚herausschälen', b) *fig.* sich aus *e-r Notlage etc.* (heraus)winden; **II** *s.* **2.** Krümmen *n*, Sich'winden *n*; **3.** ⚓ Kink *m im Tau*; **'squirm·y** [-mɪ] *adj.* **1.** sich windend; **2.** *fig.* eklig.

squir·rel ['skwɪrəl] *s.* **1.** *zo.* Eichhörnchen *n*: *flying* ~ Flughörnchen *n*; **2.** Feh *n* (*Pelzwerk*); ~ **cage** *s.* **1.** a) Laufradkäfig *m*, b) *fig.* ‚Tretmühle' *f*; **2.** ϟ Käfiganker *m*; **'~-cage** *adj.* ϟ Käfig…, Kurzschluß…

squirt [skwɜ:t] **I** *v/i.* **1.** spritzen; **2.** her-

ˈvorspritzen, -sprudeln; **II** *v/t.* **3.** *Flüssigkeit etc.* herˈvor-, herˈausspritzen; **4.** bespritzen; **III** *s.* **5.** (Wasser- *etc.*)Strahl *m*; **6.** Spritze *f*: **~ can** ⚙ Spritzkanne *f*; **7.** *a.* **~ gun** ˈWasserpiˌstole *f*; **8.** F ‚kleiner Scheißer'.

squish [skwɪʃ] F **I** *v/t.* zermatschen; **II** *v/i.* → **squelch** 4.

stab [stæb] **I** *v/t.* **1.** *j-n* a) (nieder)stechen, b) erstechen, erdolchen; **2.** *Messer etc.* bohren, stoßen (**into** in *acc.*); **3.** *fig.* verletzen: **~ s.o. in the back** j-m in den Rücken fallen; **~ s.o.'s reputation** an j-m Rufmord begehen; **4.** ⚙ *Mauer* rauh hauen; **II** *v/i.* **5.** stechen (**at** nach); **6.** *mit den Fingern etc.* stoßen (**at** nach, auf *acc.*); **7.** stechen (*Schmerz*); **III** *s.* **8.** (Dolch- *etc.*)Stoß *m*, Stich *m*: **~ in the back** *fig.* Dolchstoß; **have** (*od.* **make**) **a ~ at** F *et.* probieren; **9.** Stich (-wunde *f*) *m*; **10.** *fig.* Stich *m* (*Schmerz, jähes Gefühl*); **~ cell** *s. biol.* Stabzelle *f*.

sta·bil·i·ty [stəˈbɪlətɪ] *s.* **1.** Stabiliˈtät *f*: a) Standfestigkeit *f*, b) (Wert)Beständigkeit *f*, Festigkeit *f*, Haltbarkeit *f*, c) Unveränderlichkeit *f* (*a.* ⚗), d) ⚗ Resiˈstenz *f*: **monetary ~** ✝ Währungsstabilität; **2.** *fig.* Beständigkeit *f*, Standhaftigkeit *f*, (Chaˈrakter)Festigkeit *f*; **3.** a) ⚙ Kippsicherheit *f*, b) ✈ dyˈnamisches Gleichgewicht, c) **~ on curves** *mot.* Kurvenstabilität *f*.

sta·bi·li·za·tion [ˌsteɪbɪlaɪˈzeɪʃn] *s. allg., bsd.* ⚙, ✝ Stabilisierung *f*; **sta·bi·lize** [ˈsteɪbɪlaɪz] *v/t.* stabilisieren (*a.* ⚙, ⚓, ✈): a) festigen, stützen, b) konˈstant halten: **~d warfare** ⚔ Stellungskrieg *m*; **sta·bi·liz·er** [ˈsteɪbɪlaɪzə] *s.* ⚙, ✈, ⚓, ⚗ Stabiliˈsator *m*.

sta·ble¹ [ˈsteɪbl] *adj.* ☐ **1.** staˈbil (*a.* ✝): a) standfest, -sicher (*a.* ⚙), b) (wert-) beständig, fest, dauerhaft, haltbar, c) unveränderlich (*a.* ⚗), d) ⚗ resiˈstent; **2.** ✝, *pol.* staˈbil: **~ currency**; **3.** *fig.* beständig, (*a.* chaˈrakterlich) gefestigt.

sta·ble² [ˈsteɪbl] **I** *s.* **1.** (Pferde-, Kuh-) Stall *m*; **2.** Stall(bestand) *m*; **3.** Rennstall *m* (*bsd. coll. Pferde, a. Rennfahrer*); **4.** *fig.* ‚Stall' *m* (*Mannschaft etc., a. Familie*); **5.** *pl.* ⚔ *Brit.* a) Stalldienst *m*, b) → **stable call**; **II** *v/t.* **6.** *Pferd* einstallen; **III** *v/i.* **7.** im Stall stehen (*Pferd*); **8.** *fig.* hausen; **ˈ~·boy** *s.* Stalljunge *m*; **~ call** *s.* ⚔ Siˈgnal *n* zum Stalldienst; **~ com·pan·ion** → **stablemate**; **ˈ~·man** [-mən] *s.* [*irr.*] Stallknecht *m*; **ˈ~·mate** *s.* Stallgefährte *m* (*a. fig. Radsport etc.*).

sta·ble·ness [ˈsteɪblnɪs] → **stability**.

sta·bling [ˈsteɪblɪŋ] *s.* **1.** Einstallung *f*; **2.** Stallung(en *pl.*) *f*, Ställe *pl.*

stac·ca·to [stəˈkɑːtəʊ] (*Ital.*) *adv.* **1.** ♪ stakˈkato; **2.** *fig.* abgehackt.

stack [stæk] **I** *s.* **1.** Schober *m*, Feim *m*; **2.** Stoß *m*, Stapel *m* (*Holz, Bücher etc.*); **3.** *Brit. Maßeinheit für Holz u. Kohlen* (*3,05814 m³*); **4.** *Am.* (ˈBücher-) Reˌgal *n*; *pl.* ˈHauptmagaˌzin *n e-r Bibliothek*; **5.** ⚔ (Geˈwehr)Pyraˌmide *f*; **6.** a) *bsd.* 🚂, ⚓ Schornstein *m*, Kaˈmin *m*, b) (Schmiede)Esse *f*, c) *mot.* Auspuffrohr *n*, d) Aggreˈgat *n*, Satz *m*, e) (gestockte) Anˈtennenkombinatiˌon, f) *Computer*: Stapelspeicher *m*: **blow one's ~** F ‚in die Luft gehen'; **7.** Felssäule *f*; **II** *v/t.* **8.** *Heu etc.* aufschobern; **9.** aufschichten, -stapeln; **10.** *et.* ˈvollstapeln; **11.** ⚔ *Gewehre* zs.-setzen: **~ arms**; **12.** **~ the cards** die Karten ‚packen' (*um zu betrügen*): **the cards are ~ed against him** *fig.* er hat kaum e-e Chance; **ˈstack·er** [-kə] *s.* Stapler *m* (*Person u. Gerät*).

sta·di·a¹ [ˈsteɪdjə] *pl. von* **stadium**.

sta·di·a² [ˈsteɪdjə] *s. a.* **~ rod** *surv.* Meßlatte *f*.

sta·di·um [ˈsteɪdjəm] *pl.* **-di·a** [-djə] *s.* **1.** *antiq.* Stadion *n* (*Kampfbahn u. Längenmaß*); **2.** *pl. mst* **ˈsta·di·ums** *sport* Stadion *n*; **3.** *bsd.* ⚕, *biol.* Stadium *n*.

staff¹ [stɑːf] **I** *s.* **1.** Stock *m*, Stecken *m*; **2.** (*a.* Amts-, Bischofs-, Komˈmando-, Meß-, Wander)Stab *m*; **3.** (Fahnen-) Stange *f*, ⚓ Flaggenstock *m*; **4.** *fig.* a) Stütze *f des Alters etc.*, b) *das* Nötige *od.* Wichtigste: **~ of life** Brot *n*, Nahrung *f*; **5.** Unruhewelle *f* (*Uhr*); **6.** a) (Assiˈstenten-, Mitarbeiter)Stab *m*, b) Beamtenkörper *m*, -stab *m*, c) Lehrkörper *m*, ˈLehrerkolˌlegium *n*, d) Persoˈnal *n*, Belegschaft *f*: **editorial ~** Redaktion(sstab *m*) *f*; **nursing ~** ⚕ Pflegepersonal; **the senior ~** ✝ die leitenden Angestellten; **be on the ~** (**of**) zum Stab *od.* Lehrkörper *od.* Personal gehören (*gen.*), Mitarbeiter sein (bei), fest angestellt sein (bei); **7.** ⚔ Stab *m*: **~ order** Stabsbefehl *m*; **8.** *pl.* **staves** [steɪvz] ♪ ˈNoten(linien)syˌstem *n*; **II** *adj.* **9.** *bsd.* ⚔ Stabs…; **10.** Personal…; **III** *v/t.* **11.** (mit Persoˈnal) besetzen: **well ~ed** gut besetzt; **~ing level** Personaldecke *f*; **12.** mit e-m Stab *od.* Lehrkörper *etc.* versehen; **13.** den Lehrkörper *e-r Schule* bilden.

staff² [stɑːf] *s.* ⚙ *Baustoff aus Gips u.* (*Hanf*)*Fasern*.

staff| car *s.* ⚔ Befehlsfahrzeug *n*; **~ col·lege** *s.* ⚔ Geneˈralstabsakadeˌmie *f*; **~ man·a·ger** *s.* ✝ Persoˈnalchef *m*; **~ mem·ber** *s.* Mitarbeiter(in); **~ no·ta·tion** *s.* ♪ Liniennotenschrift *f*; **~ of·fi·cer** *s.* ⚔ ˈStabsoffiˌzier *m*; **~ re·duc·tions** *pl.* ✝ Persoˈnalabbau *m*; **~ room** *s. ped.* Lehrerzimmer *n*; **~ ser·geant** *s.* ⚔ (*Brit.* Ober)Feldwebel *m*; **~ turn·o·ver** *s.* Personalfluktuation *f*.

stag [stæg] **I** *s.* **1.** *hunt., zo.* a) Rothirsch *m*, b) Hirsch *m*; **2.** *zo. bsd. dial.* Männchen *n*; **3.** *nach der Reife kastriertes* *männliches Tier*; **4.** F a) ‚Unbeweibte(r)‘ *m*, Herr *m* ohne Damenbegleitung, b) *bsd. Am.* → ***stag party***; **5.** ✝ *Brit.* Kon'zertzeichner *m*; **II** *adj.* **6.** F a) Herren…: **~ *dinner***, b) Sex…: **~ *film***; **III** *v/i.* **7.** ✝ *Brit. sl.* in neu ausgegebenen Aktien spekulieren; **8.** *a.* ***go* ~** F ohne Damenbegleitung *od.* ‚solo‘ gehen; **~ bee·tle** *s. zo.* Hirschkäfer *m*.

stage [steɪdʒ] **I** *s.* **1.** Bühne *f*, Gerüst *n*; ⚓ Landungsbrücke *f*; **2.** *thea.* Bühne *f* (*a. fig. Theaterwelt*, *Bühnenlaufbahn*): ***the* ~** *fig.* die Bühne, das Theater; ***be on the* ~** Schauspieler(in) *od.* beim Theater sein; ***bring on the* ~** → 11a; ***go on the* ~** zur Bühne gehen; ***hold the* ~** sich auf der Bühne halten; ***set the* ~ *for*** *fig.* alles vorbereiten für; **3.** *hist.* a) ('Post)Stati,on *f*, b) Postkutsche *f*; **4.** a) *Brit.* Teilstrecke *f*, Fahrzone *f* (*Bus etc.*), b) (Reise)Abschnitt *m*, E'tappe *f* (*a. fig. u. Radsport*): ***by*** (*od.* ***in***) (***easy***) **~*s*** etappenweise; **5.** ✱, ✝, *biol. etc.* Stadium *n*, (Entwicklungs)Stufe *f*, Phase *f*: ***at this* ~** zum gegenwärtigen Zeitpunkt; ***critical*** (***experimental***, ***initial***) **~** kritisches (Versuchs-, Anfangs-) Stadium; **~*s of appeal*** ⚖ Instanzenweg *m*; **6.** ⚙ (Schalt- *etc.*, ⚡ Verstärker-, *a.* Ra'keten)Stufe *f*; **7.** *geol.* Stufe *f e-r Formation*; **8.** Ob'jektträger *m* (*am Mikroskop*); **9.** ⚙ Farbläufer *m*; **10.** *Am.* Höhe *f* des Spiegels (*e-s Flusses*); **II** *v/t.* **11.** *Theaterstück* a) auf die Bühne bringen, inszenieren, b) für die Bühne bearbeiten; **12.** *fig.* a) *allg.* veranstalten, b) inszenieren, aufziehen: **~ *a demonstration***; **13.** ⚙ berüsten; **14.** ⚔ *Am. Personen* 'durchschleusen; **~ box** *s. thea.* Pro'sceniumsloge *f*; **'~·coach** *s. hist.* Postkutsche *f*; **'~·craft** *s.* drama'turgisches *od.* schauspielerisches Können; **~ de·sign·er** *s.* Bühnenbildner(in); **~ di·rec·tion** *s.* Bühnen-, Re'gieanweisung *f*; **~ di·rec·tor** *s.* Regis'seur *m*; **~ door** *s.* Bühneneingang *m*; **~ ef·fect** *s.* **1.** 'Bühnenwirkung *f*, -ef,fekt *m*; **2.** *fig.* Thea'tralik *f*; **~ fe·ver** *s.* The'aterbesessenheit *f*; **~ fright** *s.* Lampenfieber *n*; **'~·hand** *s.* Bühnenarbeiter *m*; **,~-'man·age** → ***stage*** 12; **~ man·ag·er** *s.* Inspizi'ent *m*; **~ name** *s.* Bühnen-, Künstlername *m*; **~ play** *s.* Bühnenstück *n*.

stag·er ['steɪdʒə] *s. mst* ***old* ~** ‚alter Hase‘.

stage| race *s. Radsport*: E'tappenrennen *n*; **~ rights** *s. pl.* ⚖ Aufführungs-, Bühnenrechte *pl.*; **'~-struck** *adj.* the'aterbesessen; **~ ver·sion** *s. thea.* Bühnenfassung *f*; **~ whis·per** *s.* **1.** *thea.* nur für das Publikum bestimmtes Flüstern; **2.** *fig.* weithin hörbares Geflüster; **'~,worth·y** *adj.* bühnenfähig, -gerecht (*Schauspiel*).

stage·y ['steɪdʒɪ] *adj. Am. für* ***stagy***.

stag·fla·tion [stæg'fleɪʃn] *s.* ✝ Stagflati'on *f*.

stag·ger ['stægə] **I** *v/i.* **1.** (sch)wanken, taumeln, torkeln; **2.** *fig.* wanken(d werden); **II** *v/t.* **3.** ins Wanken bringen, erschüttern (*a. fig.*); **4.** *fig.* verblüffen, *stärker*: 'umwerfen, über'wältigen; **5.** ⚙ gestaffelt *od.* versetzt anordnen; (*a. fig. Arbeitszeit*) staffeln; **III** *s.* **6.** Schwanken *n*, Taumeln *n*; **7.** *pl. sg. konstr.*: a) Schwindel *m*, b) *vet.* Schwindel *m* (*von Rindern*), Koller *m* (*von Pferden*), Drehkrankheit *f* (*von Schafen*); **8.** ⚙, ✈ *u. fig.* Staffelung *f*; **9.** *Leichtathletik*: Kurvenvorgabe *f*; **'stag·gered** [-əd] *adj.* **1.** ⚙ versetzt (angeordnet), gestaffelt; **2.** gestaffelt (*Arbeitszeit etc.*); **'stag·ger·ing** [-ərɪŋ] *adj.* □ **1.** (sch)wankend, taumelnd; **2.** wuchtig, heftig (*Schlag*); **3.** *fig.* a) 'umwerfend, phan'tastisch, b) schwindelerregend (*Preise etc.*).

stag·i·ness ['steɪdʒɪnɪs] *s.* Thea'tralik *f*, Effekthasche'rei *f*.

stag·ing ['steɪdʒɪŋ] *s.* **1.** *thea.* a) Inszenierung *f* (*a. fig.*), b) Bühnenbearbeitung *f*; **2.** (Bau)Gerüst *n*; **3.** ⚓ Hellinggerüst *n* (*e-r Werft*); **~ a·re·a** *s.* ⚔ **1.** Bereitstellungsraum *m*; **2.** Auffangraum *m*.

stag·nan·cy ['stægnənsɪ] *s.* Stagnati'on *f*: a) Stockung *f*, Stillstand *m*, b) *bsd.* ✝ Flauheit *f*, c) *fig.* Trägheit *f*; **'stag·nant** [-nt] *adj.* □ stagnierend: a) stockend (*a.* ✝), stillstehend, b) abgestanden (*Wasser*), c) *fig.* träge; **'stag·nate** [-neɪt] *v/i.* stagnieren, stocken; **stag·na·tion** [stæg'neɪʃn] → ***stagnancy***.

stag par·ty *s.* F (*bsd.* feuchtfröhlicher) Herrenabend *m*.

stag·y ['steɪdʒɪ] *adj.* □ **1.** bühnenmäßig, Bühnen…; **2.** *fig.* thea'tralisch.

staid [steɪd] *adj.* □ gesetzt, seri'ös; ruhig (*a. Farbe*), gelassen; **'staid·ness** [-nɪs] *s.* Gesetztheit *f*.

stain [steɪn] **I** *s.* **1.** (Schmutz-, *a.* Farb-) Fleck *m*: **~*-resistant*** schmutzabweisend; **2.** *fig.* Schandfleck *m*, Makel *m*; **3.** Färbung *f*; **4.** ⚙ Farbe *f*, Färbemittel *n* (*a. beim Mikroskopieren*); **5.** (Holz-) Beize *f*; **II** *v/t.* **6.** beschmutzen, beflekken, besudeln (*alle a. fig.*); **7.** färben; *Holz* beizen; *Glas etc.* bemalen; *Stoff etc.* bedrucken: **~*ed glass*** buntes (Fenster)Glas; **III** *v/i.* **8.** Flecken verursachen; **9.** Flecken bekommen, schmutzen; **'stain·ing** [-nɪŋ] **I** *s.* **1.** (Ver)Färbung *f*; **2.** Verschmutzung *f*; **3.** ⚙ Färben *n*, Beizen *n*: **~ *of glass*** Glasmalerei *f*; **II** *adj.* **4.** Färbe…; **'stain·less** [-lɪs] *adj.* □ **1.** *bsd. fig.* fleckenlos, unbefleckt; **2.** rostfrei, nichtrostend (*Stahl*).

stair [steə] *s.* **1.** Treppe *f*, Stiege *f*; **2.**

S

(Treppen)Stufe *f*; **3.** *pl.* Treppe(nhaus *n*) *f*: ***below ~s*** a) unten, b) *Br. obs.* beim Hauspersonal; **'~·case** → ***stair*** 3; **'~·head** *s.* oberster Treppenabsatz; **'~·way** → ***stair*** 3.

stake[1] [steɪk] **I** *s.* **1.** (*a.* Grenz)Pfahl *m*, Pfosten *m*: ***pull up ~s*** *Am.* F *fig.* s-e Zelte abbrechen; **2.** Marter-, Brandpfahl *m*: ***the ~*** *fig.* der (Tod auf dem) Scheiterhaufen; **3.** Pflock *m* (*zum Anbinden von Tieren*); **4.** (Wagen)Runge *f*; **5.** Absteckpfahl *m*, -pflock *m*; **6.** kleiner (Hand)Amboß; **II** *v/t.* **7.** *oft* ***~ off***, ***~ out*** abstecken (*a. fig.*): ***~ out a claim*** *fig.* s-e Ansprüche anmelden (***to*** auf *acc.*); ***~ in*** (*od.* ***out***) mit Pfählen einzäunen; **8.** *Pflanze* mit e-m Pfahl stützen; **9.** *Tier* anpflocken; **10.** a) mit e-m Pfahl durch'bohren, aufspießen, b) pfählen (*als Strafe*).

stake[2] [steɪk] **I** *s.* **1.** (Wett-, Spiel)Einsatz *m*: ***place one's ~s on*** setzen auf (*acc.*); ***be at ~*** *fig.* auf dem Spiel stehen; ***play for high ~s*** a) um hohe Einsätze spielen, b) *fig.* ein hohes Spiel spielen, allerhand riskieren; ***sweep the ~s*** den ganzen Gewinn kassieren; **2.** *fig.* Inter'esse *n*, Anteil *m* (*a.* ☨): ***have a ~ in*** interessiert *od.* beteiligt sein an (*dat.*); **3.** *pl. Pferderennen*: a) Dotierung *f*, b) Rennen *n*; **II** *v/t.* **4.** *Geld* setzen (***on*** auf *acc.*); **5.** *fig.* (ein)setzen, aufs Spiel setzen, riskieren: ***I'd ~ my life on that*** darauf gehe ich jede Wette ein; **6.** *Am.* F Geld in *j-n od. et.* investieren.

'stake|ˌhold·er *s.* 'Unparˌteiische(r), der die Wetteinsätze verwahrt; ***~ net*** *s.* ⚓ Staknetz *n*; **'~·out** *s.* F (poli'zeiliche) Über'wachung (***on*** *gen.*).

Sta·kha·no·vism [stæ'kænəvɪzəm] *s.* Sta'chanow-Syˌstem *n*.

sta·lac·tic, **sta·lac·ti·cal** [stə'læktɪk(l)] *adj.* → ***stalactitic***; **sta·lac·tite** ['stæləktaɪt] *s.* Stalak'tit *m*, hängender Tropfstein; **stal·ac·tit·ic** [ˌstælək'tɪtɪk] *adj.* (□ ***~ally***) stalak'titisch, Stalaktiten…

sta·lag·mite ['stæləgmaɪt] *s. min.* Stalag'mit *m*, stehender Tropfstein; **stal·ag·mit·ic** [ˌstæləg'mɪtɪk] *adj.* (□ ***~ally***) stalag'mitisch.

stale[1] [steɪl] **I** *adj.* □ **1.** *allg.* alt (*Ggs. frisch*), *bsd.* a) schal, abgestanden (*Wasser*, *Wein*), b) alt(backen) (*Brot*), c) schlecht, verdorben (*Lebensmittel*); **2.** verbraucht (*Luft*); **3.** schal (*Geruch*, *Geschmack*, *fig. Vergnügen*); **4.** fad, abgedroschen, (ur)alt (*Witz*); **5.** a) verbraucht (*Person*, *Geist*), über'anstrengt, b) ‚eingerostet', aus der Übung (gekommen); **6.** ⚖ verjährt (*Scheck*, *Schuld etc.*), gegenstandslos (geworden); **II** *v/i.* **7.** schal *etc.* werden.

stale[2] [steɪl] **I** *v/i.* stallen, harnen (*Vieh*); **II** *s.* Harn *m*.

stale·mate ['steɪlmeɪt] **I** *s.* **1.** *Schach*: Patt *n*; **2.** *fig.* 'Patt(situatiˌon *f*) *n*, Sackgasse *f*; **II** *v/t.* **3.** patt setzen; **4.** *fig.* a) in e-e Sackgasse führen, b) matt setzen.

stale·ness ['steɪlnɪs] *s.* **1.** Schalheit *f* (*a. fig.*); **2.** a) Verbrauchtheit *f*, b) Abgedroschenheit *f*.

Sta·lin·ism ['stɑ:lɪnɪzəm] *s. pol.* Stali'nismus *m*; **'Sta·lin·ist** [-nɪst] **I** *s.* Stali'nist(in); **II** *adj.* stali'nistisch.

stalk[1] [stɔ:k] *s.* **1.** ⚘ Stengel *m*, Stiel *m*, Halm *m*; **2.** *biol.*, *zo.* Stiel *m* (*Träger e-s Organs*); **3.** *zo.* Federkiel *m*; **4.** Stiel *m* (*e-s Weinglases etc.*); **5.** (Fa'brik-) Schlot *m*.

stalk[2] [stɔ:k] **I** *v/i.* **1.** *hunt.* (sich an)pirschen; **2.** (ein'her)schreiten, (-)stolzieren; **3.** *fig.* 'umgehen (*Krankheit*, *Gespenst etc.*); **4.** staken, steifbeinig gehen; **II** *v/t.* **5.** *hunt. u. fig.* sich her'anpirschen an (*acc.*); **6.** *hunt.* durch'jagen; **7.** *j-n* verfolgen; **8.** 'umgehen in (*dat.*) (*Gespenst etc.*); **III** *s.* **9.** Pirsch (-jagd) *f*.

stalked [stɔ:kt] *adj.* ⚘, *zo.* gestielt, …stielig.

stalk·er ['stɔ:kə] *s.* Pirschjäger *m*.

'stalk·ing-horse ['stɔ:kɪŋ] *s.* **1.** *hunt.*, *hist.* Versteckpferd *n*; **2.** *fig.* Deckmantel *m*; **3.** *pol.* Strohmann *m*.

stalk·less ['stɔ:klɪs] *adj.* **1.** ungestielt; **2.** ⚘ stengellos, sitzend.

stalk·y ['stɔ:kɪ] *adj.* **1.** stengel-, stielartig; **2.** hochaufgeschossen.

stall[1] [stɔ:l] **I** *s.* **1.** Box *f* (*im Stall*); **2.** (Verkaufs)Stand *m*, (Markt)Bude *f*: ***~ money*** Standgeld *n*; **3.** Chor-, Kirchenstuhl *m*; **4.** *pl. thea. Brit.* Sperrsitz *m*; **5.** Hülle *f*, Schutz *m*; **6.** ⚒ Arbeitsstand *m*; **7.** ✈ Sackflug *m*; **8.** (markierter) Parkplatz; **II** *v/t.* **9.** *Tiere* in Boxen 'unterbringen; **10.** im Stall füttern *od.* mästen; **11.** a) *Wagen* durch ‚Abwürgen' des Motors zum Stehen bringen, b) *Motor* abwürgen, c) ✈ über'ziehen: ***~ing speed*** kritische Geschwindigkeit; **III** *v/i.* **12.** steckenbleiben (*Wagen*); **13.** absterben (*Motor*); **14.** ✈ abrutschen.

stall[2] [stɔ:l] **I** *s.* **1.** Ausflucht *f*, 'Hinhaltemaˌnöver *n*; **2.** *Am.* Kom'plize *m*; **II** *v/i.* **3.** a) Ausflüchte machen, ausweichen, b) *a.* ***~ for time*** Zeit schinden; **4.** *sport* a) auf Zeit spielen, b) ‚kurztreten'; **III** *v/t.* **5.** *a.* ***~ off*** a) *j-n* hinhalten, b) *et.* hin'auszögern.

stall·age ['stɔ:lɪdʒ] *s. Brit.* Standgeld *n*.

stal·lion ['stæljən] *s. zo.* (Zucht)Hengst *m*.

stal·wart ['stɔ:lwət] **I** *adj.* □ **1.** ro'bust, stramm, (hand)fest; **2.** *bsd. pol.* unentwegt, treu; **II** *s.* **3.** strammer Kerl; **4.** *bsd. pol.* treuer Anhänger, Unentwegte(r *m*) *f*.

sta·men [ˈsteɪmən] *s.* ⚘ Staubblatt *n*, -gefäß *n*, -faden *m*.

stam·i·na [ˈstæmɪnə] *s.* **1.** a) Lebenskraft *f* (*a. fig.*), b) Vitaliˈtät *f*; **2.** Zähigkeit *f*, Ausdauer *f*, ˈDurchhalte-, Stehvermögen *n*; **3.** *a.* ⚔ ˈWiderstandskraft *f*; **ˈstam·i·nal** [-nl] *adj.* **1.** Lebens…, viˈtal; **2.** Widerstands…, Konditions…; **3.** ⚘ Staubblatt…

stam·mer [ˈstæmə] **I** *v/i.* (*v/t. a.* **~ *out***) stottern, stammeln; **II** *s.* Stottern *n* (*a.* ⚕), Gestammel *n*; **ˈstam·mer·er** [-ərə] *s.* Stotterer *m*, Stotterin *f*; **ˈstam·mer·ing** [-ərɪŋ] **I** *adj.* □ stotternd; **II** *s.* → ***stammer*** II.

stamp [stæmp] **I** *v/t.* **1.** stampfen (auf *acc.*): **~ *one's foot*** → 12; **~ *down*** a) feststampfen, b) niedertrampeln; **~ *out*** a) *Feuer* austreten, b) zertrampeln, c) ausmerzen, d) *Aufstand* niederschlagen; **2.** *Geld* prägen; **3.** aufprägen (***on*** auf *acc.*); **4.** *Namen etc.* aufstempeln; **5.** *Urkunde etc.* stempeln; **6.** *Gewichte* eichen; **7.** *Brief etc.* frankieren, e-e Brief- *od.* Gebührenmarke (auf)kleben auf (*acc.*): ***~ed envelope*** Freiumschlag *m*; **8.** kennzeichnen; **9.** *fig.* stempeln, kennzeichnen, charakterisieren (***as*** als); **10.** *fig.* (fest) einprägen: ***~ed on s.o.'s memory*** j-s Gedächtnis eingeprägt, unverrückbar in j-s Erinnerung; **11.** ⚙ a) *a.* **~ *out*** (aus)stanzen, b) pressen, c) *Erz* pochen, d) *Lumpen etc.* einstampfen; **II** *v/i.* **12.** (auf)stampfen; **13.** stampfen, trampeln (***upon*** auf *acc.*); **III** *s.* **14.** Stempel *m*, (*Dienst-etc.*)Siegel *n*; **15.** *fig.* Stempel *m* (*der Wahrheit etc.*), Gepräge *n*: ***bear the ~ of*** den Stempel *des Genies etc.* tragen, das Gepräge *j-s od. e-r Sache* haben; **16.** (Brief)Marke *f*, (Post)Wertzeichen *n*; **17.** (Stempel-, Steuer-, Gebühren-) Marke *f*; **18.** ✝ Raˈbattmarke *f*; **19.** ✝ (Firmen)Zeichen *n*, Etiˈkett *n*; **20.** *fig.* Art *f*, Schlag *m*: ***a man of his ~*** ein Mann s-s Schlages; ***of a different ~*** aus e-m andern Holz geschnitzt; **21.** ⚙ a) Prägestempel *m*, b) Stanze *f*, c) Stampfe *f*, d) Presse *f*, e) Pochstempel *m*, f) Paˈtrize *f*; **22.** Prägung *f*; **23.** Aufdruck *m*; **24.** Eindruck *m*, Spur *f*; ≈ **Act** *s. hist.* Stempelakte *f*; **~ col·lec·tor** *s.* Briefmarkensammler *m*; **~ du·ty** *s.* Stempelgebühr *f*.

stam·pede [stæmˈpiːd] **I** *s.* **1.** a) wilde, panische Flucht, Panik *f*, b) wilder Ansturm; **2.** (Massen)Ansturm *m* (*von Käufern etc.*); **3.** *Am. pol.* a) (krasser) ˈMeinungsˌumschwung, b) ‚Erdrutsch' *m*; **II** *v/i.* **4.** (in wilder Flucht) daˈvonstürmen, ˈdurchgehen; **5.** (in Massen) losstürmen; **III** *v/t.* **6.** in wilde Flucht jagen; **7.** a) in Panik versetzen, b) *j-n* treiben (***into doing*** dazu, *et.* zu tun), c) überˈrumpeln, d) *Am. pol.* e-n Erdrutsch herˈvorrufen bei.

stamp·ing [ˈstæmpɪŋ] *s.* ⚙ **1.** Ausstanzen *n etc.*; **2.** Stanzstück *n*; **3.** Preßstück *n*; **4.** Prägung *f*; **~ *die*** *s.* ⚙ ˈSchlagmaˈtrize *f*; **~ *ground*** *s. zo. u. fig.* Tummelplatz *m*, Reˈvier *n*.

stamp(·ing) mill *s.* ⚙ a) Stampfwerk *n*, b) Pochwerk *n*.

stance [stæns] *s.* Stellung *f*, Haltung *f* (*a. sport*).

stanch¹ [stɑːntʃ] *v/t. Blutung* stillen.

stanch² [stɑːntʃ] → ***staunch²***.

stan·chion [ˈstɑːnʃn] **I** *s.* Pfosten *m*, Stütze *f* (*a.* ⚓); **II** *v/t.* (ab)stützen, verstärken.

stand [stænd] **I** *s.* **1.** Stillstand *m*, Halt *m*; **2.** Standort *m*, Platz *m*, *fig.* Standpunkt *m*: ***take one's ~*** a) sich (auf)stellen (***at*** bei, auf *dat.*), b) Stellung beziehen; **3.** *fig.* Eintreten *n*: ***make a ~ for*** sich einsetzen für; ***make a ~ against*** sich entgegenstellen *od.* -stemmen (*dat.*); **4.** (Verkaufs-, Messe)Stand *m*; **5.** Stand(platz) *m für Taxis*; **6.** (ˈZuschauer)TriˌbÜne *f*; **7.** Podium *n*; **8.** *Am.* ⚖ Zeugenstand *m*: ***take the ~*** a) den Zeugenstand betreten, b) als Zeuge aussagen; **9.** (Kleider-, Noten- *etc.*) Ständer *m*; **10.** Gestell *n*; **11.** *phot.* Staˈtiv *n*; **12.** (Baum)Bestand *m*; **13.** 🌾 Stand *m des Getreides etc.*, (zu erwartende) Ernte: **~ *of wheat*** stehender Weizen; **14.** **~ *of arms*** ⚔ (ˈvollständige) Ausrüstung *e-s Soldaten*; **II** *v/i.* [*irr.*] **15.** *allg.* stehen: **~ *alone*** a) allein (da)stehen *mit e-r Ansicht etc.*, b) unerreicht dastehen *od.* sein; **~ *fast*** (*od.* ***firm***) hart bleiben (***on*** in *e-r Sache*); **~ *or fall*** siegen oder untergehen; ***~s at 78*** *das Thermometer* steht auf 78 Grad (Fahrenheit); ***the wind ~s in the west*** der Wind weht von Westen; **~ *well with s.o.*** mit j-m gut stehen; **~ *to lose*** (***win***) (mit Sicherheit) verlieren (gewinnen); ***as matters ~*** (so) wie die Dinge (jetzt) liegen, nach Lage der Dinge; ***I want to know where I ~*** ich will wissen, woran ich bin; **16.** aufstehen, sich erheben; **17.** sich *wohin* stellen, treten: **~ *back*** (*od.* ***clear***) zurücktreten; **18.** sich *wo* befinden, stehen, liegen (*Sache*); **19.** *a.* **~ *still*** stehenbleiben, stillstehen: ***~!*** halt!; **~ *fast!*** ⚔ *Brit.* stillgestanden!, *Am.* Abteilung halt!; **20.** *bestürzt etc.* sein: **~ *aghast***; **~ *convicted*** überführt sein; **~ *corrected*** s-n Irrtum *od.* sein Unrecht zugeben; **~ *in need of*** benötigen; **21.** groß sein, messen: ***he ~s six feet*** (***tall***); **22.** *neutral etc.* bleiben: **~ *unchallenged*** unbeanstandet bleiben; ***and so it ~s*** und dabei bleibt es; **23.** *a.* **~ *good*** gültig bleiben, (weiterhin) gelten: ***my offer ~s*** mein Angebot bleibt bestehen; **24.** bestehen, sich behaupten: **~ *through*** *et.* überstehen,

-dauern; **25.** ⚓ *auf e-m Kurs* liegen, steuern; **26.** zu'statten kommen (***to*** *dat.*); **27.** *hunt.* vorstehen (***upon*** *dat.*) (*Hund*); **III** *v/t.* [*irr.*] **28.** *wohin* stellen; **29.** *e-m Angriff etc.* standhalten; **30.** *Beanspruchung, Kälte etc.* aushalten; *Klima, Person* (v)ertragen: ***I cannot ~ him*** ich kann ihn nicht ausstehen; **31.** sich *et.* gefallen lassen, dulden: ***I won't ~ it any longer***; **32.** sich *e-r Sache* unter'ziehen; *Pate* stehen; → ***trial*** 2; **33.** a) aufkommen für *et.*; *Bürgschaft* leisten, b) *j-m ein Essen etc.* spendieren: ***~ a drink*** ‚einen ausgeben'; → ***treat*** 11; **34.** *e-e Chance* haben;

Zssgn mit prp.:

stand| by *v/i.* **1.** *fig. j-m* zur Seite stehen, zu *j-m* halten *od.* stehen; **2.** *s-m Wort, s-n Prinzipien etc.* treu bleiben, stehen zu; **~ for** *v/i.* **1.** stehen für, bedeuten; **2.** eintreten für, vertreten; **3.** *bsd. Brit.* sich um *ein Amt* bewerben; **4.** *pol. Brit.* kandidieren für *e-n Sitz im Parlament*: ***~ election*** kandidieren, sich zur Wahl stellen; **5.** → ***stand*** 31; **~ on** *v/i.* **1.** bestehen *od.* halten auf (*acc.*); → ***ceremony*** 2; **2.** auf *sein Recht etc.* pochen; **3.** ⚓ *Kurs* beibehalten; **~ o·ver** *v/i. j-m* auf die Finger sehen; **~ to** *v/i.* **1.** → ***stand by*** 1; **2.** zu *s-m Versprechen etc.* stehen, bei *s-m Wort* bleiben: ***~ it that*** dabei bleiben *od.* darauf beharren, daß; ***~ one's duty*** (treu) s-e Pflicht tun; **~ up·on** → ***stand on***;

Zssgn mit adv.:

stand| a·loof, **~ a·part** *v/i.* **1.** a) abseits *od.* für sich stehen, b) sich ausschließen, nicht mitmachen; **2.** *fig.* sich distanzieren (***from*** von); **~ a·side** *v/i.* **1.** bei'seite treten; **2.** *fig. zu j-s Gunsten* verzichten, zu'rücktreten; **3.** tatenlos her'umstehen; **~ by** *v/i.* **1.** da'bei sein u. zusehen (müssen), (ruhig) zusehen; **2.** a) *bsd.* ⚔ bereitstehen, sich in Bereitschaft halten, b) ***~!*** Achtung!, ⚓ klar zum Manöver!; **3.** *Funk*: a) auf Empfang bleiben, b) sendebereit sein; **~ down** *v/i.* **1.** ⚖ den Zeugenstand verlassen; **2.** → ***stand aside*** 2; **~ in** *v/i.* **1.** einspringen (***for*** für *j-n*): ***~ for s.o.*** *Film*: j-n doubeln; **2.** ***~ with*** ‚unter e-r Decke stecken' mit *j-m*; **3.** ⚓ landwärts anliegen; **~ off I** *v/i.* **1.** sich entfernt halten (***from*** von); **2.** *fig.* Abstand halten (*im Umgang*); **3.** ⚓ seewärts anliegen; **II** *v/t.* **4.** ✝ *j-n* (vor'übergehend) entlassen; **5.** sich *j-n* vom Leibe halten; **~ out** *v/i.* **1.** (*a. fig.* deutlich) her'vortreten: ***~ against*** sich gut abheben von; → 4; **2.** abstehen (*Ohren*); **3.** *fig.* her'ausragen, her'vorstechen; **4.** aus-, 'durchhalten: ***~ against*** sich hartnäckig wehren gegen; **5.** ***~ for*** bestehen auf (*dat.*); **6.** ***~ to sea*** ⚓ in See stechen; **~ o·ver I** *v/i.* **1.** (***to*** auf *acc.*) a) sich vertagen, b) verschoben werden; **2.** *für später* liegenbleiben, warten; **II** *v/t.* **3.** vertagen, verschieben (***to*** auf *acc.*); **~ to** ⚔ **I** *v/t.* in Bereitschaft versetzen; **II** *v/i.* in Bereitschaft stehen; **~ up I** *v/i.* **1.** aufstehen, sich erheben (*beide a. fig.*); **2.** sich aufrichten (*Stachel etc.*); **3.** eintreten *od.* sich einsetzen (***for*** für); **4.** ***~ to*** (mutig) gegen'übertreten (*dat.*); **5.** (***under***, ***to***) sich (gut) halten (unter, gegen), standhalten (*dat.*); **II** *v/t.* **6.** F *j-n* ‚versetzen'.

stand·ard[1] ['stændəd] **I** *s.* **1.** Standard *m*, Norm *f*; **2.** Muster *n*, Vorbild *n*; **3.** Maßstab *m*: ***apply another ~*** e-n anderen Maßstab anlegen; ***~ of value*** Wertmaßstab; ***by present-day ~s*** nach heutigen Begriffen; ***double ~*** doppelte Moral; **4.** Richt-, Eichmaß *n*; **5.** Richtlinie *f*; **6.** (Mindest)Anforderungen *pl.*: ***be up to*** (***below***) ***~*** den Anforderungen (nicht) genügen *od.* entsprechen; ***set a high ~*** hohe Anforderungen stellen, viel verlangen; ***~ of living*** Lebensstandard *m*; **7.** ✝ 'Standard(quali‚tät *f od.* -ausführung *f*) *m*; **8.** (*Gold- etc.*) Währung *f*, (-)Standard *m*; **9.** Standard *m*: a) (gesetzlich vorgeschriebener) Feingehalt (*der Edelmetalle*), b) Münzfuß *m*; **10.** Ni'veau *n*, Grad *m*: ***be of a high ~*** ein hohes Niveau haben; ***~ of knowledge*** Bildungsgrad, -stand *m*; ***~ of prices*** Preisniveau; **11.** *ped. bsd. Brit.* Stufe *f*, Klasse *f*; **II** *adj.* **12.** nor'mal, Normal…(*-film, -wert, -zeit etc.*); Standard…, Einheits…(*-modell etc.*); Durchschnitts…(*-wert etc.*): ***~ ga(u)ge*** 🚂 Normalspur *f*; ***~ set*** Seriengerät *n*; ***~ size*** gängige Größe (*Schuhe etc.*); **13.** gültig, maßgebend, Standard…(*-muster, -werk*), *ling.* hochsprachlich: ***~ German*** Hochdeutsch *n*; **14.** klassisch: ***~ novel***; ***~ author*** Klassiker *m*.

stand·ard[2] ['stændəd] **I** *s.* **1.** a) *pol. u.* ⚔ Stan'darte *f*, b) Fahne *f*, Flagge *f*, c) Wimpel *m*, d) *fig.* Banner *n*: ***~-bearer*** Fahnen-, *a. fig.* Bannerträger *m*; **2.** ⚙ a) Ständer *m*, b) Pfosten *m*, Pfeiler *m*, Stütze *f*; **3.** ⸙ Hochstämmchen *n*, Bäumchen *n*; **II** *adj.* **4.** Steh…: ***~ lamp***; **5.** ⸙ hochstämmig: ***~ rose***.

stand·ard·i·za·tion [‚stændədaɪ'zeɪʃn] *s.* **1.** Normung *f*, Standardisierung *f*: ***~ committee*** Normenausschuß *m*; **2.** ⚗ Titrierung *f*; **3.** Eichung *f*; **stand·ard·ize** ['stændədaɪz] *v/t.* **1.** normen, normieren, standardisieren; **2.** ⚗ einstellen, titrieren; **3.** eichen.

'stand|-by [-ndb-] **I** *pl.* **-bys** *s.* **1.** Stütze *f*, Beistand *m*, Hilfe *f*: (***old***) ***~*** altbewährte Sache; (***on ~*** in) (A'larm- *etc.*) Bereitschaft *f*; **2.** ⚙ Hilfs-, Re'servegerät *n*; **II** *adj.* **3.** Hilfs…, Ersatz…, Reserve…: ***~ unit*** ⚡ Notaggregat *n*; **~**

credit ✝ Beistandskredit *m*; **4.** *bsd.* ⚔ Bereitschafts…(*-dienst etc.*); **ˈ~-down** *s.* Pause *f.*

stand·ee [stænˈdiː] *s. Am.* F Stehplatzinhaber(in).

ˈstand-in *s.* **1.** *Film*: Double *n*; **2.** Vertreter(in), Ersatzmann *m.*

stand·ing [ˈstændɪŋ] **I** *s.* **1.** Stehen *n*: ***no ~*** keine Stehplätze; **2.** a) Stand *m*, Rang *m*, Stellung *f*, b) Ruf *m*, Ansehen *n*, c) ✝ Bonität *f*, Kreditwürdigkeit *f*: ***of high ~*** hochangesehen, -stehend; **3.** Dauer *f*: ***of long ~*** alt (*Brauch*, *Freundschaft etc.*); **II** *adj.* **4.** stehend, Steh…: ***~ army*** stehendes Heer; ***~ corn*** Getreide *n* auf dem Halm; ***~ jump*** Sprung *m* aus dem Stand; ***~ ovation*** stürmischer Beifall; ***~ rule*** stehende Regel; ***~ start*** stehender Start; **5.** *fig.* ständig (*a. Ausschuß etc.*); **6.** ✝ laufend (*Unkosten etc.*); **7.** üblich, gewohnt: ***a ~ dish***; **8.** bewährt, alt (*Witz etc.*); **~ order** *s.* **1.** ✝ Dauerauftrag *m*; **2.** *pl. parl. etc.* Geschäftsordnung *f*; **3.** ⚔ Dauerbefehl *m*; **~ room** *s.* Platz *m* zum Stehen: ***~ only!*** nur Stehplätze!

ˈstand|·off *s.* **1.** *Am.* Distanzierung *f*; **2.** *fig.* Sackgasse *f*; **ˌ~ˈoff·ish** [-ˈɒfɪʃ] *adj.* ☐ reserviert, (sehr) ablehnend, unnahbar; **ˌ~ˈpat(·ter)** [-*n*dˈpæt(ə)] *s. pol. Am.* F sturer Konservaˈtiver; **ˈ~·pipe** [-*n*dp-] *s.* ⚙ Standrohr *n*; **ˈ~·point** [-*n*dp-] *s.* Standpunkt *m* (*a. fig.*); **ˈ~·still** [-*n*ds-] **I** *s.* Stillstand *m*: ***be at a ~*** stillstehen, stocken, ruhen; ***to a ~*** zum Stillstand *kommen*, *bringen*; **II** *adj.* stillstehend: ***~ agreement*** *pol.* Stillhalteabkommen *n*; **ˈ~-up** *adj.* **1.** stehend: ***~ collar*** Stehkragen *m*; **2.** F im Stehen eingenommen: ***~ meal***; **3.** wild, wüst (*Schlägerei*).

stank [stæŋk] *pret. von* ***stink***.

stan·na·ry [ˈstænərɪ] *Brit.* **I** *s.* **1.** Zinngrubengebiet *n*; **2.** Zinngrube *f*; **II** *adj.* **3.** Zinn(gruben)…; **ˈstan·nate** [-nət] *s.* ⚗ Stanˈnat *n*; **ˈstannic** [-nɪk] *adj.* ⚗ Zinn…; **ˈstan·nite** [-naɪt] *s.* **1.** *min.* Zinnkies *m*, Stanˈnin *n*; **2.** ⚗ Stanˈnit *n*; **ˈstan·nous** [-nəs] *adj.* ⚗ Zinn…

stan·za [ˈstænzə] *pl.* **-zas** *s.* **1.** Strophe *f*; **2.** Stanze *f.*

sta·ple[1] [steɪpl] **I** *s.* **1.** ✝ Haupterzeugnis *n e- Landes etc.*; **2.** ✝ Stapelware *f*: a) ˈHauptarˌtikel *m*, b) Massenware *f*; **3.** ✝ Rohstoff *m*; **4.** ⚙ Stapel *m*: a) *Fadenlänge od. -qualität*: ***of short ~*** kurzstapelig, b) *Büschel Schafwolle*; **5.** ⚙ a) Rohwolle *f*, b) Faser *f*: ***~ fibre*** (*Am.* ***fiber***) Zellwolle *f*; **6.** *fig.* Hauptgegenstand *m*, -thema *n*; **7.** ✝ a) Stapelplatz *m*, b) Handelszentrum *n*, c) *hist.* Markt *m* (mit Stapelrecht); **II** *adj.* **8.** Stapel…: ***~ goods***; **9.** Haupt…: ***~ food***; ***~ industry***; ***~ topic*** Hauptthema *n*; **10.** ✝ a) Haupthandels…, b) gängig, c) Massen…; **III** *v/t.* **11.** *Wolle* (nach Stapel) sortieren.

sta·ple[2] [steɪpl] ⚙ **I** *s.* **1.** (Draht)Öse *f*; **2.** Krampe *f*; **3.** Heftdraht *m*, -klammer *f*; **II** *v/t.* **4.** (mit Draht) heften; klammern (***to*** an *acc.*): ***stapling machine*** → ***stapler***[1].

sta·pler[1] [ˈsteɪplə] *s.* ⚙ ˈHeftmaˌschine *f.*

sta·pler[2] [ˈsteɪplə] *s.* ✝ **1.** (Baumwoll-)Sortierer *m*; **2.** Stapelkaufmann *m.*

star [stɑː] **I** *s.* **1.** *ast.* a) Stern *m*, b) *mst* ***fixed ~*** Fixstern *m*; **2.** Stern *m*: a) sternähnliche Figur, b) *fig.* Größe *f*, Berühmtheit *f* (*Person*), c) Orden *m*, d) *typ.* Sternchen *n*, e) *weißer Stirnfleck*, *bsd. e-s Pferdes*: ***2s and Stripes*** *das* Sternenbanner (*Nationalflagge der USA*); ***see ~s*** F Sterne sehen (*nach e-m Schlag*); **3.** a) Stern *m* (*Schicksal*), b) *a.* ***lucky ~*** Glücksstern *m*: ***unlucky ~*** Unstern *m*; ***his ~ is in the ascendant*** (***is*** *od.* ***has set***) sein Stern ist im Aufgehen (ist untergegangen); ***my good ~*** mein guter Stern; ***you may thank your ~s*** Sie können von Glück sagen (, daß); **4.** *thea.* (Bühnen-, *bsd.* Film)Star *m*; **5.** *sport* Star *m*; **II** *adj.* **6.** Stern…; **7.** Haupt…: ***~ prosecution witness*** ⚖ Hauptbelastungszeuge *m*; **8.** *thea.*, *sport* Star…: ***~ performance*** Elitevorstellung *f*; ***~ turn*** Hauptattraktion *f*; **9.** *Segeln*: Star *m* (*Boot*); **III** *v/t.* **10.** mit Sternen schmücken, besternen; **11.** *j-n* in der Hauptrolle zeigen: ***~ring X.*** mit X. in der Hauptrolle; **12.** *typ. Wort* mit Sternchen versehen; **IV** *v/i.* **13.** die *od.* e-e Hauptrolle spielen: ***~ in a film***.

star·board [ˈstɑːbəd] ⚓ **I** *s.* Steuerbord *n*; **II** *adj.* Steuerbord…; **III** *adv.* a) nach Steuerbord, b) steuerbord(s).

starch [stɑːtʃ] **I** *s.* **1.** Stärke *f*: a) Stärkemehl *n*, b) Wäschestärke *f*, c) Stärkekleister *m*, d) ⚗ Aˈmylum *n*; **2.** *pl.* stärkereiche Nahrungsmittel *pl.*, ˈKohle(n)hyˌdrate *pl.*; **3.** *fig.* Steifheit *f*, Förmlichkeit *f*; **4.** *Am.* F ‚Mumm' *m*: ***take the ~ out of s.o.*** j-m ‚die Gräten ziehen'; **II** *v/t.* **5.** *Wäsche* stärken.

Star Cham·ber *s.* ⚖ *hist.* Sternkammer *f* (*nur dem König verantwortliches Willkürgericht bis 1641*).

starched [stɑːtʃt] *adj.* ☐ **1.** gestärkt, gesteift; **2.** → ***starchy*** 4; **ˈstarch·i·ness** [-tʃɪnɪs] *s. fig.* F Steifheit *f*, Förmlichkeit *f*; **ˈstarch·y** [-tʃɪ] *adj.* ☐ **1.** stärkehaltig: ***~ food***; **2.** Stärke…; **3.** gestärkt; **4.** *fig.* F steif, förmlich.

ˈstar-crossed *adj. poet.* von e-m Unstern verfolgt, unglückselig.

star·dom [ˈstɑːdəm] *s.* **1.** Welt *f* der Stars; **2.** *coll.* Stars *pl.*; **3.** Berühmtheit *f*: ***rise to ~*** ein Star werden.

star dust *s. ast.* **1.** Sternennebel *m*; **2.** kosmischer Staub.

stare [steə] **I** *v/i.* **1.** (***~ at*** an)starren,

(-)stieren; **2.** große Augen machen, erstaunt blicken: **~ *at*** anstaunen, angaffen; ***make s.o.* ~** j-n in Erstaunen versetzen; **II** *v/t.* **3. ~ *s.o. out*** (*od.* ***down***) j-n durch Anstarren aus der Fassung bringen; **4. ~ *s.o. in the face*** *fig.* a) j-m in die Augen springen, b) j-m deutlich *od.* drohend vor Augen stehen; **III** *s.* **5.** (starrer *od.* erstaunter) Blick, Starrblick *m*, Starren *n*.

'star|·finch *s. orn.* Rotschwänzchen *n*; **'~ˌgaz·er** *s. humor.* **1.** Sterngucker *m*; **2.** Träumer(in); **3.** ‚Anbeter(in)' (*von Idolen*).

star·ing ['steərɪŋ] **I** *adj.* □ **1.** stier, starrend: **~ *eyes*; 2.** auffallend: ***a* ~ *tie*; 3.** grell (*Farbe*); **II** *adv.* **4.** to'tal.

stark [stɑ:k] **I** *adj.* □ **1.** steif, starr; **2.** rein, völlig: **~ *folly*; ~ *nonsense*** barer Unsinn; **3.** *fig.* rein sachlich (*Bericht*); **4.** kahl, öde (*Landschaft*); **II** *adv.* **5.** ganz, völlig: **~ (*staring*) *mad*** ‚total' verrückt; **~ *naked*** → **stark·ers** ['stɑ:kəz] *adj.* F splitternackt.

star·less ['stɑ:lɪs] *adj.* sternlos.

star·let ['stɑ:lɪt] *s.* **1.** Sternchen *n*; **2.** *fig.* Starlet(t) *n*, Filmsternchen *n*.

'star·light I *s.* Sternenlicht *n*; **II** *adj.* → ***starlit***.

star·ling[1] ['stɑ:lɪŋ] *s. orn.* Star *m*.

star·ling[2] ['stɑ:lɪŋ] *s.* ⚙ Pfeilerkopf *m* (*Eisbrecher e-r Brücke*).

'star·lit *adj.* sternhell, -klar.

star map *s. ast.* Sternkarte *f*, -tafel *f*.

starred [stɑ:d] *p.p. u. adj.* **1.** gestirnt (*Himmel*); **2.** sternengeschmückt; **3.** *typ. etc.* mit (e-m) Sternchen bezeichnet.

star·ry ['stɑ:rɪ] *adj.* **1.** Sternen..., Stern...; **2.** → a) ***starlit***, b) ***starred*** 2; **3.** strahlend: **~ *eyes*; 4.** sternförmig; **ˌ~-'eyed** *adj.* **1.** mit strahlenden Augen; **2.** *fig.* a) ‚blauäugig', na'iv, b) ro'mantisch.

star| shell *s.* ⚔ Leuchtgeschoß *n*; **'~ˌspan·gled** *adj.* sternenbesät: ***Star-Spangled Banner*** *Am.* *das* Sternenbanner (*Nationalflagge od. -hymne der USA*).

start [stɑ:t] **I** *s.* **1.** *sport* Start *m* (*a. fig.*): ***good* ~; ~*-and-finish line*** Start u. Ziel; ***give s.o. a* ~ (*in life*)** j-m zu e-m Start ins Leben verhelfen; **2.** Startzeichen *n* (*a. fig.*): ***give the* ~; 3.** a) Aufbruch *m*, b) Abreise *f*, c) Abfahrt *f*, d) ✈ Abflug *m*, Start *m*, e) Abmarsch *m*; **4.** Beginn *m*, Anfang *m*: ***at the* ~** am Anfang; ***from the* ~** von Anfang an; ***from* ~ *to finish*** von Anfang bis Ende; ***make a fresh* ~** e-n neuen Anfang machen, noch einmal von vorn anfangen; **5.** *sport* a) Vorgabe *f*, b) Vorsprung *m* (*a. fig.*): ***get* (*od.* *have*) *the* ~ *of one's rivals*** s-n Rivalen zuvorkommen; **6.** Auf-, Zs.-fahren *n*, -schrecken *n*; Schreck *m*: ***give a* ~** → 12; ***give s.o. a* ~** j-n erschrecken; ***with a* ~** jäh, erschrokken; **II** *v/i.* **7.** aufbrechen, sich aufmachen (***for*** nach): **~ *on a journey*** e-e Reise antreten; **8.** a) abfahren, abgehen (*Zug etc.*), b) auslaufen (*Schiff*), ✈ abfliegen, starten (***for*** nach); **9.** anfangen, beginnen (***on*** mit *e-r Arbeit etc.*, ***doing*** zu tun): **~ *in business*** ein Geschäft anfangen *od.* eröffnen; ***to* ~ *with*** (*Redew.*) a) erstens, als erstes, b) zunächst, c) um es gleich zu sagen, d) ... als Vorspeise; **10.** *fig.* ausgehen (***from*** *e-m Gedanken*); **11.** entstehen, aufkommen; **12.** a) auffahren, -schrekken, b) zs.-fahren, -zucken (***at*** vor *dat.*, bei *e-m Laut etc.*); **13.** a) aufspringen, b) losstürzen; **14.** stutzen (***at*** bei); **15.** aus den Höhlen treten (*Augen*); **16.** sich lockern *od.* lösen; **17.** ⚙, *mot.* anspringen, anlaufen; **III** *v/t.* **18.** in Gang *od.* in Bewegung setzen; ⚙ *a.* anlassen; *Feuer* anzünden, in Gang bringen; **19.** *Brief*, *Streit etc.* anfangen; *Aktion* starten; *Geschäft*, *Zeitung* gründen, aufmachen; **20.** *Frage* aufwerfen, *Thema* anschneiden; **21.** *Gerücht* in 'Umlauf setzen; **22.** *sport* starten (lassen); **23.** *Läufer*, *Pferd* aufstellen, an den Start bringen; **24.** 🚂 *Zug* abfahren lassen; **25.** *fig. j-m* zu e-m Start verhelfen: **~ *s.o. in business*; 26.** *j-n* (veran)lassen (***doing*** zu tun); **27.** lockern, lösen; **28.** aufscheuchen; **~ in** (*Am. a.* **out**) *v/i.* F anfangen (***to do*** zu tun); **~ off** → ***start*** 9, 18; **~ up** → ***start*** 12 a, 13 a, 17, 18.

start·er ['stɑ:tə] *s.* **1.** *sport* a) Starter *m* (*Kampfrichter u. Wettkampfteilnehmer* [*-in*]); **2.** *mot.* Starter *m*, Anlasser *m*; **3.** *fig.* Initi'ator *m*; **4.** F *bsd. Brit.* Vorspeise *f*; **5. *for* ~*s*** F a) als erstes, b) zunächst, c) um es gleich zu sagen.

start·ing ['stɑ:tɪŋ] **I** *s.* **1.** Starten *n*, Ablauf *m*; **2.** ⚙ Anlassen *n*, In'gangsetzen *n*, Starten *n*: ***cold* ~** *mot.* Kaltstart *m*; **II** *adj.* **3.** Start...(*-block*, *-geld*, *-linie*, *-schuß etc.*); *mot. etc.* Anlaß...(*-kurbel*, *-motor*, *-schalter*); **~ gate** *s. Pferderennen*: 'Startmaˌschine *f*; **~ point** *s.* Ausgangspunkt *m* (*a. fig.*); **~ price** *s.* **1.** *Pferderennen*: Eventu'alquote *f*; **2.** *Auktion*: Mindestgebot *n*; **~ sal·a·ry** *s.* Anfangsgehalt *n*.

star·tle ['stɑ:tl] **I** *v/t.* **1.** erschrecken; **2.** aufschrecken; **3.** über'raschen: a) bestürzen, b) verblüffen; **II** *v/i.* **4.** auf-, erschrecken: **~ *easily*** sehr schreckhaft sein; **'star·tling** [-lɪŋ] *adj.* □ **1.** erschreckend, bestürzend; **2.** verblüffend, aufsehenerregend.

star·va·tion [stɑ:'veɪʃn] *s.* **1.** Hungern *n*: **~ *diet*** Hungerkur *f*; **~ *wages*** Hungerlohn *m*, -löhne *pl.*; **2.** Hungertod *m*, Verhungern *n*.

starve [stɑ:v] **I** *v/i.* **1.** *a.* **~ *to death***

verhungern: ***I am simply starving*** F ich komme fast um vor Hunger; **2.** hungern (*a. fig.* ***for*** nach), Hunger (*fig.* Not) leiden; **3.** fasten; **4.** *fig.* verkümmern; **II** *v/t.* **5.** *a.* ***~ to death*** verhungern lassen; **6.** aushungern; **7.** hungern lassen: ***be ~d*** Hunger leiden, ausgehungert sein (*a. fig.* ***for*** nach); **8.** darben lassen (*a. fig.*): ***be ~d of*** *od.* ***for*** knapp sein an (*dat.*); **'starve·ling** [-lɪŋ] *obs.* **I** *s.* **1.** Hungerleider *m*; **2.** Kümmerling *m*; **II** *adj.* **3.** hungrig; **4.** abgemagert; **5.** kümmerlich.

star wheel *s.* ⚙ Sternrad *n*.

stash [stæʃ] *v/t. sl.* **1.** *mst* ***~ away*** verstecken, bei'seite tun; **2.** aufhören mit.

sta·sis ['steɪsɪs] *pl.* **-ses** [-si:z] *s.* ⚕ Stase *f*, (*Blut- etc.*)Stauung *f*.

state [steɪt] **I** *s.* **1.** *mst* ♀ *pol.*, *a. zo.* Staat *m*: ***affairs of ~*** Staatsgeschäfte; **2.** *pol. Am.* (Bundes-, Einzel)Staat *m*: ***the ♀s*** die (Vereinigten) Staaten; ***~ law*** Rechtsordnung *f* des Einzelstaates; ***♀'s attorney*** ⚖ Staatsanwalt *m*; ***turn ~'s evidence*** ⚖ als Kronzeuge auftreten, gegen s-e Komplizen aussagen; **3.** (*Gesundheits-*, *Geistes- etc.*)Zustand *m*: ***~ of health***; ***~ of aggregation*** *phys.* Aggregatzustand; ***~ of war*** Kriegszustand; ***in a ~*** F a) in e-m schrecklichen Zustand, b) ‚ganz aus dem Häuschen'; → ***emergency*** I; **4.** Stand *m*, Lage *f* (***of affairs*** der Dinge): ***~ of the art*** neuester Stand der Technik; **5.** (Fa'milien-)Stand *m*: ***married ~*** Ehestand; **6.** ⚕, *zo.* Stadium *n*; **7.** (gesellschaftliche) Stellung, Stand *m*: ***in a style befitting one's ~*** standesgemäß; **8.** Pracht *f*, Staat *m*: ***in ~*** feierlich, mit großem Zeremoniell *od.* Pomp; ***lie in ~*** feierlich aufgebahrt liegen; ***live in ~*** großen Aufwand treiben; **9.** *pl. pol. hist.* (Land- *etc.*)Stände *pl.*; **10.** *Kupferstecherei*: (Ab)Druck *m*; **II** *adj.* **11.** Staats..., staatlich, po'litisch: ***~ borrowing*** staatliche Kreditaufnahme; ***~ capitalism*** Staatskapitalismus *m*; ***~ funeral*** Staatsbegräbnis *n*; ***~ mourning*** Staatstrauer *f*; ***~ prison*** staatliche Strafanstalt (*in U.S.A. e-s Bundesstaates*); ***~ prisoner*** politischer Häftling *od.* Gefangener; **12.** Staats..., Prunk..., Parade..., feierlich: ***~ apartment*** → ***stateroom*** 1; ***~ carriage*** Prunk-, Staatskarosse *f*; **III** *v/t.* **13.** festsetzen, -legen; *e-e Regel* aufstellen; → ***stated*** 1; **14.** erklären: a) darlegen, b) *a.* ⚖ (aus)sagen, *Gründe*, *Klage etc.* vorbringen, *Tatsachen etc.* anführen; → ***case***[1] 1, c) *Einzelheiten etc.* angeben; **15.** feststellen, konstatieren; **16.** behaupten; **17.** erwähnen, bemerken; **18.** *Problem etc.* stellen; **19.** A (mathe'matisch) ausdrücken.

ˌ**state|-con'trolled** *adj.* staatlich gelenkt, unter staatlicher Aufsicht: ***~ economy*** Zwangswirtschaft *f*; **'~·craft** *s. pol.* Staatskunst *f*.

stat·ed ['steɪtɪd] *p.p. u. adj.* **1.** festgesetzt: ***at the ~ time***; ***at ~ intervals*** in regelmäßigen Abständen; ***~ meeting*** *bsd. Am.* ordentliche Versammlung; **2.** festgestellt; **3.** bezeichnet, (*a.* amtlich) anerkannt; **4.** angegeben: ***as ~ above***; ***~ case*** ⚖ Sachdarstellung *f*.

State| De·part·ment *s. pol. Am.* 'Außenminiˌsterium *n*; **♀·hood** ['steɪthʊd] *s. pol. bsd. Am.* Eigenstaatlichkeit *f*, Souveräni'tät *f*; **'~·house** *s. pol. Am.* Parla'mentsgebäude *n od.* Kapi'tol *n* (*e-s Bundesstaats*).

state·less ['steɪtlɪs] *adj. pol.* staatenlos: ***~ person*** Staatenlose(r *m*) *f*.

state·li·ness ['steɪtlɪnɪs] *s.* **1.** Stattlichkeit *f*; Vornehmheit *f*; **2.** Würde *f*; **3.** Pracht *f*; **'state·ly** [-lɪ] *adj.* **1.** stattlich, impo'sant; prächtig; **2.** würdevoll; **3.** erhaben, vornehm.

state·ment ['steɪtmənt] *s.* **1.** (*a.* amtliche *etc.*) Erklärung: ***make a ~*** e-e Erklärung abgeben; **2.** a) (Zeugen- *etc.*) Aussage *f*, b) Angabe(n *pl.*) *f*: ***false ~***; ***~ of facts*** Sachdarstellung *f*, Tatbestand *m*; ***~ of contents*** Inhaltsangabe; **3.** Behauptung *f*; **4.** *bsd.* ⚖ (schriftliche) Darlegung, (Par'tei)Vorbringen *n*: ***~ of claim*** Klageschrift *f*; ***~ of defence*** (*Am.* ***defense***) a) Klagebeantwortung *f*, b) Verteidigungsschrift *f*; **5.** *bsd.* ✝ (*Geschäfts-*, *Monats-*, *Rechenschafts- etc.*)Bericht *m*, (*Bank-*, *Gewinn-*, *Jahres- etc.*)Ausweis *m*, (*statistische etc.*) Aufstellung: ***~ of affairs*** Situationsbericht, Status *m e-r Firma*; ***~ of account*** Kontoauszug *m*; ***financial ~*** Gewinn- und Verlustrechnung *f*; **6.** *Am.* ✝ Bi'lanz *f*: ***~ of assets and liabilities***; **7.** Darstellung *f*, Darlegung *f e-s Sachverhalts*; **8.** ✝ Lohn *m*, Ta'rif *m*; **9.** *fig.* Aussage *f*, Statement *n e-s Autors etc.*

'state·room *s.* **1.** Staats-, Prunkzimmer *n*; **2.** ⚓ ('Einzel)Kaˌbine *f*; **3.** 🚂 *Am.* Pri'vatabteil *n* (*mit Betten*).

'state·side *oft* ♀ *Am.* **I** *adj.* ameri'kanisch, Heimat...; ***~ duty*** *bsd.* ⚔ Dienst *m* in der Heimat; **II** *adv.* in den *od.* in die Staaten (zurück).

states·man ['steɪtsmən] *s.* [*irr.*] **1.** *pol.* Staatsmann *m*; **2.** (bedeutender) Po'litiker; **'states·man·like** [-laɪk], **'states·man·ly** [-lɪ] *adj.* staatsmännisch; **'states·man·ship** [-ʃɪp] *s.* Staatskunst *f*.

States' rights *s. pl.* Staatsrechte *pl.* (*der Einzelstaaten der USA*).

stat·ic ['stætɪk] **I** *adj.* (□ ***~ally***) **1.** *phys. u. fig.* statisch: ***~ sense*** ⚕ Gleichgewichtssinn *m*; **2.** ⚡ (elektro)'statisch; **3.** *Funk*: a) atmo'sphärisch (*Störung*), b) Störungs...; **II** *s.* **4.** ⚡ statische *od.* atmo'sphärische Elektrizi'tät; **5.** *pl. sg.*

S

konstr. phys. Statik *f*; **6.** *pl. Funk*: atmo'sphärische Störung(en *pl.*).

sta·tion ['steɪʃn] **I** *s.* **1.** Platz *m*, Posten *m* (*a. sport*); **2.** (*Rettungs-, Unfall- etc.*) Stati'on *f*, (*Beratungs-, Dienst-, Tank- etc.*)Stelle *f*; (Tele'grafen)Amt *n*; (Tele'fon)Sprechstelle *f*; ('Wahl)Loˌkal *n*; (Handels)Niederlassung *f*; (Feuer)Wache *f*; **3.** (Poli'zei)Wache *f*; **4.** 🚂 a) Bahnhof *m*, b) ('Bahn)Statiˌon *f*; **5.** *Am.* (Bus- *etc.*)Haltestelle *f*; **6.** (Zweig-)Postamt *n*; **7.** ('Forschungs)Statiˌon *f*; (Erdbeben)Warte *f*; **8.** (Rundfunk-)Sender *m*, Stati'on *f*; **9.** Kraftwerk *n*; **10.** ⚔ a) Posten *m*, (⚓ Flotten)Stützpunkt *m*, b) Standort *m*, c) ✈ *Brit.* Fliegerhorst *m*; **11.** *biol.* Standort *m*; **12.** ⚓, ⚔ Positi'on *f*; **13.** Stati'on *f* (*Rastort*); **14.** *R.C.* a) *a.* **~ *of the cross*** ('Kreuzweg)Statiˌon *f*, b) Stati'onskirche *f*; **15.** *eccl. a.* **~ *day*** Wochen-Fasttag *m*; **16.** *surv.* a) Stati'on *f* (*Ausgangspunkt*), b) Basismeßstrecke *f*; **17.** *Austral.* (Rinder-, Schafs)Zuchtfarm *f*; **18.** *fig.* a) *gesellschaftliche etc.* Stellung: **~ *in life***, b) Stand *m*, Rang *m*: ***below one's ~*** nicht standesgemäß *heiraten etc.*; ***men of ~*** Leute von Rang; **II** *v/t.* **19.** aufstellen, postieren; **20.** ⚔, ⚓ stationieren: ***be ~ed*** stehen.

sta·tion·ar·y ['steɪʃnərɪ] *adj.* **1.** ⚙ *etc.* statio'när (*a. ast.*, ⚕), ortsfest, fest(stehend): **~ *treatment*** ⚕ stationäre Behandlung; **~ *warfare*** Stellungskrieg *m*; **2.** seßhaft; **3.** gleichbleibend, stationär, unveränderlich: ***remain ~*** unverändert sein *od.* bleiben; **4.** (still)stehend: ***be ~*** stehen; **~ dis·ease** *s.* ⚕ lo'kal auftretende u. jahreszeitlich bedingte Krankheit.

sta·tion·er ['steɪʃnə] *s.* Pa'pier-, Schreibwarenhändler *m*; **'sta·tion·er·y** [-ərɪ] *s.* **1.** Schreib-, Pa'pierwaren *pl.*: ***office ~*** Büromaterial *n*, -bedarf *m*; **2.** 'Brief-, 'Schreibpaˌpier *n*.

sta·tion| hos·pi·tal *s.* ⚔ 'Standortlazaˌrett *n*; **~ house** *s.* **1.** a) Poli'zeiwache *f*, b) Feuerwache *f*; **2.** 🚂 'Bahnstatiˌon *f*; **'~ˌmas·ter** *s.* 🚂 Stati'onsvorsteher *m*; **~ se·lec·tor** *s.* ⚡ Stati'onswähler *m*, Sendereinstellung *f*; **~ wag·on** *s. mot. Am.* Kombiwagen *m*.

stat·ism ['steɪtɪzəm] *s.* ✝, *pol.* Diri'gismus *m*, Planwirtschaft *f*; **'stat·ist** [-tɪst] **I** *s.* **1.** Sta'tistiker *m*; **2.** Anhänger(in) der Planwirtschaft; **II** *adj.* **3.** *pol.* diri'gistisch.

sta·tis·tic, sta·tis·ti·cal [stə'tɪstɪk(l)] *adj.* □ sta'tistisch; **stat·is·ti·cian** [ˌstætɪ'stɪʃn] *s.* Sta'tistiker *m*; **sta'tis·tics** [-ks] *s. pl.* **1.** *sg. konstr. allg.* Sta'tistik *f*; **2.** Sta'tistik(en *pl.*) *f*.

sta·tor ['steɪtə] *s.* ⚙, ⚡ Stator *m*.

stat·u·ar·y ['stætjʊərɪ] **I** *s.* **1.** Bildhauerkunst *f*; **2.** (Rund)Plastiken *pl.*, Statuen *pl.*, Skulp'turen *pl.*; **3.** Bildhauer *m*; **II** *adj.* **4.** Bildhauer…; **5.** (rund)plastisch; **6.** Statuen…: **~ *marble***; **stat·ue** ['stætʃu:] Statue *f*, Standbild *n*, Plastik *f*; **stat·u·esque** [ˌstætjʊ'esk] *adj.* □ statuenhaft (*a. fig.*); **stat·u·ette** [ˌstætjʊ'et] *s.* Statu'ette *f*.

stat·ure ['stætʃə] *s.* **1.** Sta'tur *f*, Wuchs *m*, Gestalt *f*; **2.** Größe *f*; **3.** *fig.* (geistige *etc.*) Größe, For'mat *n*, Ka'liber *n*.

sta·tus ['steɪtəs] *pl.* **-es** [-ɪz] *s.* **1.** ⚖ a) Status *m*, Rechtsstellung *f*, b) *a.* ***legal ~*** Rechtsfähigkeit *f*, c) Ak'tivlegitimatiˌon *f*: **~ *of ownership*** Eigentumsverhältnisse *pl.*; ***equality of ~*** (politische) Gleichberechtigung; ***national ~*** Staatsangehörigkeit *f*; **2.** (Fa'milien-, Per'sonen)Stand *m*; **3.** *a.* ***military ~*** (Wehr-)Dienstverhältnis *n*; **4.** (gesellschaftliche *etc.*) Stellung *f*, (Sozi'al)Preˌstige *n*, Status *m*: **~ *symbol*** Statussymbol *n*; **5.** ✝ (geschäftliche) Lage: ***financial ~*** Vermögenslage; **6.** *a.* ⚕ Zustand *m*, Status *m*; **~ quo** [kwəʊ] (*Lat.*) *s. der* Status quo (*der jetzige Zustand*); **~ quo an·te** [kwəʊ'æntɪ] (*Lat.*) *s. der* Status quo ante (*der vorherige Zustand*).

stat·ute ['stætju:t] *s.* **1.** ⚖ a) Gesetz *n* (*vom Parlament erlassene Rechtsvorschrift*), b) Gesetzesvorschrift *f*, c) *parl.* Parla'mentsakte *f*: **~ *of bankruptcy*** Konkursordnung *f*; **2.** **~ (*of limitations*)** ⚖ (Gesetz *n* über) Verjährung *f*: ***not subject to the ~*** unverjährbar; **3.** Sta'tut *n*, Satzung *f*; **'~-barred** *adj.* ⚖ verjährt; **~ book** *s.* Gesetzessammlung *f*; **~ law** *s.* Gesetzesrecht *n* (*Ggs.* ***common law***); **~ mile** *s.* (gesetzliche) Meile (*1,60933 km*).

stat·u·to·ry ['stætjʊtərɪ] *adj.* □ **1.** ⚖ gesetzlich (*Erbe, Feiertag, Rücklage etc.*): **~ *corporation*** Körperschaft *f* des öffentlichen Rechts; **~ *declaration*** eidesstattliche Erklärung; **2.** Gesetzes…; **3.** ⚖ (dem Gesetz nach) strafbar; → ***rape***[1] 1; **4.** ⚖ Verjährungs…; **5.** satzungsgemäß.

staunch[1] [stɔ:ntʃ] → ***stanch***[1].

staunch[2] [stɔ:ntʃ] *adj.* □ **1.** (ge)treu, zuverlässig; **2.** standhaft, fest, eisern; **'staunch·ness** [-ʃnɪs] *s.* Festigkeit *f*, Zuverlässigkeit *f*.

stave [steɪv] **I** *s.* **1.** (Faß)Daube *f*; **2.** (Leiter)Sprosse *f*; **3.** Stock *m*; **4.** Strophe *f*, Vers *m*; **5.** ♪ 'Noten(linien)syˌstem *n*; **II** *v/t.* [*irr.*] **6.** *mst* **~ *in*** a) einschlagen, b) *Loch* schlagen; **7.** **~ *off*** a) *j-n* hinhalten *od.* abweisen, b) *Unheil etc.* abwenden, abwehren, c) *et.* aufschieben; **8.** mit Dauben *od.* Sprossen versehen; **~ rhyme** *s.* Stabreim *m*.

staves [steɪvz] *pl. von* ***staff***[1] 8.

stay [steɪ] **I** *v/i.* **1.** bleiben (***with*** bei *j-m*): **~ *away*** fernbleiben (***from*** *dat.*); **~ *behind*** zurückbleiben; **~ *clean*** rein

S

bleiben; ***come to ~*** (für immer) bleiben; ***~ in*** zu Hause *od.* drinnen bleiben; ***~ on*** (noch länger) bleiben; ***~ for*** (*od.* ***to***) ***dinner*** zum Essen bleiben; **2.** sich (vor'übergehend) aufhalten, wohnen, weilen (***at***, ***in*** in *dat.*, ***with*** bei *j-m*); **3.** stehenbleiben; **4.** (sich) verweilen; **5.** warten (***for s.o.*** auf j-n); **6.** *bsd. sport* F a) 'durchhalten, b) ***~ with*** *Am.* mithalten (können) mit; **II** *v/t.* **7.** a) aufhalten, hemmen, Halt gebieten (*dat.*), b) zu'rückhalten (***from*** von): ***~ one's hand*** sich zurückhalten; **8.** ⚖ *Urteilsvollstreckung*, *Verfahren* aussetzen; *Verfahren*, *Zwangsvollstreckung* einstellen; **9.** *Hunger etc.* stillen; **10.** *a.* ***~ up*** stützen (*a. fig.*); **11.** ⚙ a) absteifen, b) ab-, verspannen, c) verankern; **III** *s.* **12.** (vor'übergehender) Aufenthalt; **13.** a) Halt *m*, Stockung *f*, b) Hemmnis *n* (***upon*** für): ***put a ~ on*** *s-e Gedanken etc.* zügeln; **14.** ⚖ Aussetzung *f*, Einstellung *f*, (Voll'streckungs)Aufschub *m*; **15.** F Ausdauer *f*; **16.** ⚙ a) Stütze *f*, b) Strebe *f*, c) Verspannung *f*, d) Anker *m*; **17.** ⚓ Stag *n*, Stütztau *n*; **18.** *pl.* Kor'sett *n*; **19.** *fig.* Stütze *f des Alters etc.*

stay|-at-home ['steɪəthəʊm] **I** *s.* Stubenhocker(in); **II** *adj.* stubenhockerisch; **'~-down** (**strike**) *s.* ⚒ *Brit.* Sitzstreik *m.*

stay·er ['steɪə] *s.* **1.** ausdauernder Mensch; **2.** *Pferdesport*: Steher *m.*

stay·ing pow·er ['steɪɪŋ] *s.* Stehvermögen *n*, Ausdauer *f.*

'stay-in strike *s.* Sitzstreik *m.*

stead [sted] *s.* **1.** Stelle *f*: ***in his ~*** an s-r Statt, statt seiner; **2.** Nutzen *m*: ***stand s.o. in good ~*** j-m (gut) zustatten kommen (*Kenntnisse etc.*).

stead·fast ['stedfəst] *adj.* □ fest: a) unverwandt (*Blick*), b) standhaft, unentwegt, treu (*Person*), c) unerschütterlich (*Person*, *a. Entschluß*, *Glaube etc.*); **'stead·fast·ness** [-nɪs] *s.* Standhaftigkeit *f*, Festigkeit *f.*

stead·i·ness ['stedɪnɪs] *s.* **1.** Festigkeit *f*; **2.** Beständigkeit *f*, Stetigkeit *f*; **3.** so'lide Art; **stead·y** ['stedɪ] **I** *adj.* □ **1.** (stand)fest, sta'bil: ***a ~ ladder***; ***not ~ on one's legs*** nicht fest auf den Beinen; **2.** gleichbleibend, -mäßig, unveränderlich; ausgeglichen (*Klima*); ☿ fest, sta'bil (*Preise*); **3.** stetig, ständig: ***~ progress***; ***~ work***; **4.** regelmäßig: ***~ customer*** Stammkunde *m*; ***go ~ with*** F mit *e-m Mädchen* (fest) ‚gehen'; **5.** ruhig (*Augen*, *Nerven*), sicher (*Hand*); **6.** → ***steadfast***; **7.** so'lide, ordentlich, zuverlässig (*Person*, *Lebensweise*); **II** *int.* **8.** sachte!, ruhig Blut!; **9.** ***~ on!*** halt!; **III** *v/t.* **10.** festigen, fest *od.* sicher *etc.* machen: ***~ o.s.*** sich stützen; **11.** *Pferd* zügeln; **12.** *j-n* zur Vernunft bringen; **IV** *v/i.* **13.** fest *od.* ruhig *od.* sicher *etc.* werden; sich festigen (*a.* ☿ *Kurse*); **V** *s.* **14.** Stütze *f* (*für Hand od. Werkzeug*); **15.** F fester Freund *od.* feste Freundin; **~ state** *s. phys.* Fließgleichgewicht *n.*

steak [steɪk] *s.* **1.** (*bsd.* Beef)Steak *n*; **2.** ('Fisch)Kote,lett *n*, (-)Fi,let *n*; **~ hammer** *s.* Fleischklopfer *m.*

steal [sti:l] **I** *v/t.* [*irr.*] **1.** (***from s.o.*** j-m) stehlen (*a. fig. plagiieren*); **2.** *fig.* stehlen, erhaschen, ergattern: ***~ a kiss*** e-n Kuß rauben; ***~ a look*** e-n verstohlenen Blick werfen; → ***march***[1] 10, ***show*** 3, ***thunder*** 1; **3.** *fig. wohin* schmuggeln; **II** *v/i.* [*irr.*] **4.** stehlen; **5.** schleichen: ***~ away*** sich davonstehlen; ***~ into*** sich einschleichen *od.* sich stehlen in (*acc.*); **6.** ***~ over*** *od.* (***up***)***on*** *fig. j-n* beschleichen, über'kommen (*Gefühl*); **III** *s.* **7.** F a) Diebstahl *m*, b) *Am.* Schiebung *f.*

stealth [stelθ] *s.* Heimlichkeit *f*: ***by ~*** heimlich: ⚔ ***~ bomber*** Tarnkappenbomber *m*; **'stealth·i·ness** [-θɪnɪs] *s.* Heimlichkeit *f*; **'stealth·y** [-θɪ] *adj.* □ verstohlen, heimlich.

steam [sti:m] **I** *s.* **1.** (Wasser)Dampf *m*: ***at full ~*** mit Volldampf (*a. fig.*); ***get up ~*** Dampf aufmachen (*a. fig.*); ***let*** (*od.* ***blow***) ***off ~*** Dampf ablassen, *fig. a.* sich *od.* s-m Zorn Luft machen; ***put on ~*** a) Dampf anlassen, b) *fig.* Dampf dahinter machen; ***he ran out of ~*** ihm ging die Puste aus; ***under one's own ~*** mit eigener Kraft (*a. fig.*); **2.** Dunst *m*, Dampf *m*, Schwaden *pl.*; **3.** *fig.* Kraft *f*, Wucht *f*; **II** *v/i.* **4.** dampfen (*a. Pferd etc.*); **5.** verdampfen; **6.** ⚓, 🚂 dampfen (*fahren*): ***~ ahead*** F *fig.* a) sich (mächtig) ins Zeug legen, b) gut vorankommen; **7.** ***~ over*** *od.* ***up*** (sich) beschlagen (*Glas*); **8.** F vor Wut kochen (***about*** wegen); **III** *v/t.* **9.** a) *Speisen etc.* dämpfen, dünsten, b) *Holz etc.* mit Dampf behandeln, dämpfen, *Stoff* dekatieren; **10.** ***~ up*** *Glas* beschlagen; **11.** ***~ up*** F a) ankurbeln, b) *j-n* in Rage bringen: ***be ~ed up*** → 8; **~ bath** *s.* Dampfbad *n*; **'~·boat** *s.* Dampfboot *n*; **~ boil·er** *s.* Dampfkessel *m*; **~ en·gine** *s.* 'Dampfma,schine *f od.* -lokomo,tive *f.*

steam·er ['sti:mə] *s.* **1.** Dampfer *m*, Dampfschiff *n*; **2.** a) Dampfkochtopf *m*, b) 'Dämpfappa,rat *m.*

steam| fit·ter *s.* ('Heizungs)Installa,teur *m*; **~ ga(u)ge** *s.* Mano'meter *n*; **~ hammer** *s.* Dampfhammer *m*; **~ heat** *s.* **1.** durch Dampf erzeugte Hitze; **2.** *phys.* spe'zifische Verdampfungswärme; **~ nav·vy** *Brit.* → ***steam-shovel***; **'~,roll·er I** *s.* **1.** Dampfwalze *f* (*a. fig.*); **II** *v/t.* **2.** glattwalzen; **3.** *fig.* a) *Opposition etc.* niederwalzen, ‚über'fahren', b) *Antrag etc.* 'durchpeitschen; **'~·ship** → ***steamer*** 1; **'~-,shov·el** *s.* ⚙ (Dampf)Löffelbagger *m*; **~ tug** *s.* Schleppdampfer *m.*

steam·y ['sti:mɪ] *adj.* □ dampfig, dunstig, dampfend, Dampf...

ste·a·rate ['stɪəreɪt] *s.* ⚗ Stea'rat *n.*

ste·ar·ic [stɪ'ærɪk] *adj.* ⚗ Stearin...; **ste·a·rin** ['stɪərɪn] *s.* **1.** Stea'rin *n*; **2.** *der feste Bestandteil e-s Fettes.*

ste·a·tite ['stɪətaɪt] *s. min.* Stea'tit *m.*

steed [sti:d] *s. rhet.* (Streit)Roß *n.*

steel [sti:l] **I** *s.* **1.** Stahl *m*: **~s** ✝ Stahlaktien *pl.*; **of ~** → 3; **2.** Stahl *m*: a) *oft* **cold ~** kalter Stahl, Schwert *n*, Dolch *m*, b) Wetzstahl *m*, c) Feuerstahl *m*, d) Korsettstäbchen *n*; **II** *adj.* **3.** stählern (*a. fig.*), aus Stahl, Stahl...; **III** *v/t.* **4.** ⚙ (ver)stählen; **5.** *fig.* stählen, (ver)härten, wappnen: **~ o.s. for** (**against**) **s.th.** sich für (gegen) et. wappnen; '**~-clad** *adj.* stahlgepanzert; **~ en·grav·ing** *s.* Stahlstich *m*; **~ mill** *s.* Stahl(walz)werk *n*; **~ wool** *s.* Stahlspäne *pl.*, -wolle *f*; '**~·works** *s. pl. mst sg. konstr.* Stahlwerk(e *pl.*) *n.*

steel·y ['sti:lɪ] *adj.* → **steel** 3.

steel·yard ['sti:ljɑ:d] *s.* Laufgewichtswaage *f.*

steep¹ [sti:p] **I** *adj.* □ **1.** steil, jäh; **2.** F *fig.* a) ‚happig', ‚gepfeffert', unverschämt (*Preis etc.*), b) ‚toll', unglaublich; **II** *s.* **3.** steiler Abhang.

steep² [sti:p] **I** *v/t.* **1.** eintauchen, -weichen; **2.** (**in**, **with**) (durch)'tränken (mit); imprägnieren (mit); **3.** (**in**) *fig.* durch'dringen (mit), versenken (in *acc.*), erfüllen (von): **~ o.s. in** sich in *ein Thema etc.* versenken; **~ed in** versunken in (*dat.*), *b.s.* tief in *et.* verstrickt; **II** *s.* **4.** Einweichen *n*, -tauchen *n*; **5.** (Wasch)Lauge *f.*

steep·en ['sti:pən] *v/t. u. v/i.* steil(er) machen (werden); *fig.* (sich) erhöhen.

stee·ple ['sti:pl] *s.* **1.** Kirchturm(spitze *f*) *m*; **2.** Spitzturm *m*; '**~·chase** *sport s.* **1.** *Pferdesport*: Steeplechase *f*, Hindernis-, Jagdrennen *n*; **2.** Hindernislauf *m.*

stee·pled ['sti:pld] *adj.* **1.** betürmt (*Gebäude*); **2.** vieltürmig (*Stadt*).

'**stee·ple·jack** *s.* Schornstein- *od.* Turmarbeiter *m.*

steep·ness ['sti:pnɪs] *s.* **1.** Steilheit *f*, Steile *f*; **2.** steile Stelle.

steer¹ [stɪə] *s.* (*bsd.* junger) Ochse.

steer² [stɪə] **I** *v/t.* **1.** *Schiff*, *Fahrzeug*, *a. fig. Staat etc.* steuern, lenken; **2.** *Weg*, *Kurs* verfolgen, einhalten; **3.** *j-n wohin* lotsen, dirigieren; **II** *v/i.* **4.** steuern: **~ clear of** *fig.* vermeiden, aus dem Wege gehen (*dat.*); **~ for** lossteuern auf (*acc.*) (*a. fig.*); '**steer·a·ble** [-ərəbl] *adj.* lenkbar; '**steer·age** [-ərɪdʒ] *s. mst* ⚓ **1.** Steuerung *f*; **2.** Steuerwirkung *f*: **~way** ⚓ Steuerfahrt *f*; **3.** Zwischendeck *n.*

steer·ing ['stɪərɪŋ] **I** *s.* **1.** Steuern *n*; **2.** Steuerung *f*; **II** *adj.* **3.** Steuer...; **~ col·umn** *s. mot.* Lenksäule *f*: **~ lock** Lenk(-rad)schloß *n*; **~ com·mit·tee** *s.* Lenkungsausschuß *m*; (Kon'greß- *etc.*)Leitung *f*; **~ gear** *s.* **1.** *mot.*, ✈ Steuerung *f*, Lenkung *f*; **2.** ⚓ Steuergerät *n*, Ruderanlage *f*; **~ lock** *s. mot.* Lenkungseinschlag *m*; **~ wheel** *s.* ⚓ Steuer-, *mot. a.* Lenkrad *n.*

steeve¹ [sti:v] ⚓ *v/t.* traven, *Ballenladung* zs.-pressen.

steeve² [sti:v] *s.* ⚓ Steigung *f* (*des Bugspriets*).

stein [staɪn] (*Ger.*) *s.* Bier-, Maßkrug *m.*

stel·lar ['stelə] *adj.* stel'lar, Stern(en)...

stel·late ['stelət] *adj.* sternförmig: **~ leaves** ⚘ quirlständige Blätter.

stem¹ [stem] **I** *s.* **1.** (Baum)Stamm *m*; **2.** a) Stengel *m*, b) (Blüten-, Blatt-, Frucht)Stiel *m*, c) Halm *m*; **3.** Bündel *n* Bananen; **4.** (*Pfeifen-*, *Weinglas- etc.*) Stiel *m*; (Lampen)Fuß *m*; (Ven'til-) Schaft *m*; (Thermo'meter)Röhre *f*; **5.** (Aufzieh)Welle *f* (*Uhr*); **6.** Geschlecht *n*, Stamm *m*; **7.** *ling.* (Wort)Stamm *m*; **8.** ♪ (Noten)Hals *m*; **9.** *typ.* Grundstrich *m*; **10.** ⚓ (Vorder)Steven *m*: **from ~ to stern** von vorn bis achtern; **II** *v/t.* **11.** entstielen; **III** *v/i.* **12.** stammen (**from** von).

stem² [stem] **I** *v/t.* **1.** *Fluß etc.* eindämmen (*a. fig.*); **2.** *Blutung* stillen; **3.** ⚓ ankämpfen gegen *die Strömung etc.*; **4.** *fig.* a) aufhalten, Einhalt gebieten (*dat.*), b) ankämpfen gegen, sich entgegenstemmen (*dat.*); **II** *v/i.* **5.** *Skisport*: stemmen.

stem·less ['stemlɪs] *adj.* stengellos, ungestielt.

stem| turn *s. Skisport*: Stemmbogen *m*; '**~,wind·er** *s.* Remon'toiruhr *f.*

stench [sten*t*ʃ] *s.* Gestank *m.*

sten·cil ['stensl] **I** *s.* **1.** *a.* **~ plate** ('Maler)Scha,blone *f*, Pa'trone *f*; **2.** *typ.* ('Wachs)Ma,trize *f*; **3.** Scha'blonenzeichnung *f*, -muster *n*; **4.** Ma'trizenabzug *m*; **II** *v/t.* **5.** *Oberfläche*, *Buchstaben* schablonieren; **6.** auf Matrize(n) schreiben.

Sten gun [sten] *s.* ⚔ leichtes Ma'schinengewehr, LMG *n.*

sten·o ['stenəʊ] F → a) **stenograph** 4, b) *Am.* **stenographer**.

sten·o·graph ['stenəgrɑ:f] **I** *s.* **1.** Steno'gramm *n*; **2.** Kurzschriftzeichen *n*; **3.** Stenogra'phierma,schine *f*; **II** *v/t.* **4.** stenographieren; **ste·no·gra·pher** [ste'nɒgrəfə] *s.* **1.** Steno'graph(in); **2.** *Am.* Stenoty'pistin *f*; **sten·o·graph·ic** [,stenə'græfɪk] *adj.* (□ **~ally**) steno'graphisch; **ste·nog·ra·phy** [ste'nɒgrəfɪ] *s.* Stenogra'phie *f*, Kurzschrift *f.*

sten·o·type ['stenəʊtaɪp] → **stenograph** 2 *u.* 3.

sten·to·ri·an [sten'tɔ:rɪən] *adj.* 'überlaut: **~ voice** Stentorstimme *f.*

step [step] **I** *s.* **1.** Schritt *m* (*a. Ge-*

räusch, Maß): **~ by ~** Schritt für Schritt (*a. fig.*); **take a ~** e-n Schritt machen; **2.** Fußstapfen *m*: **tread in s.o.'s ~s** *fig.* in j-s Fußstapfen treten; **3.** *eiliger etc.* Schritt, Gang *m*; **4.** (Tanz)Schritt *m*; **5.** (Gleich)Schritt *m*: **in ~** im Gleichschritt; **out of ~** außer Tritt; **out of ~ with** *fig.* nicht im Einklang mit; **fall in ~** Tritt fassen; **keep ~** (**with**) Schritt halten (mit); **6.** ein paar Schritte *pl.*, *ein* ‚Katzensprung' *m*: **it is only a ~ to the inn**; **7.** *fig.* Schritt *m*, Maßnahme *f*: **take ~s** Schritte unternehmen; **take legal ~s against** gegen *j-n* gerichtlich vorgehen; **a false ~** ein Fehler, e-e Dummheit; → **watch** 17; **8.** *fig.* Schritt *m*, Stufe *f*: **a great ~ forward** ein großer Schritt vorwärts; **9.** Stufe *f* (*e-r Treppe etc.*; *a.* ⚡ *e-s Verstärkers etc.*); (Leiter)Sprosse *f*; ⚙, ⚡ Schaltschritt *m*; **10.** (**pair of**) **~s** *pl.* Trittleiter *f*; **11.** Tritt(brett *n*) *m*; **12.** *geogr.* Stufe *f*, Ter'rasse *f*; Pla'teau *n*; **13.** ♪ a) (Ton-, Inter'vall)Schritt *m*, b) Inter'vall *n*, c) (Tonleiter)Stufe *f*; **14.** *fig.* a) (Rang-) Stufe *f*, Grad *m*, b) *bsd.* ⚔ Beförderung *f*; **II** *v/i.* **15.** schreiten, treten: **~ into a fortune** *fig.* unverhofft zu e-m Vermögen kommen; **16.** *wohin* gehen, treten: **~ in!** herein!; **17.** → **step out** 2; **18.** treten ([**up**]**on** auf *acc.*): **~ on the gas** (*od.* **~ on it**) (F *a. fig.*) Gas geben; **~ on it!** F Tempo!; **III** *v/t.* **19.** *Schritt* machen: **~ it** zu Fuß gehen; **20.** *Tanz* tanzen; **21.** *a.* **~ off** (*od.* **out**) *Entfernung etc.* a) abschreiten, b) abstecken; **22.** abstufen;

Zssgn mit adv.:

step| a·side *v/i.* **1.** zur Seite treten; **2.** → **step down** 2; **~ back I** *v/i. a. fig.* zu'rücktreten; **II** *v/t.* abstufen; **~ down I** *v/i.* **1.** her'unter-, hin'unterschreiten; **2.** *fig.* zu'rücktreten (**in favo[u]r of** zu'gunsten); **II** *v/t.* **3.** verringern, verzögern; **4.** ⚡ her'untertransformieren; **~ in** *v/i.* **1.** eintreten, -steigen; **2.** *fig.* einschreiten, -greifen; **~ out I** *v/i.* **1.** her'austreten, aussteigen; **2.** (forsch) ausschreiten; **3.** F (viel) ausgehen; **II** *v/t.* **4.** → **step** 21a; **~ up I** *v/i.* **1.** hin'auf-, her'aufsteigen; **2.** zugehen (**to** auf *acc.*); **II** *v/t.* **3.** *Produktion etc.* steigern, ankurbeln; **4.** ⚡ hochtransformieren.

step- [step] *in Zssgn* Stief...: **~child** Stiefkind *n*; **~father** Stiefvater *m*.

step| dance *s.* Step(tanz) *m*; **'~-down** *adj.* ⚡ Umspann...: **~ transformer** Abwärtstransformator *m*; **'~-in I** *adj.* **1.** zum Hin'einschlüpfen, Schlupf...; **II** *s.* **2.** *mst pl.* Schlüpfer *m*; **3.** *pl. a.* **~ shoes** Slipper *pl.*; **'~ˌlad·der** *s.* Trittleiter *f*; **'~ˌmoth·er·ly** *adj. a. fig.* stiefmütterlich.

steppe [step] *s. geogr.* Steppe *f*.

step·ping stone ['stepɪŋ] *s.* **1.** (Tritt-) Stein *m im Wasserlauf etc.*; **2.** *fig.* Sprungbrett *n* (**to** zu).

'step-up I *adj.* stufenweise erhöhend: **~ transformer** ⚡ Aufwärtstransformator *m*; **II** *s.* Steigerung *f*.

'step·wise *adv.* schritt-, stufenweise.

ster·e·o ['sterɪəʊ] F **I** *s.* **1.** a) → **stereotype** 1, b) → **stereoscope**; **2.** a) Stereogerät *n*, b) Stereo(schall)platte *f*; **II** *adj.* **3.** → **stereoscopic**; **4.** stereo, Stereo...: **~ record** → 2b.

stereo- [sterɪəʊ] *in Zssgn* a) starr, fest, b) 'dreidimensioˌnal, stereo..., Stereo..., Raum...; **ster·e·o·chem·is·try** [ˌsterɪəʊ'kemɪstrɪ] *s.* 'Stereo-, 'Raumcheˌmie *f*; **ster·e·og·ra·phy** [ˌsterɪ'ɒgrəfɪ] *s.* ⩓ Stereogra'phie *f*, Körperzeichnung *f*; **ster·e·om·e·try** [ˌsterɪ'ɒmɪtrɪ] *s.* **1.** *phys.* Stereome'trie *f*; **2.** ⩓ Geome'trie *f* des Raumes.

ster·e·o·phon·ic [ˌsterɪəʊ'fɒnɪk] *adj.* (☐ **~ally**) stereo'phonisch, Stereoton...: **~ sound** Raumton *m*.

ster·e·o·plate ['sterɪəpleɪt] *s. typ.* Stereo'typplatte *f*, Stereo *n*.

ster·e·o·scope ['sterɪəskəʊp] *s.* Stereo'skop *n*; **ster·e·o·scop·ic** [ˌsterɪə'skɒpɪk] *adj.* (☐ **~ally**) stereo'skopisch, Stereo...; **ster·e·os·co·py** [ˌsterɪ'ɒskəpɪ] *s.* Stereosko'pie *f*.

ster·e·o·type ['stɪərɪətaɪp] **I** *s.* **1.** *typ.* a) Steroty'pie *f*, Plattendruck *m*, b) Stereo'type *f*, Druckplatte *f*; **2.** *fig.* Kli'schee *n*, Scha'blone *f*; **II** *v/t.* **3.** *typ.* stereotypieren; **4.** *fig.* *Redensart etc.* stereo'typ wieder'holen; **5.** e-e feste Form geben (*dat.*); **'ster·e·o·typed** [-pt] *adj.* **1.** *typ.* stereotypiert; **2.** *fig.* stereo'typ, scha'blonenhaft; **ster·e·o·ty·pog·ra·phy** [ˌstɪərɪəʊtaɪ'pɒgrəfɪ] *s. typ.* Stereo'typdruck(verfahren *n*) *m*; **'ster·e·o·ˌtyp·y** [-pɪ] *s. typ.* Stereoty'pie *f*.

ster·ile ['steraɪl] *adj.* **1.** ste'ril: a) ⚕ keimfrei, b) ⚘, *physiol.* unfruchtbar (*a. fig. Geist etc.*); **2.** *fig.* fruchtlos (*Arbeit, Diskussion etc.*); leer, gedankenarm (*Stil*); **ste·ril·i·ty** [ste'rɪlətɪ] *s.* Sterili'tät *f* (*a. fig.*).

ster·i·li·za·tion [ˌsterəlaɪ'zeɪʃn] *s.* **1.** Sterilisati'on *f*: a) Entkeimung *f*, b) Unfruchtbarmachung *f*; **2.** Sterili'tät *f*; **ster·i·lize** ['sterəlaɪz] *v/t.* sterilisieren: a) keimfrei machen, b) unfruchtbar machen; **'ster·i·li·zer** ['sterəlaɪzə] *s.* Sterili'sator *m* (*Apparat*).

ster·ling ['stɜːlɪŋ] **I** *adj.* **1.** ✝ Sterling(...): **ten pounds ~** 10 Pfund Sterling; **~ area** Sterlinggebiet *n*, -block *m*; **2.** von Standardwert (*Gold, Silber*); **3.** *fig.* echt, gediegen, bewährt; **II** *s.* **4.** ✝ Sterling *m*.

stern¹ [stɜːn] *adj.* ☐ **1.** streng, hart: **~ discipline**; **~ penalty**; **2.** unnachgiebig; **3.** streng, finster: **a ~ face**.

stern² [stɜːn] **I** *s.* **1.** ⚓ Heck *n*, Achter-

S

schiff *n*: (***down***) ***by the ~*** hecklastig; **2.** *zo.* a) 'Hinterteil *n*, b) Schwanz *m*; **3.** *allg.* hinterer Teil; **II** *adj.* **4.** ⚓ Heck…
ster·nal ['stɜːnl] *adj. anat.* Brustbein…
'stern|-,chas·er *s.* ⚓ *hist.* Heckgeschütz *n*; **'~-fast** *s.* ⚓ Achtertau *n*.
stern·ness ['stɜːnnɪs] *s.* Strenge *f*, Härte *f*, Düsterkeit *f*.
'stern·post *s.* ⚓ Achtersteven *m*.
ster·num ['stɜːnəm] *pl.* **-na** [-nə] *s. anat.* Brustbein *n*.
ster·to·rous ['stɜːtərəs] *adj.* □ röchelnd.
stet [stet] (*Lat.*) *typ.* **I** *imp.* stehenlassen!, bleibt!; **II** *v/t.* mit ‚stet' markieren.
steth·o·scope ['steθəskəʊp] ⚕ **I** *s.* Stetho'skop *n*, Hörrohr *n*; **II** *v/t.* abhorchen; **steth·o·scop·ic** [ˌsteθə'skɒpɪk] *adj.* (□ ***~ally***) stetho'skopisch.
ste·ve·dore ['stiːvədɔː] *s.* ⚓ **1.** Stauer *m*, Schauermann *m*; **2.** Stauer *m* (*Unternehmer*).
stew¹ [stjuː] **I** *v/t.* **1.** schmoren, dämpfen, langsam kochen; → ***stewed*** 1; **II** *v/i.* **2.** schmoren; → ***juice*** 1; **3.** *fig.* ‚schmoren', vor Hitze (fast) 'umkommen; **4.** F sich aufregen; **III** *s.* **5.** Schmor-, Eintopfgericht *n*; **6.** F Aufregung *f*.
stew² [stjuː] *s. Brit.* a) Fischteich *m*, b) Fischbehälter *m*.
stew·ard ['stjʊəd] *s.* **1.** Verwalter *m*; **2.** Haushalter *m*, Haushofmeister *m*; **3.** Tafelmeister *m*, Kämmerer *m* (*e-s College, Klubs etc.*); **4.** ⚓, ✈ Steward *m*; **5.** (Fest- *etc.*)Ordner *m*; *mot.* 'Rennkommisˌsar *m*; → ***shop steward***; **'stew·ard·ess** [-dɪs] *s.* ⚓, ✈ Stewardeß *f*; **'stew·ard·ship** [-ʃɪp] *s.* Verwalteramt *n*.
stewed [stjuːd] *adj.* **1.** geschmort, gedämpft, gedünstet; **2.** *sl.* ‚besoffen'.
'stew|·pan *s.* Schmorpfanne *f*; **'~·pot** *s.* Schmortopf *m*.
stick¹ [stɪk] **I** *s.* **1.** Stecken *m*, Stock *m*, (trockener) Zweig; *pl.* Klein-, Brennholz *n*: ***dry ~s*** (dürres) Reisig; **2.** Scheit *n*, Stück *n* Holz; **3.** Gerte *f*, Rute *f*; **4.** Stengel *m*, Stiel *m* (*Rhabarber, Sellerie*); **5.** Stock *m* (*a. fig. Schläge*), Stab *m*: ***get*** (***give***) ***the ~*** e-e Tracht Prügel bekommen (verabreichen); ***get hold of the wrong end of the ~*** *fig.* die Sache falsch verstehen; **6.** (Besen- *etc.*)Stiel *m*; **7.** (Spazier)Stock *m*; **8.** (Zucker-, Siegellack)Stange *f*; **9.** a) (Stück *n*) Rasierseife *f*, b) (Lippen- *etc.*)Stift *m*; **10.** ♪ a) Taktstock *m*, b) (Trommel)Schlegel *m*, c) (Geigen)Bogen *m*; **11.** *sport* a) Schläger *m*, *Hockey etc.*: Stock *m*, b) *Pferdesport*: Hürde *f*; **12.** a) ✈ Steuerknüppel *m*, b) *mot.* Schalthebel *m*; **13.** ⚔ Bombenreihe *f*; **14.** *typ.* Winkelhaken *m*; **15.** F *a.* ***dry*** (*od.* ***dull***) ***~*** Stockfisch *m*, *allg.* Kerl *m*; **16.** *pl. Am.* F finsterste Pro'vinz; **II** *v/t.* **17.** *Pflanze* mit e-m Stock stützen; **18.** *typ.* a) setzen, b) in e-m Winkelhaken anein'anderreihen.
stick² [stɪk] **I** *v/t.* [*irr.*] **1.** durch'stechen, -'bohren; *Schweine* (ab)stechen; **2.** stechen mit *e-r Nadel etc.* (***in***, ***into*** in *acc.*); *et.* stecken, stoßen; **3.** *auf e-e Gabel etc.* stecken, aufspießen; **4.** *Kopf, Hand etc. wohin* stecken *od.* strecken; **5.** F legen, setzen, *in die Tasche etc.* stecken; **6.** (an)stecken, anheften; **7.** 'vollstecken (***with*** mit); **8.** *Briefmarke, Plakat etc.* ankleben, *Fotos etc.* (ein)kleben: ***~ together*** *et.* zs.-kleben; **9.** bekleben; **10.** zum Stecken bringen, festfahren: ***be stuck*** *im Schlamm etc.* stecken(bleiben *a. fig.*), festsitzen (*a. fig.*); ***be stuck on*** F vernarrt sein in (*acc.*); ***be stuck with s.th.*** et. ‚am Hals haben'; ***be stuck for s.th.*** um et. verlegen sein; **11.** *j-n* verwirren; **12.** F *j-n* ‚blechen' lassen (***for*** für); **13.** *sl. j-n* ‚leimen' (*betrügen*); **14.** *sl. et. od. j-n* aushalten, -stehen, (v)ertragen: ***I can't ~ him***; **15.** ***~ it*** (***out***) F 'durchhalten, es aushalten; **16.** ***~ it on*** F a) e-n unverschämten Preis verlangen, b) ‚dick auftragen', über'treiben; **II** *v/i.* [*irr.*] **17.** stecken; **18.** (fest)kleben, haften: ***~ together*** zs.-kleben; **19.** sich festklammern *od.* heften (***to*** an *acc.*); **20.** haften, hängenbleiben (*a. fig. Spitzname etc.*): ***some of it will ~*** et. (*von e-r Verleumdung*) bleibt immer hängen; ***~ in the mind*** im Gedächtnis haftenbleiben; ***make s.th. ~*** *fig.* dafür sorgen, daß et. ‚sitzt'; **21.** ***~ to*** bei *j-m od. e-r Sache* bleiben, *j-m* nicht von der Seite weichen: ***~ to the point*** *fig.* bei der Sache bleiben; ***~ to it*** dranbleiben; → ***gun*** 1; **22.** ***~ to*** treu bleiben (*dat.*), zu *j-m, s-m Wort etc.* stehen, bei *s-r Ansicht etc.* bleiben, sich an *e-e Regel etc.* halten; ***~ together*** zs.-halten (*Freunde*); **23.** *im Hals, im Schmutz, a. fig. beim Lesen etc.* steckenbleiben; → ***mud*** 2; **24.** ***~ at nothing*** vor nichts zurückschrecken; **25.** her'vorstehen (***from***, ***out of*** aus);
Zssgn mit adv.:
stick| a·round *v/i.* F in der Nähe bleiben; **~ out I** *v/i.* **1.** ab-, her'vor-, her'ausstehen; **2.** *fig.* auffallen; **3.** bestehen (***for*** auf *dat.*); **II** *v/t.* **4.** *Arm, Brust, a. Kopf, Zunge* her'ausstrecken; **5.** → ***stick²*** 15; **~ up I** *v/t.* **1.** *sl.* über'fallen, ausrauben; **2.** ***~ 'em up!*** *sl.* Hände hoch!; **II** *v/i.* **3.** in die Höhe stehen; **4.** ***~ for*** sich für *j-n* einsetzen; **5.** ***~ to*** mutig gegen'übertreten (*dat.*), Pa'roli bieten (*dat.*).
stick·er ['stɪkə] *s.* **1.** a) (Schweine-)Schlächter *m*, b) Schlachtmesser *n*; **2.** Klebezettel *m*, Aufkleber *m*; **3.** *Am.*

S

(*angeklebter*) Strafzettel; **4.** *fig.* zäher Kerl; **5.** F ‚Hocker' *m*, (zu) lange bleibender Gast; **6.** F ‚Ladenhüter' *m*; **7.** ‚harte Nuß'.

stick·i·ness ['stɪkɪnɪs] *s.* **1.** Klebrigkeit *f*; **2.** Schwüle *f*; **3.** F Schwierigkeit *f*.

stick·ing plas·ter ['stɪkɪŋ] *s.* Heftpflaster *n*.

stick-in-the-mud ['stɪkɪnðəmʌd] F **I** *adj.* rückständig, -schrittlich; **II** *s.* Rückschrittler *m*, *bsd. pol.* Reaktio'när *m*.

'**stick·jaw** *s.* F ‚Plombenzieher' *m* (*zäher Bonbon etc.*).

stick·le ['stɪkl] *v/i.* **1.** harnäckig zanken *od.* streiten: ***~ for s.th.*** et. hartnäckig verfechten; **2.** Bedenken äußern, Skrupel haben.

stick·le·back ['stɪklbæk] *s. ichth.* Stichling *m*.

stick·ler ['stɪklə] *s.* **1.** Eiferer *m*; **2.** Verfechter *m* (***for*** *gen.*); **3.** Kleinigkeitskrämer *m*, Pe'dant *m*, j-d, der es ganz genau nimmt (***for*** mit).

stick-to-it·ive [ˌstɪk'tuːətɪv] *adj. Am.* F hartnäckig, zäh.

'**stick-up I** *adj.* **1.** ***~ collar*** → 2; **II** *s.* **2.** F Stehkragen *m*; **3.** *sl.* ('Raub)ˌÜberfall *m*.

stick·y ['stɪkɪ] *adj.* □ **1.** klebrig, zäh: ***~ charge*** ⚔ Haftladung *f*; ***~ label*** *Brit.* Klebezettel *m*; **2.** schwül, stickig (*Wetter etc.*); **3.** F *fig.* a) klebrig, b) eklig, c) schwierig, heikel (*Sache*), d) kritisch, e) kitschig: ***be ~ about doing s.th.*** et. nur ungern tun.

stiff [stɪf] **I** *adj.* □ **1.** *allg.* steif, starr (*a. Gesicht, Person*): ***~ collar*** steifer Kragen; ***~ neck*** steifer Hals; → ***lip*** 1; **2.** zäh, dick, steif (*Teig etc.*); **3.** steif (*Brise*), stark (*Wind, Strömung*); **4.** stark (*Dosis, Getränk*), steif (*Grog*); **5.** *fig.* starrköpfig; **6.** *fig.* hart (*Gegner, Kampf etc.*), scharf (*Konkurrenz, Opposition*); **7.** schwierig (*Aufstieg, Prüfung etc.*); **8.** hart (*Strafe*); **9.** steif, for'mell, gezwungen (*Benehmen, Person etc.*); **10.** steif, linkisch (*Stil*); **11.** F unglaublich: ***a bit ~*** ziemlich stark, allerhand; **12.** F ‚zu Tode' *gelangweilt, erschrocken*; **13.** † a) sta'bil, fest (*Preis, Markt*), b) hoch, unverschämt (*Forderung, Preis*); **II** *s. sl.* **14.** a) Leiche *f*, b) Besoffene(r) *m*; **15.** a) Langweiler *m*, b) Blödmann *m*; **16.** *Am.* a) ‚Lappen' *m* (*Banknote*), b) ‚Blüte' *f* (*Falschgeld*), c) ‚Kas'siber' *m* (*im Gefängnis*); '**stiff·en** [-fn] **I** *v/t.* **1.** (ver)steifen, (ver)stärken; *Stoff etc.* stärken, steifen; **2.** steif *od.* starr machen (*Flüssigkeit, Glieder etc.*), verdicken (*Flüssiges*); **3.** *fig.* a) *et.* verschärfen, b) (be)stärken, *j-m* den Nacken steifen; **II** *v/i.* **4.** sich versteifen, -stärken; starr werden; **5.** *fig.* hart werden, sich versteifen; **6.** steif *od.* förmlich werden; **7.** † sich festigen (*Preise etc.*); '**stiff·en·er** [-fnə] *s.* **1.** Versteifung *f*; **2.** F ‚Seelenwärmer' *m*, Stärkung *f* (*Getränk*); '**stiff·en·ing** [-fnɪŋ] *s.* Versteifung *f*: a) Steifwerden *n*, b) 'Steifmateriˌal *n*.

ˌ**stiff-'necked** *adj. fig.* halsstarrig.

stiff·ness ['stɪfnɪs] *s.* **1.** Steifheit *f* (*a. fig. Förmlichkeit*), Steife *f*, Starrheit *f*; **2.** Zähigkeit *f*, Dickflüssigkeit *f*; **3.** *fig.* Härte *f*, Schärfe *f*.

sti·fle[1] ['staɪfl] **I** *v/t.* **1.** *j-n* ersticken; **2.** *Fluch etc., a. Gefühl, a. Aufstand etc.* ersticken, unter'drücken, *Diskussion etc.* abwürgen; **II** *v/i.* **3.** (*weitS.* schier) ersticken.

sti·fle[2] ['staɪfl] *s. zo.* **1.** *a.* ***~ joint*** Kniegelenk *n* (*Pferd, Hund*); **2.** *vet.* Kniegelenkgalle *f* (*Pferd*); ***~ bone*** *s.* Kniescheibe *f* (*Pferd*).

sti·fling ['staɪflɪŋ] *adj.* □ erstickend (*a. fig.*), stickig.

stig·ma ['stɪgmə] *pl.* **-mas**, **-ma·ta** [-mətə] *s.* **1.** *fig.* Brand-, Schandmal *n*, Stigma *n*; **2.** ⚕ Sym'ptom *n*; **3.** ⚕ (*pl.* ***-mata***) Mal *n*, roter Hautfleck; **4.** ***stigmata*** *pl. eccl.* Wundmale *pl.*, Stigmata *pl.*; **5.** ⚘ Narbe *f* (*Blüte*); **6.** *zo.* Luftloch *n* (*Insekt*); **stig·mat·ic** [stɪg'mætɪk] *adj.* (□ ***~ally***) **1.** stig'matisch (*a. opt.*); **2.** ⚘ narbenartig; **3.** *opt.* (ana-)stig'matisch; '**stig·ma·tize** [-ətaɪz] *v/t.* **1.** ⚕, *eccl.* stigmatisieren; **2.** *bsd. fig.* brandmarken.

stile[1] [staɪl] *s.* Zauntritt *m*.

stile[2] [staɪl] *s.* Seitenstück *n* (*e-r Täfelung*), Höhenfries *m* (*e-r Tür*).

sti·let·to [stɪ'letəʊ] *pl.* **-tos** [-z] *s.* Sti'lett *n*: ***~ (heel)*** Pfennigabsatz *m*.

still[1] [stɪl] **I** *adj.* □ **1.** *allg.* still: a) reglos, unbeweglich, b) ruhig, lautlos, c) leise, gedämpft, d) friedlich, ruhig: ***keep ~!*** sei ruhig!; → ***water*** 11; **2.** nicht moussierend: ***~ wine*** Stillwein *m*; **3.** *phot.* Stand…, Steh…, Einzel(aufnahme)…; **II** *s.* **4.** *poet.* Stille *f*; **5.** *phot.* Standfoto *n*, Einzelaufnahme *f*; **III** *v/t.* **6.** *Geräusche etc.* zum Schweigen bringen; **7.** *j-n* beruhigen, *Verlangen etc.* stillen; **IV** *v/i.* **8.** still werden.

still[2] [stɪl] **I** *adv.* **1.** (immer) noch, noch immer, bis jetzt; **2.** (*beim comp.*) noch, immer: ***~ higher, higher ~*** noch höher; ***~ more so because*** um so mehr als; **3.** dennoch, doch; **II** *cj.* **4.** (und) dennoch, und doch, in'des(sen).

still[3] [stɪl] *s.* a) Destillierkolben *m*, b) Destil'lierappaˌrat *m*.

stil·lage ['stɪlɪdʒ] *s.* Gestell *n*.

'**still|·birth** *s.* Totgeburt *f*; '**~·born** *adj.* totgeboren (*a. fig.*); '**~-fish** *v/i.* vom verankerten Boot aus angeln; **~ hunt** *s.* Pirsch(jagd) *f*; '**~-hunt** *v/i.* (*v/t.* an)pirschen; **~ life** *s. paint.* Stilleben *n*.

still·ness ['stɪlnɪs] *s.* Stille *f*.

S

still room *s. bsd. Brit.* **1.** *hist.* Destillati'onsraum *m*; **2.** a) Vorratskammer *f*, b) Servierraum *m*.

stilt [stɪlt] *s.* **1.** Stelze *f*; **2.** ⚠ Pfahl *m*, Pfeiler *m*; **3.** *a.* ~ ***bird*** *orn.* Stelzenläufer *m*; **'stilt·ed** [-tɪd] *adj.* □ **1.** gestelzt, gespreizt, geschraubt (*Rede*, *Stil etc.*); **2.** ⚠ erhöht; **'stilt·ed·ness** [-tɪdnɪs] *s.* Gespreiztheit *f*.

stim·u·lant ['stɪmjʊlənt] **I** *s.* **1.** ⚕ Stimulans *n*, Anregungs-, Weckmittel *n*; **2.** Genußmittel *n*, *bsd.* Alkohol *m*; **3.** Anreiz *m* (***of*** für); **II** *adj.* **4.** → ***stimulating*** 1; **stim·u·late** ['stɪmjʊleɪt] *v/t.* **1.** ⚕ *etc.*, *a. fig.* stimulieren, anregen (***s.o. into*** j-n zu *et.*); *fig. a.* anspornen, anstacheln; beleben, ankurbeln; **2.** *Nerv* reizen; **'stim·u·lat·ing** [-leɪtɪŋ] *adj.* **1.** *a. fig.* stimulierend, anregend, belebend; **2.** *fig.* anspornend; **stim·u·la·tion** [ˌstɪmjʊ'leɪʃn] *s.* **1.** Anreiz *m*, Antrieb *m*, Anregung *f*, Belebung *f*; **2.** ⚕ Reizung *f*, Reiz *m*; **'stim·u·la·tive** [-lətɪv] → ***stimulating***; **'stim·u·lus** [-ləs] *pl.* **-li** [-laɪ] *s.* **1.** Stimulus *m*: a) (An)Reiz *m*, Antrieb *m*, Ansporn *m* (***to*** zu), b) ⚕ Reiz *m*: ~ ***threshold*** Reizschwelle *f*; **2.** → ***stimulant*** 1; **3.** ⚘ Nesselhaar *n*.

sti·my ['staɪmɪ] → ***stymie***.

sting [stɪŋ] **I** *v/t.* [*irr.*] **1.** stechen (*Insekt*, *Nessel etc.*); **2.** brennen, beißen in *od.* auf (*dat.*); **3.** schmerzen, weh tun (*Schlag etc.*): ***stung by remorse*** *fig.* von Reue geplagt; **4.** *fig. j-n* verletzen, kränken; **5.** anstacheln, reizen (***into*** zu); **6.** *sl.* ‚neppen' (***for*** um *Geld*); **II** *v/i.* [*irr.*] **7.** stechen; **8.** brennen, beißen (*Pfeffer etc.*); **9.** *a. fig.* schmerzen, weh tun; **III** *s.* **10.** Stachel *m* (*Insekt*; *a. fig. des Todes*, *der Eifersucht etc.*); **11.** ⚘ Brennborste *f*; **12.** Stich *m*, Biß *m*: ~ ***of conscience*** *fig.* Gewissensbisse *pl.*; **13.** Schärfe *f*; **14.** Pointe *f*, Spitze *f* (*e-s Witzes*); **15.** Schwung *m*, Wucht *f*; **'sting·er** [-ŋə] *s.* **1.** a) stechendes In'sekt, b) stechende Pflanze; **2.** F a) schmerzhafter Schlag, b) beißende Bemerkung.

sting·i·ness ['stɪndʒɪnɪs] *s.* Geiz *m*.

sting·ing ['stɪŋɪŋ] *adj.* □ **1.** ⚘, *zo.* stechend; **2.** *fig.* schmerzhaft (*Schlag etc.*); schneidend (*Kälte*, *Wind*); scharf, beißend, verletzend (*Worte*, *Tadel*); ~ ***net·tle*** *s.* ⚘ Brennessel *f*.

stin·gy ['stɪndʒɪ] *adj.* □ **1.** geizig, knikkerig: ***be ~ of s.th.*** mit et. knausern; **2.** dürftig, kärglich.

stink [stɪŋk] **I** *v/i.* [*irr.*] **1.** stinken, übel riechen (***of*** nach): ~ ***of money*** *fig.* F vor Geld stinken; **2.** *fig.* verrufen sein, ‚stinken': ~ ***to high heaven*** zum Himmel stinken; → ***nostril***; **3.** *fig.* F ('hunds)miseˌrabel sein; **II** *v/t.* [*irr.*] **4.** *a.* ~ ***out***, ***up*** verstänkern; **5.** ~ ***out*** a) *Höhle*, *Tiere* ausräuchern, b) *j-n* durch Gestank vertreiben; **6.** *sl.* (den Gestank *gen.*) riechen: ***you can ~ it a mile off***; **III** *s.* **7.** Gestank *m*; **8.** Stunk *m*, Krach *m*: ***raise*** (*od.* ***kick up***) ***a ~*** Stunk machen (***about*** wegen); **9.** *pl. Brit. sl.* Che'mie *f*; **10.** *Am.* F (billiges) Par'füm; **'stink·ard** [-kəd] *s.* **1.** *zo.* Stinktier *n*; **2.** → ***stinker*** 1; **'stink·er** [-kə] *s.* **1.** a) ‚Stinker' *m*, b) *sl.* Dreckskerl *m*; **2.** a) ‚Stinka'dores' *m* (*Käse*), b) ‚Stinka'dores' *f* (*Zigarre*); **3.** *sl.* a) gemeiner Brief, b) böse Bemerkung *od.* Kri'tik, c) ‚böse' (*schwierige etc.*) Sache, d) ‚Mist' *m*; **'stink·ing** [-kɪŋ] **I** *adj.* □ **1.** stinkend; **2.** *sl.* a) widerlich, b) mise'rabel; **3.** → ***stinko***; **II** *adv.* **4.** ~ ***rich*** *sl.* ‚stinkreich'.

stinko ['stɪŋkəʊ] *adj. Am. sl.* ‚(stink)besoffen', (to'tal) ‚blau'.

'stink·pot *s.* **1.** ⚓ *hist.* Stinktopf *m*; **2.** F → ***stinker*** 1.

stint [stɪnt] **I** *v/t.* **1.** *j-n od. et.* einschränken, *j-n* kurz *od.* knapp halten (***in***, ***of*** mit): ~ ***o.s. of*** sich einschränken mit, sich *et.* versagen; **2.** knausern *od.* kargen mit (*Geld*, *Lob etc.*); **II** *s.* **3.** Be-, Einschränkung *f*: ***without ~*** ohne Einschränkung, rückhaltlos; **4.** a) (zugewiesene) Arbeit, Pensum *n*, b) (vorgeschriebenes) Maß; **5.** ⚒ Schicht *f*; **'stint·ed** [-tɪd] *adj.* □ knapp, karg.

stipe [staɪp] *s.* ⚘, *zo.* Stiel *m*.

sti·pend ['staɪpend] *s.* Gehalt *n* (*bsd. e-s Geistlichen*); **sti·pen·di·ar·y** [staɪ'pendjərɪ] **I** *adj.* besoldet: ~ ***magistrate*** → **II** *s. Brit.* Richter *m an e-m* ***magistrates' court***.

stip·ple ['stɪpl] **I** *v/t.* **1.** *paint.* tüpfeln, punktieren; **II** *s.* **2.** Punk'tiermaˌnier *f*, Pointil'lismus *m*; **3.** Punktierung *f*.

stip·u·late ['stɪpjʊleɪt] *bsd.* ⚖, ✝ **I** *v/i.* **1.** (***for***) a) e-e Vereinbarung treffen (über *acc.*), b) *et.* zur Bedingung machen; **II** *v/t.* **2.** festsetzen, vereinbaren, ausbedingen; **3.** ⚖ *Tatbestand* einverständlich feststellen, außer Streit stellen; **stip·u·la·tion** [ˌstɪpjʊ'leɪʃn] *s.* **1.** ✝, ⚖ (vertragliche) Abmachung, Über'einkunft *f*; **2.** Klausel *f*, Bedingung *f*; **3.** ⚖ Par'teienüberˌeinkunft *f*.

stip·ule ['stɪpjuːl] *s.* ⚘ Nebenblatt *n*.

stir[1] [stɜː] **I** *v/t.* **1.** *Kaffee*, *Teig etc.* rühren: ~ ***up*** a) (gut) umrühren, b) *Schlamm* aufwühlen; **2.** *Feuer* (an-)schüren; **3.** *Glied etc.* rühren, bewegen: ***not to ~ a finger*** keinen Finger krumm machen; **4.** *Blätter*, *See etc.* bewegen (*Wind*); **5.** ~ ***up*** *a. fig. j-n* auf-, wachrütteln; **6.** ~ ***up*** *fig.* a) *j-n* aufreizen, -hetzen, b) *Neugier etc.* erregen, c) *Streit etc.* entfachen; **7.** *fig.* aufwühlen, bewegen, erregen; *j-s Blut* in Wallung bringen; **II** *v/i.* **8.** sich rühren *od.* regen (*a. fig. geschäftig sein*): ***not to ~ from the spot*** sich nicht von der Stelle rühren; ***he never ~red abroad*** er ging nie aus; ***he is not ~ring yet*** er ist noch nicht auf(gestanden); **9.** a) im Gange *od.* ˈUmlauf sein, b) geschehen, sich ereignen; **III** *s.* **10.** Rühren *n*; **11.** Bewegung *f*; **12.** Aufregung *f*; **13.** Aufsehen *n*, Sensatiˈon *f*: ***create** od.* ***make a ~*** Aufsehen erregen.

stir² [stɜː] *s. sl.* ‚Kittchen' *n*, ‚Knast' *m* (*Gefängnis*): ***in ~*** im Knast.

stirps [stɜːps] *pl.* **stir·pes** [ˈstɜːpiːz] *s.* **1.** Faˈmilie(nzweig *m*) *f*; **2.** ⚖ a) Stammvater *m*, b) Stamm *m*: ***by stirpes*** *Erbfolge* nach Stämmen.

stir·rer [ˈstɜːrə] *s.* a) Rührlöffel *m*, b) Rührwerk *n*.

stir·ring [ˈstɜːrɪŋ] *adj.* ☐ **1.** bewegt; **2.** *fig.* rührig; **3.** erregend, aufwühlend; zündend (*Rede*); bewegt (*Zeiten*).

stir·rup [ˈstɪrəp] *s.* **1.** Steigbügel *m*; **2.** ⚙ Bügel *m*; **3.** ⚓ Springpferd *n* (*Haltetau*); **~ bone** *s. anat.* Steigbügel *m* (*im Ohr*); **~ i·ron** *s.* Steigbügel *m* (*ohne Steigriemen*); **~ leath·er** *s.* Steig(bügel)riemen *m*.

stitch [stɪtʃ] **I** *s.* **1.** *Nähen etc.*: Stich *m*: ***a ~ in time saves nine*** gleich getan ist viel gespart; ***put ~es in*** → 7; **2.** *Strikken, Häkeln etc.*: Masche *f*; → ***take up*** 14; **3.** Stich(art *f*) *m*, Strick-, Häkelart *f*; **4.** F Faden *m*: ***not to have a dry ~ on one*** keinen trockenen Faden am Leibe haben; ***without a ~ on*** splitternackt; **5.** a) Stich *m*, Stechen *n* (*Schmerz*), b) *a.* ***~es in the side*** Seitenstechen *n*: ***be in ~es*** F sich kaputtlachen; **II** *v/t.* **6.** nähen, steppen, (be)sticken; **7.** ***~ up*** vernähen (*a.* ✂), (zs.-)flicken; **8.** *Buchbinderei*: (zs.-)heften, broschieren.

sto·a [ˈstəʊə] *pl.* **-ae** [-iː] *s. antiq.* Stoa *f*: a) ⚠ Säulenhalle *f*, b) ♎ stoische Philosoˈphie.

stoat [stəʊt] *s. zo.* **1.** Hermeˈlin *n*; **2.** Wiesel *n*.

stock [stɒk] **I** *s.* **1.** (*Baum-, Pflanzen-*) Strunk *m*; **2.** *fig.* ‚Klotz' *m* (*steifer Mensch*); **3.** ⚘ Levˈkoje *f*; **4.** ✓ (ˈPfropf)ˌUnterlage *f*; **5.** (*Peitschen-, Werkzeug*)Griff *m*; **6.** ⚔ a) (Gewehr-) Schaft *m*, b) Schulterstütze *f* (*MG*); **7.** ⚙ ˈUnterlage *f*, Block *m*; (Amboß-) Klotz *m*; **8.** ⚓ Stapel *m*: ***on the ~s*** im Bau, im Werden (*a. fig.*); **9.** *hist.* Stock *m* (*Strafmittel*); **10.** ⚙ (Grund-, Werk)Stoff *m*: ***paper ~*** Papierstoff; **11.** a) ⚙ (*Füll- etc.*)Gut *n*, Materiˈal *n*, b) (Fleisch-, Gemüse)Brühe *f* (*als Suppengrundlage*); **12.** steifer Kragen; *bsd.* ⚔ Halsbinde *f*; **13.** Stamm *m*, Rasse *f*, Her-, Abkunft *f*; **14.** *allg.* Vorrat *m*; ☤ (Waren)Lager *n*, Invenˈtar *n*: ***~ (on hand)*** Warenbestand *m*; ***in (out of) ~*** (nicht) vorrätig; ***take ~*** Inventur machen, *a. fig.* (e-e) Bestandsaufnahme machen; ***take ~ of*** *fig.* sich klarwerden über (*acc.*), *j-n od. et.* abschätzen; **15.** ☤ Ware(n *pl.*) *f*; **16.** *fig.* (*Wissens- etc.*) Schatz *m*: ***a ~ of information***; **17.** a) *a.* ***live ~*** lebendes Invenˈtar, Vieh(bestand *m*) *n*, b) *a.* ***dead ~*** totes Inventar, Materiˈal *n*: ***fat ~*** Schlachtvieh *n*; **18.** a) ☤ ˈAnleihekapiˌtal *n*, b) ˈGrundkapiˌtal *n*, c) ˈAktienkapiˌtal *n*, d) Geschäftsanteil *m*; **19.** ☤ a) *Am.* Aktie(n *pl.*) *f*: ***issue ~*** Aktien ausgeben, b) *pl.* Aktien *pl.*, c) *pl.* Efˈfekten *pl.*, ˈWertpaˌpiere *pl.*: ***his ~ has gone up*** s-e Aktien sind gestiegen (*a. fig.* F); **20.** ☤ a) Schuldverschreibung *f*, b) *pl. Brit.* ˈStaatspaˌpiere *pl.*; **21.** *thea.* Reperˈtoire(theˌater) *n*; **II** *adj.* **22.** (stets) vorrätig, Lager..., Serien...: ***~ size*** Standardgröße *f*; **23.** *fig.* stehend, stereoˈtyp: ***~ phrase***; **24.** ✓ Vieh..., Zucht...; **25.** ☤ *bsd. Am.* Aktien...; **26.** *thea.* Repertoire...; **III** *v/t.* **27.** versehen, -sorgen, ausstatten, füllen (***with*** mit); **28.** *a.* ***~ up*** auf Lager legen, (auf)speichern; **29.** ☤ *Ware* vorrätig haben, führen; **30.** ✓ anpflanzen; **31.** *Gewehr, Werkzeug* schäften; **IV** *v/i.* **32.** *a.* ***~ up*** sich eindecken; **~ ac·count** *s.* ☤ *Brit.* Kapiˈtal-, Efˈfektenkonto *n*, -rechnung *f*.

stock·ade [stɒˈkeɪd] **I** *s.* **1.** Staˈket *n*, Einpfählung *f*; **2.** ⚔ a) Paliˈsade *f*, b) *Am.* Miliˈtärgefängnis *n*; **II** *v/t.* **3.** einpfählen, mit Staˈket umˈgeben.

stock|book *s.* ☤ **1.** Lagerbuch *n*; **2.** *Am.* Aktienbuch *n*; **ˈ~ˌbreed·er** *s.* Viehzüchter *m*; **ˈ~ˌbro·ker** *s.* Efˈfekten-, Börsenmakler *m*; **ˈ~·car** *s.* 🚃 *Am.* Viehwagen *m*; **~ car** *s. mot.* Serienwagen *m*, *sport* Stock-Car *m*; **~ cer·tif·i·cate** *s.* ˈAktienzertifiˌkat *n*; **~ clear·ance** *s.* Lagerräumung *f*; **~ com·pa·ny** *s.* **1.** ☤ *Am.* Aktiengesellschaft *f*; **2.** *thea.* Reperˈtoiregruppe *f*, Enˈsemble *n*; **~ cor·po·ra·tion** *s.* ☤ *Am.* **1.** Kapiˈtalgesellschaft *f*; **2.** Aktiengesellschaft *f*; **~ div·i·dend** *s.* ☤ *Am.* Diviˈdende *f* in Form von Gratisaktien *pl.*; **~ ex·change** *s.* ☤ (Efˈfekten-, Aktien-) Börse *f*; **~ farm·er** *s.* Viehzüchter *m*; **~ farm·ing** *s.* Viehzucht *f*; **ˈ~·fish** *s.* Stockfisch *m*; **ˈ~ˌhold·er** *s.* ☤ *bsd. Am.* Aktioˈnär *m*; **ˈ~ˌhold·ing** *s.* ☤ *Am.* Aktienbesitz *m*.

stock·i·net [ˌstɒkɪˈnet] *s.* Stockiˈnett *n*, Triˈkot *m*, *n*.

stock·ing [ˈstɒkɪŋ] *s.* **1.** Strumpf *m*; **2.** *zo.* Färbung *f* am Fuß; **~ mask** *s.* Strumpfmaske *f*; **ˈ~ˌweav·er** *s.* Strumpfwirker *m*.

ˌstock|-in-ˈtrade *s.* **1.** ☤ a) Warenbestand *m*, b) Betriebsmittel *pl.*, c) ˈArbeitsmateriˌal *n*; **2.** *fig.* a) Rüstzeug *n*, b) ‚Reperˈtoire' *n*; **ˈ~ˌjob·ber** → ***jobber*** 3, 4; **~ ledg·er** *s.* ☤ *Am.* Aktienbuch *n*; **ˈ~·list** *s.* (Aktien- *od.* Börsen)Kurszettel *m*; **~ mar·ket** *s.* ☤ **1.** → ***stock***

exchange; **2.** Börsenkurse *pl.*; **'~·pile I** *s.* Vorrat *m* (***of*** an *dat.*); **II** *v/t.* e-n Vorrat anlegen von, aufstapeln; **'~·pot** *s.* Suppentopf *m*; **~ room** *s.* Lager (-raum *m*) *n*; **~ shot** *s. phot.* Ar'chivaufnahme *f*; **ˌ~-'still** *adj.* stockstill, -steif; **'~ˌtak·ing** *s.* ✝ Bestandsaufnahme *f* (*a. fig.*), Inven'tur *f*.

stock·y ['stɒkɪ] *adj.* □ stämmig, unter'setzt.

'stock·yard *s.* Viehhof *m*.

stodge [stɒdʒ] *sl.* **I** *v/i. u. v/t.* sich (*den Magen*) vollstopfen; **II** *s.* a) dicker Brei, b) schwerverdauliches Zeug (*a. fig.*); **'stodg·y** [-dʒɪ] *adj.* □ **1.** schwerverdaulich (*a. fig. Stil etc.*), *fig. a.* schwerfällig (*a. Person*); langweilig; **2.** *fig.* ‚spießig'.

sto·gie, **sto·gy** ['stəʊgɪ] *s. Am.* billige Zi'garre.

Sto·ic ['stəʊɪk] **I** *s. phls.* Stoiker *m* (*a. fig.* ♀); **II** *adj.*, *a.* **'Sto·i·cal** [-kl] □ *phls.* stoisch (*a. fig.* ♀ *unerschütterlich, gleichmütig*); **'Sto·i·cism** [-ɪsɪzəm] *s.* Stoi'zismus *m*: a) *phls.* Stoa *f*, b) ♀ *fig.* Gleichmut *m*.

stoke [stəʊk] **I** *v/t.* **1.** *Feuer etc.* schüren (*a. fig.*); **2.** *Ofen etc.* (an)heizen, beschicken; **3.** F a) 'vollstopfen, b) *Essen etc.* hin'einstopfen; **II** *v/i.* **4.** schüren, stochern; **5.** heizen, feuern; **'~·hold** *s.* ⚓ Heizraum *m*; **'~·hole 1.** → ***stokehold***; **2.** Schürloch *n*.

stok·er ['stəʊkə] *s.* **1.** Heizer *m*; **2.** (auto'matische) Brennstoffzuführung.

stole[1] [stəʊl] *s. eccl. u. Damenkleidung*: Stola *f*.

stole[2] [stəʊl] *pret.*, **'sto·len** [-lən] *p.p. von* ***steal***.

stol·id ['stɒlɪd] *adj.* □ **1.** stur, stumpf; **2.** gleichmütig, unerschütterlich; **sto·lid·i·ty** [stɒ'lɪdətɪ] *s.* **1.** Gleichmut *m*, Unerschütterlichkeit *f*; **2.** Stur-, Stumpfheit *f*.

sto·ma ['stəʊmə] *pl.* **-ma·ta** ['stɒmətə] *s.* **1.** ⚘ Stoma *n*, Spaltöffnung *f*; **2.** *zo.* Atmungsloch *n*.

stom·ach ['stʌmək] **I** *s.* **1.** Magen *m*: ***on an empty ~*** auf leeren Magen, nüchtern; **2.** Bauch *m*, Leib *m*; **3.** Appe'tit *m* (***for*** auf *acc.*); **4.** Lust *f* (***for*** zu); **II** *v/t.* **5.** verdauen (*a. fig.*); **6.** *fig.* a) (v)ertragen, b) ‚einstecken', hinnehmen; **'~·ache** *s.* Magenschmerz(en *pl.*) *m*.

stom·ach·er ['stʌməkə] *s. hist.* Mieder *n*, Brusttuch *n*.

sto·mach·ic [stəʊ'mækɪk] **I** *adj.* **1.** Magen…; **2.** magenstärkend; **II** *s.* **3.** ⚕ Magenmittel *n*.

sto·ma·ti·tis [ˌstəʊmə'taɪtɪs] *s.* ⚕ Mundschleimhautentzündung *f*, Stoma'titis *f*.

stomp [stɒmp] → ***stamp*** 1, 12, 13.

stone [stəʊn] **I** *s.* **1.** *allg.* (*a. Grab-, Schleif- etc.*)Stein *m*: ***a ~'s throw*** ein Steinwurf (weit), (nur) ein ‚Katzensprung'; ***leave no ~ unturned*** nichts unversucht lassen; ***throw ~s at*** *fig.* mit Steinen nach *j-m* werfen; → ***rolling stone***; **2.** *a.* ***precious ~*** (Edel)Stein *m*; **3.** (*Obst*)Kern *m*, Stein *m*; **4.** ⚕ a) (Gallen- *etc.*)Stein *m*, b) Steinleiden *n*; **5.** (Hagel)Korn *n*; **6.** *brit. Gewichtseinheit* (= *6,35 kg*); **II** *adj.* **7.** steinern, Stein…; **III** *v/t.* **8.** mit Steinen bewerfen; **9.** *a.* **~ *to death*** steinigen; **10.** *Obst* entkernen, -steinen; **11.** ⚙ schleifen, glätten; ♀ **Age** *s.* Steinzeit *f*; **'~-blind** *adj.* stockblind; **ˌ~-'broke** *adj.* ‚pleite', völlig ‚abgebrannt'; **~ coal** *s.* Steinkohle *f*, *bsd.* Anthra'zit *m*; **'~·crop** *s.* ⚘ Steinkraut *n*; **'~ˌcut·ter** *s.* **1.** Steinmetz *m*, -schleifer *m*; **2.** 'Steinschneidemaˌschine *f*.

stoned [stəʊnd] *adj.* **1.** entsteint, -kernt; **2.** *sl.* a) ‚(stink)besoffen', b) ‚high' (*im Drogenrausch*).

ˌstone|-'dead *adj.* mausetot; **ˌ~-'deaf** *adj.* stocktaub; **~ fruit** *s.* Steinfrucht *f*; *coll.* Steinobst *n*.

stone·less ['stəʊnlɪs] *adj.* steinlos (*Obst*).

stone| mar·ten *s. zo.* Steinmarder *m*; **'~ˌma·son** *s.* Steinmetz *m*; **~ pit** *s.* Steinbruch *m*; **ˌ~'wall I** *v/i.* **1.** *sport* mauern (*defensiv spielen*); **2.** *pol.* Obstrukti'on treiben (***on*** gegen); **II** *v/t.* **3.** *pol. Antrag* durch Obstrukti'on zu Fall bringen; **ˌ~'wall·ing** *s.* **1.** *sport* Mauern *n*; **2.** *pol.* Obstrukti'on *f*; **'~·ware** *s.* Steinzeug *n*.

ston·i·ness ['stəʊnɪnɪs] *s.* **1.** steinige Beschaffenheit; **2.** *fig.* Härte *f*; **ston·y** ['stəʊnɪ] *adj.* □ **1.** steinig; **2.** steinern (*a. fig. Herz*), Stein…; **3.** starr (*Blick*); **4.** *a.* ***~-broke*** → ***stone-broke***.

stood [stʊd] *pret. u. p.p. von* ***stand***.

stooge [stu:dʒ] *s.* **1.** *thea.* Stichwortgeber *m*; **2.** *sl.* Handlanger *m*, Krea'tur *f*; **3.** *Am. sl.* (Lock)Spitzel *m*; **4.** *Brit. sl.* ‚Heini' *m*.

stool [stu:l] *s.* **1.** Hocker *m*; (Bü'ro-, Kla'vier)Stuhl *m*: ***fall between two ~s*** sich zwischen zwei Stühle setzen; **2.** Schemel *m*; **3.** Nachtstuhl *m*; **4.** ⚕ Stuhl *m*: a) Kot *m*, b) Stuhlgang *m*: ***go to ~*** Stuhlgang haben; **5.** ⚘ a) Wurzelschößling *m*, b) Wurzelstock *m*, c) Baumstumpf *m*; **~ pi·geon** *s.* **1.** Lockvogel *m* (*a. fig.*); **2.** *bsd. Am. sl.* (Lock-) Spitzel *m*.

stoop[1] [stu:p] **I** *v/i.* **1.** sich bücken, sich (vorn'über)beugen; **2.** sich krumm halten, gebeugt gehen; **3.** *fig. contp.* a) sich her'ablassen, b) sich erniedrigen, die Hand reichen (***to*** zu *et.*, ***to do*** zu tun); **4.** her'abstoßen (*Vogel*); **II** *v/t.* **5.** neigen, beugen; *Schultern* hängen lassen; **III** *s.* **6.** (Sich)Beugen *n*; **7.** gebeugte *od.* krumme Haltung; krummer Rücken; **8.** Niederstoßen *n* (*Vogel*).

S

stoop² [stu:p] *s. Am.* kleine Ve'randa (*vor dem Haus*).

stop [stɒp] **I** *v/t.* **1.** aufhören (***doing*** zu tun): **~ *it!*** hör auf (damit)!; **2.** aufhören mit, *Besuche*, ✝ *Lieferung*, *Zahlung*, *Tätigkeit*, ⚖ *Verfahren* einstellen; *Kampf*, *Verhandlungen etc.* abbrechen; **3.** ein Ende machen *od.* bereiten (*dat.*), Einhalt gebieten (*dat.*); **4.** *Angriff*, *Fortschritt*, *Gegner*, *Verkehr etc.* aufhalten, zum Stehen bringen, *Ball* stoppen; *Wagen*, *Zug*, *a. Uhr* anhalten, stoppen; *Maschine*, *a. Gas*, *Wasser* abstellen; *Fabrik* stillegen; *Lohn*, *Scheck etc.* sperren; *Redner etc.* unter'brechen; *Lärm etc.* unter'binden; **5.** verhindern; hindern (***from*** an *dat.*, ***from doing*** zu tun); **6.** *Boxen etc.*: a) *Schlag* parieren, b) *Gegner* besiegen, stoppen: **~ *a bullet*** e-e (Kugel) ‚verpaßt' kriegen; **7.** *a.* **~ *up*** *Ohren etc.* verstopfen: **~ *s.o.'s mouth*** *fig.* j-m den Mund stopfen; → ***gap*** 4; **8.** *Weg* versperren; **9.** *Blut*, *Wunde* stillen; **10.** *Zahn* plombieren, füllen; **11.** ♪ a) *Saite*, *Ton* greifen, b) *Griffloch* zuhalten, c) *Instrument*, *Ton* stopfen; **12.** *ling.* interpunktieren; **13.** **~ *down*** *phot. Objektiv* abblenden; **14.** **~ *out*** *Ätzkunst*: abdecken; **II** *v/i.* **15.** (an)halten, haltmachen, stehenbleiben, stoppen; **16.** aufhören, an-, innehalten, e-e Pause machen: **~ *dead*** (*od.* ***short***) jäh aufhören; **~ *at nothing*** *fig.* vor nichts zurückschrecken; **17.** aufhören (*Vorgang*, *Lärm etc.*); **18.** **~ *for*** warten auf (*acc.*); **19.** F *im Bett etc.* bleiben: **~ *away*** (***from***) fernbleiben (*dat.*); **~ *by*** *Am.* (rasch) bei *j-m* ‚reinschauen'; **~ *in*** zu Hause bleiben; **~ *off*** *od.* ***over*** Zwischenstation machen; **~ *out*** a) wegbleiben, nicht heimkommen, b) ✝ weiterstreiken; **III** *s.* **20.** Halt *m*, Stillstand *m*: ***come to a ~*** anhalten; ***come to a full ~*** aufhören, zu e-m Ende kommen; ***put a ~ to*** → 3; **21.** Pause *f*; **22.** 🚂 *etc.* Aufenthalt *m*, Halt *m*; **23.** a) Stati'on *f* (*Zug*), b) Haltestelle *f* (*Autobus*), c) Anlegestelle *f* (*Schiff*); **24.** 'Absteigequar,tier *n*; **25.** ⚙ Anschlag *m*, Sperre *f*, Hemmung *f*; **26.** ✝ Sperrung *f*, Sperrauftrag *m* (*für Scheck etc.*); → *a.* ***stop order***; **27.** ♪ a) Griff *m*, Greifen *n* (*e-r Saite etc.*), b) Griffloch *n*, c) Klappe *f*, d) Ven'til *n*, e) Re'gister *n* (*Orgel etc.*), f) *a.* **~ *knob*** Re'gisterzug *m*: ***pull out all the ~s*** *fig.* alle Register ziehen; ***pull out the pathetic ~*** *fig.* pathetisch werden; **28.** *phot.* f-stop Blende *f* (*Einstellmarke*); **29.** *ling.* a) Knacklaut *m*, b) Verschlußlaut *m*; **30.** a) Satzzeichen *n*, b) Punkt *m*; **,~-and-'go** *adj.* durch Verkehrsampeln geregelt: **~ *traffic*** Stop-and-go-Verkehr *m*; **'~·cock** *s.* ⚙ Absperrhahn *m*; **'~·gap I** *s.* Lückenbüßer *m*, Notbehelf *m*; ✝ Über'brückung *f*; **II** *adj.* Not...; Behelfs...; ✝ Überbrückungs...(*-hilfe*, *-kredit*); **'~·light** *s.* **1.** *mot.* Bremslicht *n*; **2.** rotes (Verkehrs)Licht; **'~-loss** *adj.* ✝ zur Vermeidung weiterer Verluste: **~ *order*** → **~ or·der** *s.* ✝ Stopp-loss-Auftrag *m*; **'~,o·ver** *s.* **1.** 'Reise-, 'Fahrtunter,brechung *f*, (kurzer) Aufenthalt; **2.** 'Zwischenstati,on *f*.

stop·page ['stɒpɪdʒ] *s.* **1.** a) (An)Halten *n*, b) Stillstand *m*, c) Aufenthalt *m*; **2.** (Verkehrs- *etc.*)Stockung *f*; **3.** ⚙ a) (Betriebs)Störung *f*, Hemmung *f*, b) *a.* ⚕ Verstopfung *f*; **4.** Sperrung *f*, (✝ *Kredit- etc.*, ⚡ *Strom*)Sperre *f*; **5.** (Arbeits-, Betriebs-, Zahlungs)Einstellung *f*; **6.** (Gehalts)Abzug *m*.

stop pay·ment *s.* ✝ Zahlungssperre *f* (*für Schecks etc.*).

stop·per ['stɒpə] **I** *s.* **1.** a) Stöpsel *m*, Pfropf(en) *m*, b) Stopfer *m*: ***put a ~ on*** *fig. e-r Sache* ein Ende setzen; **2.** ⚙ Absperrvorrichtung *f*; Hemmer *m*: **~ *circuit*** ⚡ Sperrkreis *m*; **3.** *Werbung*: F Blickfang *m*; **II** *v/t.* **4.** zustöpseln.

stop·ping ['stɒpɪŋ] *s.* ⚕ (Zahn)Füllung *f*, Plombe *f*; **~ dis·tance** *s. mot.* Anhalteweg *m*; **~ place** *s.* Haltestelle *f*; **~ train** *s.* 🚂 Bummelzug *m*.

stop·ple ['stɒpl] **I** *s.* Stöpsel *m*; **II** *v/t.* zustöpseln.

stop| press *s.* (Spalte *f* für) letzte (nach Redakti'onsschluß eingelaufene) Meldungen *pl.*; **~ screw** *s.* ⚙ Anschlagschraube *f*; **~ sign** *s. mot.* Stoppschild *n*; **~ valve** *s.* ⚙ 'Absperrven,til *n*; **~ vol·ley** *s. Tennis*: Stoppflugball *m*; **'~·watch** *s.* Stoppuhr *f*.

stor·a·ble ['stɔ:rəbl] **I** *adj.* lagerfähig, Lager...; **II** *s.* lagerfähige Ware.

stor·age ['stɔ:rɪdʒ] *s.* **1.** (Ein)Lagerung *f*, Lagern *n*; *a.* ⚡ *u. Computer*: Speicherung *f*; → ***cold storage***; **2.** Lager(raum *m*) *n*, De'pot *n*; **3.** Lagergeld *n*; **~ bat·ter·y** *s.* ⚡ Akku(mu'lator) *m*; **~ cam·er·a** *s.* Speicherkamera *f*; **~ heat·er** *s.* Speicherofen *m*.

store [stɔ:] **I** *s.* **1.** (Vorrats)Lager *n*, Vorrat *m*: ***in ~*** vorrätig, auf Lager; ***be in ~ for s.o.*** *fig.* j-m bevorstehen, auf j-n warten; ***have*** (*od.* ***hold***) ***in ~ for*** *fig. Überraschung etc.* bereithalten für *j-n*, *j-m e-e Enttäuschung etc.* bringen; **2.** *pl.* a) Vorräte *pl.*, Ausrüstung *f* (u. Verpflegung *f*), Provi'ant *m*, b) *a.* ***military ~s*** Mili'tärbedarf *m*, Versorgungsgüter *pl.*, c) *a.* ***naval*** (*od.* ***ship's***) ***~s*** Schiffsbedarf *m*; **3.** *a. pl. bsd. Brit.* Kauf-, Warenhaus *n*; **4.** *Am.* (Kauf)Laden *m*, Geschäft *n*; **5.** *bsd. Brit.* Lagerhaus *n*, Speicher *m* (*a. Computer*); **6.** *a. pl. fig.* (große) Menge, Fülle *f*, Reichtum *m* (***of*** an *dat.*): ***a great ~ of knowledge*** ein großer Wissensschatz; **7.** ***set great*** (***little***) **~ *by*** *fig.* a) hoch (gering) ein-

S

schätzen, b) großen (wenig) Wert legen auf (*acc.*); **II** *v/t.* **8.** versorgen, -sehen, eindecken (***with*** mit); *Schiff* verproviantieren; *fig. s-n Kopf mit Wissen etc.* anfüllen; **9.** *a.* **~ *up*** einlagern, (auf-) speichern; *fig. im Gedächtnis* bewahren; **10.** *Möbel etc.* einstellen, -lagern; **11.** fassen, aufnehmen, ˈunterbringen; **12.** ⚡, *phys.*, *a. Computer*: speichern; **~ cat·tle** *s.* Mastvieh *n*; ˈ**~·house** *s.* **1.** Lagerhaus *n*; **2.** *fig.* Fundgrube *f*; ˈ**~-ˌkeep·er** *s.* **1.** Lagerverwalter *m*; ⚔ Kammer-, Geräteverwalter *m*; **2.** *Am.* Ladenbesitzer(in); ˈ**~·room** *s.* **1.** Lagerraum *m*; **2.** Verkaufsraum *m*.

sto·rey [ˈstɔːrɪ] → ***story***²; ˈ**sto·reyed** [-ɪd] → ***storied***².

sto·ried¹ [ˈstɔːrɪd] *adj.* **1.** geschichtlich, berühmt; **2.** ˈsagenumˌwoben; **3.** mit Bildern aus der Geschichte geschmückt: ***a ~ frieze***.

sto·ried² [ˈstɔːrɪd] *adj.* mit Stockwerken: ***two-~*** zweistöckig (*Haus*).

stork [stɔːk] *s. orn.* Storch *m*; ˈ**~s·bill** *s.* ⚘ Storchschnabel *m*.

storm [stɔːm] **I** *s.* **1.** Sturm *m* (*a.* ⚔ *u. fig.*), Unwetter *n*: **~ *of applause*** Beifallssturm *m*; **~ *and stress*** *hist.* Sturm u. Drang; **~ *in a teacup*** *fig.* Sturm im Wasserglas; ***take by ~*** im Sturm erobern (*a. fig.*); **2.** (Hagel-, Schnee-) Sturm *m*, Gewitter *n*; **II** *v/i.* **3.** stürmen, wüten, toben (*Wind etc.*) (*a. fig.* ***at*** gegen, über *acc.*); **4.** ⚔ stürmen; **5.** *wohin* stürmen, stürzen; **III** *v/t.* **6.** ⚔ (er-) stürmen; **7.** *fig.* bestürmen; **8.** *et.* wütend ausstoßen; **~ an·chor** *s. bsd. fig.* Notanker *m*; ˈ**~-ˌbeat·en** *adj.* sturmgepeitscht; ˈ**~·bird** → ***stormy petrel*** 1; ˈ**~·bound** *adj.* vom Sturm aufgehalten; **~ cen·ter** *Am.*, **~ cen·tre** *Brit. s.* **1.** *meteor.* Sturmzentrum *n*; **2.** *fig.* Unruheherd *m*; **~ cloud** *s.* Gewitterwolke *f* (*a. fig.*); ˈ**~-tossed** *adj.* sturmgepeitscht; ˈ**~-troops** *s. pl.* **1.** ⚔ Schock-, Sturmtruppe(n *pl.*) *f*; **2.** *hist.* (*Nazi-*)ˈSturmabˌteilung *f*, SˈA *f*.

storm·y [ˈstɔːmɪ] *adj.* □ stürmisch (*a. fig.*); **~ pet·rel** *s.* **1.** *orn.* Sturmschwalbe *f*; **2.** *fig.* a) Unruhestifter *m*, b) Unglücksbote *m*.

sto·ry¹ [ˈstɔːrɪ] *s.* **1.** (*a.* amüˈsante) Geschichte, Erzählung *f*: ***the same old ~*** *fig.* das alte Lied; **2.** Fabel *f*, Handlung *f*, Story *f e-s Dramas etc.*; **3.** Bericht *m*, Geschichte *f*: ***the ~ goes*** man erzählt sich; ***to cut*** (*od.* ***make***) ***a long ~ short*** (*Redewendung*) um es kurz zu machen, kurz u. gut; ***tell the full ~*** *fig.* ‚auspakken'; ***that's quite another ~*** das ist et. ganz anderes; **4.** (Lebens)Geschichte *f*, Story *f*: ***the Glenn Miller*** 2; **5.** *bsd. Am.* (ˈZeitungs)Arˌtikel *m*; **6.** F (Lügen-, Ammen)Märchen *n*.

sto·ry² [ˈstɔːrɪ] *s.* Stock(werk *n*) *m*, Geschoß *n*, Eˈtage *f*; → ***upper*** I.

ˈ**sto·ry|·book** **I** *s.* Geschichten-, Märchenbuch *n*; **II** *adj. fig.* ‚Bilderbuch...', märchenhaft; ˈ**~ˌtell·er** *s.* **1.** (Märchen-, Geschichten)Erzähler(in); **2.** F Lügenbold *m*.

stoup [stuːp] *s.* **1.** *R.C.* Weihwasserbekken *n*; **2.** *Scot.* Eimer *m*; **3.** *dial.* a) Becher *m*, b) Krug *m*.

stout [staʊt] **I** *adj.* □ **1.** dick, beleibt; **2.** stämmig, kräftig; **3.** ausdauernd, zäh; **4.** mannhaft, beherzt, tapfer; **5.** heftig (*Angriff, Wind*); **6.** kräftig, roˈbust (*Material etc.*); **II** *s.* **7.** Stout *m* (*dunkles Bier*); ˌ**stoutˈheart·ed** *adj.* □ → ***stout*** 4; ˈ**stout·ness** [-nɪs] *s.* **1.** Stämmigkeit *f*; **2.** Beleibtheit *f*, Korpuˈlenz *f*; **3.** Tapferkeit *f*, Mannhaftigkeit *f*; **4.** Ausdauer *f*.

stove¹ [stəʊv] **I** *s.* **1.** Ofen *m*; **2.** (Koch-) Herd *m*; **3.** ⚙ a) Brennofen *m*, b) Trokkenraum *m*; **4.** ⚘ Treibhaus *n*; **II** *v/t.* **5.** trocknen, erhitzen; **6.** ⚘ im Treibhaus ziehen.

stove² [stəʊv] *pret. u. p.p. von* ***stave***.

stove| en·am·el *s.* ⚙ Einbrennlack *m*; ˈ**~·pipe** *s.* **1.** Ofenrohr *n*; **2.** *a.* **~ *hat*** *bsd. Am.* F Zyˈlinder *m*, ‚Angströhre' *f*; **3.** *pl.* F Röhrenhose *f*.

stow [stəʊ] **I** *v/t.* **1.** ⚓ (ver)stauen; **2.** verstauen, packen: **~ *away*** a) wegräumen, -stecken, b) F *Essen* ‚verdrücken'; **3.** *sl.* aufhören mit: **~ *it!*** hör auf (damit)!, halt's Maul!; **II** *v/i.* **4.** *a.* **~ *away*** sich an Bord schmuggeln; **stow·age** [ˈstəʊɪdʒ] *s. bsd.* ⚓ **1.** Stauen *n*; **2.** Laderaum *m*; **3.** Ladung *f*; **4.** Staugeld *n*; ˈ**stow·a·way** [-əʊə-] *s.* blinder Passaˈgier.

stra·bis·mus [strəˈbɪzməs] *s.* ⚕ Schielen *n*; **straˈbot·o·my** [-ˈbɒtəmɪ] *s.* ⚕ ˈSchieloperatiˌon *f*.

strad·dle [ˈstrædl] **I** *v/i.* **1.** a) die Beine spreizen, grätschen, b) breitbeinig *od.* mit gespreizten Beinen gehen *od.* stehen *od.* sitzen, c) rittlings sitzen; **2.** sich spreizen; **3.** sich (aus)strecken; **4.** *Am. fig.* schwanken, es mit beiden Parˈteien halten; **II** *v/t.* **5.** rittlings sitzen auf (*dat.*); **6.** mit gespreizten Beinen stehen über (*dat.*); **7.** *die Beine* spreizen; **8.** *fig.* sich nicht festlegen wollen bei *e-r Streitfrage etc.*; **9.** ⚔ *Ziel* eingabeln; **10.** *Poker*: *den Einsatz* blind verdoppeln; **III** *s.* **11.** a) (Beine)Spreizen *n*, b) breitbeiniges *od.* ausgreifendes Gehen, c) breitbeiniges (Da)Stehen, d) Rittlingssitzen *n*; **12.** a) *Turnen*: Grätsche *f*, b) *Hochsprung*: Straddle *m*; **13.** † Stelˈlage(geschäft *n*) *f*.

strafe [*Brit.* strɑːf; *Am.* streɪf] **I** *v/t.* **1.** ⚔, ✈ im Tiefflug mit Bordwaffen angreifen; **2.** *fig.* F *j-n* anschnauzen; **II** *s.* **3.** → ˈ**straf·ing** [-fɪŋ] *s.* **1.** (Bordwaffen)Beschuß *m*; **2.** *fig.* ‚Anpfiff' *m*.

strag·gle [ˈstrægl] *v/i.* **1.** umˈherstreifen; **2.** (hinterˈdrein- *etc.*)bummeln, (-)zotteln; **3.** ⚘ wuchern; **4.** zerstreut liegen *od.* stehen (*Häuser etc.*); sich hinziehen (*Vorstadt etc.*); **5.** *fig.* abschweifen; **ˈstrag·gler** [-lə] *s.* **1.** Bummler(in); **2.** Nachzügler *m* (*a.* ⚓); **3.** ⚔ Versprengte(r) *m*; **4.** ⚘ wilder Schößling; **ˈstrag·gling** [-lɪŋ] *adj.* ☐, **ˈstrag·gly** [-lɪ] *adj.* **1.** *beim Marsch etc.* zuˈrückgeblieben; **2.** auseinˈandergezogen (*Kolonne*); **3.** zerstreut (liegend); **4.** weitläufig; **5.** ⚘ wuchernd; **6.** lose, ˈwiderspenstig (*Haar etc.*).

straight [streɪt] **I** *adj.* ☐ **1.** gerade: **~ *angle*** ⩓ gestreckter Winkel; **~ *hair*** glattes Haar; **~ *left*** *Boxen*: linke Gerade; **~ *line*** gerade Linie, ⩓ Gerade *f*; ***keep a ~ face*** das Gesicht nicht verziehen; **2.** ordentlich: ***put ~*** in Ordnung bringen; ***put things ~*** Ordnung schaffen; ***set s.o. ~ on*** j-n berichtigen hinsichtlich (*gen.*); → ***record***[1] 4; **3.** gerade, diˈrekt; **4.** *fig.* gerade, offen, ehrlich, reˈell: ***as ~ as a die*** a) grundehrlich, b) kerzengerade; **5.** anständig; **6.** F zuverlässig: ***a ~ tip***; **7.** pur: ***~ whisk(e)y***; **8.** *pol. Am.* ˈhundertproˌzentig: ***a ~ Republican***; → ***ticket*** 7; **9.** ✝ *Am. sl.* ohne (ˈMengen)Raˌbatt; **10.** *thea.* a) konventioˈnell (*Stück*), b) efˈfektlos (*Spiel*); **11.** norˈmal, konventioˈnell (*Roman etc.*); **II** *adv.* **12.** gerade(ˈaus); **13.** diˈrekt, gerade(s)wegs: ***~ from London***; **14.** anständig, ordentlich: ***live ~***; **15.** richtig: ***get s.o. ~*** j-n richtig verstehen; ***I can't think ~*** ich kann nicht (richtig) denken; **16.** ***~ away***, ***~ off*** soˈfort, auf der Stelle; **17.** ***~ out*** ˈrundherˌaus; **III** *s.* **18.** Geradheit *f*: ***out of the ~*** krumm, schief; **19.** *sport* a) Gerade *f*: ***back ~*** Gegengerade; ***home ~*** Zielgerade, b) (Erfolgs-, Treffer- *etc.*) Serie *f*; **20.** *Poker*: Straight *m*; **21.** ***be on the ~ and narrow*** auf dem Pfad der Tugend wandeln; **22.** ***the ~ of it*** *Am.* F die (reine) Wahrheit; **23.** *sl.* ‚Spießer' *m*; **ˌ~·aˈway I** *adv.* → ***straight*** 16; **II** *s. Am.* → ***straight*** 19a; **ˈ~-edge** *s.* ⚙ Liˈneˈal *n*, Richtscheit *n*.

straight·en [ˈstreɪtn] **I** *v/t.* **1.** gerade machen, -biegen, (gerade-, aus)richten; ⚔ *Front* begradigen: ***~ one's face*** e-e ernste Miene aufsetzen; ***~ o.s. up*** sich aufrichten; **2.** *oft* ***~ out*** in Ordnung bringen: ***~ one's affairs***; ***things will ~ themselves out*** das wird von allein (wieder) in Ordnung kommen; **3.** *oft* ***~ out*** entwirren, klarstellen; **4.** ***~ s.o. out*** j-m den Kopf zurechtsetzen; **II** *v/i.* **5.** geade werden; **6.** ***~ up*** *Am.* a) sich aufrichten, b) F ein anständiges Leben beginnen.

ˈstraight|-faced *adj.* mit unbewegtem Gesicht; **~ flush** *s.*, *Poker*: Straightflush *m*; **ˌ~ˈfor·ward** [-ˈfɔːwəd] **I** *adj.* ☐ **1.** diˈrekt, offen, freimütig; **2.** ehrlich, redlich, aufrichtig; **3.** einfach, ganz norˈmal, unkompliziert (*Aufgabe etc.*); **II** *adv.* **4.** → I; **ˌ~ˈfor·ward·ness** [-ˈfɔːwədnɪs] *s.* Geradheit *f*, Offenheit *f*, Ehrlichkeit *f*, Aufrichtigkeit *f*; **ˌ~-from-the-ˈshoul·der** *adj.* unverblümt; **ˈ~-line** *adj.* ⩓, ⚙ geradlinig, lineˈar (*a.* ✝).

straight·ness [ˈstreɪtnɪs] *s.* Geradheit *f*: a) Geradlinigkeit *f*, b) *fig.* Offenheit *f*, Aufrichtigkeit *f*.

ˈstraight-out *adj. Am.* F **1.** rückhaltlos; **2.** offen, aufrichtig.

strain[1] [streɪn] **I** *s.* **1.** Beanspruchung *f*, Spannung *f*, Zug *m*; **2.** ⚙ (verformende) Spannung, Verdehnung *f*; **3.** ⚕ a) Zerrung *f*, b) Überˈanstrengung *f* (***on*** *gen.*); **4.** Anstrengung *f*, -spannung *f*, Kraftaufwand *m*; **5.** (***on***) Anstrengung *f*, Straˈpaze *f* (für); starke Inˈanspruchnahme (*gen.*); *nervliche*, *finanzielle etc.* Belastung (für); Druck *m* (auf *acc.*); Last *f der Verantwortung etc.*: ***be a ~ on***, ***put a (great) ~ on*** stark beanspruchen *od.* belasten, strapazieren; **6.** *mst pl.* ♪ Weise *f*, Meloˈdie *f*: ***to the ~s of*** unter den Klängen (*gen.*); **7.** *fig.* Ton *m*, Maˈnier *f*: ***a humorous ~***; **8.** Laune *f*; **II** *v/t.* **9.** (an)spannen; **10.** ⚙ verformen, -dehnen; **11.** ⚕ *Muskel etc.* zerren; *Handgelenk etc.* verstauchen; *s-e Augen*, *das Herz etc.* überˈanstrengen; → ***nerve*** 1; **12.** *fig.* überˈspannen, strapazieren, *j-s Geduld*, *Kräfte etc.* überˈfordern; *Befugnisse* überˈschreiten; *Recht*, *Sinn* vergewaltigen, strapazieren: ***~ a point*** zu weit gehen; **13.** (ˈdurch)seihen, filtrieren: ***~ off*** (*od.* ***out***) abseihen; **14.** ***~ s.o. to one's breast*** j-n ans Herz drücken; **III** *v/i.* **15.** sich (an)spannen; **16.** ⚙ sich verdehnen, -formen; **17.** ***~ at*** zerren an (*dat.*); → ***gnat*** 1; **18.** sich anstrengen: ***~ after*** sich abmühen um, streben nach; → ***effect*** 3; **19.** drücken, pressen.

strain[2] [streɪn] *s.* **1.** Abstammung *f*; **2.** Linie *f*, Geschlecht *n*; **3.** *biol.* a) Rasse *f*, b) (Spiel)Art *f*; **4.** (Rassen)Merkmal *n*, Zug *m*, Schuß *m* (*indischen Bluts etc.*); **5.** (Erb)Anlage *f*, (Chaˈrakter-) Zug *m*; **6.** Anflug *m* (***of*** von).

strained [streɪnd] *adj.* ☐ **1.** gezwungen: ***~ smile***; **2.** gespannt: ***~ relations***; **ˈstrain·er** [-nə] *s.* Sieb *n*, Filter *m*, *n*.

strait [streɪt] **I** *s.* **1.** *oft pl.* Straße *f*, Meerenge *f*: ***the ≈s of Dover*** die Straße von Dover; ***≈s Settlements*** *ehemalige brit. Kronkolonie* (*Malakka*, *Penang*, *Singapur*); ***the ≈s*** a) (*früher*) die Meerenge von Gibraltar, b) (*heute*) die Malakkastraße; **2.** *oft pl.* Not *f*, *bsd. finanzielle* Verlegenheit, Engpaß *m*: ***in dire ~s*** in e-r ernsten Notlage; **II** *adj.* ☐ **3.**

S

obs. eng, schmal; **4.** streng, hart; ˈ**strait·en** [-tn] *v/t.* beschränken, beengen: ***in ~ed circumstances*** in beschränkten Verhältnissen; ***~ed for*** verlegen um.

ˈ**strait|ˌjack·et I** *s.* Zwangsjacke *f* (*a. fig.*); **II** *v/t.* in e-e Zwangsjacke stecken (*a. fig.*); ˈ**~-laced** *adj.* sittenstreng, puriˈtanisch, prüde.

strand¹ [strænd] **I** *s.* **1.** *poet.* Gestade *n*, Ufer *n*; **II** *v/t.* **2.** ⚓ auf den Strand setzen, auf Grund treiben; **3.** *fig.* stranden *od.* scheitern lassen: ***~ed*** a) gestrandet (*a. fig.*), b) *mot.* steckengeblieben, c) *fig.* arbeits-, mittellos; ***be (left) ~ed*** a) auf dem trockenen sitzen, b) ‚aufgeschmissen' sein; **III** *v/i.* **4.** stranden.

strand² [strænd] **I** *s.* **1.** Strang *m* (*e-s Taus od. Seils*); **2.** (*Draht-, Seil*)Litze *f*; **3.** *biol.* (Gewebe)Faser *f*; **4.** (Haar-)Strähne *f*; **5.** (Perlen)Schnur *f*; **6.** *fig.* Faden *m*, Zug *m* (*e-s Ganzen*); **II** *v/t.* **7.** ⚙ *Seil* drehen; *Kabel* verseilen: ***~ed wire*** Litzendraht *m*, Drahtseil *n*; **8.** *Tau etc.* brechen.

strange [streɪndʒ] *adj.* □ **1.** fremd, neu, unbekannt, ungewohnt (***to*** *j-m*); **2.** seltsam, sonderbar, merkwürdig: ***~ to say*** seltsamerweise; **3.** (***to***) nicht gewöhnt (an *acc.*), nicht vertraut (mit); ˈ**strange·ness** [-nɪs] *s.* **1.** Fremdheit *f*; Fremdartigkeit *f*; **2.** Seltsamkeit *f*, *das* Merkwürdige; ˈ**stran·ger** [-dʒə] *s.* **1.** Fremde(r *m*) *f*, Unbekannte(r *m*) *f*, Fremdling *m*: ***I am a ~ here*** ich bin hier fremd; ***you are quite a ~*** Sie sind ein seltener Gast; ***he is no ~ to me*** er ist mir kein Fremder; ***I spy*** (*od.* ***see***) ***~s*** *parl. Brit.* ich beantrage die Räumung der Zuschauertribüne; ***the little ~*** der kleine Neuankömmling (*Kind*); **2.** Neuling *m* (***to*** in *dat.*): ***be a ~ to*** nicht vertraut sein mit; ***he is no ~ to poverty*** die Armut ist ihm nicht unbekannt.

stran·gle [ˈstræŋgl] **I** *v/t.* **1.** erwürgen, erdrosseln; **2.** *j-n* würgen, *den Hals* einschnüren (*Kragen etc.*); **3.** *fig.* a) *Seufzer etc.* ersticken, b) *et.* abwürgen; **II** *v/i.* **4.** ersticken; ˈ**~·hold** *s.* Würgegriff *m*, *fig. a.* toˈtale Gewalt (***on*** über *acc.*).

stran·gu·late [ˈstræŋgjʊleɪt] *v/t.* **1.** ⚕ abschnüren, abbinden; **2.** → ***strangle*** 1; **stran·gu·la·tion** [ˌstræŋgjʊˈleɪʃn] *s.* **1.** Erdrosselung *f*, Strangulierung *f*; **2.** ⚕ Abschnürung *f*.

stran·gu·ry [ˈstræŋgjʊrɪ] *s.* ⚕ Harnzwang *m*.

strap [stræp] **I** *s.* **1.** (Leder-, *a.* Trag-, ⚙ Treib)Riemen *m*, Gurt *m*, Band *n*; **2.** a) Halteriemen *m im Bus etc.*, b) (Stiefel)Schlaufe *f*; **3.** a) Träger *m am Kleid*, b) Steg *m an der Hose*; **4.** Achselklappe *f*; **5.** Streichriemen *m*; **6.** ⚙ a) (Meˈtall-)Band *n*, b) Bügel *m* (*a. am Kopfhörer*); **7.** ⚓ Stropp *m*; **8.** ⚘ Blatthäutchen *n*; **II** *v/t.* **9.** festschnallen (***to*** an *dat.*): ***~ o.s. in*** sich anschnallen; **10.** *Messer* abziehen; **11.** mit e-m Riemen schlagen; **12.** ⚕ ein (Heft)Pflaster kleben auf *e-e Wunde*; ˈ**~ˌhang·er** *s.* F Stehplatzinhaber(in) *im Omnibus etc.*; **~ i·ron** *s.* ⚙ *Am.* Bandeisen *n*.

strap·less [ˈstræplɪs] *adj.* trägerlos (*Kleid*); ˈ**strap·per** [-pə] *s.* a) strammer Bursche, b) strammes *od.* dralles Mädchen; ˈ**strap·ping** [-pɪŋ] **I** *adj.* **1.** stramm (*Bursche, Mädchen*), drall (*Mädchen*); **II** *s.* **2.** Riemen *pl.*; **3.** Tracht *f* Prügel; **4.** ⚕ Heftpflaster(verband *m*) *n*.

stra·ta [ˈstrɑːtə] *pl. von* ***stratum***.

strat·a·gem [ˈstrætɪdʒəm] *s.* **1.** Kriegslist *f*; **2.** List *f*, Kunstgriff *m*.

stra·te·gic [strəˈtiːdʒɪk] *adj.* (□ ***~ally***) *allg.* straˈtegisch, *a.* straˈtegisch wichtig, *a.* kriegswichtig, *a.* Kriegs…(*-lage, -plan*): ***~ arms*** strategische Waffen; **strat·e·gist** [ˈstrætɪdʒɪst] *s.* Straˈtege *m*; **strat·e·gy** [ˈstrætɪdʒɪ] *s.* Strateˈgie *f*: a) Kriegskunst *f*, b) (Art *f* der) Kriegsführung *f*, c) *fig.* Taktik *f* (*a. sport*), d) *fig.* List *f*.

strat·i·fi·ca·tion [ˌstrætɪfɪˈkeɪʃn] *s.* Schichtung *f* (*a. fig. Gliederung*); **strat·i·fied** [ˈstrætɪfaɪd] *adj.* geschichtet, schichtenförmig: ***~ rock*** *geol.* Schichtgestein *n*; **strat·i·form** [ˈstrætɪfɔːm] *adj.* schichtenförmig; **strat·i·fy** [ˈstrætɪfaɪ] **I** *v/t.* schichten, *fig. a.* gliedern; **II** *v/i.* (*a. fig.* gesellschaftliche) Schichten bilden, *fig. a.* sich gliedern.

stra·tig·ra·phy [strəˈtɪgrəfɪ] *s. geol.* Formatiˈonskunde *f*.

strat·o·cruis·er [ˈstrætəʊˌkruːzə] *s.* ✈ Stratoˈsphärenflugzeug *n*.

strat·o·sphere [ˈstrætəʊˌsfɪə] *s.* Stratoˈsphäre *f*; **strat·o·spher·ic** [ˌstrætəʊˈsferɪk] *adj.* **1.** stratoˈsphärisch; **2.** *Am.* F ‚astroˈnomisch', eˈnorm.

stra·tum [ˈstrɑːtəm] *pl.* **-ta** [-tə] *s.* **1.** *allg.* (*a.* Gewebe-, Luft)Schicht *f*, Lage *f*; **2.** *geol.* (Gesteins- *etc.*)Schicht *f*, Formatiˈon *f*; **3.** *fig.* (gesellschaftliche *etc.*) Schicht.

stra·tus [ˈstreɪtəs] *pl.* **-ti** [-taɪ] *s.* Stratus *m*, Schichtwolke *f*.

straw [strɔː] **I** *s.* **1.** Strohhalm *m*: ***draw ~s*** Strohhalme ziehen (*als Lose*); ***catch*** (*od.* ***grasp***) ***at a ~*** sich an e-n Strohhalm klammern; ***the last ~ that breaks the camel's back*** der Tropfen, der das Faß zum Überlaufen bringt; ***that's the last ~!*** das hat gerade noch gefehlt!, jetzt reicht es mir aber!; ***he doesn't care a ~*** es ist ihm völlig ‚schnurz'; **2.** Stroh *n*; → ***man*** 3; **3.** Trinkhalm *m*; **4.** Strohhut *m*; **II** *adj.* **5.** Stroh…

straw·ber·ry [ˈstrɔːbərɪ] *s.* **1.** ⚘ Erdbee-

S

re *f*; **2.** F ‚Knutschfleck' *m*; **~ mark** *s.* ⚕ rotes Muttermal; **~ tongue** *s.* ⚕ Himbeerzunge *f* (*bei Scharlach*).

straw| bid *s.* ✝ *Am.* Scheingebot *n*; **'~-ˌcol·o(u)red** *adj.* strohfarbig, -farben; **~ hat** *s.* Strohhut *m*; **~ mat·tress** *s.* Strohsack *m*; **~ vote** *s. bsd. Am.* Probeabstimmung *f*.

straw·y ['strɔːɪ] *adj.* **1.** strohern; **2.** mit Stroh bestreut.

stray [streɪ] **I** *v/i.* **1.** (um'her)streunen (*a. Tier*): **~ to** *j-m* zulaufen; **2.** weglaufen (**from** von); **3.** a) abirren (**from** von), sich verlaufen, b) her'umirren, c) *fig.* in die Irre gehen, vom rechten Weg abkommen; **4.** *fig.* abirren, -schweifen (*Gedanken etc.*); **5.** ⚡ streuen, vagabundieren; **II** *s.* **6.** verirrtes *od.* streunendes Tier; **7.** Her'umirrende(r *m*) *f*, Heimatlose(r *m*) *f*; **8.** *pl.* ⚡ atmo'sphärische Störungen *pl.*; **III** *adj.* **9.** *a.* **strayed** verirrt (*a. Kugel*), verlaufen, streunend (*Hund, Kind*); **10.** vereinzelt: **~ customers**; **11.** beiläufig: **a ~ remark**; **12.** ⚡ Streu..., vagabundierend (*Strom*).

streak [striːk] **I** *s.* **1.** Streif(en) *m*, Strich *m*; (Licht)Streifen *m*, (-)Strahl *m*: **~ of lightning** Blitzstrahl; **like a ~** (**of lightning**) F blitzschnell; **2.** Maser *f*, Ader *f* (*im Holz*); **3.** *fig.* Spur *f*, Anflug *m*; **4.** Anlage *f*, *humoristische etc.* Ader; **5. ~ of** (**bad**) **luck** (Pech-)Glückssträhne *f*; **6.** ⚗ Schliere *f*; **7.** ⚕ Aufstreichimpfung *f*: **~ culture** Strichkultur *f*; **II** *v/t.* **8.** streifen; **9.** adern; **III** *v/i.* **10.** F flitzen; **streaked** [-kt] *adj.*, **'streak·y** [-kɪ] *adj.* □ **1.** gestreift; **2.** gemasert (*Holz*); **3.** durch'wachsen (*Speck*; *a. Am. fig.* F).

stream [striːm] **I** *s.* **1.** Wasserlauf *m*, Flüßchen *n*, Bach *m*; **2.** Strom *m*, Strömung *f*: **against** (**with**) **the ~** gegen den (mit dem) Strom *schwimmen* (*a. fig.*); **3.** (*a. Blut-, Gas-, Menschen- etc.*) Strom *m*, (*Licht-, Tränen- etc.*)Flut *f*: **~ of words** Wortschwall *m*; **~ of consciousness** *psych.* Bewußtseinsstrom; **4.** *ped.* Leistungsgruppe *f*; **5.** *fig.* a) Strömung *f*, Richtung *f*, b) Strom *m*, Lauf *m der Zeit etc.*; **II** *v/i.* **6.** strömen, fluten (*a. Licht, Menschen etc.*); **7.** strömen (*Tränen*), tränen (*Augen*): **~ with** triefen vor (*dat.*); **8.** *im Wind* flattern; **9.** fließen (*langes Haar*); **III** *v/t.* **10.** aus-, verströmen; **'stream·er** [-mə] *s.* **1.** Wimpel *m*; flatternde Fahne; **2.** (langes, flatterndes) Band; Pa'pierschlange *f*; **3.** Lichtstreifen *m* (*bsd. des Nordlichts*); **4.** *a.* **~ headline** *Zeitung*: breite Schlagzeile; **'stream·ing** [-mɪŋ] *s. ped.* Einteilung *f e-r Klasse* in Leistungsgruppen; **'stream·let** [-lɪt] *s.* Bächlein *n*.

'stream|·line I *s.* **1.** *phys.* Stromlinie *f*; **2.** *a.* **~ shape** Stromlinienform *f*, *weitS.* schnittige Form; **II** *adj.* **3.** → **streamlined** 1; **III** *v/t.* **4.** ⚙ stromlinienförmig konstruieren; windschnittig gestalten *od.* verkleiden; **5.** *fig.* a) modernisieren, b) rationalisieren, 'durchorganisieren, c) *pol.* ‚gleichschalten'; **'~·lined** *adj.* **1.** ⚙ stromlinienförmig, windschnittig, Stromlinien...; **2.** schnittig, formschön; **3.** *fig.* a) modernisiert, fortschrittlich, b) ratio'nell, c) *pol.* ‚gleichgeschaltet'; **'~ˌlin·er** *s. Am.* Stromlinienzug *m*.

street [striːt] *s.* **1.** Straße *f*: **in the ~** auf der Straße; **~s ahead** F haushoch überlegen (**of** *dat.*); **~s apart** F völlig verschieden; **not in the same ~ as** F nicht zu vergleichen mit; **walk the ~s** ‚auf den Strich' gehen (*Prostituierte*); **that's** (**right**) **up my ~** das ist genau mein Fall; → **man** 3; **2. the ~** a) Hauptgeschäfts- *od.* Börsenviertel *n*, b) *Brit.* → **Fleet Street**, c) *Am.* → **Wall Street**, d) Finanzwelt *f*; **~ Ar·ab** *s.* Gassenjunge *m*; **'~·car** *s. Am.* Straßenbahn(wagen *m*) *f*; **'~ˌclean·er** → **streetsweeper**; **~ map** *s.* Stadtplan *m*; **~ mar·ket** *s.* ✝ **1.** Freiverkehrsmarkt *m*; **2.** *Brit.* Nachbörse *f*; **'~ˌsweep·er** *s. bsd. Brit.* **1.** Straßenkehrer *m*; **2.** Kehrfahrzeug *n*; **~ the·a·ter** *Am.*, **~ the·a·tre** *Brit. s.* 'Straßentheˌater *n*; **'~ˌwalk·er** *s.* Straßen-, Strichmädchen *n*, Prostituierte *f*.

strength [streŋθ] *s.* **1.** Kraft *f*, Kräfte *pl.*, Stärke *f*: **~ of body** (**mind, will**) Körper- (Geistes-, Willens)kraft, -stärke: **go from ~ to ~** immer stärker werden; **2.** *fig.* Stärke *f*: **his ~ is** (*od.* **lies**) **in endurance** s-e Stärke ist die Ausdauer; **3.** ⚔ (Truppen)Stärke *f*, Bestand *m*: **actual ~** Iststärke; **in full ~** in voller Stärke, vollzählig; **in** (**great**) **~** in großer Zahl; **4.** ⚔ Stärke *f*, (Heeres- *etc.*)Macht *f*, Schlagkraft *f*; **5.** ⚙ (⚡ *Strom-, Feld- etc.*)Stärke *f*, (*Bruch-, Zerreiß- etc.*)Festigkeit *f*; ⚗, *phys.* Stärke *f* (*a. e-s Getränks*), Wirkungsgrad *m*; **6.** Stärke *f*, Intensi'tät *f* (*Farbe, Gefühl etc.*); **7.** (Beweis-, Über'zeugungs)Kraft *f*: **on the ~ of** auf Grund (*gen.*), kraft (*gen.*), auf (*acc.*) ... hin; **'strength·en** [-θn] **I** *v/t.* **1.** stärken: **~ s.o.'s hand** *fig.* j-m Mut machen; **2.** *fig.* bestärken; **3.** (*zahlenmäßig, a.* ⚙, ⚡) verstärken; **II** *v/i.* **4.** stark *od.* stärker werden, sich verstärken; **'strength·en·er** [-θənə] *s.* **1.** ⚙ Verstärkung *f*; **2.** ⚕ Stärkungsmittel *n*; **3.** *fig.* Stärkung *f*; **'strength·en·ing** [-θənɪŋ] **I** *s.* **1.** Stärkung *f*; **2.** Verstärkung *f* (*a.* ⚙, ⚡); **II** *adj.* **3.** stärkend; **4.** verstärkend; **'strength·less** [-lɪs] *adj.* kraftlos.

stren·u·ous ['strenjʊəs] *adj.* □ **1.** emsig, rührig; **2.** eifrig, tatkräftig; **3.** e'nergisch: **~ opposition**; **4.** anstrengend,

S

mühsam; **ˈstren·u·ous·ness** [-nɪs] *s.* **1.** Emsigkeit *f*; **2.** Eifer *m*, Tatkraft *f*; **3.** Enerˈgie *f*; **4.** *das* Anstrengende.

stress [stres] **I** *s.* **1.** ♪, *ling.* a) Ton *m*, (ˈWort-, ˈSatz)Akˌzent *m*, b) Betonung *f*: ***the ~ is on ...*** der Ton liegt auf *der zweiten Silbe*; **2.** *fig.* Nachdruck *m*: ***lay ~ (up)on*** → 7; **3.** ⚙, *phys.* a) Beanspruchung *f*, Druck *m*, b) Spannung *f*, Dehnung *f*: ***~ analyst*** Statiker *m*; **4.** *seelische etc.* Belastung, Druck *m*, Streß *m*: ***~ disease*** ⚕ Streß-, Managerkrankheit *f*; **5.** Zwang *m*, Druck *m*: ***under (the) ~ of circumstances*** unter dem Druck der Umstände; **6.** Ungestüm *n*; Unbilden *pl. der Witterung*; **II** *v/t.* **7.** ♪, *ling.*, *a. fig.* betonen, den Akˈzent legen auf (*acc.*); *fig.* Nachdruck *od.* Gewicht legen auf (*acc.*), herˈvorheben; **8.** ⚙, *phys. u. fig.* beanspruchen, belasten; **ˈstress·ful** [-fʊl] *adj.* anstrengend, ‚stressig', Streß...

stretch [stretʃ] **I** *v/t.* **1.** *oft **~ out*** (aus-)strecken, *bsd. Kopf, Hals* recken: ***~ o.s. (out)*** → 11; ***~ one's legs*** sich die Beine vertreten; **2.** ***~ out** Hand etc.* aus-, hinstrecken; **3.** *j-n* niederstrekken; **4.** *Seil, Saite, Tuch etc.* spannen (***over*** über *dat. od. acc.*), straff ziehen; *Teppich etc.* ausbreiten; **5.** strecken; *Handschuhe etc.* ausweiten; *Hosen* spannen; **6.** ⚙ spannen, dehnen; **7.** *Nerven, Muskel* anspannen; **8.** *fig.* überˈspannen, -ˈtreiben: ***~ a principle***; **9.** ˈüberbeanspruchen, *Befugnisse, Kredit etc.* überˈschreiten; **10.** *fig.* es mit *der Wahrheit, e-r Vorschrift etc.* nicht allzu genau nehmen: ***~ a point*** fünf gerade sein lassen, ein Auge zudrücken; **II** *v/i.* **11.** sich (aus)strecken; sich dehnen *od.* rekeln; **12.** langen (***for*** nach); **13.** sich erstrecken *od.* hinziehen (***to*** [bis] zu) (*Gebirge etc.*, *a. Zeit*): ***~ down to*** zurückreichen *od.* -gehen (bis) zu *od.* in (*acc.*) (*Zeitalter, Erinnerung etc.*); **14.** sich *vor dem Blick* ausbreiten; **15.** sich dehnen (lassen); **16.** *mst **~ out*** a) *sport* im gestreckten Galopp reiten, b) F sich ins Zeug legen, c) reichen (*Vorrat*); **III** *s.* **17.** ***have a ~, give o.s. a ~*** sich strecken; **18.** Strecken *n*, (Aus-)Dehnen *n*; **19.** Spannen *n*; **20.** (An-)Spannung *f*, (Über)ˈAnstrengung *f*: ***by every ~ of the imagination*** unter Aufbietung aller Phantasie; ***on the ~*** (an-)gespannt (*Nerven etc.*); **21.** Überˈtreiben *n*; **22.** Überˈschreiten *n von Befugnissen, Mitteln etc.*; **23.** (Weg)Strecke *f*; Fläche *f*, Ausdehnung *f*; **24.** *sport*: Gerade *f*; **25.** Zeit(spanne) *f*: ***a ~ of 10 years***; ***at a ~*** ununterbrochen, hintereinander, auf ˈeinen Sitz; **26.** ***do a ~*** *sl.* ‚Knast schieben', ‚sitzen'; **ˈstretch·er** [-tʃə] *s.* **1.** ⚕ (Kranken)Trage *f*: ***~-bearer*** Krankenträger *m*; **2.** (*Schuh- etc.*) Spanner *m*; **3.** ⚙ Streckvorrichtung *f*; **4.** *paint.* Keilrahmen *m*; **5.** Fußleiste *f im Boot*; **6.** △ Läufer(stein) *m*; **ˈstretch·y** [-tʃɪ] *adj.* dehnbar.

strew [struː] *v/t.* [*irr.*] **1.** (aus)streuen; **2.** bestreuen; **strewn** [struːn] *p.p. von **strew***.

stri·a [ˈstraɪə] *pl.* **stri·ae** [ˈstraiiː] *s.* **1.** Streifen *m*, Furche *f*, Riefe *f*; **2.** *pl.* ⚕ Striemen *pl.*, Streifen *pl.*, Striae *pl.*; **3.** *zo.* Stria *f*; **4.** *pl. geol.* (Gletscher-)Schrammen *pl.*; **5.** △ Riffel *m* (*an Säulen*); **stri·ate I** *v/t.* [straɪˈeɪt] **1.** streifen, furchen, riefeln; **2.** *geol.* kritzen; **II** *adj.* [ˈstraɪɪt] **3.** → **stri·at·ed** [straɪˈeɪtɪd] *adj.* **1.** gestreift, geriefelt; **2.** *geol.* gekritzt; **stri·a·tion** [straɪˈeɪʃn] *s.* **1.** Streifenbildung *f*, Riefung *f*; **2.** Streifen *m*, *pl.*, Riefe(n *pl.*) *f*; **3.** *geol.* Schramme(n *pl.*) *f*.

strick·en [ˈstrɪkən] **I** *p.p. von **strike***; **II** *adj.* **1.** *obs.* verwundet; **2.** (***with***) heimgesucht, schwer betroffen (von *Unglück etc.*), befallen (von *Krankheit*), ergriffen (von *Schrecken, Schmerz etc.*); schwergeprüft (*Person*): ***~ in years*** hochbetagt, vom Alter gebeugt; ***~ area*** Katastrophengebiet *n*; **3.** *fig.* (nieder)geschlagen, (gram)gebeugt; verzweifelt (*Blick*); **4.** *allg.* angeschlagen: ***a ~ ship***; **5.** gestrichen (voll).

strick·le [ˈstrɪkl] ⚙ **I** *s.* **1.** Abstreichlatte *f*; **2.** Streichmodel *m*; **II** *v/t.* **3.** ab-, glattstreichen.

strict [strɪkt] *adj.* □ → ***strictly***; **1.** strikt, streng (*Person*; *Befehl, Befolgung, Disziplin*; *Wahrheit etc.*); streng (*Gesetz, Moral, Untersuchung*): ***be ~ with*** mit *j-m* streng sein; ***in ~ confidence*** streng vertraulich; **2.** streng, genau: ***in the ~ sense*** im strengen Sinne; **ˈstrict·ly** [-lɪ] *adv.* **1.** streng *etc.*; **2.** *a. **~ speaking*** genaugenommen; **3.** völlig, ausgesprochen; **4.** ausschließlich, rein; **ˈstrict·ness** [-nɪs] *s.* Strenge *f*: a) Härte *f*, b) Genauigkeit *f*.

stric·ture [ˈstrɪktʃə] *s.* **1.** *oft pl.* (***on, upon***) scharfe Kriˈtik (an *dat.*), kritische Bemerkung (über *acc.*); **2.** ⚕ Strikˈtur *f*, Verengung *f*.

strid·den [ˈstrɪdn] *p.p. von **stride***.

stride [straɪd] **I** *v/i.* [*irr.*] **1.** schreiten; **2.** *a. **~ out*** ausschreiten; **II** *v/t.* [*irr.*] **3.** *et.* entlang-, abschreiten; **4.** über-, durchˈschreiten; **5.** mit gespreizten Beinen stehen über (*dat.*) *od.* gehen über (*acc.*); **6.** rittlings sitzen auf (*dat.*); **III** *s.* **7.** (langer *od.* großer) Schritt: ***get into one's ~*** *fig.* (richtig) in Schwung kommen; ***take s.th. into*** (*od.* ***hit***) ***one's ~*** *fig.* et. spielend (leicht) schaffen; **8.** Schritt(weite *f*) *m*; **9.** *mst pl. fig.* Fortschritt(e *pl.*) *m*: ***with rapid ~s*** mit Riesenschritten.

stri·dent [ˈstraɪdnt] *adj.* □ **1.** ˈdurchdringend, schneidend, grell (*Stimme*, *Laut*); **2.** knirschend; **3.** *fig.* scharf, heftig.

strife [straɪf] *s.* Streit *m*: a) Hader *m*, b) Kampf *m*: ***be at ~*** sich streiten, uneins sein.

stri·gose ['straɪgəʊs] *adj.* **1.** ⚘ Borsten...; **2.** *zo.* fein gestreift.

strike [straɪk] **I** *s.* **1.** (*a. Glocken*)Schlag *m*, Hieb *m*, Stoß *m*; **2.** a) *Bowling*: Strike *m* (*Abräumen beim 1. Wurf*), b) *Am. Baseball*: (Verlustpunkt *m* bei) Schlagfehler *m*; **3.** *fig.* ‚Treffer' *m*, Glücksfall *m*; **4.** ✝ Streik *m*, Ausstand *m*: ***be on ~*** streiken; ***go on ~*** in (den) Streik *od.* in den Ausstand treten; ***on ~*** streikend; **5.** ⚔ a) (*bsd.* Luft)Angriff *m*, b) A'tomschlag *m*; **II** *v/t.* [*irr.*] **6.** schlagen, Schläge *od.* e-n Schlag versetzen (*dat.*); *allg.* treffen: ***~ off*** abschlagen, -hauen; ***struck by a stone*** von e-m Stein getroffen; **7.** *Waffe* stoßen (***into*** in *acc.*); **8.** *Schlag* führen; → ***blow²*** 1; **9.** ♪ *Ton*, *a. Glocke*, *Saite*, *Taste* anschlagen; → ***note*** 8; **10.** *Zündholz* anzünden, *Feuer* machen, *Funken* schlagen; **11.** *Kopf*, *Fuß etc.* (an)stoßen, schlagen (***against*** gegen); **12.** stoßen *od.* schlagen gegen *od.* auf (*acc.*); zs.-stoßen mit; ⚓ auflaufen auf; einschlagen in (*acc.*) (*Geschoß*, *Blitz*); fallen auf (*acc.*) (*Strahl*); *Auge*, *Ohr* treffen (*Lichtstrahl*, *Laut*): ***~ s.o.'s eye*** j-m ins Auge fallen; **13.** *j-m* einfallen, in den Sinn kommen; **14.** *j-m* auffallen; **15.** *j-n* beeindrucken, Eindruck machen auf (*acc.*); **16.** *j-m wie* vorkommen: ***how does it ~ you?*** was hältst du davon?; ***it ~s me as ridiculous*** es kommt mir lächerlich vor; **17.** stoßen auf (*acc.*): a) (zufällig) treffen *od.* entdecken, b) *Gold etc.* finden; → ***oil*** 2, ***rich*** 5; **18.** *Wurzeln* schlagen; **19.** *Lager*, *Zelt* abbrechen; **20.** ⚓ *Flagge*, *Segel* streichen; **21.** *Angeln*: *Fisch* mit e-m Ruck auf den Haken spießen; **22.** *Giftzähne* schlagen in (*acc.*) (*Schlange*); **23.** ⚙ glattstreichen; **24.** a) ⅍ *Durchschnitt*, *Mittel* nehmen, b) ✝ *Bilanz*: *den Saldo* ziehen; → ***balance*** 6; **25.** (***off*** von *e-r Liste etc.*) streichen; **26.** *Münze* schlagen, prägen; **27.** *Stunde* schlagen (*Uhr*); **28.** *fig.* *j-n* schlagen, treffen (*Unglück etc.*), befallen (*Krankheit*); **29.** (***with*** mit *Schrecken*, *Schmerz etc.*) erfüllen; **30.** *blind etc.* machen; → ***blind*** 1, ***dumb*** 1; **31.** *Haltung*, *Pose* einnehmen; **32.** *Handel* abschließen; → ***bargain*** 2; **33.** ***~ work*** die Arbeit niederlegen: a) Feierabend machen, b) in Streik treten; **III** *v/i.* [*irr.*] **34.** (zu)schlagen, (-)stoßen; **35.** schlagen, treffen: ***~ at*** a) *j-n od.* nach *j-m* schlagen, b) *fig.* zielen auf (*acc.*); **36.** ([***up***]***on***) a) (an)schlagen, stoßen (an *acc.*, gegen), b) ⚓ auflaufen (auf *acc.*), auf Grund stoßen; **37.** fallen (*Licht*), auftreffen (*Lichtstrahl*, *Schall etc.*) ([***up***]***on*** auf *acc.*); **38.** *fig.* stoßen ([***up***]***on*** auf *acc.*); **39.** schlagen (*Uhrzeit*): ***the hour has struck*** die Stunde hat geschlagen (*a. fig.*); **40.** sich entzünden, angehen (*Streichholz*); **41.** einschlagen (*Geschoß*, *Blitz*); **42.** Wurzel schlagen; **43.** den Weg einschlagen, sich (plötzlich) *nach links etc.* wenden: ***~ for home*** F heimzu gehen; ***~ into*** a) einbiegen in (*acc.*), *Weg* einschlagen, b) *fig.* plötzlich verfallen in (*acc.*), *et.* beginnen, *a.* sich *e-m Thema* zuwenden; **44.** ✝ streiken (***for*** für); **45.** ⚓ die Flagge streichen (***to*** vor *dat.*) (*a. fig.*); **46.** (zu)beißen (*Schlange*); **47.** *fig.* zuschlagen (*Feind etc.*);

Zssgn mit adv.:

strike| back *v/i.* zu'rückschlagen (*a. fig.*); **~ down** *v/t.* niederschlagen, -strecken (*a. fig.*); **~ in** *v/i.* **1.** beginnen, einfallen (*a.* ♪); **2.** ⚕ (sich) nach innen schlagen; **3.** einfallen, unter'brechen (***with*** mit *e-r Frage etc.*); **4.** sich einmischen, -schalten, *a.* mitmachen: ***~ with*** a) sich richten nach, b) mitmachen bei; **~ in·wards** → ***strike in*** 2; **~ off** *v/t.* **1.** → ***strike*** 6; **2.** a) *Wort etc.* ausstreichen, *Eintragung* löschen, b) *j-n von e-r Liste etc.* streichen, *j-m die Berufserlaubnis etc.* entziehen; **3.** *typ.* abziehen; **~ out I** *v/t.* **1.** → ***strike off*** 2 a; **2.** *fig.* *et.* ersinnen; **3.** *mst fig. e-n Weg* einschlagen; **II** *v/i.* **4.** a) (los-, zu)schlagen, b) (zum Schlag) ausholen; **5.** (forsch) ausschreiten, *a.* (los)schwimmen (***for*** nach, auf *e-n Ort* zu); **6.** *fig.* loslegen; **7.** *mit den Armen beim Schwimmen* ausgreifen; **~ through** *v/t.* *Wort etc.* 'durchstreichen; **~ up I** *v/i.* **1.** ♪ einsetzen (*Spieler*, *Melodie*); **II** *v/t.* **2.** ♪ a) *Lied etc.* anstimmen, b) *Kapelle* einsetzen lassen; **3.** *Bekanntschaft*, *Freundschaft* schließen, *a. Gespräch* anknüpfen (***with*** mit).

strike| bal·lot *s.* Urabstimmung *f*; '**~-bound** *adj.* bestreikt (*Fabrik etc.*); '**~ˌbreak·er** *s.* Streikbrecher *m*; **~ call** *s.* Streikaufruf *m*; **~ pay** *s.* Streikgeld *n*; '**~-prone** *adj.* streikanfällig.

strik·er ['straɪkə] *s.* **1.** Schläger(in); **2.** Streikende(r *m*) *f*, Ausständige(r *m*) *f*; **3.** Hammer *m*, Klöppel *m* (*Uhr*); **4.** ⚔ Schlagbolzen *m*; **5.** ⚡ Zünder *m*; **6.** *bsd. Fußball*: Stürmer *m*, ‚Spitze' *f*: ***be ~*** Spitze spielen.

strike vote → ***strike ballot***.

strik·ing ['straɪkɪŋ] *adj.* ☐ **1.** schlagend, Schlag...; **2.** *fig.* a) bemerkenswert, auffallend, eindrucksvoll, b) über'raschend, verblüffend, c) treffend: ***~ example***; **3.** streikend.

string [strɪŋ] **I** *s.* **1.** Schnur *f*, Bindfaden

m; **2.** (*Schürzen-*, *Schuh- etc.*)Band *n*, Kordel *f*: ***have s.o. on a ~*** j-n am Gängelband *od.* in s-r Gewalt haben; **3.** (Puppen)Draht *m*: ***pull ~s*** *fig.* s-e Beziehungen spielen lassen; ***pull the ~s*** *fig.* der Drahtzieher sein; **4.** (Bogen-) Sehne *f*: ***have two ~s to one's bow*** *fig.* zwei Eisen im Feuer haben; ***be a second ~*** das zweite Eisen im Feuer sein (→ 5); **5.** ♪ a) Saite *f*, b) *pl.* ˈStreichinstruˌmente *pl.*, *die* Streicher *pl.*; ***first*** (***second*** *etc.*) ***~*** *sport etc.* erste (zweite *etc.*) ‚Garnitur'; ***be a second ~*** zur zweiten Garnitur gehören; ***harp on one ~*** *fig.* immer auf derselben Sache herumreiten; **6.** Schnur *f* (*Perlen etc.*); **7.** *fig.* Reihe *f*, Kette *f* (*von Fragen*, *Fahrzeugen etc.*); **8.** Koppel *f* (*Pferde etc.*); **9.** ⚘ a) Faser *f*, Fiber *f*, b) Faden *m von Bohnen*; **10.** *zo. obs.* Flechse *f*; **11.** ⚠ Fries *m*, Sims *m*; **12.** F Bedingung *f*, ‚Haken' *m*: ***no ~s attached*** ohne Bedingungen; **II** *v/t.* [*irr.*] **13.** *Schnur etc.* spannen; **14.** (zu-, ver-) schnüren, zubinden; **15.** *Perlen etc.* aufreihen; **16.** *fig.* aneinˈanderreihen: ***~ s.th. out*** et. ‚strecken', et. ‚ausspinnen'; **17.** *Bogen* spannen; **18.** ♪ a) besaiten, bespannen (*a. Tennisschläger*), b) *Instrument* stimmen; **19.** *mit Girlanden etc.* behängen; **20.** *Bohnen* abziehen; **21.** ***~ up*** *sl.* ‚aufknüpfen', -hängen; **22.** ***~ up*** *Nerven* anspannen: ***~ o.s. up to*** a) sich in *e-e Erregung etc.* hineinsteigern, b) sich aufraffen (***to do*** *et.* zu tun); → ***high-strung***; **23.** *Am. sl. j-n* ‚verkohlen', aufziehen; **24.** ***~ along*** F a) *j-n* hinhalten, b) *j-n* ‚einwickeln'; **III** *v/i.* [*irr.*] **25.** Fäden ziehen (*Flüssigkeit*); **26.** ***~ along*** mitmachen (***with*** mit, bei); ***~ bag*** *s.* Einkaufsnetz *n*; ***~ band*** *s.* ♪ ˈStreichorˌchester *n*; ***~ bean*** *s.* ⚘ Gartenbohne *f*; ˈ***~·course*** → ***string*** 11.

stringed [strɪŋd] *adj.* **1.** ♪ Saiten…, Streich…: ***~ instruments***; ***~ music*** Streichmusik *f*; **2.** ♪ *in Zssgn* …saitig; **3.** aufgereiht (*Perlen etc.*).

strin·gen·cy [ˈstrɪndʒənsɪ] *s.* **1.** Strenge *f*, Schärfe *f*; **2.** Bündigkeit *f*, zwingende Kraft: ***the ~ of an argument***; **3.** ⚚ (Geld-, Kreˈdit)Verknappung *f*, Knappheit *f*; ˈ**strin·gent** [-nt] *adj.* □ **1.** streng, scharf; **2.** zwingend: ***~ necessity***; **3.** zwingend, überˈzeugend, bündig: ***~ arguments***; **4.** ⚚ knapp (*Geld*), gedrückt (*Geldmarkt*).

string·er [ˈstrɪŋə] *s.* **1.** ♪ Saitenaufzieher *m*; **2.** ⚙ Längs-, Streckbalken *m*; ⚠ (Treppen)Wange *f*; 🚂 Langschwelle *f*; ✈ Längsversteifung *f*; ⚓ Stringer *m*.

string·i·ness [ˈstrɪŋɪnɪs] *s.* **1.** Faserigkeit *f*; **2.** Zähigkeit *f*.

string| or·ches·tra *s.* ♪ ˈStreichorˌchester *n*; ***~ quar·tet(te)*** *s.* ♪ ˈStreichquarˌtett *n*.

string·y [ˈstrɪŋɪ] *adj.* **1.** faserig, zäh, sehnig; **2.** zäh(flüssig), klebrig, Fäden ziehend.

strip [strɪp] **I** *v/t.* **1.** *Haut etc.* abziehen, (-)schälen; *Baum* abrinden; **2.** *Bett* abziehen; **3.** *a.* ***~ off*** *Kleid etc.* ausziehen, abstreifen; **4.** *j-n* entkleiden, ausziehen (***to the skin*** bis auf die Haut): ***~ped*** a) nackt, entblößt, b) *mot.* ‚nackt' (*ohne Extras*); **5.** *fig.* entblößen, berauben (***of*** *gen.*), (aus)plündern: ***~ s.o. of his office*** j-n s-s Amtes entkleiden; **6.** *Haus etc.* ausräumen; *Fabrik* demontieren; **7.** ⚓ abtakeln; **8.** ⚙ zerlegen; **9.** ⚙ *Gewinde* überˈdrehen; **10.** *Kuh* ausmelken; **11.** *Kohlenlager etc.* freilegen; **II** *v/i.* **12.** a) sich ausziehen, b) ‚strippen': ***~ to the waist*** den Oberkörper frei machen; **III** *s.* **13.** a) (Sich)Ausziehen *n*, b) → ***striptease***; **14.** ✈ Start- u. Landestreifen *m*; **15.** *sport* F Dreß *m*; **16.** Streifen *m* (*Papier etc.*, *a. Land*); **17.** ⚙ a) Walzrohling *m*, b) Bandeisen *n*, -stahl *m*; **18.** → ***~ car·toon*** *s.* Comic strip *m*.

stripe [straɪp] **I** *s.* **1.** *mst andersfarbiger* Streifen (*a. zo.*), Strich *m*; **2.** ⚔ Tresse *f*, (Ärmel)Streifen *m*: ***get one's ~s*** (zum Unteroffizier) befördert werden; ***lose one's ~s*** degradiert werden; **3.** Striemen *m*; **4.** (Peitschen- *etc.*)Hieb *m*; **5.** *fig. Am.* Sorte *f*, Schlag *m*; **II** *v/t.* **6.** streifen: ***~d*** gestreift, streifig.

strip light·ing *s.* Sofˈfittenbeleuchtung *f*.

strip·ling [ˈstrɪplɪŋ] *s.* Bürschchen *n*.

strip| min·ing *s.* ⚒ Tagebau *m*; ˈ***~·tease*** *s.* Striptease *m*, *n*; ˈ***~ˌteas·er*** *s.* Stripteasetänzerin *f*, ‚Stripperin' *f*.

strive [straɪv] *v/i.* [*irr.*] **1.** sich (be)mühen, bestrebt sein (***to do*** zu tun); **2.** (***for***, ***after***) streben (nach), ringen, sich mühen (um); **3.** (erbittert) kämpfen (***against*** gegen, ***with*** mit), ringen (***with*** mit); **striv·en** [ˈstrɪvn] *p.p. von* ***strive***.

strobe [strəʊb] *s.* **1.** *phot.* Röhrenblitz *m*; **2.** *Radar*: Schwelle *f*.

strode [strəʊd] *pret. von* ***stride***.

stroke [strəʊk] **I** *s.* **1.** (*a. Blitz-*, *Flügel-*, *Schicksals*)Schlag *m*; Hieb *m*, Streich *m*, Stoß *m*: ***at a*** (*od.* ***one***) ***~*** *a. fig.* mit ˈeinem Schlag, auf ˈeinen Streich; ***a good ~ of business*** ein gutes Geschäft; ***~ of luck*** Glückstreffer *m*, -fall *m*; ***not to do a ~ of work*** keinen Finger rühren; **2.** (Glocken-, Hammer-, Herz- *etc.*)Schlag *m*: ***on the ~*** pünktlich; ***on the ~ of nine*** Punkt neun; **3.** ⚕ Anfall *m*, *bsd.* Schlag(anfall) *m*; **4.** *mot.* a) (Kolben)Hub *m*, b) Hubhöhe *f*, c) Takt *m*; **5.** *sport* a) *Schwimmen*: Stoß *m*, (Bein)Schlag *m*, (Arm)Zug *m*, b) *Golf*, *Rudern*, *Tennis etc.*: Schlag *m*, c) *Ru-*

dern: Schlagzahl *f*; **6.** *Rudern*: Schlagmann *m*: ***row ~*** → 11; **7.** (Pinsel-, Feder)Strich *m* (*a. typ.*), (Feder)Zug *m*: ***with a ~ of the pen*** mit einem Federstrich (*a. fig.*); **8.** *fig.* (glänzender) Einfall, Leistung *f*: ***a clever ~*** ein geschickter Schachzug; ***a ~ of genius*** ein Geniestreich; **9.** ♪ a) Bogenstrich *m*, b) Anschlag *m*, c) (Noten)Balken *m*; **10.** Streicheln *n*; **II** *v/t.* **11.** ***~ a boat*** *Rudern*: am Schlag (e-s Bootes) sitzen; **12.** streichen über (*acc.*); glattstreichen; **13.** streicheln.

stroll [strəʊl] **I** *v/i.* **1.** schlendern, (um'her)bummeln, spazieren(gehen); **2.** um'herziehen: ***~ing actor*** (*od.* ***player***) → ***stroller*** 2; **II** *s.* **3.** Spaziergang *m*, Bummel *m*: ***go for a ~***, ***take a ~*** e-n Bummel machen; **'stroll·er** [-lə] *s.* **1.** Bummler(in), Spaziergänger(in); **2.** Wanderschauspieler(in); **3.** (Kinder-)Sportwagen *m*.

stro·ma ['strəʊmə] *pl.* **-ma·ta** [-mətə] *s. biol.* Stroma *n* (*a.* ⚘).

strong [strɒŋ] **I** *adj.* □ → ***strongly***; **1.** *allg.* stark (*a. Gift*, *Kandidat*, *Licht*, *Nerven*, *Schlag*, *Verdacht*, *Gefühl etc.*); kräftig (*a. Farbe*, *Gesundheit*, *Stimme*, *Wort*): ***~ face*** energisches *od.* markantes Gesicht; ***~ man*** *pol.* starker Mann; ***have ~ feelings about*** sich erregen über (*acc.*); ***use ~ language*** Kraftausdrücke gebrauchen; → ***point*** 24; **2.** stark (an Zahl *od.* Einfluß), mächtig: ***a company 200 ~*** e-e 200 Mann starke Kompanie; **3.** *fig.* scharf (*Verstand*), klug (*Kopf*): ***~ in*** tüchtig in (*dat.*); **4.** fest (*Glaube*, *Überzeugung*); **5.** eifrig, über'zeugt: ***a ~ Tory***; **6.** gewichtig, zwingend: ***~ arguments***; **7.** stark, gewaltsam, e'nergisch (*Anstrengung*, *Maßnahmen*): ***with a ~ hand*** mit starker Hand; **8.** stark, schwer (*Getränk*, *Speise*, *Zigarre*); **9.** a) stark (*Geruch*, *Geschmack*, *Parfüm*), b) übelriechend *od.* -schmeckend, *a.* ranzig; **10.** *ling.* stark: ***~ declination***; ***~ verb***; **11.** ✝ a) anziehend (*Preis*), b) fest (*Markt*), c) lebhaft (*Nachfrage*); **II** *adv.* **12.** stark, e'nergisch, nachdrücklich; **13.** F tüchtig, mächtig: ***be going ~*** gut in Schuß *od.* Form sein; ***come*** (*od.* ***go***) ***it ~*** mächtig ‚rangehen', auftrumpfen; **'~·arm** F **I** *adj.* Gewalt...: ***~ methods***; ***~ man*** Schläger *m*; **II** *v/t.* a) *j-n* einschüchtern, b) über'fallen, c) zs.-schlagen; **'~·box** *s.* ('Geld-, 'Stahl)Kas,sette *f*; Tre'sorfach *n*; **,~'head·ed** *adj.* starrköpfig; **'~·hold** *s.* **1.** ⚔ Feste *f*; **2.** *fig.* Bollwerk *n*; **3.** *fig.* Hochburg *f*.

strong·ly ['strɒŋlɪ] *adv.* **1.** kräftig, stark; heftig: ***feel ~ about*** sich erregen über (*acc.*); **2.** nachdrücklich, sehr.

,strong|-'mind·ed *adj.* willensstark, e'nergisch; **~ point** *s.* **1.** ⚔ Stützpunkt *m*; **2.** *fig.* → ***point*** 24; **~ room** *s.* Tre'sor(raum) *m*; **,~-'willed** *adj.* **1.** willensstark; **2.** eigenwillig, -sinnig.

stron·ti·um ['strɒntɪəm] *s.* ⚗ Strontium *n*.

strop [strɒp] **I** *s.* **1.** Streichriemen *m* (*für Rasiermesser*); **2.** ⚓ Stropp *m*; **II** *v/t.* **3.** *Rasiermesser etc.* abziehen.

stro·phe ['strəʊfɪ] *s.* Strophe *f*; **stroph·ic** ['strɒfɪk] *adj.* strophisch.

strop·py ['strɒpɪ] *adj.* F 'widerspenstig, -borstig.

strove [strəʊv] *pret. von* ***strive***.

struck [strʌk] **I** *pret. u. p.p. von* ***strike***; **II** *adj.* ✝ *Am.* bestreikt.

struc·tur·al ['strʌktʃərəl] *adj.* □ **1.** struktu'rell (bedingt), Struktur... (*a. fig.*): ***~ unemployment*** strukturelle Arbeitslosigkeit; **2.** ⚙ baulich, Bau... (*-stahl*, *-teil*, *-technik etc.*), Konstruktions...; **3.** *biol.* a) morpho'logisch, Struktur..., b) or'ganisch (*Krankheit etc.*); **4.** *geol.* tek'tonisch; **5.** ⚗ Struktur...; **'struc·tur·al·ism** [-lɪzəm] *s. ling.*, *phls.* Struktura'lismus *m*.

struc·ture ['strʌktʃə] **I** *s.* **1.** Struk'tur *f* (*a.* ⚗, *biol.*, *phys.*, *psych.*, *sociol.*), Gefüge *n*, (Auf)Bau *m*, Gliederung *f* (*alle a. fig.*): ***~ of a sentence*** Satzbau *m*; ***price ~*** ✝ Preisstruktur, -gefüge; **2.** ⚙, ⚠ Bau(art *f*) *m*, Konstrukti'on *f*; **3.** Bau(werk *n*) *m*, Gebäude *n* (*a. fig.*); *pl.* Bauten *pl.*; **4.** *fig.* Gebilde *n*; **II** *v/t.* **5.** strukturieren; **'struc·ture·less** [-tʃəlɪs] *adj.* struk'turlos; **'struc·tur·ize** [-raɪz] *v/t.* strukturieren.

strug·gle ['strʌgl] **I** *v/i.* **1.** (***against***, ***with***) kämpfen (gegen, mit), ringen (mit) (***for*** um *Atem*, *Macht etc.*); **2.** sich winden, zappeln, sich sträuben (***against*** gegen); **3.** sich (ab)mühen (***with*** mit, ***to do*** *et.* zu tun), sich anstrengen *od.* quälen: ***~ through*** sich durchkämpfen; ***~ to one's feet*** mühsam aufstehen, sich ‚hochrappeln'; **II** *s.* **4.** Kampf *m*, Ringen *n*, Streit *m* (***for*** um, ***with*** mit): ***~ for existence*** a) *biol.* Kampf ums Dasein, b) Existenzkampf; **5.** Anstrengung(en *pl.*) *f*, Streben *n*; **6.** Zappeln *n*, Sich'aufbäumen *n*; **'strug·gler** [-lə] *s.* Kämpfer *m*.

strum [strʌm] **I** *v/t.* **1.** klimpern auf (*dat.*): ***~ a piano***; **2.** *Melodie* (her'unter)klimpern *od.* (-)hämmern; **II** *v/i.* **3.** klimpern (***on*** auf *dat.*); **III** *s.* **4.** Geklimper *n*.

stru·ma ['stru:mə] *pl.* **-mae** [-mi:] *s.* ⚕ **1.** Struma *f*, Kropf *m*; **2.** Skrofu'lose *f*; **'stru·mose** [-məʊs], **'stru·mous** [-məs] *adj.* **1.** ⚕ stru'mös; **2.** ⚕ skrofu'lös; **3.** ⚘ kropfig.

strum·pet ['strʌmpɪt] *s. obs.* Metze *f*, Dirne *f*, Hure *f*.

strung [strʌŋ] *pret. u. p.p. von* ***string***.

strut[1] [strʌt] **I** *v/i.* **1.** (ein'her)stolzieren;

S

2. *fig.* großspurig auftreten, sich spreizen; **II** *s.* **3.** Stolzieren *n*, stolzer Gang; **4.** *fig.* großspuriges Auftreten.

strut² [strʌt] ⚠, ⚙ **I** *s.* Strebe *f*, Stütze *f*, Spreize *f*; **II** *v/t.* verstreben, abspreizen, -stützen.

strut·ting¹ [ˈstrʌtɪŋ] **I** *adj.* □ großspurig, -tuerisch; **II** *s.* → ***strut¹*** II.

strut·ting² [ˈstrʌtɪŋ] *s.* ⚙, ⚠ Verstrebung *f*, Abstützung *f*.

strych·nic [ˈstrɪknɪk] *adj.* ⚗ Strychnin…; ˈ**strych·nin**(**e**) [-niːn] *s.* ⚗ Strychˈnin *n*.

stub [stʌb] **I** *s.* **1.** (Baum)Stumpf *m*; **2.** (Kerzen-, Bleistift- *etc.*)Stummel *m*, Stumpf *m*; **3.** Zigaˈretten-, Ziˈgarrenstummel *m*, ‚Kippe' *f*; **4.** kurzer stumpfer Gegenstand, *z. B.* Kuppnagel *m*; **5.** *Am.* Konˈtrollabschnitt *m*; **II** *v/t.* **6.** *Land* roden; **7.** *mst* ~ **up** *Bäume etc.* ausroden; **8.** mit *der Zehe etc.* (an)stoßen; **9.** *mst* ~ ***out*** *Zigarette* ausdrücken.

stub·ble [ˈstʌbl] *s.* **1.** Stoppel *f*; **2.** *coll.* (Getreide-, Bart- *etc.*)Stoppeln *pl.*; **3.** *a.* ~ ***field*** Stoppelfeld *n*; ˈ**stub·bly** [-lɪ] *adj.* stopp(e)lig, Stoppel…

stub·born [ˈstʌbən] *adj.* □ **1.** eigensinnig, halsstarrig, störrisch, stur; ˈwiderspenstig (*a. Sache*); **2.** hartnäckig (*a. Widerstand etc.*); **3.** standhaft, unbeugsam; **4.** spröde, hart; *metall.* strengflüssig; ˈ**stub·born·ness** [-nɪs] *s.* **1.** Eigen-, Starrsinn *m*, Halsstarrigkeit *f*; **2.** Hartnäckigkeit *f*; **3.** Standhaftigkeit *f*.

stub·by [ˈstʌbɪ] *adj.* **1.** stummelartig, kurz; **2.** unterˈsetzt, kurz und dick; **3.** stopp(e)lig.

stuc·co [ˈstʌkəʊ] ⚠ **I** *pl.* **-coes** *s.* **1.** Stuck *m* (*Gipsmörtel*); **2.** Stuck(arbeit *f*, -verzierung *f*) *m*, Stuckaˈtur *f*; **II** *v/t.* **3.** mit Stuck verzieren, stuckieren; ˈ**~·work** → ***stucco*** 2.

stuck [stʌk] *pret. u. p.p. von* ***stick***.

ˌ**stuck-ˈup** *adj.* F hochnäsig.

stud¹ [stʌd] **I** *s.* **1.** Beschlagnagel *m*, Knopf *m*, Knauf *m*, Buckel *m*; **2.** ⚠ (Wand)Pfosten *m*, Ständer *m*; **3.** ⚙ a) Kettensteg *m*, b) Stift *m*, Zapfen *m*, c) Stiftschraube *f*, d) Stehbolzen *m*; **4.** ⚔ (Führungs)Warze *f* (*e-s Geschosses*); **5.** Kragen- *od.* Manˈschettenknopf *m*; **6.** ⚡ a) Konˈtaktbolzen *m*, b) Brücke *f*; **7.** Stollen *m* (*am Fußballschuh etc.*); **II** *v/t.* **8.** (mit Beschlagnägeln *etc.*) beschlagen *od.* verzieren; **9.** *a. fig.* besetzen, überˈsäen; **10.** verstreut sein über (*acc.*).

stud² [stʌd] **I** *s.* **1.** Gestüt *n*; **2.** *coll.* a) Zucht *f* (*Tiere*), b) Stall *m* (*Pferde*); **3.** a) (Zucht)Hengst *m*, b) *allg.* männliches Zuchttier, c) *sl.* ‚Zuchtbulle' *m*, ‚Aufreißer' *m*; **II** *adj.* **4.** Zucht…; **5.** Stall…; ˈ**~·book** *s.* **1.** Gestütbuch *n für Pferde*; **2.** *allg.* Zuchtstammbuch *n*.

stu·dent [ˈstjuːdnt] *s.* **1.** a) *univ.* Stuˈdent(in), b) *ped. bsd. Am. u. allg.* Schüler(in), c) Lehrgangs-, Kursteilnehmer(in): ~ ***adviser*** Studienberater (-in); ~ ***driver*** *Am.* Fahrschüler(in); ~ ***hostel*** Studentenwohnheim *n*; ~ ***teacher*** *ped.* Praktikant(in); **2.** Gelehrte(r *m*) *f*, Forscher(in); Büchermensch *m*; **3.** Beobachter(in), Erforscher(in) *des Lebens etc.*; ˈ**stu·dentship** [-ʃɪp] *s.* **1.** Stuˈdentenzeit *f*; **2.** *Brit.* Stiˈpendium *n*.

stud| farm *s.* Gestüt *n*; ~ **horse** *s.* Zuchthengst *m*.

stud·ied [ˈstʌdɪd] *adj.* □ **1.** gewollt, gesucht, gekünstelt; **2.** absichtlich, geflissentlich; **3.** wohlüberlegt.

stu·di·o [ˈstjuːdɪəʊ] *s.* **1.** *paint.*, *phot. etc.* Ateliˈer *n*, *a. thea. etc.* Studio *n*; **2.** (ˈFilm)Ateliˌer *n*: ~ ***shot*** Atelieraufnahme *f*; **3.** (Fernseh-, Rundfunk)Studio *n*, Aufnahme-, Senderaum *m*; ~ **couch** *s.* Schlafcouch *f*.

stu·di·ous [ˈstjuːdɪəs] *adj.* □ **1.** gelehrtenhaft; **2.** fleißig, beflissen, lernbegierig; **3.** (eifrig) bedacht (***of*** auf *acc.*), bemüht (***to do*** zu tun); **4.** sorgfältig, peinlich (gewissenhaft); **5.** → ***studied***; ˈ**stu·di·ous·ness** [-nɪs] *s.* **1.** Fleiß *m*, (Studier)Eifer *m*, Beflissenheit *f*; **2.** Sorgfalt *f*.

stud·y [ˈstʌdɪ] **I** *s.* **1.** Studieren *n*; **2.** Studium *n*: ***studies*** Studien *pl.*, Studium *n*; ***make a ~ of*** *et.* sorgfältig studieren; ***make a ~ of doing s.th.*** *fig.* bestrebt sein, et. zu tun; ***in a*** (***brown***) ~ *fig.* in Gedanken versunken, geistesabwesend; **3.** Studie *f*, Unterˈsuchung *f* (***of***, ***in*** über *acc.*, zu); **4.** ˈStudienfach *n*, -zweig *m*, -obˌjekt *n*, Studium *n*: ***his face was a perfect ~*** *fig.* sein Gesicht war sehenswert; **5.** Studier-, Arbeitszimmer *n*; **6.** *Kunst*, *Literatur*: Studie *f*, Entwurf *m*; **7.** ♪ Eˈtüde *f*; **8.** ***be a good*** (***slow***) ~ *thea.* s-e Rolle leicht (schwer) lernen; **II** *v/t.* **9.** *allg.* studieren: a) *Fach etc.* erlernen, b) unterˈsuchen, erforschen, genau lesen: ~ ***out*** *sl.* ausknobeln, c) mustern, prüfen(d ansehen), d) *sport etc. Gegner* abschätzen; **10.** *thea. Rolle* einstudieren; **11.** *Brit. j-m* gegenüber aufmerksam *od.* rücksichtsvoll sein; **12.** sich bemühen um *et.* (*od.* ***to do*** zu tun), bedacht sein auf (*acc.*): ~ ***one's own interests***; **III** *v/i.* **13.** studieren; ~ **group** *s.* Arbeitsgruppe *f*, -gemeinschaft *f*.

stuff [stʌf] **I** *s.* **1.** (*a.* Roh)Stoff *m*, Mateˈrial *n*; **2.** a) (Woll)Stoff *m*, Zeug *n*, b) *Brit.* (*bsd.* Kamm)Wollstoff *m*; **3.** ⚙ Bauholz *n*; **4.** ⚙ Ganzzeug *n* (*Papier*); **5.** Lederschmiere *f*; **6.** *coll.* Zeug *n*, Sachen *pl.* (*Gepäck*, *Ware etc.*): ***green*** ~ Grünzeug, Gemüse *n*; **7.** *contp.* (wertloses) Zeug, Kram *m* (*a. fig.*): ~ (***and nonsense***) dummes Zeug; **8.** *fig.* Zeug *n*, Stoff *m*: ***the ~ that heroes are***

made of das Zeug, aus dem Helden gemacht sind; ***he is made of sterner ~*** er ist aus härterem Holz geschnitzt; ***do your ~!*** F zeig mal, was du kannst!; ***he knows his ~*** F er kennt sich aus (*ist gut bewandert*); ***good ~!*** bravo!, prima!; ***that's the ~*** (***to give them***)***!*** F so ist's richtig!; → ***rough*** 6; **9.** F a) ,Zeug' *n*, ,Stoff' *m* (*Schnaps etc.*), b) ,Stoff' *m* (*Drogen*); **II** *v/t.* **10.** (*a. fig. sich den Kopf mit Tatsachen etc.*) vollstopfen; *e-e Pfeife* stopfen: ***~ o.s.*** (***on***) sich vollstopfen (mit *Essen*); ***~ s.o.*** (***with lies***) F j-m die Hucke voll lügen; ***~ed shirt*** *sl.* Fatzke *m*, Wichtigtuer *m*, ,lackierter Affe'; **11.** *a.* ***~ up*** ver-, zustopfen; **12.** *Sofa etc.* polstern; **13.** *Geflügel* a) stopfen, nudeln, b) *Küche*: füllen; **14.** *Tiere* ausstopfen; **15.** *Am. Wahlurne* mit gefälschten Stimmzetteln füllen; **16.** *Leder* mit Fett imprägnieren; **17.** *et. wohin* stopfen; **18.** V *Frau* ,bumsen': ***get ~ed!*** leck mich (am Arsch)!; **III** *v/i.* **19.** sich (den Magen) vollstopfen; **'stuff·i·ness** [-fɪnɪs] *s.* **1.** Dumpfheit *f*, Schwüle *f*, Stickigkeit *f*; **2.** Langweiligkeit *f*; **3.** F a) Spießigkeit *f*, b) Steifheit *f*, c) Verstaubtheit *f*, d) ,Muffigkeit' *f*.

stuff·ing ['stʌfɪŋ] *s.* **1.** Füllung *f*, 'Füllmateri͵al *n*; Füllhaar *n*, 'Polstermateri͵al *n*: ***knock the ~ out of*** *fig.* a) *j-n* ,zur Schnecke machen', b) *j-n* fix u. fertig machen, c) *j-n gesundheitlich* kaputtmachen; **2.** *Küche*: Füllung *f*, Farce *f*; **3.** *fig.* Füllsel *n*; **4.** Lederschmiere *f*; **~ box** *s.* ⚙ Stopfbüchse *f*.

stuff·y ['stʌfɪ] *adj.* ☐ **1.** stickig, dumpf, schwül; **2.** *fig.* langweilig, fad; **3.** F a) beschränkt, spießig, b) pe'dantisch, c) verknöchert, d) F ,muffig', e) prüde.

stul·ti·fi·ca·tion [͵stʌltɪfɪ'keɪʃn] *s.* Verdummung *f*; **stul·ti·fy** ['stʌltɪfaɪ] *v/t.* **1.** *a.* ***~ the mind*** verdummen; **2.** *j-n* veralbern; **3.** wirkungslos *od.* zu'nichte machen.

stum·ble ['stʌmbl] **I** *v/i.* **1.** stolpern, straucheln (***at*** *od.* ***over*** über *acc.*) (*a. fig.*): ***~ in***(***to***) *fig.* in *e-e Sache* (hinein-) stolpern, (-)schlittern; ***~*** (***up***)***on*** (*od.* ***across***) *fig.* zufällig stoßen auf (*acc.*); **2.** stolpern, wanken; **3.** *fig.* e-n Fehltritt tun, straucheln; **4.** stottern, stokken: ***~ through*** *Rede etc.* herunterstottern; **II** *s.* **5.** Stolpern *n*, Straucheln *n*; *fig. a.* Fehltritt *m*; **6.** *fig.* ,Schnitzer' *m*, Fehler *m*; **stum·bling block** ['stʌmblɪŋ] *s. fig.* **1.** Hindernis *n* (***to*** für); **2.** Stolperstein *m*.

stu·mer ['stju:mə] *s. Brit. sl.* **1.** Fälschung *f*; **2.** gefälschter *od.* ungedeckter Scheck.

stump [stʌmp] **I** *s.* **1.** (*Baum-, Kerzen-, Zahn- etc.*)Stumpf *m*, Stummel *m*; (*Ast*)Strunk *m*: ***~ foot*** ⚕ Klumpfuß *m*; ***up a ~*** *Am. sl.* in der Klemme; **2.** ***go on*** (*od.* ***take***) ***the ~*** *bsd. Am. pol.* e-e Propagandareise machen, öffentliche Reden halten; **3.** *Kricket*: Torstab *m*: ***draw*** (***the***) ***~s*** das Spiel beenden; **4.** *sl.* ,Stelzen' *pl.* (*Beine*): ***stir one's ~s*** ,Tempo machen', sich beeilen; **5.** *Zeichnen*: Wischer *m*; **II** *v/t.* **6.** *a.* ***~ out*** *Kricket*: *den Schläger* ,aus' machen; **7.** F *j-n durch e-e Frage etc.* verblüffen: ***he was ~ed*** er war verblüfft *od.* aufgeschmissen; ***~ed for*** verlegen um *e-e Antwort etc.*; **8.** *bsd. Am.* F *Gegend* als Wahlredner bereisen; ***~ it*** F → 2; **9.** F sta(m)pfen über (*acc.*); **10.** *Zeichnung* abtönen; **11.** *Am.* F *j-n* her'ausfordern (***to do*** zu tun); **12.** ***~ up*** *Brit.* F ,berappen', ,blechen'; **III** *v/i.* **13.** (da'her-) sta(m)pfen; **14.** → 12; **15.** → 2; **'stump·er** [-pə] *s.* **1.** *Kricket*: Torwächter *m*; **2.** F harte Nuß; **3.** *Am.* F a) Wahlredner *m*, b) Agi'tator *m*; **stump speech** *s. Am.* Wahlrede *f*; **'stump·y** [-pɪ] *adj.* ☐ **1.** stumpfartig; **2.** gedrungen, unter'setzt; **3.** plump.

stun [stʌn] *v/t.* **1.** *durch Schlag etc., a. durch Lärm etc.* betäuben; **2.** *fig.* betäuben: a) verblüffen, b) niederschmettern, c) über'wältigen: ***~ned*** wie betäubt *od.* gelähmt.

stung [stʌŋ] *pret. u. p.p. von* ***sting.***

stunk [stʌŋk] *pret. u. p.p. von* ***stink.***

stun·ner ['stʌnə] *s.* F a) ,toller Kerl', b) ,tolle Frau', c) ,tolle Sache'; **'stun·ning** [-nɪŋ] *adj.* ☐ **1.** betäubend (*a. fig. niederschmetternd*); **2.** *sl.* ,toll', phänome'nal.

stunt[1] [stʌnt] *v/t.* **1.** (im Wachstum, in der Entwicklung *etc.*) hemmen; **2.** verkümmern lassen, verkrüppeln: ***~ed*** verkümmert, verkrüppelt.

stunt[2] [stʌnt] **I** *s.* **1.** Kunst-, Glanzstück *n*; Kraftakt *m*; **2.** Sensati'on *f*: a) Schaunummer *f*, b) Bra'vourstück *n*, c) Schlager *m*; **3.** ✈ Flugkunststück *n*; *pl. a.* Kunstflug *m*; **4.** (Re'klame- *etc.*)Trick *m*, ,tolle I'dee', *weitS.* ,tolles Ding'; **II** *v/i.* **5.** (Flug)Kunststücke machen, kunstfliegen; **'stunt·er** [-tə] *s.* F **1.** Kunstflieger(in); **2.** Akro'bat(in).

stunt| fly·ing *s.* ✈ Kunstflug *m*; **~ man** *s.* [*irr.*] *Film*: Stuntman *m*, Double *n* (*für gefährliche Szenen*).

stupe [stju:p] ⚕ **I** *s.* heißer 'Umschlag *od.* Wickel; **II** *v/t.* heiße 'Umschläge legen auf (*acc.*), *j-m* heiße 'Umschläge machen.

stu·pe·fa·cient [͵stju:pɪ'feɪʃnt] **I** *adj.* betäubend, abstumpfend; **II** *s.* ⚕ Betäubungsmittel *n*; **͵stu·pe'fac·tion** [-'fækʃn] *s.* **1.** Betäubung *f*; **2.** Abstumpfung *f*; **3.** Abgestumpftheit *f*; **4.** Bestürzung *f*, Verblüffung *f*; **stu·pe·fy** ['stju:pɪfaɪ] *v/t.* **1.** betäuben; **2.** verdummen; **3.** abstumpfen; **4.** verblüffen, bestürzen.

S

stu·pen·dous [stjuːˈpendəs] *adj.* □ erstaunlich; riesig, gewaltig, eˈnorm.
stu·pid [ˈstjuːpɪd] **I** *adj.* □ **1.** dumm; **2.** stumpfsinnig, blöd, fad; **3.** betäubt, benommen; **II** *s.* **4.** Dummkopf *m*; **stu·pid·i·ty** [stjuːˈpɪdətɪ] *s.* **1.** Dummheit *f* (*a. Handlung, Idee*); **2.** Stumpfsinn *m*; **stu·por** [ˈstjuːpə] *s.* **1.** Erstarrung *f*, Betäubung *f*; **2.** Stumpfheit *f*; **3.** ⚕, *psych.* Stupor *m*: a) Benommenheit *f*, b) Stumpfsinn *m*.
stur·di·ness [ˈstɜːdɪnɪs] *s.* **1.** Roˈbustheit *f*, Kräftigkeit *f*; **2.** Standhaftigkeit *f*; **stur·dy** [ˈstɜːdɪ] *adj.* □ **1.** roˈbust, kräftig, staˈbil (*a. Material etc.*); **2.** *fig.* standhaft, fest.
stur·geon [ˈstɜːdʒən] *pl.* **ˈstur·geons**, *coll.* **ˈstur·geon** *s. ichth.* Stör *m*.
stut·ter [ˈstʌtə] **I** *v/i.* **1.** stottern (*a. Motor*); **2.** keckern (*MG etc.*); **II** *v/t.* **3.** *a.* **~ out** (herˈvor)stottern; **III** *s.* **4.** Stottern *n*: **have a ~** stottern; **ˈstut·ter·er** [-ərə] *s.* Stotterer *m*.
sty¹ [staɪ] *s.* Schweinestall *m* (*a. fig.*).
sty², **stye** [staɪ] *s.* ⚕ Gerstenkorn *n*.
Styg·i·an [ˈstɪdʒɪən] *adj.* **1.** stygisch; **2.** finster; **3.** höllisch.
style [staɪl] **I** *s.* **1.** *allg.* Stil *m*: a) Art *f*, Typ *m*, b) Manier *f*, Art *f* u. Weise *f*, *sport* Technik *f*: **~ of singing** Gesangsstil; **in superior ~** in überlegener Manier, souverän; **it cramps my ~** dabei kann ich mich nicht recht entfalten, c) guter Stil: **in ~** stilvoll (→ e, f), d) Lebensart *f*, -stil: **in good** (**bad**) **~** stil-, geschmackvoll (-los), e) vornehme Lebensart, Eleˈganz *f*: **in ~** vornehm; **put on ~** *Am.* F vornehm tun, f) Mode *f*: **in ~** modisch, g) *literarische etc.* Ausdrucksweise *od.* -kraft: **commercial ~** Geschäftsstil, h) Kunst-, Baustil: **in proper ~** stilecht; **2.** (Mach)Art *f*, Ausführung *f*, Fasˈson *f*; **3.** a) Titel *m*, Anrede *f*, b) ✝ (Firmen)Bezeichnung *f*, Firma *f*: **under the ~ of** unter dem Namen ..., ✝ unter der Firma ...; **4.** a) *antiq.* (Schreib)Griffel *m*, b) (Schreib-, Ritz)Stift *m*, c) Radiernadel *f*, d) Feder *f e-s Dichters*, e) Nadel *f* (*Plattenspieler*); **5.** ⚕ Sonde *f*; **6.** Zeiger *m* der Sonnenuhr; **7.** Zeitrechnung *f*, Stil *m*: **Old** (**New**) ♎; **8.** ⚘ Griffel *m*; **9.** *anat.* Griffelfortsatz *m*; **II** *v/t.* **10.** betiteln, benennen, bezeichnen, anreden (mit *od.* als); **11.** a) ⚙, ✝ entwerfen, gestalten, b) modisch zuschneiden; **ˈstyl·er** [-lə] *s.* **1.** Modezeichner(in), -schöpfer (-in); **2.** ⚙ (Form)Gestalter *m*, Designer *m*.
sty·let [ˈstaɪlɪt] *s.* **1.** Stiˈlett *n* (*Dolch*); **2.** ⚕ Manˈdrin *m*, Sondenführer *m*.
styl·ing [ˈstaɪlɪŋ] *s.* **1.** Stilisierung *f*; **2.** ✝, ⚙ Styling *n*, (Form)Gestaltung *f*.
styl·ish [ˈstaɪlɪʃ] *adj.* □ **1.** stilvoll; **2.** modisch, eleˈgant, flott; **ˈstyl·ish·ness** [-nɪs] *s.* Eleˈganz *f*.
styl·ist [ˈstaɪlɪst] *s.* **1.** Stiˈlist(in); **2.** → **styler**; **sty·lis·tic** [staɪˈlɪstɪk] *adj.* (□ **~ally**) stiˈlistisch, Stil...
sty·lite [ˈstaɪlaɪt] *s. eccl.* Styˈlit *m*, Säulenheilige(r) *m*.
styl·ize [ˈstaɪlaɪz] *v/t.* **1.** *allg.* stilisieren; **2.** der Konventiˈon unterˈwerfen.
sty·lo [ˈstaɪləʊ] *pl.* **-los** F, **ˈsty·lo·graph** [-ləgrɑːf], **sty·lo·graph·ic pen** [ˌstaɪləʊˈgræfɪk] *s.* **1.** Tintenkuli *m*; **2.** Füll(feder)halter *m*.
sty·lus [ˈstaɪləs] *s.* **1.** → **style** 4 a *u.* e, 6, 8, 9; **2.** Kopierstift *m*; **3.** Schreibstift *m e-s Registriergeräts*.
sty·mie, *a.* **sty·my** [ˈstaɪmɪ] **I** *s. Golf*: **1.** a) *Situation, wenn der gegnerische Ball zwischen dem Ball des Spielers u. dem Loch liegt, auf das er spielt*, b) *Lage des gegnerischen Balles wie in 1a*; **2.** *den Gegner* (*durch die Ballage von 1*) hindern; **3.** *fig.* a) *Gegner* matt setzen, b) *Plan etc.* vereiteln: **be stymied** ‚aufgeschmissen' sein.
styp·tic [ˈstɪptɪk] *adj. u. s.* ⚕ blutstillend (-es Mittel).
Styr·i·an [ˈstɪrɪən] **I** *adj.* stei(e)risch, steiermärkisch; **II** *s.* Steiermärker(in).
Sua·bi·an [ˈsweɪbjən] → **Swabian**.
su·a·ble [ˈsjuːəbl] *adj.* ⚖ **1.** (ein)klagbar (*Sache*); **2.** (passiv) proˈzeßfähig (*Person*).
sua·sion [ˈsweɪʒn] *s.* **1.** (**moral ~** gütliches) Zureden; **2.** Überˈredung(sversuch *m*) *f*; **sua·sive** [ˈsweɪsɪv] *adj.* □ **1.** überˈredend, zuredend; **2.** überˈzeugend.
suave [swɑːv] *adj.* □ **1.** verbindlich, höflich, zuˈvorkommend, sanft; *contp.* ölig; **2.** lieblich, mild (*Wein etc.*); **suav·i·ty** [ˈswɑːvətɪ] *s.* **1.** Höflichkeit *f*, Verbindlichkeit *f*; **2.** Lieblichkeit *f*, Milde *f*; **3.** *pl.* a) Artigkeiten *pl.*, b) Annehmlichkeiten *pl.*
sub¹ [sʌb] **I** *s.* F *abbr. für* **submarine**, **subordinate**, **subway**, **subaltern**, **sublieutenant** *etc.*; **II** *adj.* Aushilfs..., Not...; **III** *v/i.* F (**for**) einspringen (für), vertreten (*acc.*).
sub² [sʌb] (*Lat.*) *prp.* unter: **~ finem** am Ende (*e-s zitierten Kapitels*); **~ judice** (noch) anhängig, (noch) nicht entschieden (*Rechtsfall*); **~ rosa** unter dem Siegel der Verschwiegenheit, vertraulich; **~ voce** unter dem angegebenen Wort (*in e-m Wörterbuch etc.*).
sub- [sʌb; səb] *in Zssgn* a) Unter..., Grund..., Sub..., b) ˈuntergeordnet, Neben..., Unter..., c) annähernd, d) ⚗ basisch, e) ⚖ ˈumgekehrt.
ˌsubˈac·e·tate [ˌsʌb-] *s.* ⚗ basisch essigsaures Salz.
ˌsubˈac·id [ˌsʌb-] *adj.* **1.** säuerlich; **2.** *fig.* bissig, säuerlich.
ˌsubˈa·gent [ˌsʌb-] *s.* **1.** ✝ a) ˈUnterver-

S

treter *m*, b) 'Zwischenspedi,teur *m*; **2.** ⚖ 'Unterbevollmächtigte(r *m*) *f*.

,sub'al·pine [,sʌb-] ⚘, *zo.* **I** *adj.* subal'pin(isch); **II** *s.* a) subal'pines Tier, b) subal'pine Pflanze.

sub·al·tern ['sʌbltən] **I** *adj.* **1.** subal'tern, 'untergeordnet, Unter...; **II** *s.* **2.** Subal'terne(r *m*) *f*, Unter'gebene(r *m*) *f*; **3.** ⚔ *bsd. Brit.* Subal'ternoffi,zier *m*.

sub·a·qua [səb'ækwə] *adj.* **1.** Unterwasser...; **2.** (Sport)Taucher...

,sub'arc·tic [,sʌb-] *adj. geogr.* sub'arktisch.

sub'au·di·ble [səb-] *adj.* **1.** *phys.* unter der Hörbarkeitsgrenze; **2.** kaum hörbar.

sub'cal·i·ber *Am.*, **sub'cal·i·bre** *Brit.* [səb-] *adj.* **1.** Kleinkaliber...; **2.** ⚔ *Artillerie*: Abkommkaliber...

'sub·com,mit·tee ['sʌb-] *s.* 'Unterausschuß *m*.

,sub'com·pact (car) [,sʌb-] *s. mot.* Kleinwagen *m*.

,sub'con·scious [,sʌb-] ⚕, *psych.* **I** *adj.* ☐ 'unterbewußt; **II** *s.* 'Unterbewußtsein *n*, *das* 'Unterbewußte.

,sub'con·ti·nent [,sʌb-] *s. geogr.* 'Subkonti,nent *m*.

sub'con·tract [səb-] *s.* Nebenvertrag *m*; **,sub·con'trac·tor** [,sʌb-] *s.* ✝ 'Subunter,nehmer(in), *a.* Zulieferer *m*.

,sub'cul·ture [,sʌb-] *s. sociol.* 'Subkul,tur *f*.

sub·cu·ta·ne·ous [,sʌbkju:'teɪnjəs] *adj.* ☐ *anat.* subku'tan, unter der *od.* die Haut.

sub·deb [,sʌb'deb] *s. Am.* F **1.** → ***subdebutante***; **2.** Teenager *m*; **,sub'deb·u·tante** [,sʌb-] *s. Am.* noch nicht in die Gesellschaft eingeführtes junges Mädchen.

,sub·di'vide [,sʌb-] *v/t.* (*v/i.* sich) unter'teilen; **'sub·di,vi·sion** *s.* **1.** Unter'teilung *f*; **2.** 'Unterab,teilung *f*.

sub·due [səb'dju:] *v/t.* **1.** unter'werfen (***to*** *dat.*), unter'jochen; **2.** über'winden, -'wältigen, **3.** *fig.* besiegen, bändigen, zähmen: **~ *one's passions***; **4.** *Farbe, Licht, Stimme, Wirkung etc., a. Begeisterung, Stimmung etc.* dämpfen; **5.** *fig. j-m* e-n Dämpfer aufsetzen; **sub'dued** [-ju:d] *adj.* **1.** unter'worfen, -'jocht; **2.** gebändigt; **3.** gedämpft (*a. fig.*).

,sub'ed·it [,sʌb-] *v/t. Zeitung etc.* redigieren; **,sub'ed·i·tor** *s.* Redak'teur *m*.

'sub,head(·ing) ['sʌb-] *s.* **1.** 'Unter-, Zwischentitel *m*; **2.** 'Unterab,teilung *f e-s Buches etc.*

,sub'hu·man [,sʌb-] *adj.* **1.** halbtierisch; **2.** unmenschlich.

sub·ja·cent [sʌb'dʒeɪsənt] *adj.* **1.** dar'unter *od.* tiefer liegend; **2.** *fig.* zu'grunde liegend.

sub·ject ['sʌbʒɪkt] **I** *s.* **1.** (*Gesprächs- etc.*)Gegenstand *m*, Thema *n*, Stoff *m*: **~ *of conversation***; ***on the* ~ *of*** über (*acc.*), bezüglich (*gen.*); **2.** *ped.* (Lehr-, Schul-, Studien)Fach *n*, Fachgebiet *n*: ***compulsory* ~** Pflichtfach; **3.** Grund *m*, Anlaß *m* (***for complaint*** zur Beschwerde); **4.** Ob'jekt *n*, Gegenstand *m* (***of ridicule*** des Spotts); **5.** *paint. etc.* Thema *n* (*a.* ♪), Su'jet *n*, Vorwurf *m*; **6.** *ling.* Sub'jekt *n*, Satzgegenstand *m*; **7.** 'Untertan(in), *a.* Staatsbürger(in), -angehörige(r *m*) *f*: ***a British* ~**; **8.** *bsd.* ⚕ a) Ver'suchsper,son *f*, -tier *n*, b) Leichnam *m für Sektionszwecke*, c) Pati'ent (-in), *hysterische etc.* Per'son; **9.** *ohne Artikel* die betreffende Person *etc.* (*in Informationen*); **10.** *phls.* a) Sub'jekt *n*, Ich *n*, b) Sub'stanz *f*; **II** *adj. pred.* **11.** 'untertan, unter'geben (***to*** *dat.*); **12.** abhängig (***to*** von); **13.** ausgesetzt (***to*** *dem Gespött etc.*); **14.** (***to***) unter'worfen, -'liegend (*dat.*), abhängig (von), vorbehaltlich (*gen.*): **~ *to approval*** genehmigungspflichtig; **~ *to your consent*** vorbehaltlich Ihrer Zustimmung; **~ *to change without notice*** Änderungen vorbehalten; **~ *to being unsold***, **~ *to (prior) sale*** ✝ freibleibend, Zwischenverkauf vorbehalten; **15.** (***to***) neigend (zu), anfällig (für): **~ *to headaches***; **III** *v/t.* [səb'dʒekt] **16.** (***to***) a) unter'werfen (*dat.*), abhängig machen (von), b) *e-r Behandlung, Prüfung etc.* unter'ziehen, c) *dem Gespött, der Hitze etc.* aussetzen; **~ cat·a·logue** *s.* 'Schlagwortkata,log *m*; **~ head·ing** *s.* Ru'brik *f* in e-m 'Sachre,gister; **~ in·dex** *s.* 'Sachre,gister *n*.

sub·jec·tion [səb'dʒekʃn] *s.* **1.** Unter'werfung *f*; **2.** Unter'worfensein *n*; **3.** Abhängigkeit *f*: ***be in* ~ *to s.o.*** von j-m abhängig sein.

sub·jec·tive [səb'dʒektɪv] **I** *adj.* ☐ **1.** *allg., a.* ⚕, *phls.* subjek'tiv; **2.** *ling.* Subjekts...; **II** *s.* **3.** *a.* **~ *case*** *ling.* Nominativ *m*; **sub'jec·tive·ness** [-nɪs] *s.* Subjektivi'tät *f*; **sub'jec·tiv·ism** [-vɪzəm] *s. bsd. phls.* Subjekti'vismus *m*.

sub·jec·tiv·i·ty [,sʌbdʒek'tɪvətɪ] *s.* Subjektivi'tät *f*.

sub·ject| mat·ter *s.* **1.** Gegenstand *m* (*e-r Abhandlung etc., a.* ⚖); **2.** Stoff *m*, Inhalt *m* (*Ggs. Form*); **~ ref·er·ence** *s.* Sachverweis *m*.

,sub'join [,sʌb-] *v/t.* **1.** hin'zufügen, -setzen; **2.** beilegen, -fügen.

sub ju·di·ce [,sʌb'dʒu:dɪsɪ] *s.* ⚖ ***be* ~** verhandelt werden.

sub·ju·gate ['sʌbdʒʊgeɪt] *v/t.* **1.** unter'jochen, -'werfen (***to*** *dat.*); **2.** *bsd. fig.* bezwingen, bändigen; **sub·ju·ga·tion** [,sʌbdʒʊ'geɪʃn] *s.* Unter'werfung *f*, -'jochung *f*.

sub·junc·tive [səb'dʒʌŋktɪv] *ling.* **I** *adj.* ☐ **1.** konjunktiv(isch); **II** *s.* **2.** *a.* **~ *mood*** Konjunktiv *m*; **3.** Konjunktiv-

S

form *f*.

ˌ**sub'lease** [ˌsʌb-] **I** *s.* 'Untermiete *f*, -pacht *f*, -vermietung *f*, -verpachtung *f*; **II** *v/t.* 'untervermieten, -verpachten; ˌ**sub·les'see** *s.* 'Untermieter(in), -pächter(in); ˌ**sub·les'sor** [-'sɔː] *s.* 'Untervermieter(in), -verpächter(in).

sub·let [ˌsʌb'let] *v/t.* [*irr.* → ***let***[1]] 'unter-, weitervermieten.

sub·lieu·ten·ant [ˌsʌblef'tenənt] *s.* ⚓ *Brit.* Oberleutnant *m* zur See.

sub·li·mate ['sʌblɪmeɪt] **I** *v/t.* **1.** ⚗ sublimieren; **2.** *fig.* sublimieren (*a. psych.*), veredeln, vergeistigen; **II** *s.* [-mɪt] **3.** ⚗ Subli'mat *n*; **sub·li·ma·tion** [ˌsʌblɪ'meɪʃn] *s.* **1.** ⚗ Sublimati'on *f*; **2.** *fig.* Sublimierung *f* (*a. psych.*).

sub·lime [sə'blaɪm] **I** *adj.* □ **1.** erhaben, hehr, su'blim; **2.** a) großartig (*a. iro.*): ~ ***ignorance***, b) *iro.* kom'plett: ***a*** ~ ***idiot***, c) kraß: ~ ***indifference***; **II** *s.* **3.** ***the*** ~ das Erhabene; **III** *v/t.* **4.** → ***sublimate*** 1 *u.* 2; **IV** *v/i.* **5.** ⚗ sublimiert werden; **6.** *fig.* sich läutern.

sub·lim·i·nal [ˌsʌb'lɪmɪnl] *psych.* **I** *adj.* **1.** 'unterbewußt: ~ ***self*** → 3; **2.** 'unterschwellig (*Reiz etc.*, ✝ *Werbung*); **II** *s.* **3.** *das* 'Unterbewußte.

ˌ**sub·ma'chine-gun** [ˌsʌb-] *s.* ⚔ Ma'schinenpiˌstole *f*.

sub·man ['sʌbmæn] *s.* [*irr.*] **1.** tierischer Kerl; **2.** Idi'ot *m*.

ˌ**sub·ma'rine** [ˌsʌb-] **I** *s.* **1.** ⚓, ⚔ 'Unterseeboot *n*, U-Boot *n*; **II** *adj.* **2.** 'unterseeisch, Untersee…, subma'rin; **3.** ⚓, ⚔ Unterseeboot…, U-Boot-…: ~ ***warfare***; ~ ***chaser*** U-Boot-Jäger *m*; ~ ***pen*** U-Boot-Bunker *m*.

sub·merge [səb'mɜːdʒ] **I** *v/t.* **1.** ein-, 'untertauchen; **2.** über'schwemmen, unter Wasser setzen; **3.** *fig.* a) unter'drücken, b) über'tönen; **II** *v/i.* **4.** 'untertauchen, -sinken; **5.** ⚓ tauchen (*U-Boot*); **sub'merged** [-dʒd] *adj.* **1.** 'untergetaucht; ⚓, ⚔ *Angriff etc.* unter Wasser; **2.** über'schwemmt; **3.** *fig.* verelendet, verarmt.

sub·mersed [səb'mɜːst] *adj.* **1.** → ***submerged*** 1 *u.* 2; **2.** *bsd.* ⚘ Unterwasser…: ~ ***plants***; **sub'mers·i·ble** [-səbl] **I** *adj.* **1.** 'untertauch-, versenkbar; **2.** über'schwemmbar; **3.** ⚓ tauchfähig; **II** *s.* **4.** ⚓ 'Unterseeboot *n*; **sub'mer·sion** [-ɜːʃn] *s.* **1.** Ein-, 'Untertauchen *n*; **2.** Über'schwemmung *f*.

sub·mis·sion [səb'mɪʃn] *s.* **1.** (***to***) Unter'werfung *f* (unter *acc.*), Ergebenheit *f* (in *acc.*), Gehorsam *m* (gegen); **2.** Unter'würfigkeit *f*: ***with all due*** ~ mit allem schuldigen Respekt; **3.** *bsd.* ⚖ Vorlage *f e-s Dokuments etc.*, Unter'breitung *f e-r Frage etc.*; **4.** ⚖ a) Sachvorlage *f*, Behauptung *f*, b) Kompro'miß *m*, *n*; **sub'mis·sive** [-ɪsɪv] *adj.* □ **1.** ergeben, gehorsam; **2.** unter'würfig; **sub'mis·sive·ness** [-ɪsɪvnɪs] *s.* **1.** Ergebenheit *f*; **2.** Unter'würfigkeit *f*; **sub'mit** [-'mɪt] **I** *v/t.* **1.** unter'werfen, -'ziehen, aussetzen (***to*** *dat.*): ~ ***o.s.*** (***to***) → 4; **2.** *bsd.* ⚖ unter'breiten, vortragen, -legen (***to*** *dat.*); **3.** *bsd.* ⚖ beantragen, behaupten, zu bedenken geben, an'heimstellen (***to*** *dat.*); *bsd. parl.* ergebenst bemerken; **II** *v/i.* **4.** (***to***) gehorchen (*dat.*), sich fügen (*dat. od.* in *acc.*); sich *j-m*, *e-m Urteil etc.* unter'werfen, sich *e-r Operation etc.* unter'ziehen; **sub'mit·tal** [-'mɪtl] *s.* Vorlage *f*, Unter'breitung *f*.

ˌ**sub'nor·mal** [ˌsʌb-] *adj.* □ **1.** a) 'unterˌdurchschnittlich, b) minderbegabt, c) schwachsinnig; **2.** ✈ 'subnorˌmal.

'**subˌor·der** ['sʌb-] *s. biol.* 'Unterordnung *f*.

sub·or·di·nate [sə'bɔːdnɪt] **I** *adj.* □ **1.** 'untergeordnet: a) unter'stellt (***to*** *dat.*): ~ ***position*** untergeordnete Stellung, b) zweitrangig, nebensächlich: ~ ***clause*** *ling.* Nebensatz *m*; ***be*** ~ ***to*** *e-r Sache* an Bedeutung nachstehen; **II** *s.* **2.** Unter'gebene(r *m*) *f*; **III** [-dɪneɪt] *v/t.* **3.** *a. ling.* 'unterordnen (***to*** *dat.*); **4.** zu'rückstellen (***to*** hinter *acc.*); **sub·or·di·na·tion** [səˌbɔːdɪ'neɪʃn] *s.* 'Unterordnung *f* (***to*** unter *acc.*); **sub'or·di·na·tive** [-dɪnətɪv] *adj. ling.* 'unterordnend: ~ ***conjunction***.

sub·orn [sʌ'bɔːn] *v/t.* ⚖ (*bsd.* zum Meineid) anstiften; *Zeugen* bestechen; **sub·or·na·tion** [ˌsʌbɔː'neɪʃn] *s.* ⚖ Anstiftung *f*, Verleitung *f* (***of*** zum *Meineid*, zu *falscher Zeugenaussage*), (Zeugen)Bestechung *f*.

sub·pe·na *Am.* → ***subpoena***.

'**sub·plot** ['sʌb-] *s.* Nebenhandlung *f*.

sub·poe·na [səb'piːnə] ⚖ **I** *s.* (Vor)Ladung *f* (unter Strafandrohung); **II** *v/t.* vorladen.

sub·ro·gate ['sʌbrəʊgeɪt] *v/t.* ⚖ einsetzen (***for s.o.*** an j-s Stelle; ***to the rights of*** in *j-s* Rechte); **sub·ro·ga·tion** [ˌsʌbrəʊ'geɪʃn] *s.* ⚖ 'Forderungsˌübergang *m* (kraft Gesetzes); Ersetzung *f e-s Gläubigers durch e-n anderen*: ~ ***of rights*** Rechtseintritt *m*.

sub·scribe [səb'skraɪb] **I** *v/t.* **1.** *Vertrag etc.* unter'zeichnen, ('unterschriftlich) anerkennen; **2.** *et.* mit *s-m Namen etc.* (unter)'zeichnen; **3.** *Geldbetrag* zeichnen (***for*** für *Aktien*, ***to*** für *e-n Fonds*); **II** *v/i.* **4.** e-n Geldbetrag zeichnen (***to*** für *e-n Fonds*, ***for*** für *e-e Anleihe etc.*); **5.** ~ ***for*** *Buch* vorbestellen; **6.** ~ ***to*** *Zeitung etc.* abonnieren; **7.** unter'schreiben, -'zeichnen (***to*** *acc.*); **8.** ~ ***to*** *fig. et.* unter'schreiben, gutheißen, billigen; **sub'scrib·er** [-bə] *s.* **1.** Unter'zeichner (-in), -'zeichnete(r *m*) *f* (***to*** *gen.*); **2.** Befürworter(in) (***to*** *gen.*); **3.** Subskri'bent(in), Abon'nent(in); *teleph.* Teil-

S

nehmer(in); **4.** Zeichner *m*, Spender *m* (***to*** *e-s Geldbetrages*).
sub·scrip·tion [səbˈskrɪpʃn] *s.* **1.** a) Unterˈzeichnung *f*, b) ˈUnterschrift *f*; **2.** (***to***) (ˈunterschriftliche) Einwilligung (in *acc.*), Zustimmung *f* (zu); **3.** (***to***) Beitrag *m* (zu, für), Spende *f* (für), (gezeichneter) Betrag; (*teleph.* Grund)Gebühr *f*; **4.** *Brit.* (Mitglieds)Beitrag *m*; **5.** Abonneˈment *n*, Bezugsrecht *n*, Subskriptiˈon *f* (***to*** auf *acc.*): ***by ~*** im Abonnement; ***take out a ~ to*** *Zeitung etc.* abonnieren; **6.** ✝ Zeichnung *f* (***of*** *e-r Summe, Anleihe etc.*): ***~ for shares*** Aktienzeichnung; ***open for ~*** zur Zeichnung aufgelegt; ***invite ~s for a loan*** e-e Anleihe (zur Zeichnung) auflegen; **~ list** *s.* **1.** ✝ Subskriptiˈonsliste *f*; **2.** *Zeitung*: Zeichnungsliste *f*; **~ price** *s.* Bezugspreis *m*.
ˈsubˌsec·tion [ˈsʌb-] *s.* ˈUnterabˌteilung *f*, -abschnitt *m*.
sub·se·quence [ˈsʌbsɪkwəns] *s.* **1.** späteres Eintreten; **2.** A Teilfolge *f*; **ˈsub·se·quent** [-nt] *adj.* □ (nach)folgend, später, nachträglich, Nach…: ***~ to*** a) später als, b) nach, im Anschluß an (*acc.*), folgend (*dat.*); ***~ upon*** a) infolge (*gen.*), b) *nachgestellt*: (daraus) entstehend, (daraufhin) erfolgend; **ˈsub·se·quent·ly** [-ntlɪ] *adv.* **1.** ˈhinterher, nachher; **2.** anschließend; **3.** später.
sub·serve [səbˈsɜːv] *v/t.* dienlich *od.* förderlich sein (*dat.*); **subˈser·vi·ence** [-vjəns] *s.* **1.** Dienlich-, Nützlichkeit *f* (***to*** für); **2.** Abhängigkeit *f* (***to*** von); **3.** Unterˈwürfigkeit *f*; **subˈser·vi·ent** [-vjənt] *adj.* □ **1.** dienstbar, ˈuntergeordnet (***to*** *dat.*); **2.** unterˈwürfig (***to*** gegenüber); **3.** dienlich, förderlich (***to*** *dat.*).
sub·side [səbˈsaɪd] *v/i.* **1.** sich senken: a) sinken (*Flut etc.*), b) (ein)sinken, absacken (*Boden etc.*), sich setzen (*Haus*); **2.** ⚗ sich niederschlagen; **3.** *fig.* abklingen, abflauen, sich legen: ***~ into*** verfallen in (*acc.*); **4.** *in e-n Stuhl etc.* sinken.
sub·sid·i·ar·y [səbˈsɪdjərɪ] **I** *adj.* □ **1.** Hilfs…, Unterstützungs…, Subsidien…: ***be ~ to*** ergänzen, unterstützen; **2.** ˈuntergeordnet (***to*** *dat.*), Neben…: ***~ company*** → 4; ***~ stream*** Nebenfluß *m*; **II** *s.* **3.** *oft pl.* Hilfe *f*, Stütze *f*; **4.** ✝ Tochtergesellschaft *f*.
sub·si·dize [ˈsʌbsɪdaɪz] *v/t.* subventionieren; **ˈsub·si·dy** [-dɪ] *s.* **1.** Beihilfe *f* (aus öffentlichen Mitteln), Subventiˈon *f*; **2.** *oft pl. pol.* Subˈsidien *pl.*, Hilfsgelder *pl.*
sub·sist [səbˈsɪst] **I** *v/i.* **1.** existieren, bestehen; **2.** weiterbestehen, fortdauern; **3.** sich ernähren *od.* erhalten, leben ([***up***]***on*** von *e-r Nahrung*, ***by*** von *e-m Beruf*); **II** *v/t.* **4.** *j-n* er-, unterˈhalten; **subˈsist·ence** [-təns] *s.* **1.** Dasein *n*, Exiˈstenz *f*; **2.** (ˈLebens)ˌUnterhalt *m*, Auskommen *n*, Exiˈstenz(möglichkeit) *f*: ***~ level*** Existenzminimum *n*; **3.** *bsd.* ⚔ Verpflegung *f*, -sorgung *f*; **4.** *a.* ***~ money*** a) (Lohn)Vorschuß *m*, b) ˈUnterhaltsbeihilfe *f*, -zuschuß *m*.
ˈsub·soil [ˈsʌb-] *s.* ˈUntergrund *m*.
ˌsubˈson·ic [ˌsʌb-] **I** *adj.* Unterschall…; **II** *s.* ˈUnterschallflug(zeug *n*) *m*.
ˈsubˌspe·cies [ˈsʌb-] *s. biol.* ˈUnterart *f*, Subˈspezies *f*.
sub·stance [ˈsʌbstəns] *s.* **1.** Subˈstanz *f*, Maˈterie *f*, Stoff *m*, Masse *f*; **2.** feste Konsiˈstenz, Körper *m* (*Tuch etc.*); **3.** *fig.* Subˈstanz *f*: a) Wesen *n*, b) *das* Wesentliche, wesentlicher Inhalt *od.* Bestandteil, Kern *m*: ***this essay lacks ~***; ***in ~*** im wesentlichen *übereinstimmen etc.*, c) Gehalt *m*: ***arguments of little ~*** wenig stichhaltige Argumente; **4.** *phls.* a) Subˈstanz *f*, b) Wesen *n*, Ding *n*; **5.** Vermögen *n*, Kapiˈtal *n*: ***a man of ~*** ein vermögender Mann.
subˈstand·ard [səb-] *adj.* **1.** unter der Norm, klein…, Klein…; **2.** *ling.* ˈumgangssprachlich.
sub·stan·tial [səbˈstænʃl] *adj.* □ → ***substantially***; **1.** materiˈell, stofflich, wirklich; **2.** fest, kräftig; **3.** nahrhaft, kräftig: ***a ~ meal***; **4.** beträchtlich, wesentlich (*Fortschritt, Unterschied etc.*), namhaft (*Summe*); **5.** wesentlich: ***in ~ agreement*** im wesentlichen übereinstimmend; **6.** vermögend, kapiˈtalkräftig; **7.** *phls.* substantiˈell, wesentlich; **sub·stan·ti·al·i·ty** [səbˌstænʃɪˈælətɪ] *s.* **1.** Wirklichkeit *f*, Stofflichkeit *f*; **2.** Festigkeit *f*; **3.** Nahrhaftigkeit *f*; **4.** Gediegenheit *f*; **5.** Stichhaltigkeit *f*; **6.** *phls.* Substantialiˈtät *f*; **subˈstan·tial·ly** [-ʃəlɪ] *adv.* **1.** dem Wesen nach; **2.** im wesentlichen, wesentlich; **3.** beträchtlich, wesentlich, in hohem Maße; **4.** wirklich; **subˈstan·ti·ate** [-ʃɪeɪt] *v/t.* **1.** a) begründen, b) erhärten, beweisen, c) glaubhaft machen; **2.** Gestalt *od.* Wirklichkeit verleihen (*dat.*), konkretisieren; **3.** stärken, festigen; **sub·stan·ti·a·tion** [səbˌstænʃɪˈeɪʃn] *s.* **1.** a) Begründung *f*, b) Erhärtung *f*, Beweis *m*, c) Glaubhaftmachung *f*: ***in ~ of*** zur Erhärtung *od.* zum Beweis von (*od. gen.*); **2.** Verwirklichung *f*.
sub·stan·ti·val [ˌsʌbstənˈtaɪvl] *adj.* □ *ling.* substantivisch, Substantiv…; **sub·stan·tive** [ˈsʌbstəntɪv] **I** *s.* **1.** *ling.* a) Substantiv *n*, Hauptwort *n*, b) substantivisch gebrauchte Form; **II** *adj.* □ **2.** *ling.* substantivisch (gebraucht); **3.** selbständig; **4.** wesentlich; **5.** wirklich, reˈal; **6.** fest; **7.** ⚖ materiˈell: ***~ law***.
ˈsubˌsta·tion [ˈsʌb-] *s.* **1.** Neben-, Außenstelle *f*: ***post office ~*** Zweigpost-

S

amt *n*; **2.** ↯ 'Unterwerk *n*; **3.** *teleph.* (Teilnehmer)Sprechstelle *f*.

sub·sti·tute ['sʌbstɪtju:t] **I** *s.* **1.** Ersatz (-mann) *m*: a) (Stell)Vertreter(in), b) *sport* Auswechselspieler(in): ***act as a ~ for*** *j-n* vertreten; **2.** Ersatz(stoff) *m*, Surro'gat *n* (***for*** für); **3.** *ling.* Ersatzwort *n*; **II** *adj.* **4.** Ersatz...: ***~ driver***; ***~ material*** ⚙ Austausch(werk)stoff *m*; ***~ power of attorney*** ⚖ Untervollmacht *f*; **III** *v/t.* **5.** (***for***) einsetzen (für, an Stelle von), an die Stelle setzen (von *od. gen.*): ***~ A for B*** B durch A ersetzen, B gegen A austauschen *od.* auswechseln (*alle a. sport*); **6.** ersetzen, an *j-s* Stelle treten; **IV** *v/i.* **7.** (***for***) als Ersatz dienen, als Stellvertreter fungieren (für), vertreten (*acc.*), an die Stelle treten (von *od. gen.*); **sub·sti·tu·tion** [ˌsʌbstɪ'tju:ʃn] *s.* **1.** Einsetzung *f* (⚖ *e-s Ersatzerben, Unterbevollmächtigten*); *bsd. b.s.* (*Kindes- etc.*)'Unterschiebung *f*; **2.** Ersatz *m*, Ersetzung *f*; (ersatzweise) Verwendung; **3.** Stellvertretung *f*; **4.** ∢, ⚗, *ling.* Substituti'on *f*; **sub·sti·tu·tion·al** [ˌsʌbstɪ'tju:ʃənl] *adj.* □ **1.** stellvertretend, Stellvertretungs...; **2.** Ersatz...

ˌ**sub'stra·tum** [ˌsʌb-] *s.* [*irr.*] **1.** 'Unter-, Grundlage *f* (*a. fig.*); **2.** *geol.* 'Unterschicht *f*; **3.** *biol.* a) Sub'strat *n*, Nähr-, Keimboden *m*, b) *a.* ⚗ Träger *m*, Medium *n*; **4.** *phot.* Grundschicht *f*; **5.** *ling.* Sub'strat *n*; **6.** *phls.* Sub'stanz *f*.

'**subˌstruc·ture** ['sʌb-] *s.* **1.** △ Funda'ment *n*, 'Unterbau *m* (*a.* ⚒); **2.** *fig.* Grundlage *f*.

sub·sume [səb'sju:m] *v/t.* **1.** zs.-fassen, 'unterordnen (***under*** unter *dat. od. acc.*); **2.** einordnen, -reihen, -schließen (***in*** in *acc.*); **3.** *phls. als Prämisse* vor'ausschicken; **sub'sump·tion** [-'sʌmpʃn] *s.* **1.** Zs.-fassung *f* (***under*** unter *dat. od. acc.*); **2.** Einordnung *f*.

ˌ**sub'ten·ant** [ˌsʌb-] *s.* 'Untermieter *m*, -pächter *m*.

sub·ter·fuge ['sʌbtəfju:dʒ] *s.* **1.** Vorwand *m*, Ausflucht *f*; **2.** List *f*.

sub·ter·ra·ne·an [ˌsʌbtə'reɪnjən] *adj.*, ˌ**sub·ter'ra·ne·ous** [-njəs] *adj.* □ **1.** 'unterirdisch (*a. fig.*); **2.** *fig.* verborgen, heimlich.

sub·tile ['sʌtl], **sub·til·i·ty** [sʌb'tɪlətɪ] → ***subtle***, ***subtlety***; **sub·til·i·za·tion** [ˌsʌtɪlaɪ'zeɪʃn] *s.* **1.** Verfeinerung *f*; **2.** Spitzfindigkeit *f*; **3.** ⚗ Verflüchtigung *f*; **sub·til·ize** ['sʌtɪlaɪz] **I** *v/t.* **1.** verfeinern; **2.** spitzfindig diskutieren *od.* erklären; ausklügeln; **3.** ⚗ verflüchtigen, -dünnen; **II** *v/i.* **4.** spitzfindig argumentieren.

'**subˌti·tle** ['sʌb-] **I** *s.* 'Untertitel *m* (*Buch*, *Film*); **II** *v/t.* *Film* unter'titeln.

sub·tle ['sʌtl] *adj.* □ **1.** *allg.* fein: ***~ delight***; ***~ odo(u)r***; ***~ smile***; **2.** fein(sinnig), sub'til: ***~ distinction***; ***~ irony***; **3.** scharf(sinnig), spitzfindig; **4.** heikel, schwierig: ***a ~ point***; **5.** raffiniert; **6.** schleichend (*Gift*); '**sub·tle·ty** [-tɪ] *s.* **1.** Feinheit *f*; sub'tile Art; **2.** Spitzfindigkeit *f*; **3.** Scharfsinn(igkeit *f*) *m*; **4.** Gerissenheit *f*, Raffi'nesse *f*; **5.** schlauer Einfall, Fi'nesse *f*.

sub·to·pi·a [sʌb'təʊpɪə] *s. Brit.* zersiedelte Landschaft.

sub'to·tal [səb-] *s.* ∢ Zwischen-, Teilsumme *f*.

sub·tract [səb'trækt] **I** *v/t.* ∢ abziehen, subtrahieren; **II** *v/i. fig.* (***from***) Abstriche machen (von), schmälern (*acc.*); **sub'trac·tion** [-kʃn] *s.* **1.** ∢ Subtrakti'on *f*, Abziehen *n*; **2.** *fig.* Abzug *m*.

sub·tra·hend ['sʌbtrəhənd] *s.* ∢ Subtra'hend *m*.

sub·trop·i·cal [ˌsʌb'trɒpɪkl] *adj. geogr.* subtropisch; ˌ**sub'trop·ics** [-ks] *s. pl. geogr.* Subtropen *pl.*

sub·urb ['sʌbɜ:b] *s.* Vorstadt *f*, -ort *m*; **sub·ur·ban** [sə'bɜ:bən] **I** *adj.* **1.** vorstädtisch, Vorstadt..., Vororts...; **2.** *contp.* kleinstädtisch, spießig; **II** *s.* **3.** → ***suburbanite***; **sub·ur·ban·ite** [sə'bɜ:bənaɪt] *s.* Vorstadtbewohner(in); **sub·ur·bi·a** [sə'bɜ:bɪə] *s. oft contp.* **1.** Vorstadt *f*; **2.** *coll. die* Vorstädter *pl.*

'**sub·vaˌri·e·ty** ['sʌb-] *s.* ⚘, *zo.* 'untergeordnete Abart.

sub·ven·tion [səb'venʃn] *s.* (staatliche) Subventi'on, (geldliche) Beihilfe, Unter'stützung *f*; **sub'ven·tioned** [-nd] *adj.* subventioniert.

sub·ver·sion [səb'vɜ:ʃn] *s.* **1.** *pol.* a) 'Umsturz *m*, Sturz *m e-r Regierung*, b) Staatsgefährdung *f*, Verfassungsverrat *m*; **2.** Unter'grabung *f*, Zerrüttung *f*; **sub'ver·sive** [-ɜ:sɪv] *adj.* **1.** *pol.* 'umstürzlerisch, staatsgefährdend, Wühl..., subver'siv; **2.** zerstörerisch; **3.** zerrüttend; **sub'vert** [-ɜ:t] *v/t.* **1.** *Regierung* stürzen; *Gesetz* 'umstoßen; *Verfassung* gewaltsam ändern; **2.** *Glauben*, *Moral*, *Ordnung etc.* unter'graben, zerrütten.

'**sub·way** ['sʌb-] *s.* **1.** ('Straßen-, 'Fußgänger)Unterˌführung *f*; **2.** *Am.* U-Bahn *f*.

ˌ**sub'ze·ro** [ˌsʌb-] *adj.* unter dem Gefrierpunkt.

suc·ceed [sək'si:d] **I** *v/i.* **1.** glücken, gelingen, erfolgreich sein *od.* verlaufen, Erfolg haben (*Sache*); **2.** Erfolg haben, erfolgreich sein, sein Ziel erreichen (*Person*) (***as*** als, ***in*** mit *et.*, ***with*** bei *j-m*): ***he ~ed in doing s.th.*** es gelang ihm, et. zu tun; ***~ in an action*** ⚖ obsiegen; **3.** (***to***) a) Nachfolger werden (in *e-m Amt etc.*), b) erben (*acc.*): ***~ to the throne*** auf den Thron folgen; ***~ to s.o.'s rights*** in j-s Rechte eintreten; **4.** (***to***) *unmittelbar* folgen (*dat. od.* auf *acc.*), nachfolgen (*dat.*); **II** *v/t.* **5.** nach-

S

folgen (*dat.*), folgen (*dat. od.* auf *acc.*); *j-s* (Amts-, Rechts)Nachfolger werden, an *j-s* Stelle treten; *j-n* beerben: **~ *s.o. in office*** j-s Amt übernehmen.

suc·cès d'es·time [sʊkˌseɪdesˈtiːm] (*Fr.*) *s.* Achtungserfolg *m*.

suc·cess [səkˈses] *s.* **1.** (guter) Erfolg, Gelingen *n*: ***with*** **~** erfolgreich; ***without*** **~** erfolglos; ***be a (great)*** **~** ein (großer) Erfolg sein (*Sache u. Person*), (gut) einschlagen; ***crowned with*** **~** von Erfolg gekrönt (*Bemühung*); **~ *rate*** Erfolgsquote *f*; **2.** Erfolg *m*, Glanzleistung *f*; **3.** *beruflicher etc.* Erfolg; **sucˈcess·ful** [-fʊl] *adj.* □ **1.** erfolgreich: ***be*** **~ *in doing s.th.*** et. mit Erfolg tun, Erfolg haben bei *od.* mit et.; **2.** erfolgreich, glücklich (*Sache*): ***be*** **~** → ***succeed*** 1.

suc·ces·sion [səkˈseʃn] *s.* **1.** (Aufeinˈander-, Reihen)Folge *f*: ***in*** **~** nach-, auf-, hintereinander; ***in rapid*** **~** in rascher Folge; **2.** Reihe *f*, Kette *f*, (ˈununterˌbrochene) Folge (***of*** *gen. od.* von); **3.** Nach-, Erbfolge *f*, Sukzessiˈon *f*: **~ *to the throne*** Thronfolge; ***in*** **~ *to*** als Nachfolger von; ***be next in*** **~ *to s.o.*** als nächster auf j-n folgen; **~ *to an office*** Übernahme *f* e-s Amtes, Amtsnachfolge; ***Apostolic*** **2** *eccl.* Apostolische Sukzession; ***the War of the Spanish*** **2** *hist.* der Spanische Erbfolgekrieg; **4.** ⚖ a) Rechtsnachfolge *f*, b) Erbfolge *f*, c) *a.* ***order of*** **~** Erbfolgeordnung *f*, d) *a.* ***law of*** **~** *objektives* Erb(folge)recht, e) **~ *to*** ˈÜbernahme *f e-s Erbes*: **~ *duties*** Erbschaftssteuer *f* (*für unbewegliches Vermögen*); **~ *rights*** *subjektive* Erbrechte; **5.** *coll.* Nachkommenschaft *f*, Erben *pl.*; **sucˈces·sive** [-esɪv] *adj.* □ (aufeinˈander)folgend, sukzesˈsiv: ***3*** **~ *days*** 3 Tage hintereinander; **sucˈces·sive·ly** [-esɪvlɪ] *adv.* nach-, hintereinˈander, der Reihe nach; **sucˈces·sor** [-esə] *s.* **1.** Nachfolger(in), (***to***, ***of*** *j-s*, für *j-n*): **~ *in office*** Amtsnachfolger; **~ *to the throne*** Thronfolger *m*; **2.** *a.* **~ *in interest*** (*od.* ***title***) ⚖ Rechtsnachfolger(in).

suc·cinct [səkˈsɪŋkt] *adj.* □ kurz (und bündig), knapp, laˈkonisch, präˈgnant; **sucˈcinct·ness** [-nɪs] *s.* Kürze *f*, Bündigkeit *f*, Präˈgnanz *f*.

suc·cor [ˈsʌkə] *Am.* → ***succour***.

suc·co·ry [ˈsʌkərɪ] *s.* ⚘ Ziˈchorie *f*.

suc·cour [ˈsʌkə] **I** *s.* Hilfe *f*, Beistand *m*; ⚔ Entsatz *m*; **II** *v/t.* beistehen (*dat.*), zu Hilfe kommen (*dat.*); ⚔ entsetzen.

suc·cu·lence [ˈsʌkjʊləns], **ˈsuc·cu·len·cy** [-sɪ] *s.* Saftigkeit *f*; **ˈsuc·cu·lent** [-nt] *adj.* □ **1.** saftig, fleischig, sukkuˈlent (*Frucht etc.*); **2.** *fig.* kraftvoll, saftig.

suc·cumb [səˈkʌm] *v/i.* **1.** zs.-brechen (***to*** unter *dat.*); **2.** (***to***) (*j-m*) unterˈliegen, (*e-r Krankheit, s-n Verletzungen etc., a. der Versuchung*) erliegen; **3.** (***to***, ***under***, ***before***) nachgeben (*dat.*).

such [sʌtʃ; sətʃ] **I** *adj.* **1.** solch, derartig: ***no*** **~ *thing*** nichts dergleichen; ***there are*** **~ *things*** so etwas gibt es *od.* kommt vor; **~ *people as you see here*** die(jenigen) *od.* alle Leute, die man hier sieht; ***a system*** **~ *as this*** ein derartiges System; **~ *a one*** ein solcher, eine solche, ein solches; **~ *and*** **~ *persons*** die u. die Personen; **2.** ähnlich, derartig: ***silk and*** **~ *luxuries***; ***poets*** **~ *as Spenser*** Dichter wie Spenser; **3.** *pred.* so (beschaffen), derart(ig) (***as to*** daß): **~ *is life*** so ist das Leben; **~ *as it is*** wie es nun einmal ist; **~ *being the case*** da es sich so verhält; **4.** solch, so (groß *od.* klein *etc.*), dermaßen: **~ *a fright that*** e-n derartigen Schrecken, daß…; **~ *was the force of the explosion*** so groß war die Gewalt der Explosion; **5.** F so (gewaltig), solch: ***we had*** **~ *fun*** wir hatten e-n Riesenspaß; **II** *adv.* **6.** so, derart: **~ *a nice day*** so ein schöner Tag; **~ *a long time*** e-e so lange Zeit; **III** *pron.* **7.** solch, der, die das, die *pl.*: **~ *as*** a) diejenigen welche, alle die, b) wie (zum Beispiel); **~ *was not my intention*** das war nicht meine Absicht; ***man as*** **~** der Mensch als solcher; ***and*** **~ (*like*)** u. dergleichen; **8.** F *u.* ✝ der-, die-, dasˈselbe, dieˈselben *pl.*; **ˈ~·like** *adj. u. pron.* dergleichen.

suck [sʌk] **I** *v/t.* **1.** saugen (***from***, ***out of*** aus *dat.*); **2.** saugen an (*dat.*), aussaugen; **3.** *a.* **~ *in***, **~ *up*** ein-, aufsaugen, absorbieren (*a. fig.*); **4.** **~ *in*** einsaugen, verschlingen; **5.** lutschen (an *dat.*): **~ *one's thumb*** (am) Daumen lutschen; **6.** schlürfen: **~ *soup***; **7.** *fig.* holen, gewinnen, ziehen: **~ *advantage out of*** Vorteil ziehen aus; **8.** *fig.* aussaugen: **~ *s.o.'s brain*** j-n ausholen, j-m s-e Ideen stehlen; **II** *v/i.* **9.** saugen, lutschen (***at*** an *dat.*); **10.** Luft saugen *od.* ziehen (*Pumpe*); **11.** **~ *up to*** *sl. j-m* ‚in den Arsch kriechen'; **III** *s.* **12.** Saugen *n*, Lutschen *n*: ***give*** **~ *to*** → ***suckle*** 1; **13.** Sog *m*, Saugkraft *f*; **14.** saugendes Geräusch; **15.** Strudel *m*; **16.** F kleiner Schluck; **17.** *sl.* ‚Arschkriecher' *m*; **ˈsuck·er** [-kə] *s.* **1.** *zo.* saugendes Jungtier, *bsd.* Spanferkel *n*; **2.** *zo.* a) Saugrüssel *m*, b) Saugnapf *m*; **3.** *ichth.* a) *ein* Karpfenfisch *m*, b) Neunauge *n*, c) Lumpenfisch *m*, d) Schildfisch *m*; **4.** ⚙ ˈSaugvenˌtil *n od.* -kolben *m od.* -rohr *n*; **5.** Lutscher *m* (*Bonbon*); **6.** ⚘ (*a. Wurzel*)Schößling *m*; **7.** *sl.* Dumme(r) *m*, Gimpel *m*: ***be a*** **~ *for*** a) stets hereinfallen auf (*acc.*), b) scharf sein auf (*acc.*); ***play s.o. for a*** **~** j-n ‚anschmieren'; ***there's a*** **~ *born every minute*** die Dummen werden nicht alle.

suck·ing [ˈsʌkɪŋ] *adj.* **1.** saugend;

S

Saug...; **2.** *fig.* angehend, ‚grün', Anfänger...; **~ coil** *s.* ⚙ Tauchkernspule *f*; **~ disk** *s. zo.* Saugnapf *m*; **~ pig** *s. zo.* (Span)Ferkel *n*.

suck·le [ˈsʌkl] *v/t.* **1.** *Kind, a. Jungtier* säugen, *Kind* stillen; **2.** *fig.* nähren, pflegen; **ˈsuck·ling** [-lɪŋ] *s.* **1.** Säugling *m*; **2.** *zo.* (noch nicht entwöhntes) Jungtier.

su·crose [ˈsju:krəʊs] *s.* Rohr-, Rübenzucker *m*, Suˈcrose *f*.

suc·tion [ˈsʌkʃn] **I** *s.* **1.** (An)Saugen *n*; ⚙ *a.* Saugwirkung *f*; *phys.* Saugfähigkeit *f*; **2.** ⚙, *phys.* Sog *m*; **3.** *mot.* Hub (-höhe *f*, -kraft *f*) *m*; **II** *adj.* **4.** Saug... (*-leistung, -pumpe etc.*): **~ *cleaner*** (*od.* ***sweeper***) Staubsauger *m*; **~ cup** *s.* ⚙ Saugnapf *m*; **~ pipe** *s.* ⚙ Ansaugrohr *n*; **~ plate** *s.* ⚕ Saugplatte *f* (*für Zahnprothese*); **~ stroke** *s. mot.* (An)Saughub *m*.

Su·da·nese [ˌsu:dəˈni:z] **I** *adj.* sudaˈnesisch; **II** *s.* Sudaˈnese *m*, Sudaˈnesin *f*; *pl.* Sudaˈnesen *pl*.

su·dar·i·um [sju:ˈdeərɪəm] *s. eccl.* Schweißtuch *n* (der Heiligen Veˈronika); **su·da·to·ri·um** [ˌsju:dəˈtɔ:rɪəm] *pl.* **ri·a** [-rɪə] → ***sudatory*** 3; **su·da·to·ry** [ˈsju:dətərɪ] **I** *adj.* **1.** Schwitz(bad)...; **2.** ⚕ schweißtreibend; **II** *s.* **3.** Schwitzbad *n*; **4.** ⚕ schweißtreibendes Mittel.

sud·den [ˈsʌdn] **I** *adj.* □ plötzlich, jäh, unvermutet, abˈrupt, überˈstürzt; **II** *s.*: ***on a ~***, (***all***) ***of a ~*** (ganz) plötzlich; **ˈsud·den·ness** [-nɪs] *s.* Plötzlichkeit *f*.

su·dor·if·er·ous [ˌsju:dəˈrɪfərəs] *adj.* Schweiß absondernd: **~ *glands*** Schweißdrüsen; **ˌsu·dorˈif·ic** [-fɪk] *adj. u. s.* schweißtreibend(es Mittel).

suds [sʌdz] *s. pl.* **1.** Seifenwasser *n*, -lauge *f*; **2.** *Am.* F Bier *n*; **ˈsuds·y** [-zɪ] *adj. Am.* schaumig, seifig.

sue [sju:] **I** *v/t.* **1.** ⚖ *j-n* (gerichtlich) belangen, verklagen (***for*** auf *acc.*, wegen); **2.** **~ *out*** *Gerichtsbeschluß etc.* erwirken; **3.** *j-n* bitten (***for*** um); **4.** *obs.* werben *od.* anhalten um *j-n*; **II** *v/i.* **5.** (***for***) klagen (auf *acc.*), Klage einreichen (wegen); (*e-e Schuld*) einklagen: **~ *for a divorce*** auf Scheidung klagen; **6.** nachsuchen (***to s.o.*** bei j-m, ***for s.th.*** um et.).

suede, suède [sweɪd] *s.* Wildleder *n*, Veˈlours(leder) *n*.

su·et [ˈsjʊɪt] *s.* Nierenfett *n*, Talg *m*.

suf·fer [ˈsʌfə] **I** *v/i.* **1.** leiden (***from*** an *e-r Krankheit etc.*); **2.** leiden (***under*** [*od.* ***from***] unter *dat.*) (*Handel, Ruf, Maschine etc.*), Schaden leiden, zu Schaden kommen (*a. Person*); **3.** ⚔ Verluste erleiden; **4.** büßen, bezahlen müssen (***for*** für); **5.** hingerichtet werden; **II** *v/t.* **6.** *Strafe, Tod, Verlust etc.* erleiden, *Durst etc.* leiden, erdulden; **7.** *et. od. j-n* ertragen *od.* aushalten; **8.** a) dulden, (zu)lassen, b) erlauben, gestatten: ***he ~ed himself to be cheated*** er ließ sich betrügen; **ˈsuf·fer·a·ble** [-fərəbl] *adj.* □ erträglich; **ˈsuf·fer·ance** [-fərəns] *s.* **1.** Duldung *f*, Einwilligung *f*: ***on ~*** unter stillschweigender Duldung, nur geduldet(erweise); **2.** *obs.* a) Ergebung *f*, (Er)Dulden *n*, b) Leiden *n*, Not *f*: ***remain in ~*** ✝ weiter Not leiden (*Wechsel*); **ˈsuf·fer·er** [-fərə] *s.* **1.** Leidende(r *m*) *f*, Dulder(in): ***be a ~ by*** (***from***) leiden durch (an *dat.*); **2.** Geschädigte(r *m*) *f*; **3.** Märtyrer(in); **ˈsuf·fer·ing** [-fərɪŋ] **I** *s.* Leiden *n*, Dulden *n*; **II** *adj.* leidend.

suf·fice [səˈfaɪs] **I** *v/i.* genügen, (aus)reichen: **~ *it to say*** es genüge zu sagen; **II** *v/t. j-m* genügen.

suf·fi·cien·cy [səˈfɪʃnsɪ] *s.* **1.** Hinlänglichkeit *f*, Angemessenheit *f*; **2.** hinreichende Menge *od.* Zahl: ***a ~ of money*** genug Geld; **3.** hinreichendes Auskommen, auskömmliches Vermögen; **sufˈfi·cient** [-nt] **I** *adj.* □ **1.** genügend, genug, aus-, hin-, zureichend (***for*** für): ***be ~*** genügen, (aus)reichen; **~ *reason*** zureichender Grund; ***I am not ~ of a scientist*** ich bin in den Naturwissenschaften nicht bewandert genug; **2.** *obs.* tauglich, fähig; **II** *s.* **3.** F genügende Menge, genug; **sufˈfi·cient·ly** [-ntlɪ] *adv.* genügend, genug, hinlänglich.

suf·fix [ˈsʌfɪks] **I** *s.* **1.** *ling.* Sufˈfix *n*, Nachsilbe *f*; **II** *v/t.* **2.** *ling.* als Nachsilbe anfügen; **3.** anfügen, -hängen.

suf·fo·cate [ˈsʌfəkeɪt] **I** *v/t.* ersticken (*a. fig.*); **II** *v/i.* (***with***) ersticken (an *dat.*), (fast) ˈumkommen (vor *dat.*); **ˈsuf·fo·cat·ing** [-tɪŋ] *adj.* □ erstickend, stickig; **suf·fo·ca·tion** [ˌsʌfəˈkeɪʃn] *s.* Ersticken *n*, Erstickung *f*.

suf·fra·gan [ˈsʌfrəgən] *eccl.* **I** *adj.* Hilfs..., Suffragan...; **II** *s. a.* **~ *bishop*** Weihbischof *m*.

suf·frage [ˈsʌfrɪdʒ] *s.* **1.** *pol.* Wahl-, Stimmrecht *n*: ***female ~*** Frauenstimmrecht; ***universal ~*** allgemeines Wahlrecht; **2.** (Wahl)Stimme *f*; **3.** Abstimmung *f*, Wahl *f*; **4.** Zustimmung *f*; **suf·fra·gette** [ˌsʌfrəˈdʒet] *s.* Suffraˈgette *f*, Stimmrechtlerin *f*.

suf·fuse [səˈfju:z] *v/t.* **1.** überˈströmen, benetzen; überˈgießen, -ˈziehen, bedekken (***with*** mit *e-r Farbe*); durchˈfluten (*Licht*): ***a face ~d with blushes*** ein von Schamröte übergossenes Gesicht; **2.** *fig.* (er)füllen; **sufˈfu·sion** [-ju:ʒn] *s.* **1.** Überˈgießen *n*, -ˈflutung *f*; **2.** ˈÜberzug *m*; **3.** ⚕ ˈBlutunterˌlaufung *f*; **4.** *fig.* Schamröte *f*.

sug·ar [ˈʃʊgə] **I** *s.* **1.** Zucker *m* (*a.* ⚗, *physiol.*); **2.** ⚗ ˈKohlehyˌdrat *n*; **3.** *fig.* honigsüße Worte *pl.*; **4.** *sl.* ‚Zaster' *m* (*Geld*); **5.** F ‚Schätzchen' *n*; **II** *v/t.* **6.** zuckern, süßen; (über)ˈzuckern; **7.** *a.* **~**

S

over fig. a) versüßen, b) über'tünchen; **~ ba·sin** *s. Brit.* Zuckerdose *f*; **~ beet** *s.* ⚘ Zuckerrübe *f*; **~ bowl** *s. Am.* Zuckerdose *f*; **~ can·dy** *s.* Kandis(zucker) *m*; **~ cane** *s.* ⚘ Zuckerrohr *n*; **'~-coat** *v/t.* mit Zuckerguß über'ziehen; verzukkern (*a. fig.*): ***~ed pill*** Dragée *n*, verzuckerte Pille (*a. fig.*); **'~-ˌcoat·ing** *s.* **1.** Über'zuckerung *f*, Zuckerguß *m*; **2.** *fig.* Versüßen *n*; Beschönigung *f*; **~ dad·dy** *s.* alter ‚Knacker', der ein junges Mädchen aushält.

sug·ared ['ʃʊgəd] *adj.* **1.** gezuckert, gesüßt; **2.** mit Zuckerguß; **3.** *fig.* (honig)süß.

sug·ar| loaf *s.* Zuckerhut *m*; **~ ma·ple** *s.* ⚘ Zuckerahorn *m*; **'~·plum** *s.* **1.** Bon'bon *m, n*, Süßigkeit *f*; **2.** *fig.* Lockspeise *f*, Schmeiche'lei *f*; **~ re·fin·er·y** *s.* 'Zuckerraffineˌrie *f*; **~ tongs** *s. pl.* Zukkerzange *f*.

sug·ar·y ['ʃʊgərɪ] *adj.* **1.** zuckerhaltig, zuck(e)rig, süß; **2.** süßlich (*a. fig.*); **3.** *fig.* zuckersüß.

sug·gest [sə'dʒest] *v/t.* **1.** *et. od. j-n* vorschlagen, empfehlen; *et.* anregen; *et.* nahelegen (***to*** *dat.*); **2.** *Idee etc.* eingeben, -flüstern, suggerieren: ***the idea ~s itself*** der Gedanke drängt sich auf (***to*** *dat.*); **3.** hindeuten, -weisen, schließen lassen auf (*acc.*); **4.** denken lassen *od.* erinnern *od.* gemahnen an (*acc.*); **5.** *et.* andeuten, anspielen auf (*acc.*); zu verstehen geben (***that*** daß); **6.** behaupten, meinen (***that*** daß); **sug'gest·i·ble** [-təbl] *adj.* **1.** beeinflußbar, sugge'stibel; **2.** suggerierbar; **sug'ges·tion** [-tʃn] *s.* **1.** Vorschlag *m*, Anregung *f*: ***at the ~ of*** auf Vorschlag von (*od. gen.*); **2.** Wink *m*, Hinweis *m*; **3.** Spur *f*, I'dee *f*: ***not even a ~ of fatigue*** nicht die leiseste Spur von Müdigkeit; **4.** Vermutung *f*: ***a mere ~***; **5.** Erinnerung *f* (***of*** an *acc.*); **6.** Andeutung *f*, Anspielung *f* (***of*** auf *acc.*); **7.** Suggesti'on *f*, Beeinflussung *f*; **8.** Eingebung *f*, -flüsterung *f*; **sug'ges·tive** [-tɪv] *adj.* ☐ **1.** anregend, gehaltvoll; **2.** (***of***) andeutend (*acc.*), erinnernd (an *acc.*): ***be ~ of*** → ***suggest*** 3, 4; **3.** vielsagend; *b.s.* zweideutig, schlüpfrig; **4.** *psych.* sugge'stiv; **sug'ges·tive·ness** [-tɪvnɪs] *s.* **1.** *das* Anregende *od.* Vielsagende, Gedanken-, Beziehungsreichtum *m*; **2.** Schlüpfrigkeit *f*, Zweideutigkeit *f*.

su·i·cid·al [sjʊɪ'saɪdl] *adj.* ☐ selbstmörderisch (*a. fig.*), Selbstmord…; **su·i·cide** ['sjʊɪsaɪd] **I** *s.* **1.** Selbstmord *m* (*a. fig.*), Freitod *m*: ***commit ~*** Selbstmord begehen; **2.** Selbstmörder(in); **II** *adj.* **3.** Selbstmord…

su·int [swɪnt] *s.* Wollfett *n*.

suit [su:t] **I** *s.* **1.** Satz *m*, Garni'tur *f*: ***~ of armo(u)r*** Rüstung *f*; **2.** a) *a.* ***~ of clothes*** (Herren)Anzug *m*, b) ('Damen)Koˌstüm *n*: ***cut one's ~ according to one's cloth*** *fig.* sich nach der Decke strecken; **3.** *Kartenspiel*: Farbe *f*: ***long ~*** lange Hand; ***follow ~*** a) Farbe bekennen, b) *fig.* ‚nachziehen', dasselbe tun, j-s Beispiel folgen; **4.** ⚖ Rechtsstreit *m*, Pro'zeß *m*, Klage(sache) *f*; **5.** Werbung *f*, (Heirats)Antrag *m*; **6.** Anliegen *n*, Bitte *f*; **II** *v/t.* **7.** (***to***) anpassen (*dat. od.* an *acc.*), einrichten (nach): ***~ the action to the word*** das Wort in die Tat umsetzen; ***~ one's style to*** sich im Stil nach *dem Publikum* richten; ***a task ~ed to his powers*** e-e s-n Kräften angemessene Aufgabe; **8.** entsprechen (*dat.*): ***~ s.o.'s purpose***; **9.** passen zu; *j-m* stehen, *j-n* kleiden; **10.** passen für, sich eignen zu *od.* für; → ***suited*** 1; **11.** sich schicken *od.* ziemen für *j-n*; **12.** *j-m* bekommen, zusagen (*Klima, Speise etc.*); **13.** *j-m* gefallen, *j-n* zufriedenstellen: ***try to ~ everybody*** es allen Leuten recht machen wollen; ***~ o.s.*** nach Belieben handeln; ***~ yourself*** mach, was du willst; ***are you ~ed?*** haben Sie et. Passendes gefunden?; **14.** *j-m* recht sein *od.* passen; **III** *v/i.* **15.** passen, (an)genehm sein; **16.** (***with, to***) passen (zu), über'einstimmen (mit); **suit·a·bil·i·ty** [ˌsu:tə'bɪlətɪ] *s.* **1.** Eignung *f*; **2.** Angemessenheit *f*; **3.** Schicklichkeit *f*; **'suit·a·ble** [-təbl] *adj.* ☐ passend, geeignet; angemessen (***to, for*** für, zu): ***be ~*** a) passen, sich eignen, b) sich schicken; **'suit·a·ble·ness** [-təblnɪs] → ***suitability***.

'suit·case *s.* Handkoffer *m*.

suite [swi:t] *s.* **1.** Gefolge *n*; **2.** Folge *f*, Reihe *f*, Serie *f*; **3.** *a.* ***~ of rooms*** a) Suite *f*, Zimmerflucht *f*, b) Apparte'ment *n*; **4.** ('Möbel)Garniˌtur *f*, (Zimmer)Einrichtung *f*; **5.** Fortsetzung *f* (*Roman etc.*); **6.** ♪ Suite *f*.

suit·ed ['su:tɪd] *adj.* **1.** passend, geeignet (***to, for*** für): ***he is not ~ for*** (*od.* ***to be***) ***a teacher*** er eignet sich nicht zum Lehrer; **2.** *in Zssgn*: gekleidet; **'suit·ing** [-ɪŋ] *s.* Anzugstoff *m*.

suit·or ['su:tə] *s.* **1.** Freier *m*; **2.** ⚖ Kläger *m*, (Pro'zeß)Parˌtei *f*; **3.** Bittsteller *m*.

sulfa drugs, sul·fate *etc.* → ***sulpha drugs, sulphate*** *etc.*

sulk [sʌlk] **I** *v/i.* schmollen (***with*** mit), trotzen, schlechter Laune *od.* ‚eingeschnappt' sein; **II** *s. mst pl.* Schmollen *n*, (Anfall *m* von) Trotz *m*, schlechte Laune: ***be in the ~s*** → I; **'sulk·i·ness** [-kɪnɪs] *s.* Schmollen *n*, Trotzen *n*, schlechte Laune, mürrisches Wesen; **'sulk·y** [-kɪ] **I** *adj.* ☐ **1.** mürrisch, launisch; **2.** schmollend, trotzend; **3.** *Am.* für 'eine Per'son (bestimmt): ***a ~ set of China***; **4.** 🌾, ⚙ *Am. Pflug* mit Fahrersitz; **II** *s.* **5.** a) zweirädriger, einsitziger

S

Einspänner, b) *sport* Sulky *n*, Traberwagen *m*.

sul·len [ˈsʌlən] *adj.* □ **1.** mürrisch, grämlich, verdrossen; **2.** düster (*Miene, Landschaft etc.*); **3.** ˈwiderspenstig, störrisch (*bsd. Tiere u. Dinge*); **4.** langsam, träge (*Schritt etc.*); **ˈsul·len·ness** [-nɪs] *s.* **1.** mürrisches Wesen, Verdrossenheit *f*; **2.** Düsterkeit *f*; **3.** ˈWiderspenstigkeit *f*; **4.** Trägheit *f*.

sul·ly [ˈsʌlɪ] *v/t.* *mst fig.* besudeln, beflecken.

sul·pha drugs [ˈsʌlfə] *s. pl. pharm.* Sulfonaˈmide *pl.*

sul·phate [ˈsʌlfeɪt] ⚗ **I** *s.* schwefelsaures Salz, Sulˈfat *n*: **~ of copper** Kupfervitriol *n*, -sulfat; **II** *v/t.* sulfatieren; **ˈsul·phide** [-faɪd] *s.* ⚗ Sulˈfid *n*; **ˈsul·phite** [-faɪt] *s.* ⚗ schwefeligsaures Salz, Sulˈfit *n*.

sul·phur [ˈsʌlfə] *s.* **1.** ⚗ Schwefel *m*: **~ dioxide** Schwefeldioxyd *n*; **2.** *a.* **~ yellow** Schwefelgelb *n* (*Farbe*); **3.** *zo. ein* Weißling *m* (*Falter*); **ˈsul·phu·rate** [-fjʊreɪt] → **sulphurize**; **sul·phu·re·ous** [sʌlˈfjʊərɪəs] *adj.* **1.** schwef(e)lig, schwefelhaltig, Schwefel...; **2.** schwefelfarben; **ˈsul·phu·ret** [-fjʊret] ⚗ **I** *s.* Sulˈfid *n*; **II** *v/t.* schwefeln: **~ted** geschwefelt; **~ted hydrogen** Schwefelwasserstoff *m*; **sul·phu·ric** [sʌlˈfjʊərɪk] *adj.* ⚗ Schwefel...; **ˈsul·phu·rize** [-jʊəraɪz] ⚗, ⚙ *v/t.* **1.** schwefeln; **2.** vulkanisieren; **ˈsul·phu·rous** [-fərəs] *adj.* **1.** ⚗ → **sulphureous**; **2.** *fig.* hitzig, heftig.

sul·tan [ˈsʌltən] *s.* Sultan *m*; **sul·tan·a** [sʌlˈtɑːnə] *s.* **1.** Sultanin *f*; **2.** [səlˈtɑːnə] *a.* **~ raisin** ⚘ Sultaˈnine *f*; **ˈsul·tan·ate** [-tənɪt] *s.* Sultaˈnat *n*.

sul·tri·ness [ˈsʌltrɪnɪs] *s.* Schwüle *f*; **sul·try** [ˈsʌltrɪ] *adj.* □ **1.** schwül (*a. fig. erotisch*); **2.** *fig.* heftig, heiß, hitzig (*Temperament etc.*).

sum [sʌm] **I** *s.* **1.** *allg.* Summe *f*: a) *a.* **~ total** (Gesamt-, End)Betrag *m*, b) (Geld)Betrag *m*, c) *fig.* Ergebnis *n*, d) *fig.* Gesamtheit *f*: **in ~** insgesamt, *fig.* mit ˈeinem Wort; **2.** F a) Rechenaufgabe *f*, b) *pl.* Rechnen *n*: **do ~s** rechnen; **he is good at ~s** er kann gut rechnen; **3.** *fig.* Inbegriff *m*, Kern *m*, Subˈstanz *f*; **4.** Zs.-fassung *f*; **II** *v/t.* **5.** *a.* **~ up** summieren, zs.-zählen; **6.** **~ up** *Ergebnis* ausmachen; **7.** **~ up** *fig.* (kurz) zs.-fassen, rekapitulieren; **8.** **~ up** (kurz) ein-, abschätzen, (mit Blicken) messen; **III** *v/i.* **9.** **~ up** (das Gesagte) zs.-fassen, resümieren.

sum·ma·ri·ness [ˈsʌmərɪnɪs] *s. das* Sumˈmarische, Kürze *f*; **ˈsum·ma·rize** [-raɪz] *v/t. u. v/i.* (kurz) zs.-fassen; **ˈsum·ma·ry** [-rɪ] **I** *s.* Zs.-fassung *f*, (gedrängte) ˈÜbersicht, Abriß *m*, (kurze) Inhaltsangabe; **II** *adj.* sumˈmarisch: a) knapp, gedrängt, b) ⚖ abgekürzt, Schnell...: **~ procedure**; **~ offence** Übertretung *f*; **~ dismissal** fristlose Entlassung; **sum·ma·tion** [sʌˈmeɪʃn] *s.* **1.** a) Zs.-zählen *n*, b) Summierung *f*, c) (Gesamt)Summe *f*; **2.** ⚖ Resüˈmee *n*.

sum·mer¹ [ˈsʌmə] **I** *s.* **1.** Sommer *m*: **in (the) ~** im Sommer; **2.** Lenz *m* (*Lebensjahr*): **a lady of 20 ~s**; **II** *v/t.* **3.** *Vieh etc.* überˈsommern lassen; **III** *v/i.* **4.** den Sommer verbringen; **IV** *adj.* **5.** Sommer...

sum·mer² [ˈsʌmə] *s.* ⚠ **1.** Oberschwelle *f*; **2.** Trägerbalken *m*; **3.** Tragstein *m auf Pfeilern.*

ˈsum·mer|·house *s.* **1.** Gartenhaus *n*, (-)Laube *f*; **2.** Landhaus *n*; **~ light·ning** *s.* Wetterleuchten *n*.

ˈsum·mer·like [-laɪk], **sum·mer·ly** [ˈsʌməlɪ] *adj.* sommerlich.

sum·mer| re·sort *s.* Sommerfrische *f*, -kurort *m*; **~ school** *s. bsd. univ.* Ferien-, Sommerkurs *m*; **~ term** *s. univ.* ˈSommerseˌmester *n*; **ˈ~·time** *s.* Sommer *m*, Sommerzeit *f*; **~ time** *s.* Sommerzeit *f* (*Uhrzeit*).

sum·mer·y [ˈsʌmərɪ] *adj.* sommerlich.

ˌsum·ming-ˈup [ˌsʌmɪŋ-] (kurze) Zs.-fassung, Resüˈmee *n* (*a.* ⚖).

sum·mit [ˈsʌmɪt] *s.* **1.** Gipfel *m* (*a. fig. pol.*), Kuppe *f e-s Berges*: **~ conference** *pol.* Gipfelkonferenz *f*; **2.** Scheitel *m e-r Kurve etc.*; Kappe *f*, Krone *f e-s Dammes etc.*; **3.** *fig.* Gipfel *m*, Höhepunkt *m*: **at the ~ of power** auf dem Gipfel der Macht; **4.** höchstes Ziel; **ˈsum·mit·ry** [-trɪ] *s. pol.* ˈGipfelpoliˌtik *f*.

sum·mon [ˈsʌmən] *v/t.* **1.** auffordern, -rufen (**to do** *et.* zu tun); **2.** rufen, kommen lassen, (her)zitieren; **3.** ⚖ vorladen; **4.** *Konferenz etc.* zs.-rufen, einberufen; **5.** *oft* **~ up** *Kräfte, Mut etc.* zs.-nehmen, zs.-raffen, aufbieten; **ˈsum·mon·er** [-nə] *s.* (*hist.* Gerichts)Bote *m*; **ˈsum·mons** [-nz] *s.* **1.** Ruf *m*, Berufung *f*; **2.** Aufforderung *f*, Aufruf *m*; **3.** ⚖ (Vor)Ladung *f*: **take out a ~ against s.o.** j-n (vor)laden lassen; **4.** Einberufung *f*.

sump [sʌmp] *s.* **1.** Sammelbehälter *m*, Senkgrube *f*; **2.** ⚙, *mot.* Ölwanne *f*; **3.** ⚒ (Schacht)Sumpf *m*.

sump·ter [ˈsʌmptə] **I** *s.* Saumtier *n*; **II** *adj.* Pack...: **~ horse**; **~ saddle.**

sump·tion [ˈsʌmpʃn] *s. phls.* **1.** Präˈmisse *f*; **2.** Obersatz *m*.

sump·tu·ar·y [ˈsʌmptjʊərɪ] *adj.* Aufwands..., Luxus...; **ˈsump·tu·ous** [-əs] *adj.* □ **1.** kostspielig; **2.** kostbar, prächtig, herrlich; **3.** üppig; **ˈsump·tu·ous·ness** [-əsnɪs] *s.* **1.** Kostspieligkeit *f*; **2.** Pracht *f*; Aufwand *m*, Luxus *m*.

sun [sʌn] **I** *s.* **1.** Sonne *f*: **a place in the ~** *fig.* ein Platz an der Sonne; **under the ~** *fig.* unter der Sonne, auf Erden; **with**

S

the ~ bei Tagesanbruch; ***his ~ is set*** *fig.* sein Stern ist erloschen; **2.** Sonne *f*, Sonnenwärme *f*, -licht *n*, -schein *m*: ***have the ~ in one's eyes*** die Sonne genau im Gesicht haben; **3.** *poet.* a) Jahr *n*, b) Tag *m*; **II** *v/t. u. v/i.* **4.** (sich) sonnen; **ˌ~-and-ˈplan·et (gear)** *s.* ⚙ Plaˈnetengetriebe *n*; **ˈ~·baked** *adj.* von der Sonne ausgedörrt *od.* getrocknet; **~ bath** *s.* Sonnenbad *n*; **ˈ~·bathe** *v/i.* Sonnenbäder *od.* ein Sonnenbad nehmen; **ˈ~·beam** *s.* Sonnenstrahl *m*; **~ blind** *s. Brit.* Marˈkise *f*; **ˈ~·burn** *s.* **1.** Sonnenbrand *m*; **2.** Sonnenbräune *f*; **ˈ~·burned, ˈ~·burnt** *adj.* **1.** sonn(en)verbrannt: ***be ~*** *a.* e-n Sonnenbrand haben; **2.** sonnengebräunt; **ˈ~·burst** *s.* **1.** plötzlicher ˈDurchbruch der Sonne; **2.** Sonnenbanner *n* (*Japans*).

sun·dae [ˈsʌndeɪ] *s.* Eisbecher *m*.

Sun·day [ˈsʌndɪ] **I** *s.* **1.** Sonntag *m*: ***on ~*** (am) Sonntag; ***on ~(s)*** sonntags; ***~ evening, ~ night*** Sonntagabend *m*; **II** *adj.* **2.** sonntäglich, Sonntags...: ***~ best*** F Sonntagsstaat *m*, -kleider *pl.*; ***~ school*** *eccl.* Sonntagsschule *f*; **3.** F Sonntags...: ***~ driver***; ***~ painter***.

sun·der [ˈsʌndə] *poet.* **I** *v/t.* **1.** trennen, sondern (***from*** von); **2.** *fig.* entzweien; **II** *v/i.* **3.** sich trennen; **III** *s.* **4.** ***in ~*** entzwei, auseinander.

ˈsun|·di·al *s.* Sonnenuhr *f*; **ˈ~·down** → ***sunset***; **ˈ~ˌdown·er** *s.* F **1.** *Austral.* Landstreicher *m*; **2.** Dämmerschoppen *m*.

sun·dries [ˈsʌndrɪz] *s. pl.* Diˈverses *n*, Verschiedenes *n*, allerlei Dinge; diˈverse Unkosten; **sun·dry** [ˈsʌndrɪ] *adj.* verschiedene, diˈverse, allerlei, -hand: ***all and ~*** all u. jeder, alle miteinander.

ˈsun|·fast *adj. Am.* lichtecht; **ˈ~ˌflow·er** *s.* Sonnenblume *f*.

sung [sʌŋ] *pret. u. p.p. von* ***sing***.

ˈsun|ˌglass·es *s. pl. a.* ***pair of ~*** Sonnenbrille *f*; **ˈ~·glow** *s.* **1.** Morgen- *od.* Abendröte *f*; **2.** Sonnenhof *m*; **~ god** *s.* Sonnengott *m*; **~ hel·met** *s.* Tropenhelm *m*.

sunk [sʌŋk] **I** *pret. u. p.p. von* ***sink***; **II** *adj.* **1.** vertieft; **2.** *bsd.* ⚙ eingelassen, versenkt: ***~ screw***; **ˈsunk·en** [-kn] **I** *obs. p.p. von* ***sink***; **II** *adj.* **1.** versunken; **2.** eingesunken: ***~ rock*** blinde Klippe; **3.** tiefliegend, vertieft (angelegt); **4.** ⚙ → ***sunk*** 2; **5.** *fig.* hohl (*Augen, Wangen*), eingefallen (*Gesicht*).

sun| lamp *s.* **1.** ⚕ Ultravioˈlettlampe *f*; **2.** *Film*: Jupiterlampe *f*; **ˈ~·light** *s.* Sonnenschein *m*, -licht *n*; **ˈ~·lit** *adj.* sonnenbeschienen.

sun·ni·ness [ˈsʌnɪnɪs] *fig. das* Sonnige; **sun·ny** [ˈsʌnɪ] *adj.* □ sonnig (*a. fig. Gemüt, Lächeln etc.*), Sonnen...: ***~ side*** Sonnenseite *f* (*a. fig. des Lebens*), *fig. a. die* heitere Seite; ***be on the ~ side of forty*** noch nicht 40 (Jahre alt) sein.

sun| par·lor, ~ porch *s. Am.* ˈGlasveˌranda *f*; **~ pow·er** *s. phys.* ˈSonnenenerˌgie *f*; **ˈ~·proof** *adj.* **1.** für Sonnenstrahlen ˈunˌdurchlässig; **2.** lichtfest; **ˈ~·rise** *s.* (***at ~*** bei) Sonnenaufgang *m*; **ˈ~·roof** *s.* **1.** ˈDachterˌrasse *f*; **2.** *mot.* Schiebedach *n*; **ˈ~·set** *s.* (***at ~*** bei) ˈSonnenˌuntergang *m*: ***~ of life*** *fig.* Lebensabend *m*; **ˈ~·shade** *s.* **1.** Sonnenschirm *m*; **2.** Marˈkise *f*; **3.** *phot.* Gegenlichtblende *f*; **4.** *pl.* Sonnenbrille *f*; **ˈ~·shine** *s.* Sonnenschein *m* (*a. fig.*); sonniges Wetter: ***~ roof*** *mot.* Schiebedach *n*; **~ show·er** *s.* F leichter Schauer bei Sonnenschein; **~ spot** *s.* **1.** *ast.* Sonnenfleck *m*; **2.** Sommersprosse *f*; **3.** *Brit.* F sonnige Gegend; **ˈ~·stroke** *s.* ⚕ Sonnenstich *m*; **ˈ~-struck** *adj.*: ***be ~*** e-n Sonnenstich haben; **ˈ~·tan** *s.* (Sonnen-) Bräune *f*: ***~ lotion*** Sonnenöl *n*; **ˈ~·trap** *s.* sonniges Plätzchen; **ˈ~·up** *s. dial.* Sonnenaufgang *m*; **~ vi·sor** *s. mot.* Sonnenblende *f*; **~ wor·ship·(p)er** *s.* Sonnenanbeter *m*.

sup¹ [sʌp] *v/i. obs.* zu Abend essen (***off*** *od.* ***on s.th.*** et).

sup² [sʌp] **I** *v/t. a.* ***~ off, ~ out*** löffeln, schlürfen: ***~ sorrow*** *fig.* leiden; **II** *v/i.* nippen, löffeln; **III** *s.* Mundvoll *m*, kleiner Schluck: ***a bite and a ~*** et. zu essen u. zu trinken; ***neither bit*** (*od.* ***bite***) ***nor ~*** nichts zu nagen u. zu beißen.

super- [su:pə] *in Zssgn* a) ˈübermäßig, Über..., über..., b) oberhalb (von *od. gen.*) *od.* über (*dat.*) befindlich, c) Super... (*bsd. in wissenschaftlichen Ausdrücken*), d) ˈübergeordnet, Ober...

su·per [ˈsu:pə] **I** *s.* **1.** F *für* a) ***superintendent***, b) ***supernumerary***, c) ***superhet(erodyne)***; **2.** ✝ F a) Spitzenklasse *f*, b) Qualiˈtätsware *f*; **II** *adj.* **3.** *a. iro.* Super...; **4.** F ‚super', ‚toll'; **III** *v/i. thea.* als Staˈtist(in) mitspielen.

su·per·a·ble [ˈsu:pərəbl] *adj.* überˈwindbar, besiegbar.

ˌsu·per|·aˈbound [-ərə-] *v/i.* **1.** im ˈÜberfluß vorˈhanden sein; **2.** Überfluß *od.* e-e ˈÜberfülle haben (***in, with*** an *dat.*); **ˌ~·aˈbun·dance** [-ərə-] *s.* ˈÜberfülle *f*, -fluß *m* (***of*** an *dat.*); **ˌ~·aˈbun·dant** [-ərə-] *adj.* □ **1.** ˈüberreichlich; **2.** ˈüberschwenglich; **ˌ~ˈadd** [-ərˈæd] *v/t.* noch hinˈzufügen (***to*** zu): ***be ~ed*** (***to***) noch dazukommen (zu *et.*).

su·per|·an·nu·ate [ˌsu:pəˈrænjʊeɪt] *v/t.* **1.** pensionieren, in den Ruhestand versetzen; **2.** (als zu alt *od.* als veraltet) ausscheiden *od.* zurückweisen; **ˌ~ˈan·nu·at·ed** [-tɪd] *adj.* **1.** a) pensioniert, b) überˈaltert (*Person*); **2.** veraltet, überˈholt; **3.** ausgedient (*Sache*); **~·an·nu·a·tion** [ˈsu:pəˌrænjʊˈeɪʃn] *s.* **1.** Pensionierung *f*; **2.** Ruhestand *m*; **3.** (Al-

S

ters)Rente *f*, Ruhegeld *n*, Pensi'on *f*: ~ ***fund*** Pensionskasse *f*.

su·perb [sju:'pɜ:b] *adj.* □ **1.** herrlich, prächtig; **2.** vor'züglich.

ˌsu·per|'cal·en·der ⚙ **I** *s.* 'Hochkaˌlander *m*; **II** *v/t. Papier* hochsatinieren; **'~ˌcar·go** *s.* Frachtaufseher *m*, Super'kargo *m*; **'~·charge** *v/t.* **1.** über'laden; **2.** ⚙, *mot.* vor-, 'überverdichten: ***~d engine*** Lader-, Kompressormotor *m*; **'~ˌcharg·er** *s.* ⚙ Kom'pressor *m*, Gebläse *n*.

su·per·cil·i·ous [ˌsu:pə'sɪlɪəs] *adj.* □ hochmütig, her'ablassend; **ˌsu·per'cil·i·ous·ness** [-nɪs] *s.* Hochmut *m*, Hochnäsigkeit *f*.

ˌsu·per|·con'duc·tive *adj. phys.* supraleitend; **ˌ~·con'duc·tor** *s. phys.* Supraleiter *m*; **ˌ~-'du·ty** *adj.* ⚙ Höchstleistungs…; **ˌ~·el·e'va·tion** [-əre-] *s.* ⚙ Über'höhung *f*; **ˌ~'em·i·nence** [-ər'e-] *s.* **1.** Vorrang(stellung *f*) *m*; **2.** über'ragende Bedeutung *od.* Quali'tät, Vortrefflichkeit *f*.

su·per·er·o·ga·tion ['su:pərˌerə'geɪʃn] *s.* Mehrleistung *f*: ***works of ~*** *eccl.* überschüssige (gute) Werke; ***work of ~*** *fig.* Arbeit über die Pflicht hinaus; **su·per·e·rog·a·to·ry** [ˌsu:pəre'rɒgətərɪ] *adj.* **1.** über das Pflichtmaß hin'ausgehend, 'übergebührlich; **2.** 'überflüssig.

su·per·fi·ci·al [ˌsu:pə'fɪʃl] *adj.* □ **1.** oberflächlich, Oberflächen…; **2.** Flächen…, Quadrat…: ***~ measurement*** Flächenmaß *n*; **3.** äußerlich, äußer: ***~ characteristics***; **4.** *fig.* oberflächlich: a) flüchtig, b) *contp.* seicht; **su·per·fi·ci·al·i·ty** ['su:pəˌfɪʃɪ'ælətɪ] *s.* **1.** Oberflächenlage *f*; **2.** *fig.* Oberflächlichkeit *f*; **su·per·fi·ci·es** [ˌsu:pə'fɪʃi:z] *s.* **1.** (Ober)Fläche *f*; **2.** *fig.* Oberfläche *f*, äußerer Anschein.

'su·per|-film *s.* Monumen'talfilm *m*; **ˌ~'fine** *adj.* **1.** *bsd.* ✝ extra-, hochfein; **2.** über'feinert.

su·per·flu·i·ty [ˌsu:pə'flʊətɪ] *s.* **1.** 'Überfluß *m*, Zu'viel *n* (***of*** an *dat.*); **2.** *mst pl.* Entbehrlichkeit *f*, 'Überflüssigkeit *f*; **su·per·flu·ous** [su:'pɜ:flʊəs] *adj.* □ 'überflüssig.

ˌsu·per|'heat *v/t.* ⚙ über'hitzen; **'~ˌhe·ro** *s.* Superheld *m*; **'~·het** [-het], **ˌ~'het·er·o·dyne** [-'hetərədaɪn] **I** *adj.* Überlagerungs…, Superhet…; **II** *s.* Über'lagerungsempfänger *m*, Super(het) *m*; **'~·high fre·quen·cy** *s.* ⚡ 'Höchstfreˌquenz(bereich *m*) *f*; **ˌ~'high·way** *s. Am.* Autobahn *f*; **ˌ~'hu·man** *adj.* 'übermenschlich: ***~ beings***; ***~ efforts***; **ˌ~·im'pose** [-ərɪ-] *v/t.* **1.** dar'auf-, dar'übersetzen *od.* -legen; **2.** setzen, legen, lagern (***on*** auf, über *acc.*): ***one ~d on the other*** übereinandergelagert; **3.** (***on***) hin'zufügen (zu), folgen lassen (*dat.*); **4.** ⚡, *phys.* über'lagern; **5.** *Film etc.*: 'durch-, einblenden, einkopieren.

su·per·in·tend [ˌsu:pərɪn'tend] *v/t.* die (Ober)Aufsicht haben über (*acc.*), beaufsichtigen, über'wachen, leiten; **ˌsu·per·in'tend·ence** [-dəns] *s.* (Ober-)Aufsicht *f* (***over*** über *acc.*), Leitung *f* (***of*** *gen.*); **ˌsu·per·in'ten·dent** [-dənt] **I** *s.* **1.** Leiter *m*, Vorsteher *m*, Di'rektor *m*: ***~ of public works***; **2.** Oberaufseher *m*, Aufsichtsbeamte(r) *m*, In'spektor *m*: ***~ of schools***; **3.** a) *Brit. etwa* 'Hauptkommisˌsar *m*, b) *Am.* Poli'zeichef *m*; **4.** *eccl.* Superinten'dent *m*; **5.** Hausverwalter *m*; **II** *adj.* **6.** aufsichtführend, leitend, Aufsichts…

su·pe·ri·or [su:'pɪərɪə] **I** *adj.* □ **1.** höherliegend, ober: ***~ planets*** *ast.* äußere Planeten; ***~ wings*** *zo.* Flügeldecken; **2.** höher(stehend), Ober…, vorgesetzt: ***~ court*** ⚖ höhere Instanz; ***~ officer*** vorgesetzter *od.* höherer Beamter *od.* Offizier, Vorgesetzte(r) *m*; **3.** über'legen, -'ragend: ***~ man***; ***~ skill***; → ***style*** 1b; **4.** besser (***to*** als), her'vorragend, erlesen: ***~ quality***; **5.** (***to***) größer, stärker (als), über'legen (*dat.*): ***~ forces*** ⚔ Übermacht *f*; ***~ in number*** zahlenmäßig überlegen, in der Überzahl; **6.** *fig.* erhaben (***to*** über *acc.*): ***~ to prejudice***; ***rise ~ to*** sich über *et.* erhaben zeigen; **7.** *fig.* über'legen, -'heblich: ***~ smile***; **8.** *iro.* vornehm: ***~ persons*** bessere *od.* feine Leute; **9.** *typ.* hochgestellt; **II** *s.* **10.** ***be s.o.'s ~*** j-m überlegen sein (***in*** im *Denken etc.*, an *Mut etc.*); **11.** Vorgesetzte(r *m*) *f*; **12.** *eccl.* a) Su'perior *m*, b) *mst* ***lady ~*** Oberin *f*; **su·pe·ri·or·i·ty** [su:ˌpɪərɪ'ɒrətɪ] *s.* **1.** Erhabenheit *f* (***to***, ***over*** über *acc.*); **2.** Über'legenheit *f*, 'Übermacht *f* (***to***, ***over*** über *acc.*, ***in*** in *od.* an *dat.*); **3.** Vorrecht *n*, -rang *m*, -zug *m*; **4.** Über'heblichkeit *f*: ***~ complex*** *psych.* Superioritätskomplex *m*.

su·per·la·tive [su:'pɜ:lətɪv] **I** *adj.* □ **1.** höchst; **2.** über'ragend, 'unüberˌtrefflich; **3.** *ling.* superlativisch, Superlativ…: ***~ degree*** → 5; **II** *s.* **4.** höchster Grad, Gipfel *m*; *contp.* Ausbund *m* (***of*** von *od.* an *dat.*); **5.** *ling.* Superlativ *m*: ***talk in ~s*** *fig.* in Superlativen reden.

'su·per|·man [-mæn] *s.* [*irr.*] **1.** 'Übermensch *m*; **2.** a) ♀ *ein Comics-Held*, b) *iro.* Supermann *m*; **'~ˌmar·ket** *s.* Supermarkt *m*; **ˌ~'nat·u·ral** **I** *adj.* □ 'übernaˌtürlich; **II** *s. das* 'Übernaˌtürliche; **ˌ~'nor·mal** *adj.* □ **1.** 'überˌdurchschnittlich; **2.** außer-, ungewöhnlich; **ˌ~'nu·mer·ar·y** [-'nju:mərərɪ] **I** *adj.* **1.** 'überzählig, außerplanmäßig, extra; **2.** 'überflüssig; **II** *s.* **3.** 'überzählige Per'son *od.* Sache; **4.** außerplanmäßiger Beamter *od.* Offi'zier; **5.** Hilfskraft *f*, -arbeiter(in); **6.** *thea. etc.* Sta'tist(in); **ˌ~'ox·ide** [-ər'ɒ-] *s.* ⚗ 'Super-, 'Pero-

S

ˌxyd *n*; ˌ**~ˈphos·phate** *s.* ⚗ ˈSuper-phosˌphat *n*.

su·per·pose [ˌsuːpəˈpəʊz] *v/t*. **1.** (auf)legen, lagern, schichten (***on*** über, auf *acc.*); **2.** übereinˈanderlegen, -lagern (*a.* ⩚); **3.** ϟ überˈlagern; ˌ**su·per·po·ˈsi·tion** *s*. **1.** Aufschichtung *f*, -lagerung *f*; **2.** Übereinˈandersetzen *n*; **3.** *geol.* Schichtung *f*; **4.** ⚘, ⩚ Superpositiˈon *f*; **5.** ϟ Überˈlagerung.

ˈ**su·per**|ˌ**pow·er I** *s. pol.* Supermacht *f*; **II** *adj.* ϟ Groß…: ~ ***station*** Großkraftwerk *n*; ˈ**~·race** *s.* Herrenvolk *n*.

su·per·sede [ˌsuːpəˈsiːd] *v/t*. **1.** *j-n od. et.* ersetzen (***by*** durch); **2.** *et.* abschaffen, beseitigen, *Gesetz etc.* aufheben; **3.** *j-n* absetzen, s-s Amtes entheben; **4.** *j-n in der Beförderung etc.* überˈgehen; **5.** *et.* verdrängen, ersetzen, ˈüberflüssig machen; **6.** an die Stelle treten von (*od. gen.*), *j-n od. et.* ablösen: ***be ~d by*** abgelöst werden von; ˌ**su·perˈse·de·as** [-dıæs] *s*. **1.** ⚖ Sistierungsbefehl *m*, ˈWiderruf *m e-r Anordnung*; **2.** *fig.* aufschiebende Wirkung, Hemmnis *n*; ˌ**su·perˈsed·ence** [ˌsuːpəˈsiːdəns] → ***supersession***.

ˌ**su·perˈsen·si·tive** *adj.* ˈüberempfindlich.

ˌ**su·perˈses·sion** *s*. **1.** Ersetzung *f* (***by*** durch); **2.** Abschaffung *f*, Aufhebung *f*; **3.** Absetzung *f*; **4.** Verdrängung *f*.

ˌ**su·per**|ˈ**son·ic I** *adj.* **1.** *phys.* Ultraschall…; **2.** ✈ Überschall…: ~ ***boom***, ~ ***bang*** → ***sonic bang***; ***at ~ speed*** mit Überschallgeschwindigkeit; **II** *s*. **3.** ✈, *phys.* ˈÜberschallflug(zeug *n*) *m*; ˌ**~ˈson·ics** *pl. phys.* a) Ultraschallwellen *pl.*, b) *mst sg. konstr.* Fachgebiet *n* des Ultraschalls; ˈ**~·star** *s.* Superstar *m*; ˈ**~·state** *s. pol.* Supermacht *f*.

su·per·sti·tion [ˌsuːpəˈstıʃn] *s*. Aberglaube(n) *m*; ˌ**su·perˈsti·tious** [-ʃəs] *adj.* □ abergläubisch; ˌ**su·perˈsti·tious·ness** [-ʃəsnıs] *s. das* Abergläubische, Aberglaube(n) *m*.

ˌ**su·per**|ˈ**stra·tum** *s.* [*irr.*] **1.** *geol.* obere Schicht; **2.** *ling.* Superˈstrat *n*; ˈ**~**ˌ**struc·ture** *s*. **1.** Ober-, Aufbau *m*: ~ ***work*** Hochbau *m*; **2.** ⚓ (Decks)Aufbauten *pl.*; **3.** *fig.* Oberbau *m*; ˈ**~·tax** *s*. **1.** → ***surtax*** I; **2.** *Brit.* Einkommensteuerzuschlag *m*.

su·per·vene [ˌsuːpəˈviːn] *v/i*. **1.** (noch) hinˈzukommen ([***up***]***on*** zu); **2.** (unvermutet) eintreten, daˈzwischenkommen; **3.** (unmittelbar) folgen, sich ergeben; ˌ**su·perˈven·tion** [-ˈvenʃn] *s*. **1.** Hinˈzukommen *n* (***on*** zu); **2.** Daˈzwischenkommen *n*.

su·per·vise [ˈsuːpəvaız] *v/t*. beaufsichtigen, überˈwachen, die Aufsicht haben *od.* führen über (*acc.*), kontrollieren; ˌ**su·perˈvi·sion** [-ˈvıʒn] *s*. **1.** Beaufsichtigung *f*; **2.** (Ober)Aufsicht *f*, Leitung *f*, Konˈtrolle *f* (***of*** über *acc.*): ***police ~*** Polizeiaufsicht; **3.** *ped.* ˈSchulinspektiˈon *f*; ˈ**su·per·vi·sor** [-zə] *s*. **1.** Aufseher *m*, Aufsichtführende(r) *m*, Inˈspektor *m*, Kontrolˈleur *m*; **2.** *Am.* (leitender) Beamter e-s Stadt- *od.* Kreisverwaltungsvorstandes; **3.** *univ.* Doktorvater *m*; ˈ**su·per·vi·so·ry** [-zərı] *adj.* Aufsichts…: ***in a ~ capacity*** aufsichtführend.

su·pine[1] [ˈsjuːpaın] *s. ling.* Suˈpinum *n*.

su·pine[2] [sjuːˈpaın] *adj.* □ **1.** auf dem Rücken liegend, aus-, hingestreckt: ~ ***position*** Rückenlage *f*; **2.** *poet.* zuˈrückgelehnt; **3.** *fig.* (nach)lässig, untätig, träge.

sup·per [ˈsʌpə] *s*. **1.** Abendessen *n*: ***have ~*** zu Abend essen; ~ ***club*** *Am.* exklusiver Nachtklub; **2.** ***the*** ≈ *eccl.* a) *a.* ***the Last*** ≈ das letzte Abendmahl, b) *a.* ***the Lord's*** ≈ das heilige Abendmahl, *R.C.* die heilige Kommunion.

sup·plant [səˈplɑːnt] *v/t. j-n od. et.* verdrängen, *Rivalen etc.* ausstechen.

sup·ple [ˈsʌpl] **I** *adj.* □ **1.** geschmeidig: a) biegsam, b) *fig.* beweglich (*Geist etc.*); **2.** unterˈwürfig; **II** *v/t*. **3.** geschmeidig machen.

sup·ple·ment I *s*. [ˈsʌplımənt] **1.** (***to***) Ergänzung *f* (*gen. od.* zu), Zusatz *m* (zu); **2.** Nachtrag *m*, Anhang *m* (*zu e-m Buch*), Ergänzungsband *m*; **3.** (*Zeitungs- etc.*)Beilage *f*; **4.** ⩚ Ergänzung (*auf 180 Grad*); **II** *v/t*. [ˈsʌplıment] **5.** ergänzen; **sup·ple·ment·al** [ˌsʌplıˈmentl] *adj.* □, **sup·ple·men·ta·ry** [ˌsʌplıˈmentərı] *adj.* □ **1.** ergänzend, Ergänzungs…, Zusatz…, Nach(trags)…: ***be ~ to*** *et.* ergänzen; ~ ***agreement*** *pol.* Zusatzabkommen *n*; ~ ***budget***, ~ ***estimates*** Nachtragshaushalt *m*, -etat *m*; ~ ***order*** Nachbestellung *f*; ~ ***question*** Zusatzfrage *f*; ~ ***proceedings*** ⚖ (Zwangs)Vollstreckungsverfahren *n*; ***take a ~ ticket*** (e-e Fahrkarte) nachlösen; **2.** ⩚ supplemenˈtär; **3.** Hilfs…, Ersatz…, Zusatz…; **sup·ple·men·ta·tion** [ˌsʌplımenˈteıʃn] *s*. Ergänzung *f*: a) Nachtragen *n*, b) Nachtrag *m*, Zusatz *m*.

sup·ple·ness [ˈsʌplnıs] *s.* Geschmeidigkeit *f* (*a. fig.*).

sup·pli·ant [ˈsʌplıənt] **I** *s*. (demütiger) Bittsteller; **II** *adj.* □ flehend, demütig (bittend).

sup·pli·cant [ˈsʌplıkənt] → ***suppliant***;

sup·pli·cate [ˈsʌplıkeıt] **I** *v/i*. **1.** demütig *od.* dringlich bitten, flehen (***for*** um); **II** *v/t*. **2.** anflehen, demütig bitten (***s.o. for s.th.*** j-n um et.); **3.** erbitten, erflehen, bitten um; **sup·pli·ca·tion** [ˌsʌplıˈkeıʃn] *s*. **1.** demütige Bitte (***for*** um), Flehen *n*; **2.** (Bitt)Gebet *n*; **3.** Bittschrift *f*, Gesuch *n*; ˈ**sup·pli·ca·to·ry** [-ətərı] *adj.* flehend, Bitt…

sup·pli·er [sə'plaɪə] *s.* Liefe'rant(in), *a. pl.* Lieferfirma *f.*
sup·ply¹ [sə'plaɪ] **I** *v/t.* **1.** *Ware*, ⚡ *Strom etc., a. fig. Beweis etc.* liefern; beschaffen, bereitstellen, zuführen; **2.** *j-n* beliefern, versorgen, -sehen, ausstatten; ⚙, ⚡ speisen (***with*** mit); **3.** *Fehlendes* ergänzen; *Verlust* ausgleichen, ersetzen; *Defizit* decken; **4.** *Bedürfnis* befriedigen; *Nachfrage* decken: ***~ a want*** e-m Mangel abhelfen; **5.** *e-e Stelle* ausfüllen, einnehmen; *Amt* vor'übergehend versehen: ***~ the place of*** *j-n* vertreten; **II** *s.* **6.** Lieferung *f* (***to*** an *acc.*); Beschaffung *f*, Bereitstellung *f*; An-, Zufuhr *f*; **7.** Belieferung *f*, Versorgung *f* (***of*** mit): ***~ of power*** Energie-, Stromversorgung; **8.** ⚙, ⚡ (Netz)Anschluß *m*; **9.** Ergänzung *f*; Beitrag *m*, Zuschuß *m*; **10.** † Angebot *n*: ***~ and demand*** Angebot und Nachfrage; ***be in short ~*** knapp sein; **11.** *pl.* † Ar'tikel *pl.*, Bedarf *m*: ***office supplies*** Bürobedarf; **12.** *mst pl.* Vorrat *m*, Lager *n*, Bestand *m*; **13.** *mst pl.* ⚔ Nachschub *m*, Ver'sorgung(smateri,al *n*) *f*, Provi'ant *m*; **14.** *mst pl. parl.* bewilligter E'tat, ('Ausgabe)Bu,dget *n*: ***Committee of ~*** Haushaltsausschuß *m*; **15.** (Amts-, Stell)Vertretung *f*: ***on ~*** in Vertretung, als Ersatz; **16.** (Stell)Vertreter *m* (*Lehrer etc.*); **III** *adj.* **17.** Versorgungs…, Liefer(ungs)…: ***~ house*** Lieferfirma *f*; ***~-side economics*** *pl.* angebotsorientierte Wirtschaftspolitik *sg.*; **18.** ⚔ Versorgungs…(*-bombe*, *-gebiet*, *-offizier*, *-schiff*), Nachschub…: ***~ base*** Versorgungs-, Nachschubbasis *f*; ***~ depot*** Nachschublager *n*; ***~ lines*** Nachschubverbindungen; ***~ sergeant*** Kammerunteroffizier *m*; **19.** ⚙, ⚡ Speise… (*-leitung*, *-stromkreis etc.*): ***~ pipe*** Zuleitung(srohr *n*) *f*; **20.** Hilfs…, Ersatz…: ***~ teacher*** Hilfslehrer *m*.
sup·ply² ['sʌplɪ] *adv.* → ***supple***.
sup·port [sə'pɔːt] **I** *v/t.* **1.** *Gewicht*, *Wand etc.* tragen, (ab)stützen, (aus-) halten; **2.** ertragen, (er)dulden, aushalten; **3.** *j-n* unter'stützen, stärken, *j-m* beistehen, *j-m* Rückendeckung geben; **4.** *sich*, *e-e Familie etc.* er-, unter'halten, sorgen für, ernähren (***on*** von): ***~ o.s.*** für s-n Lebensunterhalt sorgen; **5.** *et.* finanzieren; **6.** *Debatte etc.* in Gang halten; **7.** eintreten für, unter'stützen, fördern, befürworten; **8.** *Theorie etc.* vertreten; **9.** *Anklage*, *Anspruch etc.* beweisen, erhärten, begründen, rechtfertigen; **10.** † *Währung* decken; **11.** a) *thea. Rolle* spielen, b) als Nebendarsteller auftreten mit *e-m Star etc.*; **II** *s.* **12.** *allg.* Stütze *f*: ***walk without ~***; **13.** *bsd.* ⚙ Stütze *f*, Träger *m*, Ständer *m*, Strebe *f*, Absteifung *f*, Bettung *f*; Sta'tiv *n*; ⚠ 'Durchzug *m*; ⚔ (Gewehr-) Auflage *f*; **14.** *fig.* (*a.* ⚔ taktische) Unter'stützung, Beistand *m*: ***~ buying*** † Stützungskäufe *pl.*; ***give ~ to*** → 3; ***in ~ of s.o.*** zur Unterstützung von j-m; **15.** ('Lebens),Unterhalt *m*; **16.** Unter'haltung *f e-r Einrichtung*; **17.** *fig.* Stütze *f*, (Rück)Halt *m*; **18.** Beweis *m*, Erhärtung *f*: ***in ~ of*** zur Bestätigung (*gen.*); **19.** ⚔ Re'serve *f*, Verstärkung *f*; **20.** *thea.* a) Partner(in) *e-s Stars*, b) Unter'stützung *f e-s Stars durch das Ensemble*, c) En'semble *n*; **sup'port·a·ble** [-təbl] *adj.* □ **1.** haltbar, vertretbar (*Ansicht etc.*); **2.** erträglich, zu ertragen(d); **sup'port·er** [-tə] *s.* **1.** ⚙, ⚠ Stütze *f*, Träger *m*; **2.** Stütze *f*, Beistand *m*, Helfer(in), Unter'stützer(in); **3.** Erhalter(in); **4.** Anhänger(in), Verfechter (-in), Vertreter(in); **5.** ⚕ Tragbinde *f*, Stütze *f*; **sup'port·ing** [-tɪŋ] *adj.* **1.** tragend, stützend, Stütz…, Trag…, *fig. a.* Unterstützungs…: ***~ actor*** *thea.* Nebendarsteller *m*; ***~ cast*** *thea. etc.* Ensemble *n*; ***~ bout*** *Boxen*: Rahmenkampf *m*; ***~ fire*** ⚔ Unterstützungsfeuer *n*; ***~ measures*** flankierende Maßnahmen; ***~ part*** Nebenrolle *f*; ***~ program(me)*** *Film*: Beiprogramm *n*; ***~ purchases*** † Stützungskäufe; ***~ surfaces*** ✈ Tragwerk *n*; **2.** erhärtend: ***~ document*** Beleg *m*, Unterlage *f*; ***~ evidence*** ⚖ zusätzliche Beweise *pl.*
sup·pose [sə'pəʊz] **I** *v/t.* **1.** (als möglich *od.* gegeben) annehmen, sich vorstellen: ***~*** (*od.* ***supposing*** *od.* ***let us ~***) angenommen, gesetzt den Fall; ***it is to be ~d that*** es ist anzunehmen, daß; **2.** *imp.* (*e-n Vorschlag einleitend*) wie wäre es, wenn *wir e-n Spaziergang machten!*: ***~ we went for a walk!***; ***~ you meet me at 10 o'clock*** ich schlage vor, du triffst mich um 10 Uhr; **3.** vermuten, glauben, meinen: ***I don't ~ we shall be back*** ich glaube nicht, daß wir zurück sein werden; ***they are British, I ~*** es sind wohl *od.* vermutlich Engländer; ***I ~ so*** ich nehme an, wahrscheinlich, vermutlich; **4.** (*mit acc. u. inf.*) halten für: ***I ~ him to be a painter***; ***he is ~d to be rich*** er soll reich sein; **5.** (mit Notwendigkeit) vor'aussetzen: ***creation ~s a creator***; **6.** (*pass. mit inf.*) sollen: ***isn't he ~d to be at home?*** sollte er nicht eigentlich zu Hause sein?; ***he is ~d to do*** man erwartet *od.* verlangt von ihm, daß er *et.* tut; ***what is that ~d to be*** (*od.* ***mean***) was soll das sein (*od.* heißen)?; **II** *v/i.* **7.** denken, glauben, vermuten; **sup'posed** [-zd] *adj.* □ **1.** angenommen: ***a ~ case***; **2.** vermutlich; **3.** vermeintlich, angeblich.
sup·po·si·tion [ˌsʌpə'zɪʃn] *s.* **1.** Vor'aussetzung *f*, Annahme *f*: ***on the ~ that*** unter der Voraussetzung, daß; **2.** Vermutung *f*, Mutmaßung *f*, Annahme *f*;

S

ˌ**sup·po'si·tion·al** [-ʃənl] *adj.* □ angenommen, hypo'thetisch; **sup·pos·i·ti·tious** [səˌpɒzɪ'tɪʃəs] *adj.* □ **1.** unecht, gefälscht; **2.** 'untergeschoben (*Kind, Absicht etc.*), erdichtet; **3.** → ***suppositional***.

sup·pos·i·to·ry [sə'pɒzɪtərɪ] *s.* ⚕ Zäpfchen *n*, Supposi'torium *n*.

sup·press [sə'pres] *v/t.* **1.** *Aufstand etc., a. Gefühl, Lachen etc., a.* ⚡ unter'drücken; **2.** *et.* abstellen, abschaffen; **3.** *Buch* verbieten *od.* unter'drücken; **4.** *Textstelle* streichen; **5.** *Skandal, Wahrheit etc.* verheimlichen, vertuschen, unter'schlagen; **6.** ⚕ *Blutung* stillen, *Durchfall* stopfen; **7.** *psych.* verdrängen; **sup'pres·sant** [-sənt] *s. pharm.* Dämpfungsmittel *n*, (Appe'tit- *etc.*) Zügler *m*; **sup'pres·sion** [-eʃn] *s.* **1.** Unter'drückung *f* (*a. fig. u.* ⚡); **2.** Aufhebung *f*, Abschaffung *f*; **3.** Verheimlichung *f*, Vertuschung *f*; **4.** ⚕ (Blut)Stillung *f*; Stopfung *f*, (Harn)Verhaltung *f*; **5.** *psych.* Verdrängung *f*; **sup'pres·sive** [-sɪv] *adj.* unter'drückend, Unterdrückungs...; **sup'pres·sor** [-sə] *s.* ⚡ a) Sperrgerät *n*, b) Entstörer *m*: ~ ***grid*** Bremsgitter *n*.

sup·pu·rate ['sʌpjʊəreɪt] *v/i.* ⚕ eitern; **sup·pu·ra·tion** [ˌsʌpjʊə'reɪʃn] *s.* Eiterung *f*; '**sup·pu·ra·tive** [-rətɪv] *adj.* eiternd, eitrig, Eiter...

su·pra ['su:prə] (*Lat.*) *adv.* oben (*bei Verweisen in e-m Buch etc.*).

supra- [su:prə] *in Zssgn* über, supra..., Supra...

ˌ**supra|·con'duc·tor** *s. phys.* Supraleiter *m*; ˌ~'**mun·dane** *adj.* 'überweltlich; ˌ~'**nas·al** *adj. anat.* über der Nase (befindlich); ˌ~'**na·tion·al** *adj.* überstaatlich; ˌ~'**re·nal** *s. anat.* Nebenniere(ndrüse) *f*.

su·prem·a·cy [sʊ'preməsɪ] *s.* **1.** Oberhoheit *f*: a) *pol.* höchste Gewalt, Souveräni'tät *f*, b) Supre'mat *m, n* (*in Kirchensachen*); **2.** *fig.* Vorherrschaft *f*, Über'legenheit *f*: ***air*** ~ ⚔ Luftherrschaft *f*; **3.** Vorrang *m*; **su·preme** [sʊ'pri:m] **I** *adj.* □ **1.** höchst, oberst, Ober...: ~ ***authority*** höchste (Regierungs)Gewalt; ~ ***command*** ⚔ Oberbefehl *m*, -kommando *n*; ~ ***commander*** ⚔ Oberbefehlshaber *m*; 𝔖 ***Court*** *Am.* a) oberstes Bundesgericht, b) oberstes Gericht (*e-s Bundesstaates*); 𝔖 ***Court*** (***of Judicature***) *Brit.* Oberster Gerichtshof; ***reign*** ~ herrschen (*a. fig.*); **2.** höchst, größt, äußerst, über'ragend: ~ ***courage***; 𝔖 ***Being*** → 6; ***the*** ~ ***good*** *phls.* das höchste Gut; ***the*** ~ ***punishment*** die Todesstrafe; ***stand*** ~ ***among*** den höchsten Rang einnehmen unter (*dat.*); **3.** letzt: ~ ***moment*** Augenblick *m* des Todes; ~ ***sacrifice*** Hingabe *f* des Lebens; **4.** entscheidend, kritisch: ***the*** ~ ***hour in the history of a nation***; **II** *s.* **5.** ***the*** ~ der *od.* die *od.* das Höchste; **6.** ***the*** 𝔖 der Allerhöchste, Gott *m*; **su·preme·ly** [sʊ'pri:mlɪ] *adv.* höchst, aufs äußerste, 'überaus.

su·pre·mo [sʊ'pri:məʊ] *s. Brit.* F Oberboß *m*.

sur-[1] [sɜ:] *in Zssgn* über, auf.

sur-[2] [sə] → ***sub-***.

sur·cease [sɜ:'si:s] *obs.* **I** *v/i.* **1.** ablassen (***from*** von); **2.** aufhören; **II** *s.* **3.** Ende *n*, Aufhören *n*; **4.** Pause *f*.

sur·charge I *s.* ['sɜ:tʃɑ:dʒ] **1.** *bsd. fig.* Über'lastung *f*; **2.** ✝ a) Über'forderung *f* (*a. fig.*), b) 'Überpreis *m*, (*a.* Steuer-) Zuschlag *m*, c) Strafporto *n*; **3.** 'Über-, Aufdruck *m* (*Briefmarke etc.*); **II** *v/t.* [sɜ:'tʃɑ:dʒ] **4.** über'lasten, -'fordern; **5.** ✝ a) e-n Zuschlag *od.* ein Nachporto erheben auf (*acc.*), b) *Konto* zusätzlich belasten; **6.** *Briefmarken etc.* (*mit neuer Wertangabe*) über'drucken; **7.** über'füllen, -'sättigen.

sur·cingle ['sɜ:ˌsɪŋgl] *s.* Sattel-, Packgurt *m*.

sur·coat ['sɜ:kəʊt] *s.* **1.** *hist.* a) Wappenrock *m*, b) 'Überrock *m* (*der Frauen*); **2.** Freizeitjacke *f*.

surd [sɜ:d] **I** *adj.* **1.** ⩲ 'irratioˌnal (*Zahl*); **2.** *ling.* stimmlos; **II** *s.* **3.** ⩲ 'irratioˌnale Größe, *a.* Wurzelausdruck *m*; **4.** *ling.* stimmloser Laut.

sure [ʃʊə] **I** *adj.* □ → ***surely***; **1.** *pred.* (***of***) sicher, gewiß (*gen.*), über'zeugt (von): ***I am*** ~ ***he is there***; ***are you*** ~ (***about it***)? bist du (dessen) sicher?; ***he is*** (*od.* ***feels***) ~ ***of success*** er ist sich s-s Erfolges sicher; ***I'm*** ~ ***I didn't mean to hurt you*** ich wollte Sie ganz gewiß nicht verletzen; ***are you*** ~ ***you won't come?*** wollen Sie wirklich nicht kommen?; **2.** *pred.* sicher, gewiß, (ganz) bestimmt, zweifellos (*objektiver Sachverhalt*): ***he is*** ~ ***to come*** er kommt sicher *od.* bestimmt; ***man is*** ~ ***of death*** dem Menschen ist der Tod gewiß *od.* sicher; ***make*** ~ ***that ...*** sich (davon) überzeugen, daß ...; ***make*** ~ ***of s.th.*** a) sich von et. überzeugen, sich e-r Sache vergewissern, b) sich et. sichern; ***to make*** ~ (*Redewendung*) um sicher zu gehen; ***be*** ~ ***to*** (*od.* ***and***) ***shut the window!*** vergiß nicht, das Fenster zu schließen!; ***to be*** ~ (*Redewendung*) sicher(lich), natürlich (*a. einschränkend = freilich, allerdings*); ~ ***thing*** *Am.* F (tod)sicher, klar; **3.** sicher, fest: ***a*** ~ ***footing***; ~ ***faith*** *fig.* fester Glaube; **4.** sicher, untrüglich: ***a*** ~ ***proof***; **5.** verläßlich, zuverlässig; **6.** sicher, unfehlbar: ***a*** ~ ***cure*** (***method***, ***shot***); **II** *adv.* **7.** *obs. od.* F sicher(lich): (***as***) ~ ***as eggs*** ‚bombensicher'; ~ ***enough*** a) ganz bestimmt, sicher(lich), b) tatsächlich; **8.** F wirklich, ‚echt': ***it*** ~ ***was cold***; **9.** ~***!***

bsd. Am. F sicher!, klar!; **'~-ˌfire** *adj.* F (tod)sicher, zuverlässig; **ˌ~-'foot·ed** *adj.* **1.** sicher (auf den Füßen *od.* Beinen; **2.** *fig.* sicher.

sure·ly ['ʃʊəlɪ] *adv.* **1.** sicher(lich), zweifellos; **2.** (ganz) bestimmt *od.* gewiß, doch (wohl): **~ *something can be done to help him***; **3.** sicher: ***slowly but ~***; **sure·ness** ['ʃʊənɪs] *s.* Sicherheit *f*: a) Gewißheit *f*, b) feste Über'zeugung, c) Zuverlässigkeit *f*; **sure·ty** ['ʃʊərətɪ] *s.* **1.** *bsd.* ⚖ a) Bürge *m*, b) Bürgschaft *f*, Sicherheit *f*: ***stand ~ for*** bürgen *od.* Bürgschaft leisten (***for*** für *j-n*); **2.** Gewähr(leistung) *f*, Garan'tie *f*; **3.** *obs.* Sicherheit *f*: ***of a ~*** sicher(lich), ohne Zweifel; **sure·ty·ship** ['ʃʊərətɪʃɪp] *s. bsd.* ⚖ Bürgschaft(sleistung) *f*.

surf [sɜːf] **I** *s.* Brandung *f*; **II** *v/i. sport* surfen.

sur·face ['sɜːfɪs] **I** *s.* **1.** *allg.* Oberfläche *f*: **~ *of water*** Wasseroberfläche *f*; ***come*** (*od.* ***rise***) ***to the*** → 13; **2.** *fig.* Oberfläche *f*, *das* Äußere: ***on the ~*** a) äußerlich, b) vordergründig, c) oberflächlich betrachtet; → ***scratch*** 7; **3.** A a) (Ober)Fläche *f*, b) Flächeninhalt *m*: ***lateral ~*** Seitenfläche; **4.** (Straßen)Belag *m*, (-)Decke *f*; **5.** ✈ (Trag)Fläche *f*; **6.** ⚒ Tag *m*: ***on the ~*** über Tag, im Tagebau; **II** *adj.* **7.** Oberflächen… (*a.* ⚙ *-härtung etc.*); **8.** *fig.* oberflächlich: a) flüchtig, b) vordergründig, äußerlich, Schein…; **III** *v/t.* **9.** ⚙ *allg.* die Oberfläche behandeln von; glätten; *Lackierung* spachteln; *Straße* mit e-m Belag versehen; **10.** ⚙ flach-, plandrehen; **11.** ⚓ *U-Boot* auftauchen lassen; **IV** *v/i.* **12.** ⚓ auftauchen (*U-Boot*); **13.** an die Oberfläche (*fig.* ans Tageslicht) kommen, sich zeigen; **~ *mail*** *s. Brit.* gewöhnliche Post (*Ggs. Luftpost*); **'~·man** [-mən] *s.* [*irr.*] 🚂 Streckenarbeiter *m*; **~ *noise*** *s.* Rauschen *n* (*e-r Schallplatte*); **~ *print·ing*** *s. typ.* Reli'ef-, Hochdruck *m*.

sur·fac·er ['sɜːfɪsə] *s.* ⚙ **1.** Spachtelmasse *f*; **2.** 'Plandreh- *od.* -hobelmaˌschine *f*.

ˌsur·face|-to-'air mis·sile *s.* ⚔ 'Boden-'Luft-Raˌkete *f*; **~ *work*** *s.* ⚒ Über'tagearbeit *f*.

'surf|·board *sport* **I** *s.* Surfbrett *n*; **II** *v/i.* surfen; **'~·boat** *s.* ⚓ Brandungsboot *n*.

sur·feit ['sɜːfɪt] **I** *s.* **1.** 'Übermaß *n* (***of*** an *dat.*); **2.** *a. fig.* Über'sättigung *f* (***of*** mit); **3.** 'Überdruß *m*: ***to*** (***a***) **~** bis zum Überdruß; **II** *v/t.* **4.** über'sättigen, -'füttern (***with*** mit); **5.** über'füllen, -'laden; **III** *v/i.* **6.** sich über'sättigen (***of***, ***with*** mit).

surf·er ['sɜːfə] *s. sport* Surfer(in); **surf·ing** ['sɜːfɪŋ] *s. sport* Surfen *n*.

surge [sɜːdʒ] **I** *s.* **1.** Woge *f*, Welle *f* (*beide a. fig.*); **2.** Brandung *f*; **3.** *a. fig.* Wogen *n*, (An)Branden *n*; Aufwallung *f der Gefühle*; **4.** ⚡ Spannungsstoß *m*; **II** *v/i.* **5.** wogen: a) (hoch)branden (*a. fig.*), b) *fig.* (vorwärts)drängen (*Menge*), c) brausen (*Orgel*, *Verkehr etc.*); **6.** *fig.* (auf)wallen (*Blut*, *Gefühl etc.*); **7.** ⚡ plötzlich ansteigen, heftig schwanken (*Spannung etc.*).

sur·geon ['sɜːdʒən] *s.* **1.** Chir'urg *m*; **2.** ⚔ leitender Sani'tätsoffiˌzier: **~ *general*** *Brit.* Stabsarzt *m*; **2 *General*** *Am.* a) General(stabs)arzt *m*, b) ⚓ Marineadmiralarzt *m*; **~ *major*** *Brit.* Oberstabsarzt *m*; **3.** Schiffsarzt *m*; **4.** *hist.* Bader *m*; **'sur·ger·y** [-dʒərɪ] *s.* ⚕ **1.** Chirur'gie *f*; **2.** chir'urgische Behandlung, opera'tiver Eingriff; **3.** Operati'onssaal *m*; **4.** *Brit.* Sprechzimmer *n*: **~ *hours*** Sprechstunden; **'sur·gi·cal** [-dʒɪkl] *adj.* □ ⚕ **1.** chir'urgisch: **~ *cotton*** (Verband)Watte *f*; **2.** Operations…: **~ *wound***; **~ *fever*** septisches Fieber; **3.** medi'zinisch: **~ *boot*** orthopädischer Schuh; **~ *stocking*** Stützstrumpf *m*; **~ *spirit*** Wundbenzin *n*.

surg·ing ['sɜːdʒɪŋ] **I** *s.* **1.** *a. fig.* Wogen *n*, Branden *n*; **2.** ⚡ Pendeln *n* (*der Spannung etc.*); **II** *adj.* **3.** *a.* **'surg·y** [-dʒɪ] *adj.* wogend, brandend (*a. fig.*).

sur·li·ness ['sɜːlɪnɪs] *s.* Verdrießlichkeit *f*, mürrisches Wesen; Bärbeißigkeit *f*; **sur·ly** ['sɜːlɪ] *adj.* □ **1.** verdrießlich, mürrisch; **2.** grob, bärbeißig; **3.** zäh (*Boden*).

sur·mise I *s.* ['sɜːmaɪz] Vermutung *f*, Mutmaßung *f*, Einbildung *f*; **II** *v/t.* [sɜː'maɪz] mutmaßen, vermuten, sich *et.* einbilden.

sur·mount [sɜː'maʊnt] *v/t.* **1.** über'steigen; **2.** *fig.* über'winden; **3.** bedecken, krönen: ***~ed by*** gekrönt *od.* überdeckt *od.* überragt von; **sur'mount·a·ble** [-təbl] *adj.* **1.** über'steigbar, ersteigbar; **2.** *fig.* über'windbar.

sur·name ['sɜːneɪm] **I** *s.* **1.** Fa'milien-, Nach-, Zuname *m*; **2.** *obs.* Beiname *m*; **II** *v/t.* **3.** *j-m* den Zu- *od. obs.* Beinamen … geben: ***~d*** mit Zunamen.

sur·pass [sə'pɑːs] *v/t.* **1.** *j-n od. et.* über'treffen (***in*** an *dat.*): **~ *o.s.*** sich selbst übertreffen; **2.** *et.*, *j-s Kräfte etc.* über'steigen; **sur'pass·ing** [-sɪŋ] *adj.* □ her'vorragend, 'unüberˌtrefflich, unerreicht.

sur·plice ['sɜːplɪs] *s. eccl.* Chorhemd *n*, -rock *m*.

sur·plus ['sɜːpləs] **I** *s.* **1.** 'Überschuß *m*, Rest *m*; **2.** ✝ a) 'Überschuß *m*, Mehr(-betrag *m*) *n*, b) Mehrertrag *m*, 'überschüssiger Gewinn, c) (unverteilter) Reingewinn, d) Mehrwert *m*; **II** *adj.* **3.** 'überschüssig, Über(schuß)…, Mehr…: **~ *population*** Bevölkerungsüberschuß *m*; **~ *weight*** Mehr-, Übergewicht *n*; **'sur·plus·age** [-sɪdʒ] *s.* **1.** 'Überschuß *m*, -fülle *f* (***of*** an *dat.*); **2.** *et.* 'Überflüssiges; **3.** ⚖ unerhebliches Vorbringen.

sur·prise [sə'praɪz] **I** *v/t.* **1.** über'raschen: a) ertappen, b) verblüffen, in Erstaunen (ver)setzen: ***be ~d at s.th.*** über et. erstaunt sein, sich über et. wundern, c) *bsd.* ⚔ über'rumpeln; **2.** befremden, empören; **3.** ***~ s.o. into (doing) s.th.*** j-n zu et. verleiten, j-n dazu verleiten, et. zu tun; **II** *s.* **4.** Über'raschung *f*: a) Über'rump(e)lung *f*: ***take by ~*** *j-n, feindliche Stellung etc.* überrumpeln, *Festung etc.* im Handstreich nehmen, b) *et.* Über'raschendes: ***it came as a great ~ (to him)*** es kam (ihm) sehr überraschend, c) Verblüffung *f*, Erstaunen *n*, Verwunderung *f*, Bestürzung *f* (***at*** über *acc.*): ***to my ~*** zu m-r Überraschung; ***stare in ~*** große Augen machen; **III** *adj.* **5.** über'raschend, Überraschungs…: ***~ attack***; ***~ visit***; **sur'pris·ed·ly** [-zɪdlɪ] *adv.* über'rascht; **sur'pris·ing** [-zɪŋ] *adj.* □ über'raschend, erstaunlich; **sur'pris·ing·ly** [-zɪŋlɪ] *adv.* über'raschend(erweise), erstaunlich(erweise).

sur·re·al·ism [sə'rɪəlɪzəm] *s.* Surrea'lismus *m*; **sur're·al·ist** [-ɪst] **I** *s.* Surrea'list(in); **II** *adj.* → **sur·re·al·is·tic** [səˌrɪə'lɪstɪk] *adj.* (□ ***~ally***) surrea'listisch.

sur·re·but [ˌsʌrɪ'bʌt] *v/i.* ⚖ e-e Quintu'plik vorbringen; **ˌsur·re'but·ter** [-tə] *s.* ⚖ Quintu'plik *f*.

sur·re·join·der [ˌsʌrɪ'dʒɔɪndə] *s.* ⚖ Tri'plik *f*.

sur·ren·der [sə'rendə] **I** *v/t.* **1.** *et.* über'geben, ausliefern, -händigen (***to*** *dat.*): ***~ o.s.*** (***to***) → 5, 6, 7; **2.** *Amt, Vorrecht, Hoffnung etc.* aufgeben; *et.* abtreten, verzichten auf (*acc.*); **3.** ⚖ a) *Sache, Urkunde* her'ausgeben, b) *Verbrecher* ausliefern; **4.** ✝ *Versicherungspolice* zum Rückkauf bringen; **II** *v/i.* **5.** ⚔ *u. fig.* sich ergeben (***to*** *dat.*), kapitulieren; **6.** sich *der Verzweiflung etc.* hingeben *od.* über'lassen; **7.** ⚖ sich *der Polizei etc.* stellen; **III** *s.* **8.** 'Übergabe *f*, Auslieferung *f*, -händigung *f*; **9.** ⚔ 'Übergabe *f*, Kapitulati'on *f*; **10.** (***of***) Auf-, Preisgabe *f*, Abtretung *f* (*gen.*), Verzicht *m* (auf *acc.*); **11.** Hingabe *f*, Sichüber'lassen *n*; **12.** ⚖ Aufgabe *f* e-r Versicherung: ***~ value*** Rückkaufswert *m*; **13.** ⚖ a) Aufgabe *f e-s Rechts etc.*, b) Her'ausgabe *f*, c) Auslieferung *f e-s Verbrechers*.

sur·rep·ti·tious [ˌsʌrep'tɪʃəs] *adj.* □ **1.** erschlichen, betrügerisch; **2.** heimlich, verstohlen: ***a ~ glance***; ***~ edition*** unerlaubter Nachdruck.

sur·ro·gate ['sʌrəgɪt] *s.* **1.** Stellvertreter *m* (*bsd. e-s Bischofs*); **2.** ⚖ *Am.* Nachlaß- u. Vormundschaftsrichter *m*; **3.** Ersatz *m*, Surro'gat *n* (***of***, ***for*** für).

sur·round [sə'raʊnd] **I** *v/t.* **1.** um'geben, -'ringen (*a. fig.*): ***~ed by danger*** (***luxury***) von Gefahr umringt *od.* mit Gefahr verbunden (von Luxus umgeben); ***circumstances ~ing s.th.*** (Begleit)Umstände e-r Sache; **2.** ⚔ *etc.* um'zingeln, -'stellen, einkreisen, -schließen; **II** *s.* **3.** Einfassung *f*, *bsd.* Boden(schutz)belag *m* zwischen Wand u. Teppich; **4.** *hunt. Am.* Treibjagd *f*; **sur'round·ing** [-dɪŋ] **I** *adj.* um'gebend, 'umliegend; **II** *s. pl.* Um'gebung *f*: a) 'Umgegend *f*, b) 'Umwelt *f*, c) 'Umfeld *n*.

sur·tax ['sɜːtæks] **I** *s.* (*a.* Einkommen-) Steuerzuschlag *m*; **II** *v/t.* mit e-m Steuerzuschlag belegen.

sur·veil·lance [sɜː'veɪləns] *s.* Über'wachung *f*, (*a.* Poli'zei)Aufsicht *f*: ***be under ~*** unter Polizeiaufsicht stehen; ***keep under ~*** überwachen.

sur·vey **I** *v/t.* [sə'veɪ] **1.** über'blicken, -'schauen; **2.** genau betrachten, (sorgfältig) prüfen, mustern; **3.** abschätzen, begutachten; **4.** besichtigen, inspizieren; **5.** *Land etc.* vermessen, aufnehmen; **6.** *fig.* e-n 'Überblick geben über (*acc.*); **II** *s.* ['sɜːveɪ] **7.** *bsd. fig.* 'Überblick *m*, -sicht *f* (***of*** über *acc.*); **8.** Besichtigung *f*, Prüfung *f*; **9.** Schätzung *f*, Begutachtung *f*; **10.** Gutachten *n*, (Prüfungs)Bericht *m*; **11.** (Land)Vermessung *f*, Aufnahme *f*; **12.** (Lage)Plan *m*; **13.** (sta'tistische) Erhebung, 'Umfrage *f*; **14.** ⚕ 'Reihenunterˌsuchung *f*; **sur'vey·ing** [-eɪɪŋ] *s.* **1.** (Land-, Feld)Vermessung *f*, Vermessungsurkunde *f*, -wesen *n*; **2.** Vermessen *n*, Aufnehmen *n* (*von Land etc.*); **sur'vey·or** [-eɪə] *s.* **1.** Landmesser *m*, Geo'meter *m*: ***~'s chain*** Meßkette *f*; **2.** (amtlicher) In'spektor *od.* Verwalter *od.* Aufseher: ***~ of highways*** Straßenmeister *m*; ***Board of ~s*** Baubehörde *f*; **3.** *Brit.* (ausführender) Archi'tekt; **4.** Sachverständige(r) *m*, Gutachter *m*.

sur·viv·al [sə'vaɪvl] *s.* **1.** Über'leben *n*: ***~ of the fittest*** *biol.* Überleben der Tüchtigsten; ***~ kit*** Überlebensausrüstung *f*; ***~ rate*** Überlebensquote *f*; ***~ shelter*** atomsicherer Bunker; ***~ time*** ⚔ Überlebenszeit *f*; **2.** Weiterleben *n*; **3.** Fortbestand *m*; **4.** 'Überbleibsel *n alten Brauchtums etc.*; **sur·vive** [sə'vaɪv] **I** *v/t.* **1.** *j-n od. et.* über'leben (*a. fig.* F *ertragen*), über'dauern, länger leben als; **2.** *Unglück etc.* über'leben, -'stehen; **II** *v/i.* **3.** am Leben bleiben, übrigbleiben, über'leben; **4.** noch leben *od.* bestehen; übriggeblieben sein; **5.** weiter-, fortleben *od.* -bestehen; **sur'viv·ing** [-vɪŋ] *adj.* **1.** über'lebend: ***~ wife***; **2.** hinter'blieben: ***~ dependents*** Hinterbliebene; **3.** übrigbleibend: ***~ debts*** ✝ Restschulden; **sur'vi·vor** [-və] *s.* **1.** Über'lebende(r *m*) *f*; **2.** ⚖ Über'lebender, auf den nach dem Ableben der Miteigentümer das Eigentumsrecht ˈübergeht.

sus·cep·ti·bil·i·ty [səˌseptəˈbɪlətɪ] *s.* **1.** Empfänglichkeit *f*, Anfälligkeit *f* (***to*** für); **2.** Empfindlichkeit *f*; **3.** *pl.* (leicht verletzbare) Gefühle *pl.*, Feingefühl *n*; **sus·cep·ti·ble** [səˈseptəbl] *adj.* □ **1.** anfällig (***to*** für); **2.** empfindlich (***to*** gegen); **3.** (***to***) empfänglich (für *Reize*, *Schmeicheleien etc.*), zugänglich (*dat.*); **4.** (leicht) zu beeindrucken(d); **5.** ***be ~ of*** (*od.* ***to***) *et.* zulassen.

sus·cep·tive [səˈseptɪv] *adj.* **1.** aufnehmend, aufnahmefähig, rezepˈtiv; **2.** → ***susceptible***.

sus·pect [səˈspekt] **I** *v/t.* **1.** *j-n* verdächtigen (***of*** *gen.*), im Verdacht haben (***of doing*** *et.* getan zu haben *od.* daß *j-d et.* tut): ***be ~ed of doing s.th.*** im Verdacht stehen *od.* verdächtigt werden, et. getan zu haben; **2.** argwöhnen, befürchten; **3.** für möglich halten, halb glauben; **4.** vermuten, glauben (***that*** daß); **5.** *Echtheit*, *Wahrheit etc.* anzweifeln, mißˈtrauen (*dat.*); **II** *v/i.* **6.** (e-n) Verdacht hegen, argwöhnisch sein; **III** *s.* [ˈsʌspekt] **7.** Verdächtige(r *m*) *f*, verdächtige Perˈson, Verˈdachtsperˌson *f*: ***smallpox ~*** ⚕ Pockenverdächtige(r); **IV** *adj.* [ˈsʌspekt] **8.** verdächtig, suˈspekt (*a. fig. fragwürdig*).

sus·pend [səˈspend] *v/t.* **1.** *a.* ⚙ aufhängen (***from*** an *dat.*); **2.** *bsd.* ⚗ suspendieren, (*in Flüssigkeiten etc.*) schwebend halten; **3.** *Frage etc.* in der Schwebe *od.* unentschieden lassen; **4.** *einstweilen* auf-, verschieben; ⚖ *Verfahren*, *Vollstreckung* aussetzen: ***~ a sentence*** ⚖ e-e Strafe zur Bewährung aussetzen; **5.** *Verordnung etc.* zeitweilig aufheben *od.* außer Kraft setzen; **6.** *die Arbeit*, ⚔ *die Feindseligkeiten*, ✝ *Zahlungen etc.* (zeitweilig) einstellen; **7.** *j-n* (zeitweilig) des Amtes entheben, suspendieren; **8.** *Mitglied* zeitweilig ausschließen; **9.** *Sportler* sperren; **10.** mit *s-r Meinung etc.* zuˈrückhalten; **11.** ♪ *Ton* vorhalten; **susˈpend·ed** [-dɪd] *adj.* **1.** hängend, Hänge…(*-decke*, *-lampe etc.*): ***be ~*** hängen (***by*** an *dat.*, ***from*** von); **2.** schwebend; **3.** unterˈbrochen, ausgesetzt, zeitweilig eingestellt: ***~ animation*** ⚕ Scheintod *m*; **4.** ⚖ zur Bewährung ausgesetzt (*Strafe*): ***~ sentence of two years*** zwei Jahre mit Bewährung; **5.** suspendiert (*Beamter*); **susˈpend·er** [-də] *s.* **1.** *pl. bsd. Am.* Hosenträger *pl.*; **2.** *Brit.* Strumpf- *od.* Sockenhalter *m*: ***~ belt*** Hüftgürtel *m*, Straps *m*; **3.** Aufhängevorrichtung *f*.

sus·pense [səˈspens] *s.* **1.** Spannung *f*, Ungewißheit *f*: ***anxious ~*** Hangen u. Bangen *n*; ***in ~*** gespannt, voller Spannung; ***be in ~*** in der Schwebe sein; ***keep in ~*** a) *j-n* in Spannung halten, im ungewissen lassen, b) *et.* in der Schwebe lassen; ***~ account*** ✝ Interimskonto *n*; ***~ entry*** ✝ transitorische Buchung; **2.** → ***suspension*** 6; **susˈpense·ful** [-fʊl] *adj.* spannend; **suˈspen·sion** [-nʃn] *s.* **1.** Aufhängen *n*; **2.** *bsd.* ⚙ Aufhängung *f*: ***front-wheel ~***; ***~ bridge*** Hängebrükke *f*; ***~ file*** Hängeordner *m*; ***~ railway*** Schwebebahn *f*; **3.** ⚙ Federung *f*: ***~ spring*** Tragfeder *f*; **4.** ⚗, *phys.* Suspensiˈon *f*; *pl.* Aufschlämmungen *pl.*; **5.** (einstweilige) Einstellung (*der Feindseligkeiten etc.*): ***~ of payment(s)*** ✝ Zahlungseinstellung; **6.** ⚖ Aufschub *m*, Aussetzung *f*; vorˈübergehende Aufhebung *e-s Rechts*; Hemmung *f der Verjährung*; **7.** Aufschub *m*, Verschiebung *f*; **8.** Suspendierung *f* (***from*** von), (Dienst-, Amts)Enthebung *f*; **9.** zeitweiliger Ausschluß; **10.** *sport* Sperre *f*; **11.** ♪ Vorhalt *m*; **susˈpen·sive** [-sɪv] *adj.* □ **1.** aufschiebend, suspenˈsiv: ***~ condition***; ***~ veto***; **2.** unterˈbrechend, hemmend; **3.** unschlüssig; **4.** unbestimmt; **susˈpen·so·ry** [-sərɪ] **I** *adj.* **1.** hängend, Schwebe…, Hänge…; **2.** *anat.* Aufhänge…; **3.** ⚖ → ***suspensive*** 1; **II** *s.* **4.** *anat.* a) *a.* ***~ ligament*** Aufhängeband *n*, b) *a.* ***~ muscle*** Aufhängemuskel *m*; **5.** ⚕ a) *a.* ***~ bandage*** Suspenˈsorium *n*, b) Bruchband *n*.

sus·pi·cion [səˈspɪʃn] *s.* **1.** Argwohn *m*, ˈMißtrauen *n* (***of*** gegen); **2.** (***of***) Verdacht *m* (gegen *j-n*), Verdächtigung *f* (*gen.*): ***above ~*** über jeden Verdacht erhaben; ***on ~ of murder*** unter Mordverdacht *festgenommen werden*; ***be under ~*** unter Verdacht stehen; ***cast a ~ on*** e-n Verdacht auf *j-n* werfen; ***have a ~ that*** e-n Verdacht haben *od.* hegen, daß; **3.** Vermutung *f*: ***no ~*** keine Ahnung; **4.** *fig.* Spur *f*: ***a ~ of brandy*** (***arrogance***); ***a ~ of a smile*** der Anflug e-s Lächelns; **susˈpi·cious** [-ʃəs] *adj.* □ **1.** ˈmißtrauisch, argwöhnisch (***of*** gegen): ***be ~ of s.th.*** et. befürchten; **2.** verdächtig, verdachterregend; **susˈpi·cious·ness** [-ʃəsnɪs] *s.* **1.** Mißtrauen *n*, Argwohn *m* (***of*** gegen); ˈmißtrauisches Wesen; **2.** *das* Verdächtige.

sus·tain [səˈsteɪn] *v/t.* **1.** stützen, tragen: ***~ing wall*** Stützmauer *f*; **2.** *Last*, *Druck*, *fig. den Vergleich etc.* aushalten; *e-m Angriff etc.* standhalten; **3.** *Niederlage*, *Schaden*, *Verletzungen*, *Verlust etc.* erleiden, daˈvontragen; **4.** *et.* (aufrecht-) erhalten, in Gang halten; *Interesse* wachhalten: ***~ing program*** *Am. Radio*, *TV*: Programm *n* ohne Reklameeinblendungen; **5.** *j-n* er-, unterˈhalten, *Familie etc.* ernähren; *Heer* verpflegen; **6.** *Institution* unterˈhalten, -ˈstützen; **7.** *j-n*, *j-s Forderung* unterˈstützen; **8.** ⚖ als rechtsgültig anerkennen, *e-m Antrag*, *Einwand etc.* stattgeben; **9.** *Be-*

S

hauptungen etc. bestätigen, rechtfertigen, erhärten; **10.** *j-n* aufrecht halten; *j-m* Kraft geben; **11.** ♪ *Ton* (aus)halten; **12.** *Rolle* (gut) spielen; **sus'tained** [-nd] *adj.* **1.** anhaltend (*a. Interesse etc.*), Dauer...(*-feuer, -geschwindigkeit etc.*); **2.** ♪ a) (aus)gehalten (*Ton*), b) getragen; **3.** *phys.* ungedämpft.

sus·te·nance ['sʌstɪnəns] *s.* **1.** ('Lebens-)ˌUnterhalt *m*, Auskommen *n*; **2.** Nahrung *f*; **3.** Nährwert *m*; **4.** Erhaltung *f*, Ernährung *f*; **5.** *fig.* Beistand *m*, Stütze *f*; **sus·ten·ta·tion** [ˌsʌsten'teɪʃn] *s.* **1.** → ***sustenance*** 1, 2, 4; **2.** Unter'haltung *f e-s Instituts etc.*; **3.** (Aufrecht-)Erhaltung *f*; **4.** Unter'stützung *f*.

su·sur·rant [sjʊ'sʌrənt] *adj.* **1.** flüsternd, säuselnd; **2.** raschelnd.

sut·ler ['sʌtlə] *s.* ⚔ *hist.* Marke'tender(in).

su·ture ['sju:tʃə] **I** *s.* **1.** ⚕, ♀, *anat.* Naht *f*; **2.** ⚕ (Zs.-)Nähen *n*; **3.** ⚕ 'Nahtmateriˌal *n*, Faden *m*; **II** *v/t.* **4.** *bsd.* ⚕ (zu-, ver)nähen.

su·ze·rain ['su:zəreɪn] **I** *s.* **1.** Oberherr *m*, Suze'rän *m*; **2.** *pol.* Pro'tektorstaat *m*; **3.** *hist.* Oberlehensherr *m*; **II** *adj.* **4.** oberhoheitlich; **5.** *hist.* oberlehensherrlich; **'su·ze·rain·ty** [-tɪ] *s.* **1.** Oberhoheit *f*; **2.** *hist.* Oberlehensherrlichkeit *f*.

svelte [svelt] *adj.* schlank, gra'zil.

swab [swɒb] **I** *s.* **1.** a) Scheuerlappen *m*, b) Schrubber *m*, c) Mop *m*, d) Handfeger *m*, e) ⚓ Schwabber *m*; **2.** ⚕ a) Tupfer *m*, b) Abstrich *m*; **II** *v/t.* **3.** *a.* ~ ***down*** aufwischen, ⚓ *Deck* schrubben; **4.** ⚕ a) *Blut etc.* abtupfen, b) *Wunde* betupfen.

Swa·bi·an ['sweɪbjən] **I** *s.* Schwabe *m*, Schwäbin *f*; **II** *adj.* schwäbisch.

swad·dle ['swɒdl] **I** *adj.* **1.** *Säugling* wickeln, in Windeln legen; **2.** um'wickeln, einwickeln; **II** *s.* **3.** *Am.* Windel *f*.

swad·dling ['swɒdlɪŋ] *s.* Wickeln *n e-s Babys*; ~ **clothes** [kləʊðz] *s. pl.* Windeln *pl.*: ***be still in one's*** ~ *fig.* ‚noch in den Windeln liegen'.

swag [swæg] *s.* **1.** Gir'lande *f* (*Zierat*); **2.** *sl.* Beute *f*, Raub *m*.

swage [sweɪdʒ] **I** *s.* ⚙ **1.** Gesenk *n*; **2.** Präge *f*, Stanze *f*; **II** *v/t.* **3.** im Gesenk bearbeiten.

swag·ger ['swægə] **I** *v/i.* **1.** (ein'her)stolzieren; **2.** prahlen, aufschneiden, renommieren (***about*** mit); **II** *s.* **3.** stolzer Gang, Stolzieren *n*; **4.** Großtue'rei *f*, Prahle'rei *f*; **III** *adj.* **5.** F (tod)schick: ~ ***stick*** ⚔ Offi'ziersstöckchen *n*; **'swag·ger·er** [-ərə] *s.* Großtuer *m*, Aufschneider *m*; **'swag·ger·ing** [-ərɪŋ] *adj.* ☐ **1.** stolzierend; **2.** schwadronierend.

swain [sweɪn] *s.* **1.** *mst poet.* Bauernbursche *m*, Schäfer *m*; **2.** *poet. od. humor.* Liebhaber *m*, Verehrer *m*.

swal·low[1] ['swɒləʊ] **I** *v/t.* **1.** (ver)schlukken, verschlingen: ~ ***down*** hinunterschlucken; **2.** *fig. Buch etc.* verschlingen, *Ansicht etc.* begierig in sich aufnehmen; **3.** *Gebiet etc.* ‚schlucken', sich einverleiben; **4.** *mst* ~ ***up*** *fig. j-n, Schiff, Geld, Zeit etc.* verschlingen; **5.** ‚schlucken', für bare Münze nehmen; **6.** *Beleidigung etc.* schlucken, einstekken; **7.** *Tränen, Ärger* hin'unterschlukken; **8.** *Behauptung* zu'rücknehmen: ~ ***one's words***; **II** *v/i.* **9.** schlucken (*a. vor Erregung*): ~ ***hard*** *fig.* kräftig schlucken; ~ ***the wrong way*** sich verschlucken; **III** *s.* **10.** Schlund *m*, Kehle *f*; **11.** Schluck *m*.

swal·low[2] ['swɒləʊ] *s. orn.* Schwalbe *f*: ***one*** ~ ***does not make a summer*** eine Schwalbe macht noch keinen Sommer; **'~·tail** *s.* **1.** *orn.* Schwalbenschwanz-Kolibri *m*; **2.** *zo.* Schwalbenschwanz *m* (*Schmetterling*); **3.** ⚙ Schwalbenschwanz *m*; **4.** *a. pl.* Frack *m*; **'~-tailed** *adj.* Schwalbenschwanz...: ~ ***coat*** Frack *m*.

swam [swæm] *pret. von* ***swim***.

swa·mi ['swɑ:mɪ] *s.* **1.** Meister *m* (*bsd. Brahmane*); **2.** → ***pundit*** 2.

swamp [swɒmp] **I** *s.* **1.** Sumpf *m*; **2.** (Flach)Moor *n*; **II** *v/t.* **3.** über'schwemmen (*a. fig.*): ***be*** ~***ed with*** mit *Arbeit, Einladungen etc.* überhäuft werden *od.* sein, sich nicht mehr retten können vor (*dat.*); **4.** ⚓ *Boot* vollaufen lassen, zum Sinken bringen; **5.** *Am. pol. Gesetz* zu Fall bringen; **6.** *sport* ‚über'fahren'; **'swamp·y** [-pɪ] *adj.* sumpfig, mo'rastig, Sumpf...

swan [swɒn] *s.* **1.** *zo.* Schwan *m*: ***ℒ of Avon*** *fig.* der Schwan vom Avon (*Shakespeare*); **2.** ℒ *ast.* Schwan *m* (*Sternbild*).

swank [swæŋk] F **I** *s.* **1.** Protze'rei *f*, ‚Angabe' *f*; **2.** ‚Angeber' *m*; **II** *v/i.* **3.** protzen, ‚angeben'; **III** *adj.* **4.** → **'swank·y** [-kɪ] *adj.* F **1.** protzig; **2.** (tod)schick.

'swan|·like *adj. u. adv.* schwanengleich; ~ **maid·en** *s. myth.* Schwan(en)jungfrau *f*; **'~·neck** *s.* ⚙ Schwanenhals *m*.

swan·ner·y ['swɒnərɪ] *s.* Schwanenteich *m*.

swan| song *s. bsd. fig.* Schwanengesang *m*; **'~-ˌup·ping** *s. Brit. Einfangen u. Kennzeichnen der jungen Schwäne* (*bsd. auf der Themse*).

swap [swɒp] F **I** *v/t.* (aus-, ein)tauschen (***s.th. for*** et. für); *Pferde etc.* tauschen, wechseln: ***to*** ~ ***stories*** *fig.* Geschichten austauschen; **II** *v/i.* tauschen; **III** *s.* Tausch(handel) *m*; ✝ Swap(geschäft *n*) *m*.

sward [swɔ:d] *s.* Rasen *m*, Grasnarbe *f*; **'sward·ed** [-dɪd] *adj.* mit Rasen bedeckt.

swarm¹ [swɔːm] **I** *s.* **1.** (Bienen- *etc.*) Schwarm *m*; **2.** Schwarm *m* (*Kinder, Soldaten etc.*); **3.** *fig.* Haufen *m*, Masse *f* (*Briefe etc.*); **II** *v/i.* **4.** schwärmen (*Bienen*); **5.** (umˈher)schwärmen, (zs.-)strömen: **~ *out*** a) ausschwärmen, b) hinausströmen; **~ *to a place*** zu e-m Ort (hin)strömen; ***beggars ~ in that town*** in dieser Stadt wimmelt es von Bettlern; **6.** (***with***) wimmeln (von); **III** *v/t.* **7.** umˈschwärmen, -ˈdrängen; **8.** *Örtlichkeit* in Schwärmen überˈfallen; **9.** *Bienen* ausschwärmen lassen.

swarm² [swɔːm] **I** *v/t.* a) hochklettern an (*dat.*), b) hinˈaufklettern auf (*acc.*); **II** *v/i.* klettern.

swarth·i·ness [ˈswɔːðɪnɪs] *s.* dunkle Gesichtsfarbe, Schwärze *f*, Dunkelbraun *n*; **swarth·y** [ˈswɔːðɪ] *adj.* □ dunkel (-häutig), schwärzlich.

swash [swɒʃ] **I** *v/i.* **1.** klatschen, schwappen (*Wasser etc.*); **2.** planschen (*im Wasser*); **II** *v/t.* **3.** *Wasser etc.* a) spritzen lassen, b) klatschen; **III** *s.* **4.** Platschen *n*, Schwappen *n*; **5.** Platsch *m*, Klatsch *m* (*Geräusch*); **ˈ~ˌbuck·ler** [-ˌbʌklə] *s.* **1.** Schwadroˈneur *m*, Braˈmarbas *m*; **2.** verwegener Kerl; **3.** hiˈstorischer ˈAbenteuerfilm *m od.* -roˌman *m*; **ˈ~ˌbuck·ling** [-ˌbʌklɪŋ] **I** *s.* Bramarbasieren *n*, Prahlen *n*; **II** *adj.* schwadronierend, prahlerisch; **~ plate** *s.* ⚙ Taumelscheibe *f*.

swas·ti·ka [ˈswɒstɪkə] *s.* Hakenkreuz *n*.

swat [swɒt] F **I** *v/t.* **1.** schlagen; **2.** *Fliege etc.* totschlagen; **II** *s.* **3.** (wuchtiger) Schlag; **4.** → ***swatter***.

swath [swɔːθ] *s.* ✓ Grasnarbe *f*.

swathe¹ [sweɪð] **I** *v/t.* **1.** (um)ˈwickeln (***with*** mit), einwickeln; **2.** (*wie e-n Verband*) herˈumwickeln; **3.** einhüllen; **II** *s.* **4.** Binde *f*, Verband *m*; **5.** (Wickel-) Band *n*; **6.** ⚕ ˈUmschlag *m*.

swathe² [sweɪð] → ***swath***.

swat·ter [ˈswɒtə] *s.* Fliegenklatsche *f*.

sway [sweɪ] **I** *v/i.* **1.** schwanken, schaukeln, sich wiegen; **2.** sich neigen; **3.** (***to***) *fig.* sich zuneigen (*dat.*) (*öffentliche Meinung etc.*); **4.** herrschen; **II** *v/t.* **5.** *et.* schwenken, schaukeln, wiegen; **6.** neigen; **7.** ⚓ *mst* **~ *up*** *Masten etc.* aufheißen; **8.** *fig.* beeinflussen, lenken; **9.** beherrschen, herrschen über (*acc.*); *Publikum* mitreißen; **10.** *rhet. Zepter etc.* schwingen; **III** *s.* **11.** Schwanken *n*, Schaukeln *n*, Wiegen *n*; **12.** Schwung *m*, Wucht *f*; **13.** ˈÜbergewicht *n*; **14.** Einfluß *m*: ***under the ~ of*** unter dem Einfluß *od.* im Banne (*gen.*) (→ 15); **15.** Herrschaft *f*, Gewalt *f*, Macht *f*: ***hold ~ over*** beherrschen, herrschen über (*acc.*); ***under the ~ of*** in der Gewalt *od.* unter der Herrschaft (*gen.*).

swear [sweə] **I** *v/i.* [*irr.*] **1.** schwören, e-n Eid leisten (***on the Bible*** auf die Bibel): **~ *by*** a) bei *Gott etc.* schwören, b) F schwören auf (*acc.*), felsenfest glauben an (*acc.*); **~ *by all that's holy*** Stein u. Bein schwören; **~ *off*** F *e-m Laster* abschwören; **~ *to*** a) *et.* beschwören, b) *et.* geloben; **2.** fluchen (***at*** auf *acc.*); **II** *v/t.* [*irr.*] **3.** *Eid* schwören, leisten; **4.** *et.* beschwören, eidlich bekräftigen; **~ *out*** ⚖ *Am. Haftbefehl* durch eidliche Strafanzeige erwirken; **5.** *Rache, Treue etc.* schwören; **6.** *a.* **~ *in*** *j-n* vereidigen: **~ *s.o. into an office*** j-n in ein Amt einschwören; **~ *s.o. to secrecy*** j-n eidlich zur Verschwiegenheit verpflichten; **III** *s.* **7.** F Fluch *m*; **ˈswear·ing** [-ərɪŋ] *s.* **1.** Schwören *n*: **~-*in*** ⚖ Vereidigung *f*; **2.** Fluchen *n*; **ˈswear·word** *s.* Fluch(wort *n*) *m*.

sweat [swet] **I** *s.* **1.** Schweiß *m*: ***cold ~*** kalter Schweiß, Angstschweiß; ***by the ~ of one's brow*** im Schweiße s-s Angesichts; ***be in a ~*** a) in Schweiß gebadet sein, b) F (vor Angst, Erregung *etc.*) schwitzen; ***get into a ~*** in Schweiß geraten; ***no ~!*** F kein Problem!; **2.** Schwitzen *n*, Schweißausbruch *m*; **3.** ⚙ Ausschwitzung *f*, Feuchtigkeit *f*; **4.** F Plakkeˈrei *f*; **5.** ***old ~*** ⚔ *sl.* alter Haudegen *m*; **II** *v/i.* [*Am. irr.*] **6.** schwitzen (***with*** vor *dat.*); **7.** ⚙, *phys. etc.* schwitzen, anlaufen; gären (*Tabak*); **8.** F schwitzen, sich schinden; **9.** ⚕ für e-n Hungerlohn arbeiten; **III** *v/t.* [*Am. irr.*] **10.** schwitzen: **~ *blood*** Blut schwitzen; **~ *out*** a) *Krankheit etc.* (her)ausschwitzen, b) *fig. et.* mühsam hervorbringen; **~ *it out*** F durchhalten, es durchstehen; **11.** *Kleidung* ˈdurchschwitzen; **12.** *j-n* schwitzen lassen (*a.* F *fig. im Verhör etc.*); *fig.* schuften lassen, *Arbeiter* ausbeuten; F *j-n* ‚bluten lassen'; **13.** ⚙ schwitzen *od.* gären lassen; *metall.* (**~ *out*** aus)seigern; (heiß-, weich)löten; *Kabel* schweißen; **ˈ~·band** *s.* Schweißleder *n* (*im Hut*); *bsd. sport* Schweißband *n*.

sweat·ed [ˈswetɪd] *adj.* ⚕ **1.** für Hungerlöhne hergestellt; **2.** ausgebeutet, ˈunterbezahlt; **ˈsweat·er** [-tə] *s.* **1.** Sweater *m*, Pullˈover *m*; **2.** ⚕ Ausbeuter *m*.

sweat gland *s. physiol.* Schweißdrüse *f*.

sweat·i·ness [ˈswetɪnɪs] *s.* Verschwitztheit *f*, Schweißigkeit *f*.

sweat·ing [ˈswetɪŋ] *s.* **1.** Schwitzen *n*; **2.** ⚕ Ausbeutung *f*; **~ bath** *s.* ⚕ Schwitzbad *n*; **~ sys·tem** *s.* ⚕ ˈAusbeutungssyˌstem *n*.

ˈsweat|·shirt *s.* Sweatshirt *n*; **ˈ~·shop** *s.* ⚕ Ausbeutungsbetrieb *m*; **ˈ~·suit** *s.* Trainingsanzug *m*.

sweat·y [ˈswetɪ] *adj.* □ **1.** schweißig, verschwitzt; **2.** anstrengend.

Swede [swiːd] *s.* **1.** Schwede *m*, Schwedin *f*; **2.** ♀ *Brit.* → ***Swedish turnip***.

S

Swed·ish ['swi:dɪʃ] **I** *adj.* **1.** schwedisch; **II** *s.* **2.** *ling.* Schwedisch *n*; **3.** ***the ~*** *coll.* die Schweden *pl.*; **~ tur·nip** *s.* ⚘ *Brit.* Schwedische Rübe, Gelbe Kohlrübe.

sweep [swi:p] **I** *v/t.* [*irr.*] **1.** kehren, fegen: ***~ away*** (***off***, ***up***) weg-(fort-, auf-) kehren; **2.** freimachen, säubern (***of*** von; *a. fig.*); **3.** hin'wegstreichen über (*acc.*) (*Wind etc.*); **4.** *Flut etc.* jagen, treiben: ***~ before one*** *Feind* vor sich her treiben; ***~ all before one*** *fig.* auf der ganzen Linie siegen; **5.** *a.* ***~ away*** (*od.* ***off***) *fig.* fort-, mitreißen (*Flut etc.*): ***~ along with one*** *Zuhörer* mitreißen; ***~ s.o. off his feet*** j-s Herz im Sturm erobern; **6.** *a.* ***~ away*** *Hindernis etc.* (aus dem Weg) räumen, *e-m Übelstand etc.* abhelfen, aufräumen mit: ***~ aside*** *et.* abtun, beiseite schieben; ***~ off*** *j-n* hinwegraffen (*Tod*, *Krankheit*); **7.** *mit der Hand* streichen über (*acc.*); **8.** *Geld* einstreichen: ***~ the board*** *Kartenspiel u. fig.* alles gewinnen; **9.** a) *Gebiet* durch'streifen, b) *Horizont etc.* absuchen (*a.* ⚔ *mit Scheinwerfern*, *Radar*) (***for*** nach), c) hingleiten über (*acc.*) (*Blick etc.*); **10.** ⚔ *mit MG-Feuer* bestreichen; **11.** ♪ *Saiten*, *Tasten* (be)rühren, schlagen, (hin)gleiten über (*acc.*); **II** *v/i.* [*irr.*] **12.** kehren, fegen; **13.** fegen, stürmen, jagen (*Wind*, *Regen etc.*, *a. Krieg*, *Heer*), fluten (*Wasser*, *Truppen etc.*); *durchs Land* gehen (*Epidemie etc.*): ***~ along*** (***down***, ***over***) entlang- *od.* einher- (hernieder-, darüber hin)fegen *etc.*; ***~ down on*** sich (herab-) stürzen auf (*acc.*); ***fear swept over him*** Furcht überkam ihn; **14.** maje'stätisch ein'herschreiten: ***she swept from the room*** sie rauschte aus dem Zimmer; **15.** in weitem Bogen gleiten; **16.** sich da'hinziehen (*Küste*, *Straße etc.*); **17.** (***for***) ⚓ (nach *et.*) dreggen; ⚔ *Minen* suchen, räumen; **III** *s.* **18.** Kehren *n*, Fegen *n*: ***give s.th. a ~*** et. kehren; ***make a clean ~*** (***of***) *fig.* gründlich aufräumen (mit); **19.** *mst pl.* Müll *m*; **20.** *bsd. Brit.* Schornsteinfeger *m*; **21.** Da'hinfegen *n*, (Da'hin)Stürmen *n* (*des Windes etc.*); **22.** schwungvolle (Hand-*etc.*)Bewegung; Schwung *m* (*e-r Sense*, *Waffe etc.*); (Ruder)Schlag *m*; **23.** *fig.* Reichweite *f*, Bereich *m*, Spielraum *m*; weiter (geistiger) Hori'zont; **24.** Schwung *m*, Bogen *m* (*Straße etc.*); **25.** ausgedehnte Strecke, weite Fläche; **26.** Auffahrt *f zu e-m Haus*; **27.** Ziehstange *f*, Schwengel *m* (*Brunnen*); **28.** ⚓ langes Ruder; **29.** ♪ Tusch *m*; **30.** *Radar*: Abtaststrahl *m*; **31.** *Kartenspiel*: Gewinn *m* aller Stiche *od.* Karten; **IV** *adj.* **32.** ⚡ Kipp…

'sweep·back ✈ **I** *s.* Pfeilform *f*; **II** *adj.* pfeilförmig, Pfeil…

sweep·er ['swi:pə] *s.* **1.** (Straßen-) Kehrer *m*, Feger(in); **2.** 'Kehrma‚schine *f*; **3.** ⚓ Such-, Räumboot *n*; **4.** *Fußball*: Ausputzer *m*; **'sweep·ing** [-pɪŋ] **I** *adj.* ☐ **1.** kehrend, Kehr…; **2.** sausend, stürmisch (*Wind etc.*); **3.** ausgedehnt; **4.** schwungvoll (*a. fig. mitreißend*); **5.** 'durchschlagend, über'wältigend (*Sieg*, *Erfolg*); **6.** 'durchgreifend, radi'kal: ***~ changes***; **7.** um'fassend, weitreichend, *a.* (zu) stark verallgemeinernd, sum'marisch: ***~ statement***; **II** *s.* **8.** *pl.* a) → ***sweep*** 19, b) *fig. contp.* Abschaum *m*.

sweep| net *s.* **1.** ⚓ Schleppnetz *n*; **2.** Schmetterlingsnetz *n*; **'~·stake** *s. sport* **1.** *sg. od. pl.* a) *Pferderennen*, *dessen Dotierung rein aus Nenngeldern besteht*, b) *aus den Nenngeldern gebildete Dotierung*; **2.** *Lotterie*, *deren Gewinne sich ausschließlich aus den Einsätzen zs.-setzen*; **3.** *fig.* Rennen *n*, Kampf *m*.

sweet [swi:t] **I** *adj.* ☐ **1.** süß (*im Geschmack*); **2.** süß, lieblich (duftend): ***be ~ with*** duften nach; **3.** frisch (*Butter*, *Fleisch*, *Milch*); **4.** Frisch…, Süß…: ***~ water***; **5.** süß, lieblich (*Musik*, *Stimme*), **6.** süß, angenehm: ***~ dreams***; ***~ sleep***; **7.** süß, lieb: ***~ face***; ***at her own ~ will*** (ganz) nach ihrem Köpfchen; → ***seventeen*** II; **8.** (***to*** zu *od.* gegenüber *j-m*) lieb, nett, freundlich, sanft: ***~ nature*** *od.* ***temper***; ***be ~ on s.o.*** in j-n verliebt sein; **9.** F ‚süß', reizend, goldig (*alle a. iro.*): ***what a ~ dress!***; **10.** leicht, bequem; glatt, ruhig; **11.** ⚒ a) säurefrei (*Mineralien*), b) schwefelfrei, süß (*bsd. Benzin*, *Rohöl*); **12.** ✓ nicht sauer (*Boden*); **13.** *Jazz*: ‚sweet', melodi'ös; **II** *s.* **14.** Süße *f*; **15.** *Brit.* a) Bon'bon *m*, *n*, Süßigkeit *f*, b) *oft pl.* Nachtisch *m*, Süßspeise *f*; **16.** *mst pl. fig.* Freude *f*, Annehmlichkeit *f*: ***the ~(s) of life***; → ***sour*** 7; **17.** *mst in der Anrede*: Liebling *m*, Süße(r *m*) *f*; **‚~-and-'sour** *adj.* süß-sauer (*Soße etc.*); **'~·bread** *s.* Bries n; **~ chest·nut** *s.* 'Edelka‚stanie *f*; **~ corn** *s.* **1.** ⚘ Zuckermais *m*; **2.** grüne Maiskolben *pl.*

sweet·en ['swi:tn] **I** *v/t.* **1.** süßen; **2.** *fig.* versüßen, angenehm(er) machen; **II** *v/i.* **3.** süß(er) werden; **4.** milder *od.* sanfter werden; **'sweet·en·er** [-nə] *s.* Süßstoff *m*.

'sweet|·heart *s.* Liebste(r *m*) *f*, Schatz *m*; **~ herbs** *s. pl.* Küchen-, Gewürzkräuter *pl.*

sweet·ie ['swi:tɪ] *s.* **1.** F Schätzchen *n*, ‚Süße' *f*; **2.** *Brit.* Bon'bon *m*, *n*, *pl. a.* Süßigkeiten *pl.*

sweet·ing ['swi:tɪŋ] *s.* ⚘ Jo'hannisapfel *m*, Süßling *m*.

sweet·ish ['swi:tɪʃ] *adj.* süßlich.

'sweet|·meat *s.* Bon'bon *m*, *n*; **‚~-'natured** → ***sweet*** 8.

sweet·ness ['swi:tnɪs] *s.* **1.** Süße *f*, Süßigkeit *f*; **2.** süßer Duft; **3.** Frische *f*; **4.**

fig. et. Angenehmes, Annehmlichkeit *f*, *das* Süße; **5.** Freundlichkeit *f*, Liebenswürdigkeit *f*.

sweet| oil *s.* O'livenöl *n*; **~ pea** *s.* ⚘ Gartenwicke *f*; **~ po·ta·to** *s.* ⚘ 'Süßkar‚toffel *f*, Ba'tate *f*; **‚~'scent·ed** *adj. bsd.* ⚘ wohlriechend, duftend; **'~·shop** *s. bsd. Brit.* Süßwarengeschäft *n*; **'~-talk** *v/t. Am.* F *j-m* schmeicheln; **‚~-'tem·pered** *adj.* sanft-, gutmütig; **~ tooth** *s.* F: ***she has a ~*** sie ißt gern Süßigkeiten; **~ wil·liam** *s.* ⚘ Stu'dentennelke *f*.

sweet·y ['swi:tɪ] → ***sweetie***.

swell [swel] **I** *v/i.* [*irr.*] **1.** *a.* ***~ up***, ***~ out*** (an-, auf)schwellen (***into***, ***to*** zu), dick werden; **2.** sich aufblasen *od.* -blähen (*a. fig.*); **3.** anschwellen, (an)steigen (*Wasser etc.*, *a. fig. Preise*, *Anzahl etc.*); **4.** sich wölben: a) ansteigen (*Land etc.*), b) sich ausbauchen *od.* bauschen (*Mauerwerk*, *Möbel etc.*), c) ⚓ sich blähen (*Segel*); **5.** her'vorbrechen (*Quelle*, *Tränen*); **6.** *bsd.* ♪ a) anschwellen (***into*** zu), b) (an- u. ab-) schwellen (*Ton*, *Orgel etc.*); **7.** *fig.* bersten (wollen) (***with*** vor): ***his heart ~s with indignation***; **8.** aufwallen, sich steigern (***into*** zu) (*Gefühl*); **II** *v/t.* [*irr.*] **9.** ***~ up***, ***~ out*** *a.* ♪ *u. fig. Buch etc.* anschwellen lassen; **10.** aufblasen, -blähen, -treiben; **11.** *fig.* aufblähen (***with*** vor): ***~ed*** (***with pride***) stolzgeschwellt; **III** *s.* **12.** (An)Schwellen *n*; **13.** Schwellung *f*; **14.** ⚓ Dünung *f*; **15.** Wölbung *f*, Ausbauchung *f*; **16.** kleine Anhöhe, sanfte Steigung; **17.** *fig.* Anschwellen *n*, -wachsen *n*, (An)Steigen *n*; **18.** ♪ a) An- (u. Ab)Schwellen *n*, b) Schwellzeichen *n*, c) Schwellwerk *n* (*Orgel etc.*); **19.** F a) ‚hohes Tier', ‚Größe' *f*, b) ‚feiner Pinkel', c) ‚Ka'none' *f*, ‚Mordskerl' *m* (***at*** in *dat.*); **IV** *adj.* **20.** (*a. int.*) F ‚prima', ‚bombig'; **21.** F (tod)schick, ‚piekfein', feu'dal; **swelled** [-ld] *adj.* **1.** (an)geschwollen, aufgebläht: ***~ head*** F *fig.* Aufgeblasenheit *f*; **2.** geschweift (*Möbel*); **'swell·ing** [-lɪŋ] **I** *s.* **1.** (*a. fig. u.* ♪ An)Schwellen *n*; **2.** ⚕ Schwellung *f*, Geschwulst *f*, *a.* Beule *f*: ***hunger ~*** Hungerödem *n*; **3.** Wölbung *f*: a) Erhöhung *f*, b) △ Ausbauchung *f*, ⚙ Schweifung *f*; **II** *adj.* ☐ **4.** (an)schwellend; **5.** ‚geschwollen' (*Stil etc.*).

swell| man·u·al *s.* ♪ 'Schwellmanu‚al *n* (*Orgel*); **~ mob** *s. sl. die* Hochstapler *pl.*; **~ or·gan** *s.* ♪ Schwellwerk *n*.

swel·ter ['sweltə] **I** *v/i.* **1.** vor Hitze (fast) 'umkommen *od.* verschmachten; **2.** in Schweiß gebadet sein; **3.** (vor Hitze) kochen (*Stadt etc.*); **II** *s.* **4.** drückende Hitze, Schwüle *f*; **5.** F *fig.* Hexenkessel *m*; **'swel·ter·ing** [-tərɪŋ], **'swel·try** [-trɪ] *adj.* **1.** vor Hitze vergehend, verschmachtend; **2.** in Schweiß gebadet; **3.** drückend, schwül.

swept [swept] *pret. u. p.p. von* ***sweep***; **'~-back wing** → ***swept wing***; **~ vol·ume** *s. mot.* Hubraum *m*; **~ wing** *s.* ✈ Pfeilflügel *m*.

swerve [swɜ:v] **I** *v/i.* **1.** ausbrechen (*Auto*, *Pferd*); **2.** *mot.* das Steuer her'umreißen; **3.** ausweichen; **4.** schwenken (*Straße*); **5.** *fig.* abweichen (***from*** von); **II** *v/t.* **6.** *sport Ball* anschneiden; **7.** *fig. j-n* abbringen (***from*** von); **III** *s.* **8.** Ausweichbewegung *f*, *mot.* Schlenker *m*.

swift [swɪft] **I** *adj.* ☐ **1.** *allg.* schnell, rasch; **2.** flüchtig (*Zeit*, *Stunde etc.*); **3.** geschwind, eilig; **4.** flink, hurtig, *a.* geschickt: ***a ~ worker***; ***~ wit*** rasche Auffassungsgabe; **5.** rasch, schnell bereit: ***~ to anger*** jähzornig; ***~ to take offence*** leicht beleidigt; **II** *adv.* **6.** *mst poet. od. in Zssgn* schnell, geschwind, rasch; **III** *s.* **7.** *orn.* (*bsd.* Mauer)Segler *m*; **8.** *e-e brit. Taubenrasse*; **9.** *zo.* → ***newt***; **10.** ⚙ Haspel *f*; **‚swift'foot·ed** *adj.* schnellfüßig, flink; **'swift·ness** [-nɪs] *s.* Schnelligkeit *f*.

swig [swɪg] F **I** *v/t. Getränk* ‚hin'unterkippen'; **II** *v/i.* e-n kräftigen Schluck nehmen (***at*** aus); **III** *s.* (kräftiger) Schluck.

swill [swɪl] **I** *v/t.* **1.** *bsd. Brit.* (ab)spülen: ***~ out*** ausspülen; **2.** *Bier etc.* ‚saufen'; **II** *v/i.* **3.** ‚saufen'; **III** *s.* **4.** (Ab)Spülen *n*; **5.** Schweinetrank *m*, -futter *n*; **6.** Spülicht *n* (*a. fig. contp.*); **7.** *fig. contp.* a) ‚Gesöff' *n*, b) ‚Saufraß' *m*.

swim [swɪm] **I** *v/i.* [*irr.*] **1.** schwimmen; **2.** schwimmen (*Gegenstand*), treiben; **3.** schweben, (sanft) gleiten; **4.** a) schwimmen (***in*** in *dat.*), b) über'schwemmt sein, 'überfließen (***with*** von): ***his eyes were ~ming with tears*** s-e Augen schwammen in Tränen; ***~ in*** *fig.* schwimmen in (*Geld etc.*); **5.** (ver-) schwimmen (***before one's eyes*** vor den Augen): ***my head ~s*** mir ist schwind(e)lig; **II** *v/t.* [*irr.*] **6.** *Strecke etc.* schwimmen, *Gewässer* durch'schwimmen; **7.** *Person*, *Pferd etc.* schwimmen lassen; **8.** F mit *j-m* um die Wette schwimmen; **III** *s.* **9.** Schwimmen *n*, Bad *n*: ***go for a ~*** schwimmen gehen; ***be in*** (***out of***) ***the ~*** F *fig.* a) (nicht) auf dem laufenden sein, b) (nicht) mithalten können; **10.** *Angelsport*: tiefe u. fischreiche Stelle (*e-s Flusses*); **11.** Schwindel(anfall) *m*; **'swim·mer** [-mə] *s.* **1.** Schwimmer(in); **2.** *zo.* 'Schwimmor‚gan *n*.

swim·mer·et ['swɪməret] *s. zo.* Schwimmfuß *m* (*Krebs*).

swim·ming ['swɪmɪŋ] **I** *s.* **1.** Schwimmen *n*; **2.** ***~ of the head*** Schwindelgefühl *n*; **II** *adj.* ☐ → ***swimmingly***; **3.** Schwimm…; **~ bath** *s.* Schwimmbad *n*; **~ blad·der** *s. zo.* Schwimmblase *f*.

swim·ming·ly ['swɪmɪŋlɪ] *adv. fig.* glatt,

S

reibungslos.

swim·ming| pool *s.* **1.** Schwimmbecken *n*, Swimmingpool *m*; **2.** Schwimmbad *n*: a) Freibad *n*, b) *mst* ***indoor ~*** Hallenbad *n*; **~ trunks** *s. pl.* Badehose *f*.

swin·dle ['swɪndl] **I** *v/i.* **1.** betrügen, mogeln; **II** *v/t.* **2.** *j-n* beschwindeln, betrügen (***out of s.th.*** um et.); **3.** *et.* erschwindeln (***out of s.o.*** von j-m); **III** *s.* **4.** Schwindel *m*, Betrug *m*; '**swin·dler** [-lə] *s.* Schwindler(in), Betrüger(in).

swine [swaɪn] *pl.* **swine** *s. zo.*, *mst* ✓, *poet. od. obs.* Schwein *n* (*a. fig. contp.*); **~ fe·ver** *s. vet.* Schweinepest *f*; '**~·herd** *s. poet.* Schweinehirt *m*; '**~·pox** *s.* **1.** ⚕ *hist.* Wasserpocken *pl.*; **2.** *vet.* Schweinepocken *pl.*

swing [swɪŋ] **I** *v/t.* [*irr.*] **1.** *Stock*, *Keule*, *Lasso etc.* schwingen; **2.** *Glocke etc.* schwingen, (hin- u. her)schwenken: ***~ one's arms*** mit den Armen schlenkern; ***~ s.th. about*** et. (im Kreis) herumschwenken; **3.** *Beine etc.* baumeln lassen, *a. Tür etc.* pendeln lassen; *Hängematte etc.* aufhängen (***from*** an *dat.*): ***~ open*** (***to***) *Tor* auf-(zu)stoßen; **4.** *j-n in e-r Schaukel* schaukeln; **5.** *auf die Schulter etc.* (hoch)schwingen; **6.** ⚔ (***~ in*** *od.* ***out*** ein- *od.* aus)schwenken lassen; **7.** ⚓ (rund)schwojen; **8.** *bsd. Am.* F a) *et.* ‚schaukeln', ‚hinkriegen', b) *Wähler* her'umkriegen; **II** *v/i.* [*irr.*] **9.** (hin- u. her)schwingen, pendeln, ausschlagen (*Pendel*, *Zeiger*): ***~ into motion*** in Schwung *od.* Gang kommen; **10.** schweben, baumeln (***from*** an *dat.*) (*Glocke etc.*); **11.** (sich) schaukeln; **12.** F ‚baumeln' (*gehängt werden*): ***he must ~ for it***; **13.** sich (*in den Angeln*) drehen (*Tür etc.*): ***~ open*** (***to***) auffliegen (zuschlagen); ***~ round*** a) sich ruckartig umdrehen, b) sich drehen (*Wind etc.*), c) *fig.* umschlagen (*öffentliche Meinung etc.*); **14.** ⚓ schwojen; **15.** schwenken, mit schwungvollen Bewegungen gehen, (flott) marschieren: ***~ into line*** ⚔ einschwenken; **16.** *a.* ***~ it*** *sl.* a) ‚toll leben', b) ‚auf den Putz hauen'; **17.** schwanken; **18.** (zum Schlag) ausholen: ***~ at*** nach *j-m* schlagen; **19.** ♪ swingen; **III** *s.* **20.** (Hin- u. Her)Schwingen *n*, Pendeln *n*, Schwingung *f*; ⚙ Schwungweite *f*, Ausschlag *m* (*e-s Pendels od. Zeigers*): ***the ~ of the pendulum*** der Pendelschlag (*a. fig. od. pol.*); ***free ~*** Bewegungsfreiheit *f*, Spielraum *m* (*a. fig.*); ***in full ~*** in vollem Gange, im Schwung; ***give full ~ to*** a) *e-r Sache* freien Lauf lassen, b) *j-m* freie Hand lassen; **21.** Schaukeln *n*; **22.** a) Schwung *m beim Gehen*, *Skilauf etc.*, schwingender Gang, Schlenkern *n*, b) ♪ *etc.* Schwung *m*, (schwingender) Rhythmus: ***go with a ~*** a) Schwung haben, b) *fig.* wie am Schnürchen gehen; **23.** ♪ Swing *m* (*Jazz*); **24.** Schaukel *f*: ***lose on the ~s what you make on the roundabouts*** *fig.* genau so weit sein wie am Anfang; ***you make up on the ~s what you lose on the roundabouts*** was man hier verliert, macht man dort wieder wett; **25.** ⚕ a) Swing *m*, Spielraum *m* für Kre'ditgewährung, b) *Am.* F Konjunk'turperi,ode *f*; **26.** *Boxen*: Schwinger *m*; **27.** Schwenkung *f*; '**~·back** *s.* **1.** *phot.* Einstellscheibe *f*; **2.** *fig.* (***to***) Rückkehr *f* (zu), Rückfall *m* (in *acc.*); '**~·boat** *s.* Schiffsschaukel *f*; **~ bridge** *s.* Drehbrücke *f*; **~ cred·it** *s.* ⚕ 'Swingkre,dit *m*; **~ door** *s.* Pendeltür *f*.

swinge [swɪndʒ] *v/t. obs.* 'durchprügeln, (aus)peitschen; '**swinge·ing** [-dʒɪŋ] *adj. fig.* drastisch, ex'trem.

swing·er ['swɪŋə] *s. sl.* lebenslustige Per'son.

swing·ing ['swɪŋɪŋ] *adj.* □ **1.** schwingend, schaukelnd, pendelnd, Schwing…; **2.** Schwenk…; **3.** rhythmisch, schwungvoll; **4.** lebenslustig; **5.** schwankend: ***~ temperature*** ⚕ Temperaturschwankungen *pl.*

swin·gle [swɪŋgl] **I** *s.* ⚙ (Flachs-, Hanf-) Schwinge *f*; **II** *Flachs*, *Hanf* schwingeln; '**~·tree** *s.* Ortscheit *n*, Wagenschwengel *m*.

'**swing|-out** *adj.* ⚙ ausschwenkbar; **~ seat** *s.* Hollywoodschaukel *f*; **~ shift** *s. Am.* ⚕ Spätschicht *f*; '**~-wing** *s.* ✈ **1.** Schwenkflügel *m*; **2.** Schwenkflügler *m*.

swin·ish ['swaɪnɪʃ] *adj.* □ schweinisch, säuisch.

swipe [swaɪp] **I** *v/i.* **1.** dreinschlagen, hauen; *sport* aus vollem Arm schlagen; **II** *v/t.* **2.** (hart) schlagen; **3.** *sl.* ‚klauen', stehlen; **III** *s.* **4.** *bsd. sport* harter Schlag, Hieb *m*; **5.** *pl. sl.* Dünnbier *n*.

swirl [swɜːl] **I** *v/i.* **1.** wirbeln (*Wasser*, *a. fig. Kopf*), e-n Strudel bilden; **2.** (her'um)wirbeln; **II** *v/t.* **3.** *et.* her'umwirbeln; **III** *s.* **4.** Wirbel *m*, Strudel *m*; **5.** *Am.* (Haar)Wirbel *m*; **6.** Wirbel(n *n*) *m* (*Drehbewegung*).

swish [swɪʃ] **I** *v/i.* **1.** schwirren, zischen, sausen; **2.** rascheln (*Seide*); **II** *v/t.* **3.** sausen *od.* schwirren lassen; **4.** *Brit.* 'durchprügeln; **III** *s.* **5.** Sausen *n*, Zischen *n*; **6.** Rascheln *n*; **7.** *Brit.* (Ruten-) Streich *m*, Peitschenhieb *m*; **IV** *adj.* **8.** *Brit. sl.* ‚(tod)schick'.

Swiss [swɪs] **I** *pl.* **Swiss** *s.* **1.** Schweizer (-in); **2.** ⚙ ♀, *a.* ***~ muslin*** 'Schweizermusse,lin *m* (*Stoff*); **II** *adj.* **3.** schweizerisch, Schweizer: ***~ German*** Schweizerdeutsch *n*; ***~ Guard*** *R.C.* a) Schweizergarde *f*, b) Schweizer *m*; ***~ roll*** Biskuitrolle *f*.

switch [swɪtʃ] **I** *s.* **1.** Gerte *f*, Rute *f*; **2.** (Ruten)Streich *m*; **3.** falscher Zopf; **4.** ⚡, ⚙ Schalter *m*; **5.** 🚂 Weiche *f*; **6.** (***to***) *fig.* a) 'Umstellung *f* (auf *acc.*), Wechsel *m* (zu), b) Verwandlung *f* (in *acc.*), c) Vertauschung *f*; **II** *v/t.* **7.** peitschen; **8.** zucken mit; **9.** ϟ, ⚙ (ˈum)schalten: **~ on** einschalten, *Licht* anschalten, *teleph. j-n* verbinden; **~ off** *Gerät etc.* ab-, ausschalten, abstellen, *teleph. j-n* trennen; **~ to** anschließen an (*acc.*); **10.** 🚂 a) *Zug* rangieren, b) *Waggons* ˈumstellen; **11.** *fig. Produktion etc.* ˈumstellen, *Methode*, *Thema etc.* wechseln, *Gedanken*, *Gespräch* ˈüberleiten (**to** auf *acc.*); **III** *v/i.* **12.** 🚂 rangieren; **13.** ϟ, ⚙ (*a.* **~ over** ˈum)schalten; **~ off** abschalten, *teleph.* trennen; **14.** *fig.* ˈumstellen: **~ (off** *od.* **over) to** übergehen zu, sich umstellen auf (*acc.*), *univ. etc.* umsatteln auf (*acc.*); **ˈ~·back** *s. Brit.* **1.** *a.* **~ road** Serpenˈtinenstraße *f*; **2.** Achterbahn *f*; **ˈ~·blade knife** *s.* Schnappmesser *n*; **ˈ~·board** *s.* ϟ **1.** Schaltbrett *n*, -tafel *f*; **2.** (Teleˈfon)Zenˌtrale *f*, Vermittlung *f*: **~ operator** Telefonist(in); **~ box** *s.* **1.** ϟ Schaltkasten *m*; **2.** 🚂 Stellwerk *n*.

switch·er·oo [ˌswɪtʃəˈruː] *s. Am. sl.* **1.** unerwartete Wendung; **2.** → **switch** 6 b u. c.

switch·ing [ˈswɪtʃɪŋ] **I** *s.* **1.** ϟ, ⚙ (ˈUm-)Schalten *n*; **~-on** Einschalten; **~-off** Ab-, Ausschalten; **2.** 🚂 Rangieren *n*; **II** *adj.* **3.** ϟ, ⚙ (Um)Schalt…; **4.** 🚂 Rangier…

switch| plug *s.* ϟ, ⚙ Schaltstöpsel *m*; **ˈ~·yard** *s.* 🚂 *Am.* Rangier-, Verschiebebahnhof *m*.

swiv·el [ˈswɪvl] **I** *s.* Drehzapfen *m*, -ring *m*, -gelenk *n*, (⚓ Ketten)Wirbel *m*; **II** *v/t.* (*auf e-m Zapfen etc.*) drehen *od.* schwenken; **III** *v/i.* sich drehen; **IV** *adj.* dreh-, schwenkbar, Dreh…, Schwenk…; **~ bridge** *s.* ⚙ Drehbrücke *f*; **~ chair** *s.* Drehstuhl *m*; **~ joint** *s.* ⚙ Drehgelenk *n*.

swiz·zle stick [ˈswɪzl] *s.* Sektquirl *m*.

swol·len [ˈswəʊlən] **I** *p.p. von* **swell**; **II** *adj.* ⚕ geschwollen (*a. fig.*): **~-headed** aufgeblasen.

swoon [swuːn] **I** *v/i. oft* **~ away** in Ohnmacht fallen (**with** vor *dat.*); **II** *s.* Ohnmacht(sanfall *m*) *f*.

swoop [swuːp] **I** *v/i.* **1.** *oft* **~ down** ([**up**]**on**, **at**) herˈabstoßen, sich stürzen (auf *acc.*), *fig.* zuschlagen, herfallen (über *acc.*); **II** *v/t.* **2.** *mst* **~ up** F packen, ‚schnappen'; **III** *s.* **3.** Herˈabstoßen *n* (*Raubvogel*); **4.** *fig.* a) ˈÜberfall *m*, b) Razzia *f*; **5. at one (fell) ~** mit ˈeinem Schlag.

swop [swɒp] → **swap**.

sword [sɔːd] *s.* Schwert *n* (*a. fig.*); Säbel *m*, Degen *m*; *allg.* Waffe *f*: **draw (sheathe) the ~** das Schwert ziehen (in die Scheide stecken), *fig.* den Kampf beginnen (beenden); **put to the ~** über die Klinge springen lassen; → **cross** 11, **measure** 16; **~ belt** *s.* **1.** Schwertgehenk *n*; **2.** ⚔ Degenkoppel *n*; **~ cane** *s.* Stockdegen *m*; **~ dance** *s.* Schwert(er)tanz *m*; **ˈ~·fish** *s.* Schwertfisch *m*; **~ knot** *s.* ⚔ Degen-, Säbelquaste *f*; **~ lil·y** *s.* ⚘ Schwertel *m*, Siegwurz *f*; **ˈ~·play** *s.* **1.** (Degen-, Säbel)Kampf *m*; **2.** Fechtkunst *f*; **3.** *fig.* Gefecht *n*, Duˈell *n*.

swords·man [ˈsɔːdzmən] *s.* [*irr.*] Fechter *m*; Kämpfer *m*; **ˈswords·man·ship** [-ʃɪp] *s.* Fechtkunst *f*.

ˈsword·stick → **sword cane**.

swore [swɔː] *pret. von* **swear**; **sworn** [swɔːn] **I** *p.p. von* **swear**; **II** *adj.* **1.** ⚖ (gerichtlich) vereidigt, beeidigt: **~ expert**; **2.** eidlich: **~ statement**; **3.** geschworen (*Gegner*): **~ enemies** Todfeinde; **4.** verschworen (*Freunde*).

swot [swɒt] *ped. Brit.* F **I** *v/i.* **1.** büffeln, pauken; **II** *v/t.* **2.** *mst* **~ up** *Lehrstoff* pauken, büffeln; **III** *s.* **3.** Büffler(in), Streber(in); **4.** Büffeˈlei *f*, Paukeˈrei *f*; *weitS.* hartes Stück Arbeit.

swung [swʌŋ] *pret. u. p.p. von* **swing**.

syb·a·rite [ˈsɪbəraɪt] *s. fig.* Sybaˈrit *m*, Genußmensch *m*; **syb·a·rit·ic** [ˌsɪbəˈrɪtɪk] *adj.* (☐ **~ally**) sybaˈritisch, genußsüchtig; **ˈsyb·a·rit·ism** [-rɪtɪzəm] *s.* Genußsucht *f*.

syc·a·more [ˈsɪkəmɔː] *s.* ⚘ **1.** *Am.* Plaˈtane *f*; **2.** *a.* **~ maple** *Brit.* Bergahorn *m*; **3.** Sykoˈmore *f*, Maulbeerfeigenbaum *m*.

syc·o·phan·cy [ˈsɪkəfənsɪ] *s.* Kriecheˈrei *f*, Speichelleckeˈrei *f*; **ˈsyc·o·phant** [-nt] *s.* Schmeichler *m*, Kriecher *m*, Speichellecker *m*; **syc·o·phan·tic** [ˌsɪkəʊˈfæntɪk] *adj.* (☐ **~ally**) schmeichlerisch, kriecherisch.

syl·la·bar·y [ˈsɪləbərɪ] *s.* ˈSilbentaˌbelle *f*; **ˈsyl·la·bi** [-baɪ] *pl. von.* **syllabus**.

syl·lab·ic [sɪˈlæbɪk] *adj.* (☐ **~ally**) **1.** sylˈlabisch (*a.* ♪), Silben…: **~ accent**; **2.** silbenbildend, silbisch; **3.** *in Zssgn* …silbig; **sylˈlab·i·cate** [-keɪt], **sylˈlab·i·fy** [-ɪfaɪ], **syl·la·bize** [ˈsɪləbaɪz] *v/t. ling.* syllabieren, in Silben teilen, Silbe für Silbe (aus)sprechen.

syl·la·ble [ˈsɪləbl] **I** *s.* **1.** *ling.* Silbe *f*: **not a ~** *fig.* keine Silbe *od.* kein Sterbenswörtchen *sagen*; **2.** ♪ Tonsilbe *f*; **II** *v/t.* **3.** → **syllabicate**; **ˈsyl·la·bled** [-ld] *adj.* …silbig.

syl·la·bus [ˈsɪləbəs] *pl.* **-bi** [-baɪ] *s.* **1.** Auszug *m*, Abriß *m*; zs.-fassende Inhaltsangabe; **2.** (*bsd.* Vorlesungs)Verzeichnis *n*; Lehr-, ˈUnterrichtsplan *m*; **3.** ⚖ Komˈpendium *n von richtungweisenden Entscheidungen*; **4.** *R.C.* Syllabus *m*.

syl·lep·sis [sɪˈlepsɪs] *s. ling.* Sylˈlepsis, Sylˈlepse *f*.

syl·lo·gism [ˈsɪlədʒɪzəm] *s. phls.* Sylloˈgismus *m*, (Vernunft)Schluß *m*; **ˈsyl-**

S

lo·gize [-dʒaɪz] *v/i.* syllogisieren, folgerichtig denken.

sylph [sɪlf] *s.* **1.** *myth.* Sylphe *m*, Luftgeist *m*; **2.** *fig.* Syl'phide *f*, gra'ziles Mädchen; **'sylph·ish** [-fɪʃ], **'sylph·like** [-laɪk], **'sylph·y** [-fɪ] *adj.* sylphenhaft, gra'zil.

syl·van ['sɪlvən] *adj. poet.* waldig, Wald...

sym·bi·o·sis [ˌsɪmbɪ'əʊsɪs] *s. biol. u. fig.* Symbi'ose *f*; **ˌsym·bi'ot·ic** [-ɪ'ɒtɪk] *adj.* (□ **~ally**) *biol.* symbi'o(n)tisch.

sym·bol ['sɪmbl] *s.* Sym'bol *n*, Sinnbild *n*, Zeichen *n*; **sym·bol·ic, sym·bol·i·cal** [sɪm'bɒlɪk(l)] *adj.* □ sym'bolisch, sinnbildlich (**of** für): **be ~ of s.th.** et. versinnbildlichen; **sym·bol·ics** [sɪm'bɒlɪks] *s. pl. mst sg. konstr.* **1.** Studium *n* alter Sym'bole; **2.** *eccl.* Sym'bolik *f*; **'sym·bol·ism** [-bəlɪzəm] *s.* **1.** Sym'bolik *f* (*a. eccl.*), sym'bolische Darstellung; ⩗ Forma'lismus *m*; **2.** sym'bolische Bedeutung; **3.** *coll.* Sym'bole *pl.*; **4.** *paint. etc.* Symbo'lismus *m*; **'sym·bol·ize** [-bəlaɪz] *v/t.* **1.** symbolisieren: a) versinnbildlichen, b) sinnbildlich darstellen; **2.** sym'bolisch auffassen.

sym·met·ric, sym·met·ri·cal [sɪ'metrɪk(l)] *adj.* □ sym'metrisch, eben-, gleichmäßig: **~ axis** ⩗ Symmetrieachse *f*; **sym·me·trize** ['sɪmɪtraɪz] *v/t.* sym'metrisch machen; **sym·me·try** ['sɪmɪtrɪ] *s.* Symme'trie *f* (*a. fig. Ebenmaß*).

sym·pa·thet·ic [ˌsɪmpə'θetɪk] **I** *adj.* (□ **~ally**) **1.** mitfühlend, teilnehmend: **~ strike** Sympathiestreik *m*; **2.** einfühlend, verständnisvoll; **3.** gleichgesinnt, geistesverwandt, kongeni'al; **4.** sym'pathisch; **5.** F wohlwollend (**to[ward]** gegen['über]); **6.** sympa'thetisch (*Kur, Tinte etc.*); **7.** ⚕, *physiol.* sym'pathisch (*Nervensystem etc.*); → 9a; **8.** ♪, *phys.* mitschwingend: **~ vibration** Sympathieschwingung *f*; **II** *s.* **9.** a) *a.* **~ nerve** *physiol.* Sym'pathikus(nerv) *m*, b) Sym'pathikussysˌtem *n*.

sym·pa·thize ['sɪmpəθaɪz] *v/i.* **1.** (**with**) a) sympathisieren (mit), gleichgesinnt sein (*dat.*), b) über'einstimmen (mit), wohlwollend gegen'überstehen (*dat.*), c) mitfühlen (mit); **2.** sein Mitgefühl *od.* Beileid ausdrücken (**with** *dat.*); **3.** ⚕ in Mitleidenschaft gezogen werden (**with** von); **'sym·pa·thiz·er** [-zə] *s.* j-d, der *mit j-m od. e-r Sache* sympathisiert, Anhänger(in), *bsd. pol.* Sympathi'sant(in); **'sym·pa·thy** [-θɪ] *s.* **1.** Sympa'thie *f*, Zuneigung *f* (**for** für): **~ strike** Sympathiestreik *m*; **2.** Gleichgestimmtheit *f*; **3.** Mitleid *n*, -gefühl *n* (**with** mit, **for** für): **feel ~ for** (*od.* **with**) Mitleid haben mit *j-m*, Anteil nehmen an *e-r Sache*; **4.** *pl.* (An)Teilnahme *f*, Beileid *n*: **letter of ~** Beileidschreiben *n*; **offer one's sympathies to s.o.** j-m sein Beileid bezeigen, j-m kondolieren; **5.** ⚕ Mitleidenschaft *f*; **6.** Wohlwollen *n*, Zustimmung *f*; **7.** Über'einstimmung *f*, Einklang *m*; **8.** *biol.*, *psych.* Sympa'thie *f*, Wechselwirkung *f*.

sym·phon·ic [sɪm'fɒnɪk] *adj.* (□ **~ally**) sin'fonisch, sym'phonisch, Sinfonie..., Symphonie...: **~ poem** ♪ symphonische Dichtung; **sym'pho·ni·ous** [-'fəʊnjəs] *adj.* har'monisch (*a. fig.*); **sym·pho·nist** ['sɪmfənɪst] *s.* ♪ Sin'foniker *m*, Sym'phoniker *m*; **sym·pho·ny** ['sɪmfənɪ] **I** *s.* **1.** ♪ Sinfo'nie *f*, Sympho'nie *f*; **2.** *fig.* (*Farben- etc.*)Sympho'nie *f*, (*a. häusliche etc.*) Harmo'nie, Zs.-klang *m*; **II** *adj.* **3.** Sinfonie..., Symphonie...: **~ orchestra**.

sym·po·si·um [sɪm'pəʊzjəm] *pl.* **-si·a** [-zjə] *s.* **1.** *antiq.* Sym'posion *n*: a) Gastmahl *n*, b) *Titel philosophischer Dialoge*; **2.** *fig.* Sammlung *f* von Beiträgen (*über e-e Streitfrage*); **3.** Sym'posium *n*, (Fach)Tagung *f*.

symp·tom ['sɪmptəm] *s.* ⚕ *u. fig.* Sym'ptom *n* (**of** für, von), (An)Zeichen *n*; **symp·to·mat·ic, symp·to·mat·i·cal** [ˌsɪmptə'mætɪk(l)] *adj.* □ *bsd.* ⚕ sympto'matisch (*a. fig. bezeichnend*) (**of** für); **symp·tom·a·tol·o·gy** [ˌsɪmptəmə'tɒlədʒɪ] *s.* ⚕ Symptomatolo'gie *f*.

syn- [sɪn] *in Zssgn* mit, zusammen.

syn·a·gogue ['sɪnəgɒg] *s. eccl.* Syna'goge *f*.

syn·a·l(o)e·pha [ˌsɪnə'liːfə] *s. ling.* Syna'loiphe *f*, Verschleifung *f*.

syn·an·ther·ous [sɪ'nænθərəs] *adj.* ♀ syn'andrisch: **~ plant** Korbblüt(l)er *m*, Komposite *f*.

sync [sɪŋk] F *für* a) **synchronization** 1: **in** (**out of**) **~** (nicht) synchron, *fig.* (nicht) in Einklang, b) **synchronize** 5.

syn·carp ['sɪnkɑːp] *s.* ♀ Sammelfrucht *f*.

ˌsyn·chro|'flash [ˌsɪŋkrəʊ-] *s. phot.* Syn'chronblitz(licht *n*) *m*; **ˌ~'mesh** [-'meʃ] ⚙ **I** *adj.* Synchron...; **II** *s. a.* **~ gear** Syn'chrongetriebe *n*.

syn·chro·nism ['sɪŋkrənɪzəm] *s.* **1.** Synchro'nismus *m*, Gleichzeitigkeit *f*; **2.** Synchronisati'on *f*; **3.** synchro'nistische (Ge'schichts)Taˌbelle; **4.** *phys.* Gleichlauf *m*; **syn·chro·ni·za·tion** [ˌsɪŋkrənaɪ'zeɪʃn] *s.* **1.** *bsd. Film*, *TV*: Synchronisati'on *f*; **2.** Gleichzeitigkeit *f*, zeitliches Zs.-fallen; **syn·chro·nize** ['sɪŋkrənaɪz] **I** *v/i.* **1.** gleichzeitig sein, zeitlich zs.-fallen *od.* über'einstimmen; **2.** syn'chron gehen (*Uhr*) *od.* laufen (*Maschine*); **3.** synchronisiert sein (*Bild u. Ton e-s Films*); **II** *v/t.* **4.** *Uhren, Maschinen* synchronisieren: **~d shifting** *mot.* Synchron(gang)schaltung *f*; **5.** *Film, TV*: synchronisieren; **6.** *Ereignisse* synchro'nistisch darstellen, *Gleichzeitiges* zs.-stellen; **7.** *Geschehnisse* (zeitlich) zs.-fallen lassen *od.* aufein'ander abstimmen: ***~d swimming*** Synchronschwimmen *n*; **8.** ♪ a) *Ausführende* zum (genauen) Zs.-spiel bringen, b) *Stelle, Bogenstrich etc.* genau zu'sammen ausführen (lassen); **'syn·chro·nous** [-nəs] *adj.* □ **1.** gleichzeitig: ***be ~*** (zeitlich) zs.-fallen; **2.** syn'chron: a) ⚙, ϟ gleichlaufend (*Maschine etc.*), gleichgehend (*Uhr*), b) ϟ, ⚙ von gleicher Phase u. Schwingungsdauer: ***~ motor*** Synchronmotor *m*.

syn·co·pal ['sɪŋkəpl] *adj.* **1.** syn'kopisch; **2.** ⚕ Ohnmachts…; **'syn·co·pate** [-peɪt] *v/t.* **1.** *ling. Wort* synkopieren, zs.-ziehen; **2.** ♪ synkopieren; **syn·co·pa·tion** [ˌsɪŋkə'peɪʃn] *s.* **1.** → ***syncope*** 1; **2.** ♪ a) Synkopierung *f*, b) Syn'kope(n *pl.*) *f*, c) syn'kopische Mu'sik; **syn·co·pe** ['sɪŋkəpɪ] *s.* **1.** *ling.* a) Syn'kope *f*, kontrahiertes Wort, b) Kontrakti'on *f*; **2.** ♪ Syn'kope *f*; **3.** ⚕ Syn'kope *f*, tiefe Ohnmacht.

syn·dic ['sɪndɪk] *s.* **1.** ⚖, ⚚ Syndikus *m*, Rechtsberater *m*; **2.** *univ. Brit.* Se'natsmitglied *n*; **'syn·di·cal·ism** [-kəlɪzəm] *s.* Syndika'lismus *m* (*radikaler Gewerkschaftssozialismus*); **'syn·di·cate I** *s.* [-kɪt] **1.** ⚚, ⚖ Syndi'kat *n*, Kon'sortium *n*; **2.** ⚚ a) Ring *m*, Verband *m*, 'Absatzkarˌtell *n*, b) 'Zeitungssyndiˌkat *n od.* -gruppe *f*; **3.** 'Pressezenˌtrale *f*; **4.** ‚Syndi'kat' *n*, Verbrecherring *m*; **II** *v/t.* [-keɪt] **5.** ⚚ zu e-m Syndi'kat vereinigen; **6.** a) *Artikel etc.* in mehreren Zeitungen zu'gleich veröffentlichen, b) über ein Syndi'kat verkaufen, c) *Zeitungen* zu e-m Syndi'kat zs.-schließen; **III** *v/i.* [-keɪt] **7.** ⚚ sich zu e-m Syndi'kat zs.-schließen; **IV** *adj.* [-kɪt] **8.** ⚚ Kon-sortial…; **syn·di·ca·tion** [ˌsɪndɪ'keɪʃn] *s.* ⚚ Syndi'katsbildung *f*.

syn·drome ['sɪndrəʊm] *s.* ⚕ Syn'drom *n* (*a. sociol. etc.*).

syn·er·get·ic [sɪnə'djetɪk] *adj.* synergetisch; ***~ effect*** Synergieeffekt *m*; **syn·er·gy** ['sɪnədjɪ] *s.* Synergie *f*.

syn·od ['sɪnəd] *s. eccl.* Syn'ode *f*; **'syn·od·al** [-dl], **syn·od·ic**, **syn·od·i·cal** [sɪ'nɒdɪk(l)] *adj.* □ syn'odisch (*a. ast.*), Synoden…

syn·o·nym ['sɪnənɪm] *s. ling.* Syno'nym *n*, bedeutungsgleiches *od.* -ähnliches Wort: ***be a ~ for*** *fig.* gleichbedeutend sein mit; **syn·on·y·mous** [sɪ'nɒnɪməs] *adj.* □ **1.** *ling.* syno'nym(isch), bedeutungsgleich *od.* -ähnlich; **2.** *allg.* gleichbedeutend (***with*** mit).

syn·op·sis [sɪ'nɒpsɪs] *pl.* **-ses** [-si:z] *s.* **1.** Syn'opse *f*: a) Zs.-fassung *f*, 'Übersicht *f*, Abriß *m*, b) *eccl.* (vergleichende) Zs.-schau; **syn'op·tic** [-ptɪk] *adj.* (□ ***~ally***) **1.** syn'optisch, 'übersichtlich, zs.-fassend: ***~ chart*** *meteor.* synoptische Karte; **2.** um'fassend (*Genie*); **3.** *oft* ♀ *eccl.* syn'optisch; **Syn'op·tist**, *a.* ♀ [-ptɪst] *s. eccl.* Syn'optiker *m* (*Matthäus, Markus u. Lukas*).

syn·o·vi·a [sɪ'nəʊvɪə] *s. physiol.* Gelenkschmiere *f*; **syn'o·vi·al** [-əl] *adj.* Synovial…: ***~ fluid*** → ***synovia***; **syn·o·vi·tis** [ˌsɪnə'vaɪtɪs] *s.* ⚕ Gelenkentzündung *f*.

syn·tac·tic, **syn·tac·ti·cal** [sɪn'tæktɪk(l)] *adj.* □ *ling.* syn'taktisch, Syntax…; **syn'tac·ti·cals** [-ɪklz] *s. pl. sg. konstr.* Syn'taktik *f*; **syn·tax** ['sɪntæks] *s.* **1.** *ling.* Syntax *f*: a) Satzbau *m*, b) Satzlehre *f*; **2.** ⩓, *phls.* Syntax *f*, Be'weistheoˌrie *f*.

syn·the·sis ['sɪnθɪsɪs] *pl.* **-ses** [-si:z] *s.* *allg.* Syn'these *f*; **'syn·the·size** [-saɪz] *v/t.* **1.** zs.-fügen, (durch Syn'these) aufbauen; **2.** ⚗, ⚙ syn'thetisch *od.* künstlich herstellen; **syn·thet·ic** [sɪn'θetɪk] **I** *adj.* (□ ***~ally***) syn'thetisch: a) *bsd. ling., phls.* zs.-fügend: ***~ language***, b) ⚗ künstlich (*a. fig. unecht*), Kunst…: ***~ rubber***; ***~ trainer*** ✈ (Flug)Simulator *m*; **II** *s.* Kunststoff *m*; **syn·thet·i·cal** [sɪn'θetɪkl] *adj.* □ → ***synthetic*** I; **'synthe·tize** [-ɪtaɪz] → ***synthesize***.

syn·ton·ic [sɪn'tɒnɪk] *adj.* (□ ***~ally***) **1.** ϟ (auf gleiche Fre'quenz) abgestimmt; **2.** *psych.* extravertiert; **syn·to·nize** ['sɪntənaɪz] *v/t.* ϟ (***to*** auf *e-e bestimmte Frequenz*) abstimmen *od.* einstellen; **syn·to·ny** ['sɪntənɪ] *s.* **1.** ϟ (Fre'quenz-)Abstimmung *f*, Reso'nanz *f*; **2.** *psych.* Extraversi'on *f*.

syph·i·lis ['sɪfɪlɪs] *s.* ⚕ Syphilis *f*; **syph·i·lit·ic** [sɪfɪ'lɪtɪk] **I** *adj.* syphi'litisch; **II** *s.* Syphi'litiker(in).

sy·phon ['saɪfn] → ***siphon***.

Syr·i·an ['sɪrɪən] **I** *adj.* syrisch; **II** *s.* Syr(i)er(in).

sy·rin·ga [sɪ'rɪŋgə] *s.* ⚘ Sy'ringe *f*, Flieder *m*.

syr·inge ['sɪrɪndʒ] **I** *s.* **1.** ⚕, ⚙ Spritze *f*; **II** *v/t.* **2.** *Flüssigkeit etc.* (ein)spritzen; **3.** *Ohr* ausspritzen; **4.** *Pflanze etc.* ab-, bespritzen.

syr·inx ['sɪrɪŋks] *s.* **1.** *antiq.* Pan-, Hirtenflöte *f*; **2.** a) *anat.* Eu'stachische Röhre, b) ⚕ Fistel *f*; **3.** *orn.* Syrinx *f*, unterer Kehlkopf.

Syro- [saɪərəʊ] *in Zssgn* Syro…, syrisch.

syr·up ['sɪrəp] *s.* **1.** Sirup *m*, Zuckersaft *m*; **2.** *fig.* ‚süßliches Zeug', Kitsch *m*; **'syr·up·y** [-pɪ] *adj.* **1.** sirupartig, dickflüssig, klebrig; **2.** *fig.* süßlich, sentimen'tal.

sys·tem ['sɪstəm] *s.* **1.** *allg.* Sy'stem *n* (*a.* ⩓, ♪, ⚗, ⚘, *zo.*): a) Gefüge *n*, Aufbau *m*, Anordnung *f*, b) Einheit *f*, geordnetes Ganzes, c) *phls., eccl.* Lehrgebäude *n*, d) ⚙ Anlage *f*, e) Verfahren *n*: ***~ crash*** *Computer*: Systemausfall *m*; ***~ of government*** Regierungssystem; ***~ of logarithms*** ⩓ Logarithmensystem; ***electoral ~*** *pol.* Wahlsystem, -verfah-

S

ren; ***mountain* ~** Gebirgssystem; ***savings-bank* ~** Sparkassenwesen *n*; ***lack* ~** kein System haben; **2.** *ast.* Sy'stem *n*: ***solar* ~**; ***the* ~** das Weltall; **3.** *geol.* Formati'on *f*; **4.** *pysiol.* a) (Or'gan)Sy,stem *n*, b) ***the* ~** der Organismus: ***digestive* ~** Verdauungssystem; ***get s.th. out of one's* ~** F et. loswerden; **5.** (*Eisenbahn-*, *Straßen-*, *Verkehrs- etc.*)Netz *n*: **~ *of roads***; **sys·tem·at·ic**, **sys·tem·at·i·cal** [ˌsɪstɪ'mætɪk(l)] *adj.* □ syste'matisch: a) plan-, zweckmäßig, -voll, b) me'thodisch (*vorgehend od. geordnet*); **'sys·tem·a·tist** [-mətɪst] *s.* Syste'matiker *m*;

sys·tem·a·ti·za·tion [ˌsɪstɪmətaɪ'zeɪʃn] *s.* Systematisierung *f*; **'sys·tem·a·tize** [-tɪmətaɪz] *v/t.* systematisieren, in ein Sy'stem bringen.

sys·tem·ic [sɪs'temɪk] *adj.* (□ **~*ally***) *physiol.* Körper…, Organ…: **~ *circulation*** großer Blutkreislauf; **~ *disease*** Systemerkrankung *f*.

sys·tems| a·nal·y·sis *s. Computer*: Sy'stemana,lyse *f*; **~ an·a·lyst** *s.* Sy'stemana,lytiker *m*.

sys·to·le ['sɪstəlɪ] *s.* Sy'stole *f*: a) ⚕ *Zs.-ziehung des Herzmuskels*, b) *Metrik*: *Verkürzung e-r langen Silbe.*

S

T

T, **t** [ti:] *pl.* **T's**, **Ts**, **t's**, **ts** *s.* **1.** T *n*, t *n* (*Buchstabe*): ***to a T*** haargenau; ***it suits me to a T*** das paßt mir ausgezeichnet; ***cross the T's*** a) peinlich genau sein, b) es klar u. deutlich sagen; **2.** *a.* ***flanged T*** ⚙ T-Stück *n*.

ta [tɑ:] *int. Brit.* F danke.

Taal [tɑ:l] *s. ling.* Afri'kaans *n*.

tab [tæb] *s.* **1.** Streifen *m*, *bsd.* a) Schlaufe *f*, (Mantel)Aufhänger *m*, b) Lappen *m*, Zipfel *m*, c) (Schuh)Lasche *f*, (Stiefel)Strippe *f*, d) Dorn *m am Schnürsenkel*, e) Ohrklappe *f* (*Mütze*); **2.** ⚔ (Kragen)Spiegel *m*; **3.** Schildchen *n*, Anhänger *m*, Eti'kett *n*; (Kar'tei)Reiter *m*; **4.** F a) Rechnung *f*, b) Kon'trolle *f*: ***keep ~(s) on*** *fig.* kontrollieren, beobachten, sich auf dem laufenden halten über (*acc.*); ***pick up the ~*** *Am.* (die Rechnung) bezahlen; **5.** ⚙ Nase *f*; **6.** ✈ Trimmruder *n*.

tab·by ['tæbɪ] **I** *s.* **1.** *obs.* Moi'ré *m*, *n* (*Stoff*); **2.** *mst* ***~ cat*** a) getigerte *od.* gescheckte Katze, b) (weibliche) Katze; **3.** F a) alte Jungfer, b) Klatschbase *f*; **II** *adj.* **4.** *obs.* Moiré...; **5.** gestreift; scheckig; **III** *v/t.* **6.** *Seide* moirieren.

tab·er·nac·le ['tæbənækl] *s.* **1.** *bibl.* Zelt *n*, Hütte *f*; **2.** ♀ *eccl.* Stiftshütte *f der Juden*: ***Feast of ♀s*** Laubhüttenfest *n*; **3.** *eccl.* a) (jüdischer) Tempel, b) ♀ Mor'monentempel *m*, c) Bethaus *n der Dissenter*; **4.** Taber'nakel *n*: a) *R.C.* Sakra'mentshäuschen *n*, b) ⚠ Statuennische *f*; **5.** *fig.* Leib *m* (*als Wohnsitz der Seele*); **6.** ⚓ Mastbock *m*.

tab·la·ture ['tæblətʃə] *s.* **1.** Bild *n*: a) Tafelgemälde *n*, b) bildliche Darstellung (*a. fig.*); **2.** ♪ *hist.* Tabula'tur *f*.

ta·ble ['teɪbl] **I** *s.* **1.** *allg.* Tisch *m*: ***lay*** (*od.* ***put***) ***s.th. on the ~*** → 14 u. 15a; ***set*** (*od.* ***lay***, ***spread***) ***the ~*** den Tisch decken; ***lay s.th. on the ~*** → 15a; ***turn the ~s*** (***on s.o.***) den Spieß umdrehen (gegenüber j-m); ***the ~s are turned*** das Blatt hat sich gewendet; **2.** Tafel *f*, Tisch *m*: a) gedeckter Tisch, b) Kost *f*, Essen *n*: ***at ~*** bei Tisch, beim Essen; ***keep*** (*od.* ***set***) ***a good ~*** e-e gute Küche führen; ***the Lord's ~*** der Tisch des Herrn, das Heilige Abendmahl; **3.** (Tisch-, Tafel)Runde *f*; → ***round table***; **4.** Komi'tee *n*, Ausschuß *m*; **5.** *geol.* Tafel(land *n*) *f*, Pla'teau *n*: ***~ mountain*** Tafelberg *m*; **6.** ⚠ a) Tafel *f*, Platte *f*, b) Sims *m*, *n*, Fries *m*; **7.** (Holz-, Stein-, *a.* Gedenk- *etc.*)Tafel *f*: ***the*** (***two***) ***~s of the law*** die Gesetzestafeln, die Zehn Gebote Gottes; **8.** Ta'belle *f*, Verzeichnis *n*: ***~ of contents*** Inhaltsverzeichnis; ***~ of wages*** Lohntabelle; **9.** ⩚ Tabelle *f*: ***~ of logarithms*** Logarithmentafel *f*; ***learn one's ~s*** rechnen lernen; **10.** *anat.* Tafel *f*, Tabula *f* (ex'terna *od.* in'terna) (*Schädeldach*); **11.** ⚙ (Auflage)Tisch *m*; **12.** *opt.* Bildebene *f*; **13.** *Chiromantie*: Handteller *m*; **II** *v/t.* **14.** auf den Tisch legen (*a. fig. vorlegen*); **15.** *bsd. parl.* a) *Brit. Antrag etc.* einbringen, b) *Am.* zu'rückstellen, *bsd. Gesetzesvorlage* ruhen lassen; **16.** in e-e Tabelle eintragen, tabel'larisch verzeichnen.

ta·bleau ['tæbləʊ] *pl.* **'ta·bleaux** [-əʊz] *s.* **1.** Bild *n*: a) Gemälde *n*, b) anschauliche Darstellung; **2.** *Brit.* dra'matische Situati'on, über'raschende Szene: ***~!*** Tableau!, man stelle sich die Situation vor!; **3.** → **~ vi·vant** [vi:'vɑ̃:ŋ] (*Fr.*) *s.* a) lebendes Bild, b) *fig.* malerische Szene.

'ta·ble|·cloth *s.* Tischtuch *n*, -decke *f*; **'~-cut** *adj.* mit Tafelschnitt (versehen) (*Edelstein*).

ta·ble d'hôte [ˌtɑ:bl'dəʊt] (*Fr.*) *s. a.* ***~ meal*** Me'nü *n*.

ta·ble| knife *s.* [*irr.*] *Brit.* Tafel-, Tischmesser *n*; **'~·land** *s. geogr.*, *geol.* Tafelland *n*, Hochebene *f*; **'~-ˌlift·ing** → ***table-turning***; **~ light·er** *s.* Tischfeuerzeug *n*; **~ lin·en** *s.* Tischwäsche *f*; **~ mat** *s.* Set *n*, *m*; **~ nap·kin** *s.* Servi'ette *f*; **'~-ˌrap·ping** *s. Spiritismus*: Tischklopfen *n*; **~ salt** *s.* Tafelsalz *n*; **~ set** *s. Radio*, *TV*: Tischgerät *n*; **'~·spoon** *s.* Eßlöffel *m*; **'~ˌspoon·ful** *s. ein* Eßlöffel(voll) *m*.

tab·let ['tæblɪt] *s.* **1.** Täfelchen *n*; **2.** (Gedenk-, Wand- *etc.*)Tafel *f*; **3.** *hist.* Schreibtafel *f*; **4.** (No'tiz-, Schreib-, Zeichen)Block *m*; **5.** a) Stück *n Seife*, b) Tafel *f Schokolade*; **6.** *pharm.* Ta'blette *f*; **7.** ⚠ Kappenstein *m*.

ta·ble| talk *s.* Tischgespräch *n*; **~ ten·nis** *s.* Tischtennis *n*; **~ top** *s.* Tischplatte *f*; **'~-ˌturn·ing** *s. Spiritismus*: Tischrücken *n*; **'~·ware** *s.* Tischgeschirr *n*; **~ wa·ter** *s.* Tafel-, Mine'ralwasser *n*.

tab·loid ['tæblɔɪd] **I** *s.* **1.** Bildzeitung *f*, Boule'vard-, Sensati'onsblatt *n*; *pl. a.*

Boule'vardpresse *f*; **2.** *Am.* Informati'onsblatt *n*; **3.** *fig.* Kurzfassung *f*; **II** *adj.* **4.** konzentriert: ***in ~ form.***

ta·boo [tə'bu:] **I** *adj.* ta'bu: a) unantastbar, b) verboten, c) verpönt; **II** *s.* Ta'bu *n*: ***put s.th. under (a) ~*** → **III** *v/t.* für tabu erklären, tabuisieren.

tab·o(u)·ret ['tæbərɪt] *s.* **1.** Hocker *m*, Tabu'rett *n*; **2.** Stickrahmen *m*.

tab·u·lar ['tæbjʊlə] *adj.* □ **1.** tafelförmig, Tafel…, flach; **2.** dünn; **3.** blättrig; **4.** tabel'larisch, Tabellen…: ***~ standard*** ✝ Preisindexwährung *f*.

ta·bu·la ra·sa [ˌtæbjʊlə'rɑ:sə] (*Lat.*) *s.* Tabula *f* rasa: a) unbeschriebenes Blatt, völlige Leere, b) reiner Tisch.

tab·u·late ['tæbjʊleɪt] **I** *v/t.* tabellarisieren, tabel'larisch (an)ordnen; **II** *adj.* → ***tabular***; **tab·u·la·tion** [ˌtæbjʊ'leɪʃn] *s.* **1.** Tabellarisierung *f*; **2.** Ta'belle *f*; **'tab·u·la·tor** [-tə] *s.* **1.** Tabellarisierer *m*; **2.** ⚙ Tabu'lator *m* (*Schreibmaschine*).

tach [tæk] F *für* ***tachometer.***

tach·o·graph ['tækəʊgrɑ:f] *s.* ⚙ Tacho'graph *m*, Fahrtenschreiber *m*.

ta·chom·e·ter [tæ'kɒmɪtə] *s.* ⚙ Tacho'meter *n*, Geschwindigkeitsmesser *m*.

tac·it ['tæsɪt] *adj.* □ *bsd.* ⚖ stillschweigend: ***~ approval.***

tac·i·turn ['tæsɪtɜ:n] *adj.* □ schweigsam, wortkarg; **tac·i·tur·ni·ty** [ˌtæsɪ'tɜ:nətɪ] *s.* Schweigsamkeit *f*, Verschlossenheit *f*.

tack¹ [tæk] **I** *s.* **1.** (Nagel)Stift *m*, Reißnagel *m*, Zwecke *f*; **2.** *Näherei*: Heftstich *m*; **3.** ⚓ a) Halse *f*, b) Haltetau *n*; **4.** ⚓ Schlag *m*, Gang *m* (*beim Lavieren od. Kreuzen*): ***be on the port ~*** auf Backbordhalsen liegen; **5.** ⚓ Lavieren *n* (*a. fig.*); **6.** *fig.* Kurs *m*, Weg *m*, Richtung *f*: ***on the wrong ~*** auf dem Holzwege; ***try another ~*** es anders versuchen; **7.** *parl. Brit.* 'Zusatzantrag *m*, -arˌtikel *m*; **8.** ⚙ Klebrigkeit *f*; **II** *v/t.* **9.** heften (***to*** an *acc.*); **10.** *a.* ***~ down*** festmachen; **11.** *a.* ***~ together*** anein'anderfügen (*a. fig.*); **12.** (***on, to***) anfügen (an *acc.*): ***~ mortgages*** *Brit.* Hypotheken (verschiedenen Ranges) zs.-schreiben; ***~ securities*** ⚖ *Brit.* Sicherheiten zs.-fassen; ***~ a rider to a bill*** *parl. Brit.* e-e Vorlage mit e-m Zusatzantrag koppeln; **13.** ⚙ heftschweißen; **III** *v/i.* **14.** ⚓ a) wenden, b) lavieren (*a. fig.*).

tack² [tæk] *s.* F Nahrung *f*, ‚Fraß' *m*.

tack·le ['tækl] **I** *s.* **1.** Gerät *n*, (Werk-) Zeug *n*, Ausrüstung *f*; **2.** (Pferde)Geschirr *n*; **3.** *a.* ***block and ~*** ⚙ Flaschenzug *m*; **4.** ⚓ Talje *f*; **5.** ⚓ Takel-, Tauwerk *n*; **6.** *Fußball etc.*: Angreifen *n* (*e-s Gegners im Ballbesitz*); **7.** *amer. Fußball*: Halbstürmer *m*; **II** *v/t.* **8.** *et. od. j-n* packen; **9.** *Fußball etc.*: *Gegner im Ballbesitz* angreifen, stoppen; **10.** *j-n* angreifen, anein'andergeraten mit; **11.** *fig. j-n* (*mit Fragen etc.*) angehen (***on*** wegen); **12.** *fig.* a) *Problem etc.* anpacken, angehen, in Angriff nehmen, b) *Aufgabe etc.* lösen, fertig werden mit.

'tack-weld *v/t.* ⚙ heftschweißen.

tack·y ['tækɪ] *adj.* **1.** klebrig, zäh; **2.** *Am.* F a) schäbig, her'untergekommen, b) 'unmoˌdern, c) protzig.

tact [tækt] *s.* **1.** Takt *m*, Takt-, Zartgefühl *n*; **2.** Feingefühl *n* (***of*** für); **3.** ♪ Takt(schlag) *m*; **'tact·ful** [-fʊl] *adj.* □ taktvoll; **'tact·ful·ness** [-fʊlnɪs] → ***tact*** 1.

tac·ti·cal ['tæktɪkl] *adj.* □ ⚔ taktisch (*a. fig. planvoll, klug*); **tac·ti·cian** [tæk'tɪʃn] *s.* ⚔ Taktiker *m* (*a. fig.*); **'tac·tics** [-ks] *s.* **1.** *sg. od. pl. konstr.* ⚔ Taktik *f*; **2.** *nur pl. konstr. fig.* Taktik *f*, planvolles Vorgehen.

tac·tile ['tæktaɪl] *adj.* **1.** tak'til, Tast…: ***~ sense*** Tastsinn *m*; ***~ hair*** *zo.*, ⚘ Tasthaar *n*; **2.** tast-, greifbar; **tac·til·i·ty** [tæk'tɪlətɪ] *s.* Greif-, Tastbarkeit *f*.

tact·less ['tæktlɪs] *adj.* □ taktlos; **'tact·less·ness** [-nɪs] *s.* Taktlosigkeit *f*.

tac·tu·al ['tæktjʊəl] *adj.* □ tastbar, Tast…: ***~ sense*** Tastsinn *m*.

tad·pole ['tædpəʊl] *s. zo.* Kaulquappe *f*.

taf·fe·ta ['tæfɪtə] *s.* Taft *m*.

taf·fy¹ ['tæfɪ] *s.* **1.** *Am.* → ***toffee***; **2.** F ‚Schmus' *m*, Schmeiche'lei *f*.

Taf·fy² ['tæfɪ] *s. sl.* Wa'liser *m*.

tag¹ [tæg] **I** *s.* **1.** (loses) Ende, Anhängsel *n*, Zipfel *m*, Fetzen *m*, Lappen *m*; **2.** Eti'kett *n*, Anhänger *m*, Schildchen *n*; Abzeichen *n*, Pla'kette *f*: ***~ day*** *Am.* Sammeltag *m*; **3.** a) Schlaufe *f am Stiefel*, b) (Schnürsenkel)Stift *m*; **4.** ⚙ a) Lötklemme *f*, b) Lötfahne *f*; **5.** a) Schwanzspitze *f* (*bsd. e-s Fuchses*), b) Wollklunker *f*, *m* (*Schaf*); **6.** (Schrift-) Schnörkel *m*; **7.** *ling.* Frageanhängsel *n*; **8.** Re'frain *m*, Kehrreim *m*; **9.** Schlußwort *n*, Po'inte *f*, Mo'ral *f*; **10.** stehende Redensart, bekanntes Zi'tat; **11.** Bezeichnung *f*, Beiname *m*; **12.** *Computer*: Identifizierungskennzeichen *n*; **13.** *Am.* Strafzettel *m*; **14.** → ***ragtag***; **II** *v/t.* **15.** mit e-m Etikett *etc.* versehen, etikettieren; *Waren* auszeichnen; *et.* markieren; **16.** mit e-m Schlußwort *od.* e-r Moral versehen; **17.** *Rede etc.* verbrämen; **18.** *et.* anhängen (***to*** an *acc.*); **19.** *Schafen* Klunkerwolle abscheren; **20.** F hinter *j-m* ‚herlatschen'; **III** *v/i.* **21.** ***~ along*** F hinter'herlaufen: ***~ after*** → 20.

tag² [tæg] **I** *s.* Fangen *n*, Haschen *n* (*Kinderspiel*); **II** *v/t.* haschen.

tag end *s.* F **1.** ‚Schwanz' *m*, Schluß *m*; **2.** *Am.* a) (letzter) Rest, b) Fetzen *m* (*a. fig.*).

T

Ta·hi·ti·an [tɑː'hiːʃn] **I** *s.* **1.** Tahiti'aner (-in); **2.** *ling.* Ta'hitisch *n*; **II** *adj.* **3.** ta'hitisch.

tail[1] [teɪl] **I** *s.* **1.** *zo.* Schwanz *m*, (Pferde-)Schweif *m*: ***turn ~*** *fig.* ausreißen, davonlaufen; ***twist s.o.'s ~*** j-n piesacken; ***close on s.o.'s ~*** j-m dicht auf den Fersen; ***~s up*** fidel, hochgestimmt; ***keep your ~ up!*** laß dich nicht unterkriegen!; ***with one's ~ between one's legs*** *fig.* mit eingezogenem Schwanz; ***the ~ wags the dog*** *fig.* der Kleinste hat das Sagen; **2.** F Hinterteil *m*, Steiß *m*; **3.** *fig.* Schwanz *m*, Ende *n*, Schluß *m* (*e-r Marschkolonne*, *e-s Briefes etc.*): ***~ of a comet*** *ast.* Kometenschweif *m*; ***the ~ of the class*** *ped.* der ‚Schwanz' *od.* die Schlechtesten der Klasse; ***~ of a note*** ♪ Notenhals *m*; ***~ of a storm*** (ruhigeres) Ende e-s Sturms; ***out of the ~ of one's eye*** aus den Augenwinkeln; **4.** Haarzopf *m*, -schwanz *m*; **5.** a) Schleppe *f e-s Kleides*, b) (Rock-, Hemd)Schoß *m*, c) *pl.* Gesellschaftsanzug *m*, *bsd.* Frack *m*; **6.** ✈ Schwanz *m*, Heck *n*; **7.** *mst pl.* Rück-, Kehrseite *f e-r Münze*; **8.** a) Gefolge *n*, b) Anhang *m e-r Partei*, große Masse *e-r Gemeinschaft*; **9.** F ‚Beschatter' *m* (*Detektiv etc.*): ***put a ~ on s.o.*** j-n beschatten lassen; **10.** ✈ a) Leitwerk *n*, b) Heck *n*, Schwanz *m*; **II** *v/t.* **11.** mit e-m Schwanz versehen; **12.** *Marschkolonne etc.* beschließen; **13.** *a.* ***~ on*** befestigen, anhängen (***to*** an *acc.*); **14.** *Tier* stutzen; **15.** *Beeren* zupfen, entstielen; **16.** F *j-n* ‚beschatten', verfolgen; **III** *v/i.* **17.** sich hinziehen: ***~ away*** (*od.* ***off***) a) abflauen, -nehmen, sich verlieren, b) zurückbleiben, -fallen, c) sich auseinanderziehen (*Marschkolonne etc.*); **18.** F hinter'herlaufen (***after s.o.*** j-m); **19.** ***~ back*** *mot. Brit.* e-n Rückstau bilden; **20.** ⚠ eingelassen sein (***in***[***to***] in *acc. od. dat.*).

tail[2] [teɪl] ⚖ **I** *s.* Beschränkung *f* (*der Erbfolge*), beschränktes Erb- *od.* Eigentumsrecht: ***heir in ~*** Vorerbe *m*; ***estate in ~ male*** Fideikommiß *m*; **II** *adj.* beschränkt: ***estate ~***.

'tail|·back *s. mot. Brit.* Rückstau *m*; **'~·board** *s.* Ladeklappe *f* (*a. mot.*); **~ coat** *s.* Frack *m*; **~ comb** *s.* Stielkamm *m*.

tailed [teild] *adj.* **1.** geschwänzt; **2.** *in Zssgn* ...schwänzig.

tail| end *s.* **1.** Schluß *m*, Ende *n*; **2.** → ***tail***[1] 2; **ˌ~'end·er** *s. sport* ‚Schlußlicht' *n*; **~ fin** *s.* **1.** *ichth.* Schwanzflosse *f*; **2.** ✈ Seitenflosse *f*; **~ fly** *s. Am.* (Angel-)Fliege *f*; **'~·gate I** *s.* **1.** a) → ***tailboard***, b) *mot.* Hecktür *f*; **2.** Niedertor *n* (*e-r Schleuse*); **II** *v/t. u. v/i. mot.* (zu) dicht auffahren (auf *acc.*); **'~-gun** *s.* ✈ Heckwaffe *f*; **'~-ˌheav·y** *adj.* ✈ schwanzlastig.

tail·ing ['teɪlɪŋ] *s.* **1.** ⚠ eingelassenes Ende; **2.** *pl.* a) (*bsd.* Erz)Abfälle *pl.*, b) Ausschußmehl *n*.

tail lamp *s. mot. etc.* Rück-, Schlußlicht *n*.

tail·less ['teɪllɪs] *adj.* schwanzlos.

'tail-light → ***tail-lamp***.

tai·lor ['teɪlə] **I** *s.* **1.** Schneider *m*: ***the ~ makes the man*** Kleider machen Leute; **II** *v/t.* **2.** schneidern; **3.** schneidern für *j-n*; **4.** *j-n* kleiden; **5.** nach Maß arbeiten; **6.** *fig.* zuschneiden (***to*** für *j-n*, auf *et.*); **'tai·lored** [-ləd] *adj.* maßgeschneidert, gut sitzend, tadellos gearbeitet: ***~ suit*** Maßanzug *m*; ***~ costume*** Schneiderkostüm *n*; **ˌtai·lor'ess** [-ə'res] *s.* Schneiderin *f*.

'tai·lor-made I *adj.* **1.** → ***tailored*** 1; **2.** ele'gant gekleidet (*Dame*); **3.** auf Bestellung angefertigt; **4.** *fig.* (genau) zugeschnitten (***for*** auf *acc.*); **II** *s.* **5.** 'Schneiderkoˌstüm *n*.

'tail|·piece *s.* **1.** ♪ Saitenhalter *m*; **2.** *typ.* 'Schlußviˌgnette *f*; **~ pipe** *s. mot.* Auspuffrohr(ende) *n*; **~ plane** *s.* ✈ Höhenflosse *f*; **~ skid** *s.* ✈ Schwanzsporn *m*; **'~·spin** *s.* **1.** ✈ (Ab)Trudeln *n*; **2.** *fig.* Panik *f*; **'~·stock** *s.* ⚙ Reitstock *m* (*Drehbank*); **~ u·nit** *s.* ✈ (Schwanz)Leitwerk *n*; **~ wind** *s.* ✈ Rückenwind *m*.

taint [teɪnt] **I** *s.* **1.** *bsd. fig.* Fleck *m*, Makel *m*; *fig.* a) *krankhafter etc.* Zug, b) Spur *f*: ***a ~ of suspicion*** ein Anflug von Mißtrauen; **2.** ⚕ a) (verborgene) Ansteckung, b) (verborgene) Anlage (***of*** zu *e-r Krankheit*): ***hereditary ~*** erbliche Belastung; **3.** *fig.* verderblicher Einfluß, Gift *n*; **II** *v/t.* **4.** *a. fig.* verderben, -giften; **5.** anstecken; **6.** *fig.* verderben: ***be ~ed with*** behaftet sein mit; **7.** *bsd. fig.* beflecken, besudeln; **III** *v/i.* **8.** verderben, schlecht werden; **'taint·less** [-lɪs] *adj.* □ makellos.

take [teɪk] **I** *s.* **1.** a) *Fischerei*: Fang *m*, b) *hunt.* Beute *f* (*beide a.* F *fig.*); **2.** F Einnahme(n *pl.*) *f*; **3.** F Anteil *m* (***of*** an *dat.*); **4.** *Film etc.*: Aufnahme *f*; **5.** *typ.* Porti'on *f* (*Manuskript*); **6.** ⚕ a) Reakti'on *f* (*a. fig.*), b) Anwachsen *n* (*e-s Transplantats*); **7.** *Schach etc.*: Schlagen *n* (*e-r Figur*); **II** *v/t.* [*irr.*] **8.** *allg.*, *a. Abschied*, *Partner*, *Unterricht etc.* nehmen: ***~ it or leave it*** *sl.* mach, was du willst; ***~n all in all*** im großen ganzen; ***taking one thing with another*** eins zum anderen gerechnet; → ***account*** 9, ***action*** 8, ***aim*** 6, ***care*** 4, ***consideration*** 1, ***effect*** 1 *etc.*; **9.** (weg)nehmen; **10.** nehmen, fassen, packen, ergreifen; **11.** *Fische etc.* fangen; **12.** *Verbrecher etc.* fangen, ergreifen; **13.** ⚔ gefangennehmen, *Gefangene* machen; **14.** ⚔ *Stadt*, *Stellung etc.* (ein)nehmen, *a. Land* erobern; *Schiff* kapern; **15.** *j-n* erwischen, ertappen (***stealing*** beim Stehlen, ***in a lie*** bei e-r Lüge); **16.** nehmen, sich aneignen, Besitz ergreifen von, sich bemächtigen (*gen.*); **17.** *Gabe etc.* (an-, entgegen)nehmen, empfangen; **18.** bekommen, erhalten; *Geld*, *Steuer etc.* einnehmen; *Preis etc.* gewinnen; **19.** (her'aus)nehmen (***from***, ***out of*** aus); *a. fig. Zitat etc.* entnehmen (***from*** *dat.*): ***I ~ it from s.o. who knows*** ich habe (*weiß*) es von j-m, der es genau weiß; **20.** *Speise etc.* zu sich nehmen; *Mahlzeit* einnehmen; *Gift*, *Medizin etc.* nehmen; **21.** sich *e-e Krankheit* holen *od.* zuziehen: ***be ~n ill*** krank werden; **22.** nehmen: a) auswählen: ***I am not taking any*** *sl.* ‚ohne mich'!, b) kaufen, c) mieten, d) *Eintritts-*, *Fahrkarte* lösen, e) *Frau* heiraten, f) *e-r Frau* beischlafen, g) *Weg* wählen; **23.** mitnehmen: ***~ me with you*** nimm mich mit; ***you can't ~ it with you*** *fig.* im Grabe nützt (dir) aller Reichtum nichts mehr; **24.** (hin- *od.* weg)bringen; *j-n wohin* führen: ***business took him to London***; ***he was ~n to the hospital*** er wurde in die Klinik gebracht; **25.** *j-n durch den Tod* nehmen, wegraffen; **26.** A abziehen (***from*** von); **27.** *j-n* treffen, erwischen (*Schlag*); **28.** *Hindernis* nehmen; **29.** *j-n* befallen, packen (*Empfindung*, *Krankheit*): ***be ~n with*** *e-e Krankheit* bekommen (→ 42); ***~n with fear*** von Furcht gepackt; **30.** *Gefühl* haben, bekommen, *Mitleid etc.* empfinden, *Mut* fassen, *Anstoß* nehmen; *Ab-*, *Zuneigung* fassen (***to*** gegen, für): ***~ alarm*** beunruhigt sein (***at*** über *acc.*); ***~ comfort*** sich trösten; → ***fancy*** 5, ***pride*** 1; **31.** *Feuer* fangen; **32.** *Bedeutung*, *Sinn*, *Eigenschaft*, *Gestalt* annehmen, bekommen: ***~ a new meaning***; **33.** *Farbe*, *Geruch*, *Geschmack* annehmen; **34.** *sport u. Spiele*: a) *Ball*, *Punkt*, *Figur*, *Stein* abnehmen (***from*** *dat.*), b) *Stein* schlagen, c) *Karte* stechen, d) *Spiel* gewinnen; **35.** ⚖ *etc.* erwerben, *bsd.* erben; **36.** *Ware*, *Zeitung* beziehen; ☤ *Auftrag* her'einnehmen; **37.** nehmen, verwenden: ***~ 4 eggs*** *Küche*: man nehme 4 Eier; **38.** *Zug*, *Taxi etc.* nehmen, benutzen; **39.** *Gelegenheit*, *Vorteil* ergreifen, wahrnehmen; → ***chance*** 2; **40.** (als Beispiel) nehmen; **41.** *Platz* einnehmen: ***~n*** besetzt; **42.** *fig. j-n*, *das Auge*, *den Sinn* gefangennehmen, fesseln, (für sich) einnehmen: ***be ~n with*** (*od.* ***by***) begeistert *od.* entzückt sein von (→ 29); **43.** *Befehl*, *Führung*, *Rolle*, *Stellung*, *Vorsitz* über'nehmen; **44.** *Mühe*, *Verantwortung* auf sich nehmen; **45.** leisten: a) *Arbeit*, *Dienst* verrichten, b) *Eid*, *Gelübde* ablegen, c) *Versprechen* (ab)geben; **46.** *Notiz*, *Aufzeichnung* machen, niederschreiben, *Diktat*, *Protokoll* aufnehmen; **47.** *phot. et. od. j-n* aufnehmen, *Bild* machen; **48.** *Messung*, *Zählung etc.* vornehmen, 'durchführen; **49.** *wissenschaftlich* ermitteln, *Größe*, *Temperatur etc.* messen; *Maß* nehmen; **50.** machen, tun: ***~ a look*** e-n Blick tun *od.* werfen; ***~ a swing*** schaukeln; **51.** *Maßnahme* ergreifen, treffen; **52.** *Auswahl* treffen; **53.** *Entschluß* fassen; **54.** *Fahrt*, *Spaziergang*, *a. Sprung*, *Verbeugung*, *Wendung etc.* machen; *Anlauf* nehmen; **55.** *Ansicht* vertreten; → ***stand*** 2, ***view*** 11; **56.** a) verstehen, b) auffassen, auslegen, c) *et. gut etc.* aufnehmen: ***do you ~ me?*** verstehen Sie(, was ich meine)?; ***I ~ it that*** ich nehme an, daß; ***~ s.th. ill of s.o.*** j-m et. übelnehmen; ***~ it seriously*** es ernst nehmen; **57.** ansehen *od.* betrachten (***as*** als); halten (***for*** für): ***I took him for an honest man***; **58.** sich *Rechte*, *Freiheiten* (her'aus)nehmen; **59.** a) *Rat*, *Auskunft* einholen, b) *Rat* annehmen, befolgen; **60.** *Wette*, *Angebot* annehmen; **61.** glauben: ***you may ~ it from me*** verlaß dich drauf!; **62.** *Beleidigung*, *Verlust etc.*, *a. j-n* hinnehmen, *Strafe*, *Folgen* auf sich nehmen, sich *et.* gefallen lassen: ***~ people as they are*** die Leute nehmen, wie sie (eben) sind; **63.** *et.* ertragen, aushalten: ***can you ~ it?*** kannst du das aushalten?; ***~ it*** F es ‚kriegen', es ausbaden (müssen); **64.** ⚕ sich *e-r Behandlung etc.* unter'ziehen; **65.** *ped. Prüfung* machen, ablegen: ***~ French*** Examen im Französischen machen; → ***degree*** 3; **66.** *Rast*, *Ferien etc.* machen, *Urlaub*, *a. Bad* nehmen; **67.** *Platz*, *Raum* ein-, wegnehmen, beanspruchen; **68.** a) *Zeit*, *Material etc.*, *a. fig. Geduld*, *Mut etc.* brauchen, erfordern, kosten, *gewisse Zeit* dauern: ***it took a long time*** es dauerte *od.* brauchte lange; ***it ~s brains and courage*** es erfordert Verstand u. Mut; ***it ~s a man to do that*** das kann nur ein Mann (fertigbringen), b) *j-n et.* kosten, *j-m et.* abverlangen: ***it took him*** (*od.* ***he took***) ***3 hours*** es kostete *od.* er brauchte 3 Stunden; → ***time*** 9; **69.** *Kleidergröße*, *Nummer* haben: ***which size in hats do you ~?***; **70.** *ling.* a) *grammatische Form* annehmen, im *Konjunktiv etc.* stehen, b) *Akzent*, *Endung*, *Objekt etc.* bekommen; **71.** aufnehmen, fassen, Platz bieten für; **III** *v/i.* [*irr.*] **72.** ♀ *Wurzel* schlagen; **73.** ♀, ⚕ anwachsen (*Pfropfreis*, *Steckling*, *Transplantat*); **74.** ⚕ wirken, anschlagen (*Droge etc.*); **75.** F ‚ankommen', ‚ziehen', ‚einschlagen', Anklang finden (*Buch*, *Theaterstück etc.*); **76.** ⚖ das Eigentumsrecht erlangen, *bsd.* erben,

(als Erbe) zum Zuge kommen; **77.** sich *gut etc.* fotografieren (lassen); **78.** Feuer fangen; **79.** anbeißen (*Fisch*); **80.** ⚙ an-, eingreifen;
Zssgn mit prp.:
take| aft·er *v/i. j-m* nachschlagen, -geraten, ähneln (*dat.*); **~ for** *v/t.* **1.** halten für; **2.** auf *e-n Spaziergang etc.* mitnehmen; **~ from I** *v/t.* **1.** *j-m* wegnehmen; **2.** A abziehen von; **II** *v/i.* **3.** Abbruch tun (*dat.*), schmälern (*acc.*), her'absetzen (*acc.*); **4.** beeinträchtigen, mindern, (ab)schwächen; **~ in·to** *v/t.* **1.** (hin)'einführen in (*acc.*); **2.** bringen in (*acc.*); **~ to** *v/i.* **1.** a) sich begeben in (*acc.*) *od.* nach *od.* zu, b) sich flüchten in (*acc.*) *od.* zu, c) *fig.* Zuflucht nehmen zu: **~ *the stage*** zur Bühne gehen; → ***bed*** 1, ***heel***[1] *Redew.*, ***road*** 1; **2.** a) (her'an)gehen *od.* sich begeben an *e-e Arbeit etc.*, b) sich *e-r Sache* widmen, sich abgeben mit: **~ *doing s.th.*** dazu übergehen, et. zu tun; **3.** *et.* anfangen, sich ergeben (*dat.*), sich verlegen auf (*acc.*); *schlechte Gewohnheiten* annehmen: **~ *drink*(*ing*)** sich aufs Trinken verlegen, das Trinken anfangen; **4.** sich hingezogen fühlen zu, Gefallen finden an *j-m*; **~ up·on** *v/t.*: **~ *o.s. et.*** auf sich nehmen: ***take it upon o.s. to do s.th.*** a) es auf sich nehmen, et. zu tun, b) sich berufen fühlen, et. zu tun; **~ with** *v/i.* verfangen bei *j-m*: ***that won't ~ me*** das ‚zieht' bei mir nicht;
Zssgn mit adv.:
take| a·back *v/t.* verblüffen, über'raschen; → ***aback*** 3; **~ a·long** *v/t.* mitnehmen; **~ a·part** *v/t.* (*a.* F *fig. Gegner etc.*) ausein'andernehmen; **~ a·side** *v/t. j-n* bei'seite nehmen; **~ a·way** *v/t.* wegnehmen (***from s.o.*** j-m, ***from s.th.*** von et.): ***pizzas to ~*** (*Schild*) Pizzas zum Mitnehmen; **~ back** *v/t.* **1.** zu'rücknehmen (*a. fig. sein Wort*); **2.** *j-n im Geist* zu'rückversetzen (***to*** in *e-e Zeit*); **~ down** *v/t.* **1.** her'unter-, abnehmen; **2.** *Gebäude* abreißen, abtragen, *Gerüst* abnehmen; **3.** ⚙ *Motor etc.* zerlegen; **4.** *Baum* fällen; **5.** *Arznei etc.* (hin'unter-) schlucken; **6.** *j-n* demütigen, ‚ducken'; **7.** nieder-, aufschreiben, notieren; **~ for·ward** *v/t.* weiterführen, -bringen; **~ in** *v/t.* **1.** *Wasser etc.* (her)'einlassen; **2.** *Gast etc.* einlassen, aufnehmen; **3.** *Heimarbeit* annehmen; **4.** *Geld* einnehmen; **5.** ☤ *Waren* her'einnehmen; **6.** *Zeitung* halten; **7.** *fig.* in sich aufnehmen; *Lage* über'schauen; **8.** für bare Münze nehmen, glauben; **9.** her'einnehmen, einziehen, ⚓ *Segel* einholen; **10.** *Kleider* kürzer *od.* enger machen; **11.** einschließen (*a. fig. umfassen*); **12.** F *j-n* reinlegen: ***be taken in*** a) reinfallen, b) reingefallen sein; **~ off I** *v/t.* **1.** wegnehmen, -bringen, -schaffen; fortführen: ***take o.s. off*** sich fortmachen; **2.** *durch den Tod* hinraffen; **3.** *Verkehrsmittel* einstellen; **4.** *Hut etc.* abnehmen, *Kleidungsstück* ablegen, ausziehen; **5.** ⚕ abnehmen, amputieren; **6.** a) *Rabatt* abziehen, b) *Steuer etc.* senken; **7.** hin'unter-, austrinken; **8.** *thea. Stück* absetzen; **9.** ***take a day off*** sich e-n Tag freinehmen; **10.** *j-n* nachmachen, -äffen, imitieren; **II** *v/i.* **11.** *sport* abspringen; **12.** ✈ aufsteigen, starten; **13.** fortgehen, sich entfernen; **~ on I** *v/t.* **1.** *Arbeit* annehmen, über'nehmen; **2.** *Arbeiter* ein-, anstellen; *Mitglied* aufnehmen; **3.** a) *j-n* (als Gegner) annehmen, b) es aufnehmen mit *od.* gegen; **4.** *Wette* eingehen; **5.** *Eigenschaft*, *Gestalt*, *Farbe* annehmen; **II** *v/i.* **6.** F ‚sich haben', großes The'ater machen: ***don't ~ so!***; **~ out** *v/t.* **1.** a) her'ausnehmen, *a. Geld* abheben, b) wegnehmen, entfernen (***of*** von, aus); **2.** *Fleck* entfernen (***of*** aus); **3.** ☤, ⚖ *Patent*, *Vorladung etc.* erwirken; *Versicherung* abschließen; **4.** ***take it out*** sich schadlos halten (***in*** an *e-r Sache*); ***take it out of*** a) sich rächen *od.* schadlos halten für (*Beleidigung etc.*), b) *j-n* ‚kaputtmachen', erschöpfen, c) *sl. j-n* ‚wegputzen', liquidieren: ***take it out on s.o.*** s-n Zorn an j-m auslassen; **5.** (***of s.o.*** j-m) *den Unsinn etc.* austreiben; **6.** *j-n zum Abendessen etc.* ausführen; *Kinder* spazierenführen; **~ o·ver I** *v/t.* **1.** *Amt*, *Aufgabe*, *die Macht etc.*, *a. Idee etc.* über'nehmen; **II** *v/i.* **2.** die Amtsgewalt, Leitung *etc.* über'nehmen; die Sache in die Hand nehmen: **~ *for s.o.*** j-s Stelle einnehmen; **3.** *fig.* in den Vordergrund treten; **~ up I** *v/t.* **1.** aufheben, -nehmen; **2.** *Pflaster* aufreißen; **3.** *Gerät*, *Waffe* erheben, ergreifen (***against*** gegen); **4.** *Reisende* mitnehmen; **5.** *Flüssigkeit* aufsaugen, -nehmen; **6.** *Tätigkeit* aufnehmen; sich befassen mit, sich verlegen auf (*acc.*); *Beruf* ergreifen; **7.** *Fall*, *Idee etc.* aufgreifen: ***take s.o. up on s.th.*** bei j-m wegen e-r Sache einhaken (→ 17); **8.** *Erzählung etc.* fortführen; **9.** *Platz*, *Zeit*, *Gedanken etc.* ausfüllen, beanspruchen, in Anspruch nehmen: ***taken up with*** in Anspruch genommen von; **10.** *Wohnsitz* aufschlagen; **11.** *Stelle* antreten; **12.** *Posten* einnehmen; **13.** *Verbrecher* aufgreifen, verhaften; **14.** *Masche* aufnehmen; **15.** ⚕ *Gefäß* abbinden; **16.** ☤ a) *Anleihe*, *Kapital* aufnehmen, b) *Aktien* zeichnen, c) *Wechsel* einlösen; **17.** *Wette*, *Herausforderung* annehmen: ***take s.o. up on it*** die Herausforderung annehmen; **18.** a) *e-m Redner* ins Wort fallen, b) *j-n* zu'rechtweisen, korrigieren; **II** *v/i.* **19.** **~ *with*** anbändeln *od.* sich einlassen mit.

'take|·a·way *Brit.* **I** *adj.* zum Mitnehmen: ~ ***meals***; **II** *s.* Restau'rant *n* mit Straßenverkauf; **'~·down I** *adj.* zerlegbar; **II** *s.* Zerlegen *n*; **'~-home pay** *s.* Nettolohn *m*, -gehalt *n*; **'~-in** *s.* F **1.** Schwindel *m*, Betrug *m*; **2.** ‚Reinfall' *m*.

tak·en ['teɪkən] *p.p. von* ***take***.

'take|-off *s.* **1.** ✈ Start *m* (*a. mot.*), Abflug *m*; → ***assist*** 1; **2.** *sport* a) Absprung *m*, b) Absprungstelle *f*: ~ ***board*** Absprungbalken *m*; **3.** *a.* ~ ***point*** *fig.* Ausgangspunkt *m*; **4.** Nachahmung *f*, -äffung *f*, Karika'tur *f*; **'~·out** *Am.* **I** *adj.* **1.** → ***takeaway*** I; **II** *s.* **2.** → ***takeaway*** II; **3.** *sl.* Liquidierung *f*; **'~-ˌo·ver** *s.* **1.** ✝ 'Übernahme *f e-r Firma*: ~ ***bid*** Übernahmeangebot *n*; **2.** *pol.* 'Machtˌübernahme *f*.

tak·er ['teɪkə] *s.* **1.** Nehmer(in); **2.** ✝ Käufer(in); **3.** Wettende(r *m*) *f*.

tak·ing ['teɪkɪŋ] **I** *s.* **1.** (An-, Ab-, Auf-, Ein-, Ent-, Hin-, Weg- *etc.*)Nehmen *n* (*etc.* → ***take*** II); ⚖ Wegnahme *f*; **2.** Inbe'sitznahme *f*; **3.** ⚔ Einnahme *f*, Eroberung *f*; **4.** *pl.* ✝ Einnahmen *pl.*; **5.** F Aufregung *f*; **II** *adj.* □ **6.** fesselnd; **7.** anziehend, einnehmend, gewinnend; **8.** F ansteckend.

talc [tælk] *s.* Talk *m*.

tal·cum ['tælkəm] *s.* Talk *m*; ~ **pow·der** *s.* **1.** Talkum(puder *m*) *n*; **2.** Körperpuder *m*.

tale [teɪl] *s.* **1.** Erzählung *f*, Bericht *m*: ***it tells its own*** ~ es spricht für sich selbst; **2.** Erzählung *f*, Geschichte *f*: ***old wives'*** ~ Ammenmärchen *n*; ***thereby hangs a*** ~ damit ist e-e Geschichte verknüpft; **3.** Sage *f*, Märchen *n*; **4.** Lüge(ngeschichte) *f*, Unwahrheit *f*; **5.** Klatschgeschichte *f*: ***tell*** (*od.* ***carry***, ***bear***) ~***s*** klatschen; ***tell*** ~***s*** (***out of school***) *fig.* aus der Schule plaudern; **'~ˌbear·er** *s.* Klatschmaul *n*; **'~ˌbear·ing** *s.* Zuträge'rei *f*, Klatsch(e'rei *f*) *m*.

tal·ent ['tælənt] *s.* **1.** Ta'lent *n*, Begabung *f* (*beide a. Person*): ~ ***for languages*** Sprachtalent; **2.** *coll.* Ta'lente *pl.* (*Personen*): ***engage the best*** ~ die besten Kräfte verpflichten; ~ ***scout*** Talentsucher *m*; ~ ***show*** ‚Talentschuppen' *m*; **3.** *bibl.* Pfund *n*; **'tal·ent·ed** [-tɪd] *adj.* talen'tiert, ta'lentvoll, begabt; **'tal·ent·less** [-lɪs] *adj.* 'untalenˌtiert, ta'lentlos.

ta·les·man ['teɪli:zmən] *s.* [*irr.*] Ersatzgeschworene(r) *m*.

'taleˌtell·er *s.* **1.** Märchen-, Geschichtenerzähler(in); **2.** Flunkerer *m*; **3.** Klatschmaul *n*.

tal·is·man ['tælɪzmən] *pl.* **-mans** *s.* 'Talisman *m*.

talk [tɔ:k] **I** *s.* **1.** Reden *n*; **2.** Gespräch *n*: a) Unter'haltung *f*, Plaude'rei *f*, b) *a. pol.* Unter'redung *f*: ***have a*** ~ ***with s.o.*** mit j-m reden *od.* plaudern, sich mit j-m unterhalten; **3.** Ansprache *f*; **4.** *bsd. Radio*: a) Plaude'rei *f*, b) Vortrag *m*; **5.** Gerede *n*, Geschwätz *n*: ***he is all*** ~ er ist ein großer Schwätzer; ***end in*** ~ im Sand verlaufen; ***there is*** ~ ***of his being bankrupt*** es heißt, daß er bank(e)rott ist; → ***small talk***; **6.** Gesprächsgegenstand *m*: ***be the*** ~ ***of the town*** Stadtgespräch sein; **7.** Sprache *f*, Art *f* zu reden; → ***baby talk***; **II** *v/i.* **8.** reden, sprechen: ~ ***big*** große Reden führen, ‚angeben'; ~ ***round s.th.*** um et. herumreden; **9.** reden, sprechen, plaudern, sich unter'halten (***about***, ***on*** über *acc.*, ***of*** von): ~ ***at*** *j-n* indirekt ansprechen, meinen; ~ ***to s.o.*** a) mit j-m sprechen *od.* reden, b) F j-m die Meinung sagen; ~ ***to o.s.*** Selbstgespräche führen; ~***ing of*** da wir gerade von ... sprechen; ***you can*** ~***!*** F du hast gut reden!; ***now you are*** ~***ing!*** *sl.* das läßt sich eher hören!; **10.** *contp.* reden, schwatzen; **11.** *b.s.* reden, klatschen (***about*** über *acc.*); **III** *v/t.* **12.** *et.* reden: ~ ***nonsense***; ~ ***sense*** vernünftig reden; **13.** reden *od.* sprechen über (*acc.*): ~ ***business*** (***politics***); **14.** *Sprache* sprechen: ~ ***French***; **15.** reden: ~ ***o.s. hoarse*** sich heiser reden; ~ ***s.o. into believing s.th.*** j-n et. glauben machen; ~ ***s.o. into*** (***out of***) ***s.th.*** j-m et. ein- (aus-) reden;

Zssgn mit adv.:

talk| a·way *v/t. Zeit* verplaudern; ~ **back** *v/i.* e-e freche Antwort geben; ~ **down I** *v/t.* **1.** a) *j-n* unter den Tisch reden, b) niederschreien; **2.** *Flugzeug* ‚her'untersprechen'; **II** *v/i.* **3.** (***to***) sich dem (*niedrigen*) Ni'veau (*e-r Zuhörerschaft*) anpassen; ~ **o·ver** *v/t.* **1.** *j-n* über'reden; **2.** *et.* besprechen, 'durchsprechen; ~ **round** → ***talk over*** 1; ~ **up I** *v/i.* **1.** laut u. deutlich reden; **II** *v/t.* *Am.* F **2.** *et.* rühmen, anpreisen; **3.** *et.* frei her'aussagen.

talk·a·thon ['tɔ:kəθɒn] *s.* *Am.* F Marathonsitzung *f*.

talk·a·tive ['tɔ:kətɪv] *adj.* □ geschwätzig, gesprächig, redselig; **'talk·a·tive·ness** [-nɪs] *s.* Geschwätzigkeit *f etc.*

talk·ee-talk·ee [ˌtɔ:kɪ'tɔ:kɪ] *s.* F *contp.* Geschwätz *n*.

talk·er ['tɔ:kə] *s.* **1.** Schwätzer(in); **2.** Sprecher *m*, Sprechende(r *m*) *f*: ***he is a good*** ~ er kann (gut) reden.

talk·ie ['tɔ:kɪ] *s.* F Tonfilm *m*.

talk·ing ['tɔ:kɪŋ] **I** *s.* **1.** Sprechen *n*, Reden *n*: ***he did all the*** ~ er führte allein das Wort; ***let him do the*** ~ laß(t) ihn (für uns alle) sprechen; **II** *adj.* **2.** sprechend: ~ ***doll***; ~ ***parrot***; **3.** *teleph.* Sprech...: ~ ***current***; **4.** *fig.* sprechend: ~ ***eyes***; ~ **film**, ~ (**mo·tion**) **pic·ture** *s.* Tonfilm *m*; **'~-to** *s.* F: ***give s.o. a*** ~ j-m

T

e-e Standpauke halten.
'talk-show *s. bsd. Am. TV*: Talk-Show *f*.
talk·y ['tɔːkɪ] *adj.* F geschwätzig (*a. fig.*); **'~-talk** *s.* F Geschwätz *n*.
tall [tɔːl] **I** *adj.* **1.** groß, hochgewachsen: ***he is six feet ~*** er ist sechs Fuß groß; **2.** hoch: ***~ house*** hohes Haus; **3.** F a) großsprecherisch, b) über'trieben, unglaublich (*Geschichte*): ***that's a ~ order*** das ist ein bißchen viel verlangt; **II** *adv.* **4.** F prahlerisch: ***talk ~*** prahlen; **'tall·boy** *s.* hohe Kom'mode; **'tall·ish** [-lɪʃ] *adj.* ziemlich groß; **'tall·ness** [-nɪs] *s.* Größe *f*, Höhe *f*, Länge *f*.
tal·low ['tæləʊ] **I** *s.* **1.** *ausgelassener* Talg: ***vegetable ~*** Pflanzenfett *n*; **2.** ⚙ Schmiere *f*; **3.** Talg-, Unschlittkerze *f*; **II** *v/t.* **4.** (ein)talgen, schmieren; **5.** *Tiere* mästen; **'~-faced** *adj.* bleich, käsig.
tal·low·y ['tæləʊɪ] *adj.* talgig.
tal·ly¹ ['tælɪ] **I** *s.* **1.** *hist.* Kerbholz *n*, -stock *m*; **2.** ✝ (Ab)Rechnung *f*; **3.** (Gegen)Rechnung *f*; **4.** ✝ Kontogegenbuch *n* (*e-s Kunden*); **5.** Seiten-, Gegenstück *n* (***of*** zu); **6.** Zählstrich *m*: ***by the ~*** ✝ nach dem Stück *kaufen*; **7.** Eti'kett *n*, Marke *f*, Kennzeichen *n* (*auf Kisten etc.*); **8.** Ku'pon *m*; **II** *v/t.* **9.** (stückweise) nachzählen, buchen, kontrollieren; **10.** *oft* ***~ up*** berechnen; **III** *v/i.* **11.** (***with***) über'einstimmen (mit), entsprechen (*dat.*); **12.** stimmen.
tal·ly² ['tælɪ] *v/t.* ⚓ *Schoten* beiholen.
tal·ly-ho [ˌtælɪ'həʊ] *hunt.* **I** *int.* hal'lo!, ho! (*Jagdruf*); **II** *pl.* **-hos** *s.* Hallo *n*; **III** *v/i.* ‚hallo' rufen.
'tal·ly|-sheet *s.* ✝ Kon'trolliste *f*; **'~-shop** *s.* ✝ *bsd. Brit.* Abzahlungsgeschäft *n*; **~ sys·tem**, **~ trade** *s.* ✝ *bsd. Brit.* 'Abzahlungsgeschäft *n*, -syˌstem *n*.
tal·mi gold ['tælmɪ] *s.* Talmigold *n*.
Tal·mud ['tælmʊd] *s.* Talmud *m*; **Tal·mud·ic** [tæl'mʊdɪk] *adj.* tal'mudisch; **'Tal·mud·ist** [-dɪst] *s.* Talmu'dist *m*.
tal·on ['tælən] *s.* **1.** *orn.* Klaue *f*, Kralle *f*; **2.** △ Kehlleiste *f*; **3.** *Kartenspiel*: Ta'lon *m*; **4.** ✝ Ta'lon *m*, 'Zinskuˌpon *m*.
ta·lus¹ ['teɪləs] *pl.* **-li** [-laɪ] *s.* **1.** *anat.* Talus *m*, Sprungbein *n*; **2.** Fußgelenk *n*; **3.** ⚕ Klumpfuß *m*.
ta·lus² ['teɪləs] *s.* **1.** Böschung *f*; **2.** *geol.* Geröll-, Schutthalde *f*.
tam [tæm] → ***tam-o'-shanter***.
tam·a·ble ['teɪməbl] *adj.* (be)zähmbar.
tam·a·rack ['tæməræk] *s.* ⚘ **1.** Nordamer. Lärche *f*; **2.** Tamarakholz *n*; **tam·a·rind** ['tæmərɪnd] *s.* ⚘ Tama'rinde *f*; **tam·a·risk** ['tæmərɪsk] *s.* ⚘ Tama'riske *f*.
tam·bour ['tæmˌbʊə] **I** *s.* **1.** (große) Trommel; **2.** *a.* ***~ frame*** Stickrahmen *m*; **3.** Tambu'riersticke͵rei *f*; **4.** △ a) Säulentrommel *f*, b) Tambour *m* (*Unterbau e-r Kuppel*); **5.** *Festungsbau*: Tambour *m*; **II** *v/t.* **6.** *Stoff* tamburieren.
tam·bou·rine [ˌtæmbə'riːn] *s.* ♪ (flaches) Tamb(o)u'rin.
tame [teɪm] **I** *adj.* □ **1.** *allg.* zahm: a) gezähmt (*Tier*), b) friedlich, c) folgsam, d) harmlos (*Witz*), e) lahm, fad(e): ***a ~ affair***; **II** *v/t.* **2.** zähmen, bändigen (*a. fig.*); **3.** *Land* urbar machen; **'tame·ness** [-nɪs] *s.* **1.** Zahmheit *f* (*a. fig.*); **2.** Unter'würfigkeit *f*; **3.** Harmlosigkeit *f*; **4.** Lahmheit *f*, Langweiligkeit *f*; **'tam·er** [-mə] *s.* (Be)Zähmer(in), Bändiger(in).
Tam·ma·ny ['tæmənɪ] *s. pol. Am.* **1.** → a) ***Tammany Hall***, b) ***Tammany Society***; **2.** *fig.* po'litische Korrupti'on, ‚Filz' *m*; **~ Hall** *s. pol. Am.* **1.** *Zentrale der* ***Tammany Society*** *in New York*; **2.** *fig. a.* **~ So·ci·e·ty** *s. pol. Am. organisierte demokratische Partei in New York*.
tam-o'-shan·ter [ˌtæmə'ʃæntə] *s.* Schottenmütze *f*.
tamp [tæmp] *v/t.* ⚙ **1.** *Bohrloch* besetzen; zustopfen; **2.** *Sprengladung* verdämmen; **3.** *Lehm etc.* feststampfen; *Beton* rammen.
tamp·er¹ ['tæmpə] *s.* ⚙ Stampfer *m*.
tam·per² ['tæmpə] *v/i.* ***~ with*** **1.** sich (unbefugt) zu schaffen machen mit, her'umbasteln *od.* -pfuschen an (*dat.*), *bsd. Urkunde etc.* verfälschen, ‚frisieren'; **2.** a) sich (ein)mischen in (*acc.*), b) hin'einpfuschen in (*acc.*); **3.** a) mit *j-m* intrigieren, b) *bsd. Zeugen* (zu) bestechen (suchen).
tam·pon ['tæmpən] **I** *s.* **1.** ⚕, *a. typ.* Tam'pon *m*; **2.** *allg.* Pfropfen *m*; **II** *v/t.* **3.** ⚕, *typ.* tamponieren.
tan [tæn] **I** *s.* **1.** ⚙ Lohe *f*; **2.** ⚗ Gerbstoff *m*; **3.** Lohfarbe *f*; **4.** (gelb)braunes Kleidungsstück (*bsd. Schuh*); **5.** (Sonnen)Bräune *f*; **II** *v/t.* **6.** ⚙ a) *Leder* gerben (*a. phot.*), b) beizen; **7.** *Haut* bräunen; **8.** F versohlen, *j-m* das Fell gerben; **III** *v/i.* **9.** a) sich bräunen (*Haut*), b) braun werden; **IV** *adj.* **10.** lohfarben, gelbbraun; **11.** Gerb…
tan·dem ['tændəm] **I** *adv.* **1.** hinterein'ander (angeordnet) (*bsd. Pferde, Maschinen etc.*); **II** *s.* **2.** Tandem *n* (*Gespann, Wagen, Fahrrad*): ***work in ~ with*** *fig.* zs.-arbeiten mit; **3.** ⚙ Reihe *f*, Tandem *n*; **4.** ⚡ Kas'kade *f*; **III** *adj.* **5.** Tandem…, hinterein'ander angeordnet; ***~ bicycle*** Tandem *n*; ***~ connection*** ⚡ Kaskadenschaltung *f* ***~ compound*** (***engine***) Reihenverbundmaschine *f*.
tang¹ [tæŋ] *s.* **1.** ⚙ a) Griffzapfen *m* (*Messer etc.*), b) Angel *f*, c) Dorn *m*; **2.** scharfer Geruch *od.* Geschmack; Beigeschmack *m* (***of*** von) (*a. fig.*).
tang² [tæŋ] **I** *s.* (scharfer) Klang; **II** *v/i.*

T

u. v/t. (laut u. scharf) ertönen (lassen).

tang³ [tæŋ] *s.* ⚘ Seetang *m.*

tan·gent ['tændʒənt] **I** *s.* ⩓ Tan'gente *f*: ***fly*** (*od.* ***go***) ***off at a ~*** *fig.* plötzlich (vom Thema) abspringen; **II** *adj.* → ***tangential*** 1; **tan·gen·tial** [tæn'dʒenʃl] *adj.* ☐ **1.** ⩓ berührend, tangenti'al, Berührungs…, Tangential…: ***~ force*** Tangentialkraft *f*; ***~ plane*** Berührungsebene *f*; ***be ~ to*** *et.* berühren; **2.** *fig.* a) sprunghaft, flüchtig, b) ziellos, c) 'untergeordnet, Neben…

tan·ge·rine [ˌtændʒə'ri:n] *s.* ⚘ Manda'rine *f.*

tan·gi·ble ['tændʒəbl] *adj.* ☐ greifbar: a) fühlbar, b) *fig.* handgreiflich, c) ⚖ re'al: ***~ assets*** materielle Vermögenswerte; ***~ property*** Sachvermögen *n.*

tan·gle ['tæŋgl] **I** *v/t.* **1.** verwirren, -wickeln, durchein'anderbringen (*alle a. fig.*); **2.** verstricken (*a. fig.*); **II** *v/i.* **3.** sich verheddern; **4.** ***~ with*** sich mit *j-m* (in e-n Kampf *etc.*) einlassen; **III** *s.* **5.** Gewirr *n*, wirrer Knäuel; **6.** Verwirrung *f*, -wicklung *f*, Durchein'ander *n.*

tan·go ['tæŋgəʊ] **I** *pl.* **-gos** *s.* Tango *m* (*Tanz*); **II** *v/i. pret. u. p.p.* **-goed** Tango tanzen.

tank [tæŋk] **I** *s.* **1.** *mot. etc.* Tank *m*; **2.** (Wasser)Becken *n*, Zi'sterne *f*; **3.** 🚂 a) Wasserkasten *m*, b) 'Tenderlokomoˌtive *f*; **4.** *phot.* Bad *n*; **5.** ⚔ Panzer(wagen) *m*, Tank *m*; **6.** *Am. sl.* a) ‚Kittchen' *n*, b) (Haft)Zelle *f*; **II** *v/t. u. v/i.* **7.** tanken; **8.** ***~ up*** a) auf-, volltanken, b) *sl.* sich ‚vollaufen' lassen: ***~ed*** besoffen; **'tank·age** [-kɪdʒ] *s.* **1.** Fassungsvermögen *n* e-s Tanks; **2.** (Gebühr *f* für) Aufbewahrung *f* in Tanks; **3.** ⚒ Fleischmehl *n* (*Düngemittel*); **'tank·ard** [-kəd] *s.* (*bsd.* Bier)Krug *m*, Humpen *m.*

'tank|-ˌbust·er *s.* ⚔ *sl.* **1.** Panzerknacker *m*; **2.** Jagdbomber *m* zur Panzerbekämpfung; **~ car** *s.* 🚂 Kesselwagen *m*; **~ de·stroy·er** *s.* ⚔ Sturmgeschütz *n*; **~ dra·ma** *s. thea. Am.* F Sensati'onsstück *n.*

tank·er ['tæŋkə] *s.* **1.** ⚓ Tanker *m*, Tankschiff *n*; **2.** *a.* ***~ aircraft*** ✈ Tankflugzeug *n*; **3.** *mot.* Tankwagen *m*; **~ farm·ing** *s.* 'Hydrokulˌtur *f.*

tank top *s.* Pull'under *m.*

tan liq·uor *s.* ⚙ Beizbrühe *f.*

tanned [tænd] *adj.* braungebrannt.

tan·ner¹ ['tænə] *s. Brit. obs. sl.* Sixpencestück *n.*

tan·ner² ['tænə] *s.* ⚙ (Loh)Gerber *m*; **'tan·ner·y** [-ərɪ] *s.* Gerbe'rei *f*; **'tan·nic** [-nɪk] *adj.* Gerb…: ***~ acid***; **'tan·nin** [-nɪn] *s.* ⚗ Tan'nin *n.*

tan·ning ['tænɪŋ] *s.* **1.** Gerben *n*; **2.** (Tracht *f*) Prügel *pl.*

tan| ooze, ~ pick·le → ***tan liquor***; **'~-pit** *s. Gerberei*: Lohgrube *f.*

tan·ta·li·za·tion [ˌtæntəlaɪ'zeɪʃn] *s.* **1.** Quälen *n*, Zappelnlassen *n*; **2.** (Tantalus)Qual *f*; **tan·ta·lize** ['tæntəlaɪz] *v/t. fig.* peinigen, quälen, zappeln lassen; **tan·ta·liz·ing** ['tæntəlaɪzɪŋ] *adj.* ☐ quälend, aufreizend, verlockend.

tan·ta·mount ['tæntəmaʊnt] *adj.* gleichbedeutend (***to*** mit): ***be ~ to*** *a.* gleichkommen (*dat.*).

tan·tiv·y [tæn'tɪvɪ] **I** *s.* **1.** schneller Ga'lopp; **2.** Hussa *n* (*Jagdruf*); **II** *adv.* **3.** eiligst, spornstreichs.

tan·trum ['tæntrəm] *s.* F **1.** schlechte Laune; **2.** Wut(anfall *m*) *f*, Koller *m*: ***fly into a ~*** e-n Koller kriegen.

tap¹ [tæp] **I** *s.* **1.** Zapfen *m*, Spund *m* (Faß)Hahn *m*: ***on ~*** a) angestochen, angezapft (*Faß*), b) vom Faß (*Bier etc.*), c) *fig.* (sofort) verfügbar; **2.** *Brit.* a) (Wasser-, Gas)Hahn *m*, b) Wasserleitung *f*: ***turn on the ~*** F ‚losflennen'; **3.** F (Getränke)Sorte *f*; **4.** *Brit.* → ***taproom***; **5.** ⚙ a) Gewindebohrer *m*, b) (Ab)Stich *m*, c) Abzweigung *f*; **6.** ⚡ a) Stromabnehmer *m*, b) Zapfstelle *f*; **7.** ⚕ Punkti'on *f*; **II** *v/t.* **8.** mit e-m Zapfen *od.* Hahn versehen; **9.** *Flüssigkeit* abzapfen; **10.** *Faß* anstechen; **11.** ⚕ punktieren; **12.** ⚡ *Telefonleitung etc.* anzapfen: ***~ the wire***(***s***) a) Strom abzapfen, b) Telefongespräche *etc.* abhören; **13.** ⚡ a) *Spannung* abgreifen, b) anschließen; **14.** ⚙ mit (e-m) Gewinde versehen; **15.** *metall. Schlacke* abstechen; **16.** *fig. Hilfsquellen etc.* erschließen; **17.** *fig. Vorräte etc.* angreifen, anbrechen; **18.** *sl. j-n* ‚anpumpen' (***for*** um).

tap² [tæp] **I** *v/t.* **1.** (leicht) klopfen *od.* pochen an (*acc.*) *od.* auf (*acc.*) *od.* gegen, *et.* beklopfen; **2.** klopfen mit; **3.** *Schuh* flicken; **II** *v/i.* **4.** klopfen (***on, at*** gegen, an *acc.*); **III** *s.* **5.** Klaps *m*, leichter Schlag; **6.** *pl.* ⚔ *Am.* Zapfenstreich *m*; **7.** Stück *n* Leder *m*, Flicken *m.*

tap| dance *s.* Steptanz *m*; **'~-dance** *v/i.* steppen; **~ danc·er** *s.* Steptänzer(in); **~ danc·ing** *s.* Steptanz *m.*

tape [teɪp] **I** *s.* **1.** schmales (Leinen-) Band, Zwirnband *n*; **2.** (Isolier-, Meß-, Me'tall- *etc.*)Band *n*, (Pa'pier-, Kleb- *etc.*)Streifen *m*; ⚕ Heftpflaster *n*; **3.** a) *Telegrafie*: Papierstreifen *m*, b) *Fernschreiber, Computer*: Lochstreifen *m*; **4.** ⚡ (Video-, Ton)Band *n*; **5.** *sport* Zielband *n*: ***breast the ~*** das Zielband durchreißen; **II** *v/t.* **6.** mit Band versehen; (mit Band) um'wickeln *od.* binden; **7.** mit Heftpflaster verkleben; **8.** *Buchteile* heften; **9.** mit dem Bandmaß messen: ***I've got him ~d*** *sl.* ich habe ihn durchschaut, ich weiß genau Bescheid über ihn; **10.** mitschneiden: a) auf (Ton)Band aufnehmen, b) *TV* aufzeichnen; **~ deck** *s.* ⚡ Tapedeck *n*; **~**

li·brar·y *s.* 'Bandar,chiv *n*; **~ line, ~ meas·ure** *s.* Meßband *n*, Bandmaß *n*; **~ play·er** *s.* ⚡ 'Band,wiedergabegerät *n*.

ta·per ['teɪpə] **I** *s.* **1.** (dünne) Wachskerze; **2.** ⚙ Verjüngung *f*; **3.** ⚡ 'Widerstandsverteilung *f*; **II** *adj.* **4.** spitz zulaufend, verjüngt; **III** *v/t.* **5.** zuspitzen, verjüngen; **6.** **~ off** *fig.* F *Produktion, a. den Tag etc.* auslaufen lassen; **IV** *v/i.* **7.** *oft* **~ off** spitz zulaufen, sich verjüngen; all'mählich dünn werden; **8.** **~ off** F allmählich aufhören, auslaufen.

'tape|-re,cord *v/t.* → ***tape*** 10; **~ re·cord·er** *s.* ⚡ Tonbandgerät *n*; **~ re·cord·ing** *s.* **1.** (Ton)Bandaufnahme *f*; **2.** *TV*: Aufzeichnung *f*.

ta·pered ['teɪpəd] *adj.*, **'ta·per·ing** [-ərɪŋ] → ***taper*** 4.

tap·es·tried ['tæpɪstrɪd] *adj.* gobe'lingeschmückt; **tap·es·try** ['tæpɪstrɪ] *s.* **1.** a) Gobe'lin *m*, Wandteppich *m*, gewirkte Ta'pete, b) Dekorati'onsstoff *m*; **2.** Tapisse'rie *f*.

'tape·worm *s. zo.* Bandwurm *m*.

tap·pet ['tæpɪt] *s.* ⚙ **1.** Daumen *m*, Mitnehmer *m*; **2.** (Ven'til- *etc.*)Stößel *m*; **3.** (Wellen)Nocke *f*; **4.** (Steuer)Knagge *f*.

'tap|·room [-rʊm] *s.* Schankstube *f*; **'~·root** *s.* ⚘ Pfahlwurzel *f*.

tar [tɑː] **I** *s.* **1.** Teer *m*; **2.** F ‚Teerjacke' *f* (*Matrose*); **II** *v/t.* **3.** teeren: ***~ and feather*** *j-n* teeren u. federn; ***~red with the same brush*** (*od.* ***stick***) kein Haar besser.

tar·a·did·dle ['tærədɪdl] *s.* F **1.** Flunke'rei *f*; **2.** Quatsch *m*.

ta·ran·tu·la [tə'ræntjʊlə] *s. zo.* Ta'rantel *f*.

'tar|·board *s.* Dach-, Teerpappe *f*; **'~·brush** *s.* Teerpinsel *m*: ***he has a touch of the ~*** F er hat Neger- *od.* Indianerblut in den Adern.

tar·di·ness ['tɑːdɪnɪs] *s.* **1.** Langsamkeit *f*; **2.** Unpünktlichkeit *f*; **3.** Verspätung *f*; **tar·dy** ['tɑːdɪ] *adj.* ☐ **1.** langsam, träge; **2.** säumig, unpünktlich; **3.** spät, verspätet: ***be ~*** (zu) spät kommen.

tare¹ [teə] *s.* **1.** ⚘ (*bsd.* Futter)Wicke *f*; **2.** *bibl.* Unkraut *n*.

tare² [teə] ✝ **I** *s.* Tara *f*: ***~ and tret*** Tara u. Gutgewicht *n*; **II** *v/t.* tarieren.

tar·get ['tɑːgɪt] **I** *s.* **1.** (Schieß-, Ziel-) Scheibe *f*; **2.** ⚔, *Radar etc.*: Ziel *n* (*a. fig.*): ***be off ~*** das Ziel verfehlen, danebenschießen, *fig.* ‚danebenhauen'; ***be on ~*** a) das Ziel erfaßt haben, *a.* sich eingeschossen haben, *sport* aufs Tor gehen (*Schuß*), b) treffen, sitzen (*Schuß etc.*), c) *fig.* richtig geraten haben; **3.** *fig.* Zielscheibe *f des Spottes etc.*; **4.** *fig.* (Leistungs-, Produkti'ons- *etc.*)Ziel *n*, Soll *n*; **5.** 🚂 'Weichensi,gnal *n*; **6.** ⚡ a) 'Fangelek,trode *f*, b) 'Antika,thode *f von Röntgenröhren*, c) *Kernphysik*: Target *n*; **7.** *her.* runder Schild; **II** *adj.* **8.** Ziel...: ***~ area*** ⚔ Zielbereich *m*, -raum *m*; ***~ bombing*** gezielter Bombenwurf; ***~ date*** Stichtag *m*, Termin *m*; ***~ electrode*** → 6a; ***~ group*** ✝ Zielgruppe *f*; ***~ language*** Zielsprache *f*; ***~ pistol*** Übungspistole *f*; ***~ practice*** Übungs-, Scheibenschießen *n*; ***~-seeking*** zielsuchend (*Rakete etc.*).

tar·iff ['tærɪf] **I** *s.* **1.** 'Zollta,rif *m*; **2.** Zoll (-gebühr *f*) *m*; **3.** (Ge'bühren-, 'Kosten- *etc.*)Ta,rif *m*; **4.** Preisverzeichnis *n* (*in e-m Hotel etc.*); **II** *v/t.* **5.** e-n Ta'rif aufstellen für; **6.** *Ware* mit Zoll belegen; **~ rate** *s.* **1.** Ta'rifsatz *m*; **2.** Zollsatz *m*; **~ wall** *s.* Zollschranke *f e-s Staates*.

tar·mac ['tɑːmæk] *s. Brit.* 'Teermaka,dam(straße *f*, ✈ -rollfeld *n*) *m*, ✈ *a.* Hallenvorfeld *n*.

tar·nish ['tɑːnɪʃ] **I** *v/t.* **1.** trüben, matt *od.* blind machen, *e-r Sache* den Glanz nehmen; **2.** *fig.* besudeln, beflecken; **3.** ⚙ mattieren; **II** *v/i.* **4.** matt *od.* trübe werden; **5.** anlaufen (*Metall*); **III** *s.* **6.** Trübung *f*; Beschlag *m*, Anlaufen *n* (*von Metall*); **7.** *fig.* Fleck *m*, Makel *m*.

tarp [tɑːp] *abbr.* → **tar·pau·lin** [tɑː'pɔːlɪn] *s.* **1.** ⚓ a) Per'senning *f* (*geteertes Segeltuch*), b) Ölzeug *n* (*Hose, Mantel*); **2.** Plane *f*, Wagendecke *f*; **3.** Zeltbahn *f*.

tar·ra·did·dle → ***taradiddle***.

tar·ry¹ ['tɑːrɪ] *adj.* teerig.

tar·ry² ['tærɪ] **I** *v/i.* **1.** zögern, zaudern, säumen; **2.** (ver)weilen, bleiben; **II** *v/t.* **3.** *obs. et.* abwarten.

tar·sal ['tɑːsl] *anat.* **I** *adj.* **1.** Fußwurzel...; **2.** (Augen)Lidknorpel...; **II** *s.* **3.** *a.* ***~ bone*** Fußwurzelknochen *m*; **4.** (Augen)Lidknorpel *m*.

tar·si·a ['tɑːsɪə] *s.* In'tarsia *f*, Einlegearbeit *f* in Holz.

tar·sus ['tɑːsəs] *pl.* **-si** [-saɪ] *s.* **1.** → ***tarsal*** 3 *u.* 4; **2.** *orn.* Laufknochen *m*; **3.** *zo.* Fußglied *n*.

tart¹ [tɑːt] *adj.* ☐ **1.** sauer, herb, scharf; **2.** *fig.* scharf, beißend: ***~ reply***.

tart² [tɑːt] **I** *s.* **1.** a) (Obst)Torte *f*, Obstkuchen *m*, b) *bsd. Am.* (*Creme-*, Obst-) Törtchen *n*; **2.** *sl.* ‚Nutte' *f*; **II** *v/t.* ***~ up*** *sl.* ‚aufputzen', ‚aufmotzen'.

tar·tan¹ ['tɑːtən] *s.* Tartan *m*: a) Schottentuch *n*, b) Schottenmuster *n*: ***~ plaid*** Schottenplaid *n*.

tar·tan² ['tɑːtən] *s. sport* Tartan *n* (*Bahnbelag*).

Tar·tar¹ ['tɑːtə] **I** *s.* **1.** Ta'tar(in); **2.** *a.* ♀ Wüterich *m*, böser Kerl: ***catch a ~*** an den Unrechten kommen; **II** *adj.* **3.** ta'tarisch.

tar·tar² ['tɑːtə] *s.* **1.** Weinstein *m*: ***~ emetic*** ⚕ Brechweinstein; **2.** Zahnstein *m*; **tar·tar·ic** [tɑː'tærɪk] *adj.*: ***~ acid*** ⚗ Weinsäure *f*.

T

tart·ness ['tɑ:tnɪs] *s.* Schärfe *f*: a) Säure *f*, Herbheit *f*, b) *fig.* Schroffheit *f*, Bissigkeit *f*.

task [tɑ:sk] **I** *s.* **1.** Aufgabe *f*: ***take to ~*** *fig.* *j-n* ins Gebet nehmen (***for*** wegen); **2.** Pflicht *f*, (auferlegte) Arbeit; **3.** *ped.* (Prüfungs)Aufgabe *f*; **II** *v/t.* **4.** *j-m* Arbeit zuweisen *od.* aufbürden, *j-n* beschäftigen; **5.** *fig.* *Kräfte etc.* stark beanspruchen, *sein Gedächtnis etc.* anstrengen; **~ force** *s.* **1.** ⚔ *gemischter* Kampfverband (*für Sonderunternehmen*), Task force *f*; **2.** *Polizei*: a) Spezi'aleinheit *f*, Einsatzgruppe *f*, b) 'Sonderdezerˌnat *n*; **3.** ✝ Pro'jektgruppe *f*; **'~ˌmas·ter** *s.* **1.** (*bsd.* strenger) Arbeitgeber: ***severe ~*** *fig.* strenger Zuchtmeister; **2.** ⚙ (Arbeit)Anweiser *m*; **~ wages** *s. pl.* ✝ Ak'kord-, Stücklohn *m*; **'~·work** *s.* **1.** ✝ Ak'kordarbeit *f*; **2.** harte Arbeit.

tas·sel ['tæsl] **I** *s.* Quaste *f*, Troddel *f*; **II** *v/t.* mit Quasten schmücken.

taste [teɪst] **I** *v/t.* **1.** *Speisen etc.* kosten, (ab)schmecken, probieren, versuchen (*a. fig.*); **2.** kosten, *Essen* anrühren: ***he had not ~d food for days***; **3.** *et.* (her'aus)schmecken; **4.** *fig.* kosten, kennenlernen, erleben; **5.** *fig.* genießen; **II** *v/i.* **6.** schmecken (***of*** nach); **7.** kosten, versuchen (***of*** von *od. acc.*); **8.** **~ *of*** → 4; **III** *s.* **9.** Geschmack *m*: ***a ~ of garlic*** ein Knoblauchgeschmack; ***leave a bad ~ in one's mouth*** *bsd. fig.* e-n üblen Nachgeschmack haben; **10.** Geschmackssinn *m*; **11.** (Kost)Probe *f* (***of*** von *od. gen.*): a) kleiner Bissen, b) Schlückchen *n*; **12.** *fig.* (Kost)Probe *f*, Vorgeschmack *m* (***of*** *gen.*); **13.** *fig.* Beigeschmack *m*, Anflug *m* (***of*** von); **14.** *fig.* (künstlerischer *od.* guter) Geschmack: ***in bad ~*** geschmacklos (*a. weitS. unfein, taktlos*); ***in good ~*** a) geschmackvoll, b) taktvoll; ***each to his*** (***own***) **~** jeder nach s-m Geschmack; **15.** Geschmacksrichtung *f*, Mode *f*; **16.** a) Neigung *f*, Sinn *m* (***for*** für), b) Geschmack *m*, Gefallen *n* (***for*** an *dat.*): ***not to my ~*** nicht nach m-m Geschmack; **taste bud** *s. anat.* Geschmacksbecher *m*; **'taste·ful** [-fʊl] *adj.* □ *fig.* geschmackvoll; **'taste·ful·ness** [-fʊlnɪs] *s. fig.* guter Geschmack *e-r Sache*, *das* Geschmackvolle; **'taste·less** [-lɪs] *adj.* □ **1.** unschmackhaft, fade; **2.** *fig.* geschmacklos; **'taste·less·ness** [-lɪsnɪs] *s.* **1.** Unschmackhaftigkeit *f*; **2.** *fig.* Geschmack-, Taktlosigkeit *f*; **'tast·er** [-tə] *s.* **1.** (berufsmäßiger Tee-, Wein- *etc.*)Koster *m*; **2.** *hist.* Vorkoster *m*; **3.** Pro'biergläs-chen *n* (*für Wein*); **4.** (Käse)Stecher *m*; **'tast·i·ness** [-tɪnɪs] *s.* **1.** Schmackhaftigkeit *f* (*Speise etc.*); **2.** *fig.* → ***tastefulness***; **'tast·y** [-tɪ] *adj.* □ F **1.** schmackhaft; **2.** *fig.* geschmack-, stilvoll.

ta-ta [ˌtæ'tɑ:] *int. Brit.* F ‚Tschüs'!, auf 'Wiedersehen!

Ta·tar ['tɑ:tə] **I** *s.* Ta'tar(in); **II** *adj.* ta'tarisch; **Ta·tar·i·an** [tɑ:'teərɪən], **Ta·tar·ic** [tɑ:'tærɪk] *adj.* tatarisch.

tat·ter ['tætə] *s.* Lumpen *m*, Fetzen *m*: ***in ~s*** zerfetzt; ***tear to ~s*** (*a. fig. Argument etc.*) zerfetzen, -reißen; **'tat·tered** [-təd] *adj.* **1.** zerlumpt, abgerissen; **2.** zerrissen, zerfetzt; **3.** ramponiert (*Ruf etc.*).

tat·tle ['tætl] **I** *v/i.* klatschen, ‚tratschen'; **II** *v/t.* ausplaudern; **III** *s.* Klatsch *m*, ‚Tratsch' *m*; **'tat·tler** [-lə] *s.* Klatschbase *f*, -maul *n*.

tat·too¹ [tə'tu:] **I** *s.* **1.** ⚔ a) Zapfenstreich *m* (*Signal*), b) 'Abendpaˌrade *f* mit Mu'sik; **2.** Trommeln *n*, Klopfen *n*: ***beat a*** (*od.* ***the devil's***) **~** ungeduldig mit den Fingern trommeln; **II** *v/i.* **3.** den Zapfenstreich blasen *od.* trommeln; **4.** trommeln, klopfen.

tat·too² [tə'tu:] **I** *v/t. pret. u. p.p.* **tat'tooed** [-u:d] **1.** *Haut* tätowieren; **2.** *Muster* eintätowieren (***on*** in *acc.*); **II** *s.* **3.** Tätowierung *f*.

tat·ty ['tætɪ] *adj.* schäbig, schmuddelig, ‚billig'.

taught [tɔ:t] *pret. u. p.p. von* ***teach***.

taunt [tɔ:nt] **I** *v/t.* verhöhnen, -spotten: **~ *s.o. with*** j-m *et.* (höhnisch) vorwerfen; **II** *v/i.* höhnen, spotten; **III** *s.* Spott *m*, Hohn *m*; **'taunt·ing** [-tɪŋ] *adj.* □ spöttisch, höhnisch.

tau·rine ['tɔ:raɪn] *adj.* **1.** *zo.* a) rinderartig, b) Rinder..., Stier...; **2.** *ast.* Stier...; **Tau·rus** ['tɔ:rəs] *s. ast.* Stier *m* (*Sternbild u. Tierkreiszeichen*).

taut [tɔ:t] *adj.* □ **1.** straff, stramm (*Seil etc.*), angespannt (*a. Nerven, Gesicht, Person*); **2.** schmuck (*Schiff etc.*); **'taut·en** [-tən] **I** *v/t.* stramm ziehen, straff anspannen; **II** *v/i.* sich straffen *od.* spannen.

tau·to·log·ic, **tau·to·log·i·cal** [ˌtɔ:tə'lɒdʒɪk(l)] *adj.* □ tauto'logisch, unnötig das'selbe wieder'holend; **tau·tol·o·gy** [tɔ:'tɒlədʒɪ] *s.* Tautolo'gie *f*, Doppelaussage *f*.

tav·ern ['tævən] *s.* **1.** *obs.* Ta'verne *f*, Schenke *f*; **2.** *Am.* Gasthaus *n*.

taw¹ [tɔ:] *v/t.* weißgerben.

taw² [tɔ:] *s.* **1.** Murmel *f*; **2.** Murmelspiel *n*; **3.** Ausgangslinie *f*.

taw·dri·ness ['tɔ:drɪnɪs] *s.* **1.** Flitterhaftigkeit *f*, grelle Buntheit, Kitsch *m*; **2.** Wertlosigkeit *f*, Billigkeit *f*; **taw·dry** ['tɔ:drɪ] *adj.* □ **1.** flitterhaft, Flitter...; **2.** geschmacklos aufgemacht; **3.** grell, knallig; **4.** kitschig, billig.

tawed [tɔ:d] *adj. Gerberei*: a'laungar (*Leder*); **taw·er** ['tɔ:ə] *s.* Weißgerber *m*; **taw·er·y** ['tɔ:ərɪ] *s.* Weißgerbe'rei *f*.

taw·ny ['tɔ:nɪ] *adj.* lohfarben, gelbbraun: **~ owl** *orn.* Waldkauz *m.*

taws(e) [tɔ:z] *s. Brit.* Peitsche *f.*

tax [tæks] **I** *s.* **1.** (Staats)Steuer *f* (**on** auf *acc.*), Abgabe *f*: **~ on land** Grundsteuer; **2.** Besteuerung *f* (**on** *gen.*); **after** (**before**) **~** nach (vor) Abzug der Steuern, *a.* netto (brutto); **3.** Taxe *f*, Gebühr *f*; **4.** *fig.* a) Bürde *f*, Last *f*, b) Belastung *f*, Beanspruchung *f* (**on** *gen. od.* von): **a heavy ~ on his time** e-e starke Inanspruchnahme s-r Zeit; **II** *v/t.* **5.** *j-n od. et.* besteuern, *j-m* e-e Steuer auferlegen; **6.** ⚖ *Kosten etc.* schätzen, taxieren, ansetzen (**at** auf *acc.*); **7.** *fig.* belasten; **8.** *fig.* stark in Anspruch nehmen, anstrengen, strapazieren; **9.** auf e-e harte Probe stellen; **10.** *j-n* zu'rechtweisen: **~ s.o. with** j-n *e-r Sache* beschuldigen *od.* bezichtigen; **tax·a·ble** ['tæksəbl] **I** *adj.* □ **1.** besteuerbar; **2.** steuerpflichtig: **~ income**; **3.** Steuer...: **~ value**; **4.** ⚖ gebührenpflichtig; **II** *s. Am.* **5.** steuerpflichtiges Einkommen; **6.** Steuerpflichtige(r *m*) *f*; **tax·a·tion** [tæk'seɪʃn] *s.* **1.** Besteuerung *f*; **2.** *coll.* Steuern *pl.*; **3.** ⚖ Schätzung *f*, Taxierung *f.*

tax| a·bate·ment *s.* Steuernachlaß *m*; **~ al·low·ance** *s.* Steuerfreibetrag *m*; **~ as·sess·ment** *s.* Steuerveranlagung *f*; **~ a·void·ance** (le'gale) 'Steuerum,gehung; **~ brack·et** *s.* Steuerklasse *f*, -gruppe *f*; **~ bur·den** *s.* Steuerlast *f*; **~ col·lec·tor** *s.* Steuereinnehmer *m*; **'~-de,duct·i·ble** *adj.* steuerabzugsfähig; **~ dodg·er**, **~ e·vader** *s.* 'Steuerhinter,zieher *m*; **~ e·va·sion** *s.* 'Steuerhinter,ziehung *f*; **,~-ex'empt**, **,~-'free** *adj.* steuerfrei; **~ fraud** *s.* Steuerbetrug *m*; **~ ha·ven** *s.* 'Steuero,ase *f*; **~ hol·i·day** *s.* vorübergehende Steuerbefreiung.

tax·i ['tæksɪ] **I** *pl.* **'tax·is** *s.* **1.** → **taxicab**; **II** *v/i.* **2.** mit e-m Taxi fahren; **3.** ✈ rollen; **'~·cab** *s.* Taxi *n*; **~ danc·er** *s. Am.* Taxigirl *n.*

tax·i·der·mal [,tæksɪ'dɜ:ml], **tax·i'der·mic** [-mɪk] *adj.* taxi'dermisch; **tax·i·der·mist** ['tæksɪdɜ:mɪst] *s.* Präpa'rator *m*, Ausstopfer *m* (*von Tieren*); **tax·i·der·my** ['tæksɪdɜ:mɪ] *s.* Taxider'mie *f.*

'tax·i|-,driv·er *s.*, **'~-man** [-mæn] *s.* [*irr.*] 'Taxichauf,feur *m*, -fahrer *m*; **'~,me·ter** *s.* Taxa'meter *m*, Zähler *m*, Fahrpreisanzeiger *m*; **'~·plane** *s.* Lufttaxi *n*; **~ rank** *s.* Taxistand *m*; **~ strip**, **'~·way** *s.* ✈ Rollbahn *f.*

'tax|,pay·er *s.* Steuerzahler *m*; **~ rate** *s.* Steuersatz *m*; **~ re·fund** *s.* Steuerrückzahlung *f*; **~ re·lief** *s.* Steuererleichterung(en *pl.*) *f*; **~ re·turn** *s.* Steuererklärung *f*; **~ shel·ter** *s.* Steuerbegünstigung *f.*

'T-bone steak *s.* T-bone-Steak *n* (*Steak aus dem Rippenstück des Rinds*).

tea [ti:] *s.* **1.** Tee *m*; **2.** Tee(mahlzeit *f*) *m*: **five-o'clock ~** Fünfuhrtee; **3.** *Am. sl.* ‚Grass' *n* (*Marihuana*); **~ bag** *s.* Teebeutel *m*; **~ ball** *s. Am.* Tee-Ei *n*; **~ bread** *s. ein* Teekuchen *m*; **~ cad·dy** *s.* Teebüchse *f*; **~ cake** *s.* Teekuchen *m*; **'~·cart** *s.* Teewagen *m.*

teach [ti:tʃ] *pret. u. p.p.* **taught** [tɔ:t] **I** *v/t.* **1.** *Fach* lehren, 'Unterricht geben in (*dat.*); **2.** *j-n et.* lehren, *j-n* unter'richten, -'weisen in (*dat.*), *j-m* 'Unterricht geben in (*dat.*); **3.** *j-m et.* zeigen, beibringen: **~ s.o. to whistle** j-m das Pfeifen beibringen; **~ s.o. better** j-n e-s Besser(e)n belehren; **I will ~ you to steal** F dich werd' ich das Stehlen lehren!; **that'll ~ you!** F a) das wird dir e-e Lehre sein!, b) das kommt davon!; **4.** *Tier* dressieren, abrichten; **II** *v/i.* **5.** unter'richten, 'Unterricht geben; **'teach·a·ble** [-tʃəbl] *adj.* **1.** lehrbar (*Fach etc.*); **2.** gelehrig (*Person*); **'teach·er** [-tʃə] *s.* Lehrer(in): **~s college** *Am.* Pädagogische Hochschule.

'teach-in *s.* Teach-in *n.*

teach·ing ['ti:tʃɪŋ] **I** *s.* **1.** Unter'richten *n*, Lehren *n*; **2.** *oft pl.* Lehre *f*, Lehren *pl.*; **3.** Lehrberuf *m*; **II** *adj.* **4.** lehrend, unter'richtend: **~ aid** Lehrmittel *n*; **~ machine** Lehr-, Lernmaschine *f*; **~ profession** Lehrberuf *m*; **~ staff** Lehrkörper *m.*

tea| cloth *s.* **1.** kleine Tischdecke; **2.** *Am.* Geschirrtuch *n*; **~ co·sy** *s.*, *Am.* **~ co·zy** *s.* Teewärmer *m*; **'~·cup** *s.* Teetasse *f*; → **storm** 1; **'~·cup,ful** [-,fʊl] *pl.* **-fuls** *s. e-e* Teetasse(voll); **~ dance** *s.* Tanztee *m*; **~ egg** *s.* Tee-Ei *n*; **~ garden** *s.* 'Gartenrestau,rant *n*; **~ gown** *s.* Nachmittagskleid *n*; **'~·house** *s.* Teehaus *n* (*in China u. Japan*).

teak [ti:k] *s.* **1.** ⚘ Teakholzbaum *m*; **2.** Teak(holz) *n.*

teal [ti:l] *pl.* **teal** *s. orn.* Krickente *f.*

team [ti:m] **I** *s.* **1.** Gespann *n*; **2.** *bsd. sport u. fig.* Mannschaft *f*, Team *n*; **3.** (*Arbeits- etc.*)Gruppe *f*, Team *n*: **by a ~ effort** mit vereinten Kräften; **4.** Ab'teilung *f*, Ko'lonne *f von Arbeitern*; **5.** *orn.* Flug *m*, Zug *m*; **II** *v/t.* **6.** *Zugtiere* zs.-spannen; **7.** F *Arbeit* (an Unter'nehmer) vergeben; **III** *v/i.* **8.** **~ up** *bsd. Am.* sich zs.-tun (**with** mit); **~ e·vent** *s. sport* Mannschaftswettbewerb *m*; **'~·mate** *s.* 'Mannschaftskame,rad *m*; **~ spir·it** *s.* **1.** *sport* Mannschaftsgeist *m*; **2.** *fig.* Gemeinschafts-, 'Korpsgeist *m.*

team·ster ['ti:mstə] *s.* **1.** Fuhrmann *m*; **2.** *Am.* Lastwagenfahrer *m.*

team| teach·ing *s. Am.* gemeinsamer 'Unterricht (*Fachlehrer*); **'~·work** *s.* **1.** *sport*, *thea.* Zs.-spiel *n*; **2.** *fig.* (gute) Zs.-arbeit, Teamwork *n.*

tea| par·ty *s.* Teegesellschaft *f*: **the Boston ♀ ♀** *hist.* der Teesturm von Boston (*1773*); **'~·pot** *s.* Teekanne *f*; → **tem-**

T

pest 1.

tear¹ [tɪə] *s.* **1.** Träne *f*: ***in ~s*** in Tränen (aufgelöst), unter Tränen; → ***fetch*** 3, ***squeeze*** 3; **2.** ⚙ (Harz- *etc.*)Tropfen *m*; (Glas)Träne *f*.

tear² [teə] **I** *s.* **1.** Riß *m*; **2.** ***at full ~*** in vollem Schwung; ***in a ~*** in wilder Hast; **II** *v/t.* [*irr.*] **3.** zerreißen: ***~ in*** (*od.* ***to***) ***pieces*** in Stücke reißen; ***~ open*** aufreißen; ***~ out*** herausreißen; ***torn between hope and despair*** *fig.* zwischen Hoffnung u. Verzweiflung hin- u. hergerissen;: ***a country torn by civil war*** ein vom Bürgerkrieg zerrissenes Land; ***that's torn it!*** *sl.* jetzt ist es passiert!, damit ist alles ‚im Eimer'!; **4.** *Haut etc.* aufreißen; **5.** *Loch* reißen; **6.** zerren, (aus)reißen: ***~ one's hair*** sich die Haare (aus)raufen; **7.** *a.* ***~ away***, ***~ off*** ab-, wegreißen (***from*** von): ***~ o.s. away*** sich losreißen (*a. fig.*); ***~ s.th. from s.o.*** j-m et. entreißen; **III** *v/i.* [*irr.*] **8.** (zer-) reißen; **9.** reißen, zerren (***at*** an *dat.*); **10.** F rasen, sausen, ‚fegen': ***~ about*** herumsausen; **~ up** *v/t.* **1.** aufreißen; **2.** *Baum etc.* ausreißen; **3.** zerreißen, in Stücke reißen; **4.** *fig.* unter'graben, zerstören.

tear·a·way ['teərəweɪ] **I** *adj.* ‚wild'; **II** *s.* ‚wilder' Kerl, Ra'bauke *m*.

tear| bomb [tɪə] Tränengasbombe *f*; '**~·drop** *s.* **1.** Träne *f*; **2.** Anhänger *m* (*Ohrring*).

tear·ful ['tɪəfʊl] *adj.* □ **1.** tränenreich; **2.** weinend, in Tränen; **3.** weinerlich; **4.** schmerzlich.

tear| gas [tɪə] *s.* ⚗ Tränengas *n*; **~ gland** *s. anat.* Tränendrüse *f*.

tear·ing ['teərɪŋ] *adj. fig.* F **1.** rasend, toll (*Tempo*, *Wut etc.*); **2.** ‚toll'; **~ strength** *s.* ⚙ Zerreißfestigkeit *f*.

'**tear|ˌjerk·er** [tɪə] *s. Am.* F ‚Schnulze' *f*, ‚Schmachtfetzen' *m*.

'**tear-off** ['teərɒf] *adj.* Abreiß...: ***~ calendar***.

'**tea|·room** [-rʊm] *s.* Teestube *f*, Ca'fé *n*; **~ rose** *s.* ⚘ Teerose *f*.

tear sheet [teə] *s. Am.* Belegbogen *m*.

'**tear-stained** ['tɪə-] *adj.* **1.** tränennaß; **2.** verweint (*Augen*).

tease [ti:z] **I** *v/t.* **1.** ⚙ a) *Wolle* kämmen, krempeln, b) *Flachs* hecheln, c) *Werg* auszupfen; **2.** ⚙ *Tuch* krempeln, karden; **3.** *fig.* quälen: a) hänseln, aufziehen, b) ärgern, c) bestürmen, belästigen (***for*** wegen); **4.** (auf)reizen; **II** *s.* **5.** F a) → ***teaser*** 1, 2, b) Plage *f*, lästige Sache.

tea·sel ['ti:zl] **I** *s.* **1.** ⚘ Karde(ndistel) *f*; **2.** *Weberei*: Karde *f*; **II** *v/t.* **3.** → ***tease*** 2.

teas·er ['ti:zə] *s.* **1.** Necker *m*; **2.** Quäl-, Plagegeist *m*; **3.** *sl.* Frau, die ‚alles verspricht und nichts hält'; **4.** F ‚harte Nuß', schwierige Sache; **5.** F et. Verlockendes.

tea| serv·ice, **~ set** *s.* 'Teeserˌvice *n*; '**~-shop** → ***tearoom***; '**~·spoon** *s.* Teelöffel *m*; '**~·spoonˌful** [-ˌfʊl] *pl.* **-fuls** *s. ein* Teelöffel(voll) *m*.

teat [ti:t] *s.* **1.** *zo.* Zitze *f*; **2.** *anat.* Brustwarze *f*; **3.** (Gummi)Sauger *m*; **4.** ⚙ Warze *f*.

'**tea|-things** *s. pl.* Teegeschirr *n*; '**~-time** *s.* Teestunde *f*; **~ tow·el** *s.* Geschirrtuch *n*; '**~-urn** *s.* **1.** 'Teemaˌschine *f*; **2.** Gefäß *n* zum Heißhalten des Teewassers.

tea·zel, **tea·zle** → ***teasel***.

tec [tek] *s. sl.* Detek'tiv *m*.

tech·nic ['teknɪk] **I** *adj.* → ***technical***; **II** *s. mst pl.* → a) ***technics***, b) ***technology***, c) ***technique***; '**tech·ni·cal** [-kl] *adj.* □ → ***technically***; **1.** ⚙ 'technisch: ***~ bureau*** Konstruktionsbüro *n*; **2.** technisch (*a. sport*), fachlich, fachmännisch, Fach..., Spezial...: ***~ book*** (technisches) Fachbuch; ***~ dictionary*** Fachwörterbuch *n*; ***~ school*** Fachhochschule *f*; ***~ skill*** a) (technisches) Geschick, b) ♪ Technik *f*; ***~ staff*** technisches Personal; ***~ term*** Fachausdruck *m*; **3.** *fig.* technisch: a) sachlich, b) (rein) for'mal, c) theo'retisch: ***~ knockout*** *Boxen*: technischer K. o.; ***on ~ grounds*** ⚖ aus formaljuristischen *od.* verfahrenstechnischen Gründen; **tech·ni·cal·i·ty** [ˌteknɪ'kælətɪ] *s.* **1.** *das* Technische; **2.** technische Besonderheit *od.* Einzelheit; **3.** Fachausdruck *m*; **4.** *bsd.* ⚖ (reine) Formsache, (for'male) Spitzfindigkeit; '**tech·ni·cal·ly** [-kəlɪ] *adv.* **1.** technisch *etc.*; **2.** genaugenommen, eigentlich; **tech·ni·cian** [tek'nɪʃn] *s.* **1.** Techniker(in) (*a. weitS. Virtuose etc.*), (technischer) Fachmann; **2.** ⚔ *Am.* Techniker *m* (*Dienstrang für Spezialisten*).

tech·nics ['teknɪks] *s. pl.* **1.** *mst sg. konstr.* Technik *f*, *bsd.* Ingeni'eurwissenschaft *f*; **2.** technische Einzelheiten *pl.*; **3.** Fachausdrücke *pl.*; **4.** → **technique** [tek'ni:k] *s.* **1.** ⚙ (Arbeits)Verfahren *n*, (*Schweiß- etc.*)Technik *f*; **2.** ♪, *paint.*, *sport etc.* Technik *f*: a) Me'thode *f*, b) Art *f* der Ausführung, c) Geschicklichkeit *f*; **tech·noc·ra·cy** [tek'nɒkrəsɪ] *s.* Technokra'tie *f*; **tech·no·crat** ['teknəʊkræt] *s.* Techno'krat *m*.

tech·no·log·ic, **tech·no·log·i·cal** [ˌteknə'lɒdʒɪk(l)] *adj.* □ **1.** techno'logisch, technisch; **2.** ✝ techno'logisch (bedingt): ***~ unemployment***; **tech·nol·o·gist** [tek'nɒlədʒɪst] *s.* Techno'loge *m*; **tech·nol·o·gy** [tek'nɒlədʒɪ] *s.* **1.** Technolo'gie *f*: ***~ transfer*** Technologietransfer *m*; ***school of ~*** technische Universität; **2.** technische 'Fachterminoloˌgie.

tech·y ['tetʃɪ] → ***testy***.

T

tec·tol·o·gy [tekˈtɒlədʒɪ] *s. biol.* Strukˈturlehre *f.*
tec·ton·ic [tekˈtɒnɪk] *adj.* (□ **~ally**) **1.** ⚠, *geol.* tekˈtonisch; **2.** *biol.* struktuˈrell; **tecˈton·ics** [-ks] *s. pl. mst sg. konstr.* **1.** ⚠ *etc.* Tekˈtonik *f*; **2.** *geol.* (ˈGeo)Tekˌtonik *f.*
tec·to·ri·al [tekˈtɔːrɪəl] *adj. physiol.* Schutz..., Deck...: **~ membrane.**
tec·tri·ces [tekˈtraɪsiːz] *s. pl. zo.* Deckfedern *pl.*
ted·der [ˈtedə] *s.* ✓ Heuwender *m.*
Ted·dy bear [ˈtedɪ] *s.* Teddybär *m.*
te·di·ous [ˈtiːdjəs] *adj.* □ **1.** langweilig, öde, ermüdend; **2.** weitschweifig; **ˈte·di·ous·ness** [-nɪs] *s.* **1.** Langweiligkeit *f*; **2.** Weitschweifigkeit *f*; **ˈte·di·um** [-jəm] *s.* **1.** Lang(e)weile *f*; **2.** Langweiligkeit *f.*
tee¹ [tiː] **I** *s.* ⚙ T-Stück *n*; **II** *adj.* T-...: **~ iron**; **III** *v/t.* ⚡ abzweigen: **~ across** (**together**) in Brücke (parallel)schalten.
tee² [tiː] **I** *s. sport* Tee *n*: a) *Curling*: Mittelpunkt *m* des Zielkreises, b) *Golf*: Abschlag(stelle *f*) *m*: **to a ~** *fig.* aufs Haar; **II** *v/t. Golf*: *Ball* auf die Abschlagstelle legen; **III** *v/i.* **~ off** a) *Golf*: abschlagen, b) *fig.* anfangen.
teem¹ [tiːm] *v/i.* **1.** wimmeln, voll sein (**with** von): **the roads are ~ing with people**; **this page ~s with mistakes** diese Seite strotzt von Fehlern; **2.** reichlich vorˈhanden sein: **fish ~ in that river** in dem Fluß wimmelt es von Fischen; **3.** *obs.* a) schwanger sein, b) ⚘ Früchte tragen, c) *zo.* Junge gebären.
teem² [tiːm] **I** *v/t. bsd.* ⚙ *flüssiges Metall* (aus)gießen; **II** *v/i.* gießen (*a. fig. Regen*).
teen [tiːn] *Am.* → **teenage(r)**; **ˈteen·age** [-eɪdʒ] **I** *adj. a.* **teenaged 1.** im Teenageralter; **2.** Teenager...; **II** *s.* **3.** → **teens** 1; **ˈteenˌag·er** [-ˌeɪdʒə] *s.* Teenager *m.*
teens [tiːnz] *s. pl.* **1.** Teenageralter *n*: **be in one's ~** ein Teenager sein; **2.** Teenager *pl.*
tee·ny¹ [ˈtiːnɪ], *a.* **ˌ~-ˈwee·ny** [-ˈwiːnɪ] *adj.* F klitzeklein.
teen·y² [ˈtiːnɪ] *s.* F ‚Teeny' *m* (*jüngerer Teenager*).
ˈtee-shirt [ˈtiː-] *s.* ˈT-Shirt *n.*
tee·ter [ˈtiːtə] *v/i. Am.* F **1.** (*a. v/t.*) schaukeln, wippen; **2.** (sch)wanken.
teeth [tiːθ] *pl. von* **tooth.**
teethe [tiːð] *v/i.* zahnen, (die) Zähne bekommen: **teething troubles** a) Beschwerden beim Zahnen, b) *fig.* Kinderkrankheiten.
tee·to·tal [tiːˈtəʊtl] *adj.* abstiˈnent, Abstinenzler...; **teeˈto·tal·(l)er** [-tlə] *s.* Abstiˈnenzler(in), ˌAntialkoˈholiker (-in); **teeˈto·tal·ism** [-tlɪzəm] *s.* **1.** Abstiˈnenz *f*; **2.** Abstiˈnenzprinˌzip *n.*
tee·to·tum [ˌtiːtəʊˈtʌm] *s.* Drehwürfel *m.*
teg·u·ment [ˈtegjʊmənt] *etc.* → **integument** *etc.*
tele-¹ [telɪ] *in Zssgn* a) Fern..., b) Fernseh...
tele-² [telɪ] *in Zssgn* a) Ziel, b) Ende.
ˈtel·eˌcam·er·a *s. TV* Fernsehkamera *f.*
ˈtel·e·cast I *v/t.* [*irr.* → **cast**] im Fernsehen überˈtragen *od.* bringen; **II** *s.* Fernsehsendung *f*; **ˈtel·e·cast·er** *s.* (Fernseh)Ansager(in).
ˈtel·e·comˌmu·niˈca·tion I *s.* **1.** Fernmeldeverbindung *f*, -verkehr *m*, ˈTelekommunikatiˌon *f*; **2.** *pl.* Fernmeldewesen *n*, -technik *f*; **II** *adj.* **3.** Fernmelde...
tel·e·con·fer·ence [ˈtelɪˌkɒnfərəns] *s.* Teleˈfonkonfeˌrenz *f.*
ˈtel·e·course *s.* Fernsehlehrgang *m*, -kurs *m.*
tel·e·di·ag·no·sis [ˈtelɪˌdaɪəgˈnəʊsɪs] *s.* [*irr.*] ⚕ ˈFerndiagˌnose *f.*
ˈtel·e·film *s.* Fernsehfilm *m.*
tel·e·gen·ic [ˌtelɪˈdʒenɪk] *adj. TV* teleˈgen.
tel·e·gram [ˈtelɪgræm] *s.* Teleˈgramm *n*: **by ~** telegrafisch.
tel·e·graph [ˈtelɪgrɑːf; -græf] **I** *s.* **1.** Teleˈgraf *m*; **2.** Teleˈgramm *n*; **3.** → **telegraph board**; **II** *v/t.* **4.** telegrafieren; **5.** *j-n* teleˈgrafisch benachrichtigen; **6.** (*durch Zeichen*) zu verstehen geben, signalisieren; **7.** *sport Spielstand etc.* auf e-r Tafel anzeigen; **8.** *sl. Boxen*: *Schlag* ‚telegrafieren' (*erkennbar ansetzen*); **III** *v/i.* **9.** telegrafieren (**to** *dat. od.* an *acc.*); **~ board** *s. bsd. sport* Anzeigetafel *f*; **~ code** *s.* Teleˈgrammschlüssel *m.*
te·leg·ra·pher [tɪˈlegrəfə] *s.* Telegraˈfist(in).
tel·e·graph·ese [ˌtelɪgrɑːˈfiːz] *s.* Teleˈgrammstil *m*; **tel·e·graph·ic** [ˌtelɪˈgræfɪk] *adj.* (□ **~ally**) **1.** teleˈgrafisch: **~ address** Teleˈgrammadresse *f*, Drahtanschrift *f*; **2.** teleˈgrammartig (*Kürze, Stil*); **te·leg·ra·phist** [tɪˈlegrəfɪst] *s.* Telegraˈfist(in).
tel·e·graph| line *s.* Teleˈgrafenleitung *f*; **~ pole**, **~ post** *s.* Teleˈgrafenstange *f*, -mast *m.*
te·leg·ra·phy [tɪˈlegrəfɪ] *s.* Telegraˈfie *f.*
tel·e·ki·ne·sis [ˌtelɪkɪˈniːsɪs] *s. psych.* Telekiˈnese *f.*
tel·e·lens [ˈtelɪlens] *s. phot.* ˈTeleobjekˌtiv *n.*
te·lem·e·ter [ˈtelɪmiːtə] *s.* Teleˈmeter *n*: a) ⚙ Entfernungsmesser *m*, b) ⚡ Fernmeßgerät *n.*
tel·e·o·log·ic, **tel·e·o·log·i·cal** [ˌtelɪəˈlɒdʒɪk(l)] *adj.* □ *phls.* teleoˈlogisch: **~ argument** teleologischer Gottesbeweis; **tel·e·ol·o·gy** [ˌtelɪˈɒlədʒɪ] *s.* Teleoloˈgie *f.*
tel·e·path·ic [ˌtelɪˈpæθɪk] *adj.* (□ **~ally**) teleˈpathisch; **te·lep·a·thy** [tɪˈlepəθɪ] *s.*

Telepa'thie *f*, Ge'dankenüber,tragung *f*.

tel·e·phone ['telıfəʊn] **I** *s*. **1.** Tele'fon *n*, Fernsprecher *m*: ***at the ~*** am Apparat; ***by ~*** telefonisch; ***on the ~*** telefonisch, durch das *od*. am Telefon; ***be on the ~*** a) Telefonanschluß haben, b) am Telefon sein; ***over the ~*** durch das *od*. per Telefon; **II** *v/t*. **2.** *j-n* anrufen, antelefonieren; **3.** *Nachricht etc*. telefonieren, tele'fonisch über'mitteln (***s.th. to s.o.***, ***s.o. s.th.*** j-m et.); **III** *v/i*. **4.** telefonieren; **~ booth**, *Brit*. **~ box** *s*. Tele'fon-, Fernsprechzelle *f*; **~ call** *s*. Tele'fongespräch *n*, (Tele'fon)Anruf *m*; **~ con·nec·tion** *s*. Tele'fonanschluß *m*; **~ di·rec·to·ry** *s*. Tele'fon-, Fernsprechbuch *n*; **~ ex·change** *s*. Fernsprechamt *n*, Tele'fonzen,trale *f*; **~ op·er·a·tor** *s*. Telefo'nist(in); **~ re·ceiv·er** *s*. (Tele'fon-)Hörer *m*; **~ sub·scrib·er** *s*. Fernsprechteilnehmer(in); **~ sur·vey** *s*. telefonische Befragung.

tel·e·phon·ic [,telı'fɒnık] *adj*. (□ ***~ally***) tele'fonisch, fernmündlich, Telefon...; **tel·e·pho·nist** [tı'lefənıst] *s*. Telefo'nist(in); **te·leph·o·ny** [tı'lefənı] *s*. Telefo'nie *f*, Fernsprechwesen *n*.

,tel·e'pho·to *phot*. **I** *adj*. **1.** Telefoto(grafie)..., Fernaufnahme...: ***~ lens*** → ***telelens***; **II** *s*. **2.** 'Telefoto(gra,fie *f*) *n*, Fernbild *n*; **3.** 'Bildtele,gramm *n*; **4.** Funkbild *n*; **,tel·e'pho·to·graph** → ***telephoto*** II; **'tel·e,pho·to'graph·ic** *adj*. (□ ***~ally***) **1.** 'fernfoto,grafisch; **2.** 'bildtele,grafisch; **,tel·e·pho'tog·ra·phy** *s*. **1.** 'Tele-, 'Fernfotogra,fie *f*; **2.** 'Bildtelegra,fie *f*.

tel·e·play ['telıpleı] *s*. Fernsehspiel *n*.

'tel·e,print·er *s*. Fernschreiber *m* (*Gerät*): ***~ message*** Fernschreiben *n*; ***~ operator*** Fernschreiber(in).

tel·e·proc·ess·ing *s*. Datenfernverarbeitung *f*.

tel·e·prompt·er ['telı,prɒmptə] *s*. *TV* Teleprompter *m* (*optisches Soufflierge-rät, Textband*).

'tel·e·re,cord·ing *s*. (Fernseh)Aufzeichnung *f*.

tel·e·scope ['telıskəʊp] **I** *s*. Tele'skop *n*, Fernrohr *n*; **II** *v/t*. *u*. *v/i*. a) (sich) inein'anderschieben, b) (sich) verkürzen; **III** *adj*. → ***telescopic***.

tel·e·scop·ic [,telı'skɒpık] *adj*. (□ ***~ally***) **1.** tele'skopisch, Fernrohr...: ***~ sight*** ⚔ Zielfernrohr *n*; **2.** inein'anderschiebbar, ausziehbar, Auszieh..., Teleskop...

'tel·e·screen *s*. *TV* Bildschirm *m*.

tel·e·text ['telıtekst] *s*. *TV* Videotext *m*.

,tel·e·ther'mom·e·ter *s*. *phys*. 'Fern-, 'Telethermo,meter *n*.

'tel·e·type, **,tel·e'type,writ·er** *Am*. → ***teleprinter***.

'tel·e·view I *v/t*. sich (im Fernsehen) ansehen; **II** *v/i*. fernsehen; **'tel·e,view·er** *s*. Fernsehzuschauer(in).

tel·e·vise ['telıvaız] → ***telecast*** I; **'tel·e,vi·sion I** *s*. **1.** Fernsehen *n*: ***watch ~*** fernsehen; ***on ~*** im Fernsehen; ***~ ratings*** Fernseheinschaltquoten *pl*.; **2.** *a*. ***~ set*** Fernsehgerät *n*, Fernseher *m*; **II** *adj*. Fernseh...; **'tel·e·vi·sor** *s*. **1.** → ***television*** 2; **2.** → ***telecaster***; **3.** → ***televiewer***; **tel·e·work·er** *s*. *Computer*: Telearbeiter *m*, Heimarbeiter *m*; **tel·e·work·ing** *s*. *Computer*: Telearbeit *f*, Heimarbeit *f*.

tel·ex ['teleks] **I** *s*. **1.** Telex *n*, Fernschreibernetz *n*: ***be on the ~*** Telex- *od*. Fernschreibanschluß haben; **2.** Fernschreiber *m* (*Gerät*): ***~ operator*** Fernschreiber(in); **3.** Fernschreiben *n*: ***by ~*** per Telex *od*. Fernschreiben; ***~ operator*** Fernschreiber(in); **II** *v/t*. **4.** *j-m et*. telexen *od*. per Fernschreiben mitteilen.

tell [tel] [*irr*.] **I** *v/t*. **1.** sagen, erzählen (***s.o. s.th.***, ***s.th. to s.o.*** j-m et): ***I can ~ you that ...*** ich kann Sie *od*. Ihnen versichern, daß; ***I have been told*** mir ist gesagt worden; ***I told you so!*** ich habe es (dir) ja gleich gesagt!, ‚siehste'!; ***you are ~ing me!*** *sl*. wem sagen Sie das!; ***~ the world*** F (es) hinausposaunen; **2.** mitteilen, berichten, *a*. *die Wahrheit* sagen; *Neuigkeit* verkünden: ***~ a lie*** lügen; **3.** *Geheimnis* verraten; **4.** erkennen (***by***, ***from*** an *dat*.), feststellen, sagen: ***~ by ear*** mit dem Gehör feststellen, hören; **5.** (mit Bestimmtheit) sagen: ***I cannot ~ what it is***; ***it is difficult to ~*** es ist schwer zu sagen; **6.** unter'scheiden (***one from the other*** eines vom andern): ***~ apart*** auseinanderhalten; **7.** sagen, befehlen: ***~ s.o. to do s.th.*** j-m sagen, er solle et. tun; j-n et. tun heißen; ***do as you are told*** tu wie dir geheißen; **8.** *bsd*. *pol*. *Stimmen* zählen: ***all told*** alles in allem; **9.** ***~ off*** a) abzählen, b) ⚔ abkommandieren, c) F *j-m* ‚Bescheid stoßen'; **II** *v/i*. **10.** berichten, erzählen (***of*** von, ***about*** über *acc*.); **11.** *fig*. ein Zeichen *od*. Beweis sein (***of*** für, von); **12.** *et*. sagen können, wissen: ***how can you ~?***, ***you never can ~*** man kann nie wissen; **13.** ‚petzen': ***~ on s.o.*** j-n verpetzen *od*. verraten; ***don't ~!*** nicht verraten!; **14.** sich auswirken (***on*** bei, auf *acc*.): ***the hard work began to ~ on him***; ***his troubles have told on him*** s-e Sorgen haben ihn sichtlich mitgenommen; ***every blow*** (***word***) ***~s*** jeder Schlag (jedes Wort) sitzt; ***that ~s against you*** das spricht gegen Sie; **15.** sich (deutlich) abheben (***against*** gegen, von); zur Geltung kommen (*Farbe etc*.); **'tell·er** [-lə] *s*. **1.** Erzähler(in); **2.** Zähler(-in); *bsd*. *parl*. Stimmenzähler *m*; **3.**

Kassierer(in), Schalterbeamte(r) *m* (*Bank*): ***~'s department*** Hauptkasse *f*; ***automatic ~*** Geldautomat *m*; **'tell·ing** [-lɪŋ] *adj.* □ **1.** wirkungsvoll (*a. Schlag*), wirksam, eindrucksvoll; 'durchschlagend (*Erfolg, Wirkung*); **2.** *fig.* aufschlußreich; **ˌtell·ing-'off** *s.*: ***give s.o. a ~*** j-m ‚Bescheid stoßen'.

'tell·tale I *s.* **1.** Klatschbase *f*, Zuträger (-in), ‚Petze' *f*; **2.** verräterisches (Kenn-) Zeichen; **3.** ⚙ (selbsttätige) Anzeigevorrichtung; **II** *adj.* **4.** *fig.* verräterisch: ***a ~ tear***; **5.** sprechend (*Ähnlichkeit*); **6.** ⚙ a) Anzeige..., b) Warnungs...: ***~ clock*** Kontrolluhr *f*.

tel·ly ['telɪ] *s. Brit.* F Fernseher *m* (*Gerät*): ***on the ~*** im Fernsehen.

tel·o·type ['teləʊtaɪp] *s.* **1.** e'lektrischer 'Schreib- *od.* 'Drucktele,graph; **2.** auto'matisch gedrucktes Tele'gramm.

tel·pher ['telfə] **I** *s.* Wagen *m* e-r Hängebahn; **II** *adj.* (Elektro)Hängebahn...; **'tel·pher·age** [-ərɪdʒ] *s.* e'lektrische Lastenbeförderung; **'tel·pher·way** *s.* Telpherbahn *f*, E'lektrohängebahn *f*.

te·mer·i·ty [tɪ'merətɪ] *s.* **1.** (Toll)Kühnheit *f*, Verwegenheit *f*; *b.s.* Frechheit *f*.

temp [temp] *s. Brit.* F 'Zeitsekre,tärin *f*.

tem·per ['tempə] **I** *s.* **1.** Tempera'ment *n*, Natu'rell *n*, Gemüt(sart *f*) *n*, Cha'rakter *m*, Veranlagung *f*: ***even ~*** Gleichmut *m*; ***have a quick ~*** ein hitziges Temperament haben; **2.** Stimmung *f*, Laune *f*: ***in a bad ~*** (in) schlechter Laune, schlecht gelaunt; **3.** Gereiztheit *f*, Zorn *m*, Wut *f*: ***be in a ~*** gereizt *od.* wütend sein; ***fly*** (*od.* ***get***) ***into a ~*** in Wut geraten; **4.** Gemütsruhe *f* (*obs. außer in den Redew.*): ***keep one's ~*** ruhig bleiben; ***lose one's ~*** in Wut geraten, die Geduld verlieren; ***out of ~*** übelgelaunt; ***put s.o. out of ~*** j-n wütend machen *od.* erzürnen; **5.** Zusatz *m*, Beimischung *f*, *metall.* Härtemittel *n*; **6.** *bsd.* ⚙ richtige Mischung; **7.** *metall.* Härte(grad *m*) *f*; **II** *v/t.* **8.** mildern (***with*** durch); **9.** *Farbe, Kalk, Mörtel* mischen, anmachen; **10.** ⚙ a) *Stahl* härten, anlassen, b) *Eisen* ablöschen, c) *Gußeisen* adouzieren, d) *Glas* rasch abkühlen; **11.** ♪ *Klavier etc.* temperieren; **III** *v/i.* **12.** ⚙ den richtigen Härtegrad erreichen *od.* haben.

tem·per·a ['tempərə] *s.* 'Tempera(male,rei) *f*.

tem·per·a·ment ['tempərəmənt] *s.* **1.** → ***temper*** 1; **2.** Tempera'ment *n*, Lebhaftigkeit *f*; **3.** ♪ Tempera'tur *f*; **tem·per·a·men·tal** [ˌtempərə'mentl] *adj.* □ **1.** tempera'mentvoll, veranlagungsmäßig, Temperaments...; **2.** a) reizbar, launisch, b) leicht erregbar; **3.** eigenwillig; **4.** ***be ~*** F (s-e) ‚Mucken' haben (*Gerät etc.*).

tem·per·ance ['tempərəns] *s.* **1.** Mäßigkeit *f*, Enthaltsamkeit *f*; **2.** Mäßigkeit *f* im *od.* Absti'nenz *f* vom Alkoholgenuß; ***~ ho·tel*** *s.* alkoholfreies Hotel; ***~ move·ment*** *s.* Absti'nenzbewegung *f*.

tem·per·ate ['tempərət] *adj.* □ **1.** gemäßigt, maßvoll: ***~ language***; **2.** zu'rückhaltend; **3.** mäßig: ***~ enthusiasm***; **4.** a) mäßig, enthaltsam (*bsd. im Essen u. Trinken*), b) absti'nent (*alkoholische Getränke meidend*); **5.** gemäßigt, mild (*Klima etc.*); **'tem·per·ate·ness** [-nɪs] *s.* **1.** Gemäßigtheit *f*; **2.** Beherrschtheit *f*, Zu'rückhaltung *f*; **3.** geringes Ausmaß; **4.** a) Mäßigkeit *f*, Enthaltsamkeit *f*, Mäßigung *f* (*bsd. im Essen u. Trinken*), b) Absti'nenz *f* (*von alkoholischen Getränken*); **5.** Milde *f* (*des Klimas etc.*).

tem·per·a·ture ['temprətʃə] *s.* **1.** *phys.* Tempera'tur *f*: ***at a ~ of*** bei e-r Temperatur von; **2.** *physiol.* ('Körper)Tempera,tur *f*: ***to take s.o.'s ~*** j-s Temperatur messen; ***to have*** (*od.* ***run***) ***a ~*** ⚕ F Fieber *od.* (erhöhte) Temperatur haben.

tem·pest ['tempɪst] *s.* **1.** (wilder) Sturm: ***~ in a teapot*** *fig.* ‚Sturm im Wasserglas'; **2.** *fig.* Sturm *m*, Ausbruch *m*; **3.** Gewitter *n*; **tem·pes·tu·ous** [tem'pestjʊəs] *adj.* □ *a. fig.* stürmisch, ungestüm, heftig; **tem·pes·tu·ous·ness** [tem'pestjʊəsnɪs] *s.* Ungestüm *n*, Heftigkeit *f*.

Tem·plar ['templə] *s.* **1.** *hist.* Templer *m*, Tempelherr *m*, -ritter *m*; **2.** Tempelritter *m* (*Freimaurer*); **3.** *oft* ***Good ≈*** Guttempler *m* (*ein Temperenzler*).

tem·plate ['templɪt] *s.* **1.** ⚙ Scha'blone *f*; **2.** ⚠ a) 'Unterleger *m* (*Balken*), b) (Dach)Pfette *f*, c) Kragholz *n*; **3.** ⚓ Mallbrett *n*.

tem·ple[1] ['templ] *s.* **1.** *eccl.* Tempel *m* (*a. fig.*); **2.** *Am.* Syna'goge *f*; **3.** ≈ ⚖ Temple *m* (*in London, Sitz zweier Rechtskollegien*: ***the Inner ≈*** *u.* ***the Middle ≈***).

tem·ple[2] ['templ] *s. anat.* Schläfe *f*.

tem·ple[3] ['templ] *s. Weberei*: Tömpel *m*.

tem·plet ['templɪt] → ***template***.

tem·po ['tempəʊ] *pl.* **-pi** *s.* ♪ Tempo *n* (*a. fig. Geschwindigkeit*): ***~ turn*** *Skisport*: Temposchwung *m*.

tem·po·ral[1] ['tempərəl] *adj.* □ **1.** zeitlich: a) Zeit... (*Ggs. räumlich*), b) irdisch; **2.** weltlich (*Ggs. geistlich*): ***~ courts***; **3.** *ling.* tempo'ral, Zeit...: ***~ adverb*** Umstandswort *n* der Zeit; ***~ clause*** Temporalsatz *m*.

tem·po·ral[2] ['tempərəl] *anat.* **I** *adj.* a) Schläfen..., b) Schläfenbein...; **II** *s.* Schläfenbein *n*.

tem·po·rar·i·ness ['tempərərɪnɪs] *s.* Einst-, Zeitweiligkeit *f*; **tem·po·rar·y** ['tempərərɪ] *adj.* □ provi'sorisch: a) vorläufig, einst-, zeitweilig, vor'überge-

T

hend, tempo'rär, b) behelfsmäßig, Not..., Hilfs..., Interims...: *~ **arrangement*** Übergangsregelung *f*; *~ **bridge*** Behelfs-, Notbrücke *f*; *~ **credit*** ☨ Zwischenkredit *m*.

tem·po·rize ['tempəraɪz] *v/i*. **1.** Zeit zu gewinnen suchen, abwarten, sich nicht festlegen, lavieren: *~ **with s.o.*** j-n hinhalten; **2.** mit dem Strom schwimmen, s-n Mantel nach dem Wind hängen; '**tem·po·riz·er** [-zə] *s*. **1.** j-d, der Zeit zu gewinnen sucht *od*. sich nicht festlegt; **2.** Opportu'nist(in); '**tem·po·riz·ing** [-zɪŋ] *adj*. □ **1.** hinhaltend, abwartend; **2.** opportu'nistisch.

tempt [tem*p*t] *v/t*. **1.** *eccl., a. allg. j-n* versuchen, in Versuchung führen; **2.** *j-n* verlocken, -leiten, da'zu bringen (***to do*** zu tun): ***be ~ed to do*** versucht *od*. geneigt sein, zu tun; **3.** reizen, locken (*Angebot, Sache*); **4.** *Gott, sein Schicksal* versuchen, her'ausfordern; **temp·ta·tion** [temp'teɪʃn] *s*. Versuchung *f*, -führung *f*, -lockung *f*: ***lead into ~*** in Versuchung führen; '**tempt·er** [-tə] *s*. Versucher *m*, -führer *m*: ***the*** ♀ *eccl.* der Versucher; '**tempt·ing** [-tɪŋ] *adj*. □ verführerisch, -lockend; '**tempt·ing·ness** [-tɪŋnɪs] *s. das* Verführerische; '**tempt·ress** [-trɪs] *s*. Versucherin *f*, Verführerin *f*.

ten [ten] **I** *adj*. **1.** zehn; **II** *s*. **2.** Zehn *f* (*Zahl, Spielkarte*): ***the upper ~*** *fig.* die oberen Zehntausend; **3.** F Zehner *m* (*Geldschein etc.*); **4.** zehn (Uhr).

ten·a·ble ['tenəbl] *adj*. **1.** haltbar (⚔ *Stellung, fig. Behauptung etc.*); **2.** verliehen (***for*** für, auf *acc.*): ***an office ~ for two years***; '**ten·a·ble·ness** [-nɪs] *s*. Haltbarkeit *f* (*a. fig.*).

te·na·cious [tɪ'neɪʃəs] *adj*. □ **1.** zäh(e), klebrig; **2.** *fig.* zäh(e), hartnäckig: ***be ~ of*** zäh an *et.* festhalten; ***~ of life*** zählebig; ***~ ideas*** zählebige Ideen; **3.** verläßlich, gut (*Gedächtnis*); **te'na·cious·ness** [-nɪs], **te·nac·i·ty** [tɪ'næsɪtɪ] *s*. **1.** *allg.* Zähigkeit *f*: a) Klebrigkeit *f*, b) *phys.* Zug-, Zähfestigkeit *f*, c) *fig.* Hartnäckigkeit *f*: ***~ of life*** zähes Leben; ***~ of purpose*** Zielstrebigkeit *f*; **2.** Verläßlichkeit *f* (*des Gedächtnisses*).

ten·an·cy ['tenənsɪ] *s*. ⚖ **1.** Pacht-, Mietverhältnis *n*: ***~ at will*** jederzeit beiderseits kündbares Pachtverhältnis; **2.** a) Pacht-, Mietbesitz *m*, b) Eigentum *n*: ***~ in common*** Miteigentum *n*; **3.** Pacht-, Mietdauer *f*; '**ten·ant** [-nt] **I** *s*. **1.** ⚖ Pächter(in), Mieter(in): ***~ farmer*** Gutspächter *m*; **2.** ⚖ Inhaber(in) (*von Realbesitz, Renten etc.*); **3.** Bewohner (-in); **4.** *hist.* Lehnsmann *m*; **II** *v/t*. **5.** bewohnen; **6.** *als Mieter etc.* beherbergen; '**ten·ant·a·ble** [-ntəbl] *adj*. **1.** ⚖ pacht-, mietbar; **2.** bewohnbar; '**ten·ant·less** *adj*. **1.** unverpachtet; **2.** unvermietet, leer(stehend); '**ten·ant·ry** [-trɪ] *s. coll.* Pächter *pl.*, Mieter *pl.*

tench [tenʃ] *pl*. '**tench·es**, *bsd. coll.* **tench** *s. ichth.* Schleie *f*.

tend[1] [tend] *v/i*. **1.** sich *in e-r bestimmten Richtung* bewegen; (hin)streben (***to*** [***-ward***] nach): ***~ from*** wegstreben von; **2.** *fig.* a) tendieren, neigen (***to***[***wards***] zu), b) da'zu neigen (***to do*** zu tun); **3.** abzielen, gerichtet sein (***to*** auf *acc.*); **4.** (da'zu) führen *od.* beitragen (***to*** [***do***] zu [tun]); hin'auslaufen (***to*** auf *acc.*); **5.** ⚓ schwoien.

tend[2] [tend] *v/t*. **1.** ⚙ *Maschine* bedienen; **2.** sich kümmern um, sorgen für, *Kranke* pflegen, *Vieh* hüten.

ten·den·cious → ***tendentious***.

tend·en·cy ['tendənsɪ] *s*. **1.** Ten'denz *f*: a) Richtung *f*, Strömung *f*, Hinstreben *n*, b) (bestimmte) Absicht, Zweck *m*, c) Hang *m* (***to, toward*** zu), Neigung *f* (***to*** *für*); **2.** Gang *m*, Lauf *m*: ***the ~ of events***.

ten·den·tious [ten'denʃəs] *adj*. □ tendenzi'ös, Tendenz...; **ten'den·tious·ness** [-nɪs] *s*. tendenzi'öser Cha'rakter.

ten·der[1] ['tendə] *adj*. □ **1.** zart, weich, mürbe (*Fleisch etc.*); **2.** *allg.* zart (*a. Alter, Farbe, Gesundheit*): ***~ passion*** Liebe *f*; **3.** zart, zärtlich, sanft; **4.** zart, empfindlich (*Körperteil, a. Gewissen*): ***~ spot*** *fig.* wunder Punkt; **5.** heikel, kitzlig (*Thema*); **6.** bedacht (***of*** auf *acc.*).

ten·der[2] ['tendə] **I** *v/t*. **1.** (for'mell) anbieten; → ***oath*** 1, ***resignation*** 2; **2.** *s-e Dienste etc.* anbieten, zur Verfügung stellen; **3.** *s-n Dank, s-e Entschuldigung* zum Ausdruck bringen; **4.** ☨, ⚖ als Zahlung (*e-r Verpflichtung*) anbieten; **II** *v/i*. **5.** sich an e-r Ausschreibung beteiligen, ein Angebot machen: ***~ and contract for a supply*** e-n Lieferungsvertrag abschließen; **III** *s*. **6.** Anerbieten *n*, Angebot *n*: ***make a ~ of*** → 2; **7.** ☨ (***legal*** gesetzliches) Zahlungsmittel; **8.** ☨ Angebot *n*, Of'ferte *f bei Ausschreibung*: ***invite ~s for*** *ein Projekt* ausschreiben; ***put to ~*** in freier Ausschreibung vergeben; ***by ~*** in Submission; **9.** ☨ Kosten(vor)anschlag *m*; **10.** ⚖ Zahlungsangebot *n*; **11.** ***~ of resignation*** Rücktrittsgesuch *n*.

tend·er[3] ['tendə] *s*. **1.** Pfleger(in); **2.** 🚂 Tender *m*, Kohlewagen *m*; **3.** ⚓ Tender *m*, Begleitschiff *n*.

'**ten·der|·foot** *pl*. **-feet** *od*. **-foots** *s. Am.* F **1.** Anfänger(in), Greenhorn *n*; **2.** neuaufgenommener Pfadfinder; ,**~-'heart·ed** *adj*. □ weichherzig; '**~·loin** *s*. zartes Lendenstück, Fi'let *n*.

ten·der·ness ['tendənɪs] *s*. **1.** Zartheit *f*, Weichheit *f* (*a. fig.*); **2.** Empfindlichkeit *f* (*a. fig. des Gewissens etc.*); **3.** Zärtlichkeit *f*.

T

ten·di·nous ['tendɪnəs] *adj.* **1.** sehnig, flechsig; **2.** *anat.* Sehnen…; **ten·don** ['tendən] *s. anat.* Sehne *f*, Flechse *f*; **ten·do·vag·i·ni·tis** ['tendəʊˌvædʒɪ'naɪtɪs] *s.* ⚕ Sehnenscheidenentzündung *f*.

ten·dril ['tendrɪl] *s.* ⚘ Ranke *f*.

ten·e·brous ['tenɪbrəs] *adj.* dunkel, finster, düster.

ten·e·ment ['tenɪmənt] *s.* **1.** Wohnhaus *n*; **2.** *a.* ~ ***house*** Miet(s)haus *n*, *bsd.* 'Mietskaˌserne *f*; **3.** Mietwohnung *f*; **4.** Wohnung *f*; **5.** ⚖ a) (Pacht)Besitz *m*, b) beständiger Besitz, beständiges Privi'legium.

te·nes·mus [tɪ'nezməs] *s.* ⚕ Te'nesmus *m*: ***rectal*** ~ Stuhldrang *m*; ***vesical*** ~ Harndrang *m*.

ten·et ['ti:net] *s.* (Grund-, Lehr)Satz *m*, Lehre *f*.

'ten·fold I *adj. u. adv.* zehnfach; **II** *s. das* Zehnfache.

ˌten-'gal·lon hat *s. Am.* breitrandiger Cowboyhut.

ten·ner ['tenə] *s.* F ‚Zehner' *m*: a) *Brit.* Zehn'pfundnote *f*, b) *Am.* Zehn'dollarnote *f*.

ten·nis ['tenɪs] *s. sport* Tennis *n*; ~ **arm** *s.* ⚕ Tennisarm *m*; ~ **ball** *s.* Tennisball *m*; ~ **court** *s.* Tennisplatz *m*; ~ **rack·et** *s.* Tennisschläger *m*.

ten·on ['tenən] ⚙ **I** *s.* Zapfen *m*; **II** *v/t.* verzapfen; ~ **saw** *s.* ⚙ Ansatzsäge *f*, Fuchsschwanz *m*.

ten·or ['tenə] **I** *s.* **1.** Verlauf *m*; **2.** 'Tenor *m*, (wesentlicher) Inhalt, Sinn *m*; **3.** Absicht *f*; **4.** ✝ Laufzeit *f* (*Wechsel etc.*); **5.** ♪ Te'nor(stimme *f*, -parˌtie *f*, -sänger *m*, -instruˌment *n*) *m*; **II** *adj.* **6.** ♪ Tenor…

'ten·pin *s. Am.* **1.** Kegel *m*; **2.** *pl. sg. konstr. Am.* Bowling *n*.

tense[1] [tens] *s. ling.* Zeit(form) *f*, Tempus *n*: ***simple*** (***compound***) **~s** einfache (zs.-gesetzte) Zeiten.

tense[2] [tens] **I** *adj.* ☐ **1.** gespannt (*a. ling. Laut*); **2.** *fig.* a) (an)gespannt (*Person, Nerven*), b) spannungsgeladen: ***a ~ moment***; **II** *v/t.* **3.** straffen, (an)spannen; **III** *v/i.* **4.** sich straffen *od.* (an)spannen; **5.** *fig.* (vor Nervosi'tät *etc.*) starr werden; **'tense·ness** [-nɪs] *s.* **1.** Straffheit *f*; **2.** *fig.* (ner'vöse) Spannung; **'ten·si·ble** [-səbl] *adj.* dehnbar; **'ten·sile** [-saɪl] *adj.* dehn-, streckbar; *phys.* Dehn(ungs)…, Zug…: ~ ***strength*** (***stress***) Zugfestigkeit *f* (-beanspruchung *f*); **ten·sim·e·ter** [ten'sɪmɪtə] *s.* ⚙ Gas-, Dampfdruckmesser *m*; **ten·si·om·e·ter** [tensɪ'ɒmɪtə] *s.* ⚙ Zugmesser *m*.

ten·sion ['tenʃn] *s.* **1.** Spannung *f* (*a.* ⚡); **2.** ⚕, *phys.* Druck *m*; **3.** *phys.* a) Dehnung *f*, b) Zug-, Spannkraft *f*: ~ ***spring*** ⚙ Zug-, Spannfeder *f*; **4.** (ner'vöse) Spannung; **5.** *fig.* Spannung *f*, gespanntes Verhältnis: ***political*** ~; **'ten·sion·al** [-ʃənl] *adj.* Dehn…, Spann(ungs)…; **ten·sor** ['tensə] *s. anat.* Tensor *m* (*a.* ⅍), Streck-, Spannmuskel *m*.

'ten|-spot *s. Am. sl.* **1.** *Kartenspiel*: Zehn *f*; **2.** → ***tenner*** b; **'~-strike** *s.* **1.** → ***strike*** 2 a; **2.** F *fig.* ‚Volltreffer' *m*.

tent[1] [tent] *s.* Zelt *n* (*a.* ⚕): ***pitch one's ~s*** s-e Zelte aufschlagen (*a. fig.*).

tent[2] [tent] ⚕ **I** *s.* Tam'pon *m*; **II** *v/t.* durch e-n Tampon offenhalten.

tent[3] [tent] *s. obs.* Tintowein *m*.

ten·ta·cle ['tentəkl] *s. zo.* **1.** Ten'takel *m, n* (*a.* ⚘), Fühler *m* (*a. fig.*); **2.** Fangarm *m e-s Polypen*; **'ten·ta·cled** [-ld] *adj.* ⚘, *zo.* mit Ten'takeln versehen; **ten·tac·u·lar** [ten'tækjʊlə] *adj.* Fühler…, Tentakel…

ten·ta·tive ['tentətɪv] **I** *adj.* ☐ **1.** versuchsweise, Versuchs…; **2.** provi'sorisch; **3.** vorsichtig; **II** *s.* **4.** Versuch *m*; **'ten·ta·tive·ly** [-lɪ] *adv.* versuchsweise.

ten·ter ['tentə] *s.* ⚙ Spannrahmen *m für Tuch*; **'~·hook** *s.* ⚙ Spannhaken *m*: ***be on ~s*** *fig.* auf die Folter gespannt sein, wie auf glühenden Kohlen sitzen; ***keep s.o. on ~s*** *fig.* j-n auf die Folter spannen.

tenth [tenθ] **I** *adj.* ☐ **1.** zehnt; **2.** zehntel; **II** *s.* **3.** *der* (*die, das*) Zehnte; **4.** Zehntel *n*: ***a ~ of a second*** e-e Zehntelsekunde; **5.** ♪ De'zime *f*; **'tenth·ly** [-lɪ] *adv.* zehntens.

tent| peg *s.* Zeltpflock *m*, Hering *m*; ~ **pole** *s.* Zeltstange *f*; ~ **stitch** *s. Stickerei*: Perlstich *m*.

ten·u·is ['tenjʊɪs] *pl.* **'ten·u·es** [-i:z] *s. ling.* Tenuis *f* (*stimmloser, nicht aspirierter Verschlußlaut*).

te·nu·ous ['tenjʊəs] *adj.* **1.** dünn; **2.** zart, fein; **3.** *fig.* dürftig.

ten·ure ['teˌnjʊə] *s.* **1.** (Grund-, *hist.* Lehens)Besitz *m*; **2.** ⚖ a) Besitzart *f*, b) Besitztitel *m*: ~ ***by lease*** Pachtbesitz *m*; **3.** Besitzdauer *f*; **4.** (feste) Anstellung; **5.** Innehaben *n*, Bekleidung *f* (e-s Amtes): ~ ***of office*** Amtsdauer *f*; **6.** *fig.* Genuß *m e-r Sache*.

te·pee ['ti:pi:] *s.* Indi'anerzelt *n*, Tipi *n*.

tep·id ['tepɪd] *adj.* ☐ lauwarm, lau (*a. fig.*); **te·pid·i·ty** [te'pɪdətɪ], **'tep·id·ness** [-nɪs] *s.* Lauheit *f* (*a. fig.*).

ter·cen·te·nar·y [ˌtɜ:sen'ti:nərɪ], **ˌter·cen'ten·ni·al** [-'tenjəl] **I** *adj.* **1.** dreihundertjährig; **II** *s.* **2.** dreihundertster Jahrestag; **3.** Dreihundert'jahrfeier *f*.

ter·cet ['tɜ:sɪt] *s.* **1.** *Metrik*: Ter'zine *f*; **2.** ♪ Tri'ole *f*.

ter·gi·ver·sate ['tɜ:dʒɪvɜ:seɪt] *v/i.* Ausflüchte machen; sich drehen und wenden; sich wider'sprechen; **ter·gi·ver·sa·tion** [ˌtɜ:dʒɪvɜ:'seɪʃn] *s.* **1.** Ausflucht *f*, Winkelzug *m*; **2.** Wankelmut *m*.

term [tɜ:m] **I** *s.* **1.** *bsd. fachlicher* Ausdruck, Bezeichnung *f*, Wort *n*: ***botanical ~s***; **2.** *pl.* a) Ausdrucksweise *f*, b) ('Denk)Katego,rien *pl.*: ***in ~s of*** a) in Form von (*od. gen.*), b) im Sinne (*gen.*), als, c) hinsichtlich (*gen.*), d) von ... her, vom Standpunkt (*gen.*), e) im Vergleich zu; ***in ~s of approval*** beifällig; ***in ~s of literature*** literarisch (betrachtet), vom Literarischen her; ***in plain ~s*** rundheraus (gesagt); ***in the strongest ~s*** schärfstens; ***think in ~s of money*** (nur) in Mark u. Pfennig denken; ***think in military ~s*** in militärischen Kategorien denken; **3.** Wortlaut *m*; **4.** a) Zeit *f*, Dauer *f*: ***~ of imprisonment*** Freiheitsstrafe *f*; ***~ of office*** Amtsdauer *f*, -periode *f*; ***on*** (*od.* ***in***) ***the long ~*** auf lange Sicht, langfristig (betrachtet); ***for a ~ of four years*** für die Dauer von vier Jahren, b) (*Zahlungs- etc.*)Frist *f*: ***~ deposit*** Termingeld *n*; **5.** ✝, ⚖ a) Laufzeit *f* (*Vertrag, Wechsel*), b) Ter'min *m*, c) *Brit.* Quar'talster,min *m* (*vierteljährlicher Zahltag für Miete etc.*), d) *Brit. hist. halbjährlicher* Lohn-, Zahltag (*für Dienstboten*), e) ⚖ 'Sitzungsperi,ode *f*; **6.** *ped.*, *univ.* Quar'tal *n*, Tri'mester *n*, Se'mester *n*: ***end of ~*** Schul- *od.* Semesterschluß *m*; ***keep ~s*** *Brit.* Jura studieren; **7.** *pl.* ✝, ⚖ (*Vertrags- etc.*)Bedingungen *pl.*: ***~s of delivery*** Lieferungsbedingungen; ***~s of trade*** Austauschverhältnis *n im* Außenhandel; ***on easy ~s*** zu günstigen Bedingungen; ***on equal ~s*** unter gleichen Bedingungen; ***come to ~s*** *a. fig.* handelseinig werden, sich einigen, *fig. a.* sich abfinden (***with*** mit); ***come to ~s with the past*** die Vergangenheit bewältigen; **8.** *pl.* Preise *pl.*, Hono'rar *n*: ***cash ~s*** Barpreis *m*; ***inclusive ~s*** Pauschalpreis *m*; **9.** *pl.* Beziehungen *pl.*: ***be on good*** (***bad***) ***~s with*** auf gutem (schlechtem) Fuße stehen mit; ***they are not on speaking ~s*** sie sprechen nicht (mehr) miteinander; **10.** *Logik*: Begriff *m*; → ***contradiction*** 2; **11.** ℞ a) Glied *n*: ***~ of a sum*** Summand *m*, b) *Geometrie*: Grenze *f*; **12.** ⚠ Terme *m*, Grenzstein *m*; **13.** *physiol.* a) Menstruati'on *f*, b) (nor'male) Schwangerschaftszeit: ***carry to*** (***full***) ***~*** *ein Kind* austragen; ***she is near her ~*** ihre Niederkunft steht dicht bevor; **II** *v/t.* **14.** (be)nennen, bezeichnen als.

ter·ma·gant ['tɜ:məgənt] **I** *s.* Zankteufel *m*, (Haus)Drachen *m* (*Weib*); **II** *adj.* zänkisch, keifend.

ter·mi·na·ble ['tɜ:mɪnəbl] *adj.* □ **1.** begrenzbar; **2.** befristet, (zeitlich) begrenzt, kündbar (*Vertrag etc.*).

ter·mi·nal ['tɜ:mɪnl] **I** *adj.* □ → ***terminally***; **1.** letzt, Grenz..., End..., (Ab-)Schluß...: ***~ amplifier*** ⚡ Endverstärker *m*; ***~ station*** → ***~ value*** ℞ Endwert *m*; ***~ voltage*** ⚡ Klemmenspannung *f*; **2.** *univ.* Semester... *od.* Trimester...; **3.** ⚕ a) unheilbar (*a. fig.*), b) im Endstadium: ***~ case***, c) Sterbe...: ***~ clinic***, d) *fig.* verhängnisvoll (***to*** für); **4.** ⚘ gipfelständig; **II** *s.* **5.** Endstück *n*, -glied *n*, Spitze *f*; **6.** *ling.* Endsilbe *f od.* -buchstabe *m od.* -wort *n*; **7.** ⚡ a) (Anschluß-)Klemme *f*, (*Plus-*, *Minus*)Pol *m*, b) Klemmschraube *f*, c) Endstecker *m*; **8.** a) 🚂 'Endstati,on *f*, Kopfbahnhof *m*, b) ✈ Bestimmungsflughafen *m* (→ *a.* ***air terminal***), c) (zen'traler) 'Umschlagplatz, d) End- *od.* Ausgangspunkt *m*; **9.** *Computer*: Terminal *n*; **10.** *univ.* Se'mesterprüfung *f*; **'ter·mi·nal·ly** [-nəlɪ] *adv.* **1.** zum Schluß; **2.** ter'minweise; **3.** ***~ ill*** ⚕ unheilbar krank; **4.** *univ.* se'mesterweise; **'ter·mi·nate** [-neɪt] **I** *v/t.* **1.** *räumlich* begrenzen; **2.** beendigen, *Vertrag a.* aufheben, kündigen; **II** *v/i.* **3.** endigen (***in*** in *dat.*); **4.** *ling.* enden (***in*** auf *acc.*); **III** *adj.* [-nət] **5.** begrenzt; **6.** ℞ endlich; **ter·mi·na·tion** [,tɜ:mɪ'neɪʃn] *s.* **1.** Aufhören *n*; **2.** Ende *n*, (Ab)Schluß *m*; **3.** Beendigung *f*: ***~ of pregnancy*** ⚕ Schwangerschaftsunterbrechung *f*; **4.** ⚖ Beendigung *f e-s Vertrags etc.*: a) Ablauf *m*, Erlöschen *n*, b) Aufhebung *f*, Kündigung *f*; **5.** *ling.* Endung *f*.

ter·mi·no·log·i·cal [,tɜ:mɪnə'lɒdʒɪkl] *adj.* □ termino'logisch: ***~ inexactitude*** *humor.* Schwindelei *f*; **ter·mi·nol·o·gy** [,tɜ:mɪ'nɒlədʒɪ] *s.* Terminolo'gie *f*, Fachsprache *f*, -ausdrücke *pl.*

ter·mi·nus ['tɜ:mɪnəs] *pl.* **-ni** [-naɪ], **-nus·es** *s.* **1.** Endpunkt *m*, Ziel *n*, Ende *n*; **2.** → ***terminal*** 8 a.

ter·mite ['tɜ:maɪt] *s. zo.* Ter'mite *f*.

'term·time *s.* Schul- *od.* Se'mesterzeit *f* (*Ggs. Ferien*).

tern[1] [tɜ:n] *s. orn.* Seeschwalbe *f*.

tern[2] [tɜ:n] *s.* Dreiergruppe *f*, -satz *m*; **'ter·na·ry** [-nərɪ] *adj.* **1.** aus (je) drei bestehend, dreifältig; **2.** ⚘ dreizählig; **3.** *metall.* dreistoffig; **4.** ℞ ter'när; **5.** aus drei A'tomen bestehend; **'ter·nate** [-nɪt] *adj.* → ***ternary*** 1 *u.* 2.

ter·ra ['terə] (*Lat. u. Ital.*) *s.* Land *n*, Erde *f*.

ter·race ['terəs] **I** *s.* **1.** Ter'rasse *f* (*a.* ⚠ *u. geol.*); **2.** *bsd. Brit.* Häuserreihe *f* an erhöht gelegener Straße; **3.** *Am.* Grünstreifen *m*, -anlage *f in der Straßenmitte*; **4.** *sport Brit.* (Zuschauer)Rang *m*: ***the ~s*** die Ränge (*a. die Zuschauer*); **II** *v/t.* **5.** ter'rassenförmig anlegen, terrassieren; **'ter·raced** [-st] *adj.* **1.** terrassenförmig (angelegt); **2.** flach (*Dach*); **3.** ***~ house*** *Brit.* Reihenhaus *n*.

ter·ra|-cot·ta [,terə'kɒtə] **I** *s.* **1.** Terra'kotta *f*; **2.** Terra'kottafi,gur *f*; **II** *adj.* **3.** Terrakotta...; **~ fir·ma** ['fɜ:mə] (*Lat.*) *s.* festes Land.

ter·rain [teˈreɪn] *bsd.* ⚔ **I** *s.* Terˈrain *n*, Gelände *n*; **II** *adj.* Gelände…
ter·ra in·cog·ni·ta [ɪŋˈkɒgnɪtə] (*Lat.*) *s.* unerforschtes Land; *fig.* (völliges) Neuland.
ter·ra·ne·ous [təˈreɪnjəs] *adj.* ♀ Land…
ter·ra·pin [ˈterəpɪn] *s. zo.* Dosenschildkröte *f.*
ter·raz·zo [teˈrætsəʊ] (*Ital.*) *s.* Terˈrazzo *m*, Zeˈmentmosaˌik *n.*
ter·rene [teˈriːn] *adj.* **1.** irdisch, Erd…; **2.** erdig, Erd…
ter·res·tri·al [tɪˈrestrɪəl] **I** *adj.* □ **1.** irdisch; **2.** Erd…: **~ globe** Erdball *m*; **3.** ♀, *zo., geol.* Land…; **II** *s.* **4.** Erdenbewohner(in).
ter·ri·ble [ˈterəbl] *adj.* □ schrecklich, furchtbar, fürchterlich (*alle a.* F *außerordentlich*); **ˈter·ri·ble·ness** [-nɪs] *s.* Schrecklichkeit *f etc.*
ter·ri·er¹ [ˈterɪə] *s.* **1.** *zo.* Terrier *m* (*Hunderasse*); **2.** F → ***territorial*** 4 a.
ter·ri·er² [ˈterɪə] *s.* ⚖ Flurbuch *n.*
ter·rif·ic [təˈrɪfɪk] *adj.* (□ **~ally**) **1.** furchtbar, fürchterlich, schrecklich (*alle a.* F *fig.*); **2.** F ‚toll', phanˈtastisch.
ter·ri·fied [ˈterɪfaɪd] *adj.* erschrocken, verängstigt, entsetzt: ***be ~ of*** schreckliche Angst haben vor (*dat.*); **ter·ri·fy** [ˈterɪfaɪ] *v/t.* erschrecken, *j-m* Angst und Schreck einjagen; **ˈter·ri·fy·ing** [-aɪɪŋ] *adj.* furchterregend, erschreckend, fürchterlich.
ter·ri·to·ri·al [ˌterɪˈtɔːrɪəl] **I** *adj.* □ **1.** Grund…, Land…: **~ *property***; **2.** territoriˈal, Landes…, Gebiets…: **♀ *Army*, ♀ *Force*** ⚔ Territorialarmee *f*, Landwehr *f*; **~ *waters*** *pol.* Hoheitsgewässer *pl.*; **3.** ♀ *pol.* Territorial…, ein Terriˈtorium (*der USA*) betreffend; **II** *s.* **4.** ♀ ⚔ a) Landwehrmann *m*, b) *pl.* Territoriˈaltruppen *pl.*; **ter·ri·to·ry** [ˈterɪtərɪ] *s.* **1.** (*a. fig.*) Gebiet *n*, Terriˈtorium *n*; **2.** *pol.* Hoheits-, Staatsgebiet *n*: ***Federal ~*** Bundesgebiet; ***on British ~*** auf britischem Gebiet; **3.** *pol.* Terriˈtorium *n* (*Schutzgebiet*); **4.** ✝ (Vertrags-, Vertreter)Gebiet *n*, (-)Bezirk *m*; **5.** *sport* F (Spielfeld)Hälfte *f.*
ter·ror [ˈterə] *s.* **1.** Schrecken *m*, Entsetzen *n*, schreckliche Furcht (***of*** vor *dat.*); **2.** Schrecken *m* (***of*** *od.* ***to*** *gen.*) (*schreckeneinflößende Person od. Sache*); **3.** Terror *m*: a) Gewalt-, Schreckensherrschaft *f*, b) Terrorakte *pl.*: ***political ~*** Politterror; **~ *bombing*** Bombenterror; **4.** F a) Ekel *n*, ‚Landplage' *f*, b) (schreckliche) Plage (***to*** für), c) Alptraum *m*; **ˈter·ror·ism** [-ərɪzəm] *s.* **1.** → ***terror*** 3; **2.** Terroˈrismus *m*; **3.** Terrorisierung *f*; **ˈter·ror·ist** [-ərɪst] *s.* Terroˈrist(in); **ˈter·ror·ize** [-əraɪz] *v/t.* **1.** terrorisieren; **2.** einschüchtern.
ˈter·ror|-ˌstrick·en, **ˈ~-struck** *adj.* schreckerfüllt, starr vor Schreck.
ter·ry [ˈterɪ] *s.* **1.** ungeschnittener Samt *od.* Plüsch; **2.** Frotˈtiertuch *n*, Frotˈtee (-gewebe) *n*; **3.** Schlinge *f* (*des ungeschnittenen Samtes etc.*).
terse [tɜːs] *adj.* □ knapp, kurz u. bündig, markig; **ˈterse·ness** [-nɪs] *s.* Knappheit *f*, Kürze *f*, Bündigkeit *f*, Präˈgnanz *f.*
ter·tian [ˈtɜːʃn] ⚕ **I** *adj.* am dritten Tag wiederkehrend, Tertian…: **~ *ague*, ~ *fever*, ~ *malaria*** → **II** *s.* Tertiˈanfieber *n.*
ter·ti·ar·y [ˈtɜːʃərɪ] **I** *adj.* *allg.* tertiˈär, Tertiär…; **II** *s.* ♀ *geol.* Tertiˈär *n.*
ter·zet·to [tɜːtˈsetəʊ] *pl.* **-tos**, **-ti** [-tɪ] (*Ital.*) *s.* ♪ Terˈzett *n*, Trio *n.*
tes·sel·late [ˈtesɪleɪt] *v/t.* tessellieren, mit Mosaˈiksteinen auslegen: **~*d pavement*** Mosaik(fuß)boden *m*; **tes·sel·la·tion** [ˌtesɪˈleɪʃn] *s.* Mosaˈik(arbeit *f*) *n.*
test [test] **I** *s.* **1.** *allg.*, *a.* ⚙ Test *m*, Probe *f*, Versuch *m*; **2.** a) Prüfung *f*, Unterˈsuchung *f*, Stichprobe *f*, b) *fig.* Probe *f*, Prüfung *f*: ***put to the ~*** auf die Probe stellen; ***stand the ~*** die Probe bestehen, sich bewähren; **~ *of strength*** Kraftprobe *f*; → ***acid test*, *crucial*** 1; **3.** *fig.* Prüfstein *m*, Kriˈterium *n*: ***success is not a fair ~***; **4.** *ped.*, *psych.* (Eignungs-, Leistungs)Prüfung *f*, Test *m*; **5.** *ped.* Klassenarbeit *f*; **6.** ⚕ (Blut- *etc.*)Probe *f*, (Haut- *etc.*)Test *m*; **7.** ⚗ a) Anaˈlyse *f*, b) Reaˈgens *n*; **8.** *metall.* a) Versuchstiegel *m*, Kaˈpelle *f*, b) Treibherd *m*; **9.** F → ***test match***; **10.** *hist. Brit.* Testeid *m*; **II** *v/t.* **11.** (***for s.th.*** auf et. [hin]) prüfen (*a. ped.*) *od.* unterˈsuchen, erproben, e-r Prüfung unterˈziehen, testen (*alle a.* ⚙): **~ *out*** ausprobieren; **12.** *fig.* *j-s Geduld etc.* auf die Probe stellen; **13.** *ped.*, *psych.* *j-n* testen; **14.** ⚗ analysieren; **15.** ϟ *Leitung* prüfen *od.* abfragen; **16.** ⚔ *Waffe* anschießen; **III** *adj.* **17.** Probe…, Versuchs…, Prüf(ungs)…, Test…; → ***test case*, *test flight*** *etc.*
tes·ta·cean [teˈsteɪʃn] *zo.* **I** *adj.* hartschalig, Schal(tier)…; **II** *s.* Schaltier *n*; **tesˈta·ceous** [-ʃəs] *adj. zo.* hartschalig, Schalen…
tes·ta·ment [ˈtestəmənt] *s.* **1.** ⚖ Testaˈment *n*, letzter Wille; **2.** ♀ *bibl.* (*Altes od. Neues*) Testaˈment; **3.** *fig.* Zeugnis *n*, Beweis *m* (***to*** *gen. od.* für); **tes·ta·men·ta·ry** [ˌtestəˈmentərɪ] *adj.* □ ⚖ testamenˈtarisch: a) letztwillig, b) durch Testaˈment (vermacht, bestimmt): **~ *disposition*** letztwillige Verfügung; **~ *capacity*** Testierfähigkeit *f.*
tes·tate [ˈtesteɪt] *adj.*: ***die ~*** ⚖ unter Hinterlassung e-s Testaments sterben, ein Testament hinterlassen; **tes·ta·tor** [teˈsteɪtə] *s.* ⚖ Erblasser *m*; **tes·ta·trix** [teˈsteɪtrɪks] *pl.* **-tri·ces** [-siːz] *s.* Erb-

T

lasserin *f*.

'test|-bed *s.* ⚙ Prüfstand *m*; **~ card** *s. TV* Testbild *n*; **~ case** *s.* **1.** ⚖ a) 'Musterpro,zeß *m*, b) Präze'denzfall *m*; **2.** *fig.* Muster-, Schulbeispiel *n*; **~ cir·cuit** *s.* ⚡ Meßkreis *m*; **~ drive** *s. mot.* Probefahrt *f*; **'~-drive** *v/t.* [*irr.*] *Auto* probefahren.

test·ed ['testɪd] *adj.* geprüft; erprobt (*a. weitS. bewährt*).

test·er[1] ['testə] *s.* **1.** Prüfer *m*; **2.** Prüfgerät *n*.

tes·ter[2] ['testə] *s.* **1.** Δ Baldachin *m*; **2.** (Bett)Himmel *m*.

tes·tes ['testi:z] *pl. von* ***testis***.

test| flight *s.* ✈ Probeflug *m*; **'~-glass** → ***test tube***.

tes·ti·cle ['testɪkl] *s. anat.* Hode *m*, *f*, Hoden *m*; **tes'tic·u·lar** *adj.* Hoden…

tes·ti·fy ['testɪfaɪ] **I** *v/t.* **1.** ⚖ aussagen, bezeugen; **2.** *fig.* bezeugen: a) zeugen von, b) kundtun; **II** *v/i.* **3.** ⚖ (als Zeuge) aussagen: ***~ to*** → 2; ***refuse to ~*** die Aussage verweigern; **tes·ti·mo·ni·al** [,testɪ'məʊnjəl] *s.* **1.** (Führungs- *etc.*) Zeugnis *n*; **2.** Empfehlungsschreiben *n*; **3.** Zeichen *n* der Anerkennung, *bsd.* Ehrengabe *f*; **'tes·ti·mo·ny** [-ɪmənɪ] *s.* **1.** Zeugnis *n*: a) ⚖ (Zeugen)Aussage *f*, b) Beweis *m*: ***in ~ whereof*** ⚖ zu Urkund dessen; ***bear ~ to*** *et.* bezeugen (*a. fig.*); ***call s.o. in ~*** ⚖ j-n als Zeugen aufrufen, *fig.* j-n zum Zeugen anrufen; ***have s.o.'s ~ for*** j-n zum Zeugen haben für; **2.** *coll. od. pl.* Zeugnis(se *pl.*) *n*: ***the ~ of history***; **3.** *bibl.* Zeugnis *n*: a) Gesetzestafeln *pl.*, b) *mst pl.* göttliche Offenbarung, *a.* Heilige Schrift.

tes·ti·ness ['testɪnɪs] *s.* Gereiztheit *f*.

test·ing ['testɪŋ] *adj. bsd.* ⚙ Probe…, Prüf…, Versuchs…: ***~ engineer*** ⚙ Prüfingenieur *m*; ***~ ground*** ⚙ a) Prüffeld *n*, b) Versuchsgelände *n*; ***~ method*** *psych.* Testmethode *f*.

tes·tis ['testɪs] *pl.* **-tes** [-ti:z] (*Lat.*) → ***testicle***.

test| match *s. Kricket*: internatio'naler Vergleichskampf; **~ pa·per** *s.* **1.** *ped.* a) schriftliche (Klassen)Arbeit, b) Prüfungsbogen *m*; **2.** ⚗ Rea'genzpa,pier *n*; **~ pi·lot** *s.* 'Testpi,lot *m*; **~ print** *s. phot.* Probeabzug *m*; **~ run** *s.* ⚙ Probelauf *m*; **~ stand** *s.* ⚙ Prüfstand *m*; **~ tube** [-stt-] *s.* ⚗ Rea'genzglas *n*; **'~-tube** *adj.*: ***~ baby*** ⚕ Retortenbaby *n*.

tes·ty ['testɪ] *adj.* □ gereizt, reizbar.

tet·a·nus ['tetənəs] *s.* ⚕ Tetanus *m*, (*bsd.* Wund)Starrkrampf *m*.

tetch·y ['tetʃɪ] *adj.* □ reizbar.

tête-à-tête [,teɪtɑ:'teɪt] (*Fr.*) **I** *adv.* **1.** vertraulich, unter vier Augen; **2.** ganz al'lein (***with*** mit); **II** *s.* **3.** Tête-à-tête *n*.

teth·er ['teðə] **I** *s.* Haltestrick *m*, -seil *n*: ***be at the end of one's ~*** *fig.* am Ende s-r (*a. finanziellen*) Kräfte sein, sich nicht mehr zu helfen wissen; **II** *v/t.* anbinden (***to*** an *acc.*).

tetra- [tetrə] *in Zssgn* vier.

tet·rad ['tetræd] *s.* **1.** Vierzahl *f*; **2.** ⚗ vierwertiges A'tom *od.* Ele'ment; **3.** *biol.* ('Sporen)Te,trade *f*.

tet·ra·gon ['tetrəgən] *s.* ⊾ Tetra'gon *n*, Viereck *n*; **te·trag·o·nal** [te'trægənl] *adj.* ⊾ tetrago'nal.

tet·ra·he·dral [,tetrə'hedrəl] *adj.* ⊾ vierflächig, tetra'edrisch; **,tet·ra'he·dron** [-drən] *pl.* **-'he·drons**, **-'he·dra** [-drə] *s.* ⊾ Tetra'eder *n*.

tet·ter ['tetə] *s.* ⚕ (Haut)Flechte *f*.

Teu·ton ['tju:tən] **I** *s.* **1.** Ger'mane *m*, Ger'manin *f*; **2.** Teu'tone *m*, Teu'tonin *f*; **3.** F Deutsche(r *m*) *f*; **II** *adj.* **4.** → ***Teutonic*** I; **Teu·ton·ic** [tju:'tɒnɪk] **I** *adj.* **1.** ger'manisch; **2.** teu'tonisch; **3.** Deutschordens…: ***~ Order*** *hist.* Deutschritterorden *m*; **4.** F (typisch) deutsch; **II** *s.* **5.** *ling.* Ger'manisch *n*; **'Teu·ton·ism** [-tənɪzəm] *s.* **1.** Ger'manentum *n*, ger'manisches Wesen; **2.** *ling.* Germa'nismus *m*.

Tex·an ['teksən] **I** *adj.* te'xanisch, aus Texas; **II** *s.* Te'xaner(in).

text [tekst] *s.* **1.** (Ur)Text *m*, (genauer) Wortlaut; **2.** *typ.* a) Text(abdruck, -teil) *m* (*Ggs. Illustrationen*, *Vorwort etc.*), b) Text *m* (*Schriftgrad*), c) Frak'turschrift *f*; **3.** (Lied- *etc.*)Text *m*; **4.** a) Bibelspruch *m*, -stelle *f*, b) Bibeltext *m*; **5.** Thema *n*: ***stick to one's ~*** bei der Sache bleiben; **6.** → ***text hand***; **'~·book** *s.* Lehrbuch *n*, Leitfaden *m*: ***~ example*** *fig.* Paradebeispiel *n*; **~ hand** *s.* große Schreibschrift.

tex·tile ['tekstaɪl] **I** *s.* a) Gewebe *n*, Web-, Faserstoff *m*, b) *pl.* Web-, Tex'tilwaren *pl.*, Tex'tilien *pl.*; **II** *adj.* gewebt; Textil…, Stoff…, Gewebe…: ***~ goods*** → I b; ***~ industry*** Textilindustrie *f*.

tex·tu·al ['tekstjʊəl] *adj.* □ **1.** textlich, Text…; **2.** wortgetreu.

tex·tur·al ['tekstʃərəl] *adj.* □ **1.** Gewebe…; **2.** struktu'rell, Struktur…: ***~ changes***; **tex·ture** ['tekstʃə] *s.* **1.** Gewebe *n*; **2.** *biol.* Tex'tur *f* (*Gewebezustand*); **3.** Maserung *f* (*Holz*); **4.** Struk'tur *f*, Beschaffenheit *f*; **5.** *geol.*, *a. fig.* Struk'tur *f*, Gefüge *n*.

'T-,gird·er *s.* ⚙ T-Träger *m*.

Thai [taɪ] **I** *pl.* **Thais**, **Thai** *s.* **1.** Thai *m*, *f*, Thailänder(in); **2.** *ling.* a) Thai *n*, b) Thaisprachen *pl.*; **II** *adj.* **3.** Thai…, thailändisch.

thal·a·mus ['θæləməs] *pl.* **-mi** [-maɪ] *s. anat.* Sehhügel *m*.

thali·dom·i·de [θə'lɪdəmaɪd] *s. pharm.* Thalido'mid *n*: ***~ child*** Conterganki nd *n*.

Thames [temz] *npr.* Themse *f*: ***he won't set the ~ on fire*** *fig.* er hat das

Pulver auch nicht erfunden.

than [ðæn; ðən] *cj.* (*nach e-m Komparativ*) als: ***more ~ was necessary*** mehr als nötig.

thane [θeɪn] *s.* **1.** *hist.* a) Gefolgsadlige(r) *m*, b) Than *m*, Lehensmann *m* (*der schottischen Könige*); **2.** *allg.* schottischer Adliger.

thank [θæŋk] **I** *v/t. j-m* danken, sich bedanken bei: (***I***) ***~ you*** danke; ***~ you*** bitte (*beim Servieren etc.*); (***yes,***) ***~ you*** ja, bitte; ***no, ~ you*** nein, danke; ***I will ~ you*** *oft iro.* ich wäre Ihnen sehr dankbar (***to do, for doing*** wenn sie täten); ***~ you for nothing*** *iro.* ich danke (bestens); ***he has only himself to ~ for that*** das hat er sich selbst zuzuschreiben; **II** *s. pl.* a) Dank *m*, b) Dankesbezeigung(en *pl.*) *f*, Danksagung(en *pl.*) *f*: ***letter of ~s*** Dankesbrief *m*; ***in ~s for*** zum Dank für; ***with ~s*** dankend, mit Dank; ***~s to*** *a. fig. u. iro.* dank (*gen.*); ***small ~s to her*** sie hat sich nicht gerade über'anstrengt; (***many***) ***~s!*** vielen Dank!, danke!; ***no, ~s!*** nein, danke!; ***small ~s I got*** schlecht hat man es mir gedankt; **'thank·ful** [-fʊl] *adj.* □ dankbar (***to s.o.*** j-m): ***I am ~ that*** ich bin (heil)froh, daß; **'thank·less** [-lɪs] *adj.* □ undankbar (*a. fig. Aufgabe etc.*); **'thank·less·ness** [-lɪsnɪs] *s.* Undankbarkeit *f*.

thank of·fer·ing *s. bibl.* Sühneopfer *n der Juden*.

thanks·giv·ing ['θæŋksˌgɪvɪŋ] *s.* **1.** Danksagung *f*, *bsd.* Dankgebet *n*; **2.** ≈ (***Day***) (Ernte)Dankfest *n* (*4. Donnerstag im November*).

'thank|ˌwor·thy *adj.* dankenswert; **'~-you** [-jʊ] *s.* F Dankeschön *n*.

that¹ [ðæt] **I** *pron. u. adj.* (*hinweisend*) *pl.* **those** [ðəʊz] **1.** (*ohne pl.*) das: ***~'s all*** das ist alles; ***~'s it!*** a) das ist es ja (gerade)!, b) so ist's recht!; ***~'s what it is*** das ist es ja gerade; ***~'s that*** F das wäre erledigt, damit basta, das wär's; ***~ was ~!*** F das war's denn wohl!, aus der Traum!; ***~ is*** (***to say***) das heißt; ***and ~*** und zwar; ***at ~*** a) zudem, obendrein, b) F dabei; ***for all ~*** trotz alledem; ***like ~*** so; **2.** jener, jene, jenes, der, die, das, der-, die-, dasjenige: ***~ car over there*** das Auto da drüben; ***~ there man*** V der Mann da; ***those who*** diejenigen welche; ***~ which*** das, was; ***those are his friends*** das sind seine Freunde; **3.** solch: ***to ~ degree that*** in solchem Ausmaße *od.* so sehr, daß; **II** *adv.* **4.** F so (sehr), dermaßen: ***~ big***; ***not all ~ good*** (***much***) so gut (viel) auch wieder nicht.

that² [ðæt; ðət] *pl.* **that** *rel. pron.* **1.** (*bsd. in einschränkenden Sätzen*) der, die, das, welch: ***the book ~ he wanted*** das Buch, das er wünschte; ***any house ~*** jedes Haus, das; ***no one ~*** keiner, der; ***Mrs. Jones, Miss Black ~ was*** F Frau J., geborene B.; ***Mrs. Quilp ~ is*** die jetzige Frau Q.; **2.** (*nach* ***all***, ***everything***, ***nothing*** *etc.*) was: ***the best ~*** das Beste, was.

that³ [ðæt; ðət] *cj.* **1.** (*in Subjekts- u. Objektssätzen*) daß: ***it is a pity ~ he is not here*** es ist schade, daß er nicht hier ist; ***it is 4 years ~ he went away*** es sind nun 4 Jahre her, daß *od.* seitdem er fortging; **2.** (*in Konsekutivsätzen*) daß: ***so ~*** so daß; **3.** (*in Finalsätzen*) da'mit, daß; **4.** (*in Kausalsätzen*) weil, da (ja), daß: ***not ~ I have any objection*** nicht, daß ich etwas dagegen hätte; ***it is rather ~*** es ist eher deshalb, weil; ***in ~*** a) darum, weil, b) insofern als; **5.** (*nach Adverbien der Zeit*) als, da.

thatch [θætʃ] **I** *s.* **1.** Dachstroh *n*; **2.** Strohdach *n*; **3.** F Haarwald *m*; **II** *v/t.* **4.** mit Stroh *od.* Binsen *etc.* decken: ***~ed roof*** → 2.

thaw [θɔː] **I** *v/i.* **1.** (auf)tauen, schmelzen; **2.** tauen (*Wetter*): ***it is ~ing*** es taut; **3.** *fig.* auftauen (*Person*); **II** *v/t.* **4.** schmelzen, auftauen; **5.** *a.* ***~ out*** *fig. j-n* zum Auftauen bringen; **III** *s.* **6.** (Auf-)Tauen *n*; **7.** Tauwetter *n* (*a. fig. pol.*); **8.** *fig.* ‚Auftauen' *n*.

the [*unbetont vor Konsonanten*: ðə; *unbetont vor Vokalen*: ðɪ; *betont od. alleinstehend*: ðiː] **I** *bestimmter Artikel* **1.** der, die, das, *pl.* die (*u. die entsprechenden Formen im acc. u. dat.*): ***~ book on ~ table*** das Buch auf dem Tisch; ***~ England of today*** das England von heute; ***~ Browns*** die Browns, die Familie Brown; **2.** *vor Maßangaben*: ***one dollar ~ pound*** einen Dollar das Pfund; ***wine at 2 pounds ~ bottle*** Wein zu 2 Pfund die Flasche; **3.** [ðiː] 'der, 'die, 'das (*hervorragende od. geeignete etc.*): ***he is ~ painter of the century*** er ist 'der Maler des Jahrhunderts; **II** *adv.* **4.** (*vor comp.*) desto, um so: ***~ ... ~*** je ... desto; ***~ sooner ~ better*** je eher, desto besser; ***so much ~ better*** um so besser.

the·a·ter *Am.*, **the·a·tre** *Brit.* ['θɪətə] *s.* **1.** The'ater *n* (*Gebäude u. Kunstgattung*); **2.** *coll.* Bühnenwerke *pl*; **3.** Hörsaal *m*: ***lecture ~***; (***operating***) ***~*** ⚕ Operationssaal *m*; ***~ nurse*** Operationsschwester *f*; **4.** *fig.* (***of war*** Kriegs-)Schauplatz *m*; **'~ˌgo·er** *s.* The'aterbesucher(in).

the·at·ri·cal [θɪ'ætrɪkl] **I** *adj.* □ **1.** Theater..., Bühnen..., bühnenmäßig; **2.** thea'tralisch: ***~ gestures***; **II** *s.* **3.** *pl.* The'ater-, *bsd.* Liebhaberaufführungen *pl.*; **the'at·rics** *s. pl.* **1.** *sg. konstr.* The'ater(reˌgie)kunst *f*; **2.** *fig.* Thea'tralik *f*.

thee [ðiː] *pron.* **1.** *obs. od. poet. od.*

bibl. a) dich, b) dir: ***of ~*** dein; **2.** *dial.* (*u. in der Sprache der Quäker*) du.

theft [θeft] *s.* Diebstahl *m* (***from*** aus, ***from s.o.*** an j-m); **'~·proof** *adj.* diebstahlsicher.

the·in(e) ['θi:i:n; -ɪn] *s.* ⚗ The'in *n.*

their [ðeə; *vor Vokal* ðer] *pron.* (*besitzanzeigendes Fürwort der 3. pl.*) ihr, ihre: ***~ books*** ihre Bücher.

theirs [ðeəz] *pron.* der *od.* die *od.* das ihrige *od.* ihre: ***this book is ~*** dieses Buch gehört ihnen; ***a friend of ~*** ein Freund von ihnen.

the·ism¹ ['θi:ɪzəm] *s.* ✣ Teevergiftung *f.*

the·ism² ['θi:ɪzəm] *s. eccl.* The'ismus *m*; **the·is·tic** [θi:'ɪstɪk] *adj.* the'istisch.

them [ðem; ðəm] *pron.* **1.** (*acc. u. dat. von* ***they***) a) sie (*acc.*), b) ihnen: ***they looked behind ~*** sie blickten hinter sich; **2.** F *od. dial.* sie (*nom.*): ***~ as*** diejenigen, die; **3.** *dial. od.* V diese: ***~ guys***; ***~ were the days!*** das waren (halt) noch Zeiten!

the·mat·ic [θɪ'mætɪk] *adj.* (□ ***~ally***) **1.** *bsd.* ♪ the'matisch; **2.** *ling.* Stamm..., Thema...: ***~ vowel.***

theme [θi:m] *s.* **1.** Thema *n* (*a.* ♪): ***have s.th. for (a) ~*** et. zum Thema haben; **2.** *bsd. Am.* (Schul)Aufsatz *m*, (-)Arbeit *f*; **3.** *ling.* (Wort)Stamm *m*; **4.** *Radio, TV*: 'Kennmelo,die *f*; **~ song** *s.* **1.** 'Titelmelo,die *f* (*Film etc.*); **2.** → ***theme*** 4.

them·selves [ðəm'selvz] *pron.* **1.** (*emphatisch*) (sie) selbst: ***they ~ said it***; **2.** *refl.* sich (selbst): ***the ideas in ~*** die Ideen an sich.

then [ðen] **I** *adv.* **1.** damals: ***long before ~*** lange vorher; **2.** dann: ***~ and there*** auf der Stelle, sofort; ***by ~*** bis dahin, inzwischen; ***from ~*** von da an; ***till ~*** bis dahin; **3.** dann, 'darauf, 'hierauf: ***what ~?*** was dann?; **4.** dann, außerdem: ***but ~*** aber andererseits *od.* freilich; **5.** dann, in dem Falle: ***if ... ~*** wenn ... dann; **6.** denn: ***well ~*** nun gut (denn); ***how ~ did he do it?*** wie hat er es denn (dann) getan?; **7.** also, folglich, dann: ***~ you did not expect me?*** du hast mich also nicht erwartet?; **II** *adj.* **8.** damalig: ***the ~ president.***

the·nar ['θi:nɑ:] *s. anat.* **1.** Handfläche *f*; **2.** Daumenballen *m*; **3.** Fußsohle *f.*

thence [ðens] *adv.* **1.** von da, von dort; **2.** (*zeitlich*) von da an, seit jener Zeit: ***a week ~*** e-e Woche darauf; **3.** 'daher, deshalb; **4.** 'daraus, aus dieser Tatsache: ***~ it follows***; **,~'forth**, **,~'forward(s)** *adv.* von da an, seit der Zeit, seit'dem.

the·oc·ra·cy [θɪ'ɒkrəsɪ] *s.* Theokra'tie *f.*

the·o·lo·gi·an [θɪə'ləʊdʒjən] *s.* Theo'loge *m*; **the·o'log·i·cal** [-'lɒdʒɪkl] *adj.* □ theo'logisch; **the·ol·o·gy** [θɪ'ɒlədʒɪ] *s.* Theolo'gie *f.*

the·oph·a·ny [θɪ'ɒfənɪ] *s.* Theopha'nie *f*, Erscheinung *f* (*e-s*) Gottes.

the·o·rem ['θɪərəm] *s.* ✗, *phls.* Theo'rem *n*, (Grund-, Lehr)Satz *m*: ***~ of the cosine*** Kosinussatz.

the·o·ret·ic, the·o·ret·i·cal [θɪə'retɪk(l)] *adj.* □ **1.** theo'retisch; **2.** spekula'tiv; **the·o·rist** ['θɪərɪst] *s.* Theo'retiker(in); **the·o·rize** ['θɪəraɪz] *v/i.* **1.** theoretisieren, Theo'rien aufstellen; **2.** ***~ that*** die Theorie aufstellen, daß; annehmen, daß; **the·o·ry** ['θɪərɪ] *s.* Theo'rie *f*: a) Lehre *f*: ***~ of chances*** Wahrscheinlichkeitsrechnung *f*; ***~ of relativity*** Relativitätstheorie, b) theo'retischer Teil (*e-r Wissenschaft*): ***~ of music*** Musiktheorie, c) *Ggs. Praxis*: ***in ~*** theoretisch, d) Anschauung *f*: ***it is his pet ~*** es ist s-e Lieblingsidee.

the·o·soph·ic, the·o·soph·i·cal [θɪə'sɒfɪk(l)] *adj.* □ *eccl.* theo'sophisch; **the·os·o·phist** [θɪ'ɒsəfɪst] *s.* Theo'soph(in); **the·os·o·phy** [θɪ'ɒsəfɪ] *s.* Theoso'phie *f.*

ther·a·peu·tic, ther·a·peu·ti·cal [,θerə'pju:tɪk(l)] *adj.* □ thera'peutisch: ***~ exercises*** Bewegungstherapie *f*; **,ther·a'peu·tics** [-ks] *s. pl. mst sg. konstr.* Thera'peutik *f*, Thera'pie(lehre) *f*; **ther·a·pist** ['θerəpɪst] *s.* Thera'peut (-in): ***mental ~*** Psychotherapeut(in); **ther·a·py** ['θerəpɪ] *s.* Thera'pie *f*: a) Behandlung *f*, b) Heilverfahren *n.*

there [ðeə; ðə] **I** *adj.* **1.** da, dort: ***down*** (***up, over, in***) ***~*** da *od.* dort unten (oben, drüben, drinnen); ***have been ~*** *sl.* ‚dabeigewesen sein', genau Bescheid wissen; ***be not all ~*** *sl.* ‚nicht ganz richtig (im Oberstübchen) sein'; ***~ and then*** a) (gerade) hier u. jetzt, b) auf der Stelle, sofort; ***~ it is!*** a) da ist es!, b) *fig.* so steht es!; ***~ you are*** (*od.* ***go***)***!*** siehst du!, da hast du's; ***you ~!*** (*Anruf*) du da!, he!; **2.** ('da-, 'dort)hin: ***down*** (***up, over, in***) ***~*** (da- *od.* dort)hinunter (-hinauf, -hinüber, -hinein); ***~ and back*** hin u. zurück; ***get ~*** a) hingelangen, -kommen, b) *sl.* ‚es schaffen'; **3.** 'darin, in dieser Sache *od.* Hinsicht: ***~ I agree with you***; **4.** *fig.* da, an dieser Stelle (*in e-r Rede etc.*); **5.** es: ***~ is***, *pl.* ***~ are*** es gibt, ist, sind; ***~ was once a king*** es war einmal ein König; ***~ is no saying*** es läßt sich nicht sagen; ***~ was dancing*** es wurde getanzt; ***~'s a good boy*** (***girl, fellow***)***!*** a) sei doch (so) lieb!, b) so bist du lieb!, brav!; **II** *int.* **6.** da!, schau (her)!, na!: ***~, ~!*** *tröstend*: (ganz) ruhig!; ***~ now*** na, bitte; **'~·a·bout**, *a.* **'~·a·bouts** ['ðeərə-] *adv.* **1.** da her'um, etwa da: ***somewhere ~*** da irgendwo; **2.** *fig.* so ungefähr, so etwa: ***500 people or ~s***; **,~'aft·er** [ðeər'ɑ:-] *adv.* **1.** da'nach, später; **2.** seit'her; **~·at** [,ðeər'æt] *adv. obs. od.* ⚖ **1.** da'selbst, dort; **2.** bei der Ge-

T

legenheit, ˈdabei; ˌ~ˈ**by** *adv.* **1.** ˈdadurch, auf diese Weise; **2.** daˈbei, darˈan, daˈvon; **3.** nahe daˈbei; ˌ~ˈ**for** *adv.* ˈdafür; ˈ~**·fore** *adv. u. cj.* **1.** deshalb, -wegen, ˈdaher, ˈdarum; **2.** demgemäß, folglich; ˌ~ˈ**from** *adv.* daˈvon, darˈaus, daˈher; ~**·in** [ˌðeərˈɪn] *adv.* **1.** darˈin, da drinnen; **2.** *fig.* ˈdarin, in dieser Hinsicht; ˌ~**·inˈaft·er** [ˌðeərɪn-] *adv. bsd.* ⚖ (*weiter*) unten, später (*in e-r Urkunde etc.*); ~**·of** [ˌðeərˈɒv] *adv. obs. od.* ⚖ **1.** daˈvon; **2.** dessen, deren; ~**·on** [ˌðeərˈɒn] *adv.* ˈdarauf, -über; ˌ~ˈ**to** *adv. obs.* **1.** daˈzu, darˈan, daˈfür; **2.** außerdem, noch daˈzu; ~**·un·der** [ˌðeərˈʌndə] *adv.* darˈunter; ~**·up·on** [ˌðeərəˈpɒn] *adv.* **1.** darˈauf, ˈhierˈauf, daˈnach; **2.** daraufˈhin, demzufolge, ˈdarum; ˌ~ˈ**with** *adv.* **1.** ˈdamit; **2.** → ***thereupon***; ˌ~**·withˈal** *adv. obs.* **1.** überˈdies, außerdem; **2.** ˈdamit.

therm [θɜːm] *s. phys.* **1.** *unbestimmte Wärmeeinheit*; **2.** *Brit.* 100,000 Wärmeeinheiten *pl.* (*zur Messung des Gasverbrauchs*); ˈ**ther·mae** [-miː] (*Lat.*) *s. pl.* **1.** *antiq.* Thermen *pl.*; **2.** ⚕ Therˈmalquellen *pl.*

ther·mal [ˈθɜːml] **I** *adj.* □ **1.** *phys.* thermisch, Wärme…: ~ ***barrier*** ✈ Hitzemauer *f*; ~ ***breeder*** thermischer Brüter; ~ ***efficiency*** Wärmewirkungsgrad *m*; ~ ***power-station*** Wärmekraftwerk *n*; ~ ***reactor*** thermischer Reaktor; ~ ***value*** Heizwert *m*; **2.** warm, heiß: ~ ***water*** heiße Quelle; **3.** ⚕ therˈmal, Thermal…; **II** *s.* **4.** *pl.* ✈, *phys.* Thermik *f*; ˈ**ther·mic** [-mɪk] *adj.* (□ ~***ally***) thermisch, Wärme…, Hitze…; **therm·i·on·ic** [ˌθɜːmɪˈɒnɪk] **I** *adj.* thermiˈonisch: ~ ***valve*** (*Am.* ***tube***) Elektronenröhre *f*; **II** *s. pl. mst sg. konstr.* Thermiˈonik *f*, Lehre *f* von den Elektronenröhren.

thermo- [θɜːməʊ] *in Zssgn* a) Wärme, Hitze, Thermo…, b) thermoeˈlektrisch; ˌ**ther·moˈchem·is·try** *s.* ⚗ Thermocheˈmie *f*; ˈ**ther·moˌcou·ple** *s.* ⚡ Thermoeleˈment *n*; ˌ**ther·mo·dyˈnam·ics** *s. sg. u. pl. konstr. phys.* Thermodyˈnamik *f*; ˌ**ther·mo·eˈlec·tric** *adj.* thermoeˈlektrisch, ˈwärmeeˌlektrisch: ~ ***couple*** → ***thermocouple***.

ther·mom·e·ter [θəˈmɒmɪtə] *s. phys.* Thermoˈmeter *n*: ***clinical*** ~ ⚕ Fieberthermometer; ~ ***reading*** Thermometerablesung *f*, -stand *m*; **ther·mo·met·ric**, **ther·mo·met·ri·cal** [ˌθɜːməʊˈmetrɪk(l)] *adj.* □ *phys.* thermoˈmetrisch, Thermometer…; ˌ**ther·moˈnu·cle·ar** *adj. phys.* thermonukleˈar: ~ ***bomb*** *a.* Fusionsbombe *f*; ˈ**ther·mo·pile** *s. phys.* Thermosäule *f*; ˌ**ther·moˈplas·tic** ⚗ **I** *adj.* thermoˈplastisch; **II** *s.* Thermoˈplast *m*.

Ther·mos (**bot·tle** *od.* **flask**) [ˈθɜːmɒs] *s.* Thermosflasche *f*.

ˌ**ther·moˈset·ting** *adj.* ⚗ ˌthermostatoˈplastisch, hitzehärtbar.

ther·mo·stat [ˈθɜːməʊstæt] *s.* ⚡, ⚙ Thermoˈstat *m*; **ther·mo·stat·ic** [ˌθɜːməʊˈstætɪk] *adj.* (□ ~***ally***) thermoˈstatisch.

the·sau·rus [θɪˈsɔːrəs] *pl.* **-ri** [-raɪ] (*Lat.*) *s.* Theˈsaurus *m*: a) Wörterbuch *n*, b) (Wort-, Wissens-, Sprach)Schatz *m*.

these [ðiːz] *pl. von* ***this***.

the·sis [ˈθiːsɪs] *pl.* **-ses** [-siːz] *s.* **1.** These *f*: a) Behauptung *f*, b) (Streit)Satz *m*, Postuˈlat *n*; **2.** *univ.* Dissertatiˈon *f*; **3.** [ˈθesɪs] *Metrik*: unbetonte Silbe; ~ **nov·el** *s.* Tenˈdenzroˌman *m*; ~ **play** *s. thea.* Proˈblemstück *n*.

Thes·pi·an [ˈθespɪən] **I** *adj. fig.* draˈmatisch, Schauspiel…; **II** *s. oft humor.* Thespisjünger(in).

Thes·sa·lo·ni·ans [ˌθesəˈləʊnjənz] *s. pl. sg. konstr. bibl.* (Brief *m* des Paulus an die) Thessaˈlonicher *pl.*

thews [θjuːz] *s. pl.* **1.** Muskeln *pl.*, Sehnen *pl.*; **2.** *fig.* Kraft *f*.

they [ðeɪ; ðe] *pron.* **1.** (*pl. zu* ***he***, ***she***, ***it***) sie; **2.** man: ~ ***say*** man sagt; **3.** es: ***who are*** ~***?*** – ~ ***are Americans*** Wer sind sie? – Es (*od.* sie) sind Amerikaner; **4.** (*auf Kollektiva bezogen*) er, sie, es: ***the police …,*** ~ ***…*** die Polizei …, sie (*sg.*); **5.** ~ ***who*** diejenigen, welche.

they'd [ðeɪd] F *für* a) ***they would***, b) ***they had***.

thick [θɪk] **I** *adj.* □ **1.** *allg.* dick: ***a*** ~ ***neck***; ***a board 2 inches*** ~ ein 2 Zoll starkes Brett; **2.** dicht (*Wald*, *Haar*, *Menschenmenge*, *a. Nebel etc.*); **3.** ~ ***with*** über u. über bedeckt von; **4.** ~ ***with*** voll von, voller, reich an (*dat.*): ***a tree*** ~ ***with leaves***; ***the air is*** ~ ***with snow*** die Luft ist voll(er) Schnee; **5.** dick(flüssig); **6.** neblig, trüb(e) (*Wetter*); **7.** schlammig, trübe; **8.** dumpf, belegt (*Stimme*); **9.** dumm; **10.** dicht (aufeinˈanderfolgend); **11.** F dick (befreundet): ***they are as*** ~ ***as thieves*** sie sind dicke Freunde, sie halten zusammen wie Pech u. Schwefel; **12.** *sl.* ‚stark', frech: ***that's a bit*** ~***!*** das ist ein starkes Stück!; **II** *s.* **13.** dickster *od.* dichtester Teil; **14.** *fig.* Brennpunkt *m*: ***in the*** ~ ***of*** mitten in (*dat.*); ***in the*** ~ ***of it*** mittendrin; ***in the*** ~ ***of the fight*** im dichtesten Kampfgetümmel; ***the*** ~ ***of the crowd*** das dichteste Menschengewühl; ***through*** ~ ***and thin*** durch dick u. dünn; **15.** F Dummkopf *m*; **III** *adv.* **16.** dick: ***spread*** ~ *Butter etc.* dick aufstreichen; ***lay it on*** ~ F ‚dick auftragen'; **17.** dicht *od.* rasch (aufeinˈander); *a.* ***fast and*** ~ hageldicht (*Schläge*); **thick·en** [ˈθɪkən] **I** *v/t.* **1.** dick(er) machen, verdicken; **2.** *Sauce*, *Flüssigkeit* eindicken,

Suppe legieren; **3.** dicht(er) machen, verdichten; **4.** verstärken, -mehren; **5.** trüben; **II** *v/i.* **6.** dick(er) werden; **7.** dick(flüssig) werden; **8.** sich verdichten; **9.** sich trüben; **10.** sich verwirren: ***the plot ~s*** der Knoten (*im Drama etc.*) schürzt sich; **11.** zunehmen; **thick·en·er** ['θɪknə] *s.* ⚗ **1.** Eindicker *m*; **2.** Verdicker *m*, Absetzbehälter *m*; **3.** Verdickungsmittel *n*; **thick·en·ing** ['θɪknɪŋ] *s.* **1.** Verdickung *f*; **2.** Eindikkung *f*; **3.** Eindickmittel *n*; **4.** Verdichtung *f*; **5.** ⚕ Anschwellung *f*, Schwarte *f*.

thick·et ['θɪkɪt] *s.* Dickicht *n*; '**thick·et·ed** [-tɪd] *adj.* voller Dickicht(e).

'**thick|·head** *s.* Dummkopf *m*; ˌ**~-'head·ed** *adj.* **1.** dickköpfig; **2.** *fig.* dumm.

thick·ness ['θɪknɪs] *s.* **1.** Dicke *f*, Stärke *f*; **2.** Dichte *f*; **3.** Verdickung *f*; **4.** ⚒ Lage *f* (*Seide etc.*), Schicht *f*; **5.** Dickflüssigkeit *f*; **6.** Trübheit *f*: ***misty ~*** undurchdringlicher Nebel; **7.** Heiserkeit *f*, Undeutlichkeit *f*: ***~ of speech*** schwere Zunge.

ˌ**thick|'set** *adj.* **1.** dicht (gepflanzt): ***a ~ hedge***; **2.** unter'setzt (*Person*); ˌ**~-'skinned** *adj.* **1.** dickhäutig; **2.** dickschalig; **3.** *zo.* Dickhäuter...; **4.** *fig.* dickfellig; ˌ**~-'skulled** [-'skʌld] *adj.* **1.** dickköpfig; **2.** → ***thick-witted***; ˌ**~-'wit·ted** *adj.* dumm, begriffsstutzig, schwer von Begriff.

thief [θi:f] *pl.* **thieves** [θi:vz] *s.* Dieb(-in): ***thieves' Latin*** Gaunersprache *f*; ***stop ~!*** haltet den Dieb!; ***one ought to set a ~ to catch a ~*** wenn man e-n Schlauen fangen will, muß man e-n Schlauen schicken; **thieve** [θi:v] *v/t. u. v/i.* stehlen; **thiev·er·y** ['θi:vərɪ] *s.* **1.** Diebe'rei *f*, Diebstahl *m*; **2.** Diebesgut *n*; **thiev·ish** ['θi:vɪʃ] *adj.* ☐ **1.** diebisch, Dieb(e)s...; **2.** heimlich, verstohlen; '**thiev·ish·ness** [-nɪs] *s.* diebisches Wesen.

thigh [θaɪ] *s. anat.* (Ober)Schenkel *m*; '**~·bone** *s. anat.* (Ober)Schenkelknochen *m*.

thill [θɪl] *s.* (Gabel)Deichsel *f*; **thill·er** ['θɪlə], *a.* **thill horse** *s.* Deichselpferd *n*.

thim·ble ['θɪmbl] *s.* **1.** *Näherei*: a) Fingerhut *m*, b) Nähring *m*; **2.** ⚙ a) Me'tallring *m*, b) (Stock)Zwinge *f*; '**thim·ble·ful** [-fʊl] *pl.* **-fuls** *s.* **1.** Fingerhutvoll *m*, Schlückchen *n*; **2.** *fig.* Kleinigkeit *f*.

'**thim·ble|·rig I** *s.* Fingerhutspiel *n* (*Bauernfängerspiel*); **II** *v/t. a. allg.* betrügen; '**~·rig·ger** *s.* **1.** Fingerhutspieler *m*; **2.** *allg.* Bauernfänger *m*.

thin [θɪn] **I** *adj.* ☐ **1.** *allg.* dünn: ***~ air***; ***~ blood***; ***~ clothes***; ***a ~ line*** e-e dünne *od.* schmale *od.* feine Linie; **2.** dünn, mager, schmächtig: ***as ~ as a lath*** spindeldürr; **3.** dünn, licht (*Wald, Haar etc.*): ***~ rain*** feiner Regen; **4.** dünn, schwach (*Getränk etc., a. Stimme, Ton*); **5.** ⚘ mager (*Boden*); **6.** *fig.* mager, spärlich, dürftig: ***a ~ house*** *thea.* e-e schwachbesuchte Vorstellung; ***he had a ~ time of it*** *sl.* es ging ihm ‚mies'; **7.** *fig.* fadenscheinig: ***a ~ excuse***; **8.** seicht, sub'stanzlos (*Buch etc.*); **II** *v/t.* **9.** *oft* ***~ down***, ***~ off***, ***~ out*** a) dünn(er) machen, b) *Flüssigkeit* verdünnen, c) *fig.* verringern, *Bevölkerung* dezimieren, *Schlachtreihe*, *Wald etc.* lichten; **III** *v/i.* **10.** *oft* ***~ down***, ***~ off***, ***~ out*** a) dünn(er) werden, b) sich verringern, c) sich lichten (*a. Haar*), d) *fig.* spärlicher werden, abnehmen: ***his hair is ~ning*** sein Haar lichtet sich.

thine [ðaɪn] *pron. obs. od. bibl. od. poet.* **1.** (*substantivisch*) der *od.* die *od.* das dein(ig)e, dein(e, er); **2.** (*adjektivisch vor Vokalen od. stummem h für* ***thy***) dein(e): ***~ eyes*** deine Augen.

thing [θɪŋ] *s.* **1.** *konkretes* Ding, Sache *f*, Gegenstand *m*: ***the law of ~s*** ⚖ das Sachenrecht; ***just the ~ I wanted*** genau (das), was ich wollte; **2.** *fig.* Ding *n*, Sache *f*, Angelegenheit *f*: ***~s political*** politische Dinge, alles Politische; ***above all ~s*** vor allen Dingen, vor allem; ***another ~*** etwas anderes; ***the best ~ to do*** das Beste(, was man tun kann); ***a foolish ~ to do*** e-e Torheit; ***for one ~*** (erstens) einmal; ***in all ~s*** in jeder Hinsicht; ***no small ~*** keine Kleinigkeit; ***no such ~*** nichts dergleichen; ***not a ~*** (rein) gar nichts; ***of all ~s*** ausgerechnet (*dieses etc.*); ***a pretty ~*** *iro.* e-e schöne Geschichte; ***taking one ~ with the other*** im großen (u.) ganzen; ***do great ~s*** große Dinge tun, Großes vollbringen; ***get ~s done*** et. zuwege bringen; ***do one's own ~*** F tun, was man will; ***know a ~ or two*** Bescheid wissen (***about*** über *acc.*); ***it's one of those ~s*** da kann man (halt) nichts machen; → ***first*** 1; **3.** *pl.* Sachen *pl.*, Zeug *n* (*Gepäck, Gerät, Kleider etc.*): ***swimming ~s*** Badesachen, -zeug; ***put on one's ~s*** sich anziehen; **4.** *pl.* Dinge *pl.*, 'Umstände *pl.*, (Sach)Lage *f*: ***~s are improving*** die Dinge *od.* Verhältnisse bessern sich; ***~s look black for me*** es sieht schwarz aus für mich; **5.** Geschöpf *n*, Wesen *n*: ***dumb ~s***; **6.** a) Ding *n* (*Mädchen etc.*), b) Kerl *m*: (***the***) ***poor ~*** das arme Ding, der *od.* die Ärmste; ***poor ~!*** du *od.* Sie Ärmste(r)!; ***the dear old ~*** die gute alte Haut; **7.** ***the ~*** F a) die Hauptsache, b) das Richtige, richtig, c) das Schickliche, schicklich: ***the ~ was to*** das Wichtigste war zu; ***this is not the ~*** das ist nicht das Richtige; ***not to be*** (*od.* ***feel***) ***quite***

the ~ nicht ganz auf dem Posten sein; ***that's not all the ~ to do*** so etwas tut man nicht; **ˌ~-in-itˈself** *s. phls. das* Ding an sich.

thing·um·a·bob [ˈθɪŋəmɪbɒb], **thing·um·a·jig** [ˈθɪŋəmɪdʒɪg], **thing·um·my** [ˈθɪŋəmɪ] *s.* F *der* (*die*, *das*) ‚Dings(da)' *od.* ‚Dingsbums'.

think [θɪŋk] [*irr.*] **I** *v/i.* **1.** denken (***of*** an *acc.*): ***~ ahead*** vorausdenken, *a.* vorsichtig sein; ***~ aloud*** laut denken; **2.** (***about***, ***over***) nachdenken (über *acc.*), sich (*e-e Sache*) überˈlegen; **3.** ***~ of*** a) sich besinnen auf (*acc.*), sich erinnern an (*acc.*): (***now that I***) ***come to ~ of it*** dabei fällt mir ein; b) *et.* bedenken: ***~ of it!*** denke daran!, c) sich *et.* denken *od.* vorstellen, d) *Plan etc.* ersinnen, ausdenken, e) halten von: ***~ much*** (*od.* ***highly***) ***of*** viel halten von, e-e hohe Meinung haben von; ***~ nothing of*** a) wenig halten von, b) nichts dabei finden (***to do s.th.*** et. zu tun); → ***better***[1] 4; **4.** meinen, denken: ***I ~ so*** ich glaube (schon), ich denke; ***I should ~ so*** ich denke doch, das will ich meinen; **5.** gedenken, vorhaben, beabsichtigen (***of doing***, ***to do*** zu tun); **II** *v/t.* **6.** *et.* denken: ***~ away*** *et.* wegdenken; ***~ out*** a) sich *et.* ausdenken, b) *Am. a.* ***~ through*** *Problem* zu Ende denken; ***~ s.th. over*** sich et. überlegen *od.* durch den Kopf gehen lassen; ***~ up*** F *Plan etc.* aushecken, sich ausdenken, sich *et.* einfallen lassen; **7.** sich *et.* denken *od.* vorstellen; **8.** halten für: ***~ o.s. clever***; ***~ it advisable*** es für ratsam halten *od.* erachten; ***I ~ it best to do*** ich halte es für das beste, *et.* zu tun; **9.** überˈlegen, nachdenken über (*acc.*); **10.** denken, vermuten: ***~ no harm*** nichts Böses denken; **III** *s.* F **11.** ***have a*** (***fresh***) ***~ about s.th.*** et. (noch einmal) überdenken; ***he has another ~ coming!*** da hat er sich aber schwer getäuscht!; **ˈthink·a·ble** [-kəbl] *adj.* denkbar: a) begreifbar, b) möglich; **ˈthink·er** [-kə] *s.* Denker(in); **ˈthink-in** *s.* F Konfeˈrenz *f*; **ˈthink·ing** [-kɪŋ] **I** *adj.* ☐ **1.** denkend, vernünftig: ***a ~ being*** ein denkendes Wesen; ***all ~ men*** jeder vernünftig Denkende; ***put on one's ~ cap*** F (mal) nachdenken; **2.** Denk...; **II** *s.* **3.** Denken *n*: ***way of ~*** Denkart *f*; ***do some hard*** (***quick***) ***~*** scharf nachdenken (schnell ‚schalten'); **4.** Meinung *f*: ***in*** (*od.* ***to***) ***my*** (***way of***) ***~*** m-r Meinung nach; **ˈthink-so** *s.*: ***on his*** (*etc.*) ***mere ~*** auf eine bloße Vermutung hin; **~ tank** *s.* F ‚ˈDenkfaˌbrik' *f*.

thin·ner[1] [ˈθɪnə] *s.* **1.** Verdünner *m* (*Arbeiter od. Gerät*); **2.** (*bsd.* Farben)Verdünnungsmittel *n*.

thin·ner[2] [ˈθɪnə] *comp. von* ***thin***.

thin·ness [ˈθɪnnɪs] *s.* **1.** Dünne *f*, Dünnheit *f*; **2.** Magerkeit *f*; **3.** Spärlichkeit *f*; **4.** *fig.* Dürftigkeit *f*, Seichtheit *f*.

ˌthin-ˈskinned *adj.* **1.** dünnhäutig; **2.** *fig.* (ˈüber)empfindlich.

third [θɜːd] **I** *adj.* ☐ → ***thirdly***; **1.** dritt: ***~ best*** *der* (*die*, *das*) Drittbeste; ***~ cousin*** Vetter *m* dritten Grades; ***~ degree*** dritter Grad; ***~ estate*** *pol. hist.* dritter Stand, Bürgertum *n*; ***~ party*** ⚖ Dritte(r *m*) *f*; **II** *s.* **2.** *der* (*die*, *das*) Dritte; **3.** ♪ Terz *f*; **4.** *mot.* F dritter Gang; **5.** Drittel *n*; **6.** *pl.* ⚕ Waren *pl.* dritter Qualiˈtät, dritte Wahl; **~ class** *s.* 🚂 *etc.* dritte Klasse; **ˌ~-ˈclass** *adj. u. adv.* **1.** *allg.* drittklassig; **2.** 🚂 *etc. Abteil etc.* dritter Klasse: ***travel ~*** dritter Klasse reisen.

third·ly [ˈθɜːdlɪ] *adv.* drittens.

ˌthird|-ˈpar·ty *adj.* ⚖ Dritt...: ***~ debtor***; ***~ insurance*** Haftpflichtversicherung *f*; ***insured against ~ risks*** haftpflichtversichert; **ˌ~-ˈrate** *adj.* **1.** drittrangig; **2.** *fig.* minderwertig; **♀ World** *s. pol. die* dritte Welt.

thirst [θɜːst] **I** *s.* **1.** Durst *m*; **2.** *fig.* Durst *m*, Gier *f*, Verlangen *n*, Sucht *f* (***for***, ***of***, ***after*** nach): ***~ for blood*** Blutdurst; ***~ for knowledge*** Wissensdurst; ***~ for power*** Machtgier; **II** *v/i.* **3.** *bsd. fig.* dürsten, lechzen (***for***, ***after*** nach *Rache etc.*); **ˈthirst·i·ness** [-tɪnɪs] *s.* Durst(igkeit *f*) *m*; **ˈthirst·y** [-tɪ] *adj.* ☐ **1.** durstig: ***be ~*** Durst haben, durstig sein; **2.** dürr, trocken (*Boden*, *Jahreszeit*); **3.** F ‚durstig', Durst verursachend: ***~ work***; **4.** *fig.* begierig, lechzend: ***be ~ for*** (*od.* ***after***) ***s.th.*** nach et. lechzen.

thir·teen [ˌθɜːˈtiːn] **I** *adj.* dreizehn; **II** *s.* Dreizehn *f*; **ˌthirˈteenth** [-nθ] **I** *adj.* **1.** dreizehnt; **II** *s.* **2.** *der* (*die*, *das*) Dreizehnte; **3.** Dreizehntel *n*.

thir·ti·eth [ˈθɜːtɪɪθ] **I** *adj.* **1.** dreißigst; **II** *s.* **2.** *der* (*die*, *das*) Dreißigste; **3.** Dreißigstel *n*; **thir·ty** [ˈθɜːtɪ] **I** *adj.* **1.** dreißig: ***~ all***, F ***~ up*** *Tennis*: dreißig beide; **II** *s.* **2.** Dreißig *f*: ***the thirties*** a) die Dreißiger(jahre) (*des Lebens*): ***he is in his thirties*** er ist in den Dreißigern, b) die dreißiger Jahre (*e-s Jahrhunderts*); **3.** *Am. sl.* Ende *n* (*e-s Zeitungsartikels etc.*).

this [ðɪs] *pl.* **these** [ðiːz] **I** *pron.* **1.** a) dieser, diese, dieses, b) dies, das: ***all ~*** dies alles, all das; ***for all ~*** deswegen, darum; ***like ~*** so; ***~ is what I expected*** (genau) das habe ich erwartet; ***~ is what happened*** Folgendes geschah; **2.** dieses, dieser Zeitpunkt, dieses Ereignis: ***after ~*** danach; ***before ~*** zuvor; ***by ~*** bis dahin, mittlerweile; **II** *adj.* **3.** dieser, diese, dieses, ⚕ *a.* laufend (*Monat*, *Jahr*): ***~ day week*** heute in e-r Woche; ***in ~ country*** hierzulande; ***~ morning*** heute morgen; ***~ time*** diesmal; ***these 3***

weeks die letzten 3 Wochen, seit 3 Wochen; **III** *adv.* **4.** so: ***~ much*** so viel.

this·tle ['θɪsl] *s.* ⚘ Distel *f*; **'~·down** *s.* ⚘ Distelwolle *f*.

this·tly ['θɪslɪ] *adj.* **1.** distelig; **2.** distelähnlich, stach(e)lig.

thith·er ['ðɪðə] *obs. od. poet.* **I** *adv.* dort-, dahin; **II** *adj.* jenseitig.

'thole(-pin) [θəʊl] *s.* ⚓ Dolle *f*.

thong [θɒŋ] **I** *s.* **1.** (Leder)Riemen *m* (*Halfter, Zügel, Peitschenschnur etc.*); **II** *v/t.* **2.** mit Riemen versehen *od.* befestigen; **3.** (mit e-m Riemen) peitschen.

tho·rac·ic [θɔː'ræsɪk] *adj. anat.* Brust…; **tho·rax** ['θɔːræks] *pl.* **-rax·es** [-ræksɪz] *s.* **1.** *anat.* Brust(korb *m*, -kasten *m*) *f*, Thorax *m*; **2.** *zo.* Mittelleib *m bei Gliederfüßlern.*

thorn [θɔːn] *s.* **1.** Dorn *m*: ***a ~ in the flesh*** (*od.* ***side***) *fig.* ein Pfahl im Fleische, ein Dorn im Auge; ***be*** (*od.* ***sit***) ***on ~s*** *fig.* (wie) auf glühenden Kohlen sitzen; **2.** *ling.* Dorn *m* (*altenglischer Buchstabe*); **~ ap·ple** *s.* ⚘ Stechapfel *m*.

thorn·y ['θɔːnɪ] *adj.* **1.** dornig, stach(e)lig; **2.** *fig.* dornenvoll, mühselig; **3.** *fig.* heikel: ***a ~ subject***.

thor·ough ['θʌrə] *adj.* □ → ***thoroughly***; **1.** gründlich: a) sorgfältig (*Person u. Sache*), b) genau, eingehend: ***a ~ inquiry***; ***a ~ knowledge***, c) 'durchgreifend: ***a ~ reform***; **2.** voll'endet: a) voll'kommen, meisterhaft, b) völlig, echt, durch u. durch: ***a ~ politician***, c) *contp.* ausgemacht: ***a ~ rascal***; **ˌ~-'bass** [-'beɪs] *s.* ♪ Gene'ralbaß *m*; **'~·bred I** *adj.* **1.** reinrassig, Vollblut…; **2.** *fig.* a) rassig, b) ele'gant, c) kultiviert, d) schnittig (*Auto*); **II** *s.* **3.** Vollblut(pferd) *n*; **4.** rassiger *od.* kultivierter Mensch; **5.** *mot.* rassiger *od.* schnittiger Wagen; **'~·fare** *s.* **1.** Hauptverkehrs-, 'Durchgangsstraße *f*; **2.** 'Durchfahrt *f*: ***no ~!***; **3.** Wasserstraße *f*; **'~ˌgo·ing** *adj.* **1.** → ***thorough*** 1; **2.** ex'trem, kompro'mißlos, durch u. durch.

thor·ough·ly ['θʌrəlɪ] *adv.* **1.** gründlich *etc.*; **2.** völlig, gänzlich, abso'lut; **'thor·ough·ness** [-ənɪs] *s.* **1.** Gründlichkeit *f*; **2.** Voll'endung *f*, Voll'kommenheit *f*.

'thor·ough·paced *adj.* **1.** in allen Gangarten geübt (*Pferd*); **2.** *fig.* → ***thorough*** 2 b.

those [ðəʊz] *pron. pl. von* ***that***[1].

thou [ðaʊ] **I** *pron. poet. od. dial. od. bibl.* du; **II** *v/t.* mit ‚thou' anreden.

though [ðəʊ] **I** *cj.* **1.** ob'wohl, ob'gleich, ob'schon; **2.** *a.* ***even ~*** wenn auch, wenn'gleich, selbst wenn, zwar: ***important ~ it is*** so wichtig es auch ist; ***what ~ the way is long*** was macht es schon aus, wenn der Weg (auch) lang ist; **3.** je'doch, doch; **4.** ***as ~*** als ob, wie wenn; **II** *adv.* **5.** F (*am Satzende*) aber, aller'dings, dennoch, immer'hin: ***I wish you had told me, ~.***

thought [θɔːt] **I** *pret. u. p.p. von* ***think***; **II** *s.* **1.** a) Gedanke *m*, Einfall *m*: ***a happy ~***, b) Gedankengang *m*, c) Gedanken *pl.*, Denken *n*: ***lost in ~*** in Gedanken (verloren); ***his one ~ was how to*** er dachte nur daran, wie er *es tun könnte*; ***it never entered my ~s*** es kam mir nie in den Sinn; **2.** *nur sg.* Denken *n*, Denkvermögen *n*; **3.** Über'legung *f*: ***give ~ to*** sich Gedanken machen über (*acc.*); ***take ~ how*** sich überlegen, wie *man es tun könnte*; ***after serious ~*** nach ernsthafter Erwägung; ***on second ~s*** a) nach reiflicher Überlegung, b) wenn ich es mir recht überlege; ***have second ~s about it*** (so seine) Zweifel darüber haben; ***without ~*** ohne zu überlegen; **4.** Absicht *f*: ***he had no ~ of coming***; ***we had*** (***some***) ***~s of going*** wir trugen uns mit dem Gedanken zu gehen; **5.** *mst pl.* Gedanke *m*, Meinung *f*, Ansicht *f*; **6.** (Für)Sorge *f*, Rücksicht *f*: ***give*** (*od.* ***have***) ***some ~ to*** Rücksicht nehmen auf (*acc.*); ***take ~ for*** Sorge tragen für *od.* um (*acc.*); ***take no ~ to*** nicht achten auf (*acc.*); **7.** *nur sg.* Denken *n*: a) Denkweise *f*: ***scientific ~***, b) Gedankenwelt *f*: ***Greek ~***; **8.** *fig.* Spur *f*: ***a ~ smaller*** e-e ‚Idee' kleiner; ***a ~ hesitant*** etwas zögernd; **'thought·ful** [-fʊl] *adj.* □ **1.** gedankenvoll, nachdenklich, besinnlich (*a. Buch etc.*); **2.** achtsam (***of*** auf *acc.*); **3.** rücksichtsvoll, aufmerksam, zu'vorkommend; **'thought·ful·ness** [-fʊlnɪs] *s.* **1.** Nachdenklichkeit *f*, Besinnlichkeit *f*; **2.** Achtsamkeit *f*; **3.** Rücksichtnahme *f*, Aufmerksamkeit *f*; **'thought·less** [-lɪs] *adj.* □ **1.** gedankenlos, unbesonnen, unbekümmert; **2.** rücksichtslos, unaufmerksam; **'thought·less·ness** [-lɪsnɪs] *s.* **1.** Gedankenlosigkeit *f*, Unbekümmertheit *f*; **2.** Rücksichtslosigkeit *f*, Unaufmerksamkeit *f*.

ˌthought|-'out *adj.* (***well ~*** wohl)durchdacht; **~ read·er** *s.* Gedankenleser (-in); **~ read·ing** *s.* Gedankenlesen *n*; **~ trans·fer·ence** *s.* Ge'dankenüberˌtragung *f*.

thou·sand ['θaʊznd] **I** *adj.* **1.** tausend (*a. fig. unzählige*): ***~ and one*** *fig.* zahllos, unzählig; ***The ~ and One Nights*** Tausendundeine Nacht; ***a ~ times*** tausendmal; ***a ~ thanks*** tausend Dank; **II** *s.* **2.** Tausend *n*, *pl.* Tausende *pl.*: ***many ~s of times*** vieltausendmal; ***in their ~s, by the ~*** zu Tausenden; **3.** Tausend *f* (*Zahlzeichen*): ***one in a ~*** eine(r, s) unter tausend, 'eine Ausnahme; **'thou·sand·fold** [-ndf-] **I** *adj.* tausendfach, -fältig; **II** *adv. mst* ***a ~*** tausendfach, -mal; **'thou·sandth** [-ntθ] **I** *s.* **1.** *der* (*die, das*) Tausendste; **2.** Tausendstel *n*; **II** *adj.* **3.** tausendst.

thral·dom [ˈθrɔːldəm] *s.* **1.** Leibeigenschaft *f*; **2.** *fig.* Knechtschaft *f*, Sklaveˈrei *f*; **thrall** [θrɔːl] *s.* **1.** *hist.* Leibeigene(r *m*) *f*, Hörige(r *m*) *f*; **2.** *fig.* Sklave *m*, Knecht *m*; **3.** → ***thraldom***; **thralldom** *Am.* → ***thraldom***.

thrash [θræʃ] **I** *v/t.* **1.** → ***thresh***; **2.** verdreschen, -prügeln; *fig.* (vernichtend) schlagen, ‚vermöbeln'; **II** *v/i.* **3.** *a.* ~ ***about*** a) sich *im Bett etc.* ˈhin- u. ˈherwerfen, b) um sich schlagen, c) zappeln; **4.** ⚓ sich vorwärtsarbeiten; ˈ**thrash·er** [-ʃə] → ***thresher***; ˈ**thrash·ing** [-ʃɪŋ] *s.* Dresche *f*, Prügel *pl.*: ***give s.o. a*** ~ → ***thrash*** 2.

thread [θred] **I** *s.* **1.** Faden *m*: a) Zwirn *m*, Garn *n*: ***hang by a*** ~ *fig.* an e-m Faden hängen, b) *weitS.* Faser *f*, Fiber *f*, c) *fig.* (dünner) Strahl, Strich *m*, d) *fig.* Zs.-hang *m*: ***lose the*** ~ (***of one's story***) den Faden verlieren; ***resume*** (*od.* ***take up***) ***the*** ~ den Faden wieder aufnehmen; **2.** ⚙ Gewinde(gang *m*) *n*; **II** *v/t.* **3.** *Nadel* einfädeln; **4.** *Perlen etc.* aufreihen; **5.** mit Fäden durchˈziehen; **6.** *fig.* durchˈziehen, -ˈdringen; **7.** sich winden durch: ~ ***one's way*** (***through***) sich (hindurch)schlängeln (durch); **8.** ⚙ Gewinde schneiden in (*acc.*): ~ ***on*** anschrauben; ˈ**~·bare** *adj.* **1.** fadenscheinig, abgetragen; **2.** schäbig (gekleidet); **3.** *fig.* abgedroschen.

thread·ed [ˈθredɪd] *adj.* ⚙ Gewinde…: ~ ***flange***; ˈ**thread·er** [-də] *s.* **1.** ˈEinfädelmaˌschine *f*; **2.** ⚙ Gewindeschneider *m*.

thread·ing lathe [ˈθredɪŋ] *s.* ⚙ Gewindeschneidbank *f*.

thread·y [ˈθredɪ] *adj.* **1.** fadenartig, faserig; **2.** Fäden ziehend; **3.** *fig.* schwach, dünn.

threat [θret] *s.* **1.** Drohung *f* (***of*** mit, ***to*** gegen); **2.** (***to***) Bedrohung *f* (*gen.*), Gefahr *f* (für): ***a*** ~ ***to peace***; ***there was a*** ~ ***of rain*** es drohte zu regnen; ˈ**threat·en** [-tn] **I** *v/t.* **1.** (***with***) *j-m* drohen (mit), *j-m* androhen (*acc.*), *j-n* bedrohen (mit); **2.** drohend ankündigen: ***the sky*** ~***s a storm***; **3.** (damit) drohen (***to do*** zu tun); **4.** bedrohen, gefährden; **II** *v/i.* **5.** drohen; **6.** *fig.* drohen: a) drohend bevorstehen, b) Gefahr laufen (***to do*** zu tun); ˈ**threat·en·ing** [-tnɪŋ] *adj.* □ **1.** drohend, Droh…: ~ ***letter*** Drohbrief *m*; **2.** *fig.* bedrohlich.

three [θriː] **I** *adj.* drei; **II** *s.* Drei *f* (*Zahl, Spielkarte etc.*); ˌ**~-ˈcol·o(u)r** *adj.* dreifarbig, Dreifarben…: ~ ***process*** Dreifarbendruck(verfahren *n*) *m*; ˌ**~-ˈcor·nered** *adj.* **1.** dreieckig: ~ ***hat*** Dreispitz *m*; **2.** zu dreien, Dreier…: ***a*** ~ ***discussion***; ˌ**~-ˈD** *adj.* ˈdreidimensioˌnal, 3-ˈD-…; ˈ**~-day e·vent** *s.* *Reitsport*: Military *f*; ˈ**~-day e·vent·er** *s.* Military-Reiter *m*; ˌ**~-ˈdeck·er** *s.* **1.** ⚓ *hist.* Dreidecker *m*; **2.** *et.* Dreiteiliges, *z.B.* F dreibändiger Roˈman; ˌ**~-di·ˈmen·sion·al** *adj.* ˈdreidimensioˌnal.

ˈ**three·fold** **I** *adj. u. adv.* dreifach; **II** *s.* *das* Dreifache.

ˈ**three|-lane** *adj.* dreispurig (*Autobahn etc.*); ˌ**~-ˈmast·er** *s.* ⚓ Dreimaster *m*; ˈ**~-mile** *adj.* Dreimeilen…: ~ ***zone***.

three|·pence [ˈθrepəns] *s. Brit.* **1.** drei Pence *pl.*; **2.** *obs.* Dreiˈpencestück *n*; **~·pen·ny** [ˈθrepənɪ] *adj.* **1.** drei Pence wert, Dreipence…; **2.** *fig.* billig, wertlos.

ˈ**three|-phase** *adj.* ⚡ dreiphasig, Dreiphasen…: ~ ***current*** Drehstrom *m*, Dreiphasenstrom *m*; ˈ**~-piece** *adj.* dreiteilig (*Anzug etc.*); ˈ**~-ply** **I** *adj.* **1.** dreifach (*Garn, Seil etc.*); **2.** dreischichtig (*Holz etc.*); **II** *s.* **3.** dreischichtiges Sperrholz; ˈ**~-point land·ing** *s.* ✈ Dreipunktlandung *f*; ˌ**~-ˈquar·ter** **I** *adj.* dreiviertel; **II** *s. a.* ~ ***back*** *Rugby*: Dreiˈviertelspieler *m*; ˌ**~ˈscore** *adj. obs.* sechzig.

three·some [ˈθriːsəm] **I** *adj.* **1.** zu dreien, Dreier…; **II** *s.* **2.** Dreiergruppe *f*, ‚Trio' *n*; **3.** *Golf etc.*: Dreier(spiel *n*) *m*.

ˈ**three|-speed gear** *s.* ⚙ Dreiganggetriebe *n*; ˈ**~-stage** *adj.* ⚙ dreistufig (*Rakete, Verstärker etc.*); ˈ**~-way** *adj.* ⚙ Dreiwege…

thresh [θreʃ] *v/t. u. v/i.* dreschen: ~ (***over old***) ***straw*** *fig.* leeres Stroh dreschen; ~ ***out*** *fig. et.* gründlich erörtern, klären; ˈ**thresh·er** [-ʃə] *s.* **1.** Drescher *m*; **2.** ˈDreschmaˌschine *f*; ˈ**thresh·ing** [-ʃɪŋ] **I** *s.* Dreschen *n*; **II** *adj.* Dresch…: ~ ***floor*** Dreschboden *m*, Tenne *f*.

thresh·old [ˈθreʃhəʊld] **I** *s.* **1.** (Tür-)Schwelle *f*; **2.** *fig.* Schwelle *f*, Beginn *m*; **3.** *psych.* (*Bewußtseins- etc.*)Schwelle *f*; **II** *adj.* **4.** *bsd.* ⚙ Schwellen…: ~ ***frequency***; ~ ***value*** Grenzwert *m*.

threw [θruː] *pret von* ***throw***.

thrice [θraɪs] *adv. obs.* **1.** dreimal; **2.** *fig.* sehr, ˈüberaus, höchst.

thrift [θrɪft] *s.* **1.** Sparsamkeit *f*: a) Sparsinn *m*, b) Wirtschaftlichkeit *f*; **2.** ⚘ Grasnelke *f*; ˈ**thrift·i·ness** [-tɪnɪs] → ***thrift*** 1; ˈ**thrift·less** [-lɪs] *adj.* □ verschwenderisch; ˈ**thrift·less·ness** [-lɪsnɪs] *s.* Verschwendung *f*; ˈ**thrift·y** [-tɪ] *adj.* □ sparsam (***of***, ***with*** mit): a) haushälterisch, b) wirtschaftlich (*a. Sachen*).

thrill [θrɪl] **I** *v/t.* **1.** erschauern lassen, erregen, packen, begeistern, elektrisieren, entzücken; **2.** *j-n* durchˈlaufen, -ˈschauern, überˈlaufen (*Gefühl*); **II** *v/i.* **3.** (er)beben, erschauern, zittern (***with*** vor *Freude etc.*); **4.** (***to***) sich begeistern (für), gepackt werden (von); **5.** durchˈlaufen, -ˈschauern, -ˈrieseln (***through*** *acc.*); **III** *s.* **6.** Zittern *n*, Erregung *f*, prickelndes Gefühl: ***a*** ~ ***of joy*** freudige

Erregung; **7.** a) *das* Spannende *od.* Erregende, b) Nervenkitzel *m*, c) Sensati'on *f*; **'thrill·er** [-lə] *s.* F ‚Reißer' *m*, ‚Krimi' *m*, Thriller *m* (*Kriminalroman, -film etc.*); **'thrill·ing** [-lɪŋ] *adj.* □ **1.** erregend, packend, spannend, sensatio'nell; **2.** hinreißend, begeisternd.

thrive [θraɪv] *v/i.* [*irr.*] **1.** gedeihen (*Pflanze, Tier etc.*); **2.** *fig.* gedeihen: a) blühen, Erfolg haben (*Geschäft etc.*), b) reich werden (*Person*), c) sich entwickeln (*Laster etc.*); **thriv·en** ['θrɪvn] *p.p. von* **thrive**; **'thriv·ing** [-vɪŋ] *adj.* □ *fig.* blühend.

thro' [θru:] *poet. für* **through**.

throat [θrəʊt] *s.* **1.** *anat.* Kehle *f*, Gurgel *f*, Rachen *m*, Schlund *m*: ***sore ~*** Halsschmerzen *pl.*, rauher Hals; ***stick in one's ~*** j-m im Halse stecken bleiben (*Worte*); ***ram*** (*od.* ***thrust***) ***s.th. down s.o.'s ~*** j-m et. aufzwingen; **2.** Hals *m*, Kehle *f*: ***cut s.o.'s ~*** j-m den Hals abschneiden; ***cut one's own ~*** *fig.* sich selbst ruinieren; ***take s.o. by the ~*** j-n an der Gurgel packen; **3.** *fig.* 'Durch-, Eingang *m*, verengte Öffnung, Schlund *m*, *z.B.* Hals *m e-r Vase*, Kehle *f e-s Kamins*, Gicht *f e-s Hochofens*; **4.** ⚠ Hohlkehle *f*; **'throat·y** [-tɪ] *adj.* □ **1.** kehlig, guttu'ral; **2.** rauh, heiser.

throb [θrɒb] **I** *v/i.* **1.** pochen, hämmern, klopfen (*Herz etc.*): ***~bing pains*** klopfende Schmerzen; **II** *s.* **2.** Pochen *n*, Klopfen *n*, Hämmern *n*, (Puls)Schlag *m*; **3.** *fig.* Erregung *f*, Erbeben *n*.

throe [θrəʊ] *s. mst pl.* heftiger Schmerz: a) *pl.* (Geburts)Wehen *pl.*, b) *pl.* Todeskampf *m*, Ago'nie *f*: ***in the ~s of*** *fig.* mitten in *et. Unangenehmem*, im Kampfe mit.

throm·bo·sis [θrɒm'bəʊsɪs] *s.* ⚕ Throm'bose *f*; **throm'bot·ic** [-'bɒtɪk] *adj.* ⚕ throm'botisch.

throne [θrəʊn] **I** *s.* **1.** Thron *m* (*König, Prinz*), Stuhl *m* (*Papst, Bischof*); **2.** *fig.* Thron *m*: a) Herrschaft *f*, b) Herrscher (-in); **II** *v/t.* **3.** auf den Thron setzen; **III** *v/i.* **4.** thronen.

throng [θrɒŋ] **I** *s.* **1.** (Menschen)Menge *f*; **2.** Gedränge *n*, Andrang *m*; **3.** Menge *f*, Masse *f* (*Sachen*); **II** *v/i.* **4.** sich drängen *od.* (zs.-)scharen, (her'bei-, hin'ein- *etc.*)strömen; **III** *v/t.* **5.** sich drängen in (*dat.*): ***~ the streets***; **6.** bedrängen, um'drängen.

throt·tle ['θrɒtl] **I** *s.* **1.** F Kehle *f*; **2.** ⚙, *mot.* a) *a.* ***~ lever*** Gashebel *m*, b) *a.* ***~ valve*** Drosselklappe *f*: ***open*** (***close***) ***the ~*** Gas geben (wegnehmen); **II** *v/t.* **3.** erdrosseln; *fig.* ersticken, abwürgen, unter'drücken; **4.** *a.* ***~ down*** ⚙, *mot.* (ab)drosseln; **III** *v/i.* **5.** ***~ back*** (*od.* ***down***) *mot. etc.* drosseln, Gas wegnehmen.

through [θru:] **I** *prp.* **1.** *räumlich u. fig.* 'durch, durch … hin'durch; **2.** durch, in (*überall umher in e-m Gebiet etc.*): ***~ all the country***; **3.** a) *e-n Zeitraum* hin'durch, während, b) *Am.* (von …) bis; **4.** *bis zum Ende od. ganz* durch, fertig (mit): ***when will you get ~ your work?***; **5.** durch, mittels; **6.** aus, vor, durch, in-, zu'folge, wegen: ***~ fear*** aus *od.* vor Furcht; ***~ neglect*** infolge *od.* durch Nachlässigkeit; **II** *adv.* **7.** durch: ***~ and ~*** durch u. durch (*a. fig.*); ***push a needle ~*** e-e Nadel durchstechen; ***he would not let us ~*** er wollte uns nicht durchlassen; ***this train goes ~ to Boston*** dieser Zug fährt (durch) bis Boston; ***you are ~!*** *teleph.* Sie sind verbunden!; **8.** (ganz) durch (*von Anfang bis Ende*): ***read a letter ~*** e-n Brief ganz durchlesen; ***carry a matter ~*** e-e Sache durchführen; **9.** fertig (***with*** mit): ***I am ~ with him*** F er ist für mich erledigt; ***I'm ~ with it!*** ich habe es satt!; **III** *adj.* **10.** 'durchgehend, Durchgangs…: ***a ~ train***; ***~ carriage*** (*od.* ***coach***) Kurswagen *m*; ***~ dialing*** *teleph. Am.* 'Durchwahl *f*; ***~ flight*** ✈ Direktflug *m*; ***~ traffic*** Durchgangsverkehr *m*; ***~way*** *Am.* Durchgangs- *od.* Schnellstraße *f*; **through·out** [θru:'aʊt] **I** *prp.* **1.** über'all in: ***~ the country*** im ganzen Land; **2.** während (*gen.*): ***~ the year*** das ganze Jahr hindurch; **II** *adv.* **3.** durch u. durch, ganz u. gar, 'durchweg; **4.** überall; **5.** die ganze Zeit; **'through·put** *s. econ., a. Computer*: 'Durchsatz *m*.

throve [θrəʊv] *pret. von* **thrive**.

throw [θrəʊ] **I** *s.* **1.** Werfen *n*, (*Speer- etc.*)Wurf *m*; **2.** Wurf *m* (*a. Ringkampf, Würfelspiel*), *fig. a.* Coup *m*; **3.** ⚙ (Kolben)Hub *m*; **4.** ⚙ (Regler- *etc.*)Ausschlag *m*; **5.** ⚙ Kröpfung *f* (*Kurbelwelle*); **II** *v/t.* [*irr.*] **6.** werfen, schleudern; (*a. fig. Blick, Kußhand etc.*) zuwerfen (***s.o. s.th., s.th. to s.o.*** j-m et.); mit *Steinen etc.* werfen; *Wasser* schütten *od.* gießen: ***~ at*** werfen nach; ***~ o.s. at s.o.*** *fig.* sich j-m an den Hals werfen; ***~ a shawl over one's shoulders*** sich e-n Schal um die Schultern werfen; ***~ together*** zs.-werfen; ***be thrown*** (***together***) ***with*** *fig.* (*zufällig*) zs.-geraten mit; **7.** *Angel, Netz etc.* auswerfen; **8.** a) *Würfel* werfen, b) *Zahl* würfeln, c) *Karten* ausspielen *od.* ablegen; **9.** *Reiter* abwerfen; **10.** *Ringkampf*: *Gegner* werfen; **11.** *zo. Junge* werfen; **12.** *Brücke* schlagen (***over, across*** über *acc.*); **13.** *zo. Haut* abwerfen; **14.** ⚙ *Hebel* 'umlegen, *Kupplung od. Schalter* ein-, ausrükken, ein-, ausschalten; **15.** *Töpferei*: formen, drehen; **16.** ⚙ *Seide* zwirnen, mulinieren; **17.** *fig.* in *Entzückung, Verwirrung etc.* versetzen; **18.** F *j-n* ‚'umwerfen' *od.* aus der Fassung brin-

gen; **19.** F *e-e Gesellschaft* geben, *e-e Party* ‚schmeißen'; **20.** *Am.* F *Wettkampf* absichtlich verlieren; **21.** *sl. Wutanfall etc.* bekommen: ~ ***a fit***; **III** *v/i.* [*irr.*] **22.** werfen; **23.** würfeln;
Zssgn mit prp.:
throw| in·to *v/t.* (hin'ein)werfen in (*acc.*): ~ ***prison*** *j-n* ins Gefängnis werfen; ~ ***the bargain*** (beim Kauf) dreingeben; ***throw o.s. into*** *fig.* sich in *die Arbeit, den Kampf etc.* stürzen; ~ **(up·)on** *v/t.* **1.** werfen auf (*acc.*): ***be thrown upon o.s.*** (*od.* ***upon one's own resources***) auf sich selbst angewiesen sein; **2.** ***throw o.s.*** (***up***)***on*** a) sich auf *die Knie etc.* werfen, b) sich anvertrauen (*dat.*);
Zssgn mit adv.:
throw| a·way *v/t.* **1.** wegwerfen; **2.** *Geld etc.* verschwenden, -geuden ([***up***]***on*** an *acc.*); **3.** *Gelegenheit* verpassen, -schenken; **4.** *et.* verwerfen; ~ **back I** *v/t.* **1.** zu'rückwerfen (*a. fig. hemmen*): ***be thrown back upon*** angewiesen sein auf (*acc.*); **II** *v/i.* **2.** (***to***) zu'rückkehren (zu), zu'rückfallen (auf *acc.*, in *acc.*); **3.** nachgeraten (***to*** *dat.*); *biol.* rückarten; ~ **down** *v/t.* **1.** (***o.s.*** sich) niederwerfen; **2.** 'umstürzen, vernichten; ~ **in** *v/t.* **1.** (hin)'einwerfen; **2.** *Bemerkung etc.* einwerfen, -schalten; **3.** *et.* mit in den Kauf geben, dreingeben; **4.** ⚙ *Gang etc.* einrücken; ~ **off I** *v/t.* **1.** *Kleider, Maske etc., a. fig. Schamgefühl etc.* abwerfen, ablegen; **2.** *Joch etc.* abwerfen, abschütteln, sich freimachen von; **3.** *Bekannte, Krankheit etc.* loswerden; **4.** *Verfolger, a. Hund* von der Fährte abbringen, abschütteln; **5.** *Gedicht etc.* hinwerfen, aus dem Ärmel schütteln; **6.** ⚙ a) kippen, 'umlegen, b) auskuppeln, -rücken; **7.** *typ.* abziehen; **8.** *j-n* aus dem Kon'zept *od.* aus der Fassung bringen; **II** *v/i.* **9.** (*hunt.* die Jagd) beginnen; ~ **on** *v/t. Kleider* 'überwerfen, sich *et.* 'umwerfen; ~ **o·pen** *v/t.* **1.** *Tür etc.* aufreißen, -stoßen; **2.** öffentlich zugänglich machen (***to*** *dat.* für); ~ **out** *v/t.* **1.** (*a. j-n* hin)'auswerfen; **2.** *bsd. parl.* verwerfen; **3.** △ vorbauen; anbauen (***to*** an *acc.*); **4.** *Bemerkung* fallenlassen, *Vorschlag etc.* äußern; *e-n Wink* geben; **5.** a) *et.* über den Haufen werfen, b) *j-n* aus dem Kon'zept bringen; **6.** ⚙ auskuppeln, -rükken; **7.** *Fühler etc.* ausstrecken: ~ ***a chest*** F sich in die Brust werfen; ~ **o·ver** *v/t.* **1.** über den Haufen werfen; **2.** *fig. Plan etc.* über Bord werfen, aufgeben; **3.** *Freund etc.* im Stich lassen, fallenlassen; ~ **up I** *v/t.* **1.** in die Höhe werfen, hochwerfen; **2.** *et.* hastig errichten, *Schanze etc.* aufwerfen; **3.** *Karten, a. Amt etc.* hinwerfen, -schmeißen; **4.** erbrechen; **II** *v/i.* **5.** (sich er)brechen, sich über'geben.

'throw|·a·way I *s.* et. zum Wegwerfen, *z.B.* Re'klamezettel *m*; **II** *adj.* Wegwerf...: ~ ***package***; ~ ***bottle*** Einwegflasche *f*; ~ ***prices*** ✝ Schleuderpreise; **'~·back** *s.* **1.** *bsd. biol.* Ata'vismus *m*, *a. fig.* Rückkehr *f* (***to*** zu); **2.** *Film*: Rückblende *f*.
throw·er ['θrəʊə] *s.* **1.** Werfer(in); **2.** *Töpferei*: Dreher(in), Former(in); **3.** → ***throwster***.
'throw-in *s. sport* Einwurf *m*.
throw·ing ['θrəʊɪŋ] **I** *s.* Werfen *n*, (*Speer- etc.*)Wurf *m*: ~ ***the javelin***; **II** *adj.* Wurf...: ~ ***knife***.
thrown [θrəʊn] **I** *p.p. von* ***throw***; **II** *adj.* gezwirnt: ~ ***silk*** Seidengarn *n*.
'throw|·off *s.* **1.** Aufbruch *m* (zur Jagd); **2.** *fig.* Beginn *m*; **'~-out** *s.* ⚙ **1.** Auswerfer *m*; **2.** Ausschalter *m*; **3.** *mot.* Ausrückvorrichtung *f*: ~ ***lever*** (Kupplungs)Ausrückhebel *m*.
throw·ster ['θrəʊstə] *s.* Seidenzwirner(in).
thru [θru:] *Am.* F *für* ***through***.
thrum¹ [θrʌm] **I** *v/i.* **1.** ♪ klimpern (***on*** auf *dat.*); **2.** (mit den Fingern) trommeln; **II** *v/t.* **3.** ♪ klimpern auf (*dat.*); **4.** (mit den Fingern) trommeln auf (*dat.*).
thrum² [θrʌm] **I** *s.* **1.** *Weberei*: a) Trumm *n*, *m* (*am Ende der Kette*), b) *pl.* (Reihe *f* von) Fransen *pl.*, Saum *m*; **2.** Franse *f*; **3.** loser Faden; **4.** *oft pl.* Garnabfall *m*, Fussel *f*; **II** *v/t.* **5.** befransen.
thrush¹ [θrʌʃ] *s. orn.* Drossel *f*.
thrush² [θrʌʃ] *s.* **1.** ⚕ Soor *m*; **2.** *vet.* Strahlfäule *f*.
thrust [θrʌst] **I** *v/t.* [*irr.*] **1.** *Waffe etc.* stoßen; **2.** *allg.* stecken, schieben: ~ ***o.s.*** (*od.* ***one's nose***) ***in*** *fig.* s-e Nase stecken *od.* sich einmischen in (*acc.*); ~ ***one's hand into one's pocket*** die Hand in die Tasche stecken; ~ ***on*** *et.* hastig anziehen, (sich) *et.* hastig überwerfen; **3.** stoßen, drängen, treiben, (*a. ins Gefängnis*) werfen: ~ ***aside*** zur Seite stoßen; ~ ***o.s. into*** sich werfen *od.* drängen in (*acc.*); ~ ***out*** a) (her-, hin-) ausstoßen, b) *Zunge* herausstrecken, c) *Hand* ausstrecken; ~ ***s.th. upon s.o.*** j-m et. aufdrängen; **4.** ~ ***through*** *j-n* durch'bohren; **5.** ~ ***in*** *Wort* einwerfen; **II** *v/i.* [*irr.*] **6.** stoßen (***at*** nach); **7.** sich *wohin* drängen *od.* schieben: ~ ***into*** ⚔ hineinstoßen in *e-e Stellung etc.*; ***a ~ing politician*** ein ehrgeiziger *od.* aufstrebender Politiker; **III** *s.* **8.** Stoß *m*; **9.** Hieb *m* (*a. fig.*); **10.** *allg. u.* ⚙ Druck *m*; **11.** ✈, *phys.* Schub(kraft *f*) *m*; **12.** ⚙, △ (Seiten)Schub *m*; **13.** *geol.* Schub *m*; **14.** ⚔ *u. fig.* a) Vorstoß *m*, b) Stoßrichtung *f*; ~ **bear·ing** *s.* ⚙, ✈ Drucklager *n*; ~ **per·form·ance** *s.* ⚙, ✈ Schubleistung *f*; ~ **weap·on** *s.* ⚔

T

Stich-, Stoßwaffe *f*.

thud [θʌd] **I** *s*. dumpfer (Auf)Schlag, Bums *m*; **II** *v/i*. dumpf (auf)schlagen, bumsen.

thug [θʌg] *s*. **1.** (Gewalt)Verbrecher *m*, Raubmörder *m*; **2.** Rowdy *m*, ‚Schläger' *m*; **3.** *fig*. Gangster *m*, Halsabschneider *m*.

thumb [θʌm] **I** *s*. **1.** Daumen *m*: ***his fingers are all ~s, he is all ~s*** er hat zwei linke Hände; ***turn ~s down on*** *fig. et*. ablehnen, verwerfen; ***under s.o.'s ~*** unter j-s Fuchtel; ***that sticks out like a sore ~*** F a) das sieht ja ein Blinder, b) das fällt entsetzlich auf; ***it's ~s down on your offer!*** Ihr Angebot ist abgelehnt!; → ***rule*** 2; **II** *v/t*. **2.** *Buchseiten* 'durchblättern; **3.** *Buch* abgreifen, beschmutzen: ***(well-)~ed*** abgegriffen; **4.** ***~ a lift*** (*od*. ***ride***) F per Anhalter fahren, trampen; ***~ a car*** e-n Wagen anhalten, sich mitnehmen lassen; **5.** ***~ one's nose at*** *j-m* e-e lange Nase machen; **~ in·dex** *s. typ*. Daumenindex *m*; '**~·mark** *s*. Daumenabdruck *m*; '**~·nail** **I** *s*. Daumennagel *m*; **II** *adj*.: ***~ sketch*** kleine (*fig*. kurze) Skizze; **~ nut** *s*. ⚙ Flügelmutter *f*; '**~·print** *s*. Daumenabdruck *m*; '**~·screw** *s*. **1.** *hist*. Daumenschraube *f*; **2.** ⚙ Flügelschraube *f*; '**~·stall** *s*. Däumling *m* (*Schutzkappe*); '**~·tack** *s. Am*. Reißnagel *m*.

thump [θʌmp] **I** *s*. **1.** dumpfer Schlag, Bums *m*; **2.** (Faust)Schlag *m*, Puff *m*; **II** *v/t*. **3.** schlagen auf (*acc*.), hämmern *od*. pochen gegen *od*. auf (*acc*.); *Kissen* aufschütteln; **4.** plumpsen gegen *od*. auf (*acc*.); **III** *v/i*. **5.** (auf)schlagen, (-)bumsen (***on*** auf *acc*., ***at*** gegen); **6.** (laut) pochen (*Herz*); '**thump·er** [-pə] *s*. **1.** *sl*. Mordsding *n*, e-e ‚Wucht'; **2.** *sl*. faustdicke Lüge; '**thump·ing** [-pɪŋ] F **I** *adj*. kolos'sal, Mords…; **II** *adv*. mordsmäßig.

thun·der ['θʌndə] **I** *s*. **1.** Donner *m* (*a. fig. Getöse*): ***steal s.o.'s ~*** *fig*. j-m den Wind aus den Segeln nehmen; ***~s of applause*** donnernder Beifall; **II** *v/i*. **2.** donnern (*a. fig. Kanone, Zug etc*.); **3.** *fig*. wettern; **III** *v/t*. **4.** *et*. donnern; '**~·bolt** *s*. **1.** Blitz *m* (u. Donnerschlag *m*), Blitzstrahl *m* (*a. fig*.); **2.** *myth. u. geol*. Donnerkeil *m*; '**~·clap** *s*. Donnerschlag *m* (*a. fig*.); '**~·cloud** *s*. Gewitterwolke *f*.

T

thun·der·ing ['θʌndərɪŋ] **I** *adj*. □ **1.** donnernd (*a. fig*.); **2.** F kolos'sal, gewaltig: ***a ~ lie*** e-e faustdicke Lüge; **II** *adv*. **3.** F riesig, mächtig: ***~ glad***; '**thun·der·ous** [-rəs] *adj*. □ **1.** gewitterschwül; **2.** *fig*. donnernd; **3.** *fig*. gewaltig.

'**thun·der**|,**show·er** *s*. Gewitterschauer *m*; '**~·storm** *s*. Gewitter *n*, Unwetter *n*; '**~·struck** *adj*. (*fig*. wie) vom Blitz getroffen.

thun·der·y ['θʌndərɪ] *adj*. gewitterschwül: ***~ showers*** gewittrige Schauer.

Thu·rin·gi·an [θjʊə'rɪndʒɪən] **I** *adj*. Thüringer(…); **II** *s*. Thüringer(in).

Thurs·day ['θɜːzdɪ] *s*. Donnerstag *m*: ***on ~*** am Donnerstag; ***on ~s*** donnerstags.

thus [ðʌs] *adv*. **1.** so, folgendermaßen; **2.** so'mit, also, folglich, demgemäß; **3.** so, in diesem Maße: ***~ far*** soweit, bis jetzt; ***~ much*** so viel.

thwack [θwæk] **I** *v/t*. verprügeln, schlagen; **II** *s*. derber Schlag.

thwart [θwɔːt] **I** *v/t*. **1.** *Pläne etc*. durch'kreuzen, vereiteln, hinter'treiben; **2.** *j-m* entgegenarbeiten, *j-m* e-n Strich durch die Rechnung machen; **II** *s*. **3.** ⚓ Ruderbank *f*.

thy [ðaɪ] *adj. bibl., rhet., poet*. dein.

thyme [taɪm] *s*. ⚘ Thymian *m*.

thy·mus ['θaɪməs], *a*. **~ gland** *s. anat*. Thymus(drüse *f*) *m*.

thy·roid ['θaɪrɔɪd] ⚕ **I** *adj*. **1.** Schilddrüsen…; **2.** Schildknorpel…: ***~ cartilage*** → 4; **II** *s*. **3.** *a*. ***~ gland*** Schilddrüse *f*; **4.** Schildknorpel *m*.

thyr·sus ['θɜːsəs] *pl*. **-si** [-saɪ] *s. antiq. u.* ⚘ Thyrsus *m*.

thy·self [ðaɪ'self] *pron. bibl., rhet., poet*. **1.** du (selbst); **2.** *dat*. dir (selbst); **3.** *acc*. dich (selbst).

ti·ar·a [tɪ'ɑːrə] *s*. **1.** Ti'ara *f* (*Papstkrone u. fig. -würde*); **2.** Dia'dem *n*, Stirnreif *m* (*für Damen*).

tib·i·a ['tɪbɪə] *pl*. **-ae** [-iː] *s. anat*. Schienbein *n*, Tibia *f*; '**tib·i·al** [-əl] *adj. anat*. Schienbein…, Unterschenkel…

tic [tɪk] *s*. ⚕ Tic(k) *m*, (ner'vöses) Muskel- *od*. Gesichtszucken.

tick¹ [tɪk] **I** *s*. **1.** Ticken *n*: ***to*** (*od*. ***on***) ***the ~*** (auf die Sekunde) pünktlich; **2.** F Augenblick *m*; **3.** Häkchen *n*, Vermerkzeichen *n*; **II** *v/i*. **4.** ticken: ***~ over*** a) *mot*. im Leerlauf sein, b) *fig*. normal *od*. ganz gut laufen; ***what makes him ~?*** a) was hält ihn (so) in Schwung?, b) wie ‚funktioniert' er?; **III** *v/t*. **5.** *in e-r Liste* anhaken: ***to ~ off*** a) abhaken, b) F *j-n* ‚zs.-stauchen'.

tick² [tɪk] *s. zo*. Zecke *f*.

tick³ [tɪk] *s*. **1.** (Kissen- *etc*.)Bezug *m*; **2.** Inlett *n*, Ma'tratzenbezug *m*; **3.** F Drillich *m*, Drell *m*.

tick⁴ [tɪk] *s*. F Kre'dit *m*, Pump *m*: ***buy on ~*** auf Pump *od*. Borg kaufen.

tick·er ['tɪkə] *s*. **1.** *Börse*: Fernschreiber *m*; **2.** *sl*. a) ‚Wecker' *m* (*Uhr*), b) ‚Pumpe' *f* (*Herz*); **~ tape** *s. Am*. Lochstreifen *m*: ***~ parade*** Konfettiparade *f*.

tick·et ['tɪkɪt] **I** *s*. **1.** (Ausweis-, Eintritts-, Lebensmittel-, Mitglieds- *etc*.) Karte *f*; 🚂 *etc*. Fahrkarte *f*, -schein *m*; ✈ Flugschein *m*, Ticket *n*: ***take a ~*** e-e Karte lösen; **2.** (*bsd*. Gepäck-, Pfand-) Schein *m*; **3.** Lotte'rielos *n*; **4.** Eti'kett *n*, (*Preis- etc.*)Zettel *m*; **5.** *mot.* a) Strafzettel *m*, b) gebührenpflichtige Verwarnung; **6.** ⚓, ✈ Li'zenz *f*; **7.** *pol.* *bsd. Am.* a) (Wahl-, Kandi'daten)Liste *f*, b) ('Wahl-, Par'tei)Pro,gramm *n*: ***split the ~*** panaschieren; ***vote a straight ~*** die Liste e-r Partei unverändert wählen; ***write one's own ~*** F (ganz) s-e eigenen Bedingungen stellen; **8.** ***~ of leave*** ⚖ *Brit.* (Schein *m* über) bedingte Freilassung: ***be on ~ of leave*** bedingt freigelassen sein; **9.** F *das* Richtige: ***that's the ~!***; **II** *v/t.* **10.** etikettieren, kennzeichnen, *Waren* auszeichnen; **~ a·gen·cy** *s. thea. etc.* Vorverkaufsstelle *f*; **~ col·lec·tor** *s.* 🚂 Bahnsteigschaffner *m*; **~ day** *s. Börse*: Tag *m* vor dem Abrechnungstag; **~ in·spec·tor** *s.* 'Fahrkartenkontrol,leur *m*; **~ of·fice** *s.* **1.** Fahrkartenschalter *m*; **2.** (The'ater)Kasse *f*; **~ punch** *s.* Lochzange *f*; **~ tout** *s.* Kartenschwarzhändler *m*.

tick·ing ['tɪkɪŋ] *s.* Drell *m*, Drillich *m*; **,~-'off** *s.* F ‚Anpfiff' *m*.

tick·le ['tɪkl] **I** *v/t.* **1.** kitzeln (*a. fig.*); **2.** *fig. j-s Eitelkeit etc.* schmeicheln; **3.** *fig.* amüsieren: ***~d pink*** F ‚ganz weg' (vor Freude); ***I'm ~d to death*** ich könnte mich totlachen (*a. iro.*); **4. *~ up*** (an-) reizen; **II** *v/i.* **5.** kitzeln; **6.** jucken; **III** *s.* **7.** Kitzel *m* (*a. fig.*); **8.** Juckreiz *m*; **'tick·ler** [-lə] *s.* **1.** kitzlige Sache, (schwieriges) Pro'blem; **2.** *Am.* No'tizbuch *n*: ***~ file*** Wiedervorlagemappe *f*; **3.** *a.* ***~ coil*** ⚡ Rückkopplungsspule *f*; **'tick·lish** [-lɪʃ] *adj.* ☐ **1.** kitz(e)lig; **2.** *fig.* a) kitzlig, heikel, schwierig, b) empfindlich (*Person*).

tick·tack ['tɪktæk] *s.* **1.** Ticktack *n*; **2.** *sl. Rennsport*: Zeichensprache *f* der Buchmacher: ***~ man*** Buchmachergehilfe *m*.

tid·al ['taɪdl] *adj.* **1.** Gezeiten..., den Gezeiten unter'worfen: ***~ basin*** ⚓ Tidebecken *n*; ***~ inlet*** Priel *m*; ***~ power plant*** Gezeitenkraftwerk *n*; **2.** Flut...: ***~ wave*** Flutwelle *f*, *fig. a.* Woge *f*.

tid·bit ['tɪdbɪt] *Am.* → ***titbit***.

tid·dly ['tɪdlɪ] *adj. Brit.* F **1.** winzig; **2.** ‚angesäuselt', beschwipst.

tid·dly·winks ['tɪdlɪwɪŋks] *s. pl.* Flohhüpfen *n*.

tide [taɪd] **I** *s.* **1.** a) Gezeiten *pl.*, Ebbe *f* u. Flut, b) Flut *f*, Tide *f*: ***high ~*** Flut; ***low ~*** Ebbe; ***the ~ is coming in*** (***going out***) die Flut kommt (die Ebbe setzt ein); ***the ~ is out*** es ist Ebbe; ***turn of the ~*** a) Gezeitenwechsel *m*, b) *fig.* Umschwung *m*; ***the ~ turns*** *fig.* das Blatt wendet sich; **2.** *fig.* Strom *m*, Strömung *f*: ***~ of events*** *der* Gang der Ereignisse; ***swim against*** (***with***) ***the ~*** gegen (mit) dem Strom schwimmen; **3.** *fig. die* rechte Zeit, günstiger Augenblick; **4.** *in Zssgn* Zeit *f*: ***winter~***; **II** *v/i.* **5.** (mit dem Strom) treiben, ⚓ bei Flut ein- *od.* auslaufen; **6.** ***~ over*** *fig.* hin'wegkommen über (*acc.*); **III** *v/t.* **7.** ***~ over*** *fig. j-m* hin'weghelfen über (*acc.*): ***~ it over*** ‚sich über Wasser halten'; **~ gate** *s.* Flut(schleusen)tor *n*; **~ ga(u)ge** *s.* (Gezeiten)Pegel *m*; **'~·land** *s.* Watt *n*; **'~·mark** *s.* **1.** Gezeitenmarke *f*; **2.** Pegelstand *m*; **3.** *bsd. Brit.* F schwarzer Rand (*am Hals etc.*); **~ ta·ble** *s.* Gezeitentafel *f*; **'~,wait·er** *s. hist.* Hafenzollbeamte(r) *m*; **'~,wa·ter** *s.* Flut-, Gezeitenwasser *n*: ***~ district*** Wattengebiet *n*; **'~·way** *s.* Priel *m*.

ti·di·ness ['taɪdɪnɪs] *s.* **1.** Sauberkeit *f*, Ordnung *f*; **2.** Nettigkeit *f*.

ti·dings ['taɪdɪŋz] *s. pl. sg. od. pl. konstr.* Nachricht(en *pl.*) *f*, Neuigkeit (-en *pl.*) *f*, Kunde *f*.

ti·dy ['taɪdɪ] **I** *adj.* ☐ **1.** sauber, reinlich, ordentlich (*Zimmer*, *Person*, *Aussehen etc.*); **2.** nett, schmuck; **3.** *fig.* F ordentlich, beträchtlich: ***a ~ penny*** e-e Stange Geld; **II** *s.* **4.** (Sofa- *etc.*)Schoner *m*; **5.** (Arbeits-, Flick- *etc.*)Beutel *m*; Fächerkasten *m*; **6.** Abfallkorb *m*; **III** *v/t.* **7.** *a.* ***~ up*** in Ordnung bringen, aufräumen, säubern: ***~ out*** ‚ausmisten'; ***~ o.s. up*** sich zurechtmachen; **IV** *v/i.* **8.** ***~ up*** aufräumen, saubermachen.

tie [taɪ] **I** *s.* **1.** (Schnür)Band *n*; **2.** a) Kra'watte *f*, b) Halstuch *n*; **3.** Schleife *f*, Masche *f*; **4.** *fig.* a) Band *n*: ***the ~(s) of friendship***, b) *pol.*, *psych.* Bindung *f*: ***mother ~***; **5.** *fig.* (lästige) Fessel, Last *f*; **6.** ⚠, ⚙ a) Verbindung(sstück *n*) *f*, b) Anker *m*, c) → ***tie beam***; **7.** 🚂 *Am.* Schwelle *f*; **8.** *parl. pol.* Stimmengleichheit *f*: ***end in a ~*** stimmengleich enden; **9.** *sport* a) Punktgleichheit *f*, Gleichstand *m*, b) Unentschieden *n*, c) Ausscheidungsspiel *n*, d) Wieder'holung(sspiel *n*) *f*; **10.** ♪ Bindebogen *m*, Liga'tur *f*; **II** *v/t.* **11.** an-, festbinden (***to*** an *acc.*); **12.** binden, schnüren; *fig.* fesseln: ***~ s.o.'s hands*** (***tongue***) j-m die Hände (Zunge) binden; **13.** *Schleife*, *Schuhe etc.* binden; **14.** ⚠, ⚙ verankern, befestigen; **15.** ♪ *Noten* (anein'ander)binden; **16.** (***to***) *fig. j-n* binden (an *acc.*), verpflichten (zu); **17.** hindern, hemmen; **18.** *j-n* in Anspruch nehmen (*Pflichten etc.*); **III** *v/i.* **19.** *sport* a) gleichstehen, punktgleich sein, b) unentschieden spielen *od.* kämpfen (***with*** gegen); **20.** *parl.*, *pol.* gleiche Stimmenzahl haben;

Zssgn mit adv.:

tie| down *v/t.* **1.** festbinden; **2.** niederhalten, fesseln; **3.** (***to***) *fig. j-n* binden (an *Pflichten*, *Regeln etc.*), *j-n* festlegen (auf *acc.*): ***be tied down*** (***by***) angebunden sein (durch *e-e Familie etc.*); **~ in I** *v/i.* (***with***) über'einstimmen (mit), passen (zu); **II** *v/t.* (***with***) verbinden *od.*

koppeln (mit), einbauen (in *acc.*); **~ up** *v/t.* **1.** (an-, ein-, ver-, zs.-, zu)binden; **2.** *fig.* a) hemmen, fesseln, b) festhalten, beschäftigen; **3.** *fig.* lahmlegen; *Industrie, Produktion* stillegen; *Vorräte etc.* blockieren; **4.** ✝, ⚖ festlegen: a) *Geld* fest anlegen, b) *bsd. Erbgut* e-r Verfügungsbeschränkung unter'werfen; **5.** ***tie it up*** *Am.* F die Sache erledigen.

tie| bar *s.* **1.** 🚂 a) Verbindungsstange *f* (*Weiche*), b) Spurstange *f*; **2.** *typ.* Bogen *m über 2 Buchstaben*; **~ beam** *s.* ⚠ Zugbalken *m*; **'~ˌbreak(·er)** *s. Tennis*: Tie-Break *m, n.*

tied [taɪd] *adj.* ✝ zweckgebunden; **~ house** *s. Brit.* Braue'reigaststätte *f.*

'tie|-in *s.* **1.** ✝ *Am.* a) Gemeinschaftswerbung *f*, b) *a.* **~ *sale*** Kopplungsgeschäft *n*, -verkauf *m*; **2.** Zs.-hang *m*, Verbindung *f*; **'~-on** *adj.* zum Anbinden, Anhänge…

tier [tɪə] *s.* **1.** Reihe *f*, Lage *f*: ***in ~s*** in Reihen übereinander, lagenweise; **2.** *thea.* a) (Sitz)Reihe *f*, b) Rang *m*; **3.** *fig.* Rang *m*, Stufe *f.*

tierce [tɪəs] *s.* **1.** [*Kartenspiel*: tɜːs] ♪, *fenc., eccl., Kartenspiel*: Terz *f*; **2.** Weinfaß *n* (*mit 42 Gallonen*).

tie rod *s.* ⚙ **1.** Zugstange *f*; **2.** Kuppelstange *f*; **3.** 🚗 Spurstange *f.*

'tie-up *s.* **1.** a) Verbindung *f*, Zs.-hang *m*, b) Koppelung *f*; **2.** *Am.* Still-, Lahmlegung *f*; **3.** *bsd. Am.* (*a.* Verkehrs)Stockung *f*, Stillstand *m.*

tiff [tɪf] *s.* **1.** kleine Meinungsverschiedenheit, Kabbe'lei *f*; **2.** schlechte Laune: ***in a ~*** übelgelaunt.

tif·fin ['tɪfɪn] *s. Brit.* Mittagessen *n* (*in Indien*).

tige [tiːʒ] (*Fr.*) *s.* **1.** ⚠ Säulenschaft *m*; **2.** ⚘ Stengel *m*, Stiel *m.*

ti·ger ['taɪgə] *s.* **1.** *zo.* Tiger *m* (*a. fig. Wüterich*): ***American ~*** Jaguar *m*: ***rouse the ~ in s.o.*** *fig.* j-n in kalte Wut versetzen; **2.** *hist. Brit. sl.* livrierter Bedienter, Page *m*; **~ cat** *s. zo.* **1.** Tigerkatze *f*; **2.** getigerte (Haus)Katze.

ti·ger·ish ['taɪgərɪʃ] *adj.* **1.** tigerartig; **2.** blutdürstig; **3.** wild, grausam.

tight [taɪt] **I** *adj.* ☐ **1.** dicht (*nicht leck*): ***a ~ barrel***; **2.** fest(sitzend) (*Kork, Knoten etc.*), stramm (*Schraube etc.*); **3.** straff, (an)gespannt (*Muskel, Seil etc.*); **4.** schmuck; **5.** a) (zu) eng, knapp, b) eng (anliegend) (*Kleid etc.*): **~ *fit*** knapper Sitz, ⚙ Feinpassung; **6.** a) eng, dicht (gedrängt), b) *fig.* F kritisch, ‚mulmig'; → ***corner*** 2; **7.** prall (voll); **8.** *fig.* a) komprimiert, straff (*Handlung etc.*), b) gedrängt, knapp (*Stil*), c) hieb- u. stichfest (*Argument*), d) straff, streng (*Sicherheitsmaßnahmen etc.*): ***a ~ schedule*** knappe Termine, *a.* ein voller Terminkalender; **9.** ✝ a) knapp (*Geld*), b) angespannt (*Marktlage*); **10.** F knick(e)rig, geizig; **11.** eng, am Kleinen klebend (*Kunst etc.*); **12.** *sl.* ‚blau', besoffen; **II** *adv.* **13.** eng, knapp; *a.* ⚙ fest: ***hold ~*** festhalten; ***sit ~*** a) fest im Sattel sitzen, b) sich nicht (vom Fleck) rühren, c) *fig.* sich eisern behaupten, sich nicht beirren lassen, *a.* abwarten; **'tight·en** [-tn] **I** *v/t.* **1.** *a.* **~ *up*** zs.-ziehen; **2.** *Schraube, Zügel etc.* fest-, anziehen; *Feder, Gurt etc.* spannen; *Gürtel* enger schnallen; *Muskel, Seil etc.* straffen: **~ *one's grip*** fester zupacken, den Druck verstärken (*a. fig.*); **3.** *a.* **~ *up*** *fig.* a) *Manuskript, Handlung etc.* straffen, b) *Sicherheitsmaßnahmen etc.* verschärfen; **4.** (ab)dichten; **II** *v/i.* **5.** sich straffen; **6.** fester werden (*Griff*); **7.** *a.* **~ *up*** sich fest zs.-ziehen; **8.** ✝ sich versteifen (*Markt*).

ˌtight|-'fist·ed → ***tight*** 10; **ˌ~-'fit·ting** *adj.* **1.** → ***tight*** 5; **2.** ⚙ genau an- *od.* eingepaßt, Paß…; **ˌ~-'laced** *adj.* sittenstreng, prüde, puri'tanisch; **ˌ~-'lipped** *adj.* **1.** schmallippig; **2.** *fig.* verschlossen.

tight·ness ['taɪtnɪs] *s.* **1.** Dichtheit *f*; **2.** Festigkeit *f*; fester Sitz; **3.** Straffheit *f*; **4.** Enge *f*; **5.** Gedrängtheit *f*; **6.** Geiz *m*, Knicke'rei *f*; **7.** ✝ a) (Geld)Knappheit *f*, b) angespannte Marktlage.

'tight·rope I *s.* (Draht)Seil *n* (*Zirkus*); **II** *adj.* (Draht)Seil…: **~ *walker*** Seiltänzer(in).

tights [taɪts] *s. pl.* **1.** ('Tänzer-, Ar'tisten)TriˌKot *n*; **2.** *bsd. Brit.* Strumpfhose *f.*

'tight·wad *s. Am.* F Geizkragen *m.*

ti·gress ['taɪgrɪs] *s.* **1.** Tigerin *f*; **2.** *fig.* Me'gäre *f*, (Weibs)Teufel *m.*

tike → ***tyke***.

til·de [tɪld] *s. ling.* Tilde *f.*

tile [taɪl] **I** *s.* **1.** (Dach)Ziegel *m*: ***he has a ~ loose*** *sl.* bei ihm ist eine Schraube locker; ***be*** (***out***) ***on the ~s*** *sl.* ‚herumsumpfen'; **2.** ([Kunst]Stein)Platte *f*, (Fußboden-, Wand-, Teppich)Fliese *f*, (Ofen-, Wand)Kachel *f*; **3.** *coll.* Ziegel *pl.*, Fliesen(fußboden *m*) *pl.*, Fliesen(ver)täfelung *f*; **4.** ⚠ Hohlstein *m*; **5.** F a) ‚Angströhre' *f* (*Zylinder*), b) ‚Dekkel' *m* (*steifer Hut*); **II** *v/t.* **6.** (mit Ziegeln) decken; **7.** mit Fliesen *od.* Platten auslegen, fliesen, kacheln; **til·er** ['taɪlə] *s.* **1.** Dachdecker *m*; **2.** Fliesen-, Plattenleger *m*; **3.** Ziegelbrenner *m*; **4.** Logenhüter *m* (*Freimaurer*).

till[1] [tɪl] **I** *prp.* **1.** bis: **~ *now*** bis jetzt, bisher; **~ *then*** bis dahin *od.* dann *od.* nachher; **2.** bis zu: **~ *death*** bis zum Tod, bis in den Tod; **3.** ***not ~*** erst: ***not ~ yesterday***; **II** *cj.* **4.** bis; **5.** ***not ~*** erst als (*od.* wenn).

till[2] [tɪl] *s.* **1.** Ladenkasse *f*: **~ *money*** ✝ Kassenbestand *m*; **2.** Geldkasten *m.*

T

till[3] [tɪl] ✓ **I** *v/t. Boden* bebauen, bestellen, (be)ackern; **II** *v/i.* ackern, pflügen; **'till·a·ble** [-ləbl] *adj.* anbaufähig; **'till·age** [-lɪdʒ] *s.* **1.** Bodenbestellung *f*; **2.** Ackerbau *m*; **3.** Ackerland *n*.

till·er[1] ['tɪlə] *s.* **1.** (Acker)Bauer *m*; **2.** Ackerfräse *f*.

till·er[2] ['tɪlə] *s.* **1.** ⚓ Ruderpinne *f*; **2.** ⚙ Griff *m*; **~ rope** *s.* ⚓ Steuerreep *n*.

tilt[1] [tɪlt] **I** *v/t.* **1.** kippen, neigen, schrägstellen; **2.** 'umkippen, 'umstoßen; **3.** ⚓ *Schiff* krängen; **4.** ⚙ recken (*schmieden*); **5.** *hist.* a) (mit eingelegter Lanze) anreiten gegen, b) *Lanze* einlegen; **II** *v/i.* **6.** *a.* **~ over** a) sich neigen, kippen, b) ('um)kippen, 'umfallen; **7.** ⚓ krängen; **8.** *hist.* im Tur'nier kämpfen: **~ at** a) anreiten gegen, b) (mit der Lanze) stechen nach, c) *fig.* losziehen gegen, attackieren; **III** *s.* **9.** Kippen *n*: **give a ~ to** → 1; **10.** Schräglage *f*, Neigung *f*: **on the ~** auf der Kippe; **11.** *hist.* Tur'nier *n*, Lanzenbrechen *n*; **12.** *fig.* Strauß *m*, (Wort)Gefecht *n*; **13.** (Lanzen)Stoß *m*; **14.** (Angriffs)Wucht *f*: (**at**) **full ~** mit voller Wucht *od.* Geschwindigkeit; **15.** *Am.* ‚Drall' *m*, Ten'denz *f*.

tilt[2] [tɪlt] **I** *s.* **1.** (Wagen- *etc.*)Plane *f*, Verdeck *n*; **2.** ⚓ Sonnensegel *n*; **3.** Sonnendach *n*; **II** *v/t.* (mit e-r Plane) bedecken.

tilt cart *s.* Kippwagen *m*.

tilt·er ['tɪltə] *s.* **1.** (*Kohlen-etc.*)Kipper *m*, Kippvorrichtung *f*; **2.** ⚙ *Walzwerk*: Wipptisch *m*.

tilth [tɪlθ] → **tillage**.

tilt·ing ['tɪltɪŋ] *adj.* **1.** *hist.* Turnier…; **2.** ⚙ schwenk-, kippbar, Kipp…

'tilt·yard *s. hist.* Tur'nierplatz *m*.

tim·bal ['tɪmbl] *s.* ♪ *hist.* (Kessel)Pauke *f*.

tim·ber ['tɪmbə] **I** *s.* **1.** Bau-, Nutzholz *n*; **2.** *coll.* (Nutzholz)Bäume *pl.*, Baumbestand *m*, Wald(bestand) *m*; **3.** *Brit.* a) Bauholz *n*, b) Schnittholz *n*; **4.** ⚓ Inholz *n*; *pl.* Spantenwerk *n*; **5.** *Am. fig.* Holz *n*, Schlag *m*, Ka'liber *n*: **a man of his ~**; **he is of presidential ~** er hat das Zeug zum Präsidenten; **II** *v/t.* **6.** (ver-)zimmern; **7.** *Holz* abvieren; **8.** *Graben etc.* absteifen; **III** *adj.* **9.** Holz…; **'tim·bered** [-əd] *adj.* **1.** gezimmert; **2.** Fachwerk…; **3.** bewaldet.

tim·ber| for·est *s.* Hochwald *m*; **~ frame** ⚙ Bundsäge *f*; **'~-framed** *adj.* Fachwerk…

tim·ber·ing ['tɪmbərɪŋ] *s.* **1.** Zimmern *n*, Ausbau *m*; **2.** ⚙ Verschalung *f*; **3.** Bau-, Zimmerholz *n*; **4.** a) Gebälk *n*, b) Fachwerk *n*.

'tim·ber|·land *s. Am.* Waldland *n* (*für Nutzholz*); **~ line** *s.* Baumgrenze *f*; **'~·man** [-mən] *s.* [*irr.*] **1.** Holzfäller *m*, -arbeiter *m*; **2.** ⚒ Stempelsetzer *m*; **~ tree** Nutzholzbaum *m*; **'~·work** *s.* ⚙ Gebälk *n*; **'~·yard** *s.* Zimmerplatz *m*, Bauhof *m*.

tim·bre ['tæmbrə] (*Fr.*) *s.* ♪, *ling.* Klangfarbe *f*, Timbre *n*.

tim·brel ['tɪmbrəl] *s.* Tambu'rin *n*.

time [taɪm] **I** *s.* **1.** Zeit *f*: **~ past, present, and to come** Vergangenheit, Gegenwart und Zukunft; **for all ~** für alle Zeiten; **~ will show** die Zeit wird es lehren; **2.** Zeit *f*, Uhr(zeit) *f*: **what's the ~?**, **what ~ is it?** wieviel Uhr *od.* wie spät ist es?; **at this ~ of day** a) zu dieser (späten) Tageszeit, b) *fig.* so spät, in diesem späten Stadium; **bid** (*od.* **pass**) **s.o. the ~ of** (**the**) **day**, **pass the ~ of day with s.o.** j-n grüßen; **know the ~ of the day** F wissen, was es geschlagen hat; **some ~ about noon** etwa um Mittag; **this ~ tomorrow** morgen um diese Zeit; **this ~ twelve months** heute übers Jahr; **keep good ~** richtig gehen (*Uhr*); **3.** Zeit(dauer) *f*, Zeitabschnitt *m*, (*a. phys. Fall-, Schwingungs- etc.*)Dauer *f*; † Laufzeit *f* (*Wechsel- etc.*); Arbeitszeit *f im Herstellungsprozeß etc.*: **in three weeks' ~** in drei Wochen; **a long ~** lange Zeit; **be a long ~ in doing s.th.** lange (Zeit) dazu brauchen, et. zu tun; **4.** Zeit (-punkt *m*) *f*: **~ of arrival** Ankunftszeit; **at the ~** a) zu dieser Zeit, damals, b) gerade; **at the present ~** derzeit, gegenwärtig; **at the same ~** a) zur selben Zeit, gleichzeitig, b) gleichwohl, zugleich, andererseits; (**at**) **any ~**, **at all ~s** zu jeder Zeit; **at no ~** nie; **at that ~** zu der Zeit; **at one ~** einst, früher (einmal); **at some ~** irgendwann; **for the ~** für den Augenblick; **for the ~ being** a) vorläufig, fürs erste, b) unter den gegenwärtigen Umständen; **5.** *oft pl.* Zeit(alter *n*) *f*, E'poche *f*: **~ immemorial**, **~ out of mind** un(vor)denkliche Zeit; **at** (*od.* **in**) **the ~ of Queen Anne** zur Zeit der Königin Anna; **the good old ~s** die gute alte Zeit; **6.** *pl.* Zeiten *pl.*, (Zeit)Verhältnisse *pl.*: **hard ~s**; **7.** **the ~s** die Zeit: **behind the ~s** rückständig; **move with the ~s** mit der Zeit gehen; **8.** Frist *f*, Ter'min *m*: **~ for payment** Zahlungsfrist; **~ of delivery** † Lieferfrist, -zeit *f*; **ask** (**for a**) **~** † um Frist(verlängerung) bitten; **you must give me ~** Sie müssen mir Zeit geben *od.* lassen; **9.** (verfügbare) Zeit: **have no ~** keine Zeit haben; **have no ~ for s.o.** *fig.* nichts übrig haben für j-n; **buy a little ~** etwas Zeit (heraus)schinden; **kill ~** die Zeit totschlagen; **take** (**the**) **~**, **take out ~** sich die Zeit nehmen (**to do** zu tun); **take one's ~** sich Zeit lassen; **~ is up!** die Zeit ist um!; **~ gentlemen, please!** (es ist bald) Polizeistunde! (*Lokal*); **~!** *sport* Zeit!: a) anfangen!, b) aufhören!; **~!** *parl.* Schluß!; → **fore-**

T

lock; **10.** Lehr-, Dienstzeit *f*: ***serve one's ~*** s-e Lehre machen; **11.** a) (na'türliche *od.* nor'male) Zeit, b) Lebenszeit *f*: ***~ of life*** Alter *n*; ***ahead of ~*** vorzeitig; ***die before one's ~*** vor der Zeit *od.* zu früh sterben; ***his ~ is drawing near*** sein Tod naht heran; **12.** a) Schwangerschaft *f*, b) Entbindung *f*, Niederkunft *f*: ***she is far on in her ~*** sie ist hochschwanger; ***she is near her ~*** sie steht kurz vor der Entbindung; **13.** (günstige) Zeit: ***now is the ~*** nun ist die passende Gelegenheit, jetzt gilt es (***to do*** zu tun); ***at such ~s*** bei solchen Gelegenheiten; ***bide one's ~*** (s-e Zeit) abwarten; **14.** Mal *n*: ***the first ~*** das erste Mal; ***for the last ~*** zum letzten Mal; ***till next ~*** bis zum nächsten Mal; ***every ~*** jedesmal; ***many ~s*** viele Male; ***~ and again***, ***~ after ~*** immer wieder; ***at some other ~***, ***at other ~s*** ein anderes Mal; ***at a ~*** auf einmal, zusammen, zugleich, jeweils; ***one at a ~*** einzeln, immer nur eine(r, s); ***two at a ~*** zu zweit, jeweils zwei; **15.** *pl.* mal, ...mal: ***three ~s four is twelve*** drei mal vier ist zwölf; ***twenty ~s*** zwanzigmal; ***four ~s the size of yours*** viermal so groß wie deines; **16.** *bsd. sport* (erzielte, gestoppte) Zeit; **17.** a) Tempo *n*, Zeitmaß *n* (*beide a.* ♪), b) ♪ Takt *m*: ***change of ~*** Taktwechsel *m*; ***beat*** (***keep***) ***~*** den Takt schlagen (halten); **18.** ⚔ Marschtempo *n*, Schritt *m*: ***mark ~*** a) ⚔ auf der Stelle treten (*a. fig.*), b) *fig.* nicht vom Fleck kommen;

Besondere Redewendungen:

against ~ gegen die Zeit *od.* Uhr, mit größter Eile; ***ahead of*** (*od.* ***before***) ***one's ~*** s-r Zeit voraus; ***all the ~*** a) die ganze Zeit (über), ständig, b) jederzeit; ***at ~s*** zu Zeiten, gelegentlich; ***at all ~s*** stets, zu jeder Zeit; ***at any ~*** a) zu irgendeiner Zeit, jemals, b) jederzeit; ***behind ~*** zu spät d(a)ran, verspätet; ***between ~s*** in den Zwischenzeiten; ***by that ~*** a) bis dahin, unterdessen, b) zu der Zeit; ***for a*** (*od.* ***some***) ***~*** e-e Zeitlang, einige Zeit; ***for a long ~ past*** schon seit langem; ***not for a long ~*** noch lange nicht; ***from ~ to ~*** von Zeit zu Zeit; ***in ~*** a) rechtzeitig (***to do*** um zu tun), b) mit der Zeit, c) im (richtigen) Takt; ***in due ~*** rechtzeitig, termingerecht; ***in good ~*** (gerade) rechtzeitig; ***all in good ~*** alles zu s-r Zeit; ***in one's own good ~*** wenn es e-m paßt; ***in no ~*** im Nu, im Handumdrehen; ***on ~*** a) pünktlich, rechtzeitig, b) *bsd. Am.* für e-e (bestimmte) Zeit, c) † *Am.* auf Zeit, *bsd.* auf Raten; ***out of ~*** a) zur Unzeit, unzeitig, b) vorzeitig, c) zu spät, d) aus dem Takt *od.* Schritt; ***till such ~ as*** so lange bis; ***to ~*** pünktlich; ***do ~*** F *im Gefängnis* ‚sitzen'; ***have a good ~*** es schön haben, es sich gutgehen lassen, sich gut amüsieren; ***have the ~ of one's life*** sich großartig amüsieren, leben wie ein Fürst; ***have a hard ~*** Schlimmes durchmachen; ***he had a hard ~ getting up early*** es fiel ihm schwer, früh aufzustehen; ***with ~*** mit der Zeit; ***~ was, when*** die Zeit ist vorüber, als;

II *v/t.* **19.** (mit der Uhr) messen, (ab-)stoppen, die Zeit messen von; **20.** timen (*a. sport*), die Zeit *od.* den richtigen Zeitpunkt wählen *od.* bestimmen für, zur rechten Zeit tun; → ***timed***; **21.** zeitlich abstimmen; **22.** die Zeit festsetzen für: ***is ~d to leave at 7*** *der Zug etc.* soll um 7 abfahren; **23.** ⚙ *Zündung etc.* einstellen; *Uhr* stellen; **24.** zeitlich regeln (***to*** nach); **25.** das Tempo *od.* den Takt angeben für; **III** *v/i.* **26.** Takt halten; **27.** zeitlich zs.- *od.* über'einstimmen (***with*** mit); **ˌ~-and-'mo·tion stud·y** *s.* † Zeitstudie *f*; **~ bar·gain** *s.* † Ter'mingeschäft *n*; **'~-base** *adj.* ⚡ Kipp...; **~ bill** *s.* † Zeitwechsel *m*; **~ bomb** *s.* Zeitbombe *f* (*a. fig.*); **'~-card** *s.* **1.** Stech-, Stempelkarte *f*; **2.** Fahrplan *m*; **~ clock** *s.* Stechuhr *f*; **~ con·stant** *s. phys.* 'Zeitkonˌstante *f*; **'~-conˌsum·ing** *adj.* zeitraubend; **~ cred·it** *s. gleitende Arbeitszeit*: Zeitguthaben *n*.

timed [taɪmd] *adj.* zeitlich (genau) festgelegt *od.* reguliert, getimed: → ***ill-timed***; ***well-timed***.

time| de·pos·its *s. pl.* † *Am.* Ter'mingelder *pl.*; **~ draft** *s.* † Zeitwechsel *m*; **'~-exˌpired** *adj.* ⚔ *Brit.* ausgedient (*Soldat od. Unteroffizier*); **~ ex·po·sure** *s. phot.* **1.** Zeitbelichtung *f*; **2.** Zeitaufnahme *f*; **~ freight** *s.* † *Am.* Eilfracht *f*; **~ fuse** *s.* ⚔ Zeitzünder *m*; **'~-ˌhon·o(u)red** *adj.* alt'ehrwürdig; **'~ˌkeep·er** *s.* **1.** Zeitmesser *m*; **2.** *sport u.* † Zeitnehmer *m*; **'~ˌkeep·ing** *s.* **1.** *sport* Zeitnahme *f*; **2.** Arbeitszeiterfassung *f*; **~ lag** *s. bsd.* ⚙ Verzögerung *f*, zeitliche Nacheilung *od.* Lücke; **'~-lapse** *adj. phot.* Zeitraffer...

time·less ['taɪmlɪs] *adj.* □ **1.** ewig; **2.** zeitlos (*a. Schönheit etc.*).

time lim·it *s.* Frist *f*, Ter'min *m*.

time·li·ness ['taɪmlɪnɪs] *s.* **1.** Rechtzeitigkeit *f*; **2.** günstige Zeit; **3.** Aktuali'tät *f*.

time| loan *s.* † Darlehen *n* auf Zeit; **~ lock** *s.* ⚙ Zeitschloß *n*.

time·ly ['taɪmlɪ] *adj.* **1.** rechtzeitig; **2.** (*zeitlich*) günstig, angebracht; **3.** aktu'ell.

ˌtime|-'out *pl.* **-'outs** *s.* **1.** *sport* Auszeit *f*; **2.** *Am.* Pause *f*; **~ pay·ment** *s.* † *Am.* Ratenzahlung *f*; **'~-piece** *s.* Chrono'meter *n*, Uhr *f*.

tim·er ['taɪmə] *s.* **1.** Zeitmesser *m* (*Ap-*

T

parat); **2.** ⚙ Zeitgeber *m*, -schalter *m*; **3.** *mot.* Zündverteiler *m*; **4.** Stoppuhr *f*; **5.** *phot.* Zeitauslöser *m*; **6.** ⚙ *u. sport* Zeitnehmer *m* (*Person*).

'time|,sav·er *s.* zeitsparendes Ge'rät *od.* Ele'ment; **'~,sav·ing** *adj.* zeit(er)sparend; **~ sense** *s.* Zeitgefühl *n*; **'~,serv·er** *s.* Opportu'nist(in), Gesinnungslump *m*; **'~,serv·ing I** *adj.* opportu'nistisch; **II** *s.* Opportu'nismus *m*, Gesinnungslumpe'rei *f*; **~ shar·ing** *s. Computer*: Time-sharing *n*; **~ sheet** *s.* **1.** Arbeits(zeit)blatt *n*; **2.** Stechblatt *n*; **~ sig·nal** *s. Radio*: Zeitzeichen *n*; **'~-stud·y man** *s.* [*irr.*] ✝, ⚙ Zeitstudienfachmann *m*; **~ switch** *s.* Zeitschalter *m*; **'~,ta·ble** *s.* **1.** a) Fahrplan *m*, b) Flugplan *m*; **2.** Stundenplan *m*; **3.** ‚Fahrplan' *m*, 'Zeitta,belle *f*; **'~,test·ed** *adj.* (alt)bewährt; **'~-work** *s.* ✝ nach Zeit bezahlte Arbeit; **'~-worn** *adj.* **1.** abgenutzt (*a. fig.*); **2.** veraltet; **3.** abgedroschen.

tim·id ['tɪmɪd] *adj.* ☐ **1.** furchtsam, ängstlich (***of*** vor *dat.*); **2.** schüchtern, zaghaft; **ti·mid·i·ty** [tɪ'mɪdətɪ], **'tim·id·ness** [-nɪs] *s.* **1.** Ängstlichkeit *f*; **2.** Schüchternheit *f*.

tim·ing ['taɪmɪŋ] *s.* **1.** Timing *n* (*a. sport*), zeitliche Abstimmung *od.* Berechnung; **2.** Wahl *f* des richtigen Zeitpunkts; **3.** (gewählter) Zeitpunkt; **4.** ⚙, *mot.* (zeitliche) Steuerung, (*Ventil-*, *Zündpunkt- etc.*)Einstellung *f*.

tim·or·ous ['tɪmərəs] *adj.* ☐ → ***timid***.

Tim·o·thy ['tɪməθɪ] *npr. u. s. bibl.* (Brief *m* des Paulus an) Ti'motheus *m*.

tim·pa·nist ['tɪmpənɪst] *s.* ♪ Pauker *m*; **tim·pa·no** ['tɪmpənəʊ] *pl.* **-ni** [-nɪ] *s.* (Kessel)Pauke *f*.

tin [tɪn] **I** *s.* **1.** ⚒, ⚙ Zinn *n*; **2.** (Weiß-) Blech *n*; **3.** (Blech-, *bsd. Brit.* Kon'serven)Dose *f*, (-)Büchse *f*; **4.** *sl.* ‚Piepen' *pl.* (*Geld*); **II** *adj.* **5.** zinnern, Zinn...; **6.** Blech..., blechern (*a. fig. contp.*); **III** *v/t.* **7.** verzinnen; **8.** *Brit.* eindosen, (in Büchsen) einmachen *od.* packen, konservieren; → ***tinned*** 2; **~ can** *s.* **1.** Blechdose *f*; **2.** ⚓ *sl.* Zerstörer *m*; **'~-coat** *v/t.* ⚙ feuerverzinnen; **~ cry** *s.* ⚙ Zinngeschrei *n*.

tinc·ture ['tɪŋktʃə] **I** *s.* **1.** *pharm.* Tink'tur *f*; **2.** *poet.* Farbe *f*; **3.** *her.* Farbe *f*, Tink'tur *f*; **4.** *fig.* a) Spur *f*, Beigeschmack *m*, b) Anstrich *m*: **~ *of education***; **II** *v/t.* **5.** färben; **6.** *fig.* a) → ***tinge*** 2, b) durch'dringen (***with*** mit).

tin·der ['tɪndə] *s.* Zunder *m*; **'~-box** *s.* **1.** Zunderbüchse *f*; **2.** *fig.* Pulverfaß *n*.

tine [taɪn] *s.* **1.** Zinke *f*, Zacke *f* (*Gabel etc.*); **2.** *hunt.* (Geweih)Sprosse *f*.

tin| fish *s.* ⚓ *sl.* ‚Aal' *m* (*Torpedo*); **~ foil** *s.* **1.** Stanni'ol *n*; **2.** Stanni'olpa,pier *n*; **'~-foil I** *v/t.* **1.** mit Stanni'ol belegen; **2.** in Stanni'ol(pa,pier) verpacken; **II** *adj.* **3.** Stanniol...

ting [tɪŋ] **I** *s.* Klingeln *n*; **II** *v/t.* klingeln mit; **III** *v/i.* klingeln; **~-a-ling** [,tɪŋə'lɪŋ] *s.* Kling'ling *n*.

tinge [tɪndʒ] **I** *v/t.* **1.** tönen, (leicht) färben; **2.** *fig.* e-n Anstrich geben (*dat.*): ***be ~d with*** e-n Anflug haben von, et. von ... an sich haben; **II** *v/i.* **3.** sich färben; **III** *s.* **4.** leichter Farbton, Tönung *f*: ***have a ~ of red*** e-n Stich ins Rote haben, ins Rote spielen; **5.** *fig.* Anstrich *m*, Anflug *m*, Spur *f*.

tin·gle ['tɪŋgl] **I** *v/i.* **1.** prickeln, kribbeln, beißen, brennen (*Haut*, *Ohren etc.*) (***with cold*** vor Kälte); **2.** klingen, summen (***with*** vor *dat.*): ***my ears are tingling*** mir klingen die Ohren; **3. ~ *with*** *fig.* ‚knistern' vor *Spannung*, *Erotik etc.*: ***the story ~s with suspense***; **4.** flirren (*Hitze*, *Licht*); **II** *s.* **5.** Prikkeln *n etc.*; **6.** Klingen *n in den Ohren*; **7.** (ner'vöse) Erregung.

tin| god *s.* Götze *m*, Popanz *m*; **~ hat** *s.* ⚔ F Stahlhelm *m*; **'~-horn** *Am. sl.* **I** *adj.* angeberisch, hochstaplerisch; **II** *s.* Hochstapler *m*, Angeber *m*.

tink·er ['tɪŋkə] **I** *s.* **1.** Kesselflicker *m*: ***not worth a ~'s cuss*** keinen Pfifferling wert; **2.** a) Pfuscher *m*, Stümper *m*, b) Bastler *m*, Tüftler *m*; **3.** Pfusche'rei *f*: ***have a ~ at*** an *et.* herumpfuschen; **II** *v/i.* **4.** her'umbasteln, -pfuschen (***at***, ***with*** an *dat.*); **III** *v/t.* **5.** *mst* **~ *up*** (rasch) zs.-flicken; zu'rechtbasteln *od.* -pfuschen (*a. fig.*).

tin·kle ['tɪŋkl] **I** *v/i.* klingeln, hell (er-) klingen; **II** *v/t.* klingeln mit; **III** *s.* Klingeln *n*, (*a. fig.* Vers-, Wort)Geklingel *n*: ***give s.o. a. ~*** *Brit.* F j-n ‚anklingeln'; ***have a ~*** F ‚pinkeln'.

tin| Liz·zie ['lɪzɪ] *s. humor.* alter Klapperkasten (*Auto*); **'~-man** [-mən] *s.* [*irr.*] **1.** Zinngießer *m*; **2.** → ***tinsmith***.

tinned [tɪnd] *adj.* **1.** verzinnt; **2.** *Brit.* konserviert, Dosen..., Büchsen...: **~ *fruit*** Obstkonserven *pl.*; **~ *meat*** Büchsenfleisch *n*; **~ *music*** *humor.* ‚Musik *f* aus der Konserve'; **tin·ner** ['tɪnə] *s.* **1.** → ***tinsmith***; **2.** Verzinner *m*.

tin·ny ['tɪnɪ] *adj.* **1.** zinnern; **2.** zinnhaltig; **3.** blechern (*a. fig. Klang*).

tin o·pen·er *s. Brit.* Dosen-, Büchsenöffner *m*; **♀ Pan Al·ley** [,tɪnpæn'ælɪ] *s.* (Zentrum *n* der) 'Schlagerindu,strie *f*; **~ plate** *s.* Weiß-, Zinnblech *n*; **'~-plate** *v/t.* verzinnen; **'~-pot I** *s.* Blechtopf *m*; **II** *adj. sl.* ‚schäbig', ‚billig'.

tin·sel ['tɪnsl] **I** *s.* **1.** Flitter-, Rauschgold *n*, -silber *n*; **2.** La'metta *n*; **3.** Glitzerschmuck *m*; **4.** *fig.* Flitterkram *m*, Kitsch *m*; **II** *adj.* **5.** Flitter...; **6.** *fig.* flitterhaft, kitschig, Flitter..., Schein...; **III** *v/t.* **7.** mit Flitterwerk verzieren.

'tin|-smith *s.* Blechschmied *m*, Klempner *m*; **~ sol·der** *s.* ⚙ Weichlot *n*, Löt-

T

zinn *n.*

tint [tɪnt] **I** *s.* **1.** (hellgetönte *od.* zarte) Farbe; **2.** (Farb)Ton *m*, Tönung *f*: ***autumnal ~s*** Herbstfärbung *f*; ***have a bluish ~*** ins Blaue spielen, e-n Stich ins Blaue haben; **3.** *paint.* Weißmischung *f*; **II** *v/t.* **4.** (leicht) färben: ***~ed glass*** Rauchglas *n*; ***~ed paper*** Tonpapier *n*; **5.** a) (ab)tönen, b) aufhellen.

tin·tin·nab·u·la·tion [ˈtɪntɪˌnæbjʊˈleɪʃn] *s.* Geklingel *n.*

ti·ny [ˈtaɪnɪ] **I** *adj.* winzig (*a. Geräusch etc.*); **II** *s.* Kleine(r *m*) *f* (*Kind*).

tip¹ [tɪp] **I** *s.* **1.** (Schwanz-, Stock- *etc.*) Spitze *f*, (Flügel- *etc.*)Ende *n*: ***~ of the ear*** Ohrläppchen *n*; ***~ of the finger*** (***nose***, ***tongue***) Finger- (Nasen-, Zungen)spitze; ***have s.th. at the ~s of one's fingers*** et. ‚parat' haben, et. aus dem Effeff können; ***I have it on the ~ of my tongue*** es schwebt mir auf der Zunge; **2.** Gipfel *m*, (Berg)Spitze *f*; → ***iceberg***; **3.** ⚙ spitzes Endstück, *bsd.* a) (*Stock- etc.*)Zwinge *f*, b) Düse *f*, c) Tülle *f*, d) (Schuh)Kappe *f*; **4.** Filter *m e-r Zigarette*; **II** *v/t.* **5.** ⚙ mit e-r Spitze *etc.* versehen; beschlagen, bewehren; **6.** *Büsche etc.* stutzen.

tip² [tɪp] **I** *s.* **1.** Neigung *f*: ***give s.th. a ~*** → 3; **2.** (Schutt- *etc.*)Abladeplatz *m*, (*a.* Kohlen)Halde *f*; **II** *v/t.* **3.** kippen, neigen; → ***scale²*** 1; **4.** *mst* ***~ over*** ˈumkippen; **5.** *Hut* abnehmen, an *den Hut* tippen (*zum Gruß*); **6.** *Brit. Müll etc.* abladen; **III** *v/i.* **7.** sich neigen; **8.** *mst* ***~ over*** umkippen; ✈ auf den Kopf gehen (*beim Landen*); **~ off** *v/t.* **1.** abladen; **2.** *sl. Glas Bier etc.* ‚hinˈunterkippen'; **~ out I** *v/t.* ausschütten; **II** *v/i.* herˈausfallen; **~ o·ver** → ***tip²*** 4 *u.* 8; **~ up** *v/t. u. v/i.* **1.** hochkippen, -klappen; **2.** umkippen.

tip³ [tɪp] **I** *s.* **1.** Trinkgeld *n*; **2.** (Wett- *etc.*)Tip *m*; **3.** Tip *m*, Wink *m*, Fingerzeig *m*, Rat *m*; **II** *v/t.* **4.** *j-m* ein Trinkgeld geben; **5.** F *j-m* e-n Tip *od.* Wink geben: ***~ s.o. off***, ***~ s.o. the wink*** j-m (rechtzeitig) e-n Tip geben, j-n warnen; **6.** *sport* tippen auf (*acc.*); **III** *v/i.* **7.** Trinkgeld(er) geben.

tip⁴ [tɪp] **I** *s.* Klaps *m*; leichte Berührung; **II** *v/t.* leicht schlagen; antippen, antupfen.

tip| and run *s. Brit. Art* Kricket *n*; **ˌ~-and-ˈrun** *adj. fig.* Überraschungs…, blitzschnell: ***~ raider*** ⚔ Einbruchsflieger *m*; **ˈ~·cart** *s.* Kippwagen *m.*

ˈtip-off *s.* **1.** Tip *m*, Wink *m*; **2.** *sport* Sprungball *m.*

tipped [tɪpt] *adj.* **1.** mit e-m Endstück *od.* e-r Zwinge, Spitze *etc.* versehen; **2.** mit Filter (*Zigarette*).

tip·per [ˈtɪpə] *s.* ⚙ Kippwagen *m.*

tip·pet [ˈtɪpɪt] *s.* **1.** Peleˈrine *f*, (herˈabhängender) Pelzkragen; **2.** *eccl.* (Seiden)Halsband *n*, (-)Schärpe *f.*

tip·ple [ˈtɪpl] **I** *v/t. u. v/i.* ‚picheln'; **II** *s.* (alkoˈholisches) Getränk; **ˈtip·pler** [-lə] *s.* ‚Pichler' *m*, Säufer *m.*

tip·si·fy [ˈtɪpsɪfaɪ] *v/t.* beduseln; **ˈtip·si·ness** [-ɪnɪs] *s.* Beschwipstheit *f.*

ˈtip·staff *pl.* **-staves** *s.* **1.** *hist.* Amtsstab *m*; **2.** Gerichtsdiener *m.*

tip·ster [ˈtɪpstə] *s.* **1.** *bsd. Rennsport u. Börse*: (berufsmäßiger) Tipgeber; **2.** Inforˈmant *m.*

tip·sy [ˈtɪpsɪ] *adj.* ☐ **1.** angeheitert, beschwipst; **2.** wack(e)lig, schief; **~ cake** *s. mit Wein getränkter u. mit Eiercreme servierter Kuchen.*

ˈtip|-ˌtilt·ed *adj.*: ***~ nose*** Stupsnase *f*; **ˈ~·toe I** *s.*: ***on ~*** a) auf den Zehenspitzen, b) *fig.* neugierig, gespannt (***with*** vor *dat.*), c) darauf brennend (*et. zu tun*); **II** *adj. u. adv.* → I; **III** *v/i.* auf den Zehenspitzen gehen, schleichen; **ˌ~ˈtop I** *s.* Gipfel *m*, *fig. a.* Höhepunkt *m*; **II** *adj. u. adv.* F ˈtippˈtopp, erstklassig; **ˈ~-up** *adj.* aufklappbar: ***~ seat*** Klappsitz *m.*

ti·rade [taɪˈreɪd] *s.* **1.** Tiˈrade *f* (*a.* ♪), Wortschwall *m*; **2.** ˈSchimpfkanoˌnade *f.*

tire¹ [ˈtaɪə] **I** *v/t.* ermüden (*a. fig. langweilen*): ***~ out*** erschöpfen; ***~ to death*** a) todmüde machen, b) *fig.* tödlich langweilen; **II** *v/i.* müde werden: a) ermüden, ermatten, b) *fig.* ˈüberdrüssig werden (***of*** *gen.*, ***of doing*** zu tun).

tire² [ˈtaɪə] *mot. bsd. Am.* **I** *s.* (Rad-, Auto)Reifen *m*; **II** *v/t.* bereifen.

tire³ [ˈtaɪə] *obs.* **I** *v/t.* schmücken; **II** *s.* a) (Kopf)Putz *m*, Schmuck *m*, b) (schöne) Kleidung, Kleid *n.*

tire| cas·ing *s. mot.* (Reifen)Mantel *m*, (-)Decke *f*; **~ chain** *s. mot.* Schneekette *f.*

tired¹ [ˈtaɪəd] *adj.* **1.** müde: a) ermüdet (***by***, ***with*** von): ***~ to death*** todmüde, b) ˈüberdrüssig (***of*** *gen.*); ***I am ~ of it*** *fig.* ich habe es satt; **2.** erschöpft, verbraucht; **3.** abgenutzt.

tired² [ˈtaɪəd] *adj.* ⚙, *mot.* bereift.

tired·ness [ˈtaɪədnɪs] *s.* **1.** Müdigkeit *f*; **2.** *fig.* ˈÜberdruß *m.*

tire| ga(u)ge *s. mot.* Reifendruckmesser *m*; **~ grip** *s.* ⚙ Griffigkeit *f* der Reifen.

tire·less¹ [ˈtaɪəlɪs] *adj.* ⚙ unbereift.

tire·less² [ˈtaɪəlɪs] *adj.* ☐ unermüdlich; **ˈtire·less·ness** [-nɪs] *s.* Unermüdlichkeit *f.*

tire| le·ver *s. mot.* (ˈReifen)Monˌtierhebel *m*; **~ marks** *s. pl. mot.* Reifen-, Bremsspur(en *pl.*) *f*; **~ rim** *s.* Reifenwulst *m.*

tire·some [ˈtaɪəsəm] *adj.* ☐ **1.** ermüdend (*a. fig.*); **2.** *fig.* unangenehm, lästig.

ˈtireˌwom·an *s.* [*irr.*] *obs.* **1.** Kammer-

zofe *f*; **2.** *thea.* Garderobi'ere *f.*
ti·ro → ***tyro.***
Tir·o·lese [ˌtɪrə'li:z] **I** *adj.* ti'rolerisch, ti'rolisch, Tiroler(...); **II** *s.* Ti'roler(in).
'T-ˌi·ron *s.* ⚙ T-Eisen *n.*
tis·sue ['tɪʃu:; 'tɪsju:] *s.* **1.** *biol.* (Zell-, Muskel- *etc.*)Gewebe *n*; **2.** ✝ feines Gewebe, Flor *m*; **3.** *a.* ~ ***paper*** 'Seidenpaˌpier *n*; **4.** Pa'pier(taschen)tuch *n*; **5.** *phot.* 'Kohlepaˌpier *n*; **6.** *fig.* (*Lügen- etc.*)Gewebe *n*, Netz *n.*
tit[1] [tɪt] *s. orn.* Meise *f.*
tit[2] [tɪt] *s.*: ~ ***for tat*** wie du mir, so ich dir; ***give s.o.*** ~ ***for tat*** j-m mit gleicher Münze heimzahlen.
tit[3] [tɪt] *s.* **1.** → ***teat***; **2.** *vulg.* ‚Titte' *f.*
Ti·tan ['taɪtən] *s.* Ti'tan *m*; **'Ti·tan·ess** [-tənɪs] *s.* Ti'tanin *f*; **ti·tan·ic** [taɪ'tænɪk] *adj.* **1.** ti'tanisch, gi'gantisch; **2.** ⚗ Titan...: ~ ***acid***; **ti·ta·ni·um** [taɪ'teɪnjəm] *s.* ⚗ Ti'tan *n.*
tit·bit ['tɪtbɪt] *s.* Leckerbissen *m* (*a. fig.*).
tith·a·ble ['taɪðəbl] *adj.* zehntpflichtig.
tithe [taɪð] **I** *s.* **1.** *oft pl. bsd. eccl.* Zehnte *m*; **2.** Zehntel *n*: ***not a*** ~ ***of it*** *fig.* nicht ein bißchen davon; **II** *v/t.* **3.** den Zehnten bezahlen von; **4.** den Zehnten erheben von.
tit·il·late ['tɪtɪleɪt] *v/t. u. v/i.* kitzeln (*a. fig. angenehm erregen*); **tit·il·la·tion** [ˌtɪtɪ'leɪʃn] *s.* **1.** Kitzeln *n*; **2.** *fig.* Kitzel *m.*
tit·i·vate ['tɪtɪveɪt] *v/t. u. v/i. humor.* (sich) feinmachen, (sich) her'ausputzen.
tit·lark ['tɪtlɑ:k] *s. orn.* Pieper *m.*
ti·tle ['taɪtl] *s.* **1.** (*Buch- etc.*)Titel *m*; **2.** (Ka'pitel- *etc.*)ˌÜberschrift *f*; **3.** (Haupt)Abschnitt *m e-s Gesetzes etc.*; **4.** *Film*: 'Untertitel *m*; **5.** Bezeichnung *f*; **6.** (Adels-, Ehren-, Amts)Titel *m*: ~ ***of nobility*** Adelsprädikat *n*; **7.** *sport* Titel *m*; **8.** ⚖ a) Rechtstitel *m*, -anspruch *m*, Recht *n* (***to*** auf *acc.*), b) dingliches Eigentum(srecht) (***to*** an *dat.*), c) Eigentumsurkunde *f*; **9.** *allg.* Recht *n* (***to*** auf *acc.*), Berechtigung *f* (***to do*** zu tun); **10.** *typ.* a) → ***title page***, b) Buchrücken *m*; **'ti·tled** [-ld] *adj.* **1.** betitelt, tituliert; **2.** ad(e)lig.
ti·tle| deed → ***title*** 8 c; **'~ˌhold·er** *s.* **1.** ⚖ (Rechts)Titelinhaber(in); **2.** *sport* Titelhalter(in), -verteidiger(in); **~ page** *s.* Titelblatt *n*; **~ role** *s. thea.* Titelrolle *f.*
'tit·mouse *s.* [*irr.*] *orn.* Meise *f.*
ti·trate ['taɪtreɪt] *v/t. u. v/i.* ⚗ titrieren.
tit·ter ['tɪtə] **I** *v/i.* kichern; **II** *s.* Gekicher *n*, Kichern *n.*
tit·tle ['tɪtl] *s.* **1.** Pünktchen *n*, (*bsd.* I-)Tüpfelchen *n*; **2.** *fig.* Tüttelchen *n*, *das* bißchen: ***to a*** ~ aufs I-Tüpfelchen *od.* Haar, ganz genau; ***not a*** ~ ***of it*** nicht ein Iota (davon).
'tit·tle-ˌtat·tle I *s.* **1.** Schnickschnack *m*, Geschwätz *n*; **2.** Klatsch *m*, Tratsch *m*; **II** *v/i.* **3.** schwatzen, schwätzen; **4.** tratschen.
tit·u·lar ['tɪtjʊlə] **I** *adj.* □ **1.** Titel...; **2.** Titular..., nomi'nell: ~ ***king*** Titularkönig *m*; **II** *s.* **3.** Titu'lar *m.*
Ti·tus ['taɪtəs] *npr. u. s. bibl.* (Brief *m* des Paulus an) Titus *m.*
tiz·zy ['tɪzɪ] *s.* F Aufregung *f.*
to [tu:; *im Satz mst* tʊ; *vor Konsonanten* tə] **I** *prp.* **1.** *Grundbedeutung*: zu; **2.** *Richtung u. Ziel, räumlich*: zu, nach, an (*acc.*), in (*acc.*), auf (*acc.*): ~ ***bed*** zu Bett *gehen*; ~ ***London*** nach London *reisen etc.*; ~ ***school*** in die Schule *gehen*; ~ ***the ground*** auf den *od.* zu Boden *fallen, werfen etc.*; ~ ***the station*** zum Bahnhof; ~ ***the wall*** an die Wand *nageln etc.*; ~ ***the right*** auf der rechten Seite, rechts; ***back*** ~ ***back*** Rücken an Rücken; **3.** in (*dat.*): ***I have never been*** ~ ***London***; **4.** *Richtung, Ziel, Zweck, Wirkung*: zu, auf (*acc.*), an (*acc.*), in (*acc.*), für, gegen: ***pray*** ~ ***God*** zu Gott beten; ***our duty*** ~ unsere Pflicht *j-m* gegenüber; ~ ***dinner*** zum Essen *einladen etc.*; ~ ***my surprise*** zu m-r Überraschung; ***pleasant*** ~ ***the ear*** angenehm für das Ohr; ***here's*** ~ ***you!*** F (auf) Ihre Gesundheit!, Prosit!; ***what is that*** ~ ***you?*** was geht das Sie an?; ~ ***a large audience*** vor e-m großen Publikum *spielen*; **5.** *Zugehörigkeit*: zu, in (*acc.*), für, auf (*acc.*): ***cousin*** ~ Vetter des *Königs etc.*, der *Frau N.*, von *N.*; ***he is a brother*** ~ ***her*** er ist ihr Bruder; ***secretary*** ~ Sekretär des ..., *j-s* Sekretär; ***that is all there is*** ~ ***it*** das ist alles; ***a cap with a tassel*** ~ ***it*** e-e Mütze mit e-r Troddel (daran); ***a room*** ~ ***myself*** ein eigenes Zimmer; ***a key*** ~ ***the trunk*** ein Schlüssel für den (*od.* zum) Koffer; **6.** *Gemäßheit*: nach: ~ ***my feeling*** m-m Gefühl nach; ***not*** ~ ***my taste*** nicht nach m-m Geschmack; **7.** (im Verhältnis *od.* Vergleich) zu, gegen, gegen'über, auf (*acc.*), mit: ***you are but a child*** ~ ***him*** Sie sind nur ein Kind gegen ihn; ***nothing*** ~ nichts im Vergleich zu; ***five*** ~ ***one*** fünf gegen eins, *sport etc.* fünf zu eins; ***three*** ~ ***the pound*** drei auf das Pfund; **8.** *Ausmaß, Grenze*: bis, (bis) zu, (bis) an (*acc.*), auf (*acc.*), in (*dat.*): ~ ***the clouds***; ***goods*** ~ ***the value of*** Waren im Werte von; ***love*** ~ ***craziness*** bis zum Wahnsinn lieben; **9.** *zeitliche Ausdehnung od. Grenze*: bis, bis zu, bis gegen, auf (*acc.*), vor (*dat.*): ***a quarter*** ~ ***one*** ein Viertel vor eins; ***from three*** ~ ***four*** von drei bis vier (Uhr); ~ ***this day*** bis zum heutigen Tag; ~ ***the minute*** auf die Minute (genau); **10.** *Begleitung*: zu, nach: ~ ***a guitar*** zu e-r Gitarre *singen*; ~ ***a tune*** nach e-r Melodie *tanzen*; **11.** *zur Bildung des* (*betonten*) *Da-*

tivs: **~ me**, **you** *etc.* mir, dir, Ihnen *etc.*; **it seems ~ me** es scheint mir; **she was a good mother ~ him** sie war ihm e-e gute Mutter; **12.** *zur Bezeichnung des Infinitivs*: **~ be or not ~ be** sein oder nicht sein; **~ go** gehen; **I want ~ go** ich möchte gehen; **easy ~ understand** leicht zu verstehen; **years ~ come** künftige Jahre; **I want her ~ come** ich will, daß sie kommt; **13.** *Zweck, Absicht*: um zu, zu: **he only does it ~ earn money** er tut es nur, um Geld zu verdienen; **14.** *zur Verkürzung des Nebensatzes*: **I weep ~ think of it** ich weine, wenn ich daran denke; **he was the first ~ arrive** er kam als erster; **~ be honest, I should decline** wenn ich ehrlich sein soll, muß ich ablehnen; **~ hear him talk** wenn man ihn (so) reden hört; **15.** *zur Andeutung e-s aus dem vorhergehenden zu ergänzenden Infinitivs*: **I don't go because I don't want ~** ich gehe nicht, weil ich nicht (gehen) will; **II** *adv.* [tu:] **16.** zu, geschlossen: **pull the door ~** die Tür zuziehen; **17.** *bei verschiedenen Verben*: dran; → **fall to**, **put to** *etc.*; **18.** zu Bewußtsein *od.* zu sich *kommen, bringen*; **19.** ⚓ nahe am Wind: **keep her ~!**; **20. ~ and fro** a) hin u. her, b) auf u. ab.

toad [təʊd] *s.* **1.** *zo.* Kröte *f*: **a ~ under a harrow** *fig.* ein geplagter Mensch; **2.** Ekel *n* (*Person*); **ˈ~ˌeat·ing I** *s.* Speichellecke'rei *f*; **II** *adj.* speichelleckerisch; **ˈ~·flax** *s.* ⚘ Leinkraut *n*; **ˌ~-in-the-ˈhole** *s. in Pfannkuchenteig gebakkene Würste*; **ˈ~·stool** *s. bot.* **1.** (größerer Blätter)Pilz; **2.** Giftpilz *m*.

toad·y [ˈtəʊdɪ] **I** *s.* Speichellecker *m*; **II** *v/i.* (*v/t.* vor *j-m*) kriechen *od.* scharˈwenzeln; **ˈtoad·y·ism** [-ɪɪzəm] *s.* Speichellecke'rei *f*.

to-and-fro [ˌtu:ənˈfrəʊ] *s.* Hin u. Her *n*; Kommen u. Gehen *n*.

toast¹ [təʊst] **I** *s.* **1.** Toast *m*, geröstete (Weiß)Brotschnitte: **have s.o. on ~** *Brit. sl.* j-n ganz in der Hand haben; **II** *v/t.* **2.** toasten, rösten; **3.** sich *die Hände etc.* wärmen; **III** *v/i.* **4.** sich rösten *od.* toasten lassen; **5.** F sich *von der Sonne* braten lassen.

toast² [təʊst] **I** *s.* **1.** Trinkspruch *m*, Toast *m*: **propose a ~ to s.o.** e-n Toast auf j-n ausbringen; **2.** gefeierte Per'son *od.* Sache; **II** *v/t.* **3.** toasten *od.* trinken auf (*acc.*); **III** *v/i.* **4.** toasten (**to** auf *acc.*).

toast·er [ˈtəʊstə] *s.* Toaster *m*.

to·bac·co [təˈbækəʊ] *pl.* **-cos** *s.* **1.** *a.* **~ plant** Tabak(pflanze *f*) *m*; **2.** (Rauch-*etc.*)Tabak *m*: **~ heart** ⚕ Nikotinherz *n*; **toˈbac·co·nist** [-kənɪst] *s.* Tabak(waren)händler *m*: **~'s** (**shop**) Tabak(waren)laden *m*.

to·bog·gan [təˈbɒgən] **I** *s.* **1.** (Rodel-) Schlitten *m*; **2.** *Am.* Rodelhang *m*; **II** *v/i.* **3.** rodeln; **~ chute**, **~ slide** *s.* Rodelbahn *f*.

to·by [ˈtəʊbɪ] *s. a.* **~ jug** Bierkrug *m in Gestalt e-s dicken, alten Mannes*.

toc·sin [ˈtɒksɪn] *s.* **1.** Aˈlarm-, Sturmglocke *f*; **2.** Aˈlarm-, ˈWarnsiˌgnal *n*.

tod [tɒd] *s.*: **on one's ~** *Brit. sl.* allein.

to·day [təˈdeɪ] **I** *adv.* **1.** heute; **2.** heute, heutzutage; **II** *s.* **3.** heutiger Tag: **~'s paper** die heutige Zeitung, die Zeitung von heute; **~'s rate** ✝ Tageskurs *m*; **4.** *das* Heute, heutige Zeit, Gegenwart *f*: **of ~**, **~'s** von heute, heutig, Tages..., der Gegenwart.

tod·dle [ˈtɒdl] **I** *v/i.* **1.** watscheln (*bsd. kleine Kinder*); **2.** F (daˈhin)zotteln: **~ off** sich trollen, ‚abhauen'; **II** *s.* **3.** Watscheln *n*; **4.** F Bummel *m*; **5.** F → **ˈtod·dler** [-lə] *s.* Kleinkind *n*.

tod·dy [ˈtɒdɪ] *s.* Toddy *m*: a) *Art Grog*, b) Palmwein *m*.

to-do [təˈdu:] *s.* F **1.** Lärm *m*; **2.** Geˈtue *n*, ‚Wirbel' *m*, ‚Theˈater' *n*: **make much ~ about s.th.** viel Wind um e-e Sache machen.

toe [təʊ] **I** *s.* **1.** *anat.* Zehe *f*: **on one's ~s** F ‚auf Draht'; **turn one's ~s in** (**out**) einwärts (auswärts) gehen; **turn up one's ~s** *sl.* ins Gras beißen; **tread on s.o.'s ~s** F *fig.* ‚j-m auf die Hühneraugen treten'; **2.** Vorderhuf *m* (*Pferd*); **3.** Spitze *f*, Kappe *f von Schuhen, Strümpfen etc.*; **4.** ⚙ a) (Well)Zapfen *m*, b) Nocken *m*, Daumen *m*, c) 🚂 Keil *m* (*Weiche*); **5.** *sport* Löffel *m* (*Golfschläger*); **II** *v/t.* **6.** a) *Strümpfe* mit neuen Spitzen versehen, b) *Schuhe* bekappen; **7.** mit den Zehen berühren: **~ the line** a) *a.* **~ the mark** in e-r Reihe (*sport* zum Start) antreten, b) *pol.* sich der Parteilinie unterwerfen, ‚spuren' (*a. weitS. gehorchen*); **8.** *sport den Ball* spitzeln; **9.** *sl. j-m* e-n (Fuß)Tritt versetzen; **10.** *Golf*: *Ball* mit dem Löffel schlagen; **ˈ~·board** *s. sport* Stoß-, Wurfbalken *m*; **ˈ~·cap** *s.* (Schuh)Kappe *f*.

-toed [təʊd] *in Zssgn* ...zehig.

ˈtoe|ˌdanc·er *s.* Spitzentänzer(in); **ˈ~-hold** *s.* **1.** Halt *m* für die Zehen (*beim Klettern*); **2.** *fig.* a) Ansatzpunkt *m*, b) Brückenkopf *m*, ˈAusgangspositiˌon *f*: **get a ~** Fuß fassen; **3.** *Ringen*: Zehengriff *m*; **ˈ~·nail** *s.* Zehennagel *m*; **~ spin** *s.* ˈSpitzenpirouˌette *f*.

toff [tɒf] *s. Brit. sl.* ‚Fatzke' *m*.

tof·fee, **tof·fy** [ˈtɒfɪ] *s. Brit.* ˈSahnebonˌbon *m, n*, Toffee *n*: **he can't shoot for ~** F vom Schießen hat er keine Ahnung; **not for ~** F nicht für Geld u. gute Worte; **ˈ~-nosed** *adj.* F eingebildet.

tog [tɒg] F **I** *s. pl.* ‚Klaˈmotten' *pl*: **golf ~s** Golfdreß *m*; **II** *v/t.*: **~ o.s. up** sich ‚in Schale werfen'.

T

to·geth·er [tə'geðə] **I** *adv.* **1.** zu'sammen: ***call*** (***sew***) ~ zs.-rufen (-nähen); **2.** zu-, bei'sammen, mitein'ander, gemeinsam; **3.** zusammen (genommen); **4.** mitein'ander *od.* gegenein'ander: ***fight*** ~; **5.** zu'gleich, gleichzeitig, zusammen; **6.** *Tage etc.* nach-, hinterein'ander, *e-e Zeit* lang *od.* hin'durch: ***he talked for hours*** ~ er sprach stundenlang; **7.** ~ ***with*** zusammen *od.* gemeinsam mit, mit(samt); **II** *adj.* **8.** *Am. sl.* ausgeglichen (*Person*); **to'geth·er·ness** [-nɪs] *s. bsd. Am.* Zs.-gehörigkeit(sgefühl *n*) *f*; Einheit *f*; Nähe *f*.

tog·ger·y ['tɒgərɪ] → ***tog*** I.

tog·gle ['tɒgl] **I** *s.* **1.** ⚙, ⚓ Knebel *m*; **2.** *a.* ~ ***joint*** ⚙ Knebel-, Kniegelenk *n*; **II** *v/t.* **3.** festknebeln; ~ **switch** *s.* ⚡ Kippschalter *m*.

toil¹ [tɔɪl] *s. mst pl. fig.* Schlingen *pl.*, Netz *n*: ***in the ~s of*** a) in den Schlingen *od.* Fängen des *Satans etc.*, b) in *Schulden etc.* verstrickt.

toil² [tɔɪl] **I** *s.* (mühselige) Arbeit, Mühe *f*, Plage *f*, Placke'rei *f*; **II** *v/i. a.* ~ ***and moil*** sich abmühen *od.* abplacken *od.* quälen (***at***, ***on*** mit): ~ ***up a hill*** e-n Berg mühsam erklimmen; **'toil·er** [-lə] *s. fig.* Arbeitstier *n*, Schwerarbeiter *m*.

toi·let ['tɔɪlɪt] *s.* **1.** Toi'lette *f*, Klo'sett *n*; **2.** Fri'sier-, Toi'lettentisch *m*; **3.** Toi'lette *f* (*Ankleiden etc.*): ***make one's*** ~ Toilette machen; **4.** Toi'lette *f*, Kleidung *f*, *a.* (Abend)Kleid *n od.* (Gesellschafts)Anzug *m*; ~ **bag** *s.* Kul'turbeutel *m*; ~ **case** *s.* 'Reiseneces,saire *n*; ~ **pa·per** *s.* Toi'letten-, Klo'settpa,pier *n*; ~ **pow·der** *s.* Körperpuder *m*; ~ **roll** *s.* Rolle *f* Klo'settpa,pier.

toi·let·ry ['tɔɪlɪtrɪ] *s.* Toi'lettenar,tikel *pl.*

toi·let| set *s.* Toi'lettengarni,tur *f*; ~ **soap** *s.* Toi'lettenseife *f*; ~ **ta·ble** → ***toilet*** 2.

toil·ful ['tɔɪlfʊl], **'toil·some** [-səm] *adj.* □ mühsam, -selig; **'toil·some·ness** [-səmnɪs] *s.* Mühseligkeit *f*.

'toil-worn *adj.* abgearbeitet.

To·kay [təʊ'keɪ] *s.* To'kaier *m* (*Wein u. Traube*).

to·ken ['təʊkən] **I** *s.* **1.** Zeichen *n*: a) Anzeichen *n*, Merkmal *n*, b) Beweis *m*: ***as a*** (*od.* ***in***) ~ ***of*** als *od.* zum Zeichen (*gen.*); ***by the same*** ~ a) aus dem gleichen Grunde, mit demselben Recht, umgekehrt, b) ferner, überdies; **2.** Andenken *n*, (Erinnerungs)Geschenk *n*, ('Unter)Pfand *n*; **3.** *hist.* Scheidemünze *f*; **4.** (Me'tall)Marke *f* (*als Fahrausweis*); **5.** Spielmarke *f*; **6.** Gutschein *m*, Bon *m*; **II** *adj.* **7.** nomi'nell: ~ ***money*** a) Scheidemünzen *pl.*, b) Not-, Ersatzgeld *n*; ~ ***payment*** symbolische Zahlung; ~ ***strike*** (kurzer) Warnstreik; **8.** Alibi...: ~ ***negro***; ~ ***woman***; **9.** Schein...: ~ ***raid*** Scheinangriff *m*; **to·ken·ism** ['təʊkənɪzəm] *s.* Alibipolitik *f*.

told [təʊld] *pret. u. p.p. von* ***tell***.

tol·er·a·ble ['tɒlərəbl] *adj.* □ **1.** erträglich; **2.** *fig.* leidlich, mittelmäßig, erträglich; **3.** F ‚einigermaßen' (*gesund*), ‚so la'la'; **'tol·er·a·ble·ness** [-nɪs] *s.* Erträglichkeit *f*; **'tol·er·ance** [-rəns] *s.* **1.** Tole'ranz *f*, Duldsamkeit *f*; **2.** (***of***) a) Duldung *f* (*gen.*), b) Nachsicht *f* (mit); **3.** ⚕ a) Tole'ranz *f*, 'Widerstandsfähigkeit *f* (***for*** gegen), b) Verträglichkeit *f*; **4.** ⚙ Tole'ranz *f*, zulässige Abweichung, Spiel *n*, Fehlergrenze *f*; **'tol·er·ant** [-rənt] *adj.* □ **1.** tole'rant, duldsam (***of*** gegen); **2.** geduldig, nachsichtig (***of*** mit); **3.** ⚕ 'widerstandsfähig (***of*** gegen); **tol·er·ate** ['tɒləreɪt] *v/t.* **1.** *j-n od. et.* dulden, tolerieren, *et. a.* zulassen, hinnehmen, *a. j-s Gesellschaft* ertragen; **2.** duldsam *od.* tole'rant sein gegen; **3.** *bsd.* ⚕ vertragen; **tol·er·a·tion** [,tɒlə'reɪʃn] *s.* **1.** Duldung *f*; **2.** → ***tolerance*** 1.

toll¹ [təʊl] **I** *v/t.* **1.** *bsd. Totenglocke* läuten, erschallen lassen; **2.** *Stunde* schlagen; **3.** (durch Glockengeläut) verkünden; die Totenglocke läuten für *j-n*; **II** *v/i.* **4.** a) läuten, schallen, b) schlagen (*Glocke*); **III** *s.* **5.** Geläut *n*; **6.** Glokkenschlag *m*.

toll² [təʊl] *s.* **1.** *hist.* (*bsd.* Wege-, Brükken)Zoll *m*; **2.** Straßenbenutzungsgebühr *f*, Maut *f*; **3.** Standgeld *n auf dem Markt etc.*; **4.** *Am.* Hafengebühr *f*; **5.** *teleph. Am.* Gebühr *f* für ein Ferngespräch; **6.** *fig.* Tri'but *m an Menschenleben etc.*, (Blut)Zoll *m*, (Zahl *f* der) Todesopfer *pl.*: ***the*** ~ ***of the road*** die Verkehrsopfer *od.* -unfälle; ***take its*** ~ ***of*** *fig. j-n* arg mitnehmen, s-n Tribut fordern von *j-m od. e-r Sache*, *Kräfte*, *Vorräte etc.* strapazieren; ***take a*** ~ ***of 100 lives*** 100 Todesopfer fordern (*Katastrophe*); ~ **bar** → ***toll gate***; ~ **call** *s. teleph.* **1.** *Am.* Ferngespräch *n*; **2.** *Brit. obs.* Nahverkehrsgespräch *n*; ~ **gate** *s.* Schlagbaum *m e-r Mautstraße*; **'~·house** *s.* Mautstelle *f*; ~ **road** *s.*, **'~·way** *s.* gebührenpflichtige Straße, Mautstraße *f*.

tol·u·ene ['tɒljʊi:n], **'tol·u·ol** [-jʊɒl] *s.* ⚗ Tolu'ol *n*.

tom [tɒm] *s.* **1.** Männchen *n kleinerer Tiere*: ~ ***turkey*** Truthahn *m*, Puter *m*; **2.** Kater *m*; **3.** ♀ *abbr. für* ***Thomas***: ♀ ***and Jerry*** *Am.* Eiergrog *m*; ♀, ***Dick, and Harry*** Hinz u. Kunz; ♀ ***Thumb*** Däumling *m*.

tom·a·hawk ['tɒməhɔ:k] **I** *s.* Tomahawk *m*, Kriegsbeil *n der Indianer*: ***bury*** (***dig up***) ***the*** ~ *fig.* das Kriegsbeil begraben (ausgraben); **II** *v/t.* mit dem Tomahawk (er)schlagen.

to·ma·to [tə'mɑ:təʊ] *pl.* **-toes** *s.* ⚘ To'mate *f*.

T

tomb [tu:m] *s.* **1.** Grab(stätte *f*) *n*; **2.** Grabmal *n*, Gruft *f*; **3.** *fig. das* Grab, *der* Tod.

tom·bac, **tom·bak** ['tɒmbæk] *s. metall.* Tombak *m*.

tom·bo·la [tɒm'bəʊlə] *s.* Tombola *f*.

tom·boy ['tɒmbɔɪ] *s.* Wildfang *m*, Range *f* (*Mädchen*); **'tom·boy·ish** [-bɔɪɪʃ] *adj.* ausgelassen, wild.

'tomb·stone ['tu:m-] *s.* Grabstein *m*.

'tom·cat *s.* Kater *m*.

tome [təʊm] *s.* **1.** Band *m e-s Werkes*; **2.** (dicker) Wälzer (*Buch*).

tom·fool [ˌtɒm'fu:l] **I** *s.* Einfaltspinsel *m*, Narr *m*; **II** *adj.* dumm; **III** *v/i.* (he'rum-) albern; **tom·fool·er·y** [tɒm'fu:lərɪ] *s.* Albernheit *f*, Unsinn *m*.

tom·my ['tɒmɪ] *s.* **1.** a) *a.* ♀ ***Atkins*** Tommy *m* (*der brit. Soldat*), b) *a.* ♀ F Tommy *m*, *brit.* Landser *m* (*einfacher Soldat*); **2.** *dial.* ‚Fres'salien' *pl.*, Verpflegung *f*; **3.** ⚙ a) (verstellbarer) Schraubenschlüssel, b) *a.* ~ ***bar*** Knebelgriff *m*; ♀ **gun** *s.* ⚔ Ma'schinenpiˌstole *f*; ˌ~'**rot** *s.* F (purer) Blödsinn, Quatsch *m*.

to·mor·row [tə'mɒrəʊ] **I** *adv.* morgen: ~ ***week*** morgen in e-r Woche *od.* acht Tagen; ~ ***morning*** morgen früh; ~ ***night*** morgen abend; **II** *s. der* morgige Tag, *das* Morgen: ~***'s paper*** die morgige Zeitung; ~ ***never comes*** das werden wir nie erleben; ***the day after*** ~ übermorgen.

'tom·tit *s. orn.* (Blau)Meise *f*.

ton[1] [tʌn] *s.* **1.** *engl.* Tonne *f* (*Gewicht*): a) *a.* ***long*** ~ *bsd. Brit. = 2240 lbs. od. 1016,05 kg*, b) *a.* ***short*** ~ *bsd. Am. = 2000 lbs. od. 907,18 kg*, c) *a.* ***metric*** ~ metrische Tonne (= *2205 lbs. od. 1000 kg*); **2.** ⚓ Tonne *f* (*Raummaß*): a) ***register*** ~ Registertonne (= *100 cubic feet od. 2,83 m³*), b) ***gross register*** ~ Bruttoregistertonne (*Schiffsgrößenangabe*); **3.** ***weigh a*** ~ F ‚wahnsinnig' schwer sein; **4.** *pl. e-e* Unmenge (***of money*** Geld): ~***s of times*** ‚tausendmal'; **5.** ***do the*** ~ *Brit. sl.* a) mit 100 Meilen fahren, b) 100 Meilen schaffen (*Auto etc.*).

ton[2] [tɔ̃:ŋ] (*Fr.*) *s.* **1.** *die* (herrschende) Mode; **2.** Ele'ganz *f*: ***in the*** ~ modisch, elegant.

ton·al ['təʊnl] *adj.* □ ♪ **1.** Ton..., tonlich; **2.** to'nal; **to·nal·i·ty** [təʊ'nælətɪ] *s.* **1.** ♪ a) Tonali'tät *f*, Tonart *f*, b) 'Ton-, 'Klangchaˌrakter *m*; **2.** *paint.* Farbton *m*, Tönung *f*.

tone [təʊn] **I** *s.* **1.** *allg.* Ton *m*, Klang *m*: ***heart*** ~***s*** ⚕ Herztöne; **2.** Ton *m*, Stimme *f*: ***in an angry*** ~ in ärgerlichem Ton, mit zorniger Stimme; **3.** *ling.* a) Tonfall *m*, b) Tonhöhe *f*, Betonung *f*; **4.** ♪ a) Ton *m*, b) *Am.* Note *f*, c) Klang(farbe *f*) *m*; **5.** *paint.* (Farb)Ton *m*, Tönung *f* (*a. fig.*); **6.** ⚕ a) Tonus *m der Muskeln*, b) *fig.* Spannkraft *f*; **7.** *fig.* Geist *m*, Haltung *f*; **8.** Stimmung *f* (*a. Börse*); **9.** a) Ton *m*, Note *f*, Stil *m*, b) Ni'veau *n*: ***set the*** ~ ***of*** a) den Ton angeben für, b) den Stil *e-r Sache* bestimmen; ***raise*** (***lower***) ***the*** ~ (***of***) das Niveau (*gen.*) heben (senken); ***give*** ~ ***to*** Niveau verleihen (*dat.*); **II** *v/t.* **10.** e-n Ton verleihen (*dat.*), e-e Färbung geben (*dat.*); **11.** *Farbe etc.* abtönen: ~ ***down*** *Farbe*, *fig. Zorn etc.* dämpfen, mildern; ~ ***up*** *paint. u. fig.* (ver)stärken; **12.** *phot.* tonen; **13.** *fig.* a) 'umformen, -modeln, b) regeln; **III** *v/i.* **14.** *a.* ~ ***in*** (***with***) a) verschmelzen (mit), b) harmonieren (mit), passen (zu) (*bsd. Farbe*); **15.** ~ ***down*** sich mildern *od.* abschwächen; **16.** ~ ***up*** stärker werden; ~ **arm** *s.* Tonarm *m am Plattenspieler*; ~ **con·trol** *s.* ⚡ Klangregler *m*.

tone·less ['təʊnlɪs] *adj.* □ **1.** tonlos (*a. Stimme*); **2.** ausdruckslos.

tone pad *s. teleph.* Fernabfrager *m*.

tone po·em *s.* ♪ Tondichtung *f*.

tongs [tɒŋz] *s. pl. sg. konstr.* Zange *f*: ***a pair of*** ~ eine Zange; ***I would not touch that with a pair of*** ~ a) das würde ich nicht mal mit e-r Zange anfassen, b) *fig.* mit dieser Sache möchte ich nichts zu tun haben.

tongue [tʌŋ] **I** *s.* **1.** *anat.* Zunge *f* (*a. fig. Redeweise*): ***malicious*** ~***s*** böse Zungen; ***have a long*** (***ready***) ~ geschwätzig (schlagfertig) sein; ***find one's*** ~ die Sprache wiederfinden; ***give*** ~ a) sich laut u. deutlich äußern (***to*** zu), b) anschlagen (*Hund*), c) Laut geben (*Jagdhund*); ***hold one's*** ~ den Mund halten; ***keep a civil*** ~ ***in one's head*** höflich bleiben; ***put one's*** ~ ***out*** (***at s.o.***) (j-m) die Zunge herausstrecken; ***with*** (***one's***) ~ ***in*** (***one's***) ***cheek*** → ***tongue-in-cheek***; → ***wag*** 1; **2.** Sprache *f e-s Volkes*, Zunge *f*; **3.** *fig.* Zunge *f* (*Schuh*, *Flamme*, *Klarinette etc.*); **4.** (Glocken)Klöppel *m*; **5.** (Wagen-) Deichsel *f*; **6.** ⚙ Feder *f*, Spund *m*: ~ ***and groove*** Feder u. Nut; **7.** Dorn *m* (*Schnalle*); **8.** Zeiger *m* (*Waage*); **9.** ⚡ (Re'lais)Anker *m*; **10.** *geogr.* Landzunge *f*; **II** *v/t.* **11.** ♪ mit Flatterzunge blasen; **12.** ⚙ verzapfen; **tongued** [-ŋd] *adj.* **1.** *in Zssgn* ...züngig; **2.** ⚙ gefedert, gezapft.

ˌ**tongue**|**-in-'cheek** *adj.* **1.** i'ronisch; **2.** mit Hintergedanken; '~-ˌ**lash·ing** *s.* F Standpauke *f*; '~**-tied** *adj.* stumm, sprachlos (*vor Verlegenheit etc.*): ***be*** ~ keinen Ton herausbringen; ~ **twist·er** *s.* Zungenbrecher *m*.

ton·ic ['tɒnɪk] **I** *adj.* (□ ~***ally***) **1.** ⚕ tonisch: ~ ***spasm*** Starrkrampf *m*; **2.** ⚕ stärkend, belebend (*a. fig.*): ~ ***water*** Tonic *n*; **3.** *ling.* Ton...: ~ ***accent*** musikalischer Akzent; **4.** ♪ Tonika..., (Grund)Ton...: ~ ***chord*** Grundakkord *m*; ~ ***major*** gleichnamige Dur-Tonart; ~ ***sol-fa*** Tonika-Do-System *n*; **5.** *paint.* Tönungs..., Farbgebungs...; **II** *s.* **6.** ⚕ Stärkungsmittel *n*, Tonikum *n*; **7.** Tonic *n* (*Getränk*); **8.** *fig.* Stimulans *n*; **9.** ♪ Grundton *m*, Tonika *f*; **10.** *ling.* stimmhafter Laut; **to·nic·i·ty** [təʊ'nɪsətɪ] *s.* **1.** → ***tone*** 6; **2.** musi'kalischer Ton.

to·night [tə'naɪt] **I** *adv.* **1.** heute abend; **2.** heute nacht; **II** *s.* **3.** der heutige Abend; **4.** diese Nacht.

ton·nage ['tʌnɪdʒ] *s.* **1.** ⚓ Ton'nage *f*, Tonnengehalt *m*, Schiffsraum *m*; **2.** ⚓ Ge'samtton,nage *f e-s Landes*; **3.** ⚓ Tonnengeld *n*; **4.** ⚙ (Ge'samt)Produkti,on *f* (*Stahl etc.*).

tonne [tʌn] *s.* metrische Tonne.

ton·neau ['tɒnəʊ] *pl.* **-neaus** (*Fr.*) *s. mot.* hinterer Teil (*mit Rücksitzen*) e-s Autos.

ton·ner ['tʌnə] *s.* ⚓ *in Zssgn* ...tonner, *ein* Schiff von ... Tonnen.

to·nom·e·ter [təʊ'nɒmɪtə] *s.* **1.** ♪, *phys.* Tonhöhenmesser *m*; **2.** ⚕ Blutdruckmesser *m*.

ton·sil ['tɒnsl] *s. anat.* Mandel *f*; '**ton·sil·lar** [-sɪlə] *adj.* Mandel...; **ton·sil·lec·to·my** [,tɒnsɪ'lektəmɪ] *s.* ⚕ Mandelentfernung *f*; **ton·sil·li·tis** [,tɒnsɪ'laɪtɪs] *s.* ⚕ Mandelentzündung *f*.

ton·so·ri·al [tɒn'sɔːrɪəl] *adj. mst humor.* Barbier...: ~ ***artist*** ‚Figaro' *m*.

ton·sure ['tɒnʃə] *eccl.* **I** *s.* **1.** Tonsurierung *f*; **2.** Ton'sur *f*; **II** *v/t.* **3.** tonsurieren.

to·ny ['təʊnɪ] *adj. Am.* F (tod)schick.

too [tuː] *adv.* **1.** (*vorangestellt*) zu, allzu: ***all ~ familiar*** allzu vertraut; ~ ***fond of comfort*** zu sehr auf Bequemlichkeit bedacht; ~ ***many*** zu viele; ***none ~ pleasant*** nicht gerade angenehm; **2.** F sehr, äußerst: ***it is ~ kind of you***; **3.** (*nachgestellt*) auch, ebenfalls.

took [tʊk] *pret. von* ***take***.

tool [tuːl] **I** *s.* **1.** Werkzeug *n*, Gerät *n*, Instru'ment *n*: ~***s*** *pl. a.* Handwerkszeug *n*; ***gardener's ~s*** Gartengerät; **2.** ⚙ (Bohr-, Schneide- *etc.*)Werkzeug *n e-r Maschine*, *a.* Arbeits-, Drehstahl *m*; **3.** ⚙ a) 'Werkzeugma,schine *f*, b) Drehbank *f*; **4.** *typ.* a) 'Stempelfi,gur *f* (*Punzarbeit*), b) (Präge)Stempel *m*; **5.** *pl. fig.* a) Handwerkszeug *n* (*Bücher etc.*), b) Rüstzeug *n* (*Fachwissen*); **6.** *fig. contp.* Werkzeug *n*, Handlanger *m*, Krea'tur *f e-s anderen*; **7.** V ‚Appa'rat' *m* (*Penis*); **II** *v/t.* **8.** ⚙ bearbeiten; **9.** *mst* ~ ***up*** *Fabrik* (maschi'nell) ausstatten, -rüsten; **10.** *Bucheinband* punzen; **11.** *sl.* ‚kutschieren' (*fahren*); **III** *v/i.* **12.** *mst* ~ ***up*** ⚙ sich (maschi'nell) ausrüsten (***for*** für); **13.** *a.* ~ ***along*** *sl.* (da'hin-, her'um)gondeln; ~ **bag** *s.* Werkzeugtasche *f*; ~ **bit** *s.* ⚙ Werkzeugspitze *f*; ~ **box** *s.* Werkzeugkasten *m*; ~ **car·ri·er** *s.* ⚙ Werkzeugschlitten *m*; ~ **en·gi·neer·ing** *s.* Arbeitsvorbereitung *f*.

tool·ing ['tuːlɪŋ] *s.* ⚙ **1.** Bearbeitung *f*; **2.** Einrichten *n e-r Werkzeugmaschine*; **3.** maschi'nelle Ausrüstung; **4.** *Buchbinderei*: Punzarbeit *f*.

'**tool**|,**mak·er** *s.* Werkzeugmacher *m*; '~-**post** *s.* Schneidstahlhalter *m*.

toot [tuːt] *v/i.* **1.** (*a. v/t. et.*) tuten, blasen; **2.** hupen (*Auto*).

tooth [tuːθ] **I** *pl.* **teeth** [tiːθ] *s.* **1.** *anat.* Zahn *m*: ~ ***and nail*** *fig.* verbissen, erbittert (*be*)*kämpfen*; ***armed to the teeth*** bis an die Zähne bewaffnet; ***in the teeth of*** *fig.* a) gegen *Widerstand etc.* b) trotz *od.* ungeachtet *der Gefahr etc.*; ***cut one's teeth*** zahnen; ***draw the teeth of*** *fig.* a) *j-n* beruhigen, b) *j-n* ungefährlich machen, c) *e-r Sache* die Spitze nehmen, *et.* entschärfen; ***get one's teeth into*** sich an *e-e Arbeit etc.* ‚ranmachen'; ***have a sweet ~*** gerne Süßigkeiten essen *od.* naschen; ***put teeth into*** (den nötigen) Nachdruck verleihen (*dat.*); ***set s.o.'s teeth on edge*** j-m auf die Nerven gehen *od.* ‚weh' tun; ***show one's teeth*** (***to***) a) die Zähne fletschen (gegen), b) *fig. j-m* die Zähne zeigen; **2.** Zahn *m e-s Kammes*, *e-r Säge*, *e-s Zahnrads etc.*; **3.** (Gabel)Zinke *f*; **II** *v/t.* **4.** *Rad etc.* bezahnen; **5.** *Brett* verzahnen; **III** *v/i.* **6.** inein'andergreifen (*Zahnräder*); '~·**ache** *s.* Zahnweh *n*; '~·**brush** *s.* Zahnbürste *f*; '~·**comb** *s.* Staubkamm *m*; ~ **de·cay** *s.* Zahnverfall *m*.

toothed [tuːθt] *adj.* **1.** mit Zähnen (versehen), Zahn..., gezahnt: ~ ***wheel*** Zahnrad *n*; **2.** ⚘ gezähnt, gezackt (*Blattrand*); **3.** ⚙ verzahnt; '**tooth·less** [-θlɪs] *adj.* zahnlos.

'**tooth**|·**paste** *s.* Zahnpasta *f*; '~·**pick** *s.* Zahnstocher *m*; ~ **pow·der** *s.* Zahnpulver *n*.

tooth·some ['tuːθsəm] *adj.* □ lecker (*a. fig.*).

too·tle ['tuːtl] *v/i.* **1.** tuten, dudeln; **2.** *Am.* F quatschen; **3.** F a) (her'um)gondeln, b) ‚(da'hin)zotteln': ~ ***off*** sich trollen.

toot·sy(**-woot·sy**) [,tʊtsɪ('wʊtsɪ)] *s. Kindersprache*: Füßchen *n*.

top[1] [tɒp] **I** *s.* **1.** ober(st)es Ende, Oberteil *n*; Spitze *f*, Gipfel *m e-s Berges etc.*; Krone *f*, Wipfel *m des Baumes*; (Haus-)Giebel *m*, Dach(spitze *f*) *n*; Kopf(ende *n*) *m des Tisches*, *e-r Buchseite etc.*: ***at the ~*** oben(an); ***at the ~ of*** oben an (*dat.*); ***at the ~ of one's speed*** mit höchster Geschwindigkeit; ***at the ~ of one's voice*** aus vollem Halse; ***page 20 at the ~*** auf Seite 20 oben; ***on ~*** oben (-auf); ***on*** (***the***) ***~ of*** oben auf (*dat.*), über (*dat.*); ***on ~ of each other*** aufod. übereinander; ***on*** (***the***) ***~ of it***

obendrein; ***go over the ~*** a) ⚔ zum Sturmangriff (*aus dem Schützengraben*) antreten, b) *fig.* es maßlos übertreiben; **2.** *fig.* Spitze *f*, erste *od.* höchste Stelle; 'Spitzenpositi,on *f*: ***~ management*** Unternehmensführung *f*; ***the ~ of the class*** der Primus der Klasse; ***the ~ of the tree*** (*od.* ***ladder***) *fig.* die höchste Stellung, der Gipfel des Erfolgs; ***at the ~*** an der Spitze; ***be on ~*** (***of the world***) obenauf sein; ***come out on ~*** als Sieger *od.* Bester hervorgehen; ***come to the ~*** an die Spitze kommen, sich durchsetzen; ***get on ~ of s.th.*** e-r Sache Herr werden; **3.** *fig.* Gipfel *m*, *das* Äußerste *od.* Höchste; **4.** Scheitel *m*, Kopf *m*: ***from ~ to toe*** von Kopf bis Fuß; ***blow one's ~*** *sl.* ‚hochgehen', e-n Wutanfall haben; **5.** Oberfläche *f des Tisches*, *Wassers etc.*; **6.** *mot. etc.* Verdeck *n*; **7.** (Bett)Himmel *m*; **8.** (Möbel)Aufsatz *m*; **9.** ⚓ Mars *m*, *f*, Topp *m*; **10.** (Schuh)Oberleder *n*; **11.** Stulpe *f* (*Stiefel*, *Handschuh*); **12.** (Topf- *etc.*)Dekkel *m*; **13.** ⚘ a) (oberer Teil e-r) Pflanze *f* (*Ggs. Wurzel*), b) *mst pl.* (Rüben- *etc.*)Kraut *n*; **14.** Blume *f des Bieres*; **15.** *mot.* → ***top gear***; **II** *adj.* **16.** oberst: ***~ line*** Kopf-, Titelzeile *f*; ***the ~ rung*** *fig.* oberste Stelle, höchste Stellung; **17.** höchst: ***~ earner*** Spitzenverdiener(in); ***~ efficiency*** ⚙ Spitzenleistung *f*; ***~ price*** Höchstpreis *m*; ***~ speed*** Höchstgeschwindigkeit *f*; ***~ secret*** streng geheim; **18.** *der* (*die*, *das*) erste; **19.** Haupt...; **III** *v/t.* **20.** (oben) bedecken; krönen; **21.** über'ragen; **22.** *fig.* über'treffen, -'ragen; **23.** die Spitze (*gen.*) erreichen; **24.** an der Spitze *der Klasse*, *e-r Liste etc.* stehen; **25.** über'steigen; **26.** ⚘ stutzen, kappen; **27.** *Hindernis* nehmen; **28.** *Golf*: *Ball* oben schlagen; **~ off** *v/t.* F *et.* abschließen *od.* krönen (***with*** mit); **~ out I** *v/i.* Richtfest feiern; **II** *v/t.* das Richtfest (*gen.*) feiern: ***~ a building***; **~ up** *v/t.* **1.** auf-, nachfüllen; **2.** F *j-m* nachschenken.

top² [tɒp] *s.* Kreisel *m* (*Spielzeug*).

to·paz ['təʊpæz] *s. min.* To'pas *m*.

top| boot *s.* (kniehoher) Stiefel, Stulpenstiefel *m*; '**~·coat** 'Überzieher *m*, Mantel *m*; **~ dog** *s.* F *fig.* **1.** *der* Herr *od.* Über'legene; *der* Sieger; **2.** ‚Chef' *m*, *der* Oberste; **3.** *der* (*die*, *das*) Beste; **~ draw·er** *s.* **1.** oberste Schublade; **2.** F *fig. die* oberen Zehntausend: ***he does not come from the ~*** er kommt nicht aus vornehmster Familie; **,~-'draw·er** *adj.* F **1.** vornehm; **2.** best; **~ dress·ing** *s.* **1.** ⚘ Kopfdüngung *f*; **2.** ⚙ Oberflächenbeschotterung *f*.

tope¹ [təʊp] *v/t. u. v/i.* ‚saufen'.

tope² [təʊp] *s. ichth.* Glatthai *m*.

to·pee ['təʊpi:] *s.* Tropenhelm *m*.

top·er ['təʊpə] *s.* Säufer *m*, Zecher *m*.

'**top|·flight** *adj.* F erstklassig, prima; '**~,flight·er** → ***topnotcher***; **~·gal·lant** [,tɒp'gælənt; ⚓ tə'g-] ⚓ **I** *s.* Bramsegel *n*; **II** *adj.* Bram...: ***~ sail***; **~ gear** *s. mot.* höchster Gang; '**~-grade** *adj.* erstklassig; **~ hat** *s.* Zy'linder(hut) *m*; **,~-'heav·y** *adj.* **1.** oberlastig (*Gefäß etc.*); **2.** ⚓ topplastig; **3.** ✈ kopflastig; **4.** ✝ a) 'überbewertet (*Wertpapiere*), b) 'überkapitalisiert (*Unternehmen*); **,~-'hole** → ***topflight***.

top·ic ['tɒpɪk] *s.* **1.** Thema *n*, Gegenstand *m*; **2.** *phls.* Topik *f*; '**top·i·cal** [-kl] **I** *adj.* □ **1.** örtlich, lo'kal (*a.* ⚕): ***~ colo(u)rs*** topische Farben; **2.** a) aktu'ell, b) zeitkritisch: ***~ song*** Lied *n* mit aktuellen Anspielungen; **3.** the'matisch; **II** *s.* **4.** aktu'eller Film; **top·i·cal·i·ty** [,tɒpɪ'kælətɪ] *s.* aktu'elle *od.* lo'kale Bedeutung.

top| kick *Am. sl. für* → ***top sergeant***; '**~·knot** *s.* **1.** Haarknoten *m*; **2.** *orn.* (Feder)Haube *f*, Schopf *m*.

top·less ['tɒplɪs] *adj.* **1.** ohne Kopf; **2.** 'Oben-'ohne...: ***~ dress*** (***night club***, ***waitress***).

,top|-'line *adj.* **1.** promi'nent; **2.** wichtigst: ***~ news***; **,~'lin·er** *s.* F Promi'nente(r *m*) *f*; '**~·mast** [-mɑ:st; -məst] *s.* ⚓ (Mars)Stenge *f*; '**~·most** *adj.* höchst, oberst; **,~'notch** *adj.* F prima, erstklassig; **,~'notch·er** *s.* F ‚Ka'none' *f* (*Könner*).

to·pog·ra·pher [tə'pɒgrəfə] *s. geogr.* Topo'graph *m*; **top·o·graph·ic**, **top·o·graph·i·cal** [,tɒpə'græfɪk(l)] *adj.* □ topo'graphisch; **to'pog·ra·phy** [-fɪ] *s.* **1.** *geogr.*, *a.* ⚕ Topogra'phie *f*; **2.** ⚔ Geländekunde *f*.

top·per ['tɒpə] *s.* **1.** ⚠ oberer Stein; **2.** ✝ F (oben'aufliegendes) Schaustück (*Obst etc.*); **3.** F Zy'linder *m* (*Hut*); **4.** F a) ‚(tolles) Ding', b) ‚Pfundskerl' *m*; **top·ping** ['tɒpɪŋ] *adj.* □ F prima, fabelhaft.

top·ple ['tɒpl] **I** *v/i.* **1.** wackeln; **2.** kippen, stürzen, purzeln: ***~ down*** (*od.* ***over***) umkippen, hinpurzeln, niederstürzen; **II** *v/t.* **3.** ins Wanken bringen, stürzen: ***~ over*** *et.* umstürzen, -kippen; **4.** *fig. Regierung* stürzen.

tops [tɒps] *adj.* F prima, erstklassig, ‚super'.

top|·sail ['tɒpsl] *s.* ⚓ Marssegel *n*; **~ saw·yer** *s.* F *fig.* ‚hohes Tier'; **,~-'secret** *adj.* streng geheim; **,~-'sell·ing** *adj.* meisterverkauft; **~ ser·geant** *s.* ⚔ *Am.* F Hauptfeldwebel *m*, ‚Spieß' *m*; '**~·soil** *s.* ⚘ Ackerkrume *f*, Mutterboden *m*.

top·sy·tur·vy [,tɒpsɪ'tɜ:vɪ] **I** *adv.* **1.** das Oberste zu'unterst, auf den Kopf: ***turn everything ~*** alles auf den Kopf stellen; **2.** kopf'über kopf'unter *fallen*; **3.** drunter u. drüber, verkehrt; **II** *adj.* **4.**

auf den Kopf gestellt, in wildem Durchein'ander, cha'otisch; **III** *s.* **5.** (wildes *od.* heilloses) Durchein'ander, Kuddelmuddel *m, n*; **ˌtop·sy'tur·vy·dom** [-dəm] → ***topsyturvy*** 5.

toque [təʊk] *s.* **1.** *hist.* Ba'rett *n*; **2.** Toque *f* (*randloser Damenhut*).

tor [tɔː] *s. Brit.* Felsturm *m.*

to·ra(**h**) ['tɔːrə] *s.* **1.** ♀ *das* Gesetz Mosis; **2.** Tho'ra *f.*

torch [tɔːtʃ] *s.* **1.** Fackel *f* (*a. fig. der Wissenschaft etc.*): ***carry a ~ for*** *Am. fig. Mädchen* (von ferne) verehren; **2.** *a.* ***electric ~*** *Brit.* Taschenlampe *f*; **3.** ⚙ a) Schweißbrenner *m*, b) → ***torch lamp***; **4.** *Am.* Brandstifter *m*; **'~ˌbear·er** *s.* Fackelträger *m* (*a. fig.*); **~ lamp** *s.* ⚙ Lötlampe *f*; **'~·light** *s.* Fackelschein *m*: ***~ procession*** Fackelzug *m*; **~ pine** *s.* ⚘ (Amer.) Pechkiefer *f*; **~ sing·er** *s.* Schnulzensänger(in); **~ song** *s.* ‚Schnulze' *f*, sentimen'tales Liebeslied.

tore [tɔː] *pret. von* ***tear²***.

tor·e·a·dor ['tɒrɪədɔː] (*Span.*) *s.* Torea'dor *m*, berittener Stierkämpfer.

to·re·ro [tɒ'reərəʊ] *pl.* **-ros** (*Span.*) *s.* To'rero *m*, Stierkämpfer *m* (*zu Fuß*).

tor·ment I *v/t.* [tɔː'ment] **1.** *bsd. fig.* quälen, peinigen, foltern, plagen (***with*** mit): ***~ed with*** gequält *od.* gepeinigt von *Zweifel etc.*; **II** *s.* ['tɔːment] **2.** Qual *f*, Pein *f*, Marter *f*: ***be in ~*** Qualen ausstehen; **3.** Plage *f*; **4.** Quälgeist *m*; **tor'men·tor** [-tə] *s.* **1.** Peiniger *m*; **2.** Quälgeist *m*; **3.** ⚓ lange Fleischgabel; **4.** *thea.* vordere Ku'lisse; **tor'men·tress** [-trɪs] *s.* Peinigerin *f.*

torn [tɔːn] *p.p. von* ***tear²***.

tor·na·do [tɔː'neɪdəʊ] *pl.* **-does** *s.* **1.** Tor'nado *m*: a) *Wirbelsturm in den USA*, b) *tropisches Wärmegewitter*; **2.** *fig.* a) (Beifall-, Pro'test)Sturm *m*, b) Wirbelwind *m* (*Person*).

tor·pe·do [tɔː'piːdəʊ] **I** *pl.* **-does** *s.* **1.** ⚓ Tor'pedo *m*; **2.** *a.* ***aerial ~*** ✈ 'Lufttorˌpedo *m*; **3.** *a.* ***toy ~*** Knallerbse *f*; **4.** *ichth.* Zitterrochen *m*; **5.** *Am. sl.* ‚Killer' *m*; **II** *v/t.* **6.** torpedieren (*a. fig. vereiteln*); **~ boat** *s.* ⚓ Tor'pedoboot *n*; **~ plane** *s.* ⚔ Tor'pedoflugzeug *n*; **~ tube** *s.* Tor'pedorohr *n.*

tor·pid ['tɔːpɪd] **I** *adj.* ☐ **1.** starr, erstarrt, betäubt; **2.** träge, schlaff; **3.** a'pathisch, stumpf; **II** *s.* **4.** *mst* **tor·pid·i·ty** [tɔː'pɪdətɪ], **'tor·pid·ness** [-nɪs], **'tor·por** [-pə] *s.* **1.** Erstarrung *f*, Betäubung *f*; **2.** Träg-, Schlaffheit *f*, ⚕ *a.* Torpor *m*; **3.** Apa'thie *f*, Stumpfheit *f.*

torque [tɔːk] *s.* ⚙, *phys.* 'Drehmoˌment *n*; **~ shaft** *s.* ⚙ Dreh-, Torsi'onsstab *m.*

tor·re·fy ['tɒrɪfaɪ] *v/t.* rösten, darren.

tor·rent ['tɒrənt] *s.* **1.** reißender Strom, *bsd.* Wild-, Sturzbach *m*; **2.** (Lava-) Strom *m*; **3.** ***~s of rain*** sintflutartige Regenfälle; ***it rains in ~s*** es gießt in Strömen; **4.** *fig.* Strom *m*, Schwall *m*, Sturzbach *m von Fragen etc.*; **tor·ren·tial** [tə'renʃl] *adj.* ☐ **1.** reißend, strömend, sturzbachartig; **2.** sintflutartig: ***~ rain***(***s***); **3.** *fig.* a) wortreich, b) wild, ungestüm.

tor·rid ['tɒrɪd] *adj.* **1.** sengend, brennend heiß (*a. fig. Leidenschaft etc.*): ***~ zone*** *geogr.* heiße Zone; **2.** ausgedörrt, verbrannt: ***~ plain***.

tor·sion ['tɔːʃn] *s.* **1.** *a.* ⚕ Drehung *f*; **2.** ⚙, *phys.* Torsi'on *f*, Verdrehung *f*: ***~ balance*** Drehwaage *f*; **3.** ⚕ Abschnürung *f e-r Arterie*; **'tor·sion·al** [-ʃənl] *adj.* Dreh…, (Ver)Drehungs…, Torsions…: ***~ force***.

tor·so ['tɔːsəʊ] *pl.* **-sos** *s.* Torso *m*: a) Rumpf *m*, b) *fig.* Bruchstück *n*, unvollendetes Werk.

tort [tɔːt] *s.* ⚖ unerlaubte Handlung, zi'vilrechtliches De'likt: ***law of ~s*** Schadenersatzrecht *n*; **'~-ˌfea·sor** [-ˌfiːzə] *s.* ⚖ rechtswidrig Handelnde(r) *m.*

tor·til·la [tɔː'tɪlə] (*Span.*) *s. Am.* Tor'tilla *f* (*Maiskuchen*).

tor·tious ['tɔːʃəs] *adj.* ☐ ⚖ rechtswidrig: ***~ act*** → ***tort***.

tor·toise ['tɔːtəs] **I** *s. zo.* Schildkröte *f*: ***as slow as a ~*** *fig.* (langsam) wie e-e Schnecke; **II** *adj.* Schildpatt…; **'~·shell** *s.* Schildpatt *n*: ***~ cat*** *zo.* Schildpattkatze *f.*

tor·tu·os·i·ty [ˌtɔːtjʊ'ɒsətɪ] *s.* **1.** Krümmung *f*, Windung *f*; **2.** Gewundenheit *f* (*a. fig.*); **3.** *fig.* 'Umständlichkeit *f*; **tor·tu·ous** ['tɔːtjʊəs] *adj.* ☐ **1.** gewunden, verschlungen, gekrümmt; **2.** *fig.* gewunden, 'umständlich; **3.** *fig.* ‚krumm', unehrlich.

tor·ture ['tɔːtʃə] **I** *s.* **1.** Folter(ung) *f*: ***put to the ~*** foltern; **2.** *fig.* Tor'tur *f*, Marter *f*, (Folter)Qual(en *pl.*) *f*; **II** *v/t.* **3.** foltern, martern, *fig. a.* quälen, peinigen; **4.** *Text etc.* entstellen; **'tor·tur·er** [-ərə] *s.* **1.** Folterknecht *m*; **2.** *fig.* Peiniger *m.*

to·rus ['tɔːrəs] *pl.* **-ri** [-raɪ] *s.* △, ⚕, ⚙, ⚘, ⚕ Torus *m.*

To·ry ['tɔːrɪ] **I** *s.* **1.** *pol. Brit.* Tory *m*, (*contp.* 'Ultra)Konservaˌtive(r) *m*; **2.** *hist.* Tory *m* (*Loyalist in Amerika*); **II** *adj.* Tory…, konserva'tiv; **'To·ry·ism** [-ɪɪzəm] **1.** To'rysmus *m*; **2.** 'Ultrakonservaˌtismus *m.*

tosh [tɒʃ] *s. Brit. sl.* ‚Quatsch' *m.*

toss [tɒs] **I** *v/t.* **1.** werfen, schleudern: ***~ off*** a) *Reiter* abwerfen (*Pferd*), b) *Getränk* hinunterstürzen, c) *Arbeit* ‚hinhauen'; ***~ up*** hochschleudern, *in e-r Decke* prellen; **2.** *a.* ***~ up*** *Münze etc., a. Kopf* hochwerfen: ***~ s.o. for*** mit j-m um *et.* losen (*durch Münzwurf*); **3.** *a.* ***~ about*** hin- u. herschleudern, schütteln; **4.** ⚓ *Riemen* pieken: ***~ oars!*** Riemen hoch!; **5.** *Am. sl. j-n* ‚filzen'; **II** *v/i.* **6.** *a.*

T

~ about sich *im Schlaf etc.* hin- u. herwerfen *od.* -wälzen; **7.** *a.* **~ about** hin- u. hergeworfen werden, geschüttelt werden; hin- und herschwanken; flattern; **8.** rollen (*Schiff*); **9.** schwer gehen (*See*); **10.** *a.* **~ up** (durch Hochwerfen e-r Münze) losen (**for** um); **III** *s.* **11.** Werfen *n*, Wurf *m*; **12.** Hoch-, Zu'rückwerfen *n des Kopfes*; **13.** a) Hochwerfen *n* e-r Münze, b) → **toss-up**; **14.** Sturz *m vom Pferd etc.*: **take a ~** stürzen, *bsd.* abgeworfen werden; **'~-up** *s.* **1.** Losen *n mit e-r Münze*, Loswurf *m*; **2.** *fig.* ungewisse Sache: **it is a ~ whether** es ist völlig offen, ob.

tot¹ [tɒt] *s.* F **1.** Knirps *m*, Kerlchen *n*; **2.** *Brit.* Schlückchen *n* (*Alkohol*); **3.** *fig.* Häppchen *n*.

tot² [tɒt] F **I** *s.* **1.** (Gesamt)Summe *f*; **2.** a) Additi'onsaufgabe *f*, b) Additi'on *f*; **II** *v/t.* **3.** **~ up** zs.-zählen; **III** *v/i.* **4.** **~ up** sich belaufen (**to** auf *acc.*); sich summieren.

to·tal ['təʊtl] **I** *adj.* □ **1.** ganz, gesamt, Gesamt...; **2.** to'tal, Total..., völlig, gänzlich; **II** *s.* **3.** (Gesamt)Summe *f*, Gesamtbetrag *m*, -menge *f*: **a ~ of 20 cases** insgesamt 20 Kisten; **4.** *die* Gesamtheit, *das* Ganze; **III** *v/t.* **5.** zs.-zählen; **6.** insgesamt betragen, sich belaufen auf (*acc.*): **total(l)ing $70** im Gesamtbetrag von 70 Dollar; **7.** *Am.* F *Auto* zu Schrott fahren; **to·tal·i·tar·i·an** [ˌtəʊtælɪ'teərɪən] *adj. pol.* totali'tär; **to·tal·i·tar·i·an·ism** [ˌtəʊtælɪ'teərɪənɪzəm] *s.* totali'täres Sy'stem; **to·tal·i·ty** [təʊ'tælətɪ] *s.* **1.** Gesamtheit *f*; **2.** Vollständigkeit *f*; **3.** *ast.* to'tale Verfinsterung; **'to·tal·i·za·tor** [-təlaɪzeɪtə] *s.* *Pferderennen*: Totali'sator *m*; **'to·tal·ize** [-təlaɪz] *v/t.* **1.** zs.-zählen; **2.** (zu e-m Ganzen) zs.-fassen; **'to·tal·iz·er** [-təlaɪzə] → **totalizator**.

tote¹ [təʊt] *s. sl.* → **totalizator**.

tote² [təʊt] *v/t.* F **1.** tragen (mit sich) schleppen; **2.** transportieren; **~ bag** *s.* *Am.* Einkaufs-, Tragtasche *f*.

to·tem ['təʊtəm] *s.* Totem *n*; **~ pole**, **~ post** *s.* Totempfahl *m*.

tot·ter ['tɒtə] *v/i.* **1.** torkeln, wanken: **~ to one's grave** *fig.* dem Grabe zuwanken; **2.** (sch)wanken, wackeln: **~ to its fall** *fig.* (allmählich) zs.-brechen (*Reich etc.*); **'tot·ter·ing** [-ərɪŋ] *adj.* □, **'tot·ter·y** [-ərɪ] *adj.* wack(e)lig, (sch)wankend.

touch [tʌtʃ] **I** *s.* **1.** Berührung *f*: **at a ~** beim Berühren; **on the slightest ~** bei der leisesten Berührung; **it has a velvety ~** es fühlt sich wie Samt an; **that was a (near) ~** F das hätte ins Auge gehen können; **2.** Tastsinn *m*: **it is soft to the ~** es fühlt sich weich an; **3.** (*Pinsel-etc.*)Strich *m*: **put the finishing ~es to** letzte Hand legen an (*acc.*), *e-r Sache* den letzten Schliff geben; **4.** ♪ a) Anschlag *m des Pianisten od. des Pianos*, b) Strich *m des Geigers*; **5.** *fig.* Fühlung(nahme) *f*, Verbindung *f*, Kon'takt *m*: **get into ~ with** sich in Verbindung setzen mit, Fühlung nehmen mit; **please get in ~!** bitte melden (Sie sich)!; **keep in ~ with** in Verbindung bleiben mit; **lose ~ with** den Kontakt mit *j-m od. e-r Sache* verlieren; **put s.o. in ~ with** j-n in Verbindung setzen mit; **within ~** in Reichweite; **6.** *fig.* Hand *f des Meisters etc.*, Stil *m*; (souve'räne) Ma'nier: **light ~** leichte Hand; **with sure ~** mit sicherer Hand; **7.** Einfühlungsvermögen *n*, Feingefühl *n*; **8.** *e-e* Spur *Pfeffer etc.*: **a ~ of red** ein rötlicher Hauch; **9.** Anflug *m von Sarkasmus etc.*, Hauch *m von Romantik etc.*: **he has a ~ of genius** er hat e-e geniale Ader; **10.** ⚕ *etc.* (leichter) Anfall: **a ~ of flu** e-e leichte Grippe; **a ~ of the sun** ein leichter Sonnenstich; **11.** (besondere) Note, Zug *m*: **the personal ~** die persönliche Note; **12.** *fig.* Stempel *m*, Gepräge *n*; **13.** Probe *f*: **put to the ~** auf die Probe stellen; **14.** a) *Rugby etc.*: Mark *f*, b) *Fußball*: Seitenaus *n*; **15.** Fangspiel *n*; **16.** *sl.* a) Anpumpen *n*, b) gepumptes Geld: **he is a soft ~** er läßt sich leicht anpumpen, *weitS.* er ist ein leichtes Opfer; **II** *v/t.* **17.** an-, berühren (*a. weitS. Essen etc. mst neg.*); anfassen, angreifen: **~ the spot** das Richtige treffen; **18.** befühlen, betasten; **19.** *Hand etc.* legen (**to** an *acc.*, auf *acc.*); **20.** mitein'ander in Berührung bringen; **21.** in Berührung kommen *od.* stehen mit; **22.** drücken auf (*acc.*), (leicht) anstoßen: **to ~ the bell** klingeln; **to ~ glasses** (mit den Gläsern) anstoßen; **23.** grenzen *od.* stoßen an (*acc.*); **24.** reichen an (*acc.*), erreichen; F *fig.* her'anreichen an (*acc.*), gleichkommen (*dat.*); **25.** erlangen, erreichen; **26.** ♪ *Saiten* rühren; *Ton* anschlagen; **27.** tönen, (leicht) färben; *fig.* färben, beeinflussen; **28.** beeindrucken; rühren, bewegen: **~ed to tears** zu Tränen gerührt; **29.** *fig.* verletzen, treffen; **30.** *fig.* berühren, betreffen; **31.** in Mitleidenschaft ziehen, mitnehmen: **~ed** a) angegangen (*Fleisch*), b) F ‚bekloppt', ‚nicht ganz bei Trost' (*Person*); **32.** *Ort* berühren, haltmachen in (*dat.*); *Hafen* anlaufen; **33.** *sl.* anpumpen (**for** um); **III** *v/i.* **34.** sich berühren; **35.** **~ at** ⚓ anlegen bei *od.* in (*dat.*), anlaufen (*acc.*); **36.** **~ (up)on** *fig.* berühren: a) (kurz) erwähnen, b) betreffen;

Zssgn mit adv.:

touch| down *v/i.* **1.** *Rugby etc.*: e-n Versuch legen *od.* erzielen; **2.** ✈ aufsetzen; **~ off** *v/t.* **1.** skizzieren; **2.** *Skiz-*

ze flüchtig entwerfen; **3.** *e-e Explosion, fig. e-e Krise etc.* auslösen, *fig. a.* entfachen; **~ up** *v/t.* **1.** auffrischen (*a. fig.*), aufpolieren; verbessern; **2.** *phot.* retuschieren.

touch| and go *s.* ris'kante Sache, pre'käre Situati'on: ***it was ~*** es hing an e-m Haar, es stand auf des Messers Schneide; **ˌ~-and-'go** *adj.* **1.** ris'kant; **2.** flüchtig, oberflächlich: ***~ landing*** ✈ Aufsetz- u. Durchstartlandung; **'~down** *s.* **1.** *Rugby etc.*: Versuch *m*; **2.** ✈ Aufsetzen *n*.

touch·i·ness ['tʌtʃɪnɪs] *s.* Empfindlichkeit *f*.

touch·ing ['tʌtʃɪŋ] *adj.* ☐ *fig.* rührend, ergreifend.

'touch|·line *s.* a) *Fußball*: Seitenlinie *f*, b) *Rugby*: Marklinie *f*; **'~-me-not** *s.* ⚘ (*fig.* F Blümlein *n*) Rührmichnichtan *n*; **'~ˌpa·per** *s.* 'Zündpaˌpier *n*; **~ screen** *s.* Sensorbildschirm *m*; **'~·stone** *s.* **1.** *min.* Probierstein *m*; **2.** *fig.* Prüfstein *m*; **~ sys·tem** *s.* Zehn'fingersysˌtem *n*; **~ tel·e·phone** *s.* 'Tastenteleˌfon *n*; **'~-type** *v/i.* blindschreiben; **'~·wood** *s.* **1.** Zunder(holz *n*) *m*; **2.** ⚘ Feuerschwamm *m*.

touch·y ['tʌtʃɪ] *adj.* ☐ **1.** empfindlich, reizbar; **2.** a) ris'kant, b) heikel, kitzlig (*Thema*).

tough [tʌf] **I** *adj.* ☐ **1.** *allg.* zäh: a) hart, 'widerstandsfähig, b) ro'bust, stark (*Person, Körper etc.*), c) hartnäckig (*Kampf, Wille etc.*); **2.** *fig.* schwierig, unangenehm, ‚bös' (*Arbeit etc., a.* F *Person*); F eklig, grob (*Person*): ***it was ~ going*** F es war ein hartes Stück Arbeit; ***he is a ~ customer*** mit ihm ist nicht gut Kirschen essen; ***if things get ~*** wenn es ‚mulmig' wird; ***~ luck*** F ‚Pech' *n*; **3.** rowdyhaft, bru'tal, übel, Verbrecher...: ***get ~ with s.o.*** j-m gegenüber massiv werden; **II** *s.* **4.** Rowdy *m*, Schläger(typ) *m*, ‚übler Kunde'; **tough·en** ['tʌfn] *v/t. u. v/i.* zäh(er) *etc.* machen (werden); **tough·ie** ['tʌfɪ] *s.* F **1.** ‚harte Nuß', schwierige Sache; **2.** → ***tough*** 4; **'tough·ness** [-nɪs] *s.* **1.** Zähigkeit *f*, Härte *f* (*a. fig.*); **2.** Ro'busthеit *f*; **3.** *fig.* Hartnäckigkeit *f*; **4.** Schwierigkeit *f*; **5.** Brutali'tät *f*.

tou·pee, *a.* **tou·pet** ['tu:peɪ] (*Fr.*) *s.* Tou'pet *n* (*Haarersatzstück*).

tour [tʊə] **I** *s.* **1.** Tour *f* (***of*** durch): a) (Rund)Reise *f*, (-)Fahrt *f*, b) Ausflug *m*, Wanderung *f*: ***conducted ~*** a) Führung *f*, b) Gesellschaftsreise *f*; ***the grand ~*** *hist.* (Bildungs)Reise durch Europa; ***~ operator*** Reiseveranstalter *m*; **2.** Rundgang *m* (***of*** durch): ***~ of inspection*** Besichtigungsrundgang *od.* -rundfahrt *f*; **3.** *thea. etc.* Tour'nee *f*, Gastspielreise *f*: ***go on ~*** auf Tournee gehen; **4.** ⚔ (turnusmäßige) Dienstzeit; **II** *v/t.* **5.** bereisen; **III** *v/i.* **6.** e-e (*thea.* Gastspiel)Reise *od.* (*a. sport*) e-e Tour'nee machen (***through, about*** durch); **~ de force** [ˌtʊədə'fɔ:s] (*Fr.*) *s.* **1.** Gewaltakt *m*; **2.** Glanzleistung *f*.

tour·ing ['tʊərɪŋ] *adj.* Touren..., Reise...: ***~ car*** *mot.* Tourenwagen *m*; ***~ company*** *thea.* Wanderbühne *f*; ***~ exhibition*** Wanderausstellung *f*; **tour·ism** ['tʊərɪzəm] *s.* Reise-, Fremdenverkehr *m*, Tou'rismus *m*; **tour·ist** ['tʊərɪst] **I** *s.* Tou'rist(in), (Ferien-, Vergnügungs-) Reisende(r *m*) *f*; **II** *adj.* Reise..., Fremden(verkehrs)..., Touristen...: ***~ agency, ~ bureau, ~ office*** a) Reisebüro *n*, b) Verkehrsamt *n*, -verein *m*; ***~ class*** ⚓, ✈ Touristenklasse *f*; ***~ industry*** Fremdenverkehr(sindustrie *f*) *m*; ***~ season*** Reisezeit *f*; ***~ ticket*** Rundreisekarte *f*; ***~ trap*** Touristenfalle *f*; **'tour·ist·y** *adj. contp.* tou'ristisch, Touristen...

tour·na·ment ['tʊənəmənt] *s.* (*hist. Ritter-, a. Tennis- etc.*)Tur'nier *n*.

tour·ney ['tʊənɪ] *bsd. hist.* **I** *s.* Tur'nier *n*; **II** *v/i.* turnieren.

tour·ni·quet ['tʊənɪkeɪ] *s.* ⚕ Aderpresse *f*.

tou·sle ['taʊzl] *v/t. Haar etc.* (zer)zausen, verwuscheln.

tout [taʊt] **I** *v/i.* **1.** (*bsd. aufdringliche* Kunden-, Stimmen)Werbung treiben (***for*** für); **2.** *Pferderennen*: a) *Brit.* sich *durch Spionieren* gute Renntips verschaffen, b) Wettips geben *od.* verkaufen; **II** *s.* **3.** Kundenschlepper *m*, -werber *m*; **4.** *Pferderennen*: a) *Brit.* ‚Spi'on' *m beim Pferdetraining*, b) Tipgeber *m*; **5.** (Karten)Schwarzhändler *m*.

tow¹ [təʊ] **I** *s.* **1.** a) Schleppen *n*, b) Schlepptau *n*: ***have in ~*** im Schlepptau haben (*a. fig.*); ***take ~*** sich schleppen lassen; ***take in ~*** *bsd. fig.* ins Schlepptau nehmen; **2.** *bsd.* ⚓ Schleppzug *m*; **II** *v/t.* **3.** (ab)schleppen, ins Schlepptau nehmen: ***~ away*** *Auto* abschleppen; ***~ed flight*** (***target***) Schleppflug *m* (-ziel *n*); **4.** *Schiff* treideln; **5.** *fig. j-n* ab-, mitschleppen, *wohin* bugsieren.

tow² [təʊ] *s.* (Schwing)Werg *n*.

tow·age ['təʊɪdʒ] *s.* **1.** Schleppen *n*, Bugsieren *n*; **2.** Schleppgebühr *f*.

to·ward I *adj.* ['təʊəd] **1.** *obs.* fügsam; **2.** *obs. od. Am.* vielversprechend; **3.** im Gange, am Werk; **4.** bevorstehend; **II** *prp.* [tə'wɔ:d] **5.** auf (*acc.*) ... zu, (nach) ... zu, nach ... hin, gegen *od.* zu ... (hin); **6.** *zeitlich*: gegen; **7.** *Gefühle etc.* gegen'über; **8.** *als Beitrag* zu, um *e-r Sache* willen, zum Zwecke (*gen.*): ***efforts ~ reconciliation*** Bemühungen um e-e Versöhnung; **to·wards** [tə'wɔ:dz] → ***toward*** II.

'tow|·a·way *adj.* Abschlepp...: ***~ zone***; **'~·boat** *s.* Schleppschiff *n*, Schlepper *m*.

T

tow·el [ˈtaʊəl] **I** *s.* Handtuch *n*: ***throw in the ~*** *Boxen*: das Handtuch werfen (*a. fig. sich geschlagen geben*); **II** *v/t.* (mit e-m Handtuch) (ab)trocknen, (-)reiben; **~ horse**, **~ rack** *s.* Handtuchständer *m*.

tow·er [ˈtaʊə] **I** *s.* **1.** Turm *m*: ***~ block*** *Brit.* (Büro-, Wohn)Hochhaus *n*; **2.** Feste *f*, Bollwerk *n*: ***~ of strength*** *fig.* Stütze *f*, Säule *f*; **3.** Zwinger *m*, Festung *f* (*Gefängnis*); **4.** ⚗ Turm *m* (*Reinigungsanlage*); **II** *v/i.* **5.** (hoch)ragen, sich (emˈpor)türmen (***to*** zu): ***~ above*** *et. od. j-n* (weit) überragen (*a. fig. turmhoch überlegen sein* [*dat.*]); **ˈtow·ered** [-əd] *adj.* (hoch)getürmt; **ˈtow·er·ing** [-ərɪŋ] *adj.* **1.** (turm)hoch, hoch-, aufragend; **2.** *fig.* maßlos, gewaltig: ***~ ambition***; ***~ passion***; ***~ rage*** rasende Wut.

tow·ing [ˈtəʊɪŋ] *adj.* (Ab)Schlepp...; **~ line**, **~ path**, **~ rope** → ***towline***, ***towpath***, ***towrope***.

ˈtow·line *s.* **1.** ⚓ Treidelleine *f*, Schlepptau *n*; **2.** Abschleppseil *n*.

town [taʊn] **I** *s.* **1.** Stadt *f* (*unter dem Rang e-r* ***city***); **2.** ***the ~*** *fig.* die Stadt: a) die Stadtbevölkerung, die Einwohnerschaft, b) das Stadtleben; **3.** *Brit.* Marktflecken *m*; **4.** *ohne art. die* (nächste) Stadt: a) Stadtzentrum *n*, b) *Brit. bsd.* London: ***to ~*** nach der *od.* in die Stadt, *Brit. bsd.* nach London; ***out of ~*** nicht in der Stadt, *Brit. bsd.* nicht in London, auswärts; ***go to ~*** F ‚auf den Putz hauen'; → ***paint*** 2; **5.** *Brit.* Bürgerschaft *f e-r Universitätsstadt*; → ***gown*** 3; **II** *adj.* **6.** städtisch, Stadt..., Städte...; **ˈ~·bred** *adj.* in der Stadt aufgewachsen; **~ cen·tre** *s. Brit.* Innenstadt *f*, City *f*; **~ clerk** *s.* ˈStadtdiˌrektor *m*; **~ coun·cil** *s.* Stadtrat *m* (*Gremium*); **~ coun·cil·(l)or** *s.* Stadtrat(smitglied *n*) *m*; **~ cri·er** *s.* Ausrufer *m*; **~ hall** *s.* Rathaus *n*; **~ house** *s.* Stadt-, *Am.* Reihenhaus *n*; **~ plan·ning** *s.* Städte-, Stadtplanung *f*; **ˈ~·scape** [-skeɪp] *s.* Stadtbild *n*, *paint.* -ansicht *f*.

towns·folk [ˈtaʊnzfəʊk] *s. pl.* Stadtleute *pl.*, Städter *pl.*

town·ship [ˈtaʊnʃɪp] *s.* **1.** *hist.* (Dorf-, Stadt)Gemeinde *f od.* (-)Gebiet *n*; **2.** *Am.* Verwaltungsbezirk *m*; **3.** *surv. Am.* 6 Quaˈdratmeilen großes Gebiet.

towns|·man [ˈtaʊnzmən] *s.* [*irr.*] **1.** Städter *m*, Stadtbewohner *m*; **2.** *a.* ***fellow ~*** Mitbürger *m*; **ˈ~ˌpeo·ple** [-nz-] → ***townsfolk***.

ˈtow|·path *s.* Treidelpfad *m*; **ˈ~·rope** → ***towline***.

tox·(a)e·mi·a [tɒkˈsiːmɪə] *s.* ⚕ Blutvergiftung *f*.

tox·ic, **tox·i·cal** [ˈtɒksɪk(l)] *adj.* □ giftig, toxisch, Gift...; **ˈtox·i·cant** [-sɪkənt] **I** *adj.* giftig, toxisch; **II** *s.* Gift(-stoff *m*) *n*; **tox·i·co·log·i·cal** [ˌtɒksɪkəˈlɒdʒɪkl] *adj.* □ toxikoˈlogisch; **tox·i·col·o·gist** [ˌtɒksɪˈkɒlədʒɪst] *s.* ⚕ Toxikoˈloge *m*; **tox·i·col·o·gy** [ˌtɒksɪˈkɒlədʒɪ] *s.* ⚕ Toxikoloˈgie *f*, Giftkunde *f*; **ˈtox·in** [-sɪn] *s.* ⚕ Toˈxin *n*, Gift(stoff *m*) *n*.

toy [tɔɪ] **I** *s.* **1.** (Kinder)Spielzeug *n* (*a. fig.*); *pl.* Spielwaren *pl.*, -sachen *pl.*; **2.** *fig.* Tand *m*, ‚Kinkerlitzchen' *n*; **II** *v/i.* **3.** (***with***) spielen (mit *e-m Gegenstand*, *fig.* mit *e-m Gedanken*), *fig. a.* liebäugeln (mit); **III** *adj.* **4.** Spielzeug..., Kinder..., Zwerg...: ***~ dog*** Schoßhund *m*; ***~ train*** Miniatur-, Kindereisenbahn *f*; **~ book** *s.* Bilderbuch *n*; **ˈ~-box** *s.* Spielzeugkiste *f*; **ˈ~·shop** *s.* Spielwarenhandlung *f*.

trace¹ [treɪs] *s.* Zugriemen *m*, Strang *m* (*Pferdegeschirr*): ***in the ~s*** angespannt (*a. fig.*); ***kick over the ~s*** *fig.* über die Stränge schlagen.

trace² [treɪs] **I** *s.* **1.** (Fuß-, Wagen-, Wild- *etc.*)Spur *f*: ***hot on s.o.'s ~s*** j-m dicht auf den Fersen; ***without a ~*** spurlos; ***~ element*** ⚗ Spurenelement *n*; **2.** *fig.* Spur *f*: a) (ˈÜber)Rest *m*: ***~s of ancient civilizations***, b) (An)Zeichen *n*: ***~s of fatigue***, c) geringe Menge, bißchen: ***not a ~ of fear*** keine Spur von Angst; ***a ~ of a smile*** der Anflug e-s Lächelns; **3.** ⚔ a) Leuchtspur *f*, b) *Radar*: Bildspur *f*; **4.** Linie *f*: a) Aufzeichnung *f* (*Meßgerät*), b) Zeichnung *f*, Skizze *f*, c) Pauszeichnung *f*, d) Grundriß *m*; **5.** *Am.* (markierter) Weg; **II** *v/t.* **6.** nachspüren (*dat.*), *j-s* Spur verfolgen; **7.** *Wild*, *Verbrecher* verfolgen, aufspüren; **8.** *a.* ***~ out*** *et. od. j-n* ausfindig machen *od.* aufspüren, *et.* auf-, herˈausfinden; **9.** *fig. e-r Entwicklung etc.* nachgehen, *e-e Sache* verfolgen: ***~ back*** *et.* zurückverfolgen (***to*** bis zu); ***~ s.th. to*** et. zurückführen auf (*acc.*), et. herleiten von; **10.** erkennen; **11.** *Pfad* verfolgen; **12.** *a.* ***~ out*** (auf)zeichnen, skizzieren, entwerfen; **13.** *Buchstaben* sorgfältig (aus)ziehen, schreiben; **14.** ⚙ a) *a.* ***~ over*** (ˈdurch)pausen, b) *Baufluchtetc.* abstecken, c) *Messung* aufzeichnen (*Gerät*); **ˈtrace·a·ble** [-səbl] *adj.* □ **1.** auffindbar, nachweisbar; **2.** zuˈrückzuführen(d) (***to*** auf *acc.*); **ˈtrac·er** [-sə] *s.* **1.** Aufspürer(in); **2.** ✉, 🚂 *Am.* Lauf-, Suchzettel *m*; **3.** *Schneiderei*: Kopierrädchen *n*; **4.** ⚙ Punzen *m*; **5.** ⚗ Isoˈtopenindiˌkator *m*; **6.** ⚔ a) *mst* ***~ bullet***, ***~ shell*** Leuchtspur-, Rauchspurgeschoß *n*, b) *mst* ***~ composition*** Leuchtspursatz *m*; **7.** a) technischer Zeichner, b) Pauser *m*; **ˈtrac·er·y** [-sərɪ] *s.* **1.** ⚠ Maßwerk *n an gotischen Fenstern*; **2.** Flechtwerk *n*.

tra·che·a [trəˈkiːə] *pl.* **-che·ae** [-ˈkiːiː] *s.* **1.** *anat.* Traˈchea *f*, Luftröhre *f*; **2.** ⚘, *zo.* Traˈchee *f*; **traˈche·al** [-ˈkiːəl] *adj.*

1. *anat.* Luftröhren…; **2.** *zo.* Tracheen…; **3.** ⚘ Gefäß…; **tra·che·i·tis** [ˌtrækɪˈaɪtɪs] *s.* ⚕ ˈLuftröhrenkaˌtarrh *m*; **tra·che·ot·o·my** [ˌtrækɪˈɒtəmɪ] *s.* ⚕ Luftröhrenschnitt *m*.

trac·ing [ˈtreɪsɪŋ] *s.* **1.** Suchen *n*, Nachforschung *f*; **2.** ⚙ a) (Auf)Zeichnen *n*, b) ˈDurchpausen *n*; **3.** ⚙ a) Zeichnung *f*, (Auf)Riß *m*, Plan *m*, b) Pause *f*; **4.** Aufzeichnung *f* (*e-s Kardiographen etc.*); **~ file** *s.* ˈSuchkarˌtei *f*; **~ op·er·a·tion** *s.* Fahndung *f*; **~ pa·per** *s.* ˈPauspaˌpier *n*; **~ ser·vice** *s.* Suchdienst *m*.

track [træk] **I** *s.* **1.** (Fuß-, Wild- *etc.*) Spur *f* (*a. fig.*), Fährte *f*: ***on s.o.'s ~s*** j-m auf der Spur; ***be on the wrong ~*** auf der falschen Spur *od.* auf dem Holzweg sein; ***cover up one's ~s*** s-e Spuren verwischen; ***throw s.o. off the ~*** j-n von der (richtigen) Spur ablenken; ***keep ~ of*** *fig. et.* verfolgen, sich auf dem laufenden halten über (*acc.*); ***lose ~ of*** aus den Augen verlieren; ***make ~s*** *sl.* ‚abhauen'; ***make ~s for*** schnurstracks losgehen auf (*acc.*); ***stop in one's ~s*** wie festgewurzelt stehenbleiben; ***shoot s.o. in his ~s*** j-n auf der Stelle niederschießen; **2.** 🚂 Gleis *n*, Geleise *n u. pl.*, Schienenstrang *m*: ***off the ~*** entgleist, aus den Schienen; ***on ~*** ✝ auf (der) Achse, rollend; ***born on the wrong side of the ~s*** *fig. Am.* aus ärmlichen Verhältnissen stammend; **3.** ⚓ Fahrwasser *n*; **4.** ⚓ *übliche* Route; **5.** Weg *m*, Pfad *m*; **6.** (Koˈmeten- *etc.*) Bahn *f*; **7.** *sport* a) (Renn-, Lauf-) Bahn *f*, b) *mst* ***~ events*** ˈLaufdisziˌplinen *pl.*, c) *a.* ***~-and-field sports*** ˈLeichtathˌletik *f*; **8.** (Gleis-, Raupen-) Kette *f e-s Traktors etc.*; **9.** *mot.* a) Spurweite *f*, b) ˈReifenproˌfil *n*; **10.** *Computer*, *Tonband*: Spur *f*; **11.** *ped. Am.* Leistungsgruppe *f*; **II** *v/t.* **12.** nachspüren (*dat.*), *a. fig.* verfolgen (*acc.*); **13.** aufspüren: a) *a.* ***~ down*** *Wild*, *Verbrecher* zur Strecke bringen, b) ausfindig machen; **14.** *Weg* kennzeichnen; **15.** durchˈqueren; **16.** 🚂 *Am.* Gleise verlegen in (*dat.*); **17.** *Am.* (Schmutz)Spuren hinterˈlassen auf (*dat.*); **18.** ⚙ mit Raupenketten versehen: ***~ed vehicle*** Ketten-, Raupenfahrzeug *n*; **III** *v/i.* **19.** Spur halten (*Räder*); **20.** *Film*: (mit der Kamera) fahren: ***~ing shot*** Fahraufnahme *f*; **IV** *adj.* **21.** 🚂 Gleis…, Schienen…; **22.** *sport* a) (Lauf)Bahn…, Lauf…, b) Leichtathletik…: **ˈtrack·age** [-kɪdʒ] *s.* 🚂 **1.** *coll.* Schienen *pl.*; **2.** Schienenlänge *f*; **3.** *Am.* Streckenbenutzungsrecht *n*, -gebühr *f*; **ˌtrack-and-ˈfield** *adj.* Leichtathletik…; → ***track*** 7 c; **ˈtrack·er** [-kə] *s.* **1.** *bsd. hunt.* Spurenleser *m*: ***~ dog*** Spürhund *m*; **2.** *fig.* ‚Spürhund' *m* (*Person*); **3.** ⚔ Zielgeber *m* (*Gerät*).

ˈtrack|ˌlay·er *s.* **1.** 🚂 *Am.* Streckenarbeiter *m*; **2.** Raupenschlepper *m*; **ˈ~ˌlay·ing** *adj.* ⚙ Raupen…, Gleisketten…: ***~ vehicle***.

track·less [ˈtræklɪs] *adj.* ☐ **1.** unbetreten; **2.** weg-, pfadlos; **3.** schienenlos; **4.** spurlos.

track| meet *s. Am.* Leichtathletikveranstaltung *f*; **~ shoe** *s.* Rennschuh *m*; **~ suit** *s.* Trainingsanzug *m*; **~ walk·ing** *s. sport* Bahngehen *n*.

tract¹ [trækt] *s.* **1.** (ausgedehnte) Fläche, Strecke *f*, (Land)Strich *m*, Gebiet *n*, Gegend *f*; **2.** Zeitraum *m*; **3.** *anat.* Trakt *m*, (Verˈdauungs- *etc.*)Syˌstem *n*: ***respiratory ~*** Atemwege *pl.*; **4.** *physiol.* (Nerven)Strang *m*: ***optic ~*** Sehstrang.

tract² [trækt] *s. eccl.* Trakˈtat *m*, *n*; *contp.* Trakˈtätchen *n*.

trac·ta·ble [ˈtræktəbl] *adj.* **1.** ☐ lenk-, folg-, fügsam; **2.** *fig.* gefügig, geschmeidig (*Material*).

trac·tion [ˈtrækʃn] *s.* **1.** Ziehen *n*; **2.** ⚙, *phys.* a) Zug *m*, b) Zugleistung *f*: ***~ engine*** Zugmaschine *f*; **3.** *phys.* Reibungsdruck *m*; **4.** *mot.* a) Griffigkeit *f* (*Reifen*), b) *a.* ***~ of the road*** Bodenhaftung *f*; **5.** Transˈport *m*, Fortbewegung *f*; **6.** *physiol.* Zs.-ziehung *f* (*Muskeln*); **ˈtrac·tion·al** [-ʃənl], **ˈtrac·tive** [-tɪv] *adj.* ⚙ Zug…

trac·tor [ˈtræktə] *s.* **1.** ⚙ ˈZugmaˌschine *f*, Traktor *m*, Schlepper *m*; **2.** ✈ a) Zugschraube *f*, b) *a.* ***~ airplane*** Flugzeug *n* mit Zugschraube; **~ truck** *s. Am. mot.* Sattelschlepper *m*.

trade [treɪd] **I** *s.* **1.** ✝ Handel *m*, (Handels)Verkehr *m*: ***foreign ~*** a) Außenhandel, b) ⚓ große Fahrt; ***home ~*** a) Binnenhandel, b) ⚓ kleine Fahrt; → ***board*** 9; **2.** ✝ Geschäft *n*: a) Gewerbe *n*, Geschäftszweig *m*, Branche *f*, b) (Einzel-, Groß)Handel *m*, c) Geschäftslage *f*, -gewinn *m*: ***be in ~*** (Einzel)Händler sein; ***do a good ~*** gute Geschäfte machen; ***sell to the ~*** an Wiederverkäufer abgeben; **3.** ✝ ***the ~*** a) *coll.* die Geschäftswelt, b) *Brit.* der Spirituˈosenhandel, c) die Kundschaft; **4.** Gewerbe *n*, Beruf *m*, Handwerk *n*: ***the ~*** *coll.* die Zunft *od.* Gilde; ***by ~*** *Bäcker etc.* von Beruf; ***every man to his ~*** jeder, wie er es gelernt hat; ***the ~ of war*** das Kriegshandwerk; **5.** *mst* ***the ~s*** *pl.* die Pasˈsatwinde *pl.*; **II** *v/i.* **6.** Handel treiben, handeln (***in*** mit *et.*); in Geschäftsverbindung stehen (***with*** mit *j-m*); *Am.* (ein)kaufen (***with*** bei *j-m*, ***at*** in *e-m Laden*); **7.** ***~ (up)on*** *fig.* spekulieren *od.* ‚reisen' auf (*acc.*), ausnutzen; **III** *v/t.* **8.** (aus)tauschen (***for*** gegen); **9.** ***~ in*** *bsd. Auto* in Zahlung geben; **~ ac·cept·ance** *s.* ✝ ˈHandelsakˌzept *n*; **~ ac·count** *s. Bilanz*: a) ***~s***

payable Warenschulden *pl.*, b) ***~s receivable*** Warenforderungen *pl.*; **~ as·so·ci·a·tion** *s.* **1.** Wirtschaftsverband *m*; **2.** Arbeitgeberverband *m*; **~ bal·ance** *s.* 'Handelsbi,lanz *f*; **~ bar·riers** *s. pl.* Handelsschranken *pl.*; **~ bill** *s.* Warenwechsel *m*; **~ cy·cle** *s.* Konjunk'turzyklus *m*; **~ di·rec·to·ry** *s.* Branchen-, Firmenverzeichnis *n*, 'Handelsa,dreßbuch *n*; **~ dis·count** *s.* 'Händlerra,batt *m*; **~ fair** *s.* (Handels)Messe *f*; **~ gap** *s.* 'Handelsbi,lanzdefizit *n*; **'~-in** *s.* in Zahlung gegebene Sache (*bsd. Auto*): ***~ value*** Eintausch-, Verrechnungswert *m*; **'~·mark I** *s.* **1.** Warenzeichen *n*: ***registered ~*** eingetragenes Warenzeichen; **2.** *fig.* Kennzeichen *n*; **II** *v/t.* **3.** *Ware* gesetzlich schützen lassen: ***~ed goods*** Markenartikel; **~ mis·sion** *s. pol.* 'Handelsmissi,on *f*; **~ name** *s.* **1.** Handelsbezeichnung *f*, Markenname *m*; **2.** Firmenname *m*, Firma *f*; **~ price** *s.* (Groß)Handelspreis *m*.

trad·er ['treɪdə] *s.* **1.** Händler *m*, Kaufmann *m*; **2.** *Börse*: 'Wertpa,pierhändler *m*; **3.** ⚓ Handelsschiff *n*.

trade| school *s.* Gewerbeschule *f*; **~ se·cret** *s.* Geschäftsgeheimnis *n*; **~ show** *s.* Filmvorführung *f* für Verleiher u. Kritiker.

trades|·man ['treɪdzmən] *s.* [*irr.*] **1.** (Einzel)Händler *m*; **2.** Ladeninhaber *m*; **3.** Handwerker *m*; **'~·peo·ple** [-zp-] *s. pl.* Geschäftsleute *pl.*

trade| sym·bol *s.* Bild *n* (*Warenzeichen*); **~ un·ion** *s.* Gewerkschaft *f*; **~ un·ion·ism** *s.* Gewerkschaftswesen *n*; **~ un·ion·ist** *s.* Gewerkschaftler(in); **~ wind** *s.* Pas'satwind *m*.

trad·ing ['treɪdɪŋ] **I** *s.* **1.** Handeln *n*; **2.** Handel *m* (***in*** mit *et.*, ***with*** mit *j-m*); **II** *adj.* **3.** Handels…; **~ a·re·a** *s.* ✝ Absatzgebiet *n*; **~ cap·i·tal** *s.* Be'triebskapi,tal *n*; **~ com·pa·ny** *s.* Handelsgesellschaft *f*; **~ post** *s.* Handelsniederlassung *f*; **~ stamp** *s.* Ra'battmarke *f*.

tra·di·tion [trə'dɪʃn] *s.* **1.** Traditi'on *f*: a) (mündliche) Über'lieferung (*a. eccl.*), b) Herkommen *n*, (alter) Brauch, Brauchtum *n*: ***be in the ~*** sich im Rahmen der Tradition halten; **2.** ⚖ Auslieferung *f*, 'Übergabe *f*; **tra'di·tion·al** [-ʃənl] *adj.* ☐ traditio'nell, Traditions…: a) (mündlich) über'liefert, b) herkömmlich, brauchtümlich, (alt)hergebracht, üblich; **tra'di·tion·al·ism** [-ʃnəlɪzəm] *s. bsd. eccl.* Traditiona'lismus *m*, Festhalten *n* an der Über'lieferung.

tra·duce [trə'dju:s] *v/t.* verleumden.

traf·fic ['træfɪk] **I** *s.* **1.** (öffentlicher, Straßen-, Schiffs-, Eisenbahn- *etc.*) Verkehr; **2.** (Per'sonen-, Güter-, Nachrichten-, Fernsprech- *etc.*)Verkehr *m*; **3.** a) (Handels)Verkehr *m*, Handel *m* (***in*** in *dat.*, mit), b) *b.s.* ('ille,galer) Handel: ***drug ~***; **4.** *fig.* a) Verkehr *m*, Geschäft(e *pl.*) *n*, b) Austausch *m* (***in*** von): ***~ in ideas***; **II** *v/i. pret. u. p.p.* **'traf·ficked** [-kt] **5.** handeln, Handel treiben (***in*** in *dat.*, ***with*** mit); **6.** *fig.* verhandeln (***with*** mit).

traf·fi·ca·tor ['træfɪkeɪtə] *s. mot. Brit.* a) Blinker *m*, b) *hist.* Winker *m*.

traf·fic| cen·sus *s.* Verkehrszählung *f*; **~ cir·cle** *s. mot. Am.* Kreisverkehr *m*; **~ is·land** *s.* Verkehrsinsel *f*; **~ jam** *s.* Verkehrsstauung *f*, -stockung *f*, (Fahrzeug)Stau *m*.

traf·fick·er ['træfɪkə] *s.* (*a.* 'ille,galer) Händler.

traf·fic| lane *s. mot.* Spur *f*; **~ lights** *s. pl.* Verkehrsampel *f*; **~ man·a·ger** *s.* ✝ **1.** Versandleiter *m*; **2.** Be'triebsdi,rektor *m*; **~ of·fence** *s. Brit.*, **~ of·fense** *s. Am.* Ver'kehrsde,likt *n*; **~ of·fend·er** *s.* Verkehrssünder *m*; **~ reg·u·la·tions** *s. pl.* Verkehrsvorschriften *pl.*, (Straßen)Verkehrsordnung *f*; **~ sign** *s.* Verkehrszeichen *n*, -schild *n*; **~ ward·en** *s.* Poli'tesse *f*.

tra·ge·di·an [trə'dʒi:djən] *s.* **1.** Tragiker *m*, Trauerspieldichter *m*; **2.** *thea.* Tra'göde *m*, tragischer Darsteller *m*; **tra·ge·di·enne** [trədʒi:'djen] *s. thea.* Tra'gödin *f*; **trag·e·dy** ['trædʒɪdɪ] *s.* **1.** Tra'gödie *f*: a) *thea.* Trauerspiel *n*, b) *fig.* tragische Begebenheit, *a.* Unglück *n*; **2.** *fig. das* Tragische; **tra·gic**, **trag·i·cal** ['trædʒɪk(l)] *adj.* ☐ *thea. u. fig.* tragisch: ***~ly*** tragischerweise; **trag·i·com·e·dy** [,trædʒɪ'kɒmɪdɪ] *s.* Tragiko'mödie *f* (*a. fig.*); **trag·i·com·ic** [,trædʒɪ'kɒmɪk] *adj.* (☐ ***~ally***) tragi'komisch.

trail [treɪl] **I** *v/t.* **1.** (nach)schleppen, (-)schleifen, hinter sich her ziehen: ***~ one's coat*** *fig.* Streit suchen; **2.** verfolgen (*acc.*), nachspüren (*dat.*), ‚beschatten' (*acc.*); **3.** zu'rückbleiben hinter (*dat.*); **II** *v/i.* **4.** schleifen (*Rock etc.*); **5.** wehen, flattern; her'unterhängen; **6.** ⚘ kriechen, sich ranken; **7.** (sich da'hin-) ziehen (*Rauch etc.*); **8.** sich da'hinschleppen; **9.** nachhinken (*a. fig.*); **10.** ***~ off*** sich verlieren (*Klang*, *Stimme etc.*); **III** *s.* **11.** geschleppter Teil, *z.B.* Schleppe *f* (*Kleid*); **12.** *fig.* Schweif *m*, Schwanz *m* (*Meteor etc.*): ***~ of smoke*** Rauchfahne *f*; **13.** Spur *f*: ***~ of blood***; **14.** *hunt. u. fig.* Fährte *f*, Spur *f*: ***on s.o.'s ~*** j-m auf der Spur *od.* auf den Fersen; ***off the ~*** von der Spur abgekommen; **15.** (Trampel)Pfad *m*, Weg *m*: ***blaze the ~*** a) den Weg markieren, b) *fig.* den Weg bahnen (***for*** für), bahnbrechend sein; **'~,blaz·er** *s.* **1.** Pistensucher *m*; **2.** *fig.* Bahnbrecher *m*, Pio'nier *m*.

trail·er ['treɪlə] *s.* **1.** ⚘ Kriechpflanze *f*; rankender Ausläufer; **2.** *mot.* a) Anhänger *m*, b) *Am.* Wohnwagen *m*, Caravan *m*: **~ camp**, **~ park** Platz *m* für Wohnwagen; **3.** *Film*, *TV*: (Pro'gramm-)Vorschau *f*; **'trail·er·ite** *s. Am.* Caravaner *m*.

trail·ing| a·e·ri·al ['treɪlɪŋ] *s.* ϟ 'Schleppanˌtenne *f*; **~ ax·le** *s. mot.* nicht angetriebene Achse, Schleppachse *f*.

train [treɪn] **I** *s.* **1.** (Eisenbahn)Zug *m*: **~ journey** Bahnfahrt *f*; **~ staff** Zugpersonal *n*; **by ~** mit der Bahn; **be on the ~** im Zug sein *od.* sitzen; **take a ~ to** mit dem Zug fahren nach; **2.** Zug *m von Personen*, *Wagen etc.*, Kette *f*, Ko'lonne *f*: **~ of barges** Schleppzug (*Kähne*); **3.** Gefolge *n* (*a. fig.*): **have** (*od.* **bring**) **in its ~** *et.* mit sich bringen, zur Folge haben; **4.** *fig.* Folge *f*, Kette *f*, Reihe *f von Ereignissen etc.*: **~ of thought** Gedankengang *m*; **in ~** a) im Gang, im Zuge, b) bereit (**for** für); **put in ~** in Gang setzen; **5.** Schleppe *f am Kleid*; **6.** (Ko'meten)Schweif *m*; **7.** ⚒, ⚔ Zündlinie *f*; **8.** ⚙ Räder-, Triebwerk *n*; **II** *v/t.* **9.** auf-, erziehen; **10.** ⚘ ziehen; **11.** *j-n* ausbilden (*a.* ⚔), *a. Auge*, *Geist etc.* schulen: → **trained**; **12.** *j-m et.* einexerzieren, beibringen; **13.** a) *Sportler*, *a. Pferde* trainieren, b) *Tiere* abrichten, dressieren (**to do** zu tun), *Pferd* zureiten; **14.** ⚔ *Geschütz* richten (**on** auf *acc.*); **III** *v/i.* **15.** sich ausbilden (**for** zu, als); sich schulen *od.* üben; **16.** *sport* trainieren (**for** für); **17.** *a.* **~ it** F mit der Bahn fahren; **~ down** *v/i. sport* abtrainieren, ‚abkochen'.

'train|ˌbear·er *s.* Schleppenträger *m*; **~ call** *s. teleph.* Zuggespräch *n*.

trained [treɪnd] *adj.* **1.** geübt, geschult (*Auge*, *Geist etc.*); **2.** (voll) ausgebildet, geschult, Fach...: **~ men** Fachkräfte; **train·ee** [treɪ'ni:] *s.* **1.** a) Auszubildende(r *m*) *f*, Lehrling *m*, b) Prakti'kant (-in), c) *Management*: Trai'nee *m*, *f*: **~ nurse** Lernschwester *f*; **2.** ⚔ *Am.* Re'krut *m*; **'train·er** [-nə] *s.* **1.** Ausbilder *m*; **2.** *sport* Trainer *m*; **3.** a) Abrichter *m*, ('Hunde- *etc.*)Dresˌseur *m*, b) Zureiter *m*; **4.** ✈ a) Schulflugzeug *n*, b) ('Flug)Simuˌlator *m*.

train fer·ry *s.* Eisenbahnfähre *f*.

train·ing ['treɪnɪŋ] **I** *s.* **1.** Schulung *f*, Ausbildung *f*; **2.** Üben *n*; **3.** *sport* Training *n*: **be in ~** a) im Training stehen, b) (gut) in Form sein; **go into ~** das Training aufnehmen; **out of ~** nicht in Form; **4.** a) Abrichten *n von Tieren*, b) Zureiten *n*; **II** *adj.* **5.** Ausbildungs..., Schul(ungs)..., Lehr...; **6.** *sport* Trainings...; **~ camp** *s.* **1.** *sport* Trainingslager *n*; **2.** ⚔ Ausbildungslager *n*; **~ cen·ter** *Am.*, **~ cen·tre** *Brit. s.* Ausbildungszentrum *n*; **~ film** *s.* Lehrfilm *m*; **~ school** *s.* **1.** *ped.* Aufbauschule *f*; **2.** ⚖ Jugendstrafanstalt *f*; **~ ship** *s.* ⚓ Schulschiff *n*.

'train|·load *s.* Zugladung *f*; **~ oil** *s.* (Fisch)Tran *m*, *bsd.* Walöl *n*; **'~·sick** *adj.*: **she gets ~** ihr wird beim Zugfahren schlecht.

traipse [treɪps] → **trapse**.

trait [treɪ] *s.* **1.** (Cha'rakter)Zug *m*, Merkmal *n*; **2.** *Am.* Gesichtszug *m*.

trai·tor ['treɪtə] *s.* Verräter *m* (**to** an *dat.*); **'trai·tor·ous** [-tərəs] *adj.* □ verräterisch; **'trai·tress** [-trɪs] *s.* Verräterin *f*.

tra·jec·to·ry ['trædʒɪktərɪ] *s.* **1.** *phys.* Flugbahn *f*; Fallkurve *f e-r Bombe*; **2.** ⩚ Trajekto'rie *f*.

tram [træm] **I** *s.* **1.** *Brit.* (**by ~** mit der) Straßenbahn *f*; **2.** ⚒ Förderwagen *m*, Hund *m*; **II** *v/i.* **3.** *a.* **~ it** *Brit.* mit der Straßenbahn fahren; **'~·car** *s. Brit.* Straßenbahnwagen *m*; **'~·line** *s.* **1.** *Brit.* Straßenbahnlinie *f*; **2.** *pl. Tennis etc.*: Seitenlinien *pl.* für Doppel; **3.** *pl. fig.* 'Leitprinˌzipien *pl*.

tram·mel ['træml] **I** *s.* **1.** (Schlepp)Netz *n*; **2.** Spannriemen *m für Pferde*; **3.** *fig.* Fessel *f*; **4.** Kesselhaken *m*; **5.** ⩚ El'lipsenzirkel *m*; **6.** *a.* **pair of ~s** Stangenzirkel *m*; **II** *v/t.* **7.** *mst fig.* hemmen.

tra·mon·tane [trə'mɒnteɪn] *adj.* **1.** transal'pin(isch); **2.** *fig.* fremd, bar'barisch.

tramp [træmp] **I** *v/i.* **1.** trampeln ([**up**]**on** auf *acc.*); sta(m)pfen; **2.** *mst* **~ it** marschieren, wandern, ‚tippeln'; **3.** vagabundieren; **II** *v/t.* **4.** durch'wandern; **5.** **~ down** niedertrampeln; **III** *s.* **6.** Getrampel *n*; **7.** (schwerer) Tritt; **8.** (Fuß)Marsch *m*, Wanderung *f*: **on the ~** auf (der) Wanderschaft; **9.** Landstreicher *m*; **10.** F ‚Luder' *n*, ‚Flittchen' *n*; **11.** ⚓ Trampschiff *n*; **'tram·ple** [-pl] **I** *v/i.* **1.** (her'um)trampeln ([**up**]**on** auf *dat.*); **2.** *fig.* mit Füßen treten ([**up**]**on** *acc.*); **II** *v/t.* **3.** (zer)trampeln: **~ down** niedertrampeln; **~ out** *Feuer* austreten; **~ under foot** he'rumtrampeln auf (*dat.*); **III** *s.* **4.** Trampeln *n*.

tram·po·lin(e) ['træmpəlɪn] *s. sport* Trampo'lin *n*; **'tram·po·lin·er** *s.* Trampo'linspringer(in), -turner(in).

'tram·way *s.* **1.** *Brit.* Straßenbahn(linie) *f*; **2.** ⚒ Grubenbahn *f*.

trance [trɑ:ns] *s.* **1.** Trance(zustand *m*) *f*: **go** (**put**) **into a ~** in Trance fallen (versetzen); **2.** Verzückung *f*, Ek'stase *f*.

trank [træŋk] *s. Am.* F Beruhigungsmittel *n*.

tran·quil ['træŋkwɪl] *adj.* □ **1.** ruhig, friedlich; **2.** gelassen, heiter; **tran·quil·(l)i·ty** [træŋ'kwɪlətɪ] *s.* **1.** Ruhe *f*, Friede(n) *m*, Stille *f*; **2.** Gelassenheit *f*, Heiterkeit *f*; **'tran·quil·(l)ize** [-laɪz] *v/t.* (*v/i.* sich) beruhigen; **'tran·quil·(l)iz·er** [-laɪzə] *s.* Beruhigungsmittel *n*.

T

trans·act [træn'zækt] **I** *v/t. Geschäfte etc.* ('durch)führen, abwickeln; *Handel* abschließen; **II** *v/i.* ver-, unter'handeln (*with* mit); **trans'ac·tion** [-kʃn] *s.* **1.** 'Durchführung *f*, Abwicklung *f*, Erledigung *f*; **2.** Ver-, Unter'handlung *f*; **3.** a) ✝ Transakti'on *f*, (Geschäfts)Abschluß *m*, Geschäft *n*, b) ⚖ Rechtsgeschäft *n*; **4.** *pl.* ✝ (Ge'schäfts)ˌUmsatz *m*; **5.** *pl.* Proto'koll *n*, Sitzungsbericht *m*.

trans·al·pine [ˌtrænz'ælpaɪn] *adj.* trans-al'pin(isch).

trans·at·lan·tic [ˌtrænzət'læntɪk] *adj.* **1.** transat'lantisch, 'überseeisch; **2.** Übersee…: ~ *liner*; ~ *flight* Ozeanflug *m*.

trans·ceiv·er [træn'siːvə] *s.* ⚡ Sender-Empfänger *m*.

tran·scend [træn'send] *v/t.* **1.** *bsd. fig.* über'schreiten, -'steigen; **2.** *fig.* über'treffen; **tran'scend·ence** [-dəns], **tran'scend·en·cy** [-dənsɪ] *s.* **1.** Über'legenheit *f*, Erhabenheit *f*; **2.** *phls., eccl., a.* ⚗ Transzen'denz *f*; **tran'scend·ent** [-dənt] *adj.* □ **1.** transzen'dent: a) *phls.* 'übersinnlich, b) *eccl.* 'überweltlich; **2.** her'vorragend.

tran·scen·den·tal [ˌtrænsen'dentl] *adj.* □ **1.** *phls.* transzenden'tal: a) meta'physisch, b) *bei Kant*: apri'orisch: ~ *meditation* transzendentale Meditation; **2.** 'übernaˌtürlich; **3.** erhaben; **4.** ab'strus, verworren; **5.** ⚗ transzen'dent; ˌ**tran·scen'den·tal·ism** [-təlɪzəm] *s.* Transzenden'talphilosoˌphie *f*.

tran·scribe [træn'skraɪb] *v/t.* **1.** abschreiben; **2.** *Stenogramm etc.* über'tragen; **3.** ♪ transkribieren; **4.** *Radio, TV*: a) aufzeichnen, auf Band aufnehmen, b) (vom Band) über'tragen; **5.** *Computer*: 'umschreiben; **tran·script** ['trænskrɪpt] *s.* Abschrift *f*, Ko'pie *f*; **tran'scrip·tion** [-rɪpʃn] *s.* **1.** Abschreiben *n*; **2.** Abschrift *f*; **3.** 'Umschrift *f*; **4.** ♪ Transkripti'on *f*; **5.** *Radio, TV*: a) Aufnahme *f*, b) Aufzeichnung *f*.

trans·duc·er [trænz'djuːsə] *s.* **1.** ⚡ ('Um)Wandler; **2.** ⚙ 'Umformer; **3.** *Computer*: Wandler *m*.

tran·sept ['trænsept] *s.* ⚠ Querschiff *n*.

trans·fer [træns'fɜː] **I** *v/t.* **1.** hin'überbringen, -schaffen (*from … to* von … nach *od.* zu); **2.** über'geben (*to dat.*); **3.** *Betrieb, Truppen, Wohnsitz etc.* verlegen, *Beamten, Schüler in e-e andere Schule etc.* versetzen (*to* nach, *in, into* in *acc.*); *Technologie, a. sport Spieler* transferieren; ⚕ *Patienten* über'weisen; **4.** ⚖ (*to*) über'tragen (auf *acc.*), abtreten (an *acc.*); **5.** ✝ a) *Summe* vortragen, b) *Posten, Wertpapiere* 'umbuchen, c) *Aktien etc.* über'tragen; **6.** *Geld* über'weisen; **7.** *fig. Zuneigung etc.* über'tragen (*to* auf *acc.*); **8.** *typ. Druck, Stich etc.* 'umdrucken, über'tragen; **II** *v/i.* **9.** 'übertreten (*to* zu); **10.** verlegt *od.* versetzt werden (*to* nach); **11.** 🚂 *etc.* 'umsteigen; **III** *s.* ['trænsfɜː] **12.** (*to*) Über'tragung *f* (auf *acc.*), 'Übergabe *f* (an *acc.*); **13.** Wechsel *m* (*to* zu); **14.** (*to*) a) Verlegung *f* (nach), b) Versetzung *f* (nach), c) *sport* Trans'fer *m od.* Wechsel *m* (zu); **15.** ⚖ (*to*) Über'tragung *f* (*to* auf *acc.*), Abtretung *f* (an *acc.*); **16.** ('Geld)ÜberˌweisungJ *f*: ~ *business* ✝ Giroverkehr *m*; ~ *of foreign exchange* Devisentransfer *m*; **17.** ✝ ('Wertpaˌpier- *etc.*)ˌUmbuchung *f*; **18.** ✝ ('Aktien- *etc.*)ÜberˌtragungJ *f*; **19.** *typ.* a) Über'tragung *f*, 'Umdruck *m*, b) Abziehen *n*, Abzug *m*, c) Abziehbild *n*; **20.** 🚂 *etc.* a) 'Umsteigen *n*, b) 'Umsteigefahrkarte *f*, c) *a.* ⚓ 'Umschlagplatz *m*, d) Fährboot *n*; **trans'fer·a·ble** [-'fɜːrəbl] *adj. bsd.* ✝, ⚖ über'tragbar (*a. Wahlstimme*).

trans·fer| bank *s.* ✝ Girobank *f*; ~ **book** *s.* ✝ 'Umschreibungs-, Aktienbuch *n*; ~ **day** *s.* ✝ 'Umschreibungstag *m*; ~ **deed** *s.* Über'tragungsurkunde *f*.

trans·fer·ee [ˌtrænsfɜː'riː] *s.* Zessio'nar *m*, Über'nehmer *m*; **trans·fer·ence** ['trænsfərəns] *s.* **1.** → *transfer* 14, 15, 17, 18; **2.** *psych.* Über'tragung *f*; **trans·fer·en·tial** [ˌtrænsfə'renʃl] *adj.* Übertragungs…

trans·fer ink *s. typ.* 'Umdrucktinte *f*, -farbe *f*.

trans·fer·or [træns'fɜːrə] *s.* ⚖ Ze'dent *m*, Abtretende(r *m*) *f*.

trans·fer| pa·per *s. typ.* 'Umdruckpaˌpier *n*; ~ **pic·ture** *s.* Abziehbild *n*.

trans·fer·rer [træns'fɜːrə] *s.* **1.** Über'trager *m*; **2.** → *transferor*.

trans·fer tick·et → *transfer* 20b.

trans·fig·u·ra·tion [ˌtrænsfɪgjʊ'reɪʃn] *s.* **1.** 'Umgestaltung *f*; **2.** *eccl.* a) Verklärung *f*, b) ♀ Fest *n* der Verklärung (*6. August*); **trans·fig·ure** [træns'fɪgə] *v/t.* **1.** 'umgestalten; **2.** *eccl. u. fig.* verklären.

trans·fix [træns'fɪks] *v/t.* **1.** durch'stechen, -'bohren (*a. fig.*); **2.** *fig.* lähmen: ~*ed* (wie) versteinert, starr (*with* vor *dat.*).

trans·form [træns'fɔːm] **I** *v/t.* **1.** 'umgestalten, -wandeln ([*in*]*to* in *acc.*, zu); 'umformen (*a.* ⚗); *a. j-n* verwandeln, verändern; **2.** ⚡ 'umspannen; **II** *v/i.* **3.** sich verwandeln (*into* zu); **trans·for·ma·tion** [ˌtrænsfə'meɪʃn] *s.* **1.** 'Umgestaltung *f*, -bildung *f*; 'Umwandlung *f*, -formung *f* (*a.* ⚗); Verwandlung *f*, (*a.* Cha'rakter-, Sinnes)Änderung *f*; ~ *of energy phys.* Energieumsetzung *f*; ~ (*scene*) *thea.* Verwandlungsszene *f*; **2.** ⚡ 'Umspannung *f*; **3.** 'Damenpeˌrücke *f*; **trans'form·er** [-mə] *s.* **1.** 'Umgestalter(in); **2.** ⚡ Transfor'mator *m*.

trans·fuse [træns'fjuːz] *v/t.* **1.** 'umgießen; **2.** ⚕ a) *Blut* über'tragen, b) e-e

T

'Bluttransfusi,on machen bei, c) *Serum etc.* einspritzen; **3.** *fig.* einflößen (***into*** *dat.*); **4.** *fig.* durch'dringen, erfüllen (***with*** mit, von); **trans'fu·sion** [-ju:ʒn] *s.* **1.** 'Umgießen *n*; **2.** ⚕ ('Blut)Transfusi,on *f*; **3.** *fig.* Erfüllung (***with*** mit).

trans·gress [træns'gres] **I** *v/t.* **1.** über'schreiten (*a. fig.*); **2.** *fig. Gesetze etc.* über'treten; **II** *v/i.* **3.** (***against*** gegen) sich vergehen, sündigen; **trans'gres·sion** [-eʃn] *s.* **1.** Über'schreitung *f* (*a. fig.*); **2.** Über'tretung *f von Gesetzen etc.*; **3.** Vergehen *n*, Missetat *f*; **trans'gres·sor** [-sə] *s.* Missetäter(in).

tran·sience ['trænzıəns], **'tran·sien·cy** [-nsı] *s.* Vergänglichkeit *f*, Flüchtigkeit *f*; **'tran·sient** [-nt] **I** *adj.* □ **1.** *zeitlich* vor'übergehend; **2.** vergänglich, flüchtig; **3.** *Am.* Durchgangs...: ~ ***camp***; ~ ***visitor*** → 5; **4.** ⚡ Einschalt..., Einschwing...; **II** *s.* **5.** *Am.* 'Durchreisende(r *m*) *f*; **6.** ⚡ a) Einschaltstoß *m*, b) Einschwingvorgang, c) Wanderwelle *f*.

trans·i·re [trænz'aıərı] *s.* ✝ Zollbegleitschein *m*.

tran·sis·tor [træn'sıstə] *s.* ⚡ Tran'sistor *m*; **tran'sis·tor·ize** [-raız] *v/t.* ⚡ transistorisieren.

trans·it ['trænsıt] **I** *s.* **1.** 'Durch-, 'Überfahrt *f*; **2.** *a. ast.* 'Durchgang *m*; **3.** ✝ Tran'sit *m*, 'Durchfuhr *f*, Trans'port *m*: ***in*** ~ unterwegs, auf dem Transport; **4.** ✝ 'Durchgangsverkehr *m*; **5.** 'Durchgangsstraße *f*; **6.** *Am.* öffentliche Verkehrsmittel *pl.*; **7.** *fig.* 'Übergang *m* (***to*** zu); **II** *adj.* **8.** *a.* ✝ Durchgangs... (*-lager, -verkehr etc.*): ~ ***visa*** Durchreise-, Transitvisum *n*; **9.** ✝ Durchfuhr..., Transit...: ~ ***trade*** Transithandel *m*.

tran·si·tion [træn'sıʒn] **I** *s.* **1.** 'Übergang *m* (*a.* ♪, *phys.*); **2.** 'Übergangszeit *f*: (***state of***) ~ Übergangsstadium *n*; **II** *adj.* **3.** → **tran'si·tion·al** [-ʒənl] *adj.* □ Übergangs..., Überleitungs..., Zwischen...

tran·si·tive ['trænsıtıv] *adj.* □ **1.** *ling.* transitiv: ~ (***verb***) Transitiv *n*, transitives Verb; **2.** Übergangs...

tran·si·to·ri·ness ['trænsıtərınıs] *s.* Flüchtigkeit *f*, Vergänglichkeit *f*; **tran·si·to·ry** ['trænsıtərı] *adj.* □ **1.** *zeitlich* vor'übergehend, transi'torisch; **2.** vergänglich, flüchtig.

trans·lat·a·ble [træns'leıtəbl] *adj.* über'setzbar; **trans·late** [træns'leıt] **I** *v/t.* **1.** *Buch etc.* über'setzen (*a. Computer*), -'tragen (***into*** in *acc.*); **2.** *fig. Grundsätze etc.* über'tragen (***into*** in *acc.*, zu): ~ ***ideas into action*** Gedanken in die Tat umsetzen; **3.** *fig.* a) auslegen, b) ausdrücken (***in*** in *dat.*); **4.** *eccl.* a) *Geistlichen* versetzen, b) *Reliquie etc.* 'überführen, verlegen (***to*** nach), c) *j-n* entrücken; **5.** *Brit. Schuhe etc.* 'umarbeiten; **6.** ⚙ *Bewegung* über'tragen (***to*** auf *acc.*); **II** *v/i.* **7.** sich *gut etc.* über'setzen lassen; **trans'la·tion** [-eıʃn] *s.* **1.** Über'setzung *f*, -'tragung *f*; **2.** *fig.* Auslegung *f*; **3.** *eccl.* a) Versetzung *f*, b) Entrükkung *f*; **trans'la·tor** [-tə] *s.* **1.** Über'setzer(in); **2.** *Computer*: Über'setzer *m*.

trans·lit·er·ate [trænz'lıtəreıt] *v/t.* transkribieren, 'umschreiben; **trans·lit·er·a·tion** [,trænzlıtə'reıʃn] *s.* Transkripti'on *f*.

trans·lo·cate [,trænzləʊ'keıt] *v/t.* verlagern.

trans·lu·cence [trænz'lu:sns], **trans'lu·cen·cy** [-sı] *s.* **1.** 'Durchscheinen *n*; **2.** 'Licht,durchlässigkeit *f*; **trans'lu·cent** *adj.* □ **1.** a) 'licht,durchlässig, b) halb 'durchsichtig; **2.** 'durchscheinend.

trans·ma·rine [,trænzmə'ri:n] *adj.* 'überseeisch, Übersee...

trans·mi·grant [trænz'maıgrənt] *s.* 'Durchreisende(r *m*) *f*, -wandernde(r *m*) *f*; **trans·mi·grate** [,trænzmaı'greıt] *v/i.* **1.** fortziehen; **2.** 'übersiedeln; **3.** auswandern; **4.** wandern (*Seele*); **trans·mi·gra·tion** [,trænzmaı'greıʃn] *s.* **1.** Auswanderung *f*, 'Übersiedlung *f*; **2.** *a.* ~ ***of souls*** Seelenwanderung *f*; **3.** ⚕ a) 'Überwandern *n* (*Ei-, Blutzelle etc.*), b) Diape'dese *f*.

trans·mis·si·ble [trænz'mısəbl] *adj.* **1.** über'sendbar; **2.** *a.* ⚕ *u. fig.* über'tragbar (***to*** auf *acc.*).

trans·mis·sion [trænz'mıʃn] *s.* **1.** Über'sendung *f*, -'mittlung *f*; ✝ Versand *m*; **2.** Über'mittlung *f von Nachrichten etc.*; **3.** *ling.* ('Text)Über,lieferung *f*; **4.** ⚙ a) Transmissi'on *f*, Über'setzung *f*, -'tragung *f*, b) Triebwelle *f*, -werk *n*: ~ ***gear*** Wechselgetriebe *n*; **5.** Über'tragung *f*: a) *biol.* Vererbung *f*, b) ⚕ Ansteckung *f*, c) *Radio, TV*: Sendung *f*, d) ⚖ Über'lassung *f*, e) *phys.* Fortpflanzung *f*; ~ ***belt*** *s.* ⚙ Treibriemen *m*; ~ ***gear·ing*** *s.* ⚙ Über'setzungsgetriebe *n*; ~ ***ra·tio*** *s.* ⚙ Über'setzungsverhältnis *n*; ~ ***shaft*** *s.* ⚙ Kar'danwelle *f*.

trans·mit [trænz'mıt] *v/t.* **1.** (***to***) über'senden, -'mitteln (*dat.*), (ver)senden (an *acc.*); *a. Telegramm etc.* weitergeben (an *acc.*), befördern; **2.** *Nachrichten etc.* mitteilen (***to*** *dat.*); **3.** *fig. Ideen etc.* über'mitteln, weitergeben (***to*** an *acc.*); **4.** über'tragen (*a.* ⚕): a) *biol.* vererben, b) ⚖ über'schreiben, vermachen; **5.** *phys. Wellen, Wärme etc.* a) (weiter)leiten, b) *a. Kraft* über'tragen, c) *Licht etc.* 'durchlassen; **trans'mit·tal** [-tl] → ***transmission*** 1–4a; **trans'mit·ter** [-tə] *s.* **1.** Über'sender *m*, -'mittler *m*; **2.** *Radio*: a) Sendegerät *n*, b) Sender *m*; **3.** *teleph.* Mikro'phon *n*; **4.** ⚙ (Meßwert)Geber *m*; **trans'mit·ting** [-tıŋ] *adj.* Sende...(*-antenne, -stärke etc.*): ~ ***station*** Sender *m*.

trans·mog·ri·fy [trænz'mɒgrıfaı] *v/t. hu-*

mor. (gänzlich) ˈummodeln.

trans·mut·a·ble [trænzˈmjuːtəbl] *adj.* □ ˈumwandelbar; **trans·mu·ta·tion** [ˌtrænzmjuːˈteɪʃn] *s.* **1.** ˈUmwandlung *f* (*a.* ⚗, *phys.*); **2.** *biol.* Transmutatiˈon *f*, ˈUmbildung *f*; **trans·mute** [trænzˈmjuːt] *v/t.* ˈumwandeln (***into*** in *acc.*).

trans·na·tion·al [trænzˈnæʃənl] *adj.* ˈüber-, ✝ ˈmultinatioˌnal.

trans·o·ce·an·ic [ˈtrænzˌəʊʃɪˈænɪk] *adj.* **1.** transozeˈanisch, ˈüberseeisch; **2.** a) Übersee..., b) Ozean...

tran·som [ˈtrænsəm] *s.* ⚠ a) Querbalken *m über e-r Tür*, b) (Quer)Blende *f e-s Fensters.*

tran·son·ic [trænˈsɒnɪk] *adj. phys.* Überschall...

trans·par·en·cy [trænsˈpærənsɪ] *s.* **1.** *a. fig.* ˈDurchsichtigkeit *f*, Transpaˈrenz *f*; **2.** Transpaˈrent *n*, Leuchtbild *n*; **3.** *phot.* Dia(posiˈtiv) *n*; **transˈpar·ent** [-nt] *adj.* □ **1.** ˈdurchsichtig (*a. fig. offenkundig*): ~ ***colo(u)r*** ⚙ Lasurfarbe; ~ ***slide*** Diapositiv *n*; **2.** *phys.* transpaˈrent, ˈlichtˌdurchlässig; **3.** *fig.* a) klar (*Stil etc.*), b) offen, ehrlich.

tran·spi·ra·tion [ˌtrænspɪˈreɪʃn] *s.* **1.** (*bsd.* Haut)Ausdünstung *f*; **2.** Schweiß *m*; **tran·spire** [trænˈspaɪə] **I** *v/i.* **1.** *physiol.* transpirieren, schwitzen; **2.** ausgedünstet werden; **3.** *fig.* ˈdurchsickern, bekannt werden; **4.** *fig.* passieren, sich ereignen; **II** *v/t.* **5.** ausdünsten, ausschwitzen.

trans·plant [trænsˈplɑːnt] **I** *v/t.* **1.** ⚘ ˈumpflanzen; **2.** ⚕ transplantieren, verpflanzen; **3.** *fig.* versetzen, -pflanzen (***to*** nach, ***into*** in *acc.*); **II** *v/i.* **4.** sich verpflanzen lassen; **III** *s.* [ˈtrænsplɑːnt] **5.** a) → ***transplantation***, b) ⚕ Transplanˈtat *n*; **trans·plan·ta·tion** [ˌtrænsplɑːnˈteɪʃn] *s.* Verpflanzung *f*: a) ⚘ ˈUmpflanzung *f*, b) *fig.* Versetzung *f*, ˈUmsiedlung *f*, c) ⚕ Transplantatiˈon *f*.

trans·port I *v/t.* [trænˈspɔːt] **1.** transportieren, befördern, versenden; **2.** *mst pass. fig.* a) *j-n* hinreißen, entzücken (***with*** vor *dat.*, von), b) heftig erregen: ~***ed with joy*** außer sich vor Freude; **3.** *bsd. hist.* deportieren; **II** *s.* [ˈtrænspɔːt] **4.** a) (ˈAb-, ˈAn)Transˌport *m*, Beförderung *f*, b) Versand *m*, c) Verschiffung *f*; **5.** Verkehr *m*; **6.** Beförderungsmittel *n od. pl.*; **7.** *a.* ~ ***ship***, ~ ***vessel*** a) Transˈport-, Frachtschiff *n*, b) ⚔ ˈTruppentransˌporter *m*; **8.** *a.* ~ ***plane*** ✈ Transˈportflugzeug *n*; **9.** *fig.* a) Taumel *m der Freude etc.*, b) heftige Erregung: ***in a*** ~ ***of*** außer sich vor *Entzücken, Wut etc.*; **transˈport·a·ble** [-təbl] *adj.* transˈportfähig, versendbar; **trans·por·ta·tion** [ˌtrænspɔːˈteɪʃn] *s.* **1.** → ***transport*** 4; **2.** Transˈportsyˌstem *n*; **3.** *bsd. Am.* a) Beförderungsmittel *pl.*, b) Transˈportkosten *pl.*, c) Fahrausweis *m*; **4.** *bsd. hist.* Deportatiˈon *f*; **transˈport·er** [-tə] *s.* **1.** Beförderer *m*; **2.** ⚙ Förder-, Transˈportvorrichtung *f*.

trans·pose [trænsˈpəʊz] *v/t.* **1.** ˈumstellen (*a. ling.*), ver-, ˈumsetzen; **2.** ♪, ⩚, ⚗ transponieren; **trans·po·si·tion** [ˌtrænspəˈzɪʃn] *s.* **1.** ˈUmstellen *n*; **2.** ˈUmstellung *f* (*a. ling.*); **3.** ♪, ⩚ Transpositiˈon *f*; **4.** ⚡, ⚙ Kreuzung *f von Leitungen etc.*

trans·sex·u·al [trænzˈseksjʊəl] **I** *adj.* transsexuˈell; **II** *s.* Transsexuˈelle(r *m*) *f*.

trans·ship [trænsˈʃɪp] *v/t.* ✝, ⚓ ˈumladen, -schlagen; **transˈship·ment** [-mənt] *s.* ⚓ ˈUmladung *f*, ˈUmschlag *m*: ~ ***charge*** Umladegebühr *f*; ~ ***port*** Umschlaghafen *m*.

tran·sub·stan·ti·ate [ˌtrænsəbˈstænʃɪeɪt] *v/t.* ˈumwandeln, (*a. eccl. Brot u. Wein*) verwandeln (***into***, ***to*** in *acc.*, zu); **tran·sub·stan·ti·a·tion** [ˈtrænsəbˌstænʃɪˈeɪʃn] *s.* **1.** ˈStoffˌumwandlung *f*; **2.** *eccl.* Transsubstantiatiˈon *f*.

tran·sude [trænˈsjuːd] *v/i.* **1.** *physiol.* ˈdurchschwitzen (*Flüssigkeiten*); **2.** (ˈdurch)dringen, (-)sickern (***through*** durch); **3.** abgesondert werden.

trans·ver·sal [trænzˈvɜːsl] **I** *adj.* □ → ***transverse*** 1; **II** *s.* ⩚ Transverˈsale *f*;

trans·verse [ˈtrænzvɜːs] **I** *adj.* □ **1.** schräg, diagoˈnal, Quer..., quer(laufend) (***to*** zu): ~ ***flute*** ♪ Querflöte *f*; ~ ***section*** ⩚ Querschnitt *m*; **II** *s.* **2.** Querstück *n*, -achse *f*, -muskel *m*; **3.** ⩚ große Achse e-r Elˈlipse.

trans·ves·tism [trænsˈvestɪzəm] *s.* *psych.* Transveˈstismus *m*; **transˈves·tite** [-taɪt] *s.* Transveˈstit *m*.

trap[1] [træp] **I** *s.* **1.** *hunt.*, *a.* ⚔ *u. fig.* Falle *f*: ***lay*** (*od.* ***set***) ***a*** ~ ***for s.o.*** j-m e-e Falle stellen; ***walk*** (*od.* ***fall***) ***into a*** ~ in e-e Falle gehen; **2.** ⚗ Abscheider *m*; **3.** a) Auffangvorrichtung *f*, b) Dampf-, Wasserverschluß *m*, c) Geruchverschluß *m* (*Klosett*); **4.** ⚡ (Funk)Sperrkreis *m*; **5.** *Tontaubenschießen*: ˈWurfmaˌschine *f*; **6.** *Golf*: Sandhindernis *n*; **7.** → ***trapdoor***; **8.** *Brit.* Gig *n*, zweirädriger Einspänner; **9.** *mot.* offener Zweisitzer; **10.** *pl.* ♪ Schlagzeug *n*; **11.** *sl.* ‚Klappe' *f* (*Mund*); **II** *v/t.* **12.** fangen (*a. fig.*); (*a. phys. Elektronen*) einfangen; **13.** einschließen (*a.* ⚔); verschütten; **14.** *fig.* in e-e Falle locken, ‚fangen'; **15.** Fallen aufstellen in (*dat.*); **16.** ⚙ a) mit Wasserverschluß *etc.* versehen, verschließen, b) *Gase etc.* abfangen; **III** *v/i.* **17.** Fallen stellen (***for*** *dat.*).

trap[2] [træp] *s. mst pl.* F ‚Klaˈmotten' *pl.*, Siebensachen *pl.*, Gepäck *n*.

trap[3] [træp] *s. min.* Trapp *m*.

ˌtrap|ˈdoor *s.* **1.** Fall-, Klapptür *f*, (✈ Boden)Klappe *f*; **2.** *thea.* Versenkung *f*.

tra·peze [trəˈpiːz] *s.* Traˈpez *n*; **traˈpe·zi·form** [-zıfɔːm] *adj.* traˈpezförmig; **traˈpe·zi·um** [-zjəm] *s.* **1.** ⩓ a) Traˈpez *n*, b) *bsd. Am.* Trapezoˈid *n*; **2.** *anat.* großes Vieleckbein (*Handwurzel*); **trap·e·zoid** [ˈtræpızɔıd] **I** *s.* **1.** ⩓ a) *Brit.* Trapezoˈid *n*, b) *bsd. Am.* Traˈpez *n*; **2.** *anat.* kleines Vieleckbein (*Handwurzel*); **II** *adj.* **3.** → **trap·e·zoi·dal** [ˌtræpıˈzɔıdl] ⩓ trapezoˈid, *bsd. Am.* traˈpezförmig.

trap·per [ˈtræpə] *s.* Trapper *m*, Pelztierjäger *m*.

trap·pings [ˈtræpıŋz] *s. pl.* **1.** Staatsgeschirr *n für Pferde*; **2.** *fig.* a) ‚Staat' *m*, Schmuck *m*, b) Drum u. Dran *n*, ‚Verzierungen' *pl*.

trapse [treıps] *v/i.* **1.** (daˈhin)latschen; **2.** (umˈher)schlendern.

trap shoot·ing *s. sport* Trapschießen *n*.

trash [træʃ] *s.* **1.** *bsd. Am.* Abfall *m*, Müll *m*: ~ ***can*** Abfall-, Mülleimer *m od.* -tonne *f*; **2.** Plunder *m*, Schund *m*; **3.** *fig.* Schund *m*, Kitsch *m* (*Bücher etc.*); **4.** ‚Blech' *n*, Unsinn *m*; **5.** Ausschuß *m*, Gesindel *n*; → ***white trash***; **ˈtrash·i·ness** [-ʃınıs] *s.* Wertlosigkeit *f*, Minderwertigkeit *f*; **ˈtrash·y** [-ʃı] *adj.* □ wertlos, minderwertig, kitschig, Schund…, Kitsch…

trau·ma [ˈtrɔːmə] *s.* Trauma *n*: a) ⚕ Wunde *f*, b) *psych.* seelische Erschütterung, (bleibender) Schock; **trau·mat·ic** [trɔːˈmætık] *adj.* (□ ***~ally***) ⚕, *psych.* trauˈmatisch: ~ ***medicine*** Unfallmedizin *f*.

trav·ail [ˈtræveıl] **I** *s.* **1.** *obs. od. rhet.* (mühevolle) Arbeit; **2.** (Geburts)Wehen *pl.*; **3.** *fig.* (Seelen)Qual *f*: ***be in ~ with*** schwer ringen mit; **II** *v/i.* **4.** sich abrackern; **5.** in den Wehen liegen.

trav·el [ˈtrævl] **I** *s.* **1.** Reisen *n*: ~ ***sickness*** Reisekrankheit *f*; **2.** *mst pl.* (längere) Reise: ***book of ~*** Reisebeschreibung *f*; **3.** ⚙ Bewegung *f*, Lauf *m*, (Kolben- *etc.*)Hub *m*; **II** *v/i.* **4.** reisen, e-e Reise machen: ~ ***light*** mit leichtem Gepäck reisen; **5.** ⚚ reisen (***in*** in *e-r Ware*), als (Handels)Vertreter arbeiten (***for*** für); **6.** *ast., phys., mot. etc.* sich bewegen; sich fortpflanzen (*Licht etc.*); **7.** ⚙ sich (ˈhin- u. ˈher)bewegen, laufen (*Kolben etc.*); **8.** *bsd. fig.* schweifen, wandern (*Blick etc.*); **9.** F (daˈhin)sausen; **III** *v/t.* **10.** *Land, a.* ⚚ *Vertreterbezirk* bereisen, *Strecke* zuˈrücklegen; ~ **a·gen·cy** *s.* ˈReisebüˌro *n*; ~ **al·low·ance** *s.* Reisekostenzuschuß *m*.

trav·el·la·tor [ˈtrævəleıtə] *s. Brit.* Rollsteig *m*.

trav·el(l)ed [ˈtrævld] *adj.* **1.** (weit-, viel-) gereist; **2.** (viel)befahren (*Straße etc.*); **ˈtrav·el·(l)er** [-lə] *s.* **1.** Reisende(r *m*) *f*; **2.** ⚚ *bsd. Brit.* (Handlungs)Reisende(r) *m*, (Handels)Vertreter *m*; **3.** ⚙ Laufstück *n*, *bsd.* a) Laufkatze *f*, b) Hängekran *m*.

trav·el·(l)er's| check (*Brit.* **cheque**) *s.* Reisescheck *m*; ~ **joy** *s.* ⚘ Waldrebe *f*.

trav·el·(l)ing [ˈtrævlıŋ] *adj.* **1.** Reise… (*-koffer, -wecker, -kosten etc.*): ~ ***agent***, *bsd. Am.* ~ ***salesman*** → ***travel(l)er*** 2; **2.** Wander…(*-ausstellung, -bücherei, -zirkus etc.*); fahrbar, auf Rädern: ~ ***dental clinic***; ~ ***crane*** Laufkran *m*.

trav·e·log(ue) [ˈtrævəlɒg] *s.* Reisebericht *m* (*Vortrag, mst mit Lichtbildern*), Reisefilm *m*.

trav·ers·a·ble [ˈtrævəsəbl] *adj.* **1.** (leicht) durch- *od.* überˈquerbar; **2.** passierbar, befahrbar; **3.** ⚙ (aus-) schwenkbar; **trav·erse** [ˈtrævəs] **I** *v/t.* **1.** durch-, überˈqueren; **2.** durchˈziehen, -ˈfließen; **3.** *Fluß etc.* überˈspannen; **4.** *fig.* ˈdurchgehen, -sehen; **5.** ⚙, *a.* ⚔ *Geschütz* (seitwärts) schwenken, **6.** *Linie etc.* kreuzen, schneiden; **7.** *Plan etc.* durchˈkreuzen; **8.** ⚓ kreuzen; **9.** ⚖ a) *Vorbringen* bestreiten, b) gegen *e-e Klage etc.* Einspruch erheben; **10.** *mount., Skisport*: *Hang* queren; **II** *v/i.* **11.** ⚙ sich drehen; **12.** *fenc., Reitsport*: traversieren; **13.** *mount., Skisport*: queren; **III** *s.* **14.** Durch-, Überˈquerung *f*; **15.** ⩓ a) Quergitter *n*, b) Querwand *f*, c) Quergang *m*, d) Traˈverse *f*, Querstück *n*; **16.** ⩓ Schnittlinie *f*; **17.** ⚓ Koppelkurs *m*; **18.** ⚔ a) Traverse *f*, Querwall *m*, b) Schulterwehr *f*; **19.** ⚔ Schwenken *n* (*Geschütz*); **20.** ⚙ a) Schwenkung *f e-r Maschine*, b) schwenkbarer Teil; **21.** *surv.* Polyˈgon(zug *m*) *n*; **22.** ⚖ a) Bestreitung *f*, b) Einspruch *m*; **23.** *mount., Skisport*: a) Queren *n e-s Hanges*, b) Quergang *m*; **IV** *adj.* **24.** querlaufend, Quer…(*-bohrer etc.*): ~ ***motion*** Schwenkung *f*; **25.** Zickzack…: ~ ***sailing*** ⚓ Koppelkurs *m*; **26.** sich kreuzend (*Linien*).

trav·es·ty [ˈtrævıstı] **I** *s.* **1.** Traveˈstie *f*; **2.** *fig.* Zerrbild *n*, Karikaˈtur *f*; **II** *v/t.* **3.** travestieren (*scherzhaft umgestalten*); **4.** *fig.* ins Lächerliche ziehen, verzerren.

trawl [trɔːl] ⚓ **I** *s. a.* ~ ***net*** (Grund-) Schleppnetz *n*; **II** *v/t. u. v/i.* mit dem Schleppnetz fischen; **ˈtrawl·er** [-lə] *s.* (Grund)Schleppnetzfischer *m* (*Boot u. Person*).

tray [treı] *s.* **1.** Taˈblett *n*, (Serˈvier-, Tee)Brett *n*; **2.** a) Auslagekästchen *n*, b) (ˈumgehängtes) Verkaufsbrett, ‚Bauchladen' *m*; **3.** flache Schale; **4.** Ablagekorb *m im Büro*; **5.** (Koffer-) Einsatz *m*.

treach·er·ous [ˈtretʃərəs] *adj.* □ **1.** verräterisch, treulos (***to*** gegen); **2.** (heim-) tückisch, ˈhinterhältig; **3.** *fig.* tückisch,

T

trügerisch (*Eis*, *Wetter etc.*), unzuverlässig (*a. Gedächtnis*); ˈ**treach·er·ous·ness** [-nɪs] *s.* **1.** Treulosigkeit *f*, Verräteˈrei *f*; **2.** *a. fig.* Tücke *f*; ˈ**treach·er·y** [-rɪ] *s.* (*to*) Verrat *m* (an *dat.*), Verräteˈrei *f*, Treulosigkeit *f* (gegen).

trea·cle [ˈtri:kl] *s.* **1.** a) Sirup *m*, b) Meˈlasse *f*; **2.** *fig.* a) Süßlichkeit *f*, b) süßliches Getue; ˈ**trea·cly** [-lɪ] *adj.* **1.** sirupartig, Sirup...; **2.** *fig.* süßlich.

tread [tred] **I** *s.* **1.** Tritt *m*, Schritt *m*; **2.** a) Tritt(spur *f*) *m*, b) (Rad- *etc.*)Spur *f*; **3.** ⚙ Lauffläche *f* (*Rad*); *mot.* (ˈReifen-)Proˌfil *n*; **4.** Spurweite *f*; **5.** Peˈdalabstand *m* (*Fahrrad*); **6.** a) Fußraste *f*, Trittbrett *n*, b) (Leiter)Sprosse *f*; **7.** Auftritt *m* (*Stufe*); **8.** *orn.* a) Treten *n* (*Begattung*), b) Hahnentritt *m* (*im Ei*); **II** *v/t.* [*irr.*] **9.** beschreiten: **~ *the boards*** *thea.* (als Schauspieler) auftreten; **10.** *rhet. Zimmer etc.* durchˈmessen; **11.** *a.* **~ *down*** zertreten, -trampeln: ***to ~ out*** *Feuer* austreten, *fig. Aufstand* niederwerfen; **~ *underfoot*** niedertreten, *fig.* mit Füßen treten; **12.** *Pedale etc., a. Wasser* treten; **13.** *orn.* treten, begatten; **III** *v/i.* [*irr.*] **14.** treten (***on*** auf *acc.*): **~ *on air*** (glück)selig sein; **~ *lightly*** leise auftreten, *fig.* vorsichtig zu Werke gehen; **15.** (einˈher)schreiten; **16.** trampeln: **~ (*up*)*on*** zertrampeln; **17.** unmittelbar folgen (***on*** auf *acc.*); → ***heel***[1] *Redew.*; **18.** *orn.* a) treten (*Hahn*), b) sich paaren; **trea·dle** [ˈtredl] **I** *s.* **1.** ⚙ Tretkurbel *f*, Tritt *m*: **~ *drive*** Fußantrieb *m*; **2.** Peˈdal *n*; **II** *v/i.* **3.** treten; ˈ**tread·mill** *s.* Tretmühle *f* (*a. fig.*).

trea·son [ˈtri:zn] *s.* (⚖ Landes)Verrat *m* (***to*** an *dat.*): ***high ~, ~ felony*** Hochverrat *m*; ˈ**trea·son·a·ble** [-nəbl] *adj.* ☐ (landes- *od.* hoch)verräterisch.

treas·ure [ˈtreʒə] **I** *s.* **1.** Schatz *m* (*a. fig.*); **2.** Reichtum *m*, Reichtümer *pl.*, Schätze *pl.*: **~*s of the soil*** Bodenschätze; **~ *trove*** (herrenloser) Schatzfund, *fig.* Fundgrube *f*; **3.** F ‚Perle' *f* (*Dienstmädchen etc.*); **4.** F Schatz *m*, Liebling *m*; **II** *v/t.* **5.** *oft* **~ *up*** *Schätze* (an)sammeln, aufhäufen; **6.** a) (hoch)schätzen, b) hegen, *a. Andenken* in Ehren halten; **~ house** *s.* **1.** Schatzhaus *n*, -kammer *f*; **2.** *fig.* Gold-, Fundgrube *f*.

treas·ur·er [ˈtreʒərə] *s.* **1.** Schatzmeister (-in) (*a.* ☤); Kassenwart *m*; **2.** ☤ Leiter *m* der Fiˈnanzabˌteilung: ***city ~*** Stadtkämmerer *m*; **3.** Fisˈkalbeamte(r) *m*: **≈ *of the Household*** *Brit.* Fiskalbeamte(r) des königlichen Haushalts; ˈ**treas·ur·er·ship** [-ʃɪp] *s.* Schatzmeisteramt *n*, Amt *n* e-s Kassenwarts.

treas·ur·y [ˈtreʒərɪ] *s.* **1.** Schatzkammer *f*, -haus *n*; **2.** a) Schatzamt *n*, b) Staatsschatz *m*: ***Lords*** (*od.* ***Commissioners***) ***of the*** ≈ *das* brit. Finanzministerium; ***First Lord of the*** ≈ erster Schatzlord (*mst der Premierminister*); **3.** Fiskus *m*, Staatskasse *f*; **4.** *fig.* Schatz(kästlein *n*) *m*, Antholoˈgie *f* (*Buchtitel*); ≈ **bench** *s. parl. Brit.* Regierungsbank *f*; **~ bill** *s.* ☤ (*kurzfristiger*) Schatzwechsel; ≈ **Board** *s. Brit.* Fiˈnanzminiˌsterium *n*; **~ bond** *s. Am.* (*langfristige*) Schatzanweisung; **~ cer·tif·i·cate** *s. Am.* (kurzfristiger) Schatzwechsel; ≈ **De·part·ment** *s. Am.* Fiˈnanzminiˌsterium *n*; **~ note** *s. Am.* (*mittelfristiger*) Schatzwechsel; ≈ **war·rant** *s. Brit.* Schatzanweisung *f*.

treat [tri:t] **I** *v/t.* **1.** behandeln, ˈumgehen mit: **~ *s.o. brutally***; **2.** behandeln, betrachten (***as*** als); **3.** ⚕, ⚗, ⚙ behandeln (***for*** gegen, ***with*** mit); **4.** *fig. Thema etc.* behandeln; **5.** *j-m* e-n Genuß bereiten, *bsd. j-n* bewirten (***to*** mit): **~ *o.s. to*** sich *et.* gönnen *od.* leisten *od.* genehmigen; **~ *s.o. to s.th.*** j-m et. spendieren; ***be ~ed to s.th.*** in den Genuß e-r Sache kommen; **II** *v/i.* **6.** **~ *of*** handeln von, *Thema* behandeln; **7.** **~ *with*** verhandeln mit; **8.** (die Zeche) bezahlen, e-e Runde ausgeben; **III** *s.* **9.** (Extra)Vergnügen *n*, *bsd.* (Fest-)Schmaus *m*: ***school ~*** Schulfest *n od.* -ausflug *m*; **10.** *fig.* (Hoch)Genuß *m*, Wonne *f*; **11.** (Gratis)Bewirtung *f*: ***stand ~*** → 8; ***it is my ~*** das geht auf m-e Rechnung, diesmal bezahle ich; ˈ**trea·tise** [-tɪz] *s.* (*wissenschaftliche*) Abhandlung; ˈ**treat·ment** [-mənt] *s.* **1.** Behandlung *f* (*a.* ⚕, ⚗, *a. fig. e-s Themas etc.*): ***give s.th. the full ~*** *fig.* et. gründlich behandeln; ***give s.o. the ~*** F j-n ‚in die Mangel nehmen'; **2.** ⚙ Bearbeitung *f*; **3.** *Film*: Treatment *n* (*erweitertes Handlungsschema*).

trea·ty [ˈtri:tɪ] *s.* **1.** (*bsd.* Staats)Vertrag *m*, Pakt *m*: **~ *powers*** Vertragsmächte; **2.** *obs.* Verhandlung *f*.

tre·ble [ˈtrebl] **I** *adj.* ☐ **1.** dreifach; **2.** ⩚ dreistellig; **3.** ♪ Diskant..., Sopran...; **4.** hoch, schrill; **5.** *Radio*: Höhen...: **~ *control*** Höhenregler *m*; **II** *s.* **6.** ♪ *allg.* Disˈkant *m*; **III** *v/t. u. v/i.* **7.** (sich) verdreifachen.

tree [tri:] **I** *s.* **1.** Baum *m*: **~ *of life*** a) *bibl.* Baum des Lebens, b) ⚘ Lebensbaum; ***up a ~*** F in der Klemme; → ***top***[1] 2; **2.** (*Rosen- etc.*)Strauch *m*, (*Bananen- etc.*)Staude *f*; **3.** ⚙ Baum *m*, Welle *f*, Schaft *m*; (Holz)Gestell *n*; (Stiefel)Leisten *m*; **4.** → ***family tree***; **II** *v/t.* **5.** auf e-n Baum jagen; **6.** *j-n* in die Enge treiben; **~ fern** *s.* ⚘ Baumfarn *m*; **~ frog** *s. zo.* Laubfrosch *m*.

tree·less [ˈtri:lɪs] *adj.* baumlos, kahl.

tree| **line** *s.* Baumgrenze *f*; ˈ**~·nail** *s.* ⚙ Holznagel *m*, Dübel *m*; **~ nurs·er·y** *s.* Baumschule *f*; **~ sur·geon** *s.* ˈBaumchirˌurg *m*; **~ toad** → ***tree frog***; ˈ**~·top**

T

s. Baumkrone *f*, -wipfel *m*.

tre·foil [ˈtrefɔɪl] *s.* **1.** ⚘ Klee *m*; **2.** △ Dreipaß *m*; **3.** *bsd. her.* Kleeblatt *n*.

trek [trek] **I** *v/i.* **1.** *Südafrika*: trecken, (im Ochsenwagen) reisen; **2.** ziehen, wandern; **II** *s.* **3.** Treck *m*.

trel·lis [ˈtrelɪs] **I** *s.* **1.** Gitter *n*, Gatter *n*; **2.** ⚙ Gitterwerk *n*; **3.** ✓ Spaˈlier *n*; **4.** Pergola *f*; **II** *v/t.* **5.** vergittern: **~ed window** Gitterfenster *n*; **6.** ✓ am Spalier ziehen; **ˈ~·work** *s.* Gitterwerk *n* (*a.* ⚙).

trem·ble [ˈtrembl] **I** *v/i.* **1.** (er)zittern, (-)beben (**at, with** vor *dat.*): **~ all over** (*od.* **in every limb**) am ganzen Leibe zittern; **~ at the thought** (*od.* **to think**) bei dem Gedanken zittern; → **balance** 2; **2.** zittern, bangen (**for** für, um): **a trembling uncertainty** e-e bange Ungewißheit; **II** *s.* **3.** Zittern *n*, Beben *n*: **be all of a ~** am ganzen Körper zittern; **4.** *pl. sg. konstr. vet.* Milchfieber *n*; **ˈtrem·bler** [-lə] *s.* **1.** ϟ (ˈSelbst)Unterˌbrecher *m*; **2.** eˈlektrische Glocke *od.* Klingel; **ˈtrem·bling** [-lɪŋ] *adj.* ☐ zitternd: **~ grass** ⚘ Zittergras *n*; **~ poplar** (*od.* **tree**) ⚘ Zitterpappel *f*, Espe *f*.

tre·men·dous [trɪˈmendəs] *adj.* ☐ **1.** schrecklich, fürchterlich; **2.** F ungeheuer, eˈnorm, ‚toll'.

trem·o·lo [ˈtreməlәʊ] *pl.* **-los** *s.* ♪ Tremolo *n*.

trem·or [ˈtremə] *s.* **1.** ⚕ Zittern *n*, Zucken *n*: **~ of the heart** Herzflackern *n*; **2.** Zittern *n*, Schau(d)er *m der Erregung*; **3.** Beben *n der Erde*; **4.** Angst(-gefühl *n*) *f*, Beben *n*.

trem·u·lous [ˈtremjʊləs] *adj.* ☐ **1.** zitternd, bebend; **2.** zitt(e)rig, ängstlich.

tre·nail [ˈtrenl] → **treenail**.

trench [trentʃ] **I** *v/t.* **1.** mit Gräben durchˈziehen *od.* (⚔) befestigen; **2.** ✓ tief ˈumpflügen, riˈgolen; **3.** zerschneiden, durchˈfurchen; **II** *v/i.* **4.** (⚔ Schützen)Gräben ausheben; **5.** *geol.* sich (ein)graben (*Fluß etc.*); **6.** **~ (up)on** beeinträchtigen, in *j-s Rechte* eingreifen; **7.** **~ (up)on** *fig.* hart grenzen an (*acc.*); **III** *s.* **8.** (⚔ Schützen)Graben *m*; **9.** Furche *f*, Rinne *f*; **10.** ⚒ Schramm *m*.

trench·an·cy [ˈtrentʃənsɪ] *s.* Schärfe *f*; **ˈtrench·ant** [-nt] *adj.* ☐ **1.** scharf, schneidend (*Witz etc.*); **2.** einschneidend, eˈnergisch: **a ~ policy**.

trench coat *s.* Trenchcoat *m*.

trench·er[1] [ˈtrentʃə] *s.* ⚔ Schanzarbeiter *m*.

trench·er[2] [ˈtrentʃə] *s.* **1.** Tranchier-, Schneidebrett *n*; **2.** *obs.* Speise *f*; **~ cap** → **mortarboard** 2; **ˈ~·man** [-mən] *s.* [*irr.*] guter *etc.* Esser.

trench| fe·ver *s.* ⚕ Schützengrabenfieber *n*; **~ foot** *s.* ⚕ Schützengrabenfüße *pl.* (*Fußbrand*); **~ mor·tar** *s.* ⚔ Graˈnatwerfer *m*; **~ war·fare** *s.* ⚔ Stellungskrieg *m*.

trend [trend] **I** *s.* **1.** Richtung *f* (*a. fig.*); **2.** *fig.* Tenˈdenz *f*, Entwicklung *f*, Trend *m* (*alle a.* ✝); Neigung *f*, Bestreben *n*: **the ~ of his argument was** s-e Beweisführung lief darauf hinaus; **~ in** *od.* **of prices** ✝ Preistendenz; **3.** *fig.* (Ver-)Lauf *m*: **the ~ of events**; **II** *v/i.* **4.** sich neigen, streben, tendieren (**towards** nach *e-r Richtung*); **5.** sich erstrecken, laufen (**towards** nach *Süden etc.*); **6.** *geol.* streichen (**to** nach); **~ a·nal·y·sis** *s.* ✝ Konjunkˈturanaˌlyse *f*; **ˈ~ˌset·ter** *s. Mode etc.*: j-d, der den Ton angibt, Schrittmacher *m*, Trendsetter *m*; **ˈ~ˌset·ting** *adj.* tonangebend.

tren·dy [ˈtrendɪ] *adj.* (ˈsuper)moˌdern, schick, modebewußt.

tre·pan [trɪˈpæn] **I** *s.* **1.** ⚕ *hist.* Schädelbohrer *m*; **2.** ⚙ ˈBohrmaˌschine *f*; **3.** *geol.* Stein-, Erdbohrer *m*; **II** *v/t.* **4.** ⚕ trepanieren.

trep·i·da·tion [ˌtrepɪˈdeɪʃn] *s.* **1.** ⚕ (Glieder-, Muskel)Zittern *n*; **2.** Beben *n*; **3.** Angst *f*, Bestürzung *f*.

tres·pass [ˈtrespəs] **I** *s.* **1.** Überˈtretung *f*, Vergehen *n*, Verstoß *m*, Sünde *f*; **2.** ˈÜbergriff *m*; **3.** ˈMißbrauch *m* (**on** *gen.*); **4.** ⚖ *allg.* unerlaubte Handlung (*Zivilrecht*): a) unbefugtes Betreten, b) Besitzstörung *f*, c) ˈÜbergriff *m* gegen die Perˈson (*z.B. Körperverletzung*); **5.** *a.* **action for ~** ⚖ Schadenersatzklage *f* aus unerlaubter Handlung, *z.B.* Besitzstörungsklage *f*; **II** *v/i.* **6.** ⚖ e-e unerlaubte Handlung begehen: **~ (up)on** a) widerrechtlich betreten, b) rechtswidrige Übergriffe gegen *j-s Eigentum* begehen; **7.** **~ (up)on** *fig.* a) ˈübergreifen auf (*acc.*), b) hart grenzen an (*acc.*), c) *j-s Zeit etc.* über Gebühr in Anspruch nehmen; **8.** (**against**) verstoßen (gegen), sündigen (wider *od.* gegen); **ˈtres·pass·er** [-sə] *s.* **1.** ⚖ a) Rechtsverletzer *m*, b) Unbefugte(r *m*) *f*: **~s will be prosecuted!** Betreten bei Strafe verboten!; **2.** *obs.* Sünder(in).

tress [tres] *s.* **1.** (Haar)Flechte *f*, Zopf *m*; **2.** Locke *f*; **3.** *pl.* üppiges Haar; **tressed** [-st] *adj.* **1.** geflochten; **2.** gelockt.

tres·tle [ˈtresl] *s.* **1.** ⚙ Gestell *n*, Gerüst *n*, Bock *m*, Schragen *m*: **~ table** Zeichentisch *m*; **2.** ⚔ Brückenbock *m*: **~ bridge** Bockbrücke *f*; **ˈ~·work** *s.* **1.** Gerüst *n*; **2.** *Am.* ˈBahnviaˌdukt *m*.

trey [treɪ] *s.* Drei *f im Karten- od. Würfelspiel*.

tri·a·ble [ˈtraɪəbl] *adj.* ⚖ a) justitiˈabel, zu verhandeln(d) (*Sache*), b) belangbar, abzuurteilen(d) (*Person*).

tri·ad [ˈtraɪəd] *s.* **1.** Triˈade *f*: a) Dreizahl *f*, b) ⚗ dreiwertiges Eleˈment, c) ♈ Dreiergruppe *f*, Trias *f*; **2.** ♪ Dreiklang *m*.

tri·al [ˈtraɪəl] **I** *s.* **1.** Versuch *m* (**of** mit),

T

Probe *f*, Erprobung *f*, Prüfung *f* (*alle a.* ⚙): ~ ***and error*** a) ⩯ Regula *f* falsi, b) empirische Methode; ~ ***of strength*** Kraftprobe; ***on*** ~ auf *od.* zur Probe; ***give a*** ~, ***make a*** ~ ***of*** e-n Versuch machen mit, erproben; ***be on*** ~ a) erprobt werden, b) e-e Probezeit durchmachen (*Person*), c) *fig.* auf dem Prüfstand sein (→ *a.* 2); **2.** ⚖ ('Straf- *od.* Zi'vil)Pro,zeß *m*, (Gerichts)Verfahren *n*, (Haupt)Verhandlung *f*: ~ ***by jury*** Schwurgerichtsverfahren; ***be on*** (*od.* ***stand***) ~ unter Anklage stehen (***for*** wegen); ***bring*** (*od.* ***put***) ***s.o. to*** ~ j-n vor Gericht bringen; ***stand*** (***one's***) ~ sich vor Gericht verantworten; **3.** (***to*** für) *fig.* a) (Schicksals)Prüfung *f*, Heimsuchung *f*, b) Last *f*, Plage *f*, Stra'paze *f*; **4.** *sport* a) Vorlauf *m*, Ausscheidungsrennen *n*, b) Ausscheidungsspiel *n*; **II** *adj.* **5.** Versuchs…, Probe…: ~ ***balance*** ✝ Rohbilanz *f*; ~ ***balloon*** *fig.* Versuchsballon *m*; ~ ***marriage*** Ehe *f* auf Probe; ~ ***match*** → 4 b; ~ ***order*** ✝ Probeauftrag *m*; ~ ***package*** ✝ Probepackung *f*; ~ ***period*** Probezeit *f*; ~ ***run*** Probefahrt *f*, -lauf *m*; **6.** ⚖ Verhandlungs…: ~ ***court*** erstinstanzliches Gericht; ~ ***judge*** Richter *m* der ersten Instanz; ~ ***lawyer*** *Am.* Prozeßanwalt *m*.

tri·an·gle ['traıæŋgl] *s.* **1.** ⩯ Dreieck *n*; **2.** ♪ Triangel *m*; **3.** ⚙ a) Reißdreieck *n*, b) Winkel *m*; **4.** *mst* ***eternal*** ~ *fig.* Dreiecksverhältnis *n*; **tri·an·gu·lar** [traı'æŋgjʊlə] *adj.* dreieckig, -winkelig; *fig.* dreiseitig, Dreiecks…

Tri·as ['traıəs] → **Tri·as·sic** [traı'æsık] *geol.* **I** *s.* 'Trias(formati,on) *f*; **II** *adj.* Trias…

trib·al ['traıbl] *adj.* □ Stammes…; **'trib·al·ism** [-bəlızəm] *s.* 'Stammessy,stem *n od.* -gefühl *n*.

tri·bas·ic [traı'beısık] *adj.* ⚗ drei-, tribasisch.

tribe [traıb] *s.* **1.** (Volks)Stamm *m*; **2.** ⚘, *zo.* Tribus *f*, Klasse *f*; **3.** *humor. u. contp.* Sippschaft *f*, ‚Verein' *m*; **tribes·man** ['traıbzmən] *s.* [*irr.*] Stammesangehörige(r) *m*, -genosse *m*.

trib·u·la·tion [,trıbjʊ'leıʃn] *s.* Drangsal *f*, 'Widerwärtigkeit *f*.

tri·bu·nal [traı'bju:nl] *s.* **1.** ⚖ Gericht(shof *m*) *n*, Tribu'nal *n* (*a. fig.*); **2.** Richterstuhl *m* (*a. fig.*); **trib·une** ['trıbju:n] *s.* **1.** *antiq.* ('Volks)Tri,bun *m*; **2.** Volksheld *m*; **3.** Tri'büne *f*; **4.** Rednerbühne *f*; **5.** Bischofsthron *m*.

trib·u·tar·y ['trıbjʊtərı] **I** *adj.* □ **1.** tri'but-, zinspflichtig (***to*** *dat.*); **2.** 'untergeordnet (***to*** *dat.*); **3.** helfend, beisteuernd (***to*** zu); **4.** *geogr.* Neben…: ~ ***stream***; **II** *s.* **5.** Tri'butpflichtige(r) *m*, *a.* tri'butpflichtiger Staat; **6.** *geogr.* Nebenfluß *m*; **trib·ute** ['trıbju:t] *s.* Tri'but *m*: a) Zins *m*, Abgabe *f*, b) *fig.* Zoll *m*, Beitrag *m*, c) *fig.* Huldigung *f*, Achtungsbezeigung *f*, Anerkennung *f*: ~ ***of admiration*** gebührende Bewunderung; ***pay*** ~ ***to*** *j-m* Hochachtung bezeigen *od.* Anerkennung zollen.

tri·car ['traıkɑ:] *s. Brit.* Dreiradlieferwagen *m*.

trice [traıs] *s.*: ***in a*** ~ im Nu.

tri·ceps ['traıseps] *pl.* **'tri·ceps·es** *s. anat.* Trizeps *m* (*Muskel*).

tri·chi·na [trı'kaınə] *pl.* **-nae** [-ni:] *s. zo.* Tri'chine *f*; **trich·i·no·sis** [,trıkı'nəʊsıs] *s.* ⚕ Trichi'nose *f*.

trich·o·mon·ad [,trıkəʊ'mɒnæd] *s. zo.* Trichomo'nade *f*.

tri·chord ['traıkɔ:d] *adj. u. s.* ♪ dreisaitig(es Instru'ment).

tri·chot·o·my [traı'kɒtəmı] *s.* Dreiheit *f*, -teilung *f*.

trick [trık] **I** *s.* **1.** Trick *m*, Kunstgriff *m*, Kniff *m*, List *f*; *pl. a.* Schliche *pl.*, Ränke *pl.*, Winkelzüge *pl.*: ***full of ~s*** raffiniert; **2.** (***dirty*** ~ gemeiner) Streich: ***~s of fortune*** Tücken des Schicksals; ***the ~s of the memory*** *fig.* die Tücken des Gedächtnisses; ***be up to one's ~s*** (wieder) Dummheiten machen; ***be up to s.o.'s ~s*** j-n *od.* j-s Schliche durchschauen; ***what ~s have you been up to?*** was hast du angestellt?; ***play s.o. a*** ~, ***play a*** ~ ***on s.o.*** j-m e-n Streich spielen; ***none of your ~s!*** keine Mätzchen!; **3.** Trick *m*, (*Karten- etc.*)Kunststück *n*: ***do the*** ~ den Zweck erfüllen; ***that did the*** ~ damit war es geschafft; **4.** (Sinnes)Täuschung *f*; **5.** (*bsd.* üble *od.* dumme) Angewohnheit, Eigenheit *f*; **6.** *Kartenspiel*: Stich *m*: ***take*** *od.* ***win a*** ~ e-n Stich machen; **7.** ⚓ Rudertörn *m*; **8.** *Am. sl.* ‚Mieze' *f* (*Mädchen*); **9.** V ‚Nummer' *f* (*Koitus*); **II** *adj.* **10.** Trick…(*-dieb*, *-film*, *-szene*); **11.** Kunst…(*-flug*, *-reiten*); **III** *v/t.* **12.** über'listen, betrügen, prellen (***out of*** um); **13.** *j-n* verleiten (***into doing*** *et.* zu tun); **14.** *mst* ~ ***up*** (*od.* ***out***) schmükken, (her'aus)putzen; **'trick·er** [-kə] → ***trickster***; **'trick·er·y** [-kərı] *s.* **1.** Betrüge'rei(en *pl.*) *f*, Gaune'rei(en *pl.*) *f*; **2.** Kniff *m*; **'trick·i·ness** [-kınıs] *s.* **1.** Verschlagenheit *f*, Durch'triebenheit *f*; **2.** Kitzligkeit *f e-r Situation etc.*; **3.** Kompliziertheit *f*; **'trick·ish** [-kıʃ] → ***tricky***.

trick·le ['trıkl] **I** *v/i.* **1.** tröpfeln (*a. fig.*); **2.** rieseln; kullern (*Tränen*); **3.** sickern: ~ ***out*** *fig.* durchsickern; **4.** trudeln (*Ball etc.*); **II** *v/t.* **5.** tröpfeln (lassen), träufeln; **6.** rieseln lassen; **III** *s.* **7.** Tröpfeln *n*; Rieseln *n*; **8.** Rinnsal *n* (*a. fig.*); ~ ***charg·er*** *s.* ⚡ Kleinlader *m*.

trick·si·ness ['trıksınıs] *s.* **1.** → ***trickiness***; **2.** 'Übermut *m*.

trick·ster ['trıkstə] *s.* Gauner(in), Schwindler(in).

T

trick·sy ['trɪksɪ] *adj.* **1.** → ***tricky*** 1; **2.** 'übermütig.
trick·y ['trɪkɪ] *adj.* ☐ **1.** verschlagen, durch'trieben, raffiniert; **2.** heikel, kitzlig (*Lage, Problem*); **3.** kompliziert, knifflig; **4.** unzuverlässig.
tri·col·o(u)r ['trɪkələ] *s.* Triko'lore *f.*
tri·cot ['tri:kəʊ] *s.* Tri'kot *m* (*Stoff*).
tri·cy·cle ['traɪsɪkl] **I** *s.* Dreirad *n*; **II** *v/i.* Dreirad fahren.
tri·dent ['traɪdnt] *s.* Dreizack *m.*
tried [traɪd] **I** *p.p. von* ***try***; **II** *adj.* erprobt, bewährt.
tri·en·ni·al [traɪ'enjəl] *adj.* ☐ **1.** dreijährig; **2.** alle drei Jahre stattfindend, dreijährlich.
tri·er·arch·y ['traɪərɑːkɪ] *s. hist.* Trierar'chie *f.*
tri·fle ['traɪfl] **I** *s.* **1.** Kleinigkeit *f*: a) unbedeutender Gegenstand, b) Baga'telle *f*, Lap'palie *f*, c) Kinderspiel *n* (***to*** für *j-n*), d) kleine Geldsumme, e) *das* bißchen: ***a ~ expensive*** etwas *od.* ein bißchen teuer; ***not to stick at ~s*** sich nicht mit Kleinigkeiten abgeben; ***stand upon ~s*** ein Kleinigkeitskrämer sein; **2.** a) *Brit.* Trifle *n* (*Biskuitdessert*), b) *Am.* 'Obstdes,sert *n* mit Sahne; **II** *v/i.* **3.** spielen (***with*** mit *dem Bleistift etc.*); **4.** (***with***) *fig.* spielen (mit), sein Spiel treiben *od.* leichtfertig 'umgehen (mit): ***he is not to be ~d with*** er läßt nicht mit sich spaßen; **5.** tändeln, scherzen; leichtfertig da'herreden; **6.** (her'um-) trödeln; **III** *v/t.* **7.** ***~ away*** *Zeit* vertändeln, vertrödeln, *a. Geld* verplempern; '**tri·fler** [-lə] *s.* **1.** oberflächlicher *od.* fri'voler Mensch; **2.** Tändler *m*; **3.** Müßiggänger *m*; '**tri·fling** [-lɪŋ] *adj.* ☐ **1.** oberflächlich, leichtfertig; **2.** tändelnd; **3.** unbedeutend, geringfügig.
tri·fo·li·ate [traɪ'fəʊlɪət] *adj.* ⚘ **1.** dreiblätt(e)rig; **2.** → **tri·fo·li·o·late** [traɪ'fəʊlɪəleɪt] *adj.* ⚘ **1.** dreizählig (*Blatt*); **2.** mit dreizähligen Blättern (*Pflanze*).
trig [trɪg] F *für* ***trigonometry***.
trig·ger ['trɪgə] **I** *s.* **1.** ϟ, *phot.*, ⚙ Auslöser *m* (*a. fig.*); **2.** Abzug *m* (*Feuerwaffe*), *am Gewehr*: *a.* Drücker *m*, *e-r Bombe*: Zünder *m*: ***pull the ~*** abdrükken; ***quick on the ~*** *fig.* ‚fix', ‚auf Draht' (*reaktionsschnell od. schlagfertig*); **II** *v/t.* **3.** ⚙ auslösen (*a. fig.*); **~ guard** *s.* ⚔ Abzugsbügel *m*; '**~-,hap·py** *adj.* **1.** schießwütig; **2.** *pol.* kriegslüstern; **3.** *fig.* kampflustig.
trig·o·no·met·ric, **trig·o·no·met·ri·cal** [,trɪgənə'metrɪk(l)] *adj.* ☐ ⩓ trigono'metrisch; **trig·o·nom·e·try** [,trɪgə'nɒmɪtrɪ] *s.* Trigonome'trie *f.*
tri·he·dral [,traɪ'hedrl] *adj.* ⩓ dreiflächig, tri'edrisch.
tri·lat·er·al [,traɪ'lætərəl] *adj.* **1.** ⩓ dreiseitig; **2.** *pol.* Dreier...: ***~ talks.***
tril·by ['trɪlbɪ] *s.* **1.** *a.* ***~ hat*** *Brit.* F weicher Filzhut; **2.** *pl. sl.* ‚Haxen' *pl.* (*Füße*).
tri·lin·e·ar [,traɪ'lɪnɪə] *adj.* ⩓ dreilinig: ***~ coordinates*** Dreieckskoordinaten.
tri·lin·gual [,traɪ'lɪŋgwəl] *adj.* dreisprachig.
trill [trɪl] **I** *v/t. u. v/i.* **1.** ♪ *etc.* trillern, trällern; **2.** *ling.* (*bsd.* das r) rollen; **II** *s.* **3.** ♪ Triller *m*; **4.** *ling.* gerolltes r, gerollter Konso'nant.
tril·lion ['trɪljən] *s.* **1.** *Brit.* Trilli'on *f*; **2.** *Am.* Billi'on *f.*
tril·o·gy ['trɪlədʒɪ] *s.* Trilo'gie *f.*
trim [trɪm] **I** *v/t.* **1.** in Ordnung bringen, zu'rechtmachen; **2.** *Feuer* anschüren; **3.** *Haar, Hecken etc.* (be-, zu'recht-) schneiden, stutzen, *bsd. Hundefell* trimmen; **4.** *fig. Budget etc.* stutzen, beschneiden; **5.** ⚙ *Bauholz* behauen, zurichten; **6.** *a.* ***~ up*** (her'aus)putzen, schmücken, ausstaffieren, schönmachen; **7.** *Hüte etc.* besetzen, garnieren; **8.** F a) *j-n* ‚zs.-stauchen', b) ‚reinlegen', c) ‚vertrimmen' (*a. sport schlagen*); **9.** ✈, ⚓ trimmen: a) *Flugzeug, Schiff* in die richtige Lage bringen, b) *Segel* stellen, brassen: ***~ one's sails to every wind*** *fig.* sein Mäntelchen nach dem Wind hängen, c) *Kohlen* schaufeln, d) *Ladung* (richtig) verstauen; **10.** ϟ trimmen, (fein) abgleichen; **II** *v/i.* **11.** *fig.* e-n Mittelkurs steuern, *bsd. pol.* lavieren: ***~ with the times*** sich den Zeiten anpassen, Opportunitätspolitik treiben; **III** *s.* **12.** Ordnung *f*, (richtiger) Zustand, *a.* richtige (*körperliche od. seelische*) Verfassung *od.* Form: ***in good*** (***out of***) ***~*** in guter (schlechter) Verfassung (*a. Person*); **13.** ✈, ⚓ a) Trimm (-lage *f*) *m*, b) richtige Stellung *der Segel*, c) gute Verstauung *der Ladung*; **14.** Putz *m*, Staat *m*, Gala *f*; **15.** *mot.* a) Innenausstattung *f*, b) Zierleiste(n *pl.*) *f*; **IV** *adj.* **16.** ordentlich; **17.** schmuck, sauber, a'drett; gepflegt (*a. Bart, Rasen etc.*); **18.** (gut) in Schuß.
tri·mes·ter [trɪ'mestə] *s.* **1.** Zeitraum *m* von drei Monaten, Vierteljahr *n*; **2.** *univ.* Tri'mester *n.*
trim·mer ['trɪmə] *s.* **1.** Aufarbeiter(in), Putzmacher(in); **2.** ⚓ a) (Kohlen)Trimmer *m*, b) Stauer *m*; **3.** *Zimmerei*: Wechselbalken *m*; **4.** *fig. bsd. pol.* Opportu'nist(in); '**trim·ming** [-mɪŋ] *s.* **1.** (Auf-, Aus)Putzen *n*, Zurichten *n*; **2.** a) (Hut-, Kleider)Besatz *m*, Borte *f*, b) *pl.* Zutaten *pl.*, Posa'menten *pl.*, c) *fig.* ‚Verzierung' *f*, ‚Garnierung' *f im Stil etc.*; **3.** *pl.* Garnierung *f*, Zutaten *pl.* (*Speise*); **4.** *pl.* Abfälle *pl.*, Schnipsel *pl.*; **5.** ⚓ a) Trimmen *n*, (Ver)Stauen *n*, b) Staulage *f*; **6.** (Tracht *f*) Prügel *pl.*; **7.** *bsd. sport* (böse) Abfuhr; '**trim·ness** [-mnɪs] *s.* **1.** gute Ordnung; **2.** gutes Aussehen, Gepflegtheit *f.*

trine [traɪn] **I** *adj.* **1.** dreifach; **II** *s.* **2.** Dreiheit *f*; **3.** *ast.* Trigoˈnalaˌspekt *m*.

Trin·i·tar·i·an [ˌtrɪnɪˈteərɪən] *eccl.* **I** *adj.* **1.** Dreieinigkeits…; **II** *s.* **2.** Bekenner (-in) der Dreiˈeinigkeit; **3.** *hist.* Triniˈtarier *m*; ˌ**Trin·iˈtar·i·an·ism** [-nɪzəm] *s.* Dreiˈeinigkeitslehre *f*.

tri·ni·tro·tol·u·ene [traɪˌnaɪtrəʊˈtɒljʊiːn] *s.* ⚗ Trinitrotoluˈol *n*.

trin·i·ty [ˈtrɪnɪtɪ] *s.* **1.** Dreiheit *f*; **2.** ⁓ *eccl.* Dreiˈeinigkeit *f*; ⁓ **House** *s.* Verband *m* zur Aufsicht über See- u. Lotsenzeichen *etc.*; ⁓ **Sun·day** *s.* Sonntag *m* Triniˈtatis; ⁓ **term** *s.* *univ.* ˈSommertriˌmester *n*.

trin·ket [ˈtrɪŋkɪt] *s.* **1.** Schmuck *m*; (*bsd.* wertloses) Schmuckstück; **2.** *pl.* *fig.* Kram *m*, Plunder *m*.

tri·no·mi·al [traɪˈnəʊmjəl] **I** *adj.* **1.** ⅍ triˈnomisch, dreigliedrig, -namig; **2.** *biol.*, *zo.* dreigliedrig (*Artname*); **II** *s.* **3.** ⅍ Triˈnom *n*, dreigliedrige (Zahlen-) Größe.

tri·o [ˈtriːəʊ] *pl.* **-os** *s.* ♪ *u. fig.* Trio *n*.

tri·ode [ˈtraɪəʊd] *s.* ⚡ Triˈode *f*, ˈDreielekˌtrodenˌröhre *f*.

tri·o·let [ˈtriːəʊlet] *s.* Trioˈlett *n* (*Ringelgedicht*).

trip [trɪp] **I** *s.* **1.** (*bsd.* kurze, *a.* See)Reise; Ausflug *m*, Spritztour *f* (*to* nach); **2.** *weitS.* Fahrt *f*; **3.** Trippeln *n*; **4.** Stolpern *n*; **5.** Fehltritt *m* (*bsd. fig.*); **6.** *fig.* Fehler *m*; **7.** Beinstellen *n*; **8.** ⚙ Auslösung *f*: ⁓ ***cam*** *od.* ***dog*** Schaltnocken *m*; ⁓ ***lever*** Auslöse- *od.* Schalthebel *m*; **9.** *sl.* ‚Trip' *m* (*Drogenrausch*); **II** *v/i.* **10.** trippeln, tänzeln; **11.** stolpern, straucheln (*a. fig.*); **12.** *fig.* (e-n) Fehler machen: ***catch s.o. ⁓ping*** j-n bei e-m Fehler ertappen; **13.** *über ein Wort* stolpern, sich versprechen; **III** *v/t.* **14.** *oft* ⁓ ***up*** *j-m* ein Bein stellen, *j-n* zu Fall bringen (*beide a fig.*); **15.** *fig.* vereiteln; **16.** (***in*** bei *e-m Fehler etc.*) ertappen; **17.** ⚙ a) auslösen, b) schalten.

tri·par·tite [ˌtraɪˈpɑːtaɪt] *adj.* **1.** ⚘ dreiteilig; **2.** Dreier…, Dreimächte… (*Vertrag etc.*)

tripe [traɪp] *s.* **1.** Kalˈdaunen *pl.*, Kutteln *pl.*; **2.** *sl.* a) Schund *m*, Kitsch *m*, b) Quatsch *m*, Blödsinn *m*.

tri·phase [ˈtraɪfeɪz] → ***three-phase***.

tri·phib·i·ous [traɪˈfɪbɪəs] *adj.* ⚔ mit Einsatz von Land-, See- u. Luftstreitkräften (ˈdurchgeführt).

triph·thong [ˈtrɪfθɒŋ] *s.* *ling.* Triˈphthong *m*, Dreilaut *m*.

tri·plane [ˈtraɪpleɪn] *s.* ✈ Dreidecker *m*.

tri·ple [ˈtrɪpl] **I** *adj.* ☐ **1.** dreifach; **2.** dreimalig; **3.** Drei…, drei…: ⁓ ***Alliance*** *hist.* Tripelallianz *f*, Dreibund *m*; ⁓ ***fugue*** ♪ Tripelfuge *f*; ⁓ ***jump*** *sport* Dreisprung *m*; ⁓ ***time*** ♪ Tripeltakt *m*; **II** *s.* **4.** *das* Dreifache; **III** *v/t. u. v/i.* **5.** (sich) verdreifachen.

tri·plet [ˈtrɪplɪt] *s.* **1.** *biol.* Drilling *m*; **2.** Dreiergruppe *f*, Trio *n* (*drei Personen etc.*); **3.** ♪ Triˈole *f*; **4.** *Verskunst*: Dreireim *m*.

tri·plex [ˈtrɪpleks] **I** *adj.* **1.** dreifach: ⁓ ***glass*** → 3; **II** *s.* **2.** ♪ Tripeltakt *m*; **3.** ⚙ Triplex-, Sicherheitsglas *n*.

trip·li·cate [ˈtrɪplɪkət] **I** *adj.* **1.** dreifach; **2.** in dreifacher Ausfertigung (geschrieben *etc.*); **II** *s.* **3.** *das* Dreifache; **4.** dreifache Ausfertigung: ***in*** ⁓ in dreifacher Ausfertigung; **5.** dritte Ausfertigung; **III** *v/t.* [-keɪt] **6.** verdreifachen; **7.** dreifach ausfertigen.

tri·pod [ˈtraɪpɒd] *s.* **1.** Dreifuß *m*; **2.** *bsd. phot.* Staˈtiv *n*; **3.** ⚙, ⚔ Dreibein *n*.

tri·pos [ˈtraɪpɒs] *s.* letztes Exˈamen *für* ***honours*** (*Cambridge*).

trip·per [ˈtrɪpə] *s.* a) Ausflügler(in), b) Touˈrist(in).

trip·ping [ˈtrɪpɪŋ] **I** *adj.* ☐ **1.** leicht(füßig), flink; **2.** flott, munter; **3.** strauchelnd (*a. fig.*); **4.** ⚙ Auslöse…, Schalt…; **II** *s.* **5.** Trippeln *n*; **6.** Beinstellen *n*.

trip·tych [ˈtrɪptɪk] *s.* Triptychon *n*, dreiteiliges (Alˈtar)Bild.

tri·sect [traɪˈsekt] *v/t.* in drei (gleiche) Teile teilen.

tri·syl·lab·ic [ˌtraɪsɪˈlæbɪk] *adj.* (☐ ***⁓ally***) dreisilbig; **tri·syl·la·ble** [ˌtraɪˈsɪləbl] *s.* dreisilbiges Wort.

trite [traɪt] *adj.* ☐ abgedroschen, platt, baˈnal; ˈ**trite·ness** [-nɪs] *s.* Abgedroschenheit *f*, Plattheit *f*.

Tri·ton [ˈtraɪtn] *s.* **1.** *antiq.* Triton *m* (*niederer Meergott*): ***a ⁓ among*** (***the***) ***minnows*** ein Riese unter Zwergen; **2.** ⁓ *zo.* Tritonshorn *n*; **3.** ⁓ *zo.* Molch *m*.

tri·tone [ˈtraɪtəʊn] *s.* ♪ Tritonus *m*.

trit·u·rate [ˈtrɪtjʊreɪt] *v/t.* zerreiben, -mahlen, -stoßen, pulverisieren.

tri·umph [ˈtraɪəmf] **I** *s.* **1.** Triˈumph *m*: a) Sieg *m* (***over*** über *acc.*), b) Siegesfreude *f* (***at*** über *acc.*): ***in*** ⁓ im Triumph, triumphierend; **2.** Triˈumph *m* (*Großtat*, *Erfolg*): ***the ⁓s of science***; **II** *v/i.* **3.** triumphieren: a) den Sieg daˈvontragen, b) jubeln, frohˈlokken (*beide* ***over*** über *acc.*), c) Erfolg haben; **tri·um·phal** [traɪˈʌmfl] *adj.* Triumph…, Sieges…: ⁓ ***arch*** Triumphbogen *m*; ⁓ ***procession*** Triumphzug *m*; **tri·um·phant** [traɪˈʌmfənt] *adj.* ☐ **1.** triumphierend: a) den Sieg feiernd, b) sieg-, erfolg-, glorreich, c) frohˈlokkend, jubelnd; **2.** *obs.* herrlich.

tri·um·vir [trɪˈʌmvə] *pl.* **-virs** *od.* **-vi·ri** [trɪˈʊmvɪriː] *s.* *antiq.* Triˈumvir *m* (*a. fig.*); **tri·um·vi·rate** [traɪˈʌmvɪrət] *s.* **1.** *antiq.* Triumviˈrat *n* (*a. fig.*); **2.** *fig.* Dreigestirn *n*.

tri·une [ˈtraɪjuːn] *adj.* *bsd. eccl.* dreiˈeinig.

tri·va·lent [ˌtraɪˈveɪlənt] *adj.* ⚗ dreiwertig.

triv·et [ˈtrɪvɪt] *s.* Dreifuß *m* (*bsd. für Kochgefäße*): (***as***) ***right as a ~*** *fig.* bei bester Gesundheit.

triv·i·a [ˈtrɪvɪə] *s. pl.* Bagaˈtellen *pl.*; **ˈtriv·i·al** [-əl] *adj.* □ **1.** triviˈal, baˈnal, allˈtäglich; **2.** gering(fügig), unbedeutend; **3.** oberflächlich (*Person*); **4.** volkstümlich (*Ggs. wissenschaftlich*); **triv·i·al·i·ty** [ˌtrɪvɪˈælətɪ] *s.* **1.** Trivialiˈtät *f*, Plattheit *f*, Banaliˈtät *f* (*a. Ausspruch etc.*); **2.** Geringfügigkeit *f*, Belanglosigkeit *f*; **ˈtriv·i·al·ize** *v/t.* bagatellisieren.

tri·week·ly [ˌtraɪˈwiːklɪ] **I** *adj.* **1.** dreiwöchentlich; **2.** dreimal wöchentlich erscheinend (*Zeitschrift etc.*); **II** *adv.* **3.** dreimal in der Woche.

troat [trəʊt] **I** *s.* Röhren *n des Hirsches*; **II** *v/i.* röhren.

tro·cha·ic [trəʊˈkeɪɪk] *Metrik* **I** *adj.* troˈchäisch; **II** *s.* Troˈchäus *m* (*Vers*); **tro·chee** [ˈtrəʊkiː] *s.* Troˈchäus *m* (*Versfuß*).

trod [trɒd] *pret. u. p.p. von* ***tread***.

trod·den [ˈtrɒdn] *p.p. von* ***tread***.

trog·lo·dyte [ˈtrɒglədaɪt] *s.* **1.** Trogloˈdyt *m*, Höhlenbewohner *m*; **2.** *fig.* a) Einsiedler *m*, b) primiˈtiver *od.* bruˈtaler Kerl; **trog·lo·dyt·ic** [ˌtrɒgləˈdɪtɪk] *adj.* trogloˈdytisch.

troi·ka [ˈtrɔɪkə] (*Russ.*) *s.* Troika *f*, Dreigespann *n*.

Tro·jan [ˈtrəʊdʒən] **I** *adj.* troˈjanisch; **II** *s.* Troˈjaner(in): ***like a ~*** F wie ein Pferd *arbeiten*.

troll¹ [trəʊl] **I** *v/t. u. v/i.* **1.** (fröhlich) trällern; **2.** (mit der Schleppangel) fischen (***for*** nach); **II** *s.* **3.** Schleppangel *f*, künstlicher Köder.

troll² [trəʊl] *s.* Troll *m*, Kobold *m*.

trol·ley [ˈtrɒlɪ] *s.* **1.** *Brit.* Hand-, Gepäck-, Einkaufswagen *m*; Kofferkuli *m*; (Schub)Karren *m*; **2.** ⚙ Förderwagen *m*; **3.** 🚂 *Brit.* Draiˈsine *f*; **4.** ϟ Konˈtaktrolle *f bei Oberleitungsfahrzeugen*; **5.** *Am.* Straßenbahn(wagen *m*) *f*; **6.** *Brit.* Tee-, Servierwagen *m*; **~ bus** *s.* O(berleitungs)bus *m*; **~ car** *s. Am.* Straßenbahnwagen *m*; **~ pole** *s.* ϟ Stromabnehmerstange *f*; **~ wire** *s.* Oberleitung *f*.

trol·lop [ˈtrɒləp] **I** *s.* **1.** Schlampe *f*; **2.** ‚Flittchen' *n*; **II** *v/i.* **3.** schlampen; **4.** ‚latschen'.

trom·bone [trɒmˈbəʊn] *s.* ♪ **1.** Poˈsaune *f*; **2.** → **tromˈbon·ist** [-nɪst] *s.* ♪ Posauˈnist *m*.

troop [truːp] **I** *s.* **1.** Trupp *m*, Schar *f*; **2.** *pl.* ⚔ Truppe(n *pl.*) *f*; **3.** ⚔ a) Schwaˈdron *f*, b) (ˈPanzer)Kompaˌnie *f*, c) Batteˈrie *f*; **II** *v/i.* **4.** *oft* ***~ up***, ***~ together*** sich scharen, sich sammeln; **5.** (in Scharen) *wohin* ziehen, (herˈein- *etc.*) strömen, marschieren: ***~ away***, ***~ off*** F abziehen, sich daˈvonmachen; **III** *v/t.* **6.** ***~ the colour(s)*** *Brit.* ⚔ Fahnenparade abhalten; **~ car·ri·er** *s.* ⚔ **1.** ✈, ⚓ ˈTruppentransˌporter *m*; **2.** Mannschaftswagen *m*; **ˈ~-ˌcar·ry·ing** *adj.*: ***~ vehicle*** → ***troop carrier*** 2.

troop·er [ˈtruːpə] *s.* **1.** ⚔ Reiter *m*, Kavalleˈrist *m*: ***swear like a ~*** fluchen wie ein Landsknecht; **2.** ˈStaatspoliˌzist *m*; **3.** *bsd. Am.* berittener Poliˈzist; **4.** ⚔ Kavalleˈriepferd *n*; **5.** *Brit.* → ***troopship***.

ˈtroop·ship *s.* ⚓ ˈTruppentransˌporter *m*.

trope [trəʊp] *s.* Tropus *m* (*a.* ♪), bildlicher Ausdruck.

troph·ic [ˈtrɒfɪk] *adj. biol.* trophisch, Ernährungs...

tro·phy [ˈtrəʊfɪ] **I** *s.* **1.** Troˈphäe *f*, Siegeszeichen *n*, -beute *f* (*alle a. fig.*); **2.** Preis *m*, (*Jagd- etc.*)Troˈphäe *f*; **II** *v/t.* **3.** mit Troˈphäen schmücken.

trop·ic [ˈtrɒpɪk] **I** *s.* **1.** *ast.*, *geogr.* Wendekreis *m*; **2.** *pl. geogr.* Tropen *pl.*; **II** *adj.* **3.** → ***tropical¹***.

trop·i·cal¹ [ˈtrɒpɪkl] *adj.* □ Tropen..., tropisch.

trop·i·cal² [ˈtrɒpɪkl] → ***tropological***.

trop·o·log·i·cal [ˌtrɒpəˈlɒdʒɪkl] *adj.* □ fiˈgürlich, metaˈphorisch.

trop·o·sphere [ˈtrɒpəˌsfɪə] *s. meteor.* Tropoˈsphäre *f*.

trot [trɒt] **I** *v/i.* **1.** traben, trotten, im Trab gehen *od.* reiten: ***~ along*** (*od.* ***off***) F ab-, losziehen; **II** *v/t.* **2.** *Pferd* traben lassen, *a. j-n* in Trab setzen; **3.** ***~ out*** a) *Pferd* vorreiten, -führen, b) *fig. et. od. j-n* vorführen, renommieren mit, *Argumente, Kenntnisse etc., a. Wein etc.* auftischen, aufwarten mit; **4.** *a.* ***~ round*** *j-n* herˈumführen; **III** *s.* **5.** Trott *m*, Trab *m* (*a. fig.*): ***at a ~*** im Trab; ***keep s.o. on the ~*** j-n in Trab halten; **6.** F ‚Taps' *m* (*kleines Kind*); **7.** F ‚Tante' *f* (*alte Frau*); **8.** ***the ~s*** *pl.* F ‚Dünnpfiff' *m*; **9.** *ped. Am. sl.* a) Eselsbrücke *f*, ‚Klatsche' *f* (*Übersetzungshilfe*), b) Spickzettel *m*; **10.** F Trabrennen *n*.

troth [trəʊθ] *s. obs.* Treue(gelöbnis *n*) *f*: ***by my ~!***, ***in ~!*** meiner Treu!, wahrlich!; ***pledge one's ~*** sein Wort verpfänden, ewige Treue schwören; ***plight one's ~*** sich verloben.

trot·ter [ˈtrɒtə] *s.* **1.** Traber *m* (*Pferd*); **2.** F Fuß *m*, Bein *n von Schlachttieren*: ***pigs ~s*** Schweinsfüße; **3.** *pl. humor.* ‚Haxen' *pl.*; **trot·ting race** [ˈtrɒtɪŋ] *s.* Trabrennen *n*.

trou·ble [ˈtrʌbl] **I** *v/t.* **1.** beunruhigen, stören, belästigen; **2.** *j-n* bemühen, bitten (***for*** um): ***may I ~ you to pass me the salt*** darf ich Sie um das Salz bitten; ***I will ~ you to hold your tongue*** *iro.* würden sie gefälligst den Mund halten; **3.** *j-m* ˈUmstände *od.* Unannehmlich-

T

keiten bereiten, *j-m* Mühe machen; *j-n* behelligen (**about**, **with** mit); **4.** *j-n* plagen, quälen: **be ~d with** von *e-r Krankheit etc.* geplagt sein; **5.** *j-m* Sorge *od.* Verdruß *od.* Kummer machen *od.* bereiten, *j-n* beunruhigen: **be ~d about** sich Sorgen machen wegen; **don't let it ~ you** machen Sie sich deswegen keine Gedanken; **~d face** sorgenvolles *od.* gequältes Gesicht; **6.** *Wasser* trüben: **~d waters** *fig.* schwierige Situation, unangenehme Lage; **fish in ~d waters** *fig.* im trüben fischen; **II** *v/i.* **7.** sich beunruhigen (**about** über *acc.*): **I should not ~ if** a) ich wäre beruhigt, wenn, b) es wäre mir gleichgültig, wenn; **8.** sich die Mühe machen, sich bemühen (**to do** zu tun); sich 'Umstände machen: **don't ~** (**yourself**) bemühen Sie sich nicht; **don't ~ to write** du brauchst nicht zu schreiben; **III** *s.* **9.** Mühe *f*, Plage *f*, Last *f*, Belästigung *f*, Störung *f*: **give s.o. ~** j-m Mühe verursachen; **go to much ~** sich besondere Mühe machen *od.* geben; **put s.o. to ~** j-m Umstände bereiten; **save o.s. the ~ of doing** sich die Mühe (er)sparen, zu tun; **take** (**the**) **~** sich (die) Mühe machen; **take ~ over** sich Mühe geben mit; (**it is**) **no ~** (**at all**) (es ist) nicht der Rede wert; **10.** Unannehmlichkeiten *pl.*, Schwierigkeiten *pl.*, Scherereien *pl.*, ‚Ärger' *m* (**with** mit *der Polizei etc.*): **ask** *od.* **look for ~** unbedingt Ärger haben wollen; **be in ~** in Schwierigkeiten sein; **get into ~** in Schwierigkeiten geraten, Ärger bekommen; **make ~ for s.o.** j-n in Schwierigkeiten bringen; **he is ~** F er ist gefährlich, mit ihm wird es Ärger geben; **11.** Schwierigkeit *f*, Pro'blem *n*: **the ~ is** der Haken dabei ist, das Unangenehme ist (**that** daß); **what's the ~?** wo(ran) fehlt's?, was ist los?; **12.** ⚕ Störung *f*, Leiden *n*: **heart ~** Herzleiden; **13.** a) *pol.* Unruhe(n *pl.*) *f*, Wirren *pl.*, b) *allg.* Af'färe *f*, Kon'flikt *m*; **14.** ⚙ Störung *f*, De'fekt *m*; **'~ˌmak·er** *s.* Unruhestifter *m*; **~ man** [-mən] *s.* [*irr.*] ⚙ Störungssucher *m*; **'~·proof** *adj.* störungsfrei; **'~ˌshoot·er** *s. bsd. Am.* **1.** → **trouble man**; **2.** *fig.* Friedensstifter *m*, ‚Feuerwehrmann' *m*.

trou·ble·some ['trʌblsəm] *adj.* □ lästig, beschwerlich, unangenehm; **'trou·ble·some·ness** [-nɪs] *s.* Lästigkeit *f*, Beschwerlichkeit *f*; *das* Unangenehme.

trouble spot *s.* **1.** ⚙ Schwachstelle *f*; **2.** *bsd. pol.* Unruheherd *m*.

trou·blous ['trʌbləs] *adj.* □ *obs.* unruhig.

trough [trɒf] *s.* **1.** Trog *m*, Mulde *f*; **2.** Wanne *f*; **3.** Rinne *f*, Ka'nal *m*; **4.** Wellental *n*: **~ of the sea**; **5.** *a.* **~ of low pressure** *meteor.* Tief(druckrinne *f*) *n*; **6.** *bsd.* ✝ Tiefpunkt *m*, ‚Talsohle' *f*.

trounce [traʊns] *v/t.* **1.** verprügeln; **2.** *fig.* her'untermachen; **3.** *sport* ‚über'fahren', *j-m* e-e Abfuhr erteilen.

troupe [tru:p] *s.* (Schauspieler-, Zirkus-) Truppe *f*.

trou·sered ['traʊzəd] *adj.* Hosen tragend, behost; **'trou·ser·ing** [-zərɪŋ] *s.* Hosenstoff *m*; **trou·sers** ['traʊzəz] *s. pl.* (**a pair of ~** e-e) (lange) Hose; Hosen *pl.*; → **wear**[1] 1.

trou·ser suit *s.* Hosenanzug *m*.

trousse [tru:s] *s.* ⚕ (chi'rurgisches) Besteck.

trous·seau ['tru:səʊ] *pl.* **-seaus** (*Fr.*) *s.* Aussteuer *f*.

trout [traʊt] *ichth.* **I** *pl.* **-s**, *bsd. coll.* **trout** *s.* Fo'relle *f*; **II** *v/i.* Fo'rellen fischen; **III** *adj.* Forellen…

trove [trəʊv] *s.* Fund *m*.

tro·ver ['trəʊvə] *s.* ⚖ **1.** rechtswidrige Aneignung; **2.** *a.* **action of ~** Klage *f* auf Her'ausgabe des Wertes.

trow·el ['traʊəl] **I** *s.* **1.** (Maurer)Kelle *f*: **lay it on with a ~** *fig.* (zu) dick auftragen; **2.** ✓ Hohlspatel *m*, Pflanzenheber *m*; **II** *v/t.* **3.** mit der Kelle auftragen, glätten.

troy (**weight**) [trɔɪ] *s.* ✝ Troygewicht *n* (*für Edelmetalle, Edelsteine u. Arzneien; 1 lb. = 373,24 g*).

tru·an·cy ['tru:ənsɪ] *s.* (Schul)Schwänze'rei *f*, unentschuldigtes Fernbleiben; **'tru·ant** [-nt] **I** *s.* **1.** a) (Schul)Schwänzer(in), b) Bummler(in), Faulenzer (-in): **play ~** (*bsd.* die Schule) schwänzen, *a.* bummeln; **II** *adj.* **2.** träge, faul, pflichtvergessen; **3.** (schul)schwänzend; **4.** *fig.* (ab)schweifend (*Gedanken*).

truce [tru:s] *s.* **1.** ⚔ Waffenruhe *f*, -stillstand *m*: **flag of ~** Parlamentärflagge *f*; **~ of God** *hist.* Gottesfriede *m*; (**political**) **~** Burgfriede *m*; **a ~ to talking!** Schluß mit (dem) Reden!; **2.** *fig.* (Ruhe-, Atem)Pause *f* (**from** von).

truck[1] [trʌk] **I** *s.* **1.** Tausch(handel) *m*; **2.** Verkehr *m*: **have no ~ with s.o.** mit j-m nichts zu tun haben; **3.** *Am.* Gemüse *n*: **~ farm**, **~ garden** *Am.* Gemüsegärtnerei *f*; **~ farmer** *Am.* Gemüsegärtner *m*; **4.** *coll.* a) Kram(waren *pl.*) *m*, Hausbedarf *m*, b) *contp.* Plunder *m*; **5.** *mst* **~ system** ✝ *hist.* Natu'rallohn-, 'Trucksyˌstem *n*; **II** *v/t.* **6.** (**for**) (aus-, ver)tauschen (gegen), eintauschen (für); **7.** verschachern; **III** *v/i.* **8.** Tauschhandel treiben; **9.** schachern, handeln (**for** um).

truck[2] [trʌk] **I** *s.* **1.** ⚙ Block-, Laufrad *n*; **2.** Hand-, Gepäck-, Rollwagen *m*; **3.** Lore *f*: a) 🚂 *Brit.* offener Güterwagen, b) ⚒ Kippkarren *m*, Förderwagen *m*; **4.** *Am.* Lastauto *n*, -(kraft)wagen *m*: **~ trailer** a) Lastwagenanhänger *m*, b) Lastzug *m*; **5.** 🚂 Dreh-, 'Untergestell *n*;

6. ⚓ Flaggenknopf *m*; **II** *v/t*. **7.** auf Güter- *od*. Lastwagen *etc*. befördern; ˈ**truck·age** [-kɪdʒ] *s*. **1.** *Am*. ˈLastwagentransˌport *m*; **2.** Transˈportkosten *pl*.

truck·er[1] [ˈtrʌkə] *s*. *Am*. **1.** Lastwagen-, Fernlastfahrer *m*; **2.** ˈAutospediˌteur *m*.

truck·er[2] [ˈtrʌkə] *s*. *Am*. Gemüsegärtner *m*.

truck·le[1] [ˈtrʌkl] *v/i*. (zu Kreuze) kriechen (***to*** vor).

truck·le[2] [ˈtrʌkl] *s*. **1.** (Lauf)Rolle *f*; **2.** *mst* ***~ bed*** (niedriges) Rollbett.

truc·u·lence [ˈtrʌkjʊləns], ˈ**truc·u·len·cy** [-sɪ] *s*. Wildheit *f*; ˈ**truc·u·lent** [-nt] *adj*. □ **1.** wild, grausam; **2.** trotzig; **3.** gehässig.

trudge [trʌdʒ] **I** *v/i*. (*bsd*. mühsam) stapfen; sich (mühsam) (fort)schleppen: ***~ along***; **II** *v/t*. (mühsam) durchˈwandern; **III** *s*. mühseliger Marsch *od*. Weg.

true [tru:] **I** *adj*. □ → ***truly***; **1.** wahr, wahrheitsgetreu: ***a ~ story***; ***be ~ of*** zutreffen auf (*acc*.), gelten für; ***come ~*** sich bewahrheiten, sich erfüllen, eintreffen; **2.** wahr, echt, wirklich, (regel-)recht: ***a ~ Christian***; ***~ bill*** ⚖ begründete (*von den Geschworenen bestätigte*) Anklage(schrift); ***~ love*** wahre Liebe; (***it is***) ***~*** zwar, allerdings, freilich, zugegeben; **3.** (ge)treu (***to*** *dat*.): ***a ~ friend***; (***as***) ***~ as gold*** (*od*. ***steel***) treu wie Gold; ***~ to one's principles*** (***word***) s-n Grundsätzen (s-m Wort) getreu; **4.** (ge-)treu (***to*** *dat*.) (*von Sachen*): ***~ copy***; ***~ weight*** genaues *od*. richtiges Gewicht; ***~ to life*** lebenswahr, -echt; ***~ to nature*** naturgetreu; ***~ to size*** ⚙ maßgerecht, -haltig; ***~ to type*** artgemäß, typisch; **5.** rechtmäßig: ***~ heir*** (***owner***); **6.** zuverlässig: ***a ~ sign***; **7.** ⚙ genau, richtig eingestellt *od*. eingepaßt; **8.** ⚓, *phys*. rechtweisend (*Kurs*, *Peilung*): ***~ declination*** Ortsmißweisung *f*; ***~ north*** geographisch Nord; **9.** ♪ richtig gestimmt, rein; **10.** *biol*. reinrassig; **II** *adv*. **11.** wahr(ˈhaftig): ***speak ~*** die Wahrheit reden; **12.** (ge)treu (***to*** *dat*.); **13.** genau: ***shoot ~***; **III** *s*. **14.** ***the ~*** das Wahre; **15.** ***out of ~*** ⚙ unrund; **IV** *v/t*. **16.** *a*. ***~ up*** ⚙ *Lager* ausrichten; *Werkzeug* nachschleifen; *Rad* zentrieren; ***~ blue*** *s*. getreuer Anhänger; ˌ**~-ˈblue** *adj*. waschecht, treu; ˈ**~·born** *adj*. echt, gebürtig; ˈ**~·bred** *adj*. reinrassig; ˌ**~-ˈheart·ed** *adj*. aufrichtig, ehrlich; ˌ**~-ˈlife** *adj*. lebenswahr, -echt; ˈ**~·love** *s*. Geliebte(r *m*) *f*.

true·ness [ˈtru:nɪs] *s*. **1.** Wahrheit *f*; **2.** Echtheit *f*; **3.** Treue *f*; **4.** Richtigkeit *f*; **5.** Genauigkeit *f*.

truf·fle [ˈtrʌfl] *s*. ⚘ Trüffel *f*.

tru·ism [ˈtru:ɪzəm] *s*. Binsenwahrheit *f*, Gemeinplatz *m*.

trull [trʌl] *s*. Dirne *f*, Hure *f*.

tru·ly [ˈtru:lɪ] *adv*. **1.** wahrheitsgemäß; **2.** aufrichtig: ***Yours*** (***very***) ***~*** (*als Briefschluß*) Hochachtungsvoll; ***yours ~*** *humor*. meine Wenigkeit; **3.** wahrˈhaftig, in der Tat; **4.** genau.

trump[1] [trʌmp] *s*. *obs*. *od*. *poet*. Tromˈpete(nstoß *m*) *f*: ***the ~ of doom*** die Posaune des Jüngsten Gerichts.

trump[2] [trʌmp] **I** *s*. **1.** a) Trumpf *m*, b) *a*. ***~ card*** Trumpfkarte *f* (*a*. *fig*.): ***play one's ~ card*** *fig*. s-n Trumpf ausspielen; ***put s.o. to his ~*** *fig*. j-n bis zum Äußersten treiben; ***turn up ~s*** a) sich als das Beste erweisen, b) Glück haben; **2.** F *fig*. feiner Kerl; **II** *v/t*. **3.** (über-)ˈtrumpfen; **4.** *fig*. *j-n* überˈtrumpfen (***with*** mit); **III** *v/i*. **5.** Trumpf ausspielen, trumpfen.

trump[3] [trʌmp] *v/t*. ***~ up*** *contp*. erdichten, erfinden, sich aus den Fingern saugen; ˌ**trumped-ˈup** [ˌtrʌmpt-] *adj*. erfunden, erlogen, falsch: ***~ charges***.

trump·er·y [ˈtrʌmpərɪ] **I** *s*. **1.** Plunder *m*, Schund *m*; **2.** *fig*. Gewäsch *n*, Quatsch *m*; **II** *adj*. **3.** Schund…, Kitsch…, kitschig, geschmacklos; **4.** *fig*. billig, nichtssagend: ***~ arguments***.

trum·pet [ˈtrʌmpɪt] **I** *s*. **1.** ♪ Tromˈpete *f*: ***~ call*** Trompetensignal *n*; ***blow one's own ~*** *fig*. sein eigenes Lob singen; ***the last ~*** die Posaune des Jüngsten Gerichts; **2.** Tromˈpetenstoß *m* (*a*. *des Elefanten*); **3.** ♪ Tromˈpete(nreˌgister *n*) *f* (*Orgel*); **4.** Schalltrichter *m*, Sprachrohr *n*; **5.** Hörrohr *n*; **II** *v/t*. *u*. *v/i*. **6.** tromˈpeten (*a*. *Elefant*): ***~*** (***forth***) *fig*. ausposaunen; ˈ**trum·pet·er** [-tə] *s*. **1.** Tromˈpeter *m*; **2.** *fig*. a) ˈAuspoˌsauner(in), b) Lobredner *m*, c) ‚Sprachrohr' *n*; **3.** *orn*. Tromˈpetertaube *f*; **trum·pet ma·jor** *s*. ⚔ ˈStabstromˌpeter *m*.

trun·cate [trʌŋˈkeɪt] **I** *v/t*. **1.** *a*. *fig*. stutzen, beschneiden; **2.** ⩓ abstumpfen; **3.** ⚙ *Gewinde* abflachen; **4.** *Computer*: beenden; **II** *adj*. **5.** abgestutzt, -stumpft (*Blätter*, *Muscheln*); **trunˈcat·ed** [-tɪd] *adj*. **1.** *a*. *fig*. gestutzt, beschnitten; **2.** ⩓ abgestumpft: ***~ cone*** (***pyramid***) Kegel- (Pyramiden)stumpf *m*; **3.** ⚙ abgeflacht; **trun·ca·tion** [trʌŋˈkeɪʃn] *s*. **1.** *a*. *fig*. Stutzung *f*; **2.** ⩓ Abstumpfung *f*; **3.** ⚙ Abflachung *f*; **4.** *Computer*: Beendigung *f*.

trun·cheon [ˈtrʌntʃən] *s*. **1.** *Brit*. (Gummi)Knüppel *m*, Schlagstock *m der Polizei*; **2.** Komˈmandostab *m*.

trun·dle [ˈtrʌndl] **I** *v/t*. *Faß etc*. trudeln, rollen; *Reifen* schlagen; *j-n im Rollstuhl etc*. fahren; **II** *v/i*. *oft* ***~ along*** rollen, sich wälzen, trudeln; **III** *s*. Rolle *f*, Walze *f*: ***~ bed*** → ***truckle***[2] 2.

trunk [trʌŋk] *s*. **1.** (Baum)Stamm *m*; **2.** Rumpf *m*, Leib *m*, Torso *m*; **3.** *zo*.

T

Rüssel *m*; **4.** (Schrank)Koffer *m*, Truhe *f*; **5.** ⚠ (Säulen)Schaft *m*; **6.** *anat.* (*Nerven- etc.*)Strang *m*, Stamm *m*; **7.** *pl.* a) → ***trunk hose***, b) Badehose *f*, c) *sport* Shorts *pl.*, d) ('Herren)ˌUnterhose *f*; **8.** ⚙ Rohrleitung *f*, Schacht *m*; **9.** *teleph. bsd. Brit.* a) Fernleitung *f*, b) Fernverbindung *f*; **10.** 🚂 → ***trunk line*** 1; **11.** *mot. Am.* Kofferraum *m*; **12.** *Computer*: Anschlußstelle *f*; **~ call** *s. teleph. Brit.* Ferngespräch *n*; **~ hose** *s. hist.* Kniehose *f*; **~ line** *s.* **1.** 🚂 Hauptstrecke *f*, -linie *f*; **2.** → ***trunk*** 9 a; **~ road** *s.* Haupt-, Fernverkehrsstraße *f*; **~ route** *s. allg.* Hauptstrecke *f*.

trun·nion ['trʌnjən] *s.* ⚙ (Dreh)Zapfen *m*.

truss [trʌs] **I** *v/t.* **1.** *oft* ***~ up*** a) bündeln, (fest)schnüren, zs.-binden, b) *j-n* fesseln; **2.** *Geflügel zum Braten* dressieren; **3.** ⚠ absteifen, stützen; **4.** *oft* ***~ up*** *obs. Kleider etc.* aufschürzen, -stecken; **5.** *obs. j-n* aufhängen; **II** *s.* **6.** ⚕ Bruchband *n*; **7.** ⚠ a) Träger *m*, Binder *m*, b) Fach-, Gitter-, Hängewerk *n*, Gerüst *n*; **8.** ⚓ Rack *n*; **9.** (Heu-, Stroh)Bündel *n*, (*a.* Schlüssel)Bund *n*; **10.** ⚘ Dolde *f*; **~ bridge** *s.* (Gitter)Fachwerkbrücke *f*.

trust [trʌst] **I** *s.* **1.** (***in***) Vertrauen *n* (auf *acc.*), Zutrauen *n* (zu *dat.*): ***place*** (*od.* ***put***) ***one's ~ in*** → 13; ***position of ~*** Vertrauensposten *m*; ***take s.th. on ~*** et. (einfach) glauben; **2.** Zuversicht *f*, zuversichtliche Erwartung *od.* Hoffnung, Glaube *m*; **3.** Kre'dit *m*: ***on ~*** a) auf Kredit, b) auf Treu u. Glauben; **4.** Pflicht *f*, Verantwortung *f*; **5.** Verwahrung *f*, Obhut *f*: ***in ~*** zu treuen Händen; **6.** Pfand *n*, anvertrautes Gut; **7.** ⚖ a) Treuhand(verhältnis *n*) *f*, b) Treuhandgut *n*, -vermögen *n*: ***breach of ~*** Verletzung *f* der Treupflicht; ***~ territory*** *pol.* Treuhandgebiet *n*; ***hold s.th. in ~*** et. treuhänderisch verwalten; **8.** ✝ a) Trust *m*, b) Kon'zern *m*, c) Kar'tell *n*, Ring *m*; **9.** (*Familien- etc.*)Stiftung *f*; **II** *v/t.* **10.** *j-m* (ver)trauen, glauben, sich auf *j-n* verlassen: ***~ s.o. to do s.th.*** j-m zutrauen, daß er et. tut; ***~ him to do that!*** *iro.* a) das sieht ihm ähnlich!, b) verlaß dich drauf, er wird es tun!; **11.** (***s.o. with s.th., s.th. to s.o.*** j-m et.) anvertrauen; **12.** (zuversichtlich) hoffen *od.* erwarten, glauben; **III** *v/i.* **13.** (***in, to***) vertrauen (auf *acc.*), sein Vertrauen setzen (auf *acc.*); **14.** hoffen, glauben, denken; **~ com·pa·ny** *s. Am.* Treuhandgesellschaft *f od.* -bank *f*; **~ deed** *s.* Treuhandvertrag *m*.

trus·tee [ˌtrʌs'ti:] *s.* **1.** Sachwalter *m* (*a. fig.*), (Vermögens)Verwalter *m*, Treuhänder *m*: ***~ in bankruptcy, official ~*** Konkurs-, Masseverwalter; ***Public*** ≗ *Brit.* Öffentlicher Treuhänder; ***~ process*** *Am.* Beschlagnahme *f*, (*bsd.* Forderungs)Pfändung *f*; ***~ securities, ~ stock*** mündelsichere Wertpapiere; **2.** Ku'rator *m*, Pfleger *m*: ***board of ~s*** Kuratorium *n*; **ˌtrus'tee·ship** [-ʃɪp] *s.* **1.** Treuhänderschaft *f*; **2.** Kura'torium *n*; **3.** *pol.* a) Treuhandverwaltung *f*, b) Treuhandgebiet *n*.

trust·ful ['trʌstfʊl] *adj.* □ vertrauensvoll, zutraulich.

trust fund *s.* ✝ Treuhandvermögen *n*.

trust·i·fi·ca·tion [ˌtrʌstɪfɪ'keɪʃn] *s.* ✝ Ver'trustung *f*, Trustbildung *f*.

trust·ing ['trʌstɪŋ] *adj.* □ → ***trustful***.

'trustˌwor·thi·ness [-ˌwɜ:ðɪnɪs] *s.* Vertrauenswürdigkeit *f*; **'trustˌwor·thy** *adj.* □ vertrauenswürdig, zuverlässig.

trust·y ['trʌstɪ] **I** *adj.* □ **1.** vertrauensvoll; **2.** treu, zuverlässig; **II** *s.* **3.** ‚Kal'fakter' *m* (*privilegierter Sträfling*).

truth [tru:θ] *s.* **1.** Wahrheit *f*: ***in ~, obs. of a ~*** in Wahrheit; ***the ~, the whole ~ and nothing but the ~*** ⚖ die reine Wahrheit; ***to tell the ~, ~ to tell*** um die Wahrheit zu sagen, ehrlich gesagt; ***there is no ~ in it*** daran ist nichts Wahres; ***the ~ is that I forgot it*** in Wirklichkeit *od.* tatsächlich habe ich es vergessen; **2.** *allgemein anerkannte* Wahrheit: ***historical ~***; **3.** Wahr'haftigkeit *f*; Aufrichtigkeit *f*; **4.** Wirklichkeit *f*, Echtheit *f*, Treue *f*; **5.** Richtigkeit *f*, Genauigkeit *f*: ***be out of ~*** ⚙ nicht genau passen; ***~ to life*** Lebensechtheit *f*; ***~ to nature*** Naturtreue *f*.

truth·ful ['tru:θfʊl] *adj.* □ **1.** wahr (-heitsgemäß); **2.** wahrheitsliebend; **3.** echt, genau, getreu; **'truth·ful·ness** [-nɪs] *s.* **1.** Wahr'haftigkeit *f*; **2.** Wahrheitsliebe *f*; **3.** Echtheit *f*.

try [traɪ] **I** *s.* **1.** Versuch *m*: ***have a ~*** e-n Versuch machen, es versuchen (***at*** mit); **2.** *Rugby*: Versuch *m*; **II** *v/t.* **3.** versuchen, probieren: ***~ one's best*** sein Bestes tun; ***~ one's hand at s.th.*** sich an e-r Sache versuchen; **4.** *a.* ***~ out*** (aus-, 'durch)probieren, erproben, prüfen: ***~ a new method*** (***remedy, invention***); ***~ on*** *Kleid etc.* anprobieren, *Hut* aufprobieren; ***~ it on with s.o.*** *sl.* ‚es bei j-m probieren'; **5.** e-n Versuch machen mit, es versuchen mit: ***~ the door*** die Tür zu öffnen suchen; ***~ one's luck*** sein Glück versuchen (***with*** bei *j-m*); **6.** ⚖ a) verhandeln über *e-e Sache*, *Fall* unter'suchen, b) verhandeln gegen *j-n*, vor Gericht stellen; **7.** *Augen etc.* angreifen, (über)'anstrengen, *Geduld*, *Mut*, *Nerven etc.* auf e-e harte Probe stellen; **8.** *j-n* arg mitnehmen, plagen, quälen; **9.** *mst* ***~ out*** ⚙ a) *Metalle* raffinieren, scheiden, b) *Talg etc.* ausschmelzen, c) *Spiritus* rektifizieren; **III** *v/i.* **10.** versuchen (***at*** *acc.*), sich bemühen *od.* bewerben (***for*** um); **11.** versuchen, e-n Versuch machen: ***~ again!***

(versuch es) noch einmal!; ~ ***and read!*** F versuche zu lesen!; ~ ***hard*** sich große Mühe geben.

try·ing ['traɪɪŋ] *adj.* □ **1.** schwierig, kritisch, unangenehm, nervtötend; **2.** anstrengend, ermüdend (***to*** für).

'try|-on *s.* **1.** Anprobe *f*; **2.** F 'Schwindelma,növer *n*; **'~-out** *s.* **1.** Probe *f*, Erprobung *f*; **2.** *sport* Ausscheidungskampf *m*, -spiel *n*; **~·sail** ['traɪsl] *s.* ⚓ Gaffelsegel *n*; **~ square** *s.* ⚙ Richtscheit *n*.

tryst [trɪst] *obs.* **I** *s.* **1.** Stelldichein *n*, Rendez'vous *n*; **2.** → ***trysting place***; **II** *v/t.* **3.** *j-n* (an e-n verabredeten Ort) bestellen; **4.** *Zeit*, *Ort* verabreden; **tryst·ing place** [-tɪŋ] *s.* Treffpunkt *m*.

tsar [zɑː] *etc.* → ***czar*** *etc.*

tset·se (fly) ['tsetsɪ] *s. zo.* Tsetsefliege *f*.

'T-shirt *s.* T-Shirt *n*.

'T-square *s.* ⚙ **1.** Reißschiene *f*; **2.** Anschlagwinkel *m*.

tub [tʌb] **I** *s.* **1.** (Bade)Wanne *f*; **2.** *Brit.* F (Wannen)Bad *n*; **3.** Bottich *m*, Kübel *m*, Wanne *f*; **4.** (*Butter-* *etc.*)Faß *n*, Tonne *f*; **5.** Faß *n* (*als Maß*): ***a ~ of tea***; **6.** ⚓ *humor.* ‚Kahn' *m*, ‚Kasten' *m* (*Schiff*); **7.** *Rudern*: Übungsboot *n*; **8.** ⚒ Förderkorb *m*, -wagen *m*; **9.** *humor.* Kanzel *f*; **II** *v/t.* **10.** *bsd. Butter* in ein Faß tun; **11.** ⚘ in e-n Kübel pflanzen; **12.** F baden; **III** *v/i.* **13.** F (sich) baden; **14.** *Rudern*: im Übungsboot trainieren.

tu·ba ['tjuːbə] *s.* ♪ Tuba *f*.

tub·by ['tʌbɪ] **I** *adj.* **1.** faß-, tonnenartig; **2.** F rundlich, klein u. dick; **3.** dumpf, hohl (*klingend*); **II** *s.* **4.** F ‚Dickerchen' *n*.

tube [tjuːb] **I** *s.* **1.** Rohr(leitung *f*) *n*, Röhre *f*; (Glas- *etc.*)Röhrchen *n*: → ***test tube***; **2.** Schlauch *m*: (***inner***) ~ ⚙ (Luft)Schlauch *m*; **3.** (Me'tall)Tube *f*: ~ ***colo(u)rs*** Tubenfarben; **4.** ♪ (Blas-)Rohr *n*; **5.** *anat.* (*Luft-* *etc.*)Röhre *f*, Ka'nal *m*; **6.** ⚘ (Pollen)Schlauch *m*; **7.** ⚡ Röhre *f*: ***the ~*** die ‚Röhre' *f* (*Fernseher*); ***on the ~*** ‚in der Glotze'; **8.** a) (U-Bahn)Tunnel *m*, b) *a.* ♀ *die* Londoner U-Bahn; **II** *v/t.* **9.** ⚙ mit Röhren versehen; **10.** (durch Röhren) befördern; **11.** (in Röhren *od.* Tuben) abfüllen; **'tube-feed** [*irr.*] *v/t.* ⚕ künstlich (⚖ zwangs)ernähren; **'tube·less** [-lɪs] *adj.* schlauchlos (*Reifen*).

tu·ber ['tjuːbə] *s.* **1.** ⚘ Knolle *f*, Knollen(-gewächs *n*) *m*; **2.** ⚕ Knoten *m*, Schwellung *f*, Tuber *n*.

tu·ber·cle ['tjuːbəkl] *s.* **1.** *biol.* Knötchen *n*; **2.** ⚕ a) Tu'berkel(knötchen *n*) *m*, b) (*bsd.* 'Lungen)Tu,berkel *m*; **3.** ⚘ kleine Knolle, Warze *f*; **tu·ber·cu·lar** [tjuː'bɜːkjʊlə] → ***tuberculous***; **tu·ber·cu·lo·sis** [tjuː,bɜːkjʊ'ləʊsɪs] *s.* ⚕ Tuberku'lose *f*; **tu·ber·cu·lous** [tjuː'bɜːkjʊləs] *adj.* **1.** ⚕ tuberku'lös, Tuberkel...; **2.** knotig.

tube·rose[1] ['tjuːbərəʊz] *s.* ⚘ Tube'rose *f*, 'Nachthya,zinthe *f*.

tu·ber·ose[2] ['tjuːbərəʊs] → ***tuberous***.

tu·ber·os·i·ty [,tjuːbə'rɒsɪtɪ] → ***tuber*** 2.

tu·ber·ous ['tjuːbərəs] *adj.* **1.** *anat.*, ⚕ knotig, knötchenförmig; **2.** ⚘ a) knollentragend, b) knollig.

tub·ing ['tjuːbɪŋ] *s.* ⚙ **1.** 'Röhrenmateri,al *n*, Rohr *n*; **2.** *coll.* Röhren *pl.*, Röhrenanlage *f*; **3.** Rohr(stück) *n*.

'tub|-,thump·er *s.* (g)eifernder *od.* schwülstiger Redner; **'~-,thump·ing** *adj.* (g)eifernd, schwülstig.

tu·bu·lar ['tjuːbjʊlə] *adj.* rohrförmig, Röhren..., Rohr...: ~ ***boiler*** Heizrohrkessel *m*; ~ ***furniture*** Stahlrohrmöbel *pl.*; **tu·bule** ['tjuːbjuːl] *s.* **1.** Röhrchen *n*; **2.** *anat.* Ka'nälchen *n*.

tuck [tʌk] **I** *s.* **1.** Falte *f*, Biese *f*, Einschlag *m*, Saum *m*; Lasche *f*; **2.** ⚓ Gilling *f*; **3.** *ped. Brit.* F Süßigkeiten *pl.*; **4.** *sport* Hocke *f*; **II** *v/t.* **5.** *mst* ~ ***in*** a) einnähen, b) *Falte* einschlagen; **6.** Biesen nähen in *ein Kleid*; **7.** *mst* ~ ***in*** (*od.* ***up***) ein-, 'umschlagen: ~ ***up*** a) abnähen, b) hochstecken, -schürzen, c) raffen, d) *Ärmel* hochkrempeln; **8.** *et. wohin* stecken, *unter den Arm etc.* klemmen: ~ ***away*** a) wegstecken, verstauen, b) verstecken; ***~ed away*** versteckt (liegend) (*z.B. Dorf*); ~ ***in*** (*od.* ***up***) (warm) zudecken, (behaglich) einpacken; ~ ***up in bed*** ins Bett stecken; ~ ***up one's legs*** die Beine anziehen; **9.** ~ ***in*** *sl. Essen etc.* ‚verdrücken'; **III** *v/i.* **10.** sich falten: ~ ***away*** sich verstauen lassen; **11.** ~ ***in*** F *beim Essen* ‚einhauen': ~ ***into*** sich *et.* schmecken lassen.

tuck·er[1] ['tʌkə] *s.* **1.** Faltenleger *m* (*Nähmaschine*); **2.** *hist.* Brusttuch *n*: ***best bib and ~*** *fig.* Sonntagsstaat *m*.

tuck·er[2] ['tʌkə] *v/t. mst* ~ ***out*** *Am.* F *j-n* ‚fertigmachen' (*völlig erschöpfen*): ***~ed out*** (total) erledigt.

'tuck|-in *s. Brit. sl.* ‚Fresse'rei' *f*, Schmaus *m*; **'~-shop** *s. Brit. ped. sl.* Süßwarenladen *m*.

Tues·day ['tjuːzdɪ] *s.* Dienstag *m*: ***on ~*** am Dienstag; ***on ~s*** dienstags.

tu·fa ['tjuːfə] *s. geol.* Kalktuff *m*, Tuff(-stein) *m*; **tu·fa·ceous** [tjuː'feɪʃəs] *adj.* (Kalk)Tuff...

tuff [tʌf] → ***tufa***.

tuft [tʌft] *s.* **1.** (*Gras-*, *Haar-* *etc.*)Büschel *n*, (*Feder-* *etc.*)Busch *m*, (*Haar-*)Schopf *m*; **2.** Quaste *f*, Troddel *f*; **3.** *anat.* Kapil'largefäßbündel *n*; **'tuft·ed** [-tɪd] *adj.* **1.** büschelig; **2.** *orn.* Hauben...: ~ ***lark***; **'tuft,hunt·er** *s.* gesellschaftlicher Streber; **tuft·y** ['tʌftɪ] *adj.* büschelig.

tug [tʌg] **I** *v/t.* **1.** zerren, ziehen an (*dat.*); ⚓ schleppen; **II** *v/i.* **2.** ~ ***at*** zerren an (*dat.*); **3.** *fig.* sich (ab)placken; **III** *s.* **4.** Zerren *n*, (heftiger) Zug, Ruck *m*: ***give a ~ at*** → 2; ***~ of war*** *sport u. fig.* Tauziehen *n*; **5.** *fig.* a) große Anstrengung, b) schwerer (*a. seelischer*) Kampf; **6.** *a.* ***~boat*** ⚓ Schleppdampfer *m*, Schlepper *m*.

tu·i·tion [tju:ˈɪʃn] *s.* ˈUnterricht *m*: ***private ~*** Privatunterricht, -stunden *pl.*; **tuˈi·tion·al** [-ʃənl], **tuˈi·tion·ar·y** [-ʃnərɪ] *adj.* Unterrichts…, Studien…

tu·lip [ˈtju:lɪp] *s.* ⚘ Tulpe *f*; **~ tree** *s.* ⚘ Tulpenbaum *m*.

tulle [tju:l] *s.* Tüll *m*.

tum·ble [ˈtʌmbl] **I** *s.* **1.** Fall *m*, Sturz *m* (*a.* ♆): ***~ in prices*** ♆ Preissturz; **2.** Purzelbaum *m*; Salto *m*; **3.** *fig.* Wirrwarr *m*: ***all in a ~*** kunterbunt durcheinander; **4.** ***give s.o. a. ~*** *sl.* von j-m Notiz nehmen; **II** *v/i.* **5.** *a.* ***~ down*** (ein-, ˈum-, hin-, hinˈab)fallen, (-)stürzen, (-)purzeln: ***to ~ over*** umkippen, sich überschlagen; **6.** purzeln, stolpern (***over*** über *acc.*); **7.** *wohin* stolpern (*eilen*): ***~ into*** *fig.* a) *j-m in die Arme* laufen, b) in *e-n Krieg etc.* ‚hineinschlittern'; ***~ to*** *sl. et.* plötzlich ‚kapieren' *od.* ‚spitzkriegen'; **8.** Luftsprünge *od.* Saltos *etc.* machen; *sport* Bodenübungen machen; **9.** sich wälzen; **10.** ⚔ taumeln (*Geschoß*); **11.** ♆ ‚purzeln' (*Aktien, Preise*); **III** *v/t.* **12.** zu Fall bringen, ˈumstürzen, -werfen; **13.** durchˈwühlen; **14.** schleudern, schmeißen; **15.** zerknüllen; *Haar* zerzausen; **16.** ⚙ schleudern; **17.** *hunt.* abschießen; ˈ**~·down** *adj.* baufällig; **~ dri·er** *s.* Wäschetrockner *m*.

tum·bler [ˈtʌmblə] *s.* **1.** Trink-, Wasserglas *n*, Becher *m*; **2.** Parˈterreakroˌbat (-in); **3.** ⚙ a) Zuhaltung *f* (*Türschloß*), b) Richtwelle *f* (*Übersetzungsmotor*), c) Zahn *m*, d) Nocken, e) (Wasch-, Scheuer)Trommel *f*; **4.** *orn.* Tümmler *m*; **5.** *Am.* Stehaufmännchen *n*; **~ switch** *s.* ⚡ Kippschalter *m*.

tum·brel [ˈtʌmbrəl], ˈ**tum·bril** [-rɪl] *s.* **1.** ✓ Mistkarren *m*; **2.** *hist.* Schinderkarren *m*; **3.** ⚔ *hist.* Munitiˈonskarren *m*.

tu·me·fa·cient [ˌtju:mɪˈfeɪʃnt] *adj.* ⚕ Schwellung erzeugend; ˌ**tu·meˈfac·tion** [-ˈfækʃn] *s.* ⚕ (An)Schwellung *f*, Geschwulst *f*; **tu·me·fy** [ˈtju:mɪfaɪ] *v/i. u. v/t.* ⚕ (an)schwellen lassen; **tu·mes·cent** [tju:ˈmesnt] *adj.* (an)schwellend, geschwollen.

tu·mid [ˈtju:mɪd] *adj.* □ geschwollen (*a. fig.*); **tu·mid·i·ty** [tju:ˈmɪdətɪ] *s.* **1.** ⚕ Schwellung *f*; **2.** *fig.* Geschwollenheit *f*.

tum·my [ˈtʌmɪ] *s.* *Kindersprache*: Bäuchlein *n*: ***~ ache*** Bauchweh *n*.

tu·mo(u)r [ˈtju:mə] *s.* ⚕ Tumor *m*.

tu·mult [ˈtju:mʌlt] *s.* Tuˈmult *m*: a) Getöse *n*, Lärm *m*, b) (*a. seelischer*) Aufruhr *m*; **tu·mul·tu·ar·y** [tju:ˈmʌltjʊərɪ] *adj.* **1.** → ***tumultuous***; **2.** verworren; **3.** aufrührerisch; **tu·mul·tu·ous** [tju:ˈmʌltjʊəs] *adj.* □ **1.** tumultuˈarisch, lärmend; **2.** heftig, stürmisch, turbuˈlent.

tu·mu·lus [ˈtju:mjʊləs] *s.* (*bsd. alter* Grab)Hügel.

tun [tʌn] *s.* **1.** Faß *n*; **2.** *Brit.* Tonne *f* (*altes Flüssigkeitsmaß*); **3.** *Brauerei*: Maischbottich *m*.

tune [tju:n] **I** *s.* **1.** ♪ Meloˈdie *f*; Weise *f*, Lied *n*; *a.* Hymne *f*, Choˈral *m*: ***to the ~ of*** a) nach der Melodie von, b) *fig.* in Höhe von, von sage u. schreibe *£ 100*; ***call the ~*** *fig.* das Sagen haben; ***change one's ~***, ***sing another ~*** F e-n anderen Ton anschlagen, andere Saiten aufziehen; **2.** ♪ a) (richtige) (Ein)Stimmung e-s Instruˈments, b) richtige Tonhöhe: ***in ~*** (richtig) gestimmt; ***out of ~*** verstimmt; ***keep ~*** a) Stimmung halten (*Instrument*), b) Ton halten; ***play out of ~*** unrein *od.* falsch spielen; ***sing in ~*** tonrein *od.* sauber singen; **3.** ⚡ Abstimmung *f*, (Scharf)Einstellung *f*; **4.** *fig.* Harmoˈnie *f*: ***in ~ with*** übereinstimmend mit, im Einklang (stehend) mit, harmonierend mit; ***be out of ~ with*** im Widerspruch stehen zu, nicht übereinstimmen mit; **5.** *fig.* Stimmung *f*: ***not in ~ for*** nicht aufgelegt zu; ***out of ~*** verstimmt, mißgestimmt; **II** *v/t.* **6.** *a.* ***~ up*** a) ♪ stimmen, b) *fig.* abstimmen (***to*** auf *acc.*); **7.** *Antenne, Radio, Stromkreis* abstimmen, einstellen (***to*** auf *acc.*); **8.** *fig.* a) (***to***) anpassen (an *acc.*), b) (***for***) bereitmachen (für); **III** *v/i.* **9.** ♪ stimmen; **~ in** *v/i.* (das Radio *etc.*) einschalten: ***~ to*** a) *e-n Sender, ein Programm* einschalten, b) *fig.* sich einstellen auf (*acc.*); **~ up I** *v/t.* **1.** → ***tune*** 6; **2.** *mot.*, ✈ a) startbereit machen, b) *Motor* einfahren, c) *e-n Motor* tunen; **3.** *fig.* a) bereitmachen, b) in Schwung bringen, c) *das Befinden etc.* heben; **II** *v/i.* **4.** ♪ (die Instruˈmente) stimmen; **5.** F a) einsetzen, b) F losheulen.

tune·ful [ˈtju:nfʊl] *adj.* □ **1.** meˈlodisch; **2.** *obs.* sangesfreudig: ***~ birds***; ˈ**tune·less** [-nlɪs] *adj.* ˈunmeˌlodisch.

tun·er [ˈtju:nə] *s.* **1.** ♪ (Instruˈmenten-)Stimmer *m*; **2.** ♪ a) Stimmpfeife *f*, b) Stimmvorrichtung *f* (*Orgel*); **3.** ⚡ Abstimmvorrichtung *f*; **4.** *Radio, TV*: Tuner *m*, Kaˈnalwähler *m*.

tune-up [ˈtju:nʌp] *s.* **1.** *Am.* → ***warm-up*** 1 *u.* 3; **2.** ⚙ leistungsfördernde Maßnahmen *pl.*

tung·state [ˈtʌŋsteɪt] *s.* ⚗ Wolfraˈmat *n*; ˈ**tung·sten** [-stən] *s.* ⚗ Wolfram *n*: ***~ steel*** ⚙ Wolframstahl *m*; ˈ**tung·stic** [-stɪk] *adj.* ⚗ Wolfram…: ***~ acid***.

tu·nic [ˈtju:nɪk] *s.* **1.** *antiq.* Tunika *f*; **2.** *bsd.* ⚔ *Brit.* Waffenrock *m*; **3.** a) ˈÜberkleid *n*, b) Kasack *m*; **4.** → ***tunicle***; **5.** *biol.* Häutchen *n*, Hülle *f*; ˈ**tu·ni·ca** [-kə] *pl.* **-cae** [-si:] *s. anat.* Häutchen *n*, Mantel *m*; **ˈtu·ni·cate** [-kət] *s. zo.* Manteltier *n*; **ˈtu·ni·cle** [-kl] *s. R.C.* Meßgewand *n*.

tun·ing [ˈtju:nɪŋ] **I** *s.* **1.** a) ♪ Stimmen *n*, b) *fig.* Ab-, Einstimmung *f* (***to*** auf *acc.*); **2.** Anpassung *f* (***to*** an *acc.*); **3.** ⚡ Abstimmung *f*, Einstellung *f* (***to*** auf *acc.*); **II** *adj.* **4.** ♪ Stimm…: **~ *fork***; **5.** ⚡ Abstimm…(*-kreis*, *-skala etc.*).

tun·nel [ˈtʌnl] **I** *s.* **1.** Tunnel *m*, Unterˈführung *f* (*Straße*, *Bahn*, *Kanal*); **2.** *a. zo.* ˈunterirdischer Gang, Tunnel *m*; **3.** ⚒ Stollen *m*; **4.** ✈ ˈWindkaˌnal *m*; **II** *v/t.* **5.** unterˈtunneln, e-n Tunnel bohren *od.* treiben durch; **III** *v/i.* **6.** e-n Tunnel anlegen *od.* treiben (***through*** durch); **ˈtun·nel·(l)ing** [-lɪŋ] *s.* ⚙ Tunnelanlage *f*, -bau *m*.

tun·ny [ˈtʌnɪ] *s. bsd. coll.* Thunfisch *m*.

tup [tʌp] **I** *s.* **1.** *zo.* Widder *m*; **2.** ⚙ Hammerkopf *m*, Rammklotz *m*; **II** *v/t.* **3.** *zo.* bespringen, decken.

tup·pence [ˈtʌpəns], **ˈtup·pen·ny** [-pnɪ] *Brit.* F *für* ***twopence***, ***twopenny***.

tur·ban [ˈtɜ:bən] *s.* Turban *m*; **ˈtur·baned** [-nd] *adj.* turbantragend.

tur·bid [ˈtɜ:bɪd] *adj.* □ **1.** dick(flüssig), trübe, schlammig; **2.** dick, dicht: **~ *fog***; **3.** *fig.* verworren, wirr; **tur·bid·i·ty** [tɜ:ˈbɪdətɪ], **ˈtur·bid·ness** [-nɪs] *s.* **1.** Trübheit *f*; **2.** Dicke *f*; **3.** *fig.* Verworrenheit *f*.

tur·bine [ˈtɜ:baɪn] **I** *s.* Turˈbine *f*; **II** *adj.* Turbinen…: **~ *steamer***; **~*-powered*** mit Turˈbinenantrieb.

turbo- [tɜ:bəʊ] ⚙ *in Zssgn* Turbinen…, Turbo…; **ˌtur·boˈjet (en·gine)** *s.* (Flugzeug *n* mit) Turbostrahltriebwerk *n*; **ˌtur·boˈprop(-jet) (en·gine)** *s.* (Flugzeug *n* mit) ✈ ˈTurbo-Proˈpeller-Strahltriebwerk *n*; **ˌtur·boˈram-jet en·gine** *s.* ✈ Maˈschine *f* mit Staustrahltriebwerk.

tur·bot [ˈtɜ:bət] *s. ichth.* Steinbutt *m*.

tur·bu·lence [ˈtɜ:bjʊləns] *s.* **1.** Unruhe *f*, Aufruhr *m*, Ungestüm *n*, Sturm *m* (*a. meteor.*); **2.** *phys.* Turbuˈlenz *f*, Wirbelbewegung *f*; **ˈtur·bu·lent** [-nt] *adj.* □ **1.** unruhig, ungestüm, stürmisch, turbuˈlent; **2.** aufrührerisch; **3.** *phys.* verwirbelt, turbuˈlent, Wirbel…

turd [tɜ:d] *s.* V **1.** ‚Scheißhaufen' *m*; **2.** ‚Scheißer' *m*.

tu·reen [təˈri:n] *s.* Terˈrine *f*.

turf [tɜ:f] **I** *s.* **1.** Rasen *m*; **2.** Rasenstück *n*, -sode *f*; **3.** Torf(ballen) *m*; **4.** *sport* Turf *m*: a) (Pferde)Rennbahn *f*, b) ***the ~*** *fig.* der Pferderennsport; **5.** *fig. j-s* Reˈvier *n*; **II** *v/t.* **6.** mit Rasen bedekken; **7. ~ *out*** *Brit.* F *j-n* ‚rausschmeißen'; **ˈturf·ite** [-faɪt] *s.* (Pferde)Rennsportliebhaber *m*; **ˈturf·y** [-fɪ] *adj.* **1.** rasenbedeckt; **2.** torfartig; **3.** *fig.* (Pferde)Rennsport…

tur·ges·cence [tɜ:ˈdʒesns] *s.* **1.** ⚕, ⚘ Schwellung *f*, Geschwulst *f*; **2.** *fig.* Schwulst *m*.

tur·gid [ˈtɜ:dʒɪd] *adj.* □ **1.** ⚕ geschwollen; **2.** *fig.* schwülstig, ‚geschwollen'; **tur·gid·i·ty** [tɜ:ˈdʒɪdətɪ], **ˈtur·gid·ness** [-nɪs] *s.* **1.** Geschwollensein *n*; **2.** *fig.* Geschwollenheit *f*, Schwülstigkeit *f*.

Turk [tɜ:k] **I** *s.* **1.** Türke *m*, Türkin *f*: ***Young ~s*** *pol.* Jungtürken *pl.*; **2.** *obs.* Tyˈrann *m*; **II** *adj.* **3.** türkisch, Türken…

Tur·key[1] [ˈtɜ:kɪ] **I** *s.* Türˈkei *f*; **II** *adj.* türkisch: **~ *carpet*** Orientteppich *m*; **~ *red*** *das* Türkischrot.

tur·key[2] [ˈtɜ:kɪ] *s.* **1.** *orn.* Truthahn *m*, -henne *f*, Pute(r *m*) *f*: ***talk ~*** *Am. sl.* a) Fraktur reden (***with*** mit), b) offen *od.* sachlich reden; **2.** *Am. sl. thea. etc.* ‚Pleite' *f*, ‚ˈDurchfall' *m*; **~ cock** *s.* **1.** Truthahn *m*, Puter *m*: (***as***) ***red as a ~*** puterrot (im Gesicht); **2.** *fig.* eingebildeter Fatzke.

Turk·ish [ˈtɜ:kɪʃ] **I** *adj.* türkisch, Türken…; **II** *s. ling.* Türkisch *n*; **~ bath** *s.* türkisches Bad; **~ de·light** *s.* ˈFruchtgeˌleekonˌfekt *n*; **~ tow·el** *s.* Frottier-, Frotˈtee(hand)tuch *n*.

Turko- [tɜ:kəʊ, -kə] *in Zssgn* türkisch, Türken…

Tur·ko·man [ˈtɜ:kəmən] *pl.* **-mans** *s.* **1.** Turkˈmene *m*; **2.** *ling.* Turkˈmenisch *n*.

tur·mer·ic [ˈtɜ:mərɪk] *s.* **1.** ⚘ Gelbwurz *f*; **2.** *pharm.* Kurkuma *f*; **3.** Kurkumagelb *n* (*Farbstoff*): **~ *paper*** ⚗ Kurkumapapier *n*.

tur·moil [ˈtɜ:mɔɪl] *s.* **1.** *a. fig.* Aufruhr *m*, Tuˈmult *m*: ***in a ~*** in Aufruhr; **2.** Getümmel *n*.

turn [tɜ:n] **I** *s.* **1.** (Um)ˈDrehung *f*: ***a single ~ of the handle***; ***done to a ~*** gerade richtig durchgebraten; ***to a ~*** *fig.* aufs Haar, vortrefflich; **2.** Turnus *m*, Reihe(nfolge) *f*: ***by*** (*od.* ***in***) **~*s*** abwechselnd, wechselweise; ***in ~*** a) der Reihe nach, b) dann wieder; ***in his ~*** seinerseits; ***speak out of ~*** *fig.* unpassende Bemerkungen machen; ***it is my ~*** ich bin an der Reihe *od.* dran; ***take ~s*** (mit)einander *od.* sich abwechseln (***at*** in *dat.*, bei); ***take one's ~*** handeln, wenn die Reihe an einen kommt; ***wait your ~!*** warte bis du dran bist!; ***my ~ will come*** *fig.* m-e Zeit kommt (auch) noch, ‚ich komme schon noch dran'; **3.** a) Drehung *f*, (**~ *to the left*** Links)Wendung *f*, b) *Schwimmen*: Wende *f*, c) *Skisport*: Wende *f*, Kehre *f*, Schwung *m*, d) *Eislauf etc.*: Kehre *f*; **4.** Wendepunkt *m* (*a. fig.*); **5.** Biegung *f*, Kurve *f*, Kehre *f*; **6.** Krümmung *f* (*a.* ⚔); **7.** Wendung *f*: a) ˈUmkehr *f*: ***be on the ~*** ⚓ umschlagen (*Gezeit*) (→ *a.* 23); → ***tide*** 1, b) Richtung *f*, (Ver)Lauf *m*: ***take a good*** (***bad***) **~** sich zum Guten (Schlechten) wenden; ***take a ~ for the***

T

better (***worse***) sich bessern (verschlimmern); ***take an interesting ~*** e-e interessante Wendung nehmen (*Gespräch etc.*), c) (*Glücks-, Zeiten- etc.*) Wende *f*, Wechsel *m*, 'Umschwung *m*, Krise *f*: ***~ of the century*** Jahrhundertwende; ***~ of life*** Lebenswende, ⚕ Wechseljahre *pl. der Frau*; **8.** Ausschlag (-en *n*) *m e-r Waage*; **9.** (Arbeits-) Schicht *f*; **10.** Tour *f*, (einzelne) Windung (*Bandage, Kabel etc.*); **11.** (Rede-) Wendung *f*, Formulierung *f*; **12.** a) (kurzer) Spaziergang: ***take a ~*** e-n Spaziergang machen, b) kurze Fahrt, ‚Spritztour' *f*; **13.** (***for***, ***to***) Neigung *f*, Hang *m*, Ta'lent *n* (zu), Sinn *m* (für); **14.** *a.* ***~ of mind*** Denkart *f*, -weise *f*; **15.** a) (*ungewöhnliche od. unerwartete*) Tat, b) Dienst *m*, Gefallen *m*: ***a bad ~*** e-e schlechte Tat *od.* ein schlechter Dienst; ***a friendly ~*** ein Freundschaftsdienst; ***do s.o. a good ~*** j-m e-n Gefallen tun; ***one good ~ derserves another*** e-e Liebe ist der andern wert; **16.** Anlaß *m*: ***at every ~*** auf Schritt u. Tritt; **17.** (kurze) Beschäftigung: ***~*** (***of work***) (Stück *n*) Arbeit *f*; ***take a ~ at*** rasch mal an *e-e Sache* gehen, sich kurz mit *e-r Sache* versuchen; **18.** F Schock *m*, Schrecken *m*: ***give s.o. a. ~*** j-n erschrecken; **19.** Zweck *m*: ***this won't serve my ~*** damit ist mir nicht gedient; **20.** ♪ Doppelschlag *m*; **21.** (Pro-'gramm)Nummer *f*; **22.** ⚔ (Kehrt-) Wendung *f*: ***left*** (***right***) ***~!*** *Brit.* links- (rechts)um!; ***about ~!*** *Brit.* ganze Abteilung kehrt!; **23.** ***on the ~*** am Sauerwerden (*Milch*); **II** *v/t.* **24.** (*im Kreis od. um e-e Achse*) drehen; *Hahn, Schlüssel, Schraube, e-n Patienten etc.* ('um-, her'um)drehen; **25.** *a. Kleider* wenden; *et.* 'umkehren, -stülpen, -drehen; *Blatt, Buchseite* 'umdrehen, -wenden, *Buch* 'umblättern; *Boden* 'umpflügen, -graben; 🚂 *Weiche*, ⚙ *Hebel* 'umlegen: ***it ~s my stomach*** mir dreht sich dabei der Magen um; ***~ s.o.'s head*** *fig.* a) j-m den Kopf verdrehen, b) j-m zu Kopf steigen; **26.** zuwenden, -drehen, -kehren (***to*** *dat.*); **27.** *Blick, Kamera, Schritte etc.* wenden, *a. Gedanken, Verlangen* richten, lenken (***against*** gegen, ***on*** auf *acc.*, ***to***, ***toward***(***s***) nach, auf *acc.*): ***~ the hose on the fire*** den (Spritzen)Schlauch auf das Feuer richten; **28.** a) 'um-, ablenken, (-)leiten, (-) wenden, b) abwenden, abhalten, c) *j-n* 'umstimmen, abbringen (***from*** von), d) *Richtung* ändern, e) *Gesprächsthema* wechseln; **29.** a) *Waage* zum Ausschlagen bringen, b) *fig.* ausschlaggebend sein bei: ***~ an election*** bei e-r Wahl den Ausschlag geben; → ***balance*** 2, ***scale***[2] 1; **30.** verwandeln (***into*** in *acc.*): ***~ water into wine***; ***~ love into hate***; ***~ into cash*** ✝ flüssigmachen, zu Geld machen; **31.** a) machen, werden lassen (***into*** zu): ***it ~ed her pale*** es ließ sie erblassen; ***~ colo***(***u***)***r*** die Farbe wechseln, b) *a.* ***~ sour*** *Milch* sauer werden lassen, c) *Laub* verfärben; **32.** *Text* über'tragen, -'setzen (***into*** ins *Italienische etc.*); **33.** her'umgehen um: ***~ the corner*** um die Ecke biegen, *fig.* über den Berg kommen; **34.** ⚔ a) um'gehen, -'fassen, b) aufrollen: ***~ the enemy's flank***; **35.** hin'ausgehen *od.* hin'aus sein über *ein Alter, e-n Betrag etc.*: ***he is just ~ing*** (*od.* ***has just ~ed***) ***50*** er ist gerade 50 geworden; **36.** ⚙ a) drehen, b) *Holzwaren, a. fig. Komplimente, Verse* drechseln; **37.** formen, *fig.* gestalten, bilden: ***a well-~ed ankle***; **38.** *fig. Satz* formen, (ab)runden: ***~ a phrase***; **39.** ✝ verdienen, 'umsetzen; **40.** *Messerschneide etc.* verbiegen, *a.* stumpf machen: ***~ the edge of*** *fig. e-r Bemerkung etc.* die Spitze nehmen; **41.** *Purzelbaum etc.* schlagen; **42.** ***~ loose*** los-, freilassen, -machen; **III** *v/i.* **43.** sich drehen (lassen), sich (im Kreis) (her'um)drehen; **44.** sich (ab-, hin-, zu-) wenden; → ***turn to*** I; **45.** sich *stehend, liegend etc.* ('um-, her'um)drehen; ⚓, *mot.* wenden, (⚓ ab)drehen; ✈, *mot.* kurven; **46.** (ab-, ein)biegen: ***I do not know which way to ~*** *fig.* ich weiß nicht, was ich machen soll; **47.** e-e Biegung machen (*Straße, Wasserlauf etc.*); **48.** sich krümmen *od.* winden (*Wurm etc.*): ***~ in one's grave*** sich im Grabe umdrehen; **49.** sich umdrehen, -stülpen (*Schirm etc.*): ***my stomach ~s at this sight*** bei diesem Anblick dreht sich mir der Magen um; **50.** schwind(e)lig werden: ***my head ~s*** mein Kopf dreht sich; **51.** sich (ver)wandeln (***into***, ***to*** in *acc.*), 'umschlagen (*bsd. Wetter*): ***love has ~ed into hate***; **52.** *Kommunist, Soldat etc., a. blaß, kalt etc.* werden: ***~*** (***sour***) sauer werden (*Milch*); ***~ traitor*** zum Verräter werden; **53.** sich verfärben (*Laub*); **54.** sich wenden (*Gezeiten*); → ***tide*** 1;

Zssgn mit prp.:

turn| a·gainst I *v/i.* **1.** sich (*feindlich etc.*) wenden gegen; **II** *v/t.* **2.** *j-n* aufhetzen *od.* aufbringen gegen; **3.** *Spott etc.* richten gegen; **~ in·to** → ***turn*** 30, 31, 32, 51; **~ on I** *v/i.* **1.** sich drehen um *od.* in (*dat.*); **2.** → ***turn upon***; **3.** sich wenden *od.* richten gegen; **II** *v/t.* **4.** → ***turn*** 27; **~ to I** *v/i.* **1.** sich nach *links etc.* wenden (*Person*), nach *links etc.* abbiegen (*a. Fahrzeug, Straße etc.*); **2.** a) sich *der Musik, e-m Thema etc.* zuwenden, b) sich beschäftigen mit, c) sich anschicken (***doing s.th.*** et. zu tun); **3.** s-e Zuflucht nehmen zu: ***~ God***; **4.** sich an *j-n* wenden, *j-n od. et.* zu Rate ziehen;

T

5. → ***turn*** 51; **II** *v/t.* **6.** *Hand* anlegen bei: ***turn a*** (*od.* ***one's***) ***hand to s.th.*** et. in Angriff nehmen; ***he can turn his hand to anything*** er ist zu allem zu gebrauchen; **7.** → ***turn*** 26, 27; **8.** verwandeln in (*acc.*); **9.** anwenden zu; → ***account*** 11; **~ up·on** *v/i.* **1.** *fig.* abhängen von; **2.** *fig.* sich drehen um, handeln von; **3.** → ***turn on*** 3;

Zssgn mit adv.:

turn| a·bout, **~ a·round I** *v/t.* **1.** 'umdrehen; **2.** 🌾 *Heu*, *Boden* wenden; **II** *v/i.* **3.** sich 'umdrehen; ⚔ kehrtmachen; *fig.* 'umschwenken; **~ a·side** *v/t.* (*v/i.* sich) abwenden; **~ a·way I** *v/t.* **1.** abwenden (***from*** von); **2.** abweisen, wegschicken, -jagen; **3.** entlassen; **II** *v/i.* **4.** sich abwenden; **~ back I** *v/t.* **1.** 'umkehren lassen; **2.** → ***turn down*** 3; **3.** *Uhr* zu'rückdrehen; **II** *v/i.* **4.** zu'rück-, 'umkehren; **5.** zu'rückgehen; **~ down I** *v/t.* **1.** 'umkehren, -legen, -biegen; *Kragen* 'umschlagen, *Buchseite etc.* 'umknicken; **2.** *Gas*, *Lampe* kleiner stellen, *Radio etc.* leiser stellen; **3.** *Bett* aufdecken; *Bettdecke* zu'rückschlagen; **4.** *j-n*, *Vorschlag etc.* ablehnen; *j-m* e-n Korb geben; **II** *v/i.* **5.** abwärts *od.* nach unten gebogen sein; **6.** sich 'umlegen *od.* -schlagen lassen; **~ in I** *v/t.* **1.** a) einreichen, -senden, b) ab-, zu'rückgeben; **2.** *Füße etc.* einwärts *od.* nach innen drehen *od.* biegen *od.* stellen; **3.** F *et.* zu'stande bringen; **II** *v/i.* **4.** F zu Bett gehen; **5.** einwärts gebogen sein; **~ off I** *v/t.* **1.** *Wasser*, *Gas* abdrehen; *Licht*, *Radio etc.* ausschalten, abstellen; **2.** *Schlag etc.* abwenden, ablenken; **3.** F ‚rausschmeißen', entlassen; **4.** F a) *j-m* die Lust nehmen, b) *j-n* anwidern; **II** *v/i.* **5.** abbiegen (*Person*, *a. Straße*); **~ on** *v/t.* **1.** *Gas*, *Wasser* aufdrehen, *a. Radio* anstellen; *Licht*, *Gerät* anmachen, einschalten; **2.** F a) *j-n* ‚antörnen', b) *j-n* (*a. sexuell*) ‚anmachen', ‚in Fahrt' bringen; **~ out I** *v/t.* **1.** hin'auswerfen, wegjagen, vertreiben; **2.** entlassen (***of*** aus *e-m Amt etc.*); **3.** *Regierung* stürzen; **4.** *Vieh* auf die Weide treiben; **5.** *Taschen etc.* 'umkehren, -stülpen; **6.** *Zimmer*, *Möbel* ausräumen; **7.** a) ☤ *Waren* produzieren, herstellen, b) *contp. Bücher etc.* produzieren, c) *fig. Wissenschaftler etc.* her'vorbringen (*Universität etc.*): ***Oxford has turned out many statesmen*** aus Oxford sind schon viele Staatsmänner hervorgegangen; **8.** → ***turn off*** 1; **9.** *Füße etc.* auswärts *od.* nach außen drehen *od.* biegen; **10.** ausstatten, herrichten, *bsd.* kleiden: ***well turned-out*** gutgekleidet; **11.** ⚔ antreten *od. die Wache* her'austreten lassen; **II** *v/i.* **12.** auswärts gebogen sein (*Füße etc.*); **13.** a) hin'ausziehen, her'auskommen (***of*** aus), b) ⚔ ausrücken (*a. Feuerwehr etc.*), c) *zur Wahl etc.* kommen (*Bevölkerung*), d) ⚔ antreten, e) in Streik treten, f) F *aus dem Bett* aufstehen; **14.** *gut etc.* ausfallen, werden; **15.** sich gestalten, *gut etc.* ausgehen, ablaufen; **16.** sich erweisen *od.* entpuppen als, sich her'ausstellen: ***he turned out*** (***to be***) ***a good swimmer*** er entpuppte sich als guter Schwimmer; ***it turned out that he was*** (***had***), ***he turned out to be*** (***have***) es stellte sich heraus, daß er … war (hatte); **~ o·ver I** *v/t.* **1.** ☤ *Geld*, *Ware* 'umsetzen, e-n 'Umsatz haben von; **2.** 'umdrehen, -wenden, *Buch*, *Seite a.* 'umblättern: ***please ~!*** bitte wenden!; → ***leaf*** 3; **3.** (***to***) a) über'tragen (*dat. od.* auf *acc.*), über'geben (*dat.*), b) *j-n der Polizei etc.* ausliefern, über'geben; **4.** *a.* **~ *in one's mind*** über'legen, sich *et.* durch den Kopf gehen lassen; **II** *v/i.* **5.** sich *im Bett etc.* 'umdrehen; **6.** 'umkippen, -schlagen; **~ round I** *v/i.* **1.** sich (im Kreis *od.* her'um)drehen; **2.** *fig.* s-n Sinn ändern, 'umschwenken: ***but then he turned round and said*** doch dann sagte er plötzlich; **II** *v/t.* **3.** (her'um)drehen; **~ to** *v/i.* sich ‚ranmachen' (an die Arbeit), sich ins Zeug legen; **~ un·der** *v/t.* 🌾 'unterpflügen; **~ up I** *v/t.* **1.** nach oben drehen *od.* richten *od.* biegen; *Kragen* hochschlagen, -klappen; → ***nose*** *Redew.*, ***toe*** 1; **2.** ausgraben, zu'tage fördern; **3.** *Spielkarte* aufdecken; **4.** *Hose etc.* 'um-, einschlagen; **5.** *Brit.* a) *Wort* nachschlagen, b) *Buch* zu Rate ziehen; **6.** *Gas*, *Licht* groß *od.* größer drehen, *Radio* lauter stellen; **7.** *Kind* übers Knie legen (*züchtigen*); **8.** F *j-m* den Magen 'umdrehen (*vor Ekel*); **9.** *sl. Arbeit* ‚aufstecken'; **II** *v/i.* **10.** sich nach oben drehen, nach oben gerichtet *od.* hochgeschlagen sein; **11.** *fig.* auftauchen: a) aufkreuzen, erscheinen (*Person*), b) zum Vorschein kommen, sich (ein)finden (*Sache*); **12.** geschehen, eintreten, passieren.

turn·a·ble ['tɜːnəbl] *adj.* drehbar.

'turn|·a·bout *s.* **1.** *a. fig.* Kehrtwendung *f*; **2.** ⚓ Gegenkurs *m*; **3.** *fig.* 'Umschwung *m*; **4.** *Am.* Karus'sell *n*; **'~·a·round** *s.* **1.** → ***turnabout*** 1, 3; **2.** *mot. etc.* Wendeplatz *m*; **3.** ⚙ (Gene'ral)Über,holung *f*; **'~·coat** *s.* Abtrünnige(r *m*) *f*, Rene'gat *m*; **'~·down I** *adj.* **1.** 'umlegbar, Umleg…; **II** *s.* **2.** *a.* **~ *collar*** Umleg(e)kragen *m*; **3.** *fig.* Ablehnung *f*.

turned [tɜːnd] *adj.* **1.** ⚙ gedreht, gedrechselt; **2.** ('um)gebogen: ***~-back*** zurückgebogen; ***~-down*** a) abwärts gebogen, b) Umlege…; ***~-in*** einwärts gebogen; **3.** *typ.* auf dem Kopf stehend;

'turn·er [-nə] *s.* **1.** ⚙ a) Dreher *m*, b)

Drechsler *m*; **2.** *sport Am.* Turner(in); **'turn·er·y** [-nərɪ] *s.* ⚙ **1.** *coll.* a) Dreharbeit(en *pl.*) *f*, b) Drechslerarbeit(en *pl.*) *f*; **2.** a) Drehe'rei *f*, b) Drechsle'rei *f* (*Werkstatt*).

turn·ing ['tɜːnɪŋ] *s.* **1.** ⚙ Drehen *n*, Drechseln *n*; **2.** a) (Straßen-, Fluß)Biegung *f*, b) (Straßen)Ecke *f*, c) Querstraße *f*, Abzweigung *f*; **3.** *pl.* ⚙ Drehspäne *pl.*; **~ cir·cle** *s. mot.* Wendekreis *m*; **~ lathe** *s.* ⚙ Drehbank *f*; **~ ma·chine** *s.* ⚙ 'Drehmaˌschine *f*; **~ point** *s.* **1.** ✈, *sport* Wendemarke *f*; **2.** *fig.* Wendepunkt *m*.

tur·nip ['tɜːnɪp] *s.* **1.** ⚘ (*bsd.* Weiße) Rübe; **2.** *sl.* ‚Zwiebel' *f* (*Uhr*).

'turn|·key *s.* Gefangenenwärter *m*, Schließer *m*; **'~·off** *s.* **1.** Abzweigung *f*; **2.** Ausfahrt *f* (*Autobahn*); **'~·out** *s.* **1.** ✝ *Brit.* a) Streik *m*, Ausstand *m*, b) Streikende(r *m*) *f*; **2.** a) Besucher(zahl *f*) *pl.*, Zuschauer *pl.*, b) (Wahl- *etc.*) Beteiligung *f*; **3.** (Pferde)Gespann *n*, Kutsche *f*; **4.** Ausstattung *f*, *bsd.* Kleidung *f*; **5.** ✝ Ge'samtproduktiˌon *f*, Ausstoß *m*; **6.** a) Ausweichstelle *f* (*Autostraße*), b) → ***turn-off***; **'~ˌo·ver** *s.* **1.** 'Umstürzen *n*; **2.** ✝ 'Umsatz *m*: **~ *tax*** Umsatzsteuer *f*; **3.** Zu- u. Abgang *m* (*von Patienten in Krankenhäusern etc.*): ***labo(u)r ~*** Arbeitskräftebewegung *f*; **4.** ✝ 'Umgruppierung *f*, -schichtung *f*; **5.** *Brit.* ('Zeitungs)Arˌtikel, der auf die nächste Seite übergreift; **6.** (Apfel- *etc.*) Tasche *f* (*Gebäck*); **'~·pike** *s.* **1.** Schlagbaum *m* (*Mautstraße*); **2.** *a.* **~ *road*** gebührenpflichtige (*Am.* Schnell)Straße *f*, Mautstraße *f*; **'~·round** *s.* **1.** ✝, ⚓ 'Umschlag *m* (*Schiffsabfertigung*); **2.** Wendestelle *f*; **3.** → ***turnabout*** 3; **'~·screw** *s.* ⚙ Schraubenzieher *m*; **'~·spit** *s.* Drehspieß *m*; **'~·stile** *s.* Drehkreuz *n an Durchgängen etc.*; **'~ˌta·ble** *s.* **1.** 🚂 Drehscheibe *f*; **2.** Plattenteller *m* (*Plattenspieler*); **'~·up I** *adj.* **1.** hochklappbar; **II** *s.* **2.** ('Hosen- *etc.*)ˌUmschlag *m*; **3.** F Über'raschung *f*, ‚Ding' *n*.

tur·pen·tine ['tɜːpəntaɪn] *s.* ⚗ **1.** Terpen'tin *n*; **2.** *a.* ***oil*** (*od.* ***spirits***) ***of ~*** Terpen'tingeist *m*, -öl *n*.

tur·pi·tude ['tɜːpɪtjuːd] *s.* **1.** *a.* ***moral ~*** Verworfenheit *f*; **2.** Schandtat *f*.

turps [tɜːps] F → ***turpentine*** 2.

tur·quoise ['tɜːkwɔɪz] *s.* **1.** *min.* Tür'kis *m*; **2.** *a.* **~ *blue*** Tür'kisblau *n*: **~ *green*** Türkisgrün *n*.

tur·ret ['tʌrɪt] *s.* **1.** ⚠ Türmchen *n*; **2.** ⚔, ⚓ Geschütz-, Panzer-, Gefechtsturm *m*: **~ *gun*** Turmgeschütz *n*; **3.** ✈ Kanzel *f*; **4.** ⚙ Re'volverkopf *m*: **~ *lathe*** Revolverdrehbank *f*; **'tur·ret·ed** [-tɪd] *adj.* **1.** mit Türmchen; **2.** *zo.* spi'ral-, türmchenförmig.

tur·tle[1] ['tɜːtl] *s. zo.* (See)Schildkröte *f*: ***turn ~*** a) ⚓ kentern, umschlagen, b) sich überschlagen, c) *Am.* F hilflos *od.* feige sein.

tur·tle[2] ['tɜːtl] *s. obs. für* ***turtledove***.

'tur·tle|·dove *s. orn.* Turteltaube *f*; **'~·neck** *s.* 'Rollkragen(pullˌover) *m*.

Tus·can ['tʌskən] **I** *adj.* tos'kanisch; **II** *s.* Tos'kaner(in).

tusk [tʌsk] *s. zo.* a) Fangzahn *m*, b) Stoßzahn *m des Elefanten etc.*, c) Hauer *m des Wildschweins*; **tusked** [-kt] *adj. zo.* mit Fangzähnen *etc.* (bewaffnet); **'tusk·er** [-kə] *s. zo.* Ele'fant *m od.* Keiler *m* (*mit ausgebildeten Stoßzähnen*); **'tusk·y** [-kɪ] → ***tusked***.

tus·sle ['tʌsl] **I** *s.* **1.** Balge'rei *f*, Raufe'rei *f* (*a. fig.*); **2.** *fig.* scharfe Kontro'verse; **II** *v/i.* **3.** kämpfen, raufen, sich balgen (***for*** um *acc.*).

tus·sock ['tʌsək] *s.* (*bsd.* Gras)Büschel *n*.

tut(-tut) [tʌt] *int.* **1.** ach was!; **2.** pfui!; **3.** Unsinn!, Na, 'na!

tu·te·lage ['tjuːtɪlɪdʒ] *s.* **1.** ⚖ Vormundschaft *f*; **2.** Unmündigkeit *f*; **3.** *fig.* a) Bevormundung *f*, b) Schutz *m*, c) (An-)Leitung *f*; **'tu·te·lar** [-lə], **'tu·te·lar·y** [-lərɪ] *adj.* **1.** schützend, Schutz…; **2.** ⚖ Vormunds…, Vormundschafts…

tu·tor ['tjuːtə] **I** *s.* **1.** Pri'vat-, Hauslehrer *m*; **2.** *ped.*, *univ. Brit.* Tutor *m*, Studienleiter *m*; **3.** *ped.*, *univ. Am.* Assi'stent *m mit Lehrauftrag*; **4.** (Ein)Pauker *m*, Repe'titor *m*; **5.** ⚖ Vormund *m*; **II** *v/t.* **6.** *ped.* unter'richten, *j-m* Pri'vatˌunterricht geben; **7.** *j-n* schulen, erziehen; **8.** *fig. j-n* bevormunden; **'tu·tor·ess** *s.* **1.** *ped.* Pri'vatlehrerin *f*; **2.** *univ. Brit.* Tu'torin *f*; **tu·to·ri·al** [tjuː'tɔːrɪəl] *ped.* **I** *adj.* Tutor…; **II** *s.* Tu'torenkurs (-us) *m*; **'tu·tor·ship** [-ʃɪp] *s.* **1.** Pri'vatlehrerstelle; **2.** *univ. Brit.* Amt *n* e-s Tutors.

tu·tu ['tuːtuː] *s.* (Bal'lett)Röckchen *n*.

tux·e·do [tʌk'siːdəʊ] *pl.* **-dos** *s. Am.* Smoking *m*.

TV [ˌtiː'viː] F **I** *adj.* Fernseh…; **II** *s.* a) 'Fernsehappaˌrat *m*, b) (***on ~*** im) Fernsehen *n*.

twad·dle ['twɒdl] **I** *v/i.* **1.** quasseln; **II** *s.* **2.** Gequassel *n*; **3.** Quatsch *m*.

twain [tweɪn] **I** *adj. obs.* zwei: ***in ~*** entzwei; **II** *s. die* Zwei *pl.*

twang [twæŋ] **I** *v/i.* **1.** schwirren, (scharf) klingen; **2.** näseln; **II** *v/t.* **3.** *Saiten etc.* schwirren (lassen), zupfen; klimpern *od.* kratzen auf (*dat.*); **4.** *et.* näseln, durch die Nase sprechen; **III** *s.* **5.** scharfer Ton *od.* Klang, Schwirren *n*; **6.** Näseln *n*.

tweak [twiːk] **I** *v/t.* zwicken, kneifen; **II** *s.* Zwicken *n*.

tweed [twiːd] *s.* **1.** Tweed *m* (*Wollgewebe*); **2.** *pl.* Tweedsachen *pl.*

Twee·dle·dum and Twee·dle·dee

[ˌtwi:dlˈdʌmənˌtwi:dlˈdi:] *s.*: ***be*** (***alike***) ***as ~*** a) sich gleichen wie ein Ei dem andern, b) ‚Jacke wie Hose' sein.
'tween [twi:n] **I** *adv. u. prp.* → ***between***; **II** *in Zssgn* Zwischen...; **~ deck** *s.* ⚓ Zwischendeck *n*.
tween·y [ˈtwi:nɪ] *s. obs.* Hausmagd *f*.
tweet·er [ˈtwi:tə] *s. Radio*: Hochtonlautsprecher *m*.
tweez·ers [ˈtwi:zəz] *s. pl. a.* ***pair of ~*** Pinˈzette *f*.
twelfth [twelfθ] **I** *adj.* □ **1.** zwölft: ***♀ Night*** Dreikönigsabend *m*; **II** *s.* **2.** *der* (*die, das*) Zwölfte; **3.** Zwölftel *n*; **ˈtwelfth·ly** [-lɪ] *adv.* zwölftens.
twelve [twelv] **I** *adj.* zwölf; **II** *s.* Zwölf *f*; **ˈtwelve·mo** [-məʊ] *s. typ.* Duoˈdez(forˌmat, -band *m*) *n*.
ˈtwelve-tone *adj.* ♪ Zwölfton...
twen·ti·eth [ˈtwentɪɪθ] **I** *adj.* **1.** zwanzigst; **II** *s.* **2.** *der* (*die, das*) Zwanzigste; **3.** Zwanzigstel *n*.
twen·ty [ˈtwentɪ] **I** *adj.* **1.** zwanzig; **II** *s.* **2.** Zwanzig *f*; **3.** ***in the twenties*** in den zwanziger Jahren (*e-s Jahrhunderts*); ***he is in his twenties*** er ist in den Zwanzigern.
twerp [twɜ:p] *s. sl.* **1.** ‚(blöder) Heini'; **2.** ‚Niete' *f*, ‚Flasche' *f*.
twice [twaɪs] *adv.* zweimal: ***think ~ about s.th.*** *fig.* sich e-e Sache gründlich überlegen; ***he didn't think ~ about it*** er zögerte nicht lange; ***~ as much*** doppelt soviel, das Doppelte; ***~ the sum*** die doppelte Summe; **ˌ~-ˈtold** *adj. fig.* alt, abgedroschen: ***~ tales***.
twid·dle [ˈtwɪdl] *v/t.* (herˈum)spielen mit: ***~ one's thumbs*** *fig.* Däumchen drehen, die Hände in den Schoß legen.
twig¹ [twɪg] *s.* **1.** (dünner) Zweig, Rute *f*: ***hop the ~*** F ‚abkratzen' (*sterben*); **2.** Wünschelrute *f*.
twig² [twɪg] *Brit. sl.* **I** *v/t.* **1.** ‚kapieren' (*verstehen*); **2.** ‚spitzkriegen'; **II** *v/i.* **3.** ‚kapieren'.
twi·light [ˈtwaɪlaɪt] **I** *s.* **1.** (*mst* Abend-) Dämmerung *f*: ***~ of the gods*** *myth.* Götterdämmerung; **2.** Zwielicht *n* (*a. fig.*), Halbdunkel *n*; **3.** *fig. a.* ***~ state*** Dämmerzustand *m*; **II** *adj.* **4.** Zwielicht..., dämmerig, schattenhaft (*a. fig.*): ***~ sleep*** ⚕ *u. fig.* Dämmerschlaf *m*.
twill [twɪl] **I** *s.* Köper(stoff) *m*; **II** *v/t.* köpern.
twin [twɪn] **I** *s.* **1.** Zwilling *m*: ***the ♀s*** *ast.* die Zwillinge; **II** *adj.* **2.** Zwillings..., Doppel..., doppelt: ***~-bedded room*** Zweibettzimmer *n*; ***~ brother*** Zwillingsbruder *m*; ***~ engine*** ✈ Zwillingstriebwerk *n*; ***~-engined*** zweimotorig; ***~ town*** Partnerstadt *f*; ***~ track*** Doppelspur *f* (*Tonband*); **3.** ⚘ gepaart.
twine [twaɪn] **I** *s.* **1.** Bindfaden *m*, Schnur *f*; **2.** ⚙ Garn *n*, Zwirn *m*; **3.** Wick(e)lung *f*; **4.** Windung *f*; **5.** Geflecht *n*; **6.** ⚘ Ranke *f*; **II** *v/t.* **7.** *Fäden etc.* zs.-drehen, zwirnen; **8.** *Kranz* winden; **9.** *fig.* ineinˈanderschlingen, verflechten; **10.** schlingen, winden (***about, around*** um); **11.** umˈschlingen, -ˈwinden, -ˈranken (***with*** mit); **III** *v/i.* **12.** sich verflechten (***with*** mit); **13.** sich winden *od.* schlingen; sich schlängeln; **ˈtwin·er** [-nə] *s.* **1.** ⚘ Kletter-, Schlingpflanze *f*; **2.** ⚙ ˈZwirnmaˌschine *f*.
twinge [twɪndʒ] **I** *s.* **1.** stechender Schmerz, Zwicken *n*, Stechen *n*, Stich *m* (*a. fig.*): ***~ of conscience*** Gewissensbisse *pl.*; **II** *v/t. u. v/i.* **2.** stechen; **3.** zwicken, kneifen.
twin·kle [ˈtwɪŋkl] **I** *v/i.* **1.** (auf)blitzen, glitzern, funkeln (*Sterne etc.*; *a. Augen*); **2.** huschen; **3.** (verschmitzt) zwinkern, blinzeln; **II** *s.* **4.** Blinken *n*, Blitzen *n*, Glitzern *n*; **5.** (Augen)Zwinkern *n*, Blinzeln *n*: ***a humorous ~***; **6.** → ***twinkling*** 2; **ˈtwin·kling** [-lɪŋ] *s.* **1.** → ***twinkle*** 4, 5; **2.** *fig.* Augenblick *m*: ***in the ~ of an eye*** im Nu, im Handumdrehen.
twirl [twɜ:l] **I** *v/t.* **1.** (herˈum)wirbeln, quirlen; *Daumen, Locke etc.* drehen; *Bart* zwirbeln; → *a.* ***twiddle***; **II** *v/i.* **2.** (sich herˈum)wirbeln; **III** *s.* **3.** schnelle (Um)ˈDrehung, Wirbel *m*; **4.** Schnörkel *m*.
twist [twɪst] **I** *v/t.* **1.** drehen: ***~ off*** losdrehen, *Deckel* abschrauben; **2.** zs.-drehen, zwirnen; **3.** verflechten, -schlingen; **4.** *Kranz etc.* winden, *Schnur etc.* wickeln: ***~ s.o. round one's*** (***little***) ***finger*** j-n um den (kleinen) Finger wickeln; **5.** umˈwinden; **6.** wringen; **7.** (ver)biegen, (-)krümmen; *Fuß* vertreten; *Gesicht* verzerren: ***~ s.o.'s arm*** a) j-m den Arm verdrehen, b) *fig.* j-n unter Druck setzen; ***~ed mind*** *fig.* verbogener *od.* krankhafter Geist; ***~ed with pain*** schmerzverzerrt (*Züge*); **8.** *fig. Sinn, Bericht* verdrehen, entstellen; **9.** *dem Ball* Efˈfet geben; **II** *v/i.* **10.** sich drehen: ***~ round*** sich umdrehen; **11.** sich krümmen; **12.** sich winden (*a. fig.*); **13.** sich winden *od.* schlängeln (*Fluß etc.*); **14.** sich verziehen *od.* verzerren (*a. Gesicht*); **15.** sich verschlingen; **III** *s.* **16.** Drehung *f*, Windung *f*, Biegung *f*, Krümmung *f*; **17.** Drehung *f*, Rotatiˈon *f*; **18.** Geflecht *n*; **19.** Zwirnung *f*; **20.** Verflechtung *f*, Knäuel *m, n*; **21.** (Gesichts-) Verzerrung *f*; **22.** *fig.* Verdrehung *f*; **23.** *fig.* Veranlagung *od.* Neigung (***towards*** zu); **24.** *fig.* Trick *m*, ‚Dreh' *m*; **25.** *fig.* überˈraschende Wendung, ‚ˈKnallefˌfekt' *m*; **26.** ⚙ a) Drall *m* (*Schußwaffe, Seil etc.*), b) Torsiˈon *f*; **27.** Spiˈrale *f*: ***~ drill*** ⚙ Spiralbohrer *m*;

T

28. ♪ Twist *m* (*Tanz*); **29.** a) (Seiden-, Baumwoll)Twist *m*, b) Zwirn *m*; **30.** Seil *n*, Schnur *f*; **31.** Rollentabak *m*; **32.** *Bäckerei*: Kringel *m*, Zopf *m*; **33.** *Wasserspringen*: Schraube *f*; **'twist·er** [-tə] *s.* **1.** a) Dreher(in), Zwirner(in), b) Seiler(in); **2.** ⚙ 'Zwirn-, 'Drehmaˌschine *f*; **3.** *sport* Ef'fetball *m*; **4.** F harte Nuß, knifflige Sache; **5.** F Gauner *m*; **6.** *Am.* Tor'nado *m*, Wirbel(wind) *m*; **'twist·y** [-tɪ] *adj.* **1.** gewunden, kurvenreich; **2.** *fig.* falsch, verschlagen.

twit¹ [twɪt] *v/t.* **1.** *j-n* aufziehen (***with*** mit); **2.** *j-m* Vorwürfe machen (***with*** wegen).

twit² [twɪt] *s. Brit.* F Trottel *m*.

twitch [twɪtʃ] **I** *v/t.* **1.** zupfen, zerren, reißen; **2.** zucken mit; **II** *v/i.* **3.** zucken (***with*** vor); **III** *s.* **4.** Zucken *n*, Zuckung *f*; **5.** Ruck *m*; **6.** Stich *m* (*Schmerz*); **7.** Nasenbremse *f* (*Pferd*).

twit·ter ['twɪtə] **I** *v/i.* **1.** zwitschern (*Vogel*), zirpen (*a. Insekt*); **2.** *fig.* a) (aufgeregt) schnattern, b) piepsen, c) kichern; **3.** F (vor Aufregung) zittern; **II** *v/t.* **4.** *et.* zwitschern; **III** *s.* **5.** Gezwitscher *n*; **6.** *fig.* Geschnatter *n* (*Person*); **7.** Kichern *n*; **8.** Nervosi'tät *f*: ***in a ~*** aufgeregt.

two [tu:] **I** *s.* **1.** Zwei *f* (*Zahl, Spielkarte, Uhrzeit etc.*); **2.** Paar *n*: ***the ~*** die beiden, beide; ***the ~ of us*** wir beide; ***put ~ and ~ together*** *fig.* es sich zs.-reimen, s-e Schlüsse ziehen; ***in*** (*od.* ***by***) ***~s*** zu zweien, paarweise; ***~ and ~*** paarweise, zwei u. zwei; ***~ can play at that game!*** das kann ich (*od.* ein anderer) auch! **II** *adj.* **3.** zwei: ***one or ~*** einige; ***in a day or ~*** in ein paar Tagen; ***in ~*** entzwei; ***cut in ~*** entzweischneiden; **4.** beide: ***the ~ cars***; **'~-bit** *adj. Am.* F **1.** 25-Cent-…; **2.** billig (*a. fig. contp.*); klein, unbedeutend; **'~ˌcy·cle** *adj.* ⚙ Zweitakt…: ***~ engine***; **ˌ~-'edged** *adj.* zweischneidig (*a. fig.*); **ˌ~-'faced** *adj. fig.* falsch, heuchlerisch; **ˌ~-'fist·ed** *adj. Am.* F *fig.* ‚knallhart'; handfest; **'~·fold** *adj. u. adv.* zweifach, doppelt; **ˌ~-'four** *adj.* ♪ Zweiviertel…; **ˌ~-'hand·ed** *adj.* **1.** zweihändig; **2.** für zwei Per'sonen (*Spiel etc.*); **'~-horse** *adj.* zweispännig; **'~-job man** *s.* [*irr.*] Doppelverdiener *m*; **'~-lane** *adj.* zweispurig (*Straße*); **~·pence** ['tʌpəns] *s. Brit.* zwei Pence *pl.*: ***not to care ~ for*** *fig.* sich nicht scheren um; ***he didn't care ~*** es war ihm völlig egal; **~·pen·ny** ['tʌpnɪ] *adj.* **1.** zwei Pence wert *od.* betragend, Zweipenny…; **2.** *fig.* armselig, billig; **~·pen·ny-half·pen·ny** [ˌtʌpnɪ'heɪpnɪ] *adj.* **1.** Zweieinhalbpenny…; **2.** *fig.* mise'rabel, schäbig; **'~-phase** *adj.* ⚡ zweiphasig, Zweiphasen…; **'~-piece I** *adj.* zweiteilig; **II** *s.* a) *a.* ***~ dress*** Jakkenkleid *n*, b) *a.* ***~ swimming suit*** Zweiteiler *m*; **'~-ply** *adj.* doppelt (*Stoff etc.*); zweischäftig (*Tau*); zweisträhnig (*Wolle etc.*); **ˌ~'seat·er** *s.* ✈, *mot.* Zweisitzer *m*; **'~·some** [-səm] *s.* **1.** *Golf*: Zweier(spiel *n*) *m*; **2.** *bsd. humor.* ‚Duo' *n*, ‚Pärchen' *n*; **'~-speed** *adj.* ⚙ Zweigang…; **'~-stage** *adj.* ⚙ zweistufig; **'~-step** *s.* Twostep *m* (*Tanz*); **'~-stroke** *adj. mot.* Zweitakt…; **'~-time** *v/t.* F **1.** *bsd. Ehepartner* betrügen; **2.** *j-n* ‚reinlegen'; **'~-way** *adj.* Zweiweg(e)…, Doppel…: ***~ adapter*** (*od.* ***plug***) ⚡ Doppelstecker *m*; ***~ cock*** Zweiwegehahn *m*; ***~ communication*** ⚡ Doppelverkehr *m*, Gegensprechen *n*; ***~ traffic*** Gegenverkehr *m*.

ty·coon [taɪ'ku:n] *s.* F **1.** Indu'striemaˌgnat *m*, -kapiˌtän *m*: ***oil ~*** Ölmagnat; **2.** *pol.* ‚Oberbonze' *m*.

ty·ing ['taɪɪŋ] *pres. p. von* ***tie***.

tyke [taɪk] *s.* **1.** Köter *m*; **2.** Lümmel *m*, Kerl *m*; **3.** *Am.* F Kindchen *n*.

tym·pan ['tɪmpən] *s.* **1.** *typ.* Preßdeckel *m*; **2.** → ***tympanum*** 2; **tym·pan·ic** [tɪm'pænɪk] *adj. anat.* Mittelohr…, Trommelfell…: ***~ membrane*** Trommelfell *n*; **tym·pa·ni·tis** [ˌtɪmpə'naɪtɪs] *s.* ⚕ Mittelohrentzündung *f*; **'tym·pa·num** [-nəm] *pl.* **-na** [-nə], **-nums** *s.* **1.** *anat.* a) Mittelohr *n*, b) Trommelfell *n*; **2.** ⚠ Tympanon *n*: a) Giebelfeld *n*, b) Türbogenfeld *n*.

type [taɪp] **I** *s.* **1.** Typ(us) *m*: a) Urform *f*, b) typischer Vertreter, c) charakte'ristische Klasse; **2.** Ur-, Vorbild *n*, Muster *n*; **3.** ⚙ Typ *m*, Mo'dell *n*, Ausführung *f*, Baumuster *n*: ***~ plate*** Typenschild *n*; **4.** Art *f*, Schlag *m*, Sorte *f* (*alle a.* F); ***out of ~*** atypisch; ***he acted out of ~*** das war sonst nicht s-e Art; → ***true*** 4; **5.** *typ.* a) Letter *f*, (Druck)Type *f*, b) *coll.* Lettern *pl.*, Schrift *f*, Druck *m*: ***in ~*** (ab)gesetzt; ***set*** (***up***) ***in ~*** setzen; **6.** *fig.* Sinnbild *n*, Sym'bol *n* (***of*** *gen. od.* für); **II** *v/t.* **7.** mit der Ma'schine (ab-) schreiben, (ab)tippen: ***~d*** maschinegeschrieben; ***typing pool*** Schreibsaal *m*, -büro *n*; **8.** ***~ into*** in *e-n Computer* eingeben, -tippen; **III** *v/i.* **9.** ma'schineschreiben, tippen; **~ a·re·a** *s. typ.* Satzspiegel *m*; **'~·cast** *v/t.* [*irr.* → ***cast***] *thea. etc.* a) *e-m Schauspieler* e-e s-m Typ entsprechende Rolle geben, b) *e-n Schauspieler* auf ein bestimmtes Rollenfach festlegen; **'~·face** *s. typ.* **1.** Schriftbild *n*; **2.** Schriftart *f*; **~ found·er** *s. typ.* Schriftgießer *m*; **~ found·ry** *s. typ.* Schriftgieße'rei *f*; **~ met·al** *s. typ.* 'Letternmeˌtall *n*; **~ page** *s. typ.* Satzspiegel *m*; **'~·script** *s.* Ma'schinenschrift(satz *m*) *f*, ma'schinengeschriebener Text; **'~ˌset·ter** *s. typ.* (Schrift)Setzer *m*; **~ spec·i·men** *s.* **1.** ⚙ 'Musterexemˌplar *n*; **2.** *biol.* Typus *m*, Origi'nal *n*; **'~·write** *v/t. u. v/i.* [*irr.* → ***write***] →

T

type 7, 9; **'~ˌwrit·er** *s.* **1.** 'Schreibmaˌschine *f*: ~ ***ribbon*** Farbband *n*; **2.** *a.* ~ ***face*** *typ.* 'Schreibmaˌschinenschrift *f*; **'~ˌwrit·ing** *s.* **1.** Ma'schineschreiben *n*; **2.** Ma'schinenschrift *f*; **'~ˌwrit·ten** *adj.* ma'schinegeschrieben, in Ma'schinenschrift.

ty·phoid ['taɪfɔɪd] ⚕ **I** *adj.* ty'phös, Typhus…: ~ ***fever*** → **II** *s.* ('Unterleibs-)Typhus *m*.

ty·phoon [taɪ'fuːn] *s.* Tai'fun *m*.

ty·phus ['taɪfəs] *s.* ⚕ Flecktyphus *m*, -fieber *n*.

typ·i·cal ['tɪpɪkl] *adj.* □ **1.** typisch: a) repräsenta'tiv, b) charakte'ristisch, bezeichnend, kennzeichnend (***of*** für): ***be ~ of*** *et.* kennzeichnen *od.* charakterisieren; **3.** sym'bolisch, sinnbildlich (***of*** für); **4.** a) vorbildlich, echt, b) hinweisend (***of*** auf *et. Künftiges*); **'typ·i·cal·ness** [-nɪs] *s.* **1.** *das* Typische; **2.** Sinnbildlichkeit *f*; **'typ·i·fy** [-ɪfaɪ] *v/t.* **1.** typisch *od.* ein typisches Beispiel sein für, verkörpern; **2.** versinnbildlichen.

typ·ist ['taɪpɪst] *s.* **1.** Ma'schinenschreiber(in); **2.** Schreibkraft *f*.

ty·pog·ra·pher [taɪ'pɒgrəfə] *s.* **1.** (Buch)Drucker *m*; **2.** (Schrift)Setzer *m*; **ty·po·graph·ic**, **ty·po·graph·i·cal** [ˌtaɪpə'græfɪk(l)] *adj.* □ **1.** Druck…, drucktechnisch: ~ ***error*** Druckfehler *m*; **2.** typo'graphisch, Buchdruck(er)…; **ty'pog·ra·phy** [-fɪ] *s.* **1.** Buchdruckerkunst *f*, Typogra'phie *f*; **2.** (Buch-)Druck *m*; **3.** Druckbild *n*.

ty·po·log·i·cal [ˌtaɪpə'lɒdʒɪkl] *adj.* typo'logisch; **ty·pol·o·gy** [taɪ'pɒlədʒɪ] *s.* Typolo'gie *f*.

ty·ran·nic, **ty·ran·ni·cal** [tɪ'rænɪk(l)] *adj.* □ ty'rannisch; **ty'ran·ni·cide** [-ɪsaɪd] *s.* **1.** Ty'rannenmord *m*; **2.** Ty'rannenmörder *m*; **tyr·an·nize** ['tɪrənaɪz] **I** *v/i.* ty'rannisch sein *od.* herrschen: ~ ***over*** → **II** *v/t.* tyrannisieren; **tyr·an·nous** ['tɪrənəs] *adj.* □ *rhet.* ty'rannisch; **tyr·an·ny** ['tɪrənɪ] *s.* **1.** Tyran'nei *f*: a) Despo'tismus, b) Gewalt-, Willkürherrschaft *f*; **2.** Tyran'nei *f* (*tyrannische Handlung etc.*); **3.** *antiq.* Ty'rannis *f*; **ty·rant** ['taɪərənt] *s.* Ty'rann(in).

tyre *etc. bsd. Brit.* → ***tire***² *etc.*

ty·ro ['taɪərəʊ] *pl.* **-ros** *s.* Anfänger(in), Neuling *m*.

Tyr·o·lese [ˌtɪrə'liːz] **I** *pl.* **-lese** *s.* Ti'roler(in); **II** *adj.* ti'rol(er)isch, Tiroler(…).

tzar *etc.* → ***czar*** *etc.*

U

U, u [juː] **I** *s.* **1.** U *n*, u *n* (*Buchstabe*); **2.** U *n*: ***U-bolt*** ⚙ U-Bolzen *m*; **II** *adj.* **3.** ***U*** *Brit.* F vornehm; **4.** *Brit.* jugendfrei: ***~ film***.
u·biq·ui·tous [juːˈbɪkwɪtəs] *adj.* □ allˈgegenwärtig, (gleichzeitig) ˈüberall zu finden(d); **uˈbiq·ui·ty** [-kwətɪ] *s.* Allˈgegenwart *f*.
ˈU-boat *s.* ⚓ U-Boot *n*, (deutsches) ˈUnterseeboot.
u·dal [ˈjuːdl] *s.* ⚖ *hist.* Alˈlod(ium) *n*, Freigut *n*.
ud·der [ˈʌdə] *s.* Euter *n*.
u·dom·e·ter [juːˈdɒmɪtə] *s. meteor.* Regenmesser *m*, Udoˈmeter *n*.
ugh [ʌx; ʊh; ɜːh] *int.* hu!, pfui!
ug·li·fy [ˈʌglɪfaɪ] *v/t.* häßlich machen, entstellen; **ˈug·li·ness** [-ɪnɪs] *s.* Häßlichkeit *f*; **ug·ly** [ˈʌglɪ] **I** *adj.* □ **1.** häßlich, garstig (*beide a. fig.*); **2.** *fig.* gemein, schmutzig; **3.** unangenehm, ˈwiderwärtig, übel: ***an ~ customer*** ein unangenehmer Kerl, ‚ein übler Kunde'; **4.** bös, schlimm, gefährlich (*Situation*, *Wunde etc.*); **II** *s.* **5.** F häßlicher Mensch; ‚Ekel' *n*.
u·kase [juːˈkeɪz] *s. hist. u. fig.* Ukas *m*, Erlaß *m*, Befehl *m*.
U·krain·i·an [juːˈkreɪnjən] **I** *adj.* **1.** ukraˈinisch; **II** *s.* **2.** Ukraˈiner(in); **3.** *ling.* Ukraˈinisch *n*.
u·ku·le·le [ˌjuːkəˈleɪlɪ] *s.* ♪ Ukuˈlele *f*, *n*.
ul·cer [ˈʌlsə] *s.* **1.** ⚕ (*Magen- etc.*)Geschwür *n*; **2.** *fig.* a) (Eiter)Beule *f*, b) Schandfleck *m*; **ˈul·cer·ate** [-əreɪt] ⚕ **I** *v/t.* schwären lassen: ***~d*** eitrig, vereitert; **II** *v/i.* geschwürig werden, schwären; **ul·cer·a·tion** [ˌʌlsəˈreɪʃn] *s.* ⚕ Geschwür(bildung *f*) *n*; Schwären *n*, (Ver-)Eiterung *f*; **ul·cer·ous** [ˈʌlsərəs] *adj.* □ **1.** ⚕ geschwürig, eiternd; Geschwür(s)…, Eiter…; **2.** *fig.* korˈrupt, giftig.
ul·lage [ˈʌlɪdʒ] *s.* ✝ Schwund *m*: a) Lekˈkage *f*, Flüssigkeitsverlust *m*, b) Gewichtsverlust *m*.
ul·na [ˈʌlnə] *pl.* **-nae** [-niː] *s. anat.* Elle *f*.
ul·ster [ˈʌlstə] *s.* Ulster(mantel) *m*.
ul·te·ri·or [ʌlˈtɪərɪə] *adj.* □ **1.** (*räumlich*) jenseitig; **2.** später (folgend), weiter, anderweitig: ***~ action***; **3.** *fig.* tiefer(liegend), versteckt: ***~ motives*** tiefere Beweggründe, Hintergedanken.
ul·ti·mate [ˈʌltɪmət] **I** *adj.* □ **1.** äußerst, (aller)letzt; höchst; **2.** entferntest; **3.** endgültig, End…: ***~ consumer*** ✝ Endverbraucher *m*; ***~ result*** Endergebnis *n*; **4.** grundlegend, elemenˈtar, Grund…; **5.** ⚙, *phys.* Höchst…, Grenz…: ***~ strength*** Bruchfestigkeit *f*; **II** *s.* **6.** *das* Letzte, *das* Äußerste; **7.** *fig.* *der* Gipfel (***in*** an *dat.*); **ˈul·ti·mate·ly** [-lɪ] *adv.* schließlich, endlich, letzten Endes, im Grunde.
ul·ti·ma·tum [ˌʌltɪˈmeɪtəm] *pl.* **-tums**, **-ta** [-tə] *s. pol. u. fig.* Ultiˈmatum *n* (***to*** an *acc.*): ***deliver an ~ to*** *j-m* ein Ultimatum stellen.
ul·ti·mo [ˈʌltɪməʊ] (*Lat.*) *adv.* ✝ letzten *od.* vorigen Monats.
ul·tra [ˈʌltrə] **I** *adj.* **1.** exˈtrem, radiˈkal, Erz…, Ultra…; **2.** ˈübermäßig, überˈtrieben; ultra…, super…; **II** *s.* **3.** Extreˈmist *m*, Ultra *m*; **ˌ~ˈhigh fre·quen·cy** ⚡ **I** *s.* Ultraˈhochfreˌquenz *f*, Ultraˈkurzwelle *f*; **II** *adj.* Ultrahochfrequenz…, Ultrakurzwellen…
ul·tra·ism [ˈʌltrəɪzəm] *s.* Extreˈmismus *m*.
ul·tra|·ma·rine [ˌʌltrəməˈriːn] **I** *adj.* **1.** ˈüberseeisch; **2.** 🧪, *paint.* ultramaˈrin: ***~ blue*** → **II** *s.* **3.** Ultramaˈrin(blau) *n*; **ˌ~ˈmod·ern** *adj.* ˈultra-, ˈhypermoˌdern; **ˌ~ˈmon·tane** [-ˈmɒnteɪn] **I** *adj.* **1.** jenseits der Berge (gelegen); **2.** südlich der Alpen (gelegen), italiˈenisch; **3.** *pol.*, *eccl.* ultramonˈtan, streng päpstlich; **II** *s.* **4.** → **ˌ~ˈmon·ta·nist** [-ˈmɒntənɪst] *s.* Ultramonˈtane(r *m*) *f*; **ˌ~ˈna·tion·al** *adj.* ˈultranatioˌnal; **ˌ~ˈshort wave** *s.* ⚡ Ultraˈkurzwelle *f*; **ˌ~ˈson·ic** *phys.* **I** *adj.* Ultra-, Überschall…; **II** *s. pl. sg. konstr.* (Lehre *f* vom) Ultraschall *m*; **ˌ~ˈvi·o·let** *adj. phys.* ˈultravioˌlett.
ul·tra vi·res [ˌʌltrəˈvaɪəriːz] (*Lat.*) *adv. u. pred. adj.* ⚖ über j-s Macht *od.* Befugnisse (hinˈausgehend).
ul·u·late [ˈjuːljʊleɪt] *v/i.* heulen; **ul·u·la·tion** [ˌjuːljʊˈleɪʃn] *s.* Heulen *n*, (Weh-)Klagen *n*.
um·bel [ˈʌmbəl] *s.* ⚘ Dolde *f*; **ˈum·bel·late** [-leɪt] *adj.* doldenblütig, Dolden…; **um·bel·li·fer** [ʌmˈbelɪfə] *s.* Doldengewächs *n*; **um·bel·lif·er·ous** [ˌʌmbeˈlɪfərəs] *adj.* doldenblütig, -tragend.
um·ber [ˈʌmbə] *s.* **1.** *min.* Umber(erde *f*) *m*, Umbra *f*; **2.** *paint.* Erd-, Dunkelbraun *n*.

um·bil·i·cal [ˌʌmbɪˈlaɪkl] *adj. anat.* Nabel...: ~ (**cord**) Nabelschnur *f*; **um·bil·i·cus** [ʌmˈbɪlɪkəs] *pl.* **-cus·es** *s.* **1.** *anat.* Nabel *m*; **2.** (nabelförmige) Delle; **3.** ⚘ (Samen)Nabel *m*; **4.** ⩓ Nabelpunkt *m*.

um·bra [ˈʌmbrə] *pl.* **-brae** [-briː], **-bras** *s. ast.* a) Kernschatten *m*, b) Umbra *f* (*dunkler Kern e-s Sonnenflecks*).

um·brage [ˈʌmbrɪdʒ] *s.* **1.** Anstoß *m*, Ärgernis *n*: **give ~** Anstoß erregen (**to** bei); **take ~ at** Anstoß nehmen an (*dat.*); **2.** *poet.* Schatten *m von Bäumen*; **um·bra·geous** [ʌmˈbreɪdʒəs] *adj.* □ **1.** schattig, schattenspendend, -reich; **2.** *fig.* empfindlich, übelnehmerisch.

um·brel·la [ʌmˈbrelə] *s.* **1.** (*bsd.* Regen-)Schirm *m*: **~ stand** Schirmständer *m*; **get** (*od.* **put**) **under one ~** *fig.* ‚unter 'einen Hut bringen'; **2.** ✈, ⚔ a) Jagdschutz *m*, Abschirmung *f*, b) *a.* **~ barrage** Feuervorhang *m*, -glocke *f*; **3.** *fig.* a) Schutz *m*, b) Rahmen *m*, c) Dach...: **~ organization.**

um·laut [ˈʊmlaʊt] *ling.* **I** *s.* 'Umlaut(zeichen *n*) *m*; **II** *v/t.* 'umlauten.

um·pire [ˈʌmpaɪə] **I** *s.* **1.** *sport etc.* Schiedsrichter *m*, 'Unparˌteiische(r *m*) *f*; **2.** ⚖ Obmann *m* e-s Schiedsgerichts; **II** *v/t.* **3.** als Schiedsrichter fungieren bei, *sport a. das Spiel* leiten.

ump·teen [ˌʌmpˈtiːn] *adj.* F ‚zig' (*viele*): **~ times** x-mal; **ˌump'teenth** [-nθ], **'ump·ti·eth** [-tɪɪθ] *adj.* F ‚zigst', *der* (*die*, *das*) 'soundso'vielte: **for the ~ time** zum x-ten Mal.

'un [ən] *pron.* F *für* **one.**

un- [ʌn] *in Zssgn* **1.** Un..., un..., nicht...; **2.** ent..., los..., auf..., ver... (*bei Verben*).

ˌun·a'bashed *adj.* **1.** unverfroren; **2.** unerschrocken.

un·a·bat·ed [ˌʌnəˈbeɪtɪd] *adj.* unvermindert; **ˌun·a'bat·ing** [-tɪŋ] *adj.* unablässig, anhaltend.

ˌun·ab'bre·vi·at·ed *adj.* ungekürzt.

un'a·ble *adj.* **1.** unfähig, außer'stande (**to do** zu tun): **be ~ to work** nicht arbeiten können, arbeitsunfähig sein; **~ to pay** zahlungsunfähig, insolvent; **2.** untauglich, ungeeignet (**for** für).

ˌun·a'bridged *adj.* ungekürzt.

ˌun·ac'cent·ed *adj.* unbetont.

ˌun·ac'cept·a·ble *adj.* **1.** unannehmbar (**to** für); **2.** untragbar, unerwünscht (**to** für).

ˌun·ac'com·mo·dat·ing *adj.* **1.** ungefällig, **2.** unnachgiebig.

ˌun·ac'com·pa·nied *adj.* unbegleitet, ohne Begleitung (*a.* ♪).

ˌun·ac'com·plished *adj.* **1.** 'unvollˌendet, unfertig; **2.** *fig.* ungebildet.

ˌun·ac'count·a·ble *adj.* □ **1.** nicht verantwortlich; **2.** unerklärlich, seltsam;

ˌun·ac'count·a·bly *adv.* unerklärlicherweise.

ˌun·ac'count·ed-for *adj.* **1.** unerklärt (geblieben); **2.** nicht belegt.

ˌun·ac'cus·tomed *adj.* **1.** ungewohnt; **2.** nicht gewöhnt (**to** an *acc.*).

un·a·chiev·a·ble [ˌʌnəˈtʃiːvəbl] *adj.* **1.** unausführbar; **2.** unerreichbar; **ˌun·a'chieved** [-vd] *adj.* unerreicht, 'unvollˌendet.

ˌun·ac'knowl·edged *adj.* **1.** nicht anerkannt; **2.** uneingestanden; **3.** unbestätigt (*Brief etc.*).

ˌun·ac'quaint·ed *adj.* (**with**) unerfahren (in *dat.*), nicht vertraut (mit), unkundig (*gen.*): **be ~ with** *et.* nicht kennen.

ˌun'act·a·ble *adj. thea.* nicht bühnengerecht, unaufführbar.

ˌun·a'dapt·a·ble *adj.* **1.** nicht anpassungsfähig (**to** an *acc.*); **2.** nicht anwendbar (**to** auf *acc.*); **3.** ungeeignet (**for**, **to** für, zu); **ˌun·a'dapt·ed** *adj.* **1.** nicht angepaßt (**to** *dat. od.* an *acc.*); **2.** ungeeignet, nicht eingerichtet (**to** für).

ˌun·ad'dressed *adj.* ohne Anschrift.

ˌun·a'dorned *adj.* schmucklos.

ˌun·a'dul·ter·at·ed *adj.* rein, unverfälscht, echt.

ˌun·ad'ven·tur·ous *adj.* **1.** ohne Unter'nehmungsgeist; **2.** ereignislos (*Reise*).

'un·adˌvis·a'bil·i·ty *s.* Unratsamkeit *f*; **ˌun·ad'vis·a·ble** *adj.* □ unratsam, nicht ratsam *od.* empfehlenswert; **ˌun·ad'vised** *adj.* □ **1.** unberaten; **2.** unbesonnen, 'unüberˌlegt.

ˌun·af'fect·ed *adj.* □ **1.** ungekünstelt, nicht affektiert (*Stil*, *Auftreten etc.*); **2.** echt, aufrichtig; **3.** unberührt, ungerührt, unbeeinflußt (**by** von); **ˌun·af'fect·ed·ness** [-nɪs] *s.* Na'türlichkeit *f*; Aufrichtigkeit *f*.

ˌun·a'fraid *adj.* furchtlos: **be ~ of** keine Angst haben vor (*dat.*).

ˌun'aid·ed *adj.* **1.** ohne Unter'stützung, ohne Hilfe (**by** von); (ganz) al'lein; **2.** unbewaffnet, bloß (*Auge*).

ˌun'al·ien·a·ble *adj.* □ unveräußerlich (*a. fig. Recht*).

ˌun·al'loyed *adj.* **1.** ⚗ unvermischt, unlegiert; **2.** *fig.* ungetrübt, rein: **~ happiness.**

un'al·ter·a·ble *adj.* □ unveränderlich, unabänderlich; **ˌun'al·tered** *adj.* unverändert.

ˌun·a'mazed *adj.* nicht verwundert: **be ~ at** sich nicht wundern über (*acc.*).

un·am·big·u·ous [ˌʌnæmˈbɪgjʊəs] *adj.* □ unzweideutig; **ˌun·am'big·u·ous·ness** [-nɪs] *s.* Eindeutigkeit *f*.

ˌun·am'bi·tious *adj.* □ **1.** nicht ehrgeizig, ohne Ehrgeiz; **2.** anspruchslos, schlicht (*Sache*).

ˌun·a'me·na·ble *adj.* **1.** unzugänglich (**to** *dat. od.* für); **2.** nicht verantwortlich (**to** gegenüber).

ˌ**un·aˈmend·ed** *adj.* unverbessert, unabgeändert; nicht ergänzt.

ˌ**un-Aˈmer·i·can** *adj.* **1.** ˈunameriˌkanisch; **2.** ~ ***activities*** *pol. Am.* staatsfeindliche Umtriebe.

ˌ**unˈa·mi·a·ble** *adj.* □ unliebenswürdig, unfreundlich.

ˌ**un·aˈmus·ing** *adj.* □ nicht unterˈhaltsam, langweilig, unergötzlich.

u·na·nim·i·ty [ˌjuːnəˈnɪmətɪ] *s.* **1.** Einstimmigkeit *f*; **2.** Einmütigkeit *f*; **u·nan·i·mous** [juːˈnænɪməs] *adj.* □ **1.** einmütig, einig; **2.** einstimmig (*Beschluß etc.*).

ˌ**un·anˈnounced** *adj.* unangemeldet, unangekündigt.

ˌ**unˈan·swer·a·ble** *adj.* □ **1.** nicht zu beantworten(d); unlösbar (*Rätsel*); **2.** ˈunwiderˌlegbar; **3.** nicht verantwortlich *od.* haftbar; ˌ**unˈan·swered** *adj.* **1.** unbeantwortet; **2.** ˈunwiderˌlegt.

un·ap·peal·a·ble [ˌʌnəˈpiːləbl] *adj.* ⚖ nicht berufungs- *od.* rechtsmittelfähig, unanfechtbar.

un·ap·peas·a·ble [ˌʌnəˈpiːzəbl] *adj.* **1.** nicht zu besänftigen(d), unversöhnlich; **2.** nicht zuˈfriedenzustellen(d), unersättlich.

ˌ**unˈap·pe·tiz·ing** *adj.* □ ˈunappeˌtitlich, *fig. a.* wenig reizvoll.

ˌ**un·apˈplied** *adj.* nicht angewandt *od.* gebraucht: ~ ***funds*** totes Kapital.

ˌ**un·apˈpre·ci·at·ed** *adj.* nicht gebührend gewürdigt *od.* geschätzt, unbeachtet.

ˌ**un·apˈproach·a·ble** *adj.* □ unnahbar.

ˌ**un·apˈpro·pri·at·ed** *adj.* **1.** herrenlos; **2.** nicht verwendet *od.* gebraucht; **3.** ✝ nicht zugeteilt, keiner bestimmten Verwendung zugeführt.

ˌ**un·apˈproved** *adj.* ungebilligt, nicht genehmigt.

ˌ**unˈapt** *adj.* □ **1.** ungeeignet, untauglich (***for*** für, zu); **2.** unangebracht, unpassend; **3.** nicht geeignet (***to do*** zu tun); **4.** ungeschickt (***at*** bei, in *dat.*).

ˌ**unˈar·gued** *adj.* **1.** unbesprochen; **2.** unbestritten.

ˌ**unˈarmed** *adj.* **1.** unbewaffnet; **2.** unscharf (*Munition*).

ˌ**unˈar·mo(u)red** *adj.* **1.** *bsd.* ⚔, ⚓ ungepanzert; **2.** ⚙ nicht bewehrt.

ˌ**un·as·cerˈtain·a·ble** *adj.* nicht feststellbar; ˌ**un·as·cerˈtained** *adj.* nicht (sicher) festgestellt.

ˌ**un·aˈshamed** *adj.* □ **1.** nicht beschämt; **2.** schamlos.

ˌ**unˈasked** *adj.* **1.** ungefragt; **2.** ungebeten, unaufgefordert; **3.** uneingeladen.

ˌ**un·asˈpir·ing** *adj.* □ ohne Ehrgeiz, anspruchslos, bescheiden.

ˌ**un·asˈsail·a·ble** *adj.* **1.** unangreifbar (*a. fig.*); **2.** *fig.* unanfechtbar.

ˌ**un·asˈsign·a·ble** *adj.* ⚖ nicht überˈtragbar.

ˌ**un·asˈsist·ed** *adj.* □ ohne Hilfe *od.* Unterˈstützung (***by*** von), (ganz) alˈlein.

ˌ**un·asˈsum·ing** *adj.* □ anspruchslos, bescheiden.

ˌ**un·atˈtached** *adj.* **1.** nicht befestigt (***to*** an *dat.*); **2.** nicht gebunden, unabhängig; **3.** ungebunden, frei, ledig; **4.** *ped.*, *univ.* exˈtern, keinem College angehörend (*Student*); **5.** ⚔ zur Dispositiˈon stehend; **6.** ⚖ nicht mit Beschlag belegt.

ˌ**un·atˈtain·a·ble** *adj.* □ unerreichbar.

ˌ**un·atˈtempt·ed** *adj.* unversucht.

ˌ**un·atˈtend·ed** *adj.* **1.** unbegleitet; **2.** *mst* ~ ***to*** a) unbeaufsichtigt, b) vernachlässigt.

ˌ**un·atˈtest·ed** *adj.* **1.** unbezeugt, unbestätigt; **2.** *Brit.* (behördlich) nicht überˈprüft.

ˌ**un·atˈtrac·tive** *adj.* □ wenig anziehend, reizlos, ˈunattrakˌtiv.

ˌ**unˈau·thor·ized** *adj.* **1.** nicht bevollmächtigt, unbefugt: ~ ***person*** Unbefugte(r *m*) *f*; **2.** unerlaubt; unberechtigt (*Nachdruck etc.*).

un·a·vail·a·ble [ˌʌnəˈveɪləbl] *adj.* □ **1.** nicht verfügbar *od.* vorˈhanden; **2.** → ˌ**un·aˈvail·ing** [-lɪŋ] *adj.* □ frucht-, nutzlos, vergeblich.

un·a·void·a·ble [ˌʌnəˈvɔɪdəbl] *adj.* □ **1.** unvermeidlich, unvermeidbar: ~ ***cost*** notwendige Kosten; **2.** ⚖ unanfechtbar.

un·a·ware [ˌʌnəˈweə] *adj.* **1.** (***of***) nicht gewahr (*gen.*), in Unkenntnis (*gen.*): ***be*** ~ ***of*** sich *e-r Sache* nicht bewußt sein, *et.* nicht wissen *od.* bemerken; **2.** nichtsahnend: ***he was*** ~ ***that*** er ahnte nicht, daß; ˌ**un·aˈwares** [-eəz] *adv.* **1.** versehentlich, unabsichtlich; **2.** unversehens, unerwartet, unvermutet: ***catch*** (*od.* ***take***) ***s.o.*** ~ j-n überraschen; ***at*** ~ unverhofft, überraschend.

ˌ**unˈbacked** *adj.* **1.** ohne Rückhalt *od.* Unterˈstützung; **2.** ~ ***horse*** Pferd, auf das nicht gesetzt wurde; **3.** ✝ ungedeckt, nicht indossiert.

ˌ**unˈbaked** *adj.* **1.** ungebacken; **2.** *fig.* unreif.

ˌ**unˈbal·ance I** *v/t.* **1.** aus dem Gleichgewicht bringen (*a. fig.*); **2.** *fig. Geist* verwirren; **II** *s.* **3.** gestörtes Gleichgewicht, *fig. a.* Unausgeglichenheit *f*; **4.** ϟ, ⚙ Unwucht *f*; ˌ**unˈbal·anced** *adj.* **1.** aus dem Gleichgewicht gebracht, nicht im Gleichgewicht (befindlich); **2.** *fig.* unausgeglichen (*a.* ✝); **3.** *psych.* laˈbil, ‚gestört'.

ˌ**un·bapˈtized** *adj.* ungetauft.

ˌ**unˈbar** *v/t.* aufriegeln.

ˌ**unˈbear·a·ble** *adj.* □ unerträglich.

ˌ**unˈbeat·en** *adj.* **1.** ungeschlagen, unbesiegt; **2.** *fig.* ˈunüberˌtroffen; **3.** unerforscht: ~ ***region.***

ˌ**un·beˈcom·ing** *adj.* □ **1.** unkleidsam:

U

this hat is ~ to him dieser Hut steht ihm nicht; **2.** *fig.* unpassend, unschicklich, ungeziemend (***of***, ***to***, ***for*** für *j-n*).

ˌun·beˈfit·ting → ***unbecoming*** 2.

ˌun·beˈfriend·ed *adj.* ohne Freund(e).

un·be·known(st F) [ˌʌnbɪˈnəʊn(st)] *adj. u. adv.* **1.** (***to***) ohne *j-s* Wissen; **2.** unbekannt(erweise).

ˌun·beˈlief *s.* Unglaube *m*, Ungläubigkeit *f*; **ˌun·beˈliev·a·ble** *adj.* □ unglaublich; **ˌun·beˈliev·er** *s. eccl.* Ungläubige(r *m*) *f*, Glaubenslose(r *m*) *f*; **ˌun·beˈliev·ing** *adj.* □ ungläubig.

ˌunˈbend [*irr.* → ***bend***] **I** *v/t.* **1.** *Bogen etc.*, *a. fig. Geist* entspannen; **2.** ⚙ geradebiegen, glätten; **3.** ⚓ a) *Tau etc.* losmachen, b) *Segel* abschlagen; **II** *v/i.* **4.** sich entspannen, sich lösen; **5.** *fig.* auftauen, freundlich(er) werden, s-e Förmlichkeit ablegen; **ˌunˈbend·ing** [-dɪŋ] *adj.* □ **1.** unbiegsam; **2.** *fig.* unbeugsam, entschlossen; **3.** *fig.* reserviert, steif.

un·be·seem·ing [ˌʌnbɪˈsiːmɪŋ] → ***unbecoming*** 2.

ˌunˈbi·as(s)ed *adj.* □ unvoreingenommen, *a.* ⚖ unbefangen.

ˌunˈbid(·den) *adj.* ungeheißen, unaufgefordert; ungebeten (*a. Gast*).

ˌunˈbind *v/t.* [*irr.* → ***bind***] **1.** *Gefangenen etc.* losbinden, befreien; **2.** *Haar*, *Knoten etc.* lösen.

ˌunˈbleached *adj.* ungebleicht.

ˌunˈblem·ished *adj. bsd. fig.* unbefleckt, makellos.

ˌunˈblink·ing *adj.* □ **1.** ungerührt; **2.** unerschrocken.

ˌunˈblush·ing *adj.* □ *fig.* schamlos.

ˌunˈbolt *v/t.* aufriegeln, öffnen.

ˌunˈborn *adj.* **1.** (noch) ungeboren; **2.** *fig.* (zu)künftig, kommend.

ˌunˈbos·om *v/t. Gedanken*, *Gefühle etc.* enthüllen, offenˈbaren (***to*** *dat.*): ***~ o.s.*** (***to s.o.***) sich (j-m) offenbaren, (j-m) sein Herz ausschütten.

ˌunˈbound *adj.* ungebunden: a) broschiert (*Buch*), b) *fig.* frei.

ˌunˈbound·ed *adj.* □ **1.** unbegrenzt; **2.** *fig.* grenzen-, schrankenlos.

ˌunˈbrace *v/t.* **1.** *Gurte etc.* lösen, losschnallen; **2.** entspannen (*a. fig.*): ***~ o.s.*** sich entspannen.

ˌunˈbreak·a·ble *adj.* unzerbrechlich.

ˌunˈbrib·a·ble *adj.* unbestechlich.

ˌunˈbri·dled *adj.* **1.** ab-, ungezäumt; **2.** *fig.* ungezügelt, zügellos.

ˌunˈbro·ken *adj.* □ **1.** ungebrochen (*a. fig. Eid etc.*), unzerbrochen, ganz, heil; **2.** ˈununterˌbrochen, ungestört; **3.** nicht zugeritten (*Pferd*); **4.** unbeeinträchtigt; **5.** ✓ ungepflügt; **6.** ungebrochen: ***~ record.***

ˌunˈbroth·er·ly *adj.* unbrüderlich.

ˌunˈbuck·le *v/t.* auf-, losschnallen.

ˌunˈbuilt *adj.* **1.** (noch) nicht gebaut; **2.** *a.* ***~-on*** unbebaut (*Gelände*).

ˌunˈbur·den *v/t.* **1.** *bsd. fig.* entlasten, von e-r Last befreien, *Gewissen etc.* erleichtern: ***~ o.s.*** (***to s.o.***) (j-m) sein Herz ausschütten; **2.** a) *Geheimnis etc.* loswerden, b) *Sünden* bekennen, beichten: ***~ one's troubles to s.o.*** s-e Sorgen bei j-m abladen.

ˌunˈbur·ied *adj.* unbegraben.

ˌunˈburnt *adj.* **1.** unverbrannt; **2.** ⚙ ungebrannt (*Ziegel etc.*).

ˌunˈbur·y *v/t.* ausgraben (*a. fig.*).

ˌunˈbusi·ness·like *adj.* unkaufmännisch, nicht geschäftsmäßig.

ˌunˈbut·ton *v/t.* aufknöpfen; **ˌunˈbut·toned** *adj.* aufgeknöpft, *fig. a.* gelöst, zwanglos.

ˌunˈcalled *adj.* **1.** unaufgefordert; **2.** ☤ nicht aufgerufen; **ˌunˈcalled-for** *adj.* **1.** ungerufen, unerwünscht; unverlangt (*Sache*); **2.** unangebracht, unpassend: ***~ remarks.***

unˈcan·ny *adj.* □ unheimlich (*a. fig.*).

ˌunˈcared-for *adj.* **1.** unbeachtet; **2.** vernachlässigt; ungepflegt.

ˌunˈcase *v/t.* auspacken.

un·ceas·ing [ʌnˈsiːsɪŋ] *adj.* □ unaufhörlich.

ˈunˌcer·eˈmo·ni·ous *adj.* □ **1.** ungezwungen, zwanglos; **2.** a) unsanft, grob, b) unhöflich.

unˈcer·tain *adj.* □ **1.** unsicher, ungewiß, unbestimmt; **2.** nicht sicher: ***be ~ of s.th.*** e-r Sache nicht sicher *od.* gewiß sein; **3.** zweifelhaft, undeutlich, vage: ***an ~ answer***; **4.** unzuverlässig: ***an ~ friend***; **5.** unstet, unbeständig, veränderlich, launenhaft: ***~ temper***, ***~ weather***; **6.** unsicher, verunsichert; **unˈcer·tain·ty** [-tɪ] *s.* **1.** Unsicherheit *f*, Ungewißheit *f*; **2.** Zweifelhaftigkeit *f*; **3.** Unzuverlässigkeit *f*; **4.** Unbeständigkeit *f*.

ˌunˈcer·ti·fied *adj.* nicht bescheinigt, unbeglaubigt.

ˌunˈchain *v/t.* **1.** losketten; **2.** befreien (*a. fig.*).

ˌunˈchal·lenge·a·ble *adj.* □ unanfechtbar, unbestreitbar; **ˌunˈchal·lenged** *adj.* unbestritten, ˈunwiderˌsprochen, unangefochten.

un·change·a·ble [ˌʌnˈtʃeɪndʒəbl] *adj.* □ unveränderlich, unwandelbar; **unchanged** [ˌʌnˈtʃeɪndʒd] *adj.* unverändert; **ˌunˈchang·ing** [-dʒɪŋ] *adj.* □ unveränderlich.

ˌunˈcharged *adj.* **1.** nicht beladen; **2.** ⚖ nicht angeklagt; **3.** ⚡ nicht (auf)geladen; **4.** ungeladen (*Schußwaffe*); **5.** ☤ a) unbelastet (*Konto*), b) unberechnet.

ˌunˈchar·i·ta·ble *adj.* □ lieblos, hartherzig, unfreundlich.

ˌunˈchart·ed *adj.* auf keiner (Land)Karte verzeichnet, unbekannt, unerforscht (*a. fig.*).

ˌunˈchaste *adj.* ☐ unkeusch; **ˌunˈchas·ti·ty** *s.* Unkeuschheit *f.*

ˌunˈchecked *adj.* **1.** ungehindert, ungehemmt; **2.** unkontrolliert, ungeprüft.

ˌunˈchiv·al·rous *adj.* unritterlich, ˈungaˌlant.

ˌunˈchris·tened *adj.* ungetauft.

ˌunˈchris·tian *adj.* ☐ unchristlich.

un·ci·al [ˈʌnsɪəl] **I** *adj.* **1.** Unzial...; **II** *s.* **2.** Unziˈale *f* (*abgerundeter Großbuchstabe*); **3.** Unziˈalschrift *f.*

un·ci·form [ˈʌnsɪfɔːm] **I** *adj.* hakenförmig; **II** *s. anat.* Hakenbein *n.*

ˌunˈcir·cum·cised *adj.* unbeschnitten; **ˈunˌcir·cumˈci·sion** *s. bibl. die* Unbeschnittenen *pl.*, *die* Heiden *pl.*

ˌunˈciv·il *adj.* ☐ **1.** unhöflich, grob; **2.** *obs.* → **ˌunˈciv·i·lized** *adj.* unzivilisiert.

ˌunˈclaimed *adj.* **1.** nicht beansprucht, nicht geltend gemacht; **2.** nicht abgeholt *od.* abgehoben.

ˌunˈclasp *v/t.* **1.** lösen, auf-, loshaken, -schnallen; öffnen; **2.** loslassen.

ˌunˈclas·si·fied *adj.* **1.** nicht klassifiziert: **~ road** Landstraße *f*; **2.** ⚔ offen, nicht geheim.

un·cle [ˈʌŋkl] *s.* **1.** Onkel *m*: **cry ~** *Am.* F aufgeben; **2.** *sl.* Pfandleiher *m.*

ˌunˈclean *adj.* ☐ unrein (*a. fig.*).

ˌunˈclean·li·ness *s.* **1.** Unreinlichkeit *f*, Unsauberkeit *f*; **2.** *fig.* Unreinheit *f*; **ˌunˈclean·ly** *adj.* **1.** unreinlich; **2.** *fig.* unrein, unkeusch.

ˌunˈclench I *v/t.* **1.** *Faust* öffnen; **2.** *Griff* lockern; **II** *v/i.* **3.** sich öffnen *od.* lockern.

ˌunˈcloak *v/t.* **1.** *j-m* den Mantel abnehmen; **2.** *fig.* enthüllen, -larven.

un·close [ˌʌnˈkləʊz] **I** *v/t.* **1.** öffnen; **2.** *fig.* enthüllen; **II** *v/i.* **3.** sich öffnen.

ˌunˈclothe *v/t.* entkleiden, -blößen, -hüllen (*a. fig.*); **ˌunˈclothed** *adj.* unbekleidet.

ˌunˈcloud·ed *adj.* **1.** unbewölkt, wolkenlos; **2.** *fig.* ungetrübt.

un·co [ˈʌŋkəʊ] *Scot. od. dial.* **I** *adj.* ungewöhnlich, seltsam; **II** *adv.* äußerst, höchst: **the ~ guid** die ach so guten Menschen.

ˌunˈcock *v/t. Gewehr*(*hahn*) *etc.* entspannen.

ˌunˈcoil *v/t.* (*v/i.* sich) abwickeln *od.* abspulen *od.* aufrollen.

ˌun·colˈlect·ed *adj.* **1.** nicht (ein)gesammelt; **2.** ✝ (noch) nicht erhoben (*Gebühren*); **3.** *fig.* nicht gefaßt *od.* gesammelt.

ˌunˈcol·o(u)red *adj.* **1.** ungefärbt; **2.** *fig.* ungeschminkt, objekˈtiv.

un·come-at-a·ble [ˌʌnkʌmˈætəbl] *adj.* F unerreichbar; unzugänglich: **it's ~** ‚da ist nicht ranzukommen'.

ˌunˈcome·ly *adj.* **1.** unschön, reizlos; **2.** *obs.* unschicklich.

unˈcom·fort·a·ble *adj.* ☐ **1.** unangenehm, beunruhigend; **2.** unbehaglich, ungemütlich (*beide a. fig. Gefühl etc.*), unbequem: **~ silence** peinliche Stille; **3.** *fig.* unangenehm berührt.

ˌun·comˈmit·ted *adj.* **1.** nicht begangen (*Verbrechen etc.*); **2.** (*to*) nicht verpflichtet (zu), nicht gebunden (an *acc.*); **3.** ⚖ nicht inhaftiert *od.* eingewiesen; **4.** *parl.* nicht an e-n Ausschuß *etc.* verwiesen; **5.** *pol.* neuˈtral, blockfrei; **6.** nicht zweckgebunden: **~ funds.**

unˈcom·mon I *adj.* ☐ ungewöhnlich: a) selten, b) außergewöhnlich, -ordentlich; **II** *adv. obs.* äußerst, ungewöhnlich; **unˈcom·mon·ness** *s.* Ungewöhnlichkeit *f.*

ˌun·comˈmu·ni·ca·ble *adj.* **1.** nicht mitteilbar; **2.** ⚕ nicht ansteckend; **ˌun·comˈmu·ni·ca·tive** *adj.* ☐ nicht *od.* wenig mitteilsam, verschlossen.

ˌun·comˈpan·ion·a·ble *adj.* ungesellig, nicht ˈumgänglich.

ˌun·comˈpet·i·tive *adj.* nicht wettbewerbsfähig.

un·com·plain·ing [ˌʌnkəmˈpleɪnɪŋ] *adj.* ☐ klaglos, ohne Murren, geduldig; **ˌun·comˈplain·ing·ness** [-nɪs] *s.* Klaglosigkeit *f.*

ˌun·comˈplai·sant *adj.* ☐ ungefällig.

ˌun·comˈplet·ed *adj.* ˈunvollˌendet.

ˌunˈcom·pli·cat·ed *adj.* unkompliziert, einfach.

ˈunˌcom·pliˈmen·ta·ry *adj.* **1.** nicht *od.* wenig schmeichelhaft; **2.** unhöflich.

un·com·pro·mis·ing [ʌnˈkɒmprəmaɪzɪŋ] *adj.* ☐ **1.** komproˈmißlos; **2.** unbeugsam, unnachgiebig; **3.** *fig.* entschieden, eindeutig.

ˌun·conˈcealed *adj.* unverhohlen.

un·con·cern [ˌʌnkənˈsɜːn] *s.* **1.** Sorglosigkeit *f*, Unbekümmertheit *f*; **2.** Gleichgültigkeit *f*; **ˌun·conˈcerned** [-nd] *adj.* ☐ **1.** (*in*) unbeteiligt (an *dat.*), nicht verwickelt (in *acc.*); **2.** uninteressiert (*with* an *dat.*), gleichgültig; **3.** unbesorgt, unbekümmert (*about* um, wegen): **be ~ about** sich über *et.* keine Gedanken *od.* Sorgen machen; **ˌun·conˈcern·ed·ness** [-nɪdnɪs] → **unconcern.**

ˌun·conˈdi·tion·al *adj.* ☐ **1.** unbedingt, bedingungslos: **~ surrender** bedingungslose Kapitulation; **2.** uneingeschränkt, vorbehaltlos.

ˌun·conˈdi·tioned *adj.* **1.** → ***unconditional***; **2.** unbedingt: a) *phls.* absoˈlut, b) *psych.* angeboren: **~ reflex.**

ˌun·conˈfined *adj.* ☐ unbegrenzt, unbeschränkt.

ˌun·conˈfirmed *adj.* **1.** unbestätigt, nicht erhärtet, unverbürgt; **2.** *eccl.* a) nicht konfirmiert (*Protestanten*), b) nicht gefirmt (*Katholiken*).

ˌun·conˈgen·ial *adj.* ☐ **1.** ungleichartig, nicht kongeniˈal; **2.** nicht zusagend, unangenehm, ˈunsymˌpathisch (*to dat.*); **3.** unfreundlich.

ˌ**un·conˈnect·ed** *adj.* **1.** unverbunden, getrennt; **2.** ˈunzuˌsammenhängend; **3.** ungebunden, ohne Anhang; **4.** nicht verwandt.

un·con·quer·a·ble [ˌʌnˈkɒŋkərəbl] *adj.* ☐ ˈunüberˌwindlich (*a. fig.*), unbesiegbar; ˌ**unˈcon·quered** [-kəd] unbesiegt, nicht erobert.

ˈ**unˌcon·sciˈen·tious** *adj.* ☐ nicht gewissenhaft, nachlässig.

un·con·scion·a·ble [ʌnˈkɒnʃnəbl] *adj.* ☐ **1.** gewissen-, skrupellos; **2.** unvernünftig, nicht zumutbar; **3.** ‚unverschämt', unglaublich, eˈnorm.

unˈcon·scious I *adj.* ☐ **1.** unbewußt: ***be ~ of*** nichts ahnen von, sich *e-r Sache* nicht bewußt sein; **2.** ⚕ bewußtlos, ohnmächtig; **3.** unbewußt, unwillkürlich; unfreiwillig (*a. Humor*); **4.** unabsichtlich; **5.** *psych.* unbewußt; **II** *s.* **6.** ***the ~*** *psych.* das Unbewußte; **unˈcon·scious·ness** *s.* **1.** Unbewußtheit *f*; **2.** ⚕ Bewußtlosigkeit *f*.

ˌ**unˈcon·se·crat·ed** *adj.* ungeweiht.

ˌ**un·conˈsid·ered** *adj.* **1.** unberücksichtigt; **2.** unbedacht, ˈunüberˌlegt.

ˈ**unˌcon·stiˈtu·tion·al** *adj.* ☐ *pol.* verfassungswidrig.

ˌ**un·conˈstrained** *adj.* ☐ zwanglos, ungezwungen; ˌ**un·conˈstraint** *s.* Ungezwungenheit *f*, Zwanglosigkeit *f*.

ˌ**un·conˈtest·ed** *adj.* unbestritten, unangefochten: ***~ election*** *pol.* Wahl *f* ohne Gegenkandidaten.

ˈ**unˌcon·traˈdict·ed** *adj.* ˈunwiderˌsprochen, unbestritten.

ˌ**un·conˈtrol·la·ble** *adj.* ☐ **1.** unkontrollierbar; **2.** unbändig, unbeherrscht: ***an ~ temper***; ˌ**un·conˈtrolled** *adj.* ☐ **1.** nicht kontrolliert, unbeaufsichtigt; **2.** unbeherrscht, zügellos.

ˌ**un·conˈven·tion·al** *adj.* ☐ ˈunkonventioˌnell: a) unüblich, b) ungezwungen, form-, zwanglos; ˈ**un·conˌven·tionˈal·i·ty** *s.* Zwanglosigkeit *f*, Ungezwungenheit *f*.

ˌ**un·conˈvert·ed** *adj.* **1.** unverwandelt; **2.** *eccl.* unbekehrt (*a. fig. nicht überzeugt*); **3.** ⚚ nicht konvertiert; ˌ**un·conˈvert·i·ble** *adj.* **1.** nicht verwandelbar; **2.** nicht vertauschbar; **3.** ⚚ nicht konvertierbar.

ˌ**un·conˈvinced** *adj.* nicht überˈzeugt; ˌ**un·conˈvinc·ing** *adj.* nicht überˈzeugend.

ˌ**unˈcooked** *adj.* ungekocht, roh.

ˌ**unˈcord** *v/t.* auf-, losbinden.

ˌ**unˈcork** *v/t.* **1.** entkorken; **2.** *fig.* F *Gefühlen etc.* Luft machen; **3.** *Am.* F *et.* ‚vom Stapel lassen'.

ˌ**un·corˈrob·o·rat·ed** *adj.* unbestätigt, nicht erhärtet.

un·count·a·ble [ˌʌnˈkaʊntəbl] *adj.* **1.** unzählbar; **2.** zahllos; ˌ**unˈcount·ed** [-tɪd] *adj.* **1.** ungezählt; **2.** unzählig.

ˌ**unˈcouple** *v/t.* **1.** *Hunde etc.* aus der Koppel (los)lassen; **2.** loslösen, trennen; **3.** ⚙ aus-, loskuppeln.

un·couth [ʌnˈku:θ] *adj.* ☐ **1.** ungeschlacht, unbeholfen, plump; **2.** grob, ungehobelt; **3.** *poet.* öde, wild (*Gegend*); **4.** *obs.* wunderlich.

ˌ**unˈcov·e·nant·ed** *adj.* **1.** nicht vertraglich festgelegt; **2.** nicht vertraglich gebunden.

unˈcov·er I *v/t.* **1.** aufdecken, freilegen; *Körperteil, a. Kopf* entblößen: ***~ o.s.*** → 5; **2.** *fig.* aufdecken, enthüllen; **3.** ⚔ ohne Deckung lassen; **4.** *Boxen etc.*: ungedeckt lassen; **II** *v/i.* **5.** den Hut abnehmen; **unˈcov·ered** *adj.* **1.** unbedeckt (*a. barhäuptig*); **2.** unbekleidet, nackt; **3.** ⚔, *sport etc.* ungedeckt, ungeschützt; **4.** ⚚ ungedeckt (*Wechsel etc.*).

ˌ**unˈcrit·i·cal** *adj.* ☐ unkritisch, kriˈtiklos (***of*** gegenüber).

ˌ**unˈcross** *v/t. gekreuzte Arme od. Beine* geradelegen; ˌ**unˈcrossed** *adj.* nicht gekreuzt: ***~ cheque*** (*Am.* ***check***) ⚚ Barscheck *m*.

unc·tion [ˈʌŋkʃn] *s.* **1.** Salbung *f*, Einreibung *f*; **2.** ⚕ Salbe *f*; **3.** *eccl.* a) (heiliges) Öl, b) Salbung *f* (*Weihe*), c) *a.* ***extreme ~*** Letzte Ölung; **4.** *fig.* Balsam *m* (*Linderung, Trost*) (***to*** für); **5.** *fig.* Inbrunst *f*, Pathos *n*; **6.** *fig.* Salbung *f*, unechtes Pathos: ***with ~*** a) salbungsvoll, b) mit Genuß; ˈ**unc·tu·ous** [-ktjʊəs] *adj.* ☐ **1.** ölig, fettig: ***~ soil*** fetter Boden; **2.** *fig.* salbungsvoll, ölig.

ˌ**unˈcul·ti·vat·ed** *adj.* **1.** ⸗ unbebaut, unkultiviert; **2.** *fig.* brachliegend (*Talent etc.*); **3.** *fig.* ungebildet, unkultiviert.

ˌ**unˈcul·tured** *adj.* unkultiviert (*a. fig. ungebildet*).

ˌ**unˈcurbed** *adj.* **1.** abgezäumt; **2.** *fig.* ungezähmt, zügellos.

ˌ**unˈcured** *adj.* **1.** ungeheilt; **2.** ungesalzen, ungepökelt.

ˌ**unˈcurl** *v/t.* (*v/i.* sich) entkräuseln *od.* glätten.

ˌ**un·curˈtailed** *adj.* ungekürzt, unbeschnitten.

ˌ**unˈcut** *adj.* **1.** ungeschnitten; **2.** unzerschnitten; **3.** ⸗ ungemäht; **4.** ungeschliffen (*Diamant*); **5.** unbeschnitten (*Buch*); **6.** *fig.* ungekürzt.

ˌ**unˈdam·aged** *adj.* unbeschädigt, unversehrt.

ˌ**unˈdamped** *adj.* **1.** *bsd.* ♪, ⚡, *phys.* ungedämpft; **2.** unangefeuchtet; **3.** *fig.* nicht entmutigt.

un·date [ˈʌndeɪt] *adj.* wellig, wellenförmig.

un·dat·ed¹ [ˈʌndeɪtɪd] → ***undate.***

ˌ**unˈdat·ed²** *adj.* **1.** undatiert, ohne Datum; **2.** unbefristet.

un·daunt·ed [ˌʌnˈdɔːntɪd] *adj.* □ unerschrocken.

ˌ**un·deˈceive** *v/t.* **1.** *j-m* die Augen öffnen, *j-n* desillusioˈnieren; **2.** aufklären (***of*** über *acc.*), e-s Besser(e)n belehren; ˌ**un·deˈceived** *adj.* **1.** nicht irregeführt; **2.** aufgeklärt, e-s Besser(e)n belehrt.

ˌ**un·deˈcid·ed** *adj.* □ **1.** unentschieden, offen: ***leave s.th.*** **~**; **2.** unbestimmt, vage; **3.** unentschlossen; **4.** unbeständig (*Wetter*).

ˌ**un·deˈci·pher·a·ble** *adj.* **1.** nicht zu entziffern(d), nicht entzifferbar; **2.** unerklärlich, nicht enträtselbar.

ˌ**un·deˈclared** *adj.* **1.** nicht bekanntgemacht, nicht erklärt: **~** ***war*** Krieg *m* ohne Kriegserklärung; **2.** ✝ nicht deklariert.

ˌ**un·deˈfend·ed** *adj.* **1.** unverteidigt; **2.** ⚖ a) unverteidigt, ohne Verteidiger, b) ˈunwiderˌsprochen (*Klage*).

ˌ**un·deˈfiled** *adj.* unbefleckt, rein (*a. fig.*).

ˌ**un·deˈfin·a·ble** *adj.* undefinierbar, unbestimmt.

ˌ**un·deˈfined** *adj.* **1.** unbegrenzt; **2.** unbestimmt, vage.

ˌ**un·deˈmand·ing** *adj.* **1.** anspruchslos (*a. fig.*); **2.** leicht: **~** ***task.***

ˌ**un·deˈmon·stra·tive** *adj.* zuˈrückhaltend, reserviert, unaufdringlich.

ˌ**un·deˈni·a·ble** *adj.* □ unleugbar, unbestreitbar.

ˈ**un·deˌnom·iˈna·tion·al** *adj.* **1.** nicht konfessioˈnell gebunden; **2.** *ped.* interkonfessioˈnell, Gemeinschafts…, Simultan…: **~** ***school.***

un·der [ˈʌndə] **I** *prp.* **1.** *allg.* unter (*dat. od. acc.*); **2.** *Lage*: unter (*dat.*), ˈunterhalb von (*od. gen.*): ***from*** **~** ***…*** unter *dem Tisch etc.* hervor; ***get out from*** **~** *Am. sl.* a) sich herauswinden, b) den Verlust wettmachen; **3.** *Richtung*: unter (*acc.*); **4.** unter (*dat.*), am Fuße von (*od. gen.*); **5.** *zeitlich*: unter (*dat.*), während: **~** ***his rule***; **~** ***the Stuarts*** unter den Stuarts; **~** ***the date of*** unter dem Datum vom *1. Januar etc.*; **6.** unter *der Autorität, Führung etc.*: ***he fought*** **~** ***Wellington***; **7.** unter (*dat.*), unter dem Schutz von: **~** ***arms*** unter Waffen; **~** ***darkness*** im Schutz der Dunkelheit; **8.** unter (*dat.*), geringer als, weniger als: ***persons*** **~** ***40*** (***years of age***) Personen unter 40 (Jahren); ***in*** **~** ***an hour*** in weniger als ˈeiner Stunde; **9.** *fig.* unter (*dat.*): **~** ***alcohol*** unter Alkohol; **~** ***an assumed name*** unter e-m angenommenen Namen; **~** ***supervision*** unter Aufsicht; **10.** gemäß, laut, nach: **~** ***the terms of the contract***; ***claims*** **~** ***a contract*** Forderungen aus e-m Vertrag; **11.** in (*dat.*): **~** ***construction*** im Bau; **~** ***repair*** in Reparatur; **~** ***treatment*** ⚕ in Behandlung; **12.** bei: ***he studied physics*** **~** ***Maxwell***; **13.** mit: **~** ***s.o.'s signature*** mit j-s Unterschrift, (eigenhändig) unterzeichnet von j-m; **~** ***separate cover*** mit getrennter Post; **II** *adv.* **14.** darˈunter, unter; → ***go*** (***keep*** *etc.*) ***under***; **15.** unten: ***as*** **~** wie unten (angeführt); **III** *adj.* **16.** unter, Unter…; **17.** unter, nieder, ˈuntergeordnet, Unter…; **18.** *nur in Zssgn* ungenügend, zu gering: ***an*** **~*****dose***; ˌ**~ˈact** [-ərˈæ-] *v/t. u. v/i. thea. etc.* unterˈspielen, unterˈtreiben (*a. fig.*); ˌ**~·aˈchieve** [-ərə-] *v/i.* weniger leisten *od.* schlechter abschneiden als erwartet; ˌ**~ˈage** [-ərˈeɪ-] *adj.* minderjährig; ˈ**~ˌa·gent** [-ərˌeɪ-] *s.* ˈUntervertreter *m*; ˈ**~·arm** [-ərɑːm] **I** *adj.* **1.** Unterarm…; **2.** → ***underhand*** 2; **II** *adv.* **3.** mit e-r ˈUnterarmbewegung; ˌ**~ˈbid** *v/t.* [*irr.* → ***bid***] unterˈbieten; ˌ**~ˈbred** *adj.* unfein, ungebildet; ˈ**~·brush** *s.* ˈUnterholz *n*, Gestrüpp *n*; ˈ**~ˌcar·riage** *s.* **1.** ✈ Fahrwerk *n*; **2.** *mot. etc.* Fahrgestell *n*; **3.** ⚔ ˈUnterlaˌfette *f*; ˌ**~ˈcharge** **I** *v/t.* **1.** *j-m* zu wenig berechnen; **2.** *et.* zu gering berechnen; **3.** *Batterie etc.* unterˈladen; **4.** *Geschütz etc.* zu schwach laden; **II** *s.* **5.** zu geringe Berechnung *od.* Belastung; **6.** ungenügende (Auf)Ladung; ˈ**~·clothes** *s. pl.*, ˈ**~ˌcloth·ing** *s.* ˈUnterkleidung *f*, -wäsche *f*; ˈ**~·coat** *s.* **1.** ⚙, *paint.* Grundierung *f*; **2.** *zo.* Wollhaarkleid *n*; ˈ**~ˌcov·er** *adj.* **1.** Geheim…: **~** ***agent***, **~** ***man*** (*bsd.* eingeschleuster) Geheimagent, Spitzel *m*; ˈ**~·croft** *s.* ⛪ ˈunterirdisches Gewölbe, Krypta *f*; ˈ**~ˌcur·rent** *s.* ˈUnterströmung *f* (*a. fig.*); ˌ**~ˈcut** **I** *v/t.* [*irr.* → ***cut***] **1.** unterˈhöhlen; **2.** (im Preis) unterˈbieten; **3.** *Golf, Tennis etc.*: *Ball* mit ˈUnterschnitt spielen; **II** *s.* ˈ***undercut*** **4.** Unterˈhöhlung *f*; **5.** *Golf, Tennis etc.*: unterˈschnittener Ball; **6.** *Küche*: *Brit.* Fiˈlet *n*, zartes Lendenstück; ˌ**~·deˈvel·oped** *adj. phot. u. fig.* ˈunterentwickelt: **~** ***child***; **~** ***country*** Entwicklungsland *n*; ˈ**~·dog** *s. fig.* **1.** Verlierer *m*, Unterˈlegene(r *m*) *f*; **2.** a) *der* (soziˈal *etc.*) Schwächere *od.* Benachteiligte, b) *der* (zu Unrecht) Verfolgte; ˌ**~ˈdone** *adj.* nicht gar, nicht ˈdurchgebraten; ˈ**~·dose** ⚕ **I** *s.* **1.** zu geringe Dosis; **II** *v/t.* ˌ***underˈdose*** **2.** *j-m* e-e zu geringe Dosis geben; **3.** *et.* ˈunterdosieren; ˌ**~ˈdress** *v/t.* (*v/i.* sich) zu einfach kleiden; ˌ**~ˈes·ti·mate** [-ərˈestɪmeɪt] **I** *v/t.* unterˈschätzen; **II** *s.* [-mət] *a.* ˈ**~ˌes·tiˈma·tion** [-ərˌe-] Unterˈschätzung *f*; ˈUnterbewertung *f*; ˌ**~·exˈpose** [-dərɪ-] *v/t. phot.* ˈunterbelichten; ˌ**~·exˈpo·sure** [-dərɪ-] *s. phot.* ˈUnterbelichtung *f*; ˌ**~ˈfed** *adj.* ˈunterernährt; ˌ**~ˈfeed·ing** *s.* ˈUnterernährung *f*; ˌ**~ˈfoot** *adv.* **1.** unter den Füßen, unten, am Boden *zer-*

trampeln etc.; **2.** *fig.* in der Gewalt, unter Kon'trolle; **'~·frame** *s. mot. etc.* 'Untergestell *n*, Rahmen *m*; **'~ˌgar·ment** *s.* 'Unterkleid(ung *f*) *n*; *pl.* 'Unterwäsche *f*; **ˌ~'go** *v/t.* [*irr.* → ***go***] **1.** *e-n Wandel etc.* erleben, 'durchmachen; **2.** sich *e-r Operation etc.* unter'ziehen; **3.** erdulden; **ˌ~'grad·u·ate** *univ.* **I** *s.* Stu'dent(in); **II** *adj.* Studenten…; **'~·ground I** *s.* **1.** *bsd. Brit.* 'Untergrundbahn *f*, U-Bahn *f*; **2.** *pol.* 'Untergrund(bewegung *f*) *m*; **3.** *Kunst*: Underground *m*; **II** *adj.* **4.** 'unterirdisch: ***~ cable*** ⚙ Erdkabel *n*; ***~ car park***, ***~ garage*** Tiefgarage *f*; ***~ railway*** (*Am.* ***railroad***) → 1; ***~ water*** Grundwasser *n*; **5.** ⚒ unter Tag(e): ***~ mining*** Untertag(e)bau *m*; **6.** ⚙ Tiefbau…: ***~ engineering*** Tiefbau *m*; **7.** *fig.* Untergrund…, Geheim…, verborgen: ***~ movement*** *pol.* Untergrundbewegung *f*; **8.** *Kunst*: Underground…: ***~ film***; **III** *adv.* ***ˌunder'ground*** **9.** unter der *od.* die Erde, 'unterirdisch; **10.** *fig.* im verborgenen, geheim: ***go ~*** a) *pol.* in den Untergrund gehen, b) untertauchen; **'~·growth** *s.* 'Unterholz *n*, Gestrüpp *n*; **ˌ~'hand** *adj. u. adv.* **1.** *fig.* a) heimlich, verstohlen, b) 'hinterlistig; **2.** *sport* mit der Hand unter Schulterhöhe ausgeführt: ***~ service*** *Tennis*: Tiefaufschlag *m*; **ˌ~'hand·ed** *adj.* □ **1.** → ***underhand*** 1; **2.** ⚚ knapp an Arbeitskräften, 'unterbelegt; **ˌ~·in'sure** [-ərɪ-] *v/t.* (*v/i.* sich) 'unterversichern; **ˌ~'lay I** *v/t.* [*irr.* → ***lay***[1]] **1.** (dar)'unterlegen; **2.** *et.* unter'legen, stützen; **3.** *typ. Satz* zurichten; **II** *v/i.* **4.** ⚒ sich neigen, einfallen; **III** *s.* ***'underlay*** **5.** 'Unterlage *f*; **6.** *typ.* Zurichtebogen *m*; **7.** ⚒ schräges Flöz; **'~·lease** *s.* 'Unterverpachtung *f*, -miete *f*; **ˌ~'let** *v/t.* [*irr.* → ***let***[1]] **1.** unter Wert verpachten *od.* vermieten; **2.** 'unterverpachten, -vermieten; **ˌ~'lie** *v/t.* [*irr.* → ***lie***[2]] **1.** liegen unter (*dat.*); **2.** zu'grunde liegen (*dat.*); **3.** ⚚ unter'liegen (*dat.*), unter'worfen sein (*dat.*); **ˌ~'line I** *v/t.* **1.** unter'streichen (*a. fig. betonen*); **II** *s.* ***'underline*** **2.** Unter'streichung *f*; **3.** *thea.* (Vor)Ankündigung *f* am Ende e-s The'aterplaˌkats; **4.** 'Bildˌunterschrift *f*.

un·der·ling ['ʌndəlɪŋ] *s. contp.* Unter'gebene(r *m*) *f*, (kleiner) Handlanger, ‚Kuli' *m*.

ˌun·der|'ly·ing *adj.* **1.** dar'unterliegend; **2.** *fig.* zu'grundeliegend; **3.** ⚚ *Am.* Vorrangs…; **ˌ~'manned** [-'mænd] *adj.* a) ⚓ 'unterbemannt, b) (perso'nell) 'unterbesetzt; **ˌ~'men·tioned** *adj.* unten erwähnt; **ˌ~'mine** *v/t.* **1.** ⚙ untermi'nieren (*a. fig.*); **2.** unter'spülen, auswaschen; **3.** *fig.* unter'graben, (all'mählich) zu'grunde richten; **'~·most I** *adj.* unterst; **II** *adv.* zu'unterst.

un·der·neath [ˌʌndə'ni:θ] **I** *prp.* **1.** unter (*dat. od. acc.*), 'unterhalb (*gen.*); **II** *adv.* **2.** unten, dar'unter; **3.** auf der 'Unterseite.

ˌun·der|'nour·ished *adj.* 'unterernährt; **'~·pants** *s. pl.* 'Unterhose *f*; **'~·pass** *s.* ('Straßen- *etc.*)Unterˌführung *f*; **ˌ~'pay** *v/t.* [*irr.* → ***pay***] ⚚ 'unterbezahlen; **ˌ~'pin** *v/t.* ⚠ (unter)'stützen, unter'mauern (*beide a. fig.*); **ˌ~'pin·ning** *s.* **1.** ⚠ Unter'mauerung *f*, 'Unterbau *m* (*a. fig.*); **2.** F ‚Fahrgestell' *n* (*Beine*); **ˌ~'play** *v/t. u. v/i.* **1.** → ***underact***; **2.** ***~ one's hand*** *fig.* nicht alle Trümpfe ausspielen; **'~·plot** *s.* Nebenhandlung *f*, Epi'sode *f* (*Roman etc.*); **ˌ~'pop·u·lat·ed** *adj.* 'unterbevölkert; **ˌ~'print** *v/t.* **1.** *typ.* a) gegendrucken, b) zu schwach drucken; **2.** *phot.* 'unterkopieren; **ˌ~'priv·i·leged** *adj.* ⚚, *pol.* 'unterprivilegiert, schlechtergestellt; **ˌ~·pro'duc·tion** *s.* ⚚ 'Unterproduktiˌon *f*; **ˌ~'proof** *adj.* ⚚ 'unterproˌzentig (*Spirituosen*); **ˌ~'rate** *v/t.* **1.** unter'schätzen, 'unterbewerten (*a. sport*); **2.** ⚚ zu niedrig veranschlagen; **ˌ~·re'ac·tion** *s.* zu schwache Reakti'on; **'~·seal** *mot.* **I** *s.* 'Unterbodenschutz *m*; **II** *v/t.* mit Unterbodenschutz versehen; **ˌ~'score** *v/t.* unter'streichen (*a. fig. betonen*); **ˌ~'sec·re·tar·y** *s. pol.* 'Staatssekreˌtär *m*; **ˌ~'sell** *v/t.* [*irr.* → ***sell***] ⚚ **1.** *j-n* unter'bieten; **2.** *Ware* verschleudern, unter Wert verkaufen; **ˌ~'sexed** *adj.*: ***be ~*** e-n unterentwickelten Geschlechtstrieb haben; **'~·shirt** *s.* 'Unterhemd *n*; **ˌ~'shoot** *v/t.* [*irr.* → ***shoot***]: ***~ the runway*** ✈ vor der Landebahn aufsetzen; **'~·shot** *adj.* **1.** ⚙ 'unterschlächtig (*Wasserrad*); **2.** mit vorstehendem 'Unterkiefer; **ˌ~'signed I** *adj.* unter'zeichnet; **II** *s.*: ***the undersigned*** a) der (die) Unter'zeichnete, b) die Unter'zeichneten *pl.*; **ˌ~'size(d)** *adj.* **1.** unter Nor'malgröße; **2.** winzig; **'~·skirt** *s.* 'Unterrock *m*; **ˌ~'slung** *adj.* ⚙, *mot.* Hänge…(*-kühler etc.*), Unterzug…(*-rahmen*); unter'baut (*Feder etc.*); **'~·soil** *s.* 'Untergrund *m*; **ˌ~'staffed** *adj.* 'unterbesetzt.

un·der·stand [ˌʌndə'stænd] [*irr.* → ***stand***] **I** *v/t.* **1.** verstehen: a) begreifen, b) einsehen, c) *wörtlich etc.* auffassen, d) Verständnis haben für: ***~ each other*** *fig.* sich *od.* einander verstehen, *a.* zu e-r Einigung kommen; ***give s.o. to ~*** j-m zu verstehen geben; ***make o.s. understood*** sich verständlich machen; ***do I*** (*od.* ***am I to***) ***~ that …*** soll das etwa heißen, daß …; ***be it understood*** wohlverstanden; ***what do you ~ by …?*** was verstehen Sie unter (*dat.*)?; **2.** sich verstehen auf (*acc.*), wissen (***how to*** *inf.* wie man *et. macht*): ***he ~s horses*** er versteht sich auf Pferde; ***she ~s children*** sie kann mit Kindern umgehen; **3.** (als sicher) annehmen, vor'aus-

U

setzen: ***an understood thing*** e-e ausod. abgemachte Sache; ***that is understood*** das versteht sich (von selbst); ***it is understood that*** ⚖ es gilt als vereinbart, daß; **4.** erfahren, hören: ***I ~ ...*** wie ich höre; ***I ~ that*** ich hörte *od.* man sagte mir, daß; ***it is understood*** es heißt, wie verlautet; **5.** (***from***) entnehmen (*dat. od.* aus), schließen (aus); **6.** *bsd. ling.* sinngemäß ergänzen, hin'zudenken; **II** *v/i.* **7.** verstehen: a) begreifen, b) *fig.* (volles) Verständnis haben; **8.** Verstand haben; **9.** hören: ***..., so I ~*** wie ich höre; **ˌun·der'stand·a·ble** [-dəbl] *adj.* verständlich; **ˌun·der'stand·a·bly** [-dəblɪ] *adv.* verständlich(erweise); **ˌun·der'stand·ing** [-dɪŋ] **I** *s.* **1.** Verstehen *n*; **2.** Verstand *m*, Intelli'genz *f*; **3.** Verständnis *n* (***of*** für); **4.** *gutes etc.* Einvernehmen (***between*** zwischen); **5.** Verständigung *f*, Vereinbarung *f*, Über'einkunft *f*, Abmachung *f*: ***come to an ~ with s.o.*** zu e-r Einigung mit j-m kommen; **6.** Bedingung *f*: ***on the ~ that*** unter der Bedingung *od.* Voraussetzung, daß; **II** *adj.* ☐ **7.** verständig; **8.** verständnisvoll.

un·der|·state [ˌʌndə'steɪt] *v/t.* **1.** zu gering angeben; **2.** (bewußt) zu'rückhaltend darstellen, unter'treiben; **3.** abschwächen, mildern; **ˌ~'state·ment** *s.* **1.** zu niedrige Angabe; **2.** Unter'treibung *f*, Under'statement *n*; **ˌ~'steer** *v/i.* *Auto* unter'steuern; **'~ˌstrap·per** → ***underling***; **'~ˌstud·y** *thea.* **I** *v/t.* **1.** *Rolle* als zweite Besetzung einstudieren; **2.** für *e-n Schauspieler* einspringen; **II** *s.* **3.** zweite Besetzung; *fig.* Ersatzmann *m*; **ˌ~'take** *v/t.* [*irr.* → ***take***] **1.** *Aufgabe* über'nehmen, *Sache* auf sich *od.* in die Hand nehmen; **2.** *Reise etc.* unter'nehmen; **3.** *Risiko*, *Verantwortung etc.* über'nehmen, eingehen; **4.** sich erbieten, sich verpflichten (***to do*** zu tun); **5.** garantieren, sich verbürgen (***that*** daß); **'~ˌtak·er** *s.* Leichenbestatter *m*, Be'stattungsinstiˌtut *n*; **ˌ~'tak·ing** *s.* **1.** 'Übernahme *f e-r Aufgabe*; **2.** Unter'nehmung *f*, -'fangen *n*; **3.** ✝ Unter'nehmen *n*, Betrieb *m*: ***industrial ~***; **4.** Verpflichtung *f*; **5.** Garan'tie *f*; **6.** ***'underˌtaking*** Leichenbestattung *f*; **ˌ~'tenant** *s.* 'Untermieter(in), -pächter(in); **ˌ~-the-'count·er** *adj.* heimlich, dunkel, 'illeˌgal; **ˌ~'timed** *adj. phot.* 'unterbelichtet; **'~·tone** *s.* **1.** gedämpfter Ton, gedämpfte Stimme: ***in an ~*** halblaut; **2.** *fig.* 'Unterton *m*; *Börse*: Grundton *m*; **3.** gedämpfte Farbe; **'~·tow** *s.* ⚓ **1.** Sog *m*; **2.** 'Widersee *f*; **ˌ~'val·ue** *v/t.* unter'schätzen, 'unterbewerten, zu gering ansetzen; **'~·vest** *s. Brit.* 'Unterhemd *n*; **'~·wear** → ***underclothes***; **'~·weight** **I** *s.* 'Untergewicht *n*; **II** *adj.* ***ˌunder'weight*** 'untergewichtig: ***be ~*** Untergewicht haben; **'~·wood** *s.* 'Unterholz *n*, Gestrüpp *n* (*a. fig.*); **ˌ~'worked** *adj.* unterbeschäftigt, nicht ausgelastet; **'~·world** *s. allg.* 'Unterwelt *f*; **'~·write** *v/t.* [*irr.* → ***write***] **1.** a) *et.* da'runterschreiben, b) *fig. et.* unter'schreiben; **2.** ✝ a) *Versicherungspolice* unter'zeichnen, *Versicherung* über'nehmen, b) *et.* versichern, c) die Haftung über'nehmen für; **2.** *Aktienemission etc.* garantieren; **'~ˌwrit·er** *s.* ✝ **1.** Versicherer *m*, Versicherung(sgesellschaft) *f*; **2.** Mitglied *n e-s* Emissi'onskonˌsortiums; **3.** Ver'sicherungsaˌgent *m*; **'~ˌwrit·ing** *s.* ✝ **1.** (See)Versicherung(sgeschäft *n*) *f*; **2.** Emissi'onsgaranˌtie *f*: ***~ syndicate*** Emissionskonsortium *n*.

ˌun·de'served *adj.* unverdient; **ˌun·de'serv·ed·ly** [-ɪdlɪ] *adv.* unverdientermaßen; **ˌun·de'serv·ing** *adj.* ☐ unwert, unwürdig (***of*** *gen.*): ***be ~ of*** kein *Mitgefühl etc.* verdienen.

ˌun·de'signed *adj.* ☐ unbeabsichtigt, unabsichtlich; **ˌun·de'sign·ing** *adj.* ehrlich, aufrichtig.

'un·deˌsir·a'bil·i·ty *s.* Unerwünschtheit *f*; **ˌun·de'sir·a·ble** **I** *adj.* ☐ **1.** nicht wünschenswert; **2.** unerwünscht, lästig: ***~ alien***; **II** *s.* **3.** unerwünschte Per'son; **ˌun·de'sired** *adj.* unerwünscht, 'unwillˌkommen; **ˌun·de'sir·ous** *adj.* nicht begierig (***of*** nach): ***be ~ of*** *et.* nicht wünschen *od.* (haben) wollen.

ˌun·de'tach·a·ble *adj.* nicht (ab)trennbar *od.* abnehmbar.

ˌun·de'tect·ed *adj.* unentdeckt.

ˌun·de'ter·mined *adj.* **1.** unentschieden, schwebend, offen: ***an ~ question***; **2.** unbestimmt, vage; **3.** unentschlossen, unschlüssig.

ˌun·de'terred *adj.* nicht abgeschreckt, unbeeindruckt (***by*** von).

ˌun·de'vel·oped *adj.* **1.** unentwickelt; **2.** unerschlossen (*Gebiet*).

un·de·vi·at·ing [ʌn'diːvɪeɪtɪŋ] *adj.* ☐ **1.** nicht abweichend; **2.** unentwegt, unbeirrbar.

un·dies ['ʌndɪz] *s. pl.* F ('Damen-)ˌUnterwäsche *f*.

'unˌdif·fer'en·ti·at·ed *adj.* undifferenziert.

ˌun·di'gest·ed *adj.* unverdaut (*a. fig.*).

un'dig·ni·fied *adj.* würdelos.

ˌun·di'lut·ed *adj.* unverdünnt, *a. fig.* unverwässert, unverfälscht.

ˌun·di'min·ished *adj.* unvermindert.

ˌun·di'rect·ed *adj.* **1.** ungeleitet, führungslos, ungelenkt; **2.** unadressiert; **3.** *phys.* ungerichtet.

ˌun·dis'cerned *adj.* ☐ unbemerkt; **ˌun·dis'cern·ing** *adj.* ☐ urteils-, einsichtslos, unkritisch.

ˌun·dis'charged *adj.* **1.** unbezahlt; unbeglichen; **2.** (noch) nicht entlastet: ~

debtor; **3.** nicht abgeschossen (*Feuerwaffe*); **4.** nicht entladen (*Schiff etc.*).

un'dis·ci·plined *adj.* **1.** undiszipliniert, zuchtlos; **2.** ungeschult.

ˌun·dis'closed *adj.* ungenannt, geheimgehalten, nicht bekanntgegeben.

ˌun·dis'cour·aged *adj.* nicht entmutigt.

ˌun·dis'cov·er·a·ble *adj.* unauffindbar, nicht zu entdecken(d); **ˌun·dis'cov·ered** *adj.* **1.** unentdeckt; **2.** unbemerkt.

ˌun·dis'crim·i·nat·ing *adj.* ☐ **1.** unterschiedslos; **2.** urteilslos, unkritisch.

ˌun·dis'cussed *adj.* unerörtert.

ˌun·dis'guised *adj.* ☐ **1.** unverkleidet, unmaskiert; **2.** *fig.* unverhüllt.

ˌun·dis'mayed *adj.* unerschrocken.

ˌun·dis'posed *adj.* **1.** ~ ***of*** nicht verteilt *od.* vergeben, ✝ *a.* unverkauft; **2.** abgeneigt, nicht bereit *od.* (dazu) aufgelegt (***to do*** zu tun).

ˌun·dis'put·ed *adj.* ☐ unbestritten.

ˌun·dis'tin·guish·a·ble *adj.* ☐ **1.** nicht erkenn- *od.* wahrnehmbar; **2.** nicht unter'scheidbar, nicht zu unter'scheiden(d) (***from*** von); **ˌun·dis'tin·guished** *adj.* **1.** sich nicht unter'scheidend (***from*** von); **2.** 'durchschnittlich, nor'mal; **3.** → ***undistinguishable.***

ˌun·dis'turbed *adj.* ☐ **1.** ungestört; **2.** unberührt, gelassen.

ˌun·di'vid·ed *adj.* ☐ **1.** ungeteilt (*a. fig. Aufmerksamkeit etc.*); **2.** ✝ nicht verteilt: ~ ***profits.***

un·do [ˌʌn'du:] *v/t.* [*irr.* → ***do***] **1.** *Paket, Knoten, a. Kragen, Mantel etc.* aufmachen, öffnen; aufknöpfen, -knüpfen, -lösen; losbinden; *j-m* den Reißverschluß *etc.* aufmachen; *Saum etc.* auftrennen; → ***undone***; **2.** *fig.* ungeschehen *od.* rückgängig machen, aufheben; **3.** *fig. et. od. j-n* ruinieren, zu'grunde richten; *Hoffnungen etc.* zu'nichte machen; **ˌun'do·ing** *s.* **1.** *das* Aufmachen *etc.*; **2.** Ungeschehen-, Rückgängigmachen *n*; **3.** Zu'grunderichtung *f*; **4.** Unglück *n*, Verderben *n*, Ru'in *m*; **ˌun'done I** *p.p. von* ***undo***; **II** *adj.* **1.** ungetan, unerledigt: ***leave s.th.*** ~ et. unausgeführt lassen, et. unterlassen; ***leave nothing*** ~ nichts unversucht lassen; **2.** offen: ***come*** ~ aufgehen; **3.** ruiniert, ‚erledigt', ‚hin': ***he is*** ~ es ist aus mit ihm.

un·doubt·ed [ʌn'daʊtɪd] *adj.* ☐ unbezweifelt, unbestritten; unzweifelhaft; **un'doubt·ed·ly** [-lɪ] *adv.* zweifellos, ohne (jeden) Zweifel.

un·dreamed, *a.* **un·dreamt** [*beide* ʌn'dremt] *adj. oft* ~***-of*** ungeahnt, nie erträumt, unerhört.

ˌun'dress I *v/t.* **1.** (*v/i.* sich) entkleiden *od.* ausziehen; **II** *s.* **2.** Alltagskleid(ung *f*) *n*; **3.** Hauskleid *n*; **4.** ***in a state of*** ~ a) halb bekleidet, im Negligé, b) unbekleidet; **5.** ⚔ 'Interimsuniˌform *f*; **ˌun'dressed** *adj.* **1.** unbekleidet; **2.** *Küche*: a) ungarniert, b) unzubereitet; **3.** ⚙ a) ungegerbt (*Leder*), b) unbehauen (*Holz, Stein*); **4.** ⚕ unverbunden (*Wunde etc.*).

ˌun'drink·a·ble *adj.* nicht trinkbar.

ˌun'due *adj.* (☐ → ***unduly***) **1.** 'übermäßig, über'trieben; **2.** ungehörig, unangebracht, ungebührlich; **3.** *bsd.* ⚖ unzulässig: ~ ***influence*** unzulässige Beeinflussung; **4.** ✝ noch nicht fällig.

un·du·late ['ʌndjʊleɪt] **I** *v/i.* **1.** wogen, wallen, sich wellenförmig (fort)bewegen; **2.** wellenförmig verlaufen; **II** *v/t.* **3.** in wellenförmige Bewegung versetzen, wogen lassen; **4.** wellen; **III** *adj.* ☐ **5.** → **'un·du·lat·ed** [-tɪd] *adj.* wellenförmig, wellig, Wellen…: ~ ***line*** Wellenlinie *f*; **'un·du·lat·ing** [-tɪŋ] *adj.* ☐ **1.** → ***undulated***; **2.** wallend, wogend; **un·du·la·tion** [ˌʌndjʊ'leɪʃn] *s.* **1.** wellenförmige Bewegung; Wallen *n*, Wogen *n*; **2.** *geol.* Welligkeit *f*; **3.** *phys.* Wellenbewegung *f*, -linie *f*; **4.** *phys.* Schwingung(sbewegung) *f*; **5.** ⚕ Undulati'on *f*; **'un·du·la·to·ry** [-lətrɪ] *adj.* wellenförmig, Wellen…

ˌun'du·ly *adv. von* ***undue*** 1–3: ***not*** ~ ***worried*** nicht übermäßig *od.* über Gebühr besorgt.

ˌun'du·ti·ful *adj.* ☐ **1.** pflichtvergessen; **2.** ungehorsam; **3.** unehrerbietig.

un'dy·ing *adj.* ☐ **1.** unsterblich, unvergänglich (*Liebe, Ruhm etc.*); **2.** unendlich (*Haß etc.*).

ˌun'earned *adj.* unverdient, nicht erarbeitet: ~ ***income*** ✝ Einkommen *n* aus Vermögen, Kapitaleinkommen *n*.

ˌun'earth *v/t.* **1.** *Tier* aus der Höhle treiben; **2.** ausgraben (*a. fig.*); **3.** *fig. et.* ans (Tages)Licht bringen, aufstöbern, ausfindig machen.

un'earth·ly *adj.* **1.** 'überirdisch; **2.** unirdisch, 'übernaˌtürlich; **3.** schauerlich, unheimlich; **4.** F unmöglich (*Zeit*): ***at an*** ~ ***hour.***

un'eas·i·ness *s.* **1.** (*körperliches u. geistiges*) Unbehagen; **2.** (innere) Unruhe; **3.** Unbehaglichkeit *f e-s Gefühls etc.*; **4.** Unsicherheit *f*; **un'eas·y** *adj.* ☐ **1.** unruhig, unbehaglich, besorgt, ner'vös: ***feel*** ~ ***about s.th.*** über et. beunruhigt sein; **2.** unbehaglich (*Gefühl*), beunruhigend (*Verdacht etc.*); **3.** unruhig: ~ ***night***; **4.** unsicher (*im Sattel etc.*); **5.** gezwungen, unsicher (*Benehmen etc.*).

ˌun'eat·a·ble *adj.* ungenießbar.

'unˌe·co'nom·ic, 'unˌe·co'nom·i·cal *adj.* ☐ unwirtschaftlich.

ˌun'ed·i·fy·ing *adj. fig.* wenig erbaulich, unerquicklich.

ˌun'ed·u·cat·ed *adj.* ungebildet.

ˌun·em'bar·rassed *adj.* **1.** nicht verlegen, ungeniert; **2.** unbehindert; **3.** von

(Geld)Sorgen frei.

ˌ**un·eˈmo·tion·al** *adj.* □ **1.** leidenschaftslos, nüchtern; **2.** teilnahmslos, passiv, kühl; **3.** gelassen.

ˌ**un·emˈploy·a·ble I** *adj.* **1.** nicht verwendbar, unbrauchbar; **2.** arbeitsunfähig (*Person*); **II** *s.* **3.** Arbeitsunfähige(r *m*) *f*; ˌ**un·emˈployed I** *adj.* **1.** arbeits-, erwerbs-, stellungslos; **2.** ungenützt, brachliegend: **~ *capital*** ✝ totes Kapital; **II** *s.* **3. *the* ~** *pl.* die Arbeitslosen *pl.*; ˌ**~·emˈploy·ment** *s.* Arbeitslosigkeit *f*: **~ *benefit*** Arbeitslosenunterstützung *f*; **~ *insurance*** Arbeitslosenversicherung *f*; **~ *rate*** Arbeitslosenquote *f*.

ˌ**un·enˈcum·bered** *adj.* **1.** ⚖ unbelastet (*Grundbesitz*); **2.** (***by***) unbehindert (durch), frei (von).

unˈend·ing *adj.* □ endlos, nicht enden wollend, unaufhörlich.

ˌ**un·enˈdowed** *adj.* **1.** nicht ausgestattet (***with*** mit); **2.** nicht dotiert (***with*** mit), ohne Zuschuß; **3.** nicht begabt (***with*** mit).

ˌ**un·enˈdur·a·ble** *adj.* □ unerträglich.

ˌ**un·enˈgaged** *adj.* frei: a) nicht gebunden *od.* verpflichtet, b) nicht verlobt, c) unbeschäftigt.

ˌ**un-ˈEng·lish** *adj.* unenglisch.

ˌ**un·enˈlight·ened** *adj. fig.* **1.** unerleuchtet; **2.** unaufgeklärt.

ˌ**unˈen·ter·pris·ing** *adj.* □ nicht *od.* wenig unterˈnehmungslustig, ohne Unterˈnehmungsgeist.

ˌ**unˈen·vi·a·ble** *adj.* □ nicht zu beneiden(d), wenig beneidenswert.

ˌ**unˈe·qual** *adj.* □ **1.** ungleich (*a. Kampf*), ˈunterschiedlich; **2.** nicht gewachsen (***to*** *dat.*); **3.** ungleichförmig; ˌ**unˈe·qual(l)ed** *adj.* **1.** unerreicht, ˈunüberˌtroffen (***by*** von, ***for*** in *od.* an *dat.*); **2.** beispiellos, *nachgestellt*: ohneˈgleichen: **~ *ignorance.***

ˌ**un·eˈquiv·o·cal** *adj.* □ **1.** unzweideutig, eindeutig; **2.** aufrichtig.

ˌ**unˈerr·ing** *adj.* □ unfehlbar, untrüglich.

ˌ**un·esˈsen·tial I** *adj.* unwesentlich, unwichtig; **II** *s.* Nebensache *f*.

ˌ**unˈe·ven** *adj.* □ **1.** uneben: **~ *ground*;** **2.** ungerade (*Zahl*); **3.** ungleich(mäßig, -artig); **4.** unausgeglichen (*Charakter etc.*); ˌ**unˈe·ven·ness** *s.* Unebenheit *f etc.*

ˌ**un·eˈvent·ful** *adj.* □ ereignislos: ***be* ~** *a.* ohne Zwischenfälle verlaufen.

ˌ**un·exˈam·pled** *adj.* beispiellos, unvergleichlich, *nachgestellt*: ohneˈgleichen: ***not* ~** nicht ohne Beispiel.

un·ex·celled [ˌʌnɪkˈseld] *adj.* ˈunüberˌtroffen.

ˌ**un·exˈcep·tion·a·ble** *adj.* □ untadelig, einwandfrei.

ˌ**un·exˈcep·tion·al** *adj.* □ **1.** nicht außergewöhnlich; **2.** ausnahmslos; **3.** → ***unexceptionable.***

ˌ**un·exˈcit·ing** *adj.* nicht *od.* wenig aufregend.

un·ex·pect·ed [ˌʌnɪkˈspektɪd] *adj.* □ unerwartet, unvermutet.

ˌ**un·exˈpired** *adj.* (noch) nicht abgelaufen *od.* verfallen (*Frist etc.*), noch in Kraft.

ˌ**un·exˈplain·a·ble** *adj.* unerklärlich; ˌ**un·exˈplained** *adj.* unerklärt.

ˌ**un·exˈplored** *adj.* unerforscht.

ˌ**un·exˈpressed** *adj.* unausgesprochen.

ˌ**unˈex·pur·gat·ed** *adj.* nicht gereinigt, ungekürzt (*Bücher etc.*).

unˈfad·ing *adj.* □ **1.** unverwelklich (*a. fig.*); **2.** *fig.* unvergänglich; **3.** nicht verblassend (*Farbe*).

unˈfail·ing *adj.* □ **1.** unfehlbar; **2.** nie versagend; **3.** treu; **4.** unerschöpflich, unversiegbar.

ˌ**unˈfair** *adj.* □ unfair: a) unbillig, ungerecht, b) unehrlich, *bsd.* ✝ unlauter, c) nicht anständig, d) unsportlich (*alle* ***to*** gegenˈüber): **~ *competition*** unlauterer Wettbewerb; **~ *dismissal*** ungerechtfertigte Entlassung; ˌ**unˈfair·ly** *adv.* **1.** unfair, unbillig(erweise) *etc.*; zu Unrecht: ***not* ~** nicht zu Unrecht; **2.** ˈübermäßig; ˌ**unˈfair·ness** *s.* Unfairneß *f*, Ungerechtigkeit *f etc.*

ˌ**unˈfaith·ful** *adj.* □ **1.** un(ge)treu, treulos; **2.** unaufrichtig; **3.** nicht wortgetreu, ungenau (*Abschrift*, *Übersetzung*); ˌ**unˈfaith·ful·ness** *s.* Untreue *f*, Treulosigkeit *f*.

unˈfal·ter·ing *adj.* □ **1.** nicht schwankend, sicher (*Schritt etc.*); **2.** fest (*Stimme*, *Blick*); **3.** *fig.* unbeugsam, entschlossen.

ˌ**un·faˈmil·iar** *adj.* □ **1.** nicht vertraut, unbekannt (***to*** *dat.*); **2.** ungewohnt, fremd (***to*** *dat. od.* für).

ˌ**unˈfash·ion·a·ble** *adj.* □ ˈunmoˌdern, altmodisch.

ˌ**unˈfas·ten I** *v/t.* aufmachen, losbinden, lösen, öffnen; **II** *v/i.* sich lösen, aufgehen; ˌ**unˈfas·tened** *adj.* unbefestigt, lose.

ˌ**unˈfa·ther·ly** *adj.* unväterlich, lieblos.

un·fath·om·a·ble [ʌnˈfæðəməbl] *adj.* □ unergründlich (*a. fig.*); ˌ**unˈfath·omed** *adj.* unergründet.

ˌ**unˈfa·vo(u)r·a·ble** *adj.* □ **1.** unvorteilhaft (*a. Aussehen*), ungünstig (***for***, ***to*** für); widrig (*Wetter*, *Umstände etc.*); **2.** ✝ passiv (*Zahlungsbilanz etc.*); ˌ**unˈfa·vo(u)r·a·ble·ness** *s.* Unvorteilhaftigkeit *f*.

ˌ**unˈfea·si·ble** *adj.* unausführbar.

un·feel·ing [ʌnˈfiːlɪŋ] *adj.* □ gefühllos; **unˈfeel·ing·ness** [-nɪs] *s.* Gefühllosigkeit *f*.

unˈfeigned *adj.* □ **1.** ungeheuchelt, **2.** wahr, echt.

ˌ**unˈfelt** *adj.* ungefühlt.

ˌ**un·fer'ment·ed** *adj.* ungegoren.

ˌ**un'fet·ter** *v/t.* **1.** losketten; **2.** *fig.* befreien; ˌ**un'fet·tered** *adj. fig.* unbehindert, unbeschränkt, frei.

ˌ**un'fil·i·al** *adj.* □ lieb-, re'spektlos, pflichtvergessen (*Kind*).

ˌ**un'filled** *adj.* **1.** un(aus)gefüllt; **2.** unbesetzt (*Posten, Stelle*); **3.** ***~ orders*** ✝ nicht ausgeführte Bestellungen, Auftragsbestand *m*.

ˌ**un'fin·ished** *adj.* **1.** unfertig (*a. fig. Stil etc.*); ⚙ unbearbeitet; **2.** 'unvollˌendet (*Symphonie etc.*); **3.** unerledigt: ***~ business*** *parl.* unerledigte Punkte *pl.* (*der Geschäftsordnung*).

ˌ**un'fit I** *adj.* □ **1.** untauglich (*a.* ⚔), ungeeignet (***for*** für, zu): ***~ for*** (***military***) ***service*** (wehr)dienstuntauglich; **2.** unfähig, unbefähigt (***for*** zu *et.*, ***to do*** zu tun); **II** *v/t.* **3.** ungeeignet *etc.* machen (***for*** für); ˌ**un'fit·ness** *s.* Untauglichkeit *f*; ˌ**un'fit·ted** *adj.* **1.** ungeeignet, untauglich; **2.** nicht (gut) ausgerüstet (***with*** mit); ˌ**un'fit·ting** *adj.* □ **1.** ungeeignet, unpassend; **2.** unschicklich.

ˌ**un'fix** *v/t.* losmachen, lösen: ***~ bayonets!*** ⚔ Seitengewehr an Ort!; ˌ**un'fixed** *adj.* **1.** unbefestigt, lose; **2.** *fig.* schwankend.

ˌ**un'flag·ging** *adj.* □ unermüdlich.

ˌ**un'flap·pa·ble** *adj.* F unerschütterlich, nicht aus der Ruhe zu bringen.

ˌ**un'flat·ter·ing** *adj.* □ **1.** nicht *od.* wenig schmeichelhaft; **2.** ungeschminkt.

ˌ**un'fledged** *adj.* **1.** *orn.* ungefiedert, (noch) nicht flügge; **2.** *fig.* unreif.

un·flinch·ing [ʌn'flɪntʃɪŋ] *adj.* □ **1.** unerschütterlich, unerschrocken; **2.** entschlossen, unnachgiebig.

un·fly·a·ble [ˌʌn'flaɪəbl] *adj.* ✈ **1.** fluguntüchtig; **2.** ***~ weather*** kein Flugwetter.

ˌ**un'fold I** *v/t.* **1.** entfalten, ausbreiten, öffnen; **2.** *fig.* a) enthüllen, darlegen, b) entwickeln; **II** *v/i.* **3.** sich entfalten *od.* öffnen; **4.** *fig.* sich entwickeln.

ˌ**un'forced** *adj.* □ ungezwungen.

ˌ**un·fore'see·a·ble** *adj.* 'unvorˌhersehbar; ˌ**un·fore'seen** *adj.* 'unvorˌhergesehen, unerwartet.

un·for·get·ta·ble [ˌʌnfə'getəbl] *adj.* □ unvergeßlich: ***of ~ beauty.***

un·for·giv·a·ble [ˌʌnfə'gɪvəbl] *adj.* unverzeihlich; ˌ**un·for'giv·en** *adj.* unverziehen; ˌ**un·for'giv·ing** *adj.* □ unversöhnlich, nachtragend.

ˌ**un·for'got·ten** *adj.* unvergessen.

ˌ**un'formed** *adj.* **1.** ungeformt, formlos; **2.** unfertig, unentwickelt; unausgebildet.

un'for·tu·nate I *adj.* □ **1.** unglücklich, Unglücks...; verhängnisvoll, un(glück)selig; **2.** bedauerlich; **II** *s.* **3.** Unglückliche(r *m*) *f*; **un'for·tu·nate·ly** *adv.* unglücklicherweise, bedauerlicherweise, leider.

ˌ**un'found·ed** *adj.* □ unbegründet, grundlos.

ˌ**un'freeze** *v/t.* **1.** auftauen; **2.** ✝ *Preise etc.* freigeben; **3.** *Gelder* zur Auszahlung freigeben.

ˌ**un·fre'quent·ed** *adj.* **1.** nicht *od.* wenig besucht; **2.** einsam.

ˌ**un'friend·ed** *adj.* ohne Freund(e).

ˌ**un'friend·li·ness** *s.* Unfreundlichkeit *f*; ˌ**un'friend·ly** *adj.* **1.** unfreundlich (*a. fig. Zimmer etc.*) (***to*** zu); **2.** ungünstig (***for, to*** für).

ˌ**un'frock** *v/t. eccl. j-m* das Priesteramt entziehen.

ˌ**un'fruit·ful** *adj.* □ **1.** unfruchtbar; **2.** *fig.* frucht-, ergebnislos; ˌ**un'fruit·ful·ness** *s.* **1.** Unfruchtbarkeit *f*; **2.** *fig.* Fruchtlosigkeit *f*.

ˌ**un'fund·ed** *adj.* ✝ unfundiert.

ˌ**un'furl I** *v/t. Fahne etc.* entfalten, -rollen; *Fächer* ausbreiten; ⚓ *Segel* losmachen; **II** *v/i.* sich entfalten.

ˌ**un'fur·nished** *adj.* **1.** nicht ausgerüstet *od.* versehen (***with*** mit); **2.** unmöbliert: ***~ room.***

un·gain·li·ness [ʌn'geɪnlɪnɪs] *s.* Plumpheit *f*, Unbeholfenheit *f*; **un·gain·ly** [ʌn'geɪnlɪ] *adj.* unbeholfen, plump, linkisch.

ˌ**un'gal·lant** *adj.* □ **1.** 'ungaˌlant (***to*** zu, gegenüber); **2.** nicht tapfer.

ˌ**un'gear** *v/t.* ⚙ auskuppeln.

ˌ**un'gen·er·ous** *adj.* □ **1.** nicht freigebig, knauserig; **2.** kleinlich.

ˌ**un'gen·ial** *adj.* unfreundlich.

ˌ**un'gen·tle** *adj.* □ unsanft, unzart.

un'gen·tle·man·like → ***ungentlemanly***; **un'gen·tle·man·li·ness** *s.* **1.** unfeine Art; **2.** ungebildetes *od.* unfeines Benehmen; **un'gen·tle·man·ly** *adj.* unfein.

un-get-at-a·ble [ˌʌnget'ætəbl] *adj.* unnahbar.

ˌ**un'gird** *v/t.* losgürten.

ˌ**un'glazed** *adj.* **1.** unverglast; **2.** unglasiert.

ˌ**un'gloved** *adj.* ohne Handschuh(e).

ˌ**un'god·li·ness** *s.* Gottlosigkeit *f*; ˌ**un'god·ly** *adj.* **1.** gottlos (*a. weitS. verrucht*); **2.** F scheußlich, schrecklich, heillos.

un·gov·ern·a·ble [ˌʌn'gʌvənəbl] *adj.* □ **1.** unlenksam; **2.** zügellos, unbändig, wild; ˌ**un'gov·erned** *adj.* unbeherrscht.

ˌ**un'grace·ful** *adj.* □ 'ungraziˌös, ohne Anmut; plump, ungelenk.

ˌ**un'gra·cious** *adj.* □ ungnädig.

ˌ**un·gram'mat·i·cal** *adj.* □ *ling.* 'ungramˌmatisch.

un'grate·ful *adj.* □ undankbar (***to*** gegen) (*a. fig. unangenehm*); **un'grate·ful·ness** *s.* Undankbarkeit *f*.

ˌ**un'grat·i·fied** *adj.* unbefriedigt.

ˌ**un'ground·ed** *adj.* □ **1.** unbegründet;

2. a) ungeschult, b) ohne sichere Grundlagen (*Wissen*).

ˌun'grudg·ing *adj.* □ **1.** bereitwillig; **2.** neidlos, großzügig: ***be ~ in*** reichlich *Lob etc.* spenden.

un·gual ['ʌŋgwəl] *adj. zo.* Nagel..., Klauen..., Huf...

ˌun'guard·ed *adj.* □ **1.** unbewacht (*a. fig. Moment etc.*); *a.* ⚙ ungeschützt; *a. sport, Schach*: ungedeckt; **2.** unbedacht.

un·guent ['ʌŋgwənt] *s.* Salbe *f.*

ˌun'guid·ed *adj.* **1.** ungeleitet, führer-, führungslos; **2.** nicht (fern)gelenkt.

un·gu·late ['ʌŋgjʊleɪt] *zo.* **I** *adj.* hufförmig; mit Hufen; Huf...: ***~ animal*** → **II** *s.* Huftier *n.*

ˌun'hal·lowed *adj.* **1.** nicht geheiligt, ungeweiht; **2.** unheilig, pro'fan.

ˌun'ham·pered *adj.* ungehindert.

ˌun'hand *v/t. obs. j-n* loslassen.

ˌun'hand·i·ness *s.* **1.** Unhandlichkeit *f*; **2.** Ungeschick(lichkeit *f*) *n.*

ˌun'hand·some *adj.* □ unschön (*a. fig. Benehmen etc.*).

ˌun'hand·y *adj.* □ **1.** unhandlich (*Sache*); **2.** unbeholfen, ungeschickt.

un'hap·pi·ly *adv.* unglücklicherweise, leider; **un'hap·pi·ness** *s.* Unglück(seligkeit *f*) *n*, Elend *n*; **un'hap·py** *adj.* □ unglücklich: a) traurig, elend, b) un(glück)selig, unheilvoll, c) unpassend, ungeschickt (*Bemerkung etc.*).

ˌun'harmed *adj.* unversehrt.

ˌun·har'mo·ni·ous *adj.* 'unharˌmonisch (*a. fig.*).

ˌun'har·ness *v/t. Pferd* ausspannen.

un'health·i·ness *s.* Ungesundheit *f*; **un'health·y** *adj.* □ *allg.* ungesund: a) kränklich (*a. Aussehen etc.*), b) gesundheitsschädlich, c) (*moralisch*) schädlich, d) F gefährlich, e) *fig.* krankhaft.

ˌun'heard *adj.* **1.** ungehört: ***go ~*** unbeachtet bleiben; **2.** ⚖ ohne rechtliches Gehör; **ˌun'heard-of** *adj.* unerhört, beispiellos.

un·heed·ed [ˌʌn'hi:dɪd] *adj.* □ unbeachtet: ***go ~*** unbeachtet bleiben; **ˌun'heed·ful** *adj.* □ unachtsam, sorglos; nicht achtend (***of*** auf *acc.*); **ˌun'heed·ing** [-dɪŋ] *adj.* □ sorglos, unachtsam.

ˌun'help·ful *adj.* □ **1.** nicht hilfreich, ungefällig; **2.** (***to***) nutzlos (für), wenig dienlich (*dat.*).

un·hes·i·tat·ing [ʌn'hezɪteɪtɪŋ] *adj.* □ **1.** ohne Zaudern *od.* Zögern, unverzüglich; **2.** anstandslos, bereitwillig, *adv. a.* ohne weiteres.

ˌun'hin·dered *adj.* ungehindert.

ˌun'hinge *v/t.* **1.** *Tür etc.* aus den Angeln heben (*a. fig.*); **2.** die Angeln entfernen von; **3.** *fig. Nerven, Geist* zerrütten; **4.** *fig. j-n* aus dem Gleichgewicht bringen.

ˌun·his'tor·ic, **ˌun·his'tor·i·cal** *adj.* □ **1.** 'unhiˌstorisch; **2.** ungeschichtlich, legen'där.

ˌun'hitch *v/t.* **1.** loshaken, -machen; **2.** *Pferd* ausspannen.

ˌun'ho·ly *adj.* □ **1.** unheilig; **2.** ungeheiligt, nicht geweiht; **3.** gott-, ruchlos; **4.** F a) scheußlich, schrecklich, b) ‚unmöglich' (*Zeit*).

ˌun'hon·o(u)red *adj.* **1.** ungeehrt; unverehrt; **2.** ✝ nicht honoriert.

ˌun'hook I *v/t.* auf-, loshaken; **II** *v/i.* sich auf- *od.* loshaken (lassen).

un'hoped, **un'hoped-for** *adj.* unverhofft, unerwartet.

ˌun'horse *v/t.* aus dem Sattel heben *od.* werfen.

ˌun'house *v/t.* **1.** (aus dem Hause) vertreiben; **2.** obdachlos machen.

ˌun'hur·ried *adj.* □ gemütlich, gemächlich.

ˌun'hurt *adj.* **1.** unverletzt; **2.** unbeschädigt.

u·ni·cel·lu·lar [ˌju:nɪ'seljʊlə] *adj. biol.* einzellig: ***~ animal***, ***~ plant*** Einzeller *m.*

u·ni·col·o(u)r [ˌju:nɪ'kʌlə], **ˌu·ni'col·o(u)red** [-əd] *adj.* einfarbig.

u·ni·corn ['ju:nɪkɔ:n] *s.* Einhorn *n.*

un·i·de·aed [ˌʌnaɪ'dɪəd] *adj.* i'deenlos.

ˌun·i'den·ti·fied *adj.* nicht identifiziert, unbekannt: ***~ flying object*** unbekanntes Flugobjekt.

u·ni·di·men·sion·al [ˌju:nɪdɪ'menʃənl] *adj.* 'eindimensioˌnal.

u·ni·fi·ca·tion [ˌju:nɪfɪ'keɪʃn] *s.* **1.** Vereinigung *f*; **2.** Vereinheitlichung *f.*

u·ni·form ['ju:nɪfɔ:m] **I** *adj.* □ **1.** gleich(-förmig), uni'form; **2.** gleichbleibend, -mäßig, kon'stant; **3.** einheitlich, über'einstimmend, gleich, Einheits...; **4.** einförmig, -tönig; **II** *s.* **5.** Uni'form *f*, Dienstkleidung *f*; (Schwestern)Tracht *f*; **III** *v/t.* **6.** uniformieren (*a.* ⚔ *etc.*): ***~ed*** uniformiert, in Uniform; **u·ni·form·i·ty** [ju:nɪ'fɔ:mətɪ] *s.* **1.** Gleichförmigkeit *f*, -mäßigkeit *f*, Gleichheit *f*, Über'einstimmung *f*; **2.** Einheitlichkeit *f*; **3.** Einförmigkeit *f*, -tönigkeit *f.*

u·ni·fy ['ju:nɪfaɪ] *v/t.* **1.** verein(ig)en, zs.-schließen; **2.** vereinheitlichen.

u·ni·lat·er·al [ˌju:nɪ'lætərəl] *adj.* □ einseitig (*a.* ⚘ *u.* ⚖).

ˌun·il'lu·mi·nat·ed *adj.* **1.** unerleuchtet (*a. fig.*); **2.** *fig.* unwissend.

ˌun·im'ag·i·na·ble *adj.* □ unvorstellbar; **ˌun·im'ag·i·na·tive** *adj.* □ phantasielos, einfallslos; **ˌun·im'ag·ined** *adj.* ungeahnt.

ˌun·im'paired *adj.* unvermindert, unbeeinträchtigt, ungeschmälert.

ˌun·im'pas·sioned *adj.* leidenschaftslos.

ˌun·im'peach·a·ble *adj.* □ **1.** unanfechtbar; **2.** untad(e)lig.

ˌun·im'ped·ed *adj.* □ ungehindert.

ˌun·im'por·tant *adj.* unwichtig.

ˌun·im'pos·ing *adj.* nicht imponierend

od. impo'sant, eindruckslos.

ˌun·im'pres·sion·a·ble *adj.* nicht zu beeindrucken(d), (für Eindrücke) unempfänglich.

ˌun·im'pres·sive → ***unimposing.***

ˌun·in'flect·ed *adj. ling.* unflektiert.

ˌun'in·flu·enced *adj.* unbeeinflußt (***by*** durch, von); **'unˌin·flu'en·tial** *adj.* ohne Einfluß, nicht einflußreich.

ˌun·in'formed *adj.* **1.** (***on***) nicht informiert *od.* unter'richtet (über *acc.*), nicht eingeweiht (in *acc.*); **2.** ungebildet.

ˌun·in'hab·it·a·ble *adj.* unbewohnbar; **ˌun·in'hab·it·ed** *adj.* unbewohnt.

ˌun·in'i·ti·at·ed *adj.* uneingeweiht, nicht eingeführt (***into*** in *acc.*).

ˌun'in·jured *adj.* **1.** unverletzt; **2.** unbeschädigt.

ˌun·in'spired *adj.* schwunglos, ohne Feuer; **ˌun·in'spir·ing** *adj.* nicht begeisternd, wenig anregend.

ˌun·in'struct·ed *adj.* **1.** nicht unter'richtet, unwissend; **2.** nicht instruiert, ohne Verhaltensmaßregeln; **ˌun·in'struc·tive** *adj.* nicht *od.* wenig instruk'tiv *od.* lehrreich.

ˌun·in'sured *adj.* unversichert.

ˌun·in'tel·li·gent *adj.* □ 'unintelliˌgent, beschränkt, geistlos, dumm.

'un·inˌtel·li·gi'bil·i·ty *s.* Unverständlichkeit *f*; **ˌun·in'tel·li·gi·ble** *adj.* □ unverständlich.

ˌun·in'tend·ed *adj.*, **ˌun·in'ten·tion·al** *adj.* □ unbeabsichtigt, unabsichtlich, ungewollt.

ˌun'in·ter·est·ed *adj.* □ inter'esselos, uninteressiert (***in*** an *dat.*), gleichgültig; **ˌun'in·ter·est·ing** *adj.* □ 'uninteresˌsant.

'unˌin·ter'rupt·ed *adj.* □ 'ununterˌbrochen: a) ungestört (***by*** von), b) kontinuierlich, fortlaufend, anhaltend: ***~ working hours*** durchgehende Arbeitszeit.

ˌun·in'vit·ed *adj.* un(ein)geladen; **ˌun·in'vit·ing** *adj.* □ nicht *od.* wenig einladend *od.* verlockend *od.* anziehend.

un·ion ['ju:njən] *s.* **1.** *allg.* Vereinigung *f*, (*a. eheliche*) Verbindung; **2.** Eintracht *f*, Harmo'nie *f*; **3.** *pol.* Zs.-schluß *m*; **4.** *pol. etc.* Uni'on *f*: a) (Staaten-)Bund *m*, *z. B. die* U.S.A. *pl.*, b) Vereinigung *f*, (Zweck)Verband *m*, Bund *m*, (*a. Post-, Zoll- etc.*)Verein *m*, c) *Brit. Vereinigung unabhängiger Kirchen*; **5.** Gewerkschaft *f*: ***~ dues*** *pl.* Gewerkschaftsbeitrag *m*; **6.** *Brit. hist.* a) *Kirchspielverband zur Armenpflege*, b) Armenhaus *n*; **7.** ⚙ Anschlußstück *n*, (Rohr)Verbindung *f*; **8.** ⚙ Mischgewebe *n*; **9.** ⚓ Gösch *f* (*Flaggenfeld mit Hoheitsabzeichen*): ***~ flag → union jack*** 1; **'un·ion·ism** [-nɪzəm] *s.* **1.** *pol.* Unio'nismus *m*, unio'nistische Bestrebungen *pl.*; **2.** Gewerkschaftswesen *n*; **'un·ion·ist** [-nɪst] *s.* **1.** ♀ *pol. hist.* Unio'nist *m*; **2.** Gewerkschaftler *m*; **'un·ion·ize** [-naɪz] *v/t.* gewerkschaftlich organisieren.

un·ion| jack *s.* **1.** ***Union Jack*** Union Jack *m* (*brit. Nationalflagge*); **2.** ⚓ → ***union*** 9; **~ joint** *s.* Rohrverbindung *f*; **~ shop** *s.* ✝ *bsd. Am. Betrieb, der nur Gewerkschaftsmitglieder einstellt od. Arbeitnehmer, die bereit sind, innerhalb von 30 Tagen der Gewerkschaft beizutreten*; **~ suit** *s. Am.* Hemdhose *f* mit langem Bein.

u·nip·a·rous [ju:'nɪpərəs] *adj.* **1.** ✱ erst einmal geboren habend; **2.** *zo.* nur 'ein Junges gebärend (*bei e-m Wurf*); **2.** ♀ nur 'eine Achse *od.* 'einen Ast treibend.

u·ni·par·tite [ˌju:nɪ'pɑ:taɪt] *adj.* einteilig.

u·ni·po·lar [ˌju:nɪ'pəʊlə] *adj.* **1.** *phys.*, ⚡ einpolig, Einpol...; **2.** *anat.* monopo'lar (*Nervenzelle*).

u·nique [ju:'ni:k] **I** *adj.* □ **1.** einzig; **2.** einmalig, einzigartig; unerreicht, *nachgestellt*: ohne'gleichen; **3.** F außer-, ungewöhnlich; großartig; **4.** ⚖ eindeutig; **II** *s.* **5.** Seltenheit *f*, Unikum *n*; **u'nique·ness** [-nɪs] *s.* Einzigartig-, Einmaligkeit *f*.

'u·ni·sex *adj.* Unisex...

ˌu·ni'sex·u·al *adj.* □ **1.** eingeschlechtig; **2.** *zo.*, ♀ getrenntgeschlechtlich.

u·ni·son ['ju:nɪzn] *s.* **1.** ♪ Ein-, Gleichklang *m*, Uni'sono *n*: ***in ~*** unisono, einstimmig (*a. fig.*); **2.** *fig.* Einklang *m*, Über'einstimmung *f*: ***in ~ with*** in Einklang mit; **u·nis·o·nous** [ju:'nɪsənəs] *adj.* **1.** ♪ a) gleichklingend, b) einstimmig; **2.** *fig.* über'einstimmend.

u·nit ['ju:nɪt] *s.* **1.** *allg.* Einheit *f* (*Einzelding*): ***~ of account*** (***trade, value***) ✝ (Ver)Rechnungs- (Handels-, Währungs)einheit; ***dwelling ~*** Wohneinheit; ***~ factor*** *biol.* Erbfaktor *m*; ***~ furniture*** Anbaumöbel *pl.*; ***~ price*** ✝ Einheitspreis *m*; ***~ wages*** ✝ Stück-, Akkordlohn *m*; **2.** *phys.* (Grund-, Maß-)Einheit *f*: ***~ (of) power (time)*** Leistungs- (Zeit)einheit; **3.** ⚖ Einer *m*, Einheit *f*; **4.** ⚔ Einheit *f*, Verband *m*, Truppenteil *m*; **5.** ⚙ a) (Bau)Einheit *f*, b) Aggre'gat *n*, Anlage *f*: ***~ construction*** Baukastenbauweise *f*; **6.** *fig.* Kern *m*, Zelle *f*: ***the family as the ~ of society.***

U·ni·tar·i·an [ˌju:nɪ'teərɪən] **I** *s. eccl.* Uni'tarier(in); **II** *adj.* uni'tarisch; **ˌU·ni'tar·i·an·ism** [-nɪzəm] *s. eccl.* Unita'rismus *m*; **u·ni·tar·y** ['ju:nɪtərɪ] *adj.* Einheits... (*a.* ⚡), ⚖ *a.* uni'tär; einheitlich.

u·nite [ju:'naɪt] **I** *v/t.* **1.** verbinden (*a.* ⚗, ⚙), vereinigen; **2.** (ehelich) verbinden, verheiraten; **3.** *Eigenschaften* in

U

sich vereinigen; **II** *v/i.* **4.** sich vereinigen; **5.** ⚗, ⚙ sich verbinden (***with*** mit); **6.** sich zs.-tun: ***~ in doing s.th.*** et. geschlossen *od.* vereint tun; **7.** sich anschließen (***with*** *dat. od.* an *acc.*); **8.** sich verheiraten; **u'nit·ed** [-tɪd] *adj.* vereinigt; vereint (*Kräfte etc.*), gemeinsam: ***2 Kingdom*** *das* Vereinigte Königreich (*Großbritannien u. Nordirland*); ***2 Nations*** Vereinte Nationen; ***2 States*** *die* Vereinigten Staaten *von Nordamerika*, *die* U.S.A. *pl.*

u·nit·ize ['ju:nɪtaɪz] *v/t.* **1.** zu e-r Einheit machen; **2.** ⚙ nach dem 'Baukasten-prinˌzip konstruieren; **3.** in Einheiten verpacken.

u·nit trust *s.* ✝ In'vestmenttrust *m.*

u·ni·ty ['ju:nətɪ] *s.* **1.** Einheit *f* (*a.* ⚔, ⚖): ***the dramatic unities*** *thea.* die drei Einheiten; **2.** Einheitlichkeit *f* (*a. e-s Kunstwerks*); **3.** Einigkeit *f*, Eintracht *f*: ***~*** (***of sentiment***) Einmütigkeit *f*; ***at ~*** in Eintracht, im Einklang; **4.** *nationale etc.* Einheit.

u·ni·va·lent [ˌju:nɪ'veɪlənt] *adj.* ⚗ einwertig.

u·ni·ver·sal [ˌju:nɪ'vɜ:sl] **I** *adj.* □ **1.** ('all)umˌfassend, univer'sal, Universal...(*-genie, -erbe etc.*), gesamt, glo'bal: ***~ knowledge*** umfassendes Wissen; ***~ succession*** ⚖ Gesamtnachfolge *f*; **2.** allgemein (*a. Wahlrecht, Wehrpflicht etc.*): ***~ partnership*** ⚖ allgemeine Gütergemeinschaft; ***the disappointment was ~*** die Enttäuschung war allgemein; **3.** allgemein(gültig), univer'sell: ***~ rule***; ***~ remedy*** ⚕ Universalmittel *n*; **4.** allgemein, 'überall üblich *od.* anzutreffen(d); **5.** 'weltumˌfassend, Welt...: ***~ language*** Weltsprache *f*; ***2 Postal Union*** Weltpostverein *m*; ***~ time*** Weltzeit *f*; **6.** ⚙ Universal...(*-gerät etc.*): ***~ current*** ⚡ Allstrom *m*; ***~ joint*** Universal-, Kardangelenk *n*; **II** *s.* **7.** *das* Allgemeine; **8.** *Logik*: allgemeine Aussage; **9.** *phls.* Allgemeinbegriff *m*; **ˌu·ni'ver·sal·ism** [-səlɪzəm] *s. eccl., phls.* Universa'lismus *m*; **u·ni·ver·sal·i·ty** [ˌju:nɪvɜ:'sælətɪ] *s.* **1.** *das* 'Allumˌfassende, Allgemeinheit *f*; **2.** Universali'tät *f*, Vielseitigkeit *f*, um'fassende Bildung; **3.** Allgemeingültigkeit *f*; **ˌu·ni'ver·sal·ize** [-səlaɪz] *v/t.* allgemeingültig machen; allgemein verbreiten; **u·ni·verse** ['ju:nɪvɜ:s] *s.* **1.** Uni'versum *n*, (Welt)All *n*, Kosmos *m*; **2.** Welt *f*; **ˌu·ni'ver·si·ty** [-sətɪ] **I** *s.* Universi'tät *f*, Hochschule *f*: ***Open 2***, ***2 of the Air*** Fernsehuniversität *f*; ***at the 2 of Oxford***, ***at Oxford 2*** auf *od.* an der Universität Oxford; **II** *adj.* Universitäts..., Hochschul..., aka'demisch: ***~ education*** Hochschulbildung *f*; ***~ extension*** *Art* Volkshochschule *f*; ***~ man*** Akademiker *m*; ***~ place*** Studienplatz *m*; ***~ professor*** ordentlicher Professor.

u·ni·vo·cal [ˌju:nɪ'vəʊkl] **I** *adj.* □ eindeutig, unzweideutig; **II** *s.* Wort *n* mit nur 'einer Bedeutung.

ˌun'just *adj.* □ ungerecht (***to*** gegen); **un'jus·ti·fi·a·ble** *adj.* □ nicht zu rechtfertigen(d), unverantwortlich; **un'jus·ti·fied** *adj.* ungerechtfertigt, unberechtigt; **ˌun'just·ness** *s.* Ungerechtigkeit *f.*

un·kempt [ˌʌn'kempt] *adj.* **1.** *obs.* ungekämmt, zerzaust; **2.** *fig.* ungepflegt, unordentlich, verwahrlost.

un'kind *adj.* □ **1.** unfreundlich (***to*** zu); **2.** rücksichtslos, herzlos (***to*** gegen); **un'kind·li·ness** *s.* Unfreundlichkeit *f*; **un'kind·ly** → ***unkind***; **un'kind·ness** *s.* Unfreundlichkeit *f etc.*

ˌun'know·ing *adj.* □ **1.** unwissend; **2.** unwissentlich, unbewußt; **3.** nicht wissend, ohne zu wissen (***that*** daß, ***how*** wie *etc.*).

ˌun'known I *adj.* **1.** unbekannt (***to*** *dat.*); → ***quantity*** 2; **2.** nie gekannt, beispiellos (*Entzücken etc.*); **II** *adv.* **3.** (***to s.o.***) ohne (j-s) Wissen; **III** *s.* **4.** *der* (*die, das*) Unbekannte; **5.** ⚔ Unbekannte *f.*

ˌun'la·bel(l)ed *adj.* nicht etikettiert, ohne Eti'kett *od.* Aufschrift.

ˌun'la·bo(u)red *adj.* mühelos (*a. fig. ungezwungen, leicht*).

ˌun'lace *v/t.* aufschnüren.

ˌun'lade *v/t.* [*irr.* → ***lade***] **1.** aus-, entladen; **2.** ⚓ *Ladung etc.* löschen; **ˌun'lad·en** *adj.* **1.** unbeladen: ***~ weight*** Leergewicht *n*; **2.** *fig.* unbelastet (***with*** von).

ˌun'la·dy·like *adj.* nicht damenhaft, unfein.

ˌun·la'ment·ed *adj.* unbeklagt, unbeweint, unbetrauert.

ˌun'latch *v/t.* aufklinken.

ˌun'law·ful *adj.* □ **1.** ⚖ rechtswidrig, 'widerrechtlich, ungesetzlich, 'illeˌgal: ***~ assembly*** Auflauf *m*, Zs.-rottung *f*; **2.** unerlaubt; **3.** unehelich; **ˌun'law·ful·ness** *s.* Ungesetzlichkeit *f etc.*

ˌun'learn [*irr.* → ***learn***] **I** *v/t.* verlernen, vergessen; **II** *v/i.* 'umlernen.

un·learned[1] [ˌʌn'lɜ:nt] *adj.* nicht er- *od.* gelernt.

un·learn·ed[2] [ˌʌn'lɜ:nɪd] *adj.* ungelehrt.

ˌun'learnt → ***unlearned***[1].

ˌun'leash *v/t.* **1.** losbinden, *Hund* loskoppeln; **2.** *fig.* entfesseln, auslösen, loslassen.

ˌun'leav·ened *adj.* ungesäuert (*Brot*).

un·less [ən'les] **I** *cj.* wenn ... nicht; so'fern ... nicht; es sei denn (, daß) ...; außer wenn ...; ausgenommen (wenn) ...; vor'ausgesetzt, daß nicht ...; **II** *prp.* außer.

ˌun'let·tered *adj.* **1.** analpha'betisch; **2.** ungebildet, ungelehrt; **3.** unbeschriftet, unbedruckt.

ˌ**unˈli·censed** *adj.* **1.** unerlaubt; **2.** nicht konzessioniert, (amtlich) nicht zugelassen, ohne Liˈzenz.

ˌ**unˈlicked** *adj. fig.* a) ungehobelt, ungeschliffen, roh, b) unreif: ~ ***cub*** grüner Junge.

ˌ**unˈlik·a·ble** *adj.* ˈunsymˌpathisch.

ˌ**unˈlike I** *adj.* **1.** ungleich, (voneinˈander) verschieden; **2.** unähnlich; **II** *prp.* **3.** unähnlich (***s.o.*** j-m), verschieden von, anders als: ***that is very*** ~ ***him*** das sieht ihm gar nicht ähnlich; **4.** anders als, nicht wie; **5.** im Gegensatz zu.

ˌ**unˈlike·a·ble** → ***unlikable.***

unˈlike·li·hood, **unˈlike·li·ness** *s.* Unwahrscheinlichkeit *f*; **unˈlike·ly I** *adj.* **1.** unwahrscheinlich; **2.** (ziemlich) unmöglich: ~ ***place***; **3.** aussichtslos; **II** *adv.* **4.** unwahrscheinlich.

ˌ**unˈlim·ber** *v/t. u. v/i.* **1.** ⚔ abprotzen; **2.** *fig.* (sich) bereitmachen.

unˈlim·it·ed *adj.* **1.** unbegrenzt; unbeschränkt (*a. Haftung etc.*): ~ ***company*** ⚕ *Brit.* Gesellschaft *f* mit unbeschränkter Haftung; **2.** ⚕ *Börse*: nicht limitiert; **3.** *fig.* grenzen-, uferlos.

ˌ**unˈlined¹** *adj.* ungefüttert: ~ ***coat.***

ˌ**unˈlined²** *adj.* **1.** unliniert, ohne Linien; **2.** faltenlos (*Gesicht*).

ˌ**unˈlink** *v/t.* **1.** losketten; **2.** *Kettenglieder* trennen; **3.** *Kette* auseinˈandernehmen.

ˌ**unˈliq·ui·dat·ed** *adj.* ⚕ **1.** a) ungetilgt (*Schuld etc.*), b) nicht festgestellt (*Betrag etc.*); **2.** unliquidiert: ~ ***company.***

ˌ**unˈlist·ed** *adj.* **1.** nicht verzeichnet; **2.** *teleph. Am.* Geheim...: ~ ***number***; **3.** ⚕ nicht notiert (*Wertpapier*).

ˌ**unˈload I** *v/t.* **1.** ab-, aus-, entladen; ⚓ *Ladung* löschen; **2.** *fig.* (von e-r Last) befreien, erleichtern; **3.** *Waffe* entladen; **4.** *Börse*: *Aktien* (*massenhaft*) abstoßen, auf den Markt werfen; **5.** F (***on***, ***onto***) a) *j-n*, *et.* ‚abladen' (bei), b) abwälzen (auf *acc.*), c) *Wut etc.* auslassen (an *dat.*); **II** *v/i.* **6.** aus-, abladen; **7.** gelöscht *od.* ausgeladen werden.

ˌ**unˈlock** *v/t.* **1.** aufschließen, öffnen; **2.** *Waffe* entsichern; ˌ**unˈlocked** *adj.* unverschlossen.

unˈlooked-for *adj.* unerwartet, ˈunvorˌhergesehen, überˈraschend.

ˌ**unˈloose**, **unˈloos·en** *v/t.* **1.** *Knoten etc.* lösen; **2.** *Griff etc.* lockern; **3.** losmachen, -lassen.

ˌ**unˈlov·a·ble** *adj.* nicht *od.* wenig liebenswert; ˌ**unˈloved** *adj.* ungeliebt; ˌ**unˈlove·ly** *adj.* unschön, reizlos; ˌ**unˈlov·ing** *adj.* ☐ kalt, lieblos.

unˈluck·i·ly *adv.* unglücklicherweise; **unˈluck·y** *adj.* ☐ unglücklich: a) vom Pech verfolgt: ***be*** ~ Pech *od.* kein Glück haben, b) fruchtlos: ~ ***effort***, c) ungünstig: ~ ***moment***, d) unheilvoll, Unglücks...: ~ ***day.***

ˌ**unˈmade** *adj.* ungemacht.

ˌ**unˈmake** *v/t.* [*irr.* → ***make***] **1.** aufheben, ˈumstoßen, widerˈrufen, rückgängig machen; **2.** *j-n* absetzen; **3.** vernichten; **4.** ˈumbilden.

ˌ**unˈman** *v/t.* **1.** entmannen; **2.** *j-n* s-r Kraft berauben; **3.** *j-n* verzagen lassen, entmutigen; **4.** verrohen (lassen); **5.** *e-m Schiff etc.* die Mannschaft nehmen: ~***ned*** unbemannt.

unˈman·age·a·ble *adj.* ☐ **1.** schwer zu handhaben(d), unhandlich; **2.** *fig.* unfügsam, unlenksam, ˈwiderspenstig: ~ ***child***; **3.** unkontrollierbar (*Lage*).

ˌ**unˈman·li·ness** *s.* Unmännlichkeit *f*; ˌ**unˈman·ly** *adj.* **1.** unmännlich; **2.** weibisch; **3.** feige.

unˈman·ner·li·ness *s.* schlechtes Benehmen; **unˈman·ner·ly** *adj.* ungezogen, ˈunmaˌnierlich.

ˌ**unˈmarked** *adj.* **1.** nicht markiert, unbezeichnet, ungezeichnet (*a. Gesicht*); **2.** unbemerkt; **3.** *sport* ungedeckt.

ˌ**unˈmar·ket·a·ble** *adj.* ⚕ **1.** nicht marktgängig *od.* -fähig; **2.** unverkäuflich.

ˌ**unˈmar·riage·a·ble** *adj.* nicht heiratsfähig; ˌ**unˈmar·ried** *adj.* unverheiratet, ledig.

un·mask [ˌʌnˈmɑːsk] **I** *v/t.* **1.** *j-m* die Maske abnehmen, *j-n* demaskieren; **2.** *fig. j-n* entlarven, *j-m* die Maske herˈunterreißen; **II** *v/i.* **3.** sich demaskieren; **4.** *fig.* die Maske fallen lassen; ˌ**unˈmask·ing** [-kɪŋ] *s. fig.* Entlarvung *f.*

ˌ**unˈmatched** *adj.* unvergleichlich, unerreicht, ˈunüberˌtroffen.

ˌ**unˈmean·ing** *adj.* ☐ sinn-, bedeutungslos; nichtssagend (*a. Gesicht*); ˌ**unˈmeant** *adj.* unbeabsichtigt.

ˌ**unˈmeas·ured** *adj.* **1.** ungemessen; **2.** unermeßlich, grenzenlos, unbegrenzt; **3.** unmäßig.

ˌ**un·meˈlo·di·ous** *adj.* ☐ ˈunmeˌlodisch.

unˈmen·tion·a·ble I *adj.* **1.** unaussprechlich, taˈbu: ***an*** ~ ***topic*** ein Thema, über das man nicht spricht; **2.** → ***unspeakable***; **II** *s. pl. humor. die* Unaussprechlichen *pl.* (*Unterwäsche*); ˌ**unˈmen·tioned** *adj.* unerwähnt.

ˌ**unˈmer·chant·a·ble** → ***unmarketable.***

unˈmer·ci·ful *adj.* ☐ unbarmherzig.

ˌ**unˈmer·it·ed** *adj.* ☐ unverdient(ermaßen *adv.*).

ˌ**un·meˈthod·i·cal** *adj.* ˈunmeˌthodisch, sysˈtem-, planlos.

ˌ**unˈmil·i·tar·y** *adj.* **1.** ˈunmiliˌtärisch; **2.** nicht miliˈtärisch, Zivil...

unˈmind·ful *adj.* ☐ unachtsam; uneingedenk (***of*** *gen.*): ***be*** ~ ***of*** a) nicht achten auf (*acc.*), b) nicht denken an (*acc.*).

ˌ**un·misˈtak·a·ble** *adj.* ☐ **1.** ˈunˌmißverständlich; **2.** unverkennbar.

unˈmit·i·gat·ed *adj.* ☐ **1.** ungemildert,

U

ganz; **2.** voll'endet, Erz…, *nachgestellt*: durch u. durch: ***an ~ liar***.

ˌ**un'mixed** *adj.* □ **1.** unvermischt; **2.** *fig.* ungemischt, rein, pur.

ˌ**un'mod·i·fied** *adj.* unverändert, nicht abgeändert.

ˌ**un·mo'lest·ed** *adj.* unbelästigt, ungestört: ***live ~*** in Frieden leben.

ˌ**un'moor** ⚓ **I** *v/t.* **1.** abankern, losmachen; **2.** vor 'einem Anker liegen lassen; **II** *v/i.* **3.** den *od.* die Anker lichten.

ˌ**un'mor·al** *adj.* 'amoˌralisch.

ˌ**un'mort·gaged** *adj.* ⚖ **1.** unverpfändet; **2.** hypo'thekenfrei, unbelastet.

ˌ**un'mount·ed** *adj.* **1.** unberitten: ***~ police***; **2.** nicht aufgezogen (*Bild etc.*); **3.** ⚙, ⚔ unmontiert; **4.** nicht gefaßt (*Stein*).

ˌ**un'mourned** *adj.* unbetrauert.

ˌ**un'mov·a·ble** *adj.* □ unbeweglich; ˌ**un'moved** *adj.* □ **1.** unbewegt; **2.** *fig.* ungerührt, unbewegt; **3.** *fig.* unerschütterlich, standhaft, gelassen; ˌ**un'mov·ing** *adj.* regungslos.

ˌ**un'mur·mur·ing** *adj.* □ ohne Murren, klaglos.

ˌ**un'mu·si·cal** *adj.* □ **1.** 'unmusiˌkalisch (*Person*); **2.** 'unmeˌlodisch.

ˌ**un'muz·zle** *v/t.* **1.** *e-m Hund* den Maulkorb abnehmen: ***~d*** ohne Maulkorb; **2.** *fig.* *j-m* freie Meinungsäußerung gewähren.

ˌ**un'nam·a·ble** *adj.* unsagbar.

ˌ**un'named** *adj.* **1.** namenlos; **2.** nicht namentlich genannt, ungenannt.

un'nat·u·ral *adj.* □ **1.** 'unnaˌtürlich; **2.** künstlich, gekünstelt; **3.** 'widernaˌtürlich (*Laster*, *Verbrechen etc.*); **4.** ungeheuerlich, ab'scheulich; **5.** ungewöhnlich; **6.** ano'mal.

ˌ**un'nav·i·ga·ble** *adj.* nicht schiffbar, unbefahrbar.

un'nec·es·sar·i·ly *adv.* unnötigerweise; **un'nec·es·sar·y** *adj.* □ **1.** unnötig, nicht notwendig; **2.** nutzlos, 'überflüssig.

ˌ**un'need·ed** *adj.* nicht benötigt, nutzlos; ˌ**un'need·ful** *adj.* □ unnötig.

ˌ**un'neigh·bo(u)r·ly** *adj.* nicht gutnachbarlich, unfreundlich.

ˌ**un'nerve** *v/t.* entnerven, zermürben, *j-n* die Nerven *od.* den Mut verlieren lassen.

ˌ**un'not·ed** *adj.* **1.** unbeachtet, unberühmt; **2.** → ***unnoticed*** 1.

ˌ**un'no·ticed** *adj.* **1.** unbemerkt, unbeobachtet; **2.** → ***unnoted*** 1.

ˌ**un'num·bered** *adj.* **1.** unnumeriert; **2.** *poet.* ungezählt, zahllos.

ˌ**un·ob'jec·tion·a·ble** *adj.* □ einwandfrei.

ˌ**un·ob'lig·ing** *adj.* ungefällig.

ˌ**un·ob'serv·ant** *adj.* unaufmerksam, unachtsam: ***be ~ of*** *et.* nicht beachten; ˌ**un·ob'served** *adj.* □ unbeobachtet, unbemerkt.

ˌ**un·ob'struct·ed** *adj.* **1.** unversperrt, ungehindert: ***~ view***; **2.** *fig.* unbehindert.

ˌ**un·ob'tain·a·ble** *adj.* **1.** ⚕ nicht erhältlich; **2.** unerreichbar.

ˌ**un·ob'tru·sive** *adj.* □ unaufdringlich: a) zu'rückhaltend, bescheiden, b) unauffällig; ˌ**un·ob'tru·sive·ness** *s.* Unaufdringlichkeit *f.*

ˌ**un'oc·cu·pied** *adj.* frei: a) unbewohnt, leer(stehend), b) unbesetzt, c) unbeschäftigt.

ˌ**un·of'fend·ing** *adj.* **1.** nicht beleidigend; **2.** nicht anstößig.

ˌ**un·of'fi·cial** *adj.* □ **1.** nichtamtlich, 'inoffiziˌell; **2.** ***~ strike*** ⚕ wilder Streik.

ˌ**un'op·ened** *adj.* **1.** ungeöffnet, verschlossen: ***~ letter***; **2.** ⚕ unerschlossen: ***~ market***.

ˌ**un·op'posed** *adj.* **1.** unbehindert; **2.** unbeanstandet: ***~ by*** ohne Widerstand *od.* Einspruch seitens (*gen.*).

ˌ**un'or·gan·ized** *adj.* **1.** 'unorˌganisch; **2.** unorganisiert, wirr; **3.** nicht organisiert.

ˌ**un'or·tho·dox** *adj.* **1.** *eccl.* 'unorthoˌdox; **2.** *fig.* 'unorthoˌdox, unüblich, 'unkonventioˌnell.

'**unˌos·ten'ta·tious** *adj.* □ unaufdringlich, unauffällig: a) prunklos, schlicht, b) anspruchslos, zu'rückhaltend, c) de'zent (*Farben etc.*).

ˌ**un'owned** *adj.* herrenlos.

ˌ**un'pack** *v/t. u. v/i.* auspacken.

ˌ**un'paid** *adj.* **1.** *a.* ***~-for*** unbezahlt; rückständig (*Zinsen etc.*); **2.** ⚕ noch nicht eingezahlt (*Kapital*); **3.** unbesoldet, unbezahlt, ehrenamtlich (*Stellung*).

un'pal·at·a·ble *adj.* □ **1.** unschmackhaft, schlecht (schmeckend); **2.** *fig.* unangenehm, 'widerwärtig.

un'par·al·leled *adj.* einmalig, beispiellos, *nachgestellt*: ohne'gleichen.

un'par·don·a·ble *adj.* □ unverzeihlich.

'**unˌpar·lia'men·ta·ry** *adj. pol.* 'unparlamenˌtarisch.

ˌ**un'pat·ent·ed** *adj.* nicht patentiert.

'**unˌpa·tri'ot·ic** *adj.* (□ ***~ally***) 'unpatriˌotisch.

ˌ**un'paved** *adj.* ungepflastert.

ˌ**un'ped·i·greed** *adj.* ohne Stammbaum.

ˌ**un'peo·ple** *v/t.* entvölkern.

ˌ**un·per'ceived** *adj.* □ unbemerkt.

ˌ**un·per'formed** *adj.* **1.** nicht ausgeführt, ungetan, unverrichtet; **2.** *thea.* nicht aufgeführt (*Stück*).

'**unˌper·son** *s. fig.* 'Unperˌson *f.*

ˌ**un·per'turbed** *adj.* nicht beunruhigt, gelassen, ruhig.

ˌ**un'pick** *v/t. Naht etc.* (auf)trennen; ˌ**un'picked** *adj.* **1.** ungepflückt; **2.** ⚕ unausgesucht, unsortiert (*Proben*).

ˌ**un'pin** *v/t.* **1.** die Nadeln entfernen aus; **2.** losstecken, -machen.

ˌ**un'pit·ied** *adj.* unbemitleidet; ˌ**un'pit·y-**

ing *adj.* □ mitleid(s)los.

ˌ**un'placed** *adj.* **1.** nicht 'untergebracht; nicht angestellt, ohne Stellung; **2.** *Rennsport*: unplaciert.

ˌ**un'plait** *v/t.* **1.** glätten; **2.** *das Haar etc.* aufflechten.

ˌ**un'play·a·ble** *adj.* **1.** *sport* unbespielbar (*Boden*, *Platz*); **2.** ♪ unspielbar; **3.** *thea.* nicht bühnenreif.

un'pleas·ant *adj.* □ *allg.* unangenehm: a) unerfreulich, b) unfreundlich, c) unwirsch (*Person*); **un'pleas·ant·ness** *s.* **1.** *das* Unangenehme; **2.** Unannehmlichkeit *f*; **3.** 'Mißhelligkeit *f*, Unstimmigkeit *f*.

ˌ**un'pledged** *adj.* **1.** nicht verpflichtet; **2.** ⚖ unverpfändet.

ˌ**un'plug** *v/t.* den Pflock *od.* Stöpsel *od.* Stecker entfernen aus.

ˌ**un'plumbed** *adj. fig.* unergründet, unergründlich.

ˌ**un·po'et·ic**, ˌ**un·po'et·i·cal** *adj.* □ 'unpoˌetisch, undichterisch.

ˌ**un'pol·ished** *adj.* **1.** unpoliert (*a. Reis*), ungeglättet, ungeschliffen; **2.** *fig.* unausgefeilt (*Stil etc.*); **3.** *fig.* ungeschliffen, ungehobelt.

ˌ**un'pol·i·tic** → ***unpolitical*** 1; ˌ**un·po'lit·i·cal** *adj.* **1.** (po'litisch) unklug; **2.** 'unpoˌlitisch, an Poli'tik uninteressiert; **3.** 'unparˌteiisch.

ˌ**un'polled** *adj. pol.* **1.** nicht gewählt habend: ~ ***elector*** Nichtwähler *m*; **2.** *Am.* nicht (in die Wählerliste) eingetragen.

ˌ**un·pol'lut·ed** *adj.* **1.** unverschmutzt, unverseucht (*Wasser etc.*); **2.** *fig.* unbefleckt.

ˌ**un'pop·u·lar** *adj.* □ 'unpopuˌlär, unbeliebt; '**unˌpop·u'lar·i·ty** *s.* 'Unpopulariˌtät *f*, Unbeliebtheit *f*.

ˌ**un·pos'sessed** *adj.* **1.** herrenlos (*Sache*); **2.** ~ ***of s.th.*** nicht im Besitz e-r Sache.

ˌ**un'post·ed** *adj.* **1.** nicht informiert, 'ununterˌrichtet; **2.** *Brit.* nicht aufgegeben (*Brief*).

ˌ**un'prac·ti·cal** *adj.* □ unpraktisch; **un'prac·ticed** *Am.*, **un'prac·tised** *Brit. adj.* ungeübt (***in*** in *dat.*).

un'prec·e·dent·ed *adj.* □ **1.** beispiellos, unerhört, noch nie dagewesen; **2.** ⚖ ohne Präze'denzfall.

ˌ**un·pre'dict·a·ble** *adj.* unvorhersehbar, unberechenbar (*a. Person*): ***he is quite ~ a.*** er ist sehr schwer auszumachen.

ˌ**un'prej·u·diced** *adj.* **1.** unvoreingenommen, vorurteilsfrei, *a.* ⚖ unbefangen; **2.** *a.* ⚖ unbeeinträchtigt.

ˌ**un·pre'med·i·tat·ed** *adj.* □ **1.** 'unüberˌlegt; **2.** unbeabsichtigt; **3.** ⚖ ohne Vorsatz.

ˌ**un·pre'pared** *adj.* □ **1.** unvorbereitet: ***an ~ speech***; **2.** (***for***) nicht vorbereitet *od.* gefaßt (auf *acc.*), nicht gerüstet (für).

'**unˌpre·pos'sess·ing** *adj.* wenig anziehend, 'unsymˌpathisch.

ˌ**un·pre'sent·a·ble** *adj.* nicht präsen'tabel.

ˌ**un·pre'sum·ing** *adj.* nicht anmaßend *od.* vermessen, bescheiden.

ˌ**un·pre'tend·ing**, ˌ**un·pre'ten·tious** *adj.* □ anspruchslos.

un'prin·ci·pled *adj.* **1.** ohne (feste) Grundsätze, haltlos, cha'rakterlos (*Person*); **2.** gewissenlos, charakterlos (*Benehmen*).

un·print·a·ble [ˌʌn'prɪntəbl] *adj.* nicht druckfähig *od.* druckreif (*a. fig. anstößig*); ˌ**un'print·ed** [-tɪd] *adj.* **1.** ungedruckt (*Schriften*); **2.** unbedruckt (*Stoffe etc.*).

ˌ**un'priv·i·leged** *adj.* nicht privilegiert *od.* bevorrechtigt: ~ ***creditor*** ⚖ Massegläubiger *m*.

ˌ**un·pro'duc·tive** *adj.* □ 'unprodukˌtiv (*a. fig.*), unergiebig (***of*** an *dat.*), unfruchtbar (*a. fig.*), 'unrenˌtabel: ~ ***capital*** ⚕ totes Kapital; ˌ**un·pro'duc·tive·ness** *s.* 'Unproduktiviˌtät *f*, Unfruchtbarkeit *f*, Unergiebigkeit *f*, 'Unrentabiliˌtät *f*.

ˌ**un·pro'fes·sion·al** *adj.* □ **1.** keiner freien Berufsgruppe zugehörig; **2.** nicht berufsmäßig; **3.** berufswidrig: ~ ***conduct***; **4.** unfachmännisch.

ˌ**un'prof·it·a·ble** *adj.* □ **1.** nicht einträglich *od.* gewinnbringend *od.* lohnend, 'unrenˌtabel; **2.** unvorteilhaft; **3.** nutz-, zwecklos; ˌ**un'prof·it·a·ble·ness** *s.* **1.** Uneinträglichkeit *f*; **2.** Nutzlosigkeit *f*.

ˌ**un·pro'gres·sive** *adj.* □ **1.** nicht fortschrittlich, rückständig; **2.** rückschrittlich, konserva'tiv, reaktio'när.

ˌ**un'prom·is·ing** *adj.* □ nicht vielversprechend, ziemlich aussichtslos.

ˌ**un'prompt·ed** *adj.* spon'tan.

ˌ**un·pro'nounce·a·ble** *adj.* unaussprechlich.

ˌ**un·pro'pi·tious** *adj.* □ ungünstig.

ˌ**un·pro'por·tion·al** *adj.* □ unverhältnismäßig, 'unproportioˌnal.

ˌ**un·pro'tect·ed** *adj.* **1.** ungeschützt, schutzlos; **2.** ungedeckt.

ˌ**un'proved**, ˌ**un'prov·en** *adj.* unerwiesen.

ˌ**un·pro'vid·ed** *adj.* □ **1.** nicht versehen (***with*** mit): ~ ***with*** ohne; **2.** unvorbereitet; **3.** ~ ***for*** unversorgt (*Kind*); **4.** ~ ***for*** nicht vorgesehen.

ˌ**un·pro'voked** *adj.* □ **1.** unprovoziert; **2.** grundlos.

ˌ**un'pub·lish·a·ble** *adj.* zur Veröffentlichung ungeeignet; ˌ**un'pub·lished** *adj.* unveröffentlicht.

ˌ**un'punc·tu·al** *adj.* □ unpünktlich; '**unˌpunc·tu'al·i·ty** *s.* Unpünktlichkeit *f*.

ˌ**un'pun·ished** *adj.* unbestraft, ungestraft: ***go ~*** straflos ausgehen.

un·put·down·a·ble [ˌʌnpʊt'daʊnəbl]

U

adj. F so faszinierend, daß man es nicht mehr aus der Hand legen kann (*Buch*).

ˌ**unˈqual·i·fied** *adj.* □ **1.** unqualifiziert: a) unbefähigt, ungeeignet (***for*** für), b) unberechtigt; **2.** uneingeschränkt, unbedingt, bedingungslos; **3.** F ausgesprochen (*Lügner etc.*).

un·quench·a·ble [ˌʌnˈkwen*t*ʃəbl] *adj.* □ **1.** unlöschbar; **2.** *fig.* unstillbar.

un·ques·tion·a·ble [ʌnˈkwestʃənəbl] *adj.* □ **1.** unzweifelhaft, fraglos; **2.** unbedenklich; **unˈques·tioned** [-tʃənd] *adj.* **1.** ungefragt; **2.** unbezweifelt, unbestritten; **unˈques·tion·ing** [-nɪŋ] *adj.* □ bedingungslos, blind: ~ ***obedience***; **unˈques·tion·ing·ly** [-nɪŋlɪ] *adv.* ohne zu fragen, ohne Zögern.

ˌ**unˈquote** *v/i.*: **~!** Ende des Zitats!; ˌ**unˈquot·ed** *adj.* **1.** nicht zitiert; **2.** *Börse*: nicht notiert.

unˈrav·el I *v/t.* **1.** *Gewebe* ausfasern; **2.** *Gestricktes* auftrennen; **3.** entwirren; **4.** *fig.* entwirren, enträtseln; **II** *v/i.* **5.** sich entwirren *etc.*

un·read [ˌʌnˈred] *adj.* **1.** ungelesen; **2.** a) unbelesen, ungebildet, b) unbewandert (***in*** in *dat.*).

ˌ**unˈread·a·ble** *adj.* **1.** unleserlich (*Handschrift etc.*); **2.** schwer zu lesen (*Buch etc.*); **3.** nicht lesenswert (*Buch etc.*).

ˌ**unˈread·i·ness** *s.* mangelnde Bereitschaft; ˌ**unˈread·y** *adj.* □ nicht bereit *od.* fertig (***for*** zu).

ˌ**unˈreal** *adj.* □ **1.** unwirklich; **2.** wesenlos; **3.** → ˈ**unˌre·alˈis·tic** *adj.* (□ **~*ally***) wirklichkeitsfremd, ˈunreaˌlistisch; ˌ**un·reˈal·i·ty** *s.* **1.** Unwirklichkeit *f*; **2.** Wesenlosigkeit *f*.

ˌ**unˈre·al·iz·a·ble** *adj.* nicht realisierbar: a) nicht zu verwirklichen(d), b) ✝ nicht verwertbar, unverkäuflich; ˌ**unˈre·al·ized** *adj.* **1.** nicht verwirklicht *od.* erfüllt; **2.** nicht vergegenwärtigt *od.* erkannt.

ˌ**unˈrea·son** *s.* **1.** Unvernunft *f*; **2.** Torheit *f*; **unˈrea·son·a·ble** *adj.* □ **1.** unvernünftig; **2.** unvernünftig, unbillig, unmäßig, ˈübermäßig; unzumutbar; **unˈrea·son·a·ble·ness** *s.* **1.** Unvernunft *f*; **2.** Unbilligkeit *f*, Unmäßigkeit *f*; Unzumutbarkeit *f*; **unˈrea·son·ing** *adj.* □ **1.** vernunftlos; **2.** unvernünftig, blind.

ˌ**un·reˈceipt·ed** *adj.* ✝ unquittiert.

ˌ**un·reˈcep·tive** *adj.* nicht aufnahmefähig, unempfänglich (***of***, ***to*** für).

ˌ**un·reˈclaimed** *adj.* **1.** *fig.* ungebessert; **2.** ungezähmt; **3.** unkultiviert (*Land*).

ˌ**unˈrec·og·niz·a·ble** *adj.* □ nicht ˈwiederzuerkennen(d); ˌ**unˈrec·og·nized** *adj.* **1.** nicht (ˈwieder)erkannt; **2.** nicht anerkannt.

ˌ**unˈrec·on·ciled** *adj.* unversöhnt (***to*** mit).

un·re·cord·ed [ˌʌnrɪˈkɔːdɪd] *adj.* **1.** (geschichtlich) nicht überˈliefert *od.* aufgezeichnet *od.* belegt; **2.** nicht eingetragen *od.* registriert; **3.** ⚖ nicht beurkundet; **4.** a) nicht (auf Tonband *etc.*) aufgenommen, b) Leer…: **~ *tape***.

ˌ**un·reˈdeemed** *adj.* **1.** *eccl.* unerlöst; **2.** ✝ a) ungetilgt (*Schuld*), b) uneingelöst (*Wechsel*); **3.** uneingelöst (*Pfand*, *Versprechen*); **4.** *fig.* ungemildert (***by*** durch); Erz…: **~ *rascal***.

ˌ**un·reˈdressed** *adj.* **1.** nicht wiedergutgemacht; **2.** nicht abgestellt (*Mißstand*).

ˌ**unˈreel** *v/t.* (*v/i.* sich) abspulen.

ˌ**un·reˈfined** *adj.* **1.** ⚙ nicht raffiniert, ungeläutert, roh, Roh…; **2.** *fig.* ungebildet, unfein, unkultiviert.

ˌ**un·reˈflect·ing** *adj.* □ **1.** nicht reflektierend; **2.** gedankenlos, ˈunüberˌlegt.

ˌ**un·reˈformed** *adj.* **1.** unverbessert; **2.** ungebessert (*Person*).

ˌ**un·reˈfut·ed** *adj.* ˈunwiderˌlegt.

ˌ**un·reˈgard·ed** *adj.* unberücksichtigt, unbeachtet; ˌ**un·reˈgard·ful** *adj.* unachtsam, ohne Rücksicht (***of*** auf *acc.*).

un·re·gen·er·a·cy [ˌʌnrɪˈdʒenərəsɪ] *s.* *eccl.* Sündhaftigkeit *f*; ˌ**un·reˈgen·er·ate** [-rət] *adj.* **1.** *eccl.* nicht ˈwiedergeboren; **2.** nicht gebessert.

ˌ**unˈreg·is·tered** *adj.* **1.** nicht registriert *od.* eingetragen (*a.* ✝, ⚖); **2.** (amtlich) nicht zugelassen (*Auto etc.*); nicht approbiert (*Arzt etc.*); **3.** nicht eingeschrieben (*Brief*).

ˌ**un·reˈgret·ted** *adj.* unbedauert, unbeklagt.

ˌ**un·reˈhearsed** *adj.* **1.** *thea.* ungeprobt; **2.** überˈraschend, sponˈtan.

ˌ**un·reˈlat·ed** *adj.* **1.** ohne Beziehung (***to*** zu); **2.** nicht verwandt (***to***, ***with*** mit) (*a. fig.*); **3.** nicht berichtet.

ˌ**un·reˈlent·ing** *adj.* □ **1.** unbeugsam, unerbittlich; **2.** unvermindert.

ˈ**un·reˌli·aˈbil·i·ty** *s.* Unzuverlässigkeit *f*; ˌ**un·reˈli·a·ble** *adj.* □ unzuverlässig.

ˌ**un·reˈlieved** *adj.* □ **1.** ungelindert; **2.** nicht unterˈbrochen, ˈununterˌbrochen; **3.** ⚔ a) nicht abgelöst (*Wache*), b) nicht entsetzt (*Festung etc.*).

un·re·mit·ting [ˌʌnrɪˈmɪtɪŋ] *adj.* □ unablässig, beharrlich.

ˌ**un·reˈmu·ner·a·tive** *adj.* nicht lohnend *od.* einträglich, ˈunrenˌtabel.

ˌ**un·reˈpair** *s.* Baufälligkeit *f*, Verfall *m*: ***in*** (***a state of***) **~** in baufälligem Zustand.

ˌ**un·reˈpealed** *adj.* **1.** nicht widerˈrufen; **2.** nicht aufgehoben.

ˌ**un·reˈpent·ant** *adj.* reuelos, unbußfertig; ˌ**un·reˈpent·ed** [-tɪd] *adj.* unbereut.

ˌ**un·rep·reˈsent·ed** *adj.* nicht vertreten.

ˌ**un·reˈquit·ed** *adj.* □ **1.** unerwidert: **~**

love; **2.** unbelohnt (*Dienste*); **3.** ungesühnt (*Missetat*).

un·re·served [ˌʌnrɪˈzɜːvd] *adj.* □ **1.** uneingeschränkt, vorbehalt-, rückhaltlos, völlig; **2.** freimütig, offen(herzig); **3.** nicht reserviert; ˌ**un·reˈserv·ed·ness** [-vɪdnɪs] *s.* Offenheit *f*, Freimütigkeit *f*.

ˌ**un·reˈsist·ed** *adj.* ungehindert: ***be ~*** keinen Widerstand finden; ˌ**un·reˈsist·ing** *adj.* □ ˈwiderstandslos.

ˌ**un·reˈsolved** *adj.* **1.** ungelöst: ***~ problem***; **2.** unschlüssig, unentschlossen; **3.** ⚗, ♪ *etc.* unaufgelöst.

ˌ**un·reˈspon·sive** *adj.* □ **1.** unempfänglich (***to*** für): ***be ~*** (***to***) nicht reagieren *od.* ansprechen (auf *acc.*); **2.** teilnahmslos, kalt.

un·rest [ˌʌnˈrest] *s.* Unruhe *f*, *pol. a.* Unruhen *pl.*; ˌ**unˈrest·ful** *adj.* □ **1.** ruhelos; **2.** ungemütlich; **3.** unbequem; ˌ**unˈrest·ing** *adj.* □ rastlos, unermüdlich.

ˌ**un·reˈstrained** *adj.* □ **1.** ungehemmt (*a. fig. ungezwungen*); **2.** hemmungs-, zügellos; **3.** uneingeschränkt; ˌ**un·reˈstraint** *s.* **1.** Ungehemmtheit *f*, *fig. a.* Ungezwungenheit *f*; **2.** Hemmungslosigkeit *f*.

ˌ**un·reˈstrict·ed** *adj.* □ uneingeschränkt, unbeschränkt.

ˌ**un·reˈturned** *adj.* **1.** nicht zuˈrückgegeben; **2.** unerwidert, unvergolten: ***be ~*** unerwidert bleiben; **3.** *pol.* nicht (*ins Parlament*) gewählt.

ˌ**un·reˈvealed** *adj.* nicht offenˈbart, verborgen, geheim.

ˌ**un·reˈvised** *adj.* nicht revidiert (*a. fig. Ansicht etc.*).

ˌ**un·reˈward·ed** *adj.* unbelohnt.

ˌ**unˈrhymed** *adj.* ungereimt, reimlos.

ˌ**unˈrid·dle** *v/t.* enträtseln.

ˌ**unˈrig** *v/t.* **1.** ⚓ abtakeln; **2.** abmontieren.

unˈright·eous *adj.* □ **1.** nicht rechtschaffen; **2.** *eccl.* ungerecht, sündig; **unˈright·eous·ness** *s.* Ungerechtigkeit *f*.

ˌ**unˈrip** *v/t.* aufreißen, -schlitzen.

ˌ**unˈripe** *adj. allg.* unreif; ˌ**unˈripe·ness** *s.* Unreife *f*.

unˈri·val(l)ed *adj.* **1.** ohne Riˈvalen *od.* Gegenspieler; **2.** unerreicht, unvergleichlich; ✝ konkurˈrenzlos.

ˌ**unˈroll I** *v/t.* **1.** entrollen, -falten; **2.** abwickeln; **II** *v/i.* **3.** sich entfalten; sich auseinˈanderrollen.

ˌ**un·roˈman·tic** *adj.* (□ ***~ally***) *allg.* ˈunroˌmantisch.

ˌ**unˈroof** *v/t. Haus* abdecken.

ˌ**unˈrope** *v/t.* **1.** losbinden; **2.** *mount.* (*a. v/i.* sich) ausseilen.

ˌ**unˈround** *v/t. ling. Vokale* entrunden.

ˌ**unˈruf·fled** *adj.* **1.** ungekräuselt, glatt; **2.** *fig.* gelassen, unerschüttert.

ˌ**unˈruled** *adj.* **1.** *fig.* unbeherrscht; **2.** unliniert (*Papier*).

un·ru·li·ness [ʌnˈruːlɪnɪs] *s.* **1.** Unlenkbarkeit *f*, ˈWiderspenstigkeit *f*; **2.** Ausgelassenheit *f*, Unbändigkeit *f*; **un·ru·ly** [ʌnˈruːlɪ] *adj.* **1.** unlenksam, aufsässig; **2.** ungebärdig; ausgelassen; **3.** ungestüm.

ˌ**unˈsad·dle I** *v/t.* **1.** *Pferd* absatteln; **2.** *j-n* aus dem Sattel werfen; **II** *v/i.* **3.** absatteln.

ˌ**unˈsafe** *adj.* □ unsicher, gefährlich.

ˌ**unˈsaid** *adj.* ungesagt, unerwähnt.

ˌ**unˈsal·a·ble** *adj.* **1.** unverkäuflich; **2.** nicht gangbar (*Waren*).

ˌ**unˈsal·a·ried** *adj.* unbezahlt, ehrenamtlich: ***~ clerk*** ✝ Volontär *m*.

ˌ**unˈsale·a·ble** → ***unsalable***.

ˌ**unˈsanc·tioned** *adj.* nicht sanktioniert, nicht gebilligt *od.* geduldet.

ˌ**unˈsan·i·tar·y** *adj.* **1.** ungesund; **2.** ˈunhygiˌenisch.

ˈ**unˌsat·isˈfac·to·ri·ness** *s. das* Unbefriedigende, Unzulänglichkeit *f*; ˈ**unˌsat·isˈfac·to·ry** *adj.* □ unbefriedigend, ungenügend, unzulänglich; ˌ**unˈsat·is·fied** *adj.* **1.** unbefriedigt; **2.** unzufrieden; **3.** ✝ a) unbefriedigt (*Anspruch*, *Gläubiger*), b) unbezahlt, c) unerfüllt (*Bedingung*); ˌ**unˈsat·is·fy·ing** *adj.* → ***unsatisfactory***.

ˌ**unˈsa·vo(u)r·i·ness** *s.* **1.** Unschmackhaftigkeit *f*; **2.** Widerlichkeit *f*; ˌ**unˈsa·vo(u)r·y** *adj.* □ **1.** unschmackhaft; **2.** *a. fig.* ˈunappeˌtitlich, unangenehm.

ˌ**unˈsay** *v/t.* [*irr.* → ***say***] widerˈrufen.

ˌ**unˈscal·a·ble** *adj.* unersteigbar.

ˌ**unˈscathed** [-ˈskeɪðd] *adj.* (völlig) unversehrt, unbeschädigt.

ˌ**unˈsched·uled** *adj.* **1.** nicht proˈgrammgemäß; **2.** außerplanmäßig (*Abfahrt etc.*).

ˌ**unˈschol·ar·ly** *adj.* **1.** unwissenschaftlich; **2.** ungelehrt.

ˌ**unˈschooled** *adj.* **1.** ungeschult, nicht ausgebildet; **2.** unverbildet.

ˈ**unˌsci·enˈtif·ic** *adj.* (□ ***~ally***) unwissenschaftlich.

ˌ**unˈscram·ble** *v/t.* **1.** F entwirren; **2.** entschlüsseln, dechiffrieren; **3.** ⚡ aussteuern.

ˌ**unˈscreened** *adj.* **1.** ungeschützt, *a.* ⚡ nicht abgeschirmt; **2.** ungesiebt (*Sand etc.*); **3.** nicht überˈprüft.

ˌ**unˈscrew I** *v/t.* ⚙ ab-, auf-, losschrauben; **II** *v/i.* sich herˈaus- *od.* losdrehen; sich losschrauben lassen.

ˌ**unˈscript·ed** *adj.* improvisiert (*Rede etc.*).

unˈscru·pu·lous *adj.* □ skrupel-, bedenken-, gewissenlos.

ˌ**unˈseal** *v/t.* **1.** *Brief etc.* entsiegeln *od.* öffnen; **2.** *fig. j-m die Augen*, *Lippen* öffnen; **3.** *fig.* enthüllen; ˌ**unˈsealed** *adj.* **1.** a) unversiegelt, b) geöffnet; **2.** *fig.* nicht besiegelt.

unˈsearch·a·ble *adj.* □ unerforschlich, unergründlich.

unˈsea·son·a·ble *adj.* □ **1.** unzeitig; **2.** *fig.* unpassend, ungünstig.

ˌunˈsea·soned *adj.* **1.** nicht (aus)gereift; **2.** nicht abgelagert (*Holz*); **3.** *fig.* nicht abgehärtet (***to*** gegen); **4.** *fig.* unerfahren; **5.** ungewürzt.

ˌunˈseat *v/t.* **1.** *Reiter* abwerfen; **2.** *j-n* absetzen, des Postens entheben; **3.** *pol. j-m* s-n Sitz (im Parlaˈment) nehmen; **ˌunˈseat·ed** *adj.* ohne Sitz(gelegenheit): ***be ~*** nicht sitzen.

ˌunˈseaˌwor·thy *adj.* ⚓ seeuntüchtig.

ˌun·seˈcured *adj.* **1.** ungesichert (*a.* ⚕ *Schuld*); **2.** unbefestigt; **3.** ⚕ ungedeckt, nicht sichergestellt.

ˌunˈseed·ed *sport* ungesetzt (*Spieler etc.*).

ˌunˈsee·ing *adj. fig.* blind: ***with ~ eyes*** mit leerem Blick, blind.

unˈseem·li·ness *s.* Unziemlichkeit *f*; **unˈseem·ly** *adj.* unziemlich, ungehörig.

ˌunˈseen I *adj.* **1.** ungesehen, unbemerkt; **2.** unsichtbar; **3.** *ped.* unvorbereitet (*Übersetzungstext*); **II** *s.* **4.** ***the ~*** die Geisterwelt; **5.** *ped. Brit.* unvorbereitete ˈHerüberˌsetzung *f*.

ˌunˈself·ish *adj.* □ selbstlos, uneigennützig; **ˌunˈself·ish·ness** *s.* Selbstlosigkeit *f*, Uneigennützigkeit *f*.

ˌun·senˈsa·tion·al *adj.* wenig sensatioˈnell *od.* aufregend.

ˌunˈser·vice·a·ble *adj.* □ **1.** nicht verwendbar, unbrauchbar (*Gerät etc.*); **2.** betriebsunfähig.

ˌunˈset·tle *v/t.* **1.** *et.* aus s-r (festen) Lage bringen; **2.** *fig.* beunruhigen; *a. j-n, j-s Glauben etc.* erschüttern, ins Wanken bringen; **3.** *fig.* verwirren, durcheinˈanderbringen; *j-n* aus dem (gewohnten) Gleis werfen; **4.** in Unordnung bringen; **ˌunˈset·tled** *adj.* **1.** ohne festen Wohnsitz; **2.** unbesiedelt (*Land*); **3.** *fig.* unbestimmt, ungewiß, *a. allg.* unsicher (*Zeit etc.*); **4.** unentschieden, unerledigt (*Frage*); **5.** unbeständig, veränderlich (*Wetter*; ⚕ *Markt*); **6.** schwankend, unentschlossen (*Person*); **7.** (geistig) gestört, aus dem (seelischen) Gleichgewicht; **8.** unstet (*Charakter*, *Leben*); **9.** ⚕ unbezahlt, unerledigt; **10.** ⚖ nicht zugeschrieben; nicht reguliert (*Erbschaft*).

ˌunˈsex *v/t. Frau* vermännlichen: ***~ o.s.*** alles Frauliche ablegen.

ˌunˈshack·le *v/t. j-n* befreien (*a. fig.*); **ˌunˈshack·led** *adj.* ungehemmt.

ˌunˈshad·ed *adj.* **1.** unverdunkelt, unbeschattet; **2.** *paint.* nicht schattiert.

unˈshak·a·ble *adj.* unerschütterlich; **ˌunˈshak·en** *adj.* □ **1.** unerschüttert, fest; **2.** unerschütterlich.

ˌunˈshape·ly *adj.* unförmig.

ˌunˈshaved, **ˌunˈshav·en** *adj.* unrasiert.

ˌunˈsheathe *v/t. das Schwert* aus der Scheide ziehen.

ˌunˈshed *adj.* unvergossen (*Tränen*).

ˌunˈshell *v/t.* (ab)schälen, enthülsen.

ˌunˈshel·tered *adj.* ungeschützt, schutz-, obdachlos.

ˌunˈship *v/t.* ⚓ a) *Ladung* löschen, ausladen, b) *Passagiere* ausschiffen, c) *Ruder*, *Mast etc.* abbauen.

ˌunˈshod *adj.* **1.** unbeschuht, barfuß; **2.** unbeschlagen (*Pferd*).

ˌunˈshorn *adj.* ungeschoren.

un·shrink·a·ble [ˌʌnˈʃrɪŋkəbl] *adj.* nicht einlaufend (*Stoffe*); **unˈshrink·ing** *adj.* □ unverzagt, fest.

ˌunˈsift·ed *adj.* **1.** ungesiebt; **2.** *fig.* ungeprüft.

ˌunˈsight *adj.*: ***buy s.th. ~, unseen*** et. unbesehen kaufen; **ˌunˈsight·ed** *adj.* **1.** nicht gesichtet; **2.** ungezielt (*Schuß*); **3.** ohne Viˈsier (*Gewehr etc.*).

unˈsight·ly *adj.* unansehnlich, häßlich.

ˌunˈsigned *adj.* **1.** unsigniert, nicht unterˈzeichnet; **2.** ♪ unbezeichnet.

ˌunˈsized¹ *adj.* nicht nach Größe(n) geordnet *od.* sortiert.

ˌunˈsized² *adj.* ⚙ **1.** ungrundiert; **2.** ungeleimt.

ˌunˈskil·ful *adj.* □ ungeschickt.

ˌunˈskilled *adj.* **1.** unerfahren, ungeschickt; **2.** ⚕ ungelernt: ***~ worker***; ***the ~ labo(u)r*** *coll.* die Hilfsarbeiter *pl.*

ˌunˈskill·ful *Am.* → ***unskilful***.

ˌunˈskimmed *adj.* nicht entrahmt: ***~ milk*** Vollmilch *f*.

ˌunˈslaked *adj.* **1.** ungelöscht (*Kalk*; *a. Durst*); **2.** *fig.* ungestillt.

ˌunˈsleep·ing *adj.* **1.** schlaflos; **2.** *fig.* immer wach.

ˌunˈsmil·ing *adj.* □ ernst.

ˌunˈsmoked *adj.* **1.** ungeräuchert; **2.** nicht aufgeraucht: ***~ cigar***.

ˌunˈsnarl *v/t.* entwirren.

unˈso·cia·ble *adj.* □ ungesellig, nicht ˈumgänglich, reserviert.

ˌunˈso·cial *adj.* □ **1.** ˈunsoziˌal; **2.** ˈasoziˌal, gesellschaftsfeindlich; **3.** ***work ~ hours*** *Brit.* außerhalb der normalen Arbeitszeit arbeiten.

ˌunˈsoiled *adj.* rein, sauber, *fig. a.* unbefleckt.

ˌunˈsold *adj.* unverkauft; → ***subject*** 14.

ˌunˈsol·der *v/t.* ⚙ ab-, loslöten.

ˌunˈsol·dier·ly *adj.* ˈunsolˌdatisch.

ˌun·soˈlic·it·ed *adj.* **1.** unaufgefordert, unverlangt; **2.** freiwillig.

ˌunˈsolv·a·ble *adj.* unlösbar.

ˌunˈsolved *adj.* ungelöst.

ˌun·soˈphis·ti·cat·ed *adj.* **1.** unverfälscht; **2.** lauter, rein; **3.** ungekünstelt, naˈtürlich, unverbildet; **4.** naˈiv, harmlos; **5.** unverdorben.

ˌunˈsought, **unˈsought-for** *adj.* ungesucht, ungewollt.

U

ˌ**un'sound** *adj.* □ **1.** ungesund (*a. fig.*): ***of ~ mind*** geistesgestört, unzurechnungsfähig; **2.** verdorben, schlecht (*Ware etc.*), faul (*Obst*); **3.** morsch, wurmstichig; **4.** brüchig, rissig; **5.** unzuverlässig; 'unsoˌlide (*a.* ✝); **6.** nicht stichhaltig, anfechtbar: ***~ argument***; **7.** falsch, verkehrt: ***~ doctrine*** Irrlehre *f*; ***~ policy*** verfehlte Politik; ˌ**un'sound·ness** *s.* **1.** Ungesundheit *f* (*a. fig.*); **2.** Verdorbenheit *f*; **3.** *fig.* Unzuverlässigkeit *f*; **4.** Anfechtbarkeit *f*; **5.** Verfehltheit *f*, *das* Verkehrte.

un'spar·ing *adj.* □ **1.** freigebig, verschwenderisch (***in***, ***of*** mit): ***be ~ in*** nicht kargen mit *Lob etc.*; ***be ~ in one's efforts*** keine Mühe scheuen; **2.** reichlich, großzügig; **3.** schonungslos (***of*** gegen).

un'speak·a·ble *adj.* □ **1.** unsagbar, unsäglich, unbeschreiblich; **2.** F scheußlich, entsetzlich.

ˌ**un'spec·i·fied** *adj.* nicht (einzeln) angegeben, nicht spezifiziert.

ˌ**un'spir·it·u·al** *adj.* □ ungeistig.

ˌ**un'spoiled**, ˌ**un'spoilt** *adj.* **1.** *allg.* unverdorben; **2.** unbeschädigt; **3.** nicht verzogen (*Kind*).

ˌ**un'spo·ken** *adj.* un(aus)gesprochen, ungesagt; stillschweigend: ***~-of*** unerwähnt; ***~-to*** unangeredet.

ˌ**un'sport·ing**, ˌ**un'sports·man·like** *adj.* unsportlich, unfair.

ˌ**un'spot·ted** *adj.* **1.** fleckenlos; **2.** *fig.* makellos, unbefleckt; **3.** F unentdeckt.

ˌ**un'sprung** *adj.* ⚙ ungefedert.

ˌ**un'sta·ble** *adj.* **1.** *a. fig.* unsicher, nicht fest, schwankend, la'bil; **2.** *fig.* unbeständig, unstet(ig); **3.** ⚗ 'instaˌbil.

ˌ**un'stained** *adj.* **1.** → ***unspotted*** 1, 2; **2.** ungefärbt.

ˌ**un'stamped** *adj.* ungestempelt; ✉ unfrankiert (*Brief*).

ˌ**un'states·man·like** *adj.* unstaatsmännisch.

ˌ**un'stead·i·ness** *s.* **1.** Unsicherheit *f*; **2.** *fig.* Unstetigkeit *f*, Schwanken *n*; **3.** Unzuverlässigkeit *f*; **4.** Unregelmäßigkeit *f*; ˌ**un'stead·y** *adj.* □ **1.** unsicher, wack(e)lig; **2.** *fig.* unstet(ig); unbeständig, schwankend (*beide a.* ✝ *Kurse*, *Markt*); **3.** *fig.* 'unsoˌlide; **4.** unregelmäßig.

ˌ**un'stick** *v/t.* [*irr.* → ***stick***²] lösen, losmachen.

un'stint·ed *adj.* uneingeschränkt, unbegrenzt; **un'stint·ing** [-tɪŋ] → ***unsparing*** 1, 2.

ˌ**un'stitch** *v/t.* auftrennen: ***~ed*** a) aufgetrennt, b) ungesteppt (*Falte*); ***come ~ed*** aufgehen (*Naht*).

ˌ**un'stop** *v/t.* **1.** entstöpseln, -korken, aufmachen; **2.** frei machen.

ˌ**un'strained** *adj.* **1.** unfiltriert, ungefiltert; **2.** nicht angespannt (*a. fig.*); **3.** *fig.* ungezwungen.

ˌ**un'strap** *v/t.* ab-, losschnallen.

ˌ**un'stressed** *adj.* **1.** *ling.* unbetont; **2.** ⚙ unbelastet.

ˌ**un'string** *v/t.* [*irr.* → ***string***] **1.** *Perlen etc.* abfädeln; **2.** ♪ entsaiten; **3.** *Bogen*, *Saite* entspannen; **4.** *j-s Nerven* ka'puttmachen, *j-n* (nervlich) ‚fertigmachen', demoralisieren.

ˌ**un'strung** *adj.* **1.** ♪ a) saitenlos, unbezogen (*Saiteninstrument*), b) entspannt (*Saite*, *Bogen*); **2.** abgereiht (*Perlen*); **3.** *fig.* entnervt, mit den Nerven am Ende.

ˌ**un'stuck** *adj.* : ***come ~*** a) sich lösen, b) *fig.* scheitern.

ˌ**un'stud·ied** *adj.* ungesucht, ungekünstelt, na'türlich.

ˌ**un·sub'mis·sive** *adj.* □ nicht unter'würfig, 'widerspenstig.

ˌ**un·sub'stan·tial** *adj.* □ **1.** unstofflich, unkörperlich; **2.** unwesentlich; **3.** wenig stichhaltig *od.* fundiert: ***~ arguments***; **4.** gehaltlos (*Essen*).

ˌ**un·sub'stan·ti·at·ed** *adj.* **1.** unbegründet; **2.** nicht erhärtet.

ˌ**un·suc'cess** *s.* 'Mißerfolg *m*, Fehlschlag *m*; ˌ**un·suc'cess·ful** *adj.* □ **1.** erfolglos: a) ohne Erfolg, b) miß'glückt, miß'lungen: ***be ~*** keinen Erfolg haben (***in doing s.th.*** bei *od.* mit et.); ***~ take-off*** ✈ Fehlstart *m*; **2.** 'durchgefallen (*Kandidat*); zu'rückgewiesen (*Bewerber*); ⚖ unter'legen (*Partei*); ˌ**un·suc'cess·ful·ness** [-sək'sesfʊlnɪs] *s.* Erfolglosigkeit *f*.

ˌ**un'suit·able** *adj.* □ **1.** unpassend, ungeeignet (***to***, ***for*** für); **2.** unangemessen, unschicklich (***to***, ***for*** für); ˌ**un'suit·ed** → ***unsuitable*** 1.

ˌ**un'sul·lied** *adj. mst fig.* unbefleckt.

ˌ**un'sung** *poet.* **I** *adj.* unbesungen; **II** *adv. fig.* sang- u. klanglos.

ˌ**un·sup'port·ed** *adj.* **1.** ungestützt; **2.** *fig.* unbestätigt, ohne 'Unterlagen; **3.** *fig.* nicht unter'stützt (*Antrag etc.*, *a. Kinder etc.*).

ˌ**un'sure** *adj. allg.* unsicher, nicht sicher (***of*** *gen.*).

ˌ**un·sur'mount·a·ble** *adj.* 'unüberˌwindlich (*Hindernis etc.*) (*a. fig.*).

ˌ**un·sur'pass·a·ble** *adj.* □ 'unüberˌtrefflich; ˌ**un·sur'passed** *adj.* 'unüberˌtroffen.

ˌ**un·sus'cep·ti·ble** *adj.* **1.** unempfindlich (***to*** gegen); **2.** *fig.* unempfänglich (***to*** für).

un·sus·pect·ed [ˌʌnsə'spektɪd] *adj.* □ **1.** unverdächtig(t); **2.** unvermutet, ungeahnt; ˌ**un·sus'pect·ing** [-ɪŋ] *adj.* □ **1.** nichtsahnend, ahnungslos: ***~ of*** ohne *et.* zu ahnen; **2.** → ***unsuspicious*** 1.

ˌ**un·sus'pi·cious** *adj.* □ **1.** arglos, nicht argwöhnisch; **2.** unverdächtig, harmlos.

ˌ**un'sweet·ened** *adj.* **1.** ungesüßt; **2.** *fig.*

U

unversüßt.
un·swerv·ing [ʌnˈswɜːvɪŋ] *adj.* □ unbeirrbar, unerschütterlich.
ˌ**unˈsworn** *adj.* **1.** unbeeidet; **2.** unvereidigt (*Zeuge etc.*).
ˌ**un·symˈmet·ri·cal** *adj.* □ ˈunsymˌmetrisch.
ˈ**unˌsym·paˈthet·ic** *adj.* (□ **~ally**) teilnahmslos, ohne Mitgefühl.
ˌ**un·sys·temˈat·ic** *adj.* (□ **~ally**) ˈunsysteˌmatisch, planlos.
ˌ**unˈtaint·ed** *adj.* □ **1.** fleckenlos (*a. fig.*); **2.** unverdorben: **~ food**; **3.** *fig.* unbeeinträchtigt (**with** von).
ˌ**unˈtal·ent·ed** *adj.* untalentiert, unbegabt.
ˌ**unˈtam·a·ble** *adj.* □ un(be)zähmbar; ˌ**unˈtamed** *adj.* ungezähmt.
ˌ**unˈtan·gle** *v/t.* **1.** entwirren (*a. fig.*); **2.** aus einer schwierigen Lage befreien.
ˌ**unˈtanned** *adj.* **1.** ungegerbt (*Leder*); **2.** ungebräunt (*Haut*).
ˌ**unˈtapped** *adj.* unangezapft (*a. fig.*): **~ resources** ungenützte Hilfsquellen.
ˌ**unˈtar·nished** *adj.* **1.** ungetrübt; **2.** makellos, unbefleckt (*a. fig.*).
ˌ**unˈtast·ed** *adj.* ungekostet (*a. fig.*).
ˌ**unˈtaught** *adj.* **1.** ungelehrt, nicht unterˈrichtet; **2.** unwissend, ungebildet; **3.** ungelernt, selbstentwickelt (*Fähigkeit etc.*).
ˌ**unˈtaxed** *adj.* unbesteuert.
ˌ**unˈteach·a·ble** *adj.* **1.** unbelehrbar (*Person*); **2.** unlehrbar (*Sache*).
ˌ**unˈtem·pered** *adj.* **1.** ⚙ ungehärtet, unvergütet (*Stahl*); **2.** *fig.* ungemildert (**with**, **by** durch).
ˌ**unˈten·a·ble** *adj. fig.* unhaltbar.
ˌ**unˈten·ant·a·ble** *adj.* unbewohn-, unvermietbar; ˌ**unˈten·ant·ed** *adj.* **1.** unbewohnt, leer(stehend); **2.** ⚖ ungemietet, ungepachtet.
ˌ**unˈtend·ed** *adj.* **1.** unbehütet, unbeaufsichtigt; **2.** vernachlässigt.
ˌ**unˈthank·ful** *adj.* □ undankbar.
unˈthink·a·ble *adj.* undenkbar, unvorstellbar: **the ~** das Undenkbare; ˌ**unˈthink·ing** *adj.* □ **1.** gedankenlos; **2.** nicht denkend.
ˌ**unˈthought** *adj.* **1.** ˈunüberˌlegt; **2.** *mst* **~-of** a) unerwartet, unvermutet, b) unvorstellbar.
ˌ**unˈthread** *v/t.* **1.** *Nadel* ausfädeln; den Faden herˈausziehen aus; **2.** *Perlen etc.* abfädeln; **3.** *a. fig.* sich hinˈdurchfinden durch, herˈausfinden aus; **4.** *mst fig.* entwirren.
ˌ**unˈthrift·y** *adj.* □ **1.** verschwenderisch; **2.** unwirtschaftlich (*a. Sache*).
ˌ**unˈthrone** *v/t. a. fig.* entthronen.
unˈti·di·ness *s.* Unordentlichkeit *f*; **unˈti·dy** *adj.* □ unordentlich.
ˌ**unˈtie** *v/t.* aufknoten, auf-, losbinden, *Knoten* lösen.
un·til [ənˈtɪl] **I** *prp.* bis (*zeitlich*): **not ~ Monday** erst (am) Montag; **II** *cj.* bis: **not ~** erst als *od.* wenn, nicht eher als.
ˌ**unˈtilled** *adj.* 🌱 unbebaut.
unˈtime·li·ness *s.* Unzeit *f*, falscher *od.* verfrühter Zeitpunkt; **unˈtime·ly** *adj. u. adv.* unzeitig: a) verfrüht, b) ungelegen, unpassend.
unˈtir·ing *adj.* □ unermüdlich.
un·to [ˈʌntʊ] *prp. obs. od. poet. od. bibl.* → **to** I.
ˌ**unˈtold** *adj.* **1.** a) unerzählt, b) ungesagt: **leave nothing ~** nichts unerwähnt lassen; **2.** unsäglich (*Leiden etc.*); **3.** ungezählt, zahllos; **4.** unermeßlich.
unˈtouch·a·ble I *adj.* **1.** unberührbar; **2.** unantastbar, unangreifbar; **3.** unerreichbar, unnahbar; **II** *s.* **4.** Unberührbare(r *m*) *f* (*bei den Hindus*); ˌ**unˈtouched** *adj.* **1.** unberührt (*a. Essen*) (*a. fig.*); unangetastet (*a. Vorrat*); **2.** *fig.* ungerührt, unbeeinflußt; **3.** nicht zuˈrechtgemacht, *fig.* ungeschminkt; **4.** *phot.* unretuschiert; **5.** *fig.* unerreicht.
un·to·ward [ˌʌntəˈwɔːd] *adj.* **1.** *obs.* ungefügig, ˈwiderspenstig; **2.** widrig, ungünstig, unglücklich (*Umstand etc.*); ˌ**un·toˈward·ness** [-nɪs] *s.* **1.** *obs.* ˈWiderspenstigkeit *f*; **2.** Widrigkeit *f*, Ungunst *f*.
ˌ**unˈtrace·a·ble** *adj.* unauffindbar, nicht ausfindig zu machen(d).
ˌ**unˈtrained** *adj.* **1.** ungeschult (*a. fig.*), *a.* ⚔ unausgebildet; **2.** *sport* untrainiert; **3.** ungeübt; **4.** undressiert (*Tier*).
unˈtram·mel(l)ed *adj. bsd. fig.* ungebunden, ungehindert.
ˌ**un·transˈlat·a·ble** *adj.* □ ˈunüberˌsetzbar.
ˌ**unˈtrav·el(l)ed** *adj.* **1.** unbefahren (*Straße etc.*); **2.** nicht (weit) herˈumgekommen (*Person*).
ˌ**unˈtried** *adj.* **1.** a) unerprobt, ungeprüft, b) unversucht; **2.** ⚖ a) unerledigt, (noch) nicht verhandelt (*Fall*), b) (noch) nicht vor Gericht gestellt.
ˌ**unˈtrimmed** *adj.* **1.** unbeschnitten (*Bart*, *Hecke etc.*); **2.** ungepflegt, nicht (ordentlich) zuˈrechtgemacht; **3.** ungeschmückt.
ˌ**unˈtrod·den** *adj.* unberührt (*Wildnis etc.*): **~ paths** *fig.* neue Wege.
ˌ**unˈtrou·bled** *adj.* **1.** ungestört, unbelästigt; **2.** ruhig (*Geist*, *Zeiten etc.*); **3.** ungetrübt (*a. fig.*).
ˌ**unˈtrue** *adj.* □ **1.** untreu (**to** *dat.*); **2.** unwahr, falsch, irrig; **3.** (**to**) nicht in Überˈeinstimmung (mit), abweichend (von); **4.** ⚙ a) unrund, b) ungenau; ˌ**unˈtru·ly** *adv.* fälschlich(erweise).
ˌ**unˈtrustˌwor·thi·ness** *s.* Unzuverlässigkeit *f*; ˌ**unˈtrustˌwor·thy** *adj.* □ unzuverlässig, nicht vertrauenswürdig.
ˌ**unˈtruth** *s.* **1.** Unwahrheit *f*; **2.** Falschheit *f*; ˌ**unˈtruth·ful** *adj.* □ **1.** unwahr (*Person od. Sache*); unaufrichtig; **2.**

U

falsch, irrig.

ˌ**un'tuned** *adj.* **1.** ♪ verstimmt; **2.** *fig.* verwirrt; **3.** → ˌ**un'tune·ful** *adj.* □ 'unmeˌlodisch.

ˌ**un'turned** *adj.* nicht 'umgedreht; → ***stone*** 1.

ˌ**un'tu·tored** *adj.* **1.** ungebildet, ungeschult; **2.** unerzogen; **3.** unverbildet, na'türlich; **4.** unkultiviert.

ˌ**un'twine**, ˌ**un'twist I** *v/t.* **1.** aufdrehen, -flechten; **2.** *bsd. fig.* entwirren, lösen; **II** *v/i.* **3.** sich aufdrehen, aufgehen.

ˌ**un'used** *adj.* **1.** unbenutzt, ungebraucht, nicht verwendet; **2.** a) ungewohnt, nicht gewöhnt (***to*** an *acc.*), b) nicht gewohnt (***to doing*** zu tun).

un'u·su·al *adj.* □ un-, außergewöhnlich: ***it is ~ for him to*** es ist nicht s-e Art zu *inf.*

un'ut·ter·a·ble *adj.* □ **1.** unaussprechlich (*a. fig.*); **2.** → ***unspeakable*** 1; **3.** unglaublich, Erz...: ***~ scoundrel***; ˌ**un'ut·tered** *adj.* unausgesprochen, ungesagt.

ˌ**un'val·ued** *adj.* **1.** nicht (ab)geschätzt, untaxiert; **2.** ☨ nennwertlos (*Aktien*); **3.** nicht geschätzt, wenig geachtet.

un'var·ied *adj.* unverändert, einförmig.

ˌ**un'var·nished** *adj.* **1.** ungefirnißt; **2.** *fig.* ungeschminkt: ***~ truth***; **3.** *fig.* schlicht, einfach.

un'var·y·ing *adj.* □ unveränderlich, gleichbleibend.

ˌ**un'veil I** *v/t.* **1.** *Gesicht etc.* entschleiern, *Denkmal etc.* enthüllen (*a. fig.*): ***~ed*** a) unverschleiert, b) unverhüllt (*a. fig.*); **2.** sichtbar werden lassen; **II** *v/i.* **3.** den Schleier fallen lassen, sich enthüllen (*a. fig.*).

ˌ**un'ver·i·fied** *adj.* unbelegt, unbewiesen.

ˌ**un'versed** *adj.* unbewandert (***in*** in *dat.*).

ˌ**un'voiced** *adj.* **1.** unausgesprochen, nicht geäußert; **2.** *ling.* stimmlos.

ˌ**un'vouched**, *a.* **un'vouched-for** *adj.* unverbürgt.

ˌ**un'vouch·ered** *adj.* : ***~ fund*** *pol. Am.* Reptilienfonds *m.*

ˌ**un'want·ed** *adj.* unerwünscht.

un'war·i·ness *s.* Unvorsichtigkeit *f.*

ˌ**un'war·like** *adj.* unkriegerisch.

ˌ**un'warped** *adj.* **1.** nicht verzogen (*Holz*); **2.** *fig.* 'unparˌteiisch.

un'war·rant·a·ble *adj.* □ unverantwortlich, ungerechtfertigt, nicht vertretbar, untragbar, unhaltbar; **un'war·rant·a·bly** *adv.* in unverantwortlicher *od.* ungerechtfertigter Weise; **un'war·rant·ed** *adj.* □ **1.** ungerechtfertigt, unberechtigt, unbefugt; **2.** ˌ***un'warranted*** unverbürgt, ohne Gewähr.

un'war·y *adj.* □ **1.** unvorsichtig; **2.** 'unüberˌlegt.

ˌ**un'washed** *adj.* ungewaschen: ***the great ~*** *fig. contp.* der Pöbel.

ˌ**un'watched** *adj.* unbeobachtet.

ˌ**un'wa·tered** *adj.* **1.** unbewässert; nicht begossen, nicht gesprengt (*Rasen etc.*); **2.** unverwässert (*Milch etc.*; *a.* ☨ *Kapital*).

un'wa·ver·ing *adj.* □ unerschütterlich, standhaft, unentwegt.

un·wea·ried [ʌn'wɪərɪd] *adj.* □ **1.** nicht ermüdet; **2.** unermüdlich; **un'wea·ry·ing** [-ɪɪŋ] *adj.* □ unermüdlich.

ˌ**un'wed**(**·ded**) *adj.* unverheiratet.

ˌ**un'weighed** *adj.* **1.** ungewogen; **2.** nicht abgewogen, unbedacht.

un'wel·come *adj.* □ 'unwillˌkommen (*a. fig. unangenehm*).

ˌ**un'well** *adj.* unwohl, unpäßlich (*a. euphem.*).

ˌ**un'wept** *adj.* **1.** unbeweint; **2.** unvergossen (*Tränen*).

ˌ**un'whole·some** *adj.* □ *allg.* ungesund (*a. fig.*); ˌ**un'whole·some·ness** *s.* Ungesundheit *f.*

un·wield·i·ness [ʌn'wi:ldɪnɪs] *s.* **1.** Unbeholfenheit *f*, Schwerfälligkeit *f*; **2.** Unhandlichkeit *f*; **un'wield·y** *adj.* □ **1.** unbeholfen, plump, schwerfällig; **2.** a) unhandlich, b) sperrig.

ˌ**un'will·ing** *adj.* □ un-, 'widerwillig: ***be ~ to do*** abgeneigt sein, *et.* zu tun, *et.* nicht tun wollen; ***I am ~ to admit it*** ich gebe es ungern zu; **un'will·ing·ly** *adv.* ungern, 'widerwillig; **un'will·ing·ness** *s.* 'Widerwille *m*, Abgeneigtheit *f.*

un·wind [ˌʌn'waɪnd] [*irr.* → ***wind***[2]] **I** *v/t.* **1.** ab-, auf-, loswickeln, abspulen; **II** *v/i.* **2.** sich ab- *od.* loswickeln; **3.** F sich entspannen.

un·wink·ing [ˌʌn'wɪŋkɪŋ] *adj.* □ unverwandt, starr (*Blick*).

ˌ**un'wis·dom** *s.* Unklugheit *f*; ˌ**un'wise** *adj.* □ unklug, töricht.

ˌ**un'wished** *adj.* **1.** ungewünscht; **2.** *a.* ***~-for*** unerwünscht.

un'wit·ting *adj.* □ unwissentlich, unabsichtlich.

un'wom·an·li·ness *s.* Unweiblichkeit *f*; **un'wom·an·ly** *adj.* unweiblich, unfraulich.

un'wont·ed *adj.* □ **1.** nicht gewöhnt (***to*** an *acc.*), ungewohnt (***to*** *inf.* zu *inf.*); **2.** ungewöhnlich.

ˌ**un'work·a·ble** *adj.* **1.** unaus-, 'unˌdurchführbar (*Plan*); **2.** ⚙ nicht bearbeitungsfähig; **3.** ⚙ a) nicht betriebsfähig, b) ⚒ nicht abbauwürdig.

ˌ**un'worked** *adj.* **1.** unbearbeitet (*Boden etc.*), roh (*a.* ⚙); **2.** ⚒ unverritzt: ***~ coal*** anstehende Kohle.

ˌ**un'work·man·like** *adj.* unfachmännisch, unfachgemäß, stümperhaft.

ˌ**un'world·li·ness** *s.* **1.** Weltfremdheit *f*; **2.** Uneigennützigkeit *f*; **3.** Geistigkeit *f*; ˌ**un'world·ly** *adj.* **1.** unweltlich, nicht weltlich (gesinnt), weltfremd; **2.** uneigennützig; **3.** unirdisch, geistig.

ˌ**un'worn** *adj.* **1.** ungetragen (*Kleid etc.*); **2.** nicht abgetragen.

un'wor·thi·ness *s.* Unwürdigkeit *f*; **un'wor·thy** *adj.* □ unwürdig (***of*** *gen.*): ***he is ~ of it*** er verdient es nicht, er ist es nicht wert; ***he is ~ of respect*** er verdient keine Achtung.

un·wound [ˌʌn'waʊnd] *adj.* **1.** abgewickelt; **2.** abgelaufen, nicht aufgezogen (*Uhr*).

ˌ**un'wrap** *v/t.* auswickeln, -packen.

ˌ**un'wrin·kled** *adj.* nicht gerunzelt *od.* zerknittert, faltenlos, glatt.

ˌ**un'writ·ten** *adj.* **1.** ungeschrieben: ***~ law*** a) ⚖ ungeschriebenes Recht, b) *fig.* ungeschriebenes Gesetz; **2.** *a.* ***~-on*** unbeschrieben.

ˌ**un'wrought** *adj.* unbe-, unverarbeitet, roh: ***~ goods*** Rohstoffe.

un'yield·ing *adj.* □ **1.** nicht nachgebend (***to*** *dat.*), fest (*a. fig.*), unbiegsam, starr; **2.** *fig.* unnachgiebig, hart, unbeugsam.

ˌ**un'yoke** *v/t.* **1.** aus-, losspannen; **2.** *fig.* (los)trennen, lösen.

ˌ**un'zip** *v/t.* den Reißverschluß aufmachen an (*dat.*).

up [ʌp] **I** *adv.* **1.** a) nach oben, hoch, (her-, hin)'auf, aufwärts, in die Höhe, em'por, b) oben (*a. fig.*): ***... and ~*** u. (noch) höher *od.* mehr, von ... aufwärts; ***~ and ~*** immer höher; ***three stor(e)ys ~*** drei Stock hoch, oben im dritten Stock(werk); ***~ and down*** auf u. ab, hin u. her; *fig.* überall; ***~ from the country*** vom Lande; ***~ till now*** bis jetzt; **2.** nach *od.* im Norden: ***~ from Cuba*** von Cuba aus in nördlicher Richtung; **3.** a) in der *od.* in die (*bsd.* Haupt)Stadt, b) *Brit. bsd.* in *od.* nach London; **4.** am *od.* zum Studienort, im College *etc.*: ***he stayed ~ for the vacation***; **5.** *Am.* F in (*dat.*): ***~ north*** im Norden; **6.** aufrecht, gerade: ***sit ~***; **7.** her'an, her, auf ... (*acc.*) zu, hin: ***he went straight ~ to the door*** er ging geradewegs auf die Tür zu *od.* zur Tür; **8.** ***~ to*** a) hin'auf nach *od.* zu, b) bis (zu), bis an *od.* auf (*acc.*), c) gemäß, entsprechend; → ***date***[2] 5; ***~ to town*** in die Stadt, *Brit. bsd.* nach London; ***~ to the chin*** bis ans *od.* zum Kinn; ***~ to death*** bis zum Tode; ***be ~ to*** F a) *et.* vorhaben, *et.* im Schilde führen, b) gewachsen sein (*dat.*), c) entsprechen (*dat.*), d) *j-s* Sache sein, abhängen von *j-m*, e) fähig *od.* bereit sein zu, f) vorbereitet *od.* gefaßt sein auf (*acc.*), g) vertraut sein mit, bewandert sein in (*dat.*); ***what are you ~ to?*** was hast du vor?, was machst du (***there*** da)?; → ***trick*** 2; ***he is ~ to no good*** er führt nichts Gutes im Schilde; ***it is ~ to him*** es liegt an ihm, es hängt von ihm ab, es ist s-e Sache; ***it is not ~ to much*** es taugt nicht viel; ***he is not ~ to much*** mit ihm ist nicht viel los; **9.** *mit Verben* (*siehe jeweils diese*): a) auf..., aus..., ver..., b) zu'sammen...: ***add ~*** zs.-zählen; ***eat ~*** aufessen; **II** *adj.* **10.** aufwärts..., nach oben gerichtet; **11.** im Innern (des Landes *etc.*); **12.** nach der *od.* zur Stadt: ***~ train***; ***~ platform*** Bahnsteig *m* für Stadtzüge; **13.** a) oben (befindlich), b) hoch (*a. fig.*): ***be ~*** *fig.* an der Spitze sein, obenauf sein; ***he is ~ in*** (*od.* ***on***) ***that subject*** F in diesem Fach ist er gut beschlagen *od.* weiß er (gut) Bescheid; ***prices are ~*** die Preise sind hoch *od.* gestiegen; ***wheat is ~*** † Weizen steht hoch (im Kurs), der Weizenpreis ist gestiegen; **14.** auf(gestanden), auf den Beinen (*a. fig.*): ***~ and about*** F (wieder) auf den Beinen; ***~ and coming*** → ***up-and-coming***; ***~ and doing*** a) auf den Beinen, b) rührig, tüchtig; ***be ~ late*** lange aufbleiben; ***be ~ against*** F *e-r Schwierigkeit etc.* gegenüberstehen; ***be ~ against it*** F ‚dran' sein, in der Klemme sein *od.* sitzen; ***be ~ to*** → 8; **15.** *parl. Brit.* geschlossen: ***Parliament is ~*** das Parlament hat s-e Sitzungen beendet *od.* hat sich vertagt; **16.** (zum Sprechen) aufgestanden: ***the Home Secretary is ~*** der Innenminister spricht; **17.** (*bei verschiedenen Substantiven*) a) aufgegangen (*Sonne*, *Samen*), b) hochgeschlagen (*Kragen*), c) hochgekrempelt (*Ärmel etc.*), d) aufgespannt (*Schirm*), e) aufgeschlagen (*Zelt*), f) hoch-, aufgezogen (*Vorhang etc.*), g) aufgestiegen (*Ballon etc.*), h) aufgeflogen (*Vogel*), i) angeschwollen (*Fluß etc.*); **18.** schäumend (*Apfelwein etc.*); **19.** in Aufregung, in Aufruhr: ***his temper is ~*** er ist aufgebracht; ***the whole country was ~*** das ganze Land befand sich in Aufruhr; **20.** F ‚los', im Gange: ***what's ~?*** was ist los?; ***is anything ~?*** ist (irgend et-) was los?; ***the hunt is ~*** die Jagd ist eröffnet; → ***arm***[2] 1, ***blood*** 2; **21.** abgelaufen, vor'bei, um (*Zeit*): ***the game is ~*** *fig.* das Spiel ist aus; ***it's all ~*** alles ist aus; ***it's all ~ with him*** es ist aus mit ihm; **22.** ***~ with*** *j-m* ebenbürtig *od.* gewachsen; **23.** ***~ for*** bereit zu: ***be ~ for discussion*** zur Diskussion stehen; ***be ~ for election*** auf der Wahlliste stehen; ***be ~ for examination*** sich e-r Prüfung unterziehen; ***be ~ for sale*** zum Kauf stehen; ***be ~ for trial*** ⚖ a) vor Gericht stehen, b) verhandelt werden; ***be*** (***had***) ***~ for*** F vorgeladen werden wegen; ***the case is ~ before the court*** der Fall wird (vor Gericht) verhandelt; **24.** *sport etc. um e-n Punkt etc.* vor'aus: ***be one ~***; ***one ~ for you!*** eins zu null für dich! (*a. fig.*); **25.** *Baseball*: am Schlag;

26. *sl.* a) hoffnungsvoll, opti'mistisch, b) in Hochstimmung; **III** *int.* **27.** **~!** auf!, hoch!, her'auf!, hin'auf!, her'an!; **~ (with you)!** (steh) auf!; **~ ...!** hoch (lebe) ...!; **IV** *prp.* **28.** auf ... (*acc.*) (hinauf), hinauf, em'por (*a. fig.*): **~ the hill (river)** den Berg (Fluß) hinauf, bergauf (flußaufwärts); **~ the street** die Straße hinauf *od.* entlang; **~ yours!** V ‚leck mich'!; **29.** in das Innere *e-s Landes etc.*: **~ (the) country** landeinwärts; **30.** oben an *od.* auf (*dat.*): **~ the tree** (oben) auf dem Baum; **~ the road** weiter oben an der Straße; **V** *s.* **31.** **the ~s and downs** das Auf u. Ab, die Höhen u. Tiefen *des Lebens*; **on the ~ and ~** F a) im Steigen (begriffen), im Kommen, b) in Ordnung, ehrlich; **32.** F Preisanstieg *m*; **33.** *sl.* Aufputschmittel *n*; **34.** F Höhergestellte(r *m*) *f*; **VI** *v/i.* **35.** **~ with** *sl. et.* hochreißen: **he ~ped with his gun**; **36.** *Am. sl.* Aufputschmittel nehmen; **VII** *v/t.* **37.** *Preis*, *Produktion etc.* erhöhen; **38.** *Am.* F *j-n* (im Rang) befördern (**to** zu).

ˌ**up-and-'com·ing** *adj.* aufstrebend.

ˌ**up-and-'down** *adj.* auf- und ab gehend: **~ looks** kritisch musternde Blicke; **~ motion** Aufundabbewegung *f*; **~ stroke** ⚙ Doppelhub *m*.

u·pas ['ju:pəs] *s.* **1.** *a.* **~-tree** ⚘ Upasbaum *m*; **2.** a) Upassaft *m* (*Pfeilgift*), b) *fig.* Gift, verderblicher Einfluß.

'**up·beat I** *s.* **1.** ♪ Auftakt *m*; **2.** **on the ~** *fig.* im Aufschwung; **II** *adj.* **3.** F beschwingt.

'**up-bow** [-bəʊ] *s.* ♪ Aufstrich *m*.

up'braid *v/t. j-m* Vorwürfe machen, *j-n*, *a. et.* tadeln, rügen: **~ s.o. with** (*od.* **for**) **s.th.** j-m et. vorwerfen, j-m wegen e-r Sache Vorwürfe machen; **up'braid·ing I** *s.* Vorwurf *m*, Tadel *m*, Rüge *f*; **II** *adj.* □ vorwurfsvoll, tadelnd.

'**upˌbring·ing** *s.* **1.** Erziehung *f*; **2.** Groß-, Aufziehen *n*.

'**up·cast I** *adj.* em'porgerichtet (*Blick etc.*), aufgeschlagen (*Augen*); **II** *s. a.* **~ shaft** ⚒ Wetter-, Luftschacht *m*.

'**up·chuck I** *v/i.* (sich er)brechen; **II** *v/t. et.* erbrechen.

'**upˌcom·ing** *adj. Am.* kommend, be'vorstehend.

ˌ**up'coun·try I** *adv.* land'einwärts; **II** *adj.* im Inneren des Landes (gelegen *od.* lebend), binnenländisch; *contp.* bäurisch; **III** *s. das* (Landes)Innere, Binnen-, Hinterland *n*.

'**upˌcur·rent** *s.* ✈ Aufwind *m*.

up'date I *v/t.* **1.** auf den neuesten Stand bringen; **II** *s.* '**update** **2.** 'Unterlage(n *pl.*) *f etc.* über den neuesten Stand; **3.** auf den neuesten Stand gebrachte Versi'on *etc.*, neuester Bericht (**on** über *acc.*).

'**up·do** *s.* F 'Hochfriˌsur *f*.

'**up·draft** *Am.*, '**up·draught** *Brit. s.* Aufwind *m*.

up'end *v/t.* F **1.** hochkant stellen, *Faß etc.* aufrichten; **2.** *Gefäß* 'umstülpen; **3.** *fig.* ‚auf den Kopf stellen'.

'**up·front** *adj. Am.* F **1.** freimütig, di'rekt; **2.** vordringlich; **3.** führend; **4.** Voraus...

'**up·grade I** *s.* **1.** Steigung *f*: **on the ~** *fig.* im (An)Steigen (begriffen); **2.** *Computer*: Aufrüstung *f*; **II** *adj.* **3.** *Am.* ansteigend; **III** *adv.* **4.** *Am.* berg'auf; **IV** *v/t.* **up'grade** **5.** höher einstufen; **6.** *j-n* (im Rang) befördern: **~ s.o.'s status** *fig.* j-n ‚aufwerten'; **7.** ✝ a) (die Quali'tät *gen.*) verbessern, b) *Produkt* durch ein besseres Erzeugnis ersetzen; **8.** *Computer*: aufrüsten.

up·heav·al [ʌp'hi:vl] *s.* **1.** *geol.* Erhebung *f*; **2.** *fig.* 'Umwälzung *f*, 'Umbruch *m*: **social ~s**.

up'heave *v/t. u. v/i.* [*irr.* → **heave**] (sich) heben.

ˌ**up'hill I** *adv.* **1.** den Berg hin'auf, berg'auf; **2.** aufwärts; **II** *adj.* **3.** bergauf führend, ansteigend; **4.** hochgelegen, oben (auf dem Berg) gelegen; **5.** *fig.* mühselig, hart: **~ work**.

up'hold *v/t.* [*irr.* → **hold²**] **1.** hochhalten, aufrecht halten; **2.** halten, stützen (*a. fig.*); **3.** *fig.* aufrechterhalten, unter'stützen; **4.** ⚖ *Urteil* (in zweiter In'stanz) bestätigen; **5.** *fig.* beibehalten; **6.** *Brit.* in'stand halten; **up'hold·er** *s.* Erhalter *m*, Verteidiger *m*, Wahrer *m*: **~ of public order** Hüter *m* der öffentlichen Ordnung.

up·hol·ster [ʌp'həʊlstə] *v/t.* **1.** a) (auf-, aus)polstern, b) beziehen: **~ed goods** Polsterware(n *pl.*) *f*; **2.** *Zimmer* (mit Teppichen, Vorhängen *etc.*) ausstatten; **up'hol·ster·er** [-tərə] *s.* Polsterer *m*; **up'hol·ster·y** [-tərɪ] *s.* **1.** 'Polstermateriˌal *n*, Polsterung *f*, (Möbel)Bezugsstoff *m*; **2.** Polstern *n*.

'**up·keep** *s.* **1.** a) In'standhaltung *f*, b) In'standhaltungskosten *pl.*; **2.** 'Unterhalt(skosten *pl.*) *m*.

up·land ['ʌplənd] **I** *s. mst pl.* Hochland *n*; **II** *adj.* Hochland(s)...

up'lift I *v/t.* **1.** em'porheben; **2.** *Augen*, *Stimme*, *a. fig. Stimmung*, *Niveau* heben; **3.** *fig.* a) aufrichten, Auftrieb verleihen (*dat.*), b) erbauen; **II** *s.* '**uplift** **4.** *fig.* a) (innerer) Auftrieb, b) Erbauung *f*; **5.** *fig.* a) Aufschwung *m*, b) Hebung *f*, (Ver)Besserung *f*; **6.** **~ brassiere** Stützbüstenhalter *m*.

'**up·light·er** *s.* Deckenfluter *m*.

ˌ**up-'mar·ket** *adj.* anspruchsvoll, exklusiv.

up·on [ə'pɒn] *prp.* → **on** (**upon** *ist bsd. in der Umgangssprache weniger geläufig als* **on**, *jedoch in folgenden Fällen üblich*): a) *in verschiedenen Redewendun-*

U

gen: ~ ***this*** hierauf, darauf(hin), b) *in Beteuerungen*: ~ ***my word (of hono[u]r)!*** auf mein Wort!, c) *in kumulativen Wendungen*: ***loss ~ loss*** Verlust auf Verlust, dauernde Verluste; ***petition ~ petition*** ein Gesuch nach dem anderen, d) *als Märchenanfang*: ***once ~ a time there was*** es war einmal.

up·per ['ʌpə] **I** *adj.* **1.** ober, höher, Ober...(*-arm*, *-deck*, *-kiefer*, *-leder etc.*): ~ ***case*** *typ.* a) Oberkasten *m*, b) Versal-, Großbuchstaben *pl.*; ~ ***circle*** *thea.* zweiter Rang; ~ ***class*** *sociol.* Oberschicht *f*; ~ ***crust*** F *die* Spitzen *pl.* der Gesellschaft; ***get the ~ hand*** *fig.* die Oberhand gewinnen; ***≈ House*** *parl.* Oberhaus *n*; ~ ***stor(e)y*** oberes Stockwerk; ***there is something wrong in his ~ stor(e)y*** F *fig.* er ist nicht ganz richtig im Oberstübchen; **II** *s.* **2.** *mst pl.* Oberleder *n* (*Schuh*): ***be (down) on one's ~s*** F a) die Schuhe durchgelaufen haben, b) *fig.* ‚total abgebrannt' *od.* ‚auf dem Hund' sein; **3.** F a) Oberzahn *m*, b) obere ('Zahn)Proˌthese, c) (Py'jama- *etc.*)Oberteil *n*; **4.** *sl.* Aufputschmittel *n*; **'~·cut** *Boxen*: **I** *s.* Aufwärts-, Kinnhaken *m*; **II** *v/t.* [*irr.* → ***cut***] *j-m* e-n Aufwärtshaken versetzen.

'up·per·most I *adj.* oberst, höchst; **II** *adv.* ganz oben, oben'an, zu'oberst; an erster Stelle: ***say whatever comes ~*** sagen, was e-m gerade einfällt.

up·pish ['ʌpɪʃ] *adj.* □ F **1.** hochnäsig; **2.** anmaßend.

up·pi·ty ['ʌpətɪ] → ***uppish***.

up'raise *v/t.* erheben: ***with hands ~d*** mit erhobenen Händen.

up·right I *adj.* □ [ˌʌp'raɪt] **1.** auf-, senkrecht, gerade: ~ ***piano*** → 7; ~ ***size*** Hochformat *n*; **2.** aufrecht (sitzend, stehend, gehend); **3.** ['ʌpraɪt] *fig.* aufrecht, rechtschaffen; **II** *adv.* [ˌʌp'raɪt] **4.** aufrecht, gerade; **III** *s.* ['ʌpraɪt] **5.** (senkrechte) Stütze, Träger *m*, Ständer *m*, Pfosten *m*, (Treppen)Säule *f*; **6.** *pl. sport* (Tor)Pfosten *pl.*; **7.** ♪ ('Wand-)Klaˌvier *n*, Pi'ano *n*; **up·right·ness** ['ʌpraɪtnɪs] *s. fig.* Geradheit *f*, Rechtschaffenheit *f*.

'upˌris·ing *s.* **1.** Aufstehen *n*; **2.** *fig.* Aufstand *m*, (Volks)Erhebung *f*.

ˌup'riv·er → ***upstream***.

'up·roar *s. fig.* Aufruhr *m*, Tu'mult *m*, Toben *n*, Lärm *m*: ***in (an) ~*** in Aufruhr; **up·roar·i·ous** [ʌp'rɔːrɪəs] *adj.* □ **1.** lärmend, laut, stürmisch (*Begrüßung etc.*), tosend (*Beifall*), schallend (*Gelächter*); **2.** tumultu'arisch, tobend; **3.** ‚toll', zum Brüllen (komisch).

up'root *v/t.* **1.** ausreißen; *Baum etc.* entwurzeln (*a. fig.*); **2.** *fig.* her'ausreißen (***from*** aus); **3.** *fig.* ausmerzen, -rotten.

up'set¹ I *v/t.* [*irr.* → ***set***] **1.** 'umwerfen, -kippen, -stoßen; *Boot* zum Kentern bringen; **2.** *fig. Regierung* stürzen; **3.** *fig. Plan* 'umstoßen, über den Haufen werfen, vereiteln; → ***apple-cart***; **4.** *fig. j-n* umwerfen, aus der Fassung bringen, bestürzen, durchein'anderbringen; **5.** in Unordnung bringen; *Magen* verderben; **6.** ⚙ stauchen; **II** *v/i.* [*irr.* → ***set***] **7.** 'umkippen, -stürzen; 'umschlagen, kentern (*Boot*); **III** *s.* **8.** 'Umkippen *n*; ⚓ 'Umschlagen *n*, Kentern *n*; **9.** Sturz *m*, Fall *m*; **10.** 'Umsturz *m*; **11.** Unordnung *f*, Durchein'ander *n*; **12.** Bestürzung *f*, Verwirrung *f*; **13.** Vereitelung *f*; **14.** (*a.* ⚕ Magen)Verstimmung *f*, Ärger *m*; **15.** Streit *m*, Meinungsverschiedenheit *f*; **16.** *sport* Über'raschung *f* (*unerwartete Niederlage etc.*).

'up·set² *adj. attr.* **1.** verdorben (*Magen*): ~ ***stomach*** Magenverstimmung *f*; **2.** ~ ***price*** Anschlagspreis *m* (*Auktion*).

'up·shot *s.* (End)Ergebnis *n*, Ende *n*, Ausgang *m*, Fazit *n*: ***in the ~*** am Ende, schließlich.

'up·side *s.* Oberseite *f*; ~ **down** *adv.* **1.** das Oberste zu'unterst, mit dem Kopf *od.* Oberteil nach unten, verkehrt (her'um); **2.** *fig.* drunter u. drüber, vollkommen durchein'ander: ***turn everything ~*** alles auf den Kopf stellen; **ˌ~-'down** *adj.* auf den Kopf gestellt, 'umgekehrt: ~ ***flight*** ✈ Rückenflug *m*; ~ ***world*** *fig.* verkehrte Welt.

up·si·lon [juːp'saɪlən] *s.* Ypsilon *n* (*Buchstabe*).

ˌup'stage I *adv. thea.* **1.** im *od.* in den 'Hintergrund der Bühne; **II** *adj.* **2.** zum 'Bühnenˌhintergrund gehörig; **3.** F hochnäsig; **III** *v/t.* **4.** *fig. j-m* ‚die Schau stehlen', *j-n* in den 'Hintergrund drängen; **5.** F *j-n* hochnäsig behandeln; **IV** *s.* **6.** *thea.* 'Bühnenˌhintergrund *m*.

ˌup'stairs I *adv.* **1.** die Treppe hin'auf, nach oben; → ***kick*** 9; **2.** e-e Treppe höher; **3.** oben, in e-m oberen Stockwerk: ***a bit weak ~*** F leicht ‚behämmert'; **4.** im oberen Stockwerk (gelegen), ober; **II** *s. pl. a. sg. konstr.* **5.** oberes Stockwerk, Obergeschoß *n*.

up'stand·ing *adj.* **1.** aufrecht (*a. fig. ehrlich, tüchtig*); **2.** großgewachsen, (groß u.) kräftig.

'up·start I *s.* Em'porkömmling *m*, Parve'nü *m*; **II** *adj.* em'porgekommen, Parvenü..., neureich.

'up·state *Am.* **I** *s.* 'Hinterland *n e-s Staates*; **II** *adj. u. adv.* aus dem *od.* in den *od.* im ländlichen *od.* nördlichen Teil des Staates, in *od.* aus der *od.* in die Pro'vinz.

ˌup'stream I *adv.* **1.** strom'aufwärts; **2.** gegen den Strom; **II** *adj.* **3.** strom'aufwärts gerichtet; **4.** (weiter) strom'aufwärts gelegen.

'up·stroke *s.* **1.** Aufstrich *m beim*

U

Schreiben; **2.** ⚙ (Aufwärts)Hub *m*.
up'surge I *v/i*. aufwallen; **II** *s*. ***'upsurge*** Aufwallung *f*; *fig. a.* Aufschwung *m*.
'up·sweep *s*. **1.** Schweifung *f* (*Bogen etc.*); **2.** 'Hochfriˌsur *f*; **up'swept** *adj*. **1.** nach oben gebogen *od*. gekrümmt; **2.** hochgekämmt (*Frisur*).
'up·swing *s. fig.* Aufschwung *m*.
up·sy-dai·sy [ˌʌpsɪ'deɪzɪ] *int*. F hoppla!
'up·take *s*. **1.** Auffassungsvermögen *n*: ***be quick on the ~*** schnell begreifen, ‚schnell schalten'; ***be slow on the ~*** schwer von Begriff sein, e-e ‚lange Leitung' haben; **2.** Aufnahme *f*; **3.** ⚙ a) Steigrohr *n*, -leitung *f*, b) 'Fuchs(kaˌnal) *m*.
'up·throw *s*. **1.** 'Umwälzung *f*; **2.** *geol*. Verwerfung *f* (ins Hangende).
'up·thrust *s*. **1.** Em'porschleudern *n*, Stoß *m* nach oben; **2.** *geol*. Horstbildung *f*.
'up·tight *adj*. **1.** *sl*. ner'vös (***about*** wegen); **2.** ‚zickig'; **3.** steif, verklemmt; **4.** ‚pleite'.
ˌup-to-'date *adj*. **1.** a) mo'dern, neuzeitlich, b) zeitnah, aktu'ell (*Thema etc.*); **2.** a) auf der Höhe (*der Zeit*), auf dem laufenden, auf dem neuesten Stand, b) modisch; **ˌup-to-'date·ness** [-nɪs] *s*. **1.** Neuzeitlichkeit *f*, Moderni'tät *f*; **2.** Aktuali'tät *f*.
ˌup-to-the-'min·ute *adj*. allerneuest, allerletzt.
up'town I *adv*. **1.** im *od*. in den oberen Stadtteil; **2.** in den Wohnvierteln, in die Wohnviertel; **II** *adj*. **3.** im oberen Stadtteil (gelegen); **4.** in den Wohnvierteln (gelegen *od*. lebend).
'up·trend *s*. Aufschwung *m*, steigende Ten'denz.
up'turn I *v/t*. **1.** 'umdrehen; **2.** (*v/i*. sich) nach oben richten *od*. kehren; *Blick* in die Höhe richten; **II** *s*. ***'upturn*** **3.** (An-) Steigen *n* (*der Kurse etc.*); **4.** *fig*. Aufschwung *m*; **ˌup'turned** *adj*. **1.** nach oben gerichtet *od*. gebogen: ***~ nose*** Stupsnase *f*; **2.** 'umgeworfen, 'umgekippt, ⚓ gekentert.
up·ward ['ʌpwəd] **I** *adv. a.* **'up·wards** [-dz] **1.** aufwärts (*a. fig.*): ***from five dollars ~*** von 5 Dollar an (aufwärts); **2.** nach oben (*a. fig.*); **3.** mehr, dar'über (hin'aus): ***~ of 10 years*** mehr als *od*. über 10 Jahre; **II** *adj*. **4.** nach oben gerichtet; (an)steigend (*Tendenz etc.*): ***~ glance*** Blick *m* nach oben; ***~ movement*** ✝ Aufwärtsbewegung *f*.
u·rae·mi·a [jʊə'riːmjə] *s*. ⚕ Urä'mie *f*;
u·ra·nal·y·sis [ˌjʊərə'næləsɪs] *s*. ⚕ U'rin-, 'Harnunterˌsuchung *f*.
u·ra·nite ['jʊərənaɪt] *s. min*. Ura'nit *n*, U'ranglimmer *m*.
u·ra·ni·um [jʊ'reɪnjəm] *s*. U'ran *n*.
u·ra·nog·ra·phy [ˌjʊərə'nɒgrəfɪ] *s*. Himmelsbeschreibung *f*.
u·ra·nous ['jʊərənəs] *adj*. ⚗ Uran…, u'ranhaltig.
U·ra·nus ['jʊərənəs] *s. ast*. Uranus *m* (*Planet*).
ur·ban ['ɜːbən] *adj*. städtisch, Stadt…: ***~ decay*** Verslummung *f*; ***~ district*** Stadtbezirk *m*; ***~ guerilla*** Stadtguerilla *m*; ***~ planning*** Stadtplanung *f*; ***~ renewal*** Stadtsanierung *f*; ***~ sprawl***, ***~ spread*** unkontrollierte Ausdehnung e-r Stadt; **ur·bane** [ɜː'beɪn] *adj*. ☐ **1.** ur'ban: a) weltgewandt, -männisch, b) kulti'viert, gebildet; **2.** höflich, liebenswürdig; **ur·bane·ness** [ɜː'beɪnɪs] *s*. **1.** (Welt)Gewandtheit *f*; Bildung *f*; **2.** Höflichkeit *f*, Liebenswürdigkeit *f*; **'ur·ban·ism** [-nɪzəm] *s. Am*. **1.** Stadtleben *n*; **2.** Urba'nistik *f*; **3.** → ***urbanization***; **'ur·ban·ite** [-naɪt] *s. Am*. Städter(in); **ur·ban·i·ty** [ɜː'bænətɪ] → ***urbaneness***; **ur·ban·i·za·tion** [ˌɜːbənaɪ'zeɪʃn] *s*. **1.** Verstädterung *f*; **2.** Verfeinerung *f*; **'ur·ban·ize** [-naɪz] *v/t*. urbanisieren: a) verstädtern, städtischen Cha'rakter verleihen (*dat.*), b) verfeinern.
ur·chin ['ɜːtʃɪn] *s*. **1.** Bengel *m*, Balg *m*, *n*; **2.** *zo*. a) *dial*. Igel *m*, b) *mst* ***sea ~*** Seeigel *m*.
u·re·a ['jʊərɪə] *s*. ⚗, *biol*. Harnstoff *m*, Karba'mid *n*; **'ure·al** [-əl] *adj*. Harnstoff…
u·re·mi·a → ***uraemia***.
u·re·ter [ˌjʊə'riːtə] *s. anat*. Harnleiter *m*; **ˌu're·thra** [-'riːθrə] *s. anat*. Harnröhre *f*; **ˌu'ret·ic** [-'retɪk] *adj. physiol*. **1.** harntreibend, diu'retisch; **2.** Harn…
urge [ɜːdʒ] **I** *v/t*. **1.** *a.* ***~ on*** (*od*. ***forward***) (an-, vorwärts)treiben, anspornen (*a. fig.*); **2.** *fig*. *j-n* drängen, dringend bitten *od*. auffordern, dringen in *j-n*, *j-m* (heftig) zusetzen: ***be ~d to do*** sich genötigt sehen zu tun; ***~d by necessity*** der Not gehorchend; **3.** drängen *od*. dringen auf (*acc.*); (hartnäckig) bestehen auf (*dat.*); Nachdruck legen auf (*acc.*): ***~ s.th. on s.o.*** j-m et. eindringlich vorstellen *od*. vor Augen führen, j-m et. einschärfen; ***he ~d the necessity for immediate action*** er drängte auf sofortige Maßnahmen; **4.** *als Grund* geltend machen, *Einwand etc.* ins Feld führen; **5.** *Sache* vor'an-, betreiben, beschleunigen; **II** *v/i*. **6.** drängen: ***~ against*** sich nachdrücklich aussprechen gegen; **III** *s*. **7.** Drang *m*, (An)Trieb *m*: ***creative ~*** Schaffensdrang; ***sexual ~*** Geschlechtstrieb; **8.** Inbrunst *f*: ***religious ~***; **'ur·gen·cy** [-dʒənsɪ] *s*. **1.** Dringlichkeit *f*; **2.** (dringende) Not, Druck *m*; **3.** Drängen *n*; **4.** *parl. Brit*. Dringlichkeitsantrag *m*; **5.** Eindringlichkeit *f*; **'ur·gent** [-dʒənt] *adj*. ☐ **1.** dringend (*a. Mangel*; *a. teleph. Gespräch*), dringlich, eilig: ***the matter is ~*** die Sache eilt; ***be in ~ need***

of *et.* dringend brauchen; **2.** drängend: ***be ~ about*** (*od.* ***for***) ***s.th.*** zu et. drängen, auf et. dringen; ***be ~ with s.o.*** j-n drängen, in j-n dringen (***for*** wegen, ***to do*** zu tun); **3.** zu-, aufdringlich; **4.** hartnäckig.

u·ric ['jʊərɪk] *adj.* Urin…, Harn…: ***~ acid*** Harnsäure *f.*

u·ri·nal ['jʊərɪnl] *s.* **1.** U'rinflasche *f* (*für Kranke*); **2.** Harnglas *n*; **3.** a) U'rinbekken *n* (*in Toiletten*), b) Pis'soir *n*; **u·ri·nal·y·sis** [ˌjʊərɪ'næləsɪs] *pl.* **-ses** [-siːz] → ***uranalysis***; **u·ri·nar·y** ['jʊərɪnərɪ] *adj.* Harn…, Urin…: ***~ bladder*** Harnblase *f*; ***~ calculus*** ⚕ Blasenstein *m*; **u·ri·nate** ['jʊərɪneɪt] *v/i.* urinieren; **u·rine** ['jʊərɪn] *s.* U'rin *m*, Harn *m*.

urn [ɜːn] *s.* **1.** Urne *f*; **2.** 'Tee- *od.* 'Kaffeemaˌschine *f.*

u·ro·gen·i·tal [ˌjʊərəʊ'dʒenɪtl] *adj.* ⚕ urogeni'tal.

u·rol·o·gy [ˌjʊə'rɒlədʒɪ] *s.* ⚕ Urolo'gie *f.*

ur·sine ['ɜːsaɪn] *adj.* *zo.* bärenartig, Bären…

U·ru·guay·an [ˌjʊərʊ'gwaɪən] **I** *adj.* urugu'ayisch; **II** *s.* Urugu'ayer(in).

us [ʌs; əs] *pron.* **1.** uns (*dat. od. acc.*): ***all of ~*** wir alle; ***both of ~*** wir beide; **2.** *dial.* wir: ***~ poor people.***

us·a·ble ['juːzəbl] *adj.* brauch-, verwendbar.

us·age ['juːzɪdʒ] *s.* **1.** Brauch *m*, Gepflogenheit *f*, Usus *m*: (***commercial***) ***~*** Handelsbrauch, Usance *f*; **2.** übliches Verfahren, Praxis *f*; **3.** Sprachgebrauch *m*: ***English ~***; **4.** Gebrauch *m*, Verwendung *f*; **5.** Behandlung(sweise) *f.*

us·ance ['juːzns] *s.* ✝ **1.** (übliche) Wechselfrist, Uso *m*: ***at ~*** nach Uso; ***bill at ~*** Usowechsel *m*; **2.** Uso *m*, U'sance *f*, Handelsbrauch *m*.

use I *s.* [juːs] **1.** Gebrauch *m*, Benutzung *f*, Benützung *f*, An-, Verwendung *f*: ***for ~*** zum Gebrauch; ***for ~ in schools*** für den Schulgebrauch; ***directions for ~*** Gebrauchsanweisung *f*; ***in ~*** in Gebrauch, gebräuchlich; ***be in daily ~*** täglich gebraucht werden; ***in common ~*** allgemein gebräuchlich; ***come into ~*** in Gebrauch kommen; ***out of ~*** nicht in Gebrauch; ***fall*** (*od.* ***go*** *od.* ***pass***) ***out of ~*** außer Gebrauch kommen, ungebräuchlich werden; ***with ~*** durch (ständigen) Gebrauch; ***make ~ of*** Gebrauch machen von, benutzen; ***make*** (***a***) ***bad ~ of*** (e-n) schlechten Gebrauch machen von; **2.** a) Verwendung(szweck *m*) *f*, b) Brauchbarkeit *f*, Verwendbarkeit *f*, c) Zweck *m*, Sinn *m*, Nutzen *m*, Nützlichkeit *f*: ***of ~*** (***to***) brauchbar (für), nützlich (*dat.*), von Nutzen (für); ***it is of no ~ doing*** *od.* ***to do*** es ist unnütz *od.* nutz- *od.* zwecklos zu tun, es hat keinen Zweck zu tun; ***is this of ~ to you?*** können Sie das (ge-) brauchen?; ***crying is no ~*** Weinen führt zu nichts; ***what is the ~*** (***of it***)***?*** was hat es (überhaupt) für einen Zweck?; ***put to*** (***good***) ***~*** (gut) an- *od.* verwenden; ***have no ~ for*** a) nicht brauchen können, mit *et. od. j-m* nichts anfangen können, b) *bsd. Am.* F nichts übrig haben für; **3.** Fähigkeit *f*, *et.* zu gebrauchen, Gebrauch *m*: ***he lost the ~ of his right eye*** er kann auf dem rechten Auge nicht mehr sehen; ***have the ~ of one's limbs*** sich bewegen können; **4.** Gewohnheit *f*, Brauch *m*, Übung *f*, Praxis *f*: ***once a ~ and ever a custom*** jung gewohnt, alt getan; **5.** Benutzungsrecht *n*; **6.** ⚖ a) Nutznießung *f*, b) Nutzen *m*; **II** *v/t.* [juːz] **7.** gebrauchen, Gebrauch machen von (*a. von e-m Recht etc.*), benutzen, benützen, *a. Gewalt* anwenden, *a. Sorgfalt* verwenden, sich bedienen (*gen.*), *Gelegenheit etc.* nutzen, sich zu'nutze machen: ***~ one's brains*** den Verstand gebrauchen, s-n Kopf anstrengen; ***~ one's legs*** zu Fuß gehen; **8.** ***~ up*** a) *et.* auf-, verbrauchen, b) F *j-n* erschöpfen, ‚fertigmachen'; → ***used*** 2; **9.** behandeln, verfahren mit: ***~ s.o. ill*** j-n schlecht behandeln; ***how has the world ~d you?*** wie ist es dir ergangen?; **III** *v/i.* **10.** *nur pret.* [juːst] pflegte (***to do*** zu tun): ***it ~d to be said*** man pflegte zu sagen; ***he ~d to live here*** er wohnte früher hier; ***he does not come as often as he ~d*** (***to***) er kommt nicht mehr so oft wie früher *od.* sonst; **use·a·ble** ['juːzəbl] → ***usable***; **used** [juːzd] *adj.* **1.** gebraucht, getragen (*Kleidung*): ***~ car*** *mot.* Gebrauchtwagen *m*; **2.** ***~ up*** a) aufgebraucht, verbraucht (*a. Luft*), b) F ‚erledigt', ‚fertig', erschöpft; **3.** [juːst] a) gewohnt (***to*** zu *od. acc.*), b) gewöhnt (***to*** an *acc.*): ***he is ~ to working late*** er ist gewohnt, lange zu arbeiten; ***get ~ to*** sich gewöhnen an (*acc.*); **use·ful** ['juːsfʊl] *adj.* □ **1.** nützlich, brauchbar, (zweck)dienlich, (gut) verwendbar: ***~ tools***; ***a ~ man*** ein brauchbarer Mann; ***~ talks*** nützliche Gespräche; ***make o.s. ~*** sich nützlich machen; **2.** *bsd.* ⚙ nutzbar, Nutz…: ***~ efficiency*** Nutzleistung *f*; ***~ life*** (***expectancy***) gewöhnliche Nutzungsdauer; ***~ load*** Nutzlast *f*; ***~ plant*** Nutzpflanze *f*; **'use·ful·ness** [-fʊlnɪs] *s.* Nützlichkeit *f*, Brauchbarkeit *f*, Zweckmäßigkeit *f*; **use·less** ['juːslɪs] *adj.* □ **1.** nutz-, sinn-, zwecklos, unnütz, vergeblich: ***it is ~ to*** es erübrigt sich zu; **2.** unbrauchbar; **'use·less·ness** [-lɪsnɪs] *s.* Nutz-, Zwecklosigkeit *f*; Unbrauchbarkeit *f*; **us·er** ['juːzə] *s.* **1.** Benutzer(-in): ***~-friendly*** benutzerfreundlich, anwenderfreundlich; ***~ program*** *Computer*: Anwenderprogramm *n*; ***~ prompting*** *Computer*: Benutzerführung *f*; **2.** ✝ Verbraucher(in); **3.** ⚖ Nießbrauch *m*, Benutzungsrecht *n*.

'U-shaped *adj*. U-förmig: **~ *iron*** ⚙ U-Eisen *n*.

ush·er ['ʌʃə] **I** *s*. **1.** Türhüter *m*; **2.** Platzanweiser(in); **3.** a) ⚖ Gerichtsdiener *m*, b) *allg*. 'Aufsichtsperˌson *f*; **4.** Zere'monienmeister *m*; **5.** *Brit. obs*. Hilfslehrer *m*; **II** *v/t*. **6.** (*mst* **~ *in*** her'ein-, hin'ein)führen, (-)geleiten; **7.** **~ *in*** *a. fig*. ankündigen, *e-e Epoche etc*. einleiten; **ush·er·ette** [ˌʌʃə'ret] *s*. Platzanweiserin *f*.

u·su·al ['juːʒʊəl] *adj*. □ üblich, gewöhnlich, gebräuchlich: ***as* ~** wie gewöhnlich, wie sonst; ***the* ~ *thing*** das Übliche; ***it has become the* ~ *thing*** (***with us***) es ist (bei uns) gang u. gäbe geworden; ***it is* ~ *for shops to close at 6 o'clock*** die Geschäfte schließen gewöhnlich um 6 Uhr; ***the* ~ *pride with her*** ihr üblicher Stolz; **'u·su·al·ly** [-əlɪ] *adv*. (für) gewöhnlich, in der Regel, meist(ens).

u·su·fruct ['juːsjuːfrʌkt] *s*. ⚖ Nießbrauch *m*, Nutznießung *f*; **u·su·fruc·tu·ar·y** [ˌjuːsjuː'frʌktjʊərɪ] **I** *s*. Nießbraucher(in); **II** *adj*. Nutzungs...: **~ *right***.

u·su·rer ['juːʒərə] *s*. Wucherer *m*; **u·su·ri·ous** [juː'zjʊərɪəs] *adj*. □ wucherisch, Wucher...: **~ *interest*** → ***usury*** 2; **u·su·ri·ous·ness** [juː'zjʊərɪəsnɪs] *s*. Wuche'rei *f*.

u·surp [juː'zɜːp] *v/t*. **1.** an sich reißen, sich 'widerrechtlich aneignen, sich bemächtigen (*gen*.); **2.** sich ('widerrechtlich) anmaßen; **3.** *Aufmerksamkeit etc*. mit Beschlag belegen; **u·sur·pa·tion** [ˌjuːzɜː'peɪʃn] *s*. **1.** Usurpati'on *f*: a) 'widerrechtliche Machtergreifung *od*. Aneignung, Anmaßung *f e-s Rechts etc*., b) **~ *of the throne*** Thronraub *m*; **2.** unberechtigter Eingriff (***on*** in *acc*.); **u'surp·er** [-pə] *s*. **1.** Usur'pator *m*, unrechtmäßiger Machthaber, Thronräuber *m*; **2.** unberechtigter Besitzergreifer; **3.** *fig*. Eindringling *m* (***on*** in *acc*.); **u'surp·ing** [-pɪŋ] *adj*. □ usurpa'torisch.

u·su·ry ['juːʒʊrɪ] *s*. **1.** (Zins)Wucher *m*: ***practise* ~** Wucher treiben; **2.** Wucherzinsen *pl*. (***at*** auf *acc*.): ***return s.th. with* ~** *fig. et*. mit Zins u. Zinseszins heimzahlen.

u·ten·sil [juː'tensl] *s*. **1.** (*a. Schreib- etc*.) Gerät *n*, Werkzeug *n*; Gebrauchs-, Haushaltsgegenstand *m*: (***kitchen***) **~** Küchengerät; **2.** Geschirr *n*, Gefäß *n*; **3.** *pl*. Uten'silien *pl*., Geräte *pl*.; (Küchen)Geschirr *n*.

u·ter·ine ['juːtəraɪn] *adj*. **1.** *anat*. Gebärmutter..., Uterus...; **2.** von der'selben Mutter stammend: **~ *brother*** Halbbruder mütterlicherseits; **u·ter·us** ['juːtərəs] *pl*. **-ter·i** [-təraɪ] *s. anat*. Uterus *m*, Gebärmutter *f*.

u·til·i·tar·i·an [ˌjuːtɪlɪ'teərɪən] **I** *adj*. **1.** utilita'ristisch, Nützlichkeits...; **2.** praktisch, zweckmäßig; **3.** *contp*. gemein; **II** *s*. **4.** Utilita'rist(in); **ˌu·til·i'tar·i·an·ism** [-nɪzəm] *s*. Utilita'rismus *m*.

u·til·i·ty [juː'tɪlətɪ] **I** *s*. **1.** *a*. ✝ Nutzen *m* (***to*** für), Nützlichkeit *f*; **2.** *et*. Nützliches, nützliche Einrichtung; **3.** a) *a*. ***public* ~** (***company*** *od*. ***corporation***) öffentlicher Versorgungsbetrieb, *pl. a*. Stadtwerke *pl*., b) *pl*. Leistungen *pl*. der öffentlichen Versorgungsbetriebe, *bsd*. Strom-, Gas- u. Wasserversorgung *f*; **4.** ⚙ Zusatzgerät *n*; **II** *adj*. **5.** ✝, ⚙ Gebrauchs...(*-güter*, *-möbel*, *-wagen etc*.); **6.** Mehrzweck...; **~ man** *s*. [*irr*.] **1.** *bsd. Am*. Fak'totum *n*; **2.** *thea*. vielseitig einsetzbarer Chargenspieler.

u·ti·liz·a·ble ['juːtɪlaɪzəbl] *adj*. verwendbar, verwertbar, nutzbar; **u·ti·li·za·tion** [ˌjuːtɪlaɪ'zeɪʃn] *s*. Nutzbarmachung *f*, Verwertung *f*, (Aus)Nutzung *f*, An-, Verwendung *f*; **u·ti·lize** ['juːtɪlaɪz] *v/t*. **1.** (aus)nutzen, verwerten, sich *et*. nutzbar *od*. zu'nutze machen; **2.** verwenden.

ut·most ['ʌtməʊst] **I** *adj*. äußerst: a) entlegenst, fernst, b) *fig*. höchst, größt; **II** *s. das* Äußerste: ***the* ~ *that I can do***; ***do one's* ~** sein äußerstes *od*. möglichstes tun; ***at the* ~** allerhöchstens; ***to the* ~** aufs äußerste; ***to the* ~ *of my powers*** nach besten Kräften.

U·to·pi·a [juː'təʊpjə] *s*. **1.** U'topia *n* (*Idealstaat*); **2.** *oft* ♀ *fig*. Uto'pie *f*; **U'to·pi·an** [-jən], *a*. ♀ **I** *adj*. u'topisch, phan'tastisch; **II** *s*. Uto'pist(in), Phan'tast (-in); **U'to·pi·an·ism** [-jənɪzəm], *a*. ♀ *s*. Uto'pismus *m*; **U·to·pi·an·ist** [-jənɪst] *s*. Utopist *m*.

u·tri·cle ['juːtrɪkl] *s*. **1.** *zo*., ⚘ Schlauch *m*, bläs-chenförmiges Luft- *od*. Saftgefäß; **2.** ⚕ U'triculus *m* (*Säckchen im Ohrlabyrinth*).

ut·ter ['ʌtə] **I** *adj*. □ → ***utterly***; **1.** äußerst, höchst, völlig; **2.** endgültig, entschieden: **~ *denial***; **3.** *contp*. ausgesprochen, voll'endet (*Schurke*, *Unsinn etc*.); **II** *v/t*. **4.** *Gedanken*, *Gefühle* äußern, ausdrücken, aussprechen; **5.** *Laute etc*. ausstoßen, von sich geben, her'vorbringen; **6.** *Falschgeld etc*. in 'Umlauf setzen, verbreiten; **ut·ter·ance** ['ʌtərəns] *s*. **1.** (stimmlicher) Ausdruck, Äußerung *f*: ***give* ~ *to*** *e-m Gefühl etc*. Ausdruck verleihen; **2.** Sprechweise *f*, Aussprache *f*, Vortrag *m*; **3.** *a. pl*. Äußerung *f*, Aussage *f*, Worte *pl*.; **'ut·ter·er** [-ərə] *s*. **1.** Äußernde(r *m*) *f*; **2.** Verbreiter(in); **'ut·ter·ly** [-lɪ] *adv*. äußerst, abso'lut, völlig, ganz, to'tal; **'ut·ter·most** [-məʊst] → ***utmost***.

'U-turn *s*. **1.** *mot*. Wende *f*; **2.** *fig*. Kehrtwende *f*.

U

u·vu·la [ˈjuːvjʊlə] *pl.* **-lae** [-liː] *s. anat.* Zäpfchen *n*; ˈ**u·vu·lar** [-lə] **I** *adj.* Zäpfchen…, *ling. a.* uvuˈlar; **II** *s. ling.* Zäpfchenlaut *m*, Uvuˈlar *m*.

ux·o·ri·ous [ʌkˈsɔːrɪəs] *adj.* □ treuliebend, -ergeben; **uxˈo·ri·ous·ness** [-nɪs] *s.* treue Ergebenheit (*des Gatten*).

V

V, v [vi:] *s.* V *n*, v *n* (*Buchstabe*).
vac [væk] *Brit.* F *für* ***vacation***.
va·can·cy ['veɪkənsɪ] *s.* **1.** Leere *f* (*a. fig.*): ***stare into ~*** ins Leere starren; **2.** leerer *od.* freier Platz; Lücke *f* (*a. fig.*); **3.** leer(stehend)es *od.* unbewohntes Haus; **4.** freie *od.* offene Stelle, unbesetztes Amt, Va'kanz *f*; *univ.* freier Studienplatz *m*; *pl. Zeitung*: Stellenangebote *pl.*; **5.** a) Geistesabwesenheit *f*, b) geistige Leere, c) Geistlosigkeit *f*; **6.** Untätigkeit *f*, Muße *f*; **'va·cant** [-nt] *adj.* □ **1.** leer, frei, unbesetzt (*Sitz*, *Zimmer*, *Zeit etc.*); **2.** leer(stehend), unbewohnt, unvermietet (*Haus*); unbebaut (*Grundstück*): ***~ possession*** sofort beziehbar; **3.** frei, offen (*Stelle*), va'kant, unbesetzt (*Amt*); **4.** a) geistesabwesend, b) leer: ***~ mind***; ***~ stare***, c) geistlos.
va·cate [və'keɪt] *v/t.* **1.** *Wohnung etc.*, ⚔ *Stellung etc.* räumen; *Sitz etc.* freimachen; **2.** *Stelle* aufgeben, aus *e-m Amt* scheiden: ***be ~d*** freiwerden (*Stelle*); **3.** *Truppen etc.* evakuieren; **4.** ⚖ *Vertrag*, *Urteil etc.* aufheben; **va'ca·tion** [-eɪʃn] **I** *s.* **1.** Räumung *f*; **2.** Niederlegung *f od.* Erledigung *f e-s Amtes*; **3.** (Gerichts-, *univ.* Se'mester-, *Am.* Schul)Ferien *pl.*: ***the long ~*** die großen Ferien, die Sommerferien; **4.** *bsd. Am.* Urlaub *m*: ***on ~*** im Urlaub; ***~ shutdown*** Betriebsferien *pl.*; **II** *v/i.* **5.** *bsd. Am.* in Ferien sein, Urlaub machen; **va'ca·tion·ist** [-eɪʃnɪst] *s. Am.* Urlauber(in).
vac·ci·nal ['væksɪnl] *adj.* ⚕ Impf…; **vac·ci·nate** ['væksɪneɪt] *v/t. u. v/i.* impfen (***against*** gegen); **vac·ci·na·tion** [ˌvæksɪ'neɪʃn] *s.* (Schutz)Impfung *f*; **'vac·ci·na·tor** [-neɪtə] *s.* **1.** Impfarzt *m*; **2.** Impfnadel *f*; **'vac·cine** [-si:n] ⚕ **I** *adj.* Impf…, Kuhpocken…: ***~ matter*** → II; **II** *s.* Impfstoff *m*, Vak'zine *f*: ***bovine ~*** Kuhlymphe *f*; **vac·cin·i·a** [væk'sɪnjə] *s.* ⚕ Kuhpocken *pl.*
vac·il·late ['væsɪleɪt] *v/i. mst fig.* schwanken; **'vac·il·lat·ing** [-tɪŋ] *adj.* □ schwankend (*mst fig. unschlüssig*); **vac·il·la·tion** [ˌvæsɪ'leɪʃn] *s.* Schwanken *n* (*mst fig. Unschlüssigkeit*, *Wankelmut*).
va·cu·i·ty [væ'kju:ətɪ] *s.* **1.** → ***vacancy*** 1, 5; **2.** *fig.* Nichtigkeit *f*, Plattheit *f*; **vac·u·ous** ['vækjʊəs] *adj.* □ **1.** → ***vacant*** 4; **2.** nichtssagend (*Redensart*); **3.** müßig (*Leben*); **vac·u·um** ['vækjʊəm] **I** *pl.* **-ums** [-z] *s.* **1.** ⚙, *phys.* Vakuum *n*, (*bsd.* luft)leerer Raum; **2.** *fig.* Vakuum *n*, Leere *f*, Lücke *f*; **II** *adj.* **3.** Vakuum…: ***~ bottle*** (*od.* ***flask***) Thermosflasche *f*; ***~ brake*** ⚙ Unterdruckbremse *f*; ***~ can***, ***~ tin*** Vakuumdose *f*; ***~ cleaner*** Staubsauger *m*; ***~ drier*** Vakuumtrockner *m*; ***~ ga(u)ge*** Unterdruckmesser *m*; ***~-packed*** vakuumverpackt; ***~-sealed*** vakuumdicht; ***~ tube***, ***~ valve*** ⚡ Vakuumröhre *f*; **III** *v/t.* **4.** (mit dem Staubsauger) saugen *od.* reinigen.
va·de me·cum [ˌveɪdɪ'mi:kəm] *s.* Vade'mekum *n*, Handbuch *n*.
vag·a·bond ['vægəbɒnd] **I** *adj.* **1.** vagabundierend (*a.* ⚡); **2.** Vagabunden…, vaga'bundenhaft; **3.** nomadisierend; **4.** Wander…, unstet: ***a ~ life***; **II** *s.* **5.** Vaga'bund(in), Landstreicher(in); **6.** F Strolch *m*; **III** *v/i.* **7.** vagabundieren; **'vag·a·bond·age** [-dɪdʒ] *s.* **1.** Landstreiche'rei *f*, Vaga'bundenleben *n*; **2.** *coll.* Vaga'bunden *pl.*; **'vag·a·bond·ism** [-dɪzəm] → ***vagabondage*** 1; **'vag·a·bond·ize** [-daɪz] → ***vagabond*** 7.
va·gar·y ['veɪgərɪ] *s.* **1.** wunderlicher Einfall; *pl. a.* Phantaste'reien *pl.*; **2.** Ka'price *f*, Grille *f*, Laune *f*; **3.** *mst pl.* Extrava'ganzen *pl.*: ***the vagaries of fashion***.
va·gi·na [və'dʒaɪnə] *pl.* **-nas** *s.* **1.** *anat.* Va'gina *f*, Scheide *f*; **2.** ⚘ Blattscheide *f*; **vag'i·nal** [-nl] *adj.* vagi'nal, Vaginal…, Scheiden…: ***~ spray*** Intimspray *n*.
va·gran·cy ['veɪgrənsɪ] *s.* **1.** Landstreiche'rei *f* (*a.* ⚖); **2.** *coll.* Landstreicher *pl.*; **'va·grant** [-nt] **I** *adj.* □ **1.** wandernd (*a. weitS. Zelle etc.*), vagabundierend; **2.** → ***vagabond*** 3 *u.* 4; **3.** *fig.* kaprizi'ös, launisch; **II** *s.* **4.** → ***vagabond*** 5.
vague [veɪg] *adj.* □ **1.** vage: a) undeutlich, nebelhaft, verschwommen (*alle a. fig.*), b) unbestimmt (*Gefühl*, *Verdacht*, *Versprechen etc.*), dunkel (*Ahnung*, *Gerücht etc.*), c) unklar (*Antwort etc.*): ***~ hope*** vage Hoffnung; ***not the ~st idea*** nicht die leiseste Ahnung; ***be ~ about s.th.*** sich unklar ausdrücken über (*acc.*); **2.** → ***vacant*** 4a; **'vague·ness** [-nɪs] *s.* Unbestimmtheit *f*, Verschwommenheit *f*.
vain [veɪn] *adj.* □ **1.** eitel, eingebildet

(***of*** auf *acc.*); **2.** *fig.* eitel, leer (*Vergnügen etc.*; *a. Drohung, Hoffnung etc.*), nichtig; **3.** vergeblich, fruchtlos: ***~ efforts***; **4.** ***in ~*** vergeblich: a) vergebens, um'sonst, b) unnütz; **ˌ~'glo·ri·ous** *adj.* □ prahlerisch, großsprecherisch, -spurig.

vain·ness ['veɪnnɪs] *s.* **1.** Vergeblichkeit *f*; **2.** Hohl-, Leerheit *f.*

vale¹ [veɪl] *s. poet. od. in Namen*: Tal *n*: ***~ of tears*** Jammertal *n.*

va·le² ['veɪlɪ] (*Lat.*) **I** *int.* lebe wohl!; **II** *s.* Lebe'wohl *n.*

val·e·dic·tion [ˌvælɪ'dɪkʃn] *s.* **1.** Abschied(nehmen *n*) *m*; **2.** Abschiedsworte *pl.*; **val·e·dic·to·ri·an** [ˌvælɪdɪk'tɔːrɪən] *s. Am. ped., univ.* Abschiedsredner *m*; **ˌval·e'dic·to·ry** [-ktərɪ] **I** *adj.* Abschieds...: ***~ address*** → II; **II** *s. bsd. Am. ped., univ.* Abschiedsrede *f.*

va·lence ['veɪləns], **'va·len·cy** [-sɪ] ⚗, ♣, *biol., phys.* Wertigkeit *f*, Va'lenz *f.*

val·en·tine ['væləntaɪn] *s.* **1.** Valentinsgruß *m* (*zum Valentinstag, 14. Februar, dem od. der Liebsten gesandt*); **2.** am Valentinstag erwählte(r) Liebste(r), *a. allg.* Schatz *m.*

va·le·ri·an [və'lɪərɪən] *s.* ⚘, *pharm.* Baldrian *m*; **va·le·ri·an·ic** [vəˌlɪərɪ'ænɪk], **va'ler·ic** [-'lerɪk] *adj.* ⚗ Baldrian..., Valerian...

val·et ['vælɪt] **I** *s.* a) (Kammer)Diener *m*, b) Hausdiener *m im Hotel*; **II** *v/t. j-n* bedienen, versorgen; **III** *v/i.* Diener sein.

val·e·tu·di·nar·i·an [ˌvælɪtjuːdɪ'neərɪən] **I** *adj.* **1.** kränklich, kränkelnd; **2.** rekonvales'zent; **3.** a) ge'sundheitsfaˌnatisch, b) hypo'chondrisch; **II** *s.* **4.** kränkliche Per'son; **5.** Rekonvales'zent(in); **6.** ‚Ge'sundheitsaˌpostel' *m*; **7.** Hypo'chonder *m*; **ˌval·e·tu·di'nar·i·an·ism** [-nɪzəm] *s.* **1.** Kränklichkeit *f*; **2.** Hypochon'drie *f*; **ˌval·e'tu·di·nar·y** [-nərɪ] → ***valetudinarian.***

Val·hal·la [væl'hælə], **Val'hall** [-'hæl] *s. myth.* Wal'halla *f.*

val·iant ['væljənt] *adj.* □ tapfer, mutig, heldenhaft, he'roisch.

val·id ['vælɪd] *adj.* □ **1.** gültig: a) stichhaltig, triftig (*Beweis, Grund*), b) begründet, berechtigt (*Anspruch, Argument etc.*), c) richtig (*Entscheidung etc.*); **2.** ⚖ (rechts)gültig, rechtskräftig; **3.** wirksam (*Methode etc.*); **'val·i·date** [-deɪt] *v/t.* ⚖ a) für (rechts)gültig erklären, rechtswirksam machen, b) bestätigen; **val·i·da·tion** [ˌvælɪ'deɪʃn] *s.* Gültigkeit(serklärung) *f*; **va·lid·i·ty** [və'lɪdətɪ] *s.* **1.** Gültigkeit *f*: a) Triftigkeit *f*, Stichhaltigkeit *f*, b) Richtigkeit *f*; **2.** ⚖ Rechtsgültigkeit *f*, -kraft *f*; **3.** Gültigkeit(sdauer) *f.*

va·lise [və'liːz] *s.* Reisetasche *f.*

Val·kyr ['vælkɪə], **Val·kyr·ia** [væl'kɪərjə], **Val·kyr·ie** [-'kɪərɪ] *s. myth.* Walküre *f.*

val·ley ['vælɪ] *s.* **1.** Tal *n*: ***down the ~*** talabwärts; **2.** ⌂ Dachkehle *f.*

val·or *Am.* → ***valour.***

val·or·i·za·tion [ˌvælərаɪ'zeɪʃn] *s.* ✝ Valorisati'on *f*, Aufwertung *f*; **val·or·ize** ['væləraɪz] *v/t.* ✝ valorisieren, aufwerten, den Preis *e-r Ware* heben *od.* stützen.

val·or·ous ['vælərəs] *adj.* □ *rhet.* tapfer, mutig, heldenhaft, -mütig; **val·our** ['vælə] *s.* Tapferkeit *f*, Heldenmut *m.*

val·u·a·ble ['væljʊəbl] **I** *adj.* □ **1.** wertvoll: a) kostbar, teuer, b) *fig.* nützlich: ***for ~ consideration*** ⚖ entgeltlich; **2.** abschätzbar; **II** *s.* **3.** *pl.* Wertsachen *pl.*, -gegenstände *pl.*

val·u·a·tion [ˌvæljʊ'eɪʃn] *s.* **1.** Bewertung *f*, (Ab)Schätzung *f*, Wertbestimmung *f*, Taxierung *f*, Veranschlagung *f*; **2.** a) Schätzungswert *m* (festgesetzter) Wert *od.* Preis, Taxe *f*, b) Gegenwartswert *m* e-r 'Lebensverˌsicherungspoˌlice; **3.** Wertschätzung *f*, Würdigung *f*: ***we take him at his own ~*** wir beurteilen ihn so, wie er sich selbst sieht; **val·u·a·tor** ['væljʊeɪtə] *s.* ✝ (Ab)Schätzer *m*, Ta'xator *m.*

val·ue ['væljuː] **I** *s.* **1.** *allg.* Wert *m* (*a.* ♣, ⚗, *phys. u. fig.*): ***moral ~s*** *fig.* sittliche Werte; ***be of ~ to*** *j-m* wertvoll *od.* nützlich sein; **2.** Wert *m*, Einschätzung *f*: ***set a high ~ (up)on*** a) großen Wert legen auf (*acc.*), b) *et.* hoch einschätzen; **3.** ✝ Wert *m*: ***assessed ~*** Taxwert; ***~ added*** Wertschöpfung *f*; ***at ~*** zum Tageskurs; ***book ~*** Buchwert; ***commercial ~*** Handelswert; **4.** ✝ a) (Verkehrs)Wert *m*, Kaufkraft *f*, Preis *m*, b) Gegenwert *m*, -leistung *f*, c) Währung *f*, Va'luta *f*, d) *a.* ***good ~*** re'elle Ware, Quali'tätsware *f*, e) → ***valuation*** 1 *u.* 2, f) Wert *m*, Preis *m*, Betrag *m*: ***~ date*** Wertstellung *f*; ***for ~ received*** Betrag erhalten; ***to the ~ of*** im *od.* bis zum Betrag von; ***give (get) good ~ (for one's money)*** reell bedienen (bedient werden); ***it is excellent ~ for money*** es ist äußerst preiswert, es ist ausgezeichnet; **5.** *fig.* Wert *m*, Gewicht *n e-s Wortes etc.*; **6.** *paint.* Verhältnis *n* von Licht u. Schatten, Farb-, Grauwert *m*; **7.** ♪ Noten-, Zeitwert *m*; **8.** *ling.* Lautwert *m*; **II** *v/t.* **9.** a) den Wert *od.* Preis *e-r Sache* bestimmen *od.* festsetzen, b) (ab-)schätzen, veranschlagen, taxieren (***at*** auf *acc.*); **10.** ✝ *Wechsel* ziehen ((***up***)***on*** auf *j-n*); **11.** *Wert, Nutzen, Bedeutung* schätzen, (*vergleichend*) bewerten; **12.** (hoch) schätzen, achten; **ˌ~-'add·ed tax** *s.* ✝ Mehrwertsteuer *f.*

val·ued ['væljuːd] *adj.* **1.** (hoch)geschätzt; **2.** taxiert, veranschlagt (***at*** auf *acc.*): ***~ at £ 100*** £ 100 wert.

'val·ue|-free *adj.* wertfrei; **~ judg(e)·ment** *s.* Werturteil *n.*

val·ue·less ['væljulıs] *adj.* wertlos; **'val·u·er** [-juə] → ***valuator.***

val·ue stress *s. Phonetik:* Sinnbetonung *f.*

va·lu·ta [və'lu:tə] (*Ital.*) *s.* ✝ Va'luta *f.*

valve [vælv] *s.* **1.** ⚙ Ven'til *n*, Absperrvorrichtung *f*, Klappe *f*, Hahn *m*, Regu'lieror,gan *n*: **~ *gear*** Ventilsteuerung *f*; **~*-in-head engine*** kopfgesteuerter Motor; **2.** ♪ Klappe *f* (*Blasinstrument*); **3.** ⚕ (*Herz- etc.*)Klappe *f*: ***cardiac ~***; **4.** *zo.* (Muschel)Klappe *f*; **5.** ⚘ a) Klappe *f*, b) Kammer *f* (*beide e-r Fruchtkapsel*); **6.** ⚡ *Brit.* (Elek'tronen-, Fernseh-, Radio)Röhre *f*: **~ *amplifier*** Röhrenverstärker *m*; **7.** ⚙ Schleusentor *n*; **8.** *obs.* Türflügel *m*; **'valve·less** [-lıs] *adj.* ven'tillos; **'val·vu·lar** [-vjʊlə] *adj.* **1.** klappenförmig, Klappen…: **~ *defect*** ⚕ Klappenfehler *m*; **2.** mit Klappe(n) *od.* Ven'til(en) (versehen); **3.** ⚘ klappig; **'val·vule** [-vju:l] *s.* kleine Klappe; **val·vu·li·tis** [,vælvjʊ'laıtıs] *s.* ⚕ (Herz-)Klappenentzündung *f.*

va·moose [və'mu:s], **va'mose** [-'məʊs] *Am. sl.* **I** *v/i.* ‚verduften', ‚Leine ziehen'; **II** *v/t.* fluchtartig verlassen.

vamp[1] [væmp] **I** *s.* **1.** a) Oberleder *n*, b) (Vorder)Klappe *f* (*Schuh*), c) (aufgesetzter) Flicken; **2.** ♪ (improvisierte) Begleitung; **3.** *fig.* Flickwerk *n*; **II** *v/t.* **4.** *mst* **~ *up*** a) flicken, reparieren, b) vorschuhen; **5. ~ *up*** F a) *et.* ‚aufpolieren', ‚aufmotzen', b) *Zeitungsartikel etc.* zs.-stoppeln; **6.** ♪ (aus dem Stegreif) begleiten; **III** *v/i.* **7.** ♪ improvisieren.

vamp[2] [væmp] F **I** *s.* Vamp *m*; **II** *v/t.* a) *Männer* verführen, ‚ausnehmen', b) *j-n* becircen.

vam·pire ['væmpaıə] *s.* **1.** Vampir *m*: a) *blutsaugendes Gespenst*, b) *fig.* Erpresser(in), Blutsauger(in); **2.** *a.* **~ *bat*** *zo.* Vampir *m*, Blattnase *f*; **3.** *thea.* kleine Falltür auf der Bühne; **'vam·pir·ism** [-ərızəm] *s.* **1.** Vampirglaube *m*; **2.** Blutsaugen *n* (*e-s Vampirs*); **3.** *fig.* Ausbeutung *f.*

van[1] [væn] *s.* **1.** ⚔ Vorhut *f*, Vor'ausab,teilung *f*, Spitze *f*; **2.** ⚓ Vorgeschwader *n*; **3.** *fig.* vorderste Reihe, Spitze *f.*

van[2] [væn] *s.* **1.** Last-, Lieferwagen *m*; **2.** Gefangenenwagen *m* (*Polizei*); **3.** F a) Wohnwagen *m*: ***gipsy's ~*** Zigeunerwagen *m*, b) *Am.* 'Wohnmo,bil *n*; **4.** 🚂 *Brit.* (geschlossener) Güterwagen; Dienst-, Gepäckwagen *m.*

van[3] [væn] *s.* **1.** *obs. od. poet.* Schwinge *f*, Fittich *m*; **2.** *Brit.* Getreideschwinge *f*; **3.** ⚒ *Brit.* Schwingschaufel *od.* -probe *f.*

va·na·di·um [və'neıdjəm] *s.* ⚗ Va'nadium *n.*

Van·dal ['vændl] **I** *s.* **1.** *hist.* Van'dale *m*, Van'dalin *f*; **2.** ♀ *fig.* Van'dale *m*; **II** *adj. a.* **Van·dal·ic** [væn'dælık] **3.** *hist.* van'dalisch, Vandalen…; **4.** ♀ *fig.* van'dalenhaft, zerstörungswütig; **'van·dal·ism** [-dəlızəm] *s. fig.* Vanda'lismus *m*: a) Zerstörungswut *f*, b) *a.* ***act(s) of ~*** mutwillige Zerstörung; **'van·dal·ize** *v/t.* **1.** mutwillig zerstören, verwüsten; **2.** wie die Van'dalen hausen in (*dat.*).

Van·dyke [,væn'daık] **I** *adj.* **1.** von Van Dyck, in Van Dyckscher Ma'nier; **II** *s.* **2.** *oft* ♀ *abbr. für* a) **~ *beard***, b) **~ *collar***; **3.** Zackenmuster *n*; **~ beard** *s.* Spitz-, Knebelbart *m*; **~ col·lar** *s.* Van'dyckkragen *m.*

vane [veın] *s.* **1.** Wetterfahne *f*, -hahn *m*; **2.** Windmühlenflügel *m*; **3.** (Pro'peller-, Venti'lator- *etc.*)Flügel *m*; (Tur'binen-, ✈ Leit)Schaufel *f*; **4.** *surv.* Di'opter *n*; **5.** *zo.* Fahne *f* (*Feder*); **6.** (Pfeil)Fiederung *f.*

van·guard ['vængɑ:d] → ***van***[1].

va·nil·la [və'nılə] *s.* ⚘, ✝ Va'nille *f.*

van·ish ['vænıʃ] *v/i.* **1.** (plötzlich) verschwinden; **2.** (langsam) (ver-, ent-) schwinden, da'hinschwinden, sich verlieren (***from*** von, aus); **3.** (spurlos) verschwinden: **~ *into* (*thin*) *air*** sich in Luft auflösen; **4.** A verschwinden, Null werden.

van·ish·ing| cream ['vænıʃıŋ] *s.* (*rasch eindringende*) Tagescreme; **~ line** *s.* Fluchtlinie *f*; **~ point** *s.* **1.** Fluchtpunkt *m* (*Perspektive*); **2.** *fig.* Nullpunkt *m.*

van·i·ty ['vænətı] *s.* **1.** *persönliche* Eitelkeit; **2.** *j-s* Stolz *m* (*Sache*); **3.** Leer-, Hohlheit *f*, Eitel-, Nichtigkeit *f*: ♀ ***Fair*** *fig.* Jahrmarkt *m* der Eitelkeit; **4.** *Am.* Toi'lettentisch *m*; **5.** *a.* **~ *bag*** (*od.* ***box, case***) Hand-, Kos'metiktäschchen *n*, -koffer *m.*

van·quish ['væŋkwıʃ] **I** *v/t.* besiegen, über'wältigen, *a. fig. Stolz etc.* über'winden, bezwingen; **II** *v/i.* siegreich sein, siegen; **'van·quish·er** [-ʃə] *s.* Sieger *m*, Bezwinger *m.*

van·tage ['vɑ:ntıdʒ] *s.* **1.** *Tennis:* Vorteil *m*; **2.** ***coign*** (*od.* ***point***) ***of ~*** günstiger (Angriffs- *od.* Ausgangs)Punkt; **~ ground** *s.* günstige Lage *od.* Stellung (*a. fig.*); **~ point** *s.* **1.** Aussichtspunkt *m*; **2.** günstiger (Ausgangs)Punkt; **3.** → ***vantage ground.***

vap·id ['væpıd] *adj.* □ **1.** schal: **~ *beer***; **2.** *fig.* a) schal, seicht, leer, b) öd(e), fad(e); **va·pid·i·ty** [væ'pıdətı], **'vap·id·ness** [-nıs] *s.* **1.** Schalheit *f* (*a. fig.*); **2.** *fig.* a) Fadheit, b) Leere *f.*

va·por *Am.* → ***vapour.***

va·por·i·za·tion [,veıpəraı'zeıʃn] *s. phys.* Verdampfung *f*, -dunstung *f.*

va·por·ize ['veıpəraız] **I** *v/t.* **1.** ⚗, *phys.* ver-, eindampfen, verdunsten (lassen); **2.** ⚙ vergasen; **II** *v/i.* **3.** verdampfen,

V

verdunsten; '**va·por·iz·er** [-zə] *s.* ⚙ **1.** Ver'dampfungsappa,rat *m*, Zerstäuber *m*; **2.** Vergaser *m*; '**va·por·ous** [-rəs] *adj.* ☐ **1.** dampfig, dunstig; **2.** *fig.* nebelhaft; **3.** duftig (*Gewebe*).

va·pour ['veɪpə] **I** *s.* **1.** Dampf *m* (*a. phys.*), Dunst *m* (*a. fig.*): ~ ***bath*** Dampfbad *n*; ~ ***trail*** ✈ Kondensstreifen; **2.** a) ⚙ Gas *n*, b) *mot.* Gemisch *n*: ~ ***motor*** Gasmotor *m*; **3.** ⚕ a) (Inhala'ti'ons)Dampf *m*, b) *obs.* (*innere*) Blähung; **4.** *fig.* Phan'tom *n*, Hirngespinst *n*; **5.** *pl. obs.* Schwermut *f*; **II** *v/i.* **6.** (ver)dampfen; **7.** *fig.* schwadronieren, prahlen.

var·an ['værən] *s. zo.* Wa'ran *m*.

var·ec ['værek] *s.* **1.** Seetang *m*; **2.** ⚗ Varek *m*, Seetangasche *f*.

var·i·a·bil·i·ty [,veərɪə'bɪlətɪ] *s.* **1.** Veränderlichkeit *f*, Schwanken *n*, Unbeständigkeit *f* (*a. fig.*); **2.** ⅍, *phys.*, *a. biol.* Variabili'tät *f*.

var·i·a·ble ['veərɪəbl] **I** *adj.* ☐ **1.** veränderlich, 'unterschiedlich, wechselnd; schwankend (*a. Person*): ~ ***cost*** ✝ bewegliche Kosten *pl.*; ~ ***wind*** *meteor.* Wind aus wechselnder Richtung; **2.** *bsd.* ⅍, *ast.*, *biol.*, *phys.* vari'abel, wandelbar, ⅍, *phys. a.* ungleichförmig; **3.** ⚙ regelbar, ver-, einstellbar: ~ ***capacitor*** Drehkondensator *m*; ~ ***gear*** Wechselgetriebe *n*; ***infinitely*** ~ stufenlos regelbar; ~***-speed*** mit veränderlicher Drehzahl; **II** *s.* **4.** veränderliche Größe, *bsd.* ⅍ Vari'able *f*, Veränderliche *f*; **5.** *ast.* vari'abler Stern; '**var·i·a·ble·ness** [-nɪs] → ***variability***; '**var·i·ance** [-ɪəns] *s.* **1.** Veränderung *f*; **2.** Abweichung *f* (*a.* ⚖ *zwischen Klage u. Beweisergebnis*); **3.** Uneinigkeit *f*, Meinungsverschiedenheit *f*, Streit *m*: ***be at*** ~ (***with***) uneinig sein (mit *j-m*); → 4; ***set at*** ~ entzweien; **4.** *fig.* 'Widerstreit *m*, -spruch *m*, Unvereinbarkeit *f*: ***be at*** ~ (***with***) unvereinbar sein (mit *et.*), im Widerspruch stehen (zu); → 3; '**var·i·ant** [-ɪənt] **I** *adj.* abweichend, verschieden; 'unterschiedlich; **II** *s.* Vari'ante *f*: a) Spielart *f*, b) abweichende Lesart; **var·i·a·tion** [,veərɪ'eɪʃn] *s.* **1.** Veränderung *f*, Wechsel *m*, Schwankung *f*; **2.** Abweichung *f*; **3.** ♪, ⅍, *ast.*, *biol. etc.* Variati'on *f*; **4.** ('Orts),Mißweisung *f*, mag'netische Deklinati'on *f* (*Kompaß*).

var·i·col·o(u)red ['veərɪkʌləd] *adj.* bunt: a) vielfarbig, b) *fig.* mannigfaltig.

var·i·cose ['værɪkəʊs] *adj.* ⚕ krampfad(e)rig, vari'kös: ~ ***vein*** Krampfader *f*; ~ ***bandage*** Krampfaderbinde *f*; **var·i·co·sis** [,værɪ'kəʊsɪs], **var·i·cos·i·ty** [,værɪ'kɒsətɪ] *s.* Krampfaderleiden *n*, Krampfader(n *pl.*) *f*.

var·ied ['veərɪd] *adj.* ☐ verschieden(artig); mannigfaltig, abwechslungsreich, bunt.

var·i·e·gate ['veərɪgeɪt] *v/t.* **1.** bunt gestalten (*a. fig.*); **2.** *fig.* (durch Abwechslung) beleben, variieren; '**var·i·e·gat·ed** [-tɪd] *adj.* **1.** bunt(scheckig, -gefleckt), vielfarbig; **2.** → ***varied***; **var·i·e·ga·tion** [,veərɪ'geɪʃn] *s.* Buntheit *f*.

va·ri·e·ty [və'raɪətɪ] *s.* **1.** Verschieden-, Buntheit *f*, Mannigfaltigkeit *f*, Vielseitigkeit *f*, Abwechslung *f*; **2.** Vielfalt *f*, Reihe *f*, Anzahl *f*, *bsd.* ✝ Auswahl *f*: ***owing to a*** ~ ***of causes*** aus verschiedenen Gründen; **3.** Sorte *f*, Art *f*; **4.** *allg.*, *a.* ⚘, *zo.* Ab-, Spielart *f*; **5.** ⚘, *zo.* a) Varie'tät *f* (*Unterabteilung e-r Art*), b) Vari'ante *f*; **6.** Varie'té *n*: ~ ***artist*** Varietékünstler *m*; ~ **meat** *s. Am.* Inne'reien *pl.*; ~ **show** *s.* Varie'té(vorstellung *f*) *n*; ~ **store** *s.* ✝ *Am.* Kleinkaufhaus *n*; ~ **the·a·tre** *s.* Varie'té(the,ater) *n*.

var·i·form ['veərɪfɔːm] *adj.* vielgestaltig (*a. fig.*).

va·ri·o·la [və'raɪələ] *s.* ⚕ Pocken *pl.*

var·i·om·e·ter [,veərɪ'ɒmɪtə] *s.* ⚙, ⚡, *phys.* Vario'meter *n*.

var·i·o·rum [,veərɪ'ɔːrəm] **I** *adj.* ~ ***edition*** → **II** *s.* Ausgabe *f* mit Anmerkungen verschiedener Kommenta'toren *od.* mit verschiedenen Lesarten.

var·i·ous ['veərɪəs] *adj.* ☐ **1.** verschieden(artig); **2.** mehrere, verschiedene; **3.** → ***varied***.

var·ix ['veərɪks] *pl.* **-i·ces** ['værɪsiːz] *s.* ⚕ Krampfader(knoten *m*) *f*.

var·let ['vɑːlɪt] *s.* **1.** *hist.* Knappe *m*, Page *m*; **2.** *obs.* Schelm *m*, Schuft *m*.

var·mint ['vɑːmɪnt] *s.* **1.** *zo.* Schädling *m*; **2.** F Ha'lunke *m*.

var·nish ['vɑːnɪʃ] **I** *s.* ⚙ **1.** Lack *m*: ***oil*** ~ Öllack *m*; **2.** *a.* ***clear*** ~ Klarlack *m*, Firnis *m*; **3.** ('Möbel)Poli,tur *f*; **4.** *Töpferei*: Gla'sur *f*; **5.** *fig.* Firnis *m*, Tünche *f*, äußerer Anstrich; **II** *v/t. a.* ~ ***over*** **6.** a) lackieren, firnissen, b) glasieren; **7.** *Möbel* (auf)polieren; **8.** *fig.* über'tünchen, beschönigen.

var·si·ty ['vɑːsətɪ] *s.* F **1.** ,Uni' *f* (*Universität*); **2.** *a.* ~ ***team*** *sport Am.* Universi'täts- *od.* College- *od.* Schulmannschaft *f*.

var·y ['veərɪ] **I** *v/t.* **1.** (ver-, *a.* ⚖ ab)ändern; **2.** variieren, 'unterschiedlich gestalten, Abwechslung bringen in (*acc.*), wechseln mit *et.*, *a.* ♪ abwandeln; **II** *v/i.* **3.** sich (ver)ändern, variieren (*a. biol.*), wechseln, schwanken; **4.** verschieden sein, abweichen (***from*** von); '**var·y·ing** [-ɪɪŋ] *adj.* wechselnd, 'unterschiedlich, verschieden.

vas·cu·lar ['væskjʊlə] *adj.* ⚘, *physiol.* Gefäß...(*-pflanzen*, *-system etc.*): ~ ***tissue*** ⚘ Stranggewebe *n*.

vase [vɑːz] *s.* Vase *f*.

vas·ec·to·my [væ'sektəmɪ] *s.* ⚕ Vasekto'mie *f*.

vas·e·line ['væsɪli:n] *s*. ⚗ Vase'lin *n*.

vas·sal ['væsl] **I** *s*. **1.** Va'sall(in), Lehnsmann *m*; **2.** *fig*. 'Untertan *m*, Unter'gebene(r *m*) *f*; **3.** *fig*. Sklave *m* (**to** *gen*.); **II** *adj*. **4.** Vasallen…; '**vas·sal·age** [-səlɪdʒ] *s*. **1.** *hist*. Va'sallentum *n*, Lehnspflicht *f*, (**to** gegenüber); **2.** *coll*. Va'sallen *pl*.; **3.** *fig*. a) Abhängigkeit *f* (**to** von), b) 'Unterwürfigkeit *f*.

vast [vɑ:st] **I** *adj*. □ **1.** weit, ausgedehnt, unermeßlich; **2.** *a*. *fig*. ungeheuer, (riesen)groß, riesig, gewaltig: ~ ***difference***; ~ ***quantity***; **II** *s*. **3.** *poet*. Weite *f*; '**vast·ly** [-lɪ] *adv*. gewaltig, in hohem Maße; ungemein, äußerst: ~ ***superior*** haushoch überlegen, weitaus besser; '**vast·ness** [-nɪs] *s*. **1.** Weite *f*, Unermeßlichkeit *f* (*a*. *fig*.); **2.** ungeheure Größe, riesige Zahl, Unmenge *f*.

vat [væt] **I** *s*. ⚙ **1.** großes Faß, Bottich *m*, Kufe *f*; **2.** a) *Färberei*: Küpe *f*, b) *a*. ***tan*** ~ *Gerberei*: Lohgrube *f*; **II** *v/t*. **3.** (ver)küpen, in ein Faß *etc*. füllen; **4.** in e-m Faß *etc*. behandeln: ~***ted*** faßreif (*Wein etc*.).

Vat·i·can ['vætɪkən] *s*. Vati'kan *m*: ~ ***council*** Vatikanisches Konzil.

vaude·ville ['vəʊdəvɪl] *s*. **1.** *Brit*. heiteres Singspiel (mit Tanzeinlagen); **2.** *Am*. Varie'té *n*.

vault[1] [vɔ:lt] **I** *s*. **1.** ⚠ (*a*. *poet*. Himmels)Gewölbe *n*, Wölbung *f*; **2.** Kellergewölbe *n*; **3.** Grabgewölbe *n*, Gruft *f*: ***family*** ~; **4.** Tre'sorraum *m*; **5.** *anat*. Wölbung *f*, (Schädel)Dach *n*; (Gaumen)Bogen *m*; (Zwerchfell)Kuppel *f*; **II** *v/t*. **6.** (über)'wölben; **III** *v/i*. **7.** sich wölben.

vault[2] [vɔ:lt] **I** *v/i*. **1.** springen, sich schwingen, setzen (**over** über *acc*.); **2.** *Reitsport*: kurbettieren; **II** *v/t*. **3.** über'springen; **III** *s*. **4.** *bsd*. *sport* Sprung *m*; **5.** *Reitsport*: Kur'bette *f*.

vault·ed ['vɔ:ltɪd] *adj*. **1.** gewölbt, Gewölbe…; **2.** über'wölbt.

vault·er ['vɔ:ltə] *s*. Springer *m*.

vault·ing[1] ['vɔ:ltɪŋ] *s*. ⚠ **1.** Spannen *n* e-s Gewölbes; **2.** Wölbung *f*; **3.** Gewölbe *n* (*od*. *pl*. *coll*.).

vault·ing[2] ['vɔ:ltɪŋ] *s*. Springen *n*; ~ **horse** *s*. *Turnen*: (Lang-, Sprung)Pferd *n*; ~ **pole** *s*. *sport* Sprungstab *m*.

vaunt [vɔ:nt] **I** *v/t*. sich rühmen (*gen*.), sich brüsten mit; **II** *v/i*. (**of**) sich rühmen (*gen*.), sich brüsten (mit); **III** *s*. Prahle'rei *f*; '**vaunt·er** [-tə] *s*. Prahler(in); '**vaunt·ing** [-tɪŋ] *adj*. □ prahlerisch.

'**V-Day** *s*. Tag *m* des Sieges (*im 2. Weltkrieg*; *8. 5. 1945*).

'**ve** [v] F *abbr*. *für* ***have***.

veal [vi:l] *s*. Kalbfleisch *n*: ~ ***chop*** Kalbskotelett *n*; ~ ***cutlet*** Kalbsschnitzel *n*.

vec·tor ['vektə] **I** *s*. **1.** ⩘, *a*. ✈ Vektor *m*; **2.** ⚕, *vet*. Bak'terienüber,träger *m*; **II** *v/t*. **3.** *Flugzeug* (mittels Funk *od*. Ra'dar) leiten, (auf Ziel) einweisen.

V-E Day → ***V-Day***.

vee [vi:] **I** *s*. V *n*, v *n*, Vau *n* (*Buchstabe*), **II** *adj*. V-förmig, V-…: ~ ***belt*** Keilriemen *m*; ~ ***engine*** V-Motor *m*.

veep [vi:p] *s*. *Am*. F ,Vize' *m* (*Vizepräsident*).

veer [vɪə] **I** *v/i*. *a*. ~ ***round*** **1.** sich ('um-)drehen; 'umspringen, sich drehen (*Wind*); *fig*. 'umschwenken (**to** zu); **2.** ⚓ (ab)drehen, wenden; **II** *v/t*. **3.** *a*. ~ ***round*** *Schiff etc*. wenden, drehen, schwenken; **4.** ⚓ *Tauwerk* fieren, abschießen: ~ ***and haul*** fieren u. holen; **III** *s*. **5.** Wendung *f*, Drehung *f*, Richtungswechsel *m*.

veg·e·ta·ble ['vədʒtəbl] **I** *s*. **1.** *allg*. (*bsd*. Gemüse-, Futter)Pflanze *f*: ***be a mere*** ~, ***live like a*** ~ *fig*. (nur noch) dahinvegetieren; **2.** *a*. *pl*. Gemüse *n*; **3.** ⚘ Grünfutter *n*; **II** *adj*. **4.** pflanzlich, vegeta'bilisch, Pflanzen…: ~ ***diet*** Pflanzenkost *f*; ~ ***kingdom*** Pflanzenreich *n*; ~ ***marrow*** Kürbis(frucht *f*) *m*; **5.** Gemüse…: ~ ***garden***; ~ ***soup***.

veg·e·tal ['vedʒɪtl] *adj*. **1.** ⚘ → ***vegetable*** 4 *u*. 5; **2.** *physiol*. vegeta'tiv; **veg·e·tar·i·an** [,vedʒɪ'teərɪən] **I** *s*. **1.** Vege'tarier(in); **II** *adj*. **2.** vege'tarisch; **3.** Vegetarier…; **veg·e·tar·i·an·ism** [,vedʒɪ'teərɪənɪzəm] *s*. Vegeta'rismus *m*, vege'tarische Lebensweise; '**veg·e·tate** [-teɪt] *v/i*. **1.** (*wie e-e Pflanze*) wachsen; vegetieren; **2.** *contp*. (da'hin)vegetieren; **veg·e·ta·tion** [,vedʒɪ'teɪʃn] *s*. **1.** Vegetati'on *f*, Pflanzenwelt *f*, -decke *f*: ***luxuriant*** ~; **2.** Vegetieren *n*, Pflanzenwuchs *m*; **3.** *fig*. (Da'hin)Vegetieren *n*; **4.** ⚕ Wucherung *f*; '**veg·e·ta·tive** [-tətɪv] *adj*. □ *biol*. **1.** vegeta'tiv: a) wie Pflanzen wachsend, b) wachstumsfördernd, c) Wachstums…; **2.** Vegetations…, pflanzlich.

ve·he·mence ['vi:ɪməns] *s*. **1.** *a*. *fig*. Heftigkeit *f*, Vehe'menz *f*, Gewalt *f*, Wucht *f*; **2.** *fig*. Ungestüm *n*, Leidenschaft *f*; '**ve·he·ment** [-nt] *adj*. □ *a*. *fig*. heftig, gewaltig, vehe'ment, *fig*. *a*. ungestüm, leidenschaftlich, hitzig.

ve·hi·cle ['vi:ɪkl] *s*. **1.** Fahrzeug *n*, Beförderungsmittel *n*, *engS*. Wagen *m*; **2.** a) *a*. ***space*** ~ Raumfahrzeug *n*, b) 'Trägerra,kete *f*; **3.** *fig*. a) Ausdrucksmittel *n*, Medium *n*, Ve'hikel *n*, b) Träger *m*, Vermittler *m*; **4.** ⚗, *biol*. Trägerflüssigkeit *f*; **5.** *pharm*., ⚗, ⚙ Bindemittel *n*; **ve·hic·u·lar** [vɪ'hɪkjʊlə] *adj*. Fahrzeug…, Wagen…: ~ ***traffic***.

veil [veɪl] **I** *s*. **1.** (Gesichts- *etc*.)Schleier *m*: ***take the*** ~ *eccl*. den Schleier nehmen (*Nonne werden*); **2.** *phot*. (*a*. Nebel-, Dunst)Schleier *m*; **3.** *fig*. Schleier

V

m, Maske *f*, Deckmantel *m*: ***draw a ~ over*** den Schleier des Vergessens breiten über (*acc.*); ***under the ~ of darkness*** im Schutze der Dunkelheit; ***under the ~ of charity*** unter dem Deckmantel der Nächstenliebe; **4.** ⚘, *anat.* → ***velum***; **5.** *eccl.* a) (Tempel)Vorhang *m*, b) Velum *n* (*Kelchtuch*); **6.** Verschleierung *f der Stimme*; **II** *v/t.* **7.** verschleiern, -hüllen (*a. fig.*); **III** *v/i.* **8.** sich verschleiern; **veiled** [-ld] *adj.* verschleiert (*a. phot., fig.*) (*a. Stimme*); **'veil·ing** [-lɪŋ] *s.* **1.** Verschleierung *f* (*a. phot. u. fig.*); **2.** ✝ Schleier(stoff) *m*.

vein [veɪn] *s.* **1.** *anat.* Vene *f*; **2.** *allg.* Ader *f*: a) *anat.* Blutgefäß *n*, b) ⚘ Blattnerv *m*, c) Maser *f* (*Holz, Marmor*), d) *geol.* (Erz)Gang *m*, e) Wasserader *f*; **3.** *fig.* a) *poetische etc.* Ader, Veranlagung *f*, Hang *m* (***of*** zu), b) (Ton)Art *f*, c) Stimmung *f*: ***be in the ~ for*** in Stimmung sein zu; **veined** [-nd] *adj.* **1.** *allg.* geädert; **2.** gemasert; **'vein·ing** [-nɪŋ] *s.* Äderung *f*, Maserung *f*; **'vein·let** [-lɪt] *s.* **1.** Äderchen *n*; **2.** ⚘ Seitenrippe *f*.

ve·la ['vi:lə] *pl. von* ***velum***.

ve·lar ['vi:lə] **I** *adj. anat., ling.* ve'lar, Gaumensegel..., Velar...; **II** *s. ling.* Gaumensegellaut *m*, Ve'lar(laut) *m*; **'ve·lar·ize** [-əraɪz] *v/t. ling. Laut* velarisieren.

veld(t) [velt] *s. geogr.* Gras- *od.* Buschland *n* (*Südafrika*).

vel·le·i·ty [ve'li:ətɪ] *s.* kraftloses, zögerndes Wollen.

vel·lum ['veləm] *s.* **1.** ('Kalbs-, 'Schreib-) Pergaˌment *n*, Ve'lin *n*: ***~ cloth*** Pausleinen *n*; **2.** *a.* ***~ paper*** Ve'linpaˌpier *n*.

ve·loc·i·pede [vɪ'lɒsɪpi:d] *s.* **1.** *hist.* Velozi'ped *n* (*Lauf-, Fahrrad*); **2.** *Am.* (Kinder)Dreirad *n*.

ve·loc·i·ty [vɪ'lɒsətɪ] *s. bsd.* ⚙, *phys.* Geschwindigkeit *f*: ***at a ~ of*** mit e-r Geschwindigkeit von; ***initial ~*** Anfangsgeschwindigkeit.

ve·lour(s) [və'lʊə] *s.* ✝ Ve'lours *m*.

ve·lum ['vi:ləm] *pl.* **-la** [-lə] *s.* **1.** ⚘, *anat.* Hülle *f*, Segel *n*; **2.** *anat.* Gaumensegel *n*, weicher Gaumen; **3.** ⚘ Schleier *m an Hutpilzen*.

vel·vet ['velvɪt] **I** *s.* **1.** Samt *m*: ***be on ~*** *sl.* glänzend dastehen; **2.** *zo.* Bast *m an jungen Geweihen etc.*; **II** *adj.* **3.** samten, aus Samt, Samt...; **4.** samtartig, -weich, samten (*a. fig.*): ***an iron hand in a ~ glove*** *fig.* e-e eiserne Faust unter dem Samthandschuh; ***handle s.o. with ~ gloves*** *fig.* j-n mit Samthandschuhen anfassen; **vel·vet·een** [ˌvelvɪ'ti:n] *s.* Man'(s)chester *m*, Baumwollsamt *m*; **'vel·vet·y** [-tɪ] → ***velvet*** 4.

ve·nal ['vi:nl] *adj.* □ käuflich, bestechlich, kor'rupt; **ve·nal·i·ty** [vi:'nælətɪ] *s.* Käuflichkeit *f*, Kor'ruptheit *f*, Bestechlichkeit *f*.

ve·na·tion [vi:'neɪʃn] *s.* ⚘, *zo.* Geäder *n*.

vend [vend] *v/t.* a) *bsd.* ⚖ verkaufen, b) zum Verkauf anbieten, c) hausieren mit; **vend·ee** [ven'di:] *s.* ⚖ Käufer *m*; **'vend·er** [-də] *s.* **1.** (Straßen)Verkäufer *m*, (-)Händler *m*; **2.** → ***vendor***.

ven·det·ta [ven'detə] *s.* Blutrache *f*.

vend·i·ble ['vendəbl] *adj.* □ verkäuflich.

vend·ing ma·chine ['vendɪŋ] *s.* (Ver'kaufs)Autoˌmat *m*.

ven·dor ['vendɔ:] *s.* **1.** ⚖ Verkäufer(in); **2.** (Ver'kaufs)Autoˌmat *m*.

ven·due ['vendju:] *s. bsd. Am.* Aukti'on *f*, Versteigerung *f*.

ve·neer [və'nɪə] **I** *v/t.* **1.** ⚙ a) *Holz* furnieren, einlegen, b) *Stein* auslegen, c) *Töpferei*: (mit dünner Schicht) über'ziehen; **2.** *fig.* um'kleiden, e-n äußeren Anstrich geben; **3.** *fig. Eigenschaften etc.* über'tünchen, verdecken; **II** *s.* **4.** ⚙ Fur'nier(holz, -blatt) *n*; **5.** *fig.* Tünche *f*, äußerer Anstrich; **ve'neer·ing** [-ərɪŋ] *s.* **1.** ⚙ a) Furnierholz *n*, b) Furnierung *f*, c) Fur'nierarbeit *f*; **2.** *fig.* → ***veneer*** 5.

ven·er·a·bil·i·ty [ˌvenərə'bɪlətɪ] *s.* Ehrwürdigkeit *f*; **ven·er·a·ble** ['venərəbl] *adj.* □ **1.** ehrwürdig (*a. R.C.*) (*a. fig. Bauwerk etc.*), verehrungswürdig; **2.** *Anglikanische Kirche*: Hoch(ehr)würden *m* (*Archidiakon*): ***2 Sir***; **ven·er·a·ble·ness** ['venərəblnɪs] *s.* Ehrwürdigkeit *f*.

ven·er·ate ['venəreɪt] *v/t.* **1.** verehren; **2.** in Ehren halten; **ven·er·a·tion** [ˌvenə'reɪʃn] *s.* (***of***) a) Verehrung *f* (*gen.*), b) Ehrfurcht *f* (vor *dat.*); **'ven·er·a·tor** [-tə] *s.* Verehrer(in).

ve·ne·re·al [və'nɪərɪəl] *adj.* **1.** geschlechtlich, Geschlechts..., Sexual...; **2.** ⚕ a) ve'nerisch, Geschlechts..., b) geschlechtskrank: ***~ disease*** Geschlechtskrankheit *f*; **ve·ne·re·ol·o·gist** [vəˌnɪərɪ'ɒlədʒɪst] *s.* ⚕ Venero'loge *m*, Facharzt *m* für Geschlechtskrankheiten.

Ve·ne·tian [və'ni:ʃn] **I** *adj.* venezi'anisch: ***~ blind*** (Stab)Jalousie *f*; ***~ glass*** Muranoglas *n*; **II** *s.* Venezi'aner(in).

Ven·e·zue·lan [ˌvene'zweɪlən] **I** *adj.* venezo'lanisch; **II** *s.* Venezo'laner(in).

venge·ance ['vendʒəns] *s.* Rache *f*, Vergeltung *f*: ***take ~ (up)on*** Vergeltung üben *od.* sich rächen an (*dat.*); ***with a ~*** F a) mächtig, mit Macht, wie besessen, wie der Teufel, b) *jetzt* erst recht, c) im Exzess, übertrieben; **'venge·ful** [-fʊl] *adj.* □ *rhet.* rachsüchtig, -gierig.

ve·ni·al ['vi:njəl] *adj.* □ verzeihlich: ***~ sin*** *R.C.* läßliche Sünde.

ven·i·son ['venzn] *s.* Wildbret *n*.

ven·om ['venəm] *s.* **1.** *zo.* (Schlangen- *etc.*)Gift *n*; **2.** *fig.* Gift *n*, Gehässigkeit *f*; **'ven·omed** [-md], **'ven·om·ous** [-məs] *adj.* □ **1.** giftig: **~ *snake*** Giftschlange *f*; **2.** *fig.* giftig, gehässig; **'ven·om·ous·ness** [-məsnɪs] *s.* Giftigkeit *f*, *fig. a.* Gehässigkeit *f*.

ve·nose ['vi:nəʊs] → ***venous***; **ve·nos·i·ty** [vɪ'nɒsətɪ] *s. biol.* **1.** Äderung *f*; **2.** ⚕ Venosi'tät *f*; **ve·nous** ['vi:nəs] *adj.* □ *biol.* **1.** Venen…, Adern…; **2.** ve'nös: **~ *blood***; **3.** ⚘ geädert.

vent [vent] **I** *s.* **1.** (Luft)Loch *n*, (Abzugs)Öffnung *f*, Schlitz *m*, ⚙ *a.* Entlüfter(stutzen) *m*: **~ *window*** → ***ventipane***; **2.** Spundloch *n* (*Faß*); **3.** ⚔ *hist.* Schießscharte *f*; **4.** Fingerloch *n* (*Flöte etc.*); **5.** (Vul'kan)Schlot *m*; **6.** *orn., ichth.* After *m*; **7.** *zo.* Aufstoßen *n* zum Luftholen (*Otter etc.*); **8.** Auslaß *m* (*a. fig.*): ***find*** (***a***) **~** *fig.* sich entladen (*Gefühl*); ***give* ~ *to*** → 9; **II** *v/t.* **9.** *fig. e-m Gefühl* Luft machen, *Wut etc.* auslassen (***on*** an *dat.*); **10.** ⚙ a) e-e Abzugsöffnung *etc.* anbringen an (*dat.*), b) *Rauch etc.* abziehen lassen, c) ventilieren; **III** *v/i.* **11.** *hunt.* aufstoßen (zum Luftholen) (*Otter etc.*); **'vent·age** [-tɪdʒ] → ***vent*** 1, 4, 8.

ven·ter ['ventə] *s.* **1.** *anat.* a) Bauch (-höhle *f*) *m*, b) (Muskel- *etc.*)Bauch *m*; **2.** *zo.* (In'sekten)Magen *m*; **3.** ⚖ Mutter(leib *m*) *f*: ***child of a second* ~** Kind *n* von e-r zweiten Frau.

'vent·hole → ***vent*** 1.

ven·ti·late ['ventɪleɪt] *v/t.* **1.** ventilieren, (be-, ent-, 'durch)lüften; **2.** *physiol.* Sauerstoff zuführen (*dat.*); **3.** *fig.* ventilieren: a) zur Sprache bringen, erörtern, b) *Meinung etc.* äußern; **4.** → ***vent*** 9; **'ven·ti·lat·ing** [-tɪŋ] *adj.* Ventilations…, Lüftungs…; **ven·ti·la·tion** [ˌventɪ'leɪʃn] *s.* **1.** Ventilati'on *f*, (Be-, Ent)Lüftung *f* (*beide a. Anlage*), Luftzufuhr *f*; ⚒ Bewetterung *f*; **2.** a) (freie) Erörterung, öffentliche Diskussi'on, b) Äußerung *f e-s Gefühls etc.*, Entladung *f*; **'ven·ti·la·tor** [-tə] *s.* Venti'lator *m*, Entlüfter *m*, Lüftungsanlage *f*.

ven·ti·pane ['ventɪpeɪn] *s. mot.* Ausstellfenster *n*.

ven·tral ['ventrəl] *adj.* □ *biol.* ven'tral, Bauch…

ven·tri·cle ['ventrɪkl] *s. anat.* Ven'trikel *m*, (Körper)Höhle *f*, *bsd.* (Herz-, Hirn-) Kammer *f*; **ven·tric·u·lar** [ven'trɪkjʊlə] *adj. anat.* ventriku'lär, Kammer…

ven·tri·lo·qui·al [ˌventrɪ'ləʊkwɪəl] *adj.* bauchrednerisch, Bauchrede…

ven·tril·o·quism [ven'trɪləkwɪzəm] *s.* Bauchreden *n*; **ven'tril·o·quist** [-ɪst] *s.* Bauchredner(in); **ven'tril·o·quize** [-kwaɪz] **I** *v/i.* bauchreden; **II** *v/t. et.* bauchrednerisch sagen; **ven'tril·o·quy** [-kwɪ] *s.* Bauchreden *n*.

ven·ture ['ventʃə] **I** *s.* **1.** Wagnis *n*: a) Risiko *n*, b) (gewagtes) Unter'nehmen; **2.** ✝ a) (geschäftliches) Unter'nehmen, Operati'on *f*, b) Spekulati'on *f*; **~ *capital*** Risikokapital *n*; **3.** Spekulati'onsobˌjekt *n*, Einsatz *m*; **4.** *obs.* Glück *n*: ***at a* ~** aufs Geratewohl, auf gut Glück; **II** *v/t.* **5.** *et.* riskieren, wagen, aufs Spiel setzen: ***nothing* ~ *nothing have*** (*od.* ***gain***[***ed***]) wer nicht wagt, der nicht gewinnt; **6.** *Bemerkung etc.* (zu äußern) wagen; **III** *v/i.* **7.** (es) wagen, sich erlauben (***to do*** zu tun); **8. ~** (***up***)***on*** sich an *e-e Sache* wagen; **9.** sich *wohin* wagen; **'ven·ture·some** [-səm] *adj.* □ waghalsig: a) kühn, verwegen (*Person*), b) gewagt, ris'kant (*Tat*); **'ven·ture·some·ness** [-səmnɪs] *s.* Waghalsigkeit *f*; **'ven·tur·ous** [-ərəs] *adj.* □ → ***venturesome***.

ven·ue ['venju:] *s.* **1.** ⚖ a) Gerichtsstand *m*, zuständiger Verhandlungsort *m*, *Brit. a.* zuständige Grafschaft, b) örtliche Zuständigkeit; **2.** a) Schauplatz *m*, b) Treffpunkt *m*, Tagungsort *m*, c) *sport* Austragungsort *m*.

Ve·nus ['vi:nəs] *s. allg.* Venus *f*.

ve·ra·cious [və'reɪʃəs] *adj.* □ **1.** wahr'haftig, wahrheitsliebend; **2.** wahr (-heitsgetreu): **~ *account***; **ve·rac·i·ty** [və'ræsətɪ] *s.* **1.** Wahr'haftigkeit *f*, Wahrheitsliebe *f*; **2.** Richtigkeit *f*; **3.** Wahrheit *f*.

ve·ran·da(**h**) [və'rændə] *s.* Ve'randa *f*.

verb [vɜ:b] *s. ling.* Zeitwort *n*, Verb(um) *n*; **'ver·bal** [-bl] **I** *adj.* □ **1.** Wort… (*-fehler*, *-gedächtnis*, *-kritik etc.*); **2.** mündlich (*a. Vertrag etc.*): **~ *message***; **3.** (wort)wörtlich: **~ *copy***; **~ *translation***; **4.** wörtlich, Verbal…: **~ *note*** *pol.* Verbalnote *f*; **5.** *ling.* ver'bal, Verbal…, Zeitwort…: **~ *noun*** → 6; **II** *s.* **6.** *ling.* Ver'balˌsubstantiv *n*; **'ver·bal·ism** [-bəlɪzəm] *s.* **1.** Ausdruck *m*; **2.** Verba'lismus *m*, Wortemache'rei *f*; **3.** Wortklaube'rei *f*; **'ver·bal·ist** [-bəlɪst] *s.* **1.** *bsd. ped.* Verba'list(in); **2.** wortgewandte Per'son; **'ver·bal·ize** [-bəlaɪz] **I** *v/t.* **1.** in Worte fassen, formulieren; **2.** *ling.* in ein Verb verwandeln; **II** *v/i.* **3.** viele Worte machen; **ver·ba·tim** [vɜ:'beɪtɪm] **I** *adv.* ver'batim, (wort)wörtlich, Wort für Wort; **II** *adj.* → ***verbal*** 3; **III** *s.* wortgetreuer Bericht; **'ver·bi·age** [-bɪɪdʒ] *s.* **1.** Wortschwall *m*; **2.** Dikti'on *f*; **ver·bose** [vɜ:'bəʊs] *adj.* □ wortreich, weitschweifig; **ver·bos·i·ty** [vɜ:'bɒsətɪ] *s.* Wortreichtum *m*.

ver·dan·cy ['vɜ:dənsɪ] *s.* **1.** (frisches) Grün; **2.** *fig.* Unerfahrenheit *f*; Unreife *f*; **'ver·dant** [-nt] *adj.* □ **1.** grün, grünend; **2.** *fig.* grün, unreif.

ver·dict ['vɜ:dɪkt] *s.* **1.** ⚖ (Wahr)Spruch *m* der Geschworenen, Ver'dikt *n*: **~ *of not guilty*** Erkennen *n* auf „nicht schuldig"; ***bring in*** (*od.* ***return***) ***a* ~ *of guilty*** auf schuldig erkennen; **2.** *fig.* Urteil *n*

V

(*on* über *acc.*).

ver·di·gris ['vɜːdɪgrɪs] *s.* Grünspan *m.*

ver·dure ['vɜːdʒə] *s.* **1.** (frisches) Grün; **2.** Vegetati'on *f*, saftiger Pflanzenwuchs; **3.** *fig.* Frische *f*, Kraft *f*.

verge [vɜːdʒ] **I** *s.* **1.** *mst fig.* Rand *m*, Grenze *f*: ***on the ~ of*** am Rande *der Verzweiflung etc.*, dicht vor (*dat.*); ***on the ~ of tears*** den Tränen nahe; ***on the ~ of doing*** nahe daran, zu tun; **2.** ✓ (Beet)Einfassung *f*, (Gras)Streifen *m*; **3.** ⚖ *Brit. hist.* Gerichtsbezirk *m* rund um den Königshof; **4.** ⚙ a) 'überstehende Dachkante, b) Säulenschaft *m*, c) Schwungstift *m* (*Uhrhemmung*), d) Zugstab *m* (*Setzmaschine*); **5.** a) *bsd. eccl.* Amtsstab *m*, b) *hist.* Belehnungsstab *m*; **II** *v/i.* **6.** *mst fig.* grenzen *od.* streifen (*on* an *acc.*); **7.** (*on*, *into*) sich nähern (*dat.*), (in *e-e Farbe etc.*) 'übergehen; **8.** sich (hin)neigen (*to*[*wards*] nach); **'ver·ger** [-dʒə] *s.* **1.** Kirchendiener *m*, Küster *m*; **2.** *bsd. Brit. eccl.* (Amts)Stabträger *m*.

ver·i·est ['verɪɪst] *adj.* (*sup. von* ***very*** II) *obs.* äußerst: ***the ~ child*** (selbst) das kleinste Kind; ***the ~ nonsense*** der reinste Unsinn; ***the ~ rascal*** der ärgste *od.* größte Schuft.

ver·i·fi·a·ble ['verɪfaɪəbl] *adj.* nachweis-, nachprüfbar, verifizierbar; **ver·i·fi·ca·tion** [ˌverɪfɪ'keɪʃn] *s.* **1.** Nachprüfung *f*; **2.** Echtheitsnachweis *m*, Richtigbefund *m*; **3.** Beglaubigung *f*, Beurkundung *f*; (⚖ eidliche) Bestätigung; **ver·i·fy** ['verɪfaɪ] *v/t.* **1.** *auf die Richtigkeit hin* (nach)prüfen; **2.** die Richtigkeit *od.* Echtheit *e-r Angabe etc.* feststellen *od.* nachweisen, verifizieren; **3.** *Urkunde etc.* beglaubigen; beweisen, belegen; **4.** ⚖ eidlich beteuern; **5.** bestätigen; **6.** *Versprechen etc.* erfüllen, wahrmachen.

ver·i·ly ['verəlɪ] *adv. bibl.* wahrlich.

ver·i·si·mil·i·tude [ˌverɪsɪ'mɪlɪtjuːd] *s.* Wahr'scheinlichkeit *f*.

ver·i·ta·ble ['verɪtəbl] *adj.* ☐ wahr(-haft), wirklich, echt.

ver·i·ty ['verətɪ] *s.* **1.** (Grund)Wahrheit *f*: ***of a ~*** wahrhaftig; ***eternal verities*** ewige Wahrheiten; **2.** Wahrheit *f*; **3.** (*j-s*) Wahr'haftigkeit *f*.

ver·juice ['vɜːdʒuːs] *s.* **1.** Obst-, Traubensaft *m* (*bsd. von unreifen Früchten*); **2.** Essig *m* (*a. fig.*).

ver·meil ['vɜːmeɪl] **I** *s.* **1.** *bsd. poet. für* ***vermilion***; **2.** ⚙ Ver'meil *n*: a) feuervergoldetes Silber *od.* Kupfer, vergoldete Bronze, b) hochroter Gra'nat; **II** *adj.* **3.** *poet.* purpur-, scharlachrot.

ver·mi·cel·li [ˌvɜːmɪ'selɪ] (*Ital.*) *s. pl.* Fadennudeln *pl.*

ver·mi·cide ['vɜːmɪsaɪd] *s. pharm.* Wurmmittel *n*; **ver·mic·u·lat·ed** [vɜː'mɪkjʊleɪtɪd] *adj.* **1.** wurmstichig; **2.** △ geschlängelt; **ver·mi·form** ['vɜːmɪfɔːm] *adj. biol.* wurmförmig: ***~ appendix*** *anat.* Wurmfortsatz *m*; **ver·mi·fuge** ['vɜːmɪfjuːdʒ] → ***vermicide***.

ver·mil·ion [və'mɪljən] **I** *s.* **1.** Zin'nober *m*; **2.** Zin'noberrot *n*; **II** *adj.* **3.** zin'noberrot; **III** *v/t.* **4.** mit Zin'nober *od.* zin'noberrot färben.

ver·min ['vɜːmɪn] *s. mst pl. konstr.* **1.** *zo. coll.* a) Ungeziefer *n*, b) Schädlinge *pl.*, Para'siten *pl.*, c) *hunt.* Raubzeug *n*; **2.** *fig. contp.* Geschmeiß *n*, Pack *n*; **'~-ˌkill·er** *s.* **1.** Kammerjäger *m*; **2.** Ungeziefervertilgungsmittel *n*.

ver·min·ous ['vɜːmɪnəs] *adj.* ☐ **1.** voller Ungeziefer; verlaust, verwanzt, verseucht; **2.** durch Ungeziefer verursacht: ***~ disease***; **3.** *fig.* a) schädlich, b) niedrig, gemein.

ver·mo(u)th ['vɜːməθ] *s.* Wermut(wein) *m*.

ver·nac·u·lar [və'nækjʊlə] **I** *adj.* ☐ **1.** einheimisch, Landes…(*-sprache*); **2.** mundartlich, Volks…, Heimat…: ***~ poetry***; **3.** ⚕ en'demisch, lo'kal: ***~ disease***; **II** *s.* **4.** Landes-, Mutter-, Volkssprache *f*; **5.** Mundart *f*, Dia'lekt *m*; **6.** Jar'gon *m*; **7.** Fachsprache *f*; **8.** → ***ver'nac·u·lar·ism*** [-ərɪzəm] *s.* volkstümlicher *od.* mundartlicher Ausdruck; **ver'nac·u·lar·ize** [-əraɪz] *v/t.* **1.** *Ausdrükke etc.* einbürgern; **2.** in Volkssprache *od.* Mundart über'tragen, mundartlich ausdrücken.

ver·nal ['vɜːnl] *adj.* ☐ **1.** Frühlings…; **2.** *fig.* frühlingshaft, Jugend…; ***~ equinox*** *s. ast.* 'Frühlingsäquiˌnoktium *n* (*21. März*).

ver·ni·er ['vɜːnjə] *s.* ⚙ **1.** Nonius *m* (*Gradteiler*); **2.** Fein(ein)steller *m*, Verni'er *m*; **~ cal·(l)i·per(s)** *s.* ⚙ Schublehre *f* mit Nonius.

Ver·o·nese [ˌverə'niːz] **I** *adj.* vero'nesisch, aus Ve'rona; **II** *s.* Vero'neser(in).

ve·ron·i·ca [vɪ'rɒnɪkə] *s.* **1.** ⚘ Ve'ronika *f*, Ehrenpreis *m*; **2.** *R.C. u. paint.* Schweißtuch *n* der Ve'ronika.

ver·sa·tile ['vɜːsətaɪl] *adj.* ☐ **1.** vielseitig (begabt *od.* gebildet); gewandt, wendig, beweglich; **2.** unbeständig, wandelbar; **3.** ⚘, *zo.* (frei) beweglich; **ver·sa·til·i·ty** [ˌvɜːsə'tɪlətɪ] *s.* **1.** Vielseitigkeit *f*, Gewandtheit *f*, Wendigkeit *f*, geistige Beweglichkeit; **2.** Unbeständigkeit *f*.

verse [vɜːs] **I** *s.* **1.** a) Vers(zeile *f*) *m*, b) (Gedicht)Zeile *f*, c) *allg.* Vers *m*, Strophe *f*: ***~ drama*** Versdrama *n*; → ***chapter*** 1; **2.** *coll. ohne art.* a) Verse *pl.*, b) Poe'sie *f*, Dichtung *f*; **3.** Vers(-maß *n*) *m*: ***blank ~*** a) Blankvers, b) reimloser Vers; **II** *v/t.* **4.** in Verse bringen; **III** *v/i.* **5.** dichten, Verse machen.

versed[1] [vɜːst] *adj.* bewandert, beschlagen, versiert (*in* in *dat.*).

V

versed² [vɜ:st] *adj.* ⩚ ˈumgekehrt: **~ sine** Sinusversus *m*.
ver·si·fi·ca·tion [ˌvɜ:sɪfɪˈkeɪʃn] *s.* **1.** Verskunst *f*, Versemachen *n*; **2.** Versbau *m*; **ver·si·fi·er** [ˈvɜ:sɪfaɪə] *s.* Verseschmied *m*, Dichterling *m*; **ver·si·fy** [ˈvɜ:sɪfaɪ] → **verse** 4 *u.* 5.
ver·sion [ˈvɜ:ʃn] *s.* **1.** (*a.* ˈBibel)Überˌsetzung *f*; **2.** *thea. etc.* (*Bühnen- etc.*) Fassung *f*; **3.** Darstellung *f*, Fassung *f*, Lesart *f*, Versiˈon *f*; **4.** Spielart *f*, Variˈante *f*; **5.** ⚙ (*Export- etc.*)Ausführung *f*, Moˈdell *n*.
ver·sus [ˈvɜ:səs] *prp.* ⚖, *a. sport u. fig.* gegen, kontra.
vert [vɜ:t] *eccl.* F **I** *v/i.* ˈübertreten, konvertieren; **II** *s.* Konverˈtit(in).
ver·te·bra [ˈvɜ:tɪbrə] *pl.* **-brae** [-bri:] *s. anat.* **1.** (Rücken)Wirbel *m*; **2.** *pl.* Wirbelsäule *f*; ˈ**ver·te·bral** [-rəl] *adj.* □ verteˈbral, Wirbel(säulen)…: **~ column** Wirbelsäule *f*; ˈ**ver·te·brate** [-rɪt] **I** *adj.* **1.** mit e-r Wirbelsäule (versehen), Wirbel…(*-tier*); **2.** *zo.* zu den Wirbeltieren gehörig; **II** *s.* **3.** Wirbeltier *n*; ˈ**ver·te·brat·ed** [-reɪtɪd] → **vertebrate** I.
ver·tex [ˈvɜ:teks] *pl. mst* **-ti·ces** [-tɪsi:z] *s.* **1.** *biol.* Scheitel *m*; **2.** ⩚ Scheitelpunkt *m*, Spitze *f* (*beide a. fig.*); **3.** *ast.* a) Zeˈnith *m*, b) Vertex *m*; **4.** *fig.* Gipfel *m*; ˈ**ver·ti·cal** [-tɪkl] **I** *adj.* □ **1.** senk-, lotrecht, vertiˈkal: **~ clearance** ⚙ lichte Höhe; **~ engine** ⚙ stehender Motor; **~ section** △ Aufriß *m*; **~ take-off** ✈ Senkrechtstart *m*; **~ take-off plane** *od.* **aircraft** ✈ Senkrechtstarter *m*; **2.** *ast.*, ⩚ Scheitel…, Höhen…, Vertikal…: **~ angle** Scheitelwinkel *m*; **~ circle** *ast.* Vertikalkreis *m*; **~ section** △ Aufriß *m*; **II** *s.* **3.** Senkrechte *f*.
ver·tig·i·nous [vɜ:ˈtɪdʒɪnəs] *adj.* □ **1.** wirbelnd; **2.** schwindlig, Schwindel…; **3.** schwindelerregend, schwindelnd: **~ height**; **ver·ti·go** [ˈvɜ:tɪgəʊ] *pl.* **-goes** *s.* ⚕ Schwindel(gefühl *n*, -anfall *m*) *m*.
ver·tu [vɜ:ˈtu:] → **virtu**.
ver·vain [ˈvɜ:veɪn] *s.* ⚘ Eisenkraut *n*.
verve [vɜ:v] *s.* (künstlerische) Begeisterung, Schwung *m*, Feuer *n*, Verve *f*.
ver·y [ˈverɪ] **I** *adv.* **1.** sehr, äußerst, außerordentlich: **~ good** a) sehr gut, b) einverstanden, sehr wohl; **~ well** a) sehr gut, b) meinetwegen, na schön; **not ~ good** nicht sehr *od.* besonders *od.* gerade gut; **2.** **~ much** (*in Verbindung mit Verben*) sehr, außerordentlich: **he was ~ much pleased**; **3.** (*vor sup.*) aller…: **the ~ last drop** der allerletzte Tropfen; **4.** völlig, ganz; **II** *adj.* **5.** gerade, genau: **the ~ opposite** genau das Gegenteil; **the ~ thing** genau *od.* gerade das (Richtige); **at the ~ edge** ganz am Rand, am äußersten Rand; **6.** bloß: **the ~ fact of his presence**; **the ~ thought** der bloße Gedanke, schon der Gedanke; **7.** rein, pur, schier: **from ~ egoism**; **the ~ truth** die reine Wahrheit; **8.** frisch: **in the ~ act** auf frischer Tat; **9.** wahr, wirklich: **~ God of ~ God** *bibl.* wahrer Gott vom wahren Gott; **the ~ heart of the matter** der Kern der Sache; **in ~ deed** (**truth**) tatsächlich (wahrhaftig); **10.** (*nach* **this**, **that**, **the**) (der-, die-, das)ˈselbe, (der, die, das) gleiche *od.* nämliche: **that ~ afternoon**; **the ~ same words**; **11.** selbst, soˈgar: **his ~ servants**; **12.** → **veriest**.
ver·y| high fre·quen·cy [ˈverɪ] *s.* ⚡ ˈHochfreˌquenz *f*, Ultraˈkurzwelle *f*.
Ver·y| light [ˈvɪərɪ; ˈverɪ] *s.* ⚔ ˈLeuchtpaˌtrone *f*; **~ pis·tol** *s.* ⚔ ˈLeuchtpiˌstole *f*; **~'s night sig·nals** *s.* ⚔ Siˈgnalschießen *n* mit ˈLeuchtmunitiˌon.
ve·si·ca [ˈvesɪkə] *pl.* **-cas** (*Lat.*) *s.* **1.** *biol.* Blase *f*, Zyste *f*; **2.** *anat.*, *zo.* (Harn-, Gallen-, *ichth.* Schwimm)Blase *f*; ˈ**ves·i·cal** [-kl] *adj.* Blasen…; ˈ**ves·i·cant** [-kənt] **I** *adj.* **1.** ⚕ blasenziehend; **II** *s.* **2.** ⚕ blasenziehendes Mittel, Zugpflaster *n*; **3.** ⚔ ätzender Kampfstoff; ˈ**ves·i·cate** [-keɪt] **I** *v/i.* Blasen ziehen; **II** *v/t.* Blasen ziehen auf (*dat.*); **ves·i·ca·tion** [ˌvesɪˈkeɪʃn] *s.* Blasenbildung *f*; ˈ**ves·i·ca·to·ry** [-keɪtərɪ] → **vesicant**; ˈ**ves·i·cle** [-kl] *s.* Bläs-chen *n*; **ve·sic·u·lar** [vɪˈsɪkjʊlə] *adj.* **1.** Bläs-chen…, Blasen…; **2.** blasenförmig, blasig; **3.** blasig, Bläs-chen aufweisend.
ves·per [ˈvespə] *s.* **1.** ♀ *ast.* Abendstern *m*; **2.** *poet.* Abend *m*; **3.** *pl. eccl.* Vesper *f*, Abendgottesdienst *m*, -andacht *f*; **4.** *a.* **~ bell** Abendglocke *f*, -läuten *n*.
ves·sel [ˈvesl] *s.* **1.** Gefäß *n* (*a. anat.*, ⚘ *u. fig.*); **2.** ⚓ (*a.* ✈ Luft)Schiff *n*, (Wasser)Fahrzeug *n*.
vest [vest] **I** *s.* **1.** *Brit.* ˈUnterhemd *n*; **2.** *Brit.* ✝ *od. Am.* Weste *f*; **3.** a) Damenweste *f*, b) Einsatzweste *f*; **4.** *poet.* Gewand *n*; **II** *v/t.* **5.** *bsd. eccl.* bekleiden; **6.** (**with**) *fig.* *j-n* bekleiden, ausstatten (mit *Befugnissen etc.*), bevollmächtigen; *j-n* einsetzen (in *Eigentum*, *Rechte etc.*); **7.** *Recht etc.* überˈtragen, verleihen (**in s.o.** j-m): **~ed interest**, **~ed right** sicher begründetes Anrecht, unabdingbares Recht; **~ed interests** *die* maßgeblichen Kreise (*e-r Stadt etc.*); **8.** *Am. Feindvermögen* mit Beschlag belegen: **~ing order** Beschlagnahmeverfügung *f*; **III** *v/i.* **9.** *bsd. eccl.* sich bekleiden; **10.** ˈübergehen (**in** auf *acc.*) (*Vermögen etc.*); **11.** (**in**) zustehen (*dat.*), liegen (bei) (*Recht etc.*).
ves·ta [ˈvestə] *s. Brit. a.* **~ match** kurzes Streichholz.
ves·tal [ˈvestl] **I** *adj.* **1.** *antiq.* veˈstalisch; **2.** *fig.* keusch, rein; **II** *s.* **3.** *antiq.* Veˈstalin *f*; **4.** Jungfrau *f*; **5.** Nonne *f*.
ves·ti·bule [ˈvestɪbju:l] *s.* **1.** (Vor)Halle

f, Vorplatz *m*, Vesti'bül *n*; **2.** 🚃 *Am.* (Har'monika)Verbindungsgang *m zwischen zwei D-Zug-Wagen*; **3.** *anat.* Vorhof *m*; **~ school** *s. Am.* Lehrwerkstatt *f* (*e-s Industriebetriebs*); **~ train** *s. bsd. Am.* D-Zug *m*.

ves·tige ['vestɪdʒ] *s.* **1.** *obs. od. poet.* Spur *f*; **2.** *bsd. fig.* Spur *f*, 'Überrest *m*, -bleibsel *n*; **3.** *fig.* Spur *f*, *ein* bißchen; **4.** *biol.* Rudi'ment *n*, verkümmertes Or'gan *od.* Glied; **ves·tig·i·al** [ve'stɪdʒɪəl] *adj.* **1.** spurenhaft, restlich; **2.** *biol.* rudimen'tär, verkümmert.

vest·ment ['vestmənt] *s.* **1.** Amtstracht *f*, Robe *f*, *a. eccl.* Or'nat *m*; **2.** *eccl.* Meßgewand *n*; **3.** Gewand *n*, Kleid *n* (*beide a. fig.*).

ˌ**vest-'pock·et** *adj. fig.* im 'Westentaschenforˌmat, Westentaschen..., Klein..., Miniatur...

ves·try ['vestrɪ] *s. eccl.* **1.** Sakri'stei *f*; **2.** Bet-, Gemeindesaal *m*; **3.** *Brit.* a) *a.* ***common ~, general ~, ordinary ~*** Gemeindesteuerpflichtige *pl.*, b) *a.* ***select ~*** Kirchenvorstand *m*; **~ clerk** *s. Brit.* Rechnungsführer *m* der Kirchgemeinde; **'~·man** [-mən] *s.* [*irr.*] Gemeindevertreter *m*.

ves·ture ['vestʃə] *s. obs. od. poet.* a) Gewand *n*, Kleid(ung *f*) *n*, b) Hülle *f* (*a. fig.*), Mantel *m*.

ve·su·vi·an [vɪ'su:vjən] **I** *adj.* **1.** *2 geogr.* ve'suvisch; **2.** vul'kanisch; **II** *s.* **3.** *obs.* Windstreichhölzchen *n*.

vet[1] [vet] F **I** *s.* **1.** Tierarzt *m*; **II** *v/t.* **2.** *Tier* unter'suchen *od.* behandeln; **3.** *humor.* a) *j-n* verarzten, b) *j-n* auf Herz u. Nieren prüfen, (*a.* po'litisch) über'prüfen.

vet[2] [vet] *Am.* F *für* ***veteran***.

vetch [vetʃ] *s.* ⚘ Wicke *f*; **'vetch·ling** [-lɪŋ] *s.* ⚘ Platterbse *f*.

vet·er·an ['vetərən] **I** *s.* **1.** Vete'ran *m* (*alter Soldat od. Beamter*); **2.** ⚔ *Am.* ehemaliger Kriegsteilnehmer; **3.** *fig.* ‚alter Hase'; **II** *adj.* **4.** alt-, ausgedient; **5.** kampferprobt: ***~ troops***; **6.** *fig.* erfahren: ***~ golfer***; **7.** ***~ car*** *mot.* Oldtimer *m*.

vet·er·i·nar·i·an [ˌvetərɪ'neərɪən] → **vet·er·i·nar·y** ['vetərɪnərɪ] **I** *s.* Tierarzt *m*, Veteri'när *m*; **II** *adj.* tierärztlich: ***~ medicine*** Tiermedizin *f*; ***~ surgeon*** → I.

ve·to ['vi:təʊ] *pol.* **I** *pl.* **-toes** *s.* **1.** Veto *n*, Einspruch *m*: ***put a*** (*od.* ***one's***) ***~*** (***up***)***on*** → 3; **2.** *a.* ***~ power*** Veto-, Einspruchsrecht *n*; **II** *v/t.* **3.** sein Veto einlegen gegen, Einspruch erheben gegen; **4.** unter'sagen, verbieten.

vet·ting ['vetɪŋ] *s. pol.* F 'Sicherheitsüberˌprüfung *f*.

vex [veks] *v/t.* **1.** *j-n* ärgern, belästigen, aufbringen, irritieren; → ***vexed***; **2.** quälen, bedrücken, beunruhigen; **3.** schikanieren; **4.** *j-n* verwirren, *j-m* ein Rätsel sein; **5.** *obs. od. poet. Meer* aufwühlen.

vex·a·tion [vek'seɪʃn] *s.* **1.** Ärger *m*, Verdruß *m*; **2.** Plage *f*, Qual *f*; **3.** Belästigung *f*; **4.** Schi'kane *f*; **5.** Beunruhigung *f*, Sorge *f*; **vex·a·tious** [vek'seɪʃəs] *adj.* □ **1.** lästig, verdrießlich, ärgerlich, leidig; **2.** ⚖ schika'nös: ***a ~ suit***; **vex·a·tious·ness** [vek'seɪʃəsnɪs] *s.* Ärgerlich-, Verdrießlich-, Lästigkeit *f*; **vexed** [vekst] *adj.* □ **1.** ärgerlich (***at s.th., with s.o.*** über *acc.*); **2.** beunruhigt (***with*** durch, von); **3.** ('viel)umˌstritten, strittig: ***~ question***; **vex·ing** ['veksɪŋ] → ***vexatious*** 1.

vi·a ['vaɪə] (*Lat.*) **I** *prp.* via, über (*acc.*): ***~ London***; ***~ air mail*** per Luftpost; **II** *s.* Weg *m*: ***~ media*** *fig.* Mittelding *od.* -weg.

vi·a·ble ['vaɪəbl] *adj. a. fig.* lebensfähig: ***~ child***; ***~ industry***.

vi·a·duct ['vaɪədʌkt] *s.* Via'dukt *m*.

vi·al ['vaɪəl] *s.* (Glas)Fläschchen *n*, Phi'ole *f*: ***pour out the ~s of one's wrath*** *bibl. u. fig.* die Schalen s-s Zornes ausgießen (***upon*** über *acc.*).

vi·and ['vaɪənd] *s. pl.* **1.** Lebensmittel *pl.*; **2.** ('Reise)Proviˌant *m*.

vi·at·i·cum [vaɪ'ætɪkəm] *pl.* **-cums** *s. eccl.* Vi'atikum *n* (*bei der letzten Ölung gereichte Eucharistie*).

vibes [vaɪbz] *s. pl.* F **1.** *mst sg konstr.* ♪ Vibra'phon *n*; **2.** Ausstrahlung *f* (*e-r Person*).

vi·bran·cy ['vaɪbrənsɪ] *s.* Reso'nanz *f*, Schwingen *n*; **vi·brant** ['vaɪbrənt] *adj.* **1.** vibrierend: a) schwingend (*Saite etc.*), b) laut schallend (*Ton*); **2.** zitternd, bebend (***with*** vor *dat.*): ***~ with energy***; **3.** pulsierend (***with*** von): ***~ cities***; **4.** kraftvoll, lebensprühend: ***a ~ personality***; **5.** erregt; **6.** *ling.* stimmhaft (*Laut*).

vi·bra·phone ['vaɪbrəfəʊn] *s.* ♪ Vibra'phon *n*.

vi·brate [vaɪ'breɪt] **I** *v/i.* **1.** vibrieren: a) zittern (*a. phys.*), b) (nach)klingen, (-)schwingen (*Töne*); **2.** pulsieren (***with*** von); **3.** zittern, beben (***with*** vor *Erregung etc.*); **II** *v/t.* **4.** in Schwingungen versetzen; **5.** vibrieren *od.* schwingen *od.* zittern lassen, rütteln; **vi'bra·tion** [-eɪʃn] *s.* **1.** Schwingen *n*, Vibrieren *n*, Zittern *n*: ***~-proof*** erschütterungsfrei; **2.** *phys.* Vibrati'on *f*: a) Schwingung *f*, b) Oszillati'on *f*; **3.** *fig.* a) Pulsieren *n*, b) *pl.* Ausstrahlung *f e-r Person*; **vi'bra·tion·al** [-eɪʃənl] *adj.* Schwingungs...; **vi'bra·tor** [-eɪtə] *s.* **1.** ⚙ Vi'brator *m* (*a.* ⚕), 'Rüttelappaˌrat *m*; **2.** ⚡ Oszil'lator *m*: a) Summer *m*, b) Zerhacker *m*; **3.** ♪ Zunge *f*, Blatt *n*; **vi·bra·to·ry** ['vaɪbrətərɪ] *adj.* **1.** schwingungsfähig; **2.** vibrierend; **3.** Vibrations...,

Schwingungs…
vic·ar ['vɪkə] *s. eccl.* **1.** *Brit.* Vi'kar *m*, ('Unter)Pfarrer *m*; **2.** *Protestantische Episkopalkirche in den USA*: a) ('Unter)Pfarrer *m*, b) Stellvertreter *m* des Bischofs; **3.** *R.C.* a) ***cardinal ~*** Kardinalvikar *m*, b) ***2 of (Jesus) Christ*** Statthalter *m* Christi (*Papst*); **4.** Ersatz *m*; '**vic·ar·age** [-ərɪdʒ] *s.* **1.** Pfarrhaus *n*; **2.** Vikari'at *n* (*Amt des Vikars*); '**vic·ar gen·er·al** *s. eccl.* Gene'ralvi,kar *m*.
vi·car·i·ous [vaɪ'keərɪəs] *adj.* □ **1.** stellvertretend; **2.** *fig.* mit-, nachempfunden, *Erlebnis etc.* aus zweiter Hand: ***~ pleasure***.
vice[1] [vaɪs] *s.* **1.** Laster *n*: a) Untugend *f*, b) schlechte (An)Gewohnheit; **2.** Lasterhaftigkeit *f*, Verderbtheit *f*: ***~ squad*** Sittenpolizei *f*, 'Sittendezer,nat *n*; **3.** körperlicher Fehler, Gebrechen *n*; **4.** *fig.*, *a.* ⚖ Mangel *m*, Fehler *m*; **5.** Verirrung *f*, Auswuchs *m*; **6.** Unart *f* (*Pferd*).
vice[2] [vaɪs] *s.* ⚙ Schraubstock *m* (*a. fig.*).
vi·ce[3] ['vaɪsɪ] *prp.* an Stelle von.
vice[4] [vaɪs] *s.* F ‚Vize' *m* (*abbr. für **vice admiral** etc.*).
vice- [vaɪs] *in Zssgn* stellvertretend, Vize…
vice| ad·mi·ral *s.* ⚓ 'Vizeadmi,ral *m*; **,~-'chair·man** *s.* [*irr.*] stellvertretender Vorsitzender, 'Vizepräsi,dent *m*; **,~-'chan·cel·lor** *s.* **1.** 'Vizekanzler *m*; **2.** *Brit. univ.* (geschäftsführender) Rektor; **,~-'con·sul** *s.* 'Vize,konsul *m*; **,~-'ge·rent** [-'dʒerənt] **I** *s.* Stellvertreter *m*, Statthalter *m*; **II** *adj.* stellvertretend; **,~-'pres·i·dent** *s.* 'Vizepräsi,dent *m*: a) stellvertretender Vorsitzender, b) † *Am.* Di'rektor *m*, Vorstandsmitglied *n*; **,~'re·gal** *adj.* vizeköniglich; **~·reine** [,vaɪs'reɪn] *s.* Gemahlin *f* des Vizekönigs; **~·roy** ['vaɪsrɔɪ] *s.* Vizekönig *m*; **,~'roy·al** *adj.* vizeköniglich.
vi·ce ver·sa [,vaɪsɪ'vɜːsə] (*Lat.*) *adv.* 'umgekehrt, vice versa.
vic·i·nage ['vɪsɪnɪdʒ] → ***vicinity***; '**vic·i·nal** [-nl] *adj.* benachbart, 'umliegend, nah; **vi·cin·i·ty** [vɪ'sɪnətɪ] *s.* **1.** Nähe *f*, Nachbarschaft *f*: ***in close ~ to*** in unmittelbarer Nähe von; ***in the ~ of 40*** *fig.* um (die) 40 herum; **2.** Nachbarschaft *f*, (nähere) Um'gebung: ***the ~ of London***.
vi·cious ['vɪʃəs] *adj.* □ **1.** lasterhaft, verderbt, 'unmo,ralisch; **2.** verwerflich: ***~ habit***; **3.** bösartig, boshaft, gemein: ***~ attack***; **4.** bös-, unartig (*Tier*); **5.** heftig, ‚bös': ***a ~ blow***; **6.** F scheußlich, schlimm: ***~ headache***; **7.** *a.* ⚖ fehler-, mangelhaft; **8.** *obs.* schädlich: ***~ air***; **~ cir·cle** *s.* **1.** Circulus *m* viti'osus, Teufelskreis *m*; **2.** *phls.* Zirkel-, Trugschluß *m*.
vi·cious·ness ['vɪʃəsnɪs] *s.* **1.** Lasterhaftigkeit *f*, Verderbtheit *f*; **2.** Verwerflichkeit *f*; **3.** Bösartigkeit *f*, Gemeinheit *f*; **4.** Fehlerhaftigkeit *f*.
vi·cis·si·tude [vɪ'sɪsɪtjuːd] *s.* **1.** Wandel *m*, Wechsel *m*; **2.** *pl.* Wechselfälle *pl.*, *das* Auf u. Ab: ***the ~s of life***; **3.** *pl.* Schicksalsschläge *pl.*; **vi·cis·si·tu·di·nous** [vɪ,sɪsɪ'tjuːdɪnəs] *adj.* wechselvoll.
vic·tim ['vɪktɪm] *s.* **1.** Opfer *n*: a) (Unfall- *etc.*)Tote(r *m*) *f*, b) Leidtragende(r *m*) *f*, c) Betrogene(r *m*) *f*: ***fall a ~ to*** zum Opfer fallen (*dat.*); **2.** Opfer(tier) *n*; '**vic·tim·ize** [-maɪz] *v/t.* **1.** *j-n* (auf-) opfern; **2.** quälen, schikanieren, belästigen; **3.** prellen, betrügen.
vic·tor ['vɪktə] **I** *s.* Sieger(in); **II** *adj.* siegreich, Sieger…
vic·to·ri·a [vɪk'tɔːrɪə] *s.* Vik'toria *f* (*zweisitziger Einspänner*); **2 Cross** *s.* Vik'toriakreuz *n* (*brit. Tapferkeitsauszeichnung*).
Vic·tor·i·an [vɪk'tɔːrɪən] **I** *adj.* **1.** Viktori'anisch: ***~ Period***; **2.** viktori'anisch: ***~ habits***; **II** *s.* **3.** Viktori'aner(in).
vic·to·ri·ous [vɪk'tɔːrɪəs] *adj.* □ **1.** siegreich (***over*** über *acc.*): ***be ~*** den Sieg davontragen, siegen; **2.** Sieges…; **vic·to·ry** ['vɪktərɪ] *s.* **1.** Sieg *m* (*a. fig.*): ***~ ceremony*** Siegerehrung *f*; ***~ rostrum*** Siegespodest *n*; **2.** *fig.* Tri'umph *m*, Erfolg *m*, Sieg *m*: ***moral ~***.
vict·ual ['vɪtl] **I** *s. mst pl.* Eßwaren *pl.*, Lebensmittel *pl.*, Provi'ant *m*; **II** *v/t.* (*v/i.* sich) verpflegen *od.* verproviantieren *od.* mit Lebensmitteln versorgen; '**vict·ual·(l)er** [-lə] *s.* **1.** ('Lebensmittel-) Liefe,rant *m*; **2.** *a.* ***licensed ~*** *Brit.* Schankwirt *m*; **3.** ⚓ Provi'antschiff *n*; '**vict·ual·(l)ing** [-lɪŋ] *s.* Verproviantierung *f*: ***~ ship*** Proviantschiff *n*.
vi·de ['vaɪdiː] (*Lat.*) *int.* siehe!
vi·de·li·cet [vɪ'diːlɪset] (*Lat.*) *adv.* nämlich, das heißt (*abbr.* ***viz***; *lies*: ***namely, that is***).
vid·e·o ['vɪdɪəʊ] **I** *pl.* **-os** *s.* F **1.** ‚Video' *n* (*Videotechnik*); **2.** *Computer*: Bildschirm-, Datensichtgerät *n*; **3.** *Am.* (***on*** im) Fernsehen *n*; **II** *adj.* **4.** Video…: ***~ cassette (recorder)***; ***~ disc*** Bildplatte *f*; ***~ library*** Videothek *f*; ***~ nasty*** F Videoschocker *m*; **5.** *Computer*: Bildschirm…: ***~ terminal*** → 2; **6.** *Am.* F Fernseh…: ***~ program***; '**~·phone** F *für **videotelephone***; '**~·tape** **I** *s.* Videoband *n*; **II** *v/t.* auf Videoband aufnehmen, aufzeichnen; '**~,tel·e·phone** *s.* 'Bildtele,fon *n*.
vie [vaɪ] *v/i.* wetteifern: ***~ with s.o. in*** (*od.* ***for***) ***s.th.*** mit j-m in *od.* um et. wetteifern.
Vi·en·nese [,vɪe'niːz] **I** *s. sg. u. pl.* **1.** a) Wiener(in), b) Wiener(innen) *pl.*; **2.** *ling.* Wienerisch *n*; **II** *adj.* **3.** wienerisch, Wiener(…).

view [vju:] **I** *v/t.* **1.** (sich) ansehen, betrachten, besichtigen, in Augenschein nehmen, prüfen: ***~ing figures*** *TV* Sehbeteiligung *f*, Einschaltquote *f*; **2.** *fig.* ansehen, auffassen, betrachten, beurteilen; **3.** über'blicken, -'schauen; **4.** *obs.* sehen; **II** *s.* **5.** (An-, Hin)Sehen *n*, Besichtigung *f*: ***at first ~*** auf den ersten Blick; ***on nearer ~*** bei näherer Betrachtung; **6.** Sicht *f* (*a. fig.*): ***in ~*** a) in Sicht, sichtbar, b) *fig.* in (Aus)Sicht; ***in ~ of*** *fig.* im Hinblick auf (*acc.*), in Anbetracht *od.* angesichts (*gen.*); ***in full ~ of*** direkt vor *j-s* Augen; ***on ~*** zu besichtigen(d), ausgestellt; ***on the long ~*** *fig.* auf weite Sicht; ***out of ~*** außer Sicht, nicht zu sehen; ***come in ~*** in Sicht kommen, sichtbar werden; ***have in ~*** *fig.* im Auge haben, beabsichtigen; ***keep in ~*** *fig.* im Auge behalten; **7.** Aussicht *f*, (Aus-)Blick *m* (***of***, ***over*** auf *acc.*); Szene'rie *f*; **8.** *paint.*, *phot.* Ansicht *f*, Bild *n*: ***~s of London***; ***sectional ~*** ⚙ Ansicht im Schnitt; **9.** *fig.* 'Überblick *m* (***of*** über *acc.*); **10.** Absicht *f*: ***with a ~ to*** a) (*ger.*) mit *od.* in der Absicht zu (*tun*), zu dem Zweck (*gen.*), b) im Hinblick auf (*acc.*); **11.** *fig.* Ansicht *f*, Auffassung *f*, Urteil *n* (***of***, ***on*** über *acc.*): ***in my ~*** in m-n Augen, m-s Erachtens; ***form a ~ on*** sich ein Urteil bilden über (*acc.*); ***take the ~ that*** die Ansicht *od.* den Standpunkt vertreten, daß; ***take a bright*** (***dim***, ***grave***) ***~ of*** *et.* optimistisch (pessimistisch, ernst) beurteilen; **12.** Vorführung *f*: ***private ~ of a film***; **view·a·ble** ['vju:əbl] *adj.* **1.** sichtbar; **2.** *fig.* sehenswert; **view data** *s. pl.* Bildschirmtext *m*; **view·er** ['vju:ə] *s.* **1.** Betrachter(in); **2.** Fernsehzuschauer (-in); **'view·er·ship** *s.* Fernsehpublikum *n*.

'view|ˌfind·er *s. phot.* (Bild)Sucher *m*; **~ hal·loo** *s. hunt.* Hal'lo(ruf *m*) *n* (*beim Erscheinen des Fuchses*).

'view|·phone *s.* 'Bildteleˌfon *n*; **'~·point** *s. fig.* Gesichts-, Standpunkt *m*.

view·y ['vju:ɪ] *adj.* F verstiegen, über'spannt, ‚fimmelig'.

vig·il ['vɪdʒɪl] *s.* **1.** Wachsein *n*, Wachen *n* (*zur Nachtzeit*); **2.** Nachtwache *f*: ***keep ~*** wachen (***over*** bei); **3.** *eccl.* a) *mst pl.* Vi'gilie(n *pl.*) *f*, Nachtwache *f* (*vor Kirchenfesten*), b) Vi'gil *f* (*Vortag e-s Kirchenfests*): ***on the ~ of*** am Vorabend von (*od. gen.*); **'vig·i·lance** [-ləns] *s.* **1.** Wachsamkeit *f*: ***~ committee*** *od.* ***group*** *bsd. Am.* Bürgerwehr *f*, Selbstschutzgruppe *f*; **2.** ⚕ Schlaflosigkeit *f*; **'vig·i·lant** [-lənt] *adj.* □ wachsam, 'umsichtig, aufmerksam; **vig·i·lan·te** [ˌvɪdʒɪ'læntɪ] *s.* Mitglied *n* e-s ***vigilance committee***.

vi·gnette [vɪ'njet] **I** *s. typ.*, *phot. etc.* Vi'gnette *f*; **II** *v/t.* vignettieren.

vig·or *Am.* → ***vigour***.

vig·or·ous ['vɪgərəs] *adj.* □ **1.** *allg.* kräftig; **2.** kraftvoll, vi'tal; **3.** lebhaft, ak'tiv, tatkräftig; **4.** e'nergisch, nachdrücklich; wirksam; **vig·our** ['vɪgə] *s.* **1.** (Körper-, Geistes)Kraft *f*, Vitali'tät *f*; **2.** Ener'gie *f*; **3.** *biol.* Lebenskraft *f*; **4.** *fig.* Nachdruck *m*, Wirkung *f*.

Vi·king, *a.* ♀ ['vaɪkɪŋ] *hist.* **I** *s.* Wiking (-er) *m*; **II** *adj.* Wikinger...

vile [vaɪl] *adj.* □ **1.** *obs.* wertlos; **2.** gemein, schändlich, abstoßend, schmutzig; **3.** F scheußlich, ab'scheulich, mise'rabel: ***a ~ hat***; ***~ weather***; **'vile·ness** [-nɪs] *s.* **1.** Gemeinheit *f*, Schändlichkeit *f*; **2.** F Scheußlichkeit *f*.

vil·i·fi·ca·tion [ˌvɪlɪfɪ'keɪʃn] *s.* **1.** Schmähung *f*, Verleumdung *f*, -unglimpfung *f*; **2.** Her'absetzung *f*; **vil·i·fi·er** ['vɪlɪfaɪə] *s.* Verleumder(in); **vil·i·fy** ['vɪlɪfaɪ] *v/t.* **1.** schmähen, verleumden, verunglimpfen; **2.** her'absetzen.

vil·la ['vɪlə] *s.* **1.** Villa *f*, Landhaus *n*; **2.** *Brit.* a) Doppelhaushälfte *f*, b) 'Einfaˌmilienhaus *n*.

vil·lage ['vɪlɪdʒ] **I** *s.* Dorf *n*; **II** *adj.* dörflich, Dorf...; **'vil·lag·er** [-dʒə] *s.* Dorfbewohner(in), Dörfler(in).

vil·lain ['vɪlən] *s.* **1.** *a. thea. u. humor.* Schurke *m*, Bösewicht *m*; **2.** *humor.* Schlingel *m*; **3.** → ***villein***; **vil·lain·age** ['vɪlɪnɪdʒ] → ***villeinage***; **'vil·lain·ous** [-nəs] *adj.* □ **1.** schurkisch, Schurken..., schändlich; **2.** F → ***vile*** 2, 3; **'vil·lain·y** [-nɪ] *s.* **1.** Schurke'rei *f*; **2.** → ***vileness***.

vil·lein ['vɪlɪn] *s. hist.* **1.** Leibeigene(r) *m*; **2.** *später*: Zinsbauer *m*; **'vil·lein·age** [-nɪdʒ] *s.* **1.** Leibeigenschaft *f*; **2.** 'Hintersassengut *n*.

vil·li·form ['vɪlɪfɔ:m] *adj. biol.* zottenförmig; **vil·lose** ['vɪləʊs], **vil·lous** ['vɪləs] *adj. biol.* zottig; **'vil·lus** [-ləs] *pl.* **-li** [-laɪ] *s.* **1.** *anat.* (Darm)Zotte *f*; **2.** ⚘ Zottenhaar *n*.

vim [vɪm] *s.* F Schwung *m*, ‚Schmiß' *m*: ***full of ~*** ‚toll in Form'.

vin·ai·grette [ˌvɪneɪ'gret] *s.* **1.** Riechfläschchen *n*, -dose *f*; **2.** *a.* ***~ sauce*** *Küche*: Vinai'grette *f* (*Soße*).

vin·ci·ble ['vɪnsɪbl] *adj.* besiegbar, über'windbar.

vin·cu·lum ['vɪŋkjʊləm] *pl.* **-la** [-lə] *s.* **1.** ⩚ Strich *m* (*über mehreren Zahlen*), Über'streichung *f* (*an Stelle von Klammern*); **2.** *bsd. fig.* Band *n*.

vin·di·ca·ble ['vɪndɪkəbl] *adj.* haltbar, zu rechtfertigen(d); **vin·di·cate** ['vɪndɪkeɪt] *v/t.* **1.** in Schutz nehmen, verteidigen (***from*** vor *dat.*, gegen); **2.** rechtfertigen (***o.s.*** sich), bestätigen; **3.** ⚖ a) Anspruch erheben auf (*acc.*), beanspruchen, b) *Recht*, *Anspruch* geltend machen, c) *Recht etc.* behaupten; **vin-**

di·ca·tion [ˌvɪndɪˈkeɪʃn] *s.* **1.** Verteidigung *f*, Rechtfertigung *f*: ***in ~ of*** zur Rechtfertigung von (*od. gen.*); **2.** ⚖ a) Behauptung *f*, b) Geltendmachung *f*; ˈ**vin·di·ca·to·ry** [-keɪtərɪ] *adj.* □ **1.** rechtfertigend, Rechtfertigungs…; **2.** rächend, Straf…

vin·dic·tive [vɪnˈdɪktɪv] *adj.* □ **1.** rachsüchtig; **2.** als Strafe: ***~ damages*** ⚖ tatsächlicher Schadensersatz zuzüglich e-r Buße; **vinˈdic·tive·ness** [-nɪs] *s.* Rachsucht *f*.

vine [vaɪn] ⚘ **I** *s.* **1.** (*Hopfen- etc.*)Rebe *f*, Kletterpflanze *f*; **2.** Wein(stock) *m*, (Wein)Rebe *f*; **II** *adj.* **3.** Wein…, Reb(-en)…; ˈ**~-clad** *adj. poet.* weinlaubbekränzt; ˈ**~ˌdress·er** *s.* Winzer *m*; **~ fret·ter** *s.* Reblaus *f*.

vin·e·gar [ˈvɪnɪgə] **I** *s.* **1.** (Wein)Essig *m*: ***aromatic ~*** aromatischer Essig, Gewürzessig; **2.** *pharm.* Essig *m*; **3.** *fig.* Verdrießlichkeit *f*; **4.** *Am.* F → ***vim***; **II** *v/t.* **5.** Essig tun an (*acc.*); ˈ**vin·e·gar·y** [-ərɪ] *adj.* **1.** (essig)sauer (*a. fig.*); **2.** a) griesgrämig, b) ätzend.

ˈ**vine**|ˌ**grow·er** *s.* Weinbauer *m*, Winzer *m*; ˈ**~ˌgrow·ing** *s.* Weinbau *m*; **~ leaf** *s.* [*irr.*] Wein-, Rebenblatt *n*: ***vine leaves*** Weinlaub *n*; **~ louse** *s.* [*irr.*] Reblaus *f*; **~ mil·dew** *s.* ⚘ Traubenfäule *f*.

vin·er·y [ˈvaɪnərɪ] *s.* **1.** Treibhaus *n* für Reben; **2.** → **vine·yard** [ˈvɪnjəd] *s.* Weinberg *m od.* -garten *m*.

vin·i·cul·tur·al [ˌvɪnɪˈkʌltʃərəl] *adj.* weinbaukundlich; **vin·i·cul·ture** [ˈvɪnɪkʌltʃə] *s.* Weinbau *m* (*Fach*).

vi·nos·i·ty [vaɪˈnɒsətɪ] *s.* **1.** Weinartigkeit *f*; **2.** Weinseligkeit *f*; **vi·nous** [ˈvaɪnəs] *adj.* **1.** weinartig, Wein…; **2.** weinhaltig; **3.** *fig.* weinselig; **4.** weingerötet: ***~ face***; **5.** weinrot.

vin·tage [ˈvɪntɪdʒ] *s.* **1.** Weinertrag *m*, -ernte *f*; **2.** Weinlese(zeit) *f*; **3.** (guter) Wein, (herˈvorragender) Jahrgang: ***~ wine*** Spitzenwein *m*; **4.** F a) Jahrgang *m*, b) Herstellung *f*, *mot. etc. a.* Baujahr *n*: ***~ car*** *mot.* Oldtimer *m*; ˈ**vin·tag·er** [-dʒə] *s.* Weinleser(in).

vint·ner [ˈvɪntnə] *s.* Weinhändler *m*.

vi·nyl [ˈvaɪnɪl] ⚗ **I** *s.* Viˈnyl *n*; **II** *adj.* Vinyl…: ***~ polymers*** Vinylpolymere *pl.*

vi·ol [ˈvaɪəl] *s.* ♪ *hist.* Viˈole *f*: ***bass ~*** Viola *f* da gamba, Gambe *f*.

vi·o·la[1] [vɪˈəʊlə] *s.* ♪ **1.** Viˈola *f*, Bratsche *f*; **2.** → ***viol.***

vi·o·la[2] [ˈvaɪələ] *s.* ⚘ Veilchen *n*, Stiefmütterchen *n*.

vi·o·la·ble [ˈvaɪələbl] *adj.* □ verletzbar (*bsd. Gesetz, Vertrag*); **vi·o·late** [ˈvaɪəleɪt] *v/t.* **1.** *Eid, Vertrag, Grenze etc.* verletzen, *Gesetz* überˈtreten, *bsd. Versprechen* brechen, *e-m Gebot, dem Gewissen* zuˈwiderhandeln; **2.** *Frieden, Stille, Schlaf* (grob) stören; **3.** *a. fig.* Gewalt antun (*dat.*); **4.** *Frau* schänden, vergewaltigen; **5.** *Heiligtum etc.* entweihen, schänden; **vi·o·la·tion** [ˌvaɪəˈleɪʃn] *s.* **1.** Verletzung *f*, Überˈtretung *f*, Bruch *m e-s Eides, Gesetzes*; Zuˈwiderhandlung *f*: ***in ~ of*** unter Verletzung von; **2.** (grobe) Störung; **3.** Vergewaltigung *f* (*a. fig.*), Schändung *f e-r Frau*; **4.** Entweihung *f*, Schändung *f*; ˈ**vi·o·la·tor** [-leɪtə] *s.* **1.** Verletzer(in), Überˈtreter(-in); **2.** Schänder(in).

vi·o·lence [ˈvaɪələns] *s.* **1.** Gewalt(tätigkeit) *f*; **2.** ⚖ Gewalt(tat, -anwendung) *f*: ***by ~*** gewaltsam; ***crimes of ~*** Gewaltverbrechen *pl.*; **3.** Verletzung *f*, Unrecht *n*, Schändung *f*: ***do ~ to*** Gewalt antun (*dat.*), *Gefühle etc.* verletzen, *Heiliges* entweihen; **4.** *bsd. fig.* Heftigkeit *f*, Ungestüm *n*; ˈ**vi·o·lent** [-nt] *adj.* □ **1.** heftig, gewaltig, stark: ***~ blow***; ***~ tempest***; **2.** gewaltsam, -tätig (*Person od. Handlung*), Gewalt…: ***~ death*** gewaltsamer Tod; ***~ interpretation*** *fig.* gewaltsame Auslegung; ***~ measures*** Gewaltmaßnahmen *pl.*; ***lay ~ hands on*** Gewalt antun (*dat.*); **3.** *fig.* heftig, ungestüm, hitzig; **4.** grell, laut (*Farben, Töne*).

vi·o·let [ˈvaɪəlɪt] **I** *s.* **1.** ⚘ Veilchen *n*: ***shrinking ~*** F scheues Wesen (*Person*); **2.** Veilchenblau *n*, Vioˈlett *n*; **II** *adj.* **3.** veilchenblau, vioˈlett.

vi·o·lin [ˌvaɪəˈlɪn] *s.* ♪ Vioˈline *f*, Geige *f*: ***play the ~*** Geige spielen, geigen; ***first ~*** erste(r) Geige(r); ***~ case*** Geigenkasten *m*; ***~ clef*** Violinschlüssel *m*; **vi·o·lin·ist** [ˈvaɪəlɪnɪst] *s.* Violiˈnist(in), Geiger(in).

vi·ol·ist [ˈvaɪəlɪst] *s.* ♪ **1.** *hist.* Viˈolenspieler(in); **2.** [vɪˈəʊlɪst] Bratˈschist(in).

vi·o·lon·cel·list [ˌvaɪələnˈtʃelɪst] *s.* ♪ (Violon)Celˈlist(in); **vi·o·lonˈcel·lo** [-ləʊ] *pl.* **-los** *s.* (Violon)ˈCello *n*.

VIP [ˌviːaɪˈpiː] *s. sl.* ‚hohes' *od.* ‚großes Tier' (*aus* ***Very Important Person***).

vi·per [ˈvaɪpə] *s.* **1.** *zo.* Viper *f*, Otter *f*, Natter *f*; **2.** *zo. a.* ***common ~*** Kreuzotter *f*; **3.** *allg.* Giftschlange *f* (*a. fig.*): ***cherish a ~ in one's bosom*** *fig.* e-e Schlange an s-m Busen nähren; ***generation of ~s*** *bibl.* Natterngezücht *n*; ˈ**vi·per·ine** [-əraɪn] *adj. zo.* a) vipernartig, b) Vipern…; ˈ**vi·per·ish** [-ərɪʃ] *adj.*, ˈ**vi·per·ous** [-ərəs] *adj.* □ **1.** → ***viperine***; **2.** *fig.* giftig, tückisch.

vi·per's grass *s.* ⚘ Schwarzwurzel *f*.

vi·ra·go [vɪˈrɑːgəʊ] *pl.* **-gos** *s.* **1.** Mannweib *n*; **2.** Zankteufel *m*, ‚Drachen' *m*, Xanˈthippe *f*.

vi·res [ˈvaɪəriːz] *pl. von* ***vis***.

vir·gin [ˈvɜːdʒɪn] **I** *s.* **1.** a) Jungfrau *f* (*a. ast.*), b) ‚Jungfrau' *f* (*Mann*); **2.** a) *eccl.* ***the*** (***Blessed***) ***2*** (***Mary***) die Heilige Jungfrau, b) *Kunst*: Maˈdonna *f*; **II** *adj.* **3.** jungfräulich, unberührt (*beide a. fig.*

V

Schnee etc.): ~ ***forest*** Urwald *m*; ♀ ***Mother*** *eccl.* Mutter *f* Gottes; ***the*** ♀ ***Queen*** *hist.* die jungfräuliche Königin (*Elisabeth I von England*); ~ ***queen*** *zo.* unbefruchtete (Bienen)Königin; ~ ***soil*** a) jungfräulicher Boden, ungepflügtes Land, b) *fig.* Neuland *n*, c) *fig.* unberührter Geist; **4.** rein, keusch, jungfräulich: ~ ***modesty***; **5.** ⚙ a) rein, unvermischt (*Stoffe etc.*), b) jungfräulich, gediegen (*Metalle*): ~ ***gold*** (***oil***) Jungferngold *n* (-öl *n*); ~ ***wool*** Schurwolle *f*; **6.** *fig.* Jungfern...: ~ ***cruise*** Jungfernfahrt *f*; '**vir·gin·al** [-nl] *adj.* □ **1.** jungfräulich, Jungfern...: ~ ***membrane*** *anat.* Jungfernhäutchen *n*; **2.** → ***virgin*** 4; **3.** *zo.* unbefruchtet; '**vir·gin·hood** [-hʊd] *s.* Jungfräulichkeit *f*, Jungfernschaft *f*.

Vir·gin·i·a [və'dʒɪnjə] *s. a.* ~ ***tobacco*** Virginia(tabak) *m*; ~ **creep·er** *s.* ⚘ Wilder Wein, Jungfernrebe *f*.

Vir·gin·i·an [və'dʒɪnjən] **I** *adj.* Virginia...; **II** *s.* Vir'ginier(in).

vir·gin·i·ty [və'dʒɪnətɪ] *s.* **1.** Jungfräulichkeit *f*, Jungfernschaft *f*; **2.** Reinheit *f*, Keuschheit *f*, Unberührtheit *f* (*a. fig.*).

Vir·go ['vɜːgəʊ] *s. ast.* Jungfrau *f*.

vir·i·des·cent [ˌvɪrɪ'desnt] *adj.* grün(-lich); **vi·rid·i·ty** [vɪ'rɪdətɪ] *s.* **1.** *biol.* grünes Aussehen; **2.** *fig.* Frische *f*.

vir·ile ['vɪraɪl] *adj.* **1.** männlich, kräftig (*beide a. fig. Stil etc.*), Männer..., Mannes...: ~ ***voice***; **2.** *physiol.* po'tent: ~ ***member*** männliches Glied; **vi·ril·i·ty** [vɪ'rɪlətɪ] *s.* **1.** Männlichkeit *f*; **2.** Mannesalter *n*, -jahre *pl.*; **3.** *physiol.* Po'tenz *f*, Zeugungskraft *f*; **4.** *fig.* Kraft *f*.

vi·rol·o·gy [ˌvaɪə'rɒlədʒɪ] *s.* ⚕ Virolo'gie *f*, Virusforschung *f*.

vir·tu [vɜː'tuː] *s.* **1.** Kunst-, Liebhaberwert *m*: ***article of*** ~ Kunstgegenstand *m*; **2.** *coll.* Kunstgegenstände *pl.*; **3.** → ***virtuosity*** 2.

vir·tu·al ['vɜːtʃʊəl] *adj.* □ **1.** tatsächlich, praktisch, eigentlich; **2.** ⚙, *phys.* virtu'ell; '**vir·tu·al·ly** [-əlɪ] *adv.* eigentlich, praktisch, im Grunde (genommen).

vir·tue ['vɜːtjuː] *s.* **1.** Tugend(haftigkeit) *f*: ***woman of*** ~ tugendhafte Frau; ***lady of easy*** ~ leichtes Mädchen; **2.** Rechtschaffenheit *f*; **3.** Tugend *f*: ***make a*** ~ ***of necessity*** aus der Not e-e Tugend machen; **4.** Wirksamkeit *f*, Wirkung *f*, Erfolg *m*; **5.** (gute) Eigenschaft, Vorzug *m*; (hoher) Wert; **6.** ***by*** (*od.* ***in***) ~ ***of*** kraft *e-s Gesetzes*, *e-r Vollmacht etc.*, auf Grund von (*od. gen.*), vermöge (*gen.*).

vir·tu·os·i·ty [ˌvɜːtjʊ'ɒsətɪ] **I** *s.* **1.** Virtuosi'tät *f*, blendende Technik, meisterhaftes Können; **2.** Kunstsinn *m*, -liebhabe'rei *f*; **II** *adj.* **3.** virtu'os, meisterhaft; **vir·tu·o·so** [ˌvɜːtjʊ'əʊzəʊ] *pl.* **-si** [-siː] *s.* **1.** Virtu'ose *m*; **2.** Kunstkenner *m*.

vir·tu·ous ['vɜːtʃʊəs] *adj.* □ **1.** tugendhaft; **2.** rechtschaffen.

vir·u·lence ['vɪrʊləns], '**vir·u·len·cy** [-sɪ] *s.* ⚕ *u. fig.* Viru'lenz *f*, Giftigkeit *f*, Bösartigkeit *f*; '**vir·u·lent** [-nt] *adj.* □ **1.** giftig, bösartig (*Gift*, *Krankheit*) (*a. fig.*); **2.** ⚕ viru'lent (*a. fig.*), sehr ansteckend.

vi·rus ['vaɪərəs] *s.* **1.** ⚕ Virus *n*: a) Krankheitserreger *m*, b) Gift-, Impfstoff *m*; **2.** *fig.* Gift *n*, Ba'zillus *m*: ***the*** ~ ***of hatred***.

vis [vɪs] *pl.* **vi·res** ['vaɪəriːz] (*Lat.*) *s. bsd. phys.* Kraft *f*: ~ ***inertiae*** Trägheitskraft; ~ ***mortua*** tote Kraft; ~ ***viva*** kinetische Energie; ~ ***major*** ⚖ höhere Gewalt.

vi·sa ['viːzə] **I** *s.* Visum *n*: a) Sichtvermerk *m* (*im Paß etc.*), b) Einreisebewilligung *f*; **II** *v/t.* ein Visum eintragen in (*acc.*).

vis·age ['vɪzɪdʒ] *s. poet.* Antlitz *n*.

vis-à-vis ['viːzɑːviː; vizavi] (*Fr.*) **I** *adv.* gegen'über (***to***, ***with*** von); **II** *s.* Gegen'über *n*: a) Visa'vis *n*, b) *fig.* ('Amts-)Kolˌlege *m*.

vis·cer·a ['vɪsərə] *s. pl. anat.* Eingeweide *pl.*: ***abdominal*** ~ Bauchorgane *pl.*; '**vis·cer·al** [-rəl] *adj. anat.* Eingeweide...

vis·cid ['vɪsɪd] *adj.* **1.** klebrig (*a.* ⚘); **2.** *bsd. phys.* vis'kos, dick-, zähflüssig; **vis·cid·i·ty** [vɪ'sɪdətɪ] *s.* **1.** Klebrigkeit *f*; **2.** → ***viscosity***.

vis·cose ['vɪskəʊs] *s.* ⚙ Vis'kose *f* (*Art Zellulose*): ~ ***silk*** Viskose-, Zellstoffseide *f*; **vis·cos·i·ty** [vɪs'kɒsətɪ] *s. phys.* Viskosi'tät *f*, (Grad *m* der) Zähflüssigkeit *f*, Konsi'stenz *f*.

vis·count ['vaɪkaʊnt] *s.* Vi'comte *m* (*brit. Adelstitel zwischen* ***baron*** u. ***earl***); '**vis·count·cy** [-sɪ] *s.* Rang *m od.* Würde *f* e-s Vi'comte; '**vis·count·ess** [-tɪs] *s.* Vicom'tesse *f*; '**vis·count·y** [-tɪ] → ***viscountcy***.

vis·cous ['vɪskəs] → ***viscid***.

vi·sé ['viːzeɪ] **I** *s.* → ***visa*** I; **II** *v/t. pret. u. p.p.* **-séd** → ***visa*** II.

vise [vaɪs] *Am.* → ***vice***[2].

vis·i·bil·i·ty [ˌvɪzɪ'bɪlətɪ] *s.* **1.** Sichtbarkeit *f*; **2.** *meteor.* Sicht(weite) *f*: ***high*** (***low***) ~ gute (schlechte) Sicht; ~ (***conditions***) Sichtverhältnisse *pl.*; **vis·i·ble** ['vɪzəbl] *adj.* □ **1.** sichtbar; **2.** *fig.* (er-, offen-)sichtlich, merklich, deutlich, erkennbar; **3.** ⚙ sichtbar (gemacht), graphisch dargestellt; **4.** *pred.* a) zu sehen (*Sache*), b) zu sprechen (*Person*).

Vis·i·goth ['vɪzɪgɒθ] *s. hist.* Westgote *m*, -gotin *f*.

vi·sion ['vɪʒn] **I** *s.* **1.** Sehkraft *f*, -vermögen *n*: ***field of*** ~ Blickfeld *n*; **2.** *fig.* a) visio'näre Kraft, (Seher-, Weit)Blick *m*, b) Phanta'sie *f*, Vorstellungsvermö-

V

gen *n*, Einsicht *f*: ***bold ~*** kühne (Zukunfts)Ideen; **3.** Visi'on *f*: a) Traum-, Wunschbild *n*, b) *oft pl. psych.* Halluzinati'onen *pl.*, Gesichte *pl.*; **4.** a) Anblick *m*, Bild *n*, b) Traum *m*, et. Schönes; **II** *adj.* **5.** *TV* Bild...: ***~ mixer***; ***~ control*** Bildregie *f*; **III** *v/t.* **6.** *fig.* (er-)schauen; **'vi·sion·ar·y** [-nərɪ] **I** *adj.* **1.** visio'när, (hell)seherisch; **2.** phan'tastisch, verstiegen, ‚traumtänzerisch': ***a ~ scheme***; **3.** unwirklich, eingebildet; **4.** Visions...; **II** *s.* **5.** Visio'när *m*, Hellseher *m*; **6.** Phan'tast *m*, Träumer *m*, Schwärmer *m*, ‚Traumtänzer' *m*.

vis·it ['vɪzɪt] **I** *v/t.* **1.** besuchen: a) *j-n, Arzt, Kranke, Lokal etc.* aufsuchen, b) inspizieren, in Augenschein nehmen, c) *Stadt, Museum etc.* besichtigen; **2.** ⚖ durch'suchen; **3.** heimsuchen (***s.th. upon*** *j-n* mit et.): a) befallen (*Krankheit, Unglück*), b) *bibl. u. fig.* (be-)strafen, *Sünden* vergelten (***upon*** an *dat.*); **4.** *bibl.* belohnen, segnen; **II** *v/i.* **5.** e-n Besuch *od.* Besuche machen; **6.** *Am.* F plaudern; **III** *s.* **7.** Besuch *m*: ***on a ~*** auf Besuch (***to*** bei *j-m*, in *e-r Stadt etc.*); ***make*** (*od.* ***pay***) ***a ~*** e-n Besuch machen; ***~ to the doctor*** Konsultation *f* beim Arzt, Arztbesuch *m*; **8.** (for'meller) Besuch, *bsd.* Inspekti'on *f*; **9.** ⚖, ⚓ Durch'suchung *f*; **10.** *Am.* F Plausch *m*; **'vis·it·ant** [-tənt] **I** *s.* **1.** *rhet.* Besucher (-in); **2.** *orn.* Strichvogel *m*; **II** *adj.* **3.** *rhet.* auf Besuch; **vis·it·a·tion** [ˌvɪzɪ'teɪʃn] *s.* **1.** Besuchen *n*; **2.** offizi'eller Besuch, Besichtigung *f*, Visitati'on *f*: ***right of ~*** ⚓ Durchsuchungsrecht *n* (*auf See*); ***~ (of the sick)*** *eccl.* Krankenbesuch; **3.** *fig.* Heimsuchung: a) (gottgesandte) Prüfung *f*, Strafe *f* (Gottes), b) himmlischer Beistand: ***2 of our Lady*** *R.C.* Heimsuchung Mariae; **4.** *zo.* massenhaftes Auftreten; **5.** F langer Besuch; **vis·it·a·to·ri·al** [ˌvɪzɪtə'tɔːrɪəl] *adj.* Visitations..., Überwachungs..., Aufsichts...: ***~ power*** Aufsichtsbefugnis *f*; **'vis·it·ing** [-tɪŋ] *adj.* Besuchs..., Besucher...: ***~ book*** Besuchsliste *f*; ***~ card*** Visitenkarte *f*; ***~ hours*** Besuchszeit *f*; ***~ nurse*** *Am.* Gemeindeschwester *f*; ***~ professor*** *univ.* Gastprofessor *m*; ***~ team*** *sport* Gastmannschaft *f*; ***be on ~ terms with s.o.*** j-n so gut kennen, daß man ihn besucht; **'vis·i·tor** [-tə] *s.* **1.** Besucher(in) (***to*** *gen.*), (*a.* Kur)Gast *m*; *pl.* Besuch *m*: ***summer ~s*** Sommergäste *pl.*; ***~s' book*** a) Fremdenbuch *n*, b) Gästebuch *n*; **2.** Visi'tator *m*, In'spektor *m*; **vis·i·to·ri·al** [ˌvɪzɪ'tɔːrɪəl] → ***visitatorial***.

vi·sor ['vaɪzə] *s.* **1.** *hist. u. fig.* Vi'sier *n*; **2.** (Mützen)Schirm *m*; **3.** *mot.* Sonnenblende *f*.

vis·ta ['vɪstə] *s.* **1.** (Aus-, 'Durch)Blick *m*, Aussicht *f*; **2.** Al'lee *f*; **3.** ⚠ Gale'rie *f*, Korridor *m*; **4.** (lange) Reihe, Kette *f*: ***a ~ of years***; **5.** *fig.* Ausblick *m*, -sicht *f* (***of*** auf *acc.*), Möglichkeit *f*, Perspek'tive *f*: ***his words opened up new ~s***.

vis·u·al ['vɪzjʊəl] **I** *adj.* □ **1.** Seh..., Gesichts...: ***~ acuity*** Sehschärfe *f*; ***~ angle*** Gesichtswinkel *m*; ***~ nerve*** Sehnerv *m*; ***~ test*** Augentest *m*; **2.** visu'ell (*Eindruck, Gedächtnis etc.*): ***~ aid(s)*** *ped.* Anschauungsmaterial *n*; ***~ arts*** bildende Künste; ***~ display unit*** *Computer*: Datensichtgerät *n*; ***~ instruction*** *ped.* Anschauungsunterricht *m*; **3.** sichtbar: ***~ objects***; **4.** optisch, Sicht...(*-anzeige, -bereich, -zeichen etc.*); **II** *s.* **5.** *typ.*, ✝ a) (Roh)Skizze *f* e-s Layouts, b) 'Bildeleˌment *n* e-r Anzeige; **vis·u·al·i·za·tion** [ˌvɪzjʊəlaɪ'zeɪʃn] *s.* Vergegenwärtigung *f*; **'vis·u·al·ize** [-laɪz] *v/t.* sich vergegenwärtigen *od.* vor Augen stellen, sich vorstellen, sich ein Bild machen von; **'vis·u·al·iz·er** [-laɪzə] *s.* ✝ graphischer I'deengestalter.

vi·ta ['viːtə] (*Lat.*) *pl.* **-tae** [-taɪ] *s. Am.* Lebenslauf *m*.

vi·tal ['vaɪtl] **I** *adj.* **1.** Lebens...(*-frage, -funktion, -funke etc.*): ***~ energy*** (*od.* ***power***) Lebenskraft *f*; ***~ statistics*** a) Bevölkerungsstatistik *f*, b) *humor.* Körpermaße *pl.*; ***Bureau of 2 Statistics*** *Am.* Personenstandsregister *n*; **2.** lebenswichtig (*Industrie, Organ etc.*): ***~ parts*** → 8; **3.** (hoch)wichtig, entscheidend (***to*** für): ***~ problems***; ***of ~ importance*** von entscheidender Bedeutung; **4.** wesentlich, grundlegend; **5.** *mst fig.* le'bendig: ***~ style***; **6.** vi'tal, lebensprühend; **7.** lebensgefährlich: ***~ wound***; **II** *s.* **8.** *pl.* a) *anat.* ‚edle Teile' *pl.*, lebenswichtige Or'gane *pl.*, b) *fig. das* Wesentliche, wichtige Bestandteile *pl.*; **vi·tal·i·ty** [vaɪ'tælətɪ] *s.* **1.** Vitali'tät *f*, Lebenskraft *f*; **2.** Lebensfähigkeit *f*, -dauer *f* (*a. fig.*); **vi·tal·i·za·tion** [ˌvaɪtəlaɪ'zeɪʃn] *s.* Belebung *f*, Aktivierung *f*; **'vi·tal·ize** [-təlaɪz] *v/t.* **1.** beleben, kräftigen; **2.** mit Lebenskraft erfüllen; **3.** *fig.* a) verle'bendigen, b) le'bendig gestalten.

vi·ta·min(e) ['vɪtəmɪn] *s.* Vita'min *n*.

vi·ti·ate ['vɪʃɪeɪt] *v/t.* **1.** *allg.* verderben; **2.** beeinträchtigen; **3.** a) *Luft etc.* verunreinigen, b) *fig. Atmosphäre* vergiften; **4.** *Argument etc.* wider'legen; **5.** *bsd.* ⚖ ungültig machen, aufheben; **vi·ti·a·tion** [ˌvɪʃɪ'eɪʃn] *s.* **1.** Verderben *n*, Verderbnis *f*; **2.** Beeinträchtigung *f*; **3.** Verunreinigung *f*; **4.** Wider'legung *f*; **5.** ⚖ Aufhebung *f*.

vit·i·cul·ture ['vɪtɪkʌltʃə] *s.* Weinbau *m*.

vit·re·ous ['vɪtrɪəs] *adj.* **1.** Glas..., aus Glas, gläsern; **2.** glasartig, glasig: ***~ body*** *anat.* Glaskörper *m des Auges*; ***~ electricity*** positive Elektrizität; **3.**

geol. glasig; **vi·tres·cent** [vɪˈtresnt] *adj.* **1.** verglasend; **2.** verglasbar.

vit·ri·fac·tion [ˌvɪtrɪˈfækʃn], **vit·ri·fi·ca·tion** [ˌvɪtrɪfɪˈkeɪʃn] *s.* ⚙ Ver-, Überˈglasung *f*, Sinterung *f*; **vit·ri·fy** [ˈvɪtrɪfaɪ] ⚙ **I** *v/t.* ver-, überˈglasen, glasieren, sintern; *Keramik*: dicht brennen; **II** *v/i.* (sich) verglasen.

vit·ri·ol [ˈvɪtrɪəl] *s.* **1.** ⚗ Vitriˈol *n*: ***blue ~***, ***copper ~*** Kupfervitriol, -sulfat *n*; ***green ~*** Eisenvitriol, Ferrosulfat *n*; ***white ~*** Zinksulfat *n*; **2.** ⚗ a) Vitriˈolsäure *f*, b) ***oil of ~*** Vitriolöl *n*, rauchende Schwefelsäure; **3.** *fig.* a) Gift *n*, Säure *f*, b) Giftigkeit *f*, Schärfe *f*; **vit·ri·ol·ic** [ˌvɪtrɪˈɒlɪk] *adj.* **1.** vitriˈolisch, Vitriol...: ***~ acid*** → ***vitriol*** 2b; **2.** *fig.* ätzend, beißend: ***~ remark***; **ˈvit·ri·ol·ize** [-laɪz] *v/t.* **1.** ⚗ vitriolisieren; **2.** *j-n* mit Vitriol bespritzen *od.* verletzen.

vi·tu·per·ate [vɪˈtjuːpəreɪt] *v/t.* **1.** beschimpfen, schmähen; **2.** scharf tadeln; **vi·tu·per·a·tion** [vɪˌtjuːpəˈreɪʃn] *s.* **1.** Schmähung *f*, (wüste) Beschimpfung; *pl.* Schimpfworte *pl.*; **2.** scharfer Tadel *m*; **viˈtu·per·a·tive** [-pərətɪv] *adj.* □ **1.** schmähend, Schmäh...; **2.** tadelnd.

vi·va¹ [ˈviːvə] (*Ital.*) **I** *int.* Hoch!; **II** *s.* Hoch(ruf *m*) *n*.

vi·va² [ˈvaɪvə] → ***viva voce***.

vi·va·cious [vɪˈveɪʃəs] *adj.* □ lebhaft, munter; **vi·vac·i·ty** [vɪˈvæsətɪ] *s.* Lebhaftigkeit *f*, Munterkeit *f*.

vi·var·i·um [vaɪˈveərɪəm] *pl.* **-i·a** [-ɪə] *s.* Viˈvarium *n* (*Aquarium*, *Terrarium etc.*).

vi·va vo·ce [ˌvaɪvəˈvəʊsɪ] **I** *adj. u. adv.* mündlich; **II** *s.* mündliche Prüfung; **vi·va-vo·ce** [ˌvaɪvəˈvəʊsɪ] *v/t.* mündlich prüfen.

viv·id [ˈvɪvɪd] *adj.* □ **1.** *allg.* lebhaft: a) impulˈsiv (*Mensch*), b) intenˈsiv (*Gefühle*, *Phantasie*), c) leuchtend (*Farbe etc.*), d) deutlich, klar (*Schilderung etc.*); **2.** leˈbendig (*Porträt etc.*); **ˈviv·id·ness** [-nɪs] *s.* **1.** Lebhaftigkeit *f*; **2.** Leˈbendigkeit *f*.

viv·i·fy [ˈvɪvɪfaɪ] *v/t.* **1.** ˈwiederbeleben; **2.** *fig.* Leben geben (*dat.*), beleben, anregen; **3.** *fig.* intensivieren; **4.** *biol.* in lebendes Gewebe verwandeln; **vi·vip·a·rous** [vɪˈvɪpərəs] *adj.* □ **1.** *zo.* lebendgebärend; **2.** ⚘ noch an der Mutterpflanze keimend (*Samen*); **viv·i·sect** [ˌvɪvɪˈsekt] *v/t. u. v/i.* vivisezieren, lebend sezieren; **viv·i·sec·tion** [ˌvɪvɪˈsekʃn] *s.* Vivisektiˈon *f*.

vix·en [ˈvɪksn] *s.* **1.** *zo.* Füchsin *f*; **2.** *fig.* ‚Drachen' *m*, Xanˈthippe *f*; **ˈvix·en·ish** [-nɪʃ] *adj.* zänkisch.

vi·zier [vɪˈzɪə] *s.* Weˈsir *m*.

vi·zor → ***visor***.

V-J Day *s.* Tag *m* des Sieges der Alliˈierten über Japan (*im 2. Weltkrieg*; *2. 9. 1945*).

vo·ca·ble [ˈvəʊkəbl] *s.* Voˈkabel *f*.

vo·cab·u·lar·y [vəʊˈkæbjʊlərɪ] *s.* Vokabuˈlar *n*: a) Wörterverzeichnis *n*, b) Wortschatz *m*.

vo·cal [ˈvəʊkl] **I** *adj.* □ → ***vocally***; **1.** stimmlich, mündlich, Stimm..., Sprech...: ***~ c(h)ords*** Stimmbänder *pl.*; **2.** ♪ Vokal..., Gesang(s)..., gesanglich: ***~ music*** Vokalmusik *f*; ***~ part*** Singstimme *f*; ***~ recital*** Liederabend *m*; **3.** klingend, ˈwiderhallend (***with*** von); **4.** stimmbegabt, der Sprache mächtig; **5.** laut, vernehmbar, *a.* gesprächig: ***become ~*** *fig.* laut werden, sich vernehmen lassen; **6.** *ling.* a) voˈkalisch, b) stimmhaft; **II** *s.* **7.** (gesungener) Schlager; **vo·cal·ic** [vəʊˈkælɪk] *adj.* voˈkalisch; **ˈvo·cal·ism** [-kəlɪzəm] *s.* **1.** Vokalisatiˈon *f* (*Vokalbildung u. -aussprache*); **2.** Voˈkalsyˌstem *n e-r Sprache*; **ˈvo·cal·ist** [-kəlɪst] *s.* ♪ Sänger(in); **vo·cal·i·za·tion** [ˌvəʊkəlaɪˈzeɪʃn] *s.* **1.** *bsd.* ♪ Stimmgebung *f*; **2.** *ling.* a) Vokalisatiˈon *f*, b) stimmhafte Aussprache; **ˈvo·cal·ize** [-kəlaɪz] **I** *v/t.* **1.** *Laut* aussprechen, *a.* singen; **2.** *ling.* a) *Konsonanten* vokalisieren, b) stimmhaft aussprechen; **3.** → ***vowelize*** 1; **II** *v/i.* **4.** (*beim Singen*) vokalisieren.

vo·ca·tion [vəʊˈkeɪʃn] *s.* **1.** (*eccl.* göttliche, *allg.* innere) Berufung (***for*** zu); **2.** Begabung *f*, Eignung *f* (***for*** für); **3.** Beruf *m*, Beschäftigung *f*; **voˈca·tion·al** [-ʃənl] *adj.* □ beruflich, Berufs... (*-ausbildung*, *-krankheit*, *-schule etc.*): ***~ guidance*** Berufsberatung *f*.

voc·a·tive [ˈvɒkətɪv] **I** *adj. ling.* vokativisch, Anrede...: ***~ case*** → **II** *s.* Vokativ *m*.

vo·cif·er·ate [vəʊˈsɪfəreɪt] *v/i.* schreien, brüllen; **vo·cif·er·a·tion** [vəʊˌsɪfəˈreɪʃn] *s. a. pl.* Schreien *n*, Brüllen *n*, Geschrei *n*; **voˈcif·er·ous** [-fərəs] *adj.* □ **1.** laut schreiend, brüllend; **2.** lärmend, laut; **3.** lautstark: ***~ protest***.

vod·ka [ˈvɒdkə] *s.* Wodka *m*.

vogue [vəʊg] *s.* **1.** *allg.* (herrschende) Mode: ***all the ~*** (die) große Mode, der letzte Schrei; ***be in ~*** (in) Mode sein; ***come into ~*** in Mode kommen; **2.** Beliebtheit *f*: ***be in full ~*** großen Anklang finden, sehr im Schwange sein; ***have a short-lived ~*** sich e-r kurzen Beliebtheit erfreuen; ***~ word*** *s.* Modewort *n*.

voice [vɔɪs] **I** *s.* **1.** Stimme *f* (*a. fig. des Gewissens etc.*): ***the still, small ~ (within)*** *fig.* die leise Stimme des Gewissens; ***in (good) ~*** ♪ (gut) bei Stimme; ***in a low ~*** mit leiser Stimme; ***~ box*** Kehlkopf *m*; ***~ off*** *TV etc*: Off-Stimme *f*; ***~ on*** *TV etc*: On-Stimme *f*; ***~ recognition*** *Computer*: Spracherkennung *f*; ***~ radio*** ⚡ Sprechfunk *m*; ***~ range*** ♪ Stimmumfang *m*; **2.** *fig.* Ausdruck *m*, Äußerung *f*: ***find ~ in*** Ausdruck finden

V

in (*dat.*); ***give ~ to*** → 7; **3.** *fig. allg.* Stimme *f*: a) Entscheidung *f*: ***give one's ~ for*** stimmen für; ***with one ~*** einstimmig, b) Stimmrecht *n*: ***have a (no) ~ in*** et. (nichts) zu sagen haben bei *od.* in (*dat.*), c) Sprecher(in), Sprachrohr *n*; **4.** ♪ a) *a.* ***~ quality*** Stimmton *m*, b) (Orgel)Stimme *f*; **5.** *ling.* a) stimmhafter Laut, b) Stimmton *m*; **6.** *ling.* Genus *n* des Verbs: ***active ~*** Aktiv *n*; ***passive ~*** Passiv *n*; **II** *v/t.* **7.** Ausdruck geben *od.* verleihen (*dat.*), *Meinung etc.* äußern, in Worte fassen; **8.** ♪ *Orgelpfeife etc.* regulieren; **9.** *ling.* (stimmhaft) (aus)sprechen; **voiced** [-st] *adj.* **1.** *in Zssgn* mit *leiser etc.* Stimme: ***low-~***; **2.** *ling.* stimmhaft; **'voice·less** [-lɪs] *adj.* **1.** ohne Stimme, stumm; **2.** sprachlos; **3.** *parl.* nicht stimmfähig; **4.** *ling.* stimmlos; **'voice-ˌo·ver** *s. Film, TV*: 'Off-Kommenˌtar *n*.

void [vɔɪd] **I** *adj.* □ **1.** leer; **2.** ***~ of*** ohne, bar (*gen.*), arm an (*dat.*), frei von; **3.** unbewohnt; **4.** unbesetzt, frei (*Amt*); **5.** ⚖ nichtig, ungültig, -wirksam; → ***null*** 1; **II** *s.* **6.** (*fig.* Gefühl *n* der) Leere *f*, leerer Raum; **7.** *fig.* Lücke *f*: ***fill the ~*** die Lücke schließen; **8.** ⚖ unbewohntes Gebäude; **III** *v/t.* **9.** räumen (***of*** von); **10.** ⚖ a) aufheben, b) anfechten; **11.** *physiol. Urin etc.* ausscheiden; **'void·a·ble** [-dəbl] *adj.* ⚖ aufheb- *od.* anfechtbar; **'void·ance** [-dəns] *s.* Räumung *f*; **'void·ness** [-nɪs] *s.* **1.** Leere *f*; **2.** ⚖ Nichtigkeit *f*, Ungültigkeit *f*.

voile [vɔɪl] *s.* Voile *m*, Schleierstoff *m*.

vo·lant ['vəʊlənt] *adj.* **1.** *zo.* fliegend (*a. her.*); **2.** *poet.* flüchtig.

vol·a·tile ['vɒlətaɪl] *adj.* **1.** *phys.* verdampfbar, (leicht) flüchtig, vola'til, ä'therisch (*Öl etc.*); **2.** *fig.* flüchtig, vergänglich; **3.** *fig.* a) le'bendig, lebhaft, b) launisch, unbeständig, flatterhaft; **vol·a·til·i·ty** [ˌvɒlə'tɪlətɪ] *s.* **1.** *phys.* Verdampfbarkeit *f*, Flüchtigkeit *f* (*a. fig.*); **2.** *fig.* a) Lebhaftigkeit *f*, b) Unbeständig-, Flatterhaftigkeit *f*; **vol·a·til·i·za·tion** [vɒˌlætɪlaɪ'zeɪʃn] *s. phys.* Verflüchtigung *f*, Verdampfung *f*; **vol·a·til·ize** [vɒ'lætɪlaɪz] *v/t.* (*v/i.* sich) verflüchtigen, verdunsten, verdampfen.

vol-au-vent ['vɒləʊvɑ̃:ŋ; vɔlovɑ̃] (*Fr.*) *s.* Vol-au-'vent *m* (*gefüllte Blätterteigpastete*).

vol·can·ic [vɒl'kænɪk] *adj.* (□ ***~ally***) **1.** *geol.* vul'kanisch, Vulkan...; **2.** *fig.* ungestüm, explo'siv; **vol·ca·no** [vɒl'keɪnəʊ] *pl.* **-no(e)s** *s.* **1.** *geol.* Vul'kan *m*; **2.** *fig.* Vul'kan *m*, Pulverfaß *n*: ***sit on the top of a ~*** (wie) auf e-m Pulverfaß sitzen; **vol·can·ol·o·gy** [ˌvɒlkə'nɒlədʒɪ] *s.* Vulkanolo'gie *f*.

vole¹ [vəʊl] *s. zo.* Wühlmaus *f*.

vole² [vəʊl] *s. Kartenspiel*: Gewinn *m* aller Stiche.

vo·li·tion [vəʊ'lɪʃn] *s.* **1.** Willensäußerung *f*, -akt *m*, (Willens)Entschluß *m*: ***on one's own ~*** aus eigenem Entschluß; **2.** Wille *m*, Wollen *n*, Willenskraft *f*; **vo'li·tion·al** [-ʃənl] *adj.* □ Willens..., willensmäßig; **vol·i·tive** ['vɒlɪtɪv] *adj.* **1.** Willens...; **2.** *ling.* voli'tiv.

vol·ley ['vɒlɪ] **I** *s.* **1.** (Gewehr-, Geschütz)Salve *f*; (Pfeil-, Stein- *etc.*)Hagel *m*; *Artillerie, Flak*: Gruppe *f*: ***~ bombing*** ✈ Reihenwurf *m*; **2.** *fig.* Schwall *m*, Strom *m*, Flut *f*: ***a ~ of oaths***; **3.** *sport*: a) *Tennis*: Volley *m* (*Schlag*), (*Ball a.*) Flugball *m*, b) *Fußball*: Volleyschuß *m*: ***take a ball at*** *od.* ***on the ~*** → 6; **4.** *Badminton*: Ballwechsel *m*; **II** *v/t.* **5.** in e-r Salve abschießen; **6.** *sport*: *den Ball* volley nehmen, (*Fußball a.*) (di'rekt) aus der Luft nehmen; **7.** *mst* ***~ out*** *od.* ***forth*** e-n Schwall von *Worten etc.* von sich geben; **III** *v/i.* **8.** e-e Salve *od.* Salven abgeben; **9.** hageln (*Geschosse*), krachen (*Geschütze*); **10.** *sport*: a) *Tennis*: volieren, b) *Fußball*: volley schießen; **'~·ball** *s. sport* **1.** Volleyball(spiel *n*) *m*; **2.** Volleyball *m*.

vol·plane ['vɒlpleɪn] ✈ **I** *s.* Gleitflug *m*; **II** *v/i.* im Gleitflug niedergehen.

volt¹ [vɒlt] *s. fenc. u. Reitsport*: Volte *f*.

volt² [vəʊlt] *s.* ⚡ Volt *n*; **'volt·age** [-tɪdʒ] *s.* ⚡ (Volt)Spannung *f*; **vol·ta·ic** [vɒl'teɪɪk] *adj.* ⚡ vol'taisch, gal'vanisch (*Batterie, Element, Strom etc.*): ***~ couple*** Elektrodenmetalle *pl.*

volte-face [ˌvɒlt'fɑ:s; vɔltəfas] (*Fr.*) *s. fig.* (to'tale) (Kehrt)Wendung.

volt·me·ter ['vəʊltˌmi:tə] *s.* ⚡ Voltmeter *m*, Spannungsmesser *m*.

vol·u·bil·i·ty [ˌvɒljʊ'bɪlətɪ] *s. fig.* a) glatter Fluß (*der Rede*), b) Zungenfertigkeit *f*, Redegewandtheit *f*, c) Redseligkeit *f*, d) Wortreichtum *m*; **vol·u·ble** ['vɒljʊbl] *adj.* □ **1.** a) geläufig (*Zunge*), fließend (*Rede*), b) zungenfertig, (rede-)gewandt, c) redselig, d) wortreich; **2.** ⚘ windend.

vol·ume ['vɒlju:m] *s.* **1.** Band *m e-s Buches*; Buch *n* (*a. fig.*): ***a three-~ novel*** ein dreibändiger Roman; ***speak ~s (for)*** *fig.* Bände sprechen (für); **2.** ⚗, ⚗, *phys. etc.* Vo'lumen *n*, (Raum)Inhalt *m*; **3.** *fig.* 'Umfang *m*, Vo'lumen *n*: ***~ of imports***; ***~ of traffic*** Verkehrsaufkommen *n*; **4.** *fig.* Masse *f*, Schwall *m*; **5.** ♪ Klangfülle *f*, 'Stimmvoˌlumen *n*, -ˌumfang *m*; **6.** ⚡ Lautstärke *f*: ***~ control*** Lautstärkeregler *m*; **'vol·umed** [-md] *adj. in Zssgn* ...bändig: ***a three-~ book***; **vol·u·met·ric** [ˌvɒljʊ'metrɪk] *adj.* (□ ***~ally***) ⚗, ⚗ volu'metrisch: ***~ analysis*** ⚗ volumetrische Analyse, Maßanalyse *f*; ***~ density*** Raumdichte *f*; **vol·u·met·ri·cal** [ˌvɒljʊ'metrɪkl] *adj.* □ → ***volumetric***; **vo·lu·mi·nous** [və'lju:mɪnəs] *adj.* □ **1.** vielbändig (*literari-*

V

sches Werk); **2.** produk'tiv: ***a ~ author***; **3.** massig, 'umfangreich, volumi'nös: ***~ correspondence***; **4.** bauschig; **5.** ♪ voll: ***~ voice***.

vol·un·tar·i·ness ['vɒləntərɪnɪs] *s.* **1.** Freiwilligkeit *f*; **2.** (Willens)Freiheit *f*; **vol·un·tar·y** ['vɒləntərɪ] **I** *adj.* □ **1.** freiwillig, spon'tan: ***~ contribution***; ***~ death*** Freitod *m*; **2.** frei, unabhängig; **3.** ⚖ a) vorsätzlich, schuldhaft, b) freiwillig, unentgeltlich, c) außergerichtlich, gütlich: ***~ settlement; ~ jurisdiction*** freiwillige Gerichtsbarkeit; **4.** durch freiwillige Spenden unter'halten (*Schule etc.*); **5.** *physiol.* willkürlich: ***~ muscles***; **6.** *psych.* volunta'ristisch; **II** *s.* **7.** a) freiwillige *od.* wahlweise Arbeit, b) *a.* ***~ exercise*** *sport* Kür(übung) *f*; **8.** ♪ Orgelsolo *n*.

vol·un·teer [ˌvɒlən'tɪə] **I** *s.* **1.** Freiwillige(r *m*) *f* (*a.* ⚔); **2.** ⚖ unentgeltlicher Rechtsnachfolger; **II** *adj.* **3.** freiwillig, Freiwilligen...; **4.** ⚘ wildwachsend; **III** *v/i.* **5.** sich freiwillig melden *od.* erbieten (***for*** für, zu), als Freiwilliger eintreten *od.* dienen; **IV** *v/t.* **6.** *Dienste etc.* freiwillig anbieten *od.* leisten; **7.** sich *e-e Bemerkung* erlauben; **8.** (freiwillig) zum besten geben: ***he ~ed a song***.

vo·lup·tu·ar·y [və'lʌptjʊərɪ] *s.* Lüstling *m*, sinnlicher Mensch; **vo'lup·tu·ous** [-tʃʊəs] *adj.* □ **1.** wollüstig, sinnlich; geil, lüstern; **2.** üppig, sinnlich: ***~ body***; **vo'lup·tu·ous·ness** [-jʊəsnɪs] *s.* **1.** Wollust *f*, Sinnlichkeit *f*, Geilheit *f*, Lüsternheit *f*; **2.** Üppigkeit *f*.

vo·lute [və'ljuːt] *s.* **1.** Schnörkel *m*, Spi'rale *f*; **2.** ⚠ Vo'lute *f*, Schnecke *f*; **3.** *zo.* Windung *f* (*Schneckengehäuse*); **vo'lut·ed** [-tɪd] *adj.* **1.** gewunden, spi'ral-, schneckenförmig; **2.** ⚠ mit Vo'luten (versehen); **vo'lu·tion** [-juːʃn] *s.* **1.** Drehung *f*; **2.** *anat.*, *zo.* Windung *f*.

vom·it ['vɒmɪt] **I** *v/t.* **1.** (er)brechen; **2.** *fig. Feuer etc.* (aus)speien; *Rauch*, *a. Flüche etc.* ausstoßen; **II** *v/i.* **3.** (sich er)brechen, sich über'geben; **4.** Rauch ausstoßen; Lava auswerfen, Feuer speien (*Vulkan*); **III** *s.* **5.** Erbrechen *n*; **6.** *das* Erbrochene; **7.** ⚕ Brechmittel *n*; **8.** *fig.* Unflat *m*; **'vom·i·tive** [-tɪv], **'vom·i·to·ry** [-tərɪ] **I** *s.* ⚕ Brechmittel *n*; **II** *adj.* Erbrechen verursachend, Brech...

voo·doo ['vuːduː] **I** *s.* **1.** Wodu *m*, Zauberkult *m*; **2.** Zauber *m*, Hexe'rei *f*; **3.** *a.* ***~ doctor***, ***~ priest*** (Wodu)Zauberer *m*, Medi'zinmann *m*; **4.** Fetisch *m*, Götze *m*; **II** *v/t.* **5.** behexen; **'voo·doo·ism** *s.* Wodukult *m*.

vo·ra·cious [və'reɪʃəs] *adj.* □ gefräßig, gierig, unersättlich (*a. fig.*); **vo'ra·cious·ness** [-nɪs], **vo·rac·i·ty** [vɒ'ræsətɪ] *s.* Gefräßigkeit *f*, Unersättlichkeit *f*, Gier *f* (***of*** nach).

vor·tex ['vɔːteks] *pl.* **-ti·ces** [-tɪsiːz] *s.* Wirbel *m*, Strudel *m* (*a. phys. fig.*); **'vor·ti·cal** [-tɪkl] *adj.* □ **1.** wirbelnd, kreisend, Wirbel...; **2.** wirbel-, strudelartig.

vo·ta·ress ['vəʊtərɪs] *s.* Geweihte *f* (*etc.*, → ***votary***); **vo·ta·ry** ['vəʊtərɪ] *s.* **1.** *eccl.* Geweihte(r *m*) *f*; **2.** *fig.* Verfechter(in), (Vor)Kämpfer(in); **3.** *fig.* Anhänger (-in), Verehrer(in), Jünger(in), Enthusi'ast(in).

vote [vəʊt] **I** *s.* **1.** (Wahl)Stimme *f*, Votum *n*: ***~ of censure***, ***~ of no confidence*** *parl.* Mißtrauensvotum; ***~ of confidence*** *parl.* Vertrauensvotum; ***give one's ~ to*** (*od.* ***for***) s-e Stimme geben (*dat.*), stimmen für; **2.** Abstimmung *f*, Wahl *f*: ***put s.th. to the ~***, ***take a ~ on s.th.*** über e-e Sache abstimmen lassen; ***take the ~*** abstimmen; **3.** Stimmzettel *m*, Stimme *f*: ***cast one's ~*** s-e Stimme abgeben; **4.** ***the ~*** das Stimm-, Wahlrecht; **5.** a) Stimme *f*, Stimmzettel *m*, b) ***the ~*** *coll.* die Stimmen *pl.*: ***the Labour ~***, c) Wahlergebnis *n*; **6.** Beschluß *m*: ***a unanimous ~***; **7.** (Geld)Bewilligung *f*; **II** *v/i.* **8.** (ab-) stimmen, wählen, s-e Stimme abgeben: ***~ against*** stimmen gegen; ***~ for*** stimmen für (*a.* F *für et. sein*); **III** *v/t.* **9.** abstimmen über (*acc.*), wählen, stimmen für: ***~ down*** niederstimmen; ***~ s.o. in*** j-n wählen; ***~ s.o. out*** (***of office***) j-n abwählen; ***~ s.th. through*** et. durchbringen; ***~ that*** dafür sein, daß, vorschlagen, daß; **10.** (durch Abstimmung) wählen *od.* beschließen *od. Geld* bewilligen; **11.** allgemein erklären für *od.* halten für; **'vote-ˌcatch·er** *s.*, **'vote-ˌget·ter** *s.* ,'Wahllokomoˌtive' *f*, Stimmenfänger *m*; **'vote·less** [-lɪs] *adj.* ohne Stimmrecht *od.* Stimme; **'vot·er** [-tə] *s.* Wähler(in), Wahl-, Stimmberechtigte(r *m*) *f*; **'vote-rig·ging** *s.* Wahlschwindel *m*, -manipulation *f*.

vot·ing ['vəʊtɪŋ] **I** *s.* (Ab)Stimmen *n*, Abstimmung *f*; **II** *adj.* Stimm..., Wahl...; ***~ age*** *s.* Wahlalter *n*; ***~ machine*** *s.* 'Wahlmaˌschine *f*; ***~ paper*** *s.* Stimmzettel *m*; ***~ share*** *s.* ✝ Stimmrechtaktie *f*; ***~ stock*** *s.* ✝ **1.** stimmberechtigtes 'Aktienkapiˌtal; **2.** *bsd. Am.* 'Stimmrechtsˌaktie *f*; ***~ power*** *s.* ✝ Stimmrecht *n*.

vo·tive ['vəʊtɪv] *adj.* Weih..., Votiv..., Denk...: ***~ medal*** (Ge)Denkmünze *f*; ***~ tablet*** Votivtafel *f*.

vouch [vaʊtʃ] **I** *v/i.* **1.** ***~ for*** (sich ver-) bürgen für; **2.** ***~ that*** dafür bürgen, daß; **II** *v/t.* **3.** bezeugen; bestätigen, (urkundlich) belegen; **4.** (sich ver)bürgen für; **'vouch·er** [-tʃə] *s.* **1.** Zeuge *m*, Bürge *m*; **2.** 'Unterlage *f*, Doku'ment *n*: ***support by ~*** dokumentarisch belegen; **3.** (Rechnungs)Beleg *m*, Quittung *f*: ***~ check*** ✝ *Am.* Verrechnungsscheck; ***~***

copy Belegdoppel *n*; **4.** Gutschein *m*; **5.** Eintrittskarte *f*; **vouch'safe** [-'seɪf] *v/t.* **1.** (gnädig) gewähren; **2.** geruhen zu *tun*; **3.** sich her'ablassen zu: ***he ~d me no answer*** er würdigte mich keiner Antwort.

vow [vaʊ] **I** *s.* **1.** Gelübde *n* (*a. eccl.*); *oft pl.* (feierliches) Versprechen, (Treu-) Schwur *m*: ***be under a ~*** ein Gelübde abgelegt haben, versprochen haben (***to do*** zu tun); ***take*** (*od.* ***make***) ***a ~*** ein Gelübde ablegen; ***take ~s*** *eccl.* Profeß ablegen, in ein Kloster eintreten; **II** *v/t.* **2.** geloben; **3.** (sich) schwören, (sich) geloben, hoch u. heilig versprechen (***to do*** zu tun); **4.** feierlich erklären.

vow·el ['vaʊəl] **I** *s. ling.* **1.** Vo'kal *m*, Selbstlaut *m*; **II** *adj.* **2.** vo'kalisch; **3.** Vokal…, Selbstlaut…: ***~ gradation*** Ablaut *m*; ***~ mutation*** Umlaut *m*; **vow·el·ize** ['vaʊəlaɪz] *v/t.* **1.** *hebräischen od. kurzschriftlichen Text* mit Vo'kalzeichen versehen; **2.** *Laut* vokalisieren.

voy·age ['vɔɪɪdʒ] **I** *s. längere* (See-, Flug-) Reise: ***~ home*** Rück-, Heimreise; ***~ out*** Hinreise *f*; **II** *v/i.* (*bsd.* zur See) reisen; **III** *v/t.* reisen durch, bereisen; **voy·ag·er** ['vɔɪədʒə] *s.* (See)Reisende(r *m*) *f*.

vo·yeur·ism [vwɑː'jɜːrɪzəm] *s.* Voy'eurtum *n*.

'V|-sign *s.* **1.** Siegeszeichen *n* (*mit gespreizten Fingern*), *Am. a.* Zeichen der Zustimmung; **2.** *Brit.* ‚Vogel' *m*; **'~-type en·gine** *s. mot.* V-Motor *m*.

vul·can·ite ['vʌlkənaɪt] *s.* Ebo'nit *n*, Vulka'nit *n* (*Hartgummi*); **'vul·can·ize** [-aɪz] *v/t. Kautschuk* vulkanisieren: ***~d fibre*** (*Am.* ***fiber***) ⚗ Vulkanfiber *f*.

vul·gar ['vʌlgə] **I** *adj.* □ → ***vulgarly***; **1.** (all)gemein, Volks…: ***~ herd*** *die* Masse, *das* gemeine Volk; ***2 Era*** *die* christlichen Jahrhunderte; **2.** volkstümlich: ***~ superstitions***; **3.** vul'gärsprachlich, in der Volkssprache (verfaßt *etc.*): ***~ tongue*** Volkssprache *f*; ***2 Latin*** Vulgärlatein *n*; **4.** ungebildet, ungehobelt; **5.** vul'gär, unfein, ordi'när, gewöhnlich, unanständig, pöbelhaft; **6.** ✗ gemein, gewöhnlich: ***~ fraction***; **II** *s.* **7.** ***the ~*** *pl.* das (gemeine) Volk; **vul·gar·i·an** [vʌl'geərɪən] *s.* **1.** vul'gärer Mensch, Ple'bejer *m*; **2.** Parve'nü *m*, Protz *m*; **'vul·gar·ism** [-ərɪzəm] *s.* **1.** Unfeinheit *f*, vul'gäres Benehmen; **2.** Gemeinheit *f*, Unanständigkeit *f*; **3.** *ling.* Vulga'rismus *m*, vul'gärer Ausdruck; **vul·gar·i·ty** [vʌl'gærətɪ] *s.* **1.** ungehobeltes Wesen, vul'gäre Art; **2.** Gewöhnlichkeit *f*, Pöbelhaftigkeit *f*; **3.** Unsitte *f*, Ungezogenheit *f*; **'vul·gar·ize** [-əraɪz] *v/t.* **1.** popularisieren, popu'lär machen, verbreiten; **2.** her'abwürdigen, vulgarisieren; **'vul·gar·ly** [-lɪ] *adv.* **1.** allgemein, gemeinhin, landläufig; **2.** → ***vulgar*** 4, 5.

vul·ner·a·bil·i·ty [ˌvʌlnərə'bɪlətɪ] *s.* Verwundbarkeit *f*; **vul·ner·a·ble** ['vʌlnərəbl] *adj.* **1.** verwundbar (*a. fig.*); **2.** angreifbar; **3.** anfällig (***to*** für); **4.** ⚔, *sport* ungeschützt, offen; **vul·ner·ar·y** ['vʌlnərərɪ] **I** *adj.* Wund…, Heil…; **II** *s.* Wundmittel *n*.

vul·pine ['vʌlpaɪn] *adj.* **1.** fuchsartig, Fuchs…; **2.** *fig.* füchsisch, verschlagen.

vul·ture ['vʌltʃə] *s. zo.* Geier *m* (*a. fig.*).

vul·va ['vʌlvə] *pl.* **-vae** [-viː] *s. anat.* Vulva *f*, (äußere) weibliche Scham.

vy·ing ['vaɪɪŋ] *adj.* □ wetteifernd.

W

W, w ['dʌblju:] *s.* W *n*, w *n* (*Buchstabe*).

Waac [wæk] *s.* ⚔ F *Brit.* Ar'meehelferin *f* (*aus* ***Women's Army Auxiliary Corps***).

Waaf [wæf] *s.* ⚔ F *Brit.* Luftwaffenhelferin *f* (*aus* ***Women's Auxiliary Air Force***).

WAC, ***Wac*** [wæk] *s.* ⚔ F *Am.* Ar'meehelferin *f* (*aus* ***Women's Army Corps***).

wack·y ['wækɪ] *adj.* ‚blöd'.

wad [wɒd] **I** *s.* **1.** Pfropf(en) *m*, (*Watte etc.*)Bausch *m*, Polster *n*; **2.** Pa'pierknäuel *m*, *n*; **3.** a) (Banknoten)Bündel *n*, (-)Rolle *f*, b) *Am.* F Haufen *m* Geld, c) Stoß *m* Pa'piere; **4.** ⚔ *hist.* Ladepfropf *m*; **II** *v/t.* **5.** zu e-m Bausch *etc.* zs.-pressen; **6.** ***~ up*** *Am.* fest zs.-rollen; **7.** *Öffnung* ver-, zustopfen; **8.** *Kleidungsstück etc.* wattieren, auspolstern, füttern; **wad·ding** ['wɒdɪŋ] **I** *s.* **1.** Einlage *f* (*zum Polstern od. Verpacken*); **2.** Watte *f*; **3.** Wattierung *f*; **II** *adj.* **4.** Wattier...

wad·dle ['wɒdl] **I** *v/i.* watscheln; **II** *s.* watschelnder Gang.

wade [weɪd] **I** *v/i.* waten: ***~ through*** F *fig.* sich durchkämpfen durch; ***~ in(to)*** F *fig.* a) ‚hin'einsteigen', sich einmischen (in *acc.*), b) sich ‚reinknien' (in *e-e Arbeit etc.*): ***~ into a problem*** ein Problem anpacken *od.* angehen; **II** *v/t.* durch'waten; **III** *s.* Waten *n*; '**wad·er** [-də] *s.* **1.** *orn.* Wat-, Stelzvogel *m*; **2.** *pl.* (hohe) Wasserstiefel *pl.*

wa·fer ['weɪfə] *s.* **1.** Ob'late *f* (*a.* ✉ *u. Siegelmarke*); **2.** (*bsd.* Eis)Waffel *f*: ***as thin as a ~***, ***~-thin*** hauchdünn (*a. fig.*); **3.** *a.* ***consecrated ~*** *eccl.* Hostie *f*, Ob'late *f*; **4.** ⚡ Mikroplättchen *n*.

waf·fle ['wɒfl] **I** *s.* Waffel *f*; **II** *v/i.* F ‚quasseln'; '**~-ˌi·ron** *s.* Waffeleisen *n*.

waft [wɑ:ft] **I** *v/t.* **1.** *wohin* wehen, tragen; **II** *v/i.* **2.** (her'an)getragen werden, schweben; **III** *s.* **3.** Flügelschlag *m*; **4.** Wehen *n*; **5.** (Duft)Hauch *m*, (-)Welle *f*; **6.** *fig.* Anwandlung *f*, Welle *f* (*von Freude, Neid etc.*); **7.** ⚓ Flagge *f* im Schau (*Notsignal*).

wag [wæg] **I** *v/i.* **1.** wackeln; wedeln, wippen (*Schwanz*): ***~ one's tongue*** tratschen; ***set tongues ~ging*** viel Gerede verursachen; → ***tail*** 1; **II** *v/t.* **2.** wackeln *od.* wedeln *od.* wippen mit *dem Schwanz etc.*; *den Kopf* schütteln *od.* wiegen: ***~ one's finger at*** *j-m* mit dem Finger drohen; **3.** (hin- u. her)bewegen, schwenken; **III** *s.* **4.** Wackeln *n*; Wedeln *n*, (Kopf)Schütteln *n*; **5.** Witzbold *m*, Spaßvogel *m*.

wage¹ [weɪdʒ] *v/t.* *Krieg* führen, *Feldzug* unter'nehmen (***on***, ***against*** gegen): ***~ effective war on*** *fig. e-r Sache* wirksam zu Leibe gehen.

wage² [weɪdʒ] *s.* **1.** *mst pl.* ✝ (Arbeits-) Lohn *m*: ***~s per hour*** Stundenlohn; **2.** *pl.* ✝ Lohnanteil *m* (*an der Produktion*); **3.** *pl. sg. konstr. fig.* Lohn *m*: ***the ~s of sin*** *bibl.* der Sünde Sold; **~ a·gree·ment** *s.* ✝ Ta'rifvertrag *m*; **~ bill** *s.* (aus)bezahlte (Gesamt)Löhne *pl.*; **~ claim** *s.* Lohnforderung *f*; **~ dis·pute** *s.* Lohnkampf *m*; **~ earn·er** *s.* Lohnempfänger(in); **~ freeze** *s.* Lohnstopp *m*; **~ fund** *s.* Lohnfonds *m*; **~ in·cen·tive** *s.* Lohnanreiz *m*; '**~-in·ten·sive** *adj.* 'lohnintenˌsiv; **~ lev·el** *s.* 'Lohniˌveau *n*; **~ pack·et** *s.* Lohntüte *f*.

wa·ger ['weɪdʒə] **I** *s.* **1.** Wette *f*; **II** *v/t.* **2.** wetten um, setzen auf (*acc.*); wetten mit (***that*** daß); **3.** *fig. Ehre etc.* aufs Spiel setzen; **III** *v/i.* **4.** wetten, e-e Wette eingehen.

wage| rate *s.* Lohnsatz *m*; **~ scale** *s.* ✝ **1.** Lohnskala *f*; **2.** ('Lohn)Taˌrif *m*; **~ set·tle·ment** *s.* Lohnabschluß *m*; **~ slave** *s.* Lohnsklave *m*; **~ slip** *s.* Lohnstreifen *m*, -zettel *m*.

wag·ger·y ['wægərɪ] *s.* Schelme'rei *f*, Schalkhaftigkeit *f*; **wag·gish** ['wægɪʃ] *adj.* ☐ schalkhaft, schelmisch, spaßig, lose; **wag·gish·ness** ['wægɪʃnɪs] → ***waggery***.

wag·gle ['wægl] → ***wag*** I *u.* II.

wag·gon ['wægən] *s.* **1.** (Last-, Roll-) Wagen *m*; **2.** 🚂 *Brit.* (offener) Güterwagen, Wag'gon *m*: ***by ~*** ✝ per Achse; **3.** *Am.* a) (Liefer-, Verkaufs-, Poli'zei- *etc.*)Wagen *m*, b) *mot.* Kombi(wagen) *m*; **4.** ***the*** ☊ *ast.* der Große Wagen; **5.** F *fig.* → ***water wag(g)on***.

wag·gon·er ['wægənə] *s.* **1.** (Fracht-) Fuhrmann *m*; **2.** ☊ *ast.* Fuhrmann *m*.

'**wag·gon|·load** *s.* **1.** Wagenladung *f*, Fuhre *f*; **2.** Wag'gonladung *f*: ***by the ~*** waggonweise; **~ train** *s.* **1.** ⚔ Ar'meetrain *m*; **2.** 🚂 *Am.* Güterzug *m*; **~ vault** *s.* △ Tonnengewölbe *n*.

Wag·ne·ri·an [vɑ:g'nɪərɪən] ♪ **I** *adj.*

W

wagnerisch, wagneri'anisch, Wagner...; **II** *s. a.* **Wag·ner·ite** ['vɑːgnəraɪt] Wagneri'aner(in).

wag·on *etc. bsd. Am.* → ***waggon*** *etc.*

wa·gon-lit ['vægɔ̃ːn'liː; vagɔ̃li] (*Fr.*) *s.* 🚂 Schlafwagen(abteil *n*) *m*.

'wag·tail *s. orn.* Bachstelze *f*.

waif [weɪf] *s.* **1.** ⚖ a) *Brit.* weggeworfenes Diebesgut, b) herrenloses Gut, *bsd.* Strandgut *n* (*a. fig.*); **2.** a) Heimatlose(r *m*) *f*, b) verlassenes *od.* verwahrlostes Kind: ***~s and strays*** verwahrloste Kinder, c) streunendes *od.* verwahrlostes Tier; **3.** *fig.* 'Überrest *m*.

wail [weɪl] **I** *v/i.* (weh)klagen, jammern (***for*** um, ***over*** über *acc.*); schreien, wimmern, heulen (*a. Sirene, Wind*) (***with*** vor *Schmerz etc.*); **II** *v/t.* bejammern; **III** *s.* (Weh)Klagen *n*, Jammern *n*; (Weh)Geschrei *n*, Wimmern *n*; **'wail·ing** [-lɪŋ] **I** *s.* → ***wail*** III; **II** *adj.* □ (weh)klagend *etc.*; Klage...: ***≗ Wall*** Klagemauer *f*.

wain [weɪn] *s.* **1.** *poet.* Karren *m*, Wagen *m*; **2.** ≗ → ***Charles's Wain***.

wain·scot ['weɪnskət] **I** *s.* (*bsd. untere*) (Wand)Täfelung, Tafelwerk *n*, Holzverkleidung *f*; **II** *v/t. Wand etc.* verkleiden, (ver)täfeln; **'wain·scot·ing** [-tɪŋ] *s.* **1.** → ***wainscot*** I; **2.** Täfelholz *n*.

waist [weɪst] *s.* **1.** Taille *f*; **2.** a) Mieder *n*, b) *bsd. Am.* Bluse *f*; **3.** Mittelstück *n*, schmalste Stelle (*e-s Dinges*), Schweifung *f* (*e-r Glocke etc.*); **4.** ⚓ Mitteldeck *n*, Kuhl *f*; **'~·band** [-sɪb-] *s.* (Hosen-, Rock)Bund *m*; **~·coat** ['weɪskəʊt] *s.* (*a.* Damen)Weste *f*, (ärmellose) Jacke; *hist.* Wams *n*; **ˌ~-'deep** *adj. u. adv.* bis zur Taille *od.* Hüfte, hüfthoch.

waist·ed ['weɪstɪd] *adj.* mit e-r ... Taille: ***short-~***.

ˌwaist|-'high → ***waist-deep***; **'~·line** *s.* **1.** Gürtellinie *f*, Taille *f*; **2.** 'Taille(nˌumfang *m*) *f*: ***watch one's ~*** auf s-e Linie achten.

wait [weɪt] **I** *v/i.* **1.** warten (***for*** auf *acc.*): ***~ for s.o. to come*** warten, daß *od.* bis j-d kommt; ***~ up for s.o.*** aufbleiben u. auf j-n warten; ***keep s.o. ~ing*** j-n warten lassen; ***that can ~*** *fig.* das kann warten, das hat Zeit; ***dinner is ~ing*** das Essen wartet *od.* ist bereit; ***you just ~!*** F na warte!; ***~ for it!*** F *Brit.* a) immer mit der Ruhe, b) du wirst's kaum glauben!; **2.** (ab)warten, sich gedulden: ***~ and see!*** ‚abwarten u. Tee trinken'!; ***I can't ~ to see him*** ich kann es kaum noch erwarten, bis ich ihn sehe; **3.** ***~*** (***up***)***on*** a) *j-m* dienen, b) *j-m* aufwarten, *j-n* bedienen, c) *j-m* s-e Aufwartung machen, d) *fig. e-r Sache* folgen, *et.* begleiten (*Umstand*); **4.** *a.* ***~ at table*** (bei Tisch) bedienen; **II** *v/t.* **5.** warten auf (*acc.*), abwarten: ***~ one's opportunity*** e-e günstige Gelegenheit abwarten; ***~ out*** das Ende (*gen.*) abwarten; **6.** F aufschieben, mit *dem Essen etc.* warten (***for s.o.*** auf j-n); **III** *s.* **7.** a) Warten *n*, b) Wartezeit *f*: ***have a long ~*** lange warten müssen; **8.** Lauer *f*: ***lay a ~ for*** *j-m* e-n Hinterhalt legen; ***lie in ~*** im Hinterhalt liegen; ***lie in ~ for*** *j-m* auflauern; **9.** *pl.* a) Weihnachtssänger *pl.*, b) *hist.* 'Stadtmusiˌkanten *pl.*; **'wait·er** [-tə] *s.* **1.** Kellner *m*, *in der Anrede*: (Herr) Ober *m*; **2.** Servier-, Präsentierteller *m*.

wait·ing ['weɪtɪŋ] **I** *s.* **1.** → ***wait*** 7; **2.** Dienst *m bei Hofe etc.*, Aufwarten *n*: ***in ~*** a) diensttuend; → ***lady-in-waiting*** *etc.*, b) ⚔ *Brit.* in Bereitschaft; **II** *adj.* **3.** (ab)wartend; → ***game***[1] 4; **4.** Warte...: ***~ list***, ***~ period*** *allg.* Wartezeit *f*; ***~ room*** a) 🚂 Wartesaal *m*, b) ⚕ *etc.* Wartezimmer *n*; ***~ girl*** *s.*, ***~ maid*** *s.* Kammerzofe *f*.

wait·ress ['weɪtrɪs] *s.* Kellnerin *f*; *in der Anrede*: Fräulein *n*.

waive [weɪv] *v/t. bsd.* ⚖ **1.** verzichten auf (*acc.*), sich *e-s Rechtes, Vorteils* begeben; **2.** *Frage* zu'rückstellen; **'waiv·er** [-və] *s.* ⚖ **1.** Verzicht *m* (***of*** auf *acc.*), Verzichtleistung *f*; **2.** Verzichterklärung *f*.

wake[1] [weɪk] *s.* **1.** ⚓ Kielwasser *n* (*a. fig.*): ***in the ~ of*** a) im Kielwasser *e-s Schiffes*, b) *fig.* im Gefolge (*gen.*); ***follow in s.o.'s ~*** *fig.* in j-s Kielwasser segeln; ***bring s.th. in its ~*** et. nach sich ziehen, et. zur Folge haben; **2.** ✈ Luftschraubenstrahl *m*; **3.** Sog *m*.

wake[2] [weɪk] **I** *v/i.* [*irr.*] **1.** *oft* ***~ up*** auf-, erwachen, wach werden (*alle a. fig. Person, Gefühl etc.*); **2.** wachen, wach sein *od.* bleiben; **3.** ***~ to*** sich *e-r Gefahr etc.* bewußt werden; **4.** *vom Tode od. von den Toten* auferstehen; **II** *v/t.* [*irr.*] **5.** *a.* ***~ up*** (auf)wecken, wachrütteln (*a. fig.*); **6.** *fig.* erwecken, *Erinnerungen, Gefühle* wachrufen, *Streit etc.* erregen; **7.** *fig. j-n, j-s Geist etc.* aufrütteln; **8.** (*von den Toten*) auferwecken; **III** *s.* **9.** *bsd. Irish* a) Totenwache *f*, b) Leichenschmaus *m*; **10.** *hist.* Kirchweih(fest *n*) *f*, Kirmes *f*; **11.** *Brit.* Betriebsferien *pl.*; **'wake·ful** [-fʊl] *adj.* □ **1.** wachend; **2.** schlaflos; **3.** *fig.* wachsam; **'wak·en** [-kən] → ***wake***[2] 1, 3, 5, 6 *u.* 7; **'wak·ing** [-kɪŋ] **I** *s.* **1.** (Er)Wachen *n*; **2.** (Nacht-)Wache *f*; **II** *adj.* **3.** wach: ***~ dream*** Tagtraum *m*; ***in his ~ hours*** in s-n wachen Stunden, *a.* von früh bis spät.

wale [weɪl] *s.* **1.** → ***weal***[2]; **2.** *Weberei*: a) Rippe *f* (*e-s Gewebes*), b) Salleiste *f*, feste Webkante; **3.** ⚙ a) Verbindungsstück *n*, b) Gurtholz *n*; **4.** ⚓ a) Berg-, Krummholz *n*, b) Dollbord *m* (*e-s Boots*).

walk [wɔːk] **I** *s.* **1.** Gehen *n*: ***go at a ~*** im

Schritt gehen; **2.** Gang(art *f*) *m*, Schritt *m*: ***a dignified ~***; **3.** Spaziergang *m*: ***go for*** (*od.* ***take***) ***a ~*** e-n Spaziergang machen; ***take s.o. for a ~*** j-n spazierenführen, mit j-m spazierengehen; **4.** (Spazier)Weg *m*: a) Prome'nade *f*, b) Strecke *f*: ***a ten minutes' ~ to the station*** zehn (Geh)Minuten zum Bahnhof; ***quite a ~*** ein gutes Stück zu gehen; **5.** Al'lee *f*; **6.** (Geflügel)Auslauf *m*; → ***sheepwalk***; **7.** Route *f e-s Hausierers etc.*, Runde *f e-s Polizisten etc.*; **8.** *fig.* a) (Arbeits)Gebiet *n*, b) *mst* ***~ of life*** (sozi'ale) Schicht *od.* Stellung, *a.* Beruf *m*; **II** *v/i.* **9.** gehen (*a. sport*), zu Fuß gehen; **10.** im Schritt gehen (*a. Pferd*); **11.** spazierengehen, wandern; **12.** 'umgehen (*Geist*): ***~ in one's sleep*** nachtwandeln; **III** *v/t.* **13.** *Strecke* zu'rücklegen, (zu Fuß) gehen; **14.** *Bezirk* durch'wandern, *Raum* durch'schreiten; **15.** auf u. ab (*od.* um'her)gehen in *od.* auf (*dat.*); **16.** *Pferd* a) führen, b) im Schritt gehen lassen; **17.** *j-n wohin* führen: ***~ s.o. off his feet*** j-n abhetzen; **18.** spazierenführen; **19.** um die Wette gehen mit;

Zssgn mit adv. u. prp.:

walk| a·bout, **~ a·round I** *v/i.* um'hergehen, -wandern; **II** *v/t.* *j-n* um'herführen; **~ a·way** *v/i.* **1.** weg-, fortgehen: ***~ from*** *sport j-m* (einfach) davonlaufen, *j-n* ‚stehenlassen'; **2.** ***~ with*** a) mit *et.* durchbrennen, b) *et.* ‚mitgehen' lassen, c) *e-n Kampf etc.* spielend gewinnen; **~ off I** *v/i.* **1.** da'von-, fortgehen; **2.** → ***walk away*** 2; **II** *v/t.* **3.** *j-n* abführen; **4.** *s-n Rausch*, *Zorn etc.* durch e-n Spaziergang vertreiben; **~ out I** *v/i.* **1.** hin'ausgehen: ***~ on*** F *j-n* im Stich lassen, verlassen; **2.** ***~ with s.o.*** F mit j-m ‚gehen' *od.* ein Verhältnis haben; **3.** ✝ in (den) Streik treten; **4.** *pol.* zu'rücktreten; **II** *v/t.* **5.** *Hund etc.* ausführen; **6.** *j-n* auf e-n Spaziergang mitnehmen; **~ o·ver** *v/i.* *fig.* spielend gewinnen; **~ up** *v/i.* **1.** hin'aufgehen, her'aufkommen: ***~ to s.o.*** auf j-n zugehen; **2.** *Straße* entlanggehen.

'walk·a·bout *s.* **1.** Wanderung *f*; **2.** ‚Bad *n* in der Menge' (*e-s Politikers etc.*).

walk·a·thon ['wɔːkəθɒn] **1.** *sport* Marathongehen *n*; **2.** 'Dauertanztur‚nier *n*.

'walk·a·way → ***walkover*** 2.

walk·er ['wɔːkə] *s.* **1.** Spaziergänger(in): ***be a good ~*** gut zu Fuß sein; **2.** *sport* Geher *m*; **3.** *orn. Brit.* Laufvogel *m*; **‚~-'on** [-ərɒn] *s.* → ***walk-on*** 1.

walk·ie-talk·ie [‚wɔːkɪ'tɔːkɪ] *s.* tragbares Funksprechgerät, Walkie-talkie *n*.

'walk-in I *adj.* **1.** begehbar: ***~ closet*** → 2; **II** *s.* **2.** begehbarer Schrank; **3.** Kühlraum *m*; **4.** *Am.* F leichter Wahlsieg.

walk·ing ['wɔːkɪŋ] **I** *adj.* **1.** gehend, wandernd; *bsd. fig.* wandelnd (*Leiche*, *Lexikon*): ***~ wounded*** ⚔ Leichtverwundete *pl.*; **2.** Geh..., Marsch..., Spazier...: ***drive at a ~ speed*** *mot.* (im) Schritt fahren; ***within ~ distance*** zu Fuß erreichbar; **II** *s.* **3.** (Spazieren)Gehen *n*; Wandern *n*; **4.** *sport* Gehen *n*; **~ boots** *s. pl.* Wanderstiefel *pl.*; **~ chair** → ***gocart*** 1; **~ del·e·gate** *s.* Gewerkschaftsbeauftragte(r) *m*; **~ gen·tle·man** *s.* [*irr.*], **~ la·dy** → ***walk-on*** 1; **~ pa·pers** *s. pl. sl.* **1.** Ent'lassung(spa‚piere *pl.*) *f*; **2.** ‚Laufpaß' *m*; **~ part** *s. thea.* Sta'tistenrolle *f*; **~ stick** *s.* Spazierstock *m*; **~ tick·et** → ***walking papers***; **~ tour** *s.* Wanderung *f*.

'walk|-on *s. Film*, *thea.* **1.** Sta'tist(in), Kom'parse *m*, Kom'parsin *f*; **2.** *a.* ***~ part*** Sta'tisten-, Kom'parsenrolle *f*; **'~-out** *s.* **1.** ✝ Ausstand *m*, Streik *m*; **2.** Auszug *m*; **'~‚o·ver** *s. sport* **1.** einseitiger Wettbewerb; **2.** ‚Spaziergang' *m*, leichter Sieg (*a. fig.*); **'~-‚up** *Am.* F **I** *adj.* ohne Fahrstuhl (*Haus*); **II** *s.* (Wohnung *f* in e-m) Haus ohne Fahrstuhl; **'~·way** *s.* **1.** Laufgang *m*; **2.** *Am.* Gehweg *m*.

wall [wɔːl] **I** *s.* **1.** Wand *f* (*a. fig.*): ***up against the ~, with one's back to the ~*** in e-r aussichtslosen Lage; ***drive*** (*od.* ***push***) ***s.o. to the ~*** *fig.* a) j-n an die Wand drücken, b) j-n in die Enge treiben; ***go to the ~*** a) an die Wand gedrückt werden, b) ✝ Konkurs machen; ***drive*** (*od.* ***send***) ***s.o. up the ~*** F j-n ‚auf die Palme bringen'; ***run*** (*od.* ***bang***) ***one's head against a ~*** F mit dem Kopf durch die Wand wollen; **2.** ⚙ (Innen)Wand *f*; **3.** Mauer *f* (*a. fig.*): ***a ~ of silence***; ***the*** **☊** a) die (Berliner) Mauer, b) die Klagemauer (*in Jerusalem*); **4.** Wall *m* (*a. fig.*), (Stadt-, Schutz)Mauer *f*: ***within the ~s*** in den Mauern (e-r Stadt); **5.** *anat.* (*Brust-, Zell- etc.*)Wand *f*; **6.** Häuserseite *f*: ***give s.o. the ~*** a) j-n auf der Häuserseite gehen lassen (*aus Höflichkeit*), b) *fig.* j-m den Vorrang lassen; **7.** ⚒ (Abbau-, Orts)Stoß *m*; **II** *v/t.* **8.** *a.* ***~ in*** mit e-r Mauer *od.* e-m Wall um'geben, um'mauern: ***~ in*** (*od.* ***up***) einmauern; **9.** *a.* ***~ up*** a) ver-, zumauern, b) (aus)mauern, um'wanden; **10.** *fig.* ab-, einschließen, *den Geist* verschließen (***against*** gegen).

wal·la·by ['wɒləbɪ] *pl.* **-bies** [-bɪz] *s. zo.* Wallaby *n* (*kleineres Känguruh*).

wal·lah ['wɒlə] *s.* F ‚Knülch' *m*.

wall| bars *s. pl. sport* Sprossenwand *f*; **~ brack·et** *s.* 'Wandarm *m*, -kon‚sole *f*; **~ creep·er** *s. orn.* Mauerläufer *m*; **~ cress** *s.* ⚘ Acker-, *Brit. a.* Gänsekresse *f*.

wal·let ['wɒlɪt] *s.* **1.** kleine Werkzeugtasche; **2.** a) Brieftasche *f*, b) (*flache*) Geldtasche.

W

ˈ**wall-eye** *s.* **1.** *vet.* Glasauge *n*; **2.** ⚕ a) Hornhautfleck *m*, b) auswärtsschielendes Auge; ˈ**wall-eyed** *adj.* **1.** *vet.* glasäugig (*Pferd etc.*); **2.** ⚕ a) mit Hornhautflecken, b) (auswärts)schielend.

ˈ**wall**|ˌ**flow·er** *s.* **1.** ⚘ Goldlack *m*; **2.** F *fig.* ‚Mauerblümchen' *n* (*Mädchen*); ~ **fruit** *s.* Spaˈlierobst *n*; ~ **map** *s.* Wandkarte *f*.

Wal·loon [wɒˈluːn] **I** *s.* **1.** Walˈlone *m*, Walˈlonin *f*; **2.** *ling.* Walˈlonisch *n*; **II** *adj.* **3.** walˈlonisch.

wal·lop [ˈwɒləp] **I** *v/t.* **1.** F a) (ver)prügeln, verdreschen, b) j-m eine ‚knallen', c) *sport* ‚überˈfahren' (*besiegen*); **II** *v/i.* **2.** F rasen, sausen; **3.** brodeln; **III** *s.* **4.** F a) wuchtiger Schlag, b) Schlagkraft *f*, c) *Am.* Mordsspaß *m*; ˈ**wal·lop·ing** [-pɪŋ] **I** *adj.* F riesig, Mords…; **II** *s.* F ‚Dresche' *f*, Tracht *f* Prügel.

wal·low [ˈwɒləʊ] **I** *v/i.* **1.** sich wälzen *od.* suhlen (*Schweine etc.*) (*a. fig.*): ~ ***in money*** *fig.* in Geld schwimmen; ~ ***in pleasure*** im Vergnügen schwelgen; ~ ***in vice*** dem Laster frönen; **II** *s.* **2.** Sichˈwälzen *n*; **3.** Schwelgen *n*; **4.** *hunt.* Suhle *f*; **5.** *fig.* Sumpf *m*.

wall| **paint·ing** *s.* Wandgemälde *n*; ˈ~-ˌ**pa·per I** *s.* Taˈpete *f*; **II** *v/t. u. v/i.* tapezieren; ~ **plug** *s.* ϟ Netzstecker *m*; ~ **sock·et** *s.* ϟ (Wand)Steckdose *f*; ♀ **Street** *s.* Wall Street *f*: a) *Bank- u. Börsenstraße in New York*, b) *fig.* der amer. Geld- u. Kapiˈtalmarkt, c) *fig.* die amer. ˈHochfiˌnanz; ~ **tent** *s.* Steilwandzelt *n*; ˌ~**-to-**ˈ~ *adj.*: ~ ***carpet*** Spannteppich *m*; ~ ***carpeting*** Teppichboden *m*; ~ **tree** *s.* Spaˈlierbaum *m*.

wal·nut [ˈwɔːlnʌt] *s.* ⚘ **1.** Walnuß *f* (*Frucht*); **2.** Walnuß(baum *m*) *f*; **3.** Nußbaumholz *n*.

wal·rus [ˈwɔːlrəs] *s.* **1.** *zo.* Walroß *n*; **2.** *a.* ~ ***m***(***o***)***ustache*** Schnauzbart *m*.

waltz [wɔːls] **I** *s.* **1.** Walzer *m*; **II** *v/i.* **2.** (*v/t.* mit *j-m*) Walzer tanzen, walzen; **3.** *vor Freude etc.* herˈumtanzen; ~ **time** *s.* ♪ Walzertakt *m*.

wan [wɒn] *adj.* ☐ **1.** bleich, blaß, fahl; **2.** schwach, matt (*Lächeln etc.*).

wand [wɒnd] *s.* **1.** Rute *f*; **2.** Zauberstab *m*; **3.** (Amts-, Komˈmando)Stab *m*; **4.** ♪ Taktstock *m*.

wan·der [ˈwɒndə] *v/i.* **1.** wandern: a) ziehen, streifen, b) schlendern, bummeln, c) *fig.* schweifen, irren, gleiten (*Auge, Gedanken etc.*): ~ ***in*** hereinschneien (*Besucher*); ~ ***off*** a) davonziehen, b) sich verlieren (***into*** in *acc.*) (*a. fig.*); **2.** *a.* ~ ***about*** umˈherwandern, -ziehen, -irren, -schweifen (*a. fig.*); **3.** *a.* ~ ***away*** irregehen, sich verirren (*a. fig.*); **4.** abirren, -weichen (***from*** von) (*a. fig.*): ~ ***from the subject*** vom Thema abschweifen; **5.** phantasieren: a) irrereden, faseln, b) im Fieber reden; **6.** geistesabwesend sein; ˈ**wan·der·ing** [-dərɪŋ] **I** *s.* **1.** Wandern *n*; **2.** Heˈrumziehen *n*; **3.** *mst pl.* a) Wanderung(en *pl.*) *f*, b) Wanderschaft *f*; **4.** *mst pl.* Phantasieren *n*: a) Irrereden *n*, Faseln *n*, b) Fieberwahn *m*; **II** *adj.* ☐ **5.** wandernd, Wander…; **6.** umˈherschweifend, Nomaden…; **7.** unstet: ***the*** ♀ ***Jew*** der Ewige Jude; **8.** irregehend, abirrend (*a. fig.*): ~ ***bullet*** verirrte Kugel; **9.** ⚘ Kriech…, Schling…; **10.** ⚕ Wander…(*-niere, -zelle*).

wan·der·lust [ˈwɒndəlʌst] (*Ger.*) *s.* Wanderlust *f*, Fernweh *n*.

wane [weɪn] **I** *v/i.* **1.** abnehmen (*a. Mond*), nachlassen, schwinden (*Einfluß, Kräfte, Interesse etc.*); **2.** schwächer werden, verblassen (*Licht, Farben etc.*); **3.** zu Ende gehen; **II** *s.* **4.** Abnehmen *n*, Abnahme *f*, Schwinden *n*: ***be on the*** ~ → 1 *u.* 3; ***in the*** ~ ***of the moon*** bei abnehmendem Mond.

wan·gle [ˈwæŋgl] *sl.* **I** *v/t.* **1.** *et.* ‚drehen' *od.* ‚deichseln' *od.* ‚schaukeln'; **2.** *et.* ‚organisieren' (*beschaffen*): ~ ***o.s. s.th.*** et. für sich ‚herausschlagen'; **3.** ergaunern: ~ ***s.th. out of s.o.*** j-m et. abluchsen; ~ ***s.o. into doing s.th.*** j-n dazu bringen, et. zu tun; **4.** ‚frisieren' (*fälschen*); **II** *v/i.* **5.** mogeln, ‚schieben'; **6.** sich herˈauswinden (***out of*** aus *dat.*); **III** *s.* **7.** Kniff *m*, Trick *m*; **8.** Schiebung *f*, Mogeˈlei *f*; ˈ**wan·gler** [-lə] *s.* Gauner *m*, Schieber *m*, Mogler *m*.

wank [wæŋk] *v/i. Brit.* V ‚wichsen' (*masturbieren*).

wan·na [ˈwɒnə] F *für* ***want to***: ***I*** ~ ***go***.

want [wɒnt] **I** *v/t.* **1.** wünschen: a) (haben) wollen, b) *vor inf.* (*et. tun*) wollen: ***I*** ~ ***to go*** ich möchte gehen; ***I*** ~***ed to go*** ich wollte gehen; ***what do you*** ~ (***with me***)***?*** was hab' ich damit zu tun?; ***I*** ~ ***you to try*** ich möchte, daß du es versuchst; ***I*** ~ ***it done*** ich wünsche *od.* möchte, daß es getan wird; ~***ed*** gesucht (*in Annoncen*; *a. von der Polizei*); ***you are*** ~***ed*** du wirst gewünscht *od.* gesucht, man will dich sprechen; **2.** ermangeln (*gen.*), nicht (genug) haben, es fehlen lassen an (*dat.*): *obs.* ***he*** ~***s judg***(***e***)***ment*** es fehlt ihm an Urteilsvermögen; **3.** a) brauchen, nötig haben, erfordern, benötigen, bedürfen (*gen.*), b) müssen, sollen: ***you*** ~ ***some rest*** du hast etwas Ruhe nötig; ***this clock*** ~***s repairing*** (*od.* ***to be repaired***) diese Uhr müßte *od.* sollte repariert werden; ***it*** ~***s doing*** es muß getan werden; ***you don't*** ~ ***to be rude*** Sie brauchen nicht grob zu werden; ***you*** ~ ***to see a doctor*** du solltest e-n Arzt aufsuchen; **II** *v/i.* **4.** ermangeln (***for*** *gen.*): ***he does not*** ~ ***for talent*** es fehlt ihm nicht an Begabung; ***he*** ~***s for nothing*** es fehlt ihm an nichts; **5.** (***in***) es fehlen lassen (an *dat.*), ermangeln (*gen.*); → ***wanting*** 2; **6.** Not leiden; **III** *s.* **7.** *pl.* Bedürfnisse *pl.*, Wünsche *pl.*: ***a man of few ~s*** ein Mann mit geringen Bedürfnissen *od.* Ansprüchen; **8.** Notwendigkeit *f*, Bedürfnis *n*, Erfordernis *n*; Bedarf *m*; **9.** Mangel *m*, Ermangelung *f*: ***a*** (***long-***) ***felt ~*** → ***feel*** 2; ***~ of care*** Achtlosigkeit *f*; ***~ of sense*** Unvernunft *f*; ***from*** (*od.* ***for***) ***~ of*** aus Mangel an (*dat.*), in Ermang(e)lung (*gen.*); ***be in*** (***great***) ***~ of s.th.*** et. (dringend) brauchen *od.* benötigen; ***in ~ of repair*** reparaturbedürftig; **10.** Bedürftigkeit *f*, Armut *f*, Not *f*: ***be in ~*** Not leiden; **want ad** *s.* F **1.** Stellengesuch *n*; **2.** Stellenangebot *n*; **want·age** [ˈwɒntɪdʒ] *s.* ✝ Fehlbetrag *m*, Defizit *n*; ˈ**want·ing** [-tɪŋ] **I** *adj.* **1.** fehlend, mangelnd; **2.** ermangelnd (***in*** *gen.*): ***be ~ in*** es fehlen lassen an (*dat.*); ***be ~ to*** *j-n* im Stich lassen, *e-r Erwartung* nicht gerecht werden, *e-r Lage* nicht gewachsen sein; ***he is never found ~*** auf ihn ist immer Verlaß; **3.** nachlässig (***in*** in *dat.*); **II** *prp.* **4.** ohne: ***a book ~ a cover.***

wan·ton [ˈwɒntən] **I** *adj.* □ **1.** mutwillig: a) ausgelassen, wild, b) leichtfertig, c) böswillig (*a.* ⚖), d) rücksichtslos; ***~ negligence*** ⚖ grobe Fahrlässigkeit; **2.** liederlich, ausschweifend; **3.** wollüstig, geil; **4.** üppig (*Haar*, *Phantasie etc.*); **II** *s.* **5.** *obs.* a) Buhlerin *f*, Dirne *f*, b) Wüstling *m*; **III** *v/i.* **6.** umˈhertollen; **7.** ⚘ wuchern; ˈ**wan·ton·ness** [-nɪs] *s.* **1.** Mutwille *m*; **2.** Böswilligkeit *f*; **3.** Liederlichkeit *f*; **4.** Geilheit *f*, Lüsternheit *f*.

wap·en·take [ˈwæpənteɪk] *s.* Hundertschaft *f*, Bezirk *m* (*Unterteilung der nördlichen Grafschaften Englands*).

war [wɔː] **I** *s.* **1.** Krieg *m*: ***~ of aggression*** (***attrition***, ***independence***, ***nerves***, ***succession***) Angriffs- (Zermürbungs-, Unabhängigkeits-, Nerven-, Erbfolge)krieg; ***be at ~*** (***with***) a) Krieg führen (gegen *od.* mit), b) *fig.* im Streit liegen *od.* auf (dem) Kriegsfuß stehen (mit); ***make ~*** Krieg führen, kämpfen (***on***, ***upon***, ***against*** gegen, ***with*** mit); ***go to ~*** (***with***) Krieg beginnen (mit); ***carry the ~ into the enemy's country*** (*od.* ***camp***) a) den Krieg ins feindliche Land *od.* Lager tragen, b) *fig.* zum Gegenangriff ˈübergehen; ***he has been in the ~s*** *fig. Brit.* es hat ihn arg mitgenommen; → ***declare*** 1; **2.** Kampf *m*, Streit *m* (*a. fig.*); **3.** Feindseligkeit *f*; **II** *v/i.* **4.** kämpfen, streiten (***against*** gegen, ***with*** mit); **5.** → ***warring*** 2; **III** *adj.* **6.** Kriegs...

war·ble [ˈwɔːbl] **I** *v/t. u. v/i.* trillern, schmettern (*Singvögel od. Person*); **II** *s.* Trillern *n*; ˈ**war·bler** [-lə] *s.* **1.** trillernder Vogel; **2.** a) Grasmücke *f*, b) Teichrohrsänger *m*.

ˈ**war**|-ˌ**blind·ed** *adj.* kriegsblind; **~ bond** *s.* Kriegsschuldverschreibung *f*; **~ cloud** *s. mst pl.* (drohende) Kriegsgefahr; **~ crime** *s.* Kriegsverbrechen *n*; **~ crim·i·nal** *s.* Kriegsverbrecher *m*; **~ cry** *s.* Schlachtruf *m* (*der Soldaten*) (*a. fig.*), Kriegsruf *m* (*der Indianer*).

ward [wɔːd] **I** *s.* **1.** (Stadt-, Wahl)Bezirk *m*: ***~ heeler*** *pol. Am.* F (Wahl)Bezirksleiter *m* (*e-r Partei*); **2.** a) (ˈKrankenhaus)Statiˌon *f*: ***~ sister*** Stationsschwester *f*, b) (Kranken)Saal *m od.* (-)Zimmer *n*; **3.** a) (Gefängnis)Trakt *m*, b) Zelle *f*; **4.** *obs.* Gewahrsam *m*, Haft *f*; **5.** ⚖ a) Mündel *n*: ***~ of court***, ***~ in chancery*** Mündel unter Amtsvormundschaft, b) Vormundschaft *f*: ***in ~*** unter Vormundschaft (stehend); **6.** Schützling *m*; **7.** ⚙ a) Gewirre *n* (*e-s Schlosses*), b) (Einschnitt *m* im) Schlüsselbart *m*; **8.** ***keep watch and ~*** Wache halten; **II** *v/t.* **9.** ***~ off*** *Schlag etc.* parieren, abwehren, *Gefahr* abwenden.

war| **dance** *s.* Kriegstanz *m*; **~ debt** *s.* Kriegsschuld *f*.

ward·en [ˈwɔːdn] *s.* **1.** *obs.* Wächter *m*; **2.** Aufseher *m*, (*bsd.* Luftschutz)Wart *m*; Herbergsvater *m*; → ***game warden***; **3.** *mst hist.* Gouverˈneur *m*; **4.** (*Brit.* ˈAnstalts-, *Am.* Geˈfängnis)Diˌrektor *m*, (*a.* Kirchen)Vorsteher *m*; *Brit. univ.* Rektor *m e-s College*: ***2 of the Mint*** *Brit.* Münzwardein *m*.

ward·er [ˈwɔːdə] *s.* **1.** *obs.* Wächter *m*; **2.** *Brit.* a) (Muˈseums- *etc.*)Wärter *m*, b) Aufsichtsbeamte(r) *m* (*Strafanstalt*); ˈ**ward·ress** [-drɪs] *s. Brit.* Aufsichtsbeamtin *f*.

ward·robe [ˈwɔːdrəʊb] *s.* **1.** Gardeˈrobe *f*, Kleiderbestand *m*; **2.** Kleiderschrank *m*; **3.** Gardeˈrobe *f* (*a. thea.*): a) Kleiderkammer *f*, b) Ankleidezimmer *n*; **~ bed** *s.* Schrankbett *n*; **~ trunk** *s.* Schrankkoffer *m*.

ward·room [ˈwɔːdrʊm] *s.* ⚓ Offiˈziersmesse *f*.

ward·ship [ˈwɔːdʃɪp] *s.* Vormundschaft *f* (***of***, ***over*** über *acc.*).

ware[1] [weə] *s.* **1.** *mst pl.* Ware(n *pl.*) *f*, Arˈtikel *m* (*od. pl.*), Erzeugnis(se *pl.*) *n*: ***peddle one's ~s*** *fig. contp.* mit s-m Kram hausieren gehen; **2.** Geschirr *n*, Porzelˈlan *n*, Töpferware *f*.

ware[2] [weə] *v/i. u. v/t. obs.* sich vorsehen (vor *dat.*): ***~!*** Vorsicht!

ˈ**ware·house I** *s.* [-haʊs] **1.** Lagerhaus *n*, Speicher *m*: ***customs ~*** ✝ Zollniederlage *f*; **2.** (Waren)Lager *n*, Niederlage *f*; **3.** *bsd. Brit.* Großhandelsgeschäft *n*; **4.** *Am. contp.* ‚Bude' *f*, ‚Schuppen' *m*; **II** *v/t.* [-haʊz] **5.** auf Lager nehmen, (ein)lagern; **6.** *Möbel etc.* zur Aufbewahrung geben *od.* nehmen; **7.** unter Zollverschluß bringen; **~ ac·count** *s.*

Lagerkonto *n*; **~ bond** *s.* **1.** Lagerschein *m*; **2.** Zollverschlußbescheinigung *f*; **'~·man** [-mən] *s.* [*irr.*] ✝ **1.** Lage'rist *m*, Lagerverwalter *m*; **2.** Lagerarbeiter *m*; **3.** *Brit.* Großhändler *m*.

'war·fare *s.* **1.** Kriegführung *f*; **2.** (*a. Wirtschafts- etc.*)Krieg *m*; **3.** *fig.* Kampf *m*, Fehde *f*, Streit *m*.

war| game *s.* ⚔ **1.** Kriegs-, Planspiel *n*; **2.** Ma'növer *n*; **~ god** *s.* Kriegsgott *m*; **~ grave** *s.* Kriegs-, Sol'datengrab *n*; **~ guilt** *s.* Kriegsschuld *f*; **'~·head** *s.* ⚔ Spreng-, Gefechtskopf *m* (*e-s Torpedos etc.*); **'~·horse** *s.* **1.** *poet.* Schlachtroß *n* (*a. fig.* F); **2.** F alter Haudegen *od.* Kämpe (*a. fig.*).

war·i·ness ['weərɪnɪs] *s.* Vorsicht *f*, Behutsamkeit *f*.

'war·like *adj.* **1.** kriegerisch; **2.** Kriegs…

war·lock ['wɔːlɒk] *s. obs.* Zauberer *m*.

'war·lord *s. rhet.* Kriegsherr *m*.

warm [wɔːm] **I** *adj.* □ **1.** *allg.* warm (*a. Farbe etc.*; *a. fig. Herz, Interesse etc.*): ***a ~ corner*** *fig.* e-e ‚ungemütliche Ecke' (*gefährlicher Ort*); ***a ~ reception*** ein warmer Empfang (*a. iro. von Gegnern*); ***~ work*** a) schwere Arbeit, b) gefährliche Sache, c) heißer Kampf; ***keep s.th. ~*** (F *fig.* sich) et. warmhalten; ***make it*** (*od.* ***things***) ***~ for s.o.*** j-m die Hölle heiß machen; ***this place is too ~ for me*** *fig.* hier brennt mir der Boden unter den Füßen; **2.** erhitzt, heiß; **3.** a) glühend, leidenschaftlich, eifrig, b) herzlich; **4.** erregt, hitzig; **5.** *hunt.* frisch (*Fährte etc.*); **6.** F ‚warm', nahe (dran) (*im Suchspiel*): ***you are getting ~er*** *fig.* du kommst der Sache (schon) näher; **II** *s.* **7.** *et.* Warmes, warmes Zimmer *etc.*; **8.** ***give*** (***have***) ***a ~*** *et.* (sich) (auf)wärmen; **III** *v/t.* **9.** *a.* ***~ up*** (an-, auf-, er)wärmen, *Milch etc.* warm machen: ***~ over*** *Am. Speisen etc.*, *a. fig. alte Geschichten etc.* aufwärmen; ***~ one's feet*** sich die Füße wärmen; **10.** *fig. Herz etc.* (er)wärmen; **11.** ***~ up*** *fig.* a) Schwung bringen in (*acc.*), b) *Zuschauer etc.* einstimmen; **12.** F verprügeln, -sohlen; **IV** *v/i.* **13.** *a.* ***~ up*** warm werden, sich erwärmen; *Motor etc.* warmlaufen; **14.** ***~ up*** *fig.* in Schwung kommen (*Party etc.*); **15.** *fig.* (***to***) a) sich erwärmen (für), b) warm werden (mit *j-m*); **16.** (***for***) a) *sport* sich aufwärmen (für), b) sich vorbereiten (auf *acc.*); **ˌ~-'blood·ed** *adj.* **1.** *zo.* warmblütig: ***~ animals*** Warmblüter *pl.*; **2.** *fig.* heißblütig; **ˌ~'heart·ed** *adj.* □ warmherzig.

warm·ing ['wɔːmɪŋ] *s.* **1.** (Auf-, An-) Wärmen *n*, Erwärmung *f*; **2.** F Tracht *f* Prügel, ‚Senge' *f*; **~ pad** *s.* ⚡ Heizkissen *n*.

warm·ish ['wɔːmɪʃ] *adj.* lauwarm.

war|·mon·ger ['wɔːˌmʌŋgə] *s.* Kriegshetzer *m*; **'~ˌmon·ger·ing** [-ərɪŋ] *s.* Kriegshetze *f*, -treibe'rei *f*.

warmth [wɔːmθ] *s.* **1.** Wärme *f*; **2.** *fig.* Wärme *f*: a) Herzlichkeit *f*, b) Eifer *m*, Begeisterung *f*; **3.** Heftigkeit *f*, Erregtheit *f*.

'warm·up *s.* **1.** a) *sport* Aufwärmen *n*, b) *fig.* Vorbereitung (***for*** auf *acc.*); **2.** Warmlaufen *n* (*des Motors etc.*); **3.** *TV etc.*: Einstimmung *f* (*des Publikums*).

warn [wɔːn] *v/t.* **1.** warnen (***of, against*** vor *dat.*): ***~ s.o. against doing s.th.*** j-n davor warnen, et. zu tun; **2.** *j-n* (warnend) hinweisen, aufmerksam machen (***of*** auf *acc.*, ***that*** daß); **3.** ermahnen *od.* auffordern (***to do*** zu tun); **4.** *j-m* (dringend) raten, nahelegen (***to do*** zu tun); **5.** (***of***) *j-n* in Kenntnis setzen *od.* verständigen (von), *j-n* wissen lassen (*acc.*), *j-m* ankündigen (*acc.*); **6.** verwarnen; **7.** ***~ off*** (***from***) a) abweisen, -halten (von), b) hin'ausweisen (aus);

'warn·ing [-nɪŋ] **I** *s.* **1.** Warnen *n*, Warnung *f*: ***give s.o.*** (***fair***) ***~***, ***give*** (***fair***) ***~ to s.o.*** j-n (rechtzeitig) warnen (***of*** vor *dat.*); ***take ~ by*** (*od.* ***from***) sich *et.* zur Warnung dienen lassen; **2.** a) Verwarnung *f*, b) (Er)Mahnung *f*; **3.** *fig.* Warnung *f*, warnendes Beispiel; **4.** warnendes An- *od.* Vorzeichen (***of*** für); **5.** 'Warnsiˌgnal *n*; **6.** Benachrichtigung *f*, (Vor)Anzeige *f*, Ankündigung *f*: ***give ~*** (***of***) *j-m* ankündigen (*acc.*), Bescheid geben (über *acc.*); ***without any ~*** völlig unerwartet; **7.** a) Kündigung *f*, b) (Kündigungs)Frist *f*: ***give ~*** (***to***) (*j-m*) kündigen; ***at a minute's ~*** a) ✝ auf jederzeitige Kündigung, b) ✝ fristlos, c) in kürzester Frist, jeden Augenblick; **II** *adj.* □ **8.** warnend, Warn…(*-glocke, -meldung, -schuß etc.*): ***~ colo(u)r***, ***~ coloration*** *zo.* Warn-, Trutzfarbe *f*; ***~ light*** a) ⚙ Warnlicht *n*, b) ⚓ Warn-, Signalfeuer *n*; ***~ strike*** ✝ Warnstreik *m*; ***~ triangle*** *mot.* Warndreieck *n*.

warn't [wɑːnt] *dial. für* a) ***wasn't***, b) ***weren't***.

War| Of·fice *s. Brit. hist.* 'Kriegsminiˌsterium *n*; **♀ or·phan** *s.* Kriegswaise *f*.

warp [wɔːp] **I** *v/t.* **1.** *Holz etc.* verziehen, werfen, krümmen; ✈ *Tragflächen* verwinden; **2.** *j-n, j-s Geist* nachteilig beeinflussen, verschroben machen; *j-s Urteil* verfälschen; → ***warped*** 3; **3.** a) verleiten (***into*** zu), b) abbringen (***from*** von); **4.** *Tatsache etc.* entstellen, verdrehen, -zerren; **5.** ⚓ *Schiff* bugsieren, verholen; **6.** *Weberei*: *Kette* anscheren, anzetteln; **7.** ♪ a) mit Schlamm düngen, b) *a.* ***~ up*** verschlammen; **II** *v/i.* **8.** sich werfen *od.* verziehen *od.* krümmen, krumm werden (*Holz etc.*); **9.** entstellt *od.* verdreht werden; **III** *s.* **10.** Verziehen *n*, Verkrümmung *f*, -werfung *f* (*von Holz etc.*); **11.** *fig.* Neigung *f*; **12.** *fig.* a) Entstellung *f*, Verzerrung *f*, b) Verschrobenheit *f*; **13.** *Weberei:* Kette(nfäden *pl.*) *f*, Zettel *m*: **~ and woof** Kette u. Schuß; **14.** ⚓ Bugsiertau *n*, Warpleine *f*; **15.** ⛏, *geol.* Schlamm (-ablagerung *f*) *m*, Schlick *m*.

war| paint *s.* **1.** Kriegsbemalung *f* (*der Indianer*); **2.** F a) ,volle Kriegsbemalung', b) große Gala; **~ path** *s.* Kriegspfad *m* (*der Indianer*): ***be on the ~*** a) auf dem Kriegspfad sein (*a. fig.*), b) *fig.* kampflustig sein.

warped [wɔːpt] *adj.* **1.** verzogen (*Holz etc.*), krumm (*a.* ⚒); **2.** *fig.* verzerrt, verfälscht; **3.** *fig.* ,verbogen', verschroben: ***~ mind***; **4.** par'teiisch.

war plane *s.* Kampfflugzeug *n*.

war·rant ['wɒrənt] **I** *s.* **1.** *a.* ***~ of attorney*** Vollmacht *f*; Befugnis *f*, Berechtigung *f*; **2.** Rechtfertigung *f*: ***not without ~*** nicht ohne gewisse Berechtigung; **3.** Garan'tie *f*, Gewähr *f* (*a. fig.*); **4.** Berechtigungsschein *m*: ***dividend ~*** ✝ Dividenden-, Gewinnanteilschein *m*; **5.** ⚖ (Voll'ziehungs- *etc.*)Befehl *m*: ***~ of apprehension*** a) Steckbrief *m*, b) *a.* ***~ of arrest*** Haftbefehl *m*; ***~ of attachment*** Beschlagnahmeverfügung *f*; ***a ~ is out against him*** er wird steckbrieflich gesucht; **6.** ⚔ Pa'tent *n*, Beförderungsurkunde *f*: **~ (*officer*)** a) ⚓ (Ober)Stabsbootsmann *m*, Deckoffizier *m*, b) ⚔ *etwa*: (Ober)Stabsfeldwebel *m*; **7.** ✝ (Lager-, Waren)Schein *m*: ***bond ~*** Zollgeleitschein; **8.** ✝ (Rück-) Zahlungsanweisung *f*; **II** *v/t.* **9.** *bsd.* ⚖ bevollmächtigen, autorisieren; **10.** rechtfertigen, berechtigen zu; **11.** *a.* ✝ garantieren, zusichern, haften für, gewährleisten: ***I can't ~ that*** das kann ich nicht garantieren; ***~ed for three years*** drei Jahre Garantie; ***I'll ~ (you)*** F a) mein Wort darauf, b) ich könnte schwören; **12.** bestätigen, erweisen; **'war·rant·a·ble** [-təbl] *adj.* ☐ **1.** vertretbar, gerechtfertigt, berechtigt; **2.** *hunt.* jagdbar (*Hirsch*); **'war·rant·a·bly** [-təblɪ] *adv.* mit Recht, berechtigterweise; **war·ran·tee** [ˌwɒrən'tiː] *s.* ✝, ⚖ Sicherheitsempfänger *m*; **'war·rant·er** [-tə], **'war·ran·tor** [-tɔː] *s.* Sicherheitsgeber *m*; **'war·ran·ty** [-tɪ] *s.* **1.** ✝, ⚖ Ermächtigung *f*, Vollmacht *f* (***for*** zu); **2.** Rechtfertigung *f*; **3.** *bsd.* ⚖ Bürgschaft *f*, Garan'tie *f*; **4.** *a.* ***~ deed*** ⚖ a) 'Rechtsgaranˌtie *f*, b) *Am.* 'Grundstücksüberˌtragungsurkunde *f*.

war·ren ['wɒrən] *s.* **1.** Ka'ninchengehege *n*; **2.** *hist. Brit.* Wildgehege *n*; **3.** *fig.* Laby'rinth *n*, *bsd.* a) 'Mietskaˌserne *f*, b) enges Straßengewirr.

W

war·ring ['wɔːrɪŋ] *adj.* **1.** sich bekriegend, (sich) streitend: ***~ factions*** Kriegsparteien *pl*; **2.** *fig.* 'widerstreitend, entgegengesetzt.

war·ri·or ['wɒrɪə] *s. poet.* Krieger *m*.

war| risk in·sur·ance *s.* ✝ Kriegsversicherung *f*; **'~·ship** *s.* Kriegsschiff *n*.

wart [wɔːt] *s.* **1.** ⚕, ♀, *zo.* Warze *f*: ***~s and all*** *fig.* mit all s-n Fehlern u. Schwächen; **2.** ♀ Auswuchs *m*; **'wart·ed** [-tɪd] *adj.* warzig.

'war·time I *s.* Kriegszeit *f*; **II** *adj.* Kriegs…

wart·y ['wɔːtɪ] *adj.* warzig.

war|·wea·ry ['wɔːˌwɪərɪ] *adj.* kriegsmüde; **~ whoop** *s.* Kriegsgeheul *n* (*der Indianer*); **~ wid·ow** *s.* Kriegerwitwe *f*; **'~·worn** *adj.* **1.** kriegszerstört, vom Krieg verwüstet; **2.** kriegsmüde.

war·y ['weərɪ] *adj.* ☐ vorsichtig: a) wachsam, *a.* argwöhnisch, b) 'umsichtig, c) behutsam: ***be ~*** sich hüten (***of*** vor *dat.*, ***of doing*** *et.* zu tun).

was [wɒz; wəz] *1. u. 3. sg. pret. ind. von* **be**; *im pass.* wurde: ***he ~ killed***; ***he ~ to have come*** er hätte kommen sollen; ***he didn't know what ~ to come*** er ahnte nicht, was noch kommen sollte; ***he ~ never to see his mother again*** er sollte seine Mutter nie mehr wiedersehen.

wash [wɒʃ] **I** *s.* **1.** Waschen *n*, Wäsche *f*: ***at the ~*** in der Wäsche(rei); ***give s.th. a ~*** et. (ab)waschen; ***have a ~*** sich waschen; ***come out in the ~*** a) herausgehen (*Flecken*), b) *fig.* F in Ordnung kommen, c) *fig.* F sich zeigen; **2.** (*zu waschende od. gewaschene*) Wäsche: ***in the ~*** in der Wäsche; **3.** Spülwasser *n* (*a. fig. dünne Suppe etc.*); **4.** Spülicht *n*, Küchenabfälle *pl.*; **5.** *fig. contp.* Gewäsch *n*, leeres Gerede; **6.** ⚕ Waschung *f*; **7.** (*Augen-, Haar- etc.*)Wasser *n*; **8.** Wellenschlag *m*, (Tosen *n* der) Brandung *f*; **9.** ⚓ Kielwasser *n* (*a. fig.*); **10.** ✈ a) Luftstrudel *m*, b) glatte Strömung; **11.** *geol.* a) (Alluvi'al)Schutt *m*, b) Schwemmland *n*; **12.** seichtes Gewässer; **13.** 'Farbˌüberzug *m*: a) dünn aufgetragene (Wasser)Farbe, b) ⚠ Tünche *f*; **14.** ⚙ a) Bad *n*, Abspritzung *f*, b) Plattierung *f*; **II** *adj.* **15.** waschbar, -echt, Wasch…: ***~ glove*** Waschlederhandschuh *m*; ***~ silk*** Waschseide *f*; **III** *v/t.* **16.** waschen: ***~ (up) dishes*** Geschirr (ab)spülen; → ***hand*** *Redew.*; **17.** (ab)spülen; (-)spritzen; **18.** be-, um-, über'spülen (*Fluten*); **19.** (fort-, weg-) spülen, (-)schwemmen: ***~ ashore***; **20.** *geol.* graben (*Wasser*); → ***wash away*** 2, ***wash out*** 1; **21.** a) tünchen, b) dünn anstreichen, c) tuschen; **22.** *Erze* waschen, schlämmen; **23.** ⚙ plattieren; **IV** *v/i.* **24.** sich waschen; waschen (*Wäscherin etc.*); **25.** sich *gut etc.* waschen (lassen), waschecht sein; **26.** *bsd. Brit.* F a) standhalten, b) ,ziehen', stichhaltig sein: ***that won't ~ (with me)*** das zieht nicht (bei mir); **27.** (*vom Wasser*) gespült *od.* geschwemmt werden; **28.** fluten, spülen (***over*** über *acc.*); branden, schlagen (***against*** gegen), plätschern; *Zssgn mit adv.*:

wash| a·way I *v/t.* **1.** ab-, wegwaschen; **2.** weg-, fortspülen, -schwemmen; **II** *v/i.* **3.** weggeschwemmt werden; **~ down** *v/t.* **1.** abwaschen, -spritzen; **2.** hin'unterspülen (*a. Essen mit e-m Getränk*); **~ off** → ***wash away***; **~ out I** *v/t.* **1.** auswaschen, ausspülen, unter'spülen (*a. geol. etc.*); **2.** F *Plan etc.* fallenlassen, aufgeben; **3.** ***washed out*** a) → ***washed-out***, b) wegen Regens abgesagt *od.* abgebrochen (*Veranstaltung*); **II** *v/i.* **4.** sich auswaschen, verblassen; **5.** sich wegwaschen lassen (*Farbe*); **~ up I** *v/t.* **1.** *Geschirr* spülen; **2.** → ***washed-up***; **II** *v/i.* **3.** F sich (Gesicht u. Hände) waschen; **4.** Geschirr spülen.

wash·a·ble ['wɒʃəbl] *adj.* waschecht, -bar; *Tapete*: abwaschbar.

wash|·ba·sin ['wɒʃˌbeɪsn] *s.* Waschbekken *n*, -schüssel *f*; **'~·board** *s.* **1.** Waschbrett *n*; **2.** Fuß-, Scheuerleiste *f* (*an der Wand*); **~ bot·tle** *s.* ⚗ **1.** Spritzflasche *f*; **2.** (Gas)Waschflasche *f*; **'~·bowl** → ***washbasin***; **'~ˌcloth** *s. Am.* Waschlappen *m*.

washed|-out [ˌwɒʃt'aʊt] *adj.* **1.** verwaschen, verblaßt; **2.** F ‚fertig', ‚erledigt' (*erschöpft*); **ˌ~-'up** *adj.* F ‚erledigt', ‚fertig': a) erschöpft, b) völlig ruiniert.

wash·er ['wɒʃə] *s.* **1.** Wäscher(in); **2.** 'Waschmaˌschine *f*; **3.** (Ge'schirr)Spülmaˌschine *f*; **4.** *Papierherstellung*: Halb(zeug)holländer *m*; **5.** ⚙ 'Unterlegscheibe *f*, Dichtungsring *m*; **'~ˌwom·an** *s.* [*irr.*] Waschfrau *f*, Wäscherin *f*.

wash·e·te·ri·a [ˌwɒʃə'tɪərɪə] *s. Brit.* **1.** 'Waschsaˌlon *m*; **2.** (Auto)Waschanlage *f*.

'wash·hand *adj. Brit.* Handwasch…: **~ *basin*** (Hand)Waschbecken *n*; **~ *stand*** (Hand)Waschständer *m*.

wash·i·ness ['wɒʃɪnɪs] *s.* **1.** Wässerigkeit *f* (*a. fig.*); **2.** Verwaschenheit *f*.

wash·ing ['wɒʃɪŋ] **I** *s.* **1.** → ***wash*** 1, 2; **2.** *oft pl.* Spülwasser *n*; **3.** ⚙ nasse Aufbereitung, Erzwäsche *f*; **4.** 'Farbˌüberzug *m*; **II** *adj.* **5.** Wasch…, Wäsche…; **~ ma·chine** *s.* 'Waschmaˌschine *f*; **~ so·da** *s.* (Bleich)Soda *f*, *n*; **ˌ~-'up** *s.* Abwasch *m* (*a. Geschirr*): ***do the ~*** Geschirr spülen; **~ *liquid*** Spülmittel *n*.

wash| leath·er *s.* **1.** Waschleder *n*; **2.** Fenster(putz)leder *n*; **'~·out** *s.* **1.** *geol.* Auswaschung *f*; **2.** Unter'spülung *f* (*e-r Straße etc.*); **3.** *sl.* a) ‚Niete' *f*, Versager *m* (*Person*), b) ‚Pleite' *f*, ‚Reinfall' *m*, c) ⚔ ‚Fahrkarte' *f* (*Fehlschuß*); **'~·rag** *s. Am.* Waschlappen *m*; **'~·room** *s. Am.* (öffentliche) Toi'lette; **~ sale** *s.* ✝ *Börse*: Scheinverkauf *m*; **'~·stand** *s.* **1.** Waschständer *m*; **2.** Waschbecken *n* (*mit fließendem Wasser*); **'~·tub** *s.* Waschwanne *f*.

wash·y ['wɒʃɪ] *adj.* □ **1.** verwässert, wässerig (*beide a. fig. kraftlos, seicht*); **2.** verwaschen, blaß (*Farbe*).

WASP [wɒsp] *s. Am.* prote'stantischer weißer Angelsachse (*aus* ***White Anglo-Saxon Protestant***).

wasp [wɒsp] *s. zo.* Wespe *f*; **'wasp·ish** [-pɪʃ] *adj.* □ *fig.* a) reizbar, b) gereizt, giftig.

was·sail ['wɒseɪl] *s. obs.* **1.** (Trink)Gelage *n*; **2.** Würzbier *n*.

wast [wɒst; wəst] *obs. 2. sg. pret. ind. von* **be**: ***thou ~*** du warst.

wast·age ['weɪstɪdʒ] *s.* **1.** Verlust *m*, Abgang *m*, Verschleiß *m*; **2.** Vergeudung *f*: **~ *of energy*** a) Energieverschwendung *f*, b) *fig.* Leerlauf *m*.

waste [weɪst] **I** *adj.* **1.** öde, wüst, unfruchtbar, unbebaut (*Land*): ***lie ~*** brachliegen; ***lay ~*** verwüsten; **2.** a) nutzlos, 'überflüssig, b) ungenutzt, 'überschüssig: **~ *energy***; **3.** unbrauchbar, Abfall…; **4.** ⚙ a) abgängig, Abgangs…, Ab…(*-gas etc.*), b) Abfluß…, Ablauf…; **II** *s.* **5.** Verschwendung *f*, Vergeudung *f*: **~ *of energy*** (***money***, ***time***) Kraft- (Geld-, Zeit)verschwendung; ***go*** (*od.* ***run***) ***to ~*** a) brachliegen, verwildern, b) vergeudet werden, c) verlottern, -fallen; **6.** Verfall *m*, Verschleiß *m*, Abgang *m*, Verlust *m*; **7.** Wüste *f*, (Ein)Öde *f*: **~ *of water*** Wasserwüste; **8.** Abfall *m*; ⚙ *a.* Abgänge *pl.*, *bsd.* a) Ausschuß *m*, b) Putzbaumwolle *f*, c) Wollabfälle *pl.*, d) Werg *n*, e) *typ.* Makula'tur *f*, f) Gekrätz *n*; **9.** ⚒ Abraum *m*; **10.** ⚖ Wertminderung *f* (*e-s Grundstücks durch Vernachlässigung*); **III** *v/t.* **11.** *Geld, Worte, Zeit etc.* verschwenden, vergeuden (***on*** an *acc.*): ***you are wasting your breath*** du kannst dir deine Worte sparen; ***a ~d talent*** ein ungenutztes Talent; **12.** ***be ~d*** nutzlos sein, ohne Wirkung bleiben (***on*** auf *acc.*), am falschen Platz stehen; **13.** zehren an (*dat.*), aufzehren, schwächen; **14.** verwüsten, verheeren; **15.** ⚖ Vermögensschaden verursachen bei, *Besitztum* verkommen lassen; **16.** a) F *Sportler etc.* ‚verheizen', b) *Am. sl. j-n* ‚'umlegen'; **IV** *v/i.* **17.** *fig.* vergeudet *od.* verschwendet werden; **18.** sich verzetteln (***in*** in *dat.*); **19.** vergehen, (ungenutzt) verstreichen (*Zeit, Gelegenheit etc.*); **20.** *a.* **~ *away*** a) abnehmen, schwinden, b) da'hinsiechen, verfallen; **21.** verschwenderisch sein: **~ *not, want not*** spare in der Zeit, so hast du in der Not; **~ a·void·ance** *s.* Abfallvermeidung *f*; **'~ˌbas·ket** *s.* Abfall-, *bsd.* Pa'pierkorb *m*; **~ dis·pos·al** *s.* Müllbesei-

W

tigung *f*.

waste·ful ['weɪstfʊl] *adj*. □ **1.** kostspielig, unwirtschaftlich, verschwenderisch; **2.** verschwenderisch (***of*** mit): ***be ~ of*** verschwenderisch umgehen mit; **3.** *poet.* wüst, öde; '**waste·ful·ness** [-nɪs] *s.* Verschwendung(ssucht) *f*.

waste| gas *s.* ⚙ Abgas *n*; **~ gas cleaning** *s.* Abgasentgiftung *f*; **~ heat** *s.* ⚙ Abwärme *f*; **~ in·cin·er·a·tion** *s.* Müllverbrennung *f*; **~ in·cin·er·a·tion plant** *s.* Müllverbrennungsanlage *f*; **~ in·dus·try** *s.* Entsorgungswirtschaft *f*; '**~·land** *s.* Ödland *n* (*a. fig.*); **~ oil** *s.* Altöl *n*; ˌ**~'pa·per** *s.* **1.** 'Abfallpaˌpier *n*, Makula'tur *f* (*a. fig.*); **2.** 'Altpaˌpier *n*; ˌ**~'pa·per bas·ket** *s.* Pa'pierkorb *m*; **~ pipe** *s.* ⚙ Abfluß-, Abzugsrohr *n*; **~ prod·uct** *s.* **1.** ⚙ 'Abfallproˌdukt *n*; **2.** *biol.* Ausscheidungsstoff *m*.

wast·er ['weɪstə] *s.* **1.** → ***wastrel*** 1 *u.* 3; **2.** *metall.* a) Fehlguß *m*, b) Schrottstück *n*.

waste| re·cov·er·y *s.* Abfallverwertung *f*; **~ sep·a·ra·tion** *s.* Mülltrennung *f*; **~ steam** *s.* ⚙ Abdampf *m*; **~ water** *s.* Abwasser *n*; **~ wool** *s.* Twist *m*.

wast·ing ['weɪstɪŋ] *adj.* **1.** zehrend, schwächend: ***~ disease***; → ***palsy*** 1; **2.** schwindend, abnehmend.

wast·rel ['weɪstrəl] *s.* **1.** a) Verschwender *m*, b) Taugenichts *m*; **2.** He'rumtreiber *m*; **3.** ✝ 'Ausschuß(arˌtikel *m*, -ware *f*) *m*, fehlerhaftes Exem'plar.

watch [wɒtʃ] **I** *s.* **1.** Wache *f*, Wacht *f*: ***be*** (***up***)***on the ~*** a) wachsam *od.* auf der Hut sein, b) (***for***) Ausschau halten (nach), lauern (auf *acc.*), achthaben (auf *acc.*); ***keep*** (***a***) ***~*** (***on*** *od.* ***over***) Wache halten, wachen (über *acc.*), aufpassen (auf *acc.*); → ***ward*** 8; **2.** (Schild-) Wache *f*, Wachtposten *m*; **3.** *mst pl. hist.* (Nacht)Wache *f* (*Zeiteinteilung*): ***in the silent ~es of the night*** in den stillen Stunden der Nacht; **4.** ⚓ (Schiffs)Wache *f* (*Zeitabschnitt u. Mannschaft*); **5.** *hist.* Nachtwächter *m*; **6.** *obs.* a) Wachen *n*, wache Stunden *pl.*, b) Totenwache *f*; **7.** (Taschen-, Armband)Uhr *f*; **II** *v/i.* **8.** zusehen, zuschauen; **9.** (***for***) warten, lauern (auf *acc.*), Ausschau halten (nach); **10.** wachen (***with*** bei), wach sein; **11.** ***~ over*** wachen über (*acc.*), bewachen, aufpassen auf (*acc.*); **12.** ⚔ Posten stehen, Wache halten; **13.** ***~ out*** (***for***) a) → 9, b) aufpassen, achtgeben: ***~ out!*** Vorsicht!, paß auf!; **III** *v/t.* **14.** beobachten: a) *j-m* zuschauen (***working*** bei der Arbeit), b) ein wachsames Auge haben auf (*acc.*), *a. Verdächtigen* über'wachen, c) *Vorgang etc.* verfolgen, im Auge behalten, d) ⚖ *den Verlauf e-s Prozesses* verfolgen; **15.** *Vieh* hüten, bewachen; **16.** *Gelegenheit* abwarten, abpassen, wahrnehmen: ***~ one's time***; **17.** achthaben auf (*acc.*) (*od.* ***that*** daß): ***~ one's step*** a) vorsichtig gehen, b) F sich vorsehen; ***~ your step!*** Vorsicht!; '**~·boat** *s.* ⚓ Wach(t)boot *n*; **~ box** *s.* **1.** ⚔ Schilderhaus *n*; **2.** 'Unterstand *m* (*für Wachmänner etc.*); '**~·case** *s.* Uhrgehäuse *n*; '**~·dog** *s.* Wachhund *m* (*a. fig.*): ***~ committee*** Überwachungsausschuß *m*.

watch·er ['wɒtʃə] *s.* **1.** Wächter *m*; **2.** Beobachter(in); **3.** j-d, der Kranken- *od.* Totenwache hält.

watch·ful ['wɒtʃfʊl] *adj.* □ wachsam, aufmerksam, *a.* lauernd (***of*** auf *acc.*); '**watch·ful·ness** [-nɪs] *s.* **1.** Wachsamkeit *f*; **2.** Vorsicht *f*; **3.** Wachen *n* (***over*** über *dat.*).

watch|·house ['wɒtʃhaʊs] *s.* (Poli'zei-) Wache *f*; '**~ˌmak·er** *s.* Uhrmacher *m*; '**~ˌmak·ing** *s.* Uhrmache'rei *f*; '**~·man** [-mən] *s.* [*irr.*] **1.** (Nacht)Wächter *m*; **2.** *hist.* Nachtwächter *m* (*e-r Stadt etc.*); **~ night** *s. eccl.* Sil'vestergottesdienst *m*; **~ of·fi·cer** *s.* ⚓ 'Wachoffiˌzier *m*; **~ pock·et** *s.* Uhrtasche *f*; **~ spring** *s.* Uhrfeder *f*; '**~·strap** *s.* Uhr(arm)band *n*; '**~ˌtow·er** *s.* ⚔ Wach(t)turm *m*; '**~·word** *s.* **1.** Losung *f*, Pa'role *f* (*a. fig. e-r Partei etc.*); **2.** *fig.* Schlagwort *n*.

wa·ter ['wɔːtə] **I** *v/t.* **1.** bewässern, *Rasen, Straße etc.* sprengen, *Pflanzen* (be-) gießen; **2.** *Vieh* tränken; **3.** mit Wasser versorgen; **4.** *oft* ***~ down*** verwässern: a) verdünnen, *Wein* panschen, b) *fig. Erklärung etc.* abschwächen, c) *fig.* mundgerecht machen: ***a ~ed-down liberalism*** ein verwässerter Liberalismus; **5.** ✝ *Aktienkapital* verwässern; **6.** ⚙ *Stoff* wässern, moirieren; **II** *v/i.* **7.** wässern (*Mund*), tränen (*Augen*): ***his mouth ~ed*** das Wasser lief ihm im Mund zusammen (***for***, ***after*** nach); ***make s.o.'s mouth ~*** j-m den Mund wässerig machen; **8.** ⚓ Wasser einnehmen; **9.** trinken, zur Tränke gehen (*Vieh*); **10.** ✈ wassern; **III** *s.* **11.** Wasser *n*: ***in deep ~***(***s***) *fig.* in Schwierigkeiten, in der Klemme; ***hold ~*** *fig.* stichhaltig sein; ***keep one's head above ~*** *fig.* sich (gerade noch) über Wasser halten; ***make the ~*** ⚓ vom Stapel laufen; ***throw cold ~ on*** *fig. e-r Sache* e-n Dämpfer aufsetzen, wie e-e kalte Dusche wirken auf (*acc.*); ***still ~s run deep*** stille Wasser sind tief; → ***hot*** 13, ***oil*** 1, ***trouble*** 6; **12.** *oft pl.* Brunnen *m*, Wasser *n* (*e-r Heilquelle*): ***drink*** (*od.* ***take***) ***the ~s*** (***at***) e-e Kur machen (in *dat.*); **13.** *oft pl.* Wasser *n od. pl.*, Gewässer *n od. pl.*, *a.* Fluten *pl.*: ***by ~*** zu Wasser, auf dem Wasserweg; ***on the ~*** a) zur See, b) zu Schiff; ***the ~s*** *poet.* das Meer, die See; **14.** Wasserstand *m*; → ***low water***; **15.** (Toi'letten)Wasser *n*;

W

16. Wasserlösung *f*; **17.** *physiol.* Wasser *n* (*Sekret, z. B. Speichel, a. Urin*): ***the ~(s)*** das Fruchtwasser; ***make*** (*od.* ***pass***) **~** Wasser lassen, urinieren; ***~ on the brain*** Wasserkopf *m*; ***~ on the knee*** Kniegelenkerguß *m*; **18.** Wasser *n* (*reiner Glanz e-s Edelsteins*): ***of the first ~*** reinsten Wassers (*a. fig.*); **19.** Wasser(glanz *m*) *n*, Moi'ré *n* (*Stoff*); **~ bath** *s.* Wasserbad *n* (*a.* ⚗); **~ bed** *s.* ⚕ Wasserbett *n*, -kissen *n*; **~ bird** *s. zo. allg.* Wasservogel *m*; **~ blis·ter** *s.* ⚕ Wasserblase *f*; **'~·borne** *adj.* **1.** auf dem Wasser schwimmend; **2.** zu Wasser befördert (*Ware*), auf dem Wasser stattfindend (*Verkehr*), Wasser...; **~ bot·tle** *s.* **1.** Wasserflasche *f*; **2.** Feldflasche *f*; **'~-bound** *adj.* vom Wasser eingeschlossen *od.* abgeschnitten; **~ bus** *s.* (Linien)Flußboot *n*; **~ butt** *s.* Wasserfaß *n*, Regentonne *f*; **~ can·non** *s.* Wasserwerfer *m*; **~ car·riage** *s.* Trans'port *m* zu Wasser, 'Wassertrans,port *m*; ♒ **Car·ri·er** → ***Aquarius***; **'~-cart** *s.* Wasserwagen *m*, *bsd.* Sprengwagen *m*; **~ chute** *s.* Wasserrutschbahn *f*; **~ clock** *s.* ⚙ Wasseruhr *f*; **~ clos·et** *s.* ('Wasser)Klo,sett *n*; **'~,col·o(u)r I** *s.* **1.** Wasser-, Aqua'rellfarbe *f*; **2.** Aqua'rellmale,rei *f*; **3.** Aqua'rell *n* (*Bild*); **II** *adj.* **4.** Aquarell...; **'~,col·o(u)r·ist** *s.* Aqua'rellmaler(in); **'~-cooled** *adj.* ⚙ wassergekühlt; **'~-,cool·ing** *s.* ⚙ Wasserkühlung *f*; **'~·course** *s.* **1.** Wasserlauf *m*; **2.** Fluß-, Strombett *n*; **3.** Ka'nal *m*; **'~·craft** *s.* Wasserfahrzeug(e *pl.*) *n*; **'~·cress** *s. oft pl.* ⚘ Brunnenkresse *f*; **~ cure** *s.* ⚕ **1.** Wasserkur *f*; **2.** Wasserheilkunde *f*; **'~·fall** *s.* Wasserfall *m*; **'~,find·er** *s.* (Wünschel)Rutengänger *m*; **'~·fog** *s.* Tröpfchennebel *m*; **'~·fowl** *s. zo.* **1.** Wasservogel *m*; **2.** *coll.* Wasservögel *pl.*; **'~·front** *s.* Hafengebiet *n*, -viertel *n*; an ein Gewässer grenzendes (Stadt)Gebiet; **~ gage** *Am.* → ***water gauge***; **~ gate** *s.* **1.** Schleuse *f*; **2.** Fluttor *n*; **~ gauge** *s.* ⚙ **1.** Wasserstands(an)zeiger *m*; **2.** Pegel *m*, Peil *m*, hy'draulischer Wasserdruckmesser; **3.** *Wasserdruck, gemessen in* ***inches*** *Wassersäule*; **~ glass** *s.* Wasserglas *n* (*a.* ⚗): ***~ egg*** Kalkei *n*; **~ gru·el** *s.* (dünner) Haferschleim; **~ heat·er** *s.* Warmwasserbereiter *m*; **~ hose** *s.* Wasserschlauch *m*; **~ ice** *s.* Fruchteis *n*.

wa·ter·i·ness ['wɔːtərɪnɪs] *s.* Wäßrigkeit *f*.

wa·ter·ing ['wɔːtərɪŋ] **I** *s.* **1.** (Be)Wässern *n etc.*; **II** *adj.* **2.** Bewässerungs...; **3.** Kur..., Bade...; **~ can** *s.* Gießkanne *f*; **~ cart** *s.* Sprengwagen *m*; **~ place** *s.* **1.** *bsd. Brit.* a) Bade-, Kurort *m*, Bad *n*, b) (See)Bad *n*; **2.** (Vieh)Tränke *f*, Wasserstelle *f*; **~ pot** *s. Am.* Gießkanne *f*.

wa·ter| jack·et *s.* ⚙ (Wasser)Kühlmantel *m*; **~ jump** *s. sport* Wassergraben *m*; **~ lev·el** *s.* **1.** Wasserstand *m*, -spiegel *m*; **2.** ⚙ a) Pegelstand *m*, b) Wasserwaage *f*; **3.** *geol.* (Grund)Wasserspiegel *m*; **~ lil·y** *s.* ⚘ Seerose *f*, Wasserlilie *f*; **'~·line** *s.* ⚓ Wasserlinie *f e-s Schiffs od. als Wasserzeichen*; **'~·logged** *adj.* **1.** voll Wasser (*Boot etc.*); **2.** vollgesogen (*Holz etc.*).

Wa·ter·loo [,wɔːtə'luː] *s.*: ***meet one's ~*** *fig.* sein Waterloo erleben.

wa·ter| main *s.* Haupt(wasser)rohr *n*; **'~·man** [-mən] *s.* [*irr.*] **1.** ⚓ Fährmann *m*; **2.** *sport* Ruderer *m*; **3.** *myth.* Wassergeist *m*; **'~·mark I** *s.* **1.** Wasserzeichen *n* (*in Papier*); **2.** ⚓ Wassermarke *f*, *bsd.* Flutzeichen *n*; → ***high*** (***low***) ***watermark***; **II** *v/t.* **3.** *Papier* mit Wasserzeichen versehen; **'~,mel·on** *s.* ⚘ 'Wasserme,lone *f*; **~ me·ter** *s.* Wasserzähler *m*, -uhr *f*; **~ pipe** *s.* **1.** ⚙ Wasser(leitungs)rohr *n*; **2.** orien'talische Wasserpfeife; **~ plane** *s.* Wasserflugzeug *n*; **~ plate** *s.* Wärmeteller *m*; **~ po·lo** *s.* *sport* Wasserballspiel *n*; **'~·proof I** *adj.* wasserdicht; **II** *s.* wasserdichter Stoff *od.* Mantel *etc.*, Regenmantel *m*; **III** *v/t.* imprägnieren; **~ re·cyc·ling** *s.* Wasseraufbereitung *f*; **,~-re'pel·lent** *adj.* wasserabstoßend; **'~·scape** [-skeɪp] *s. paint.* Seestück *n*; **~ seal** *s.* ⚙ Wasserverschluß *m*; **'~·shed** *s.* *geogr.* **1.** *Brit.* Wasserscheide *f*; **2.** Einzugs-, Stromgebiet *n*; **3.** *fig.* a) Trennungslinie *f*, b) Wendepunkt *m*; **'~·side I** *s.* Küste *f*, See-, Flußufer *n*; **II** *adj.* Küsten..., (Fluß)Ufer...; **'~-ski** *v/i.* Wasserski laufen; **,~-'sol·u·ble** *adj.* ⚗ wasserlöslich; **'~·spout** *s.* **1.** Abtraufe *f*; **2.** *meteor.* Wasserhose *f*; **~ sup·ply** *s.* Wasserversorgung *f*; **~ ta·ble** *s.* **1.** ⚠ Wasserabflußleiste *f*; **2.** *geol.* Grundwasserspiegel *m*; **'~·tight** *adj.* **1.** wasserdicht: ***keep s.th. in ~ compartments*** *fig.* et. isoliert halten *od.* betrachten; **2.** *fig.* a) unanfechtbar, b) sicher, c) stichhaltig (*Argument*); **~ vole** *s. zo.* Wasserratte *f*; **~ wag·(g)on** *s.* Wasser(versorgungs)wagen *m*: ***be on*** (***off***) ***the ~*** F nicht mehr (wieder) trinken; ***go on the ~*** F das Trinken sein lassen; **~ wag·tail** *s. orn.* Bachstelze *f*; **'~-wave I** *s.* Wasserwelle *f* (*im Haar*); **II** *v/t.* in Wasserwellen legen; **'~·way** *s.* **1.** Wasserstraße *f*, Schiffahrtsweg *m*; **2.** ⚓ Wassergang *m* (*Decksrinne*); **'~·works** *s. pl. oft sg. konstr.* **1.** Wasserwerk *n*; **2.** a) Fon'täne(n *pl.*) *f*, b) Wasserspiel *n*: ***turn on the ~*** F (los-)heulen; **3.** F (Harn)Blase *f*.

wa·ter·y ['wɔːtərɪ] *adj.* **1.** Wasser...: ***a ~ grave*** ein nasses Grab; **2.** wässerig: a) feucht (*Boden*), b) regenverkündend (*Sonne etc.*): ***~ sky*** Regenhimmel *m*; **3.** triefend: a) *allg.* voll Wasser, naß (*Klei-*

der), b) tränend (*Auge*); **4.** verwässert: a) fad(e) (*Speise*), b) wässerig, blaß (*Farbe*), c) *fig.* seicht (*Stil*).

watt [wɒt] *s.* ⚡ Watt *n*; **watt·age** [ˈwɒtɪdʒ] *s.* ⚡ Wattleistung *f*.

wat·tle [ˈwɒtl] **I** *s.* **1.** *Brit. dial.* Hürde *f*; **2.** *a. pl.* Flecht-, Gitterwerk *n*: ***~ and daub*** ⚠ mit Lehm beworfenes Flechtwerk; **3.** ⚘ (auˈstralische) Aˈkazie; **4.** a) *orn.* Kehllappen *pl.*, b) *ichth.* Bartfäden *pl.*; **II** *v/t.* **5.** aus Flechtwerk herstellen; **6.** *Ruten* zs.-flechten; **ˈwat·tling** [-lɪŋ] *s.* Flechtwerk *n*.

waul [wɔːl] *v/i.* jämmerlich schreien, jaulen.

wave [weɪv] **I** *s.* **1.** Welle *f* (*a. phys.*; *a. im Haar etc.*), Woge *f* (*beide a. fig. von Gefühl etc.*): ***the ~s*** *poet.* die See; ***~ of indignation*** Woge der Entrüstung; ***make ~s*** *fig. Am.* ‚Wellen schlagen'; **2.** (*Angriffs-, Einwanderer- etc.*)Welle *f*: ***in ~s*** in aufeinanderfolgenden Wellen; **3.** ⚙ a) Flamme *f* (*im Stoff*), b) *typ.* Guilˈloche *f* (*Zierlinie auf Wertpapieren etc.*); **4.** Wink(en *n*) *m*, Schwenken *n*; **II** *v/i.* **5.** wogen (*a. Kornfeld etc.*); **6.** wehen, flattern, wallen; **7.** (***to s.o.*** j-m zu)winken, Zeichen geben; **8.** sich wellen (*Haar*); **III** *v/t.* **9.** *Fahne, Waffe etc.* schwenken, schwingen, hin- u. herbewegen: ***~ one's arms*** mit den Armen fuchteln; ***~ one's hand*** (mit der Hand) winken (***to*** *j-m*); **10.** *Haar etc.* wellen, in Wellen legen; **11.** ⚙ a) *Stoff* flammen, b) *Wertpapiere etc.* guillochieren; **12.** *j-m* zuwinken: ***~ aside*** *j-n* beiseite winken, *fig. j-n od. et.* mit e-r Handbewegung abtun; **13.** *et.* zuwinken: ***~ a farewell*** nachwinken (***to s.o.*** j-m); **~ band** *s.* ⚡ Wellenband *n*; **ˈ~·length** *s.* ⚡, *phys.* Wellenlänge *f*: ***be on the same ~*** *fig.* auf der gleichen Wellenlänge liegen.

wa·ver [ˈweɪvə] *v/i.* **1.** (sch)wanken, taumeln; flackern (*Licht*); zittern (*Hände, Stimme etc.*); **2.** *fig.* wanken: a) unschlüssig sein, schwanken (***between*** zwischen), b) zu weichen beginnen.

wa·ver·er [ˈweɪvərə] *s. fig.* Unentschlossene(r *m*) *f*; **ˈwa·ver·ing** [-vərɪŋ] *adj.* ☐ **1.** flackernd; **2.** zitternd; **3.** (sch)wankend (*a. fig.*).

wave trap *s.* ⚡ Sperrkreis *m*.

wav·y [ˈweɪvɪ] *adj.* ☐ **1.** wellig, gewellt (*Haar, Linie etc.*); **2.** wogend.

wax¹ [wæks] **I** *v/i.* **1.** wachsen, zunehmen (*bsd. Mond*) (*a. fig. rhet.*): ***~ and wane*** zu- u. abnehmen; **2.** *vor adj.*: *alt, frech, laut etc.* werden; **II** *s.* **3.** ***be in a ~*** F e-e Stinkwut haben.

wax² [wæks] **I** *s.* **1.** (Bienen-, Pflanzen- *etc.*)Wachs *n*: ***like ~*** *fig.* (wie) Wachs *in j-s Händen*; **2.** Siegellack *m*; **3.** *a.* ***cobbler's ~*** Schusterpech *n*; **4.** Ohrenschmalz *n*; **II** *v/t.* **5.** (ein)wachsen, bohnern; **6.** verpichen; **7.** (auf Schallplatte) aufnehmen; **ˈ~·cloth** *s.* **1.** Wachstuch *n*; **2.** Bohnertuch *n*; **~ doll** *s.* Wachspuppe *f*.

wax·en [ˈwæksən] → ***waxy***.

wax| light *s.* Wachskerze *f*; **~ pa·per** *s.* ˈWachspaˌpier *n*; **ˈ~·work** *s.* **1.** ˈWachsfiˌgur *f*; **2.** *a. pl. sg. konstr.* ˈWachsfiˌgurenkabiˌnett *n*.

wax·y [ˈwæksɪ] *adj.* ☐ **1.** wächsern (*a. Gesichtsfarbe*), wie Wachs; **2.** *fig.* weich (wie Wachs), nachgiebig; **3.** ⚕ Wachs...: ***~ liver***.

way¹ [weɪ] *s.* **1.** Weg *m*, Pfad *m*, Straße *f*, Bahn *f* (*a. fig.*): ***~ back*** Rückweg; ***~ home*** Heimweg; ***~ in*** Eingang *m*; ***~ out*** *bsd. fig.* Ausweg; ***~ through*** Durchfahrt *f*, -reise *f*; ***~s and means*** Mittel u. Wege, *bsd. pol.* Geldbeschaffung(smaßnahmen) *f*; ***Committee of ~s and Means*** *parl.* Finanz-, Haushaltsausschuß *m*; ***the ~ of the Cross*** *R.C.* der Kreuzweg; ***over*** (*od.* ***across***) ***the ~*** gegenüber; ***ask the*** (*od.* ***one's***) ***~*** nach dem Weg fragen; ***find a ~*** *fig.* e-n (Aus-) Weg finden; ***lose one's ~*** sich verirren *od.* verlaufen; ***take one's ~*** sich aufmachen (***to*** nach); **2.** *fig.* Gang *m*, (üblicher) Weg: ***that is the ~ of the world*** das ist der Lauf der Welt; ***go the ~ of all flesh*** den Weg allen Fleisches gehen (*sterben*); **3.** Richtung *f*, Seite *f*: ***which ~ is he looking?*** wohin schaut er?; ***this ~*** a) hierher, b) hier entlang, c) → 6; ***the other ~ round*** umgekehrt; **4.** Weg *m*, Entfernung *f*, Strecke *f*: ***a long ~ off*** weit (von hier) entfernt; ***a long ~ off perfection*** alles andere als vollkommen; ***a little ~*** ein kleines Stück (Wegs); **5.** (freie) Bahn, Platz *m*: ***be*** (*od.* ***stand***) ***in s.o.'s ~*** j-m im Weg sein (*a. fig.*); ***give ~*** a) nachgeben, b) (zurück)weichen, c) sich *der Verzweiflung etc.* hingeben; **6.** Art *f* u. Weise *f*, Weg *m*, Meˈthode *f*: ***any ~*** auf jede *od.* irgendeine Art; ***any ~ you please*** ganz wie Sie wollen; ***in a big*** (***small***) ***~*** im großen (kleinen); ***one ~ or another*** irgendwie, so oder so; ***some ~ or other*** auf die eine oder andere Weise, irgendwie; ***~ of living*** (***thinking***) Lebens- (Denk)weise; ***to my ~ of thinking*** nach m-r Meinung; ***in a polite*** (***friendly***) ***~*** höflich (freundlich); ***in its ~*** auf s-e Art; ***in what*** (*od.* ***which***) ***~*** inwiefern, wieso; ***the right*** (***wrong***) ***~*** (***to do it***) richtig (falsch); ***the same ~*** genauso; ***the ~ he does it*** so wie er es macht; ***this*** (*od.* ***that***) ***~*** so; ***that's the ~ to do it*** so macht man das; **7.** Brauch *m*, Sitte *f*: ***the good old ~s*** die guten alten Bräuche; **8.** Eigenart *f*: ***funny ~s*** komische Manieren; ***it is not his ~*** es ist nicht s-e Art *od.* Gewohnheit; ***she has a winning ~ with her*** sie hat e-e gewinnende

Art; ***that is always the ~ with him*** so macht er es (*od.* geht es ihm) immer; **9.** Hinsicht *f*, Beziehung *f*: ***in a ~*** in gewisser Hinsicht; ***in one ~*** in 'einer Beziehung; ***in some ~s*** in mancher Hinsicht; ***in the ~ of food*** an Lebensmitteln, was Nahrung anbelangt; ***no ~*** keineswegs; **10.** (*bsd.* Gesundheits)Zustand *m*, Lage *f*: ***in a bad ~*** in e-r schlimmen Lage; ***live in a great*** (***small***) ***~*** auf großem Fuß (in kleinen Verhältnissen *od.* sehr bescheiden) leben; **11.** Berufszweig *m*, Fach *n*: ***it is not in his ~*** es schlägt nicht in sein Fach; ***he is in the oil ~*** er ist im Ölhandel (beschäftigt); **12.** F Um'gebung *f*, Gegend *f*: ***somewhere London ~*** irgendwo in der Gegend von London; **13.** ⚙ a) (Hahn)Weg *m*, Bohrung *f*, b) *pl.* Führungen *pl.* (*bei Maschinen*); **14.** Fahrt(geschwindigkeit) *f*: ***gather*** (***lose***) ***~*** Fahrt vergrößern (verlieren); **15.** *pl. Schiffbau*: a) Helling *f*, b) Stapelblöcke *pl.*;

Besondere Redewendungen:

by the ~ a) im Vorbeigehen, unterwegs; b) am Weg(esrand), an der Straße, c) *fig.* übrigens, nebenbei (bemerkt); ***but that is by the ~!*** doch dies nur nebenbei; ***by ~ of*** a) (auf dem Weg) über (*acc.*), durch, b) *fig.* in der Absicht zu, um ... zu, c) als *Entschuldigung etc.*; ***by ~ of example*** beispielsweise; ***by ~ of exchange*** auf dem Tauschwege; ***be by ~ of being angry*** im Begriff sein aufzubrausen; ***be by ~ of doing*** (***s.th.***) a) dabei sein(, et.) zu tun, b) pflegen *od.* gewohnt sein *od.* die Aufgabe haben(, et.) zu tun; → ***family*** 5; ***in the ~ of*** a) auf dem Weg *od.* dabei zu, b) hinsichtlich (*gen.*); ***in the ~ of business*** auf dem üblichen Geschäftsweg; ***put s.o. in the ~*** (***of doing***) j-m die Möglichkeit geben (zu tun); ***no ~!*** F nichts da!; ***on the*** (*od.* ***one's***) ***~*** unterwegs, auf dem Wege; ***be well on one's ~*** im Gange sein, schon weit vorangekommen sein (*a. fig.*); ***out of the ~*** a) abgelegen, b) *fig.* ungewöhnlich, ausgefallen, c) *fig.* abwegig; ***nothing out of the ~*** nichts Ungewöhnliches; ***go out of one's ~*** ein übriges tun, sich besonders anstrengen; ***put s.o. out of the ~*** *fig.* j-n aus dem Wege räumen (*töten*); → ***harm*** 1; ***under ~*** a) ⚓ in Fahrt, unterwegs, b) *fig.* im *od.* in Gang; ***be in a fair*** (*od.* ***good***) ***~*** auf dem besten Wege sein, die besten Möglichkeiten haben; ***come*** (***in***) ***s.o.'s ~*** *bsd. fig.* j-m über den Weg laufen, j-m begegnen; ***go a long ~ to***(***wards***) viel dazu beitragen zu, ein gutes Stück weiterhelfen bei; ***go s.o.'s ~*** a) den gleichen Weg gehen wie j-d, b) j-n begleiten; ***go one's ~***(***s***) seinen Weg gehen, *fig.* s-n Lauf nehmen; ***have a ~ with*** mit *j-m* umzugehen wissen; ***have one's own ~*** s-n Willen durchsetzen; ***if I had my*** (***own***) ***~*** wenn es nach mir ginge; ***have it your ~!*** du sollst recht haben!; ***you can't have it both ~s*** du kannst nicht beides haben; ***know one's ~ about*** sich auskennen (*fig.* ***in*** mit); ***lead the ~*** (*a. fig.* mit gutem Beispiel) vorangehen; ***learn the hard ~*** Lehrgeld bezahlen müssen; ***make ~*** a) Platz machen (***for*** für), b) vorwärtskommen (*a. fig. Fortschritte machen*); ***make one's ~*** sich durchsetzen, s-n Weg machen; → ***mend*** 2, ***pave***, ***pay*** 3; ***see one's ~ to do s.th.*** e-e Möglichkeit sehen, et. zu tun; ***work one's ~ through college*** sich sein Studium durch Nebenarbeit verdienen, Werkstudent sein; ***work one's ~ up*** *a. fig.* sich hocharbeiten.

way² [weɪ] *adv.* F weit *oben*, *unten etc.*: ***~ back*** weit entfernt; ***~ back in 1902*** (schon) damals im Jahre 1902.

'way|·bill *s.* **1.** Passa'gierliste *f*; **2.** ✝ Frachtbrief *m*, Begleitschein *m*; **'~ˌfar·er** [-ˌfeərə] *s. obs.* Reisende(r) *m*, Wandersmann *m*; **'~ˌfar·ing** [-ˌfeərɪŋ] *adj.* reisend, wandernd; **ˌ~'lay** *v/t.* [*irr.* → ***lay¹***] *j-m* auflauern; **'~·leave** *s.* ⚖ *Brit.* Wegerecht *n*; **ˌ~-'out** *adj.* F **1.** ex'zentrisch, ausgefallen, ‚irr(e)'; **2.** ‚toll', ‚super'; **'~·side I** *s.* Straßen-, Wegrand *m*: ***by the ~*** am Wege, am Straßenrand; ***fall by the ~*** *fig.* auf der Strecke bleiben; **II** *adj.* am Wege (stehend), an der Straße (gelegen): ***a ~ inn***.

way| sta·tion *s.* 🚂 *Am.* 'Zwischenstaˌtion *f*; **~ train** *s. Am.* Bummelzug *m*.

way·ward ['weɪwəd] *adj.* ☐ **1.** launisch, unberechenbar; **2.** eigensinnig, 'widerspenstig; ⚖ verwahrlost (*Jugendliche*[*r*]); **3.** ungeraten: ***a ~ son***; **'way·ward·ness** [-nɪs] *s.* **1.** 'Widerspenstigkeit *f*, Eigensinn *m*; **2.** Launenhaftigkeit *f*.

'way·worn *adj.* reisemüde.

we [wi:; wɪ] *pron. pl.* wir *pl.*

weak [wi:k] *adj.* ☐ **1.** *allg.* schwach (*a. zahlenmäßig*) (*a. fig. Argument*, *Spieler*, *Stil*, *Stimme etc.*; *a. ling.*): ***~ in Latin*** *fig.* schwach in Latein; → ***sex*** 2; **2.** ⚕ schwach: a) empfindlich, b) kränklich; **3.** (cha'rakter)schwach, la'bil, schwächlich: ***~ point*** (*od.* ***side***) schwacher Punkt, schwache Seite, Schwäche *f*; **4.** schwach, dünn (*Tee etc.*); **5.** ✝ schwach, flau (*Markt*); **'weak·en** [-kən] **I** *v/t.* **1.** *j-n od. et.* schwächen; **2.** *Getränk etc.* verdünnen; **3.** *fig. Beweis etc.* abschwächen, entkräften; **II** *v/i.* **4.** schwach *od.* schwächer werden, nachlassen, erlahmen; **'weak·en·ing** [-knɪŋ] *s.* (Ab)Schwächung *f*.

ˌweak-'kneed *adj.* F **1.** feig; **2.** → ***weak-minded*** 2.

weak·ling ['wi:klɪŋ] *s.* Schwächling *m*;

ˈ**weak·ly** [-lɪ] **I** *adj.* schwächlich; **II** *adv. von* **weak**; ˌ**weak-ˈmind·ed** *adj.* **1.** schwachsinnig; **2.** chaˈrakterschwach.

weak·ness [ˈwi:knɪs] *s.* **1.** *allg.* (*a.* Chaˈrakter)Schwäche *f*; **2.** Schwächlichkeit *f*, Kränklichkeit *f*; **3.** schwache Seite, schwacher Punkt; **4.** Nachteil *m*, Schwäche *f*, Mangel *m*; **5.** F Schwäche *f*, Vorliebe *f* (***for*** für); **6.** ⚚ Flauheit *f*.

ˌ**weak|-ˈsight·ed** *adj.* ⚕ schwachsichtig; ˌ**~-ˈspir·it·ed** *adj.* kleinmütig.

weal[1] [wi:l] *s.* Wohl *n*: ***~ and woe*** *das* Wohl u. Wehe, gute u. schlechte Tage; ***the public*** (*od.* ***common*** *od.* ***general***) ***~*** das Allgemeinwohl.

weal[2] [wi:l] *s.* Schwiele *f*, Strieme(n *m*) *f* (*auf der Haut*).

wealth [welθ] *s.* **1.** Reichtum *m* (*a. fig. Fülle*) (***of*** an *dat.*, von); **2.** Reichtümer *pl.*; **3.** ⚚ a) Besitz *m*, Vermögen *n*: ***~ tax*** Vermögenssteuer *f*, b) *a.* ***personal ~*** Wohlstand *m*; ˈ**wealth·y** [-θɪ] *adj.* ☐ reich (*a. fig.* ***in*** an *dat.*), wohlhabend.

wean [wi:n] *v/t.* **1.** *Kind, junges Tier* entwöhnen; **2.** *a.* ***~ away from*** *fig. j-n* abbringen von, *j-m et.* abgewöhnen.

weap·on [ˈwepən] *s.* Waffe *f* (*a.* ⚘, *zo. u. fig.*); ˈ**weap·on·less** [-lɪs] *adj.* wehrlos, unbewaffnet; ˈ**weap·on·ry** [-rɪ] *s.* Waffen *pl*; ˈ**weap·ons-grade** *adj.* waffenfähig (*Plutonium*).

wear[1] [weə] **I** *v/t.* [*irr.*] **1.** *am Körper* tragen (*a. Bart, Brille, a. Trauer*), *Kleidungsstück a.* anhaben, *Hut a.* aufhaben: ***~ the breeches*** (*od.* ***trousers*** *od.* ***pants***) F *fig.* die Hosen anhaben (*Ehefrau*); ***she ~s her years well*** *fig.* sie sieht jung aus für ihr Alter; ***~ one's hair long*** das Haar lang tragen; **2.** *Lächeln, Miene etc.* zur Schau tragen, zeigen; **3.** ***~ away*** (*od.* ***down, off, out***) *Kleid etc.* abnutzen, abtragen, *Absätze* abtreten, *Stufen etc.* austreten; *Löcher* reißen (***in*** in *acc.*): ***~ into holes*** ganz abtragen, *Schuhe* durchlaufen; **4.** eingraben, nagen: ***a groove worn by water***; **5.** *a.* ***~ away*** *Gestein etc.* auswaschen, -höhlen; *Farbe etc.* verwischen; **6.** *a.* ***~ out*** ermüden, *a. Geduld* erschöpfen; → ***welcome*** 1; **7.** *a.* ***~ down*** zermürben: a) entkräften, b) *fig.* niederringen, *Widerstand* brechen: ***worn to a shadow*** nur noch ein Schatten (*Person*); **II** *v/i.* [*irr.*] **8.** halten, haltbar sein: ***~ well*** a) sehr haltbar sein (*Stoff etc.*), sich gut tragen (*Kleid etc.*), b) *fig.* sich gut halten, wenig altern (*Person*); **9.** *a.* ***~ away*** (*od.* ***down, off, out***) sich abtragen *od.* abnutzen, verschleißen: ***~ away*** *a.* sich verwischen; ***~ off*** *fig.* sich verlieren (*Eindruck, Wirkung*); ***~ out*** *fig.* sich erschöpfen; ***~ thin*** a) fadenscheinig werden, b) sich erschöpfen (*Geduld etc.*); **10.** *a.* ***~ away*** langsam vergehen, daˈhinschleichen (*Zeit*): ***~ to an end*** schleppend zu Ende gehen; **11.** ***~ on*** sich daˈhinschleppen (*Zeit, Geschichte etc.*); **III** *s.* **12.** Tragen *n*: ***clothes for everyday ~*** Alltagskleidung *f*; ***have in constant ~*** ständig tragen; **13.** (Be)Kleidung *f*, Mode *f*: ***be the ~*** Mode sein, getragen werden; **14.** Abnutzung *f*, Verschleiß *m*: ***~ and tear*** a) ⚙ Abnutzung, Verschleiß (*a. fig.*), b) ⚚ Abschreibung *f* für Wertminderung; ***for hard ~*** strapazierfähig; ***the worse for ~*** abgetragen, mitgenommen (*a. fig.*); **15.** Haltbarkeit *f*: ***there is still a great deal of ~ in it*** das läßt sich noch gut tragen.

wear[2] [weə] ⚓ **I** *v/t.* [*irr.*] *Schiff* halsen; **II** *v/i.* [*irr.*] vor dem Wind drehen (*Schiff*).

wear·a·ble [ˈweərəbl] *adj.* tragbar (*Kleid*).

wea·ri·ness [ˈwɪərɪnɪs] *s.* **1.** Müdigkeit *f*; **2.** *fig.* ˈÜberdruß *m*.

wear·ing [ˈweərɪŋ] *adj.* **1.** Kleidungs...; **2.** abnützend; **3.** ermüdend, zermürbend.

wea·ri·some [ˈwɪərɪsəm] *adj.* ☐ ermüdend (*mst fig. langweilig*).

ˌ**wear-reˈsist·ant** *adj.* strapaˈzierfähig.

wea·ry [ˈwɪərɪ] **I** *adj.* ☐ **1.** müde, matt (***with*** von, vor *dat.*); **2.** müde, ˈüberdrüssig (***of*** *gen.*): ***~ of life*** lebensmüde; **3.** ermüdend: a) beschwerlich, b) langweilig; **II** *v/t.* **4.** ermüden (*a. fig. langweilen*); **III** *v/i.* **5.** überdrüssig *od.* müde werden (***of*** *gen.*).

wea·sel [ˈwi:zl] *s.* **1.** *zo.* Wiesel *n*; **2.** F *contp.* ‚Schlange' *f*, ‚Ratte' *f*.

weath·er [ˈweðə] **I** *s.* **1.** a) Wetter *n*, Witterung *f*, b) Unwetter *n*: ***in fine ~*** bei schönem Wetter; ***make good*** (*od.* ***bad***) ***~*** ⚓ auf gutes (schlechtes) Wetter stoßen; ***make heavy ~ of s.th.*** *fig.* ‚viel Wind machen' um et.; ***under the ~*** F a) nicht in Form (*unpäßlich*), b) e-n Katzenjammer habend, c) ‚angesäuselt'; **2.** ⚓ Luv-, Windseite *f*; **II** *v/t.* **3.** dem Wetter aussetzen, *Holz etc.* auswittern; *geol.* verwittern (lassen); **4.** a) ⚓ *den Sturm* abwettern, b) *a.* ***~ out*** *fig. Sturm, Krise etc.* überˈstehen; **5.** ⚓ luvwärts umˈschiffen; **III** *v/i.* **6.** *geol.* verwittern; ˈ**~-ˌbeat·en** *adj.* **1.** vom Wetter mitgenommen; **2.** verwittert; **3.** wetterhart; ˈ**~·board** *s.* **1.** ⚙ a) Wasserschenkel *m*, b) Schal-, Schindelbrett *n*, c) *pl.* Verschalung *f*; **2.** ⚓ Waschbord *n*; ˈ**~-board·ing** *s.* Verschalung *f*; ˈ**~-bound** *adj.* schlechtwetterbehindert; **~ bu·reau** *s.* Wetteramt *n*; **~ chart** *s.* Wetterkarte *f*; ˈ**~·cock** *s.* **1.** Wetterhahn *m*; **2.** *fig.* wetterwendische Perˈson; ˈ**~-eye** [-əraɪ] *s.*: ***keep one's ~ open*** *fig.* gut aufpassen; **~ fore·cast** *s.* ˈWetterbericht *m*, -vorˌhersage *f*; ˈ**~·man** [-mæn] *s.* [*irr.*] F **1.** Meteoroˈloge *m*; **2.** Wetteransager *m*; **'~·proof** *adj.* wetterfest; **~ sat·el·lite** *s.* 'Wettersatelˌlit *m*; **~ side** *s.* **1.** → ***weather*** 2; **2.** Wetterseite *f*; **~ sta·tion** *s.* Wetterwarte *f*; **~ strip** *s.* Dichtungsleiste *f*; **~ vane** *s.* Wetterfahne *f*; **'~-worn** → ***weather-beaten***.

weave [wi:v] **I** *v/t.* [*irr.*] **1.** weben, wirken; **2.** zs.-weben, flechten; **3.** (ein-)flechten (***into*** in *acc.*), verweben, -flechten (***with*** mit, ***into*** zu) (*a. fig.*); **4.** *fig.* ersinnen, erfinden; **II** *v/i.* [*irr.*] **5.** weben; **6.** hin- u. herpendeln (*a. Boxer*), sich schlängeln *od.* winden; **7. *get weaving*** *Brit.* F ‚sich ranhalten'; **III** *s.* **8.** Gewebe *n*; **9.** Webart *f*; **'weav·er** [-və] *s.* **1.** Weber(in); Wirker(in); **2.** *a.* ***~-bird*** *orn.* Webervogel *m*; **'weav·ing** [-vɪŋ] **I** *s.* Weben *n*, Webe'rei *f*; **II** *adj.* Web...: **~ *loom*** Webstuhl *m*; **~ *mill*** Weberei *f*.

wea·zen ['wi:zn] → ***wizen***.

web [web] *s.* **1.** a) Gewebe *n*, Gespinst *n*, b) Netz *n* (*der Spinne etc.*) (*alle a. fig.*): ***a ~ of lies*** ein Lügengewebe; **2.** Gurt(band *n*) *m*; **3.** *zo.* a) Schwimm-, Flughaut *f*, b) Bart *m e-r Feder*; **4.** ⚙ Sägeblatt *n*; **5.** (Pa'pier- *etc.*)Bahn *f*, (-)Rolle *f*; **webbed** [webd] *adj. zo.* schwimmhäutig: **~ *foot*** Schwimmfuß *m*; **web·bing** ['webɪŋ] *s.* **1.** Gewebe *n*; **2.** → ***web*** 2.

'web|·foot *s.* [*irr.*] *zo.* Schwimmfuß *m*; **'~-ˌfoot·ed**, **'~-toed** *adj.* schwimmfüßig.

wed [wed] **I** *v/t.* **1.** *rhet.* ehelichen, heiraten: ***~ded bliss*** eheliches Glück; **2.** vermählen (***to*** mit); **3.** *fig.* eng verbinden (***with***, ***to*** mit): ***be ~ded to s.th.*** a) an et. fest gebunden *od.* gekettet sein, b) sich e-r Sache verschrieben haben; **II** *v/i.* **4.** sich vermählen.

we'd [wi:d; wɪd] F *für* a) ***we would***, ***we should***, b) ***we had***.

wed·ding ['wedɪŋ] *s.* Hochzeit *f*, Trauung *f*; **~ an·ni·ver·sa·ry** *s.* (*dritter etc.*) Hochzeitstag; **~ break·fast** *s.* Hochzeitsessen *n*; **~ cake** *s.* Hochzeitskuchen *m*; **~ day** *s.* Hochzeitstag *m*; **~ dress** *s.* Hochzeits-, Brautkleid *n*; **~ ring** *s.* Trauring *m*.

we·del ['wedl] *v/i. Skisport*: wedeln.

wedge [wedʒ] **I** *s.* **1.** ⚙ Keil *m* (*a. fig.*): **~ *writing*** Keilschrift *f*; ***the thin end of the ~*** *fig.* ein erster kleiner Anfang; **2.** a) keilförmiges Stück (*Land etc.*), b) Ecke *f* (*Käse etc.*), c) Stück *n* (*Kuchen*); **3.** ⚔ 'Keil(formatiˌon *f*) *m*; **4.** *Golf*: Wedge *m* (*Schläger*); **II** *v/t.* **5.** ⚙ a) verkeilen, festklemmen, b) (mit e-m Keil) spalten: **~ *off*** abspalten; **6.** (ein-)keilen, (-)zwängen (***in*** in *acc.*): **~ *o.s. in*** sich hineinzwängen; **~ (fric·tion) gear** *s.* ⚙ Keilrädergetriebe *n*; **~ heel** *s.* (Schuh *m* mit) Keilabsatz *m*; **'~-shaped** *adj.* keilförmig.

wed·lock ['wedlɒk] *s.* Ehe(stand *m*) *f*: ***born in lawful*** (***out of***) **~** ehelich (unehelich) geboren.

Wednes·day ['wenzdɪ] *s.* Mittwoch *m*: ***on ~*** am Mittwoch; ***on ~s*** mittwochs.

wee[1] [wi:] *adj.* klein, winzig: ***a ~ bit*** ein klein wenig; ***the ~ hours*** die frühen Morgenstunden.

wee[2] [wi:] F **I** *s.* ‚Pi'pi' *n*; **II** *v/i.* ‚Pi'pi machen'.

weed [wi:d] **I** *s.* **1.** Unkraut *n*: ***ill ~s grow apace*** Unkraut verdirbt nicht; **~ *killer*** Unkrautvertilgungsmittel *n*; **2.** F a) ‚Glimmstengel' *m* (*Zigarre*, *Zigarette*), b) ‚Kraut' *n* (*Tabak*), c) ‚Grass' *n* (*Marihuana*); **3.** *sl.* Kümmerling *m* (*schwächliches Tier*, *a. Person*); **II** *v/t.* **4.** *Unkraut od. Garten etc.* jäten; **5. ~ *out***, **~ *up*** *fig.* aussondern, -merzen; **6.** *fig.* säubern; **III** *v/i.* **7.** (Unkraut) jäten; **'weed·er** [-də] *s.* **1.** Jäter *m*; **2.** ⚙ Jätwerkzeug *n*; **weed kil·ler** *s.* Unkrautvertilgungsmittel *n*.

weeds [wi:dz] *s. pl. mst* ***widow's ~*** Witwen-, Trauerkleidung *f*.

weed·y ['wi:dɪ] *adj.* **1.** voll Unkraut; **2.** unkrautartig; **3.** F a) schmächtig, b) schlaksig, c) klapperig.

week [wi:k] *s.* Woche *f*: ***by the ~*** wochenweise; ***for ~s*** wochenlang; ***today ~***, ***this day ~*** a) heute in 8 Tagen, b) heute vor 8 Tagen; **'~·day I** *s.* Wochen-, Werktag *m*: ***on ~s*** werktags; **II** *adj.* Werktags...; **ˌ~'end I** *s.* Wochenende *n*; **II** *adj.* Wochenend...: **~ *speech*** Sonntagsrede *f*; **~ *ticket*** Sonntags(rückfahr)karte *f*; **III** *v/i.* das Wochenende verbringen; **ˌ~'end·er** [-'endə] *s.* Wochenendausflügler(in); **'~-ends** *adv. Am.* an Wochenenden.

week·ly ['wi:klɪ] **I** *adj. u. adv.* wöchentlich; **II** *s. a.* **~ *paper*** Wochenzeitung *f*, -(zeit)schrift *f*.

wee·ny ['wi:nɪ] *adj.* F winzig.

weep [wi:p] **I** *v/i.* [*irr.*] **1.** weinen, Tränen vergießen (***for*** vor *Freude etc.*, um *j-n*): **~ *at*** (*od.* ***over***) weinen über (*acc.*); **2.** a) triefen, b) tröpfeln, c) ⚕ nässen (*Wunde etc.*); **3.** trauern (*Baum*); **II** *v/t.* [*irr.*] **4.** *Tränen* vergießen, weinen; **5.** beweinen; **III** *s.* **6. *have a good ~*** F sich tüchtig ausweinen; **'weep·er** [-pə] *s.* **1.** Weinende(r *m*) *f*, *bsd.* Klageweib *n*; **2.** a) Trauerbinde *f od.* -flor *m*, b) *pl.* Witwenschleier *m*; **'weep·ie** → ***weepy*** 3; **'weep·ing** [-pɪŋ] **I** *adj.* ☐ **1.** weinend; **2.** ♀ Trauer...: **~ *willow*** Trauerweide *f*; **3.** triefend, tropfend; **4.** ⚕ nässend; **II** *s.* **5.** Weinen *n*; **'wee·py** ['wi:pɪ] F **I** *adj.* **1.** weinerlich; **2.** rührselig; **II** *s.* **3.** ‚Schnulze' *f*.

wee·vil ['wi:vɪl] *s. zo.* **1.** Rüsselkäfer *m*; **2.** *allg.* Getreidekäfer *m*.

'wee·wee → ***wee***[2].

weft [weft] *s. Weberei*: a) Einschlag(faden) *m*, Schuß(faden) *m*, b) Gewebe *n* (*a. poet.*).

weigh¹ [weɪ] **I** *s.* **1.** Wiegen *n*; **II** *v/t.* **2.** (ab)wiegen (***by*** nach); **3.** (*in der Hand*) wiegen; **4.** *fig.* (sorgsam) er-, abwägen (***with***, ***against*** gegen): ***~ one's words*** s-e Worte abwägen; **5.** ***~ anchor*** ⚓ a) den Anker lichten, b) auslaufen (*Schiff*); **6.** (nieder)drücken; **III** *v/i.* **7.** wiegen, *2 Kilo etc.* schwer sein; **8.** *fig. schwer etc.* wiegen, ins Gewicht fallen, ausschlaggebend sein (***with s.o.*** bei j-m): ***~ against s.o.*** a) gegen j-n sprechen, b) gegen j-n ins Feld geführt werden; **9.** *fig.* lasten (***on***, ***upon*** auf *dat.*); *Zssgn mit adv.*:

weigh| down *v/t.* niederdrücken (*a. fig.*); **~ in I** *v/t.* **1.** ✈ *sein Gepäck* wiegen lassen; **2.** *sport* a) *Jockei* nach dem Rennen wiegen, b) *Boxer*, *Gewichtheber etc.* vor dem Kampf wiegen; **II** *v/i.* **3.** ✈ sein Gepäck wiegen lassen; **4.** *sport* gewogen werden: ***he ~ed in at 200 pounds*** er brachte 200 Pfund auf die Waage; **5.** a) eingreifen, sich einschalten, b) ***~ with*** *Argument etc.* vorbringen; **~ out I** *v/t.* **1.** *Ware* auswiegen; **2.** *sport Jockei* vor dem Rennen wiegen; **II** *v/i.* **3.** *sport* gewogen werden.

weigh² [weɪ] *s.*: ***get under ~*** ⚓ unter Segel gehen.

ˈweigh·bridge *s.* Brückenwaage *f.*

weigh·er [ˈweɪə] *s.* **1.** Wäger *m*, Waagemeister *m*; **2.** → **weigh·ing ma·chine** [ˈweɪɪŋ] *s.* ⚙ Waage *f.*

weight [weɪt] **I** *s.* **1.** Gewicht *n* (*a. Maß u. Gegenstand*): ***~s and measures*** Maße u. Gewichte; ***by ~*** nach Gewicht; ***under ~*** ⚕ untergewichtig, zu leicht; ***lose*** (***put on***) ***~*** *an Körpergewicht* ab-(zu)nehmen; ***pull one's ~*** *fig.* sein(en) Teil leisten; ***throw one's ~ about*** F sich aufspielen *od.* ‚breitmachen'; ***that takes a ~ off my mind*** da fällt mir ein Stein vom Herzen; **2.** *fig.* Gewicht *n*: a) Last *f*, Wucht *f*, b) (*Sorgen- etc.*)Last *f*, Bürde *f*, c) Bedeutung *f*, d) Einfluß *m*, Geltung *f*: ***of ~*** gewichtig, schwerwiegend; ***men of ~*** bedeutende *od.* einflußreiche Leute; ***the ~ of evidence*** die Last des Beweismaterials; ***add ~ to*** *e-r Sache* Gewicht verleihen; ***carry*** (*od.* ***have***) ***~ with*** viel gelten bei; ***give ~ to*** *e-r Sache* große Bedeutung beimessen; **3.** *sport* a) *a.* ***~ category*** Gewichtsklasse *f*, b) Gewicht *n* (*Gerät*), c) (Stoß)Kugel *f*; **II** *v/t.* **4.** a) beschweren, b) belasten (*a. fig.*): ***~ the scales in favo(u)r of s.o.*** j-m e-n (unerlaubten) Vorteil verschaffen; **5.** ⚕ *Stoffe etc.* durch Beimischung *von Mineralien etc.* schwerer machen; **ˈweight·i·ness** [-tɪnɪs] *s.* Gewicht *n*, *fig. a.* (Ge)Wichtigkeit *f.*

weight·less [ˈweɪtlɪs] *adj.* schwerelos; **ˈweight·less·ness** [-nɪs] *s.* Schwerelosigkeit *f.*

weight| lift·er *s. sport* Gewichtheber *m*; **~ lift·ing** *s. sport* Gewichtheben *n*; **~ watch·er** *s.* j-d, der auf sein Gewicht achtet.

weight·y [ˈweɪtɪ] *adj.* □ **1.** schwer, gewichtig, *fig. a.* schwerwiegend; **2.** *fig.* einflußreich, gewichtig (*Person*).

weir [wɪə] *s.* **1.** (Stau)Wehr *n*; **2.** Fischreuse *f.*

weird [wɪəd] *adj.* □ **1.** *poet.* Schicksals…: ***~ sisters*** Schicksalsschwestern, Nornen; **2.** unheimlich; **3.** F ulkig, ‚verrückt'; **weir·do** [ˈwɪədəʊ] *pl.* **-dos** *s.* F ‚irrer Typ'.

welch [welʃ] → ***welsh²***.

wel·come [ˈwelkəm] **I** *s.* **1.** Willkomm (-en *n*) *m*, Empfang *m* (*a. iro.*): ***bid s.o. ~*** → 2; ***outstay*** (*od.* ***overstay*** *od.* ***wear out***) ***one's ~*** länger bleiben als man erwünscht ist; **II** *v/t.* **2.** bewillkommnen, willˈkommen heißen; **3.** *fig.* begrüßen: a) *et.* gutheißen, b) gern annehmen; **III** *adj.* **4.** willkommen, angenehm (*Gast*, *a. Nachricht etc.*): ***make s.o. ~*** j-n herzlich empfangen *od.* aufnehmen; **5.** ***you are ~ to it*** Sie können es gerne behalten *od.* nehmen, es steht zu Ihrer Verfügung; ***you are ~ to do it*** es steht Ihnen frei, es zu tun; das können Sie gerne tun; ***you are ~ to your own opinion*** *iro.* meinetwegen können Sie denken, was Sie wollen; (***you are***) ***~!*** nichts zu danken!, keine Ursache!, bitte (sehr)!; ***and ~*** *iro.* meinetwegen, wenn's Ihnen Spaß macht; **IV** *int.* **6.** willˈkommen (***to*** in *England etc.*).

weld [weld] **I** *v/t.* ⚙ (ver-, zs.-)schweißen: ***~ on*** anschweißen (***to*** an *acc.*); ***~ together*** zs.-schweißen, *fig. a.* zs.-schmieden; **II** *v/i.* ⚙ sich schweißen lassen; **III** *s.* ⚙ Schweißstelle *f*, -naht *f*; **ˈweld·a·ble** [-dəbl] *adj.* schweißbar; **ˈweld·ed** [-dɪd] *adj.* geschweißt, Schweiß…: ***~ joint*** Schweißverbindung *f*; **ˈweld·er** [-də] *s.* ⚙ **1.** Schweißer *m*; **2.** Schweißbrenner *m*, -gerät *n*; **ˈweld·ing** [-dɪŋ] *adj.* Schweiß…

wel·fare [ˈwelfeə] *s.* **1.** Wohl *n*, *e-r Person*: *a.* Wohlergehen *n*; **2.** a) (***public***) ***~*** (öffentliche) Wohlfahrt, b) *Am.* Soziˈalhilfe *f*: ***be on ~*** Sozialhilfe beziehen; **~ state** *s. pol.* Wohlfahrtsstaat *m*; **~ stat·ism** [ˈsteɪtɪzəm] → ***welfarism***; **~ work** *s. Am.* Soziˈalarbeit *f*; **~ work·er** *s. Am.* Soziˈalarbeiter(in).

wel·far·ism [ˈwelfeərɪzəm] *s.* wohlfahrtsstaatliche Poliˈtik.

wel·kin [ˈwelkɪn] *s. poet.* Himmelszelt *n*: ***make the ~ ring with shouts*** die Luft mit Geschrei erfüllen.

well¹ [wel] **I** *adv.* **1.** gut, wohl: ***be ~ off*** a) gut versehen sein (***for*** mit), b) wohlhabend *od.* gut daran sein; ***do o.s.*** (*od.*

live*)** ~ gut leben, es sich wohl sein lassen; ***be ~ up in bewandert sein in *e-m Fach etc.*; **2.** gut, recht, geschickt: ***do ~*** gut *od.* recht daran tun (***to do*** zu tun); ***sing ~*** gut singen; ***~ done!*** gut gemacht!, bravo!; ***~ roared, lion!*** gut gebrüllt, Löwe!; **3.** gut, freundschaftlich: ***think*** (*od.* ***speak***) ***~ of*** gut denken (*od.* sprechen) über (*acc.*); **4.** gut, sehr: ***love s.o. ~*** j-n sehr lieben; ***it speaks ~ for him*** es spricht sehr für ihn; **5.** wohl, mit gutem Grund: ***one may ~ ask this question*** man kann wohl *od.* mit gutem Grund so fragen; ***you cannot very ~ do that*** das kannst du nicht gut tun; ***not very ~*** wohl kaum; **6.** recht, eigentlich: ***he does not know ~ how*** er weiß nicht recht wie; **7.** gut, genau, gründlich: ***know s.o. ~*** j-n gut kennen; ***he knows only too ~*** er weiß nur zu gut; **8.** gut, ganz, völlig: ***he is ~ out of sight*** er ist völlig außer Sicht; **9.** gut, beträchtlich, weit: ***~ away*** weit weg; ***he walked ~ ahead of them*** er ging ihnen ein gutes Stück voraus; ***until ~ past midnight*** bis lange nach Mitternacht; **10.** gut, tüchtig, gründlich: ***stir ~***; **11.** gut, mit Leichtigkeit: ***you could ~ have done it*** du hättest es leicht tun können; ***it is very ~ possible*** es ist durchaus *od.* sehr wohl möglich; ***as ~*** ebenso, außerdem; (***just***) ***as ~*** ebenso(-gut), genauso(gut); ***as ~ ... as*** sowohl ... als auch, nicht nur ... sondern auch; ***as ~ as*** ebensogut wie; **II** *adj.* **12.** wohl, gesund: ***be*** (*od.* ***feel***) ***~*** sich wohl fühlen; **13.** in Ordnung, richtig, gut: ***I am very ~ where I am*** ich fühle mich hier sehr wohl; ***it is all very ~ but*** *iro.* das ist ja alles schön u. gut, aber; **14.** gut, günstig: ***that is just as ~*** das ist schon gut so; ***very ~*** sehr wohl, nun gut; ***~ and good*** schön und gut; **15.** ratsam, richtig, gut: ***it would be ~*** es wäre angebracht *od.* ratsam; **III** *int.* **16.** nun, na, schön: ***~!*** (*empört*) na, hör mal!; ***~ then*** nun (also); ***~ then?*** (*erwartend*) na, und?; ***~, ~!*** so, so!, (*beruhigend*) schon gut; **17.** (*überlegend*) (t)ja, hm; **IV** *s.* **18.** *das* Gute: ***let ~ alone!*** laß gut sein!, laß die Finger davon!

well² [wel] **I** *s.* **1.** (*gegrabener*) Brunnen, Ziehbrunnen *m*; **2.** *a. fig.* Quelle *f*; **3.** a) Mine'ralbrunnen *m*, b) *pl.* (*in Ortsnamen*) Bad *n*; **4.** *fig.* (Ur)Quell *m*; **5.** ⚙ a) (Senk-, Öl- *etc.*)Schacht *m*, b) Bohrloch *n*; **6.** △ a) Fahrstuhl-, Luft-, Lichtschacht *m*, b) (Raum *m* für das) Treppenhaus *n*; **7.** ⚓ a) Pumpensod *m*, b) Fischbehälter *m*; **8.** ⚙ eingelassener Behälter: a) *mot.* Kofferraum *m*, b) Tintenbehälter *m*; **9.** ⚖ *Brit.* eingefriedigter Platz für Anwälte; **II** *v/i.* **10.** quellen (***from*** aus): ***~ up*** (*od.* ***forth***, ***out***) hervorquellen; ***~ over*** überfließen.

ˌ**well|-ad'vised** *adj.* 'wohlüberˌlegt, klug; ˌ**~-ap'point·ed** *adj.* gutausgestattet; ˌ**~-'bal·anced** *adj. fig.* **1.** ausgewogen: ***~ diet***; **2.** (innerlich) ausgeglichen; ˌ**~-be'haved** *adj.* wohlerzogen, artig; ˌ**~-'be·ing** *s.* **1.** Wohl(ergehen) *n*; **2.** *mst* ***sense of ~*** Wohlgefühl *n*; ˌ**~-be'lov·ed** *adj.* vielgeliebt; ˌ**~-'born** *adj.* von vornehmer Herkunft, aus guter Fa'milie; ˌ**~-'bred** *adj.* **1.** wohlerzogen; **2.** gebildet, fein; ˌ**~-'cho·sen** *adj.* (gut-) gewählt, treffend: ***~ words***; ˌ**~-con'nect·ed** *adj.* mit guten Beziehungen *od.* mit vornehmer Verwandtschaft; ˌ**~-di'rect·ed** *adj.* wohl-, gutgezielt (*Schlag etc.*); ˌ**~-dis'posed** *adj.* wohlgesinnt; ˌ**~-'done** *adj.* **1.** gutgemacht; **2.** 'durchgebraten (*Fleisch*); ˌ**~-'earned** *adj.* wohlverdient; ˌ**~-'fa·vo(u)red** *adj. obs.* gutaussehend, hübsch; ˌ**~-'fed** *adj.* gut-, wohlgenährt; ˌ**~-'found·ed** *adj.* wohlbegründet; ˌ**~-'groomed** *adj.* gepflegt; ˌ**~-'ground·ed** *adj.* **1.** → ***well-founded***; **2.** mit guter Vorbildung (*in e-m Fach*).

'**well·head** *s.* **1.** → ***wellspring***; **2.** Brunneneinfassung *f*.

ˌ**well|-'heeled** *adj.* F ‚(gut)betucht'; ˌ**~-in'formed** *adj.* **1.** 'gutunterˌrichtet; **2.** (vielseitig) gebildet.

Wel·ling·ton (**boot**) ['welɪŋtən] *s.* Schaft-, Gummi-, Wasserstiefel *m*.

well|-in·ten·tioned [ˌwelɪn'tenʃnd] *adj.* **1.** gut, wohlgemeint; **2.** wohlmeinend (*Person*); ˌ**~-'judged** *adj.* wohlberechnet, angebracht; ˌ**~'kept** *adj.* **1.** gepflegt; **2.** streng gehütet: ***~ secret***; ˌ**~-'knit** *adj.* **1.** drahtig (*Figur*, *Person*); **2.** 'gutdurchˌdacht; ˌ**~-'known** *adj.* **1.** weithin bekannt; **2.** wohlbekannt; ˌ**~-'made** *adj.* **1.** gutgemacht; **2.** gutgewachsen, gutgebaut (*Person od. Tier*); ˌ**~-'man·nered** *adj.* wohlerzogen, mit guten Ma'nieren; ˌ**~-'matched** *adj.* **1.** *sport* gleich stark; **2.** ***a ~ couple*** ein Paar, das gut zs.-paßt; ˌ**~-'mean·ing** → ***well-intentioned***; ˌ**~-'meant** *adj.* gutgemeint; '**~-nigh** *adv.* fast, so gut wie: ***~ impossible***; ˌ**~-'off** *adj.* wohlhabend, gutsituiert; ˌ**~-'oiled** *adj. fig.* F **1.** gutfunktionierend; **2.** ziemlich ‚angesäuselt'; ˌ**~-pro'por·tioned** *adj.* wohlproportioniert, gutgebaut; ˌ**~-'read** [-'red] *adj.* (sehr) belesen; ˌ**~-'reg·u·lat·ed** *adj.* wohlgeregelt, -geordnet; ˌ**~-'round·ed** *adj.* **1.** (wohl)beleibt; **2.** *fig* a) abgerundet, ele'gant (*Stil*, *Form etc.*), b) ausgeglichen, c) vielseitig (*Bildung etc.*); ˌ**~-'spent** *adj.* **1.** gutgenützt (*Zeit*); **2.** sinnvoll ausgegeben (*Geld*); ˌ**~-'spo·ken** *adj.* **1.** redegewandt; **2.** höflich im Ausdruck.

'**well·spring** *s.* Quelle *f*, *fig. a.* (Ur-) Quell *m*.

ˌwell|-ˈtem·pered *adj.* **1.** gutmütig; **2.** ♪ wohltemperiert (*Klavier*, *Stimmung*); **ˈ~-ˌthought-ˈout** *adj.* ˈwohlerwogen, -durchˌdacht; **ˌ~-ˈtimed** *adj.* (zeitlich) wohlberechnet; *sport* gutgetimed; **ˌ~-to-ˈdo** *adj.* wohlhabend; **ˌ~-ˈtried** *adj.* (wohl)erprobt, bewährt; **ˌ~-ˈturned** *adj. fig.* wohlgesetzt, eleˈgant (*Worte*); **ˈ~-ˌwish·er** *s.* **1.** Gönner(in); **2.** Befürworter(in); **3.** *pl.* jubelnde Menge; **ˌ~-ˈworn** *adj.* **1.** abgetragen, abgenutzt; **2.** *fig.* abgedroschen.

Welsh¹ [welʃ] **I** *adj.* **1.** waˈlisisch; **II** *s.* **2.** ***the ~*** die Waˈliser *pl.*; **3.** *ling.* Waˈlisisch *n.*

welsh² [welʃ] *v/i.* F **1.** mit den (Wett-)Gewinnen ˈdurchgehen (*Buchmacher*): ***~ on*** a) *j-n* um s-n (Wett)Gewinn betrügen, b) *j-n* ‚verschaukeln'; **2.** sich ‚drücken' (***on*** vor *dat.*).

Welsh cor·gy *s.* Welsh Corgi *m* (*walisische Hunderasse*).

welsh·er [ˈwelʃə] *s.* F **1.** betrügerischer Buchmacher; **2.** ‚falscher Hund'.

Welsh|·man [ˈwelʃmən] *s.* [*irr.*] Waˈliser *m*; **~ rab·bit**, **~ rare·bit** *s.* überˈbackene Käseschnitte.

welt [welt] **I** *s.* **1.** Einfassung *f*, Rand *m*; **2.** *Schneiderei*: a) (Zier)Borte *f*, b) Rollsaum *m*, c) Stoßkante *f*; **3.** Rahmen *m* (*Schuh*); **4.** a) Strieme(n *m*) *f*, b) F (heftiger) Schlag; **II** *v/t.* **5.** a) *Kleid etc.* einfassen, b) *Schuh* auf Rahmen arbeiten, c) *Blech* falzen: ***~ed*** randgenäht (*Schuh*); **6.** F ‚verdreschen'.

wel·ter [ˈweltə] **I** *v/i.* **1.** *poet.* sich wälzen (***in*** in *s-m Blut etc.*) (*a. fig.*); **II** *s.* **2.** Wogen *n*, Toben *n* (*Wellen etc.*); **3.** *fig.* Tuˈmult *m*, Durcheinˈander *n*, Wirrwarr *m*, Chaos *n*.

ˈwel·ter·weight *s. sport* Weltergewicht (-ler *m*) *n*.

wen [wen] *s.* ⚕ (Balg)Geschwulst *f*, *bsd.* Grützbeutel *m am Kopf*: ***the great ~*** *fig.* London *n*.

wench [wentʃ] **I** *s.* **1.** *obs. od. humor.* (*bsd.* Bauern)Mädchen *n*, Weibsbild *n*; **2.** *obs.* Hure *f*, Dirne *f*; **II** *v/i.* **3.** huren.

wend [wend] *v/t.* ***~ one's way*** sich wenden, s-n Weg nehmen (***to*** nach, zu).

went [went] *pret. von* ***go***.

wept [wept] *pret u. p.p. von* ***weep***.

were [wɜː; wə] **1.** *pret. von* ***be***: *du* warst, *Sie* waren; *wir*, *sie* waren, *ihr* wart; **2.** *pret. pass.*: wurde(n); **3.** *subj. pret.* wäre(n).

were·wolf [ˈwɪəwʊlf] *s.* [*irr.*] Werwolf *m*.

west [west] **I** *s.* **1.** Westen *m*: ***the wind is coming from the ~*** der Wind kommt von Westen; **2.** Westen *m* (*Landesteil*); **3.** ***the*** ♎ *geogr.* der Westen: a) Westengland *n*, b) die *amer.* Weststaaten *pl.*, c) das Abendland; **4.** *poet.* West (-wind) *m*; **II** *adj.* **5.** westlich, West...; **III** *adv.* **6.** westwärts, nach Westen: ***go ~*** a) nach Westen *od.* westwärts gehen *od.* ziehen, b) *sl.* ‚draufgehen' (*sterben*, *kaputt- od. verlorengehen*); **7.** ***~ of*** westlich von; **ˈwest·er·ly** [-təlɪ] **I** *adj.* westlich, West...; **II** *adv.* westwärts, gegen Westen.

west·ern [ˈwestən] **I** *adj.* **1.** westlich, West...: ***the*** ♎ ***Empire*** *hist.* das weströmische Reich; **2.** *oft* ♎ westlich, abendländisch; **3.** ♎ ˈwestameriˌkanisch, (Wild)West...; **II** *s.* **4.** → ***westerner***; **5.** Western *m*: a) Wildˈwestfilm *m*, b) Wildˈwestroˌman *m*; **ˈwest·ern·er** [-nə] *s.* **1.** Westländer *m*; **2.** *a.* ♎ *Am.* Weststaatler *m*; **3.** *oft* ♎ Abendländer *m*; **ˈwest·ern·ize** [-naɪz] *v/t.* verwestlichen; **ˈwest·ern·most** [-məʊst] *adj.* westlichst.

West In·di·an **I** *adj.* westˈindisch; **II** *s.* Westˈindier(in).

West·pha·li·an [westˈfeɪljən] **I** *adj.* westˈfälisch; **II** *s.* Westˈfale *m*, Westˈfälin *f*.

west·ward [ˈwestwəd] *adj. u. adv.* westlich, westwärts, nach Westen; **ˈwest·wards** [-dz] *adv.* → ***westward***.

wet [wet] **I** *adj.* **1.** naß, durchˈnäßt (***with*** von): ***~ through*** durchnäßt; ***~ to the skin*** naß bis auf die Haut; ***~ blanket*** *fig.* a) Dämpfer *m*, kalte Dusche, b) Störenfried *m*, Spielverderber(in); fader Kerl; ***throw a ~ blanket on*** *e-r Sache* e-n Dämpfer aufsetzen; ***~ paint!*** frisch gestrichen!; ***~ steam*** ⚙ Naßdampf *m*; **2.** regnerisch, feucht (*Klima*); **3.** ⚙ naß, Naß...(*-gewinnung etc.*); **4.** *Am.* ‚feucht' (*nicht unter Alkoholverbot stehend*); **5.** F feuchtfröhlich; **6.** a) blöd, ‚doof', b) ***all ~*** falsch, verkehrt: ***you are all ~!*** du irrst dich gewaltig!; **II** *s.* **7.** Flüssigkeit *f*, Feuchtigkeit *f*, Nässe *f*; **8.** Regen(wetter *n*) *m*; **9.** F Drink *m*: ***have a ~*** ‚einen heben'; **10.** *Am.* F Gegner *m* der Prohibitiˈon; **11.** F a) Blödmann *m*, b) *Brit.* Weichling *m*; **III** *v/t.* [*irr.*] **12.** benetzen, anfeuchten, naßmachen, nässen: ***~ through*** durchnässen; → ***whistle*** 7; **13.** F *ein Ereignis etc.* ‚begießen': ***~ a bargain***; **ˈ~·back** *s. Am. sl. illegaler Einwanderer aus Mexiko*; **~ cell** *s.* ⚡ ˈNaßeleˌment *n*; **~ dock** *s.* ⚓ Flutbecken *n*.

weth·er [ˈweðə] *s. zo.* Hammel *m*.

wet·ness [ˈwetnɪs] *s.* Nässe *f*, Feuchtigkeit *f*.

ˈwet| nurse *s.* (Säug)Amme *f*; **ˈ~-nurse** *v/t.* **1.** säugen; **2.** *fig.* verhätscheln; **~ pack** *s.* ⚕ feuchter ˈUmschlag; **~ suit** *s. sport* Kälteschutzanzug *m*.

wey [weɪ] *s. obs. ein Trockengewicht*.

whack [wæk] F **I** *v/t.* **1.** a) *j-m* e-n (knallenden) Schlag versetzen, b) *sport* F haushoch schlagen: ***~ed*** F ‚fertig', ‚geschafft'; **2.** ~ ***up*** F (auf)teilen; **3.** ~ ***up*** *Am.* F a) et. organisieren, b) *j-n* antreiben; **II** *s.* **4.** (knallender) Schlag; **5.** (An)Teil *m* (***of*** an *dat.*); **6.** Versuch *m*: ***take a ~ at*** e-n Versuch machen mit; **7.** ***out of ~*** nicht in Ordnung; **'whack·er** [-kə] *s. sl.* **1.** Mordsding *n*; **2.** faustdicke Lüge; **'whack·ing** [-kɪŋ] **I** *adj. u. adv.* F Mords...; **II** *s.* F (Tracht *f*) Prügel *pl.*

whale [weɪl] **I** *pl.* **whales** *bsd. coll.* **whale** *s. zo.* Wal *m*: ***a ~ of*** F Riesen..., Mords...; ***a ~ of a lot*** e-e Riesenmenge; ***a ~ of a fellow*** F ein Riesenkerl; ***be a ~ for*** (*od.* ***on***) F ganz versessen sein auf (*acc.*); ***be a ~ at*** F e-e ‚Kanone' sein in (*dat.*); ***we had a ~ of a time*** wir hatten e-n Mordsspaß; **II** *v/i.* Walfang treiben; **III** *v/t.* F ‚verdreschen'; **'~·bone** *s.* Fischbein(stab *m*) *n*; **~ calf** *s.* [*irr.*] *zo.* junger Wal; **~ fish·er·y** *s.* **1.** Walfang *m*; **2.** Walfanggebiet *n*; **~ oil** *s.* Walfischtran *m*.

whal·er ['weɪlə] *s.* Walfänger *m* (*Person u. Boot*).

whal·ing¹ ['weɪlɪŋ] **I** *s.* Walfang *m*; **II** *adj.* Walfang...: **~ gun** Harpunengeschütz *n*.

whal·ing² ['weɪlɪŋ] F **I** *adj. u. adv.* e'norm, Mords...; **II** *s.* (Tracht *f*) Prügel *pl.*

wham·my ['wæmɪ] *s.* F **1.** böser Blick; **2.** ‚Hammer' *m*: a) böse Sache, b) knallharter Schlag *etc.*

whang [wæŋ] F **I** *s.* Knall *m*, Krach *m*, Bums *m*; **II** *v/t.* knallen, hauen; **III** *v/i.* knallen (*a. schießen*), krachen, bumsen; **IV** *int.* krach!, bums!

wharf [wɔ:f] ⚓ **I** *pl.* **wharves** [-vz] *od.* **wharfs** *s.* **1.** Kai *m*; **II** *v/t.* **2.** *Waren* löschen; **3.** *Schiff* am Kai festmachen; **'wharf·age** [-fɪdʒ] *s.* **1.** Kaianlage(n *pl.*) *f*; **2.** Kaigeld *n*; **'wharf·in·ger** [-fɪndʒə] *s.* ⚓ **1.** Kaimeister *m*; **2.** Kaibesitzer *m*.

what [wɒt] **I** *pron. interrog.* **1.** was, wie: ***~ is her name?*** wie ist ihr Name?; ***~ did he do?*** was hat er getan?; ***~ is he?*** was ist er (von Beruf)?; ***~'s for lunch?*** was gibt's zum Mittagessen?; **2.** was für ein, welcher, *vor pl.* was für: ***~ an idea!*** was für e-e Idee!; ***~ book?*** was für ein Buch?; ***~ luck!*** welch ein Glück!; **3.** was (*um Wiederholung e-s Wortes bittend*): ***he claims to be ~?*** was will er sein?; **II** *pron. rel.* **4.** (das) was: ***this is ~ we hoped for*** (gerade) das erhofften wir; ***I don't know ~ he said*** ich weiß nicht, was er sagte; ***it is nothing compared to ~ ...*** es ist nichts im Vergleich zu dem, was ...; **5.** was (auch immer); **III** *adj.* **6.** was für ein, welch: ***I don't know ~ decision you have taken*** ich weiß nicht, was für e-n Entschluß du gefaßt hast; **7.** alle *od.* jede die, alles was: ***~ money I had*** was ich an Geld hatte, all mein Geld; **8.** soviel(e) ... wie;

Besondere Redewendungen:

and ~ not, and ~ have you F und was nicht sonst noch alles; ***~ about?*** wie wär's mit *od.* wenn?, wie steht's mit?; ***~ for?*** wozu?, wofür?; ***~ if?*** und wenn nun?, (und) was geschieht, wenn?; ***~ next?*** a) was sonst noch?, b) *iro.* sonst noch was?, das fehlte noch!; ***~ news?*** was gibt es Neues?; (***well,***) ***~ of it?***, ***so ~?*** na, und?, na, wenn schon?; ***~ though?*** was tut's, wenn?; ***~ with*** infolge, durch, in Anbetracht (*gen.*); ***~ with ..., ~ with ...*** teils durch ..., teils durch ...; ***but ~*** F daß (*nicht*); ***I know ~*** F ich weiß was, ich habe e-e Idee; ***she knows ~'s ~*** F sie weiß Bescheid; sie weiß, was los ist; ***I'll tell you ~*** ich will dir (mal) was sagen.

what|-d'you-call-it ['wɒtdjʊˌkɔ:lɪt] (*od.* **-'em** [-em] *od.* **-him** *od.* **-her**), **'~-d'ye-ˌcall-it** [-djəˌkɔ:lɪt] (*od.* **-'em** [-em] *od.* **-him** *od.* **-her**) *s.* F Dings(da, -bums) *m, f, n*; **~'e'er** *poet.* → ***whatever***; **~'ev·er** **I** *pron.* **1.** was (auch immer), alles was: ***take ~ you like!***; ***~ you do*** was du auch tust; **2.** was auch; trotz allem, was: ***do it ~ happens!***; **3.** F was denn, was in aller Welt: ***~ do you want?*** was willst du denn?; **II** *adj.* **4.** welch ... auch (immer): ***for ~ reasons he is angry*** aus welchen Gründen er auch immer ärgerlich ist; **5.** *mit neg.*: über'haupt, gar *nichts, niemand etc.*: ***no doubt ~*** überhaupt *od.* gar kein Zweifel; **'~·not** *s.* Eta'gere *f*.

what's [wɒts] F *für* ***what is***; **'~-her-name** [-sənəɪm], **'~-his-name** [-sɪzneɪm], **'~-its-name** *s.* F Dings(da) *m, f, n*: ***Mr. what's-his-name*** Herr Dingsda, Herr Soundso.

what·so'ev·er → ***whatever***.

wheal [wi:l] → ***wale***.

wheat [wi:t] *s.* ⚘ Weizen *m*: **~ belt** *geogr. Am.* Weizengürtel *m*.

whee·dle ['wi:dl] **I** *v/t.* **1.** *j-n* um'schmeicheln; **2.** *j-n* beschwatzen, über'reden (***into doing s.th.*** et. zu tun); **3.** ***~ s.th. out of s.o.*** j-m et. abschwatzen *od.* abschmeicheln; **II** *v/i.* **4.** schmeicheln; **'whee·dling** [-lɪŋ] *adj.* □ schmeichlerisch.

wheel [wi:l] **I** *s.* **1.** *allg.* Rad *n* (*a.* ⚙): ***the ~s of government*** die Regierungsmaschinerie; ***the ~ of Fortune*** *fig.* das Glücksrad; ***~s within ~s*** *fig.* a) ein kompliziertes Räderwerk, b) e-e äußerst komplizierte *od.* schwer durchschaubare Sache; ***a big ~*** *Am.* F ein ‚großes Tier'; → ***fifth wheel***, ***shoulder*** 1, ***spoke¹*** 4; **2.** ⚙ Scheibe *f*; **3.** Lenkrad *n*: ***at the ~*** a) am Steuer, b) *fig.* am Ruder; **4.** F a) (Fahr)Rad *n*, b) Auto *n*,

,fahrbarer 'Untersatz'; **5.** *hist.* Rad *n* (*Folterinstrument*): ***break s.o. on the ~*** j-n rädern *od.* aufs Rad flechten; ***break a (butter)fly (up)on the ~*** *fig.* mit Kanonen nach Spatzen schießen; **6.** *pl. fig.* Räder(werk *n*) *pl.*, Getriebe *n*; **7.** Drehung *f*, Kreis(bewegung *f*) *m*; ⚔ Schwenkung *f*: ***right (left) ~!*** rechts (links) schwenkt!; **II** *v/t.* **8.** *j-n od. et.* fahren, schieben, *et. a.* rollen; **9.** ⚔ schwenken lassen; **III** *v/i.* **10.** sich (im Kreis) drehen; **11.** *a.* ***~ about*** *od.* ***(a)round*** sich (rasch) 'umwenden *od.* -drehen; **12.** ⚔ schwenken; **13.** rollen, fahren; **14.** F radeln; **'~ˌbar·row** *s.* Schubkarre(n *m*) *f*; **'~·base** *s.* ⚙ Radstand *m*; **~ brake** *s.* Radbremse *f*; **'~·chair** *s.* Rollstuhl *m*; **~ clamp** *s.* Parkkralle *f*.

wheeled [wi:ld] *adj.* **1.** fahrbar, Roll..., Räder...: ***~ bed*** ⚕ Rollbett *n*; **2.** *in Zssgn* ...räd(e)rig: ***three-~***.

wheel·er ['wi:lə] *s.* **1.** *in Zssgn* Fahrzeug *n* mit ... Rädern: ***four-~*** Vierradwagen *m*, Zweiachser *m*; **2.** → ***wheel horse***; **3.** → **ˌ~-'deal·er** *s. Am.* F ,ausgekochter' Bursche, *a.* (raffinierter) Geschäftemacher; **ˌ~-'deal·ing** *s.* F **1.** Machenschaften *pl.*; **2.** Geschäftemache'rei *f*.

wheel horse *s.* Stangen-, Deichselpferd *n*.

wheel·ing and deal·ing ['wi:lɪŋ] → ***wheeler-dealing***.

'wheel·wright [-raɪt] *s.* ⚙ Stellmacher *m*.

wheeze [wi:z] **I** *v/i.* **1.** keuchen, schnaufen; **II** *v/t.* **2.** *a.* ***~ out*** *et.* keuchen(d her'vorstoßen); **III** *s.* **3.** Keuchen *n*, Schnaufen *n*, pfeifendes Atmen *od.* Geräusch; **4.** *sl.* a) *thea.* (improvisierter) Scherz, Gag *m*, b) Jux *m*, Ulk *m*, c) alter Witz; **'wheez·y** [-zɪ] *adj.* □ keuchend, asth'matisch (*a. humor. Orgel etc.*).

whelk[1] [welk] *s. zo.* Wellhorn(schnecke *f*) *n*.

whelk[2] [welk] *s.* ⚕ Pustel *f*.

whelm [welm] *v/t. poet.* **1.** ver-, über'schütten, versenken, -schlingen; **2.** *fig.* a) über'schütten *od.* -'häufen (***in, with*** mit), b) über'wältigen.

whelp [welp] **I** *s.* **1.** *zo.* a) Welpe *m* (*junger Hund, Fuchs od. Wolf*), b) *allg.* Junge(s) *n*; **2.** Balg *m*, *n* (*ungezogenes Kind*); **II** *v/t. u. v/i.* **3.** (Junge) werfen.

when [wen] **I** *adv.* **1.** *fragend*: wann; **2.** *relativ*: als, wo, da: ***the years ~ we were poor*** die Jahre, als wir arm waren; ***the day ~*** der Tag, an dem *od.* als; **II** *cj.* **3.** wann: ***she doesn't know ~ to be silent*** sie weiß nicht, wann sie schweigen muß; **4.** zu der Zeit *od.* in dem Augenblick, als: ***~ (he was) young, he lived in M.*** als er noch jung war, wohnte er in M.; ***we were about to start ~ it began to rain*** wir wollten gerade fortgehen, als es anfing zu regnen *od.* da fing es an zu regnen; ***say ~!*** F sag halt!, sag, wenn du genug hast! (*bsd. beim Eingießen*); **5.** (dann,) wenn; **6.** (immer) wenn, so'bald, so'oft; **7.** worauf'hin, und dann; **8.** ob'wohl, wo ... (doch), da ... doch; **III** *pron.* **9.** wann, welche Zeit: ***from ~ does it date?*** aus welcher Zeit stammt es?; ***since ~?*** seit wann?; ***till ~?*** bis wann?; **10.** *relativ*: ***since ~*** und seitdem; ***till ~*** und bis dahin; **IV** *s.* **11.** ***the ~ and where of s.th.*** das Wann und Wo e-r Sache.

whence [wens] *bsd. poet.* **I** *adv.* **1.** wo'her: a) von wo(her), *obs.* von wannen, b) *fig.* wo'von, wo'durch, wie: ***~ comes it that*** wie kommt es, daß; **II** *cj.* **2.** von wo'her; **3.** *fig.* wes'halb, und deshalb.

ˌwhen(·so)'ev·er **I** *cj.* wann (auch) immer, einerlei wann, (immer) wenn, so'oft (als), jedesmal wenn; **II** *adv. fragend*: wann denn (nur).

where [weə] **I** *adv.* (*fragend u. relativ*) **1.** wo; **2.** wo'hin; **3.** wor'in, inwie'fern, in welcher Hinsicht; **II** *cj.* **4.** (da) wo; **5.** da'hin *od.* irgendwo'hin wo, wo'hin; **III** *pron.* **6.** (*relativ*) (da *od.* dort,) wo: ***he lives not far from ~ it happened*** er wohnt nicht weit von dort, wo es geschah; **7.** (*fragend*) wo: ***~ ... from?*** woher?, von wo?; ***~ ... to?*** wohin?; **~·a·bouts** **I** *adv. od. cj.* [ˌweərə'baʊts] wo ungefähr *od.* etwa; **II** *s. pl.* ['weərəbaʊts] *sg. konstr.* Aufenthalt(sort) *m*, Verbleib *m*; **~·as** [weər'æz] *cj.* **1.** wohin'gegen, während, wo ... doch; **2.** ⚖ da; in Anbetracht dessen, daß (*im Deutschen mst unübersetzt*); **~·at** [weər'æt] *adv. u. cj.* **1.** wor'an, wo'bei, wor'auf; **2.** (*relativ*) an welchem (welcher) *od.* dem (der), wo; **~'by** *adv. u. cj.* **1.** wo'durch, wo'mit; **2.** (*relativ*) durch welchen (welche[s]); **'~·fore** **I** *adv. od. cj.* **1.** wes'halb, wo'zu, war'um; **2.** (*relativ*) wes'wegen, und deshalb; **II** *s. oft pl.* **3.** *das* Weshalb, *die* Gründe *pl.*; **~'from** *adv. u. cj.* wo'her, von wo; **~·in** [weər'ɪn] *adv.* wor'in, in welchem (welcher); **~·of** [weər'ɒv] *adv. u. cj.* wo'von; **~·on** [weər'ɒn] *adv. od. cj.* **1.** wor'auf; **2.** (*relativ*) auf dem (der) *od.* den (die, das), auf welchem (welcher) *od.* welchen (welche, welches); **ˌ~·so'ev·er** → ***wherever*** 1; **~'to** *adv. od. cj.* wo'hin; **~·up·on** [weərə'pɒn] *adv. od. cj.* **1.** worauf('hin); **2.** (*als Satzanfang*) darauf'hin.

wher·ev·er [weər'evə] *adv. od. cj.* **1.** wo (-'hin) auch immer; ganz gleich, wo (-hin); **2.** F wo(hin) denn (nur)?

where|'with *adv. od. cj.* wo'mit; **'~·with·al** *s.* Mittel *pl.*, *das* Nötige, *das* nötige (Klein)Geld.

wher·ry ['werɪ] ⚓ *s.* **1.** Jolle *f*; **2.** Skullboot *n*; **3.** Fährboot *n*; **4.** *Brit.* Frachtsegler *m.*

whet [wet] **I** *v/t.* **1.** wetzen, schärfen, schleifen; **2.** *fig. Appetit* anregen; *Neugierde etc.* anstacheln; **II** *s.* **3.** Wetzen *n*, Schärfen *n*; **4.** *fig.* Ansporn *m*, Anreiz *m*; **5.** (Appe'tit)Anreger *m*, Aperi'tif *m.*

wheth·er ['weðə] *cj.* **1.** ob (***or not*** oder nicht); **~ *or no*** auf jeden Fall, so oder so; **2. ~ ... *or*** entweder *od.* sei es, daß ... oder.

'**whet·stone** *s.* **1.** Wetz-, Schleifstein *m*; **2.** *fig.* Anreiz *m*, Ansporn *m.*

whew [hwu:] *int.* **1.** *erstaunt*: (h)ui!, Mann!; **2.** *angeekelt, erleichtert, erschöpft*: puh!

whey [weɪ] *s.* Molke *f*; '**~-faced** *adj.* käsig, käseweiß.

which [wɪtʃ] **I** *interrog.* **1.** welch (*aus e-r bestimmten Gruppe od. Anzahl*): **~ *of you?*** welcher *od.* wer von euch?; **II** *pron.* (*relativ*) **2.** welch, der (die, das) (*bezogen auf Dinge, Tiere od. obs. Personen*); **3.** (*auf den vorhergehenden Satz bezüglich*) was; **4.** (*in eingeschobenen Sätzen*) (etwas,) was; **III** *adj.* **5.** (*fragend od. relativ*) welch: **~ *place will you take?*** auf welchem Platz willst du sitzen?; **~'ev·er**, **ˌ~·so'ev·er** *pron. u. adj.* welch (auch) immer; ganz gleich, welch.

whiff [wɪf] **I** *s.* **1.** Luftzug *m*, Hauch *m*; **2.** Duftwolke *f* (*a.* übler) Geruch; **3.** Zug *m* (*beim Rauchen*); **4.** Schuß *m Chloroform etc.*; **5.** *fig.* Anflug *m*; **6.** F Ziga'rillo *n*, *m*; **II** *v/i. u. v/t.* **7.** blasen, wehen; **8.** paffen, rauchen; **9.** (*nur v/i.*) ‚duften', (unangenehm) riechen.

whif·fle ['wɪfl] *v/i. u. v/t.* wehen.

Whig [wɪg] *pol. hist.* **I** *s.* **1.** *Brit.* Whig *m* (*Liberaler*); **2.** *Am.* Whig *m*: a) Natio'nal(republiˌkan)er *m* (*Unterstützer der amer. Revolution*), b) *Anhänger e-r Oppositionspartei gegen die Demokraten um 1840*); **II** *adj.* **3.** Whig..., whig'gistisch; **Whig·gism** ['wɪgɪzəm] *s. pol.* Whig'gismus *m.*

while [waɪl] **I** *s.* **1.** Weile *f*, Zeit(spanne) *f*: ***a long ~ ago*** vor e-r ganzen Weile; (***for***) ***a ~*** e-e Zeitlang; ***for a long ~*** lange (Zeit), seit langem; ***in a little ~*** bald, binnen kurzem; ***the ~*** derweil, währenddessen; ***between ~s*** zwischendurch; ***worth*** (***one's***) **~** der Mühe wert, (sich) lohnend; ***it is not worth*** (***one's***) **~** es ist nicht der Mühe wert, es lohnt sich nicht; → ***once*** 1; **II** *cj.* **2.** (*zeitlich*) während; **3.** so'lange (wie); **4.** während, wo(hin)'gegen; **5.** wenn auch, ob'wohl, zwar; **III** *v/t.* **6.** *mst* **~ *away*** sich *die Zeit* vertreiben; **whilst** [waɪlst] → ***while*** II.

whim [wɪm] *s.* **1.** Laune *f*, Grille *f*, wunderlicher Einfall, Ma'rotte *f*: ***at one's own ~*** ganz nach Laune; **2.** ⚒ Göpel *m.*

whim·per ['wɪmpə] **I** *v/t. u. v/i.* wimmern, winseln; **II** *s.* Wimmern *n*, Winseln *n.*

whim·sey → ***whimsy.***

whim·si·cal ['wɪmzɪkl] *adj.* □ **1.** launen-, grillenhaft, wunderlich; **2.** schrullig, ab'sonderlich, seltsam; **3.** hu'morig, launig; **whim·si·cal·i·ty** [wɪmzɪ'kælətɪ], '**whim·si·cal·ness** [-nɪs] *s.* **1.** Grillenhaftigkeit *f*, Wunderlichkeit *f*; **2.** → ***whim*** 1; **whim·sy** ['wɪmzɪ] **I** *s.* Laune *f*, Grille *f*, Schrulle *f*; **II** *adj.* → ***whimsical.***

whin[1] [wɪn] *s.* ⚘ *bsd. Brit.* Stechginster *m.*

whin[2] [wɪn] → ***whinstone.***

whine [waɪn] **I** *v/i.* **1.** winseln, wimmern; **2.** greinen, quengeln, jammern; **II** *v/t.* **3.** *et.* weinerlich sagen, winseln; **III** *s.* **4.** Gewinsel *n*; **5.** Gejammer *n*, Gequengel *n*; '**whin·ing** [-nɪŋ] *adj.* □ weinerlich, greinend; winselnd.

whin·ny ['wɪnɪ] **I** *v/i.* wiehern; **II** *s.* Wiehern *n.*

whin·stone ['wɪnstəʊn] *s. geol.* Ba'salt (-tuff) *m*, Trapp *m.*

whip [wɪp] **I** *s.* **1.** Peitsche *f*, Geißel *f*; **2.** ***be a good*** (***poor***) **~** gut (schlecht) kutschieren; **3.** *hunt.* Pi'kör *m*; **4.** *parl.* a) Einpeitscher *m*, b) parlamen'tarischer Geschäftsführer, c) Rundschreiben *n*, Aufforderung(sschreiben *n*) *f* (*bei e-r Versammlung etc. zu erscheinen*): ***three-line ~*** a) Aufforderung, unbedingt zu erscheinen, b) (abso'luter) Fraktionszwang (***on a vote*** bei e-r Abstimmung); **5.** ⚙ a) Wippe *f* (*a.* ⚡), b) *a.* **~-*and-derry*** Flaschenzug *m*; **6.** *Näherei*: über'wendliche Naht; **7.** *Küche*: Creme(speise) *f*; **II** *v/t.* **8.** peitschen; **9.** (aus)peitschen, geißeln (*a. fig.*); **10.** *a.* **~ *on*** antreiben; **11.** schlagen: a) verprügeln: **~ *s.th. into*** (***out of***) ***s.o.*** j-m et. einbleuen (mit Schlägen austreiben), b) *bsd. sport* F besiegen, ‚überfahren'; **12.** reißen, raffen: **~ *away*** wegreißen; **~ *from*** wegreißen *od.* fegen von; **~ *off*** a) weg-, herunterreißen, b) *j-n* entführen; **~ *on Kleidungsstück*** überwerfen; **~ *out*** (plötzlich) zücken, (schnell) *aus der Tasche* ziehen; **13.** *Gewässer* abfischen; **14.** a) *Schnur etc.* um'wickeln, ⚓ *Tau* betakeln, b) *Schnur* wickeln (***about*** um *acc.*); **15.** über'wendlich nähen, über'nähen, um'säumen; **16.** *Eier, Sahne* (schaumig) schlagen: **~*ped cream*** Schlagsahne *f*; **~*ped eggs*** Eischnee *m*; **17.** *Brit.* F ‚klauen'; **III** *v/i.* **18.** sausen, flitzen, schnellen; **~ in** *v/t.* **1.** *hunt. Hunde* zs.-treiben; **2.** *parl.* zs.-trommeln; **~ round** *v/i.* **1.** sich ruckartig 'umdrehen; **2.** F den Hut her-

W

ˈumgehen lassen; **~ up** *v/t.* **1.** antreiben; **2.** *fig.* aufpeitschen; **3.** a) *Leute* zs.-trommeln, b) *Essen etc.* ‚herzaubern'.

whip| aer·i·al (*bsd. Am.* **an·ten·na**) *s.* ⚡ ˈStabanˌtenne *f*; ˈ**~·cord** *s.* **1.** Peitschenschnur *f*; **2.** Whipcord *m* (*schräggeripptes Kammgarn*); **~ hand** *s.* rechte Hand *des Reiters etc.*: ***get the ~ of s.o.*** die Oberhand gewinnen über j-n; ***have the ~ of*** *j-n* an der Kandare *od.* in der Gewalt haben; ˈ**~·lash** *s.* **1.** → ***whipcord*** 1; **2.** *a.* **~ *injury*** ⚕ ˈPeitschenschlagsynˌdrom *n*.

whip·per [ˈwɪpə] *s.* Peitschende(r *m*) *f*; ˌ**~-ˈin**, *pl.* ˌ**~s-ˈin** → ***whip*** 3 *u.* 4; ˈ**~ˌsnap·per** *s.* **1.** Dreiˈkäsehoch *m*; **2.** Gernegroß *m*, Gelbschnabel *m*, Springinsfeld *m*.

whip·pet [ˈwɪpɪt] *s.* **1.** *zo.* Whippet *m* (*kleiner englischer Rennhund*); **2.** ⚔ *hist. leichter* Panzerkampfwagen.

whip·ping [ˈwɪpɪŋ] *s.* **1.** (Aus)Peitschen *n*; **2.** (Tracht *f*) Prügel *pl.*, Hiebe *pl.* (*a. fig.* F *Niederlage*); **3.** ˈGarnumˌwick(e)lung *f*; **~ boy** *s. hist.* Prügelknabe *m*, *fig. a.* Sündenbock *m*; **~ cream** *s.* Schlagsahne *f*; **~ post** *s. hist.* Schandpfahl *m*; **~ top** *s.* Kreisel *m* (*der mit Peitsche getrieben wird*).

whip·ple·tree [ˈwɪpltriː] *s.* Ortscheit *n*, Wagenschwengel *m*.

whip| ray *s. ichth.* Stechrochen *m*; ˈ**~-round** *s. Brit.* F sponˈtane (Geld-)Sammlung: ***have a ~*** → ***whip round*** 2; ˈ**~·saw I** *s.* (zweihändige) Schrotsäge; **II** *v/t.* mit der Schrotsäge sägen; **III** *v/i. bsd. Poker*: *Am.* zs.-spielen mit.

whir → ***whirr***.

whirl [wɜːl] **I** *v/i.* **1.** wirbeln, sich drehen: **~ *about*** (*od.* ***round***) a) herumwirbeln, b) sich rasch umdrehen; **2.** sausen, hetzen, eilen; **3.** wirbeln, sich drehen (*Kopf*): ***my head ~s*** mir ist schwindelig; **II** *v/t.* **4.** *allg.* wirbeln: **~ *up dust*** Staub aufwirbeln; **III** *s.* **5.** Wirbeln *n*; **6.** Wirbel *m*: a) schnelle Kreisbewegung, b) Strudel *m*: ***give s.th. a ~*** a) et. herumwirbeln, b) F et. (aus)probieren; **7.** *fig.* Wirbel *m*: a) Trubel *m*, wirres Treiben, b) Schwindel *m* (*der Sinne etc.*): ***a ~ of passion***; ***her thoughts were in a ~*** ihre Gedanken wirbelten durcheinander; ˈ**~·blast** *s.* Wirbelsturm *m*.

whirl·i·gig [ˈwɜːlɪgɪg] *s.* **1.** a) Windrädchen *n*, b) Kreisel *m etc.* (*Spielzeug*); **2.** Karusˈsell *n* (*a. fig. der Zeit*); **3.** *fig.* Wirbel *m der Ereignisse etc.*

ˈ**whirl|·pool** *s.* Strudel *m* (*a. fig.*); ˈ**~·wind** *s.* Wirbelwind *m* (*a. fig. Person*): ***a ~ romance*** e-e stürmische Romanze.

ˈ**whirl·y·bird** [ˈwɜːlɪ-] *s. Am.* F Hubschrauber *m*.

whirr [wɜː] **I** *v/i.* schwirren, surren; **II** *v/t.* schwirren lassen; **III** *s.* Schwirren *n*, Surren *n*.

whisk [wɪsk] **I** *s.* **1.** Wischen *n*, Fegen *n*; **2.** Wischer *m*: a) leichter Schlag, b) schnelle Bewegung (*bsd. Tierschwanz*); **3.** Husch *m*: ***in a ~*** im Nu; **4.** (*Strohetc.*)Wisch *m*, Büschel *n*; **5.** (Staub-, Fliegen)Wedel *m*; **6.** *Küche*: Schneebesen *m*; **II** *v/t.* **7.** *Staub etc.* (weg)wischen, (-)fegen; **8.** fegen, *mit dem Schwanz* schlagen; **9.** **~ *away*** (*od.* ***off***) schnell verschwinden lassen, wegzaubern, -nehmen; *j-n* schnellstens wegbringen, entführen; **10.** *Sahne*, *Eischnee* schlagen; **III** *v/i.* **11.** wischen, huschen, flitzen: **~ *away*** forthuschen; ˈ**whisk·er** [-kə] *s.* **1.** *pl.* Backenbart *m*; **2.** a) Barthaar *n*, b) F Schnurrbart *m*; **3.** *zo.* Schnurr-, Barthaar *n* (*von Katzen etc.*); ˈ**whisk·ered** [-kəd] *adj.* **1.** e-n Backenbart tragend; **2.** *zo.* mit Schnurrhaaren versehen.

whis·key [ˈwɪskɪ] *s.* **1.** (*bsd.* in den USA u. Irland hergestellter) Whisky; **2.** → **whis·ky** *s.* Whisky *m*: **~ *and soda*** Whisky Soda *m*; **~ *sour*** Whisky mit Zitrone.

whis·per [ˈwɪspə] **I** *v/i. u. v/t.* **1.** wispern, flüstern, raunen (*alle a. poet. Baum*, *Wind etc.*): **~ *s.th. to s.o.*** j-m et. zuflüstern; **2.** *fig. b.s.* flüstern, tuscheln, munkeln; **II** *s.* **3.** Flüstern *n*, Wispern *n*, Geflüster *n*: ***in a ~***, ***in ~s*** im Flüsterton; **4.** Getuschel *n*; **5.** a) geflüsterte *od.* heimliche Bemerkung, b) Gerücht *n*; **6.** Raunen *n*; ˈ**whis·per·er** [-ərə] *s.* **1.** Flüsternde(r *m*) *f*; **2.** Zuträger(in), Ohrenbläser(in); ˈ**whis·per·ing** [-pərɪŋ] **I** *adj.* ☐ **1.** flüsternd; **2.** Flüster…: **~ *baritone***; **~ *campaign*** Flüsterkampagne *f*; **~ *gallery*** Flüstergalerie *f*; **II** *s.* **3.** → ***whisper*** 3.

whist[1] [wɪst] *int. dial.* pst!, st!, still!

whist[2] [wɪst] *s.* Whist *n* (*Kartenspiel*): **~ *drive*** Whistrunde *f*.

whis·tle [ˈwɪsl] **I** *v/i.* **1.** pfeifen (*Person*, *Vogel*, *Lokomotive etc.*; *a. Kugel*, *Wind etc.*) (***to s.o.*** j-m); **~ *for*** *j-m*, *s-m Hund etc.* pfeifen; ***he may ~ for it*** F darauf kann er lange warten, das kann er sich in den Kamin schreiben; **~ *in the dark*** *fig.* den Mutigen markieren; **II** *v/t.* **2.** *Melodie etc.* pfeifen; **3.** **~ *back*** *Hund etc.* zurückpfeifen; **~ *up*** *fig.* a) herbeordern, b) ins Spiel bringen; **III** *s.* **4.** Pfeife *f*: ***blow the ~ on*** F a) *j-n*, *et.* ‚verpfeifen', b) *et.* ausplaudern, c) *j-n*, *et.* stoppen; ***pay for one's ~*** den Spaß teuer bezahlen; **5.** (*sport a.* Ab)Pfiff *m*; Pfeifton *m*; **6.** Pfeifen *n* (*des Windes etc.*); **7.** F Kehle *f*: ***wet one's ~*** ‚einen heben'; ˈ**~·stop** *s. Am.* **1.** 🚂 Bedarfshaltestelle *f*; **2.** *fig.* Kleinstadt *f*, ‚Kaff' *n*; **3.** *pol.* kurzer Besuch (*e-s Kandidaten*); ˈ**~-stop** *v/i. Am. pol.* von Ort zu Ort rei-

W

sen u. Wahlreden halten.

whis·tling ['wɪslɪŋ] *s.* Pfeifen *n*; **~ buoy** *s.* ⚓ Pfeifboje *f*; **~ thrush** *s. orn.* Singdrossel *f*.

whit [wɪt] *s.* (*ein*) bißchen: ***no ~***, ***not a ~*** keinen Deut, kein Jota, kein bißchen.

white [waɪt] **I** *adj.* **1.** *allg.* weiß: ***as ~ as snow*** schneeweiß; **2.** blaß, bleich: ***as ~ as a sheet*** leichenblaß; → ***bleed*** 10; **3.** weiß(rassig): **~ *supremacy*** Vorherrschaft der Weißen; **4.** *fig.* a) rechtschaffen, b) harmlos, c) *Am.* F anständig: ***that's ~ of you***; **II** *s.* **5.** Weiß *n*, weiße Farbe: ***dressed in ~*** weiß *od.* in Weiß gekleidet; **6.** Weiße *f*, weiße Beschaffenheit; **7.** Weiße(r *m*) *f*, Angehörige(r *m*) *f* der weißen Rasse; **8.** *a.* **~ *of egg*** Eiweiß *n*; **9.** *a.* **~ *of the eye*** *das* Weiße im Auge; **10.** *typ.* Lücke *f*; **11.** *zo.* Weißling *m*; **12.** *pl.* ⚕ Weißfluß *m*, Leukor'rhöe *f*; **~ ant** *s. zo.* Ter'mite *f*; **'~·bait** *s. ein* Weißfisch *m*, Breitling *m*; **~ bear** *s. zo.* Eisbär *m*; **♀ Book** *s. pol.* Weißbuch *n*; **~ bronze** *s.* 'Weißme,tall *n*; **'~·cap** *s.* schaumgekrönte Welle; **~ coal** *s.* ⚙ weiße Kohle, Wasserkraft *f*; **,~-'col·lar** *adj.* Büro...: **~ *worker*** (Büro)Angestellte(r *m*) *f*; **~ *crime*** Weiße-Kragen-Kriminalität *f*; **~ el·e·phant** *s.* **1.** *zo.* weißer Ele'fant; **2.** F lästiger Besitz; **♀ En·sign** *s.* ⚓ *Brit.* Kriegsflagge *f*; **'~-faced** *adj.* blaß: **~ *horse*** Blesse *f*; **~ feath·er** *s.*: ***show the ~*** sich feige zeigen, ‚kneifen'; **♀ Fri·ar** *s. R.C.* Karme'liter(mönch) *m*; **~ frost** *s.* (Rauh-)Reif *m*; **~ goods** *s. pl.* **1.** Weißwaren *pl.*; **2.** Haushaltswäsche *f*; **'~-haired** *adj.* weiß- *od.* hellhaarig: **~ *boy*** *Am.* F Liebling *m* (*des Chefs etc.*).

,White'hall *s. Brit.* Whitehall *n*: a) *Straße in Westminster, London, Sitz der Ministerien*, b) *fig. die brit. Regierung od. ihre Politik*.

white| heat *s.* Weißglut *f* (*a. fig. Zorn*): ***work at a ~*** mit fieberhaftem Eifer arbeiten; **~ hope** *s.* **1.** *Am. sl.* weißer Boxer, der Aussicht auf den Meistertitel hat; **2.** F ‚*die* große Hoffnung' (*Person*); **~ horse** *s.* **1.** *zo.* Schimmel *m*, weißes Pferd; **2.** → ***whitecap***; **,~-'hot** *adj.* **1.** weißglühend (*a. fig. vor Zorn etc.*); **2.** *fig.* rasend (*Eile etc.*); **♀ House** *s. das* Weiße Haus (*Regierungssitz des Präsidenten der USA in Washington*); **~ lie** *s.* Notlüge *f*; **~ line** *s.* weiße Linie, Fahrbahnbegrenzung *f*; **'~-,liv·ered** *adj.* feig(e); **~ mag·ic** *s.* weiße Ma'gie (*Gutes bewirkende Zauberkunst*); **~ man** *s.* [*irr.*] **1.** → ***white*** 7; **2.** F ‚feiner Kerl'; **~ man's bur·den** *s. fig. die* Bürde des weißen Mannes; **~ meat** *s.* weißes Fleisch (*vom Geflügel, Kalb etc.*); **~ met·al** *s.* ⚙ a) Neusilber *n*, b) 'Weißme,tall *n*.

whit·en ['waɪtn] **I** *v/i.* **1.** weiß werden; **2.** bleich *od.* blaß werden; **II** *v/t.* **3.** weiß machen; **4.** bleichen; **'white·ness** [-nɪs] *s.* **1.** Weiße *f*; **2.** Blässe *f*; **'whit·en·ing** [-nɪŋ] *s.* **1.** Weißen *n*; **2.** Schlämmkreide *f*.

white| noise *s.* ⚡ weißes Rauschen; **~ sale** *s.* ✝ Weiße Woche; **~ sauce** *s.* helle Sauce; **~ sheet** *s.* Büßerhemd *n*: ***stand in a ~*** *fig.* s-e Sünden bekennen; **,~-'slave** *adj.*: **~ *agent*** → **~ slav·er** *s.* Mädchenhändler *m*; **'~·smith** *s.* ⚙ **1.** Klempner *m*; **2.** *metall.* Feinschmied *m*; **'~·thorn** *s.* ⚘ Weißdorn *m*; **'~·throat** *s. orn.* (Dorn)Grasmücke *f*; **~ tie** *s.* **1.** weiße Fliege; **2.** Abendanzug *m*; **~ trash** *s. Am.* F **1.** arme weiße Bevölkerung; **2.** arme(r) Weiße(r) (*in den amer. Südstaaten*); **'~·wash I** *s.* **1.** Tünche *f*; **2.** flüssiges Hautbleichmittel; **3.** *fig.* F a) Tünche *f*, Beschönigung *f*, b) Ehrenrettung *f*, *contp.* ‚Mohrenwäsche' *f*, c) ✝ *Brit.* Schuldentlastung *f*; **4.** *sport* F ‚Zu-'Null-Niederlage' *f*; **II** *v/t.* **5.** a) tünchen, b) weißen, kalken; **6.** *fig.* a) über'tünchen, b) reinwaschen, rehabilitieren, c) ✝ *Brit. Bankrotteur* wieder zahlungsfähig erklären; **7.** *sport* F *Gegner* zu Null schlagen; **~ wine** *s.* Weißwein *m*.

whit·ey ['waɪtɪ] *s. Am. contp.* **1.** Weiße(r) *m*; **2.** *oft* ♀ *coll.* die Weißen.

whith·er ['wɪðə] *adv. poet.* **1.** (*fragend*) wo'hin: **~ *England?*** (*Schlagzeile*) England, wohin *od.* was nun?; **2.** (*relativ*) wohin: a) (*verbunden*) in welchen *etc.*, zu welchem *etc.*, b) (*unverbunden*) da'hin, wo.

whit·ing[1] ['waɪtɪŋ] *s. ichth.* Weißfisch *m*, Mer'lan *m*.

whit·ing[2] ['waɪtɪŋ] *s.* Schlämmkreide *f*.

whit·ish ['waɪtɪʃ] *adj.* weißlich.

whit·low ['wɪtləʊ] *s.* ⚕ 'Umlauf *m*, Nagelgeschwür *n*.

Whit [wɪt] *in Zssgn* Pfingst...: **~ *Monday***; **~ *Sunday***.

Whit·sun ['wɪtsn] **I** *adj.* Pfingst..., pfingstlich; **II** *s.* → **'~·tide** *s.* Pfingsten *n od. pl.*, Pfingstfest *n*.

whit·tle ['wɪtl] *v/t.* **1.** (zu'recht)schnitzen; **2.** **~ *away*** *od.* ***off*** wegschnitze(l)n, -schnippeln; **3.** **~ *down***, **~ *away***, **~ *off*** *fig.* a) (Stück für Stück) beschneiden, stutzen, verringern, b) *Gesundheit etc.* schwächen.

whiz(z) [wɪz] **I** *v/i.* **1.** zischen, schwirren, sausen (*Geschoß etc.*); **II** *s.* **2.** Zischen *n*, Sausen *n*; **3.** *Am.* F a) ‚Ka'none' *f* (*Könner*), b) tolles Ding; **III** *adj.* **4.** F ‚toll', ‚super'; **~ kid** *s.* F ‚Wunderkind' *n*, Ge'nie *n*, *a.* ‚Senkrechtstarter' *m*.

who [huː; hʊ] **I** *interrog.* **1.** wer: **♀'s ♀** Wer ist Wer? (*Verzeichnis prominenter Persönlichkeiten*); **~ *goes there?*** ⚔ (halt,) wer da?; **2.** F (*für* ***whom***) wen, wem; **II** *pron.* (*relativ*) **3.** (*unverbun-*

den) wer: ***I know ~ has done it***; **4.** (*verbunden*): welch, der (die, das): ***the man ~ arrived yesterday***.

whoa [wəʊ] *int.* brr!, halt!

who·dun·(n)it [ˌhuːˈdʌnɪt] *s.* F ‚Krimi' *m* (*Kriminalroman etc.*).

who·ev·er [huːˈevə] **I** *pron.* (*relativ*) wer (auch) immer, jeder der; **II** *interrog.* F (*für* ***who ever***) wer denn nur.

whole [həʊl] **I** *adj.* □ → ***wholly***; **1.** ganz, voll(kommen, -ständig): ***~ number*** ⩚ ganze Zahl; ***a ~ lot of*** F e-e ganze Menge; **2.** heil: a) unversehrt: ***with a ~ skin*** mit heiler Haut, b) unbeschädigt, ‚ganz'; **3.** Voll(wert)…: ***~ food***; ***~ meal*** Vollweizenmehl *n*; ***~ milk*** Vollmilch *f*; (***made***) ***out of ~ cloth*** *Am.* F völlig aus der Luft gegriffen, frei erfunden; **II** *s.* **4.** *das* Ganze, Gesamtheit *f*: ***the ~ of London*** ganz London; ***the ~ of my property*** mein ganzes Vermögen; **5.** Ganze(s) *n*, Einheit *f*: ***in ~ or in part*** ganz oder teilweise; ***on the ~*** im (großen u.) ganzen, alles in allem; **ˈ~-bound** *adj.* in Ganzleder (gebunden); **ˌ~-ˈcol·o(u)red** *adj.* einfarbig; **ˌ~-ˈheart·ed** *adj.* □ aufrichtig, rückhaltlos, voll, von ganzem Herzen; **ˌ~-ˈhog·ger** [-ˈhɒgə] *s. sl.* komproˈmißloser Mensch; *pol.* ‚ˈHundert-(ˈfünfzig)proˌzentige(r)' *m*; **ˌ~-ˈlength I** *adj.* Ganz…, Voll…: ***~ portrait*** Vollporträt *n*, Ganzbild *n*; **II** *s.* Porˈträt *n od.* Statue *f* in voller Größe; **~ life in·sur·ance** *s.* Erlebensfall-Versicherung *f*; **ˈ~·meal** *adj.* Vollkorn…

whole·ness [ˈhəʊlnɪs] *s.* **1.** Ganzheit *f*; **2.** Vollständigkeit *f*.

ˈwhole·sale I *s.* **1.** ✝ Großhandel *m*: ***by ~*** → 4; **II** *adj.* **2.** ✝ Großhandels…, Engros…: ***~ dealer*** → ***wholesaler***; ***~ purchase*** Einkauf *m* im großen, Engroseinkauf *m*; ***~ trade*** Großhandel *m*; **3.** *fig.* a) Massen…, b) ˈunterschiedslos, pauˈschal: ***~ slaughter*** Massenmord *m*; **III** *adv.* **4.** ✝ im großen, en gros; **5.** a) *fig.* in Bausch u. Bogen, ˈunterschiedslos, b) massenhaft; **ˈwholeˌsal·er** [-ˌseɪlə] *s.* ✝ Großhändler *m*; Grosˈsist *m*.

whole·some [ˈhəʊlsəm] *adj.* □ **1.** gesund (*bsd. heilsam, bekömmlich*) (*a. fig. Humor, Strafe etc.*); **2.** gut, nützlich, zuträglich; **ˈwhole·some·ness** [-nɪs] *s.* **1.** Gesundheit *f*, Bekömmlichkeit *f*; **2.** Nützlichkeit *f*.

ˌwhole|-ˈtime → ***full-time***; **~ tone** *s.* ♪ Ganzton *m*; **ˈ~-wheat** *adj.* Vollkorn…

whol·ly [ˈhəʊllɪ] *adv.* ganz, gänzlich, völlig.

whom [huːm] **I** *pron.* (*interrog.*) **1.** wen; **2.** (*Objekt-Kasus von* ***who***): ***of ~*** von wem; ***to ~*** wem; **II** *pron.* (*relativ*) **3.** (*verbunden*) welchen, welche, welches, den (die, das); **4.** (*unverbunden*) wen; den(jenigen), welchen; die(jenige), welche; *pl.* die(jenigen), welche; **5.** (*Objekt-Kasus von* ***who***): ***of ~*** von welchem *etc.*, dessen, deren; ***to ~*** dem (der, denen); ***all of ~ were dead*** welche alle tot waren; **6.** welchem, welcher, welchen, dem (der, denen): ***the master ~ she serves*** der Herr, dem sie dient.

whoop [huːp] **I** *s.* **1.** a) Schlachtruf *m*, b) (*bsd.* Freuden)Schrei *m*: ***not worth a ~*** F keinen Pfifferling wert; **2.** ⚕ Keuchen *n* (*bei Keuchhusten*); **II** *v/i.* **3.** schreien, brüllen, *a.* jauchzen; **4.** ⚕ keuchen; **III** *v/t.* **5.** *et.* brüllen; **6.** ***~ it up*** *Am. sl.* a) ‚auf den Putz hauen', ‚toll feiern'; b) die Trommel rühren (***for*** für).

whoop·ee [ˈwʊpiː] *Am.* F **I** *s.*: ***make ~*** ‚auf den Putz hauen', ‚toll feiern', *a.* Sauf- *od.* Sexparties feiern; **II** *int.* [wʊˈpiː] juchˈhu!

whoop·ing cough [ˈhuːpɪŋ] *s.* ⚕ Keuchhusten *m*.

whoops [wʊps] *int.* hoppla!

woosh [wʊʃ; wuːʃ] *v/i.* zischen, sausen.

whop [wɒp] *v/t.* F vertrimmen (*a. fig. besiegen*); **whop·per** [ˈwɒpə] *s. sl.* **1.** Mordsding *n*; **2.** (faust)dicke Lüge; **whop·ping** [ˈwɒpɪŋ] *adj. u. adv.* F eˈnorm, Mords…

whore [hɔː] **I** *s.* Hure *f*; **II** *v/i.* huren; **ˈ~·house** *s.* Borˈdell *n*.

whorl [wɜːl] *s.* **1.** ⚘ Quirl *m*; **2.** *anat.*, *zo.* Windung *f*; **3.** ⚙ Wirtel *m*.

whor·tle·ber·ry [ˈwɜːtlˌberɪ] *s.* **1.** ⚘ Heidelbeere *f*: ***red ~*** Preiselbeere *f*; **2.** → ***huckleberry***.

whose [huːz] *pron.* **1.** (*fragend*) wessen: ***~ is it?*** wem gehört es?; **2.** (*relativ*) dessen, deren.

who·sit [ˈhuːzɪt] *s.* F ‚Dingsda' *m*, *f*, *n*.

ˌwho·soˈev·er → ***whoever***.

why [waɪ] **I** *adv.* **1.** (*fragend u. relativ*) warˈum, wesˈhalb, woˈzu: ***~ so?*** wieso?, warum das?; ***the reason ~*** (der Grund) weshalb; ***that is ~*** deshalb; **II** *int.* **2.** nun (gut); **3.** (ja) naˈtürlich; **4.** ja doch (*als Füllwort*); **5.** naˈnu; aber (… doch): ***~, that's Peter!*** aber das ist ja *od.* doch Peter!; **III** *s.* **6.** *das* Warˈum, Grund *m*: ***the ~ and wherefore*** das Warum u. Weshalb.

wick [wɪk] *s.* Docht *m*.

wick·ed [ˈwɪkɪd] *adj.* □ **1.** böse, gottlos, schlecht, sündhaft, verrucht: ***the ~ one*** *bibl.* der Böse, Satan *m*; **2.** böse, schlimm (*ungezogen*, *a. humor. schalkhaft*) (*a.* F *Schmerz*, *Wunde etc.*); **3.** boshaft, bösartig (*a. Tier*); **4.** gemein; **5.** *sl.* ‚toll', großartig; **ˈwick·ed·ness** [-nɪs] *s.* Gottlosigkeit *f*; Schlechtigkeit *f*, Verruchtheit *f*; Bosheit *f*.

wick·er [ˈwɪkə] **I** *s.* a) Weidenrute *f*, b) Korbweide *f*, c) → ***wickerwork***; **II** *adj.* aus Weiden geflochten, Weiden…, Korb…, Flecht…: ***~ basket*** Weidenkorb *m*; **~ *chair*** Rohrstuhl *m*; **~ *furniture*** Korbmöbel *pl.*; **'~·work** *s.* **1.** Flechtwerk *n*; **2.** Korbwaren *pl.*

wick·et ['wɪkɪt] *s.* **1.** Pförtchen *n*; **2.** (Tür *f* mit) Drehkreuz *n*; **3.** (*mst vergittertes*) Schalterfenster; **4.** *Kricket*: a) Dreistab *m*, Tor *n*, b) Spielfeld *n*: ***be on a good*** (***sticky***) **~** gut (schlecht) stehen (*a. fig.*); ***take a* ~** e-n Schläger ausmachen; ***keep* ~** Torwart sein; ***win by 2* ~*s*** das Spiel gewinnen, obwohl 2 Schläger noch nicht geschlagen haben; ***first*** (***second*** *etc.*) **~ *down*** nachdem der erste (zweite *etc.*) Schläger ausgeschieden ist; **'~ˌkeep·er** *s.* Torhüter *m.*

wide [waɪd] **I** *adj.* □ → ***widely***; **1.** breit (*a. bei Maßangaben*): ***a* ~ *forehead*** (***ribbon***, ***street***); **~ *screen*** (*Film*) Breitwand *f*; ***5 feet* ~** 5 Fuß breit; **2.** weit, ausgedehnt: **~ *distribution***; **~ *difference*** großer Unterschied; ***a* ~ *public*** ein breites Publikum; ***the* ~ *world*** die weite Welt; **3.** *fig.* a) ausgedehnt, um'fassend, 'umfangreich, weitreichend, b) reich (*Erfahrung*, *Wissen etc.*): **~ *culture*** umfassende Bildung; **~ *reading*** große Belesenheit; **4.** a) weit (-gehend, -läufig), b) weitherzig, großzügig: ***take* ~ *views*** weitherzig *od.* großzügig sein; **5.** weit offen, aufgerissen: **~ *eyes***; **6.** weit, lose, nicht anliegend: **~ *clothes***; **7.** weit entfernt (***of*** von *der Wahrheit etc.*), weit'ab *vom Ziel*; → ***mark***[1] 11; **II** *adv.* **8.** weit: **~ *apart*** weit auseinander; **~ *open*** a) weit offen, b) völlig ungedeckt (*Boxer*), c) *fig.* schutzlos, d) → ***wide-open*** 2; ***far and* ~** weit u. breit; **9.** weit'ab (*vom Ziel*, *der Wahrheit etc.*): ***go* ~** weit danebengehen; **ˌ~-'an·gle** *adj. phot.* Weitwinkel...: **~ *lens***; **ˌ~-a'wake I** *adj.* **1.** hellwach (*a. fig.*); **2.** *fig.* aufgeweckt, ‚hell'; **3.** *fig.* wachsam, aufmerksam; voll bewußt (***to*** *gen.*); **II** *s.* **'wide-awake 4.** Kala'breser *m* (*Schlapphut*); **ˌ~-'eyed** *adj.* **1.** mit (weit) aufgerissenen Augen; **2.** *fig.* na'iv, kindlich.

wide·ly ['waɪdlɪ] *adv.* weit: **~ *scattered*** weitverstreut; **~ *known*** weit u. breit *od.* in weiten Kreisen bekannt; **~ *discussed*** vieldiskutiert; ***be* ~ *read*** sehr belesen sein; ***differ* ~** a) sehr verschieden sein, b) sehr unterschiedlicher Meinung sein.

wid·en ['waɪdn] *v/t. u. v/i.* **1.** breiter machen (werden); **2.** (sich) erweitern (*a. fig.*); **3.** (sich) vertiefen (*Kluft*, *Zwist*); **'wide·ness** [-nɪs] *s.* **1.** Breite *f*; **2.** Ausdehnung *f* (*a. fig.*).

ˌwide|-'o·pen *adj.* **1.** weitgeöffnet; **2.** *Am.* äußerst ‚großzügig' (*Stadt etc.*, *bezüglich Glücksspiel etc.*); **'~·spread** *adj.* **1.** weitausgebreitet, ausgedehnt; **2.** weitverbreitet.

widg·eon ['wɪdʒən] *pl.* **-eons**, *coll.* **-eon** *s. orn.* Pfeifente *f.*

wid·ow ['wɪdəʊ] *s.* Witwe *f*: **~*'s mite*** *bibl.* Scherflein *n* der (armen) Witwe; **'wid·owed** [-əʊd] *adj.* **1.** verwitwet; **2.** verwaist, verlassen; **'wid·ow·er** [-əʊə] *s.* Witwer *m*; **'wid·ow·hood** [-əʊhʊd] *s.* Witwenstand *m.*

width [wɪdθ] *s.* **1.** Breite *f*, Weite *f*: ***2 feet in* ~** 2 Fuß breit; **2.** (Stoff-, Ta'peten-, Rock)Bahn *f.*

wield [wi:ld] *v/t.* **1.** *Macht*, *Einfluß etc.* ausüben (***over*** über *acc.*); **2.** *rhet. Werkzeug*, *Waffe* handhaben, führen, schwingen: **~ *the pen*** die Feder führen, schreiben; → ***sceptre***.

wie·ner ['wi:nə] *s. Am.*, **'wie·nie** ['wi:nɪ] *s.* F Wiener Würstchen *n.*

wife [waɪf] *pl.* **wives** [waɪvz] *s.* **1.** (Ehe-) Frau *f*, Gattin *f*: ***wedded* ~** angetraute Gattin; ***take to* ~** zur Frau nehmen; **2.** Weib *n*; **'wife·hood** [-hʊd] *s.* Ehestand *m e-r Frau*; **'wife·like** [-laɪk], **'wife·ly** [-lɪ] *adj.* (haus)fraulich; **wife swapping** *s.* F Partnertausch *m*; **wif·ie** ['waɪfɪ] *s.* F Frauchen *n.*

wig [wɪg] *s.* Pe'rücke *f*; **wigged** [wɪgd] *adj.* mit Perücke (versehen); **wig·ging** ['wɪgɪŋ] *s. Brit.* F Standpauke *f.*

wig·gle ['wɪgl] **I** *v/i.* **1.** → ***wriggle*** 1; **2.** wackeln, schwänzeln; **II** *v/t.* **3.** wackeln mit.

wight [waɪt] *s. obs. od. humor.* Wicht *m*, Kerl *m.*

wig·wam ['wɪgwæm] *s.* Wigwam *m*, Indi'anerzelt *n*, -hütte *f.*

wild [waɪld] **I** *adj.* □ **1.** *allg.* wild: a) *zo.* ungezähmt, in Freiheit lebend, gefährlich, b) ⚘ wildwachsend, c) verwildert, 'wildroˌmantisch, verlassen (*Land*), d) unzivilisiert, bar'barisch (*Volk*, *Stamm*), e) stürmisch: ***a* ~ *coast***, f) wütend, heftig (*Sturm*, *Streit etc.*), g) irr, verstört: ***a* ~ *look***, h) scheu (*Tier*), i) rasend (***with*** vor *dat.*): **~ *with fear***, j) F wütend (***about*** über *acc.*): ***drive s.o.* ~** F j-n wild machen, j-n ‚auf die Palme bringen', k) ungezügelt (*Person*, *Gefühl*), l) unbändig: **~ *delight***, m) F toll, verrückt, n) ausschweifend, o) (***about***) versessen *od.* scharf (auf *acc.*), wild (nach), p) hirnverbrannt, unsinnig, abenteuerlich: **~ *plan***, q) plan-, ziellos: ***a* ~ *guess*** e-e wilde Vermutung; ***a* ~ *shot*** ein Schuß ins Blaue, r) wirr, wüst: **~ *disorder***; **II** *adv.* **2.** aufs Gerate'wohl: ***run* ~** a) ⚘ ins Kraut schießen, b) verwildern (*Garten etc.*, *a. fig.*); ***shoot* ~** ins Blaue schießen; ***talk* ~** a) (wild) drauflosreden, b) sinnloses Zeug reden; **III** *s. rhet.* **3.** *a. pl.* Wüste *f*; **4.** *a. pl.* Wildnis *f*; **~ *boar*** *s. zo.* Wildschwein *n*; **'~·cat I** *s.* **1.** *zo.* Wildkatze *f*; **2.** *fig.* Wilde(r *m*) *f*; **3.** → ***wildcatting*** 2; **4.** ⚕ 'Schwindelunterˌnehmen *n*; **5.** ⚕ wilder Streik; **II** *adj.* **6.** ⚕ a) unsicher, spekula'tiv, b)

Schwindel…: ~ ***company***, c) ungesetzlich, wild: ~ ***strike***; ˈ~ˌ**cat·ting** [-ˌkætɪŋ] *s.* **1.** wildes Spekulieren; **2.** wilde *od.* spekulaˈtive Ölbohrung.

wil·der·ness [ˈwɪldənɪs] *s.* **1.** Wildnis *f*, Wüste *f* (*a. fig.*): ***voice*** (***crying***) ***in the*** ~ a) *bibl.* Stimme des Predigers in der Wüste, b) *fig.* Rufer *m* in der Wüste; ***be sent into the*** ~ *fig. pol.* in die Wüste geschickt werden; **2.** wildwachsendes Gartenstück; **3.** *fig.* Masse *f*, Gewirr *n*.

ˌ**wild|-ˈeyed** *adj.* mit wildem Blick; ˈ~-ˌ**fire** *s.* **1.** verheerendes Feuer: ***spread like*** ~ sich wie ein Lauffeuer verbreiten (*Nachricht etc.*); **2.** ⚔ *hist.* griechisches Feuer; ˈ~**·fowl** *s. coll.* Wildvögel *pl.*; ~ **goose** *s.* [*irr.*] Wildgans *f*; ˌ~-ˈ**goose chase** *s. fig.* vergebliche Mühe, fruchtloses Unterfangen.

wild·ing [ˈwaɪldɪŋ] *s.* ⚘ a) Wildling *m* (*unveredelte Pflanze*), *bsd.* Holzapfelbaum *m*, b) *Frucht e-r solchen Pflanze.*

ˈ**wild·life** *s. coll.* wildlebende Tiere *pl.*: ~ ***park*** Naturpark *m*.

wild·ness [ˈwaɪldnɪs] *s. allg.* Wildheit *f*.

ˈ**wildˌwa·ter** *s.* Wildwasser *n*: ~ ***sport***.

wile [waɪl] **I** *s.* **1.** *mst pl.* List *f*, Trick *m*; *pl.* Kniffe *pl.*, Schliche *pl.*, Ränke *pl.*; **II** *v/t.* **2.** verlocken, *j-n wohin* locken; **3.** → ***while*** 6.

wil·ful [ˈwɪlfʊl] *adj.* ☐ **1.** *bsd.* ⚖ vorsätzlich: ~ ***deceit*** arglistige Täuschung; ~ ***murder*** Mord *m*; **2.** eigenwillig, -sinnig, halsstarrig; ˈ**wil·ful·ness** [-nɪs] *s.* **1.** Vorsätzlichkeit *f*; **2.** Eigenwille *m*, -sinn *m*, Halsstarrigkeit *f*.

wil·i·ness [ˈwaɪlɪnɪs] *s.* (Arg)List *f*, Verschlagenheit *f*, Gerissenheit *f*.

will[1] [wɪl] **I** *v/aux.* [*irr.*] **1.** (*zur Bezeichnung des Futurs, Brit. mst nur 2. u. 3. sg. u. pl.*) werden: ***he*** ~ ***come*** er wird kommen; **2.** wollen, werden, willens sein zu: ~ ***you pass me the bread, please?*** reichen Sie mir doch bitte das Brot!; ~ ***do!*** *sl.* wird gemacht!; **3.** (*immer, bestimmt, unbedingt*) werden (*oft a. unübersetzt*): ***birds*** ~ ***sing*** Vögel singen; ***boys*** ~ ***be boys*** Jungen sind nun einmal so; ***accidents*** ~ ***happen*** Unfälle wird es immer geben; ***you*** ~ ***get in my light!*** du mußt mir natürlich (immer) im Licht stehen!; **4.** *Erwartung, Vermutung od. Annahme*: werden: ***they*** ~ ***have gone now*** sie werden *od.* dürften jetzt (wohl) gegangen sein; ***this*** ~ ***be your train, I suppose*** das ist wohl dein Zug, das dürfte dein Zug sein; **5.** → ***would***; **II** *v/i. u. v/t.* **6.** wollen, wünschen: ***as you*** ~***!*** wie du willst!; → ***would*** 3, ***will***[2] II.

will[2] [wɪl] **I** *s.* **1.** Wille *m* (*a. phls.*): a) Wollen *n*, b) Wunsch *m*, Befehl *m*, c) (Be)Streben *n*, d) Willenskraft *f*: ***an iron*** ~ ein eiserner Wille; ***good*** ~ guter Wille (→ *a.* ***goodwill***); ~ ***to peace*** Friedenswille; ~ ***to power*** Machtwille, -streben; ***at*** ~ nach Wunsch *od.* Belieben *od.* Laune; ***of one's own*** (***free***) ~ aus freien Stücken; ***with a*** ~ mit Lust u. Liebe, mit Macht; ***have one's*** ~ s-n Willen haben *od.* durchsetzen; **2.** *a.* ***last*** ~ ***and testament*** ⚖ letzter Wille, Testaˈment *n*; **II** *v/t.* **3.** wollen, entscheiden; **4.** ernstlich *od.* fest wollen; **5.** *j-n* (durch Willenskraft) zwingen (***to do*** zu tun): ~ ***o.s.*** (***in***)***to*** sich zwingen zu; **6.** ⚖ (letzt)willig a) verfügen, b) vermachen (***to*** *dat.*); **III** *v/i.* **7.** wollen.

willed [wɪld] *adj.* …willig, mit e-m … Willen; → ***strong-willed*** *etc.*

will·ful, will·ful·ness *bsd. Am.* → ***wilful, wilfulness***.

wil·lies [ˈwɪlɪz] *s. pl.* F: ***get the*** ~ ‚Zustände' bekommen; ***it gives me the*** ~ dabei wird mir ganz anders, dabei läuft es mir eiskalt den Rücken runter.

will·ing [ˈwɪlɪŋ] *adj.* ☐ **1.** *pred.* gewillt, willens, bereit: ***I am*** ~ ***to believe*** ich glaube gern; **2.** (bereit)willig; **3.** gern geschehen *od.* geleistet: ***a*** ~ ***gift*** ein gern gegebenes Geschenk; ˈ**will·ing·ly** [-lɪ] *adv.* bereitwillig, gern; ˈ**will·ing·ness** [-nɪs] *s.* (Bereit)Willigkeit *f*, Bereitschaft *f*, Geneigtheit *f*.

will-less [ˈwɪllɪs] *adj.* willenlos.

will-o'-the-wisp [ˌwɪləðəˈwɪsp] *s.* **1.** Irrlicht *n* (*a. fig.*); **2.** *fig.* Illusiˈon *f*, Phanˈtom *n*.

wil·low[1] [ˈwɪləʊ] *s.* **1.** ⚘ Weide *f*: ***wear the*** ~ *fig.* um den Geliebten trauern; **2.** F *Kricket*: Schlagholz *n*.

wil·low[2] [ˈwɪləʊ] **I** *s. Spinnerei*: Reißwolf *m*; **II** *v/t. Baumwolle etc.* wolfen, reißen.

wil·low·y [ˈwɪləʊɪ] *adj.* **1.** weidenbestanden *od.* -artig; **2.** *fig.* a) biegsam, geschmeidig, b) gertenschlank.

ˈ**willˌpow·er** *s.* Willenskraft *f*.

wil·ly-nil·ly [ˌwɪlɪˈnɪlɪ] *adv.* wohl oder übel, nolens volens.

wilt[1] [wɪlt] *obs. od. poet. du* willst.

wilt[2] [wɪlt] *v/i.* **1.** (ver)welken, welk *od.* schlaff werden; **2.** F *fig.* a) schlappmachen, ‚eingehen', b) nachlassen.

wil·y [ˈwaɪlɪ] *adj.* ☐ gerissen.

wimp [wɪmp] *s.* F Schwächling *m*, Versager *m*.

wim·ple [ˈwɪmpl] *s.* **1.** *hist.* Rise *f*; **2.** (Nonnen)Schleier *m*.

win [wɪn] **I** *v/t.* [*irr.*] **1.** *Kampf, Spiel etc., a. Sieg, Preis* gewinnen: ~ ***s.th. from*** (*od.* ***of***) ***s.o.*** j-m et. abgewinnen; ~ ***one's way*** *fig.* s-n Weg machen; → ***day*** 5, ***field*** 6; **2.** *Reichtum, Ruhm etc.* erlangen, *Lob* ernten; zu *Ehren* gelangen; → ***spur*** 1; **3.** *j-m Lob etc.* einbringen, -tragen; **4.** *Liebe, Sympathie, a. e-n Freund, j-s Unterstützung* gewinnen; **5.** *a.* ~ ***over*** *j-n* für sich gewinnen,

W

auf s-e Seite ziehen, *a. j-s Herz* erobern; **6.** *j-n* dazu bringen (***to do*** zu tun): ***~ s.o. round*** j-n ‚rumkriegen'; **7.** *Stelle, Ziel* erreichen: ***~ the shore***; **8.** *sein Brot, s-n Lebensunterhalt* verdienen; **9.** ⚔ *sl.* ‚organisieren'; **10.** ⚒, *min.* a) *Erz, Kohle* gewinnen, b) erschließen; **II** *v/i.* [*irr.*] **11.** gewinnen, siegen: ***~ hands down*** F spielend gewinnen; ***~ out*** F sich durchsetzen (***over*** gegen); ***~ through*** a) durchkommen, b) ans Ziel gelangen (*a. fig.*), c) *fig.* sich durchsetzen; **III** *s.* **12.** *bsd. sport* Sieg *m.*

wince [wɪns] **I** *v/i.* (zs.-)zucken, zs.-, zu'rückfahren (***at*** bei, ***under*** unter *dat.*); **II** *s.* (Zs.-)Zucken *n.*

winch [wɪntʃ] ⚙ **I** *s.* **1.** Winde *f*, Haspel *f*; **2.** Kurbel *f*; **II** *v/t.* **3.** hochwinden.

wind¹ [wɪnd; *poet. a.* waɪnd] **I** *s.* **1.** Wind *m*: ***before the ~*** vor dem *od.* im Wind; ***between ~ and water*** a) ⚓ zwischen Wind u. Wasser, b) in der *od.* die Magengrube, c) *fig.* an e-r empfindlichen Stelle; ***in(to) the ~'s eye*** gegen den Wind; ***like the ~*** wie der Wind (*schnell*); ***to the four ~s*** in alle (vier) Winde, in alle (Himmels)Richtungen; ***under the ~*** ⚓ in Lee; ***be in the ~*** *fig.* (heimlich) im Gange sein, in der Luft liegen; ***cast*** (*od.* ***fling, throw***) ***to the ~s*** *fig. Rat etc.* in den Wind schlagen, *Klugheit etc.* außer acht lassen; ***get*** (***have***) ***the ~ up*** *sl.* ‚Manschetten' *od.* ‚Schiß' kriegen (haben); ***know how the ~ blows*** *fig.* wissen, woher der Wind weht; ***put the ~ up s.o.*** F j-n ins Bockshorn jagen; ***raise the ~*** F (das nötige) Geld auftreiben; ***sail close to the ~*** a) ⚓ hart am Wind segeln, b) *fig.* mit e-m Fuß im Zuchthaus stehen, sich hart an der Grenze des Erlaubten bewegen; ***sow the ~ and reap the whirlwind*** Wind säen u. Sturm ernten; ***have*** (*od.* ***take***) ***the ~ of*** a) *e-m Schiff* den Wind abgewinnen, b) *fig.* e-n Vorteil *od.* die Oberhand haben über (*acc.*); ***take the ~ out of s.o.'s sails*** *fig.* j-m den Wind aus den Segeln nehmen; ***~ and weather permitting*** bei gutem Wetter; → ***ill*** 4; **2.** ⚙ a) (*Gebläse- etc.*) Wind *m*, b) Luft *f in e-m Reifen etc.*; **3.** ⚕ (Darm)Wind(e *pl.*) *m*, Blähung(en *pl.*) *f*: ***break ~*** e-n Wind abgehen lassen; **4.** ♪ ***the ~*** *coll.* die Blasinstrumente *pl.*, *a.* die Bläser *pl.*; **5.** *hunt.* Wind *m*, Witterung *f* (*a. fig.*): ***get ~ of*** a) wittern, b) *fig.* Wind bekommen von; **6.** Atem *m*: ***have a good ~*** e-e gute Lunge haben; ***have a long ~*** e-n langen Atem haben (*a. fig.*); ***get one's second ~*** den zweiten Wind bekommen, den toten Punkt überwunden haben; ***sound in ~ and limb*** kerngesund; ***have lost one's ~*** außer Atem sein; **7.** Wind *m*, leeres Geschwätz; **II** *v/t.* **8.** *hunt.* wittern; **9.** ***be ~ed*** außer Atem *od.* erschöpft sein; **10.** verschnaufen lassen.

wind² [waɪnd] **I** *s.* **1.** Windung *f*, Biegung *f*; **2.** Um'drehung *f*; **II** *v/t.* [*irr.*] **3.** winden, wickeln, schlingen (***round*** um *acc.*): ***~ off*** (***on to***) ***a reel*** *et.* ab- (auf-) spulen; **4.** *oft* ***~ up*** a) auf-, hochwinden, b) *Garn etc.* aufwickeln, -spulen, c) *Uhr etc.* aufziehen, d) *Saite etc.* spannen; **5.** a) *Kurbel* drehen, b) kurbeln: ***~ forward*** (***back***) *Film* weiter- (zurück-) spulen; ***~ up*** (***down***) *Autofenster* hoch- (herunter)kurbeln; **6.** ⚓ *Schiff* wenden; **7.** (sich) *wohin* schlängeln: ***~ o.s.*** (*od.* ***one's way***) ***into s.o.'s affection*** *fig.* sich j-s Zuneigung erschleichen; **III** *v/i.* [*irr.*] **8.** sich winden *od.* schlängeln (*a. Straße etc.*); **9.** sich winden *od.* wickeln *od.* schlingen (***round*** um *acc.*); ***~ off*** *v/t.* abwickeln, -spulen; ***~ up*** **I** *v/t.* **1.** → ***wind²*** 4, 5; **2.** *fig.* anspannen, erregen, (hin'ein)steigern; **3.** *bsd. Rede* (ab-) schließen; **4.** ✝ a) *Geschäft* abwickeln, b) *Unternehmen* auflösen, liquidieren; **II** *v/i.* **5.** (*bsd.* s-e Rede) schließen (***by saying*** mit den Worten); **6.** F *wo* enden, ‚landen': ***he'll ~ in prison***; **7.** ✝ Kon'kurs machen.

wind·bag ['wɪndbæg] *s.* F *contp.* Schwätzer *m*, Schaumschläger *m.*

'wind|·blown ['wɪnd-] *adj.* **1.** windig; **2.** windschief; **3.** (vom Wind) zerzaust; **4.** Windstoß...: ***~ hairdo***; **'~·break** *s.* **1.** Windschutz *m* (*Hecke etc.*); **2.** Windbruch *m*; **'~-ˌbro·ken** *adj. vet.* kurzatmig (*Pferd*); **'~ˌcheat·er** *s. Brit.* Windjacke *f*; **~ cone** *s.* ✈ Luftsack *m.*

wind·ed ['wɪndɪd] *adj.* **1.** außer Atem; **2.** *in Zssgn* ...atmig: ***short-~***.

wind egg [wɪnd] *s.* Windei *n.*

wind·er ['waɪndə] *s.* **1.** Spuler(in); **2.** ⚙ Winde *f*; **3.** ⚘ Schlingpflanze *f*; **4.** a) Schlüssel *m* (*zum Aufziehen*), b) Kurbel *f.*

'wind|·fall ['wɪnd-] *s.* **1.** Fallobst *n*; **2.** Windbruch *m*; **3.** *fig.* (unverhoffter) Glücksfall *od.* Gewinn; ***~ farm*** *s.* Windpark *m*; **'~ˌflow·er** *s.* ⚘ Ane'mone *f*; ***~ force*** *s.* Windstärke *f*; ***~ ga(u)ge*** *s.* Wind(stärke-, -geschwindigkeits)messer *m*, Anemo'meter *n.*

wind·i·ness ['wɪndɪnɪs] *s.* Windigkeit *f* (*a. fig. contp.*).

wind·ing ['waɪndɪŋ] **I** *s.* **1.** Winden *n*, Spulen *n*; **2.** (Ein-, Auf)Wickeln *n*, (Um)'Wickeln *n*; **3.** Windung *f*, Biegung *f*; **4.** Um'wick(e)lung *f*; **5.** ⚡ Wicklung *f*; **II** *adj.* □ **6.** gewunden: a) sich windend *od.* schlängelnd, b) Wendel...(*-treppe*); **7.** krumm, schief (*a. fig.*); ***~ sheet*** *s.* Leichentuch *n*; ***~ tack·le*** *s.* ⚓ Gien *n* (*Flaschenzug*); **ˌ~-'up** *s.* **1.** Aufziehen *n* (*Uhr etc.*): ***~ mechanism*** Aufziehwerk *n*; **2.** ✝ a)

Abwicklung *f*, Erledigung *f* (*e-s Geschäfts*), b) Liquidati'on *f*, Auflösung *f* (*e-r Firma*); **~ order** Liquidationsbeschluß *m*; **~ sale** (Total)Ausverkauf *m*.

wind| in·stru·ment [wɪnd] *s.* ♪ 'Blasinstru,ment *n*; **'~,jam·mer** [-,dʒæmə] *s.* **1.** ⚓ Windjammer *m* (*Schiff*); **2.** *Am. sl.* → ***windbag***.

wind·lass ['wɪndləs] **I** *s.* **1.** ⚙ Winde *f*; **2.** ⚒ Förderhaspel *f*; **3.** ⚓ Ankerspill *n*; **II** *v/t.* hochwinden.

wind·less ['wɪndlɪs] *adj.* windstill.

wind·mill ['wɪnmɪl] *s.* **1.** Windmühle *f*: ***tilt at*** (*od.* ***fight***) **~*s*** *fig.* gegen Windmühlen kämpfen; ***throw one's cap over the*** **~** a) Luftschlösser bauen, b) jede Vorsicht außer acht lassen; **2.** Windrädchen *n*.

win·dow ['wɪndəʊ] *s.* **1.** Fenster *n* (*a.* ⚙, *geol.*; *a. im Briefumschlag*): ***look out of*** (*od.* ***at***) ***the*** **~** zum Fenster hinaussehen; **2.** Fensterscheibe *f*; **3.** Schaufenster *n*, Auslage *f*; **4.** (Bank- *etc.*)Schalter *m*; **5.** ⚔ *Radar*: Störfolie *f*.

win·dow| box *s.* Blumenkasten *m*; **~ clean·er** *s.* Fensterputzer *m*; **~ dis·play** *s.* 'Schaufensterauslage *f*, -re,klame *f*; **'~-dress** *v/t.* **1.** ✝ *Bilanz* verschleiern, ‚frisieren'; **2.** ‚aufputzen'; **~ dress·er** *s.* 'Schaufensterdekora,teur *m*; **~ dress·ing** *s.* **1.** 'Schaufensterdekorati,on *f*; **2.** *fig.* Aufmachung *f*, Mache *f*; **3.** ✝ Bi'lanzverschleierung *f*, ‚Frisieren' *n*.

win·dowed ['wɪndəʊd] *adj.* mit Fenster(n) (versehen).

win·dow| en·ve·lope *s.* 'Fenster,brief,umschlag *m*; **~ gar·den·ing** *s.* Blumenzucht *f* am Fenster; **~ jam·ming** *s.* ⚔ *Radar*: Folienstörung *f*; **'~·pane** *s.* Fensterscheibe *f*; **'~·screen** *s.* **1.** Fliegenfenster *n*; **2.** Zierfüllung *f* e-s Fensters (*aus Buntglas, Gitter etc.*); **~ seat** *s.* Fensterplatz *m*; **~ shade** *s. Am.* Rou'leau *n*, Jalou'sie *f*; **'~-,shop·per** *s.* j-d, der e-n Schaufensterbummel macht; **'~-,shop·ping** *s.* Schaufensterbummel *m*: ***go*** **~** e-n Schaufensterbummel machen; **~ shut·ter** *s.* Fensterladen *m*; **'~·sill** *s.* Fensterbrett *n*, -bank *f*.

'wind|·pipe ['wɪnd-] *s. anat.* Luftröhre *f*.

wind| pow·er [wɪnd] *s.* Windkraft *f*; **~ rose** *s. meteor.* Windrose *f*; **'~·sail** *s.* **1.** Windflügel *m*; **2.** ⚓ Windsack *m*; **'~·screen** *s. Brit.*, **'~,shield** *s. Am. mot.* Windschutzscheibe *f*: **~ *washer*** Scheibenwaschanlage *f*; **~ *wiper*** Scheibenwischer *m*; **'~·sleeve** *s.*, **'~·sock** *s.* ✈ Luftsack *m*; **'~·swept** ['wɪnd-] *adj.* **1.** vom Wind gepeitscht; **2.** *fig.* Windstoß…(*-frisur*); **'~,surf·ing** *s.* Windsurfen *n*; **~ tun·nel** *s.* ✈, *phys.* 'Windka,nal *m*; **'~·up** ['waɪnd-] *s.* **1.** → ***winding-up*** 2; **2.** Schluß *m*, Ende *n*.

wind·ward ['wɪndwəd] **I** *adv.* wind-, luvwärts; **II** *adj.* windwärts, Luv…, Wind…; **III** *s.* Windseite *f*, Luv(seite) *f*.

wind·y ['wɪndɪ] *adj.* ☐ **1.** windig: a) stürmisch (*Wetter*), b) zugig (*Ort*); **2.** *fig.* a) windig, hohl, leer, b) geschwätzig; **3.** ⚕ blähend; **4.** *Brit. sl.* ner'vös, ängstlich.

wine [waɪn] **I** *s.* **1.** Wein *m*: ***new*** **~** ***in old bottles*** *bibl.* junger Wein in alten Schläuchen (*a. fig.*); **2.** *Brit. univ.* Weinabend *m*; **II** *v/t.*: **~ *and dine s.o.*** j-n fürstlich bewirten; **'~,bib·ber** [-,bɪbə] *s.* Weinsäufer(in); **'~,bot·tle** *s.* Weinflasche *f*; **~ cool·er** *s.* Weinkühler *m*; **~ cra·dle** *s.* Weinkorb *m*; **'~·glass** *s.* Weinglas *n*; **'~,grow·er** *s.* Weinbauer *m*; **'~,grow·ing** *s.* Wein(an)bau *m*: **~ *area*** Weinbaugebiet *n*; **~ list** *s.* Weinkarte *f*; **~ mer·chant** *s.* Weinhändler *m*; **'~·press** *s.* Weinpresse *f*, -kelter *f*.

win·er·y ['waɪnərɪ] *s.* Weinkelle'rei *f*.

'wine|·skin *s.* Weinschlauch *m*; **~ stone** *s.* ⚗ Weinstein *m*; **'~,tast·er** *s.* Weinprüfer *m*; **'~,tast·ing** *s.* Weinprobe *f*.

wing [wɪŋ] **I** *s.* **1.** *orn.* Flügel *m* (*a.* ⚘, *zo.*, *a.* ⚙, ⚠, *a. pol.*); *rhet.* Schwinge *f*, Fittich *m* (*a. fig.*): ***on the*** **~** a) im Fluge, b) *fig.* auf Reisen; ***on the*** **~*s of the wind*** mit Windeseile; ***under s.o.'s*** **~(*s*)** *fig.* unter j-s Fittichen *od.* Schutz; ***clip s.o.'s*** **~*s*** j-m die Flügel stutzen; ***lend*** **~*s to*** a) *Hoffnung etc.* beflügeln, b) j-m Beine machen; ***spread*** (*od.* ***try***) ***one's*** **~*s*** versuchen, auf eigenen Beinen zu stehen *od.* sich durchzusetzen; ***singe one's*** **~*s*** *fig.* sich die Finger verbrennen; ***take*** **~** a) aufsteigen, davonfliegen, b) aufbrechen, c) *fig.* beflügelt werden; **2.** Federfahne *f* (*Pfeil*); **3.** *humor.* Arm *m*; **4.** (Tür-, Fenster- *etc.*) Flügel *m*; **5.** *mst pl. thea.* ('Seiten)Ku,lisse *f*: ***wait in the*** **~*s*** *fig.* sich bereithalten; **6.** ✈ Tragfläche *f*; **7.** *mot.* Kotflügel *m*; **8.** ⚔, ⚓ Flügel *m* (*Aufstellung*); **9.** ✈ a) *brit. Luftwaffe*: Gruppe *f*, b) *amer. Luftwaffe*: Geschwader *n*, c) *pl.* F ‚Schwinge' *f* (*Pilotenabzeichen*); **10.** *sport* a) Flügel *m* (*Spielfeldteil*), b) → ***winger***; **II** *v/t.* **11.** mit Flügeln *etc.* versehen; **12.** *fig.* beflügeln (*beschleunigen*); **13.** *Strecke* (durch)'fliegen; **14.** a) *Vogel* anschießen, flügeln, b) F *j-n* (*bsd.* am Arm) verwunden; **III** *v/i.* **15.** fliegen; **~ as·sem·bly** *s.* ✈ Tragwerk *n*; **'~·beat** *s.* Flügelschlag *m*; **~ case** *s. zo.* Flügeldecke *f*; **~ chair** *s.* Ohrensessel *m*; **~ com·mand·er** *s.* ✈, ⚔ **1.** *Brit.* Oberst'leutnant *m* der Luftwaffe; **2.** *Am.* Ge'schwaderkommo,dore *m*; **~ cov·ert** *s. zo.* Deckfeder *f*.

wing·ding ['wɪŋdɪŋ] *s. sl.* **1.** (*a.* Wut-) Anfall *m*; **2.** ‚tolles Ding'.

winged [wɪŋd] *adj.* ☐ **1.** *orn.*, *a.* ⚘ geflügelt; Flügel… ; *in Zssgn* …flügelig: ***the*** **~** ***horse*** *fig.* der Pegasus; **~ *screw*** ⚙ Flügelschraube *f*; **~ *words*** *fig.* geflügelte Worte; **2.** *fig.* a) beflügelt, schnell, b) beschwingt.

wing·er ['wɪŋə] *s. sport* Außen-, Flügelstürmer *m.*

wing| feath·er *s. orn.* Schwungfeder *f*; '**~-ˌheav·y** *adj.* ✈ querlastig; **~ nut** *s.* ⚙ Flügelmutter *f*; '**~ˌo·ver** *s.* ✈ Immelmann-Turn *m*; **~ sheath** → ***wing case***; '**~·span** ✈, '**~·spread** *s. orn.*, ✈ Spannweite *f.*

wink [wɪŋk] **I** *v/i.* **1.** blinzeln, zwinkern: **~ *at*** a) *j-m* zublinzeln, b) *fig.* ein Auge zudrücken bei, *et.* ignorieren; ***as easy as ~ing*** *Brit.* F kinderleicht; ***like ~ing*** F wie der Blitz; **2.** blinken, flimmern (*Licht*); **II** *v/t.* **3.** mit *den Augen* blinzeln *od.* zwinkern; **III** *s.* **4.** Blinzeln *n*, Zwinkern *n*, Wink *m* (*mit den Augen*): ***forty ~s*** Nickerchen *n*; ***not to sleep a ~, not to get a ~ of sleep*** kein Auge zutun; → ***tip³*** 5; ***in a ~*** im Nu.

win·kle ['wɪŋkl] **I** *s. zo.* (eßbare) Strandschnecke; **II** *v/t.* **~ *out*** a) her'ausziehen (*a. fig.* F), b) F *j-n* aussieben, -sondern.

win·ner ['wɪnə] *s.* **1.** Gewinner(in), *sport a.* Sieger(in); **2.** sicherer Gewinner; **3.** ‚todsichere' Sache; **4.** ‚Schlager' *m.*

win·ning ['wɪnɪŋ] **I** *adj.* ☐ **1.** *bsd. sport* siegreich, Sieger…, Sieges…; **2.** entscheidend: **~ *hit***; **3.** *fig.* gewinnend, einnehmend; **II** *s.* **4.** ⚒ Abbau *m*, Gewinnung *f*; **5.** *pl.* Gewinn *m* (*bsd. im Spiel*); **6.** Gewinnen *n*, Sieg *m*; **~ post** *s. sport* Zielpfosten *m.*

win·now ['wɪnəʊ] **I** *v/t.* **1.** a) *Getreide* schwingen, b) *Spreu* trennen (***from*** von); **2.** *fig.* sichten; **3.** *fig.* trennen, (unter)'scheiden (***from*** von); **II** *s.* **4.** Wanne *f*, Futterschwinge *f.*

wi·no ['waɪnəʊ] *pl.* **-nos** *s. Am. sl.* ‚Weinsüffel' *m*, Weinsäufer(in).

win·some ['wɪnsəm] *adj.* ☐ **1.** gewinnend: **~ *smile***; **2.** (lieb)reizend.

win·ter ['wɪntə] **I** *s.* **1.** Winter *m*; **2.** *poet.* Lenz *m*, (Lebens)Jahr *n*: ***a man of fifty ~s***; **II** *v/i.* **3.** (*a. v/t. Tiere, Pflanzen*) über'wintern; **III** *adj.* **4.** winterlich; Winter…: **~ *crop*** ✓ Winterfrucht *f*; **~ *garden*** Wintergarten *m*; **~ *sleep*** Winterschlaf *m*; **~ *sports*** Wintersport *m*; **win·ter·ize** ['wɪntəraɪz] *v/t.* auf den Winter vorbereiten, *bsd.* ⚙ winterfest machen; '**win·ter·tide** *s.* Winter(zeit *f*) *m*; '**~·weight** *adj.* Winter…: **~ *clothes.***

win·tri·ness ['wɪntrɪnɪs] *s.* Kälte *f*, Frostigkeit *f*; **win·try** ['wɪntrɪ] *adj.* **1.** winterlich, frostig; **2.** *fig.* a) trüb(e), b) alt, c) frostig: **~ *smile.***

wipe [waɪp] **I** *s.* **1.** (Ab)Wischen *n*: ***give s.th. a ~*** et. abwischen; **2.** F a) (harter) Schlag, b) *fig.* Seitenhieb *m*; **II** *v/t.* **3.** (ab-, sauber-, trocken)wischen, abreiben, reinigen: **~ *s.o.'s eye*** (***for him***) *sl.* j-n ausstechen; **~ *one's lips*** sich den Mund wischen; → ***floor*** 1; **~ off** *v/t.* **1.** ab-, wegwischen; **2.** *fig.* bereinigen, auslöschen; *Rechnung* begleichen: ***wipe s.th. off the slate*** et. begraben *od.* vergessen; **~ out** *v/t.* **1.** auswischen; **2.** wegwischen, (aus)löschen, tilgen (*a. fig.*): **~ *a disgrace*** e-n Schandfleck tilgen, e-e Scharte auswetzen; **3.** *Armee, Stadt etc.* vernichten, ‚ausradieren'; *Rasse etc.* ausrotten; **~ up** *v/t.* **1.** aufwischen; **2.** (ab)trocknen.

wip·er ['waɪpə] *s.* **1.** Wischer *m* (*Person od. Vorrichtung*); **2.** Wischtuch *n*; **3.** ⚙ a) Hebedaumen *m*, b) Abstreifring *m*, c) ⚡ Kon'takt-, Schleifarm *m*; **4.** → ***wipe*** 2.

wire ['waɪə] **I** *s.* **1.** Draht *m*; **2.** ⚡ Leitung(sdraht *m*) *f*; → ***live²*** 3; **3.** ⚡ (Kabel)Ader *f*; **4.** F Tele'gramm *n*: ***by ~*** telegraphisch; **5.** *pl.* a) Drähte *pl. e-s Marionettenspiels*, b) *fig.* geheime Fäden *pl.*, Beziehungen *pl.*: ***pull the ~*** a) der Drahtzieher sein, b) s-e Beziehungen spielen lassen; **6.** *opt.* Faden *m im Okular*; **7.** ♪ Drahtsaite(n *pl.*) *f*; **II** *adj.* **8.** Draht…: **~ *brush***; **III** *v/t.* **9.** mit Draht(geflecht) versehen; **10.** mit Draht zs.-binden *od.* befestigen; **11.** ⚡ Leitungen legen in, (be)schalten, verdrahten: **~ *to*** anschließen an (*acc.*); **12.** F *e-e Nachricht od. j-m* telegraphieren; **13.** *hunt.* mit Drahtschlingen fangen; **IV** *v/i.* **14.** F telegraphieren: **~ *away*** *od.* ***in*** *sl.* loslegen, sich ins Zeug legen; **~ cloth** → ***wire gauze***; **~ cut·ter** *s.* ⚙ Drahtschere *f*; '**~·draw** *v/t.* [*irr.* → ***draw***] **1.** ⚙ *Metall* drahtziehen; **2.** *fig.* a) in die Länge ziehen, b) *Argument* über'spitzen; '**~·drawn** *adj. fig.* a) langatmig, b) über'spitzt; **~ en·tan·gle·ment** *s.* ⚔ Drahtverhau *m*; **~ ga(u)ge** *s.* ⚙ Drahtlehre *f*; **~ gauze** *s.* Drahtgaze *f*, -gewebe *n*, -netz *n*; '**~·haired** *adj. zo.* Drahthaar…: **~ *terrier.***

wire·less ['waɪəlɪs] ⚡ **I** *adj.* **1.** drahtlos, Funk…: **~ *message*** Funkspruch *m*; **2.** *Brit.* Radio…, Rundfunk…: **~ *set*** → 3; **II** *s.* **3.** *Brit.* 'Radio(appaˌrat *m*) *n*: ***on the ~*** im Radio *od.* Rundfunk; **4.** *abbr. für* **~ *telegraphy***, **~ *telephony*** *etc.*; **III** *v/t. Brit.* **5.** *Nachricht etc.* funken; **~ car** *s. Brit.* Funkstreifenwagen *m*; **~ op·er·a·tor** *s.* ✈ (Bord)Funker *m*; **~ pi·rate** *s.* Schwarzhörer *m*; **~ (re·ceiv·ing) set** *s.* (Funk)Empfänger *m*; **~ sta·tion** *s.* (*a.* 'Rund)Funkstatiˌon *f*; **~ te·leg·ra·phy** *s.* drahtlose Telegra'phie, 'Funktelegraˌphie *f*; **~ te·leph·o·ny** *s.* drahtlose Telepho'nie, Sprechfunk *m.*

'**wire|·man** [-mən] *s.* [*irr.*] **1.** Tele'graphen-, Tele'phonarbeiter *m*; **2.** E'lektroinstallaˌteur *m*; **3.** 'Abhörspeziaˌlist *m*; **~ net·ting** *s.* ⚙ **1.** Drahtnetz *n*; **2.** *pl.* Maschendraht *m*; '**~ˌpho·to** *s.* 'Bildteleˌgramm *n*; '**~ˌpull·er** *s. fig.* ‚Draht-

W

zieher' *m*; '~ˌ**pull·ing** *s. bsd. pol.* ,Drahtziehe'rei *f*; ~ **rod** *s.* ⚙ Walz-, Stabdraht *m*; ~ **rope** *s.* Drahtseil *n*; ~ **rope·way** *s.* Drahtseilbahn *f*; ~ **service** *s. Am.* 'Nachrichtenagenˌtur *f*; '~·**tap** *v/t. u. v/i.* (*j-s*) Tele'fongespräche abhören, (*j-s*) Leitung(en) anzapfen; '~ˌ**tap·ping** *s.* Abhören *n*, Anzapfen *n* (von Tele'phonleitungen); '~ˌ**walk·er** *s.* 'Drahtseilakroˌbat(in), Seiltänzer(in); '~·**worm** *s. zo.* Drahtwurm *m*; '~-**wove** *adj.* **1.** Velin…(*-papier*); **2.** aus Draht geflochten.

wir·ing ['waɪərɪŋ] *s.* **1.** Verdrahtung *f* (*a.* ⚡); **2.** ⚡ a) (Be)Schaltung *f*, b) Leitungsnetz *n*: ~ ***diagram*** Schaltplan *m*, -schema *n*.

wir·y ['waɪərɪ] *adj.* ☐ **1.** Draht…; **2.** drahtig (*Haar, Muskeln, Person etc.*); **3.** a) vibrierend, b) me'tallisch (*Ton*).

wis·dom ['wɪzdəm] *s.* Weisheit *f*, Klugheit *f*; ~ **tooth** *s.* [*irr.*] Weisheitszahn *m*: ***cut one's ~ teeth*** *fig.* vernünftig werden.

wise[1] [waɪz] **I** *adj.* ☐ → ***wisely***; **1.** weise, klug, erfahren, einsichtig; **2.** gescheit, verständig; **3.** wissend, unter'richtet: ***be none the ~r*** (***for it***) nicht klüger sein als zuvor; ***without anybody being the ~r for it*** ohne daß es j-d gemerkt hätte; ***~r after the event*** um e-e Erfahrung klüger; ***be ~ to*** F Bescheid wissen über (*acc.*); ***get ~ to*** F *et.* ,spitzkriegen', *j-n od. et.* durch'schauen; ***put s.o. ~ to*** F j-m *et.* ,stecken'; **4.** schlau, gerissen; **5.** F neunmalklug: ~ ***guy*** ,Klugscheißer' *m*; **6.** *obs.* ~ ***man*** Zauberer *m*; ~ ***woman*** a) Hexe *f*, b) Wahrsagerin *f*, c) weise Frau (*Hebamme*); **II** *v/t.* **7.** ~ ***up*** *Am.* F *j-n* informieren (***to*** über *acc.*); **III** *v/i.* **8.** ~ ***up*** *Am.* F a) ,schlau' werden, b) ~ ***up to*** *et.* ,spitzkriegen'.

wise[2] [waɪz] *s. obs.* Art *f*, Weise *f*: ***in any ~*** auf irgendeine Weise; ***in no ~*** in keiner Weise, keineswegs; ***in this ~*** auf diese Art u. Weise.

-wise [waɪz] *in Zssgn* a) …artig, nach Art von, b) …weise, c) F …mäßig.

'**wise**|ˌ**a·cre** [-ˌeɪkə] *s.* Neunmalkluge(r) *m*, Besserwisser *m*; '~·**crack** F **I** *s.* witzige *od.* treffende Bemerkung; Witze'lei *f*; **II** *v/i.* witzeln, ,flachsen'; '~ˌ**crack·er** *s.* F Witzbold *m*.

wise·ly ['waɪzlɪ] *adv.* **1.** weise (*etc.*; → ***wise***[1] 1 *u.* 2); **2.** klug, kluger-, vernünftigerweise; **3.** (wohl)weislich.

wish [wɪʃ] **I** *v/t.* **1.** (sich) wünschen; **2.** wollen, wünschen: ***I ~ I were rich*** ich wollte, ich wäre reich; ***I ~ you to come*** ich möchte, daß du kommst; ~ ***s.o. further*** (*od.* ***at the devil***) j-n zum Teufel wünschen; ~ ***o.s. home*** sich nach Hause sehnen; **3.** hoffen: ***I ~ it may prove true***; ***it is to be ~ed*** es ist zu hoffen *od.* wünschen; **4.** *j-m Glück, Spaß etc.* wünschen: ~ ***s.o. well*** (***ill***) j-m wohl- (übel)wollen; ~ ***s.th. on s.o.*** j-m et. (*Böses*) wünschen, j-m et. aufhalsen; → ***joy*** 1; **5.** *j-m guten Morgen etc.* wünschen; *j-m Adieu etc.* sagen: ~ ***s.o. farewell***; **II** *v/i.* **6.** wünschen: ~ ***for*** sich *et.* wünschen, sich sehnen nach; ***he cannot ~ for anything better*** er kann sich nichts Besseres wünschen; **III** *s.* **7.** Wunsch *m*: a) Verlangen *n* (***for*** nach), b) Bitte *f* (***for*** um *acc.*), c) *das* Gewünschte: ***you shall have your ~*** du sollst haben, was du dir wünschst; → ***father*** 5; **8.** *pl.* *gute* Wünsche *pl.*, Glückwünsche *pl.*: ***good ~es***; '**wish·bone** *s.* **1.** *orn.* Brust-, Gabelbein *n*; **2.** *mot.* Dreiecklenker *m*: ~ ***suspension*** Schwingarmfederung *f*; **wish·ful** ['wɪʃfʊl] *adj.* ☐ **1.** vom Wunsch erfüllt, begierig (***to do*** zu tun); **2.** sehnsüchtig: ~ ***thinking*** Wunschdenken *n*.

wish·ing| **bone** ['wɪʃɪŋ] → ***wishbone*** 1; ~ **cap** *s.* Zauber-, Wunschkappe *f*.

wish-wash ['wɪʃwɒʃ] *s.* **1.** labberiges Zeug (*a. fig. Geschreibsel*); **2.** *fig.* Geschwätz *n*; **wish·y-wash·y** ['wɪʃɪˌwɒʃɪ] *adj.* labberig: a) wäßrig, b) *fig.* saft- u. kraftlos, seicht.

wisp [wɪsp] *s.* **1.** (*Stroh- etc.*)Wisch *m*, (*Heu-, Haar*)Büschel *n*; (*Haar*)Strähne *f*; **2.** Handfeger *m*; **3.** Strich *m*, Zug *m* (*Vögel*); **4.** Fetzen *m*, Streifen *m*: ~ ***of smoke*** Rauchfetzen *m*; ***a ~ of a boy*** ein schmächtiges Bürschchen; '**wisp·y** [-pɪ] *adj.* **1.** büschelig (*Haar etc.*); **2.** dünn, schmächtig.

wist·ful ['wɪstfʊl] *adj.* ☐ **1.** sehnsüchtig, wehmütig; **2.** nachdenklich, versonnen.

wit[1] [wɪt] *s.* **1.** *oft pl.* geistige Fähigkeiten *pl.*, Intelli'genz *f*; **2.** *oft pl.* Verstand *m*: ***be at one's ~s' end*** mit s-r Weisheit zu Ende sein; ***have one's ~s about one*** s-e fünf Sinne beisammen haben; ***keep one's ~s about one*** e-n klaren Kopf behalten; ***live by one's ~s*** sich mehr oder weniger ehrlich durchs Leben schlagen; ***out of one's ~s*** von Sinnen, verrückt; ***frighten s.o out of his ~s*** j-n zu Tode erschrecken; **3.** Witz *m*, Geist *m*, Es'prit *m*; **4.** witziger Kopf, geistreicher Mensch; **5.** *obs.* Witz *m*, witziger Einfall.

wit[2] [wɪt] *v/t. u. v/i.* [*irr.*] *obs.* wissen: ***to ~*** *bsd.* ⚖ das heißt, nämlich.

witch [wɪtʃ] **I** *s.* **1.** Hexe *f*, Zauberin *f*: ***~es' sabbath*** Hexensabbat *m*; **2.** *fig.* alte Hexe; **3.** F betörendes Wesen, bezaubernde Frau; **II** *v/t.* **4.** be-, verhexen; '~·**craft** *s.* **1.** Hexe'rei *f*, Zaube'rei *f*; **2.** Zauber(kraft *f*) *m*; ~ **doc·tor** *s.* Medi'zinmann *m*.

witch·er·y ['wɪtʃərɪ] *s.* **1.** → ***witchcraft***; **2.** *fig.* Zauber *m*.

witch hunt *s. bsd. pol.* Hexenjagd *f*

(***for***, ***against*** auf *acc.*).

witch·ing ['wɪtʃɪŋ] *adj.* ☐ **1.** Hexen...: **~ *hour*** Geisterstunde *f*; **2.** → ***bewitching***.

wit·e·na·ge·mot [ˌwɪtɪnəgɪ'məʊt] *s. hist. gesetzgebende Versammlung im Angelsachsenreich.*

with [wɪð] *prp.* **1.** mit (*vermittels*): ***cut ~ a knife***; ***fill ~ water***; **2.** (zs.) mit: ***he went ~ his friends***; **3.** nebst, samt: ***~ all expenses***; **4.** mit (*besitzend*): ***a coat ~ three pockets***; ***~ no hat*** ohne Hut; **5.** mit (*Art u. Weise*): ***~ care***; ***~ a smile***; ***~ the door open*** bei offener Tür; **6.** in Über'einstimmung mit: ***I am quite ~ you*** ich bin ganz Ihrer Ansicht *od.* ganz auf Ihrer Seite; **7.** mit (*in derselben Weise, im gleichen Grad, zur selben Zeit*): ***the sun changes ~ the seasons***; ***rise ~ the sun***; **8.** bei: ***sit*** (***sleep***) ***~ s.o.***; ***work ~ a firm***; ***I have no money ~ me***; **9.** (*kausal*) durch, vor (*dat.*), von, an (*dat.*): ***die ~ cancer*** an Krebs sterben; ***stiff ~ cold*** steif vor Kälte; ***wet ~ tears*** von Tränen naß, tränennaß; ***tremble ~ fear*** vor Furcht zittern; **10.** bei, für: ***~ God all things are possible*** bei Gott ist kein Ding unmöglich; **11.** gegen, mit: ***fight ~ s.o.***; **12.** bei, auf seiten (von): ***it rests ~ you to decide*** die Entscheidung liegt bei dir; **13.** trotz, bei: ***~ all her brains*** bei all ihrer Klugheit; **14.** angesichts; in Anbetracht der Tatsache, daß: ***you can't leave ~ your mother so ill*** du kannst nicht weggehen, wenn deine Mutter so krank ist; **15.** ***~ it*** *sl.* a) ‚auf Draht', ‚schwer auf der Höhe', b) modebewußt, c) up to date, modern: ***get ~ it!*** mach mit!, sei kein Frosch!

with·al [wɪ'ðɔːl] *obs.* **I** *adv.* außerdem, 'oben'drein, da'bei; **II** *prp.* (*nachgestellt*) mit.

with·draw [wɪð'drɔː] [*irr.* → ***draw***] **I** *v/t.* **1.** (***from***) zu'rückziehen, -nehmen (von, aus): a) wegnehmen, entfernen (von, aus), *Schlüssel etc.*, *a.* ⚔ *Truppen* abziehen, her'ausziehen (aus), b) entziehen (*dat.*), c) einziehen, d) *fig. Auftrag*, *Aussage etc.* wider'rufen, *Wort etc.* zu'rücknehmen: ***~ a motion*** e-n Antrag zurückziehen; **2.** ⚕ a) *Geld* abheben, *a. Kapital* entnehmen, b) *Kredit* kündigen; **II** *v/i.* **3.** (***from***) sich zu'rückziehen (von, aus): a) sich entfernen, b) zu'rückgehen, ⚔ *a.* sich absetzen, c) zu'rücktreten (von *e-m Posten*, *Vertrag*), d) austreten (aus *e-r Gesellschaft*), e) *fig.* sich distanzieren (von *j-m*, *e-r Sache*): ***~ within o.s.*** *fig.* sich in sich selbst zurückziehen; **with'draw·al** [-ɔːəl] *s.* **1.** Zu'rückziehung *f*, -nahme *f* (*a. fig. Widerrufung*) (*a.* ⚔ *von Truppen*): **~** (***from circulation***) Einziehung, Außerkurssetzung *f*; **2.** ⚕ (Geld)Abhebung *f*, Entnahme *f*; **3.** *bsd.* ⚔ Ab-, Rückzug *m*; **4.** (***from***) Rücktritt *m* (von *e-m Amt*, *Vertrag etc.*), Ausscheiden *n* (aus); **5.** Entzug *m*; **6.** ⚕ Entziehung *f*: ***~ cure***; ***~ symptoms*** Entziehungs-, Ausfallserscheinungen *pl.*; **7.** *sport* Startverzicht *m*; **with'drawn** [-ɔːn] **I** *pp von* ***withdraw***; **II** *adj.* **1.** *psych.* in sich gekehrt; **2.** zu'rückgezogen.

with·er ['wɪðə] **I** *v/i.* **1.** *oft* ***~ up*** (ver-) welken, verdorren, austrocknen; **2.** *fig.* a) vergehen (*Schönheit etc.*), b) ‚eingehen' (*Firma etc.*), c) *oft* ***~ away*** schwinden (*Hoffnung etc.*); **II** *v/t.* **3.** (ver)welken lassen, ausdörren, -trocknen: ***~ed*** *fig.* verhutzelt; **4.** *fig. j-n mit e-m Blick etc.*, *a. j-s Ruf* vernichten; **with·er·ing** ['wɪðərɪŋ] *adj.* ☐ **1.** ausdörrend; **2.** *fig.* vernichtend: ***a ~ look*** (***remark***).

with·ers ['wɪðəz] *s. pl. zo.* 'Widerrist *m* (*Pferd etc.*): ***my ~ are unwrung*** *fig.* das trifft mich nicht.

with'hold *v/t.* [*irr.* → ***hold***[2]] **1.** zu'rück-, abhalten (***s.o. from*** j-n von *et.*): ***~ o.s. from s.th.*** sich e-r Sache enthalten; ***~ing tax*** Quellensteuer *f*; **2.** vorenthalten, versagen (***s.th. from s.o.*** j-m et.).

with·in [wɪ'ðɪn] **I** *prp.* **1.** innerhalb von (*od. gen.*), in (*dat.*) (*beide a. zeitlich binnen*): ***~ 3 hours*** binnen *od.* in nicht mehr als 3 Stunden; ***~ a week of his arrival*** e-e Woche nach *od.* vor s-r Ankunft; **2.** im *od.* in den Bereich von: ***~ call*** (***hearing***, ***reach***, ***sight***) in Ruf-(Hör-, Reich-, Sicht)weite; ***~ the meaning of the Act*** im Rahmen des Gesetzes; ***~ my powers*** a) im Rahmen m-r Befugnisse, b) soweit es in m-n Kräften steht; ***~ o.s.*** *sport* ohne sich zu verausgaben (*laufen etc.*); ***live ~ one's income*** nicht über s-e Verhältnisse leben; **3.** im 'Umkreis von, nicht weiter (entfernt) als: ***~ a mile of*** bis auf e-e Meile von; → ***ace*** 3; **II** *adv.* **4.** (dr)innen, drin, im Innern: ***~ and without*** innen u. außen; ***from ~*** von innen; **5.** a) im *od.* zu Hause, drinnen, b) ins Haus, hi'nein; **6.** *fig.* innerlich, im Innern; **III** *s.* **7.** *das* Innere.

with·out [wɪ'ðaʊt] **I** *prp.* **1.** ohne (***doing*** zu tun): ***~ difficulty***; ***~ his finding me*** ohne daß er mich fand *od.* findet; ***~ doubt*** zweifellos; → ***do without***, ***go without***; **2.** außerhalb, jenseits, vor (*dat.*); **II** *adv.* **3.** (dr)außen, äußerlich; **4.** ohne: ***go ~*** leer ausgehen; **III** *s.* **5.** *das* Äußere: ***from ~*** von außen; **IV** *cj.* **6.** *a.* ***~ that*** *obs. od.* F a) wenn nicht, außer wenn, b) ohne daß.

with'stand [*irr.* → ***stand***] *v/t.* wider'stehen (*dat.*): a) sich wider'setzen (*dat.*), b) aushalten (*acc.*), standhalten (*dat.*).

wit·less ['wɪtlɪs] *adj.* ☐ **1.** geist-, witzlos; **2.** dumm, einfältig; **3.** verrückt; **4.**

ahnungslos.

wit·ness ['wıtnıs] **I** *s.* **1.** Zeuge *m*, Zeugin *f* (*a.* ⚖ *u. fig.*): ***be a ~ of s.th.*** Zeuge von et. sein; ***call s.o. to ~*** j-n als Zeugen anrufen; ***a living ~ to*** ein lebender Zeuge (*gen.*); ***~ for the prosecution*** (*Brit. a.* ***for the Crown***) Belastungszeuge; ***prosecuting ~*** a) Nebenkläger(in), b) Belastungszeuge; ***~ for the defence*** (*Am.* ***defense***) Entlastungszeuge; 𝔑 *eccl.* Zeuge Je'hovas; **2.** Zeugnis *n*, Bestätigung *f*, Beweis *m* (***of, to*** *gen. od.* für): ***bear ~ to*** (*od.* ***of***) Zeugnis ablegen von, *et.* bestätigen; ***in ~ whereof*** zum Zeugnis *od.* urkundlich dessen; **II** *v/t.* **3.** bezeugen, beweisen: ***~ Shakespeare*** als Beweis dient Shakespeare; **4.** Zeuge sein von, zu'gegen sein bei, (mit)erleben (*a. fig.*); **5.** *fig.* zeugen von, Zeuge sein von; **6.** ⚖ *j-s Unterschrift* beglaubigen, *Dokument* als Zeuge unter'schreiben; **III** *v/i.* **7.** zeugen, Zeuge sein, Zeugnis ablegen, ⚖ *a.* aussagen (***against*** gegen, ***for***, ***to*** für): ***~ to s.th.*** *fig.* et. bezeugen; ***this agreement ~eth*** ⚖ dieser Vertrag be-inhaltet; **~ box** *bsd. Brit.*, **~ stand** *Am. s.* ⚖ Zeugenstand *m*.

wit·ted ['wıtıd] *adj. in Zssgn* ...denkend, ...sinnig; → ***half-witted*** *etc.*

wit·ti·cism ['wıtısızəm] *s.* witzige Bemerkung.

wit·ti·ness ['wıtınıs] *s.* Witzigkeit *f*.

wit·ting·ly ['wıtıŋlı] *adv.* wissentlich.

wit·ty ['wıtı] *adj.* □ witzig, geistreich.

wives [waıvz] *pl. von* ***wife***.

wiz [wız] F *für* ***wizard*** 2.

wiz·ard ['wızəd] **I** *s.* **1.** Zauberer *m*, Hexenmeister *m* (*beide a. fig.*); **2.** *fig.* Ge'nie *n*, Leuchte *f*, ‚Ka'none' *f*; **II** *adj.* **3.** magisch, Zauber...; **4.** F ‚phan'tastisch'; '**wiz·ard·ry** [-drı] *s.* Zaube'rei *f*, Hexe'rei *f* (*a. fig.*).

wiz·en ['wızn], '**wiz·ened** [-nd] *adj.* verhutzelt, schrump(e)lig.

wo, **woa** [wəʊ] *int.* brr! (*zum Pferd*).

wob·ble ['wɒbl] **I** *v/i.* **1.** wackeln; schwanken (*a. fig.* ***between*** zwischen); **2.** schlottern (*Knie etc.*); **3.** ⚙ a) flattern (*Rad*), b) ‚eiern' (*Schallplatte*); **II** *s.* **4.** Wackeln *n*; Schwanken *n* (*a. fig.*); ⚙ Flattern *n*; '**wob·bly** [-lı] *adj.* wack(e)lig.

woe [wəʊ] **I** *int.* wehe!, ach!; **II** *s.* Weh *n*, Leid *n*, Kummer *m*, Not *f*: ***face of ~*** jämmerliche Miene; ***tale of ~*** Leidensgeschichte *f*; ***~ is me!*** wehe mir!; ***~ (be) to ...!***, ***~ betide ...!*** wehe (*dat.*)!, verflucht sei(en) ...!; → ***weal***[1]; **woe·be·gone** ['wəʊbıˌgɒn] *adj.* **1.** leid-, jammervoll, vergrämt; **2.** verwahrlost; **woe·ful** ['wəʊfʊl] *adj.* □ *rhet. od. humor.* **1.** kummer-, sorgenvoll; **2.** elend, jammervoll; **3.** *contp.* erbärmlich, jämmerlich.

wog [wɒg] *s. sl. contp.* farbiger Ausländer.

woke [wəʊk] *pret. von* ***wake***[2].

wold [wəʊld] *s.* **1.** hügeliges Land; **2.** Hochebene *f*.

wolf [wʊlf] **I** *pl.* **wolves** [-vz] *s.* **1.** *zo.* Wolf *m*: ***a ~ in sheep's clothing*** *fig.* ein Wolf im Schafspelz; ***lone ~*** *fig.* Einzelgänger *m*; ***cry ~*** *fig.* blinden Alarm schlagen; ***keep the ~ from the door*** *fig.* sich über Wasser halten; **2.** *fig.* a) Wolf *m*, räuberische *od.* gierige Per'son, b) F ‚Casa'nova' *m*, Schürzenjäger *m*; **3.** ♪ Disso'nanz *f*; **II** *v/t.* **4.** *a.* ***~ down*** *Speisen* (gierig) verschlingen; **~ call** *s. Am.* F *bewundernder Pfiff od. Ausruf* (*beim Anblick e-r attraktiven Frau*); **~ cub** *s. zo.* junger Wolf.

wolf·ish ['wʊlfıʃ] *adj.* □ **1.** wölfisch (*a. fig.*), Wolfs...; **2.** *fig.* wild, gefräßig: ***~ appetite*** Wolfshunger *m*.

wolf pack *s.* **1.** Wolfsrudel *n*; **2.** ⚓, ⚔ Rudel *n* U-Boote.

wolf·ram ['wʊlfrəm] *s.* **1.** ⚗ Wolfram *n*; **2.** → '**wolf·ram·ite** [-maıt] *s. min.* Wolfra'mit *m*.

wol·ver·ine ['wʊlvəri:n] *s. zo.* (Amer.) Vielfraß *m*.

wolves [wʊlvz] *pl. von* ***wolf***.

wom·an ['wʊmən] **I** *pl.* **wom·en** ['wımın] *s.* **1.** Frau *f*, Weib *n*: ***~ of the world*** Frau von Welt; ***play the ~*** empfindsam *od.* ängstlich sein; → ***women***; **2.** a) Hausangestellte *f*, b) Zofe *f*; **3.** (*ohne Artikel*) das weibliche Geschlecht, die Frauen *pl.*, das Weib: ***born of ~*** vom Weibe geboren (*sterblich*); ***~'s reason*** weibliche Logik; **4.** ***the ~*** *fig.* das Weib, die Frau, das typisch Weibliche; **5.** F a) (Ehe)Frau *f*, b) Freundin *f*, Geliebte *f*; **II** *adj.* **6.** weiblich, Frauen...: ***~ doctor*** Ärztin *f*; ***~ student*** Studentin *f*.

wom·an·hood ['wʊmənhʊd] *s.* **1.** Stellung *f* der (erwachsenen) Frau: ***reach ~*** e-e Frau werden; **2.** Weiblich-, Fraulichkeit *f*; **3.** → ***womankind*** 1; '**wom·an·ish** [-nıʃ] *adj.* □ **1.** *contp.* weibisch; **2.** → ***womanly***; '**wom·an·ize** [-naız] **I** *v/t.* weibisch machen; **II** *v/i.* F hinter den Weibern her sein; '**wom·an·iz·er** [-naızə] *s.* F Schürzenjäger *m*.

ˌ**wom·an|'kind** *s.* **1.** *coll.* Frauen(welt *f*) *pl.*, Weiblichkeit *f*; **2.** → ***womenfolk*** 2; '**~·like** *adj.* wie e-e Frau, fraulich, weiblich.

wom·an·li·ness ['wʊmənlınıs] *s.* Fraulich-, Weiblichkeit *f*; **wom·an·ly** ['wʊmənlı] *adj.* fraulich, weiblich (*a. weitS.*).

womb [wu:m] *s. anat.* Gebärmutter *f*; *weitS.* (Mutter)Leib *m*, Schoß *m* (*a. fig. der Erde, der Zukunft etc.*); **~ en·vy** *s. psych.* Gebärneid *m*; ˌ**~-to-'tomb** *adj.* von der Wiege bis zur Bahre.

wom·en ['wɪmɪn] *pl. von* ***woman***: ***~'s rights*** Frauenrechte; ***~'s team*** *sport* Damenmannschaft *f*; '**~·folk** *s. pl.* **1.** → ***womankind*** 1; **2.** *die* Frauen *pl.* (*in e-r Familie*), *mein etc.* ‚Weibervolk' *n* (da'heim).

Wom·en's| Lib [lɪb] F, **~ Lib·e·ra·tion** (**Move·ment**) *s.* 'Frauenemanzipatiˌonsbewegung *f*; **~ Lib·ber** ['lɪbə] *s.* F Anhängerin *f* der Emanzipati'onsbewegung, *contp.* ‚E'manze' *f*.

won [wʌn] *pret. u. p.p. von* ***win***.

won·der ['wʌndə] **I** *s.* **1.** Wunder *n*, *et.* Wunderbares, Wundertat *f*, -werk *n*: ***a ~ of skill*** ein (wahres) Wunder an Geschicklichkeit (*Person*); ***the 7 ~s of the world*** die 7 Weltwunder; ***work*** (*od.* ***do***) ***~s*** Wunder wirken; ***promise ~s*** *j-m* goldene Berge versprechen; (***it is***) ***no*** (*od.* ***small***) ***~ that*** kein Wunder, daß; ***~s will never cease*** es gibt immer noch Wunder; → ***nine*** 1, ***sign*** 8; **2.** Verwunderung *f*, (Er)Staunen *n*: ***filled with ~*** von Staunen erfüllt; ***for a ~*** a) erstaunlicherweise, b) ausnahmsweise; ***in ~*** erstaunt, verwundert; **II** *v/i.* **3.** sich (ver)wundern, erstaunt sein (***at***, ***about*** über *acc.*): ***not to be ~ed at*** nicht zu verwundern; **4.** a) neugierig *od.* gespannt sein, gern wissen mögen (***if***, ***whether***, ***what*** *etc.*), b) sich fragen *od.* über'legen: ***I ~ whether I might ...?*** dürfte ich vielleicht ...?, ob ich wohl ... kann?; ***I ~ if you could help me*** vielleicht können Sie mir helfen; ***well, I ~!*** na, ich weiß nicht (recht)!; **~ boy** *s.* ‚Wunderknabe' *m*; **~ child** *s.* [*irr.*] *Am.* Wunderkind *n*; **~ drug** *s.* Wunderdroge *f*, -mittel *n*.

won·der·ful ['wʌndəfʊl] *adj.* □ wunderbar, -voll, herrlich: ***not so ~*** F nicht so toll.

won·der·ing ['wʌndərɪŋ] *adj.* □ verwundert, erstaunt, staunend.

'**won·der·land** *s.* Wunder-, Märchenland *n* (*a. fig.*).

won·der·ment ['wʌndəmənt] *s.* Verwunderung *f*, Staunen *n*.

'**won·der|-struck** *adj.* von Staunen ergriffen (***at*** über *acc.*); '**~-ˌwork·er** *s.* Wundertäter(in); '**~-ˌwork·ing** *adj.* wundertätig.

won·drous ['wʌndrəs] *rhet.* **I** *adj.* □ wundersam, -bar; **II** *adv.* a) wunderbar(erweise), b) außerordentlich.

won·ky ['wɒŋkɪ] *adj. Brit. sl.* wack(e)lig (*a. fig.*).

won't [wəʊnt] F *für* ***will not***.

wont [wəʊnt] **I** *adj.*: ***be ~ to do*** gewohnt sein *od.* pflegen zu tun; **II** *s.* Gewohnheit *f*, Brauch *m*; '**wont·ed** [-tɪd] *adj.* **1.** *obs.* gewohnt; **2.** gewöhnlich, üblich; **3.** *Am.* eingewöhnt (***to*** in *dat.*).

woo [wu:] *v/t.* **1.** werben *od.* freien um, *j-m* den Hof machen; **2.** *fig.* trachten nach, buhlen um; **3.** *fig.* a) *j-n* um'werben, b) locken, drängen (***to*** zu).

wood [wʊd] **I** *s.* **1.** *oft pl.* Wald *m*, Waldung *f*, Gehölz *n*: ***be out of the ~*** (*Am.* ***~s***) F über den Berg sein; ***he cannot see the ~ for the trees*** er sieht den Wald vor lauter Bäumen nicht; → ***halloo*** III; **2.** Holz *n*: ***touch ~!*** unberufen!; **3.** (Holz)Faß *n*: ***wine from the ~*** Wein (direkt) vom Faß; **4.** ***the ~*** ♪ → ***woodwind*** 2; **5.** → ***wood block*** 2; **6.** *Bowling*: (*bsd.* abgeräumter) Kegel; **7.** *pl. Skisport*: ‚Bretter' *pl.*; **8.** *Golf*: Holz (-schläger *m*) *n*; **II** *adj.* **9.** hölzern, Holz...; **10.** Wald...; **~ al·co·hol** *s.* ⚗ Holzgeist *m*; **~ a·nem·o·ne** *s.* ⚘ Buschwindrös-chen *n*; '**~·bind**, '**~·bine** *s.* **1.** ⚘ Geißblatt *n*; **2.** *Am.* wilder Wein; **~ block** *s.* **1.** Par'kettbrettchen *n*; **2.** *typ.* a) Druckstock *m*, b) Holzschnitt *m*; **~ carv·er** *s.* Holzschnitzer *m*; **~ carv·ing** *s.* Holzschnitze'rei *f* (*a. Schnitzwerk*); '**~·chuck** *s. zo.* (amer.) Waldmurmeltier *n*; **~ coal** *s.* **1.** *min.* Braunkohle *f*; **2.** Holzkohle *f*; '**~·cock** *s. orn.* Waldschnepfe *f*; '**~·craft** *s.* **1.** die Fähigkeit, im Wald zu (über)leben; **2.** Holzschnitze'rei *f*; '**~·cut** *s. typ.* **1.** Holzstock *m* (*Druckform*); **2.** Holzschnitt *m* (*Druckerzeugnis*); '**~ˌcut·ter** *s.* **1.** Holzfäller *m*; **2.** *Kunst*: Holzschneider *m*.

wood·ed ['wʊdɪd] *adj.* bewaldet, waldig, Wald...

wood·en ['wʊdn] *adj.* □ **1.** hölzern, Holz...: ♀ ***Horse*** *das* Trojanische Pferd; ***~ spoon*** a) Holzlöffel *m*, b) *bsd. sport* Trostpreis *m*; **2.** *fig.* hölzern, steif (*a. Person*); **3.** *fig.* ausdruckslos (*Gesicht etc.*); **4.** stumpf(sinnig).

wood| en·grav·er *s.* Holzschneider *m*; **~ en·grav·ing** *s.* **1.** Holzschneiden *n*; **2.** Holzschnitt *m*.

'**wood·en|ˌhead·ed** *adj.* F dumm.

wood| gas *s.* ⚙ Holzgas *n*; **~ grouse** *s. orn.* Auerhahn *m*.

wood·i·ness ['wʊdɪnɪs] *s.* **1.** Waldreichtum *m*; **2.** Holzigkeit *f*.

wood| king·fish·er *s. orn.* Königsfischer *m*; '**~·land I** *s.* Waldland *n*, Waldung *f*; **II** *adj.* Wald...; **~ lark** *s. orn.* Heidelerche *f*; **~ louse** *s.* [*irr.*] *zo.* Bohrassel *f*; '**~·man** [-mən] *s.* [*irr.*] **1.** *Brit.* Förster *m*; **2.** Holzfäller *m*; **3.** Jäger *m*; **4.** Waldbewohner *m*; **~ naph·tha** *s.* ⚗ Holzgeist *m*; **~ nymph** *s.* **1.** *myth.* Waldnymphe *f*; **2.** *zo. eine* Motte; **3.** *orn. ein* Kolibri *m*; '**~ˌpeck·er** *s. orn.* Specht *m*; **~ pi·geon** *s. orn.* Ringeltaube *f*; '**~·pile** *s.* Holzhaufen *m*, -stoß *m*; **~ pulp** *s.* ⚙ Holz(zell)stoff *m*, Holzschliff *m*; '**~·ruff** *s.* ⚘ Waldmeister *m*; **~·print** → ***woodcut*** 2; '**~·shav·ings** *s. pl.* Hobelspäne *pl.*; '**~·shed** *s.* Holzschuppen *m*.

woods·man ['wʊdzmən] *s.* [*irr.*] *s.*

Waldbewohner *m*.

wood| sor·rel *s.* ⚘ Sauerklee *m*; **~ spir·it** *s.* ⚗ Holzgeist *m*; **~ tar** *s.* ⚗ Holzteer *m*; **~ tick** *s. zo.* Holzbock *m*; **'~·wind** [-wınd] ♪ **I** *s.* **1.** 'Holzblasinstru,ment *n*; **2.** *oft pl.* 'Holzblasinstru,mente *pl.* (*e-s Orchesters*), Holz(bläser *pl.*) *n*; **II** *adj.* **3.** Holzblas...; **~ wool** *s.* ⚕ Zellstoffwatte *f*; **'~·work** *s.* ⚠ **1.** Holz-, Balkenwerk *n*; **2.** Holzarbeit(en *pl.*) *f*; **'~,work·ing I** *s.* Holzbearbeitung *f*; **II** *adj.* holzbearbeitend, Holzbearbeitungs...: **~ *machine***; **'~·worm** *s. zo.* Holzwurm *m*.

wood·y ['wʊdı] *adj.* **1.** a) waldig, Wald..., b) waldreich; **2.** holzig, Holz...

'wood·yard *s.* Holzplatz *m*.

woo·er ['wu:ə] *s.* Freier *m*, Anbeter *m*.

woof¹ [wu:f] *s.* **1.** *Weberei*: a) Einschlag *m*, (Ein)Schuß *m*, b) Schußgarn *n*; **2.** Gewebe *n*.

woof² [wʊf] *v/i.* bellen.

woof·er ['wu:fə] *s.* ϟ Tieftonlautsprecher *m*.

woo·ing ['wu:ıŋ] *s.* (*a. fig.* Liebes)Werben *n*, Freien *n*, Werbung *f*.

wool [wʊl] **I** *s.* **1.** Wolle *f*: ***dyed in the ~*** in der Wolle gefärbt, *bsd. fig.* waschecht; → ***cry*** 2; **2.** Wollfaden *m*, -garn *n*; **3.** Wollstoff *m*, -tuch *n*; **4.** Zell-, Pflanzenwolle *f*; **5.** (*Baum-, Glas- etc.*)Wolle *f*; **6.** F ,Wolle' *f*, (kurzes) wolliges Kopfhaar: ***lose one's ~*** ärgerlich werden; ***pull the ~ over s.o.'s eyes*** F j-n hinters Licht führen; **II** *adj.* **7.** wollen, Woll...; **~ card** *s.* Wollkrempel *m*, -kratze *f*; **~ clip** *s.* ✝ (jährlicher) Wollertrag; **~ comb·ing** *s.* Wollkämmen *n*; **'~-dyed** *adj.* in der Wolle gefärbt.

wool·en *Am.* → ***woollen***.

'wool|,gath·er·ing I *s. fig.* Verträumtheit *f*, Spintisieren *n*; **II** *adj.* verträumt, spintisierend; **'~,grow·er** *s.* Schafzüchter *m*; **~ hall** *s.* ✝ *Brit.* Wollbörse *f*.

wool·i·ness *Am.* → ***woolliness***.

wool·len ['wʊlən] **I** *s.* **1.** Wollstoff *m*; **2.** *pl.* Wollsachen *pl.* (*a. wollene Unterwäsche*), Wollkleidung *f*; **II** *adj.* **3.** wollen, Woll...: **~ *goods*** Wollwaren; **~ drap·er** *s.* Wollwarenhändler *m*.

wool·li·ness ['wʊlınıs] *s.* **1.** Wolligkeit *f*; **2.** *paint. u. fig.* Verschwommenheit *f*;

wool·ly ['wʊlı] **I** *adj.* **1.** wollig, weich, flaumig; **2.** Wolle tragend, Woll...; **3.** *paint. u. fig.* verschwommen; belegt (*Stimme*); **II** *s.* **4.** wollenes Kleidungsstück, *bsd.* Wolljacke *f*; *pl.* → ***woollen*** 2.

'wool|·pack *s.* **1.** Wollsack *m* (*Verpakkung*); **2.** Wollballen *m* (*240 englische Pfund*); **3.** *meteor.* Haufenwolke *f*; **'~·sack** *s. pol.* a) Wollsack *m* (*Sitz des Lordkanzlers im englischen Oberhaus*), b) *fig.* Amt *n* des Lordkanzlers; **'~,sort·er** *s.* Wollsortierer *m* (*Person od. Maschine*): **~*'s disease*** ⚕ Lungenmilzbrand; **'~,sta·pler** *s.* ✝ **1.** Woll(groß)händler *m*; **2.** Wollsortierer *m*; **'~-work** *s.* Wollsticke'rei *f*.

wool·y *Am.* → ***woolly***.

woo·pies ['wu:pız] *s. pl.* wohlhabende Seni'oren *pl.* (= ***well-off older people***).

wooz·y ['wu:zı] *adj. Am. sl.* **1.** (*von Alkohol etc.*) benebelt; **2.** a) wirr (im Kopf, b) ,komisch' (im Magen).

wop [wɒp] *s. sl. contp.* ,Itaker' *m*, ,Spa'ghetti(fresser)' *m*.

word [wɜ:d] **I** *s.* **1.** Wort *n*: ***~s*** a) Worte, b) *ling.* Wörter; ***~ for ~*** Wort für Wort, (wort)wörtlich; ***at a ~*** sofort, aufs Wort; ***in a ~*** mit 'einem Wort, kurz (-um); ***in other ~s*** mit anderen Worten; ***in so many ~s*** wörtlich, ausdrücklich; ***the last ~*** a) das letzte Wort (***on*** in *e-r Sache*), b) das Allerneueste *od.* -beste (***in*** an *dat.*); ***have the last ~*** das letzte Wort haben; ***have no ~s for*** nicht wissen, was man zu *e-r Sache* sagen soll; ***put into ~s*** in Worte fassen; ***too silly for ~s*** unsagbar dumm; ***cold's not the ~ for it!*** F kalt ist gar kein Ausdruck!; ***he is a man of few ~s*** er macht nicht viele Worte, er ist ein schweigsamer Mensch; ***he hasn't a ~ to throw at a dog*** er macht den Mund nicht auf; **2.** Wort *n*, Ausspruch *m*: ***~s*** Worte, Rede, Äußerung; ***by ~ of mouth*** mündlich; ***have a ~ with s.o.*** (kurz) mit j-m sprechen; ***have a ~ to say*** et. (Wichtiges) zu sagen haben; ***put in*** (*od.* ***say***) ***a*** (***good***) ***~ for*** ein (gutes) Wort einlegen für; ***I take your ~ for it*** ich glaube es dir; **3.** *pl.* Text *m e-s Lieds etc.*; **4.** *pl.* Wortwechsel *m*, Streit *m*: ***have ~s*** (***with***) sich streiten *od.* zanken mit; **5.** a) Befehl *m*, Kom'mando *n*, b) Losung *f*, Pa'role *f*, c) Zeichen *n*, Si'gnal *n*: ***give the ~*** (***to do***); ***pass the ~*** durch-, weitersagen; ***sharp's the ~!*** (jetzt aber) dalli!; **6.** Bescheid *m*, Nachricht *f*: ***leave ~*** Bescheid hinterlassen (***with*** bei); ***send ~ to*** *j-m* Nachricht geben; **7.** Wort *n*, Versprechen *n*: ***~ of hono(u)r*** Ehrenwort; ***break*** (***give*** *od.* ***pass, keep***) ***one's ~*** sein Wort brechen (geben, halten); ***take s.o. at his ~*** j-n beim Wort nehmen; ***he is as good as his ~*** er ist ein Mann von Wort; er hält, was er verspricht; (***up***)***on my ~!*** auf mein Wort!; **8.** ***the*** 2 *eccl.* das Wort Gottes, das Evan'gelium; **II** *v/t.* **9.** in Worte fassen, (in Worten) ausdrücken, formulieren: ***~ed as follows*** mit folgendem Wortlaut; **~ ac·cent** *s. ling.* 'Wortak,zent *m*; **'~-blind** *adj.* ⚕ wortblind; **'~·book** *s.* **1.** Vokabu'lar *n*; **2.** Wörterbuch *n*; **3.** ♪ Textbuch *n*, Li'bretto *n*; **'~-,catch·er** *s. contp.* Wortklauber *m*; **'~-deaf** *adj. psych.* worttaub; **~ for·ma·tion** *s. ling.* Wortbildung *f*; **ˌ~-for-ˈword** *adj.* (wort)wörtlich.

word·i·ness [ˈwɜːdɪnɪs] *s.* Wortreichtum *m*, Langatmigkeit *f*; **ˈword·ing** [-ɪŋ] *s.* Fassung *f*, Formulierung *f*, Wortlaut *m*.

word·less [ˈwɜːdlɪs] *adj.* **1.** wortlos, stumm; **2.** schweigsam.

ˌword|-of-ˈmouth *adj.* mündlich: **~ *advertising*** Mundwerbung *f*; **~ or·der** *s. ling.* Wortstellung *f* (*im Satz*); **~ paint·ing** anschauliche Schilderung; **ˌ~-ˈper·fect** *adj.* **1.** *thea. etc.* textsicher; **2.** perˈfekt auswendig gelernt: **~ *text***; **~ pic·ture** → ***word painting***; **ˈ~·play** *s.* Wortspiel *n*; **~ pow·er** *s.* Wortschatz *m*; **~ pro·cess·ing** *s. Computer*: Textverarbeitung *f*; **ˈ~ˌsplit·ting** *s.* Wortklaubeˈrei *f*.

word·y [ˈwɜːdɪ] *adj.* □ **1.** Wort…: **~ *warfare*** Wortkrieg *m*; **2.** wortreich, langatmig.

wore [wɔː] *pret. von* ***wear*¹**, *pret. u. p.p. von* ***wear*²**.

work [wɜːk] **I** *s.* **1.** Arbeit *f*: a) Tätigkeit *f*, Beschäftigung *f*, b) Aufgabe *f*, c) Hand-, Nadelarbeit *f*, Stickeˈrei *f*, Näheˈrei *f*, d) Leistung *f*, e) Erzeugnis *n*: **~ *done*** geleistete Arbeit; ***a beautiful piece of* ~** e-e schöne Arbeit; ***good* ~!** gut gemacht!; ***total* ~ *in hand*** ✝ Gesamtaufträge *pl.*; **~ *in process material*** ✝ Material in Fabrikation; ***at* ~** a) bei der Arbeit, b) in Tätigkeit, in Betrieb; ***be at* ~ *on*** arbeiten an (*dat.*); ***do* ~** arbeiten; ***be in* (*out of*) ~** (keine) Arbeit haben; (***put***) ***out of* ~** arbeitslos (machen); ***set to* ~** an die Arbeit gehen; ***have one's* ~ *cut out*** (***for one***) (‚schwer) zu tun' haben; ***make* ~** Arbeit verursachen; ***make sad* ~ *of*** arg wirtschaften mit; ***make short* ~ *of*** kurzen Prozeß *od.* nicht viel Federlesens machen mit; ***it's all in the day's* ~** das ist nichts Besonderes, das gehört alles (mit) dazu; **2.** *phys.* Arbeit *f*: ***convert heat into* ~**; **3.** *künstlerisches etc.* Werk (*a. coll.*): ***the* ~(*s*) *of Bach***; **4.** a) Werk *n* (*Tat u. Resultat*): ***the* ~ *of a moment*** *es war* das Werk e-s Augenblicks, b) *bsd. pl. eccl.* (gutes) Werk; **5.** ⚙ → ***workpiece***; **6.** *pl.* a) (*bsd.* öffentliche) Bauten *pl. od.* Anlagen *pl.*, b) ⚔ Befestigungen *pl.*, (Festungs)Werk *n*; **7.** *pl. sg. konstr.* Werk *n*, Faˈbrik(anlagen *pl.*) *f*, Betrieb *m*: ***iron*~*s*** Eisenhütte *f*; **~*s council*** (***engineer***, ***outing***, ***superintendent***) Betriebsrat (-ingenieur, -ausflug, -direktor) *m*; **~ *manager*** Werkleiter *m*; **8.** *pl.* (Trieb-, Uhr- *etc.*)Werk *n*, Getriebe *n*; **9.** ***the* ~*s*** *sl.* alles, der ganze Krempel; ***give s.o. the* ~*s*** j-n ‚fertigmachen'; ***shoot the* ~*s*** *Kartenspiel od. fig.* aufs Ganze gehen; **II** *v/i.* **10.** (***at***) arbeiten (an *dat.*), sich beschäftigen (mit): **~ *to rule*** Dienst nach Vorschrift tun; **11.** arbeiten (*fig. kämpfen* ***against*** gegen, ***for*** für *e-e Sache*), sich anstrengen; **12.** ⚙ a) funktionieren, gehen (*beide a. fig.*), b) in Betrieb *od.* in Gang sein; **13.** *fig.* ‚klappen', gehen, gelingen, sich machen lassen: ***it won't* ~** es geht nicht; **14.** (*p.p. oft* ***wrought***) wirken (*a. Gift etc.*), sich auswirken ([***up***]***on***, ***with*** auf *acc.*, bei); **15.** sich bearbeiten lassen; **16.** sich (*hindurch-, hoch- etc.*)arbeiten: **~ *into*** eindringen in (*acc.*); **~ *loose*** sich losarbeiten, sich lockern; **17.** in (heftiger) Bewegung sein; **18.** arbeiten, zucken (*Gesichtszüge etc.*), mahlen (*Kiefer*) (***with*** vor *Erregung etc.*); **19.** ⚓ *gegen den Wind etc.* fahren, segeln; **20.** gären; arbeiten (*a. fig. Gedanken etc.*); **21.** (hand)arbeiten, stricken, nähen; **III** *v/t.* **22.** *a.* ⚙ a) bearbeiten, *Teig* kneten, b) verarbeiten, (ver)formen, gestalten (***into*** zu); **23.** *Maschine etc.* bedienen, *Wagen* führen, lenken; **24.** ⚙ (an-, be)treiben: **~*ed by electricity***; **25.** ↗ *Boden* bearbeiten, bestellen; **26.** *Betrieb* leiten, *Fabrik etc.* betreiben, *Gut etc.* bewirtschaften; **27.** ⚒ *Grube* abbauen, ausbeuten; **28.** *geschäftlich* bereisen, bearbeiten; **29.** *j-n, Tiere tüchtig* arbeiten lassen, antreiben; **30.** *fig. j-n* bearbeiten, *j-m* zusetzen; **31.** arbeiten mit, bewegen: ***he* ~*ed his jaws*** s-e Kiefer mahlten; **32.** a) **~ *one's way*** sich (*hindurch- etc.*)arbeiten, b) verdienen, erarbeiten; → ***passage*** 6; **33.** sticken, nähen, machen; **34.** gären lassen; **35.** errechnen, lösen; **36.** (*p.p. oft* ***wrought***) herˈvorbringen, -rufen, *Veränderung etc.* bewirken, *Wunder* wirken *od.* tun, führen zu, verursachen: **~ *hardship***; **37.** (*p.p. oft* ***wrought***) fertigbringen, zuˈstande bringen: **~ *it*** F es ‚deichseln'; **38.** *sl. et.* ‚herˈausschlagen', ‚organisieren'; **39.** *in e-n Zustand* versetzen, erregen: **~ *o.s. into a rage*** sich in e-e Wut hineinsteigern;

Zssgn mit adv.:

work| a·round → ***work round***; **~ a·way** *v/i.* (flott) arbeiten (***at*** an *dat.*); **~ in I** *v/t.* einarbeiten, -flechten, -fügen; **II** *v/i.* **~ *with*** harmonieren mit, passen zu; **~ off** *v/t.* **1.** weg-, aufarbeiten; **2.** *überflüssige Energie* loswerden; **3.** *Gefühl* abreagieren (***on*** an *dat.*); **4.** *typ.* abdrucken, -ziehen; **5.** *Ware etc.* loswerden, abstoßen (***on*** an *acc.*); **6.** *Schuld* abarbeiten; **~ out I** *v/t.* **1.** ausrechnen, *Aufgabe* lösen; **2.** *Plan* ausarbeiten; **3.** bewerkstelligen; **4.** ⚒ abbauen, (*a. fig. Thema etc.*) erschöpfen; **II** *v/i.* **5.** sich herˈausarbeiten, zum Vorschein kommen (***from*** aus); **6.** **~ *at*** sich belaufen auf (*acc.*); **7.** ‚klappen', *gut etc.* gehen, sich *gut etc.* anlassen: **~ *well***

(***badly***); **8.** *sport* trainieren; **~ o·ver** *v/t.* **1.** über'arbeiten; **2.** *sl. j-n* ‚in die Mache nehmen'; **~ round** *v/i.* **1. ~ *to*** a) *ein Problem etc.* angehen, b) sich 'durchringen zu; **2. ~ *to*** kommen zu, Zeit finden für; **3.** drehen (*Wind*); **~to·gether** *v/i.* **1.** zs.-arbeiten; **2.** inein'andergreifen (*Zahnräder*); **~ up I** *v/t.* **1.** verarbeiten (***into*** zu); **2.** ausarbeiten, entwickeln; **3.** *Thema* bearbeiten; sich einarbeiten in (*acc.*), gründlich studieren; **4.** *Geschäft etc.* auf- *od.* ausbauen; **5.** a) *Interesse etc.* entwickeln, b) sich *Appetit etc.* holen; **6.** *Gefühl*, *Nerven*, *a. Zuhörer etc.* aufpeitschen, -wühlen, *Interesse* wecken: ***work o.s. up*** sich aufregen; ***~ a rage***, ***work o.s. up into a rage*** sich in e-e Wut hineinsteigern; ***worked up*** aufgebracht; **II** *v/i.* **7.** *fig.* sich steigern (***to*** zu).

work·a·ble ['wɜːkəbl] *adj.* □ **1.** bearbeitungsfähig, (ver)formbar; **2.** betriebsfähig; **3.** 'durch-, ausführbar (*Plan etc.*); **4.** ⚒ abbauwürdig.

work·a·day ['wɜːkədeɪ] *adj.* **1.** Alltags…; **2.** *fig.* all'täglich.

work·a·hol·ic [ˌwɜːkə'hɒlɪk] *s.* Arbeitssüchtige(r *m*) *f*; Arbeitstier *n*.

'work|·bench *s.* ⚙ Werkbank *f*; **'~·book** *s.* **1.** ⚙ Betriebsanleitung *f*; **2.** *ped.* Arbeitsheft *n*; **'~·box** *s.* Nähkasten *m*; **~ camp** *s.* Arbeitslager *n*; **'~·day** *s.* Arbeits-, Werktag *m*: ***on ~s*** werktags.

work·er ['wɜːkə] *s.* **1.** a) Arbeiter(in), b) Angestellte(r *m*) *f*, c) Fachmann *m*, d) *allg.* Arbeitskraft *f*: ***~s*** Belegschaft *f*, Arbeiterschaft *f*; **2.** *fig.* Urheber(in); **3.** *a.* ***~ ant***, ***~ bee*** *zo.* Arbeiterin *f* (*Ameise*, *Biene*); **~ di·rec·tor** *s.* ✝ 'Arbeitsdiˌrektor *m*; **~ par·tic·i·pa·tion** *s.* ✝ Mitbestimmung *f*.

'work|ˌfel·low *s.* 'Arbeitskameˌrad *m*; **~ flow** *s.* Arbeitsfluß *m*; **~ flow chart** *s.* Arbeitsablaufplan *m*; **~ force** *s.* ✝ **1.** Belegschaft *f*; **2.** 'Arbeitskräftepotentiˌal *n*; **'~·girl** *s.* Fa'brikarbeiterin *f*; **'~·horse** *s.* Arbeitspferd *n* (*a. fig.*); **'~·house** *s.* **1.** *Brit. obs.* Armenhaus *n* (mit Arbeitszwang); **2.** ⚖ *Am.* Arbeitshaus *n*.

work·ing ['wɜːkɪŋ] **I** *s.* **1.** Arbeiten *n*; **2.** *a. pl.* Tätigkeit *f*, Wirken *n*; **3.** ⚙ Be-, Verarbeitung *f*; **4.** ⚙ a) Funktionieren *n*, b) Arbeitsweise *f*; **5.** Lösen *n e-s Problems*; **6.** mühsame Arbeit, Kampf *m*; **7.** Gärung *f*; **8.** *mst pl.* ⚒, *min.* a) Abbau *m*, b) Grube *f*; **II** *adj.* **9.** arbeitend, berufs-, werktätig: ***~ population***; ***~ student*** Werkstudent *m*; **10.** Arbeits…: ***~ method*** Arbeitsverfahren *n*; **11.** ⚙, ✝ Betriebs…(*-kapital*, *-kosten*, ϟ *-spannung etc.*); **12.** grundlegend, Ausgangs…, Arbeits…: ***~ hypothesis***; ***~ title*** Arbeitstitel *m* (*e-s Buchs etc.*); **13.** brauchbar, praktisch: ***~ knowledge*** ausreichende Kenntnisse; **~ class** *s.* Arbeiterklasse *f*; **ˌ~-'class** *adj.* der Arbeiterklasse, Arbeiter…; **~ con·di·tion** *s.* **1.** ⚙ a) Betriebszustand *m*, b) *pl.* Betriebsbedingungen *pl.*; **2.** Arbeitsverhältnis *n*; **~ day** → ***workday***; **~ draw·ing** *s.* ⚙ Werk(statt)zeichnung *f*; **~ hour** *s.* Arbeitsstunde *f*; *pl.* Arbeitszeit *f*; **~ load** *s.* **1.** ϟ Betriebsbelastung *f*; **2.** ⚙ Nutzlast *f*; **~ lunch** *s.* Arbeitsessen *n*; **~ ma·jor·i·ty** *s. pol.* arbeitsfähige Mehrheit; **'~·man** *s.* [*irr.*] → ***workman***; **~ mod·el** *s.* ⚙ Ver'suchsmoˌdell *n*; **~ or·der** *s.* ⚙ Betriebszustand *m*: ***in ~*** in betriebsfähigem Zustand; **ˌ~-'out** *s.* **1.** Ausarbeitung *f*; **2.** Lösung *f* (*e-r Aufgabe*); **~ stroke** *s. mot.* Arbeitstakt *m*; **~ sur·face** *s.* ⚙ Arbeits-, Lauffläche *f*.

work·less ['wɜːklɪs] *adj.* arbeitslos.

'work|·load *s.* Arbeitspensum *n*; **'~·man** [-mən] *s.* [*irr.*] **1.** Arbeiter *m*; **2.** Handwerker *m*; **'~·man·like** [-laɪk], **'~·ly** [-lɪ] *adj.* kunstgerecht, fachmännisch; **'~·man·ship** [-ʃɪp] *s.* **1.** *j-s* Werk *n*; **2.** Kunst(fertigkeit) *f*; **3.** *gute etc.* Ausführung; Verarbeitungsgüte *f*; Quali'tätsarbeit *f*; **'~·men's com·pen·sa·tion act** [-mənz] *s.* Arbeiterunfallversicherungsgesetz *n*; **'~·out** *s.* **1.** F *sport* (Konditi'ons)Training *n*; **2.** Versuch *m*, Erprobung *f*; **'~ˌpeo·ple** *s. pl.* Belegschaft *f*; **~ per·mit** *s.* Arbeitserlaubnis *f*; **'~·piece** *s.* ⚙ Arbeits-, Werkstück *n*; **'~·place** *s. Am.* Arbeitsplatz *m*; **~ shar·ing** *s.* ✝ Arbeitsaufteilung *f*; **~ sheet** *s.* **1.** 'Arbeitsbogen *m*, -ˌunterlage *f*; **2.** *Am.* ✝ 'Rohbiˌlanz *f*; **'~·shop** *s.* **1.** Werkstatt *f*: ***~ drawing*** ⚙ Werkstatt-, Konstruktionszeichnung *f*; **2.** *ped.* Werkraum *m*; **3.** *fig.* a) Werkstatt *f* (*e-r Künstlergruppe etc.*): ***~ theatre*** (***Am. theater***) Werkstattheater *n*, b) Workshop *m*, Kurs *m*, Semi'nar *n*; **'~·shy** *adj.* arbeitsscheu; **'~ˌsta·tion** *s.* Arbeitsplatz *m*; einzelner PC im Netzwerk; **'~ˌta·ble** *s.* Werktisch *m*; **ˌ~-to-'rule** *s.* Dienst *m* nach Vorschrift; **'~·wear** *s.* Arbeitskleidung *f*; **'~ˌwom·an** *s.* [*irr.*] Arbeiterin *f*.

world [wɜːld] **I** *s.* **1.** *allg.* Welt *f*: a) Erde *f*, b) Himmelskörper *m*, c) (Welt)All *n*, d) *fig. die* Menschen *pl.*, *die* Leute *pl.*, e) Sphäre *f*, Mili'eu *n*, f) (Na'tur)Reich *n*: (***animal***) ***vegetable ~*** (Tier-) Pflanzenreich, -welt; ***lower ~*** Unterwelt; ***the commercial ~***, ***the ~ of commerce*** die Handelswelt; ***the ~ of letters*** die gelehrte Welt; ***a ~ of difference*** ein himmelweiter Unterschied; ***other ~s*** andere Welten; ***all the ~*** die ganze Welt, jedermann; ***all the ~ over*** in der ganzen Welt; ***all the ~ and his wife*** F Gott u. die Welt; alles, was Beine hatte; ***for all the ~*** in jeder Hinsicht; ***for***

all the ~ like (*od.* ***as if***) genauso wie (*od.* als ob); ***for all the ~ to see*** vor aller Augen; ***from all over the ~*** aus aller Herren Länder; ***not for the ~*** nicht um die (*od.* alles in der) Welt; ***in the ~*** (auf) der Welt; ***out of this*** (*od.* ***the***) ~ *sl.* phantastisch; ***bring*** (***come***) ***into the ~*** zur Welt bringen (kommen); ***carry the ~ before one*** glänzenden Erfolg haben; ***have the best of both ~s*** die Vorteile beider Seiten genießen; ***put into the ~*** in die Welt setzen; ***think the ~ of*** große Stücke halten auf (*acc.*); ***she is all the ~ to him*** sie ist sein ein u. alles; ***how goes the ~ with you?*** wie geht's, wie steht's?; ***what*** (***who***) ***in the ~?*** was (wer) in aller Welt?; ***it's a small ~!*** die Welt ist ein Dorf!; **2.** ***a ~ of*** e-e Welt von, e-e Unmenge *Schwierigkeiten etc.*; **II** *adj.* **3.** Welt...: ~ ***champion*** (***language***, ***literature***, ***politics***, ***record*** *etc.*); ≈ **Court** *s.* Internationaler Ständiger Gerichtshof; ≈ **Cup** *s.* **1.** *Skisport etc.*: Weltcup *m*; **2.** Fußballweltmeisterschaft *f*; **'~-ˌfa·mous** *adj.* weltberühmt.

world·li·ness ['wɜːldlɪnɪs] *s.* Weltlichkeit *f*, weltlicher Sinn.

world·ling ['wɜːldlɪŋ] *s.* Weltkind *n*.

world·ly ['wɜːldlɪ] *adj. u. adv.* **1.** weltlich, irdisch, zeitlich: ~ ***goods*** irdische Güter; **2.** weltlich (gesinnt): ~ ***innocence*** Weltfremdheit *f*; ~ ***wisdom*** Weltklugheit *f*; **ˌ~-'wise** *adj.* weltklug.

world| pow·er *s. pol.* Weltmacht *f*; ~ **se·ries** *s. Baseball*: US-Meisterschaftsspiele *pl.*; **'~ˌshak·ing** *adj. a. iro.* welterschütternd: ***it isn't ~ after all***; ~ **view** *s.* Weltanschauung *f*; ≈ **War** *s.* Weltkrieg *m*: ~ ***I*** (***II***) erster (zweiter) Weltkrieg; **'~-ˌwea·ry** *adj.* weltverdrossen; **'~·wide** *adj.* weltweit, auf der ganzen Welt: ~ ***reputation*** Weltruf *m*; ~ ***strategy*** ⚔ Großraumstrategie *f*.

worm [wɜːm] **I** *s.* **1.** *zo.* Wurm *m* (*a. fig. contp. Person*): ***even a ~ will turn*** *fig.* auch der Wurm krümmt sich, wenn er getreten wird; **2.** *pl.* ⚕ Würmer *pl.*; **3.** ⚙ a) (Schrauben-, Schnecken)Gewinde *n*, b) (Förder-, Steuer- *etc.*)Schnecke *f*, c) (Rohr-, Kühl)Schlange *f*; **II** *v/t.* **4.** ~ ***one's way*** (*od.* ***o.s.***) a) sich *wohin* schlängeln, b) *fig.* sich einschleichen (***into*** in *j-s Vertrauen etc.*); **5.** ~ ***a secret out of s.o.*** j-m ein Geheimnis entlocken; **6.** ⚕ von Würmern befreien; **III** *v/i.* **7.** sich schlängeln, kriechen; **8.** sich winden; ~ **drive** *s.* ⚙ Schneckenantrieb *m*; **'~-ˌeat·en** *adj.* **1.** wurmstichig; **2.** *fig.* veraltet; ~ **gear** *s.* ⚙ **1.** Schneckengetriebe *n*; **2.** → ***worm wheel***; **'~'s-eye view** *s.* 'Froschperspekˌtive *f*; ~ **thread** *s.* ⚙ Schneckengewinde *n*; ~ **wheel** *s.* ⚙ Schneckenrad *n*; **'~·wood** *s.* **1.** ⚘ Wermut *m*; **2.** *fig.* Bitterkeit *f*: ***be*** (***gall and***) ~ ***to*** *j-n* bitter ankommen.

worm·y ['wɜːmɪ] *adj.* **1.** wurmig, voller Würmer; **2.** wurmstichig; **3.** wurmartig; **4.** *fig.* kriecherisch.

worn [wɔːn] **I** *p.p. von* ***wear***[1]; **II** *adj.* **1.** getragen (*Kleider*); **2.** → ***worn-out*** 1; **3.** erschöpft, abgespannt; **4.** *fig.* abgedroschen: ~ ***joke***; **ˌ~-'out** *adj.* **1.** abgetragen, -genutzt; **2.** völlig erschöpft, todmüde, zermürbt; **3.** → ***worn*** 4.

wor·ried ['wʌrɪd] *adj.* **1.** gequält; **2.** sorgenvoll, besorgt; **3.** beunruhigt, ängstlich; **'wor·ri·er** [-ɪə] *s.* j-d, der sich ständig Sorgen macht; **'wor·ri·ment** [-ɪmənt] *s.* F **1.** Plage *f*, Quäle'rei *f*; **2.** Angst *f*, Sorge *f*; **'wor·ri·some** [-ɪsəm] *adj.* **1.** quälend; **2.** lästig; **3.** beunruhigend; **4.** unruhig.

wor·ry ['wʌrɪ] **I** *v/t.* **1.** a) zausen, schütteln, beuteln, b) *Tier* (ab)würgen (*Hund etc.*); **2.** quälen, plagen (*a. fig. belästigen*); *fig. j-m* zusetzen: ~ ***s.o. into a decision*** j-n so lange quälen, bis er e-e Entscheidung trifft; ~ ***s.o. out of s.th.*** a) j-n mühsam von et. abbringen, b) j-n durch unablässiges Quälen um et. bringen; **3.** a) ärgern, b) beunruhigen, quälen, *j-m* Sorgen machen: ~ ***o.s.*** → 7; **4.** ~ ***out*** *Plan etc.* ausknobeln; **II** *v/i.* **5.** zerren, reißen (***at*** an *dat.*); **6.** sich quälen *od.* plagen; **7.** sich beunruhigen, sich Gedanken *od.* Sorgen machen (***about***, ***over*** um, wegen); **8.** ~ ***along*** sich mühsam *od.* mit knapper Not durchschlagen; ~ ***through s.th.*** sich durch et. hindurchquälen; **III** *s.* **9.** Kummer *m*, Besorgnis *f*, Sorge *f*, (innere) Unruhe; **10.** (Ursache *f* von) Ärger *m*, Aufregung *f*; **11.** Quälgeist *m*; **12.** a) Schütteln *n*, Beuteln *n*, b) Abwürgen *n* (*bsd. vom Hund*); **'wor·ry·ing** [-ɪɪŋ] *adj.* □ beunruhigend, quälend.

worse [wɜːs] **I** *adj.* (*comp. von* ***bad***, ***evil***, ***ill***) **1.** schlechter, schlimmer (*beide a.* ⚕), übler, ärger: ~ ***and*** ~ immer schlechter *od.* schlimmer; ***the*** ~ desto schlimmer; ***so much*** (*od.* ***all***) ***the*** ~ um so schlimmer; ~ ***luck!*** leider!, unglücklicherweise!, um so schlimmer!; ***to make it*** ~ (*Redew.*) um das Unglück vollzumachen; → ***wear***[1] 14; ***he is ~ than yesterday*** es geht ihm schlechter als gestern; **2.** schlechter gestellt: (***not***) ***to be the ~ for*** (keinen) Schaden gelitten haben durch, (nicht) schlechter gestellt sein wegen; ***he is none the ~*** (***for it***) er ist darum nicht übler dran; ***you would be none the ~ for a walk*** ein Spaziergang würde dir gar nichts schaden; ***be*** (***none***) ***the ~ for drink*** (nicht) betrunken sein; **II** *adv.* **3.** schlechter, schlimmer, ärger: ***none the ~*** nicht schlechter; ***be ~ off*** schlechter daran sein; ***you could do ~ than ...*** du könntest ruhig …; **III** *s.* **4.** Schlechtere(s) *n*, Schlimmere(s) *n*: ***~ followed*** Schlimmeres folgte; → ***better***[1] 2; ***from bad to ~*** vom Regen in die Traufe; ***a change for the ~*** e-e Wendung zum Schlechten; **ˈwors·en** [-sn] **I** *v/t.* **1.** schlechter machen, verschlechtern; **2.** *Unglück etc.* verschlimmern; **3.** *j-n* schlechter stellen; **II** *v/i.* **4.** sich verschlechtern *od.* verschlimmern; **ˈwors·en·ing** [-snɪŋ] *s.* Verschlechterung *f*, -schlimmerung *f*.

wor·ship [ˈwɜːʃɪp] **I** *s.* **1.** *eccl.* a) (*a. fig.*) Anbetung *f*, Verehrung *f*, Kult(us) *m*, b) (***public ~*** öffentlicher) Gottesdienst, Ritus *m*: ***place of ~*** Kultstätte *f*, Gotteshaus *n*; ***the ~ of wealth*** *fig.* die Anbetung des Reichtums; **2.** (*der, die, das*) Angebetete; **3.** ***his*** (***your***) ***2*** *bsd. Brit.* Seiner (Euer) Hochwürden (*Anrede, jetzt bsd. für Bürgermeister u. Richter*); **II** *v/t.* **4.** anbeten, verehren, huldigen (*dat.*) (*alle a. fig. vergöttern*); **III** *v/i.* **5.** beten, s-e Andacht verrichten; **wor·ship·er** *Am.* → ***worshipper***; **ˈwor·ship·ful** [-fʊl] *adj.* ☐ **1.** verehrend, anbetend (*Blick etc.*); **2.** *obs.* (ehr)würdig, achtbar; **3.** (*in der Anrede*) hochwohllöblich, hochverehrt; **ˈwor·ship·per** [-pə] *s.* **1.** Anbeter(in), Verehrer(in): ***~ of idols*** Götzendiener *m*; **2.** Beter(in): ***the ~s*** die Andächtigen, die Kirchgänger.

worst [wɜːst] **I** *adj.* (*sup. von* ***bad, evil, ill***) schlechtest, schlimmst, übelst, ärgst: ***and, which is ~*** und, was das schlimmste ist; **II** *adv.* am schlechtesten *od.* übelsten, am schlimmsten *od.* ärgsten; **III** *s. der* (*die, das*) Schlechteste *od.* Schlimmste *od.* Ärgste: ***at*** (***the***) ***~*** schlimmstenfalls; ***be prepared for the ~*** aufs Schlimmste gefaßt sein; ***do one's ~*** es so schlecht *od.* schlimm wie möglich machen; ***do your ~!*** mach, was du willst!; ***let him do his ~!*** soll er nur!; ***get the ~ of it*** den kürzeren ziehen; ***if*** (*od.* ***when***) ***the ~ comes to the ~*** wenn es zum Schlimmsten kommt, wenn alle Stricke reißen; ***he was at his ~*** er zeigte sich von seiner schlechtesten Seite, er war in denkbar schlechter Form; ***see s.o.*** (***s.th.***) ***at his*** (***its***) ***~*** j-n (et.) von der schlechtesten *od.* schwächsten Seite sehen; ***the illness is at its ~*** die Krankheit ist auf ihrem Höhepunkt; ***the ~ of it is*** das Schlimmste daran ist; **IV** *v/t.* überˈwältigen, schlagen.

wor·sted [ˈwʊstɪd] ⚙ **I** *s.* **1.** Kammgarn *n*, -wolle *f*; **2.** Kammgarnstoff *m*; **II** *adj.* **3.** wollen, Woll…: ***~ wool*** Kammwolle *f*; ***~ yarn*** Kammgarn *n*; **4.** Kammgarn…

wort[1] [wɜːt] *in Zssgn* …kraut *n*, …wurz *f*.

wort[2] [wɜːt] *s.* (Bier)Würze *f*: ***original ~*** Stammwürze.

worth [wɜːθ] **I** *adj.* **1.** (*e-n bestimmten Betrag*) wert (***to*** *dat. od.* für): ***he is ~ a million*** er besitzt *od.* verdient e-e Million, er ist e-e Million wert; ***for all you are ~*** F so sehr du kannst, ‚auf Teufel komm raus'; ***my opinion for what it may be ~*** m-e unmaßgebliche Meinung; ***take it for what it is ~!*** *fig.* nimm es für das, was es wirklich ist!; **2.** *fig.* würdig, wert (*gen.*): ***~ doing*** wert getan zu werden; ***~ mentioning*** (***reading, seeing***) erwähnens- (lesens-, sehens-) wert; ***be ~ the trouble, be ~ it*** F sich lohnen, der Mühe wert sein; → ***powder*** 1, ***while*** 1; **II** *s.* **3.** Wert *m* (*a. fig. Bedeutung, Verdienst*): ***of no ~*** wertlos; ***get the ~ of one's money*** für sein Geld et. (Gleichwertiges) bekommen; ***20 pence's ~ of stamps*** Briefmarken im Wert von 20 Pence, für 20 Pence Briefmarken; ***men of ~*** verdiente *od.* verdienstvolle Leute.

wor·thi·ly [ˈwɜːðɪlɪ] *adv.* **1.** nach Verdienst, angemessen; **2.** mit Recht; **3.** würdig; **ˈwor·thi·ness** [-ɪnɪs] *s.* Wert *m*; **worth·less** [ˈwɜːθlɪs] *adj.* ☐ **1.** wertlos; **2.** *fig.* un-, nichtswürdig.

ˌworthˈwhile *adj.* lohnend, der Mühe wert.

wor·thy [ˈwɜːðɪ] **I** *adj.* ☐ → ***worthily***; **1.** würdig, achtbar, angesehen; **2.** würdig, wert (***of*** *gen.*): ***be ~ of*** *e-r Sache* wert *od.* würdig sein, *et.* verdienen; ***he is not ~ of her*** er ist ihrer nicht wert *od.* würdig; ***~ of credit*** a) glaubwürdig, b) ✝ kreditwürdig; ***~ of a better cause*** e-r besseren Sache würdig; **3.** würdig (*Gegner, Nachfolger etc.*), angemessen (*Belohnung*); **4.** *humor.* trefflich, wakker (*Person*); **II** *s.* **5.** große Perˈsönlichkeit, Größe *f*, Held(in) (*mst pl.*); **6.** *humor. der* Wackere.

would [wʊd; wəd] **1.** *pret. von* ***will***[1] I: a) wollte(st), wollten: ***he ~ not go*** er wollte durchaus nicht gehen, b) pflegte(st), pflegten zu (*oft unübersetzt*): ***he ~ take a walk every day*** er pflegte täglich e-n Spaziergang zu machen; ***now and then a bird ~ call*** ab u. zu ertönte ein Vogelruf; ***you ~ do that!*** du mußtest das natürlich tun!, das sieht dir ähnlich!, c) *fragend*: würdest *du*?, würden *Sie*?: ***~ you pass me the salt, please?***, d) *vermutend*: ***that ~ be 3 dollars*** das wären (dann) 3 Dollar; ***it ~ seem that*** es scheint fast, daß; **2.** *konditional*: würde(st), würden: ***she ~ do it if she could***; ***he ~ have come if …*** er wäre gekommen, wenn …; **3.** *pret. von* ***will***[1] II: *ich* wollte *od.* wünschte *od.* möchte: ***I ~ it were otherwise***; ***~*** (***to***) ***God*** wollte Gott; ***I ~ have you know*** ich muß Ihnen (schon) sagen.

would-be [ˈwʊdbiː] **I** *adj.* **1.** Möchtegern…: ***~ critic*** Kritikaster *m*; ***~ paint-***

er Farbenkleckser *m*; **~ *poet*** Dichterling *m*; **~ *huntsman*** Sonntagsjäger *m*; **~ *witty*** geistreich sein sollend (*Bemerkung etc.*); **2.** angehend, zukünftig: **~ *author*, ~ *wife***; **II** *s.* **3.** Gernegroß *m*, Möchtegern *m*.

wound¹ [waʊnd] *pret. u. p.p. von* ***wind²*** *u.* ***wind³***.

wound² [wu:nd] **I** *s.* **1.** Wunde *f* (*a. fig.*), Verletzung *f*, -wundung *f*: **~ *of entry*** (***exit***) ⚔ Einschuß *m* (Ausschuß *m*); **2.** *fig.* Verletzung *f*, Kränkung *f*; **II** *v/t.* **3.** verwunden, verletzen (*beide a. fig. kränken*); **ˈwound·ed** [-dɪd] *adj.* verwundet, verletzt (*beide a. fig. gekränkt*): **~ *veteran*** Kriegsversehrte(r) *m*; ***the ~*** die Verwundeten; **~ *vanity*** gekränkte Eitelkeit.

wove [wəʊv] *pret. u. obs. p.p. von* ***weave***; **ˈwo·ven** [-vən] *p.p. von* ***weave***: **~ *goods*** Web-, Wirkwaren.

wove pa·per *s.* ⚙ Veˈlinpaˌpier *n*.

wow [waʊ] **I** *int.* Mann!, toll!; **II** *s. bsd. Am. sl.* a) Bombenerfolg *m*, b) ‚tolles Ding', c) ‚toller Kerl', ‚tolle Frau' *etc.*: ***he*** (***it***) ***is a ~*** er (es) ist 'ne Wucht; **III** *v/t. j-n* hinreißen.

wrack¹ [ræk] *s.* **1.** → ***wreck*** 1 *u.* 2; **2.** **~ *and ruin*** Untergang u. Verderben; ***go to ~*** untergehen; **3.** Seetang *m*.

wrack² → ***rack⁴*** I.

wraith [reɪθ] *s.* **1.** Geistererscheinung *f* (*bsd. von gerade Gestorbenen*); **2.** Geist *m*, Gespenst *n*.

wran·gle [ˈræŋgl] **I** *v/i.* (sich) zanken *od.* streiten, sich in den Haaren liegen; **II** *s.* Streit *m*, Zank *m*; **ˈwran·gler** [-lə] *s.* **1.** Zänker(in), streitsüchtige Perˈson; **2.** *univ. Brit. Student in Cambridge, der bei der höchsten mathematischen Abschlußprüfung den 1. Grad erhalten hat*; **3.** guter Debattierer; **4.** *Am.* Cowboy *m*.

wrap [ræp] **I** *v/t.* [*irr.*] **1.** wickeln, hüllen; *a. Arme* schlingen (***round*** um *acc.*); **2.** *mst* **~ *up*** (ein)wickeln, (-)packen, (-)hüllen, (-)schlagen (***in*** in *acc.*): **~ *o.s. up*** (***well***) sich warm anziehen; **3.** **~ *up*** F a) *et.* glücklich ‚über die Bühne' bringen, b) abschließen, beenden; **~ *it up*** die Sache (erfolgreich) zu Ende führen; ***that ~s it up*** (***for today***)***!*** das wär's (für heute)!; **4.** *oft* **~ *up*** *fig.* (ein)hüllen, verbergen, *Tadel etc.* (ver)kleiden (***in*** in *acc.*): ***~ped up in mystery*** *fig.* geheimnisvoll, rätselhaft; ***~ped*** (*od.* ***wrapt***) ***in silence*** in Schweigen gehüllt; ***be ~ped up in*** a) völlig in Anspruch genommen sein von (*e-r Arbeit etc.*), ganz aufgehen in (*s-r Arbeit*, *s-n Kindern etc.*), b) versunken sein in (*acc.*); **5.** *fig.* verwickeln, -stricken (***in*** in *acc.*); **II** *v/i.* [*irr.*] **6.** sich einhüllen: **~ *up well!*** zieh dich warm an!; **7.** sich legen *od.* wickeln *od.* schlingen (***round*** um); **8.** sich legen (***over*** um) (*Kleider*); **9.** **~ *up!*** *sl.* halt's Maul!; **III** *s.* **10.** Hülle *f*, *bsd.* a) Decke *f*, b) Schal *m*, Pelz *m*, c) ˈUmhang *m*, Mantel *m*: ***keep s.th. under ~s*** *fig.* et. geheimhalten; **ˈ~·a·round I** *adj.* ⚙ Rundum…, Vollsicht…(-*verglasung*): **~ *windshield*** (*Brit.* ***windscreen***) *mot.* Panoramascheibe *f*; **II** *s.* Wickelbluse *f*, -kleid *n*.

wrap·per [ˈræpə] *s.* **1.** (Ein)Packer(in); **2.** Hülle *f*, Decke *f*, ˈÜberzug *m*, Verpackung *f*; **3.** (ˈBuch)ˌUmschlag *m*, Schutzhülle *f*; **4.** *a.* ***postal ~*** ✉ Kreuz-, Streifband *n*; **5.** a) Schal *m*, b) ˈÜberwurf *m*, c) Morgenrock *m*; **6.** Deckblatt *n* (*der Zigarre*); **ˈwrap·ping** [-pɪŋ] *s.* **1.** *mst pl.* Umˈhüllung *f*, Hülle *f*, Verpackung *f*; **2.** Ein-, Verpacken *n*: ***~-paper*** Einwickel-, Packpapier *n*.

wrapt [ræpt] *pret. u. p.p. von* ***wrap***.

wrath [rɒθ] *s.* Zorn *m*, Wut *f*: ***the ~ of God*** der Zorn Gottes; ***he looked like the ~ of god*** F er sah gräßlich aus; **ˈwrath·ful** [-fʊl] *adj.* ☐ zornig, grimmig, wutentbrannt; **ˈwrath·y** [-θɪ] *adj.* ☐ *bsd.* F → ***wrathful***.

wreak [ri:k] *v/t. Rache* (aus)üben, *Wut etc.* auslassen ([***up***]***on*** an *dat.*).

wreath [ri:θ] *pl.* **wreaths** [-ðz] *s.* **1.** Kranz *m* (*a. fig.*), Girˈlande *f*, (Blumen-) Gewinde *n*; **2.** (*Rauch- etc.*)Ring *m*; **3.** Windung *f* (*e-s Seiles etc.*); **4.** (Schnee-*etc.*)Wehe *f*; **wreathe** [ri:ð] **I** *v/t.* **1.** winden, wickeln (***round***, ***about*** um); **2.** a) *Kranz etc.* flechten, winden, b) (zu Kränzen) flechten; **3.** umˈkränzen, -ˈgeben, -ˈwinden; **4.** bekränzen, schmücken; **5.** kräuseln: ***~d in smiles*** lächelnd; **II** *v/i.* **6.** sich winden *od.* wickeln; **7.** sich ringeln *od.* kräuseln (*Rauchwolke etc.*).

wreck [rek] **I** *s.* **1.** ⚓ a) (Schiffs)Wrack *n*, b) Schiffbruch *m*, Schiffsunglück *n*, c) ⚖ Strandgut *n*; **2.** Wrack *n* (*mot. etc.*, *a. fig. bsd. Person*), Ruˈine *f*, Trümmerhaufen *m* (*a. fig.*): ***nervous ~*** *fig.* Nervenbündel *n*; ***she is the ~ of her former self*** sie ist nur (noch) ein Schatten ihrer selbst; **3.** *pl.* Trümmer *pl.* (*oft fig.*); **4.** *fig.* a) Ruˈin *m*, ˈUntergang *m*, b) Zerstörung *f*, Vernichtung *f von Hoffnungen etc.*; **II** *v/t.* **5.** *allg.* zertrümmern, -stören, *Schiff* zum Scheitern bringen (*a. fig.*): ***be ~ed*** a) → 8, b) in Trümmer gehen, c) entgleisen (*Zug*); **6.** *fig.* zuˈgrunde richten, ruinieren, kaˈputtmachen, *Gesundheit a.* zerrütten, *Pläne*, *Hoffnungen etc.* vernichten, zerstören; **7.** ⚓, ⚙ abwracken; **III** *v/i.* **8.** Schiffbruch erleiden, scheitern (*a. fig.*); **9.** verunglücken; **10.** zerstört *od.* vernichtet werden (*mst fig.*); **ˈwreck·age** [-kɪdʒ] *s.* **1.** Wrack(teile *pl.*) *n*, (Schiffs-, *allg.* Unfall)Trümmer *pl.*; **2.** *fig.* Strandgut *n* (des Lebens); **3.** →

wreck 4; **wrecked** [-kt] *adj.* **1.** gestrandet, gescheitert (*a. fig.*); **2.** schiffbrüchig (*Person*); **3.** zertrümmert, zerstört, vernichtet (*alle a. fig.*); zerrüttet (*Gesundheit etc.*): *~ **car*** Schrottauto *n*; ˈ**wreck·er** [-kə] *s.* **1.** Strandräuber *m*; **2.** Saboˈteur *m*, Zerstörer *m* (*beide a. fig.*); **3.** ⚓ a) Bergungsschiff *n*, b) Bergungsarbeiter *m*; **4.** ⚙ Abbrucharbeiter *m*; **5.** *mot. Am.* Abschleppwagen *m*; ˈ**wreck·ing** [-kɪŋ] *adj.* **1.** *Am.* Bergungs...: *~ **crew**; ~ **service** (**truck**)* *mot.* Abschleppdienst *m* (-wagen *m*); **2.** *Am.* Abbruch...: *~ **company*** Abbruchfirma *f*.

wren[1] [ren] *s. orn.* Zaunkönig *m*.

Wren[2] [ren] *s.* ⚔ *Brit.* F Angehörige *f* des ***Women's Royal Naval Service***, Maˈrinehelferin *f*.

wrench [rentʃ] **I** *s.* **1.** (drehender *od.* heftiger) Ruck, heftige Drehung; **2.** ⚕ Verzerrung *f*, -renkung *f*, -stauchung *f*: ***give a ~ to*** → 7; **3.** *fig.* Verdrehung *f*, -zerrung *f*; **4.** *fig.* (Trennungs)Schmerz *m*: ***it was a great ~*** der Abschied tat sehr weh; **5.** ⚙ Schraubenschlüssel *m*; **II** *v/t.* **6.** (mit e-m Ruck) reißen, zerren, ziehen: *~ **s.th.** (**away**) **from s.o.*** j-m et. entwinden *od.* -reißen (*a. fig.*); *~ **open*** *Tür etc.* aufreißen; **7.** ⚕ verrenken, verstauchen; **8.** verdrehen, verzerren (*a. fig. entstellen*).

wrest [rest] **I** *v/t.* **1.** (gewaltsam) reißen: *~ **from*** *j-m et.* entreißen, -winden, *fig. a.* abringen; **2.** *fig. Sinn, Gesetz etc.* verdrehen; **II** *s.* **3.** Ruck *m*, Reißen *n*; **4.** ♪ Stimmhammer *m*.

wres·tle [ˈresl] **I** *v/i.* **1.** *a. sport* ringen (*a. fig.* ***for*** um, ***with God*** mit Gott); **2.** *fig.* sich abmühen, kämpfen (***with*** mit); **II** *v/t.* **3.** ringen *od.* kämpfen mit; **III** *s.* **4.** → ***wrestling*** I; **5.** *fig.* Ringen *n*, schwerer Kampf; ˈ**wres·tler** [-lə] *s. sport* Ringer *m*, Ringkämpfer *m*; ˈ**wres·tling** [-lɪŋ] **I** *s. bsd. sport u. fig.* Ringen *n*; **II** *adj.* Ring...: *~ **match*** Ringkampf *m*.

wretch [retʃ] **1.** *a.* ***poor ~*** armes Wesen, armer Kerl *od.* Teufel (*a. iro.*); **2.** Schuft *m*; **3.** *iro.* Wicht *m*, ‚Tropf' *m*; **wretch·ed** [ˈretʃɪd] *adj.* ☐ **1.** elend, unglücklich, *a.* deprimiert (*Person*); **2.** erbärmlich, miseˈrabel, schlecht, dürftig; **3.** scheußlich, ekelhaft, unangenehm; **4.** *gesundheitlich* elend: ***feel ~*** sich elend *od.* schlecht fühlen; **wretch·ed·ness** [ˈretʃɪdnɪs] *s.* **1.** Elend *n*, Unglück *n*; **2.** Erbärmlichkeit *f*, Gemeinheit *f*.

wrig·gle [ˈrɪgl] **I** *v/i.* **1.** sich winden (*a. fig. verlegen od. listig*), sich schlängeln, zappeln: *~ **along*** sich dahinschlängeln; *~ **out*** sich herauswinden (***of s.th.*** aus e-r Sache) (*a. fig.*); **II** *v/t.* **2.** wackeln *od.* zappeln mit; mit *den Hüften* schaukeln; **3.** schlängeln, winden, ringeln: *~ **o.s.** (**along**, **through**)* sich (entlang-, hindurch)winden; *~ **o.s. into*** *fig.* sich einschleichen in (*acc.*); *~ **o.s. out of*** sich herauswinden aus; **III** *s.* **4.** Windung *f*, Krümmung *f*; **5.** schlängelnde Bewegung, Schlängeln *n*, Ringeln *n*, Wackeln *n*; ˈ**wrig·gler** [-lə] *s.* **1.** Ringeltier *n*, Wurm *m*; **2.** *fig.* aalglatter Kerl.

wright [raɪt] *s. in Zssgn* ...verfertiger *m*, ...macher *m*, ...bauer *m*.

wring [rɪŋ] **I** *v/t.* [*irr.*] **1.** *~ **out*** *Wäsche etc.* (aus)wringen, auswinden; **2.** a) *e-m Tier den Hals* abdrehen, b) *j-m den Hals* ˈumdrehen: ***I'll ~ your neck***; **3.** verdrehen, -zerren (*a. fig.*); **4.** a) *Hände* (*verzweifelt*) ringen, b) *j-m die Hand* (kräftig) drücken, pressen; **5.** *j-n* drükken (*Schuh etc.*); **6.** *~ **s.o.'s heart*** *fig.* j-m sehr zu Herzen gehen, j-m ans Herz greifen; **7.** abringen, entreißen, -winden (***from s.o.*** j-m): *~ **admiration from*** *j-m* Bewunderung abnötigen; **8.** *fig. Geld, Zustimmung* erpressen (***from***, ***out of*** von); **II** *s.* **9.** Wringen *n*, (Aus)Winden *n*; Pressen *n*, Druck *m*: ***give s.th. a ~*** → 1 *u.* 4b; **wring·er** [ˈrɪŋə] *s.* ˈWringmaˌschine *f*: ***go through the ~*** F ‚durch den Wolf gedreht werden'; **wring·ing** [ˈrɪŋɪŋ] *adj.* **1.** Wring...: *~ **machine*** → ***wringer***; **2.** *a.* *~ **wet*** F klatschnaß.

wrin·kle[1] [ˈrɪŋkl] **I** *s.* **1.** Runzel *f*, Falte *f* (*im Gesicht*); *a.* Kniff *m* (*in Papier etc.*); **2.** Unebenheit *f*, Vertiefung *f*, Furche *f*; **II** *v/t.* **3.** *oft ~ **up*** a) *Stirn, Augenbrauen* runzeln, b) *Nase* rümpfen; **4.** *Stoff, Papier etc.* falten, kniffen, zerknittern; **III** *v/i.* **5.** Falten werfen, Runzeln bekommen, sich runzeln, runz(e)lig werden, knittern.

wrin·kle[2] [ˈrɪŋkl] *s.* F **1.** Kniff *m*, Trick *m*; **2.** Wink *m*, Tip *m*; **3.** Neuheit *f*; **4.** Fehler *m*.

wrin·kly [ˈrɪŋklɪ] *adj.* **1.** faltig, runz(e)lig (*Gesicht etc.*); **2.** leicht knitternd (*Stoff*); **3.** gekräuselt.

wrist [rɪst] *s.* **1.** Handgelenk *n*; **2.** ⚙ → ***wrist pin***; ˈ**~·band** [-stb-] *s.* **1.** Bündchen *n*, (ˈHemd)Manˌschette *f*; **2.** Armband *n*; ˈ**~·drop** *s.* ⚕ Handgelenksláhmung *f*.

wrist·let [ˈrɪstlɪt] *s.* **1.** Pulswärmer *m*; **2.** Armband *n*: *~ **watch*** → ***wristwatch***; **3.** *sport* Schweißband *n*; **4.** *humor. od. sl.* Handschelle *f*.

wrist| pin *s.* ⚙ Zapfen *m*, *bsd.* Kolbenbolzen *m*; ˈ**~·watch** *s.* Armbanduhr *f*.

writ [rɪt] *s.* **1.** ⚖ a) behördlicher Erlaß, b) gerichtlicher Befehl, c) *a.* *~ **of summons*** (Vor)Ladung *f*: *~ **of attachment*** a) Haftbefehl *m*, b) *dinglicher* Arrest(befehl); *~ **of execution*** Vollstreckungsbefehl; ***take out a ~ against***

s.o., ***serve a ~ on s.o.*** j-n vorladen (lassen); **2.** ⚖ *hist. Brit.* Urkunde *f*; **3.** *pol. Brit.* Wahlausschreibung *f* für das Parla'ment; **4.** ***Holy*** (*od.* ***Sacred***) ⁀ *die* Heilige Schrift.

write [raɪt] [*irr.*] **I** *v/t.* **1.** *et.* schreiben: ***writ(ten) large*** *fig.* deutlich, leicht erkennbar; **2.** (auf-, nieder)schreiben, schriftlich niederlegen, notieren, aufzeichnen: ***it is written that*** es steht geschrieben, daß; ***it is written on*** (*od.* ***all over***) ***his face*** es steht ihm im Gesicht geschrieben; **3.** *Scheck etc.* ausschreiben, -füllen; **4.** *Papier etc.* vollschreiben; **5.** *j-m et.* schreiben, schriftlich mitteilen: ***~ s.o. s.th.***; **6.** *Buch etc.* verfassen, *a. Musik* schreiben: ***~ poetry*** dichten, Gedichte schreiben; **7.** ***~ o.s.*** sich bezeichnen als; **II** *v/i.* **8.** schreiben; **9.** schreiben, schriftstellern; **10.** schreiben, schriftliche Mitteilung machen: ***it's nothing to ~ home about*** *fig.* das ist nichts Besonderes, darauf brauchst du dir (braucht er sich *etc.*) nichts einzubilden; ***~ to ask*** schriftlich anfragen; ***~ for s.th.*** et. anfordern, sich et. kommen lassen;

Zssgn mit adv.:

write| down *v/t.* **1.** → ***write*** 2; **2.** *fig.* a) (schriftlich) her'absetzen, herziehen über (*acc.*), b) nennen, bezeichnen *od.* hinstellen als; **3.** ☤ abschreiben; **~ in** *v/t.* einfügen, -tragen; **~ off** *v/t.* **1.** (schnell) her'unterschreiben, ‚hinhauen'; **2.** ☤ (vollständig) abschreiben (*a. fig.*); **~ out** *v/t.* **1.** *Namen etc.* ausschreiben; **2.** abschreiben: ***~ fair*** ins reine schreiben; **3.** ***write o.s. out*** sich ausschreiben (*Autor*); **~ up** *v/t.* **1.** ausführlich darstellen *od.* beschreiben; **2.** *ergänzend* nachtragen, *Text* weiterführen; **3.** loben(d erwähnen), her'ausstreichen, anpreisen; **4.** ☤ e-n zu hohen Buchwert angeben für.

'write|-down *s.* ☤ Abschreibung *f*: **'~-off** *s.* a) ☤ (gänzliche) Abschreibung, b) *mot.* F To'talschaden: ***it's a ~*** F das können wir abschreiben.

writ·er ['raɪtə] *s.* **1.** Schreiber(in): ***~'s cramp*** (*od.* ***palsy***) Schreibkrampf *m*; **2.** Schriftsteller(in), Verfasser(in), Autor *m*, Au'torin *f*: ***the ~*** der Verfasser (= *ich*); ***~ for the press*** Journalist(in); **3.** ***~ to the signet*** *Scot.* No'tar *m*, Rechtsanwalt *m*; **'writ·er·ship** [-ʃɪp] *s. Brit.* Schreiberstelle *f*.

'write-up *s.* **1.** lobender Pressebericht *od.* Ar'tikel; **2.** ☤ zu hohe Buchwertangabe.

writhe [raɪð] *v/i.* **1.** sich krümmen, sich winden (***with*** vor *dat.*); **2.** *fig.* sich winden, leiden (***under***, ***at*** unter *e-r Kränkung etc.*).

writ·ing ['raɪtɪŋ] **I** *s.* **1.** Schreiben *n* (*Tätigkeit*); **2.** Schriftstelle'rei *f*; **3.** schriftliche Ausfertigung *od.* Abfassung; **4.** Schreiben *n*, Schriftstück *n*, *et.* Geschriebenes, *a.* Urkunde *f*: ***in ~*** schriftlich; ***the ~ on the wall*** *fig.* die Schrift an der Wand, das Menetekel; **5.** Schrift *f*, *literarisches* Werk; Aufsatz *m*, Ar'tikel *m*; **6.** Brief *m*; **7.** Inschrift *f*; **8.** Schreibweise *f*, Stil *m*; **9.** (Hand)Schrift *f*; **II** *adj.* **10.** schreibend, *bsd.* schriftstellernd: ***~ man*** Schriftsteller *m*; **11.** Schreib...; **~ book** *s.* Schreibheft *n*; **~ case** *s.* Schreibmappe *f*; **~ desk** *s.* Schreibtisch *m*; **~ pad** *s.* 'Schreib,unterlage *f*, -block *m*; **~ pa·per** *s.* 'Schreib-, 'Briefpa,pier *n*; **~ ta·ble** *s.* Schreibtisch *m*.

writ·ten ['rɪtn] **I** *p.p. von* ***write***; **II** *adj.* **1.** schriftlich: ***~ examination***; ***~ evidence*** ⚖ Urkundenbeweis *m*; ***~ language*** Schriftsprache *f*; **2.** geschrieben: ***~ law***; ***~ question*** *parl.* kleine Anfrage.

wrong [rɒŋ] **I** *adj.* □ → ***wrongly***; **1.** falsch, unrichtig, verkehrt, irrig: ***be ~*** *a.* a) unrecht haben, sich irren (*Person*), b) falsch gehen (*Uhr*); ***you are ~ in believing*** du irrst dich, wenn du glaubst; ***prove s.o. ~*** beweisen, daß j-d im Irrtum ist; **2.** verkehrt, falsch: ***bring the ~ book***; ***do the ~ thing*** das Falsche tun, es verkehrt machen; ***get hold of the ~ end of the stick*** *fig.* es völlig mißverstehen, es verkehrt ansehen; ***the ~ side*** die verkehrte *od.* falsche (*von Stoff*: linke) Seite; (***the***) ***~ side out*** das Innere nach außen (gekehrt) (*Kleidungsstück etc.*); ***be on the ~ side of 40*** über 40 (Jahre alt) sein; ***he will laugh on the ~ side of his mouth*** das Lachen wird ihm schon vergehen; ***have got out of bed*** (***on***) ***the ~ side*** F mit dem linken Bein zuerst aufgestanden sein; → ***blanket*** 1; **3.** nicht in Ordnung: ***s.th. is ~ with it*** es stimmt et. daran nicht; ***what is ~ with you?*** was ist los mit dir?, was hast du?; ***what's ~ with ...?*** a) was gibt es auszusetzen an (*dat.*)?, b) F wie wär's mit...?; **4.** unrecht: ***it is ~ of you to laugh***; **II** *adv.* **5.** falsch, unrichtig, verkehrt: ***get it ~*** es ganz falsch verstehen; ***go ~*** a) nicht richtig funktionieren *od.* gehen (*Uhr etc.*), b) schiefgehen (*Vorhaben etc.*), c) auf Abwege *od.* die schiefe Bahn geraten (*bsd. Frau*), d) fehlgehen; ***where did we go ~?*** was haben wir falsch gemacht?; ***get in ~ with s.o.*** *Am.* F es mit j-m verderben; ***get s.o. in ~*** *Am.* F j-n in Mißkredit bringen (***with*** bei); ***take s.th. ~*** et. übelnehmen; **III** *s.* **6.** Unrecht *n*: ***do s.o. ~*** j-m ein Unrecht zufügen; **7.** Irrtum *m*, Unrecht *n*: ***be in the ~*** unrecht haben; ***put s.o. in the ~*** j-n ins Unrecht setzen; **8.** Kränkung *f*, Beleidigung *f*; **9.** ⚖ Rechtsverletzung *f*: ***private ~*** Privatdelikt *n*; ***public ~*** öffentliches Delikt; **IV** *v/t.* **10.** *j-m* Unrecht tun (*a. in Gedanken etc.*), *j-n* ungerecht behandeln: ***I am ~ed*** mir geschieht Unrecht; **11.** *j-m* schaden, Schaden zufügen, *j-n* benachteiligen; **ˌ~ˈdo·er** *s.* Übel-, Missetäter(in), Sünder(in); **ˌ~ˈdo·ing** *s.* **1.** Missetat *f*, Sünde *f*; **2.** Vergehen *n*, Verbrechen *n*.

wrong·ful [ˈrɒŋfʊl] *adj.* □ **1.** ungerecht; **2.** beleidigend, kränkend; **3.** ⚖ unrechtmäßig, ˈwiderrechtlich, ungesetzlich.

ˌwrongˈhead·ed *adj.* □ **1.** querköpfig, verbohrt (*Person*); **2.** verschroben, verdreht, hirnverbrannt.

wrong·ly [ˈrɒŋlɪ] *adv.* **1.** → ***wrong*** II; **2.** ungerechterweise, zu *od.* mit Unrecht; **3.** irrtümlicher-, fälschlicherweise;

wrong·ness [ˈrɒŋnɪs] *s.* **1.** Unrichtigkeit *f*, Verkehrtheit *f*, Fehlerhaftigkeit *f*; **2.** Unrechtmäßigkeit *f*; **3.** Ungerechtigkeit *f*.

wrote [rəʊt] *pret. u. obs. p.p. von* ***write***.

wroth [rəʊθ] *adj.* zornig, erzürnt.

wrought [rɔːt] **I** *pret. u. p.p. von* ***work***; **II** *adj.* **1.** be-, ge-, verarbeitet: ***~ goods*** Fertigwaren; **2.** a) gehämmert, geschmiedet, b) schmiedeeisern; **3.** gewirkt; **~ i·ron** *s.* Schmiedeeisen *n*; **ˌ~-ˈi·ron** *adj.* schmiedeeisern; **~ steel** *s.* Schmiede-, Schweißstahl *m*; **ˌ~-ˈup** *adj.* aufgebracht, erregt.

wrung [rʌŋ] *pret. u. p.p. von* ***wring***.

wry [raɪ] *adj.* □ **1.** schief, krumm, verzerrt: ***make*** (*od.* ***pull***) ***a ~ face*** e-e Grimasse schneiden; **2.** *fig.* a) verschroben: ***~ notion***, b) gequält: ***~ smile***, c) sarˈkastisch: ***~ humo(u)r***; **ˈ~-mouthed** *adj.* **1.** schiefmäulig; **2.** *fig.* a) wenig schmeichelhaft, b) sarˈkastisch; **ˈ~·neck** *s. orn.* Wendehals *m*.

X, **x** [eks] **I** *pl.* **X's**, **x's**, **Xs**, **xs** ['eksɪz] *s.* **1.** X *n*, x *n* (*Buchstabe*); **2.** ⚹ a) x *n* (*1. unbekannte Größe od. abhängige Variable*), b) x-Achse *f*, Ab'szisse *f* (*im Koordinatensystem*); **3.** *fig.* X *n*, unbekannte Größe; **4.** → 6; **II** *adj.* **5.** X-..., X-förmig; **6.** ~ ***film*** nicht jugendfreier Film (*ab 18*).

Xan·thip·pe [zæn'θɪpɪ] *s. fig.* Xan'thippe *f*, Hausdrachen *m*.

xe·nog·a·my [ziː'nɒgəmɪ] *s.* ⚘ Fremdbestäubung *f*.

xen·o·pho·bi·a [ˌzenə'fəʊbjə] *s.* Xenopho'bie *f*, Fremdenfeindlichkeit *f*; ˌ**xen·o'pho·bic** [-bɪk] *adj.* xeno'phob, fremdenfeindlich.

xe·ra·si·a [zɪ'reɪzɪə] *s.* ⚕ Trockenheit *f* des Haares.

xe·ro·phyte ['zɪərəʊfaɪt] *s.* ⚘ Trockenheitspflanze *f*.

xiph·oid ['zɪfɔɪd] *adj. anat.* **1.** schwertförmig; **2.** Schwertfortsatz...: ~ ***appendage***, ~ ***process*** Schwertfortsatz *m*.

Xmas ['krɪsməs] F *für* ***Christmas***.

X-ray [ˌeks'reɪ] **I** *s.* ⚕, *phys.* **1.** X-Strahl *m*, Röntgenstrahl *m*; **2.** Röntgenaufnahme *f*, -bild *n*; **II** *v/t.* **3.** röntgen: a) ein Röntgenbild machen von, b) durch'leuchten; **4.** bestrahlen; **III** *adj.* **5.** Röntgen...

xy·lene ['zaɪliːn] *s.* ⚗ Xy'lol *n*.

xy·lo·graph ['zaɪləgrɑːf] *s.* Holzschnitt *m*; **xy·log·ra·pher** [zaɪ'lɒgrəfə] *s.* Holzschneider *m*; **xy·lo·graph·ic** [ˌzaɪlə'græfɪk] *adj.* Holzschnitt...; **xy·log·ra·phy** [zaɪ'lɒgrəfɪ] *s.* Xylogra'phie *f*, Holzschneidekunst *f*.

xy·lo·phone ['zaɪləfəʊn] *s.* ♪ Xylo'phon *n*.

xy·lose ['zaɪləʊs] *s.* ⚗ Xy'lose *f*, Holzzucker *m*.

Y

Y, **y** [waɪ] **I** *pl.* **Y's**, **y's**, **Ys**, **ys** [waɪz] *s.* **1.** Y *n*, y *n*, Ypsilon *n* (*Buchstabe*); **2.** ⚗ a) y *n* (*2. unbekannte Größe od. abhängige Variable*), b) y-Achse *f*, Ordi'nate *f* (*im Koordinatensystem*); **II** *adj.* **3.** Y-..., Y-förmig, gabelförmig.

y- [ɪ] *obs. Präfix zur Bildung des p.p., entsprechend dem deutschen* ge-.

yacht [jɒt] ⚓ **I** *s.* **1.** (Segel-, Motor-) Jacht *f*: **~ club** Jachtklub *m*; **2.** (Renn-) Segler *m*; **II** *v/i.* **3.** auf e-r Jacht fahren; **4.** (sport)segeln; **yacht·er** ['jɒtə] → ***yachtsman***; **yacht·ing** ['jɒtɪŋ] **I** *s.* **1.** Jacht-, Segelsport *m*; **2.** (Sport)Segeln *n*; **II** *adj.* **3.** Segel..., Jacht...

yachts·man ['jɒtsmən] *s.* [*irr.*] **1.** Jachtfahrer *m*; **2.** (Sport)Segler *m*; '**yachts·man·ship** [-ʃɪp] *s.* Segelkunst *f*.

yah [jɑː] *int.* a) puh!, b) ätsch!

ya·hoo [jə'huː] *s.* **1.** bru'taler Kerl; **2.** Saukerl *m*.

yak[1] [jæk] *v/i.* F quasseln.

yak[2] [jæk] *s.* Yak *m*, Grunzochs *m*.

yank[1] [jæŋk] F **I** *v/t.* (mit e-m Ruck her'aus)ziehen, (*hoch- etc.*)reißen; **II** *v/i.* reißen, heftig ziehen; **III** *s.* (heftiger) Ruck.

Yank[2] [jæŋk] F *für* ***Yankee***.

Yan·kee ['jæŋkɪ] *s.* Yankee *m* (*Spitzname*): a) Neu-'Engländer(in), b) Nordstaatler(in) (*der USA*), c) (*allg., von Nichtamerikanern gebraucht*) ('Nord-) Ameri,kaner(in): **~ Doodle** *amer. Volkslied.*

yap [jæp] **I** *s.* **1.** Kläffen *n*, Gekläff *n*; **2.** F a) Gequassel *n*, b) ‚Schnauze' *f* (*Mund*); **II** *v/i.* **3.** kläffen; **4.** F a) quasseln, b) ‚meckern'.

yard[1] [jɑːd] *s.* **1.** Yard *n* (= *0,914 m*); **2.** → ***yardstick*** 1: ***by the ~*** yardweise; ***~ goods*** Kurzwaren; **3.** ⚓ Rah(e) *f*.

yard[2] [jɑːd] *s.* **1.** Hof(raum) *m*; **2.** Arbeits-, Bau-, Stapel)Platz *m*; **3.** 🚂 *Brit.* Rangier-, Verschiebebahnhof *m*; **4.** ***the*** ≈ → ***Scotland Yard***; **5.** ✓ Hof *m*, Gehege *n*: ***poultry ~***; **6.** *Am.* Winterweideplatz *m* (*für Elche u. Rotwild*).

yard·age ['jɑːdɪdʒ] *s.* in Yards angegebene Zahl *od.* Länge, Yards *pl.*

'**yard·man** [-mən] *s.* [*irr.*] **1.** 🚂 Rangier-, Bahnhofsarbeiter *m*; **2.** ⚓ Werftarbeiter *m*; **3.** ✓ Stall-, Viehhofarbeiter *m*; **~ mas·ter** *s.* 🚂 Rangiermeister *m*; '**~·stick** *s.* **1.** Yard-, Maßstock *m*; **2.** *fig.* Maßstab *m*.

yarn [jɑːn] **I** *s.* **1.** Garn *n*; **2.** ⚓ Kabelgarn *n*; **3.** F abenteuerliche (*a. weitS. erlogene*) Geschichte, (Seemanns)Garn *n*: ***spin a ~*** e-e Abenteuergeschichte erzählen, ein (Seemanns)Garn spinnen; **II** *v/i.* **4.** F (Geschichten) erzählen, ein Garn spinnen, (mitein'ander) klönen.

yar·row ['jærəʊ] *s.* ⚘ Schafgarbe *f*.

yaw [jɔː] *v/i.* **1.** ⚓ gieren (*vom Kurs abkommen*); **2.** ✈ (*um Hochachse*) gieren, scheren; **3.** *fig.* schwanken.

yawl [jɔːl] *s.* ⚓ **1.** Segeljolle *f*; **2.** Be'sankutter *m*.

yawn [jɔːn] **I** *v/i.* **1.** gähnen (*a. fig. Abgrund etc.*); **2.** *fig.* a) sich weit u. tief auftun, b) weit offenstehen; **II** *v/t.* **3.** gähnen(d sagen); **III** *s.* **4.** Gähnen *n*; '**yawn·ing** [-nɪŋ] *adj.* ☐ gähnend (*a. fig.*).

y·clept [ɪ'klept] *adj. obs. od. humor.* genannt, namens.

ye[1] [jiː] *pron. obs. od. bibl. od. humor.* **1.** ihr, Ihr; **2.** euch, Euch, dir, Dir; **3.** du, Du; **4.** F *für* ***you***: ***how d'ye do?***

ye[2] [jiː] *archaisierend für* ***the***.

yea [jeɪ] **I** *adv.* **1.** ja; **2.** für'wahr, wahr'haftig; **3.** *obs.* ja so'gar; **II** *s.* **4.** Ja *n*; **5.** *parl. etc.* Ja(stimme *f*) *n*: ***~s and nays*** Stimmen für u. wider; ***the ~s have it!*** der Antrag ist angenommen!

yeah [jeə] *adv.* F ja, klar: ***~?*** so?, na, na!

yean [jiːn] *zo.* **I** *v/t.* werfen (*Lamm, Zicklein*); **II** *v/i.* a) lammen (*Schaf*), b) zickeln (*Ziege*); '**yean·ling** [-lɪŋ] *s.* a) Lamm *n*, b) Zicklein *n*.

year [jɜː] *s.* **1.** Jahr *n*: ***~ of grace*** Jahr des Heils; ***for ~s*** jahrelang, seit Jahren, auf Jahre hinaus; ***~ in, ~ out*** jahrein, jahraus; ***~ by ~, from ~ to ~, ~ after ~*** Jahr für Jahr; ***in the ~ one*** *humor.* vor undenklichen Zeiten; ***take ~s off s.o.*** j-n um Jahre jünger machen; **2.** *pl.* Alter *n*: ***~s of discretion*** gesetztes *od.* vernünftiges Alter; ***well on in ~s*** hochbetagt; ***be getting on in ~s*** in die Jahre kommen; ***he bears his ~s well*** er ist für sein Alter noch recht rüstig; **3.** *ped. univ.* Jahrgang *m*; '**~·book** *s.* Jahrbuch *n*.

year·ling ['jɜːlɪŋ] **I** *s.* **1.** Jährling *m*: a) einjähriges Tier, b) einjährige Pflanze; **2.** *Pferdesport*: Einjährige(s) *n*; **II** *adj.* **3.** einjährig.

ˈyear·long *adj.* einjährig.

year·ly [ˈjɜːlɪ] **I** *adj.* jährlich, Jahres…; **II** *adv.* jährlich, jedes Jahr (einmal).

yearn [jɜːn] *v/i.* **1.** sich sehnen, Sehnsucht haben (***for***, ***after*** nach, ***to do*** danach, zu tun); **2.** (*bsd.* Mitleid, Zuneigung) empfinden (***to***[***wards***] für, mit); **ˈyearn·ing** [-nɪŋ] **I** *s.* Sehnsucht *f*, Sehnen *n*, Verlangen *n*; **II** *adj.* □ sehnsüchtig, sehnend, verlangend.

yeast [jiːst] **I** *s.* **1.** (Bier-, Back)Hefe *f*; **2.** Gischt *f*, Schaum *m*; **3.** *fig.* Triebkraft *f*; **II** *v/i.* **4.** gären; **~ pow·der** *s.* Backpulver *n*.

yeast·y [ˈjiːstɪ] *adj.* **1.** heftig; **2.** gärend; **3.** schäumend; **4.** *fig. contp.* leer, hohl; **5.** *fig.* a) unstet, b) ˈüberschäumend.

yegg(·man) [ˈjeg(mən)] *s.* [*irr.*] *Am. sl.* ‚Schränker' *m*, Geldschrankknacker *m*.

yell [jel] **I** *v/i.* **1.** schreien, brüllen (***with*** vor *dat.*); **II** *v/t.* **2.** gellen(d ausstoßen), schreien; **III** *s.* **3.** gellender (Auf-)Schrei; **4.** *Am. univ.* (rhythmischer) Anfeuerungs- *od.* Schlachtruf.

yel·low [ˈjeləʊ] **I** *adj.* **1.** gelb (*a. Rasse*): ***~-haired*** flachshaarig; ***the ~ peril*** die gelbe Gefahr; **2.** *fig.* a) *obs.* neidisch, mißgünstig, b) F feig: ***~ streak*** feiger Zug; **3.** sensatiˈonslüstern; → ***yellow paper***, ***yellow press***; **II** *s.* **4.** Gelb *n*: ***at ~*** *Am.* bei (*od.* auf) Gelb (*Verkehrsampel*); **5.** Eigelb *n*; **6.** ⚘, ⚕ *od. vet.* Gelbsucht *f*; **III** *v/t.* **7.** gelb färben; **IV** *v/i.* **8.** sich gelb färben, vergilben; **~ card** *s.*: ***be shown the ~*** *Fußball*: die gelbe Karte (gezeigt) bekommen; **ˈ~-dog I** *s.* **1.** Köter *m*, ‚Promeˈnadenmischung' *f*; **2.** *fig.* gemeiner *od.* feiger Kerl; **II** *adj.* **3.** a) hundsgemein, b) feig; **4.** *Am.* gewerkschaftsfeindlich; **~ earth** *s. min.* **1.** Gelberde *f*; **2.** → ***yellow ochre***; **~ fe·ver** *s.* ⚕ Gelbfieber *n*; **ˈ~ˌham·mer** *s. orn.* Goldammer *f*.

yel·low·ish [ˈjeləʊɪʃ] *adj.* gelblich.

yel·low| jack *s.* **1.** ⚕ Gelbfieber *n*; **2.** ⚓ Quaranˈtäneflagge *f*; **~ met·al** *s.* ˈMuntzmeˌtall *n*; **~ o·chre** (*Am.* **o·cher**) *s. min.* gelber Ocker, Gelberde *f*; **~ pag·es** *s. pl. teleph.* (*die*) gelben Seiten, Branchenverzeichnis *n*; **~ paper** *s.* Sensatiˈons-, Reˈvolverblatt *n*; **~ press** *s.* Sensatiˈons-, Bouleˈvardpresse *f*; **~ soap** *s.* Schmierseife *f*.

yelp [jelp] **I** *v/i.* **1.** a) (auf)jaulen, b) aufschreien; **2.** (*a. v/t.*) kreischen; **II** *s.* **3.** a) (Auf)Jaulen *n*, b) Aufschrei *m*.

yen[1] [jen] *s.* Yen *m* (*japanische Münzeinheit*).

yen[2] [jen] F *für* ***yearning*** I.

yeo·man [ˈjəʊmən] *s.* [*irr.*] **1.** *Brit. hist.* a) Freisasse *m*, b) ⚔ berittener Miˈlizsolˌdat: ***~ service*** *fig.* treue Dienste *pl.*; **2.** *a.* ***Ձ of the Guard*** ˈLeibgarˌdist *m*; **3.** ⚓ Verˈwaltungsˌunteroffiˌzier *m*; **ˈyeo·man·ry** [-rɪ] *s. coll. hist.* **1.** Freisassen *pl.*; **2.** ⚔ berittene Miˈliz.

yep [jep] *adv.* F ja.

yes [jes] **I** *adv.* **1.** ja, jaˈwohl: ***say ~*** (***to***) a) ja sagen (zu), (*e-e Sache*) bejahen (*beide a. fig.*), b) einwilligen (in *acc.*); **2.** ja, gewiß, allerˈdings; **3.** (ja) doch; **4.** ja soˈgar; **5.** *fragend od. anzweifelnd*: ja?, wirklich?; **II** *s.* **6.** Ja *n*; **7.** *fig.* Ja (-wort) *n*; **8.** *parl.* Ja(stimme *f*) *n*; **~ man** *s.* [*irr.*] F Jasager *m*.

yes·ter [ˈjestə] *adj.* **1.** *obs. od. poet.* gestrig; **2.** *in Zssgn* → ***yesterday*** 2; **ˈ~·day** [-dɪ] **I** *adv.* **1.** gestern: ***I was not born ~*** *fig.* ich bin (doch) nicht von gestern; **II** *adj.* **2.** gestrig, vergangen, letzt: ***~ morning*** gestern früh; **III** *s.* **3.** der gestrige Tag: ***the day before ~*** vorgestern; ***~'s paper*** die gestrige Zeitung; ***of ~*** von gestern; ***~s*** vergangene Tage *od.* Zeiten; **4.** *fig. das* Gestern; **ˌ~-ˈyear** *adv. u. s. obs. od. poet.* voriges Jahr.

yet [jet] **I** *adv.* **1.** (immer) noch, jetzt noch: ***not ~*** noch nicht; ***nothing ~*** noch nichts; ***~ a moment*** (nur) noch einen Augenblick; **2.** schon (jetzt), jetzt: (***as***) ***~*** bis jetzt, bisher; ***have you finished ~?*** bist du schon fertig?; ***not just ~*** nicht gerade jetzt; **3.** (doch) noch, schon (noch): ***he will win ~***; **4.** noch, soˈgar (*beim Komparativ*): ***~ better*** noch besser; ***~ more important*** sogar noch wichtiger; **5.** noch (daˈzu), außerdem: ***another and ~ another*** noch einer u. noch einer dazu; ***~ again*** immer wieder; ***nor ~*** (und) auch nicht; **6.** dennoch, trotzdem, jeˈdoch, aber: ***but ~*** aber doch *od.* trotzdem; **II** *cj.* **7.** aber (dennoch *od.* zuˈgleich), doch.

yew [juː] ⚘ **I** *s.* **1.** *a.* ***~ tree*** Eibe *f*; **2.** Eibenholz *n*; **II** *adj.* **3.** Eiben…

Yid [jɪd] *s. sl.* Jude *m*; **Yid·dish** [ˈjɪdɪʃ] *ling.* **I** *s.* Jiddisch *n*; **II** *adj.* jiddisch.

yield [jiːld] **I** *v/t.* **1.** *als Ertrag* ergeben, (ein-, herˈvor)bringen, *a. Ernte* erbringen, *bsd. Gewinn* abwerfen, *Früchte*, *a. Zinsen etc.* tragen, *Produkte etc.* liefern: ***~ 6 %*** ✝ 6 % (Rendite) abwerfen; **2.** *Resultat* ergeben, liefern; **3.** *fig.* gewähren, zugestehen, einräumen (***s.th. to s.o.*** j-m et.): ***~ consent*** einwilligen; ***~ the point*** sich (*in e-r Debatte*) geschlagen geben; ***~ precedence to j-m*** den Vorrang einräumen; **4.** *a.* ***~ up*** a) auf-, hergeben, b) (***to***) abtreten (an *acc.*), überˈlassen, -ˈgeben (*dat.*), ausliefern (*dat. od.* an *acc.*): ***~ o.s. to*** *fig.* sich *e-r Sache* überlassen; ***~ a secret*** ein Geheimnis preisgeben; ***~ the palm*** (***to s.o.***) sich (j-m) geschlagen geben; ***~ place to*** Platz machen (*dat.*); → ***ghost*** 2; **II** *v/i.* **5.** *guten etc.* Ertrag geben *od.* liefern, *bsd.* ⚒ tragen; **6.** nachgeben, weichen (*Sache u. Person*): ***~ to despair*** sich der Verzweiflung hingeben;

~ to force der Gewalt weichen; *I ~ to none* ich stehe keinem nach (*in* in *dat.*); **7.** sich fügen (*to dat.*); **8.** einwilligen (*to* in *acc.*); **III** *s.* **9.** Ertrag *m*: a) Ernte *f*, b) Ausbeute *f* (*a.* ⚙, *phys.*), Gewinn *m*: *~ of tax(es)* Steueraufkommen *n*, -ertrag *m*; **10.** ☤ a) Zinsertrag *m*, b) Ren'dite *f*; **11.** ⚙ a) Me'tallgehalt *m von Erz*, b) Ausgiebigkeit *f von Farben etc.*, c) Nachgiebigkeit *f von Material*; **'yield·ing** [-dɪŋ] *adj.* □ **1.** ergiebig, einträglich: *~ interest* ☤ verzinslich; **2.** nachgebend, dehnbar, biegsam; **3.** *fig.* nachgiebig, gefügig; **yield point** *s.* ⚙ Fließ-, Streckgrenze *f*, -punkt *m*.

yip [jɪp] *Am.* F *für* ***yelp***; **yip·pee** [jɪ'pi:; 'jɪpɪ] *int.* hur'ra!

yob [jɒb] *s. Brit.* F Rowdy *m*.

yo·del ['jəʊdl] **I** *v/t. u. v/i.* jodeln; **II** *s.* Jodler *m* (*Gesang*).

yo·ga ['jəʊgə] *s.* Joga *m*, *n*, Yoga *m*, *n*.

yo·gh(o)urt ['jɒgət] *s.* Joghurt *m*, *n*.

yo·gi ['jəʊgɪ] *s.* Jogi *m*, Yogi *m*.

yo-heave-ho [ˌjəʊhi:v'həʊ], **yo-ho** [jəʊ'həʊ] *int.* ⚓ hau-'ruck!

yoicks [jɔɪks] *hunt.* **I** *int.* hussa!; **II** *s.* Hussa(ruf *m*) *n*.

yoke [jəʊk] **I** *s.* **1.** ✓, *antiq. u. fig.* Joch *n*: *~ of matrimony* Joch der Ehe; *pass under the ~* sich unter das Joch beugen; **2.** *sg. od. pl.* Paar *n*, Gespann *n*: *two ~ of oxen*; **3.** ⚙ a) Schultertrage *f* (*für Eimer etc.*), b) Glockengerüst *n*, c) Bügel *m*, d) ⚡ (Ma'gnet-, Pol)Joch *n*, e) *mot.* Gabelgelenk *n*, f) doppeltes Achslager, g) ⚓ Ruderjoch *n*; **4.** Passe *f*, Sattel *m* (*an Kleidern*); **II** *v/t.* **5.** *Tiere* anschirren, anjochen; **6.** *fig.* paaren, verbinden (*with*, *to* mit); **III** *v/i.* **7.** verbunden sein (*with* mit *j-m*): *~ together* zs.-arbeiten; *~* **bone** *s. anat.* Jochbein *n*; **'~ˌfel·low** *s. obs.* **1.** Mitarbeiter *m*; **2.** (Lebens)Gefährte *m*, (-)Gefährtin *f*.

yo·kel ['jəʊkl] *s.* Bauer(ntrampel) *m*.

'yoke·mate → ***yokefellow***.

yolk [jəʊk] *s.* **1.** *zo.* Eidotter *m*, *n*, Eigelb *n*; **2.** Woll-, Fettschweiß *m* (*der Schafwolle*).

yon [jɒn] *obs. od. dial.* **I** *adj. u. pron.* jene(r, s) dort (drüben); **II** *adv.* → ***yonder*** I; **'yon·der** [-də] **I** *adv.* **1.** da *od.* dort drüben; **2.** *obs.* da drüben hin; **II** *adj. u. pron.* **3.** → ***yon*** I.

yore [jɔ:] *s.*: *of ~* vorzeiten, ehedem, vormals; *in days of ~* in alten Zeiten.

York·shire ['jɔ:kʃə] *adj.* aus der Grafschaft Yorkshire, Yorkshire...: *~ flannel* ☤ *feiner Flanell aus ungefärbter Wolle*; *~ pudding gebackener Eierteig, der zum Rinderbraten gegessen wird.*

you [ju:; jʊ; jə] *pron.* **1.** a) (*nom.*) du, ihr, Sie, b) (*dat.*) dir, euch, Ihnen, c) (*acc.*) dich, euch, Sie: *don't ~ do that!* tu das ja nicht!; *that's a wine for ~!* das ist vielleicht ein (gutes) Weinchen!; **2.** man: *that does ~ good* das tut einem gut; *what should ~ do?* was soll man tun?

you'd [ju:d; jʊd; jəd] F *für* a) ***you would***, b) ***you had***.

young [jʌŋ] **I** *adj.* jung (*a. fig. frisch, neu, unerfahren*): *~ ambition* jugendlicher Ehrgeiz; *~ animal* Jungtier *n*; *~ children* kleine Kinder; *~ love* junge Liebe; *her ~ man* F ihr Schatz; *~ Smith* Smith junior; *a ~ state* ein junger Staat; *~ person* ⚖ Jugendliche(r), Heranwachsende(r) (*14 bis 17 Jahre alt*); *the ~ person fig.* die (unverdorbene) Jugend; *~ in one's job* unerfahren in s-r Arbeit; **II** *s. coll.* (Tier)Junge *pl.*: *with ~* trächtig; **young·ish** ['jʌŋɪʃ] *adj.* ziemlich jung; **'young·ster** [-stə] *s.* **1.** Bursch(e) *m*, Junge *m*; Kleine(r *m*) *f*; **2.** *sport* Youngster *m*.

your [jɔ:] *pron. u. adj.* **1.** a) *sg.* dein(e), b) *pl.* euer, eure, c) *sg. od. pl.* Ihr(e); **2.** *impers.* F a) so ein(e), b) der (die, das) vielgepriesene *od.* -gerühmte.

yours [jɔ:z] *pron.* **1.** a) *sg.* dein, der (die, das) dein(ig)e, die dein(ig)en, b) *pl.* euer, eure(s), der (die, das) eur(ig)e, die eur(ig)en, c) *Höflichkeitsform, sg. od. pl.* Ihr, der (die, das) Ihr(ig)e, die Ihr(ig)en: *this is ~* das gehört dir (euch, Ihnen); *what is mine is ~* was mein ist, ist (auch) dein; *my sister and ~* meine u. deine Schwester; → ***truly*** 2; **2.** a) die Dein(ig)en (Euren, Ihren), b) das Dein(ig)e, deine Habe: *you and ~*; **3.** ☤ Ihr Schreiben.

your'self *pl.* **-'selves** [-vz] *pron.* (*in Verbindung mit* ***you*** *od. e-m Imperativ*) **1.** a) *sg.* (du, Sie) selbst, b) *pl.* (ihr, Sie) selbst: *by ~* a) selbst, selber, selbständig, allein, b) allein, für sich; *be ~!* F nimm dich zusammen!; *you are not ~ today* du bist (Sie sind) heute ganz anders als sonst *od.* nicht auf der Höhe; *what will you do with ~ today?* was wirst du (werden Sie) heute anfangen?; **2.** *refl.* a) *sg.* dir, dich, sich, b) *pl.* euch, sich: *did you hurt ~?* hast du dich (haben Sie sich) verletzt?

youth [ju:θ] **I** *s.* **1.** *allg.* Jugend *f*: a) Jungsein *n*, b) Jugendfrische *f*, c) Jugendzeit *f*, d) *coll. sg. od. pl. konstr.* junge Leute *pl. od.* Menschen *pl.*; **2.** Frühstadium *n*; **3.** *pl.* ***youths*** [-ðz] junger Mann, Jüngling *m*; **II** *adj.* **4.** Jugend...: *~ hostel* Jugendherberge *f*; **'youth·ful** [-fʊl] *adj.* □ **1.** jung (*a. fig.*); **2.** jugendlich; **3.** Jugend...: *~ days*; **'youth·ful·ness** [-fʊlnɪs] *s.* Jugend(lichkeit) *f*.

yowl [jaʊl] **I** *v/t. u. v/i.* jaulen, heulen; **II** *s.* Jaulen *n*, Heulen *n*.

yuck [jʌk] *int. sl.* pfui Teufel!; **yuck·y** ['jʌki:] *adj.* F ätzend.

Yu·go·slav → ***Jugoslav***.
yule [juːl] *s.* Weihnachts-, Julfest *n*; **~ log** *s.* Weihnachtsscheit *n im Kamin*; ˈ**~·tide** *s.* Weihnachtszeit *f*.
yum·my [ˈjʌmɪ] F **I** *adj.* a) *allg.* ‚prima', ‚toll', b) lecker (*Mahlzeit etc.*); **II** *int.* → ***yum-yum***.
yum-yum [ˌjʌmˈjʌm] *int.* F mm!, lecker!
yup·pie [ˈjʌpɪ] *s. junger, karrierebewußter und ausgabefreudiger Mensch mit urbanem Lebensstil* (*häufig bestimmten Modetrends folgend*).

X Y

Z

Z, **z** [*Brit.* zed; *Am.* zi:] *s.* Z *n*, z *n* (*Buchstabe*).

za·ny [ˈzeɪnɪ] **I** *s.* **1.** *hist.* Hansˈwurst *m*; **2.** *fig. contp.* Blödmann *m*; **II** *adj.* **3.** närrisch; **4.** *fig.* ‚blöd'.

zap [zæp] **I** *v/t. sl.* **1.** *j-n* abknallen; **2.** *j-m* ein Ding verpassen (*Kugel*, *Schlag etc.*): ***~!*** zack!; **3.** *fig. j-n* ‚fertigmachen'; **II** *s.* **4.** ‚Schmiß' *m*.

zeal [zi:l] *s.* **1.** (Dienst-, Arbeits-, Glaubens- *etc.*)Eifer *m*: ***full of ~*** (dienst-*etc.*)eifrig; **2.** Begeisterung *f*, Hingabe *f*, Inbrunst *f*.

zeal·ot [ˈzelət] *s.* (*bsd.* Glaubens)Eiferer *m*, Zeˈlot *m*, Faˈnatiker(in); ˈ**zeal·ot·ry** [-trɪ] *s.* Zeloˈtismus *m*, faˈnatischer (Glaubens- *etc.*)Eifer.

zeal·ous [ˈzeləs] *adj.* ☐ **1.** (dienst)eifrig; **2.** eifernd, faˈnatisch; **3.** eifrig bedacht (***to do*** darauf, zu tun, ***for*** auf *acc.*); **4.** heiß, innig; **5.** begeistert; ˈ**zeal·ous·ness** [-nɪs] → ***zeal***.

ze·bra [ˈzi:brə] *pl.* **-bras** *od. coll.* **-bra** *s. zo.* Zebra *n*; **~ cross·ing** *s. Verkehr*: Zebrastreifen *m*.

zed [zed] *s. Brit.* **1.** Zet *n* (*Buchstabe*); **2.** ⚙ Z-Eisen *n*.

Zen (**Bud·dhism**) [zen] *s.* ˈZen(-Budˌdhismus *m*) *n*.

ze·ner di·ode [ˈzi:nə] *s.* ⚡ ˈZenerdiˌode *f*.

ze·nith [ˈzenɪθ] *s.* Zeˈnit *m*: a) *ast.* Scheitelpunkt *m* (*a. Ballistik*), b) *fig.* Höhe-, Gipfelpunkt *m*: ***be at one's*** (*od.* ***the***) ***~*** den Zenit erreicht haben, im Zenit stehen.

Zeph·a·ni·ah [ˌzefəˈnaɪə] *npr. u. s. bibl.* (das Buch) Zeˈphanja *m*.

zeph·yr [ˈzefə] *s.* **1.** *poet.* Zephir *m*, Westwind *m*, laues Lüftchen; **2.** sehr leichtes Gewebe, *a.* leichter Schal *etc.*; **3.** ⚚ a) *a.* ***~ cloth*** Zephir *m* (*Gewebe*), b) *a.* ***~ worsted*** Zephirwolle *f*, c) *a.* ***~ yarn*** Zephirgarn *n*.

ze·ro [ˈzɪərəʊ] **I** *pl.* **-ros** *s.* **1.** Null *f* (*Zahl od. Zeichen*); **2.** *phys.* Null(-punkt *m*) *f*, Ausgangspunkt *m* (*Skala*), *bsd.* Gefrierpunkt *m*; **3.** ∢ Null(-punkt *m*, -stelle) *f*; **4.** *fig.* Null-, Tiefpunkt *m*: ***at ~*** auf dem Nullpunkt (angelangt); **5.** *fig.* Null *f*, Nichts *n*; **6.** ⚔ → ***zero hour***; **7.** ✈ Höhe *f* unter 1000 Fuß: ***at ~*** in Bodennähe; **II** *v/t.* **8.** ⚙ auf Null (ein)stellen; **III** *v/i.* **9.** ***~ in on*** a) ⚔ sich einschießen auf (*acc.*) (*a. fig.*), b) *a. fig.* immer dichter herˈankommen an (*acc.*), einkreisen, c) *fig.* sich konzentrieren auf (*acc.*); **IV** *adj.* **10.** *bsd. Am.* F null; ***~ option*** *pol.* Nullösung *f*; **~ con·duc·tor** *s.* ⚡ Nulleiter *m*; **~ grav·i·ty** *s. phys.* (Zustand *m* der) Schwerelosigkeit *f*; **~ growth** *s.* **1.** ⚚ Nullwachstum *n*; **2.** *a.* ***zero population growth*** Bevölkerungsstillstand *m*; **~ hour** *s.* **1.** ⚔ X-Zeit *f*, Stunde *f* X (*festgelegter Zeitpunkt des Beginns e-r Operation*); **2.** *fig.* genauer Zeitpunkt, kritischer Augenblick; ˈ**~ˌrat·ed** *adj* ⚚ mehrwertsteuerfrei.

zest [zest] **I** *s.* **1.** Würze *f* (*a. fig. Reiz*): ***add ~ to*** *e-r Sache* Würze *od.* Reiz verleihen; **2.** *fig.* (***for***) Genuß *m*, Lust *f*, Freude *f* (an *dat.*), Begeisterung *f* (für), Schwung *m*: ***~ for life*** Lebenshunger *m*; **II** *v/t.* **3.** würzen (*a. fig.*); ˈ**zest·ful** [-fʊl] *adj.* ☐ **1.** reizvoll; **2.** schwungvoll, begeistert.

zig·zag [ˈzɪgzæg] **I** *s.* **1.** Zickzack *m*; **2.** Zickzacklinie *f*, -bewegung *f*, -kurs *m* (*a. fig.*); **3.** Zickzackweg *m*, Serpenˈtine(nstraße) *f*; **II** *adj.* **4.** zickzackförmig, Zickzack…; **III** *adv.* **5.** im Zickzack; **IV** *v/i.* **6.** im Zickzack fahren, laufen *etc.*, *a.* verlaufen (*Weg etc.*).

zilch [zɪltʃ] *s. Am. sl.* Null *f*, Nichts *n*.

zinc [zɪŋk] **I** *s.* ⚗ Zink *n*; **II** *v/t. pret. u. p.p.* **zinc(k)ed** [-kt] verzinken; **zin·cog·ra·pher** [zɪŋˈkɒgrəfə] *s.* Zinkoˈgraph *m*, Zinkstecher *m*; ˈ**zinc·ous** [-kəs] *adj.* ⚗ Zink…; **zinc white** *s.* Zinkweiß *n*.

zing [zɪŋ] F **I** *s.* → ***zip*** 1 *u.* 2; **II** *v/i.* → ***zip*** 4; **III** *v/t.* → ***zip*** 8.

Zi·on [ˈzaɪən] *s. bibl.* Zion *m*; ˈ**Zi·on·ism** [-nɪzəm] *s.* Zioˈnismus *m*; ˈ**Zi·on·ist** [-nɪst] **I** *s.* Zioˈnist(in); **II** *adj.* zioˈnistisch, Zionisten…

zip [zɪp] **I** *s.* **1.** Schwirren *n*, Zischen *n*; **2.** F ‚Schmiß' *m*, Schwung *m*; **3.** F → ***zip fastener***; **II** *v/i.* **4.** schwirren, zischen; **5.** F ‚Schmiß' haben; **III** *v/t.* **6.** schwirren lassen; **7.** mit e-m Reißverschluß schließen *od.* öffnen; **8.** *a.* ***~ up*** F a) ‚schmissig' machen, b) Schwung bringen in (*acc.*); **~ ar·e·a** *s. Am.* Postleitzone *f*; **~ code** *s. Am.* Postleitzahl *f*; **~ fas·ten·er** *s.* Reißverschluß *m*.

zip·per [ˈzɪpə] **I** *s.* Reißverschluß *m*: ***~ bag*** Reißverschlußtasche *f*; **II** *v/t.* mit Reißverschluß versehen; **zip·py** [ˈzɪpɪ]

adj. F ‚schmissig'.
zith·er ['zɪθə] *s.* ♪ Zither *f*; '**zith·er·ist** [-ərɪst] *s.* Zitherspieler(in).
zo·di·ac ['zəʊdɪæk] *s. ast.* Tierkreis *m*: ***signs of the ~*** Tierkreiszeichen *pl.*; **zo·di·a·cal** [zəʊ'daɪəkl] *adj.* Tierkreis..., Zodiakal...
zom·bi(e) ['zɒmbɪ] *s.* **1.** Schlangengottheit *f*; **2.** Zombie *m* (*wiederbeseelte Leiche*); **3.** F a) ‚Monster' *n*, b) ‚Roboter' *m*, c) Trottel *m*; **4.** *Am.* (*ein*) Cocktail *m*.
zon·al ['zəʊnl] *adj.* □ **1.** zonenförmig; **2.** Zonen...; **zone** [zəʊn] **I** *s.* **1.** *allg.* Zone *f*: a) *geogr.* (Erd)Gürtel *m*, b) Gebietsstreifen *m*, Gürtel *m*, c) *fig.* Bereich *m*, (*a.* Körper)Gegend *f*, d) *poet.* Gürtel *m*: ***torrid ~*** heiße Zone; ***wheat ~*** Weizengürtel; ***~ of occupation*** Besatzungszone; **2.** a) (Verkehrs)Zone *f*, *a.* Teilstrecke *f*, b) 🚂, 📯 *Am.* (Gebühren)Zone *f*, c) 📯 Post(zustell)bezirk *m*; **II** *v/t.* **3.** in Zonen aufteilen.
zonked [zɒŋkt] *adj. sl.* **1.** ‚high' (*im Drogenrausch*); **2.** ‚stinkbesoffen'.
zoo [zuː] *s.* Zoo *m*.
zo·o·blast ['zəʊəblæst] *s. zo.* tierische Zelle.
zo·o·chem·is·try [ˌzəʊə'kemɪstrɪ] *s. zo.* Zooche'mie *f*.
zo·og·a·my [zəʊ'ɒgəmɪ] *s. zo.* geschlechtliche Fortpflanzung.
zo·og·e·ny [zəʊ'ɒdʒənɪ] *s. zo.* Zooge'nese *f*, Entstehung *f* der Tierarten.
zo·og·ra·phy [zəʊ'ɒgrəfɪ] *s.* beschreibende Zoolo'gie.
zo·o·lite ['zəʊəlaɪt] *s.* fos'siles Tier.
zo·o·log·i·cal [ˌzəʊə'lɒdʒɪkl] *adj.* □ zoo'logisch: ***~ garden(s)*** [zʊ'lɒdʒɪkl] zoologischer Garten; **zo·ol·o·gist** [zəʊ'ɒlədʒɪst] *s.* Zoo'loge *m*, Zoo'login *f*; **zo'ol·o·gy** [-dʒɪ] *s.* Zoolo'gie *f*, Tierkunde *f*.
zoom [zuːm] **I** *v/i.* **1.** surren; **2.** sausen; **3.** ✈ steil hochziehen; **4.** *phot.*, *Film*: zoomen: ***~ in on s.th.*** a) et. heranholen, b) *fig.* et. ‚einkreisen'; **II** *v/t.* **5.** surren; **6.** *Flugzeug* hochreißen; **III** *s.* **7.** ✈ Steilflug *m*; **8.** *fig.* Hochschnellen *n*; **9.** *phot.*, *Film*: a) *a.* ***~ lens*** 'Zoom(-objekˌtiv) *n*, b) *a.* ***~ travel*** Zoomfahrt *f*; **10.** *Am.* (*ein*) Cocktail *m*; '**zoom·er** [-mə] *s.* → ***zoom*** 9a.
zo·o·phyte ['zəʊəfaɪt] *s. zo.* Zoo'phyt *m*, Pflanzentier *n*.
zo·ot·o·my [zəʊ'ɒtəmɪ] *s.* Zooto'mie *f*, 'Tieranatoˌmie *f*.
zos·ter ['zɒstə] *s.* ⚕ Gürtelrose *f*.
zounds [zaʊndz] *int. obs.* sapper'lot!
zy·go·ma [zaɪ'gəʊmə] *pl.* **-ma·ta** [-mətə] *s. anat.* **1.** Jochbogen *m*; **2.** Jochbein(fortsatz *m*) *n*.
zy·mo·sis [zaɪ'məʊsɪs] *pl.* **-ses** [-siːz] *s.* **1.** ⚗ Gärung *f*; **2.** ⚕ Infekti'onskrankheit *f*; **zy'mot·ic** [-'mɒtɪk] *adj.* (□ ***~ally***); **1.** ⚗ gärend, Gärungs...; **2.** ⚕ Infektions...

Anhänge

Englische und amerikanische Abkürzungen

A

a ***acre*** Acre *m*.

AA ***anti-aircraft*** Fla, Flugabwehr *f*; *Brit.* ***Automobile Association*** Automo'bilklub *m*; ***Alcoholics Anonymous*** Ano'nyme Alko'holiker *pl*.

AAA *Brit.* ***Amateur Athletic Association*** 'Leichtath,letikverband *m*; ***American Automobile Association*** Amer. Automo'bilklub *m*.

a.a.r. ***against all risks*** gegen jede Gefahr.

AB ***able(-bodied) seaman*** 'Vollma,trose *m*; *Am.* ***Bachelor of Arts*** (*siehe* ***BA***).

abbr., abbrev. ***abbreviated*** abgekürzt; ***abbreviation*** Abk., Abkürzung *f*.

ABC ***American Broadcasting Company*** Amer. Rundfunkgesellschaft *f*.

abr. ***abridged*** (ab)gekürzt; ***abridg(e)ment*** (Ab-, Ver)Kürzung *f*.

AC ***alternating current*** Wechselstrom *m*.

a/c ***account current*** Kontokor'rent *n*; ***account*** Kto., Konto *n*; Rechnung *f*.

ACC ***Allied Control Council*** Alliierter Kon'trollrat (*in Berlin*).

acc. ***according to*** gem., gemäß, entspr., entsprechend; ***account*** Kto., Konto *n*; Rechnung *f*.

acct. ***account*** Kto., Konto *n*; Rechnung *f*.

AD ***Anno Domini*** im Jahre des Herrn.

add(r). ***address*** Adr., A'dresse *f*.

Adm. ***Admiral*** Adm., Admi'ral *m*.

addnl. ***additional*** zusätzlich.

advt. ***advertisement*** Anz., Anzeige *f*, Ankündigung *f*.

AEC *Am.* ***Atomic Energy Commission*** A'tomener,gie-Kommissi,on *f*.

AFC ***automatic frequency control*** auto'matische Fre'quenz(fein)abstimmung *f*.

AFEX ['eɪfeks] ***Air Force Exchange*** (*Verkaufsläden für Angehörige der amer. Luftstreitkräfte*).

AFL-CIO ***American Federation of Labor & Congress of Industrial Organizations*** (*größter amer. Gewerkschaftsverband*).

AFN ***American Forces Network*** (*Rundfunkanstalt der amer. Streitkräfte*).

aft(n). ***afternoon*** Nachmittag *m*.

AIDS [eɪdz] ***Acquired Immune Deficiency Syndrome*** Aids *n*, Im'munschwächekrankheit *f*.

AK ***Alaska*** (*Staat der USA*).

AL, Ala. ***Alabama*** (*Staat der USA*).

Alas. ***Alaska*** (*Staat der USA*).

Alta. ***Alberta*** (*Kanad. Provinz*).

AM ***amplitude modulation*** (*Frequenzbereich der Kurz-, Mittel- u. Langwellen*); *Am.* ***Master of Arts*** (*siehe* ***MA***).

Am. ***America*** A'merika *n*; ***American*** ameri'kanisch.

a.m. ***ante meridiem*** (*Lat.* = ***before noon***) morgens, vormittags.

AMA ***American Medical Association*** Amer. Ärzteverband *m*.

amp. ***ampere*** A, Am'pere *n*.

AP ***Associated Press*** (*amer. Nachrichtenagentur*).

approx. ***approximate(ly)*** annähernd, etwa.

appx. ***appendix*** Anh., Anhang *m*.

Apr. ***April*** A'pril *m*.

APT *Brit.* ***Advanced Passenger Train*** (*Hochgeschwindigkeitszug*).

AR ***Arkansas*** (*Staat der USA*).

ARC ***American Red Cross*** *das* Amer. Rote Kreuz.

Ariz. ***Arizona*** (*Staat der USA*).

Ark. ***Arkansas*** (*Staat der USA*).

ARP ***Air-Raid Precautions*** Luftschutz *m*.

arr. ***arrival*** Ank., Ankunft *f*.

art. ***article*** Art., Ar'tikel *m*; ***artificial*** künstlich.

AS ***Anglo-Saxon*** Angelsächsisch *n*, angelsächsisch; ***anti-submarine*** U-Boot-Abwehr …

ASA ***American Standards Association*** Amer. 'Normungs-Organisati,on *f*.

ASCII ['æski:] ***American Standard Code for Information Interchange*** (*standardisierter Code zur Darstellung alphanumerischer Zeichen*).

asst. ***assistant*** Asst., Assi'stent(in).

asst'd ***assorted*** assortiert, gem., gemischt.

ATC ***air traffic control*** Flugsicherung *f*.

Aug. ***August*** Aug., Au'gust *m*.

auth. ***author(ess)*** Verfasser(in).

av. ***average*** 'Durchschnitt *m*; Hava'rie *f*.

avdp. ***avoirdupois*** Handelsgewicht *n*.

Ave. ***Avenue*** Al'lee *f*, Straße *f*.

AWACS ['eɪwæks] ***Airborne Warning***

and Control System (*luftgestütztes Frühwarn- und Überwachungssystem*).
AWOL ***absence without leave*** unerlaubte Entfernung von der Truppe.
AZ ***Arizona*** (*Staat der USA*).

B

b. ***born*** geboren.
BA ***Bachelor of Arts*** Bakka'laureus *m* der Philoso'phie; ***British Academy*** Brit. Akade'mie *f*; ***British Airways*** Brit. Luftverkehrsgesellschaft *f*.
BAgr(ic) ***Bachelor of Agriculture*** Bakka'laureus *m* der Landwirtschaft.
b&b ***bed and breakfast*** Über'nachtung *f* mit Frühstück.
BAOR ***British Army of the Rhine*** Brit. 'Rheinar͵mee *f*.
Bart. ***Baronet*** Baronet *m*.
BBC ***British Broadcasting Corporation*** Brit. Rundfunkgesellschaft *f*.
bbl. ***barrel*** Faß *n*.
BC ***before Christ*** vor Christus; ***British Columbia*** (*Kanad. Provinz*).
BCom(m) ***Bachelor of Commerce*** Bakka'laureus *m* der Wirtschaftswissenschaften.
BD ***Bachelor of Divinity*** Bakka'laureus *m* der Theolo'gie.
bd. ***bound*** gebunden (*Buchbinderei*).
BDS ***Bachelor of Dental Surgery*** Bakka'laureus *m* der 'Zahnmedi͵zin.
bds. ***boards*** kartoniert (*Buchbinderei*).
BE ***Bachelor of Education*** Bakka'laureus *m* der Erziehungswissenschaft; ***Bachelor of Engineering*** Bakka'laureus *m* der Ingeni'eurwissenschaft(en); *siehe* ***B/E***.
B/E ***bill of exchange*** Wechsel *m*.
Beds. ***Bedfordshire*** (*engl. Grafschaft*).
Berks. ***Berkshire*** (*engl. Grafschaft*).
b/f ***brought forward*** 'Übertrag *m*.
BFBS ***British Forces Broadcasting Service*** (*Rundfunkanstalt der brit. Streitkräfte*).
B'ham ***Birmingham*** (*Stadt in England*).
b.h.p. ***brake horse-power*** Brems-PS *f od. pl.*, Bremsleistung *f* in PS.
BIF ***British Industries Fair*** Brit. Indu'striemesse *f*.
BIS ***Bank for International Settlements*** BIZ, Bank *f* für internatio'nalen Zahlungsausgleich.
bk. ***book*** Buch *n*.
BL ***Bachelor of Law*** Bakka'laureus *m* des Rechts.
B/L ***bill of lading*** (See)Frachtbrief *m*.
bl. ***barrel*** Faß *n*.
bldg. ***building*** Geb., Gebäude *n*.
BLit(t) ***Bachelor of Literature*** Bakka'laureus *m* der Litera'tur.
bls. ***bales*** Ballen *pl.*; ***barrels*** Faß *pl.* (*bei Mengenangaben*).
Blvd. ***Boulevard*** Boule'vard *m*.
BM ***Bachelor of Medicine*** Bakka'laureus *m* der Medi'zin; ***British Museum*** Britisches Mu'seum.
BMA ***British Medical Association*** Brit. Ärzteverband *m*.
BMus ***Bachelor of Music*** Bakka'laureus *m* der Mu'sik.
b.o. ***branch office*** Zweigstelle *f*, Fili'ale *f*; ***body odo(u)r*** Körpergeruch *m*; ***buyer's option*** 'Kaufopti͵on *f*; ***box office*** (The'ater)Kasse *f*.
B.o.T. ***Board of Trade*** Brit. 'Handelsmini͵sterium *n*.
bot. ***bought*** gekauft; ***bottle*** Flasche *f*.
BPharm ***Bachelor of Pharmacy*** Bakka'laureus *m* der Pharma'zie.
BPhil ***Bachelor of Philosophy*** Bakka'laureus *m* der Philoso'phie.
BR ***British Rail*** (*Eisenbahn in Großbritannien*).
B/R ***bills receivable*** Wechselforderungen *pl.*
Br. ***Britain*** Großbri'tannien *n*; ***British*** britisch.
BRCS ***British Red Cross Society*** *das* Brit. Rote Kreuz.
Brit. ***Britain*** Großbri'tannien *n*; ***British*** britisch.
Bros. ***brothers*** Gebr., Gebrüder *pl.* (*in Firmenbezeichnungen*).
BS *Am.* ***Bachelor of Science*** Bakka'laureus *m* der Na'turwissenschaften; ***British Standard*** Brit. Norm *f*.
B/S ***bill of sale*** Über'eignungsvertrag *m*.
BSc *Brit.* ***Bachelor of Science*** Bakka'laureus *m* der Na'turwissenschaften.
BSG ***British Standard Gauge*** (*brit. Norm*).
B.S.I. ***British Standards Institution*** Brit. 'Normungs-Organisati͵on *f*.
BST ***British Summer Time*** Brit. Sommerzeit *f*.
Bt. ***Baronet*** Baronet *m*.
BTA ***British Tourist Authority*** Brit. Fremdenverkehrsbehörde *f*.
bt. fwd. ***brought forward*** 'Übertrag *m*.
B.th.u, **Btu** ***British Thermal Unit(s)*** Brit. Wärmeeinheit(en *pl.*) *f*.
bu. ***bushel*** Scheffel *m*.
Bucks. ***Buckinghamshire*** (*engl. Grafschaft*).
bus. *Am.* ***business*** Arbeit *f*, *die* Geschäfte *pl.*

C

C ***Celsius***, ***centigrade*** Celsius, hundertgradig (*Thermometer*).
c ***cent(s)*** Cent *m* (*amer. Münze*); ***century*** Jahr'hundert *n*; ***circa*** ca., circa, ungefähr; ***cubic*** Kubik...
CA ***California*** (*Staat der USA*); ***chartered account*** Frachtrechnung *f*; *Brit.* ***chartered accountant*** beeidigter 'Bü-

cherre,visor *od.* Wirtschaftsprüfer; ***current account*** Girokonto *n*.

CAB *Brit.* ***Citizens' Advice Bureau*** (*Bürgerberatungsorganisation auf freiwilliger Basis*).

c.a.d. ***cash against documents*** Zahlung *f* gegen Doku'mentaushändigung.

Cal(if). ***California*** (*Staat der USA*).

Cambs. ***Cambridgeshire*** (*engl. Grafschaft*).

Can. ***Canada*** Kanada *n*; ***Canadian*** ka'nadisch.

C & W ***country and western*** (*Musik*).

Cantab. ***Cantabrigiensis*** (*Titel etc.*) der Universi'tät Cambridge.

Capt. ***Captain*** Kapi'tän *m*, Hauptmann *m*, Rittmeister *m*.

Card. ***Cardinal*** Kardi'nal *m*.

CARE [keə] ***Cooperative for American Relief Everywhere*** (*amer. Organisation, die Hilfsmittel an Bedürftige in aller Welt versendet*).

Cath. ***Catholic*** kath., ka'tholisch.

CB ***Citizens' Band*** C'B-Funk *m* (*Wellenbereich für privaten Funkverkehr*); ***Companion of (the Order of) the Bath*** Ritter *m* des Bath-Ordens; (*a.* **C/B**) ***cash book*** Kassabuch *n*.

CBC ***Canadian Broadcasting Corporation*** Ka'nadische Rundfunkgesellschaft.

CBS ***Columbia Broadcasting System*** (*amer. Rundfunkgesellschaft*).

CC ***City Council*** Stadtrat *m*; *Brit.* ***County Council*** Grafschaftsrat *m*.

cc *Brit.* ***cubic centimetre(s)***, *Am.* ***cubic centimeter(s)*** ccm, Ku'bikzenti,meter *m*, *n od. pl.*

CD ***compact disc*** CD(-Platte) *f*; ***Corps Diplomatique*** (*Fr.* = ***Diplomatic Corps***) CD *n*, Diplo'matisches Korps.

CE ***Church of England*** angli'kanische Kirche; ***civil engineer*** 'Bauingeni,eur *m*.

cert. ***certificate*** Bescheinigung *f*.

CET ***Central European Time*** MEZ, 'mitteleuro,päische Zeit.

cf. ***confer*** vgl., vergleiche.

Ch. ***chapter*** Kap., Ka'pitel *n*.

ch. ***chain*** (*Länge einer*) Meßkette *f*; ***chapter*** Kap., Ka'pitel *n*; ***chief*** ltd., leitende(r) ..., oberste(r) ...

c.h. ***central heating*** ZH, Zen'tralheizung *f*.

ChB ***Chirurgiae Baccalaureus*** (*Lat.* = ***Bachelor of Surgery***) Bakka'laureus *m* der Chirur'gie.

Ches. ***Cheshire*** (*engl. Grafschaft*).

C.I. ***Channel Islands*** Ka'nalinseln *pl.*

C/I ***certificate of insurance*** Ver'sicherungspo,lice *f*.

CIA ***Central Intelligence Agency*** (*Geheimdienst der USA*).

CID ***Criminal Investigation Department*** (*brit. Kriminalpolizei*).

c.i.f. ***cost, insurance, freight*** Kosten, Versicherung und Fracht einbegriffen.

C.-in-C. ***Commander-in-Chief*** Oberkommandierende(r) *m* (*dem Land-, Luft- und Seestreitkräfte unterstehen*).

cir(c). ***circa*** ca., circa, ungefähr; ***circular*** Rundschreiben *n*; ***circulation*** 'Umlauf *m*, Auflage *f* (*Zeitung etc.*).

CIS ***Commonwealth of Independent States*** GUS, Gemeinschaft unabhängiger Staaten.

ck(s). ***cask*** Faß *n*; ***casks*** Fässer *pl.*

cl. ***class*** Klasse *f*.

cm *Brit.* ***centimetre(s)***, *Am.* ***centimeter(s)*** cm, Zenti'meter *m*, *n od. pl.*

CO ***Colorado*** (*Staat der USA*); ***Commanding Officer*** Komman'deur *m*; ***conscientious objector*** Kriegsdienstverweigerer *m*.

Co. ***Company*** Gesellschaft *f*; ***county*** *Brit.* Grafschaft *f*, (Verwaltungs)Bezirk *m*.

c/o ***care of*** p.A., per A'dresse, bei.

COD, **c.o.d.** ***cash*** (*Am.* ***collect***) ***on delivery*** zahlbar bei Lieferung, per Nachnahme.

C. of E. ***Church of England*** angli'kanische Kirche; ***Council of Europe*** ER, Eu'roparat *m*.

COI *Brit.* ***Central Office of Information*** (*staatliches Auskunftsbüro zur Verbreitung amtlicher Publikationen etc.*).

Col. ***Colorado*** (*Staat der USA*); ***Colonel*** Oberst *m*.

Colo. ***Colorado*** (*Staat der USA*).

conc. ***concerning*** betr., betreffend, betrifft.

Conn. ***Connecticut*** (*Staat der USA*).

Cons. ***Conservative*** konserva'tiv (*Brit. pol.*); ***Consul*** Konsul *m*.

cont., **contd** ***continued*** fortgesetzt.

Corn. ***Cornwall*** (*engl. Grafschaft*).

Corp. ***Corporal*** Korpo'ral *m*, 'Unteroffi,zier *m*; ***Corporation*** (*siehe Wörterverzeichnis*).

corr. ***corresponding*** entspr., entsprechend.

cp. ***compare*** vgl., vergleiche.

CPA *Am.* ***certified public accountant*** beeidigter 'Bücherre,visor *od.* Wirtschaftsprüfer.

c.p.s. ***cycles per second*** Hertz *pl.*

CT ***Connecticut*** (*Staat der USA*).

ct(s) ***cent(s)*** (*amer. Münze*).

cu(b). ***cubic*** Kubik...

cu.ft. ***cubic foot*** Ku'bikfuß *m*.

cu.in. ***cubic inch*** Ku'bikzoll *m*.

Cumb. ***Cumberland*** (*ehemal. engl. Grafschaft*).

cum d(iv). ***cum dividend*** mit Divi'dende.

CUP ***Cambridge University Press*** Verlag *m* der Universi'tät Cambridge.

CV, cv ***curriculum vitae*** Lebenslauf *m*.

c.w.o. ***cash with order*** Barzahlung bei Bestellung.
cwt ***hundredweight*** (*etwa 1*) Zentner *m*.

D

d. *Brit.* ***penny, pence*** (*bis 1971 verwendete Abkürzung*); ***died*** gest., gestorben.
DA ***deposit account*** Depo'sitenkonto *n*; *Am.* ***district attorney*** Staatsanwalt *m*.
DAR *Am.* ***Daughters of the American Revolution*** Töchter *pl.* der amer. Revoluti'on (*patriotische Frauenvereinigung*).
DAT ***digital audio tape*** (*in Cassetten befindliches Tonband für Digitalaufnahmen mit DAT-Recordern*).
DB ***daybook*** Jour'nal *n*.
DC ***direct current*** Gleichstrom *m*; ***District of Columbia*** Di'strikt Columbia (*mit der amer. Hauptstadt Washington*).
DCL ***Doctor of Civil Law*** Doktor *m* des Zi'vilrechts.
DD ***Doctor of Divinity*** Dr. theol., Doktor *m* der Theolo'gie.
d-d *euphem. für* ***damned*** verdammt.
DDS ***Doctor of Dental Surgery*** Dr. med. dent., Doktor *m* der 'Zahnmediˌzin.
DDT ***dichlorodiphenyltrichloroethane*** DDT, Di'chlordiphe'nyltrichloräˌthan *n* (*Insekten- u. Seuchenbekämpfungsmittel*).
DE ***Delaware*** (*Staat der USA*).
Dec. ***December*** Dez., De'zember *m*.
dec. ***deceased*** gest., gestorben.
DEd ***Doctor of Education*** Dr. paed., Doktor *m* der Päda'gogik.
def. ***defendant*** Beklagte(r *m*) *f*.
deg. ***degree(s)*** Grad *m od. pl.*
Del. ***Delaware*** (*Staat der USA*).
DEng ***Doctor of Engineering*** Dr.-Ing., Doktor *m* der Ingeni'eurwissenschaften.
dep. ***departure*** Abf., Abfahrt *f*.
Dept. ***Department*** Ab'teilung *f*.
Derby. ***Derbyshire*** (*engl. Grafschaft*).
dft. ***draft*** Tratte *f*.
diff. ***different*** versch., verschieden; ***difference*** 'Unterschied *m*.
Dir. ***Director*** Dir., Di'rektor *m*.
disc. ***discount*** Dis'kont *m*, Abzug *m*.
dist. ***distance*** Entfernung *f*; ***district*** Bez., Bezirk *m*.
div. ***dividend*** Divi'dende *f*; ***divorced*** gesch., geschieden.
DIY ***do-it-yourself*** „mach es selber!"; (*in Zssgn*) Heimwerker…
DJ ***disc jockey*** Diskjockey *m*; ***dinner jacket*** Smoking(jacke *f*) *m*.
DLit(t) ***Doctor of Letters, Doctor of Literature*** Doktor *m* der Litera'turwissenschaft.
do. ***ditto*** do., dito; dgl., desgleichen.
doc. ***document*** Doku'ment *n*, Urkunde *f*.
dol. ***dollar(s)*** Dollar *m* (*od. pl.*).
Dors. ***Dorsetshire*** (*engl. Grafschaft*).
doz. ***dozen(s)*** Dutzend *n od. pl.*
DP ***displaced person*** Verschleppte(r *m*) *f*; ***data processing*** DV, Datenverarbeitung *f*.
d/p ***documents against payment*** Doku'mente *pl.* gegen Zahlung.
DPh(il) ***Doctor of Philosophy*** Dr. phil., Doktor *m* der Philoso'phie.
Dpt. ***Department*** Abteilung *f*.
Dr. ***Doctor*** Dr., Doktor *m*; ***debtor*** Schuldner *m*.
dr. ***dra(ch)m*** Dram *n*, Drachme *f* (*Handelsgewicht*); ***drawer*** Tras'sant *m*.
d.s., d/s ***days after sight*** Tage nach Sicht (*bei Wechseln*).
DSc ***Doctor of Science*** Dr. rer. nat., Doktor *m* der Na'turwissenschaften.
DST ***Daylight-Saving Time*** Sommerzeit *f*.
DTh(eol) ***Doctor of Theology*** Dr. theol., Doktor *m* der Theolo'gie.
Dur. ***Durham*** (*engl. Grafschaft*).
dwt. ***pennyweight*** Pennygewicht *n*.
dz. ***dozen(s)*** Dutzend *n* (*od. pl.*).

E

E ***east*** O, Ost(en *m*); ***east(ern)*** ö, östlich; ***English*** engl., englisch.
E. & O. E. ***errors and omissions excepted*** Irrtümer und Auslassungen vorbehalten.
EC ***European Community*** EG, Euro'päische Gemeinschaft; ***East Central*** London Mitte-Ost (*Postbezirk*).
ECE ***Economic Commission for Europe*** 'Wirtschaftskommissiˌon *f* für Eu'ropa (*des Wirtschafts- u. Sozialrates der UN*).
ECG ***electrocardiogram*** EKG, E'lektrokardioˌgramm *n*.
ECOSOC ***Economic and Social Council*** Wirtschafts- und Sozi'alrat *m* (*der UN*).
ECSC ***European Coal and Steel Community*** EGKS, Euro'päische Gemeinschaft für Kohle und Stahl.
ECU ***European Currency Unit(s)*** Euro'päische Währungseinheit(en *pl.*) *f*.
Ed., ed. ***edition*** Aufl., Auflage *f*; ***edited*** hrsg., her'ausgegeben; ***editor*** Hrsg., Her'ausgeber *m*.
EDP ***electronic data processing*** EDV, elek'tronische Datenverarbeitung.
E.E., E./E. ***errors excepted*** Irrtümer vorbehalten.
EEC ***European Economic Community*** EWG, Euro'päische Wirtschaftsgemeinschaft.

EFTA ['eftə] ***European Free Trade Association*** EFTA, Euro'päische Freihandelsgemeinschaft.
Eftpos ***electronic funds transfer at point of sale*** Zahlungsart „ec-Kasse".
e.g. ***exempli gratia*** (*Lat.* = ***for instance***) z. B., zum Beispiel.
EMS ***European Monetary System*** EWS, Euro'päisches 'Währungssy,stem.
enc(l). ***enclosure(s)*** Anl., Anlage(n *pl.*) *f*.
Eng(l). ***England*** Engl., England *n*; ***English*** engl., englisch.
ESA ***European Space Agency*** Euro'päische Weltraumbehörde.
ESP ***extrasensory perception*** außersinnliche Wahrnehmung.
Esq(r). ***Esquire*** (*in Briefadressen, nachgestellt*) Herrn.
ESRO ***European Space Research Organization*** ESRO, Euro'päische Organisati'on für Weltraumforschung.
Ess. ***Essex*** (*engl. Grafschaft*).
est. ***established*** gegr., gegründet; ***estimated*** gesch., geschätzt.
E Sx ***East Sussex*** (*engl. Grafschaft*).
ETA ***estimated time of arrival*** vor'aussichtliche Ankunft(szeit).
etc., &c. ***et cetera, and the rest, and so on*** etc., usw., und so weiter.
ETD ***estimated time of departure*** vor'aussichtliche Abflugzeit *bzw.* Abfahrtszeit.
EURATOM [juər'ætəm] ***European Atomic Energy Community*** Eura'tom *f*, Euro'päische A'tomgemeinschaft.
excl. ***exclusive, excluding*** ausschl., ausschließlich, ohne.
ex div. ***ex dividend*** ohne (*od.* ausschließlich) Divi'dende.
ex int. ***ex interest*** ohne (*od.* ausschließlich) Zinsen.

F

F ***Fahrenheit*** (*Thermometereinteilung*); *univ.* ***Fellow*** (*siehe Wörterverzeichnis* ***fellow*** 6).
f. ***farthing*** (*ehemalige brit. Münze*); ***fathom*** Faden *m*, Klafter *m, n, f*; ***feminine*** w., weiblich; ***foot, feet*** Fuß *m od. pl.*; ***following*** folgend.
FA *Brit.* ***Football Association*** Fußballverband *m*.
f.a.a. ***free of all average*** frei von Beschädigung.
Fah(r). ***Fahrenheit*** (*Thermometereinteilung*).
FAO ***Food and Agriculture Organization*** Organisati'on *f* für Ernährung und Landwirtschaft (*der UN*).
f.a.s. ***free alongside ship*** frei Längsseite (See)Schiff.
FBI ***Federal Bureau of Investigation*** Amer. Bundeskrimi'nalamt *n*; ***Federation of British Industries*** Brit. Indu'strieverband *m*.
FCC ***Federal Communications Commission*** Amer. 'Bundeskommissi,on *f* für das Nachrichtenwesen.
Feb. ***February*** Febr., Februar *m*.
fig. ***figure(s)*** Abb., Abbildung(en *pl.*) *f*.
FL, Fla. ***Florida*** (*Staat der USA*).
FM ***frequency modulation*** UKW (*Frequenzbereich der Ultrakurzwellen*).
fm ***fathom(s)*** Faden *m od. pl.*, Klafter *m, n, f od. pl.*
FO *Brit.* ***Foreign Office*** Auswärtiges Amt.
fo(l). ***folio*** Folio *n*, Seite *f*.
f.o.b. ***free on board*** frei Schiff.
f.o.r. ***free on rail*** frei Wag'gon.
FP ***freezing point*** Gefrierpunkt *m*; ***fireplug*** Hy'drant *m*.
Fr. ***France*** Frankreich *n*; ***French*** franz., fran'zösisch.
fr. ***franc(s)*** Franc(s *pl.*) *m*, Franken *m od. pl.*
Fri. ***Friday*** Fr., Freitag *m*.
ft ***foot, feet*** Fuß *m od. pl.*
FTC ***Federal Trade Commission*** Amer. Bundes'handelskommissi,on *f* (*zur Verhinderung unlauteren Wettbewerbs*).
fur. ***furlong(s)*** (*Längenmaß*).

G

g ***gram(s), gramme(s)*** g, Gramm *n od. pl.*; ***gallon(s)*** Gal'lone(n *pl.*) *f*.
g. ***ga(u)ge*** Nor'malmaß *n*; 🚂 Spur *f*; ***guinea*** Gui'nee *f* (*105 p*).
GA ***general agent*** Gene'ralvertreter *m*; ***general assembly*** Hauptversammlung *f*; *siehe* ***Ga.***
Ga. ***Georgia*** (*Staat der USA*).
gal(l). ***gallon(s)*** Gal'lone(n *pl.*) *f*.
GATT [gæt] ***General Agreement on Tariffs and Trade*** Allgemeines Zoll- und Handelsabkommen.
GB ***Great Britain*** GB, Großbri'tannien *n*.
G.B.S. ***George Bernard Shaw*** (*irischer Dramatiker*).
GCB (***Knight***) ***Grand Cross of the Bath*** (Ritter *m* des) Großkreuz(es) *n* des Bath-Ordens.
GCE ***General Certificate of Education*** (*siehe Wörterverzeichnis*).
GCSE ***General Certificate of Secondary Education*** (*schulische Abschlußprüfung, die seit 1988 u. a. die "O-levels" des* ***GCE*** *ersetzt*).
Gen. ***General*** Gene'ral *m*.
gen. ***general(ly)*** allgemein.
Ger. ***German*** deutsch, Deutsche(r *m*) *f*; ***Germany*** Deutschland *n*.
GI ***government issue*** von der Regierung ausgegeben, Staatseigentum *n*; *der* amer. Sol'dat.

gi. ***gil(s)*** Viertelpinte(n *pl.*) *f.*

GLC ***Greater London Council*** (*ehemaliger*) Stadtrat *m* von Groß-London.

Glos. ***Gloucestershire*** (*engl. Grafschaft*).

GMT ***Greenwich Mean Time*** WEZ, ˈwesteuroˌpäische Zeit.

GNP ***gross national product*** Bruttosoziˈalproˌdukt *n.*

gns. ***guineas*** Guiˈneen *pl.*

GOP *Am.* ***Grand Old Party*** Republiˈkanische Parˈtei.

Gov. ***Government*** Regierung *f*; ***Governor*** Gouverˈneur *m.*

Govt, **govt** ***government*** Regierung *f.*

GP ***general practitioner*** Arzt *m* (Ärztin *f*) für Allgeˈmeinmediˌzin; ***Gallup Poll*** ˈMeinungsˌumfrage *f* (*insbes. zum Wählerverhalten*).

GPO ***General Post Office*** Hauptpostamt *n.*

gr. ***grain(s)*** Gran *n* (*od. pl.*); ***gross*** brutto; Gros *n od. pl.* (*12 Dutzend*).

gr.wt ***gross weight*** Bruttogewicht *n.*

gs ***guineas*** Guiˈneen *pl.*

gtd, **guar.** ***guaranteed*** garantiert.

H

h. ***hour(s)*** Std., Stunde(n *pl.*) *f*, Uhr (*bei Zeitangaben*); ***height*** Höhe *f.*

h&c ***hot and cold*** warm u. kalt (*Wasser*).

Hants. ***Hampshire*** (*engl. Grafschaft*).

HBM ***His (Her) Britannic Majesty*** Seine (Ihre) Briˈtannische Majeˈstät.

HC *Brit.* ***House of Commons*** ˈUnterhaus *n*; ***Holy Communion*** heiliges Abendmahl, heilige Kommuniˈon.

hdbk ***handbook*** Handbuch *n.*

HE ***high explosive*** hochexploˈsiv; ***His Eminence*** Seine Emiˈnenz *f*; ***His (Her) Excellency*** Seine (Ihre) Exzelˈlenz *f.*

Heref. ***Herefordshire*** (*ehemal. engl. Grafschaft*).

Herts. ***Hertfordshire*** (*engl. Grafschaft*).

HF ***high frequency*** ˈHochfreˌquenz *f*; *Brit.* ***Home Fleet*** Flotte *f* in den Heimatgewässern.

hf ***half*** halb.

hf.bd ***half bound*** in Halbfranz gebunden (*Halbleder*).

hhd ***hogshead*** (*Hohlmaß, etwa 240 Liter*); großes Faß.

HI ***Hawaii*** (*Staat der USA*).

HL *Brit.* ***House of Lords*** Oberhaus *n.*

HM ***His (Her) Majesty*** Seine (Ihre) Majeˈstät.

HMS ***His (Her) Majesty's Service*** Dienst *m*, ✉ Dienstsache *f*; ***His (Her) Majesty's Ship (Steamer)*** Seiner (Ihrer) Majeˈstät Schiff *n* (Dampfschiff *n*).

HMSO ***His (Her) Majesty's Stationery Office*** (*Brit. Staatsdruckerei*).

HO ***Head Office*** Hauptgeˈschäftsstelle *f*, Zenˈtrale *f*; *Brit.* ***Home Office*** ˈInnenminiˌsterium *n.*

Hon. ***Honorary*** ehrenamtlich; ***Hono(u)rable*** (*der od. die*) Ehrenwerte (*Anrede und Titel*).

HP, **hp** ***horsepower*** PS, Pferdestärke *f*; ***high pressure*** Hochdruck *m*; ***hire purchase*** Ratenkauf *m.*

HQ, Hq. ***Headquarters*** Stab(squartier *n*) *m*, Hauptquartier *n.*

HR *Am.* ***House of Representatives*** Repräsenˈtantenhaus *n.*

hr ***hour(s)*** Stunde(n *pl.*) *f.*

HRH ***His (Her) Royal Highness*** Seine (Ihre) Königliche Hoheit.

hrs ***hours*** Std., Stunden *pl.*

HT, **h.t.** ***high tension*** Hochspannung *f.*

ht ***height*** H., Höhe *f.*

Hunts. ***Huntingdonshire*** (*ehemal. engl. Grafschaft*).

HWM ***high-water mark*** Hochwasserstandsmarke *f.*

I

I. ***island(s), isle(s)*** Insel(n *pl.*) *f.*

IA, **Ia.** ***Iowa*** (*Staat der USA*).

IATA [aɪˈɑːtə] ***International Air Transport Association*** Internatioˈnaler Luftverkehrsverband.

IBA ***Independent Broadcasting Authority*** (*Dachorganisation der brit. privaten Fernseh- u. Rundfunkanstalten*).

ib(id). ***ibidem*** (*Lat.* = ***in the same place***) ebd., ebenda.

IBRD ***International Bank for Reconstruction and Development*** Internatioˈnale Bank für Wiederˈaufbau und Entwicklung, Weltbank *f.*

IC ***integrated circuit*** inteˈgrierter Schaltkreis.

ICAO ***International Civil Aviation Organization*** Internatioˈnale Ziˈvilluftfahrt-Organisatiˌon.

ICBM ***intercontinental ballistic missile*** interkontinenˈtaler balˈlistischer Flugkörper, Interkontinenˈtalraˌkete *f.*

ICFTU ***International Confederation of Free Trade Unions*** Internatioˈnaler Bund Freier Gewerkschaften.

ICJ ***International Court of Justice*** IG, Internatioˈnaler Gerichtshof.

ICU ***intensive care unit*** Intenˈsivstatiˌon *f.*

ID ***Idaho*** (*Staat der USA*); ***identity*** Identiˈtät *f*; ***Intelligence Department*** Nachrichtenamt *n.*

Id(a). ***Idaho*** (*Staat der USA*).

i.e. ***id est*** (*Lat.* = ***that is to say***) d. h., das heißt.

IHP, **ihp** ***indicated horsepower*** i. PS, indizierte Pferdestärke.

IL, **Ill.** ***Illinois*** (*Staat der USA*).

ILO ***International Labo(u)r Organiza-***

tion Internatio'nale 'Arbeitsorganisa-ti͵on.

ILS ***instrument landing system*** Instru-'menten͵landesy͵stem *n.*

IMF ***International Monetary Fund*** IWF, Internatio'naler Währungsfonds.

Imp. ***Imperial*** Reichs…, Empire…

IN ***Indiana*** (*Staat der USA*).

in. ***inch*(*es*)** Zoll *m* (*od. pl.*).

Inc. ***Incorporated*** (amtlich) eingetragen.

incl. ***inclusive***, ***including*** einschl., einschließlich.

incog. ***incognito*** in'kognito (*unter anderem Namen*).

Ind. ***Indiana*** (*Staat der USA*).

inst. ***instant*** d. M., dieses Monats.

IOC ***International Olympic Committee*** Internatio'nales O'lympisches Komi'tee.

I. of M. ***Isle of Man*** (*engl. Insel*).

I. of W. ***Isle of Wight*** (*engl. Insel*; *Grafschaft*).

IOM *siehe* **I. of M.**

IOU ***I owe you*** Schuldschein *m.*

IOW *siehe* **I. of W.**

IPA ***International Phonetic Association*** Internatio'nale Pho'netische Gesellschaft.

IQ ***intelligence quotient*** Intelli'genzquoti͵ent *m.*

Ir. ***Ireland*** Irland *n*; ***Irish*** irisch.

IRA ***Irish Republican Army*** IRA, 'Irisch-Republi'kanische Ar'mee.

IRBM ***intermediate-range ballistic missile*** 'Mittelstreckenra͵kete *f.*

ISBN ***international standard book number*** ISB'N-Nummer *f.*

ISDN ***integrated services digital network*** dienste-integrierendes digi'tales Fernmeldenetz.

ISO ***International Organization for Standardization*** IOS, Internatio'nale Organisati'on für Standardisierung, Internatio'nale 'Normenorganisati͵on.

ITV ***Independent Television*** (*unabhängige brit. kommerzielle Fernsehanstalten*).

IUD ***intrauterine device*** Intraute'rinpes͵sar *n*, -spi͵rale *f.*

IYHF ***International Youth Hostel Federation*** Internatio'naler Jugendherbergsverband.

J

J. ***judge*** Richter *m*; ***justice*** Ju'stiz *f*; Richter *m.*

Jan. ***January*** Jan., Januar *m.*

JATO ['dʒeɪtəʊ] ***jet-assisted takeoff*** Start *m* mit 'Startra͵kete.

JC ***Jesus Christ*** Jesus Christus *m.*

JCB ***Juris Civilis Baccalaureus*** (*Lat.* = ***Bachelor of Civil Law***) Bakka'laureus *m* des Zi'vilrechts.

JCD ***Juris Civilis Doctor*** (*Lat.* = ***Doctor of Civil Law***) Doktor *m* des Zi'vilrechts.

Jnr ***junior*** *siehe* **Jr**, **jun(r)**.

JP ***Justice of the Peace*** Friedensrichter *m.*

Jr ***junior*** (*Lat.* = ***the younger***) jr., jun., der Jüngere.

JUD ***Juris Utriusque Doctor*** (*Lat.* = ***Doctor of Civil and Canon Law***) Doktor *m* beider Rechte.

Jul. ***July*** Jul., Juli *m.*

Jun. ***June*** Jun., Juni *m.*

jun(r). ***junior*** (*Lat.* = ***the younger***) jr., jun., der Jüngere.

K

Kan(s). ***Kansas*** (*Staat der USA*).

KC ***Knight Commander*** Kom'tur *m*, Großmeister *m*; *Brit.* ***King's Counsel*** Kronanwalt *m.*

KCB ***Knight Commander of the Bath*** Großmeister *m* des Bath-Ordens.

Ken. ***Kentucky*** (*Staat der USA*).

kg ***kilogram*(*me*)(*s*)** kg, Kilogramm *n* (*od. pl.*).

kHz ***kilohertz*** kHz, Kilo'hertz *n od. pl.*

KIA ***killed in action*** gefallen.

KKK ***Ku Klux Klan*** (*geheime Terrororganisation in den USA*).

km *Brit.* ***kilometre*(*s*)**, *Am.* ***kilometer*(*s*)** km, Kilo'meter *m* (*od. pl.*).

KO, **k.o.** ***knockout*** K.o., Knock-out *m.*

k.p.h. *Brit.* ***kilometre*(*s*) *per hour***, *Am.* ***kilometer*(*s*) *per hour*** 'Stundenkilo͵meter *m* (*od. pl.*).

KS ***Kansas*** (*Staat der USA*).

kV ***kilovolt*(*s*)** kV, Kilo'volt *n* (*od. pl.*).

kW ***kilowatt*(*s*)** kW, Kilo'watt *n* (*od. pl.*).

KY, **Ky** ***Kentucky*** (*Staat der USA*).

L

L *Brit.* ***learner*** (***driver***) Fahrschüler(in) (*Plakette an Kraftfahrzeugen*).

l. ***left*** l., links; ***length*** Länge *f*; ***line*** Z., Zeile *f*; Lin., Linie *f*; (*meist* **l**) *Brit.* ***litre*(*s*)**, *Am.* ***liter*(*s*)** l, Liter *m*, *n* (*od. pl.*).

£ ***pound*(*s*) *sterling*** Pfund *n* (*od. pl.*) Sterling (*Währung*).

LA ***Los Angeles*** (*Stadt in Kalifornien*); ***Louisiana*** (*Staat der USA*).

La. ***Louisiana*** (*Staat der USA*).

£A ***Australian pound*** au'stralisches Pfund (*Währung*).

Lab. ***Labrador*** (*Kanad. Halbinsel*).

Lancs. ***Lancashire*** (*engl. Grafschaft*).

lang. ***language*** Spr., Sprache *f.*

lat. ***latitude*** geo'graphische Breite.

lb. ***pound*(*s*)** Pfund *n* (*od. pl.*) (*Gewicht*).

L/C ***letter of credit*** Kre'ditbrief *m.*

LCJ *Brit.* ***Lord Chief Justice*** Lord'oberrichter *m.*
Ld. ***Lord*** Lord *m.*
£E ***Egyptian pound*** ä'gyptisches Pfund (*Währung*).
Leics. ***Leicestershire*** (*engl. Grafschaft*).
Lincs. ***Lincolnshire*** (*engl. Grafschaft*).
LJ *Brit.* ***Lord Justice*** Lordrichter *m.*
ll. ***lines*** Zeilen *pl.*; Linien *pl.*
LL D ***Legum Doctor*** (*Lat.* = ***Doctor of Laws***) Dr. jur., Doktor *m* der Rechte.
LMT ***local mean time*** mittlere Ortszeit (*in USA*).
loc. cit. ***loco citato*** (*Lat.* = ***in the place cited***) a. a. O., am angeführten Ort.
lon(g). ***longitude*** geo'graphische Länge.
LP ***long-playing record*** LP, Langspielplatte *f*; ***Labour Party*** (*brit. Linkspartei*); *siehe* **l.p.**
l.p. ***low pressure*** Tiefdruck *m.*
L'pool ***Liverpool*** *n.*
LSD ***lysergic acid diethylamide*** LSD, Lysergsäurediäthylamid *n.*
LSE ***London School of Economics*** (*renommierte Londoner Wirtschaftshochschule*).
LSO ***London Symphony Orchestra*** *das* Londoner Sinfo'nie-Orˌchester.
Lt. ***Lieutenant*** Leutnant *m.*
l.t. ***low tension*** Niederspannung *f.*
Lt.-Col. ***Lieutenant-Colonel*** Oberst'leutnant *m.*
Ltd. ***limited*** mit beschränkter Haftung.
Lt.-Gen. ***Lieutenant-General*** Gene'ralleutnant *m.*

M

m ***male*** m, männlich; ***masculine*** m, männlich; ***married*** verh., verheiratet; *Brit.* ***metre(s)***, *Am.* ***meter(s)*** m, Meter *m, n od. pl.*; ***mile(s)*** M., Meile(n *pl.*) *f*; ***minute(s)*** min., Min., Mi'nute(n *pl.*) *f.*
MA ***Master of Arts*** Ma'gister *m* der Philoso'phie; ***Massachusetts*** (*Staat der USA*); ***military academy*** Mili'tärakadeˌmie *f.*
Maj. ***Major*** Ma'jor m.
Maj.-Gen. ***Major-General*** Gene'ralmaˌjor *m.*
Man. ***Manitoba*** (*Kanad. Provinz*).
Mar. ***March*** März *m.*
Mass. ***Massachusetts*** (*Staat der USA*).
max. ***maximum*** Max., Maximum *n.*
MB ***Medicinae Baccalaureus*** (*Lat.* = ***Bachelor of Medicine***) Bakka'laureus *m* der Medi'zin.
MC ***Master of Ceremonies*** Zere'monienmeister *m*; *Am.* Conférencier *m*; *Am.* ***Member of Congress*** Parla'mentsmitglied *n.*
MD ***Maryland*** (*Staat der USA*); ***Managing Director*** geschäftsführender Di'rektor; ***Medicinae Doctor*** (*Lat.* = ***Doctor of Medicine***) Dr. med., Doktor *m* der Medi'zin.
M/D ***months' date*** Monate nach heute.
Md. ***Maryland*** (*Staat der USA*).
MDS ***Master of Dental Surgery*** Ma'gister *m* der 'Zahnmediˌzin.
ME, Me. ***Maine*** (*Staat der USA*).
med. ***medical*** med., medi'zinisch; ***medicine*** Med., Medi'zin *f*; ***medieval*** mittelalterlich.
mg ***milligram(me)(s)*** mg, Milligramm *n od. pl.*
MI ***Michigan*** (*Staat der USA*).
mi. ***mile(s)*** M., Meile(n *pl.*) *f.*
Mich. ***Michigan*** (*Staat der USA*).
Middx. ***Middlesex*** (*ehemal. engl. Grafschaft*).
min. ***minute(s)*** min., Min., Mi'nute(n *pl.*) *f*; ***minimum*** Min., Minimum *n.*
Minn. ***Minnesota*** (*Staat der USA*).
Miss. ***Mississippi*** (*Staat der USA*).
mm *Brit.* ***millimetre(s)***, *Am.* ***millimeter(s)*** mm, Milli'meter *m, n od. pl.*
MN ***Minnesota*** (*Staat der USA*).
MO ***Missouri*** (*Staat der USA*); ***mail order*** *siehe Wörterverzeichnis*; ***money order*** Postanweisung *f*, Zahlungsanweisung *f.*
Mo. ***Missouri*** (*Staat der USA*).
Mon. ***Monday*** Mo., Montag *m.*
Mont. ***Montana*** (*Staat der USA*).
MP *Brit.* ***Member of Parliament*** Abgeordnete(r) *m* des 'Unterhauses; ***Military Police*** Mili'tärpoliˌzei *f.*
mph ***miles per hour*** Stundenmeilen *pl.*
MPharm ***Master of Pharmacy*** Ma'gister *m* der Pharma'zie.
Mr ['mɪstə] ***Mister*** Herr *m.*
Mrs ['mɪsɪz] *ursprünglich* ***Mistress*** Frau *f.*
MS ***Mississippi*** (*Staat der USA*); ***manuscript*** Mskr(pt)., Manu'skript *n*; ***motorship*** Motorschiff *n.*
Ms [mɪz] Frau *f* (*neutrale Anredeform für unverheiratete und verheiratete Frauen*).
MSc ***Master of Science*** Ma'gister *m* der Na'turwissenschaften.
MSL ***mean sea level*** mittlere (See)Höhe, Nor'malnull *n.*
MSS ***manuscripts*** Manu'skripte *pl.*
MT ***Montana*** (*Staat der USA*).
Mt ***Mount*** Berg *m.*
mt ***megaton*** Megatonne *f.*
M'ter ***Manchester*** *n.*
MTh ***Master of Theology*** Ma'gister *m* der Theolo'gie.
Mx ***Middlesex*** (*ehemal. engl. Grafschaft*).

N

N ***north*** N, Nord(en *m*); ***north(ern)*** n, nördlich.

n ***neuter*** n, Neutrum *n*, neu'tral; ***noun*** Subst., Substantiv *n*; ***noon*** Mittag *m*.
NAAFI ['næfɪ] *Brit.* ***Navy, Army and Air Force Institutes*** (*Truppenbetreuungsinstitution der brit. Streitkräfte, u. a. für Kantinen u. Geschäfte zuständig*).
NASA ['næsə] *Am.* ***National Aeronautics and Space Administration*** Natio'nale Luft- u. Raumfahrtbehörde *f*.
nat. ***national*** nat., natio'nal; ***natural*** nat., na'türlich.
NATO ['neɪtəʊ] ***North Atlantic Treaty Organization*** Nordat'lantikpakt-Organisati,on *f*.
NB ***New Brunswick*** (*Kanad. Provinz*).
NBC *Am.* ***National Broadcasting Company*** Natio'nale Rundfunkgesellschaft.
NC ***North Carolina*** (*Staat der USA*).
N.C.B. *Brit.* ***National Coal Board*** Natio'nale Kohlenbehörde.
n.d. ***no date*** ohne Datum.
ND, N Dak. ***North Dakota*** (*Staat der USA*).
NE ***Nebraska*** (*Staat der USA*); ***northeast*** NO, Nord'ost(en *m*); ***northeast(ern)*** nö, nord'östlich.
Neb(r). ***Nebraska*** (*Staat der USA*).
neg. ***negative*** neg., negativ.
Nev. ***Nevada*** (*Staat der USA*).
NF ***Newfoundland*** (*Kanad. Provinz*).
N/F ***no funds*** keine Deckung.
Nf(l)d ***Newfoundland*** (*Kanad. Provinz*).
NH ***New Hampshire*** (*Staat der USA*).
NHS *Brit.* ***National Health Service*** Staatlicher Gesundheitsdienst.
NJ ***New Jersey*** (*Staat der USA*).
NM, N Mex. ***New Mexico*** (*Staat der USA*).
No. ***North*** N, Nord(en *m*); ***numero*** Nr., Nummer *f*; ***number*** Zahl *f*.
Norf. ***Norfolk*** (*engl. Grafschaft*).
Northants. ***Northamptonshire*** (*engl. Grafschaft*).
Northd., Northumb. ***Northumberland*** (*engl. Grafschaft*).
Notts. ***Nottinghamshire*** (*engl. Grafschaft*).
Nov. ***November*** Nov., No'vember *m*.
n.p. or d. ***no place or date*** ohne Ort oder Datum.
NS ***Nova Scotia*** (*Kanad. Provinz*).
NSB *Brit.* ***National Savings Bank*** *etwa* Postsparkasse *f*.
NSPCC ***National Society for the Prevention of Cruelty to Children*** (*brit. Kinderschutzverein*).
NSW ***New South Wales*** (*Bundesstaat Australiens*).
NT ***New Testament*** NT, Neues Testa'ment; ***Northern Territory*** (*Verwaltungsbezirk Australiens*).
nt.wt. ***net weight*** Nettogewicht *n*.
NV ***Nevada*** (*Staat der USA*).
NW ***northwest*** NW, Nord'west(en *m*); ***northwest(ern)*** nw, nord'westlich.
NWT ***Northwest Territories*** (*N-Kanada östl. des Yukon Territory*).
NY ***New York*** (*Staat der USA*).
NYC ***New York City*** (die Stadt) New York.
N Yorks. ***North Yorkshire*** (*engl. Grafschaft*).

O

O. ***Ohio*** (*Staat der USA*); ***order*** Auftr., Auftrag *m*.
o/a ***on account of*** auf Rechnung von.
OAP ***old-age pensioner*** (Alters)Rentner(in), 'Ruhegeldem,pfänger(in).
OAS ***Organization of American States*** Organisati'on *f* ameri'kanischer Staaten.
OAU ***Organization of African Unity*** Organisati'on *f* für Afri'kanische Einheit.
ob. ***obiit*** (*Lat.* = ***died***) gest., gestorben.
Oct. ***October*** Okt., Ok'tober *m*.
OECD ***Organization for Economic Cooperation and Development*** Organisati'on *f* für wirtschaftliche Zu'sammenarbeit und Entwicklung.
OH ***Ohio*** (*Staat der USA*).
OHMS ***On His (Her) Majesty's Service*** im Dienste Seiner (Ihrer) Maje'stät; ✆ Dienstsache *f*.
OK ***Oklahoma*** (*Staat der USA*); *siehe* **O.K.**
O.K. (*möglicherweise aus:*) ***all correct*** in Ordung.
Okla. ***Oklahoma*** (*Staat der USA*).
o.n.o. ***or near(est) offer*** VB, Verhandlungsbasis *f*.
Ont. ***Ontario*** (*Kanad. Provinz*).
OPEC ['əʊpek] ***Organization of Petroleum Exporting Countries*** Organisati'on *f* der Erdöl exportierenden Länder.
OR ***Oregon*** (*Staat der USA*).
o.r. ***owner's risk*** auf Gefahr des Eigentümers.
Ore(g). ***Oregon*** (*Staat der USA*).
OT ***Old Testament*** AT, Altes Testa'ment.
OUP ***Oxford University Press*** Verlag *m* der Universi'tät Oxford.
Oxon. ***Oxfordshire*** (*engl. Grafschaft*); ***Oxoniensis*** (*Titel etc.*) der Universi'tät Oxford.
oz. ***ounce(s)*** Unze(n *pl.*) *f*.

P

p ***penny, pence*** (*brit. Münze*).
p. ***page*** S., Seite *f*; ***part*** T., Teil *m*.
PA, Pa. ***Pennsylvania*** (*Staat der USA*).
p.a. ***per annum*** (*Lat.* = ***yearly***) jährlich.
PAN AM [,pæn'æm] ***Pan American***

World Airways (*amer. Luftverkehrsgesellschaft*).
par(a). ***paragraph*** Par., Para'graph *m*, Abschnitt *m*.
PAYE ***pay as you earn*** (*Brit. Quellenabzugsverfahren. Arbeitgeber zieht Lohn- bzw. Einkommensteuer direkt vom Lohn bzw. Gehalt ab*).
PC *Brit.* ***police constable*** Schutzmann *m*; ***Personal Computer*** PC, Perso'nalcomˌputer *m*; *Am.* ***Peace Corps*** Friedenscorps *n*.
p.c. ***per cent*** %, Pro'zent *n od. pl.*; ***postcard*** Postkarte *f*.
p/c ***price current*** Preisliste *f*.
pcl. ***parcel*** Pa'ket *n*.
pcs. ***pieces*** Stück(e) *pl*.
PD ***Police Department*** Poli'zeibehörde *f*; ***per diem*** (*Lat.* = ***by the day***) pro Tag.
pd. ***paid*** bez., bezahlt.
PEI ***Prince Edward Island*** (*Kanad. Provinz*).
PEN [pen], *mst* **PEN Club** (***International Association of***) ***Poets, Playwrights, Editors, Essayists and Novelists*** PEN-Club *m* (*Internationaler Verband von Dichtern, Dramatikern, Redakteuren, Essayisten und Romanschriftstellern*).
Penn(a). ***Pennsylvania*** (*Staat der USA*).
per pro(c). ***per procurationem*** (*Lat.* = ***by proxy***) pp., ppa., per Pro'kura.
PhD ***Philosophiae Doctor*** (*Lat.* = ***Doctor of Philosophy***) Dr. phil., Dok-tor *m* der Philoso'phie.
Pk. ***Park*** Park *m*; ***Peak*** Spitze *f*, (Berg-)Gipfel *m*.
Pl. ***Place*** Platz *m*.
PLC, Plc, plc *Brit.* ***public limited company*** AG, Aktiengesellschaft *f*.
p.m. ***post meridiem*** (*Lat.* = ***after noon***) nachm., nachmittags, ab., abends.
PO ***post office*** Postamt *n*; ***postal order*** Postanweisung *f*.
POB ***post-office box*** Postschließfach *n*.
p.o.d. ***pay on delivery*** Nachnahme *f*.
POO ***post-office order*** Postanweisung *f*.
pos(it). ***positive*** pos., positiv.
POW ***prisoner of war*** Kriegsgefangene(r) *m*.
p.p. ***per procurationem*** (*Lat.* = ***by proxy***) pp., ppa., per Pro'kura.
pp. ***pages*** Seiten *pl*.
PR ***public relations*** PR, Öffentlichkeitsarbeit *f*.
pref. ***preface*** Vw., Vorwort *n*.
Pres. ***President*** Präsi'dent *m*.
pro. ***professional*** professio'nell, Berufs…
Prof. ***Professor*** Pro'fessor *m*.
prol. ***prologue*** Pro'log *m*.
Prot. ***Protestant*** Prot., Prote'stant *m*.
prox. ***proximo*** (*Lat.* = ***next month***) n. M., nächsten Monats.
PS ***postscript*** PS, Post'skript *n*, Nachschrift *f*.
PT ***physical training*** Leibeserziehung *f*.
pt. ***part*** Teil *m*; ***payment*** Zahlung *f*; ***pint*** (*Brit. 0,57 l, Am. 0,47 l*); ***point*** *siehe Wörterverzeichnis*.
PTA ***Parent-Teacher Association*** Eltern-Lehrer-Vereinigung *f*.
Pte. *Brit.* ***Private*** Sol'dat *m* (*Dienstgrad*).
PTO, p.t.o. ***please turn over*** b.w., bitte wenden.
Pvt. *Am.* ***Private*** Sol'dat *m* (*Dienstgrad*).
PW ***prisoner of war*** Kriegsgefangene(r) *m*.
PX ***Post Exchange*** (*Verkaufsläden für Angehörige der amer. Streitkräfte*).

Q

QC *Brit.* ***Queen's Counsel*** Kronanwalt *m*.
Qld. ***Queensland*** (*Bundesstaat Australiens*).
qr ***quarter*** (*etwa 1*) Viertel'zentner *m* (*Handelsgewicht*).
qt ***quart*** Quart *n* (*Brit. 1,14 l, Am. 0,95 l*).
Que. ***Quebec*** (*Kanad. Provinz*).
quot. ***quotation*** Kurs-, Preisnotierung *f*.

R

R. ***Réaumur*** (*Thermometereinteilung*); ***River*** Strom *m*, Fluß *m*.
r. ***right*** r., rechts.
RA *Brit.* ***Royal Academy*** Königliche Akade'mie.
RAC *Brit.* ***Royal Automobile Club*** Königlicher Automo'bilklub.
RAF ***Royal Air Force*** Königlich-Brit. Luftwaffe *f*.
RAM *Computer*: ***random access memory*** Speicher *m* mit wahlfreiem Zugriff, Direktzugriffsspeicher *m*.
RC ***Roman Catholic*** r.-k., römisch-ka'tholisch.
Rd ***Road*** Str., Straße *f*.
recd ***received*** erhalten.
ref(c). (***in***) ***reference*** (***to***) (mit) Bezug *m* (auf); Empf., Empfehlung *f*.
regd ***registered*** eingetragen; ✉ eingeschrieben.
reg. tn ***register ton*** RT, Re'gistertonne *f*.
res. ***residence*** Wohnsitz, -ort *m*; ***research*** Forschung *f*; ***reserve*** Re'serve *f*, Reserve…
ret(d). ***retired*** i. R., im Ruhestand.

Rev(d). *Reverend* Ehrwürden (*Titel u. Anrede*).
RI *Rhode Island* (*Staat der USA*).
RLO *Brit.* ***Returned Letter Office*** Bü'ro *n* für unzustellbare Briefe.
rm *room* Zi., Zimmer *n*.
RMA *Brit.* ***Royal Military Academy*** Königliche Mili'tärakadeˌmie (*Sandhurst*).
RN *Royal Navy* Königlich-Brit. Ma'rine *f*.
ROM *Computer*: ***read only memory*** Nur-Lese-Speicher *m*, Fest(wert)speicher *m*.
RP *received pronunciation* Standardaussprache *f* (*des Englischen in Südengland*); ***reply paid*** Rückantwort bezahlt (*bei Telegrammen*).
r.p.m. *revolutions per minute* U/min., Um'drehungen *pl.* pro Mi'nute.
RR *Am.* ***Railroad*** Eisenbahn *f*.
RS *Brit.* ***Royal Society*** Königliche Gesellschaft (*traditionsreicher u. bedeutendster naturwissenschaftlicher Verein Großbritanniens*).
RSPCA *Royal Society for the Prevention of Cruelty to Animals* (*brit. Tierschutzverein*).
RSVP *répondez s'il vous plaît* (*Fr.* = ***please reply***) u. A. w. g., um Antwort wird gebeten; Antwort erbeten.
rt *right* r., rechts.
Rt Hon. *Right Honourable* (*der od. die*) Sehr Ehrenwerte (*Titel u. Anrede*).
RU *Rugby Union* 'Rugby-Uniˌon *f*.
Ry *Brit.* ***Railway*** Eisenbahn *f*.

S

S *south* S, Süd(en *m*); ***south*(*ern*)** s, südlich.
s *second*(*s*) s, sec, sek., Sek., Se'kunde(n *pl.*) *f*; ***shilling*(*s*)** Schilling(e *pl.*) *m*.
SA *South Africa* 'Süd'afrika *n*; ***South America*** S.A., 'Süda'merika *n*; ***South Australia*** (*Bundesstaat Australiens*); ***Salvation Army*** H.A., 'Heilsarˌmee *f*.
s.a.e. *stamped addressed envelope* frankierter, mit (eigener) Anschrift versehener Briefumschlag.
Salop *Shropshire* (*engl. Grafschaft*).
SALT [sɔːlt] ***Strategic Arms Limitation Talks*** (*Verhandlungen zwischen der Sowjetunion und den USA über einen Vertrag zur Begrenzung und zum Abbau strategischer Waffensysteme*).
Sask. *Saskatchewan* (*Kanad. Provinz*).
Sat. *Saturday* Sa., Samstag *m*, Sonnabend *m*.
S Aus(tr). *South Australia* (*Bundesstaat Australiens*).
SB *sales book* Verkaufsbuch *n*.
SC *South Carolina* (*Staat der USA*); ***Security Council*** Sicherheitsrat *m* (*der UN*).
Sch. *school* Sch., Schule *f*.
SD, S Dak. *South Dakota* (*Staat der USA*).
SDP *Brit.* ***Social Democratic Party*** Sozi'aldemoˌkratische Par'tei.
SE *southeast* SO, Süd'ost(en *m*); ***southeast*(*ern*)** sö, süd'östlich; ***Stock Exchange*** Börse *f*.
SEATO ['siːtəʊ] ***South-East Asia Treaty Organization*** Südost'asienpakt-Organisatiˌon *f* (*1977 aufgelöst*).
Sec. *Secretary* Sekr., Sekre'tär *m*; Mi'nister *m*.
sec. *second*(*s*) s, sec, sek., Sek., Se'kunde(n *pl.*) *f*; ***secondary*** *siehe Wörterverzeichnis*.
sen(r). *senior* (*Lat.* = ***the elder***) sen., der Ältere.
Sep(t). *September* Sep(t)., Sep'tember *m*.
Serg(t). *Sergeant* Fw, Feldwebel *m*; Wachtmeister *m*.
SF *science fiction* Science-'fiction *f* (*Literatur*).
Sgt. *siehe* **Serg(t)**.
sh *share* Aktie *f*; ***sheet*** Druckbogen *m* (*Buchdruck*); ***shilling*(*s*)** Schilling(e *pl.*) *m*.
SHAPE [ʃeɪp] ***Supreme Headquarters Allied Powers Europe*** 'Oberkomˌmando *n* der Alliierten Streitkräfte in Eu'ropa.
SM *Sergeant-Major* Oberfeldwebel *m*; Oberwachtmeister *m*.
S/N *shipping note* Frachtannahmeschein *m*, Schiffszettel *m*.
Soc. *Society* Gesellschaft *f*; Verein *m*.
Som(s). *Somerset*(*shire*) (*engl. Grafschaft*).
SOS SOS (*Internationales Seenotzeichen*).
sp.gr. *specific gravity* sp.G., spe'zifisches Gewicht.
S.P.Q.R. *small profits, quick returns* kleine Gewinne, rasche Umsätze.
Sq. *Square* Platz *m*.
sq. *square* Quadrat...
sq.ft *square foot* Qua'dratfuß *m*.
sq.in. *square inch* Qua'dratzoll *m*.
Sr *senior* (*Lat.* = ***the elder***) sen., der Ältere.
SS *steamship* Dampfer *m*; ***saints*** *die* Heiligen *pl.*
St. *Saint* ... St., Sankt ...; ***Street*** Str., Straße *f*; ***Station*** B(h)f., Bahnhof *m*.
st. *stone* (*Gewicht*).
STA *scheduled time of arrival* planmäßige Ankunft(szeit).
Sta. *Station* B(h)f., Bahnhof *m*.
Staffs. *Staffordshire* (*engl. Grafschaft*).
STD *Brit.* ***subscriber trunk dialling*** Selbstwählfernverkehr *m*; ***scheduled***

time of departure planmäßige Abflugzeit *bzw.* Abfahrtszeit.
stg ***sterling*** Sterling *m* (*brit. Währungseinheit*).
STOL [stɒl] ***short takeoff and landing*** (***aircraft***) STOL-, Kurzstart(-Flugzeug *n*) *m*.
Str. ***Strait*** Straße *f* (*Meerenge*).
sub. ***substitute*** Ersatz *m*.
Suff. ***Suffolk*** (*engl. Grafschaft*).
Sun. ***Sunday*** So., Sonntag *m*.
supp(l). ***supplement*** Nachtrag *m*.
Suss. ***Sussex*** (*ehemal. engl. Grafschaft*).
SW ***southwest*** SW, Süd'west(en *m*).
Sy ***Surrey*** (*engl. Grafschaft*).
S Yorks. ***South Yorkshire*** (*engl. Grafschaft*).
Sx ***Sussex*** (*ehemal. engl. Grafschaft*).

T

t ***ton(s)*** Tonne(n *pl.*) *f* (*Handelsgewicht*).
Tas. ***Tasmania*** (*Bundesstaat Australiens*).
TB ***tuberculosis*** Tb, Tbc, Tuberku'lose *f*.
TC ***Trusteeship Council*** Treuhandschaftsrat *m* (*der UN*).
TD ***Treasury Department*** Fi'nanzministerium *n* der USA.
tel. ***telephone*** Tel., Tele'fon *n*.
Tenn. ***Tennessee*** (*Staat der USA*).
Ter(r). ***Terrace*** (*in Straßennamen*) Häuserreihe *f* (*in Hanglage od. über einem Hang gelegen*); ***Territory*** (Hoheits)Gebiet *n*, Terri'torium *n*.
Tex. ***Texas*** (*Staat der USA*).
tgm. ***telegram*** Tele'gramm *n*.
TGWU ***Transport and General Workers' Union*** Trans'portarbeitergewerkschaft *f*.
Th., Thu(r)., Thurs. ***Thursday*** Do., Donnerstag *m*.
TMO ***telegraph money order*** tele'graphische Geldanweisung.
TN ***Tennessee*** (*Staat der USA*).
tn ***ton(s)*** Tonne(n *pl.*) *f* (*Handelsgewicht*).
TO ***Telegraph*** (***Telephone***) ***Office*** Tele'grafen-(Fernsprech)amt *n*; ***turnover*** 'Umsatz *m*.
TRH *Brit.* ***Their Royal Highnesses*** Ihre Königlichen Hoheiten.
TU ***Trade(s) Union(s)*** Gew., Gewerkschaft(en *pl.*) *f*.
Tu. ***Tuesday*** Di., Dienstag *m*.
TUC *Brit.* ***Trades Union Congress*** Gewerkschaftsverband *m*.
Tue(s). ***Tuesday*** Di., Dienstag *m*.
TV ***television*** FS, Fernsehen *n*; Fernseh…
TWA ***Trans World Airlines*** (*amer. Luftverkehrsgesellschaft*).
TX ***Texas*** (*Staat der USA*).

U

U ***universal*** allgemein (*zugelassen*) (*Kinoprogramm ohne Jugendverbot*).
UFO ***unidentified flying object*** Ufo *n*.
UHF ***ultrahigh frequency*** UHF, Ultra'hochfrequenz(-Bereich *m*) *f*, Dezi'meterwellenbereich *m*.
UK ***United Kingdom*** Vereinigtes Königreich (*England, Schottland, Wales u. Nordirland*).
ult(o). ***ultimo*** (*Lat.* = ***in the last*** [***month***]) v. Mts., vorigen Monats.
UMW ***United Mine Workers*** Vereinigte Bergarbeiter *pl.* (*amer. Gewerkschaftsverband*).
UN ***United Nations*** Vereinte Nati'onen *pl*.
UNESCO [juːˈneskəʊ] ***United Nations Educional, Scientific, and Cultural Organization*** Organisati'on *f* der Vereinten Nati'onen für Wissenschaft, Erziehung und Kul'tur.
UNICEF [ˈjuːnɪsef] ***United Nations Children's Fund*** (*früher* ***United Nations International Children's Emergency Fund***) Kinderhilfswerk *n* der Vereinten Nati'onen.
UNO ***United Nations Organization*** UNO *f*.
UNSC ***United Nations Security Council*** Sicherheitsrat *m* der Vereinten Nati'onen.
UPI ***United Press International*** (*amer. Nachrichtenagentur*).
US ***United States*** Vereinigte Staaten *pl*.
USA ***United States of America*** Vereinigte Staaten *pl.* von A'merika; ***United States Army*** Heer *n* der Vereinigten Staaten.
USAF(E) ***United States Air Force*** (***Europe***) Luftwaffe *f* der Vereinigten Staaten (in Eu'ropa).
USN ***United States Navy*** Ma'rine *f* der Vereinigten Staaten.
USS ***United States Senate*** Se'nat *m* der Vereinigten Staaten; ***United States Ship*** (Kriegs)Schiff *n* der Vereinigten Staaten.
USSR *hist.* ***Union of Soviet Socialist Republics*** UdSSR, Uni'on *f* der Sozia'listischen Sow'jetrepuˌbliken.
UT, Ut. ***Utah*** (*Staat der USA*).
UV ***ultraviolet*** UV, 'ultravioˌlett.

V

V ***Volt(s)*** V, Volt *n* (*od. pl.*).
v. ***very*** sehr; ***verse*** V., Vers *m*; ***versus*** (*Lat.* = ***against***) gegen; ***vide*** (*Lat.* = ***see***) s., siehe; ***volt(s)*** V, Volt *n* (*od. pl.*).
VA, Va. ***Virginia*** (*Staat der USA*).
VAT ***value added tax*** MwSt., Mehrwertsteuer *f*.

VCR ***video cassette recorder*** 'Videoreˌcorder *m*.
VD ***venereal disease*** Geschlechtskrankheit *f*.
VHF ***very high frequency*** VHF, UKW, Ultrakurzwelle(n *pl*.) *f*, Meterwellenbereich *m*.
Vic. ***Victoria*** (*Bundesstaat Australiens*).
VIP ***very important person*** VIP *m*, ‚hohes Tier'.
Vis(c). ***Viscount(ess)*** Vi'comte *m* (Vicom'tesse *f*).
viz. ***videlicet*** (*Lat*. = ***namely***) nämlich.
vol. ***volume*** Bd., Band *m* (*eines Buches*).
vols. ***volumes*** Bde., Bände *pl*.
VP(res.) ***Vice President*** 'Vizepräsiˌdent *m* (*stellvertretender Vorsitzender, Vorstandsmitglied etc*.).
vs. ***versus*** (*Lat*. = ***against***) gegen.
VSOP ***very superior old pale*** (*Bezeichnung für 20–25 Jahre alten Branntwein, Portwein etc*.).
VT, Vt. ***Vermont*** (*Staat der USA*).
VTOL ['viːtɒl] ***vertical takeoff and landing (aircraft)*** Senkrechtstarter *m*.
v.v. ***vice versa*** (*Lat*. = ***conversely***) 'umgekehrt.

W

W ***west*** West(en *m*); ***west(ern)*** w, westlich; ***watt(s)*** W, Watt *n* (*od. pl*.).
w ***watt(s)*** W, Watt *n* (*od. pl*.); ***week*** Wo., Woche *f*; ***width*** Weite *f*, Breite *f*; ***wife*** (Ehe)Frau *f*; ***with*** mit.
WA ***Washington*** (*Staat der USA*); *siehe* ***W Aus(tr)***.
War(ks). ***Warwickshire*** (*engl. Grafschaft*).
Wash. ***Washington*** (*Staat der USA*).
WASP [wɒsp] ***White Anglo-Saxon Protestant*** (*protestantischer Amerikaner britischer od. nordeuropäischer Abstammung*).
W Aus(tr). ***Western Australia*** (*Bundesstaat Australiens*).
WC ***West Central*** London Mitte-West (*Postbezirk*); ***water closet*** WC, 'Wasserkloˌsett *n*.
Wed(s). ***Wednesday*** Mi., Mittwoch *m*.
w.e.f. ***with effect from*** mit Wirkung vom.
WEU ***Western European Union*** 'Westeuroˌpäische Uni'on.
WFTU ***World Federation of Trade Unions*** Weltgewerkschaftsbund *m*.
WHO ***World Health Organization*** Weltge'sundheitsorganisatiˌon *f* (*der UN*).
WI ***West Indies*** 'West'indien *n*; *siehe* ***Wis(c)***.
Wilts. ***Wiltshire*** (*engl. Grafschaft*).
Wis(c). ***Wisconsin*** (*Staat der USA*).
wk ***week*** Wo., Woche *f*; ***work*** Arbeit *f*.
wkly ***weekly*** wöchentlich.
wks ***weeks*** Wo., Wochen *pl*.
w/o ***without*** o., ohne.
Worcs. ***Worcestershire*** (*ehemal. engl. Grafschaft*).
WP, w.p. ***weather permitting*** (nur) bei gutem Wetter.
w.p.a. ***with particular average*** mit Teilschaden (*Versicherung inklusive Teilschaden*).
w.p.m. ***words per minute*** Wörter *pl*. pro Mi'nute.
w.r.t. ***with reference to*** bezüglich.
W Sx ***West Sussex*** (*engl. Grafschaft*).
W/T ***wireless telegraphy (telephony)*** drahtlose Telegra'fie (Telefo'nie).
wt ***weight*** Gewicht *n*.
WV, W Va. ***West Virginia*** (*Staat der USA*).
WW I (*od*. **II**) ***World War I*** (*od*. ***II***) der erste (*od*. zweite) Weltkrieg.
WY, Wyo. ***Wyoming*** (*Staat der USA*).
W Yorks. ***West Yorkshire*** (*engl. Grafschaft*).

X

x-d. ***ex dividend*** ohne Divi'dende.
x-i. ***ex interest*** ohne Zinsen.
Xm., Xmas ['krɪsməs] ***Christmas*** Weihnacht(en *n*) *f*.
Xn ***Christian*** christlich.
Xroads ***crossroads*** Straßenkreuzung *f*.
Xt ***Christ*** Christus *m*.
Xtian ***Christian*** christlich.

Y

yd(s) ***yard(s)*** Elle(n *pl*.) *f* (*Längenmaß*).
YHA ***Youth Hostels Association*** Jugendherbergsverband *m*.
YMCA ***Young Men's Christian Association*** CVJM, Christlicher Verein junger Männer.
Yorks. ***Yorkshire*** (*ehemal. engl. Grafschaft*).
yr, year Jahr *n*; ***your*** *siehe Wörterverzeichnis*; ***younger*** jünger(e, -es); junior.
yrs ***years*** Jahre *pl*.; ***yours*** *siehe Wörterverzeichnis*.
YWCA ***Young Women's Christian Association*** Christlicher Verein junger Frauen und Mädchen.

Eigennamen

A

Ab·er·deen [ˌæbəˈdiːn] *Stadt in Schottland*; ˌ**Ab·erˈdeen·shire** [-ʃə] *schottische Grafschaft* (*bis 1975*).

Ab·er·yst·wyth [ˌæbəˈrɪstwɪθ] *Stadt in Wales*.

A·bra·ham [ˈeɪbrəhæm] Abraham *m*.

A·chil·les [əˈkɪliːz] Aˈchilles *m*.

A·da [ˈeɪdə] Ada *f*, Adda *f*.

Ad·am [ˈædəm] Adam *m*.

Ad·di·son [ˈædɪsn] *englischer Autor*.

Ad·e·laide [ˈædəleɪd] *Stadt in Australien*; Adelheid *f*.

A·den [ˈeɪdn] Aden *n* (*Hauptstadt des Südjemen*).

Ad·i·ron·dacks [ˌædɪˈrɒndæks] *pl. Gebirgszug im Staat New York* (*USA*).

Ad·olf [ˈædɒlf], **A·dol·phus** [əˈdɒlfəs] Adolf *m*.

A·dri·an [ˈeɪdrɪən] Adrian *m*, Adriˈane *f*.

A·dri·at·ic Sea [ˌeɪdrɪˈætɪk ˈsiː] *das* Adriˈatische Meer.

Ae·ge·an Sea [iːˈdʒiːən ˈsiː] *das* Äˈgäische Meer, *die* Äˈgäis.

Aes·chy·lus [ˈiːskɪləs] Äschylus *m*.

Ae·sop [ˈiːsɒp] Äˈsop *m*.

Af·ghan·i·stan [æfˈgænɪstæn] Afˈghanistan *n*.

Af·ri·ca [ˈæfrɪkə] Afrika *n*.

Ag·a·tha [ˈægəθə] Aˈgathe *f*.

Ag·gie [ˈægɪ] *Koseform für* ***Agatha***, ***Agnes***.

Ag·nes [ˈægnɪs] Agnes *f*.

Aix-la-Cha·pelle [ˌeɪkslɑːʃæˈpel] Aachen *n*.

Al·a·bam·a [ˌæləˈbæmə] *Staat der USA*.

Al·an [ˈælən] *m*.

A·las·ka [əˈlæskə] *Staat der USA*.

Al·ba·ni·a [ælˈbeɪnjə] Alˈbanien *n*.

Al·ba·ny [ˈɔːlbənɪ] *Hauptstadt des Staates New York* (*USA*).

Al·bert [ˈælbət] Albert *m*.

Al·ber·ta [ælˈbɜːtə] *Provinz in Kanada*.

Al·bu·quer·que [ˈælbəkɜːkɪ] *Stadt in New Mexiko* (*USA*).

Al·der·ney [ˈɔːldənɪ] *brit. Kanalinsel*.

Al·der·shot [ˈɔːldəʃɒt] *Stadt in Südengland*.

A·leu·tian Is·lands [əˌluːʃjənˈaɪləndz] *pl. die* Aleˈuten *pl*.

Al·ex [ˈælɪks] *abbr. für* ***Alexander***.

Al·ex·an·der [ˌælɪgˈzɑːndə] Alexˈander *m*.

Al·ex·an·dra [ˌælɪgˈzɑːndrə] Alexˈandra *f*.

Alf [ælf] *abbr. für* ***Alfred***.

Al·fred [ˈælfrɪd] Alfred *m*.

Al·ge·ri·a [ælˈdʒɪərɪə] Alˈgerien *n*.

Al·ger·non [ˈældʒənən] *m*.

Al·giers [ælˈdʒɪəz] Algier *n*.

Al·ice [ˈælɪs] Aˈlice *f*, Else *f*.

Al·i·son [ˈælɪsn] *f*.

Al·lan [ˈælən] *m*.

Al·le·ghe·nies [ˈælɪgenɪz; *Am.* ˌælɪˈgeɪnɪz] *pl. Gebirge im Osten der USA*.

Al·le·ghe·ny [ˈælɪgenɪ; *Am.* ˌælɪˈgeɪnɪ] *Fluß in Pennsylvania* (*USA*); **~ Mountains** *siehe* ***Alleghenies***.

Al·len [ˈælən] *m*.

Al·sace [ælˈsæs], **Al·sa·ti·a** [ælˈseɪʃjə] das Elsaß.

A·man·da [əˈmændə] Aˈmanda *f*.

Am·a·zon [ˈæməzən] Amaˈzonas *m*.

A·me·lia [əˈmiːljə] Aˈmalie *f*.

A·mer·i·ca [əˈmerɪkə] Aˈmerika *n*.

A·my [ˈeɪmɪ] *f*.

An·chor·age [ˈæŋkərɪdʒ] *Stadt in Alaska* (*USA*).

An·des [ˈændiːz] *pl. die* Anden *pl*.

An·dor·ra [ænˈdɔːrə] Anˈdorra *n*.

An·drew [ˈændruː] Anˈdreas *m*.

An·dy [ˈændɪ] *abbr. für* ***Andrew***.

An·ge·la [ˈændʒələ] Angela *f*.

An·gle·sey [ˈæŋglsɪ] *walisische Grafschaft* (*bis 1974*).

An·gli·a [ˈæŋglɪə] *lateinischer Name für England*.

An·go·la [æŋˈgəʊlə] Anˈgola *n*.

An·gus [ˈæŋgəs] *schottische Grafschaft* (*bis 1975*); *Vorname m*.

A·ni·ta [əˈniːtə] Aˈnita *f*.

Ann [æn], **An·na** [ˈænə] Anna *f*, Anne *f*.

An·na·bel(le) [ˈænəbel] Annaˈbella *f*.

An·nap·o·lis [əˈnæpəlɪs] *Hauptstadt von Maryland* (*USA*).

Anne [æn] Anna *f*, Anne *f*.

Ant·arc·ti·ca [æntˈɑːktɪkə] *die* Antˈarktis.

An·the·a [ˈænθɪə; ænˈθɪə] *f*.

An·tho·ny [ˈæntənɪ, ˈænθənɪ] Anton *m*.

An·til·les [ænˈtɪliːz] *pl. die* Anˈtillen *pl*.

An·to·ny [ˈæntənɪ] Anton *m*.

An·trim [ˈæntrɪm] *nordirische Grafschaft*.

Ant·werp [ˈæntwɜːp] Antˈwerpen *n*.

Ap·en·nines [ˈæpɪnaɪnz] *pl. der* Apenˈnin, *die* Apenˈninen *pl*.

Ap·pa·la·chians [ˌæpəˈleɪtʃjənz] *pl. die* Appaˈlachen *pl.*
A·ra·bi·a [əˈreɪbjə] Aˈrabien *n.*
Ar·chi·bald [ˈɑːtʃɪbəld] Archibald *m.*
Ar·chi·me·des [ˌɑːkɪˈmiːdiːz] Archiˈmedes *m.*
Arc·tic [ˈɑːktɪk] *die* Arktis.
Ar·den [ˈɑːdn] *Familienname.*
Ar·gen·ti·na [ˌɑːdʒənˈtiːnə] Argenˈtinien *n.*
Ar·gen·tine [ˈɑːdʒəntaɪn]: ***the ~*** Argenˈtinien *n.*
Ar·gyll(**·shire**) [ɑːˈgaɪl(ʃə)] *schottische Grafschaft* (*bis 1975*).
Ar·is·toph·an·es [ˌærɪˈstɒfəniːz] Ariˈstophanes *m.*
Ar·is·tot·le [ˈærɪstɒtl] Ariˈstoteles *m.*
Ar·i·zo·na [ˌærɪˈzəʊnə] *Staat der USA.*
Ar·kan·sas [ˈɑːkənsɔː] *Fluß in USA*; *Staat der USA.*
Ar·ling·ton [ˈɑːlɪŋtən] *Ehrenfriedhof bei Washington DC* (*USA*).
Ar·magh [ɑːˈmɑː] *nordirische Grafschaft.*
Ar·me·ni·a [ɑːˈmiːnjə] Arˈmenien *n.*
Ar·nold [ˈɑːnəld] Arnold *m.*
Art [ɑːt] *abbr. für* ***Arthur***.
Ar·thur [ˈɑːθə] Art(h)ur *m*; ***King ~*** König Artus.
As·cot [ˈæskət] *Ort in Südengland* (*Pferderennen*).
A·sia [ˈeɪʃə] Asien *n*; ***~ Minor*** Kleinˈasien *n.*
As·syr·i·a [əˈsɪrɪə] Asˈsyrien *n.*
Ath·ens [ˈæθɪnz] Aˈthen *n.*
At·lan·ta [ətˈlæntə] *Hauptstadt von Georgia* (*USA*).
At·lan·tic (**O·cean**) [ətˈlæntɪk (ətˌlæntɪkˈəʊʃn)] *der* Atˈlantik, *der* Atˈlantische Ozean.
Auck·land [ˈɔːklənd] *Hafenstadt in Neuseeland.*
Au·den [ˈɔːdn] *englischer Dichter.*
Au·drey [ˈɔːdrɪ] *f.*
Au·gus·ta [ɔːˈgʌstə] *Hauptstadt von Maine* (*USA*).
Au·gus·tus [ɔːˈgʌstəs] August *m.*
Aus·ten [ˈɒstɪn] *Familienname.*
Aus·tin [ˈɒstɪn] *Hauptstadt von Texas* (*USA*).
Aus·tra·lia [ɒˈstreɪljə] Auˈstralien *n.*
Aus·tri·a [ˈɒstrɪə] Österreich *n.*
A·von [ˈeɪvən] *Fluß in Mittelengland*; *englische Grafschaft.*
Ax·min·ster [ˈæksmɪnstə] *Stadt in Südwest-England.*
Ayr(**·shire**) [ˈeə(ʃə)] *schottische Grafschaft* (*bis 1975*).
A·zores [əˈzɔːz] *pl. die* Aˈzoren *pl.*

B

Bab·y·lon [ˈbæbɪlən] Babylon *n.*
Ba·con [ˈbeɪkən] *englischer Philosoph.*
Ba·den-Pow·ell [ˌbeɪdnˈpəʊəl] *Gründer der Boy Scouts.*
Ba·ha·mas [bəˈhɑːməz] *pl. die* Baˈhamas *pl.*
Bah·rain [bɑːˈreɪn] Bahˈrain *n.*
Bai·le A·tha Cli·ath [ˌblɔːˈkliː] *gälischer Name für* ***Dublin***.
Bal·dwin [ˈbɔːldwɪn] Balduin *m*; *amer. Autor.*
Bâle [bɑːl] Basel *n.*
Bal·four [ˈbælfə] *brit. Staatsmann.*
Bal·kans [ˈbɔːlkənz] *pl. der* Balkan.
Bal·mor·al [bælˈmɒrəl] *Residenz des englischen Königshauses in Schottland.*
Bal·tic Sea [ˌbɔːltɪkˈsiː] *die* Ostsee.
Bal·ti·more [ˈbɔːltɪmɔː] *Hafenstadt in Maryland* (*USA*).
Banff(**·shire**) [ˈbænf(ʃə)] *schottische Grafschaft* (*bis 1975*).
Ban·gla·desh [ˌbæŋgləˈdeʃ] Banglaˈdesch *n.*
Bar·ba·dos [bɑːˈbeɪdəʊz] Barˈbados *n.*
Bar·ba·ra [ˈbɑːbərə] Barbara *f.*
Bark·ing [ˈbɑːkɪŋ] *Stadtbezirk von Groß-London.*
Bar·net [ˈbɑːnɪt] *Stadtbezirk von Groß-London.*
Bar·ry [ˈbærɪ] *m.*
Bart [bɑːt] *abbr. für* ***Bartholomew***.
Bar·thol·o·mew [bɑːˈθɒləmjuː] Bartholoˈmäus *m.*
Bas·il [ˈbæzl] Baˈsilius *m.*
Bath [bɑːθ] *Badeort in Südengland.*
Bat·on Rouge [ˌbætənˈruːʒ] *Hauptstadt von Louisiana* (*USA*).
Bat·ter·sea [ˈbætəsiː] *Stadtteil von London.*
Ba·var·i·a [bəˈveərɪə] Bayern *n.*
Bea·cons·field [ˈbiːkənzfiːld] *Adelsname Disraelis.*
Beards·ley [ˈbɪədzlɪ] *engl. Zeichner u. Illustrator.*
Be·a·trice [ˈbɪətrɪs] Beaˈtrice *f.*
Bea·ver·brook [ˈbiːvəbrʊk] *brit. Zeitungsverleger.*
Beck·et [ˈbekɪt]: ***Saint Thomas à ~*** der heilige Thomas Becket.
Beck·ett [ˈbekɪt] *irischer Dichter u. Dramatiker.*
Beck·y [ˈbekɪ] *f.*
Bed·ford [ˈbedfəd] *Stadt in Mittelengland*; *a.* **ˈBed·ford·shire** [-ʃə] *englische Grafschaft.*
Beer·bohm [ˈbɪəbəʊm] *engl. Kritiker u. Karikaturist.*
Bel·fast [ˌbelˈfɑːst; ˈbelfɑːst] Belfast *n.*
Bel·gium [ˈbeldʒəm] Belgien *n.*
Bel·grade [ˌbelˈgreɪd] Belgrad *n.*
Bel·gra·vi·a [belˈgreɪvjə] *Stadtteil von London.*
Be·lin·da [bɪˈlɪndə; bə-] Beˈlinda *f.*
Be·lize [beˈliːz] Beˈlize *n.*
Bell, **Bel·la** [ˈbel(ə)] *abbr. für* ***Isabel***.

Ben [ben] *abbr. für* ***Benjamin.***
Ben·e·dict ['benɪdɪkt, 'benɪt] Benedikt *m.*
Ben·gal [ˌbeŋ'gɔːl] Ben'galen *n.*
Be·nin [be'niːn] Be'nin *n.*
Ben·ja·min ['bendʒəmɪn] Benjamin *m.*
Ben Nev·is [ˌben'nevɪs] *höchster Berg Schottlands u. Großbritanniens.*
Berke·ley ['bɜːklɪ] *Stadt in Kalifornien*; ['bɑːklɪ] *irischer Bischof u. Philosoph.*
Berk·shire ['bɑːkʃə] *englische Grafschaft*; **~ Hills** [ˌbɜːkʃɪə'hɪlz] *pl. Gebirgszug in Massachusetts* (*USA*).
Ber·lin [bɜː'lɪn] Ber'lin *n.*
Ber·mu·das [bə'mjuːdəz] *pl. die* Ber'mudas *pl.*, *die* Ber'mudainseln *pl.*
Ber·nard ['bɜːnəd] Bernhard *m.*
Bern(e) [bɜːn] Bern *n.*
Ber·nie ['bɜːnɪ] *abbr. für* ***Bernard.***
Bern·stein ['bɜːnstaɪn; -stiːn] *amer. Dirigent u. Komponist.*
Bert [bɜːt] *abbr. für* ***Albert, Bertram, Bertrand, Gilbert, Hubert.***
Ber·tha ['bɜːθə] Berta *f.*
Ber·tram ['bɜːtrəm], **Ber·trand** ['bɜːtrənd] Bertram *m.*
Ber·wick(·shire) ['berɪk(ʃə)] *schottische Grafschaft* (*bis 1975*).
Ber·yl ['berɪl] *f.*
Bess, **Bes·sy** ['bes(ɪ)], **Bet·s(e)y** ['betsɪ], **Bet·ty** ['betɪ] *abbr. für* ***Elizabeth.***
Bex·ley ['bekslɪ] *Stadtbezirk von Groß-London.*
Bhu·tan [buː'tɑːn] Bhu'tan *n.*
Bill, **Bil·ly** ['bɪl(ɪ)] Willi *m.*
Bir·ken·head ['bɜːkənhed] *Hafenstadt in Nordwest-England.*
Bir·ming·ham ['bɜːmɪŋəm] *Industriestadt in Mittelengland*; *Stadt in Alabama* (*USA*).
Bis·cay ['bɪskeɪ; -kɪ]: ***Bay of ~*** *der* Golf von Bis'caya.
Bis·marck ['bɪzmɑːk] *Hauptstadt von North Dakota* (*USA*).
Blooms·bur·y ['bluːmzbərɪ] *Stadtteil von London.*
Bo·ad·i·cea [ˌbəʊədɪ'sɪə] *Königin in Britannien.*
Bob [bɒb] *abbr. für* ***Robert.***
Bo·he·mi·a [bəʊ'hiːmjə] Böhmen *n.*
Boi·se ['bɔɪzɪ; -sɪ] *Hauptstadt von Idaho* (*USA*).
Bol·eyn ['bʊlɪn]: ***Anne ~*** *zweite Frau Heinrichs VIII. von England.*
Bo·liv·i·a [bə'lɪvjə] Bo'livien *n.*
Bom·bay [ˌbɒm'beɪ] Bombay *n.*
Bo·na·parte ['bəʊnəpɑːt] Bona'parte (*Familienname zweier französischer Kaiser*).
Booth [buːð] *Gründer der Heilsarmee.*
Bor·ders ['bɔːdəz] *Verwaltungsregion in Schottland.*
Bor·is ['bɒrɪs] Boris *m.*
Bos·ton ['bɒstən] *Hauptstadt von Massachusetts* (*USA*).
Bo·tswa·na [bɒ'tswɑːnə] Bo'tswana *n.*
Bourne·mouth ['bɔːnməθ] *Seebad in Südengland.*
Brad·ford ['brædfəd] *Industriestadt in Nordengland.*
Bra·zil [brə'zɪl] Bra'silien *n.*
Breck·nock(·shire) ['breknɒk(ʃə)], **Brec·on(·shire)** ['brekən(ʃə)] *walisische Grafschaft* (*bis 1974*).
Bren·da ['brendə] *f.*
Brent [brent] *Stadtbezirk von Groß-London.*
Bri·an ['braɪən] *m.*
Bridg·et ['brɪdʒɪt] Bri'gitte *f.*
Brigh·ton ['braɪtn] *Seebad in Südengland.*
Bris·bane ['brɪzbən] *Hauptstadt von Queensland* (*Australien*).
Bris·tol ['brɪstl] *Hafenstadt in Südengland.*
Bri·tain ['brɪtn] Bri'tannien *n.*
Bri·tan·ni·a [brɪ'tænjə] *poet.* Bri'tannien *n.*
Brit·ish Co·lum·bi·a [ˌbrɪtɪʃkə'lʌmbɪə] *Provinz in Kanada.*
Brit·ta·ny ['brɪtənɪ] die Bre'tagne.
Brit·ten ['brɪtn] *englischer Komponist.*
Broad·way ['brɔːdweɪ] *Straße in Manhattan, New York City* (*USA*). *Zentrum des amer. kommerziellen Theaters.*
Brom·ley ['brɒmlɪ] *Stadtbezirk von Groß-London.*
Bron·të ['brɒntɪ] *Name dreier englischer Autorinnen.*
Bronx [brɒŋks] *Stadtbezirk von New York* (*USA*).
Brook·lyn ['brʊklɪn] *Stadtbezirk von New York* (*USA*).
Brow·ning ['braʊnɪŋ] *englischer Dichter.*
Bruce [bruːs] *m.*
Bruges [bruːʒ] Brügge *n.*
Bru·nei ['bruːnaɪ] Brunei *n.*
Bruns·wick ['brʌnzwɪk] Braunschweig *n.*
Brus·sels ['brʌslz] Brüssel *n.*
Bry·an ['braɪən] *m.*
Bu·chan·an [bjuː'kænən] *Familienname.*
Bu·cha·rest [ˌbjuːkə'rest] Bukarest *n.*
Buck·ing·ham(·shire) ['bʌkɪŋəm(ʃə)] *englische Grafschaft.*
Bu·da·pest [ˌbjuːdə'pest] Budapest *n.*
Bud·dha ['bʊdə] Buddha *m.*
Bul·gar·i·a [bʌl'geərɪə] Bul'garien *n.*
Bur·gun·dy ['bɜːgəndɪ] Bur'gund *n.*
Bur·ki·na Fas·o [bʊəˌkiːnə'fæsəʊ] Bur'kina Faso *n* (*Staat in Westafrika, frühere Bezeichnung: Obervolta*).
Bur·ma ['bɜːmə] Birma *n.*
Burns [bɜːnz] *schottischer Dichter.*
Bu·run·di [bʊ'rʊndɪ] Bu'rundi *n.*
Bute(·shire) ['bjuːt(ʃə)] *schottische Grafschaft* (*bis 1975*).
By·ron ['baɪərən] *englischer Dichter.*

C

Caer·nar·von(**·shire**) [kəˈnɑːvən(ʃə)] *walisische Grafschaft* (*bis 1974*).
Cae·sar [ˈsiːzə] Cäsar *m*.
Cain [keɪn] Kain *m*.
Cai·ro [ˈkaɪərəʊ] Kairo *n*.
Caith·ness [ˈkeɪθnes] *schottische Grafschaft* (*bis 1975*).
Ca·lais [ˈkæleɪ] Caˈlais *n*.
Cal·cut·ta [kælˈkʌtə] Kalˈkutta *n*.
Cal·e·do·nia [ˌkælɪˈdəʊnjə] Kaleˈdonien *n* (*poet. für Schottland*).
Cal·ga·ry [ˈkælgərɪ] *Stadt in Alberta* (*Kanada*).
Cal·i·for·nia [ˌkælɪˈfɔːnjə] Kaliˈfornien *n* (*Staat der USA*).
Cam·bo·dia [kæmˈbəʊdjə] Kamˈbodscha *n*.
Cam·bridge [ˈkeɪmbrɪdʒ] *englische Universitätsstadt*; *Stadt in Massachusetts* (*USA*), *Sitz der Harvard University*; *a*. ˈ**Cam·bridge·shire** [-ʃə] *englische Grafschaft*.
Cam·den [ˈkæmdən] *Stadtbezirk von Groß-London*.
Cam·er·oon [ˈkæməruːn; *bsd. Am.* ˌkæməˈruːn] Kamerun *n*.
Camp·bell [ˈkæmbl] *Familienname*.
Can·a·da [ˈkænədə] Kanada *n*.
Ca·nar·y Is·lands [kəˌneərɪˈaɪləndz] *pl. die* Kaˈnarischen Inseln *pl*.
Can·ber·ra [ˈkænbərə] *Hauptstadt von Australien*.
Can·ter·bury [ˈkæntəbərɪ] *Stadt in Südengland*.
Cape Ca·nav·er·al [ˌkeɪpkəˈnævərəl] *Raketenversuchszentrum in Florida* (*USA*).
Cape Town [ˈkeɪptaʊn] Kapstadt *n*.
Cape Verde Is·lands [ˌkeɪpˈvɜːd ˈaɪləndz] *pl. die* Kapˈverden *pl*.
Ca·pri [ˈkæprɪ; ˈkɑː-; *Am. a.* kæˈpriː] Capri *n*.
Car·diff [ˈkɑːdɪf] *Hauptstadt von Wales*.
Car·di·gan(**·shire**) [ˈkɑːdɪgən(ʃə)] *walisische Grafschaft* (*bis 1974*).
Ca·rin·thi·a [kəˈrɪnθɪə] Kärnten *n*.
Carl [kɑːl] Karl *m*, Carl *m*.
Car·lisle [kɑːˈlaɪl] *Stadt in Nordwestengland*.
Car·low [ˈkɑːləʊ] *Grafschaft in der Provinz Leinster* (*Irland*); *Hauptstadt dieser Grafschaft*.
Car·lyle [kɑːˈlaɪl] *englischer Autor*.
Car·mar·then(**·shire**) [kəˈmɑːðn(ʃə)] *walisische Grafschaft* (*bis 1974*).
Car·ne·gie [kɑːˈnegɪ] *amer. Industrieller*.
Car·ol(**e**) [ˈkærəl] Kaˈrola *f*.
Car·o·line [ˈkærəlaɪn], **Car·o·lyn** [ˈkærəlɪn] Karoˈline *f*.
Car·pa·thi·ans [kɑːˈpeɪθjənz] *pl. die* Karˈpaten *pl*.
Car·rie [ˈkærɪ] *abbr. für* ***Caroline***.
Car·son Cit·y [ˌkɑːsnˈsɪtɪ] *Hauptstadt von Nevada* (*USA*).
Car·ter [ˈkɑːtə] *39. Präsident der USA*.
Cath·er·ine [ˈkæθərɪn] Kathaˈrina *f*, Kat(h)rin *f*.
Cath·y [ˈkæθɪ] *abbr. für* ***Catherine***.
Cav·an [ˈkævən] *Grafschaft im der Republik Irland zugehörigen Teil der Provinz Ulster*; *Hauptstadt dieser Grafschaft*.
Cax·ton [ˈkækstən] *erster englischer Buchdrucker*.
Ce·cil [ˈsesl, ˈsɪsl] *m*.
Ce·cile [ˈsesɪl; *Am.* sɪˈsiːl], **Ce·cil·ia** [sɪˈsɪljə; sɪˈsiːljə], **Cec·i·ly** [ˈsɪsɪlɪ; ˈsesɪlɪ] Cäˈcilie *f*.
Ced·ric [ˈsiːdrɪk; ˈsedrɪk] *m*.
Cel·ia [ˈsiːljə] *f*.
Cen·tral [ˈsentrəl] *Verwaltungsregion in Schottland*.
Cen·tral Af·ri·can Re·pub·lic [ˈsentrəlˌæfrɪkənrɪˈpʌblɪk] *die* Zenˈtralafriˌkanische Repuˈblik.
Cey·lon [sɪˈlɒn] Ceylon *n*.
Chad [tʃæd] *der* Tschad.
Cham·ber·lain [ˈtʃeɪmbəlɪn] *Name mehrerer brit. Staatsmänner*.
Char·ing Cross [ˌtʃærɪŋˈkrɒs] *Stadtteil von London*.
Char·le·magne [ˈʃɑːləmeɪn] Karl der Große.
Charles [tʃɑːlz] Karl *m*.
Charles·ton [ˈtʃɑːlstən] *Hauptstadt von West Virginia* (*USA*).
Char·lotte [ˈʃɑːlət] Charˈlotte *f*.
Chas [tʃæz] *abbr. für* ***Charles***.
Chau·cer [ˈtʃɔːsə] *englischer Dichter*.
Chel·sea [ˈtʃelsɪ] *Stadtteil von London*.
Chel·ten·ham [ˈtʃeltnəm] *Stadt in Südengland*.
Chesh·ire [ˈtʃeʃə] *englische Grafschaft*.
Ches·ter·field [ˈtʃestəfiːld] *Industriestadt in Mittelengland*.
Chev·i·ot Hills [ˌtʃevɪətˈhɪlz] *pl. Grenzgebirge zwischen England u. Schottland*.
Chey·enne [ʃaɪˈæn] *Hauptstadt von Wyoming* (*USA*).
Chi·ca·go [ʃɪˈkɑːgəʊ; *bsd. Am.* ʃɪˈkɔːgəʊ] *Industriestadt in USA*.
Chil·e [ˈtʃɪlɪ] Chile *n*.
Chi·na [ˈtʃaɪnə] China *n*; ***Republic of ~*** *die* Repuˈblik China; ***People's Republic of ~*** *die* Volksrepublik China.
Chip·pen·dale [ˈtʃɪpəndeɪl] *englischer Kunsttischler*.
Chris [krɪs] *abbr. für* ***Christina***, ***Christine***, ***Christian***, ***Christopher***.
Christ·church [ˈkraɪsttʃɜːtʃ] *Stadt in Neuseeland*; *Stadt in Hampshire* (*England*).
Chlo·e [ˈkləʊɪ] Chloe *f*.
Chris·tian [ˈkrɪstjən] Christian *m*.
Chris·ti·na [krɪˈstiːnə], **Chris·tine** [ˈkrɪstiːn, krɪˈstiːn] Chriˈstine *f*.

Chris·to·pher [ˈkrɪstəfə] Christoph(er) *m.*
Chrys·ler [ˈkraɪzlə] *amer. Industrieller.*
Church·ill [ˈtʃɜːtʃɪl] *brit. Staatsmann.*
Cin·cin·nat·i [ˌsɪnsɪˈnætɪ] *Stadt in Ohio (USA).*
Cis·sie [ˈsɪsɪ] *abbr. für* ***Cecily.***
Clack·man·nan(·shire) [klækˈmænən (-ʃə)] *schottische Grafschaft (bis 1975).*
Clap·ham [ˈklæpəm] *Stadtteil von Groß-London.*
Clar·a [ˈkleərə], **Clare** [kleə] Klara *f.*
Clare [kleə] *Grafschaft in der Provinz Munster (Irland).*
Clar·en·don [ˈklærəndən] *Name mehrerer englischer Staatsmänner.*
Claud(e) [klɔːd] Claudius *m.*
Clem·ent [ˈklemənt] Klemens *m*, Clemens *m.*
Cle·o·pat·ra [klɪəˈpætrə] Kleˈopatra *f.*
Cleve·land [ˈkliːvlənd] *Industriestadt in USA; englische Grafschaft.*
Cliff [klɪf] *abbr. für* ***Clifford.***
Clif·ford [ˈklɪfəd] *m.*
Clive [klaɪv] *Begründer der brit. Herrschaft in Indien; Vorname m.*
Clwyd [ˈkluːɪd] *walisische Grafschaft.*
Clyde [klaɪd] *Fluß in Schottland.*
Cole·ridge [ˈkəʊlərɪdʒ] *englischer Dichter.*
Col·in [ˈkɒlɪn] *m.*
Co·logne [kəˈləʊn] Köln *n.*
Co·lom·bi·a [kəˈlɒmbɪə] Koˈlumbien *n.*
Co·lom·bo [kəˈlʌmbəʊ] *Hauptstadt von Sri Lanka.*
Col·o·ra·do [ˌkɒləˈrɑːdəʊ] *Staat der USA; Name zweier Flüsse in USA.*
Co·lum·bi·a [kəˈlʌmbɪə] *Fluß in USA; Hauptstadt von South Carolina (USA);* ***District of ~ (DC)*** *Bundesdistrikt (mit der Hauptstadt Washington) der USA.*
Co·lum·bus [kəˈlʌmbəs] *Entdecker Amerikas; Hauptstadt von Ohio (USA).*
Com·o·ro Is·lands [ˌkɒmərəʊˈaɪləndz] *pl. die* Koˈmoren *pl.*
Con·cord [ˈkɒŋkəd] *Hauptstadt von New Hampshire (USA).*
Con·fu·cius [kənˈfjuːʃjəs, -ʃəs] Konˈfuzius *m (chinesischer Philosoph).*
Con·go [ˈkɒŋgəʊ] der Kongo.
Con·nacht [ˈkɒnət], *früher* **Con·naught** [ˈkɒnɔːt] *Provinz in Irland.*
Con·nect·i·cut [kəˈnetɪkət] *USA-Staat.*
Con·nie [ˈkɒnɪ] *abbr. für* ***Conrad, Constance, Cornelia.***
Con·rad [ˈkɒnræd] Konrad *m.*
Con·stance [ˈkɒnstəns] Konˈstanze *f;* ***Lake ~*** *der* Bodensee.
Con·stan·ti·no·ple [ˌkɒnstæntɪˈnəʊpl] Konstantiˈnopel *n.*
Cook [kʊk] *englischer Weltumsegler.*
Coo·per [ˈkuːpə] *amer. Autor.*
Co·pen·ha·gen [ˌkəʊpnˈheɪgən] Kopenˈhagen *n.*
Cor·dil·le·ras [ˌkɔːdɪˈljeərəs] *pl. die* Kordilˈleren *pl.*
Cor·inth [ˈkɒrɪnθ] Koˈrinth *n.*
Cork [kɔːk] *Grafschaft in der Provinz Munster (Irland); Hauptstadt dieser Grafschaft u. der Provinz Munster.*
Cor·ne·lia [kɔːˈniːljə] Corˈnelia *f.*
Corn·wall [ˈkɔːnwəl] *englische Grafschaft.*
Cos·ta Ri·ca [ˌkɒstəˈriːkə] Costa Rica *n.*
Cov·ent Gar·den [ˌkɒvəntˈgɑːdn] *die Londoner Oper.*
Cov·en·try [ˈkɒvəntrɪ] *Industriestadt in Mittelengland.*
Craig [kreɪg] *m.*
Crete [kriːt] Kreta *n.*
Cri·me·a [kraɪˈmɪə] die Krim.
Crom·well [ˈkrɒmwəl] *englischer Staatsmann.*
Croy·don [ˈkrɔɪdn] *Stadtbezirk von Groß-London.*
Cru·soe [ˈkruːsəʊ]: ***Robinson ~*** *Romanheld.*
Cu·ba [ˈkjuːbə] Kuba *n.*
Cum·ber·land [ˈkʌmbələnd] *englische Grafschaft (bis 1974).*
Cum·bri·a [ˈkʌmbrɪə] *englische Grafschaft.*
Cyn·thi·a [ˈsɪnθɪə] *f.*
Cy·prus [ˈsaɪprəs] Zypern *n.*
Cy·rus [ˈsaɪərəs] Cyrus *m.*
Czech·o·slo·va·ki·a [ˌtʃekəʊsləʊˈvækɪə] *hist.* die Tschechoslowaˈkei.

D

Dag·en·ham [ˈdægənəm] *Stadtteil von London.*
Da·ho·mey [dəˈhəʊmɪ] Daˈhome *n (früherer Name von* ***Benin****).*
Dai·sy [ˈdeɪzɪ] *Koseform von* ***Margaret.***
Dal·las [ˈdæləs] *Stadt in Texas (USA).*
Dal·ma·ti·a [dælˈmeɪʃjə] Dalˈmatien *n.*
Dam·o·cles [ˈdæməkliːz] Damokles *m.*
Dan [dæn] *abbr. für* ***Daniel.***
Dan·iel [ˈdænjəl] Daniel *m.*
Dan·ube [ˈdænjuːb] Donau *f.*
Daph·ne [ˈdæfnɪ] Daphne *f.*
Dar·da·nelles [ˌdɑːdəˈnelz] *pl. die* Dardaˈnellen *pl.*
Dar·jee·ling [dɑːˈdʒiːlɪŋ] *Stadt in Indien.*
Dart·moor [ˈdɑːtˌmʊə] *Landstrich in Südwest-England.*
Dart·mouth [ˈdɑːtməθ] *Stadt in Devon (England).*
Dar·win [ˈdɑːwɪn] *englischer Naturforscher.*
Dave [deɪv] *abbr. für* ***David.***
Da·vid [ˈdeɪvɪd] David *m.*
Dawn [dɔːn] *f.*
Dean [diːn] *m.*
Deb·by [ˈdebɪ] *abbr. für* ***Deborah.***
Deb·o·rah [ˈdebərə] *f.*
Dee [diː] *Fluß in England; Fluß in Schottland.*

De·foe [dɪˈfəʊ] *englischer Autor.*
Deir·dre [ˈdɪədrɪ] (*Ir.*) *f.*
Del·a·ware [ˈdeləweə] *Staat der USA; Fluß in USA.*
Den·bigh(·shire) [ˈdenbɪ(ʃə)] *walisische Grafschaft (bis 1974).*
Den·is [ˈdenɪs] *m.*
De·nise [dəˈniːz; dəˈniːs] Deˈnise *f.*
Den·mark [ˈdenmɑːk] Dänemark *n.*
Den·nis [ˈdenɪs] *m.*
Den·ver [ˈdenvə] *Hauptstadt von Colorado (USA).*
Dept·ford [ˈdetfəd] *Stadtteil von Groß-London.*
Der·by(·shire) [ˈdɑːbɪ(ʃə)] *englische Grafschaft.*
Der·ek, Der·rick [ˈderɪk] *m.*
Des [dez] *abbr. für* ***Desmond.***
Des Moines [dɪˈmɔɪn] *Hauptstadt von Iowa (USA).*
Des·mond [ˈdezmənd] *m.*
De·troit [dəˈtrɔɪt] *Industriestadt in Michigan (USA).*
De·viz·es [dɪˈvaɪzɪz] *Stadt in Wiltshire (England).*
Dev·on(·shire) [ˈdevn(ʃə)] *englische Grafschaft.*
Dew·ey [ˈdjuːɪ] *amer. Philosoph.*
Di·an·a [daɪˈænə] Diˈana *f.*
Dick [dɪk] *abbr. für* ***Richard.***
Dick·ens [ˈdɪkɪnz] *englischer Autor.*
Dis·rae·li [dɪsˈreɪlɪ] *brit. Staatsmann.*
Dol·ly [ˈdɒlɪ] *abbr. für* ***Dorothy.***
Do·lo·mites [ˈdɒləmaɪts] *pl. die* Doloˈmiten *pl.* (*Teil der Ostalpen*).
Dom·i·nic [ˈdɒmɪnɪk] Domiˈnik *m.*
Do·min·i·can Re·pub·lic [dəˌmɪnɪkənrɪˈpʌblɪk] *die* Dominiˈkanische Repuˈblik.
Don [dɒn] *abbr. für* ***Donald.***
Don·ald [ˈdɒnld] *m.*
Don·cas·ter [ˈdɒŋkəstə] *Stadt in South Yorkshire (England).*
Don·e·gal [ˈdɒnɪgɔːl; *Ir.* ˌdʌnɪˈgɔːl] *Grafschaft im der Republik Irland zugehörigen Teil der Provinz Ulster.*
Don Juan [ˌdɒnˈdʒuːən] Don Juˈan *m.*
Donne [dʌn, dɒn] *englischer Dichter.*
Don Quix·ote [ˌdɒnˈkwɪksət] Don Quiˈchotte *m.*
Do·reen [dɔːˈriːn; ˈdɔːriːn] *f.*
Dor·is [ˈdɒrɪs] Doris *f.*
Dor·o·thy [ˈdɒrəθɪ] Doroˈthea *f.*
Dor·set(·shire) [ˈdɔːsɪt(ʃə)] *englische Grafschaft.*
Dos Pas·sos [ˌdɒsˈpæsɒs] *amer. Autor.*
Doug [dʌg] *abbr. für* ***Douglas.***
Doug·las [ˈdʌgləs] *Vorname m; schottische Adelsfamilie.*
Do·ra [ˈdɔːrə] Dora *f.*
Do·ver [ˈdəʊvə] *Hafenstadt in Südengland; Hauptstadt von Delaware (USA).*
Down [daʊn] *nordirische Grafschaft.*
Down·ing Street [ˈdaʊnɪŋstriːt] *Straße in London mit der Amtswohnung des Premierministers.*
Drei·ser [ˈdraɪsə; -zə] *amer. Autor.*
Dry·den [ˈdraɪdn] *englischer Dichter.*
Dub·lin [ˈdʌblɪn] *Hauptstadt von Irland; Grafschaft in der Provinz Leinster (Irland).*
Du·luth [djuːˈluːθ; *Am.* dəˈluːθ] *Stadt in Minnesota (USA).*
Dul·wich [ˈdʌlɪdʒ] *Stadtteil von Groß-London.*
Dum·bar·ton(·shire) [dʌmˈbɑːtn(ʃə)] *schottische Grafschaft (bis 1975).*
Dum·fries and Gal·lo·way [dʌmˌfriːsənˈgæləweɪ] *Verwaltungsregion in Schottland;* **Dumˈfries·shire** [-ʃə] *schottische Grafschaft (bis 1975).*
Dun·can [ˈdʌŋkən] *m.*
Dun·e·din [dʌˈniːdɪn] *Hafenstadt in Neuseeland.*
Dun·ge·ness [ˌdʌndʒɪˈnes; dʌndʒˈnes] *Landspitze in Kent (England).*
Dun·kirk [dʌnˈkɜːk] Dünˈkirchen *n.*
Dur·ban [ˈdɜːbən] *Hafenstadt in Südafrika.*
Dur·ham [ˈdʌrəm] *englische Grafschaft.*
Dyf·ed [ˈdʌvɪd] *walisische Grafschaft.*

E

Ea·ling [ˈiːlɪŋ] *Stadtbezirk von Groß-London.*
East Lo·thi·an [ˌiːstˈləʊðjən] *schottische Grafschaft (bis 1975).*
East Sus·sex [ˌiːstˈsʌsɪks] *englische Grafschaft.*
Ec·ua·dor [ˈekwədɔː] Ecuaˈdor *n.*
Ed·die [ˈedɪ] *abbr. für* ***Edward.***
Ed·gar [ˈedgə] Edgar *m.*
Ed·in·burgh [ˈedɪnbərə] Edinburg *n.*
Ed·i·son [ˈedɪsn] *amer. Erfinder.*
E·dith [ˈiːdɪθ] Edith *f.*
Ed·mon·ton [ˈedməntən] *Hauptstadt von Alberta (Kanada).*
Ed·mund [ˈedmənd] Edmund *m.*
Ed·ward [ˈedwəd] Eduard *m.*
E·gypt [ˈiːdʒɪpt] Äˈgypten *n.*
Ei·leen [ˈaɪliːn; *Am.* aɪˈliːn] *f.*
Ei·re [ˈeərə] *Name der Republik Irland.*
Ei·sen·how·er [ˈaɪznˌhaʊə] *34. Präsident der USA.*
E·laine [eˈleɪn; ɪˈleɪn] *siehe* ***Helen.***
El·ea·nor [ˈelɪnə] Eleoˈnore *f.*
E·li·jah [ɪˈlaɪdʒə] Eˈlias *m.*
El·i·nor [ˈelɪnə] Eleoˈnore *f.*
El·i·ot [ˈeljət] *englischer Dichter.*
E·li·za [ɪˈlaɪzə] *abbr. für* ***Elizabeth.***
E·liz·a·beth [ɪˈlɪzəbəθ] Eˈlisabeth *f.*
El·len [ˈelɪn] *siehe* ***Helen.***
El·lis Is·land [ˌelɪsˈaɪlənd] *Insel im Hafen von New York (USA).*
El Sal·va·dor [elˈsælvədɔː] El Salvaˈdor *n.*
El·sa [ˈelsə], **El·sie** [ˈelsɪ] Elsa *f*, Else *f.*
Em·er·son [ˈeməsn] *amer. Dichter u. Philosoph.*
Em·i·ly [ˈemɪlɪ] Eˈmilie *f.*

Em·ma ['emə] Emma *f.*
Em·mie, **Em·my** ['emɪ] *Koseform für* ***Emma.***
En·field ['enfi:ld] *Stadtbezirk von Groß-London.*
Eng·land ['ɪŋglənd] England *n.*
E·nid ['i:nɪd] *f.*
E·noch ['i:nɒk] *m.*
Ep·som ['epsəm] *Stadt in Südengland (Pferderennen).*
Equa·to·ri·al Guin·ea [ˌekwə'tɔ:rɪəl 'gɪnɪ] Äquatori'alguiˌnea *n.*
Er·ic ['erɪk] Erich *m.*
Er·i·ca ['erɪkə] Erika *f.*
E·rie ['ɪərɪ] *Hafenstadt in Pennsylvania (USA);* ***Lake ~*** der Eriesee *(in Nordamerika).*
Er·nest ['ɜ:nɪst] Ernst *m.*
Er·nie ['ɜ:nɪ] *abbr. für* ***Ernest.***
Es·sex ['esɪks] *englische Grafschaft.*
Es·t(h)o·nia [e'stəʊnjə] Estland *n.*
Eth·el ['eθl] *f.*
E·thi·o·pi·a [ˌi:θɪ'əʊpjə] Äthi'opien *n.*
E·ton ['i:tn] *Stadt in Berkshire (England) mit berühmter Public School.*
Eu·gene ['ju:dʒi:n] Eugen *m.*
Eu·ge·ni·a [ju:'dʒi:njə] Eu'genie *f.*
Eu·nice ['ju:nɪs] Eu'nice *f.*
Eu·phra·tes [ju:'freɪti:z] Euphrat *m.*
Eur·a·sia [jʊə'reɪʃə; -ʒə] Eu'rasien *n.*
Eu·rip·i·des [jʊə'rɪpɪdi:z] Eu'ripides *m.*
Eu·rope ['jʊərəp] Eu'ropa *n.*
Eus·tace ['ju:stəs] Eu'stachius *m.*
E·va ['i:və] Eva *f.*
Ev·ans ['evənz] *Familienname.*
Eve [i:v] Eva *f.*
Ev·e·lyn ['i:vlɪn; 'evlɪn] *m, f.*
Ev·er·glades ['evəgleɪdz] *pl. Sumpfgebiet in Florida (USA).*
Ex·e·ter ['eksɪtə] *Hauptstadt von Devonshire (England).*

F

Faer·oes ['feərəʊz] *pl. die* Färöer *pl.*
Falk·land Is·lands [ˌfɔ:(l)klənd'aɪləndz] *pl. die* Falklandinseln *pl.*
Fal·staff ['fɔ:lstɑ:f] *Bühnenfigur bei Shakespeare.*
Fan·ny ['fænɪ] *abbr. für* ***Frances.***
Far·a·day ['færədɪ] *englischer Chemiker u. Physiker.*
Farn·bor·ough ['fɑ:nbərə] *Stadt in Hampshire (England).*
Far·oes ['feərəʊz] *siehe* ***Faeroes.***
Faulk·ner ['fɔ:knə] *amer. Autor.*
Fawkes [fɔ:ks] *Haupt der Pulververschwörung (1605).*
Fed·er·al Re·pub·lic of Ger·ma·ny ['fedərəlrɪˌpʌblɪkəv'dʒɜ:mənɪ] *die* 'Bundesrepuˌblik Deutschland.
Fe·li·ci·a [fə'lɪsɪə] Fe'lizia *f.*
Fe·lic·i·ty [fə'lɪsətɪ] Fe'lizitas *f.*
Fe·lix ['fi:lɪks] Felix *m.*
Fe·lix·stowe ['fi:lɪkstəʊ] *Stadt in Suffolk (England).*
Felt·ham ['feltəm] *Stadtteil von Groß-London.*
Fer·man·agh [fə'mænə] *nordirische Grafschaft.*
Fiel·ding ['fi:ldɪŋ] *englischer Autor.*
Fife [faɪf] *Verwaltungsregion in Schottland; a.* **'Fife·shire** [-ʃə] *schottische Grafschaft (bis 1975).*
Fi·ji [ˌfi:'dʒi:; *bsd. Am.* 'fi:dʒi:] Fidschi *n.*
Finch·ley ['fɪntʃlɪ] *Stadtteil von London.*
Fin·land ['fɪnlənd] Finnland *n.*
Fi·o·na [fɪ'əʊnə] *f.*
Firth of Forth [ˌfɜ:θəv'fɔ:θ] *Meeresbucht an der schottischen Ostküste.*
Fitz·ger·ald [fɪts'dʒerəld] *Familienname.*
Flan·ders ['flɑ:ndəz] Flandern *n.*
Flem·ing ['flemɪŋ] *brit. Bakteriologe.*
Flint(·shire) ['flɪnt(ʃə)] *walisische Grafschaft (bis 1974).*
Flo·ra ['flɔ:rə] Flora *f.*
Flor·ence ['flɒrəns] Flo'renz *n*; Floren'tine *f.*
Flor·i·da ['flɒrɪdə] *Staat der USA.*
Flush·ing ['flʌʃɪŋ] *Stadtteil von New York;* Vlissingen *n.*
Folke·stone ['fəʊkstən] *Seebad in Südengland.*
Ford [fɔ:d] *amer. Industrieller; 38. Präsident der USA.*
For·syth [fɔ:'saɪθ] *Familienname.*
Fort Lau·der·dale [ˌfɔ:t'lɔ:dədeɪl] *Stadt in Florida (USA).*
Fort Worth [ˌfɔ:t'wɜ:θ] *Stadt in Texas (USA).*
Foth·er·in·ghay ['fɒðərɪŋgeɪ] *Schloß in Nordengland.*
Fow·ler ['faʊlə] *Familienname.*
France [frɑ:ns] Frankreich *n.*
Fran·ces ['frɑ:nsɪs] Fran'ziska *f.*
Fran·cis ['frɑ:nsɪs] Franz *m.*
Frank [fræŋk] Frank *m.*
Frank·fort ['fræŋkfət] *Hauptstadt von Kentucky (USA); seltene englische Schreibweise für Frankfurt.*
Frank·lin ['fræŋklɪn] *amer. Staatsmann; Verwaltungsbezirk der Northwest Territories (Kanada).*
Fred [fred] *abbr. für* ***Alfred, Frederic(k).***
Fre·da ['fri:də] Frieda *f.*
Fred·die, **Fred·dy** ['fredɪ] *Koseformen für* ***Frederic(k), Alfred.***
Fred·er·ic(k) ['fredrɪk] Friedrich *m.*
Fres·no ['freznəʊ] *Stadt in Kalifornien (USA).*
Fris·co ['frɪskəʊ] *umgangssprachliche Bezeichnung für* ***San Francisco.***
Frost [frɒst] *amer. Dichter.*
Ful·bright ['fʊlbraɪt] *amer. Politiker.*
Ful·ham ['fʊləm] *Stadtteil von London.*
Ful·ton ['fʊltən] *amer. Erfinder.*

G

Ga·bon ['gæbɒn] Ga'bun *n.*
Gains·bor·ough ['geɪnzbərə] *englischer Maler.*
Gal·la·gher ['gæləhə] *Familienname.*
Gal·lup ['gæləp] *amer. Statistiker.*
Gals·wor·thy ['gɔːlzwɜːðɪ] *englischer Autor.*
Gal·way ['gɔːlweɪ] *Grafschaft in der Provinz Connacht (Irland); Hauptstadt dieser Grafschaft.*
Gam·bia ['gæmbɪə] Gambia *n.*
Gan·ges ['gændʒiːz] Ganges *m.*
Gar·eth ['gæreθ] *m.*
Gar·ry, **Gar·y** ['gærɪ] *m.*
Gaul [gɔːl] Gallien *n.*
Ga·vin ['gævɪn] *m.*
Ga·za Strip ['gɑːzəstrɪp] *der* Gazastreifen.
Gene [dʒiːn] *abbr. für* ***Eugene***, ***Eugenia***.
Ge·ne·va [dʒɪ'niːvə] Genf *n.*
Gen·o·a ['dʒenəʊə] Genua *n.*
Geoff [dʒef] *abbr. für* ***Geoffr(e)y***.
Geof·fr(e)y ['dʒefrɪ] Gottfried *m.*
George [dʒɔːdʒ] Georg *m.*
Geor·gia ['dʒɔːdjə; *Am.* -dʒə] *Staat der USA.*
Ger·ald ['dʒerəld] Gerald *m*, Gerold *m.*
Ger·al·dine ['dʒerəldiːn] Geral'dine *f.*
Ger·ard ['dʒerɑːd; *bsd. Am.* dʒe'rɑːd] Gerhard *m.*
Ger·man Dem·o·crat·ic Re·pub·lic ['dʒɜːməndeməˌkrætɪkrɪ'pʌblɪk] *hist. die* Deutsche Demo'kratische Repu'blik.
Ger·ma·ny ['dʒɜːmənɪ] Deutschland *n.*
Ger·ry ['dʒerɪ] *abbr. für* ***Gerald***, ***Geraldine***.
Gersh·win ['gɜːʃwɪn] *amer. Komponist.*
Ger·tie ['gɜːtɪ] Gertie *f.*
Ger·trude ['gɜːtruːd] Gertrud *f.*
Get·tys·burg ['getɪzbɜːg] *Stadt in Pennsylvania (USA).*
Gha·na ['gɑːnə] Ghana *n.*
Ghent [gent] Gent *n.*
Gi·bral·tar [dʒɪ'brɔːltə] Gi'braltar *n.*
Giel·gud ['giːlgʊd]: ***Sir John ~*** *berühmter englischer Schauspieler.*
Gil·bert ['gɪlbət] Gilbert *m.*
Giles [dʒaɪlz] Julius *m.*
Gill [dʒɪl; gɪl] *abbr. für* ***Gillian***.
Gil·li·an ['dʒɪlɪən; 'gɪlɪən] *f.*
Glad·stone ['glædstən] *brit. Staatsmann.*
Glad·ys ['glædɪs] *f.*
Gla·mor·gan·shire [glə'mɔːgənʃə] *walisische Grafschaft (bis 1974).*
Glas·gow ['glɑːsgəʊ] *Stadt in Schottland.*
Glen [glen] *m.*
Glo·ri·a ['glɔːrɪə] Gloria *f.*
Glouces·ter ['glɒstə] *Stadt in Südengland; a.* **'Glouces·ter·shire** [-ʃə] *englische Grafschaft.*
Glynde·bourne ['glaɪndbɔːn] *kleiner Ort in East Sussex (England) mit Opernfestspielen.*
God·frey ['gɒdfrɪ] Gottfried *m.*
Go·li·ath [gəʊ'laɪəθ] Goliath *m.*
Gor·don ['gɔːdn] *Familienname; Vorname m.*
Go·tham ['gəʊtəm] *Ortsname; fig.* ‚Schilda' *n.*
Grace [greɪs] Gracia *f*, Grazia *f.*
Gra·ham ['greɪəm] *Familienname; Vorname m.*
Gram·pi·an ['græmpjən] *Verwaltungsregion in Schottland.*
Grand Can·yon [ˌgrænd'kænjən] *Durchbruchstal des Colorado in Arizona (USA).*
Great Brit·ain [ˌgreɪt'brɪtn] Großbri'tannien *n.*
Great·er Lon·don [ˌgreɪtə'lʌndən] *Stadtgrafschaft, bestehend aus der City of London u. 32 Stadtbezirken.*
Great·er Man·ches·ter [ˌgreɪtə'mæntʃɪstə] *Stadtgrafschaft in Nordengland.*
Greece [griːs] Griechenland *n.*
Greene [griːn] *englischer Autor.*
Green·land ['griːnlənd] Grönland *n.*
Green·wich ['grenɪtʃ] *Stadtbezirk Groß-Londons;* ***~ Village*** *Stadtteil von New York (USA).*
Greg [greg] *abbr. für* ***Gregory***.
Greg·o·ry ['gregərɪ] Gregor *m.*
Gre·na·da [gre'neɪdə] Gre'nada *n.*
Gre·ta ['griːtə, 'gretə] *abbr. für* ***Margaret***.
Grims·by ['grɪmzbɪ] *Hafenstadt in Humberside (England).*
Gri·sons ['griːzɔ̃ːŋ] Grau'bünden *n.*
Gros·ve·nor ['grəʊvnə] *Platz u. Straße in London.*
Gua·te·ma·la [ˌgwætɪ'mɑːlə] Guate'mala *n.*
Guern·sey ['gɜːnzɪ] *brit. Kanalinsel.*
Guin·ea ['gɪnɪ] Gui'nea *n*; **Guin·ea-Bis·sau** [ˌgɪnɪbɪ'saʊ] Guinea-Bis'sau *n.*
Guin·e·vere ['gwɪnɪˌvɪə] *Gemahlin des Königs Artus.*
Guin·ness ['gɪnɪs, gɪ'nes] *Familienname.*
Gul·li·ver ['gʌlɪvə] *Romanheld.*
Guy [gaɪ] Guido *m.*
Guy·ana [gaɪ'ænə] Gu'yana *n.*
Gwen [gwen] *abbr. für* ***Gwendolen***, ***Gwendoline***, ***Gwendolyn***.
Gwen·do·len, **Gwen·do·line**, **Gwen·do·lyn** ['gwendəlɪn] *f.*
Gwent [gwent] *walisische Grafschaft.*
Gwy·nedd ['gwɪnəð, -eð] *walisische Grafschaft.*

H

Hack·ney ['hæknɪ] *Stadtbezirk von Groß-London.*
Hague [heɪg]: ***the ~*** Den Haag.

Hai·ti [ˈheɪtɪ] Haˈiti *n.*
Hal [hæl] *abbr. für* **Harold, Henry.**
Hal·i·fax [ˈhælɪfæks] *Hauptstadt von Neuschottland (Kanada); Stadt in West Yorkshire (England).*
Hal·ley [ˈhælɪ] *englischer Astronom.*
Ham·il·ton [ˈhæmltən] *Familienname; Stadt in der Provinz Ontario (Kanada).*
Ham·let [ˈhæmlɪt] *Bühnenfigur bei Shakespeare.*
Ham·mer·smith [ˈhæməsmɪθ] *Stadtbezirk von Groß-London.*
Hamp·shire [ˈhæmpʃə] *englische Grafschaft.*
Hamp·stead [ˈhæmpstɪd] *Stadtteil von Groß-London.*
Han·o·ver [ˈhænəʊvə] Hanˈnover *n.*
Ha·ra·re [həˈrɑːreɪ] *Hauptstadt von Zimbabwe.*
Har·dy [ˈhɑːdɪ] *englischer Autor.*
Ha·rin·gey [ˈhærɪŋgeɪ] *Stadtbezirk von Groß-London.*
Har·lem [ˈhɑːləm] *Stadtteil von New York.*
Har·old [ˈhærəld] Harald *m.*
Har·ri·et, Har·ri·ot [ˈhærɪət] *f.*
Har·ris·burg [ˈhærɪsbɜːg] *Hauptstadt von Pennsylvania (USA).*
Har·row [ˈhærəʊ] *Stadtbezirk Groß-Londons mit berühmter Public School.*
Har·ry [ˈhærɪ] *abbr. für* **Harold, Henry.**
Hart·ford [ˈhɑːtfəd] *Hauptstadt von Connecticut (USA).*
Har·tle·pool [ˈhɑːtlɪpuːl] *Hafenstadt in Cleveland (England).*
Har·vard U·ni·ver·si·ty [ˈhɑːvədˌjuːnɪˈvɜːsətɪ] *Universität in Cambridge, Massachusetts (USA).*
Har·vey [ˈhɑːvɪ] *Vorname m; Familienname.*
Har·wich [ˈhærɪdʒ] *Hafenstadt in Südost-England.*
Has·tings [ˈheɪstɪŋz] *Stadt in Südengland.*
Ha·van·a [həˈvænə] Haˈvanna *n.*
Ha·ver·ing [ˈheɪvərɪŋ] *Stadtbezirk von Groß-London.*
Ha·wai·i [həˈwaiː] *Staat der USA.*
Haw·thorne [ˈhɔːθɔːn] *amer. Schriftsteller.*
Ha·zel [ˈheɪzl] *f.*
Heath·row [ˈhiːθrəʊ] *Großflughafen von London.*
Heb·ri·des [ˈhebrɪdiːz] *pl. die* Heˈbriden *pl.*
Hel·en [ˈhelɪn] Heˈlene *f.*
Hel·e·na [ˈhelɪnə] *Hauptstadt von Montana (USA).*
Hel·i·go·land [ˈhelɪgəʊlænd] Helgoland *n.*
Hel·sin·ki [ˈhelsɪŋkɪ] Helsinki *n.*
Hem·ing·way [ˈhemɪŋweɪ] *amer. Autor.*
Hen·ley [ˈhenlɪ] *Stadt an der Themse (Ruderregatta).*
Hen·ry [ˈhenrɪ] Heinrich *m.*
Hep·burn [ˈhebɜːn; ˈhepbɜːn] *amer. Filmschauspielerin.*
Her·bert [ˈhɜːbət] Herbert *m.*
Her·e·ford and Worces·ter [ˌherɪfədnˈwʊstə] *englische Grafschaft;* **ˈHer·e·ford·shire** [-ʃə] *englische Grafschaft (bis 1974).*
Hert·ford(·shire) [ˈhɑːfəd(ʃə)] *englische Grafschaft.*
Hesse [ˈhesɪ] Hessen *n.*
High·land [ˈhaɪlənd] *Verwaltungsregion in Schottland.*
Hil·a·ry [ˈhɪlərɪ] Hiˈlaria *f;* Hiˈlarius *m.*
Hil·da [ˈhɪldə] Hilda *f,* Hilde *f.*
Hil·ling·don [ˈhɪlɪŋdən] *Stadtbezirk von Groß-London.*
Hi·ma·la·ya [ˌhɪməˈleɪə] *der* Hiˈmalaja.
Hi·ro·shi·ma [hɪˈrɒʃɪmə] *Hafenstadt in Japan.*
Ho·bart [ˈhəʊbɑːt] *Hauptstadt des australischen Bundesstaates Tasmanien.*
Ho·garth [ˈhəʊgɑːθ] *englischer Maler.*
Hol·born [ˈhəʊbən] *Stadtteil von London.*
Hol·land [ˈhɒlənd] Holland *n.*
Hol·ly·wood [ˈhɒlɪwʊd] *Filmstadt in Kalifornien (USA).*
Holmes [həʊmz] *Familienname.*
Ho·mer [ˈhəʊmə] Hoˈmer *m.*
Hon·du·ras [hɒnˈdjʊərəs] Honˈduras *n.*
Hong Kong [ˌhɒŋˈkɒŋ] Hongkong *n.*
Ho·no·lu·lu [ˌhɒnəˈluːluː] *Hauptstadt von Hawaii (USA).*
Hor·ace [ˈhɒrəs] Hoˈraz *m (römischer Dichter u. Satiriker); Vorname m.*
Houns·low [ˈhaʊnzləʊ] *Stadtbezirk von Groß-London.*
Hous·ton [ˈhjuːstən; ˈjuːstən] *Stadt in Texas (USA).*
How·ard [ˈhaʊəd] *m.*
Hu·bert [ˈhjuːbət] Hubert *m,* Huˈbertus *m.*
Hud·son [ˈhʌdsn] *Familienname; Fluß im Staat New York (USA).*
Hugh [hjuː] Hugo *m.*
Hughes [hjuːz] *Familienname.*
Hull [hʌl] *Hafenstadt in Humberside (England).*
Hum·ber [ˈhʌmbə] *Fluß in England;* **ˈHum·ber·side** [-saɪd] *englische Grafschaft.*
Hume [hjuːm] *englischer Philosoph.*
Hum·phr(e)y [ˈhʌmfrɪ] *m.*
Hun·ga·ry [ˈhʌŋgərɪ] Ungarn *n.*
Hun·ting·don(·shire) [ˈhʌntɪŋdən(ʃə)] *englische Grafschaft (bis 1974).*
Hux·ley [ˈhʌkslɪ] *englischer Autor; englischer Biologe.*
Hyde Park [ˌhaɪdˈpɑːk] *Park in London.*

I

I·an [ɪən; ˈiːən] Jan *m.*
I·be·ri·an Pen·in·su·la [aɪˌbɪərɪənpɪˈnɪnsjʊlə] *die* Iˈberische Halbinsel.

Ice·land ['aɪslənd] Island *n.*
I·da ['aɪdə] Ida *f.*
I·da·ho ['aɪdəhəʊ] *Staat der USA.*
Il·ford ['ɪlfəd] *Stadtteil von Groß-London.*
Il·li·nois [ˌɪlɪ'nɔɪ] *Staat der USA; Fluß in USA.*
In·di·a ['ɪndjə] Indien *n.*
In·di·an·a [ˌɪndɪ'ænə] *Staat der USA.*
In·di·an·ap·o·lis [ˌɪndɪə'næpəlɪs] *Hauptstadt von Indiana (USA).*
In·do·ne·sia [ˌɪndəʊ'ni:zjə] Indo'nesien *n.*
In·dus ['ɪndəs] Indus *m.*
In·ver·ness(·shire) [ˌɪnvə'nes(ʃə)] *schottische Grafschaft (bis 1975).*
I·o·wa ['aɪəʊə; 'aɪəwə] *Staat der USA.*
Ips·wich ['ɪpswɪtʃ] *Hauptstadt von Suffolk (England).*
I·ran [ɪ'rɑ:n] I'ran *m.*
I·raq [ɪ'rɑ:k] I'rak *m.*
Ire·land ['aɪələnd] Irland *n.*
I·rene [aɪ'ri:nɪ; 'aɪri:n] I'rene *f.*
I·ris ['aɪərɪs] Iris *f.*
Ir·ving ['ɜ:vɪŋ] *amer. Autor.*
I·saac ['aɪzək] Isaak *m.*
Is·a·bel ['ɪzəbel] Isa'bella *f.*
Ish·er·wood ['ɪʃəwʊd] *englischer Schriftsteller u. Dramatiker.*
Is·lam·a·bad [ɪz'lɑ:məbɑ:d] *Hauptstadt von Pakistan.*
Isle of Man [ˌaɪləv'mæn] *Insel in der Irischen See, die unmittelbar der englischen Krone untersteht, aber nicht zum Vereinigten Königreich gehört.*
Isle of Wight [ˌaɪləv'waɪt] *englische Grafschaft, Insel im Ärmelkanal.*
I·sle·worth ['aɪzlwəθ] *Stadtteil von Groß-London.*
Is·ling·ton ['ɪzlɪŋtən] *Stadtbezirk von Groß-London.*
Is·o·bel ['ɪzəbel] Isa'bella *f.*
Is·ra·el ['ɪzreɪəl] Israel *n.*
Is·tan·bul [ˌɪstən'bu:l] Istanbul *n.*
It·a·ly ['ɪtəlɪ] I'talien *n.*
I·van ['aɪvən] Iwan *m.*
I·vor ['aɪvə] *m.*
I·vo·ry Coast ['aɪvərɪkəʊst] *die* Elfenbeinküste.
I·vy ['aɪvɪ] *f.*

J

Jack [dʒæk] Hans *m.*
Jack·ie ['dʒækɪ] *abbr. für* ***Jacqueline***.
Jack·son ['dʒæksn] *Hauptstadt von Mississippi (USA).*
Jack·son·ville ['dʒæksnvɪl] *Hafenstadt in Florida (USA).*
Ja·cob ['dʒeɪkəb] Jakob *m.*
Jac·que·line ['dʒækli:n] *f.*
Jaf·fa ['dʒæfə] *Hafenstadt in Israel.*
Ja·mai·ca [dʒə'meɪkə] Ja'maika *n.*
James [dʒeɪmz] Jakob *m.*
Jane [dʒeɪn] Jo'hanna *f.*
Jan·et ['dʒænɪt] Jo'hanna *f.*
Jan·ice ['dʒænɪs] *f.*
Ja·pan [dʒə'pæn] Japan *n.*
Ja·son ['dʒeɪsn] *m.*
Jas·per ['dʒæspə] Kaspar *m.*
Ja·va ['dʒɑ:və] Java *n.*
Jean [dʒi:n] Jo'hanna *f.*
Jeff [dʒef] *abbr. für* ***Jeffrey***.
Jef·fer·son ['dʒefəsn] *3. Präsident der USA.*
Jef·fer·son Cit·y [ˌdʒefəsn'sɪtɪ] *Hauptstadt von Missouri (USA).*
Jef·frey ['dʒefrɪ] Gottfried *m.*
Je·ho·vah [dʒɪ'həʊvə] Je'hova *m.*
Jen·ni·fer ['dʒenɪfə] *f.*
Jen·ny ['dʒenɪ; 'dʒɪnɪ] *Koseform für* ***Jane***.
Jer·e·my ['dʒerɪmɪ] Jere'mias *m.*
Je·rome [dʒə'rəʊm] Hie'ronymus *m.*
Jer·ry ['dʒerɪ] *abbr. für* ***Jeremy***, ***Jerome***, ***Gerald***, ***Gerard***.
Jer·sey ['dʒɜ:sɪ] *brit. Kanalinsel.*
Je·ru·sa·lem [dʒə'ru:sələm] Je'rusalem *n.*
Jes·si·ca ['dʒesɪkə] *f.*
Je·sus ['dʒi:zəs] Jesus *m.*
Jill [dʒɪl] *abbr. für* ***Gillian***.
Jim(·my) ['dʒɪm(ɪ)] *abbr. für* ***James***.
Jo [dʒəʊ] *abbr. für* ***Joanna***, ***Joseph***, ***Josephine***.
Joan [dʒəʊn], **Jo·an·na** [dʒəʊ'ænə] Jo'hanna *f.*
Job [dʒəʊb] Hiob *m.*
Joc·e·lin(e), **Joc·e·lyn** ['dʒɒslɪn] *f.*
Joe [dʒəʊ] *abbr. für* ***Joseph***, ***Josephine***.
Jo·han·nes·burg [dʒəʊ'hænɪsbɜ:g] *Stadt in Südafrika.*
John [dʒɒn] Jo'hannes *m*, Johann *m.*
John·ny ['dʒɒnɪ] Häns-chen *n.*
John o' Groats [ˌdʒɒnə'grəʊts] *Dorf an der Nordostspitze des schottischen Festlandes. Gilt volkstümlich als nördlichster Punkt des festländischen Großbritannien.*
John·son ['dʒɒnsn] *36. Präsident der USA; englischer Lexikograph.*
Jon·a·than ['dʒɒnəθən] Jonathan *m.*
Jon·son ['dʒɒnsn] *englischer Dichter.*
Jor·dan ['dʒɔ:dn] Jor'danien *n.*
Jo·seph ['dʒəʊzɪf] Joseph *m.*
Jo·se·phine ['dʒəʊzɪfi:n] Jose'phine *f.*
Josh·u·a ['dʒɒʃwə] Josua *m.*
Joule [dʒu:l] *englischer Physiker.*
Joy [dʒɔɪ] *f.*
Joyce [dʒɔɪs] *irischer Autor; Vorname f.*
Ju·dith ['dʒu:dɪθ] Judith *f.*
Ju·dy ['dʒu:dɪ] *abbr. für* ***Judith***.
Jul·ia ['dʒu:ljə] Julia *f.*
Jul·ian ['dʒu:ljən] Juli'an(us) *m.*
Ju·li·et ['dʒu:ljət; -ljet] Julia *f*, Juli'ette *f.*
Jul·ius ['dʒu:ljəs] Julius *m.*
June [dʒu:n] *f.*

Ju·neau [ˈdʒuːnəʊ] *Hauptstadt von Alaska (USA).*
Jus·tin [ˈdʒʌstɪn] Juˈstin(us) *m.*

K

Kam·pu·che·a [ˌkæmpʊˈtʃɪə] Kamˈbodscha *n.*
Kan·sas [ˈkænzəs] *Staat der USA; Fluß in USA.*
Kan·sas Cit·y [ˌkænzəsˈsɪtɪ] *Stadt in Missouri (USA); Stadt in Kansas (USA).*
Ka·ra·chi [kəˈrɑːtʃɪ] Kaˈratschi *n.*
Kar·en [ˈkɑːrən; ˈkærən] Karin *f.*
Kash·mir [ˌkæʃˈmɪə] Kaschmir *n.*
Ka·tar [kæˈtɑː] Katar *n (Scheichtum am Persischen Golf).*
Kate [keɪt] Käthe *f.*
Kath·a·rine, Kath·er·ine [ˈkæθərɪn] Kathaˈrina *f*, Kat(h)rin *f.*
Kath·leen [ˈkæθliːn] *f.*
Kath·y [ˈkæθɪ] *abbr. für* ***Katharine, Katherine.***
Kay [keɪ] Kai *m, f*, Kay *m, f.*
Keats [kiːts] *englischer Dichter.*
Kee·wa·tin [kiːˈwɒtɪn; *Am.* kiːˈweɪtn] *Verwaltungsbezirk der Northwest Territories (Kanada).*
Keith [kiːθ] *m.*
Kel·vin [ˈkelvɪn] *brit. Mathematiker u. Physiker.*
Ken [ken] *abbr. für* ***Kenneth.***
Ken·ne·dy [ˈkenɪdɪ] *35. Präsident der USA;* ~ ***International Airport*** *Großflughafen von New York (USA).*
Ken·neth [ˈkenɪθ] *m.*
Ken·sing·ton [ˈkenzɪŋtən] *Stadtteil von London.*
Ken·sing·ton and Chel·sea [ˌkenzɪŋtənənˈtʃelsɪ] *Stadtbezirk von Groß-London.*
Kent [kent] *englische Grafschaft.*
Ken·tuck·y [kenˈtʌkɪ] *Staat der USA; Fluß in USA.*
Ken·ya [ˈkenjə] Kenia *n.*
Ker·ry [ˈkerɪ] *Grafschaft in der Provinz Munster (Irland).*
Kev·in [ˈkevɪn] *m.*
Kew [kjuː] *Stadtteil von Groß-London. Botanischer Garten.*
Keynes [keɪnz] *englischer Wirtschaftswissenschaftler.*
Kil·dare [kɪlˈdeə] *Grafschaft in der Provinz Leinster (Irland).*
Kil·ken·ny [kɪlˈkenɪ] *Grafschaft in der Provinz Leinster (Irland); Hauptstadt dieser Grafschaft.*
Kin·car·dine(·shire) [kɪnˈkɑːdɪn(ʃə)] *schottische Grafschaft (bis 1975).*
Kings·ton up·on Hull [ˌkɪŋstənəpɒnˈhʌl] *offizielle Bezeichnung für* ***Hull.***
Kings·ton up·on Thames [ˌkɪŋstənəpɒnˈtemz] *Stadtbezirk von Groß-London; Hauptstadt von Surrey (England).*
Kin·ross(·shire) [kɪnˈrɒs(ʃə)] *schottische Grafschaft (bis 1975).*
Kirk·cud·bright(·shire) [kɜːˈkuːbrɪ(ʃə)] *schottische Grafschaft (bis 1975).*
Kit(·ty) [ˈkɪt(tɪ)] *abbr. für* ***Catherine, Katherine.***
Klon·dyke [ˈklɒndaɪk] *Fluß in Kanada; Landschaft in Kanada.*
Knox [nɒks] *schottischer Reformator.*
Knox·ville [ˈnɒksvɪl] *Stadt in Tennessee (USA).*
Ko·re·a [kəˈrɪə] Koˈrea *n;* ***Democratic People's Republic of*** ~ *die* Demoˈkratische ˈVolksrepuˌblik Koˈrea; ***Republic of*** ~ *die* Repuˈblik Koˈrea.
Kos·ci·us·ko [ˌkɒsɪˈʌskəʊ]: ***Mount*** ~ *höchster Berg Australiens, im Bundesstaat New South Wales.*
Krem·lin [ˈkremlɪn] *der* Kreml.
Ku·wait [kʊˈweɪt] Kuˈwait *n.*

L

Lab·ra·dor [ˈlæbrədɔː] *Provinz in Kanada.*
La Guar·dia [ləˈgwɑːdɪə; ləˈgɑːdɪə] *ehemaliger Bürgermeister von New York;* ~ ***Airport*** *Flughafen in New York.*
Laing [læŋ; leɪŋ] *Familienname.*
Lake Hu·ron [ˌleɪkˈhjʊərən] der Huronsee *(in Nordamerika).*
Lake Su·pe·ri·or [ˌleɪksuːˈpɪərɪə] der Obere See *(in Nordamerika).*
Lam·beth [ˈlæmbəθ] *Stadtbezirk von Groß-London;* ~ ***Palace*** *Londoner Residenz des Erzbischofs von Canterbury.*
Lan·ark(·shire) [ˈlænək(ʃə)] *schottische Grafschaft (bis 1975).*
Lan·ca·shire [ˈlæŋkəʃə] *englische Grafschaft.*
Lan·cas·ter [ˈlæŋkəstə] *Stadt in Nord-west-England; Stadt in USA.*
Land's End [ˌlændzˈend] *westlichster Punkt Englands, in Cornwall.*
La·nier [ləˈnɪə] *amer. Dichter.*
Lan·sing [ˈlænsɪŋ] *Hauptstadt von Michigan (USA).*
Laoigh·is [liːʃ; ˈleɪʃ] *siehe* ***Leix.***
La·os [ˈlɑːɒs; laʊs] Laos *n.*
Lar·ry [ˈlærɪ] *abbr. für* ***Laurence, Lawrence.***
La·tham [ˈleɪθəm; ˈleɪðəm] *Familienname.*
Lat·in A·mer·i·ca [ˌlætɪnəˈmerɪkə] Laˈteinaˌmerika *n.*
Lat·via [ˈlætvɪə] Lettland *n.*
Laugh·ton [ˈlɔːtn] *Familienname.*
Lau·ra [ˈlɔːrə] Laura *f.*
Lau·rence [ˈlɒrəns] Lorenz *m.*
Law·rence [ˈlɒrəns] Lorenz *m; Familienname.*
Lear [lɪə] *Bühnenfigur bei Shakespeare.*
Leb·a·non [ˈlebənən] *der* Libanon.

Leeds [li:dz] *Industriestadt in Ostengland.*
Le·fe·vre [lə'fi:və; lə'feɪvə] *Familienname.*
Legge [leg] *Familienname.*
Leices·ter ['lestə] *Hauptstadt der englischen Grafschaft* **'Leices·ter·shire** [-ʃə].
Leigh [li:] *Familienname; Vorname m.*
Lein·ster ['lenstə] *Provinz in Irland.*
Lei·trim ['li:trɪm] *Grafschaft in der Provinz Connaught (Irland).*
Leix [li:ʃ] *Grafschaft in der Provinz Leinster (Irland).*
Le·o ['li:əʊ] Leo *m.*
Leon·ard ['lenəd] Leonhard *m.*
Les·ley ['lezlɪ; *Am.* 'leslɪ] *f.*
Les·lie ['lezlɪ; *Am.* 'leslɪ] *m.*
Le·so·tho [lə'su:tu:; lə'səʊtəʊ] Le'sotho *n.*
Lew·is ['lu:ɪs] Ludwig *m; amer. Autor.*
Lew·i·sham ['lu:ɪʃəm] *Stadtbezirk von Groß-London.*
Lex·ing·ton ['leksɪŋtən] *Stadt in Massachusetts (USA).*
Li·be·ria [laɪ'bɪərɪə] Li'beria *n.*
Lib·y·a ['lɪbɪə] Libyen *n.*
Liech·ten·stein ['lɪktənstaɪn] Liechtenstein *n.*
Lil·i·an ['lɪlɪən] *f.*
Lil·y ['lɪlɪ] Lilli *f*, Lili *f*, Lilly *f*, Lily *f.*
Lim·er·ick ['lɪmərɪk] *Grafschaft in der Provinz Munster (Irland); Hauptstadt dieser Grafschaft.*
Lin·coln ['lɪŋkən] *16. Präsident der USA; Hauptstadt von Nebraska (USA); Stadt in der englischen Grafschaft* **'Lin·coln·shire** [-ʃə].
Lin·da ['lɪndə] Linda *f.*
Lind·bergh ['lɪndbɜ:g] *amer. Flieger.*
Li·o·nel ['laɪənl] *m.*
Li·sa ['li:zə; 'laɪzə] Lisa *f.*
Lis·bon ['lɪzbən] Lissabon *n.*
Lith·u·a·nia [ˌlɪθju:'eɪnjə] Litauen *n.*
Lit·tle Rock ['lɪtlrɒk] *Hauptstadt von Arkansas (USA).*
Liv·er·pool ['lɪvəpu:l] *Hafenstadt in Nordwest-England; Verwaltungszentrum von* ***Merseyside.***
Live·sey ['lɪvsɪ; -zɪ] *Familienname.*
Liv·ing·stone ['lɪvɪŋstən] *englischer Afrikaforscher.*
Li·vo·nia [lɪ'vəʊnjə] Livland *n.*
Liv·y ['lɪvɪ] Livius *m.*
Liz [lɪz] *abbr. für* ***Elizabeth.***
Li·za ['laɪzə] Lisa *f.*
Lloyd [lɔɪd] *Familienname; Vorname m.*
Loch Lo·mond [ˌlɒk'ləʊmənd], **Loch Ness** [ˌlɒk'nes] *Seen in Schottland.*
Locke [lɒk] *englischer Philosoph.*
Lo·is ['ləʊɪs] *f.*
Lom·bar·dy ['lɒmbədɪ] die Lombar'dei.
Lon·don ['lʌndən] London *n;* ***City of ~*** *London im engeren Sinn. Zentraler Stadtbezirk von Groß-London u. eines der größten Finanzzentren der Welt.*
Lon·don·der·ry [ˌlʌndən'derɪ] *nordirische Grafschaft.*
Long·ford ['lɒŋfəd] *Grafschaft in der Provinz Leinster (Irland).*
Lor·na ['lɔ:nə] *f.*
Lor·raine [lɒ'reɪn] Lothringen *n.*
Los Al·a·mos [ˌlɒs'æləmɒs] *Stadt in New Mexico (USA); Atomforschungszentrum.*
Los An·ge·les [lɒs'ændʒɪli:z] *Stadt in Kalifornien (USA).*
Lo·thi·an ['ləʊðjən] *Verwaltungsregion in Schottland.*
Lou [lu:] *abbr. für* ***Louis, Louisa, Louise.***
Lou·is ['lu:ɪ; 'lʊɪ; *bsd. Am.* 'lu:ɪs] Ludwig *m.*
Lou·i·sa [lu:'i:zə] Lu'ise *f.*
Lou·ise [lu:'i:z] Lu'ise *f.*
Lou·i·si·a·na [lu:ˌi:zɪ'ænə] *Staat der USA.*
Lou·is·ville ['lu:ɪvɪl] *Stadt in Kentucky (USA).*
Louth [laʊð] *Grafschaft in der Provinz Leinster (Irland).*
Lowes [ləʊz] *Familienname.*
Lowes·toft ['ləʊstɒft] *Hafenstadt in Suffolk (England).*
Low·ry ['laʊərɪ; 'laʊrɪ] *Familienname.*
Lu·cia ['lu:sjə] Lucia *f*, Luzia *f.*
Lu·cius ['lu:sjəs] *m.*
Lu·cy ['lu:sɪ] *abbr. für* ***Lucia.***
Lud·gate ['lʌdgɪt; -geɪt] *Familienname.*
Luke [lu:k] Lukas *m.*
Lux·em·bourg ['lʌksəmbɜ:g] Luxemburg *n.*
Lyd·i·a ['lɪdɪə] Lydia *f.*
Lynn [lɪn] *f.*
Ly·ons ['laɪənz] Lyon *n; Familienname.*

M

Mab [mæb] *Feenkönigin.*
Ma·bel ['meɪbl] *f.*
Ma·cau·lay [mə'kɔ:lɪ] *englischer Historiker.*
Mac·beth [mək'beθ] *Bühnenfigur bei Shakespeare.*
Mac·Car·thy [mə'kɑ:θɪ] *Familienname.*
Mac·Gee [mə'gi:] *Familienname.*
Mac·ken·zie [mə'kenzɪ] *Strom in Nordwestkanada; Verwaltungsbezirk der Northwest Territories (Kanada).*
Mac·Leish [mə'kli:ʃ] *amer. Dichter.*
Mac·leod [mə'klaʊd] *Familienname.*
Mad·a·gas·car [ˌmædə'gæskə] Mada'gaskar *n.*
Mad·e·leine ['mædlɪn; -leɪn] Magda'lena *f*, Magda'lene *f.*
Ma·dei·ra [mə'dɪərə] Ma'deira *n.*
Madge [mædʒ] *abbr. für* ***Margaret.***
Mad·i·son ['mædɪsn] *4. Präsident der USA; Hauptstadt von Wisconsin (USA).*
Ma·dras [mə'drɑ:s] Madras *n.*

Mag·da·len [ˈmægdəlɪn] Magdaˈlena *f*, Magdaˈlene *f*; **~ *College*** [ˈmɔːdlɪn] *College in Oxford.*
Mag·da·lene [ˈmægdəlɪn] Magdaˈlena *f*, Magdaˈlene *f*; **~ *College*** [ˈmɔːdlɪn] *College in Cambridge.*
Mag·gie [ˈmægɪ] *abbr. für* ***Margaret***.
Ma·ho·met [məˈhɒmɪt] Mohammed *m*.
Maine [meɪn] *Staat der USA*.
Ma·jor·ca [məˈdʒɔːkə] Malˈlorca *n*. (*Baleareninsel*).
Ma·la·wi [məˈlɑːwɪ] Maˈlawi *n*.
Ma·lay·sia [məˈleɪzɪə] Maˈlaysia *n*.
Mal·colm [ˈmælkəm] *m*.
Mal·dives [ˈmɔːldɪvz] *pl*. *die* Maleˈdiven *pl*.
Ma·li [ˈmɑːlɪ] Mali *n*.
Mal·ta [ˈmɔːltə] Malta *n*.
Ma·mie [ˈmeɪmɪ] *abbr. für* ***Mary***, ***Margaret***.
Man·ches·ter [ˈmæntʃɪstə] *Industriestadt in Nordwest-England. Verwaltungszentrum von* ***Greater Manchester***.
Man·chu·ri·a [mænˈtʃʊərɪə] die Mandschuˈrei.
Man·dy [ˈmændɪ] *abbr. für* ***Amanda***.
Man·hat·tan [mænˈhætn] *Stadtbezirk von New York* (*USA*).
Man·i·to·ba [ˌmænɪˈtəʊbə] *Provinz in Kanada.*
Mar·ga·ret [ˈmɑːgərɪt] Margaˈreta *f*, Margaˈrete *f*.
Mar·ge·ry [ˈmɑːdʒərɪ] *siehe* ***Margaret***.
Mar·gie [ˈmɑːdʒɪ] *abbr. für* ***Margaret***.
Ma·ri·a [məˈraɪə; məˈrɪə] Maˈria *f*.
Mar·i·an [ˈmeərɪən; ˈmærɪən] Mariˈanne *f*.
Ma·rie [ˈmɑːrɪ; məˈriː] Maˈrie *f*.
Mar·i·lyn [ˈmærɪlɪn] *f*.
Mar·i·on [ˈmærɪən; ˈmeərɪən] Marion *f*.
Mar·jo·rie, **Mar·jo·ry** [ˈmɑːdʒərɪ] *f*.
Mar·lowe [ˈmɑːləʊ] *englischer Dichter.*
Mar·tha [ˈmɑːθə] Mart(h)a *f*.
Mar·tin [ˈmɑːtɪn; *Am*. ˈmɑːrtn] Martin *m*.
Mar·y [ˈmeərɪ] Maˈria *f*, Maˈrie *f*.
Mar·y·land [ˈmeərɪlænd; *bsd. Am*. ˈmerɪlənd] *Staat der USA*.
Mar·y·le·bone [ˈmærələbən] *Stadtteil von London.*
Mas·sa·chu·setts [ˌmæsəˈtʃuːsɪts] *Staat der USA*.
Ma(t)·thew [ˈmæθjuː] Matˈthäus *m*.
Maud [mɔːd] *abbr. für* ***Magdalen(e)***.
Maugham [mɔːm] *englischer Autor.*
Mau·reen [ˈmɔːriːn; *bsd. Am*. mɔːˈriːn] *f*.
Mau·rice [ˈmɒrɪs] Moritz *m*.
Mau·ri·ta·nia [ˌmɒrɪˈteɪnjə] Maureˈtanien *n*.
Mau·ri·ti·us [məˈrɪʃəs] Mauˈritius *n*.
Ma·vis [ˈmeɪvɪs] *f*.
Max [mæks] Max *m*.
Max·ine [ˈmæksiːn; *bsd. Am*. mækˈsiːn] *f*.
May [meɪ] *abbr. für* ***Mary***.
May·o [ˈmeɪəʊ] *Name zweier amer. Chirurgen*; *Grafschaft in der Provinz Connaught* (*Irland*).
Mc·Cart·ney [məˈkɑːtnɪ] *englischer Musiker u. Komponist. Mitglied der „Beatles“.*
Meath [miːð; miːθ] *Grafschaft in der Provinz Leinster* (*Irland*).
Med·i·ter·ra·ne·an (**Sea**) [ˌmedɪtəˈreɪnjən(ˈsiː)] *das* Mittelmeer.
Meg [meg] *abbr. für* ***Margaret***.
Mel·bourne [ˈmelbən] *Stadt in Australien.*
Mel·ville [ˈmelvɪl] *amer. Autor.*
Mem·phis [ˈmemfɪs] *Stadt in Tennessee* (*USA*); *antike Ruinenstadt am Nil, Nordägypten.*
Mer·i·on·eth(**·shire**) [ˌmerɪˈɒnɪθ(ʃə)] *walisische Grafschaft* (*bis 1974*).
Mer·sey·side [ˈmɜːzɪsaɪd] *Stadtgrafschaft in Nordwest-England.*
Mer·ton [ˈmɜːtn] *Stadtbezirk von Groß-London.*
Me·thu·en [ˈmeθjʊɪn] *Familienname.*
Mex·i·co [ˈmeksɪkəʊ] Mexiko *n*.
Mi·am·i [maɪˈæmɪ] *Badeort in Florida* (*USA*).
Mi·chael [ˈmaɪkl] Michael *m*.
Mi·chelle [miːˈʃel; mɪˈʃel] Miˈchèle *f*, Miˈchelle *f*.
Mich·i·gan [ˈmɪʃɪgən] *Staat der USA*; ***Lake* ~** der Michigansee (*in Nordamerika*).
Mick [mɪk] *abbr. für* ***Michael***.
Mid·dles·brough [ˈmɪdlzbrə] *Hauptstadt von Cleveland* (*England*).
Mid·dle·sex [ˈmɪdlseks] *englische Grafschaft* (*bis 1974*).
Mid Gla·mor·gan [ˌmɪdgləˈmɔːgən] *walisische Grafschaft.*
Mid·lands [ˈmɪdləndz] *pl*. *die* Midlands *pl*. (*die zentral gelegenen Grafschaften Mittelenglands*: *Warwickshire*, *Northamptonshire*, *Leicestershire*, *Nottinghamshire*, *Derbyshire*, *Staffordshire*, *West Midlands u. der Ostteil von Hereford and Worcester*).
Mid·lo·thi·an [mɪdˈləʊðjən] *schottische Grafschaft* (*bis 1975*).
Mid·west [ˌmɪdˈwest] *der* Mittlere Westen (*USA*).
Mi·ers [ˈmaɪəz] *Familienname.*
Mike [maɪk] *abbr. für* ***Michael***.
Mi·lan [mɪˈlæn] Mailand *n*.
Mil·dred [ˈmɪldrɪd] Miltraud *f*, Miltrud *f*.
Miles [maɪlz] *m*.
Mil·li·cent [ˈmɪlɪsnt] *f*.
Mil·lie, **Mil·ly** [ˈmɪlɪ] *abbr. für* ***Amelia***, ***Emily***, ***Mildred***, ***Millicent***.
Mil·ton [ˈmɪltən] *englischer Dichter.*
Mil·wau·kee [mɪlˈwɔːkiː] *Industriestadt in Wisconsin* (*USA*).
Min·ne·ap·o·lis [ˌmɪnɪˈæpəlɪs] *Stadt in Minnesota* (*USA*).

Min·ne·so·ta [ˌmɪnɪˈsəʊtə] *Staat der USA.*
Mi·ran·da [mɪˈrændə] Miˈranda *f.*
Mir·i·am [ˈmɪrɪəm] *f.*
Mis·sis·sip·pi [ˌmɪsɪˈsɪpɪ] *Staat der USA; Fluß in USA.*
Mis·sou·ri [mɪˈzʊərɪ] *Staat der USA; Fluß in USA.*
Mitch·ell [ˈmɪtʃl] *Familienname; Vorname m.*
Moi·ra [ˈmɔɪərə] *f.*
Moll [mɒl], **Mol·ly** [ˈmɒlɪ] *Koseformen für **Mary**.*
Mo·na·co [ˈmɒnəkəʊ] Moˈnaco *n.*
Mon·a·ghan [ˈmɒnəhən] *Grafschaft im der Republik Irland zugehörigen Teil der Provinz Ulster.*
Mon·go·lia [mɒŋˈgəʊljə] die Mongoˈlei.
Mon·go·li·an Peo·ple's Re·pub·lic [mɒŋˈgəʊljənˌpiːplzrɪˈpʌblɪk] *die* Monˈgolische ˈVolksrepuˌblik.
Mon·i·ca [ˈmɒnɪkə] Monika *f.*
Mon·mouth(·shire) [ˈmɒnməθ(ʃə)] *walisische Grafschaft (bis 1974).*
Mon·roe [mənˈrəʊ] *5. Präsident der USA; amer. Filmschauspielerin.*
Mon·tan·a [mɒnˈtænə] *Staat der USA.*
Mont·gom·er·y [mən*t*ˈgʌmərɪ] *brit. Feldmarschall; Hauptstadt von Alabama (USA); a.* **Montˈgom·er·y·shire** [-ʃə] *walisische Grafschaft (bis 1974).*
Mont·pe·lier [mɒntˈpiːljə] *Hauptstadt von Vermont (USA).*
Mont·re·al [ˌmɒntrɪˈɔːl] *Stadt in Kanada.*
Mo·ra·vi·a [məˈreɪvjə] Mähren *n.*
Mor·ay(·shire) [ˈmʌrɪ(ʃə)] *schottische Grafschaft (bis 1975).*
More [mɔː]: ***Thomas*** **~** Thomas Morus.
Mo·roc·co [məˈrɒkəʊ] Maˈrokko *n.*
Mos·cow [ˈmɒskəʊ] Moskau *n.*
Mo·selle [məʊˈzel] Mosel *f.*
Mount Ev·er·est [ˌmaʊntˈevərɪst] *höchster Berg der Erde.*
Mount Mc·Kin·ley [ˌmaʊntməˈkɪnlɪ] *höchster Berg der USA, in Alaska.*
Mo·zam·bique [məʊzəmˈbiːk] Moçamˈbique *n.*
Mu·nich [ˈmjuːnɪk] München *n.*
Mun·ster [ˈmʌnstə] *Provinz in Irland.*
Mu·ri·el [ˈmjʊərɪəl] *f.*
Mur·ray [ˈmʌrɪ] *Familienname; Fluß in Australien.*
My·ra [ˈmaɪərə] *f.*

N

Nab·o·kov [nəˈbəʊkɒf] *amer. Schriftsteller russischer Herkunft.*
Nairn(·shire) [ˈneən(ʃə)] *schottische Grafschaft (bis 1975).*
Na·mib·ia [nəˈmɪbɪə] Naˈmibia *n.*
Nan·cy [ˈnænsɪ] *f.*
Nan·ga Par·bat [ˌnʌŋgəˈpɑːbət] *Berg im Himalaya.*
Na·o·mi [ˈneɪəmɪ] *f.*
Na·ples [ˈneɪplz] Neˈapel *n.*
Na·po·le·on [nəˈpəʊljən] Naˈpoleon *m.*
Nash·ville [ˈnæʃvɪl] *Hauptstadt von Tennessee (USA).*
Na·tal [nəˈtæl] Natal *n.*
Nat·a·lie [ˈnætəlɪ] Naˈtalia *f*, Naˈtalie *f.*
Na·than·iel [nəˈθænjəl] Naˈt(h)anael *m.*
Na·u·ru [nɑːˈuːruː] Naˈuru *n.*
Naz·a·reth [ˈnæzərɪθ] Nazareth *n.*
Neal [niːl] *m.*
Ne·bras·ka [nɪˈbræskə] *Staat der USA.*
Ned [ned] *abbr. für **Edmund, Edward.***
Neil(l) [niːl] *Vorname m; Familienname.*
Nell, **Nel·ly** [ˈnel(ɪ)] *abbr. für **Eleanor**, **Ellen**, **Helen**.*
Nel·son [ˈnelsn] *brit. Admiral.*
Ne·pal [nɪˈpɔːl] Nepal *n.*
Neth·er·lands [ˈneðələndz] *pl. die* Niederlande *pl.*
Ne·va·da [neˈvɑːdə] *Staat der USA.*
Nev·il, **Nev·ille** [ˈnevɪl] *m.*
New·ark [ˈnjuːək; *Am.* ˈnuːərk] *Stadt in New Jersey (USA).*
New Bruns·wick [ˌnjuːˈbrʌnzwɪk] *Provinz in Kanada.*
New·bury [ˈnjuːbərɪ] *Stadt in Berkshire (England).*
New·cas·tle [ˈnjuːˌkɑːsl] *siehe **Newcastle-upon-Tyne**; Stadt in New South Wales (Australien).*
New·cas·tle-up·on-Tyne [ˈnjuːˌkɑːsləˌpɒnˈtaɪn] *Hauptstadt von Tyne and Wear (England).*
New Del·hi [ˌnjuːˈdelɪ] *Hauptstadt von Indien.*
New Eng·land [ˌnjuːˈɪŋglənd] Neuˈ England *n (USA).*
New·found·land [ˈnjuːfən*d*lənd] Neuˈfundland *n (Provinz in Kanada).*
New Guin·ea [ˌnjuːˈgɪnɪ] Neuguiˈnea *n.*
New·ham [ˈnjuːəm] *Stadtbezirk von Groß-London.*
New Hamp·shire [ˌnjuːˈhæmpʃə] *Staat der USA.*
New Jer·sey [ˌnjuːˈdʒɜːzɪ] *Staat der USA.*
New Mex·i·co [ˌnjuːˈmeksɪkəʊ] *Staat der USA.*
New Or·le·ans [ˌnjuːˈɔːlɪənz] *Hafenstadt in Louisiana (USA).*
New South Wales [ˌnjuːsaʊθˈweɪlz] Neusüdˈwales *n (Bundesstaat Australiens).*
New·ton [ˈnjuːtn] *englischer Physiker.*
New York [ˌnjuːˈjɔːk; *Am.* ˌnuːˈjɔːk] *Staat der USA; größte Stadt der USA.*
New Zea·land [ˌnjuːˈziːlənd] Neuˈseeland *n.*
Ni·ag·a·ra [naɪˈægərə] Niaˈgara *m.*
Nic·a·ra·gua [ˌnɪkəˈrægjʊə] Nicaˈragua *n.*
Nich·o·las [ˈnɪkələs] Nikolaus *m.*
Nick [nɪk] *abbr. für **Nicholas**.*
Ni·gel [ˈnaɪdʒəl] *m.*
Ni·ger [ˈnaɪdʒə] Niger *m (Fluß in West-*

afrika); [niːˈʒeə] Niger *n* (*Republik in Westafrika*).
Ni·ge·ri·a [naɪˈdʒɪərɪə] Niˈgeria *n*.
Nile [naɪl] Nil *m*.
Nix·on [ˈnɪksən] *37. Präsident der USA.*
No·bel [nəʊˈbel] *schwedischer Industrieller, Stifter des Nobelpreises.*
No·el [ˈnəʊəl] *m*.
No·ra [ˈnɔːrə] Nora *f*.
Nor·folk [ˈnɔːfək] *englische Grafschaft; Hafenstadt in Virginia (USA) u. Hauptstützpunkt der US-Atlantikflotte.*
Nor·man [ˈnɔːmən] *m*.
Nor·man·dy [ˈnɔːməndɪ] die Norˈmanˈdie.
North·amp·ton [nɔːˈθæmptən] *Stadt in Mittelengland; a.* **Northˈamp·ton·shire** [-ʃə] *englische Grafschaft.*
North Cape [ˈnɔːθkeɪp] *das* Nordkap.
North Car·o·li·na [ˌnɔːθkærəˈlaɪnə] *Staat der USA.*
North Da·ko·ta [ˌnɔːθdəˈkəʊtə] *Staat der USA.*
North·ern Ire·land [ˌnɔːðnˈaɪələnd] Nordˈirland *n*.
North·ern Ter·ri·to·ry [ˌnɔːðnˈterɪtərɪ] ˈNordterriˌtorium *n* (*Australien*).
North Sea [ˌnɔːθˈsiː] *die* Nordsee.
North·um·ber·land [nɔːˈθʌmbələnd] *englische Grafschaft.*
North·west Ter·ri·tor·ies [ˌnɔːθˈwestˈterɪtərɪz] Nordˈwestterriˌtorien *pl.* (*Kanada*).
North York·shire [ˌnɔːθˈjɔːkʃə] *englische Grafschaft.*
Nor·way [ˈnɔːweɪ] Norwegen *n*.
Nor·wich [ˈnɒrɪdʒ] *Stadt in Ostengland.*
Not·ting·ham [ˈnɒtɪŋəm] *Industriestadt in Mittelengland; a.* **ˈNot·ting·ham·shire** [-ʃə] *englische Grafschaft.*
No·va Sco·tia [ˌnəʊvəˈskəʊʃə] Neuˈschottland *n* (*Provinz in Kanada*).
Nu·rem·berg [ˈnjʊərəmbɜːg] Nürnberg *n*.

O

Oak·land [ˈəʊklənd] *Hafenstadt in Kalifornien (USA).*
O'Ca·sey [əʊˈkeɪsɪ] *irischer Dramatiker.*
O'Con·nor [əʊˈkɒnə] *Familienname.*
O·ce·an·i·a [ˌəʊʃɪˈeɪnjə] Ozeˈanien *n*.
O·dets [əʊˈdets] *amer. Dramatiker.*
Of·fa·ly [ˈɒfəlɪ] *Grafschaft in der Provinz Leinster (Irland).*
O'Fla·her·ty [əʊˈfleətɪ; əʊˈflæhətɪ] *irischer Romanschriftsteller.*
O'Har·a [əʊˈhɑːrə; *Am.* əʊˈhærə] *Familienname.*
O·hi·o [əʊˈhaɪəʊ] *Staat der USA; Fluß in den USA.*
O·kla·ho·ma [ˌəʊkləˈhəʊmə] *Staat der USA;* **~ Cit·y** *Hauptstadt von Oklahoma (USA).*
O'Lear·y [əʊˈlɪərɪ] *Familienname.*
Ol·ive [ˈɒlɪv] Oˈlivia *f*.
Ol·i·ver [ˈɒlɪvə] Oliver *m*.
O·liv·i·a [ɒˈlɪvɪə] *f*.
O·liv·i·er [əˈlɪvɪeɪ]: ***Sir Laurence ~*** *berühmter englischer Schauspieler.*
O·lym·pia [əʊˈlɪmpɪə] *Hauptstadt von Washington (USA).*
O·ma·ha [ˈəʊməhɑː; *Am. a.* -hɔː] *Stadt in Nebraska (USA).*
O·man [əʊˈmɑːn] Oˈman *n*.
O'Neill [əʊˈniːl] *amer. Dramatiker.*
On·ta·ri·o [ɒnˈteərɪəʊ] *Provinz in Kanada;* ***Lake ~*** der Ontariosee (*in Nordamerika*).
Or·ange [ˈɒrɪndʒ] Oˈranien *n* (*Herrscherfamilie*); Oˈranje *m* (*Fluß in Südafrika*).
Or·e·gon [ˈɒrɪgən] *Staat der USA.*
Ork·ney [ˈɔːknɪ] *insulare Verwaltungsregion Schottlands (bis 1975 schottische Grafschaft);* **~ Is·lands** [ˌɔːknɪˈaɪləndz] *pl. die* Orkneyinseln *pl.*
Or·well [ˈɔːwəl] *englischer Autor.*
Os·borne [ˈɒzbən] *englischer Dramatiker.*
Os·car [ˈɒskə] Oskar *m*.
O'Shea [əʊˈʃeɪ] *Familienname.*
Ost·end [ɒˈstend] Ostˈende *n*.
O'Sul·li·van [əʊˈsʌlɪvən] *Familienname.*
Os·wald [ˈɒzwəld] Oswald *m*.
Ot·ta·wa [ˈɒtəwə] *Hauptstadt von Kanada.*
Ouach·i·ta [ˈwɒʃɪtɔː] *Fluß in Arkansas u. Louisiana (USA).*
Oug·ham [ˈəʊkəm] *Familienname.*
Ouse [uːz] *englischer Flußname.*
Ow·en [ˈəʊɪn] *Familienname.*
Ow·ens [ˈəʊɪnz] *amer. Leichtathlet.*
Ox·ford [ˈɒksfəd] *englische Universitätsstadt; a.* **ˈOx·ford·shire** [-ʃə] *englische Grafschaft.*
O·zark Moun·tains [ˌəʊzɑːkˈmaʊntɪnz] *pl.*, **O·zark Pla·teau** [ˌəʊzɑːkˈplætəʊ] *Plateau westlich des Mississippi in Missouri, Arkansas u. Oklahoma (USA).*

P

Pa·cif·ic (**O·cean**) [pəˈsɪfɪk (pəˌsɪfɪkˈəʊʃn)] *der* Paˈzifik, *der* Paˈzifische Ozean.
Pad·ding·ton [ˈpædɪŋtən] *Stadtteil von London.*
Pad·dy [ˈpædɪ] *abbr. für* ***Patricia, Patrick.***
Paign·ton [ˈpeɪntən] *Teilstadt von* ***Torbay*** *in Devon (England).*
Paine [peɪn] *amer. Staatstheoretiker englischer Herkunft.*
Pais·ley [ˈpeɪzlɪ] *radikaler nordirischer protestantischer Politiker; Industriestadt in Schottland.*
Pak·i·stan [ˌpɑːkɪsˈtɑːn] Pakistan *n*.
Pal·es·tine [ˈpæləstaɪn] Paläˈstina *n*.
Pall Mall [ˌpælˈmæl] *Straße in London.*

Palm Beach [ˌpɑːmˈbiːtʃ; *Am. a.* ˌpɑːlm-] *Seebad in Florida (USA).*
Pal·mer [ˈpɑːmə; *Am. a.* ˈpɑːl-] *Familienname.*
Pam [pæm] *abbr. für* ***Pamela***.
Pam·e·la [ˈpæmələ] Paˈmela *f.*
Pan·a·ma [ˌpænəˈmɑː; ˈpænəmɑː] Panama *n.*
Pa·pua New Gui·nea [ˈpɑːpʊəˌnjuːˈgɪnɪ; ˈpæpjʊə-] Papua-Neuguiˈnea *n.*
Par·a·guay [ˈpærəgwaɪ] Paraˈguay *n.*
Par·is [ˈpærɪs] Paˈris *n.*
Pat [pæt] *abbr. für* ***Patricia***, ***Patrick***.
Pa·tience [ˈpeɪʃns] *f.*
Pa·tri·cia [pəˈtrɪʃə] Paˈtrizia *f.*
Pat·rick [ˈpætrɪk] Paˈtrizius *m.*
Paul [pɔːl] Paul *m.*
Pau·la [ˈpɔːlə] Paula *f.*
Pau·line [pɔːˈliːn; ˈpɔːliːn] Pauˈline *f.*
Pearl [pɜːl] *f.*
Pearl Har·bor [ˌpɜːlˈhɑːbə] *Hafenstadt auf Hawaii (USA).*
Pears [pɪəz; peəz] *Familienname.*
Pear·sall [ˈpɪəsɔːl; -səl] *Familienname.*
Pear·son [ˈpɪəsn] *Familienname.*
Peart [pɪət] *Familienname.*
Pee·bles(·shire) [ˈpiːblz(ʃə)] *schottische Grafschaft (bis 1975).*
Peg(·gy) [ˈpeg(ɪ)] *abbr. für* ***Margaret***.
Pe·king [ˌpiːˈkɪŋ] Peking *n.*
Pem·broke(·shire) [ˈpembrʊk(ʃə)] *walisische Grafschaft (bis 1974).*
Pe·nel·o·pe [pɪˈneləpɪ] Peˈnelope *f.*
Penn·syl·va·nia [ˌpensɪlˈveɪnjə] *Staat der USA.*
Pen·ny [ˈpenɪ] *abbr. für* ***Penelope***.
Pen·zance [penˈzæns] *westlichste Stadt Englands, in Cornwall.*
Pepys [piːps] *Verfasser berühmter Tagebücher.*
Per·cy [ˈpɜːsɪ] *m.*
Per·sia [ˈpɜːʃə; *Am.* ˈpɜrʒə] Persien *n.*
Perth [pɜːθ] *Hauptstadt von West-Australien; Stadt in Tayside (Schottland); siehe* ***Perthshire***.
Perth·shire [ˈpɜːθʃə] *schottische Grafschaft (bis 1975).*
Pe·ru [pəˈruː] Peˈru *n.*
Pete [piːt] *abbr. für* ***Peter***.
Pe·ter [ˈpiːtə] Peter *m*, Petrus *m.*
Pe·ter·bor·ough [ˈpiːtəbrə] *Stadt in Cambridgeshire (England).*
Phil·a·del·phia [ˌfɪləˈdelfjə] *Stadt in Pennsylvania (USA).*
Phil·ip [ˈfɪlɪp] Philipp *m.*
Phi·lip·pa [ˈfɪlɪpə] Phiˈlippa *f.*
Phil·ip·pines [ˈfɪlɪpiːnz] *pl. die* Philipˈpinen *pl.*
Phoe·be [ˈfiːbɪ] Phöbe *f.*
Phoe·nix [ˈfiːnɪks] *Hauptstadt von Arizona (USA).*
Phyl·lis [ˈfɪlɪs] Phyllis *f.*
Pic·ca·dil·ly [pɪkəˈdɪlɪ] *Straße in London.*
Pied·mont [ˈpiːdmənt] Pieˈmont *n.*
Pierce [pɪəs] *Familienname; Vorname m.*
Pierre [pɪə; *Am.* pɪər] *Hauptstadt von South Dakota (USA).*
Pin·ter [ˈpɪntə] *englischer Dramatiker.*
Pitts·burgh [ˈpɪtsbɜːg] *Stadt in Pennsylvania (USA).*
Plan·tag·e·net [plænˈtædʒənɪt] *englisches Herrschergeschlecht.*
Pla·to [ˈpleɪtəʊ] Plato(n) *m.*
Plym·outh [ˈplɪməθ] *Hafenstadt in Südengland.*
Poe [pəʊ] *amer. Dichter u. Schriftsteller.*
Po·land [ˈpəʊlənd] Polen *n.*
Pol·ly [ˈpɒlɪ] *Koseform von* ***Mary***.
Pol·y·ne·sia [ˌpɒlɪˈniːzjə; *Am.* -ˈniːʒə] Polyˈnesien *n.*
Pom·er·a·nia [ˌpɒməˈreɪnjə] Pommern *n.*
Pope [pəʊp] *englischer Dichter.*
Port-au-Prince [ˌpɔːtəʊˈprɪns] *Hauptstadt von Haiti.*
Port E·liz·a·beth [ˌpɔːtɪˈlɪzəbəθ] *Hafenstadt in Südafrika.*
Port·land [ˈpɔːtlənd] *Hafenstadt in Maine (USA); Stadt in Oregon (USA).*
Ports·mouth [ˈpɔːtsməθ] *Hafenstadt in Südengland; Hafenstadt in Virginia (USA).*
Por·tu·gal [ˈpɔːtjʊgl; ˈpɔːtʃʊgl] Portugal *n.*
Po·to·mac [pəˈtəʊmək] *Fluß in USA.*
Pound [paʊnd] *amer. Dichter.*
Pow·ell [ˈpəʊəl; ˈpaʊəl] *Familienname.*
Pow·lett [ˈpɔːlɪt] *Familienname.*
Pow·ys [ˈpəʊɪs; ˈpaʊɪs] *walisische Grafschaft; Familienname.*
Prague [prɑːg] Prag *n.*
Pre·to·ria [prɪˈtɔːrɪə] *Hauptstadt von Südafrika.*
Priest·ley [ˈpriːstlɪ] *englischer Romanschriftsteller.*
Prince Ed·ward Is·land [prɪnsˌedwədˈaɪlənd] *Provinz in Kanada.*
Prince·ton [ˈprɪnstən] *Universitätsstadt in New Jersey (USA).*
Pris·cil·la [prɪˈsɪlə] Prisˈcilla *f.*
Prit·chard [ˈprɪtʃəd] *Familienname.*
Prov·i·dence [ˈprɒvɪdəns] *Hauptstadt von Rhode Island (USA).*
Pru·dence [ˈpruːdns] Pruˈdentia *f.*
Prus·sia [ˈprʌʃə] Preußen *n.*
Puer·to Ri·co [ˌpwɜːtəʊˈriːkəʊ] Puerto Rico *n.*
Pugh [pjuː] *Familienname.*
Pul·itz·er [ˈpʊlɪtsə; ˈpjuː-] *amer. Journalist, Stifter des Pulitzerpreises.*
Pun·jab [ˌpʌnˈdʒɑːb] Panˈdschab *n.*
Pur·cell [ˈpɜːsl] *englischer Komponist.*
Pyr·e·nees [ˌpɪrəˈniːz; *Am.* ˈpɪrəniːz] *pl. die* Pyreˈnäen *pl.*

Q

Qa·tar [kæˈtɑː; *Am.* ˈkɑːtər] Quatar *n.*
Que·bec [kwɪˈbek] *Provinz u. Stadt in Kanada.*

Queen·ie ['kwi:nɪ] *f.*
Queens [kwi:nz] *Stadtbezirk von New York (USA).*
Queens·land ['kwi:nzlənd] *Bundesstaat Australiens.*
Quen·tin ['kwentɪn; *Am.* -tn] Quin'tin (-us) *m.*
Qui·nault ['kwɪnlt] *Familienname.*
Quin·c(e)y ['kwɪnsɪ] *Familienname; Vorname m, f.*

R

Ra·chel ['reɪtʃəl] Ra(c)hel *f.*
Rad·nor(·shire) ['rædnə(ʃə)] *walisische Grafschaft (bis 1974).*
Rae [reɪ] *Familienname; Vorname m, f.*
Ra·leigh ['rɔ:lɪ; 'rɑ:lɪ] *englischer Seefahrer; Hauptstadt von North Carolina (USA).*
Ralph [reɪf; rælf] Ralf *m.*
Ran·dolph ['rændɒlf] *m.*
Ran·dy ['rændɪ] *abbr. für* ***Randolph.***
Rat·is·bon ['rætɪzbɒn] Regensburg *n.*
Ra·wal·pin·di [ˌrɑ:wəl'pɪndɪ] *Stadt in Pakistan.*
Ray [reɪ] *m, f.*
Ray·mond ['reɪmənd] Raimund *m.*
Read·ing ['redɪŋ] *Stadt in Südengland.*
Rea·gan ['reɪgən] *40. Präsident der USA.*
Re·bec·ca [rɪ'bekə] Re'bekka *f.*
Red·bridge ['redbrɪdʒ] *Stadtbezirk von Groß-London.*
Reg [redʒ] *abbr. für* ***Reginald.***
Re·gi·na [rɪ'dʒaɪnə] Re'gina *f,* Re'gine *f; Hauptstadt von Saskatchewan (Kanada).*
Reg·i·nald ['redʒɪnld] Re(g)inald *m.*
Reid [ri:d] *Familienname.*
Ren·frew(·shire) ['renfru:(ʃə)] *schottische Grafschaft (bis 1975).*
Rhine [raɪn] Rhein *m.*
Rhode Is·land [ˌrəʊd'aɪlənd] *Staat der USA.*
Rhodes [rəʊdz] *brit.-südafrikan. Staatsmann;* Rhodos *n.*
Rho·de·sia [rəʊ'di:zjə; *Am.* -ʒə] Rho'desien *n (heutiger Name:* ***Zimbabwe).***
Rhon·dda ['rɒndə] *Stadt in Mid Glamorgan (Wales).*
Rich·ard ['rɪtʃəd] Richard *m.*
Rich·ard·son ['rɪtʃədsn] *englischer Autor.*
Rich·mond ['rɪtʃmənd] *Hauptstadt von Virginia (USA); Stadtbezirk von New York (USA), heute üblicherweise* ***Staten Island*** *genannt; siehe* ***Richmond-upon-Thames.***
Rich·mond-up·on-Thames ['rɪtʃməndəˌpɒn'temz] *Stadtbezirk von Groß-London.*
Ri·ta ['ri:tə] Rita *f.*
Ro·a·noke [ˌrəʊə'nəʊk] *Fluß in Virginia u. North Carolina (USA); Stadt in Virginia (USA);* ~ ***Island*** *Insel vor der Küste von North Carolina (USA).*
Rob·ert ['rɒbət] Robert *m.*
Rob·in ['rɒbɪn] *abbr. für* ***Robert.***
Rob·in Hood [ˌrɒbɪn'hʊd] *legendärer englischer Geächteter, Bandenführer u. Wohltäter der Armen zur Zeit Richards I.*
Roch·es·ter ['rɒtʃɪstə] *Stadt im Staat New York (USA); Stadt in Kent (England).*
Rock·e·fel·ler ['rɒkɪfelə] *amer. Industrieller.*
Rock·y Moun·tains [ˌrɒkɪ'maʊntɪnz] *pl. Gebirge in USA.*
Rod [rɒd] *abbr. für* ***Rodney.***
Rod·ney ['rɒdnɪ] *m.*
Rog·er ['rɒdʒə] Rüdiger *m;* Roger *m.*
Ro·ma·nia [ru:'meɪnjə; rʊ-; *Am.* rəʊ-] Ru'mänien *n.*
Rome [rəʊm] Rom *n.*
Ro·me·o ['rəʊmɪəʊ] *Bühnenfigur bei Shakespeare.*
Ron [rɒn] *abbr. für* ***Ronald.***
Ron·ald ['rɒnld] Ronald *m.*
Roo·se·velt ['rəʊzəvelt] *Name zweier Präsidenten der USA.*
Ros·a·lie ['rəʊzəlɪ; 'rɒz-] Ro'salia *f,* Ro'salie *f.*
Ros·a·lind ['rɒzəlɪnd] Rosa'linde *f.*
Ros·com·mon [rɒs'kɒmən] *Grafschaft in der Provinz Connaught (Irland); Hauptstadt dieser Grafschaft.*
Rose [rəʊz] Rosa *f.*
Rose·mar·y ['rəʊzmərɪ; *Am.* -merɪ] 'Rosemaˌrie *f.*
Ross and Cro·mar·ty [ˌrɒsən'krɒmətɪ] *schottische Grafschaft (bis 1975).*
Rouse [raʊs; ru:s] *Familienname.*
Routh [raʊθ] *Familienname.*
Rox·burgh(·shire) ['rɒksbərə(ʃə)] *schottische Grafschaft (bis 1975).*
Roy [rɔɪ] *m.*
Ru·dolf, Ru·dolph ['ru:dɒlf] Rudolf *m,* Rudolph *m.*
Rud·yard ['rʌdjəd] *m.*
Rug·by ['rʌgbɪ] *berühmte Public School.*
Ru·pert ['ru:pət] Rupert *m.*
Rus·sell ['rʌsl] *englischer Philosoph.*
Rus·sia ['rʌʃə] Rußland *n.*
Ruth [ru:θ] Ruth *f.*
Rut·land(·shire) ['rʌtlənd(ʃə)] *englische Grafschaft (bis 1974).*
Rwan·da [rʊ'ændə] Ru'anda n.

S

Sac·ra·men·to [ˌsækrə'mentəʊ] *Hauptstadt von Kalifornien (USA).*
Sa·ha·ra [sə'hɑ:rə; *Am. a.* sə'hærə; sə'heərə] Sa'hara *f.*
Sa·lem ['seɪləm] *Hauptstadt von Oregon (USA).*
Salis·bu·ry ['sɔ:lzbərɪ] *früherer Name von* ***Harare****; Stadt in Südengland.*

Sal·ly ['sælɪ] *abbr. für* ***Sara(h)***.
Salt Lake Cit·y [ˌsɔːltleɪk'sɪtɪ] *Hauptstadt von Utah (USA).*
Sam [sæm] *abbr. für* ***Samuel***.
Sa·man·tha [sə'mænθə] *f.*
Sa·moa [sə'məʊə] Sa'moa *n (Inselgruppe im Pazifik);* ***Western ~*** West-Sa'moa *n (unabhängiger Inselstaat).*
Sam·son ['sæmsn] Samson *m*, Simson *m.*
Sam·u·el ['sæmjʊəl] Samuel *m.*
San An·to·nio [ˌsænæn'təʊnɪəʊ] *Stadt in Texas (USA).*
San Ber·nar·di·no [sænˌbɜːnə'diːnəʊ] *Stadt in Kalifornien (USA).*
Sand·hurst ['sændhɜːst] *Ort in Berkshire (England) mit berühmter Militärakademie.*
San Di·e·go [ˌsændɪ'eɪgəʊ] *Hafenstadt u. Flottenstützpunkt in Kalifornien (USA).*
San·dra ['sændrə] *abbr. für* ***Alexandra***.
San·dy ['sændɪ] *abbr. für* ***Alexander, Alexandra***.
San Fran·cis·co [ˌsænfrən'sɪskəʊ] San Fran'zisko *n (USA).*
San Ma·ri·no [ˌsænmə'riːnəʊ] San Ma'rino *n.*
San·ta Fe [ˌsæntə'feɪ] *Hauptstadt von New Mexico (USA).*
Sar·a(h) ['seərə] Sara *f.*
Sar·di·nia [sɑː'dɪnjə] Sar'dinien *n.*
Sas·katch·e·wan [səs'kætʃɪwən] *Provinz in Kanada.*
Sas·ka·toon [ˌsæskə'tuːn] *Stadt in Saskatchewan (Kanada).*
Sau·di A·ra·bi·a [ˌsaʊdɪə'reɪbɪə] Saudi-A'rabien *n.*
Sa·voy [sə'vɔɪ] Sa'voyen *n.*
Saw·yer ['sɔːjə] *Familienname.*
Sax·o·ny ['sæksnɪ] Sachsen *n.*
Scan·di·na·vi·a [ˌskændɪ'neɪvjə] Skandi'navien *n.*
Sche·nec·ta·dy [skɪ'nektədɪ] *Stadt im Staat New York (USA).*
Scot·land ['skɒtlənd] Schottland *n.*
Scott [skɒt] *schottischer Autor; englischer Polarforscher.*
Seam·us ['ʃeɪməs] *siehe* ***James***.
Sean [ʃɔːn] *siehe* ***John***.
Searle [sɜːl] *Familienname.*
Se·at·tle [sɪ'ætl] *Hafenstadt im Staat Washington (USA).*
Sedg·wick ['sedʒwɪk] *Familienname.*
Sel·kirk(·shire) ['selkɜːk(ʃə)] *schottische Grafschaft (bis 1975).*
Sen·e·gal [ˌsenɪ'gɔːl] Senegal *n.*
Seoul [səʊl] Se'oul *n.*
Sev·ern ['sevən] *Fluß in Wales u. West-England.*
Sew·ell ['sjuːəl; *Am.* 'suːəl] *Familienname.*
Sey·chelles [seɪ'ʃelz] *pl. die* Sey'chellen(-Inseln) *pl.*
Sey·mour ['siːmɔː; *schottisch* 'seɪmɔː] *m.*
Shake·speare ['ʃeɪkˌspɪə] *englischer Dichter u. Dramatiker.*
Shar·jah ['ʃɑːdʒə] Schardscha *n (Mitglied der Vereinigten Arabischen Emirate).*
Shaw [ʃɔː] *irischer Dramatiker.*
Shef·field ['ʃefiːld] *Industriestadt in Mittelengland.*
Shei·la ['ʃiːlə] *siehe* ***Celia***.
Shel·ley ['ʃelɪ] *englischer Dichter.*
Sher·lock ['ʃɜːlɒk] *m.*
Shet·land ['ʃetlənd] *insulare Verwaltungsregion Schottlands;* ***~ Is·lands*** [ˌʃetlənd'aɪləndz] *pl. die* Shetlandinseln *pl.*
Shir·ley ['ʃɜːlɪ] *f.*
Shrop·shire ['ʃrɒpʃə] *englische Grafschaft.*
Shy·lock ['ʃaɪlɒk] *Bühnenfigur bei Shakespeare.*
Si·am [ˌsaɪ'æm; 'saɪæm] Siam *n (früherer Name Thailands).*
Si·be·ri·a [saɪ'bɪərɪə] Si'birien *n.*
Sib·yl ['sɪbɪl] Si'bylle *f.*
Sic·i·ly ['sɪsɪlɪ] Si'zilien *n.*
Sid [sɪd] *abbr. für* ***Sidney*** *(Vorname).*
Sid·ney ['sɪdnɪ] *Familienname; Vorname m, f.*
Si·er·ra Le·one [sɪˌerəlɪ'əʊn] Sierra Le'one *n.*
Sik·kim ['sɪkɪm] Sikkim *n.*
Si·le·sia [saɪ'liːzjə] Schlesien *n.*
Sil·vi·a ['sɪlvɪə] Silvia *f.*
Si·mon ['saɪmən] Simon *m.*
Si·nai (Pen·in·su·la) ['saɪnɪaɪ (ˌ-pɪ'nɪnsjʊlə] Sinai(halbinsel *f*) *n.*
Sin·clair ['sɪŋkleə] *amer. Autor; Vorname m.*
Sin·ga·pore [ˌsɪŋgə'pɔː] Singapur *n.*
Sing Sing ['sɪŋsɪŋ] *Staatsgefängnis von New York (USA).*
Sli·go ['slaɪgəʊ] *Grafschaft in der Provinz Connaught (Irland); Hauptstadt dieser Grafschaft.*
Sloan [sləʊn] *amer. Maler.*
Slough [slaʊ] *Stadt in Berkshire (England).*
Snow·don ['snəʊdn] *Berg in Wales.*
Soc·ra·tes ['sɒkrətiːz] Sokrates *m.*
Sol·o·mon ['sɒləmən] Salomo *m.*
So·ma·lia [səʊ'mɑːlɪə] So'malia *n.*
So·mers ['sʌməz] *Familienname.*
Som·er·set(·shire) ['sʌməsɪt(ʃə)] *englische Grafschaft.*
So·nia ['sɒnɪə] Sonja *f.*
So·phi·a [səʊ'faɪə] So'phia *f*, So'fia *f.*
So·phie ['səʊfɪ] So'phie *f*, So'fie *f.*
So·phy ['səʊfɪ] So'phie *f*, So'fie *f.*
Soph·o·cles ['sɒfəkliːz] Sophokles *m.*
South Af·ri·ca [ˌsaʊθ'æfrɪkə] Süd'afrika *n.*
South·amp·ton [saʊθ'æmptən] *Hafenstadt in Südengland.*
South Aus·tra·lia [ˌsaʊθɒ'streɪljə] Süd-au'stralien *n (Bundesstaat Australiens).*
South Car·o·li·na [ˌsaʊθkærə'laɪnə] *Staat der USA.*

South Da·ko·ta [ˌsaʊθdəˈkəʊtə] *Staat der USA.*
South Gla·mor·gan [ˌsaʊθgləˈmɔːgən] *walisische Grafschaft.*
Sou·they [ˈsaʊθɪ; ˈsʌðɪ] *englischer Dichter.*
South·wark [ˈsʌðək; ˈsaʊθwək] *Stadtbezirk von Groß-London.*
South York·shire [ˌsaʊθˈjɔːkʃə] *Stadtgrafschaft in Nordengland.*
So·viet Un·ion [ˌsəʊvɪətˈjuːnjən] *die* Soˈwjetuniˌon.
Spain [speɪn] Spanien *n.*
Spring·field [ˈsprɪŋfiːld] *Hauptstadt von Illinois* (*USA*); *Stadt in Massachusetts* (*USA*); *Stadt in Missouri* (*USA*).
Sri Lan·ka [ˌsriːˈlæŋkə] Sri Lanka *n.*
Staf·ford(**·shire**) [ˈstæfəd(ʃə)] *englische Grafschaft.*
Stan [stæn] *abbr. für* **Stanley** (*Vorname*).
Stan·ley [ˈstænlɪ] *englischer Afrikaforscher; Vorname m.*
Stat·en Is·land [ˌstætnˈaɪlənd] *Insel an der Mündung des Hudson River in New York; Stadtbezirk von New York.*
Stein·beck [ˈstaɪnbek] *amer. Autor.*
Stel·la [ˈstelə] Stella *f.*
Steph·a·nie [ˈstefənɪ] Stephanie *f*, Stefanie *f.*
Ste·phen [ˈstiːvn] Stephan *m*, Stefan *m.*
Ste·phen·son [ˈstiːvnsn] *englischer Erfinder.*
Steu·ben [ˈstjuːbən; ˈstuː-; ˈʃtɔɪ-] *amer. General preußischer Herkunft im amer. Unabhängigkeitskrieg.*
Steve [stiːv] *abbr. für* **Stephen**, **Steven**.
Ste·ven [ˈstiːvn] *siehe* **Stephen**.
Ste·ven·son [ˈstiːvnsn] *englischer Autor.*
Stew·art [stjʊət; ˈstjuːət; *Am.* ˈstuːərt] *Familienname; Vorname m.*
Stir·ling(**·shire**) [ˈstɜːlɪŋ(ʃə)] *schottische Grafschaft* (*bis 1975*).
St. John [sn*t*ˈdʒɒn] *Hafenstadt an der Mündung des gleichnamigen Flusses in New Brunswick* (*Kanada*); [ˈsɪndʒən] *Familienname.*
St. John's [sn*t*ˈdʒɒnz] *Hauptstadt von Neufundland* (*Kanada*).
St. Law·rence [sntˈlɒrəns] Sankt-ˈLorenz-Strom *m.*
St. Louis [sntˈlʊɪs; *Am.* ˌseɪntˈluːɪs] *Industriestadt in Missouri* (*USA*).
Stone·henge [ˌstəʊnˈhendʒ] *prähistorisches megalithisches Bauwerk bei Salisbury in Wiltshire* (*England*).
St. Pan·cras [sn*t*ˈpæŋkrəs] *Stadtteil von London.*
St. Paul [sn*t*ˈpɔːl; *Am.* ˌseɪnt-] *Hauptstadt von Minnesota* (*USA*).
Stra·chey [ˈstreɪtʃɪ] *englischer Biograph.*
Strat·ford on A·von [ˌstrætfədɒnˈeɪvn] *Stadt in Mittelengland.*
Strath·clyde [stræθˈklaɪd] *Verwaltungsregion in Schottland.*
Stu·art [stjʊət; ˈstjuːət; *Am.* ˈstuːərt] *schottisch-englisches Herrschergeschlecht; Vorname m.*
Styr·i·a [ˈstɪrɪə] die Steiermark.
Su·dan [suːˈdɑːn] *der* Suˈdan.
Sud·bur·y [ˈsʌdbərɪ] *Stadt in Ontario* (*Kanada*); *Ort in Suffolk* (*England*).
Sue [sjuː; suː] *abbr. für* **Susan**.
Su·ez [ˈsʊɪz; *Am.* suːˈez; ˈsuːez] Suez *n.*
Suf·folk [ˈsʌfək] *englische Grafschaft.*
Sul·li·van [ˈsʌlɪvən] *Familienname.*
Su·ri·nam [ˌsʊərɪˈnæm] Suriˈnam *n.*
Su·ri·na·me [ˌsʊərɪˈnɑːmə] Suriˈnam *n.*
Sur·rey [ˈsʌrɪ] *englische Grafschaft.*
Su·san [ˈsuːzn] Suˈsanne *f.*
Su·sie [ˈsuːzɪ] Susi *f.*
Sus·que·han·na [ˌsʌskwɪˈhænə] *Fluß im Osten der USA.*
Sus·sex [ˈsʌsɪks] *englische Grafschaft.*
Suth·er·land [ˈsʌðələnd] *schottische Grafschaft* (*bis 1975*).
Sut·ton [ˈsʌtn] *Stadtbezirk von Groß-London.*
Su·zanne [suːˈzæn] Suˈsanne *f*, Suˈsanna *f.*
Swan·sea [ˈswɒnzɪ] *Hafenstadt in Wales.*
Swa·zi·land [ˈswɑːzɪlænd] Swasiland *n.*
Swe·den [ˈswiːdn] Schweden *n.*
Swift [swɪft] *irischer Autor.*
Swit·zer·land [ˈswɪtsələnd] die Schweiz.
Syd·ney [ˈsɪdnɪ] *Hauptstadt von New South Wales* (*Australien*) *u. größte Stadt Australiens.*
Syl·vi·a [ˈsɪlvɪə] Silvia *f*, Sylvia *f.*
Synge [sɪŋ] *irischer Dichter u. Dramatiker.*
Syr·a·cuse [ˈsɪrəkjuːs] *Stadt im Staat New York* (*USA*); [*Brit.* ˈsaɪərəkjuːz] Syrakus *n* (*Stadt auf Sizilien*).
Syr·ia [ˈsɪrɪə] Syrien *n.*

T

Ta·hi·ti [tɑːˈhiːtɪ; tə-] Taˈhiti *n.*
Tai·wan [ˌtaɪˈwɑːn] Taiwan *n.*
Tal·la·has·see [ˌtæləˈhæsɪ] *Hauptstadt von Florida* (*USA*).
Tam·pa [ˈtæmpə] *Stadt in Florida* (*USA*).
Tan·gier [tænˈdʒɪə] Tanger *n.*
Tan·za·nia [ˌtænzəˈnɪə] Tansaˈnia *n.*
Tas·ma·nia [tæzˈmeɪnjə] Tasˈmanien *n* (*Insel u. Bundesstaat Australiens*).
Tay·lor [ˈteɪlə] *Familienname.*
Tay·side [ˈteɪsaɪd] *Verwaltungsregion in Schottland.*
Ted(**·dy**) [ˈted(ɪ)] *abbr. für* **Edward**, **Theodore**.
Tees·side [ˈtiːzsaɪd] *frühere Bezeichnung der Industrieregion um Middles-*

brough (Nordengland), heute zu ***Cleveland*** *gehörig.*

Teign·mouth ['tɪnməθ] *Stadt in Devon (England).*

Ten·e·rife, *früher* **Ten·e·riffe** [ˌtenə'ri:f] Tene'riffa *n.*

Ten·nes·see [ˌtenə'si:] *Staat der USA; Fluß in USA.*

Ten·ny·son ['tenɪsn] *englischer Dichter.*

Ter·ence ['terəns] *m.*

Te·re·sa [tə'ri:zə] Te'resa *f*, Te'rese *f.*

Ter·ry ['terɪ] *abbr. für* ***Terence***, ***T(h)eresa***.

Tess, **Tes·sa** ['tes(ə)] *abbr. für* ***T(h)eresa***.

Tex·as ['teksəs] *Staat der USA.*

Thack·er·ay ['θækərɪ] *englischer Romanschriftsteller.*

Thai·land ['taɪlænd] Thailand *n.*

Thames [temz] Themse *f (Fluß in Südengland).*

That·cher ['θætʃə] *englische Premierministerin.*

The·a [θɪə; 'θi:ə] Thea *f.*

The·o ['θi:əʊ; 'θɪəʊ] Theo *m.*

The·o·bald ['θɪəʊbɔ:ld] Theobald *m.*

The·o·dore ['θɪədɔ:] Theodor *m.*

The·re·sa [tɪ'ri:zə] The'resa *f*, The'rese *f.*

Tho·mas ['tɒməs] Thomas *m.*

Tho·reau ['θɔ:rəʊ; *Am.* θə'rəʊ] *amer. Schriftsteller, Philosoph u. Sozialkritiker.*

Thu·rin·gi·a [θjʊə'rɪndʒɪə] Thüringen *n.*

Thu·ron [tʊ'rɒn] *Familienname.*

Ti·bet [tɪ'bet] Tibet *n.*

Ti·gris ['taɪgrɪs] Tigris *m.*

Tim [tɪm] *abbr. für* ***Timothy***.

Tim·o·thy ['tɪməθɪ] Ti'motheus *m.*

Ti·na ['ti:nə] *abbr. für* ***Christina***, ***Christine***.

Tin·dale ['tɪndl] *Familienname.*

Tip·per·ary [ˌtɪpə'reərɪ] *Grafschaft in der Provinz Munster (Irland).*

To·bi·as [tə'baɪəs] To'bias *m.*

To·by ['təʊbɪ] *abbr. für* ***Tobias***.

To·go ['təʊgəʊ] Togo *n.*

To·kyo ['təʊkjəʊ] Tokio *n.*

To·le·do [tə'li:dəʊ] *Stadt in Ohio (USA); [Brit.* tɒ'leɪdəʊ] *Stadt u. Provinz in Zentralspanien.*

Tol·kien ['tɒlki:n] *englischer Schriftsteller u. Philologe.*

Tom(·my) ['tɒm(ɪ)] *abbr. für* ***Thomas***.

Ton·ga ['tɒŋə] Tonga *n (Inselgruppe u. Königreich im südwestl. Pazifik).*

To·ny ['təʊnɪ] Toni *m.*

To·pe·ka [təʊ'pi:kə] *Hauptstadt von Kansas (USA).*

Tor·bay [ˌtɔ:'beɪ] *Stadt in Devon (England); a.* ***Tor Bay*** *Bucht des Ärmelkanals an der Küste von Devon.*

To·ron·to [tə'rɒntəʊ] *Stadt in Kanada.*

Tor·quay [ˌtɔ:'ki:] *Teilstadt von* ***Torbay*** *in Devon (England).*

Tot·ten·ham ['tɒtnəm] *Stadtteil von Groß-London.*

Tour·neur ['tɜ:nə] *Familienname.*

Tow·er Ham·lets ['taʊəˌhæmlɪts] *Stadtbezirk von Groß-London.*

Toyn·bee ['tɔɪnbɪ] *englischer Historiker.*

Tra·cy ['treɪsɪ] *amer. Filmschauspieler; Vorname f, (seltener) m.*

Tra·fal·gar [trə'fælgə]: ***Cape ~*** Kap *n* Tra'falgar *(an der Südwestküste Spaniens);* ***~ Square*** *Platz in London.*

Trans·vaal ['trænzvɑ:l] Trans'vaal *n.*

Tran·syl·va·nia [ˌtrænsɪl'veɪnjə] Sieben'bürgen *n.*

Trent [trent] *Fluß in Mittelengland;* Tri'ent *n.*

Tren·ton ['trentən] *Hauptstadt von New Jersey (USA).*

Tre·vel·yan [trɪ'veljən; -'vɪl-] *Name zweier englischer Historiker.*

Treves [tri:vz] Trier *n.*

Trev·or ['trevə] *m.*

Tri·e·ste [tri:'est] Tri'est *n.*

Trin·i·dad and To·ba·go [ˌtrɪnɪdædntəʊ'beɪgəʊ] Trinidad und To'bago *n.*

Trol·lope ['trɒləp] *englischer Romanschriftsteller.*

Troy [trɔɪ] Troja *n (antike Stadt in Kleinasien am Eingang der Dardanellen); Name mehrerer Städte in USA (im Staat New York; in Michigan; in Ohio).*

Tru·man ['tru:mən] *33. Präsident der USA.*

Tuc·son [tu:'sɒn; 'tu:sɒn] *Stadt in Arizona (USA).*

Tu·dor ['tju:də] *englisches Herrschergeschlecht.*

Tu·ni·sia [tju:'nɪzɪə; *Am.* tu:'ni:ʒə; -'nɪʒə] Tu'nesien *n.*

Tur·key ['tɜ:kɪ] die Tür'kei.

Tur·ner ['tɜ:nə] *englischer Landschaftsmaler.*

Tus·ca·ny ['tʌskənɪ] die Tos'kana.

Twain [tweɪn] *amer. Autor.*

Twick·en·ham ['twɪknəm] *Stadtteil von Groß-London.*

Tyn·dale ['tɪndl] *englischer Bibelübersetzer.*

Tyne and Wear [ˌtaɪnənd'wɪə] *Stadtgrafschaft in Nordengland.*

Ty·rol ['tɪrəl; tɪ'rəʊl] Ti'rol *n.*

Ty·rone [tɪ'rəʊn] *nordirische Grafschaft.*

U

U·gan·da [ju:'gændə] U'ganda *n.*

U·ist ['ju:ɪst]: ***North ~***, ***South ~*** *zwei Inseln der Äußeren Hebriden (Schottland).*

U·kraine [ju:'kreɪn] *die* Ukra'ine.

Ul·ster ['ʌlstə] *Provinz im Norden Irlands, seit 1921 zweigeteilt. 3 Grafschaften gehören heute zur Republik Irland, die restlichen 6 bilden das heutige Nord-*

irland, Teil des Vereinigten Königreichs von Großbritannien u. Nordirland.

U·lys·ses [juːˈlɪsiːz] *m.*

Un·ion of So·viet So·cial·ist Re·pub·lics [ˌjuːnjənvˌsəʊvɪətˌsəʊʃəlɪstrɪˈpʌblɪks] *hist. die* Uniˈon der Soziaˈlistischen Soˈwjetrepuˌbliken.

U·nit·ed Ar·ab E·mir·ates [juːˈnaɪtɪdˌærəbeˈmɪərəts] *pl. die* Vereinigten Aˈrabischen Emiˈrate *pl.*

U·nit·ed King·dom [juːˌnaɪtɪdˈkɪŋdəm] *das* Vereinigte Königreich (*Großbritannien u. Nordirland*).

U·nit·ed States of A·mer·i·ca [juːˌnaɪtɪdˌsteɪtsəvəˈmerɪkə] *pl. die* Vereinigten Staaten von Aˈmerika *pl.*

Up·dike [ˈʌpdaɪk] *amer. Schriftsteller.*

Up·per Vol·ta [ˌʌpəˈvɒltə] Oberˈvolta *n* (*ehemalige Bezeichnung für* ***Burkina Faso***).

U·ri·ah [ˌjʊəˈraɪə] Uˈria(s) *m*, Uriel *m.*

Ur·quhart [ˈɜːkət] *schottischer Schriftsteller u. Übersetzer.*

Ur·su·la [ˈɜːsjʊlə] Ursula *f.*

U·ru·guay [ˈjʊərʊgwaɪ; ˈʊrə-] Uruguay *n.*

U·tah [ˈjuːtɑː; -tɔː] *Staat der USA.*

Ut·tox·e·ter [juːˈtɒksɪtə; ʌˈtɒksɪtə] *Ort in Staffordshire (England).*

V

Val·en·tine [ˈvæləntaɪn] Valentin *m*; Valenˈtine *f.*

Val(l)·let·ta [vəˈletə] *Hauptstadt von Malta.*

Van·brugh [ˈvænbrə; vænˈbruː] *englischer Dramatiker u. Baumeister.*

Van·cou·ver [vænˈkuːvə] *Hafenstadt in Kanada.*

Van·der·bilt [ˈvændəbɪlt] *amer. Finanzier.*

Va·nes·sa [vəˈnesə] *f.*

Vat·i·can [ˈvætɪkən] *der* Vatiˈkan; **~ Cit·y** [ˌvætɪkənˈsɪtɪ] Vatiˈkanstadt *f.*

Vaughan [vɔːn] *Familienname*; **~ Wil·liams** [ˌvɔːnˈwɪljəmz] *englischer Komponist.*

Vaux [vɔːz; vɒks; vɔːks; vəʊks] *Familienname*; **de ~** [dɪˈvəʊ] *Familienname.*

Vaux·hall [ˌvɒksˈhɔːl] *Stadtteil von London.*

Ven·e·zu·e·la [ˌveneˈzweɪlə] Venezuˈela *n.*

Ven·ice [ˈvenɪs] Veˈnedig *n.*

Ve·ra [ˈvɪərə] Vera *f.*

Ver·gil [ˈvɜːdʒɪl] *siehe* ***Virgil***.

Ver·mont [vɜːˈmɒnt] *Staat der USA.*

Ver·ner [ˈvɜːnə] *Familienname.*

Ver·non [ˈvɜːnən] *m.*

Ve·ron·i·ca [vɪˈrɒnɪkə; və-] Veˈronika *f.*

Vick·y [ˈvɪkɪ] *abbr. für* ***Victoria***.

Vic·tor [ˈvɪktə] Viktor *m.*

Vic·to·ri·a [vɪkˈtɔːrɪə] Vikˈtoria *f*; *Bundesstaat Australiens; Hauptstadt von British Columbia (Kanada); Hauptstadt der brit. Kronkolonie Hongkong.*

Vi·en·na [vɪˈenə] Wien *n.*

Viet·nam, Viet Nam [ˌvjetˈnæm] Vietˈnam *n.*

Vi·o·la [ˈvaɪələ; ˈvɪəʊlə] Viˈola *f.*

Vi·o·let [ˈvaɪələt] Vioˈletta *f*, Vioˈlette *f.*

Vir·gil [ˈvɜːdʒɪl] Verˈgil *m* (*römischer Dichter*).

Vir·gin·ia [vəˈdʒɪnjə] *Staat der USA; Vorname f.*

Vis·tu·la [ˈvɪstjʊlə] Weichsel *f* (*Fluß*).

Viv·i·an [ˈvɪvɪən] *m*, (*seltener*) *f.*

Viv·i·en [ˈvɪvɪən] *f.*

Viv·i·enne [ˈvɪvɪən; vɪvɪˈen] *f.*

Vol·ga [ˈvɒlgə] Wolga *f.*

Vosges [vəʊʒ] *pl. die* Voˈgesen *pl.*

W

Wa·bash [ˈwɔːbæʃ] *Nebenfluß des Ohio in Indiana u. Illinois (USA).*

Wad·dell [wɒˈdel; ˈwɒdl] *Familienname.*

Wad·ham [ˈwɒdəm] *Familienname.*

Wales [weɪlz] Wales *n.*

Wal·lace [ˈwɒlɪs] *englischer Autor.*

Wal·la·sey [ˈwɒləsɪ] *Stadt in Merseyside (England).*

Wal·pole [ˈwɔːlpəʊl] *Name zweier englischer Schriftsteller.*

Wal·ter [ˈwɔːltə] Walter *m.*

Wal·tham For·est [ˌwɔːlθəmˈfɒrɪst] *Stadtbezirk von Groß-London.*

Wands·worth [ˈwɒndzwəθ] *Stadtbezirk von Groß-London.*

War·hol [ˈwɔːhɔːl; ˈwɔːhəʊl] *amer. Pop-art-Künstler u. Filmregisseur.*

War·saw [ˈwɔːsɔː] Warschau *n.*

War·wick(·shire) [ˈwɒrɪk(ʃə)] *englische Grafschaft.*

Wash·ing·ton [ˈwɒʃɪŋtən] *1. Präsident der USA; Staat der USA; a.* **~ DC** *Bundeshauptstadt der USA.*

Wa·ter·ford [ˈwɔːtəfəd] *Grafschaft in der Provinz Munster (Irland); Hauptstadt dieser Grafschaft.*

Wa·ter·loo [ˌwɔːtəˈluː] *Ort in Belgien.*

Wat·son [ˈwɒtsn] *Familienname.*

Watt [wɒt] *schottischer Erfinder.*

Waugh [wɔː] *englischer Romanschriftsteller.*

Wayne [weɪn] *amer. Filmschauspieler.*

Weald [wiːld]: **the ~** *Landschaft im südöstlichen England. Früher ausgedehntes Waldgebiet.*

Web·ster [ˈwebstə] *amer. Lexikograph.*

Wedg·wood [ˈwedʒwʊd] *englischer Keramiker.*

Wel·ling·ton [ˈwelɪŋtən] *brit. Feldherr; Hauptstadt von Neuseeland.*

Wem·bley [ˈwemblɪ] *Stadtteil von Groß-London.*

Wen·dy ['wendɪ] *f.*
Went·worth ['wentwəθ] *Familienname.*
West Brom·wich [ˌwest'brɒmɪdʒ] *Stadt in West Midlands (England).*
West·ern Aus·tra·lia [ˌwestənɒ'streɪljə] 'Westauˌstralien.
West·ern Isles [ˌwestən'aɪlz] *Insulare Verwaltungsregion Schottlands.*
West·ern Sa·moa [ˌwestənsə'məʊə] Westsa'moa *n.*
West Gla·mor·gan [ˌwestglə'mɔːgən] *walisische Grafschaft.*
West In·dies [ˌwest'ɪndɪz] *pl.*: ***the*** ~ die West'indischen Inseln *pl.*
West Lo·thi·an [ˌwest'ləʊðjən] *schottische Grafschaft (bis 1975).*
West·meath [west'miːð] *Grafschaft in der Provinz Leinster (Irland).*
West Mid·lands [ˌwest'mɪdləndz] *pl. Stadtgrafschaft in Mittelengland.*
West·min·ster ['westmɪnstə] *a.* ***City of*** ~ *Stadtbezirk von Groß-London.*
West·mor·land ['westmələnd] *englische Grafschaft (bis 1974).*
West·pha·lia [west'feɪljə] West'falen *n.*
West Vir·gin·ia [ˌwestvə'dʒɪnjə] *Staat der USA.*
West York·shire [ˌwest'jɔːkʃə] *Stadtgrafschaft in Nordengland.*
Wex·ford ['weksfəd] *Grafschaft in der Provinz Leinster (Irland); Hauptstadt dieser Grafschaft.*
Wey·mouth ['weɪməθ] *Badeort in Dorset (Südengland); Stadt in Massachusetts (USA).*
Whal·ley ['weɪlɪ; 'wɔːlɪ] *Familienname.*
Whar·am ['weərəm] *Familienname.*
Whar·ton ['wɔːtn] *amer. Romanschriftstellerin.*
Whi·tack·er ['wɪtəkə] *Familienname.*
Whit·a·ker ['wɪtəkə] *Familienname.*
Whit·by ['wɪtbɪ] *Fischereihafen in North Yorkshire (England); Stadt in Ontario (Kanada).*
White·hall [ˌwaɪt'hɔːl] *Straße in London.*
Whit·man ['wɪtmən] *amer. Dichter.*
Whit·ta·ker ['wɪtəkə] *Familienname.*
Wick·low ['wɪkləʊ] *Grafschaft in der Provinz Leinster (Irland).*
Wig·town(·shire) ['wɪgtən(ʃə)] *schottische Grafschaft (bis 1975).*
Wilde [waɪld] *englischer Dichter.*
Wil·der ['waɪldə] *amer. Autor.*
Wil·fred ['wɪlfrɪd] Wilfried *m.*
Will [wɪl] *abbr. für* ***William.***
Wil·liam ['wɪljəm] Wilhelm *m.*
Wil·ming·ton ['wɪlmɪŋtən] *Hafenstadt in Delaware (USA); Hafenstadt in North Carolina (USA).*
Wil·son ['wɪlsn] *Familienname.*
Wilt·shire ['wɪltʃə] *englische Grafschaft.*
Wim·ble·don ['wɪmbldən] *Stadtteil von Groß-London (Tennisturniere).*
Win·ches·ter ['wɪntʃɪstə] *Hauptstadt von Hampshire (England) mit berühmter Public School.*
Wind·sor ['wɪnzə] *Stadt in Berkshire (England); Stadt in Ontario (Kanada).*
Win·i·fred ['wɪnɪfrɪd] *f.*
Win·nie ['wɪnɪ] *abbr. für* ***Winifred.***
Win·ni·peg ['wɪnɪpeg] *Hauptstadt von Manitoba (Kanada).*
Win·ston ['wɪnstən] *m.*
Wis·con·sin [wɪs'kɒnsɪn] *Staat der USA; Fluß in Wisconsin (USA).*
Wi·tham ['wɪðəm] *Familienname; Fluß in Lincolnshire (England).*
Wit·ham ['wɪtəm] *Stadt in Essex (England).*
Wolds [wəʊldz]: ***the*** ~ *Höhenzug in Nordostengland.*
Wolfe [wʊlf] *amer. Autor.*
Wol·lon·gong ['wʊləŋgɒŋ] *Industrie- u. Hafenstadt in New South Wales (Australien).*
Wol·sey ['wʊlzɪ] *englischer Kardinal u. Staatsmann.*
Wol·ver·hamp·ton ['wʊlvəˌhæmptən] *Industriestadt in West Midlands (England).*
Woolf [wʊlf] *englische Autorin.*
Wool·wich ['wʊlɪdʒ] *Stadtteil von Groß-London.*
Wor·ces·ter ['wʊstə] *Industriestadt in Mittelengland; a.* **'Wor·ces·ter·shire** [-ʃə] *englische Grafschaft (bis 1974).*
Words·worth ['wɜːdzwəθ] *englischer Dichter.*
Wren [ren] *englischer Architekt.*
Wright [raɪt] *Name zweier amer. Flugpioniere.*
Wyc·liffe ['wɪklɪf] *englischer Reformator u. Bibelübersetzer.*
Wy·man ['waɪmən] *Familienname.*
Wy·o·ming [waɪ'əʊmɪŋ] *Staat der USA.*

X

Xan·thip·pe [zæn'θɪpɪ] Xan'thippe *f.*

Y

Yale [jeɪl] *hoher britischer Kolonialbeamter u. Förderer der Yale University in New Haven, Connecticut (USA).*
Yeat·man ['jiːtmən; 'jeɪt- 'jet-] *Familienname.*
Yeats [jeɪts] *irischer Dichter u. Dramatiker.*
Yel·low·stone ['jeləʊstəʊn] *Fluß im Nordwesten der USA; Nationalpark in Wyoming, Montana u. Idaho (USA).*
Ye·men ['jemən] *der* Jemen.
Yeo·vil ['jəʊvɪl] *Stadt in Somersetshire (England).*
Yonge [jʌŋ] *Familienname.*

Yon·kers ['jɒŋkəz; *Am.* 'jɑːŋkərz] *Stadt im Staat New York (USA).*

York [jɔːk] *Stadt in Nordost-England*; **'York·shire** [-ʃə]: (***North***, ***South***, ***West***) ~ *Grafschaften in England.*

Yo·sem·i·te Na·tion·al Park [jəʊ'semɪtɪˌnæʃənl'pɑːk] *Nationalpark in Kalifornien (USA).*

Yu·go·sla·via [ˌjuːgəʊ'slɑːvjə] Jugo'slawien *n.*

Yu·ill ['juːɪl] *Familienname.*

Yu·kon ['juːkɒn] *Strom im nordwestlichen Nordamerika*; *a.* ***the ~*** *siehe* ***Yukon Territory***; **~ Ter·ri·tor·y** [ˌjuːkɒn'terɪtərɪ] *Territorium im äußersten Nordwesten Kanadas.*

Y·vonne [ɪ'vɒn] I'vonne *f*, Y'vonne *f*.

Z

Zach·a·ri·ah [ˌzækə'raɪə], **Zach·a·ry** ['zækərɪ] Zacha'rias *m.*

Za·ire [zɑː'ɪə; *Am. a.* 'zaɪər] Za'ire *n.*

Zam·bia ['zæmbɪə] Sambia *n.*

Zan·zi·bar [ˌzænzɪ'bɑː; *Am.* 'zænzəbɑːr] Sansibar *n (zu Tansania gehörige Insel vor der Ostküste Afrikas).*

Zel·da ['zeldə] *f.*

Zet·land ['zetlənd] *schottische Grafschaft (bis 1975).*

Zim·ba·bwe [zɪm'bɑːbwɪ; -bweɪ] Sim'babwe *n (seit 1980 Name für* ***Rhodesia****).*

Zo·e ['zəʊɪ] Zoe *f.*

Zu·rich ['zjʊərɪk] Zürich *n.*

Unregelmäßige Verben

Diese Liste der unregelmäßigen englischen Verben berücksichtigt auch viele der zusammengesetzten unregelmäßigen Verben; sie ist deshalb umfangreicher als üblich.

Infinitiv **Infinitive**	**Präteritum** **Preterite**	**Partizip Perfekt** **Past Participle**
abide	abode, abided	abode, abided
arise	arose	arisen
awake	awoke, awaked	awoken, awaked
backbite	backbit	backbitten, backbit
backslide	backslid	backslid, backslidden
be	was, were	been
bear	bore	borne
beat	beat	beaten, beat
become	became	become
befall	befell	befallen
beget	begot	begotten
begin	began	begun
behold	beheld	beheld
bend	bent	bent
bereave	bereft, bereaved	bereft, bereaved
beseech	besought, beseeched	besought, beseeched
beset	beset	beset
bespeak	bespoke	bespoken
bestrew	bestrewed	bestrewed, bestrewn
bestride	bestrode	bestridden, bestrid
bet	bet, betted	bet, betted
betake	betook	betaken
bethink	bethought	bethought
bid	bad(e), bid	bade, bid, bidden
bide	bode, bided	bided
bind	bound	bound
bite	bit	bitten, bit
bleed	bled	bled
blow	blew	blown
break	broke	broken
breed	bred	bred
bring	brought	brought
broadcast	broadcast, broadcasted	broadcast, broadcasted
browbeat	browbeat	browbeaten
build	built	built
burn	burnt, burned	burnt, burned
burst	burst	burst
buy	bought	bought
cast	cast	cast
catch	caught	caught
chide	chid, chided	chidden, chid, chided
choose	chose	chosen
cleave	cleft, clove, cleaved	cleft, cloven, cleaved
cling	clung	clung
come	came	come
cost	cost	cost
creep	crept	crept
cut	cut	cut

deal	dealt	dealt
deepfreeze	deepfroze, -freezed	deepfrozen, -freezed
dig	dug	dug
dive	dived, *Am.* dove	dived
do	did	done
draw	drew	drawn
dream	dreamt, dreamed	dreamt, dreamed
drink	drank	drunk
drive	drove	driven
dwell	dwelt, dwelled	dwelt, dwelled
eat	ate	eaten
fall	fell	fallen
feed	fed	fed
feel	felt	felt
fight	fought	fought
find	found	found
flee	fled	fled
fling	flung	flung
fly	flew	flown
forbear	forebore	foreborne
forbid	forbade, forbad	forbidden
forecast	forecast, forecasted	forecast, forecasted
forego	forewent	foregone
foreknow	foreknew	foreknown
foresee	foresaw	foreseen
foretell	foretold	foretold
forget	forgot	forgotten, forgot
forgive	forgave	forgiven
forgo	forwent	forgone
forsake	forsook	forsaken
forswear	forswore	forsworn
freeze	froze	frozen
gainsay	gainsaid	gainsaid
get	got	got, *Am.* gotten
gild	gilded, gilt	gilded, gilt
gird	girded, girt	girded, girt
give	gave	given
go	went	gone
grind	ground	ground
grow	grew	grown
hamstring	hamstrung	hamstrung
hang	hung, hanged	hung, hanged
have	had	had
hear	heard	heard
heave	heaved, hove	heaved, hove
hew	hewed	hewn, hewed
hide	hid	hidden, hid
hit	hit	hit
hold	held	held
hurt	hurt	hurt
inlay	inlaid	inlaid
inset	inset	inset
keep	kept	kept
kneel	knelt, kneeled	knelt, kneeled
knit	knitted, knit	knitted, knit
know	knew	known
lade	laded	laded, laden
lay	laid	laid
lead	led	led
lean	leant, leaned	leant, leaned
leap	leapt, leaped	leapt, leaped

learn	learnt, learned	learnt, learned
leave	left	left
lend	lent	lent
let	let	let
lie	lay	lain
light	lit, lighted	lit, lighted
lose	lost	lost
make	made	made
mean	meant	meant
meet	met	met
misbecome	misbecame	misbecome
miscast	miscast	miscast
misdeal	misdealt	misdealt
misgive	misgave	misgiven
mishear	misheard	misheard
mislay	mislaid	mislaid
mislead	misled	misled
misread	misread	misread
misspell	misspelt, misspelled	misspelt, misspelled
misspend	misspent	misspent
mistake	mistook	mistaken
misunderstand	misunderstood	misunderstood
mow	mowed	mown, mowed
offset	offset	offset
outbid	outbid	outbid, outbidden
outdo	outdid	outdone
outgo	outwent	outgone
outgrow	outgrew	outgrown
outride	outrode	outridden
outrun	outran	outrun
outsell	outsold	outsold
outshine	outshone	outshone
outsit	outsat	outsat
outspeed	outsped, outspeeded	outsped, outspeeded
outswim	outswam	outswum
outwear	outwore	outworn
overbear	overbore	overborne
overbid	overbid, overbade	overbid, overbidden
overbuild	overbuilt	overbuilt
overbuy	overbought	overbought
overcast	overcast	overcast
overcome	overcame	overcome
overdo	overdid	overdone
overdraw	overdrew	overdrawn
overdrive	overdrove	overdriven
overeat	overate	overeaten
overfeed	overfed	overfed
overgrow	overgrew	overgrown
overhang	overhung	overhung
overhear	overheard	overheard
overlay	overlaid	overlaid
overlie	overlay	overlain
overpay	overpaid	overpaid
override	overrode	overridden
overrun	overran	overrun
oversee	oversaw	overseen
overset	overset	overset
oversew	oversewed	oversewed, oversewn
overshoot	overshot	overshot
oversleep	overslept	overslept
overspeed	oversped, overspeeded	oversped, overspeeded
overspend	overspent	overspent
overspread	overspread	overspread

overtake	overtook	overtaken
overthrow	overthrew	overthrown
overwind	overwound	overwound
partake	partook	partaken
pay	paid	paid
put	put	put
read	read	read
rebroadcast	rebroadcast, rebroadcasted	rebroadcast, rebroadcasted
rebuild	rebuilt	rebuilt
recast	recast	recast
redo	redid	redone
redraw	redrew	redrawn
regrind	reground	reground
remake	remade	remade
rend	rent	rent
repay	repaid	repaid
reread	reread	reread
resell	resold	resold
reset	reset	reset
retake	retook	retaken
retell	retold	retold
rethink	rethought	rethought
rewrite	rewrote	rewritten
rid	rid, ridded	rid, ridded
ride	rode	ridden
ring	rang, rung	rung
rise	rose	risen
rive	rived	rived, riven
run	ran	run
saw	sawed	sawn, sawed
say	said	said
see	saw	seen
seek	sought	sought
sell	sold	sold
send	sent	sent
set	set	set
sew	sewed	sewn, sewed
shake	shook	shaken
shave	shaved	shaved, shaven
shed	shed	shed
shine	shone, shined	shone, shined
shit	shit, shat	shit
shoe	shod, shoed	shod, shoed
shoot	shot	shot
show	showed	shown, showed
shrink	shrank, shrunk	shrunk
shut	shut	shut
sing	sang, sung	sung
sink	sank, sunk	sunk
sit	sat	sat
slay	slew	slain
sleep	slept	slept
slide	slid	slid, slidden
sling	slung	slung
slink	slunk	slunk
slit	slit	slit
smell	smelt, smelled	smelt, smelled
smite	smote	smitten
sow	sowed	sown, sowed
speak	spoke	spoken
speed	sped, speeded	sped, speeded
spell	spelt, spelled	spelt, spelled
spend	spent	spent

spill	spilt, spilled	spilt, spilled
spin	spun, span	spun
spit	spat, spit	spat, spit
split	split	split
spoil	spoilt, spoiled	spoilt, spoiled
spoonfeed	spoonfed	spoonfed
spread	spread	spread
spring	sprang, sprung	sprung
stand	stood	stood
stave	staved, stove	staved, stove
steal	stole	stolen
stick	stuck	stuck
sting	stung	stung
stink	stank, stunk	stunk
strew	strewed	strewn, strewed
stride	strode	stridden, strid, strode
strike	struck	struck
string	strung	strung
strive	strove, strived	striven, strived
sublet	sublet	sublet
swear	swore	sworn
sweat	sweat, sweated	sweat, sweated
sweep	swept	swept
swell	swelled	swollen, swelled
swim	swam, swum	swum
swing	swung	swung
take	took	taken
teach	taught	taught
tear	tore	torn
telecast	telecast	telecast
tell	told	told
think	thought	thought
thrive	thrived, throve	thrived, thriven
throw	threw	thrown
thrust	thrust	thrust
tread	trod	trodden, trod
typecast	typecast	typecast
unbend	unbent	unbent
unbind	unbound	unbound
underbid	underbid	underbid, underbidden
undercut	undercut	undercut
undergo	underwent	undergone
underlay	underlaid	underlaid
underlet	underlet	underlet
underlie	underlay	underlain
underpay	underpaid	underpaid
undersell	undersold	undersold
understand	understood	understood
undertake	undertook	undertaken
underwrite	underwrote	underwritten
undo	undid	undone
unlade	unladed	unladen, unladed
unlearn	unlearned, unlearnt	unlearned, unlearnt
unmake	unmade	unmade
unsay	unsaid	unsaid
unstick	unstuck	unstuck
unstring	unstrung	unstrung
unwind	unwound	unwound
uphold	upheld	upheld
upset	upset	upset
wake	woke, waked	woken, waked
wear	wore	worn
weave	wove	woven

wed	wedded, wed	wedded, wed
weep	wept	wept
wet	wetted, wet	wetted, wet
win	won	won
wind	wound	wound
withdraw	withdrew	withdrawn
withhold	withheld	withheld
withstand	withstood	withstood
wring	wrung	wrung
write	wrote	written

Zahlwörter

Grundzahlen

0 nought, zero, cipher; *teleph.* 0 [əʊ] *null*
1 one *eins*
2 two *zwei*
3 three *drei*
4 four *vier*
5 five *fünf*
6 six *sechs*
7 seven *sieben*
8 eight *acht*
9 nine *neun*
10 ten *zehn*
11 eleven *elf*
12 twelve *zwölf*
13 thirteen *dreizehn*
14 fourteen *vierzehn*
15 fifteen *fünfzehn*
16 sixteen *sechzehn*
17 seventeen *siebzehn*
18 eighteen *achtzehn*
19 nineteen *neunzehn*
20 twenty *zwanzig*
21 twenty-one *einundzwanzig*
22 twenty-two *zweiundzwanzig*
30 thirty *dreißig*
31 thirty-one *einunddreißig*
40 forty *vierzig*
41 forty-one *einundvierzig*
50 fifty *fünfzig*
51 fifty-one *einundfünfzig*
60 sixty *sechzig*
61 sixty-one *einundsechzig*
70 seventy *siebzig*
71 seventy-one *einundsiebzig*
80 eighty *achtzig*
81 eighty-one *einundachtzig*
90 ninety *neunzig*
91 ninety-one *einundneunzig*
100 a *od.* one hundred *hundert*
101 hundred and one *hundert(und)-eins*
200 two hundred *zweihundert*
300 three hundred *dreihundert*
572 five hundred and seventy-two *fünfhundert(und)zweiundsiebzig*
1000 a *od.* one thousand *(ein)tausend*
1066 ten sixty-six *tausendsechsundsechzig*
1992 nineteen (hundred and) ninety-two *neunzehnhundertzweiundneunzig*
2000 two thousand *zweitausend*
5044 *teleph.* five 0 double four *fünfzig vierundvierzig*
1000000 a *od.* one million *eine Million*
2000000 two million *zwei Millionen*
1000000000 a *od.* one billion *eine Milliarde*

Ordnungszahlen

1. first *erste*
2. second *zweite*
3. third *dritte*
4. fourth *vierte*
5. fifth *fünfte*
6. sixth *sechste*
7. seventh *siebente*
8. eighth *achte*
9. ninth *neunte*
10. tenth *zehnte*
11. eleventh *elfte*
12. twelfth *zwölfte*
13. thirteenth *dreizehnte*
14. fourteenth *vierzehnte*
15. fifteenth *fünfzehnte*
16. sixteenth *sechzehnte*
17. seventeenth *siebzehnte*
18. eighteenth *achtzehnte*
19. nineteenth *neunzehnte*
20. twentieth *zwanzigste*
21. twenty-first *einundzwanzigste*
22. twenty-second *zweiundzwanzigste*
23. twenty-third *dreiundzwanzigste*

30. thirtieth *dreißigste*
31. thirty-first *einunddreißigste*
40. fortieth *vierzigste*
41. forty-first *einundvierzigste*
50. fiftieth *fünfzigste*
51. fifty-first *einundfünfzigste*
60. sixtieth *sechzigste*
61. sixty-first *einundsechzigste*
70. seventieth *siebzigste*
71. seventy-first *einundsiebzigste*
80. eightieth *achtzigste*
81. eighty-first *einundachtzigste*
90. ninetieth *neunzigste*
100. (one) hundredth *hundertste*
101. hundred and first *hundertunderste*
200. two hundredth *zweihundertste*
300. three hundredth *dreihundertste*
572. five hundred and seventy-second *fünfhundertundzweiundsiebzigste*
1000. (one) thousandth *tausendste*
1950. nineteen hundred and fiftieth *neunzehnhundertfünfzigste*
2000. two thousandth *zweitausendste*
1 000 000. millionth *millionste*
2 000 000. two millionth *zweimillionste*

Bruchzahlen und andere Zahlenwerte

½ one *od.* a half *ein halb*
1½ one and a half *anderthalb*
2½ two and a half *zweieinhalb*
⅓ one *od.* a third *ein Drittel*
⅔ two thirds *zwei Drittel*
¼ one *od.* a quarter, one fourth *ein Viertel*
¾ three quarters, three fourths *drei Viertel*
⅕ one *od.* a fifth *ein Fünftel*
3⅘ three and four fifths *drei vier Fünftel*
⅝ five eighths *fünf Achtel*
12/20 twelve twentieths *zwölf Zwanzigstel*
75/100 seventy-five hundredths *fünfundsiebzig Hundertstel*
0.45 (nought [nɔːt]) point four five *null Komma vier fünf*
2.5 two point five *zwei Komma fünf*

once *einmal*
twice *zweimal*
three (four) times *drei- (vier)mal*
twice as much (many) *zweimal* od. *doppelt so viel(e)*
firstly (secondly, thirdly), in the first (second, third) place *erstens (zweitens, drittens)*
7 + 8 = 15 seven and eight are fifteen *sieben und* od. *plus acht ist fünfzehn*
9 − 4 = 5 nine less four is five *neun minus* od. *weniger vier ist fünf*
2 × 3 = 6 twice three is *od.* makes six *zweimal drei ist sechs*
20 : 5 = 4 twenty divided by five is four *zwanzig dividiert* od. *geteilt durch fünf ist vier*

Englische und amerikanische Maße und Gewichte

Längenmaße
Linear Measure

1 inch = 2,54 cm
1 foot = 12 inches = 30,48 cm
1 yard = 3 feet = 91,44 cm
1 (statute) mile
= 1760 yards = 1,609 km
1 hand = 4 inches = 10,16 cm
1 rod (perch, pole)
= 5½ yards = 5,029 m
1 chain = 4 rods = 20,117 m
1 furlong = 10 chains
= 201,168 m

Nautische Maße
Nautical Measure

1 fathom = 6 feet = 1,829 m
1 cable's length
= 100 fathoms = 182,9 m
⚓ ⚔ *Brit.* = 608 feet
= 185,3 m
⚓ ⚔ *Am.* = 720 feet
= 219,5 m
1 nautical mile
= 10 cables' length
= 1,852 km

Flächenmaße
Square Measure

1 square inch = 6,452 cm^2
1 square foot = 144 square inches
= 929,029 cm^2
1 square yard = 9 square feet
= 8361,26 cm^2
1 acre = 4840 square yards
= 4046,8 m^2
1 square mile = 640 acres
= 259 ha = 2,59 km^2
1 square rod (square pole,
square perch) = 30¼ square yards
= 25,293 m^2

1 rood	= 40 square rods
	= 1011,72 m^2
1 acre	= 4 roods = 4046,8 m^2

Raummaße
Cubic Measure

1 cubic inch	= 16,387 cm^3
1 cubic foot	= 1728 cubic inches
	= 0,02832 m^3
1 cubic yard	= 27 cubic feet
	= 0,7646 m^3

Britische Hohlmaße

British Measure of Capacity

Trocken- und Flüssigkeitsmaße
Dry and Liquid Measure

1 gill	= 0,142 l	
1 pint	= 4 gills	= 0,568 l
1 quart	= 2 pints	= 1,136 l
1 gallon	= 4 quarts	= 4,5459 l
1 quarter	= 64 gallons	= 290,935 l

Trockenmaße – Dry Measure

1 peck	= 2 gallons	= 9,092 l
1 bushel	= 4 pecks	= 36,368 l

Flüssigkeitsmaße – Liquid Measure

1 barrel	= 36 gallons	= 163,656 l

Amerikanische Hohlmaße

American Measure of Capacity

Trockenmaße – Dry Measure

1 pint	= 0,5506 l	
1 quart	= 2 pints	= 1,1012 l
1 gallon	= 4 quarts	= 4,405 l
1 peck	= 2 gallons	= 8,8096 l
1 bushel	= 4 pecks	= 35,2383 l

Flüssigkeitsmaße – Liquid Measure

1 gill	= 0,1183 l	
1 pint	= 4 gills	= 0,4732 l
1 quart	= 2 pints	= 0,9464 l
1 gallon	= 4 quarts	= 3,7853 l
1 barrel	= 31.5 gallons	
	= 119,228 l	

1 hogshead = 2 barrels = 238,456 l
1 barrel petroleum
= 42 gallons = 158,97 l

Apothekermaße
(Flüssigkeiten)

Apothecaries'
Fluid Measure

1 minim *Brit.* = 0,0592 ml
Am. = 0,0616 ml
1 fluid dram = 60 minims
Brit. = 3,5515 ml
Am. = 3,6966 ml
1 fluid ounce = 8 drams
Brit. = 0,0284 l
Am. = 0,0296 l
1 pint *Brit.* = 20 fluid ounces
= 0,5683 l
Am. = 16 fluid ounces
= 0,4732 l

Handelsgewichte
Avoirdupois Weight

1 grain = 0,0648 g
1 dram = 27.3438 grains
= 1,772 g
1 ounce = 16 drams = 28,35 g
1 pound = 16 ounces = 453,59 g
1 hundredweight = 1 quintal
Brit. = 112 pounds
= 50,802 kg
Am. = 100 pounds
= 45,359 kg
1 long ton
Brit. = 20 hundredweights
= 1016,05 kg
1 short ton
Am. = 20 hundredweights
= 907,185 kg
1 stone = 14 pounds = 6,35 kg
1 quarter
Brit. = 28 pounds
= 12,701 kg
Am. = 25 pounds
= 11,339 kg

Troygewichte
Troy Weight

1 grain	= 0,0648 g
1 pennyweight	
	= 24 grains = 1,5552 g
1 ounce	= 20 pennyweights
	= 31,1035 g
1 pound	= 12 ounces
	= 373,2418 g

Vergleichstabelle Schuhlängenmaße

ZENTIMETER	8 9 10 11 12 13 14 15 16 17 18 19 20 21 22 23 24 25 26 27 28 29 30 31 32	CENTIMETRES
PARISER STICH	12 13 14 15 16 17 18 19 20 21 22 23 24 25 26 27 28 29 30 31 32 33 34 35 36 37 38 39 40 41 42 43 44 45 46 47 48	FRENCH PARIS PTS.
ENGLISCHE LÄNGEN	0 1 2 3 4 5 6 7 8 9 10 11 12 13 1 2 3 4 5 6 7 8 9 10 11 12 13	ENGLISH SIZES
AMERIKANISCHE LÄNGEN	0 1 2 3 4 5 6 7 8 9 10 11 12 13 1 2 3 4 5 6 7 8 9 10 11 12 13	AMERICAN SIZES
AMERIK. DAMEN-LÄNGEN	USA-chaussierte Schuhe sind in der Regel 1 1/2 Nummern größer und 2 Wtg. schmäler als normal chaussierte Schuhe. 1 2 3 4 5 6 7 8 9 10 11 12 13	U.S. LADIES' SIZES
ZOLL	3 4 5 6 7 8 9 10 11 12	INCHES

Abgedruckt mit freundlicher Genehmigung der Klöckner Ferromatik Desma GmbH, Werk Achim

Währungen einiger englisch-sprachiger Länder

Land	Währung deutsch	Währung englisch	Abkürzung	Untereinheit
Australien	Austral. Dollar	Australian dollar	$A	100 cents
Bahamas	Bahama-Dollar	Bahamian dollar	$B	100 cents
Barbados	Barbados-Dollar	Barbados dollar	$BDS	100 cents
Dominica	Ostkarib. Dollar	East Caribbean dollar	$EC	100 cents
Fidschi	Fidschi-Dollar	Fiji dollar	$F	100 cents
Großbritannien und Nordirland	Pfund Sterling	pound sterling	£ stg.	100 new pence
Guyana	Guyana-Dollar	Guyana dollar	$G	100 cents
Hongkong	Hongkong-Dollar	Hong Kong dollar	$HK	100 cents
Indien	Ind. Rupie	Indian rupee	Rs	100 paise
Irland	Ir. Pfund	Irish pound	£Ir	100 new pence
Jamaika	Jamaika-Dollar	Jamaican dollar	$J	100 cents
Kanada	Kanad. Dollar	Canadian dollar	$Can	100 cents
Liberia	Liberianischer Dollar	Liberian dollar	$L	100 cents
Malawi	Malawi-Kwacha	Malawi kwacha	K	100 tambala
Malaysia	Malaysischer Ringgit	ringgit	$M	100 sen
Malta	Maltesische Lira	lira, *pl.* liri	LM, £m	100 cents = 1000 mils
Mauritius	Mauritius-Rupie	Mauritius rupee	Mau Rs	100 cents
Neuseeland	Neuseeland-Dollar	New Zealand dollar	$NZ	100 cents
Nigeria	Naira	naira	₦	100 kobo
Sambia	Kwacha	Zambian kwacha	K	100 ngwee
Seychellen	Seychellen-Rupie	Seychelles rupee	SR	100 cents
Sierra Leone	Leone	leone	Le	100 cents
Simbabwe	Simbabwe-Dollar	Zimbabwe dollar	$Z	100 cents
Singapur	Singapur-Dollar	Singapore dollar	$S	100 cents
Sri Lanka	Sri-Lanka-Rupie	Sri Lanka rupee	SL Rs	100 cents
Südafrika, Republik	Rand	rand	R	100 cents
Tansania	Tansania-Schilling	Tanzanian shilling	TSh	100 cents
Uganda	Uganda-Schilling	Uganda shilling	USh	100 cents
Vereinigte Staaten von Amerika	US-Dollar	United States dollar	$US	100 cents

* Angaben nach United Nations Terminology Bulletin No. 334, Juli 1987.

Kennzeichnung der Kino-Filme (in Großbritannien)

U Universal. Suitable for all ages.
Für alle Altersstufen geeignet.

PG Parental Guidance. Some scenes may be unsuitable for young children.
Einige Szenen ungeeignet für Kinder. Erklärung und Orientierung durch Eltern sinnvoll.

15 No person under 15 years admitted when a "15" film is in the programme.
Nicht freigegeben für Jugendliche unter 15 Jahren.

18 No person under 18 years admitted when an "18" film is in the programme.
Nicht freigegeben für Jugendliche unter 18 Jahren.

Kennzeichnung der Kino-Filme (in USA)

G General audiences. All ages admitted.
Für alle Altersstufen geeignet.

PG Parental guidance suggested. Some material may not be suitable for children.
Einige Szenen ungeeignet für Kinder. Erklärung und Orientierung durch Eltern sinnvoll.

R Restricted. Under 17 requires accompanying parent or adult guardian.
Für Jugendliche unter 17 Jahren nur in Begleitung eines Erziehungsberechtigten.

X No one under 17 admitted.
Nicht freigegeben für Jugendliche unter 17 Jahren.

Buchstabieralphabete

	Deutsch	*Britisches Englisch*	*Amerikanisches Englisch*	*International*	*Zivil-Luftfahrt (ICAO)*
A	Anton	Andrew	Abel	Amsterdam	Alfa
Ä	Ärger	–	–	–	–
B	Berta	Benjamin	Baker	Baltimore	Bravo
C	Cäsar	Charlie	Charlie	Casablanca	Charlie
CH	Charlotte	–	–	–	–
D	Dora	David	Dog	Danemark	Delta
E	Emil	Edward	Easy	Edison	Echo
F	Friedrich	Frederick	Fox	Florida	Foxtrot
G	Gustav	George	George	Gallipoli	Golf
H	Heinrich	Harry	How	Havana	Hotel
I	Ida	Isaac	Item	Italia	India
J	Julius	Jack	Jig	Jérusalem	Juliett
K	Kaufmann	King	King	Kilogramme	Kilo
L	Ludwig	Lucy	Love	Liverpool	Lima
M	Martha	Mary	Mike	Madagaskar	Mike
N	Nordpol	Nellie	Nan	New York	November
O	Otto	Oliver	Oboe	Oslo	Oscar
Ö	Ökonom	–	–	–	–
P	Paula	Peter	Peter	Paris	Papa
Q	Quelle	Queenie	Queen	Québec	Quebec
R	Richard	Robert	Roger	Roma	Romeo
S	Samuel	Sugar	Sugar	Santiago	Sierra
Sch	Schule	–	–	–	–
T	Theodor	Tommy	Tare	Tripoli	Tango
U	Ulrich	Uncle	Uncle	Upsala	Uniform
Ü	Übermut	–	–	–	–
V	Viktor	Victor	Victor	Valencia	Victor
W	Wilhelm	William	William	Washington	Whiskey
X	Xanthippe	Xmas	X	Xanthippe	X-Ray
Y	Ypsilon	Yellow	Yoke	Yokohama	Yankee
Z	Zacharias	Zebra	Zebra	Zürich	Zulu

A B C D E F G H I J K L M N O P Q R S T U V W X Z

Wichtige Abkürzungen in diesem Wörterbuch

a.	auch, *also.*
abbr.	*abbreviation*, Abkürzung.
acc.	*accusative* (*case*), Akkusativ.
act.	*active voice*, Aktiv.
adj.	*adjective*, Adjektiv.
adv.	*adverb*, Adverb.
allg.	allgemein, *generally.*
Am.	*(originally) American English*, (ursprünglich) amerikanisches Englisch.
amer. / amer.	amerikanisch, *American.*
anat.	*anatomy*, Anatomie.
antiq.	*antiquity*, Antike.
Arab.	*Arabic*, arabisch.
ast.	*astronomy*, Astronomie.
art.	*article*, Artikel.
attr.	*attributive*(*ly*), attributiv.
bibl.	*biblical*, biblisch.
biol.	*biology*, Biologie.
Brit.	*in British usage only*, nur im britischen Englisch gebräuchlich.
brit. / brit.	britisch, *British.*
b.s.	*bad sense*, im schlechten Sinne.
bsd.	besonders, *particularly.*
cj.	*conjunction*, Konjunktion.
coll.	*collectively*, als Sammelwort.
comp.	*comparative*, Komparativ.
contp.	*contemptuously*, verächtlich.
dat.	*dative* (*case*), Dativ.
dem.	*demonstrative*, Demonstrativ...
dial.	*dialectal*, dialektisch.
eccl.	*ecclesiastical*, kirchlich, geistlich.
e-e, *e-e*	eine, *a* (*an*).
e-m, *e-m*	einem, *to a* (*an*).
e-n, *e-n*	einen, *a* (*an*).
engS.	im engeren Sinne, *in the narrower sense.*
e-r, *e-r*	einer, *of a* (*an*), *to a* (*an*).
e-s, *e-s*	eines, *of a* (*an*).
et., *et.*	etwas, *something.*
etc.	*et cetera*, usw.
euphem.	*euphemistically*, beschönigend.
F	*familiar*, umgangssprachlich.
f	*feminine*, weiblich.
fenc.	*fencing*, Fechten.
fig.	*figuratively*, im übertragenen Sinne, bildlich.
Fr.	*French*, französisch.
gen.	*genitive* (*case*), Genitiv.
geogr.	*geography*, Geographie.
geol.	*geology*, Geologie.
Ger.	*German*, deutsch.
ger.	*gerund*, Gerundium.
Ggs.	*Gegensatz*, antonym.
her.	heraldry, Heraldik, Wappenkunde.
hist.	*historical*, historisch; inhaltlich veraltet.
humor.	*humorously*, scherzhaft.
hunt.	*hunting*, Jagd.
ichth.	*ichthyology*, Ichthyologie, Fischkunde.
imp.	*imperative*, Imperativ.
impers.	*impersonal*, unpersönlich.
ind.	*indicative* (*mood*), Indikativ.
inf.	*infinitive* (*mood*), Infinitiv.
int.	*interjection*, Interjektion.
interrog.	*interrogative*, Interrogativ...
Ir.	*Irish*, irisch.
iro.	*ironically*, ironisch.
irr.	*irregular*, unregelmäßig.
Ital.	*Italian*, italienisch.
j-d, *j-d*	jemand, *someone.*
j-m, *j-m*	jemandem, *to someone.*
j-n, *j-n*	jemanden, *someone.*
j-s, *j-s*	jemandes, *someone's.*
konkr.	konkret, *concretely.*
konstr.	konstruiert, *construed.*
Lat.	*Latin*, lateinisch.
ling.	*linguistics*, Linguistik, Sprachwissenschaft.
lit.	*literary*, literarisch.